D1499456

DICCIONARIO

DE LA

LENGUA ESPAÑOLA

DECIMOCTAVA EDICIÓN

MADRID. — Talleres tipográficos de la Editorial Espasa-Calpe, S. A.

REAL ACADEMIA ESPAÑOLA

DICCIONARIO
DE LA
LENGUA ESPAÑOLA

MADRID
1956

PREÁMBULO

En la «advertencia» que precede a la edición XVII de este DICCIONARIO se explicaba por qué no pudieron aprovecharse en ella los trabajos realizados por la Corporación a partir de 1939 y por qué sólo, a manera de anticipo, una pequeña parte de los mismos se ofrecía en el «Suplemento» añadido a la reproducción estereotípica de la edición anterior.

Hoy la Academia ofrece a sus lectores una edición verdaderamente nueva de su DICCIONARIO, por cuanto toda ella ha sido objeto de minuciosa revisión. Las etimologías se han rectificado con arreglo a los últimos resultados de la investigación en esta rama de la lingüística; asimismo se han corregido muchas definiciones de botánica, zoología y otras ciencias biológicas y no pocas referentes a física y química que resultaban anticuadas a la luz de los adelantos recientes en estas disciplinas; y, por último, se han incorporado al DICCIONARIO muchas voces que corresponden al vocabulario puesto en circulación por las técnicas modernas en medicina, automovilismo, deportes, radio, física nuclear, etc. En este punto la Academia, que siempre anduvo parca en la admisión de tecnicismos, ha abierto esta vez la mano, dando así satisfacción a importantes sectores de opinión que desean hallar en el DICCIONARIO, no sólo la definición de las voces de nuestro patrimonio tradicional, sino también la explicación de esos neologismos que, de poco tiempo a esta parte, han arraigado y tienen amplia difusión en el lenguaje; como *antibiótico*, *genocidio*, *cromosoma*, *deuterio*, *poliomielitis*, *cibernética*, etc.

En conjunto, las voces y acepciones nuevas, sumadas a las del «Suplemento» de la edición anterior que se han incorporado a la presente, ascienden a más de 3.500.

La admisión de nuevos americanismos ha llevado un ritmo más lento porque en este terreno la Academia Española sigue en espera de la colaboración que repetidamente ha solicitado de sus Academias Correspondientes. Ya en la edición del DICCIONARIO de 1925 puede leerse a este propósito: «Para esta tarea (la inclusión de americanismos) la Academia, falta de información propia, hubo de atenerse casi sólo a los vocabularios de americanismos que andan impresos; al seguirlos, sin duda habrá cometido errores, mas espera que las Academias Correspondientes que allá están constituidas puedan ayudarle a enmendarlos en las ediciones futuras.»

A esta solicitud ha respondido cumplidamente la Academia Argentina de Letras y, por tanto, puede decirse que los argentinismos que figuran en la presente edición tienen el visto bueno de la mencionada Academia.

La Chilena, en envíos sucesivos, ha propuesto correcciones y supresiones así como la admisión de nuevas palabras. Sus observaciones se han tenido en cuenta, salvo las de fecha reciente, que, por estar a la sazón muy avanzada la impresión de la edición XVIII, habrán de quedar para la próxima. Lo mismo hay que decir de las importantes contribuciones recibidas de las Academias Cubana, Colombiana, Venezolana y Nicaragüense. A todas ellas la Academia Española les envía desde aquí la expresión de su gratitud por la valiosa colaboración con que la han honrado.

*

* *

Como este DICCIONARIO no es especialmente etimológico, ha sido forzoso prescindir en él de explicaciones que en algunas etimologías serían necesarias, y no se puntualiza, en la mayoría de los casos, la complicada historia de muchas palabras, para determinar por ejemplo, si tal término griego ha entrado en el castellano directamente o a través de otra lengua; si tal vocablo latino ha pasado a nuestro caudal léxico a través del mozárabe o sin este intermediario, etc., etc.

En cuanto a la etimología árabe de las palabras que la tienen, en ediciones anteriores aparecía escrita en caracteres arábigos sin vocalizar, seguida de una transcripción no científica. Esta transcripción era inútil para el orientalista e insuficiente para el profano, incapaz además de leer las letras árabes. Por eso ha parecido oportuno suprimir en esta edición la grafía árabe y substituirla por su transcripción rigurosamente científica.

El sistema de transcripción que se ha seguido es el adoptado por la escuela de arabistas españoles y el oficial en la revista *Al-Andalus*. He aquí los signos que representan las veintiocho consonantes árabes:

’ - b - t - ṯ - ŷ - ḥ - j - d - ḏ - r - z - s - š - ṣ
ḍ - ṭ - ẓ - ‘ - g - f - q - k - l - m - n - h - w - y

La *hamza* inicial no se transcribe. La *tā’ marbūṭa* se representa por *a* en estado absoluto, y por *at* cuando va seguida de un genitivo. Las vocales son: *a*, *i*, *u* (breves) y *ā*, *ī*, *ū* (largas). El *alif maqṣūra* se marca *à*.

Los únicos extremos en que la transcripción se aparta del sistema de *Al-Andalus* son: la representación de los diptongos, que se transcriben por *ai*, *au* (en vez de *ay*, *aw*), y la del artículo ante letras solares, pues se sigue la pronunciación y no la grafía (*aṣ-ṣibar*, en lugar de *al-ṣibar*). Parece inútil advertir que, al consignar la etimología árabe, la Academia no ha podido explicar ciertas deformaciones que la pronunciación vulgar impuso a dicha grafía y que se han reflejado a menudo en la forma española. Sólo se anotan los casos patentes de imela (pronunciación de *a* como *i*).

La transcripción empleada difiere de la internacional más corriente, aparte de muy leves pormenores, sólo en dos signos: *ŷ* para la 5.ª consonante y *j* para la 7.ª

Tenidas en cuenta estas advertencias, el conocedor de la lengua que tenga a la vista la tabla de equivalencias podrá restablecer con exactitud la grafía árabe.

Las palabras hebreas, que en anteriores ediciones iban transcritas en caracteres hebraicos, y las pertenecientes a lenguas del Oriente, que lo iban en caracteres árabes, van asimismo transcritas en esta edición con signos alfabéticos latinos provistos de puntos diacríticos, según las equivalencias usuales.

REAL ACADEMIA ESPAÑOLA

ACADÉMICOS DE NÚMERO

Excmo. Sr. D. Ramón Menéndez Pidal, Catedrático jubilado de la Facultad de Filosofía y Letras de Madrid; Miembro de la Real Academia de la Historia; del *Institut de France;* de la *British Academy;* de la *Hispanic Society of America* (medallista); de la *American Academy of Arts and Sciences;* de la *Reale Accademia dei Lincei;* de la *Reale Accademia della Crusca;* de la *Accademia degli Arcadi;* del *Reale Istituto Veneto di Science, Lettere ed Arti;* de la *Academia das Sciencias* de Lisboa; de la Academia de Ciencias de Suecia; de la *Académie Royale des Lettres et des Beaux-Arts* de Belgique; de la *Göteborgs Kungl. Vetenskaps och Vitterhets Samhälle,* de la Academia de Ciencias de Bonn; de la Academia Bávara; de la Academia Nacional de Historia del Ecuador; de la Academia Argentina de Letras; de la *Modern Language Association of America;* Presidente de la *Société Linguistique Romane* en 1928; Doctor *honoris causa* de las Universidades de París, Oxford, Hamburgo, Tubinga, Toulouse, Lovaina, Bruselas, Amsterdam, Génova, Bonn, Zurich, Palermo, Santiago de Chile, Habana y Bucarest. — *Director.*

Excmo. Sr. D. Gabriel Maura y Gamazo, Duque de Maura, ex Diputado a Cortes; ex Senador vitalicio del Reino; ex Ministro de la Corona; Individuo de número de la Real Academia de la Historia y Correspondiente de las Academias Colombiana y Panameña de la Historia; Miembro del Instituto de Coimbra y del Histórico y Geográfico del Uruguay; Académico de la Hispano Americana de Ciencias y Artes; Gran Cruz de Isabel la Católica, de la Corona de Italia, de la Corona de Rumania, de San Estanislao de Rusia, de Villaviciosa de Portugal y de Danilo I de Montenegro; Oficial de la Legión de Honor de Francia.

Excmo. Sr. D. Julio Casares Sánchez, Graduado, con Diploma, de la Escuela Superior de Lenguas Orientales de París; Jefe de la Interpretación de Lenguas; Jefe Superior de Administración del Cuerpo Técnico de la Secretaría de las Cortes Españolas; Miembro de Honor del Consejo Superior de Investigaciones Científicas; Director del Instituto de Filología Hispánica «Miguel de Cervantes» de dicho Consejo; Director del Seminario de Lexicografía de la Real Academia Española; Consejero de la Comisión Española de la UNESCO; Individuo de número de la *Hispanic Society of America;* Íd. de la *American Association of Teachers of Spanish;* Correspondiente de la Academia Argentina de Letras; Gran Cruz de Isabel la Católica; Gran Oficial de la Corona de Italia; Oficial de la Legión de Honor; Oficial de Academia de Francia; Caballero del Tesoro Sagrado del Japón, Doble Dragón de China, con botón azul. — *Secretario perpetuo.*

Excmo. Sr. D. José Martínez Ruiz, ex Subsecretario del Ministerio de Instrucción Pública y Bellas Artes; de la Real Academia Gallega; de la Academia de Besançon; Miembro de la *Hispanic Society of America,* de Nueva York; Gran Cruz de Isabel la Católica; Gran Cruz de Alfonso X el Sabio; Comendador de la Legión de Honor; Orden de Boyacá, de Colombia; Medalla de Oro de la ciudad de Monóvar.

Excmo. Sr. D. Vicente García de Diego, Catedrático jubilado. — *Bibliotecario perpetuo.*

Excmo. Sr. D. Leopoldo Eijo Garay, Patriarca de las Indias Occidentales; Obispo de Madrid; Doctor en Filosofía; Doctor en Sagrada Teología; Doctor en Derecho Canónico; ex Profesor de Hebreo en la Universidad Pontificia de Sevilla; ex Profesor de Sagrada Teología en el Seminario de Jaén; ex Profesor de Sagrada Escritura y de Derecho Canónico en la Universidad Pontificia de Santiago de Compostela y Miembro del Claustro de Doctores Examinadores de la misma en las Facultades de Filosofía, Teología y Cánones; ex Censor de la Real Academia Española; Individuo de número de la Real Academia de Ciencias Morales y Políticas; Presidente del Instituto de España; Académico de la Pontificia Academia Romana de Santo Tomás de Aquino; Académico de Honor de la Real Academia Gallega; Académico correspondiente de la de Buenas Letras de Sevilla; Vocal del Consejo Superior de Investigaciones Científicas; Presidente del Patronato Raimundo Lulio y Director del Instituto Suárez, de Teología, del mismo Consejo; Miembro del Consejo Nacional de Educación; Procurador en Cortes; Presidente de la Comisión de Educación en las Cortes Españolas; ex Senador del Reino; ex Miembro de la Asamblea Nacional Española; Prelado Doméstico de Su Santidad y Asistente al Solio Pontificio; Noble Romano con título de Conde; Caballero del Collar de la Real Orden de Isabel la Católica; Caballero Gran Cruz de la Orden Civil de Beneficencia; de la del Mérito Naval; de la Gran Cruz Roja de Cuba; de la de Alfonso X el Sabio, y de la de Cisneros; Gran Cruz Meritísima de la de San Raimundo de Peñafort; Gran Cruz de la Orden Imperial del Yugo y las Flechas; etc.

EXCMO. SR. D. AGUSTÍN GONZÁLEZ DE AMEZÚA Y MAYO, Doctor en Derecho Civil y Canónico; Abogado del Ilustre Colegio de Madrid; Director de la Real Academia de la Historia; Individuo de número de las Reales Academias Española y de Jurisprudencia y Legislación; Académico correspondiente de las Academias Nacional de Artes y Letras de Cuba y Pontaniana de Nápoles; Miembro correspondiente de la *Hispanic Society of America;* Director del Centro de Estudios sobre Lope de Vega; Presidente del Patronato de Diego de Saavedra Fajardo del Consejo Superior de Investigaciones Científicas; Vocal del Patronato de la Biblioteca Nacional; ex Vicepresidente de la Real Academia de Jurisprudencia y Legislación; ex Concejal del Excelentísimo Ayuntamiento de Madrid; Gran Cruz de la Orden Civil de Alfonso X el Sabio; Comendador de la Orden de la Corona de Italia. — *Tesorero.*

EXCMO. SR. D. RAMÓN CABANILLAS ENRÍQUEZ, Individuo de número de la Real Academia Gallega.

EXCMO. SR. D. LORENZO RIBER CAMPINS, ex Catedrático de Humanidades en el Seminario de Palma de Mallorca; proclamado *Mestre en Gaí Saber* por el Consistorio de los Juegos Florales de Barcelona, en 1910; galardonado, en 1917, con el premio de *Filología* del *Institut de la Llengua Catalana* y con los premios *Fastenrath* y *Concepción Rabell,* correspondientes a los años 1922 y 1924; Colaborador de la *Fundació Bernat Metge;* Colaborador de la Biblioteca Hispánica de Autores Griegos y Latinos; Traductor de las Obras completas de Séneca; de las Obras completas de Juan Luis Vives, declaradas de interés nacional; Gran Cruz de la Orden Civil de Alfonso X el Sabio.

EXCMO. SR. D. GREGORIO MARAÑÓN, Profesor de la Universidad Central; Médico del Hospital General; Individuo de número de las Reales Academias de la Historia, de Medicina, de Ciencias Exactas, Físicas y Naturales y de Bellas Artes; Doctor *honoris causa* de La Sorbona, de la Universidad de Oporto y de la Universidad de San Marcos de Lima; Miembro de honor de la *Royal Society of Medicine* de Londres; Vicepresidente de la *Hispanic Society of America;* Comendador de la Legión de Honor. — *Censor.*

EXCMO. SR. D. PÍO BAROJA Y NESSI, Doctor en Medicina; Individuo de la *Hispanic Society of America.*

EXCMO. SR. D. JOSÉ MARÍA PEMÁN Y PEMARTÍN, Doctor en Derecho; Caballero de la Orden de Montesa; Académico correspondiente de la Academia de Ciencias y Letras de Lisboa y de la Academia Argentina de Letras; Gran Cruz de la Orden de Alfonso X el Sabio (España); de la Orden del Sol (Perú); de la Orden del Mérito (Ecuador), etc.

EXCMO. SR. D. FEDERICO GARCÍA SANCHIZ, Correspondiente de las Reales Academias de Buenas Letras de Sevilla; de la Historia y Bellas Artes de Toledo; de la de Bellas Artes de Valencia; de la Academia Argentina de Letras y de la Dominicana; Doctor en Letras *honoris causa* por la Universidad de Santo Tomás de Manila; Caballero Gran Cruz de la Orden de Isabel la Católica; Gran Cruz de la Orden de la Mehdauía; Medalla de Oro de Tierra Santa. Hijo preclaro y Concejal honorario de Valencia; Hijo adoptivo de Santiago de Compostela, Navarra, Oviedo, Burgos, Macotera, Sigüenza, Huesca, Zaragoza, Teruel, Baena, Elche, Málaga, Sevilla, San Cristóbal de Entreviñas y Mequinenza; Señalero honorario del Estado Mayor de la Escuadra; Hermano Mayor Universal de la Archicofradía del Glorioso Apóstol Santiago, etc.

EXCMO. SR. D. MANUEL GÓMEZ MORENO, Catedrático jubilado de Arqueología árabe en la

Universidad Central; Individuo de número de las Reales Academias de la Historia y de Bellas Artes de San Fernando; de la *Hispanic Society of America* de Nueva York, de la de Anticuarios de Londres y del Instituto Arqueológico Alemán.

EXCMO. SR. D. WENCESLAO FERNÁNDEZ FLÓREZ, Gran Cruz de Isabel la Católica; Oficial de la Orden de Orange Nassau de Holanda; Gran Oficial de la Orden Militar de Cristo, de Portugal; Académico correspondiente de la Real Academia Gallega y de la Academia Nacional Cubana de Artes y Buenas Letras.

EXCMO. SR. D. RAFAEL ESTRADA Y ARNÁIZ, Almirante de la Armada; Académico de número de la Hispano-Americana de Ciencias y Artes de Cádiz; Correspondiente de las Reales Academias: de Ciencias; Bellas Letras y Nobles Artes de Córdoba; de la Sevillana de Buenas Letras, y de la Gallega. Consejero del Patronato «Alfonso el Sabio» del Consejo Superior de Investigaciones Científicas. Presidente de la Asociación Española para el Progreso de las Ciencias; Presidente del Patronato de Lecturas para el Marino y otros cargos. Grandes Cruces: del Mérito Naval; Mérito Militar; de San Hermenegildo; de la Orden Militar de Avis, y de la Corona de Italia. Cruces: de Guerra; de María Cristina; Roja del Mérito Naval; de San Estanislao de Rusia; de Caballero y de Oficial de la Legión de Honor de Francia; del Águila Blanca con espadas, alemana, y otras. Medallas: de la Regencia de S. M. Doña María Cristina; de la Coronación de S. M. Don Alfonso XIII; de África, ocupación de Casablanca; de la Campaña de Liberación; de Oro de la Cruz Roja Española, y otras.

EXCMO. SR. D. EMILIO GARCÍA GÓMEZ, Catedrático de Lengua Árabe en la Universidad de Madrid; Doctor *honoris causa* por las Universidades de Burdeos, El Cairo y Argel; Individuo de número de la Real Academia de la Historia; Miembro de número de la *Hispanic Society of America* de Nueva York; Miembro extranjero de la Academia Árabe de Damasco; Miembro asociado del Instituto de Egipto; Miembro correspondiente de la Academia Árabe de El Cairo, de la Academia del Irak, de la Academia de Bellas Artes de Granada, de la Real Academia de Ciencias, Bellas Letras y Nobles Artes de Córdoba, y de varias Academias americanas de la Historia; Director del Instituto Hispano-Árabe de Cultura; Director del Instituto «Miguel Asín» del Consejo Superior de Investigaciones Científicas; Director de la Revista *Al-Andalus* de las Escuelas de Estudios Árabes de Madrid y Granada; Gran Cruz de la Orden del Mérito Civil; Oficial de la Legión de Honor; Gran Cruz de la Orden de Rafidain del Irak, de la Orden de la Independencia de Jordania, de la Orden de los Omeyas de Siria y de la Orden de la Mehdawía de Marruecos; Comendador de la Orden del Cedro del Líbano; Miembro de la Comisión consultiva de los Congresos internacionales de orientalistas, del Comité de Dirección de la *Encyclopédie de l'Islam*, de la Comisión internacional para una Historia científica y cultural de la Humanidad (UNESCO), y del Instituto Internacional de Civilizaciones Diferentes de Bruselas; Vocal del Patronato de la Alhambra y Palacio de Carlos V de Granada y de la Junta de excavaciones de Medina Azzahra. — *Vocal adicto a la Comisión Administrativa.*

EXCMO. SR. D. LUIS MARTÍNEZ-KLEISER Y GARCÍA, Licenciado en Derecho Civil y Canónico; Correspondiente de la Real Academia Española Sevillana de Buenas Letras y de la Real Academia de Bellas Artes de San Telmo, de Málaga; ex Alcalde Presidente interino del Ayuntamiento de Madrid; Presidente del Patronato Social Antileproso; Presidente del Patronato de Protección a la Mujer; Vicepresidente del Consejo Superior de la Protección de Menores y Presidente de su Sección segunda; Cronista Oficial de la provincia de Cuenca; Medalla de Oro de dicha provincia; Hijo adoptivo de Cuenca y de varios Municipios de la provincia; Comendador con Placa de la Orden de Alfonso X el Sabio; Comendador de la Orden de San Gregorio Magno; Medalla de Plata de la Cruz Roja, etc.

EXCMO. SR. D. JUAN IGNACIO LUCA DE TENA, Marqués de Luca de Tena; Embajador de España; Licenciado en Derecho; Premio *Piquer* 1935, de la Real Academia Española; Premio Nacional de Teatro en los años 1949 y 1953; ex Diputado a Cortes; ex Director de *A B C;* Presidente del Consejo de Administración de la Sociedad «Prensa Española»; Cruz del Mérito Militar con distintivo rojo y Medalla de la Campaña; Gran Cruz al Mérito de Chile; Gran Cruz Juan Pablo Duarte de la República Dominicana; Comendador del Águila Alemana; Comendador de la Orden de la Mehdawía.

EXCMO. SR. D. NARCISO ALONSO CORTÉS, Doctor en Filosofía y Letras y en Derecho Civil y Canónico y Abogado del Ilustre Colegio de Valladolid; Catedrático, ex Director y Director honorario del Instituto Nacional de Segunda Enseñanza de Valladolid; ex Presidente de la Real Academia de Bellas Artes de la Purísima Concepción de Valladolid; Cronista de Valladolid; declarado hijo ilustre de Valladolid por el Ayuntamiento de la ciudad; Medalla de Oro de la misma; galardonado con el premio *Fastenrath* de 1920; Correspondiente de las Reales Academias de la Historia y de Bellas Artes de San Fernando, de la *Hispanic Society of America* y de la *American Association of Teachers of Spanish*, de los Estados Unidos, del Instituto de Coimbra, de la Sociedad de Geografía de Lisboa, de la Academia Argentina de Letras, etc.

EXCMO. SR. D. DÁMASO ALONSO Y FERNÁNDEZ DE LAS REDONDAS, Doctor en Filosofía y Letras de la Universidad de Madrid; Doctor *honoris causa* de las Universidades de San Marcos de Lima, Burdeos y Hamburgo; Catedrático de Lingüística Románica de la Universidad de Madrid; Académico electo de la Real de la Historia; Miembro del Consejo Superior de Investigaciones Científicas; Miembro de honor de la *Modern Language Association of America;* Miembro de honor de la *American Association of Teachers of Spanish and Portuguese;* Miembro de número de la *Hispanic Society of America;* Miembro correspondiente de la *Bayerische Akademie der Wissenschaften*, de Munich; Miembro correspondiente de la Real Academia Gallega, de la Real Academia de Ciencias, Bellas Letras y Nobles Artes de Córdoba y de la Academia de Buenas Letras de Sevilla; Premio Nacional de Literatura; Premio *Fastenrath* de la Real Academia Española.

EXCMO. SR. D. GERARDO DIEGO CENDOYA, Catedrático de Lengua Española y Literatura en el Instituto Beatriz Galindo de Madrid; Hijo predilecto de Santander; Hijo adoptivo de Soria.

EXCMO. SR. D. JOSÉ MARÍA DE COSSÍO Y MARTÍNEZ FORTÚN, Licenciado en Derecho, ex Alcalde de Tudanca (Santander).

EXCMO. SR. D. FRANCISCO JAVIER SÁNCHEZ CANTÓN, Catedrático de Historia del Arte y Decano de la Facultad de Filosofía y Letras en la Universidad de Madrid; Subdirector del Museo del Prado; Director del Instituto «P. Sarmiento de Estudios Gallegos»; Vicedirector del «Diego Velázquez» y Consejero en el Consejo Superior de Investigaciones Científicas; Presidente de la Sección de Bellas Artes en el Consejo Nacional de Educación; Presidente de la Junta de Iconografía Nacional; Individuo de número de las Reales Academias de la Historia y de Bellas Artes de San Fernando; Honorario de la Real Academia Gallega; Miembro y Medalla de Ciencias y Letras de la *Hispanic Society of America;* Correspondiente del Instituto de Coimbra y de las Academias de Bellas Artes de Lisboa y de Bélgica, de las de la Historia de Nicaragua, Guatemala, Argentina, Colombia, Panamá y del Instituto de Geografía e Historia del Uruguay; Numerario de la de Bellas Artes de la Purísima Concepción de Valladolid; Correspondiente de las de Santa Isabel de Hungría de Sevilla, de San Carlos de Valencia, de San Telmo de Málaga, de Córdoba y de Toledo; Miembro de la Comisión ejecutiva del *Conseil international des Musées* (ICOM), y de la nacional de cooperación con la UNESCO; Patrono honorario de los Museos de Bélgica y efectivo de los del Prado, Arqueológico Nacional, del Siglo XIX, de Reproducciones Artísticas, del Pueblo Español, de Vigo y de Pontevedra, de las Fundaciones Vega Inclán, de la Fundación Lázaro y del Instituto de Valencia de Don Juan; Gran Cruz de Alfonso X el Sabio; Comendador de número de Isabel la Católica; Gran Oficial de la de Sant Yago da Espada de Portugal; Oficial de la Legión de Honor de Francia; Comendador de la Orden jerifiana de Ouissam Alaouite; Medalla de Oro de la Ciudad de Pontevedra.

EXCMO. SR. D. VICENTE ALEIXANDRE MERLO, Licenciado en Derecho; Intendente Mercantil; Premio Nacional de Literatura en 1933.

EXCMO. SR. D. CARLOS MARTÍNEZ DE CAMPOS Y SERRANO, Duque de La Torre y Conde de Llovera y de San Antonio; Teniente General; Ingeniero Industrial del Ejército; Diplomado de Estado Mayor; Medalla Militar individual; Medalla de Oro de Bilbao; Correspondiente de la Real Academia de la Historia; Caballero de la Orden Militar de Calatrava; Caballero Gran Cruz de Isabel la Católica, del Mérito Militar sencilla, del Mérito Militar pensionada, del Mérito Aeronáutico y de San Hermenegildo; Medallas de las campañas del Rif (1909-10), de Marruecos (1921-23), de Libia (1929-30) y de la Guerra de Liberación (1936-39), y varias otras medallas, cruces y grandes cruces nacionales y extranjeras.

EXCMO. SR. D. MELCHOR FERNÁNDEZ ALMAGRO, Doctor en Derecho; Jefe de Administración Civil de Primera Clase del Ministerio de Información y Turismo; Individuo de número de la Real Academia de la Historia; Correspondiente de las Academias Colombiana y Panameña de la Historia y del Instituto Histórico y Geográfico del Uruguay; Jefe de Sección del Instituto de Estudios Políticos, de Madrid; Miembro del Consejo Superior de Investigaciones Científicas; Consejero de honor del Instituto de Estudios Giennenses;

Vocal del Patronato del Museo Nacional de Arte Moderno, de la Junta de Iconografía Nacional y del Consejo de Cinematografía y Teatro.

EXCMO. SR D. JULIO PALACIOS, Doctor en Ciencias Físicas y Licenciado en Ciencias Exactas; Catedrático de Termología en la Universidad de Madrid; Numerario de la Real Academia de Ciencias Exactas, Físicas y Naturales y de la Real Academia de Medicina; Correspondiente de la Real Academia de Ciencias y Artes de Barcelona y de las Academias de Ciencias de Buenos Aires, Zaragoza y Lisboa. Ha sido Director del Instituto Nacional de Física y Química (Fundación Rockefeller), Vicerrector de la Universidad de Madrid, Profesor de la Escuela Superior de Ingenieros Aeronáuticos y Presidente de la Real Sociedad de Física y Química. Profesor de Termodinámica y Mecánica Física de la Universidad de Lisboa; Director del Laboratorio de Física Nuclear de Lisboa; Miembro de la Asamblea de la Comisión Española de la UNESCO; Presidente del Comité Español de la Unión Internacional de Física Pura y Aplicada.

EXCMO. SR. D. RAFAEL LAPESA MELGAR, Catedrático de Historia del Español en la Facultad de Filosofía y Letras de la Universidad de Madrid; Miembro correspondiente de la *Hispanic Society of America*, del Instituto de Estudios Asturianos y de la Real Academia Gallega; Miembro honorario de la *American Association of Teachers of Spanish and Portuguese*.

EXCMO. SR. D. JULIO REY PASTOR, Catedrático de la Universidad de Madrid; Director del Seminario de Historia de la Ciencia.

EXCMO. SR. D. PEDRO LAÍN ENTRALGO, Doctor en Medicina y Licenciado en Ciencias; Catedrático de la Universidad de Madrid y Rector de la misma; Individuo de número de la Real Academia de Medicina; Director del Instituto «Arnaldo de Vilanova» y del *Archivo Iberoamericano de Historia de la Medicina y Antropología Médica* del Consejo Superior de Investigaciones Científicas; Doctor *honoris causa* de la Universidad de San Marcos de Lima; Profesor honorario de la Universidad Nacional de Santiago de Chile; Miembro correspondiente de la *Akademie der Wissenschaften* de Heidelberg; Gran Cruz de la Orden de Isabel la Católica, de la de Cisneros, de la del Sol del Ecuador y de la de San Carlos de Colombia.

EXCMO. SR. D. JOAQUÍN CALVO-SOTELO, Licenciado en Derecho; Abogado del Estado; Correspondiente de la Real Academia Gallega; Caballero de la Orden de Malta; ex Secretario de la Cámara Oficial del Libro; ex Secretario General del Instituto Nacional del Libro de Madrid; Premio *Piquer* y *Espinosa y Cortina* (de la Real Academia Española); Premio *Mariano de Cavia* (1950); Premio Nacional de Teatro (1950, 1951 y 1954).

ACADÉMICOS DE NÚMERO ELECTOS

EXCMO. SR. D. RAMÓN PÉREZ DE AYALA.
EXCMO. SR. D. PEDRO SÁINZ RODRÍGUEZ.
EXCMO. SR. D. RAFAEL SÁNCHEZ MAZAS.
EXCMO. SR. D. EUGENIO MONTES.

ACADÉMICO HONORARIO

SR. D. JULIO DANTAS, Lisboa.

ACADÉMICOS CORRESPONDIENTES ESPAÑOLES

SR. D. RAMÓN D. PERÉS, Barcelona.
R. P. FRAY DAVID RUBIO, Castilla la Vieja.
SR. D. RAMÓN OTERO PEDRAYO, Galicia.
SR. D. FRANCISCO DE MENDIZÁBAL, Castilla la Vieja.
SR. D. FERNANDO ISCAR PEYRA, León.
SR. D. JOSÉ MIGUEL DE BARANDIARÁN, Provincias Vascongadas.
SR. D. ERASMO BUCETA, Galicia.
SR. D. FRANCISCO DE B. MOLL, Palma de Mallorca.
SR. D. SALUSTIANO PORTELA PAZOS, Galicia.
SR. D. SANTIAGO MONTOTO DE SEDAS, Andalucía.
SR. D. GUILLERMO DÍAZ-PLAJA, Cataluña.
SR. D. MANUEL DE MONTOLÍU Y TOGORES, Cataluña.
SR. D. JOSÉ D. DÍAZ-CANEJA, Asturias.
SR. D. JOSÉ MANUEL BLECUA, Aragón.
SR. D. EMILIO ALARCOS GARCÍA, Castilla la Vieja.
SR. D. MANUEL GARCÍA BLANCO, Castilla la Vieja.
SR. D. JOSÉ MARÍA CASTRO Y CALVO, Cataluña.
SR. D. JOSÉ PÉREZ VIDAL, Canarias.
SR. D. JOSÉ CARLOS DE LUNA, Andalucía.
SR. D. MARTÍN DE RIQUER, Cataluña.
SR. D. FRANCISCO ALMELA Y VIVES, Valencia.
SR. D. MANUEL SANCHÍS GUARNER, Valencia.
SR. D. FRANCISCO SÁNCHEZ-CASTAÑER Y MENA, Andalucía.
SR. D. ANTONIO RODRÍGUEZ MOÑINO, Extremadura.

Sr. D. Isidoro Macabich Llobet, Baleares.
Sr. D. Manuel Muñoz Cortés, Murcia.
Sr. D. José Fernando Filgueira Valverde, Galicia.
Sr. D. Arcadio de Larrea, Marruecos Español.
Sr. D. José María Iribarren, Navarra.
Sr. D. Juan de Mata Carriazo, Andalucía.

ACADÉMICOS CORRESPONDIENTES HISPANOAMERICANOS Y EXTRANJEROS

Sr. D. Arturo Capdevila, Buenos Aires.
Sr. D. Manuel Gálvez, Buenos Aires.
Sr. D. Enrique Larreta, Buenos Aires.
Sr. D. Ricardo Rojas, Buenos Aires.
Sr. D. Gustavo Martínez Zuviría, Buenos Aires.
P. Rodolfo M. Ragucci, Bernal (Argentina).
Mons. Gustavo J. Franceschi, Buenos Aires.
Sr. D. Juan B. Selva, Dolores (Argentina).
Sr. D. Carlos Ibarguren, Buenos Aires.
Sr. D. Arturo Marasso, Buenos Aires.
Sr. D. Teodoro Stromer, Berlín.
Sr. D. Guillermo Huszar, Budapest.
Sr. D. Enrique Bejarano, Bucarest.
Sr. D. J. D. M. Ford, Estados Unidos.
Sr. D. Miguel del Toro y Gisbert, París.
Sr. D. Magnus Grönvold, Noruega.
Sr. D. Julio Laborde, París.
Sr. D. Aurelio M. Espinosa, Estados Unidos.
Sr. D. Joaquín Rickard, Estados Unidos.
Sr. D. Walter Fitzwilliam Starkie, Irlanda.
Sr. D. Fritz Krüger, Mendoza (Argentina).
Sr. D. C. F. Adolfo van Dam, Utrecht (Holanda).
Sr. D. José A. Balseiro, Estados Unidos.
Sr. D. Chayin Nahman Bialik, Telaviv (Palestina).
Sr. D. Rodolfo Slabý, Checoslovaquia.
Sr. D. A. R. Nykl, Estados Unidos.
Sr. D. Juan Cassou, París.
Sr. D. Renato Bouvier, París.
Sr. D. Erick Staaff, Upsala (Suecia).
Sr. D. Leónida Biancolini, Roma (Italia).
Sr. D. Eugenio Mele, Nápoles (Italia).
Sr. D. Popescu Telega, Bucarest (Rumania).
Sr. D. Rodolfo Grossmann, Hamburgo.
Sr. D. Aurelio M. Espinosa (hijo), Cambridge (Estados Unidos).
Sr. D. Osvaldo Orico, Brasil.
Sr. D. Carlos Bratli, Dinamarca.
Sr. D. J. A. van Praag, Países Bajos.
Sr. D. Marcel Bataillon, París.
R. P. Giovanni M. Bertini, Turín.
Sr. D. Arnald Steiger, Suiza.
Sr. D. Hayward Keniston, Estados Unidos.
Sr. D. Pedro Calmon, Brasil.
Sr. D. Antonio Carneiro Leão, Brasil.
Sr. D. Gustavo Barroso, Brasil.

Relación, por orden de su establecimiento, de las Academias de la Lengua que colaboran con la Real Academia Española

ACADEMIAS CORRESPONDIENTES

cuyos individuos,

al tomar posesión, pasan a ser Correspondientes de la Real Academia Española

ACADEMIA COLOMBIANA

R. P. Félix Restrepo, S. J., *Director*.
Sr. D. Alberto Lleras Camargo, *Subdirector, electo*.
Sr. D. José Manuel Rivas Sacconi, *Secretario perpetuo*.
Sr. D. Roberto Restrepo, *Censor*.
Sr. D. Antonio Álvarez Lleras, *Tesorero*.
Sr. D. Manuel José Forero, *Bibliotecario*.
Sr. D. Luis López Mesa.
Sr. D. Eduardo Guzmán Esponda.
Mons. José Vicente Castro Silva.
Sr. D. Baldomero Sanín Cano.
Sr. D. Eduardo Santos.
R. P. José Joaquín Ortega.
Sr. D. Juan Crisóstomo García, Presbítero.
Sr. D. Eduardo Caballero Calderón.
Sr. D. Germán Arciniegas.
Sr. D. Rafael Maya.
Sr. D. Julián Motta Salas.
Sr. D. Emilio Robledo.
Sr. D. José Antonio León Rey.
Sr. D. Eduardo Carranza, *electo*.
Sr. D. Ángel María Céspedes, *electo*.
Sr. D. Julio César García, *electo*.
Sr. D. Manuel Mosquera Garcés, *electo*.
Sr. D. Rafael Torres Quintero, *electo*.
Sr. D. Manuel José Casas Manrique, *electo*.
Sr. D. Fernando Antonio Martínez, *electo*.
Sr. D. Luis Flórez, *electo*.

ACADEMIA ECUATORIANA

Sr. D. José R. Bustamante, *Director*.
Sr. D. Julio Tobar Donoso, *Secretario-Tesorero*.

Sr. D. Gonzalo Zaldumbide.
Sr. D. José María Velasco Ibarra.
R. P. Aurelio Espinosa Pólit, S. J.
Sr. D. Isaac J. Barrera.
Sr. D. Benjamín Carrión, *electo.*
Sr. D. Augusto Arias, *electo.*
R. P. Jorge Chacón, S. J., *electo.*
Sr. D. Alfredo Pérez Guerrero, *electo.*
Sr. D. Guillermo Bustamante, *electo.*
Emmo. Sr. D. Carlos María de la Torre, *electo.*
Sr. D. José Rumazo, *electo.*

ACADEMIA MEJICANA

Sr. D. Alejandro Quijano, *Director.*
Sr. D. Alberto María Carreño, *Secretario.*
Sr. D. Ángel María Garibay, *Censor.*
Sr. D. Jenaro Fernández Mac Gregor, *Tesorero.*
Sr. D. José Vasconcelos, *Bibliotecario.*
Sr. D. Manuel Romero de Terreros, Marqués de San Francisco.
Sr. D. Artemio de Valle Arizpe.
Sr. D. Nemesio García Naranjo.
Sr. D. Alfonso Reyes.
Sr. D. José de J. Núñez y Domínguez.
Sr. D. Julio Jiménez Rueda.
Sr. D. Alfonso Junco.
Sr. D. Francisco Monterde.
Sr. D. Antonio Mediz Bolio.
Sr. D. Antonio Castro Leal.
Sr. D. José María González de Mendoza.
Sr. D. Isidro Fabela.
Sr. D. Agustín Yáñez.
Sr. D. Salvador Novo.
Sr. D. Martín Luis Guzmán.
Sr. D. Julio Torri.
Sr. D. Jaime Torres Bodet.
Sr. D. Francisco J. Santamaría.
Sr. D. Miguel Alemán.
Sr. D. Carlos Pellicer.
Sr. D. José Ignacio Dávila Garibi.
Sr. D. José Gorostiza.
Sr. D. Francisco González Guerrero.
Sr. D. Daniel Huacuja.
Sr. D. Luis Garrido.
Sr. D. Antonio Gómez Robledo.

ACADEMIA SALVADOREÑA

Sr. D. Enrique Córdova, *Subdirector.*
Sr. D. Alberto Rivas Bonilla, *Secretario.*
Sr. D. Francisco A. Lima, *Tesorero.*
Sr. D. Julio Enrique Ávila.
Sr. D. Víctor Jerez.
Sr. D. David Rosales.
Sr. D. Hermógenes Alvarado.
Sr. D. Francisco José Castro Ramírez.
Sr. D. Miguel Rafael Urquía.
Sr. D. Reynaldo Galindo Polh.
Sr. D. Raúl Contreras.
Sr. D. Napoleón Viera Altamirano.
Sr. D. Hugo Lindo.
Sr. D. Luis Gallegos Valdés.
Sr. D. Romero Fortín Magaña.
Sr. D. Napoleón Rodríguez Ruiz.
Sr. D. Manuel Alfonso Fagoaga.

ACADEMIA VENEZOLANA

Sr. D. José Manuel Núñez Ponte, *Director.*
Sr. D. Rafael Yepes Trujillo, *Secretario.*
R. P. Pedro Pablo Barnola, *Censor.*
Sr. D. Antonio Reyes, *Bibliotecario.*
Sr. D. Eduardo Arroyo Lameda, *Tesorero.*
Sr. D. Mario Briceño Iragorri.
Sr. D. Edgar Sanabria Arcia.
Sr. D. José Ramón de Ayala.
Sr. D. Santiago Key de Ayala.
Sr. D. Pedro Manuel Arcaya.
Sr. D. Crispín Ayala Duarte.
Mons. Nicolás E. Navarro.
Sr. D. Jesús Antonio Cova.
Sr. D. Ramón Díaz Sánchez.
Sr. D. Guillermo Trujillo Durán.
Sr. D. Simón Planas Suárez.
Sr. D. Cristóbal Mendoza, *electo.*
Sr. D. Caracciolo Parra Pérez, *electo.*
Sr. D. Arturo Uslar Pietri, *electo.*
Sr. D. Jorge Schmidke, *electo.*
Sr. D. Luis Barrios Cruz, *electo.*
Sr. D. Pedro Sotillo, *electo.*
Sr. D. Rafael Angarita Arvelo, *electo.*
Sr. D. Luis Yépez, *electo.*

ACADEMIA CHILENA

Sr. D. Ricardo Dávila Silva, *Director.*
Sr. D. Pedro Lira Urquieta, *Secretario.*
P. Raimundo Morales, *Censor.*
Sr. D. Fidel Araneda Bravo, *Tesorero.*
Sr. D. Alejandro Silva de la Fuente.
Sr. D. Samuel A. Lillo.
Sr. D. Tomás Thayer Ojeda.
Sr. D. Rodolfo Oroz.
Sr. D. Ernesto Greve.
Sr. D. José Miguel Irarrázaval.

Sr. D. Augusto Iglesias.
Sr. D. Hernán Díaz Arrieta.
Sr. D. Eugenio Orrego Vicuña.
Sr. D. Misael Correa Pastene.
Sr. D. Roque Esteban Scarpa.
Sr. D. Emilio Rodríguez Mendoza.
Sr. D. Valentín Brandau.
Sr. D. Víctor Domingo Silva.
Sr. D. Eduardo Barrios.
Sr. D. Rafael Maluenda.
Sr. D. Yolando Pino Saavedra.
Sr. D. Raúl Silva Castro.
Sr. D. Joaquín Edwards Bello.
Sr. D. Manuel Vega Santander.

ACADEMIA PERUANA

Sr. D. Víctor Andrés Belaunde, *Director*.
Sr. D. José Jiménez Borja, *Secretario*.
Sr. D. Oscar Miró Quesada, *Censor*.
Sr. D. Juan Bautista de Lavalle.
Sr. D. José Gálvez.
R. P. Rubén Vargas Ugarte.
Sr. D. Aurelio Miró Quesada.
Sr. D. Manuel Vicente Villarán.
Sr. D. Raúl Porras Barrenechea.
Sr. D. Guillermo Hoyos Osores.
Sr. D. Enrique López Albújar.
Sr. D. Honorio F. Delgado.
Sr. D. Jorge Basadre.
Sr. D. Mariano Iberico Rodríguez.
Sr. D. Felipe Barreda y Laos.
Sr. D. Alberto J. Ureta, *electo*.

ACADEMIA GUATEMALTECA

Sr. D. Adrián Recinos, *Director*.
Sr. D. Luis Beltranena, *Secretario*.
Sr. D. José María Bonilla, *Censor*.
Sr. D. Eduardo Mayora, *Tesorero, electo*.
Sr. D. Pedro Pérez Valenzuela, *Bibliotecario, electo*.
Sr. D. Rafael Arévalo Martínez.
Sr. D. Alberto Velázquez.
Sr. D. David Vela.
Sr. D. Federico Hernández de León.
Sr. D. Arturo Castillo Azmitia.
Sr. D. Flavio Herrera, *electo*.
Sr. D. Manuel Cobos Batres, *electo*.
Sr. D. Jorge García Granados, *electo*.
Sr. D. Carlos Martínez Durán, *electo*.
Sr. D. Miguel Asturias Quiñones, *electo*.
Sr. D. José Rölz Bennett, *electo*.
Sr. D. Carlos Samayoa Aguilar, *electo*.

ACADEMIA COSTARRIQUEÑA

Sr. D. Víctor Guardia Quirós, *Director*.
Sr. D. Gregorio Martín, *Subdirector*.
Sr. D. Juan Trejos, *Secretario*.
Sr. D. Luis D. Tinoco, *Tesorero*.
Sr. D. Moisés Vincenzi.
Sr. D. Joaquín García Monge.
Sr. D. Otilio Ulate.
Sr. D. Hernán G. Peralta.
Sr. D. Samuel Arguedas.
Sr. D. Joaquín Vargas Coto.
Sr. D. Enrique Macaya.
Sr. D. Luis Felipe González.
Sr. D. Julián Marchena.
Sr. D. Abelardo Bonilla.
Sr. D. Arturo Agüero.
Sr. D. Alejandro Aguilar Machado.
Sr. D. Carlos Orozco, *electo*.
Sr. D. Luis Dobles Segrera, *electo*.

ACADEMIA URUGUAYA

Sr. D. Luis Alberto de Herrera, *Tesorero*.
Excmo. Sr. D. Benjamín Fernández y Medina.
Sr. D. Raúl Montero Bustamante.
Sr. D. Adolfo Agorio.

ACADEMIA FILIPINA

Sr. D. Guillermo Gómez, *Director*.
Sr. D. Jaime C. de Veyra, *Secretario*.
Sr. D. José Lauchengco, *Vicesecretario*.
Sr. D. Antonio M. Abad, *Censor*.
Sr. D. Emeterio Barcelón, *Bibliotecario*.
Sr. D. Ramón J. Torres.
Sr. D. Claro M. Recto.
Sr. D. Mariano Jesús Cuenco.
Sr. D. Pedro Sabido.
Sr. D. Pascual B. Azanza.
Sr. D. Manuel C. Briones.
Sr. D. Manuel Bernabé.
Sr. D. Francisco Liogson.
Sr. D. Arsenio N. Luz.
Sr. D. Jorge Bocobo.
Sr. D. Lorenzo Pérez Tuells.
Sr. D. Enrique Fernández Lumba.

ACADEMIA PANAMEÑA

Sr. D. Ricardo J. Alfaro, *Director*.
Sr. D. Enrique Ruiz Vernacci, *Secretario*.
Sr. D. José de la Cruz Herrera.

Sr. D. Jeptha B. Duacan.
Sr. D. José D. Moscote.
Sr. D. Samuel Quintero.
Sr. D. José Isaac Fábrega.
Sr. D. Harmodio Arias.
Sr. D. Publio A. Vásquez.
Sr. D. Baltasar Isaza y Calderón.
Sr. D. Catalino Arrocha Graell.
Sr. D. Raúl de Roux.
Sr. D. Ricardo J. Bermúdez, *electo.*
Sr. D. Octavio Fábrega, *electo.*
Sr. D. Miguel Mejía Dutary, *electo.*
Sra. D.ª Olimpia de Obaldía, *electa.*
Sr. D. Gil Blas Tejeira, *electo.*

ACADEMIA CUBANA

Sr. D. José M. Chacón y Calvo, *Director.*
Sr. D. Juan J. Remos, *Vicedirector.*
Sr. D. Félix Lizaso, *Secretario.*
Sr. D. Miguel Ángel Carbonell, *Censor.*
Sr. D. Emeterio S. Santovenia, *Bibliotecario.*
Sr. D. Felipe Pichardo Moya, *Tesorero.*
Sr. D. Fernando Ortiz y Fernández.
Sr. D. Manuel Carbonell.
Sr. D. Jorge Mañach y Robato.
Emmo. Cardenal Arteaga.
Sr. D. Medardo Vitier.
Sr. D. Agustín Acosta.
Sr. D. Francisco Ichaso.
Sr. D. Antonio Iraizoz.
Sr. D. Juan Fonseca.
Sr. D. Raimundo Lazo.
Sr. D. Esteban Rodríguez Herrera.
Sr. D. Cosme de la Torriente.

ACADEMIA PARAGUAYA

Sr. D. Luis de Gásperi, *Presidente interino.*
Sr. D. José Concepción Ortiz, *Secretario interino.*
Sr. D. Juan Stefanich.
Sr. D. Pablo Max Insfrán.
Sr. D. Juan Natalicio González.
Sr. D. Anselmo Jover Peralta.
Sr. D. Juan E. O'Leary.
Sr. D. Justo Pastor Benítez.
Sr. D. Manuel Riquelme.
Sr. D. Carlos R. Centurión.
Sra. D.ª Teresa Lamas de Rodríguez Alcalá.
Sra. D.ª Concepción Leyes de Chaves.
Sr. D. Marco Antonio Laconich.
Sr. D. Mariano Morínigo.
Sr. D. Juan Vicente Ramírez.
Sr. D. Luis Fuffinelli.
Sr. D. Juan C. Díaz.
Sr. D. Julio César Chaves.
Sr. D. Efraín Cardozo.
Sr. D. Miguel Pecci Saavedra.
Sr. D. Hugo Rodríguez Alcalá.
Sr. D. Justo Prieto.
Sr. D. Juan Francisco Pérez Acosta.
Sr. D. Osvaldo Chaves.
Sr. D. Rafael Oddone.
Sr. D. Roque Gaona.

ACADEMIA BOLIVIANA

Sr. D. Rafael Ballivián, *Director.*
Sr. D. Humberto Vázquez Machicado, *Tesorero y Secretario.*
Sr. D. Casto Rojas.
Sr. D. Gustavo Adolfo Otero.
Sr. D. Enrique Finot.
Sr. D. Augusto Guzmán.
Sr. D. Javier del Granado.
Sr. D. Enrique Kempff Mercado.
Sr. D. Porfirio Díaz Machicao.
Sr. D. Guillermo Francovich, *electo.*
Sr. D. Luis Felipe Girón, *electo.*
Sr. D. Carlos Gregorio Taborga, *electo.*
Sr. D. Armando Alba, *electo.*
Sr. D. Humberto Palza, *electo.*
Sr. D. Eduardo Arce Quiroga, *electo.*
Sr. D. Oscar Cerruto, *electo.*
Sr. D. Nicolás Fernández Naranjo, *electo.*

ACADEMIA NICARAGÜENSE

Sr. D. Carlos Cuadra Pasos, *Director.*
Sr. D. Diego Manuel Chamorro, *Secretario.*
Excmo. Sr. D. Ramón Romero, *Tesorero.*
Sr. D. Santos Flores López, *Bibliotecario.*
Sr. D. Emilio Álvarez Lejarza.
Sr. D. Pedro Joaquín Cuadra Chamorro.
Sr. D. Azarías H. Pallais.
Sr. D. Rodrigo Sánchez.
Sr. D. Pablo Antonio Cuadra Cardenal.
Sr. D. Andrés Vega Bolaños.
Sr. D. José H. Montalván.
Sr. D. Carlos A. Bravo.
Sr. D. Julio Ycaza Tigerino.
Sr. D. Diego Manuel Sequeira, *electo.*
Sr. D. Rosendo Argüello, *electo.*
Sr. D. Octavio Pasos Montiel, *electo.*
Sr. D. Teodoro Picado Michalski, *electo.*
Sr. D. Felipe Rodríguez Serrano, *electo.*
Sr. D. Adolfo Calero Orozco, *electo.*
Sr. D. Mariano Fiallos Gil, *electo.*
Sr. D. Luis Alberto Cabrales, *electo.*

Sr. D. José Sansón Terán, *electo.*
Sr. D. Fernando Buitrago Morales, *electo.*
Sr. D. Rafael Paniagua Rivas, *electo.*

ACADEMIA DOMINICANA

Sr. D. Juan Tomás Mejía, *Presidente.*
Sr. D. Fabio A. Mota, *Vicepresidente.*
Sr. D. Federico Llaverías, *Secretario.*
Sr. D. Juan Bautista Lamarche, *Tesorero.*
Sr. D. Federico Henríquez y Carvajal.
Sr. D. Max Henríquez Ureña.
Sr. D. Emilio Jiménez.
Sr. D. Virgilio Díaz Ordóñez.
Sr. D. Gustavo Adolfo Mejía.
Sr. D. Manuel A. Patín Maceo.
Sr. D. Emilio Rodríguez Demorizi.
Sr. D. Porfirio Herrera, *electo.*
Sr. D. Víctor Garrido, *electo.*
Sr. D. Oscar Robles Toledano, *electo.*
Sr. D. Julio A. Piñeiro, *electo.*
Sr. D. Rafael F. Bonelly, *electo.*
Sr. D. Rafael Leónidas Trujillo y Molina, *electo.*

ACADEMIA HONDUREÑA

Sr. D. Luis Andrés Zúñiga, *Director.*
Sr. D. Jorge Fidel Durón, *Vicedirector.*
Sr. D. Julián López Pineda, *Secretario.*
Sr. D. Eufemiano Claros, *Secretario adjunto.*
Sr. D. Jesús Aguilar Paz, *Censor.*
Sr. D. Antonio Ochoa Alcántara, *Bibliotecario.*
Sr. D. Luis Landa, *Tesorero.*
Sr. D. Rafael Heliodoro Valle.
Sr. D. Silverio Laínez.
Sr. D. Carlos Izaguirre.
Sr. D. Carlos M. Gálvez.
Sr. D. Céleo Murillo Soto.
Sr. D. Alejandro Alfaro Arriaga.
Sr. D. Joaquín Bonilla.
Sr. D. Martín Alvarado.
Sr. D. Julio César Palacios.
Sr. D. Víctor Cáceres Lara.
Sr. D. Miguel A. Navarro.
Sr. D. Juan B. Valladares, *electo.*

ACADEMIA PUERTORRIQUEÑA

Sr. D. Samuel R. Quiñones, *Director.*
Sr. D. Antonio J. Colorado, *Secretario.*
Sr. D. Salvador Tió y Montes de Oca, *Tesorero.*
Sra. D.ª Margot Arce de Vázquez.
Sr. D. José A. Balseiro.
Sr. D. Epifanio Fernández Vanga.
Sr. D. Augusto Malaret.
Sr. D. Generoso Morales Muñoz.
Sr. D. Evaristo Ribera Chevremont.
Sr. D. José S. Alegría.
Sr. D. Gustavo Agrait, *electo.*
Sr. D. Emilio S. Belaval, *electo.*
Sr. D. Lidio Cruz Monclova, *electo.*
Sr. D. Eugenio Fernández Méndez, *electo.*
Sr. D. Ernesto Juan Fonfrías, *electo.*
Sr. D. Jorge Font Saldaña, *electo.*
Sr. D. Enrique Laguerre, *electo.*
Sr. D. Washington Llorens, *electo.*
Sr. D. René Marqués, *electo.*
Sra. D.ª Concha Meléndez, *electa.*
Sr. D. Miguel Meléndez, *electo.*
Sr. D. Luis Antonio Miranda, *electo.*
Sr. D. Arturo Morales Carrión, *electo.*
Sr. D. Antonio Pacheco Padró, *electo.*
Sr. D. Luis Palés Matos, *electo.*
Sr. D. Rafael W. Ramírez, *electo.*
Sr. D. Rafael Rivera Otero, *electo.*
Sr. D. Fernando Sierra Berdecía, *electo.*
Sra. D.ª Nilita Vientós Gastón, *electa.*
Sr. D. Francisco M. Zeno, *electo.*

ACADEMIA ARGENTINA DE LETRAS COLABORADORA DE LA ESPAÑOLA

Sr. D. Carlos Ibarguren, *Presidente.*
Sr. D. Arturo Marasso, *Secretario.*
Sr. D. Rafael Alberto Arrieta.
Sr. D. Enrique Banchs.
Sr. D. Francisco Luis Bernárdez.
Sr. D. Arturo Capdevila.
Mons. Gustavo J. Franceschi.
Sr. D. Martín Gil.
Sr. D. Roberto F. Giusti.
Sr. D. Bernardo A. Houssay.
Sr. D. Enrique Larreta.
Sr. D. Gustavo Martínez Zuviría.
Sr. D. Álvaro Malián Lafinur.
Sr. D. José A. Oría.
Sr. D. José León Pagano.
P. Rodolfo M. Ragucci.
Sr. D. Juan P. Ramos.
Sr. D. Ricardo Sáez Hayes.
Sr. D. Matías Sánchez Sorondo.
Sr. D. Mariano de Vedía y Mitre.
Sr. D. Jorge Luis Borges.
Sr. D. Manuel Mujica Láinez.
Sr. D. Fermín Estrella Gutiérrez.
Sr. D. Luis Alfonso.

ACADÉMICOS FALLECIDOS

DESPUÉS DE PUBLICADA LA EDICIÓN DECIMOSÉPTIMA DEL DICCIONARIO

R. P. LUIS FULLANA Y MIRA (21 de junio de 1948).

EXCMO. SR. D. FÉLIX DE LLANOS Y TORRIGLIA (28 de enero de 1949).

EXCMO. SR. D. NICETO ALCALÁ ZAMORA (18 de febrero de 1949).

EXCMO. SR. D. ÁNGEL GONZÁLEZ PALENCIA (30 de octubre de 1949).

EXCMO. SR. D. ESTEBAN TERRADAS ILLA (9 de mayo de 1950).

EXCMO. SR. D. JULIO DE URQUIJO E IBARRA (28 de octubre de 1950).

EXCMO. SR. D. ARMANDO COTARELO VALLEDOR (8 de diciembre de 1950).

EXCMO. SR. D. RESURRECCIÓN MARÍA DE AZKUE (9 de noviembre de 1951).

EXCMO. SR. D. EMILIO FERNÁNDEZ GALIANO (11 de mayo de 1953).

EXCMO. SR. D. JACOBO FITZ-JAMES STUART FALCÓ PORTOCARRERO Y OSSORIO, Duque de Berwick y de Alba (24 de septiembre de 1953).

EXCMO. SR. D. JACINTO BENAVENTE (14 de julio de 1954).

EXCMO. SR. D. EUGENIO D'ORS (25 de septiembre de 1954).

EXCMO. SR. D. SALVADOR GONZÁLEZ ANAYA (30 de enero de 1955).

PERSONAS

QUE HAN AUXILIADO A LA ACADEMIA EN LOS TRABAJOS DE ESTA EDICIÓN

ACADÉMICO CORRESPONDIENTE ESPAÑOL

LUNA (SR. D. JOSÉ CARLOS DE).

ACADÉMICOS CORRESPONDIENTES EXTRANJEROS

DAM (SR. D. C. F. ADOLFO VAN).

PRAAG (SR. D. J. A. VAN).

PERSONAS EXTRAÑAS A ESTA CORPORACIÓN

GUILLÉN TATO (EXCMO. SR. D. JULIO F.).

AGUILAR Y LÓPEZ (ILMO. SR. D. MANUEL).

ABREVIATURAS EMPLEADAS EN ESTE DICCIONARIO

abl.	ablativo.
Abrev.	Abreviación.
acep., aceps.	acepción, acepciones.
acus.	acusativo.
adj.	adjetivo.
Adm.	*Administración.*
adv.	adverbio *o* adverbial.
adv. afirm.	adverbio de afirmación.
adv. c.	adverbio de cantidad.
adv. l.	adverbio de lugar.
adv. m.	adverbio de modo.
adv. neg.	adverbio de negación.
adv. ord.	adverbio de orden.
adv. t.	adverbio de tiempo.
Agr.	*Agricultura.*
Agrim.	*Agrimensura.*
al.	alemán.
Ál.	*Álava.*
Albac.	*Albacete.*
Albañ.	*Albañilería.*
Álg.	*Álgebra.*
Alic.	*Alicante.*
Alm.	*Almería.*
al. mod.	alemán moderno.
Alq.	*Alquimia.*
amb.	ambiguo.
Amér.	*América.*
Amér. Central.	*América Central.*
Amér. Merid.	*América Meridional.*
Anat.	*Anatomía.*
And.	*Andalucía.*
ant.	anticuado *o* anticuada.
Ant.	*Antillas.*
ant. al.	antiguo alemán.
ant. fr.	antiguo francés.
Antrop.	*Antropología.*
Apl.	Aplicado.
Apl. a pers., ú. t. c. s.	Aplicado a persona, úsase también como substantivo.
apóc.	apócope.
ár.	árabe.
Ar.	*Aragón.*
arag.	aragonés.
arauc.	araucano.
arc.	arcaico *o* arcaica.
Argent.	*República Argentina.*
Arit.	*Aritmética.*
Arq.	*Arquitectura.*
Arqueol.	*Arqueología.*
art.	artículo.
Art.	*Artillería.*
Ast.	*Asturias.*
Astrol.	*Astrología.*
Astron.	*Astronomía.*
aum.	aumentativo.
Automov.	*Automovilismo.*
Áv.	*Ávila.*
Aviac.	*Aviación.*
Bad.	*Badajoz.*
Barc.	*Barcelona.*
b. bret.	bajo bretón.
berb. *o* berber.	berberisco.
b. gr.	bajo griego.
Bibliogr.	*Bibliografía.*
Biol.	*Biología.*
Blas.	*Blasón.*
b. lat.	bajo latín.
Bol.	*Bolivia.*
Bot.	*Botánica.*
burg.	burgalés.
Burg.	*Burgos.*
c.	como.
Các.	*Cáceres.*
Cád.	*Cádiz.*
Caligr.	*Caligrafía.*
Can.	*Canarias.*
Cant.	*Cantería.*
Carp.	*Carpintería.*
Cast.	*Castilla.*
cat.	catalán.
Cat.	*Cataluña.*
Catóp. o *Catóptr.*	*Catóptrica.*
célt.	céltico.
celtolat.	celtolatino.
Cerraj.	*Cerrajería.*
Cetr.	*Cetrería.*
Cineg.	*Cinegética.*
Cir.	*Cirugía.*
colect.	colectivo.
Colom. o *Colomb.*	*Colombia.*
com.	común de dos.
Com.	*Comercio.*
comp.	comparativo.
conj.	conjunción.
conj. advers.	conjunción adversativa.
conj. comp.	conjunción comparativa.
conj. cond.	conjunción condicional.
conj. copulat.	conjunción copulativa.
conj. distrib.	conjunción distributiva.
conj. disyunt.	conjunción disyuntiva.
conj. ilat.	conjunción ilativa.
Contracc.	Contracción.
Córd.	*Córdoba.*
corrup.	corrupción.
C. Real.	*Ciudad Real.*
C. Rica.	*Costa Rica.*
Cronol.	*Cronología.*
Cuen.	*Cuenca.*
d.	diminutivo.
dat.	dativo.
defect.	verbo defectivo.
Del m. or.	Del mismo origen.
der.	derivado.
Der. can.	*Derecho canónico.*
despect.	despectivo *o* despectiva.
desus.	desusado *o* desusada.
deter.	determinado.
Dial.	*Dialéctica.*
dialect.	dialectal.
Dióp. o *Dióptr.*	*Dióptrica.*
Econ.	*Economía.*
Ecuad.	*Ecuador.*
Electr.	*Electricidad.*
El Salv.	*El Salvador.*
Encuad.	*Encuadernación.*
Equit.	*Equitación.*
Esc.	*Escultura.*
escand.	escandinavo.
Esgr.	*Esgrima.*
esp.	español.
Estát.	*Estática.*
etim.	etimología.
Etnogr.	*Etnografía.*
Etnol.	*Etnología.*
exclam.	exclamación.
explet.	expletivo *o* expletiva.

expr.	expresión.
expr. elípt.	expresión elíptica.
Extr.	*Extremadura.*
f.	substantivo femenino.
fam.	familiar.
Farm.	*Farmacia.*
Ferr.	*Ferrocarriles.*
fest.	festivo *o* festiva.
fig.	figurado *o* figurada.
Fil.	*Filosofía.*
Filip.	*Filipinas.*
Filol.	*Filología.*
Fís.	*Física.*
Fisiol.	*Fisiología.*
flam.	flamenco.
Fon.	*Fonética.*
For.	*Forense.*
Fort.	*Fortificación.*
Fotogr.	*Fotografía.*
fr.	francés.
fr. frs.	frase, frases.
fr. proverb.	frase proverbial.
frec. *o* frecuent.	verbo frecuentativo.
Fren.	*Frenología.*
fut.	futuro.
gaél.	gaélico.
Gal.	*Galicia.*
gall.	gallego.
gén.	género.
genit.	genitivo.
Geod.	*Geodesia.*
Geogr.	*Geografía.*
Geol.	*Geología.*
Geom.	*Geometría.*
ger.	gerundio.
germ.	germánico.
Germ.	*Germanía.*
Gnom.	*Gnomónica.*
gót.	gótico.
gr.	griego.
Grab.	*Grabado.*
Gram.	*Gramática.*
Gran.	*Granada.*
grecolat.	grecolatino.
gr. mod.	griego moderno.
Guad. o *Guadal.*	*Guadalajara.*
Guat.	*Guatemala.*
Guay.	*Guayaquil.*
Guip.	*Guipúzcoa.*
hebr.	hebreo.
Hidrául.	*Hidráulica.*
Hidrom.	*Hidrometría.*
Hig.	*Higiene.*
Hist. Nat.	*Historia Natural.*
hol.	holandés.
Hond.	*Honduras.*
iber.	ibérico.
imper. *o* imperat.	imperativo.
impers.	verbo impersonal.
Impr.	*Imprenta.*
incoat.	verbo incoativo.
indet.	indeterminado.
indic.	indicativo.
Indum.	*Indumentaria.*
infinit.	infinitivo.
infl.	influido.
ingl.	inglés.
intens.	intensivo.
interj.	interjección *o* interjectiva.
intr.	verbo intransitivo.
inus.	inusitado *o* inusitada.
irl.	irlandés.
irón.	irónico *o* irónica.
irreg.	irregular.
ital.	italiano *o* italiana.
iterat.	iterativo.
Jerig.	*Jerigonza.*
Jurisp.	*Jurisprudencia.*
lat.	latín *o* latina.
Ling.	*Lingüística.*
Lit.	Literalmente.
Lit.	*Literatura.*
Liturg.	*Liturgia.*
loc.	locución.
Lóg.	*Lógica.*
Logr.	*Logroño.*
m.	substantivo masculino.
m. y f.	substantivo masculino y femenino.
m. adv., ms. advs.	modo adverbial, modos adverbiales.
m. conj.	modo conjuntivo.
m. conjunt. advers.	modo conjuntivo adversativo.
m. conjunt. condic.	modo conjuntivo condicional.
Mál.	*Málaga.*
Mar.	*Marina.*
Mat.	*Matemáticas.*
Mec.	*Mecánica.*
Med.	*Medicina.*
Méj.	*Méjico.*
mejic.	mejicano.
Metal.	*Metalurgia.*
Metapl.	Metaplasmo.
Metát.	Metátesis.
Meteor.	*Meteorología.*
Métr.	*Métrica.*
Mil.	*Milicia.*
Min.	*Minería.*
Mineral.	*Mineralogía.*
Mit.	*Mitología.*
mod.	moderno.
Mont.	*Montería.*
Murc.	*Murcia.*
Mús.	*Música.*
n.	neutro.
Nav.	*Navarra.*
neerl.	neerlandés.
neg.	negación.
negat.	negativo *o* negativa.
Neol.	*Neologismo.*
Nicar.	*Nicaragua.*
nominat.	nominativo.
nórd.	nórdico.
n. p.	nombre propio.
núm., núms.	número, números.
Numism.	*Numismática.*
Obst.	*Obstetricia.*
onomat.	onomatopeya.
Ópt.	*Óptica.*
Ortogr.	*Ortografía.*
p.	participio.
p. a.	participio activo.
Pal.	*Palencia.*
Paleont.	*Paleontología.*
Par.	*Paraguay.*
part. comp.	partícula comparativa.
part. conjunt.	partícula conjuntiva.
part. insep.	partícula inseparable.
Pat.	*Patología.*
pers.	persona.
Persp.	*Perspectiva.*
p. f.	participio de futuro.
p. f. p.	participio de futuro pasivo.
Pint.	*Pintura.*
pl.	plural.
poét.	poético *o* poética.
pop.	popular.
Por antonom.	Por antonomasia.
Por ej.	Por ejemplo.
Por excel.	Por excelencia.
Por ext.	Por extensión.
port.	portugués.
p. p.	participio pasivo.
pref.	prefijo.
Prehist.	*Prehistoria.*
prep.	preposición.
prep. insep.	preposición inseparable.
pres.	presente.
pret.	pretérito.
P. Rico.	*Puerto Rico.*
priv. *o* privat.	privativo *o* privativa.
pron.	pronombre.
pron. dem.	pronombre demostrativo.
pron. pers.	pronombre personal.
pron. poses.	pronombre posesivo.
pron. relat.	pronombre relativo.
pronun. and.	pronunciación andaluza.
pronun. esp.	pronunciación española.
pronun. granad.	pronunciación granadina.
Pros.	*Prosodia.*
prov.	provenzal.
Prov. Vasc.	*Provincias Vascongadas.*
Psicol.	*Psicología.*
p. us.	poco usado *o* usada.
Quím.	*Química.*
r.	verbo reflexivo.
Radio.	*Radiodifusión.*
R. de la Plata.	*Río de la Plata.*
rec.	verbo recíproco.
ref., refs.	refrán, refranes.
reg.	regular.

regres	regresivo.
Reloj	*Relojería.*
Ret	*Retórica.*
rioj	riojano.
s	substantivo.
S	siglo.
Sal	*Salamanca.*
Salv	*San Salvador.*
sánscr	sánscrito.
Sant	*Santander.*
sant	santanderino.
Seg	*Segovia.*
sent	sentido.
separat	separativo *o* separativa.
Sev	*Sevilla.*
sing	singular.
Sociol	*Sociología.*
Sor	*Soria.*
subj	subjuntivo.
suf	sufijo.
sup	superlativo.
t	tiempo.
Taurom	*Tauromaquia.*
Tecn	*Tecnicismo.*
Teol	*Teología.*
Ter	*Teruel.*
term	terminación.
teutón	teutónico.
t. f	terminación femenina.
Tint	*Tintorería.*
Tol	*Toledo.*
Topogr	*Topografía.*
tr	verbo transitivo.
Trig. o *Trigon*	*Trigonometría.*
Ú. *o* ú	Úsase.
Ú. c. s. m	Úsase como substantivo masculino.
Ú. m	Úsase más.
Ú. m. con neg	Úsase más con negación.
Ú. m. c. r	Úsase más como reflexivo.
Ú. m. c. s	Úsase más como substantivo.
Ú. m. en pl	Úsase más en plural.
Urug	*Uruguay.*
Usáb. *o* usáb	Usábase.
Ú. t. c. adj	Úsase también como adjetivo.
Ú. t. c. intr	Úsase también como intransitivo.
Ú. t. c. r	Úsase también como reflexivo.
Ú. t. c. s	Úsase también como substantivo.
Ú. t. c. tr	Úsase también como transitivo.
Ú. t. en pl	Úsase también en plural.
Ú. t. en sing	Úsase también en singular.
V	Véase.
Val	*Valencia.*
Vall. o *Vallad*	*Valladolid.*
vasc	vascuence.
Venez	*Venezuela.*
Veter	*Veterinaria.*
visigót	visigótico.
Viz. o *Vizc*	*Vizcaya.*
vocat	vocativo.
Vol	*Volatería.*
vulg	vulgar.
Zam	*Zamora.*
Zar	*Zaragoza.*
Zool	*Zoología.*

REGLAS PARA EL USO DE ESTE DICCIONARIO

Los refranes, frases, locuciones, modos adverbiales, etc., van en el artículo correspondiente a uno de los vocablos de que se componen, por este orden de preferencia: substantivo o cualquier palabra usada como tal, verbo, adjetivo, pronombre y adverbio. Así, por ejemplo, el refrán **«quien no sabe de abuelo, no sabe de bueno»** se hallará en el artículo correspondiente al substantivo **Abuelo,** preferido al verbo **Saber,** al adjetivo **Bueno,** al pronombre **Quien** y al adverbio **No;** el modo adverbial **«al caer de la hoja»** y los refranes **«del rico es dar remedio, y del viejo, consejo»** y **«con otro ea, llegaremos a la aldea»** están respectivamente en los artículos **Caer, Rico** y **¡Ea!,** verbo el uno, adjetivo el otro e interjección el último, que se usan en estos casos como substantivos; el refrán **«quien cuece y amasa, de todo pasa»** consta en el verbo **Cocer;** la expresión **«ni con mucho»,** en el adjetivo **Mucho;** la de **«hoy por ti y mañana por mí»,** en **Ti,** forma de ablativo del pronombre **Tú,** y la de **«por sí o por no»,** en el adverbio **Sí.**

Exceptúanse los substantivos *persona* y *cosa* cuando no son parte necesaria e invariable de la expresión, y los verbos usados como auxiliares. Así, por ejemplo, la frase **«tener que ver** *una persona o cosa* con otra» se registra en el verbo **Tener;** y **«estar** *una cosa* **en buenas manos»** en el substantivo **Mano,** mientras que los refranes **«de persona beoda no fíes tu bolsa»** y **«cosa cumplida, sólo en la otra vida»** se encuentran respectivamente en los artículos **Persona** y **Cosa.** Las frases **«haber nacido** *uno* **tarde»** y **«estar tocada** *una cosa»* corresponden la primera al verbo **Nacer,** y la segunda a **Tocar,** porque **Haber** y **Estar** son aquí meros auxiliares. **«No haber más que pedir»** debe buscarse, por lo contrario, en **Haber,** y **«estar a matar»,** en **Estar.**

La frase en que concurren dos o más voces de la misma categoría gramatical se incluye en el artículo correspondiente a la primera de estas voces, como puede verse en varios de los ejemplos antes citados.

En cada artículo van colocadas por este orden las diversas acepciones de los vocablos: primero las de uso vulgar y corriente; después las anticuadas, las familiares, las figuradas, las provinciales e hispanoamericanas, las de Germanía y, por último, las técnicas.

En los vocablos que tienen acepciones de adjetivo, substantivo y adverbio, se hallan agrupadas las de cada categoría gramatical según el orden aquí indicado.

En los substantivos se posponen las acepciones usadas exclusivamente en plural a las que pueden emplearse en ambos números.

Cuando el artículo es de substantivo, se registran después de las acepciones propias del vocablo aislado las que resultan de la combinación del substantivo con un adjetivo, con otro substantivo regido de preposición o con cualquiera expresión calificativa.

Al fin del artículo se incluyen las frases o expresiones a él correspondientes, dispuestas en riguroso orden alfabético. Entre ellas figuran las elípticas de un solo vocablo.

La abreviatura *ant.*, anticuada, indica que la voz o la acepción pertenece exclusivamente al vocabulario de la Edad Media; pero también se califica de anticuada la forma de una palabra, como *notomía* por *anatomía*, que aunque usada hasta el siglo XVII, ha sido desechada en el lenguaje moderno.

La abreviatura *desus.*, desusada, se pone a las voces y acepciones que se usaron en la Edad Moderna, pero que hoy no se emplean ya.

Puede ocurrir que una voz desusada o anticuada en la lengua literaria corriente se conserve, sin embargo, en alguna región de España o de América. En este caso, como en todos los demás, téngase presente que la nota de regional no quiere decir que la voz sea reprobable en la lengua literaria o culta; quiere sólo advertir al lector en qué región será perfectamente comprensible tal vocablo.

Los diminutivos en *-ico, -illo, -ito;* los aumentativos en *-on, -azo*, y los superlativos en *-ísimo*, cuya formación sea regular y conforme a las reglas dadas al fin del DICCIONARIO, no se incluyen en éste, salvo el caso en que tengan acepción especial que merezca ser notada.

Tampoco se incluyen todos los adverbios en *-mente* y despectivos en *-uco, -uca*, por ser de fácil formación y de frecuente renovación.

Así, por ejemplo, el DICCIONARIO incluye los superlativos *pulquérrimo* y *paupérrimo*, por ser irregulares, pero no *pulcrísimo* y *pobrísimo*, que son los regulares.

A

A. f. Letra vocal que en el vocalismo español representa el sonido de mayor perceptibilidad. Pronúnciase con los labios más abiertos que en las demás vocales y con la lengua extendida en el hueco de la mandíbula inferior y un poco elevada por la mitad del dorso hacia el centro del paladar. Su sonido tiene de ordinario un timbre medio, ni palatal ni velar. ‖ **2.** *Dial.* Signo de la proposición universal afirmativa. ‖ **A por a y be por be.** m. adv. fig. **Punto por punto.**

A. (Del lat. *ad.*) prep. Denota el complemento de la acción del verbo, ya precediendo a nombres, ya a otros verbos en infinitivo. *Respeta* A *los ancianos; me enseñó* A *leer.* ‖ **2.** Indica la dirección que lleva o el término a que se encamina alguna persona o cosa. *Voy* A *Roma,* A *palacio; estos libros van dirigidos* A *tu padre;* se usa en frases elípticas imperativas, como ¡A *la cárcel!*, ¡A *comer!* ‖ **3.** Determina el lugar o tiempo en que sucede alguna cosa. *Le cogieron* A *la puerta; firmaré* A *la noche.* ‖ **4.** Determina asimismo la situación de personas o cosas. A *la derecha del rey,* A *oriente,* A *occidente.* ‖ **5.** Designa el intervalo de lugar o de tiempo que media entre una cosa y otra. *De calle* A *calle, de once* A *doce del día.* ‖ **6.** Denota el modo de la acción. A *pie,* A *caballo,* A *mano,* A *golpes.* ‖ **7.** Precede a la designación del precio de las cosas. A *veinte reales la vara;* A *cincuenta la fanega.* ‖ **8.** Indica distribución o cuenta proporcional. *Dos* A *dos;* A *tres por ciento.* ‖ **9.** Expresa igualmente comparación o contraposición entre dos personas o conceptos. *Va mucho de Antonia* A *Manuela; de recomendar una cosa* A *mandarla.* ‖ **10.** Precediendo a tiempos de infinitivo en expresiones de sentido condicional, equivale a la conj. **si** con indicativo o subjuntivo. A *decir verdad;* A *saber yo que había de venir.* ‖ **11. Con,** 1.ª acep. *Quien* A *hierro mata,* A *hierro muere.* ‖ **12. Hacia,** 1.ª acep. *Se fue* A *ellos como un león.* ‖ **13. Hasta,** 1.ª acep. *Pasó el río con el agua* A *la cintura.* ‖ **14.** Junto a. A *la orilla del mar.* ‖ **15. Para,** 1.ª acep. A *beneficio del público.* ‖ **16. Por,** 1.ª acep. A *instancias mías.* ‖ **17. Según,** 1.ª acep. A *ley de Castilla;* A *fuero de Aragón;* A *lo que parece.* ‖ **18.** Da principio a muchos modos y frases adverbiales. A *bulto,* A *obscuras,* A *tientas,* A *regaña dientes,* A *todo correr.* ‖ **19.** Se usa como prefijo. *A*matar, *A*venar.

A. (Del gr. ἀ priv.) part. insep. que denota privación o negación. *A*cromático, *A*teísmo.

Aarónico, ca. adj. Perteneciente a Aarón.

Aaronita. adj. Descendiente de Aarón. Ú. t. c. s. ‖ **2.** Perteneciente o relativo a Aarón.

Ab. (Del lat. *ab.*) prep. lat. que sólo se emplea en algunas frases latinas introducidas en nuestro idioma, como AB *initio,* AB *aeterno,* AB *irato.*

Aba. f. Medida de longitud equivalente a dos anas, que se usó antiguamente en Aragón, Valencia y Cataluña.

¡Aba! (Del lat. *apăge.*) interj. p. us. ¡Cuidado!, ¡quita!

Abab. m. Marinero turco libre que se empleaba en las galeras a falta de forzados.

Ababa. (Der. regres. de *ababol.*) f. **Ababol,** 1.ª acep.

Ababillarse. r. *Chile.* Enfermar de la babilla un animal.

Ababol. (Del ár. *ḥababūr,* y éste del lat. *papaver.*) m. **Amapola.** ‖ **2.** fig. Persona distraída, simple, abobada.

Abacá. (Voz filipina.) m. Planta de la familia de las musáceas, de unos tres metros de altura, que se cría en Filipinas y otros países de la Oceanía, y de cuyas hojas se saca un filamento textil. ‖ **2.** Filamento de esta planta preparado para la industria. ‖ **3.** Tejido hecho con este filamento.

Abacería. (De *abacero.*) f. Puesto o tienda donde se venden por menor aceite, vinagre, legumbres secas, bacalao, etc.

Abacero, ra. (De *abaz.*) m. y f. Persona que tiene abacería.

Abacial. (Del b. lat. *abbatiālis.*) adj. Perteneciente o relativo al abad, a la abadesa o a la abadía.

Ábaco. (Del lat. *abăcus,* y éste del gr. ἄβαξ.) m. Cuadro de madera con diez cuerdas o alambres paralelos y en cada uno de ellos otras tantas bolas movibles, usado en las escuelas para enseñar a los niños los rudimentos de la aritmética. ‖ **2.** Por ext., toda otra tabla o cuadro que sirve para el cómputo. ‖ **3.** ant. Tablero de ajedrez. ‖ **4.** *Arq.* Parte superior en forma de tablero que corona el capitel. ‖ **5.** *Min.* Artesa que se usa en las minas para lavar los minerales, especialmente los de oro.

Abad. (Del lat. *abbas, -ātis,* y éste, por medio del gr. ἀββᾶς, del siriaco *abba,* padre.) m. Título que llevan los superiores de los monasterios en la mayor parte de las órdenes monacales, y también los de algunas colegiatas. ‖ **2.** En Galicia, Navarra y otras provincias, **cura,** 1.ª acep. ‖ **3.** Cura o beneficiado elegido por sus compañeros para que los presida en cabildo durante cierto tiempo. ‖ **4.** Dignidad superior de algunas colegiatas. ‖ **5.** En los antiguos cabildos de algunas catedrales, título de una dignidad, ya superior, ya de canónigo. ‖ **6.** Dábase también este nombre a los que usaban hábito eclesiástico o manteo, como los sacerdotes o estudiantes de las universidades. ‖ **7.** Título honorífico de la persona lega que por derecho de sucesión posee alguna abadía con frutos secularizados. ‖ **8.** Capitán o caudillo de la guardia que llamaban del conde don Gómez, la cual se componía de un **abad** que era caballero, y de cincuenta ballesteros, que eran hijosdalgo. ‖ **9. Abadejo,** 3.ª acep. ‖ **10.** V. **Oreja de abad.** ‖ **Abad avariento, por un bodigo pierde ciento.** ref. con que se da a entender que la avaricia redunda por lo común en perjuicio del mismo avaro. ‖ **Abad de Zarzuela, comisteis la olla, pedís la cazuela.** ref. que reprende a los que, no contentos con lo necesario, piden lo superfluo. ‖ **Abad y ballestero, mal para los moros.** ref. con que se advierte cuán peligroso es tener por enemigo a quien reúna en sí el poder de la autoridad espiritual y de la fuerza material. ‖ **Como canta el abad, responde el monacillo, o responde el sacristán.** ref. que indica que los súbditos se ajustan generalmente al dictamen o manera de proceder de los superiores. ‖ **El abad de Bamba, lo que no puede comer, dalo por su alma.** ref. que reprende al que sólo da lo que le es inútil o no le aprovecha. ‖ **El abad, de lo que canta yanta.** ref. con que se da a entender que cada uno debe vivir y sustentarse de su trabajo. ‖ **Si bien canta el abad, no le va en zaga el monacillo.** ref. con que se denota paridad de condiciones o circunstancias entre personas de distinta índole o jerarquía.

Abada. (Del port. *abada.*) f. **Rinoceronte.**

Abadejo. m. **Bacalao.** ‖ **2. Reyezuelo,** 2.ª acep. ‖ **3. Carraleja,** 1.er art. ‖ **4. Cantárida,** 1.ª acep. ‖ **5.** Pez del mar de las Antillas, de color obscuro y escamas pequeñas y rectangulares. Su carne es muy delicada.

Abadengo, ga. adj. Perteneciente o relativo a la dignidad o jurisdicción del abad. *Tierras* ABADENGAS, *bienes* ABADENGOS. || **2.** m. **Abadía,** 3.ª acep. || **3.** Poseedor de territorio o bienes **abadengos.** || **4.** V. **Bienes de abadengo.**

Abadernar. tr. *Mar.* Sujetar con badernas.

Abadesa. (Del lat. [S. VI] *abbatissa.*) f. Superiora en ciertas comunidades de religiosas.

Abadí. (Del ár. *'abbādī,* patronímico del n. p. *'Abbād.*) adj. Dícese del descendiente de Mohámed ben Ismail ben Abbad, que a la caída del califato de Córdoba fundó un reino de taifas en Sevilla durante el siglo XI de J. C. Ú. t. c. s. m.

Abadía. (Del lat. [S. VII] *abbattia.*) f. Dignidad de abad o de abadesa. || **2.** Iglesia o monasterio regido por un abad o una abadesa. || **3.** Territorio, jurisdicción y bienes o rentas pertenecientes al abad o a la abadesa. || **4.** En algunas provincias, casa del cura. || **5.** Especie de luctuosa que en algunos puntos, especialmente en Galicia, se paga al párroco a la muerte de un feligrés.

Abadiado. m. **Abadía,** 1.ª, 2.ª y 3.ª aceps.

Abadiato. m. **Abadía.**

Ab aeterno. loc. adv. lat. Desde la eternidad. || **2.** Desde muy antiguo o de mucho tiempo atrás.

Abajadero. (De *abajar.*) m. Cuesta, terreno en pendiente.

Abajamiento. m. Acción de abajar. || **2.** ant. Bajeza, abatimiento.

Abajar. intr. y tr. **Bajar.**

Abajeño, ña. (De *abajo.*) adj. *Méj.* Dícese del que procede de las costas o tierras bajas. Ú. t. c. s.

Abajo. (De *a,* 2.° art., y *bajo.*) adv. l. Hacia lugar o parte inferior. || **2.** En lugar o parte inferior. || **3.** En lugar posterior, o que está después de otro; pero denotando inferioridad, ya real, ya imaginada. Ú. especialmente hablando de libros o escritos. || **4.** En dirección a lo que está más bajo respecto de lo que está más alto. *Cuesta* ABAJO. || **5.** ant. **Debajo,** 1.ª acep. || **¡Abajo!** interj. que se emplea como desaprobación de algo o de alguien que no nos agrada y que quisiéramos que desapareciese.

Abajor. (De *abajo.*) m. ant. **Bajura,** 1.ª acep.

Abajote. adj. vulg. aum. de **Abajo,** 2.ª acep.

Abalado, da. p. p. de **Abalar.** || **2.** V. **Harina abalada.**

Abalanzar. (De *a,* 2.° art., y *balanza.*) tr. Poner la balanza en el fiel. || **2.** Igualar, equilibrar. || **3.** Lanzar, impeler violentamente. Ú. t. c. r. || **4.** r. Arrojarse inconsideradamente a decir o ejecutar alguna cosa.

Abalar. (De *a,* 2.° art., y el lat. *vallus,* criba.) tr. *Gal., León* y *Sal.* Mover rápidamente; zarandear, agitar, tremolar. || **2.** Mover de un lugar.

Abalaustrado, da. adj. **Balaustrado.**

Abaldonadamente. adv. m. Con arrojo u osadía.

Abaldonamiento. (De *abaldonar.*) m. ant. Atrevimiento, osadía.

Abaldonar. (De *a,* 2.° art., y *baldón.*) tr. **Envilecer,** 1.ª acep. || **2.** Afrentar, ofender. || **3.** ant. Entregar o abandonar.

Abaleador, ra. m. y f. Persona que abalea.

Abaleadura. f. Acción y efecto de abalear. || **2.** pl. Granzas o residuos que quedan después de abalear.

Abalear. (De *a,* 2.° art., y *baleo.*) tr. Separar del trigo, cebada, etc., después de aventados, y con escoba a propósito para ello, los granzones y la paja gruesa.

Abaleo. (De *abalear.*) m. Acción de abalear. || **2.** Escoba con que se abalea. || **3.** Nombre común a varias plantas duras y espinosas de que se hacen escobas para abalear.

Abalizamiento. m. Acción y efecto de abalizar.

Abalizar. tr. *Mar.* Señalar con balizas algún paraje en aguas navegables. || **2.** r. *Mar.* **Marcarse.**

Abalorio. (Del ár. *al-ballūrī,* el cristalino.) m. Conjunto de cuentecillas de vidrio agujereadas, con las cuales, ensartándolas, se hacen adornos y labores. || **2.** Cada una de estas cuentecillas.

Abaluartar. (De *a,* 2.° art., y *baluarte.*) tr. **Abastionar.**

Aballar. (De *a,* 2.° art., y el lat. *vallus,* criba.) tr. e intr. **Mover,** 1.ª acep. Ú. t. c. r. || **2.** *Sal.* Transportar o acarrear.

Aballar. (Del lat. *ad,* a, y *vallem,* valle.) tr. ant. Echar abajo.

Aballar. (Del ital. *abbagliare,* rebajar.) tr. Amortiguar, desvanecer o esfumar las líneas y colores de una pintura.

Aballestar. (De *a,* 2.° art., y *ballesta,* por la manera como se verifica la acción.) tr. *Mar.* Tirar del medio de un cabo ya teso y sujeto por sus extremos, a fin de ponerlo más rígido, cobrando por el extremo que ha de amarrarse lo que con esta operación presta o da de sí.

Abanar. (Del lat. **evannāre* por *evannĕre,* cribar.) tr. Hacer aire con el abano.

Abancalar. tr. *Murc.* Desmontar un terreno y formar bancales en él.

Abandalizar. (De *abanderizar.*) tr. **Abanderizar.** Ú. t. c. r.

Abanderado. m. Oficial destinado a llevar la bandera de un regimiento o de un batallón de infantería. || **2.** El que antiguamente servía al alférez para descansarle en llevar la bandera. || **3.** El que lleva bandera en las procesiones u otros actos públicos.

Abanderamiento. m. Acción de abanderar o abanderarse.

Abanderar. tr. Matricular o registrar bajo la bandera de un Estado a un buque de nacionalidad extranjera. Ú. t. c. r. || **2.** Proveer a un buque de los documentos que acreditan su bandera. Ú. t. c. r.

Abandería. f. ant. **Bandería.**

Abanderizador, ra. adj. Que abanderiza. Ú. t. c. s.

Abanderizar. tr. Dividir en banderías. Ú. t. c. r.

Abandonado, da. p. p. de **Abandonar.** || **2.** adj. Descuidado, desidioso. || **3.** Sucio, desaseado. || **4. Alumbrado,** 1.er art., 3.ª acep.

Abandonamiento. (De *abandonar.*) m. **Abandono,** 1.ª acep.

Abandonar. (Del fr. *abandonner,* y éste del germ. *bann,* orden de castigo.) tr. Dejar, desamparar a una persona o cosa. || **2.** Dejar alguna cosa emprendida ya; como una ocupación, un intento, un derecho, etc. || **3.** r. fig. Dejarse dominar por afectos, pasiones o vicios. || **4.** Confiarse uno a una persona o cosa. || **5.** fig. Descuidar uno sus intereses u obligaciones o su aseo y compostura. || **6.** fig. Caer de ánimo, rendirse en las adversidades y contratiempos.

Abandonismo. m. Tendencia a abandonar sin lucha algo que poseemos o nos corresponde.

Abandonista. adj. Perteneciente o relativo al abandonismo. *Política* ABANDONISTA. || **2.** Partidario del abandonismo. Ú. t. c. s.

Abandono. m. Acción y efecto de abandonar o abandonarse. || **2.** *For.* Renuncia sin beneficiario determinado, con pérdida del dominio o posesión sobre cosas que recobran su condición de bienes nullius o adquieren la de mostrencos. || **3.** *For.* Derecho del asegurado para exigir el pago del asegurador, dejando por cuenta de éste las cosas aseguradas, a consecuencia de determinados accidentes del comercio marítimo.

Abanear. (De *abano.*) tr. *Gal.* Mover, sacudir.

Abanero, ra. adj. ant. **Amaestrado,** decíase del ave de cetrería.

Abanicar. tr. Hacer aire con el abanico. Ú. m. c. r.

Abanicazo. m. Golpe dado con el abanico.

Abanico. (d. de *abano.*) m. Instrumento para hacer o hacerse aire. El más común hoy tiene pie de varillas y país de tela, papel o piel, y se abre formando semicírculo. || **2.** fig. Cosa de figura de **abanico,** como la cola del pavo real. || **3.** fig. y fam. **Sable,** 1.er art., 1.ª acep. || **4.** En Cuba, pieza de madera en forma de **abanico,** con una ranura arqueada en su parte media, por la que corre un listón que remata en disco y sirve, en las vías férreas, para advertir al maquinista el punto en que aquéllas se bifurcan y la dirección que por allí ha de seguir el tren. || **5.** *Germ.* **Espada,** 1.ª acep. || **6.** En algunas armaduras antiguas, parte lateral del codal o de la rodillera, en forma de **abanico.** || **7.** *Mar.* Especie de cabria hecha con elementos de a bordo. || **8.** V. **Vela de abanico.** || **En abanico.** m. adv. En forma de **abanico.** || **Parecer uno abanico de tonta.** fr. fig. y fam. Moverse mucho y sin concierto.

Abanillo. (d. de *abano.*) m. Adorno de lienzo afollado de que se formaban ciertos cuellos alechugados. || **2. Abanico,** 1.ª acep.

Abanino. (d. de *abano.*) m. Adorno de gasa u otra tela blanca con que ciertas damas de la corte guarnecían el escote del jubón.

Abaniqueo. m. Acción de abanicar o abanicarse.

Abaniquería. (De *abaniquero.*) f. Fábrica o tienda de abanicos.

Abaniquero, ra. m. y f. Persona que hace o vende abanicos.

Abano. (De *abanar.*) m. **Abanico,** 1.ª acep. || **2.** Aparato en forma de abanico que, colgado del techo, sirve para hacer aire.

Abanto. m. Ave rapaz semejante al buitre, pero más pequeña, con la cabeza y cuello cubiertos de pluma, y el color blanquecino. Es muy tímida y perezosa, se alimenta de substancias animales descompuestas, vive en todo tiempo en el África septentrional y pasa en verano a Europa. || **2.** Por ext., cualquiera otra ave de la familia de los buitres. || **3.** adj. Dícese del hombre aturdido y torpe. || **4.** Dícese del toro que al empezar la lidia parece aturdido.

Abañador, ra. m. y f. Persona que abaña.

Abañadura. f. Acción de abañar.

Abañar. (Del lat. **evannāre,* de *vannus,* cribo.) tr. Seleccionar la simiente sometiéndola a un cribado especial.

Abarañar. (De *baraño.*) tr. *Sal.* Recoger y colocar ordenadamente los baraños de heno que los guadañeros dejan tendidos en el prado.

Abaratamiento. m. Acción y efecto de abaratar.

Abaratar. tr. Disminuir o bajar el precio de una cosa, hacerla barata.

Abarbechar. tr. **Barbechar.**

Abarca. (Del vasc. *abarca.*) f. Calzado de cuero crudo que cubre sólo la planta de los pies, con reborde en torno, y se asegura con cuerdas o correas sobre el empeine y el tobillo. Hoy se hacen también de caucho. || **2.** En algunas regiones, **zueco,** 1.er art., 1.ª acep.

Abarcado, da. adj. Calzado con abarcas.

Abarcador, ra. adj. Que abarca.

Abarcadura. f. Acción y efecto de abarcar.

Abarcamiento. m. **Abarcadura.**

Abarcar. (Del lat. *ad,* a, y *brachium,* brazo.) tr. Ceñir con los brazos o con la mano alguna cosa. || **2.** fig. Ceñir, rodear, comprender. || **3.** Contener; implicar o encerrar en sí. || **4.** Alcanzar con la vista. || **5.** Tomar uno a su cargo muchas cosas o negocios a un tiempo. || **6.** *Méj.* **Acaparar,** 1.ª acep. || **7.** *Mont.* Rodear un trozo de monte en que se presume estar la caza. || **Quien mucho abarca, poco aprieta.** ref. con que se significa que quien emprende o toma a su cargo muchos negocios a un tiempo, no suele desempeñar bien ninguno.

Abarcón. (De *abarcar.*) m. Aro de hierro que en los coches antiguos afianzaba la lanza dentro de la punta de la tijera.

Abarcuzar. tr. *Sal.* **Abarcar,** 1.ª, 2.ª y 5.ª aceps. || **2.** fig. *Sal.* Ansiar, codiciar.

Abaritonado, da. adj. Dícese de la voz parecida a la del barítono y de los instrumentos cuyo sonido tiene timbre semejante.

Abarloar. (De *a,* 2.° art., y *barloa.*) tr. *Mar.* Situar un buque de tal suerte que su costado esté casi en contacto con el de otro buque, o con una batería, muelle, etc. Ú. t. c. r.

Abarquero, ra. m. y f. Persona que hace o vende abarcas.

Abarquillado, da. p. p. de **Abarquillar.** || **2.** adj. De figura de barquillo.

Abarquillamiento. m. Acción y efecto de abarquillar o abarquillarse.

Abarquillar. tr. Encorvar un cuerpo delgado y ancho, como pasta de barquillos, de hostias o de obleas, hoja de papel, lámina metálica, chapa de madera, etc., sin que llegue a formar rollo. Ú. t. c. r.

Abarracar. intr. *Mil.* Acampar construyendo chozas o barracas. Ú. t. c. r.

Abarrado, da. adj. **Barrado,** 2.ª acep.

Abarraganamiento. (De *abarraganarse.*) m. **Amancebamiento.**

Abarraganarse. (De *a,* 2.° art., y *barragana.*) r. **Amancebarse.**

Abarrajar. tr. Abarrar, atropellar. || **2.** r. *Perú.* Encanallarse.

Abarramiento. m. Acción y efecto de abarrar.

Abarrancadero. m. Sitio donde es fácil abarrancarse. || **2.** fig. Negocio o lance de que no se puede salir fácilmente.

Abarrancamiento. m. Acción y efecto de abarrancar o abarrancarse.

Abarrancar. tr. Hacer barrancos. || **2.** Meter en un barranco. Ú. t. c. r. || **3.** intr. **Varar,** 2.ª acep. Ú. t. c. r. || **4.** r. fig. Meterse en negocio o lance de que no se puede salir fácilmente.

Abarrar. tr. Arrojar, tirar violentamente alguna cosa. || **2.** Varear o sacudir.

Abarraz. (Del ár. *ḥabb ar-ra's,* semilla o grano de la cabeza.) m. ant. **Albarraz,** 2.° art.

Abarredera. (De *abarrer.*) f. **Escoba.** 1.ª acep. || **2.** fig. Cosa que barre y limpia.

Abarrenar. tr. ant. **Barrenar.**

Abarrer. tr. **Barrer,** 2.ª acep.

Abarrisco. adv. m. **A barrisco.**

Abarrotar. tr. Apretar o fortalecer con barrotes alguna cosa.

Abarrotar. tr. *Mar.* Asegurar la estiba con abarrotes. || **2.** *Mar.* Cargar un buque aprovechando hasta los sitios más pequeños de su bodega y cámaras, y a veces parte de su cubierta. || **3.** Por ext., llenar completamente, atestar de géneros u otras cosas una tienda, un almacén, etc.

Abarrote. (De *abarrotar,* 2.° art.) m. *Mar.* Fardo pequeño o cuña que sirve para apretar la estiba, llenando sus huecos. || **2.** pl. *Amér.* Artículos de comercio, como caldos, cacaos, conservas alimenticias, papel, etc. || **3.** *Perú.* Artículos comestibles.

Abarrotero, ra. (De *abarrote.*) m. y f. *Méj.* Persona que tiene tienda o despacho de abarrotes.

Abarse. (De *¡aba!*) r. defect. Apartarse, quitarse del paso, dejar libre el camino. Ú. casi únicamente en el infinitivo y en los números sing. y pl. de la 2.ª pers. del imperativo.

Abasí. (Del ár. *'abbāsī,* patronímico del n. p. *'Abbās.*) adj. Dícese del descendiente de Abu-l-Abbás, quien, destronando a los califas omeyas de Damasco, fundó una nueva dinastía y trasladó la corte a Bagdad, en el siglo VIII de J. C. Ú. m. c. s. m. y en pl. || **2.** Perteneciente o relativo a este linaje o dinastía.

Abastadamente. adv. m. ant. Abundante o copiosamente.

Abastamiento. m. Acción y efecto de abastar o abastarse.

Abastante. (De *abastar.*) adj. ant. Bastante o suficiente.

Abastanza. (De *abastar.*) adv. c. ant. **Bastantemente.**

Abastar. (De *a,* 2.° art., y *bastar,* 1.er art.) tr. **Abastecer.** Ú. t. c. r. || **2.** intr. ant. **Bastar,** 1.er art., 1.ª acep. || **3.** r. Satisfacerse o contentarse.

Abastardar. intr. **Bastardear.**

Abastecedor, ra. adj. Que abastece. Ú. t. c. s.

Abastecer. (De *a,* 2.° art., y *bastecer.*) tr. Proveer de bastimentos o de otras cosas necesarias. Ú. t. c. r.

Abastecimiento. m. Acción y efecto de abastecer o abastecerse.

Abastero. (De *abastar.*) m. *Chile.* El que compra reses vivas para matarlas y vender la carne por mayor.

Abastimiento. m. ant. **Abastecimiento.**

Abastionar. tr. *Fort.* Fortificar con bastiones.

Abasto. (De *abastar.*) m. Provisión de bastimentos, y especialmente de víveres. || **2. Abundancia.** || **3.** En el arte del bordador, pieza o piezas menos principales de la obra. || **4.** adv. m. ant. Copiosa o abundantemente. Ú. en *Sal.* || **Dar abasto a** una cosa. fr. Proveer a todas sus necesidades o exigencias. Ú. m. con neg.

Abatanar. tr. Batir o golpear el paño en el batán para desengrasarlo y enfurtirlo. || **2.** fig. Batir o golpear de otro modo; maltratar.

Abate. (Del lat. *abbas, -ātis.*) m. Eclesiástico de órdenes menores, y a veces simple tonsurado, que solía vestir traje clerical a la romana. || **2.** Presbítero extranjero, especialmente francés o italiano, y también eclesiástico español que ha residido mucho tiempo en Francia o Italia.

Abatí. (Voz guaraní.) m. En algunas regiones de la Argentina, **maíz.** || **2.** *Argent.* y *Parag.* Bebida alcohólica destilada del maíz.

Abatidamente. adv. m. Con abatimiento.

Abatidero. (De *abatir.*) m. Cauce de desagüe.

Abatido, da. p. p. de **Abatir.** || **2.** adj. Abyecto, ruin, despreciable. || **3.** Que ha caído de su estimación y precio regular. Dícese de las mercancías y de los frutos.

Abatidura. f. ant. Acción de abatirse o caer el ave de rapiña.

Abatimiento. m. Humillación, bajeza. || **2.** Postración física o moral de una persona. || **3.** Persona o cosa afrentosa. || **4.** *Mar.* Ángulo que forma la línea de la quilla con la dirección que realmente sigue la nave.

Abatir. (Del lat. [S. VI] *abbattuĕre.*) tr. Derribar, derrocar, echar por tierra. Ú. t. c. r. || **2.** Hacer que baje una cosa. ABATIR *las velas de una embarcación;* ABATIR *la bandera.* || **3.** Inclinar, tumbar, poner tendido lo que estaba vertical. ABATIR *los palos de un buque* o *la chimenea de un vapor.* || **4.** fig. **Humillar.** Ú. t. c. r. || **5.** fig. Hacer perder el ánimo, las fuerzas, el vigor. Ú. m. c. r. || **6.** Desarmar o descomponer alguna cosa. Dícese especialmente de las tiendas de campaña; y en la marina, de la pipería y de los camarotes. || **7.** intr. *Mar.* Desviarse un buque de su rumbo a impulso del viento o de una corriente. || **8.** r. Bajar, descender el ave de rapiña. *El gerifalte* SE ABATIÓ.

Abatismo. m. Poder de los abates; conjunto de abates.

Abatojar. tr. *Ar.* Batojar o batir las alubias u otras legumbres después de secas, para que las vainas suelten el grano.

Abayado, da. adj. *Bot.* Parecido a la baya.

Abaz. (Del lat. *abax, -ăcis,* y éste del gr. ἄβαξ.) m. ant. **Aparador,** 2.ª acep.

Abazón. (Del fr. *abajoue,* y éste de *bajoue,* de *bas,* del lat. *bassus,* bajo, y *joue,* del lat. *gabăta,* recipiente.) m. *Zool.* Cada uno de los dos sacos o bolsas que dentro de la boca tienen muchos monos y algunos roedores, para depositar los alimentos antes de masticarlos.

Abderitano, na. adj. Natural de Abdera. Ú. t. c. s. || **2.** Perteneciente a una de las dos antiguas ciudades de este nombre: la de España, hoy Adra, o la de Tracia, hoy Balastra.

Abdicación. (Del lat. *abdicatĭo, -ōnis.*) f. Acción y efecto de abdicar. || **2.** Documento en que consta la **abdicación.**

Abdicar. (Del lat. *abdicāre;* de *ab,* separativo, y *dicāre,* ofrecer.) tr. Ceder o renunciar a la soberanía de un pueblo; renunciar otras dignidades o empleos. || **2.** Ceder o renunciar derechos, ventajas, opiniones, etc. || **3.** desus. Privar a uno de un estado favorable, de un derecho, facultad o poder. Usáb. t. c. intr.

Abdicativamente. adv. m. Por delegación.

Abdicativo, va. (Del lat. *abdicativus.*) adj. Perteneciente a la abdicación.

Abdomen. (Del lat. *abdŏmen.*) m. **Vientre,** 1.ª acep. || **2.** *Zool.* Región posterior, de las tres en que está dividido el cuerpo de los insectos, arácnidos y crustáceos.

Abdominal. (Del lat. *abdominālis.*) adj. Perteneciente o relativo al abdomen. *Extremidades* ABDOMINALES. || **2.** *Zool.* V. **Aorta, malacopterigio abdominal.**

Abducción. (Del lat. *abductĭo, -ōnis,* separación.) f. *Dial.* Silogismo en que la mayor es evidente y la menor probable; pero más creíble, o bien más fácilmente demostrable que la conclusión. || **2.** *Zool.* Movimiento por el cual un miembro u otro órgano se aleja del plano medio que divide imaginariamente al cuerpo en dos partes simétricas. ABDUCCIÓN *del brazo, del ojo.*

Abductor. (Del lat. *abductor, -ōris,* que aparta.) adj. *Zool.* V. **Músculo abductor.** Ú. t. c. s.

Abebrar. (Del lat. **abbĭbĕrāre,* de *bĭbĕre,* beber.) tr. ant. **Abrevar.** || **2.** ant. Mojar, remojar. || **3.** ant. **Saciar.**

Abecé. (De *a, b, c.*) m. **Abecedario,** 1.ª y 2.ª aceps. || **2.** fig. Rudimentos o principios de una ciencia o facultad, o de cualquier otro orden de conocimientos. || **No entender** uno, o **no saber, el abecé.** fr. fig. y fam. Ser muy ignorante.

Abecedario. (Del lat. *abecedarĭum,* y éste de *a, b, c.*) m. Serie de las letras de un idioma, según el orden en que cada cual de ellos las considera colocadas. || **2.** Cartel o librito con las letras del **abecedario,** que sirve para enseñar a leer. || **3.** Orden alfabético; lista en orden alfabético. || **4.** *Impr.* Orden de las signaturas de los pliegos de una impresión cuando van señalados con letras.

|| **5. Abecé,** 2.ª acep. || **manual.** Sistema de signos que en equivalencia de las letras del alfabeto se hacen con los dedos de la mano, y que usan principalmente los sordomudos para comunicarse entre sí o con otras personas. || **telegráfico.** Conjunto de signos o cifras que se emplean en la telegrafía.

Abedul. (Del celtolat. **betŭlus*, por *betŭla.*) m. Árbol de la familia de las betuláceas, de unos diez metros de altura, con hojas pequeñas, puntiagudas y doblemente aserradas o dentadas, y dispuestas en ramillas colgantes que forman una copa de figura irregular que da escasa sombra. Abunda en los montes de Europa, y su corteza, que contiene un aceite esencial, se usa para curtir y aromatizar la piel de Rusia. || **2.** Madera de este árbol.

Abeja. (Del lat. *apĭcŭla.*) f. Insecto himenóptero, de unos 15 milímetros de largo, de color pardo negruzco y con vello rojizo. Vive en colonias, cada una de las cuales consta de una sola hembra fecunda, muchos machos y numerosísimas hembras estériles, incapaces de procrear; habita en los huecos de los árboles o de las peñas, o en las colmenas que el hombre le prepara, y produce la cera y la miel. || **2.** fig. Persona laboriosa y allegadora. || **3.** *Astron.* **Mosca,** 7.ª acep. || **albañila.** Insecto himenóptero que vive apareado y hace para su morada agujeros horizontales en las tapias y en los terrenos duros. || **carpintera.** Himenóptero del tamaño y forma del abejorro, y de color negro morado; fabrica su panal en los troncos secos de los árboles, y de aquí su nombre. Es común en España. || **machiega, maesa** o **maestra.** Hembra fecunda de las abejas, única en cada colmena. || **neutra** u **obrera.** Cada una de las que carecen de la facultad de procrear y producen la cera y la miel. || **reina. Abeja machiega.** || **Abeja y oveja, y parte en la Igreja, desea a su hijo la vieja.** ref. con que se da a entender que la carrera eclesiástica, el ganado lanar y los colmenares proporcionan comodidades y riquezas. || **Muerta es la abeja que daba la miel y la cera.** fr. con que se indica haber muerto la persona que atendía a todas nuestras necesidades.

Abejar. (De *abeja.*) adj. V. **Uva abejar.** || **2.** m. **Colmenar.**

Abejarrón. (aum. de *abeja.*) m. **Abejorro,** 1.ª acep. || **2. Abejón,** 3.ª acep.

Abejaruco. (De *abejero.*) m. *Zool.* Pájaro del suborden de los sindáctilos, de unos 15 centímetros de longitud, con alas puntiagudas y largas y pico algo curvo, más largo que la cabeza; en su plumaje, de vistoso colorido, dominan el amarillo, el verde y el rojo obscuro. Abunda en España y es perjudicial para los colmenares, porque se come las abejas. || **2.** fig. Persona noticiera o chismosa.

Abejera. f. **Colmenar.** || **2. Toronjil.**

Abejero, ra. m. y f. **Colmenero, ra,** 2.ª acep. || **2.** m. **Abejaruco.**

Abejón. (aum. de *abeja.*) m. **Zángano,** 1.ª acep. || **2. Abejorro,** 1.ª acep. || **3.** Juego entre tres sujetos, uno de los cuales, puesto en medio con las manos juntas delante de la boca, hace un ruido semejante al del **abejón,** y entreteniendo así a los otros dos, procura darles bofetadas y evitar las de ellos. || **Jugar al abejón con** uno. fr. fig. y fam. Tenerle en poco; tratarle con desprecio, burlarse de él.

Abejorreo. m. Zumbido de las abejas. || **2.** Rumor confuso de voces o conversaciones.

Abejorro. (De *abeja.*) m. Insecto himenóptero, de dos a tres centímetros de largo, velludo y con la trompa casi del mismo tamaño que el cuerpo. Vive en enjambres poco numerosos, hace el nido debajo del musgo o de piedras y zumba mucho al volar. || **2.** *Zool.* Insecto coleóptero, de dos a tres centímetros de largo, que tiene el cuerpo negro, los élitros de color pardo leonado y rojizas las patas y las antenas. Zumba mucho al volar; el animal adulto roe las hojas de las plantas, y la larva, las raíces. En España causa estrago principalmente en las olmedas y en los pinares. || **3.** fig. Persona de conversación pesada y molesta.

Abejuela. f. d. de **Abeja.**

Abejuno, na. adj. Perteneciente o relativo a la abeja.

Abelmosco. (Del ár. *ḥabb al-musk*, grano de almizcle.) m. Planta de la familia de las malváceas, con tallo peludo y hojas acorazonadas, angulosas, puntiagudas y aserradas. Procede de la India, y sus semillas, de olor almizcleño, se emplean en medicina y perfumería.

Abellacado, da. p. p. de **Abellacar.** || **2.** adj. Bellaco, vil.

Abellacar. tr. Hacer bellaco, envilecer. Ú. m. c. r.

Abellar. m. ant. **Abejar.**

Abellero. m. ant. **Abejero.**

Abellota. f. ant. **Bellota.**

Abellotado, da. adj. De figura parecida a la de la bellota.

Abemoladamente. adv. m. **Dulcemente.**

Abemolar. (De *a*, 2.º art., y *bemol.*) tr. Poner bemoles. || **2.** Suavizar, dulcificar la voz.

Abencerraje. (Del ár. *Ibn as-Sarrāŷ*, apellido de familia, que significa el hijo del que fabrica sillas de montar.) m. Individuo de una familia del reino musulmán granadino, famosa en el siglo XV por su rivalidad con el linaje de los Cegríes.

Abental. (Del ant. *abantal*, y éste del lat. *ab ante*, por delante.) m. ant. **Delantal.**

Abenuz. (Del ár. *abnūs*, y éste del gr. ἔβενος.) m. **Ébano.**

Abéñola. f. ant. **Abéñula.**

Abéñula. (Del lat. *pennŭla*, plumita.) f. ant. **Pestaña,** 1.ª acep.

Aberenjenado, da. adj. De color o figura de berenjena.

Aberración. (Del lat. *aberratĭo, -ōnis;* de *aberrāre*, andar errante.) f. **Extravío.** || **2.** *Astron.* Desvío aparente de los astros, que proviene de la velocidad de la luz combinada con la de la Tierra en su órbita. || **3.** *Biol.* Desviación del tipo normal que en determinados casos experimenta un carácter morfológico o fisiológico. || **cromática.** *Ópt.* Imperfección de las lentes que es causa de cromatismo. || **de esfericidad.** *Ópt.* Falta de coincidencia de los rayos luminosos que deben encontrarse en el foco de una lente o de un espejo cóncavo.

Aberrar. (Del lat. *aberrāre.*) intr. Desviarse, extraviarse, andar errante.

Abertal. (De *abierto.*) adj. Dícese del campo o finca rústica que no está cerrada con tapia, vallado ni de otra manera. || **2.** Dícese del terreno que con la sequía se agrieta.

Abertura. f. Acción de abrir o abrirse. || **2.** Boca, hendidura, agujero o grieta. || **3.** Grieta formada en la tierra por la sequedad o los torrentes. || **4.** Terreno ancho y abierto que media entre dos montañas. || **5. Ensenada.** || **6.** fig. Franqueza, lisura en el trato y conversación. || **7.** *Astron.* Diámetro útil de un anteojo, telescopio u objetivo. || **8.** *For.* **Apertura,** 3.ª acep.

Abés. (De *avés.*) adv. m. ant. Difícilmente, con trabajo.

Abesana. f. **Besana.**

Abesón. m. **Eneldo.**

Abestiado, da. adj. Que parece bestia, o de bestia.

Abestializado, da. adj. **Abestiado.**

Abestionar. tr. ant. *Fort.* **Abastionar.**

Abéstola. f. **Arrejada.**

Abetal. m. Sitio poblado de abetos.

Abetar. m. **Abetal.**

Abete. (Del cat. y arag. *abet*, y éste del lat. *abies, -ĕtis*, abeto.) m. **Abeto.**

Abete. (Del fr. *happette*, de *happe*, y éste de *happer*, del germ. *happen*, morder.) m. Hierrecillo con un gancho en cada extremidad, que sirve para asegurar en el tablero la parte de paño que se tunde de una vez.

Abetinote. (Del lat. *abietīnus*, de *abies, -ĕtis*, abeto.) m. Resina líquida que fluye a través de la corteza del abeto o pinabete, donde suele condensarse.

Abeto. (De *abete*, con la *o* de *pino.*) m. Árbol de la familia de las abietáceas, que llega hasta 50 metros de altura, con tronco alto y derecho, de corteza blanquecina, copa cónica de ramas horizontales, hojas aciculares y persistentes, flores poco visibles y fruto en piñas casi cilíndricas. Crece en parajes frescos y elevados, forma bosques en los Pirineos españoles, y su madera, no muy resistente, se aprecia, por su tamaño y blancura, para determinadas construcciones. Entre las grietas de su corteza se condensa la resina llamada abetinote. || **2.** Madera de cualquiera de las especies de este árbol. || **3.** V. **Aceite de abeto.** || **blanco. Abeto,** 1.ª acep. || **del Norte, falso** o **rojo. Picea.**

Abetuna. (Del lat. *abies, -ĕtis*, abeto.) f. *Huesca.* Pimpollo del abeto común.

Abetunado, da. p. p. de **Abetunar.** || **2.** adj. Semejante al betún en alguna de sus calidades.

Abetunar. tr. **Embetunar.**

Abeurrea. (Del vasc. *abe*, poste, y *aurre*, delante, delantero.) f. Señal que ponen en Vizcaya en terreno público para adquirir derecho de edificar en él.

Abey. m. *Bot.* Árbol leguminoso de las Antillas, de unos 20 metros de altura, con hojas alternas y ovaladas, que sirven para el mantenimiento de los ganados, y cuya madera, fuerte y muy compacta, se usa en carpintería. || **hembra. Abey.** || **macho.** Árbol tropical, de la familia de las bignoniáceas, de gran altura y ramaje, con hojas compuestas, flores pequeñas y fruto capsular. Su madera se aprecia mucho para obras de torno.

Abia. (Del lat. *avia.*) f. *Ál.* **Arándano.**

Abiar. m. **Albihar.**

Abibollo. m. *Ál.* **Ababol.**

Abieldar. (Del lat. *evĕntilāre*, aventar.) tr. **Bieldar.**

Abierta. f. ant. **Abertura,** 2.ª acep.

Abiertamente. adv. m. Sin reserva, francamente.

Abierto, ta. (Del lat. *apertus.*) p. p. irreg. de **Abrir.** || **2.** adj. Desembarazado, llano, raso, dilatado. Dícese comúnmente del campo o campaña. || **3.** No murado o cercado. || **4.** V. **Concejo, crédito, orden, resto, testamento, viento abierto.** || **5.** V. **Carga, carta, cartela, casa, espejuela, guerra, letra, sílaba, vaca, vaina, vocal abierta.** || **6.** fig. Ingenuo, sincero, franco, dadivoso. || **7.** Claro, patente, indudable. || **8.** fig. Dícese de la caballería que sufre relajación de los músculos o de los tejidos fibrosos de las regiones superiores de los miembros torácicos. || **9.** *Mar.* Dícese de la embarcación que no tiene cubierta. || **10.** adv. m. **Abiertamente.**

Abietáceo, a. (De *abies*, nombre de un género de plantas.) adj. *Bot.* Dícese de árboles gimnospermos bastante ramificados, con hojas persistentes de limbo muy estrecho y aun acicular; flores unisexuales monoicas, las masculinas reunidas en amentos y las femeninas en estróbilos; las semillas, que nunca son carnosas, están cubiertas por escamas muy apretadas; como el pino, el abeto, el alerce y el cedro. Ú. t. c. s. f. || **2.** f. pl. *Bot.* Familia de estas plantas.

Abiete. m. **Abeto.**

Abietíneo, a. (Del lat. *abies, -ĕtis,* abeto.) adj. *Bot.* **Abietáceo.**

Abietino, na. (Del lat. *abietīnus,* de abeto.) adj. Dícese de la resina del abeto. || **2.** m. **Abetinote.**

Abigarradamente. adv. m. De modo abigarrado.

Abigarrado, da. p. p. de **Abigarrar.** || **2.** adj. De varios colores mal combinados. || **3.** Dícese también de lo heterogéneo reunido sin concierto.

Abigarramiento. m. Acción y efecto de abigarrar. || **2.** Calidad de abigarrado.

Abigarrar. tr. Dar o poner a una cosa varios colores mal combinados.

Abigeato. (Del lat. *abigeātus.*) m. *For.* Hurto de ganado o bestias.

Abigeo. (Del lat. *abigĕus.*) m. *For.* El que hurta ganado o bestias.

Abigero. m. ant. **Abigeo.**

Abigotado, da. adj. **Bigotudo.**

Ab initio. loc. adv. lat. Desde el principio. || **2.** Desde tiempo inmemorial o muy remoto.

Ab intestato. loc. adv. lat. Sin testamento. *Murió* AB INTESTATO. || **2.** Descuidada, abandonadamente.

Abintestato. (De *ab intestato.*) m. Procedimiento judicial sobre herencia y adjudicación de bienes del que muere sin testar.

Abipón, na. adj. Dícese de una raza de indios que habitaba cerca del Paraná. Ú. t. c. s. || **2.** Perteneciente a estos indios.

Ab irato. loc. adv. lat. Arrebatadamente, a impulsos de la ira, sin reflexión.

Abisagrar. tr. Clavar o fijar bisagras en las puertas y sus marcos, o en otros objetos.

Abisal. (De *abiso.*) adj. **Abismal,** 2.° art.

Abiselar. tr. **Biselar.**

Abisinio, nia. adj. Natural de Abisinia. Ú. t. c. s. || **2.** Perteneciente a este país de África. || **3.** V. **Rito abisinio.** || **4.** m. Lengua **abisinia.**

Abismado, da. adj. *Blas.* Dícese de la pieza del escudo puesta en el abismo.

Abismal. (Del ár. *al-mismār,* el clavo.) m. Cada uno de los clavos con que se fijaba en el asta el hierro de la lanza.

Abismal. adj. Perteneciente al abismo.

Abismar. tr. Hundir en un abismo. Ú. t. c. r. || **2.** fig. Confundir, abatir. Ú. t. c. r. || **3.** r. fig. Entregarse del todo a la contemplación, al dolor, etc.

Abismático, ca. adj. Profundo como un abismo; insondable.

Abismo. (Del lat. *abyssĭmus,* sup. de *abyssus,* y éste del gr. ἄβυσσος; de ἀ, priv., y βυσσός, fondo.) m. Cualquier profundidad grande, imponente y peligrosa, como la de los mares, la de un tajo, la de una sima, etc. || **2. Infierno,** 1.ª acep. || **3.** fig. Cosa inmensa, insondable o incomprensible. || **4.** *Blas.* Punto o parte central del escudo.

Abiso. (Del lat. *abyssus.*) m. ant. **Abismo.**

Abita. (De *abitar.*) f. desus. **Bita.**

Abitadura. f. *Mar.* Acción de abitar.

Abitaque. m. **Cuartón,** 1.ª acep.

Abitar. (De *a,* 2.° art., y *bita.*) tr. *Mar.* Amarrar y asegurar a las bitas el cable del ancla fondeada.

Abitón. (De *abitar.*) m. *Mar.* Madero que se coloca verticalmente en un buque y sirve para amarrar o sujetar algún cabo.

Abizcochado, da. adj. Parecido al bizcocho, 1.ª y 2.ª aceps.

Abjuración. (Del lat. *abiuratĭo, -ōnis.*) f. Acción y efecto de abjurar.

Abjurar. (Del lat. *abiurāre;* de *ab,* separativo, y *iurāre,* jurar.) tr. Desdecirse con juramento; renunciar solemnemente. Ú. t. c. intr.

Ablación. (Del lat. *ablatĭo, -ōnis,* acción de quitar.) f. *Cir.* Separación o extirpación de cualquiera parte del cuerpo.

Ablandabrevas. (De *ablandar* y *breva.*) com. fig. y fam. Persona inútil o para poco.

Ablandador, ra. adj. Que ablanda.

Ablandadura. f. ant. **Ablandamiento.**

Ablandahigos. com. fig. y fam. **Ablandabrevas.**

Ablandamiento. m. Acción y efecto de ablandar o ablandarse.

Ablandante. p. a. de **Ablandar.** Que ablanda.

Ablandar. tr. Poner blanda una cosa. Ú. t. c. r. || **2.** Laxar, suavizar. || **3.** fig. Mitigar la fiereza, la ira o el enojo de alguno. Ú. t. c. r. || **4.** intr. Calmar sus rigores el invierno; empezar a derretirse los hielos y las nieves. || **5.** Ceder en su fuerza el viento. Ú. t. c. r.

Ablandativo, va. adj. Que tiene virtud de ablandar.

Ablandecer. tr. **Ablandar,** 1.ª acep.

Ablandir. tr. ant. **Blandir,** 2.° art.

Ablanedo. (De *ablano.*) m. *Ast.* **Avellanedo.**

Ablano. (Del lat. *abellānus,* avellano.) m. *Ast.* **Avellano.**

Ablativo. (Del lat. *ablatīvus.*) m. *Gram.* Uno de los casos de la declinación. Hace en la oración oficio de complemento, expresando en ella relaciones de procedencia, situación, modo, tiempo, instrumento, materia, etc., y en castellano lleva casi siempre antepuesta preposición, siendo las de que más comúnmente se vale, *con, de, desde, en, por, sin, sobre, tras.* || **absoluto.** *Gram.* Expresión elíptica sin conexión o vínculo gramatical con el resto de la frase a que pertenece, pero de la cual depende por el sentido. Puede componerse de dos nombres con preposición, o de nombre o pronombre acompañado de adjetivo, participio o gerundio, y constar además de otras partes de la oración. EN SILENCIO LA CASA, *pudimos ya acostarnos;* LIMPIA LA ARMADURA, *vistiósela;* MUERTO EL PERRO, *se acabó la rabia;* DICHO ESTO, *calló; mañana llegarán,* DIOS MEDIANTE. Consta a veces de un solo gerundio o un solo participio, sobrentendiéndose un nombre. HABLANDO, *le dio una congoja;* AGRAVIADO, *tuvo que defenderse.*

Ablegado. (Del lat. *ablegātus,* p. p. de *ablegāre,* enviar.) m. Enviado apostólico encargado de entregar el birrete a los nuevos cardenales.

Ablentador. (De *ablentar.*) m. ant. **Aventador,** 3.ª acep.

Ablentar. (Del lat. *eventilāre,* aventar.) tr. *Ál* y *Ar.* **Aventar,** 2.ª acep.

Ablución. (Del lat. *ablutĭo, -ōnis.*) f. **Lavatorio,** 1.ª acep. || **2.** Acción de purificarse por medio del agua, según ritos de algunas religiones, como la judaica, la mahometana, etc. || **3.** Ceremonia de purificar el cáliz y de lavarse los dedos el sacerdote después de consumir. || **4.** pl. Vino y agua con que se hace esta purificación y lavatorio. *Sumir las* ABLUCIONES.

Ablusado, da. adj. Dícese del corpiño holgado a manera de blusa.

Abnegación. (Del lat. *abnegatĭo, -ōnis.*) f. Sacrificio que uno hace de su voluntad, de sus afectos o de sus intereses en servicio de Dios o para bien del prójimo.

Abnegadamente. adv. m. Con abnegación.

Abnegado, da. p. p. de **Abnegar.** || **2.** adj. Que tiene abnegación.

Abnegar. (Del lat. *abnegāre.*) tr. Renunciar uno voluntariamente a sus deseos, pasiones o intereses. Ú. m. c. r.

Abobado, da. p. p. de **Abobar.** || **2.** adj. Que parece bobo, o de bobo.

Abobamiento. m. Acción y efecto de abobar o abobarse.

Abobar. tr. Hacer bobo a alguno, entorpecerle el uso de las potencias. Ú. t. c. r. || **2. Embobar.** Ú. t. c. r.

Abobra. (Del lat. [de S. Isidoro] *apŏpŏres,* calabaza.) f. Planta vivaz de la familia de las cucurbitáceas, que se cultiva como enredadera de adorno.

Abocadear. tr. Herir o maltratar a bocados. || **2.** Tomar bocados.

Abocado. adj. Dícese del jerez que contiene mezcla de vino seco y dulce. Ú. t. c. s. m.

Abocamiento. m. Acción y efecto de abocar o abocarse.

Abocanar. intr. *Ast.* **Escampar,** 2.ª acep.

Abocar. tr. Asir con la boca. || **2.** Acercar, aproximar. ABOCAR *la artillería, las tropas.* Ú. t. c. r. || **3.** Verter el contenido de un cántaro, costal, etc., en otro. Dícese propiamente cuando para ello se aproximan las bocas de ambos. || **4.** r. Juntarse de concierto una o más personas con otra u otras para tratar un negocio. || **5.** intr. *Mar.* Comenzar a entrar en un canal, estrecho, puerto, etc.

Abocardado, da. p. p. de **Abocardar.** || **2.** adj. De boca semejante a la de la trompeta. Dícese más comúnmente de algunas armas de fuego.

Abocardar. tr. Ensanchar la boca de un tubo o de un agujero.

Abocardo. m. *Min.* **Alegra.**

Abocelado, da. adj. Que tiene forma de bocel.

Abocetado, da. adj. Dícese de la pintura que, por estar poco concluída, más parece boceto que obra terminada.

Abocetar. tr. Ejecutar bocetos o dar el carácter de tales a las obras artísticas.

Abocinado, da. p. p. de **Abocinar.** || **2.** adj. De figura semejante a la de la bocina. || **3.** *Arq.* V. **Arco abocinado.** || **4.** *Equit.* Dícese del caballo o yegua que va con la cabeza baja, más caído el cuerpo sobre el cuarto delantero que apoyado en el trasero.

Abocinamiento. m. Acción y efecto de abocinar.

Abocinar. tr. Ensanchar un tubo o cañón hacia su boca, a modo de bocina. || **2.** intr. fam. Caer de bruces.

Abochornado, da. p. p. de **Abochornar.** || **2.** adj. **Bochornoso.**

Abochornar. tr. Causar bochorno el excesivo calor. Ú. t. c. r. || **2.** fig. **Sonrojar.** Ú. t. c. r. || **3.** *Agr.* Enfermar las plantas por el excesivo calor o calma.

Abofeteador, ra. adj. Que abofetea. Ú. t. c. s.

Abofetear. tr. Dar de bofetadas.

Abogacía. f. Profesión y ejercicio del abogado, 1.ª acep.

Abogada. f. Mujer que se halla legalmente autorizada para profesar y ejercer la abogacía. || **2.** fam. Mujer del abogado. || **3.** fig. Intercesora o medianera.

Abogadesco, ca. adj. Perteneciente o relativo al abogado o a su profesión. Ú. por lo común en sent. despect.

Abogadil. adj. despect. Perteneciente a los abogados.

Abogadismo. m. Intervención excesiva de los abogados en los negocios públicos, o aplicación inadecuada de sus métodos a cuestiones extrañas a la abogacía.

Abogado. (Del lat. *advocātus.*) m. Perito en el derecho positivo que se dedica a defender en juicio, por escrito o de palabra, los derechos o intereses de los litigantes, y también a dar dictamen sobre las cuestiones o puntos legales que se le consultan. || **2.** fig. Intercesor o medianero. || **del diablo.** fig. y fam. **Promotor de la fe.** || **2.** Por ext., contradictor de buenas causas. || **del Estado.** Letrado que tiene por principales cometidos la defensa del Estado en juicio, el asesoramiento administrativo y la li-

quidación del impuesto de derechos reales. || **de pobres.** El que los defiende de oficio. || **de secano.** fig. y fam. Letrado que no ejerce ni sirve para ello. || **2.** fig. y fam. El que sin haber cursado la jurisprudencia entiende de leyes o presume de ello. Ú. en son de burla. || **3.** fig. y fam. El que se mete a hablar de materias en que es lego. || **4.** fig. y fam. Rústico avisado y diestro en el manejo de negocios superiores a su educación. || **firmón.** Abogado que por remuneración se dedica a firmar escritos ajenos.

Abogador, ra. (Del lat. *advocātor*, el que llama o convoca.) adj. ant. Que aboga. || **2.** m. **Muñidor,** 1.ª acep.

Abogamiento. m. ant. Acción y efecto de abogar.

Abogar. (Del lat. *advocāre*; de *ad*, a, y *vocāre*, llamar.) intr. Defender en juicio, por escrito o de palabra. || **2.** fig. Interceder, hablar en favor de alguno.

Abohetado, da. adj. **Abuhado.**

Abolaga. f. **Aulaga.**

Abolengo. (De *abuelo*.) m. Ascendencia de abuelos o antepasados. || **2.** *For.* Patrimonio o herencia que viene de los abuelos. || **3.** *For.* V. **Bienes de abolengo.**

Abolición. (Del lat. *abolitĭo*, *-ōnis*.) f. Acción y efecto de abolir.

Abolicionismo. m. Doctrina de los abolicionistas.

Abolicionista. adj. Dícese del que procura dejar sin fuerza ni vigor un precepto o costumbre. Aplicóse principalmente a los partidarios de la abolición de la esclavitud. Ú. t. c. s.

Abolir. (Del lat. *abolēre*.) tr. Derogar, dejar sin fuerza ni vigor para en adelante un precepto o costumbre.

Abolongo. (De *abuelo*.) m. ant. **Abolengo.**

Abolorio. (De *abuelo*.) m. **Abolengo,** 1.ª acep.

Abolsarse. r. Tomar figura de bolsa. || **2.** *Albañ.* Afollarse las paredes.

Abollado, da. (De *abollar*, 2.° art.) p. p. de **Abollar.** || **2.** m. Adorno de bollos en los metales y vestidos.

Abolladura. f. Acción y efecto de abollar, 1.° y 2.° art.

Abollar. (Del lat. **affullāre*, pisotear.) tr. Producir una depresión con un golpe. || **2.** *Burg.* **Hollar.**

Abollar. (De *bollo*.) tr. Adornar con bollos o relieves semiesféricos metales o telas.

Abollón. m. **Abolladura.**

Abollonar. (De *a*, 2.° art., y *bollón*.) tr. Repujar formando bollones. || **2.** intr. *Ar.* Arrojar las plantas el bollón.

Abomaso. (Del lat. *ab* y *omāsum*, panza.) m. *Zool.* **Cuajar,** 1.er art.

Abombar. (De *a*, 2.° art., y *bomba*.) tr. Dar figura convexa. || **2.** fig. y fam. Asordar, aturdir. || **3.** intr. Dar a la bomba. || **4.** r. *Amér. Merid.*, *Méj.*, *P. Rico* y *Venez.* Empezar a corromperse una cosa: *agua, carne* ABOMBADA.

Abominable. (Del lat. *abominabĭlis*.) adj. Digno de ser abominado.

Abominablemente. adv. m. De modo abominable.

Abominación. (Del lat. *abominatĭo*, *-ōnis*.) f. Acción y efecto de abominar. || **2.** Cosa abominable.

Abominar. (Del lat. *abomināri*; de *ab*, separat., y *omināri*, agorar, presagiar.) tr. Condenar y maldecir a personas o cosas por malas o perjudiciales. || **2.** **Aborrecer,** 1.ª acep.

Abonable. adj. Que puede o debe ser abonado.

Abonado, da. p. p. de **Abonar.** || **2.** adj. Que es de fiar por su caudal o crédito. || **3.** Dispuesto a decir o hacer una cosa. Tómase generalmente en mala parte. || **4.** *For.* V. **Testigo abonado.** || **5.** m. y f. Persona que ha tomado un abono, 3.ª acep.

Abonador, ra. adj. Que abona. || **2.** m. y f. Persona que abona al fiador, y en su defecto se obliga a responder por él. || **3.** m. Barrena de mango largo que usan los toneleros para abrir grandes taladros en las pipas.

Abonamiento. m. **Abono,** 1.ª acep.

Abonanza. f. ant. **Bonanza.**

Abonanzar. (De *a*, 2.° art., y *bonanza*.) intr. Calmarse la tormenta o serenarse el tiempo.

Abonar. (Del lat. *bŏnus*, bueno.) tr. Acreditar o calificar de bueno. || **2.** Salir por fiador de alguno, responder por él. || **3.** Hacer buena o útil alguna cosa, mejorarla de condición o estado. || **4.** Dar por cierta y segura una cosa. || **5.** Echar en la tierra laborable materias que le aumenten la fertilidad. || **6.** Inscribir a una persona, mediante pago, para que pueda concurrir a alguna diversión, disfrutar de alguna comodidad o recibir algún servicio periódicamente o determinado número de veces. Ú. m. c. r. || **7. Tomar en cuenta,** 1.ª acep. || **8. Pagar,** 1.ª y 2.ª aceps. || **9.** *Com.* Asentar en las cuentas corrientes las partidas que corresponden al haber. || **10.** intr. **Abonanzar.**

Abonaré. (1.ª pers. de sing. del fut. de indic. de *abonar*.) m. Documento expedido por un particular o una oficina en equivalencia o representación de una partida de cargo sentada en cuenta, o de un saldo preexistente.

Abondadamente. adv. m. ant. **Abundantemente.**

Abondado, da. p. p. del ant. **Abondar.** || **2.** adj. ant. **Abundado.**

Abondadura. f. ant. **Abundancia.**

Abondamiento. m. ant. **Abundancia.**

Abondar. (Del lat. *abŭndāre*.) intr. ant. **Abundar.** Ú. en *León* y *Sal.* || **2.** ant. Bastar, ser suficiente o conveniente. || **3.** tr. ant. Abastecer, proveer con abundancia o suficientemente. || **4.** ant. Satisfacer, contentar. Usáb. t. c. r.

Abondo. (Del lat. *abŭndo*, *abŭnde*, en abundancia.) m. ant. **Abundo.** Ú. en *Burg.* y *León.* || **2.** adv. m. fam. **Abundantemente.**

Abondosamente. adv. m. ant. **Abundantemente.**

Abondoso, sa. adj. ant. **Abundante.**

Abono. m. Acción y efecto de abonar o abonarse. || **2.** Fianza, seguridad, garantía. || **3.** Derecho que adquiere el que se abona. || **4.** Substancia con que se abona la tierra. || **5.** V. **Cédula, decreto de abono.** || **Ser de abono** una cosa. fr. Tener validez para que se compute en favor de una persona.

Aboquillado, da. p. p. de **Aboquillar.** || **2.** adj. Que tiene forma de boquilla.

Aboquillar. tr. Poner boquilla a alguna cosa. || **2.** *Arq.* Dar a una abertura forma abocardada. || **3.** *Arq.* **Chaflanar.**

Abordable. adj. Que se puede abordar.

Abordador, ra. adj. Que aborda.

Abordaje. m. *Mar.* Acción de abordar. || **Al abordaje.** m. adv. *Mar.* Pasando la gente, del buque abordador al abordado, con armas a propósito para embestir al enemigo. Ú. con los verbos *entrar, saltar, tomar,* etc.

Abordar. (De *a*, 2.° art., y *bordo*.) tr. *Mar.* Llegar una embarcación a otra, chocar o tocar con ella, ya sea para embestirla, ya para cualquiera otro fin, ya por descuido, ya fortuitamente. Ú. t. c. intr. || **2.** *Mar.* Atracar una nave a un desembarcadero, muelle o batería. || **3.** fig. Acercarse a alguno para proponerle o tratar con él un asunto. || **4.** fig. Emprender o plantear un negocio o asunto que ofrezca dificultades o peligros. || **5.** intr. *Mar.* Aportar, tomar puerto, llegar a una costa, isla, etc.

Abordo. (De *abordar*.) m. *Mar.* **Abordaje.**

Abordonar. intr. ant. Andar o ir apoyado en un bordón.

Aborigen. (Del lat. *aborigĭnes*; de *ab*, desde, y *origo*, origen.) adj. Originario del suelo en que vive. *Tribu, animal, planta* ABORIGEN. || **2.** Dícese del primitivo morador de un país, por contraposición a los establecidos posteriormente en él. Ú. m. c. s. y en pl.

Aborlonado, da. (De *a*, 2.° art., y *borlón*.) adj. *Colomb.* y *Chile.* **Acanillado.**

Aborrachado, da. (De *a*, 2.° art., y *borracho*.) adj. De color encarnado muy encendido.

Aborrajarse. (De *a*, 2.° art., y *borrajo*.) r. Secarse antes de tiempo las mieses y no llegar a granar por completo.

Aborrascarse. r. Ponerse el tiempo borrascoso.

Aborrecedero, ra. adj. ant. **Aborrecible.**

Aborrecedor, ra. adj. Que aborrece. Ú. t. c. s.

Aborrecer. (Del lat. *abhorrescĕre*; de *ab*, de, y *horrescĕre*, tener horror.) tr. Tener aversión a una persona o cosa. || **2.** Dejar o abandonar algunos animales, y especialmente las aves, el nido, los huevos o las crías. || **3. Aburrir,** 2.ª acep. || **4.** Aburrir, fastidiar, molestar. Ú. t. c. r.

Aborrecible. adj. Digno de ser aborrecido.

Aborreciblemente. adv. m. De modo aborrecible.

Aborrecidamente. adv. m. Con aborrecimiento.

Aborrecido, da. p. p. de **Aborrecer.** || **2.** adj. Dícese del que está aburrido.

Aborrecimiento. m. Acción y efecto de aborrecer. || **2. Aburrimiento.**

Aborregarse. (De *a*, 2.° art., y *borrego*.) r. Cubrirse el cielo de nubes blanquecinas y revueltas a modo de vellones de lana.

Aborrencia. (Del lat. *abhorrens*, *-entis*, p. a. de *abhorrēre*, aborrecer.) f. ant. **Aborrescencia.**

Aborrescencia. (Del lat. *abhorrescens*, *-entis*, p. a. de *abhorrĕscere*, aborrecer.) f. ant. **Aborrecimiento.**

Aborrible. (De *aborrir*.) adj. ant. **Aborrecible.**

Aborrío. (De *aborrir*.) m. ant. **Aburrimiento.**

Aborrir. (Del lat. *abhorrēre*; de *ab*, de, y *horrēre*, tener horror.) tr. ant. **Aborrecer.** Ú. en *Sal.* || **2.** r. ant. Entregarse con despecho a alguna acción o afecto.

Aborronar. intr. *Ast.* Hacer borrones u hormigueros para quemar las hierbas inútiles.

Aborso. (Del lat. *aborsus*.) m. ant. **Aborto.**

Abortadura. f. ant. **Aborto.**

Abortamiento. m. **Aborto.**

Abortar. (Del lat. *abortāre*; de *abortus*, aborto.) intr. Parir antes del tiempo en que el feto puede vivir. Ú. t. rara vez como causativo. || **2.** fig. Fracasar, malograrse alguna empresa o proyecto. || **3.** *Bot.* Ser nulo o incompleto en las plantas el desarrollo de alguna de sus partes orgánicas. || **4.** *Med.* Acabar, desaparecer alguna enfermedad cuando empieza o antes del término natural o común. || **5.** tr. fig. Producir o echar de sí alguna cosa sumamente imperfecta, extraordinaria, monstruosa o abominable.

Abortín. (De *abortar*.) m. *Ar.* **Abortón,** 1.ª acep.

Abortivo, va. (Del lat. *abortīvus*.) adj. Nacido antes de tiempo. || **2.** Que tiene virtud para hacer abortar. Ú. t. c. s. m.

Aborto. (Del lat. *abortus*; de *ab*, priv., y *ortus*, nacimiento.) m. Acción de abortar. || **2.** Cosa abortada.

Abortón. (De *abortar*.) m. *Zool.* Animal mamífero nacido antes de tiempo.

|| **2.** Piel del cordero nacido antes de tiempo.

Aborujar. tr. Hacer que una cosa forme borujos. Ú. t. c. r. || **2.** r. **Arrebujarse,** 2.ª acep.

Abotagamiento. m. Acción y efecto de abotagarse.

Abotagarse. (De *abotargarse.*) r. Hincharse, inflarse el cuerpo de un animal, o el de una persona, generalmente por enfermedad.

Abotargarse. (De *a,* 2.° art., y *botarga.*) tr. fam. **Abotagarse.**

Abotinado, da. adj. Hecho en figura de botín. Se aplica especialmente al zapato que ciñe y cierra la garganta del pie. || **2.** V. **Pantalón abotinado.**

Abotonador. m. Instrumento pequeño de metal, con un gancho o con un agujero en la punta, que sirve para asir el botón y meterlo en el ojal.

Abotonar. tr. Cerrar, unir, ajustar una prenda de vestir, metiendo el botón o los botones por el ojal o los ojales. Ú. t. c. r. || **2.** intr. Echar botones las plantas. || **3.** p. us. Arrojar el huevo botoncillos de clara cuando se cuece en agua.

Abovedado, da. p. p. de **Abovedar.** || **2.** adj. Corvo, combado.

Abovedar. tr. Cubrir con bóveda. || **2.** Dar figura de bóveda.

Ab ovo. (Lit., *desde el huevo.*) loc. adv. lat. fig. Tratándose de narraciones, desde el origen o desde tiempo muy remoto.

Aboyado, da. adj. Dícese de la finca rústica, posesión o heredad que se arrienda juntamente con bueyes para labrarla. || **2.** Dícese de la finca rústica o terreno cerrado que se destina al mantenimiento del ganado vacuno.

Aboyar. tr. *Mar.* Poner boyas. || **2.** intr. Boyar o flotar un objeto en el agua.

Aboyar. tr. desus. Arrendar una heredad con bueyes para su labranza.

Abozalar. tr. Poner bozal.

Abra. (Del fr. *havre,* y éste del neerl. *haven,* puerto.) f. Bahía no muy extensa. || **2.** Abertura ancha y despejada entre dos montañas. || **3.** Grieta producida en el terreno por efecto de concusiones sísmicas. || **4.** *And.* En una andana de botas, espacio que queda entre dos de una misma serie. || **5.** *Mar.* Distancia entre los palos de la arboladura, o abertura angular de las jarcias, de la obencadura, etc.

Abracadabra. m. Palabra cabalística que se escribía en once renglones, con una letra menos en cada uno de ellos, de modo que formasen un triángulo, y a la cual se atribuía la propiedad de curar ciertas enfermedades.

Abracijarse. r. p. us. **Abrazarse,** 1.ª y 2.ª aceps.

Abracijo. m. fam. **Abrazo.**

Abrahán. n. p. V. **Seno de Abrahán.**

Abrahonar. tr. fam. Ceñir o abrazar con fuerza a otro por los brahones.

Abrasadamente. adv. m. **Ardientemente.**

Abrasador, ra. adj. Que abrasa.

Abrasamiento. m. Acción y efecto de abrasar o abrasarse.

Abrasante. p. a. de **Abrasar.** Que abrasa.

Abrasar. (De *a,* 2.° art., y *brasa.*) tr. Reducir a brasa, quemar. Ú. t. c. r. || **2.** Secar el excesivo calor o frío una planta o sólo las puntas de sus hojas y pétalos. Ú. t. c. r. || **3.** Calentar demasiado. Ú. t. c. intr. || **4.** Producir una sensación de dolor ardiente, de sequedad, acritud o picor, como la producen la sed y algunas substancias picantes o cáusticas. || **5.** fig. Destruir; consumir, malbaratar los bienes y caudales. || **6.** fig. Avergonzar, dejar muy corrido o resentido a alguno con acciones o palabras picantes. || **7.** fig. Agitar o consumir a uno una pasión, especialmente el amor. || **8.** fig. Producir o encender en una persona una pasión violenta. || **9.** r. Sentir uno demasiado calor o ardor. || **10.** fig. Estar muy agitado de alguna pasión, como la ambición, la ira, etc. || **Abrasarse vivo.** fr. fig. **Abrasarse,** 9.ª y 10.ª aceps. de **Abrasar.**

Abrasilado, da. adj. Del color del palo brasil. || **2.** Que tira a este color.

Abrasión. (Del lat. *abradĕre.*) f. Acción y efecto de raer o desgastar por fricción. || **2.** *Med.* Acción irritante de los purgantes enérgicos. || **3.** *Med.* Leve ulceración de las membranas.

Abrasivo, va. adj. Perteneciente o relativo a la abrasión. Ú. t. c. s. m. aplicado a los productos que sirven para desgastar por fricción.

Abravar. (De *a,* 2.° art., y *bravo.*) tr. ant. **Excitar.**

Abravecer. (De *a,* 2.° art., y *bravo.*) tr. **Embravecer,** 1.ª acep.

Abraxas. (Del gr. ἀβραξάς, cuyas letras suman el núm. 365.) m. Palabra simbólica entre los gnósticos, y expresiva del curso del Sol en los 365 días del año. || **2.** Talismán gnóstico en que estaba grabada esta palabra.

Abrazada. f. p. us. Acción y efecto de **abrazar,** 2.ª acep.

Abrazadera. adj. V. **Sierra abrazadera.** Ú. t. c. s. || **2.** f. Pieza de metal u otra materia, que sirve para asegurar alguna cosa, ciñéndola. || **3.** *Impr.* **Corchete,** 4.ª acep.

Abrazado, da. p. p. de **Abrazar.** || **2.** adj. *Germ.* **Preso.**

Abrazador, ra. adj. Que abraza. || **2.** *Bot.* V. **Hoja abrazadora.** || **3.** m. Hierro o palo combado que sirve en la noria para mantener seguro el peón, arrimándolo y sujetándolo al puente. || **4.** Especie de almohada, larga y estrecha, que se usa en Filipinas puesta en la cama entre una y otra pierna, o cogida con los brazos, para evitar el calor. || **5.** ant. El que solicitaba a otros para llevarlos a las casas públicas de juego. || **6.** *Germ.* **Corchete,** 6.ª acep.

Abrazamiento. m. Acción y efecto de abrazar o abrazarse.

Abrazante. p. a. de **Abrazar.** Que abraza.

Abrazar. (De *a,* 2.° art., y *brazo.*) tr. Ceñir con los brazos. Ú. t. c. r. || **2.** Estrechar entre los brazos en señal de cariño. Ú. t. c. r. || **3.** fig. Rodear, ceñir. || **4.** fig. Prender, dando vueltas, algunas plantas trepadoras. Ú. t. c. r. || **5.** fig. Comprender, contener, incluir. || **6.** fig. Admitir, aceptar, seguir. || **7.** fig. Tomar uno a su cargo alguna cosa. ABRAZAR *un negocio, una empresa.*

Abrazo. m. Acción y efecto de abrazar o abrazarse, 1.ª y 2.ª aceps.

Abregancias. f. pl. *León.* Llares, 2.ª acep. de **Llar.**

Ábrego. (Del lat. *afrĭcus.*) m. Viento sur.

Abrelatas. m. Instrumento de metal que sirve para abrir las latas de conservas.

Abrenunciar. (Del lat. *abrenuntiāre.*) tr. ant. **Renunciar.**

Abrenuncio. (Del lat. *abrenuntio,* 1.ª pers. de sing. del pres. de indic. de *abrenuntiāre,* renunciar.) Voz usada familiarmente para dar a entender que se rechaza alguna cosa.

Abreojos. (De *abre ojos.*) m. *Ál.* **Detienebuey.** || **2.** *Ar.* **Abrojo,** 1.ª a 3.ª aceps.

Abrepuño. (De *abre puño.*) m. **Arzolla,** 1.ª acep. || **2.** pl. Planta de la familia de las ranunculáceas, de uno a tres decímetros de altura, flores amarillas y hojas lampiñas. Sus carpelos, extremadamente duros y erizados de púas, se introducen en las zoquetas de los segadores, obligándolos a desatárselas para desembarazarse de ellos.

Abretonar. (De *a,* 2.° art., y *bretón,* a la bretona.) tr. *Mar.* Trincar o amarrar los cañones al costado del buque en dirección de popa a proa.

Abrevadero. (De *abrevar.*) m. Estanque, pilón o paraje del río, arroyo o manantial a propósito para dar de beber al ganado. || **2.** V. **Servidumbre de abrevadero.**

Abrevador, ra. adj. Que abreva. Ú. t. c. s. || **2.** m. **Abrevadero,** 1.ª acep.

Abrevar. (De *abebrar.*) tr. Dar de beber al ganado. || **2.** Remojar las pieles para adobarlas. || **3.** Hablando de personas, dar de beber, especialmente un brebaje. || **4.** fig. **Saciar.**

Abreviación. (Del lat. *abreviatio, -ōnis.*) f. Acción y efecto de abreviar. || **2.** ant. **Compendio.**

Abreviadamente. adv. m. En términos breves o reducidos, compendiosa o sumariamente.

Abreviado, da. p. p. de **Abreviar.** || **2.** adj. Parvo, escaso. || **3.** pl. fig. y fam. V. **Evangelios abreviados.**

Abreviador, ra. (Del lat. *abbreviātor.*) adj. Que abrevia o compendia. Ú. t. c. s. m. || **2.** m. Oficial de la Cancillería Romana o de la Nunciatura Apostólica, que tiene a su cargo extractar los documentos, y principalmente las preces que entran en su oficina.

Abreviaduría. f. Empleo u oficio del abreviador.

Abreviamiento. m. **Abreviación,** 1.ª acep.

Abreviar. (Del lat. [S. IV] *abbreviāre.*) tr. Hacer breve, acortar, reducir a menos tiempo o espacio. || **2.** Acelerar, apresurar.

Abreviatura. (Del lat. *abbreviatūra.*) f. Representación de las palabras en la escritura con sólo varias o una de sus letras, empleando a veces únicamente mayúsculas, y poniendo punto después de la parte escrita de cada vocablo; v. gr.: *af.mo,* por *afectísimo; dic.e,* por *diciembre; íd.,* por *ídem; U., V.* o *Ud.,* por *usted; B. L. M.* o *b. l. m.,* por *besa la mano.* || **2.** Palabra representada en la escritura de este modo. || **3.** **Abreviaduría.** || **4.** Compendio o resumen. || **En abreviatura.** m. adv. Sin alguna de las letras que en la escritura corresponden a cada palabra. || **2.** fam. y fest. Con brevedad o prisa.

Abreviaturía. f. **Abreviaduría.**

Abribonado, da. p. p. de **Abribonarse.** || **2.** adj. Que tiene trazas o condiciones de bribón.

Abribonarse. r. Hacerse bribón.

Abridero, ra. adj. Que se abre fácilmente por sí o por ajeno impulso. Ú. m. aplicado a frutas. || **2.** m. Variedad de pérsico, cuyo fruto se abre con facilidad y deja suelto el hueso. || **3.** Fruto de este árbol.

Abridor, ra. adj. Que abre. || **2.** desus. *Med.* **Aperitivo,** 2.ª acep. || **3.** m. **Abridero,** 2.ª y 3.ª aceps. || **4.** Hueso en forma de almendra, con que termina la aguja de injertar, y que se emplea para ir despegando la corteza del árbol hasta que quepa la púa que se le va a injerir. || **5.** Cada uno de los dos aretes de oro que se ponen a las niñas en los lóbulos de las orejas para horadarlos e impedir que se cierren los agujeros. || **6.** Instrumento de hierro que antiguamente servía para abrir los cuellos alechugados. || **de láminas. Grabador.**

Abrigada. f. **Abrigadero,** 1.ª acep.

Abrigadero. m. **Abrigo,** 4.ª acep. || **2.** *Mar.* **Abrigo,** 6.ª acep.

Abrigado, da. p. p. de **Abrigar.** || **2.** m. **Abrigo,** 4.ª acep.

Abrigador, ra. adj. *Chile, Méj.* y *Perú.* Que abriga. *Gabán muy* ABRIGADOR. || **2.** *Méj.* Encubridor de un delito o falta. Ú. t. c. s.

Abrigamiento. m. ant. **Abrigo,** 1.ª acep.

Abrigaño. m. **Abrigo,** 4.ª acep.

Abrigar. (Del lat. *aprīcāre,* resguardar del frío.) tr. Defender, resguardar del frío.

Ú. t. c. r. || **2.** fig. Auxiliar, patrocinar, amparar. || **3.** fig. Tratándose de ideas, voliciones o afectos, tenerlos. ABRIGAR *proyectos, esperanzas, sospechas, amor.* || **4.** *Equit.* Aplicar las piernas al vientre del caballo para ayudarle. || **5.** *Mar.* Defender, resguardar la nave del viento o del mar.

Abrigo. (Del lat. *aprīcus*, defendido del frío.) m. Defensa contra el frío. || **2.** Cosa que abriga. || **3.** Prenda del traje que se pone sobre las demás y sirve para abrigar. || **4.** Paraje defendido de los vientos. || **5.** fig. Auxilio, patrocinio, amparo. || **6.** *Mar.* Lugar en la costa, a propósito para abrigarse las naves. || **7.** *Arqueol.* Covacha natural poco profunda.

Ábrigo. (Del lat. *africus.*) m. **Ábrego.**

Abril. (Del lat. *aprīlis.*) m. Cuarto mes del año, según nuestro cómputo: consta de treinta días. || **2.** fig. Primera juventud. *El* ABRIL *de la vida.* || **3.** fig. Cosa grata por su gentileza o color. || **4.** pl. fig. Años de la primera juventud. Ú. m. con calificativo. *Floridos, lozanos* ABRILES. || **Abril, aguas mil.** ref. que manifiesta lo abundantes que en este mes suelen ser las lluvias. || **Abril y mayo, llaves de todo el año.** ref. que se dice porque de las lluvias y templanza de estos meses pende la abundancia de las cosechas. || **Estar hecho un abril.** fr. fig. Estar lucido, hermoso, galán. || **Llueva para mí abril y mayo, y para ti todo el año.** ref. que denota cuán convenientes son para las cosechas las lluvias en estos meses. || **Parecer un abril.** fr. fig. **Estar hecho un abril.**

Abrileño, ña. adj. Propio del mes de abril.

Abrillantador. m. Artífice que abrillanta piedras preciosas. || **2.** Instrumento con que se abrillanta.

Abrillantar. tr. Labrar en facetas como las de los brillantes las piedras preciosas y ciertas piezas de acero u otros metales. || **2.** Iluminar o dar brillantez. || **3.** fig. Dar más valor o lucimiento.

Abrimiento. m. **Abertura,** 1.ª acep.

Abrir. (Del lat. *aperīre.*) tr. Descubrir o hacer patente lo que está cerrado u oculto. ABRIR *una caja;* ABRIR *un aposento.* Ú. t. c. r. || **2.** Separar del marco la hoja o las hojas de la puerta, haciéndolas girar sobre sus goznes, o quitar o separar cualquiera otra cosa con que esté cerrada una abertura, para que deje de estarlo. Ú. t. c. intr. y c. r. *Esta puerta* ABRE *bien o* ABRE *mal;* ABRIRSE *una puerta.* || **3.** Descorrer el pestillo o cerrojo, desechar la llave, levantar la aldaba o desencajar cualquiera otra pieza o instrumento semejante. || **4.** Tratándose de los cajones de una mesa o cualquier otro mueble, tirar de ellos hacia fuera sin sacarlos del todo. || **5.** Dejar en descubierto una cosa, haciendo que aquellas que la ocultan se aparten o separen las unas de las otras. ABRIR *los ojos,* por separar un párpado de otro; ABRIR *un libro,* por separar una o varias de sus hojas de las demás para dejar patentes dos de sus páginas. || **6.** Tratándose de partes del cuerpo del animal o de cosas o instrumentos compuestos de piezas unidas por goznes, tornillos, etc., separar las unas de las otras de modo que entre ellas quede un espacio mayor o menor, o formen ángulo o línea recta. ABRIR *los brazos, las alas, las piernas, los dedos, unas tijeras, un compás, una navaja.* || **7.** Cortar por los dobleces los pliegos de un libro para separar las hojas. || **8.** Extender lo que estaba encogido, doblado o plegado. ABRIR *la mano;* ABRIR *la cola* ciertas aves; ABRIR *un abanico;* ABRIR *un paraguas.* || **9.** Hender, rasgar, dividir. Ú. t. c. r. ABRIRSE *la tierra, el techo, la madera, una granada, un tumor.* || **10.** Con nombres como *agujero, ojal, ranura, camino, canal,* etc., **hacer.** || **11.** Tratándose de cartas, paquetes, sobres, cubiertas o cosas semejantes, despegarlos o romperlos por alguna parte para ver o sacar lo que contengan. || **12.** Grabar, esculpir. ABRIR *una lámina, un troquel, un molde.* || **13.** fig. Vencer, apartar o destruir cualquier obstáculo que cierre la entrada o la salida de algún lugar o impida el tránsito. ABRIR *paso;* ABRIR *calle.* || **14.** Tratándose de cuerpos o establecimientos políticos, administrativos, científicos, literarios, artísticos, comerciales o industriales, dar principio a las tareas, ejercicios o negocios propios de cada uno de ellos. ABRIR *las Cortes, la Universidad, un teatro, un café.* || **15.** fig. Comenzar ciertas cosas o darles principio. ABRIR *la campaña, los estudios, la sesión.* || **16.** fig. Tratándose de certámenes, concursos de opositores, subscripciones, empréstitos, etc., anunciar y publicar las condiciones con que deben llevarse a cabo. || **17.** fig. Tratándose de gente que camina formando hilera o columna, ir a la cabeza o delante. ABRIR *la procesión, la marcha.* || **18.** intr. Tratándose de flores, separarse unos de otros, extendiéndose, los pétalos que estaban recogidos en el botón o capullo. Ú. t. c. r. || **19.** Esparcirse, ocupar mayor espacio. ABRIR *el tiro.* Ú. t. c. r. || **20.** Tratándose del tiempo, empezar a clarear o serenarse. || **21.** *Mar.* Desatracar una embarcación menor. || **22.** r. **Relajarse,** 7.ª acep. || **23.** fig. Separarse, extenderse, hacer calle. ABRIRSE *un batallón.* Ú. t. c. tr. *El batallón* ABRE *sus filas.* || **24.** fig. Declarar, descubrir, confiar una persona a otra su secreto. SE ABRIÓ *conmigo.*

Abrochador. (De *abrochar.*) m. **Abotonador.**

Abrochadura. f. **Abrochamiento.**

Abrochamiento. m. Acción de abrochar o abrocharse.

Abrochar. tr. Cerrar, unir o ajustar con broches, corchetes, botones, etc. Ú. t. c. r.

Abrogación. (Del lat. *abrogatĭo, -ōnis.*) f. Acción y efecto de abrogar.

Abrogar. (Del lat. *abrogāre;* de *ab,* priv., y *rogāre,* promulgar.) tr. *For.* Abolir, revocar. ABROGAR *una ley, un código.*

Abrojal. m. Sitio poblado de abrojos.

Abrojín. (d. de *abrojo.*) m. **Cañadilla.**

Abrojo. (Del lat. *apĕri ocŭlum,* ¡abre el ojo!) m. Planta de la familia de las cigofiláceas, de tallos largos y rastreros, hojas compuestas y fruto casi esférico y armado de muchas y fuertes púas. Es perjudicial a los sembrados. || **2.** Fruto de esta planta. || **3.** **Cardo estrellado.** || **4.** Instrumento de plata u otro metal, en figura de **abrojo,** que solían poner los disciplinantes en el azote para herirse las espaldas. || **5.** *Mil.* Pieza de hierro en forma de estrella, con cuatro púas o cuchillas abiertas en ángulos iguales, de modo que al caer al suelo siempre queda una hacia arriba. Los **abrojos** se diseminaban por el terreno para embarazar el paso al enemigo, principalmente a la caballería. || **6.** pl. *Mar.* Peñas agudas que suelen encontrarse en el mar a flor de agua.

Abrollo. m. ant. **Abrojo.**

Abroma. (Del gr. ἀ, priv., y βρῶμα, alimento.) m. *Bot.* Arbusto de la familia de las esterculiáceas, propio de los países tropicales, donde llega a tres metros de altura; con tronco recio, hojas grandes, lobuladas, opuestas y de color verde obscuro, flores encarnadas en grupos colgantes y fruto capsular. La corteza de este vegetal es fibrosa, y con ella se hacen cuerdas muy resistentes.

Abromado, da. p. p. de **Abromar.** || **2.** adj. *Mar.* Obscurecido con vapores o nieblas.

Abromar. tr. ant. **Abrumar.** || **2.** r. *Mar.* Llenarse de broma los fondos del buque.

Abroncar. (De *a,* 2.° art., y *bronca.*) tr. fam. Aburrir, disgustar, enfadar. Ú. t. c. r.

Abroquelado, da. p. p. de **Abroquelar.** || **2.** adj. *Bot.* De forma de broquel.

Abroquelar. tr. *Mar.* Halar de los penoles de las vergas hacia popa por la parte de barlovento, dando un salto a las bolinas de esta banda, para que el viento hiera en las velas por la cara de proa. || **2.** **Escudar,** 2.ª acep. || **3.** r. Cubrirse con el broquel para no ser ofendido. || **4.** fig. Valerse de cualquier medio de defensa material o moral.

Abrótano. (Del lat. *abrotŏnum,* y éste del gr. ἀβρότονον; de ἁβρός, tierno al tacto, delicado.) m. Planta herbácea de la familia de las compuestas, de cerca de un metro de altura, hojas muy finas y blanquecinas, y flores de olor suave, en cabezuelas amarillas, cuya infusión se emplea para hacer crecer el cabello. || **hembra.** Planta herbácea de la familia de las compuestas, de cuatro a seis decímetros de altura, con tallos fuertes, hojas dentadas, verde-blanquecinas, y flores en cabezuelas amarillas de fuerte olor aromático. La infusión de sus flores se ha empleado como antiespasmódica y antihelmíntica. || **macho.** **Abrótano.**

Abrotoñar. (Cruce de *brotar* y *otoñar.*) intr. **Brotar,** 2.ª acep.

Abrumador, ra. adj. Que abruma.

Abrumadoramente. adv. m. De modo abrumador.

Abrumar. (De *a,* 2.° art., y *broma,* 2.° art.) tr. Agobiar con algún grave peso. || **2.** fig. Causar gran molestia.

Abrumarse. r. Llenarse de bruma la atmósfera.

Abruptamente. adv. m. De modo abrupto.

Abrupto, ta. (Del lat. *abruptus,* p. p. de *abrumpĕre,* romper.) adj. **Escarpado,** 2.ª acep. *Montaña, roca* ABRUPTA.

Abrutado, da. adj. Que parece bruto, o de bruto.

Abruzo, za. adj. Natural de los Abruzos. Ú. t. c. s. || **2.** Perteneciente a este país de Italia.

Absceso. (Del lat. *abscessus,* tumor.) m. *Med.* Acumulación de pus en los tejidos orgánicos internos o externos: en este último caso suele formar tumor o elevación exterior.

Abscisa. (Del lat. *abscissa,* cortada.) f. *Geom.* Una de las dos distancias que sirven para fijar la posición de un punto sobre un plano con relación a dos rectas que se cortan y se llaman ejes coordenados. || **2.** *Geom.* V. **Eje de abscisas.** || **3.** *Geom.* V. **Línea abscisa.**

Abscisión. (Del lat. *abscissĭo, -ōnis,* cortadura, mutilación.) f. Separación de una parte pequeña de un cuerpo cualquiera, hecha con instrumento cortante. || **2.** fig. Interrupción o renunciación.

Absconder. (Del lat. *abscondĕre.*) tr. ant. **Esconder.** Usáb. t. c. r.

Abscondidamente. adv. m. ant. **Escondidamente.**

Abscuro, ra. adj. ant. **Obscuro.**

Absencia. (Del lat. *absentĭa.*) f. ant. **Ausencia.**

Absentarse. (Del lat. *absentāre.*) r. ant. **Ausentarse.**

Absente. (Del lat. *absens, -entis.*) adj. ant. **Ausente.**

Absentismo. (Del lat. *absens, -entis,* ausente.) m. Costumbre de residir el propietario fuera de la localidad en que radican sus bienes.

Ábsida. f. *Arq.* **Ábside,** 1.ª acep.

Absidal. adj. Que tiene ábside; en forma de ábside.

Ábside. (Del lat. *absis, -idis,* y éste del gr. ἁψίς, nudo o clave de la bóveda.) amb. *Arq.* Parte del templo, abovedada y comúnmente semicircular, que sobresale en la fachada posterior, y donde en lo antiguo estaban precisamente el altar y el presbiterio. ‖ **2.** m. *Astron.* **Ápside.**

Absintio. (Del lat. *absinthium.*) m. **Ajenjo,** 1.ª acep.

Ábsit. (3.ª pers. de sing. del pres. de subjuntivo del lat. *abesse,* estar fuera, lejos.) Voz que se usa familiarmente para manifestar el deseo de que una cosa vaya lejos de nosotros, o de que Dios nos libre de ella.

Absolución. (Del lat. *absolutĭo, -ōnis.*) f. Acción de absolver. ‖ **de la demanda.** *For.* Terminación del pleito enteramente favorable al demandado. ‖ **de la instancia.** *For.* La que terminaba el proceso criminal por insuficiencia de la prueba contra el reo, pero sin producir efecto de cosa juzgada a favor del absuelto. ‖ **de posiciones.** *For.* Acto de responder a ellas el litigante, bajo juramento. ‖ **general.** Aplicación de indulgencias y comunicación de buenas obras que, por privilegios apostólicos, hacen algunas órdenes religiosas a los fieles en ciertos días del año. ‖ **libre.** *For.* Terminación del juicio criminal por fallo en que se declara la inocencia del reo. ‖ **sacramental.** Acto de absolver el confesor al penitente.

Absoluta. (De *absoluto.*) f. Aserción general dicha en tono de seguridad y magisterio. ‖ **2.** fam. **Licencia absoluta.**

Absolutamente. adv. m. De manera absoluta.

Absolutismo. m. Sistema del gobierno absoluto.

Absolutista. adj. Partidario del absolutismo. Apl. a pers., ú. t. c. s. ‖ **2.** Perteneciente o relativo a este sistema de gobierno.

Absoluto, ta. (Del lat. *absolūtus.*) adj. Que excluye toda relación. ‖ **2.** Independiente, ilimitado, sin restricción alguna. ‖ **3.** V. **Ablativo, alcohol, brillo, dominio, estado, gobierno, poder absoluto.** ‖ **4.** V. **Mayoría absoluta.** ‖ **5.** fig. y fam. De genio imperioso o dominante. ‖ **6.** *Gram.* **Cardinal,** 4.ª acep. ‖ **7.** *Mil.* V. **Licencia absoluta.** ‖ **Lo absoluto.** La idea suprema e incondicionada. ‖ **En absoluto.** m. adv. De una manera general, resuelta y terminante.

Absolutorio, ria. (Del lat. *absolutorĭus.*) adj. *For.* Dícese del fallo o sentencia que absuelve.

Absolvederas. f. pl. fam. Facilidad de algunos confesores en absolver. Ú. m. con calificativo. *Buenas, grandes, bravas* ABSOLVEDERAS.

Absolvedor, ra. adj. Que absuelve Ú. t. c. s.

Absolvente. p. a. de **Absolver.** Que absuelve.

Absolver. (Del lat. *absolvĕre; de ab* y *solvĕre,* desatar.) tr. Dar por libre de algún cargo u obligación. ‖ **2.** Remitir a un penitente sus pecados en el tribunal de la confesión, o levantarle las censuras en que hubiere incurrido. ‖ **3. Resolver,** 3.ª acep. ‖ **4.** ant. Cumplir alguna cosa, ejecutarla del todo. ‖ **5.** *For.* Dar por libre al reo demandado civil o criminalmente.

Absolviente. p. a. ant. de **Absolver. Absolvente.**

Absolvimiento. m. ant. **Absolución.**

Absorbencia. f. Acción de absorber.

Absorbente. p. a. de **Absorber.** Que absorbe. Ú. t. c. s.

Absorber. (Del lat. *absorbēre; de ab* y *sorbēre,* sorber.) tr. Atraer un cuerpo y retener entre sus moléculas las de otro en estado líquido o gaseoso. ‖ **2.** Recibir o aspirar los tejidos orgánicos o las células materias externas a ellos, ya disueltas, ya aeriformes. ‖ **3.** p. us. **Sorber.** ‖ **4.** fig. Consumir enteramente. ABSORBER *el capital.* ‖ **5.** fig. Atraer a sí, cautivar. ABSORBER *la atención.*

Absorbible. adj. *Fisiol.* Dícese de la substancia que puede ser absorbida.

Absorbimiento. m. **Absorción,** 1.ª acep.

Absorción. (Del lat. *absorptĭo, -ōnis.*) f. Acción de absorber. ‖ **2.** *Fís.* V. **Espectro de absorción.**

Absortar. (De *absorto.*) tr. Suspender, arrebatar el ánimo con alguna cosa extraordinaria. Ú. t. c. r.

Absorto, ta. (Del lat. *absorptus.*) p. p. irreg. de **Absorber.** ‖ **2.** adj. Admirado, pasmado.

Abstemio, mia. (Del lat. *abstemĭus;* de *abs,* priv., y el inus. *temum,* vino.) adj. Que no bebe vino ni otros licores alcohólicos. Ú. t. c. s.

Abstención. (Del lat. *abstentĭo, -ōnis.*) f. **Abstinencia,** 1.ª acep.

Abstencionismo. m. Doctrina o práctica de los abstencionistas.

Abstencionista. adj. Partidario de la abstención, especialmente en política. Ú. t. c. s.

Abstener. (Del lat. *abstinēre;* de *abs,* priv., y *tenēre,* tener.) tr. desus. Contener o refrenar; apartar. ‖ **2.** r. Privarse de alguna cosa.

Abstergente. (Del lat. *abstergens, -entis.*) p. a. de **Absterger.** Que absterge. ‖ **2.** adj. *Med.* Dícese del remedio que sirve para absterger. Ú. t. c. s.

Absterger. (Del lat. *abstergēre;* de *abs* y *tergēre,* limpiar.) tr. *Med.* Limpiar y purificar de materias viscosas, sórdidas o pútridas las superficies orgánicas.

Abstersión. (Del lat. *abstersĭo, -ōnis.*) f. *Med.* Acción y efecto de absterger.

Abstersivo, va. (Del lat. *abstersus,* p. p. de *abstergēre,* limpiar.) adj. *Med.* Que tiene virtud para absterger.

Abstinencia. (Del lat. *abstinentĭa.*) f. Acción de abstenerse. ‖ **2.** Virtud que consiste en privarse total o parcialmente de satisfacer los apetitos. ‖ **3.** Ejercicio de esta virtud. ‖ **4.** Por excelencia, privación de comer carne, en cumplimiento de precepto de la Iglesia o de voto especial.

Abstinente. (Del lat. *abstinens, -entis.*) p. a. de **Abstenerse.** Que se abstiene. ‖ **2.** adj. Que practica la virtud de la abstinencia.

Abstinentemente. adv. m. Con abstinencia.

Abstracción. (Del lat. *abstractĭo, -ōnis.*) f. Acción y efecto de abstraer o abstraerse.

Abstractivamente. adv. m. Con abstracción.

Abstractivo, va. adj. Que abstrae o tiene virtud para abstraer.

Abstracto, ta. (Del lat. *abstractus.*) p. p. irreg. de **Abstraer.** ‖ **2.** adj. Que significa alguna cualidad con exclusión del sujeto. ‖ **3.** V. **Nombre, número abstracto.** ‖ **En abstracto.** m. adv. Con separación o exclusión del sujeto en quien se halla cualquier cualidad.

Abstraer. (Del lat. *abstrahĕre;* de *abs* y *trahĕre,* traer hacia sí.) tr. Separar por medio de una operación intelectual las cualidades de un objeto para considerarlas aisladamente o para considerar el mismo objeto en su pura esencia o noción. ‖ **2.** intr. Con la preposición *de,* prescindir, hacer caso omiso. Ú. t. c. r. ‖ **3.** r. Enajenarse de los objetos sensibles, no atender a ellos por entregarse a la consideración de lo que se tiene en el pensamiento.

Abstruso, sa. (Del lat. *abstrūsus,* oculto.) adj. Recóndito, de difícil comprensión o inteligencia.

Absuelto, ta. (Del lat. *absolūtus.*) p. p. irreg. de **Absolver.**

Absurdidad. (Del lat. *absurdĭtas, -ātis.*) f. **Absurdo,** 2.ª acep.

Absurdo, da. (Del. lat. *absurdus.*) adj. Contrario y opuesto a la razón. ‖ **2.** m. Dicho o hecho repugnante a la razón.

Abubilla. (Del lat. **ŭpŭpĕlla,* d. de *ŭpŭpa,* abubilla.) f. Pájaro insectívoro, del tamaño de la tórtola, con el pico largo y algo arqueado, un penacho de plumas eréctiles en la cabeza, el cuerpo rojizo y las alas y la cola negras con listas blancas, como el penacho. Es muy agradable a la vista, pero de olor fétido y canto monótono.

Abubo. m. *Ar.* **Cermeña.**

Abuchear. (De *a,* 2.º art., y *huchear.*) tr. Sisear, reprobar con murmullos o ruidos. Dícese especialmente hablando de un auditorio o muchedumbre.

Abucheo. m. Acción de abuchear.

Abuela. (Del lat. **aviŏla,* d. de *avia.*) f. Respecto de una persona, madre de su padre o de su madre. ‖ **2.** fig. Mujer anciana. ‖ **Contárselo uno a su abuela.** fr. fig. y fam. con que se niega o pone en duda lo que alguno refiere como cierto. Ú. m. el verbo en imper. o subj. CUÉNTASELO A TU ABUELA; *que* SE LO CUENTE A SU ABUELA. ‖ **Éramos pocos y parió mi abuela.** fr. proverb. e irón. con que se da a entender que aumenta de un modo inoportuno la concurrencia de gente allí donde ya hay mucha. ‖ **Habérsele muerto a uno su abuela. No necesitar uno,** o **no tener, abuela.** frs. figs. y fams. con que se censura al que se alaba mucho a sí propio.

Abuelastro, tra. (Despect. de *abuelo, la.*) m. y f. Respecto de una persona, padre o madre de su padrastro o de su madrastra. ‖ **2.** Respecto de una persona, segundo o ulterior marido de su abuela, o segunda o ulterior mujer de su abuelo.

Abuelo. (Del lat. **aviŏlus,* d. de *avus.*) m. Respecto de una persona, padre de su padre o de su madre. ‖ **2. Ascendiente,** 2.ª acep. Ú. m. en pl. ‖ **3.** fig. Hombre anciano. ‖ **4.** fig. En la lotería de cartones, nombre que familiarmente suelen dar al número noventa. ‖ **5.** fig. Cada uno de los mechoncitos que tienen las mujeres en la nuca a uno y otro lado del nacimiento del cabello. Ú. m. en pl. ‖ **6.** fig. *Ál.* **Vilano,** 2.ª acep., sobre todo si es grande y de filamentos suaves. ‖ **7.** pl. El **abuelo** y la abuela. ‖ **¡Ay abuelo!, sembrasteis alazor y nacióos anapelo.** ref. con que se zahiere al ingrato. ‖ **Criado por abuelo, nunca bueno.** ref. con que se quiere dar a entender que los **abuelos,** por ser demasiado indulgentes para con sus nietos, no los educan bien. ‖ **Quien no sabe de abuelo, no sabe de bueno.** ref. que denota el gran cariño con que los **abuelos** tratan regularmente a los nietos.

Abuhado, da. (De *a,* 2.º art., y la onomat. *buf.*) adj. Hinchado o abotagado.

Abuhamiento. m. ant. Hinchazón o abotagamiento.

Abuhardillado, da. adj. Con buhardilla, o en forma de buhardilla.

Abuje. m. *Cuba.* Ácaro de color rojo que se cría en las hierbas, de donde se propaga a las personas y les produce un picor insoportable.

Abulaga. f. **Aulaga.**

Abulagar. m. **Aulagar.**

Abulense. (Del lat. *abulensis;* de *Abula,* Ávila.) adj. **Avilés.** Apl. a pers., ú. t. c. s.

Abulia. (Del gr. ἀβουλία; de ἀ, priv., y βούλομαι, querer.) f. Falta de voluntad, o disminución notable de su energía.

Abúlico, ca. adj. Que padece abulia. ‖ **2.** Propio de la abulia.

Abultado, da. p. p. de **Abultar.** ‖ **2.** adj. Grueso, grande, de mucho bulto.

Abultamiento. m. Acción de abultar. ‖ **2.** Bulto, prominencia, hinchazón.

Abultar. (De *a,* 2.º art., y *bulto.*) tr. Aumentar el bulto de alguna cosa. ‖ **2.** Hacer de bulto o relieve. ‖ **3.** Aumentar la cantidad, intensidad, grado, etc. ‖ **4.** Ponderar, encarecer. ‖ **5.** intr. Tener o hacer bulto.

Abundadamente. adv. m. ant. **Abundantemente.**

Abundado, da. p. p. de **Abundar.** ‖ **2.** adj. ant. **Abundante.** ‖ **3.** ant. Rico, opulento.

Abundamiento. m. **Abundancia.** ‖ **A mayor abundamiento.** loc. adv. Además, con mayor razón o seguridad.

Abundancia. (Del lat. *abundantĭa.*) f. Copia, gran cantidad. ‖ **2.** V. **Cuerno de la abundancia.** ‖ **De la abundancia del corazón habla la boca.** fr. con que se denota que por lo común se habla mucho de aquello de que el ánimo está muy penetrado.

Abundancial. adj. *Gram.* Que denota abundancia. ‖ **2.** V. **Adjetivo abundancial.**

Abundante. (Del lat. *abundans, -antis.*) p. a. de **Abundar.** Que abunda. ‖ **2.** adj. Copioso, en gran cantidad.

Abundantemente. adv. m. Con abundancia.

Abundantísimamente. adv. m. Con mucha abundancia.

Abundar. (Del lat. *abundāre;* de *ab* y *undāre,* inundar.) intr. Tener en abundancia. ‖ **2.** Hallarse en abundancia. ‖ **3.** Hablando de una idea u opinión, estar adherido a ella; persistir en ella. ‖ **4.** tr. p. us. Dotar en abundancia. ‖ **Lo que abunda, no daña.** fr. proverb. con que se da a entender que el exceso en las cosas útiles para algún fin no puede causar perjuicio.

Abundo. (Del lat. *abŭndo,* en abundancia.) m. ant. **Abundamiento.** ‖ **2.** adv. m. **Abundantemente.**

Abundosamente. adv. m. **Abundantemente.**

Abundoso, sa. adj. **Abundante.**

Abuñolado, da. p. p. de **Abuñolar.** ‖ **2.** adj. De figura de buñuelo.

Abuñolar. tr. Dicho de huevos y algún otro manjar, freírlos de modo que queden redondos, esponjosos y dorados.

Abuñuelado, da. adj. **Abuñolado.**

Abuñuelar. tr. **Abuñolar.**

¡Abur! interj. fam. **¡Agur!**

Aburar. (Del lat. *abūrĕre,* quemar, con la term. de *cremāre,* quemar.) tr. Quemar, abrasar.

Aburelado, da. adj. **Burielado.**

Aburguesamiento. m. Acción y efecto de aburguesarse.

Aburguesarse. r. Adquirir cualidades de burgués.

Aburrado, da. adj. Semejante en algo a un burro. ‖ **2.** Dícese de la persona de modales toscos y groseros. ‖ **3.** *Méj.* Dícese de la yegua destinada a la cría de mulas.

Aburrarse. (De *a,* 2.° art., y *burro.*) r. **Embrutecerse.**

Aburrición. f. fam. **Aburrimiento.**

Aburridamente. adv. m. De modo que causa aburrimiento.

Aburrido, da. p. p. de **Aburrir.** ‖ **2.** Que causa aburrimiento.

Aburridor, ra. adj. Que aburre.

Aburrimiento. (De *aburrir.*) m. Cansancio, fastidio, tedio, originados generalmente de disgustos o molestias.

Aburrir. (De *aborrir.*) tr. Molestar, cansar, fastidiar. ‖ **2.** fam. Exponer, perder o tirar algo, estimándolo en poco. Dícese especialmente del tiempo que se invierte o del dinero que se gasta en cosas de poca o dudosa utilidad, en diversiones, etc. ‖ **3. Aborrecer,** 2.ª acep. ‖ **4.** ant. **Aborrecer,** 1.ª acep. ‖ **5.** r. Fastidiarse, cansarse de alguna cosa, tomarle tedio.

Aburujar. tr. **Aborujar.** Ú. t. c. r.

Abusador, ra. adj. *Chile.* **Abusón.**

Abusante. p. a. de **Abusar.** Que abusa.

Abusar. (De *abuso.*) intr. Usar mal, excesiva, injusta, impropia o indebidamente de alguna cosa.

Abusión. (Del lat. *abusĭo, -ōnis.*) f. **Abuso.** ‖ **2.** Absurdo, contrasentido, engaño. ‖ **3.** Superstición, agüero. ‖ **4.** *Ret.* **Catacresis.**

Abusionero, ra. (De *abusión,* 3.ª acep.) adj. Agorero, supersticioso.

Abusivamente. adv. m. Con abuso.

Abusivo, va. (Del lat. *abusīvus.*) adj. Que se introduce o practica por abuso.

Abuso. (Del lat. *abūsus.*) m. Acción y efecto de abusar. ‖ **de confianza.** Infidelidad que consiste en burlar o perjudicar uno a otro que, por inexperiencia, afecto, bondad excesiva o descuido, le ha dado crédito. Es una de las circunstancias que agravan la responsabilidad penal en la ejecución de ciertos delitos. ‖ **de superioridad.** *For.* Circunstancia agravante de apreciación potestativa, determinada por aprovechar en la comisión del delito la notable desproporción de fuerza o número entre delincuentes y víctimas.

Abusón, na. adj. Dícese de la persona que es propensa al abuso. Ú. t. c. s.

Abuzarse. (De *a,* 2.° art., y *buz,* labio.) r. Echarse de bruces.

Abyección. (Del lat. *abiectĭo, -ōnis.*) f. Bajeza, envilecimiento. ‖ **2. Abatimiento,** 1.ª acep.

Abyecto, ta. (Del lat. *abiectus,* p. p. de *abiicĕre,* rebajar, envilecer.) adj. Bajo, vil, abatido, humillado.

Acá. (Del lat. *ĕcc[ŭm] hac,* he aquí.) adv. l. Indica lugar menos circunscrito o determinado que el que se denota con el adverbio *aquí.* Por eso **acá** admite ciertos grados de comparación que rechaza *aquí. Tan* ACÁ, *más* ACÁ, *muy* ACÁ. ‖ **2.** adv. t. Precedido de ciertas preposiciones y de otros adverbios significativos de tiempo anterior, denota el presente. *De ayer* ACÁ; *desde entonces* ACÁ. ‖ **Acá y allá,** o **acá y acullá.** m. adv. **Aquí y allí.** ‖ **De acá para allá,** o **de acá para acullá.** m. adv. **De aquí para allí.**

Acabable. (De *acabar.*) adj. Que tiene fin y término.

Acabadamente. adv. m. Entera o perfectamente.

Acabado, da. p. p. de **Acabar.** ‖ **2.** adj. Perfecto, completo, consumado. ‖ **3.** Malparado, destruido, viejo o en mala disposición. Dícese de la salud, la ropa, la hacienda, etc. ‖ **4.** m. Perfeccionamiento o retoque de una obra o labor.

Acabador, ra. adj. Que acaba o concluye alguna cosa. Ú. t. c. s.

Acabalar. (De *a,* 2.° art., y *cabal.*) tr. **Completar.**

Acaballadero. m. Sitio en que los caballos o asnos cubren a las yeguas. ‖ **2.** Tiempo en que las cubren.

Acaballado, da. p. p. de **Acaballar.** ‖ **2.** adj. Parecido al perfil de la cabeza del caballo. *Cara* ACABALLADA; *narices* ACABALLADAS.

Acaballar. tr. Tomar o cubrir el caballo o el burro a la yegua.

Acaballerado, da. p. p. de **Acaballerar.** ‖ **2.** adj. Que parece caballero. ‖ **3.** Que se precia de serlo.

Acaballerar. tr. Dar a uno la consideración o condición de caballero. Ú. t. c. r.

Acaballonar. tr. *Agr.* Hacer caballones en las tierras con azadón u otro instrumento.

Acabamiento. (De *acabar.*) m. Efecto o cumplimiento de alguna cosa. ‖ **2.** Término, fin. ‖ **3. Muerte,** 1.ª acep.

Acabañar. intr. Construir cabañas o chozas los pastores para guarecerse de la intemperie mientras apacientan sus ganados.

Acabar. (De *a,* 2.° art., y *cabo.*) tr. Poner o dar fin a una cosa, terminarla, concluirla. Ú. t. c. r. ‖ **2.** Apurar, consumir. ‖ **3.** Poner mucho esmero en la conclusión de una obra. ‖ **4. Matar.** ‖ **5.** Seguido de la prep. *con* y un nombre de persona o pronombre personal, alcanzar, conseguir. ACABARON CON *el rey que lo hiciese.* ‖ **6.** intr. Rematar, terminar, finalizar. *La espada* ACABA *en punta.* ‖ **7. Morir,** 1.ª acep. ‖ **8.** Extinguirse, aniquilarse. Ú. t. c. r. ‖ **9.** Seguido de la prep. *con* y un nombre de persona o cosa o un pronombre, poner fin, destruir, exterminar, aniquilar. *Los disgustos* ACABARON CON *Pedro; tú* ACABARÁS CON *mi vida.* ‖ **10.** Seguido de la prep. *de* y un verbo en infinitivo, haber ocurrido poco antes lo que este último verbo significa. ACABA DE *perder su caudal.* ‖ **¡Acabara ya!,** o **¡Acabáramos!,** o **¡Acabáramos con ello!** exprs. fams. que se emplean cuando, después de gran dilación, se termina o logra alguna cosa, o se sale de una duda. ‖ **Acabar de parir.** fr. fig. y fam. Explicarse al fin la persona torpe o tarda de palabra, o que no se atreve a manifestar con claridad lo que sabe, piensa o quiere. Ú. por lo común para burlarse de ella o instigarla, y más generalmente en imperativo. ‖ **Antes que acabes, no te alabes.** ref. que enseña que hasta el fin no es prudente alabarse de cosa alguna. ‖ **San se acabó.** expr. fam. **Sanseacabó.**

Acabdar. (Del lat. **accapĭtāre,* recoger.) tr. ant. **Acabtar.**

Acabdellar. tr. ant. **Acabdillar.**

Acabdilladamente. adv. m. ant. Con orden y disciplina militar.

Acabdillador, ra. adj. ant. **Acaudillador.** Usáb. t. c. s.

Acabdillamiento. m. ant. **Acaudillamiento.**

Acabdillar. (De *a,* 2.° art., y *cabdillo.*) tr. ant. **Acaudillar.**

Acabellado, da. (De *a,* 2.° art., y *cabello.*) adj. p. us. De color castaño claro.

Acabestrillar. intr. *Mont.* Cazar con buey de cabestrillo.

Acabijo. (De *acabar.*) m. fam. Término, remate, fin.

Acabildar. (De *a* y *cabildo.*) tr. Juntar, congregar y unir en un dictamen a muchos para conseguir algún intento.

Acabo. m. **Acabamiento,** 1.ª acep.

Acabóse. (De *acabó,* 3.ª pers. de sing. del pret. indefinido de *acabar,* y el pron. *se.*) m. **Ser una cosa el acabóse.** fr. con que se denota haber llegado una cosa a su último extremo. Tómase, por lo general, en mala parte, para denotar ruina, desolación o desastre.

Acabronado, da. adj. Semejante en algo al cabrón.

Acabtar. (Del lat. **accapĭtāre,* recoger.) tr. ant. **Conseguir.**

Acacia. (Del lat. *acacia.*) f. Árbol o arbusto de la familia de las mimosáceas, a veces con espinas, de madera bastante dura, hojas compuestas o divididas en hojuelas, flores olorosas en racimos laxos y colgantes, y fruto en legumbre. De varias de sus especies fluye espontáneamente la goma arábiga. ‖ **2.** Madera de este árbol. ‖ **3.** *Farm.* Substancia medicinal concreta y astringente que se extrae del fruto verde de la **acacia** de Egipto o del de la bastarda. ‖ **bastarda. Endrino,** 2.ª acep. ‖ **blanca,** o **falsa.** La espinosa con hojuelas aovadas, que procede de la América Septentrional y se planta en los paseos de Europa. ‖ **rosa.** La de flores rosadas.

Acacianos. m. pl. Herejes arrianos, partidarios de Acacio, obispo de Cesarea.

Acacharse. r. fam. **Agacharse.**

Acachetar. tr. *Taurom.* Rematar al toro con el cachete o puntilla.

Acachetear. tr. Dar cachetes, 1.ª acep.

Acachorrar. tr. ant. **Acogotar,** 2.ª acep.

Academia. (Del lat. *academia*, y éste del gr. ἀκαδήμεια.) f. Casa con jardín, cerca de Atenas, junto al gimnasio del héroe Academo donde enseñaron Platón y otros filósofos. ‖ **2.** Escuela filosófica fundada por Platón, cuyas doctrinas se modificaron en el transcurso del tiempo, dando origen a las denominaciones de **Antigua, Segunda** y **Nueva Academia.** Otros distinguen cinco en la historia de esta escuela. ‖ **3.** Sociedad científica, literaria o artística establecida con autoridad pública. ‖ **4.** Junta o reunión de los académicos. *El Jueves Santo no hay* ACADEMIA. ‖ **5.** Casa donde los académicos tienen sus juntas. ‖ **6.** Junta o certamen a que concurren algunos aficionados a las letras, artes o ciencias. ‖ **7.** Establecimiento en que se instruye a los que han de dedicarse a una carrera o profesión. ‖ **8.** *Esc.* y *Pint.* Estudio de una figura entera y desnuda, tomada del natural y que no forma parte de una composición.

Académicamente. adv. m. De manera académica.

Academicismo. m. Calidad de académico, 5.ª acep.

Académico, ca. (Del lat. *academicus*, y éste del gr. ἀκαδημικός.) adj. Dícese del filósofo que sigue la escuela de Platón. Ú. t. c. s. ‖ **2.** Perteneciente o relativo a la escuela filosófica de Platón. ‖ **3.** Perteneciente o relativo a las academias, o propio y característico de ellas. *Diploma, discurso, estilo* ACADÉMICO. ‖ **4.** Dícese de los estudios, diplomas o títulos que causan efectos legales. ‖ **5.** Dícese de las obras de arte en que se observan con rigor las normas clásicas, y también del autor de estas obras. ‖ **6.** *Esc.* y *Pint.* Perteneciente o relativo a la academia, 8.ª acep. *Figura* ACADÉMICA. ‖ **7.** m. y f. Individuo de una academia.

Academio. m. ant. **Académico,** 1.ª acep.

Academista. com. p. us. **Académico, ca,** 7.ª acep.

Acaecedero, ra. adj. Que puede acaecer.

Acaecer. (Del lat. **accadiscĕre*, de **accădĕre*, por *accĭdĕre*, ocurrir.) intr. **Suceder,** 4.ª acep. Ú. en el modo infinitivo y en las terceras pers. de sing. y pl. ‖ **2.** ant. Hallarse presente, concurrir a algún paraje.

Acaecimiento. m. **Suceso,** 1.ª acep.

Acafresna. f. **Serbal.**

Acahual. (Del mejic. *acahualli.*) m. Especie de girasol, muy común en Méjico. ‖ **2.** *Méj.* Nombre genérico de toda clase de hierba alta y de tallo algo grueso de que suelen cubrirse los barbechos.

Acairelar. tr. **Cairelar.**

Acal. (Del mejic. *acalli;* de *atl*, agua, y *cali*, casa.) m. Nombre que los mejicanos daban a la canoa, y en general a cualquier embarcación.

Acalabrotar. (De *a*, 2.° art., y *calabrote.*) tr. *Mar.* Formar un cabo de tres cordones, compuesto cada uno de ellos de otros tres.

Acalambrarse. r. Contraerse los músculos a causa del calambre.

Acaldar. (Del lat. **accapĭtāre.*) tr. *Sant.* Arreglar, concertar, poner en orden.

Acalefo. (Del gr. ἀκαλήφη, ortiga de mar.) adj. *Zool.* Dícese del animal marítimo de vida pelágica, perteneciente al grupo de los celentéreos, que en su estado adulto presenta forma de medusa y tiene un ciclo de desarrollo con fases muy diversas. Ú. t. c. s. ‖ **2.** m. pl. *Zool.* Clase de estos animales.

Acalenturarse. r. Empezar a tener calentura.

Acalia. f. **Malvavisco.**

Acalmar. tr. ant. **Calmar,** 1.ª acep.

Acaloñar. (De *a*, 2.° art., y *caloña.*) tr. ant. **Caloñar.**

Acaloradamente. adv. m. Con calor o vehemencia.

Acaloramiento. (De *acalorar.*) m. Ardor, encendimiento, arrebato de calor. ‖ **2.** fig. Arrebatamiento o acceso de una pasión violenta.

Acalorar. tr. Dar o causar calor. ‖ **2.** Encender, fatigar con el demasiado trabajo o ejercicio. Ú. m. c. r. ‖ **3.** fig. Fomentar, promover; avivar, excitar, enardecer. ‖ **4.** r. fig. Enardecerse en la conversación o disputa. ‖ **5.** fig. Hacerse viva y ardiente la misma disputa o conversación.

Acaloro. m. Acaloramiento, sofocación.

Acalugar. tr. *Gal.* y *Sal.* Sosegar, aliviar, acariciar.

Acalumniador, ra. adj. ant. **Calumniador.** Usáb. t. c. s.

Acalumniar. tr. ant. **Calumniar.** ‖ **2.** ant. Afear, denigrar. ‖ **3.** ant. **Excomulgar.**

Acallador, ra. adj. Que acalla.

Acallantar. tr. **Acallar.**

Acallar. tr. Hacer callar. ‖ **2.** fig. Aplacar, aquietar, sosegar. ‖ **A quien has de acallar, hasle de halagar.** ref. que enseña que la suavidad es el mejor medio para aplacar al irritado.

Acamar. (De *a*, 2.° art., y *cama*, 1.er art.) tr. Hacer la lluvia, el viento, etc., que se tiendan o recuesten las mieses, el cáñamo, el lino u otros vegetales semejantes. Ú. t. c. r. ‖ **2.** r. *Sal.* Echarse el ganado en la dormida para pasar la noche.

Acambrayado, da. adj. Parecido al cambray.

Acamellado, da. adj. Parecido al camello.

Acampamento. m. **Campamento.**

Acampanado, da. p. p. de **Acampanar.** ‖ **2.** adj. De figura de campana.

Acampanar. tr. Dar a una cosa figura de campana. Ú. t. c. r.

Acampar. (De *a*, 2.° art., y *campo.*) intr. Detenerse y permanecer en despoblado, alojándose o no en tiendas o barracas. Ú. t. c. t., y c. r.

Acampo. m. **Dehesa.**

Acamuzado, da. adj. ant. **Agamuzado.**

Ácana. amb. Árbol de la familia de las sapotáceas, muy común en la América Meridional y en la isla de Cuba, y cuyo tronco, de ocho a diez metros de altura, da madera recia y compacta, excelente para la construcción. ‖ **2.** Madera de este árbol. ‖ **De ácana.** loc. fig. *And.* De excelente calidad o de mucho valor.

Acanalado, da. p. p. de **Acanalar.** ‖ **2.** adj. Dícese de lo que pasa por canal o paraje estrecho. ‖ **3.** De figura larga y abarquillada como la de las canales. *Uñas* ACANALADAS. ‖ De figura de estría, o con estrías. ‖ **5.** V. **Cuello acanalado.**

Acanalador. m. Instrumento de que usan los carpinteros para abrir en los cercos y peinazos de puertas y ventanas ciertas canales en que entran y quedan asegurados los tableros.

Acanaladura. (De *acanalar.*) f. *Arq.* Canal o estría.

Acanalar. tr. Hacer una o varias canales o estrías en alguna cosa. ‖ **2.** Dar a una cosa forma de canal o teja.

Acanallado, da. adj. Dícese de la persona que participa de los defectos de la canalla, 2.ª acep.

Acanallar. tr. **Encanallar.** Ú. t. c. r.

Acandilado, da. adj. De figura de candil. ‖ **2. Encandilado,** 2.ª acep.

Acanelado, da. adj. De color o sabor de canela.

Acanelonar. (De *canelón*, 5.ª acep.) tr. Azotar con disciplinas.

Acanillado, da. adj. Aplícase al paño u otra tela que, por desigualdad del hilo, del tejido o del color, forma canillas.

Acanilladura. f. Defecto de la tela que está acanillada.

Acantáceo, a. (De *acanto.*) adj. *Bot.* Dícese de plantas angiospermas dicotiledóneas, arbustos y hierbas, que tienen tallo y ramos nudosos, hojas opuestas, flores de cinco pétalos, axilares o terminales y rara vez solitarias, y por fruto una caja membranosa, coriácea o cartilaginosa que contiene varias semillas sin albumen; como el acanto. Ú. t. c. s. ‖ **2.** f. pl. *Bot.* Familia de estas plantas.

Acantalear. (De *a*, 2.° art., y *cantal.*) impers. *Ar.* Caer granizo grueso. ‖ **2.** *Ar.* Llover copiosamente.

Acantarar. tr. Medir por cántaras.

Acantilado, da. p. p. de **Acantilar.** ‖ **2.** adj. Se dice del fondo del mar cuando forma escalones o cantiles. ‖ **3.** Aplícase también a la costa cortada verticalmente o a plomo. Ú. t. c. s. m. ‖ **4.** m. Escarpa casi vertical en un terreno.

Acantilar. tr. *Mar.* Echar o poner un buque en un cantil por una mala maniobra. Ú. m. c. r. ‖ **2.** *Mar.* Dragar un fondo para que quede acantilado.

Acantio. (Del lat. *acanthium*, y éste del gr. ἀκάνθιον.) m. **Toba,** 1.er art., 3.ª acep.

Acanto. (Del lat. *acanthus*, y éste del gr. ἄκανθος.) m. Planta de la familia de las acantáceas, perenne, herbácea, con hojas anuales, largas, rizadas y espinosas. ‖ **2.** *Arq.* Ornato hecho a imitación de las hojas de esta planta, característico del capitel del orden corintio.

Acantocéfalo. (Del gr. ἄκανθα, espina, y κεφαλή, cabeza.) adj. *Zool.* Dícese de los nematelmintos que carecen de aparato digestivo y tienen en el extremo anterior de su cuerpo una trompa armada de ganchos, con los que el animal, que es parásito, se fija a las paredes del intestino de su huésped. Ú. m. c. s. ‖ **2.** m. pl. *Zool.* Orden de estos nematelmintos.

Acantonamiento. m. Acción y efecto de acantonar fuerzas militares. ‖ **2.** Sitio en que hay tropas acantonadas.

Acantonar. (De *a*, 2.° art., y *cantón.*) tr. Distribuir y alojar las tropas en diversos lugares. Ú. t. c. r.

Acantopterigio. (Del gr. ἄκανθα, espina, y πτερύγιον, aleta.) adj. *Zool.* Dícese de peces teleósteos, casi todos marinos, cuyas aletas, por lo menos las impares, tienen radios espinosos inarticulados; como el atún, el pez espada y el besugo. Ú. t. c. s. ‖ m. pl. *Zool.* Suborden de estos animales.

Acañaverear. (De *a*, 2.° art., y *cañavera.*) tr. Herir con cañas cortadas en punta a modo de saetas; género de suplicio usado antiguamente.

Acañonear. tr. **Cañonear.**

Acañutado, da. adj. De forma de cañuto.

Acaparador, ra. adj. Que acapara. Ú. t. c. s.

Acaparamiento. m. Acción y efecto de acaparar.

Acaparar. (Del fr. *accaparer*, y éste del ital. *accaparrare*, de *caparra*, arras.) tr. Adquirir y retener cosas propias del comercio en cantidad suficiente para dar la ley al mercado. ‖ **2.** fig. Apropiarse en todo o en gran parte un género de cosas.

Acaparrarse. (De *a*, 2.° art., y *caparra*, 2.° art.) r. Ajustarse o convenirse con alguno.

Acaparrosado, da. adj. De color de caparrosa.

Acapillar. tr. p. us. Atrapar, apresar.

Acapizarse. (Del lat. *ad*, a, y *caput*, cabeza.) rec. fam. *Ar.* Agarrarse uno a otro riñendo y dándose cabezadas.

Acaponado, da. adj. Que parece de capón, o sea de hombre castrado. *Rostro* ACAPONADO; *voz* ACAPONADA.

Acaptar. (Del lat. *ad*, a, y *captāre*, solicitar.) tr. ant. Pedir limosna.

Acapullarse. r. Tomar forma de capullo.

Acaracolado, da. adj. De figura de caracol.

Acarambanado, da. adj. **Carambanado.**

Acaramelar. tr. Bañar de azúcar en punto de caramelo. ‖ **2.** r. fig. y fam. Mostrarse uno extraordinariamente galante, obsequioso, dulce, melifluo.

Acarar. tr. **Acarear,** 1.ª acep.

Acardenalar. tr. Causarle cardenales a uno. ‖ **2.** r. Salir al cutis manchas de color cárdeno, semejantes a las ocasionadas por golpes.

Acareamiento. m. Acción y efecto de acarear.

Acarear. tr. **Carear.** ‖ **2.** Hacer cara, arrostrar. ‖ **3.** r. fig. ant. Convenir, conformarse una cosa con otra.

Acariciador, ra. adj. Que acaricia. Ú. t. c. s.

Acariciante. p. a. de **Acariciar.** Que acaricia.

Acariciar. tr. Hacer caricias. ‖ **2.** fig. Tratar a alguno con amor y ternura. ‖ **3.** fig. Tocar, rozar suavemente una cosa a otra. *La brisa* ACARICIABA *su rostro.* ‖ **4.** fig. Complacerse en pensar en alguna cosa con deseo o esperanza de conseguirla o llevarla a cabo.

Acarnerado, da. adj. Dícese del caballo o yegua que tiene arqueada la parte delantera de la cabeza, como el carnero.

Ácaro. (Del lat. *acărus*, y éste del gr. ἄκαρι.) m. Arácnido de respiración traqueal o cutánea, con cefalotórax tan íntimamente unido al abdomen que no se percibe la separación entre ambos. Esta denominación comprende animales de tamaño mediano o pequeño, muchos de los cuales son parásitos de otros animales o plantas. ‖ **2.** pl. *Zool.* Orden de estos animales. ‖ **Ácaro de la sarna. Arador,** 2.ª acep. ‖ **del queso,** o **doméstico.** El que se cría en el queso seco y rancio.

Acaronar. (Del m. adv. *a carona.*) tr. *Ar.* Arrimarse el ama la criatura al rostro, arrullándola para dormirla.

Acarralar. tr. Encoger un hilo, o dejar un claro entre dos, en los tejidos. Ú. m. c. r. ‖ **2.** r. Desmedrarse los racimos de uvas a consecuencia de las heladas tardías.

Acarrarse. (De *a*, 2.° art., y *cara.*) r. Resguardarse del sol en estío el ganado lanar, uniéndose para procurarse sombra. ‖ **2.** *Sal.* Ir las ovejas unas tras otras con el morro junto a la tierra en las horas de calor.

Acarrascado, da. adj. Semejante a la carrasca.

Acarrazarse. r. *Ar.* Echarse sobre uno, asiéndolo fuertemente.

Acarreadizo, za. adj. Que se puede acarrear.

Acarreador, ra. adj. Que acarrea. Ú. t. c. s. ‖ **2.** m. Encargado de conducir la mies desde el rastrojo a la era.

Acarreadura. f. ant. **Acarreo.**

Acarreamiento. m. **Acarreo.**

Acarrear. tr. Transportar en carro. ‖ **2.** Por ext., transportar de cualquier manera. ‖ **3.** fig. Dicho de daños o desgracias, ocasionar, producir, traer consigo. ‖ **Bien acarrea, pero mal empiedra.** loc. que se dice del que tiene abundancia de medios o recursos y no sabe emplearlos.

Acarreo. m. Acción de acarrear. ‖ **De acarreo.** loc. Dícese de lo que se trae de otra parte por tierra, o no es del lugar donde está, sino que ha venido a él desde otro. *Tierras* DE ACARREO. ‖ **2.** También se dice de lo que un arriero trae por cuenta ajena, sólo por el porte.

Acarretar. tr. *Gal.* **Carretear.**

Acarreto. m. **Acarreo.** ‖ **2.** V. **Hilo de acarreto.**

Acartonarse. r. Ponerse como cartón. Dícese especialmente de las personas que al llegar a cierta edad se quedan enjutas.

Acasamatado, da. adj. De forma de casamata. ‖ **2.** Dícese de la batería o fortificación que tiene casamata.

Acasarado. adj. V. **Lugar acasarado.**

Acaserarse. (De *a*, 2.° art., y *casero.*) r. *Chile* y *Perú.* Hacerse parroquiano de una tienda.

Acaso. (De *a*, 2.° art., y *caso.*) m. Casualidad, suceso imprevisto. ‖ **2.** adv. m. Por casualidad, accidentalmente. ‖ **3.** adv. de duda. Quizá, tal vez. ‖ **Más vale un «por si acaso» que un «quién pensara»,** o **que un «¡válgame Dios!»** ref. que enseña que mejor es prevenir que tener que remediar. ‖ **Por si acaso.** m. adv. Por si llega a ocurrir o ha ocurrido alguna cosa.

Acastañado, da. adj. Que tira a color castaño.

Acastillado, da. adj. ant. De figura de castillo.

Acastorado, da. adj. Semejante a la piel del castor.

Acatable. adj. Digno de acatamiento o respeto.

Acatadamente. adv. m. Con acatamiento o respeto.

Acatadura. f. ant. **Catadura,** 2.ª acep.

Acataléctico. (Del lat. *acatalectĭcus*, y éste del gr. ἀκαταληκτικός; de ἀ, priv., y καταληκτικός, que termina antes de llegar al fin.) adj. V. **Verso acataléctico.** Ú. t. c. s.

Acatalecto. (Del lat. *acatalectus*, y éste del gr. ἀκατάληκτος, que no acaba; de ἀ, priv., y καταλήγω, acabar.) adj. **Acataléctico.** Ú. t. c. s.

Acatamiento. m. Acción y efecto de acatar.

Acatante. p. a. de **Acatar.** Que acata.

Acatar. (De *a*, 2.° art., y *catar*, mirar.) tr. Tributar homenaje de sumisión y respeto. ‖ **2.** ant. Mirar con atención. ‖ **3.** ant. Considerar bien una cosa. ‖ **4.** ant. Tener una cosa relación o correspondencia con otra. ‖ **5.** r. ant. Recelarse. ‖ **Acatar abajo.** fr. ant. fig. **Despreciar.**

Acatarrar. tr. Resfriar, constipar. ‖ **2.** r. Contraer catarro.

Acatéchili. m. Pájaro mejicano muy parecido al verderón.

Acates. (Por alusión a *Achates*, fiel amigo de Eneas, en el famoso poema de Virgilio.) m. Persona muy fiel.

Ácates. (Del lat. *achates*, y éste del gr. ἀχάτης.) f. ant. **Ágata.**

Acato. (De *acatar.*) m. **Acatamiento.** ‖ **Darse uno acato.** f. Darse cuenta o razón. ‖ **Delante hago acato, y por detrás al rey mato.** ref. que se dice del que en presencia alaba o aplaude y en ausencia vitupera.

Acaudalado, da. p. p. de **Acaudalar.** ‖ **2.** adj. Que tiene mucho caudal.

Acaudalador, ra. adj. Que acaudala. Ú. t. c. s.

Acaudalar. tr. Hacer o reunir caudal.

Acaudillador, ra. adj. Que acaudilla. Ú. t. c. s.

Acaudillamiento. m. Acción de acaudillar.

Acaudillar. (De *a*, 2.° art., y *caudillo.*) tr. Mandar, como cabeza o jefe, gente de guerra. ‖ **2.** Guiar, conducir, dirigir. ‖ **3.** r. Tomar o elegir caudillo.

Acaule. (De *a*, priv., y del lat. *caulis*, tallo.) adj. *Bot.* Dícese de la planta cuyo tallo es tan corto que parece que no lo tiene.

Acautelarse. r. **Cautelarse.**

Acayaz. m. ant. **Alcaide.**

Acayo, ya. adj. ant. **Aqueo.** Usáb. t. c. s.

Accedente. (Del lat. *accēdens, -entis.*) p. a. de **Acceder.** Que accede. Dícese sólo de los tratados hechos entre príncipes.

Acceder. (Del lat. *accedĕre*; de *ad*, a, y *cedĕre*, retirarse.) intr. Consentir en lo que otro solicita o quiere. ‖ **2.** Ceder uno en su parecer, conviniendo con un dictamen o una idea de otro, o asociándose a un acuerdo.

Accender. (Del lat. *accendĕre*; de *ad* y *candĕre*, blanquear, estar candente.) tr. ant. **Encender.**

Accenso, sa. (Del lat. *accensus*; de *accendĕre*, encender.) p. p. irreg. ant. de **Accender.**

Accesibilidad. f. Calidad de accesible.

Accesible. (Del lat. *accessibĭlis.*) adj. Que tiene acceso. ‖ **2.** fig. De fácil acceso o trato. ‖ **3.** *Topogr.* V. **Altura accesible.**

Accesión. (Del lat. *accessĭo, -ōnis.*) f. Acción y efecto de acceder. ‖ **2.** Cosa o cosas accesorias. ‖ **3. Ayuntamiento,** 5.ª acep. ‖ **4.** *For.* Modo de adquirir el dominio, según el cual el propietario de una cosa hace suyo, no solamente lo que ella produce, sino también lo que se le une o incorpora por obra de la naturaleza o por mano del hombre, o por ambos medios a la vez, siguiendo lo accesorio a lo principal. ‖ **5.** *For.* Cosa de este modo adquirida. ‖ **6.** *Med.* Cada uno de los ataques de las fiebres intermitentes durante los cuales se suceden, por lo regular, los tres estados de frío, calor y sudor. ‖ **Por accesión.** m. adv. Tratándose de elección canónica, unirse, después de publicado el escrutinio, al que ha tenido más votos, aquellos que antes no le habían votado.

Accesional. adj. Que aparece y desaparece súbitamente, por accesos. ‖ **2.** *Med.* Dícese de las enfermedades o síntomas que evolucionan de este modo, principalmente de ciertas fiebres como las palúdicas.

Accésit. (Del lat. *accessit*, 3.ª pers. de sing. del pret. de *accedĕre*, acercarse.) m. Recompensa inferior inmediata al premio en certámenes científicos, literarios o artísticos.

Acceso. (Del lat. *accessus.*) m. Acción de llegar o acercarse. ‖ **2. Ayuntamiento,** 5.ª acep. ‖ **3.** Entrada o paso. ‖ **4.** fig. Entrada al trato o comunicación con alguno. ‖ **5.** Arrebato o exaltación. ‖ **6.** *Med.* Acometimiento o repetición de un estado morboso, periódico o no, como la epilepsia, histerismo, disnea, neuralgia, etc. ‖ **7.** *Med.* **Accesión,** 6.ª acep. ‖ **del Sol.** *Astron.* Movimiento aparente con que se acerca el Sol al Ecuador.

Accesoria. (De *accesorio.*) f. Edificio contiguo a otro principal y dependiente de éste. Ú. m. en pl. ‖ **2.** pl. Habitaciones bajas que tienen entrada distinta y uso separado del resto del edificio principal.

Accesoriamente. adv. m. Por accesión o agregación.

Accesorio, ria. (De *acceso.*) adj. Que depende de lo principal o se le une por accidente. Ú. t. c. s. ‖ **2.** V. **Puerta accesoria.** ‖ **3. Secundario.**

Accidentadamente. adv. m. De modo accidental.

Accidentado, da. p. p. de **Accidentar.** ‖ **2.** adj. Turbado, agitado, borrascoso. ‖ **3.** Hablando de terreno, escabroso, abrupto.

Accidental. (Del lat. *accidentālis.*) adj. No esencial. ‖ **2.** Casual, contingente. ‖ **3.** V. **Imagen, punto, sociedad accidental.** ‖ **4.** *Teol.* Aplícase a la gloria y bienes que gozan los bienaventurados, además de la vista y posesión de Dios. ‖ **5.** m. *Mús.* **Accidente,** 9.ª acep.

Accidentalidad. f. Calidad de accidental.

Accidentalmente. adv. m. De modo accidental.

Accidentar. tr. Producir accidente. ‖ **2.** r. Ser acometido de algún accidente que priva de sentido o de movimiento.

Accidentariamente. adv. m. ant. Accidentalmente.

Accidentario, ria. adj. Accidental, 1.ª y 2.ª aceps.

Accidente. (Del lat. *accidens, -entis.*) m. Calidad o estado que aparece en alguna cosa, sin que sea parte de su esencia o naturaleza. ‖ **2.** Suceso eventual que altera el orden regular de las cosas. ‖ **3.** Suceso eventual o acción de que involuntariamente resulta daño para las personas o las cosas. *Seguro contra* ACCIDENTES. ‖ **4.** Indisposición o enfermedad que sobreviene repentinamente y priva de sentido, de movimiento o de ambas cosas. ‖ **5.** Pasión o movimiento del ánimo. ‖ **6.** Irregularidad del terreno con elevación o depresión bruscas, quiebras, fragosidad, etc. ‖ **7.** *Gram.* Modificación que en su estructura material sufren el nombre, el adjetivo y ciertos pronombres para expresar su género y número, y también el verbo para denotar sus modos, tiempos, voces, números y personas. ‖ **8.** *Med.* Síntoma grave que se presenta inopinadamente durante una enfermedad, sin ser de los que la caracterizan. ‖ **9.** *Mús.* Signo con que se altera la tonalidad de un sonido. Son tres: el sostenido, el bemol y el becuadro. ‖ **10.** pl. *Teol.* Figura, color, sabor y olor que en la Eucaristía quedan del pan y del vino después de la consagración. ‖ **Accidente del trabajo.** Lesión corporal que sufre el operario con ocasión o a consecuencia del trabajo que ejecuta por cuenta ajena. ‖ **De accidente.** m. adv. ant. **Por accidente.** ‖ **Por accidente.** m. adv. Por casualidad.

Acción. (Del lat. *actio, -ōnis.*) f. Ejercicio de una potencia. ‖ **2.** Efecto de hacer. ‖ **3.** Operación o impresión de cualquier agente en el paciente. ‖ **4.** Postura, ademán. ‖ **5.** En el orador y el actor, conjunto de actitudes, movimientos y gestos determinados por el sentido de las palabras, y cuyo fin es hacer más eficaz la expresión de lo que se dice. ‖ **6.** fam. Posibilidad o facultad de hacer alguna cosa, y especialmente de acometer o de defenderse. Ú. m. con los verbos *coger, quitar, dejar,* etc. *Coger la* ACCIÓN; *dejar sin* ACCIÓN. ‖ **7.** ant. **Acta.** ‖ **8.** *Com.* Cada una de las partes en que se considera dividido el capital de una compañía anónima, y también, a veces, el que aportan los socios no colectivos a algunas comanditarias, que entonces se llaman comanditarias por acciones. ‖ **9.** *Com.* Título que acredita y representa el valor de cada una de aquellas partes. ‖ **10.** *Fís.* Fuerza con que los cuerpos y agentes físicos obran unos sobre otros. ‖ **11.** *For.* Derecho que se tiene a pedir alguna cosa en juicio. ‖ **12.** *For.* Modo legal de ejercitar el mismo derecho, pidiendo en justicia lo que es nuestro o se nos debe. ‖ **13.** *Mil.* **Batalla,** 1.ª acep. ‖ **14.** *Mil.* Combate o pelea entre fuerzas poco numerosas. ‖ **15.** *Pint.* Actitud o postura del modelo natural para dibujarlo o pintarlo. ‖ **16.** *Lit.* En los poemas épico y dramático, o en cualquiera otro que tenga por objeto la representación activa de la vida humana, serie de actos y sucesos determinados por el objeto principal de la obra, y enlazados entre sí de manera que todos vengan a formar un solo conjunto. ‖ **17.** V. **Unidad de acción.** ‖ **de gracias.** Expresión o manifestación de agradecimiento. ‖ **de guerra.** *Mil.* Acción, 13.ª y 14.ª aceps. ‖ **de jactancia.** *For.* La que se utiliza demandando a la persona que se jacta de un derecho negado por el actor, para que sea condenada a ponerlo sub júdice en el término que se le señale. ‖ **de presencia.** *Quím.* **Catálisis.** ‖ **directa.** Empleo de la violencia preconizado por algunos grupos sociales, bien con fines políticos, bien para conseguir ventajas económicas. Suele manifestarse en forma de huelgas, sabotajes, atentados terroristas, etc. ‖ **liberada.** *Com.* Aquella cuyo valor no se satisface pecuniariamente, porque está cubierto por cosas aportadas o servicios hechos a la sociedad, siendo igual en derechos y obligaciones a las que representan el restante capital social. ‖ **Mala acción.** Fechoría, mala pasada. ‖ **Coger, o ganar, a uno la acción.** fr. Anticiparse a sus intentos, impidiéndole realizarlos.

Accionado, da. p. p. de **Accionar.** ‖ **2.** m. **Acción,** 5.ª acep.

Accionar. (De *acción.*) intr. Hacer movimientos y gestos para dar a entender alguna cosa, o acompañar con ellos la palabra hablada para hacer más viva la expresión de los pensamientos, deseos o afectos.

Accionista. com. Dueño de una o varias acciones en una compañía comercial, industrial o de otra índole.

Accitano, na. adj. Natural de Acci, hoy Guadix. Ú. t. c. s. ‖ **2.** Perteneciente a esta ciudad.

Acebadamiento. m. **Encebadamiento.**

Acebadar. tr. **Encebadar.** Ú. t. c. r.

Acebal. m. **Acebeda.**

Acebeda. f. Sitio poblado de acebos.

Acebedo. m. **Acebeda.**

Acebibe. (Del ár. *az-zabīb,* la uva y la ciruela pasas.) m. ant. Uva pasa.

Acebo. (Del lat. **aciphum,* der. regr. de *aciphylum,* acebo.) m. Árbol silvestre de la familia de las aquifoliáceas, de cuatro a seis metros de altura, poblado todo el año de hojas de color verde obscuro, lustrosas, crespas y con espinas en su margen; flores blancas y fruto en drupa rojiza. Su madera, que es blanca, flexible, muy dura y compacta, se emplea en ebanistería y tornería; y de su corteza se extrae liga para cazar pájaros. ‖ **2.** Madera de este árbol.

Acebollado, da. adj. Que tiene acebolladura.

Acebolladura. (De *a,* 2.º art., y *cebolla,* por la semejanza de las capas que la componen.) f. Daño que tienen algunas maderas, y que consiste en haberse desunido dos capas contiguas de las varias anuales que forman el tejido leñoso del árbol.

Acebrado, da. adj. **Cebrado.**

Acebuchal. adj. Perteneciente al acebuche. ‖ **2.** m. Terreno poblado de acebuches.

Acebuche. (Del ár. *az-zanbūŷ.*) m. **Olivo silvestre.** ‖ **2.** Madera de este árbol.

Acebucheno, na. adj. **Acebuchal,** 1.ª acep. ‖ **2.** V. **Olivo acebucheno.**

Acebuchina. f. Fruto del acebuche. Es una especie de aceituna, más pequeña y menos carnosa que la del olivo cultivado.

Acecido. m. fam. **Acezo.**

Acecinador. m. desus. **Asesino.**

Acecinamiento. m. desus. **Asesinato.**

Acecinar. (De *a,* 2.º art., y *cecina.*) tr. Salar las carnes y ponerlas al humo y al aire para que, enjutas, se conserven. Ú. t. c. r. ‖ **2.** r. fig. Quedarse uno, por vejez u otra causa, muy enjuto de carnes.

Acechadera. f. Sitio donde se puede acechar.

Acechadero. m. **Acechadera.**

Acechador, ra. adj. Que acecha. Ú. t. c. s.

Acechamiento. m. **Acecho.**

Acechanza. f. Acecho, espionaje, persecución cautelosa.

Acechar. (De *a,* 2.º art., y el lat. *sectāre,* seguir, perseguir.) tr. Observar, aguardar cautelosamente con algún propósito.

Aceche. (Del ár. *az-zāŷ,* el sulfato de hierro.) m. **Caparrosa.**

Acecho. m. Acción de acechar. ‖ **2.** Lugar desde el cual se acecha. ‖ **Al, de, o en, acecho.** m. adv. Observando y mirando a escondidas y con cuidado.

Acechón, na. adj. fam. **Acechador.** ‖ **Hacer la acechona.** fr. fam. **Acechar.**

Acedamente. adv. m. Con acedía o desabrimiento.

Acedar. tr. Poner aceda o agria alguna cosa. Ú. m. c. r. ‖ **2.** Alterar con acidez el estómago o los humores. ‖ **3.** fig. Desazonar, disgustar. Ú. t. c. r. ‖ **4.** r. Tratándose de las plantas, ponerse amarillas y enfermizas a causa del exceso de humedad o de acidez del medio en que viven.

Acedera. (Del lat. *acetaria;* de *acētum,* agrio.) f. Planta perenne de la familia de las poligonáceas, con el tallo fistuloso y derecho, hojas alternas y envainadoras, y flores pequeñas y verdosas dispuestas en verticilos. Se emplea como condimento por su sabor ácido, debido al oxalato de potasa que contiene. ‖ **2.** V. **Sal de acederas.**

Acederaque. (Del persa *azād dirajt,* lila de Persia.) m. **Cinamomo,** 1.ª acep.

Acederilla. f. Planta perenne de la familia de las poligonáceas, muy parecida a la acedera. ‖ **2. Aleluya,** 8.ª acep.

Acederón. m. Planta perenne de la familia de las poligonáceas, parecida a la acedera, pero con hojas anchas y flores hermafroditas. Ú. m. en pl.

Acedía. f. ant. **Acidia.** Ú. en *Chile.*

Acedía. f. Calidad de acedo. ‖ **2.** Indisposición del estómago, por haberse acedado la comida. ‖ **3.** fig. Desabrimiento, aspereza de trato. ‖ **4.** Amarillez que toman las plantas cuando se acedan.

Acedía. f. **Platija.**

Acedo, da. (Del lat. *acētum,* vinagre.) adj. **Ácido,** 1.ª acep. ‖ **2.** Que se ha acedado. ‖ **3.** fig. Áspero, desapacible. Dícese más comúnmente de las personas o de su genio. ‖ **4.** m. El agrio o zumo agrio.

Acedura. f. ant. **Acedía,** 1.er art.

Acefalía. f. Calidad de acéfalo.

Acefalismo. m. **Acefalía.** ‖ **2.** Secta de los acéfalos. ‖ **3.** Doctrina profesada por los acéfalos.

Acéfalo, la. (Del lat. *acephălus,* y éste del gr. ἀκέφαλος; de ἀ, priv., y κεφαλή, cabeza.) adj. Falto de cabeza. ‖ **2.** Dícese del feto sin cabeza o sin parte considerable de ella. ‖ **3.** Dícese de ciertos herejes del siglo V que seguían el error de Eutiques y no reconocían jefe. Ú. t. c. s. ‖ **4.** fig. Aplícase a la sociedad, comunidad, secta, etc., que no tiene jefe. ‖ **5.** m. *Zool.* **Lamelibranquio.**

Aceguero. m. Leñador que recoge las leñas muertas o arranca las vivas sin auxilio de herramientas.

Aceifa. (Del ár. *aṣ-ṣā'ifa,* expedición estival.) f. Expedición militar sarracena que se hacía en verano.

Aceitada. f. Cantidad de aceite derramada. ‖ **2.** Torta o bollo amasado con aceite.

Aceitar. tr. Dar, untar, bañar con aceite.

Aceitazo. m. **Aceitón,** 1.ª acep.

Aceite. (Del ár. *az-zait,* el jugo de la oliva.) m. Líquido graso, de color verde amarillento, que se saca de la aceituna. ‖ **2.** V. **Balsa de aceite.** ‖ **3.** Por ext., líquido graso que se obtiene de otros frutos o semillas, como nueces, almendras, linaza, etc.; de algunos animales, como la ballena, la foca, el bacalao, y aun de substancias minerales, como las pizarras bituminosas. ‖ **4.** Cualquier cuerpo pingüe, líquido a la temperatura media de los climas templados o cálidos. ‖ **de abeto. Abetinote.** ‖ **de anís.** Aguardiente anisado y con gran cantidad de azúcar en disolución, lo que lo hace muy espeso. || **de Aparicio.** Preparación medicinal, vulneraria, inventada en el siglo XVI por Aparicio de Zubia, y cuyo principal ingrediente es el hipérico. || **de ballena.** Grasa líquida que se saca de la ballena, así como también de otros cetáceos y peces, y sirve en algunos países para alumbrarse. || **de cada. Miera,** 1.ª acep. || **de hígado de bacalao.** El que fluye naturalmente del hígado extraído del abadejo. Ú. como medicamento reconstituyente. || **de hojuela.** El que se saca de las balsas donde se recoge el alpechín de la aceituna. || **de infierno.** *Ar.* y *Nav.* El que se recoge en el pilón llamado infierno. || **de ladrillo.** Líquido empireumático resultante de la destilación del **aceite** de oliva mezclado con polvo de ladrillo. || **de María. Bálsamo de María.** || **de oliva. Aceite,** 1.ª acep. || **de palo. Bálsamo de copaiba de la India.** || **de pie,** o **de talega.** El que se saca con sólo pisar las aceitunas metidas en una talega. || **de vitriolo.** Ácido sulfúrico comercial. || **esencial. Aceite volátil.** || **fijo.** El que no se evapora, y cuya composición es la de las substancias grasas. || **mineral. Petróleo.** || **onfacino.** El que se extrae de aceitunas sin madurar y se emplea en medicina. || **secante.** El que en contacto con el aire se seca pronto; como el de linaza cocido con litargirio. || **2.** *Pint.* El de linaza cocido con ajos, vidrio molido y litargirio. Úsase de él para que se sequen pronto los colores. || **serpentino.** El medicinal que se emplea contra las lombrices. || **virgen.** El que sale de la aceituna por primera expresión en el molino, y sin los repasos en prensa con agua caliente. || **volátil. Esencia,** 3.ª acep. || **¡Aceite de cepas, marido, que me fino!** ref. contra las borrachas. || **Caro como aceite de Aparicio.** loc. fam. con que se pondera el excesivo precio de alguna cosa. || **Echar aceite al fuego,** o **en el fuego.** fr. fig. **Echar leña al fuego.** || **Quien el aceite mesura, las manos se unta.** ref. que da a entender que los que manejan dependencias o intereses ajenos suelen aprovecharse de ellos ilícitamente.

Aceitera. f. La que vende aceite. || **2. Alcuza.** || **3. Aceitero,** 3.ª acep. || **4. Carraleja,** 1.ª acep. || **5.** pl. **Vinagreras.**

Aceitería. f. Tienda donde se vende aceite. || **2.** Oficio de aceitero.

Aceitero, ra. adj. Perteneciente o relativo al aceite. || **2.** m. El que vende aceite. || **3.** Cuerno en el que guardan el aceite los pastores. || **4.** Árbol de las Antillas, de madera muy dura, compacta y de color amarillo con vetas más obscuras, que admite hermoso pulimento.

Aceitón. m. Aceite gordo y turbio. || **2.** Impurezas que en el fondo de las vasijas va dejando el aceite en los diferentes trasiegos a que se le somete para purificarlo. || **3.** Líquido espeso y pegajoso que segregan ciertos insectos en las hojas, ramas y troncos de algunas especies de árboles, y en el cual vive y se desarrolla la negrilla.

Aceitoso, sa. adj. Que tiene aceite. || **2.** Que tiene mucho aceite. || **3.** Que tiene jugo o crasitud semejante al aceite.

Aceituna. (Del ár. *az-zaitūna*, la oliva.) f. Fruto del olivo. || **de la Reina.** La de mayor tamaño y superior calidad que se cría en Andalucía. || **gordal.** La más larga que la común. || **manzanilla. Manzanilla,** 4.ª acep. || **picudilla.** La de forma picuda. || **tetuda.** La que remata en un pequeño pezón. || **zapatera.** La que ha perdido su color y buen sabor, por haber comenzado a pudrirse. || **zorzaleña.** La muy pequeña y redonda, así llamada porque los zorzales son muy aficionados a comerla. || **Aceituna, una es oro; dos, plata, y la tercera, mata;** o **Aceituna, una, y si es buena, una docena;** o **Aceituna, una; dos, mejor, y tres peor.** refs. que dan a entender la moderación con que se deben comer las aceitunas para que no hagan daño. || **Llegar uno a las aceitunas.** fr. fig. y fam. **Llegar a los anises.**

Aceitunado, da. adj. De color de aceituna verde.

Aceitunera. f. *Extr.* Época en que se recoge la aceituna.

Aceitunero, ra. m. y f. Persona que coge, acarrea o vende aceitunas. || **2.** m. Sitio destinado para tener la aceituna desde su recolección hasta llevarla a moler.

Aceituní. (Del ár. *az-zaitūnī*, procedente de *Zaitūn*, ciudad de China, hoy Tsiuán-chu-fu, antes Tseu-tung.) m. Tela rica traída de Oriente y muy usada en la Edad Media. || **2.** Cierta labor usada en los edificios árabes.

Aceitunil. adj. Aceitunado.

Aceitunillo. (d. de *aceituno*.) m. Árbol de las Antillas, de la familia de las estiracáceas, de fruto venenoso y madera muy dura que se emplea en construcciones.

Aceituno. m. **Olivo.** || **silvestre. Aceitunillo.**

Acelajado, da. adj. Que tiene celajes.

Aceleración. (Del lat. *acceleratĭo, -ōnis*.) f. Acción y efecto de acelerar o acelerarse. || **2.** *Mec.* Incremento de la velocidad en la unidad de tiempo. || **de las estrellas fijas,** o **de las fijas.** *Astron.* Intervalo variable en que se adelanta diariamente el paso de una estrella al del Sol por un mismo meridiano. Este intervalo toma el nombre de **aceleración** media, y es de tres minutos y cincuenta y seis segundos cuando se relaciona con el Sol medio.

Aceleradamente. adv. m. Con aceleración.

Acelerado, da. p. p. de **Acelerar.** || **2.** adj. *Mec.* V. **Movimiento acelerado, y uniformemente acelerado.**

Acelerador. m. Mecanismo del automóvil que regula la entrada de la mezcla explosiva en la cámara de combustión y permite acelerar más o menos el régimen de revoluciones del motor.

Aceleramiento. m. **Aceleración.**

Acelerar. (Del lat. *accelerāre*; de *ad*, a, y *celerāre*, apresurar.) tr. Dar celeridad. Ú. t. c. r.

Aceleratriz. adj. V. **Fuerza aceleratriz.**

Acelga. (Del ár. *as-silqa*, y éste del gr. σικελή, la siciliana.) f. *Bot.* Planta hortense de la familia de las quenopodiáceas, de hojas grandes, anchas, lisas y jugosas, y cuyo tallo es grueso y acanalado por el envés. Es comestible. || **2.** V. **Cara de acelga.**

Acémila. (Del ár. *az-zāmila*, la bestia de carga.) f. Mula o macho de carga. || **2.** Cierto tributo que se pagaba antiguamente. || **3.** Asno, persona ruda.

Acemilado, da. adj. Parecido a una acémila.

Acemilar. adj. Perteneciente o relativo a la acémila o al acemilero.

Acemilería. f. Lugar destinado para tener las acémilas y sus aparejos. || **2.** Oficio de la casa real para cuidar de las acémilas.

Acemilero, ra. adj. Perteneciente o relativo a la acemilería. || **2.** m. El que cuida o lleva del ramal a las acémilas. || **mayor.** Jefe del oficio palatino de la acemilería.

Acemita. f. Pan hecho de acemite.

Acemite. (Del ár. *as-samīd*, la harina muy blanca.) m. Afrecho con alguna corta porción de harina. || **2.** Potaje de trigo tostado y medio molido. || **3.** ant. Flor de la harina. || **4.** desus. Granzas limpias y descortezadas del salvado, que quedan del grano remojado y molido gruesamente.

Acender. (Del lat. *accendĕre*.) tr. ant. Encender. Usáb. t. c. r.

Acendrado, da. p. p. de **Acendrar.** || **2.** adj. Puro y sin mancha ni defecto.

Acendramiento. m. Acción y efecto de acendrar.

Acendrar. (Del lat. *incinĕrāre*, incinerar.) tr. Depurar, purificar en la cendra los metales por la acción del fuego. || **2.** fig. Depurar, purificar, limpiar, dejar sin mancha ni defecto.

Acenefa. (Como *ceneja*, del ár. *aṣ-ṣanifa* o *aṣ-ṣanīfa*, borde o fimbria del vestido.) f. ant. Cenefa.

Acenia. f. ant. **Aceña.**

Acensar. (De *a*, 2.º art., y *censo*.) tr. Acensuar.

Acensuado, da. p. p. de **Acensuar.** || **2.** adj. pl. *For.* V. **Bienes acensuados.**

Acensuador. (De *acensuar*.) m. **Censualista.**

Acensuar. (Del lat. *ad*, a, y *census*, censo.) tr. Imponer censo.

Acento. (Del lat. *accentus*.) m. La mayor intensidad con que se hiere determinada sílaba al pronunciar una palabra. || **2.** Rayita oblicua en dirección de derecha a izquierda del que escribe (´), la cual se pone en ciertos casos, como signo ortográfico, sobre la vocal de la sílaba en que carga la pronunciación. || **3.** Particulares inflexiones de voz con que se distingue cada nación o provincia en el modo de hablar. || **4.** Uno de los elementos constitutivos del verso, el cual, aun teniendo la medida correspondiente, sería poco armonioso y grato, o no constaría, si no estuviese acentuado en determinadas sílabas. || **5.** Modulación de la voz. || **6.** Sonido, tono. || **7.** poét. Lenguaje, voz, canto. || **agudo. Acento,** 2.ª acep. || **circunflejo.** El que se compone de uno agudo y otro grave unidos por arriba (^). En nuestra lengua no tiene ya uso alguno. Empleósele antes con el mismo fin que el agudo, y como signo diacrítico sobre las vocales precedidas de *ch* o *x* cuando la primera de estas letras debía pronunciarse como *c* fuerte y la segunda con su especial y propio sonido y no con el de *j*; v. gr.: *monarchîa, conexô.* || **grave.** Rayita oblicua en dirección de izquierda a derecha del que escribe (`). En nuestra lengua no tiene ya uso alguno. Empleósele antes con el mismo fin que el agudo, y como signo diacrítico sobre la preposición *a* y las conjunciones *e, o, u.* || **métrico. Acento,** 4.ª acep. || **ortográfico. Acento,** 2.ª acep. || **prosódico. Acento,** 1.ª acep. || **rítmico. Acento métrico.** || **tónico. Acento,** 1.ª acep.

Acentuación. (Del lat. *accentuatĭo, -ōnis*.) f. Acción y efecto de acentuar.

Acentuadamente. adv. m. Con pronunciación acentuada. || **2.** fig. **Señaladamente.**

Acentual. adj. *Gram.* Perteneciente o relativo al acento.

Acentuar. (Del lat. *accentuāre*.) tr. Dar acento prosódico a las palabras. || **2.** Ponerles acento ortográfico. || **3.** fig. **Recalcar,** 3.ª acep. || **4.** fig. Realzar, resaltar, abultar. || **5.** r. fig. **Tomar cuerpo.**

Aceña. (Del ár. *as-sāniya*, la que eleva [el agua], la rueda hidráulica.) f. Molino harinero de agua situado dentro del cauce de un río. || **2. Azul,** 1.ª acep. || **3.** *Ast.* y *Gal.* Molino instalado en la orilla de una ría, y que muele cuando el flujo y reflujo del mar. || **4.** *Bot.* **Espadaña,** 1.ª acep. || **Andando gana la aceña, que no estándose queda.** ref. con que se da a entender que el que vive de su trabajo, sólo trabajando alcanza provecho. || **El que está en la aceña muele, que no el que va y viene.** ref. que advierte que para conseguir las cosas es preciso tener sufrimiento y constancia. || **Más**

vale aceña parada que el molinero amigo. ref. que significa que muchas veces vale más la buena coyuntura que la amistad.

Aceñero. m. El que tiene a su cargo una aceña o trabaja en ella.

Acepar. intr. **Encepar,** 5.ª acep.

Acepción. (Del lat. *acceptio, -ōnis.*) f. Sentido o significado en que se toma una palabra o una frase. || **2.** ant. Aceptación o aprobación. || **de personas.** Acción de favorecer o inclinarse a unas personas más que a otras por algún motivo o afecto particular, sin atender al mérito o a la razón.

Acepilladura. f. Acción y efecto de acepillar. || **2.** Viruta que se saca de la materia que se acepilla.

Acepillar. tr. Alisar con cepillo la madera o los metales. || **2.** Limpiar, quitar polvo con cepillo de cerda, esparto, etc. || **3.** fig. y fam. **Pulir,** 2.ª y 4.ª aceps.

Aceptabilidad. f. Calidad de aceptable.

Aceptable. (Del lat. *acceptabĭlis.*) adj. Capaz o digno de ser aceptado.

Aceptablemente. adv. m. De modo aceptable.

Aceptación. f. Acción y efecto de aceptar. || **2.** Aprobación, aplauso. || **de personas. Acepción de personas.**

Aceptadamente. adv. m. Con aceptación.

Aceptador, ra. (Del lat. *acceptātor.*) adj. Que acepta. Ú. t. c. s. || **de personas.** El que hace acepción de personas.

Aceptante. p. a. de **Aceptar.** Que acepta. Ú. t. c. s.

Aceptar. (Del lat. *acceptāre,* frecuent. de *accipĕre,* recibir.) tr. Recibir uno voluntariamente lo que se le da, ofrece o encarga. || **2.** Aprobar, dar por bueno. || **3.** Tratándose de un desafío, admitir sus condiciones y comprometerse a cumplirlas. || **4.** Tratándose de letras o libranzas, obligarse por escrito en ellas mismas a su pago.

Acepto, ta. (Del lat. *acceptus.*) adj. Agradable, bien recibido, admitido con gusto.

Aceptor. (Del lat. *acceptor.*) m. **Aceptador.** Ú. sólo en la loc. **aceptor de personas. Aceptador de personas.**

Acequia. (Del ár. *as-sāqiya,* la que da a beber, la reguera.) f. Zanja o canal por donde se conducen las aguas para regar y para otros fines.

Acequiaje. m. *Murc.* Tributo que pagan los dueños de heredades por la conservación de las acequias.

Acequiar. intr. Hacer acequias. Ú. t. c. tr.

Acequiero. m. El que rige el uso de las acequias, o cuida de ellas.

Acera. (De *hacera.*) f. Orilla de la calle o de otra vía pública, generalmente enlosada, sita junto al paramento de las casas, y particularmente destinada para el tránsito de la gente que va a pie. || **2.** Fila de casas que hay a cada lado de la calle o plaza. || **3.** *Arq.* Cada una de las piedras con que se forman los paramentos de un muro. || **4.** *Arq.* Paramento de un muro.

Aceráceo, a. (De *acer,* nombre de un género de plantas.) adj. *Bot.* Dícese de árboles angiospermos dicotiledóneos, con hojas opuestas, flores actinomorfas, hermafroditas o unisexuales por aborto, fruto constituído por dos sámaras y semillas sin albumen; como el arce y el plátano falso. De la savia de muchos de ellos se puede extraer azúcar. Ú. t. c. s. || **2.** f. pl. *Bot.* Familia de estas plantas.

Aceración. f. Acción de acerar el hierro.

Acerado, da. p. p. de **Acerar,** 1.er art. || **2.** adj. De acero. || **3.** Parecido a él. || **4.** fig. Fuerte o de mucha resistencia. || **5.** fig. Incisivo, mordaz, penetrante.

Acerar. (De *acero.*) tr. Dar a un hierro, por procedimientos metalúrgicos, las propiedades del acero, parcial o totalmente; por ejemplo, **acerar** por cementación la superficie, la punta, el corte de un instrumento. || **2.** Dar al agua u otros líquidos ciertas propiedades medicinales mezclándolos con tintura de acero o apagando en ellos acero hecho ascua. || **3.** Dar los grabadores un tenue baño de acero a las planchas de cobre para que duren más. || **4.** fig. Fortalecer, vigorizar. Ú t. c. r. || **5.** r. fig. *Ar.* Padecer en los dientes la sensación llamada dentera.

Acerar. (De *acera.*) tr. Poner aceras. || **2.** *Arq.* Reforzar un muro con aceras.

Acerbamente. adv. m. Cruel, rigurosa o desapaciblemente.

Acerbidad. (Del lat. *acerbĭtas, -ātis.*) f. Calidad de acerbo.

Acerbísimamente. adv. m. Muy acerbamente.

Acerbo, ba. (Del lat. *acerbus.*) adj. Áspero al gusto. || **2.** fig. Cruel, riguroso, desapacible.

Acerca. (Del lat. *ad circa.*) adv. l. y t. ant. **Cerca,** 2.° art., 1.ª acep. || **Acerca de.** m. adv. Sobre la cosa de que se trata, o en orden a ella.

Acercador, ra. adj. Que acerca.

Acercamiento. m. Acción y efecto de acercar o acercarse.

Acercanza. f. ant. **Cercanía,** 1.ª acep.

Acercar. (De *cerca,* 1.er art., 1.ª acep.) tr. Poner cerca o a menor distancia. Ú. t. c. r.

Ácere. (Del lat. *acer, -ĕris.*) m. **Arce,** 1.er art.

Acería. f. Fábrica de acero.

Acerico. (d. de **hacero,* almohada, y éste del lat. **faciārius,* de *facies,* cara.) m. Almohada pequeña que se pone sobre las otras grandes de la cama para mayor comodidad. || **2.** Almohadilla que sirve para clavar en ella alfileres o agujas.

Acerillo. (d. de **hacero,* almohada, y éste del lat. **faciārius,* de *facies,* cara.) m. **Acerico.**

Acerineo, a. (Del lat. *acer, -ĕris,* ácere.) adj. *Bot.* **Aceráceo.**

Acerino, na. adj. poét. **Acerado.**

Acernadar. tr. *Veter.* Aplicar o poner cernadas, 3.ª acep.

Acero. (Del lat. **aciārium,* de *acies,* filo.) m. Hierro combinado con uno por ciento próximamente de carbono, y que hecho ascua y sumergido en agua fría adquiere por el temple gran dureza y elasticidad. Hay **aceros** especiales que contienen además, en pequeñísima proporción, cromo, níquel, titanio, volframio o vanadio. || **2.** fig. Arma blanca, y en especial la espada. || **3.** *Med.* Medicamento para las opiladas, compuesto de **acero** preparado de diversas maneras. || **4.** pl. Temple y corte de las armas blancas. Ú. m. con calificativo. *Buenos* ACEROS. || **5.** fig. Ánimo, brío, denuedo, resolución. || **6.** fig. y fam. Ganas de comer. Ú. m. con calificativo. *Buenos, valientes* ACEROS. || **Acero fundido.** El que se obtiene haciendo quemar, en aparatos a propósito, parte del carbono que tiene el hierro colado.

Acerola. (Del ár. *az-zaʿrūra,* el níspero.) f. Fruto del acerolo. Es redondo, encarnado o amarillo, carnoso y agridulce, y tiene dentro tres huesecillos juntos muy duros.

Acerolo. m. Árbol de la familia de las rosáceas, que crece hasta diez metros, de ramas cortas y frágiles, con espinas en el estado silvestre y sin ellas en el de cultivo, hojas pubescentes, cuneiformes en la base y profundamente divididas en tres o cinco lóbulos enteros o dentados, y flores blancas en corimbo. Su fruto es la acerola.

Aceroso, sa. (Del lat. *acer,* áspero, punzante.) adj. ant. Áspero, picante.

Acerrador. (De *acerrar.*) m. *Germ.* Criado de justicia.

Acerrar. (De *a,* 2.° art., y *cerra.*) tr. *Germ.* Asir, agarrar.

Acérrimamente. adv. m. De modo acérrimo.

Acérrimo, ma. (Del lat. *acerrĭmus.*) adj. fig. sup. de **Acre.** Muy fuerte, vigoroso o tenaz.

Acerrojar. tr. Poner bajo cerrojo.

Acertadamente. adv. m. Con acierto.

Acertado, da. p. p. de **Acertar.** || **2.** adj. Que tiene o incluye acierto.

Acertador, ra. adj. Que acierta. Ú. t. c. s.

Acertajo. m fam. **Acertijo.**

Acertajón, na. (De *acertar.*) adj. ant. **Adivinador.** Úsab. t. c. s.

Acertamiento. m. **Acierto.**

Acertar. (Del lat. *ad,* a, y *certum,* cosa cierta.) tr. Dar en el punto a que se dirige alguna cosa. ACERTAR *al blanco.* || **2.** Encontrar, hallar. ACERTÓ *la casa.* Ú. t. c. intr. ACERTÓ *con la casa.* || **3.** Hallar el medio apropiado para el logro de una cosa. || **4.** Dar con lo cierto en lo dudoso, ignorado u oculto. || **5. Hacer** con acierto alguna cosa. Ú. t. c. intr. || **6.** Entre sastres, recorrer e igualar la ropa cortada. || **7.** intr. Con la prep. *a* y otro verbo en infinitivo, suceder impensadamente o por casualidad lo que este último significa. ACERTÓ A *ser víspera aquel día.* || **8.** *Agr.* Prevalecer, probar bien las plantas y semillas. || **9.** r. ant. Hallarse presente a alguna cosa. || **Aciértalo tú, que yo lo diré.** fr. que se usa cuando uno se resiste a decir algún secreto a otro que le insta para que se lo descubra.

Acertero. (De *acertar.*) m. desus. **Blanco,** 13.ª y 14.ª aceps.

Acertijo. (De *acertar.*) m. Especie de enigma para entretenerse en acertarlo. || **2.** Cosa o afirmación muy problemática.

Aceruelo. (Del lat. **faciārius,* de *facies,* cara.) m. Especie de albardilla para cabalgar. || **2. Acerico,** 2.ª acep.

Acervar. (Del lat. *acervāre.*) tr. ant. **Amontonar.**

Acervo. (Del lat. *acervus.*) m. Montón de cosas menudas, como trigo, cebada, legumbres, etc. || **2.** Haber que pertenece en común a los socios de una compañía civil o comercial; a los coherederos, en una sucesión; a los acreedores, en un concurso o en una quiebra; a los partícipes, en determinados diezmos, o a otra cualquiera pluralidad o colectividad de personas. || **pío.** *For.* Conjunto de valores entregados al diocesano para redimir de cargas piadosas las fincas de particulares.

Acescencia. f. Disposición a acedarse o agriarse.

Acescente. (Del lat. *acescens, -entis,* p. a. de *acescĕre.*) adj. Que se agría o empieza a agriarse.

Acetábulo. (Del lat. *acetabŭlum.*) m. Medida antigua para líquidos, equivalente a la cuarta parte de la hemina. || **2.** Cavidad de un hueso en que encaja otro, y singularmente la del isquion donde entra la cabeza del fémur.

Acetaldehído. m. *Quím.* **Aldehído acético.**

Acetar. (Del lat. *acceptāre,* aceptar.) tr. ant. **Aceptar.**

Acetato. (Del lat. *acētum,* vinagre.) m. *Quím.* Sal formada por la combinación del ácido acético con una base.

Acético, ca. (Del lat. *acētum,* vinagre.) adj. *Quím.* Perteneciente o relativo al vinagre o sus derivados. || **2.** *Quím.* V. **Ácido acético.**

Acetificación. f. *Quím.* Acción de acetificar o acetificarse.

Acetificar. tr. *Quím.* Convertir en ácido acético. Ú. t. c. r.

Acetileno. (De *acetilo* y *eno*, terminación dada a los carburos de hidrógeno.) m. Hidrocarburo gaseoso que se obtiene por la acción del agua sobre el carburo de calcio, y se emplea para el alumbrado.

Acetilo. (Del lat. *acētum*, vinagre.) m. Radical alcohólico hipotético, cuya existencia se admite para explicar la constitución de algunos cuerpos.

Acetímetro. m. *Quím.* Aparato para medir la fuerza del vinagre o su contenido de ácido acético.

Acetín. (Del lat. *acētum*.) m. **Agracejo,** 3.ª acep.

Acetite. (De *aceto*.) m. Denominación antigua de cualquiera de las combinaciones del vinagre con los óxidos. || **2.** Nombre del acetato de cobre en algunas comarcas de España.

Aceto. (Del lat. *acētum*.) m. ant. **Vinagre,** 1.ª acep.

Aceto, ta. adj. ant. **Acepto.**

Acetona. (De *aceto*, 1.er art.) f. Líquido incoloro, inflamable y volátil, de olor fuerte y sabor parecido al de la menta. Se obtiene de la substancia acuosa procedente de la carbonización de la madera. Lo produce el organismo en los trastornos de la nutrición, principalmente en la diabetes, en las perturbaciones hepáticas de los niños y en los casos de inanición.

Acetosa. (Del lat. *acetōsa*.) f. **Acedera.**

Acetosidad. f. Calidad de acetoso.

Acetosilla. f. **Acederilla.**

Acetoso, sa. (Del lat. *acetōsus*.) adj. **Ácido.** || **2.** Perteneciente o relativo al vinagre. || **3.** *Quím.* Que sabe a vinagre.

Acetre. (Del ár. *as-saṭl*, el vaso con asa.) m. Caldero pequeño con que se saca agua de las tinajas o pozos. || **2.** Caldero pequeño en que se lleva el agua bendita para hacer las aspersiones de que usa la Iglesia.

Acetrería. (De *acetrero*.) f. ant. **Cetrería.**

Acetrero. (Del lat. **accĭpĭtrārius*, de *accĭpĭter*, gavilán.) m. ant. **Cetrero,** 2.° art.

Acetrinar. tr. Poner de color cetrino.

Acevilar. tr. ant. **Acivilar.**

Acezar. intr. **Jadear.**

Acezo. m. Acción y efecto de acezar.

Acezoso, sa. (De *acezo*.) adj. **Jadeante.**

Aciago, ga. (Del lat. *aegyptiăcus* [*dies*], día fatal.) adj. Infausto, infeliz, desgraciado, de mal agüero. || **2.** m. ant. Azar, desgracia.

Acial. (De *aciar*.) m. Instrumento con que oprimiendo un labio, la parte superior del hocico, o una oreja de las bestias, se las hace estar quietas mientras las hierran, curan o esquilan. || **Más vale acial que fuerza de oficial.** ref. **Más vale maña que fuerza.**

Aciano. (Del lat. *cyănus*, y éste del gr. κυάνεος, azul.) m. Planta de la familia de las compuestas, con tallo erguido, ramoso, de seis a ocho decímetros de altura, hojas blandas y lineales, enterísimas y sentadas las superiores, y pinadas las inferiores; flores grandes y orbiculares, con receptáculo pajoso y flósculos de color rojo o blanco, y más generalmente azul claro. || **mayor.** Planta perenne medicinal, con el tallo lanudo, las hojas lanceoladas, escurridas, y las flores azules con cabezuela escamosa. || **menor. Aciano.**

Acianos. m. **Escobilla,** 3.ª acep.

Aciar. (Del ár. *az-ziyār*, la tenaza de albéitar.) m. ant. **Acial.**

Acíbar. (Del ár. *aṣ-ṣibr* o *aṣ-ṣibar*, el jugo del áloe.) m. **Áloe,** 1.ª y 2.ª aceps. || **2.** fig. Amargura, sinsabor, disgusto.

Acibarar. tr. Echar acíbar en alguna cosa. || **2.** fig. Turbar el ánimo con algún pesar o desazón.

Acibarrar. tr. fam. **Abarrar.**

Aciberar. (De *a*, 2.° art., y *cibera*.) tr. Moler, reducir a polvo o partes muy menudas alguna cosa.

Acicalado, da. p. p. de **Acicalar.** || **2.** adj. Extremadamente pulcro.

Acicalador, ra. adj. Que acicala. Ú. t. c. s. || **2.** m. Instrumento con que se acicala.

Acicaladura. f. Acción y efecto de acicalar o acicalarse.

Acicalamiento. m. **Acicaladura.**

Acicalar. (Del ár. *aṣ-ṣiqāl*, el pulimento.) tr. Limpiar, alisar, bruñir, principalmente las armas blancas. || **2.** Dar en una pared el último pulimento. || **3.** fig. Pulir, adornar, aderezar a una persona, poniéndole afeites, peinándola, etc. Ú. m. c. r. || **4.** fig. Hablando del espíritu o de las potencias, afinar, aguzar.

Acicate. (Del ár. *aš-šawkāt*, los aguijones, las espinas.) m. Espuela para montar a la jineta, y la cual sólo tiene una punta de hierro con que se pica al caballo, y en ella un botón a distancia proporcionada, para impedir que penetre mucho. || **2.** fig. **Incentivo,** 1.ª acep.

Acicatear. (De *acicate*.) tr. Incitar, estimular.

Acicular. (Del lat. *acicŭla*, aguja pequeña.) adj. De figura de aguja. || **2.** *Bot.* V. **Hoja acicular.** || **3.** *Mineral.* Dícese de la textura de algunos minerales que se presenta en fibras delgadas como agujas.

Aciche. (Del lat. *aciscŭlus*.) m. Herramienta de solador, con dos bocas, en forma de azuela.

Aciche. m. **Aceche.**

Acidalio, lia. (Del lat. *acidalĭus*.) adj. Perteneciente o relativo a la diosa Venus.

Acidaque. (Del ár. *aṣ-ṣidāq*, la dote.) m. Arras que, en bienes, joyas, galas o dinero, está obligado a dar el mahometano a la mujer por razón de casamiento.

Acidez. f. Calidad de ácido.

Acidia. (Del lat. *acidĭa*, y éste del gr. ἀκηδία, negligencia.) f. Pereza, flojedad.

Acidificar. tr. Hacer ácida una cosa.

Acidimetría. f. Determinación de la acidez de un líquido.

Acidímetro. m. Aparato para graduar la acidez de un líquido.

Acidioso, sa. (De *acidia*.) adj. Perezoso, flojo.

Ácido, da. (Del lat. *acĭdus*.) adj. Que tiene sabor de agraz o de vinagre, o parecido a él. || **2.** fig. Áspero, desabrido. || **3.** m. *Quím.* Cualquiera de las substancias que pueden formar sales combinándose con algún óxido metálico u otra base de distinta especie. Suelen tener sabor agrio y enrojecer la tintura de tornasol cuando son líquidas o están disueltas, y las que no contienen hidrógeno substituible por metales se llaman hoy más propiamente anhídridos. || **acético.** *Quím.* Cuerpo producido por la oxidación del alcohol vínico, al cual debe principalmente su acidez el vinagre. || **arsénico.** *Quím.* Cuerpo blanco, soluble en el agua, compuesto de arsénico, oxígeno e hidrógeno, y muy venenoso. Se prepara oxidando el anhídrido arsenioso mediante el **ácido** nítrico. || **arsenioso. Anhídrido arsenioso.** || **benzoico.** *Quím.* Cuerpo sólido, blanco, muy soluble en el alcohol y poco en el agua, que se obtiene de la orina del caballo, del benjuí y de ciertos productos balsámicos. || **bórico.** *Quím.* Cuerpo blanco, en forma de escamas nacaradas solubles en el agua. Se desprende arrastrado por el vapor de agua que surge de algunas hendiduras de la tierra. Se usa en la industria y en medicina como antiséptico. || **cacodílico.** *Quím.* Substancia blanca, cristalina, resultante de la oxidación del cacodilo. || **carbónico.** *Quím.* Líquido resultante de la combinación del anhídrido carbónico con el agua. || **2.** *Quím.* **Anhídrido carbónico.** || **cianhídrico.** *Quím.* Líquido incoloro, muy volátil, de olor a almendras amargas y muy venenoso. || **cinámico.** *Quím.* Cuerpo sólido, blanco, apenas soluble en el agua, cristalizable en finas agujas, que se extrae de los bálsamos del Perú y de Tolú, y también del estoraque. || **cítrico.** *Quím.* Cuerpo sólido, de sabor agrio, muy soluble en el agua, de la cual se separa, al evaporarse ésta, en gruesos cristales incoloros. Está contenido en varios frutos y principalmente en el limón, del cual se extrae. || **clorhídrico.** *Quím.* Gas incoloro, algo más pesado que el aire, muy corrosivo y compuesto de cloro e hidrógeno. Se emplea comúnmente disuelto en el agua, que lo absorbe en gran cantidad; ataca a la mayor parte de los metales y se extrae de la sal común. || **clórico.** *Quím.* Líquido espeso, compuesto de cloro, oxígeno e hidrógeno. Es muy inestable; actúa como oxidante poderoso de las substancias orgánicas al descomponerse en su contacto. || **esteárico.** *Quím.* Substancia blanca, fusible a 71 grados, y cuyo aspecto es el de laminillas nacaradas. || **fénico.** *Quím.* Cuerpo sólido a la temperatura ordinaria, cristalizable, cáustico, de olor fuerte y sabor acre, soluble en el agua y en el alcohol; compónese de carbono, hidrógeno y oxígeno; se extrae, por destilación, de la brea de la hulla y se emplea mucho como desinfectante muy enérgico. || **fluorhídrico.** *Quím.* Cuerpo gaseoso a más de 30 grados de temperatura, muy deletéreo, incoloro, de olor fuerte y sofocante, más ligero que el aire, y compuesto de flúor e hidrógeno. Se emplea para grabar vidrio. || **fórmico.** *Quím.* Líquido incoloro, de olor picante, cuyo nombre se le dio por haberse obtenido primeramente de las hormigas, que lo producen como secreción. || **fulmínico.** *Quím.* Líquido muy volátil y muy inestable, compuesto de carbono, nitrógeno, hidrógeno y oxígeno. Su olor recuerda el del **ácido** cianhídrico, y, como éste, es muy venenoso. Forma sales muy explosivas, siendo las más usadas en la industria el fulminato de mercurio y el de plata. || **graso.** Cualquiera de las substancias ternarias de carácter **ácido,** cuya molécula está formada por dos átomos de oxígeno y doble número de átomos de hidrógeno que de carbono. Combinándose con la glicerina forman las grasas. || **láctico.** *Quím.* Líquido incoloro, algo viscoso, que se extrae de la leche agria, donde se produce a expensas del azúcar en su fermentación por el bacilo láctico. Pueden también producirlo azúcares de otra procedencia. || **muriático.** *Quím.* **Ácido clorhídrico.** || **nítrico.** *Quím.* Líquido fumante, muy corrosivo, incoloro, poco más pesado que el agua, compuesto de nitrógeno, oxígeno e hidrógeno, que se extrae de los nitros. || **oxálico.** *Quím.* Cuerpo sólido, blanco, cristalizable, de sabor picante, soluble en el agua. Es venenoso; se usa en tintorería; se extraía antes de las acederas, y hoy se obtiene del aserrín mediante ciertas transformaciones químicas. || **pícrico.** *Quím.* Cuerpo sólido, amarillo, poco soluble en el agua y de sabor muy amargo. Se produce en la acción del **ácido** nítrico sobre el fénico. || **prúsico.** *Quím.* **Ácido cianhídrico.** || **salicílico.** *Quím.* Cuerpo blanco, muy poco soluble en el agua, y cuyo aspecto es el de polvo cristalino. Se prepara combinando el **ácido** fénico y el anhídrido carbónico, y se usa en medicina. || **silícico.** *Quím.* Sílice hidratada. || **sulfhídrico.** *Quím.* Gas inflamable que resulta de la combinación del azufre con el hidrógeno; despide un fuerte olor a huevos podridos y se desprende de las letrinas y de ciertas aguas minerales. || **sulfúrico.** *Quím.* Líquido de consistencia oleosa, incoloro e inodoro, y compuesto de azufre, hidrógeno y oxígeno. Es muy cáustico, carboniza las substancias orgánicas, tiene muchos usos en la industria y resulta de la oxidación del anhídrido sulfuroso. || **sulfuroso.** Líquido resultante de la combinación del anhídrido sulfuroso con el agua. || **2.** *Quím.* **Anhídrido sulfuroso.** || **tartárico,** o **tártrico.** *Quím.* Cuerpo sólido, blanco, cristalizable y soluble en el agua. Se extrae del tártaro, y tiene uso en medicina, tintorería y en otras industrias. || **úrico.** *Quím.* Compuesto de carbono, nitrógeno, hidrógeno y oxígeno, menos oxidado que la urea. Está contenido en la orina, en algunos cálculos de la vejiga y en el excremento de las aves.

Acidorresistente. adj. *Biol.* Dícese del bacilo que, después de coloreado por la fucsina básica, no se decolora por la acción de un ácido mineral (nítrico o sulfúrico) diluido; como el de la tuberculosis.

Acidosis. f. *Pat.* Estado anormal producido por exceso de ácidos en los tejidos y en la sangre. Se observa principalmente en la fase final de la diabetes y de otras perturbaciones de la nutrición.

Acidular. tr. Poner acídulo un líquido. Ú. t. c. r.

Acídulo, la. (Del lat. *acidŭlus.*) adj. Ligeramente ácido. || **2.** V. **Agua acídula.**

Acierto. m. Acción y efecto de acertar. || **2.** V. **Don de acierto.** || **3.** fig. Habilidad o destreza en lo que se ejecuta. || **4.** fig. Cordura, prudencia, tino. || **5.** Coincidencia, casualidad.

Ácigos. (Del gr. ἄζυγος, impar; de ἀ, priv., y ζυγός, par.) adj. *Zool.* V. **Vena ácigos.** Ú. t. c. s. f.

Aciguatado, da. p. p. de **Aciguatarse.** || **2.** adj. **Ciguato.** || **3.** Pálido y amarillento como el que padece ciguatera.

Aciguatar. tr. *And.* Atisbar, acechar.

Aciguatarse. r. Contraer ciguatera.

Acijado, da. adj. De color de acije.

Acije. m. Aceche.

Acijoso, sa. adj. Que tiene acije.

Acimboga. f. **Azamboa.**

Acimentarse. (De *a,* 2.° art., y *cimentar.*) r. ant. Establecerse o arraigarse en algún pueblo.

Ácimo. adj. **Ázimo.**

Acimut. (Del ár. *as-sumūt,* pl. de *as-samt,* la dirección, el cenit.) m. *Astron.* Ángulo que con el meridiano forma el círculo vertical que pasa por un punto de la esfera celeste o del globo terráqueo.

Acimutal. adj. *Astron.* Perteneciente o relativo al acimut. || **2.** V. **Ángulo, círculo, montura acimutal.**

Acinesia. f. Privación de movimiento.

Acinturar. (De *a,* 2.° art., y *cintura.*) tr. Ceñir, estrechar.

Ación. f. Correa de que pende el estribo en la silla de montar.

Acionera. f. *Argent.* Pieza de metal o de cuero fija en la silla de montar y de la que cuelga la ación.

Acionero. m. El que hace aciones.

Acipado, da. (Del lat. *stipātus,* apretado.) adj. Dícese del paño que está bien tupido cuando se saca de la percha.

Aciprés. m. **Ciprés.**

Acirate. (Del ár. *aṣ-ṣirāṭ,* el camino.) m. Loma que se hace en las heredades y sirve de lindero. || **2. Caballón,** 2.ª acep. || **3.** Senda que separa dos hileras de árboles en un paseo.

Acirón. (Del lat. *acer.*) m. *Ar.* **Arce,** 1.er art.

Acitara. (Del ár. *as-sitāra,* el velo, y, en general, lo que oculta algo a las miradas.) f. **Citara,** 1.ª acep. || **2.** En algunas partes de Castilla, cada una de las paredes gruesas que forman los costados de una casa. || **3.** Pretil de puente. || **4.** Cobertura o paramento de una silla de estrado o de montar.

Acitrón. (De *a,* 2.° art., y el lat. *citrĕum,* cidra.) m. Cidra confitada. || **2.** *Méj.* Tallo de la biznaga mejicana, descortezado y confitado.

Acivilar. (De *a,* 2.° art., y *civil,* en el sentido de grosero, vil.) tr. ant. Envilecer, abatir. Usáb. t. c. r.

Aclamación. (Del lat. *acclamatĭo, -ōnis.*) f. Acción y efecto de aclamar. || **Por aclamación.** m. adv. **A una voz.**

Aclamador, ra. adj. Que aclama. Ú. t. c. s.

Aclamar. (Del lat. *acclamāre;* de *ad,* a, y *clamāre,* llamar, gritar.) tr. Dar voces la multitud en honor y aplauso de alguna persona. || **2.** Conferir, por voz común, algún cargo u honor. || **3.** Reclamar o llamar a las aves. || **4.** ant. Llamar, requerir o reconvenir. || **5.** r. ant. Quejarse o darse por agraviado.

Aclaración. f. Acción y efecto de aclarar o aclararse. || **2.** *For.* Enmienda del texto de una sentencia por el mismo juzgador inmediatamente después de notificarla. || **3.** *For.* V. **Recurso de aclaración.**

Aclarado, da. p. p. de **Aclarar.** || **2.** adj. *Blas.* Dícese de la figura rodeada de un campo o espacio de determinado color.

Aclarador, ra. adj. Que aclara.

Aclarar. (Del lat. *acclarāre;* de *ad,* a, y *clarus,* claro.) tr. Disipar, quitar lo que ofusca la claridad o transparencia de alguna cosa. Ú. t. c. r. || **2.** Aumentar la extensión o el número de los espacios o intervalos que hay en alguna cosa. ACLARAR *el monte;* ACLARAR *las filas.* Ú. t. c. r. || **3.** Tratándose de ropa, volver a lavarla con agua sola después de jabonada. || **4.** Hablando de la voz, hacerla más perceptible. || **5.** Aguzar o ilustrar los sentidos y facultades. || **6.** Hacer ilustre, esclarecer. Ú. t. c. r. || **7.** Desfruncir el ceño y poner menos adusto el semblante. || **8.** Poner en claro, declarar, manifestar, explicar. || **9.** *Mar.* Desliar, desenredar. || **10.** *Min.* Lavar por segunda vez los minerales. || **11.** intr. Disiparse las nubes o la niebla. || **12.** Amanecer, clarear. || **13.** r. Abrirse o declarar a uno lo que se tenía en secreto. || **14.** Purificarse un líquido, posándose las partículas sólidas que lleva en suspensión.

Aclaratorio, ria. adj. Dícese de lo que aclara o explica.

Aclarecer. (De *a,* 2.° art., y *clarecer.*) tr. Hacer más claro de luz y de color; alumbrar. || **2.** Poner más espaciado. || **3.** Poner en claro; manifestar, explicar.

Aclareo. m. Acción de aclarar, 2.ª acep.

Aclavelado, da. adj. Que se parece al clavel.

Acle. (Voz malaya.) m. Árbol del archipiélago filipino, de la familia de las mimosáceas, de más de 20 metros de altura, con tronco recto y grueso; hojas divididas en hojuelas opuestas, anchas y lanceoladas; flores blanquecinas en cabezuelas y fruto en legumbre leñosa con semillas ovales de un centímetro de largo. Su madera, de color pardo rojizo, es muy buena para la construcción de edificios y de buques. || **2.** Madera de este árbol.

Acleido, da. (Del gr. ἀ, privat., y κλείς, κλειδός, clavícula.) adj. *Zool.* Dícese del animal mamífero que no tiene clavículas, como los ungulados y los cetáceos, o que las tiene rudimentarias, como muchos mamíferos del orden de los carnívoros. Ú. t. c. s.

Aclimatación. f. Acción y efecto de aclimatar o aclimatarse.

Aclimatar. (Del lat. *ad,* a, y *clima, -ātis,* clima.) tr. Hacer que se acostumbre un ser orgánico a clima de diferente temple y condiciones que el que le era habitual. Ú. m. c. r. || **2.** fig. Hacer que una cosa prevalezca y medre en parte distinta de aquella en que tuvo su origen. Ú. t. c. r.

Aclocar. (De *clueca.*) intr. **Enclocar.** Ú. m. c. r. || **2.** r. fig. **Arrellanarse.**

Aclorhidria. f. Falta de ácido clorhídrico en el jugo gástrico.

Aclorhídrico, ca. adj. Perteneciente o relativo a la aclorhidria. || **2.** Que padece aclorhidria.

Acmé. f. *Med.* Período de mayor intensidad de una enfermedad.

Acné. f. Erupción pustulosa en la piel de la cara y parte superior del tórax.

Acobardamiento. m. Acción y efecto de acobardarse.

Acobardar. (De *a,* 2.° art., y *cobarde.*) tr. Amedrentar, causar o poner miedo. Ú. t. c. r. y c. intr.

Acobdadura. f. ant. **Acodadura.**

Acobdar. (Del lat. *accubitāre,* echarse, acostarse.) tr. ant. **Acodar.**

Acobdiciar. (De *a,* 2.° art., y el ant. *cobdicia,* codicia.) tr. ant. **Acodiciar.** Usáb. t. c. r.

Acobijar. (De *a,* 2.° art., y *cobijar.*) tr. Abrigar las cepas y plantones con acobijos.

Acobijo. (De *acobijar.*) m. Montón de tierra que se apisona alrededor de las vides y de los plantones para darles estabilidad y abrigo a las raíces.

Acobrado, da. adj. **Cobrizo,** 2.ª acep.

Acocarse. (De *a,* 2.° art., y *coco.*) r. Agusanarse los frutos.

Acoceador, ra. adj. Que acocea.

Acoceamiento. m. Acción y efecto de acocear.

Acocear. tr. Dar coces. || **2.** fig. y fam. Abatir, hollar, ultrajar.

Acocil. (Del mejic. *acuitzilli;* de *atl,* agua, y *cuitzilli,* que se retuerce.) m. *Méj.* Especie de camarón de agua dulce.

Acoclarse. r. *Ar.* Ponerse en cuclillas.

Acocotar. (De *a,* 2.° art., y *cocote.*) tr. **Acogotar.**

Acocote. (Del mejic. *acocotli.*) m. Calabaza larga agujereada por ambos extremos que se usa en Méjico para extraer por succión el aguamiel del maguey.

Acocharse. (Del lat. *ad,* a, y *coactāre;* de *coactus,* reunido.) r. Agacharse, agazaparse.

Acochinar. tr. fam. Matar a uno que no puede huir o defenderse o a quien se sujeta para que no se escape ni defienda, como se hace para degollar a los cochinos. || **2.** fig. y fam. **Acoquinar.** || **3.** En el juego de las damas, encerrar a un peón de modo que no se pueda mover.

Acodado, da. p. p. de **Acodar.** || **2.** adj. Doblado en forma de codo. *Tubo* ACODADO. || **3.** V. **Freno acodado.**

Acodadura. f. Acción y efecto de acodar.

Acodalamiento. m. *Arq.* Acción y efecto de acodalar.

Acodalar. tr. *Arq.* Poner codales.

Acodar. (De *a,* 2.° art., y *codo.*) tr. Apoyar uno el codo sobre alguna parte, por lo común para sostener con la mano la cabeza. Ú. t. c. r. || **2.** *Agr.* Meter debajo de tierra el vástago o tallo doblado de una planta sin separarlo del tronco o tallo principal, dejando fuera la extremidad o cogollo de aquél para que eche raíces la parte enterrada y forme otra nueva planta. || **3.** *Arq.* **Acodalar.** || **4.** *Cant.* y *Carp.* Poner codales en la superficie de una piedra o de un madero para ver si está plana. || **5.** *Veter.* Clavar mal los clavos al herrar, desviándolos sobre las partes sensibles.

Acoderamiento. m. *Mar.* Acción y efecto de acoderar o acoderarse.

Acoderar. tr. *Mar.* Presentar en determinada dirección el costado de un buque fondeado, valiéndose de coderas. Ú. t. c. r.

Acodiciar. tr. Encender en deseo o codicia de alguna cosa. Ú. t. c. r.

Acodillar. tr. Doblar formando codo. Dícese ordinariamente de objetos de metal, como barras, varillas, clavos, etc. || **2.** En ciertos juegos de naipes, dar codillo. || **3.** intr. Tocar el suelo con el codillo los cuadrúpedos.

Acodo. m. Vástago acodado. || **2.** *Agr.* Acción de acodar. || **3.** *Arq.* Resalto de una dovela prolongado por debajo de ella. || **4.** *Arq.* Moldura resaltada que forma el cerco de un vano.

Acogedizo, za. adj. Que se acoge fácilmente y sin elección.

Acogedor, ra. adj. Que acoge. Ú. t. c. s.

Acoger. (Del lat. **accŏllĭgĕre*, de *cŏllĭgĕre*, recoger.) tr. Admitir uno en su casa o compañía a otra u otras personas. || **2.** Dar refugio una cosa a uno. || **3.** Dar parte en la dehesa al ganado para que paste en ella. || **4.** Admitir, aceptar, aprobar. || **5.** Recibir con un sentimiento o manifestación especial la aparición de personas o de hechos. || **6.** fig. Proteger, amparar. || **7.** ant. **Coger,** 1.ª acep. || **8.** r. Refugiarse, retirarse, tomar amparo. || **9.** fig. Valerse de algún pretexto para disfrazar o disimular alguna cosa. || **10.** ant. fig. Conformarse con la voluntad o dictamen de otro.

Acogeta. f. Sitio a propósito para acogerse al huir de algún peligro.

Acogida. f. Afluencia de aguas, y por ext., de otro líquido. || **2.** Recibimiento u hospitalidad que ofrece una persona o un lugar. || **3.** Retirada, acción de retirarse. || **4.** Refugio o lugar donde puede uno acogerse. || **5.** fig. Protección o amparo. || **6.** fig. Aceptación o aprobación.

Acogido, da. p. p. de **Acoger.** || **2.** m. y f. Persona pobre o desvalida a quien se admite y mantiene en establecimientos de beneficencia. || **3.** m. Conjunto de reses que entregan los pegujaleros al dueño del rebaño principal para que las guarde y alimente por precio determinado. || **4.** En la Mesta, ganado que el dueño o arrendatario de una dehesa admitía en ella y podía echar cuando quisiese. || **5.** Precio que debe pagarse por la admisión de reses en una dehesa o cortijo.

Acogimiento. m. **Acogida,** 2.ª, 4.ª y 6.ª aceps.

Acogollar. (De *a*, 2.° art., y *cogolla*.) tr. Cubrir las plantas delicadas con esteras, tablas o vidrios para defenderlas de los hielos o lluvias.

Acogollar. intr. Echar cogollos las plantas. Ú. t. c. r.

Acogombradura. f. *Agr.* Acción y efecto de acogombrar.

Acogombrar. tr. *Agr.* **Acohombrar.**

Acogotar. tr. Matar con herida o golpe dado en el cogote. || **2.** fam. Derribar o vencer a una persona sujetándola por el cogote. || **3.** Acoquinar, dominar, vencer. || **4.** r. *Sal.* Herirse el buey en el cogote.

Acogullado, da. adj. En forma de cogulla.

Acohombrar. tr. *Agr.* **Aporcar,** 1.ª acep.

Acoita. (De *acoitar*.) f. ant. **Cuita.**

Acoitar. (De *a*, 2.° art., y *coitar*.) tr. ant. **Acuitar.**

Acojinamiento. m. *Mec.* Entorpecimiento causado en las máquinas de vapor por la interposición de éste entre el émbolo y la tapa del cilindro.

Acojinar. (De *a*, 2.° art., y *cojín*.) tr. **Acolchar,** 1.er art.

Acolada. f. Abrazo que, acompañado de un espaldarazo, se daba al neófito después de ser armado caballero.

Acolar. (Del fr. *accoler*, o del prov. *acolar*, y éste del lat. *ad*, a, y *collum*, cuello.) tr. *Blas.* Unir, juntar, combinar. Dícese de los escudos de armas que se ponen juntos por los costados bajo un timbre o corona que los une en señal de la alianza de dos familias. || **2.** *Blas.* Poner detrás, formando aspa, o alrededor del escudo, ciertas señales de distinción, como llaves, banderas, collares, etc.

Acólcetra. (Del lat. *cŭlcĭtra*, colcha, con el art. árabe.) f. ant. **Cólcedra.**

Acolchado, da. p. p. de **Acolchar.** || **2.** m. Acción y efecto de acolchar, 1.er art. || **3.** Revestimiento compuesto de una capa de paja o caña delgada trenzada con cuerdas, que sirve para fortalecer los tendidos de algunos diques.

Acolchar. (De *a*, 2.° art., y *colchar*.) tr. Poner algodón, seda cortada, lana, estopa o cerda entre dos telas y después bastearlas.

Acolchar. (De *a*, 2.° art., y *corchar*.) tr. *Mar.* **Corchar.**

Acolchonar. (De *a*, 2.° art., y *colchón*.) tr. *Amér.* **Acolchar,** 1.er art.

Acolgar. intr. ant. Colgar o inclinarse una cosa hacia una parte.

Acolitado. (De *acólito*.) m. La superior de las cuatro órdenes menores del sacerdocio.

Acolitar. intr. *Amér.* Desempeñar las funciones de acólito. Ú. t. c. tr.

Acólito. (Del lat. *acolȳtus*, y éste del gr. ἀκόλουθος, el que sigue o acompaña.) m. Ministro de la Iglesia, que ha recibido la superior de las cuatro órdenes menores, y cuyo oficio es servir inmediato al altar. || **2.** Monacillo que sirve con sobrepelliz en la iglesia, aunque no tenga orden alguna ni esté tonsurado. || **3.** fig. **Satélite,** 3.ª acep.

Acolmillado. (De *a*, 2.° art., y *colmillo*.) adj. V. **Diente acolmillado.**

Acollador. (De *acollar*.) m. *Mar.* Cabo de proporcionado grosor que se pasa por los ojos de las vigotas y sirve para tesar el cabo más grueso en que están engazadas.

Acollar. (De *a*, 2.° art., y *cuello*.) tr. *Agr.* Cobijar con tierra el pie de los árboles, y principalmente el tronco de las vides y otras plantas. || **2.** *Mar.* Meter estopa en las costuras del buque. || **3.** *Mar.* Halar de los acolladores.

Acollarado, da. p. p. de **Acollarar.** || **2.** adj. Se aplica a los pájaros y, por ext., a otros animales que tienen el cuello de color distinto que lo demás del cuerpo.

Acollarar. tr. Poner collar a un animal. || **2.** Unir unos perros a otros por sus collares para que no se extravíen. || **3.** Poner colleras a las caballerías. || **4.** *Argent.* Unir dos bestias. || **5.** *Argent.* fig. Unir dos cosas o personas. || **6.** r. vulg. *Argent.* **Amancebarse.**

Acollido. m. ant. **Acogido,** 3.ª acep.

Acollonar. (De *a*, 2.° art., y *collón*.) tr. **Acobardar.** Ú. t. c. r.

Acombar. tr. **Combar.** Ú. t. c. r.

Acomedido, da. p. p. de **Acomedirse.** || **2.** adj. *Amér.* Servicial, oficioso.

Acomedirse. (De *a*, 2.° art., y *comedir*.) r. *Amér.* Prestarse espontánea y graciosamente a hacer un servicio.

Acomendador, ra. adj. ant. Que acomienda. Usáb. t. c. s.

Acomendamiento. m. ant. Acción y efecto de acomendar.

Acomendante. p. a. ant. de **Acomendar.** Que acomienda.

Acomendar. tr. ant. **Encomendar,** 1.ª y 3.ª aceps. || **2.** r. ant. **Encomendarse.**

Acometedor, ra. adj. Que acomete. Ú. t. c. s.

Acometer. (De *a*, 2.° art., y *cometer*.) tr. Embestir con ímpetu y ardimiento. || **2.** Emprender, intentar. || **3.** Con la prep. *a*, decidirse o empezar a ejecutar una acción. || **4.** desus. **Cometer.** || **5.** Dicho de enfermedad, sueño, deseo, etc., venir, entrar, dar repentinamente. || **6.** Tentar, procurar forzar la voluntad. || **7.** ant. **Proponer,** 1.ª acep. || **8.** *Albañ.* y *Min.* Desembocar una cañería o una galería en otra. || **Acometer hace vencer.** ref. que enseña que más veces vencen los que acometen que los que se defienden.

Acometida. f. **Acometimiento.** || **2.** Lugar por donde la línea de conducción de un fluido enlaza con la principal.

Acometiente. p. a. de **Acometer.** Que acomete.

Acometimiento. m. Acción y efecto de acometer. || **2.** Ramal de atarjea o cañería que desemboca en la alcantarilla o conducto general de desagüe.

Acometividad. f. Propensión a acometer o reñir.

Acomodable. adj. Que se puede acomodar.

Acomodación. (Del lat. *accommodatĭo, -ōnis*.) f. Acción y efecto de acomodar. || **2.** *Fisiol.* Acción y efecto de acomodarse el ojo para que la visión no se perturbe cuando varía la distancia o la luz del objeto que se mira.

Acomodadamente. adv. m. Ordenadamente, del modo que conviene. || **2.** Con comodidad y conveniencia.

Acomodadizo, za. adj. Que a todo se aviene fácilmente.

Acomodado, da. p. p. de **Acomodar.** || **2.** adj. Conveniente, apto, oportuno. || **3.** Rico, abundante de medios. || **4.** Que está cómodo o a gusto; amigo de la comodidad. || **5.** Rico, abundante de medios o que tiene los suficientes. || **6.** Moderado en el precio.

Acomodador, ra. adj. Que acomoda. || **2.** m. y f. En los teatros y otros lugares, persona encargada de indicar a los concurrentes los asientos que deben ocupar.

Acomodamiento. (De *acomodar*.) m. Transacción, ajuste o convenio sobre alguna cosa. || **2.** Comodidad o conveniencia.

Acomodar. (Del lat. *accommodāre*; de *accommŏdus*, ajustado a.) tr. Colocar una cosa de modo que se ajuste o adapte a otra. || **2.** Disponer, preparar o arreglar de modo conveniente. || **3.** Colocar o poner en un lugar conveniente o cómodo. || **4.** **Proveer.** || **5.** fig. Amoldar, armonizar o ajustar a una norma. Ú. t. c. intr. y c. r. || **6.** fig. Referir o aplicar. || **7.** fig. Concertar, conciliar. || **8.** fig. Colocar en un estado o cargo. Dícese del matrimonio, empleos, etc. Ú. t. c. r. || **9.** fig. Agradar, parecer o ser algo conveniente. Ú. t. c. intr. || **10.** r. Avenirse, conformarse.

Acomodaticio, cia. adj. **Acomodadizo.** || **2.** V. **Sentido acomodaticio.**

Acomodo. (De *acomodar*.) m. Empleo, ocupación o conveniencia.

Acompañado, da. p. p. de **Acompañar.** || **2.** adj. fam. Pasajero, concurrido. *Sitio* ACOMPAÑADO; *calle* ACOMPAÑADA. || **3.** Dícese de la persona que acompaña a otra para entender con ella en alguna cosa. Ú. t. c. s. || **4.** *For.* V. **Escribano, juez acompañado.**

Acompañador, ra. adj. Que acompaña. Ú. t. c. s.

Acompañamiento. m. Acción y efecto de acompañar o acompañarse. || **2.** Gente que va acompañando a alguno. || **3.** Conjunto de personas que en las representaciones teatrales figuran y no hablan, o sólo dan gritos o dicen algunas palabras. || **4.** *Mús.* Sostén o auxilio armónico de una melodía principal por medio de uno o más instrumentos o voces. || **5.** *Mús.* Arte de la armonía aplicado a la ejecución del bajo continuo.

Acompañanta. f. Mujer que acompaña, 1.ª y 7.ª aceps.

Acompañante. p. a. de **Acompañar.** Que acompaña. Ú. t. c. s. || **2.** m.

Mar. Reloj que bate segundos, y se usa en las observaciones astronómicas cuando se hacen sin tener el cronómetro a la vista.

Acompañar. tr. Estar o ir en compañía de otro u otros. Ú. t. c. r. || **2.** fig. Juntar o agregar una cosa a otra. || **3.** Existir una cosa junta o simultánea con otra. Ú. t. c. r. || **4.** Existir o hallarse algo en una persona, especialmente hablando de su fortuna, estados, cualidades o pasiones. || **5.** Participar en los sentimientos de otro. || **6.** *Blas.* y *Pint.* Adornar la figura o escudo principal con otros. || **7.** *Mús.* Ejecutar el acompañamiento. Ú. t. c. r. || **8.** r. Juntarse un perito con otro u otros de la misma facultad para entender con ellos en alguna cosa.

Acompasadamente. adv. m. De manera acompasada.

Acompasado, da. p. p. de **Acompasar.** || **2.** adj. Hecho o puesto a compás. || **3.** fig. Que tiene por hábito hablar pausadamente en un mismo tono, o andar y moverse con mucho reposo y compás.

Acompasar. (De *a,* 2.° art., y *compás.*) tr. **Compasar.**

Acomplexionado, da. adj. **Complexionado.**

Acomunalar. intr. ant. Tener trato y comunicación. Usáb. t. c. r.

Acomunarse. r. Coligarse, confederarse para un fin común.

Aconchabarse. r. fam. **Conchabarse.**

Aconchadillo. m. Cierto guisado de carne que se hacía antiguamente.

Aconchar. (Del ital. *acconciare,* y éste del lat. **comptiare,* de *comptus,* arreglado.) tr. ant. Componer, aderezar.

Aconchar. (De *a,* 2.° art., y *concha.*) tr. Arrimar mucho a cualquiera parte una persona o cosa para defenderla de algún riesgo o acometida. Ú. m. c. r. || **2.** *Mar.* Impeler el viento o la corriente a una embarcación hacia una costa u otro paraje peligroso. Ú. t. c. r. || **3.** r. *Mar.* Acostarse completamente sobre una banda el buque varado. || **4.** *Chile.* Clarificarse un líquido por sedimentación de los posos. || **5.** *Taurom.* Arrimarse el toro a la barrera para defenderse de los toreros. || **6.** rec. *Mar.* Abordarse sin violencia dos embarcaciones.

Acondicionado, da. p. p. de **Acondicionar.** || **2.** adj. De buena condición natural o genio, o al contrario. || **3.** Dícese de las cosas de buena calidad o que están en las condiciones debidas, o al contrario.

Acondicionamiento. m. Acción y efecto de acondicionar.

Acondicionar. tr. Dar cierta condición o calidad. || **2.** Con los advs. *bien, mal* u otros semejantes, disponer o preparar alguna cosa de manera adecuada a determinado fin, o al contrario. || **3.** r. Adquirir cierta condición o calidad.

Aconduchar. tr. ant. Proveer de conducho.

Acongojadamente. adv. m. Con ánimo acongojado.

Acongojador, ra. adj. Que acongoja.

Acongojante. p. a. de **Acongojar.** Que acongoja.

Acongojar. (De *a,* 2.° art., y *congojar.*) tr. Oprimir, fatigar, afligir. Ú. t. c. r.

Aconhortar. tr. ant. **Conhortar.** Usáb. t. c. r.

Aconitina. f. Principio activo del acónito. Es veneno muy violento.

Acónito. (Del gr. ἀκόνιτον.) m. Planta vivaz, de la familia de las ranunculáceas, que crece hasta metro y medio y tiene hojas palmeadas, flores azules, rara vez blancas, y raíz fusiforme. Críase en montañas altas, es medicinal y suele cultivarse en los jardines como adorno. Todas sus variedades son venenosas cuando la semilla ha llegado a madurez.

Aconsejable. adj. Que se puede aconsejar.

Aconsejado, da. p. p. de **Aconsejar.** || **2.** adj. Prudente, cuerdo. Ú. más con el adv. *mal,* en el sentido de imprudente, temerario.

Aconsejador, ra. adj. Que aconseja. Ú. t. c. s.

Aconsejar. tr. Dar consejo. || **2.** Inspirar una cosa algo a uno. || **3.** r. Tomar consejo o pedirlo a otro. || **Quien a solas se aconseja, a solas se remesa,** o **se desaconseja.** ref. que advierte los riesgos que tiene el gobernarse uno solamente por su dictamen en asuntos de importancia.

Aconsonantar. intr. Ser una palabra consonante de otra. || **2.** Incurrir uno en el vicio de la consonancia. || **3.** tr. Emplear en la rima una palabra como consonante de otra. *No hay inconveniente en* ACONSONANTAR *«aljaba» con «esclava».*

Acontar. (Del lat. *ad,* a, y *contus,* palo largo y fuerte, puntal.) tr. ant. **Apuntalar.**

Acontecedero, ra. adj. Que puede acontecer.

Acontecer. (De *a,* 2.° art., y *contecer.*) intr. **Suceder,** 4.ª acep. Ú. en el modo infinit. y en las 3.as pers. de sing. y pl.

Acontecido, da. p. p. de **Acontecer.** || **2.** adj. ant. Dicho de rostro o cara, afligido o triste.

Acontecimiento. (De *acontecer.*) m. **Suceso,** 1.ª acep.

Acontentar. tr. *Ar.* **Contentar.**

Acontiado, da. (De *a,* 2.° art., y *contía,* cuantía.) adj. ant. **Hacendado.**

A contrariis. expr. lat. *Lóg.* V. **Argumento a contrariis.**

Aconvido. m. ant. **Convidado,** 2.ª acep.

Acopado, da. p. p. de **Acopar.** || **2.** adj. De figura de copa, 3.ª acep. || **3.** *Veter.* Dícese del casco redondo y hueco.

Acopar. intr. Formar copas las plantas. || **2.** tr. Hacer que las plantas formen buena copa. || **3.** *Mar.* Hacer a un tablón la concavidad proporcionada a la convexidad de la pieza o sitio a que debe aplicarse.

Acopetado, da. adj. Hecho o puesto en forma de copete.

Acopiador, ra. adj. Que acopia. Ú. t. c. s.

Acopiamiento. m. **Acopio.**

Acopiar. (De *a,* 2.° art., y *copia,* abundancia.) tr. Juntar, reunir en cantidad alguna cosa. Dícese más comúnmente de los granos, provisiones, etc.

Acopio. m. Acción y efecto de acopiar.

Acoplado. m. *Chile.* Vehículo destinado a ir remolcado por otro.

Acopladura. f. Acción y efecto de acoplar, 1.ª acep.

Acoplamiento. m. Acción y efecto de acoplar o acoplarse, 2.ª a 5.ª aceps.

Acoplar. (Del lat. *ad,* a, y *copulāre,* juntar.) tr. En carpintería y otros oficios, unir entre sí dos piezas o cuerpos de modo que ajusten exactamente. || **2.** Ajustar una pieza al sitio donde deba colocarse. || **3.** Unir o parear dos animales para yunta o tronco. || **4.** Procurar la unión sexual de los animales. Ú. t. c. r. || **5.** fig. Ajustar o unir entre sí a las personas que estaban discordes, o las cosas en que había alguna discrepancia. Ú. t. c. r. || **6.** *Fís.* Agrupar dos aparatos o sistemas, de manera que su funcionamiento combinado produzca el resultado conveniente. || **7.** r. fig. y fam. Unirse dos personas íntimamente, encariñarse.

Acoquinamiento. m. Acción y efecto de acoquinar o acoquinarse.

Acoquinar. tr. fam. Amilanar, acobardar, hacer perder el ánimo. Ú. t. c. r.

Acorar. (De *a,* 2.° art., y *cor,* 1.er art.) tr. Afligir, acongojar. Ú. t. c. r. || **2.** *Mur.* Rematar, descabellar, atronar. || **3.** r. Enfermar, desmedrarse las plantas por algún accidente atmosférico.

Acorazado, da. p. p. de **Acorazar.** || **2.** m. Buque de guerra blindado y de grandes dimensiones.

Acorazamiento. m. Acción y efecto de acorazar.

Acorazar. (De *a,* 2.° art., y *coraza.*) tr. Revestir con planchas de hierro o acero buques de guerra, fortificaciones u otras cosas.

Acorazonado, da. adj. De figura de corazón.

Acorchado, da. p. p. de **Acorcharse.** || **2.** adj. Dícese de lo que es fofo y esponjoso como el corcho. || **3.** Dícese de la madera que hace botar la herramienta al trabajarla.

Acorchamiento. m. Efecto de acorcharse.

Acorcharse. r. Ponerse una cosa fofa como el corcho, perdiendo la mayor parte de su jugo y sabor, o disminuyéndose su consistencia a causa de algún trastorno en las funciones de la nutrición. *Fruta, madera* ACORCHADA. || **2.** fig. Embotarse la sensibilidad de alguna parte del cuerpo.

Acordablemente. adv. m. ant. **Acordadamente.**

Acordación. (De *acordar.*) f. ant. Noticia, memoria o recordación.

Acordada. (De *acordar.*) f. Orden o despacho que un tribunal expide para que el inferior ejecute alguna cosa. || **2.** Documento de comprobación de certificaciones que, habiendo pasado de una oficina de la administración pública a otra distante, es enviado por ésta a la de origen, para comprobar la exactitud de aquéllas. || **3. Carta acordada.** || **4.** Especie de Santa Hermandad establecida en Méjico el año de 1710 para aprehender y juzgar a los salteadores de caminos. || **5.** Cárcel en que se custodiaban estos reos.

Acordadamente. adv. m. De común acuerdo, uniformemente. || **2.** Con reflexión, con madura deliberación.

Acordado, da. p. p. de **Acordar.** || **2.** adj. Hecho con acuerdo y madurez. || **3.** Cuerdo, sensato, prudente. || **4.** V. **Carta acordada.** || **5.** *For.* V. **Auto acordado.** || **Estése a lo acordado.** *For.* Fórmula de resolución que, sin decidir sobre el fondo de la pretensión deducida, recuerda y confirma otro fallo o providencia anterior. || **Lo acordado.** loc. *For.* Decreto de los tribunales por el cual se manda observar lo anteriormente resuelto sobre el mismo asunto; y también decreto o fórmula que denota la providencia reservada que se ha tomado con motivo del asunto principal. || **Lo más acordado, más olvidado.** ref. que denota que con frecuencia suele olvidarse uno de lo que más le importa.

Acordamiento. (De *acordar.*) m. ant. Conformidad, concordia, consonancia.

Acordante. p. a. ant. de **Acordar.** Que acuerda. || **2.** adj. ant. **Acorde,** 2.ª acep.

Acordantemente. adv. m. ant. **Acordadamente.**

Acordanza. f. Memoria o recuerdo. || **2.** Opinión acorde, concordia o acuerdo. || **3.** Armonía, compás o consonancia de las cosas.

Acordar. (Del lat. **accŏrdāre,* de *cŏr, cŏrdis,* corazón.) tr. Determinar o resolver de común acuerdo, o por mayoría de votos. || **2.** Determinar o resolver deliberadamente una sola persona. || **3.** Resolver, determinar una cosa antes de mandarla. || **4.** Conciliar, componer. || **5.** Traer a la memoria de otro alguna cosa. || **6.** Traer a la propia memoria; recordar. Ú. m. c. r. || **7.** ant. Hacer a alguno volver en su juicio. || **8.** *Mús.* Disponer o templar, según arte, los instrumentos músicos o las voces para que no disuenen entre sí. || **9.** *Pint.* Disponer armónicamente los tonos de un dibujo o pintura. || **10.** intr. Concordar, conformar, convenir una cosa con otra. || **11. Caer en la cuenta.** || **12.** ant. Volver alguno en su acuerdo o juicio. Usáb. t. c. tr. || **13.** ant. **Despertar,** 1.ª acep. Ú. en *Sal.* || **14.** r. Ponerse de acuerdo. || **Si mal no me acuerdo.** expr. fam. Si no me engaño o equivoco, si no estoy trascordado.

Acorde. (De *acordar.*) adj. Conforme, concorde y de un dictamen. || **2.** Conforme, igual y correspondiente; con armonía, en consonancia. En la música se dice con propiedad de los instrumentos y de las voces; y en pintura, de la entonación y del colorido. || **3.** m. *Mús.* Conjunto de tres o más sonidos diferentes combinados armónicamente.

Acordelar. tr. Medir algún terreno con cuerda o cordel. || **2.** Señalar con cuerdas o cordeles en el terreno líneas o perímetros.

Acordemente. adv. m. **Acordadamente,** 1.ª acep.

Acordeón. (Del al. *Akkordion,* nombre dado por su inventor en 1929.) m. Instrumento músico de viento, formado por un fuelle cuyos dos extremos se cierran por sendas cajas, especie de estuches, en los que juegan cierto número de llaves o teclas, proporcionado al de los sonidos que emite.

Acordeonista. m. y f. Músico que toca el acordeón.

Acordonado, da. p. p. de **Acordonar.** || **2.** adj. Dispuesto en forma de cordón. || **3.** *Méj.* **Cenceño,** 1.ª acep. Dícese de los animales.

Acordonamiento. m. Acción y efecto de acordonar o acordonarse.

Acordonar. tr. Ceñir o sujetar con un cordón. || **2.** Formar el cordoncillo en el canto de las monedas. || **3.** fig. Rodear de gente algún sitio para incomunicarlo y especialmente para preservarlo del contagio durante una epidemia. Ú. t. c. r.

Acores. (Del lat. *achōres,* y éste del gr. ἀχώρ.) m. pl. *Med.* Erupción semejante a la tiña mucosa, especialmente la que los niños suelen padecer en la cabeza y la cara.

Acornado, da. p. p. de **Acornar.** || **2.** adj. *Blas.* Dícese del animal que lleva cuernos de otro esmalte que lo restante del cuerpo.

Acornar. tr. **Acornear.**

Acorneador, ra. adj. Que acornea.

Acornear. tr. Dar cornadas.

Ácoro. (Del lat. *acŏros,* y éste del gr. ἄκορος.) m. *Bot.* Planta de la familia de las aráceas, de hojas angostas y puntiagudas, flores de color verde claro, y raíces blanquecinas y de olor suave, que se enredan y extienden a flor de tierra. || **bastardo** o **palustre,** o **falso ácoro.** Planta de la familia de las iridáceas, con hojas ensiformes y flores amarillas.

Acorralamiento. m. Acción y efecto de acorralar o acorralarse.

Acorralar. tr. Encerrar o meter el ganado en el corral. Ú. t. c. r. || **2.** fig. Encerrar a uno dentro de estrechos límites, impidiéndole que pueda escapar. || **3.** fig. Dejar a alguno confundido y sin tener qué responder. || **4.** fig. Intimidar, acobardar. || **5.** r. *Germ.* Refugiarse, huyendo de la justicia.

Acorredor, ra. adj. Socorredor, que socorre. Ú. t. c. s.

Acorrer. (Del lat. *accŭrrĕre,* acudir.) tr. Acudir corriendo. || **2.** Socorrer a uno. || **3.** Atender, subvenir o acudir a una necesidad. || **4.** ant. Correr o avergonzar a uno. || **5.** ant. intr. Acudir, recurrir. || **6.** r. Refugiarse, acogerse.

Acorrimiento. (De *acorrer.*) m. ant. Socorro, recurso, amparo, asilo.

Acorro. (De *acorrer.*) m. **Socorro,** 1.ª acep.

Acorrucarse. r. **Acurrucarse.**

Acortadizo. (De *acortar.*) m. ant. *Ar.* Recorte de tela, piel, etc.

Acortamiento. m. Acción y efecto de acortar o acortarse. || **2.** *Astron.* Diferencia entre la distancia real de un planeta al Sol o a la Tierra, y la misma distancia proyectada sobre el plano de la Eclíptica.

Acortar. (De *a,* 2.° art., y *cortar.*) tr. Disminuir la longitud, duración o cantidad de alguna cosa. Ú. t. c. intr. y c. r. || **2.** r. fig. Quedarse corto en pedir, hablar o responder. || **3.** *Equit.* Encogerse el caballo.

Acorullar. (De *a,* 2.° art., y *corulla.*) tr. *Mar.* Meter los remos sin desarmarlos de modo que los guiones queden bajo crujía.

Acorvar. tr. **Encorvar.**

Acorzar. (Del lat. **accŭrtiāre,* de *cŭrtāre,* cortar.) tr. *Ar.* **Acortar,** 1.ª acep.

Acosadamente. adv. m. Con acosamiento.

Acosador, ra. adj. Que acosa. Ú. t. c. s.

Acosamiento. m. Acción y efecto de acosar.

Acosar. (Del lat. **accŭrsāre,* de *cŭrsāre,* correr.) tr. Perseguir, sin darle tregua ni reposo, a un animal o a una persona. || **2.** Hacer correr al caballo. || **3.** fig. Perseguir, fatigar, importunar a alguno con molestias o trabajos.

Acosijar. tr. *Méj.* Acosar, apretar.

Acosmismo. (Del gr. ἀ, priv., y κόσμος, mundo.) m. Tesis filosófica que niega la existencia del mundo sensible, o sólo la admite de un modo hipotético.

Acoso. m. **Acosamiento.**

Acostada. (De *acostarse.*) f. **Dormida,** 3.ª acep.

Acostado, da. p. p. de **Acostar.** || **2.** adj. ant. Allegado, cercano en parentesco o amistad. || **3.** *Blas.* Dícese de la pieza puesta al lado de otra pieza. || **4.** *Blas.* Dícese de la pieza alargada que, en vez de su posición propia que es la vertical, se halla colocada horizontalmente. || **5.** *Blas.* V. **Cartela acostada.**

Acostado, da. (De *a,* 2.° art., y *costa,* 1.er art.) adj. ant. Con acostamiento o estipendio.

Acostamiento. (De *acostar.*) m. Acción de acostar o acostarse.

Acostamiento. (De *a,* 2.° art., y *costa,* 1.er art.) m. **Estipendio.**

Acostar. (De *a,* 2.° art., y *costa,* 2.° art.) tr. Echar o tender a alguno para que duerma o descanse, y con especialidad en la cama. Ú. m. c. r. || **2.** Arrimar o acercar. Ú. t. c. r. || **3.** *Mar.* Arrimar el costado de una embarcación a alguna parte. Ú. m. c. r. || **4.** intr. Ladearse, inclinarse hacia un lado o costado. Dícese principalmente de los edificios. Ú. t. c. r. || **5.** Hablando de la balanza, pararse en posición que el fiel no coincida con el punto o señal de equilibrio. || **6.** Llegar a la costa. || **7.** r. fig. Adherirse, inclinarse. Ú. t. c. intr.

Acostumbradamente. adv. m. Según costumbre.

Acostumbrar. tr. Hacer adquirir costumbre de alguna cosa. Ú. t. c. r. || **2.** intr. Tener costumbre de alguna cosa.

Acotación. f. **Acotamiento.** || **2.** Señal o apuntamiento que se pone en la margen de algún escrito o impreso. || **3.** Cada una de las notas que se ponen en la obra teatral, advirtiendo y explicando todo lo relativo a la acción o movimiento de las personas y al servicio de la escena. || **4.** *Topogr.* **Cota,** 2.° art.

Acotada. (De *acotar,* 1.er art.) f. Terreno cercado que, conforme a las ordenanzas de montes y plantíos, se destina en los pueblos para semillero de los árboles que anualmente deben plantar los vecinos.

Acotamiento. m. Acción y efecto de acotar, 1.er art.

Acotar. (De *a,* 2.° art., y *coto.*) tr. Reservar el uso y aprovechamiento de un terreno manifestándolo por medio de cotos puestos en sus lindes, o de otra manera legal. || **2.** Reservar, prohibir o limitar de otro modo. || **3.** Elegir, aceptar, tomar por suyo. || **4.** Atestiguar, asegurar algo en la fe de un tercero o de un escrito o libro. || **5.** r. Ponerse en salvo o en lugar seguro, metiéndose dentro de los cotos de otra jurisdicción. || **6.** fig. Ampararse o apoyarse en una razón o condición.

Acotar. tr. Poner cotas, 2.° art., 3.ª acep., en los planos topográficos, de arquitectura, croquis, etc.

Acotar. tr. Podar, cortar a un árbol todas las ramas por la cruz.

Acotiledón. (Del gr. ἀ, priv., y κοτυληδών, cavidad, cotiledón.) adj. *Bot.* **Acotiledóneo.** Ú. t. c. s. m.

Acotiledóneo, a. (De *acotiledón.*) adj. *Bot.* Dícese de la planta cuyo embrión carece de cotiledones. Ú. t. c. s. f. || **2.** f. pl. *Bot.* Grupo de la antigua clasificación botánica, que comprendía todas las plantas criptógamas.

Acotillo. (De *a,* 2.° art., y *cotillo.*) m. Martillo grueso que usan los herreros.

Acotolar. tr. *Ar.* Aniquilar, acabar con alguna cosa, especialmente con los animales o frutos de la tierra.

Acoyundar. tr. Uncir o poner la coyunda.

Acoyuntar. (Del lat. *ad,* a, y *coniunctus,* unido.) tr. Reunir dos labradores caballerías que tienen de non, para formar yunta y labrar a medias o por cuenta de entrambos.

Acoyuntero. m. Cada uno de los labradores que acoyuntan.

Acracia. (Del gr. ἀκράτεια.) f. Doctrina de los ácratas.

Ácrata. (Del gr. ἀ, priv., y κράτος, autoridad.) adj. Partidario de la supresión de toda autoridad. Ú. t. c. s.

Acrático, ca. adj. Perteneciente o relativo a la acracia.

Acre. (Del ingl. *acre.*) m. Medida inglesa de superficie, equivalente a 40 áreas y 47 centiáreas.

Acre. (Del lat. *acer, acris.*) adj. Áspero y picante al gusto y al olfato, como el sabor y el olor del ajo, del fósforo, etc. || **2.** fig. Tratándose del genio o de las palabras, áspero y desabrido. || **3.** *Med.* Aplícase al calor febril acompañado de una sensación como de picor. || **4.** *Med.* En la medicina humoral, decíase de ciertos principios a que se atribuía acción irritante, y de los humores viciados por estos principios.

Acrebite. m. ant. **Alcrebite.**

Acrecencia. f. **Acrecentamiento.** || **2. Derecho de acrecer.** || **3.** *For.* Bienes adquiridos por tal derecho.

Acrecentador, ra. adj. Que acrecienta.

Acrecentamiento. m. Acción y efecto de acrecentar.

Acrecentante. p. a. de **Acrecentar.** Que acrecienta.

Acrecentar. (De *a,* 2.° art., y *crecentar.*) tr. **Aumentar.** Ú. t. c. r. || **2.** Mejorar, enriquecer, enaltecer.

Acrecer. (Del lat. *accrescĕre.*) tr. Hacer mayor, aumentar. Ú. t. c. intr. y c. r. || **2.** V. **Derecho de acrecer.** || **3.** intr. *For.* Percibir un partícipe el aumento que le corresponde cuando otro partícipe pierde su cuota o renuncia a ella.

Acrecimiento. m. Acción y efecto de acrecer. || **2. Acrecencia,** 2.ª y 3.ª aceps.

Acreditado, da. p. p. de **Acreditar.** || **2.** adj. De crédito o reputación.

Acreditar. tr. Hacer digna de crédito alguna cosa, probar su certeza o realidad. Ú. t. c. r. || **2.** Afamar, dar crédito o reputación. Ú. t. c. r. || **3.** Dar seguridad de que alguna persona o cosa es lo que representa o parece. || **4.** Dar testimonio en documento fehaciente de que una persona lleva facultades para desempeñar comisión o encargo diplomático, comercial, etc. || **5.** *Com.* **Abonar,** 7.ª y 9.ª aceps. || **6.** r. Lograr fama o reputación.

Acreditativo, va. adj. Que acredita.

Acreedor, ra. (De *acreer.*) adj. Que tiene acción o derecho a pedir el cumplimiento de alguna obligación. Ú. m. c. s. || **2.** Que tiene mérito para obtener alguna cosa. || **3.** V. **Concurso, ocurrencia, pleito de acreedores.**

Acreer. (Del lat. *ad,* a, y *credĕre,* prestar.) intr. ant. Dar prestado sobre prenda o sin ella.

Acremente. adv. m. Ásperamente, agriamente.

Acrescente. (Del lat. *accrescĕre,* aumentar.) adj. *Bot.* Dícese del cáliz o de la corola que sigue creciendo después de fecundada la flor.

Acrianzado, da. p. p. de **Acrianzar.** || **2.** adj. Criado o educado.

Acrianzar. (De *a,* 2.° art., y *crianza.*) tr. Criar o educar.

Acribador, ra. adj. Que acriba. Apl. a pers., ú. t. c. s.

Acribadura. f. Acción y efecto de acribar. || **2.** pl. Ahechaduras.

Acribar. tr. **Cribar.** || **2.** fig. **Acribillar.** Ú. t. c. r.

Acribillar. (Del lat. *ad,* a, y *cribellŭm,* cribillo.) tr. Abrir muchos agujeros en alguna cosa, como se hace con el cuero de las cribas. || **2.** Hacer muchas heridas o picaduras a una persona o a un animal. *Le* ACRIBILLARON *a puñaladas; le* ACRIBILLAN *las pulgas, los mosquitos.* || **3.** fig. y fam. Molestar mucho y con frecuencia. *Le* ACRIBILLAN *los acreedores.*

Acrídido. (Del gr. ἀκρίς, -ίδος, saltamontes.) adj. *Zool.* Dícese del insecto ortóptero saltador con antenas cortas y sólo tres artejos en los tarsos, como los saltamontes. Ú. m. c. s. || **2.** m. pl. *Zool.* Familia de estos insectos.

Acriminación. f. Acción de acriminar.

Acriminador, ra. adj. Que acrimina. Ú. t. c. s.

Acriminar. (Del lat. *ad,* a, y *crimināri,* acusar.) tr. Acusar de algún crimen o delito. || **2.** Imputar culpa o falta grave. || **3.** Presentar como más grave; exagerar o abultar un delito o culpa.

Acrimonia. (Del lat. *acrimonĭa.*) f. Aspereza de las cosas, especialmente al gusto o al olfato. || **2.** Condición de los humores acres. || **3.** Agudeza del dolor. || **4.** Aspereza o desabrimiento en el carácter o en el trato.

Acriollado, da. p. p. de **Acriollarse.** || **2.** adj. Propio del criollo.

Acriollarse. (De *a,* 2.° art., y *criollo.*) r. *Amér. Merid.* Contraer un extranjero los usos y costumbres de la gente del país.

Acrisoladamente. adv. m. De manera acrisolada.

Acrisolador, ra. adj. Que acrisola.

Acrisolar. tr. Depurar, purificar en el crisol, por medio del fuego, el oro u otros metales. || **2.** fig. Purificar, apurar. || **3.** fig. Aclarar o apurar una cosa por medio de testimonios o pruebas, como la verdad, la virtud, etc. Ú. t. c. r.

Acristianado, da. adj. ant. Decíase del que se empleaba en obras o ejercicios propios de cristiano.

Acristianar. tr. fam. Hacer cristiano. || **2.** fam. **Bautizar,** 1.ª acep.

Acritud. (Del lat. *acritūdo.*) f. **Acrimonia.**

Acroamático, ca. (Del lat. *acroamatĭcus,* y éste del gr. ἀκροαματικός.) adj. Aplícase al modo de enseñar por medio de narraciones, explicaciones o discursos, y también a la enseñanza que así se da.

Acrobacia. f. **Acrobatismo.** || **2.** Cualquiera de las evoluciones espectaculares que efectúa un aviador en el aire.

Acróbata. (Del gr. ἀκρόβατος, el que anda sobre las puntas de los pies.) com. Persona que da saltos, hace habilidades sobre el trapecio, la cuerda floja, o ejecuta cualesquiera otros ejercicios gimnásticos en los espectáculos públicos.

Acrobático, ca. (Del gr. ἀκροβατικός.) adj. Apto para facilitar que una persona suba a lo alto. *Máquina* ACROBÁTICA. || **2.** Concerniente al acróbata. *Ejercicios* ACROBÁTICOS.

Acrobatismo. m. Profesión y ejercicio del acróbata.

Acroe. m. **Acroy.**

Acrofobia. (Del gr. ἄκρα, punta, cima, y φόβος, miedo.) f. Horror a las alturas; vértigo de las alturas.

Acromado, da. adj. Dícese de lo que se asemeja a un cromo, 2.ª acep., y especialmente de las obras pictóricas. Tómase por lo común a mala parte.

Acromático, ca. (Del gr. ἀχρώματος, sin color.) adj. *Ópt.* Dícese del cristal o del instrumento óptico que presenta las imágenes sin los visos y colores del arco iris.

Acromatismo. m. *Ópt.* Calidad de acromático.

Acromatizar. tr. Corregir total o parcialmente el cromatismo al fabricar prismas o lentes.

Acromatopsia. (Del gr. ἀ, priv.; χρῶμα, color, y ὄψις, vista.) f. *Med.* **Daltonismo.**

Acromegalia. (Del gr. ἄκρα, punta, y μέγας, μεγάλη, grande.) f. Enfermedad crónica debida a lesión de la glándula pituitaria, y que se caracteriza principalmente por un desarrollo extraordinario de las extremidades.

Acromial. adj. *Zool.* Perteneciente o relativo al acromion.

Acromiano, na. adj. *Zool.* **Acromial.**

Acromio. m. *Zool.* **Acromion.**

Acromion. (Del gr. ἀκρώμιον; de ἄκρος, extremidad, y ὦμος, espalda.) m. *Zool.* Apófisis del omóplato, con la que se articula la extremidad externa de la clavícula.

Acrónico, ca. (Del gr. ἀκρόνυχος; de ἄκρος, extremidad, y νύξ, noche.) adj. *Astron.* Se dice del astro que nace al ponerse el Sol, o se pone cuando éste sale. || **2.** Dícese también del orto u ocaso del mismo astro.

Acrópolis. (Del gr. ἀκρόπολις; de ἄκρος, alto, y πόλις, ciudad.) f. El sitio más alto y fortificado en las ciudades griegas.

Acróstico, ca. (Del gr. ἀκροστίχιον; de ἄκρος, extremidad, y στίχος, verso.) adj. Aplícase a la composición poética cuyas letras iniciales, medias o finales de los versos forman un vocablo o una frase. Ú. t. c. s. m.

Acrostolio. (Del gr. ἀκροστόλιον; de ἄκρος, extremidad, y στόλος, parte saliente de la proa de un barco.) m. *Mar.* Espolón o tajamar de las naves antiguas. || **2.** Adorno en la proa de las naves antiguas.

Acrotera. (Del lat. *acroterĭa,* y éste del gr. ἀκρωτήριον; de ἄκρος, extremidad.) f. *Arq.* Cualquiera de los pedestales que sirven de remate en los frontones, y sobre los cuales suelen colocarse estatuas, macetones u otros adornos. || **2.** Cualquiera de los remates adornados de los ángulos de los frontones y, por ext., la cruz que remata en muchas iglesias el piñón o la bóveda del crucero.

Acroteria. f. **Acrotera.**

Acroterio. (Del gr. ἀκρωτήριον.) m. *Arq.* Pretil o murete que se hace sobre los cornisamentos para ocultar la altura del tejado, y que suele decorarse con pedestales.

Acroy. m. Gentilhombre de la casa de Borgoña, que acompañaba al soberano en ciertos actos públicos y le seguía a la guerra.

Acta. (Del lat. *acta,* pl. de *actum,* acto.) f. Relación escrita de lo sucedido, tratado o acordado en una junta. || **2.** Certificación en que consta el resultado de la elección de una persona para ciertos cargos públicos o privados. || **3.** pl. Tratándose de un mártir, hechos de su vida referidos en historia coetánea y debidamente autorizada. || **Acta notarial.** Relación fehaciente que extiende el notario, de uno o más hechos que presencia o autoriza. || **Levantar acta.** fr. Extenderla.

Actea. (Del lat. *actaea.*) f. **Yezgo.**

Actinia. (Del gr. ἀκτίς, -ῖνος, radio.) f. *Zool.* **Anemone de mar.**

Actínico, ca. adj. Perteneciente o relativo al actinismo.

Actinio. (Del gr. ἀκτίς, -ῖνος, rayo luminoso.) m. Cuerpo radiactivo hallado en algún compuesto de uranio.

Actinismo. (De *actinio.*) m. Acción química de las radiaciones luminosas.

Actinógrafo. (Del gr. ἀκτίς, -ῖνος, rayo de luz, y γράφω, escribir.) m. Actinómetro registrador.

Actinometría. (De *actinómetro.*) f. *Fís.* Parte de la física, que estudia la intensidad y la acción química de las radiaciones luminosas.

Actinométrico, ca. adj. *Ópt.* Perteneciente o relativo al actinómetro.

Actinómetro. (Del gr. ἀκτίς, -ῖνος, rayo de luz, y μέτρον, medida.) m. *Ópt.* Instrumento para medir la intensidad de las radiaciones, y especialmente las solares.

Actinomices. m. *Med.* Hongo parásito que produce la actinomicosis. En los tejidos forma granos amarillentos constituidos por una masa central rodeada de filamentos radiados.

Actinomicosis. f. *Med.* Enfermedad infecciosa común a varias especies animales que ataca especialmente los bóvidos. Es rara en el hombre. La produce un hongo, el actinomices, y da lugar, en diversos tejidos, sobre todo en los de la boca, a tumores que se reblandecen y dejan salir un líquido purulento en el que se encuentran típicos granos amarillos que contienen el parásito.

Actinomorfa. (Del gr. ἀκτίς, radio, y μορφή, forma.) adj. *Bot.* Dícese de la flor que queda dividida en dos partes simétricas por cualquier plano que pase por su eje y por la línea media de cada sépalo o pétalo; como la rosa.

Actinota. (Del gr. ἀκτινωτός, radiado.) f. Anfíbol de color verde claro, que suele presentarse en masas de textura fibrosa.

Actitar. (Del lat. *actitāre.*) tr. *Ar.* **Tramitar.** || **2.** intr. *Ar.* Actuar en los procesos como notario o escribano.

Actitud. (De *acto.*) f. Postura del cuerpo humano, especialmente cuando es determinada por los movimientos del ánimo, o expresa algo con eficacia. ACTITUD *graciosa, imponente; las* ACTITUDES *de un orador, de un actor.* || **2.** Postura de un animal cuando por algún motivo llama la atención. || **3.** fig. Disposición de ánimo de algún modo manifestada. ACTITUD *benévola, pacífica, amenazadora, de una persona, de un partido, de un gobierno.*

Activamente. adv. m. Con actividad o eficacia. || **2.** *Gram.* En sentido activo, con significación activa.

Activar. (De *activo.*) tr. Avivar, excitar, mover, acelerar.

Actividad. (Del lat. *activĭtas, -ātis.*) f. Facultad de obrar. || **2.** Diligencia, eficacia. || **3.** Prontitud en el obrar. || **4.** Conjunto de operaciones o tareas propias de una persona o entidad. Ú. m. en pl. || **5.** V. **Esfera de actividad.** || **En actividad.** loc. adv. En acción. *Volcán* EN ACTIVIDAD.

Activo, va. (Del lat. *actīvus.*) adj. Que obra o tiene virtud de obrar. || **2.** Diligente y eficaz. || **3.** Que obra prontamente, o produce sin dilación su efecto. || **4.** Dícese del funcionario mientras presta servicio. || **5.** V. **Arrepentimiento, dividendo, escándalo, fuero, participio, servicio, verbo, voto activo.** || **6. Administración, situación, voz activa.** || **7.** *Gram.* Que denota acción en sentido gramatical. || **8.** m. *Com.* Importe total del haber de una persona natural o jurídica. || **Por activa y por pasiva.** fr. fig. y fam. De todos modos.

Acto. (Del lat. *actus.*) m. Hecho o acción. || **2.** Hecho público o solemne. || **3.** Cada uno de los ejercicios literarios que en las universidades se celebraban como prueba de estudio o alarde de suficiencia, en las tentativas, repeticiones, etc. || **4.** Cada una de las partes principales en que se dividen las obras escénicas. *Pieza, comedia, drama en dos* ACTOS. || **5.** Medida lineal romana que tenía 120 pies, cerca de 36 metros de largo. || **6.** Disposición legal. || **7.** pl. Actas de un concilio. || **8.** ant. *For.* **Autos.** || **Acto cuadrado.** Medida superficial romana que tenía 30 **actos** mínimos. || **de conciliación.** Comparecencia de las partes desavenidas ante el juez de paz o municipal, para ver si pueden avenirse y excusar el litigio. || **de contrición.** Arrepentimiento de haber ofendido a Dios, sólo por ser quien es. || **2.** Fórmula con que se expresa este dolor. || **de posesión.** Ejercicio o uso de ella. || **de presencia.** Asistencia breve y puramente formularia a una reunión o ceremonia. || **entitativo.** *Fil.* La existencia real. || **formal.** *Fil.* La forma que determina la perfección peculiar de cada ser y es principio radical de su operación. || **humano.** *Teol.* El que procede de la voluntad libre con advertencia del bien o mal que se hace. || **jurídico.** *For.* Hecho voluntario que crea, modifica o extingue relaciones de derecho, conforme a éste. || **mínimo.** Medida superficial romana que tenía un **acto** de largo y cuatro pies de ancho. || **puro.** El ser en el cual nada existe en potencia, o sea aquel que de ningún otro necesita para ser y existir. Dícese únicamente de Dios. || **Actos de los Apóstoles.** Libro canónico del Nuevo Testamento, escrito por el evangelista San Lucas, que contiene la historia de la fundación de la Iglesia y de su propagación por los Apóstoles. || **positivos.** Hechos que califican la virtud, limpieza o nobleza de alguna persona o familia. || **Acto continuo,** o **seguido.** locs. advs. Inmediatamente después. || **En acto.** m. adv. En postura, en actitud de hacer alguna cosa. || **En el acto.** m. adv. **En seguida.**

Actor. (Del lat. *actor.*) m. El que representa en el teatro. || **2.** Personaje de una acción o de una obra literaria. || **3.** *For.* Demandante o acusador. || **civil.** El que en juicio criminal, sin acusar, exige restitución, resarcimiento o indemnización.

Actor. (Del lat. *auctor.*) m. ant. **Autor,** 1.ª acep.

Actora. (De *actor,* 1.er art.) adj. *For.* V. **Parte actora.** || **2.** f. Mujer que demanda en juicio.

Actriz. (Del lat. *actrix.*) f. Mujer que representa en el teatro.

Actuación. f. Acción y efecto de actuar. || **2.** pl. *For.* Autos o diligencias de un procedimiento judicial.

Actuado, da. p. p. de **Actuar.** || **2.** adj. Ejercitado o acostumbrado.

Actual. (Del lat. *actuālis.*) adj. **Presente,** 2.ª acep. || **2.** Que existe, sucede o se usa en el tiempo de que se habla. || **3.** V. **Cauterio, degradación, pecado actual.**

Actualidad. (De *actual.*) f. Tiempo presente. || **2.** Cosa o suceso que atrae y ocupa la atención del común de las gentes en un momento dado. || **3.** *Fil.* Acción del acto sobre la potencia.

Actualizar. tr. Poner en acto. || **2.** Hacer actual una cosa, darle actualidad.

Actualmente. adv. t. En el tiempo presente. || **2.** adv. m. Real y verdaderamente; con actual ser y ejercicio.

Actuante. p. a. de **Actuar.** Que actúa, y especialmente que actúa en las universidades o en una oposición, 4.ª acep. Ú. t. c. s.

Actuar. (De *acto.*) tr. Poner en acción. Ú. t. c. r. || **2.** Digerir, absorber o asimilar, hablando de algo que se ingiere. || **3.** Entender, penetrar, o asimilarse la verdad; enterarse de algo. Ú. t. c. r. || **4.** intr. Ejercer una persona o cosa actos propios de su naturaleza. || **5.** Ejercer funciones propias de su cargo u oficio. || **6.** En las universidades, defender conclusiones públicas. || **7.** Practicar los ejercicios de una oposición. || **8.** *For.* Formar autos, proceder judicialmente.

Actuaria. (Del lat. *actuaria,* ligera, veloz.) adj. *Mar.* Dícese de cierta embarcación ligera, de remo y vela, que usaban los antiguos romanos.

Actuarial. adj. Perteneciente o relativo al actuario de seguros o a sus funciones.

Actuario. (Del lat. *actuarius.*) m. *For.* Auxiliar judicial que da fe en los autos procesales. || **2.** V. **Vista actuario.** || **de seguros.** Persona versada en los cálculos matemáticos y en los conocimientos estadísticos, jurídicos y financieros concernientes a los seguros y a su régimen, la cual asesora a las entidades aseguradoras y sirve como perito en las operaciones de éstas.

Actuosidad. f. Cualidad de actuoso.

Actuoso, sa. (Del lat. *actuōsus.*) adj. ant. Diligente, solícito, cuidadoso.

Acuadrillar. tr. Juntar en cuadrilla. Ú. t. c. r. || **2.** Mandar una cuadrilla.

Acuantiar. tr. Fijar o determinar la cuantía de alguna cosa.

Acuarela. (Del ital. *acquarella,* de *acqua,* del lat. *aqua,* agua.) f. Pintura sobre papel o cartón con colores diluidos en agua y sin emplear el blanco, porque para éste se deja el fondo.

Acuarelista. com. Pintor de acuarelas.

Acuarelístico, ca. adj. Perteneciente o relativo a la acuarela.

Acuario. (Del lat. *aquarium.*) m. Depósito de agua donde se tienen vivos animales o vegetales acuáticos.

Acuario. (Del lat. *aquarius.*) m. Edificio destinado a la exhibición de animales acuáticos vivos. || **2.** *Astron.* Undécimo signo o parte del Zodiaco, de 30 grados de amplitud, que el Sol recorre aparentemente a mediados de invierno. || **3.** *Astron.* Constelación zodiacal que coincidió antiguamente con el signo de igual nombre, y que ahora se halla delante de él y un poco hacia el oriente, por efecto de la precesión de los equinoccios.

Acuartar. tr. *León.* Encuartar, enganchar el encuarte.

Acuartelado, da. p. p. de **Acuartelar.** || **2.** adj. *Blas.* V. **Escudo acuartelado.**

Acuartelamiento. m. Acción y efecto de acuartelar o acuartelarse. || **2.** Paraje o lugar donde se acuartela.

Acuartelar. tr. Poner la tropa en cuarteles. Ú. t. c. r. || **2.** Obligar a la tropa a permanecer en el cuartel en previsión de alguna alteración del orden público. || **3.** Dividir un terreno en cuarteles. || **4.** *Mar.* Presentar más al viento la superficie de una vela de cuchillo, llevando hacia barlovento su puño y cazándola, si es preciso, a esta banda, para que la proa caiga hacia la otra.

Acuartillar. intr. Doblar con exceso las caballerías las cuartillas cuando andan, por llevar mucho peso o por debilidad. || **2.** Andar de este modo las caballerías.

Acuático, ca. (Del lat. *aquatĭcus.*) adj. Que vive en el agua. || **2.** V. **Lenteja, pulga, salamandra acuática.** || **3.** Perteneciente o relativo al agua.

Acuátil. (Del lat. *aquatĭlis.*) adj. **Acuático.**

Acubado, da. adj. De figura de cubo o de cuba.

Acubilar. tr. Recoger el ganado en el cubil.

Acucia. (De *acuciar.*) f. Diligencia, solicitud, prisa. || **2.** Deseo vehemente.

Acuciadamente. adv. m. **Acuciosamente.**

Acuciador, ra. adj. Que acucia. Ú. t. c. s.

Acuciamiento. m. Acción de acuciar.

Acuciar. (Del lat. **acūtiāre,* de *acūtus,* agudo.) tr. Estimular, dar prisa. || **2.** Desear con vehemencia. || **3.** ant. Cuidar con diligencia.

Acuciosamente. adv. m. Con diligencia, solicitud o prisa. || **2.** Con deseo vehemente.

Acuciosidad. f. Calidad de acucioso, 1.ª acep.

Acucioso, sa. (De *acucia.*) adj. Diligente, solícito, presuroso. || **2.** Movido por deseo vehemente.

Acuclillarse. r. Ponerse en cuclillas.

Acucharado, da. adj. De figura parecida a la pala de una cuchara.

Acuchilladizo. (De *acuchillar.*) m. Esgrimidor o gladiador.

Acuchillado, da. p. p. de **Acuchillar.** || **2.** adj. fig. Dícese del que, a fuerza de trabajos y escarmientos, ha adquirido el hábito de conducirse con prudencia en los acontecimientos de la vida. || **3.** fig. Aplícase al vestido o parte de él con aberturas semejantes a cuchilladas, bajo las cuales se ve otra tela distinta de la de aquél.

Acuchillador, ra. adj. Que acuchilla. Ú. t. c. s. || **2. Acuchilladizo.** Ú. t. c. s. || **3.** m. El que tiene por oficio acuchillar pisos de madera.

Acuchillar. tr. Herir, cortar o matar con el cuchillo, y por extensión, con otras armas blancas. || **2.** Hablando del aire, henderlo o cortarlo. || **3.** Alisar con cuchilla u otra herramienta la superficie del entarimado o de los muebles de madera. || **4.** fig. Labrar o hacer aberturas semejantes a cuchilladas, en los vestidos, y particularmente en las mangas, según uso antiguo. || **5.** Aclarar las plantas en los semilleros. || **6.** rec. Reñir con espadas o darse de cuchilladas.

Acudiciarse. (De *a,* 2.° art., y el ant. *cudicia.*) r. ant. Aficionarse con vehemencia a alguna cosa.

Acudidero. (De *acudir.*) m. *Ar.* Cosa que exige pronta satisfacción o gasto inevitable.

Acudimiento. m. Acción de acudir.

Acudir. (Del lat. **accūtĕre,* golpear.) intr. Ir uno al sitio adonde le conviene o es llamado. || **2.** Ir o asistir con frecuencia a alguna parte. || **3.** Venir, presentarse o sobrevenir algo. || **4.** Ir en socorro de alguno. || **5. Atender.** || **6.** Recurrir a alguno o valerse de él. || **7.** Valerse de una cosa para algún fin. || **8.** Dar o producir la tierra o las plantas. || **9.** Corresponder, pagar u obsequiar. || **10.** Replicar o contestar; objetar. || **11.** *Equit.* Obedecer el caballo.

Acueducto. (Del lat. *aquaeductus.*) m. Conducto artificial por donde va el agua a lugar determinado. Llámase especialmente así el que tiene por objeto abastecer de aguas a una población. || **2.** V. **Servidumbre de acueducto.**

Ácueo, a. (Del lat. *aquĕus.*) adj. De agua. || **2.** De naturaleza parecida a la del agua. || **3.** V. **Humor ácueo.**

Acuerdado, da. adj. Tirado a cordel o alineado con una cuerda.

Acuerdo. (De *acordar.*) m. Resolución que se toma en los tribunales, comunidades o juntas. || **2.** Resolución premeditada de una sola persona. || **3.** Reflexión o madurez en la determinación de alguna cosa. || **4.** Conocimiento o sentido de alguna cosa. || **5.** Parecer, dictamen, consejo. || **6.** Recuerdo o memoria de las cosas. || **7.** En lo antiguo, reunión de los magistrados de un tribunal con su presidente y los fiscales, para deliberar y resolver sobre objetos de aplicación general. || **8.** *For.* **Libro de,** o **del acuerdo.** || **9.** *Pint.* Armonía del colorido de un cuadro. || **De acuerdo.** m. adv. De conformidad, unánimemente. Ú. m. con los verbos *estar, quedar* y *ponerse.* || **Dormiréis sobre ello, y tomaréis acuerdo.** ref. que advierte la reflexión y pausa con que se debe proceder para tomar resolución en las cosas de importancia. || **Estar** uno **en** su **acuerdo,** o **fuera de** él. fr. Estar o no en su sano juicio o sentido. || **Volver** uno **en** su **acuerdo.** fr. Volver en sí; recobrar el uso de los sentidos, embargados por algún accidente.

Acuesto. (De *a,* 2.° art., y *cuesta.*) m. ant. **Declive.**

Acuidad. (Del lat. *acuĭtas, -ātis.*) f. **Agudeza,** 1.ª, 2.ª y 3.ª aceps.

Acuidadarse. (De *cuidado.*) r. p. us. Cuidarse o preocuparse.

Acuitadamente. adv. m. Con cuita.

Acuitamiento. m. ant. **Cuita.**

Acuitar. tr. Poner en cuita o en apuro, afligir, estrechar. Ú. t. c. r.

Ácula. (Del lat. *acūla,* d. de *acus,* aguja.) f. **Quijones.**

Aculado, da. p. p. de **Acular.** || **2.** adj. *Blas.* Dícese del caballo levantado del cuarto delantero y sentado con las patas encogidas. También se aplica a otros muebles heráldicos que ofrecen colocación semejante.

Acular. (De *a,* 2.° art., y *culo.*) tr. Hacer que un animal, un carro, etc., quede arrimado por detrás a alguna parte. Ú. t. c. r. || **2.** fam. **Arrinconar,** 2.ª acep. Ú. m. c. r. || **3.** r. *Mar.* Acercarse la nave a un bajo, o tocar en él con el codaste en un movimiento de retroceso.

Aculebrinado, da. adj. *Art.* Aplícase al cañón parecido por su mucha longitud a la culebrina.

Acúleo. (Del lat. *aculĕus.*) m. **Aguijón.**

Acullá. (Del lat. *eccum* e *illāc.*) adv. l. A la parte opuesta del que habla.

Acumbrar. tr. ant. **Encumbrar.**

Acumen. (Del lat. *acūmen, -ĭnis.*) m. ant. Agudeza, perspicacia, ingenio.

Acuminado, da. (Del lat. *acumĭnātus.*) adj. Que, disminuyendo gradualmente, termina en punta.

Acuminoso, sa. (Del lat. *acūmen, -ĭnis.*) adj. desus. Agudo, ácido.

Acumulable. adj. Que puede acumularse.

Acumulación. (Del lat. *accumulatĭo, -ōnis.*) f. Acción y efecto de acumular.

Acumulador, ra. (Del lat. *accumulātor.*) adj. Que acumula. Ú. t. c. s. || **2.** m. Aparato que sirve para regularizar el trabajo de una máquina, recogiendo la fuerza viva sobrante a fin de aprovecharla cuando falte. || **3.** Aparato destinado a recibir electricidad desarrollada artificialmente y retenerla en depósito para su consumo a voluntad.

Acumulamiento. m. Acción y efecto de acumular.

Acumular. (Del lat. *accumulāre;* de *ad,* a, y *cumulāre,* amontonar.) tr. Juntar y amontonar. || **2.** Imputar algún delito o culpa. || **3.** *For.* Unir unos autos a otros, o ejercitar varias acciones juntamente, para que sobre todos se pronuncie una sola sentencia.

Acumulativa. (De *acumular.*) adj. *For.* V. **Jurisdicción acumulativa.**

Acumulativamente. adv. m. *For.* Con acumulación. || **2.** *For.* **A prevención.**

Acunar. (De *a,* 2.° art., y *cuna.*) tr. Mecer al niño en la cuna para que se duerma.

Acuntir. (De *a,* 2.° art., y *cuntir.*) intr. ant. **Acontecer.**

Acuñación. f. Acción y efecto de acuñar.

Acuñador, ra. adj. Que acuña. Ú. t. c. s.

Acuñar. tr. Imprimir y sellar una pieza de metal por medio de cuño o troquel. Dícese especialmente de las monedas y medallas. || **2.** Tratándose de la moneda, hacerla, fabricarla.

Acuñar. (De *a,* 2.° art., y *cuña.*) tr. Meter cuñas. || **2.** fig. y fam. *Gal.* Hacer recomendaciones a favor de alguno.

Acuosidad. (Del lat. *aquosĭtas, -ātis.*) f. Calidad de acuoso.

Acuoso, sa. (Del lat. *aquōsus.*) adj. Abundante en agua. || **2.** Parecido a ella. || **3.** De agua o relativo a ella. || **4.** De mucho jugo. Dícese de las frutas. || **5.** V. **Disolución acuosa.**

Acupuntura. (Del lat. *acus,* aguja, y *punctūra,* punzada.) f. *Cir.* Operación que consiste en clavar una o más agujas en el cuerpo humano, con el fin de curar ciertas enfermedades. Se emplea desde muy antiguo por los chinos y japoneses.

Acuradamente. adv. m. ant. Con cuidado y esmero.

Acurado, da. (Del lat. *accurātus,* preparado con esmero.) adj. ant. Cuidadoso y esmerado.

Acure. (Del caribe *curi,* con *a* protética.) m. *Zool.* Roedor del tamaño de un conejo, de carne comestible, que vive en domesticidad en varios países de la América Meridional.

Acurrucarse. (De *a,* 2.° art., y *curruca.*) r. Encogerse para resguardarse del frío o con otro objeto.

Acurrullar. (De *a,* 2.° art., y *corrulla.*) tr. *Mar.* Desenvergar las velas y recogerlas.

Acusable. adj. Que puede ser acusado.

Acusación. (Del lat. *accusatĭo, -ōnis.*) f. Acción de acusar o acusarse. || **2.** *For.* Escrito o discurso en que se acusa.

Acusado, da. p. p. de **Acusar.** || **2.** m. y f. Persona a quien se acusa.

Acusador, ra. (Del lat. *accusātor.*) adj. Que acusa. Apl. a pers., ú. t. c. s.

Acusamiento. m. ant. **Acusación.**

Acusante. p. a. de **Acusar.** Que acusa.

Acusanza. f. ant. **Acusación.**

Acusar. (Del lat. *accusāre;* de *ad,* a, y *causa,* causa.) tr. Imputar a uno algún delito, culpa, vicio o cualquiera cosa vituperable. || **2.** Denunciar, delatar. Ú. t. c. r. || **3.** Notar, tachar. || **4.** Reconvenir, censurar, reprender. || **5.** Tratándose del recibo de cartas, oficios, etc., avisarlo, noticiarlo. || **6.** En algunos juegos de naipes, manifestar uno en tiempo oportuno que tiene determinadas cartas con que por ley del juego se gana cierto número de tantos. || **7.** *For.* Exponer definitivamente en juicio los cargos contra el acusado y las pruebas de los mismos. || **8.** r. Confesar, declarar uno sus culpas.

Acusativo. (Del lat. *accusatīvus.*) m. *Gram.* Uno de los casos de la declinación. Indica el complemento directo del verbo, y, en castellano, unas veces lleva, y otras no, la preposición *a.*

Acusatorio, ria. (Del lat. *accusatorĭus.*) adj. *For.* Perteneciente o relativo a la acusación. *Acto* ACUSATORIO, *delación* ACUSATORIA. || **2.** *For.* V. **Sistema acusatorio.**

Acuse. m. Acción y efecto de acusar, 5.ª y 6.ª aceps. ACUSE *de recibo; hay que ganar antes de cada* ACUSE. || **2.** Cada una de las cartas que en el juego sirven para acusar.

Acusetas. m. *Colomb.* y *C. Rica.* **Acusete.**

Acusete. m. *Chile, Guat.* y *Perú.* Acusón, soplón.

Acusica. com. **Acusón.**

Acuso. m. ant. **Acusación.**

Acusón, na. adj. fam. Que tiene el vicio de acusar. Ú. t. c. s.

Acústica. (Del gr. ἀκουστική, t, f. de -κός, *acústico.*) f. Parte de la física, que trata de la formación y propagación de los sonidos.

Acústico, ca. (Del gr. ἀκουστικός, de ἀκούω, *oír.*) adj. Perteneciente o relativo al órgano del oído. || **2.** Perteneciente o relativo a la acústica. || **3.** Favorable para la producción o propagación del sonido. || **4.** V. **Foco acústico.** || **5.** V. **Corneta acústica.**

Acutángulo. (Del lat. *acūtus,* agudo, y *angŭlus,* ángulo.) adj. *Geom.* V. **Triángulo acutángulo.**

Acutí. (Voz guaraní.) m. *Argent.* y *Parag.* **Agutí.**

Acuto, ta. (Del lat. *acūtus.*) adj. ant. **Agudo.**

Achabacanamiento. m. **Chabacanería.**

Achabacanar. tr. Hacer chabacano. Ú. m. c. r.

Achacadizo, za. (De *achacar.*) adj. ant. Simulado, fingido, malicioso.

Achacar. (De *asacar.*) tr. Atribuir, imputar.

Achacosamente. adv. m. Con achaques, con poca salud.

Achacoso, sa. adj. Que padece achaque o enfermedad habitual. || **2.** Indispuesto o levemente enfermo. || **3.** Riguroso o extremado en la acusación. || **4.** Hablando de cosas, que tiene defecto.

Achachay. m. *Colomb.* Juego de muchachos, llamado así porque el cantar con que lo acompañan empieza con aquella palabra.

Achaflanar. tr. Dar a una esquina forma de chaflán.

Achajuanarse. (De *a,* 2.° art., y *chajuán.*) r. *Colomb.* Sofocarse las bestias por trabajar mucho cuando hace demasiado calor o están muy gordas.

Achambergado, da. adj. Dícese del sombrero parecido al chambergo. || **2.** *And.* Dícese de la cinta semejante a la chamberga.

Achampanado, da. adj. **Achampañado.**

Achampañado, da. adj. Dícese de la bebida que imita al vino de Champaña.

Achantarse. r. fam. Aguantarse, agazaparse o esconderse mientras dura un peligro. || **2.** fam. **Conformarse.**

Achaparrado, da. p. p. de **Achaparrarse.** || **2.** adj. fig. Dícese de las cosas bajas y extendidas. || **3.** Dícese de la persona gruesa y de poca estatura.

Achaparrarse. r. Tomar un árbol la forma de chaparro.

Achaque. (Del ár. *aš-šakā',* la queja, la enfermedad.) m. Indisposición o enfermedad habitual. || **2.** Indisposición o enfermedad generalmente ligera. || **3.** fam. Menstruo de la mujer. || **4.** fig. Embarazo de la mujer. || **5.** fig. Vicio o defecto propio o habitual de uno.

Achaque. (De *achacar.*) m. fig. Excusa o pretexto. || **2.** fig. Ocasión, motivo, causa. || **3.** fig. Apariencia o reputación. || **4.** fig. Denuncia que hace el soplón con el intento de componerse con el presunto culpable y sacarle dinero para no proseguir la causa. || **5.** Multa o pena pecuniaria. || **6.** Asunto o materia. || **Achaques al jueves, para no ayunar el viernes. Achaques al odre, que sabe a la pez. Achaques al viernes para no le ayunar.** refs. que se dicen de los que alegan pretextos frívolos para no hacer alguna cosa. || **Con achaque de trama, ¿está acá nuestra ama? En achaque de trama, ¿visteis acá a nuestra ama?** refs. que se aplican a los que fingen una cosa y hacen o quieren hacer otra.

Achaquero. (De *achaque*, 2.° art.) m. Juez del Concejo de la Mesta, que imponía los achaques o multas contra los que quebrantaban los privilegios de los ganaderos y ganados trashumantes. || **2.** Arrendador de los achaques impuestos por los jueces del Concejo de la Mesta.

Achaquiento, ta. adj. **Achacoso.**

Achares. (De *azares*, pl. de *azar*.) m. pl. Celos, pl. de **celo**, 6.ª acep.

Acharolado, da. p. p. de **Acharolar.** || **2.** adj. Semejante al charol.

Acharolar. tr. **Charolar.**

Achatamiento. m. Acción y efecto de achatar o achatarse.

Achatar. tr. Poner chata alguna cosa. Ú. t. c. r.

Achernar. (Del ár. *āŷir nahr*, fin del río, según la transcripción medieval *acher* [*akher*] por *āŷir*.) f. *Astron.* Estrella de primera magnitud en la constelación de Erídano.

Achicado, da. p. p. de **Achicar.** || **2.** adj. **Aniñado.**

Achicador, ra. adj. Que achica. Ú. t. c. s. || **2.** m. *Mar.* Especie de cucharón de madera que sirve para achicar el agua en los botes.

Achicadura. f. Acción y efecto de achicar o achicarse.

Achicamiento. m. **Achicadura.**

Achicar. (De *a*, 2.° art., y *chico*.) tr. Amenguar el tamaño de alguna cosa. Ú. t. c. r. || **2.** Extraer el agua de un dique, mina, embarcación, etc. || **3.** fig. Humillar, acobardar. Ú. t. c. r.

Achicoria. (De *chicoria*, precedido del art. ár.) f. Planta de la familia de las compuestas, de hojas recortadas, ásperas y comestibles, así crudas como cocidas. La infusión de la amarga o silvestre se usa como remedio tónico aperitivo.

Achicharradero. m. Sitio donde hace mucho calor.

Achicharrante. p. a. de **Achicharrar.** Que achicharra.

Achicharrar. (De *a*, 2.° art., y *chicharra*.) tr. Freír, cocer, asar o tostar un manjar, hasta que tome sabor a quemado. Ú. t. c. r. || **2.** fig. Calentar demasiado. Ú. t. c. r. || **3.** fig. Molestar con exceso.

Achichinque. (Del mejic. *achichincle*; de *atl*, agua, y *chichinqui*, que chupa.) m. Operario que en las minas traslada a las piletas el agua que sale de los veneros subterráneos. || **2.** *Méj.* El que de ordinario acompaña a un superior y sigue sus órdenes ciegamente.

Achiguarse. (De *a*, 2.° art., y *chigua*.) r. *Argent.* y *Chile.* Combarse una cosa; echar panza una persona.

Achinar. tr. fam. **Acochinar.** Ú. t. c. r.

Achinelado, da. adj. De figura de chinela.

Achiote. (Del mejic. *achiotl*.) m. **Bija.**

Achique. m. Acción y efecto de achicar.

Achiquillado, da. adj. **Aniñado.**

Achira. (Voz quichua.) f. *Bot.* Planta sudamericana de la familia de las alismatáceas, de tallo nudoso, hojas ensiformes y flores coloradas, que vive en terrenos húmedos. || **2.** *Bot.* Planta del Perú, de la familia de las cannáceas, de raíz comestible. || **3.** *Chile.* **Cañacoro.**

Achispar. (De *a*, 2.° art., y *chispa*, borrachera.) tr. Poner casi ebria a una persona. Ú. t. c. r.

Achitabla. (Del lat. *acetaria*, acedera.) f. *Ál.* Especie de romaza.

Achocadura. f. Acción y efecto de achocar.

Achocar. (De *a*, 2.° art., y *choque*.) tr. Arrojar o tirar a alguna persona contra la pared u otra superficie dura. || **2.** Herir a una persona con palo, piedra, etc. || **3.** fig. y fam. Guardar mucho dinero, y particularmente guardarlo de canto, en fila y apretado.

Achocolatado, da. adj. De color de chocolate.

Achocharse. r. fam. Comenzar a chochear, 1.ª acep.

Acholado, da. p. p. de **Acholar.** || **2.** adj. *Amér.* Dícese de la persona que tiene la tez del mismo color que la del cholo, 2.ª acep.

Acholar. (De *a*, 2.° art., y *cholo*.) tr. *Chile* y *Perú.* Correr, avergonzar, amilanar. Ú. t. c. r.

Achote. m. **Achiote.**

Achubascarse. (De *a*, 2.° art., y *chubasco*.) r. Cargarse la atmósfera de nubarrones que traen aguaceros con viento.

Achucuyar. tr. *Amér. Central.* Abatir, acoquinar. Ú. t. c. r.

Achuchar. tr. fam. Aplastar, estrujar con la fuerza de algún golpe o peso. || **2.** fam. Empujar una persona a otra; agredirla violentamente, acorralándola.

Achuchar. (De *a*, 2.° art., y *chucho*.) tr. **Azuzar**, 1.ª acep.

Achucharrar. tr. *Colomb.*, *Chile* y *Hond.* **Achuchar**, 1.er art. || **2.** r. *Méj.* Encogerse, amilanarse.

Achuchón. m. fam. Acción y efecto de achuchar, 1.er art.

Achulado, da. p. p. de **Achularse.** || **2.** adj. fam. Que tiene aire o modales de chulo.

Achulaparse. (De *a*, 2.° art., y *chulapo*.) r. **Achularse.**

Achularse. r. Adquirir modales de chulo.

Achupalla. f. Planta de la América Meridional, de la familia de las bromeliáceas, de tallos gruesos, escamosos y retorcidos; hojas alternas, envainadoras y espinosas por los bordes; flores en espiga y fruto en caja. De sus tallos se hace una horchata muy agradable.

Achura. f. *Argent.* Cualquier intestino o menudo del animal vacuno, lanar o cabrío, o todo otro pedazo de carne considerado como desperdicio.

Achurador. m. *Argent.* El que achura.

Achurar. tr. *Argent.* Quitar las achuras a la res. || **2.** fig. y fam. *Argent.* Herir o matar a tajos a una persona o animal.

Ad. (Del lat. *ad*.) prep. ant. **A**, 2.° art. || **2.** prep. insep. que ya tiene el valor de **a**, como en AD*junto;* ya denota proximidad, como en AD*yacente*, o encarecimiento, como en AD*mirar*. Empléase aislada en locuciones latinas que tienen uso en nuestro idioma. AD *hoc*, AD *libitum.*

Adacilla. (d. de *adaza*.) f. Planta, variedad de la adaza, de la cual se distingue por ser ella y su simiente más pequeñas.

Adafina. (Del ár. *ad-dafina*, la oculta o encubierta.) f. Olla que los hebreos colocan al anochecer del viernes en un anafe, cubriéndola con rescoldo y brasas, para comerla el sábado.

Adagial. adj. Perteneciente o relativo al adagio o proverbio.

Adagio. (Del lat. *adagium*.) m. Sentencia breve, comúnmente recibida, y, las más veces, moral.

Adagio. (Del ital. *adagio*.) adv. m. *Mús.* Con movimiento lento. || **2.** m. *Mús.* Composición o parte de ella que se ha de ejecutar con este movimiento.

Adaguar. (Del lat. *adaquāre*.) intr. Beber el ganado.

Adahala. f. desus. **Adehala.**

Adala. (De *dala*.) f. *Mar.* **Dala.**

Adalid. (Del ár. *ad-dalīl*, el guía.) m. Caudillo de gente de guerra. || **2.** fig. Guía y cabeza, o muy señalado individuo de algún partido, corporación o escuela. || **3.** ant. V. **Carnero adalid.** || **mayor.** Empleo o cargo de la milicia antigua española, que en cierta manera corresponde a lo que después se llamó maestre de campo general, y hoy se dice jefe de estado mayor general.

Adamadamente. adv. m. Blanda o muellemente.

Adamado, da. p. p. de **Adamarse.** || **2.** adj. Aplícase al hombre de facciones, talle y modales delicados como los de la mujer. || **3.** Fino, elegante. Aplícase a personas. || **4.** Dícese de la mujer vulgar que tiene apariencias de dama.

Adamadura. f. **Adamar**, 1.er art.

Adamante. (Del lat. *adămas, -antis*, y éste del gr. ἀδάμας.) m. ant. **Diamante.**

Adamantino, na. (Del lat. *adamantīnus*.) adj. **Diamantino.** Ú. m. en poesía.

Adamar. (De *adamar*, 2.° art.) m. ant. Fineza o prenda de amor o cariño.

Adamar. (Del lat. *adamāre*; de *ad*, a, y *amare*, amar.) tr. Cortejar, requebrar. || **2.** ant. Amar con vehemencia.

Adamarse. (De *a*, 2.° art., y *dama*.) r. Adelgazarse el hombre o hacerse delicado como la mujer.

Adamascado, da. adj. Parecido al damasco.

Adamascar. tr. Dar a las telas aspecto parecido al damasco.

Adamasco. m. ant. **Damasco**, 1.ª acep.

Adamidos. (Del lat. *ad-invitus*, contra su voluntad.) adv. m. ant. **Ambidos.**

Adamismo. m. Doctrina y secta de los adamitas.

Adamita. (De *Adam*, n. p. hebreo, *Adán*.) adj. Dícese de ciertos herejes que celebraban sus congregaciones desnudos a semejanza de Adán en el Paraíso, y, entre otros errores, tenían por lícita la poligamia. Ú. m. c. s. y en pl. || **2.** Perteneciente o relativo a estos herejes.

Adán. n. p. V. **Bocado, manzana de Adán.** || **2.** m. fig. y fam. Hombre desaliñado, sucio o haraposo. || **3.** fig. y fam. Hombre apático y descuidado.

Adanismo. m. **Adamismo.**

Adaponer. (Del lat. *ad*, a, y *apponĕre*, poner.) tr. ant. *For.* Presentar en juicio.

Adaptabilidad. f. Calidad de adaptable.

Adaptable. adj. Capaz de ser adaptado.

Adaptación. f. Acción y efecto de adaptar o adaptarse.

Adaptadamente. adv. m. **Acomodadamente.**

Adaptador, ra. adj. Que adapta.

Adaptante. p. a. de **Adaptar.** Que adapta.

Adaptar. (Del lat. *adaptāre*; de *ad*, a, y *aptāre*, acomodar.) tr. Acomodar, ajustar una cosa a otra. Ú. t. c. r. || **2.** r. fig. Dicho de personas, acomodarse, avenirse a circunstancias, condiciones, etc.

Adapuesto, ta. p. p. irreg. de **Adaponer.**

Adara. f. Estrella notable en la constelación del Can Mayor.

Adárga. f. ant. **Adarga.**

Adaraja. (Del ár. *ad-daraŷa*, el escalón.) f. *Arq.* **Diente**, 4.ª acep.

Adárame. m. ant. **Adarme.**

Adarce. (Del lat. *adarce*, y éste del gr. ἀδάρκη.) m. Costra salina que las aguas del mar forman en los objetos que mojan.

Adardear. tr. p. us. Herir con dardo.

Adarga. (Del ár. *ad-daraqa*, el escudo de piel.) f. Escudo de cuero, ovalado o de figura de corazón.

Adárgama. (Del ár. persa *ad-darmaka*, la harina muy blanca y pura.) f. ant. Harina de flor.

Adargar. tr. Cubrir con la adarga para defensa. Ú. t. c. r. || **2.** fig. Defender, proteger, resguardar. Ú. t. c. r.

Adarguero. m. El que hacía adargas. || **2.** El que usaba adarga.

Adarme. (Del ár. *ad-dirham*, la dracma, octava parte de la onza, la moneda de plata.) m. Peso que tiene tres tomines y equivale a 179 centigramos. || **2.** fig. Cantidad o porción mínima de una cosa. || **Por adarmes.** m. adv. fig. En cortas porciones o cantidades, con mezquindad.

Adarvar. (Del ár. *ad-darba*, el golpe, la turbación.) tr. Pasmar, aturdir. Ú. t. c. r.

Adarvar. tr. Fortificar con adarves.

Adarve. (Del ár. *ad-darb*, el camino estrecho, el desfiladero.) m. Camino detrás del parapeto y en lo alto de una fortificación. || **2.** ant. Muro de una fortaleza. || **3.** fig. Protección, defensa. || **Abájanse los adarves y álzanse los muladares.** ref. de que se usa cuando vemos que el hombre noble se humilla y el ruin se ensalza.

Adatar. tr. **Datar,** 1.er art., 2.ª acep. Ú. m. c. r.

Adaza. (Del ár. *'adasa*, lenteja.) f. **Zahína,** 1.ª y 2.ª aceps.

Ad bona. expr. lat. *For.* V. **Curador ad bona.**

Ad calendas graecas. expr. adv. lat. usada para designar un plazo que nunca ha de cumplirse.

Ad cautélam. expr. lat. *For.* Dícese del recurso, escrito o acto que se formaliza sin creerlo necesario, previendo apreciación distinta del juzgador.

Adecenamiento. m. Acción de adecenar.

Adecenar. tr. Ordenar por decenas, o dividir en decenas.

Adecentar. tr. Poner decente. Ú. m. c. r.

Adecuación. (Del lat. *adaequatio, -ōnis.*) f. Acción de adecuar o adecuarse.

Adecuadamente. adv. m. A propósito, con oportunidad.

Adecuado, da. p. p. de **Adecuar.** || **2.** adj. Apropiado o acomodado a las condiciones, circunstancias u objeto de alguna cosa.

Adecuar. (Del lat. *adaequāre;* de *ad*, a, y *aequāre*, igualar.) tr. Proporcionar, acomodar, apropiar una cosa a otra. Ú. t. c. r.

Adecuja. f. ant. Especie de vasija o jarro usado por los moriscos de Andalucía.

Adefagia. (Del gr. ἀδηφαγία.) f. *Zool.* **Voracidad.**

Adéfago, ga. (Del gr. ἀδηφάγος; de ἄδην, mucho, y φαγεῖν, comer.) adj. *Zool.* **Voraz,** 1.ª acep.

Adefera. (Del ár. *ad-ḍafira*, la trenza, la cinta.) f. Azulejo pequeño y cuadrado que se usaba en frisos y pavimentos.

Adefesio. (De *ad ephesios.*) m. fam. Despropósito, disparate, extravagancia. Ú. m. en pl. || **2.** fam. Traje, prenda de vestir o adorno ridículo y extravagante. || **3.** fam. Persona de exterior ridículo y extravagante.

Ad efesios. (De *ad ephesios*, con alusión a la epístola de San Pablo a los efesios.) expr. adv. fam. Disparatadamente, saliéndose del propósito del asunto.

Adefina. f. **Adafina.** || **2.** ant. **Secreto.**

Adefuera. adv. l. ant. **Por defuera.** || **2.** amb. pl. ant. **Afueras,** 3.ª acep.

Adegaño, ña. adj. ant. **Aledaño.** Usáb. t. c. s. y más generalmente en pl.

Adehala. (Del ár. *ad-dajāla*, la entrada, el ingreso.) f. Lo que se da de gracia o se fija como obligatorio sobre el precio de aquello que se compra o toma en arrendamiento. || **2.** Lo que se agrega de gajes o emolumentos al sueldo de algún empleo o comisión.

Adehesamiento. m. Acción y efecto de adehesar o adehesarse.

Adehesar. tr. Hacer dehesa alguna tierra. Ú. t. c. r.

Adelantadamente. adv. t. **Anticipadamente.**

Adelantado, da. p. p. de **Adelantar.** || **2.** adj. **Precoz,** 2.ª acep. || **3.** Aventajado, excelente, superior. || **4.** fig. Atrevido, imprudente, que no guarda el respeto o la atención debida a otros. || **5.** m. En lo antiguo, gobernador militar y político de una provincia fronteriza. || **6.** En lo antiguo y en tiempos de paz, presidente o justicia mayor del reino o de provincia o distrito determinados, y capitán general en tiempos de guerra. Estábanle subordinados todos los merinos, así los del reino como los de las comarcas, alfoces y villas. || **de la corte,** o **del rey.** El que oía las alzadas hechas ante el rey por personas agraviadas en sentencias de jueces, cuando el rey no podía administrar justicia por sí mismo. || **de mar.** Persona a quien se confiaba el mando de una expedición marítima, concediéndole de antemano el gobierno de las tierras que descubriese o conquistase. || **mayor. Adelantado,** 6.ª acep. || **Por adelantado.** m. adv. **Anticipadamente.**

Adelantador, ra. adj. Que adelanta.

Adelantamiento. m. Acción y efecto de adelantar o adelantarse. || **2.** Dignidad de adelantado. || **3.** Territorio de su jurisdicción. || **4.** fig. Medra, mejora.

Adelantar. tr. Mover o llevar hacia adelante. Ú. t. c. r. || **2.** Acelerar, apresurar. || **3. Anticipar.** ADELANTAR *la paga.* || **4.** Ganar la delantera a alguno andando o corriendo. Ú. m. c. r. || **5.** Correr hacia adelante las saetas del reloj. || **6.** Colocar estas saetas de manera que indiquen una hora que aún no ha llegado. || **7.** fig. Aumentar, mejorar. || **8.** fig. Añadir o inventar en alguna materia. || **9.** fig. Exceder a alguno, aventajarle. Ú. t. c. r. || **10.** ant. Poner delante. || **11.** ant. Llevar adelante, mantener. || **12.** intr. Andar el reloj con más velocidad que la debida y señalar, por lo tanto, tiempo que no ha llegado todavía. Ú. t. c. r. || **13.** Progresar en estudios, robustez, posición social, etc. *Este niño* ADELANTA *mucho; el enfermo no* ADELANTA *nada.*

Adelante. (De *a*, 2.° art., y *delante.*) adv. l. Más allá. *El enemigo nos cierra el paso; no podemos ir* ADELANTE. || **2.** Hacia la parte opuesta a otra. *Venía un hombre por el camino* ADELANTE. || **3.** adv. t. Con preposición antepuesta o siguiendo inmediatamente a algunos adverbios de esta clase, denota tiempo futuro. *En* ADELANTE; *para en* ADELANTE; *para más* ADELANTE; *de hoy en* ADELANTE; *de aquí en* ADELANTE, o *de aquí* ADELANTE. || **¡Adelante!** interj. que se usa para ordenar o permitir que alguien entre en alguna parte o siga andando, hablando, etcétera.

Adelanto. m. **Anticipo.** || **2. Adelantamiento,** 1.ª y 4.ª aceps.

Adelfa. (Del ár. *ad-diflà*, y éste del gr. δάφνη.) f. Arbusto de la familia de las apocináceas, muy ramoso, de hojas persistentes semejantes a las del laurel, y grupos de flores blancas, rojizas, róseas o amarillas. Es venenoso, florece en verano y abunda en el mediodía de nuestra península. || **2.** Flor de esta planta.

Adelfal. m. Sitio poblado de adelfas.

Adélfico, ca. adj. Perteneciente o relativo a la adelfa.

Adelfilla. (d. de *adelfa.*) f. Mata de la familia de las timeleáceas, de un metro de altura, con hojas persistentes lanceoladas, lustrosas y de un verde obscuro en la haz; flores verdosas o amarillentas en racimillos axilares, y fruto aovado, negro a la madurez.

Adelgazador, ra. adj. Que sirve para adelgazar.

Adelgazamiento. m. Acción y efecto de adelgazar o adelgazarse.

Adelgazar. (De *a*, 2.° art., y *delgazar.*) tr. Poner delgada a una persona o cosa. Ú. t. c. r. || **2.** fig. Purificar, depurar alguna materia. || **3.** fig. Discurrir con sutileza. || **4.** ant. fig. Disminuir, apocar, acortar. || **5.** intr. Ponerse delgado, enflaquecer.

Adeliñar. (Del lat. *ad*, a, y *delineāre;* de *linĕa*, línea.) tr. ant. Aliñar, componer, enmendar. Usáb. t. c. r. || **2.** intr. ant. Dirigirse, encaminarse.

Adeliño. m. ant. **Aliño,** 1.ª acep.

Adema. (Del ár. *ad-di'ma*, el poste.) f. *Min.* **Ademe.**

Ademador. m. *Min.* Operario que hace o pone ademes.

Ademán. (Del lat. *ad*, a; *de*, de, y *manus*, manos.) m. Movimiento o actitud del cuerpo o de alguna parte suya, con que se manifiesta un afecto del ánimo. *Con triste, con furioso* ADEMÁN; *hizo* ADEMÁN *de huir, de acometer.* || **2.** pl. **Modales.** || **En ademán de.** m. adv. En actitud de ir a ejecutar alguna cosa.

Ademar. tr. *Min.* Poner ademes.

Además. (De *a*, 2.° art., y *demás.*) adv. c. A más de esto o aquello. || **2.** p. us. Con demasía o exceso.

Ademe. (Del ár. *ad-da'm*, el sostén, el apoyo.) m. *Min.* Madero que sirve para entibar. || **2.** *Min.* Cubierta o forro de madera con que se aseguran y resguardan los tiros, pilares y otras obras en los trabajos subterráneos.

Adempribiar. tr. *Ar.* Acotar o fijar los términos de un adempribio.

Adempribio. m. *Ar.* Terreno de pastos común a dos o más pueblos.

Ademprio. m. *Ar.* **Adempribio.**

Adenia. (Del gr. ἀδήν, glandula.) f. *Med.* Hipertrofia simple de los ganglios linfáticos.

Adenitis. (Del gr. ἀδήν, glándula.) f. *Med.* Inflamación de los ganglios linfáticos.

Adenoideo, a. (Del gr. ἀδήν, glándula, y εἶδος, forma.) adj. Dícese de los tejidos ricos en formaciones linfáticas, como las amígdalas faríngea y lingual o los folículos linfáticos de la mucosa nasal. || **2.** V. **Vegetación adenoidea.**

Adenología. (Del gr. ἀδήν, glándula, y λόγος, discurso.) f. Parte de la anatomía, que trata de las glándulas.

Adenoma. (Del gr. ἀδήν, glándula, y *oma*, terminación que en medicina significa tumor.) m. *Med.* Tumor de estructura semejante a la de las glándulas. || **2.** *Med.* Hipertrofia glandular.

Adenopatía. f. Enfermedad de las glándulas en general, y particularmente de los ganglios linfáticos.

Adenoso, sa. (Del gr. ἀδήν, glándula.) adj. desus. **Glanduloso.**

Adensar. (Del lat. *addensāre;* de *ad*, a, y *densus*, denso.) tr. p. us. **Condensar.**

Adentellar. (Del m. or. que *dentellar.*) tr. Hincar los dientes. || **2.** p. us. fig. **Morder,** 6.ª acep. || **3.** *Arq.* Dejar en una pared dientes o adarajas.

Adentrarse. (De *adentro.*) r. Penetrar en lo interior de una cosa. || **2.** Pasar por dentro.

Adentro. (De *a*, 2.° art., y *dentro.*) adv. l. A o en lo interior. Suele ir pospuesto a nombres substantivos en construcciones como las siguientes: *Mar* ADENTRO; *tierra* ADENTRO; *se metió por las puertas* ADENTRO. || **2.** m. pl. Lo interior del ánimo. *Juan habla bien de Pedro, aunque en sus* ADENTROS *siente de otro modo.* || **¡Adentro!** interj. que se usa para ordenar o invitar a una o varias personas a que entren en alguna parte. || **Ser uno muy de adentro.** fr. Tener íntima confianza en alguna casa.

Adepto, ta. (Del lat. *adeptus.*) adj. Iniciado en los arcanos de la alquimia. Ú. t. c. s. || **2.** Por ext., afiliado en alguna secta o asociación, especialmente si es clandestina. Ú. t. c. s. || **3.** Partidario de alguna persona o idea. Ú. t. c. s.

Aderar. (Del lat. *adaerāre;* de *ad,* a, y *aes, aeris,* dinero.) tr. ant. Tasar a dinero.

Aderezado, da. p. p. de **Aderezar.** || **2.** adj. Favorable, propicio.

Aderezamiento. m. **Aderezo,** 1.ª acep.

Aderezar. (De *a,* 2.° art., y *derezar.*) tr. Componer, adornar, hermosear. Ú. t. c. r. || **2. Guisar,** 1.ª acep. || **3.** Condimentar o sazonar los manjares. || **4.** Disponer o preparar. Ú. t. c. r. || **5.** Remendar o componer alguna cosa. || **6.** Componer con ciertos ingredientes algunas bebidas, como los vinos y licores, para mejorar su calidad o para que se parezcan a otras. || **7.** Preparar con goma u otros ingredientes algunos tejidos para que tomen consistencia y parezcan mejor. || **8.** Guiar, dirigir, encaminar. Ú. t. c. r. || **9.** fig. Acompañar una acción con algo que le añade gracia o adorno.

Aderezo. (De *aderezar.*) m. Acción y efecto de aderezar o aderezarse. || **2.** Aquello con que se adereza alguna persona o cosa. || **3.** Prevención, aparejo, disposición de lo necesario y conveniente para alguna cosa. || **4.** Juego de varias joyas con que se adornan las mujeres, y que se compone, por lo común, de collar, pendientes y manillas o pulseras. || **5.** Arreos para ornato y manejo del caballo. || **6.** Guarnición de ciertas armas blancas, y boca y contera de su vaina. || **Medio aderezo.** Juego de joyas que sólo se compone de pendientes y un alfiler para el pecho.

Adermar. (Del ár. *aṭ-ṭarm* o *ad-darm,* la melladura.) tr. *Ar.* Hacer mellas, roturas o hendeduras en el filo del astral, de resultas de un golpe.

Aderra. (Del ár. *ad-dārra,* lo que exprime y hace fluir.) f. Maromilla de esparto o de junco con que se aprieta el orujo.

Aderredor. adv. l. ant. **Alrededor.**

Adestrado, da. p. p. de **Adestrar.** || **2.** adj. *Blas.* Dícese del escudo que en el lado diestro tiene alguna partición o blasón, y también de la figura o blasón principal a cuya diestra hay otro.

Adestrador, ra. adj. **Adiestrador.** Ú. t. c. s.

Adestramiento. m. **Adiestramiento.**

Adestranza. f. ant. **Adiestramiento.**

Adestrar. tr. **Adiestrar.**

Adestría. f. ant. **Destreza,** 1.ª acep.

Adeudar. (De *a,* 2.° art., y *deuda.*) tr. Meter en deudas o entrampar, refiriéndose a personas; deber o tener deudas, refiriéndose a complemento de cosa. Ú. m. c. r. || **2.** Satisfacer impuesto o contribución. || **3.** ant. Obligar, exigir. || **4.** *Com.* **Cargar,** 13.ª acep. || **5.** r. **Endeudarse,** 1.ª acep.

Adeudar. (De *a,* 2.° art., y *deudo.*) intr. Contraer deudo, emparentar.

Adeudo. m. **Deuda,** 1.ª acep. || **2.** Cantidad que se ha de pagar en las aduanas por una mercancía. || **3.** *Com.* Acción y efecto de adeudar.

Adherecer. (Del lat. *adhaerescĕre;* de *ad,* a, y *haerescĕre,* estar unido.) intr. ant. **Adherir,** 1.ª acep.

Adherencia. f. Unión física, pegadura de las cosas. || **2.** Unión anormal de algunas partes del cuerpo que naturalmente deben estar separadas. || **3.** fig. Enlace, conexión, parentesco. || **4.** Parte añadida.

Adherente. (Del lat. *adhaerens, -entis.*) p. a. de **Adherir.** Que adhiere o se adhiere. || **2.** adj. Anexo, unido o pegado a una cosa. || **3.** m. Requisito o instrumento necesario para alguna cosa. Ú. m. en pl.

Adherir. (Del lat. *adhaerēre;* de *ad,* a, y *haerēre,* estar unido.) intr. Pegarse una cosa con otra. Ú. m. c. r. || **2.** fig. Convenir en un dictamen o partido y abrazarlo. Ú. m. c. r. || **3.** r. *For.* Utilizar, quien no lo había interpuesto, el recurso entablado por la parte contraria.

Adhesión. (Del lat. *adhaesio, -ōnis.*) f. **Adherencia,** 1.ª acep. || **2.** fig. Acción y efecto de adherir o adherirse, 2.ª y 3.ª aceps.

Adhesividad. f. Calidad de adhesivo.

Adhesivo, va. (Del lat. *adhaesum,* sup. de *adhaerēre,* adherir.) adj. Capaz de adherirse.

Adhibir. (Del lat. *adhibēre.*) tr. *Ar.* Unir, agregar.

Ad hoc. (Lit., *para esto.*) expr. adv. lat. que se aplica a lo que se dice o hace sólo para un fin determinado.

Ad hóminem. (Lit., *al hombre.*) expr. lat. *Lóg.* V. **Argumento ad hóminem.**

Adhortar. (Del lat. *adhortāri;* de *ad,* a, y *hortāri,* exhortar.) tr. ant. **Exhortar.**

Adiado, da. p. p. de **Adiar.** || **2.** adj. V. **Día adiado.**

Adiafa. (Del ár. *aḍ-ḍiyāfa,* el convite, la hospitalidad.) f. Regalo o refresco que se daba a los marineros al llegar a puerto después de un viaje.

Adiaforesis. f. *Med.* Supresión de la transpiración cutánea.

Adiamantado, da. adj. Parecido al diamante en la dureza o en otra de sus cualidades.

Adiamiento. m. ant. Acción y efecto de adiar.

Adiano, na. (De *edad,* con la term. de *anciano.*) adj. ant. De edad, desarrollado, crecido, provecto, antiguo.

Adiar. tr. Señalar o fijar día.

Adicción a díe. (Del lat. *addictio a die.*) loc. *For.* Pacto en virtud del cual recibe el comprador la cosa con la condición de que la venta quede rescindida si en el plazo señalado encuentra el vendedor quien le dé más.

Adicción in díem. loc. *For.* **Adicción a díe.**

Adición. (Del lat. *additio, -ōnis.*) f. Acción y efecto de añadir o agregar. || **2.** Añadidura que se hace, o parte que se aumenta en alguna obra o escrito. || **3.** Reparo o nota que se pone a las cuentas. || **4.** *Mat.* Operación de sumar.

Adicionador, ra. adj. Que adiciona. Ú. t. c. s.

Adicional. adj. Dícese de aquello con que se adiciona alguna cosa. || **2.** V. **Artículo adicional.**

Adicionar. tr. Hacer o poner adiciones.

Adición de la herencia. (Traducción de la fr. lat. *aditio haereditatis.*) loc. *For.* Acción y efecto de adir la herencia.

Adicto, ta. (Del lat. *addictus.*) adj. Dedicado, muy inclinado, apegado. Ú. t. c. s. || **2.** Unido o agregado a otro u otros para entender en algún asunto o desempeñar algún cargo o ministerio. Ú. t. c. s.

A díe. expr. lat. *For.* V. **Adicción a díe.**

Adieso. (Del lat. *ad id ipsum* [*tempus*], al mismo tiempo.) adv. t. ant. Al punto, luego, al instante.

Adiestrado, da. p. p. de **Adiestrar.** || **2.** adj. *Blas.* Dícese de la pieza a cuya derecha se pone otra.

Adiestrador, ra. adj. Que adiestra. Ú. t. c. s.

Adiestramiento. m. Acción y efecto de adiestrar o adiestrarse.

Adiestrar. tr. Hacer diestro. Ú. t. c. r. || **2.** Enseñar, instruir. Ú. t. c. r. || **3.** Guiar, encaminar.

Adietar. tr. Poner a dieta. Ú. t. c. r.

Adinamia. (Del gr. ἀδυναμία; de ἀ, priv., y δύναμις, fuerza.) f. *Med.* Debilidad o postración de las fuerzas del organismo.

Adinámico, ca. adj. *Med.* Perteneciente o relativo a la adinamia. || **2.** *Med.* Que padece adinamia.

Adinerado, da. p. p. de **Adinerar.** || **2.** adj. Que tiene mucho dinero.

Adinerar. tr. *Ar.* Reducir a dinero los efectos o créditos. || **2.** r. fam. Hacerse rico.

Adintelado, da. adj. *Arq.* V. **Arco adintelado.**

¡Adiós! interj. **¡A Dios!,** 1.ª acep. || **2.** m. **Despedida.**

Adipocira. (Del lat. *adipocēra;* de *adeps,* grasa, y *cera,* cera.) f. Grasa cadavérica; substancia grisácea blanda y jabonosa, constituida por una mezcla de jabón amoniacal con potasa, cal y ciertos ácidos grasos. Es producto de la descomposición de cadáveres sumergidos en agua o sepultados en terreno húmedo.

Adiposidad. f. Calidad de adiposo.

Adiposo, sa. (Del lat. *adipōsus.*) adj. *Zool.* Grasiento, cargado o lleno de grasa o gordura; de la naturaleza de la grasa. || **2.** *Zool.* V. **Tejido adiposo.**

Adipsia. f. *Med.* Falta de sed por un largo plazo.

Adir. (Del lat. *adīre;* de *ad,* a, e *īre,* ir.) tr. *For.* V. **Adir la herencia.**

Aditamento. (Del lat. *additamentum.*) m. **Añadidura.**

Aditicio, cia. (Del lat. *addĭtus.*) adj. Añadido.

Adiva. f. **Adive.**

Adivas. (Del ár. *aḍ-ḍi'ba.*) f. pl. *Veter.* Cierta inflamación de garganta en las bestias.

Adive. (Del ár. *aḍ-ḍi'b,* el lobo.) m. Mamífero carnicero, parecido a la zorra, de color leonado por el lomo y blanco amarillento por el vientre. En el siglo XVI, estos animales, que se domestican con facilidad, se pusieron de moda en Europa, trayéndolos de los desiertos de Asia, en donde abundan.

Adivinación. f. Acción y efecto de adivinar.

Adivinador, ra. adj. Que adivina. Ú. t. c. s.

Adivinaja. (Del lat. *ad,* a, y *divinacŭla,* pl. de *divinacŭlum.*) f. fam. **Acertijo.**

Adivinamiento. m. **Adivinación.**

Adivinante. p. a. de **Adivinar.** Que adivina.

Adivinanza. f. **Adivinación.** || **2. Acertijo.**

Adivinar. (Del lat. *addivināre.*) tr. Predecir lo futuro o descubrir las cosas ocultas, por medio de agüeros o sortilegios. || **2.** Descubrir por conjeturas alguna cosa oculta o ignorada. || **3.** Tratándose de un enigma, acertar lo que quiere decir.

Adivinatorio, ria. adj. Que incluye adivinación o se refiere a ella.

A divinis. expr. lat. V. **Cesación a divinis.**

Adivino, na. m. y f. Persona que adivina, 1.ª y 2.ª aceps. || **Adivino de Marchena, que, el Sol puesto, el asno a la sombra queda. Adivino de Salamanca, que no tiene dinero quien no tiene blanca. Adivino de Valderas, cuando corren las canales, que se mojan las carreras.** refs. con que se hace burla de los que anuncian como secreto y misterioso lo que todos saben.

Adjetivación. f. Acción de adjetivar o adjetivarse.

Adjetivadamente. adv. m. *Gram.* A manera, o con valor y significación de adjetivo.

Adjetival. adj. **Adjetivo,** 4.ª acep.

Adjetivar. tr. Concordar una cosa con otra, como en la gramática el substantivo con el adjetivo. || **2.** *Gram.* aplicar adjetivos. || **3.** *Gram.* Dar al nombre valor de adjetivo. Ú. t. c. r.

Adjetivo, va. (Del lat. *adiectīvus*, de *adiectus*, agregado.) adj. Que dice relación a una cualidad o accidente. ‖ **2.** *Gram.* **Nombre adjetivo.** Ú. m. c. s. m. ‖ **3.** *Gram.* V. **Verbo adjetivo.** ‖ **4.** *Gram.* Perteneciente al **adjetivo,** o que participa de su índole o naturaleza. ‖ **5.** fig. V. **Ley adjetiva.** ‖ **abundancial.** *Gram.* El que implica o denota idea de abundancia; como *pedregoso.* ‖ **calificativo.** *Gram.* El que denota alguna calidad del substantivo; como *blanco, negro, bueno, malo.* ‖ **comparativo.** *Gram.* El que denota comparación; como *mayor, mejor.* ‖ **determinativo.** *Gram.* El que determina la extensión en que se toma el substantivo; como *algunos, varios, muchos, todos.* ‖ **gentilicio.** *Gram.* El que denota la gente, nación o patria de las personas; como *español, castellano, madrileño.* ‖ **numeral.** *Gram.* El que significa número; como *dos, segundo, medio, doble.* ‖ **ordinal.** *Gram.* El numeral que expresa la idea de orden o sucesión; como *primero, segundo, quinto, sexto.* ‖ **positivo.** *Gram.* El de significación absoluta o simple, respecto del que es comparativo, superlativo, aumentativo o diminutivo; como *grande,* respecto de *mayor, máximo, grandazo* y *grandecito.* ‖ **superlativo.** *Gram.* El que denota el sumo grado de la calidad que con él se expresa; como *justísimo, celebérrimo.*

Adjudicación. (Del lat. *adiudicatĭo, -ōnis.*) f. Acción y efecto de adjudicar o adjudicarse.

Adjudicador, ra. adj. Que adjudica. Ú. t. c. s.

Adjudicar. (Del lat. *adiudicāre;* de *ad* y *iudicāre,* juzgar.) tr. Declarar que una cosa corresponde a una persona, o conferírsela en satisfacción de algún derecho. ‖ **2.** r. Apropiarse uno alguna cosa.

Adjudicatario, ria. m. y f. Persona a quien se adjudica alguna cosa.

Adjunción. (Del lat. *adiunctĭo, -ōnis,* unión, enlace.) f. *For.* Especie de accesión que se verifica cuando se juntan dos cosas muebles pertenecientes a diferentes dueños, pero de modo que puedan separarse o subsistir cada una después de separada. ‖ **2.** Añadidura, agregación.

Adjunto, ta. (Del lat. *adiunctus.*) adj. Que va o está unido con otra cosa. ‖ **2.** Dícese de la persona que acompaña a otra para entender con ella en algún negocio, cargo o trabajo. Ú. t. c. s. ‖ **3.** *Gram.* **Adjetivo,** 2.ª acep. Ú. t. c. s. ‖ **4.** m. **Aditamento.**

Adjurable. (De *adjurar.*) adj. ant. Aplicábase a la persona o cosa por quien se podía jurar.

Adjuración. (Del lat. *adiuratĭo, -ōnis.*) f. ant. **Conjuro.** ‖ **2.** ant. **Imprecación.**

Adjurador. (Del lat. *adiurātor.*) m. ant. Conjurador o exorcista.

Adjurar. (Del lat. *adiurāre;* de *ad,* a, y *iurāre,* jurar.) tr. ant. **Conjurar,** 5.ª acep.

Adjutor, ra. (Del lat. *adiūtor.*) adj. Que ayuda a otro. Ú. t. c. s.

Adjutorio. (Del lat. *adiutorĭum.*) m. ant. Ayuda, auxilio.

Ad líbitum. expr. adv. lat. A gusto, a voluntad.

Ad lítem. expr. lat. *For.* V. **Curador ad lítem.**

Adminicular. (Del lat. *adminiculāre,* de *adminicŭlum,* apoyo.) tr. Ayudar o auxiliar con algunas cosas a otras para darles mayor virtud o eficacia. Ú. m. en lo forense.

Adminículo. (Del lat. *adminicŭlum;* de *ad,* a, y *manicŭla,* manecilla.) m. Lo que sirve de ayuda o auxilio para una cosa o intento. ‖ **2.** Cada uno de los objetos que se llevan a prevención para servirse de ellos en caso de necesidad. Ú. m. en pl.

Administración. (Del lat. *administratĭo, -ōnis.*) f. Acción de administrar. ‖ **2.** Empleo de administrador. ‖ **3.** Casa u oficina donde el administrador y sus dependientes ejercen su empleo. ‖ **activa.** Acción del gobierno al dictar y aplicar las disposiciones necesarias para el cumplimiento de las leyes y para la conservación y fomento de los intereses públicos, y al resolver las reclamaciones a que dé lugar lo mandado. ‖ **contenciosa.** Acción del fuero judicial competente para resolver acerca de agravios causados en derechos preexistentes, por actos del orden administrativo. ‖ **de justicia.** Acción de los tribunales a quienes pertenece exclusivamente la potestad de aplicar las leyes en los juicios civiles y criminales, y cuyas funciones son juzgar y hacer que se ejecute lo juzgado. ‖ **diocesana.** La que tiene a su cargo la recaudación de los ingresos o rentas de una diócesis y el empleo de todos o parte de ellos en los gastos de la misma. ‖ **económica.** La que tiene a su cargo la recaudación de las rentas y el pago de las obligaciones públicas. ‖ **militar.** La que cuida de las atenciones materiales del ejército. ‖ **municipal.** La que cuida de los intereses del municipio. ‖ **provincial.** La que está a cargo de los gobernadores y diputaciones en cada provincia. ‖ **pública. Administración activa.** ‖ **En administración.** m. adv. que se usa hablando de la prebenda, encomienda, etc., que posee persona que no puede tenerla en propiedad. ‖ **2.** También se dice de cualquier cuerpo de bienes que por alguna causa no posee ni maneja su propietario, y se administra por terceras personas competentemente autorizadas por el juez. ‖ **Por administración.** m. adv. Por el gobierno, la provincia, el municipio o la empresa, y no por contratista. Dícese, generalmente, hablando de obras o servicios públicos.

Administrado, da. adj. Dícese de cada una de las personas sometidas a la jurisdicción de una autoridad administrativa. Ú. m. c. s.

Administrador, ra. (Del lat. *administrātor.*) adj. Que administra. Ú. t. c. s. ‖ **2.** m. y f. Persona que administra bienes ajenos. ‖ **Administrador de orden.** En las órdenes militares, caballero profeso que se encarga de la encomienda que goza persona incapaz de poseerla, como una mujer, un menor o una comunidad. ‖ **Administrador que administra y enfermo que se enjuaga, algo traga.** ref. que advierte cuán raro es manejar intereses ajenos con toda pureza.

Administradorcillo. m. d. de **Administrador.** ‖ **Administradorcillos, comer en plata y morir en grillos.** ref. que se dice de los que gastan y triunfan con las rentas ajenas que administran, y después vienen a morir en la cárcel o miserablemente.

Administrar. (Del lat. *administrāre;* de *ad,* a, y *ministrāre,* servir.) tr. Gobernar, regir, cuidar. ADMINISTRAR *la república, bienes ajenos.* ‖ **2.** Servir o ejercer algún ministerio o empleo. ‖ **3. Suministrar.** ‖ **4.** Tratándose de los sacramentos, conferirlos o darlos. ‖ **5.** Tratándose de medicamentos, aplicarlos, darlos o hacerlos tomar. Ú. t. c. r.

Administrativamente. adv. m. Por autoridad o procedimiento administrativo.

Administrativo, va. (Del lat. *administratīvus.*) adj. Perteneciente o relativo a la administración. ‖ **2.** V. **Derecho administrativo.** ‖ **3.** *For.* V. **Recurso contencioso administrativo.**

Administratorio, ria. (Del lat. *administratorĭus.*) adj. p. us. **Administrativo.**

Administro. (Del lat. *administer, -tri.*) m. ant. El que ayudaba o servía a otro en algún cargo u oficio.

Admirabilísimo, ma. adj. sup. irreg. de **Admirable.**

Admirable. (Del lat. *admirabĭlis.*) adj. Digno de admiración.

Admirablemente. adv. m. De manera admirable.

Admiración. (Del lat. *admiratĭo, -ōnis.*) f. Acción de admirar o admirarse. ‖ **2.** Cosa admirable. ‖ **3.** Signo ortográfico (¡!) que se pone antes y después de cláusulas o palabras para expresar **admiración,** queja o lástima, para llamar la atención hacia alguna cosa o ponderarla, o para denotar énfasis.

Admirador, ra. (Del lat. *admirātor.*) adj. Que admira. Ú. t. c. s.

Admirando, da. (Del lat. *admirandus.*) adj. Digno de ser admirado.

Admirante. (Del lat. *admirans, -antis.*) adj. Que admira o causa admiración. ‖ **2.** m. *Ortogr.* **Admiración,** 3.ª acep.

Admirar. (Del lat. *admirāri;* de *ad,* a, y *mirāri,* admirar.) tr. Causar sorpresa la vista o consideración de alguna cosa extraordinaria o inesperada. ‖ **2.** Ver, contemplar o considerar con sorpresa, o con sorpresa y placer, alguna cosa admirable. Ú. t. c. r. ‖ **3.** Tener en singular estimación a una persona o cosa que de algún modo sobresale en su línea.

Admirativamente. adv. m. **Admirablemente.** ‖ **2.** Con admiración.

Admirativo, va. (Del lat. *admirātus,* que admira.) adj. Capaz de causar admiración. ‖ **2.** Admirado o maravillado. ‖ **3.** Que implica o denota admiración. *Sentido* ADMIRATIVO.

Admisibilidad. f. Calidad de admisible.

Admisible. (Del lat. *admissum,* supino de *admittĕre,* admitir.) adj. Que puede admitirse.

Admisión. (Del lat. *admissĭo, -ōnis.*) f. Acción de admitir. ‖ **2.** *For.* Trámite previo en que se decide, apreciando aspectos de forma o motivos de evidencia, si ha o no lugar a seguir substancialmente ciertos recursos o reclamaciones. Aplícase especialmente a las querellas, y a recursos o procedimientos ante los tribunales supremos.

Admitir. (Del lat. *admittĕre.*) tr. Recibir o dar entrada. ‖ **2. Aceptar,** 1.ª acep. ‖ **3.** Permitir o sufrir. *Esta causa no* ADMITE *dilación.*

Admixtión. (Del lat. *admixtĭo, -ōnis.*) f. **Mezcla,** 2.ª acep.

Admonición. (Del lat. *admonitĭo, -ōnis.*) f. **Amonestación.** ‖ **2. Reconvención.**

Admonitor. (Del lat. *admonĭtor.*) m. **Monitor,** 1.ª acep. ‖ **2.** Religioso que en algunas comunidades tiene a su cargo amonestar o exhortar a la observancia de la regla.

Adnado, da. (Del lat. *ante natus,* nacido antes.) m. y f. ant. **Alnado, da.**

Adnata. (De *adnato.*) f. *Zool.* **Conjuntiva.**

Adnato, ta. (Del lat. *adnātus.*) adj. *Biol.* Que nace y crece juntamente con otra cosa a la que está adherido.

Ad nútum. expr. lat. **A voluntad.** ‖ **2.** V. **Beneficio amovible ad nútum.**

Adó. (De *a,* 2.º art., y *do,* donde.) adv. l. ant. **Adonde.**

Adoba. f. *Ar.* **Adobe,** 1.er art.

Adobado, da. p. p. de **Adobar.** ‖ **2.** m. Carne, y especialmente la de puerco, puesta en adobo. ‖ **3.** ant. Cualquier manjar compuesto o guisado.

Adobador, ra. adj. Que adoba. Ú. t. c. s.

Adobar. (Del germ. **dŭbdan,* armar caballero.) tr. Componer, arreglar, aderezar. ‖ **2. Guisar,** 1.ª acep. ‖ **3.** Poner o echar en adobo las carnes, especialmente la de puerco, u otras cosas para sazonarlas y conservarlas. ‖ **4.** Curtir las pieles y componerlas para varios usos. ‖ **5. Atarragar.** ‖ **6.** ant. Pactar, ajustar.

Adobasillas. (De *adobar* y *silla.*) m. El que compone sillas.

Adobe. (Del ár. *aṭ-ṭūb,* el ladrillo.) m. Masa de barro mezclado a veces con paja, moldeada en forma de ladrillo y secada al aire, que se emplea en la construcción de paredes o muros. || **Descansar haciendo adobes.** fr. fig. *Méj.* Dícese del que emplea en trabajo diferente del propio suyo el tiempo destinado al descanso.

Adobe. m. Hierro que ponían en los pies a un criminal.

Adobera. f. Molde para hacer adobes. || **2. Adobería,** 1.ª acep. || **3.** ant. Obra hecha de adobes. || **4.** *Chile.* Molde para hacer quesos de forma de adobe. || **5.** *Méj.* Queso en forma de adobe.

Adobería. f. Lugar donde se hacen adobes, 1.er art. || **2. Tenería.**

Adobío. m. Parte delantera del horno de manga. || **2.** ant. **Adobo,** 1.ª y 7.ª aceps.

Adobo. m. Acción y efecto de adobar. || **2.** Caldo o salsa con que se sazona un manjar. || **3.** Cualquier caldo, y especialmente el compuesto de vinagre, sal, orégano, ajos y pimentón, que sirve para sazonar y conservar las carnes y otras cosas. || **4.** Mezcla de varios ingredientes que se hace para curtir las pieles o para dar cuerpo y lustre a las telas. || **5. Afeite.** || **6.** ant. **Adorno,** 1.ª acep. || **7.** ant. Pacto, ajuste.

Adocenado, da. p. p. de **Adocenar.** || **2.** adj. Vulgar y de muy escaso mérito.

Adocenar. tr. Ordenar por docenas, o dividir en docenas. || **2.** Comprender o confundir a alguno entre gentes de calidad inferior. Ú. t. c. r.

Adocilar. (De *a,* 2.° art., y *dócil.*) tr. *Vallad.* Hablando de la tierra de labor, hacer que quede más suelta y ligera.

Adocir. (De *aducir.*) tr. ant. **Aducir.**

Adoctrinamiento. m. Acción y efecto de adoctrinar.

Adoctrinar. tr. **Doctrinar.**

Adolecente. p. a. de **Adolecer,** 1.er art. Que adolece.

Adolecer. (Del lat. *ad,* a, y *dolescĕre,* incoat. de *dolēre,* doler.) intr. Caer enfermo o padecer alguna enfermedad habitual. || **2.** fig. Tratándose de afectos, pasiones, vicios o malas cualidades, tenerlos o estar sujeto a ellos. || **3.** tr. ant. Causar dolencia o enfermedad. || **4.** r. **Condolerse.**

Adolecer. (Del lat. *adolescĕre.*) intr. **Crecer,** 1.ª acep.

Adolescencia. (Del lat. *adolescentĭa.*) f. Edad que sucede a la niñez y que transcurre desde que aparecen los primeros indicios de la pubertad hasta la edad adulta.

Adolescente. (Del lat. *adolescens, -entis.*) adj. Que está en la adolescencia. Ú. t. c. s.

Adolorado, da. adj. **Dolorido.**

Adolorido, da. adj. **Dolorido.**

Adomiciliar. tr. **Domiciliar.** Ú. t. c. r.

Adonado, da. adj. ant. Colmado de dones.

Adonaí. m. **Adonay.**

Adonarse. (Del lat. **addōnāre,* de *dōnum,* regalo.) r. ant. Acomodarse, adornarse.

Adonay. (Del hebr. *Adonay,* señor mío.) m. Uno de los nombres que los hebreos dan a la Divinidad.

Adonde. (De *a,* 2.° art., y *donde.*) adv. l. A qué parte, o a la parte que. *¿*ADÓNDE *vas? Aquélla es la casa* ADONDE *vamos.* || **2. Donde.**

Adondequiera. adv. l. A cualquiera parte. || **2. Dondequiera.**

Adonecer. (Del lat. *adŏlēscĕre,* crecer, infl. por *don,* 1.er art.) intr. *Ál.* Aumentar, dar de sí.

Adónico. (De *adonio.*) adj. V. **Verso adónico.** Ú. t. c. s.

Adonio. (De lat. *adonĭus.*) adj. **Adónico.** Ú. t. c. s.

Adonis. (Por alusión a la hermosura de *Adonis,* personaje mitológico.) m. fig. Mancebo hermoso.

Adonizarse. r. Embellecerse como un adonis.

Adopción. (Del lat. *adoptĭo, -ōnis.*) f. Acción de adoptar.

Adopcionismo. m. Herejía de los adopcionistas.

Adopcionista. adj. Dícese de ciertos herejes españoles del siglo VIII, que suponían que Cristo, en cuanto hombre, era hijo de Dios, no por naturaleza, sino por adopción del Padre. Ú. m. c. s. y en pl. || **2.** Perteneciente o relativo a estos herejes.

Adoptable. (Del lat. *adoptabĭlis.*) adj. Que puede ser adoptado.

Adoptación. (Del lat. *adoptatĭo, -ōnis.*) f. ant. **Adopción.**

Adoptador, ra. (Del lat. *adoptātor.*) adj. Que adopta. Ú. t. c. s.

Adoptante. p. a. de **Adoptar.** Que adopta. Ú. t. c. s.

Adoptar. (Del lat. *adoptāre;* de *ad,* a, y *optāre,* desear.) tr. Recibir como hijo, con los requisitos y solemnidades que establecen las leyes, al que no lo es naturalmente. || **2.** Recibir o admitir alguna opinión, parecer o doctrina, aprobándola o siguiéndola. || **3.** Tratándose de resoluciones o acuerdos, tomarlos con previo examen o deliberación.

Adoptivo, va. (Del lat. *adoptīvus.*) adj. Dícese de la persona adoptada. *Hijo* ADOPTIVO. || **2.** Dícese de la persona que adopta. *Padre* ADOPTIVO. || **3.** Dícese de la persona o cosa que uno elige, para tenerla por lo que realmente no es con respecto a él. *Hermano* ADOPTIVO; *patria* ADOPTIVA.

Adoquier. adv. l. ant. **Adoquiera.**

Adoquiera. (De *a,* 2.° art., y *doquiera.*) adv. l. ant. **Adondequiera.**

Adoquín. (Del ár. *ad-dukkān,* la piedra escuadrada.) m. Piedra labrada en forma de prisma rectangular para empedrados y otros usos.

Adoquinado, da. p. p. de **Adoquinar.** || **2.** m. Suelo empedrado con adoquines. || **3.** Acción de adoquinar.

Adoquinar. tr. Empedrar con adoquines.

Ador. (Del ár. *ad-dawr,* el turno, la vuelta, el período.) m. Tiempo señalado a cada uno para regar, en las comarcas o términos donde se reparte el agua con intervención de la autoridad pública o de la junta que gobierna la comunidad regante.

Adorable. (Del lat. *adorabĭlis.*) adj. Digno de adoración.

Adoración. (Del lat. *adoratĭo, -ōnis.*) f. Acción de adorar. || **de los Reyes.** Por excel., la que hicieron los Reyes Magos al Niño Jesús en el portal de Belén. || **2. Epifanía.**

Adorador, ra. (Del lat. *adorātor.*) adj. Que adora. Ú. t. c. s.

Adorante. p. a. de **Adorar.** Que adora.

Adorar. (Del lat. *adorāre;* de *ad,* a, y *orāre,* orar.) tr. Reverenciar con sumo honor o respeto a un ser, considerándolo como cosa divina. || **2.** Reverenciar y honrar a Dios con el culto religioso que le es debido. || **3.** Tratándose del Papa, postrarse delante de él los cardenales después de haberle elegido, en señal de reconocerle como legítimo sucesor de San Pedro. || **4.** fig. Amar con extremo. || **5.** intr. **Orar,** 2.ª acep. || **6.** Con la prep. *en,* tener puesta la estima o veneración en una persona o cosa.

Adoratorio. m. Templo en que los indios americanos daban culto a algún ídolo. || **2.** Retablillo portátil para viaje o campaña.

Adoratriz. (Del lat. *adoratrix.*) f. Religiosa de un Instituto de votos simples, fundado por la Madre Sacramento, hoy canonizada, con el nombre de Esclavas del Santísimo Sacramento, dedicado al par de esa devoción a reformar las costumbres de las mujeres jóvenes extraviadas.

Adormecedor, ra. adj. Que adormece.

Adormecer. (Del lat. *addormiscĕre;* de *ad,* a, y *dormiscĕre,* dormirse.) tr. Dar o causar sueño. Ú. t. c. r. || **2.** fig. Acallar, entretener. || **3.** fig. Calmar, sosegar. || **4.** intr. ant. **Dormir,** 1.ª acep. || **5.** r. Empezar a dormirse, o ir poco a poco rindiéndose al sueño. || **6.** fig. Entorpecerse, entumecerse, envararse. || **7.** fig. Con la prep. *en,* y tratándose de vicios, deleites, etc., permanecer en ellos, no dejarlos.

Adormecimiento. m. Acción y efecto de adormecer o adormecerse.

Adormentar. (Del lat. *ad,* a, y *dormiens, -entis,* durmiente.) tr. ant. **Adormecer.**

Adormidera. (De *adormir,* por su propiedad narcótica.) f. Planta de la familia de las papaveráceas, con hojas abrazadoras, de color garzo, flores grandes y terminales, y fruto capsular indehiscente. Es originaria de Oriente; se cultiva en los jardines, y por incisiones en las cápsulas verdes de su fruto se extrae el opio. || **2.** Fruto de esta planta.

Adormilarse. r. **Adormitarse.**

Adormimiento. (De *adormir.*) m. ant. **Adormecimiento.**

Adormir. (Del lat. *addormīre;* de *ad,* a, y *dormīre,* dormir.) tr. **Adormecer.** Ú. t. c. r. || **2.** r. ant. **Dormirse.**

Adormitarse. (De *a,* 2.° art., y *dormitar.*) r. Dormirse a medias.

Adornación. f. ant. **Adornamiento.**

Adornador, ra. adj. Que adorna. Ú. t. c. s.

Adornamiento. m. Acción y efecto de adornar o adornarse.

Adornante. p. a. de **Adornar.** Que adorna.

Adornar. (Del lat. *adornāre.*) tr. Engalanar con adornos. Ú. t. c. r. || **2.** Servir de adorno una cosa a otra; embellecerla, engalanarla. || **3.** fig. Dotar a un ser de perfecciones o virtudes: honrarlo, enaltecerlo. || **4.** fig. Enaltecer a una persona ciertas prendas o circunstancias favorables. Ú. t. c. r.

Adornista. m. El que hace o pone adornos, en especial en los edificios y habitaciones de éstos.

Adorno. (De *adornar.*) m. Lo que se pone para la hermosura o mejor parecer de personas o cosas. || **2.** *Germ.* **Vestido.** || **3.** pl. **Balsamina,** 2.ª acep. || **4.** *Germ.* Chapines. || **De adorno.** loc. En algunos colegios, dícese de ciertas enseñanzas que no son obligatorias, como el dibujo, la música, el bordado, etc.

Adoro. (De *adorar.*) m. ant. **Adoración.**

Adosado, da. p. p. de **Adosar.** || **2.** adj. *Arq.* V. **Columna adosada.**

Adosar. (Del lat. *ad,* a, y *dorsum,* dorso.) tr. Poner una cosa, por su espalda o envés, contigua a otra, como un cuadro contra la pared, o sólo arrimada, como una columna junto al muro. || **2.** *Blas.* Colocar espalda con espalda.

Adotrinar. tr. ant. **Adoctrinar.**

Adovelado, da. adj. Construido con dovelas.

Ad pédem lítterae. expr. adv. lat. **Al pie de la letra.**

Ad perpétuam. expr. lat. *For.* V. **Información ad perpétuam,** e **Información ad perpétuam rei memóriam.**

Ad quem. expr. lat. *For.* V. **Juez ad quem.**

Adquirente. p. a. de **Adquirir.** Que adquiere. Ú. t. c. s.

Adquirible. adj. Que puede adquirirse.

Adquiridor, ra. adj. Que adquiere. Ú. t. c. s. || **A buen adquiridor, buen expendedor.** ref. que advierte cómo la hacienda que con trabajo y afán se adquirió suele venir a parar en manos de quien en breve tiempo la disipa y consume.

Adquiriente. p. a. de **Adquirir.** Adquirente.

Adquirir. (Del lat. *adquirĕre;* de *ad,* a, y *quaerĕre,* buscar.) tr. Ganar, conseguir con el propio trabajo o industria. ‖ **2.** Coger, lograr o conseguir. ‖ **3.** *For.* Hacer propio un derecho o cosa que a nadie pertenece, u otro transmite a título lucrativo u oneroso, o por prescripción. ‖ **Quien mal adquiere para bien gastar, no es de loar ni envidiar.** ref. que enseña que no se deben **adquirir** mal las cosas, aunque sea para emplearlas bien.

Adquisición. (Del lat. *adquisitĭo, -ōnis.*) f. Acción de adquirir. ‖ **2.** La cosa adquirida.

Adquisidor, ra. adj. **Adquiridor.** Ú. t. c. s.

Adquisitivo, va. (Del lat. *adquisitīvus.*) adj. *For.* Que sirve para adquirir. *Título* ADQUISITIVO; *prescripción* ADQUISITIVA.

Adquisito, ta. (Del lat. *adquisītus.*) p. p. irreg. ant. de **Adquirir.**

Adra. (Del ár. *ad-dāra,* la vuelta.) f. Turno, vez. ‖ **2.** Porción o división del vecindario de un pueblo. ‖ **3.** *Ál.* **Prestación personal.**

Adrado, da. adj. ant. Apartado o ralo.

Adragante. adj. V. **Goma adragante.**

Adraganto. m. **Tragacanto.**

Adral. (De *ladral,* en el grupo *el* [*l*]*adral.*) m. Cada uno de los zarzos o tablas que se ponen en los costados del carro para que no se caiga lo que va en él. Ú. m. en pl.

Adrar. (De *adra.*) tr. *Sal.* Repartir las aguas para el riego.

Adredañas. adv. m. ant. **Adrede.**

Adrede. (Del cat. o arag. *adret,* y éste del lat. *ad, directum,* a derecho.) adv. m. De propósito, de caso pensado, con deliberada intención.

Adredemente. adv. m. **Adrede.**

Ad referéndum. expr. adv. lat. A condición de ser aprobado por el superior o el mandante. Dícese comúnmente de convenios diplomáticos y de votaciones populares sobre proyectos de ley.

Adrenalina. (Del lat. *ad,* junto a, y *renalis,* renal.) f. *Fisiol.* Hormona segregada principalmente por la masa medular de las glándulas suprarrenales, poco soluble en agua, levógira y cristalizable. Es un poderoso constrictor de los vasos sanguíneos, por lo que se usa como medicamento hemostático.

Adrezar. (De *aderezar.*) tr. ant. **Aderezar.** ‖ **2.** r. ant. Enderezarse, empinarse, levantarse.

Adrezo. (De *adrezar.*) m. ant. **Aderezo.**

Adrián. m. **Juanete,** 2.ª acep. ‖ **2.** Nido de urracas.

Adriático, ca. (Del lat. *hadriatĭcus.*) adj. Aplícase al mar o golfo de Venecia. Ú. t. c. s. ‖ **2.** Perteneciente a este mar. *Playas* ADRIÁTICAS.

Adrizamiento. m. *Mar.* Acción y efecto de adrizar.

Adrizar. (De *a,* 2.º art., y *drizar.*) tr. *Mar.* **Enderezar,** 2.ª acep. Ú. t. c. r.

Adrizar. (Del ital. *addirizare,* enderezar.) tr. *Mar.* Enderezar o levantar la nave.

Adrolla. f. **Trapaza,** 1.ª acep.

Adrollero. (De *adrolla.*) m. El que compra o vende con engaño.

Adrubado, da. (De *a,* 2.º art., y el lat. *tuberātus,* con hinchazón.) adj. ant. Gibado o contrahecho.

Adscribir. (Del lat. *adscribĕre;* de *ad,* a, y *scribĕre,* escribir.) tr. Inscribir, contar entre lo que corresponde a una persona o cosa, atribuir. ‖ **2.** Agregar a una persona al servicio de un cuerpo o destino. Ú. t. c. r.

Adscripción. (Del lat. *adscriptĭo, -ōnis.*) f. Acción y efecto de adscribir o adscribirse.

Adscripto, ta. (Del lat. *adscriptus.*) p. p. irreg. **Adscrito.**

Adscrito, ta. (De *adscripto.*) p. p. irreg. de **Adscribir.**

Adsorción. (Del lat. *ad,* y *sorbĕre,* sorber.) m. *Fís.* Concentración de una substancia disuelta, bien sobre la superficie de un sólido o alrededor de las partículas de un coloide en suspensión.

Adstricción. f. **Astricción.**

Adstringente. p. a. de **Adstringir.** Astringente.

Adstringir. tr. **Astringir.**

Adtor. (Del lat. *acceptor, -ōris,* etim. pop., por *accĭpĭter,* gavilán.) m. ant. **Azor,** 1.er art., 1.ª acep.

Aduana. (Del ár. *ad-diwāna,* el registro.) f. Oficina pública, establecida generalmente en las costas y fronteras, para registrar, en el tráfico internacional, los géneros y mercaderías que se importan o exportan, y cobrar los derechos que adeudan. ‖ **2.** V. **Repertorio de aduanas.** ‖ **3.** *Germ.* Lugar donde los ladrones juntan las cosas hurtadas. ‖ **4.** *Germ.* **Mancebía,** 1.ª acep. ‖ **central.** La que suele existir en la capital del Estado para determinadas mercancías. ‖ **interior.** La que antiguamente existía como refuerzo de las exteriores, o entre provincias sometidas a una misma soberanía. ‖ **Pasar** una cosa **por todas las aduanas.** fr. fig. y fam. Tener su curso o examen por todos los medios o trámites correspondientes.

Aduanar. tr. Registrar en la aduana los géneros o mercaderías, y pagar en ella los derechos que adeuden.

Aduanero, ra. adj. Perteneciente o relativo a la aduana. ‖ **2.** m. Empleado en la aduana.

Aduar. (Del ár. *adwār,* casas.) m. Pequeña población de beduinos, formada de tiendas, chozas o cabañas. ‖ **2.** Conjunto de tiendas o barracas que los gitanos levantan en el campo para su habitación. ‖ **3.** Ranchería de indios americanos.

Adúcar. (Del ár. *ad-dukār,* la seda basta.) m. Seda que rodea exteriormente el capullo del gusano de seda, y la cual siempre es más basta. ‖ **2. Capullo ocal.** ‖ **3. Seda ocal.** ‖ **4.** Tela de **adúcar.**

Aducción. (Del lat. *adductĭo, -ōnis.*) f. *Zool.* Movimiento por el cual se acerca un miembro u otro órgano al plano medio que divide imaginariamente el cuerpo en dos partes simétricas. ADUCCIÓN *del brazo, del ojo.*

Aducir. (Del lat. *adducĕre;* de *ad,* a, y *ducĕre,* llevar.) tr. Tratándose de pruebas, razones, etc., presentarlas o alegarlas. ‖ **2.** ant. Traer, llevar, enviar.

Aductor. (Del lat. *adductor,* que lleva o conduce.) adj. *Zool.* V. **Músculo aductor.** Ú. t. c. s.

Aducho, cha. (Del lat. *adductus,* aducido.) p. p. irreg. ant. de **Aducir.**

Aducho, cha. (Del lat. *eductus,* enseñado.) adj. ant. **Ducho.**

Aduendado, da. adj. Que tiene las propiedades atribuidas a los duendes.

Adueñarse. r. Hacerse uno dueño de una cosa o apoderarse de ella.

Adufa. (Del ár. *ad-duffa,* la compuerta.) f. En Valencia, **compuerta,** 2.ª acep.

Adufe. (Del ár. *ad-duff,* el pandero.) m. Pandero morisco. ‖ **2.** fig. y fam. **Pandero,** 2.ª acep.

Adufero, ra. m. y f. Persona que toca el adufe.

Adufre. m. **Adufe.**

Aduja. f. *Mar.* Cada una de las vueltas o roscas circulares u oblongas de cualquier cabo que se recoge en tal forma, o de una vela enrollada, cadena, etc.

Adujar. tr. *Mar.* Recoger en adujas un cabo, cadena o vela enrollada. ‖ **2.** r. fig. *Mar.* Encogerse para acomodarse en poco espacio.

Adul. (Del ár. *ʿudūl,* testigos fidedignos.) m. En Marruecos, asesor del cadí; persona que merece entera confianza; notario, escribano.

Adula. f. **Dula.** ‖ **2. Ador.**

Adulación. (Del lat. *adulatĭo, -ōnis.*) f. Acción y efecto de adular.

Adulador, ra. (Del lat. *adulātor.*) adj. Que adula. Ú. t. c. s.

Adulante. p. a. de **Adular.** Que adula.

Adular. (Del lat. *adulāri.*) tr. Hacer o decir con estudio, y por lo común inmoderadamente, lo que se cree puede agradar a otro. ‖ **2. Deleitar.**

Adularia. f. *Mineral.* Variedad de feldespato, transparente y generalmente incoloro.

Adulatorio, ria. (Del lat. *adulatorĭus.*) adj. Perteneciente o relativo a la adulación.

Adulcir. tr. Dulcificar, endulzar.

Adulear. intr. *Ar.* Vocear o gritar mucho, como los aduleros.

Adulero. m. **Dulero.**

Adulón, na. adj. fam. Adulador servil y bajo. Ú. m. c. s.

Adulteración. (Del lat. *adulteratĭo, -ōnis.*) f. Acción y efecto de adulterar o adulterarse.

Adulterador, ra. (Del lat. *adulterātor.*) adj. Que adultera. Ú. t. c. s.

Adulterante. p. a. de **Adulterar.** Que adultera.

Adulterar. (Del lat. *adulterāre.*) int. Cometer adulterio. ‖ **2.** tr. fig. Viciar, falsificar alguna cosa. Ú. t. c. r.

Adulterinamente. adv. m. Con adulterio.

Adulterino, na. (Del lat. *adulterīnus.*) adj. Procedente de adulterio. ‖ **2.** Perteneciente o relativo al adulterio. ‖ **3.** fig. Falso, falsificado.

Adulterio. (Del lat. *adulterĭum.*) m. Ayuntamiento carnal ilegítimo de hombre con mujer, siendo uno de los dos o ambos casados. ‖ **2.** Falsificación, fraude. ‖ **3.** *For.* Delito que cometen la mujer casada que yace con varón que no sea su marido, y el que yace con ella sabiendo que es casada.

Adúltero, ra. (Del lat. *adulter;* de *ad,* a, y *alter,* otro.) adj. Que comete adulterio. Ú. t. c. s. ‖ **2.** Perteneciente al adulterio o al que lo comete. ‖ **3.** fig. Falsificado, corrompido.

Adulto, ta. (Del lat. *adultus.*) adj. Llegado a su mayor crecimiento o desarrollo. *Persona* ADULTA, *animal* ADULTO. Ú. t. c. s. ‖ **2.** V. **Edad adulta.** ‖ **3.** fig. Llegado a su mayor grado de perfección. *Lenguas* ADULTAS.

Adulzar. tr. Hacer dulce el hierro u otro metal. ‖ **2. Endulzar.**

Adulzorar. (De *a,* 2.º art., y *dulzor.*) tr. Dulcificar, suavizar. Ú. t. c. r.

Adumbración. (Del lat. *adumbratĭo, -ōnis;* de *adumbrāre,* hacer sombra.) f. *Pint.* Parte menos iluminada de la figura u objeto.

Adumbrar. (Del lat. *adumbrāre.*) tr. **Sombrear,** 2.ª acep.

Adunación. (Del lat. *adunatĭo, -ōnis.*) f. ant. Acción y efecto de adunar o adunarse.

Adunar. (Del lat. *adunāre;* de *ad,* a, y *unus,* uno.) tr. Unir, juntar, congregar. Ú. t. c. r. ‖ **2. Unificar.** Ú. t. c. r.

Adunco, ca. (Del lat. *aduncus;* de *ad,* a, y *uncus,* encorvado.) adj. Corvo, combado.

Adunia. (Del ár. *ad-dunyā,* el mundo, los bienes materiales.) adv. m. En abundancia.

Adur. adv. m. ant. **Aduro.**

Adurar. intr. ant. Durar, ser de mucho aguante.

Aduras. (De *a duras,* sobrentendiéndose *penas.*) adv. m. ant. **Apenas,** 1.ª y 2.ª aceps.

Adurir. (Del lat. *adūrĕre.*) tr. ant. Abrasar o quemar. ‖ **2.** ant. Causar excesivo calor.

Aduro. (Del lat. *ad durum.*) adv. m. ant. **Aduras.**

Adustez. f. Calidad de adusto.

Adustible. (De *adusto.*) adj. ant. Que se puede adurir.

Adustión. (Del lat. *adustĭo, -ōnis.*) f. ant. Acción y efecto de adurir.

Adustivo, va. (De *adusto.*) adj. ant. Que tiene virtud de adurir.

Adusto, ta. (Del lat. *adustus.*) p. p. irreg. ant. de **Adurir.** || **2.** adj. Quemado, tostado, ardiente. || **3.** fig. Austero, rígido, melancólico. Dícese de personas y cosas.

Adutaque. (Del ár. *ad-duqāq,* la harina fina.) f. ant. **Adárgama.**

Ad valórem. expr. adv. lat. Con arreglo al valor, como los derechos arancelarios que pagan ciertas mercancías.

Advenedizo, za. (De *advenir.*) adj. Extranjero o forastero. Ú. t. c. s. || **2.** No natural. || **3.** despect. Dícese de la persona que va sin empleo u oficio a establecerse en un país o en un pueblo. Ú. t. c. s. || **4.** Dícese de la persona de humilde linaje que, habiendo reunido cierta fortuna, pretende figurar entre gentes de más alta condición social. Ú. t. c. s. || **5.** ant. Gentil o mahometano convertido al cristianismo. Usáb. t. c. s.

Advenidero, ra. adj. **Venidero,** 1.ª acep.

Advenimiento. (De *advenir.*) m. Venida o llegada, especialmente si es esperada y solemne. || **2.** Ascenso de un sumo pontífice o de un soberano al trono. || **3.** ant. **Suceso.** || **Esperar** uno **el santo advenimiento.** fr. fig. y fam. Esperar o aguardar algo que tarda mucho en realizarse, o que no se ha de realizar.

Advenir. (Del lat. *advenīre;* de *ad,* a, y *venīre,* venir.) intr. Venir o llegar.

Adventajas. (De *aventaja.*) f. pl. *For. Ar.* Porción de bienes muebles que el cónyuge que sobrevive puede sacar, según fuero, a beneficio suyo, antes de hacerse partición de aquéllos.

Adventicio, cia. (Del lat. *adventicĭus.*) adj. Extraño o que sobreviene, a diferencia de lo natural y propio. || **2.** *For.* V. **Bienes adventicios.** || **3.** *For.* V. **Peculio adventicio.** || **4.** *Biol.* Aplícase al órgano o parte de los animales o vegetales que se desarrolla ocasionalmente y cuya existencia no es constante.

Adventismo. (Del lat. *adventus,* llegada.) m. Doctrina de los adventistas.

Adventista. adj. Dícese de una secta americana que espera un segundo y próximo advenimiento de Cristo. || **2.** m. y f. Partidario de esta secta.

Advento. (De lat. *adventus.*) m. ant. Venida o llegada.

Adveración. f. Acción y efecto de adverar. || **2.** ant. **Certificación,** 2.ª acep.

Adverado, da. p. p. de **Adverar.** || **2.** adj. V. **Testamento adverado.**

Adverar. (Del b. lat. *adverāre,* y éste del lat. *ad,* a, y *verus,* verdadero.) tr. Certificar, asegurar, dar por cierta alguna cosa o por auténtico algún documento.

Adverbial. (Del lat. *adverbiālis.*) adj. *Gram.* Perteneciente al adverbio, o que participa de su índole o naturaleza. *Expresión, frase* ADVERBIAL. || **2.** *Gram.* V. **Modo adverbial.**

Adverbializar. tr. Emplear adverbialmente una palabra o locución. Ú. t. c. r.

Adverbialmente. adv. m. *Gram.* A modo de adverbio, o con valor y significación de adverbio.

Adverbio. (Del lat. *adverbium,* de *ad,* a, y *verbum,* verbo, palabra.) m. *Gram.* Parte de la oración que sirve para modificar la significación del verbo o de cualquiera otra palabra que tenga un sentido calificativo o atributivo. Hay **adverbios** de **lugar,** como *aquí, delante, lejos;* de **tiempo,** como *hoy, mientras, nunca;* de **modo,** como *bien, despacio, fácilmente;* de **cantidad,** como *bastante, mucho, muy;* de **orden,** como *primeramente;* de **afirmación,** como *sí;* de **negación,** como *no;* de **duda** o **dubitativos,** como *acaso;* **comparativos,** como *peor;* **superlativos,** como *facilísimamente, lejísimos,* y **diminutivos,** como *cerquita.*

Adversador. (Del lat. *adversātor.*) m. ant. **Adversario,** 2.ª acep.

Adversamente. adv. m. Con adversidad.

Adversar. (Del lat. *adversāri;* de *adversus,* contrario.) tr. ant. Contrariar o resistir a otro.

Adversario, ria. (Del lat. *adversarĭus.*) adj. ant. **Adverso.** || **2.** m. y f. Persona contraria y enemiga. || **3.** m. pl. Entre los eruditos, notas y apuntamientos de diversas noticias y materias puestas en método de tablas, a fin de tenerlas a la mano para alguna obra o escrito.

Adversativo, va. (Del lat. *adversatīvus.*) adj. *Gram.* Que implica o denota oposición o contrariedad de concepto o sentido. || **2.** *Gram.* V. **Conjunción, partícula adversativa.**

Adversidad. (Del lat. *adversĭtas, -ātis.*) f. Calidad de adverso. || **2.** Suerte adversa, infortunio. || **3.** Situación desgraciada en que se encuentra una persona.

Adversión. (Del lat. *adversĭo, -ōnis.*) f. ant. **Aversión.** || **2.** ant. **Advertencia,** 1.ª acep.

Adverso, sa. (Del lat. *adversus;* de *ad,* a, y *versus,* vuelto.) adj. Contrario, enemigo, desfavorable. || **2.** Opuesto materialmente a otra cosa, o colocado enfrente de ella.

Advertencia. f. Acción y efecto de advertir. || **2.** Escrito, por lo común breve, con que en una obra o en una publicación cualquiera se advierte algo al lector. || **3.** Escrito breve en que se advierte algo al público.

Advertidamente. adv. m. Con advertencia.

Advertido, da. p. p. de **Advertir.** || **2.** adj. Capaz, experto, avisado.

Advertimiento. m. **Advertencia,** 1.ª acep.

Advertir. (Del lat. *advertĕre;* de *ad,* a, y *vertĕre,* volver.) tr. Fijar en algo la atención, reparar, observar. Ú. t. c. intr. || **2.** Llamar la atención de uno sobre algo, hacer notar u observar. || **3.** Aconsejar, amonestar, enseñar, prevenir. || **4.** intr. **Atender,** 3.ª acep. || **5. Caer en la cuenta.**

Adviento. (Del lat. *adventus,* llegada.) m. Tiempo santo que celebra la Iglesia desde el domingo primero de los cuatro que preceden a la Natividad de Nuestro Señor Jesucristo hasta la vigilia de esta fiesta. || **2.** V. **Domingo de Adviento.**

Advocación. (Del lat. *advocatĭo, -ōnis.*) f. Título que se da a un templo, capilla o altar por estar dedicado a Nuestro Señor, a la Virgen, a un santo, a un misterio de la religión, etc. También se llama así el que tienen algunas imágenes para distinguirse unas de otras por razón del misterio o pasaje que representan; como *Nuestra Señora de los Dolores, del Pilar,* etc., o por razón del lugar; como *Nuestra Señora de Atocha, del Carmen,* etc. || **2.** ant. **Abogacía.** || **3.** ant. *For.* **Avocación.**

Advocado. (Del lat. *advocātus.*) m. ant. **Abogado.**

Advocar. (Del lat. *advocāre;* de *ad,* a, y *vocāre,* llamar.) tr. ant. **Abogar.** || **2.** *For.* ant. **Avocar.**

Advocatorio, ria. adj. ant. **Convocatorio.**

Adyacente. (Del lat. *adiăcens, -entis,* p. a. de *adiacēre,* estar próximo.) adj. Situado en la inmediación o proximidad de otra cosa. || **2.** V. **Ángulos adyacentes.**

Adyuntivo, va. (Del lat. *adiunctīvus.*) adj. ant. **Conjuntivo.**

Adyutorio. (Del lat. *adiutorĭum.*) m. ant. Ayuda, auxilio, socorro.

Adyuvante. (Del lat. *adiuvans, -antis.*) adj. Que ayuda.

Aedo. (Del gr. ἀοιδός, cantor.) m. Bardo, poeta o cantor épico de la antigua Grecia.

Aellas. f. pl. *Germ.* Llaves.

Aeración. (Del lat. *aër,* aire.) f. *Med.* Acción de las condiciones físicas y químicas del aire atmosférico en el tratamiento de las enfermedades. || **2.** *Med.* Introducción del aire en las aguas potables o medicinales.

Aéreo, a. (Del lat. *aerĕus.*) adj. De aire. || **2.** Perteneciente o relativo al aire. || **3.** V. **Base, perspectiva, vesícula aérea.** || **4.** fig. Sutil, vaporoso, fantástico, sin solidez ni fundamento. || **5.** *Biol.* Dícese de los animales o plantas que viven en contacto directo con el aire atmosférico.

Aerífero, ra. (Del lat. *aër,* aire, y *ferre,* llevar.) adj. Que lleva o conduce aire. *Vías* AERÍFERAS.

Aeriforme. (Del lat. *aër,* aire, y *forma,* forma.) adj. *Quím.* Parecido al aire. *Fluidos* AERIFORMES.

Aerobio. (Del gr. ἀήρ, aire, y βίος, vida.) adj. *Biol.* Aplícase al ser vivo que necesita del aire para subsistir.

Aerodinámica. (Del gr. ἀήρ, aire, y de *dinámica.*) f. Parte de la mecánica, que estudia el movimiento de los gases.

Aerodinámico, ca. adj. Perteneciente o relativo a la aerodinámica. || **2.** Dícese de los vehículos y otras cosas que tienen una forma adecuada para disminuir la resistencia del aire.

Aeródromo. (Del gr. ἀήρ, aire, y δρόμος, carrera.) m. Sitio destinado para la salida y llegada de los aviones, aeronaves, etc.

Aerofagia. (Del gr. ἀήρ, aire, y φαγομαι, comer.) m. *Med.* Deglución espasmódica del aire, que se observa en algunas neurosis.

Aeróforo, ra. (Del gr. ἀήρ, aire, y φορός, que lleva.) adj. **Aerífero.**

Aerolítico, ca. adj. Perteneciente o relativo a los aerolitos.

Aerolito. (Del gr. ἀήρ, aire, y λίθος, piedra.) m. Fragmento de un bólido que cae sobre la Tierra.

Aeromancia [~**mancía**]. (Del lat. *aeromantĭa,* y éste del gr. ἀήρ, aire, y μαντεία, adivinación.) f. Adivinación supersticiosa por las señales e impresiones del aire.

Aeromántico, ca. adj. Perteneciente o relativo a la aeromancia. || **2.** m. y f. Persona que la profesa.

Aerómetro. (Del gr. ἀήρ, aire, y μέτρον, medida.) m. Instrumento para medir la densidad del aire.

Aeromóvil. (Del gr. ἀήρ, aire, y *móvil.*) m. Aeronave o avión.

Aeronato, ta. (Del gr. ἀήρ, aire, y el lat. *natus,* nacido.) adj. Dícese de la persona nacida en un avión o en una aeronave durante el vuelo. Ú. t. c. s.

Aeronauta. (Del gr. ἀήρ, aire, y ναύτης, navegante.) com. Persona que navega por el aire.

Aeronáutica. f. Ciencia o arte de la navegación aérea.

Aeronáutico, ca. adj. Perteneciente o relativo a la aeronáutica.

Aeronave. (Del lat. *aër,* aire, y de *nave.*) f. Vehículo dirigible que, lleno de un gas más ligero que el aire, se emplea en la aerostación.

Aeroplano. (Del lat. *aër,* aire, y *plānum,* plano.) m. **Avión,** 2.° art.

Aeropostal. (Del gr. ἀήρ, aire, y *postal.*) adj. Relativo al correo aéreo o por avión.

Aeropuerto. (Del gr. ἀήρ, aire, y de *puerto.*) m. Estación o lugar de parada y arranque para los vehículos aéreos.

Aerostación. (Del lat. *aër* ,aire, y *statĭo, -ōnis,* el acto de estar firme.) f. Navegación aérea.

Aerostática. (Del gr. ἀήρ, aire, y de *estática.*) f. Parte de la mecánica, que estudia el equilibrio de los gases.

Aerostático, ca. adj. Perteneciente o relativo a la aerostática. || **2.** V. **Globo aerostático.**

Aeróstato. (Del gr. ἀήρ, aire, y στατός, parado, en equilibrio.) m. **Globo aerostático.**

Aerostero. (Del fr. *aérostier.*) m. **Aeronauta.** || **2.** Soldado de aerostación militar.

Aerotecnia. (Del gr. ἀήρ, aire, y τέχνη, arte.) f. Arte o ciencia que trata de las aplicaciones del aire a la industria.

Aerotécnico, ca. adj. Perteneciente o relativo a la aerotecnia.

Aeroterapia. (Del gr. ἀήρ, aire, y θεραπεία, tratamiento.) f. *Med.* Método de curar ciertas enfermedades por medio del aire contenido en aparatos a propósito.

Aerovía. f. Ruta establecida para el vuelo comercial de los aviones.

Aeta. (Del tagalo *ayta*, negro del monte.) adj. Indígena de las montañas de Filipinas, que se distingue por su estatura pequeña y color pardo muy obscuro. Ú. t. c. s. || **2.** Perteneciente o relativo a los **aetas.** || **3.** m. Lengua **aeta.**

Afabilidad. (Del lat. *affabilĭtas, -ātis.*) f. Calidad de afable.

Afabilísimo, ma. adj. sup. de **Afable.**

Afable. (Del lat. *affabĭlis*, de *affāri*, hablar.) adj. Agradable, dulce, suave en la conversación y el trato. || **2.** ant. Que se puede decir o expresar con palabras.

Afablemente. adv. m. Con afabilidad.

Afabulación. (Del lat. *affabulatĭo, -ōnis;* de *ad*, a, y *fabulatĭo*, fábula, cuento.) f. Moralidad o explicación de una fábula.

Afabulador. m. ant. **Fabulador.**

Áfaca. (Del lat. *aphăca*, y éste del gr. ἀφάκη, almorta.) f. *Bot.* Planta anual arvense, de la familia de las papilionáceas, parecida a la lenteja.

Afaccionado, da. (De *a*, 2.° art., y *facción.*) adj. ant. Con los adverbios *bien* o *mal*, bien o mal agestado.

Afacer. (Del lat. **affacĕre*, por *afficĕre*, hacer.) intr. ant. Tener comunicación o trato. Usáb. t. c. r.

Afacimiento. m. ant. Acción y efecto de afacer o afacerse.

Afaicionado, da. adj. ant. **Afaccionado.**

Afalagar. tr. ant. **Halagar.**

Afalago. m. ant. **Halago.**

Afamado, da. p. p. de **Afamar.** || **2.** adj. **Famoso,** 1.ª acep.

Afamado, da. (De *a*, 2.° art., y *fame.*) adj. ant. **Hambriento.**

Afamar. tr. Hacer famoso, dar fama. Tómase por lo común en buena parte. Ú. t. c. r.

Afán. (De *afanar.*) m. Trabajo excesivo, solícito y congojoso. || **2.** Anhelo vehemente. || **3.** Trabajo corporal, como el de los jornaleros.

Afanadamente. adv. m. **Afanosamente.**

Afanado, da. p. p. de **Afanar.** || **2.** adj. Lleno de afán, afanoso.

Afanador, ra. adj. Que afana o se afana. Ú. t. c. s. || **2.** m. y f. *Méj.* Persona que en los establecimientos públicos de beneficencia o de castigo se emplea en las faenas más penosas.

Afanar. (De *a*, 2.° art., y *faena.*) intr. Entregarse al trabajo con solicitud congojosa. Ú. m. c. r. || **2.** Hacer diligencias con vehemente anhelo para conseguir alguna cosa. Ú. m. c. r. || **3.** Trabajar corporalmente, como los jornaleros. || **4.** tr. Trabajar a uno, traerle apurado. || **5.** vulg. **Hurtar,** 1.ª, 2.ª y 4.ª aceps. || **Afanar, afanar y nunca medrar.** ref. con que se da a entender la desgracia de quien no logra mejorar de fortuna, procurándolo con afán.

Afaníptero. (Del gr. ἀφανής, invisible, y πτερόν, ala.) adj. *Zool.* Dícese de insectos del orden de los dípteros, que carecen de alas y tienen metamorfosis complicadas; como la pulga y la nigua. Ú. t. c. s. || **2.** m. pl. *Zool.* Suborden de estos animales.

Afanita. (Del gr. ἀφανής, obscuro.) f. **Anfibolita.**

Afanosamente. adv. m. Con afán.

Afanoso, sa. adj. Muy penoso o trabajoso. || **2.** Que se afana.

Afañarse. r. ant. Afanarse.

Afaño. m. ant. *Ar.* Afán o fatiga.

Afarallonado, da. adj. Dícese del bajo, cabo o punta de figura de farallón.

Afarolado, da. (De *farol*, 5.ª acep.) adj. *Taurom.* Dícese del lance o suerte en que el diestro se pasa el engaño por encima de la cabeza.

Afascalar. tr. *Ar.* Hacer fascales.

Afasia. (Del gr. ἀφασία; de ἀ, priv., y φάσις, palabra.) f. *Med.* Pérdida del habla a consecuencia de desorden cerebral.

Afásico, ca. adj. Que tiene afasia; propio de ella.

Afatar. tr. *Ast.* y *Gal.* Aparejar una caballería.

Afé. (De *a*, 2.° art., y *fe*, 2.° art.) adv. ant. **Ahé.** Usáb. frecuentemente con pronombres sufijos.

Afeador, ra. adj. Que afea. Ú. t. c. s.

Afeamiento. m. Acción y efecto de afear o afearse.

Afear. tr. Hacer o poner fea a una persona o cosa. Ú. t. c. r. || **2.** fig. Tachar, vituperar.

Afeblecerse. (De *a*, 2.° art., y *feble.*) r. Adelgazarse, debilitarse.

Afección. (Del lat. *affectĭo, -ōnis.*) f. Impresión que hace una cosa en otra, causando en ella alteración o mudanza. || **2.** Afición o inclinación. || **3.** En los beneficios eclesiásticos, reserva de su provisión, y comúnmente se entiende por la correspondiente al Papa. || **4.** *Med.* Alteración morbosa. AFECCIÓN *pulmonar, catarral, reumática.*

Afeccionar. tr. ant. **Impresionar,** 2.ª acep. || **2.** r. Aficionarse, inclinarse.

Afectación. (Del lat. *affectatĭo -ōnis.*) f. Acción de afectar. || **2.** Falta de sencillez y naturalidad; extravagancia presuntuosa en la manera de ser, de hablar, de escribir, de accionar, etc.

Afectadamente. adv. m. Con afectación.

Afectado, da. p. p. de **Afectar.** || **2.** adj. Que adolece de afectación. *Orador, estilo* AFECTADO. || **3.** Aparente, fingido. *Celo* AFECTADO; *ignorancia* AFECTADA. || **4.** Aquejado, molestado.

Afectador, ra. (Del lat. *affectātor.*) adj. Que afecta.

Afectar. (Del lat. *affectāre*, frec. de *afficĕre*, disponer, preparar.) tr. Poner demasiado estudio o cuidado en las palabras, movimientos, adornos, etc., de modo que pierdan la sencillez y naturalidad. || **2. Fingir,** 1.ª acep. AFECTAR *celo, ignorancia.* || **3. Anexar.** || **4.** Hacer impresión una cosa en una persona, causando en ella alguna sensación. Ú. t. c. r. || **5.** Apetecer y procurar alguna cosa con ansia y ahínco. || **6.** *For.* Imponer gravamen u obligación sobre alguna cosa, sujetándola el dueño a la efectividad de ajeno derecho. || **7.** *Med.* Producir alteración o mudanza en algún órgano.

Afectísimo, ma. adj. sup. de **Afecto.**

Afectividad. f. *Fren.* Desarrollo de la propensión a querer. || **2.** *Fil.* Conjunto de los fenómenos afectivos.

Afectivo, va. (Del lat. *affectīvus.*) adj. Perteneciente o relativo al afecto. || **2.** Perteneciente o relativo a la sensibilidad. *Fenómeno* AFECTIVO.

Afecto, ta. (Del lat. *affectus, a, um.*) adj. Inclinado a alguna persona o cosa. || **2.** Aplícase al beneficio eclesiástico que tiene alguna particular reserva en su provisión, y más comúnmente se entiende de la del Papa. || **3.** Dícese de las posesiones o rentas sujetas a alguna carga u obligación. || **4.** Dícese de la persona destinada a ejercer funciones o a prestar sus servicios en determinada dependencia.

Afecto. (Del lat. *affectus.*) m. Cualquiera de las pasiones del ánimo, como ira, amor, odio, etc. Tómase más particularmente por amor o cariño. || **2.** *Med.* **Afección,** 4.ª acep. || **3.** *Pint.* Expresión y viveza de la acción en que se pinta la figura.

Afectuosamente. adv. m. Con afecto o cariño.

Afectuosidad. f. Calidad de afectuoso.

Afectuoso, sa. (Del lat. *affectuōsus.*) adj. Amoroso, cariñoso. || **2.** *Pint.* Expresivo, vivo.

Afecho, cha. (Del lat. *affĕctus*, hecho.) p. p. irreg. ant. de **Afacer.** || **2.** adj. ant. Hecho o acostumbrado.

Afeitadamente. adv. m. Con adorno y pulimento.

Afeitadera. (De *afeitar.*) f. ant. **Peine,** 1.ª acep.

Afeitado, da. p. p. de **Afeitar.** || **2.** m. Acción y efecto de afeitar, 3.ª acep.

Afeitador. (De *afeitar.*) m. ant. **Barbero,** 1.ª acep.

Afeitadora. (De *afeitador.*) f. ant. **Vellera.**

Afeitamiento. m. ant. **Afeite.**

Afeitar. (Del arag. o leon. *afeitar*, y éste del lat. *affĕctāre*, arreglar.) tr. Adornar, componer, hermosear. Ú. t. c. r. || **2.** Componer o hermosear con afeites el rostro u otra parte del cuerpo. Ú. t. c. r. || **3.** Raer con navaja la barba o el bigote, y por ext. el pelo de cualquiera parte del cuerpo. Ú. t. c. r. || **4.** V. **Navaja de afeitar.** || **5.** Esquilar a una caballería las crines y las puntas de la cola. || **6.** Recortar e igualar las ramas y hojas de una planta de jardín. || **7.** ant. Arreglar, componer, dirigir, instruir.

Afeite. (De *afeitar.*) m. Aderezo, compostura. || **2. Cosmético.**

Afelio. (Del gr. ἀπό, lejos de, y ἥλιος, Sol.) m. *Astron.* Punto que en la órbita de un planeta dista más del Sol.

Afelpado, da. p. p. de **Afelpar.** || **2.** adj. Hecho o tejido en forma de felpa. || **3.** fig. Parecido a la felpa por tener vello o pelusilla.

Afelpar. tr. Dar a la tela que se trabaja el aspecto de felpa o terciopelo. || **2.** *Mar.* Reforzar la vela con estopa o pallete.

Afeminación. (De *afeminación.*) f. Molicie, flojedad de ánimo.

Afeminadamente. adv. m. Con afeminación.

Afeminado, da. (De *afeminado.*) p. p. de **Afeminar.** || **2.** adj. Dícese del que en su persona, modo de hablar, acciones o adornos se parece a las mujeres. Ú. t. c. s. || **3.** Que parece de mujer. *Cara, voz* AFEMINADA.

Afeminamiento. m. **Afeminación.**

Afeminar. (De *afeminar.*) tr. Hacer a uno perder la energía varonil, o inclinarle a que en sus modales y acciones o en el adorno de su persona se parezca a las mujeres. Ú. m. c. r.

Afer. (De *a*, 2.° art., y *fer.*) m. ant. Negocio, quehacer. Usáb. m. en pl.

Aferente. (Del lat. *affĕrens, -entis*, p. a. de *afferre*, traer.) adj. Que trae. || **2.** *Anat.* Dícese del vaso conductor de la sangre que entra en un órgano determinado.

Aféresis. (Del gr. ἀφαίρεσις, de ἀφαιρέω, quitar.) f. *Gram.* Supresión de algún sonido al principio de un vocablo, como en NORABUENA por *enhorabuena.* La aféresis era figura de dicción según la preceptiva tradicional.

Aferidor, ra. adj. ant. Que afiere. Usáb. t. c. s.

Aferir. (Del lat. *ad*, a, y *ferīre*, golpear, batir.) tr. ant. Contrastar los pesos y medidas.

Afermosear. tr. ant. **Hermosear.**

Aferradamente. adv. m. Con obstinación.

Aferrador, ra. adj. Que aferra. ‖ **2.** m. *Germ.* **Corchete,** 6.ª acep.

Aferramiento. m. Acción y efecto de aferrar o aferrarse.

Aferrar. (De *a,* 2.° art., y *ferro.*) tr. Agarrar o asir fuertemente. Ú. t. c. intr. ‖ **2.** *Mar.* Plegar las velas de cruz, asegurándolas sobre sus vergas, y las de cuchillo, toldos, empavesadas, etc., sobre sus nervios o cabos semejantes. ‖ **3.** *Mar.* Atrapar, agarrar con el bichero u otro instrumento de garfio. Ú. t. c. intr. ‖ **4.** *Mar.* Asegurar la embarcación en el puerto, echando los ferros o anclas. ‖ **5.** intr. *Mar.* Agarrar el ancla en el fondo. ‖ **6.** r. Asirse, agarrarse fuertemente una cosa con otra. Dícese de las embarcaciones cuando se asen unas a otras con garfios. ‖ **7.** fig. Insistir con tenacidad en algún dictamen u opinión. Ú. t. c. intr.

Aferravelas. (De *aferrar* y *vela.*) m. ant. **Tomador,** 5.ª acep.

Aferrojar. (De *a,* 2.° art., y *ferrojo.*) tr. ant. **Aherrojar.**

Aferruzado, da. (Del lat. *ad,* a, y *fĕrus,* fiero.) adj. Ceñudo, iracundo.

Aferventar. (Del lat. *ad,* a, y *fervens, -entis,* hirviente.) tr. ant. **Herventar.**

Afervorar. (De *a,* 2.° art., y *fervorar.*) tr. **Afervorizar.** Ú. t. c. r.

Afervorizar. (De *a,* 2.° art., y *fervorizar.*) tr. **Enfervorizar.** Ú. t. c. r.

Afestonado, da. adj. Labrado en forma de festón. ‖ **2.** Adornado con festones.

Afgano, na. adj. Natural del Afganistán. Ú. t. c. s. ‖ **2.** Perteneciente a este país de Asia.

Afianzador, ra. adj. Que afianza.

Afianzamiento. m. Acción y efecto de afianzar o afianzarse.

Afianzar. tr. Dar fianza por alguno para seguridad o resguardo de intereses o caudales, o del cumplimiento de alguna obligación. ‖ **2.** Afirmar o asegurar con puntales, cordeles, clavos, etc.; apoyar, sostener. Ú. t. c. r. ‖ **3.** Asir, agarrar. Ú. t. c. r.

Afiar. (De *a,* 2.° art., y *fiar.*) tr. ant. Dar a uno fe o palabra de seguridad de no hacerle daño, según lo practicaban antiguamente los hijosdalgo.

Afiblar. (Del lat. *affibulāre,* de *fibŭla,* broche.) tr. ant. Ceñir, ajustar, abrochar.

Aficar. tr. ant. **Ahincar.**

Afice. (Del ár. *ḥafiz,* inspector.) m. ant. **Hafiz.**

Afición. (Del lat. *affectĭo, -ōnis,* afección.) f. Inclinación, amor a alguna persona o cosa. ‖ **2.** Ahínco, eficacia. ‖ **Afición ciega razón.** ref. que advierte que el amor encubre los defectos de lo que se ama.

Aficionadamente. adv. m. Con afición.

Aficionado, da. p. p. de **Aficionar.** ‖ **2.** adj. Que cultiva algún arte sin tenerlo por oficio. Ú. t. c. s.

Aficionador, ra. adj. Que aficiona.

Aficionar. (De *afición.*) tr. Inclinar, inducir a otro a que guste de alguna persona o cosa. ‖ **2.** r. Prendarse de alguna persona, gustar de alguna cosa.

Afiebrarse. r. *Chile.* **Acalenturarse.**

Afielar. tr. **Enfielar.**

Afijación. f. ant. **Fijación,** 1.ª acep.

Afijado, da. (Del lat. *affiliātus.*) m. y f. ant. **Ahijado, da.**

Afijadura. (De *afijar.*) f. ant. **Fijación,** 1.ª acep.

Afijamiento. (De *afijar.*) m. ant. **Afijación.**

Afijar. tr. ant. **Fijar.**

Afijo, ja. (Del lat. *affixus.*) p. p. irreg. ant. de **Afijar.** ‖ **2.** adj. *Gram.* Dícese del pronombre personal cuando va pospuesto y unido al verbo, y también de las preposiciones y partículas que se emplean en la formación de palabras derivadas y compuestas. Ú. m. c. s. m.

Afiladera. (De *afilar.*) adj. V. **Piedra afiladera.** Ú. t. c. s.

Afilador, ra. adj. Que afila. ‖ **2.** m. El que tiene por oficio afilar instrumentos cortantes. ‖ **3. Afilón,** 1.ª acep.

Afiladura. f. Acción y efecto de afilar. ‖ **2.** ant. **Filo,** 1.ª acep.

Afilamiento. (De *afilar.*) m. Adelgazamiento de la cara, la nariz o los dedos.

Afilar. tr. Sacar filo o hacer más delgado o agudo el de una arma o instrumento. ‖ **2. Aguzar,** 1.ª acep. ‖ **3.** fig. Afinar la voz o hacer más sutil algo inmaterial. ‖ **4.** r. fig. Adelgazarse la cara, la nariz o los dedos.

Afiliación. f. Acción y efecto de afiliar o afiliarse.

Afiliar. (Del lat. **affiliāre;* de *ad,* a, y *filĭus,* hijo.) tr. Juntar, unir, asociar una persona a otras que forman corporación o sociedad. Ú. m. c. r. AFILIARSE *a un partido político.*

Afiligranado, da. p. p. de **Afiligranar.** ‖ **2.** adj. De filigrana. ‖ **3.** Parecido a ella. ‖ **4.** fig. Dícese de personas y cosas pequeñas, muy finas y delicadas. *Mujer* AFILIGRANADA; *facciones* AFILIGRANADAS; *estilo* AFILIGRANADO.

Afiligranar. tr. Hacer filigrana. ‖ **2.** fig. Pulir, hermosear primorosamente.

Áfilo, la. (Del gr. ἄφυλλος; de ἀ, priv., y φύλλον, hoja.) adj. *Bot.* Que no tiene hojas.

Afilón. (De *afilar.*) m. Correa impregnada de grasa, que sirve para afinar, suavizar o asentar el filo, 1.ª acep. ‖ **2. Chaira,** 2.ª acep.

Afilosofado, da. adj. Dícese del que afecta ademanes, lenguaje y modo de vivir de sabio o filósofo.

Afín. (Del lat. *affinis;* de *ad,* a, y *finis,* término.) adj. Próximo, contiguo. *Campos* AFINES. ‖ **2.** Que tiene afinidad con otra cosa. ‖ **3.** m. y f. Pariente por afinidad.

Afinación. f. Acción y efecto de afinar o afinarse.

Afinadamente. adv. m. Con afinación. ‖ **2.** fig. Con delicadeza y finura.

Afinador, ra. adj. Que afina. ‖ **2.** m. El que tiene por oficio afinar pianos u otros instrumentos músicos. ‖ **3. Templador,** 2.ª acep.

Afinadura. f. **Afinación.**

Afinamiento. m. **Afinación.** ‖ **2. Finura.**

Afinar. (De *a,* 2.° art., y *fino.*) tr. Perfeccionar, dar el último punto a una cosa. Ú. t. c. r. ‖ **2.** Hacer fina o cortés a una persona. Ú. m. c. r. ‖ **3.** Hacer el encuadernador que la cubierta del libro sobresalga igualmente por todas partes. ‖ **4.** Purificar los metales. ‖ **5.** Poner en tono justo los instrumentos músicos con arreglo a un mismo diapasón y acordarlos bien unos con otros. ‖ **6.** Cantar o tocar entonando con perfección los sonidos.

Afinar. (Del lat. *ad,* a, y *finis,* fin.) tr. ant. Finalizar, acabar, terminar. Ú. en Chile.

Afincable. adj. ant. Que se desea o procura con ahínco.

Afincadamente. adv. m. ant. **Ahincadamente.**

Afincado, da. p. p. de **Afincar.** ‖ **2.** adj. ant. **Ahincado.**

Afincamiento. m. ant. **Ahincamiento.** ‖ **2.** ant. Apremio, vejación, violencia ‖ **3.** ant. Congoja o aflicción.

Afincar. (De *a,* 2.° art., y *fincar.*) intr. **Fincar,** 2.ª acep. Ú. t. c. r. ‖ **2.** tr. ant. **Ahincar.**

Afinco. m. ant. **Ahínco.**

Afine. adj. **Afín.**

Afinidad. (Del lat. *affinĭtas, -ātis.*) f. Analogía o semejanza de una cosa con otra. ‖ **2.** Parentesco que mediante el matrimonio se establece entre cada cónyuge y los deudos por consanguinidad del otro. ‖ **3.** Impedimento dirimente derivado de tal parentesco, que comprende siempre la línea recta, y de la colateral hasta el segundo grado en el matrimonio canónico y hasta el tercero en el civil, según los respectivos cómputos. ‖ **4.** *Quím.* Fuerza que une los átomos para formar las moléculas.

Afino. m. Afinación de los metales.

Afinojar. (De *a,* 2.° art., y *finojo.*) tr. ant. **Ahinojar.** Usáb. m. c. intr. y c. r.

Afirmación. (Del lat. *affirmatĭo, -ōnis.*) f. Acción y efecto de afirmar o afirmarse.

Afirmadamente. adv. m. Con firmeza o seguridad.

Afirmado, da. p. p. de **Afirmar.** ‖ **2.** m. **Firme,** 7.ª acep.

Afirmador, ra. (Del lat. *affirmātor.*) adj. Que afirma. Ú. t. c. s.

Afirmamiento. m. ant. **Afirmación.** ‖ **2.** ant. *Ar.* Ajuste con que entraba a servir un criado.

Afirmante. p. a. de **Afirmar.** Que afirma.

Afirmanza. (De *afirmar.*) f. ant. **Firmeza.**

Afirmar. (Del lat. *affirmāre;* de *ad,* a, y *firmāre,* fortificar, asegurar.) tr. Poner firme, dar firmeza. Ú. t. c. r. ‖ **2.** Asegurar o dar por cierta alguna cosa. ‖ **3.** *Ar.* Ajustar, generalmente por un año, a una persona para que preste determinados servicios. Ú. t. c. r. ‖ **4.** intr. ant. *Ar.* Habitar o residir. ‖ **5.** r. Estribar o asegurarse en algo para estar firme. AFIRMARSE *en los estribos.* ‖ **6.** Ratificarse alguno en su dicho o declaración. ‖ **7.** *Esgr.* Irse firme hacia el contrario, presentándole la punta de la espada.

Afirmativa. (Del lat. *affirmatīva,* f. de *-tīvus,* afirmativo.) f. Proposición u opinión afirmativa.

Afirmativamente. adv. m. De modo afirmativo.

Afirmativo, va. (Del lat. *affirmatīvus.*) adj. Que denota o implica la acción de afirmar, 2.ª acep. ‖ **2.** V. **Precepto afirmativo.** ‖ **3.** *Dial.* V. **Proposición afirmativa.**

Afistolar. tr. ant. **Afistular.**

Afistular. tr. Hacer que una llaga pase a ser fístula. Ú. t. c. r.

Afiuciar. (Del lat. *fiduciāre,* avalar.) tr. ant. **Avalar.**

Aflacar. (De *a,* 2.° art., y *flaco.*) tr. ant. Enflaquecer, debilitar. ‖ **2.** intr. ant. fig. **Flaquear.**

Aflamar. (De *a,* 2.° art., y *flama.*) tr. ant. **Inflamar.**

Aflaquecerse. r. ant. Enflaquecerse.

Aflato. (Del lat. *afflātus;* de *afflāre,* soplar, inspirar.) m. Soplo, viento. ‖ **2.** fig. **Inspiración.**

Aflautado, da. adj. De sonido semejante al de la flauta.

Aflechado, da. adj. En forma de flecha.

Aflechate. m. ant. *Mar.* **Flechaste.**

Afleitar. tr. ant. **Fletar.**

Afletamiento. (De *afletar.*) m. ant. **Flete.**

Afletar. tr. ant. **Fletar.**

Aflicción. (Del lat. *afflictĭo, -ōnis.*) f. Efecto de afligir o afligirse.

Aflictivo, va. adj. Dícese de lo que causa aflicción. ‖ **2.** V. **Pena aflictiva.**

Aflicto, ta. (Del lat. *afflictus.*) p. p. irreg. de **Afligir.**

Afligente. (Del lat. *affligens, -entis.*) p. a. ant. de **Afligir.** Que aflige.

Afligible. (De *afligir.*) adj. ant. **Aflictivo,** 1.ª acep.

Afligidamente. adv. m. Con aflicción.

Afligimiento. (De *afligir.*) m. **Aflicción.**

Afligir. (Del lat. *affligĕre;* de *ad,* a, y *fligĕre,* chocar, sacudir.) tr. Causar molestia o sufrimiento físico. Ú. t. c. r. || **2.** Causar tristeza o angustia moral. Ú. t. c. r.

Aflojadura. f. ant. **Aflojamiento.**

Aflojamiento. m. Acción de aflojar o aflojarse.

Aflojar. (De *a*, 2.° art., y *flojo.*) tr. Disminuir la presión o la tirantez. Ú. t. c. r. || **2.** fig. y fam. Soltar, entregar. || **3.** intr. fig. Perder fuerza una cosa. AFLOJÓ *la calentura.* || **4.** fig. Dejar uno de emplear el mismo vigor, fervor o aplicación que antes en alguna cosa. AFLOJÓ *en sus devociones, en el estudio.*

Aflorado, da. p. p. de **Aflorar.** || **2.** V. **Pan aflorado.**

Afloramiento. m. Efecto de aflorar. || **2.** Mineral aflorado.

Aflorar. (De *a*, 2.° art., y *flor.*) intr. Asomar a la superficie del terreno un filón, una capa o una masa mineral cualquiera. || **2.** tr. Cerner la harina o acribar los cereales para obtener la flor o parte selecta de los mismos.

Afluencia. (Del lat. *affluentĭa.*) f. Acción y efecto de afluir. || **2.** Abundancia o copia. || **3.** fig. Facundia, abundancia de palabras o expresiones.

Afluente. (Del lat. *afflŭens, -entis.*) p. a. de **Afluir.** Que afluye. || **2.** adj. Facundo, abundante en palabras o expresiones. || **3.** m. Arroyo o río secundario que desemboca o desagua en otro principal.

Afluentemente. adv. m. Con afluencia.

Afluir. (Del lat. *afluĕre*; de *ad*, a, y *fluĕre*, fluir.) intr. Acudir en abundancia, o concurrir en gran número, a un lugar o sitio determinado. || **2.** Verter un río o arroyo sus aguas en las de otro o en las de un lago o mar.

Aflujo. (Del lat. *affluxus.*) m. *Med.* Afluencia de líquidos a un tejido orgánico en más abundancia que la correspondiente al estado normal fisiológico.

Afogamiento. (De *afogar.*) m. ant. **Ahogamiento.**

Afogar. (Del lat. *offōcāre*, apretar las fauces.) tr. ant. **Ahogar,** 1.er art. Usáb. t. c. r.

Afogarar. (De *a*, 2.° art., y *fogar.*) tr. **Asurar.** Ú. m. c. r.

Afogonadura. f. ant. *Mar.* **Fogonadura.**

Afollado, da. p. p. de **Afollar.** || **2.** m. **Fuelle,** 3.ª acep. || **3.** pl. **Follado,** 4.ª acep.

Afollador. m. *Méj.* **Follador.**

Afollar. (De *a*, 2.° art., y *follar*, 1.er art.) tr. Soplar con los fuelles. || **2.** fig. Plegar en forma de fuelles. || **3.** *Albañ.* Hacer mal la obra de fábrica. || **4.** ant. Estropear, herir. Usáb. t. c. r. || **5.** ant. Ofender, lastimar, viciar. || **6.** r. *Albañ.* ahuecarse o avejigarse las paredes.

Afondable. adj. ant. **Fondable.**

Afondado, da. p. p. de **Afondar.** || **2.** adj. ant. Hondo, bajo, hundido.

Afondar. tr. **Echar a fondo.** || **2.** ant. **Ahondar.** || **3.** intr. Irse a fondo, hundirse. Ú. t. c. r.

Afonía. (Del gr. ἀφωνία.) f. Falta de voz.

Afónico, ca. (De *afonía.*) adj. Falto de voz o de sonido.

Áfono, na. (Del gr. ἄφωνος; de ἀ, priv., y φωνή, voz.) adj. **Afónico.**

Aforadar. (De *a*, 2.° art., y *foradar.*) tr. ant. **Horadar.**

Aforado, da. p. p. de **Aforar.** || **2.** adj. Aplícase a la persona que goza de fuero. Ú. t. c. r.

Aforador. m. El que afora.

Aforamiento. m. Acción y efecto de aforar, 1.ª y 2.ª aceps.

Aforar. (De *a*, 2.° art., y *foro.*) tr. Dar o tomar a foro alguna heredad. || **2.** Dar, otorgar fueros. || **3.** Reconocer y valuar los géneros o mercaderías para el pago de derechos. || **4.** Medir la cantidad de agua que lleva una corriente en una unidad de tiempo. || **5.** Determinar la cantidad y valor de los géneros o mercaderías que haya en algún lugar. || **6.** Calcular la capacidad de un receptáculo. || **7.** intr. Dicho de las decoraciones teatrales, cubrir perfectamente los lados o partes del escenario que deben ocultarse al público. Ú. t. c. tr.

Aforcar. (De *a*, 2.° art., y *forca.*) tr. ant. **Ahorcar.**

Aforisma. (Del gr. ἀφόρισμα, cosa puesta aparte; de ἀφορίζω, separar.) f. *Veter.* Tumor que se forma en las bestias por la relajación o rotura de alguna arteria.

Aforismo. (Del lat. *aphorismus*, y éste del gr. ἀφορισμός; de ἀπό, de, y ὁρίζω, limitar.) m. Sentencia breve y doctrinal que se propone como regla en alguna ciencia o arte.

Aforístico, ca. (Del gr. ἀφοριστικός.) adj. Perteneciente o relativo al aforismo.

Afornecer. tr. ant. **Fornecer.**

Aforo. m. Acción y efecto de aforar, 3.ª, 4.ª, 5.ª y 6.ª aceps. || **2.** Capacidad total de las localidades de un teatro u otro recinto de espectáculos públicos.

Aforra. (Del ár. *al-ḥurra*, la libre.) f. ant. **Aforramiento.**

Aforrado, da. p. p. de **Aforrar,** 2.° art. || **2.** adj. ant. Manumiso o liberto. Ú. t. c. s.

Aforrador. (De *aforrar*, 2.° art.) m. ant. **Manumisor.**

Aforrador, ra. adj. Que echa forros. Ú. t. c. s.

Aforradura. (De *aforrar*, 1.er art.) f. ant. **Aforro.**

Aforramiento. m. ant. Acción y efecto de aforrar, 2.° art.

Aforrar. (De *a*, 2.° art., y *forrar.*) tr. **Forrar.** || **2.** *Mar.* Cubrir a vueltas con un cabo delgado parte de otro más grueso. || **3.** r. Ponerse mucha ropa interior. || **4.** fig. y fam. Comer y beber bien. Ú. m. con algún adverbio. || **Afórrate, o afórrese, o bien puedes aforrarte, o puede aforrarse, con** ello. loc. fam. con que uno hace desprecio de lo que otro le ofrece.

Aforrar. (De *aforra.*) tr. ant. **Ahorrar,** 1.ª acep.

Aforrecho, cha. (De *aforrar*, 2.° art.) adj. ant. Horro, libre o desembarazado.

Aforro. (De *aforrar*, 1.er art.) m. **Forro.** || **2.** *Mar.* Conjunto de vueltas de cabo delgado con que se cubre determinada parte de otro más grueso. || **3.** *Mar.* El mismo cabo con que se aforra.

Afortalar. tr. ant. **Fortificar,** 2.ª acep.

A fortiori. expr. adv. lat. Con mayor razón.

Afortunadamente. adv. m. Por dicha o por buena suerte.

Afortunado, da. p. p. de **Afortunar.** || **2.** adj. Que tiene fortuna o buena suerte. || **3.** Borrascoso, tempestuoso. || **4.** Feliz, que hace feliz, donde se encuentra la felicidad, y así se dice: *Unión* AFORTUNADA; *mansión* AFORTUNADA.

Afortunar. (De *a*, 2.° art., y *fortuna.*) tr. Hacer afortunado o dichoso a alguno.

Aforzarse. (De *a*, 2.° art., y *forzar.*) r. ant. **Esforzarse.**

Afosarse. r. *Mil.* Defenderse haciendo algún foso.

Afoscarse. (De *a*, 2.° art., y *fosco.*) r. *Mar.* Cargarse la atmósfera de vapores que hacen confusa la visión de los objetos.

Afoyar. (De *a*, 2.° art., y *foya.*) tr. ant. **Ahoyar.**

Afrailado, da. p. p. de **Afrailar.** || **2.** adj. *Impr.* Aplícase a lo impreso que tiene fraile.

Afrailamiento. m. Acción de afrailar.

Afrailar. (De *a*, 2.° art., y *fraile*, con alusión al cerquillo.) tr. *Agr.* Cortar las ramas a un árbol por junto a la cruz.

Afrancar. tr. ant. Hacer franco o libre al esclavo.

Afrancesado, da. (De *franco*, exento, libre, porque no pagaban contribución los predios no cultivados.) adj. f. *Al.* Dícese de la finca o heredad lleca.

Afrancesado, da. p. p. de **Afrancesar.** || **2.** adj. Que gusta de imitar a los franceses. Ú. t. c. s. || **3.** Partidario de los franceses. Dícese especialmente de los españoles que en la guerra de la Independencia siguieron el partido de Napoleón. Ú. t. c. s.

Afrancesamiento. m. Tendencia exagerada a las ideas o costumbres de origen francés.

Afrancesar. tr. Hacer tomar carácter francés, o inclinación a las cosas francesas. Ú. t. c. r. || **2.** r. Hacerse uno afrancesado.

Afranjado, da. adj. Con franjas.

Afrecharse. r. *Chile.* Enfermar un animal por haber comido demasiado afrecho.

Afrecho. (Del lat. *affractum*, quebrantado.) m. **Salvado,** 2.ª acep.

Afrenillar. tr. Amarrar o sujetar con frenillos.

Afrenta. (De *afruenta.*) f. Vergüenza y deshonor que resulta de algún dicho o hecho. || **2.** Dicho o hecho afrentoso. || **3.** Deshonra que se sigue de la imposición de penas por ciertos delitos. || **4.** ant. Peligro, apuro o lance capaz de ocasionar vergüenza o deshonra. || **5.** ant. Requerimiento, intimación.

Afrentación. f. ant. **Afrontación.**

Afrentadamente. adv. m. ant. **Afrentosamente.**

Afrentador, ra. adj. Que afrenta. Ú. t. c. s. || **2.** ant. Decíase del que requería o amonestaba. Usáb. t. c. s.

Afrentar. (De *afrenta.*) tr. Causar afrenta. || **2.** Sobrepujar, humillar. || **3.** ant. Poner en aprieto, peligro o lance capaz de ocasionar vergüenza o deshonra. || **4.** ant. Requerir, intimar. || **5.** r. Avergonzarse, sonrojarse.

Afrentosamente. adv. m. Con afrenta.

Afrentoso, sa. adj. Dícese de lo que causa afrenta.

Afretado, da. (De *a*, 2.° art., y *frete.*) adj. Parecido a la franja o fres.

Afretar. (Del ital. *affrettare*, y éste del lat. *affrictāre*, de *affrictum*, fregado.) tr. *Mar.* Fregar, limpiar la embarcación y quitarle la broma.

Afreza. (De *freza.*) f. ant. Cebo preparado para atolondrar a los peces y cogerlos.

Africado, da. adj. *Gram.* Dícese del sonido cuya articulación consiste en una oclusión y una fricación formadas rápida y sucesivamente entre los mismos órganos; como la *ch* en *ocho.* Ú. t. c. s. f. || **2.** f. Letra que representa este sonido.

Africanista. com. Persona que se dedica al estudio y fomento de los asuntos concernientes al África.

Africanizar. tr. Dar carácter africano. Ú. t. c. r.

Africano, na. adj. Natural de África. Ú. t. c. s. || **2.** Perteneciente a esta parte del mundo. || **3.** V. **Alerce africano.**

Áfrico, ca. (Del lat. *afrĭcus.*) adj. **Africano.** || **2.** m. **Ábrego.**

Afrisonado, da. adj. Parecido al caballo frisón, en lo grande y peludo.

Afro, fra. (Del lat. *afer, afra.*) adj. ant. **Africano.** Apl. a pers., usáb. t. c. s.

Afrodisiaco, ca [- síaco, ca]. (Del lat. *aphrodisiăcus*, y éste del gr. ἀφροδισιακός; de Ἀφροδίτη, Venus.) adj. Que excita o estimula el apetito sexual. || **2.** Dícese de la substancia o medicamento que tiene esta propiedad. Ú. t. c. m.

Afrodita. (Del gr. Ἀφροδίτη, Venus.) adj. *Bot.* Aplícase a las plantas que se reproducen de modo asexual (por bulbos, estacas, etc.).

Afronitro. (Del lat. *aphronitrum*, y éste del gr. ἀφρόνιτρον; de ἀφρός, espuma, y νίτρον, nitro.) m. **Espuma de nitro.**

Afrontación. (De *afrontar.*) f. ant. Parte de una cosa que hace frente a otra o linda con ella.

Afrontadamente. adv. m. ant. Cara a cara, a las claras.

Afrontado, da. p. p. de **Afrontar.** || **2.** adj. ant. Decíase del que estaba en peligro o trabajo. || **3.** *Blas.* Dícese del escudo en que las figuras de animales que contiene se miran recíprocamente.

Afrontador, ra. (De *afrontar.*) adj. ant. **Afrentador.** Usáb. t. c. s.

Afrontamiento. m. Acción y efecto de afrontar.

Afrontar. (Del lat. **affrŏntāre*, de *frons, frŏntis*, frente.) tr. Poner una cosa enfrente de otra. Ú. t. c. intr. || **2. Carear,** 1.ª acep. || **3.** Hacer frente al enemigo. || **4. Arrostrar,** 1.ª acep. || **5.** ant. **Afrentar.** || **6.** ant. Requerir, amonestar. || **7.** ant. **Echar en cara.**

Afrontilar. (De *a*, 2.° art., y *frontil.*) tr. *Méj.* Atar una res vacuna por los cuernos al poste o bramadero, para domarla o matarla.

Afruenta. (De *afrontar.*) f. ant. **Afrenta.**

Afruento. m. ant. **Afruenta.**

Afta. (Del lat. *aphta*, y éste del pl. gr. ἄφθαι, quemaduras.) f. *Med.* Úlcera pequeña, blanquecina, que se forma, durante el curso de ciertas enfermedades, en la mucosa de la boca o de otras partes del tubo digestivo, o en la mucosa genital.

Aftoso, sa. adj. Que padece aftas. || **2.** V. **Fiebre aftosa.**

Afuciado, da. p. p. de **Afuciar.** || **2.** adj. ant. Obligado por pacto o ajuste al cumplimiento de alguna cosa.

Afuciar. tr. ant. **Afiuciar.** Usáb. t. c. r.

Afuera. (Del lat. *ad fŏras*, a las puertas.) adv. l. Fuera del sitio en que uno está. *Vengo de* AFUERA; *salgamos* AFUERA. || **2.** En lugar público o en la parte exterior. || **3.** f. pl. Alrededores de una población. || **4.** *Fort.* Terreno despejado alrededor de una plaza, para que el enemigo no pueda acercarse sin sufrir el fuego directo de la artillería. || **¡Afuera!** expr. elípt. que se emplea para hacer que una o varias personas dejen libre el paso o se retiren de algún lugar. || **Afuera,** o **afueras, de.** m. adv. ant. **Además de.** || **En afuera.** m. adv. ant. A excepción, o con exclusión de algo.

Afuero. m. ant. **Aforo.**

Afufa. f. fam. **Fuga,** 1.ª acep. || **Estar** uno **sobre las afufas.** fr. fam. Estar preparando la fuga, disponiendo lo más seguro para huir y escaparse. || **Tomar las afufas.** fr. fam. **Huir,** 1.ª acep.

Afufar. intr. fam. **Huir,** 1.ª acep. Ú. t. c. r. || **Afufarlas.** fr. fam. Huir, desaparecer.

Afufón. m. fam. **Afufa.**

Afumada. (De *afumar.*) f. **Ahumada.**

Afumado, da. p. p. ant. de **Afumar.** || **2.** adj. ant. Decíase de la casa o el lugar habitado.

Afumar. (De *a*, 2.° art., y *fumo.*) tr. ant. **Ahumar.**

Afusado, da. (De *a*, 2.° art., y *fuso.*) adj. ant. **Ahusado.**

Afusión. (Del lat. *affusĭo, -ōnis*; de *affundĕre*, derramar, verter.) f. *Med.* Acción de verter agua, fría por lo común, desde cierta altura sobre todo el cuerpo o una parte cualquiera de él, como medio terapéutico.

Afuste. (De *a*, 2.° art., y *fuste.*) m. En los primeros tiempos de la artillería, **cureña,** 1.ª acep. || **2.** Armazón parecida a una cureña sin ruedas, sobre la que se montaban los morteros para dispararlos.

Afuyentar. tr. ant. **Ahuyentar.**

Agá. (Del turco *aga*, jefe, dueño, señor.) m. Oficial del ejército turco.

Agabachar. tr. Hacer que una persona imite a los gabachos, o sus costumbres, lenguaje, etc. Ú. t. c. r.

Agacé. adj. Dícese del indio americano que vivía en la desembocadura del río Paraguay. Ú. t. c. s. || **2.** Perteneciente a estos indios.

Agachadera. f. *Sal.* **Cogujada.**

Agachadiza. (De *agacharse.*) f. Ave del orden de las zancudas, semejante a la chocha, pero de alas más agudas y tarsos menos gruesos. Vuela inmediata a la tierra, y por lo común está en arroyos o lugares pantanosos, donde se agacha y esconde || **Hacer** uno **la agachadiza.** fr. fig. y fam. Hacer ademán de ocultarse o esconderse para no ser visto.

Agachaparse. r. *And.* **Agazaparse.**

Agachar. (De *a*, 2.° art., y *gacho.*) tr. fam. Tratándose de alguna parte del cuerpo, y especialmente de la cabeza, inclinarla o bajarla. Ú. t. c. intr. || **2.** r. fam. Encogerse, doblando mucho el cuerpo hacia la tierra. || **3.** fig. y fam. Dejar pasar algún contratiempo, persecución o acusación sin defenderse ni excusarse, para sacar después mejor partido. || **4.** fig. y fam. Retirarse, apartarse durante algún tiempo del trato y vista de la gente.

Agachona. (De *agacharse.*) f. Ave acuática que abunda en las lagunas próximas a la ciudad de Méjico.

Agadón. m. *Sal.* Hondonada estrecha en las faldas y repliegues de los montes. || **2.** *Sal.* **Manantial,** 2.ª acep.

Agafar. (De *a*, 2.° art., y *gafa.*) tr. *Ar.* **Asir,** 1.ª acep.

Agalbanado, da. adj. **Galbanoso.**

Agalerar. (De *a*, 2.° art., y *galera.*) tr. *Mar.* Dar a los toldos por una y otra banda la inclinación conveniente para que despidan el agua en tiempo de lluvia.

Agáloco. (Del gr. ἀγάλλοχον.) m. *Bot.* Árbol de la familia de las euforbiáceas, cuyo leño contiene un jugo acre y se emplea en ebanistería y para sahumerios.

Agalla. (Del lat. *galla.*) f. Excrecencia redonda que se forma en el roble, alcornoque y otros árboles y arbustos por la picadura de ciertos insectos al depositar sus huevos. || **2. Amígdala.** Ú. m. en pl. || **3.** Cada una de las branquias que tienen los peces en aberturas naturales, a entrambos lados y en el arranque de la cabeza. Tienen también **agallas** las larvas de los batracios y muchos moluscos y crustáceos. Ú. m. en pl. || **4.** Cada uno de los costados de la cabeza del ave, que corresponden a las sienes. Ú. m. en pl. || **5.** *Bot.* Arbusto de Cuba, de la familia de las rubiáceas, de cuyo fruto se obtiene una substancia que sirve para tinte. || **6.** *Ecuad.* **Guizque.** || **7.** *Veter.* Vejiga incipiente. || **8.** pl. **Angina.** || **9.** Roscas que tiene la tientaguja en su extremo inferior. || **10.** fig. y fam. Ánimo esforzado. Ú. m. con el verbo *tener.* || **Agalla de ciprés. Piña de ciprés.**

Agallado, da. adj. *Tint.* Dícese de lo que está metido en tinta de agallas molidas, a fin de que tome pie para el color negro.

Agalladura. f. **Galladura.**

Agallegado, da. adj. Semejante a los gallegos en su habla o costumbres.

Agallo. m. **Gallón,** 2.° art., 1.ª acep.

Agallón. m. aum. de **Agalla.** || **2.** Cada una de las cuentas de plata huecas, a modo de agallas, de que se componen las sartas o collares con que suelen adornarse las aldeanas. || **3.** Cuenta de rosario muy abultada y de madera. || **4. Gallón,** 2.° art., 1.ª acep.

Agallonado, da. adj. *Arq.* Que tiene gallones, 2.° art., 1.ª acep.

Agalludo, da. adj. fam. *Argent., Chile* y *P. Rico.* Dícese de la persona animosa y resuelta. || **2.** *Chile.* Ambicioso, avariento.

Agalluela. f. d. de **Agalla.**

Agamitar. (De *a*, 2.° art., y *gamito.*) intr. *Mont.* Contrahacer o imitar la voz del gamo pequeño.

Agamuzado, da. adj. **Gamuzado.**

Aganar. tr. desus. Inducir o meter en ganas.

Agangrenarse. r. **Gangrenarse.**

Aganipeo, a. (Del lat. *aganippēus.*) adj. Perteneciente o relativo a la fuente Aganipe.

Ágape. (Del lat. *agăpe*, y éste del gr. ἀγάπη, afecto, amor.) m. Convite de caridad que tenían entre sí los primeros cristianos en sus asambleas, a fin de estrechar más y más la concordia y la unión entre los miembros de un mismo cuerpo. || **2.** Por ext., **banquete,** 2.ª acep.

Agarabatado, da. adj. En forma de garabato.

Agarbado, da. adj. **Garboso,** 1.ª acep.

Agarbanzado, da. p. p. de **Agarbanzar.** || **2.** adj. Dícese del papel de color parecido al del garbanzo.

Agarbanzar. (De *a*, 2.° art., y *garbanzo.*) intr. *Murc.* Brotar en los árboles las yemas o botones.

Agarbarse. r. Agacharse, encorvarse, doblarse, inclinarse hacia abajo.

Agarbillar. (De *a*, 2.° art., y *garbilla*, d. de *garba.*) tr. *Agr.* Hacer o formar garbas.

Agardamarse. (De *a*, 2.° art., y *gardama.*) r. *Ál.* Apolillarse la madera.

Agareno, na. adj. Descendiente de Agar. Ú. t. c. s. || **2. Mahometano.** Ú. t. c. s.

Agárico. (Del lat. *agarĭcum*, y éste del gr. ἀγαρικόν, hongo de cierto género.) m. *Bot.* Hongo del tipo de seta, del que se conocen numerosas especies, que viven como saprófitas en el suelo y rara vez en los troncos de los árboles; algunas son comestibles y otras venenosas. || **mineral.** Substancia blanca y esponjosa, que es un silicato de alúmina y magnesia, con que se fabrican ladrillos menos pesados que el agua.

Agarrada. (De *agarrar.*) f. fam. Altercado, pendencia o riña.

Agarradero. (De *agarrar.*) m. Asa o mango de cualquiera cosa. || **2.** fig. Parte de un cuerpo que ofrece proporción para asirlo o asirse de él. || **3.** fig. y fam. Amparo, protección o recurso con que se cuenta para conseguir alguna cosa. || **4.** *Mar.* **Tenedero.**

Agarrado, da. p. p. de **Agarrar.** || **2.** adj. V. **Terreno agarrado.** || **3.** fig. y fam. Apretado, mezquino o miserable. || **4.** fam. Dícese del baile en que la pareja va estrechamente enlazada. Ú. t. c. s. m.

Agarrador, ra. adj. Que agarra. || **2.** m. Especie de almohadilla que sirve para coger por el asa la plancha caliente. || **3.** fam. **Corchete,** 6.ª acep.

Agarrafador, ra. adj. Que agarrafa. || **2.** m. Cada uno de los obreros que en los molinos de aceite manejan las seras o capachos en que se echa lo molido para prensarlo.

Agarrafar. (De *agarrar*, infl. por *garfa.*) tr. fam. Agarrar a uno con fuerza al reñir. Ú. m. c. rec.

Agarrama. f. **Garrama,** 1.ª acep.

Agarrante. p. a. de **Agarrar.** Que agarra. || **2.** adj. fam. **Agarrado,** 3.ª acep. || **3.** m. Corchete o alguacil.

Agarrar. (De *a*, 2.° art., y *garra.*) tr. Asir fuertemente con la mano. || **2.** Asir o coger fuertemente de cualquier modo, hacer presa. || **3.** Coger, tomar. || **4.** Coger o contraer una enfermedad. || **5.** fig. Oprimir o sorprender a una persona un apuro, contratiempo o daño, o vencerle el sueño. || **6.** fig. y fam. Conseguir lo que se intentaba. *Por fin* AGARRÓ *el destino que pretendía.* || **7.** r. Asirse fuertemente de alguna cosa. || **8.** fig. y fam.

Tratándose de enfermedades, apoderarse del paciente con tenacidad. *Se le* AGARRÓ *la calentura, la ronquera, la tos.* || **9.** rec. fig. y fam. Asirse, 5.ª acep. de **Asir.**

Agarro. m. Acción de agarrar.

Agarrochador. m. El que agarrocha.

Agarrochar. (De *a,* 2.° art., y *garrocha.*) tr. Herir a los toros con garrocha u otra arma semejante. || **2.** *Mar.* Forzar el braceo de las vergas, para ceñir el viento lo más posible.

Agarrochear. tr. ant. **Agarrochar,** 1.ª acep.

Agarrón. m. *Amér.* Acción de agarrar y tirar con fuerza. || **2.** *Amér.* **Agarrada.**

Agarrotar. (De *a,* 2.° art., y *garrote.*) tr. Apretar fuertemente los fardos o líos con cuerdas, que se retuercen por medio de un palo, dándole vueltas. || **2.** Ajustar o apretar una cosa fuertemente, sin necesidad de garrote. || **3.** Estrangular en el patíbulo o garrote. || **4.** Oprimir material o moralmente. || **5.** r. Quedarse un miembro rígido o inmóvil por efecto del frío o por otra causa.

Agarrotear. (De *a,* 2.° art., y *garrote.*) tr. *And.* **Varear,** 1.ª acep.

Agasajable. adj. Que agasaja, halagüeño.

Agasajador, ra. adj. Que agasaja. Ú. t. c. s.

Agasajar. (De *a,* 2.° art., y *gasajar.*) tr. Tratar con atención expresiva y cariñosa. || **2.** Halagar o favorecer a uno con regalos o con otras muestras de afecto o consideración. || **3.** Hospedar, aposentar.

Agasajo. m. Acción de agasajar. || **2.** Regalo o muestra de afecto o consideración con que se agasaja. || **3.** Refresco que se servía por la tarde.

Agasajoso, sa. adj. **Agasajador.**

Ágata. (Del lat. *achātes,* y éste del gr. ἀχάτης.) f. Cuarzo lapídeo, duro, translúcido y con franjas o capas de uno u otro color. Las hay ondeadas o listadas y jaspeadas, y sus variedades se conocen con nombres especiales.

Agatino, na. adj. Que por su aspecto se parece al ágata.

Agatizarse. (De *ágata.*) r. Quedar lo pintado, por efecto del tiempo, muy liso y brillante.

Agauja. f. *León.* **Gayuba.**

Agavanza. f. Fruto del agavanzo.

Agavanzo. m. **Escaramujo,** 1.ª y 2.ª aceps.

Agave. (Del gr. ἀγαυή, admirable.) f. **Pita,** 1.er art.

Agavillador, ra. m. y f. Persona que agavilla.

Agavillar. tr. Hacer o formar gavillas. || **2.** fig. **Acuadrillar,** 1.ª acep. Ú. t. c. r.

Agazapar. (De *a,* 2.° art., y *gazapo.*) tr. fig. y fam. Agarrar, coger o prender a alguno. || **2.** r. fam. Agacharse, encogiendo el cuerpo contra la tierra, como lo hace el gazapo cuando quiere ocultarse de los que le persiguen.

Agencia. (Del lat. *agentĭa,* de *agens, -entis,* el que hace.) f. Diligencia, solicitud. || **2.** Oficio o encargo de agente. || **3.** Oficina o despacho del agente. || **4.** Empresa destinada a gestionar asuntos ajenos o a prestar determinados servicios. || **5.** Sucursal o delegación subordinada de una empresa. || **ejecutiva.** Empleo u oficina del agente ejecutivo. || **fiscal.** Empleo u oficina del agente del fisco.

Agenciar. (De *agencia.*) tr. Hacer las diligencias conducentes al logro de una cosa. Ú. t. c. intr. || **2.** Procurar o conseguir alguna cosa con diligencia o maña. Ú. t. c. r.

Agencioso, sa. (De *agencia.*) adj. Oficioso o diligente.

Agenda. (Del lat. *agenda,* cosas que se han de hacer.) f. Libro o cuaderno en que se apuntan, para no olvidarlas, aquellas cosas que se han de hacer.

Agenesia. (Del gr. ἀγεννησία; de ἀ, priv., y γεννάω, engendrar.) f. *Med.* Imposibilidad de engendrar. || **2.** *Anat.* Desarrollo defectuoso. AGENESIA *del maxilar.*

Agente. (Del lat. *agens, -entis,* p. a. de *agĕre,* hacer.) adj. Que obra o tiene virtud de obrar. || **2.** *Gram.* V. **Persona agente.** Ú. t. c. s. || **3.** m. Persona o cosa que produce un efecto. || **4.** Persona que obra con poder de otro. || **de bolsa, de cambio,** o **de cambio y bolsa.** Funcionario que interviene y certifica en las negociaciones de valores cotizables, y también puede intervenir con los corredores de comercio en las demás operaciones de bolsa. || **de negocios.** El que tiene por oficio gestionar negocios ajenos. || **de policía.** Empleado subalterno de seguridad y vigilancia. || **de policía urbana.** El que está encargado de velar por el cumplimiento de las ordenanzas y disposiciones municipales. || **ejecutivo.** Persona encargada de hacer efectivas por la vía de apremio las cuotas de impuestos, arbitrios o penas pecuniarias no pagadas voluntariamente. || **fiscal.** Servidor subalterno de la hacienda pública.

Agerasia. (Del gr. ἀγηρασία; de ἀ, priv., y γῆρας, vejez.) f. *Fisiol.* Vejez exenta de los achaques propios de esta edad.

Agérato. (Del lat. *agerăton,* y éste del gr. ἀγήρατον, escorzonera.) m. Planta perenne de la familia de las compuestas, de tallo ramoso, hojas lanceoladas y flores en corimbo, pequeñas y amarillas.

Agermanarse. r. Entrar a formar parte de una germanía.

Agestado, da. p. p. de **Agestarse.** || **2.** adj. Con los advs. *bien* o *mal,* de buena o mala cara.

Agestarse. r. Poner un determinado gesto.

Ageste. (Del anglosajón *west,* oeste.) m. ant. Viento gallego.

Agestión. (Del lat. *aggestĭo, -ōnis.*) f. Agregación de materia.

Agibílibus. (Del b. lat. *agibĭlis,* ingenioso, diestro, y éste del lat. *agĕre,* hacer, procurar.) m. fam. Industria, habilidad para procurar la propia conveniencia. || **2.** fam. Persona que tiene esta habilidad.

Agible. (Del b. lat. *agibĭlis.*) adj. Factible o hacedero.

Agigantado, da. p. p. de **Agigantar.** || **2.** adj. De estatura mucho mayor de lo regular. || **3.** fig. Se dice de las cosas o calidades muy sobresalientes o que exceden mucho del orden regular.

Agigantar. (De *a,* 2.° art., y *gigante.*) tr. fig. Dar a alguna cosa proporciones gigantescas. Ú. t. c. r.

Agigotar. tr. **Hacer gigote.**

Ágil. (Del lat. *agĭlis,* de *agĕre,* hacer, obrar.) adj. Ligero, pronto, expedito. || **2.** Dícese de la persona que se mueve o utiliza sus miembros con facilidad y soltura.

Agílibus. m. fam. **Agibílibus.**

Agilidad. (Del lat. *agilĭtas, -ātis.*) f. Calidad de ágil. || **2.** *Teol.* Una de las cuatro dotes de los cuerpos gloriosos, que consiste en la facultad de trasladarse de un lugar a otro instantáneamente, por grande que sea la distancia.

Agilitar. (Del lat. *agilĭtas,* agilidad.) tr. Hacer ágil, dar facilidad para ejecutar alguna cosa. Ú. t. c. r.

Agilizar. tr. **Agilitar.**

Ágilmente. adv. m. Con agilidad.

Agio. (Del ital. *aggio.*) m. Beneficio que se obtiene del cambio de la moneda, o de descontar letras, pagarés, etc. || **2.** Especulación sobre el alza y la baja de los fondos públicos. || **3.** **Agiotaje,** 2.ª acep.

Agiotador. m. **Agiotista.**

Agiotaje. (Del fr. *agiotage.*) m. **Agio,** 1.ª y 2.ª aceps. || **2.** Especulación abusiva hecha sobre seguro, con perjuicio de tercero.

Agiotista. com. Persona que se emplea en el agiotaje.

Agir. (Del lat. *agĕre,* conducir.) tr. ant. *For.* Demandar en juicio.

Agitable. (Del lat. *agitabĭlis.*) adj. Que puede agitarse o ser agitado.

Agitación. (Del lat. *agitatĭo, -ōnis.*) f. Acción y efecto de agitar o agitarse.

Agitador, ra. (Del lat. *agitātor.*) adj. Que agita. Ú. t. c. s. || **2.** m. *Quím.* Varilla de vidrio que se usa para revolver líquidos.

Agitanado, da. adj. Que se parece a los gitanos. || **2.** Que parece de gitano. *Lenguaje* AGITANADO.

Agitante. p. a. de **Agitar.** Que agita.

Agitar. (Del lat. *agitāre,* frec. de *agĕre,* mover.) tr. Mover con frecuencia y violentamente. Ú. t. c. r. || **2.** fig. Inquietar, turbar, mover violentamente el ánimo. Ú. t. c. r.

Aglayarse. (Del lat. *ad,* a, y *gladĭus,* espada.) r. ant. Pasmarse, quedarse absorto.

Aglayo. (De *aglayarse.*) m. ant. Pasmo, asombro.

Aglomeración. f. Acción y efecto de aglomerar o aglomerarse.

Aglomerado, da. p. p. de **Aglomerar.** || **2.** m. Prisma hecho en molde con hornaguera menuda y alquitrán, que se usa como combustible.

Aglomerar. (Del lat. *agglomerāre,* de *ad,* a, y *glomerāre,* juntar.) tr. Amontonar, juntar. Ú. t. c. r.

Aglutinación. (Del lat. *agglutinatĭo, -ōnis.*) f. Acción y efecto de aglutinar o aglutinarse. || **2.** Procedimiento en virtud del cual se unen dos o más palabras para formar una sola.

Aglutinante. p. a. de **Aglutinar.** Que aglutina. || **2.** adj. V. **Lengua aglutinante.** || **3.** *Cir.* Dícese del emplasto que se adhiere tenazmente a la piel, y sirve para aglutinar. Ú. t. c. s. || **4.** *Med.* Dícese del remedio que se aplicaba con el objeto de reunir las partes divididas. Ú. t. c. s.

Aglutinar. (Del lat. *agglutināre;* de *ad,* a, y *gluten,* engrudo, cola.) tr. **Conglutinar.** Ú. t. c. r. || **2.** *Cir.* Mantener en contacto, por medio de un emplasto a propósito, las partes cuya adherencia se quiere lograr. Ú. t. c. r.

Agnación. (Del lat. *agnatĭo, -ōnis.*) f. *For.* Parentesco de consanguinidad entre agnados. || **2.** *For.* Orden de suceder en las vinculaciones cuando el fundador llama a los que descienden de varón en varón. || **artificial, artificiosa** o **fingida.** *For.* **Mayorazgo de agnación artificial, artificiosa** o **fingida.** || **rigurosa** o **verdadera.** *For.* **Mayorazgo de agnación rigurosa** o **verdadera.**

Agnado, da. (Del lat. *agnātus,* p. p. de *agnasci,* nacer cerca.) adj. *For.* Dícese del pariente por consanguinidad respecto de otro, cuando ambos descienden de un tronco común de varón en varón. Ú. t. c. s.

Agnaticio, cia. (Del lat. *agnaticĭus.*) adj. *For.* Perteneciente o relativo al agnado. || **2.** Que viene de varón en varón.

Agnición. (Del lat. *agnitĭo, -ōnis,* de *agnoscĕre,* reconocer.) f. poét. En el poema dramático, reconocimiento de una persona cuya calidad se ignoraba.

Agnocasto. (Del lat. *agnus castus.*) m. **Sauzgatillo.**

Agnombre. (Del lat. *agnōmen, -ĭnis.*) m. ant. **Agnomento.**

Agnomento. (Del lat. *agnomentum.*) m. **Cognomento.**

Agnominación. (Del lat. *agnominatĭo, -ōnis;* de *ad,* a, y *nominatĭo,* nominación.) f. *Ret.* **Paronomasia,** 4.ª acep.

Agnosticismo. (De *agnóstico.*) m. Doctrina filosófica que declara inaccesible al entendimiento humano toda noción de lo absoluto, y reduce la ciencia al conocimiento de lo fenoménico y relativo.

Agnóstico, ca. (Del gr. ἄγνωστος, ignoto.) adj. Perteneciente o relativo al agnosticismo. || **2.** Que profesa esta doctrina. Apl. a pers., ú. t. c. s.

Agnus. m. **Agnusdéi.**

Agnusdéi. (Del lat. *Agnus Dei*, Cordero de Dios.) m. Objeto de devoción muy venerado, que consiste en una lámina gruesa de cera con la imagen del Cordero o de algún santo impresa, y que bendice y consagra el Sumo Pontífice con varias ceremonias, por lo regular cada siete años. || **2.** Relicario que especialmente las mujeres llevaban al cuello. || **3.** Parte de la liturgia del Santo Sacrificio en la Iglesia Romana, o sea oración que se dice por tres veces entre el paternóster y la comunión. || **4.** Moneda de vellón con mezcla de plata, que hizo labrar el rey don Juan I de Castilla. Tenía en el anverso la inicial del nombre del príncipe, y en el reverso el cordero de San Juan Bautista. Valía un maravedí, o sea nueve dineros, aun cuando no pesaba sino tres; pero su valor se bajó en 1387 a seis dineros. La ley y el peso de ella variaron según los tiempos, componiendo un real de plata ya cinco de estas monedas, ya diez, ya diecisiete.

Agobiado, da. p. p. de **Agobiar.** || **2.** adj. Cargado de espaldas o inclinado hacia adelante.

Agobiante. p. a. de **Agobiar.** Que agobia.

Agobiar. (Del lat. *ad*, a, y *gibbus* [gr. κυφός], encorvado.) tr. Inclinar o encorvar la parte superior del cuerpo hacia la tierra. Ú. m. c. r. || **2.** Hacer un peso o carga que se doble o incline el cuerpo sobre que descansa. || **3.** fig. Rebajar, humillar, confundir. || **4.** fig. Rendir, deprimir o abatir. || **5.** fig. Causar gran molestia o fatiga. *Le* AGOBIAN *los quehaceres, los años, las penas.*

Agobio. m. Acción y efecto de agobiar o agobiarse. || **2.** Sofocación, angustia.

Agogía. (Del lat. *agōgae*, y éste del gr. ἀγωγαί.) f. *Min.* Canal o reguero por donde sale el agua de las minas.

Agolar. (De *a*, 2.° art., y *gola.*) tr. *Mar.* **Amainar,** 1.ª acep.

Agolpamiento. m. Acción y efecto de agolparse.

Agolpar. (De *a*, 2.° art., y el ant. *golpar.*) tr. Juntar de golpe en un lugar. || **2.** r. Juntarse de golpe muchas personas o animales en un lugar. || **3.** fig. Venir juntas y de golpe ciertas cosas; como penas, lágrimas, etc.

Agolletar. tr. p. us. Poner alrededor del gollete.

Agonal. (Del lat. *agonālis*, de *agon*, certamen.) adj. Perteneciente o relativo a los certámenes, luchas y juegos públicos, así corporales como de ingenio. || **2.** Dícese de las fiestas que dedicaba la gentilidad al dios Jano o al dios Agonio. Ú. m. c. s. y en pl.

Agonía. (Del lat. *agonĭa*, y éste del gr. ἀγών, lucha, combate.) f. Angustia y congoja del moribundo. || **2.** fig. Pena o aflicción extremada. || **3.** fig. Ansia o deseo vehemente. || **4.** m. pl. fam. Hombre apocado y pesimista.

Agónico, ca. adj. Que se halla en la agonía, 1.ª acep. || **2.** Propio de la agonía, 1.ª acep.

Agonioso, sa. (De *agonía.*) adj. fam. Ansioso, apremiante en el pedir.

Agonista. (Del lat. *agonista*, y éste del gr. ἀγωνιστής, combatiente.) com. **Luchador.** || **2.** ant. Persona que se halla en la agonía de la muerte.

Agonística. (Del lat. *agonistĭca*, y éste del gr. ἀγωνιστική, de ἀγών, combate.) f. Arte de los atletas. || **2.** Ciencia de los combates.

Agonístico, ca. (Del lat. *agonistĭcus*, y éste del gr. ἀγωνιστικός.) adj. **Agonal,** 1.ª acep.

Agonizante. p. a. de **Agonizar.** Que agoniza. || **2.** adj. Dícese del religioso de un instituto de votos simples cuya misión principal es asistir espiritualmente a los moribundos. Ú. t. c. s. || **3.** m. En algunas universidades, el que apadrinaba a los graduandos.

Agonizar. (Del lat. *agonizāre*, y éste del gr. ἀγωνίζομαι, combatir, luchar.) tr. Auxiliar al moribundo o ayudarle a bien morir. || **2.** fig. y fam. Molestar a alguno con instancias y prisas. *Déjame estar; no me* AGONICES. || **3.** intr. Estar el enfermo en la agonía. || **4.** Extinguirse o terminarse una cosa. || **5.** Perecerse por algo. || **6.** fig. Sufrir angustiosamente.

Ágora. (Del gr. ἀγορά, de ἀγείρω, juntar, reunir.) f. Plaza pública en las ciudades griegas. || **2.** Asamblea en la plaza pública de las ciudades griegas.

Agora. (Del lat. *hac hora*, en esta hora.) adv. t. vulg. **Ahora,** 1.ª a 3.ª aceps. || **2.** conj. distrib. ant. y poét. **Ahora,** 4.ª acep.

Agorador, ra. adj. **Agorero.** Ú. t. c. s.

Agorafobia. (Del gr. ἀγορά, plaza pública, y φοβέω, temer.) f. Sensación morbosa de angustia ante los espacios despejados y extensos, como las plazas, calles anchas, etc.

Agorar. (Del lat. *augŭrāre*, hacer augurio.) tr. Predecir supersticiosamente lo futuro por la vana observación de algunas cosas. || **2.** fig. Presentir y anunciar desdichas con poco fundamento.

Agorería. f. ant. **Agüero.** Ú. en *Sal.*

Agorero, ra. adj. Que adivina por agüeros. Ú. t. c. s. || **2.** Que cree en agüeros. Ú. t. c. s. || **3.** Que predice sin fundamento males o desdichas. Ú. t. c. s. || **4.** Aplícase al ave que supersticiosamente se cree anuncia algún mal o suceso futuro.

Agorgojarse. r. Criar gorgojo las semillas.

Agoso, sa. (Del lat. *aquōsus.*) adj. ant. **Acuoso.**

Agostadero. m. Sitio donde agosta el ganado. || **2.** Tiempo en que agosta. || **3.** Acción de agostar, 2.ª acep.

Agostado, da. p. p. de **Agostar.** || **2.** m. **Agostadero,** 3.ª acep.

Agostador. (De *agostar.*) m. Obrero que efectúa la faena de agostar, 3.ª acep. || **2.** *Germ.* El que consume o gasta la hacienda de otro.

Agostamiento. m. Acción y efecto de agostar o agostarse.

Agostar. (De *agosto.*) tr. Secar o abrasar el excesivo calor las plantas. Ú. t. c. r. || **2.** Arar o cavar la tierra en el mes de agosto para limpiarla de malas hierbas. || **3.** *And.* Cavar la tierra a una profundidad de 70 u 80 centímetros para plantar viña en ella. || **4.** intr. Pastar el ganado durante la seca en rastrojeras o en dehesas.

Agosteño, ña. adj. Agostizo, propio del mes de agosto.

Agostero, ra. (De *agosto.*) adj. Dícese del ganado que, levantadas las mieses, entra a pacer en los rastrojos. || **2.** m. Obrero que trabaja en las faenas de las eras durante la recolección de cereales. || **3.** Religioso destinado por las comunidades a recoger en agosto la limosna de trigo y otros granos.

Agostía. (De *agosto.*) f. Empleo de agostero y tiempo durante el cual sirve.

Agostizo, za. adj. Dícese de las cosas propias del mes de agosto. || **2.** Propenso a agostarse o desmedrarse. || **3.** Dícese del animal nacido en agosto, que por lo común es desmedrado.

Agosto. (Del lat. *Augustus*, renombre del emperador Octaviano.) m. Octavo mes del año, según nuestro cómputo; consta de treinta y un días. || **2.** Temporada en que se hace la recolección de granos. || **3.** **Cosecha,** 1.ª acep. || **4.** *Germ.* El pobre. || **Agosto, frío en rostro.** ref. con que se da a entender que en este mes suele empezar a sentirse el frío. || **Agosto y septiembre no duran siempre.** ref. que enseña que el tiempo de la abundancia y goce no suele ser duradero. || **Agosto y vendimia no es cada día, y sí cada año; unos con ganancia y otros con daño.** ref. que aconseja la economía con que deben vivir los labradores. || **Hacer** uno su **agosto.** fr. fig. y fam. Hacer su negocio, lucrarse, aprovechando ocasión oportuna para ello.

Agotable. adj. Que se puede agotar.

Agotador, ra. adj. Que agota.

Agotamiento. m. Acción y efecto de agotar o agotarse.

Agotar. (De *a*, 2.° art., y *gota.*) tr. Extraer todo el líquido que hay en una capacidad cualquiera. Ú. t. c. r. || **2.** fig. Gastar del todo, consumir. AGOTAR *el caudal, las provisiones, el ingenio, la paciencia.* Ú. t. c. r.

Agote. adj. Dícese de una generación o gente que hay en el valle de Baztán, en Navarra, y del individuo de esta raza. Ú. t. c. s.

Agovía. f. **Alborga.**

Agozcado, da. adj. Parecido al gozque. *Perro* AGOZCADO.

Agracejina. f. Fruto del agracejo, 3.ª acep.

Agracejo. m. d. de **Agraz.** || **2.** Uva que se queda muy pequeña y no llega a madurar. || **3.** Arbusto de la familia de las berberidáceas, como de un metro de altura, con hojas trasovadas, pestañosas y aserradas, espinas tripartidas, flores amarillas en racimos colgantes y bayas rojas y agrias. Es común en los montes de España; se cultiva en los jardines; la madera, de color amarillo, se usa en ebanistería, y el fruto es comestible. || **4.** Árbol de Cuba, de la familia de las anacardiáceas, de seis a siete metros de altura, que se cría en terrenos bajos y en las costas, y cuyo fruto comen los animales. || **5.** *And.* Aceituna que cae del árbol antes de madurar.

Agraceño, ña. adj. Agrio como el agraz.

Agracera. f. Vasija en que se conserva el zumo del agraz.

Agracero, ra. adj. Dícese de la cepa o del viñedo cuyo fruto no pasa de agraz.

Agraciadamente. adv. m. Con gracia o donaire.

Agraciado, da. p. p. de **Agraciar.** Ú. t. c. s. || **2.** adj. Que tiene gracia o es gracioso. || **3.** Bien parecido.

Agraciar. (De *a*, 2.° art., y *gracia.*) tr. Dar o aumentar a una persona o cosa gracia y buen parecer. || **2.** Llenar el alma de la gracia divina. || **3.** Hacer o conceder alguna gracia o merced. || **4.** intr. *Sal.* Gustar, agradar.

Agracillo. m. **Agracejo,** 3.ª acep.

Agradabilísimo, ma. adj. sup. de **Agradable.**

Agradable. adj. Que produce complacencia o agrado. || **2.** Que tiene complacencia o gusto.

Agradablemente. adv. m. De manera agradable.

Agradador, ra. adj. Que procura agradar.

Agradamiento. m. **Agrado.**

Agradar. (De *a*, 2.° art., y *grado*, 2.° art.) intr. Complacer, contentar, gustar. Ú. t. c. r. || **2.** r. Sentir agrado o gusto.

Agradecer. (De *a*, 2.° art., y *gradecer.*) tr. Sentir gratitud. || **2.** Mostrar de palabra gratitud o dar gracias. || **3.** fig. Corresponder una cosa al trabajo empleado en conservarla o mejorarla.

Agradecidamente. adv. m. Con agradecimiento.

Agradecido, da. p. p. de **Agradecer.** || **2.** adj. Que agradece. Ú. t. c. s. || **3.** V. **Pan agradecido.** || **Al agradecido, más de lo pedido.** ref. que enseña que el hombre **agradecido** merece ser tratado con largueza.

Agradecimiento. m. Acción y efecto de agradecer.

Agrado. (De *agradar.*) m. Afabilidad, modo agradable de tratar a las personas. || **2.** Complacencia, voluntad o gusto. *El rey resolverá lo que sea de su* AGRADO.

Agrafia. (Del gr. ἀ, priv., y γράφω, escribir.) f. Incapacidad total o parcial para expresar las ideas por escrito a causa de lesión o desorden cerebral.

Agrajes. n. p. m. **Ahora, o allá, lo veredes, dijo Agrajes.** fr. proverb. empleada generalmente en son de amenaza para poner en duda o negar que aquello de que se trata suceda como otra u otras personas suponen o aseguran. **Agrajes** es uno de los personajes del *Amadís de Gaula.*

Agramadera. f. Instrumento para agramar.

Agramado, da. p. p. de **Agramar.** || **2.** m. Acción y efecto de agramar.

Agramador, ra. adj. Que agrama. Ú. t. c. s. || **2.** m. **Agramadera.**

Agramante. n. p. V. **Campo de Agramante.**

Agramar. (De *a,* 2.° art., y *gramar.*) tr. Majar el cáñamo o el lino para separar del tallo la fibra. || **2.** fig. Tundir, golpear.

Agramente. adv. m. ant. **Agriamente.**

Agramilar. (De *a,* 2.° art., y *gramil.*) tr. Cortar y raspar los ladrillos para igualarlos en grueso y ancho y que formen una obra de albañilería limpia y hermosa. || **2.** *Arq.* Figurar con pintura hiladas de ladrillos en una pared u otra construcción.

Agramiza. (De *agramar.*) f. Caña quebrantada que queda como desperdicio o parte más basta después de agramado el cáñamo o el lino. || **2.** *Ar.* **Agramadera.**

Agramontés, sa. adj. Dícese de una antigua facción de Navarra acaudillada primitivamente por el señor de Agramont, y de los individuos de este bando, enemigo del de los beamonteses. Apl. a pers., ú. t. c. s.

Agrandar. tr. Hacer más grande alguna cosa. Ú. t. c. r.

Agranujado, da. (De *a,* 2.° art., y *granujo.*) adj. Que tiene o forma granos sin regularidad.

Agranujado, da. adj. Que tiene modales de granuja.

Agrario, ria. (Del lat. *agrarĭus;* de *ager, agri,* campo.) adj. Perteneciente o relativo al campo. *Ley* AGRARIA. || **2.** Que en política defiende o representa los intereses de la agricultura. Apl. a pers., ú. t. c. s.

Agrarismo. m. Conjunto de intereses referentes a la explotación agraria. || **2.** Partido político que los defiende.

Agravación. (Del lat. *aggravatĭo, -ōnis.*) f. **Agravamiento.**

Agravador, ra. adj. Que agrava.

Agravamento. (De *agravar.*) m. ant. Agravio, perjuicio.

Agravamiento. m. Acción y efecto de agravar o agravarse.

Agravante. p. a. de **Agravar.** Que agrava. || **2.** adj. V. **Circunstancia agravante.**

Agravantemente. adv. m. Con agravamiento. || **2.** Con gravamen.

Agravar. (Del lat. **aggravāre,* de *gravāre,* gravar.) tr. Aumentar el peso de alguna cosa, hacer que sea más pesada. || **2.** Oprimir con gravámenes o tributos. || **3.** Hacer alguna cosa más grave o molesta de lo que era. Ú. t. c. r. AGRAVARSE *la enfermedad.* || **4.** Ponderar una cosa por interés u otro fin particular para que resulte o parezca más grave. *El pesquisidor, apasionado y sobornado,* AGRAVABA *el delito.*

Agravatorio, ria. adj. Que agrava u ocasiona agravación. || **2.** *For.* Aplícase al despacho o provisión de un tribunal o juez, en que se reitera lo que estaba mandado y se compele a su ejecución.

Agravecer. (Del lat. **aggravescĕre,* de *gravescĕre,* agravar.) tr. ant. Ser gravoso o molesto.

Agraviadamente. adv. m. Con agravio u ofensa. || **2.** ant. Eficazmente, con ahinco.

Agraviado, da. p. p. de **Agraviar.** || **2.** adj. ant. **Agravioso.**

Agraviador, ra. adj. Que agravia. Ú. t. c. s. || **2.** m. *Germ.* Delincuente incorregible.

Agraviamiento. m. Acción y efecto de agraviar o agraviarse.

Agraviante. p. a. de **Agraviar.** Que agravia.

Agraviar. (Del lat. *ad,* a, y *gravis,* grave, pesado.) tr. Hacer agravio. || **2.** Rendir, agravar, apesadumbrar. || **3.** Gravar con tributos. || **4.** Presentar como extremadamente grave una cosa. || **5.** Hacer más grave un delito o pena. || **6.** r. Agravarse una enfermedad. || **7.** Ofenderse o mostrarse resentido por algún agravio. || **8.** *For.* Apelar de la sentencia que causa agravio o perjuicio.

Agravio. (De *agraviar.*) m. Ofensa que se hace a uno en su honra o fama con algún dicho o hecho. || **2.** Hecho o dicho con que se hace esta ofensa. || **3.** Ofensa o perjuicio que se hace a uno en sus derechos e intereses. || **4.** V. **Deshacedor de agravios.** || **5.** Humillación, menosprecio o aprecio insuficiente. || **6.** *For.* Mal, daño o perjuicio que el apelante expone ante el juez superior habérsele irrogado por la sentencia del inferior. || **7.** *For.* V. **Escrito de agravios.** || **8.** ant. *For.* **Apelación.** || **Decir de agravios.** fr. *For.* En los pleitos de cuentas, pedir en justicia que se reconozcan y deshagan los agravios que de ellas resultan. || **Deshacer agravios.** fr. Tomar satisfacción de ellos.

Agravioso, sa. adj. Que implica o causa agravio.

Agraz. (De *agro,* 2.° art.) m. Uva sin madurar. || **2.** Zumo que se saca de la uva no madura. || **3.** **Agrazada.** || **4.** **Calderilla,** 3.ª acep. || **5.** **Marojo.** || **6.** fig. y fam. Amargura, sinsabor, disgusto. || **7.** *Córd.* **Agracejo,** 3.ª acep. || **Echar a uno el agraz en el ojo.** fr. fig. Decirle lo que le causa disgusto o sentimiento. || **En agraz.** m. adv. fig. Antes de sazón y tiempo. || **Por agraz vendrá la falsa, para la salsa.** ref. contra los que por curiosidad entran en casa ajena con pretextos necios. || **Unos comen el agraz y otros tienen la dentera.** ref. **Uno come la fruta aceda,** etc.

Agrazada. f. Bebida compuesta de agraz, agua y azúcar.

Agrazar. intr. Tener alguna cosa un gusto agrio, saber a agraz. || **2.** tr. fig. Disgustar, desazonar.

Agrazón. (De *agraz.*) m. Uva silvestre, o racimillos que hay en las vides, que nunca maduran. || **2.** **Grosellero silvestre.** || **3.** fig. y fam. Enfado, disgusto, sentimiento. || **4.** *Ál.* **Agraz,** 7.ª acep.

Agre. (Del lat. *acer, acris.*) adj. ant. Agrio, 8.ª acep. Ú. en *Sal.*

Agrearse. (De *agre.*) r. ant. Agriarse.

Agrecillo. m. Agracillo.

Agredido, da. p. p. de **Agredir.** Ú. t. c. s.

Agredir. (Del lat. *aggrĕdi.*) tr. defect. Acometer a alguno para matarle, herirle o hacerle cualquier daño.

Agregación. f. Acción y efecto de agregar o agregarse.

Agregado, da. p. p. de **Agregar.** || **2.** m. Conjunto de cosas homogéneas que se consideran formando un cuerpo. || **3.** Agregación, añadidura o anejo. || **4.** Empleado adscrito a un servicio del cual no es titular. || **5.** *Argent.* y *Colomb.* El que ocupa una propiedad rural ajena con su casa, gratuitamente o pagando un arrendamiento. || **comercial.** Funcionario encargado especialmente de los asuntos comerciales en las misiones diplomáticas o en los ministerios. || **diplomático.** El que sirve en la última categoría de la carrera diplomática. || **militar.** El que desempeña funciones relacionadas con su carrera militar en las misiones diplomáticas. || **naval.** El que en las dichas misiones desempeña funciones propias de su competencia.

Agregar. (Del lat. *aggregāre;* de *ad,* a, y *grex,* rebaño.) tr. Unir o juntar unas personas o cosas a otras. Ú. t. c. r. || **2.** Decir o escribir algo sobre lo ya dicho o escrito. || **3.** Destinar a alguna persona a un cuerpo u oficina o asociarla a otro empleado, pero sin darle plaza efectiva. || **4.** **Anexar.**

Agregativo, va. adj. ant. Que agrega o tiene virtud de agregar. || **2.** *Farm.* Dícese de las píldoras compuestas de diversos purgantes.

Agremán. (Del fr. *agrément,* y éste de *agréer,* del nórd. *greidi,* aparejo.) m. Labor de pasamanería, en forma de cinta, usada para adornos y guarniciones.

Agremente. adv. m. ant. **Agriamente.**

Agremiación. f. Acción de agremiar o agremiarse.

Agremiar. tr. Reunir en gremio. Ú. t. c. r.

Agresión. (Del lat. *aggressĭo, -ōnis;* de *aggrĕdi,* acometer.) f. Acción y efecto de agredir. || **2.** Acto contrario al derecho de otro.

Agresivamente. adv. m. De manera agresiva.

Agresividad. (De *agresivo.*) f. **Acometividad.**

Agresivo, va. (Del lat. *aggressus,* p. p. de *aggrĕdi,* agredir.) adj. Propenso a faltar al respeto, a ofender o a provocar a los demás. || **2.** Que implica provocación o ataque. *Discurso* AGRESIVO; *palabras* AGRESIVAS.

Agresor, ra. (Del lat. *aggressor.*) adj. Que comete agresión. Ú. t. c. s. || **2.** *For.* Se dice de la persona que viola o quebranta el derecho de otra. Ú. t. c. s. || **3.** *For.* Aplícase a la persona que da motivo a una querella o riña, injuriando, amenazando, desafiando o provocando a otra de cualquier manera. Ú. t. c. s.

Agreste. (Del lat. *agrestis,* de *ager, agri,* campo.) adj. Campesino o perteneciente al campo. || **2.** Áspero, inculto o lleno de maleza. || **3.** fig. Rudo, tosco, grosero, falto de urbanidad.

Agreta. (De *agrete.*) f. p. us. **Acedera.**

Agrete. adj. d. de **Agrio.** Ú. t. c. s.

Agreza. f. ant. **Agrura,** 1.ª acep.

Agriamente. adv. m. fig. Con aspereza o rigor. || **2.** fig. **Amargamente.**

Agriar. (De *agrio.*) tr. Poner agria alguna cosa. Ú. m. c. r. || **2.** fig. Exasperar los ánimos o las voluntades. Ú. t. c. r.

Agriar. m. **Cinamomo,** 1.ª acep.

Agrícola. (Del lat. *agricŏla;* de *ager, agri,* campo, y *colĕre,* cultivar.) adj. Concerniente a la agricultura y al que la ejerce. || **2.** com. **Agricultor, ra.**

Agricultor, ra. (Del lat. *agricultor;* de *ager, agri,* campo, y *cultor,* cultivador.) m. y f. Persona que labra o cultiva la tierra.

Agricultura. (Del lat. *agricultūra;* de *ager, agri,* campo, y *cultūra,* cultivo.) f. Labranza o cultivo de la tierra. || **2.** Arte de cultivar la tierra.

Agridulce. adj. Que tiene mezcla de agrio y de dulce. Ú. t. c. s.

Agridulcemente. adv. m. De modo agridulce.

Agrietamiento. m. Acción y efecto de agrietar o agrietarse.

Agrietar. tr. Abrir grietas o hendiduras. Ú. m. c. r.

Agrifada. adj. V. **Águila, letra agrifada.**

Agrifolio. (Del lat. *agrifolĭum* y *aquifolĭum;* de *acus,* aguja, y *folĭum,* hoja.) m. **Acebo.**

Agrija. f. ant. Grieta, llaga, fístula.

Agrilla. (d. de *agria.*) f. **Acedera.**

Agrillarse. r. **Grillarse.**

Agrimensor. (Del lat. *agrimensor;* de *ager, agri,* campo, y *mensor,* medidor.) m. Perito en agrimensura. ‖ **2.** V. **Cadena, escuadra de agrimensor.**

Agrimensura. (Del lat. *agrimensūra;* de *ager, agri,* campo, y *mensūra,* medida.) f. Arte de medir tierras.

Agrimonia. (Del lat. *agrimonĭa.*) f. *Bot.* Planta perenne de la familia de las rosáceas, como de un metro de altura, tallos vellosos, hojas largas, hendidas y ásperas y flores pajizas. Las hojas se emplean en medicina como astringente, y las flores, en algunas partes, para curtir cueros.

Agrimoña. f. *And.* **Agrimonia.**

Agrio, gria. (Cruce de *agre* y *agro,* 2.° art.) adj. **Ácido,** 1.ª acep. Ú. t. c. s. ‖ **2.** V. **Agua, caña, naranja, plata agria.** ‖ **3.** fig. Difícilmente accesible; pendiente o abrupto. ‖ **4.** fig. Acre, áspero, desabrido. *Genio* AGRIO; *respuesta* AGRIA. ‖ **5.** Hablando de castigos y sufrimientos, difícilmente tolerable. ‖ **6.** fig. Tratándose de metales, frágil, quebradizo, no dúctil ni maleable. ‖ **7.** *Pint.* Dicho del colorido, falto de armonía o consonancia o de la necesaria entonación. Ú. t. c. s. ‖ **8.** m. Zumo ácido. ‖ **9.** pl. Frutas **agrias** o agridulces, como el limón, la naranja y otras semejantes. ‖ **Mascar las agrias.** fr. fig. Disimular el disgusto o mal humor.

Agrión. (De *agrio.*) m. *Veter.* Tumefacción más o menos dura y dolorosa, según las causas, que suelen padecer las caballerías en la punta del corvejón. ‖ **2. Agriar.**

Agripalma. (Del lat. *acer, acris,* fuerte, punzante, y *palma,* palma.) f. *Bot.* Planta perenne de la familia de las labiadas, indígena de España, de un metro de altura, con el tallo cuadrangular, hojas divididas en tres lóbulos lanceolados, verdinegras por encima y blanquecinas por el envés, y flores de color purpúreo claro, dispuestas en verticilos en las extremidades de los ramos.

Agrisado, da. (De *a,* 2.° art., y *gris.*) adj. **Gríseo.**

Agrisetado, da. adj. Aplícase a ciertas telas parecidas a la griseta.

Agro. (del lat. *ager, agri,* campo.) m. En lo antiguo, territorio jurisdiccional de ciertas ciudades.

Agro, gra. (Del lat. *acer,* **acri,* en vez de *acris.*) adj. **Agrio,** 1.ª acep. ‖ **2.** m. V. **Jalea del agro.**

Agrología. (Del gr. ἀγρός, campo, y λέγω, decir, tratar.) f. Parte de la agronomía que se ocupa en el estudio del suelo en sus relaciones con la vegetación.

Agrológico, ca. adj. Perteneciente o relativo a la agrología.

Agronomía. (De *agrónomo.*) f. Conjunto de conocimientos aplicables al cultivo de la tierra, derivados de las ciencias exactas, físicas y económicas.

Agronómico, ca. adj. Perteneciente o relativo a la agronomía.

Agrónomo. (Del gr. ἀγρονόμος; de ἀγρός, campo, y νόμος, ley.) m. Persona que profesa la agronomía. Ú. t. c. adj. *Perito* AGRÓNOMO. ‖ **2.** adj. V. **Ingeniero agrónomo.**

Agropecuario, ria. (Del lat. *ager, agri,* campo, y *pecus, -ŏris,* ganado.) adj. Que tiene relación con la agricultura y la ganadería.

Agror. (Del lat. *acror.*) m. ant. **Agrura,** 1.ª acep.

Agruador. (Del lat. *augurātor.*) m. ant. Agorero.

Agrumar. tr. Hacer que se formen grumos. Ú. t. c. r.

Agrupable. adj. Que se puede agrupar.

Agrupación. f. Acción y efecto de agrupar o agruparse. ‖ **2.** Conjunto de personas agrupadas.

Agrupador, ra. adj. Que agrupa.

Agrupamiento. m. Acción y efecto de agrupar.

Agrupar. tr. Reunir en grupo, apiñar. Ú. t. c. r.

Agrura. (De *agro.*) f. Sabor acre o ácido que tienen algunas cosas. ‖ **2. Agrio,** 8.ª acep. ‖ **3.** Calidad de agrio, 3.ª acep. ‖ **4.** Conjunto de árboles que producen frutas agrias o agridulces.

Agua. (Del lat. *aqua.*) f. Cuerpo formado por la combinación de un volumen de oxígeno y dos de hidrógeno, líquido, inodoro, insípido, en pequeña cantidad incoloro y verdoso en grandes masas, que refracta la luz, disuelve muchas substancias, se solidifica pcr el frío, se evapora por el calor y, más o menos puro, forma la lluvia, las fuentes, los ríos y los mares. ‖ **2.** V. **Almacén, araña, arca, arta, azucena, buey, caballo, censo, despidiente, escarnidor, gallina, garbanzo, gato, hila, hila real, lenteja, línea, lirio, llantén, manga, melón, merced, nivel, paja, pamplina, plancha, pluma, polla, ratonera, real, reloj, salamanquesa, salto, tabla, tordo, vía de agua.** ‖ **3.** V. **Alcalde, alguacil, altura viva, escribanillo, escribano, hijo, lengua, lumbre del agua.** ‖ **4.** V. **Aprovechamiento, bajada, camelote, perro de aguas.** ‖ **5.** V. **Huevo pasado por agua.** ‖ **6.** V. **Pan y agua.** ‖ **7.** *Ar.* V. **Huevo en agua.** ‖ **8.** Cualquiera de los licores que se obtienen por infusión, disolución e emulsión de flores, plantas o frutos, y se usan en medicina y perfumería. AGUA *de azahar, de Colonia, de heliotropo, de la reina de Hungría, de rosas.* ‖ **9.** desus. Río o arroyo. ‖ **10. Lluvia,** 1.ª acep. Ú. t. en pl. ‖ **11.** *Arq.* Vertiente de un tejado. ‖ **12.** *Mar.* Rotura, grieta o agujero por donde entra en la embarcación el **agua** en que ella flota. *Abrirse, descubrirse una* AGUA. Se llama **alta** o **baja,** según su distancia vertical a la quilla. ‖ **13.** *Mar.* **Marea,** 1.ª acep. ‖ **14.** Lágrimas, pl. de **lágrima,** 1.ª acep. ‖ **15.** pl. Visos u ondulaciones que tienen algunas telas, plumas, piedras, maderas, etc. ‖ **16.** Visos o destellos de las piedras preciosas. ‖ **17. Orina.** ‖ **18.** Manantial de **aguas** mineromedicinales. ‖ **19.** *Mar.* Las del mar, más o menos inmediatas a determinada costa. *En* AGUAS *de Cartagena.* ‖ **20.** *Mar.* Corrientes del mar. *Las* AGUAS *tiran o van hacia tal parte.* ‖ **21.** *Mar.* Estela o camino que ha seguido un buque. *Buscar, ganar las* AGUAS *de un buque; seguir las* AGUAS *de un contrabandista.* ‖ **Agua acídula,** o **agria.** La mineral que lleva en disolución ácido carbónico. ‖ **angélica.** *Farm.* **Angélica,** 3.ª acep. ‖ **artesiana.** La de los pozos artesianos. ‖ **bendita.** La que bendice el sacerdote y sirve para el uso de la Iglesia y de los fieles. ‖ **blanca.** La que resulta de la disolución en **agua** del extracto de Saturno o acetato de plomo. ‖ **2.** La que se prepara con salvado y se da a beber a las caballerías para que refresquen. ‖ **cibera. Aguacibera.** ‖ **compuesta.** Bebida que se hace de **agua,** azúcar y el zumo de algunas frutas o de las mismas frutas puestas en infusión. AGUA *de limón, de naranja, de fresas.* ‖ **cruda.** La que, por llevar en disolución mucho yeso, endurece las legumbres que se cuecen en ella y, bebida, dificulta la digestión. ‖ **cuaderna.** *Mar.* La que en la sentina se halla encima de la cara alta de las cuadernas de un buque. ‖ **de almidón.** Almidón desleído en **agua.** ‖ **de ángeles. Agua** perfumada con el aroma de flores de varias clases. ‖ **de azahar.** La que se prepara con la flor del naranjo y se emplea en medicina como sedante. ‖ **de borrajas. Agua de cerrajas,** 2.ª acep. ‖ **de cal.** La que se prepara con cien partes de **agua** y una de cal; es muy usada en medicina. ‖ **de cantera.** Humedad que naturalmente tienen las piedras al ser arrancadas de la cantera. ‖ **de cepas.** fam. **Vino,** 1.ª acep. ‖ **de cerrajas.** La que se saca de la hierba cerraja. ‖ **2.** fig. Cosa de poca o ninguna substancia. ‖ **de Colonia.** Perfume compuesto de **agua,** alcohol y esencias aromáticas. ‖ **de fondo.** *Mar.* La que por su color denota el sitio donde hay poca hondura. ‖ **de herreros. Agua herrada.** ‖ **del amnios.** *Zool.* Líquido contenido en la cavidad del amnios. ‖ **delgada.** La que tiene en disolución una cantidad muy pequeña de sales. ‖ **del mar.** m. *Chile.* Pez lofobranquio común en la bahía de Valparaíso, de color rojo pardo por encima. ‖ **del palo. Agua de palo.** ‖ **de lluvia. Agua lluvia.** ‖ **de nafa. Aguanafa.** ‖ **de nieve.** La que se enfría con nieve, y más comúnmente con hielo. ‖ **2.** La que procede del deshielo. ‖ **de olor.** La que está compuesta con substancias aromáticas. ‖ **de palo.** Cocimiento de guayaco o palo de las Indias, también llamado palo santo, con que se solía curar el mal venéreo. ‖ **de pie.** El **agua** corriente, como la de las fuentes y manantiales. ‖ **de placer.** *Mar.* **Agua de fondo.** ‖ **de plan.** *Mar.* La que no corre a la caja de bombas por algún estorbo en el plan del buque. ‖ **de Seltz. Agua** carbónica natural o preparada artificialmente. ‖ **de socorro.** Bautismo administrado sin solemnidades, en caso de necesidad. ‖ **dulce.** La potable de poco o ningún sabor, por contraposición a la del mar o a las minerales. ‖ **fuerte.** Ácido nítrico diluido en corta cantidad de **agua.** Se llama así por la actividad con que disuelve la plata y otros metales. ‖ **2. Grabado al agua fuerte.** ‖ **gorda.** La que tiene en disolución gran cantidad de sales, principalmente yeso. ‖ **herrada.** Aquella en que se ha apagado hierro candente. ‖ **lustral.** Aquella con que se rociaban las víctimas y otras cosas en los sacrificios gentílicos. ‖ **llovediza. Agua lluvia.** ‖ **lluvia.** La que cae de las nubes. ‖ **manantial.** La que naturalmente brota de la tierra. ‖ **mansa.** La que corre tranquila y apaciblemente. ‖ **mineral.** La que lleva en disolución substancias minerales, como sales, óxido de hierro, etc. ‖ **mineromedicinal.** La mineral que se usa para la curación de alguna dolencia. ‖ **muerta.** La estancada y sin corriente. ‖ **2.** *Mar.* La que entra en el buque como recalándose o por intervalos. ‖ **nieve.** La que cae de las nubes mezclada con nieve. ‖ **pesada.** *Quím.* Aquella en cuya composición entra el deuterio en lugar del hidrógeno. ‖ **pluvial. Agua lluvia.** ‖ **regia.** *Quím.* Combinación del ácido nítrico con el muriático o clorhídrico: disuelve el oro, llamado antiguamente rey de los metales. ‖ **roja. Agua** caliente. ‖ **rosada. Agua de ángeles.** ‖ **sal.** La dulce en que se echa alguna porción de sal. ‖ **salobre.** La cargada de sales, que la hacen impropia para la bebida. ‖ **sobre cuaderna.** *Mar.* **Agua cuaderna.** ‖ **sosa. Agua gorda.** ‖ **termal.** La que en todo tiempo brota del manantial, con temperatura superior a la media del país. ‖ **tofana.** Veneno muy activo que se usó en Italia. ‖ **vidriada.** *Cetr.* Especie de moquillo que suelen padecer los halcones y otras aves de rapiña. ‖ **viento.** Lluvia con viento fuerte. ‖ **viva.** La que mana y corre naturalmente. ‖ **2.** *Mar.* La que entra en el buque con fuerza y sin intermisión. ‖ **Aguas alumbradas.** Las que salen a la superficie por el esfuerzo del hombre y pertenecen al que las ha alumbrado. || **de creciente.** *Mar.* Flujo del mar. || **de dominio privado.** Las de pozos o fuentes particulares y las que nacen dentro de un predio mientras discurren por él. || **de dominio público.** Las de los ríos y arroyos, las que brotan con ocasión de obras públicas y las de dominio privado al salir del predio en que nacen. || **del pantoque.** *Mar.* En el sentido horizontal, las que median entre la proa y la popa, y en el vertical, las inferiores a los llenos de proa. || **del timón.** *Mar.* Corriente que, producida por la marcha del buque, viene desde proa a chocar con la pala del timón. || **de menguante.** *Mar.* Reflujo del mar. || **falsas.** Las que se encuentran cavando o perforando la tierra y no son permanentes. || **firmes.** Las de pozo o manantial perenne. || **jurisdiccionales.** Las que bañan las costas de un Estado y están sujetas a su jurisdicción hasta cierto límite determinado por el derecho internacional. || **llenas.** *Mar.* **Pleamar.** || **madres.** *Quím.* Las que restan de una disolución salina que se ha hecho cristalizar y no da ya más cristales. || **mayores.** Excremento humano. || **2.** *Mar.* Las más grandes mareas de los equinoccios. || **menores.** Orina del hombre. || **2.** *Mar.* Mareas diarias o comunes. || **muertas.** *Mar.* Mareas menores, en los cuartos de la Luna. || **subálveas.** Las que se buscan y alumbran en las márgenes o debajo de cauces empobrecidos o secos. || **vertientes.** Las que bajan de las montañas o sierras. || **2.** Las que vierten los tejados. || **3.** Punto hacia donde descienden las **aguas** desde las alturas o terrenos elevados. || **vivas.** *Mar.* Crecientes del mar hacia el tiempo de los equinoccios o en el novilunio y el plenilunio. || **¡Agua!** exclam. *Mar.* **¡Hombre al agua!** || **Agua abajo.** m. adv. Con la corriente o curso natural del **agua.** || **Agua arriba.** m. adv. Contra la corriente o curso natural del **agua.** || **2.** fig. Con gran dificultad, oposición o repugnancia. || **Agua coge con harnero, quien se cree de ligero.** ref. que reprende la temeridad del que cree ligeramente y sin fundamento. || **Agua de por mayo, pan para todo el año.** ref. que manifiesta cuán convenientes son en este mes las lluvias para fecundizar los campos. || **Agua de por San Juan, quita vino y no da pan.** ref. que advierte que la lluvia por San Juan es dañosa a las vides y de ninguna utilidad a los trigos. || **Agua no enferma, ni embeoda ni adeuda.** ref. con que se recomiendan los buenos efectos del **agua,** por contraposición a los malos que suele causar el vino. || **Aguantar aguas.** fr. *Mar.* Contener con los remos, ciando, la marcha de un bote. || **Agua pasada no muele molino.** ref. que se aplica a las cosas que perdieron su oportunidad, valor o eficacia, o con que se censura el traerlas a cuento. || **¡Agua va!** expr. con que se avisaba a los transeúntes cuando desde alguna casa iban a echar a la calle **agua** o inmundicia. || **2.** fig. Se dice también cuando alguno se desboca o desvergüenza en la conversación. || **Agua vertida, no toda cogida.** ref. que enseña que ordinariamente no puede remediarse todo el daño que se causa por alguna indiscreción. || **Ahogarse** uno **en poca agua.** fr. fig. y fam. Apurarse y afligirse por liviana causa. || **Al agua fuerte.** m. adv. V. **Grabado al agua fuerte.** || **Al agua tinta.** m. adv. V. **Grabado al agua tinta.** || **Algo tendrá el agua cuando la bendicen.** fr. proverb. con que se da a entender que el encomiar a persona o cosa a quien nadie culpa, o cuando no viene al caso, es señal de haber en ella alguna malicia. || **Alzarse el agua.** fr. ant. Dejar de llover, serenarse el tiempo. || **Arrollar agua** un buque. fr. *Mar.* Llevar mucha velocidad. || **Bailarle** uno **el agua** a otro. **Bailar** uno **el agua delante** a otro. frs. fams. Adelantarse, por cariño o adulación, a hacer lo que supone que ha de serle grato. || **Bañarse** uno **en agua rosada.** fr. fig. Alegrarse mucho del bien o del mal ajeno o regocijarse al ver el desengaño, escarmiento o perjuicio de otro que no hizo caso de sus consejos y advertencias o que no cumplió su voluntad. || **Beber agua** un buque. fr. *Mar.* Recibir la del mar por encima de las bordas, de resultas de ir muy tumbado. || **Cada uno quiere llevar el agua a su molino, y dejar en seco el del vecino.** ref. que se dice del que sólo atiende a su propio interés, sin reparar en el daño ajeno. || **Coger agua en cesto,** o **en harnero.** fr. fig. Trabajar en vano. || **Coger las aguas.** fr. *Arq.* Concluir de cubrir un edificio para preservarlo de la lluvia. || **Como agua.** loc. fam. con que se denota la abundancia o copia de alguna cosa. || **Como el agua de mayo.** loc. fam. con que se pondera lo bien recibida o lo muy deseada que es alguna persona o cosa. || **Convertirse** una cosa **en agua de cerrajas.** fr. fig. **Hacerse agua de cerrajas.** || **Correr el agua por donde solía.** fr. fig. Volver las personas o cosas a sus antiguos usos, costumbres o estado. || **Cortar las aguas** de un buque. fr. *Mar.* Atravesarlas por un punto relativamente próximo a su popa. || **De agua fuerte.** m. adv. **Al agua fuerte.** || **De agua y lana.** loc. fig. y fam. De poco o ningún valor o importancia. || **Del agua mansa me libre Dios, que de la brava,** o **recia, me guardaré yo.** ref. con que se da a entender que las personas de genio apacible y manso al parecer, cuando llegan a enojarse suelen ser las más impetuosas y terribles. || **Del agua vertida, alguna cogida.** ref. con que se aconseja que cuando no se pudiere recobrar enteramente lo perdido, se procure recoger lo que fuere posible. || **Echar agua en el mar,** o **la mar.** fr. fig. Hacer algo inútilmente. || **2.** fig. Dar algo a quien tiene abundancia de ello. || **Echar el agua.** fr. **Bautizar,** 1.ª acep. || **Echarse** uno **al agua.** fr. fig. Decidirse a arrostrar algún peligro. || **Echar** uno **toda el agua al molino.** fr. fig. Hacer todo el esfuerzo posible para conseguir lo que desea. || **El agua como buey, y el vino como rey.** ref. que enseña el uso moderado que debe hacerse del vino. || **Embarcar agua** un buque. fr. *Mar.* Recibir la del mar por encima de las bordas, no por ir tumbado, sino por la violencia de las olas. || **Encharcarse** uno **de agua.** fr. fig. Beberla con exceso. || **Entre dos aguas.** m. adv. fig. y fam. Con duda y perplejidad, o equívocamente, por reserva o cautela. Ú. m. con el verbo *estar.* || **Escribir en el agua.** fr. fig. **Escribir en la arena.** || **Estar** uno **con el agua a,** o **hasta la boca, el cuello** o **la garganta.** fr. fig. y fam. Estar en grande aprieto o peligro. || **Estar** uno **hecho una agua.** fr. fig. y fam. Estar lleno de sudor. || **Ganar** una embarcación **las aguas** de otra. fr. *Mar.* Adelantarse a ella. || **Guárdate del agua mansa.** fr. fig. **Del agua mansa me libre Dios,** etc. || **Hacer agua.** fr. *Mar.* **Hacer aguada.** || **Hacer agua** un buque. fr. *Mar.* Recibirla por alguna grieta o agujero de sus fondos. || **Hacer agua** un buque **por las cacholas,** o **por los imbornales.** fr. *Mar.* No recibir más **agua** que la llovediza por las escotillas o la del mar por los imbornales, o sea no hacer **agua.** || **Hacer aguas.** fr. **Orinar,** 1.ª acep. || **Hacer de agua,** o **del agua,** una cosa. fr. fam. Lavar o remojar tela o ropa de lienzo antes de usarla. || **Hacerse** una cosa **agua,** o **agua de cerrajas.** fr. fig. Desvanecerse o frustrarse lo que se pretendía o esperaba. || **Hacerse** una cosa **agua,** o **una agua en la boca.** fr. fam. con que se denota que una cosa es muy blanda y suave y que se deshace fácilmente en la boca al comerla. || **Hacérsele** a uno **agua,** o **una agua, la boca.** fr. fam. Recordar con deleite el buen sabor de algún manjar. || **2.** fig. y fam. Deleitarse con la esperanza de conseguir alguna cosa agradable, o con su memoria. || **Hacerse** uno **una agua.** fr. fig. y fam. **Estar hecho una agua.** || **Hacerse** una cosa **una agua la boca.** fr. fig. y fam. **Hacerse** una cosa **agua la boca.** || **Ir** un buque **debajo del agua.** fr. *Mar.* Ir muy tumbado. || **Ir el agua por** alguna parte. fr. fig. con que se denota que el favor y la fortuna corren en ciertos tiempos por determinada clase de sujetos y cosas. || **Ir** un buque **por encima del agua.** fr. *Mar.* Ir desembarazadamente, como si el viento o las corrientes no entorpecieran su marcha. || **Írsele** a uno **las aguas.** fr. fig. Orinarse por causa de una impresión fuerte. || **Llevar** uno **el agua** a su **molino.** fr. fig. Dirigir en su interés o provecho exclusivo aquello de que puede disponer. || **Marearse el agua.** fr. *Mar.* Alterarse y hacerse impotable la que se lleva a bordo para el consumo de la tripulación. || **Meterse en agua** el tiempo, el día, etc. fr. Hacerse lluvioso. || **Nadie diga,** o **nadie puede decir, de esta agua no beberé.** ref. con que se da a entender que ninguno está libre de que le suceda lo que a otro, ni seguro de que no hará alguna cosa, por mucho que le repugne. || **Ni bebas agua que no veas, ni firmes carta que no leas.** ref. que aconseja procurar la seguridad propia, aunque sea a costa de cualquier diligencia. || **No alcanzar para agua.** fr. con que se indica la corta ganancia que ha hecho uno o la escasa remuneración que ha obtenido. || **No es nadilla, y dábale el agua a la rodilla.** ref. **No es nada lo del ojo, y lo llevaba en la mano.** || **No hallar** uno **agua en la mar.** fr. fig. No conseguir lo más fácil de lograr. || **No va por ahí el agua al molino.** fr. que se usa para decir que lo que uno propone no es adecuado al fin que se persigue. || **Parecer que** uno **no enturbia el agua.** fr. fig. que se dice del que, aparentando sencillez o inocencia, encubre el talento o malicia que no se creía en él. || **Quedarse entre dos aguas.** fr. *Mar.* Sumergirse sin llegar al fondo. || **Quien echa agua en la garrafa de golpe, más derrama que ella coge.** ref. que enseña que las cosas, para que salgan bien hechas, no se han de ejecutar con precipitación. || **Romper aguas.** fr. Romperse la bolsa que envuelve al feto y derramarse por la vagina y la vulva el líquido amniótico. || **Sacar** uno **agua de las piedras.** fr. fig. y fam. Obtener provecho aun de las cosas que menos lo prometen. || **Sin decir agua va.** loc. fig. y fam. que se emplea cuando uno ocasiona algún daño o pesar intempestivamente y sin prevención. || **Sin tomar agua bendita.** loc. fam. que denota que puede hacerse lícitamente una cosa. || **Tan claro como el agua.** fr. que se dice de las cosas muy manifiestas y patentes. || **Tener** uno **el agua a la boca, al cuello** o **a la garganta.** fr. fig. **Estar con el agua a,** o **hasta, la boca,** etc. || **Tomar** uno **de atrás el agua.** fr. fig. Empezar la relación de algún suceso o negocio por las primeras circunstancias o motivos que ocurrieron en él. || **Tomar el agua.** fr. *Mar.* Cerrar o tapar los agujeros por donde penetra en los fondos del buque. || **Tomar las aguas.** fr. *Arq.* **Coger las aguas.** || **2.** *Mar.* **Tomar el agua.** || **Tomar una agua.** fr. *Mar.* **Tomar el agua.** || **Volverse** una cosa **agua de cerrajas.** fr. fig. **Hacerse agua de cerrajas.**

Aguacal. m. Lechada de cal, con algo de yeso, que se emplea para enjalbegar.

Aguacatal. m. Terreno poblado de aguacates, 1.ª acep.

Aguacate. (Del mejic. *ahuacatl.*) m. Árbol de América, de la familia de las lauráceas, de ocho a diez metros de altura, con hojas alternas, coriáceas, siempre verdes, flores dioicas y fruto parecido a una pera grande, de carne blanda, mantecosa e insípida, por lo que se come con sal. || **2.** Fruto de este árbol. || **3.** Esmeralda de figura de perilla. Díjose así por su semejanza con la fruta de este nombre.

Aguacatillo. (d. de *aguacate.*) m. Árbol de América, de la familia de las lauráceas, de unos trece metros de altura, de madera blanquecina, corteza rojiza, flores pequeñas, amarillentas y olorosas, y fruto negruzco cuando está maduro.

Aguacella. f. *Ar.* **Aguanieve.**

Aguacero. (De *aguaza.*) m. Lluvia repentina, abundante, impetuosa y de poca duración. || **2.** fig. Sucesos y cosas molestas, como golpes, improperios, etc., que en gran cantidad caen sobre una persona.

Aguacibera. (De *agua* y *cibera.*) f. Agua con que se riega una tierra sembrada en seco.

Aguacil. m. ant. hoy vulg. **Alguacil.**

Aguacha. f. Agua encharcada y corrompida.

Aguachar. m. **Charco.**

Aguachar. (De *aguacha.*) tr. **Enaguachar,** 1.ª acep. Ú. t. c. r. || **2.** r. *Argent.* Echar barriga y carnes un caballo por haber estado pastando ocioso una larga temporada.

Aguacharnar. (De *aguachar.*) tr. **Enaguazar.**

Aguachas. (De *agua.*) f. pl. *Murc.* **Alpechín.**

Aguachento, ta. adj. *Amér.* Aplícase a lo que pierde su jugo y sales, por estar muy impregnado de agua. Dícese especialmente de los frutos.

Aguachinar. (De *aguachar.*) tr. *Ar.* y *Sal.* **Enaguazar.**

Aguachirle. (De *agua* y *chirle.*) f. Especie de aguapié de ínfima calidad. || **2.** fig. Cualquier licor sin fuerza ni substancia. || **3.** fig. Cosa baladí, insubstancial, sin importancia alguna. Empléase hablando de obras o cualidades del ingenio.

Aguada. f. Tinta que se da a una pared para quitarle la mucha blancura del enlucido de yeso. || **2.** Sitio en que hay agua potable, y a propósito para surtirse de ella. || **3.** *Mar.* Provisión de agua potable que lleva un buque. || **4.** *Min.* Avenida de aguas que inunda total o parcialmente las labores de una mina. || **5.** *Pint.* Color diluido en agua sola, o en agua con ciertos ingredientes, como goma, miel, hiel de vaca clarificada, etc. || **6.** *Pint.* Diseño o pintura que se ejecuta con colores preparados de esta manera. || **A la aguada.** m. adv. *Pint.* V. **Pintura a la aguada.** || **Hacer aguada** un buque. fr. *Mar.* Surtirse de agua potable.

Aguadera. f. *Cetr.* Cada una de las cuatro plumas anchas, una más corta que otra, que están después de los cuchillos o remeras del ala de las aves. || **2.** *Sal.* Surco o zanja de desagüe en las tierras. || **3.** pl. Armazón de madera, esparto, mimbre u otra materia semejante, con divisiones, que se coloca sobre las caballerías para llevar en cántaros o barriles agua u otras cosas.

Aguadero, ra. adj. Propio para el agua, hablando de prendas de vestir. || **2.** V. **Capa aguadera.** || **3.** m. **Abrevadero.** || **4.** Sitio adonde acostumbran ir a beber algunos animales silvestres. AGUADERO *de palomas, de venados.* || **5.** Sitio donde se lanzan las maderas a los ríos para conducirlas a flote. || **6.** desus. **Aguador,** 1.ª acep.

Aguadija. f. Humor claro y suelto como agua, que se forma en los granos o llagas.

Aguado, da. p. p. de **Aguar.** || **2.** adj. **Abstemio.**

Aguador, ra. m. y f. Persona que tiene por oficio llevar o vender agua. || **2.** m. Cada uno de los palos o travesaños horizontales que, colocados a igual distancia unos de otros, en forma de escalerilla, unen los dos aros de que se compone la rueda vertical de la noria, y sirven para que corran o jueguen sobre ellos la maroma o cadena y los cangilones.

Aguaduchar. (De *aguaducho.*) tr. ant. **Enaguazar.**

Aguaducho. (De *acueducto.*) m. Avenida impetuosa de agua. || **2.** Puesto donde se vende agua, y que por lo común tiene un armario para colocar y guardar los vasos. || **3.** **Acueducto.** || **4.** **Noria,** 1.ª acep.

Aguadulce. m. *C. Rica.* **Aguamiel,** 1.ª acep.

Aguadura. (De *aguar,* 6.ª acep.) f. *Veter.* **Infosura.** || **2.** *Veter.* Absceso que se forma en lo interior del casco de las caballerías.

Aguafiestas. (De *aguar* y *fiesta.*) com. Persona que turba cualquiera especie de diversión o regocijo.

Aguafuerte. amb. Lámina obtenida por el grabado al agua fuerte. || **2.** Estampa hecha con esta lámina.

Aguafuertista. com. Persona que graba al agua fuerte.

Aguagoma. f. Disolución de goma arábiga en agua, de que usan los pintores para desleír los colores y darles mayor consistencia y viveza.

Aguagriero, ra. (De *agua agria.*) adj. *Mancha.* Aplícase a la persona que va a tomar las aguas acídulas de Puertollano u otras de igual clase. Ú. t. c. s.

Aguaitacaimán. (De *aguaitar* y *caimán.*) m. Ave de Cuba, del orden de las zancudas, de unos 40 centímetros de largo, incluso el pico, que es de cinco a seis; tiene la cabeza adornada de plumas largas de color verde metálico, y la garganta y el pecho blancos y con manchas obscuras. Se alimenta de pececillos y de moluscos.

Aguaitador, ra. adj. desus. Que aguaita. Usáb. t. c. s.

Aguaitamiento. m. desus. Acción de aguaitar.

Aguaitar. (De *a,* 2.° art., y *guaitar.*) tr. ant. **Acechar.** Ú. en *Ar.*, *Nav.* y *Amér.*

Aguajaque. (Del ár. *al-wuššaq,* la goma amoniacal.) m. Resina de color blancuzco que destila el hinojo.

Aguaje. m. **Aguadero,** 4.ª acep. || **2.** *Mar.* Crecientes grandes del mar. || **3.** *Mar.* Agua que entra en los puertos o sale de ellos en las mareas. || **4.** *Mar.* Corrientes del mar periódicas en algunos parajes. || **5.** *Mar.* Corriente impetuosa del mar. || **6.** *Mar.* **Aguada,** 2.ª y 3.ª aceps. || **7.** *Mar.* **Estela,** 1.ᵉʳ art., 1.ª acep. || **del timón.** *Mar.* Remolinos que el agua forma en la popa al reunirse las dos corrientes que vienen por los costados y chocan en el timón. || **Hacer aguaje.** fr. *Mar.* Correr con mucha violencia las aguas.

Aguají. m. Pez acantopterigio de los mares de las Antillas, de cerca de un metro de largo, cilíndrico, rojizo, con manchas obscuras y una sola aleta dorsal. Su carne es poco apreciada.

Aguajinoso, sa. adj. ant. **Aguanoso.**

Aguallevado. (De *agua* y *llevar.*) m. *Ar.* Procedimiento de limpia de cauces que consiste en dejarles una pequeña corriente de agua y, metidos en ella los trabajadores, arrancar con herramientas el barro y echarlo al agua para que ésta lo arrastre.

Aguamala. f. **Medusa,** 1.ª acep.

Aguamanil. (Del lat. *aquamanīle;* de *aqua,* agua, y *manus,* manos.) m. Jarro con pico para echar agua en la palangana o pila donde se lavan las manos, y para dar aguamanos. || **2.** Palangana o pila destinada para lavarse las manos. || **3.** Por ext., **Palanganero.**

Aguamanos. m. Agua que sirve para lavar las manos. || **2.** **Aguamanil,** 1.ª acep. || **Dar aguamanos** a uno. fr. Servirle el agua con el aguamanil u otro jarro, para que se lave las manos.

Aguamar. m. **Aguamala.**

Aguamarina. f. Variedad de berilo, transparente, de color parecido al del agua del mar y muy apreciado en joyería.

Aguamelado, da. adj. Mojado o bañado con aguamiel.

Aguamiel. f. Agua mezclada con alguna porción de miel. || **2.** *Amér.* La preparada con la caña de azúcar o papelón. || **3.** *Méj.* Jugo del maguey, que, fermentado, produce el pulque.

Aguanafa. (De *agua,* y el ár. *nafha,* aroma.) f. *Murc.* **Agua de azahar.**

Aguanal. m. *Ál.* Surco profundo abierto de trecho en trecho para facilitar el desagüe de los sembrados.

Aguanés, sa. adj. *Chile.* Aplícase a la res vacuna que tiene ambos costillares de un mismo color, pero distinto del del lomo y del de la barriga.

Aguanieve. f. **Agua nieve.**

Aguanieves. f. **Aguzanieves.**

Aguanosidad. (De *aguanoso.*) f. Humor acuoso detenido en el cuerpo.

Aguanoso, sa. (Del lat. *aquānus,* de *aqua,* agua.) adj. Lleno de agua o demasiadamente húmedo.

Aguantable. adj. Que se puede aguantar.

Aguantaderas. f. pl. **Aguante,** 1.ª acep., tómase por lo común en sent. despect.

Aguantar. (Quizá del ital. *agguantare.*) tr. Reprimir o contener. || **2.** Resistir pesos, impulsos o trabajos. || **3.** Admitir o tolerar a disgusto algo molesto o desagradable. || **4.** *Mar.* Tratándose de cuerdas o cabos, tirar del que está flojo hasta ponerlo tenso. || **5.** *Taurom.* Adelantar el diestro el pie izquierdo, en la suerte de matar, para citar al toro, conservando esta postura hasta dar la estocada, y resistiendo cuanto le es posible la embestida, de la cual se libra con el movimiento de la muleta y del cuerpo. || **6.** intr. Reprimirse, contenerse, callar. Ú. t. c. r.

Aguante. (De *aguantar.*) m. Sufrimiento, tolerancia, paciencia. || **2.** Fortaleza o vigor para resistir pesos, impulsos, trabajos, etc.

Aguañón. (De *agua.*) adj. V. **Maestro aguañón.**

Aguapié. m. Vino muy bajo que se hace echando agua en el orujo pisado y apurado en el lagar. || **2.** **Agua de pie.**

Aguar. tr. Mezclar agua con vino, vinagre u otro licor. Ú. t. c. r. || **2.** fig. Turbar, interrumpir, frustrar, tratándose de cosas halagüeñas o alegres. Ú. m. c. r. AGUARSE *la fiesta.* || **3.** Atenuar lo grave o molesto con la mezcla de algo agradable. || **4.** Echar al agua. Ú. t. c. r. || **5.** r. Llenarse de agua algún sitio o terreno. || **6.** Dícese de las caballerías que, por haberse fatigado mucho o haber bebido estando sudadas, se constipan de modo que no pueden andar.

Aguará. (Voz guaraní.) m. Zorro, del que hay varias especies en Argentina, Uruguay, Paraguay y el Brasil.

Aguaraibá. (Voz guaraní.) m. **Aguaribay.**

Aguardada. f. Acción de aguardar.
Aguardadero. m. Aguardo, 3.ª acep.
Aguardador, ra. adj. Que aguarda. Ú. t. c. s. || **2.** ant. Guardador, defensor. Usáb. t. c. s.
Aguardamiento. m. ant. Acción de aguardar.
Aguardar. (De *a*, 2.° art., y *guardar*.) tr. Estar esperando a que llegue o suceda algo. Ú. t. c. r. || **2.** Creer o tener esperanza de que llegará o sucederá algo. || **3.** Esperar a que venga o llegue alguna persona. || **4.** Dar tiempo o espera a una persona, y especialmente al deudor, para que pague. || **5.** Haber de ocurrir a una persona, o estarle reservado algo para lo futuro. || **6.** ant. **Guardar**, 9.ª acep. || **7.** ant. Atender, respetar, tener en aprecio o estima. || **8.** r. Detenerse, retardarse.
Aguardentería. (De *aguardentero*.) f. Tienda en que se vende aguardiente por menor.
Aguardentero, ra. m. y f. Persona que vende aguardiente.
Aguardentoso, sa. adj. Que tiene aguardiente o está mezclado con él. *Bebida* AGUARDENTOSA. || **2.** Que es o parece de aguardiente. *Sabor, olor* AGUARDENTOSO. || **3.** Dicho de la voz, áspera, bronca, como la del que bebe con frecuencia mucho aguardiente.
Aguardiente. (De *agua* y *ardiente*.) m. Bebida espiritosa que, por destilación, se saca del vino y de otras substancias: es alcohol diluido en agua. || **2.** V. **Toro, vaca del aguardiente.** || **alemán.** *Farm.* Tintura alcohólica de jalapa con escamonea y turbit, que se usa como purgante. || **de cabeza.** El primero que sale de la destilación de cada calderada. || **de caña.** El que se obtiene de la destilación directa de las melazas o mieles de la caña de azúcar con una riqueza alcohólica máxima legal de 75 grados.
Aguardillado, da. adj. De figura de guardilla.
Aguardo. m. **Acecho,** 1.ª acep. || **2.** *Sal.* **Espera,** 1.er art., 1.ª acep. || **3.** *Mont.* Paraje donde suele ocultarse el cazador y aguardar la caza para disparar sobre ella con seguridad.
Aguaribay. (De *aguaraibá*.) m. *Argent.* **Turbinto.** || **2.** *Argent.* **Molle,** 1.ª acep.
Aguarrada. f. *Pal.* Lluvia ligera y de corta duración.
Aguarrás. (De *agua* y el fr. *rase*, aguarrás.) m. Aceite volátil de trementina. Se emplea principalmente en barnices y como medicina.
Aguasal. f. **Salmuera.**
Aguasarse. r. *Argent.* y *Chile.* Tomar los modales y costumbres del guaso.
Aguatero. m. *Argent.* **Aguador,** 1.ª acep.
Aguatocha. f. **Bomba,** 1.ª acep.
Aguatocho. m. ant. Balsa o lavajo. Ú. en *Murc.* || **2.** ant. **Aguamanil.**
Aguaturma. f. Planta de la familia de las compuestas, herbácea, con tallos rectos de dos metros de altura, hojas ovales, acuminadas, ásperas y vellosas; flores redondas y amarillas, y rizoma tuberculoso, feculento y comestible. || **2.** Rizoma de esta planta: comúnmente se llama pataca.
Aguaverde. f. Medusa verde.
Aguaviento. m. **Agua viento.**
Aguavientos. m. Planta perenne de la familia de las labiadas, como de un metro de altura, con hojas gruesas, felpudas y de color verde claro, y flores terminales encarnadas.
Aguavilla. f. **Gayuba.**
Aguay. (Del guaraní *aguai*.) m. Árbol del Chaco y de la Mesopotamia Argentina, de la familia de las sapotáceas, con tronco de varios metros de altura, estimado por sus frutos agridulces, anaranjados, del tamaño de granos de uva. Se emplean para hacer confituras.
Aguaza. (De *agua*.) f. Humor acuoso que se produce en algunos tumores de los animales. || **2.** Humor que destilan algunas plantas y frutos.
Aguazal. m. Sitio bajo donde se detiene el agua llovediza.
Aguazar. (De *agua*.) tr. **Encharcar,** 1.ª acep. Ú. t. c. r.
Aguazo. m. Pintura hecha con colores disueltos en agua que se aplica sobre papel o tela. Se distingue de la acuarela en que el blanco se pone con el pincel.
Aguazoso, sa. adj. **Aguanoso.**
Aguazul. m. **Algazul.**
Aguazur. m. **Aguazul.**
Agucia. (De *aguciar*.) f. ant. **Acucia.**
Aguciar. (Del lat. **acūtiāre*, de *acūtus*, agudo.) tr. ant. **Acuciar.**
Aguciosamente. adv. m. ant. **Acuciosamente.**
Agucioso, sa. adj. ant. **Acucioso.**
Agudamente. adv. m. Viva y sutilmente. || **2.** fig. Con agudeza o perspicacia de ingenio.
Agudez. f. ant. **Agudeza.**
Agudeza. (De *agudo*.) f. Sutileza o delgadez en el corte o punta de armas, instrumentos u otras cosas. || **2.** Viveza y penetración del dolor. || **3.** fig. Perspicacia de la vista, oído u olfato. || **4.** fig. Perspicacia o viveza de ingenio. || **5.** fig. Dicho agudo. || **6.** fig. Ligereza, velocidad. || **7.** ant. Acrimonia de las plantas. || **8.** ant. **Estímulo.**
Agudizar. tr. Hacer aguda una cosa. || **2.** r. Tomar carácter agudo una enfermedad.
Agudo, da. (Del lat. *acūtus*.) adj. Delgado, sutil. Se dice del corte o punta de armas, instrumentos, etc., y de estas mismas cosas. || **2.** V. **Acento, ángulo, verso agudo.** || **3.** V. **Sílaba, voz aguda.** || **4.** fig. Sutil, perspicaz. *Escritor* AGUDO; *ingenio* AGUDO. || **5.** fig. Vivo, gracioso y oportuno. *Persona* AGUDA; *dicho* AGUDO. || **6.** fig. Aplícase al dolor vivo y penetrante. || **7.** fig. Se dice de la enfermedad grave y de no larga duración. || **8.** fig. Hablando del oído, vista y olfato, perspicaz y pronto en sus sensaciones. || **9.** Dícese del olor subido y del sabor penetrante. || **10.** fig. Ligero, veloz. || **11.** *Mús.* Dícese del sonido alto, por contraposición al bajo. || **12.** *Pros.* Dícese de la palabra cuyo acento prosódico carga en la última sílaba; v. gr.: *maná, café, abril, corazón.* || **13.** m. Aire vivo con que termina el baile de pandera en los pueblos de la llanada de Álava y condado de Treviño.
Aguedita. f. Árbol americano de la familia de las anacardiáceas, de cinco a siete metros de altura, con flores de cinco pétalos e igual número de estambres. Las hojas y la corteza son muy amargas y tienen virtud febrífuga.
Agüela. f. fam. **Abuela.** || **2.** *Germ.* **Capa,** 1.ª acep.
Agüela. (Del ár. *ḥawāla*, transferencia de crédito.) f. ant. Renta de los derechos sobre préstamos consignados en documento público.
Agüelo. m. fam. **Abuelo.**
Agüera. f. Zanja hecha para encaminar el agua llovediza a las heredades.
Agüerar. tr. ant. **Agorar.**
Agüero. (Del lat. *augurium*.) m. Presagio que algunos pueblos gentiles sacaban, ya del canto y vuelo u otros indicios que observaban en las aves, ya de señales que notaban en animales cuadrúpedos, ya de fenómenos meteorológicos. || **2.** Presagio o señal de cosa futura. || **3.** Pronóstico, favorable o adverso, formado supersticiosamente por señales o accidentes sin fundamento.
Aguerrido, da. p. p. de **Aguerrir.** || **2** adj. Ejercitado en la guerra.
Aguerrir. tr. defect. Acostumbrar a los soldados bisoños a los peligros de la guerra. Ú. t. c. r.
Agüetas. (De *agua*.) f. pl. *Murc.* **Aguachirle,** 1.ª acep.
Aguiero. (Del port. *aguieiro*, y éste de *águia*, del lat. *aquĭla*, águila.) m. *And.* y *Extr.* Rollo de madera de castaño, de cuatro metros y 60 centímetros de largo, destinado a la construcción.
Aguija. (Del lat. *aquĭlia*, obscura.) f. desus. **Guija.**
Aguijada. (Del lat. *aculeāta*, de *acŭlĕus*, punta, aguijón.) f. Vara larga que en un extremo tiene una punta de hierro con que los boyeros pican a la yunta. || **2.** Vara larga con un hierro de figura de paleta o de áncora en uno de sus extremos, en la que se apoyan los labradores cuando aran, y con la cual separan la tierra que se pega a la reja del arado.
Aguijador, ra. adj. Que aguija. Ú. t. c. s.
Aguijadura. f. Acción y efecto de aguijar.
Aguijamiento. m. ant. **Aguijadura.**
Aguijante. p. a. de **Aguijar.** Que aguija.
Aguijar. tr. Picar con la aguijada u otra cosa a los bueyes, mulas, caballos, etcétera, para que anden aprisa. || **2.** fig. Avivarlos con la voz o de otro modo. || **3.** fig. **Estimular,** 2.ª acep. || **4.** intr. Acelerar el paso.
Aguijatorio, ria. (De *aguijar*.) adj. *For.* Decíase del despacho que libraba el superior al juez inferior para que cumpliera lo mandado anteriormente.
Aguijeño, ña. adj. ant. Decíase del terreno o paraje lleno de guijas.
Aguijón. (Del lat. *acŭlĕus*, de *acus*, aguja.) m. Punta o extremo puntiagudo del palo con que se aguija. || **2.** Púa que tiene en el extremo del abdomen el escorpión y también algunos insectos himenópteros, como las abejas y avispas, y con la cual pican. || **3.** **Acicate,** 1.ª acep. || **4.** fig. **Estímulo,** 2.ª acep. || **5.** *Bot.* Púa que nace del tejido epidérmico de algunas plantas. || **Cocear contra el aguijón.** fr. fig. y fam. **Dar coces contra el aguijón.**
Aguijonada. f. **Aguijonazo.** || **Más vale una aguijonada, que dos arres.** ref. que reprende a los que en casos necesarios no usan de los últimos recursos para corregir a otros.
Aguijonamiento. m. Acción y efecto de aguijonear.
Aguijonar. tr. ant. **Aguijonear.**
Aguijonazo. m. Punzada de aguijón.
Aguijoneador, ra. adj. Que aguijonea. Ú. t. c. s.
Aguijonear. (De *aguijón*.) tr. **Aguijar,** 1.ª y 3.ª aceps. || **2.** Picar con el aguijón. || **3.** fig. Inquietar, atormentar.
Águila. (Del lat. *aquĭla*.) f. Ave rapaz diurna, de ocho a nueve decímetros de altura, con pico recto en la base y corvo en la punta, cabeza y tarsos vestidos de plumas, cola redondeada casi cubierta por las alas, de vista muy perspicaz, fuerte musculatura y vuelo rapidísimo. || **2.** Por ext., cualquiera otra ave perteneciente a la misma familia que la anterior y de caracteres muy semejantes. || **3.** Enseña principal de la legión romana; lo es también de algunos ejércitos modernos. || **4.** Moneda de oro, de valor poco más de diez reales de plata, que batió en España el emperador Carlos V, y la cual tenía en el reverso una **águila** con el rayo y un ramo de laurel a sus pies, y la inscripción CVIQVE SVVM. || **5.** Moneda de oro de Méjico, que vale veinte pesos fuertes. || **6.** Moneda de oro de los Estados Unidos de América, que vale diez dólares. || **7.** V. **Palo, piedra del águila.** || **8.** fig. Persona de mucha viveza y perspicacia. ||

9. fig. V. **Vista de águila.** || **10.** *Astron.* Constelación septentrional de la Vía Láctea, al occidente del Pegaso y al sur del Cisne. || **11.** m. Pez, especie de raya, que se distingue de ésta en tener la cola más larga que lo restante del cuerpo, y en ella una espina larga y aguda. || **agrifada.** *Blas.* La que se representa estilizada en forma de grifo, animal fabuloso. || **barbuda. Quebrantahuesos,** 1.ª acep. || **bastarda. Águila calzada.** || **blanca.** Ave rapaz diurna, propia de la América Meridional, parecida al halieto. || **cabdal. Águila caudal.** || **calzada.** La de pico grueso y encorvado desde la base, plumaje rojizo, con un grupo de plumas blancas en la inserción de las alas, y tarsos enteramente cubiertos de plumas. || **caudal,** o **caudalosa. Águila real.** || **culebrera.** Ave rapaz diurna, perteneciente a la misma familia que el **águila,** con cabeza grande y garras relativamente pequeñas, dorso de color castaño ceniciento y región inferior blanca con manchas castañas. Es útil para la agricultura porque devora reptiles en cantidad enorme. || **doble.** Moneda de oro de los Estados Unidos de América, que vale veinte dólares. || **explayada.** *Blas.* La de dos cabezas con las alas desplegadas o tendidas. || **imperial.** La de color casi negro, cola cuadrada y tamaño algo menor que la real. || **parda. Águila culebrera.** || **pasmada.** *Blas.* La que tiene plegadas o cerradas las alas. || **perdiguera.** La que se caracteriza porque sus alas, cuando están cerradas, no llegan a cubrir la cola, que es bastante larga; el plumaje es de color leonado predominante y el pico es relativamente largo, fuerte y ganchudo. Ataca de preferencia a las perdices, palomas y codornices. || **pescadora.** La de tamaño grande, con plumaje liso y oleoso como el de las aves acuáticas, alas muy largas que cubren totalmente la cola cuando están cerradas y pico corto y curvo. Está bastante difundida en España, anida cerca del mar y de los ríos y lagos; y es muy perjudicial para la industria pesquera a causa de su régimen alimenticio ictiófago. || **ratera.** Ave rapaz diurna, perteneciente a la misma familia que el **águila,** con plumaje de color variable entre el leonado claro y el castaño obscuro y bandas transversales blanquecinas en el vientre. Abunda bastante en España y es útil para la agricultura porque destruye muchos roedores. || **ratonera. Águila ratera.** || **real.** La que tiene cola redondeada, es de color leonado y alcanza mayor tamaño que las comunes. || **Media águila.** Moneda de oro de Méjico, que vale diez pesos.

Aguilando. m. **Aguinaldo,** 1.ª acep.

Aguileña. (De *águila.*) f. Planta perenne de la familia de las ranunculáceas, con tallos derechos y ramosos que llegan a un metro de altura, hojas de color verde obscuro por la parte superior y amarillentas por el envés, y flores de cinco pétalos, colorados, azules, morados o blancos, según las variedades de esta planta, que se cultiva por adorno en los jardines.

Aguileño, ña. (De *águila.*) adj. Dícese del rostro largo y delgado, y de la persona que lo tiene así. AGUILEÑO *de rostro.* || **2.** V. **Nariz aguileña.** || **3.** Perteneciente al águila. || **4.** m. ant. **Aguilucho,** 1.ª acep. || **5.** *Germ.* **Aguilucho,** 3.ª acep.

Aguililla. (d. de *águila.*) f. V. **Caballo aguililla.** || **de laguna. Arpella.**

Aguilón. (De *águila.*) m. aum. de **Águila.** || **2.** Brazo de una grúa. || **3.** Caño cuadrado de barro. || **4.** *Albañ.* Teja o pizarra cortada oblicuamente para que ajuste sobre la lima tesa de un tejado. || **5.** *Arq.* Madero que en las armaduras con faldón está puesto diagonalmente desde el ángulo del edificio hasta el cuadral. || **6.** *Blas.* Águila sin pico ni garras.

Aguilonia. f. *Ál.* **Nueza.**

Aguilucho. m. Pollo del águila. || **2. Águila bastarda.** || **3.** *Germ.* Ladrón que entra a la parte con otros ladrones, sin hallarse en los hurtos.

Aguín. (Voz éuscara.) m. Arbusto de la clase de las coníferas, de uno a dos metros de altura, con ramas que arrancan desde la base, entrelazadas, caídas y elevadas en la punta, y conos ovoideos y redondeados.

Aguinaldo. (De *aguilando.*) m. Regalo que se da en Navidad o en la fiesta de la Epifanía. || **2.** Regalo que se da en alguna otra fiesta u ocasión. || **3.** Villancico de Navidad. || **4.** Bejuco silvestre de la familia de las convolvuláceas, muy común en la isla de Cuba y que florece por Pascua de Navidad.

Agüío. m. Pájaro de Costa Rica, de canto muy variado y agradable.

Aguisado, da. p. p. de **Aguisar.** || **2.** adj. ant. Justo o razonable. || **3.** adv. m. ant. Justa o razonablemente. || **de a caballo.** Soldado de a caballo que había antiguamente en Andalucía y en Castilla.

Aguisamiento. (De *aguisar.*) m. ant. Disposición, preparación. || **2.** ant. Compostura o adorno.

Aguisar. (De *a,* 2.° art., y *guisa.*) tr. ant. Aderezar y disponer alguna cosa; proveer de lo necesario.

Aguiscar. tr. *Can.* Aguizgar, azuzar, incitar.

Agüista. com. Persona que frecuenta los manantiales de aguas mineromedicinales.

Aguizgar. (De *a,* 2.° art., y *guizgar.*) tr. fig. **Aguijar,** 3.ª acep.

Aguja. (Del lat. **acŭcŭla,* d. de *acus,* aguja.) f. Barrita puntiaguda de metal, hueso o madera con un ojo por donde se pasa el hilo, cuerda, correa, bejuco, etc., con que se cose, borda o teje. || **2.** V. **Vino de agujas.** || **3.** Barrita de metal, hueso, marfil, etc., que sirve para hacer medias y otras labores de punto. || **4.** Púa de metal, colocada en algún plano para varios usos; como la **aguja** del reloj de sol, las **agujas** de la prensa de imprimir. || **5.** Varilla de metal, concha, etc., con una bolita u otro adorno en uno o en ambos extremos, que se emplea en el tocado de las mujeres. || **6. Pincho,** 2.ª acep. || **7.** Varilla delgada y larga, de que usan los colmeneros para atravesar los panales en las colmenas, asegurándolos así unos con otros. || **8. Manecilla,** 4.ª acep. || **9.** Varilla de hierro o de cobre que sirve para formar el oído en el taco de un barreno. || **10.** Herramienta de acero, de punta encorvada, que usan los encuadernadores para pasar entre los cordeles del lomo de un libro el hilo que atraviesa el centro o doblez de los pliegos, y asegurarlos a los bramantes colocados perpendicularmente en el telar. || **11.** Alambre que forma horquilla por ambos extremos y sirve para hacer malla. || **12.** Alambre delgado que servía para limpiar el oído del fusil, y que llevaron los soldados colgado por una cadenilla, de la cartuchera primero, y de la delantera del uniforme, después. || **13.** Punzón de acero que, al disparar ciertas armas de fuego, choca con la parte posterior del cartucho y produce la detonación del fulminante y la combustión de la carga. *Fusil de* AGUJA. || **14.** Especie de estilete que, recorriendo los surcos de los discos de los gramófonos, reproduce las vibraciones inscritas en ellos. || **15.** Instrumento de acero con que se dibuja sobre una lámina de metal barnizada para grabar al agua fuerte. || **16.** Cada uno de los dos rieles movibles que en los ferrocarriles y tranvías sirven para que los carruajes vayan por una de dos o más vías que concurren en un punto. || **17.** Barra de hierro o de madera, con agujeros y pasadores, que sirve para mantener paralelos los tableros de un tapial. || **18.** Pieza de madera para apuntalar un puente. || **19. Obelisco,** 1.ª acep. || **20.** Chapitel estrecho y alto de una torre o del techo de una iglesia. || **21.** Pastel largo y estrecho, relleno de carne picada o de dulce. || **22.** Pez lofobranquio de cuerpo largo y delgado con los huesos de la cara prolongados en forma de tubo, y del que existen varias especies en los mares de Europa. || **23.** Planta anua de la familia de las geraniáceas, de hojas recortadas menudamente y fruto largo y delgado en forma de **aguja.** || **24.** V. **Declinación, perturbación, variación de la aguja.** || **25.** *Amér.* Cada uno de los maderos agujereados que se hincan en tierra y que se apoyan en otros horizontales para formar una tranquera. || **26.** *Agr.* **Púa,** 2.ª acep. || **27.** *Impr.* Arruga que a veces se hace en el papel en el momento de la impresión. || **28.** *Mar.* **Brújula,** 2.ª acep. || **29.** *Mar.* Pinzote de hierro firme en el codaste de algunas embarcaciones menores, en el que juega la hembra inferior del timón. || **30.** pl. Costillas que corresponden al cuarto delantero del animal. *Carne de* AGUJAS; *animal alto, o bajo, de* AGUJAS. || **31.** Enfermedad que padece el caballo en las piernas, pescuezo y garganta. || **Aguja capotera.** La más gruesa que usan las costureras. || **colchonera.** La grande y gruesa que usan los colchoneros. || **de arria. Aguja espartera.** || **de bitácora.** *Mar.* **Aguja de marear.** || **de enjalmar.** La grande y gruesa de que usan los enjalmeros. || **de ensalmar.** ant. **Aguja de enjalmar.** || **de fogón.** *Art.* Punzón de acero que se usaba para romper el cartucho antes de cebar el cañón. || **de gancho.** Instrumento de metal, hueso o madera, cuya punta tiene forma de gancho, y que sirve para hacer labores de punto. || **de marcar.** *Mar.* Aparato para hacer marcaciones, compuesto de una brújula y una alidada giratorias, montadas sobre un trípode. || **de marear.** *Mar.* **Brújula,** 2.ª acep. || **de mechar.** La que sirve para mechar carne. || **de media.** Alambre de hierro bruñido o de acero, de más de 20 centímetros de largo, que sirve para hacer medias, calcetas y otras labores de punto. || **de pastor. Aguja,** 23.ª acep. || **2. Quijones.** || **de toque.** Cada una de las puntas de oro o plata de diferente ley que hay en un instrumento de figura de estrella, de que se sirven los joyeros y ensayadores para conocer por comparación en la piedra de toque el grado de pureza del oro o plata de un objeto cualquiera. || **de Venus. Aguja de pastor,** 1.ª acep. || **de verdugado.** La más gruesa que usan los sastres. || **espartera.** La que usan los esparteros para coser esteras, serones, etc. || **giroscópica.** La de marear, en que ha sido substituida la acción directriz magnética por la de un giróscopo en movimiento rápido. || **loca.** La magnética, cuando no se mantiene fija en dirección del Norte. || **magnética. Brújula,** 1.ª acep. || **2.** *Fís.* V. **Inclinación de la aguja magnética.** || **mechera. Aguja de mechar.** || **paladar.** Pez largo y delgado con las mandíbulas afiladas en forma de pico; es verdoso por encima y brillantemente plateado por los flancos. || **salmera. Aguja de enjalmar.** || **saquera. Aguja** grande que sirve para coser sacos, costales, etc. || **Alabar** uno sus **agujas.** fr. fig. y fam. Ponderar su industria, sus trabajos o cualidades. || **Aquí perdí una aguja, aquí la hallaré.** ref. que se dice de los que, habiendo salido mal de una empresa, vuelven de nuevo a ella con la esperanza de indemnizarse. || **Buscar una aguja en un pajar.** fr. fig. y fam. Empeñarse en conseguir una cosa imposible o muy difícil. || **Conocer uno la aguja de marear.** fr. fig. y fam. Tener expedición y destreza para manejar los negocios. || **Coser con aguja de plata,** o **de oro.** fr. fig. y fam. Encargar la obra de costura a manos mercenarias. || **Cuartear la aguja.** fr. *Mar.* Designar por sus nombres, números y valores los diferentes rumbos de la rosa náutica, así como sus opuestos y las perpendiculares y bolinas de una y otra banda. || **Dar aguja y sacar reja.** fr. fig. y fam. **Meter aguja y sacar reja.** || **Entender** uno **la aguja de marear.** fr. fig. y fam. **Conocer la aguja de marear.** || **Meter aguja y sacar reja.** fr. fig. y fam. Hacer un pequeño beneficio para obtener otro mayor. || **Saber** uno **la aguja de marear.** fr. fig. y fam. **Conocer la aguja de marear.** || **Una aguja para la bolsa y dos para la boca.** ref. **Un ñudo a la bolsa y dos a la boca.**

Agujadera. (De *agujar.*) f. Mujer que trabaja en bonetes, gorros u otras cosas de punto.

Agujal. m. Agujero que queda en las paredes al sacar las agujas de los tapiales.

Agujar. tr. ant. Herir o punzar con aguja. || **2.** ant. Hacer con aguja tejidos o prendas de punto. || **3.** ant. fig. **Aguijar,** 3.ª acep.

Agujazo. m. Punzada de aguja.

Agujerar. tr. **Agujerear.**

Agujerear. tr. Hacer uno o más agujeros a una cosa. Ú. t. c. r.

Agujero. (De *aguja.*) m. Abertura más o menos redonda en alguna cosa, como tela, papel, pared, tabla, etc. || **2.** V. **Terraja de agujero cerrado.** || **3.** El que hace o vende agujas. || **4. Alfiletero.** || **Escucha al agujero, oirás de tu mal y del ajeno. Quien acecha por agujero, ve su duelo.** refs. que advierten que los demasiadamente curiosos suelen oir o ver cosas de que les resulta pesadumbre o disgusto.

Agujeruelo. m. d. de **Agujero.**

Agujeta. (De *aguja.*) f. Correa o cinta con un herrete en cada punta, que sirve para atacar los calzones, jubones y otras prendas. || **2.** pl. Dolores que se sienten en los músculos después de algún ejercicio extraordinario o violento. || **3.** Propina que el que corría la posta daba al postillón. || **Cada uno alaba sus agujetas.** ref. **Cada ollero alaba su puchero.**

Agujetería. f. Oficio de agujetero. || **2.** Tienda de agujetero.

Agujetero, ra. m. y f. Persona que hace o vende agujetas. || **2.** m. *Amér.* Cañuto para guardar las agujas.

Agujón. m. aum. de **Aguja.** || **2. Pasador,** 5.ª acep.

Agujuela. f. d. de **Aguja.** || **2.** Clavo poco mayor que la tachuela.

Aguosidad. (Del lat. *aquosĭtas, -ātis.*) f. Humor o linfa que se cría en el cuerpo, y se parece en lo suelto y claro al agua.

Aguoso, sa. (Del lat. *aquōsus.*) adj. **Acuoso.**

¡Agur! interj. que se usa para despedirse.

Agusanamiento. m. Acción y efecto de agusanarse.

Agusanarse. r. Criar gusanos alguna cosa.

Agustín. adj. V. **Mosto agustín.**

Agustinianismo. m. Doctrina teológica de San Agustín.

Agustiniano, na. adj. **Agustino.** || **2.** Perteneciente a la orden o doctrina de San Agustín.

Agustino, na. adj. Aplícase al religioso o religiosa de la orden de San Agustín. Ú. t. c. s.

Agutí. m. *Argent.* y *Parag.* Animal parecido al cobayo o conejillo de Indias.

Aguzadero, ra. adj. Que sirve para aguzar. || **2.** V. **Piedra aguzadera.** Ú. t. c. s. || **3.** m. *Mont.* Sitio donde los jabalíes suelen acudir a hozar y a aguzar los colmillos.

Aguzado, da. p. p. de **Aguzar.** || **2.** adj. Que tiene forma aguda.

Aguzador, ra. adj. Que aguza. Ú. t. c. s. || **2.** f. **Piedra aguzadera.**

Aguzadura. f. Acción y efecto de aguzar, 1.ª y 2.ª aceps. || **2.** Cantidad de hierro y acero que se emplea en calzar la reja del arado, cuando se ha gastado la punta.

Aguzamiento. m. **Aguzadura,** 1.ª acep. || **2.** ant. fig. **Estímulo,** 2.ª acep.

Aguzanieves. (De *auce de nieves,* del lat. *avĭcĕ[lla],* avecilla.) f. Pájaro de unos ocho centímetros de largo, sin incluir la cola, que tiene casi otro tanto; ceniciento por encima, blanco por el vientre, y con cuello, pecho, alas y cola negros. Vive en parajes húmedos, se alimenta de insectos y mueve sin cesar la cola. Abunda en España durante el invierno.

Aguzar. (Del lat. *acūtiāre, acūtus, agudo.) tr. Hacer o sacar punta a una arma u otra cosa, o adelgazar la que ya tienen. || **2. Afilar,** 1.ª acep. || **3.** fig. **Aguijar,** 3.ª acep. || **4.** fig. Hablando de dientes, garras, etc., prepararlos, disponiéndose a comer o despedazar. || **5.** fig. Hablando del entendimiento o de un sentido, despabilar, afinar, forzar para que preste más atención o se haga más perspicaz. || **6.** ant. Hacer aguda una sílaba.

Aguzonazo. (De *aguzar.*) m. **Hurgonazo,** 1.ª acep.

¡Ah! (Del lat. *¡ah!*) interj. con que se denotan muchos y diversos movimientos del ánimo, y más ordinariamente pena, admiración o sorpresa.

Ahacado. adj. Dícese del caballo que por la cabeza o por la alzada se parece a la jaca.

Ahajar. (Del lat. *ad,* a, y **facŭlāre,* de *facŭla,* antorcha.) tr. **Ajar.**

Ahé. (De *a,* 2.º art., y *he.*) adv. demostrativo ant. He aquí. Usáb. frecuentemente con pronombres sufijos. AHÉ*me,* AHÉ*los.*

Ahebrado, da. adj. Compuesto de partes en forma o figura de hebras.

Ahechadero. m. Lugar destinado para ahechar.

Ahechador, ra. adj. Que ahecha. Ú. t. c. s.

Ahechadura. f. Desperdicio que queda después de ahechado el trigo u otras semillas. Ú. m. en pl.

Ahechar. (Del lat. *affectāre,* arreglar.) tr. Limpiar con harnero o criba el trigo u otras semillas.

Ahecho. m. Acción de ahechar.

Ahelear. (De *hiel.*) tr. Poner alguna cosa amarga como hiel. || **2.** fig. Entristecer, turbar la felicidad con alguna pena. || **3.** intr. Tener una cosa sabor amargo como el de la hiel.

Ahelgado, da. adj. **Helgado.**

Ahembrado, da. (De *a,* 2.º art., y *hembra.*) adj. **Afeminado.**

Aherir. (De *aferir.*) tr. ant. Contrastar las medidas y pesos.

Ahermanar. tr. ant. **Hermanar.**

Aherrojamiento. m. Acción y efecto de aherrojar.

Aherrojar. (De *a,* 2.º art., y *ferrojar.*) tr. Poner a alguno prisiones de hierro. || **2.** fig. Oprimir, subyugar.

Aherrumbrar. tr. Dar a una cosa color o sabor de hierro. || **2.** r. Tomar una cosa color o sabor de hierro. Dícese especialmente del agua. || **3.** Cubrirse de herrumbre, 2.ª acep.

Aherventar. tr. ant. **Herventar.**

Ahervoradamente. adv. m. ant. **Fervorosamente.**

Ahervorarse. (De *a,* 2.º art., y *hervor.*) r. Calentarse el trigo y otras semillas por efecto de la fermentación, lo cual ordinariamente sucede cuando está el grano apilado.

Ahetrar. tr. ant. **Enhetrar.**

Ahí. (Del lat. *ad hic,* a este lugar.) adv. l. En ese lugar, o a ese lugar. || **2.** En esto, o en eso. AHÍ *está la dificultad.* || **3.** Precedido de las preposiciones *de* o *por,* **esto** o **eso.** DE AHÍ *se deduce;* POR AHÍ *puede conocerse la verdad.* || **4.** desus. **Allí,** 1.ª acep. || **De por ahí.** m. adv. con que se denota ser común y poco recomendable alguna cosa. || **Por ahí.** m. adv. Por parajes no lejanos. *Me voy* POR AHÍ *un rato.* || **Por ahí, por ahí.** m. adv. **Poco más o menos.**

Ahidalgadamente. adv. m. **Hidalgamente.**

Ahidalgado, da. adj. Aplícase a la persona que en su trato y costumbres muestra nobleza, generosidad y las demás prendas atribuidas a los hidalgos o nobles de linaje. || **2.** Dícese también de las cosas, costumbres y acciones nobles y caballerosas.

Ahidalgar. tr. p. us. Hacer que una persona se parezca a los hidalgos o nobles. Usáb. m. c. r.

Ahigadado, da. (De *a,* 2.º art., e *hígado.*) adj. Valiente, esforzado. || **2.** De color de hígado.

Ahijadera. f. *Sor.* Conjunto de crías de un rebaño. || **2.** Época en que los ganados ahíjan.

Ahijadero. m. *Sal.* Prado o majadal que se reserva para que ahíjen las ovejas en la temporada del parto y cría de los corderos. || **2.** *Extr.* **Dehesa.**

Ahijado, da. p. p. de **Ahijar.** || **2.** m. y f. Cualquiera persona, respecto de sus padrinos.

Ahijador. (De *ahijar.*) m. Pastor que tiene a su cargo el cuidar y apacentar las ovejas paridas y las crías, mientras están en el ahijadero, 1.ª acep.

Ahijamiento. m. ant. **Prohijamiento.**

Ahijar. (Del lat. **affīliāre,* de *filius,* hijo.) tr. Prohijar o adoptar al hijo ajeno. || **2.** Acoger la oveja u otro animal al hijo ajeno para criarlo. || **3.** Poner a cada cordero u otro animal con su propia madre o con otra para que lo críe. || **4.** fig. Atribuir o imputar a alguno la obra o cosa que no ha hecho. || **5.** intr. Procrear o producir hijos. || **6.** *Agr.* Echar la planta retoños o hijuelos.

¡Ahijuna! (De la expr. *¡ah hijo de una!*) *Argent.* y *Chile.* interj. de admiración o de insulto.

Ahilado, da. p. p. de **Ahilar.** || **2.** adj. Dícese del viento suave y continuo. || **3.** Dícese de la voz delgada y tenue.

Ahilamiento. m. **Ahílo.**

Ahilar. (Del lat. **affīlāre,* de *filum,* hilo.) intr. Ir uno tras otro formando hilera. || **2.** r. Padecer desfallecimiento o desmayo por falta de alimento. || **3.** Hacer hebra la levadura, el vino y otras cosas por haberse maleado. || **4.** Adelgazarse por causa de alguna enfermedad. || **5.** Criarse débiles las plantas por falta de luz. || **6.** Criarse altos, derechos y limpios de ramas los árboles por estar muy juntos, lo cual se procura a veces artificialmente para obtener la madera de hilo.

Ahílo. m. Acción y efecto de ahilar o ahilarse.

Ahína. (Del lat. **agīna,* de *agĕre,* hacer.) adv. m. ant. **Aína,** 2.ª acep.

Ahincadamente. adv. m. Con ahínco.

Ahincado, da. p. p. de **Ahincar.** || **2.** adj. Eficaz, vehemente.

Ahincamiento. m. ant. **Ahínco.**

Ahincanza. f. ant. **Ahínco.**

Ahincar. (De *a,* 2.º art., e *hincar.*) tr. Instar con ahínco y eficacia, apretar, estrechar. || **2.** r. Apresurarse, darse prisa.

Ahínco. (De *ahincar.*) m. Eficacia, empeño o diligencia grande con que se hace o solicita alguna cosa.

Ahinojar. (De *hinojo,* 2.° art.) tr. ant. **Arrodillar.** Usáb. m. c. intr. y c. r.

Ahirmar. tr. ant. **Afirmar.** Usáb. t. c. r.

Ahitamiento. m. Acción y efecto de ahitar o ahitarse.

Ahitar. (De *a,* 2.° art., e *hito.*) tr. Señalar los lindes de un terreno con hitos o mojones. || **2.** Causar ahíto. Ú. t. c. intr. || **3.** r. Comer hasta padecer indigestión o embarazo de estómago.

Ahitera. f. fam. Ahíto grande o de mucha duración.

Ahíto, ta. (De *ahitar.*) adj. Aplícase al que padece alguna indigestión o embarazo de estómago. || **2.** fig. Cansado, fastidiado o enfadado de alguna persona o cosa. || **3.** ant. Quieto, permanente en su lugar. || **4.** m. Indigestión o embarazo de estómago.

¡Aho! interj. ant. que se usaba entre los rústicos para llamarse de lejos

Ahobachonado, da. (De *a,* 2.° art., y *hobachón.*) adj. fam. Apoltronado, entregado al ocio.

Ahocicar. tr. Tratándose de perros o gatos, castigarlos mientras se les frota el hocico en el lugar que han ensuciado. || **2.** fam. Vencer a uno en la disputa obligándole a que reconozca su error. || **3.** intr. fam. Rendirse en una disputa ante los argumentos del contrario.

Ahocinarse. (De *a,* 2.° art., y *hocino,* 2.° art.) r. Correr los ríos por angosturas o quebradas estrechas y profundas.

Ahogadero, ra. adj. Que ahoga o sofoca. || **2.** m. Cordel delgado que se echaba a los que habían de ser ahorcados, para ahogarlos más presto. || **3.** Sitio donde hay mucho concurso de gente, muy apretada y oprimida una con otra. || **4.** Cuerda o correa de la cabezada, que ciñe el pescuezo de la caballería. || **5. Ahogador,** 2.ª acep. || **6.** Caldera con agua caliente que sirve para ahogar en el capullo la ninfa del gusano de seda.

Ahogadizo, za. adj. Que se puede fácilmente ahogar. || **2.** Se dice de las frutas que por su aspereza no se pueden tragar con facilidad. || **3.** V. **Carne, pera ahogadiza.** || **4.** fig. Dícese de la madera que, por ser muy pesada, se hunde en el agua.

Ahogado, da. p. p. de **Ahogar.** || **2.** adj. Se dice del sitio estrecho que no tiene ventilación. || **3.** V. **Seda ahogada.** || **4.** m. y f. Persona que muere por falta de respiración, especialmente en el agua.

Ahogador, ra. adj. Que ahoga. Ú. t. c. s. || **2.** m. Especie de collar que antiguamente usaban las mujeres.

Ahogamiento. m. Acción y efecto de ahogar o ahogarse. || **2.** fig. **Ahogo.** || **de la madre.** ant. **Mal de madre.**

Ahogante. p. a. de **Ahogar.** Que ahoga.

Ahogar. (Del lat. *offōcāre,* apretar las fauces.) tr. Quitar la vida a alguno impidiéndole la respiración, ya sea apretándole la garganta, ya sumergiéndole en el agua, ya de otro modo. Ú. t. c. r. || **2.** Tratándose de plantas o simientes, dañar su lozanía el exceso de agua, el apiñamiento o la acción de otras plantas nocivas. Ú. t. c. r. || **3.** Tratándose del fuego, apagarlo, sofocarlo con las materias que se le sobreponen y dificultan la combustión. || **4.** fig. Extinguir, apagar. Ú. t. c. r. || **5.** fig. Oprimir, acongojar, fatigar. Ú. t. c. intr. y c. r. || **6.** Sumergir una cosa en el agua; enriar, encharcar. || **7.** En el juego del ajedrez, hacer que el rey contrario no pueda moverse sin quedar en jaque. || **8.** r. Sentir sofocación o ahogo. || **9.** *Mar.* Embarcar agua un buque por la proa, por exceso de escora. || **Estar,** o **verse,** uno **ahogado.** fr. fig. y fam. Estar acongojado u oprimido con empeños, negocios u otros cuidados graves de que es dificultoso salir.

Ahogar. (De *a,* 2.° art., y el lat. *fŏcus,* fuego.) tr. ant. Estofar o rehogar.

Ahogaviejas. (De *ahogar,* 1.er art., y *vieja.*) f. **Quijones.**

Ahogo. (De *ahogar,* 1.er art.) m. fig. Aprieto, congoja o aflicción grande. || **2. Ahoguío.** || **3.** fig. Apremio, prisa.

Ahoguijo. (De *ahogo.*) m. **Ahoguío.** || **2.** *Veter.* **Angina.**

Ahoguío. (De *ahogo.*) m. Opresión y fatiga en el pecho, que impide respirar con libertad.

Ahojar. (De *a,* 2.° art., y *hoja.*) intr. *Ar.* **Ramonear,** 2.ª acep.

Ahombrado, da. (De *a,* 2.° art., y *hombre.*) adj. fam. Dícese de la mujer o del niño, y de sus actos o cualidades que se parecen a los del hombre.

Ahondamiento. m. Acción y efecto de ahondar.

Ahondar. (De *a,* 2.° art., y *hondo.*) tr. Hacer más honda una cavidad o agujero. || **2.** Por ext., cavar profundizando, excavar. || **3.** Introducir una cosa muy dentro de otra. Ú. t. c. intr. y c. r. || **4.** fig. Escudriñar lo más profundo o recóndito de un asunto. Ú. t. c. intr.

Ahonde. (De *ahondar.*) m. Acción de ahondar. || **2.** *Min.* Excavación de siete varas que, según las ordenanzas, debía hacerse en tres meses en las minas de América, para conseguir la propiedad de las mismas.

Ahora. (Del lat. *ad horam.*) adv. t. A esta hora, en este momento, en el tiempo actual o presente. || **2.** fig. Poco tiempo ha. AHORA *me lo han dicho.* || **3.** fig. Dentro de poco tiempo. AHORA *te lo diré.* || **4.** conj. distrib. AHORA *hable de ciencias,* AHORA *de artes, siempre es atinado su juicio.* || **5.** conj. advers. Pero, sin embargo. || **Ahora bien.** m. adv. Esto supuesto o sentado. AHORA BIEN, *¿qué se pretende lograr con esa diligencia?* || **Ahora que.** m. conj. que equivale a **pero.** *La casa es cómoda,* AHORA QUE *no tiene ascensor.* || **Por ahora.** m. adv. **Por de, el,** o **lo, pronto.**

Ahorcable. adj. **Ahorcadizo,** 1.ª acep.

Ahorcadizo, za. adj. ant. Digno de ser ahorcado. || **2.** ant. Se aplicaba a la caza muerta en lazo.

Ahorcado, da. p. p. de **Ahorcar.** || **2.** m. y f. Persona ajusticiada en la horca. || **3.** p. us. Persona condenada a morir en ella, desde que entra en capilla. || **4.** fig. y fam. V. **Compañía, honra del ahorcado.** || **No llora,** o **no suda el ahorcado, y llora,** o **suda el teatino.** ref. que se dice del que se apura por el negocio ajeno más que el mismo interesado. || **No suda el ahorcado y suda su reverencia.** ref. *Chile.* **No llora,** o **no suda el ahorcado,** etc.

Ahorcadora. (De *ahorcar.*) f. *Guat.* y *Hond.* Especie de avispa grande, llamada así por creer el vulgo que la persona a quien le pica en el cuello puede morir por asfixia.

Ahorcadura. f. Acción de ahorcar o ahorcarse.

Ahorcajarse. r. Ponerse o montar a horcajadas.

Ahorcaperros. (De *ahorcar* y *perro.*) m. *Mar.* Nudo corredizo que sirve para salvar objetos sumergidos.

Ahorcar. tr. Quitar a uno la vida echándole un lazo al cuello y colgándole de él en la horca u otra parte. Ú. t. c. r. || **2.** p. us. por ext. Colgar, suspender. || **3.** fig. Hablando de hábitos religiosos, estudios, etc., dejarlos.

Ahorita. adv. t. fam. Ahora mismo, muy recientemente.

Ahormar. tr. Ajustar una cosa a su horma o molde. Ú. t. c. r. || **2.** fig. Amoldar, poner en razón a alguno. || **3.** *Taurom.* Hacer por medio de la muleta o de otras suertes que el toro se coloque en disposición conveniente para darle la estocada.

Ahornagamiento. m. Acción y efecto de ahornagarse.

Ahornagarse. (Del lat. *ad,* a, y *fornax, -ācis,* horno.) r. Abochornarse o abrasarse la tierra y sus frutos por el excesivo calor.

Ahornar. (De *a,* 2.° art., y *horno.*) tr. **Enhornar.** || **2.** r. Sollamarse o quemarse el pan por defuera, quedándose sin cocer por adentro.

Ahorquillado, da. p. p. de **Ahorquillar.** || **2.** adj. Que tiene forma de horquilla.

Ahorquillar. tr. Afianzar con horquillas las ramas de los árboles, para que no se desgajen con el peso de la fruta. || **2.** Dar a una cosa la figura de horquilla. Ú. m. c. r.

Ahorradamente. adv. m. Libre o desembarazadamente.

Ahorrado, da. p. p. de **Ahorrar.** || **2.** adj. **Horro,** 2.ª acep. || **3.** Que ahorra, 2.ª acep.

Ahorrador, ra. adj. Que ahorra. Ú. t. c. s.

Ahorramiento. m. Acción de ahorrar o ahorrarse.

Ahorrar. (De *a,* 2.° art., y *horro.*) tr. Dar libertad al esclavo. || **2.** Cercenar y reservar alguna parte del gasto ordinario. Ú. t. c. r. || **3.** fig. Evitar o excusar algún trabajo, riesgo, dificultad u otra cosa. Ú. t. c. r. || **4.** Entre ganaderos, conceder a los mayorales y pastores cierto número de cabezas de ganado horras o libres de todo pago y gasto, y con todo el aprovechamiento para ellos. || **5.** ant. Quitarse del cuerpo una prenda de vestir. || **6.** r. ant. Aligerarse de ropa. Ú. en *Ar.* y *Sal.* || **No ahorrarse,** o **no ahorrárselas,** uno **con nadie.** fr. fam. Hablar u obrar sin temor ni miramiento.

Ahorrativa. f. **Ahorro,** 1.ª acep.

Ahorrativo, va. adj. Dícese del que ahorra o excusa en su gasto más de lo debido y correspondiente.

Ahorría. (De *alhorría.*) f. Calidad de horro. || **2.** V. **Carta de ahorría.**

Ahorro. m. Acción de ahorrar, 2.ª y 3.ª aceps. || **2.** Lo que se ahorra. || **3.** V. **Caja de ahorros.** || **4. Carta de ahorro.**

Ahotado, da. (De *a,* 2.° art., y *hoto.*) adj. ant. Confiado, asegurado.

Ahotas. (De *a,* 2.° art., y *hoto.*) adv. m. ant. A la verdad, a buen seguro, ciertamente.

Ahoyador. m. *And.* El que hace hoyos para plantar.

Ahoyadura. f. Acción y efecto de ahoyar.

Ahoyar. intr. Hacer hoyos.

Ahuate. (Del mejic. *auatl.*) m. *Hond.* y *Méj.* Espina muy pequeña y delgada que, a modo de vello, tienen algunas plantas, como la caña de azúcar y el maíz.

Ahuciar. (De *a,* 2.° art., y *hucia.*) tr. ant. Esperanzar o dar confianza.

Ahuchador, ra. adj. Que ahúcha, 1.er art. Ú. t. c. s.

Ahuchar. (De *hucha.*) tr. Guardar en hucha. || **2.** fig. Guardar en parte segura el dinero o cosas que se han ahorrado.

Ahuchar. (De *hucho.*) tr. Llamar al halcón al grito repetido de ¡hucho!

Ahuecador, ra. adj. Que ahueca.

Ahuecamiento. m. Acción y efecto de ahuecarse. || **2.** fig. Engreimiento, envanecimiento.

Ahuecar. (De *aocar.*) tr. Poner hueca o cóncava alguna cosa. || **2.** Mullir, ensanchar o hacer menos compacta alguna cosa que estaba apretada o aplastada. AHUECAR *la tierra, la lana.* Ú. t. c. r. || **3.** fig. Dicho de la voz, hablar por afectación o adrede en tono más grave que el natural. || **4.** intr. fam. Ausentarse de una reunión. || **5.** r. fig. y fam. Hincharse, engreírse.

Ahuehué. m. **Ahuehuete.**

Ahuehuete. (Del mejic. *ahuehuetl;* de *atl,* agua, y *huehue,* viejo.) m. Árbol de la familia de las cupresáceas, originario de la América del Norte, de madera semejante a la del ciprés, y el cual, por su elegancia, se cultiva en los jardines de Europa.

Ahuesado, da. adj. De color de hueso. || **2.** Parecido al hueso en la dureza. || **3.** V. **Papel ahuesado.**

Ahuevar. tr. Dar limpidez a los vinos con claras de huevo.

Ahuizote. (De *Ahuitzotl*, nombre del 8.° rey de Méjico, que fué sanguinario y cruel.) m. *Zool.* Nombre que se aplicaba a un batracio mejicano que se suponía existente en los ríos de comarcas cálidas. Es probable que se tratase del ajolote. || **2.** *Méj.* Persona que molesta y fatiga continuamente y con exceso. || **3.** *C. Rica.* Agüero, brujería.

Ahulado, da. adj. *Amér.* Dícese de la tela o prenda impermeable por estar untada por uno o por los dos lados con hule o goma elástica.

Ahumada. (De *ahumar.*) f. Señal que para dar algún aviso se hace en las atalayas o lugares altos, quemando paja u otra cosa. Ú. m. con el verbo *hacer.*

Ahumado, da. p. p. de **Ahumar.** || **2.** adj. Aplícase a los cuerpos transparentes que, sin haber estado expuestos al humo, tienen color sombrío. *Cristal* AHUMADO. || **3.** V. **Cuarzo, topacio ahumado.**

Ahumar. (Del lat. **affūmāre*, de *fūmāre*, echar humo.) tr. Poner al humo alguna cosa, hacer que lo reciba. || **2.** Llenar de humo. Ú. m. c. r. || **3.** intr. Echar o despedir humo lo que se quema. || **4.** fam. **Emborrachar.** Ú. t. c. r. || **5.** r. Tomar los guisos sabor a humo. || **6.** Ennegrecerse una cosa con el humo.

Ahumear. intr. *Sal.* **Humear.** Ú. t. c. r.

Ahurragado, da. adj. *Agr.* **Aurragado.**

Ahusado, da. p. p. de **Ahusarse.** || **2.** adj. De figura de huso.

Ahusar. tr. Dar forma de huso. || **2.** r. Irse adelgazando alguna cosa en figura de huso.

Ahuyentador, ra. adj. Que ahuyenta. Ú. t. c. s.

Ahuyentar. (Del lat. **affŭgientāre*, de *fugiens, -entis*, el que huye.) tr. Hacer huir a alguno. || **2.** fig. Desechar cualquiera pasión o afecto, u otra cosa que moleste o aflija. || **3.** r. Alejarse huyendo.

Aijada. f. **Aguijada.**

Ailanto. (Voz malaya.) m. *Bot.* Árbol de la familia de las simarubáceas, originario de las Molucas, de más de 20 metros de altura, con hojas compuestas de folíolos numerosos, oblongos y agudos, y flores en panojas, verduscas y de olor desagradable. Es de madera dura y compacta, crece pronto y produce muchos hijuelos.

Aimará. adj. Dícese de la raza de indios que habitan la región del lago Titicaca, entre el Perú y Bolivia. Aplicado a los individuos de esta raza, ú. t. c. s. || **2.** Propio o perteneciente a esta raza. || **3.** m. Lengua **aimará.**

Aína. (Del lat. **agīna*, de *agĕre*, hacer.) adv. t. **Presto.** || **2.** adv. m. **Fácilmente.** || **3. Por poco.**

Aínas. (De *aína.*) adv. t. y m. **Aína.** || **No tan aínas.** m. adv. No con tanta facilidad como se presume o aparenta creer.

Aindamáis. (Del port. *ainda*, del lat. *ad inde*, de aquí, y de *mais*, del lat. *magis*, más.) adv. c. fam. y fest. A más, además.

Aínde. (Del lat. *ad*, a, e *inde*, después.) adv. l. ant. **Adelante.**

Aindiado, da. adj. *Amér.* Que tiene el color y las facciones propias de los indios.

Airadamente. adv. m. Con ira.

Airado, da. p. p. de **Airar.** || **2.** adj. V. **Vida airada.**

Airamiento. m. Acción y efecto de airar o airarse.

Airampo. (Voz quichua.) m. Planta tintórea del Perú, especie de cacto, cuya semilla da un hermoso color carmín, con el que se coloran los helados.

Airar. (De *a*, 2.° art., e *ira.*) tr. **Irritar,** 1.er art., 1.ª acep. Ú. m. c. r. || **2.** Agitar, alterar violentamente. || **3.** ant. Aborrecer, alejar de la gracia y amistad; desterrar.

Aire. (Del lat. *aer, -ĕris*, y éste del gr. ἀήρ.) m. Fluido que forma la atmósfera de la Tierra. Es una mezcla gaseosa, que, descontado el vapor de agua que contiene en muy varias proporciones, se compone aproximadamente de 21 partes de oxígeno, 78 de nitrógeno y una de argo y otros gases semejantes a éste, a que se añaden algunas centésimas de ácido carbónico anhidrido. || **2. Atmósfera,** 1.ª acep. Ú. t. en pl. || **3. Viento,** 1.ª acep. || **4.** V. **Bocanada, calorífero, nivel, pelo, viga de aire.** || **5.** V. **Madera, red del aire.** || **6.** fig. Parecido, semejante. Dícese especialmente de las personas. AIRE *de familia.* || **7.** fig. Vanidad o engreimiento. || **8.** fig. Cada una de las maneras de andar las caballerías con más o menos celeridad. || **9.** fig. Frivolidad, futilidad o poca importancia de alguna cosa. || **10.** fig. Primor, gracia o perfección en el modo de hacer las cosas. || **11.** fig. Garbo, brío, gallardía y gentileza en las acciones, como en el andar, danzar y otros ejercicios. || **12.** fam. Ataque de parálisis. Ú. m. con el verbo *dar.* || **13.** *Mús.* Grado de presteza o lentitud con que se ejecuta una obra musical. || **14.** *Mús.* **Canción,** 2.ª acep. || **15.** pl. *Germ.* **Cabellos,** 1.ª acep. || **Aire campero.** El paso y trote del caballo que bracea volviendo los cascos hacia afuera. || **colado.** Viento frío que corre encallejonado o por alguna estrechura. || **comprimido.** *Med.* V. **Baño de aire comprimido.** || **de suficiencia.** fig. Afectación de magisterio. || **de taco.** fig. y fam. Desenfado, desenvoltura, desembarazo. || **líquido.** *Fís.* Líquido que se obtiene sometiendo el **aire** a fuerte presión y dejándolo que se enfríe mediante su propia expansión hasta una temperatura inferior al punto de ebullición de sus principales componentes. Tiene uso en la industria y se emplea también como explosivo. || **popular.** Canción o sonata bailable propia y característica del pueblo. || **2.** ant. **Aura,** 1.er art., 3.ª acep. || **Al aire.** m. adv. Tratándose de piedras preciosas, montarlas o engastarlas de modo que, sujetándolas únicamente por sus bordes, queden visibles por encima y por debajo. || **2.** V. **Guarnición al aire.** || **3.** fig. Sin provecho, sin fundamento, sin fijeza. *Hablar* AL AIRE; *no decir,* o *no hacer, nada* AL AIRE. || **4.** fig. y fam. V. **Palabras al aire.** || **Al aire libre.** m. adv. Fuera de toda habitación y resguardo. || **Azotar el aire.** fr. fig. y fam. Fatigarse en vano. || **Beber los aires.** fr. fig. y fam. **Beber los vientos.** || **Cortarlas uno en el aire.** fr. fig. y fam. **Matarlas en el aire.** || **Creerse del aire.** fr. fig. y fam. Creer de ligero, dar crédito con facilidad. || **Dar aire.** fr. fig. y fam. Dicho de dinero, caudal, etc., gastarlo pronto. || **Dar con aire,** o **de buen aire.** fr. fig. y fam. Dar con gran ímpetu o violencia una cuchillada, un palo o cualquier golpe. || **Darle** a uno **el aire de** alguna cosa. fr. fig. y fam. Tener anuncios o indicios de ella. || **Darle,** o **darse,** uno **un aire** a otro. fr. fig. y fam. Parecérsele en algo o tener con él alguna semejanza en el modo de andar, en las facciones, etc. || **De buen,** o **mal, aire.** m. adv. fig. De buen, o mal, humor. || **Disparar al aire.** fr. Disparar las armas hacia lo alto y sin hacer puntería. || **Echar al aire.** fr. fam. Descubrir, desnudar alguna parte del cuerpo. || **Empañar el aire.** fr. Obscurecer las nieblas o vapores la claridad de la atmósfera. || **En el aire.** m. adv. fig. Con mucha ligereza o brevedad, en un instante. || **2.** fig. y fam. Pendiente de decisión ajena o de un suceso eventual. Ú. m. con los verbos *estar, quedar* y *dejar.* || **Fabricar,** o **fundar, en el aire.** fr. fig. Discurrir sin fundamento o esperar sin un motivo razonable. || **Guardarle el aire** a uno. fr. fig. y fam. Atemperarse a su genio. || **Hacer aire** a uno. fr. fig. Impeler el **aire** hacia él para refrescarle. Ú. t. el verbo c. r. || **2.** fig. y fam. Incomodarle, hacerle mal tercio. || **Herir el aire** con voces, lamentos, quejas, etc. fr. fig. Lamentarse en alta voz. || **Ir al aire de la tierra.** fr. fig. y fam. *Ar.* Ir por donde uno piensa o tiene el instinto de que ha de llegar al lugar que busca. || **Llevarle el aire** a uno. fr. fig. y fam. **Guardarle el aire.** || **Matarlas** uno **en el aire.** fr. fig. y fam. Dar con prontitud y facilidad salidas o respuestas agudas a cualquiera cosa que se dice o de que se le hace cargo. || **Mudar aires,** o **de aires.** fr. Pasar un enfermo de un lugar a otro con el objeto de recobrar la salud. || **2.** fest. Salir desterrado o huirse. || **Mudarse** uno **a cualquier aire.** fr. fig. Variar de dictamen u opinión con facilidad o ligero motivo. || **Mudarse el aire.** fr. fig. Mudarse la fortuna, faltar el favor que uno tenía. || **Ofenderse** uno **del aire.** fr. fig. Ser de genio delicado y vidrioso. || **Por el aire,** o **los aires.** loc. fig. y fam. Con mucha ligereza o velocidad. Ú. con los verbos *ir, venir, llevar,* etc. || **Ser** una cosa **aire,** o **un poco de aire.** fr. Ser vana y de ninguna substancia. || **Sustentarse** uno **del aire.** fr. fig. y fam. Comer muy poco. || **2.** fig. y fam. Confiarse en esperanzas vanas. || **3.** fig. y fam. Dejarse llevar de la lisonja. || **Todo es aire lo que echa la trompeta.** fr. contra los fatuos y fanfarrones. || **Tomar aires.** fr. Estar una persona en paraje más o menos distante de su habitual residencia con el objeto de recobrar la salud. || **Tomar el aire.** fr. Pasearse, esparcirse en el campo, salir a algún sitio descubierto donde corra el **aire.** || **2.** *Mont.* **Tomar el viento.**

Aire. (Voz cubana.) m. Mamífero insectívoro de la isla de Cuba, de unos 30 centímetros de largo, con la cola y la parte posterior de los muslos casi desprovistas de pelo.

Airear. tr. Poner al aire o ventilar alguna cosa. AIREAR *los granos.* || **2.** r. Ponerse o estar al aire para ventilarse, refrescarse o respirar con más desahogo. || **3.** Recibir la impresión del aire por descuido o necesidad. || **4.** Resfriarse con la frescura del aire.

Airón. (Del ant. fr. *hairon.*) m. **Garza real.** || **2.** Penacho de plumas que tienen en la cabeza algunas aves. || **3.** Adorno de plumas, o de cosa que las imite, en cascos, sombreros, gorras, etc., o en el tocado de las mujeres.

Airón. adj. V. **Pozo airón.**

Airosamente. adv. m. Con aire, garbo o gallardía.

Airosidad. (De *airoso.*) f. Buen aire, garbo o gallardía, especialmente en el manejo del cuerpo.

Airoso, sa. adj. Se aplica al tiempo o sitio en que hace mucho aire. || **2.** fig. Garboso o gallardo. || **3.** fig. Dícese del que lleva a cabo una empresa con honor, felicidad o lucimiento. Ú. por lo común con los verbos *quedar* y *salir.*

Aislacionismo. m. Tendencia opuesta al intervencionismo en los asuntos internacionales. *El* AISLACIONISMO *cuenta con muchos partidarios en los Estados Unidos.*

Aislacionista. adj. Perteneciente o relativo al aislacionismo. || **2.** Partidario de él. Ú. t. c. s.

Aisladamente. adv. m. **Separadamente.**

Aislado, da. p. p. de **Aislar.** || **2.** adj. Solo, suelto, individual. || **3.** V. **Columna aislada.**

Aislador, ra. (De *aislar.*) adj. Que aísla. || **2.** *Fís.* Aplícase a los cuerpos que interceptan el paso a la electricidad y al calor. Ú. t. c. s. m.

Aislamiento. m. Acción y efecto de aislar o aislarse. || **2.** fig. Incomunicación, desamparo.

Aislar. (De *a,* 2.° art., e *isla.*) tr. Circundar o cercar de agua por todas partes algún sitio o lugar. || **2.** Dejar una cosa sola y separada de otras. Ú. t. c. r. || **3.** fig. Retirar a una persona del trato y comunicación de la gente. Ú. m. c. r. || **4.** *Fís.* Apartar por medio de aisladores un cuerpo electrizado de los que no lo están.

Aizoáceo, a. (De *aizoon,* nombre de un género de plantas.) adj. *Bot.* Dícese de plantas angiospermas dicotiledóneas, herbáceas o algo leñosas, con hojas alternas u opuestas, flores axilares o terminales de colores vivos, y fruto en cápsula con pericarpio carnoso; como el algazul. Ú. t. c. s. f. || **2.** f. pl. *Bot.* Familia de estas plantas.

Aj. (De *ax.*) m. **Aje,** 1.er art. Ú. m. en pl.

Aja. (Del lat. *ascia.*) f. p. us. **Azuela.** || **2.** V. **Maestro de aja.**

Aja. (Del ár. *'Ā'iša,* n. p. de mujer.) n. p. **Aja no tiene que comer y convida huéspedes.** ref. que reprende a los que por vanidad, estando necesitados, hacen gastos superfluos. || **¿De adónde Aja con albanega?** ref. que se usa cuando se extraña alguna cosa, especialmente en las medras de algún sujeto.

¡Ajá! interj. fam. que se emplea para denotar complacencia o aprobación.

Ajabeba. (Del ár. *aš-šabbāba,* la flauta de caña.) f. Flauta morisca.

Ajada. (De *ajo.*) f. Salsa de pan desleído en agua, ajos machacados y sal, con que se aderezan el pescado y otras viandas.

Ajado, da. adj. ant. Que tiene ajos.

Ajaezar. tr. ant. **Enjaezar.**

¡Ajajá! interj. fam. **¡Ajá!**

Ajamiento. m. Acción y efecto de ajar o ajarse.

Ajamonarse. r. fam. Hacerse jamona una mujer.

Ajaqueca. f. desus. **Jaqueca.**

Ajaquecarse. r. Sentirse acometido de jaqueca.

Ajaquefa. (Del ár. *as-saqīfa,* el pórtico, el soportal.) f. ant. **Tejado,** 1.ª acep.

Ajar. m. Tierra sembrada de ajos.

Ajar. (De *ahajar.*) tr. Maltratar o deslucir alguna cosa manoseándola, o de otro modo. Ú. t. c. r. || **2.** fig. Tratar mal de palabra a alguno para humillarle.

Ajaraca. (Del ár. *aš-šaraka,* el lazo.) f. ant. **Lazo,** 1.ª acep. || **2.** *Arq.* En la ornamentación árabe y mudéjar, **lazo,** 12.ª acep.

Ajaracado. m. *Arq.* Dibujo o pintura que forma ajaracas.

Ajarafe. (Del ár. *aš-šaraf,* el lugar elevado.) m. Terreno alto y extenso. || **2.** Azotea o terrado.

Ajaspajas. (De *ajo* y *paja.*) f. pl. Cosa baladí, insignificante. || **2.** *Sal.* Paja que queda en la ristra de ajos, después de quitar las cabezas de éstos. || **3.** *Sal.* Paja o tallo seco de la cebolla.

Aje. (De *aj.*) m. **Achaque,** 1.er art., 1.ª acep. Ú. m. en pl.

Aje. (Voz caribe.) m. *Bot.* Planta intertropical, de la familia de las dioscoreáceas, vivaz, sarmentosa, rastrera, de hojas opuestas y acorazonadas, flores poco visibles y rizomas tuberculosos, pardos por fuera y blanquecinos por dentro, feculentos y comestibles.

Aje. (Del mejic. *axén.*) m. Especie de cochinilla de Honduras, de la que se obtiene una substancia que da un hermoso color amarillo.

Ajea. f. **Artemisa pegajosa.**

Ajear. intr. Repetir la perdiz, como quejándose, *aj, aj, aj,* cuando se ve acosada.

Ajebe. (Del ár. *aš-šabb,* el alumbre.) m. **Jebe.**

Ajedrea. (Del ár. *as-sa'tariyya,* la planta aromática, como orégano, tomillo, etc.) f. *Bot.* Planta de la familia de las labiadas, de unos tres decímetros de altura, muy poblada de ramas y hojas estrechas, algo vellosas y de un verde obscuro; es muy olorosa; se cultiva para adorno en los jardines y se usa en infusión como estomacal.

Ajedrecista. com. Persona diestra en el ajedrez o aficionada a este juego.

Ajedrecístico, ca. adj. Perteneciente o relativo al **ajedrez,** 1.ª acep.

Ajedrez. (Del ár. *as-šaṭranŷ,* y éste del sánscr. *chaturanga,* el juego que consta de cuatro cuerpos de ejército o filas: peones, caballos, roques o carros y elefantes.) m. Juego entre dos personas, cada una de las cuales dispone de 16 piezas movibles que se colocan sobre un tablero dividido en 64 escaques. Estas pieza son: un rey, una reina, dos alfiles, dos caballos, dos roques o torres y ocho peones; las de un jugador se distinguen por su color de las del otro, y no marchan de igual modo las de diferente clase. Gana el juego el que, apoderándose de alguna pieza del contrario e impidiendo el movimiento de otras, logra abrirse paso hasta el rey por ellas defendido y le da jaque mate. || **2.** Conjunto de piezas que sirven para este juego. || **3.** *Mar.* **Jareta,** 2.ª acep., cuando es de madera.

Ajedrezado, da. adj. Que forma cuadros de dos colores alternados, como las casillas o escaques del tablero de ajedrez.

Ajenabe. (De *jenabe,* con el art. ár.) m. **Jenabe.**

Ajenable. (De *alienable.*) adj. ant. **Enajenable.**

Ajenabo. (De *ajenabe.*) m. **Jenabe.**

Ajenación. (Del lat. *alienātio, -ōnis.*) f. ant. **Enajenación.**

Ajenador, ra. (Del lat. *alienātor.*) adj. ant. **Enajenador.** Usáb. t. c. s.

Ajenamiento. (De *ajenar.*) m. ant. **Enajenamiento.**

Ajenar. (Del lat. *alienāre.*) tr. ant. **Enajenar.** Ú. t. c. r.

Ajengibre. (De *jengibre,* con el art. ár.) m. **Jengibre.**

Ajenjo. (Del lat. *absinthĭum*), y éste del gr. ἀψίνθιον.) m. Planta perenne de la familia de las compuestas, como de un metro de altura, bien vestida de ramas y hojas un poco felpudas, blanquecinas y de un verde claro: es medicinal, muy amarga y algo aromática. || **2.** Bebida alcohólica aderezada con esencia de **ajenjo** y otras hierbas aromáticas.

Ajeno, na. (Del lat. *aliēnus,* de *alĭus,* otro.) adj. Perteneciente a otro. || **2. Extraño,** 1.ª acep. || **3. Diverso,** 1.ª acep. || **4.** fig. Distante, lejano, libre de alguna cosa. AJENO *de cuidados.* || **5.** fig. Impropio o no correspondiente. AJENO *de su estado, de su calidad.* || **Al que, o quien, de ajeno se viste, en la calle le desnudan. Quien de lo ajeno se viste, en concejo se lo desnuda.** refs. con que se advierte que quien se atribuye prendas o cosas que no son suyas, se expone a verse despojado de ellas en cualquier parte, o a la hora menos pensada. || **Estar uno ajeno de** una cosa. fr. No tener noticia o conocimiento de ella, o no estar prevenido de lo que ha de suceder. || **Estar uno ajeno de sí.** fr. fig. Estar desprendido de sí mismo o de su amor propio.

Ajenuz. (Del ár. *aš-šanūz,* la neguilla.) m. **Arañuela,** 3.ª acep.

Ajeo. m. Acción de ajear. || **2.** V. **Perro de ajeo.**

Ajero, ra. m. y f. Persona que vende ajos. || **2.** m. Dueño de un ajar.

Ajete. m. d. de **Ajo.** || **2.** Ajo tierno que aún no ha echado cepa o cabeza. || **3. Ajipuerro.** || **4.** Salsa que tiene ajo.

Ajetrearse. (De *ajetreo.*) r. Fatigarse corporalmente con algún trabajo u ocupación, o yendo y viniendo de una parte a otra.

Ajetreo. m. Acción de ajetrearse.

Ají. (Voz americana.) m. **Pimiento,** 1.ª y 2.ª aceps. || **2. Ajiaco,** 1.ª acep. || **Ponerse** uno **como un ají.** fr. fig. y fam. *Chile.* Ponerse muy encendido de rostro.

Ajiaceite. m. Composición hecha de ajos machacados y aceite.

Ajiaco. (De *ají.*) m. Salsa que se usa mucho en América y cuyo principal ingrediente es el ají. || **2.** Especie de olla podrida usada en América, que se hace de legumbres y carne en pedazos pequeños, y se sazona con ají. || **Estar,** o **ponerse,** uno **como ajiaco.** fr. fig. y fam. *Chile.* Estar colérico o de mal humor.

Ajicero, ra. adj. *Chile.* Perteneciente o relativo al ají. || **2.** m. y f. *Chile.* Persona que vende ají. || **3.** m. *Chile.* Vaso en que se pone el ají en la mesa.

Ajicola. f. Cola que se hace de retazos de piel cocidos con ajos, para preparar pintura al temple, o el dorado que ha de bruñirse.

Ajicomino. m. Salsa en que entran como ingredientes el ajo y el comino.

Ajicuervo. (De *ajo de cuervo.*) m. *Ál.* Planta bulbosa que crece en los campos no cultivados y despide fuerte olor a ajos.

Ajilimoje. m. fam. **Ajilimójili.**

Ajilimójili. (De *ajo* y *moje.*) m. fam. Especie de salsa o pebre para los guisados. || **2.** pl. fig. y fam. Agregados, adherentes de una cosa. || **Con todos sus ajilimójilis.** loc. fig. y fam. Con todos sus requisitos, sin que falte nada.

Ajimez. (Del ár. *aš-šammīs,* lo expuesto al sol.) m. Ventana arqueada, dividida en el centro por una columna. || **2.** ant. Salidizo o balcón saliente hecho de madera y con celosías.

Ajipuerro. (De *ajo* y *puerro.*) m. **Puerro silvestre.**

Ajironar. tr. Echar jirones a los sayos o ropas, según uso antiguo. || **2.** Hacer jirones.

Ajizal. m. Tierra sembrada de ají.

Ajo. (Del lat. *allĭum.*) m. Planta de la familia de las liliáceas, de 30 a 40 centímetros de altura, con hojas ensiformes muy estrechas y bohordo con flores pequeñas y blancas. El bulbo es también blanco, redondo y de olor fuerte y se usa mucho como condimento. || **2.** Cada una de las partes o dientes en que está dividido el bulbo o cabeza de ajos. || **3.** V. **Cabeza, diente, dientes, espigón, horca, sopas de ajo.** || **4.** Salsa o pebre que se hace con **ajos** para guisar y sazonar las viandas, y alguna vez suele tomar el nombre de la misma vianda o cosas con que se mezcla. AJO *pollo;* AJO *comino.* || **5.** fig. y fam. Afeite de que usan las mujeres para parecer bien. || **6.** fig. y fam. Negocio o asunto, generalmente reservado, que se está tratando entre varias personas. *Andar en el* AJO. || **7.** fig. y fam. **Palabrota.** || **blanco. Ajo,** 1.ª acep. || **2.** Condimento que se hace con **ajos** crudos machacados, miga de pan, sal, aceite, vinagre y agua. Suele componerse también de almendras machacadas. || **3.** Sopa fría que se hace con este condimento. || **cañete, castañete** o **castañuelo.** Variedad del **ajo** común, que tiene las túnicas de sus bulbos de color rojo. || **cebollino. Cebollino,** 3.ª acep. || **chalote,** o **de ascalonia. Chalote.** || **de pollo. Ajo,** 4.ª acep. || **de Valdestillas.** fig. y fam. Cosa que se añade para adorno o aderezo de otra y que cuesta más que la principal, como las guarniciones de los vestidos y el guiso de las viandas pasadas. || **porro,** o **puerro. Puerro.** || **Ajo crudo y vino puro pasan el puerto seguro.** ref. con que se advierte que para soportar los trabajos corporales necesita uno estar bien alimentado. || **¡Bueno anda el ajo!** loc. fig. y fam. que irónicamente se dice de las cosas cuando están muy turbadas y revueltas. || **Hacer morder el ajo,** o **en el ajo** a uno. fr. fig. y fam. Mortificarle, darle que sentir, retardándole lo que desea. || **Harto de ajos.** loc. fig. y fam. Rústico y mal criado. || **2.** fig. y fam. V. **Villano harto de ajos.** || **Más tieso que un ajo.** loc. fam. **Tieso como un ajo.** || **Muchos ajos en un mortero, mal los maja un majadero.** ref. con que se denota ser muy difícil que una persona sola maneje bien muchos negocios a un mismo tiempo. || **Quien se pica,** o **se quema, ajos come,** o **ajos ha comido.** ref. con que se denota que quien se resiente por lo que casualmente o en general se censura, da indicio de estar comprendido en ello. || **Revolver el ajo.** fr. fig. y fam. Dar motivo para que se vuelva a reñir o insistir sobre alguna materia. || **Tieso como un ajo.** loc. fam. que se dice del que está o anda muy derecho, y más generalmente del que da con ello indicio de engreimiento o vanidad.

¡Ajo! interj. **¡Ajó!**

¡Ajó! interj. con que se acaricia y estimula a los niños para que empiecen a hablar. También se dice **¡ajó, taita!**

Ajoarriero (De *ajo* y *arriero*.) m. Guiso de Aragón y Provincias Vascongadas, que se hace de abadejo aderezado con ajos, aceite y huevos.

Ajobar. tr. Llevar a cuestas, cargar con alguna cosa. || **2.** r. ant. **Amancebarse.**

Ajobero, ra. adj. Que ajoba. Ú. m. c. s.

Ajobilla. f. *Zool.* Molusco lamelibranquio, muy común en los mares de España, y cuyas valvas, de unos tres centímetros de largo, son recias, lustrosas, casi triangulares, simétricas, con dientecillos en los bordes y de color enteramente blanco o manchadas de rojo, de azul o de amarillo.

Ajobo. m. Acción de ajobar. || **2.** Carga que se lleva encima. || **3.** fig. Molestia, fatiga, trabajo.

Ajofaina. f. **Aljofaina.**

Ajolín. m. Insecto hemíptero, especie de chinche, de color negro y de unos ocho milímetros de largo.

Ajolio. (De *ajo* y *olio*.) m. *Ar.* **Ajiaceite.**

Ajolote. (Del mejic. *axolotl*.) m. *Zool.* Larva de cierto batracio urodelo, de unos 30 centímetros de largo, con branquias externas muy largas, cuatro extremidades y cola comprimida lateralmente; puede conservar durante mucho tiempo la forma larvaria y adquirir la aptitud para reproducirse antes de tomar la forma típica del adulto. Vive en algunos lagos de la América del Norte.

Ajomate. (Del ár. *al-ŷummāt*, las cabelleras.) m. *Bot.* Alga pluricelular formada por filamentos muy delgados, sin nudos, lustrosos y de color verde intenso. Abunda en las aguas dulces de España.

Ajonje. (Del lat. *axungia*, ungüento graso.) m. Substancia crasa y viscosa que se saca de la raíz de la ajonjera y sirve, como la liga, para coger pájaros. || **2. Ajonjera.**

Ajonjera. (De *ajonje*.) f. Planta perenne de la familia de las compuestas, de tres a cuatro decímetros de altura, con raíz fusiforme, hojas puntiagudas y espinosas y flores amarillentas. || **juncal. Condrila.**

Ajonjero. adj. V. **Cardo ajonjero.** || **2.** m. **Ajonjera.**

Ajonjo. (Del lat. *axungia*, grasa.) m. **Ajonje,** 1.ª acep. || **2.** *Gran.* **Ajonjera.**

Ajonjolí. (Del ár. *al-ŷulŷulān*, el coriandro, el sésamo, con imela.) m. *Bot.* Planta herbácea, anual, de la familia de las pedaliáceas, de un metro de altura, tallo recto, hojas pecioladas, serradas y casi triangulares: flores de corola acampanada, blanca o rósea, y fruto elipsoidal con cuatro cápsulas y muchas semillas amarillentas, muy menudas, oleaginosas y comestibles. Llámase también alegría y sésamo. || **2.** Simiente de esta planta. || **3.** *Venez.* Cierta tenia del cerdo en estado de larva.

Ajonuez. m. Salsa de ajo y nuez moscada.

Ajoqueso. m. Género de guisado en que entran el ajo y el queso.

Ajorar. (Del lat. *ad*, a, y *fŏras*, fuera.) tr. Llevar por fuerza gente o ganado de una parte a otra.

Ajorca. (Del ár. *aš-šurka*, el brazalete.) f. Especie de argolla de oro, plata u otro metal, que para adorno traían las mujeres en las muñecas, en los brazos o en la garganta de los pies.

Ajordar. (De *asordar*.) intr. *Ar.* Levantar o esforzar la voz; gritar mucho hasta fatigarse o enronquecer.

Ajornalar. tr. Ajustar a uno para que trabaje o sirva por un jornal. Ú. t. c. r.

Ajorrar. (De *ajorro*.) tr. *Murc.* Llevar arrastrando hasta el cargadero los troncos que se cortan en los montes.

Ajorro. adv. m. **A jorro.**

Ajote. (De *ajo*, por el olor de la planta.) m. **Escordio.**

Ajotrino. (Del lat. *allium*, ajo, y *tenĕrum*, tierno.) m. *Ál.* **Ajipuerro.**

Ajuagas. (Del ár. *aš-šuqāq*, las resquebrajaduras.) f. pl. *Veter.* Especie de úlceras que se forman en los cascos de las bestias caballares.

Ajuanetado, da. (De *a*, 2.° art., y *juanete*.) adj. **Juanetudo.**

Ajuaneteado, da. adj. **Ajuanetado.**

Ajuar. (Del ár. *aš-šuwār*, los muebles del menaje.) m. Conjunto de muebles, enseres y ropas de uso común en la casa. || **2.** Conjunto de muebles, alhajas y ropas que aporta la mujer al matrimonio. || **El ajuar de la tiñosa, todo albanegas y tocas.** ref. con que se da a entender que algunas mujeres gastan en adornos exteriores y superfluos lo que debieran gastar en cosas necesarias. || **Por ajuar colgado no viene hado.** ref. que enseña que el bienestar de los matrimonios no proviene de las alhajas y muebles que se llevan a él, sino de los bienes productivos.

Ajudiado, da. adj. Que se parece a los judíos. || **2.** Que parece de judío. *Gesto* AJUDIADO.

Ajuglarado, da. p. p. de **Ajuglarar.** || **2.** adj. Que tiene las condiciones de lo juglar; juglaresco.

Ajuglarar. tr. Hacer que uno proceda como juglar. || **2.** intr. Tener las condiciones de lo juglar.

Ajuiciado, da. p. p. de **Ajuiciar.** || **2.** adj. **Juicioso,** 1.ª acep.

Ajuiciar. tr. Hacer que otro tenga juicio. Ú. m. c. intr. || **2.** Juzgar o enjuiciar.

Ajumar. tr. vulg. **Ahumar,** 4.ª acep. Ú. m. c. r.

Ajuno, na. adj. De ajos.

Ajuntadamente. adv. m. ant. **Juntamente.**

Ajuntamiento. m. ant. Acción y efecto de ajuntar o ajuntarse.

Ajuntanza. f. ant. **Ajuntamiento.**

Ajuntar. tr. ant. **Juntar.** Ú. en *Sal.* || **2.** r. ant. **Juntarse.** || **3.** ant. Unirse en matrimonio o tener ayuntamiento carnal.

Ajustadamente. adv. m. Igual y cabalmente, con arreglo a lo justo.

Ajustado, da. p. p. de **Ajustar.** || **2.** adj. Justo, recto. || **3.** desus. Mezquino, miserable. || **4.** *For.* V. **Memorial ajustado.**

Ajustador, ra. adj. Que ajusta. Ú. t. c. s. || **2.** m. Jubón o armador que se ajusta al cuerpo. || **3.** Anillo, por lo común liso, con que se impide que se salga una sortija que viene ancha al dedo. || **4.** Operario que trabaja las piezas de metal ya concluidas, amoldándolas al sitio en que han de quedar colocadas.

Ajustamiento. m. **Ajuste,** 1.ª acep. || **2.** Papel en que consta el ajuste de una cuenta.

Ajustar. (Del lat. *ad*, a, y *iūstus*, justo.) tr. Hacer y poner alguna cosa de modo que case y venga justo con otra. Ú. t. c. r. || **2.** Conformar, acomodar una cosa a otra, de suerte que no haya discrepancia entre ellas. || **3.** Apretar una cosa de suerte que sus varias partes casen o vengan justo con otra cosa o entre sí. Ú. t. c. r. || **4.** Arreglar, moderar. Ú. t. c. r. || **5.** Concertar, capitular, concordar alguna cosa, como el casamiento, la paz, las diferencias o pleitos. || **6.** Componer o reconciliar a los discordes o enemistados. || **7.** Tratándose de cuentas, reconocer y liquidar su importe. || **8.** Concertar el precio de alguna cosa. || **9.** Obligar a una persona, mediante pacto o convenio, a prestar algún servicio o ejecutar alguna cosa. Ú. t. c. r. || **10.** *Impr.* Concertar las galeradas para formar planas. || **11.** intr. Venir justo, casar justamente. || **12.** V. **Escofina de ajustar.** || **13.** r. Acomodarse, conformar uno su opinión, su voluntad o su gusto con el de otro. || **14.** *Ar.* Arrimarse o llegarse una persona a algún lugar, o una cosa a otra. || **15.** rec. Ponerse de acuerdo unas personas con otras en algún ajuste o convenio.

Ajuste. m. Acción y efecto de ajustar o ajustarse. || **2.** Encaje o medida proporcionada que tienen las partes de que se compone alguna cosa para el efecto de ajustar o cerrar. || **Más vale mal ajuste que buen pleito.** ref. **Más vale mala avenencia que buena sentencia.**

Ajusticiado, da. p. p. de **Ajusticiar.** || **2.** m. y f. Reo en quien se ha ejecutado la pena de muerte.

Ajusticiamiento. m. Acción y efecto de ajusticiar.

Ajusticiar. (De *a*, 2.° art., y *justicia*.) tr. Castigar al reo con la pena de muerte.

Al. Contracc. de la prep. **a** y el art. **el.**

Al. (Del lat. ant. *alid* por *alĭud*.) pron. indet. Otra cosa. || **2.** adj. ant. **Demás,** 1.ª acep. Usáb. siempre precedido del artículo **lo.**

Ala. (Del lat. *ala*.) f. Parte del cuerpo de algunos animales, de que se sirven para volar. || **2.** V. **Clavo de ala de mosca.** || **3.** V. **Hierba del ala.** || **4.** Hilera o fila. || **5. Helenio.** || **6.** Parte inferior del sombrero, que rodea la copa, sobresaliendo de ella. || **7. Alero,** 1.er art., 1.ª acep. || **8.** Cada una de las partes membranosas que limitan por los lados las ventanas de la nariz. || **9.** Cada uno de los dos bordes adelgazados del hígado. || **10.** Cada una de las partes que a ambos lados del avión presentan al aire una superficie plana y sirven para sustentar el aparato en vuelo. || **11.** *Arq.* Cada una de las partes que se extienden a los lados del cuerpo principal de un edificio. || **12.** *Bot.* Cualquiera de los pétalos laterales de la corola amariposada. || **13.** *Fort.* **Cortina,** 5.ª acep. || **14.** *Fort.* **Flanco,** 3.ª acep. || **15.** *Mar.* Vela pequeña suplementaria que se larga en tiempos bonancibles. || **16.** *Mec.* Cada una de las paletas alabeadas que parten de un eje para formar la hélice. || **17.** *Mil.* Tropa formada en cada uno de los extremos de un orden de batalla. || **18.** pl. fig. Osadía, libertad o engreimiento con que una persona hace su gusto o se levanta a mayores por el cariño que otras le tienen o la protección que le dispensan. Ú. m. con los verbos *dar* y *tomar.* || **Ala del corazon.** Aurícula, 1.ª a 3.ª aceps. || **2.** pl. fig. Ánimos, valor, brío. || **Ala de mosca.** *Germ.* Treta o flor que usan los fulleros en el juego de naipes. || **Ahuecar el ala.** fr. fig. Marcharse. || **Arrastrar el ala.** fr. fig. y fam. Enamorar, requerir de amores. || **Caérsele** a uno **las alas,** o **las alas del corazón.** fr. fig. Desmayar, faltarle el ánimo y constancia en algún contratiempo o adversidad. || **Cortar, quebrantar** o **quebrar las alas** a uno. fr. fig. Quitarle el ánimo o aliento cuando intenta ejecutar o pretende alguna cosa. || **2.** fig. Privarle de los medios con que cuenta para prosperar y engrandecerse. || **3.** fig. Privarle del consentimiento y libertad que tiene para hacer su gusto. || **En ala.** m. adv. En fila. || **Volar** uno **con sus propias alas.** fr. fig. Poderse valer por sí mismo.

¡Alá! (Del ár. *yā llāh,* ¡oh Dios!, usado con la misma significación.) interj. ¡Hala!

Alá. (Del ár. *Allāh,* Dios.) m. Nombre que dan a Dios los mahometanos y los cristianos orientales.

Alabable. (De *alabar.*) adj. ant. **Laudable.**

Alabado, da. p. p. de **Alabar.** || **2.** m. Motete que se canta en alabanza del Santísimo Sacramento, por lo regular al tiempo de la reserva, y comienza por las palabras **Alabado sea.** || **3.** Canto que los antiguos serenos de Chile entonaban al venir el día y recogerse al cuartel. || **4.** Canto devoto que en algunas haciendas de Méjico acostumbran entonar los trabajadores al comenzar y al terminar la tarea diaria. || **Al alabado.** fr. fig. y fam. *Chile.* **Al amanecer.** || **Por el alabado dejé el conocido, y vime arrepentido.** ref. que aconseja no aventurar el bien o la conveniencia que se goce por la esperanza de otra que parezca mayor.

Alabador, ra. adj. Que alaba. Ú. t. c. s.

Alabamiento. m. **Alabanza,** 1.ª acep.

Alabancero, ra. (De *alabanza.*) adj. Lisonjero, adulador.

Alabancia. f. Alabanza, jactancia.

Alabancioso, sa. (De *alabancia.*) adj. fam. **Jactancioso.**

Alabandina. (Del lat. *alabandīna gemma,* piedra preciosa de Alabanda, ciudad de Caria.) f. Mineral poco común, de color negro y brillo metálico, formado por el sulfuro de manganeso.

Alabanza. (De *alabar.*) f. Acción de alabar o alabarse. || **2.** Expresión o conjunto de expresiones con que se alaba. || **3.** desus. **Excelencia,** 1.ª acep.

Alabar. (Del lat. **alāpāri,* jactarse, de *alăpa,* bofetada.) tr. Elogiar, celebrar con palabras. Ú. t. c. r. || **2.** intr. *Méj.* Cantar el alabado || **3.** r. Jactarse o vanagloriarse. || **Quien no se alaba, de ruin se muere.** ref. que denota lo poco que medran los que son demasiado modestos.

Alabarda. (Del ital. *alabarda.*) f. Arma ofensiva, que consta de una asta de madera como de dos metros de largo, y de una moharra con cuchilla transversal, aguda por un lado y de figura de media luna por el otro. || **2.** Arma e insignia de que usaban los sargentos de infantería. || **3.** Tomábase a veces por el mismo empleo de sargento.

Alabardado, da. adj. De figura de alabarda.

Alabardazo. m. Golpe dado con la alabarda.

Alabardero. m. Soldado armado de alabarda. || **2.** Soldado del cuerpo especial de infantería que daba guardia de honor a los reyes de España, y cuya arma distintiva era la alabarda. || **3.** fig. y fam. Cada uno de los que aplauden en los teatros por asistir de balde a ellos o por alguna otra recompensa que reciben de los empresarios o los artistas.

Alabastrado, da. adj. Parecido al alabastro.

Alabastrina. f. Hoja o lámina delgada de alabastro yesoso o espejuelo, de que, por su translucidez, suele usarse en las claraboyas de los templos en lugar de vidriera.

Alabastrino, na. adj. De alabastro. || **2.** Semejante a él.

Alabastrita. (Del lat. *alabastrītes,* y éste del gr. ἀλαβαστρίτης.) f. **Alabastro yesoso.**

Alabastrites. f. **Alabastrita.**

Alabastro. (Del lat. *alabaster,* y éste del gr. ἀλάβαστρος.) m. Mármol translúcido, generalmente con visos de colores. || **2. Alabastro yesoso.** || **3.** fig. Vaso de **alabastro** sin asas en que se guardaban los perfumes. || **oriental.** El muy translúcido y susceptible de hermoso pulimento. || **yesoso.** Aljez compacto y translúciente. Se emplea en baldosas para las habitaciones, y las variedades más puras, en objetos de adorno.

Álabe. (Del lat. *alăpa,* aleta, vuelo.) m. Rama de árbol combada hacia la tierra. || **2.** Estera que se pone a los lados del carro para que no se caiga lo que se conduce en él. || **3.** ant. Alero o ala de un tejado. || **4.** *Mec.* Cada una de las paletas curvas de la rueda hidráulica que reciben el impulso del agua. || **5.** *Mec.* Cualquiera de los dientes de la rueda, que sucesivamente levantan y luego abandonan a su propio peso los mazos de un batán u otro mecanismo análogo.

Alabeado, da. p. p. de **Alabear.** || **2.** adj. Dícese de lo que tiene alabeo. || **3.** V. **Superficie alabeada.**

Alabear. (De *álabe.*) tr. Dar a una superficie forma alabeada. || **2.** r. Torcerse o combarse la madera labrada, como una puerta, ventana, mesa, etc., perdiendo la superficie plana y recta.

Alabeo. (De *alabearse.*) m. Vicio que toma una tabla u otra pieza de madera al alabearse. || **2.** Por ext., comba de la cara de una piedra o de otra superficie que presenta la misma forma de una pieza de madera alabeada.

Alabiado, da. (De *a,* 2.° art., y *labio.*) adj. Aplícase a la moneda o medalla que, por no estar bien acuñada, sale con rebabas.

Alacayo. m. ant. **Lacayo.**

Alacayuela. f. Planta de la familia de las cistáceas, con las hojas superiores sentadas y las inferiores pecioladas, anchas y ovales, y flores de pétalos amarillos. Se encuentra en los montes de ambas Castillas, Andalucía y Extremadura.

Alacena. (Del ár. *al-jazāna,* el armario, con imela.) f. Hueco hecho en la pared, con puertas y anaqueles, para guardar algunas cosas.

Alacet. m. *Ar.* Fundamento de un edificio.

Alaciarse. r. **Enlaciarse.**

Alacrán. (Del ár. *al-'aqrab,* el escorpión.) m. Arácnido con tráqueas en forma de bolsas y abdomen que se prolonga en una cola formada por seis segmentos y terminada en un aguijón curvo y venenoso que el animal clava en el cuerpo de sus presas. Sus varias especies están muy difundidas en muchos países y se distinguen, entre otros caracteres, por sus dimensiones y su color; la común en España tiene de seis a ocho centímetros de longitud y es de color amarillento. || **2.** Cada una de las asillas con que se traban los botones de metal y otras cosas. || **3.** Pieza del freno de los caballos, a manera de gancho retorcido, que sirve para sujetar la barbada al bocado. || **cebollero. Grillo real.** || **marino. Pejesapo.** || **Picado del alacrán.** fig. **Picado de la tarántula.** || **Quien del alacrán está picado, la sombra le espanta.** ref. con que se denota que el que ha padecido algún daño, con ligero motivo teme que le vuelva a suceder.

Alacranado, da. adj. Picado del alacrán. || **2.** fig. Aplícase a la persona que está inficionada de algún vicio, peste o enfermedad.

Alacrancillo. (d. de *alacrán.*) m. Planta silvestre americana, de la familia de las borragináceas, como de unos 30 centímetros de altura, hojas lanceoladas y velludas, y florecillas en una espiga encorvada a manera de cola de alacrán.

Alacranera. f. Planta anua de la familia de las papilionáceas, de medio metro de altura, con tallos ramosos, hojas acorazonadas, flores amarillas y por fruto una legumbre muy encorvada, semejante en su figura a la cola del alacrán.

Alacridad. (Del lat. *alacrĭtas, -ātis.*) f. Alegría y presteza del ánimo para hacer alguna cosa.

Alacha. f. **Haleche.**

Alache. (Del ár. *alach,* y éste del lat. *halex, -ēcis,* aleche.) m. **Alacha.**

Alada. f. Movimiento que hacen las aves subiendo y bajando rápida y violentamente las alas.

Aladar. (Del ár. *al-'iḏār,* el vello que cubre las mejillas.) m. Porción de cabellos que hay a cada lado de la cabeza y cae sobre cada una de las sienes. Ú. m. en pl.

Aladierna. (Del lat. *alaternus.*) f. Arbusto perenne de la familia de las ramnáceas, de unos dos metros de altura, de hojas grandes, siempre verdes, alternas, coriáceas y oblongas; flores sin pétalos, pequeñas, blancas y olorosas, y cuyo fruto es una drupa pequeña, negra y jugosa cuando está madura.

Aladierno. m. **Aladierna.**

Alado, da. (Del lat. *alātus.*) adj. Que tiene alas. || **2.** fig. Ligero, veloz. || **3.** *Bot.* De figura de ala.

Aladrada. (De *aladrar.*) f. En algunas partes, **surco,** 1.ª acep.

Aladrar. (Del lat. *aratrāre,* binar, dar segunda reja.) tr. En algunas partes, **arar.**

Aladrería. (De *aladrero.*) f. *And.* Conjunto de útiles empleados en la labranza.

Aladrero. (De *aladro.*) m. Carpintero que labra las maderas para la entibación de las minas. || **2.** Carpintero que construye y repara arados, aperos de labranza, carros, etc.

Aladro. (Del lat. *aratrum.*) m. En algunas partes, **arado.**

Aladroque. m. **Boquerón,** 3.ª acep.

Alafa. (Del ár. *alafa,* costumbre.) f. ant. Salario, sueldo.

Alafia. (Del ár. *al-'āfiya,* la salud.) f. fam. Gracia, perdón, misericordia. Ú. más en la fr. **pedir alafia.**

Álaga. (Del lat. *alĭca,* de *alĕre,* alimentar.) f. Especie de trigo, muy parecido al fanfarrón, que produce un grano largo y amarillento. El pan que se hace de él tira al mismo color, y es dulce y de poca corteza. || **2.** Grano de esta planta.

Alagadizo, za. (De *alagar.*) adj. Aplícase al terreno que fácilmente se encharca.

Alagar. tr. Llenar de lagos o charcos. Ú. t. c. r.

Alagartado, da. p. p. de **Alagartarse.** || **2.** adj. Semejante, por la variedad de colores, a la piel del lagarto.

Alagartarse. (De *a,* 2.° art., y *lagarto.*) r. *Méj.* Apartar la bestia los cuatro remos, de suerte que disminuya de altura.

Alagotería. f. ant. **Lagotería.**

Alaguna. f. ant. **Laguna.**

Alahílca. (Del ár. *al-'ilqa*, lo que cuelga.) f. ant. Colgadura o tapicería para adornar las paredes.

Alajor. (Del ár. *al-'ašūr*, los diezmos o décimas.) m. Tributo que se pagaba a los dueños de los solares en que estaban edificadas las casas.

Alajú. (Del ár. *al-ḥašw*, el relleno o mechado.) m. Pasta de almendras, nueces y, a veces, piñones, pan rallado y tostado, especia fina y miel bien cocida.

Alalá. m. Canto popular de algunas provincias del norte de España.

Alalimón. (De *al alimón*.) m. Juego de muchachos que verifican éstos dividiéndose en dos bandos que, puestos uno frente al otro, y asidos aquéllos de las manos, avanzan y retroceden a la vez cantando alternadamente unos versos que empiezan con el estribillo **alalimón, alalimón.**

Alama. (De *lama*, 2.° art., con el art. ár.) f. ant. *Ar.* **Lama,** 2.° art., 2.ª acep.

Alama. f. Planta leguminosa, de tallo no espinoso y de un metro próximamente de altura, hojas inferiores pecioladas, sésiles las superiores, y flores amarillas. Sirve para pasto del ganado.

Alamar. (Del ár. *'alam*, borde, ribete, orla de una tela.) m. Presilla y botón, u ojal sobrepuesto, que se cose, por lo común, a la orilla del vestido o capa, y sirve para abotonarse o meramente para gala y adorno, o para ambos fines. || **2. Cairel,** 2.ª acep.

Alámbar. m. ant. **Ámbar.**

Alambicadamente. adv. m. Con excesiva sutileza.

Alambicado, da. p. p. de **Alambicar.** || **2.** adj. fig. Dado con escasez y muy poco a poco. || **3.** fig. **Sutil,** 2.ª acep.

Alambicamiento. m. Acción y efecto de alambicar.

Alambicar. (De *alambique*.) tr. **Destilar,** 1.ª acep. || **2.** fig. Examinar atentamente alguna cosa, como palabra, escrito o acción, hasta apurar su verdadero sentido, mérito o utilidad. || **3.** fig. Tratándose de lenguaje, estilo, conceptos, etc., sutilizar excesivamente. || **4.** fig. y fam. Reducir todo lo posible el precio de una mercancía aviniéndose a ganar poco por unidad.

Alambique. (Del ár. *al-inbīq*, alambique, y éste del gr. ἄμβιξ, vaso.) m. Aparato de metal, vidrio u otra materia, para extraer al fuego, y por destilación, el espíritu o esencia de cualquier substancia líquida. Se compone de dos cuerpos; el inferior o caldera, y el superior o cabeza, que sirve de tapa y refrigerante, del cual arranca un cañón, vuelto hacia abajo, donde se enchufa el tubo que da salida a la destilación. Algunos **alambiques** tienen sobre la cabeza un depósito exterior que se llena de agua. || **Por alambique.** m. adv. fig. Con escasez o muy poco a poco.

Alambor. m. *Arq.* **Falseo,** 2.ª acep. || **2.** *Fort.* **Escarpa,** 2.ª acep. || **3.** *Bot.* Variedad del naranjo.

Alamborado, da. adj. Que tiene alambor.

Alambrada. f. *Mil.* Red de alambre grueso, sujeta al suelo con piquetes, que se emplea en campaña para impedir o dificultar el avance de las tropas enemigas.

Alambrado, da. p. p. de **Alambrar,** 1.er art. || **2.** adj. V. **Rojo alambrado.** || **3.** m. **Alambrera,** 1.ª acep. || **4.** Cerco de alambres afianzado en postes.

Alambrar. tr. Cercar un sitio con alambre. || **2.** Poner los cencerros a una yeguada, recua o parada de cabestros.

Alambrar. (Del m. or. que *alumbrar*, 1.er art.) intr. *Ar.* y *Sal.* Aclarar, despejarse el cielo.

Alambre. (De *arambre*.) m. Hilo tirado de cualquier metal. || **2.** V. **Cable de alambre.** || **3.** Dábase antiguamente este nombre al cobre y a sus dos aleaciones, el bronce y el latón. || **4.** Conjunto de cencerros, campanillas, etc., de una recua o hato de ganado. || **conejo.** El de hierro o latón con que se hacen lazos para cazar conejos.

Alambrear. intr. Tocar la perdiz con el pico los alambres de la jaula.

Alambrera. f. Red de alambre que se pone en las ventanas y otras partes. || **2.** Cobertera de red de alambre, generalmente de figura de campana, que por precaución se pone sobre los braseros encendidos. || **3.** Cobertera de red de alambre muy espesa, y generalmente de figura de media naranja, que sirve para cubrir y preservar los manjares.

Alambrilla. (Del ár. *al-ḥamrā'*, la roja, con term. esp. de d.) f. **Olambrilla.**

Alameda. f. Sitio poblado de álamos. || **2.** Paseo con álamos. || **3.** Por ext., paseo con árboles de cualquier clase.

Alamín. (Del ár. *al-amīn*, el fiel, el síndico.) m. Oficial que en lo antiguo contrastaba las pesas y medidas y tasaba los víveres. También se llamó alcalde **alamín.** || **2.** Alarife diputado en lo antiguo para reconocer obras de arquitectura. || **3.** Juez de riegos.

Alamina. (De *alamín*.) f. Multa que pagaban en Sevilla los olleros por lo que se excedían en la carga de los hornos al cocer sus vasijas.

Alaminadgo. (De *alamín*.) m. ant. **Alaminazgo.**

Alaminazgo. (De *alaminadgo*.) m. Oficio de alamín.

Alamir. m. ant. **Amir.**

Alamirré. (De la letra *a* y de las notas musicales *la, mi, re*.) m. En la música antigua, indicación del tono que principia en el sexto grado de la escala diatónica de *do* y se desarrolla según los preceptos del canto llano y del canto figurado.

Álamo. (Del lat. *alnus*, álamo, infl. por *ŭlmus*, olmo.) m. Árbol de la familia de las salicáceas, indígena de España, que se eleva a considerable altura, de hojas anchas con largos pecíolos, y flores laterales y colgantes. Crece en poco tiempo, y su madera, blanca y ligera, resiste mucho al agua. || **2.** Madera de cualquiera de las especies de este árbol. || **alpino. Álamo temblón.** || **balsámico.** Árbol de copa alargada o redondeada, ramas angulosas con corteza pardorrojiza y hojas con el envés blanquecino. Es originario de América del Norte. || **bastardo. Álamo blanco.** || **blanco.** El que tiene la corteza blanca agrisada antes de resquebrajarse, hojas verdes por su haz y blancas o blanquecinas por el envés, más o menos triangulares o con tres o cinco lóbulos irregularmente laciniados. || **carolino. Álamo de la Carolina.** || **de Italia. Álamo de Lombardía.** || **de la Carolina.** El que tiene ramas angulosas y hojas grandes, acorazonadas y dentadas; con su madera se fabrica muy buena pasta de papel. Es originario de América del Norte. || **de Lombardía.** Árbol semejante al **álamo** negro, del que se distingue por tener hojas triangulares, tan anchas como largas, y las ramas casi paralelas al eje del tronco, disminuyendo gradualmente de longitud de abajo arriba y formando en conjunto una larga pirámide. || **falso. Olmo.** || **líbico. Álamo temblón.** || **lombardo. Álamo de Lombardía.** || **negro.** El que tiene la corteza muy rugosa y más obscura que el blanco, hojas verdes por sus dos caras, poco más largas que anchas, y ramas muy separadas del eje del tronco, a veces casi horizontales. || **2. Olmo.** || **temblón.** El que tiene corteza lisa y blanquecina y hojas lampiñas, que por estar pendientes de sendos pecíolos largos y comprimidos se mueven con facilidad a impulso del viento.

Alampar. (De *a*, 2.° art., y *lampar*.) intr. *Ál.* **Picar,** 8.ª acep. || **2.** r. Tener ansiedad por el logro de una cosa.

Alamud. (Del ár. *al-'amūd*, la barra.) m. Barra de hierro, de base cuadrada o rectangular, que servía de pasador o cerrojo para asegurar puertas y ventanas.

Alán. m. ant. **Perro alano.**

Alanceador, ra. adj. Que alancea. Ú. t. c. s.

Alancear. tr. Dar lanzadas, herir con lanza. || **2. Zaherir.**

Alancel. m. ant. **Arancel.**

Alandrearse. (De *a*, 2.° art., y *landre*.) r. Ponerse los gusanos de seda secos, tiesos y blancos.

Alangiáceo, a. (De *Alangium*, nombre de un género de plantas.) adj. *Bot.* Dícese de árboles angiospermos dicotiledóneos, originarios de países cálidos del Antiguo Continente, con hojas alternas y enteras, flores axilares, fruto en drupa aovada con semillas de albumen carnoso; como el angolán. Ú. t. c. s. || **2.** f. pl. *Bot.* Familia de estas plantas.

Alangieo, a. adj. *Bot.* **Alangiáceo.**

Alano, na. (Del lat. *alānus*.) adj. Dícese del individuo de un pueblo que, en unión con otros, invadió a España en los principios del siglo quinto. Ú. t. c. s. || **2.** Perteneciente a este pueblo. || **3.** V. **Perro alano.** Ú. t. c. s.

Alantoides. (Del gr. ἀλλαντοειδής; de ἀλλᾶς, ἄντος, salchichón, embutido, y εἶδος, forma.) adj. *Zool.* Bolsa membranosa que comunica con la cavidad intestinal del embrión de los reptiles, aves y mamíferos y en cuya pared hay numerosos vasos sanguíneos; actúa como órgano respiratorio del embrión.

Alanzar. tr. **Alancear,** 1.ª acep. || **2.** intr. Tirar o arrojar lanzas a una armazón de tablas en cierto juego antiguo de caballería. La destreza consistía en romper las tablas con la lanza. || **3.** tr. **Lanzar,** 1.ª acep.

Alaqueca. (Del ár. *al-'aqīqa*, nombre de unidad *al-'aqīq*, especie de piedra roja.) f. **Cornalina.**

Alaqueque. m. **Alaqueca.**

Alar. (De *ala*.) m. **Alero,** 1.er art., 1.ª acep. || **2.** *Cetr.* Percha de cerdas para cazar perdices. Ú. m. en pl. || **3.** pl. *Germ.* Zaragüelles o calzones.

Alara (En). (Del ár. *halhala*, tela sutil.) m. adv. ant. **En fárfara,** 1.ª acep.

Alárabe. (Del ár. *al-'arabī*, el árabe.) adj. **Árabe.** Apl. a pers., ú. t. c. s.

Alarbe. adj. **Alárabe.** Apl. a pers., ú. t. c. s. || **2.** m. fig. Hombre inculto o brutal.

Alarconiano, na. adj. Propio y característico del poeta dramático don Juan Ruiz de Alarcón. || **2.** Parecido a cualquiera de las dotes o calidades por que se distinguen las producciones de este escritor.

Alarde. (Del ár. *al-'arḍ*, la exhibición, la revista militar.) m. Formación militar en que se hacía reseña de los soldados y de sus armas. || **2.** V. **Caballero de alarde.** || **3. Revista,** 2.ª acep. || **4.** Lista o registro en que se inscribían los nombres de los soldados. || **5.** Ostentación y gala que se hace de alguna cosa. || **6.** Entre colmeneros, reconocimiento que las abejas hacen de su colmena al tiempo de entrar o salir. || **7.** Visita que a los presos hace el juez. || **8.** Examen periódico, por lo regular quincenal, que hacen los tribunales de todos los negocios pendientes para promover su más breve curso. || **9.** *For.* Relación de las causas de competencia del jurado que en cada audiencia y cuatrimestre se han de someter a dicho examen.

Alardear. intr. Hacer alarde.

Alardo. m. ant. **Alarde.**

Alardoso, sa. (De *alarde*.) adj. **Ostentoso.**

Alargadamente. adv. m. ant. **Extendidamente.**

Alargadera. (De *alargar.*) f. Pieza que sirve para alargar alguna cosa, como la que se emplea para las piernas del compás. || **2.** *Ar.* Sarmiento amugronado, o que deja de podarse para amugronarlo. || **3.** *Quím.* Tubo de vidrio, fusiforme, con un ensanchamiento en su mitad anterior, y que se adapta al cuello de las retortas para algunas operaciones destilatorias.

Alargador, ra. adj. Que alarga.

Alárgama. f. **Alharma.**

Alargamiento. m. Acción y efecto de alargar o alargarse.

Alargar. (De *a,* 2.° art., y *largo.*) tr. Dar más longitud a una cosa. Ú. t. c. r. || **2.** Hablando de límites, llevarlos más allá. || **3.** fig. Aplicar o alcanzar a nuevos objetos o límites una facultad o actividad. || **4. Estirar, desencoger.** || **5.** Aplicar con interés el sentido de la vista o del oído. || **6.** Prolongar una cosa, hacer que dure más tiempo. Ú. t. c. r. || **7.** Refiriéndose al tiempo, retardar, diferir, dilatar. U. t. c. r. || **8.** Alcanzar algo y darlo a otro que está apartado. || **9.** fig. Ceder o dejar a otro lo que uno tiene. || **10.** Alejar, desviar, apartar. Ú. más c. r. y alguna vez c. intr. || **11.** Dar cuerda o ir soltando poco a poco algún cabo, maroma o cosa semejante. || **12.** Hacer que adelante o avance alguna gente. || **13.** fig. Aumentar la cantidad o número señalado. ALARGAR *el salario, el sueldo, la ración.* || **14.** r. Excederse, salirse del justo límite en elogios, ofertas, dádivas, etc. || **15.** *Mar.* Mudar de dirección el viento, inclinándose a popa.

Alargas. f. pl. *Sal.* Confianza o condescendencia excesivas. *Tomarse muchas* ALARGAS.

Alarguez. (Del beréber *al-argīs,* corteza de raíz de cambronera.) m. Nombre que se ha dado a varias plantas espinosas, especialmente al agracejo y al aspálato.

Alaria. (De *ala,* por la que forman sus extremos.) f. Chapa de hierro, como de veinte centímetros de largo y dos o tres de ancho, con las dos puntas triangulares y dobladas a escuadra, en sentido inverso. La usan los alfareros para pulir y adornar en el torno las vasijas de barro.

Alarida. f. Conjunto de alaridos, vocería.

Alaridar. intr. desus. Dar alaridos.

Alarido. (Del ár. *al-garīd,* la gritería.) m. Grito de guerra de los moros al entrar en batalla. || **2.** Grito lastimero en que se prorrumpe por algún dolor, pena o conflicto. || **3.** desus. Grito de alegría.

Alarifadgo. m. ant. **Alarifazgo.**

Alarifalgo. m. ant. **Alarifazgo.**

Alarifazgo. m. Oficio de alarife.

Alarife. (Del ár. *al-'arīf,* el maestro, el entendido, el oficial.) m. Arquitecto o maestro de obras. || **2.** *Min.* **Albañil.**

Alarije. adj. V. **Uva alarije.**

Alarma. (De *¡al arma!*) f. Aviso o señal que se da en un ejército o plaza para que se prepare inmediatamente a la defensa o al combate. || **2. Rebato,** 1.ª acep. || **3.** fig. Inquietud, susto o sobresalto causado por algún riesgo o mal que repentinamente amenace.

Alarmador, ra. adj. Que alarma.

Alarmante. p. a. de **Alarmar.** Que alarma.

Alarmar. tr. Dar alarma o incitar a tomar las armas. || **2.** fig. Asustar, sobresaltar, inquietar. Ú. t. c. r.

Alármega. f. **Alharma.**

Alarmista. com. Persona que hace cundir noticias alarmantes.

Alaroz. (Del ár. *al-'arūs,* el novio o recién casado.) m. Larguero fijo que divide el hueco de una puerta o ventana.

Alaroza. (Del ár. *al-'arūsa,* la novia o recién casada.) f. ant. Esposa o recién casada musulmana.

Alarse. (De *ala*). r. *Germ.* Irse, marcharse.

Alastrar. (De *a,* 2.° art., y *lastra.*) tr. **Amusgar,** 1.ª acep. || **2.** r. Tenderse, coserse contra la tierra el ave u otro animal para no ser descubierto.

Alastrar. tr. ant. *Mar.* **Lastrar,** 1.ª acep.

Alatar. (Del ár. *al-'aṭṭār.*) m. ant. Vendedor de perfumes, o de drogas y especias.

A látere. (Lit., *al lado.*) expr. lat. V. **Legado a látere.** || **2.** fig. y fam. Persona que acompaña constante o frecuentemente a otra. Se toma a veces en mala parte.

Alaterno. (Del lat. *alaternus.*) m. **Aladierna.**

Alatés. m. *Germ.* Criado o mozo de un rufián o ladrón.

Alatinadamente. adv. m. Según la lengua latina, o conforme a ella.

Alatinado, da. adj. Dicho con pulcritud afectada, o al modo latino.

Alatón. m. ant. **Latón,** 1.er art.

Alatón. m. *Ar.* **Latón,** 2.° art.

Alatonero. (De *alatón,* 2.° art.) m. *Ar.* **Almez.**

Alatrón. (Del ár. *al-natrūn,* y éste del gr. νίτρον, el nitro.) m. **Afronitro.**

Alauda. (Del lat. *alauda.*) f. ant. **Alondra.**

Alaude. f. ant. **Alauda.**

Alavanco. m. **Lavanco.**

Alavecino, na. (Del ár. *al-'abbasī,* abasí.) adj. **Fatimí.** Apl. a pers., ú. t. c. s.

Alavense. adj. **Alavés.** Apl. a pers., ú. t. c. s.

Alavés, sa. adj. Natural de Álava. Ú. t. c. s. || **2.** Perteneciente a esta provincia.

Alavesa. (f. de *alavés.*) f. Lanza corta usada antiguamente.

Alazán, na. adj. Dícese del color más o menos rojo, o muy parecido al de la canela. Hay variedades de este color, como **alazán** pálido o lavado, claro, dorado o anaranjado, vinoso, tostado, etc. Ú. t. c. s.

Alazán, na. (Del ár. *al-ḥiṣān,* el caballo de raza.) adj. Dícese especialmente del caballo o yegua que tiene el pelo **alazán.** Ú. t. c. s. || **Alazán tostado, antes muerto que cansado.** ref. con que se da a entender lo fuertes e incansables que suelen ser los caballos de este color.

Alazano, na. adj. **Alazán.** Ú. t. c. s.

Alazo. m. Golpe que dan las aves con el ala.

Alazor. (Del ár. *al-'aṣfur,* el cártamo.) m. Planta anua de la familia de las compuestas, de medio metro de altura, con ramas espesas, hojas lanceoladas y espinosas, flores de color de azafrán que se usan para teñir, y semilla ovalada, blanca y lustrosa, que sirve para cebar aves.

Alba. (Del lat. *alba,* f. de *albus,* blanco.) f. **Amanecer,** 2.° art. || **2.** V. **Misa, toque, del alba.** || **3.** Primera luz del día antes de salir el Sol. || **4.** Vestidura o túnica de lienzo blanco que los sacerdotes, diáconos y subdiáconos se ponen sobre el hábito y el amito para celebrar los oficios divinos. || **5.** *Mil.* Último de los cuartos en que para los centinelas se dividía la noche. || **6.** *Germ.* **Sábana,** 1.ª acep. || **No, sino el alba.** loc. irón. con que se suele responder a quien pregunta lo que sabe o no debía ignorar, por ser cosa comúnmente sabida. || **Quebrar, rayar, reir, o romper, el alba.** frs. figs. Amanecer o empezar a aparecer la luz del día.

Albacara. (Del ár. *al-baqqāra,* la vaquería.) f. Recinto murado en la parte exterior de una fortaleza, con entrada en la plaza y salida al campo, y en el cual se solía guardar ganado vacuno. || **2.** Cubo o torreón saliente en las antiguas fortalezas.

Albacara. (Del ár. *al-bakra,* la polea.) f. ant. Rodaja o rueda pequeña.

Albacea. (Del ár. *al-waṣiyya,* el testamento, la disposición testamentaria.) com. Persona encargada por el testador o por el juez de cumplir la última voluntad y custodiar los bienes del finado. || **2. Testamentario,** 4.ª acep. || **dativo.** *For.* El nombrado judicialmente y no en testamento.

Albaceazgo. m. Cargo de albacea.

Albacetense. adj. **Albaceteño.** Apl. a pers., ú. t. c. s.

Albaceteño, ña. adj. Natural de Albacete. Ú. t. c. s. || **2.** Perteneciente a esta ciudad.

Albacora. (Del ár. *al-bakūra,* el higo precoz.) f. **Breva,** 1.ª acep.

Albacora. (Del ár. *al-bakūra,* clase de pescado.) f. *Zool.* Pez parecido al atún y al bonito, mayor que éste y menor que aquél. Vive en las aguas costaneras españolas.

Albacorón. m. *Murc.* **Alboquerón.**

Albada. (Del lat. *albāta,* de *albāre,* blanquear.) f. **Alborada,** 5.ª acep. || **2.** *Ar.* **Alborada,** 4.ª acep. || **3.** *Ar.* **Jabonera,** 3.ª acep.

Albadena. (Del ár. *al-biṭāna,* el vestido forrado.) f. ant. Especie de túnica o vestido de seda.

Albahaca. (Del ár. *al-ḥabaqa.*) f. Planta anua de la familia de las labiadas, con tallos ramosos y velludos de unos tres decímetros de altura, hojas oblongas, lampiñas y muy verdes, y flores blancas, algo purpúreas. Tiene fuerte olor aromático y se cultiva en los jardines. || **silvestre mayor. Clinopodio.** || **silvestre menor. Alcino.**

Albahaquero. (De *albahaca.*) m. Tiesto para plantas y flores. || **2.** *And.* Gradilla para colocar tiestos de flores.

Albahaquilla. f. d. de **Albahaca.** || **de Chile, o del campo.** Arbusto leguminoso, indígena de Chile. La infusión de sus hojas, flores y tallo se toma como medicamento contra las enfermedades del estómago. || **de río. Parietaria.**

Albahío. (Del ár. *al-bahiyyu,* el brillante, el esplendoroso.) adj. Dícese del color blanco amarillento de la capa de las reses vacunas.

Albaida. (Del ár. *al-baiḍā',* la blanca.) f. Planta de la familia de las papilionáceas, de seis a ocho decímetros de altura, muy ramosa, con las ramas y las hojas blanquecinas por el tomento que las cubre, y flores pequeñas y amarillas que se abren en la primavera.

Albaire. (Del ár. *al-baiḍ,* los huevos.) m. *Germ.* Huevo de gallina.

Albalá. (Del m. or. que *albarán.*) amb. Carta o cédula real en que se concedía alguna merced, o se proveía otra cosa. || **2.** Documento público o privado en que se hacía constar alguna cosa.

Albalaero. m. El que despachaba albalaes.

Albanado, da. (De *alba,* sábana.) adj. *Germ.* Dormido.

Albanar. (Del ár. *al-binā',* la construcción.) intr. ant. **Estribar.**

Albanecar. (Del m. or. que *albanega.*) m. *Carp.* Triángulo rectángulo formado por el par toral, la lima tesa y la solera.

Albanega. (Del ár. *al-baniqa,* el capillo o gorro femenino.) f. Especie de cofia o red para recoger el pelo, o para cubrir la cabeza. || **2.** Manga cónica, hecha de red y cerrada por el extremo más angosto, de que se usa para cazar conejos u otros animales cuando salen de la madriguera. || **3.** *Arq.* Enjuta de arco de forma triangular.

Albaneguero. m. *Germ.* Jugador de dados.

Albanés. m. *Germ.* **Albaneguero.** || **2.** pl. *Germ.* Dados de jugar.

Albanés, sa. adj. Natural de Albania. Ú. t. c. s. || **2.** Perteneciente a este país de la península de los Balcanes. || **3.** m. Lengua **albanesa.**

Albaní. (Del ár. *al-bannā'* el albañil, con imela.) m. ant. **Albañil.**

Albano, na. (Del lat. *albānus.*) adj. Natural de Alba Longa. Ú. t. c. s. ‖ **2.** Perteneciente a esta antigua ciudad del Lacio.

Albano, na. adj. **Albanés,** 2.° art. Apl. a pers., ú. t. c. s.

Albañal. (Del lat. **alvānĕus,* de *alvĕus,* cauce.) m. Canal o conducto que da salida a las aguas inmundas. ‖ **2.** fig. Lo repugnante o inmundo. ‖ **Salir uno por el albañal.** fr. fig. y fam. Quedar mal e indecorosamente en alguna acción o empresa.

Albañar. m. **Albañal.**

Albañear. (De *albañí.*) intr. ant. Trabajar en albañilería.

Albañería. (De *albañí.*) f. ant. **Albañilería.**

Albañí. (De *albaní.*) m. ant. **Albañil.**

Albañil. (De *albaní.*) m. Maestro u oficial de albañilería. ‖ **2.** V. **Nivel de albañil.**

Albañila. (De *albañil.*) adj. V. **Abeja albañila.**

Albañilería. (De *albañil.*) f. Arte de construir edificios u obras en que se empleen, según los casos, ladrillo, piedra, cal, arena, yeso u otros materiales semejantes. ‖ **2.** Obra de **albañilería.**

Albañir. m. ant. **Albañil.**

Albaquía. (Del ár. *al-baqiyya,* el resto.) f. Residuo o resto de alguna cuenta o renta que queda sin pagar. ‖ **2.** En algunos obispados, remanente o residuo que en el prorrateo de cabezas de ganado para pagar diezmo no admitía división cómoda.

Albar. (De *albo.*) adj. **Blanco,** 1.ª acep. Dícese sólo de algunas cosas; como *tomillo* ALBAR. ‖ **2.** V. **Conejo, espino, granada, pino, roble, sabina albar.** ‖ **3.** m. Terreno de secano, y especialmente tierra blanquizca en altos y lomas.

Albarán. (Del ár. *al-barā',* el papel o documento de libertad o exención.) m. Papel que se pone en las puertas, balcones o ventanas, como señal de que la casa se alquila. ‖ **2. Albalá,** 2.ª acep.

Albarazado, da. adj. Enfermo de albarazo.

Albarazado, da. (De *albarazo.*) adj. De color mezclado de negro o cetrino y rojo, abigarrado. ‖ **2.** V. **Uva albarazada.** ‖ **3.** *Méj.* Dícese del descendiente de china y jenízaro, o de chino y jenízara. Ú. t. c. s.

Albarazo. (Del ár. *al-baraṣ,* la lepra.) m. desus. Especie de lepra. ‖ **2.** Herpe caracterizada por manchas ásperas y escamosas en el cutis.

Albarca. f. **Abarca.**

Albarcoque. (Del ár. *al-barqūq,* y éste del lat. *praecŏquum* [*pomum*], fruto precoz.) m. **Albaricoque.**

Albarcoquero. m. **Albaricoquero.**

Albarda. (Del ár. *al-barda'a.*) f. Pieza principal del aparejo de las caballerías de carga, que se compone de dos a manera de almohadas rellenas, generalmente de paja y unidas por la parte que cae sobre el lomo del animal. ‖ **2.** V. **Bestia, caballo de albarda.** ‖ **3. Albardilla,** 10.ª acep. ‖ **gallinera.** La que tiene las almohadillas llanas. ‖ **Albarda sobre albarda.** loc. fig. y fam. con que se hace burla de lo sobrepuesto o repetido innecesaria y torpemente. ‖ **Como ahora llueven albardas.** loc. fam. de que se usa cuando oímos alguna cosa que nos parece imposible. ‖ **Coser y hacer albardas, todo es dar puntadas.** ref. **Labrar y hacer albardas,** etc. ‖ **Echar una albarda** a uno. fr. fig. y fam. Abusar de su paciencia haciéndole aguantar lo que no debe. ‖ **Labrar y hacer albardas, todo es dar puntadas.** ref. que irónicamente se dice de los que, por no examinar bien las cosas, confunden materias muy diversas teniéndolas por unas mismas, sólo porque se parecen en alguna circunstancia. ‖ **Venirse, o volverse, la albarda a la barriga.** fr. fig. y fam. Salir alguna cosa al contrario de lo que se deseaba.

Albardado, da. p. p. de **Albardar.** ‖ **2.** adj. fig. Dícese de la res vacuna, o de otro animal, que tiene el pelo del lomo de diferente color que lo demás del cuerpo. ‖ **3.** *Nav.* Aplícase a la vianda rebozada.

Albardán. (Del ár. *al-bardān,* el tonto, el que dice tonterías.) m. Bufón, truhán. ‖ **El porfiado albardán comerá tu pan.** ref. con que se pondera la eficacia de la tenacidad del entremetido que busca su provecho.

Albardanear. (De *albardán.*) intr. ant. Usar de albardanerías.

Albardanería. (De *albardán.*) f. Bufonada, truhanería.

Albardanía. f. ant. **Albardanería.**

Albardar. (De *albarda.*) tr. **Enalbardar.**

Albardela. f. **Albardilla,** 1.ª acep.

Albardera. adj. V. **Rosa albardera.**

Albardería. (De *albardero.*) f. Casa, tienda o sitio en que se hacen o venden albardas. ‖ **2.** Oficio de albardero. ‖ **3.** Suele darse este nombre a la calle o barrio donde están reunidas las tiendas de los albarderos.

Albardero. m. El que tiene por oficio hacer o vender albardas. ‖ **Entender de todo un poco, y de albardero dos puntadas.** fr. fig. y fam. con que se zahiere al que se alaba vanamente de que entiende de todo.

Albardilla. (d. de *albarda.*) f. Silla para domar potros. ‖ **2.** Lana muy tupida y apretada que las reses lanares crían a veces en el lomo. ‖ **3.** Especie de almohadilla de paja y cuero que ponen los esquiladores de ovejas en los ojos de las tijeras para no hacerse daño en los dedos. ‖ **4.** Almohadilla forrada de cuero por un lado, que llevan los aguadores sobre el hombro para apoyar la cuba. ‖ **5. Agarrador,** 2.ª acep. ‖ **6.** Caballete o tejadillo que se pone en los muros para que el agua de la lluvia no los penetre ni resbale por los paramentos. ‖ **7.** Caballete con que los hortelanos dividen las eras o cuadros. ‖ **8.** Caballete o lomo de barro que en sendas y caminos resulta de transitar por ellos después de haber llovido. ‖ **9.** Barro que se pega al dental del arado cuando se trabaja en tierra mojada. ‖ **10.** Lonja de tocino gordo que se pone por encima a las aves para asarlas. ‖ **11.** Mezcla o aderezo de huevos batidos, harina, dulce, etc., con que se rebozan lenguas, pies de puerco u otros manjares. ‖ **12.** Fullería en el juego que consiste en combar uno o más naipes, para alzar por ellos.

Albardín. (Del ár. *al-bardi,* la enea, la espadaña.) m. Mata de la familia de las gramíneas, propia de las estepas españolas, muy parecida al esparto y con las mismas aplicaciones que éste.

Albardinar. m. Sitio en que abunda el albardín.

Albardón. m. aum. de **Albarda.** ‖ **2.** Aparejo más hueco y alto que la albarda, y el cual se pone a las caballerías para montar en ellas. ‖ **3.** Especie de silla jineta, con perilla saliente y arzón trasero alto y volteado, de que usan principalmente los derribadores, vaqueros y campesinos andaluces. ‖ **4.** ant. V. **Caballo albardón.** ‖ **5.** *Argent.* Loma o faja de tierra que sobresale en las costas explayadas o entre lagunas, esteros o charcos. ‖ **6.** *Hond.* **Albardilla,** 6.ª acep.

Albardonería. (De *albardonero.*) f. **Albardería.**

Albardonero. (De *albardón.*) m. **Albardero.**

Albarejo. (De *albar.*) adj. **Candeal,** 1.ª acep. Ú. t. c. s.

Albareque. m. Red parecida al sardinal.

Albarico. (De *albar.*) adj. **Albarejo.** Ú. t. c. s.

Albaricoque. (De *albarcoque.*) m. Fruto del albaricoquero. Es una drupa casi redonda y con un surco, por lo común amarillenta y en parte encarnada, aterciopelada, de sabor agradable, y con hueso liso de almendra amarga. ‖ **2. Albaricoquero.** ‖ **de Nancí.** El de color amarillo por un lado y encarnado por el otro, mayor que el común, y cuyo surco se descubre sólo en la parte contigua al pezón. ‖ **de Toledo.** Variedad muy estimada, que tiene manchas en la piel y cuya almendra es dulce. ‖ **pérsico. Albaricoque de Nancí.**

Albaricoquero. m. Árbol de la familia de las rosáceas, originario de Armenia, de ramas sin espinas, hojas acorazonadas, flores blancas, y cuyo fruto es el albaricoque. Su madera se emplea en ebanistería.

Albarigo. (De *albar.*) adj. **Albarico.** Ú. t. c. s.

Albarillo. m. Especie de tañido o son en compás muy acelerado, que se toca en la guitarra, para bailar y acompañar jácaras y romances. ‖ **Ir** una cosa **por el albarillo.** fr. fig. y fam. Hacerse o suceder algo atropelladamente.

Albarillo. (De *albar,* y éste de *albo.*) m. Albaricoquero, variedad del común, cuyo fruto es de piel y carne casi blancas. ‖ **2.** Fruto de este árbol.

Albarino. (De *albar.*) m. Afeite de que usaban antiguamente las mujeres para blanquearse el rostro.

Albariza. (De *albar.*) f. Laguna salobre. ‖ **2.** *And.* **Albar,** 3.ª acep.

Albarizo, za. (De *albar.*) adj. **Blanquecino.** Se aplica al terreno. ‖ **2.** m. **Albero,** 2.ª acep.

Albarrada. (Del ár. *al-barrāda,* el muro de piedras secas.) f. Pared de piedra seca. ‖ **2.** Parata sostenida por una pared de esta clase. ‖ **3.** Cerca o valladar de tierra para impedir la entrada en un trozo de campo. ‖ **4.** Reparo para defenderse en la guerra.

Albarrada. (Del ár. *al-barrāda,* el jarro, el jarro con dos asas.) f. **Alcarraza.**

Albarrán. (Del ár. *al-bar'ān,* el mozo soltero.) adj. ant. Aplicábase al mozo soltero dedicado al servicio agrícola. Usáb. t. c. s. ‖ **2.** ant. Decíase del que no tenía casa, domicilio o vecindad en ningún pueblo. Usáb. t. c. s. ‖ **3.** m. ant. **Mayoral,** 1.ª acep. Ú. en *Sal.*

Albarrana. (Del ár. *al-barrāna,* la de fuera, la silvestre.) adj. V. **Cebolla albarrana.** Ú. t. c. s. ‖ **2.** V. **Torre albarrana.** ‖ **3.** f. **Albarranilla.**

Albarráneo, a. (De *albarrán.*) adj. ant. Forastero o extranjero.

Albarranía. f. ant. Estado de albarrán, 1.ª acep.

Albarraniego, ga. adj. ant. **Albarráneo.** ‖ **2.** V. **Perro albarraniego.**

Albarranilla. f. Especie de cebolla albarrana, con hojas estrechas, largas y lustrosas, y flores azules en umbela.

Albarraz. m. **Albarazo.**

Albarraz. (De *abarraz.*) m. **Hierba piojera.**

Albarrazado, da. (De *albarraz,* 2.° art.) adj. **Albarazado,** 2.° art., 1.ª acep.

Albarsa. (Del art. ár. *al* y el lat. *bursa,* bolsa.) f. Canasta en que lleva el pescador su ropa y los utensilios del oficio.

Albatoza. (Del ár. *al-baṭāš,* nave con dos mástiles.) f. Especie de embarcación pequeña y cubierta.

Albatros. m. *Zool.* Ave palmípeda, de color blanco, muy voraz y buena voladora, de tamaño mayor que el ganso, con alas y cola muy largas. Vive principalmente en el Océano Pacífico.

Albayaldado, da. adj. Dado de albayalde.

Albayalde (Del ár. *al-bayāḍ*, la blancura.) m. Carbonato básico de plomo. Es sólido, de color blanco y se emplea en la pintura.

Albazano, na. adj. De color castaño obscuro. Dícese por lo común de los caballos y yeguas.

Albazo. (De *alba.*) m. ant. **Alborada,** 2.ª acep. Ú. en *Ecuad.* y *Méj.* || **2.** *Perú.* **Alborada,** 4.ª acep.

Albear. (De *albo.*) intr. **Blanquear,** 5.ª y 6.ª aceps.

Albedo. (Del lat. *albedo,* blancura.) m. Potencia reflectora de un cuerpo iluminado; aplícase especialmente a la de los astros.

Albedriador, ra. (De *albedriar.*) adj. ant. **Arbitrador.** Usáb. t. c. s.

Albedriar. (De **albedrío,* y éste del lat. *arbitrium,* arbitrio.) intr. ant. Juzgar por albedrío.

Albedrío. (Por **albedrío,* del lat. *arbitrium,* arbitrio.) m. Potestad de obrar por reflexión y elección. Dícese más ordinariamente **libre albedrío.** || **2.** La voluntad no gobernada por la razón, sino por el apetito, antojo o capricho. || **3.** Costumbre jurídica no escrita. || **4.** ant. Sentencia del juez árbitro. || **5.** ant. **Arbitrio,** 1.ª acep. || **Al albedrío** de alguno. m. adv. Según su gusto o voluntad, sin sujeción o condición alguna. *Hazlo* A TU ALBEDRÍO. || **Rendir el albedrío.** fr. fig. Someter la propia voluntad a la ajena.

Albedro. (Del lat. *arbitulus,* d. de *arbitus, arbutus,* madroño.) m. *Ast.* **Madroño,** 1.ª acep.

Albegar. (Del lat. *albicāre,* de *albus,* blanco.) tr. ant. **Enjalbegar,** 1.ª acep.

Albéitar. (Del ár. *al-baiṭar,* y éste del gr. ἱππίατρος.) m. **Veterinario.**

Albeitería. (De *albéitar.*) f. **Veterinaria.**

Albeldadero. m. *Ál.* Lugar destinado para albeldar.

Albeldar. (Del lat. *eventilāre,* aventar.) tr. **Beldar.**

Albeldense. adj. Natural de Albelda. Ú. t. c. s. || **2.** Perteneciente a esta villa de la provincia de Logroño.

Albellanino. m. *Gran.* **Cornejo.**

Albellón. m. **Albollón.**

Albenda. (Del ár. *al-band,* el estandarte, la bandera.) f. Colgadura de lienzo blanco usada en lo antiguo, con adornos a manera de red o con encajes de hilo, cuyas labores representaban figuras de flores y animales.

Albendera. f. Mujer que tejía o hacía albendas. || **2.** fig. Mujer callejera, ociosa o desaplicada. || **La albendera, los disantos, hilandera.** ref. con que se zahiere a la mujer que, por holgar en los días de labor, trabaja en los de fiesta.

Albengala. (Del art. ár. *al* y de *Bengala,* provincia del Indostán.) f. Tejido muy delgado de que usan los moros en España, por adorno, en los turbantes.

Albéntola. (De *albenda.*) f. Especie de red de hilo muy delgado para pescar peces pequeños.

Alberca. (Del ár. *al-birka,* el estanque.) f. Depósito artificial de agua con muros de fábrica. || **2. Poza,** 2.ª acep. || **En alberca.** m. adv. Tratándose de edificios, con las paredes no más y sin techo, ya sea porque la fábrica no esté concluida, ya porque se haya arruinado o hundido en parte.

Albercoque. (De *albarcoque.*) m. **Albarcoque.**

Albercoquero. m. **Albaricoquero.**

Albérchiga. f. **Albérchigo.**

Alberchigal. m. Terreno plantado de albérchigos.

Albérchigo. (Del ár. *al-farsiq* o *al-farsik,* el persa, de περσικός.) m. Fruto del alberchiguero: es de tamaño vario, aunque por lo general de unos seis centímetros de diámetro. Su carne es recia, jugosa y de color amarillo muy subido, y su piel, amarillenta también, tiene una mancha sonrosada muy encendida por la parte que más le da el sol. || **2. Alberchiguero.** || **3.** En algunas partes, **albaricoque.**

Alberchiguero. m. Árbol, variedad del melocotonero, cuyo fruto es el albérchigo. || **2.** En algunas partes, **albaricoquero.**

Albergada. (De *albergar.*) f. ant. Lugar donde se plantaban las tiendas para acampar; campamento de una hueste. || **2.** ant. Reparo o defensa de tierra, piedra, madera u otra materia. || **3.** ant. Casa, albergue.

Albergador, ra. adj. Que alberga a otro. Ú. t. c. s. || **2.** m. y f. ant. **Alberguero, ra,** 1.ª acep.

Albergadura. (De *albergar.*) f. ant. **Albergue,** 1.ª y 2.ª aceps.

Albergar. (De *albergo.*) tr. Dar albergue u hospedaje. || **2.** intr. Tomar albergue. Ú. t. c. r.

Alberge. (Del cat. o arag. *alberge,* y éste del lat. *persĭcum* [*pomum*], albérchigo.) m. *Ar.* **Albaricoque.**

Albergero. (De *alberge.*) m. *Ar* **Albaricoquero.**

Albergo. (Del gót. **haribergo,* refugio.) m. ant. **Albergue.**

Albergue. (De *albergar.*) m. Edificio o lugar en que una persona halla hospedaje o resguardo. || **2.** Cueva o paraje en que se recogen los animales, especialmente las fieras. || **3.** En Malta, entre los caballeros de la orden de San Juan, alojamiento o cuartel donde los de cada lengua o nación vivían separadamente. || **4.** ant. Casa destinada para la crianza y refugio de niños huérfanos o desamparados.

Alberguería. (De *alberguero.*) f. ant. Posada, mesón o venta. || **2.** ant. Casa destinada para recoger a los pobres.

Alberguero, ra. m. y f. ant. Persona que alberga: posadero mesonero o ventero. || **2.** m. ant. **Albergue,** 1.ª y 2.ª aceps.

Albero, ra. (Del lat. *albarius,* de *albus,* blanco.) adj. **Albar,** 1.ª acep. || **2.** m. Terreno albarizo. || **3.** Paño para limpiar y secar los platos. || **4.** *Sal.* Paño que al colar la ropa se tiende encima de ésta y sobre el cual se echa la lejía. || **5.** *Sal.* Rincón pequeño construido con adobes en la cocina para ir depositando en él la ceniza del fogón.

Alberque. m. **Alberca.**

Alberquero, ra. m. y f. Persona que cuida de las albercas.

Albicante. (Del lat. *albicans, -antis,* p. a. de *albicāre,* blanquear.) adj. Que albea.

Albigense. (Del lat. *albigensis.*) adj. Natural de Albí. Ú. t. c. s. || **2.** Perteneciente a esta ciudad de Francia. || **3.** Dícese de ciertos herejes que infestaron la Francia meridional en los siglos XII y XIII, y los cuales condenaban el uso de los sacramentos, el culto externo y la jerarquía eclesiástica. Tomaron nombre de la ciudad de Albí, donde tuvo esta secta su principal asiento. Ú. m. c. s. m. y en pl.

Albihar. (Del ár. *al-bihār,* el narciso o junquillo.) m. **Manzanilla loca.**

Albillo, lla. (d. de *albo.*) adj. V. **Uva albilla.** Ú. t. c. s. || **2.** V. **Vino albillo.** Ú. t. c. s. || **3.** m. **Uva albilla.**

Albín. m. **Hematites.** || **2.** *Pint.* Carmesí obscuro que se saca de la piedra del mismo nombre y se emplea, en vez del carmín, para pintar al fresco.

Albina. (De *albo.*) f. Estero o laguna que se forma con las aguas del mar en las tierras bajas que están inmediatas a él. || **2.** Sal que queda en estas lagunas.

Albinismo. m. Calidad de albino.

Albino, na. (De *albo.*) adj. *Zool.* Falto entera o parcialmente, y por anomalía congénita, del pigmento que da a ciertas partes del organismo del hombre y de los animales los colores propios de cada especie, variedad o raza y, por tanto, con la piel, el iris, el pelo, el plumaje, etc., más o menos blancos. Ú. t. c. s. || **2.** *Méj.* Dícese del descendiente de morisco y europea o de europeo y morisca. Ú. t. c. s. || **3.** *Bot.* Por ext., aplícase a la planta que, en vez de su color propio, lo tiene blanquecino. || **4.** *Bot.* y *Zool.* Perteneciente o relativo a los seres **albinos.** *Color* ALBINO; *cabello* ALBINO.

Albita. (De *albo.*) f. Feldespato formado por silicato de alúmina y sosa y cuyo color es más comúnmente blanco.

Albitana. (Del ár. *al-biṭāna,* el forro, la [cosa] forrada.) f. Cerca con que los jardineros resguardan las plantas. || **2.** *Mar.* En faluchos y embarcaciones menores, lo mismo que **contrarroda** si se habla de proa, y que **contracodaste** si se trata de popa.

Albo, ba. (Del lat. *albus.*) adj. **Blanco.** Generalmente no se usa sino en poesía. || **2.** V. **Hierro albo.**

Alboaire. (Del ár. *al-buḥair,* mar pequeño, término aplicado en arquitectura con el sentido de lagunar.) m. Labor que se hacía en las capillas o bóvedas, especialmente en las esféricas, adornándolas con azulejos.

Albogón. (aum. de *albogue.*) m. Instrumento músico antiguo de madera, de unos nueve decímetros de largo, a manera de flauta dulce o de pico, con siete agujeros para los dedos, el cual servía de bajo en los conciertos de flautas. || **2.** Instrumento parecido a la gaita gallega.

Albogue. (Del ár. *al-būq,* la trompeta.) m. Especie de dulzaina. || **2.** Instrumento músico pastoril de viento, compuesto de dos cañas paralelas con agujeros, un pabellón de cuerno y una embocadura, dentro de la cual hay dos cañitas con lengüeta, todo ello sostenido por una armadura de madera. || **3.** Cada uno de los dos platillos pequeños de latón que se usan para indicar el ritmo en las canciones y bailes populares.

Alboguear. intr. Tocar el albogue.

Alboguero, ra. m. y f. Persona que toca el albogue. || **2.** Persona que hace albogues.

Albohera. (Del ár. *al-buḥaira,* el mar pequeño, la laguna.) f. ant. **Albuhera.**

Alboheza. (Del ár. *al-jubbāzà,* la malva.) f. ant. **Malva.**

Albohol. (Del ár. *al-ḥubūl,* las cuerdas.) m. **Correhuela,** 3.ª acep. || **2.** Planta anua de la familia de las franqueniáceas, con tallos duros, tendidos y ramosos, como de medio metro de largo, hojas menudas, dobladas por la orillas, y flores azules y muy pequeñas. Toda la planta está cubierta de polvo salado y sirve para hacer barrilla.

Albolga. f. ant. *Ar.* **Alholva.**

Albollón. (Del lat. *alveŏlus,* d. de *alvĕus,* álveo.) m. Desaguadero de estanques, corrales, patios, etc. || **2. Albañal,** 1.ª acep.

Albóndiga. (Del ár. *al-bunduqa,* la avellana, la bolita del tamaño de la avellana.) f. Cada una de las bolas que se hacen de carne o pescado picado menudamente y trabado con ralladuras de pan, huevos batidos y especias, y que se comen guisadas o fritas.

Albondiguilla. (d. de *albóndiga.*) f. **Albóndiga.**

Alboquerón. (Del gr. βούκερον, heno.) m. Planta de la familia de las crucíferas, muy parecida al alhelí, con varios tallos de unos tres decímetros de largo, cubiertos, como toda la planta, de pelos blanquecinos; hojas lanceoladas y dentadas, flores rojas en corimbo y semillas en vainas cilíndricas.

Albor. (Del lat. *albor,* blancura.) m. **Albura,** 1.ª acep. || **2.** Luz del alba. Ú. más en pl. || **3.** fig. Comienzo o principio de una cosa. || **4.** fig. Infancia o juventud. Ú. más en pl. || **de la vida,** o

albores de la vida. fig. Infancia o juventud.

Alborada. (De *albor*, 2.ª acep.) f. Tiempo de amanecer o rayar el día. || **2.** Acción de guerra al amanecer. || **3.** Toque o música militar al romper el alba, para avisar la venida del día. || **4.** Música al amanecer y al aire libre para festejar a una persona. || **5.** Composición poética o musical destinada a cantar la mañana.

Albórbola. (Del ár. *al-walwala*, la gritería femenina, motivada por la aflicción o el gozo.) f. Vocería o algazara, y especialmente aquella con que se demuestra alegría. Ú. m. en pl.

Alborear. (De *albor*, 2.ª acep.) intr. Amanecer o rayar el día.

Alborecer. (De *albor*, 2.ª acep.) intr. ant. **Alborear.**

Alborga. (Del ár. *al-bulga*, la abarca de esparto.) f. Calzado que en algunas provincias usa la gente rústica, y se hace de soga o cuerda de esparto, a manera de alpargata.

Albornía. (Del ár. *al-burūniyya*, de *alburūn*, la jarra.) f. Vasija grande de barro vidriado, de forma de taza.

Alborno. (Del lat. *albŭrnum.*) m. *Bot.* **Alburno.**

Albornoz. (Del ár. *al-burnus*, el capuchón.) m. Tela hecha con estambre muy torcido y fuerte, a manera de cordoncillo. || **2.** Especie de capa o capote con capucha.

Alborocera. (Del lat. **arbutĕus*, de *arbŭtus.*) m. *Ar.* **Madroño,** 1.ª y 2.ª aceps.

Alboronía. (Del ár. *al-būrāniyya*, guiso que lleva el nombre de *Būrān*, la esposa del califa *al-Ma'mūn*, cuyas bodas fueron muy sonadas.) f. Guisado de berenjenas, tomate, calabaza y pimiento, todo mezclado y picado.

Alboroque. (Del ár. *al-buruk*, regalillo que, en una venta, se añade al precio convenido.) m. Agasajo que hacen el comprador o el vendedor, o ambos, a los que intervienen en una venta.

Alborotadamente. adv. m. Con alboroto o desorden.

Alborotadizo, za. adj. Que por ligero motivo se alborota o inquieta.

Alborotado, da. p. p. de **Alborotar.** || **2.** adj. Que por demasiada viveza obra precipitadamente y sin reflexión.

Alborotador, ra. adj. Que alborota. Ú. t. c. s.

Alborotapueblos. (De *alborotar* y *pueblo.*) com. Alborotador, tumultuario. || **2.** fam. Persona de buen humor y dada a mover bulla y fiesta.

Alborotar. tr. Inquietar, alterar, conmover, perturbar. Ú. t. c. r. || **2.** Amotinar, sublevar. Ú. t. c. r. || **3.** p. us. **Alborozar,** 1.ª acep. Ú. t. c. r. || **4.** intr. Causar alboroto. || **5.** r. Tratándose del mar, **encresparse.** || **Ni te alborotes, ni te enfotes.** ref. que reprende la demasía en la desconfianza o confianza.

Alborote. m. ant. **Alboroto.**

Alboroto. (Del m. or. que *alborozo.*) m. Vocerío o estrépito causado por una o varias personas. || **2.** Desorden, tumulto. || **3.** Asonada, motín, sedición. || **4.** Sobresalto, inquietud, zozobra. || **5.** *Méj.* **Alborozo,** 1.ª acep.

Alborozadamente. adv. m. Con alborozo.

Alborozador, ra. adj. Que alboroza o causa alborozo. Ú. t. c. s.

Alborozamiento. (De *alborozar.*) m. ant. **Alborozo,** 1.ª acep.

Alborozar. (De *alborozo.*) tr. Causar extraordinario regocijo, placer o alegría. Ú. t. c. r. || **2.** ant. **Alborotar.** Usáb. t. c. r.

Alborozo. (Del ar. *al-burūz*, la parada o desfile militar.) m. Extraordinario regocijo, placer o alegría. || **2.** ant. **Alboroto,** 1.ª acep.

Alborto. (Del lat. *arbŭtŭlus*, d. de *arbŭtus.*) m. **Madroño,** 1.ª acep.

Albotín. (Del ár. *al-buṭm.*) m. **Terebinto.**

Alboyo. (Del ár. *al-buyūt*, las casas.) m. *Gal.* Cobertizo, tendejón.

Albricia. f. ant. **Albricias,** 1.ª acep. Ú. en *Sal.*

Albriciar. tr. Dar una noticia agradable.

Albricias. (Del ár. *al-bišāra*, la buena nueva.) f. pl. Regalo que se da por alguna buena nueva a la persona que trae la primera noticia de aquélla. || **2.** Regalo que se da o se pide con motivo de un fausto suceso. || **3.** *Méj.* Agujeros que los fundidores dejan en la parte superior del molde para que salga el aire al tiempo de entrar el metal. Se llaman así porque al asomar por ellos el metal es prueba de que el molde está lleno y saldrá bien la fundición. || **¡Albricias!** expr. de júbilo. || **Albricias, madre, que pregonan a mi padre.** ref. con que se zahiere a los que se alegran de aquellas cosas que debían sentir. || **Albricias, padre, que el obispo es chantre.** ref. que se dice de los que piden **albricias** por cosas que no las merecen. || **Albricias, padre, o perros, que ya podan.** ref. con que se hace burla de las personas que inconsideradamente dan por seguro el logro de alguna cosa antes de tiempo, como el del fruto cuando el árbol se está podando. || **Ganar uno las albricias.** fr. fig. Ser el primero en dar alguna buena noticia al interesado en ella.

Albudeca. (Del ár. *al-buṭaija*, la sandía.) f. **Badea,** 1.ª acep.

Albuérbola. f. ant. **Albórbola.**

Albufera. (De *albuhera*). f. Laguna formada del agua del mar en playas bajas, como la de Valencia y la de Mallorca.

Albugíneo, a. (Del lat. *albūgo, -ĭnis*, blancura.) adj. Enteramente blanco. || **2.** *Anat.* Dícese de la membrana fibrosa, blanca y brillante que rodea el tejido propio del testículo; en el hombre tiene aproximadamente un milímetro de grosor. Ú. t. c. s. f.

Albugo. (Del lat. *albūgo.*) m. *Med.* Mancha blanca de la córnea, debida a granulaciones de grasas depositadas en el tejido de dicha membrana. También se aplica a las pequeñas manchas blancas de las uñas.

Albuhera. (De *albohera.*) f. **Albufera.** || **2.** Depósito artificial de agua, como estanque o alberca.

Álbum. (Del lat. *album*, blanco.) m. Libro en blanco, comúnmente apaisado, y encuadernado con más o menos lujo, cuyas hojas se llenan con breves composiciones literarias, sentencias, máximas, piezas de música, firmas, retratos, etc. || **2.** Libro en blanco de hojas dobles, con una o más aberturas de forma regular, a manera de marcos, para colocar en ellas fotografías, acuarelas grabados, etc.

Albumen. (Del lat. *albūmen*, clara de huevo.) m. *Bot.* Tejido que rodea el embrión de algunas plantas, como el trigo y el ricino, y le sirve de alimento cuando la semilla germina. Su aspecto varía según la naturaleza de las substancias nutritivas que contiene, pudiendo ser carnoso, amiláceo, oleaginoso, córneo y mucilaginoso.

Albúmina. (De *albūmen, -ĭnis.*) f. *Quím.* Cualquiera de las numerosas substancias albuminoideas que forman principalmente la clara de huevo. Se hallan también en los plasmas sanguíneo y linfático, en los músculos, en la leche y en las semillas de muchas plantas, y se caracterizan por su riqueza en azufre, por ser solubles en agua y por precipitarse, cuando están disueltas, por la acción de los ácidos.

Albuminado, da. p. p. de **Albuminar.** || **2.** adj. Dícese de las hojas de papel, tela o vidrio cubiertas con una capa de albúmina.

Albuminar. tr. Preparar con albúmina los papeles o placas para la fotografía.

Albuminoide. (De *albúmina* y el gr. εἶδος, apariencia.) m. *Quím.* Cualquiera de los cuerpos pertenecientes a un grupo de especies químicas muy numerosas y variadas, que se caracterizan por estar compuestas de carbono, hidrógeno, oxígeno, nitrógeno y azufre. Forman parte integrante de las células de los seres vivos, de los jugos nutricios vegetales y de los plasmas sanguíneo y linfáticos de los animales.

Albuminoideo, a. adj. *Quím.* Perteneciente o relativo a los albuminoides. *La fibrina y la caseína son materias* ALBUMINOIDEAS.

Albuminómetro. m. *Quím.* Tubo de vidrio graduado que sirve para determinar la albúmina que contiene un líquido orgánico.

Albuminoso, sa. adj. Que contiene albúmina.

Albuminuria. (Del lat. *albūmen, -ĭnis*, albúmina, y el gr. οὖρον, orina.) f. *Med.* Fenómeno que se presenta en algunas enfermedades y consiste en la existencia de albúmina en la orina.

Albur. (Del ár. *al-būri*, el pez, la pescada.) m. Pez teleósteo de río, del suborden de los fisóstomos, de dos a tres decímetros de largo, cuerpo comprimido, escamas plateadas, aletas rojizas y carne blanca y gustosa.

Albur. (De ár. *al-būr*, el acto de someter a prueba alguna cosa.) m. En el juego del monte, las dos primeras cartas que saca el banquero. || **2.** fig. Contingencia o azar a que se fía el resultado de alguna empresa. *Jugar, correr un* ALBUR. || **3.** pl. **Parar,** 1.er art.

Albura. (Del lat. *albūra.*) f. Blancura perfecta. || **2. Clara,** 1.ª acep. || **3.** *Bot.* Capa blanda, de color blanquecino, que se halla inmediatamente debajo de la corteza en los tallos leñosos o troncos de los vegetales gimnospermos y angiospermos dicotiledóneos. || **Doble albura.** *Bot.* Defecto que tiene la madera cuando su textura es más floja en alguna de las capas de su crecimiento anual.

Alburente. (De *albura.*) adj. V. **Madera alburente.**

Alburero. m. El que juega a los albures.

Alburno. (Del lat. *alburnum.*) m. *Bot.* **Albura,** 3.ª acep.

Alcabala. (Del ár. *al-qabāla*, el contrato, el impuesto concertado con el fisco.) f. Tributo del tanto por ciento del precio que pagaba al fisco el vendedor en el contrato de compraventa y ambos contratantes en el de permuta. || **del viento.** Tributo que pagaba el forastero por los géneros que vendía. || **Quien descubre la alcabala, ése la paga.** ref. que se aplica a los que anadvertidamente descubren o dicen alguna cosa de cuyo recuerdo les puede venir daño

Alcabala. f. ant. **Jábega,** 1.er art.

Alcabalatorio, ria. adj. Perteneciente o relativo a la alcabala, 1.er art. || **2.** Dícese del libro en que están recopiladas las leyes y ordenanzas concernientes al modo de repartir y cobrar las alcabalas. Ú. m. c. s. m. || **3.** Se aplica a la lista o padrón que servía para el repartimiento de las alcabalas. Ú. t. c. s. m. || **4.** Dícese del territorio en que se pagaban o cobraban las alcabalas.

Alcabalero. m. El que administraba o cobraba las alcabalas. || **2.** El que tenía arrendadas las de alguna provincia, ciudad o pueblo. || **3.** El que cobraba tributos o impuestos aunque no fuesen de alcabala.

Alcabor. (Del ár. *al-qabw*, la chimenea, el humero.) m. *Murc.* Hueco de la campana del horno o de la chimenea.

Alcabota. (Del art. ár. *al*, y el lat. *caput, -ĭtis*, cabeza.) f. *And.* **Escoba de cabezuela.**

Alcabtea. (Del ár. *al-qabṭiyya*, pronun. esp. de *al-qubṭiyya*, la [tela] copta.) f. ant. Tela fina de lino.

Alcabuz. m. ant. **Arcabuz.**

Alcacel. (Del ár. *al-qaṣīl*, cebada verde.) m. **Alcacer.**

Alcaceña. adj. V. **Tabla alcaceña.**

Alcacer. (De *alcacel*.) m. Cebada verde y en hierba. || **2. Cebadal.** || **Estar ya duro el alcacer para zampoñas.** fr. fig. y fam. No estar ya uno en edad de aprender o de hacer algo. || **2.** Haberse pasado la sazón para lograr un propósito o resolver un asunto. || **Retozarle a uno el alcacer.** fr. fig. y fam. que se dice del que está alegre en demasía, por alusión a las bestias, que suelen retozar cuando se hartan de verde.

Alcacería. f. ant. **Alcaicería.**

Alcací. m. **Alcacil.**

Alcacil. m. **Alcaucil.**

Alcachofa. (De *alcarchofa*.) f. Planta hortense, de la familia de las compuestas, de raíz fusiforme, tallo estriado, ramoso y de más de medio metro de altura y hojas algo espinosas, con cabezuelas, que, cuando jóvenes, son comestibles. || **2.** Cabezuela de esta planta. || **3.** Cabezuela del cardo y otras plantas análogas. || **4.** Adorno en figura de **alcachofa.** || **5.** Panecillo de figura que recuerda algo la de la **alcachofa.** || **6.** Receptáculo redondeado con muchos orificios que, sumergido en una cavidad que contiene agua estancada o corriente, permite la entrada de ella en un aparato destinado a elevarla.

Alcachofado, da. adj. De figura de alcachofa. || **2.** m. Guisado hecho o compuesto con alcachofas.

Alcachofal. m. Sitio plantado de alcachofas. || **2.** Terreno inculto en que abundan los alcauciles.

Alcachofar. m. **Alcachofal.**

Alcachofar. tr. Poner como una alcachofa: engreír, hinchar.

Alcachofera. f. **Alcachofa,** 1.ª acep. || **2.** La que vende alcachofas.

Alcachofero, ra. adj. Se dice del vegetal que echa alcachofas. || **2.** m. El que vende alcachofas.

Alcadafe. (Del ár. *al-qadaḥ*, el recipiente.) m. Lebrillo que los taberneros ponen debajo del grifo de las botas para que al medir el vino caiga el derrame en él.

Alcaduz. (Del ár. *al-qādus*, y éste del gr. κάδος, vaso.) m. ant. **Arcaduz.**

Alcaecería. f. desus. **Alcaicería.**

Alcafar. (Del ár. *al-kafal*, la grupa.) m. ant. Cubierta, jaez o adorno del caballo.

Alcahaz. (Del ár. *al-qafas*.) m. Jaula grande para encerrar aves.

Alcahazada. f. Conjunto de aves vivas encerradas en el alcahaz.

Alcahazar. tr. Encerrar o guardar aves en el alcahaz.

Alcahotar. tr. ant. **Alcahuetear.**

Alcahotería. f. ant. **Alcahuetería.**

Alcahuetar. tr. ant. **Alcahuetear.**

Alcahuetazgo. m. ant. **Alcahuetería.**

Alcahuete, ta. (Del ár. *al-qawwād*, el conductor, el intermediario.) m. y f. Persona que solicita o sonsaca a una mujer para usos lascivos con un hombre, o encubre, concierta o permite en su casa esta ilícita comunicación. || **2.** fig. y fam. Persona o cosa que sirve para encubrir lo que se quiere ocultar. || **3.** fig. y fam. **Correveidile,** 1.ª acep. || **4.** m. Telón que en el teatro suele emplearse, en lugar del de boca, para dar a entender que el entreacto será muy corto o por alguna otra razón.

Alcahuetear. tr. Solicitar o inducir a una mujer para trato lascivo con un hombre. || **2.** intr. Servir de alcahuete o hacer oficios de tal.

Alcahuetería. f. Acción de alcahuetear. || **2.** Oficio de alcahuete. || **3.** fig. y fam. Acción de ocultar o encubrir los actos reprobables de una persona. || **4.** fig. y fam. Medio artificioso que se emplea para seducir o corromper.

Alcaicería. (Del ár. *al-qaisāriyya*, y éste de *Cesarea* o de Καισαρεία, el mercado, o un edificio cuadrado en forma de claustro, con habitaciones, depósitos y tiendas para los mercaderes.) f. En Granada y otros pueblos de aquel reino, aduana o casa pública donde los cosecheros presentaban la seda para pagar los derechos establecidos por los reyes moros. || **2.** Sitio o barrio con tiendas en que se vende seda cruda o en rama u otras mercaderías.

Alcaico. (Del lat. *alcaĭcus*, de *Alcaeus*, Alceo, poeta griego.) adj. V. **Verso alcaico.** Ú. t. c. s.

Alcaide. (Del ár. *al-qā'id*, el general, el que conduce las tropas.) m. El que tenía a su cargo la guarda y defensa de algún castillo o fortaleza bajo juramento o pleito homenaje. || **2.** El que en las cárceles tenía a su cargo la custodia de los presos. || **3.** En las alhóndigas y otros establecimientos, persona encargada de su custodia y buen orden. || **de los donceles.** Capitán del cuerpo que formaban los donceles, o el que cuidaba de instruirlos para la milicia.

Alcaidesa. f. Mujer del alcaide.

Alcaidía. f. Empleo de alcaide. || **2.** Casa u oficina del alcaide. || **3.** Territorio de su jurisdicción. || **4.** Derecho que se pagaba por el paso de ganados en algunas **alcaidías.**

Alcaidiado. m. ant. **Alcaidía,** 1.ª acep.

Alcairía. f. ant. **Alquería.** Ú. en *Sal.*

Alcala. (Del ár. *al-kalla*, la cortina de cama, el mosquitero.) f. ant. Cortinaje, pabellón de cama, mosquitera. Ú. en *Ar.*

Alcaladino, na. adj. desus. **Alcalaíno.**

Alcalaeño, ña. adj. Natural de Alcalá del Júcar. Ú. t. c. s. || **2.** Perteneciente a este pueblo de la provincia de Albacete.

Alcalaíno, na. adj. Natural de uno cualquiera de los pueblos de Alcalá de Henares, Alcalá de los Gazules o Alcalá la Real, particularmente del primero. Ú. t. c. s. || **2.** Perteneciente a alguno de estos pueblos.

Alcalareño, ña. adj. Natural de uno de los pueblos de Alcalá de Guadaira, Alcalá del Río o Alcalá del Valle. Ú. t. c. s. || **2.** Perteneciente a cualquiera de estos pueblos.

Alcaldada. f. Acción imprudente o inconsiderada que ejecuta un alcalde abusando de la autoridad que ejerce. || **2.** Por ext., acción semejante ejecutada por cualquier persona afectando autoridad o abusando de la que tenga. || **3.** Dicho o sentencia necia. Ú. especialmente con los verbos *dar* y *meter*.

Alcalde. (Del ár. *al-qāḍi*, el juez.) m. Presidente del ayuntamiento de cada pueblo o término municipal, encargado de ejecutar sus acuerdos, dictar bandos para el buen orden, salubridad y limpieza de la población y cuidar de todo lo relativo a la policía urbana. Es además en su grado jerárquico, delegado del gobierno en el orden administrativo. || **2.** Juez ordinario que administraba justicia en algún pueblo y presidía al mismo tiempo el concejo. || **3.** En algunas danzas, el principal de ellas o el que las guía y conduce, y también el que gobierna alguna cuadrilla. || **4.** Juego de naipes entre seis personas, en el cual una de ellas, que queda sin cartas, manda jugar, del palo que elige, a otros dos jugadores con quienes pierde o gana. || **5.** Juego de naipes, variedad de la brisca, entre tres personas, en el cual uno de los jugadores, al que se llama **alcalde,** juega contra los otros dos y gana y sigue en tal puesto mientras haga 31 tantos de los 120. || **6.** En el tresillo y otros juegos de naipes, el que da las cartas y no juega. || **corregidor. Corregidor,** 3.ª acep. || **de alzadas. Juez de alzadas.** || **de barrio.** El que el **alcalde** nombra en las grandes poblaciones para que en barrio determinado ejerza las funciones que le delega. || **de casa y corte.** Juez togado de los que en la corte componían la sala llamada de **alcaldes,** que juntos formaban quinta sala del Consejo de Castilla. || **de corte. Alcalde de casa y corte.** || **de cuadrilla. Alcalde de la Mesta.** || **de hijosdalgo.** El de la sala de hijosdalgo que había en las chancillerías de Valladolid y Granada, en la cual se conocía de los pleitos de hidalguía y de los agravios que se hacían a los hidalgos en lo tocante a sus exenciones y privilegios. Era juez togado. || **2.** El ordinario que se nombraba cada año por el estado de hijosdalgo en los pueblos en que los oficios concejiles se dividían entre nobles e individuos del estado llano. || **de la cuadra.** El de la sala del crimen de la audiencia de Sevilla, denominado así porque la sala capitular de su ayuntamiento se llamaba cuadra. || **del agua.** En algunas comunidades de regantes, el que reparte y vigila los turnos. || **de la hermandad.** El que se nombraba cada año en los pueblos para que conociera de los delitos y excesos cometidos en el campo. || **de la Mesta.** Juez nombrado por una cuadrilla de ganaderos, y aprobado por el Concejo de la Mesta, para conocer de los pleitos entre pastores y demás cosas pertenecientes a la cabaña de la cuadrilla que le nombró. || **del crimen.** El de la sala del crimen que había en las chancillerías de Valladolid y Granada y en algunas audiencias del reino, el cual era juez togado y tenía fuera de su tribunal jurisdicción ordinaria en su territorio. || **del mes de enero.** Persona que, recién entrada en el desempeño de su cargo, demuestra gran celo y actividad. || **del rastro.** Juez letrado de los que en lo antiguo ejercían en la corte y en su rastro o distrito la jurisdicción criminal. || **de monterilla.** fam. El de alguna aldea o lugar, sobre todo si es labriego o rústico. || **de noche.** El que se elegía en algunas ciudades para rondar y cuidar de que no hubiera desórdenes por la noche, y el cual, mientras ésta duraba, tenía jurisdicción ordinaria. || **de obras y bosques.** Juez togado que tenía jurisdicción privativa en lo civil y criminal dentro de los bosques y sitios reales. || **de sacas.** Juez encargado de evitar que se sacasen del reino las cosas cuya extracción estaba prohibida por leyes y pragmáticas. || **entregador.** En el Concejo de la Mesta, juez de letras, para visitar los partidos y conocer de las causas concernientes a ganados y pastos. || **mayor.** Juez de letras que ejercía la jurisdicción ordinaria en algún pueblo, || **2.** Juez de letras, asesor del corregidor en las ciudades donde éste era juez lego. || **3.** En Nueva España, el que, siendo o no juez de letras, gobernaba por el rey algún pueblo que no era capital de provincia. || **4.** En las antiguas provincias de Ultramar, juez de primera instancia que, además de las atribuciones propias de este cargo, ejercía otras gubernativas, administrativas y económicas. || **mayor entregador. Alcalde entregador.** || **ordinario.** Vecino de un pueblo que ejercía en él jurisdicción ordinaria. || **pedáneo.** El de un lugar o aldea que sólo podía entender en negocios de escasa cuantía, castigar faltas leves y auxiliar en las causas graves al juez letrado. || **2.** Actualmente, el de barrio, designado para aldeas o partidos rurales en municipios dispersos. || **Alcalde de aldea, el que lo desee, ése lo sea. Alcalde de aldea, séase quien quiera.** refs. que aconsejan no apetecer oficios que más tienen de gravamen que de autoridad o provecho. || **Hacedme alcalde hogaño, y yo os haré a vos otro año.** ref. que se dice de los que por convenio se reparten entre sí las utilidades de los cargos.

Alcaldesa. f. Mujer del alcalde. || **2.** Mujer que ejerce el cargo de alcalde.

Alcaldía. f. Oficio o cargo de alcalde. || **2.** Territorio o distrito de su jurisdicción. || **3.** Oficina donde se despachan los negocios en que entiende el alcalde.

Alcaldío. m. ant. **Alcaldía.**

Alcalescencia. f. *Quím.* Alteración que experimenta un líquido al volverse alcalino. || **2.** *Quím.* Estado de las substancias orgánicas en que se forma espontáneamente amoniaco.

Álcali. (Del ár. *al-qālī*, la sosa o cenizas de plantas alcalinas.) m. *Quím.* Nombre dado a los óxidos metálicos que por ser muy solubles en el agua pueden actuar como bases enérgicas.

Alcalifa. m. ant. **Califa.**

Alcalifaje. m. ant. **Califato,** 1.ª acep.

Alcalímetro. (De *álcali*, y el gr. μέτρον, medida.) m. *Quím.* Instrumento para apreciar la cantidad de álcali contenida en los carbonatos de sosa o de potasa.

Alcalinidad. f. Calidad de alcalino.

Alcalino, na. adj. *Quím.* De álcali o que tiene álcali.

Alcalización. f. Acción y efecto de alcalizar.

Alcalizar. tr. *Quím.* Dar o comunicar a alguna cosa las propiedades de los álcalis.

Alcaloide. (De *álcali*, y del gr. εἶδος, forma.) m. *Quím.* Cualquiera de los productos nitrogenados, ordinariamente cristalizables, que por sus propiedades básicas son considerados como álcalis orgánicos y se encuentran en ciertas células vegetales, casi siempre combinados con ácidos orgánicos; suelen ser venenosos y muchos de ellos se emplean en terapéutica; como la quinina, la morfina y la estricnina.

Alcaloideo, a. (De *alcaloide*.) adj. *Quím.* Aplícase a los principios inmediatos orgánicos que pueden combinarse con los ácidos para formar sales.

Alcalosis. f. *Pat.* Alcalinidad excesiva de la sangre. Ocurre en diversas enfermedades y se manifiesta por síntomas opuestos, por lo común, a los producidos por la acidosis.

Alcall. m. ant. **Alcalde.**

Alcaller. (Del ár. *al-qallāl*, el ollero.) m. **Alfarero.** || **2. Alfar,** 1.er art. 1.ª acep.

Alcallería. (De *alcaller*.) f. Conjunto de vasijas de barro.

Alcallía. f. ant. **Alcaldía.**

Alcamar. (Del aimará *alcamari*.) m. Especie de ave de rapiña del Perú.

Alcamiz. (Del ár. *al-jamīs*, el cuerpo de ejército.) m. ant. **Alarde,** 4.ª acep.

Alcamonías. (Del ár. *al-kamūniyya*, lo propio del comino.) f. pl. Semillas que se emplean en condimentos, como anís, alcaravea, cominos, etc. || **2.** fig. y fam. Alcahueterías.

Alcana. (Del ár. *al-ḥannā'*, la alheña.) f. **Alheña,** 1.ª acep.

Alcaná. (Del ár. *al-ḥānāt*, las tiendas.) f. Calle o sitio en que estaban las tiendas de los mercaderes.

Alcance. m. Seguimiento, persecución. || **2.** Distancia a que llega el brazo de una persona por su natural disposición, o por el diferente movimiento o postura del cuerpo. || **3.** En las armas arrojadizas y en las de fuego, distancia a que alcanza o llega el tiro. || **4.** V. **Sello de alcance.** || **5.** Correo extraordinario que se envía para alcanzar al ordinario. || **6.** fig. En materia de cuentas, saldo que, según ellas, está debiéndose. || **7.** fig. En los periódicos, noticia o sección de noticias recibidas a última hora. || **8.** fig. Capacidad o talento. Ú. m. en pl. || **9.** fig. Tratándose de obras del espíritu humano, **trascendencia,** 2.ª acep. || **10.** *Impr.* Parte de original que se distribuye a cada uno de los cajistas para su composición. || **11.** *Esgr.* Lo que alcanza cualquier arma blanca o negra. || **12.** *Mil.* Cantidad que en el ajuste queda a favor del soldado. || **13.** *Veter.* **Alcanzadura.** || **Al, a mi, a tu,** etc., **alcance.** loc. que se aplica a lo que uno puede conseguir. Ú. m. con el verbo *estar.* || **Andarle** a uno **a,** o **en, los alcances.** fr. fig. **Irle a,** o **en, los alcances.** || **Dar alcance** a uno. fr. fig. Alcanzarle. || **Ir** uno **a,** o **en, los alcances de** una cosa. fr. fig. Estar a punto de conseguirla. || **Irle** a uno **a,** o **en, los alcances.** fr. fig. Observar muy de cerca los pasos que da, para prenderle, averiguar su conducta o descubrir sus manejos. || **Seguir el alcance.** fr. *Mil.* Perseguir al enemigo.

Alcancía. (Del ár. *al-kanziyya*, la caja propia para atesorar.) f. Vasija, comúnmente de barro, cerrada y con una hendedura estrecha hacia la parte superior, por donde se echan monedas para guardarlas, sin que se puedan sacar fácilmente. || **2.** Bola hueca de barro seco al sol, del tamaño de una naranja, y la cual, llena de ceniza o de flores, servía para hacer tiro corriendo o jugando **alcancías.** || **3.** Olla llena de alquitrán y otras materias inflamables que, encendida, se arrojaba a los enemigos. || **4.** *Germ.* **Padre de mancebía.** || **Correr,** o **jugar, alcancías.** fr. Tirárselas, corriendo a caballo, unos jinetes a otros, que las recibían en el escudo, donde se quebraban.

Alcanciazo. m. Golpe dado con una alcancía.

Alcándara. (Del ár. *al-kandara*, la percha en que se posa el halcón.) f. Percha o varal donde se ponían las aves de cetrería o donde se colgaba ropa. || **2.** V. **Vara alcándara.**

Alcandía. (De *alcandiga*.) f. **Zahína,** 1.ª acep.

Alcandial. m. Tierra sembrada de alcandía.

Alcandiga. (Del ár. *al*, y el lat. *candicāre*, blanquear.) f. ant. **Alcandía.**

Alcandor. (Quizá de *candor*.) m. p. us. Especie de afeite usado por las mujeres.

Alcandora. (De *candela*.) f. Hoguera, luminaria o cualquier otro género de fuego que levante llama, de que se usaba para hacer señal.

Alcandora. (Del ár. dialect. *al-qandūra*, la camisa.) f. ant. Cierta vestidura a modo de camisa, o la misma camisa.

Alcándora. (De *alcándara*.) f. **Alcándara.** || **2.** *Germ.* Percha de sastre donde se cuelga la ropa.

Alcanería. (Del ár. *al-qannāriyya*, el cardo.) f. ant. Especie de alcachofa.

Alcanfor. (Del ár. *al-kāfūr*.) m. Substancia blanca, sólida, cristalina, volátil, de sabor urente y olor característico, insoluble en el agua y soluble en el alcohol y en el éter, la cual se halla principalmente en el alcanforero y en otras lauráceas y también en la raíz de la rubia y en el ámbar. || **2. Alcanforero.**

Alcanforada. f. Planta perenne de la familia de las quenopodiáceas, de tres a cinco decímetros de altura, vellosa y con hojas lineales de color verde ceniciento que despiden olor de alcanfor.

Alcanforar. tr. Componer o mezclar con alcanfor alguna cosa.

Alcanforero. m. Árbol de la familia de las lauráceas, de 15 a 20 metros de altura, de madera muy compacta, hojas persistentes, alternas, enteras y coriáceas, flores pequeñas y blancas, y por frutos bayas negras del tamaño del guisante. Se cría en el Japón, la China y otros países de Oriente, y de sus ramas y raíces se extrae alcanfor por destilación.

Alcántara. (Del ár. *al-qanṭara*, el dique, el puente, el acueducto, el arco.) f. En los telares de terciopelo, caja grande de madera, en forma de baúl, con la cubierta ochavada y entreabierta, que se coloca sobre las cárcolas y sirve para guardar la tela que se va labrando.

Alcántara. n. p. V. **Cruz de Alcántara.**

Alcantarilla. (d. de *alcántara*.) f. Puentecillo en un camino, hecho para que por debajo de él pasen las aguas o una vía de comunicación poco importante. || **2.** Acueducto subterráneo, o sumidero, fabricado para recoger las aguas llovedizas o inmundas y darles paso. || **3.** *Méj.* **Arca de agua.**

Alcantarillado, da. p. p. de **Alcantarillar.** || **2.** m. Conjunto de alcantarillas. || **3.** Obra hecha en forma de alcantarilla.

Alcantarillar. tr. Hacer o poner alcantarillas.

Alcantarillero. m. El que cuida o vigila las alcantarillas.

Alcantarino, na. adj. Natural de Alcántara. Ú. t. c. s. || **2.** Perteneciente a cualquiera de las poblaciones así llamadas. || **3.** Dícese de los religiosos descalzos de San Francisco, reformados por San Pedro de Alcántara. Ú. t. c. s. || **4.** m. Caballero de la orden de Alcántara.

Alcanzadizo, za. adj. Que se puede alcanzar con facilidad.

Alcanzado, da. p. p. de **Alcanzar.** || **2.** adj. Empeñado, adeudado. || **3.** Falto, escaso, necesitado.

Alcanzador, ra. adj. Que alcanza. Ú. t. c. s.

Alcanzadura. (De *alcanzar*.) f. *Veter.* Contusión, con herida o sin ella, que con los pies se hacen las caballerías en el pulpejo o algo más arriba de las manos; y también la ocasionada en el mismo sitio de los pies por las manos de otra caballería que vaya detrás, o por la reja del arado.

Alcanzamiento. m. ant. Acción de alcanzar o alcanzarse.

Alcanzante. p. a. ant. de **Alcanzar.** Que alcanza.

Alcanzar. (Cruce de *acalzar* y *encalzar*.) tr. Llegar a juntarse con una persona o cosa que va delante. || **2.** Llegar a tocar o coger. || **3.** Coger alguna cosa alargando la mano para tomarla. || **4.** Tratándose de la vista, oído u olfato, llegar a percibir con ellos. || **5.** Hablando de una persona, haber uno nacido ya o no haber muerto aún, cuando ella vivía. || **6.** fig. Haber uno vivido en el tiempo de que se habla, o presenciado el suceso de que se trata. || **7.** fig. Llegar a poseer lo que se busca o solicita; conseguir, lograr. || **8.** fig. Tener poder, virtud o fuerza para alguna cosa. *No* ALCANZÓ *el remedio a curar la enfermedad.* || **9.** fig. Saber, entender, comprender. || **10.** fig. Hallar a uno falto o deudor en el ajuste de cuentas. || **11.** fig. Llegar a igualarse con otro en alguna cosa. *El niño menor* ALCANZARÁ *pronto al mediano en sus estudios.* || **12.** ant. Seguir el alcance, perseguir. || **13.** intr. Llegar hasta cierto punto o término. || **14.** En las armas arrojadizas y en las de fuego, llegar el tiro a cierto término o distancia. || **15.** fig. Tocar o caber a uno alguna cosa o parte de ella. || **16.** fig. Ser suficiente o bastante una cosa para algún fin. *La provisión* ALCANZA *para el camino.* || **17.** r. Llegar a tocarse o juntarse. || **18.** Hacerse alcanzaduras las caballerías. || **Alcanza quien no cansa.** ref. con que se advierte que para conseguir conviene no importunar. || **Alcanzársele** a uno algo. fr. fig. Entenderlo. Ú. m. en frs. negativas. || **No alcanzar** una persona o cosa **a** otra. fr.

No llegar una persona o cosa **a** otra. || **Quedar,** o **salir,** uno **alcanzado.** fr. fig. Resultar deudor de alguna cantidad al rendir cuentas. || **Si alcanza, no llega.** expr. fam. con que se da a entender que una cosa es tan tasada y escasa, que apenas basta para el uso a que se destina.

Alcañizano, na. adj. Natural de Alcañiz Ú. t. c. s. || **2.** Perteneciente a esta ciudad.

Alcaparra. (Del ár. *al-kabbār.*) f. Mata de la familia de las caparidáceas, ramosa, de tallos tendidos y espinosos, hojas alternas, redondeadas y gruesas, flores axilares, blancas y grandes, y cuyo fruto es el alcaparrón. || **2.** Botón de la flor de esta planta. Se usa como condimento y como entremés. || **de Indias. Capuchina,** 1.ª acep.

Alcaparrado, da. adj. Aderezado o condimentado con alcaparras.

Alcaparral. m. Sitio poblado de alcaparros.

Alcaparrera. f. **Alcaparra,** 1.ª acep.

Alcaparro. m. **Alcaparra,** 1.ª acep.

Alcaparrón. m. Fruto de la alcaparra, el cual es una baya carnosa parecida en la forma a un higo pequeño. Se come encurtido. || **2.** ant. Cierto género de guarnición de espada.

Alcaparrosa. f. **Caparrosa.**

Alcaraceño, ña. adj. Natural de Alcaraz. Ú. t. c. s. || **2.** Perteneciente a esta ciudad.

Alcaraván. (Del ár. *al-karawān.*) m. Ave zancuda, de unos 60 centímetros de altura, de cuello muy largo y cola pequeña, tarsos amarillos, vientre blanco, alas blancas y negras, y lo demás del cuerpo rojo, menos la cabeza, que es de color negro verdoso. || **Alcaraván zancudo: para otros, consejo; para ti, ninguno.** ref. que reprende a los que dan consejos a otros y no los toman para sí.

Alcaravanero. (De *alcaraván.*) adj. V. **Halcón alcaravanero.**

Alcaravea. (Del ár. *al-karāwiyā,* el comino de los prados.) f. Planta anua de la familia de las umbelíferas, de seis a ocho decímetros de altura, con tallos cuadrados y ramosos, raíz fusiforme, hojas estrechas y lanceoladas, flores blancas y semillas pequeñas, convexas, oblongas, estriadas por una parte y planas por otra, que, por ser aromáticas, sirven para condimento. || **2.** Semilla de esta planta.

Alcarceña. (Del ár. *al-karsanna.*) f. **Yero.**

Alcarceñal. m. Tierra sembrada de alcarceña.

Alcarcil. m. **Alcaucil.**

Alcarchofa. (Del ár. *al-jaršuf.*) f. **Alcachofa,** 1.ª y 2.ª aceps.

Alcarchofado, da. p. p. del ant. **Alcarchofar.** || **2.** adj. ant. Bordado con labores en figura de alcarchofa. Usáb. t. c. s. m.

Alcarchofar. tr. ant. **Alcachofar.**

Alcaría. (Del ár. *al-qarya,* el poblado pequeño.) f. ant. **Alquería.** Ú. en *Sal.*

Alcarracero, ra. m. y f. Persona que hace o vende alcarrazas. || **2.** m. Vasar en que se ponen las alcarrazas.

Alcarraza. (Del ár. *al-karrāz,* jarra de cuello estrecho.) f. Vasija de arcilla porosa y poco cocida, que tiene la propiedad de dejar rezumarse cierta porción de agua, cuya evaporación enfría la mayor cantidad del mismo líquido que queda dentro.

Alcarreño, ña. adj. Natural de la Alcarria. Ú. t. c. s. || **2.** Perteneciente a este territorio.

Alcarria. f. Terreno alto y, por lo común, raso y de poca hierba.

Alcartaz. (Del ár. *al-qarṭās,* el papel, y éste del gr. χάρτης.) m. **Cucurucho.**

Alcatara. (Del ár. *al-qiṭāra.*) f. **Alquitara.**

Alcatenes. (Del ár. *al-kattān,* el lino, la linaza.) m. Medicamento que, mezclado con aceche, se empleaba para curar las llagas y úlceras de los perros y aves de cetrería.

Alcatifa. (Del ár. *al-qatīfa,* el terciopelo.) f. Tapete o alfombra fina. || **2.** *Albañ.* Broza o relleno que, para allanar, se echa en el suelo antes de enlosarlo o enladrillarlo, o sobre el techo para tejar.

Alcatifar. (De *alcatifa.*) tr. ant. **Alfombrar.**

Alcatife. m. *Germ.* **Seda,** 2.ª acep.

Alcatifero. (De *alcatife.*) m. *Germ.* Ladrón que hurta en tienda de seda.

Alcatraz. m. **Alcartaz.** || **2. Aro,** 2.° art.

Alcatraz. m. Pelícano americano de plumaje pardo amarillento en el dorso, y blanco en el pecho.

Alcaucí. m. **Alcaucil.**

Alcaucil. (Del art. ár. *al,* y *cabecilla,* d. de *cabeza.*) m. Alcachofa silvestre. || **2.** En algunas partes, **alcachofa,** 1.ª y 2.ª aceps.

Alcaudón. (De *caudón,* con el art. ár. *al.*) m. *Zool.* Pájaro carnívoro del suborden de los dentirrostros, de unos 15 centímetros de altura, con plumaje ceniciento, alas y cola negras, manchadas de blanco, y ésta larga y de figura de cuña. Fue empleado en cetrería.

Alcavela. (Del ár. *al-qabīla,* la tribu.) f. ant. **Alcavera.** || **2.** ant. Turba, manada, gavilla.

Alcavera. (Del m. or. que *alcavela.*) f. ant. Casta, familia, tribu.

Alcayata. (Del ár. *al-qayyāda,* la que sujeta fuertemente.) f. **Escarpia,** 1.ª acep.

Alcayatar. (De *alcayata.*) tr. *Carp.* Poner en los marcos y hojas de las puertas las alcayatas de que éstas han de colgarse.

Alcazaba. (Del ár. *al-qaṣaba,* el fortín.) f. Recinto fortificado, dentro de una población murada, para refugio de la guarnición.

Alcázar. (Del ár. *al-qaṣr,* el fuerte, el palacio.) m. **Fortaleza,** 4.ª acep. || **2.** Casa real o habitación del príncipe, esté o no fortificada. || **3.** *Mar.* Espacio que media, en la cubierta superior de los buques, desde el palo mayor hasta la popa o hasta la toldilla, si la hay.

Alcazareño, ña. adj. Natural de Alcázar. Ú. t. c. s. || **2.** Perteneciente a cualquiera de las poblaciones así llamadas.

Alcazuz. (Del ár. *'irq al-Sūs,* la raíz del Sus, el regaliz.) m. **Orozuz.**

Alce. (Del lat. *alce.*) m. **Anta,** 1.er art.

Alce. (De *alzar.*) m. En el juego de naipes, porción de cartas que se corta después de haber barajado y antes de distribuirlas. || **2.** En el juego de la malilla, premio que se da por el valor de la última carta, que sirve para señalar el palo de triunfo en cada mano. || **3.** *Cuba.* Acción de alzar o recoger la caña de azúcar después de cortada, y cargarla en los vehículos que la han de llevar al trapiche. || **4.** *Impr.* Acción de alzar los pliegos.

Alcea. (Del lat. *alcea,* y éste del gr. ἀλκέα.) f. ant. Malvavisco silvestre.

Alcedo. m. **Arcedo.**

Alcedón. m. **Alción,** 1.ª acep.

Alcino. (Del lat. *acinos,* y éste del gr. ἄκινος, albahaca silvestre.) m. Planta indígena de España, de la familia de las labiadas, de uno a dos decímetros de altura, ramosa, con hojas menudas, aovadas y dentadas, y flores pequeñas y de color azul que tira a violado. Es de olor desagradable.

Alción. (Del gr. ἀλκυών; de ἅλς, mar, y κύω, concebir.) m. **Martín pescador.** || **2.** *Zool.* Antozoo colonial cuyos pólipos están unidos entre sí por un tejido de consistencia carnosa, del cual surgen aquéllos como pequeñas flores blancas de ocho pétalos. || **3.** *Astron.* Estrella principal de las Pléyades.

Alcionio. (Del gr. ἀλκυόνιον.) m. *Zool.* Colonia de antozoos parecidos a los alciones.

Alcionito. m. Alcionio fósil.

Alcireño, ña. adj. Natural de Alcira. Ú. t. c. s. || **2.** Perteneciente a esta ciudad.

Alcista. com. Persona que juega al alza de valores cotizables.

Alcoba. (Del ár. *al-qubba,* la cúpula, la bóveda, el gabinete.) f. Aposento destinado para dormir. || **2. Caja,** 9.ª acep. || **3.** Lugar donde estaba el peso público. || **4. Jábega,** 1.er art. || **5.** ant. Tertulia que los virreyes de Méjico tenían en su palacio.

Alcobilla. f. d. de **Alcoba.** || **2. Alcoba,** 2.ª acep. || **de lumbre.** *Ar.* Chimenea para calentar una estancia.

Alcocarra. f. Gesto, coco, mueca.

Alcofol. m. ant. **Alcohol.**

Alcofolar. tr. ant. **Alcoholar,** 1.er art.

Alcohela. (De ár. *al-kuḥailā',* la negrilla.) f. ant. **Escarola** 1.ª acep.

Alcohol. (Del ár. *al-kuḥl,* el colirio.) m. **Galena.** || **2.** Polvo finísimo que como afeite usaron las mujeres, y que en Oriente usan todavía, para ennegrecerse los bordes de los párpados, las pestañas, las cejas o el pelo. Hacíase antes con antimonio o con galena, y ahora se hace con negro de humo perfumado. || **3.** *Quím.* Cada uno de los cuerpos compuestos de carbono, hidrógeno y oxígeno que derivan de los hidrocarburos al ser substituidos en éstos uno o varios átomos de hidrógeno por otros tantos hidroxilos. || **absoluto.** El que está completamente privado de agua. || **amílico.** El que contiene en su molécula cinco átomos de carbono; es un líquido incoloro, aceitoso, de olor fuerte y desagradable. || **desnaturalizado.** El etílico mezclado con ciertos productos que le comunican sabor desagradable y lo inutilizan para la bebida, pero no para sus aplicaciones industriales. || **etílico.** Líquido incoloro, de sabor urente y olor fuerte agradable, que arde fácilmente dando llama azulada y poco luminosa. Obtiénese por destilación de productos de fermentación de substancias azucaradas o feculentas, como uva, melaza, remolacha, patata. Forma parte de muchas bebidas, como vino, aguardiente, cerveza, etc., y tiene muchas aplicaciones industriales. || **metílico.** Líquido incoloro, de olor agradable, que arde con llama azulada poco luminosa y se obtiene por destilación seca de la madera a baja temperatura. || **neutro.** El etílico de 96 a 97 grados, que se emplea en la crianza de vinos y en la fabricación de licores.

Alcoholado, da. p. p. de **Alcoholar.** || **2.** adj. Aplícase al animal que tiene el pelo de alrededor de los ojos más obscuro que lo demás. || **3.** m. *Med.* Compuesto alcohólico cargado de principios medicamentosos y preparado por solución, maceración o digestión.

Alcoholador, ra. adj. Que alcohola, 1.er art. Ú. t. c. s.

Alcoholar. (De *alcohol,* 2.ª acep.) tr. Ennegrecer con alcohol los bordes de los párpados, las pestañas, las cejas o el pelo. Ú. t. c. r. || **2.** Lavar los ojos con alcohol o con otro colirio, para limpiarlos o curarlos. || **3.** *Mar.* Embrear lo calafateado. || **4.** *Quím.* Obtener alcohol de una substancia por destilación o fermentación. || **5.** ant. *Farm.* Reducir a polvo menudísimo alguna cosa.

Alcoholar. (Del ár. *al-qūful,* la cabalgada de regreso.) intr. En los ejercicios de cañas y alcancías, pasar galopando la cuadrilla que ha cargado, y ostentarse despacio delante de sus contrarios.

Alcoholato. m. *Med.* Cualquier medicamento líquido que resulta de la destilación del alcohol con una o más substancias aromáticas vegetales o animales.

Alcoholaturo. m. *Med.* Medicamento que se obtiene macerando plantas frescas en alcohol.

Alcoholero, ra. adj. Dícese de lo relativo a la producción y comercio del alcohol. || **2.** f. Fábrica en que se produce el alcohol. || **3.** Vasija o salserilla para poner el alcohol usado como afeite por las mujeres.

Alcohólico, ca. adj. Que contiene alcohol. || **2.** Referente al alcohol o producido por él. || **3. Alcoholizado,** 2.ª acep. Ú. t. c. s.

Alcoholímetro. (De *alcohol,* y el gr. μέτρον, medida.) m. Areómetro que sirve para apreciar la cantidad de alcohol contenida en un líquido.

Alcoholismo. m. Abuso de bebidas alcohólicas. || **2.** Enfermedad ocasionada por tal abuso, que puede ser aguda, como la embriaguez, o crónica; esta última produce trastornos graves y suele transmitir por herencia otras enfermedades, especialmente del sistema nervioso.

Alcoholización. f. *Quím.* Acción y efecto de alcoholizar.

Alcoholizado, da. p. p. de **Alcoholizar.** || **2.** adj. Dícese del que por el abuso de las bebidas alcohólicas padece los efectos de la saturación del organismo por alcohol.

Alcoholizar. tr. Echar alcohol en otro líquido. || **2.** *Quím.* **Alcoholar,** 1.er art., 4.ª acep. || **3.** ant. *Farm.* **Alcoholar,** 1.er art., 5.ª acep.

Alcolla. (Del ár. *al-qulla,* el cántaro, la vasija.) f. Ampolla grande de vidrio.

Alcomenías. f. pl. ant. **Alcamonías.**

Alconcilla. (Del lat. *conchylia,* conchillas, porque se ponía en ellas este afeite.) f. Color brasil o arrebol de que usaban como afeite las mujeres.

Alcor. (Del ár. *al-qūr,* los collados.) m. Colina o collado.

Alcora. (Del ár. *al-kura,* la esfera.) f. ant. *Astron.* Globo o esfera.

Alcorán. (Del ár. *al-qur'ān,* la lectura por excelencia, la recitación.) m. Libro en que se contienen las revelaciones que Mahoma supuso recibidas de Dios, y que es fundamento de la religión mahometana.

Alcoránico, ca. adj. Perteneciente o relativo al alcorán.

Alcoranista. m. Doctor o expositor del Alcorán o ley de Mahoma.

Alcorano, na. adj. **Alcoránico.**

Alcorce. m. *Ar.* Acción y efecto de alcorzar, 2.° art. || **2.** *Ar.* **Atajo,** 1.ª acep.

Alcorcí. (Del ár. *al-qurṣ,* el disco.) m. Especie de joyel.

Alcornocal. m. Sitio poblado de alcornoques.

Alcornoque. (Del art. ár. *al* y el lat. *quercus,* cambiado en *quernus.*) m. *Bot.* Árbol siempre verde, de la familia de las fagáceas, de ocho a diez metros de altura, copa muy extensa, madera durísima, corteza formada por una gruesa capa de corcho, hojas aovadas, enteras o dentadas, flores poco visibles y bellotas por frutos. || **2.** Madera de este árbol. || **3.** V. **Pedazo de alcornoque.** || **4.** desus. **Colmena,** 1.ª acep. || **5.** ant. **Corcho,** 1.ª acep. || **6.** fig. Persona ignorante y zafia. Ú. t. c. adj. || **Al alcornoque no hay palo que le toque, sino la encina, que le quiebra la costilla,** o **sino la carrasca, que le casca.** ref. con que se denota no haber cosa alguna que no tenga su contraria.

Alcornoqueño, ña. adj. Perteneciente al alcornoque.

Alcorque. (Del ár. *al-qurq.*) m. Chanclo con suela de corcho. || **2.** *Germ.* **Alpargata.**

Alcorque. m. Hoyo que se hace al pie de las plantas para detener el agua en los riegos.

Alcorza. (Del ár. *al-qurṣa,* la torta redonda y plana.) f. Pasta muy blanca de azúcar y almidón, con la cual se suelen cubrir varios géneros de dulces y se hacen diversas piezas o figurillas. || **2.** Dulce cubierto con esta pasta.

Alcorzado, da. p. p. de **Alcorzar,** 1.er art. || **2.** adj. **Almibarado,** 2.ª acep.

Alcorzar. (De *alcorza.*) tr. Cubrir de alcorza. || **2.** fig. Pulir, asear, adornar. Ú. t. c. r.

Alcorzar. tr. *Ar.* **Acorzar.**

Alcotán. (Del ár. *al-qaṭām,* el gavilán.) m. Ave rapaz diurna, semejante al halcón, del cual se distingue por tener las plumas de las piernas y la cola de color rojo con listas algo más obscuras. Habita en toda España, pero no es muy abundante.

Alcotana. (Del ár. *al-qaṭṭā',* la muy cortante.) f. Herramienta de albañilería, que termina por uno de sus extremos en figura de azuela y por el otro en figura de hacha, y que tiene en medio un anillo en que entra y se asegura un mango de madera, como de medio metro de largo. Hay algunas con boca de piqueta, en vez de corte.

Alcotón. m. ant. **Algodón,** 1.ª a 3.ª aceps.

Alcotonía. f. ant. **Cotonía.**

Alcoyano, na. adj. Natural de Alcoy. Ú. t. c. s. || **2.** Perteneciente a esta ciudad.

Alcrebite. (Del ár. *al-kibrīt,* el azufre.) m. **Azufre.**

Alcribís. m. *Min.* **Tobera.**

Alcribite. m. **Alcrebite.**

Alcroco. (Del art. ár. *al,* y el lat. *crocus,* azafrán.) m. ant. **Croco.**

Alcubilla. (d. de *cuba,* con el art. ár. *al.*) f. **Arca de agua.**

Alcucero, ra. adj. fig. y fam. **Goloso,** 1.ª acep. *Mozo, perro* ALCUCERO. || **2.** m. y f. Persona que hace o vende alcuzas.

Alcuña. (Del ár. *al-kunya,* el sobrenombre.) f. ant. **Alcurnia.** || **2.** ant. **Alcuño.**

Alcuño. (De *alcuña.*) m. ant. Sobrenombre, apodo.

Alcurnia. (Del m. or. que *alcuña.*) f. Ascendencia, linaje.

Alcuza. (Del ár. *al-kūza,* la vasija.) f. Vasija, generalmente de hojalata y de forma cónica, en que se tiene el aceite para el uso diario.

Alcuzada. f. Porción de aceite que cabe en una alcuza.

Alcuzcucero. m. Vasija para hacer alcuzcuz.

Alcuzcuz. (Del ár. *al-kuskus.*) m. Pasta de harina y miel, reducida a granitos redondos, que, cocida después con el vapor del agua caliente, se guisa de varias maneras. Es comida muy usada entre los moros.

Alcuzcuzu. m. ant. **Alcuzcuz.**

Alchub. (Del ár. *al-ŷubb,* el pozo, el calabozo obscuro.) m. *Ar.* **Aljibe,** 1.ª acep.

Aldaba. (Del ár. *aḍ-ḍabba,* el picaporte, el cerrojo.) f. Pieza de hierro o bronce que se pone a las puertas para llamar golpeando con ella. || **2.** Pieza ordinariamente de hierro y de varias hechuras, fija en la pared para atar de ella una caballería. || **3.** Barreta de metal o travesaño de madera con que se aseguran, después de cerrados, los postigos o puertas. || **4.** V. **Caballo de aldaba.** || **Agarrarse uno a,** o **de, buenas aldabas,** o **tener buenas aldabas.** frs. figs. y fams. Valerse de una poderosa protección, o contar con ella.

Aldabada. f. Golpe que se da en la puerta con la aldaba. || **2.** fig. Aviso, dicho generalmente del que causa sobresalto.

Aldabazo. m. Golpe recio dado con la aldaba.

Aldabear. intr. Dar aldabadas.

Aldabeo. m. Acción de aldabear, especialmente cuando se hace con repetición.

Aldabía. (De *aldaba.*) f. Cada uno de los dos maderos serradizos horizontales que, empotrados en dos paredes opuestas, sostienen la armazón de un tabique colgado.

Aldabilla. (d. de *aldaba.*) f. Pieza de hierro de figura de gancho, que, entrando en una hembrilla, sirve para cerrar puertas, ventanas, cofrecillos, cajas, etc.

Aldabón. m. aum. de **Aldaba.** || **2. Aldaba,** 1.ª acep. || **3.** Asa grande de cofre, arca, etc.

Aldabonazo. (De *aldabón.*) m. **Aldabada,** 1.ª acep. || **2. Aldabazo.**

Aldea. (Del ár. *aḍ-ḍay'a,* la finca rústica, el cortijo.) f. Pueblo de corto vecindario y, por lo común, sin jurisdicción propia.

Aldeanamente. adv. m. Según el uso de la aldea; al modo de la aldea. || **2.** fig. Inculta, rústica o groseramente.

Aldeaniego, ga. adj. **Aldeano,** 2.ª y 3.ª aceps.

Aldeanismo. m. Vocablo o giro usado solamente por los aldeanos.

Aldeano, na. adj. Natural de una aldea. Ú. t. c. s. || **2.** Perteneciente o relativo a la aldea. || **3.** fig. Inculto, rústico.

Aldebarán. (Del ár. *ad-dabarān,* la constelación de Tauro y su estrella más brillante.) m. *Astron.* Estrella de primera magnitud, en la constelación de Tauro.

Aldehído. (Contracc. de AL*cohol* DEHY*drogenatus.*) m. *Quím.* Cada uno de los compuestos orgánicos ternarios que se forman como primeros productos de la oxidación de ciertos alcoholes. Utilízanse en la industria y en los laboratorios químicos por sus propiedades reductoras. || **2.** En el lenguaje usual, **aldehído acético.** || **acético.** El resultante de la oxidación del alcohol etílico. Es un líquido incoloro, muy volátil, de olor desagradable, que se oxida fácilmente en contacto con el oxígeno del aire y se transforma en ácido acético. || **fórmico.** El resultante de la oxidación del alcohol metílico. Es un gas incoloro que se liquida a temperatura inferior a 21 grados centígrados bajo cero.

Aldehuela. f. d. de **Aldea.**

Aldeón. m. aum. despect. de **Aldea.**

Aldeorrio. (De *aldea.*) m. despect. Lugar muy pequeño, pobre o falto de cultura.

Aldeorro. m. despect. **Aldeorrio.**

Alderredor. (De *al de redor.*) adv. l. **Alrededor,** 1.ª acep.

Aldino, na. adj. Perteneciente o relativo a Aldo Manucio y otros famosos impresores de su familia. *Caracteres* ALDINOS; *edición* ALDINA. || **2.** V. **Letra aldina.**

Aldiza. (Del ár. *ad-dīsa,* especie de junco.) f. **Aciano.**

Aldorta. (Del port. *galldorta,* gallo de huerta.) f. Ave zancuda, de unos dos decímetros de altura, que tiene en la cabeza un penacho formado de tres plumas blancas y eréctiles; el pico, negro y muy largo; los tarsos, rojos, y lo restante del cuerpo, ceniciento, excepto el lomo, que tira a verde.

Aldrán. m. El que vende vino en las dehesas. || **2.** ant. **Mayoral,** 1.ª acep.

Aldúcar. m. **Adúcar.**

Alea. f. **Aleya.**

Aleación. f. Acción y efecto de alear, 2.° art. || **encontrada.** La que resulta de la fundición y liga de un oro fuerte de ley con otro feble.

Alear. (De *ala.*) intr. Mover las alas. || **2.** fig. Mover los brazos a modo de alas. Dícese principalmente de los niños. || **3.** fig. Cobrar aliento o fuerzas el convaleciente o el que se repara de algún afán o trabajo. Ú. m. en ger. con el verbo *ir. José* VA ALEANDO. || **4.** fig. Aspirar a una cosa o dirigirse con afán hacia ella.

Alear. (Del lat. *alligāre,* atar.) tr. Mezclar dos o más metales, fundiéndolos.

Aleatorio, ria. (Del lat. *aleatorius,* propio del juego de dados.) adj. Perteneciente o relativo al juego de azar. || **2.** Dependiente de algún suceso fortuito. || **3.** *For.* V. **Contrato aleatorio.**

Alebrarse. r. Echarse en el suelo pegándose contra él como las liebres. || **2.** fig. Acobardarse.

Alebrastarse. r. Alebrestarse.

Alebrestarse. r. Alebrarse.

Alebronarse. (De *a*, 2.° art., y *lebrón*.) r. Alebrarse.

Aleccionador, ra. adj. Que alecciona.

Aleccionamiento. m. Acción y efecto de aleccionar o aleccionarse.

Aleccionar. (De *a*, 2.° art., y *lección*.) tr. Instruir, amaestrar, enseñar. Ú. t. c. r.

Alece. (Del lat. *halex, -ēcis*.) m. **Haleche.** || **2.** Guisado hecho y sazonado con el hígado del salmonete o del sargo.

Alecrín. m. *Zool.* Escualo del mar de las Antillas, de unos cuatro metros de largo, de cabeza obtusa, con dobles filas de dientes, carnicero y muy voraz.

Alecrín. m. Árbol verbenáceo, de la América Meridional, cuya madera es semejante a la caoba, pero más pesada y de color más hermoso.

Alectomancia [~ **mancía**]. (Del gr. ἀλέκτωρ, gallo, y μαντεία, adivinación.) f. Adivinación por el canto del gallo o por la piedra de su hígado.

Alectoria. (Del lat. *alectoria*, y éste del gr. ἀλέκτωρ, gallo.) f. Piedra que suele hallarse en el hígado de los gallos viejos, y a la cual se atribuyeron antiguamente muchas virtudes medicinales.

Aleche. m. **Haleche.**

Alechigar. (De *a*, 2.° art., y *lechiga*.) tr. ant. Dulcificar, suavizar. || **2.** r. ant. Acostarse, meterse en cama.

Alechugado, da. p. p. de **Alechugar.** || **2.** adj. V. **Cuello alechugado.**

Alechugar. (De *lechuga*.) tr. Doblar o disponer alguna cosa en figura de hoja de lechuga, como se usa en las guarniciones y adornos de los vestidos, principalmente de las mujeres.

Aleda. f. **Cera aleda.**

Aledaño, ña. (De *aladaño*, del lat. **latāněus*, de *latus*, lado, infl. por *alendaño*, *lindaño*, de **limitāněus*, lindante.) adj. Confinante, lindante. || **2.** Dícese de la tierra, del campo, etc., que linda con un pueblo o con otro campo o tierra, y que se considera como parte accesoria de ellos. Ú. t. c. s. m., y más en pl. || **3.** m. Confín, término, límite. Ú. m. en pl. || **4.** V. **Retracto de aledaños.**

Alefangina. adj. *Farm.* V. **Píldora alefangina.** Ú. t. c. s., y más en pl.

Alefriz. (Del ár. *al-ifrād*, la incisión, con mela.) m. *Mar.* Ranura o canal que se abre a lo largo de la quilla, roda y codaste, para que en ella encajen los cantos horizontales de los tablones de traca y las cabezas de las hiladas de los demás.

Alegación. (Del lat. *allegatio, -ōnis*.) f. Acción de alegar. || **2.** *For.* **Alegato.** || **en derecho.** *For.* Alegato extraordinario impreso, con el cual, a veces, en apelación civil de mayor cuantía, se substituyen los informes orales de la partes litigantes.

Alegamar. tr. Echar légamo o cieno en las tierras para beneficiarlas. || **2.** r. Llenarse de légamo.

Aleganarse. (De *a*, 2.° art., y *légano*.) r. **Alegamarse.**

Alegar. (Del lat. *allegāre*. de *ad*, a, y *legāre*, delegar.) tr. Citar, traer uno a favor de su propósito, como prueba, disculpa o defensa, algún hecho, dicho, ejemplo, etc. || **2.** Tratándose de méritos, servicios, etc., exponerlos para fundar en ellos alguna pretensión. || **3.** intr. *For.* Traer el abogado leyes, autoridades y razones en defensa de su causa.

Alegato. (Del lat. *allegātus*.) m. Escrito en el cual expone el abogado las razones que sirven de fundamento al derecho de su cliente e impugna las del adversario. || **2.** Por ext., razonamiento o exposición, generalmente amplios, de méritos o motivos aun fuera de lo judicial. || **de bien probado.** *For.* Escrito, llamado ahora de conclusiones, en el cual, con el resultado de las probanzas, mantenían los litigantes sus pretensiones al terminar la instancia.

Alegoría. (Del lat. *allegoria*, y éste del gr. ἀλληγορία; de ἄλλος, otro, y ἀγορεύω, hablar, arengar.) f. Ficción en virtud de la cual una cosa representa o significa otra diferente. *La venda y las alas de Cupido son una* ALEGORIA. || **2.** Obra o composición literaria o artística de sentido alegórico. || **3.** *Pint.* y *Esc.* Representación simbólica de ideas abstractas por medio de figuras, grupos de éstas o atributos. || **4.** *Ret.* Figura que consiste en hacer patentes en el discurso, por medio de varias metáforas consecutivas, un sentido recto y otro figurado, ambos completos, a fin de dar a entender una cosa expresando otra diferente.

Alegóricamente. adv. m. Con alegoría o en sentido alegórico.

Alegórico, ca. (Del lat. *allegoricus*, y éste del gr. ἀλληγορικός.) adj. Perteneciente o relativo a la alegoría.

Alegorizar. (Del lat. *allegorizāre*.) tr. Interpretar alegóricamente alguna cosa; darle sentido o significación alegórica.

Alegra. (De *alegrar*, 2.° art.) f. *Mar.* Barrena a propósito para taladrar los maderos que han de emplearse como tubos de bomba.

Alegrador, ra. adj. Que alegra o causa alegría. Ú. t. c. s. || **2.** m. desus. Tira de papel retorcida, que sirve para encender cigarros, luces, etc. || **3.** m. pl. *Taurom.* Banderillas.

Alegradura. f. **Legradura.**

Alegrante. p. a. de **Alegrar.** Que alegra

Alegranza. (De *alegrar*, 1.er art.) f. ant. **Alegría**, 1.ª acep.

Alegrar. (De *alegre*.) tr. Causar alegría. || **2.** fig. Avivar, hermosear, dar nuevo esplendor y más apacible vista a las cosas inanimadas. || **3.** fig. Tratándose de la luz o el fuego, avivarlos. || **4.** *Mar.* Aflojar un cabo para disminuir su trabajo. || **5.** *Mar.* Alijar o aliviar una embarcación para que no trabaje mucho por causa de la mar. || **6.** *Taurom.* Excitar el diestro al toro para que acometa. || **7.** r. Recibir o sentir alegría. || **8.** fig. y fam. Ponerse uno alegre por haber bebido vino u otros licores con algún exceso. || **9.** ant. *For. Ar.* Gozar, disfrutar.

Alegrar. (De *a*, 2.° art., y *legrar*.) tr. *Cir.* **Legrar.** || **2.** *Mar.* Agrandar un taladro o agujero cualquiera.

Alegre. (Del lat. *alĕcris*, de *alacris*, alegre.) adj. Poseído o lleno de alegría. *Juan está* ALEGRE. || **2.** Que siente o manifiesta de ordinario alegría. *Ser hombre* ALEGRE. || **3.** Que denota alegría. *Cara* ALEGRE. || **4.** Que ocasiona alegría. *Noticia* ALEGRE. || **5.** Pasado o hecho con alegría. *Día, vida, plática, cena* ALEGRE. || **6.** De aspecto o circunstancias capaces de infundir alegría. *Cielo, prado, casa* ALEGRE. || **7.** fig. Aplicado a colores, vivo, como el encarnado, verde, amarillo, etc. || **8.** fig. ant. Dicho de los olores, vivo, penetrante. || **9.** fig. y fam. Excitado alegremente por haber bebido vino u otros licores con algún exceso. || **10.** fig. y fam. Algo libre o deshonesto. *Cuento* ALEGRE. || **11.** fig. y fam. Ligero, arriscado, que se las promete felices. *Antonio es muy* ALEGRE *en los negocios, en el juego* || **12.** fig. y fam. Aplícase al juego o modo de jugar que denota osadía y voluntaria ligereza en el jugador *Entrada* ALEGRE. || **13.** fig. y fam. Dícese del juego en que se atraviesa más dinero que de ordinario. || **14.** fam. V. **Cuentas alegres.** || **15.** ant. fig. Gallardo, brioso, esforzado.

Alegremente. adv. m. Con alegría.

Alegrete, ta. adj. d. de **Alegre.**

Alegreto. (Del ital. *allegretto*.) adv. m. *Mús* Con movimiento menos vivo que el alegro. || **2.** m. *Mús.* Composición o parte de ella que se ha de ejecutar con este movimiento.

Alegreza. (Del ital. *allegrezza*.) f. ant. **Alegría**, 1.ª acep.

Alegría. (De *alegre*.) f. Grato y vivo movimiento del ánimo, ya por algún motivo fausto o halagüeño, ya, a veces, sin causa determinada, y el cual, por lo común, se manifiesta con signos exteriores. || **2.** Palabras, gestos o actos con que se manifiesta el júbilo o **alegría.** || **3. Ajonjolí**, 1.ª y 2.ª aceps. || **4.** Nuégado o alajú condimentado con ajonjolí. || **5.** *Germ.* **Taberna.** || **6.** *Mar* Abertura, luz o hueco total de una porta. || **7.** pl. Regocijos y fiestas públicas. || **8.** Modalidad del cante andaluz, cuya tonada es por extremo viva y graciosa. || **9.** Baile de la misma tonada. || **Alegrías, albarderos, que se quema el bálago.** ref. **Albricias, madre, que pregonan a mi padre.** || **Alegrías, antruejo, que mañana será ceniza.** ref. que denota cuán poco durables son los gustos de la vida humana, y excita a aprovechar y celebrar los motivos de contento y satisfacción. || **Alegría secreta, candela muerta.** ref. que enseña que los gustos son menores cuando no se comunican.

Alegro. (Del ital. *allegro*.) adv m. *Mús.* Con movimiento moderadamente vivo. || **2.** m. *Mús.* Composición o parte de ella, que se ha de ejecutar con este movimiento. *Tocar* o *cantar un* ALEGRO.

Alegrón. m fam. Alegría intensa y repentina. || **2.** fig. y fam. Llamarada de fuego de poca duración, como la que se hace con sarmientos.

Alegroso, sa. adj. Poseído o lleno de mucha alegría.

Aleja. (Del ár. *al-luwaiḥ*, la tablita.) f. *Murc.* **Vasar.**

Alejamiento. m. Acción y efecto de alejar o alejarse.

Alejandría. n. p. V. **Rosal de Alejandría.**

Alejandrino, na. adj. Natural de Alejandría Ú. t. c. s. || **2.** Perteneciente a esta ciudad de Egipto. || **3. Neoplatónico.** || **4.** V. **Laurel alejandrino.** || **5.** Perteneciente a Alejandro Magno.

Alejandrino. (Por el metro en que está escrito el poema de *Alejandro*.) adj. V. **Verso alejandrino.** Ú. t. c. s.

Alejar. tr. Poner lejos o más lejos. Ú. t. c. r.

Alejija. (Del ár. *ad-dašīša*, el grano machacado y tostado, cocido con manteca y especias.) f. Puches de harina de cebada condimentados con ajonjolí. Ú. m. en pl. || **Parecer que uno ha comido alejijas.** fr. fam. *And.* Estar muy flaco y débil.

Alejor. m. ant. **Alajor.**

Alejur. m. **Alajú.**

Alelamiento. m. Efecto de alelarse.

Alelar. tr. Poner lelo. Ú. m. c. r.

Alelevi. m. *Al.* **Escondite**, 2.ª acep. Llámase así porque la voz alelevi es la señal para que el que se queda salga a buscar a los demás.

Alelí. m. **Alhelí.**

Aleluya. (Del hebr. *hallelū-yah*, alabad con júbilo a Yahvé.) Voz de que usa la Iglesia en demostración de júbilo, especialmente en tiempo de Pascua. Ú. t. c. s. amb. *Cantar la* ALELUYA *o el* ALELUYA. || **2.** interj. que se emplea para demostrar júbilo. || **3.** m. Tiempo de Pascua. *Por el* ALELUYA, *o al* ALELUYA, *nos veremos.* || **4.** f. Cada una de las estampitas, con la palabra **aleluya** escrita en ellas, que, al entonar el Sábado Santo el celebrante la **aleluya**, se arrojan al pueblo. || **5.** Por ext., cada una de las estampas de asunto piadoso que se arrojan al pasar las procesiones. || **6.** Por ext., cada una de las estampitas que, formando serie, contiene un pliego de papel, con la explicación del asunto, generalmente en versos pareados. || **7.** Dulce de leche en forma de tortita redonda, con la palabra **aleluya** realzada encima, que acostumbran regalar las monjas a los devotos en la Pascua de Resurrección. || **8.** Planta perenne de la familia de las oxalidáceas, con la raíz dentada y encarnada, escapo con una sola flor y hojas de tres en rama, en figura de corazón al revés, que florece en verano. Es comestible, tiene gusto ácido y se saca de ella la sal de acederas. || **9.** Planta de la familia de las malváceas, de hojas hendidas, de tres lóbulos, y de sabor ácido. La usan en Cuba en salsas, dulces, refrescos, etc., y también contra las diarreas y fiebres. || **10.** fig. y fam. Pintura despreciable. || **11.** fig. y fam. Versos prosaicos y de puro sonsonete. || **12.** fig. y fam. Persona o animal de extremada flacura. || **13.** fig. y fam. En algunas locuciones, **alegría,** 1.ª acep. *Hoy es día de* ALELUYA. || **14.** fig. Noticia que alegra. || **15.** fig. y fam. V. **Cara de aleluya.**

Alema. (Del ár. *al-'amma,* la mayor parte de un todo.) f. Porción de agua de regadío que se reparte por turno.

Alemán, na. adj. Natural de Alemania. Ú. t. c. s. || **2.** Perteneciente a este país de Europa. || **3.** V. **Aguardiente alemán.** || **4.** V. **Polca alemana.** || **5.** m. Idioma **alemán.** || **Alto alemán.** El hablado por los habitantes de la Alta Alemania. Divídese en antiguo, medio y moderno; el primero llega hasta el siglo XII; el segundo, hasta el XVI, y el tercero hasta nuestros días. || **Bajo alemán.** El de los habitantes de la Baja Alemania.

Alemana. f. **Alemanda.**

Alemanda. (Del fr. *allemande.*) f. Danza alegre de compás binario, en la que intervienen varias parejas de hombre y mujer, las cuales van imitando los pasos que ejecuta la pareja principal. Procede de la Baja Alemania o de Flandes.

Alemanés, sa. adj. **Alemán.** Apl. a pers., ú. t. c. s.

Alemanesco, ca. adj. **Alemanisco.**

Alemánico, ca. adj. Perteneciente a Alemania.

Alemanisco, ca. adj. **Alemánico.** || **2.** Aplícase a cierto género de mantelería labrada a estilo de Alemania, donde tuvo origen.

Alembrarse. (De *a,* 2.° art., y *lembrar.*) r. ant. Acordarse.

Alén. adv. l. ant. **Allende,** 1.ª acep.

Alenguamiento. m. Acción y efecto de alenguar.

Alenguar. (De *a,* 2.° art., y *lengua.*) tr. En la Mesta, tratar del ajuste o arrendamiento de alguna dehesa o hierbas para pasto del ganado lanar.

Alentada. (De *alentar.*) f. Respiración continuada o no interrumpida. *Leyó todo el párrafo de una* ALENTADA.

Alentadamente. adv. m. Con aliento o esfuerzo.

Alentado, da. p. p. de **Alentar.** || **2.** adj. Resistente para la fatiga. || **3.** Animoso, valiente.

Alentador, ra. adj. Que infunde aliento.

Alentar. (De *aliento.*) intr. **Respirar,** 1.ª, 3.ª y 5.ª aceps. || **2.** tr. Animar, infundir aliento o esfuerzo, dar vigor. Ú. t. c. r.

Alentoso, sa. adj. **Alentado,** 2.ª y 3.ª aceps.

Aleonado, da. adj. **Leonado.**

Alepín. (Del fr. *alépine,* y éste del ár. *halabī,* de Alepo.) m. Tela muy fina de lana.

Alera. f. ant. *Ar.* Sitio o llanura en que están las eras para trillar las mieses. || **foral.** *Ar.* Derecho que tienen los vecinos de un pueblo, de apacentar sus ganados en los términos o terrenos de otro lugar; pero de modo que saliendo del suyo, lo más pronto al amanecer, el mismo día, al ponerse el Sol, se hallen ya en el lugar de origen.

Alerce. (Del ár. *al-arz,* el cedro.) m. *Bot.* Árbol de la familia de las abietáceas, que adquiere considerable altura, de tronco derecho y delgado, ramas abiertas y hojas blandas, verdegayas, y cuyo fruto es una piña menor que la del pino. || **2.** Madera de este árbol, que es aromática. || **africano.** El originario de África, introducido en los jardines de Europa, y el cual florece en febrero. De él se extrae la grasilla que suele darse al papel de escribir, y su madera, reputada incorruptible, fué antiguamente muy empleada en el mediodía de España. || **europeo.** El que florece en mayo, y es la única conífera que pierde las hojas en invierno. Produce la trementina de Venecia; su madera se emplea en construcciones hidráulicas, y su corteza, en los curtidos.

Alergia. (Palabra formada por el médico alemán Von Pirquet, del gr. ἄλλος, otro, y ἔργον, trabajo.) f. *Fisiol.* Conjunto de fenómenos de carácter respiratorio, nervioso o eruptivo, producidos por la absorción de ciertas substancias que dan al organismo una sensibilidad especial ante una nueva acción de tales substancias aun en cantidades mínimas.

Alero. (De *ala.*) m. Parte inferior del tejado, que sale fuera de la pared y sirve para desviar de ella las aguas llovedizas. || **2.** Cada una de las alas o piezas sujetas a los costados de la caja de algunos carruajes, que sirven para preservar de las salpicaduras de lodo a los que van dentro. || **3.** En la caza de perdices con lazo o con buitrón, cada uno de los atajos o paredillas que se forman a uno y otro lado para que estas aves vayan encallejonadas hacia la red. || **corrido.** *Arq.* El que rebasa la línea del muro cuando éste no lleva cornisa. || **de chaperón.** *Arq.* El que no tiene canecillos. || **de mesilla.** *Arq.* El que vuela horizontalmente formando cornisa.

Alero. adj. Dícese del ciervo joven que todavía no ha padreado.

Alerta. (Del ital. *all'erta,* y éste de **erctus,* de **ergo* por *erigo,* levantar.) adv. m. Con vigilancia y atención. Ú. con los verbos *estar, andar, vivir,* etc. || **2.** Interjección que se emplea para excitar a la vigilancia. Ú. t. c. s. m.

Alertamente. adv. m. Alerta, 1.ª acep.

Alertar. tr. Poner alerta. || **2.** intr. p. us. Estar alerta.

Alerto, ta. (De *alertar.*) adj. Vigilante, cuidadoso.

Alerzal. m. Sitio plantado de alerces.

Alesna. (Del germ. *alesna.*) f. **Lesna.** || **Dos alesnas no se pican,** o **no se pinchan.** ref. que denota que cuando dos tratantes son igualmente astutos y entendidos, no puede el uno engañar al otro.

Alesnado, da. adj. Puntiagudo, a manera de lesna.

Aleta. f. d. de **Ala.** || **2.** *Zool.* Cada una de las membranas externas, a manera de alas, que tienen los peces, sirenios y cetáceos en varias partes del cuerpo y con las cuales se ayudan para nadar. || **3.** Prolongación de la parte superior de la popa de algunas embarcaciones latinas. || **4.** ant. **Alero,** 1.er art., 1.ª acep. || **5.** *Arq.* Cada una de las dos partes del machón que quedan visibles a los lados de una columna o pilastra. || **6.** *Arq.* Cada uno de los muros en rampa que en los lados de los puentes o en las embocaduras de las alcantarillas sirven para contener las tierras y dirigir las aguas. || **7.** *Mar.* Cada uno de los dos maderos corvos que forman la popa de un buque. || **8.** *Mar.* Parte del costado de un buque comprendida entre la popa y el punto que corresponde a la primera parte de la batería. || **abdominal.** *Zool.* Cada una de las dos situadas en la región abdominal, correspondientes a las extremidades posteriores de los vertebrados terrestres. || **anal.** *Zool.* La situada detrás del ano y junto a él. || **caudal.** *Zool.* La situada en el extremo de la cola. || **dorsal.** *Zool.* La situada en la línea media del dorso, ordinariamente dividida en dos o más. || **pectoral** o **torácica.** *Zool.* Cada una de las dos situadas inmediatamente detrás de la cabeza, correspondientes a las extremidades anteriores de los vertebrados terrestres.

Aletada. (De *aleta.*) f. Movimiento de las alas.

Aletargamiento. m. Acción y efecto de aletargar o aletargarse.

Aletargar. tr. Causar letargo. || **2.** r. Padecerlo.

Aletazo. m. Golpe de ala o de aleta.

Aletear. intr. Mover las aves frecuentemente la alas sin echar a volar. || **2.** Mover los peces frecuentemente las aletas cuando se los saca del agua. || **3.** fig. **Alear,** 1.er art., 2.ª y 3.ª aceps.

Aleteo. m. Acción de aletear. || **2.** fig. Acción de palpitar acelerada y violentamente el corazón.

Aleto. m. **Halieto.**

Aletría. (Del ár. *al-iṭriya.*) f. *Murc.* **Fideo,** 1.ª acep.

Aleudar. tr. **Leudar.** Ú. t. c. r.

Aleusero, ra. (Del germ. *lausinga,* mentira.) adj. ant. **Lisonjero.**

Alevantadizo, za. (De *alevantar.*) adj. ant. Acostumbrado a levantarse o rebelarse.

Alevantamiento. (De *alevantar.*) m. ant. **Levantamiento.**

Alevantar. tr. ant. **Levantar.** Usáb. t. c. r.

Aleve. (Del gót. *levian,* hacer traición; anglosajón *laeva,* traidor.) adj. **Alevoso.** Ú. t. c. s. || **2.** m. ant. **Alevosía.** Llamábase así la que hacía un particular contra otro. || **A aleve.** m. adv. ant. **Alevosamente.**

Alevemente. adv. m. **Alevosamente.**

Aleviar. tr. ant. **Aliviar.**

Alevilla. (Del lat. *levicŭla,* ligerilla, d. de *levis.*) f. Mariposa muy común en España y muy parecida a la del gusano de seda, de la cual se diferencia en tener las alas enteramente blancas.

Alevo. m. ant. **Ahijado,** 2.ª acep.

Alevosa. f. *Veter.* **Ránula,** 2.ª acep.

Alevosamente. adv. m. Con alevosía.

Alevosía. (De *alevoso.*) f. Cautela para asegurar la comisión de un delito contra las personas, sin riesgo del delincuente. Es circunstancia que agrava la pena. || **2.** Traición, perfidia. || **Con alevosía.** m. adv. A traición y sobre seguro.

Alevoso, sa. (De *aleve.*) adj. Dícese del que comete alevosía. Ú. t. c. s. || **2.** Que implica alevosía o se hace con ella.

Alexifármaco, ca. (Del lat. *alexipharmăcon,* y éste del gr. ἀλεξιφάρμακον, contraveneno.) adj. *Med.* Dícese de la substancia o del medicamento preservativo o correctivo de los efectos del veneno. Ú. t. c. s. m.

Aleya. (Del ár. *al-āya.*) f. Versículo del Alcorán.

Alezna. (De *alesna,* por la semejanza de su semilla con la punta de aquélla.) f. *Rioja.* **Mostaza negra.**

Aleznado, da. adj. *Bot.* En forma de lezna.

Alezo. (Del fr. *alèze.*) m. Pedazo de lienzo en forma de faja con que se sujeta el vientre a las recién paridas.

Alfa. (Del gr. ἄλφα.) f. Primera letra del alfabeto griego, que corresponde a la que en el nuestro se llama *a.* || **Alfa y omega.** expr. fig. Principio y fin. || **2.** fig. Dícese de Cristo en cuanto es Dios, principio y fin de todas las cosas.

Alfaba. (Del ár. *al-ḥabba*, la pieza.) f. Suerte de tierra, compuesta de dos a cinco tahúllas, y a veces más, según la calidad del terreno.
Alfábega. (Del ár. *al-ḥabaq.*) f. **Albahaca.**
Alfabéticamente. adv. m. Por el orden del alfabeto.
Alfabético, ca. adj. Perteneciente o relativo al alfabeto.
Alfabetizar. tr. Ordenar alfabéticamente.
Alfabeto. (Del lat. *alphabētum*, y éste de las dos primeras letras del gr. ἄ, β: ἄλφα, βῆτα.) m. **Abecedario.**
Alfadía. (Del ár. *al-hadiyya*, el regalo.) f. ant. Cohecho, soborno.
Alfaguara. (Del ár. *al-fawwāra*, surtidor, tromba de agua.) f. Manantial copioso que surge con violencia.
Alfahar. (Del ár. *al-fajjār*, la vajilla, la alfarería.) m. **Alfar,** 1.er art., 1.ª acep.
Alfaharería. (De *alfaharero.*) f. **Alfarería.**
Alfaharero. (De *alfahar.*) m. **Alfarero.**
Alfaida. (Del ár. *al-fā'iḍa.*) f. La crecida del río por el flujo de la pleamar.
Alfaja. f. ant. **Alhaja,** 1.ª a 3.ª aceps.
Alfajeme. (Del ár. *al-ḥaŷŷām*, el sangrador, el que pone ventosas.) m. ant. **Barbero,** 1.er art., 1.ª acep.
Alfajía. f. *Carp.* **Alfarjía.**
Alfajor. m. **Alajú.** || **2.** Rosquillas de alajú. || **3.** *Argent.* y *Chile.* Golosina compuesta de dos piezas de masa más o menos fina, adheridas una a otra con manjar blanco u otra especie de dulce. || **4.** *Venez.* Pasta hecha de harina de yuca, papelón, piña y jengibre. || **5.** *Argent.* vulg. **Facón,** 2.ª acep.
Alfalfa. (Del ár. *al-faṣfaṣa.*) f. Mielga común que se cultiva para forraje. || **arborescente.** Arbusto siempre verde, de la familia de las papilionáceas, con hojas dentadas y flores de color amarillo. Es originario de Italia, y se cultiva como planta de adorno y para forraje.
Alfalfal. m. **Alfalfar.**
Alfalfar. m. Tierra sembrada de alfalfa.
Alfalfar. tr. *Argent.* y *Chile.* Sembrar un terreno de alfalfa.
Alfalfe. m. **Alfalfa.**
Alfalfez. m. *Ar.* **Alfalfa.**
Alfama. f. ant. **Aljama.**
Alfamar. m. ant. **Alhamar.** Ú. en *Sal.*
Alfamarada. (De *alfamar.*) f. ant. **Llamarada,** 3.ª acep.
Alfambra. (Del ár. *al-ḥamrā'*, la roja.) f. Nombre antiguo de la Alhambra de Granada.
Alfana. f. Caballo corpulento, fuerte y brioso.
Alfandoque. m. Pasta hecha con melado, queso y anís o jengibre, que se usa en América. || **2.** *Colomb.* Especie de alfeñique hecho de panela.
Alfaneque. m. Ave de África, variedad de halcón, de color blanquecino con pintas pardas y tarsos amarillentos, que, domesticada, se empleaba en la cetrería.
Alfaneque. (Del ár. *al-jānaqa*, el claustro.) m. ant. Tienda o pabellón de campaña.
Alfanigue. (Del ár. *al-banīqa*, el capillo o gorro femenino.) m. ant. **Mantellina.**
Alfanjado, da. adj. De figura de alfanje.
Alfanjazo. m. Golpe o herida de alfanje.
Alfanje. (Del ár. *al-janŷar*, el puñal.) m. Especie de sable, corto y corvo, con filo solamente por un lado y por los dos en la punta. || **2. Pez espada.**
Alfanjete. m. d. de **Alfanje.**
Alfaque. (Del ár. *al-jaqq*, la quebraza, la grieta en la tierra.) m. Banco de arena, generalmente en la desembocadura de los ríos. Ú. m. en pl. LOS ALFAQUES *de Tortosa.*
Alfaqueque. (Del ár. *al-fakkāk*, el redentor de cautivos.) m. El que, en virtud de nombramiento de autoridad competente, desempeñaba el oficio de redimir cautivos o libertar esclavos y prisioneros de guerra. || **2.** Aldeano o burgués que servía de correo.
Alfaquí. (Del ár. *al-faqīh*, el jurisconsulto.) m. Doctor o sabio de la ley, entre los musulmanes.
Alfaquín. (Del ár. *al-ḥakīm*, el sabio, el médico.) m. ant. **Médico,** 1.er art., 4.ª acep.
Alfar. (De *alfahar.*) m. Obrador de alfarero. || **2. Arcilla.**
Alfar. adj. Que alfa.
Alfar. (Del m. or. que *arfar.*) intr. Levantar el caballo demasiado, en los galopes u otro ejercicio violento, el cuarto delantero, sin doblar los corvejones ni bajar las ancas.
Alfaraz. (Del ár. *al-faras*, el caballo.) m. Caballo que usaban los árabes para las tropas ligeras.
Alfarda. (Del ár. *al-farḍa*, la obligación, la contribución.) f. Cierta contribución que pagaban los moros y judíos en los reinos cristianos. || **2.** *Ar.* Contribución por el aprovechamiento de las aguas. || **3.** En Marruecos, tributo, contribución extraordinaria. || **media.** *Ar.* Canon incompleto o reducido que pagan algunas tierras en compensación de no recibir todas las ventajas del riego.
Alfarda. (Del ár. *farḍa*, dicho de cada una de las dos cosas que forman un todo.) f. ant. Adorno que usaban las mujeres. || **2.** *Arq.* Par de una armadura.
Alfardar. (De *alfarda*, 1.er art.) tr. *Ar.* Incluir una tierra entre las de una corporación de regantes. || **2.** intr. *Ar.* Estar inscrita una tierra entre las de una corporación de regantes.
Alfardero. m. *Ar.* El que cobra el derecho de la alfarda.
Alfardilla. f. *Ar.* Cantidad corta que se paga, además de la alfarda, por la limpieza de las acequias menores, hijuelas de las principales. || **2.** Por ext., todo reparto extraordinario que han de pagar los herederos de una corporación de regantes.
Alfardilla. (d. de *alfarda*, 2.° art.) f. **Esterilla,** 2.ª acep.
Alfardón. (Del ár. *al-fard*, el impar.) m. *Ar.* **Arandela,** 1.er art., 2.ª acep. || **2.** Azulejo alargado, hexagonal, cuya parte central es un rectángulo.
Alfardón. m. *Ar.* **Alfarda,** 1.er art., 2.ª acep.
Alfareme. (Del ár. *al-ḥarām*, pieza de tela de lana blanca.) m. Toca semejante al almaizar, usada por los árabes para cubrir la cabeza.
Alfarense. adj. Natural de Alfaro. Ú. t. c. s. || **2.** Perteneciente a esta ciudad.
Alfarería. (De *alfaharería.*) f. Arte de fabricar vasijas de barro. || **2.** Obrador donde se fabrican. || **3.** Tienda o puesto donde se venden.
Alfarero. (De *alfaharero.*) m. Fabricante de vasijas de barro.
Alfargo. (De *alfarje.*) m. Viga del molino de aceite, que sirve para exprimir la aceituna.
Alfarje. (Del ár. *al-farš*, el piso, la tarima.) m. La piedra baja del molino de aceite. || **2.** Pieza o sitio donde está el **alfarje.** || **3.** Techo con maderas labradas y entrelazadas artísticamente. || **4.** Este mismo techo dispuesto para pisar encima.
Alfarjía. (De *alfarje.*) f. *Carp.* Madero de sierra, por lo común de 14 centímetros de tabla y 10 de canto, sin largo determinado, y que se emplea principalmente para cercos de puertas y ventanas. || **Media alfarjía.** Madero de sierra de 10 centímetros de tabla y siete de canto.
Alfarma. f. *Ar.* **Alharma.**
Alfarnate. (Del ár. *al-jarnaq*, el gazapo.) adj. ant. Bribón, tuno.
Alfarrazar. (Del ár. *al-jarrāṣ*, el que adivina por conjetura.) tr. *Ar.* Ajustar alzadamente el pago del diezmo de los frutos en verde.
Alfaya. (Del ár. *al-ḥaŷa*, cosa necesaria.) f. ant. Estimación, precio. || **2.** ant. **Alfaja.** || **Alfaya por alfaya, más quiero pandero que no saya.** ref. con que se zahiere a las personas de poco seso, que anteponen la diversión a la verdadera utilidad y conveniencia.
Alfayat. m. ant. **Alfayate.**
Alfayata. (De *alfayate.*) f. ant. **Sastra.**
Alfayate. (Del ár. *al-jayyāṭ*, el que cose.) m. ant. **Sastre.** || **Alfayate sin dedal, cose poco, y eso mal.** ref. contra los que se ponen a desempeñar su oficio sin los instrumentos correspondientes. || **El alfayate de la encrucijada pone el hilo de su casa.** ref. **El sastre del campillo,** o **del cantillo, que cosía de balde y ponía el hilo.**
Alfayatería. f. ant. Oficio de alfayate.
Alfayo. m. ant. Ingenio, destreza.
Alfazaque. (Del ár. *al-fassāq*, el malvado.) m. Insecto coleóptero, parecido al escarabajo común, de color negro con visos azulados, antenas cortas y élitros estriados. Abunda en España.
Alfeiza. f. **Alféizar.**
Alféizar. (En port. *alfeisar* y *alfeizar.*) m. *Arq.* Vuelta o derrame que hace la pared en el corte de una puerta o ventana, tanto por la parte de adentro como por la de afuera, dejando al descubierto el grueso del muro. || **2.** *Arq.* Rebajo en ángulo recto que forma el telar de una puerta o ventana con el derrame donde encajan las hojas de la puerta con que se cierra.
Alfeña. f. ant. **Alheña,** 1.ª a 3.ª aceps.
Alfeñar. tr. ant. **Alheñar.**
Alfeñicarse. (De *alfeñique.*) r. fig. y fam. Afectar delicadeza y ternura remilgándose y repuliéndose. || **2.** fig. y fam. Adelgazarse mucho.
Alfeñique. (Del ár. *al-fānīd*, el azúcar, y quizá, por cruce de sinónimos, del ár. *al-fināq* [con imela, *al-finīq*], los manjares delicados.) m. Pasta de azúcar cocida y estirada en barras muy delgadas y retorcidas. || **2.** fig. y fam. Persona delicada de cuerpo y complexión. || **3.** fig. y fam. Remilgo, compostura, afeite.
Alfeñique. (Del art. ár. *al*, y el gr. φοῖνιξ, por el color bermejo.) m. *And.* **Valeriana.**
Alferazgo. m. Empleo o dignidad de alférez.
Alferce. m. ant. **Alférez.**
Alferecía. (Del ár. *al-fāliŷiyya*, la hemiplejía, del gr. πληξία.) f. Enfermedad de la infancia, caracterizada por convulsiones y pérdida del conocimiento.
Alferecía. (De *alférez.*) f. **Alferazgo.**
Alférez. (Del ár. *al-fāris*, el jinete.) m. Oficial que llevaba la bandera en la infantería, y el estandarte en la caballería. || **2.** Oficial del ejército en el grado y empleo inferior de la carrera. Se le ha llamado algún tiempo segundo teniente y también subteniente. || **3.** ant. Caudillo, lugarteniente, representante. || **alumno.** El que sigue aún recibiendo la enseñanza en la respectiva academia militar. || **de fragata.** Grado de la marina de guerra, que equivale al de segundo teniente del ejército. || **del pendón real,** o **alférez del rey.** El que llevaba el pendón o estandarte real en los ejércitos del rey. || **de navío.** Grado de la marina de guerra, que equivale al de primer teniente del ejército. || **mayor** de una ciudad o villa. El que llevaba la bandera o pendón de la tropa o milicia perteneciente a ella. || **2.** El que alzaba el pendón real en las aclamaciones de los reyes, y tenía voz y voto en los cabildos y ayuntamientos, con asiento preeminente y el privilegio de entrar en ellos con espada. || **mayor de Castilla.** El alférez

del rey hasta que ese título pasó a ser honorífico y vinculado. || **mayor de los peones.** Jefe principal de los peones, o de la gente de a pie que servía en la guerra. || **mayor del pendón de la divisa,** o **alférez mayor del rey. Alférez del rey.**

Alferezado. m. ant. **Alferazgo.**

Alferraz. (Del ár. *al-farrās*, el que devora la presa.) m. Ave rapaz diurna, de unos 40 centímetros de altura, con la parte superior del cuerpo de color de ceniza, la inferior blanquecina con manchas pardas, nuca y muslos rojizos, pico corto muy encorvado y negro, y tarsos amarillentos. Se empleó en la cetrería.

Alficoz. (Del ár. *al-faqqūs*, especie de melón.) m. **Cohombro,** 1.ª y 2.ª aceps.

Alfiérez. m. ant. **Alférez.**

Alfil. (Del ár. *al-fīl*, y éste del persa *pīl*, el elefante.) m. Pieza grande del juego de ajedrez, que camina diagonalmente por las casas de su color, de una en otra o recorriendo de una vez todas las que halla libres.

Alfil. (Del ár. *al-fa'l*, el augurio, con imela.) m. ant. **Agüero.**

Alfilel. (Del ár. *al-jilāl*, lo que se entremete.) m. ant. **Alfiler.**

Alfiler. (De *alfilel.*) m. Clavillo metálico muy fino, que sirve generalmente para prender o sujetar alguna parte de los vestidos, los tocados y otros adornos de la persona. || **2.** Joya más o menos preciosa, semejante al **alfiler** común, o de figura de broche, que se usa para sujetar exteriormente alguna prenda del traje, o por adorno. Toma los nombres del lugar donde se coloca o de lo que contiene. ALFILER *de corbata, de pecho, de retrato.* || **3.** *Bot.* Árbol silvestre, leguminoso, de la isla de Cuba, que alcanza unos seis metros de altura, y cuya madera, compacta y de color pardo amarillento, se emplea en la construcción. || **4.** pl. Cantidad de dinero señalada a una mujer para costear el adorno de su persona. || **5.** Agasajo que suelen dar los pasajeros o huéspedes a las criadas de las posadas o de las casas en que paran, al tiempo de partir de ellas. || **6.** Juego de niños que consiste en empujar cada jugador con la uña del dedo pulgar, sobre cualquier superficie plana, un **alfiler,** que le pertenece, para formar cruz con otro **alfiler,** que hace suyo si logra formarla. || **7.** Planta herbácea de la familia de las geraniáceas, de tres a seis decímetros de altura, tallo grueso con hojas grandes, ovales, y pinadas en segmentos dentados; flores en pedúnculo, de pétalos purpúreos y desiguales, y fruto en carpelo, cuyas aristas se separan retorciéndose en forma de tirabuzón. || **Alfiler de París.** Clavo de cabeza plana y punta piramidal, hecho con alambre de hierro. || **Con todos sus alfileres.** loc. fig. y fam. **De veinticinco alfileres.** || **De veinticinco alfileres.** loc. fig. y fam. Con todo el adorno o compostura posible. Ú. más hablando de las mujeres. || **No caber un alfiler** en alguna parte. loc. fam. Estar un local repleto de gente. || **No estar** uno **con** sus **alfileres.** fr. fig. y fam. No estar de buen humor. || **Para alfileres.** loc. fam. que se aplica a la gratificación o propina que se da a los sirvientes. Ú. m. con los verbos *dar* y *pedir.* || **Pegado, prendido** o **preso con alfileres.** expr. fig. y fam. Dícese de todo lo que material y moralmente ofrece poca subsistencia o firmeza.

Alfilerazo. m. Punzada de alfiler. || **2.** fig. **Pulla,** 1.er art., 2.ª acep.

Alfilerera. f. *And.* Nombre que suele darse, por su forma, al fruto del geranio y a los de otras plantas.

Alfileresco, ca. adj. desus. Semejante al alfiler, 1.ª acep.

Alfilerillo. m. *Argent.* y *Chile.* Planta herbácea que se usa como forraje y que en el centro de las hojas tiene un apéndice en forma de alfiler. || **2.** *Méj.* Nombre común a varias plantas cactáceas que tienen púas largas y agudas. || **3.** *Méj.* Insecto que ataca a la planta del tabaco y constituye en algunas regiones una plaga temible.

Alfiletero. m. Especie de cañuto pequeño de metal, madera u otra materia, que sirve para tener en él alfileres y agujas.

Alfinde. (Del ár. *al-hind*, [el espejo de acero de] la India.) m. ant. **Acero.**

Alfinge. (Del ár. *al-isfinŷ*, el buñuelo, la esponja, y éste del gr. σπογγιά, esponja.) m. ant. **Buñuelo,** 1.ª acep.

Alfitete. (Del ár. *al-fatāt*, especie de pasta hecha de harina.) m. Composición de masa, a modo de sémola o farro.

Alfiz. (Del ár. *al-ifrīz*, ornamento arquitectónico.) m. Recuadro del arco árabe, que envuelve las albanegas y arranca, bien desde las impostas, bien desde el suelo.

Alfócigo. (De *alfóstigo.*) m. ant. **Alfóncigo.**

Alfolí. (Del ár. *al-hury*, el hórreo, el granero público.) m. Granero o pósito. || **2.** Almacén de la sal.

Alfoliero. m. El que tiene a su cargo y cuidado el alfolí.

Alfolinero. m. **Alfoliero.**

Alfombra. (Del ár. *al-jumra*, la esterilla de hoja de palmera.) f. Tejido de lana o de otras materias, y de varios dibujos y colores, con que se cubre el piso de las habitaciones y escaleras para abrigo y adorno. || **2.** fig. Conjunto o muchedumbre de cosas que cubren el suelo. ALFOMBRA *de flores, de hierba.*

Alfombra. (Del ár. *al-ḥumra*, el sarampión, la rojez.) f. **Alfombrilla.**

Alfombrar. tr. Cubrir el suelo con alfombra.

Alfombrero, ra. m. y f. Persona que hace alfombras.

Alfombrilla. (De *alfombra*, 2.° art.) f. *Med.* Erupción cutánea, que se diferencia del sarampión por la falta de los fenómenos catarrales.

Alfombrista. m. El que trata en alfombras y las vende. || **2.** El que las cose y acomoda en las habitaciones.

Alfóncigo. (Del m. or. que *alfóstigo.*) m. *Bot.* Árbol de la familia de las anacardiáceas, de unos tres metros de altura, hojas compuestas y de color verde obscuro; flores en maceta, y fruto drupáceo con una almendra pequeña de color verdoso, oleaginosa, dulce y comestible, llamada pistacho. Del tronco y de las ramas se extrae la almáciga. || **2.** Fruto de este árbol.

Alfóndega. (Del ár. *al-funduqa*, la posada, la alhóndiga, y éste del gr. πάνδοχος.) f. ant. **Alfóndiga.**

Alfondeguero. m. *Ar.* **Alhondiguero.**

Alfóndiga. (De *alfóndega.*) f. ant. **Alhóndiga.** Ú. en *Ar.* y *Sal.*

Alfonsario. (Del art. ár. *al*, y *fonsario*, foso.) m. ant. **Osario.**

Alfonsearse. (Quizá del m. or. que *alfonsina.*) r. fam. desus. Burlarse de otro en tono de chanza.

Alfonsí. adj. **Alfonsino.** || **2.** V. **Maravedí alfonsí.**

Alfónsigo. m. **Alfóncigo.**

Alfonsina. (De *Alfonso*, por celebrarse el acto así llamado en la capilla de San Ildefonso del Colegio Mayor.) f. Acto solemne de teología o medicina que se celebraba en la universidad de Alcalá, y en el cual se defendían muchas conclusiones, sin doctor padrino.

Alfonsino, na. adj. Perteneciente a alguno de los reyes españoles llamados Alfonso. || **2.** m. Moneda acuñada en tiempo de Alfonso el Sabio.

Alfonsismo. m. Adhesión a la monarquía de alguno de los reyes españoles llamados Alfonso.

Alforfón. (Del ár. *al-furfūr*, el euforbio y el trigo sarraceno.) m. Planta anua de la familia de las poligonáceas, como de un metro de altura, con tallos nudosos, hojas grandes y acorazonadas, flores blancas sonrosadas, en racimo, y fruto negruzco y triangular, de que se hace pan en algunas comarcas de España. || **2.** Semilla de esta planta.

Alforín. m. *Murc.* **Algorín,** 1.ª acep.

Alforiz. m. ant. **Alfolí.**

Alforja. (Del ár. *al-jurŷa*, la talega pendiente del arzón de la silla.) f. Especie de talega abierta por el centro y cerrada por sus extremos, los cuales forman dos bolsas grandes y ordinariamente cuadradas, donde, repartiendo el peso para mayor comodidad, se guardan algunas cosas que han de llevarse de una parte a otra. Ú. m. en pl. || **2.** V. **Cazador de alforja.** || **3.** Provisión de los comestibles necesarios para el camino. || **Pasarse a la otra alforja.** fr. fig. y fam. *Chile.* Excederse de los límites de la moderación y cortesía. || **¿Qué alforja?** expr. fam. de que se usa para denotar el enfado o desprecio con que se oye alguna cosa. *¿Qué dinero, ni* QUÉ ALFORJA!; *¿qué pretensión, ni* QUÉ ALFORJA!

Alforjero, ra. adj. Perteneciente a las alforjas. || **2.** V. **Perro alforjero.** || **3.** m. y f. Persona que hace o vende alforjas. || **4.** Persona destinada a llevar en la alforja la comida para otras. || **5.** m. Lego o donado de algunos institutos religiosos mendicantes que pide limosna de pan y otras cosas, y la recoge en las alforjas que lleva.

Alforjón. m. **Alforfón.**

Alforjuela. f. d. de **Alforja.**

Alforre. (Del ár. *al-ḥurr*, el gavilán, el halcón.) m. ant. Especie de halcón.

Alforrochar. (De *alforrocho.*) tr. *Ar.* Espantar a las gallinas del corral para hacerlas salir de él o espantarlas de un lugar.

Alforrocho. (Del ár. *al-furruŷ.*) m. *Ar.* El pollo, la gallina.

Alforza. (Del ár. *al-jurza*, la costura.) f. Pliegue o doblez horizontal que se hace alrededor y por la parte inferior de las faldas, sayas y otras ropas talares, como adorno o para acortarlas y poderlas alargar cuando sea necesario. || **2.** fig. y fam. Costurón, cicatriz, grieta.

Alforzar. tr. Hacer alforzas, 1.ª acep. || **2.** Dar forma de alforza.

Alfóstiga. f. ant. **Alfóncigo,** 2.ª acep.

Alfóstigo. (Del ár. *al-fustaq*, el pistacho, y éste del gr. πιστάκια.) m. ant. **Alfóncigo.**

Alfoz. (Del ár. *al-ḥawz*, el distrito, el pago.) amb. Arrabal, término o pago de algún distrito, o que depende de él. || **2.** Distrito con diferentes pueblos, que forman una jurisdicción sola.

Alga. (Del lat. *alga.*) f. *Bot.* Cualquiera de las plantas talofitas, unicelulares o pluricelulares, que viven de preferencia en el agua, tanto dulce como marina, y que, en general, están provistas de clorofila, acompañada a veces de otros pigmentos de colores variados que la enmascaran; el talo de las pluricelulares tiene forma de filamento, de cinta o de lámina y puede ser ramificado. || **2.** pl. *Bot.* Clase de estas plantas.

Algaba. (Del ár. *al-gāba*, el bosque.) f. Bosque, selva.

Algabeño, ña. adj. Natural de la Algaba. Ú. t. c. s. || **2.** Perteneciente a este pueblo de la provincia de Sevilla.

Algadara. f. **Algarrada.**

Algafacán. (Del ár. *al-jafaqān*, la palpitación.) m. ant. Dolor de corazón.

Algaida. (Del ár. *al-gaiḍa*, la breña, la selva.) f. Bosque o sitio lleno de matorrales espesos.

Algaida. (Del ár. *al-qa'ida*, montón de arena.) f. **Médano.**

Algaido, da. (De *algaida*, 1.er art.) adj. *And.* Cubierto de ramas o paja.

Algalia. (Del ár. *al-gāliya*, el perfume del almizcle con ámbar.) f. Substancia untuosa, de consistencia de miel, blanca, que luego pardea, de olor fuerte y sabor acre. Se saca de la bolsa que cerca del ano tiene el gato de **algalia** y se emplea en perfumería. ‖ **2.** *Bot.* **Abelmosco.** ‖ **3.** m. **Gato de algalia.**

Algalia. (De *argalia*.) f. *Cir.* Especie de tienta algo encorvada, hueca, abierta por una punta y agujereada por uno o por dos lados del otro extremo, y la cual se usa para las operaciones de la vejiga, para la dilatación de la uretra, y especialmente para dar curso y salida a la orina.

Algaliar. tr. Perfumar con algalia, 1.er art., 1.ª acep.

Algaliero, ra. adj. Dícese del que usa de olores, y principalmente de algalia. Ú. t. c. s.

Algar. (Del ár. *al-gār*.) m. ant. Cueva o caverna.

Algara. (Del ár. *al-gāra*, la incursión de guerra en un país.) f. Tropa de a caballo que salía a correr y robar la tierra del enemigo. ‖ **2.** Correría de esta tropa. ‖ **3.** ant. **Vanguardia,** 1.ª acep.

Algara. (Del ár. *al-galāla*, la película.) f. **Binza.**

Algarabía. (Del ár. *al-ʿarabiyya*, la lengua árabe.) f. Lengua árabe. ‖ **2.** fig. y fam. Lengua o escritura ininteligible. ‖ **3.** fig. y fam. Manera de hablar atropelladamente y pronunciando mal las palabras. ‖ **4.** fig. y fam. Gritería confusa de varias personas que hablan a un tiempo. ‖ **5.** p. us. Enredo, maraña. ‖ **Algarabía de allende, que el que la habla no la entiende.** ref. contra los que no se explican bien, por ser afectados en el lenguaje.

Algarabía. f. *Bot.* Planta anua silvestre, de la familia de las escrofulariáceas, de seis a ocho decímetros de altura, de tallo nudoso que produce dos vástagos opuestos, los cuales echan también sus ramos de dos en dos, con hojas lanceoladas y tomentosas, y flores amarillas. De esta planta se hacen escobas.

Algarabiado, da. adj. Que sabe la algarabía, 1.er art., 1.ª acep. Ú. t. c. s.

Algarabío, a. (Del ár. *al-ʿarabī*, el arábigo.) adj. ant. Natural de la Arabia. Usáb. t. c. s.

Algaracear. (Del lat. *glaciāre*, helar.) intr. *Guad.* Caer nieve menuda.

Algarada. f. Algara, 1.er art., 1.ª y 2.ª aceps. ‖ **2.** Vocería grande causada por una algara o por algún tropel de gente.

Algarada. f. **Algarrada,** 1.er art.

Algarazo. m. *Ar.* Lluvia de duración corta y de intensidad regular.

Algareador, ra. (De *algarear*.) adj. ant. **Algarero.**

Algarear. (De *algara*, 1.er art.) intr. ant. Vocear o gritar.

Algarero, ra. adj. Voceador, parlero. ‖ **2.** m. Hombre de a caballo que formaba parte de una algara.

Algarivo, va. (Del ár. *al-garīb*, el extraño, el extranjero.) adj. ant. **Extraño,** 1.ª acep. ‖ **2.** ant. Injusto, inicuo, rebelde.

Algarrada. (Del ár. *al-ʿarrāda*, la máquina de lanzar piedras.) f. Máquina de guerra usada en lo antiguo para disparar o arrojar pelotas o piedras contra las murallas de las fortalezas.

Algarrada. (De *algarada*, 1.er art.) f. Fiesta que consiste en echar al campo un toro para correrlo con vara larga. ‖ **2. Encierro,** 5.ª acep. ‖ **3. Novillada,** 2.ª acep.

Algarroba. (Del ár. *al-jarrūba*, el algarrobo.) f. *Bot.* Planta anua de la familia de las papilionáceas, de flores blancas y semilla algo parda con pintas obscuras, y que, seca, se da de comer a las palomas y a los bueyes y caballerías. ‖ **2.** Semilla de esta planta. ‖ **3.** Fruto del algarrobo, que es una vaina azucarada y comestible, de unos 10 centímetros de largo, de color castaño por fuera y amarillenta por dentro, con semillas muy duras, y la cual se da como alimento al ganado de labor.

Algarrobal. m. Sitio sembrado de algarrobas. ‖ **2.** Sitio poblado de algarrobos.

Algarrobera. f. **Algarrobo.**

Algarrobero. m. **Algarrobera.**

Algarrobilla. (d. de *algarroba*.) f. **Arveja,** 1.ª acep.

Algarrobo. m. *Bot.* Árbol siempre verde, de la familia de las papilionáceas, de ocho a diez metros de altura, con copa de ramas irregulares y tortuosas, hojas lustrosas y coriáceas, flores purpúreas, y cuyo fruto es la algarroba. Originario de Oriente, se cría en las regiones marítimas templadas y florece en otoño y en invierno. ‖ **loco. Ciclamor.**

Algavaro. (Del ár. *al-gawwār*, el algarero.) m. *Zool.* Insecto coleóptero, del suborden de los tetrámeros, muy común en España, de más de 20 milímetros de longitud, enteramente negro y con las antenas más largas que el cuerpo.

Algazafán. (Del ár. *al-ʿaṣafān*.) m. Las agallas.

Algazara. (Del ár. *al-gazāra*, la locuacidad, el murmullo, el ruido.) f. Vocería de los moros y de otras tropas, al sorprender o acometer al enemigo. ‖ **2.** Ruido de muchas voces juntas, que por lo común nace de alegría. ‖ **3.** Ruido, gritería, aunque sea de una sola persona. ‖ **4.** ant. **Algara,** 1.er art., 1.ª acep.

Algazul. (Del ár. *al-gāsūl*, la planta jabonera.) m. *Bot.* Planta anua de la familia de las aizoáceas, de unos cinco decímetros de altura, hojas crasas, de color verde amarillento, y flores poco visibles y llenas de vesículas transparentes que semejan gotas de rocío. Es planta de las estepas, y sus cenizas se utilizaban para hacer barrilla.

Álgebra. (Del ár. *al-ŷabra*, la reducción.) f. Parte de las matemáticas, que trata de la cantidad considerada en general, sirviéndose para representarla de letras u otros signos especiales. ‖ **2.** Arte de restituir a su lugar los huesos dislocados.

Algebraico, ca. adj. Perteneciente o relativo al álgebra, 1.ª acep. ‖ **2.** V. **Cálculo algebraico.**

Algébrico, ca. adj. **Algebraico.**

Algebrista. com. Persona que estudia, profesa o sabe el álgebra, 1.ª acep. ‖ **2.** Cirujano dedicado especialmente a la curación de dislocaciones de huesos. ‖ **3.** *Germ.* **Alcahuete, ta,** 1.ª acep.

Algecireño, ña. adj. Natural de Algeciras. Ú. t. c. s. ‖ **2.** Perteneciente a esta ciudad.

Algente. (Del lat. *algens, -entis*, p. a. de *algēre*, estar frío.) adj. poét. **Frío,** 1.ª acep.

Algidez. (De *álgido*.) f. *Med.* Frialdad glacial.

Álgido, da. (Del lat. *algĭdus*.) adj. Muy frío. ‖ **2.** *Med.* Acompañado de frío glacial. *Fiebre* ÁLGIDA; *período* ÁLGIDO *del cólera morbo.*

Algo. (Del lat. *alĭquod*.) pron. indet. con que se designa una cosa que no se quiere o no se puede nombrar. *Leeré* ALGO *mientras vuelves; aquí hay* ALGO *que no comprendo.* ‖ **2.** También denota cantidad indeterminada, grande o pequeña, pero más especialmente lo segundo, considerada a veces en absoluto y a veces en relación a otra cantidad mayor o totalidad de la cual forma parte. *Apostemos* ALGO; *falta* ALGO *para llegar a la ciudad; dió* ALGO *de sus ahorros.* ‖ **3.** m. ant. Hacienda, caudal. Ú. en *Burg.* y usáb. t. en pl. *El magnífico debe ser muy sabio porque sepa cómo ha de partir sus* ALGOS. ‖ **4.** adv. c. Un poco, no completamente o del todo, hasta cierto punto. *Anda* ALGO *escaso de dinero; se franqueó* ALGO *conmigo; entiende* ALGO *el latín.* ‖ **5.** ant. Bastante, mucho. ‖ **Algo ajeno no hace heredero.** ref. con que se advierte que la hacienda mal adquirida no aprovecha a los herederos. ‖ **Algo es algo.** fr. **Más vale algo que nada.** ‖ **Algo es queso, pues se da por peso.** ref. que advierte que no se deben despreciar las cosas, aunque parezcan de poco valor. ‖ **Algo qué.** loc. Cosa o cantidad de consideración. ‖ **2.** Algún tanto. ‖ **Más vale algo que nada.** fr. proverb. con que se advierte que no se deben despreciar las cosas por muy pequeñas o de poca calidad. ‖ **Por algo.** loc. fam. Por algún motivo, no sin razón.

Algodón. (Del ár. *al-quṭn*, pronunciado *al-quṭun* o *al-qṭūn*, la misma planta.) m. Planta vivaz de la familia de las malváceas, con tallos verdes al principio y rojos al al tiempo de florecer; hojas alternas casi acorazonadas y de cinco lóbulos; flores amarillas con manchas encarnadas, y cuyo fruto es una cápsula que contiene de 15 a 20 semillas, envueltas en una borra muy larga y blanca, que se desenrolla y sale al abrirse la cápsula. ‖ **2.** Esta borra. ‖ **3.** Hilado o tejido hecho de esta borra. ‖ **4.** V. **Linón, manta, pólvora de algodón.** ‖ **5.** pl. Hebras gruesas de **algodón,** seda deshilada, raeduras de asta, etc., puestas en e fondo del tintero para que la pluma no coja demasiada tinta. ‖ **6.** Bolitas de hebras de **algodón** que algunos se colocan en los oídos. ‖ **Algodón pólvora. Pólvora de algodón.** ‖ **Estar** uno **criado entre algodones.** fr. fig. y fam. Estar criado con regalo y delicadeza. ‖ **Llevar, meter** o **tener** a uno **entre algodones.** fr. fig. y fam. Tratarle con regalo y delicadeza.

Algodonal. m. Terreno poblado de plantas de algodón. ‖ **2. Algodón,** 1.ª acep.

Algodonar. tr. Estofar o rellenar de algodón alguna cosa.

Algodoncillo. (d. de *algodón*.) m. *Bot.* Planta perenne americana, de la familia de las asclepiadáceas, de hojas anchas, ovales y vellosas, flores de color blanco rojizo y olorosas, y cuyas semillas dan una borra parecida a la del algodón.

Algodonero, ra. adj. Perteneciente o relativo al algodón. ‖ **2.** m. y f. Persona que trata en algodón. ‖ **3.** m. **Algodón,** 1.ª acep.

Algodonosa. f. Planta de la familia de las compuestas, de tres a cuatro decímetros de altura, con hojas alternas y ovaladas, flores amarillas en corimbo y toda ella abundantemente cubierta de una borra blanca, muy larga, semejante al algodón. Crece espontáneamente en el litoral del Mediterráneo.

Algol. (Del ár. *al-gūl*.) m. Estrella de la constelación de Perseo, notabilísima entre las variables.

Algorfa (Del ár. *al-gurfa*.) f. Sobrado o cámara alta, para recoger y conservar granos.

Algorín. (De *alhorí*.) m. Cada una de las divisiones abiertas por delante y construidas sobre un plano inclinado, alrededor del patio del molino de aceite, para depositar separadamente la aceituna de cada cosechero hasta que se muela. ‖ **2.** Patio donde están estas divisiones, y el cual tiene las oportunas vertientes para recoger en un sumidero el alpechín que mana de las aceitunas.

Algoritmia. (De *algoritmo*.) f. Ciencia del cálculo aritmético y algebraico; teoría de los números.

Algorítmico, ca. adj. Perteneciente o relativo al algoritmo. ‖ **2.** *Mat.* V. **Geometría algorítmica.**

Algoritmo. (Del ár. *al-Jwārizmī*, sobrenombre del célebre matemático Mohámed ben Musa.) m. **Algoritmia.** ‖ **2.** Método y notación en las distintas formas del cálculo.

Algorza. (Del ár. *al-'urṣa*, el recinto.) f. p. us. **Barda,** 2.ª acep.

Algoso, sa. adj. Lleno de algas.

Alguacil. (Del ár. *al-wazīr*, el ministro.) m. Oficial inferior de justicia, que ejecuta las órdenes del tribunal a quien sirve. || **2.** En lo antiguo, gobernador de una ciudad o comarca, con jurisdicción civil y criminal. || **3.** Funcionario del orden judicial que se diferenciaba del juez en que éste era de nombramiento real, y aquél, del pueblo o comunidad que lo elegía. || **4.** Especie de araña de unos seis milímetros de largo, de patas cortas, de color ceniciento y con cinco manchas negras sobre el lomo. Persigue a las moscas. || **de ayuntamiento.** Oficial inferior ejecutor de los mandatos de los alcaldes y tenientes de alcalde. || **de campo, del campo,** o **de la hoz.** El que cuida de los sembrados, para que no los dañen las gentes entrando en ellos. || **del agua.** *Mar.* El que en los buques cuidaba de la provisión de agua. || **de la montería.** El que guardaba las telas, las redes y todos los demás aparejos de la montería, y proveía de carros y de bagajes para llevarlos al lugar donde el rey mandaba. Traía vara alta de justicia por todo el reino. || **de moscas. Alguacil,** 4.ª acep. || **mayor.** Cargo honorífico que había en las ciudades y villas del reino y en algunos tribunales, como las chancillerías, y al cual correspondían ciertas funciones. || **Alguacil de campo, cojo o manco.** ref. que advierte que el que ejerce este oficio suele recibir graves heridas por impedir que se entre a cazar en los términos del lugar cuya defensa tiene a su cargo. || **Alguacil descuidado, ladrones cada mercado.** ref. que advierte los desórdenes que nacen del descuido de los ministros de justicia. || **Cada uno tiene su alguacil.** fr. proverb. con que se da a entender que nadie, por grande que sea su independencia o autoridad, deja de tener quien se las coarte observándole y fiscalizando sus acciones. || **Descalabrar al alguacil, y acogerse al corregidor.** ref. que se dice del que, procurando huir de un peligro, se mete más en él.

Alguacila. f. ant. **Alguacilesa.**

Alguaciladgo. m. ant. **Alguacilazgo.**

Alguacilazgo. m. Oficio de alguacil.

Alguacilejo. m. d. de **Alguacil.**

Alguacilería. f. Acción o treta de alguacil.

Alguacilesa. f. Mujer del alguacil.

Alguacilesco, ca. adj. Propio del alguacil o perteneciente a él.

Alguacilía. f. Empleo de alguacil.

Alguacilillo. m. Cada uno de los dos alguaciles que en las plazas de toros preceden a la cuadrilla durante el paseo, y uno de los cuales recibe del presidente la llave del toril, quedando luego a sus órdenes durante la corrida.

Alguandre. (Del lat. *aliquantŭle.*) adv. c. ant. **Algo,** 4.ª y 5.ª aceps. || **2.** adv. t. ant. **Jamás.**

Alguanto, ta. (Del lat. *aliquantus.*) pron. indet. ant. **Alguno,** 4.ª acep.

Alguaquida. (Del ár. *al-waqīda*, la mecha, lo que sirve para encender.) f. **Pajuela,** 2.ª acep.

Alguaquidero, ra. m. y f. Persona que hace o vende alguaquidas.

Alguarín. (De *algorín.*) m. *Ar.* Aposentillo o cuartito bajo para guardar o recoger alguna cosa. || **2.** *Ar.* Pilón donde cae la harina que sale de la muela.

Alguarismo. m. ant. **Guarismo,** 2.ª y 3.ª aceps. || **2.** ant. **Algoritmo.**

Alguaza. (Del ár. *ar-razza.*) f. *Ar.* Bisagra o gozne.

Alguese. (De *alarguez.*) m. *And.* **Agracejo,** 3.ª acep.

Alguien. (Del lat. *alĭquem*, acus. de *alĭquis.*) pron. indet. con que se significa vagamente una persona cualquiera, que no se nombra ni determina.

Alguinio. m. *Ar.* Cesta o cuévano grande que sirve para vendimiar o recoger frutos.

Algún. adj. Apócope de **Alguno.** No se emplea sino antepuesto a nombres masculinos. ALGÚN *hombre;* ALGÚN *tiempo.* || **Algún tanto.** m. adv. Un poco, algo.

Algunamente. adv. m. ant. De algún modo.

Algund. adj. ant. **Alguno.**

Alguno, na. (Del lat. *alĭquis*, alguien, y *unus*, uno.) adj. que se aplica indeterminadamente a una persona o cosa con respecto a varias o muchas. || **2.** Ni poco ni mucho; bastante. *De* ALGUNA *duración.* || **3.** ant. *For.* **Válido,** por contraposición a ninguno o nulo. || **4.** pron. indet. **Alguien.** *¿Ha venido* ALGUNO? || **Alguno que otro.** loc. Unos cuantos, pocos.

Algunt. adj. ant. **Alguno.**

Alhábega. f. *Murc.* **Albahaca.**

Alhacena. f. **Alacena.**

Alhadida. (Del ár. *al-ḥadīd*, el hierro.) f. ant. *Quím.* Sulfato de cobre.

Alhaite. (Del ár. *al-jaiṭ*, el hilo, el sartal.) m. ant. Joyel o joya.

Alhaja. (Del ár. *al-hāŷa*, la cosa necesaria, el utensilio.) f. **Joya,** 1.ª acep. || **2.** Adorno o mueble precioso. || **3.** fig. Cualquiera otra cosa de mucho valor y estima. || **4.** fig. y fam. Persona o animal de excelentes cualidades. Ú. frecuentemente en sentido irón. || **5.** ant. **Caudal,** 1.er art., 4.ª acep. || **Alhaja que tiene boca, ninguno la toca.** ref. con que se da a entender que todos huyen de aquello que trae costa o gasto. || **¡Buena alhaja!** expr. irón. que se aplica a la persona pícara viciosa, o a la que es astuta, avisada y traviesa.

Alhajar. tr. Adornar con alhajas. || **2.** **Amueblar.**

Alhajeme. m. ant. **Alfajeme.**

Alhajú. m. **Alajú.**

Alhajuela. f. d. de **Alhaja.**

Alhama. f. ant. **Aljama.**

Alhamar. (Del ár. *al-ḥanbal*, el cobertor, el tapiz.) m. ant. Manta o cobertor encarnado.

Alhámega. (De *alhárgama.*) f. **Alharma.**

Alhamel. (Del ár. *al-ḥammāl*, el ganapán, el fardero.) m. *And.* **Bestia de carga.** || **2.** *And.* **Ganapán,** 1.ª acep. || **3.** *And.* **Arriero.**

Alhamí. (Quizá del ár. *al-hammā'*, las asentaderas, con imela.) m. Poyo o banco de piedra más bajo que los ordinarios y revestido comúnmente de azulejos.

Alhandal. (Del ár. *al-ḥanẓal.*) m. *Farm.* **Coloquíntida,** 2.ª acep.

Alhanía. (Del ár. *al-ḥaniyya*, el arco, el aposento abovedado.) f. ant. **Alcoba,** 1.ª acep. || **2.** ant. **Alacena.** || **3.** ant. Especie de colchoncillo.

Alhaqueque. m. ant. **Alfaqueque.**

Alhaquín. (Del ár. *al-ḥā'ikīn*, los tejedores.) m. ant. **Tejedor,** 3.ª acep.

Alhaquín. m. ant. **Alfaquín.**

Alharaca. (Del ár. *al-ḥaraka*, el movimiento.) f. Extraordinaria demostración o expresión con que por ligero motivo se manifiesta la vehemencia de algún afecto, como de ira, queja, admiración, alegría, etc. Ú. m. en pl.

Alharaquiento, ta. adj. Que hace alharacas.

Alhareme. m. ant. **Alfareme.**

Alhárgama. f. **Alharma.**

Alharma. (Del ár. *al-ḥarmal*, la ruda, y éste del gr. ἅρμαλα.) f. Planta de la familia de las rutáceas, de unos cuatro decímetros de altura, ramosa, con hojas laciniadas y flores blancas, muy olorosa, y cuyas semillas sirven de condimento en Oriente, y también se comen tostadas.

Alhavara. (Del ar. *al-huwwārà*, la harina muy blanca.) f. ant. Harina de flor. || **2.** Cierto derecho que se pagaba antiguamente en las tahonas de Sevilla.

Alhelí. (Del ár. *al-jairī.*) m. Planta vivaz, europea, de la familia de las crucíferas, que se cultiva para adorno, y cuyas flores, según sus variedades, son sencillas o dobles, blancas, rojas, amarillas o de otros colores, y de grato olor. || **de Mahón. Mahonesa,** 1.ª acep.

Alheña. (Del ár. *al-ḥinnā'*, el ligustro.) f. Arbusto de la familia de las oleáceas, de unos dos metros de altura, ramoso, con hojas casi persistentes, opuestas, aovadas, lisas y lustrosas; flores pequeñas, blancas y olorosas, en racimos terminales, y por frutos bayas negras, redondas y del tamaño de un guisante. || **2.** Flor de este arbusto. || **3.** Polvo a que se reducen las hojas de la **alheña** cogidas en la primavera y secadas después al aire libre. Sirve para teñir. || **4. Azúmbar,** 1.ª acep. || **5.** Roya o tizón. || **Hecho alheña. Molido como una alheña.** exprs. figs. y fams. Quebrantado por algún trabajo excesivo, cansancio, golpes, etcétera.

Alheñar. tr. Teñir con polvos de alheña. Ú. t. c. r. || **2.** r. **Arroyarse.** || **3.** Quemarse o anublarse las mieses.

Alhiara. f. ant. **Aliara.**

Alhidada. f. ant. **Alidada.**

Alhinde. m. ant. **Alfinde.**

Alhócigo. m. **Alfóncigo.**

Alholí. m. **Alfolí.**

Alholía. f. ant. **Alholí.**

Alholva. (Del ár. *al-ḥulba*, el fenogreco.) f. *Bot.* Planta de la familia de las papilionáceas, de dos a tres decímetros de altura, con hojas agrupadas de tres en tres, acorazonadas, vellosas y blanquecinas por debajo; flores pequeñas y blancas, y por fruto una vaina larga y encorvada, plana y estrecha, con semillas amarillentas, duras y de olor desagradable. || **2.** Semilla de esta planta.

Alholvar. m. Terreno sembrado de alholvas.

Alhombra. f. ant. **Alfombra,** 1.° y 2.° arts.

Alhombrar. tr. ant. **Alfombrar.**

Alhombrero. m. ant. **Alfombrero.**

Alhóndiga. (De *alfóndiga.*) f. Casa pública destinada para la compra y venta del trigo. En algunos pueblos sirve también para el depósito y para la compra y venta de otros granos, comestibles o mercaderías que no devengan impuestos o arbitrios de ninguna clase mientras no se vendan.

Alhondigaje. (De *alhóndiga.*) m. *Méj.* **Almacenaje.**

Alhondiguero. m. El que cuida de la alhóndiga.

Alhorí. (Del ár. *al-hury*, el hórreo, el granero.) m. ant. **Alholí.**

Alhorín. m. ant. **Alhorí.** || **2.** *Ál.* **Troj.**

Alhorma. (Del ár. *al-ḥurma*, el presidio, la guardia.) f. Real o campo de moros.

Alhorre. (Del ár. *al-jur'*, el excremento.) m. Excremento de los niños recién nacidos. || **2.** Erupción en la piel del cráneo, el rostro, las nalgas o los muslos de los recién nacidos: es varia en su aspecto y poco duradera, y en otro tiempo se la creyó ocasionada por la incompleta expulsión de aquel humor excrementicio. || **Yo te curaré el alhorre.** expr. fam. de que se usa algunas veces para amenazar con azotes a los niños traviesos.

Alhorría. (Del ár. *al-ḥurriyya*, la calidad de horro o libre.) f. ant. **Ahorría.**

Alhorro. m. *Ál.* **Alforre.**

Alhorza. f. ant. **Alforza.**

Alhoz. m. **Alfoz.**

Alhucema. (Del ár. *al-juzāma.*) f. **Espliego.**

Alhucemilla. (d. de *alhucema.*) f. Planta de la familia de las labiadas, de tallo leñoso con ramos de medio metro de largo, hojas opuestas divididas en hojuelas casi lineales y vellosas, flores azules en espigas terminales y semilla menuda.

Alhuceña. (Del ár. *al-jušainā'*, la asperilla.) f. Planta anua de la familia de las crucíferas, con tallo recto de unos tres decímetros de altura, hojas largas, hendidas al través y vellosas, flores blancas en espiga, y por fruto una vaina pequeña y cilíndrica terminada en cornezuelo. Es comestible.

Alhumajo. m. En algunas partes, hojas de los pinos.

Alhurreca. (Del ár. *al-ḥurrāqa*, el agua muy salada.) f. **Adarce.**

Ali. m. En el juego de la secansa, dos o tres cartas iguales en el número o en la figura.

Aliabierto, ta. adj. Abierto de alas.

Aliaca. f. ant. **Aliacán.**

Aliacán. (Del ár. *al-yarqān*.) m. **Ictericia.**

Aliacanado, da. (De *aliacán*.) adj. **Ictericiado.**

Aliáceo, a. (Del lat. *allium*, ajo.) adj. Perteneciente al ajo o que tiene su olor o sabor.

Aliadas. (Metátesis de *adehalas*.) f. pl. Gratificación que por Navidad solían dar en Vizcaya los dueños de las ferrerías a los fundidores.

Aliado, da. p. p. de **Aliar.** || **2.** adj. Dícese de la persona con quien uno se ha unido y coligado. Ú. t. c. s.

Aliadófilo, la. adj. Dícese del que durante la guerra europea de 1914 fué partidario de las naciones aliadas en contra de Alemania.

Aliaga. f. **Aulaga.**

Aliagar. (De *aliaga*.) m. **Aulagar.**

Alianza. (De *aliar*.) f. Acción de aliarse dos o más naciones, gobiernos o personas. || **2.** V. **Arca de la alianza.** || **3.** Pacto o convención. || **4.** Conexión o parentesco contraído por casamiento. || **5.** fig. Unión de cosas que concurren a un mismo fin.

Alianzarse. (De *alianza*.) r. ant. **Aliarse.**

Aliar. (Del lat. *alligāre*, atar.) tr. p. us. Poner de acuerdo y reunir para un fin común. || **2.** rec. Unirse o coligarse, en virtud de tratado, los príncipes o Estados unos con otros para defenderse de los enemigos o para ofenderlos. Ú. t. c. r. || **3.** Unirse o coligarse con otro. Ú. t. c. r.

Aliara. (Del ár. *al-'iyāra*, la medida.) f. **Cuerna,** 1.ª acep.

Aliaria. (Del lat. *alliaria*, de *allium*, ajo.) f. Planta de la familia de las crucíferas, con tallos cilíndricos, duros y ramosos, de unos siete decímetros de largo, hojas acorazonadas, flores blancas muy pequeñas en espiga terminal, y por fruto una vaina pequeña y llena de simientes menudas que sirven para condimento. Toda la planta despide olor parecido al del ajo.

Alias. adv. lat. De otro modo, por otro nombre. *Alfonso Tostado*, ALIAS *el Abulense*. || **2.** m. **Apodo,** 1.ª acep.

Alible. (Del lat. *alibilis*, de *alĕre*, alimentar.) adj. Capaz de alimentar o nutrir.

Álica. (Del lat. *alica*, espelta.) f. Poleadas o puches que se hacían de varias legumbres, y principalmente de espelta.

Alicaído, da. adj. Caído de alas. || **2.** fig. y fam. Débil, falto de fuerzas por edad o indisposición. || **3.** fig. y fam. Triste y desanimado. || **4.** fig. y fam. Dícese del que ha decaído de las riquezas, poder, altura y estado floreciente en que antes se hallaba.

Alicántara. f. **Alicante.**

Alicante. m. Especie de víbora, de siete a ocho decímetros de largo y de hocico remangado. Es muy venenosa y se cría en todo el mediodía de Europa.

Alicante. n. p. V. **Barrilla de Alicante.**

Alicantina. f. fam. Treta, astucia o malicia con que se procura engañar.

Alicantino, na. adj. Natural de Alicante. Ú. t. c. s. || **2.** Perteneciente a esta ciudad.

Alicanto. m. Arbusto originario de la América Septentrional y muy cultivado en los jardines de Chile por su flor, que es bastante olorosa.

Alicatado, da. p. p. de **Alicatar.** || **2.** m. Obra de azulejos, generalmente de estilo árabe.

Alicatar. (Del ár. *al-qaṭā'a*, la pieza, la cortadura.) tr. **Azulejar.** || **2.** *Arq.* Cortar o raer los azulejos para darles la forma conveniente.

Alicates. (Del ár. *al-liqāṭ*, la tenaza.) m. pl. Tenacillas de acero con brazos encorvados y puntas cuadrangulares o de figura de cono truncado, y que sirven para coger y sujetar objetos menudos o para torcer alambres, chapitas delgadas o cosas parecidas.

Alicer. m. **Alizar.**

Aliciente. (Del lat. *alliciens, -entis*, p. a. de *allicĕre*, atraer, cautivar.) m. Atractivo o incentivo.

Alicionar. (De *a*, 2.° art., y *lición*.) tr. ant. **Aleccionar.**

Alicortar. tr. Cortar las alas. || **2.** Herir a las aves en las alas dejándolas impedidas para volar.

Alicuanta. (Del lat. *aliquantus; de alius*, otro, y *quantus*, cuanto.) adj. V. **Parte alicuanta.**

Alícuota. (Del lat. *aliquot*.) adj. V. **Parte alícuota.** || **2.** **Proporcional,** 1.ª acep.

Alidada. (Del ár. *al-'iḍāda*, la regla del carpintero.) f. Regla fija o móvil que lleva perpendicularmente y en cada extremo una pínula o un anteojo. Acompaña a ciertos instrumentos de topografía y sirve para dirigir visuales.

Alidona. (Del gr. χελιδών, golondrina.) f. Concreción lapídea que se suponía encontrarse en el vientre de las golondrinas.

Alienable. (De *alienar*.) adj. **Enajenable.**

Alienación. (Del lat. *alienatio, -ōnis*.) f. Acción y efecto de alienar. || **2.** *Med.* Término genérico que comprende todos los trastornos intelectuales, tanto los temporales o accidentales como los permanentes.

Alienado, da. p. p. de **Alienar.** || **2.** adj. Loco, demente. Ú. t. c. s.

Alienar. (Del lat. *alienāre*, de *aliēnus*, ajeno.) tr. **Enajenar.** Ú. t. c. r.

Aliende. (Por *allende*.) adv. l. y c. ant. **Allende,** 1.ª y 2.ª aceps.

Alienígena. (Del lat. *alienigĕna; de aliēnus*, ajeno, y *genĕre*, engendrar, nacer.) adj. **Extranjero.** Ú. t. c. s.

Alienígeno, na. (Del lat. *alienigĕnus*.) adj. Extraño, no natural.

Alienista. (Del lat. *alienāre*, perder el juicio.) adj. Dícese del médico especialmente dedicado al estudio y curación de las enfermedades mentales. Ú. t. c. s.

Aliento. (Del lat. **alĕnitus*, por *anhēlitus*, respiración.) m. Acción de alentar. || **2.** **Respiración,** 2.ª acep. || **3.** fig. Vigor del ánimo, esfuerzo, valor. Ú. t. en pl. || **4.** fig. **Soplo,** 1.ª acep. || **5.** p. us. **Olfato,** 1.ª acep. || **6.** p. us. Emanación, exhalación. || **De un aliento.** m. adv. Sin tomar nueva respiración. || **2.** fig. Sin pararse, sin detenerse, seguidamente.

Alier. m. ant. Soldado de marina que tenía su puesto en los costados del navío para defenderlo por aquella parte. || **2.** ant. Remero de galera.

Alifa. (Del ár. *al-ḥalfa*, el junco y una especie de caña de azúcar.) f. *Mál.* Caña de azúcar de dos años.

Alifafe. (Del ár. *an-nafaj*, la hinchazón.) m. fam. Achaque generalmente leve. || **2.** *Veter.* Tumor sinovial que, por el trabajo excesivo, suele desarrollarse en los corvejones de las caballerías, y de que hay varias especies.

Alifafe. (Del ár. *al-liḥāf*.) m. ant. Cobertor, cubierta.

Alifar. (Del lat. *allevāre*; de *ad*, a, y *lĕvis*, liso, pulido.) tr. *Mancha.* Pulir, acicalar.

Alifara. (Del ár. *al-faraḥ*, la alegría, el convite.) f. *Ar.* Convite o merienda.

Alífero, ra. (Del lat. *alifer; de ala*, ala, y *ferre*, llevar.) adj. **Alígero.**

Aligación. (Del lat. *alligatio, -ōnis*.) f. Ligazón, trabazón o unión de una cosa con otra. || **2.** V. **Regla de aligación.**

Aligamiento. m. **Aligación.**

Aligar. (Del lat. *alligāre; de ad*, a, y *ligāre*, atar.) tr. p. us. **Ligar,** 1.ª y 9.ª aceps. Ú. t. c. r.

Áliger. (Del lat. *alĭger*, alígero, por los gavilanes en forma de alas.) m. ant. Parte de la guarnición de la espada, que resguarda la mano.

Aligeramiento. m. Acción y efecto de aligerar o aligerarse.

Aligerar. tr. Hacer ligero o menos pesado. Ú. t. c. r. || **2.** Abreviar, acelerar. || **3.** fig. Aliviar, moderar, templar.

Alígero, ra. (Del lat. *alĭger; de ala*, ala, y *gerĕre*, levar.) adj. poét. **Alado,** 1.ª acep. || **2.** fig. y poét. Rápido, veloz, muy ligero.

Aligonero. (Del art. ár. *al*, y *lodón*, de lat. *lotus*.) m. **Almez.**

Aligustre. (De *ligustro*.) m. **Alheña,** 1.ª acep.

Alijador, ra. (De *alijar*, 2.° art.) adj. Que alija. Ú. t. c. s. || **2.** m. y f. Persona que tiene por oficio separar la borra de la simiente del algodón. || **3.** m. **Barcaza.**

Alijar. (Del ár. *ad-dišār*, propiedad para pastos.) m. **Dehesa.** || **2.** **Aduar,** 1.ª acep. || **3.** **Cortijo,** 1.ª acep. || **4.** **Serranía.**

Alijar. (Del lat. **allĕviāre*, aliviar.) tr. Aligerar, aliviar la carga de una embarcación o desembarcar toda la carga. || **2.** Transbordar o echar en tierra géneros de contrabando. || **3.** Separar la borra de la simiente del algodón.

Alijarar. (De *alijar*, 1.er art.) tr. Repartir las tierras incultas para su cultivo.

Alijarero. m. El que toma para su cultivo algún pedazo de alijar.

Alijariego, ga. adj. Perteneciente o relativo a los alijares.

Alijo. m. Acción de alijar. || **2.** Conjunto de géneros o efectos de contrabando. || **3.** p. us. **Ténder.**

Alim. m. Arbolito del archipiélago filipino, de la familia de las euforbiáceas, que llega a tres metros y medio de altura; sus hojas se hallan cubiertas de un polvo farináneo por el envés, y machacadas con aceite de ajonjolí o sin él se usan para curar la hinchazón de las piernas.

Alimania. f. ant. **Alimaña.**

Alimanisco, ca. adj. ant. **Alemanisco.**

Alimaña. (Del lat. *animalia*, pl. de *animal, -ālis*, animal.) f. **Animal,** 1.er art., 2.ª acep. || **2.** Animal perjudicial a la caza menor, como la zorra, el gato montés, el milano, etc.

Alimañero. m. Guarda de caza empleado en la destrucción de alimañas.

Alimara. (Del ár. *al-'imāra*, la señal.) f. ant. **Ahumada.**

Alimentación. f. Acción y efecto de alimentar o alimentarse.

Alimentador, ra. adj. Que alimenta. Ú. t. c. s.

Alimental. adj. Que sirve para alimentar.

Alimentante. p. a. de **Alimentar.** Que alimenta. Apl. a pers., ú. t. c. s.

Alimentar. tr. Dar alimento al cuerpo de los animales o de los vegetales. Ú. t. c. r. || **2.** Suministrar a una máquina en movimiento la materia que necesita para seguir funcionando. || **3.** fig. Hablando de virtudes, vicios, pasiones, sentimientos y afectos del alma, sostenerlos, fomentarlos. || **4.** *For.* Suministrar a alguna persona lo necesario para su manutención y subsistencia, arregladamente al estado civil, a la condición social y a las necesidades y recursos del alimentista y del pagador.

Alimentario. (Del lat. *alimentarĭus.*) adj. Propio de la alimentación o referente a ella. || **2.** m. *For.* **Alimentista.**

Alimenticio, cia. adj. Que alimenta o tiene la propiedad de alimentar. || **2.** V. **Bolo alimenticio.** || **3.** V. **Bomba alimenticia.** || **4.** V. **Conservas alimenticias.**

Alimentista. com. Persona que goza asignación para alimentos.

Alimento. (Del lat. *alimentum,* de *alĕre,* alimentar.) m. Cualquier substancia que, una vez ingerida y transformada convenientemente, proporciona al organismo la materia y la energía que éste necesita para mantenerse en vida. || **2.** fig. Lo que sirve para mantener la existencia de algunas cosas que, como el fuego, necesitan de pábulo o pasto. || **3.** fig. Tratándose de cosas incorpóreas, como virtudes, vicios, pasiones, sentimientos y afectos del alma sostén, fomento, pábulo. || **4.** pl. Asistencias que se dan para el sustento adecuado de alguna persona a quien se deben por ley, disposición testamentaria, fundación de mayorazgo o contrato. || **Alimento plástico.** El que sirve principalmente, como los albuminoides, para reparar la pérdida de materia que constantemente padece el organismo a consecuencia de su actividad fisiológica. || **respiratorio.** El destinado principalmente, como las féculas, a procurar energía al organismo, mediante la combinación de dicho **alimento** con el oxígeno aportado por la función respiratoria. || **Ser una cosa de mucho,** o **poco, alimento.** fr. Tener mucho, o poco, poder nutritivo.

Alimentoso, sa. (De *alimento.*) adj. Que nutre mucho.

Álimo. (Del lat. *halĭmon,* y éste del gr. ἅλιμον.) m. **Orzaga.**

Alimoche. m. **Abanto,** 1.ª y 2.ª aceps.

Alimón (Al). (Aféresis de *alalimón.*) m. adv. que se dice de la suerte del toreo en que dos lidiadores, asiendo cada cual de uno de los extremos de un solo capote, citan al toro y lo burlan, pasándole aquél por encima de la cabeza.

Alimonarse. (De *a,* 2.° art., y *limón.*) r. Enfermar ciertos árboles de verdura perenne, como el olivo, tomando sus hojas color amarillento.

Alimosna. (Del lat. *eleemosyna.*) f. ant. **Limosna.**

Alimpiador, ra. (De *alimpiar.*) adj. ant. **Limpiador.** Usáb. t. c. s.

Alimpiadura. (De *alimpiar.*) f. ant. **Limpiadura,** 1.ª acep.

Alimpiamiento. (De *alimpiar.*) m. ant. **Limpiamiento.**

Alimpiar. tr. ant. **Limpiar.**

Alindadamente. adv. m. ant. **Lindamente.**

Alindado, da. p. p. de **Alindar,** 2.° art. || **2.** adj. Presumido de lindo o afectadamente pulcro. || **3.** ant. Hermoso, lindo.

Alindamiento. m. Acción y efecto de alindar, 1.er art., 1.ª acep.

Alindar. tr. Poner o señalar los lindes a una heredad. || **2.** intr. **Lindar.**

Alindar. tr. Poner lindo o hermoso. Ú. t. c. r. || **2.** r. ant. Componerse, adornarse.

Alinde. (De *alfinde.*) m. ant. **Alfinde.** || **2.** ant. Superficie bruñida o brillante como la de un espejo. || **De alinde.** loc. De aumento. *Cristal, espejo, ojos* DE ALINDE.

Alindongarse. r. *Sal.* Vestirse con excesiva elegancia.

Alineación. f. Acción y efecto de alinear o alinearse.

Alinear. tr. Poner en línea recta. Ú. t. c. r.

Aliñado, da. p. p. de **Aliñar.** || **2.** adj. Aseado, dispuesto.

Aliñador, ra. adj. Que aliña. Ú. t. c. s. || **2.** m. ant. Administrador o ejecutor. || **3.** m. y f. *Chile.* **Algebrista,** 2.ª acep.

Aliñamiento. m. ant. Acción y efecto de aliñar, 2.ª acep.

Aliñar. (Del lat. *ad,* a, y *lineāre,* poner en línea, en orden.) tr. **Aderezar,** 1.ª, 3.ª, 4.ª y 6.ª aceps. || **2.** ant. Gobernar, administrar. || **3.** *Chile.* Arreglar o concertar los huesos dislocados. || **La que lo aliña, ésa lo hila.** ref. que enseña que el que cuida de ordenar las cosas es ordinariamente el propio autor de ellas.

Aliño. m. Acción y efecto de aliñar o aliñarse. || **2.** Aquello con que se aliña alguna persona o cosa. || **3.** Disposición y aparato para hacer alguna cosa. || **4.** Condimento, aderezo con que se sazona la comida. || **5.** ant. Apero, instrumento que sirve para la labranza o cualquier otro ejercio. Usáb. m. en pl.

Aliñoso, sa. (De *aliño.*) adj. Adornado, compuesto. || **2.** Cuidadoso, aplicado.

Alioj. m. ant. **Mármol,** 1.ª acep.

Alioli. (Del cat. *alioli,* de *all,* del lat. *allĭum,* ajo, y *oli,* del lat. *ŏlĕum,* aceite.) m. **Ajiaceite.**

Alionín. m. Pájaro de unos siete centímetros de largo, que tiene la cabeza, la garganta y el pecho de color negro azulado, una mancha en la nuca y los lados del cuello blancos, el vientre pardo y las alas negras con listas blancas.

Alipata. m. Árbol de las islas Filipinas, de la familia de las euforbiáceas, de hojas alternas, flores unisexuales en espiga y madera aromática que contiene un jugo acre.

Alípede. (Del lat. *alĭpes, -ĕdis;* de *ala,* ala, y *pes,* pie.) adj. poét. Que lleva alas en los pies. || **2.** *Zool.* **Alípedo,** 2.ª acep. Ú. t. c. s.

Alípedo, da. (Del m. or. que *alípede.*) adj. **Alípede.** || **2.** *Zool.* **Quiróptero.** Ú. t. c. s.

Aliquebrado, da. p. p. de **Aliquebrar.** || **2.** adj. fig. y fam. **Alicaído,** 2.ª, 3.ª y 4.ª aceps.

Aliquebrar. tr. Quebrar las alas. Ú. t. c. r.

Alirón. m. *Ar.* **Alón,** 1.er art.

Alirrojo, ja. adj. De alas rojas. *Tordo* ALIRROJO.

Alisador, ra. adj. Que alisa. Ú. t. c. s. || **2.** m. Instrumento de boj u otra madera fuerte, de unos 10 centímetros de grueso y unos 40 de largo, bien acepillado y liso, con asidero a los dos extremos, de que se sirven los cereros para alisar las velas.

Alisadura. f. Acción y efecto de alisar o alisarse. || **2.** pl. Partes menudas que quedan de la madera, piedra u otra cosa que se ha alisado.

Alisal. m. **Alisar.**

Alisar. m. Sitio poblado de alisos.

Alisar. (De *liso.*) tr. Poner lisa alguna cosa. Ú. t. c. r. || **2.** Arreglar el cabello pasando ligeramente el peine sobre él.

Aliseda. f. **Alisar.**

Alisios. adj. pl. V. **Vientos alisios.** Ú. t. c. s.

Alisma. (Del lat. *alisma,* y éste del gr. ἄλισμα.) f. Planta perenne de la familia de las alismáceas, que crece en terrenos pantanosos, hasta unos 60 centímetros de altura, con hojas acorazonadas, ovales o lanceoladas; flores blanquecinas en panoja piramidal sobre un escapo desnudo, fruto seco y semilla sin albumen.

Alismáceo, a. (De *alisma.*) adj. *Bot.* **Alismatáceo.**

Alismatáceo, a. (De *alisma,* nombre de un género de plantas.) adj. *Bot.* Dícese de plantas angiospermas monocotiledóneas, acuáticas, comúnmente perennes, con rizoma feculento, hojas radicales, bohordo, flores solitarias o en umbela, racimo, verticilo o panoja, y frutos secos en aquenio o folículo, con semillas sin albumen; como la alisma y el junco florido. Ú. t. c. s. f. || **2.** f. pl. *Bot.* Familia de estas plantas.

Aliso. (Del lat. *alysson,* y éste del gr. ἄλυσσον, planta que se creía eficaz contra la rabia.) m. Árbol de la familia de las betuláceas, de 10 a 12 metros de altura, tronco limpio y rollizo, corteza pardusca, copa redonda y bien poblada, hojas alternas, trasovadas y algo viscosas, flores blancas en corimbos colgantes y frutos comprimidos, pequeños y rojizos. Críase en terrenos aguanosos, y su madera, que es muy dura y algo amarillenta, se emplea en la construcción de instrumentos de música y otros muchos objetos. || **2.** Madera de este árbol. || **negro. Arraclán,** 1.er art.

Alistado, da. p. p. de **Alistar,** 1.er art. || **2.** adj. **Listado,** 2.ª acep.

Alistador. m. El que alista, 1.er art., 1.ª acep. || **2.** *C. Rica.* Operario encargado de alistar, 2.° art., 2.ª acep.

Alistamiento. m. Acción y efecto de alistar o alistarse, 1.er art., 1.ª acep. || **2.** Conjunto de mozos a quienes cada año obliga el servicio militar.

Alistar. (De *lista.*) tr. Sentar o escribir en lista a alguno. Ú. t. c. r. || **2.** r. Sentar plaza en la milicia.

Alistar. (De *a,* 2.° art., y *listo.*) tr. Prevenir, aprontar, aparejar, disponer. Ú. t. c. r. || **2.** *C. Rica.* Oficial de zapatero encargado de acoplar y coser las piezas de que consta el calzado.

Aliteración. (Del lat. *ad,* a, y *littĕra,* letra.) f. *Ret.* Figura que se comete empleando en una cláusula voces en que frecuentemente se repiten una o unas mismas letras, lo cual, si no tiene por objeto producir alguna armonía imitativa, o si ocurre independientemente de la voluntad del escritor, no es figura retórica, sino vicio del lenguaje, contrario a la eufonía. || **2.** *Ret.* **Paronomasia,** 4.ª acep.

Aliterado, da. adj. Que tiene aliteración.

Alitero. (Del gr. ἀλιτηρός, impío, execrable.) m. ant. Hombre impío o cruel.

Alitierno. m. **Aladierna.**

Aliviadero. (De *aliviar.*) m. Vertedero de aguas sobrantes embalsadas o canalizadas.

Aliviador, ra. adj. Que alivia. Ú. t. c. s. || **2.** m. Palanca que en los molinos harineros sirve para levantar o bajar la piedra, de modo que la harina pueda salir más o menos fina. || **3.** *Germ.* Ladrón que recibe el hurto que otro hace y se va con él para ponerlo en cobro.

Aliviamiento. m. ant. **Alivio,** 1.ª acep.

Alivianar. (De *a,* 2.° art., y *liviano.*) tr. ant. **Aliviar.**

Aliviar. (Del lat. *alleviāre,* aligerar, atenuar; de *ad,* a, y *levis,* ligero.) tr. Aligerar, hacer menos pesado. || **2.** Quitar a una persona o cosa parte del peso que sobre ella carga. Ú. t. c. r. || **3.** fig. Disminuir o mitigar la enfermedad o dar mejoría al enfermo. Ú. t. c. r. || **4.** fig. Disminuir o mitigar las fatigas del cuerpo o las aflicciones del ánimo. Ú. t. c. r. || **5.** fig. Tratándose del paso, acelerarlo o alargarlo. || **6.** fig. Tratándose de alguna obra, aligerarla o apresurarla. || **7.** Por ext., p. us. **Soliviar.**

Alivio. (De *aliviar.*) m. Acción y efecto de aliviar o aliviarse. || **2.** *Germ.* Descargo que da el preso. || **3.** *Germ.* **Procurador,** 3.ª acep.

Alivioso, sa. adj. desus. Que da o procura alivio.

Alizace. (Del ár. *al-'isas,* los cimientos.) m. ant. Zanja, y en especial la que se abre para poner en ella los cimientos de un edificio.

Alizar. (Del ár. *al-'izār,* el velo, el paño.) m. Cinta o friso de azulejos de diferentes labores en la parte inferior de las paredes de los aposentos. || **2.** Cada uno de estos azulejos.

Alizarina. f. Materia colorante que se extrae de la raíz de rubia.

Aljaba. (Del ár. *al-ŷa'ba*, el carcaj.) f. Caja portátil para flechas, ancha y abierta por arriba, estrecha por abajo y pendiente de una cuerda o correa con que se colgaba del hombro izquierdo a la cadera derecha.

Aljabibe. (Del ár. *al-ŷabbāb* [con imela *al-ŷabbīb*], el vendedor de chupas.) m. ant. Ropavejero.

Aljafana. (Del m. or. que *aljebana*.) f. Aljofaina.

Aljama. (Del ár. *al-ŷamā'a*, la congregación.) f. Junta de moros o judíos. ‖ **2.** Sinagoga, 2.ª acep. ‖ **3.** Morería o judería.

Aljama. (Del ár. *al-ŷāmi'*, la mezquita con sermón los viernes.) f. **Mezquita.**

Aljamel. m. *And.* **Alhamel.**

Aljamía. (Del ár. *al-'aŷamiyya*, la [lengua] extranjera, no árabe.) f. Nombre que daban los moros a la lengua castellana. Hoy se aplica especialmente a los escritos de los moriscos en nuestra lengua con caracteres arábigos.

Aljamiado, da. adj. Que hablaba la aljamía. ‖ **2.** Escrito en aljamía.

Aljaqueca. f. ant. **Jaqueca.**

Aljarafe. m. **Ajarafe.**

Aljaraz. (Del ár. *al-ŷaras*, la campana.) m. ant. Campanilla o esquila.

Aljarfa. (Del ár. *al-ŷarfa*, la barredera.) f. Parte central y más tupida del aljerife.

Aljarfe. m. **Aljarfa.**

Aljebana. (Del ár. *al-ŷafna*, la escudilla.) f. **Jofaina.**

Aljebena. f. *Murc.* **Aljebana.**

Aljecería. (De *aljecero*.) f. **Yesería.**

Aljecero. (De *aljez*.) m. **Yesero** 2.ª acep.

Aljecireño, ña. adj. **Algecireño.**

Aljemifao. m. ant. **Mercero.**

Aljerife. (Del ár. *al-ŷārif*, el barredor, el que rastrilla.) m. Red muy grande para pescar que se usaba antiguamente.

Aljerifero. m. El que tenía por oficio pescar con aljerife.

Aljez. (Del ár. *al-ŷibs*, el yeso.) m. Mineral de yeso.

Aljezar. (De *aljez*.) m. **Yesar.**

Aljezón. (De *aljez*.) m. **Yesón.**

Aljibe. (Del ár. dialect. *al-ŷibb*, el pozo.) m. **Cisterna.** ‖ **2.** ant. Cárcel subterránea. ‖ **3.** *Arq.* V. **Bóveda de aljibe.** ‖ **4.** *Mar.* Barco en cuya bodega, forrada de hierro, se lleva el agua a las embarcaciones; y, por extensión, el destinado a transportar petróleo. ‖ **5.** *Mar.* Cada una de las cajas de chapa de hierro en que se tiene el agua a bordo.

Aljibero. m. El que cuida de los aljibes.

Aljimifrado, da. adj. ant. Nimiamente pulcro, acicalado.

Aljofaina. (Del ár. *al-ŷufaina*, la escudillita.) f. **Jofaina.**

Aljófar. (Del ár. *al-ŷawhar*, la perla.) m. Perla de figura irregular y, comúnmente, pequeña. ‖ **2.** Conjunto de perlas de esta clase. ‖ **3.** fig. Cosa parecida al **aljófar**, como las gotas de rocío.

Aljofarar. tr. Cubrir o adornar con aljófar alguna cosa. ‖ **2.** fig. y poét. Hacer que una cosa parezca formada de aljófar o cubrirla o adornarla con algo que lo imite.

Aljofifa. (Del ár. *al-ŷaffāfa*, la que enjuga, con imela.) f. Pedazo de paño basto de lana para fregar el suelo.

Aljofifar. tr. Fregar con aljofifa.

Aljonje. m. **Ajonje.**

Aljonjera. f. **Ajonjera.**

Aljonjero. adj. V. **Cardo aljonjero.** ‖ **2.** m. **Ajonjero.**

Aljonjolí. m. **Ajonjolí,** 1.ª y 2.ª aceps.

Aljor. (Del ár. *al-'aŷūr*, el ladrillo de barro.) m. **Aljez.**

Aljorca. f. ant. **Ajorca.**

Aljuba. (Del ár. *al-ŷubba*, la túnica.) f. Vestidura morisca, especie de **gabán** con mangas cortas y estrechas que usaron también los cristianos españoles.

Aljuma. (Del ár. *al-ŷumma*, el mechón, la mata.) f. *And.* Pimpollo o tallo nuevo de las plantas. ‖ **2.** *And.* **Pinocha,** 1.er art.

Alkermes. m. **Alquermes.**

Alma. (Del lat. *ănĭma*.) f. Substancia espiritual e inmortal, capaz de entender, querer y sentir, que informa al cuerpo humano y con él constituye la esencia del hombre. ‖ **2.** V. **Altar de alma.** ‖ **3.** V. **Recomendación del alma.** ‖ **4.** V. **Cura, padre de almas.** ‖ **5.** Por ext., principio sensitivo que da vida e instinto a los animales, y vegetativo que nutre y acrecienta las plantas. ‖ **6. Vida,** 1.ª acep. Ú. m. en frs. figuradas. *Arrancarle a uno el* ALMA. ‖ **7.** fig. Persona, individuo. *No parece ni se ve una* ALMA *en la plaza.* ‖ **8.** fig. Substancia o parte principal de cualquiera cosa. ‖ **9.** V. **Pedazo del alma.** ‖ **10.** fig. Viveza, espíritu, energía. *Hablar, representar con* ALMA; *este verso, este retrato tiene mucha* ALMA. ‖ **11.** V. **Cuerpo sin alma.** ‖ **12.** fig. Lo que da espíritu, aliento y fuerza a alguna cosa, o la persona que la impulsa o inspira. *El amor a la patria es el* ALMA *de los Estados; fulano fue el* ALMA *del movimiento.* ‖ **13.** fig. Lo que se mete en el hueco de algunas piezas de poca consistencia para darles fuerza y solidez, como el palo que se mete en hacheros de metal, varas de palio, etc. ‖ **14.** fig. Hueco o parte vana de algunas cosas. ‖ **15.** En las piezas de artillería y en toda arma de fuego, en general, el hueco del cañón. ‖ **16.** fig. Pieza de hierro forjado que forma el **recazo** y espiga de la espada y en la parte correspondiente a la hoja va envuelta por las dos tejas **de acero.** ‖ **17.** fig. En los instrumentos de cuerda que tienen puente, como violín, contrabajo, etc., palo que se pone entre sus dos tapas para que se mantengan a igual distancia. ‖ **18.** *Arq.* Madero que, asentado y fijo verticalmente, sirve para sostener los otros maderos o los tablones de los andamios. ‖ **atravesada.** fig. y fam. **Alma de Caín.** ‖ **de caballo.** fig. y fam. Persona que sin escrúpulo alguno comete maldades. ‖ **de Caín.** fig. Persona aviesa o cruel. ‖ **de cántaro.** fig. y fam. Persona falta de discreción y sensibilidad. ‖ **de Dios.** fig. Persona muy bondadosa y sencilla. ‖ **de Judas.** fig. **Alma de Caín.** ‖ **del negocio.** fig. Objeto verdadero de él, su móvil verdadero, secreto o principal. ‖ **en pena.** La que padece en el purgatorio. ‖ **2.** fig. Persona que anda sola, triste y melancólica. ‖ **nacida.** expr. ponderativa que se usa con negación para significar que se excluyen o incluyen todos en la materia de que se habla, sin excepción de persona alguna. ‖ **perdida.** Ave del Perú, que vive en lugares solitarios de las montañas y cuyo canto, semejante a chillidos lastimeros, se oye de noche y al amanecer. ‖ **viviente.** expr. Alma nacida. ‖ **Abrir uno su alma** a otro. fr. fig. y fam. **Abrir uno a otro su corazón.** ‖ **Agradecer con,** o **en, el alma** alguna cosa. fr. fig. y fam. Agradecerla vivamente. ‖ **¡Alma mía!** expr. de cariño. ‖ **Arrancarle** a uno **el alma.** fr. Quitarle la vida. ‖ **Arrancársele** a uno **el alma.** fr. fig. Sentir gran dolor o conmiseración por algún suceso lastimoso. ‖ **Caérsele** a uno **el alma a los pies.** fr. fig. y fam. Abatirse, desanimarse por no corresponder la realidad a lo que esperaba o creía. ‖ **Como alma que lleva el diablo.** expr. fam. Con extraordinaria ligereza o velocidad y grande agitación o perturbación del ánimo. Empléase con los verbos *ir, salir*, etc. ‖ **Con el alma,** o **con toda el alma,** o **con mil almas.** frs. figs. y fams. **Con el alma y con la vida.** ‖ **Con el alma y con la vida,** o **y la vida.** expr. Con mucho gusto, de muy buena gana. ‖ **Dar uno el alma,** o **dar uno el alma a Dios.** fr. Expirar, morir. ‖ **Dar uno el alma al diablo.** fr. fig. y fam. Atropellar por todo para hacer su gusto. ‖ **Darle,** o **decirle,** a uno **el alma** alguna cosa. fr. fig. **Darle el corazón** una cosa. ‖ **Despedir uno el alma.** fr. **Dar el alma.** ‖ **Echar** uno **el alma.** fr. fig. **Echar los bofes.** ‖ **Echar,** o **echarse,** uno **el alma atrás,** o **a las espaldas.** fr. fig. y fam. Proceder sin atenerse a los dictados de la conciencia o prescindiendo de todo respeto. ‖ **Encomendar el alma.** fr. **Recomendar el alma.** ‖ **En el alma.** loc. fig. Entrañablemente. Ú. m. con los verbos *sentir, doler, alegrarse*, etc. ‖ **Entregar uno el alma,** o **entregar uno el alma a Dios.** fr. **Dar el alma.** ‖ **Estar** uno **como el alma de Garibay.** fr. fig. y fam. No hacer ni deshacer ni tomar partido en alguna cosa. ‖ **Estar uno con el alma en la boca,** o **entre los dientes.** fr. fig. y fam. Estar para morir. ‖ **2.** fig. y fam. Padecer tan gran temor que parece que está en riesgo de morir. ‖ **Estar** uno **con el alma en un hilo.** fr. fig. y fam. Estar agitado por el temor de un grave riesgo o trabajo. ‖ **Exhalar uno el alma.** fr. **Dar el alma.** ‖ **Hablar** uno **al alma** a otro. fr. fig. y fam. Hablarle con gran interés, procurando persuadirle, conmoviéndole. ‖ **2.** Hablarle con claridad y verdad, sin contemplación ni lisonja. ‖ **Írsele el alma** a uno **por,** o **tras,** alguna cosa. fr. fig. y fam. Apetecerla con ansia. ‖ **Llegarle a uno al alma** alguna cosa. fr. fig. Sentirla vivamente. ‖ **Llevar** a uno **en el alma.** fr. fig. y fam. Quererlo entrañablemente. ‖ **Llevar** alguna cosa **tras sí el alma** a uno. fr. fig. Moverle y atraerle con mucha fuerza. ‖ **Manchar uno el alma.** fr. fig. Afearla con el pecado. ‖ **¡Mi alma!** expr. **¡Alma mía!** ‖ **No tener** uno **alma.** fr. fig. No tener compasión ni caridad. ‖ **2.** fig. No tener conciencia. ‖ **3.** fig. Ser indiferente a cuanto puede mover el ánimo. ‖ **Partir** una cosa **el alma.** fr. fig. Causar grande aflicción o lástima. ‖ **Paseársele** a uno **el alma por el cuerpo.** fr. fig. y fam. Ser muy calmoso e indolente. ‖ **Perder** uno **el alma.** fr. fig. y fam. **Condenarse,** 7.ª acep. ‖ **Pesarle a uno en el alma** alguna cosa. fr. Arrepentirse o dolerse vivamente de ella. ‖ **Quedar uno como el alma de Garibay.** fr. fig. y fam. **Estar como el alma de Garibay.** ‖ **Recomendar el alma.** fr. Decir las preces que la Iglesia tiene dispuestas para los que están en la agonía. ‖ **Rendir uno el alma,** o **rendir uno el alma a Dios.** fr. **Dar el alma.** ‖ **Romperle** a uno **el alma.** fr. fig. y fam. **Romperle la crisma.** ‖ **Sacar uno el alma** a otro. fr. fig. y fam. Matarle o hacerle mucho mal. Dícese ordinariamente amenazando. ‖ **2.** fig. y fam. Hacerle gastar cuanto tiene. ‖ **Sacar** a uno **el alma de pecado.** fr. fig. y fam. Hacer con arte que diga o conceda lo que no quería. ‖ **Salírsele** a uno **el alma.** fr. **Dar el alma.** ‖ **Su alma en su palma.** ref. con que se da a entender que prescindimos de juzgar las acciones de otro, dejando por cuenta suya las buenas o malas resultas. ‖ **Tener uno el alma bien puesta.** fr. fig. y fam. Tener ánimo y resolución. ‖ **Tener uno el alma en,** o **entre, los dientes.** fr. fig. y fam. **Estar con el alma entre los dientes.** ‖ **Tener** uno **el alma en un hilo.** fr. fig. y fam. **Estar con el alma en un hilo.** ‖ **Tener uno el alma parada.** fr. fig. y fam. No discurrir ni usar de las potencias como debiera. ‖ **Tener uno en el alma,** o **sobre el alma,** a otro. fr. fig. y fam. Tenerle presente en sus desgracias, sintiéndolas y deseando remediarlas. ‖ **Tener** uno **más almas que un gato.** fr. fig. y fam. **Tener siete almas como gato.** ‖ **Te-**

ner uno siete almas como gato, o como un gato. fr. fig. y fam. Tener uno siete vidas como los gatos. || Tener uno su alma en su almario, en su cuerpo, o en sus carnes. fr. fig. y fam. Tener facultad y aptitud para hacer alguna cosa. || 2. fig. y fam. Tener el alma bien puesta. || Tocarle a uno en el alma. fr. fig. Tocarle en el corazón. || Tocarle a uno en el alma alguna cosa. fr. fig. Llegarle al alma. || Traer uno el alma en la boca, o en las manos. fr. fig. y fam. Estar padeciendo algún mal o trabajo muy grande. || Volverle a uno el alma al cuerpo. fr. fig. y fam. Librarle de algún grave cuidado o temor.

Almacabra. (Del ár. *al-maqābir*, los cementerios.) m. ant. Cementerio de moros.

Almacaero. m. El que tenía por oficio pescar con almancebe.

Almacén. (De *almagacén*.) m. Casa o edificio público o particular donde se guardan por junto cualesquiera géneros, como granos, pertrechos, comestibles, etc. || 2. Local donde los géneros en él existentes se venden, por lo común, al por mayor. || 3. ant. Conjunto de municiones y pertrechos de guerra. || de agua. *Mar.* Aljibe que se instalaba generalmente en la cubierta principal del buque para servicio inmediato de la marinería. Antes se utilizaba por medio de vasos o grifos, y hoy mediante unos tubos que penetran casi hasta el fondo del agua y terminan, al exterior, en unos pezones o chupadores de plata, por los que se hace la succión. || Gastar uno almacén, o mucho almacén. fr. fig. y fam. Traer o llevar puestas como adorno muchas cosas, y todas ellas menudas y de poca estimación. || 2. fig. y fam. Gastar muchas palabras y usar de grandes ponderaciones para explicar alguna cosa de poca entidad.

Almacenado, da. p. p. de Almacenar. || 2. m. Cantidad de vino que se guarda en la bodega para criarlo.

Almacenaje. m. Derecho que se paga por guardar las cosas en un almacén o depósito.

Almacenamiento. m. Acción de almacenar.

Almacenar. tr. Poner o guardar en almacén. || 2. Reunir o guardar muchas cosas.

Almacenero. m. Guardalmacén.

Almacenista. com. Dueño de un almacén. || 2. Persona que despacha los géneros que en él se venden. || 3. Vinatero que tiene almacenado.

Almaceno, na. adj. Amaceno.

Almacería. (Del ár. *al-maṣriyya*, el sobrado o desván.) f. ant. Algorfa, o casa pequeña.

Almáciga. (De *almástiga*.) f. Resina clara, translúcida, amarillenta y algo aromática, en forma de lágrimas, que por incisión se extrae de una variedad de lentisco que se cultiva en las Islas Jónicas.

Almáciga. (Del ár. *al-maskaba*, el terreno regado.) f. Lugar en donde se siembran las semillas de las plantas para trasplantarlas después a otro sitio.

Almacigar. tr. Sahumar o perfumar con almáciga.

Almácigo. (De *almáciga*, 1.ᵉʳ art.) m. Lentisco. || 2. *Bot.* Árbol de la isla de Cuba, de la familia de las burseráceas, que llega hasta ocho metros de altura: tiene el tallo cubierto de una telilla fina y transparente que le da un brillo cobrizo; su fruto sirve de alimento a los cerdos; sus hojas, de pasto a las cabras, y su resina se emplea para curar los resfriados, y también como remedio vulnerario y diaforético.

Almácigo. m. Almáciga, 2.° art.

Almaciguero, ra. adj. Perteneciente o relativo a la almáciga, 2.° art.

Almádana. f. Almádena.

Almadaneta. f. d. de Almádana.

Almadearse. r. p. us. Almadiarse.

Almadén. (Del ár. *al-ma'din*, la mina.) m. ant. Mina o minero de algún metal.

Almádena. (Del ár. *al-mi'dana*, el instrumento para piedras.) f. Mazo de hierro con mango largo, para romper piedras.

Almadeneta. f. d. de Almádena.

Almadía. (Del ár. *al-ma'diya*, la barca en que pasan hombres o animales.) f. Especie de canoa usada en la India. || 2. Armadía, 1.ª acep.

Almadiar. (De *almadía*.) intr. Marearse. Ú. m. c. r.

Almadiero. m. El que conduce o dirige la almadía.

Almádina. f. Almádana.

Almadraba. (Del ár. *al-maḍraba*, el golpeadero.) f. Pesca de atunes. || 2. Lugar donde se hace esta pesca. || 3. Red o cerco de redes con que se pescan atunes. || 4. ant. Tejar. || 5. pl. Tiempo en que se pesca. || Almadraba de buche. Pesca que se hace con atajadizos, por donde los atunes entran en un cerco de redes del cual no pueden salir. || de monteleva. La que se hace al paso de los atunes. || de tiro, o de vista. La que se hace de día y con redes a mano donde hay muchas corrientes.

Almadrabero, ra. adj. Perteneciente o relativo a la almadraba, 1.ª, 2.ª, 3.ª y 5.ª aceps. || 2. m. El que se ocupa en el ejercicio de la almadraba, 1.ª, 2.ª, 3.ª y 5.ª aceps.

Almadrabero. (De *almadraba*, 4.ª acep.) m. ant. Tejero.

Almadraque. (Del ár. *al-maṭraḥ*, el lecho, el colchón.) m. ant. Cojín, almohada o colchón.

Almadraqueja. f. d. ant. de Almadraque.

Almadreña. (Del art. ár. *al* y *madreña*.) f. Zueco, 1.ᵉʳ art., 1.ª acep.

Almadreñero. m. El que tiene por oficio hacer o vender almadreñas.

Almagacén. (Del ár. *al-majzan*, el depósito, la recámara.) m. ant. Almacén.

Almágana. f. *Hond.* Almaganeta.

Almaganeta. f. Almádana.

Almagesto. (Del ár. *al-maŷisti*, y éste del gr. μεγίστη, muy grande.) m. Libro de astronomía, con muchas observaciones en él discutidas y ordenadas formando cuerpo, como los de Tolomeo y Riccioli.

Almagra. (Del ár. *al-magra*, la tierra roja.) f. Almagre, 1.ª acep.

Almagradura. f. Acción y efecto de almagrar.

Almagral. m. Terreno en que abunda el almagre, 1.ª acep.

Almagrar. tr. Teñir de almagre. || 2. fig. Notar, señalar con alguna marca; infamar. || 3. Entre rufianes y valentones, herir o lastimar de suerte que corra sangre.

Almagre. (De *almagra*.) m. Óxido rojo de hierro, más o menos arcilloso, abundante en la naturaleza, y que suele emplearse en la pintura. || 2. fig. Marca, señal.

Almagreño, ña. adj. Natural de Almagro. Ú. t. c. s. || 2. Perteneciente a esta ciudad.

Almagrero, ra. adj. Dícese del terreno en que abunda el almagre, 1.ª acep.

Almahala. (Del ár. *al-maḥalla*, el real, el campamento.) f. ant. Almofalla, 2.° art.

Almaizal. m. Almaizar.

Almaizar. (Del ár. *al-mi'zār*, el velo.) m. Toca de gasa usada por los moros. || 2. Humeral, 3.ª acep.

Almaizo. m. Almez.

Almaja. Del ár. *al-maŷbà*, el tributo, la renta.) f. Derecho que se pagaba en Murcia por algunos frutos cogidos en secano.

Almajal. m. Almajar, 2.° art.

Almajaneque. (Del ár. *al-manŷanīq*, la máquina de guerra.) m. Maganel.

Almajar. (Del ár. *al-mi'ŷar*, el velo femenino.) m. ant. Manto de seda.

Almajar. m. Almarjal, 1.ᵉʳ art.

Almajara. (Del ár. *al-maš̌ŷara*, el plantío de árboles.) f. Terreno abonado con estiércol reciente para que germinen prontamente las semillas.

Almaje. (Del lat. *animalia*.) m. *Al.* Dula, 4.ª acep.

Almajo. m. Almarjo.

Almalafa. (Del ár. *al-milḥafa*, el manto, la cobertura.) f. Vestidura moruna que cubre el cuerpo desde los hombros hasta los pies.

Almanac. m. ant. Almanaque.

Almanaca. (Del gr. μανιάκης, collar, brazalete, con el art. ár. *al*.) f. ant. Manilla, 1.ª acep.

Almanaque. (Del ár. *al-manāj*, y éste del lat. *manāchus*, círculo de los meses.) m. Registro o catálogo que comprende todos los días del año, distribuidos por meses, con datos astronómicos, como ortos y ocasos del Sol, su entrada en cada signo del Zodiaco, principio de las estaciones, fases de la Luna, etc., y con otras muchas noticias y épocas relativas a los actos religiosos y civiles, principalmente de santos y festividades. || Hacer almanaques. fr. fig. y fam. Hacer calendarios.

Almanaquero, ra. m. y f. Persona que hace o vende almanaques.

Almancebe. (Del ár. *al-manṣab*, el lugar donde se echan las redes.) m. Especie de red que se usaba en el Guadalquivir.

Almandina. (De *alabandina*.) f. Granate almandino.

Almandino. adj. V. Granate almandino.

Almánguena. f. Almagre, 1.ª acep.

Almanta. f. Entreliño. || 2. Porción de tierra que se señala con dos surcos grandes para dirigir la siembra. || Poner a almanta. fr. *Agr.* Plantar las vides juntas y sin orden.

Almarada. (Del ár. *al-mijrāza*, el punzón.) f. Puñal agudo de tres aristas y sin corte. || 2. Aguja grande para coser alpargatas. || 3. Barreta cilíndrica de hierro, con un mango, usada en los hornos de fundición de azufre para desobstruir el conducto por donde pasa el azufre líquido desde el crisol al recipiente.

Almarbatar. (De *almarbate*.) tr. Ensamblar dos piezas de madera.

Almarbate. (Del ár. *al-mirbāṭ*, el tirante.) m. Madero cuadrado del alfarje, que une los pares o alfardas.

Almarcha. (Del ár. *al-marŷ*, el prado.) f. Población situada en vega o tierra baja.

Almarga. (Del art. ár. *al* y *marga*, 1.ᵉʳ art.) f. Marguera.

Almariete. m. d. de Almario.

Almario. m. Armario.

Almarjal. (De *almarjo*.) m. Terreno poblado de almarjos.

Almarjal. m. Marjal, 1.ᵉʳ art.

Almarjo. (Del ár. *al-marŷa*, el prado inundado donde crece la barrilla.) m. Cualquiera de las plantas que dan barrilla. || 2. Barrilla, 2.ª acep.

Almaro. (Del ár. *al-maru*, y éste del gr. μᾶρον.) m. Maro.

Almarrá. (Del ár. *al-miḥlāŷ*.) m. Cilindro delgado de hierro, que gira entre dos arrequifes sujetos a las extremidades de un palo, y sirve para alijar el algodón oprimiéndolo contra una tabla.

Almarraja. (Del ár. *al-miraš̌a*, la vasija de vidrio para regar.) f. Vasija de vidrio, semejante a la garrafa, agujereada por el vientre, y la cual servía para rociar o regar.

Almarraza. f. Almarraja.

Almártaga. (Del ár. *al-marta'a*, el atadero.) f. Especie de cabezada que se ponía a los caballos sobre el freno para tenerlos asidos cuando los jinetes se apeaban.

Almártaga. (Del ár. *al-martak*, el óxido de plomo.) f. *Quím.* Litargirio.

Almártega. f. Almártaga, 2.° art.

Almártiga. f. Almártaga, 1.ᵉʳ art.

Almartigón. m. Almártiga tosca que sirve para atar las bestias al pesebre.

Almaste. m. **Almástec.**

Almástec. m. **Almástiga.**

Almástica. (Del ár. *al-maṣṭikā*, y éste del gr. μαστίχη.) f. ant. **Almástiga.**

Almástiga. (De *almástica.*) f. **Almáciga,** 1.er art.

Almastigado, da. adj. Que tiene almástiga.

Almática. (De *dalmática.*) f. ant. **Dalmática.** Ú. en *Méj.*

Almatrero. m. El que tenía por oficio pescar con almatroque.

Almatriche. (Del ár. *al-maṭrīŷ*, y éste del lat. *matrix*, el canal de riego.) m. *Agr.* **Reguera.**

Almatroque. m. Red parecida al sabogal, usada antiguamente.

Almazaque. m. ant. *Ar.* **Almáciga,** 1.er art.

Almazara. (Del ár. *al-maʿṣara*, el lugar de exprimir.) f. Molino de aceite.

Almazarero. m. El que tiene a su cargo una almazara.

Almazarrón. (aum. del ár. *al-miṣr*, la tierra roja.) m. **Almagre,** 1.ª acep.

Almea. (Del ár. *al-mayʿa*, el estoraque.) f. **Azúmbar,** 1.ª y 3.ª aceps. || **2.** Corteza del estoraque, después que se le ha sacado toda la resina.

Almea. (Del ár. *ʿālima*, cantora, danzarina.) f. Mujer que entre los orientales improvisa versos y canta y danza en público.

Almecer. tr. ant. **Amecer.**

Almecina. f. **Almeza.**

Almecino. m. *And.* **Almez.**

Almeja. (Del art. ár. *al* y el lat. *mitŭlus*, almeja, y éste del gr. μυτίλος.) f. *Zool.* Molusco lamelibranquio, dimiario, marino, cuyas valvas, de unos tres a cuatro centímetros de largo, son gruesas, casi ovales, mates o poco lustrosas, de color gris verdoso, manchado a veces de amarillo o rojo, con surcos concéntricos cortados por menudas estrías radiales. Su carne es comestible. || **de río.** *Zool.* Molusco lamelibranquio dimiario, sin sifones, que vive en las aguas dulces, con concha que tiene dientes en la charnela; la capa nacarada de las valvas es bastante gruesa, por lo cual se utiliza en la industria para la fabricación de botones de nácar.

Almejar. m. Criadero de almejas.

Almejí. f. **Almejía.**

Almejía. (Del ár. *al-maḥšiya*, la túnica.) f. Manto pequeño y de tela basta, que entre los moros de España usaba la gente del pueblo.

Almena. (Del art. ár. *al* y el lat. *minae*, almenas.) f. Cada uno de los prismas que coronan los muros de las antiguas fortalezas para resguardarse en ellas los defensores.

Almenado, da. p. p. de **Almenar.** || **2.** adj. fig. Guarnecido o coronado de adornos o cosas de figura de almenas. || **3.** Que tiene figura de almena. || **4.** m. **Almenaje.**

Almenaje. m. Conjunto de almenas.

Almenar. (Del ár. *al-manār*, el lugar de la luz.) m. Pie de hierro rematado en arandela erizada de púas donde se clavaban teas que, encendidas, servían para alumbrarse en las cocinas de las aldeas.

Almenar. tr. Guarnecer o coronar de almenas un edificio.

Almenara. (Del ár. *al-manāra*, el lugar de la luz.) f. Fuego que se hace en las atalayas o torres, no sólo en la costa del mar, sino tierra adentro, para dar aviso de alguna cosa, como de acercarse embarcaciones o tropas enemigas. || **2.** Candelero sobre el cual se ponían candiles de muchas mechas para alumbrar todo el aposento. || **3. Almenar,** 1.er art.

Almenara. (Del ár. *al-minhara*, el canal.) f. *Ar.* Zanja por la cual se conduce al río el agua que sobra en las acequias.

Almendra. (Del lat. **amy̆ndŭla*, por *amy̆ndăla amy̆gdăla*, almendra.) f. Fruto del almendro: es una drupa oblonga, con pericarpio formado por un epicarpio membranoso, un mesocarpio coriáceo y un endocarpio leñoso, o hueso, que contiene la semilla, envuelta en una película de color canela. || **2.** Este fruto, separado de las capas externa y media del pericarpio. || **3.** Semilla de este fruto. || **4.** Semilla carnosa de cualquier fruto drupáceo. || **5.** fig. Diamante de figura de **almendra.** || **6.** fig. Cada una de las piezas de cristal cortadas en diversas formas, y comúnmente en la de poliedro, que se cuelgan por adorno en las arañas, candelabros, etc. || **7.** fig. y fest. Piedra o guijarro pequeños. || **8.** *Murc.* Capullo de seda de un solo gusano y de la mejor calidad. || **9.** *Arq.* Adorno de moldura en figura de **almendra.** || **amarga.** La del almendro amargo, que es venenosa. || **dulce.** La que es comestible, por contraposición a la amarga. || **mollar.** La de cáscara fácil de quebrantar. || **De la media almendra.** loc. fam. **Melindrosa.** *Dama* DE LA MEDIA ALMENDRA.

Almendrada. f. Bebida compuesta de leche de almendras y azúcar. || **Dar una almendrada** a uno. fr. fig. y fam. Decirle alguna cosa que le lisonjee.

Almendrado, da. p. p. de **Almendrar.** || **2.** adj. De figura de almendra. || **3.** m. Pasta hecha con almendras, harina y miel o azúcar.

Almendral. m. Sitio poblado de almendros. || **2. Almendro.**

Almendrar. tr. *Arq.* Adornar con almendras.

Almendrate. m. Especie de guisado compuesto con almendras, que se hacía antiguamente.

Almendrera. f. **Almendro.** || **Florecer la almendrera.** fr. fig. y fam. Encanecer prematuramente.

Almendrero. m. **Almendro.** || **2.** Plato, escudilla o vaso en que se sirven las almendras en la mesa.

Almendrilla. (d. de *almendra.*) f. Lima rematada en figura de almendra, que usan los cerrajeros. || **2.** Piedra machacada en fragmentos menudos, que se emplea en las reparaciones del firme de las carreteras. || **3.** ant. Especie de labor de aguja que imitaba almendras pequeñas. || **4.** pl. ant. Pendientes con diamantes de figura de almendra, que usaban las señoras.

Almendro. m. Árbol de la familia de las rosáceas, de raíz profunda, tronco de siete a ocho metros de altura, madera dura, hojas oblongas y aserradas, flores blancas o rosadas, y cuyo fruto es la almendra. Florece muy temprano. Su corteza destila una goma parecida a la arábiga. || **amargo.** El de almendra amarga.

Almendrolón. m. *Mancha.* **Almendruco.**

Almendrón. (aum. de *almendro.*) m. Árbol de la familia de las mirtáceas, originario de Jamaica, de fruto pequeño, ácido y comestible, con olor a almendra amarga. || **2.** Fruto de este árbol.

Almendruco. m. Fruto del almendro, con el mesocarpio todavía verde; el endocarpio, blando, y la semilla a medio cuajarse.

Almenilla. (d. de *almena.*) f. Adorno de figura de almena, en cenefas, guarniciones de trajes, etc.

Almeriense. adj. Natural de Almería. Ú. t. c. s. || **2.** Perteneciente a esta ciudad.

Almete. (Del al. *helm.*) m. Pieza de la armadura antigua, que cubría la cabeza. || **2.** V. **Calva de almete.** || **3.** Soldado que usaba **almete.**

Almez. (Del ár. *al-mais.*) m. *Bot.* Árbol de la familia de las ulmáceas, de unos 12 a 14 metros de altura, tronco derecho de corteza lisa y parda, copa ancha, hojas lanceoladas y dentadas de color verde obscuro, flores solitarias, y cuyo fruto es la almeza. || **2.** Madera de este árbol.

Almeza. f. Fruto del almez. Es una drupa comestible, redonda, como de un centímetro de diámetro, negra por fuera, amarilla por dentro y con el hueso también redondo.

Almezo. m. **Almez.**

Almiar. (Del art. ár. *al* y del lat. *metālis*, de *meta*, meda.) m. Pajar al descubierto, con un palo largo en el centro, alrededor del cual se va apretando la mies, la paja o el heno. || **2.** Montón de paja o heno formado así para conservarlo todo el año. Suelen cubrirlo de retama o de otras matas ramosas para preservarlo de la lluvia.

Almiarar. tr. Amontonar la paja para hacer el almiar.

Almíbar. (Del ár. *al-maiba*, y éste del persa *may bih*, el jarabe de membrillo con vino y azúcar.) m. Azúcar disuelto en agua y cocido al fuego hasta que toma consistencia de jarabe. Se ha usado también c. f. || **2. Dulce de almíbar.** || **Estar** uno **hecho un almíbar.** loc. fam. Mostrarse sumamente amable y complaciente.

Almibarado, da. p. p. de **Almibarar.** || **2.** adj. fig. y fam. Meloso, excesivamente halagüeño y dulce. Aplícase al lenguaje de esta clase y a la persona que lo emplea.

Almibarar. tr. Bañar o cubrir con almíbar. || **2.** fig. Suavizar con arte y dulzura las palabras para ganarse la voluntad de otro y conseguir de él lo que se desea.

Almicantarat. (Del ár. *al-muqanṭarāt.*) f. Cada uno de los círculos paralelos al horizonte que se suponen descritos en la esfera celeste, para determinar la altura o la depresión de los astros.

Almidón. (Del lat. *amy̆lum*, y éste del gr ἄμυλον.) m. *Quím.* Fécula, especialmente la de las semillas de los cereales. || **animal. Glucógeno.**

Almidonado, da. p. p. de **Almidonar.** || **2.** adj. fig. y fam. Dícese de la persona compuesta o ataviada con excesiva pulcritud.

Almidonar. tr. Mojar la ropa blanca en almidón desleído en agua, y a veces cocido.

Almidonería. f. Fábrica de almidón.

Almifor. (Del ár. *al-mifarr*, el caballo ligero para huir.) m. *Germ.* **Caballo,** 1.ª acep.

Almifora. (De *almifor.*) f. *Germ.* **Mula,** 1.er art., 1.ª acep.

Almiforero. (De *almifor.*) m. *Germ.* Ladrón que hurta caballos o mulas.

Almijar. (Del ár. *al-mišarr*, el escurridero.) m. ant. Lugar donde se ponen a secar los higos. || **2.** *And.* Lugar donde se ponen las uvas y aceitunas para que se oreen antes de exprimirlas.

Almijara. (Quizá del ár. *al-māŷila*, la cisterna.) f. Depósito de aceite que había en las minas de Almadén cuando la Hacienda cuidaba de facilitar el alumbrado a los operarios.

Almijarero. m. Encargado de la almijara.

Almilla. (Como el burgalés *armilla, ermilla*, jubón, justillo, del lat. **firmĕlla*, sujetador, de *firmus.*) f. Especie de jubón, con mangas o sin ellas, ajustado al cuerpo. || **2.** Jubón cerrado, escotado y con sólo medias mangas, que no llegaban al codo: poníase debajo de la armadura. || **3.** Tira ancha de carne sacada del pecho de los puercos, después de muertos y colgados. || **4.** ant. **Alma,** 17.ª acep. || **5.** *Carp.* **Espiga,** 4.ª y 6.ª aceps.

Almimbar. (Del ár. *al-minbar*, el púlpito.) m. Púlpito de las mezquitas.

Alminar. (Del ár. *al-manār*, el faro.) m. Torre de las mezquitas, por lo común elevada y poco gruesa, desde cuya altura convoca el almuédano a los mahometanos en las horas de oración.

Almiquí. m. Aire, 2.° art.

Almiraj. m. ant. **Almiraje.**

Almiraje. m. ant. **Almirante,** 1.ª, 2.ª y 3.ª aceps.

Almiral. (Del ár. *amīr*, jefe, el que manda, a través del fr. y provenzal antiguos.) m. ant. **Almirante.**

Almiranta. f. Mujer del almirante. ‖ **2.** Nave que montaba el segundo jefe de una armada, escuadra o flota.

Almirantadgo. m. ant. **Almirantazgo.**

Almirantazgo. m. Alto tribunal o consejo de la armada. ‖ **2.** Juzgado particular del almirante. ‖ **3.** Derecho que para los gastos de la Marina Real pagaban las embarcaciones mercantes que entraban en los puertos españoles. ‖ **4.** Término o terreno comprendido en la jurisdicción del almirante. ‖ **5.** Dignidad de almirante.

Almirante. (De *almiral*.) m. El que en las cosas de mar tenía jurisdicción con mero mixto imperio y con mando absoluto sobre las armadas, navíos y galeras. ‖ **2.** El que mandaba la armada, escuadra o flota después del capitán general. ‖ **3.** El que desempeña en la armada el cargo que equivale al de teniente general en los ejércitos de tierra. ‖ **4.** ant. Caudillo, capitán. ‖ **5.** fig. Especie de adorno que usaban las mujeres en la cabeza. ‖ **6.** fig. *And.* Maestro de natación. ‖ **de Castilla.** El que ejercía efectivamente ese cargo hasta que el título pasó a ser honorífico y vinculado, como ocurrió también en Aragón. ‖ **de la mar,** o **almirante mayor de la mar.** **Almirante,** 1.ª acep.

Almirantesa. f. ant. **Almiranta,** 1.ª acep.

Almirantía. f. ant. **Almirantazgo,** 5.ª acep.

Almirez. (Del ár. *al-mihrās*, el instrumento para machacar.) m. Mortero de metal, pequeño y portátil, que sirve para machacar o moler en él alguna cosa.

Almirón. (Del ár. *al-amirūn*, y éste del gr. μυρόν, el amargo.) m. *And.* **Amargón.**

Almizate. (Del ár. *al-misāṭ*, el centro.) m. Punto central del harneruelo en los techos de maderas labradas. ‖ **2. Harneruelo.**

Almizcate. m. Patio entre dos fincas urbanas, para el uso común de paso, luz y agua.

Almizclar. tr. Aderezar o aromatizar con almizcle.

Almizcle. (De *almizque*.) m. Substancia odorífera formada de grumos secos y fáciles de aplastar, untuosa al tacto, de sabor amargo y color pardo rojizo. Se saca de la bolsa que el almizclero tiene en el vientre, y se emplea en medicina y perfumería. ‖ **2.** V. **Cabra de almizcle.** ‖ **3.** *Hond.* Substancia grasa que algunas aves tienen en una especie de bolsa, junto a la cola, y con la cual se untan las plumas cuando llueve mucho, para hacerlas más impermeables.

Almizcleña. f. Planta perenne de la familia de las liliáceas, parecida al jacinto, pero más pequeña, y cuyas flores, de color azul claro, despiden olor de almizcle.

Almizcleño, ña. adj. Que huele a almizcle. ‖ **2.** V. **Pera almizcleña.**

Almizclera. (De *almizcle*.) f. **Desmán,** 2.° art.

Almizclero, ra. adj. **Almizcleño.** ‖ **2.** V. **Ratón almizclero.** ‖ **3.** m. Animal rumiante, sin cuernos, parecido en el tamaño y figura al cabrito, de pelo corto y áspero, gris por el lomo y blanquecino por el vientre, donde tiene una especie de bolsa ovalada en que segrega almizcle. Vive en los bosques del Tíbet y del Tonquín.

Almizque. (Del ár. *al-misk*, y éste del gr. μόσχος.) m. ant. **Almizcle.**

Almizqueño, ña. (De *almizque*.) adj. ant. **Almizcleño.**

Almizquera. (De *almizque*.) f. ant. **Almizclera.**

Almizteca. f. ant. **Almástec.**

Almo, ma. (Del lat. *almus*, de *alĕre*, alimentar.) adj. poét. Criador, alimentador, vivificador. ALMA *Ceres.* ‖ **2.** poét. Excelente, benéfico, santo, digno de veneración.

Almoacén. m. ant. **Almocadén.**

Almocadén. (Del ár. *al-muqaddam*, el prepósito, el jefe.) m. En la milicia antigua, caudillo o capitán de tropa de a pie. ‖ **2.** Cabo que en Ceuta mandaba diez o doce hombres de a caballo. ‖ **3.** En Marruecos, autoridad subalterna que en la ciudad viene a ser como alcalde de barrio; en las tribus del campo tiene a su cargo una de las fracciones en que cada una de ellas se divide, y en el ejército es a modo de sargento.

Almocafre. (Del ár. *al-muḥaffir*, el cavador.) m. Instrumento que sirve para escardar y limpiar la tierra de malas hierbas, y para trasplantar plantas pequeñas.

Almocárabe. (De *almocarbe*.) m. *Arq.* y *Carp.* Labor formada por la combinación geométrica de prismas acoplados, cuyo extremo inferior se corta en forma de superficie cóncava. Se usa como adorno de bóvedas, cornisas, etc.

Almocarbe. (Del ár. *al-muqarbaṣ*.) m. *Arq.* y *Carp.* **Almocárabe.** Ú. m. en pl.

Almocatí. (Del ár. *al-mujjāt*, los sesos.) m. ant. Medula de los huesos, y especialmente el cerebro.

Almocatracía. f. Derecho o impuesto que se pagaba antiguamente por los tejidos de lana fabricados y vendidos en el reino.

Almoceda. (Quizá del ár. *al-musdà*, lo que se deja fluir o correr libremente.) f. *Nav.* Derecho de tomar agua por días para regar algún término.

Almocela. (Del ár. *al-muṣalla*, el tapiz, el cobertor para la oración.) f. Especie de capucha o cobertura de cabeza, de que se usaba antiguamente. ‖ **2.** Saco de lona o de arpillera que, relleno de paja u hojas de maíz, sirve de colchón a los jornaleros del campo.

Almocrebe. (Del ár. *al-mukārī*, el alquilador.) m. ant. Arriero de mulos.

Almocrí. (Del ár. *al-muqri'*, el lector.) m. Lector del Alcorán en las mezquitas.

Almodí. m. **Almudí,** 2.ª acep.

Almodón. (Del ár. *al-madhūn*, lo falsificado.) m. Harina de trigo humedecido y después molido, de la cual, quitado sólo el salvado grueso, se hacía pan.

Almodovareño, ña. adj. Natural de Almodóvar del Campo. Ú. t. c. s. ‖ **2.** Perteneciente a esta ciudad de la provincia de Ciudad Real.

Almodrote. (Del ár. *al-muḍarriṭ*, el pedorrero.) m. Salsa compuesta de aceite, ajos, queso y otras cosas, con la cual se sazonan las berenjenas. ‖ **2.** fig. y fam. Mezcla confusa de varias cosas o especies.

Almofalla. (Del ár. *al-muṣalla*, el tapiz, la almocela.) f. ant. **Alfombra,** 1.er art.

Almofalla. (Del m. or. que *almahala*.) f. ant. Campamento o hueste acampada. ‖ **2.** ant. Hueste o gente de guerra.

Almófar. (Del ár. *al-migfar*.) m. Parte de la armadura antigua, especie de cofia de malla, sobre la cual se ponía el capacete.

Almofariz. (Del ár. *al-muharris*, el machacador.) m. ant. **Almirez.**

Almofía. (Del ár. *al-mujfiya*, el vaso.) f. **Jofaina.**

Almofre. m. ant. **Almófar.**

Almofrej. (Del ár. *al-mufriš*, la funda.) m. Funda en que se llevaba la cama de camino, y la cual era por fuera de jerga o vaqueta y por dentro de anjeo u otro lienzo basto.

Almofrez. m. *Amér.* **Almofrej.**

Almogama. (Del ár. *al-muqāma*, el ensamblaje, el lugar de asiento.) f. *Mar.* **Redel.**

Almogávar. (Del ár. *al-mugāwir*, el que hace algaras.) m. En la milicia antigua, soldado de una tropa escogida y muy diestra en la guerra, que se empleaba en hacer entradas y correrías en las tierras de los enemigos. ‖ **2.** Hombre del campo que, junto con otros y formando tropa, entraba a correr tierra de enemigos.

Almogavarear. (De *almogávar*.) intr. Hacer correrías por tierras de enemigos.

Almogavaría. f. Tropa de almogávares.

Almogavería. f. Ejercicio de los almogávares.

Almohada. (Del ár. *al-mujadda*, el lugar en que se apoya la mejilla.) f. Colchoncillo que sirve para reclinar sobre él la cabeza en la cama. ‖ **2.** Colchoncillo que sirve para sentarse sobre él. ‖ **3.** Funda de lienzo blanco en que se mete la **almohada** de la cama. ‖ **4.** *Arq.* **Almohadilla,** 5.ª acep. ‖ **5.** *Art.* Trozo prismático de madera, que sirve de apoyo a alguna parte de la pieza o del afuste, principalmente a la cuña de puntería. ‖ **Aconsejarse, o consultar, con la almohada.** fr. fig. y fam. Meditar con el tiempo necesario algún negocio, a fin de proceder en él con acierto. ‖ **Dar almohada.** fr. Dar la reina a una dama posesión de la grandeza de España, haciéndola sentar ante ella en una **almohada.** ‖ **Tomar la almohada.** fr. Tomar una dama posesión de la grandeza de España.

Almohadado, da. (De *almohada*.) adj. **Almohadillado,** 2.ª acep.

Almohadazo. m. Golpe dado con una almohada.

Almohade. (Del ár. *al-muwaḥḥid*, el monoteísta, el unificador.) adj. Dícese de cada uno de los secuaces del africano Aben Tumart, que, proclamándose *Mahdi*, esto es, el Mesías del Islam, y acusando de politeístas a los demás musulmanes, fanatizó en 1120 las tribus occidentales de África, y dio ocasión a que se fundase un nuevo imperio con ruina del de los almorávides. Ú. t. c. s. y m. en pl. ‖ **2.** Perteneciente a los **almohades.**

Almohadilla. (d. de *almohada*.) f. Cojincillo sobre el cual cosen las mujeres, y que suele estar unido a la tapa de una cajita en que se guardan los avíos de coser. ‖ **2.** Cojincillo que hay en las guarniciones de las caballerías de tiro, y que se les pone sobre la cruz del lomo para no maltratarlas con ellas. ‖ **3.** *Chile.* **Acerico,** 2.ª acep. ‖ **4.** *Chile.* **Agarrador,** 2.ª acep. ‖ **5.** *Arq.* Parte del sillar que sobresale de la obra, con las aristas achaflanadas o redondeadas. ‖ **6.** *Arq.* Parte lateral de la voluta del capitel jónico. ‖ **7.** *Veter.* Carnosidad que se les hace a las caballerías en los lados donde asienta la silla. ‖ **Cantar a la almohadilla.** fr. fig. y fam. que se dice de la mujer cuando canta sin instrumentos y sólo para su distracción.

Almohadillado, da. p. p. de **Almohadillar.** ‖ **2.** adj. *Arq.* Que tiene almohadillas. Ú. t. c. s. m. ‖ **3.** m. *Mar.* Macizo de madera que se pone entre el casco de hierro y la coraza de los buques, con objeto de disminuir las vibraciones producidas por el choque de los proyectiles.

Almohadillar. tr. *Arq.* Labrar los sillares de modo que tengan almohadilla.

Almohadón. (aum. de *almohada*.) m. Colchoncillo a manera de almohada que sirve para sentarse, recostarse o apoyar los pies en él. ‖ **2.** *Arq.* Cada una de las dos piedras inferiores del arco, que están sobre los machones.

Almoharrefa. (Del ár. *al-muḥarrifa*, la [hilera] orillada.) f. ant. **Almorrefa.**

Almohatre. (Del ár. persa *an-nušādir*, la sal amoniaco.) m. **Sal amoniaco.**

Almohaza. (Del ár. *al-muḥassa*, el rastrillo.) f. Instrumento que se compone de una chapa de hierro con cuatro o cinco serrezuelas de dientes menudos y romos, y de un mango de madera o una asa, y el cual sirve para limpiar las caballerías. || **Anda el almohaza, y toca en la matadura.** ref. que advierte que en las conversaciones se suelen a veces tocar puntos que lastiman a alguno en la honra o le causan disgusto.

Almohazador. m. El que almohaza o tiene el ejercicio de almohazar.

Almohazar. tr. Estregar a las caballerías con la almohaza para limpiarlas. || **2.** Estregar o fregar de otro modo. || **3.** fig. ant. Regalar, halagar los sentidos.

Almojábana. (Del ár. *al-muŷabbana*, la [torta] de queso.) f. Torta de queso y harina. || **2.** Especie de bollo, buñuelo o fruta de sartén, que se hace de masa con manteca, huevo y azúcar.

Almojama. (Del ár. *al-mušamma'*, la [carne] secada.) f. ant. **Mojama.**

Almojarifadgo. (De *almojarife*.) m. ant. **Almojarifazgo.**

Almojarifalgo. (De *almojarifadgo*.) m. ant. **Almojarifazgo.**

Almojarifazgo. (De *almojarife*.) m. Derecho que se pagaba por los géneros o mercaderías que salían del reino, por los que se introducían en él, o por aquellos con que se comerciaba de un puerto a otro dentro de España. || **2.** Oficio y jurisdicción del almojarife.

Almojarife. (Del ár. *al-mušrif*, el inspector.) m. Oficial o ministro real que en lo antiguo cuidaba de recaudar las rentas y derechos del rey, y tenía en su poder el producto de ellos como tesorero. || **2.** Oficial encargado antiguamente de cobrar el almojarifazgo.

Almojatre. m. ant. **Almohatre.**

Almojaya. (Del ár. *al-muŷā'iza*, la saliente.) f. Madero cuadrado y fuerte que, asegurado en la pared, sirve para sostener andamios y para otros usos.

Almojerifazgo. m. **Almojarifazgo.**

Almojerife. m. **Almojarife.**

Almona. (Del ár. *al-mūna*, las provisiones de boca.) f. Pesquería o sitio donde se pescan sábalos. || **2.** ant. Casa, fábrica o almacén público. || **3.** *And.* **Jabonería.**

Almóndiga. f. **Albóndiga.**

Almondiguilla. f. d. de **Almóndiga.**

Almoneda. (Del ár. *al-munādā*, el pregón.) f. Venta pública de bienes muebles con licitación y puja; y por extensión se dice también de la venta de géneros que se anuncian a bajo precio.

Almonedar. tr. **Almonedear.**

Almonedear. tr. Vender en almoneda.

Almora. (Del art. ár. *al* y el vasc. *muru*, montón.) f. *Ál.* **Majano.**

Almorabú. m. *Ar.* **Almoradux.**

Almoraduj. m. **Almoradux.**

Almoradux. (Del ár. hispánico *al-murdadūš*, la mejorana.) m. **Mejorana.** || **2.** Entre jardineros, **sándalo,** 1.ª acep.

Almorávide. (Del ár. *al-murābiṭ*, el profeso en una rábida.) adj. Se dice del individuo de una tribu del Atlas, guerrera y avasalladora, que, mediado el siglo XI, subyugó a las más valerosas del occidente de África, fundó allí un vasto imperio, y llegó a tener bajo su dominio toda la España árabe, desde 1093 a 1148. Ú. t. c. s. y m. en pl. || **2.** Perteneciente a los almorávides.

Almorejo. m. Planta de la familia de las gramíneas, que crece en los campos cultivados; tiene cañas de unos 40 centímetros, hojas con un nervio blanco longitudinal, vello en la entrada de la vaina y flores en espiga, algo separadas y cubiertas de pelos.

Almorí. (Del ár. *al-mury*, y éste del lat. *muria*.) m. Masa de harina, sal, miel y otras cosas, de que se hacen tortas que se cuecen en el horno.

Almoronía. f. **Alboronía.**

Almorrana. (Del pl. lat. *haemorrhoides*, y éste del gr. αἱμορροΐδες, flujo de sangre.) f. Tumorcillo sanguíneo que se forma en la parte exterior del ano o en la extremidad del intestino recto. Ú. m. en pl.

Almorraniento, ta. adj. Que padece almorranas. Ú. t. c. s.

Almorrefa. (De *almoharrefa*.) f. ant. **Cinta,** 4.ª acep.

Almorrón. m. *Vallad.* Lomo alto de tierra, acanalado en su parte superior, y que desde una noria, acequia u otro depósito de agua, conduce ésta para distribuirla por las regueras.

Almorta. (Del art. ár. *al* y el lat. *mola*, muela, por la forma de la semilla.) f. Planta anua de la familia de las papilionáceas, con tallo herbáceo y ramoso; hojas lanceoladas con pedúnculo y zarcillo; flores de color morado y blancas, y fruto en legumbre con cuatro simientes de forma de muela, por lo que también se denomina así la planta en algunas localidades, y en otras se llama **guija** o **tito.** Su ingestión produce, a veces, una parálisis grave de las piernas denominada **latirismo.** Florece por junio y es indígena de España. || **2.** Semilla de esta planta.

Almorzada. (De *almuerza*.) f. Porción de cualquiera cosa suelta, que cabe en el hueco que se forma con las manos juntas.

Almorzado, da. p. p. de **Almorzar.** || **2.** adj. Que ha almorzado. *Vengo bien* ALMORZADO.

Almorzar. (De *almuerzo*.) intr. Tomar el almuerzo. || **2.** tr. Comer en el almuerzo una u otra cosa. ALMORZAR *chuletas.*

Almosna. (De *alimosna*.) f. ant. **Limosna.**

Almosnar. (De *almosna*.) tr. ant. Dar limosna.

Almosnero, ra. (De *almosna*.) adj. ant. **Limosnero,** 1.ª acep.

Almotacén. (Del ár. *al-muḥtasib*.) m. Persona encargada oficialmente de contrastar las pesas y medidas. || **2.** Oficina donde se efectúa esta operación. || **3.** En lo antiguo, mayordomo de la hacienda del rey. || **4.** V. **Fiel almotacén.** || **5.** En Marruecos, funcionario encargado de la vigilancia de los mercados y de señalar cada día el precio de las mercancías.

Almotacenadgo. m. ant. **Almotacenazgo.**

Almotacenalgo. (De *almotacenadgo*.) m. ant. **Almotacenazgo.**

Almotacenazgo. m. Oficio de almotacén. || **2.** Oficina del almotacén.

Almotacenía. f. Derecho que se pagaba al almotacén. || **2.** **Almotacenazgo,** 1.ª acep. || **3.** Lonja de contratación de pescado.

Almotalafe. (Del ár. *al-mustaḥlaf*, el jurado.) m. ant. Fiel de la seda.

Almotazaf. (Del ár. *al-muḥtasib*.) m. **Almotacén.**

Almotazanía. f. **Almotacenía.**

Almozada. f. ant. **Almorzada.**

Almozala. (Del ár. *al-muṣalla*, el tapiz o alfombrilla para la oración.) m. ant. Cobertor de cama.

Almozárabe. adj. **Mozárabe.** Apl. a pers., ú. t. c. s.

Almucia. f. ant. **Muceta.** Ú. en *Ar.*

Almud. (Del ár. *al-mudd*, la medida para áridos.) m. Medida de áridos que en unas partes corresponde a un celemín; en otras, a media fanega, y en Navarra, a 1/16 del robo, o sea un litro y 76 centilitros. || **de tierra.** *Mancha.* Espacio en que cabe media fanega de sembradura.

Almudada. f. Espacio de tierra en que cabe un almud de sembradura.

Almudejo. m. Cada una de las medidas que tenía en su poder el almudero.

Almudelio. (Quizá de *almud*.) m. ant. Medida y tasa de comida y bebida; ración de comida.

Almudero. (De *almud*.) m. El que tenía el cargo de guardar las medidas públicas de áridos.

Almudí. (Del ár. *al-muddī*, lo perteneciente o relativo al almud.) m. **Alhóndiga.** || **2.** *Ar.* Medida de seis cahíces.

Almudín. m. **Almudí.**

Almuecín. m. **Almuédano.**

Almuédano. (Del ár. *al-mu'aḏḏin*, el que llama a la oración.) m. Musulmán que desde el alminar convoca en voz alta al pueblo para que acuda a la oración.

Almuedén. m. p. us. **Almuédano.**

Almuérdago. m. **Muérdago.**

Almuertas. f. pl. *Ar.* Impuesto sobre los granos que se vendían en la alhóndiga.

Almuerza. (Del m. or. que *ambuesta*.) f. **Almorzada.**

Almuerzo. (Del lat. **admordium*, mordisco.) m. Comida que se toma por la mañana o durante el día, antes de la principal. || **2.** Acción de almorzar. *El* ALMUERZO *duró dos horas.*

Almuezada. f. ant. **Almorzada.**

Almugávar. m. **Almogávar.**

Almuna. f. ant. **Almona.**

Almunia. (Del ár. *al-munya*, el huerto.) f. Huerto, granja.

Almuña. f. ant. **Almunia.**

Almutacén. m. ant. **Almotacén.**

Almutazaf. m. ant. **Almotazaf.**

Almutelio. m. ant. **Almudelio.**

Alna. (Del b. lat. *alna*, y éste del lat. *ulna*, codo.) f. **Ana,** 1.er art.

Alnado, da. (Del lat. *ante natus*, nacido antes.) m. y f. **Hijastro, tra.**

Alnafe. m. ant. **Anafe.**

Alnedo. m. ant. Lugar poblado de alnos.

Alno. (Del lat. *alnus*.) m. ant. **Álamo negro.** || **2.** ant. **Aliso.**

Aloa. (Del lat. *alauda*.) f. ant. **Alondra.**

Aloaria. (De *alboaire*.) f. ant. *Arq.* **Pechina,** 2.ª acep.

Alobadado, da. adj. Mordido de lobo.

Alobadado, da. adj. *Veter.* Que padece lobado.

Alobado, da. (De *a*, 2.º art., y *lobo*.) adj. Dícese del coto de caza invadido por lobos.

Alobreguecer. intr. ant. **Lobreguecer,** 2.ª acep.

Alóbroge. (Del lat. *allobrŏges*.) adj. Dícese del individuo de un antiguo pueblo de la Galia Narbonense que habitaba desde Viena del Delfinado hasta Grenoble, y desde Ginebra hasta la confluencia del Iser y el Ródano. Ú. m. c. s. y en pl.

Alobrógico, ca. adj. Perteneciente o relativo a los alóbroges.

Alóbrogo. adj. **Alóbroge.** Ú. m. c. s. y en pl.

Alobunado, da. (De *a*, 2.º art., y *lobuno*.) adj. Parecido al lobo, especialmente en el color del pelo.

Alocadamente. adv. m. Sin cordura ni juicio, desbaratadamente.

Alocado, da. adj. Que tiene cosas de loco o parece loco. || **2.** Dícese de acciones que revelan poca cordura.

Alocar. tr. Causar locura o perturbación en los sentidos.

Alocución. (Del lat. *allocutĭo, -ōnis*, de *alloqui*, dirigir la palabra, hablar en público.) f. Discurso o razonamiento breve por lo común y dirigido por un superior a sus inferiores, secuaces o súbditos.

Alodial. (De *alodio*.) adj. *For.* Libre de toda carga y derecho señorial. Aplícase a heredades, patrimonios, etc. || **2.** *For.* V. **Bienes alodiales.**

Alodio. (Del germ. *al od*, propiedad total.) m. Heredad, patrimonio o cosa alodial.

Áloe [Aloe]. (Del lat. *aloē*, y éste del gr. ἀλόη.) m. Planta perenne de la familia de las liliáceas, con hojas largas y carnosas, que arrancan de la parte baja del tallo, el cual termina en una espiga de flores rojas y a veces blancas. De sus hojas se extrae un jugo resinoso y muy amargo que se emplea en medicina. ‖ **2.** Jugo de esta planta. ‖ **3. Agáloco.** ‖ **4.** V. **Palo áloe,** o **de áloe.** ‖ **sucotrino.** El de la isla de Socotora, que es el mejor.

Aloes. m. ant. **Áloe.**

Aloeta. (d. de *aloa.*) f. ant. **Alauda.**

Aloético, ca. adj. Perteneciente o relativo al áloe.

Alogador, ra. (De *alogar.*) m. y f. ant. Alquilador o arrendador.

Alogamiento. (De *alogar.*) m. ant. **Aloguer.**

Alogar. (Del lat. *ad,* a, y *locāre,* arrendar.) tr. ant. Alquilar o arrendar. Usáb. t. c. r.

Aloguer. (De *alogar,* infl. por *alquiler.*) m. ant. Alquiler o arrendamiento.

Aloguero. m. ant. **Aloguer.**

Aloja. f. Bebida compuesta de agua, miel y especias.

Aloja. (Del lat. **alaudea.*) f. **Aloya.**

Alojado, da. p. p. de **Alojar.** ‖ **2.** m. Militar que recibe hospedaje gratuito por disposición de la autoridad. ‖ **3.** m. y f. *Chile.* **Huésped, da,** 1.ª acep.

Alojamiento. m. Acción y efecto de alojar o alojarse. ‖ **2.** Lugar donde uno está alojado o aposentado. ‖ **3.** Punto en que se hallan situadas o acampadas las tropas. ‖ **4.** Hospedaje gratuito que, por carga vecinal, se da en los pueblos a la tropa. ‖ **5.** Casa en que está alojado el militar. ‖ **6.** ant. *Mil.* Jornada, etapa, marcha.

Alojar. (Del ital. *aloggiare,* y éste del ant. alto al. *laubja,* enramada, cenador.) tr. Hospedar o aposentar. Ú. t. c. intr. y c. r. ‖ **2.** Dar alojamiento a la tropa. Ú. t. c. r. ‖ **3.** Colocar una cosa dentro de otra, y especialmente en cavidad adecuada. Ú. t. c. r. ‖ **4.** Colocar la autoridad local a los braceros parados cuyo servicio y pago distribuye forzosamente entre los propietarios. ‖ **5.** r. Situarse las tropas en algún punto. ALOJARSE *en la brecha.*

Alojería. f. Tienda donde se hace y vende aloja.

Alojero, ra. m. y f. Persona que hace o vende aloja. ‖ **2.** m. En los teatros, cada uno de los dos sitios aislados y situados en lo que hoy se llama galería baja, donde se vendía aloja al público. ‖ **3.** Cada uno de los palcos que después ocuparon aquel lugar.

Alomado, da. p. p. de **Alomar.** ‖ **2.** adj. Que tiene forma de lomo. ‖ **3.** Dícese de la caballería que tiene el lomo encorvado o arqueado hacia arriba como el del cerdo.

Alomar. (De *a,* 2.° art., y *lomo.*) tr. *Agr.* Arar la tierra dejando entre surco y surco espacio mayor que de ordinario y de manera que quede formando lomos. ‖ **2.** *Equit.* Repartir la fuerza que el caballo suele tener en los brazos con más exceso que en los lomos, lo cual se consigue con las ayudas y buena enseñanza. ‖ **3.** r. Fortificarse y nutrirse el caballo, quedando apto para padrear. ‖ **4.** Encogerse o sentirse de los lomos el caballo.

Alombar. (De *a,* 2.° art., y *lomba.*) tr. *Ál.* **Alomar,** 1.ª acep.

Alombra. f. ant. **Alfombra.**

Alón. m. Ala entera de cualquier ave, quitadas las plumas. ALÓN *de pavo, de gallina.*

Alón. (Del fr. *allons,* de *aller,* y éste del lat. *ambŭlāre,* rascar.) interj. desus. con que se excitaba a mudar de lugar, de ejercicio o asunto.

Alondra. (Del lat. *alaudŭla,* d. de *alauda.*) f. Pájaro de 15 a 20 centímetros de largo, de cola ahorquillada, con cabeza y dorso de color pardo terroso y vientre blanco sucio. Es abundante en toda España, anida en los campos de cereales y come insectos y granos. Se le suele cazar con espejuelo. ‖ **moñuda. Cogujada.**

Alongadera. (De *alongar.*) f. ant. **Dilatoria.** Usáb. m. en pl.

Alongadero, ra. (De *alongar.*) adj. ant. *For.* **Dilatorio.**

Alongado, da. p. p. de **Alongar.** ‖ **2.** adj. **Prolongado,** 2.ª acep.

Alongamiento. m. Acción de alongar. ‖ **2.** Distancia, separación de alguna cosa.

Alonganza. f. ant. **Alongamiento.**

Alongar. (Del lat. *elōngāre,* alargar.) tr. Alargar, 1.ª y 6.ª aceps. ‖ **2.** Alejar, hacer que dure más tiempo una cosa. Ú. t. c. r.

Alonso. adj. V. **Trigo alonso.**

Alópata. adj. Que profesa la alopatía. *Médico* ALÓPATA. Ú. t. c. s.

Alopatía. (Del gr. ἀλλοπάθεια; de ἄλλος, otro, y πάθος, sufrimiento, afección.) f. Terapéutica cuyos medicamentos producen en el estado sano fenómenos diferentes de los que caracterizan las enfermedades en que se emplean.

Alopático, ca. adj. Perteneciente o relativo a la alopatía o a los alópatas.

Alopecia. (Del lat. *alopecĭa,* y éste del gr. ἀλωπεκία, de ἀλώπηξ, zorra, animal que suele pelarse con frecuencia.) f. Caída o pérdida del pelo.

Alopecuro. (Del lat. *alopecūrus,* y éste del gr. ἀλώπηξ, zorra, y οὐρά, cola.) m. **Cola de zorra.**

Alopiado, da. adj. **Opiado.**

Alopicia. f. ant. **Alopecia.**

Aloque. (Del ár. *jalūqī,* perfume azafranado.) adj. De color rojo claro. ‖ **2.** Aplícase especialmente al vino tinto claro o a la mixtura del tinto y blanco. Ú. t. c. s.

Aloquecerse. r. Enloquecerse.

Aloquín. (Del ár. *al-waqī,* el que preserva.) m. Cerco de piedra, como de unos tres decímetros de altura, y del mismo ancho, que, en el sitio donde se cura la cera al sol, se pone para impedir que se la lleve la lluvia, o se pierda, si se derrite.

Alosa. (Del lat. *alōsa.*) f. **Sábalo.**

Alosar. tr. ant. **Enlosar.**

Alosna. (Del lat. *aloxĭnum,* ajenjo.) f. **Ajenjo,** 1.ª acep.

Alotar. tr. *Mar.* **Arrizar.**

Alotropía. (Del gr. ἄλλος, otro, y τρόπος, mutación, cambio.) f. *Quím.* Diferencia que en su aspecto, textura u otras propiedades, puede presentar a veces un mismo cuerpo.

Alotrópico, ca. adj. Perteneciente o relativo a la alotropía.

Aloya. (Del lat. **alaudea,* de *alauda,* alondra.) f. *Ál.* **Alondra.**

Alpaca. (De *paco.*) f. Mamífero rumiante, variedad doméstica de la vicuña, propio de la América Meridional, donde se emplea y aprovecha como la llama. ‖ **2.** fig. Pelo de este animal, que es más largo, más brillante y flexible que el de las bestias lanares. ‖ **3.** fig. Paño hecho con este pelo. ‖ **4.** fig. Tela gruesa de algodón abrillantado, a propósito para trajes de verano.

Alpaca. f. **Metal blanco.**

Alpamato. m. Arbusto de la Argentina, de la familia de las mirtáceas, de hoja aromática y medicinal que la gente del campo usa en lugar de té.

Alpañata. f. Tierra gredosa de color muy rojo. ‖ **Comer alpañata.** fr. fig. y fam. *Gran.* Comer tierra, es decir, estar enterrado.

Alparcear. tr. p. us. Aparear ciertos animales domésticos pertenecientes a diferentes dueños, con la condición de repartir entre éstos las crías en la forma convenida.

Alparcería. f. fam. **Aparcería.** ‖ **2.** *Ar.* **Chismografía.**

Alparcero, ra. (De *aparcero,* infl. por *al.*) adj. *Ar.* Dícese de la persona habladora y chismosa. Ú. t. c. s. ‖ **2.** *And.* **Aparcero,** 1.ª acep.

Alpargata. (Del ár. *al-bulgāt,* las sandalias de esparto.) f. Calzado de cáñamo, en forma de sandalia, que se asegura con cintas a la garganta del pie.

Alpargatado, da. p. p. de **Alpargatar.** ‖ **2.** adj. Aplícase a los zapatos hechos a modo de alpargatas.

Alpargatar. intr. Hacer alpargatas.

Alpargate. m. **Alpargata.**

Alpargatería. f. Taller donde se hacen alpargatas. ‖ **2.** Tienda donde se venden.

Alpargatero, ra. m. y f. Persona que hace o vende alpargatas.

Alpargatilla. (d. de *alpargata.*) com. fig. y fam. Persona que con astucia o maña se insinúa en el ánimo de otra para conseguir alguna cosa.

Alpartaz. m. Trozo de malla de acero que pendiente del borde inferior del almete defendía su unión con la coraza.

Alpatana. (Del ár. andaluz *al-paṭāna,* los utensilios, las menudencias.) f. *And.* **Trebejos, utensilios, trastos.** ‖ **2.** Apero de labranza.

Alpechín. (Del art. ár. *al* y el lat. *faecĭnus,* que tiene muchas heces.) m. Líquido obscuro y fétido que sale de las aceitunas cuando están apiladas antes de la molienda, y cuando, al extraer el aceite, se las exprime con auxilio del agua hirviendo.

Alpechinera. f. Tinaja o pozo donde se recoge el alpechín.

Alpende. (Del lat. *appendĕre,* colgar.) m. Cubierta voladiza de cualquier edificio, y especialmente la sostenida por postes o columnas, a manera de pórtico. ‖ **2.** Casilla para custodiar enseres en las minas o en las obras públicas.

Alpendre. (Del m. or. que *alpende.*) m. **Alpende.**

Alpérsico. (Del lat. *pĕrsĭcus,* con el art. ár. *al.*) m. **Pérsico,** 3.ª y 4.ª aceps.

Alpes. (Voz céltica.) m. pl. ant. Montes muy altos; alturas de los montes.

Alpestre. adj. **Alpino.** ‖ **2.** fig. Montañoso, áspero, silvestre. ‖ **3.** *Bot.* Dícese de las plantas que viven a grandes altitudes.

Alpez. m. ant. **Alopecia.**

Alpicoz. m. *Mancha.* **Alficoz.**

Alpinismo. m. Deporte que consiste en la ascensión a los Alpes o a otras altas montañas.

Alpinista. com. Persona aficionada al alpinismo.

Alpino, na. (Del lat. *alpīnus.*) adj. Perteneciente a los Alpes, y, por ext., a las montañas altas. ‖ **2.** V. **Álamo alpino.** ‖ **3.** Perteneciente o relativo al alpinismo. *Deportes* ALPINOS. ‖ **4.** *Geol.* Dícese de la región geográfica caracterizada por su fauna y flora más o menos semejantes a las de los Alpes.

Alpiste. (Del art. ár. *al* y del lat. *pistum.*) m. Planta anua de la familia de las gramíneas, que crece hasta 40 ó 50 centímetros y echa una panoja oval, con espiguillas de tres flores y semillas menudas. Toda la planta sirve para forraje, y las semillas para alimento de pájaros y para otros usos. ‖ **2.** Semilla de esta planta. ‖ **Dejar a uno alpiste.** fr. fam. Dejarle sin tener parte en lo que esperaba. ‖ **Quedarse uno alpiste.** fr. fam. Ver defraudada su esperanza, habiendo puesto los medios para realizarla.

Alpistela. f. **Alpistera.**

Alpistera. (De *alpiste.*) f. Torta pequeña de harina, huevos y alegría.

Alpistero. adj. V. **Harnero alpistero.**

Alporchón. (Del art. ár. *al* y de *porche.*) m. *Murc.* Edificio en que se celebra la subasta de las aguas para el riego.

Alpujarreño, ña. adj. Natural de las Alpujarras. Ú. t. c. s. ‖ **2.** Perteneciente a este territorio montañoso de Andalucía.

Alquequenje. (Del ár. *al-kākanŷ,* y éste del gr. ἀλικάκαβον.) m. Planta de la familia de las solanáceas, que crece hasta 60 centímetros de altura, con tallo empinado y fruticoso, hojas ovaladas y puntiagudas, flores agrupadas, de color blanco verdoso, y fruto encarnado del tamaño de un guisante, envuelto por el cáliz, que se hincha formando una especie de vejiga membranosa. || **2.** Fruto de esta planta. Empleábase como diurético.

Alquería. (Del ár. *al-qarya*, el poblado pequeño.) f. Casa de labranza o granja lejos de poblado. También se da este nombre a un conjunto de dichas casas.

Alquermes. (Del ár. *al-qirmiz*, la grana.) m. Licor de mesa, muy agradable, pero muy excitante, que se colora con el quermes animal. || **2.** ant. **Quermes**, 1.ª acep. || **3.** *Farm.* Especie de electuario en que entraban el quermes animal y varias substancias excitantes.

Alquerque. (Del ár. *al-qirq*, el juego de tres en raya.) m. ant. **Tres en raya.**

Alquerque. (Del ár. *al-qariq*, el piso plano.) m. Espacio que hay en los molinos de aceite cerca de la regaifa y el pozuelo, y en el cual se desmenuza la pasta de orujo que resulta de la primera presión, para colocarla de nuevo en los capachos y volverla a exprimir, echando en ella agua caliente.

Alquetifa. f. ant. **Alcatifa.**

Alquez. (Del ár. *al-qās*, la medida.) m. Medida de vino de 12 cántaras.

Alquezar. (Del ár. *al-qaṣāra*, la falta de agua.) m. *Gran.* Corte que se hace en las aguas de un río para utilizarlas en el riego.

Alquibla. (Del ár. *al-qibla*, el punto del horizonte que se tiene enfrente, el mediodía.) f. Punto del horizonte, o lugar de la mezquita, hacia donde los musulmanes dirigen la vista cuando rezan.

Alquicel. (Del ár. *al-kisā'*, el vestido.) m. Vestidura morisca a modo de capa, y comúnmente blanca y de lana. || **2.** Cierto tejido que servía para cubiertas de bancos, mesas u otras cosas.

Alquicer. m. **Alquicel.**

Alquifol. m. **Zafre.**

Alquilable. adj. Que puede ser alquilado.

Alquiladizo, za. adj. Que se alquila. Apl. a pers., es despect. y ú. t. c. s.

Alquilador, ra. m. y f. Persona que alquila, y especialmente la que tiene por oficio dar en alquiler coches o caballerías. || **2.** Persona que toma en alquiler alguna cosa.

Alquilamiento. (De *alquilar.*) m. **Alquiler**, 1.ª acep.

Alquilante. p. a. de **Alquilar.** Que alquila.

Alquilar. (De *alquilé.*) tr. Dar a otro alguna cosa para que use de ella por el tiempo que se determine y mediante el pago de la cantidad convenida. Empléase más comúnmente tratándose de fincas urbanas, o de animales o muebles. || **2.** Tomar de otro alguna cosa para este fin y con tal condición. || **3.** r. Ponerse uno a servir a otro por cierto estipendio.

Alquilate. (De *quilate*, moneda.) m. Derecho que se pagaba en Murcia por la venta de las propiedades y frutos.

Alquilé. m. ant. **Alquiler.**

Alquiler. (Del ár. *al-kirā'*, el arriendo y su precio.) m. p. us. Acción de alquilar. || **2.** Precio en que se alquila alguna cosa. || **De alquiler.** loc. Dícese de los animales o cosas destinados para alquilarlos.

Alquilón, na. adj. despect. **Alquiladizo.** Apl. a pers., ú. t. c. s.

Alquimia. (Del ár. *al-kīmiyā'*, la química.) f. Arte con que se pretendía hallar la piedra filosofal y la panacea universal. || **2.** ant. **Latón**, 1.er art. || **Alquimia probada, tener renta y no gastar nada.** ref. con que se da a entender que el medio más seguro para hacer dinero es no gastarlo.

Alquímicamente. adv. m. Según el arte o las reglas de la alquimia.

Alquímico, ca. adj. Perteneciente o relativo a la alquimia.

Alquimila. (De *alquimia.*) f. **Pie de león.**

Alquimista. m. El que profesaba el arte de la alquimia. Ú. t. c. adj.

Alquinal. (Del ár. *al-qinā'*, el velo.) m. Toca o velo que usaban por adorno las mujeres. || **morisco.** ant. Pañuelo de lienzo.

Alquitara. (Del ár. *al-qaṭṭāra*, la que destila, el alambique.) f. **Alambique.** || **Por alquitara.** m. adv. fig. **Por alambique.**

Alquitarar. (De *alquitara.*) tr. **Destilar**, 1.ª acep.

Alquitifa. f. ant. **Alquetifa.**

Alquitira. (Del ár. *al-katīrā'*, la goma de tragacanto.) f. **Tragacanto.**

Alquitrabe. m. ant. **Arquitrabe.**

Alquitrán. (Del ár. *al-qiṭrān*, la brea.) m. Substancia untuosa, de color obscuro, olor fuerte y sabor amargo, compuesta de resina y aceites esenciales, que por destilación se obtiene de la hulla y de la madera del pino y otras coníferas. Se emplea en calafatear los buques y como medicamento. || **2.** Composición de pez, sebo, grasa, resina y aceite. || **mineral.** El producido destilando la hulla para fabricar el gas del alumbrado. Es muy parecido al del pino, pero más craso, negro y de mal olor.

Alquitranado, da. p. p. de **Alquitranar.** || **2.** adj. De alquitrán. || **3.** V. **Camisa alquitranada.** || **4.** m. *Mar.* Lienzo impregnado de alquitrán.

Alquitranar. tr. Dar de alquitrán a alguna cosa, como tabla, palo, jarcia, etc. || **2.** fig. ant. Incendiar, quemar.

Alrededor. (De *al* y *rededor.*) adv. l. con que se denota la situación de personas o cosas que circundan a otras, o la dirección en que se mueven para circundarlas. || **2.** adv. c. fam. Cerca, sobre poco más o menos. ALREDEDOR *de doscientas pesetas;* ALREDEDOR *de un kilómetro;* ALREDEDOR *de las nueve.* || **3.** m. **Contorno**, 1.ª acep. Ú. m. en pl.

Alrota. (Del ár. *al-rawṭa*, el estiércol, el desecho.) f. Desecho que queda de la estopa después de rastrillada. || **2.** Estopa que cae del lino al tiempo de espadarlo.

Alsaciano, na. adj. Natural de Alsacia. Ú. t. c. s. || **2.** Perteneciente a esta región de Europa. || **3.** m. Dialecto germano hablado en ella.

Álsine. (Del lat. *alsīne*, y éste del gr. ἀλσίνη.) f. Planta anua de la familia de las cariofiláceas, de 12 a 14 centímetros de altura, con hojas pequeñas y aovadas y flores blancas. Abunda en los parajes húmedos, y se usa en medicina y para alimentar pajarillos.

Alta. f. Danza antigua cortesana en compás ternario, que se bailaba por un caballero y una señora, y también por un caballero solo, haciendo varias mudanzas. Se llamó así por proceder de la Alta Alemania. || **2.** Ejercicio que se hacía en las escuelas de danzar, bailando algunos pasos de cada danza, de modo que se repasase toda la escuela. || **3.** En los hospitales, orden que se comunica al enfermo a quien se da por sano para que deje la enfermería. || **4.** Documento que acredita la entrada en servicio activo del militar destinado a un cuerpo o que vuelve a él después de haber sido baja durante algún tiempo. || **5.** Acto en que el contribuyente declara a la Hacienda el ejercicio de industrias o profesiones sujetas a impuesto. || **6.** Formulario fiscal para hacer tal declaración. || **7.** Ingreso de una persona en un cuerpo, profesión, carrera, etc. || **8.** *Esgr.* Asalto público. || **9.** *Germ.* **Torre**, 1.ª y 2.ª aceps. || **10.** *Germ.* **Ventana**, 1.ª acep. || **Dar de alta.** fr. Tomar nota del ingreso de los militares en sus respectivos cuerpos o de su vuelta a ellos. || **Dar de alta, o el alta.** fr. Declarar curado y apto para el servicio al militar que ha estado enfermo. || **2.** Declarar curada a la persona que ha estado enferma. || **Darse de alta.** fr. Ingresar en el número de los que ejercen una profesión u oficio reglamentados. || **Echar el alta.** fr. Convidar el maestro de danza a alguno de sus discípulos a una concurrencia en que se repasan todos los bailes de la escuela. || **Ser alta.** fr. Ingresar el militar en un cuerpo o volver a él después de haber sido dado de baja.

Altabaca. f. **Olivarda**, 2.° art.

Altabaque. m. **Tabaque**, 1.er art.

Altabaquillo. (d. de *altabaque.*) m. **Correhuela**, 3.ª acep.

Altaír. (Del ár. *aṭ-ṭā'ir*, el ave.) f. Estrella de primera magnitud en la constelación del Águila.

Altamandría. *And.* f. **Centinodia**, 1.ª acep.

Altamente. adv. m. Perfecta o excelentemente, en extremo, en gran manera.

Altamía. (Del ár. *aṭ-ṭa'āmiyya*, escudilla para comer.) f. ant. Especie de taza. || **2.** *León.* Cazuela de barro vidriado.

Altamisa. f. **Artemisa.**

Altana. (De *alto.*) f. *Germ.* **Templo**, 1.ª acep.

Altanar. (De *altana.*) intr. *Germ.* **Casar**, 3.er art., 1.ª acep. Ú. t. c. r.

Altaneramente. adv. m. Con altanería, altivamente.

Altanería. (De *altanero.*) f. **Altura**, 3.ª acep. || **2.** Vuelo alto de algunas aves. || **3.** Caza que se hace con halcones y otras aves de rapiña de alto vuelo. || **4.** fig. Altivez, soberbia. || **Meterse uno en altanerías.** fr. fig. y fam. Tratar de cosas superiores a su comprensión o inteligencia.

Altanero, ra. (De *alto.*) adj. Aplícase al halcón y otras aves de rapiña de alto vuelo. || **2.** fig. Altivo, soberbio. || **3.** m. *Germ.* Ladrón que hurta por lugar alto.

Altanez. f. ant. **Altanería**, 4.ª acep.

Altano. (Del lat. *altanus.*) adj. *Mar.* Dícese del viento que alternativamente sopla del mar a la tierra y viceversa. Ú. t. c. s.

Altar. (Del lat. *altāre*, altar.) m. Monumento dispuesto para inmolar la víctima y ofrecer el sacrificio. || **2.** En el culto católico, ara o piedra consagrada sobre la cual extiende el sacerdote los corporales para celebrar el santo sacrificio de la misa. || **3.** Por ext., lugar levantado y en forma de mesa más larga que ancha, ya de madera, ya de mármol, ya de fábrica, donde el ara o piedra consagrada se coloca. || **4.** V. **Capellán, mesa, paño, pie, viso de altar.** || **5.** V. **Sacramento, sacrificio del altar.** || **6.** V. **Visita de altares.** || **7.** *Astron.* **Ara**, 4.ª acep. || **8.** *Min.* Piedra que separa la plaza del hogar en los hornos de reverbero. || **9.** *Min.* En Vizcaya, banco o grada de una mina. || **de alma, o de ánima.** El que tiene concedida indulgencia plenaria para las misas que se celebran en él. || **mayor.** El principal, donde por lo común se coloca la imagen del santo titular. || **privilegiado. Altar de alma.** || **Conducir, o llevar, al altar** a una mujer. fr. fig. y fam. Casarse con ella. || **El altar y el trono.** loc. fig. La religión y la monarquía. || **Sólo falta ponerle en un altar.** fr. fig. que se dice de una persona cuyas virtudes se ponderan mucho. || **Visitar los altares.** fr. Hacer visita de **altares.**

Altarejo. m. d. de **Altar.**

Altarero. m. El que forma altares de madera y los viste para las fiestas y procesiones.

Altaricón, na. adj. fam. Hombre o mujer de gran estatura y corpulencia.

Altarreina. f. **Milenrama.**

Altavoz. (De *alta* y *voz.*) m. Aparato que reproduce en voz alta los sonidos transmitidos por medio de la electricidad.

Altea. (Del lat. *althaea,* y éste del gr. ἀλθαία, de ἄλθομαι, curarse.) f. **Malvavisco.**

Altear. (De *alto.*) tr. *Gal.* Elevar, dar mayor altura a alguna cosa, como un muro, etc. ‖ **2.** r. Elevarse, formar altura o eminencia el terreno.

Alterabilidad. f. Calidad de alterable.

Alterable. adj. Que puede alterarse.

Alteración. (Del lat. *alteratĭo, -ōnis.*) f. Acción de alterar o alterarse. ‖ **2.** Sobresalto, inquietud, movimiento de la ira u otra pasión. ‖ **3.** Alboroto, tumulto, motín. ‖ **4.** Altercado, disputa.

Alteradizo, za. adj. **Alterable.**

Alterado, da. p. p. de **Alterar.** ‖ **2.** adj. V. **Caldo alterado.**

Alterador, ra. adj. Que altera. Ú. t. c. s.

Alterante. p. a. de **Alterar.** Que altera. ‖ **2.** adj. Dícese del medicamento y de la medicación que modifican la composición de la sangre.

Alterar. (Del lat. *alterāre,* de *alter,* otro.) tr. Cambiar la esencia o forma de una cosa. Ú. t. c. r. ‖ **2.** Perturbar, trastornar, inquietar. Ú. t. c. r.

Alterativo, va. adj. Que tiene virtud de alterar.

Altercación. (Del lat. *altercatĭo, -ōnis.*) f. Acción de altercar.

Altercado, da. p. p. de **Altercar.** ‖ **2.** m. Altercación.

Altercador, ra. (Del lat. *altercātor.*) adj. Que alterca. Ú. t. c. s. ‖ **2.** Propenso a altercar. Ú. t. c. s.

Altercante. p. a. de **Altercar.** Que alterca.

Altercar. (Del lat. *altercāre,* de *alter,* otro.) intr. Disputar, porfiar.

Álter ego. (Lit., *otro yo.*) expr. lat. Persona en quien otra tiene absoluta confianza, o que puede hacer sus veces sin restricción alguna. Ú. t. c. s.

Alternación. (Del lat. *alternatĭo, -ōnis.*) f. Acción de alternar.

Alternadamente. adv. m. **Alternativamente.**

Alternado, da. p. p. de **Alternar.** ‖ **2.** adj. **Alternativo.**

Alternador. m. Máquina eléctrica generadora de corriente alterna.

Alternancia. f. Acción y efecto de alternar. ‖ **2.** *Biol.* Fenómeno que se observa en la reproducción de algunos animales y plantas, en la que alternan la generación sexual y la asexual.

Alternante. p. a. de **Alternar.** Que alterna.

Alternar. (Del lat. *alternāre,* de *alternus,* alterno.) tr. Variar las acciones diciendo o haciendo ya unas cosas, ya otras, y repitiéndolas sucesivamente. ‖ **2.** Distribuir alguna cosa entre personas o cosas que se turnan sucesivamente. ‖ **3.** *Mat.* Cambiar los lugares que ocupan respectivamente los términos medios o los extremos de una proporción. ‖ **4.** intr. Hacer o decir una cosa, desempeñar un cargo varias personas por turno. ‖ **5.** Hacer o decir una persona varias cosas por turnos y sucesivamente. ‖ **6.** Sucederse unas cosas a otras repetidamente. ALTERNAR *los días claros con los lluviosos; las alegrías con las penas.* ‖ **7.** Tener comunicación amistosa unas personas con otras. ALTERNAR *con personas de cuenta.* ‖ **8.** Entrar a competir con uno.

Alternativa. f. Acción o derecho que tiene cualquier persona o comunidad para ejecutar alguna cosa o gozar de ella alternando con otra. ‖ **2.** Servicio en que turnan dos o más personas. ‖ **3.** Opción entre dos cosas. ‖ **4.** Efecto de alternar, 4.ª acep. ‖ **5.** *Taurom.* Ceremonia por la cual un espada de cartel autoriza a un matador principiante para que pueda matar alternando con los demás espadas. El acto se reduce a entregar el primero al segundo, durante la lidia, la muleta y el estoque para que ejecute la suerte en vez de él.

Alternativamente. adv. m. Con alternación

Alternativo, va. adj. Que se dice, hace o sucede con alternación. ‖ **2.** V. **Mayorazgo alternativo.** ‖ **3.** *For.* V. **Obligación alternativa.**

Alterno, na. (Del lat. *alternus,* de *alter,* otro.) adj. **Alternativo.** ‖ **2.** *Bot.* Dícese de las hojas de las plantas que, por su situación en el tallo o en la rama, corresponden al espacio que media entre una y otra del lado opuesto. Dícese también de otros órganos de las plantas que se hallan en la situación indicada. ‖ **3.** *Geom.* V. **Ángulos alternos.**

Alteroso, sa. (De *alto,* 1.er art.) adj. ant. Alto, altivo. ‖ **2.** *Mar.* Dícese del buque demasiadamente elevado en las obras muertas.

Alteza. f. **Altura,** 1.ª, 2.ª y 3.ª aceps. ‖ **2.** fig. Elevación, sublimidad, excelencia. ‖ **3.** Tratamiento que en España se dio a los reyes hasta el advenimiento de la dinastía austriaca, y que hasta hace poco se daba a algunos tribunales o corporaciones; ahora se da a los hijos de los reyes, a los infantes de España aunque no sean hijos de reyes, y a algunas otras personas a quienes, sin ser de la real familia, concede el monarca título de príncipes con este tratamiento. ‖ **4.** *Astron.* ant. **Altura,** 7.ª acep.

Altibajo. m. Tela antigua, la misma, al parecer, que la llamada hoy terciopelo labrado, de la cual lo alto eran las flores y labores, y lo bajo o el fondo, el raso. ‖ **2.** ant. Brinco o salto. ‖ **3.** *Esgr.* Golpe derecho que se da con la espada de alto a bajo. ‖ **4.** pl. fam. Desigualdades o altos y bajos de un terreno cualquiera. ‖ **5.** fig. y fam. Alternativa de bienes y males o de sucesos prósperos y adversos.

Altilocuencia. (De *altilocuente.*) f. **Grandilocuencia.**

Altilocuente. (Del lat. *altus,* alto, y *loquens, -entis,* que habla.) adj. **Altílocuo.**

Altílocuo, cua. adj. **Grandílocuo.**

Altillo. (d. de *alto,* 1.er art.) m. Cerrillo o sitio algo elevado. ‖ **2.** *Argent.* y *Ecuad.* Desván o sobrado.

Altimetría. (Del lat. *altus,* alto, y del gr. μέτρον, medida.) f. Parte de la topografía, que enseña a medir las alturas.

Altímetro, tra. adj. Perteneciente o relativo a la altimetría. ‖ **2.** m. Instrumento destinado a medir la altura sobre el nivel del mar, y más especialmente el barómetro aneroide construido para este fin.

Altiplanicie. (De *alto,* 1.er art., y *planicie.*) f. Meseta de mucha extensión y a gran altitud.

Altísimo, ma. adj. sup. de **Alto,** 1.er art. ‖ **2. El Altísimo. Dios,** 1.ª acep.

Altisonancia. f. Calidad de altisonante.

Altisonante. (De *alto,* 1.er art., y *sonante.*) adj. **Altísono.** Dícese, por lo común, del lenguaje o estilo en que se emplean con frecuencia y afectadamente voces de las más llenas y sonoras.

Altisonantemente. adv. m. Con altisonancia.

Altísono, na. (Del lat. *altisŏnus;* de *altus,* alto, y *sonus,* sonido.) adj. Altamente sonoro, de alto sonido. Dícese del lenguaje o estilo muy sonoroso y elevado y del escritor que se distingue empleando lenguaje o estilo de esta clase.

Altitonante. (Del lat. *altitŏnans, -antis.*) adj. poét. Que truena de lo alto. *Júpiter* ALTITONANTE.

Altitud. (Del lat. *altitūdo.*) f. **Altura,** 1.ª, 2.ª y 3.ª aceps. ‖ **2.** ant. **Alteza,** 2.ª acep. ‖ **3.** *Geogr.* Altura de un punto de la tierra con relación al nivel del mar.

Altivamente. adv. m. Con altivez.

Altivar. tr. p. us. Elevar, ensalzar ‖ **2.** r. p. us. Llenarse de altivez.

Altivecer. tr. Causar altivez. Ú. t. c. r.

Altivedad. f. ant. **Altivez.**

Altivez. (De *altivo.*) f. Orgullo, soberbia.

Altiveza. f. **Altivez.**

Altividad. f. ant. **Altivez.**

Altivo, va. (De *alto,* 1.er art.) adj. Orgulloso, soberbio. ‖ **2.** Erguido, elevado, hablando de cosas.

Alto, ta. (Del lat. *altus.*) adj. Levantado, elevado sobre la tierra. ‖ **2.** Más elevado con relación a otro término inferior. ‖ **3.** Dícese de la calle, el pueblo, territorio o país que está más elevado con respecto a otro y de los habitantes de éstos. ‖ **4.** Aplicado a río o arroyo, muy crecido, y en sentido análogo se dice también del mar alborotado. ‖ **5.** Dicho de las hembras de ciertos animales, en celo. ‖ **6.** V. **Horno, llar, monte, revés, truco alto.** ‖ **7.** V. **Agua, caja, cámara, plaza, vara alta.** ‖ **8.** V. **Alta mar, alta traición.** ‖ **9.** Dícese de las personas de gran dignidad o representación. Ú. t. c. s. ‖ **10.** Aplicado a las cosas, noble, elevado, santo, excelente. ‖ **11.** Dícese también de la clase, empleo o dignidad de superior categoría o condición de personas o cosas. ‖ **12.** Arduo, difícil de alcanzar, comprender o ejecutar. ‖ **13.** Profundo, sólido. ‖ **14.** Dicho de delito u ofensa, gravísimo, enorme. ‖ **15.** fig. Dicho del precio de las cosas, caro o subido. ‖ **16.** fig. Fuerte, que se oye a gran distancia. ‖ **17.** fig. Dícese de la fiesta movible o de la cuaresma cuando cae más tarde que en otros años. ‖ **18.** fig. Avanzado. *A las* ALTAS *horas de la noche, bien* ALTA *la noche.* ‖ **19.** *Esc.* V. **Alto relieve.** ‖ **20.** m. **Altura,** 2.ª acep. *Esta mesa es de vara y media de* ALTO. ‖ **21.** Sitio elevado en el campo, como collado o cerro. ‖ **22.** Cada uno de los distintos órdenes de habitaciones que, sobrepuestos unos a otros, forman un edificio. ‖ **23.** En los brocados, se llamaba **alto** *primero* al fondo de la tela; *segundo,* a la labor, y *tercero,* al realce de los hilos de plata, oro o seda escarchada o brisada. ‖ **24.** p. us. **Viola,** 1.er art. ‖ **25.** pl. *Chile, Méj.* y *Perú* El piso o los pisos altos de una casa, por contraposición a la planta baja. ‖ **26.** adv. l. En lugar o parte superior. ‖ **27.** adv. m. En voz fuerte o que suene bastante. ‖ **Altos y bajos.** expr. fig. y fam. **Altibajos.** ‖ **De alto a bajo.** m. adv. **De arriba abajo.** ‖ **De tres altos.** loc. fig. que unida a ciertos adjetivos encarece la significación de los mismos. ‖ **En alto.** m. adv. A distancia del suelo. ‖ **2.** Hacia arriba. ‖ **Lo alto.** La parte superior o más elevada. ‖ **2.** El cielo en sentido material o espiritual. ‖ **3.** p. us. **Alta mar.** ‖ **Por alto.** m. adv. Hablando de la consecución de algún empleo o merced, por particular favor o protección, y sin haberse observado las formalidades debidas o seguido los trámites regulares. ‖ **2.** En pintura, por contraposición a apaisado, denota que un cuadro es más alto que ancho. ‖ **3.** V. **Irse por alto.**

Alto. (Del al. *halt,* parada.) m. *Mil.* Detención o parada de la tropa que va marchando. ‖ **2.** *Mil.* Voz táctica de mando para que cese de marchar la tropa. ‖ **3.** *Mil.* Voz con que el centinela, cumpliendo su consigna, manda detenerse a cualquier tropa, gente o persona. ‖ **4.** Voz que se usa para que otro suspenda la conversación, discurso o cosa que esté haciendo. ‖ **¡Alto ahí!** expr. que se emplea para hacer que uno se detenga en la marcha, en el discurso o en la ejecución de alguna cosa. || **¡Alto de ahí, o de aquí!** loc. fam. con que se manda a otros que se vayan de donde están. || **Hacer alto.** fr. Pararse la tropa o quienquiera que sea durante una marcha, viaje, etc. || **2.** fig. Parar la consideración sobre alguna cosa.

Altor. m. **Altura**, 2.ª acep.

Altozano. (De *antuzano.*) m. Cerro o monte de poca altura en terreno llano. || **2.** Sitio más alto y ventilado de ciertas poblaciones. || **3.** *Amér.* Atrio de una iglesia.

Altramucero, ra. m. y f. Persona que vende altramuces, 2.ª acep.

Altramuz. (Del ár. *al-turmus*, y éste del gr. θέρμος.) m. Planta anua de la familia de las papilionáceas, que crece hasta poco más de medio metro, con hojas compuestas de hojuelas trasovadas, flores blancas y fruto de grano menudo y achatado, en legumbre o vaina. Es buen alimento para el ganado. También las personas comen la simiente o grano después de habérsele quitado el amargor en agua y sal. || **2.** Fruto de esta planta. || **3.** En algunos cabildos de las iglesias, catedrales y colegiatas de España, especialmente en Castilla, caracolillo que sirve para votar, juntamente con unas habas blancas hechas de hueso o de marfil.

Altruismo. (Del lat. *alter*, *-ĕri*, el otro.) m. Esmero y complacencia en el bien ajeno, aun a costa del propio, y por motivos puramente humanos.

Altruista. adj. Que profesa el altruismo. Ú. t. c. s.

Altura. (De *alto*, 1.er art.) f. Elevación que tiene cualquier cuerpo sobre la superficie de la tierra. || **2.** Dimensión de los cuerpos perpendicular a su base, y considerada por encima de ésta. || **3.** Región del aire, considerada a cierta elevación sobre la tierra. || **4.** Cumbre de los montes, collados o parajes altos del campo. || **5.** fig. **Alteza**, 2.ª acep. || **6.** fig. Mérito, valor. || **7.** **Altitud**, 3.ª acep. || **8.** V. **Navegación, paralaje, piloto de altura.** || **9.** *Astron.* Arco vertical que mide la distancia entre un astro y el horizonte. || **10.** *Geom.* Dimensión de una figura plana o de un cuerpo, representada por una línea que desde su parte más elevada baje perpendicularmente a su base. || **11.** pl. **Cielo**, 4.ª acep. *Dios de las* ALTURAS. || **Altura accesible.** *Topogr.* Aquella cuya medida se puede tomar llegando hasta su pie. || **de apoyo.** *Fort.* Distancia vertical desde la línea de fuego o cresta del parapeto a la banqueta. || **de la vista.** *Persp.* Distancia de la vista al plano geométrico. || **del Ecuador.** *Astron.* Arco de meridiano comprendido entre el Ecuador y el horizonte del sitio de la observación, complemento de la altura de polo. || **de polo.** *Astron.* Arco de meridiano comprendido entre el horizonte del sitio de la observación y el polo de su hemisferio, por donde se conoce la latitud geográfica de un lugar. || **inaccesible.** *Topogr.* Aquella que se ha de medir sin llegar hasta su pie. || **meridiana.** *Astron.* La de los astros sobre el horizonte en el momento de pasar por el meridiano del observador. || **viva del agua.** *Hidrom.* Distancia vertical desde la superficie del agua hasta el fondo del río o canal. || **A estas alturas.** fr. fig. En este tiempo, en esta ocasión, cuando han llegado las cosas a este punto. || **A la altura de.** fr. fig. Con los verbos, *estar, ponerse* y otros semejantes, alcanzar una persona o cosa el grado de perfección correspondiente al término que sirve de comparación. || **Quedar** uno **a la altura del betún.** fr. fig. y fam. Quedar mal.

Alúa. f. *Argent.* **Cocuyo**, 1.ª acep.

Alubia. (Del ár. *al-lūbiyā*, la judía.) f. **Judía**, 1.ª a 3.ª aceps.

Alubiar. m. **Judiar.**

Aluciar. (De *a*, 2.° art., y *lucio*, 2.° art.) tr. Dar lustre a alguna cosa material; ponerla lúcida y brillante. || **2.** r. Pulirse, acicalarse.

Aluciedad. (De *aluciar.*) f. ant. fig. Luces, conocimientos, ilustración.

Alucinación. (Del lat. *allucinatĭo, -ōnis.*) f. Acción de alucinar o alucinarse. || **2.** Sensación subjetiva que no va precedida de impresión en los sentidos.

Alucinadamente. adv. m. Con alucinación.

Alucinador, ra. adj. Que alucina. Ú. t. c. s.

Alucinamiento. (De *alucinar.*) m. **Alucinación**, 1.ª acep.

Alucinante. p. a. de **Alucinar.** Que alucina.

Alucinar. (Del lat. *allucināri.*) tr. Ofuscar, seducir o engañar haciendo que se tome una cosa por otra. Ú. t. c. r. || **2.** intr. Confundirse, ofuscarse, desvariar.

Alucón. (aum. del lat. *alūcus*, búho.) m. **Cárabo**, 2.° art.

Alud. (Del vasc. *elurrte.*) m. Gran masa de nieve que se derrumba de los montes con violencia y estrépito. || **2.** fig. Lo que se desborda y precipita impetuosamente.

Aluda. (De *aludo.*) f. Hormiga con alas.

Aludel. (Del ár. *al-'uṭāl*, el aparato para sublimar.) m. Cada uno de los caños de barro cocido, semejantes a una olla sin fondo, que, enchufados con otros en fila, se emplean en los hornos de Almadén para condensar los vapores mercuriales producidos por la calcinación del mineral de azogue. || **2.** ant. *Quím.* Olla o vaso usado para sublimar.

Aludir. (Del lat. *alludĕre*; de *ad*, a, y *ludĕre*, jugar.) intr. Referirse a una persona o cosa, sin nombrarla o sin expresar que se habla de ella. || **2.** En los cuerpos deliberantes, referirse a persona determinada, ya nombrándola, ya hablando de sus hechos, opiniones o doctrinas.

Aludo, da. (De *ala.*) adj. De grandes alas.

Aluén. adv. l. ant. **Alueñe.**

Alueñar. (De *alueñe.*) tr. ant. **Alejar.** Usáb. m. c. r.

Alueñe. (Del lat. *ad lŏnge*, lejos.) adv. l. ant. **Lueñe**, 2.ª acep.

Alufrar. (Del lat. *ad*, a, y *lucĭfer*, que da luz.) tr. *Ar.* **Columbrar**, 1.ª acep.

Alugar. tr. ant. **Alogar.**

Alum. m. *Ar.* y *Murc.* **Alumbre.**

Alumbra. (De *alumbrar*, 1.er art.) f. p. us. **Excava.**

Alumbrado, da. p. p. de **Alumbrar** o **alumbrarse**, 1.er art. || **2.** V. **Aguas alumbradas.** || **3.** adj. Dícese de ciertos herejes, según los cuales se llegaba mediante la oración a estado tan perfecto, que no era necesario practicar los sacramentos ni las buenas obras, y se podían llevar a cabo, sin pecar, las acciones más reprobadas. Esta secta nació en España a fines del siglo XVI. Ú. m. c. s. y en pl. || **4.** m. Conjunto de luces que alumbran algún pueblo o sitio.

Alumbrado, da. p. p. de **Alumbrar**, 2.° art. || **2.** adj. Que tiene mezcla de alumbre o participa de él.

Alumbrador, ra. adj. Que alumbra, 1.er art. Ú. t. c. s.

Alumbramiento. m. Acción y efecto de alumbrar, 1.er art. || **2.** fig. **Parto**, 1.er art., 1.ª y 2.ª aceps. Ú. m. con calificativos, como *bueno, feliz*, etc. || **3.** p. us. Ilusión o engaño.

Alumbrante. p. a. de **Alumbrar**, 1.er art. Que alumbra. || **2.** m. El que cuida del alumbrado de los teatros.

Alumbrar. (Del lat. *illūmināre.*) tr. Llenar de luz y claridad. *El Sol* ALUMBRA *a la Tierra; esta lámpara* ALUMBRA *todo el salón.* Ú. t. c. intr. *El Sol* ALUMBRA; *esta lámpara* ALUMBRA *bien.* || **2.** Poner luz o luces en algún lugar. || **3.** Acompañar con luz a otro. || **4.** Asistir con luz en algún acto religioso, entierro, etc. || **5.** Dar vista al ciego. || **6.** Disipar la obscuridad y el error; convertirlos en conocimiento y acierto. || **7.** Aplicado a las facultades intelectuales, ponerlas en condición de ejercitarse acertadamente. Ú. t. c. r. || **8.** fig. Registrar, descubrir las aguas subterráneas y sacarlas a la superficie. || **9.** fig. Ilustrar, enseñar y dar a conocer con claridad a otro lo que ignoraba, dudaba o no alcanzaba. || **10.** fig. Conceder feliz parto. || **11.** fig. y fam. Maltratar con golpes a una persona. || **12.** *Agr.* Desahogar, desembarazar la vid o cepa de la tierra que se le había arrimado para abrigarla, a fin de que pasada la vendimia pueda introducirse el agua en ella. || **13.** intr. Parir la mujer. || **14.** r. fam. **Tomarse del vino.**

Alumbrar. (De *alumbre.*) tr. *Tint.* Meter los tejidos, madejas, etc., en una disolución de alumbre hecha en agua, para que reciban después mejor los colores y resulten éstos más permanentes.

Alumbre. (Del lat. *alūmen, -ĭnis.*) m. Sulfato doble de alúmina y potasa: sal blanca y astringente que se halla en varias rocas y tierras, de las cuales se extrae por disolución y cristalización. Se emplea para aclarar las aguas turbias; sirve de mordente en tintorería y de cáustico en medicina después de calcinado. || **2.** **Piedra alumbre.** || **de pluma.** El cristalizado en filamentos parecidos a las barbas de pluma. || **sacarino**, o **zucarino.** Mezcla artificial de alumbre y azúcar, que se usa en medicina como remedio astringente.

Alumbrera. f. Mina o cantera de donde se saca el alumbre.

Alumbroso, sa. (Del lat. *aluminōsus.*) adj. Que tiene calidad o mezcla de alumbre.

Alúmina. (Del lat. *alūmen, -ĭnis*, alumbre.) f. *Quím.* Óxido de aluminio que se halla en la naturaleza algunas veces puro y cristalizado, y por lo común formando, en combinación con la sílice y otros cuerpos, los feldespatos y las arcillas.

Aluminado, da. p. p. de **Aluminar.** || **2.** adj. ant. **Alumbrado**, 1.er art., 3.ª acep. Usáb. m. c. s. y en pl.

Aluminar. (Del lat. *ad*, a, y *lumināre*, alumbrar.) tr. ant. **Alumbrar**, 1.er art.

Aluminato. m. *Quím.* Compuesto formado por la alúmina en combinación con ciertas bases.

Aluminio. (De *alúmina.*) m. Metal de color y brillo parecidos a los de la plata, sumamente sonoro, tenaz como el hierro, ligero como el vidrio y poco menos fusible que el cinc; se extrae de la alúmina y tiene aplicaciones en la industria. || **2.** V. **Bronce de aluminio.**

Aluminita. (De *alúmina.*) f. Roca de que se extrae el alumbre.

Aluminoso, sa. adj. Que tiene calidad o mezcla de alúmina.

Alumno, na. (Del lat. *alumnus*, de *alĕre*, alimentar.) m. y f. Persona criada o educada desde su niñez por alguno, respecto de éste. || **2.** Cualquier discípulo, respecto de su maestro, de la materia que está aprendiendo o de la escuela, clase, colegio o universidad donde estudia. *Fulano tiene muchos* ALUMNOS; ALUMNO *de medicina;* ALUMNO *del Instituto.* || **3.** V. **Alférez alumno.** || **de las musas.** fig. **Poeta.**

Alunado, da. p. p. de **Alunarse.** || **2.** adj. **Lunático.** || **3.** Dícese del caballo o yegua que padece algún género de constipación o encogimiento de nervios. || **4.** V. **Jabalí alunado.**

Alunamiento. (De *a*, 2.° art., y *luna.*) m. *Mar.* Curva que forma la relinga de pujamen de algunas velas.

Alunarado, da. adj. Dícese de la res berrenda cuyas manchas son redondas, como grandes lunares.

Alunarse. (De *a*, 2.° art., y *luna.*) r. Corromperse o pudrirse el tocino sin criar gusanos. || **2.** *Colomb.* Enconarse las mataduras.

Aluneb. (Del ár. *al-'unnāb*, el azufaifo.) m. ant. **Azufaifo.**

Alungir. tr. ant. **Alongar.**

Aluquete. (Del ár. *al-waqīd*, la mecha.) m. ant. **Luquete,** 1.er art., 2.ª acep.

Alusión. (Del lat. *allusĭo, -ōnis*, retozo, juguete.) f. Acción de aludir. || **2.** *Ret.* Figura que consiste en aludir a una persona o cosa. || **personal.** En los cuerpos deliberantes, la que se dirige a uno de sus individuos, ya nombrándolo, ya refiriéndose a sus hechos, opiniones o doctrinas.

Alusivo, va. adj. Que alude o implica alusión.

Alustrar. tr. **Lustrar,** 2.ª acep.

Alutrado, da. (Del lat. *ad*, a, y *lutra*, lutria.) adj. De color parecido al de la lutria.

Aluvial. (Del lat. *alluvĭes*, aluvión.) adj. **De aluvión.**

Aluvión. (Del lat. *alluvĭo, -ōnis.*) m. Avenida fuerte de agua, inundación. || **2.** fig. Cantidad de personas o cosas agolpadas. || **3.** *For.* Accesión paulatina, perceptible con el tiempo, que en beneficio de un predio ribereño va causando el lento arrastre de la corriente. || **De aluvión.** loc. Dícese de los terrenos que quedan al descubierto después de las avenidas y de los que se forman lentamente por los desvíos o las variaciones en el curso de los ríos.

Alveario. (Del lat. *alvearĭum*, colmena.) m. *Zool.* Conducto auditivo externo donde se acumula la cerilla del oído.

Álveo. (Del lat. *alvĕus.*) m. Madre del río o arroyo.

Alveolar. adj. *Zool.* Perteneciente, relativo o semejante a los alveolos. *Nervios, receptáculos* ALVEOLARES. || **2.** V. **Arco alveolar.** || **3.** *Gram.* Dícese del sonido que se pronuncia acercando o aplicando la lengua a los alveolos de los incisivos superiores. || **4.** Dícese de la letra que representa este sonido. Ú. t. c. s. f.

Alveolo [Alvéolo]. (Del lat. *alveŏlus*, d. de *alvĕus*, cavidad.) m. **Celdilla,** 1.ª acep. || **2.** *Zool.* Cada una de las cavidades en que están engastados los dientes en las mandíbulas de los vertebrados. || **3.** *Zool.* Cada una de las fositas hemisféricas en que terminan las últimas ramificaciones de los bronquíolos.

Alverja. f. **Arveja,** 1.ª acep.

Alverjana. f. **Arvejana.**

Alverjón. m. **Arvejón.**

Alvino, na. (Del lat. *alvīnus*, de *alvus*, vientre.) adj. *Zool.* Perteneciente o relativo al bajo vientre. *Evacuaciones* ALVINAS.

Alza. (De *alzar.*) f. Pedazo de suela o vaqueta que los zapateros ponen sobre la horma cuando el zapato ha de ser algo más ancho o alto de lo que corresponde al tamaño de ella. || **2.** Aumento de precio que toma alguna cosa, como la moneda, los fondos públicos, las mercaderías, etc. || **3.** Regla graduada fija en la parte posterior del cañón de las armas de fuego, que sirve para precisar la puntería. || **4.** Cada uno de los maderos o tableros que sirven para formar una presa movible. || **5.** *Impr.* Pedazo de papel que se pega sobre el tímpano de la prensa o se coloca debajo de los caracteres para igualar la impresión o hacer que sobresalga donde convenga. || **En alza.** loc. Aumentando la estimación de una cosa o persona. Ú. m. con los verbos *ir* y *estar.* || **Jugar al alza.** fr. *Com.* Especular con las mudanzas de la cotización de los valores públicos o mercantiles, previendo **alza** en la misma.

Alzacuello. (De *alzar* y *cuello.*) m. Prenda suelta del traje eclesiástico, especie de corbatín. || **2.** Cuello que usaban por adorno las mujeres y servía para mantener alzada la cabeza

Alzada. (De *alzar.*) f. Estatura del caballo medida desde el rodete del talón de la mano hasta la parte más elevada de la cruz. || **2.** Recurso de apelación en lo gubernativo. || **3.** V. **Vaqueiro de alzada.** || **4.** V. **Alcalde, juez de alzadas.** || **5.** *Ast.* Lugar alto de pastos para el verano y cabañas en que allí habitan temporalmente los vaqueros.

Alzadamente. adv. m. Por un tanto alzado.

Alzadera. (De *alzar.*) f. Especie de contrapeso que servía para saltar.

Alzadero. (De *alzar.*) m. *Ast.* y *Gal.* Vasar o anaquel en cocinas y tiendas.

Alzadizo, za. adj. Que es fácil de alzar.

Alzado, da. p. p. de **Alzar.** || **2.** adj. Aplícase a la persona que quiebra maliciosamente, ocultando sus bienes para defraudar a sus acreedores. || **3.** Dícese del ajuste o precio que se fija en determinada cantidad, a diferencia de los que son resultado de evaluación o cuenta circunstanciada. || **4.** m. *Ar.* Robo, hurto. || **5.** *Amér. Merid.* Dícese de los animales domésticos que se hacen montaraces y, en algunas partes, de los que están en celo. || **6.** fig. *Argent., Chile, Méj.* y *P. Rico.* Dícese de la persona engreída, soberbia e insolente. || **7.** *Ant.* y *Méj.* Rebelde, sublevado. || **8.** *Arq.* Diseño que representa la fachada de un edificio. || **9.** *Arq.* Diseño de un edificio, máquina, aparato, etc., en su proyección geométrica y vertical sin atender a la perspectiva. || **10.** *Impr.* Ordenación de los pliegos de una obra impresa, para formar los ejemplares de la misma.

Alzador. m. *Impr.* Pieza o sitio destinado para alzar los impresos. || **2.** *Impr.* Operario encargado de esta operación.

Alzadura. f. **Alzamiento,** 1.ª acep.

Alzafuelles. (De *alzar* y *fuelle.*) com. fig. Persona aduladora o lisonjera.

Alzamiento. m. Acción y efecto de alzar o alzarse. || **2.** Puja que se hace en una subasta o almoneda. || **3.** Levantamiento o rebelión. || **de bienes.** Desaparición u ocultación que de su fortuna hace el deudor para eludir el pago a sus acreedores. Tratándose de comerciantes, quiebra fraudulenta.

Alzapaño. (De *alzar* y *paño.*) m. Cada una de las piezas de hierro, bronce u otra materia que, clavadas en la pared, sirven para tener recogida la cortina hacia los lados del balcón o la puerta. || **2.** Cada una de las tiras de tela o cordonería que, sujetas a los **alzapaños,** abrazan y tienen recogida la cortina.

Alzapié. (De *alzar* y *pie.*) m. Lazo o artificio para prender y cazar por el pie cuadrúpedos o aves.

Alzapón. (De *alzar* y *poner.*) m. *Sal.* Portezuela que tapa la parte anterior de los calzones y de alguna clase de pantalones.

Alzaprima. (Como el dialect. *azaprieme* [*Sant.*], del lat. **altiat premit.*) f. **Palanca,** 1.ª acep. || **2.** Pedazo de madera o metal que se pone como cuña para realzar alguna cosa. || **3. Puente,** 3.ª acep. || **4.** **ant.** fig. Artificio o engaño para derribar o perder a alguno. || **Dar alzaprima** a uno. fr. ant. fig. Usar de artificio o engaño para derribarlo o perderlo.

Alzaprimar. tr. Levantar alguna cosa con la alzaprima. || **2.** fig. Incitar, conmover, avivar.

Alzapuertas. (De *alzar* y *puerta.*) m. El que sólo sirve de criado o comparsa en las comedias.

Alzar. (Del lat. **altiāre*, de *altus*, alto.) tr. **Levantar,** 1.ª a 8.ª aceps. || **2.** En el santo sacrificio de la misa, elevar la hostia y el cáliz después de la consagración. Ú. t. c. intr. || **3.** V. **Alzar bandera, alzar pendón, alzar velas, alzar el vuelo.** || **4.** Quitar o llevarse alguna cosa. || **5.** Recoger y guardar u ocultar alguna cosa. || **6.** fig. **Levantar,** 12.ª a 18.ª aceps. || **7.** Retirar del campo la cosecha. || **8.** *Agr.* Dar la primera reja o vuelta al rastrojo o haza de labor. || **9.** *Albañ.* Dar el peón al oficial la pellada o porción de yeso amasado u otra mezcla que ha de emplear. || **10.** *Impr.* Poner en rueda todas las jornadas que se han tirado de una impresión y sacar los pliegos uno a uno para ordenarlos, de suerte que cada ejemplar tenga los que le corresponden y pueda procederse fácilmente a su encuadernación. || **11.** r. **Levantar,** 27.ª acep. || **12.** Quebrar maliciosamente los mercaderes y hombres de negocios, ocultando o enajenando sus bienes para no pagar a los acreedores. || **13.** En el juego, dejarlo alguno, yéndose con la ganancia, sin esperar a que los otros se puedan desquitar. || **14.** ant. Retirarse, apartarse de algún sitio. || **15.** ant. Refugiarse o acogerse. || **16.** *Amér.* Fugarse y hacerse montaraz el animal doméstico. || **17.** *For.* **Apelar,** 1.er art., 1.ª acep. || **¡Alza!** interj. fam. que se emplea para animar o celebrar a los que bailan. || **Alzarse** uno **con** alguna cosa. fr. Apoderarse de ella con usurpación o injusticia.

Allá. (Del lat. *illāc*, por allí.) adv. l. **Allí,** 1.ª y 2.ª aceps. Indica lugar menos circunscrito o determinado que el que se denota con esta última voz. Por eso **allá** admite ciertos grados de comparación que rechaza **allí**; v. gr.: *tan* ALLÁ, *más* ALLÁ, *muy* ALLÁ. Empléase a veces precediendo a nombres significativos de lugar para denotar lejanía. ALLÁ *en Rusia;* ALLÁ *en América.* || **2.** adv. t. que, precediendo a nombres significativos de tiempo, denota el remoto pasado. ALLÁ *en tiempo de los godos;* ALLÁ *en mis mocedades.* || **3.** En el otro mundo. || **El más allá.** loc. La vida de ultratumba. || **Muy allá.** m. adv. En frs. negat. y con los verbos *estar, andar* y otros semejantes, no disfrutar de buena salud.

Allanabarrancos. (De *allanar* y *barranco.*) com. *Ál.* Persona facilitona.

Allanador, ra. adj. Que allana. Ú. t. c. s.

Allanadura. f. ant. **Allanamiento,** 1.ª acep.

Allanamiento. m. Acción y efecto de allanar o de allanarse. || **2.** Acto de conformarse con una demanda o decisión.

Allanar. (Del lat. *applanāre*; de *ad*, a, y *planus*, llano.) tr. Poner llana o igual la superficie de un terreno, suelo u otra cualquiera cosa. Ú. t. c. intr. y c. r. || **2.** Reducir una construcción o un terreno al nivel del suelo, derribando o llenando. || **3.** fig. Vencer o superar alguna dificultad o inconveniente. || **4.** fig. Pacificar, aquietar, sujetar. || **5.** fig. Facilitar, permitir a los ministros de justicia que entren en alguna iglesia u otro lugar cerrado. || **6.** fig. Entrar a la fuerza en casa ajena y recorrerla contra la voluntad de su dueño. || **7.** r. **Aplanar,** 4.ª acep. || **8.** fig. Conformarse, avenirse, acceder a alguna cosa. || **9.** fig. Igualarse el que es de clase distinguida con alguno del estado llano, renunciando sus privilegios.

Allariz. m. Lienzo labrado en Allariz, villa de Galicia.

Allegadera. (De *allegar.*) f. *Sal.* Utensilio agrícola que consta de un travesaño de madera y un mango largo, y que usan en las eras para recoger las porciones de mies que dejan la rastra y el bieldo.

Allegadero, ra. adj. **Allegador,** 1.ª acep.

Allegadizo, za. adj. Que se allega o junta sin elección y para aumentar el número.

Allegado, da. p. p. de **Allegar.** || **2.** adj. Cercano, próximo. || **3.** **Pariente,** 1.ª acep. Ú. m. c. s. || **4.** **Parcial,** 4.ª acep. Ú. t. c. s.

Allegador, ra. adj. Que allega. Ú. t. c. s. ‖ **2.** m. Rastro de madera o tabla con que los labradores allegan la parva trillada: tiene dos anillos, de que tira la yunta. ‖ **3.** **Hurgón,** 2.ª acep. ‖ **Allega, allegador, para buen desparramador,** o **para buen despendedor.** ref. con que se da brega al codicioso, amenazándole con un heredero gastador. ‖ **Allegador de la ceniza y derramador de la harina.** ref. que nota el mal gobierno y economía del que se aplica a guardar las cosas de poco valor y no cuida de las de mucha importancia.

Allegamiento. m. Acción de allegar o allegarse, 1.er art. ‖ **2.** ant. Reunión o concurso de personas o cosas allegadas. ‖ **3.** ant. Aproximación, unión, estrechez. ‖ **4.** ant. **Parentesco.** ‖ **5.** ant. **Ayuntamiento,** 5.ª acep.

Allegancia. f. ant. **Alleganza.**

Alleganza. (De *allegar.*) f. ant. **Allegamiento,** 1.ª y 4.ª aceps. ‖ **2.** ant. **Llegada.**

Allegar. (Del lat. *applĭcāre,* plegar.) tr. Recoger, juntar. ‖ **2.** Arrimar o acercar una cosa a otra. Ú. t. c. r. ‖ **3.** Entre labradores, recoger la parva en montones después de trillada. ‖ **4.** Agregar, añadir. ‖ **5.** ant. Conocer carnalmente una persona a otra. Usáb. t. c. r. ‖ **6.** ant. Solicitar, procurar. ‖ **7.** intr. **Llegar,** 1.ª acep. Ú. t. c. r. ‖ **8.** r. Adherirse o convenir con un dictamen o idea.

Allén. adv. l. ant. **Allende,** 1.ª acep.

Allende. (Del lat. *ĭllum inde.*) adv. l. De la parte de allá. ‖ **2.** adv. c. **Además.** ‖ **3.** prep. Más allá de, de la parte de allá de. ‖ **4.** Además, fuera de.

Allent. adv. l. ant. **Allende,** 1.ª acep.

Allí. (Del lat. *ad illic.*) adv. l. En aquel lugar. ‖ **2.** A aquel lugar. ‖ **3.** adv. t. Entonces, en tal ocasión. ALLÍ *fue el trabajo.* ‖ **4.** En correlación con **aquí,** suele designar sitio o paraje indeterminado. *Por dondequiera se veían hermosas flores;* AQUÍ, *rosas y dalias;* ALLÍ, *jacintos y claveles.*

Allora. (Del lat. *ad illam horam.*) adv. t. ant. **Entonces,** 1.ª acep.

Alloza. (Del ár. *al-lawza,* la almendra.) f. **Almendruco.**

Allozar. m. Lugar poblado de allozos.

Allozo. (De *alloza.*) m. **Almendro.** ‖ **2.** Almendro silvestre.

Alludel. m. **Aludel,** 1.ª acep.

Ama. (Del vasc. *amá,* madre.) f. Cabeza o señora de la casa o familia. ‖ **2.** Dueña o poseedora de alguna cosa. ‖ **3.** La que tiene uno o más criados, respecto de ellos. ‖ **4.** Criada superior que suele haber en casa del clérigo o del seglar que vive solo. ‖ **5.** Criada principal de una casa. ‖ **6.** Mujer que cría a sus pechos alguna criatura ajena. ‖ **7.** ant. Aya, maestra. ‖ **de cría. Ama,** 6.ª acep. ‖ **de gobierno. Ama de llaves.** ‖ **de leche. Ama de cría.** ‖ **de llaves.** Criada encargada de las llaves y economía de la casa. ‖ **seca.** Mujer a quien se confía en la casa el cuidado de los niños, háyalos o no amamantado. ‖ **Ama sois, ama, mientras el niño mama; desde que no mama, ni ama ni nada. Entretanto que cría, amamos al ama; en pasando el provecho, luego olvidada.** refs. con que se denota que por lo común sólo estimamos a las personas mientras necesitamos de ellas. Del primero de estos dos refranes sólo se emplea generalmente la primera parte. ‖ **El ama brava es llave de su casa.** ref. que advierte que la severidad de los amos contiene a la familia para que no haya excesos ni desperdicios.

Amabilidad. (Del lat. *amabilĭtas, -ātis.*) f. Calidad de amable.

Amabilísimo, ma. adj. sup. de **Amable.**

Amable. (Del lat. *amabĭlis.*) adj. Digno de ser amado. ‖ **2.** Afable, complaciente, afectuoso.

Amablemente. adv. m. Con amabilidad.

Amacayo. m. *Amér.* **Flor de lis,** 2.ª acep.

Amaceno, na. (Del lat. *damascēnus,* de Damasco.) adj. **Damasceno,** 3.ª acep. Ú. t. c. s.

Amacigado, da. adj. De color amarillo o de almáciga.

Amación. (Del lat. *amatio, -ōnis.*) f. *Mística.* Enamoramiento o pasión amorosa.

Amacollar. intr. Formar macolla las plantas. Ú. t. c. r.

Amachetear. (De *a,* 2.° art., y *machete.*) tr. Dar machetazos.

Amachinarse. (De *a,* 2.° art., y *machín.*) r. *Amér. Central, Colomb.* y *Méj.* **Amancebarse.**

Amado, da. p. p. de **Amar.** ‖ **2.** m. y f. Persona amada.

Amador, ra. (Del lat. *amātor.*) adj. Que ama. Ú. t. c. s.

Amadrigar. (Del lat. *ad,* a, y *matrix, -īcis,* matriz.) tr. fig. Acoger bien a alguno, y especialmente al que no lo merece. AMADRIGAR *a un vago.* ‖ **2.** r. Meterse en la madriguera. ‖ **3.** fig. Retraerse, no dejarse ver en público sino rara vez.

Amadrinamiento. m. Acción y efecto de amadrinar, 1.ª acep.

Amadrinar. tr. Unir dos caballerías con la correa llamada madrina. ‖ **2.** fig. **Apadrinar.** Ú. t. c. r. ‖ **3.** *Amér. Merid.* Acostumbrar al ganado caballar a que vaya en tropilla detrás de la madrina. ‖ **4.** *Mar.* Unir o parear dos cosas para reforzar una de ellas o para que ambas ofrezcan mayor resistencia.

Amadroñado, da. adj. Parecido al madroño.

Amaestradamente. adv. m. Con maestría, con arte y destreza.

Amaestrado, da. p. p. de **Amaestrar.** ‖ **2.** adj. Dispuesto con arte y astucia.

Amaestrador, ra. adj. Que amaestra. Ú. t. c. s.

Amaestradura. (De *amaestrar.*) f. Artificio para disimular o engañar.

Amaestramiento. m. Acción y efecto de amaestrar o amaestrarse.

Amaestrar. (De *a,* 2.° art., y *maestro.*) tr. Enseñar o adiestrar. Ú. t. c. r. ‖ **2.** *Germ.* **Amansar.**

Amagadura. f. *Veter.* Rozadura sobre el casco de la caballería.

Amagar. tr. Dejar ver la intención o disposición de ejecutar próximamente alguna cosa. Ú. t. c. intr. ‖ **2.** intr. Estar próximo a sobrevenir. ‖ **3.** Hacer ademán o demostración de favorecer o hacer daño. ‖ **4.** Hablándose de ciertas enfermedades, empezar a manifestarse algunos síntomas de ellas, aunque no pasen adelante: AMAGAR *la terciana, el accidente.* ‖ **5.** En lenguaje militar se usa para denotar la maniobra táctica de hacer ademán o demostración de querer dar un golpe. ‖ **6.** r. fam. Ocultarse, esconderse. Ú. t. c. tr. en *Ar.* ‖ **Amagar y no dar.** Juego de muchachos, el cual se reduce a levantar uno de ellos la mano como para dar a otro un golpe, sin llegar a dárselo, porque de lo contrario pierde.

Amagatorio. (De *amagar.*) m. *Ar.* **Escondite,** 2.ª acep.

Amago. m. Acción de amagar. ‖ **2.** Señal o indicio de alguna cosa.

Ámago. m. **Hámago.**

Amagrecer. (De *a,* 2.° art., y *magro.*) tr. e intr. ant **Enmagrecer.**

Amainador. m. *Min.* Obrero que amaina.

Amainar. tr. *Mar.* Recoger en todo o en parte las velas de una embarcación para que no camine tanto. ‖ **2.** *Min.* Desviar o retirar de los pozos las cubas u otras vasijas que se emplean en ellos ‖ **3.** intr. Tratándose del viento, aflojar, perder su fuerza. ‖ **4.** fig. Aflojar o ceder en algún deseo, empeño o pasión. Ú. t. c. tr.

Amaine. m. Acción y efecto de amainar.

Amaitinar. tr. Observar y mirar con cuidado, acechar, espiar.

Amajadar. tr. Hacer la majada o redil al ganado menor en un terreno, para que lo abone mientras esté allí recogido. ‖ **2.** Poner el ganado en la majada o redil. Ú. t. c. intr. ‖ **3.** intr. Hacer mansión el ganado en la majada.

Amajanar. tr. Señalar los límites de un campo con majanos.

Amalar. tr. ant. **Malear,** 1.ª acep. ‖ **2.** r. ant. Ponerse malo o enfermo. Usáb. t. c. intr.

Amalear. tr. ant. **Malear,** 1.ª acep.

Amalecita. (Del lat. *amalecita,* y éste del hebr. *'amalqī.*) adj. Dícese del individuo de un pueblo bíblico de la Arabia, descendiente de Amalec, nieto de Esaú. Ú. m. c. s. y en pl. ‖ **2.** Perteneciente a este pueblo.

Amalequita. adj. **Amalecita.**

Amalfitano, na. adj. Natural de Amalfi. Ú. t. c. s. ‖ **2.** Perteneciente a esta ciudad de Italia.

Amalgama. (De *amalgamar.*) f. *Quím.* Combinación del mercurio con otro u otros metales. ‖ **2.** fig. Unión o mezcla de cosas de naturaleza contraria o distinta.

Amalgamación. f. *Quím.* Acción y efecto de amalgamar o amalgamarse.

Amalgamador, ra. adj. Que amalgama. Ú. t. c. s.

Amalgamamiento. m. **Amalgamación.**

Amalgamar. (De *a,* 2.° art., y *malgama.*) tr. *Quím.* Combinar el mercurio con otro u otros metales. Ú. t. c. r. ‖ **2.** fig. Unir o mezclar cosas de naturaleza contraria o distinta. Ú. t. c. r.

Ámalo, la. adj. Dícese de uno de los linajes más ilustres de los godos. Apl. a pers., ú. t. c. s.

Amalladar. intr. *Ar.* **Malladar.**

Amallarse. r. *Chile.* Alzarse, 13.ª acep. de **Alzar.**

Amamantador, ra. adj. Que amamanta. Ú. t. c. s.

Amamantamiento. m. Acción y efecto de amamantar.

Amamantar. tr. Dar de mamar.

Amán. (Del ár. *amān,* seguridad.) m. Paz o amnistía que piden los moros que se someten.

Amanal. m. *Méj.* Alberca, estanque.

Amanar. tr. ant. Prevenir, preparar o poner a la mano alguna cosa.

Amancay. (Voz quichua.) m. Especie de narciso amarillo de Chile y del Perú. ‖ **2.** Flor de esta planta.

Amancebamiento. (De *amancebarse.*) m. Trato ilícito y habitual de hombre y mujer.

Amancebarse. (De *a,* 2.° art., y *manceba.*) r. Unirse en amancebamiento.

Amancillar. (De *a,* 2.° art., y *mancilla.*) tr. **Manchar,** 1.er art., 1.ª y 3.ª aceps. ‖ **2.** Deslucir, afear, ajar. ‖ **3.** ant. **Lastimar.** ‖ **4.** ant. Causar lástima o compasión.

Amanear. tr. **Manear.**

Amanecer. (Del lat. *ad,* a, y *mane,* por la mañana.) intr. Empezar a aparecer la luz del día. ‖ **2.** Llegar o estar en un paraje, situación o condición determinados al aparecer la luz del día. ‖ **3.** Aparecer de nuevo o manifestarse alguna cosa al rayar el día. AMANECIÓ *un pasquín en la puerta de Palacio.* ‖ **4.** fig. Empezar a manifestarse alguna cosa, como el uso de la razón, la prudencia, etc. ‖ **5.** tr. desus. Alumbrar, iluminar.

Amanecer. m. Tiempo durante el cual amanece. *El* AMANECER *de un día de mayo.* ‖ **Al amanecer.** m. adv. Al tiempo de estar amaneciendo.

Amanecida. f. Amanecer, 2.° art.

Amaneciente. p. a. de **Amanecer.** Que amanece.

Amaneradamente. adv. m. Con amaneramiento.

Amanerado, da. p. p. de **Amanerarse.** || **2.** adj. Que adolece de amaneramiento.

Amaneramiento. m. Acción de amanerarse. || **2.** Falta de variedad en el estilo.

Amanerarse. (De *a*, 2.° art., y *manera.*) r. Contraer un artista, un escritor o un orador el vicio de dar a sus obras o a su palabra o expresión, cierta uniformidad y monotonía, contrarias a la verdad y a la variedad. Ú. t. c. tr. || **2.** Contraer una persona, por afectación, vicio semejante en el modo de accionar, de hablar, etc.

Amaniatar. tr. **Maniatar.**

Amanojado, da. p. p. de **Amanojar.** || **2.** adj. *Bot.* Que tiene forma de manojo.

Amanojar. tr. Juntar en manojo.

Amansado, da. p. p. de **Amansar.** || **2.** adj. V. **Animal amansado.**

Amansador, ra. adj. Que amansa. Ú. t. c. s. || **2.** *Chile, Ecuad.* y *Méj.* **Picador,** 1.ª acep.

Amansamiento. m. Acción y efecto de amansar o amansarse.

Amansar. tr. Hacer manso a un animal, domesticarlo. Ú. t. c. r. || **2.** fig. Sosegar, apaciguar, mitigar. Ú. t. c. r. || **3.** fig. Domar el carácter violento de una persona. Ú. t. c. r. || **4.** intr. Apaciguarse, amainar algo. || **5.** Ablandarse una persona en su carácter.

Amantar. tr. fam. Cubrir a uno con manta o con ropa sin ajustársela al cuerpo.

Amante. (Del lat. *amans, -antis.*) p. a. de **Amar.** Que ama. Ú. t. c. s. || **2.** adj. Por ext., dícese de las cosas en que se manifiesta el amor o que se refieren a él. || **3.** m. pl. Hombre y mujer que se aman.

Amante. (Del gr. ἱμάς, -άντος, correa.) m. *Mar.* Cabo grueso que, asegurado por un extremo en la cabeza de un palo o verga y provisto en el otro de un aparejo, sirve para resistir grandes esfuerzos.

Amantillar. tr. *Mar.* Halar los amantillos.

Amantillo. (d. de *amante*, 2.° art.) m. *Mar.* Cada uno de los dos cabos que sirven para embicar y mantener horizontal una verga cruzada.

Amanuense. (Del lat. *amanuensis.*) com. Persona que escribe al dictado. || **2.** **Escribiente,** 1.ª acep.

Amanzanamiento. m. *Argent.* Acción y efecto de amanzanar.

Amanzanar. tr. *Argent.* Dividir un terreno en manzanas, 5.ª acep.

Amañar. (De *a*, 2.° art., y *maña.*) tr. Componer mañosamente alguna cosa. Tómase generalmente en mala parte. || **2.** *Gal.* y *Sant.* Arreglar, componer. || **3.** r. Darse maña, acomodarse con facilidad a hacer alguna cosa.

Amaño. (De *amañar.*) m. Disposición para hacer con maña alguna cosa. || **2.** fig. Traza o artificio para ejecutar o conseguir algo, especialmente cuando no es justo o merecido. Ú. m. en pl. || **3.** pl. Instrumentos o herramientas a propósito para alguna maniobra.

Amapola. (Del ár. *ḥababura*, y éste del lat. *papāver.*) f. Planta anua de la familia de las papaveráceas, con flores rojas por lo común y semilla negruzca. Frecuentemente nace en los sembrados y los infesta. Es sudorífica y algo calmante.

Amapolarse. (De *amapola.*) r. ant. Pintarse la cara las mujeres.

Amar. (Del lat. *amāre.*) tr. Tener amor a personas o cosas. || **2.** Dícese también de las cosas inanimadas. || **3.** **Desear.** || **Quien bien ama, tarde olvida.** ref. **Quien bien quiere, tarde olvida.** || **Quien feo ama, hermoso le parece.** ref. con que se da a entender cuánto engañan el deseo y la voluntad o el afecto.

Amaracino, na. (Del lat. *amaracĭnus* y éste del gr. ἀμαράκινος, de ἀμάρακος, mejorana.) adj. De amáraco. || **2.** V. **Ungüento amaracino.**

Amáraco. (Del lat. *amarăcus*, y éste del gr. ἀμάρακος.) m. **Mejorana.**

Amaraje. m. Acción de amarar un hidroavión.

Amarantáceo, a. (De *amaranto.*) adj. *Bot.* Dícese de matas y arbolitos angiospermos dicotiledóneos que tienen hojas opuestas o alternas, flores diminutas, sentadas, aglomeradas, solitarias o en espiga, y por frutos, cápsulas o cariópsides con semillas de albumen amiláceo, como el amaranto y la perpetua. Ú. t. c. s. f. || **2.** f. pl. *Bot.* Familia de estas plantas.

Amarantina. (De *amaranto.*) f. Perpetua de flores encarnadas.

Amaranto. (Del lat. *amarantus*, y éste del gr. ἀμάραντος; de ἀ, priv., y μαραίνω, marchitar.) m. Planta anua de la familia de las amarantáceas, de ocho a nueve decímetros de altura, con tallo grueso y ramoso, hojas oblongas y ondeadas, flores terminales en espiga densa, aterciopelada y comprimida a manera de cresta, y comúnmente, según las distintas variedades de la planta, carmesíes, amarillas, blancas o jaspeadas, y fruto con muchas semillas negras y relucientes. Es originaria de la India y se cultiva en los jardines como planta de adorno.

Amarañar. tr. ant. **Enmarañar.**

Amarar. (De *a* y *mar.*) intr. Posarse en el agua un hidroavión.

Amarecer. (Del lat. *mas, maris*, carnero.) tr. **Amorecer.**

Amargaleja. (De *amargo.*) f. **Endrina.**

Amargamente. adv. m. Con amargura.

Amargar. (Del lat. *amaricāre.*) intr. Tener alguna cosa sabor o gusto desagradable al paladar, parecido al de la hiel, el acíbar, el ajenjo, etc. Ú. t. c. r. || **2.** tr. Comunicar sabor o gusto desagradable a una cosa, en sentido propio y figurado. || **3.** fig. Causar aflicción o disgusto. Ú. t. c. r.

Amargazón. (De *amargar.*) f. ant. **Amargor.**

Amargo, ga. (De *amaro*, 2.° art., infl. por *amargar.*) adj. Que amarga. || **2.** V. **Almendra, caña, lechera amarga.** || **3.** V. **Almendro, cedro, cohombrillo amargo.** || **4.** fig. Que causa aflicción o disgusto. || **5.** fig. Que está afligido o disgustado. || **6.** fig. Áspero y de genio desabrido. || **7.** Que implica o demuestra amargura o aflicción. || **8.** m. **Amargor,** 1.ª acep. || **9.** Dulce seco compuesto con almendras **amargas.** || **10.** Licor confeccionado con almendras **amargas.** || **11.** *Farm.* Composición que principalmente se hace de ingredientes **amargos.**

Amargón. m. **Diente de león.**

Amargor. m. Sabor o gusto amargo. || **2.** fig. **Amargura,** 2.ª acep. || **Quitarse** uno **el amargor de la boca.** fr. fig. y fam. Satisfacer un deseo.

Amargosamente. adv. m. **Amargamente.**

Amargoso, sa. adj. **Amargo,** 1.ª, 4.ª, 5.ª y 7.ª aceps. || **2.** V. **Escoba amargosa.**

Amarguera. f. Planta perenne de la familia de las umbelíferas, de tallo ramoso, que crece hasta unos 80 centímetros de altura, con hojas lineales, tiesas y nerviosas, flores amarillas en umbela, y frutos ovales y comprimidos, que encierran dos semillas cada uno. Toda la planta tiene sabor amargo, y a esta circunstancia debe su nombre.

Amarguero. adj. V. **Espárrago amarguero.**

Amarguillo. (d. de *amargo.*) m. **Amargo,** 9.ª acep.

Amargura. f. **Amargor,** 1.ª acep. || **2.** fig. Aflicción o disgusto.

Amaricado, da. (De *a*, 2.° art., y *marica*, 4.ª acep.) adj. fam. **Afeminado.**

Amarilidáceo, a. (De *amaryllis*, nombre de un género de plantas.) adj. *Bot.* Dícese de plantas angiospermas monocotiledóneas, vivaces, generalmente bulbosas, de hojas lineales, flores hermafroditas, ordinariamente en cimas, umbelas o racimos, alguna vez solitarias; fruto comúnmente en cápsula, con semillas de albumen carnoso; como el narciso, el nardo y la pita. Ú. t. c. s. f. || **2.** f. pl. *Bot.* Familia de estas plantas.

Amarilídeo, a. adj. *Bot.* **Amarilidáceo.**

Amarilla. (De *amarillo.*) f. fig. y fam. Moneda de oro, y especialmente **onza.** || **2.** *Veter.* Enfermedad del ganado lanar, que procede de una alteración del hígado.

Amarillear. intr. Mostrar alguna cosa la amarillez que en sí tiene. || **2.** **Palidecer.**

Amarillecer. intr. Ponerse amarillo.

Amarillejo, ja. adj. d. de **Amarillo.** || **2.** **Amarillento.**

Amarillento, ta. adj. Que tira a amarillo.

Amarilleo. m. Acción y efecto de amarillear.

Amarillez. f. Calidad de amarillo. Ú. m. hablando del cuerpo humano.

Amarilleza. f. ant. **Amarillez.**

Amarillo, lla. (Del lat. **amarĕllus*, de *amārus*, amargo.) adj. De color semejante al del oro, el limón, la flor de retama, etc. Ú. t. c. s. Es el tercer color del espectro solar. || **2.** V. **Cambur, cuerpo, jazmín, libro, nenúfar, rosal, ungüento amarillo.** || **3.** V. **Azúcar, cedoaria, cera, fiebre, orcaneta, perpetua, siempreviva amarilla.** || **4.** V. **Mielga de flor amarilla.** || **5.** m. Adormecimiento extraordinario que los gusanos de seda, cuando son muy pequeños, suelen padecer en tiempo de niebla. || **6.** *Argent.* **Tataré.**

Amarillor. m. ant. **Amarillez.**

Amarillura. f. ant. **Amarillez.**

Amarinar. tr. **Marinar.**

Amariposado, da. adj. De figura semejante a la de la mariposa. Aplícase comúnmente a las corolas de las flores de las papilionáceas.

Amaritud. (Del lat. *amaritūdo.*) f. **Amargor.**

Amarizar. (Del lat. *meridiāre*, sestear.) intr. *Sal.* Sestear el ganado.

Amarizarse. (Como el port. *amariçar*, de *a* y el lat. vulgar *maritiāre*, de *marītus*, marido.) r. **Copularse.** Dícese del ganado lanar.

Amarizo. m. *Sal.* Sitio en donde se amariza el ganado.

Amaro. (Del lat. *mărum.*) m. Planta de la familia de las labiadas, de unos siete a ocho decímetros de altura, muy ramosa, con hojas grandes, acorazonadas en la base, recortadas por el margen y cubiertas de un vello blanquizco, y flores en verticilo, blancas con viso morado y de olor nauseabundo. Se usa como tópico para las úlceras.

Amaro, ra. (Del lat. *amārus.*) adj. ant. **Amargo.**

Amaromar. (De *a*, 2.° art., y *maroma.*) tr. **Amarrar,** 1.ª acep.

Amarra. (De *amarrar.*) f. Correa que va desde la muserola al pretal, y se pone a los caballos para que no levanten la cabeza. || **2.** *Mar.* Cuerda o cable, y especialmente cabo con que se asegura la embarcación en el puerto o paraje donde da fondo, ya sea con el ancla, o ya amarrada a tierra. || **3.** pl. fig. y fam. Protección, apoyo. *Pedro tiene buenas* AMARRAS.

Amarraco. (De *amarreco*.) m. Tanteo de cinco puntos en el juego del mus.

Amarradero. m. Poste, pilar o argolla donde se amarra alguna cosa. || **2.** *Mar.* Sitio donde se amarran los barcos.

Amarrado, da. p. p. de **Amarrar.** || **2.** adj. *Chile.* **Atado,** 2.ª acep.

Amarradura. f. Acción y efecto de amarrar. || **2.** *Mar.* **Vuelta,** 3.ª acep.

Amarraje. m. Impuesto que se paga por el amarre de las naves en un puerto.

Amarrar. (Del neerl. *marren* o *meren*, atar.) tr. Atar y asegurar por medio de cuerdas, maromas, cadenas, etc. || **2.** Por ext., atar, sujetar. || **3.** Sujetar el buque en el puerto o en cualquier fondeadero, por medio de anclas y cadenas o cables. || **4.** Atar los haces de trigo, cebada, avena o habas. || **5.** fig. En varios juegos de naipes, hacer la fullería de barajar de tal suerte que ciertas cartas queden juntas y salgan o no, según convenga.

Amarrazón. f. ant. *Mar.* Conjunto de amarras.

Amarre. m. **Amarradura.** || **2.** Acción de amarrar, 5.ª acep.

Amarreco. (Voz vasca.) m. *Ál.* **Amarraco.**

Amarrequear. intr. *Ál.* Señalar o apuntar los amarracos.

Amarrido, da. (De *a*, 2.° art., y *marrido*.) adj. Afligido, melancólico, triste.

Amarro. m. **Sujeción,** 1.ª acep.

Amarteladamente. (De *amartelado*.) adv. m. **Enamoradamente.**

Amartelado, da. p. p. de **Amartelar.** || **2.** adj. Que implica o demuestra amartelamiento.

Amartelamiento. (De *amartelar*.) m. Exceso de galantería o rendimiento amoroso.

Amartelar. (De *a*, 2.° art., y *martelo*.) tr. Atormentar, dar cuidado y especialmente atormentar con celos. Ú. t. c. r. || **2.** Dar cuidado amoroso; enamorar. || **3.** r. Enamorarse de una persona o cosa.

Amartillar. tr. **Martillar.** || **2.** Poner en el disparador una arma de fuego, como escopeta o pistola.

Amarulencia. (Del lat. *amarulentus*, de *amārus*, amargo.) f. Resentimiento, amargura.

Amasadera. f. Artesa en que se amasa. || **2.** *Murc.* Cuezo de los albañiles.

Amasadero. m. Local donde se amasa el pan.

Amasadijo. m. ant. **Amasijo.**

Amasador, ra. adj. Que amasa. Ú. t. c. s.

Amasadura. f. Acción de amasar || **2.** **Amasijo,** 1.ª acep.

Amasamiento. m. **Amasadura.** || **2.** *Med.* **Masaje.**

Amasar. (De *a*, 2.° art., y *masa*, 1.er art.) tr. Formar o hacer masa, mezclando harina, yeso, tierra o cosa semejante con agua u otro líquido. || **2.** fig. Formar mediante la combinación de varios elementos. || **3.** fig. Unir, amalgamar. || **4.** fig. y fam. Disponer bien las cosas para el logro de lo que se intenta. Tómase por lo común en mala parte.

Amasia. (Del lat. *amasia*, f. de *amasius*.) f. Querida, concubina.

Amasiato. (De *amasia*.) m. *Méj.* y *Perú.* **Concubinato.**

Amasijo. m. Porción de harina amasada para hacer pan. || **2.** Acción de amasar y de preparar o disponer las cosas necesarias para ello. || **3.** Porción de masa hecha con yeso, tierra o cosa semejante y agua u otro líquido. || **4.** fig. y fam. Obra o tarea. || **5.** fig. y fam. Mezcla o unión de ideas diferentes que causan confusión. || **6.** fig. y fam. Convenio entre varias personas, regularmente para cosa mala.

Amatador, ra. (De *amatar*.) adj. ant. **Matador,** 1.ª acep. Usáb. t. c. s.

Amatar. tr. ant. **Matar.** Usáb. t. c. r. || **2.** *Ecuad.* Causar mataduras a una bestia por ludirle el aparejo.

Amate. (Del mejic. *amatl*, papel; porque de su albura lo fabricaban los indios.) m. Higuera que abunda en las regiones cálidas de Méjico. El jugo lechoso de este árbol se usa por la gente vulgar como resolutivo. Hay dos especies: el **blanco** y el **negro.**

Amatista. (Del lat. *amethystus*, y éste del gr. ἀμέθυστος; de ἀ, priv., y μεθύω, embriagarse.) f. Cuarzo transparente, teñido por el óxido de manganeso, de color de violeta más o menos subido. Se usa como piedra fina. || **oriental.** Corindón violado.

Amatiste. m. ant. **Amatista.**

Amatividad. (De *amativo*.) f. *Fren.* Instinto del amor sexual.

Amativo, va. (Del lat. *amātum*, sup. de *amāre*, amar.) adj. Propenso a amar.

Amatorio, ria. (Del lat. *amatorius*.) adj. Relativo al amor. || **2.** Que induce a amar.

Amaurosis. (Del gr. ἀμαύρωσις, obscurecimiento; de ἀμαυρός, obscuro.) f. Privación total de la vista, ocasionada por lesión en la retina, en el nervio óptico o en el encéfalo, sin más señal exterior en los ojos que una inmovilidad constante del iris.

Amauta. m. Sabio, entre los antiguos peruanos.

Amayorazgar. tr. Reducir a vinculados algunos bienes, fundando con ellos mayorazgo a favor de ciertas líneas y personas.

Amayuela. f. Almeja de mar.

Amazacotado, da. adj. Pesado, groseramente compuesto a manera de mazacote. || **2.** fig. Dicho de obras literarias o artísticas, pesado, confuso, falto de orden, proporción, gracia y variedad.

Amazolado, da. (De *a*, 2.° art., y *mazuelo*, d. de *mazo*.) adj. ant. Hecho mazos o dividido en ellos.

Amazona. (Del lat. *amazon*, *-ŏnis*, y éste del gr. ἀμαζών.) f. Mujer de alguna de las razas guerreras que suponían los antiguos haber existido en los tiempos heroicos. || **2.** fig. Mujer de ánimo varonil. || **3.** fig. Mujer que monta a caballo. || **4.** fig. Traje de falda, comúnmente muy larga, que suelen usar las mujeres para montar a caballo.

Amazonas. n. p. V. **Piedra de las Amazonas.**

Amazónico, ca. adj. Perteneciente a las amazonas, o propio y característico de ellas.

Amazonio, nia. (Del lat. *amazonĭus*.) adj. **Amazónico.**

Ambages. (Del lat. *ambāges*; de *amb*, alrededor, y *agĕre*, llevar, mover.) m. pl. ant. Rodeos o caminos intrincados, como los de un laberinto. || **2.** fig. Rodeos de palabras o circunloquios, bien por afectación, bien porque se tema o no se quiera explicar pronta y claramente alguna cosa.

Ambagioso, sa. (Del lat. *ambagiōsus*.) adj. Lleno de ambigüedades, sutilezas y equívocos.

Ámbar. (Del ár. *'anbar*.) m. Resina fósil, de color amarillo más o menos obscuro, opaca o semitransparente, muy ligera, dura y quebradiza, que arde fácilmente, con buen olor, y se emplea en cuentas de collares, boquillas para fumar, etc. || **2.** Perfume delicado. || **3.** V. **Escobilla de ámbar.** || **gris.** Substancia que se extrae del intestino de los cachalotes, sólida, opaca, de color gris con vetas amarillas y negras, de olor almizcleño, que al calor de la mano se ablanda como la cera, y la cual se halla en masas pequeñas y rugosas, sobrenadando en ciertos mares, especialmente en las costas de Coromandel, Sumatra y Madagascar. Se emplea en perfumería y como medicamento excitante. || **negro. Azabache,** 1.ª acep. || **pardillo. Ámbar gris.** || **De ámbar.** Decíase de los guantes, coletos, bolsas y otras prendas de piel adobada con **ámbar gris.** || **Ser un ámbar.** fr. fig. y fam. con que se pondera el color, claridad y transparencia de algunos licores, y especialmente del **vino.**

Ambarar. tr. ant. Dar o comunicar a alguna cosa olor de ámbar.

Ambarina. (De *ámbar*.) f. **Algalia,** 1.er art., 2.ª acep. || **2.** *Amér.* **Escabiosa.**

Ambarino, na. adj. Perteneciente al ámbar.

Amberino, na. adj. Natural de Amberes. Ú. t. c. s.

Ambiciar. tr. **Ambicionar.**

Ambición. (Del lat. *ambitĭo*, *-ōnis*, de *ambīre*, pretender.) f. Deseo ardiente de conseguir poder, riquezas, dignidades o fama.

Ambicionar. (De *ambición*.) tr. Desear ardientemente alguna cosa.

Ambicionear. tr. desus. **Ambicionar.**

Ambiciosamente. adv. m. Con ambición.

Ambicioso, sa. (Del lat. *ambitiōsus*.) adj. Que tiene ambición. Ú. t. c. s. || **2.** Que tiene ansia o deseo vehemente de alguna cosa. Ú. t. c. s. || **3.** Dícese de aquellas cosas en que se manifiesta la ambición. || **4.** fig. Dícese de la hiedra y demás plantas que, como ella, se abrazan con tenacidad a los árboles u objetos por los que trepan.

Ambidextro, tra. (Del lat. *ambidexter*; de *ambo*, ambos, y *dexter*, diestro.) adj. Que usa igualmente de la mano izquierda que de la derecha.

Ambidos. (Del lat. *invĭtus*, que obra de mala gana.) adv. m. ant. De mala gana, contra la propia voluntad y propósito, con repugnancia.

Ambiental. adj. Perteneciente o relativo al ambiente, 3.ª acep.

Ambientar. (De *ambiente*, 3.ª acep.) tr. Dar a una cosa el ambiente adecuado al fin que se persigue. Ú. m. hablando de obras de arte.

Ambiente. (Del lat. *ambiens*, *-entis*, que rodea o cerca.) adj. Aplícase a cualquier fluido que rodea un cuerpo. || **2.** m. Aire tranquilo que rodea los cuerpos. || **3.** Circunstancias que rodean a las personas o cosas. || **4.** *Pint.* Efecto de la perspectiva aérea que presta corporeidad a lo pintado y finge las distancias.

Ambigú. (Del fr. *ambigu*, y éste del lat. *ambiguus*, de ambos.) m. Comida, por lo regular nocturna, compuesta de manjares calientes y fríos, con que se cubre de una vez la mesa. || **2.** Local de un edificio destinado para reuniones o espectáculos públicos, en el cual se sirven los dichos manjares.

Ambiguamente. adv. m. Con ambigüedad.

Ambigüedad. (Del lat. *ambiguĭtas*, *-ātis*.) f. Calidad de ambiguo.

Ambiguo, gua. (Del lat. *ambĭguus*, de *ambigĕre*, dudar.) adj. Que puede entenderse de varios modos o admitir distintas interpretaciones y dar, por consiguiente, motivo a dudas, incertidumbre o confusión. Dícese especialmente del lenguaje. || **2.** Incierto, dudoso. || **3.** *Gram.* V. **Género ambiguo.**

Ámbito. (Del lat. *ambĭtus*, de *ambīre*, rodear.) m. Contorno o perímetro de un espacio o lugar. || **2.** Espacio comprendido dentro de límites determinados.

Ambivalencia. f. *Psicol.* Estado de ánimo, transitorio o permanente, en el que coexisten dos emociones o sentimientos opuestos; como el amor y el odio.

Ambivalente. adj. Perteneciente o relativo a la ambivalencia.

Amblador, ra. adj. Dícese del animal que ambla.

Ambladura. f. Acción y efecto de amblar. || **2.** **Paso de ambladura.**

Amblar. (Del lat. *ambulāre*, andar.) intr. Andar moviendo a un tiempo el pie y la mano de un mismo lado, como la jirafa, en lugar de moverlos en cruz, como generalmente acontece en los cuadrúpedos. También se enseña a las caballerías este modo de andar. || **2.** ant. Mover lúbricamente el cuerpo.

Amblehuelo. m. d. de **Ambleo.** || **2.** Cirio de dos libras de peso.

Ambleo. (Del fr. *flambeau*, y éste del lat. **flammĕllus*, de *flammŭla*, llama.) m. Cirio de kilogramo y medio de peso, que se usa en ciertos servicios de la Iglesia. || **2.** Candelero para este cirio.

Ambligonio. (Del lat. *amblygonius*, y éste del gr. ἀμβλυγώνιος; de ἀμβλύς, obtuso, y γωνία, ángulo.) adj. *Geom.* V. **Triángulo ambligonio.**

Ambliopía. (Del gr. ἀμβλυωπία, de ἀμβλυωπός, el que tiene la vista débil; de ἀμβλύς, débil, y ὤψ, vista.) f. *Med.* Debilidad o disminución de la vista, sin lesión orgánica del ojo.

Ambo. (Del lat. *ambo.*) m. En el antiguo juego de la lotería, suerte favorable y ganancia consiguiente para quien llevaba dos números iguales a los que resultaban premiados. || **2.** En la lotería de cartones, dos números colocados en una fila de un cartón, y cuyas bolas respectivas han salido antes que las correspondientes a los otros tres números de la misma fila.

Ambón. (Del lat. *ambo, -ōnis*, y éste del gr. ἄμβων.) m. Cada uno de los púlpitos que están a ambos lados del altar mayor, para cantar la epístola y el evangelio. En algunas iglesias antiguas estaban situados a los lados del coro.

Ambos, bas. (Del lat. *ambo.*) adj. pl. El uno y el otro; los dos. || **Ambos a dos; ambas a dos. Ambos, bas.**

Ambrolla. (De *ambrollar.*) f. ant. **Embrollo.**

Ambrollador, ra. adj. ant. **Embrollador.** Usáb. t. c. s.

Ambrollar. (De *embrollar.*) tr. ant. **Embrollar.**

Ambrosía [**Ambrosia**]. (Del gr. ἀμβροσία, de ἄμβροτος, inmortal, divino.) f. *Mit.* Manjar o alimento de los dioses. || **2.** fig. Cosa deleitosa al espíritu. || **3.** fig. Cualquier vianda, manjar o bebida de gusto suave o delicado. || **4.** Planta anua de la familia de las compuestas, de dos a tres decímetros de altura, ramosa, de hojas recortadas, muy blancas y vellosas, así como los tallos; flores amarillas en ramillete y frutos oblongos con una sola semilla. Es de olor suave y gusto agradable, aunque amargo.

Ambrosiano, na. adj. Perteneciente o relativo a San Ambrosio. *Rito* AMBROSIANO; *biblioteca* AMBROSIANA. || **2.** V. **Canto ambrosiano.**

Ambuesta. (Del célt. *ambibosta;* de *ambi*, ambos, y *bosta*, el hueco de la mano.) f. **Almorzada.**

Ambulación. f. Acción de ambular.

Ambulancia. (Del lat. *ambŭlans, -antis*, ambulante.) f. Hospital establecido en los cuerpos o divisiones de un ejército y destinado a seguir los movimientos de las tropas, a fin de prestar los primeros auxilios a los heridos. || **2.** Vehículo destinado al transporte de heridos y enfermos y al de los elementos de cura y auxilio de aquéllos. || **de correos.** Oficina postal establecida en algunos trenes. || **fija.** La que permanece en determinado sitio del campo de maniobras o de batalla. || **volante.** La que lleva sus auxilios hasta la línea de fuego.

Ambulante. (Del lat. *ambŭlans, -antis*; p. a. de *ambulāre*, andar.) adj. Que va de un lugar a otro sin tener asiento fijo. || **2. Ambulativo.** || **3.** Perteneciente o relativo a la ambulancia. || **4.** m. Empleado de correos encargado del servicio de una ambulancia.

Ambular. (Del lat. *ambŭlāre*, pasear.) intr. p. us. Andar, ir de una parte a otra.

Ambulativo, va. (Del lat. *ambulatīvus*, de *ambulatio*, paseo.) adj. Aplícase al genio o inclinación de algunas personas que gustan de andar diferentes tierras sin hacer mansión fija en ninguna.

Ameba. (Del gr. ἀμοιβή, cambio.) f. *Zool.* Protozoo rizópodo cuyo cuerpo carece de cutícula y emite seudópodos incapaces de anastomosarse entre sí. Conócense numerosas especies, de las que unas son parásitas de animales, otras viven en las aguas dulces o marinas y algunas en la tierra húmeda. || **2.** f. pl. *Zool.* Orden de estos animales.

Amebeo. (Del lat. *amoebaeus*, y éste del gr. ἀμοιβαῖος, alternativo.) adj. V. **Verso amebeo.** Ú. t. c. s.

Amecer. (Del lat. *admiscēre;* de *ad*, a, y *miscēre*, mezclar.) tr. ant. **Mezclar.** Usáb. t. c. r.

Amechar. tr. Poner mecha en velones, candiles, etc. || **2. Mechar.**

Amedrantar. tr. **Amedrentar.**

Amedrentador, ra. adj. Que amedrenta. Ú. t. c. s.

Amedrentante. p. a. de **Amedrentar.** Que amedrenta.

Amedrentar. (Del lat. **mĕtōrĕntus*, de **mĕtor* por *mĕtus*, miedo.) tr. Infundir miedo, atemorizar. Ú. t. c. r.

Ámel. (Del ár. *'āmil.*) m. Entre los árabes, jefe de un distrito.

Amelar. intr. Fabricar las abejas su miel.

Amelcochar. tr. *Amér.* Dar a un dulce el punto espeso de la melcocha. Ú. t. c. r.

Amelga. (De *amelgar.*) f. Faja de terreno que el labrador señala en una haza para esparcir la simiente con igualdad y proporción.

Amelgado, da. p. p. de **Amelgar.** || **2.** adj. Dícese del sembrado que ha nacido con cierta desigualdad. *Este trigo está* AMELGADO. || **3.** m. *Ar.* Acción y efecto de amelgar, 2.ª acep.

Amelgador. m. Obrero que amelga.

Amelgar. (De *a*, 2.° art., y *mielga*, 3.er art.) tr. Hacer surcos de distancia en distancia proporcionadamente para sembrar con igualdad. || **2.** *Ar.* Amojonar alguna parte del terreno, en señal del derecho o posesión que en ella tiene alguna persona.

Amelía. f. Distrito gobernado por un ámel.

Amelo. (Del lat. *amellus.*) m. Planta perenne de la familia de las compuestas, de cinco a seis decímetros de altura, con tallo recto, ramoso por arriba, hojas sentadas, lanceoladas y enteras, y flores grandes, azules y en su centro amarillas. Suele cultivarse en los jardines como planta de adorno.

Amelocotonado, da. adj. Que se parece al melocotón.

Amelonado, da. adj. De figura de melón.

Amembrillado, da. adj. Que se parece en algo al membrillo.

Amén. (Del hebr. *āmēn*, así sea, así es; en ár. *āmīn.*) Voz que se dice al fin de las oraciones de la Iglesia. || **2.** Úsase para manifestar aquiescencia o vivo deseo de que tenga efecto lo que se dice. Ú. t. c. s. m. || **3.** V. **Sacristán, voto de amén.** || **Amén, amén al cielo llega.** ref. **Muchos amenes llegan al cielo.** || **En un decir amén.** fr. fig. y fam. En un instante; en brevísimo tiempo. || **Llevarle** a uno **el amén.** fr. fig. y fam. *Chile.* Manifestar aquiescencia a cuanto dice. || **Muchos amenes llegan al cielo.** ref. que denota la eficacia que tienen las oraciones o ruegos repetidos para alcanzar lo que se pide.

Amén. (De la loc. *a menos.*) adv. m. Excepto, a excepción. || **2.** adv. c. A más, además.

Amenamente. adv. m. Con amenidad.

Amenaza. (De *amenazar.*) f. Acción de amenazar. || **2.** Dicho o hecho con que se amenaza. En casos determinados, es delito punible de oficio.

Amenazador, ra. adj. Que amenaza.

Amenazadoramente. adv. m. De modo amenazador.

Amenazante. p. a. de **Amenazar.** Que amenaza.

Amenazar. (De *a*, 2.° art., y *menazar.*) tr. Dar a entender con actos o palabras que se quiere hacer algún mal a otro, || **2.** fig. Dar indicios de estar inminente alguna cosa mala o desagradable: anunciarla, presagiarla. Ú. t. c. intr. || **3.** ant. fig. Conducir, guiar el ganado. || **Más son los amenazados que los acuchillados.** ref. con que se da a entender que es más fácil **amenazar** que castigar o ejecutar.

Amencia. (Del lat. *amentĭa.*) f. ant. **Demencia.**

Amenguadamente. adv. m. ant. **Menguadamente.**

Amenguadero, ra. adj. ant. Que amengua.

Amenguamiento. m. Acción y efecto de amenguar.

Amenguante. p. a. de **Amenguar.** Que amengua.

Amenguar. (De *a*, 2.° art., y *mengua.*) tr. Disminuir, menoscabar. Ú. t. c. intr. || **2.** fig. Deshonrar, infamar, baldonar.

Amenidad. (Del lat. *amoenĭtas, -ātis.*) f. Calidad de ameno.

Amenizar. tr. Hacer ameno algún sitio. || **2.** fig. Hacer amena alguna cosa. AMENIZAR *un discurso;* AMENIZAR *la conversación.*

Ameno, na. (Del lat. *amoenus.*) adj. Grato, placentero, deleitable por su frondosidad y hermosura. *Campo, valle* AMENO. || **2.** fig. Aplícase también a las personas y cosas que, por obra del ingenio o de otras cualidades de la naturaleza humana, tienen el don de recrear o deleitar apaciblemente. *Escritor, estilo, trato* AMENO; *comedia, lectura, conversación* AMENA.

Amenorar. (De *a*, 2.° art., y *menor.*) tr. ant. **Aminorar.**

Amenorgar. (Del lat. **minōrĭcāre*, de *minōrāre*, empequeñecer.) tr. p. us. Aminorar, amenguar.

Amenorrea. (Del gr. ἀ, priv., μήν, mes, y ῥέω, fluir.) f. Enfermedad que consiste en la supresión del flujo menstrual.

Amenoso, sa. adj. ant. **Ameno.**

Amentáceo, a. (De *amento.*) adj. *Bot.* Aplícase a las plantas que tienen inflorescencias en amento. Usáb. t. c. s. f.

Amentar. (Del lat. *amentāre.*) tr. Atar o tirar con amiento.

Amente. (Del lat. *amens, entis;* de *a*, priv., y *mens*, entendimiento.) adj. ant. **Demente.**

Amento. (Del lat. *amentum.*) m. **Amiento.** || **2.** *Bot.* Espiga articulada por su base y compuesta de flores de un mismo sexo, como la del avellano.

Ameos. (De *ami.*) m. Planta aromosa de la familia de las umbelíferas, con tallo recto, estriado y lampiño, que crece hasta 60 centímetros de altura; hojas con segmentos serrados y lanceolados; flores blancas, fruto oval y comprimido, y semillas negruzcas, menudas y aromáticas, que se han empleado en medicina como diuréticas. || **2.** Semilla de esta planta.

Amerar. tr. **Merar.** || **2.** r. Hablando de la tierra o de alguna fábrica, introducirse poco a poco el agua en ella o recalarse la humedad.

Amercearse. (De *a*, 2.° art., y *merced.*) r. ant. **Amercendearse.**

Amercendeador, ra. adj. ant. Que se amercendea. Usáb. t. c. s.

Amercendeamiento. m. ant. Acción y efecto de amercendearse.

Amercendeante. p. a. ant. de **Amercendearse.** Que se amercendea.

Amercendearse. (De *a*, 2.° art., y *mercendear.*) r. ant. Compadecerse, apiadarse. Usáb. t. c. intr.

Amerengado, da. adj. Semejante al merengue.

América. n. p. V. **Avestruz, piña, tifo de América.**

Americana. f. Prenda de vestir semejante a la chaqueta, pero más larga.

Americanismo. m. Vocablo, acepción o giro propio y privativo de los americanos, y particularmente de los que hablan la lengua española. || **2.** Admiración por las cosas de América.

Americanista. adj. Relativo a las cosas de América. || **2.** com. Persona que cultiva y estudia las lenguas y antigüedades de América.

Americano, na. adj. Natural de América. Ú. t. c. s. || **2.** Perteneciente a esta parte del mundo. || **3.** *Ast.* y *Gal.* **Indiano,** 5.ª acep. || **4.** V. **Calendario americano.**

Américo, ca. adj. desus. **Americano.**

Amesnador. m. ant. El que amesna o guarda. || **2.** ant. El que en palacio tenía por oficio guardar la persona del rey.

Amesnar. (Del m. or. que *mesnada.*) tr. ant. Guardar, defender, poner a salvo o seguro. || **2.** intr. ant. Acogerse, guarecerse.

Amestizado, da. adj. Que tira a mestizo; semejante a él en el color y facciones.

Amesurar. (De *a*, 2.° art., y *mesurar.*) tr. ant. Medir, arreglar, ajustar.

Ametalado, da. adj. Semejante al metal, 1.er art., 2.ª acep. || **2.** Sonoro como metal; de buen timbre.

Ametalar. tr. p. us. **Alear,** 2.° art. || **2.** fig. Formar de cosas heterogéneas.

Ametista. f. **Amatista.**

Ametisto. m. ant. **Ametista.**

Ametralladora. (De *ametrallar.*) f. Máquina de guerra que dispara muy rápidamente proyectiles de fusil.

Ametrallar. tr. Disparar metralla contra el enemigo.

Amezquindarse. (De *a*, 2.° art., y *mezquindad.*) r. p. us. **Entristecerse.**

Ami. (Del lat. *ammi*, y éste del gr. ἄμμι.) m. **Ameos.**

Amia. (Del lat. *amia*, y éste del gr. ἀμία.) f. **Lamia,** 2.ª acep.

Amianta. f. ant. **Amianto.**

Amianto. (Del lat. *amiantus*, y éste del gr. ἀμίαντος, sin mancha.) m. Mineral que se presenta en fibras blancas y flexibles, de aspecto sedoso. Es un silicato de cal, alúmina y hierro, y por sus condiciones tiene aplicación para hacer con él tejidos incombustibles.

Amiba. (Del gr. ἀμοιβή, fermentación.) f. *Zool.* **Ameba.**

Amibo. m. *Zool.* **Ameba.**

Amicicia. (Del lat. *amicitia.*) f. ant. **Amistad,** 1.ª acep.

Amicísimo, ma. (Del lat. *amicissimus.*) adj. sup. de **Amigo.**

Amidos. (Del lat. *invitus*, forzado.) adv. m. ant. **Ambidos.**

Amiento. (De *amento.*) m. Correa con que se aseguraba la celada y que se ataba por debajo de la barba. || **2.** Correa con que se ataba el zapato. || **3.** Correa con que se ataban por medio las lanzas o flechas para arrojarlas.

Amiésgado. m. ant. **Fresa,** 1.er art.

Amiga. (Del lat. *amica.*) f. Manceba o concubina. || **2.** Maestra de escuela de niñas. || **3.** Escuela de niñas.

Amigabilidad. (De *amigable.*) f. Disposición natural para contraer amistades.

Amigable. (Del lat. *amicabilis.*) adj. Afable y que convida a la amistad. || **2.** Dicho de cosas, **amistoso.** || **3.** fig. Que tiene unión o conformidad con otra cosa. || **4.** *For.* V. **Amigable componedor.**

Amigablemente. adv. m. Con amistad.

Amigajado, da. adj. ant. Hecho migajas.

Amiganza. (De *amigo.*) f. ant. **Amistad,** 1.ª acep.

Amigar. (Del lat. *amicare*, de *amicus*, amigo.) tr. **Amistar.** Ú. t. c. r. || **2.** r. **Amancebarse.**

Amígdala. (Del lat. *amygdăla* y éste del gr. ἀμυγδάλη, almendra, por la forma.) f. *Zool.* Órgano formado por la reunión de numerosos nódulos linfáticos. || **2. Amígdala palatina.** || **faríngea.** La situada en la porción nasal de la faringe. || **lingual.** La situada en la base de la lengua. || **palatina.** Cada una de las dos que se encuentran entre los pilares del velo del paladar.

Amigdaláceo, a. (Del lat. *amygdalacĕus*, propio de la almendra.) adj. *Bot.* Dícese de árboles o arbustos de la familia de las rosáceas, lisos o espinosos, que tienen hojas sencillas y alternas, flores precoces, solitarias o en corimbo y fruto drupáceo con hueso que encierra una almendra por semilla; como el cerezo, el ciruelo, el endrino, etc. Ú. t. c. s. f. || **2.** f. pl. *Bot.* Familia de estas plantas.

Amigdalina. (Del lat. *amygdalīnus*, de almendra.) f. *Quím.* Glucósido contenido en la almendra amarga.

Amigdalitis. f. *Med.* Inflamación de las amígdalas.

Amigo, ga. (Del lat. *amīcus.*) adj. Que tiene amistad. Ú. t. c. s. || **2. Amistoso.** || **3.** fig. Que gusta mucho de alguna cosa. || **4.** poét. Refiriéndose a objetos materiales, benéfico, benigno, grato. || **5.** *Arit.* V. **Números amigos.** || **6.** m. Hombre amancebado. || **7.** Úsase como tratamiento afectuoso, aunque no haya verdadera amistad. || **8.** *Min.* Palo que se coloca atravesado en la punta del tiro o cintero para que, montándose los operarios, bajen y suban por los pozos. || **9.** V. **Cara de pocos amigos.** || **10.** V. **Pie de amigo.** || **del asa.** fam. **Amigo** íntimo. || **de pelillo,** o **de taza de vino.** fam. El que lo es solamente por interés y conveniencia. || **hasta las aras.** El que profesa fina amistad a otra persona sin exceder los límites de lo justo y honesto. || **Al amigo, con su vicio.** ref. que advierte que no se debe dejar al **amigo** porque tenga algún defecto. || **Al amigo que no es cierto, con un ojo cerrado y el otro abierto.** ref. que recomienda la precaución con que se debe tratar al que, a pesar de llamarse amigo, no inspira gran confianza. || **Al amigo y al caballo, no apretallo.** ref. que advierte que no conviene importunar a los amigos. || **Amigo que no presta y cuchillo que no corta, que se pierda poco importa.** ref. **El amigo que no presta y el cuchillo que no corta,** etc. || **Amigo reconciliado, enemigo doblado.** ref. que advierte que no se debe fiar del **amigo** con quien una vez se haya reñido. || **Amigo, viejo; tocino y vino, añejo.** ref. que advierte que de estas tres cosas, la más antigua es la mejor. || **Aquel es tu amigo, que te quita de ruidos.** ref. que denota que los servicios oportunos son la mejor prueba de amistad. || **Aquéllos son ricos, que tienen amigos.** ref. que pondera la ventaja de contar con buenos amigos. || **A su amigo, el gato le deja siempre señalado.** ref. que denota que tiene siempre malas consecuencias la amistad con gentes de mala condición. || **Cuanto más amigos, más claros.** ref. con que se da a entender que entre **amigos** se debe hablar con toda ingenuidad y franqueza. || **De amigo a amigo, agraz, o chispa, o sangre, en el ojo.** ref. que enseña que no se debe confiar demasiado en todos los que se venden por amigos. || **Descubríme a él como amigo, y armóseme como testigo.** ref. que enseña la cautela que debe observarse para confiar un secreto. || **El amigo que no presta y el cuchillo que no corta, que se pierda poco importa.** ref. con que se da a entender que los **amigos** egoístas y poco dispuestos a hacer algún sacrificio o tomarse alguna incomodidad son inútiles y no hay que sentir interrumpan la amistad. || **Entre amigos, con verlo basta.** ref. que enseña la suma precaución con que debe obrarse en materia de intereses. || **2.** Empléase también para denotar desconfianza del testimonio ajeno. || **Entre amigos y soldados, cumplimientos son excusados.** ref. que enseña que entre los que se tratan con amistad y llaneza no se debe reparar mucho en ceremonias. || **Entre dos amigos, un notario y dos testigos.** ref. que enseña que la seguridad y formalidad en los contratos no se debe tomar por desconfianza en la amistad, pues sirve para mantenerla sin quiebra o discordia. || **Más vale un amigo que pariente ni primo.** ref. que advierte que a veces vale más una buena amistad que el parentesco. || **Mientras más amigos, más claros.** ref. **Cuanto más amigos, más claros.** || **Reniego del amigo que cubre con las alas y muerde con el pico.** ref. que reprende a los lisonjeros o engañosos que, aparentando favorecer a uno, le perjudican descubriendo sus faltas.

Amigote. m. aum. fam. de **Amigo.**

Amiguísimo, ma. adj. sup. de **Amigo.**

Amiláceo, a. (Del lat. *amy̆lum*, almidón, y éste del gr. ἄμυλον.) adj. Que contiene almidón.

Amilamia. (Del vasc. *eme*, del lat. *femina*, y *lamia.*) f. *Ál.* Hada o náyade de índole afable y caritativa.

Amilanamiento. m. Acción y efecto de amilanar o amilanarse.

Amilanar. (De *a*, 2.° art., y *milano.*) tr. fig. Causar tal miedo a uno, que quede aturdido y sin acción. || **2.** fig. Hacer caer de ánimo. || **3.** r. Caer de ánimo, abatirse.

Amílico. (Del gr. ἄμυλον, almidón.) adj. V. **Alcohol amílico.** Ú. t. c. s.

Amillaramiento. m. Acción y efecto de amillarar. || **2.** Padrón en que constan los bienes amillarados. Hoy se aplica principalmente al de inmuebles en los pueblos donde la Hacienda pública no ha hecho aún el registro o catastro fiscal.

Amillarar. (De a, 2.° art., y *millar.*) tr. Regular los caudales y granjerías de los vecinos de un pueblo para repartir entre ellos las contribuciones.

Amillonado, da. adj. Sujeto a la antigua contribución de millones o arreglado según ella. || **2.** Muy rico o acaudalado.

Amín. (De ár. *amīn*, fiel.) m. En Marruecos, funcionario encargado de recaudar los fondos, efectuar los pagos y administrar bienes por cuenta del gobierno.

Aminoración. (De *aminorar.*) f. **Minoración.**

Aminorar. tr. **Minorar.**

Amir. (Del ár. *amir*, jefe.) m. desus. **Emir.**

Amirí. (Del ár. *'āmirī.*) adj. Dícese de cada uno de los descendientes de Almanzor ben Abiámir, que a la caída del califato de Córdoba fundaron reinos de taifas en el levante de España, durante la primera mitad del siglo XI de J. C. Ú. t. c. s.

Amisión. (Del lat. *amissĭo, -ōnis*, de *amittĕre*, perder.) f. ant. **Perdimiento.**

Amistad. (Del lat. **amicĭtas, -ātis*, por *amicitia*, amistad.) f. Afecto personal, puro y desinteresado, ordinariamente recíproco, que nace y se fortalece con el trato. || **2.** Amancebamiento. || **3.** Merced, favor. || **4.** ant. Pacto amistoso entre dos o más personas. || **5.** ant. Deseo o gana de alguna cosa. || **6.** fig. Afinidad, conexión, hablando de cosas. || **7.** pl. Personas con las que se tiene amistad. || **Amistad de yerno, sol en invierno.** ref. que denota la tibieza o poca duración de la **amistad** entre suegros y yernos. || **Hacer las amistades.** fr. fam. Reconciliarse dos o más personas que estaban reñidas. || **Romper las amistades.** fr. Reñir los que eran amigos. || **Tornar la amistad.** fr. ant. que se usaba como fórmula para rescindir el pacto de **amistad.**

Amistanza. f. ant. **Amistad.**

Amistar. tr. Unir en amistad. Ú. t. c. r. || **2.** Reconciliar a los enemistados. Ú. t. c. r.

Amistosamente. adv. m. Con amistad.

Amistoso, sa. adj. Perteneciente o relativo a la amistad. *Trato* AMISTOSO; *correspondencia* AMISTOSA.

Amitigar. tr. p. us. **Mitigar.**

Amito. (Del lat. *amictus*, de *amicīre*, cubrir.) m. Lienzo fino, cuadrado y con una cruz en medio, que el sacerdote se pone sobre la espalda y los hombros, debajo del alba, para celebrar los oficios divinos.

Amitosis. (Del gr. ἀ, priv., y μίτος, hilo.) f. *Biol.* Modalidad de división de la célula, la cual consiste en que cada uno de los dos componentes celulares, núcleo y citoplasma, se dividen, sin modificarse su estructura, en dos porciones iguales que entran a formar parte, respectivamente, de cada una de las dos células hijas. Es mucho menos frecuente que la mitosis.

Amitótico, ca. (De *amitosis.*) adj. *Biol.* Perteneciente o relativo a la amitosis.

Amnesia. (Del gr. ἀμνησία; de ἀ, priv., y μνῆσις, recuerdo, memoria.) f. Pérdida o debilidad notable de la memoria, a consecuencia de lesiones patológicas o seniles en determinados centros de la corteza cerebral.

Amnestía. (Del lat. *amnestia*, y éste del gr. ἀμνηστία, olvido.) f. ant. **Amnistía.**

Amnios. (Del gr. ἀμνίον.) m. *Zool.* Membrana que envuelve la parte dorsal del embrión de los reptiles, aves y mamíferos y está separada de ella por una cavidad llena de un líquido que actúa a modo de almohadilla protectora del embrión. || **2.** *Zool.* V. **Agua del amnios.**

Amniótico, ca. adj. *Zool.* Perteneciente o relativo al amnios.

Amnistía. (De *amnestia.*) f. Olvido de los delitos políticos, otorgado por la ley ordinariamente a cuantos reos tengan responsabilidades análogas entre sí.

Amnistiar. tr. Conceder amnistía.

Amo. (De *ama.*) m. Cabeza o señor de la casa o familia. || **2.** Dueño o poseedor de alguna cosa. || **3.** El que tiene uno o más criados, respecto de ellos. || **4.** Mayoral o capataz. || **5.** Persona que tiene predominio o ascendiente decisivo sobre otra u otras. || **6.** ant. **Ayo.** || **Nuestro Amo.** *Chile* y *Méj.* **Sacramento,** 3.ª acep. || **Asentar** uno **con amo.** fr. Obligarse por asiento a servirle. || **Haz lo que tu amo te manda, y sentaráste con él a la mesa.** ref. que da a entender la mucha estimación que logra de su **amo** el criado que le obedece puntualmente. || **Quien a muchos amos sirve, a alguno, o a unos y otros, ha de hacer falta.** ref. que enseña que no se puede servir bien a la vez a distintas personas. || **Ser** uno **el amo de la baila.** fr. fig. *Ar.* **Ser el amo del cotarro.** || **Ser** uno **el amo del cotarro.** fr. fig. y fam. Ser el principal en algún negocio.

Amoblar. tr. **Amueblar.**

Amochiguar. (Del lat. **multĭficāre*, multiplicar.) tr. ant. **Amuchiguar.** Usáb. t. c. intr. y c. r.

Amodita. (Del lat. *ammodўtes*, y éste del gr. ἀμμοδύτης; de ἄμμος, arena, y δύτης, que se sumerge.) f. **Alicante,** 1.er art.

Amodorrado, da. adj. Soñoliento, adormecido o que tiene modorra.

Amodorramiento. m. Acción y efecto de amodorrarse.

Amodorrante. p. a. de **Amodorrarse.** Que causa modorra.

Amodorrarse. r. Caer en modorra.

Amodorrecer. tr. **Modorrar,** 1.ª acep.

Amodorrido, da. adj. Que padece modorra.

Amogotado, da. adj. *Mar.* De figura de mogote, 1.ª acep.

Amohecer. tr. **Enmohecer.** Ú. m. c. r.

Amohinar. tr. Causar mohína. Ú. t. c. r.

Amojamamiento. (De *amojamar*, 2.ª acep.) m. Delgadez o sequedad de carnes.

Amojamar. tr. Hacer mojama. || **2.** r. **Acecinarse.**

Amojelar. tr. *Mar.* Sujetar con mojeles el cable al virador.

Amojonador. m. El que amojona.

Amojonamiento. m. Acción y efecto de amojonar. || **2.** Conjunto de mojones.

Amojonar. (De *a*, 2.° art., y *mojón.*) tr. Señalar con mojones los linderos de una propiedad o de un término jurisdiccional.

Amol. (Del m. or. que *amole.*) m. *Guat.* y *Hond.* Planta sarmentosa, de la familia de las sapindáceas, que, machacada, se usa para embarbascar.

Amoladera. (De *amolar.*) adj. V. **Piedra amoladera.** Ú. t. c. s.

Amolador. m. El que tiene por oficio amolar instrumentos cortantes o punzantes.

Amoladura. f. Acción y efecto de amolar. || **2.** pl. Arenillas y pedazos muy menudos que se desprenden de la piedra al tiempo de amolar.

Amolar. (De *a*, 2.° art., y *muela.*) tr. Sacar corte o punta a una arma o instrumento en la muela. || **2.** V. **Piedra de amolar.** || **3.** fig. Adelgazar, enflaquecer. || **4.** fig. y fam. Fastidiar, molestar con pertinacia.

Amoldable. adj. Capaz de amoldarse.

Amoldador, ra. adj. Que amolda. Ú. t. c. s.

Amoldamiento. m. Acción de amoldar o amoldarse.

Amoldar. (De *a*, 2.° art., y *molde.*) tr. Ajustar una cosa al molde. Ú. t. c. r. || **2.** fig. Por ext., acomodar, reducir a la forma propia o conveniente. Ú. t. c. r. || **3.** fig. Arreglar o ajustar la conducta de alguno a una pauta determinada. Ú. m. c. r. || **4.** ant. Señalar o marcar el ganado lanar.

Amole. (Del mej. *amulli*, jabón.) m. Nombre con que se designan en Méjico varias plantas de distintas familias, cuyos bulbos y rizomas se usan como jabón.

Amollador, ra. adj. Que amolla. Ú. t. c. s.

Amollante. p. a. de **Amollar.** Que amolla.

Amollar. (De *a*, 2.° art., y *muelle*, flojo.) intr. Ceder, aflojar, desistir. || **2.** En el juego del revesino y otros, jugar una carta inferior a la que va jugada, teniendo otra superior con que poder cargar. || **3.** tr. *Mar.* Soltar o aflojar la escota u otro cabo para disminuir su trabajo. Ú. t. c. intr.

Amollecer. (Del lat. *ad* y *mollescĕre.*) tr. ant. **Ablandar.** Usáb. t. c. intr.

Amollentadura. f. ant. Acción y efecto de amollentar.

Amollentar. (De *a*, 2.° art., y *mollentar.*) tr. Ablandar o hacer muelle una cosa. || **2.** ant. fig. **Afeminar.** Usáb. t. c. r.

Amollentativo, va. adj. ant. Que amollenta.

Amolletado, da. adj. De figura de mollete.

Amomo. (Del lat. *amōmon*, y éste del gr. ἄμωμον.) m. Planta intertropical de la familia de las cingiberáceas, con raíz articulada y rastrera, escapo ramoso y laxo, hojas membranosas y aovadas, flores en espiga y por fruto cápsulas triloculares con muchas semillas lustrosas y negruzcas, aromáticas y de sabor muy acre y estimulante, que se usan en medicina. || **2.** Semilla de esta planta.

Amón. n. pr. V. **Cuerno de Amón.**

Amondongado, da. (De *a*, 2.° art., y *mondongo.*) adj. fam. Aplícase a la persona gorda, tosca y desmadejada. || **2.** fam. Dícese también de sólo alguna parte del cuerpo humano.

Amonedación. f. Acción y efecto de amonedar.

Amonedado, da. p. p. de **Amonedar.** || **2.** adj. V. **Moneda amonedada.**

Amonedar. tr. Reducir a moneda algún metal.

Amonestación. f. Acción y efecto de amonestar. || **Correr las amonestaciones.** fr. **Amonestar,** 3.ª acep.

Amonestador, ra. adj. Que amonesta. Ú. t. c. s.

Amonestamiento. m. **Amonestación.**

Amonestante. p. a. de **Amonestar.** Que amonesta.

Amonestar. (Del b. lat. *admonestāre*, y éste del lat. *admonēre.*) tr. Hacer presente alguna cosa para que se considere, procure o evite. || **2.** Advertir, prevenir, a veces por vía de corrección disciplinaria. || **3.** Publicar en la iglesia al tiempo de la misa mayor los nombres y otras circunstancias de las personas que quieren contraer matrimonio u ordenarse, para que si alguien supiere algún impedimento, lo denuncie. || **4.** r. Ser amonestado, hacerse amonestar.

Amoniacal. adj. Perteneciente o relativo al amoniaco. || **2.** V. **Linimento, vitriolo amoniacal.**

Amoniaco, ca [Amoníaco, ca]. (Del lat. *ammoniăcus*, y éste del gr. ἀμμωνιακός, que procede del país de Ammón, o sea de la Libia.) adj. V. **Sal amoniaca,** o **amoniaco.** || **2.** m. Gas compuesto de ázoe e hidrógeno, que, unido con el agua, sirve de base para la formación de ciertas sales. || **3.** Goma resinosa en lágrimas o en masa, compuesta de grumos de color amarillo rojizo por fuera y blanco por dentro, de sabor algo amargo y nauseativo y olor desagradable. Se usa como medicamento expectorante.

Amónico, ca. adj. *Quím.* Perteneciente o relativo al amonio.

Amonio. m. *Quím.* Radical compuesto de un átomo de nitrógeno y cuatro de hidrógeno, que en las reacciones químicas actúa como metal y, por consiguiente, puede combinarse con los ácidos para formar sales.

Amonita. (De *Ammón*, sobrenombre de Júpiter representado en figura de carnero, por la semejanza con los cuernos de este animal.) f. Concha fósil de forma espiral, perteneciente a un molusco cefalópodo extinguido.

Amonita. (De *amonio.*) f. Mezcla explosiva cuyo principal componente es el nitrato amónico.

Amonita. (Del lat. *ammonīta.*) adj. Dícese del individuo de un pueblo bíblico de la Mesopotamia, descendiente de Amón, hijo de Lot. Ú. t. c. s. y en pl. || **2.** Perteneciente a este pueblo.

Amontadgar. tr. ant. **Amontazgar.**

Amontar. tr. Ahuyentar, hacer huir. || **2.** intr. Huir o hacerse al monte. Ú. t. c. r.

Amontazgar. tr. **Montazgar.**

Amontillado. Dícese de una clase de jerez fino que se asemeja al vino de Montilla. Su color suele ser más obscuro que el de los finos corrientes, y su graduación oscila entre 18 y 25 grados, según la edad. Ú. t. c. s. m.

Amontonadamente. adv. m. **A, de,** o **en, montón.**

Amontonador, ra. adj. Que amontona. Ú. t. c. s.

Amontonamiento. m. Acción y efecto de amontonar o amontonarse.

Amontonar. (De *a*, 2.° art., y *montón*.) tr. Poner unas cosas sobre otras sin orden ni concierto. Ú. t. c. r. || **2.** Apiñar personas o animales. || **3.** Juntar, reunir, allegar cosas en abundancia. || **4.** fig. Juntar y mezclar varias especies sin orden ni elección. AMONTONAR *textos, sentencias, palabras.* || **5.** r. Tratándose de sucesos, sobrevenir muchos en corto tiempo. || **6.** fig. y fam. Montar en cólera, enfadarse sin querer oir razón alguna. || **7.** fig. y fam. **Amancebarse.**

Amor. (Del lat. *amor, -ōris*.) m. Afecto por el cual busca el ánimo el bien verdadero o imaginado, y apetece gozarlo. Uniendo a esta palabra la preposición *de*, indicamos el objeto a que se refiere: como AMOR *de Dios, de los hijos, de la gloria;* o la persona que lo siente; como AMOR *de padre.* || **2.** Pasión que atrae un sexo hacia el otro. Por ext., se dice también de los animales. || **3.** Blandura, suavidad. *Los padres castigan a los hijos con* AMOR. || **4.** Persona amada; y así se suelen llamar entre sí los amantes AMOR *mío.* || **5.** Esmero con que se trabaja una obra deleitándose en ella. || **6.** Voluntad, consentimiento. || **7.** ant. Convenio o ajuste. || **8.** pl. Relaciones amorosas. || **9.** Objeto de cariño especial para alguno. || **10.** Expresiones de **amor,** caricias, requiebros. || **11. Cadillo,** 1.er art., 1.ª acep. || **Amor al uso.** Arbolito de la familia de las malváceas, parecido al abelmosco, de ramos cubiertos de borra fina, hojas acorazonadas, angulosas y con cinco lóbulos; pedúnculos casi tan largos como la hoja, y flor cuya corola es blanca por la mañana, algo encarnada al mediodía y rosada por la tarde. Se cría en la isla de Cuba y se cultiva en los jardines de Europa. || **de hortelano.** Planta anua de la familia de las rubiáceas, parecida al galio, de tallo ramoso, velludo en los nudos y con aguijoncitos echados hacia atrás en los ángulos, verticilos de ocho hojas lineales, lanceoladas y ásperas en la margen, y fruto globoso lleno de cerditas ganchosas en su ápice. || **2. Almorejo.** || **3. Lampazo,** 1.ª acep. || **propio.** Inmoderada estimación de sí mismo. || **Al amor del agua.** expr. De modo que se vaya con la corriente, navegando o nadando. || **2.** fig. Contemporizando, dejando correr las cosas que debieran reprobarse. || **Al amor de la lumbre, o del fuego.** exprs. Cerca de ella, o de él, de modo que calienten y no quemen. || **Amor con amor se paga.** ref. con que se denota que la correspondencia debe ser proporcionada a la obligación. Suele usarse irónicamente. || **Amor de asno, coz y bocado.** ref. que se dice de aquellos que muestran su cariño haciendo mal o incomodando. || **Amor de niño, agua en cesto,** o **en cestillo.** ref. que denota la poca confianza que se debe tener en el **amor** de los niños. || **Amor de padre, o de madre, que todo lo demás es aire.** ref. que advierte que sólo el **amor** de los padres es el seguro. || **Amor loco, yo por vos y vos por otro.** ref. con que se denota que muchas veces la persona que es muy amada de uno suele amar a otro que no le corresponde. || **Amor trompero, cuantas veo tantas quiero.** ref. que da a entender la facilidad con que algunos se enamoran de todas las mujeres que ven. || **A su amor.** fr. **Holgadamente.** || **Con mil amores.** expr. fam. Con mucho gusto, de muy buena voluntad. || **Dar como por amor de Dios.** fr. Dar como de gracia lo que se debe de justicia. || **De los amores y las cañas, las entradas.** ref. con que se denota que el **amor,** a los principios, es más vehemente, así como en el juego de las cañas son mayores, cuando se empieza, el ardor y la gallardía. || **De mil amores.** expr. fam. **Con mil amores.** || **Donde hay amor hay dolor.** ref. con que se da a entender que las penas de las personas queridas se sienten como propias. || **En amor y compaña.** expr. fam. En amistad y buena compañía. || **Hacer el amor.** fr. Enamorar, galantear. || **Para el amor y la muerte no hay cosa fuerte.** ref. con que se pondera el poder del **amor** y de la muerte. || **Por amor al arte.** loc. adv. fam. Gratuitamente, sin obtener recompensa por el trabajo. || **Por amor de.** Por causa de. || **Por amor de Dios.** expr. que se usa para pedir con encarecimiento o excusarse con humildad. *Hágalo usted* POR AMOR DE DIOS; *perdone usted* POR AMOR DE DIOS. || **Tratar amores.** fr. Tener relaciones amorosas. || **Vanse los amores y quedan los dolores.** ref. que da a entender que no se debe uno llevar solamente del **amor** irreflexivo con desprecio de otras circunstancias, porque las pasiones vehementes pasan pronto y sus consecuencias son duraderas.

Amoragar. tr. Asar con fuego de leña, y en la playa, sardinas y otros peces o moluscos.

Amoral. (De *a*, 3.er art., y *moral*.) adj. Dícese de la persona desprovista de sentido moral. || **2.** Aplícase también a las obras humanas, especialmente a las artísticas, en las que de propósito se prescinde del fin moral. || **3.** Sectario del amoralismo. Ú. t. c. s.

Amoralidad. f. Condición, calidad de amoral.

Amoralismo. (De *amoral*.) m. Sistema filosófico ideado en el siglo XIX por los alemanes Stirner y Nietzsche, y que cifra la norma de la conducta humana en algo independiente del bien y del mal moral, negando toda obligación y toda sanción.

Amoratado, da. p. p. de **Amoratarse.** || **2.** adj. Que tira a morado.

Amoratarse. r. Ponerse morado.

Amorbar. (De *a*, 2.° art., y *morbo*.) tr. ant. **Enfermar,** 3.ª y 4.ª aceps.

Amorcar. tr. p. us. **Amurcar.**

Amorcillo. m. d. de **Amor.** || **2.** Figura de niño con que se representa a Cupido, dios mitológico del amor.

Amordazador, ra. adj. Que amordaza, 1.ª acep. Ú. t. c. s. || **2.** ant. Que amordaza, 2.ª acep. Usáb. t. c. s.

Amordazamiento. m. Acción y efecto de amordazar, 1.ª acep. || **2.** ant. Acción y efecto de amordazar, 2.ª acep.

Amordazar. (De *a*, 2.° art., y *mordaza*.) tr. Poner mordaza. || **2.** ant. Morder, maldecir.

Amorecer. (Del lat. *mas, maris,* macho.) tr. Cubrir el morueco a la oveja. || **2.** r. Entrar en celo las ovejas.

Amorfía. (Del gr. ἀμορφία.) f. Calidad de amorfo. || **2.** Deformidad orgánica.

Amorfo, fa. (Del gr. ἄμορφος; de ἀ, priv., y μορφή, forma.) adj. Sin forma regular o bien determinada.

Amorgar. tr. Dar morga a los peces para atontarlos o matarlos.

Amorgonar. (Del arag. *morgón*, mugrón, y éste del lat. **mĕrgo, -ōnis,* de *mĕrgus*, mugrón.) tr. *Ar.* **Amugronar.**

Amoricones. m. pl. fam. Señas, ademanes u otras acciones con que se manifiesta el amor que se tiene a una persona.

Amorío. (De *amor*.) m. fam. **Enamoramiento.** || **2.** ant. **Amistad,** 1.ª acep.

Amoriscado, da. adj. Semejante a los moriscos en alguna cosa o cualidad.

Amormado, da. adj. Aplícase a la bestia que padece muermo.

Amormío. (De *amor* y *mío*.) m. Planta perenne de la familia de las amarilidáceas, de cebolla pequeña, hojas largas, lacias, muy estrechas en la base, después lanceoladas, y bohordo central de unos 40 centímetros de altura, con flores blancas poco olorosas.

Amorosamente. adv. m. Con amor.

Amoroso, sa. adj. Que siente amor. *Padre* AMOROSO. || **2.** Que denota o manifiesta amor. *Carta* AMOROSA. || **3.** fig. Blando, suave, fácil de labrar o cultivar. || **4.** fig. Templado, apacible. *La tarde está* AMOROSA.

Amorrar. (De *a*, 2.° art., y *morro*.) intr. fam. Bajar o inclinar la cabeza. Ú. t. c. r. || **2.** fam. Bajar la cabeza, obstinándose en no hablar. Ú. t. c. r. || **3.** *Mar.* **Hocicar,** 6.ª acep. || **4.** tr. *Mar.* Hacer que el buque cale mucho de proa.

Amorreo, a. (Del lat. *Amorrhaeus*, y éste del hebr. *Emorí*.) adj. Dícese del individuo de un pueblo bíblico descendiente de Amorreo, hijo de Canaán. Ú. m. c. s. y en pl. || **2.** Perteneciente a este pueblo.

Amorrionado, da. adj. p. us. De figura de morrión, 1.ª acep.

Amorronar. (De *a*, 2.° art., y *morrón*.) tr. *Mar.* Enrollar la bandera y ceñirla de trecho en trecho con filástica, para izarla como señal en demanda de auxilio.

Amortajador, ra. m. y f. Persona que amortaja o que tiene por oficio amortajar.

Amortajamiento. m. Acción de amortajar.

Amortajar. tr. Poner la mortaja al difunto. || **2.** Por ext., cubrir, envolver, esconder.

Amortamiento. (De *amortar*.) m. ant. **Amortiguamiento.**

Amortar. (Del lat. *ad*, a, y *mors, mortis,* muerte.) tr. ant. **Amortiguar.**

Amortecer. (Del lat. *ad*, a, y *mors, mortis,* muerte.) tr. **Amortiguar.** Ú. t. c. intr. || **2.** r. Desmayarse, quedar como muerto.

Amortecimiento. m. Acción y efecto de amortecer o amortecerse.

Amortiguación. f. **Amortiguamiento.**

Amortiguador, ra. adj. Que amortigua. || **2.** m. Resorte que tienen los barómetros marinos para evitar el efecto de los balances. || **3.** *Fís.* Artificio que se aplica a un sistema mecánico para compensar o disminuir el efecto de choques, sacudidas o movimientos bruscos.

Amortiguamiento. m. Acción y efecto de amortiguar o amortiguarse. || **2.** *Fís.* Disminución progresiva, en el tiempo, de la intensidad de un fenómeno periódico.

Amortiguar (De *a*, 2.° art., y *mortiguar*.) tr. Dejar como muerto. Ú. t. c. r. || **2.** fig. Hacer menos viva, eficaz, intensa o violenta alguna cosa. AMORTIGUAR *el fuego, la luz, el ruido, un afecto, una pasión.* Ú. t. c. r. || **3.** fig. Hablando de los colores, templarlos, amenguar su viveza.

Amortizable. adj. Que puede amortizarse.

Amortización. f. Acción y efecto de amortizar. || **2.** V. **Caja. fondos de amortización.**

Amortizar. (Del m. or. que *amortar*.) tr. Pasar los bienes a manos muertas. || **2.** Redimir o extinguir el capital de un censo, préstamo u otra deuda. || **3.** Recuperar o compensar los fondos invertidos en alguna empresa. || **4.** Suprimir empleos o plazas en un cuerpo u oficina.

Amos, mas. (Del lat. *ambos*.) adj. pl. ant. **Ambos.**

Amoscador. (De *amoscar*.) m. ant. **Mosqueador,** 1.ª acep.

Amoscamiento. m. Acción de amoscarse.

Amoscar. (De *a*, 2.° art., y *mosca*.) tr. ant. **Mosquear**, 1.ª acep. Usáb. t. c. r. || **2.** r. fam. **Enfadarse.**

Amosquilado, da. p. p. de **Amosquilarse.** || **2.** adj. *Extr.* Dícese de la res vacuna cuando, fatigada de las moscas y por defenderse de ellas, mete la cabeza entre las carrascas o retamas.

Amosquilarse. (De *a*, 2.° art., y *mosquil*.) r. Refugiarse las reses, huyendo de las moscas, en lugar fresco o frondoso.

Amostachado, da. (De *a*, 2.° art., y *mostacho*.) adj. **Bigotudo.**

Amostazar. (De *a*, 2.° art., y *mostaza*.) tr. fam. Irritar, enojar. Ú. m. c. r.

Amostramiento. m. ant. Acción y efecto de amostrar.

Amostrar. tr. ant. **Mostrar.** || **2.** ant. Instruir o enseñar. || **3.** r. ant. **Acostumbrarse.**

Amotinado, da. adj. Dícese de la persona que toma parte en un motín. Ú. t. c. s.

Amotinador, ra. adj. Que amotina u ocasiona motín. Ú. t. c. s.

Amotinamiento. m. Acción y efecto de amotinar o amotinarse.

Amotinar. (De *a*, 2.° art., y el fr. *mutiner*, de *meute*, y éste del lat. **mōvĭta*, por *mota*, infl. por *mōvēre*, mover.) tr. Alzar en motín a cualquier multitud. Ú. t. c. r. || **2.** fig. Turbar e inquietar las potencias del alma o los sentidos. Ú. t. c. r.

Amover. (Del lat. *amovēre*; de *a*, de, y *movēre*, mover.) tr. **Remover**, 4.ª acep. || **2.** p. us. **Mover**, 7.ª acep. || **3.** ant. Anular, derogar, revocar.

Amovible. adj. Que puede ser quitado del lugar que ocupa, o separado del puesto o del cargo que tiene. || **2.** Dícese también del cargo o beneficio del que puede ser libremente separado el que lo ocupa. || **3.** V. **Beneficio amovible,** o **amovible ad nútum.**

Amovilidad. f. Calidad de amovible.

Ampara. f. *Ar.* y *Nav.* Acción y efecto de amparar, 3.ª acep.

Amparador, ra. adj. Que ampara, 1.ª acep. Ú. t. c. s.

Amparamiento. m. ant. **Amparo,** 1.ª, 3.ª y 4.ª aceps.

Amparanza. f. ant. **Amparo,** 1.ª, 3.ª y 4.ª aceps.

Amparar. (Del lat. *anteparāre*, prevenir.) tr. Favorecer, proteger. || **2.** ant. Pedir prestado. || **3.** *Ar.* Embargar bienes muebles. || **4.** *Chile.* Llenar las condiciones con que se adquiere el derecho de sacar o beneficiar una mina. || **5.** r. Valerse del favor o protección de alguno. || **6.** Defenderse, guarecerse.

Amparo. m. Acción y efecto de amparar o ampararse. || **2.** V. **Carta, recurso de amparo.** || **3.** Abrigo o defensa. || **4.** ant. **Parapeto.** || **5.** *Ál.* y *Ar.* **Chispa,** 5.ª acep. || **6.** *Germ.* Letrado o procurador que favorece al preso.

Ampelídeo, a. (Del gr. ἄμπελος, vid, y εἶδος, forma.) adj. *Bot.* **Vitáceo.**

Ampelita. (Del lat. *ampelītis*, y éste del gr. ἀμπελῖτις, de ἄμπελος, vid, porque se la ha empleado como abono en las viñas.) f. Pizarra blanda, aluminosa y muy manchada de antracita, por lo que suele usarse para hacer lápices de carpintero.

Ampelografía. (Del gr. ἄμπελος, vid, y γράφω, describir.) f. Descripción de las variedades de la vid y conocimiento de los modos de cultivarlas.

Ampelográfico, ca. adj. Perteneciente o relativo a la ampelografía.

Ampelógrafo. m. El que profesa la ampelografía o tiene en ella especiales conocimientos.

Ampère. m. *Fís.* Nombre del amperio en la nomenclatura internacional.

Amperímetro. (De *amperio* y el gr. μέτρον, medida.) m. Aparato que sirve para medir el número de amperios de una corriente eléctrica.

Amperio. (De *Ampère*.) m. Unidad de medida de corriente eléctrica, que corresponde al paso de un culombio por segundo.

Amplamente. adv. m. ant. **Ampliamente.**

Amplexo. (Del lat. *amplexus*.) m. ant. **Abrazo.**

Ampliable. adj. Que puede ampliarse.

Ampliación. (Del lat. *ampliatĭo, -ōnis*.) f. Acción y efecto de ampliar.

Ampliador, ra. (Del lat. *ampliātor*.) adj. Que amplía. Ú. t. c. s.

Ampliamente. adv. m. Con amplitud.

Ampliar. (Del lat. *ampliāre*, de *amplus*, extenso.) tr. Extender, dilatar. || **2.** Reproducir una fotografía en tamaño mayor del que tenga.

Ampliativo, va. adj. Que amplía o sirve para ampliar.

Amplificación. (Del lat. *amplificatĭo, -ōnis*.) f. Acción y efecto de amplificar. || **2.** *Ret.* Desarrollo que por escrito o de palabra se da a una proposición o idea, explicándola de varios modos o enumerando puntos o circunstancias que con ella tengan relación, a fin de hacerla más eficaz para conmover o persuadir.

Amplificador, ra. (Del lat. *amplificātor*.) adj. Que amplifica. Ú. t. c. s. || **2.** m. *Fís.* Aparato o conjunto de ellos, mediante el cual, utilizando energía externa, se aumenta la amplitud o intensidad de un fenómeno físico.

Amplificante. p. a. de **Amplificar.** Que amplifica.

Amplificar. (Del lat. *amplificāre*; de *amplus*, amplio, y *facĕre*, hacer.) tr. **Ampliar,** 1.ª acep. || **2.** *Ret.* Emplear la amplificación.

Amplificativo, va. adj. Que amplifica o sirve para amplificar.

Amplio, plia. (De *amplo*.) adj. Extenso, dilatado, espacioso.

Amplísimo, ma. adj. sup. de **Amplio.**

Amplitud. (Del lat. *amplitūdo*.) f. Extensión, dilatación. || **2.** *Astron.* Ángulo comprendido entre el plano vertical que pasa por la visual dirigida al centro de un astro y el vertical primario. Se mide sobre el horizonte y es complemento del acimut.

Amplo, pla. (Del lat. *amplus*.) adj. ant. **Amplio.**

Ampo. (De *lampo*.) m. Blancura resplandeciente. || **2.** Copo de nieve.

Ampolla. (Del lat. *ampŭlla*, ampolla.) f. Vejiga formada por la elevación de la epidermis. || **2.** Vasija de vidrio o de cristal, de cuello largo y angosto, y de cuerpo ancho y redondo en la parte inferior. || **3.** Pequeño recipiente de vidrio cerrado herméticamente, que contiene por lo común una dosis de líquido inyectable. || **4. Vinajera,** 1.ª acep. || **5.** Burbuja que se forma en el agua cuando hierve o cuando llueve con fuerza. || **6.** p. us. Expresión ampulosa.

Ampollar. adj. De figura de ampolla.

Ampollar. tr. Hacer ampollas. Ú. t. c. r. || **2. Ahuecar,** 1.ª acep. Ú. t. c. r.

Ampolleta. f. d. de **Ampolla.** || **2. Reloj de arena.** || **3.** Tiempo que gasta la arena en pasar de una a otra de las dos **ampolletas** de que se compone este reloj. || **No soltar,** o **tomar,** uno **la ampolleta.** fr. fig. y fam. Hablar con exceso, sin dejar que otro tome parte en la conversación.

Ampolluela. f. d. de **Ampolla.**

Ampón, na. adj. Amplio, repolludo, ahuecado.

Amprar. (De *amparar*.) tr. *Ar.* **Amparar,** 2.ª acep.

Ampulosamente. adv. m. Con ampulosidad.

Ampulosidad. f. Calidad de ampuloso.

Ampuloso, sa. (Del lat. *ampulla*, expresión hinchada.) adj. Hinchado y redundante. Dícese del lenguaje o del estilo y del escritor o del orador.

Ampurdanés, sa. adj. Natural del Ampurdán. Ú. t. c. s. || **2.** Perteneciente a esta comarca de Cataluña.

Amputación. (Del lat. *amputatĭo, -ōnis*.) f. *Cir.* Acción y efecto de amputar.

Amputar. (Del lat. *amputāre*; de *am*, alrededor, y *putāre*, cortar.) tr. Cortar en derredor o quitar del todo. || **2.** *Cir.* Cortar y separar enteramente del cuerpo un miembro o porción de él.

Amuchachado, da. adj. Aplícase al que en su aspecto, acciones o genio se parece a los muchachos. || **2.** Dícese también de las cosas que tienen esta semejanza. *Rostro, genio* AMUCHACHADO.

Amuchiguar. (De *a*, 2.° art., y *muchiguar*.) tr. ant. Multiplicar, aumentar. Usáb. t. c. intr. y c. r.

Amueblar. (De *a*, 2.° art., y *mueble*.) tr. Dotar de muebles un edificio o alguna parte de él.

Amuelar. tr. Recoger el trigo ya limpio en la era, formando el muelo.

Amufar. tr. p. us. **Amurcar.**

Amugamiento. (De *a*, 2.° art., y *muga*.) m. **Amojonamiento.**

Amugronador, ra. adj. Que amugrona. Ú. t. c. s.

Amugronar. (De *a*, 2.° art., y *mugrón*.) tr. *Agr.* Llevar el sarmiento largo de una vid por debajo de tierra, de modo que su extremo salga a la distancia necesaria para que arraigue y ocupe el vacío de una cepa que falta en la viña.

Amuje. m. *Sal.* Esguín o cría del salmón.

Amujerado, da. (De *a*, 2.° art., y *mujer*.) adj. **Afeminado.**

Amujeramiento. (De *a*, 2.° art., y *mujer*.) m. **Afeminación.**

Amular. (De *a*, 2.° art., y *mula*.) intr. Ser estéril. || **2.** r. Inhabilitarse la yegua para criar, por haberla cubierto el mulo. || **3.** *Sal.* Enfadarse, enojarse.

Amulatado, da. adj. Semejante a los mulatos en el color y las facciones.

Amuleto. (Del lat. *amulētum*.) m. Figura, medalla o cualquier otro objeto portátil a que supersticiosamente se atribuye virtud sobrenatural para alejar algún daño o peligro.

Amunicionar. (De *a*, 2.° art., y *municionar*.) tr. **Municionar.**

Amuñecado, da. adj. Aplícase a la persona que en su figura o adornos se parece a un muñeco.

Amura. (De *amurar*.) f. *Mar.* Parte de los costados del buque donde éste empieza a estrecharse para formar la proa. || **2.** *Mar.* Cabo que hay en cada uno de los puños bajos de las velas mayores de cruz y en el bajo de proa de todas las de cuchillo, para llevarlos hacia proa y afirmarlos.

Amurada. f. *Mar.* Cada uno de los costados del buque por la parte interior.

Amurallado, da. adj. Protegido o cercado por murallas. *Ciudad* AMURALLADA.

Amurallar. (De *a*, 2.° art., y *muralla*.) tr. **Murar,** 1.er art.

Amurar. (De *a*, 2.° art., y *muro*.) tr. *Mar.* Llevar a donde corresponde, a barlovento, los puños de las velas que admiten esta maniobra, y sujetarlos con la amura para que las velas queden bien orientadas cuando se ha de navegar de bolina.

Amurca. (Del lat. *amurca*.) f. ant. **Alpechín.**

Amurcar. tr. Dar el golpe el toro con las astas.

Amurco. (De *amurcar*.) m. Golpe que da el toro con las astas.

Amurriñarse. (De *a*, 2.° art., y *morriña*.) r. *Hond.* Contraer un animal la morriña o comalia.

Amusco, ca. adj. Musco, 2.° art., 1.ª acep.

Amusgar. (Del ár. *al-muṣgà*, el inclinado para escuchar.) tr. Echar hacia atrás las orejas el caballo, el toro, etc., en ademán de querer morder, tirar coces o embestir. Ú. t. c. intr. || **2.** Recoger la vista para ver mejor.

Amuso. (Del lat. *amussium.*) m. Losa de mármol sobre cuya superficie, bien nivelada, se trazaba una rosa de los vientos.

Amustiar. (De *a*, 2.° art., y *mustio.*) tr. Enmustiar, poner mustio. Ú. t. c. r.

An. (Del gr. ἀν, forma que toma el ἀ priv. antes de vocal.) part. insep. **A**, 3.er art. AN*epigráfico.*

Ana. (De *alna.*) f. Medida de longitud, en unas partes más larga y en otras más corta que el metro.

Ana. (Del gr. ἀνά.) Cifra de que usan los médicos en sus recetas para denotar que ciertos ingredientes han de ser de peso o partes iguales. || **2.** prep. insep. que significa **contra,** como en ANA*crónico;* **sobre,** como en ANA*tema;* **de nuevo,** como en ANA*baptista.*

Ana. (Voz india.) f. Moneda indostánica de níquel cuyo valor es de dos centavos de dólar aproximadamente.

Anabaptismo. (Del lat. *anabaptismus*, y éste del gr. ἀναβαπτισμός, segundo bautismo.) m. Secta de los anabaptistas.

Anabaptista. (Del gr. ἀνά, de nuevo, y βαπτιστής, el que bautiza.) adj. Dícese del hereje que cree que no se debe bautizar a los niños antes de que lleguen al uso de la razón, y que, en caso de haberlos bautizado pequeños, se ha de reiterar su bautismo cuando sean adolescentes. Ú. m. c. s.

Anabatista. adj. ant. **Anabaptista.** Usáb. m. c. s.

Anabí. m. **Nabí.**

Anabólico, ca. adj. Perteneciente o relativo al anabolismo.

Anabolismo. (Del gr. ἀναβολή, lanzamiento.) m. *Biol.* Fase del metabolismo en la que los procesos químicos que se desarrollan dan por resultado, en general, la síntesis de las materias constitutivas del protoplasma.

Anacalo, la. (Del m. or. que *añacal.*) m. y f. ant. Criado o criada de la hornera, que iba a las casas particulares por el pan que se había de cocer.

Anacanto. (Del gr. ἀνά, sobre, y ἄκανθα, espina.) adj. *Zool.* Dícese de peces teleósteos con aletas de radios blandos y flexibles y de las cuales las abdominales están situadas debajo de las pectorales o delante de ellas. Ú. t. c. s. || **2.** m. pl. *Zool.* Suborden de estos peces, al que pertenecen la merluza, el bacalao, el lenguado, etc.

Anacarado, da. adj. **Nacarado,** 1.ª acep.

Anacardiáceo, a. (De *anacardium*, nombre de un género de plantas.) adj. *Bot.* Dícese de plantas angiospermas dicotiledóneas, árboles, arbustos o matas, de corteza resinosa, hojas alternas y sin estípulas, flores por lo común en racimos; fruto en drupa o seco, con una sola semilla, casi siempre sin albumen; como el terebinto, el lentisco y el zumaque. Ú. t. c. s. f. || **2.** f. pl. *Bot.* Familia de estas plantas.

Anacardina. f. *Farm.* Confección que se hacía con anacardos, y a la cual se atribuía la virtud de restituir la memoria.

Anacardino, na. adj. Compuesto con anacardos.

Anacardo. (Del gr. ἀνάκαρδος.) m. Árbol de Asia, de la familia de las anacardiáceas, que crece hasta 20 metros de altura, con tronco grueso, de corteza gris, copa bien poblada de hojas verdes, consistentes, grandes, ovaladas, lisas por encima y salpicadas por el envés de pelos blanquecinos; flores pequeñas, cuyo pedúnculo se hincha en forma de pera comestible, algo ácida y muy suculenta, al propio tiempo que el cáliz se endurece, para encerrar un jugo rojizo, acre y áspero, que rodea a una almendra de sabor dulce y agradable; curiosísimo ejemplo de fructificación. Tanto el jugo como la almendra del cáliz maduro se usan en medicina. || **2.** Fruto de este árbol.

Anaco. (Del quichua *anacu.*) m. Tela que a modo de manteo rodean a la cintura las indias del Ecuador y Perú, y les cubre hasta las rodillas por lo menos.

Anacoluto. (Del gr. ἀνακόλουθος, inconsecuente.) m. *Gram.* Inconsecuencia en el régimen, o en la construcción de una cláusula.

Anacora. (Del ár. *an-nāqūra.*) f. Trompa, cuerno de caza, clarín, corneta.

Anacoreta. (Del lat. *anachorēta*, y éste del gr. ἀναχωρητής; de ἀναχωρέω, retirarse.) com. Persona que vive en lugar solitario, retirada del comercio humano y entregada enteramente a la contemplación y a la penitencia.

Anacorético, ca. adj. Perteneciente o relativo al anacoreta.

Anacorita. com. ant. **Anacoreta.**

Anacreóntico, ca. adj. Propio y característico del poeta griego Anacreonte. || **2.** Semejante a cualquiera de las dotes o calidades por que se distinguen sus obras. || **3.** Se aplica especialmente a la composición poética en que, a imitación de las de Anacreonte, se cantan los placeres del amor, del vino u otros análogos, con ligereza, donaire y gusto delicado. Ú. t. c. s. f.

Anacrónicamente. adv. m. Con anacronismo.

Anacrónico, ca. adj. Que adolece de anacronismo.

Anacronismo. (Del gr. ἀναχρονισμός; de ἀνά, contra, y χρόνος, tiempo.) m. Error que consiste en suponer acaecido un hecho antes o después del tiempo en que sucedió. || **2.** **Antigualla,** 4.ª acep.

Ánade. (Del lat. *anas, -ătis.*) amb. **Pato.** || **2.** Por ext., cualquiera otra de las aves que tienen los mismos caracteres genéricos que el pato. || **Cantando las tres ánades, madre.** expr. fig. fam. con que se da a entender que alguno va caminando alegremente y sin sentir el trabajo.

Anadear. intr. Andar una persona, a semejanza del ánade, moviendo las caderas de un lado a otro por afectación, por ser estevada o por tener las piernas muy cortas.

Anadeja. (Del lat. *anaticŭla*, ánade.) f. d. de **Ánade.**

Anadino, na. (Del lat. [*pullus*] *anatīnus*, pollo de ánade.) m. y f. Ánade pequeño.

Anadón. m. Pollo del ánade.

Anaerobio. (Del gr. ἀν, priv.; ἀήρ, aire, y βίος, vida.) adj. Aplícase al ser que puede vivir y desarrollarse sin aire, y especialmente sin el oxígeno.

Anafaga. (Del ár. *an-nafaqa*, el gasto.) f. ant. **Costa,** 1.er art.

Anafalla. f. **Anafaya.**

Anafaya. (Del ár. *an-nafāya*, y éste del gr. γναφάλιον, siempreviva, de que se hacía una especie de tomento.) f. Especie de tela o tejido, en lo antiguo, de seda o de algodón, y modernamente, de seda.

Anafe. (Del ár. *an-nāfij*, horno portátil de barro cocido.) m. Hornillo portátil de hierro, barro, piedra, o ladrillo y yeso.

Anafilaxia. (Del gr. ἀνά, de nuevo, y φύλαξις, protección.) f. Impresionabilidad exagerada del organismo debida a la acción de ciertas substancias orgánicas, cuando después de algún tiempo de haber sido inyectadas en él, se inyectan de nuevo aun en pequeñísima cantidad, produciendo desórdenes varios y a veces graves. || **2.** Impresionabilidad excesiva de algunas personas a la acción de ciertas substancias alimenticias o medicamentosas.

Anafilaxis. f. **Anafilaxia.**

Anáfora. (Del lat. *anaphŏra*, y éste del gr. ἀναφορά, repetición.) f. En las liturgias griega y orientales, parte de la misa que corresponde al prefacio y al canon en la liturgia romana. || **2.** *Ret.* **Repetición,** 9.ª acep.

Anafórico, ca. adj. Perteneciente o relativo a la anáfora.

Anafre. m. **Anafe.**

Anafrodisia. (Del gr. ἀναφροδισία; de ἀν, priv., y ἀφροδισία, placer sensual.) f. Disminución o falta del apetito venéreo.

Anafrodisiaco, ca [∼ **síaco, ca**]. (De *anafrodisia.*) adj. **Antiafrodisiaco.** Ú. t. c. s.

Anafrodita. (Del gr. ἀναφρόδιτος; de ἀν, priv., y Ἀφροδίτη, Venus.) adj. Dícese del que por temperamento o por virtud se abstiene de placeres sensuales. Ú. t. c. s.

Anaglífico, ca. (De *anáglifo.*) adj. *Arq.* Que tiene relieves toscos.

Anáglifo. (Del gr. ἀνάγλυφος; de ἀνά, en alto, y γλύφω, esculpir.) m. *Arq.* Vaso u otra obra tallada, de relieve abultado.

Anagnórisis. (Del gr. ἀναγνώρισις, de ἀναγνωρίζω, reconocer.) f. poét. **Agnición.**

Anagoge. (Del lat. *anagōge*, y éste del gr. ἀναγωγή, elevación, de ἀνάγω, elevar, educar.) m. **Anagogía.**

Anagogía. (De *anagoge.*) f. Sentido místico de la Sagrada Escritura, encaminado a dar idea de la bienaventuranza eterna. || **2.** Elevación y enajenamiento del alma en la contemplación de las cosas divinas.

Anagógicamente. adv. m. Con anagogía.

Anagógico, ca. (Del gr. ἀναγωγικός.) adj. Perteneciente o relativo a la anagogía.

Anagrama. (Del lat. *anagramma*, y éste del gr. ἀνάγραμμα.) m. Transposición de las letras de una palabra o sentencia, de que resulta otra palabra o sentencia distinta. || **2.** Palabra o sentencia, que resulta de esta transposición de letras; como de *amor, Roma,* o viceversa.

Anagramático, ca. adj. Relativo al anagrama. *Acertijo* ANAGRAMÁTICO.

Anagramatista. com. Persona que encubre su nombre bajo un seudónimo anagramático.

Anagramista. com. **Anagramatista.**

Anaiboa. m. *Cuba.* Jugo nocivo que contiene la catibía.

Anal. (Del lat. *annālis*, de *annus*, año.) adj. ant. **Anual.** || **2.** m. ant. **Añal,** 3.ª acep. || **3.** ant. **Anales.** || **4.** pl. Relaciones de sucesos por años.

Anal. adj. *Zool.* Perteneciente o relativo al ano. *Músculo* ANAL.

Analectas. (Del pl. lat. *analecta*, y éste del gr. ἀνάλεκτα, cosas recogidas.) f. pl. **Florilegio.**

Analéptico, ca. (Del lat. *analeptĭcus*, y éste del gr. ἀναληπτικός, de ἀναλαμβάνω, recuperar.) adj. *Med.* Dícese del régimen alimenticio que tiene por objeto restablecer las fuerzas.

Analfabetismo. (De *analfabeto.*) m. Falta de instrucción elemental en un país.

Analfabeto, ta. (Del lat. *analphabētus*, y éste del gr. ἀναλφάβητος; de ἀν, priv., y ἀλφάβητος, alfabeto.) adj. Que no sabe leer. Ú. t. c. s.

Analgesia. (Del gr. ἀναλγησία; de ἀν, priv., y ἄλγος, dolor.) f. *Med.* Falta o supresión de toda sensación dolorosa, a pesar de las más fuertes excitaciones.

Analgésico, ca. adj. Perteneciente o relativo a la analgesia.

Análisis. (Del gr. ἀνάλυσις, de ἀναλύω, desatar.) amb. Distinción y separación de las partes de un todo hasta llegar a conocer sus principios o elementos. || **2.** fig. Examen que se hace de alguna obra, discurso o escrito. || **3.** *Gram.* Examen de las palabras del discurso, para determinar la categoría, oficio, accidentes y propiedades gramaticales de cada una de ellas. || **4.** *Mat.* Arte de resolver problemas por el álgebra. || **5.** *Med.* Examen químico o bacteriológico de los humores, secreciones o tejidos con un fin diagnóstico. || **cualitativo.** *Quím.* El que tiene por objeto descubrir y aislar los elementos o ingredientes de un cuerpo compuesto. || **cuantitativo.** *Quím.* El que se emplea para determinar la cantidad de cada elemento o ingrediente. || **espectral.** *Fís.* Método de **análisis** químico cualitativo, y en algunos casos cuantitativo, fundado en la observación del espectro.

Analista. com. Autor de anales. || **2.** *Med.* El que hace los análisis químicos o médicos.

Analista. m. *Mat.* Matemático que se dedica al estudio de la análisis.

Analístico, ca. adj. Perteneciente o relativo a los anales.

Analíticamente. adv. m. Con análisis o método analítico.

Analítico, ca. (Del gr. ἀναλυτικός.) adj. Perteneciente o relativo al análisis. || **2.** Que procede descomponiendo, o que pasa del todo a las partes. || **3.** V. **Geometría analítica.**

Analizable. adj. Que se puede analizar.

Analizador, ra. adj. Que analiza. Ú. t. c. s. || **2.** m. *Fís.* Anteojo del espectroscopio con que se observa la luz ya dispersada.

Analizar. tr. Hacer análisis de alguna cosa.

Análogamente. adv. m. Con analogía.

Analogía. (Del lat. *analogĭa*, y éste del gr. ἀναλογία, proporción, semejanza; de ἀνά, conforme a, y λόγος, razón.) f. Relación de semejanza entre cosas distintas. || **2.** *Gram.* Parte de la gramática, que trata de los accidentes y propiedades de las palabras consideradas aisladamente.

Analógicamente. adv. m. **Análogamente.** || **2.** *Gram.* Según las leyes de la analogía.

Analógico, ca. (Del gr. ἀναλογικός.) adj. **Análogo.** || **2.** *Gram.* Perteneciente o relativo a la analogía.

Análogo, ga. (Del lat. *analŏgus*, y éste del gr. ἀνάλογος.) adj. Que tiene analogía con otra cosa.

Anamita. adj. Natural de Anam, región de la Indochina. Ú. t. c. s.

Anamorfosis. (Del gr. ἀναμόρφωσις, transformación.) f. Pintura o dibujo que ofrece a la vista una imagen deforme y confusa, o regular y acabada, según desde donde se la mire.

Anamú. m. Planta silvestre de la isla de Cuba, de la familia de las fitolacáceas, que crece hasta unos nueve decímetros de alto, con ramas divergentes, hojas parecidas a las del solano y flores blancas de ocho estambres en largas espigas. La planta huele a ajo y lo mismo la leche de las vacas que la comen.

Ananá. (Voz guaraní.) m. **Ananás.**

Ananás. (De *ananá*.) m. Planta exótica, vivaz, de la familia de las bromeliáceas, que crece hasta unos 70 centímetros de altura, con hojas glaucas, ensiformes, rígidas, de bordes espinosos y rematados en punta muy aguda; flores de color morado, y fruto grande en forma de piña, carnoso, amarillento, muy fragante, suculento y terminado por una corona de hojas. || **2.** Fruto de esta planta.

Anapelo. (De *a*, 2.° art., y *napelo*.) m. **Acónito.**

Anapéstico, ca. (Del lat. *anapaestĭcus*, y éste del gr. ἀναπαιστικός.) adj. Perteneciente o relativo al anapesto. || **2.** V. **Verso anapéstico.**

Anapesto. (Del lat. *anapaestus*, y éste del gr. ἀνάπαιστος; de ἀνά, hacia atrás, y παίω, herir, golpear.) m. Pie de las métricas griega y latina compuesto de tres sílabas: las dos primeras, breves, y la otra, larga.

Anaquel. (Del ár. *an-naqqāl*, el que lleva o portea.) m. Cada una de las tablas puestas horizontalmente en los muros, o en armarios, alacenas, etc., para colocar sobre ellas libros, piezas de vajilla o cualesquiera otras cosas de uso doméstico o destinadas a la venta.

Anaquelería. f. Conjunto de anaqueles.

Anaranjado, da. adj. De color semejante al de la naranja. Ú. **t. c. s.** Es el segundo color del espectro solar.

Anaranjear. tr. Tirar o arrojar naranjas contra uno.

Anarquía. (Del gr. ἀναρχία, de ἄναρχος, falto de jefe.) f. Falta de todo gobierno en un Estado. || **2.** fig. Desorden, confusión, por ausencia o flaqueza de la autoridad pública. || **3.** Por ext., desconcierto, incoherencia, barullo, en cosas necesitadas de ordenación.

Anárquicamente. adv. m. De modo anárquico.

Anárquico, ca. adj. Perteneciente o relativo a la anarquía.

Anarquismo. m. Conjunto de doctrinas de los anarquistas. || **2.** Conducta política destructora de la autoridad y subversiva del orden social.

Anarquista. adj. Propio del anarquismo o de la anarquía. || **2.** com. Persona que profesa el anarquismo, o desea o promueve la anarquía.

Anarquizante. p. a. de **Anarquizar.** Que anarquiza.

Anarquizar. intr. Propagar el anarquismo.

Anasarca. (Del gr. ἀνά, más allá, y σάρξ, σαρκός, carne.) f. *Med.* Edema general del tejido celular subcutáneo, acompañado de hidropesía en las cavidades orgánicas.

Anascote. (Del fr. *anascot*.) m. Tela delgada de lana, asargada por ambos lados, de que usan para sus hábitos varias órdenes religiosas. También la emplean para sus vestidos las mujeres del pueblo en algunas provincias de España. || **2.** ant. Tela de seda, parecida a la sarga.

Anastasia. (Del lat. *anastasĭa*, y éste del gr. ἀνάστασις, levantamiento, resurrección, de ἀνίστημι, resucitar.) f. **Artemisa,** 1.ª acep.

Anastigmático, ca. (Del gr. ἀν, priv., y στίγμα, punta.) adj. *Ópt.* Dícese de los objetivos aplanéticos en que se ha corregido esmeradamente el astigmatismo.

Anastomizarse. r. **Anastomosarse**

Anastomosarse. r. Unirse formando anastomosis.

Anastomosis. (Del lat. *anastomōsis*, y éste del gr. ἀναστόμωσις, embocadura.) f. *Bot.* y *Zool.* Unión de unos elementos anatómicos con otros de la misma planta o del mismo animal.

Anástrofe. (Del lat. *anastrŏphe*, y éste del gr. ἀναστροφή, de ἀναστρέφω, invertir.) f. *Gram.* Inversión violenta en el orden de las palabras de una oración.

Anata. (Del b. lat. *annāta*, y éste del lat. *annus*, año.) f. Renta, frutos o emolumentos que produce en un año cualquier beneficio o empleo. || **Media anata.** Derecho que se paga al ingreso de cualquier beneficio eclesiástico, pensión o empleo secular, y es la mitad de lo que produce en un año; o cantidad que se satisface por los títulos y por lo honorífico de algunos empleos y otras cosas. En España no se paga ya este derecho en la mayor parte de los casos.

Anatado, da. adj. desus. Abundante en nata.

Anatema. (Del lat. *anathĕma*, y éste del gr. ἀνάθημα, ofrenda, maldición; de ἀνατίθημι, poner en alto.) amb. **Excomunión,** 1.ª acep. || **2.** Maldición, imprecación. || **3.** m. ant. Persona anatematizada o excomulgada.

Anatematismo. (Del lat. *anathematismus*, y éste del gr. ἀναθεματισμός.) m. **Anatema,** 1.ª acep.

Anatematizador, ra. adj. Que anatematiza.

Anatematizar. (Del lat. *anathematizāre*, y éste del gr. ἀναθεματίζω.) tr. Imponer el anatema. || **2.** Maldecir a alguno o hacer imprecaciones contra él. || **3.** fig. Reprobar o condenar por mala a una persona o cosa.

Anatista. m. Oficial que en la dataría romana tiene a su cargo los libros y despachos de las medias anatas.

A nativitate. expr. adv. lat. **De nacimiento.**

Anatomía. (Del lat. *anatomĭa*, y éste del gr. ἀνατομή, corte, disección; de ἀνατέμνω, cortar, disecar.) f. *Biol.* Disección o separación artificiosa de las partes del cuerpo de un animal o de una planta. || **2.** desus. Análisis, examen minucioso de alguna cosa. || **3.** Ciencia que tiene por objeto dar a conocer el número, estructura, situación y relaciones de las diferentes partes del cuerpo de los animales o de las plantas. || **4.** desus. Esqueleto, y por ext., persona flaca. || **5.** *Esc.* y *Pint.* Disposición, tamaño, forma y sitio de los miembros externos que componen el cuerpo humano o el de los animales.

Anatomiano. m. ant. **Anatomista.**

Anatómicamente. adv. m. Conforme a las reglas de la anatomía.

Anatómico, ca. (Del lat. *anatomĭcus*, y éste del gr. ἀνατομικός.) adj. Perteneciente o relativo a la anatomía. || **2.** V. **Anfiteatro anatómico.** || **3.** m. y f. **Anatomista.**

Anatomista. com. Profesor de anatomía.

Anatomizar. tr. Hacer o ejecutar la anatomía de algún cuerpo. || **2.** *Esc.* y *Pint.* Señalar en las figuras los huesos y músculos de manera que se distingan bien.

Anavajado, da. adj. ant. Maltratado con cortaduras de navaja u otro instrumento semejante.

Anavia. (De *abia*, y éste del lat. *avia*.) f. *Rioja* **Arándano.**

Anay. (Voz filipina.) m. **Comején.**

Anca. (Del ant. alto al. *ancha*, pierna.) f. Cada una de las dos mitades laterales de la parte posterior de las caballerías y otros animales. || **2.** Parte posterior y superior de las caballerías. || **3.** Parte superior de la pierna de una persona; cadera. || **A ancas, o a las ancas.** m. adv. Cabalgando en las **ancas** de la caballería que monta otra persona. || **2.** loc. fig. y fam. con que se da a entender que una cosa va accesoria a otra. || **Dar ancas vueltas.** fr. fig. y fam. *Méj.* Conceder una ventaja en cualquier juego; sobresalir en él. Dícese por alusión a las carreras en que se ajusta que, al arrancar, tenga uno de los caballos la cabeza en la dirección en que se ha de correr, y el otro en la contraria. || **Llevar** uno **a las ancas** a otro. fr. fig. y fam. Mantenerle o tenerle a sus expensas. Ú. t. con los verbos *estar, traer*, etc. || **No sufrir ancas.** fr. No consentir las caballerías que las monten en aquella parte. || **2.** fig. y fam. Ser uno poco tolerante; no aguantar injurias ni chanzas.

Ancado, da. (De *anca*.) adj. *Veter.* Dícese de la caballería que tiene encorvado hacia adelante el menudillo de las patas traseras. || m. Defecto de la caballería **ancada.**

Ancianamente. adv. t. ant. **Antiguamente.**

Ancianía. f. ant. **Ancianidad.** || **2.** En las órdenes militares, dignidad de anciano.

Ancianidad. (De *anciano.*) f. Último período de la vida ordinaria del hombre. ‖ **2.** ant. **Antigüedad,** 1.ª acep.

Ancianismo. m. ant. **Ancianidad,** 1.ª acep.

Anciano, na. (Del lat. **antiānus,* de *ante.*) adj. Dícese del hombre o la mujer que tiene muchos años y de lo que es propio de ellos. Ú. t. c. s. ‖ **2.** ant. **Antiguo,** 1.ª acep. ‖ **3.** m. Cualquiera de los miembros del Sanedrín. ‖ **4.** En los tiempos apostólicos, cada uno de los encargados de gobernar las iglesias. ‖ **5.** En las órdenes militares, cualquiera de los freires más antiguos de su respectivo convento.

Ancla. (Del lat. *ancŏra.*) f. Instrumento fuerte de hierro forjado, en forma de arpón o anzuelo doble, compuesto de una barra, llamada caña, que lleva unas uñas dispuestas para aferrarse al fondo del mar y sujetar la nave. ‖ **2.** *Germ.* **Mano,** 1.ª acep. ‖ **3.** *Mar.* V. **Caña, cepo, varadero del ancla.** ‖ **de la esperanza.** La muy grande y que se utiliza en casos extremos. ‖ **de leva.** Cada una de las dos que van colocadas en las serviolas. ‖ **Abatir** una **ancla.** fr. *Mar.* Colocarla en dirección más apartada de la que tenía con respecto a la de la corriente, marea o viento. ‖ **Aguantar al ancla.** fr. *Mar.* Resistir la embarcación un temporal estando fondeada. ‖ **Apear el ancla.** fr. *Mar.* Dejar el **ancla** a la pendura. ‖ **De ancla a ancla.** fr. *Mar.* Tiempo que media desde que una embarcación leva **anclas** en un puerto, hasta que las echa en el mismo o en otro, después de un viaje. ‖ **Echar anclas.** fr. *Mar.* **Dar fondo,** 1.ª acep. ‖ **Enmendar** una **ancla.** fr. *Mar.* Colocarla en dirección más ventajosa, según las circunstancias. ‖ **Estar** el buque **sobre el ancla,** o **las anclas.** fr. *Mar.* Estar aferrado y asegurado con ellas. ‖ **Faltar** una **ancla.** fr. *Mar.* Romperse, o desprenderse del fondo, haciéndose inútil. ‖ **Gobernar sobre el ancla.** fr. *Mar.* Dirigir el buque hacia el **ancla,** al virar sobre ella valiéndose del timón. ‖ **Levar anclas.** fr. *Mar.* Levantarlas para salir del fondeadero. ‖ **Pescar** una **ancla.** fr. *Mar.* Enganchar casualmente una ancla perdida, al levar la propia. ‖ **Picar** una **ancla.** fr. *Mar.* **Enmendar** una **ancla.** ‖ **Saltar** una **ancla.** fr. *Mar.* Desprenderse del fondo y volver a agarrar después que ha ido arrastrando algún trecho. ‖ **Tragar** una **ancla.** fr. *Mar.* Enterrarse el **ancla** en el fondo por ser éste muy blando.

Ancladero. (De *anclar.*) m. **Fondeadero.** ‖ **2.** p. us. Acción de estar anclado.

Anclaje. m. *Mar.* Acción de anclar la nave. ‖ **2.** *Mar.* **Fondeadero.** ‖ **3.** *Mar.* Tributo que se paga por fondear en un puerto.

Anclar. intr. *Mar.* **Echar anclas.** ‖ **2.** *Mar.* Quedar sujeta la nave por medio del ancla.

Anclear. tr. p. us. Sujetar la nave por medio del ancla.

Anclote. m. Ancla pequeña.

Ancón. (Del lat. *ancon,* codo, ángulo, y éste del gr. ἀγκών.) m. Ensenada pequeña en que se puede fondear. ‖ **2.** *Méj.* **Rincón,** 1.ª acep. ‖ **3.** *Arq.* Cada una de las dos ménsulas colocadas a uno y otro lado de un vano para sostener la cornisa.

Anconada. f. **Ancón,** 1.ª acep.

Anconitano, na. adj. Natural de Ancona. Ú. t. c. s. ‖ **2.** Perteneciente a esta ciudad de Italia.

Áncora. (Del lat. *ancŏra,* y éste del gr. ἄγκυρα.) f. **Ancla,** 1.ª acep. ‖ **2.** fig. Lo que sirve o puede servir de amparo en un peligro o infortunio.

Ancoraje. (De *ancorar.*) m. *Mar.* ant. **Anclaje.**

Ancorar. (De *áncora.*) intr. *Mar.* **Anclar.** ‖ **2.** V. **Ancorar a pata de ganso.** ‖ **3.** tr. p. us. Hacer embarrancar o atollar.

Ancorca. (Del lat. *argilla ochra.*) f. **Ocre,** 1.ª acep.

Ancorel. (Del prov. o cat. *ancorell,* y éste del lat. *ancŏra,* ancla.) m. Piedra que sirve de ancla a la boya de una red.

Ancorería. f. Taller donde se hacen áncoras.

Ancorero. m. El que tiene por oficio hacer áncoras.

Ancorque. m. p. us. **Ancorca.**

Ancudo, da. adj. De ancas grandes.

Ancusa. (Del gr. ἄγχουσα.) f. **Lengua de buey.**

Ancuviña. f. Sepultura de los indígenas chilenos.

Ancha. (De *ancho.*) f. *Germ.* Población grande.

Anchamente. adv. m. Con anchura.

Anchar. intr. p. us. **Ensancharse,** 2.ª acep. ‖ **2.** tr. fam. **Ensanchar.** Ú. t. c. r.

Ancharia. f. ant. **Anchura.**

Ancheta. f. Pacotilla de venta que se llevaba a América en tiempo de la dominación española. ‖ **2.** Porción corta de mercaderías que una persona lleva a vender a cualquiera parte. ‖ **3.** Negocio generalmente pequeño o malo.

Ancheza. f. ant. **Anchura.**

Anchicorto, ta. adj. Ancho y corto.

Ancho, cha. (Del lat. *amplus.*) adj. Que tiene más o menos anchura. ‖ **2.** Que tiene anchura excesiva. ‖ **3.** Holgado, amplio en demasía. *Vestido* ANCHO. ‖ **4.** V. **Mar ancha.** ‖ **5.** fig. y fam. V. **Vida ancha.** ‖ **6.** fig. Desembarazado, laxo, libre. ‖ **7. Orgulloso.** Ú. m. con los verbos *estar* y *ponerse.* ‖ **8.** m. **Anchura,** 1.ª acep. *El* ANCHO *del paño.* ‖ **A mis, a tus, a sus, anchas,** o **anchos.** ms. advs. fams. Cómodamente, sin sujeción, con entera libertad. ‖ **A todos anchos.** m. adv. **A mis anchos.** ‖ **Darse** uno **tantas en ancho como en largo.** expr. fig. Vivir con toda libertad, cumplidamente, a toda satisfacción. ‖ **Estar,** o **ponerse,** uno **muy ancho,** o **tan ancho.** fr. fig. y fam. Ufanarse, engreírse, desvanecerse.

Anchoa. (Del lat. **apiuva,* de *aphye,* y éste del gr. ἀφύη, anchoa.) f. El boquerón, desangrado y curado en salmuera.

Anchoar. tr. Rellenar con anchoa el hueco de una aceituna deshuesada.

Anchor. m. **Anchura,** 1.ª acep.

Anchova. f. **Anchoa.**

Anchoveta. f. d. de **Anchova.**

Anchuelo, la. adj. d. de **Ancho.**

Anchura. (De *ancho.*) f. **Latitud,** 1.ª acep. ‖ **2.** fig. Libertad, soltura, desahogo. Suele usarse en mal sentido. ‖ **A mis, a tus, a sus anchuras.** m. adv. **A mis, a tus, a sus anchas.**

Anchuroso, sa. (De *anchura.*) adj. Muy ancho o espacioso.

Anda. f. *Chile, Guat.* y *Perú.* **Andas,** 1.ª acep.

Andábata. (Del lat. *andabăta.*) m. Gladiador que peleaba cubierta la cabeza con un casco que le tapaba los ojos.

Andaboba. (De *andar,* 1.er art., y *boba.*) f. ant. **Parar,** 1.er art., 1.ª acep.

Andada. (De *andar,* 1.er art.) f. ant. **Andanza.** ‖ **2.** ant. Viaje, camino, paso. ‖ **3.** Pan que se pone muy delgado y llano para que al cocer quede muy duro y sin miga. ‖ **4.** *Ar.* Terreno en que suele pastar un ganado, o en que pastó en determinado día. ‖ **5.** pl. Entre cazadores, huellas de perdices, conejos, liebres u otros animales. ‖ **Volver** uno **a las andadas.** fr. fig. y fam. Reincidir en un vicio o mala costumbre.

Andaderas. (De *andar,* 1.er art.) f. pl. Dos varas de madera largas y redondas, con sus pies, entre las cuales, y sujeto a ellas, se mueve un aro u otra pieza semejante que ciñe la cintura del niño para que aprenda a andar sin riesgo de caerse. ‖ **2.** *Ar.* **Seca,** 3.ª acep.

Andadero, ra. adj. Aplícase al sitio o terreno por donde se puede andar fácilmente. ‖ **2. Andador,** 2.ª acep. ‖ **3.** desus. **Hacedero,** 1.ª acep. ‖ **4.** m. y f. ant. **Demandadero, ra.**

Andado, da. m. y f. fam. **Adnado, da.**

Andado, da. p. p. de **Andar.** ‖ **2.** adj. **Pasajero,** 1.ª acep. Ú. m. con los advs. *más, menos, muy, poco,* etc. ‖ **3.** Común y ordinario. ‖ **4.** Usado o algo gastado. Dícese de las ropas o vestidos.

Andador, ra. adj. Que anda mucho o con velocidad. Ú. t. c. s. ‖ **2.** Que anda de una parte a otra sin parar en ninguna, o donde debe. Ú. t. c. s. ‖ **3.** m. Ministro inferior de justicia. ‖ **4. Avisador,** 2.ª acep. ‖ **5.** Senda por donde, en las huertas, se anda fuera de los cuadros. ‖ **6. Pollera,** 4.ª acep. ‖ **7.** pl. Tirantes que sirven para sostener al niño cuando aprende a andar. ‖ **Poder** uno **andar sin andadores.** fr. fig. y fam. Ser bastante hábil por sí mismo; no necesitar del ajeno auxilio.

Andadura. f. Acción y efecto de andar. ‖ **2. Paso de andadura.** ‖ **Sacarle** a uno **la andadura.** fr. fig. y fam. Obtener de él todo el rendimiento posible.

Andalia. (Por el pl. *las* [*s*]*andalias.*) f. ant. **Sandalia.**

Andalotero, ra. (De *andar,* 1.er art.) adj. *Ál.* **Callejero,** 1.ª acep. Ú. t. c. s.

Andalucismo. m. Locución, giro o modo de hablar peculiar y propio de los andaluces. ‖ **2.** Amor o apego a las cosas características o típicas de Andalucía.

Andaluz, za. adj. Natural de Andalucía. Ú. t. c. s. ‖ **2.** Perteneciente a esta región de España. ‖ **3.** m. Dialecto que se habla en Andalucía.

Andaluzada. f. fam. Exageración que, como habitual, se atribuye a los andaluces.

¡Andallo! interj. ant. **¡Anda!**

Andamiada. f. Conjunto de andamios.

Andamiaje. m. **Andamiada.**

Andamiento. (De *andar,* 1.er art.) m. Acción de andar, movimiento, marcha. ‖ **2.** ant. fig. Modo de proceder o portarse.

Andamio. (De *andar,* 1.er art.) m. Armazón de tablones o vigas puestos horizontalmente y sostenidos en pies derechos y puentes, o de otra manera, que sirve para colocarse encima de ella y trabajar en la construcción o reparación de edificios, pintar paredes o techos, subir o bajar estatuas u otras cosas, etc. ‖ **2.** Tablado que se pone en plazas o sitios públicos para ver desde él alguna fiesta, o con otro objeto. ‖ **3.** fam. **Calzado,** 6.ª acep. ‖ **4.** ant. **Adarve,** 1.ª acep. ‖ **5.** ant. Movimiento o acción de andar. ‖ **6.** ant. Modo o aire de andar. ‖ **colgado.** El suspendido con cuerdas.

Andana. (De *andar,* 1.er art.) f. Orden de algunas cosas puestas en línea. *Casa de dos o tres* ANDANAS *de balcones.* ‖ **2.** Estante en cuyas baldas o anaqueles, generalmente metálicos, se colocan los gusanos de seda para criarlos. ‖ **3.** Serie de zarzos horizontales adosados a una pared para el mismo fin.

Andana (Llamarse uno**).** fr. fam. Desdecirse o desentenderse de lo que dijo o prometió.

Andanada. f. Descarga cerrada de toda una andana o batería de cualquiera de los dos costados de un buque. ‖ **2.** Localidad cubierta y con diferentes órdenes de gradas, destinada al público en las plazas de toros. ‖ **3.** fig. y fam. Reprensión, reconvención agria y severa. Ú. m. en la fr. **le soltó la,** o **una, andanada.**

Andancia. f. ant. **Andanza,** 1.ª acep. ‖ **2.** *Amér.* y *And.* **Andancio.**

Andancio. (De *andar,* 1.er art.) m. Enfermedad epidémica leve.

Andaniño. (De *andar*, 1.er art., y *niño.*) m. **Pollera,** 4.ª acep.

Andante. (Del ital. *andante*, y éste de *andare.*) p. a. de **Andar.** Que anda. ‖ **2.** adj. V. **Caballería, caballero andante.** ‖ **Bien andante. Bienandante.** ‖ **Mal andante. Malandante.**

Andante. (Del ital. *andante.*) adv. m. *Mús.* Con movimiento moderadamente lento. ‖ **2.** m. *Mús.* Composición o parte de ella que se ha de ejecutar con este movimiento. *Tocar o cantar un* ANDANTE.

Andantesco, ca. adj. Perteneciente o relativo a la caballería, 6.ª acep., o a los caballeros andantes.

Andantino. (Del ital. *andantino.*) adv. m. *Mús.* Con movimiento más vivo que el andante, pero menos que el alegro. ‖ **2.** m. *Mús.* Composición o parte de ella que se ha de ejecutar con este movimiento.

Andanza. (De *andar*, 1.er art.) f. Caso o suceso. ‖ **2.** ant. Correría o viaje. ‖ **3.** ant. Modo de andar. ‖ **4.** ant. Suceso, aventura. ‖ **Buena andanza.** Buena fortuna. ‖ **Mala andanza. Malandanza.**

Andar. (Del lat. *adnāre*, avanzar nadando, o de **ambitāre*, de *ambīre*, pasear.) intr. Ir de un lugar a otro dando pasos. Ú. t. c. r. ‖ **2.** Ir de un lugar a otro lo inanimado. ANDAR *los planetas, la nave.* Ú. raramente c. r. ‖ **3.** Moverse un artefacto o máquina para ejecutar sus funciones. ANDAR *el reloj, un molino.* ‖ **4.** fig. **Estar,** 6.ª acep. ANDAR *uno bueno* o *malo, alegre* o *triste, torpe* o *prudente.* ‖ **5.** fig. **Haber,** 9.ª acep. *El ruido que* ANDABA *en el jardín.* ‖ **6.** fig. Entender en algo. ANDAR *en pleitos, en pretensiones.* ‖ **7.** Hablando del tiempo, pasar o correr. ‖ **8.** Con las preps. *con* o *sin* y algunos nombres, tener o padecer lo que el nombre significa, o al contrario. ANDAR *con cuidado;* ANDAR *sin recelo.* ‖ **9.** Seguido de la prep. *a* y de nombres en plural, como *cachetes, cuchilladas, tiros,* darlos, o reñir de este modo. ‖ **10.** fam. Seguido de la prep. *en,* poner o meter las manos o los dedos en alguna cosa. *Encontré al uno* ANDANDO *en el cajón y al otro en los papeles.* Ú. t. c. r. *No es bueno* ANDARSE *en los ojos.* ‖ **11.** Con la misma prep., seguida de un número que indique años, estar para cumplir éstos. *Tengo veinte años cumplidos y* ANDO *en los veintiuno.* ‖ **12.** fam. Seguido de la prep. *con,* **manejar,** 1.ª acep. *Es peligroso* ANDAR *con pólvora.* ‖ **13.** Con gerundios, denota la acción que expresan éstos. ANDAR *ronceando, cazando.* ‖ **14.** fam. **Ir,** 1.ª acep. ‖ **15.** *Mar.* **Arribar,** 7.ª acep. ‖ **16.** tr. **Recorrer,** 1.ª acep. ANDAR *el camino, cinco leguas, todas las calles del pueblo.* ‖ **17.** r. Seguido de la prep. *a* y otro verbo, ocuparse en, o ponerse a, ejecutar la acción de dicho verbo. ‖ **18.** Con las preps. *con* o *en,* usar o emplear. ANDARSE *con bromas, con paños calientes, con circunloquios.* ‖ **A más, o a todo andar.** m. adv. **A toda prisa.** ‖ **¡Anda!** interj. que sirve para expresar admiración o sorpresa, y también para excitar o animar a hacer alguna cosa y para denotar alegría, como por despique, cuando a otro le ocurre algo desagradable. ‖ **Anda a esparragar.** expr. fig. y fam. de que se usa para despedir a uno con desprecio o enfado. ‖ **Anda, o andad, a pasear.** expr. fam. **Anda, o andad, a paseo.** ‖ **Anda, o andad, enhoramala,** o **noramala.** expr. fam. **Vete, o idos, enhoramala,** o **noramala.** ‖ **¡Andar!** interj. con que se aprueba alguna acción o se manifiesta conformidad. ‖ **Andar a derechas,** o **derecho.** fr. fig. y fam. Obrar con rectitud. ‖ **Andar** uno **a la que salta.** fr. fig. y fam. **Andar** uno **a la briba.** ‖ **2.** fig. y fam. Aprovecharse, para sus fines, de cualquier ocasión que se presenta. ‖ **Andar** uno **a las bonicas.** fr. fig. y fam. No empeñarse ni esforzarse en alguna cosa, sino tomarla sin trabajo y cómodamente. ‖ **Andar anidando** una mujer. fr. fig. y fam. Estar cercana al parto. ‖ **Andar a una.** fr. **Ir a una.** ‖ **Andar a viva quien vence.** fr. con que suele censurarse el proceder de aquellos que se apartan del que está caído, para seguir y adular a los que prosperan. ‖ **Andar claro.** fr. Dicho del caballo, **andar** de modo que no se junten las líneas del huello de ambos pies o ambas manos. ‖ **Andar obscuro.** fr. Dicho del caballo, **andar** de modo que se junten las líneas del huello de ambos pies o ambas manos. ‖ **Andar tras** alguna cosa. fr. fig. Pretenderla insistentemente. ‖ **Andar tras** alguno. fr. **Andar** en su seguimiento o alcance. ‖ **2.** fig. Buscarlo con diligencia para prenderlo o para otro fin. ‖ **Andar** uno **tropezando y cayendo.** fr. fig. y fam. Cometer varios errores o correr varios peligros consecutivos en algún trabajo o negocio. ‖ **¡Ande!** o **¡ande usted!** loc. interj. **¡Anda!** Ú. cuando no se tutea a la persona con quien se habla. ‖ **Anden y ténganse.** expr. fam. con que se zahiere al que manda a un mismo tiempo cosas contrarias. ‖ **Quien mal anda, mal acaba.** ref. con que se denota que el que vive desordenadamente tiene, por lo común, un fin desastrado. ‖ **Todo se andará.** loc. fam. con que se da a entender al que echó de menos alguna cosa, creyéndola olvidada, que a su tiempo se ejecutará o se tratará de ella.

Andar. (De *andar*, 1.er art.) m. **Andadura,** 1.ª acep. *Caballería de buen* ANDAR. ‖ **2.** Modo o manera de proceder. ‖ **3.** pl. Modo de andar las personas, especialmente cuando es airoso o gallardo. ‖ **A largo andar.** m. adv. Con el tiempo, andando el tiempo, pasado mucho tiempo, al cabo. A LARGO ANDAR *todo se destruye.* ‖ **Estar a un andar.** fr. Estar dos casas, aposentos o ventanas, a un mismo piso o nivel.

Andaraje. (De *andar*, 1.er art.) m. Rueda de la noria, en que se afirma la maroma y cargan los arcaduces. ‖ **2.** Aparato de madera con que se hace andar el rodillo que los labradores usan para afirmar el suelo de las eras.

Andarica. f. *Ast.* Especie de cangrejo de mar, pequeño y comestible.

Andariego, ga. adj. **Andador,** 1.ª y 2.ª aceps. Ú. t. c. s.

Andarín, na. (De *andar*, 1.er art.) adj. Dícese de la persona andadora, y especialmente de la que lo es por oficio. Ú. t. c. s.

Andarina. (De *andorina*, infl. por *andar*, 1.er art.) f. **Andorina.**

Andarivel. (Del m. or. que el ital. *andarivello.*) m. Maroma tendida entre las dos orillas de un río o canal, o entre dos puntos no muy distantes de un puerto, arsenal, etc., y mediante la cual pueden palmearse las embarcaciones menores. ‖ **2.** *Mar.* Cuerda colocada en diferentes sitios del buque, a manera de pasamano, para dar seguridad a las personas o para otros usos. ‖ **3.** *Mar.* **Tecle.** ‖ **4.** Mecanismo usado para pasar ríos y hondonadas que no tienen puente; y consiste en una especie de cesta o cajón, comúnmente de cuero, que, pendiente de dos argollas, corre por una maroma fija por sus dos extremos. ‖ **5.** *Cuba.* Batea usada para pasar los ríos, palmeándola con ayuda del **andarivel.**

Andarraya. (De *andar*, 1.er art., y *raya.*) f. Juego que se hacía con piezas o piedras sobre un tablero a modo del de damas.

Andarríos. (De *andar*, 1.er art., y *ríos.*) m. *Zool.* **Aguzanieves.**

Andas. (Del lat. *amĭtes*, pl. de *ames*, angarillas.) f. pl. Tablero que, sostenido por dos varas paralelas y horizontales, sirve para conducir efigies, personas o cosas. ‖ **2.** Féretro o caja con varas, en que se llevan a enterrar los muertos. ‖ **En andas y en volandas.** m. adv. fig. **En volandas,** 1.ª acep.

Andel. (Como *andén*, de *andar*, 1.er art.) m. Rodada o carril que deja el paso de un carro u otro vehículo a campo traviesa. Ú. m. en pl.

Andén. m. En las norias y tahonas, sitio por donde las caballerías andan, dando vueltas alrededor. ‖ **2.** Corredor o sitio destinado para andar. ‖ **3.** Pretil, parapeto, antepecho. ‖ **4.** En las estaciones de los ferrocarriles, especie de acera a lo largo de la vía, más o menos ancha, y con la altura conveniente para que los viajeros entren en los carruajes y se apeen de ellos, así como también para cargar y descargar equipajes y efectos. ‖ **5.** En los puertos de mar, espacio de terreno sobre el muelle, en que andan las gentes que cuidan del embarque y desembarque de los géneros, o que vienen a este paraje para esparcirse o con otro objeto. ‖ **6.** Acera de un puente. ‖ **7.** **Anaquel.**

Andero. m. Cada uno de los que llevan en hombros las andas.

Andesina. f. Feldespato de alúmina, sosa y cal, que forma parte de algunas rocas eruptivas.

Andesita. f. *Geol.* Roca volcánica compuesta de cristales de andesina, que se encuentra principalmente en los Andes.

Andinismo. m. *Amér. Merid.* Deporte que consiste en la ascensión a los Andes.

Andinista. com. Persona que practica el andinismo.

Andino, na. (Del lat. *andīnus.*) adj. Natural de Andes. Ú. t. c. s. ‖ **2.** Perteneciente o relativo a esta aldea de la antigüedad, cercana a Mantua.

Andino, na. adj. Perteneciente o relativo a la cordillera de los Andes.

Ándito. (Del lat. *ambĭtus*, infl. por *andar*, 1.er art.) m. Corredor o andén que exteriormente rodea del todo o en gran parte un edificio. ‖ **2.** Acera de una calle.

Andola. f. Cancioncilla popular del siglo XVII.

Andolencia. f. ant. **Andulencia.**

Andolina. f. **Andorina.**

Andón, na. (De *andar*, 1.er art.) adj. *Colomb., Cuba* y *Venez.* **Andador,** 1.ª acep. Dícese de las caballerías.

Andorga. (Del ár. *'unduqa*, bajo vientre.) f. fam. **Vientre,** 1.ª acep.

Andorina. (Del lat. **hirūndīna*, infl. por *andar*, 1.er art.) f. **Golondrina,** 1.ª acep.

Andorra. (De *andar*, 1.er art.) f. fam. Mujer andorrera.

Andorrano, na. adj. Natural de Andorra. Ú. t. c. s. ‖ **2.** Perteneciente a este valle de los Pirineos, o a la villa de Andorra, en Aragón.

Andorrero, ra. (De *andorra.*) adj. Que todo lo anda; amigo de callejear. Dícese más comúnmente de las mujeres. Ú. t. c. s.

Andosco, ca. (Del ár. *an-nušqa*, la del nudo corredizo, la oveja antes de cumplir un año.) adj. Aplícase a la res de ganado menor que tiene dos años. Ú. t. c. s.

Andrado, da. (Del lat. *ante natus*, nacido antes.) m. y f. ant. **Adnado, da.** Ú. en *Burg.*

Andrajero, ra. (De *andrajo.*) m. y f. **Trapero, ra,** 1.ª acep.

Andrajo. (Del ár. *indirāŷ*, rasgón, rotura.) m. Pedazo o jirón de ropa muy usada. ‖ **2.** fig. y despect. Persona o cosa muy despreciable.

Andrajosamente. adv. m. Con andrajos.

Andrajoso, sa. adj. Cubierto de andrajos.

Andrehuela. f. *Córd.* Especie de melón que se guarda para el invierno.

Andrés. n. p. V. **Aspa, cruz de San Andrés.**

Andriana. (Del fr. *andrienne.*) f. Especie de bata muy ancha y no ajustada al talle, que usaban las mujeres.

Andrina. (De *andorina*, por el color, y éste del lat. *hirŭndo, -ĭnis*, golondrina.) f. **Endrina.**

Andrino. (De *andrina.*) m. **Endrino,** 2.ª acep.

Androceo. (Del gr. ἀνήρ, ἀνδρός, varón, y la terminación *ceo*, a semejanza de *gineceo.*) m. *Bot.* Tercer verticilo de la flor, formado por los estambres.

Andrógino, na. (Del lat. *androgȳnus*, y éste del gr. ἀνδρόγυνος; de ἀνήρ, ἀνδρός, varón, y γυνή, mujer.) adj. *Bot.* **Monoico.** ‖ **2.** *Zool.* Se dice de algunos animales de órdenes inferiores que, aun cuando reúnen los dos sexos, no pueden fecundarse a sí mismos, sino que necesitan, para reproducirse, el concurso de otro individuo de la misma especie.

Androide. (Del gr. ἀνήρ, ἀνδρός, varón, y εἶδος, forma.) m. Autómata de figura de hombre.

Andrómeda. (De *Andrómeda*, hija de Cefeo, transportada al cielo, según la mitología.) f. *Astron.* Constelación septentrional debajo o un poco al sur de Casiopea.

Andrómina. (Quizá del vasc. *androminac*, achaque de mujer.) f. fam. Embuste, enredo con que se pretende alucinar. Ú. m. en pl.

Androsemo. (Del lat. *androsaemon*, y éste del gr. ἀνδρόσαιμον; de ἀνήρ, ἀνδρός, varón, y αἷμα, sangre.) m. **Todabuena.**

Andujareño, ña. adj. Natural de Andújar. Ú. t. c. s. ‖ **2.** Perteneciente a esta ciudad.

Andulario. (Por **haldulario*, de *halda.*) m. **Faldulario.**

Andulencia. (Cruce de *andancia* y *dolencia.*) f. ant. **Andanza,** 1.ª acep. Ú. en *Sal.*

Andullo. (Del fr. *andouille*, o del prov. *andulho*, y éste del lat. *indūctĭlia*, pl. n. de *indūctĭlis*, embutido.) m. Tejido que se pone en las jaretas y motones de los buques, para evitar el roce. ‖ **2.** Hoja larga de tabaco arrollada. ‖ **3.** Cada uno de los manojos de hojas de tabaco con que suelen formarse los fardos.

Andurrial. (De *andar*, 1.er art.) m. Paraje extraviado o fuera de camino. Ú. m. en pl.

Anea. (Del ár. *an-na'ya*, la flauta.) f. Planta de la familia de las tifáceas, que crece en sitios pantanosos, hasta dos metros de altura, con tallos cilíndricos y sin nudos, hojas envainadoras por la base, ensiformes, y flores formando una espiga maciza y vellosa, de la cual la mitad inferior es femenina y masculina la superior. Se emplean las hojas de esta planta para hacer asientos de sillas, ruedos, etc. ‖ **2. Espadaña,** 1.ª acep.

Aneaje. m. Acción de anear, 1.er art.

Anear. (De *ana*, 1.er art.) tr. Medir por anas.

Anear. tr. *Sant.* Mecer al niño en la cuna.

Anear. (De *anea.*) m. Sitio poblado de aneas.

Aneblar. (Del lat. *ad*, a, y *nebulāre.*) tr. Cubrir de niebla. Ú. m. c. r. ‖ **2. Anublar,** 2.ª acep. Ú. t. c. r.

Anécdota. (Del gr. ἀνέκδοτα, pl. n. del adj. ἀνέκδοτος, inédito; de ἀν, priv., y ἐκδίδωμι, publicar.) f. Relación, ordinariamente breve, de algún rasgo o suceso particular más o menos notable.

Anecdotario. m. Colección de anécdotas.

Anecdótico, ca. adj. Perteneciente o relativo a la anécdota.

Anecdotista. com. Persona que escribe, refiere o gusta de contar anécdotas.

Aneciarse. r. Hacerse necio.

Anegable. adj. Que puede ser anegado, 2.ª acep.

Anegación. f. Acción y efecto de anegar o anegarse.

Anegadizo, za. adj. Que frecuentemente se anega, 2.ª acep. Ú. t. c. s. m. ‖ **2.** V. **Madera anegadiza.**

Anegamiento. m. **Anegación.**

Anegar. (Del lat. *enĕcāre*, matar.) tr. Ahogar a uno sumergiéndole en el agua. Ú. t. c. r. ‖ **2. Inundar,** 1.ª acep. Ú. m. c. r. ‖ **3.** Abrumar, agobiar, molestar. ‖ **4.** r. **Naufragar,** 1.ª acep.

Anegociado, da. adj. Metido en muchos negocios.

Anejar. tr. **Anexar.**

Anejir. (Del ár. *an-našīd*, el canto, la recitación.) m. Refrán o sentencia popular puesta en verso y cantable.

Anejo, ja. (Del lat. *annĕxus*, añadido.) adj. **Anexo,** 1.ª acep. ‖ **2.** m. Iglesia parroquial de un lugar, por lo común pequeño, sujeta a la de otro pueblo en donde reside el párroco. ‖ **3.** Iglesia sujeta a otra principal del mismo pueblo. ‖ **4.** Grupo de población rural incorporado a otro u otros, para formar municipio con el nombre de alguno de ellos.

Aneldo. (Del lat. *anethŭlus*, d. de *anēthum*, y éste del gr. ἄνηθον.) m. *Bot.* **Eneldo.**

Anélido. (Del lat. *anellus*, anillo, y del gr. εἶδος, forma.) adj. *Zool.* Dícese de animales pertenecientes al tipo de los gusanos, que tienen el cuerpo casi cilíndrico, con anillos o pliegues transversales externos que corresponden a segmentos internos. En su mayoría viven en el mar, pero muchos residen en el agua dulce, como la sanguijuela, o en la tierra húmeda, como la lombriz. ‖ **2.** m. pl. *Zool.* Clase de estos animales.

Anemia. (Del gr. ἀναιμία; de ἀν, priv., y αἷμα, sangre.) f. Empobrecimiento de la sangre, por disminución de su cantidad total, como ocurre después de las hemorragias, o por enfermedades que amenguan la cantidad de hemoglobina o el número de glóbulos rojos. ‖ **clorótica. Clorosis.** ‖ **de los mineros. Anquilostomiasis.** ‖ **perniciosa.** Enfermedad caracterizada por una disminución progresiva de los glóbulos rojos, con aumento del tamaño de éstos. Sus principales síntomas son trastornos digestivos, nerviosos, color pajizo y profundo cansancio.

Anémico, ca. adj. Perteneciente o relativo a la anemia. ‖ **2.** Que padece anemia. Ú. t. c. s.

Anemocordio. (Del gr. ἄνεμος, viento, y χορδή, cuerda.) m. **Arpa eolia.**

Anemófilo, la. (Del gr. ἄνεμος, viento, y φίλος, amigo.) adj. *Bot.* Dícese de las plantas en las que la polinización se verifica por medio del viento.

Anemografía. (De *anemógrafo.*) f. Parte de la meteorología, que trata de la descripción de los vientos.

Anemográfico, ca. adj. Perteneciente o relativo a la anemografía.

Anemógrafo. (Del gr. ἄνεμος, viento, y γράφω, describir.) m. El que profesa la anemografía o en ella tiene especiales conocimientos. ‖ **2. Anemoscopio.**

Anemometría. (De *anemómetro.*) f. Parte de la meteorología, que enseña a medir la velocidad o la fuerza del viento.

Anemométrico, ca. adj. Perteneciente o relativo a la anemometría o al anemómetro.

Anemómetro. (Del gr. ἄνεμος, viento, y μέτρον, medida.) m. Instrumento que sirve para medir la velocidad o la fuerza del viento.

Anémona [Anemona]. f. Anemone.

Anemone. (Del lat. *anemōne*, y éste del gr. ἀνεμώνη, de ἄνεμος, viento.) f. Planta herbácea, vivaz, de la familia de las ranunculáceas, que tiene en la raíz un bulbo o cebolla, pocas hojas en los tallos, y las flores de seis pétalos, grandes y vistosas. Se cultivan en los jardines diferentes especies, que generalmente se distinguen por el color de sus flores. ‖ **2.** Flor de esta planta. ‖ **de mar.** Pólipo solitario antozoo, del orden de los hexacoralarios, de colores brillantes, que vive fijo sobre las rocas marinas; su cuerpo, blando y contráctil, tiene en su extremo superior la boca, rodeada de varias filas de tentáculos, que, extendidos, hacen que el animal se parezca a una flor.

Anemoscopio. (Del gr. ἄνεμος, viento, y σκοπέω, examinar.) m. Instrumento que sirve para indicar los cambios de dirección del viento.

Aneota. f. *Gran.* **Toronjil.**

Anepigráfico, ca. (De *an* y *epigráfico.*) adj. Dícese de la medalla, lápida, etc., que carece de inscripción, y del escrito que no tiene título o epígrafe.

Anequín (A, o de). m. adv. A razón de un tanto por cada res que se ha de esquilar, y no a jornal. Dícese del ajuste que se hace con los operarios para los esquileos.

Aneroide. (Del gr. ἀν, priv., y ἀεροειδής, aéreo; de ἀήρ, aire, y εἶδος, forma.) adj. V. **Barómetro aneroide.** Ú. t. c. s.

Anestesia. (Del gr. ἀναισθησία; de ἀν, priv., y αἴσθησις, sentido, sentimiento.) f. Falta o privación general o parcial de la sensibilidad, ya por efecto de un padecimiento, ya artificialmente producida.

Anestesiar. tr. Privar total o parcialmente de la sensibilidad por medio de la anestesia.

Anestésico, ca. adj. Perteneciente o relativo a la anestesia. ‖ **2.** Que produce o causa anestesia. Ú. t. c. s. m.

Anestesista. m. y f. Especialista encargado de aplicar la anestesia.

Aneto. (Del lat. *anethum.*) m. *Ar.* **Aneldo.**

Aneurisma. (Del gr. ἀνεύρυσμα, de ἀνευρύνω, dilatar.) amb. Tumor relleno de coágulos y de sangre circulante, que se forma al resquebrajarse las paredes de una arteria por inflamación, degeneración o rotura de sus tejidos. ‖ **2.** Dilatación y aumento anormal del volumen del corazón.

Anexar. (De *anexo.*) tr. Unir o agregar una cosa a otra con dependencia de ella. Ú. principalmente hablando de la agregación de una ciudad o provincia a una nación, de una nación a otra, o de un beneficio eclesiástico a otro.

Anexidad. f. p. us. Conexión de una cosa con otra. ‖ **2.** pl. Derechos y cosas anexas a otra principal. Ú. con la voz **conexidades,** como fórmula en los instrumentos públicos.

Anexión. (Del lat. *annexĭo, -ōnis.*) f. Acción y efecto de anexar.

Anexionar. (De *anexión.*) tr. **Anexar.**

Anexionismo. m. Doctrina que favorece y defiende las anexiones, especialmente tratándose de territorios.

Anexionista. adj. Partidario o defensor del anexionismo. Apl. a pers., ú. t. c. s.

Anexitis. f. *Med.* Inflamación de los anexos.

Anexo, xa. (Del lat. *annexus*, p. p. de *annectĕre*, enlazar, unir.) adj. Unido o agregado a otra cosa con dependencia de ella. Ú. t. c. s. ‖ **2.** m. pl. Se llaman así en anatomía, y sobre todo en cirugía, los órganos y tejidos que rodean el útero (trompas, ovarios y peritoneo).

Anfesibena. f. **Anfisibena.**

Anfi. (Del gr. ἀμφί.) prep. insep. que significa **alrededor.** ANFI*teatro.*

Anfibio, bia. (Del lat. *amphibĭus*, y éste del gr. ἀμφίβιος; de ἀμφί, ambos, y βίος, vida.) adj. Aplícase en sentido estricto al animal que puede vivir indistintamente en tierra o sumergido en el agua; y por ext., dícese también de los que, como la rana y los sapos, han vivido en el agua cuando jóvenes por tener branquias, y en tierra, cuando adultos, al perder dichos órganos adquiriendo pulmones. Ú. t. c. s. ‖ **2.** Dícese de los vehículos que pueden caminar por tierra y por agua. ‖ **3.** Se dice de las plantas que pueden crecer en el agua o fuera de ella. ‖ **4.** *Zool.* **Batracio.** Ú.

t. c. s. ‖ **5.** m. pl. *Zool.* Clase de estos animales.

Anfíbol. (Del gr. ἀμφίβολος, ambiguo.) m. Mineral compuesto de sílice, magnesia, cal y óxido ferroso, de color por lo común verde o negro, y brillo anacarado.

Anfibolita. f. Roca compuesta de anfíbol y algo de feldespato, cuarzo o mica. Es de color verde más o menos obscuro, dura y tenaz. Se emplea en la fabricación de objetos de lujo.

Anfibología. (Del lat. *amphibología*, y éste del gr. ἀμφίβολος, *ambiguo*, equívoco.) f. Doble sentido, vicio de la palabra, cláusula, o manera de hablar, a que puede darse más de una interpretación. ‖ **2.** *Ret.* Figura que consiste en emplear adrede voces o cláusulas de doble sentido.

Anfibológicamente. adv. m. Con anfibología.

Anfibológico, ca. adj. Que tiene o implica anfibología.

Anfíbraco. (Del lat. *amphibrăchus*, y éste del gr. ἀμφίβραχυς; de ἀμφί, de ambos lados, y βραχύς, breve.) m. Pie de la poesía griega y latina, compuesto de tres sílabas, una larga entre dos breves.

Anfictión. (Del gr. Ἀμφικτίονες.) m. Cada uno de los diputados de la anfictionía.

Anfictionado. m. Cargo de anfictión.

Anfictionía. (Del gr. ἀμφικτιονία.) f. Confederación de las antiguas ciudades griegas, para asuntos de interés general. ‖ **2.** Asamblea de los anfictiones.

Anfictiónico, ca. (Del gr. ἀμφικτιονικός.) adj. Perteneciente o relativo al anfictión o a la anfictionía.

Anfímacro. (Del lat. *amphimăcrus*, y éste del gr. ἀμφίμακρος; de ἀμφί, de ambos lados, y μακρός, largo.) m. Pie de la poesía griega y latina, compuesto de tres sílabas: la primera y última, largas, y la segunda, breve.

Anfineuro. (Del gr. ἀμφί, por ambos lados, y νεῦρον, nervio.) adj. *Zool.* Dícese de moluscos marinos que carecen de cabeza y pie distintos, con simetría bilateral y sistema nervioso formado por una doble cadena ganglionar, semejante a la de los gusanos. Unos son desnudos y otros tienen concha formada por ocho piezas dispuestas en fila y articuladas entre sí, lo que permite al animal arrollarse a la manera que lo hacen las cochinillas de humedad; como el quitón. Ú. t. c. s. m. ‖ **2.** m. pl. *Zool.* Clase de estos animales.

Anfión. (Del ár. *afiyūn*, y éste del gr. ὄπιον.) m. **Opio.**

Anfípodo. (Del gr. ἀμφί, por ambos lados, y πούς, ποδός, pie.) adj. *Zool.* Dícese de crustáceos acuáticos de pequeño tamaño, casi todos marinos, con el cuerpo comprimido lateralmente y el abdomen encorvado hacia abajo; tienen antenas largas, siete pares de patas torácicas, locomotoras, y seis pares de extremidades abdominales, algunas de ellas aptas para saltar; como la pulga de mar. Ú. t. c. s. ‖ **2.** m. pl. *Zool.* Orden de estos animales.

Anfipróstilo. (Del lat. *amphiprostȳlos*, y éste del gr. ἀμφιπρόστυλος; de ἀμφί, a uno y otro lado, y πρόστυλος, próstilo.) m. *Arq.* Edificio con pórtico y columnas en dos de sus fachadas.

Anfisbena. (Del lat. *amphisbaena*, y éste del gr. ἀμφίσβαινα; de ἀμφίς, por ambos lados, y βαίνω, ir.) f. Reptil de que los antiguos contaban fábulas y prodigios. No se sabe a punto fijo a cuál de los animales hoy conocidos corresponde. ‖ **2.** *Zool.* Reptil saurio, sin patas, lo cual hace que se asemeje a una pequeña culebra; tiene ojos rudimentarios y su piel está recorrida por surcos longitudinales y transversales que en conjunto forman una fina cuadrícula. Vive debajo de las piedras y es común en el centro y mediodía de España; algunas de sus especies son sudamericanas.

Anfiscio, cia. (Del lat. *amphiscĭus*, y éste del gr. ἀμφίσκιος; de ἀμφί, de ambos lados, y σκία, sombra.) adj. *Geogr.* Dícese del habitante de la zona tórrida, cuya sombra, al mediodía, mira ya al Norte, ya al Sur, según las estaciones del año. Ú. m. c. s. y en pl.

Anfisibena. f. **Anfisbena.**

Anfiteatro. (Del lat. *amphitheātrum*, y éste del gr. ἀμφιθέατρον; de ἀμφί, alrededor, y θέατρον, teatro.) m. Edificio de figura redonda u oval con gradas alrededor, y en el cual se celebraban varios espectáculos, como los combates de gladiadores o de fieras. ‖ **2.** Conjunto de asientos, ordinariamente colocados en gradas semicirculares, que suele haber en las aulas y en los teatros. ‖ **anatómico.** Lugar destinado en los hospitales y otros edificios a la disección de los cadáveres.

Anfitrión. (De *Anfitrión*, rey de Tebas, esposo de Alcumena, espléndido en sus banquetes.) m. fig. y fam. El que tiene convidados a su mesa y los regala con esplendidez.

Ánfora. (Del lat. *amphŏra*, y éste del gr. ἀμφορεύς, vaso grande de dos asas.) f. Cántaro alto y estrecho, de cuello largo, con dos asas, terminado en punta, y muy usado por los antiguos griegos y romanos. ‖ **2.** Medida antigua de capacidad, equivalente a dos urnas u ocho congios. ‖ **3.** pl. Jarras o cántaros, por lo regular de plata, en que el obispo consagra los óleos el Jueves Santo.

Anfractuosidad. f. Calidad de anfractuoso. ‖ **2.** *Anat.* Surco o depresión sinuosa que separa las circunvoluciones cerebrales. Ú. m. en pl.

Anfractuoso, sa. (Del lat. *anfractuosus*, lleno de vueltas o rodeos.) adj. Quebrado, sinuoso, tortuoso, desigual.

Anganillas. f. pl. *Ar.* **Angarillas,** 3.ª y 5.ª aceps.

Angaria. (Del lat. *angarĭa*, y éste del gr. ἀγγαρεία, servicio de transporte.) f. Antigua servidumbre o prestación personal. ‖ **2.** *Mar.* Retraso forzoso impuesto a la salida de un buque para emplearlo en un servicio público, generalmente retribuido, que el gobierno de una nación impone a buques extranjeros.

Angarillada. f. Carga que de una vez se puede transportar en unas angarillas.

Angarillar. tr. Poner angarillas a una cabalgadura.

Angarillas. (Del lat. *angaria*, acarreo.) f. pl. Armazón compuesta de dos varas con un tabladillo en medio, en que se llevan a mano materiales para edificios y otras cosas. ‖ **2.** Armazón de cuatro palos clavados en cuadro, de los cuales penden unas como bolsas grandes de redes de esparto, cáñamo u otra materia flexible, que sirve para transportar en cabalgaduras cosas delicadas, como vidrios, loza, etc. Tómase alguna vez en singular por cada una de estas bolsas. ‖ **3. Aguaderas.** ‖ **4.** Pieza de madera, metal o cristal con dos o más ampolletas o frascos para sólo aceite y vinagre, o para estos y otros condimentos, la cual se emplea en el servicio de la mesa de comer. ‖ **5.** ant. **Jamugas.**

Angaripola. f. Lienzo ordinario, estampado en listas de varios colores, que usaron las mujeres del siglo XVII para hacerse guardapiés. ‖ **2.** pl. fam. Adornos de mal gusto y de colores llamativos que se ponen en los vestidos.

Ángaro. (Del gr. ἄγγαρον πῦρ, señales por medio del fuego.) m. **Almenara,** 1.er art., 1.ª acep.

Angazo. (Del lat. **hamĭca*, de *hamus*, anzuelo.) m. Instrumento para pescar mariscos. ‖ **2.** *Ast.* **Rastro,** 1.ª y 2.ª aceps.

Ángel. (Del lat. *angĕlus*, y éste del gr. ἄγγελος, nuncio, mensajero, de ἀγγέλλω, anunciar.) m. Espíritu celeste criado por Dios para su ministerio. Esta voz conviene en general a todos los espíritus celestiales. ‖ **2.** Cualquiera de los espíritus celestes que pertenecen al último de los nueve coros. ‖ **3. Cabello, manga de ángel.** ‖ **4.** V. **Agua, manjar de ángeles.** ‖ **5.** V. **Peje ángel.** ‖ **6.** Con el art. *el*, por antonomasia, el Arcángel San Gabriel. ‖ **7.** fig. Gracia, simpatía. Ú. casi siempre con el verbo *tener*. ‖ **8.** fig. Persona en quien se suponen las calidades propias de los espíritus angélicos. ‖ **9.** En el juego de los trucos, cierta ventaja o condición que consiste en poder subir sobre la mesa para jugar las bolas que no se alcanzan desde fuera con la punta del taco. *Dar, tomar* o *llevar* ÁNGEL. ‖ **10.** *Art.* **Palanqueta,** 3.ª acep. ‖ **bueno.** El que no prevaricó. ‖ **custodio,** o **de la guarda.** El que Dios tiene señalado a cada persona para su guarda o custodia. ‖ **de luz. Ángel bueno.** ‖ **de tinieblas,** o **malo. Diablo,** 1.ª acep. ‖ **patudo.** fig. y fam. Persona que, según el que así la llama, está muy lejos de tener la inocencia o buenas cualidades que otros le atribuyen. ‖ **Ser uno como un ángel,** o **un ángel.** fr. fig. Ser en extremo hermoso o muy afable, inocente o bueno.

Ángela. n. p. **¡Ángela María!** expr. que se usa para denotar que se aprueba alguna cosa, que se cae en la cuenta de algo, o que causa extrañeza lo que se oye.

Angélica. (Del lat. *angelĭca*, por las virtudes terapéuticas de la planta.) f. Planta herbácea, vivaz, de la familia de las umbelíferas, con tallo ramoso, derecho, empinado y garzo, que crece hasta unos cinco decímetros de altura; hojas con tres segmentos aserrados y ovales, flores de color blanco rojizo, y semilla negra, orbicular y comprimida, que tiene aplicación en farmacia. ‖ **2.** Lección que se canta el Sábado Santo para la bendición del cirio, y la cual se llama así por empezar con estas palabras: *Exúltet jam* ANGÉLICA *turba caelórum*. ‖ **3.** *Farm.* Bebida purgante, compuesta de maná y otras cosas. ‖ **arcangélica.** Planta anua de la familia de las umbelíferas, que apenas se diferencia de la **angélica** sino por las hojas más aserradas, las semillas muy aplastadas y el olor aromático, principalmente de la raíz, cuyo cocimiento suele usarse en medicina como tónico y carminativo. ‖ **carlina. Ajonjera.**

Angelical. adj. Perteneciente o relativo a los ángeles. ‖ **2.** fig. Parecido a los ángeles por su hermosura, candor o inocencia. *Persona* ANGELICAL. ‖ **3.** fig. Que parece de ángel. *Genio, rostro, voz* ANGELICAL.

Angelicalmente. adv. m. Con candor e inocencia.

Angélico. m. d. de **Ángel.** ‖ **2.** fig. **Angelito,** 2.ª acep. ‖ **3.** fig. *Ál.* **Saltaojos.**

Angélico, ca. (Del lat. *angelĭcus*.) adj. **Angelical.** ‖ **2.** V. **Arte angélico.** ‖ **3.** V. **Agua, salutación, tacamaca angélica.**

Angelín. (De port. *angelim*.) m. **Pangelín.**

Angelito. m. d. de **Ángel.** ‖ **2.** fig. Niño de muy tierna edad, aludiendo a su inocencia. ‖ **Estar** uno **con los angelitos.** fr. fig. y fam. **Estar en Babia.** ‖ **2.** fig. y fam. Estar dormido o muy distraído.

Angelizar. (De *ángel*.) tr. p. us. Comunicar la virtud angélica. ‖ **2.** r. Purificarse espiritualmente, aspirando a la perfección angélica.

Angelología. (Del lat. *angĕlus*, y éste del gr. ἄγγελος, mensajero, y λόγος, tratado.) f. Tratado de lo referente a los ángeles.

Angelón. m. aum. de **Ángel.** ‖ **de retablo.** fig. y fam. Persona desproporcionadamente gorda y carrilluda.

Angelota. f. Trébol hediondo.

Angelote. m. aum. de **Ángel.** || **2.** fam. Figura grande de ángel, que se pone en los retablos o en otras partes. || **3.** fig. y fam. Niño muy grande, gordo y de apacible condición. || **4.** fig. y fam. Persona muy sencilla y apacible. || **5.** *Zool.* Pez selacio del suborden de los escuálidos, que llega a tener dos metros de largo: es aplastado, de color azul obscuro por encima y blanco por debajo, de cabeza redonda y con aletas pectorales y abdominales muy grandes, a manera de alas blancas. || **6.** Especie de **higueruela,** 2.ª acep.

Ángelus. m. Oración en honor del misterio de la Encarnación, que comienza con las palabras ÁNGELUS *Dómini.* Primeramente se rezaba a la caída de la tarde, y actualmente se reza también al amanecer y al mediodía.

Angina. (Del lat. *angīna,* de *angĕre,* sofocar.) f. Inflamación de las amígdalas o de éstas y de la faringe. || **de pecho.** Síndrome caracterizado por accesos súbitos de corta duración con angustia de muerte y dolor violento que desde el esternón se extiende ordinariamente por el hombro, brazo, antebrazo y mano izquierdos.

Anginoso, sa. adj. Perteneciente o relativo a la angina, o acompañado de ella.

Angioma. (Del gr. ἀγγεῖον, vaso, y el sufijo *oma,* que en medicina significa tumor.) m. *Med.* Tumor de tamaño variable, generalmente congénito, formado por acumulación de vasos eréctiles y a veces pulsátiles.

Angiospermo, ma. (Del gr. ἀγγεῖον, vaso, y σπέρμα, simiente.) adj. *Bot.* Dícese de plantas fanerógamas cuyos carpelos forman una cavidad cerrada u ovario, dentro de la cual están los óvulos. Ú. t. c. s. f. || **2.** f. pl. *Bot.* Subtipo de estas plantas.

Angla. (De *ángulo.*) f. **Cabo,** 7.ª acep.

Anglesita. f. Sulfato de plomo natural, abundante en la isla de Anglesey, donde fue descubierto, y que se halla también en Linares, Sierra Almagrera y otros puntos de España.

Anglicanismo. (De *anglicano.*) m. Conjunto de las doctrinas de la religión reformada predominante en Inglaterra.

Anglicanizado, da. adj. Influido por las costumbres, ideas, etc., de los ingleses.

Anglicano, na. (Del lat. *anglicānus.*) adj. Que profesa el anglicanismo. Ú. t. c. s. || **2.** Perteneciente a él.

Anglicismo. m. Giro o modo de hablar propio y privativo de la lengua inglesa. || **2.** Vocablo o giro de esta lengua empleado en otra. || **3.** Empleo de vocablos o giros ingleses en distinto idioma.

Anglo, gla. (Del lat. *anglus.*) adj. Dícese del individuo de una tribu germánica que en el siglo VI se estableció en Inglaterra. Ú. t. c. s. || **2. Inglés,** 1.ª y 2.ª aceps. Ú. t. c. s.

Angloamericano, na. adj. Perteneciente a ingleses y americanos, o compuesto de elementos propios de los países de ambos. || **2.** Dícese del individuo de origen inglés, nacido en América. || **3.** Natural de los Estados Unidos de la América Septentrional. Ú. t. c. s. || **4.** Perteneciente a ellos.

Anglomanía. (De *anglo* y *manía.*) f. Afectación en imitar las costumbres inglesas.

Anglómano, na. adj. Que adolece de anglomanía. Ú. t. c. s.

Anglosajón, na. adj. Dícese del individuo procedente de los pueblos germanos que en el siglo V invadieron a Inglaterra. Ú. t. c. s. || **2.** Perteneciente a los **anglosajones.** || **3.** m. Lengua germánica hablada por los **anglosajones** y de la cual procede el inglés.

Angoja. (Del dialect. *angoja,* y éste del lat. *angustia.*) f. ant. **Congoja.**

Angojoso, sa. (De *angoja.*) adj. ant. **Congojoso.**

Angolán. m. Árbol de la India, de la familia de las alangiáceas. El fruto es comestible y la raíz se usa como purgante.

Angora. n. p. V. **Gato de Angora.**

Angorra. f. Pieza de cuero o tela gruesa, destinada en ciertos oficios a defender las partes del cuerpo expuestas a rozamientos fuertes o quemaduras.

Angostamente. adv. m. Con angostura o estrechez.

Angostar. (Del lat. *angustāre.*) tr. Hacer angosto, estrechar. Ú. t. c. intr. y r. || **2.** ant. fig. **Angustiar.**

Angosto, ta. (Del lat. *angŭstus,* estrecho.) adj. Estrecho o reducido. || **2.** ant. fig. **Escaso.** || **3.** ant. fig. Triste, angustioso o trabajoso. || **4.** *Germ.* V. **Tira angosta.**

Angostura. f. Calidad de angosto. || **2.** Estrechura o paso estrecho. || **3.** ant. fig. Tristeza, angustia o fatiga.

Angra. (Del lat. *angra, ancra,* valle, recodo.) f. **Ensenada.**

Angrelado, da. (Del fr. *engrêlé,* y éste de *grêle, gresle,* del lat. *gracĭlis,* delgado.) adj. Dícese de las piezas de heráldica, de las monedas y de los adornos de arquitectura que rematan en forma de picos o dientes muy menudos.

Anguarina. (De *hungarina.*) f. Gabán de paño burdo y sin mangas, que, en tiempo de aguas y frío, usan los labradores de algunas comarcas, a semejanza del tabardo.

Angüejo. m. **Oreja de abad.**

Anguila. (Del lat. *anguilla.*) f. Pez teleósteo, fisóstomo, sin aletas abdominales, de cuerpo largo, cilíndrico, y que llega a medir un metro; tiene una aleta dorsal que se une primero con la caudal, y dando después vuelta, con la anal, mientras son muy pequeñas las pectorales. Su carne es comestible. Vive en los ríos, pero cuando sus órganos sexuales llegan a la plenitud de su desarrollo, desciende por los ríos y entra en el mar para efectuar su reproducción en determinado lugar del Océano Atlántico. || **2.** *Mar.* Cada uno de los dos largos maderos, paralelos a la quilla del buque en construcción, que, con otras piezas, constituyen la base sobre la que se bota éste al agua desde la grada. Ú. m. en pl. || **de cabo.** En las galeras, **rebenque,** 1.ª acep.

Anguilazo. m. Golpe dado con la anguila de cabo.

Anguilero, ra. adj. Aplícase al canastillo o cesta que sirve para llevar anguilas.

Anguilo. (De *anguila.*) m. *Sant.* Congrio pequeño.

Anguilla. (Del lat. *anguilla.*) f. ant. **Anguila,** 1.ª acep. Ú. en *Hond.* y *Nicar.*

Anguina. (Del lat. *inguen, -ĭnis,* ingle.) f. *Veter.* Vena de las ingles.

Angula. (De *anguila.*) f. Cría de la anguila, de color fusco, de seis a ocho centímetros de largo y tres a cuatro milímetros de grueso, que desde el lugar del Océano Atlántico en que nace llega a las costas y sube por algunos ríos en cantidades asombrosas. Cocida, se vuelve blanca, y es un sabroso pescado.

Angulado, da. adj. **Anguloso.**

Angular. (Del lat. *angulāris.*) adj. Perteneciente o relativo al ángulo. || **2.** De figura de ángulo. || **3.** V. **Piedra angular.**

Angularmente. adv. m. En figura de ángulo.

Angulema. (De *Angulema,* ciudad de Francia, de donde procede.) f. Lienzo de cáñamo o estopa. || **2.** pl. fam. Zalamerías. *Hacer* ANGULEMAS; *venir con* ANGULEMAS.

Ángulo. (Del lat. *angŭlus,* y éste del gr. ἀγκύλος, encorvado.) m. *Geom.* Abertura formada por dos líneas que parten de un mismo punto. || **2. Rincón,** 1.ª acep. || **3.** Esquina o arista. || **4.** V. **Secante, secante segunda, seno, tangente, tangente segunda de un ángulo.** || **acimutal.** *Astron.* El comprendido entre el meridiano de un lugar y el plano vertical en que esté la visual dirigida a un objeto cualquiera, a veces un astro. || **agudo.** *Geom.* El menor o más cerrado que el recto. || **cenital.** *Topogr.* El que forma una visual con la vertical del punto de observación. || **complementario.** *Geom.* **Complemento,** 4.ª acep. || **curvilíneo.** *Geom.* El que forman dos líneas curvas. || **de corte.** *Cant.* El que forma el intradós de una bóveda o un arco con el lecho o sobrelecho de cada una de las dovelas. || **de incidencia.** *Geom.* El que forma un rayo de luz, una onda o un cuerpo elástico, con la normal a una superficie en el punto en que la encuentran. || **del ojo.** Extremo donde se unen uno y otro párpado. || **de mira.** *Art.* El que forma la línea de mira con el eje de la pieza. || **de reflexión.** *Geom.* El que forma un rayo de luz, una onda o un cuerpo elástico, con la normal a una superficie en el punto en que se apartan de ella después de la incidencia. || **de refracción.** *Ópt.* El que un rayo refractario forma en el punto de incidencia, con la normal a la superficie de separación de los dos medios transparentes. || **de tiro.** *Art.* El que forma la línea horizontal con el eje de la pieza. || **diedro.** *Geom.* El formado por dos planos que se cortan. || **entrante.** *Geom.* Aquel cuyo vértice entra en la figura o cuerpo de que es parte. || **esférico.** *Geom.* El formado en la superficie de la esfera por dos arcos de círculo máximo. || **facial.** *Zool.* El formado por la intersección de las dos rectas que se pueden imaginar en la cara del hombre y otros animales, una desde la frente hasta los alveolos de la mandíbula superior y otra desde este sitio hasta el conducto auditivo. Su valor está en relación con el desarrollo del cerebro. || **horario.** El que forma con el meridiano un círculo horario. || **mixtilíneo,** o **mixto.** *Geom.* El que forman una recta y una curva. || **muerto.** *Fort.* El que no tiene defensa ni está flanqueado. || **oblicuo.** *Geom.* El que no es recto. || **obtuso.** *Geom.* El mayor o más abierto que el recto. || **occipital.** *Zool.* Aquel cuyo vértice está en el intervalo de los cóndilos occipitales, y cuyos lados pasan respectivamente por el vértice de la cabeza y el borde inferior de la órbita. || **óptico.** El formado por las dos visuales que van desde el ojo del observador a los extremos del objeto que se mira. || **plano.** *Geom.* El que está formado en una superficie plana. || **poliedro.** *Geom.* **Ángulo sólido.** || **rectilíneo.** *Geom.* El que forman dos líneas rectas. || **recto.** *Geom.* El que forman dos líneas, o dos planos, que se cortan perpendicularmente. || **saliente.** *Geom.* Aquel cuyo vértice sobresale en la figura o cuerpo de que es parte. || **semirrecto.** *Geom.* El de 45 grados, mitad del recto. || **sólido.** *Geom.* El formado por varios planos que se cortan mutuamente y concurren en un punto. || **suplementario.** *Geom.* **Suplemento,** 4.ª acep. || **triedro.** *Geom.* El formado por tres planos que concurren en un punto. || **Ángulos adyacentes.** *Geom.* Los dos que a un mismo lado de una línea recta forma con ella otra que la corta. || **alternos.** *Geom.* Los dos que a distinto lado forma una secante con dos rectas. Son **alternos internos** los que están entre las rectas; **alternos externos,** los que están fuera. || **correspondientes.** *Geom.* Los dos que a un mismo lado forma una secante con dos rectas, uno entre ellas y otro fuera. || **opuestos por el vértice.** *Geom.* Los que tienen el vértice común y los lados de cada uno en prolongación de los del otro.

Anguloso, sa. (Del lat. *angulōsus.*) adj. Que tiene ángulos o esquinas.

Angurria. (Del gr. ἀγγούριον, cohombro, pepino.) f. ant. **Sandía.**

Angurria. f. fam. **Estangurria,** 1.ª acep.

Angustia. (Del lat. *angustĭa*, angostura, dificultad.) f. Aflicción, congoja. || **2.** *Germ.* **Cárcel,** 1.ª acep. || **3.** pl. *Germ.* **Galeras.**

Angustiadamente. adv. m. **Angustiosamente.**

Angustiado, da. p. p. de **Angustiar.** || **2.** adj. Que implica o expresa angustia. || **3.** Estrecho o reducido. || **4.** fig. Apocado, miserable. || **5.** m. *Germ.* Preso y galeote.

Angustiador, ra. adj. Que angustia.

Angustiar. (Del lat. *angustiāre.*) tr. Causar angustia, afligir, acongojar. Ú. t. c. r.

Angustiosamente. adv. m. Con angustia.

Angustioso, sa. adj. Lleno de angustia. || **2.** Que la causa. || **3.** Que la padece.

Anhelación. (Del lat. *anhelatĭo, -ōnis.*) f. Acción y efecto de anhelar.

Anhelante. p. a. de **Anhelar.** Que anhela.

Anhelar. (Del lat. *anhelāre.*) intr. Respirar con dificultad. || **2.** Tener ansia o deseo vehemente de conseguir alguna cosa. Ú. t. c. tr. ANHELAR *empleos, honras, dignidades.* || **3.** tr. fig. Expeler, echar de sí con el aliento.

Anhélito. (Del lat. *anhēlĭtus.*) m. Respiración, principalmente corta y fatigosa.

Anhelo. (Del lat. *anhēlus.*) m. Deseo vehemente.

Anhelosamente. adv. m. Con anhelo.

Anheloso, sa. (Del lat. *anhelōsus.*) adj. Dícese de la respiración frecuente y fatigosa. || **2.** Que respira de este modo. || **3.** Que tiene o siente anhelo.

Anhídrido. (De *anhidro* y la terminación *-ido*, de *ácido.*) m. *Quím.* Cuerpo que inmediata o mediatamente procede de la deshidratación de los ácidos, con la pérdida de los caracteres de la acidez. || **arsenioso.** Cuerpo blanco, compuesto de arsénico y oxígeno, sublimable, poco soluble en el agua y muy venenoso. Se prepara tostando en corriente de aire las piritas arsenicales. || **bórico.** *Quím.* Cuerpo sólido, no cristalizable, incoloro, transparente, compuesto de boro y oxígeno y que, combinado con el agua, forma el ácido bórico. || **carbónico.** *Quím.* Gas asfixiante y no combustible que, por la combinación del carbono con el oxígeno, se produce en las combustiones y en algunas fermentaciones. Ha sido llamado, y aún se llama, ácido carbónico. || **nítrico.** *Quím.* Cuerpo sólido, blanco, compuesto de nitrógeno y oxígeno. Es inestable, desprende oxígeno al descomponerse y se combina con el agua, formando el ácido nítrico con producción de calor. || **sulfúrico.** *Quím.* Cuerpo sólido, compuesto de azufre y oxígeno, blanco, y muy ávido de agua, con la que se combina, produciendo el ácido sulfúrico. || **sulfuroso.** *Quím.* Gas incoloro, de olor fuerte e irritante, que resulta de la combinación del azufre con el oxígeno al quemarse el primero de estos dos cuerpos. Se ha llamado, y aún se llama, ácido sulfuroso.

Anhidrita. f. Roca de mayor densidad y dureza que el yeso, formada por un sulfato de cal anhidro.

Anhidro, dra. (Del gr. ἄνυδρος; de ἀν, priv., e ὕδωρ, agua.) adj. *Quím.* Aplícase a los cuerpos en cuya formación no entra el agua, o que la han perdido si la tenían. || **2.** V. **Cal anhidra.**

Anhidrosis. (Del gr. ἀνίδρωσις; de ἀν, priv., e ἱδρύω, sudar.) f. *Med.* Disminución o supresión del sudor.

Aniaga. (Por *añaga*, del lat. *annus*, año.) f. *Murc.* Salario que cada año se paga al labrador.

Anidar. intr. Hacer nido las aves o vivir en él. Ú. t. c. r. || **2.** fig. Morar, habitar. Ú. t. c. r. || **3.** Hallarse o existir algo en una persona o cosa. || **4.** tr. fig. Abrigar, acoger.

Anidiar. (Del lat. *ad*, a, y *nitidāre*, pulir, limpiar.) tr. *Sal.* Blanquear las paredes de la casa y hacer en ésta una limpieza general. || **2.** r. *Sal.* Peinarse, arreglarse el pelo.

Anidio. m. *Sal.* Acción y efecto de anidiar.

Anieblar. tr. **Aneblar.** Ú. m. c. r. || **2.** r. *Ar.* Alelarse, entontecerse.

Aniego. (De *anegar.*) m. **Anegación.**

Aniejar. (Por *añejar.*) tr. ant. **Añejar.** Usáb. t. c. intr. Ú. en *And.*

Aniejo, ja. adj. ant. **Añejo.** Ú. en *And.*

Anihilación. f. p. us. **Aniquilación.**

Anihilamiento. m. p. us. **Aniquilamiento.**

Anihilar. tr. p. us. **Aniquilar.**

Anilina. (De *añil.*) f. *Quím.* Alcaloide líquido, artificial, obtenido por transformación de la bencina procedente del carbón de piedra. Es la base de la preparación de muchas materias colorantes.

Anilla. (De *anillo.*) f. Cada uno de los anillos que sirven para colocar colgaduras o cortinas, de modo que puedan correrse y descorrerse fácilmente. || **2.** Anillo al cual se ata un cordón o correa para sujetar un objeto. || **3.** pl. En gimnasia, aros, generalmente de metal, de unos 25 centímetros de diámetro, pendientes de cuerdas o cadenas, en los que se hacen diferentes ejercicios.

Anillado, da. p. p. de **Anillar.** || **2.** adj. Dícese del cabello rizado. || **3.** *Zool.* Dícese de los animales cuyo cuerpo imita una serie de anillos. Ú. t. c. s. m.

Anillar. tr. Dar forma de anillo. || **2.** Sujetar con anillos. || **3.** Hacer o formar anillos los cuchilleros en las piezas que fabrican.

Anillejo. m. d. de **Anillo.**

Anillete. m. d. de **Anillo.**

Anillo. (Del lat. *anēllus.*) m. Aro pequeño. || **2.** Aro de metal u otra materia, liso o con labores y con perlas o piedras preciosas o sin ellas, que se lleva, principalmente por adorno, en los dedos de la mano. || **3.** V. **Obispo de anillo.** || **4.** Cada una de las dos series de camones que componen las ruedas hidráulicas. || **5.** *Arq.* Moldura que rodea por su sección recta un cuerpo cilíndrico, especialmente en los fustes de las columnas. || **6.** *Arq.* Cornisa circular u ovalada que, asentada en las pechinas y los cuatro arcos torales, sirve de base a la cúpula o media naranja. || **7.** *Zool.* Cada uno de los segmentos en que está dividido el cuerpo de los gusanos y artrópodos. || **8.** pl. *Germ.* **Grillos,** 3.er art., 1.ª acep. || **Anillo astronómico.** *Astron.* Antiguo instrumento de la especie de las armillas y astrolabios. || **de boda.** El que recíprocamente se dan los que se casan. || **del Pescador.** Sello del Papa, que se estampa en los breves y que representa al apóstol San Pedro sentado en una barca y echando sus redes al mar. || **de Saturno.** *Astron.* Círculo que rodea a este planeta y está compuesto de tres zonas concéntricas de distinto resplandor. || **pastoral.** El que, como insignia de su dignidad, usan y dan a besar los prelados. || **Anillo en dedo, honra sin provecho.** ref. que advierte que no se debe emplear el dinero en cosas que sólo sirven de puro fausto o vanidad. || **Cuando te dieren el anillo, pon el dedillo.** ref. que aconseja aprovechar la ocasión favorable. || **De anillo.** expr. fig. Meramente honorífico, sin renta, emolumentos ni jurisdicción. Dícese de las dignidades y empleos. || **Si se perdieron los anillos, aquí quedaron los dedillos.** ref. con que se da a entender que no se debe sentir mucho la pérdida de lo accesorio cuando se salva lo principal. || **Venir** una cosa **como anillo al dedo.** fr. fig. y fam. Haber sido dicha o hecha con oportunidad.

Ánima. (Del lat. *anĭma*, y éste del gr. ἄνεμος, soplo.) f. **Alma,** 1.ª acep. || **2.** Alma que pena en el purgatorio antes de ir a la gloria. || **3.** V. **Altar de ánima.** || **4.** fig. **Alma,** 14.ª y 15.ª aceps. || **5.** pl. Toque de campanas en las iglesias a cierta hora de la noche, con que se avisa a los fieles para que rueguen a Dios por las **ánimas** del purgatorio. || **6.** Hora a que se tocan las campanas para este fin. *Ya son las* ÁNIMAS; *a las* ÁNIMAS *me volví a casa.* || **Ánima bendita,** o **del purgatorio.** **Ánima,** 2.ª acep. || **Descargar** uno **el ánima de** otro. fr. Satisfacer los encargos u obligaciones que le dejó por su última voluntad. || **En mi ánima,** o **en ánima de** otro. loc. Fórmula de juramento para aseverar alguna cosa. || **Sacar ánima.** loc. Ganar indulgencia plenaria aplicable a las **ánimas** del purgatorio. || **Una ánima sola, ni canta ni llora.** ref. con que se da a entender que uno solo, sin la ayuda de otros, para ninguna cosa puede ser de provecho.

Animación. (Del lat. *animatĭo, -ōnis.*) f. Acción y efecto de animar o animarse. || **2.** Viveza, expresión en las acciones, palabras o movimientos. || **3.** Concurso de gente en una fiesta u otro lugar.

Animadamente. adv. m. Con animación.

Animador, ra. (Del lat. *animātor.*) adj. Que anima. Ú. t. c. s.

Animadversión. (Del lat. *animadversĭo, -ōnis.*) f. Enemistad, ojeriza. || **2.** Crítica, reparo o advertencia severa.

Animadvertencia. (Del lat. *animadvertens, -entis*, p. a. de *animadvertĕre*, advertir.) f. ant. Aviso o advertencia.

Animal. (Del lat. *anĭmal.*) m. Ser orgánico que vive, siente y se mueve por propio impulso. || **2. Animal** irracional.

Animal. (Del lat. *animālis*, de *anĭmus*, soplo, aliento vital.) adj. Perteneciente o relativo al **animal.** || **2.** Perteneciente o relativo a la parte sensitiva de un ser viviente, a diferencia de la parte racional o espiritual. *Apetitos* ANIMALES. || **3.** fig. Dícese de la persona incapaz, grosera o muy ignorante. Ú. t. c. s. || **4.** V. **Pedazo de animal.** || **5.** V. **Almidón, carbón, economía, fuerza, magnetismo, negro, vida animal.** || **6.** V. **Espíritus animales.** || **amansado.** *For.* El que ha cambiado su condición natural indómita por el esfuerzo del hombre, y si la recobra puede ser ocupado. || **de bellota. Cerdo,** 1.ª acep. || **domesticado.** *For.* **Animal amansado.** || **doméstico.** *For.* El que por su condición vive en la compañía o dependencia del hombre y no es susceptible de ocupación. || **fiero.** *For.* El que, vagando libre por la tierra, el aire o el agua, es objeto adecuado para la ocupación, caza o pesca. || **manso.** *For.* **Animal doméstico.** || **salvaje.** *For.* **Animal fiero.**

Animalada. (De *animal*, 1.er art.) f. fam. **Borricada,** 3.ª acep.

Animálculo. m. Animal perceptible solamente con el auxilio del microscopio.

Animalejo. m. d. de **Animal.**

Animalia. f. ant. **Animal,** 1.er art.

Animalias. (Del lat. *animalĭa*, pl. de *animālis*, del alma.) f. pl. ant. Sufragios o exequias.

Animalidad. (Del lat. *animalĭtas, -ātis.*) f. Calidad de animal, 2.° art.

Animalización. f. Acción y efecto de animalizar o animalizarse.

Animalizar. (De *animal.*) tr. Convertir los alimentos, particularmente los vegetales, en materia apta para la nutrición. Ú. t. c. r. ‖ **2.** p. us. Convertir en ser animal. ‖ **3.** r. **Embrutecerse.**

Animalucho. m. despect. Animal de figura desagradable.

Animante. (Del lat. *animans, -antis.*) p. a. ant. de **Animar.** Que anima. ‖ **2.** m. ant. **Viviente.**

Animar. (Del lat. *animāre*, de *anĭma*, alma, espíritu.) tr. Vivificar el alma al cuerpo. ‖ **2.** Infundir vigor a un ser viviente. ‖ **3.** Infundir energía moral a uno. ‖ **4.** Excitar a una acción. ‖ **5.** En obras de arte, hacer que parezcan dotadas de vida. ‖ **6.** Tratándose de cosas inanimadas, comunicarles mayor vigor, intensidad y movimiento. ‖ **7.** Dar movimiento, calor y vida a un concurso de gente o a un paraje. Ú. t. c. r. ‖ **8.** intr. Vivir, habitar o morar. ‖ **9.** r. Cobrar ánimo y esfuerzo.

Anime. (Voz americana.) m. **Curbaril.** ‖ **2.** Resina de esta planta.

Animero. m. El que pide limosna para sufragio de las ánimas del purgatorio.

Anímico, ca. (De *ánima.*) adj. **Psíquico.**

Animismo. (De *ánima.*) m. Doctrina médica de Stahl, que considera al alma como principio de acción de los fenómenos vitales en el estado de salud y en el de enfermedad, con independencia de la materia orgánica y de sus fuerzas físicas y químicas. ‖ **2.** Creencia en la actividad voluntaria de los seres orgánicos e inorgánicos y de los fenómenos de la naturaleza, profesada explícita o implícitamente por pueblos de escasa cultura y acompañada de la adoración a dichos seres y fenómenos. ‖ **3.** Creencia en la existencia de espíritus que animan a todas las cosas.

Ánimo. (Del lat. *anĭmus*, y éste del gr. ἄνεμος, soplo.) m. Alma o espíritu en cuanto es principio de la actividad humana. ‖ **2.** Valor, esfuerzo, energía. ‖ **3.** V. **Bajeza, igualdad, pasión, presencia de ánimo.** ‖ **4.** Intención, voluntad. ‖ **5.** fig. Atención o pensamiento. ‖ **¡Ánimo!** interj. para alentar o esforzar a alguno. ‖ **¡Ánimo a las gachas, que son de arrope!** fr. fig. y fam. con que en broma se alienta a la ejecución de alguna cosa fácil y aun agradable. ‖ **¡Buen ánimo!** interj. **¡Ánimo!** ‖ **Caer,** o **caerse,** uno **de ánimo.** fr. fig. **Desanimarse.** ‖ **Dilatar el ánimo.** fr. fig. Causar o sentir consuelo o desahogo en las aflicciones por medio de la esperanza o la conformidad. ‖ **Estrecharse** uno **de ánimo.** fr. fig. **Acobardarse.** ‖ **Hacer,** o **tener,** uno **ánimo.** fr. fig. Formar o tener intención de hacer alguna cosa.

Animosamente. adv. m. Con ánimo, 2.ª acep.

Animosidad. (Del lat. *animosĭtas, -ātis.*) f. p. us. **Ánimo,** 2.ª acep. ‖ **2.** Aversión, ojeriza.

Animoso, sa. (Del lat. *animōsus.*) adj. Que tiene ánimo, 2.ª acep.

Aniñadamente. adv. m. Puerilmente o con propiedades de niños.

Aniñado, da. p. p. de **Aniñarse.** ‖ **2.** adj. Aplícase al que en su aspecto, acciones o genio se parece a los niños. ‖ **3.** También se dice de las cosas en que consiste esta semejanza. *Rostro* ANIÑADO.

Aniñarse. r. Hacerse el niño el que no lo es.

Anión. m. *Fís.* Elemento electronegativo de una molécula que en la electrólisis se dirige al ánodo.

Aniquilable. adj. Que fácilmente se puede aniquilar.

Aniquilación. f. Acción y efecto de aniquilar o aniquilarse.

Aniquilador, ra. adj. Que aniquila. Ú. t. c. s.

Aniquilamiento. m. **Aniquilación.**

Aniquilar. (Del lat. *annihilāre*; de *ad*, a, y *nihil*, nada.) tr. Reducir a la nada. Ú. t. c. r. ‖ **2.** fig. Destruir o arruinar enteramente. Ú. t. c. r. ‖ **3.** r. fig. Deteriorarse mucho alguna cosa, como la salud o la hacienda. ‖ **4.** fig. Anonadarse, 3.ª acep. de **Anonadar.**

Anís. (Del lat. *anīsum*, y éste del gr. ἄνισος.) m. Planta anua de la familia de las umbelíferas, que crece hasta unos 30 centímetros de altura, con tallo ramoso, hojas primeramente casi redondas y después hendidas en lacinias, flores pequeñas y blancas y por frutos semillas aovadas, verdosas, menudas, aromáticas y de sabor agradable. ‖ **2.** Semilla de esta planta. ‖ **3.** V. **Aceite de anís.** ‖ **4.** Grano de anís con baño de azúcar. ‖ **5.** Por ext., toda confitura menuda. ‖ **6.** fig. **Anisado,** 2.ª acep. ‖ **de la China,** o **anís estrellado de las Indias. Badiana,** 2.ª acep. ‖ **Llegar** uno **a los anises.** fr. fig. y fam. Llegar tarde a algún convite o función. Alude a la antigua costumbre de servir **anises** al fin de la comida.

Anisado, da. p. p. de **Anisar.** ‖ **2.** m. Aguardiente anisado.

Anisal. m. *Chile.* **Anisar.**

Anisar. m. Tierra sembrada de anís.

Anisar. tr. Echar anís o espíritu de anís a una cosa.

Anisete. m. Licor compuesto de aguardiente, azúcar y anís.

Anisodonte. (Del gr. ἄνισος, desigual, y ὀδούς, ὀδόντος, diente.) adj. *Zool.* De dientes desiguales.

Anisofilo, la. (Del gr. ἄνισος, desigual, y φύλλον, hoja.) adj. *Bot.* De hojas desiguales.

Anisómero. (Del gr. ἄνισος, desigual, y μέρος, parte.) adj. *Biol.* Dícese del órgano formado por partes desiguales.

Anisopétala. (Del gr. ἄνισος, desigual, y πέταλον, hoja.) adj. *Bot.* Dícese de la corola que tiene pétalos desiguales y de la flor que tiene esta clase de corola.

Anito. m. Ídolo familiar adorado por algunos pueblos de raza filipina.

Anivelar. tr. **Nivelar,** 3.ª y 4.ª aceps.

Aniversario, ria. (Del lat. *anniversarĭus*; de *annus*, año, y *versus*, p. p. de *vertĕre*, volver.) adj. **Anual.** ‖ **2.** m. Oficio y misa que se celebran en sufragio de un difunto el día en que se cumple el año de su fallecimiento. ‖ **3.** Día en que se cumplen años de algún suceso.

Anjeo. (Del antiguo ducado de Anjou, en Francia, de donde procede.) m. Especie de lienzo basto.

Annado, da. m. y f. ant. **Adnado, da.**

Ano. (Del lat. *anus.*) m. Orificio en que remata el conducto digestivo y por el cual se expele el excremento.

Anoa. (Voz malaya.) f. Especie de búfalo más pequeño que el carabao, pues sólo alcanza un metro de altura; vive en estado salvaje en las islas Célebes.

Anoche. (Del lat. *ad noctem.*) adv. t. En la noche de ayer.

Anochecedor, ra. (De *anochecer*, 1.er art.) adj. Que se recoge tarde. Ú. t. c. s. ‖ **Tardío anochecedor, mal madrugador.** ref. con que se da a entender que la persona que se acuesta tarde no suele madrugar.

Anochecer. (Del lat. *ad*, a, y *noctescĕre*, de *nox, noctis*, noche.) intr. Empezar a faltar la luz del día, venir la noche. ‖ **2.** Llegar o estar en un paraje, situación o condición determinados al empezar la noche. ‖ **3.** tr. p. us. **Obscurecer,** 1.ª acep. ‖ **4.** Hacer desaparecer una cosa, hurtarla. ‖ **5.** r. poét. Privarse o quedar privada alguna cosa de luz o claridad. ‖ **Anochecer y no amanecer.** fr. fig. y fam. Desaparecer o huir repentinamente y a escondidas. ‖ **Anochecerle** a uno **en** alguna parte. fr. fam. Cogerle en ella la noche.

Anochecer. (De *anochecer*, 1.er art.) m. Tiempo durante el cual anochece. ‖ **Al anochecer.** m. adv. Al acercarse la noche.

Anochecida. f. **Anochecer,** 2.° art.

Anochecido. adv. t. Al empezar la noche.

Anodinia. (Del gr. ἀνωδυνία.) f. *Med.* Falta de dolor.

Anodino, na. (Del lat. *anodȳnus*, y éste del gr. ἀνώδυνος; de ἀν, priv., y ὀδύνη, dolor.) adj. *Med.* Que sirve para templar o calmar el dolor. Ú. t. c. s. m. ‖ **2.** Insignificante, ineficaz, insubstancial.

Ánodo. (Del gr. ἄνοδος, camino ascendente.) m. *Fís.* Polo positivo de un generador de electricidad.

Anofeles. (Del gr. ἀνωφελής, perjudicial.) adj. *Zool.* Dícese de los mosquitos cuyas hembras son transmisoras del parásito productor de las fiebres palúdicas. Son dípteros, con larga probóscide y palpos tan largos como ella. Sus larvas viven en las aguas estancadas o de escasa corriente. Ú. m. c. s.

Anomalía. (Del lat. *anomalĭa*, y éste del gr. ἀνωμαλία.) f. **Irregularidad,** 1.ª acep. ‖ **2.** *Astron.* Distancia angular del lugar verdadero o medio de un planeta a su afelio, vista desde el centro del Sol. ‖ **media.** *Astron.* La que, en un momento dado, corresponde al lugar medio del astro, o sea el que ocuparía si, por ser su movimiento uniforme, variase igualmente en tiempos iguales el ángulo formado por el radio vector y la línea de los ápsides. ‖ **verdadera.** *Astron.* La que corresponde al lugar verdadero que ocupa el astro en un momento dado.

Anomalidad. f. ant. **Anomalía,** 1.ª acep.

Anomalístico. (De *anómalo.*) adj. *Astron.* V. **Año, mes anomalístico.**

Anómalo, la. (Del lat. *anomălus*, y éste del gr. ἀνώμαλος; de ἀν, priv., y ὁμαλός, igual.) adj. Irregular, extraño.

Anomuro. (Del gr. ἄνομος, irregular, y οὐρά, cola.) adj. *Zool.* Dícese de crustáceos decápodos cuyo abdomen es muy blando, por lo cual, para protegerlo, se introducen en conchas de caracoles marinos, de las que sólo asoman la parte anterior del cefalotórax y los apéndices locomotores; como el ermitaño. Ú. t. c. s. ‖ **2.** m. pl. *Zool.* Suborden de estos animales.

Anón. (Voz caribe.) m. **Anona,** 2.° art., 1.ª acep.

Anona. (Del lat. *annōna.*) f. Provisión de víveres.

Anona. (De *anón.*) f. Arbolito de la familia de las anonáceas, de unos cuatro metros de altura, de tronco ramoso, con corteza obscura, hojas grandes, alternas, lanceoladas, lustrosas, verdinegras por encima y más claras por el envés; flores de color blanco amarillento, solitarias, de mal olor, y fruto como una manzana, con escamas convexas, que cubren una pulpa blanca, aromática y dulce, dentro de la cual se hallan las semillas, que son negras, duras y correspondientes una a cada escama del mismo fruto. Es planta propia de países tropicales; pero, sin embargo, se cultiva en las costas del mediodía de España. ‖ **2.** Fruto de este arbolito. ‖ **del Perú. Chirimoyo.** ‖ **de Méjico. Guanábano.**

Anonáceo, a. (De *anona*, nombre de un género de plantas.) adj. *Bot.* Dícese de árboles y arbustos angiospermos, dicotiledóneos, que tienen hojas alternas, simples y enteras, pimpollos con pelusa, flores casi siempre axilares, solitarias o en manojo, comúnmente verdes o verdosas, y fruto simple o compuesto, seco o carnoso, con pepitas duras y frágiles; como la anona. Ú. t. c. s. f. ‖ **2.** f. pl. *Bot.* Familia de estas plantas.

Anonadación. f. Acción y efecto de anonadar o anonadarse.

Anonadamiento. m. **Anonadación.**

Anonadar. (De *a*, 2.° art., y *nonada*.) tr. Aniquilar, 1.ª acep. Ú. t. c. r. ‖ **2.** fig. Apocar, disminuir mucho alguna cosa. ‖ **3.** fig. Humillar, abatir. Ú. t. c. r.

Anónimamente. adv. m. De modo anónimo.

Anonimia. f. Calidad de **anónimo,** 1.ª y 2.ª aceps.

Anónimo, ma. (Del gr. ἀνώνυμος; de ἀν, priv., y ὄνομα, nombre.) adj. Dícese de la obra o escrito que no lleva el nombre de su autor. ‖ **2.** Dícese igualmente del autor cuyo nombre no es conocido. Ú. t. c. s. m. ‖ **3.** *Com.* V. **Compañía, sociedad anónima.** ‖ **4.** m. Escrito en que no se expresa el nombre del autor. ‖ **5.** Carta o papel sin firma en que, por lo común, se dice algo ofensivo o desagradable. ‖ **6.** Secreto del autor que oculta su nombre. *Conservar el* ANÓNIMO.

Anopluro. (Del gr. ἄνοπλος, sin armas, y οὐρά, cola.) adj. *Zool.* Dícese de insectos hemípteros, sin alas, que viven como ectoparásitos en el cuerpo de algunos mamíferos; como el piojo y la ladilla. Ú. t. c. s. ‖ **2.** m. pl. *Zool.* Suborden de estos animales.

Anorexia. (Del gr. ἀ, priv., y ὄρεξις, apetito.) f. *Pat.* Falta anormal de ganas de comer.

Anoria. (Del ár. *an-nā'ūra*.) f. **Noria,** 1.ª acep.

Anormal. (De *a*, 3.er art., y *normal*.) adj. Dícese de lo que accidentalmente se halla fuera de su natural estado o de las condiciones que le son inherentes. ‖ **2.** com. Persona cuyo desarrollo físico o intelectual es inferior al que corresponde a su edad.

Anormalidad. f. Calidad de anormal.

Anormalmente. adv. m. De modo anormal.

Anorza. (Del ár. *al-'uršān*, las parras.) f. **Nueza blanca.**

Anotación. (Del lat. *annotatio, -ōnis*.) f. Acción y efecto de anotar. ‖ **preventiva.** *For.* Asiento temporal y provisional de un título en el registro de la propiedad, como garantía precautoria de un derecho o de una futura inscripción.

Anotador, ra. (Del lat. *annotātor*.) adj. Que anota. Ú. t. c. s.

Anotar. (Del lat. *annotāre*; de *ad*, a, y *notāre*, notar advertir.) tr. Poner notas en un escrito, cuenta o libro. ‖ **2. Apuntar,** 4.ª acep. ‖ **3.** Hacer anotación en un registro público.

Anotomía. f. desus. **Anatomía,** 1.ª acep.

Anotómico, ca. adj. desus. **Anatómico,** 1.ª y 3.ª aceps.

Anovelado, da. adj. Que participa de los caracteres de la novela.

Anquear. (De *anca*.) intr. ant. **Amblar,** 2.ª acep.

Anqueta. f. d. de **Anca.** ‖ **Estar** uno **de media anqueta.** fr. fam. Estar mal sentado o sentado a medias.

Anquialmendrado, da. (De *anca* y *almendra*, por la forma.) adj. Se dice de la caballería que tiene las ancas muy estrechas, de modo que la grupa va en punta hacia la cola.

Anquiboyuno, na. adj. Se dice de la caballería que tiene, como el buey, muy salientes los extremos anteriores de las ancas.

Anquiderribado, da. (De *anca* y *derribado*.) adj. Se dice de la caballería que tiene la grupa alta y en declive hasta la parte superior del maslo.

Anquilosamiento. m. Acción y efecto de anquilosarse.

Anquilosarse. r. Producirse una anquilosis. ‖ **2.** fig. Detenerse una cosa en su progreso.

Anquilosis. (Del gr. ἀγκύλωσις, soldadura, de ἀγκυλόω, atar.) f. *Med.* Disminución o imposibilidad de movimiento en una articulación normalmente móvil.

Anquilostoma. (Del gr. ἀγκύλος, curvo, y στόμα, boca.) m. *Zool.* Gusano nematelminto parásito del hombre, de color blanco o rosado, de diez a dieciocho milímetros de longitud y menos de un milímetro de diámetro, con una cápsula bucal provista de dos pares de ganchos que le sirven para fijarse al intestino delgado, casi siempre al yeyuno o al duodeno; devora las células de la mucosa intestinal y segrega ciertas substancias tóxicas que, al pasar a la sangre del huésped, destruyen los glóbulos rojos en enorme cantidad. Es de origen europeo, pero actualmente está también muy difundido en Asia, África y América.

Anquilostomiasis. (De *anquilostoma*.) f. *Med.* Enfermedad producida por el gusano anquilostoma y que se caracteriza principalmente por la aparición de variados trastornos gastrointestinales y por una gran disminución del número de glóbulos rojos en la sangre del paciente. Afecta sobre todo a los mineros y a otras personas que permanecen durante mucho tiempo en parajes subterráneos.

Anquirredondo, da. (De *anca* y *redondo*.) adj. Se dice de la caballería que tiene las ancas muy carnosas y convexas.

Anquiseco, ca. (De *anca* y *seco*.) adj. Se dice de la caballería que tiene las ancas descarnadas.

Ansa. (Del lat. *ansa*.) f. *Ar.* **Asa,** 1.er art., 1.ª acep.

Ansa. (De *hansa*.) f. Antigua confederación de varias ciudades de Alemania para seguridad y fomento de su comercio.

Ánsar. (Del lat. *anser*.) m. Ave palmípeda, que llega a tener 90 centímetros de largo desde la cabeza hasta la extremidad de la cola, con plumaje general blanco agrisado, completamente blanco en el abdomen y sonrosado en el cuello; alas agudas que pasan de la extremidad de la cola; pico anaranjado, cónico, dentellado y muy fuerte en la base; tarsos robustos y pies rojizos. Tiene plumón abundante, y las penas de las alas se han usado para escribir Es el ganso bravo o salvaje; se considera como la especie original del ganso doméstico y, propia de países septentrionales, se presenta accidentalmente en España durante los inviernos. ‖ **2. Ganso,** 1.ª acep. ‖ **El ánsar de Cantimpalos, que salió al lobo al camino.** ref. que se dice de los que inconsideradamente se exponen a un daño o peligro.

Ansarería. f. Paraje donde se crían ánsares.

Ansarero, ra. m. y f. Persona que cuida ánsares.

Ansarino, na. adj. Perteneciente al ánsar. ‖ **2.** m. Pollo del ánsar.

Ansarón. m. **Ánsar.** ‖ **2. Ansarino,** 2.ª acep.

Anseático, ca. adj. Perteneciente al ansa, 2.° art.

Ansí. (Del lat. *aeque sīc*, o *ad sīc*.) adv. m. ant. **Así.** Ú. todavía entre la gente rústica.

Ansia. (Del lat. *anxĭa*, f. de *anxĭus*, angustiado.) f. Congoja o fatiga que causa en el cuerpo inquietud o agitación violenta. ‖ **2.** Angustia o aflicción del ánimo. ‖ **3. Náusea.** ‖ **4. Anhelo.** ‖ **5.** *Germ.* Tortura o tormento. ‖ **6.** *Germ.* **Agua,** 1.ª acep. ‖ **7.** pl. *Germ.* **Galeras.** ‖ **Cantar** uno **en el ansia.** fr. *Germ.* Confesar en el tormento, especialmente en el de toca.

Ansiadamente. adv. m. **Ansiosamente.**

Ansiar. (Del lat. *anxiāre*.) tr. Desear con ansia. ‖ **2.** r. Llenarse de ansia.

Ansiedad. (Del lat. *anxiĕtas, -ātis*.) f. Estado de agitación, inquietud o zozobra del ánimo. ‖ **2.** *Med.* Angustia que suele acompañar a muchas enfermedades, en particular a las agudas, y que no permite sosiego a los enfermos.

Ansimesmo. adv. m. ant. **Ansimismo.**

Ansimismo. (De *ansí* y *mismo*.) adv. m. ant. **Así mismo.**

Ansina. (De *ansí*.) adv. m. ant. **Así.** Ú. todavía entre la gente rústica.

Ansión. m. aum. de **Ansia.** ‖ **2.** *Sal.* Tristeza, nostalgia.

Ansiosamente. adv. m. Con ansia.

Ansiosidad. (De *ansioso*.) f. ant. **Ansia,** 1.ª, 2.ª y 4.ª aceps.

Ansioso, sa. (Del lat. *anxiōsus*.) adj. Acompañado de ansias o congojas grandes. ‖ **2.** Que tiene ansia o deseo vehemente de alguna cosa.

Ansotano, na. adj. Natural de Ansó. Ú. t. c. s. ‖ **2.** Perteneciente a este valle de Aragón.

Anta. (De *ante*, 1.er art.) f. *Zool.* Mamífero rumiante, parecido al ciervo y tan corpulento como el caballo, de cuello corto, cabeza grande, pelo áspero de color gris obscuro, y astas en forma de pala con recortaduras profundas en los bordes.

Anta. (Del lat. *antae, -arum*.) f. **Menhir.** ‖ **2.** *Arq.* Pilastra embutida en un muro, del cual sobresale un poco, y que tiene delante una columna de la misma anchura que ella. ‖ **3.** *Arq.* Pilastra que en lo antiguo se levantaba a los costados de la puerta de la fachada de los edificios, principalmente de los templos. ‖ **4.** pl. *Arq.* Pilastras que refuerzan y decoran los extremos de un muro.

Antagalla. f. *Mar.* Faja de rizos de las velas de cuchillo.

Antagallar. tr. *Mar.* Tomar las antagallas para que la vela oponga menos superficie a la fuerza del viento.

Antagónico, ca. adj. Que denota o implica antagonismo. *Doctrinas* ANTAGÓNICAS.

Antagonismo. (Del gr. ἀνταγώνισμα, de ἀνταγωνίζομαι, luchar contra.) m. Contrariedad, rivalidad, oposición substancial o habitual, especialmente en doctrinas y opiniones.

Antagonista. (Del lat. *antagonista*, y éste del gr. ἀνταγωνιστής; de ἀντί, contra, y ἀγωνιστής, combatiente.) com. Persona o cosa opuesta o contraria a otra. ‖ **2.** adj. *Anat.* Dícese de los músculos que en una misma región anatómica obran en sentido contrario, como los flexores y los extensores. ‖ **3.** *Anat.* Dícese de los nervios que animan funciones contrarias en un mismo órgano. ‖ **4.** *Mec.* Dícese del muelle o resorte que recobra su posición normal en cuanto deja de actuar sobre él la fuerza que lo tenía fuera de ella.

Antainar. (Del lat. **anteagināre*, de **agināre*, apresurarse.) intr. *Ast.* Darse prisa para hacer alguna cosa.

Antamilla. f. *Sant.* **Altamía,** 2.ª acep.

Antana (Llamarse uno**).** fr. fam. **Llamarse andana.**

Antañada. (De *antaño*.) f. p. us. **Antigualla,** 2.ª acep.

Antañazo. (De *antaño*.) adv. t. fam. Mucho tiempo ha.

Antaño. (Del lat. *ante annum*.) adv. t. En el año pasado, o sea en el que precedió al corriente. ‖ **2.** Por ext., en tiempo antiguo.

Antañón, na. (De *antaño*.) adj. Muy viejo.

Antárctico, ca. (Del lat. *antarctĭcus*, y éste del gr. ἀνταρκτικός; de ἀντί, en contra, y ἀρκτικός, septentrional.) adj. ant. *Astron.* y *Geogr.* **Antártico.**

Antares. (Del gr. Ἀντάρης; de ἀντί, enfrente de, y Ἄρης, Marte.) m. Estrella de primera magnitud en la constelación de Escorpión.

Antártico, ca. (De *antárctico*.) adj. V. **Polo antártico.** ‖ **2.** Perteneciente, cercano o relativo al polo **antártico.** *Tierras* ANTÁRTICAS. || **3.** Por ext., **Meridional.**

Ante. (De *dante*, 1.er art.) m. **Anta,** 1.er art. || **2. Búbalo.** || **3.** Piel de **ante** adobada y curtida. || **4.** Piel de algunos otros animales, adobada y curtida a semejanza de la del **ante.**

Ante. (Del lat. *ante*.) prep. En presencia de, delante de. || **2.** En comparación, respecto de. || **3.** adv. t. ant. **Antes,** 1.a y 4.a aceps. || **4.** Se usa como prefijo: ANTE*ayer*, ANTE*capilla*. || **5.** m. Plato o principio con que se empezaba la comida o cena. || **6.** Bebida alimenticia y muy refrigerante que se usa en el Perú, hecha con frutas, vino, canela, azúcar, nuez moscada y otros ingredientes. || **7.** Postre que se hace en Méjico, de bizcocho mezclado con dulce de huevo, coco, almendra, etc. || **8.** *Guat.* Almíbar hecho con harina de garbanzos, fríjoles, etc. || **En ante.** m. adv. ant. **Antes,** 1.a y 4.a aceps.

Anteado, da. adj. De color de ante, 1.er art. || **2.** V. **Azucena anteada.**

Antealtar. m. Espacio contiguo a la grada o demarcación del altar.

Anteanoche. (De *ante*, 2.° art., y *anoche*.) adv. t. En la noche de anteayer.

Anteanteanoche. adv. t. **Trasanteanoche.**

Anteanteayer. adv. t. **Trasanteayer.**

Anteantenoche. (De *ante*, 2.° art., y *antenoche*.) adv. t. **Anteanteanoche.**

Anteantier. (De *ante*, 2.° art., y *antier*.) adv. t. fam. **Anteanteayer.**

Anteayer. adv. t. En el día que precedió inmediatamente al de ayer. || **Anteayer tarde,** o **noche.** locs. advs. **Anteayer** por la tarde, o por la noche.

Antebrazo. m. Parte del brazo desde el codo hasta la muñeca. || **2.** *Zool.* **Brazuelo,** 2.a acep.

Antecama. f. Especie de tapete para ponerlo delante de la cama.

Antecámara. (De *ante*, 2.° art., y *cámara*.) f. Pieza delante de la sala o salas principales de un palacio o casa grande.

Antecapilla. f. Pieza contigua a una capilla y por donde ésta tiene la entrada.

Antecedencia. (Del lat. *antecedentia*.) f. **Antecedente,** 2.a acep. || **2. Ascendencia.** || **3. Precedencia.**

Antecedente. (Del lat. *antecēdens, -entis*.) p. a. de **Anteceder.** Que antecede. || **2.** m. Acción, dicho o circunstancia anterior que sirve para juzgar hechos posteriores. || **3.** *Gram.* El primero de los términos de la relación gramatical. || **4.** *Gram.* Nombre, pronombre u oración a que hacen referencia los pronombres relativos. || **5.** *Lóg.* Primera proposición de un entimema. || **6.** *Mat.* Primer término de una razón.

Antecedentemente. adv. t. **Anteriormente.**

Anteceder. (Del lat. *antecedĕre*; de *ante*, delante, y *cedĕre*, moverse, marchar.) tr. **Preceder.**

Antecesor, ra. (Del lat. *antecessor*.) adj. Anterior en tiempo. || **2.** m. y f. Persona que precedió a otra en una dignidad, empleo, ministerio, obra o encargo. || **3.** m. **Antepasado,** 3.a acep.

Anteclásico, ca. adj. En literatura y arte, anterior a la época clásica.

Anteco, ca. (Del lat. *antoeci, -orum*, y éste del gr. ἄντοικος, que vive al lado opuesto; de ἀντί, contra, y οἶκος, casa.) adj. *Geogr.* Aplícase a los moradores del globo terrestre que ocupan puntos de la misma longitud y a igual distancia del Ecuador; pero unos por la parte septentrional y otros por la meridional. Ú. m. c. s. m. y en pl.

Antecoger. tr. Coger a una persona o cosa, llevándola por delante. || **2.** *Ar.* Coger las frutas antes de que estén en sazón.

Antecoro. m. Pieza que da ingreso al coro.

Antecristo. m. **Anticristo.**

Antecuarto. (De *ante*, 2.° art., y *cuarto*.) m. ant. Recibimiento o antesala.

Antedata. (De *ante*, 2.° art., y *data*.) f. Fecha falsa de un documento, anterior a la verdadera.

Antedatar. tr. Poner antedata a un documento.

Antedecir. (Del lat. *antedicĕre*; de *ante*, antes, y *dicĕre*, decir.) tr. **Predecir.**

Antedespacho. m. Pieza que da ingreso al despacho principal de una casa.

Antedía. adv. t. Antes de un día determinado. || **2.** En el día precedente o pocos días antes. || **De antedía.** m. adv. **Antedía.**

Antedicho, cha. p. p. irreg. de **Antedecir.** || **2.** adj. En los libros o escritos, dicho antes o con anterioridad.

Ante díem. expr. adv. lat. **Antedía.** Empléase tratándose de avisos para convocar a los individuos de una junta o congregación. *Citación* ANTE DÍEM; *se avisará* ANTE DÍEM.

Antediluviano, na. (De *ante*, 2.° art., y *diluviano*.) adj. Anterior al diluvio universal. || **2.** fig. **Antiquísimo.**

Anteferir. (Del lat. *anteferre*; de *ante*, delante, y *ferre*, llevar.) tr. ant. **Preferir,** 1.a acep.

Antefirma. f. Fórmula del tratamiento que corresponde a una persona o corporación y que se pone antes de la firma en el oficio, memorial o carta que se le dirige. || **2.** Denominación del empleo, dignidad o representación del firmante de un documento, puesta antes de la firma.

Antefoso. m. *Fort.* Foso construido en la explanada delante del foso principal.

Antehistórico, ca. adj. **Prehistórico.**

Anteiglesia. f. Atrio, pórtico o lonja delante de la iglesia. || **2.** Iglesia parroquial de algunos pueblos de las Provincias Vascongadas. Tomaron este nombre por tener a la parte de afuera unas estancias o soportales cubiertos, donde el clero o los vecinos hacían sus juntas. || **3.** Pueblo o distrito municipal de estas mismas provincias. Por lo general, cada **anteiglesia** comprende territorio muy extenso, de corto vecindario y desparramado caserío. || **4.** En lo antiguo, iglesia parroquial de las montañas de Burgos y Santander.

Anteislámico, ca. (De *ante*, 2.° art., e *islámico*.) adj. Perteneciente a la época del pueblo árabe anterior al islamismo.

Antejo. m. Árbol silvestre de la isla de Cuba, de corteza morada y madera de textura igual y fibra recta, sin nudos y fácil de trabajar.

Antejuicio. (De *ante*, 2.° art., y *juicio*.) m. *For.* Trámite previo establecido como garantía en favor de los jueces y magistrados, y en el que se decide si ha lugar o no a proceder criminalmente contra ellos por razón de su cargo.

Antelación. (Del lat. *antelātus*, p. p. de *anteferre*, anteponer.) f. **Anticipación** con que, en orden al tiempo, sucede una cosa respecto a otra.

Antelucano, na. (Del lat. *antelucānus*; de *ante*, antes, y *lux, lucis*, luz.) adj. ant. Aplicábase al tiempo de la madrugada.

Antemano. (De *ante*, 2.° art., y *mano*.) adv. t. Con anticipación, anteriormente. || **De antemano.** m. adv. **Antemano.**

Antemeridiano, na. (Del lat. *antemeridiānus*.) adj. Anterior al mediodía. || **2.** *Astron.* Dícese de cualquiera de los puntos del paralelo de un astro anteriores al de intersección con el meridiano.

Ante merídiem. expr. lat. Antes del mediodía.

Antemostrar. (De *ante*, 2.° art., y *mostrar*.) tr. ant. **Pronosticar.**

Antemural. (Del lat. *antemurāle*; de *ante*, delante, y *murus*, muro.) m. Fortaleza, roca o montaña que sirve de reparo o defensa. || **2.** fig. Reparo o defensa. ANTEMURAL *de la cristiandad, de la fe.*

Antemuralla. (De *ante*, 2.° art., y *muralla*.) f. ant. **Antemural.**

Antemuro. (De *ante*, 2.° art., y *muro*.) m. ant. **Antemural.** || **2.** ant. *Fort.* **Falsabraga.**

Antena. (Del lat. *antenna*.) f. **Entena.** || **2.** *Fís.* Mástil del telégrafo sin hilos, semejante a la entena de los barcos, para emitir y recoger ondas eléctricas. Actualmente se ha substituido por sistemas de varias formas, de varillas y alambres conductores, en los aparatos de transmisión y recepción radiotelegráficas. || **3.** *Zool.* Apéndices articulados que tienen en la cabeza muchos animales artrópodos, en número de dos, como los insectos y los miriópodos, o de cuatro, como los crustáceos.

Antenacido, da. adj. Nacido antes de su debido tiempo o sazón.

Antenado, da. (Del lat. *antenātus*, nacido antes.) m. y f. **Entenado, da.**

Antenoche. (De *ante*, 2.° art., y *noche*.) adv. t. **Anteanoche.** || **2.** Antes de anochecer. || **3.** ant. La noche antes.

Antenombre. m. Nombre o calificativo que se pone antes del nombre propio; como *don, san*, etc.

Antenotar. (De *ante*, 2.° art., y *notar*.) tr. ant. **Intitular.**

Antenupcial. adj. Que precede a la boda o se hace antes de ella.

Anteocupar. (Del lat. *anteoccupāre*; de *ante*, antes, y *occupāre*, ocupar.) tr. ant. **Preocupar.**

Anteojera. f. Caja en que se tienen o guardan anteojos. || **2.** En las guarniciones de las caballerías de tiro, cada una de las piezas de vaqueta que caen junto a los ojos del animal, para que no vea por los lados, sino sólo de frente.

Anteojero. m. El que hace o vende anteojos.

Anteojo. (De *ante*, 2.° art., y *ojo*.) m. Instrumento óptico para ver objetos lejanos, compuesto principalmente de dos lentes: una, colectora de la luz, y otra, amplificadora de la imagen que aquélla forma o propende a formar en su foco. || **2.** Cada una de los dos piezas convexas de vaqueta, de figura redonda, con un agujero en el centro, que ponen delante de los ojos a los caballos espantadizos. || **3.** pl. Instrumento óptico con dos cañones o tubos y un juego de dos o más cristales en cada uno de ellos, que sirve para mirar a lo lejos con ambos ojos. || **4.** Instrumento óptico compuesto de cristales y armadura o guarnición que permite tenerlos sujetos delante de los ojos. || **5. Doblescudo.** || **6.** V. **Serpiente de anteojos.** || **Anteojo de caza.** *Mar.* Catalejo provisto de telémetro. || **de estrella.** *Mar.* El pequeñito que se coloca en los instrumentos de reflexión usados a bordo para observar las alturas de las estrellas. || **de larga vista.** El que sirve para ver a larga distancia. || **de línea.** *Mar.* Catalejo de pequeñas dimensiones que lo hacen fácilmente manejable. || **de noche.** *Mar.* El de mucho campo, apto para observaciones nocturnas. || **de pasos.** *Astron.* **Anteojo** colocado sobre un eje horizontal y en el plano meridiano, destinado a observar la culminación de los astros. || **directo. Anteojo terrestre.** || **doble.** *Astron.* **Astrógrafo.** || **inverso.** El que invierte la imagen de los objetos. || **meridiano. Anteojo de pasos.** || **prismático.** El que tiene en el interior del tubo una combinación de prismas para ampliar la visión. || **terrestre.** El que presenta los objetos según la posición que realmente tienen. || **Mirar,** o **ver,** uno las cosas **con anteojo de aumento,** o **de larga vista.**

fr. fig. y fam. Preverlas mucho antes de que sucedan. || **2.** fig. y fam. Ponderarlas o abultarlas.

Anteón. m. *Bot.* **Bardana.**

Antepagar. tr. Pagar con anticipación.

Antepalco. m. Espacio o pieza que da ingreso a un palco en los edificios destinados a espectáculos públicos.

Antepasado, da. p. p. de **Antepasar.** || **2.** adj. Dicho de tiempo, anterior a otro tiempo pasado ya. || **3.** m. Abuelo o ascendiente. Ú. m. en pl.

Antepasar. (De *ante,* 2.° art., y *pasar.*) intr. p. us. Anteceder, suceder antes.

Antepechado, da. adj. Que tiene antepecho. *Ventana* ANTEPECHADA.

Antepecho. (De *ante,* 2.° art., y *pecho,* 1.er art.) m. Pretil de ladrillo, piedra, madera o hierro que se suele poner en parajes altos para evitar caídas. || **2. Parapeto,** 1.ª acep. || **3.** En los coches de estribos, pedazo de vaqueta clavado en los extremos a unos listones de madera con que se cubría el estribo, y en que se aseguraba y apoyaba el que iba sentado en él. || **4.** Pedazo ancho de vaqueta relleno de lana o de borra y cubierto de badana, que forma parte de los arreos de las caballerías de tiro y les cae delante de los pechos para que no se lastimen. || **5.** Madero delgado, liso y redondo que se pone en la parte anterior del telar de cintas para que, pasando por él sin enredarse las hebras de seda que vienen de la parte inferior, pueda tejerse con comodidad. || **6.** Huesecillo con que se guarnecía la parte superior de la nuez de la ballesta. || **7.** En las minas de Linares y Marbella, **banco,** 14.ª acep.

Antepenúltimo, ma. adj. Inmediatamente anterior al penúltimo.

Anteponer. (Del lat. *anteponĕre;* de *ante,* delante, y *ponĕre,* poner.) tr. Poner delante; poner inmediatamente antes. Ú. t. c. r. || **2. Preferir,** 1.ª acep. Ú. t. c. s.

Anteporta. (De *ante,* 2.° art., y *porta.*) f. **Anteportada.**

Anteportada. f. Hoja que precede a la portada de un libro, y en la cual ordinariamente no se pone más que el título de la obra.

Anteposar. (Del lat. *anteposui,* pret. perfecto de *anteponĕre,* anteponer.) tr. ant. **Anteponer.**

Anteposición. (De *ante,* 2.° art., y *posición.*) f. Acción de anteponer.

Anteproyecto. m. Conjunto de trabajos preliminares para redactar el proyecto de una obra de arquitectura o de ingeniería.

Antepuerta. f. Repostero o cortina que se pone delante de una puerta para abrigo u ornato. || **2.** *Fort.* Puerta interior o segunda que cierra la entrada de una fortaleza.

Antepuerto. m. Terreno elevado y escabroso que en las cordilleras precede al puerto. || **2.** *Mar.* Parte avanzada de un puerto artificial, donde los buques esperan para entrar, se disponen para salir u obtienen momentáneamente abrigo.

Antepuesto, ta. p. p. irreg. de **Anteponer.**

Antequerano, na. adj. Natural de Antequera. Ú. t. c. s. || **2.** Perteneciente a esta ciudad.

Antequino. (De *anti,* contra, y *equino.*) m. *Arq.* **Esgucio.**

Antera. (Del gr. ἀνθηρά, florida, de ἄνθος, flor.) f. *Bot.* Parte del estambre de las flores que contiene el polen.

Anterior. (Del lat. *anterior.*) adj. Que precede en lugar o tiempo. || **2.** V **Cámara anterior de la boca.** || **3.** V. **Cámara anterior del ojo.**

Anterioridad. (De *anterior.*) f. Precedencia temporal de una cosa con respecto a otra.

Anteriormente. adv. t. Con anterioridad.

Antero. m. El que tiene por oficio trabajar en ante.

Antes. (De *ante,* 2.° art., con la *s* de *tras.*) adv. t. y l. que denota prioridad de tiempo o lugar. Antepónese con frecuencia a las partículas *de* y *que.* ANTES *de amanecer;* ANTES *que llegue.* || **2.** adv. ord. que denota prioridad o preferencia. ANTES *morir que ofender a Dios,* ANTES *la honra que el provecho.* || **3.** conj. advers. que denota idea de contrariedad y preferencia en el sentido de una oración respecto del de otra. *El que está limpio de pecado no teme la muerte;* ANTES *la desea.* || **4.** Hablando del tiempo o sus divisiones, se suele usar como adjetivo por lo mismo que **antecedente** o **anterior.** *El día* ANTES; *la noche* ANTES; *el año* ANTES. || **Antes bien.** m. conjunt. **Antes,** 3.ª acep. || **Antes con antes.** m. adv. **Cuanto antes.** || **Antes de anoche.** m. adv. **Anteanoche.** || **Antes de ayer.** m. adv. **Anteayer.** || **Antes hoy que mañana.** expr. con que da a entender el deseo de que suceda una cosa prontamente. || **Antes y con antes.** m. adv. **Antes con antes.** || **De antes** m. adv. fam. De tiempo anterior.

Antesacristía. f. Espacio o pieza que da entrada a la sacristía.

Antesala. f. Pieza delante de la sala o salas principales de una casa. || **Hacer uno antesala.** fr. Aguardar en ella o en otra habitación a ser recibido por la persona a quien va a ver.

Anteseña. (De *ante,* 2.° art., y *seña.*) f. ant. **Divisa,** 1.er art., 1.ª acep.

Antestatura. (De *ante,* 2.° art., y *estatura.*) f. *Fort.* Trinchera o reparo improvisado con estacas y fajinas o sacos de tierra.

Antetemplo. m. Pórtico de un templo.

Antevedimiento. (Del lat. *antevidēre,* prever.) m. ant. **Previsión.**

Antevenir. (Del lat. *antevenīre;* de *ante,* antes, y *venīre,* venir.) intr. Venir antes o preceder.

Antever. tr. **Prever.**

Anteviso, sa. Del lat. *antevisus,* p. p. de *antevidēre,* prever.) adj. ant. Advertido o avisado.

Antevíspera. f. Día inmediatamente anterior al de la víspera.

Antevisto, ta. p. p. irreg. de **Antever.**

Anti. (Del gr. ἀντί.) prep. insep. que denota oposición o contrariedad. ANTI*cristo;* ANTI*pútrido.*

Antia. (Del lat. *anthias,* y éste del gr. ἀνθίας.) f. **Lampuga.**

Antiácido, da. adj. Que neutraliza el exceso de acidez anormal en ciertas partes del organismo.

Antiaéreo, a. adj. Perteneciente o relativo a la defensa contra aviones militares. Aplicado a los cañones, ú. t. c. m.

Antiafrodisiaco, ca [~ síaco, ca]. (De *anti* y *afrodisiaco.*) adj. Dícese del medicamento o substancia que modera o anula el apetito venéreo. Ú. t. c. s. m.

Antialcohólico, ca. adj. Que es eficaz contra el alcoholismo.

Antibaquio. (Del lat. *antibacchīus,* y éste del gr. ἀντιβάκχειος.) m. Pie de las métricas griega y latina, que consta, al revés que el baquio, de dos sílabas largas seguidas de una breve.

Antibiótico, ca. (Del gr. ἀντί, contra, y βίος, vida.) adj. *Med.* Dícese de las substancias químicas elaboradas por bacterias o mohos, que impiden el crecimiento, proliferación y actividad de otros microorganismos; como la penicilina. Ú. t. c. m. || **2.** *Med.* Dícese de la acción de dichas substancias.

Anticanónico, ca. adj. Opuesto a los sagrados cánones y demás disposiciones eclesiásticas.

Anticariense. adj. Natural de Anticaria, hoy Antequera. Ú. t. c. s. || **2.** Perteneciente a esta ciudad de la Bética.

Anticatólico, ca. adj. Contrario al catolicismo.

Anticiclón. (De *anti* y *ciclón.*) m. Área de alta presión barométrica, que tiende a aumentar hacia el centro, y en la cual reina un tiempo bonancible. Esta área suele preceder en su trayectoria a los temporales giratorios.

Anticipación. (Del lat. *anticipatĭo, -ōnis.*) f. Acción y efecto de anticipar o anticiparse. || **2.** *Ret.* Figura que consiste en proponerse uno la objeción que otro pudiera hacerle, para refutarla de antemano.

Anticipada. (De *anticipar,* 6.ª acep.) f. Acción traidora de acometer al contrario antes de que se ponga en defensa.

Anticipadamente. adv. t. Con anticipación.

Anticipador, ra. (Del lat. *anticipātor.*) adj. Que anticipa. Ú. t. c. s.

Anticipamiento. m. **Anticipación,** 1.ª acep.

Anticipante. p. a. de **Anticipar.** Que anticipa o se anticipa. || **2.** adj. *Med.* V. **Fiebre anticipante.**

Anticipar. (Del lat. *anticipāre;* de *ante,* antes, y *capĕre,* tomar.) tr. Hacer que ocurra o tenga efecto alguna cosa antes del tiempo regular o señalado. ANTICIPAR *los exámenes.* || **2.** Fijar tiempo anterior al regular o señalado para hacer alguna cosa. ANTICIPAR *el día de la marcha.* || **3.** Tratándose de dinero, darlo o entregarlo antes del tiempo regular o señalado. ANTICIPAR *una paga.* || **4.** Anteponer, preferir. || **5.** Sobrepujar, aventajar. || **6.** r. Adelantarse una persona a otra en la ejecución de alguna cosa. || **7.** Ocurrir una cosa antes del tiempo regular o señalado. ANTICIPARSE *las lluvias, la calentura, la llegada del tren.*

Anticipativamente. adv. t. ant. **Anticipadamente.**

Anticipo. (De *anticipar.*) m. **Anticipación,** 1.ª acep. || **2.** Dinero anticipado.

Anticlerical. adj. Contrario al clericalismo. Apl. a pers., ú. t. c. s.

Anticlericalismo. m. Doctrina o procedimiento contra el clericalismo.

Anticonstitucional. (De *anti* y *constitucional.*) adj. Contrario a la constitución o ley fundamental de un Estado.

Anticresis. (Del gr. ἀντίχρησις; de ἀντί, en vez de, y χρῆσις, uso.) f. Contrato en que el deudor consiente que su acreedor goce de los frutos de la finca que le entrega, hasta que sea cancelada la deuda.

Anticresista. com. Acreedor en el contrato de anticresis.

Anticrético, ca. adj. Perteneciente o relativo a la anticresis.

Anticristiano, na. adj. Contrario al cristianismo.

Anticristo. (Del lat. *Antichristus,* y éste del gr. Ἀντίχριστος, contrario a Cristo.) m. Aquel hombre perverso y diabólico que ha de perseguir cruelmente a la Iglesia católica y a sus fieles al fin del mundo.

Anticrítico. m. El opuesto o contrario al crítico.

Anticuado, da. p. p. de **Anticuar.** || **2.** adj. Que no está en uso mucho tiempo ha.

Anticuar. (Del lat. *antiquāre.*) tr. Graduar de antigua y sin uso alguna cosa, como las leyes de una nación o las voces y frases de un idioma. || **2.** r. Hacerse antiguo.

Anticuario. (Del lat. *antiquarĭus.*) m. El que hace profesión o estudio particular del conocimiento de las cosas antiguas. || **2.** El que las colecciona o negocia con ellas.

Anticuerpo. m. *Med.* Substancia que se produce en el organismo por un proceso espontáneo o provocado, y que se opone a la acción de otros elementos tales como bacterias, toxinas, etc.

Antidáctilo. (Del lat. *antidactȳlos*, y éste del gr. ἀντιδάκτυλος.) m. *Métr.* **Anapesto.**

Antidinástico, ca. adj. Contrario a la dinastía.

Antidoral. (Del lat. *antidōrum*, don que se hace por reconocimiento.) adj. *For.* **Remuneratorio.** Aplícase regularmente a la obligación natural que tenemos de corresponder a los beneficios recibidos.

Antidotario. (De *antídoto*.) m. Libro que trata de la composición de los medicamentos. || **2.** Lugar donde se ponen en las boticas los específicos de que se hacen los antídotos y los cordiales.

Antídoto. (Del lat. *antidŏtus*, y éste del gr. ἀντίδοτος; de ἀντί, contra, y δοτός, dado.) m. **Contraveneno,** 1.ª acep. || **2.** Por ext., cualquiera otra medicina que preserve de algún mal. || **3.** fig. Medio o preservativo para no incurrir en un vicio o falta.

Antiemético, ca. (De *anti* y *emético*.) adj. *Med.* Que sirve para contener el vómito. Ú. t. c. s. m.

Antier. (Del lat. *ante heri*.) adv. t. fam. **Anteayer.**

Antiescorbútico, ca. (De *anti* y *escorbútico*.) adj. *Med.* Que es eficaz contra el escorbuto. Ú. t. c. s. m.

Antiespasmódico, ca. (De *anti* y *espasmódico*.) adj. *Med.* Que sirve para calmar los espasmos o desórdenes nerviosos. Ú. t. c. s. m.

Antiestético, ca. adj. Contrario a la estética.

Antifaz. (De *antefaz*.) m. Velo, máscara o cosa semejante con que se cubre la cara.

Antifernales. (Del lat. *antipherna*, y éste del gr. ἀντίφερνος; de ἀντί, en vez de, y φερνή, dote.) adj. pl. V. **Bienes antifernales.**

Antiflogístico, ca. (Del gr. ἀντί, contra, y φλογιστός, inflamado.) adj. *Med.* Que sirve para calmar la inflamación. Ú. t. c. s. m.

Antífona. (Del lat. *antiphōna*, y éste del gr. ἀντίφωνος, el que responde; de ἀντί, contra, y φωνή, voz.) f. Breve pasaje, tomado por lo común de la Sagrada Escritura, que se canta o reza antes y después de los salmos y de los cánticos en las horas canónicas, y guarda relación con el oficio propio del día. || **2.** fig. y fam. **Antifonario,** 2.ª acep.

Antifonal. (De *antífona*.) adj. V. **Libro antifonal.** Ú. t. c. s.

Antifonario. (De *antífona*.) adj. V. **Libro antifonario.** Ú. t. c. s. || **2.** m. fig. y fam. **Trasero.**

Antifonero, ra. m. y f. Persona destinada en el coro para entonar las antífonas.

Antífrasis. (Del lat. *antiphrăsis*, y éste del gr. ἀντίφρασις; de ἀντί, contra, y φράσις, frase, locución.) f. *Ret.* Figura que consiste en designar personas o cosas con voces que signifiquen lo contrario de lo que se debiera decir.

Antifricción. m. Aleación especial con que se forra el interior de los cojinetes para disminuir el frotamiento.

Antígeno, na. adj. *Med.* Dícese de las substancias que, introducidas en el organismo, estimulan la formación de anticuerpos. Ú. t. c. m.

Antigo, ga. adj. ant. **Antiguo.**

Antigramatical. adj. Contrario a las leyes de la gramática.

Antigualla. (De *antiguo*.) f. Obra u objeto de arte de antigüedad remota. || **2.** Noticia o relación de sucesos muy antiguos. Ú. m. en pl. || **3.** Uso o estilo antiguo. Ú. m. en pl. || **4.** Mueble, traje, adorno o cosa semejante que ya no está de moda.

Antiguamente. adv. t. En lo antiguo.

Antiguamiento. m. Acción de antiguar o antiguarse.

Antiguar. tr. Anticuar, 1.ª acep. || **2.** intr. Adquirir antigüedad cualquier individuo de tribunal, colegio u otra dependencia. Ú. t. c. r. || **3.** r. **Anticuarse.**

Antigüedad. (Del lat. *antiquĭtas, -ātis*, infl. por *antigua*.) f. Calidad de antiguo. ANTIGÜEDAD *de una ciudad, de un edificio, de una familia.* || **2.** Tiempo antiguo. || **3.** Lo que sucedió en tiempo antiguo. *Hombre de muchas letras y singular noticia de toda* ANTIGÜEDAD. || **4.** Los hombres que vivieron en lo antiguo. *Esto creía la* ANTIGÜEDAD. || **5.** Tiempo transcurrido desde el día en que se obtiene un empleo. || **6.** pl. Monumentos u objetos artísticos de tiempo antiguo.

Antiguo, gua. (Del lat. *antiquus*, infl. por *antigua*, de *antiqua*.) adj. Que existe desde hace mucho tiempo. || **2.** V. **Antiguo Testamento.** || **3.** Que existió o sucedió en tiempo remoto. || **4.** V. **Edad, ley antigua.** || **5.** V. **Estilo, mundo antiguo.** || **6.** V. **Antigua Academia.** || **7.** Dícese de la persona que cuenta mucho tiempo en un empleo, profesión o ejercicio. || **8.** m. En los colegios y otras comunidades, el que ha salido de moderno o nuevo. || **9.** *Esc.* y *Pint.* Cualquiera de los modelos, principalmente escultóricos, que nos legó el arte griego y romano. || **10.** pl. Los que vivieron en siglos remotos. || **A la antigua, o a lo antiguo.** m. adv. Según costumbre o uso antiguo. || **2.** V. **Chapado a la antigua.** || **De antiguo.** m. adv. Desde tiempo remoto, o desde mucho tiempo antes. || **En lo antiguo.** m. adv. En tiempo remoto.

Antihelmíntico, ca. (Del gr. ἀντί, contra, y ἕλμινς, ἕλμινθος, lombriz.) adj. *Med.* Que sirve para extinguir las lombrices. Ú. t. c. s. m.

Antihidrópico, ca. (De *anti* e *hidrópico*.) adj. Dícese de todo remedio o medicamento que se emplea para combatir la hidropesía.

Antihigiénico, ca. adj. Contrario a los preceptos de la higiene.

Antihistérico, ca. (De *anti* e *histérico*.) adj. *Med.* Que es eficaz contra el histerismo. Ú. t. c. s. m.

Antijurídico, ca. (De *anti* y *jurídico*.) adj. Que es contra derecho.

Antilogía. (Del gr. ἀντιλογία; de ἀντί, contra, y λόγος, discurso.) f. Contradicción entre dos textos o expresiones.

Antilógico, ca. (Del gr. ἀντιλογικός.) adj. Perteneciente o relativo a la antilogía.

Antilogio. m. **Antilogía.**

Antílope. (Del b. gr. ἀντάλοψ.) m. *Zool.* Cualquiera de los mamíferos rumiantes de cornamenta persistente en la que el núcleo óseo es independiente de su envoltura, que forman un grupo intermedio entre las cabras y los ciervos; como la gacela y la gamuza.

Antilla. f. Cada una de las islas situadas al este de la América Central en la parte del Océano Atlántico llamada mar de las Antillas, de Colón o Caribe. Divídense en mayores y menores, y las primeras son: Cuba, Jamaica, Santo Domingo y Puerto Rico. Ú. m. en pl. || **2.** V. **Ipecacuana de las Antillas.**

Antillano, na. adj. Natural de cualquiera de las Antillas. Ú. t. c. s. || **2.** Perteneciente a cualquiera de ellas.

Antimilitarista. adj. Contrario al militarismo.

Antiministerial. adj. Contrario al ministerio o a los ministros.

Antimonial. adj. *Quím.* Que contiene antimonio.

Antimonio. (Del b. lat. *antimonium*.) m. Metal blanco azulado, brillante, de estructura laminosa, muy agrio e insoluble en el ácido nítrico. Se usa en medicina combinado con otras substancias, y aleado con el plomo sirve para fabricar los caracteres de imprenta.

Antimoral. adj. Contrario a la moral.

Antinatural. adj. **Contranatural.**

Antinomia. (Del lat. *antinomĭa*, y éste del gr. ἀντινομία; de ἀντί, contra, y νόμος, ley.) f. Contradicción entre dos preceptos de una ley, o entre leyes que son de igual fecha o están declaradas vigentes. || **2.** Contradicción entre dos principios racionales.

Antinómico, ca. adj. Que implica antinomia.

Antioqueno, na. adj. Natural de Antioquía. Ú. t. c. s. || **2.** Perteneciente a esta ciudad de Siria.

Antioqueño, ña. adj. Natural del departamento o de la ciudad de Antioquia, en la república de Colombia. Ú. t. c. s. || **2.** Perteneciente o relativo a esta ciudad o departamento.

Antipalúdico, ca. adj. Que sirve para combatir el paludismo.

Antipapa. m. El que no está canónicamente elegido Papa y pretende ser reconocido como tal, contra el verdadero y legítimo.

Antipapado. m. Ilegítima dignidad de antipapa. || **2.** Tiempo que dura.

Antipapista. adj. Que no reconoce la soberanía del Papa. Ú. t. c. s.

Antipara. (De *ante*, 2.° art., y *parar*, 2.° art.) f. Cancel o biombo que se pone delante de una cosa para encubrirla. || **2.** Polaina o prenda de vestir que cubre la pierna sólo por delante. Ú. m. en pl.

Antiparero. m. Soldado que usaba antiparas, 2.ª acep.

Antiparlamentario, ria. adj. Contrario a los usos y prácticas parlamentarios.

Antiparras. (De *antipara*.) f. pl. fam. **Anteojo,** 4.ª acep.

Antipatía. (Del lat. *antipathīa*, y éste del gr. ἀντιπάθεια.) f. Repugnancia natural o instintiva que se siente hacia alguna persona o cosa. || **2.** fig. Oposición recíproca entre seres inanimados.

Antipático, ca. adj. Que causa antipatía.

Antipatriótico, ca. adj. Contrario al patriotismo.

Antipedagógico, ca. adj. Contrario a los preceptos de la pedagogía.

Antipendio. (Del lat. *ante*, delante, y *pendĕre*, colgar.) m. Velo o tapiz de tela preciosa que tapaba los soportes y la parte delantera del altar entre la mesa y el suelo. || **2.** **Frontal,** 2.ª acep.

Antiperistáltico, ca. adj. *Zool.* Se aplica al movimiento de contracción del estómago y de los intestinos, en virtud del cual las materias contenidas en ellos van en sentido inverso de su curso natural o peristáltico.

Antiperístasis. (Del gr. ἀντιπερίστασις; de ἀντί, contra, y περίστασις, circunstancia.) f. Acción de dos cualidades contrarias, una de las cuales excita por su oposición el vigor de la otra.

Antiperistático, ca. adj. Perteneciente o relativo a la antiperístasis.

Antipirético. (Del gr. ἀντί, contra, y πυρετός, fiebre.) m. *Med.* Medicamento eficaz contra la fiebre.

Antipirina. (Del gr. ἀντί, contra, y πύρινος, inflamado, ardiente.) f. Base oxigenada compuesta de carbono, hidrógeno y nitrógeno, que se presenta ordinariamente en forma de polvo blanco, y se usa en medicina para rebajar la calentura y calmar los dolores nerviosos.

Antípoca. (De *anti* y *ápoca*.) f. *For. Ar.* Escritura de reconocimiento de un censo.

Antipocar. (De *antípoca*.) tr. *Ar.* Volver a hacer obligatoria alguna cosa que había estado suspensa por mucho tiempo. || **2.** *For. Ar.* Reconocer un censo, con escritura pública, obligándose a la paga de sus réditos.

Antípoda. (Del lat. *antipŏdes*, y éste del gr. ἀντίποδες, antípodas; de ἀντί, contra, y πούς, ποδός, pie.) adj. *Geog.* Dícese de cualquier habitante del globo terrestre con respecto a otro que more en lugar diametralmente opuesto. Ú. m. c. s. y en pl. || **2.** fig. y fam. Se aplica a la persona de genio contrario al de otra, y a las cosas que entre sí tienen oposición. Ú. m. c. s.

Antipodia. f. ant. **Antipodio.**

Antipodio. m. ant. **Extraordinario,** 5.ª acep.

Antipoético, ca. adj. Contrario a los preceptos de la poética.

Antipontificado. (De *anti* y *pontificado.*) m. **Antipapado.**

Antipútrido, da. (De *anti* y *pútrido.*) adj. *Med.* Que sirve para impedir la putrefacción. Ú. t. c. s. m.

Antiquísimo, ma. (Del lat. *antiquissĭmus.*) adj. sup. de **Antiguo.**

Antiquismo. (Del lat. *antiquissĭmus.*) m. **Arcaísmo.**

Antirrábico, ca. adj. Dícese del medicamento que se emplea contra la rabia.

Antirreglamentario, ria. adj. Que se hace o se dice contra lo que dispone el reglamento.

Antirreligioso, sa. (De *anti* y *religioso.*) adj. **Irreligioso,** 2.ª acep.

Antirreumático, ca. (De *anti* y *reumático.*) adj. Que sirve para curar el reúma. Ú. t. c. s. m.

Antiscio. (Del lat. *antiscĭus,* y éste del gr. ἀντίσκιος; de ἀντί, contra, y σκιά, sombra.) adj. Dícese de cada uno de los habitantes de las dos zonas templadas que, por vivir sobre el mismo meridiano y en hemisferios opuestos, proyectan al mediodía la sombra en dirección contraria.

Antisepsia. (Del gr. ἀντί, contra, y σῆψις putrefacción.) f. *Med.* Método que consiste en combatir o prevenir los padecimientos infecciosos, destruyendo los microbios que los causan.

Antiséptico, ca. (Del gr. ἀντί, contra, y σηπτικός, que engendra la putrefacción.) adj. *Med.* **Antipútrido.** Ú. t. c. s. m.

Antisifilítico, ca. (De *anti* y *sifilítico.*) adj. *Med.* Que sirve para curar la sífilis.

Antisocial. adj. Contrario, opuesto a la sociedad, al orden social.

Antispasto. (Del lat. *antispastus,* y éste del gr. ἀντίσπαστος; de ἀντί, contra, y σπάω, atraer.) m. Pie de las métricas griega y latina, compuesto de un yambo y un troqueo, o sea de dos sílabas largas entre dos breves.

Antistrofa. (Del lat. *antistrŏpha,* y éste del gr. ἀντίστροφή; de ἀντί, contra, y στροφή, vuelta.) f. En la poesía griega, segunda parte del canto lírico, compuesto de estrofa y **antistrofa,** o de estas dos partes y el epodo. La **antistrofa** consta del mismo número de versos que la estrofa.

Antitanque. adj. *Mil.* Dícese de las armas y proyectiles destinados a destruir tanques de guerra y otros vehículos semejantes.

Antítesis. (Del lat. *antithĕsis,* y éste del gr. ἀντίθεσις; de ἀντί, contra, y θέσις, posición.) f. *Fil.* Oposición o contrariedad de dos juicios o afirmaciones. || **2.** fig. Persona o cosa enteramente opuesta en sus condiciones a otra. || **3.** *Ret.* Figura que consiste en contraponer una frase o una palabra a otra de contraria significación.

Antitético, ca. (Del lat. *antitheticus,* y éste del gr. ἀντιθετικός.) adj. Que denota o implica antítesis.

Antíteto. (Del lat. *antithĕton,* y éste del gr. ἀντίθετον.) m. ant. *Ret.* **Antítesis,** 3.ª acep.

Antitoxina. f. *Med.* Anticuerpo que se forma en el organismo a consecuencia de la introducción de una toxina determinada y sirve para neutralizar ulteriormente nuevos ataques de la misma toxina.

Antitrago. (Del gr. ἀντίτραγος.) m. Prominencia de la oreja humana, situada en la parte inferior del pabellón y opuesta al trago.

Antitrinitario, ria. (De *anti* y *trinitario.*) adj. Dícese de ciertos herejes que niegan que en Dios haya tres personas distintas. Ú. m. c. s. || **2.** Perteneciente a esta herejía.

Antituberculoso, sa. adj. Perteneciente o relativo a los procedimientos e instituciones para combatir la tuberculosis.

Antivenéreo, a. adj. Que combate las afecciones venéreas.

Antociana. (Del gr. ἄνθος, flor, y κύανος, azul.) f. *Bot.* **Antocianina.**

Antocianina. (Del gr. ἄνθος, flor, y κύανος, azul.) f. *Bot.* Cualquiera de los pigmentos que se encuentran disueltos en el protoplasma de las células de diversos órganos vegetales, y a los cuales deben su color las corolas de todas las flores azules y violadas y de la mayoría de las rojas, así como también el epicarpio de muchos frutos.

Antófago, ga. (Del gr. ἄνθος, flor, y φάγομαι, comer.) adj. *Zool.* Se dice de los animales que principalmente se alimentan de flores.

Antojadizamente. adv. m. Con antojo.

Antojadizo, za. (De *antojado.*) adj. Que tiene antojos con frecuencia.

Antojado, da. p. p. de **Antojarse.** || **2.** adj. Que tiene antojo de alguna cosa. || **3.** *Germ.* Preso con grillos.

Antojamiento. (De *antojarse.*) m. ant. **Antojo,** 1.ª acep.

Antojana. f. *Ast.* **Antuzano.**

Antojanza. (De *antojarse.*) f. ant. **Antojo,** 1.ª acep.

Antojarse. (De *antojo.*) r. Hacerse objeto de vehemente deseo alguna cosa. Dícese más generalmente de lo que se apetece o quiere por puro capricho. Sólo se usa en las terceras personas con alguno de los pronombres personales *me, te, le, nos,* etc. SE ME ANTOJÓ *una flor; no hace más que lo que* SE LE ANTOJA. || **2.** Ofrecerse a la consideración como probable alguna cosa. SE ME ANTOJA *que va a llover.*

Antojera. (De *antojo,* 3.ª acep.) f. **Anteojera,** 2.ª acep.

Antojo. (Del lat. *ante ocŭlum,* delante del ojo.) m. Deseo vivo y pasajero de alguna cosa, y especialmente el sugerido por el capricho, o el que suelen tener las mujeres cuando están preñadas. || **2.** Juicio o aprehensión que se hace de alguna cosa sin bastante examen. || **3.** pl. Lunares, manchas o tumorcitos eréctiles que suelen presentar en la piel algunas personas, y que el vulgo atribuye a caprichos no satisfechos de sus madres durante el embarazo. || **4.** ant. **Anteojo,** 4.ª acep. || **5.** *Germ.* **Grillos,** 1.ª acep.

Antojuelo. m. d. de **Antojo,** 1.ª acep.

Antología. (Del gr. ἀνθολογία; de ἄνθος, flor, y λέγω, escoger.) f. **Florilegio.**

Antón. n. p. V. **Fuego, gusano, mal, vaca de San Antón.** || **Antón perulero, cada cual atienda a su juego.** Cierto juego de prendas.

Antoniano, na. adj. Dícese del religioso de la orden de San Antonio Abad. Ú. t. c. s. || **2.** Perteneciente a esta orden.

Antonimia. f. *Gram.* Calidad de antónimo.

Antónimo, ma. (Del gr. ἀντί, contra, y ὄνομα, nombre.) adj. *Gram.* Dícese de las palabras que expresan ideas opuestas o contrarias: *virtud* y *vicio; claro* y *obscuro; antes* y *después.* Ú. t. c. s. m.

Antoniniano, na. (Del lat. *antoninianus.*) adj. Perteneciente o relativo a cualquiera de los emperadores Antoninos. || **2.** m. *Numism.* Moneda de plata y después de vellón que acabó por reemplazar al denario durante la decadencia del Imperio romano.

Antonino, na. adj. **Antoniano.** Apl. a pers., ú. t. c. s.

Antonomasia. (Del lat. *antonomasia,* y éste del gr. ἀντονομασία.) f. *Ret.* Sinécdoque que consiste en poner el nombre apelativo por el propio, o el propio por el apelativo; v. gr.: *El Apóstol,* por *San Pablo; un Nerón,* por *un hombre cruel.*

Antonomásticamente. adv. m. Por antonomasia.

Antonomástico, ca. adj. Perteneciente o relativo a la antonomasia.

Antor. (Del b. lat. *antor,* y éste del lat. *auctor.*) m. *For. Ar.* Vendedor de quien se ha comprado de buena fe alguna cosa hurtada.

Antorcha. (Del prov. *antorcha,* y éste del lat. **intŏrquia,* de *intŏrquēre,* retorcer.) f. **Hacha,** 1.er art. || **2.** fig. Lo que sirve de norte y guía para el entendimiento.

Antorchar. tr. **Entorchar.**

Antorchera. f. *Ar.* **Antorchero.**

Antorchero. m. Candelero o araña para poner antorchas, que se usó antiguamente.

Antoría. f. *For. Ar.* Derecho de reclamar contra el antor.

Antosta. f. *Ar.* Fragmento de tabique o techo desprendido y caído al suelo.

Antoviar. (Del lat. *ante* y *obviāre,* salir al encuentro.) tr. ant. **Antuviar.** Usáb. m. c. r.

Antozoo. (Del gr. ἄνθος, flor, y ζῷον, animal.) adj. *Zool.* Dícese de ciertos celentéreos que en el estado adulto viven fijos sobre el fondo del mar, no presentan nunca la forma de medusa y están constituidos, ya por un solo pólipo, ya por una colonia de muchos pólipos que frecuentemente están unidos entre sí por un polipero; los pólipos tienen alrededor de la boca tentáculos en número de ocho, seis o un múltiplo de seis; como la actinia y el coral. Ú. m. c. s. || **2.** m. pl. *Zool.* Clase de estos animales.

Antracita. (Del lat. *anthracītes,* y éste del gr. ἀνθρακίτης, de ἄνθραξ, carbón.) f. Carbón fósil seco o poco bituminoso que arde con dificultad y sin conglutinarse.

Antracosis. (Del gr. ἄνθραξ, -ακος, carbón.) f. *Med.* Neumoconiosis producida por el polvo del carbón.

Ántrax. (Del lat. *anthrax,* y éste del gr. ἄνθραξ, carbunclo.) m. *Med.* Inflamación confluente de varios folículos pilosos, generalmente debida al estafilococo, con abundante formación de pus y a veces complicaciones locales y generales graves, sobre todo si recae en personas diabéticas. || **maligno. Carbunco,** 1.ª acep.

Antro. (Del lat. *antrum,* y éste del gr. ἄντρον.) m. Caverna, cueva, gruta. Ú. m. en poesía.

Antropocéntrico, ca. adj. Perteneciente o relativo al antropocentrismo.

Antropocentrismo. (Del gr. ἄνθρωπος, hombre, y *centro.*) m. *Fil.* Doctrina o teoría que supone que el hombre es el centro de todas las cosas; el fin absoluto de la naturaleza.

Antropofagia. (Del gr. ἀνθρωποφαγία.) f. Costumbre que tienen algunos salvajes de comer carne humana.

Antropófago, ga. (Del lat. *anthropophăgus,* y éste del gr. ἀνθρωποφάγος; de ἄνθρωπος, hombre, y φάγομαι, comer.) adj. Dícese del salvaje que come carne humana. Ú. t. c. s.

Antropografía. (Del gr. ἄνθρωπος, hombre, y γράφω, describir.) f. Parte de la antropología, que trata de la descripción de las razas humanas y de sus variedades.

Antropográfico, ca. adj. Perteneciente o relativo a la antropografía.

Antropoide. (Del gr. ἄνθρωπος, hombre, y εἶδος, forma.) adj. Dícese de los animales que por sus caracteres morfológicos externos se asemejan al hombre; se aplica especialmente a los monos antropoideos. Ú. t. c. s.

Antropoideo. (Del gr. ἄνθρωπος, hombre, y εἶδος, forma.) adj. Dícese de los monos catirrinos, sin cola, como el orangután, el gorila, etc. Ú. t. c. s. || **2.** m. pl. *Zool.* Grupo de estos animales.

Antropología. (Del gr. ἄνθρωπος, hombre, y λόγος, discurso.) f. Ciencia que trata del hombre, física y moralmente considerado.

Antropológico, ca. adj. Perteneciente o relativo a la antropología.

Antropólogo. (Del gr. ἀνθρωπολόγος.) m. El que profesa la antropología o en ella tiene especiales conocimientos.

Antropómetra. m. Perito en antropometría.

Antropometría. (Del gr. ἄνθρωπος, hombre, y μέτρον, medida.) f. Tratado de las proporciones y medidas del cuerpo humano.

Antropométrico, ca. adj. Perteneciente o relativo a la antropometría. || **2.** V. **Ficha antropométrica.**

Antropomórfico, ca. adj. Perteneciente o relativo al antropomorfismo.

Antropomorfismo. (De *antropomorfo.*) m. Conjunto de creencias o de doctrinas que atribuyen a la divinidad la figura o las cualidades del hombre. || **2.** Herejía de los antropomorfitas.

Antropomorfita. (Del lat. *anthropomorphitae,* y éste del gr. ἀνθρωπομορφῖται.) adj. Dícese de ciertos herejes que atribuyen a Dios cuerpo humano. Ú. m. c. s.

Antropomorfo, fa. (Del lat. *anthropomorphos,* y éste del gr. ἀνθρωπόμορφος, de ἄνθρωπος, hombre, y μορφή, forma.) adj. *Zool.* **Antropoideo.** Ú. t. c. s.

Antroponimia. (Del gr. ἄνθρωπος, hombre, y ὄνομα, nombre.) f. Estudio del origen y significación de los nombres propios de persona.

Antroponímico, ca. adj. Perteneciente o relativo a la antroponimia.

Antropónimo. m. Nombre propio de persona.

Antruejada. (De *antruejar.*) f. Broma grotesca.

Antruejar. (De *antruejo.*) tr. Mojar o hacer otra burla en carnestolendas.

Antruejo. (De *entruejo.*) m. Los tres días de carnestolendas. || **Ni antruejo sin luna, ni feria sin puta, ni piara sin artuña.** ref. que significa que por carnestolendas hay siempre luna nueva; en las ferias, malas mujeres, y en los rebaños de ovejas, alguna a quien se le haya muerto la cría.

Antruido. (Del lat. *introïtus,* entrada.) m. ant. **Antruejo.**

Antuerpiense. (Del lat. *antuerpiensis.*) adj. Natural de Antuerpia, hoy Amberes. Ú. t. c. s. || **2.** Perteneciente a esta ciudad de Bélgica.

Antuviada. (De *antuviar.*) f. fam. Golpe o porrazo dado de improviso.

Antuviado, da. p. p. de **Antuviar.** || **2.** adj. ant. Que se anticipa, precoz.

Antuviador, ra. adj. ant. Que antuvia. Usáb. t. c. s.

Antuviar. (De *antoviar.*) tr. ant. Adelantar, anticipar. Usáb. m. c. r. || **2.** fam. Dar de repente, o primero que otro, un golpe.

Antuvio. (De *antuviar.*) m. ant. Acción anticipada o precipitada.

Antuvión. (De *antuvio.*) m. fam. Golpe o acometimiento repentino. || **2.** fig. El que da el golpe anticipado. || **De antuvión.** m. adv. fam. De repente, inopinadamente. || **Jugar de antuvión.** fr. fam. Adelantarse o ganar por la mano al que quiere hacer algún daño o agravio.

Antuzano. (Del lat. *ante,* delante, y *ostium,* puerta, con el sufijo *ano.*) m. *Vizc.* Atrio o plazuela delante de una casa.

Anual. (Del lat. *annualis.*) adj. Que sucede o se repite cada año. || **2.** Que dura un año.

Anualidad. f. Calidad de anual. **2.** Importe anual de una renta o carga periódica. || **3.** Renta de un año, que pagaba al erario el que obtenía alguna prebenda eclesiástica.

Anualmente. adv. t. Cada año.

Anuario. (De *anuo.*) m. Libro que se publica de año en año. Tómase generalmente por el que se publica al principio de cada año para que sirva de guía a las personas de determinadas profesiones, suministrándoles datos para el ejercicio de ellas, o prefijando la sucesión de los trabajos en que habrán de ocuparse, y el modo de ejecutarlos.

Anúbada. f. **Anúteba.**

Anubado, da. adj. **Anubarrado.**

Anubarrado, da. adj. Nubloso, cubierto de nubes. || **2.** fig. Pintado imitando nubes.

Anublado, da. p. p. de **Anublar.** || **2.** adj. *Germ.* **Ciego,** 1.ª acep.

Anublar. (De *añublar,* y éste del lat. *innūbĭlāre,* infl. por *nublar.*) tr. Ocultar las nubes el azul del cielo o la luz de un astro, especialmente la del Sol o la Luna. Ú. t. c. r. || **2.** fig. Obscurecer, empañar, amortiguar. ANUBLAR *la fama, las virtudes, la alegría.* Ú. t. c. r. || **3.** fig. Marchitar o poner mustias y secas las plantas o alguna parte de ellas. Ú. m. c. r. || **4.** *Germ.* Cubrir cualquiera cosa. || **5.** r. Desvanecerse alguna cosa que se deseaba o pretendía.

Anublo. (De *anublar.*) m. **Añublo.**

Anudador, ra. adj. Que anuda. Ú. t. c. s.

Anudadura. f. **Anudamiento.**

Anudamiento. m. Acción y efecto de anudar o anudarse.

Anudar. (De *añudar,* infl. por *nudo.*) tr. Hacer uno o más nudos. Ú. t. c. r. || **2.** Juntar o unir, mediante un nudo, dos hilos, dos cuerdas, o cosas semejantes. Ú. t. c. r. || **3.** fig. Juntar, unir. Ú. t. c. r. || **4.** fig. Continuar lo interrumpido. || **5.** r. Dejar de crecer o medrar las personas, los animales o las plantas, y no llegar, por consiguiente, a la perfección que podían tener.

Anuencia. (Del lat. *annŭens, -entis,* anuente.) f. **Consentimiento,** 1.ª acep.

Anuente. (De lat. *annŭens, -entis,* p. a. de *annuĕre,* aprobar.) adj. Que consiente.

Anulable. adj. Que se puede anular.

Anulación. f. Acción y efecto de anular o anularse.

Anulador, ra. adj. Que anula. Ú. t. c. s.

Anular. (Del lat. *anulāris.*) adj. Perteneciente o relativo al anillo. || **2.** De figura de anillo. || **3.** V. **Dedo anular.**

Anular. (De *a,* 2.° art., y *nulo.*) tr. Dar por nulo o dejar sin fuerza un precepto, testamento, tratado, contrato, etc. || **2.** fig. Incapacitar, desautorizar a uno. Ú. t. c. r. || **3.** r. fig. Retraerse, humillarse o postergarse.

Anulativo, va. adj. Dícese de lo que tiene fuerza para anular.

Anulete. (Del lat. *anŭlus,* anillo.) m. *Blas.* Pieza en forma de anillo que se dibuja en el escudo.

Ánulo. (Del lat. *ānŭlus,* anillo.) m. *Arq.* Anillo o gradecilla. Aplícase especialmente al astrágalo de los capiteles dóricos griegos formado por tres líneas entrantes.

Ánulo, la. adj. ant. **Anual.**

Anuloso, sa. (Del lat. *ānŭlus,* anillo.) adj. Compuesto de anillo. || **2. Anular,** 1.er art., 2.ª acep.

Anumeración. (Del lat. *annumeratio, -ōnis.*) f. ant. **Numeración.**

Anumerar. (Del lat. *annumerāre;* de *ad,* a, y *numĕrus,* número.) tr. ant. **Numerar.**

Anuncia. f. ant. **Anuncio,** 3.ª acep.

Anunciación. (Del lat. *annuntiatio, -ōnis.*) f. Acción y efecto de anunciar. || **2.** Por antomomasia, el anuncio que el Arcángel San Gabriel trajo a la Virgen Santísima del misterio de la Encarnación. || **3.** Fiesta con que la Iglesia celebra este misterio.

Anunciador, ra. (Del lat. *annuntiātor.*) adj. Que anuncia. Ú. t. c. s.

Anunciamiento. (De *anunciar.*) m. ant. **Anunciación,** 1.ª acep.

Anunciante. p. a. de **Anunciar.** Que anuncia. Ú. t. c. s.

Anunciar. (Del lat. *annuntiāre;* de *ad,* a y *nuntĭus,* mensajero.) tr. Dar noticia o aviso de alguna cosa; publicar, proclamar, hacer saber. || **2. Pronosticar.** || **3.** Hacer saber el nombre de un visitante a la persona por quien desea ser recibido.

Anuncio. (Del lat. *annuntĭus.*) m. Acción y efecto de anunciar. || **2.** Conjunto de palabras o signos con que se anuncia algo. || **3. Pronóstico,** 1.ª y 2.ª aceps.

Anuo, nua. (Del lat. *annŭus.*) adj. **Anual.** || **2.** V. **Paralaje anua.**

Anuria. (Del gr. ἀν, priv., y οὖρον, orina.) f. *Med.* Supresión de la secreción urinaria.

Anuro, ra. (Del gr. ἀν, priv., y οὐρά, cola.) adj. *Zool.* Que carece de cola. || **2.** *Zool.* Dícese de los batracios que tienen cuatro extremidades y carecen de cola; como la rana y el sapo. Ú. t. c. s. || **3.** m. pl. *Zool.* Orden de estos batracios.

Anúteba. (Del ár. *an-nudba,* la invitación.) f. Llamamiento a la guerra. || **2.** Antigua prestación personal para reparar los sótanos y muros de los castillos y ponerlos en estado de defensa. || **3.** Tributo que se pagaba por redimirse de este servicio personal. || **4.** Pelotón de gente ocupada en aquella faena.

Anverso. (Del lat. *anteversus;* de *ante,* delante, y *versus,* vuelto.) m. En las monedas y medallas, haz que se considera principal por llevar el busto de una persona o por otro motivo. || **2.** *Impr.* Cara en que va impresa la primera página de un pliego. || **3.** *Impr.* Forma o molde con que se imprime el **anverso** o blanco de un pliego.

Anzolar. tr. Poner anzuelos. || **2.** Coger con ellos.

Anzolero. m. El que hace o vende anzuelos.

Anzuelo. (Del lat. **hamicĕŏlus,* d. de *hamus,* anzuelo.) m. Arponcillo o garfio, pequeño por lo común, de hierro u otro metal, que, pendiente de un sedal o alambre y puesto en él algún cebo, sirve para pescar. || **2.** Especie de fruta de sartén. || **3.** fig. y fam. Atractivo o aliciente. || **Caer** uno **en el anzuelo.** fr. fig. y fam. **Caer en el lazo.** || **Echar el anzuelo.** fr. fig. y fam. Emplear artificios para atraer, generalmente con engaño. || **Picar** uno **en el anzuelo.** fr. fig. y fam. **Caer en el anzuelo.** || **Roer** uno **el anzuelo.** fr. fig. y fam. Libertarse de algún riesgo. || **Tragar** uno **el anzuelo.** fr. fig. y fam. **Caer,** o **picar, en el anzuelo.**

Aña. (Voz vasca.) f. *Ál.* **Nodriza.** || **seca.** *Ál., Sant.* y *Vizc.* **Ama seca.**

Añacal. (Del ár. *an-naqqāl,* el que lleva o portea.) m. El que lleva trigo al molino. || **2.** Tabla en que se lleva el pan al horno, después de amasado, y del horno a las casas, después de cocido. Ú. m. en pl.

Añacalero. (De *añacal.*) m. *And.* **Añacal,** 1.ª acep. || **2.** *Cád.* El que acarrea cal, teja, ladrillo y otros materiales para las obras.

Añacea. (Del ár. *an-nazāha,* el recreo, la diversión.) f. ant. Fiesta, regocijo, diversión.

Añacear. (De *añacea.*) intr. ant. Regocijarse, divertirse.

Añada. f. ant. Discurso o tiempo de un año. || **2.** Temporal bueno o malo que hace durante un año. || **3.** Cada una de las hojas de una dehesa o de una tierra de labor. || **Más vale añada que buena barbechada.** ref. **Más vale sazón que barbechera ni binazón.**

Añadido, da. p. p. de **Añadir.** || **2.** m. **Postizo,** y más particularmente trenza postiza que suelen usar las mujeres.

Añadidura. f. Lo que se añade a alguna cosa. ‖ **2.** Especialmente lo que el vendedor da más del justo peso, o el pedazo pequeño que añade para completarlo. ‖ **Por añadidura.** m. adv. **Además.**

Añadimiento. m. ant. **Añadidura.**

Añadir. (Del lat. **inaddĕre.*) tr. Agregar, incorporar una cosa a otra. ‖ **2.** Aumentar, acrecentar, ampliar.

Añafea. (Del ár. *an-nafāya*, el desecho.) f. V. **Papel de añafea.**

Añafil. (Del ár. *an-nafīr*, la trompeta.) m. Trompeta recta morisca de unos 80 centímetros de longitud, que se usó también en Castilla. ‖ **2. Añafilero.**

Añafilero. m. El que toca el añafil.

Añagaza. (Del ár. *an-naqqāza*, la caza.) f. Señuelo para coger aves. Comúnmente es un pájaro de la especie de los que se trata de cazar. ‖ **2.** fig. Artificio para atraer con engaño.

Añal. (Del lat. *annalis.*) adj. **Anual.** ‖ **2.** Se dice del cordero, becerro o macho cabrío que tiene un año cumplido. Ú. t. c. s. ‖ **3.** m. Ofrenda que se da por los difuntos el primer año después de su fallecimiento. ‖ **4.** ant. **Aniversario,** 3.ª acep. ‖ **5.** pl. ant. Anales, 4.ª acep. de **Anal,** 1.er art.

Añalejo. (De *añal.*) m. Especie de calendario para los eclesiásticos, que señala el orden y rito del rezo y oficio divino de todo el año.

Añas. (Voz quichua.) f. Especie de zorra del Perú.

Añascar. (De *añasco.*) tr. fam. Juntar o recoger poco a poco cosas menudas y de poco valor. ‖ **2.** Enredar, embrollar. Ú. t. c. r.

Añasco. (Del ár. *an-našq*, el lazo, el enredo.) m. Enredo, embrollo.

Añazme. (Del ár. *an-naẓm*, el sartal de perlas.) m. ant. **Ajorca.**

Añedir. (Del lat. **inaddĕre*, añadir.) tr. ant. **Añadir.**

Añejamiento. m. Acción y efecto de añejar o añejarse.

Añejar. (De *añejo.*) tr. Hacer añeja alguna cosa. Ú. t. c. r. ‖ **2.** r. Alterarse algunas cosas con el transcurso del tiempo, ya mejorándose, ya deteriorándose. Comúnmente se dice del vino y de algunos comestibles.

Añejez. (De *añejo.*) f. Calidad de añejo.

Añejo, ja. (Del lat. *anniculus*, de un año.) adj. Dícese de ciertas cosas que tienen uno o más años. *Tocino, vino* AÑEJO. ‖ **2.** fig. y fam. Que tiene mucho tiempo. *Vicio* AÑEJO; *noticia* AÑEJA.

Añero, ra. adj. *Chile.* **Vecero,** 2.ª acep.

Añicos. (Del ár. *an-niqḍ*, lo deshecho, lo roto.) m. pl. Pedazos o piezas pequeñas en que se divide alguna cosa al romperse. ‖ **Hacerse** uno **añicos.** fr. fig. y fam. Ejecutar alguna cosa con grande y persistente esfuerzo.

Añidir. tr. ant. **Añedir.** Ú. en *Sor.*

Añil. (Del ár. *an-nīl*, la planta del índigo.) m. Arbusto perenne de la familia de las papilionáceas, de tallo derecho, hojas compuestas, flores rojizas en espiga o racimo, y fruto en vaina arqueada, con granillos lustrosos, muy duros, parduscos o verdosos y a veces grises. ‖ **2.** Pasta de color azul obscuro, con visos cobrizos, que de los tallos y hojas de esta planta se saca por maceración en agua. ‖ **3.** Color de esta pasta. ‖ **Aunque todo sea añil, poco puede teñir.** ref. que manifiesta lo poco que puede hacerse con escasos medios.

Añilar. tr. Dar o teñir de añil.

Añilería. f. Hacienda de campo donde se cultiva y elabora el añil.

Añinero. m. El que trabaja en añinos. ‖ **2.** El que comercia en ellos.

Añino, na. (Del lat. *agninus*, de cordero.) adj. **Añal,** 2.ª acep., dicho del cordero. ‖ **2.** m. Cordero de un año. ‖ **3.** pl. Pieles no tonsuradas de corderos de un año o menos. ‖ **4.** Lana de corderos.

Añir. m. ant. **Añil.**

Añirar. tr. ant. **Añilar.**

Año. (Del lat. *annus.*) m. *Astron.* Tiempo que transcurre durante una revolución real de la Tierra en su órbita alrededor del Sol o aparente del Sol en la eclíptica alrededor de la Tierra. ‖ **2.** Período de doce meses, a contar desde el día 1 de enero hasta el 31 de diciembre, ambos inclusive. ‖ **3.** Período de doce meses, a contar desde un día cualquiera. ‖ **4.** V. **Cabo de año.** ‖ **5.** fig. Persona que cae con otra en el sorteo de damas y galanes que se acostumbra hacer la víspera de **año** nuevo. ‖ **6.** pl. Día en que alguno cumple **años.** *Celebrar los* AÑOS; *dar los* AÑOS. ‖ **7.** V. **Día de años.** ‖ **Año anomalístico.** *Astron.* Tiempo que transcurre entre dos pasos consecutivos de la Tierra por el afelio o el perihelio de su órbita; consta de 365 días, 6 horas, 13 minutos y 59 segundos. ‖ **árabe. Año lunar.** ‖ **astral,** o **astronómico.** *Astron.* **Año sidéreo.** ‖ **bisiesto.** El que excede el **año** común en un día, que se añade al mes de febrero. Se repite cada cuatro **años,** a excepción del último de cada siglo cuyo número de centenas no sea múltiplo de cuatro. ‖ **civil.** El que consta de un número cabal de días: 365 si es común o 366 si bisiesto. ‖ **climatérico.** El séptimo o noveno de la edad de una persona y sus múltiplos, en los cuales, según antigua opinión, se opera un cambio notable en la constitución física del hombre. ‖ **2.** El que es calamitoso. ‖ **común.** El que consta de 365 días. ‖ **de gracia. Año** de la era cristiana. ‖ **de jubileo. Año santo.** ‖ **de luz.** *Astron.* Espacio recorrido por la luz durante un **año,** equivalente a unos nueve billones de kilómetros. Ú. como unidad para evaluar las distancias estelares. ‖ **de nuestra salud. Año de gracia.** ‖ **eclesiástico.** El que gobierna las solemnidades de la Iglesia y empieza en la primera domínica de adviento. ‖ **económico.** Espacio de doce meses durante el cual rigen los presupuestos de gastos e ingresos públicos. ‖ **embolismal.** El que se compone de 13 lunaciones, añadiéndose una sobre las 12 de que consta el **año** puramente lunar para ajustar los **años** lunares con los solares. ‖ **emergente.** El que se empieza a contar desde un día cualquiera que se señala hasta otro igual del **año** siguiente, como el que se da de tiempo en las pragmáticas y edictos, empezándose a contar desde el día de la fecha. ‖ **fatal.** *For.* El que se señalaba como término perentorio para interponer y mejorar las apelaciones en ciertas causas. ‖ **intercalar. Año bisiesto.** ‖ **lunar.** *Astron.* Período de 12 revoluciones sinódicas de la Luna, o sea de 354 días, del cual hacen uso los mahometanos. ‖ **nuevo.** El que está a punto de empezar o el que ha empezado recientemente. ‖ **2.** V. **Día de año nuevo.** ‖ **político. Año civil.** ‖ **santo.** El del jubileo universal que se celebra en Roma en ciertas épocas, y después por bula se suele conceder en las iglesias señaladas, para todos los pueblos de la cristiandad. ‖ **santo de Santiago.** Aquel en que están concedidas singulares indulgencias a los que peregrinan a visitar el sepulcro del apóstol Santiago, y es el **año** en que el día del santo cae en domingo. ‖ **sideral,** o **sidéreo.** *Astron.* Tiempo que transcurre entre dos pasos consecutivos de la Tierra por el mismo punto de su órbita. Es el **año** propiamente dicho, y consta de 365 días, 6 horas, 9 minutos y 24 segundos. ‖ **sinódico.** *Astron.* Tiempo que media entre dos conjunciones consecutivas de la Tierra con un mismo planeta. ‖ **trópico.** *Astron.* Tiempo que transcurre entre dos pasos consecutivos y reales de la Tierra o aparentes del Sol por el mismo equinoccio o el mismo solsticio. Consta de 365 días, 5 horas, 48 minutos y 48 segundos. ‖ **vulgar. Año común.** ‖ **Años de discreción. Uso de razón,** 2.ª acep. ‖ **A buen año y malo, molinero u hortelano.** ref. que denota la utilidad casi cierta que rinden estos dos oficios, así en los **años** abundantes como en los escasos. ‖ **Al año tuerto, el huerto; al tuerto tuerto, la cabra y el huerto; al tuerto retuerto, la cabra, el huerto y el puerco.** ref. que enseña que la granjería del ganado cabrío y de cerda y el cultivo de los huertos son los recursos más útiles en los **años** estériles, por estar menos expuestos a perderse. ‖ **A los años mil, vuelven las aguas por do solían ir.** ref. **Al cabo de los años mil,** etc. ‖ **Año de brevas, nunca lo veas.** ref. con que se quiere dar a entender que el **año** en que hay abundancia de brevas suele ser estéril en granos y otros frutos. ‖ **Año de gamones, año de montones.** ref. con que se da a entender que en el **año** abundante en gamones suele ser buena la cosecha de cereales. ‖ **Año de heladas, año de parvas.** ref. con que se denota que en el **año** de grandes heladas suelen ser buenas las cosechas. ‖ **Año de muchas endrinas, pocas hacinas.** ref. que denota que en el **año** abundante en esta fruta suele ser escasa la cosecha de granos. ‖ **Año de neblinas, año de hacinas.** ref. que denota la gran influencia que tienen las nieblas en la abundancia de las mieses. ‖ **Año de nieves, año de bienes.** ref. que da a entender que en el **año** en que nieva mucho suele ser abundante la cosecha de frutos. ‖ **Año de ovejas, año de abejas.** ref. que da a entender que el **año** que es bueno para una de estas dos granjerías lo es también para la otra. ‖ **Año lluvioso, échate de codo.** ref. con que se denota que cuando el **año** es de muchas lluvias está ocioso el labrador, porque no se pueden hacer las labores del campo. ‖ **Año malo, panadera en todo cabo.** ref. que significa que el oficio de panadera es más útil en los **años** estériles. ‖ **Año y vez.** expr. con que se significa, hablando de tierras, la que se siembra un **año** sí y otro no, y tratándose de árboles, el que produce un **año** sí y otro no. ‖ **Cien años de guerra, y no un día de batalla.** ref. con que se aconseja que, aunque se haga la guerra, se procure evitar los riesgos de una batalla, por lo mucho que se aventura. ‖ **Cual el año, tal el jarro.** ref. que advierte que el jarro con que se dé de beber sea grande o chico, según haya sido abundante o escasa la cosecha de vino. ‖ **2.** Úsase también para expresar la necesidad que hay de que los gastos no excedan los medios de cubrirlos. ‖ **De buen año.** m. adv. Gordo, saludable. Úsase generalmente con el verbo *estar.* ‖ **El año de la nanita.** expr. fam. El tiempo incierto y muy antiguo. ‖ **El año de la sierra, no le traiga Dios a la tierra.** ref. que da a entender que el **año** que es bueno para la sierra no lo es para la tierra llana. ‖ **El año derechero, el besugo al sol y el hornazo al fuego.** ref. con que se denota que, para ser bueno el **año,** ha de hacer sol en noviembre, mes en que se empieza a comer besugo, y llover por abril, que es cuando se comen los hornazos. ‖ **El año seco tras el mojado, guarda la lana y vende el hilado.** ref. que aconseja no vender la lana cuando pesa menos por haberse lavado el vellón con las lluvias antes de trasquilarlo, y no guardar el hilado en tiempo seco, porque entonces pierde lo correoso y se quiebra con facilidad. ‖ **El mal año entra nadando.** ref. con que se denota que las excesivas lluvias al principio del **año** son perjudiciales, porque desubstancian la tierra. || **En año bueno el grano es heno; en año malo la paja es grano.** ref. que denota los distintos efectos que causan la abundancia y la carestía. || **En año caro, harnero espeso y cedazo claro.** ref. que advierte la economía con que se debe vivir en los **años** estériles. || **En buen año y malo, ten tu vientre reglado.** ref. en que se advierte que, ni por lo barato ni por lo caro del **año,** se falte a la templanza en el comer. || **Entrado en años.** expr. De edad provecta. || **Entre año.** m. adv. En el discurso del **año,** durante el **año.** || **Ganar año.** fr. fam. Ser aprobado el estudiante en los exámenes de fin de curso. || **Hora ha un año, cuatrocientas; y hogaño, cuatro ciegas.** ref. que se dice de las cabras, por lo expuestas que están a perecer por la morriña. || **Jugar los años.** fr. fam. Jugar por diversión o entretenimiento, sin que se atraviese interés alguno. || **Lo que no acaece en un año, acaece en un rato.** ref. que denota la contingencia y variedad de los sucesos humanos. || **Lo que no fue en mi año, no fue en mi daño.** ref. que explica que no debemos hacer duelo por los acaecimientos pasados que no estuvieron a nuestro cuidado. || **Lo que no se hace,** o **no sucede, en un año, se hace,** o **sucede, en un rato.** ref. **Lo que no acaece en un año, acaece en un rato.** || **¡Mal año!** interj. fam. que se usa para dar fuerza o énfasis a lo que se dice o asegura. || **Mal año o buen año, cuatro caben en un banco,** o **en un escaño.** ref. que alude a los oficios de justicia, que en las iglesias de los lugares tenían banco señalado, y solían ser cuatro: alcalde, dos regidores y procurador síndico. || **Mal año para** alguna persona o cosa. expr. fam. que se usa como imprecación. || **Más produce el año que el campo bien labrado.** ref. que expresa que el temperamento y estaciones favorables hacen producir por sí más frutos que las labores solas. || **Más vale año tardío que vacío.** ref. que, además de su sentido recto, da a entender que, por malo que sea esperar mucho tiempo una cosa, siempre es mejor que dejarla de conseguir. || **No digáis mal del año hasta que sea pasado.** ref. que advierte que, hasta ver las cosas del todo, no se puede hacer juicio cabal de ellas. || **No en los años están todos los engaños.** ref. que advierte que no sólo los viejos tienen tretas y astucias, sino también los mozos. || **No hay mal año por piedra; mas ¡guay de a quien acierta!** ref. que da a entender que la cosecha no se pierde en todo un territorio o distrito porque se apedree algún término, pero sí en las heredades donde descarga la nube o tempestad que trae piedra. || **No hay quince años feos.** fr. fam. que denota que la juventud suple en las mujeres la falta de hermosura, haciendo que parezcan bien. || **No me lleves, año, que yo te iré alcanzando.** ref. con que se da a entender el deseo, natural en los viejos, de prolongar cada **año** su vida. || **Perder año.** fr. fam. No ser aprobado el estudiante en los exámenes de fin de curso. || **Poda tardío y siembra temprano; si errares un año, acertarás cuatro.** ref. que aconseja podar las viñas y árboles tarde, para que no se hielen, y sembrar el grano temprano, para que nazca con las primeras aguas del otoño. || **Por los años de.** loc. Por el tiempo que se indica, sobre poco más o menos. *Esto debió de ocurrir* POR LOS AÑOS DE *1585.* || **Quien en un año quiere ser rico, al medio le ahorcan.** ref. que amenaza a los que, por medios ilícitos, quieren enriquecerse en poco tiempo. || **Quitarse uno años.** fr. fig. y fam. Declarar menos **años** de los que tiene. || **Saber uno bastante para su año.** fr. fam. Saber manejarse en sus negocios con más habilidad de la que aparenta. || **Una en el año, y ésa, en tu daño.** ref. que se dice de quien al cabo de mucho tiempo se determina a hacer alguna cosa y ésa le sale mal. || **Viva** usted **mil años,** o **muchos años.** expr. que se emplea para manifestar agradecimiento y como saludo.

Año. (Del lat. *agnus,* cordero.) m. *Gal.* y *León.* Recental, corderillo de poca edad.

Añojal. (De *añojo,* de un año.) m. Pedazo de tierra que se cultiva algunos años y después se deja erial por más o menos tiempo.

Añojo, ja. (De *año,* 1.er art.) m. y f. Becerro o cordero de un año cumplido.

Añoranza. (Del cat. *anyoranza,* y éste del lat. *ignōrantĭa,* ignorancia.) f. **Soledad,** 3.ª acep.

Añorar. (Del cat. *anyorar,* y éste del lat. *ignorāre,* ignorar.) tr. Recordar con pena la ausencia, privación o pérdida de persona o cosa muy querida. Ú. t. c. intr.

Añoso, sa. (Del lat. *annosus.*) adj. De muchos años.

Añublado, da. p. p. de **Añublar.** || **2.** adj. *Germ.* **Anublado,** 2.ª acep.

Añublar. (Del lat. *innūbilare.*) tr. **Anublar.** Ú. t. c. r. || **2.** *Germ.* **Anublar,** 4.ª acep.

Añublo. (De *añublar.*) m. Honguillo parásito que ataca las cañas, hojas y espigas de los cereales, formando globulillos a manera de postillas de color obscuro, que luego se hacen negras, sin dar mal olor.

Añudador, ra. adj. Que añuda. Ú. t. c. s.

Añudadura. f. **Añudamiento.**

Añudamiento. m. Acción y efecto de añudar o añudarse.

Añudar. (Del lat. **innūdare,* de **nūdus,* por *nōdus,* nudo.) tr. **Anudar.** Ú. t. c. r.

Añusgar. intr. Atragantarse, estrecharse el tragadero como si le hubieran hecho un nudo. || **2.** fig. Enfadarse o disgustarse.

Aocar. (Del lat. *ad-ŏccāre,* cavar.) tr. ant. **Ahuecar.**

Aojador, ra. adj. Que aoja, 1.er art. Ú. t. c. s.

Aojadura. f. **Aojo.**

Aojamiento. m. **Aojo.**

Aojar. tr. Hacer mal de ojo. || **2.** fig. Desgraciar o malograr una cosa. || **3.** ant. **Mirar,** 1.ª acep.

Aojar. tr. **Ojear,** 2.° art., 1.ª acep.

Aojo. m. Acción y efecto de aojar, 1.er art.

Aónides. (Del lat. *aonides,* de Aonia o Beocia; por hallarse en esta comarca el monte Helicón y la fuente Hipocrene, consagrados a las musas.) f. pl. Las musas.

Aonio, nia. (Del lat. *aonius.*) adj. **Beocio.** Apl. a pers., ú. t. c. s. || **2.** fig. Perteneciente o relativo a las musas.

Aoptarse. r. ant. Darse por satisfecho o contento.

Aorar. (Del lat. *adōrāre,* adorar.) tr. ant. **Adorar.**

Aoristo. (Del gr. ἀόριστος; de ἀ, priv., y ὁριστός, definido.) m. Cada uno de ciertos pretéritos indefinidos de la conjugación griega.

Aorta. (Del gr. ἀορτή, de ἀείρω, elevar.) f. *Zool.* Arteria que nace del ventrículo izquierdo del corazón de las aves y de los mamíferos y es la mayor del cuerpo. || **2.** *Zool.* Cada una de las dos grandes arterias que nacen del ventrículo o ventrículos del corazón de los lamelibranquios, cefalópodos y reptiles y que en estos últimos animales se juntan luego para formar un solo vaso. || **3.** *Zool.* Arteria que nace del ventrículo del corazón de los gasterópodos, peces y batracios. || **abdominal.** Parte de ella desde que atraviesa el orificio del diafragma hasta que se bifurca. || **torácica.** La parte comprendida entre su nacimiento en el corazón y su paso por el diafragma. || **ventral. Aorta abdominal.**

Aórtico, ca. adj. Perteneciente o relativo a la aorta.

Aovado, da. p. p. de **Aovar.** || **2.** adj. De figura de huevo. || **3.** *Bot.* V. **Hoja aovada.**

Aovado-lanceolada. adj. *Bot.* Dícese de la hoja lanceolada, redondeada en la parte del pecíolo.

Aovar. (De *a,* 2.° art., y *huevo.*) intr. Poner huevos las aves y otros animales.

Aovillarse. r. fig. Encogerse mucho, hacerse un ovillo.

Apabilar. (De *a,* 2.° art., y *pabilo.*) tr. Preparar el pabilo de las velas para que fácilmente se encienda. || **2.** *Ar.* y *Murc.* Causar aturdimiento y congoja la sensación de un olor fuerte y desagradable. Ú. t. c. r. || **3.** r. ant. Atenuarse y obscurecerse poco a poco la luz de una vela.

Apabullamiento. m. **Apabullo.**

Apabullar. tr. fam. **Aplastar,** 2.ª acep.

Apabullo. m. fam. Acción y efecto de apabullar.

Apacar. (Del lat. *ad,* a, y *pacāre,* pacificar.) tr. ant. **Apaciguar.**

Apacentadero. m. Sitio en que se apacienta ganado.

Apacentador, ra. adj. Que apacienta. Ú. t. c. s.

Apacentamiento. m. Acción y efecto de apacentar o apacentarse. || **2. Pasto,** 3.ª acep.

Apacentar. (Del lat. *adpascens, -entis,* p. a. de *adpascĕre.*) tr. Dar pasto a los ganados. || **2.** fig. Dar pasto espiritual, instruir, enseñar. || **3.** fig. Cebar los deseos, sentidos o pasiones. Ú. t. c. r. || **4.** r. Pacer el ganado.

Apacer. (Del lat. *adpascĕre.*) tr. ant. **Apacentar.** Usáb. t. c. intr. || **2.** intr. ant. Alimentarse.

Apacibilidad. f. Calidad de apacible.

Apacibilísimo, ma. adj. sup. irreg. de **Apacible.**

Apacible. (De *apacible.*) adj. Manso, dulce, y agradable en la condición y el trato. || **2.** De buen temple, tranquilo, agradable. *Día, viento* APACIBLE.

Apaciblemente. adv. m. Con apacibilidad.

Apaciguador, ra. adj. Que apacigua. Ú. t. c. s.

Apaciguamiento. m. Acción y efecto de apaciguar o apaciguarse.

Apaciguar. (Del lat. *ad,* a, y *pacificāre,* pacificar.) tr. Poner en paz, sosegar, aquietar. Ú. t. c. r.

Apacorral. m. Árbol gigantesco de Honduras, cuya corteza, sumamente amarga, emplean los campesinos como remedio tónico y febrífugo.

Apache. (Voz india.) adj. Dícese de ciertos indios salvajes y sanguinarios que habitaban en los confines del noroeste de la antigua provincia de Nueva España. Ú. t. c. s. || **2.** fig. Bandido o salteador de París y, por ext., de las grandes poblaciones.

Apacheta. f. Montón de piedras colocado por los indios peruanos en las mesetas de los Andes, como signo de devoción a la divinidad.

Apachurrar. tr. p. us. **Despachurrar,** 1.ª acep.

Apadrinador, ra. adj. Que apadrina. Ú. t. c. s.

Apadrinamiento. m. Acción y efecto de apadrinar.

Apadrinar. tr. Acompañar o asistir como padrino a una persona. || **2.** fig. Patrocinar, proteger. || **3.** *Equit.* Acompañar un jinete en caballo manso a otro jinete que monta un potro para domarlo. || **4.** r. Ampararse, valerse, acogerse.

Apagable. adj. Que se puede apagar.

Apagadizo, za. (De *apagar,* 1.ª acep.) adj. Dícese de ciertas materias en las cuales no prende el fuego con facilidad, o que arden muy difícilmente.

Apagado, da. p. p. de **Apagar.** || **2.** adj. De genio muy sosegado y apocado. || **3.** Tratándose del color, el brillo, etc., amortiguado, poco vivo. || **4.** V. **Volcán apagado.**

Apagador, ra. adj. Que apaga. Ú. t. c. s. || **2.** m. Pieza de metal, cónica, hueca y a veces con mango, que sirve para apagar las luces. || **3.** Lugar de la tahona destinado a apagar en él las ascuas de la leña con que se ha calentado el horno. || **4.** *Mús.* Palanca del mecanismo de los pianos que, cubierta de fieltro por uno de sus extremos, se alza cuando la tecla obliga al macillo a dar en las cuerdas y baja tan pronto como se deja de oprimir la tecla, para evitar las resonancias.

Apagamiento. f. Acción y efecto de apagar o apagarse.

Apagapenol. (De *apagar* y *penol.*) m. *Mar.* Cada uno de los cabos que, hechos firmes en las relingas de caída de las velas de cruz, sirven para cerrarlas o cargarlas, o quitarles el viento hacia el penol.

Apagar. (Del lat. *ad*, a, y *pacāre*, calmar, mitigar.) tr. Extinguir el fuego o la luz. Ú. t. c. r. || **2.** Aplacar, disipar, extinguir. APAGAR *los rencores, la caridad, un afecto.* Ú. t. c. r. || **3.** Hablando de la cal viva, echarle agua para que pueda emplearse en obras de fábrica. || **4.** *Art.* Hacer cesar con la artillería los fuegos de la del enemigo. || **5.** *Mar.* Cerrar los bolsos o senos que el viento forma en las velas cargadas. || **6.** *Pint.* Rebajar en los cuadros el color demasiado vivo o templar el tono de la luz. || **Apaga y vámonos.** expr. fig. y fam. que se emplea al conocer que una cosa toca a su término, o al oír o ver algo muy absurdo, disparatado o escandaloso.

Apagavelas. (De *apagar* y *vela.*) m. **Matacandelas.**

Apagón. m. Extinción pasajera y accidental del alumbrado eléctrico.

Apainelado. adj. *Arq.* V. **Arco apainalado.**

Apaisado, da. adj. Dícese de lo que es más ancho que alto, a semejanza de los cuadros donde suelen pintarse países. *Cuadro, marco, libro* APAISADO. || **2.** V. **Aspillera apaisada.**

Apalabrar. tr. Concertar de palabra dos o más personas, alguna cosa.

Apalambrar. (Del lat. *ad*, a, y *perluminăre*, alumbrar mucho.) tr. ant. Incendiar, abrasar.

Apalancamiento. m. Acción y efecto de apalancar.

Apalancar. tr. Levantar, mover alguna cosa con palanca.

Apaleador, ra. adj. Que apalea, 1.er art. Ú. t. c. s. || **de sardinas.** *Germ.* **Galeote.**

Apaleamiento. m. Acción y efecto de apalear, 1.er art.

Apalear. tr. Dar golpes con palo u otra cosa semejante. || **2.** Sacudir ropas, alfombras, etc., con palo o con vara. || **3. Varear,** 1.ª acep.

Apalear. tr. Aventar con pala el grano para limpiarlo. || **2.** Con el complemento directo oro o plata, tenerlo en abundancia.

Apaleo. m. Acción y efecto de apalear, 2.° art. || **2.** Tiempo de apalear, 2.° art.

Apaliar. tr. desus. **Paliar,** 1.ª acep.

Apalmada. (De *palma.*) adj. *Blas.* V. **Mano apalmada.**

Apalpar. tr. fam. **Palpar.**

Apanalado, da. adj. Que forma celdillas como el panal. || **2.** V. **Cuello apanalado.**

Apancora. f. *Zol.* Crustáceo decápodo, braquiuro, de unos diez centímetros de largo, con carapacho oval y espinoso y pinzas grandes y gruesas. Vive en las costas de Chile.

Apandar. tr. fam. Pillar, atrapar, guardar alguna cosa con ánimo de apropiársela.

Apandar. (De *pando.*) intr. **Pandear.** Ú. m. c. r.

Apandillar. tr. Hacer pandilla. Ú. m. c. r. || **2.** *Germ.* Procurar suerte favorable o formar encuentros con fullería.

Apaniaguado, da. (De *apaniguado.*) m. y f. ant. **Paniaguado.**

Apaniguado, da. p. p. de **Apaniguar.** || **2.** m. y f. **Paniaguado.**

Apaniguar. (Del dialect. *apaniguar*, alimentar, y éste del lat. *ad*, a, *panĭfĭcāre*, proveer de pan.) tr. ant. **Alimentar,** 1.ª acep.

Apanojado, da. adj. *Bot.* Dícese del tallo de algunas plantas y también de la flor dispuesta en forma de panoja.

Apantanar. tr. Llenar de agua algún terreno, dejándolo hecho un pantano. Ú. t. c. r.

Apantuflado, da. adj. De hechura de pantuflo.

Apañacuencos. m. *Ar.* **Lañador.**

Apañado, da. adj. Aplícase a tejidos semejantes al paño en su cuerpo o en lo tupidos.

Apañado, da. p. p. de **Apañar.** || **2.** adj. fig. Hábil, mañoso para hacer alguna cosa. || **3.** fig. y fam. Adecuado, a propósito para el uso a que se destina.

Apañador, ra. adj. Que apaña. Ú. t. c. s.

Apañadura. f. Acción y efecto de apañar o apañarse. || **2.** Guarnición que se ponía al canto o extremo de las colchas, frontales y otras cosas. Ú. m. en pl.

Apañamiento. m. Apañadura, 1.ª acep.

Apañar. (De *a*, 2.° art., y *paño.*) tr. Coger con la mano; coger en general. || **2.** Tomar alguna cosa o apoderarse de ella capciosa e ilícitamente. || **3.** Aderezar, asear, ataviar. || **4.** fam. Abrigar, arropar. || **5.** Colocar, guardar. || **6.** *Ar.* y *Murc.* Remendar o componer lo que está roto. || **7.** r. fam. Darse maña para hacer alguna cosa.

Apaño. m. Apañadura, 1.ª acep. || **2.** fam. Compostura, reparo o remiendo hecho en alguna cosa. || **3.** fam. Disposición, maña o habilidad para hacer alguna cosa. || **4.** fam. Respecto de una persona amancebada, la que lo está con ella.

Apañuscador, ra. adj. fam. Que apañusca. Ú. t. c. s.

Apañuscar. tr. fam. Coger y apretar entre las manos alguna cosa ajándola || **2. Apañar,** 2.ª acep.

Apapagayado, da. adj. Semejante al papagayo en alguna cosa. Más comúnmente se dice de la nariz.

Aparador, ra. (Del lat. *apparātor.*) adj. Que apara, 5.ª acep. Ú. m. c. s. || **2.** m. Mueble donde se guarda o contiene lo necesario para el servicio de la mesa. || **3.** Por ext., **credencia,** 1.ª acep. || **4.** Taller u obrador de algún artífice. || **5. Escaparate,** 2.ª acep. || **6.** ant. Guardarropa o armario para guardar vestidos. || **7.** *Ar.* **Vasar.** || **Estar de aparador** una mujer. fr. fig. y fam. Estar muy compuesta y en disposición de recibir visitas.

Aparadura. (De *aparar.*) f. *Mar.* V. **Tablón de aparadura.**

Aparamento. m. ant. **Paramento.**

Aparar. (Del lat. *apparāre*; de *ad*, a, y *parāre*, preparar.) tr. Acudir con las manos o con la capa, falda, etc., a tomar o coger alguna cosa. Úsase más en imperativo. APARA, APARE *usted.* || **2.** Dar segunda labor a las plantas ya algo crecidas, quitando la hierbecilla extraña que ha nacido entre ellas. || **3.** Preparar una fruta para comerla, pelándola o mondándola. || **4.** Alargar, poner en las manos. || **5.** Coser las piezas de cordobán, cabritilla u otra materia de que se compone el zapato para unirlas y coserlas después con la plantilla y suela. || **6.** Aparejar, preparar, disponer, adornar. Ú. t. c. r. || **7.** Igualar con la azuela tablas o tablones enlazados, para que el conjunto quede formando una superficie lisa.

Aparasolado, da. adj. De figura de parasol. || **2.** *Bot.* **Umbelífero.** Ú. t. c. s. f.

Aparatarse. (De *aparato.*) r. Prepararse, disponerse. En Aragón y Colombia, dícese especialmente del cielo cuando anuncia inminente lluvia, nieve o granizo. || **2.** Adornarse, llenarse de pompa y ostentación.

Aparatero, ra. adj. *Ál.*, *Ar.* y *Chile.* Aparatoso, exagerador.

Aparato. (Del lat. *apparātus.*) m. Apresto, prevención, reunión de lo que se necesita para algún fin. || **2.** Pompa, ostentación. || **3.** Circunstancia o señal que precede o acompaña a alguna cosa. || **4.** Conjunto de instrumentos o útiles unidos convenientemente para hacer experimentos u operaciones. || **5.** *Cir.* Apósito, vendaje o artificio que se aplica al cuerpo humano con el fin de curar una enfermedad o corregir una imperfección. || **6.** *Biol.* Conjunto de órganos que en los animales o en las plantas concurren al desempeño de una misma función. APARATO *reproductor, circulatorio, digestivo.* || **7.** *Med.* Conjunto de síntomas con que aparece alguna enfermedad grave.

Aparatoso, sa. adj. Que tiene mucho aparato, 2.ª acep.

Aparcar. (De *a* y *parque.*) tr. Colocar convenientemente en un campamento o parque los carruajes y, en general, los pertrechos y material de guerra. || **2.** Colocar transitoriamente en un lugar público señalado al efecto, coches u otros vehículos.

Aparcera. (De *aparcero.*) f. ant. **Manceba.**

Aparcería. (De *aparcero.*) f. Trato o convenio de los que van a la parte en una granjería. || **2.** *For.* Contrato mixto, que participa del de sociedad aplicado al arrendamiento de fincas rústicas, y que se celebra con gran variedad de pactos y costumbres supletorias entre el propietario y el cultivador de la tierra. || **3.** *For.* Contrato de sociedad, anexo al anterior o independiente de él, para repartir productos o beneficios del ganado entre el propietario de éste y el que lo cuida o recría.

Aparcero, ra. (Del lat. *ad*, a, y *partiarĭus*; de *pars*, *partis*, parte.) m. y f. Persona que tiene aparcería con otra u otras. || **2. Comunero,** 3.ª acep. || **3.** ant. Partícipe, copartícipe. || **4.** ant. fig. **Compañero, ra.** || **5.** fam. En algunas comarcas, mutua denominación de tratamiento entre personas ligadas por contrato de aparcería.

Aparcionero, ra. (De *a*, 2.° art., y *parcionero.*) m. y f. ant. **Partícipe.**

Apareamiento. m. Acción y efecto de aparear o aparearse.

Aparear. (De *a*, 2.° art., y *parear.*) tr. Arreglar o ajustar una cosa con otra, de forma que queden iguales. || **2.** Unir o juntar una cosa con otra, formando par. Ú. t. c. r. || **3.** Juntar las hembras de los animales con los machos para que críen. Ú. t. c. r.

Aparecer. (Del lat. *apparescĕre*; de *ad*, a, y *parēre*, parecer.) intr. Manifestarse, dejarse ver, por lo común, causando sorpresa, admiración u otro movimiento del ánimo. Ú. t. c. r. || **2.** Parecer, encontrarse, hallarse. Ú. t. c. r.

Aparecido, da. p. p. de **Aparecer.** || **2.** m. Espectro de un difunto.

Aparecimiento. (De *aparecer.*) m. **Aparición,** 1.ª acep.

Aparejadamente. adv. m. Aptamente.

Aparejado, da. p. p. de **Aparejar.** || **2.** adj. Apto, idóneo.

Aparejador, ra. adj. Que apareja. Ú. t. c. s. || **2.** m. Oficial que en las obras de importancia prepara y dispone los materiales que han de entrar en ellas.

Aparejamiento. m. ant. Acción y efecto de aparejar o aparejarse.

Aparejar. (De *a*, 2.° art., y *parejo*.) tr. Preparar, prevenir, disponer. Ú. t. c. r. || **2.** Vestir con esmero, adornar. Ú. t. c. r. || **3.** Poner el aparejo a las caballerías. || **4.** Dar los doradores las manos de cola, yeso y bol arménico a la pieza que se ha de dorar. || **5.** *Mar.* Poner a un buque su aparejo para que esté en disposición de poder navegar. || **6.** *Pint.* **Imprimar.**

Aparejo. (De *aparejar*.) m. Preparación, disposición para alguna cosa. || **2.** Prevención de lo necesario para conseguir un fin. || **3.** Arreo necesario para montar o cargar las caballerías. || **4.** Conjunto de objetos necesarios para hacer ciertas cosas. || **5.** Sistema de poleas, compuesto de dos grupos, fijo el uno y móvil el otro. Una cuerda, afianzada por uno de sus extremos en la armazón de la primera polea fija, corre por las demás, y a su otro extremo actúa la potencia. || **6.** *Arq.* Forma o modo en que quedan colocados los materiales en una construcción. APAREJO *poligonal.* || **7.** *Mar.* Conjunto de palos, vergas, jarcias y velas de un buque, y que se llama de cruz, de cuchillo, de abanico, etc., según la clase de la vela. || **8.** *Pint.* Preparación de un lienzo o tabla por medio de la imprimación. || **9.** pl. Materiales que sirven para aparejar, 4.ª acep. || **10.** ant. Conjunto de cabos o adornos menos principales de un vestido. || **11.** *Pint.* **Imprimación,** 2.ª acep. || **Aparejo de gata.** *Mar.* El que sirve para llevar el ancla desde la superficie del agua a la serviola, cuando se leva. || **real.** El que se forma con motones de mayor número de roldanas y cabos más gruesos que los de los **aparejos** ordinarios. || **redondo.** El compuesto de carona, albarda, enjalma, ropón y zafra, con cincha de tarabita, ataharre y petral, si es para cargar las caballerías, y con aciones y enjalma, si es para montarlas. || **2.** Traje típico de las aldeanas, compuesto de varios refajos y faldas que llevan superpuestos y formando muchos pliegues en la cintura.

Aparejuelo. m. d. de **Aparejo.**

Aparencia. f. ant. **Apariencia.**

Aparencial. adj. *Fil.* Dícese de lo que sólo tiene existencia aparente.

Aparentador, ra. adj. Que aparenta.

Aparentar. (De *aparente*.) tr. Manifestar o dar a entender lo que no es o no hay. || **2.** Hablando de la edad de una persona, tener ésta el aspecto correspondiente a dicha edad.

Aparente. (Del lat. *appārens, -entis*, p. a. de *apparēre*, aparecer.) adj. Que parece y no es. || **2.** Conveniente, oportuno, adecuado. *Esto es* APARENTE *para el caso.* || **3.** Que aparece y se muestra a la vista. || **4.** Que tiene tal o cual aspecto o apariencia. || **5.** V. **Diámetro aparente.** || **Bien aparente.** ant. **Bienaparente.**

Aparentemente. adv. m. Con apariencia.

A pari. expr. lat. *Lóg.* V. **Argumento a pari.**

Aparicio. n. p. V. **Aceite de Aparicio.**

Aparición. (Del lat. *apparitĭo, -ōnis*.) f. Acción y efecto de aparecer o aparecerse. || **2.** Visión de un ser sobrenatural o fantástico; espectro, fantasma. || **3.** Fiesta que celebra la Iglesia el día de la **aparición** de Cristo a sus apóstoles después de la Resurrección.

Apariencia. (Del lat. *apparentĭa*.) f. Aspecto o parecer exterior de una persona o cosa. || **2.** Verosimilitud, probabilidad. || **3.** Cosa que parece y no es. || **4.** pl. Telón, bastidor o caroca con que en el teatro se representaban, por medio de la pintura, cosas verdaderas o fantásticas. || **En apariencia.** m. adv. Aparentemente, al parecer.

Aparir. (Del lat. *apparēre*.) intr. ant. **Aparecer.**

Aparrado, da. p. p. de **Aparrar.** || **2.** adj. Dícese de los árboles cuyas ramas se extienden mucho horizontalmente. || **3.** fig. **Achaparrado,** 3.ª acep.

Aparragarse. (Del m. or. que *aparrar*.) r. *Chile* y *Hond.* **Achaparrarse.**

Aparrar. (De *a*, 2.° art., y *parra*, 1.er art.) tr. Hacer que un árbol extienda sus ramas en dirección horizontal.

Aparroquiado, da. p. p. de **Aparroquiar.** || **2.** adj. Establecido en una parroquia.

Aparroquiar. (De *a*, 2.° art., y *parroquia*.) tr. Procurar parroquianos a los tenderos o a los que ejercen ciertas profesiones. || **2.** r. Hacerse feligrés de una parroquia.

Apartación. (De *apartar*.) f. ant. **Repartición.**

Apartadamente. adv. m. Separada o secretamente.

Apartadero. m. Lugar que sirve en los caminos y canales para que, apartándose las personas, las caballerías, los carruajes o los barcos, quede libre el paso. || **2.** Pedazo de terreno contiguo a los caminos que se deja baldío para que descansen y pasten los ganados y caballerías que van de paso. || **3.** Pieza u oficina donde se apartan o separan las cuatro suertes de lana que hay en cada vellón. || **4.** Sitio donde se aparta a unos toros de otros para encajonarlos. || **5.** Vía corta derivada de la principal, que sirve para apartar en ella vagones y tranvías.

Apartadijo. (De *apartado*.) m. **Apartadizo,** 2.ª acep. || **2.** Porción o parte pequeña de algunas cosas que estaban juntas. Úsase más en la frase **hacer apartadijos.**

Apartadizo, za. (De *apartado*.) adj. Huraño, retirado, que se aparta o huye de la comunicación y del trato de la gente. || **2.** m. Sitio o lugar que se separa de otro mayor, para diferentes usos.

Apartado, da. p. p. de **Apartar.** || **2.** adj. Retirado, distante, remoto. || **3.** Diferente, distinto, diverso. || **4.** *For.* V. **Juez apartado.** Ú. t. c. s. || **5.** m. Aposento desviado del tráfago y servicio común de la casa. || **6.** Conjunto de cartas, periódicos, etc., que se apartan en el correo para que los interesados los recojan. || **7.** Lugar de la oficina de correos destinado a este servicio. || **8.** Acción de separar las reses de una vacada para varios objetos. || **9.** Acción de encerrar los toros en los chiqueros algunas horas antes de la corrida. || **10.** Cualquiera de los 16 individuos que elige la Asociación General de Ganaderos, y antes elegía el Concejo de la Mesta en sus juntas generales, para entender en los negocios e informar sobre ellos. || **11.** Cada uno de los párrafos o serie de éstos que, dentro de un decreto, orden o artículo de una ley o reglamento, se dedican a un asunto o aspecto del mismo. || **12.** *Min.* Operación por la que se determina la ley del oro o de la plata. || **13.** *Min.* Conjunto de operaciones que se ejecutan con el oro sacado de su mena, para obtenerlo completamente puro. || **14.** *Min. Méj.* Operación de apartar metales. || **15.** *Méj.* Edificio dependiente de la fábrica de la moneda donde se hace esta operación.

Apartador, ra. adj. Que aparta o separa una cosa de otra. || **2.** m. El que tiene por oficio separar la lana, según sus diferentes calidades. || **3.** El que aparta el ganado, separando unas reses de otras. || **4.** El que cuida en los molinos de papel de separar el trapo, según sus varias especies. || **5.** Cápsula de cobre destinada a purificar los pallones de oro tratándolos con el agua fuerte. || **6.** Retorta para sacar la plata, destilando los ácidos en que está disuelto el metal. || **de ganado.** *Germ.* Ladrón de ganado. || **general de oro y plata.** Oficial real que había en las casas de moneda de Nueva España.

Apartamiento. m. Acción y efecto de apartar o apartarse. || **2.** Lugar apartado o retirado. || **3.** Habitación, vivienda. || **4.** Celdilla, cavidad o seno en animales y plantas. || **5.** *For.* Acto judicial con que alguno desiste y se aparta formalmente de la acción o recurso que tiene deducido. || **de ganado.** *Germ.* Hurto de ganado. || **de meridiano.** Longitud del arco de paralelo terrestre comprendido entre dos meridianos, expresada en millas u otra medida itineraria.

Apartar. (De *a*, 2.° art., y *parte*.) tr. Separar, desunir, dividir. Ú. t. c. r. || **2.** Quitar a una persona o cosa del lugar donde estaba, para dejarlo desembarazado. Ú. t. c. r. || **3.** Alejar, retirar. Ú. t. c. r. || **4.** fig. Disuadir a uno de alguna cosa; hacerle que desista de ella. || **5.** Separar las cuatro suertes o clases de lana que se hallan en cada vellón. || **6.** *Min. Méj.* Extraer el oro contenido en las barras de plata. || **7.** intr. *Mont.* No hacer caso el perro que sigue el rastro de una res, de otros perros ni aun de otras reses que halle al paso. || **8.** r. Divorciarse los casados. || **9.** *For.* Desistir uno formalmente de la acción o recurso que entabló.

Aparte. (Del lat. *ad*, a, y *pars, partis*, parte.) adv. l. En otro lugar. *Poner un libro* APARTE. || **2.** A distancia, desde lejos. || **3.** adv. m. Separadamente, con distinción. || **4.** Con omisión, con preterición de. || **5.** m. Lo que en la representación escénica dice cualquiera de los personajes de la obra representada, como hablando para sí o con aquél o aquéllos a quienes se dirige y suponiendo que no le oyen los demás. || **6.** Lo que en la obra dramática debe recitarse de este modo. *Esa comedia tiene muchos* APARTES. || **7.** **Párrafo,** 1.ª acep. || **8.** *Ar.* Espacio o hueco que, así en lo impreso como en lo escrito, se deja entre dos palabras. || **9.** *Argent.* Separación que se hace en un rodeo, de cierto número de cabezas de ganado.

Apartidar. tr. Alzar o tomar partido. || **2.** r. Adherirse a una parcialidad.

Apartijo. (De *apartar*.) m. **Apartadijo.**

Aparvadera. (De *aparvar*.) f. **Allegadera.**

Aparvadero. m. *Burg.* **Aparvadera.**

Aparvador. m. **Allegador,** 2.ª acep.

Aparvar. tr. Hacer parva, disponer la mies para trillarla. || **2.** Recoger en un montón la mies trillada.

Apasionadamente. adv. m. Con pasión o deseo vehemente. || **2.** Con interés o parcialidad.

Apasionado, da. p. p. de **Apasionar.** || **2.** adj. Poseído de alguna pasión o afecto. || **3.** Partidario de alguno, o afecto a él. || **4.** Se dice de la parte del cuerpo que padece algún dolor o enfermedad. || **5.** m. *Germ.* Alcaide de la cárcel.

Apasionamiento. m. Acción y efecto de apasionar o apasionarse.

Apasionante. p. a. de **Apasionar.** Que apasiona.

Apasionar. tr. Causar, excitar alguna pasión. Ú. m. c. r. || **2.** Atormentar, afligir. || **3.** r. Aficionarse con exceso a una persona o cosa.

Apasote. (Del mejic. *epaçotl*.) m. **Pasote.**

Apastar. (De *a*, 2.° art., y *pastar*.) tr. **Apacentar.**

Apaste. (Del mejic. *apaztli.*) m. *Guat.*, *Hond.* y *Méj.* Lebrillo hondo de barro y con asas.

Apasto. (De *apastar.*) m. ant. **Pasto.**

Apasturar. tr. ant. **Pasturar.** || **2.** ant. **Forrajear.**

Apatán. m. Medida de capacidad para áridos usada en Filipinas: es la cuarta parte de la chupa y equivale a un dozavo de cuartillo, o sea a 94 mililitros.

Apatanado, da. (De *a*, 2.° art., y *patán.*) adj. Rústico, tosco.

Apatía. (Del lat. *apathīa*, y éste del gr. ἀπάθεια.) f. Impasibilidad del ánimo. || **2.** Dejadez, indolencia, falta de vigor o energía.

Apático, ca. adj. Que adolece de apatía.

Apátrida. adj. Dícese de la persona que carece de nacionalidad. Ú. t. c. s.

Apatrocinar. tr. desus. **Patrocinar.**

Apatusca. f. *Ar.* Juego de muchachos que consiste en tomar número de orden arrojando cada uno una moneda hacia un canto o guijarro; y, apiladas luego aquéllas, golpearlas cada uno a su vez con una piedra, y hacer suyas las que, por efecto del golpe, presenten el anverso.

Apatusco. m. fam. Adorno, aliño, arreo. || **2. Utensilio,** 1.ª acep.

Apaularse. r. desus. **Apaulillarse.**

Apaulillarse. (De *a*, 2.° art., y *paulilla.*) r. desus. **Agorgojarse.**

Apayasar. tr. Dar a una cosa el carácter de payasada. || **2.** r. Proceder uno como un payaso.

Apazguado, da. (Del lat. *ad*, a, y *pacificātus*, reconciliado.) adj. ant. Aplicábase a la persona con quien se tenían hechas paces.

Apea. (De *apear.*) f. Soga de unos 80 centímetros de largo, con un palo de figura de muletilla a una punta y un ojal en la otra, que sirve para trabar o maniatar las caballerías.

Apeadero. (De *apear.*) m. Poyo o sillar que hay en los zaguanes, o junto a la puerta de las casas, para montar en las caballerías o desmontarse de ellas con comodidad. || **2.** Sitio o punto del camino en que los viajeros pueden apearse y es cómodo para descansar. || **3.** En los ferrocarriles, sitio de la vía preparado para el servicio público, pero sin apartadero ni los demás accesorios de una estación. || **4.** fig. Casa que alguno habita interinamente cuando viene de fuera, hasta que establece habitación permanente.

Apeador, ra. adj. Que apea. Ú. t. c. s. || **2.** m. El que deslinda y señala los límites, términos y demarcaciones de fincas rústicas.

Apealar. (De *a*, 2.° art., y *peal.*) tr. *Amér.* **Manganear.**

Apeamiento. m. Acción y efecto de apear o apearse, 1.ª y 4.ª aceps. || **2. Apeo,** 3.ª acep.

Apear. (Del lat. **appĕdāre*, de *pĕdāre*, sostener.) tr. Desmontar o bajar a alguno de una caballería o carruaje. Ú. m. c. r. || **2.** Tratándose de caballerías, maniatarlas para que no se escapen. || **3.** Calzar algún coche o carro, arrimando a la rueda una piedra o leño para que no ruede. || **4.** Reconocer, señalar o deslindar una o varias fincas, y especialmente las que están sujetas a determinado censo, foro u otro derecho real. || **5.** Cortar un árbol por el pie y derribarlo. || **6.** fig. Sortear, superar, vencer alguna dificultad o cosa muy ardua. || **7.** fig. V. **Apear la artillería, el tratamiento.** || **8.** fig. y fam. Disuadir a alguno de su opinión o dictamen. *No pude* APEARLE. Ú. t. c. r. || **9.** *Arq.* Sostener provisionalmente con armazones, maderos o fábricas el todo o parte de algún edificio, construcción o terreno. || **10.** *Arq.* Bajar de su sitio alguna cosa, como las piezas de un retablo o de una portada. || **11.** intr. ant. Andar o caminar a pie.

Apechar. (De *a*, 2.° art., y *pecho.*) intr. fig. **Apechugar,** 2.ª acep.

Apechugar. (De *a*, 2.° art., y *pechuga.*) intr. Dar o empujar con el pecho, o cerrar pecho a pecho con alguno. || **2.** fig. y fam. Admitir, aceptar alguna cosa, venciendo la repugnancia que causa.

Apedazar. tr. **Despedazar,** 1.ª acep. || **2.** Echar pedazos, remendar.

Apedernalado, da. adj. **Pedernalino.** Úsase en sentido figurado. *Entrañas* APEDERNALADAS.

Apedgar. (Del lat. **appĕdĭcāre*, de *pĕdica*, traba.) tr. ant. **Apear,** 2.ª acep.

Apedrar. tr. ant. **Apedrear,** 1.ª y 2.ª aceps.

Apedrea. f. p. us. **Apedreo.**

Apedreadero. m. Sitio donde suelen juntarse los muchachos para la pedrea.

Apedreado, da. p. p. de **Apedrear.** || **2.** adj. Manchado o salpicado de varios colores. || **3.** V. **Cara apedreada.**

Apedreador, ra. adj. Que apedrea. Ú. t. c. s.

Apedreamiento. m. Acción y efecto de apedrear o apedrearse.

Apedrear. tr. Tirar o arrojar piedras a una persona o cosa. || **2.** Matar a pedradas, género de suplicio usado antiguamente. || **3.** *And.* Hacer aberturas en la carne o pescado que se va a asar y poner en ellas rajas de limón. || **4.** impers. Caer pedrisco, 1.ª acep. || **5.** r. Padecer daño con el pedrisco las viñas, los árboles frutales o las mieses.

Apedreo. m. **Apedreamiento.**

Apegadamente. adv. m. fig. Con apego.

Apegaderas. (De *apegar*, 2.ª acep.) f. *Rioja.* **Lampazo,** 1.ª acep.

Apegadizo, za. (De *apegar*, 1.ª acep.) adj. ant. **Pegadizo.**

Apegadura. (De *apegar.*) f. ant. **Pegadura.**

Apegamiento. (De *apegar.*) m. ant. **Pegamiento.** || **2.** ant. fig. **Apego.**

Apegar. (Del lat. *ad*, a, y *picāre*, de *pix*, pez.) tr. ant. **Pegar.** Usáb. t. c. r. || **2.** r. fig. Cobrar apego.

Apego. (De *apegar.*) m. fig. Afición o inclinación particular.

Apegostrar. tr. ant. despect. de **Apegar,** 2.ª acep. Ú. en *Sal.*

Apegualar. intr. *Argent.* y *Chile.* Hacer uso del pegual.

Apelable. (De *apelar*, 1.er art.) adj. Que admite apelación.

Apelación. (Del lat. *appellatĭo, -ōnis.*) f. *For.* Acción de apelar. || **2.** fam. Consulta de médicos. || **3.** V. **Juez de apelaciones.** || **4.** V. **Médico, recurso, sala de apelación.** || **Dar por desierta la apelación.** fr. *For.* Declarar el juez ser pasado el término en que el apelante debió acudir a sostener su recurso. || **Desamparar uno la apelación.** fr. *For.* No seguir la que interpuso. || **Interponer apelación.** fr. *For.* **Apelar,** 1.er art., 1.ª acep. || **Mejorar la apelación.** fr. *For.* En el antiguo procedimiento, exponer el apelante agravios ante el juez superior; en el moderno, suele aplicarse a la petición incidental previa en que el apelante o el apelado solicitan del tribunal superior que extienda o no al efecto suspensivo, la **apelación** admitida en primera instancia. || **No haber, o no tener, apelación.** fr. fig. y fam. No haber remedio o recurso en alguna dificultad o aprieto.

Apelado, da. p. p. de **Apelar,** 1.er art. || **2.** adj. *For.* Dícese del litigante que ha obtenido sentencia favorable contra la cual se apela. Ú. t. c. s.

Apelado, da. p. p. de **Apelar,** 2.° art. || **2.** adj. Dícese de dos o más caballerías del mismo pelo o color.

Apelambrar. tr. Meter los cueros en pelambre o en depósito de agua y cal viva, para que pierdan el pelo.

Apelante. p. a. de **Apelar,** 1.er art. Que apela. Ú. t. c. s.

Apelar. (Del lat. *appĕllāre*, llamar.) intr. *For.* Recurrir al juez o tribunal superior para que revoque, enmiende o anule la sentencia que se supone injustamente dada por el inferior. || **2.** fig. Recurrir a una persona o cosa para algún trabajo o necesidad. Ú. t. c. r. || **3.** intr. Referirse, recaer.

Apelar. intr. Ser del mismo pelo o color dos o más caballerías.

Apelativo. (Del lat. *appellatīvus.*) adj. *Gram.* V. **Nombre apelativo.** Ú. t. c. s.

Apeldar. (Del lat. **appĕllitāre*, de *appĕllāre*, llamar.) intr. fam. Escapar, huir. Úsase ordinariamente con el pron. *las.* || **2.** r. *Sal.* Juntarse, reunirse.

Apelde. (De *apeldar.*) m. En los conventos de la orden de San Francisco, toque de campana antes de amanecer. || **2.** fam. Acción de apeldar.

Apelgararse. r. *And.* Hacerse pelgar.

Apeligrar. tr. ant. Poner en peligro.

Apelmazadamente. adv. m. De manera apelmazada, pesadamente.

Apelmazado, da. adj. fig. Dicho de obras literarias, amazacotado, falto de amenidad.

Apelmazar. (De *a*, 2.° art., y *pelmazo.*) tr. Hacer que una cosa esté menos esponjada o hueca de lo que requiere para su uso. Ú. t. c. r.

Apelotonar. tr. Formar pelotones. Ú. t. c. r.

Apellar. (De *a*, 2.° art., y el lat. *pellis*, piel.) tr. Untar y adobar la piel sobándola, para que reciba bien los ingredientes del color que se le quiere dar.

Apellidador, ra. adj. Que apellida. Ú. t. c. s. || **2.** m. **Apellidero.**

Apellidamiento. m. Acción de apellidar.

Apellidante. p. a. de **Apellidar.** Que apellida. || **2.** m. *For. Ar.* El que presenta apellido, 10.ª acep.

Apellidar. (Del lat. *appellitāre*, frec. de *appellāre*, llamar, proclamar.) tr. Gritar convocando, excitando o proclamando. || **2.** Llamar a las armas, convocar para alguna expedición de guerra. || **3.** Aclamar a uno confiriéndole un cargo u honor. || **4.** Nombrar, llamar. || **5.** r. Tener tal nombre o apellido.

Apellidero. m. Hombre de guerra que formaba parte de hueste reunida por apellido.

Apellido. (De *apellidar.*) m. Nombre de familia con que se distinguen las personas; como *Córdoba*, *Fernández*, *Guzmán.* || **2.** Nombre particular que se da a varias cosas. || **3. Sobrenombre,** 2.ª acep. || **4.** Convocación, llamamiento de guerra. || **5.** Hueste reunida por este llamamiento. || **6.** Seña que se daba a los soldados para que se aprestasen a tomar las armas. || **7.** Clamor o grito. || **8.** ant. **Invocación,** 1.ª acep. || **9.** *For. Ar.* Causa o proceso en que, por la conveniencia de su publicidad, pueden intervenir como testigos o declarantes todos cuantos quieran. || **10.** *For. Ar.* Primer pedimento o escrito que se presenta al juez en cualquiera de los cuatro procesos forales.

Apena. adv. m. **Apenas.**

Apenamiento. m. *Ar.* Acción de apenar, 2.ª acep.

Apenar. tr. Causar pena, afligir. Ú. t. c. r. || **2.** *Ar.* Intimar una pena ya señalada de antemano. Usábase principalmente contra los que hacían entrar animales de pasto en propiedad ajena.

Apenas. (De *a penas.*) adv. m. **Penosamente.** || **2.** Casi no. || **3.** adv. t. Luego que, al punto que.

Apencar. (De *a*, 2.° art., y *penca.*) intr. fam. **Apechugar,** 2.ª acep.

Apendencia. (Del lat. *appendens, -entis,* p. a. de *appendĕre,* depender.) f. ant. **Pertenencia,** 4.ª acep. Usáb. m. en pl.

Apéndice. (Del lat. *appendix, -ĭcis,* de *appendĕre,* pender de.) m. Cosa adjunta o añadida a otra, de la cual es como parte accesoria o dependiente. ‖ **2.** fig. Satélite, alguacil o persona que sigue o acompaña de continuo a otra. ‖ **3.** *Bot.* Conjunto de escamas, a manera de pedazos de hojas, que tienen en su base algunos pecíolos. ‖ **4.** *Zool.* Parte del cuerpo animal unida o contigua a otra principal. ‖ **cecal, vermicular,** o **vermiforme.** *Zool.* Prolongación delgada y hueca, de longitud variable, que se halla en la parte interna y terminal del intestino ciego del hombre, monos y muchos roedores.

Apendicitis. (De *apéndice.*) f. *Med.* Inflamación del apéndice vermicular.

Apendicular. (Del lat. *appendicŭla,* d. de *appendix,* apéndice.) ad. *Zool.* Perteneciente o relativo al apéndice, 3.ª y 4.ª aceps.

Apensionar. tr. **Pensionar.**

Apeñuscar. tr. Apiñar, agrupar, amontonar. Ú. m. c. r.

Apeo. m. Acción y efecto de apear, 4.ª, 5.ª y 9.ª aceps. ‖ **2.** Instrumento jurídico que acredita el deslinde y demarcación. ‖ **3.** *Arq.* Armazón, madero o fábrica con que se apea el todo o parte de un edificio, construcción o terreno.

Apeonar. (De *a,* 2.° art., y *peón.*) intr. Andar a pie y aceleradamente, lo que por lo común se entiende de las aves, y en especial de las perdices.

Apepsia. (Del gr. ἀπεψία, de ἄπεπτος, no conocido.) f. *Med.* Falta de digestión.

Aperado, da. p. p. de **Aperar.** ‖ **2.** adj. *And.* Dícese del cortijo abastecido de yuntas, pajares e instrumentos de labranza.

Aperador. m. El que tiene por oficio aperar. ‖ **2.** El que cuida de la hacienda del campo y de todas las cosas pertenecientes a la labranza. ‖ **3.** Capataz de una mina.

Aperar. (De *apero.*) tr. Componer, aderezar. ‖ **2.** En especial, hacer carros o galeras y aparejos para el acarreo y trajín del campo.

Apercebimiento. m. ant. **Apercibimiento.**

Apercebir. tr. ant. **Apercibir.**

Apercibimiento. m. Acción y efecto de apercibir o apercibirse. ‖ **2.** *For.* Una de las correcciones disciplinarias.

Apercibir. (De *a,* 2.° art., y *percibir.*) tr. Prevenir, disponer, preparar lo necesario para alguna cosa. Ú. t. c. r. ‖ **2.** Amonestar, advertir. ‖ **3.** Percibir, observar. ‖ **4.** *For.* Hacer saber a la persona citada, emplazada o requerida, las consecuencias que se seguirán de determinados actos u omisiones suyas.

Apercibo. m. ant. **Apercibimiento.**

Aperción. (Del lat. *apertĭo, -ōnis.*) f. p. us. **Apertura,** 1.ª acep.

Apercollar. (De *a,* 2.° art., y el lat. *per collum,* por el cuello.) tr. fam. Coger o asir por el cuello a alguno. ‖ **2.** fam. **Acogotar,** 1.ª acep. ‖ **3.** fig. y fam. Coger algo de prisa y como a escondidas.

Aperdigar. tr. **Perdigar.**

Apereá. (Voz guaraní.) m. *Zool.* Mamífero roedor de la Argentina, de unos 30 centímetros de longitud, sin cola, parecido al conejo, pero con boca de rata y de un mismo color todo el cuerpo.

Apergaminado, da. p. p. de **Apergaminarse.** ‖ **2.** adj. Semejante al pergamino.

Apergaminarse. (De *a,* 2.° art., y *pergamino.*) r. fig. y fam. **Acartonarse.**

Aperitivo, va. (Del lat. *aperitīvus.*) adj. Que sirve para abrir el apetito. Ú. t. c. s. m. ‖ **2.** *Med.* Que sirve para combatir las obstrucciones, devolviendo su natural permeabilidad a los tejidos y abriendo las vías que recorren los líquidos en el estado normal. Ú. t. c. s. m.

Apernador, ra. adj. *Mont.* Dícese del perro que apierna. Ú. t. c. s.

Apernar. tr. *Mont.* Asir o agarrar el perro por las piernas alguna res.

Apero. (Del lat. **apparium,* de *apparāre,* preparar.) m. Conjunto de instrumentos y demás cosas necesarias para la labranza. ‖ **2.** Conjunto de animales destinados en una hacienda a las faenas agrícolas. ‖ **3.** Por ext., conjunto de instrumentos y herramientas de otro cualquier oficio. Ú. m. en pl. ‖ **4. Majada,** 1.ª acep. ‖ **5.** ant. Rebaño o hato de ganado. ‖ **6.** *Argent., Chile, P. Rico* y *Venez.* Recado de montar más lujoso que el común, propio de la gente del campo.

Aperreado, da. p. p. de **Aperrear.** ‖ **2.** Trabajoso, molesto.

Aperreador, ra. adj. fam. Que aperrea. Ú. t. c. s.

Aperrear. tr. Echar perros a uno para que lo maten y despedacen. ‖ **2.** fig. y fam. Fatigar mucho a una persona; causarle gran molestia y trabajo. ‖ **3.** r. fig. **Emperrarse.**

Aperreo. m. fig. y fam. Acción y efecto de aperrear o aperrearse, 2.ª acep.

Apersogar. (De *a,* 2.° art., *per* y *soga.*) tr. Atar un animal, especialmente del cuello, para que no huya.

Apersonado, da. p. p. de **Apersonarse.** ‖ **2.** adj. ant. **Bien apersonado.** ‖ **Bien,** o **mal, apersonado.** loc. De buena, o mala, persona o presencia.

Apersonamiento. m. *For.* Acción de apersonarse, 3.ª acep.

Apersonarse. r. **Personarse,** 1.ª y 2.ª aceps. ‖ **2.** ant. Mostrar gentileza, ostentar la persona. ‖ **3.** *For.* Comparecer como parte en un negocio el que, por sí o por otro, tiene interés en él.

Apertura. (Del lat. *apertūra.*) f. Acción de abrir. ‖ **2.** Tratándose de asambleas, corporaciones, teatros, etc., acto de dar principio, o de volver a dárselo, a sus tareas, estudios, espectáculos, etc. ‖ **3.** Tratándose de testamentos cerrados, acto solemne de sacarlos de sus pliegos y darles publicidad y autenticidad. ‖ **4.** Combinación de ciertas jugadas con que se inicia una partida de ajedrez.

Apesadumbrar. tr. Causar pesadumbre, afligir. Ú. m. c. r.

Apesaradamente. adv. m. Con pesar.

Apesarar. (De *a,* 2.° art., y *pesar.*) tr. **Apesadumbrar.** Ú. t. c. r.

Apesgamiento. m. Acción y efecto de apesgar o apesgarse.

Apesgar. (De *a,* 2.° art., y el ant. *pesgar,* del lat. **pēnsĭcāre,* de *pēnsāre,* pesar.) tr. Hacer peso o agobiar a alguno. ‖ **2.** r. Agravarse, ponerse muy pesado.

Apestar. tr. Causar, comunicar la peste. Ú. t. c. r. ‖ **2.** fig. Corromper, viciar. ‖ **3.** fig. y fam. Fastidiar, causar hastío. ‖ **4.** intr. Arrojar o comunicar mal olor. Ú. más en las terceras personas. ‖ **Estar** un paraje **apestado de** alguna cosa. fr. fig. y fam. Haber allí gran abundancia de ella. *La plaza* ESTÁ APESTADA *de verduras.*

Apestoso, sa. adj. Que apesta, 3.ª y 4.ª aceps.

Apétala. (Del gr. ἀπέταλος; de ἀ, priv., y πέταλον, hoja.) adj. *Bot.* Dícese de la flor que carece de pétalos.

Apetecedor, ra. adj. Que apetece.

Apetecer. (Del lat. *appetĕre;* de *ad,* a, y *petĕre,* desear con ansia.) tr. Tener gana de alguna cosa, o desearla. En algunas partes, ú. t. c. r. ‖ **2.** intr. Gustar, agradar una cosa.

Apetecible. adj. Digno de apetecerse.

Apetencia. (Del lat. *appetentia.*) f. Apetito, gana de comer. ‖ **2.** Movimiento natural que inclina al hombre a desear alguna cosa.

Apetible. (Del lat. *appetibĭlis.*) adj. ant. **Apetecible.**

Apetite. m. Salsa o sainete para excitar el apetito. ‖ **2.** fig. Estímulo para hacer o desear alguna cosa.

Apetitivo, va. (De *apetito.*) adj. Aplícase a la potencia o facultad de apetecer. ‖ **2. Apetitoso,** 2.ª acep.

Apetito. (Del lat. *appetītus.*) m. Impulso instintivo que nos lleva a satisfacer deseos o necesidades. ‖ **2.** Gana de comer. ‖ **3.** fig. Lo que excita el deseo de alguna cosa. ‖ **concupiscible.** El sensitivo, al cual pertenece desear lo que conviene a la conservación y comodidad del individuo o de la especie. ‖ **Abrir,** o **despertar, el apetito.** fr. fig. y fam. Excitar la gana de comer.

Apetitoso, sa. adj. Que excita el apetito o deseo. ‖ **2.** Gustoso, sabroso. ‖ **3.** Que gusta de manjares delicados. ‖ **4.** Aficionado a cumplir su gusto o que sigue sus apetitos.

Ápex. (Del lat. *apex,* ápice.) m. *Astron.* Punto de la esfera celeste hacia el cual se dirige el Sol arrastrando a los planetas.

Apezonado, da. adj. De figura de pezón.

Apezuñar. intr. Hincar en el suelo los bueyes las pezuñas, o las caballerías los cascos, como sucede cuando suben una cuesta.

Apiadador, ra. adj. Que se apiada.

Apiadar. tr. Causar piedad. ‖ **2.** Mirar o tratar con piedad. ‖ **3.** r. Tener piedad. Úsase comúnmente con la preposición *de.*

Apianar. (De *piano,* 1.ª acep.) tr. Disminuir sensiblemente la intensidad de la voz o del sonido. Ú. t. c. r.

Apiaradero. m. Cuenta o cómputo que el ganadero, o su mayoral, hace del número de cabezas de que se compone cada rebaño o piara, pasándolas por el contadero.

Apiastro. (Del lat. *apiastrum.*) m. ant. **Toronjil.**

Apical. (Del lat. *apex, -ĭcis,* ápice.) adj. *Fon.* Dícese de la consonante en cuya articulación interviene principalmente el ápice de la lengua, como la *l* o la *t.* Ú. t. c. f. ‖ **2.** Letra que representa este sonido. Ú. t. c. s. f.

Apicararse. r. Adquirir modales o procederes de pícaro.

Ápice. (Del lat. *apex, -ĭcis.*) m. Extremo superior o punta de alguna cosa. ‖ **2.** Acento o cualquiera otro de los signos ortográficos que se ponen sobre las letras. ‖ **3.** fig. Parte pequeñísima, punto muy reducido, nonada. ‖ **4.** fig. Hablando de alguna cuestión o dificultad, lo más arduo o delicado de ella. ‖ **Estar** uno **en los ápices de** alguna cosa. fr. fig. y fam. Entenderla con perfección, sabiendo todas sus menudencias.

Apícola. (Del lat. *apis,* abeja, y *colĕre,* cultivar.) adj. Perteneciente o relativo a la apicultura.

Apículo. (Del lat. *apicŭlum.*) m. *Bot.* Punta corta, aguda y poco consistente.

Apicultor, ra. m. y f. Persona que se dedica a la apicultura.

Apicultura. (Del lat. *apis,* abeja, y *cultūra,* cultivo.) f. Arte de criar abejas para aprovechar sus productos.

Apilada. adj. V. **Castaña apilada.**

Apilador, ra. adj. Que apila. Ú. t. c. s.

Apilamiento. m. Acción y efecto de apilar.

Apilar. tr. Amontonar, poner una cosa sobre otra, haciendo pila o montón.

Apimpollarse. r. Echar pimpollos las plantas.

Apiñado, da. p. p. de **Apiñar.** ‖ **2.** adj. De figura de piña.

Apiñadura. f. **Apiñamiento.**

Apiñamiento. m. Acción y efecto de apiñar o apiñarse.

Apiñar. (De *a,* 2.° art., y *piña.*) tr. Juntar o agrupar estrechamente personas o cosas. Ú. t. c. r.

Apiñonado, da. adj. *Méj.* De color de piñón. Dícese, por lo común, de las personas algo morenas.

Apio. (Del lat. *apĭum.*) m. Planta de la familia de las umbelíferas, de cinco a seis decímetros de altura, con tallo jugoso, grueso, lampiño, hueco, asurcado y ramoso; hojas largas y hendidas, y flores muy pequeñas y blancas. Aporcado es comestible. ‖ **caballar.** Planta silvestre parecida al **apio** común y como de medio metro de altura, con tallo lampiño, prismático y asurcado, hojas de tres en rama y flores amarillas por la haz y blancas por el envés. Es diurética. ‖ **cimarrón. Apio** silvestre de la Argentina, de propiedades medicinales. ‖ **de ranas. Ranúnculo.** ‖ **equino. Apio caballar.**

Apiojarse. r. *Murc.* Llenarse de pulgón las plantas.

Apiolar. (De *a*, 2.° art., y *pihuela.*) tr. Poner pihuela o apea. ‖ **2.** Atar un pie con el otro de un animal muerto en la caza, para colgarlo por ellos. Dícese comúnmente de los conejos, liebres, etc., y también de las aves cuando se enlazan de dos en dos pasándoles una pluma por las ventanas de las narices. ‖ **3.** fig. y fam. **Prender,** 2.ª acep. ‖ **4.** fig. y fam. **Matar,** 1.ª acep.

Apiparse. (De *a*, 2.° art., y *pipa*, tonel.) r. fam. Atracarse de comida o bebida.

Apirético, ca. (Del gr. ἀ, priv., y πυρετικός, febril.) adj. *Med.* Perteneciente o relativo a la apirexia.

Apirexia. (Del gr. ἀπυρεξία, de ἀπυρετικός, sin fiebre.) f. *Med.* Falta de fiebre. ‖ **2.** *Med.* Intervalo que media entre una y otra accesión de la fiebre intermitente.

Apirgüinarse. r. *Chile.* Padecer pirgüín el ganado.

Apiri. (Voz quichua.) m. *Amér.* Operario que transporta mineral en las minas.

Apisonamiento. m. Acción y efecto de apisonar.

Apisonar. tr. Apretar con pisón la tierra u otra cosa.

Apitar. (De *a*, 2.° art., y *pito.*) tr. *Sal.* Azuzar a los perros para que saquen el ganado de donde pueda hacer daño. ‖ **2.** *Sal.* **Gritar,** 2.ª acep.

Apito. (De *apitar.*) m. *Sal.* **Grito,** 3.ª acep.

Apitonado, da. p. p. de **Apitonar.** ‖ **2.** adj. Quisquilloso, cojijoso, puntilloso.

Apitonamiento. m. Acción y efecto de apitonar.

Apitonar. intr. Echar pitones los animales que crían cuernos. ‖ **2.** Empezar los árboles a brotar o arrojar los botones. ‖ **3.** tr. Romper con el pitón, el pico o la punta, alguna cosa, como las gallinas y otras aves que rompen la cáscara de sus huevos con el pico. ‖ **4.** r. fig. y fam. Repuntarse, enojarse.

Apizarrado, da. adj. De color de pizarra, o sea negro azulado.

Aplacable. adj. Fácil de aplacar.

Aplacación. f. ant. **Aplacamiento.**

Aplacador, ra. adj. Que aplaca.

Aplacamiento. m. Acción y efecto de aplacar o aplacarse.

Aplacar. (Del lat. *ad*, a, y *placāre.*) tr. Amansar, suavizar, mitigar. Ú. t. c. r.

Aplacentar. (Del lat. *ad*, a, y *placens, -entis*, que agrada.) tr. ant. Dar placer o contento.

Aplacentería. f. ant. **Placentería.**

Aplacer. (Del lat. *ad*, a, y *placēre.*) intr. Agradar, contentar. Ú. t. c. r.

Aplacerado, da. (De *a*, 2.° art., y *placer*, 1.er art.) adj. *Mar.* Dícese del fondo del mar, llano y poco profundo.

Aplacible. (De *a*, 2.° art., y *placible.*) adj. **Agradable.**

Aplaciente. p. a. de **Aplacer.** Que aplace.

Aplacimiento. (De *aplacer.*) m. Complacencia, placer o gusto.

Aplagar. (De *a*, 2.° art., y *plaga*, llaga.) tr. ant. **Llagar.**

Aplanacalles. (De *aplanar* y *calle.*) com. *Guat.* y *Perú.* **Azotacalles.**

Aplanadera. f. Instrumento de piedra, madera u otra materia, con que se aplana el suelo, terreno, etc.

Aplanador, ra. adj. Que aplana. Ú. t. c. s.

Aplanamiento. m. Acción y efecto de aplanar o aplanarse.

Aplanar. (De *a*, 2.° art., y *plano.*) tr. **Allanar,** 1.ª acep. ‖ **2.** fig. y fam. Dejar a uno pasmado o suspenso con alguna razón o novedad inopinada. ‖ **3.** p. us. **Aplastar,** 1.ª acep. ‖ **4.** r. Caerse a plomo, venirse al suelo algún edificio. ‖ **5.** fig. Perder la animación o el vigor por enfermedad u otra causa.

Aplanchado, da. p. p. de **Aplanchar.** ‖ **2.** m. **Planchado.**

Aplanchador, ra. (De *aplanchar.*) m. y f. **Planchador, ra.**

Aplanchar. tr. **Planchar.**

Aplanético, ca. (Del gr. ἀ, priv., y πλάνη, error.) adj. *Ópt.* Dícese del espejo cóncavo, lente u objetivo exentos de aberración esférica.

Aplantillar. tr. Labrar piedra, madera u otro material con arreglo a plantilla o patrón.

Aplastamiento. m. Acción y efecto de aplastar o aplastarse.

Aplastante. p. a. de **Aplastar.** Que aplasta.

Aplastar. (De *a*, 2.° art., y *plasta.*) tr. Deformar una cosa por presión o golpe, aplanándola o disminuyendo su grueso o espesor. Ú. t. c. r. ‖ **2.** fig. y fam. Dejar a uno confuso y sin saber qué hablar o responder.

Aplaudidor, ra. adj. Que aplaude. Ú. t. c. s.

Aplaudir. (Del lat. *applaudĕre*; de *ad*, a, y *plaudĕre*, dar palmadas.) tr. Palmotear en señal de aprobación o entusiasmo. ‖ **2.** Celebrar con palabras u otras demostraciones a personas o cosas.

Aplauso. (Del lat. *applausus.*) m. Acción y efecto de aplaudir.

Aplayar. (De *a*, 2.° art., y *playa.*) intr. Salir el río de madre, extendiéndose por los campos.

Aplazable. adj. Que puede aplazarse.

Aplazamiento. m. Acción y efecto de aplazar.

Aplazar. (De *a*, 2.° art., y *plazo.*) tr. Convocar, citar, llamar para tiempo y sitio señalados. ‖ **2. Diferir,** 1.ª acep.

Aplebeyar. (De *a*, 2.° art., y *plebeyo.*) tr. Envilecer los ánimos o los modales; hacerlos bajos como los de la ínfima plebe. Ú. t. c. r.

Aplegar. (Del arag. y rioj. *aplegar*, y éste del lat. *applicāre*, allegar.) tr. ant. Allegar o recoger. ‖ **2.** *Ar.* Arrimar o llegar una cosa a otra.

Aplicable. adj. Que puede o debe aplicarse.

Aplicación. (Del lat. *applicatio, -ōnis.*) f. Acción y efecto de aplicar o aplicarse. ‖ **2.** fig. Afición y asiduidad con que se hace alguna cosa, especialmente el estudio. ‖ **3.** Ornamentación ejecutada en materia distinta de otra a la cual se sobrepone.

Aplicadero, ra. adj. **Aplicable.**

Aplicado, da. p. p. de **Aplicar.** ‖ **2.** adj. fig. Que tiene aplicación, 2.ª acep. ‖ **3.** V. **Matemáticas aplicadas.**

Aplicar. (Del lat. *applicāre*, arrimar.) tr. Poner una cosa sobre otra o en contacto de otra. ‖ **2.** fig. Emplear alguna cosa, o los principios o procedimientos que le son propios, para mejor conseguir un determinado fin. ‖ **3.** fig. Referir a un caso particular lo que se ha dicho en general, o a un individuo lo que se ha dicho de otro. ‖ **4.** fig. Atribuir o imputar a uno algún hecho o dicho. ‖ **5.** fig. Destinar, apropiar, adjudicar. ‖ **6.** fig. Hablando de profesiones, ejercicios, etc., dedicar o destinar a ellos a una persona. ‖ **7.** *For.* Adjudicar bienes o efectos. ‖ **8.** r. fig. Dedicarse a un estudio o ejercicio. ‖ **9.** fig. Poner esmero, diligencia y cuidado en ejecutar alguna cosa, especialmente en estudiar.

Aplicativo, va. adj. Que sirve para aplicar alguna cosa.

Aplomado, da. p. p. de **Aplomar.** ‖ **2.** adj. Que tiene aplomo. ‖ **3. Plomizo,** 2.ª acep.

Aplomar. (De *a*, 2.° art., y plomo.) tr. Hacer mayor la pesantez de una cosa. Ú. t. c. r. ‖ **2.** ant. Oprimir con el mucho peso. ‖ **3.** *Albañ.* Examinar con la plomada si las paredes u otras partes de la fábrica que se van construyendo están verticales o a plomo. Ú. t. c. intr. ‖ **4.** *Arq.* Poner las cosas verticalmente. ‖ **5.** r. **Desplomarse.** ‖ **6.** Cobrar aplomo.

Aplomo. (De *aplomar.*) m. Gravedad, serenidad, circunspección. ‖ **2.** En el caballo, cada una de las líneas verticales que determinan la dirección que deben tener sus miembros para que esté bien constituido. Ú. m. en pl. ‖ **3. Verticalidad.**

Aplomo. (Del m. adv. *a plomo.*) m. **Plomada,** 2.ª acep.

Apnea. (Del gr. ἄπνοια, de ἄπνους; de ἀ, priv., y πνέω, respirar.) f. *Med.* Falta o suspensión de la respiración.

Apoastro. (Del gr. ἀπό, lejos de, y ἄστρον, astro.) m. *Astron.* Punto en que un astro secundario se halla a mayor distancia de su principal.

Ápoca. (Del lat. *apŏcha*, y éste del gr. ἀποχή.) f. *For. Ar.* Carta de pago o recibo.

Apocadamente. adv. m. Con poquedad. ‖ **2.** fig. Con abatimiento o bajeza de ánimo.

Apocado, da. p. p. de **Apocar.** ‖ **2.** adj. fig. De poco ánimo o espíritu. ‖ **3.** fig. Vil o de baja condición.

Apocador, ra. adj. Que apoca o disminuye alguna cosa. Ú. t. c. s.

Apocalipsis. (Del lat. *apocalypsis*, y éste del gr. ἀποκάλυψις, revelación; de ἀπό, des, y καλύπτω, velar, ocultar.) m. Último libro canónico del Nuevo Testamento. Contiene las revelaciones escritas por el apóstol San Juan en su destierro de Patmos, referentes en su mayor parte a los postreros días del mundo.

Apocalíptico, ca. (Del gr. ἀποκαλυπτικός.) adj. Perteneciente o relativo al Apocalipsis. ‖ **2.** fig. Que parece del Apocalipsis. *Estilo* APOCALÍPTICO. ‖ **3.** fig. Terrorífico, espantoso.

Apocamiento. (De *apocar.*) m. fig. Cortedad o encogimiento de ánimo. ‖ **2.** fig. **Abatimiento,** 2.ª acep.

Apocar. tr. Minorar, reducir a poco alguna cantidad. ‖ **2.** fig. Limitar, estrechar. ‖ **3.** fig. Humillar, abatir, tener en poco. Ú. t. c. r.

Apocatástasis. (Del gr. ἀποκατάστασις, de ἀποκαθίστημι, restablecer.) f. *Fil.* Retorno de todas las cosas o de cualquiera de ellas a su primitivo punto de partida.

Apócema. (De lat. *apozĕma*, y éste del gr. ἀπόζεμα, cocimiento.) f. *Farm.* **Pócima,** 1.ª acep.

Apócima. (De *apócema.*) f. **Pócima,** 1.ª acep.

Apocináceo, a. (Del lat. *apocy̆num*, y éste del gr. ἀπόκυνον, matacán.) adj. *Bot.* Dícese de plantas angiospermas dicotiledóneas, de hojas persistentes, opuestas o verticiladas, sencillas, enteras y coriáceas; flores hermafroditas y regulares; fruto capsular o folicular, y semillas con albumen carnoso y córneo; como la adelfa y la hierba doncella. Ú. t. c. s. f. ‖ **2.** f. pl. *Bot.* Familia de estas plantas.

Apócopa. f. *Gram.* **Apócope.**

Apocopar. tr. *Gram.* Cometer apócope.

Apócope. (Del lat. *apocŏpe*, y éste del gr. ἀποκοπή, de ἀποκόπτω, cortar.) f. *Gram.* Supresión de algún sonido al fin de un vocablo, como en *primer* por *primero*. Era figura de dicción según la preceptiva tradicional.

Apócrifamente. adv. m. Con fundamentos falsos o inciertos.

Apócrifo, fa. (Del lat. *apocrȳphus*, y éste del gr. ἀπόκρυφος, oculto, secreto; de ἀποκρύπτω, ocultar.) adj. Fabuloso, supuesto o fingido. || **2.** Dícese de todo libro que, atribuyéndose a autor sagrado, como el tercero y cuarto de Esdras, no está, sin embargo, incluido en el canon, por no constar haber sido inspirado divinamente.

Apocrisiario. (Del lat. *apocrisiarius*, y éste del gr. ἀπόκρισις, respuesta.) m. Embajador, enviado del imperio griego. || **2.** Canciller del imperio griego. || **3.** Legado eclesiástico en la corte de aquel imperio.

Apocromático, ca. (Del gr. ἀπό, sin, y χρωματικός, de color.) adj. *Ópt.* Dícese del objetivo exento de espectro secundario.

Apodador, ra. (De *apodar*.) adj. Que acostumbra poner o decir apodos. Ú. t. c. s.

Apodamiento. (De *apodar*.) m. ant. **Apodo.** || **2.** ant. Valuación o tasa.

Apodar. (Del lat. *ad*, a, y *pŭtāre*, juzgar.) tr. Poner o decir apodos. || **2.** ant. Comparar una cosa con otra. || **3.** ant. Valuar o tasar alguna cosa.

Apodencado, da. adj. Semejante al podenco.

Apoderadamente. adv. m. ant. Con cierto dominio o autoridad.

Apoderado, da. p. p. de **Apoderar.** || **2.** adj. Dícese del que tiene poderes de otro para representarle y proceder en su nombre. Ú. t. c. s. || **3.** ant. Poderoso o de mucho poder. || **Constituir apoderado.** fr. *For.* Nombrarlo en debida forma.

Apoderamiento. m. Acción y efecto de apoderar o apoderarse.

Apoderar. tr. Dar poder una persona a otra para que la represente en juicio o fuera de él. || **2.** ant. Poner en poder de alguno una cosa o darle la posesión de ella. || **3.** r. Hacerse uno dueño de alguna cosa, ocuparla, ponerla bajo su poder. || **4.** ant. Hacerse poderoso o fuerte; prevenirse de poder o de fuerzas.

Apodíctico, ca. (Del lat. *apodictĭcus*, y éste del gr. ἀποδεικτικός, demostrativo.) adj. *Lóg.* Demostrativo, convincente, que no admite contradicción.

Apodo. (De *apodar*.) m. Nombre que suele darse a una persona, tomado de sus defectos corporales o de alguna otra circunstancia. || **2.** desus. Chiste o dicho gracioso con que se califica a una persona o cosa, sirviéndose ordinariamente de una ingeniosa comparación.

Ápodo, da. (Del gr. ἄπους, ἄποδος; de ἀ, priv., y πούς, ποδός, pie.) adj. *Zool.* Falto de pies. || **2.** *Zool.* V. **Malacopterigio ápodo.** || **3.** *Zool.* Dícese de batracios de cuerpo vermiforme, sin extremidades y sin cola o con cola rudimentaria. Ú. t. c. s. m. || **4.** m. pl. *Zool.* Orden de estos animales.

Apódosis. (Del lat. *apodŏsis*, y éste del gr. ἀπόδοσις, explicación, retribución.) f. *Ret.* Segunda parte del período, en que se completa o cierra el sentido que queda pendiente en la primera, llamada prótasis.

Apófige. (Del lat. *apophȳgis*, y éste del gr. ἀποφυγή, huida, evitación.) f. *Arq.* Cada una de las pequeñas partes curvas que enlazan las extremidades del fuste de la columna con las molduras de su basa o de su capitel.

Apófisis. (Del gr. ἀπόφυσις, excrecencia.) f. *Anat.* Parte saliente de un hueso, que sirve para su articulación o para las inserciones musculares. || **coracoides.** La del omóplato, situada en la parte más prominente del hombro, y llamada así por estar encorvada en forma de pico de cuervo.

Apofonía. (Del gr. ἀπό, lejos de, y φωνή, sonido.) f. Alteración de vocales en palabras de la misma raíz; como *imberbe*, de *barba*.

Apogeo. (Del lat. *apogēus*, y éste del gr. ἀπόγειος; de ἀπό, lejos de, y γαῖα, tierra). m. *Astron.* Punto en que la Luna se halla a mayor distancia de la Tierra. || **2.** fig. Lo sumo de la grandeza o perfección en gloria, virtud, poder, etc.

Apógrafo. (Del lat. *apogrăphum*, y éste del gr. ἀπόγραφος, transcrito.) m. Copia de un escrito original.

Apolilladura. (De *apolillar*.) f. Señal o agujero que la polilla hace en las ropas, paños y otras cosas.

Apolillamiento. m. Acción de apolillar o apolillarse.

Apolillar. tr. Roer, penetrar o destruir la polilla las ropas u otras cosas. Ú. m. c. r.

Apolinar. (Del lat. *apollinăris*.) adj. poét. **Apolíneo.**

Apolinarismo. m. Herejía de los apolinaristas.

Apolinarista. adj. Sectario de Apolinar, hereje del siglo IV, el cual enseñaba no haber recibido Jesucristo un cuerpo de carne como el nuestro ni un alma semejante a la nuestra. Ú. m. c. s.

Apolíneo, a. (Del lat. *apollinĕus*.) adj. poét. Perteneciente o relativo a Apolo.

Apolítico, ca. (De *a*, 3.er art., y *político*.) adj. Ajeno a la política.

Apologética. (f. de *apologético*.) f. Ciencia que expone las pruebas y fundamentos de la verdad de la religión católica.

Apologético, ca. (Del lat. *apologetĭcus*, y éste del gr. ἀπολογητικός.) adj. Perteneciente o relativo a la apología. || **2.** m. ant. **Apología.**

Apología. (Del lat. *apologĭa*, y éste del gr. ἀπολογία.) f. Discurso de palabra o por escrito, en defensa o alabanza de personas o cosas.

Apológico, ca. adj. Perteneciente o relativo al apólogo o fábula.

Apologista. com. Persona que hace alguna apología.

Apologizar. tr. p. us. Hacer la apología de una persona o cosa.

Apólogo, ga. (Del lat. *apolŏgus*, y éste del gr. ἀπόλογος. cuento.) adj. **Apológico.** || **2.** m. **Fábula,** 5.ª acep.

Apoltronamiento. m. Acción y efecto de apoltronarse.

Apoltronarse. r. Hacerse poltrón. Dícese más comúnmente de los que llevan vida sedentaria.

Apolvillarse. (De *a*, 2.° art., y *polvillo*, d. de *polvo*.) r. *Chile.* **Atizonarse.**

Apomazar. tr. Estregar o alisar con la piedra pómez una superficie.

Aponer. (Del lat. *apponĕre*; de *ad*, a, y *ponĕre*, poner.) tr. ant. Imputar, achacar, echar la culpa. || **2.** ant. Imponer, aplicar. || **3.** r. ant. **Proponerse,** 2.ª acep.

Aponeurosis. (Del gr. ἀπονεύρωσις, de ἀπονευροῦμαι, endurecerse en forma de nervio o tendón.) f. *Zool.* Membrana formada por tejido conjuntivo fibroso cuyos hacecillos colágenos están entrecruzados y que sirve de envoltura a los músculos; por ext., tendón ensanchado en forma laminar.

Aponeurótico, ca. adj. *Zool.* Perteneciente o relativo a la aponeurosis.

Apontocar. tr. Sostener una cosa o darle apoyo con otra.

Aponzoñar. tr. ant. **Emponzoñar.**

Apoplejía. (Del lat. *apoplexĭa*, y éste del gr. ἀποπληξία; de ἀποπλήσσω, ser acometido de estupor.) f. *Med.* Suspensión súbita y más o menos completa de la acción cerebral, debida comúnmente a derrames sanguíneos en el encéfalo o las meninges.

Apoplético, ca. (Del lat. *apoplectĭcus*, y éste del gr. ἀποπληκτικός.) adj. Perteneciente o relativo a la apoplejía. || **2.** Que padece apoplejía. Ú. t. c. s. || **3.** Predispuesto a la apoplejía. *Temperamento* APOPLÉTICO; *complexión* APOPLÉTICA.

Apoquecer. (De *a*, 2.° art., y *poco*.) tr. ant. Apocar, acortar, abreviar.

Apoquinar. tr. vulg. Aprontar uno, generalmente mal de su grado, lo que le corresponde entregar o pagar.

Aporca. f. *Chile.* **Aporcadura.**

Aporcador, ra. adj. Que aporca. Ú. t. c. s.

Aporcadura. f. Acción y efecto de aporcar.

Aporcar. (Del lat. *ad*, a, y *porca*, caballón.) tr. Cubrir con tierra ciertas plantas, como el apio, el cardo, la escarola y otras hortalizas, para que se pongan más tiernas y blancas. || **2. Acollar,** 1.ª acep.

Aporisma. (Del b. lat. *aporisma*, y éste del gr. ἀπορία, dificultad de pasar; de ἀ, priv., y πόρος, paso.) m. *Cir.* Tumor que se forma por derrame de sangre entre cuero y carne, de resultas de una sangría o de una punción semejante, cuando la abertura hecha en la piel es menor que la de la vena, o dejan una y otra de hallarse en correspondencia.

Aporismarse. r. *Cir.* Hacerse aporisma.

Aporracear. (De *a*, 2.° art., y *porrazo*.) tr. *And.* **Aporrear,** 1.ª y 2.ª aceps.

Aporrar. (De *a*, 2.° art., y *porro*.) intr. fam. Quedarse alguno sin poder responder ni hablar en ocasión en que debía hacerlo.

Aporrarse. (De *a*, 2.° art., y *porra*.) r. fam. Hacerse pesado o molesto.

Aporreado, da. p. p. de **Aporrear.** || **2.** adj. **Arrastrado,** 2.ª y 3.ª aceps. || **3.** m. *Cuba.* Guisado de carne de vaca con manteca, tomate, ajo y otras especias.

Aporreador, ra. adj. Que aporrea. Ú. t. c. s.

Aporreadura. f. **Aporreo.**

Aporreamiento. m. **Aporreo.**

Aporreante. p. a. de **Aporrear.** Que aporrea.

Aporrear. tr. Golpear con porra o palo. Ú. t. c. r. || **2.** fig. Dar golpes, aunque no sea con porra o palo. || **3.** fig. Machacar, importunar, molestar. || **4.** Sacudir o ahuyentar las moscas. || **5.** r. fig. Atarearse con suma fatiga y aplicación.

Aporreo. m. Acción y efecto de aporrear o aporrearse.

Aporretado. (De *a*, 2.° art., y *porreta*, d. de *porra*.) adj. Dicho de los dedos de la mano, cortos y con más grosor del proporcionado a su longitud.

Aporrillarse. (De *a*, 2.° art., y *porrilla*.) r. Hincharse las articulaciones con abscesos que dificultan el movimiento.

Aportación. (Del lat. *apportatio, -ōnis*.) f. Acción de aportar, 2.° art. || **2.** Conjunto de bienes aportados.

Aportadera. (De *aportar*, 2.° art.) f. Cada una de las dos cajas grandes, de forma rectangular y con tapa, que, colocadas como tercios sobre el aparejo de las caballerías, sirven para conducir algunas cosas. || **2.** Recipiente de madera con agarraderos laterales que sirve para transportar la uva desde la viña al lagar.

Aportadero. m. Paraje donde se puede o suele aportar, 1.er art.

Aportar. intr. Tomar puerto o arribar a él. || **2.** fig. Llegar a parte no pensada, aunque no sea puerto, como a un lugar, casa o paraje, después de haber andado perdido o extraviado. || **3.** Acudir a determinado lugar, acercarse, llegarse.

Aportar. (Del lat. *apportāre*; de *ad*, a, y *portāre*, llevar.) tr. Llevar, conducir, traer. || **2.** Dar o proporcionar. || **3.** *For.* Llevar cada cual la parte que le corresponde a la sociedad de que es miembro, y más comúnmente llevar bienes o valores, el marido o la mujer, a la sociedad conyugal.

Aporte. (De *aportar*, 2.° art.) m. **Aportación**, 2.ª acep.

Aportellado. (Del lat. *ad*, a, y *portella*, portillo, postigo.) m. Magistrado municipal que administraba justicia en las puertas de los pueblos. || **2.** ant. Dependiente, servidor, criado.

Aportillado. p. p. de **Aportillar.** || **2.** m. **Aportellado.**

Aportillar. (De *a*, 2.° art., y *portillo.*) tr. Romper una muralla o pared para poder entrar por la abertura que se haga en ella. || **2.** Romper, abrir o descomponer cualquiera cosa unida. || **3.** r. Caerse o derribarse alguna parte de muro o pared.

Aposentador, ra. adj. Que aposenta. Ú. t. c. s. || **2.** m. El que tiene por oficio aposentar. || **3.** Oficial encargado de aposentar las tropas en las marchas. || **de camino.** El que en las jornadas que hacían las personas reales se adelantaba para disponer el aposentamiento de éstas y el de sus familias. || **de casa y corte.** Cada uno de los que componían la Junta de Aposento y tenían voto en ella. || **mayor de casa y corte.** Presidente de la Junta de Aposento. || **mayor de palacio.** El que tenía a su cargo la separación de los cuartos de las personas reales y el señalamiento de parajes para las oficinas y habitación de los que debían vivir dentro de palacio, así como la dirección de la furriera y bujiería de la cámara regia.

Aposentaduría. f. Cargo y funciones del aposentador.

Aposentamiento. m. Acción y efecto de aposentar o aposentarse. || **2.** Aposento, 1.ª y 2.ª aceps.

Aposentar. (Del lat. *ad*, a, y *pausans, -antis*, p. a. de *pausāre*, posar.) tr. Dar habitación y hospedaje. || **2.** r. Tomar casa, alojarse.

Aposento. (De *aposentar.*) m. Cuarto o pieza de una casa. || **2.** Posada, hospedaje. || **3.** V. **Carga, casa, composición, huésped, junta, regalía de aposento.** || **4.** Cada una de las piezas pequeñas de los antiguos teatros, equivalentes a las que ahora se llaman palcos. || **de corte.** Viviendas que se destinaban para criados de la real casa y para ciertos funcionarios que acompañaban a la corte en sus viajes.

Aposesionado, da. p. p. de **Aposesionar.** || **2.** adj. ant. **Hacendado,** 2.ª acep.

Aposesionar. tr. **Posesionar.** Ú. m. c. r.

Aposición. (Del lat. *appositio, -ōnis*, de *appōnĕre*, poner junto.) f. *Gram.* Efecto de poner consecutivamente, sin conjunción, dos o más substantivos que denoten una misma persona o cosa; v. gr.: *Madrid, capital de España.*

Apositivo, va. (Del lat. *appositivus.*) adj. *Gram.* Concerniente a la aposición.

Apósito. (Del lat. *appositum.*) m. *Med.* Remedio que se aplica exteriormente, sujetándolo con paños, vendas, etc.

Aposta. (Del lat. *apposĭta ratione.*) adv. m. **Adrede.**

Apostadamente. adv. m. fam. **Aposta.** || **2.** ant. **Apuestamente.**

Apostadero. m. Paraje o lugar donde hay persona o gente apostada. || **2.** Puerto o bahía en que se reúnen varios buques de guerra bajo un solo mando. || **3.** Departamento marítimo mandado por un comandante general.

Apostal. m. *Ast.* Sitio oportuno para coger pesca en algún río.

Apostamiento. (De *apostar.*) m. ant. **Apostura,** 1.ª y 2.ª aceps.

Apostante. p. a. de **Apostar.** Que apuesta.

Apostar. (Del lat. **appŏsĭtāre*, de *appōnĕre*, colocar.) tr. Pactar entre sí los que disputan, que aquel que estuviere equivocado o no tuviere razón, perderá la cantidad de dinero que se determine o cualquiera otra cosa. || **2.** Arriesgar cierta cantidad de dinero en la creencia de que alguna cosa, como juego, contienda deportiva, etc., tendrá tal o cual resultado; cantidad que en caso de acierto se recupera aumentada a expensas de las que han perdido quienes no acertaron. || **3.** Poner una o más personas o caballerías en determinado puesto o paraje para algún fin. Ú. t. c. r. || **4.** ant. Adornar, componer, ataviar. || **5.** *Extr.* **Apostar un monte.** || **6.** intr. fig. Competir, rivalizar. Ú. rara vez c. r. || **Apostarlas,** o **apostárselas, a** alguno, o **con** alguno. fr. fam. Declararse su competidor. || **2.** fam. Amenazarle.

Apostasía. (Del lat. *apostasĭa*, y éste del gr. ἀποστασία; de ἀπό, fuera de, e ἵστημι, colocarse.) f. Acción y efecto de apostatar.

Apóstata. (Del lat. *apostăta*, y éste del gr. ἀποστάτης.) com. Persona que comete apostasía.

Apostatar. (Del lat. *apostatāre.*) intr. Negar la fe de Jesucristo recibida en el bautismo. || **2.** Por ext., abandonar un religioso la orden o instituto a que pertenece. || **3.** Por ext., prescindir habitualmente el clérigo de su condición de tal, por incumplimiento de las obligaciones propias de su estado. || **4.** Por ext., abandonar un partido para entrar en otro, o cambiar de opinión o doctrina.

Apostelar. tr. ant. **Apostillar.**

Apostema. (Del lat. *apostēma*, y éste del gr. ἀπόστημα, alejamiento, absceso.) f. **Postema,** 1.ª acep.

Apostemación. (De *apostemar.*) f. ant. **Apostema.**

Apostemar. tr. Hacer o causar apostema. || **2.** r. Llenarse de postema. || **No apostemársele** a uno alguna cosa. fr. fig. y fam. **No criarle postema.**

Apostemero. (De *apostema.*) m. **Postemero.**

Apostemoso, sa. adj. Perteneciente o relativo a la apostema.

A posteriori. (Lit., *por lo que viene después.*) m. adv. lat. que indica la demostración que consiste en ascender del efecto a la causa, o de las propiedades de una cosa a su esencia.

Apostilla. (De *a*, 2.° art., y *postilla*, 1.° art.) f. Acotación que interpreta, aclara o completa un texto.

Apostillar. tr. Poner apostillas.

Apostillarse. r. Llenarse de postillas.

Apostizo, za. adj. ant. **Postizo,** 1.ª acep.

Aposto. m. *Extr.* Acción y efecto de apostar un monte.

Apóstol. (Del lat. *apostŏlus*, y éste del gr. ἀπόστολος, enviado.) m. Cada uno de los doce principales discípulos de Jesucristo, a quienes envió a predicar el Evangelio por todo el mundo. || **2.** También se da este nombre a San Pablo y a San Bernabé. || **3.** Con el art. *el*, por antonom., San Pablo. || **4. Actos, símbolo de los Apóstoles.** || **5.** El que predicando la fe verdadera convierte a los infieles de cualquier país. *San Francisco Javier es el* APÓSTOL *de las Indias.* || **6.** Por ext., propagador de cualquier género de doctrina importante. || **El apóstol de las gentes.** San Pablo.

Apostolado. (Del lat. *apostolātus.*) m. Oficio de apóstol. || **2.** Congregación de los santos apóstoles. || **3.** Conjunto de las imágenes de los doce apóstoles. || **4.** fig. Campaña de propaganda en pro de alguna causa o doctrina.

Apostolado, da. adj. p. us. **Apostólico.** || **2.** p. us. Que ejerce funciones de apóstol.

Apostolazgo. m. ant. **Apostolado,** 1.er art. || **2.** ant. Dignidad de Papa.

Apostolical. adj. ant. **Apostólico,** 1.ª y 2.ª aceps. || **2.** m. Sacerdote o eclesiástico.

Apostólicamente. adv. m. Según las reglas y prácticas apostólicas. || **2.** fam. Pobremente, sin aparato, a pie.

Apostólico, ca. (Del lat. *apostolĭcus.*) adj. Perteneciente o relativo a los apóstoles. || **2.** Perteneciente al Papa, o que dimana de su autoridad. *Juez, indulto* APOSTÓLICO. || **3.** Dícese del individuo del partido político que se formó en España después de la revolución de 1820, que defendía el régimen absolutista y la pureza del dogma católico. || **4.** V. **Cámara, cancillería, constitución, sede apostólica.** || **5.** V. **Colegio, inquisidor, mes, nuncio, padre, protonotario apostólico.** || **6.** V. **Rota de la nunciatura apostólica.** || **7.** V. **Constituciones apostólicas.** || **8.** m. ant. **Papa,** 1.er art., 1.ª acep.

Apostoligal. adj. ant. **Apostolical,** 1.ª acep.

Apostóligo, ga. adj. ant. **Apostólico,** 2.ª acep. || **2.** m. ant. **Apostólico,** 8.ª acep.

Apóstolo. m. ant. **Apóstol.** || **2.** pl. *For.* Letras auténticas que, a pedimento de parte, se concedían por los jueces apostólicos y eclesiásticos de cuyas sentencias se apelaba.

Apostre. adv. l. y t. ant. **A postre.**

Apostrofar. tr. Dirigir apóstrofes.

Apóstrofe. (Del lat. *apostrŏphe*, y éste del gr. ἀποστροφή, de ἀποστρέφω, volverse.) amb. *Ret.* Figura que consiste en cortar de pronto el hilo del discurso o la narración, ya para dirigir la palabra con vehemencia en segunda persona a una o varias presentes o ausentes, vivas o muertas, a seres abstractos o a cosas inanimadas, ya para dirigírsela a sí mismo en iguales términos. || **2.** fig. **Dicterio.**

Apóstrofo. (Del gr. ἀπόστροφος, de ἀποστρέφω, volver, huir.) m. Signo ortográfico (') que indica la elisión que antiguamente solía hacerse en nuestra lengua, y hoy se hace en algunas otras, de una vocal en fin de palabra cuando la siguiente empezaba por letra de igual clase; v. gr.: *d'aquel, l'aspereza.*

Apostura. (De *a*, 2.° art., y *postura.*) f. Gentileza, buena disposición en la persona. || **2.** Actitud, ademán, aspecto. || **3.** ant. Buen orden y compostura de las cosas. || **4.** ant. Adorno, afeite, atavío. || **5.** ant. Añadidura o complemento. || **6.** ant. Pacto o concierto.

Apoteca. (Del lat. *apothēca*, y éste del gr. ἀποθήκη, almacén.) f. ant. **Botica,** 1.ª acep. || **2.** ant. **Hipoteca.**

Apotecario. (Del lat. *apothecarius.*) m. ant. **Boticario,** 1.ª acep.

Apotegma. (Del lat. *apophthegma*, y éste del gr. ἀπόφθεγμα.) m. Dicho breve y sentencioso; dicho feliz. Llámase así generalmente al que tiene celebridad por haberlo proferido o escrito algún hombre ilustre o por cualquier otro concepto.

Apotema. (Del gr. ἀπό, desde, y τίθημι, colocar.) f. *Geom.* Perpendicular trazada desde el centro de un polígono regular a uno cualquiera de sus lados. || **2.** *Geom.* Altura de las caras triangulares de una pirámide regular.

Apoteósico, ca. adj. Perteneciente a la apoteosis.

Apoteosis. (Del lat. *apotheōsis*, y éste del gr. ἀποθέωσις, deificación.) f. Concesión y reconocimiento de la dignidad de dioses a los héroes entre los paganos, y acto de tributarles honores divinos. || **2.** fig. Ensalzamiento de una persona con grandes honores o alabanzas.

Apoteótico, ca. adj. **Apoteósico.**

Apoticario. m. ant. **Apotecario.**

Apotrerar. tr. *Chile.* Dividir una hacienda o fundo en potreros. || **2.** *Cuba.* Poner el ganado en un potrero.

Apoyadero. m. ant. **Apoyo,** 1.ª acep.

Apoyadura. (De *apoyar.*) f. Raudal de leche que acude a los pechos de las hembras cuando dan de mamar.

Apoyar. (Del lat. *appŏdiāre, de pŏdium, poyo.) tr. Hacer que una cosa descanse sobre otra. APOYAR *el codo en la mesa.* ‖ **2.** Basar, fundar. ‖ **3.** fig. Favorecer, patrocinar, ayudar. ‖ **4.** fig. Confirmar, probar, sostener alguna opinión o doctrina. *San Agustín* APOYA *esta sentencia.* ‖ **5.** fig. Sacar el apoyo o apoyadura de los pechos de las hembras. ‖ **6.** *Equit.* Bajar el caballo la cabeza, inclinando el hocico hacia el pecho o dejándolo caer hacia abajo. Ú. t. c. r. ‖ **7.** *Mil.* Prestar protección una fuerza. ‖ **8.** intr. Cargar, estribar. *La columna* APOYA *sobre el pedestal.* Ú. t. c. r. APOYARSE *en el bastón.* ‖ **9.** r. fig. Servirse de una persona o cosa como de apoyo. ‖ **10.** fig. Servirse de algo como razón o fundamento de una doctrina u opinión.

Apoyatura. (Del ital. *appogiatura.*) f. *Mús.* Nota pequeña y de adorno, cuyo valor se toma del signo siguiente para no alterar la duración del compás.

Apoyo. (De *apoyar.*) m. Lo que sirve para sostener, como el puntal respecto de una pared, y el bastón respecto de una persona. ‖ **2. Apoyadura.** ‖ **3.** fig. Protección, auxilio o favor. ‖ **4.** fig. Fundamento, confirmación o prueba de una opinión o doctrina. ‖ **5.** V. **Altura, punto de apoyo.**

Apozarse. (De *a,* 2.° art., y *poza.*) r. *Colomb.* y *Chile.* Rebalsarse.

Apreciabilidad. f. Calidad de apreciable.

Apreciable. adj. Capaz de ser apreciado. ‖ **2.** fig. Digno de aprecio, 2.ª acep.

Apreciación. f. Acción y efecto de apreciar, 1.ª y 3.ª aceps.

Apreciadamente. adv. m. Con aprecio.

Apreciador, ra. adj. Que aprecia. Ú. t. c. s.

Apreciadura. f. ant. **Apreciación.**

Apreciamiento. m. ant. **Apreciación.**

Apreciar. (Del lat. *appretiāre;* de *ad,* a, y *pretium,* precio.) tr. Poner precio o tasa a las cosas vendibles. ‖ **2.** fig. Reconocer y estimar el mérito de las personas o de las cosas. ‖ **3.** fig. Tratándose de la magnitud, intensidad o grado de las cosas y sus cualidades, reducir a cálculo o medida, percibir debidamente. ‖ **4.** r. ant. **Preciarse.**

Apreciativo, va. adj. Perteneciente al aprecio o estimación que se hace de alguna persona o cosa.

Aprecio. m. **Apreciación.** ‖ **2.** Acción y efecto de apreciar, 2.ª acep. ‖ **3.** Estimación afectuosa de una persona.

Aprehender. (Del lat. *apprehendĕre;* de *ad,* a, y *prehendĕre,* asir, agarrar.) tr. Coger, asir, prender a una persona, o bien alguna cosa, especialmente si es de contrabando. ‖ **2.** ant. **Aprender,** 1.ª acep. ‖ **3.** *Fil.* Concebir las especies de las cosas sin hacer juicio de ellas o sin afirmar ni negar. ‖ **4.** *For. Ar.* **Embargar,** 3.ª acep.

Aprehendiente. p. a. de **Aprehender.** Que aprehende.

Aprehensión. (Del lat. *apprehensĭo, -ōnis.*) f. Acción y efecto de aprehender. ‖ **2.** ant. **Comprehensión.** ‖ **3.** *For.* Uno de los cuatro procesos forales privilegiados de Aragón, que consistía en poner bajo la jurisdicción real la cosa aprehendida, mientras se justificaba a quién pertenecía.

Aprehensivo, va. adj. Perteneciente a la facultad mental de aprehender. ‖ **2.** Que es capaz o perspicaz para aprehender las cosas.

Aprehenso, sa. (Del lat. *apprehensus.*) p. p. irreg. ant. de **Aprehender.**

Aprehensor, ra. (De *aprehenso.*) adj. Que aprehende. Ú. t. c. s.

Aprehensorio, ria. (De *aprehensor.*) adj. ant. Que sirve para aprehender o asir.

Apremiadamente. adv. m. Con apremio.

Apremiador, ra. adj. Que apremia. Ú. t. c. s.

Apremiadura. f. ant. **Apremio,** 1.ª acep.

Apremiamiento. m. ant. **Apremio,** 1.ª acep.

Apremiante. p. a. de **Apremiar.** Que apremia.

Apremiantemente. adv. m. De modo apremiante.

Apremiar. (De *a,* 2.° art., y *premia.*) tr. Dar prisa, compeler a uno a que haga prontamente alguna cosa. ‖ **2.** Oprimir, apretar. ‖ **3.** Compeler u obligar a uno con mandamiento de autoridad a que haga alguna cosa. ‖ **4.** Imponer apremio, 3.ª acep. ‖ **5.** *For.* Presentar instancia un litigante para que su contrario actúe en el procedimiento.

Apremio. m. Acción y efecto de apremiar. ‖ **2.** Mandamiento de autoridad judicial para compeler al pago de alguna cantidad, o al cumplimiento de otro acto obligatorio. ‖ **3.** Recargo de contribuciones o impuestos por causa de demora en el pago. ‖ **4.** V. **Comisionado de apremio.** ‖ **5.** Procedimiento ejecutivo que siguen las autoridades administrativas y agentes de la Hacienda para el cobro de impuestos o descubiertos a favor de ésta o de entidades a que se extiende su privilegio.

Apremir. (Del lat. *apprimĕre.*) tr. ant. Exprimir, apretar. ‖ **2.** ant. fig. **Apremiar,** 1.ª acep.

Aprendedor, ra. adj. Que aprende. Ú. t. c. s.

Aprender. (Del lat. *apprehendĕre;* de *ad,* a, y *prehendĕre,* percibir.) tr. Adquirir el conocimiento de alguna cosa por medio del estudio o de la experiencia. ‖ **2.** Concebir alguna cosa por meras apariencias, o con poco fundamento. ‖ **3.** Tomar algo en la memoria. ‖ **4.** ant. **Prender.**

Aprendiente. p. a. ant. de **Aprender.** Que aprende.

Aprendiz, za. m. y f. Persona que aprende algún arte u oficio.

Aprendizaje. (De *aprendiz.*) m. Acción de aprender algún arte u oficio. ‖ **2.** Tiempo que en ello se emplea.

Aprensador, ra. adj. Que aprensa. Ú. t. c. s.

Aprensadura. (De *aprensar.*) f. p. us. **Prensadura.**

Aprensar. tr. **Prensar.** ‖ **2.** fig. Oprimir, angustiar.

Aprensión. f. **Aprehensión.** ‖ **2.** Escrúpulo, recelo de ponerse una persona en contacto con otra o con cosa de que le pueda venir contagio, o bien de hacer o decir algo que teme sea perjudicial o inoportuno. ‖ **3.** Opinión, figuración, idea infundada o extraña. Ú. m. en pl. ‖ **4.** Miramiento, delicadeza, reparo.

Aprensivo, va. (De *aprehensivo.*) adj. Dícese de la persona sumamente pusilámine que en todo ve peligros para su salud, o imagina que son graves sus más leves dolencias. Ú. t. c. s.

Aprés. (Del lat. *ad prĕsum,* de prisa, en seguida.) adv. l. y t. ant. **Cerca,** 2.° art., 1.ª y 2.ª aceps. ‖ **2.** adv. l. y t. ant. **Después.**

Apresador, ra. adj. Que apresa. Ú. t. c. s.

Apresamiento. m. Acción y efecto de apresar.

Apresar. (Del lat. *aprensāre.*) tr. Asir, hacer presa con las garras o colmillos. ‖ **2.** Tomar por fuerza alguna nave, apoderararse de ella. ‖ **3. Aprisionar.**

Apresivamente. adv. m. ant. Con fuerza y violencia.

Apreso, sa. p. p. ant. de **Aprender.** ‖ **2.** adj. Dícese del árbol plantado y que ha prendido. ‖ **3.** ant. **Enseñado.** ‖ **4.** ant. Con los advs. *bien* o *mal,* feliz o desgraciado.

Apréstamo. m. ant. **Prestamera.**

Aprestar. (De *a,* 2.° art., y *presto.*) tr. Aparejar, preparar, disponer lo necesario para alguna cosa. Ú. t. c. r. ‖ **2. Aderezar,** 7.ª acep.

Apresto. m. Prevención, disposición, preparación para alguna cosa. ‖ **2.** Acción y efecto de aprestar, 2.ª acep. ‖ **3.** Almidón, cola, añil u otros ingredientes que sirven para aprestar las telas.

Apresura. (De *apresurar.*) f. ant. Estímulo o apresuramiento.

Apresuración. f. **Apresuramiento.**

Apresuradamente. adv. m. Con apresuramiento.

Apresurado, da. p. p. de **Apresurar.** ‖ **2.** Que muestra apresuramiento.

Apresuramiento. m. Acción y efecto de apresurar o apresurarse.

Apresurar. (De *a,* 2.° art., y *presura.*) tr. Dar prisa, acelerar. Ú. t. c. r.

Apresuroso, sa. (De *apresura.*) adj. ant. **Presuroso.**

Apretadamente. adv. m. Con fuerza que aprieta u oprime; estrechamente. ‖ **2.** Con instancia, con ahínco.

Apretadera. f. Cinta, correa o cuerda que sirve para apretar alguna cosa. Ú. m. en pl. ‖ **2.** pl. fig. y fam. Instancias eficaces con que se estrecha a otro para que haga lo que se le pide.

Apretadero, ra. (De *apretar.*) adj. **Apretativo.** ‖ **2.** m. **Braguero,** 1.ª acep.

Apretadizo, za. adj. Que por su calidad se aprieta o comprime fácilmente.

Apretado, da. p. p. de **Apretar.** ‖ **2.** adj. fig. Arduo, peligroso. ‖ **3.** fig. y fam. Estrecho mezquino, miserable. ‖ **4.** V. **Caso, lance apretado.** ‖ **5.** ant. fig. Apocado, pusilámine. ‖ **6.** Escrito de letra muy metida. Usáb. t. c. s. ‖ **7.** m. *Germ.* **Jubón.** ‖ **Estar uno muy apretado.** fr. fig. y fam. Hallarse en gran aprieto o peligro. Dícese más comúnmente de los enfermos.

Apretador, ra. adj. Que aprieta. Ú. t. c. s. ‖ **2.** m. Instrumento que sirve para apretar. ‖ **3.** Almilla sin mangas. ‖ **4.** Especie de cotilla de badana y cartón muy suave, sin ballena, con que se ajusta y abriga el cuerpo de los niños que aprenden a andar, y a la cual se cosen los andadores. ‖ **5.** Faja que se pone a los niños que están en mantillas. ‖ **6.** Cintillo o banda que servía antiguamente a las mujeres para recogerse el pelo y ceñirse la frente. ‖ **7.** Sábana de lienzo grueso con que se recogían y apretaban los colchones, y sobre la cual se ponían las otras delgadas.

Apretadura. f. Acción y efecto de apretar.

Apretamiento. (De *apretar.*) m. **Aprieto.** ‖ **2.** ant. Avaricia, mezquindad, miseria.

Apretante. p. a. de **Apretar.** Que aprieta. ‖ **2.** m. ant. fig. Jugador que con envites oportunos aprieta al contrario para lograr la suya.

Apretar. (Del lat. *appĕctŏrāre; de *ad,* a, y *pĕctus, -ŏris,* pecho.) tr. Estrechar contra el pecho; estrechar ciñendo de ordinario con la mano o los brazos o cogiendo una cosa entre otra u otras. ‖ **2.** Dícese del vestido y otras cosas semejantes. ‖ **3.** V. **Apretar la mano.** ‖ **4.** Poner una cosa sobre otra haciendo fuerza o comprimiendo. ‖ **5.** Aguijar, espolear. ‖ **6.** Tratándose de lo que sirve para estrechar, aumentar su tirantez para que haya mayor presión. ‖ **7.** Estrechar algo o reducirlo a menor volumen. ‖ **8.** Apiñar estrechamente. Ú. m. c. r. ‖ **9.** Acosar, estrechar a uno persiguiéndole o atacándole. ‖ **10.** fig. Angustiar, afligir. ‖ **11.** Tratar con excesivo rigor, con estricto ajustamiento a ley o regla. ‖ **12.** Constreñir, tratar de reducir con amenazas, ruegos o razones. Ú. t. c. intr. ‖ **13.** Activar, tratar de llevar a efecto con urgencia o instancia. ‖ **14.** intr. Obrar una persona o cosa con mayor esfuerzo o intensidad que de ordinario. ‖ **15.** *Pint.* Dar apretones. ‖ **Apretar a correr.** fr. fam. Echar a correr. || **Apretar con** uno. fr. fam. Embestirle, cerrar con él. || **¡Aprieta!** interj. fam. que se emplea para reprobar por incoherente o desatinada alguna cosa.

Apretativo, va. adj. ant. Que tiene virtud de apretar.

Apretón. (De *apretar.*) m. Apretadura muy fuerte y rápida. || **2.** Acción de obrar con mayor esfuerzo que de ordinario. || **3.** Acción de acosar, acometida violenta. || **4.** Apretura causada por la excesiva concurrencia de gente. || **5.** fam. Movimiento violento y ejecutivo del vientre, que obliga a evacuar. || **6.** fam. Carrera violenta y corta. || **7.** fig. y fam. ahogo, conflicto. || **8.** *Pint.* Golpe de color obscuro para aumentar la entonación o el efecto de lo que se pinta.

Apretujar. tr. fam. Apretar mucho o reiteradamente. || **2.** r. Oprimirse varias personas en un recinto demasiado estrecho para contenerlas.

Apretujón. m. fam. Acción y efecto de apretujar.

Apretura. (De *apretar.*) f. Opresión causada por la excesiva concurrencia de gente. || **2.** Sitio o paraje estrecho. || **3.** fig. **Aprieto,** 2.ª acep. || **4.** Escasez, falta especialmente de víveres. || **5.** p. us. Apremio, urgencia.

Aprevenir. tr. *And., Colomb.* y *Guat.* **Prevenir.**

Apriesa. (De *a,* 2.° art., y *priesa.*) adv. m. **Aprisa.**

Aprieto. (De *apretar.*) m. **Apretura,** 1.ª acep. || **2.** fig. Estrecho, conflicto, apuro. || **En amarillentos aprietos.** fr. fam. *Chile.* **En calzas prietas.** Ú. con los verbos *estar, dejar, ver,* etc.

Aprimar. (De *a,* 2.° art., y *primo.*) tr. Afinar, intensar, perfeccionar.

A priori. (Lit., *por lo que precede.*) m. adv. lat. que indica la demostración que consiste en descender de la causa al efecto o de la esencia de una cosa a sus propiedades. De esta especie son todas las demostraciones directas en las matemáticas.

Apriorismo. m. Método en que se emplea sistemáticamente el razonamiento a priori.

Apriorístico, ca. adj. Perteneciente o relativo al apriorismo.

Aprisa. (De *a,* 2.° art., y *prisa.*) adv. m. Con celeridad, presteza o prontitud.

Apriscadero. (De *apriscar.*) m. ant. Aprisco.

Apriscar. (Del lat. **apprĕsĭcāre,* de *ap-prĕssus,* apretado.) tr. Recoger el ganado en el aprisco. Ú. c. r.

Aprisco. (De *apriscar.*) m. Paraje donde los pastores recogen el ganado para resguardarlo de la intemperie.

Aprisionadamente. adv. m. ant. **Estrechamente.**

Aprisionar. tr. Poner en prisión. || **2.** Poner prisiones. || **3.** fig. Atar, sujetar.

Aprisquero. (De *apriscar.*) m. ant. **Aprisco.**

Aproar. intr. ant. **Aprodar.**

Aproar. (De *pro,* 1.er art.) intr. *Mar.* Volver el buque la proa a alguna parte.

Aprobación. (Del lat. *approbatio, -ōnis.*) f. Acción y efecto de aprobar. || **2. Probación,** 1.ª acep.

Aprobado, da. p. p. de **Aprobar.** || **2.** m. En exámenes, calificación mínima de aptitud o idoneidad en la materia objeto de aquéllos.

Aprobador, ra. (Del lat. *approbātor.*) adj. Que aprueba. Ú. t. c. s.

Aprobante. p. a. de **Aprobar.** Que aprueba. Ú. t. c. s.

Aprobanza. f. fam. **Aprobación,** 1.ª acep.

Aprobar. (Del lat. *approbāre;* de *ad,* a, y *probāre,* probar.) tr. Calificar o dar por bueno. || **2.** Tratándose de doctrinas u opiniones, asentir a ellas. || **3.** Tratándose de personas, declarar hábil y competente. || **4.** ant. Justificar la certeza de un hecho. || **5.** intr. ant. Portarse o dar tal resultado.

Aprobativo, va. (Del lat. *approbativus.*) adj. **Aprobatorio.**

Aprobatoriamente. adv. m. De modo aprobatorio.

Aprobatorio, ria. adj. Que aprueba o implica aprobación.

Aproches. (Del fr. *approches,* y éste de *approcher,* del lat. **apprŏpiāre,* de *prŏpe,* cerca.) m. *Mil.* Conjunto de trabajos que van haciendo los que atacan una plaza para acercarse a batirla, como son las trincheras, paralelas, baterías, minas, etc. Ú. m. en pl.

Aprodar. (De *a,* 2.° art., y el lat. *prōdis,* provecho.) intr. ant. **Aprovechar,** 1.ª y 2.ª aceps.

Aprometer. tr. desus. **Prometer,** 1.ª acep.

Aprontamiento. m. Acción y efecto de aprontar.

Aprontar. De *a,* 2.° art., y *pronto.*) tr. Prevenir, disponer con prontitud. || **2.** Entregar sin dilación dinero u otra cosa.

Apropiable. adj. Que puede ser apropiado o hecho propio de alguno.

Apropiación. (Del lat. *appropriatio, -ōnis.*) f. Acción y efecto de apropiar o apropiarse.

Apropiadamente. adv. m. Con propiedad.

Apropiado, da. p. p. de **Apropiar.** || **2.** adj. Acomodado o proporcionado para el fin a que se destina.

Apropiador, ra. adj. Que apropia. Ú. t. c. s.

Apropiar. (Del lat. *appropriāre.*) tr. Hacer propia de alguno cualquier cosa. || **2.** Aplicar a cada cosa lo que le es propio y más conveniente. || **3.** fig. Acomodar o aplicar con propiedad las circunstancias o moralidad de un suceso al caso de que se trata. || **4.** ant. **Asemejar.** || **5.** r. Tomar para sí alguna cosa, haciéndose dueño de ella, por lo común de propia autoridad.

Apropincuación. (Del lat. *appropinquatio, -ōnis.*) f. Acción y efecto de apropincuarse.

Apropincuarse. (Del lat. *appropinquāre;* de *ad,* a, y *propinquus,* cercano.) r. **Acercarse.** Hoy no se emplea sino en estilo festivo.

Apropósito. m. Breve pieza teatral de circunstancias.

Aprovecer. (Del lat. *ad,* a, y *proficĕre,* aprovechar.) intr. ant. Aprovechar, hacer progresos, adelantar. Ú. en *Ast.* || **2.** ant. Cundir, propagarse, difundirse.

Aprovecimiento. m. ant. Acción y efecto de aprovecer.

Aprovechable. adj. Que se puede aprovechar.

Aprovechadamente. adv. m. Con aprovechamiento.

Aprovechado, da. p. p. de **Aprovechar.** || **2.** adj. Dícese del que saca provecho de todo, y más aún del que utiliza lo que otros suelen desperdiciar o despreciar. || **3.** Aplicado, diligente.

Aprovechador, ra. adj. Que aprovecha.

Aprovechamiento. m. Acción y efecto de aprovechar o aprovecharse. || **2.** V. **Bienes de aprovechamiento común.** || **de aguas.** *For.* Derecho por ley, concesión o prescripción de utilizar para usos comunes o privativos aguas de dominio público. || **forestal.** Esquilmo o producto de montes y dehesas.

Aprovechante. p. a. de **Aprovechar.** Que aprovecha.

Aprovechar. intr. Servir de provecho alguna cosa. || **2.** Hablando de la virtud, estudios, artes, etc., adelantar en ellos. Ú. t. c. r. || **3.** *Mar.* Orzar cuanto permite la dirección del viento reinante. || **4.** tr. Emplear útilmente alguna cosa. APROVECHAR *la tela, el tiempo.* || **5.** ant. Hacer bien, proteger, favorecer. || **6.** ant. Hacer provechosa o útil alguna cosa, mejorarla. || **7.** r. Sacar utilidad de alguna cosa.

Aprovisionar. tr. **Abastecer.**

Aproximación. f. Acción y efecto de aproximar o aproximarse. || **2.** En la lotería nacional, cada uno de los premios que se conceden a los números anterior y posterior y a los demás de la centena de los primeros premios de un sorteo.

Aproximadamente. adv. m. Con proximidad, con corta diferencia.

Aproximado, da. adj. Aproximativo, que se acerca más o menos a lo exacto.

Aproximar. (De *a,* 2.° art., y *próximo.*) tr. Arrimar, acercar. Ú. t. c. r.

Aproximativo, va. adj. Que se aproxima o acerca.

Aproxis. (Del lat. *aproxis.*) m. p. us. **Díctamo.**

Apsara. (Del sánscrito *ápsarā;* de *ap,* agua, y *sri,* manar.) f. En la mitología de la India, cada una de ciertas ninfas acuáticas del paraíso de Indra.

Ápside. (Del gr. ἁψίς, -ῖδος, de ἅπτω, enlazar.) m. *Astron.* Cada uno de los dos extremos del eje mayor de la órbita trazada por un astro. Ú. m. en pl. || **2.** *Astron.* V. **Línea de los ápsides.**

Aptamente. adv. m. Con aptitud.

Aptar. (Del lat. *aptāre.*) tr. Ajustar, acomodar, adaptar.

Áptero, ra. (Del gr. ἄπτερος; de ἀ, priv., y πτερόν, ala.) adj. Que carece de alas. *Insecto* ÁPTERO.

Apteza. f. ant. **Aptitud.**

Aptitud. (Del lat. *aptitudo.*) f. Cualidad que hace que un objeto sea apto, adecuado o acomodado para cierto fin. || **2.** Suficiencia o idoneidad para obtener y ejercer un empleo o cargo. || **3.** Capacidad y disposición para el buen desempeño o ejercicio de un negocio, industria, arte, etcétera.

Apto, ta. (Del lat. *aptus,* de *apĕre,* adaptar.) adj. Idóneo, hábil, a propósito para hacer alguna cosa.

Apud. prep. lat. usada en las citas con la significación de *en la obra,* o *en el libro de.* **Apud** *Gallardo:* en la obra de Gallardo.

Apuesta. f. Acción y efecto de apostar, 1.ª acep. || **2.** Cosa que se apuesta. || **De, o sobre, apuesta.** loc. fam. Con empeño y porfía en la ejecución de alguna cosa, compitiendo con otros.

Apuestamente. adv. m. Ordenadamente, con aliño y compostura.

Apuesto, ta. (Del lat. *appositus,* p. p. de *apponĕre,* colocar, poner.) p. p. irreg. ant. de **Aponer.** || **2.** adj. Ataviado, adornado, de gentil disposición en la persona. || **3.** ant. Oportuno, conveniente y a propósito. || **4.** m. ant. **Apostura,** 1.ª acep. || **5.** ant. Epíteto, renombre, título. || **6.** adv. m. ant. **Apuestamente.**

Apulgarar. intr. Hacer fuerza con el dedo pulgar.

Apulgararse. r. Llenarse la ropa blanca, por haberse doblado algo húmeda, de manchas muy menudas, parecidas a las señales que dejan las pulgas.

Apulso. (Del lat. *appulsus,* aproximación.) m. *Astron.* Contacto del borde de un astro con el hilo vertical del retículo del anteojo con el cual se le observa. || **2.** *Astron.* Momento en que un astro parece tocar a otro.

Apunarse. r. *Amér. Merid.* Padecer puna o soroche.

Apunchar. (De *a,* 2.° art., y *puncha.*) tr. Abrir los peineros las púas del peine, especialmente las gruesas.

Apuntación. f. **Apuntamiento,** 1.ª acep. || **2.** *Mús.* Acción de escribir las notas y demás signos musicales. || **3.** *Mús.* **Notación,** 2.ª acep.

Apuntadamente. adv. m. ant. **Puntualmente.**

Apuntado, da. p. p. de **Apuntar.** ‖ **2.** adj. Que hace puntas por las extremidades. ‖ **3.** V. **Arco, sombrero apuntado.** ‖ **4.** *Blas.* Dícese de dos o más figuras o blasones que se tocan por la punta. *Corazones* APUNTADOS; *saetas* APUNTADAS.

Apuntador, ra. adj. Que apunta. Ú. t. c. s. ‖ **2.** m. El que en el teatro se coloca en un hueco abierto en el comedio y al borde del proscenio y, oculto por la concha a la vista del público, va apuntando a los actores lo que han de decir. ‖ **3. Traspunte.** ‖ **4.** En las iglesias catedrales, el que anota la hora en que cada religioso entra en el coro o se sale de él. ‖ **5.** *Germ.* **Alguacil,** 1.ª acep.

Apuntadura. (De *apuntar,* 8.ª acep.) f. ant. Calce puesto a la punta de una reja, barrena u otro instrumento semejante.

Apuntalamiento. m. Acción y efecto de apuntalar.

Apuntalar. tr. Poner puntales. ‖ **2.** fig. Sostener, afirmar.

Apuntamiento. m. Acción y efecto de apuntar. ‖ **2.** *For.* Resumen o extracto que de los autos forma el secretario de sala o el relator de un tribunal colegiado.

Apuntar. (De *a,* 2.° art., y *punto, punta.*) tr. Asestar una arma arrojadiza o de fuego. ‖ **2.** Señalar con el dedo o de cualquier otra manera hacia sitio u objeto determinado. ‖ **3.** En lo escrito, notar o señalar alguna cosa con una raya, estrella u otra nota, para encontrarla fácilmente. ‖ **4.** Tomar nota por escrito de alguna cosa. ‖ **5.** Hacer un apunte o dibujo ligero. ‖ **6.** En las iglesias catedrales, colegiales y otras que tienen horas canónicas, anotar las faltas que sus individuos hacen en la asistencia al coro o en alguna otra de sus obligaciones. ‖ **7.** Concertar, convenir en pocas palabras. ‖ **8.** Empezar a fijar y colocar alguna cosa interinamente, como se hace cuando se empieza a clavar una tabla o un lienzo sin remachar los clavos. ‖ **9.** Sacar punta a una arma, herramienta u otro objeto. ‖ **10.** En el juego de la banca y otros, poner sobre una carta o junto a ella la cantidad que se quiere jugar. ‖ **11.** Unir ligeramente por medio de puntadas. ‖ **12.** fam. Remendar o zurcir. ‖ **13.** En el obraje de paños, pasar con hilo bramante los dobleces de las piezas, después de lo cual antiguamente se les ponía el sello, en testimonio de estar fabricadas a ley. ‖ **14.** En la representación de obras dramáticas, ir el apuntador leyendo a los actores lo que han de recitar. ‖ **15.** fig. Señalar o indicar. ‖ **16.** fig. Insinuar o tocar ligeramente alguna especie o cosa. ‖ **17.** fig. Sugerir al que habla alguna especie para que recuerde lo olvidado o para que se corrija. ‖ **18.** ant. **Puntuar.** ‖ **19.** ant. **Apuntalar.** ‖ **20.** *Impr.* Clavar el pliego en las punturas. ‖ **21.** intr. Empezar a manifestarse alguna cosa. APUNTAR *el día, el bozo.* ‖ **22.** r. Hablando del vino, empezar a tener punta de agrio. ‖ **23.** fam. Empezar a embriagarse. ‖ **24.** *Méj.* Hablando del trigo y otros cereales, nacerse, 14.ª acep. de **nacer.** ‖ **Apuntar y no dar.** fr. fig. y fam. Ofrecer y no cumplir.

Apunte. m. **Apuntamiento,** 1.ª acep. ‖ **2.** Asiento o nota que se hace por escrito de alguna cosa. ‖ **3.** Pequeño dibujo tomado del natural rápidamente. ‖ **4.** En la representación de la obra dramática, voz de la persona que va apuntando a los actores lo que han de decir. ‖ **5. Apuntador,** 2.ª y 3.ª aceps. ‖ **6.** Manuscrito o impreso que tiene a la vista el apuntador del teatro para desempeñar sus funciones. ‖ **7. Puesta,** 3.ª acep. ‖ **8. Punto,** 20.ª acep. ‖ **9.** Persona que causa extrañeza por alguna condición o singularidad. ‖ **10.** fam. **Perillán.** ‖ **11.** pl. Extracto de las explicaciones de un profesor que toman los alumnos para sí, y que a veces se reproduce para uso de los demás.

Apuntillar. tr. *Taurom.* Acachetar, rematar al toro con la puntilla.

Apuñadar. (De *a,* 2.° art., y *puñada.*) tr. *Ar.* Apuñear.

Apuñalado, da. p. p. de **Apuñalar.** ‖ **2.** adj. De figura parecida a la hoja de un puñal.

Apuñalar. (De *a,* 2.° art., y *puñal.*) tr. Dar de puñaladas.

Apuñar. (De *a,* 2.° art., y *puño.*) tr. Asir o coger algo con la mano, cerrándola. ‖ **2. Apuñear.** ‖ **3.** intr. Apretar la mano para que no se caiga lo que se lleva en ella.

Apuñear. (De *a,* 2.° art., y *puño.*) tr. fam. Dar de puñadas.

Apuñetear. tr. **Apuñear.** Ú. t. c. r.

Apuracabos. (De *apurar* y *cabo.*) m. Pieza cilíndrica de loza, alabastro u otra materia y con una púa metálica donde se aseguran los cabos de vela para que puedan arder hasta consumirse.

Apuración. f. Acción y efecto de apurar o apurarse.

Apuradamente. adv. m. fam. Tasadamente, precisamente. ‖ **2.** ant. Radical o fundamentalmente. ‖ **3.** ant. Con esmero o exactitud.

Apuradero. (De *apurar.*) m. ant. Examen, prueba con que se califica la realidad de una cosa.

Apurado, da. p. p. de **Apurar.** ‖ **2.** adj. Pobre, falto de caudal y de lo que se necesita. ‖ **3.** Dificultoso, peligroso, angustioso. ‖ **4.** Esmerado, exacto.

Apurador, ra. adj. Que apura. Ú. t. c. s. ‖ **2.** m. **Apuracabos.** ‖ **3.** *And.* El que después del primer vareo de los olivos va derribando con una vara más corta las aceitunas que han quedado en los árboles. ‖ **4.** *Min.* El que lava de nuevo las tierras depositadas en las tinas.

Apuradura. f. ant. **Apuramiento.**

Apuramiento. m. Acción y efecto de apurar.

Apurar. (De *a,* 2.° art., y *puro.*) tr. Purificar o reducir una cosa al estado de pureza separando lo impuro o extraño. ‖ **2.** Aplicado a la moral, purificar, santificar. ‖ **3.** Averiguar o desentrañar la verdad ahincadamente o exponerla sin omisión. ‖ **4.** Extremar, llevar hasta el cabo. ‖ **5.** Acabar o agotar. ‖ **6.** Sufrir hasta el extremo. ‖ **7.** fig. Apremiar, dar prisa. ‖ **8.** fig. Molestar a uno de modo que se enfade o pierda la paciencia. ‖ **9.** ant. Examinar atentamente. ‖ **10.** r. Afligirse, acongojarse, preocuparse.

Apurativo, va. (De *apurar.*) adj. ant. Que purifica o limpia de materia impura y crasa.

Apure. m. *Min.* Acción de apurar, 1.ª acep. ‖ **2.** *Min.* Residuos resultantes del lavado de los minerales de plomo después de garbillados. ‖ **Ir de apure** una cosa. fr. fam. Acercarse a su agotamiento o acabamiento.

Apureño, ña. adj. Natural de Apure. Ú. t. c. s. ‖ **2.** Perteneciente o relativo a este estado de Venezuela.

Apuro. (De *apurar.*) m. Aprieto, escasez grande. ‖ **2.** Aflicción, estrecho, conflicto. ‖ **3.** Apremio, prisa, urgencia.

Apurón, na. adj. Que apura o apremia con frecuencia.

Apurrir. (Del lat. *ad,* a, y *porrigĕre,* alargar.) tr. *Ast.* y *Sant.* **Alargar,** 8.ª acep.

Aquebrazarse. r. *Ar.* Formarse quebrazas o grietas en los pies o en las manos.

Aquedador, ra. m. y f. ant. Persona que aqueda.

Aquedar. (De *a,* 2.° art., y *quedo.*) tr. ant. Detener o hacer parar. ‖ **2.** ant. Aquietar, sosegar. Usáb. t. c. intr. ‖ **3.** r. ant. **Dormirse.**

Aquejadamente. adv. m. ant. Pronta, apresurada o velozmente.

Aquejador, ra. adj. Que aqueja. Ú. t. c. s.

Aquejamiento. m. ant. Acción y efecto de aquejar o aquejarse.

Aquejar. (De *a,* 2.° art., y *quejarse.*) tr. ant. Estimular, impeler. ‖ **2.** fig. Acongojar, afligir, fatigar. ‖ **3.** ant. fig. Poner en estrecho o aprieto. ‖ **4.** r. ant. Apresurarse o darse prisa.

Aquejo. (De *aquejar.*) m. ant. **Aquejamiento.**

Aquejosamente. adv. m. ant. Con ansia o vehemencia.

Aquejoso, sa. (De *aquejar.*) adj. Afligido, acongojado. ‖ **2.** ant. **Quejicoso.**

Aquel, lla, llo. (Del lat. *eccum,* he aquí, e *ille,* él.) pron. dem. con que se designa lo que está lejos de la persona que habla y de la persona con quien se habla. Las formas masculina y femenina se usan como adjetivos y como substantivos, y en este último caso llevan acento: AQUEL *hombre; lo hizo* AQUÉL. ‖ **2.** También suele hacer el mismo oficio que el pronombre personal de tercera persona. ‖ **3.** m. fam. Voz que se emplea para expresar una cualidad que no se quiere o no se acierta a decir; lleva siempre antepuesto el artículo *el* o *un* o algún adjetivo. Tómase frecuentemente por gracia, donaire y atractivo. *Juana tiene mucho* AQUEL. ‖ **Ya pareció aquello.** expr. fam. que se emplea cuando ocurre alguna cosa que se recelaba o presumía.

Aquelarre. (Del vasc. *aquelarre;* de *aquer,* cabrón, y *larre,* prado: prado del cabrón.) m. Junta o reunión nocturna de brujos y brujas, con la supuesta intervención del demonio ordinariamente en figura de macho cabrío, para la práctica de las artes de esta superstición.

Aquale, la, lo. pron. dem. ant. **Aquel.**

Aquellar. (De *aquello.*) tr. fam. Verbo que se emplea en substitución de otro cualquiera cuando se ignora éste o no se quiere expresar. Ú. t. c. r. *En lo mejor de la loa me* AQUELLÉ, *sabiéndola, como la sabía, mejor que el padrenuestro.*

Aquellotrar. (De *aquell otro.*) tr. ant. **Aquillotrar.** Usáb. t. c. r.

Aquén. adv. l. ant. **Aquende.**

Aquende. (Del lat. *ĕcc[ŭm] inde.*) adv. l. De la parte de acá.

Aquenio. (Del gr. ἀ, priv., y χαίνειν, abrirse.) m. *Bot.* Fruto seco, indehiscente, con una sola semilla y con pericarpio no soldado a ella; como el de la lechuga y el girasol.

Aqueo, a. (Del lat. *achaeus.*) adj. Natural de Acaya. Ú. t. c. s. ‖ **2.** Perteneciente a esta región de Grecia. ‖ **3.** Por ext., natural de Grecia antigua. Ú. t. c. s. ‖ **4.** Por ext., perteneciente a Grecia antigua.

Aquerarse. (De *quera.*) r. *Sor.* Apolillarse la madera.

Aquerenciado, da. p. p. de **Aquerenciarse.** ‖ **2.** adj. ant. **Enamorado.** Ú. en *Méj.*

Aquerenciarse. r. Tomar querencia a un lugar. Dícese principalmente de los animales.

Aquese, sa, so. (Del lat. *eccum,* he aquí, e *ipse,* ese.) pron. dem. **Ese,** 2.° art. Ya sólo se usa en poesía.

Aquestar. tr. ant. **Aquistar.**

Aqüeste. (De *a,* 2.° art., y el lat. *quaestio.*) m. ant. Cuestión, riña o pendencia.

Aqueste, ta, to. (Del lat. *ĕcc[ŭm] iste.*) pron. dem. **Este,** 2.° art. Ya sólo se usa en poesía.

Aqueta. (Del lat. *achēta,* y éste del gr. ἀχέτας, sonoro.) f. **Cigarra,** 1.ª acep.

Aquí. (Del lat. *ĕcc[ŭm] hīc.*) adv. l. En este lugar. ‖ **2.** A este lugar. ‖ **3.** Equivale a veces a **en esto** o **en eso,** o simplemente a **esto** o **eso,** cuando va precedido de las preposiciones *de* o *por.*

AQUÍ (*en* ESTO) *está la dificultad; de* AQUÍ (*de* ESTO) *tuvo origen su desgracia; por* AQUÍ (*por* ESTO) *puede conocerse de quién fue la culpa.* || **4.** En correlación con **allí**, suele designar sitio o paraje indeterminado. *Por dondequiera se veían hermosas flores:* AQUÍ, *rosas y dalias;* ALLÍ, *jacintos y claveles.* || **5.** adv. t. Ahora, en el tiempo presente. En este sentido, empléase únicamente con preposición antepuesta. *Lo cual queda probado con lo que se ha dicho hasta* AQUÍ (*hasta* AHORA); *de* AQUÍ (*desde* AHORA, *desde* ESTE MOMENTO) *a tres días.* || **6.** Entonces, en tal ocasión. AQUÍ *no se pudo contener don Quijote sin responder.* || **7.** Se usa en frases interjectivas para invocar auxilio. La persona cuyo auxilio se solicita se construye con la prep. *de.* Por analogía se usa también en frases en que metafóricamente se invoca el auxilio de una cosa no material. || **Aquí y allí.** m. adv. que denota indeterminadamente varios lugares. || **De aquí para allí.** m. adv. De una parte a otra, sin permanecer en ninguna.

Aquiescencia. (Del lat. *acquiescentia.*) f. Asenso, consentimiento.

Aquiescente. (Del lat. *acquiescĕre.*) adj. Que consiente, permite o autoriza.

Aquietador, ra. adj. Que aquieta.

Aquietadoramente. adv. m. De manera aquietadora.

Aquietamiento. m. Acción y efecto de aquietar o aquietarse.

Aquietante. p. a. de **Aquietar.** Que aquieta.

Aquietar. (De *a*, 2.° art., y *quieto.*) tr. Sosegar, apaciguar. Ú. t. c. r.

Aquifoliáceo, a. (De *aquifolium*, nombre de una especie de plantas del género *ilex.*) adj. *Bot.* Dícese de árboles y arbustos angiospermos dicotiledóneos, siempre verdes, de hojas esparcidas, generalmente coriáceas y con pequeñas estípulas; flores actinomorfas, unisexuales por aborto y casi siempre dispuestas en cimas; fruto en drupa poco carnosa; como el acebo. Ú. t. c. s. f. || **2.** f. pl. *Bot.* Familia de estas plantas.

Aquifolio. (Del lat. *aquifolium.*) m. **Acebo.**

Aquilatamiento. m. Acción y efecto de aquilatar.

Aquilatar. tr. Examinar y graduar los quilates del oro y de las perlas y piedras preciosas. || **2.** fig. Examinar y apreciar debidamente el mérito de una persona o el mérito o verdad de una cosa. || **3.** Apurar, purificar.

Aquilea. (Del lat. *achillēa.*) f. **Milenrama.**

Aquileño, ña. adj. ant. **Aguileño,** 1.ª acep. || **2.** m. *Germ.* El que tiene traza y buena disposición para ser ladrón.

Aquiles. n. p. V. **Argumento Aquiles.** || **2.** *Zool.* V. **Tendón de Aquiles.**

Aquilífero. (Del lat. *aquilĭfer, -ĕri;* de *aquĭla*, águila, y *ferre*, llevar.) m. El que llevaba las insignias del águila en las antiguas legiones romanas.

Aquilino, na. (Del lat. *aquilīnus.*) adj. poét. **Aguileño,** 1.ª acep.

Aquilón. (Del lat. *aquĭlo, -ōnis.*) m. **Norte,** 1.ª y 4.ª aceps.

Aquilonal. (Del lat. *aquilonālis.*) adj. Perteneciente o relativo al aquilón. || **2.** fig. Aplícase al tiempo de invierno.

Aquilonar. (Del lat. *aquilonāris.*) adj. **Aquilonal.**

Aquilonario, ria. adj. ant. **Aquilonar.**

Aquillado, da. adj. De figura de quilla. || **2.** *Mar.* Aplícase al buque que tiene mucha quilla, o sea, que es muy largo.

Aquillotrar. (De *aquellotrar.*) tr. ant. **Quillotrar.** Usáb. t. c. r.

Aquillotro. m. ant. **Quillotro.**

Aquintralarse. r. *Chile.* Cubrirse de quintral los árboles y arbustos. || **2.** *Chile.* Contraer los melones y otras plantas la enfermedad llamada quintral.

Aquistador, ra. adj. Que aquista. || **2.** m. ant. **Conquistador.**

Aquistar. (Del lat. **acquisitāre*, de *acquisītus*, adquirido.) tr. Conseguir, adquirir, conquistar.

Aquitánico, ca. (Del lat. *aquitanĭcus.*) adj. Perteneciente a Aquitania, región de Francia antigua.

Aquitano, na. (Del lat. *aquitānus.*) adj. Natural de Aquitania. Ú. t. c. s. || **2. Aquitánico.**

Aquivo, va. (Del lat. *achīvus.*) adj. **Aqueo.** Apl. a pers., ú. t. c. s.

A quo. expr. lat. *For.* V. **Juez a quo.**

Ara. (Del lat. *ara.*) f. Altar en que se ofrecen sacrificios. || **2.** Piedra consagrada sobre la cual extiende el sacerdote los corporales para celebrar el santo sacrificio de la misa. || **3.** V. **Amigo hasta las aras.** || **4.** *Astron.* Constelación austral situada debajo del Escorpión. || **Acogerse** uno **a las aras.** fr. fig. Refugiarse o tomar asilo. || **En aras de.** loc. En obsequio o en honor de.

Árabe. (Del ar. *arab*, árabes.) adj. Natural de Arabia. Ú. t. c. s. || **2.** Perteneciente a esta región de Asia. || **3.** m. Idioma **árabe.** || **4.** V. **Año árabe.**

Arabesco, ca. (De *árabe.*) adj. **Arábigo.** || **2.** m. *Esc.* y *Pint.* Dibujo de adorno compuesto de tracerías, follajes, cintas y roleos, y que se emplea más comúnmente en frisos, zócalos y cenefas.

Arabía. (Del ar. *'arabiyya*, la lengua árabe.) f. ant. **Árabe,** 3.ª acep.

Arábico, ca. adj. **Arábigo.**

Arábigo, ga. (Del lat. *arabĭcus.*) adj. **Árabe,** 2.ª acep. || **2.** V. **Goma, numeración arábiga.** || **3.** V. **Número arábigo.** || **4.** m. **Árabe,** 3.ª acep. || **Estar** una cosa **en arábigo.** fr. fig. y fam. Ser muy difícil entenderla.

Arabio, bia. (Del lat. *arabĭus.*) adj. **Árabe.** Apl. a pers., ú. t. c. s.

Arabismo. m. Giro o modo de hablar propio y privativo de la lengua árabe. || **2.** Vocablo o giro de esta lengua empleado en otra.

Arabista. com. Persona que cultiva la lengua y literatura árabes.

Arabización. f. Acción y efecto de arabizar.

Arabizar. intr. Imitar la lengua, estilo o costumbres árabes.

Arable. adj. A propósito para ser arado.

Arabo. m. *Bot.* Árbol de los trópicos, de la familia de las eritroxiláceas, de diez a doce metros de altura, y cuya madera, dura y filamentosa, se emplea para hacer horcones.

Aráceo, a. (De *arum*, nombre de un género de plantas.) adj. *Bot.* Dícese de plantas angiospermas monocotiledóneas, herbáceas, algunas leñosas, con rizomas o tubérculos; hojas alternas, acorazonadas o sagitales; flores en espádice rodeado de una espata; fruto en baya, con semillas de albumen carnoso o amiláceo; como el aro, el arísaro y la cala. Ú. t. c. s. f. || **2.** f. pl. *Bot.* Familia de estas plantas.

Arácnido, da. (Del gr. ἀράχνη, *araña.*) adj. *Zool.* Dícese de los artrópodos sin antenas, de respiración aérea, con cuatro pares de patas y con cefalotórax. Carecen de ojos compuestos y tienen dos pares de apéndices bucales variables por su forma y su función. Ú. t. c. s. m. || **2.** m. pl. *Zool.* Clase de estos animales.

Aracnoides. (Del gr. ἀραχνοειδής; de ἀράχνη, tela de araña, y εἶδος, forma.) adj. *Zool.* Una de las tres meninges que tienen los batracios, reptiles, aves y mamíferos, que está colocada entre la duramáter y la piamáter, y formada por un tejido claro y seroso que remeda las telas de araña.

Aracnología. (Del gr. ἀράχνη, araña, y λόγος, tratado.) f. Parte de la zoología, que trata de los arácnidos.

Aracnológico, ca. adj. Perteneciente a la aracnología.

Aracnólogo. m. El que estudia o profesa la aracnología.

Arada. f. Acción de arar. || **2.** Tierra labrada con el arado. || **3.** Cultivo y labor del campo. || **4.** Porción de tierra que puede arar en un día una yunta. || **5.** *Sal.* Temporada en que se aran los campos. || **Arada con terrones, no la hacen todos los hombres.** ref. que enseña que en los campos secos y de tierras fuertes no deben arar sino hombres robustos y ganado de pujanza, para que la labor salga bien.

Arado. (De *aradro.*) m. Instrumento de agricultura que, movido por fuerza animal o mecánica, sirve para labrar la tierra abriendo surcos en ella. || **2. Reja,** 3.ª acep. || **El arado, rabudo, y el arador, barbudo.** ref. que advierte que el **arado** conviene que sea largo de reja, y el arador hombre hecho y forzudo. || **No prende de ahí el arado.** fr. fig. y fam. con que se denota no estar la dificultad en aquello que se supone.

Arador, ra. (Del lat. *arātor.*) adj. Que ara. Ú. t. c. s. || **2.** m. **Arador de la sarna.** || **de la sarna.** Ácaro diminuto, parásito del hombre, en el cual produce la enfermedad llamada sarna; vive debajo de la capa córnea de la epidermis en galerías que excava la hembra y en las que deposita sus huevos. || **del queso.** Ácaro diminuto que vive en el queso rancio. || **Arador de palma, no le saca toda barba.** ref. con que se da a entender que no todos pueden hacer las cosas difíciles. || **No se saca arador a pala y azadón.** ref. que advierte que con medios desproporcionados no se puede conseguir lo que se desea.

Aradro. (Del lat. *arătrum.*) m. En algunas partes, **arado,** 1.ª acep.

Aradura. f. Acción y efecto de arar. || **2.** *Ast.* **Arada,** 4.ª acep.

Aragón. n. p. V. **Canchalagua, consejo, justicia mayor, libra de Aragón.** || **Negar que negarás, que en Aragón estás.** ref. cuyo fundamento es que en aquel reino no se podía aplicar la cuestión de tormento.

Aragonés, sa. adj. Natural de Aragón. Ú. t. c. s. || **2.** Perteneciente a la región o antiguo reino de este nombre. || **3.** Dícese de una especie de uva tinta, cuyos racimos son muy grandes, gruesos y apiñados, y también de las vides y vidueños de esta clase. || **4.** V. **Carga aragonesa.**

Aragonesismo. m. Palabra, locución o giro propio y peculiar de los aragoneses.

Aragonito. (De *Aragón*, donde se halla esta substancia.) m. Carbonato de cal, cristalizado en prismas hexagonales, de brillo anacarado y color blanco, teñido a menudo por el óxido rojo de hierro. Difiere del espato calizo por la cristalización.

Araguato. m. Mono americano, de 70 a 80 centímetros de alto, pelaje de color leonado obscuro, pelo hirsuto en la cabeza y barba grande.

Araguirá. (Del guaraní *ara*, día, luz, y *guirá*, pájaro.) m. Pajarillo de la Argentina, de lomo rojizo y pecho y copete de hermosísimo color rojo.

Aralia. (Voz iroquesa.) f. Arbusto de la familia de las araliáceas, de unos dos metros de altura, con tallo leñoso lleno de espinas, hojas grandes, gruesas y recortadas por el margen, flores en corimbo, pequeñas y blancas, y frutos negruzcos. Es originario del Canadá y se cultiva en Europa como planta de adorno.

Araliáceo, a. (De *aralia*, nombre de un género de plantas.) adj. *Bot.* Dícese de plantas angiospermas dicotiledóneas, derechas o trepadoras, inermes, vellosas o con aguijones, de hojas alternas, enteras, recortadas o compuestas, flores en umbela y fruto drupáceo; como la aralia y la hiedra arbórea. Ú. t. c. s. f. || **2.** f. pl. *Bot.* Familia de estas plantas, que no se distinguen de las umbelíferas más que por estar cubiertas sus semillas por un pericarpio carnoso.

Arambel. (De *harambel.*) m. Colgadura de paños unidos o separados que se emplea para adorno o cobertura. || **2.** fig. Andrajo o trapo que cuelga del vestido.

Arambol. m. *Pal.* y *Vallad.* Balaustrada de una escalera.

Arambre. (Del lat. *aerāmen, -ĭnis*, bronce.) m. ant. **Alambre,** 1.ª acep. Ú. en *Ast.*, *Burg.* y *Sant.*

Arameo, a. (Del lat. *aramei, -eōrum.*) adj. Descendiente de Aram, hijo de Sem. Apl. a pers., ú. t. c. s. || **2.** Natural del país de Aram. Ú. t. c. s. || **3.** Perteneciente a este pueblo bíblico. || **4.** m. Lengua **aramea.**

Aramio. (De *arar.*) m. Campo o tierra de labor que después de tener una o dos rejas se deja de barbecho.

Arán. (Voz vasca.) m. *Ál.* **Endrino,** 2.ª acep. || **2.** *Ál.* **Endrina.**

Arana. f. Embuste, trampa, estafa.

Arancel. (De *alancel.*) m. Tarifa oficial que determina los derechos que se han de pagar en varios ramos, como el de costas judiciales, aduanas, ferrocarriles, etc. || **2.** Tasa, valoración, norma, ley.

Arancelario, ria. adj. Perteneciente o relativo al arancel. Dícese más comúnmente del de aduanas. *Derechos* ARANCELARIOS; *reforma* ARANCELARIA.

Arandanedo. m. Terreno sombrío y húmedo poblado de arándanos.

Arándano. m. *Bot.* Planta de la familia de las ericáceas, de dos a cinco decímetros de altura, con ramas angulosas, hojas alternas, aovadas y aserradas, flores solitarias, axilares, de color blanco verdoso o rosado, y por frutos bayas gruzcas o azuladas, dulces y comestibles. Vive en la parte septentrional de nuestra península y en casi toda Europa, y florece por la primavera y el verano. || **2.** Fruto de esta planta.

Arandela. (Del fr. *rondelle*, y éste del lat. **rŏtŭndĕlla*, de *rŏtŭndus*, redondo.) f. Pieza a modo de platillo o tacilla, de vidrio o metal, que tiene un agujero en medio y se pone en la parte superior del candelero, abrazando la vela, para recoger lo que se derrame y caiga de ella o del pabilo. También se usa en los cirios que se llevan en la mano, colocada cerca del pabilo. || **2.** Corona o anillo metálico de uso frecuente en las máquinas y artefactos, para evitar el roce entre dos piezas. || **3.** Pieza fuerte de metal, de forma cónica, que se ponía encima de la empuñadura de la lanza para defensa de la mano. || **4.** Cuello encañonado y puños que usaron las mujeres. || **5.** Pieza de hojalata, a manera de embudo, que aplican los hortelanos a los troncos de los árboles, ajustándola con yeso y llenándola de agua, para impedir que las hormigas suban y hagan daño. || **6.** Candelabro con sostén a propósito para fijarse lateralmente. || **7.** *Amér. Merid.* Chorrera y vueltas de la camisola. || **8.** *Mar.* Tablero formado de una o dos hojas giratorias alrededor de los cantos horizontales de las portas de los buques, que sirve para cerrar éstas e impedir la entrada del agua del mar. En su centro, si el tablero es único, o en la mediania de los cantos libres, si es de dos hojas, tiene sendos rebajos semicirculares que se corresponden y dejan paso justo a la caña del cañón respectivo.

Arandela. (De un d. del lat. *hirundo.*) f. *Ál.* **Golondrina,** 1.ª acep.

Arandillo. (Del lat. **hirŭndĭnĕlla*, de *hirŭndo, -ĭnis*, golondrina.) m. Pájaro de unos diez centímetros de largo, ceniciento por el lomo y las alas, blanco por el vientre y la frente, y con las piernas rojas. Gusta de mecerse sobre las cañas y juncos, y se alimenta de semillas e insectos. || **2.** *And.* **Caderillas.**

Arandino, na. adj. Natural de Aranda de Duero. Ú. t. c. s. || **2.** Perteneciente a esta villa.

Aranero, ra. (De *arana.*) adj. Embustero, tramposo, estafador. Ú. t. c. s.

Aranés, sa. adj. Natural de cualquiera de los pueblos comprendidos en el valle de Arán. Ú. t. c. s. || **2.** Perteneciente a este valle de los Pirineos.

Arangorri. (Del vasc. *arrain*, pez, y *gorri*, rojo.) m. *Zool.* Pez teleósteo del suborden de los acantopterigios, de color rojo y cabeza muy grande. Vive en el mar Cantábrico.

Araniego. (De *araña*, 7.ª acep.) adj. V. **Gavilán araniego.**

Aranoso, sa. adj. **Aranero.**

Aranzada. (Como *arenzata*, de *arienzo.*) f. Medida agraria de Castilla, compuesta de 400 estadales y equivalente a 447 deciáreas. La de Córdoba equivalía a 367 y la de Sevilla a 475 deciáreas.

Araña. (Del lat. *aranĕa.*) f. *Zool.* Arácnido con tráqueas en forma de bolsas comunicantes con el exterior, con cefalotórax, cuatro pares de patas, y en la boca un par de uñas venenosas y otro de apéndices o palpos que en los machos sirven para la cópula. En el extremo del abdomen tienen el ano y las hileras u órganos productores de la seda con la que tapizan sus viviendas, cazan sus presas y se trasladan de un lugar a otro. || **2.** V. **Red, tela de araña.** || **3.** V. **Mono, peje araña.** || **4. Arañuela,** 3.ª acep. || **5.** Planta gramínea de las Antillas, de cañas derechas y lampiñas de tres a seis decímetros de alto, nudos muy vellosos, hojas largas, lineares, agudas y ásperas por los bordes, y flores en espigas casi alternas y delgadas, en racimos terminales. || **6.** Especie de candelabro sin pie y con varios brazos, que se cuelga del techo o de un pescante. || **7.** Red para cazar pájaros. || **8.** fig. y fam. Persona muy aprovechada y vividora. || **9.** fig. **Mujer pública.** || **10.** *Murc.* **Arrebatiña.** || **11.** *Chile.* Carruaje ligero y pequeño, parecido al bombé. || **12.** *Mar.* Conjunto de cabos delgados que desde un punto común se separan para afianzarse convenientemente, pasando a veces por los agujeros de una telera. || **de agua. Araña** que hace sus nidos semejantes a campanas de buzo dentro del agua. Tiene el cuerpo revestido de pelos que retienen el aire y le dan aspecto plateado cuando está sumergida. || **de mar.** Nombre de varios cangrejos marinos, decápodos y braquiuros, de caparazón algo triangular o cordiforme, y con las ocho patas posteriores, en general, largas, delgadas y puntiagudas. Abundan en todos los mares. || **picacaballos.** Arácnido de Honduras que les pica las patas a los caballos, a consecuencia de lo cual pierden éstos los cascos. || **Araña, ¿quién te arañó? Otra araña como yo.** ref. **Ése es tu enemigo, el que es de tu oficio.** || **Nunca medra la araña, que hila y no devana.** ref. que enseña que los que dejan las cosas a medio hacer, medran poco. || **Picado de la araña.** fig. *Chile.* **Picado de la tarántula,** 1.ª acep. || **Picóme una araña, y atéme una sábana.** ref. **Poco mal y bien quejado.**

Arañada. f. **Arañamiento.** || **2.** *Ar.* **Arañazo.**

Arañador, ra. adj. Que araña. Ú. t. c. s.

Arañamiento. m. Acción de arañar o arañarse.

Arañar. (De *araña.*) tr. Raspar, rasgar, herir ligeramente el cutis con las uñas, un alfiler u otra cosa. Ú. t. c. r. || **2.** En algunas cosas lisas, como la pared, el vidrio o el metal, hacer rayas superficiales. || **3.** fig. y fam. Recoger con mucho afán, de varias partes y en pequeñas porciones, lo necesario para algún fin.

Arañazo. (De *arañar.*) m. Rasgadura ligera hecha en el cutis con las uñas, un alfiler u otra cosa.

Arañento, ta. adj. ant. Perteneciente a la araña.

Arañero, ra. (De *araña.*) adj. *Cetr.* **Zahareño,** 1.ª acep. || **2.** V. **Pájaro arañero.** Ú. t. c. s.

Arañil. adj. Propio de la araña o perteneciente a ella.

Araño. (De *arañar.*) m. **Arañamiento.** || **2. Arañazo.**

Arañón. m. *Ar.* **Arán.**

Arañuela. f. d. de **Araña.** || **2. Arañuelo,** 1.ª acep. || **3.** Planta de la familia de las ranunculáceas, que da hermosas flores. Muchas de sus variedades se cultivan en los jardines.

Arañuelo. (Del lat. *araneŏlus.*) m. *Zool.* Larva de insectos que destruyen los plantíos, y algunos de los cuales forman una tela semejante a la de la araña. || **2. Garrapata,** 1.ª acep. || **3. Araña,** 7.ª acep.

Arapende. (Del lat. *arapennis.*) m. ant. **Arpende.**

Arar. (Del ár. *'ar 'ar*, enebro.) m. **Alerce africano.** || **2.** *Bot.* **Enebro.**

Arar. (Del lat. *arāre.*) tr. Remover la tierra haciendo en ella surcos con el arado. || **2.** fig. Arrugar; hacer en alguna cosa rayas parecidas a los surcos. || **3.** fig. Ir o caminar por un fluido rompiéndolo o cortándolo. || **Cuantos aran y cavan.** loc. fig. y fam. Gran número de personas. || **2.** fig. y fam. **Todo el mundo.**

Arate cavate. (De *arar* y *cavar.*) fr. fig. con que se indica la tarea diaria del labrador; y por ext., la tosquedad de la persona que sólo sabe los rudimentos de su profesión u oficio.

Aratorio, ria. (Del lat. *aratorĭus.*) adj. ant. Perteneciente o relativo al oficio de arar.

Araucanista. com. Persona entendida en el idioma o en las costumbres de los araucanos.

Araucano, na. adj. Natural de Arauco. Ú. t. c. s. || **2.** Perteneciente a este país de América, hoy una de las provincias de Chile. || **3.** m. Idioma de los **araucanos.**

Araucaria. (De *Arauco*, región de Chile.) f. *Bot.* Árbol de la familia de las abietáceas, que crece hasta 50 metros de altura, con ramas horizontales cubiertas de hojas verticiladas, rígidas, siempre verdes, que forman una copa cónica y espesa; flores dioicas poco visibles y fruto drupáceo, con una almendra dulce muy alimenticia. Es originario de América, donde forma extensos bosques. || **excelsa.** Especie de **araucaria** muy elevada, de rápido crecimiento, que se cultiva en los jardines.

Arauja. f. *Bot.* Planta trepadora del Brasil, de la familia de las asclepiadáceas, de hojas oblongas, blanquecinas por el envés, y flores blancas y olorosas.

Aravico. m. Poeta de los antiguos peruanos.

Arazá. (Voz guaraní.) m. Árbol de la familia de las mirtáceas, originario del Uruguay, con la copa ancha y frondosa, madera consistente y flexible y fruto amarillo dorado, comestible. || **2.** Fruto de este árbol.

Arbalestrilla. (Del lat. *arcuballista*; de *arcus*, arco, y *ballista*, ballesta.) f. *Mat.* Instrumento antiguo que venía a ser un sextante de alidadas.

Arbelcorán. m. *Gran.* **Alboquerón.**

Arbellón. (Del lat. *alveŏlus*, d. de *alveus*, álveo.) m. **Albollón.**

Arbequín. (De *Arbeca*, villa de la provincia de Lérida.) adj. V. **Olivo arbequín.**

Arbitrable. adj. Que pende del arbitrio.

Arbitración. (De *arbitrar.*) f. *For.* **Arbitramento.**

Arbitradero, ra. (De *arbitrar.*) adj. ant. **Arbitrable.**

Arbitrador, ra. (Del lat. *arbitrātor.*) adj. Que arbitra. Ú. t. c. s. ‖ **2.** V. **Juez arbitrador.** Ú. t. c. s.

Arbitraje. m. Acción o facultad de arbitrar. ‖ **2.** Juicio arbitral. ‖ **3.** Procedimiento para resolver pacíficamente conflictos internacionales, sometiéndolos al fallo de una tercera potencia, de una persona individual o de una comisión o tribunal. ‖ **4.** *Com.* Operación de cambio de valores mercantiles, en la que se busca la utilidad en los precios comparados de diferentes plazas.

Arbitral. (Del lat. *arbitrālis.*) adj. Perteneciente o relativo al arbitrador o al juez árbitro. *Juicio, sentencia* ARBITRAL.

Arbitramento. (De *arbitrar.*) m. *For.* Acción o facultad de dar sentencia arbitral. ‖ **2.** *For.* Sentencia arbitral.

Arbitramiento. m. *For.* **Arbitramento.**

Arbitrante. p. a. de **Arbitrar.** Que arbitra.

Arbitrar. (Del lat. *arbitrāre.*) tr. Proceder uno libremente, usando de su facultad y arbitrio. ‖ **2.** Dar o proponer arbitrios. ‖ **3.** intr. ant. Discurrir, formar juicio. ‖ **4.** *For.* Juzgar como árbitro. ‖ **5.** r. **Ingeniarse.**

Arbitrariamente. adv. m. Por arbitrio o al arbitrio. ‖ **2.** Con arbitrariedad.

Arbitrariedad. (De *arbitrario.*) f. Acto o proceder contrario a la justicia, la razón o las leyes, dictado sólo por la voluntad o el capricho.

Arbitrario, ria. (Del lat. *arbitrarĭus.*) adj. Que depende del arbitrio. ‖ **2.** Que procede con arbitrariedad. ‖ **3.** Que incluye arbitrariedad. ‖ **4.** **Arbitral.** ‖ **5.** V. **Poder arbitrario.**

Arbitrativo, va. adj. **Arbitrario,** 1.ª y 4.ª aceps.

Arbitratorio, ria. (De *arbitrar.*) adj. **Arbitral.**

Arbitrero, ra. adj. **Arbitrario.** ‖ **2.** m. **Arbitrista.**

Arbitriano. (De *arbitrio.*) m. **Arbitrista.**

Arbitrio. (Del lat. *arbitrĭum.*) m. Facultad que tenemos de adoptar una resolución con preferencia a otra. ‖ **2.** Autoridad, poder. ‖ **3.** Voluntad no gobernada por la razón, sino por el apetito o capricho. ‖ **4.** Medio extraordinario que se propone para el logro de algún fin. ‖ **5.** Sentencia del juez árbitro. ‖ **6.** pl. Derechos o imposiciones con que se arbitran fondos para gastos públicos, por lo general municipales. ‖ **Arbitrio de juez,** o **judicial.** *For.* Facultad que se deja a los jueces para la apreciación circunstancial a que la ley no alcanza.

Arbitrista. (De *arbitrio.*) com. Persona que inventa planes o proyectos disparatados o empíricos, para aliviar la hacienda pública, o remediar males políticos.

Árbitro, tra. (Del lat. *arbĭter, -ĭtri.*) adj. Dícese del que puede hacer alguna cosa por sí solo sin dependencia de otro. Ú. t. c. s. ‖ **2.** V. **Juez árbitro.** Ú. t. c. s. ‖ **3.** m. El que en algunas contiendas deportivas de agilidad y destreza cuida de la aplicación del reglamento.

Árbol. (Del lat. *arbor.*) m. Planta perenne, de tronco leñoso y elevado, que se ramifica a mayor o menor altura del suelo. ‖ **2.** Pieza de hierro en la parte superior del husillo de la prensa de imprimir. ‖ **3.** En los órganos, eje que, movido a voluntad del ejecutante, hace que suene o deje de sonar el registro que éste desea. ‖ **4.** Punzón con cabo de madera y punta de acero, de que usan los relojeros para horadar el metal. ‖ **5.** Cuerpo de la camisa, sin las mangas. ‖ **6.** *Germ.* **Cuerpo,** 2.ª acep. ‖ **7.** *Arq.* Pie derecho alrededor del cual se ponen las gradas de una escalera de caracol. ‖ **8.** *Impr.* Altura de la letra desde la base hasta el hombro. ‖ **9.** *Mar.* **Palo,** 3.ª acep. ‖ **10.** *Mec.* Pie derecho o mástil fijo o giratorio que sirve de eje en una máquina, y especialmente el que transmite la fuerza motriz a otros órganos de la misma. ‖ **de costados. Árbol genealógico.** ‖ **de Diana.** *Quím.* Cristalización rameada que se obtiene añadiendo amalgama de plata a una disolución de plata y mercurio en ácido nítrico. ‖ **de fuego.** Armazón de madera, compuesta de un palo como pie o tronco, y varios listones como brazos o ramas, que sostienen las envolturas de papeles por donde va distribuida la pólvora para un fuego de los que llaman artificiales. ‖ **de Judas. Ciclamor.** ‖ **de la canela. Canelo,** 2.ª acep. ‖ **de la cera.** Árbol de Cuba, de la familia de las euforbiáceas, que exuda una materia semejante a la cera, y cuya madera, de color blanco amarillento, es dura y compacta, y se emplea en obras de ebanistería. ‖ **2.** Se da el mismo nombre a otros **árboles** que también exudan una materia parecida a la cera. ‖ **de la ciencia del bien y del mal.** El que Dios puso en el Paraíso terrenal, prohibiendo al hombre comer de su fruto. ‖ **de la cruz.** Cruz en que murió Nuestro Señor Jesucristo. ‖ **de la leche.** Árbol de la familia de las moráceas, propio de Venezuela, cuyo látex, dulce y abundante, se utiliza como alimento. ‖ **del amor. Ciclamor.** ‖ **de la seda. Mata de la seda.** ‖ **de la vida.** El que puso Dios en medio del Paraíso con virtud natural o sobrenatural de prolongar la existencia. ‖ **2. Tuya.** ‖ **3.** *Zool.* Conjunto de ramificaciones formadas en el cerebro por la substancia gris sobre la blanca. ‖ **del cielo. Ailanto.** ‖ **del clavo. Clavero,** 1.er art. ‖ **del diablo. Jabillo.** ‖ **del incienso.** Árbol del Asia, de la familia de las anacardiáceas, que da por exudación el incienso. ‖ **del lizo.** En las fábricas de tapices, palo que atraviesa la urdimbre, enfila los lizos y los lleva a manos del operario. ‖ **del pan.** Árbol de los trópicos, de la familia de las moráceas, cuyo tronco, grueso y ramoso, tiene de 10 a 12 metros de altura. Su fruto, de figura oval y muy voluminoso, contiene una substancia farinácea y sabrosa, y, cocido, se usa como alimento. ‖ **del Paraíso.** Árbol de la familia de las eleagnáceas, de unos 10 metros de altura, con tronco tortuoso y gris, hojas estrechas, lanceoladas, blanquecinas y lustrosas, flores axilares, pequeñas, blancas por fuera y amarillas por dentro, y frutos drupáceos, ovoides y de color amarillo rojizo. Florece por mayo y junio, y sus flores y hojas despiden olor aromático muy subido. ‖ **de María. Calambuco.** ‖ **de Marte.** *Quím.* Compuesto de carbonato de potasa y silicato de hierro que, con color gris blanquecino, se forma sobre los cristales de sulfato de hierro introducidos en una disolución de silicato y carbonato de potasa. ‖ **de Navidad.** Pimpollo de una planta de hoja perenne, generalmente conífera, que se decora con luces, adornos, golosinas, juguetes y otros obsequios de escaso tamaño, para celebrar en familia la fiesta navideña. ‖ **de pie.** El que viene de semilla y no de cepa. ‖ **de pólvora. Árbol de fuego.** ‖ **de ruedas.** Eje de las ruedas del reloj. ‖ **de Saturno.** *Quím.* Cristalización que se obtiene introduciendo en una disolución de acetato de plomo un soporte de cinc, con alambres de cobre o latón doblados como las ramas de un **árbol,** para que encima se depositen los cristales. ‖ **genealógico.** Cuadro descriptivo, las más veces en figura de **árbol,** de los parentescos de una familia. ‖ **mayor.** *Mar.* **Palo mayor.** ‖ **padre.** El que al hacer una corta se deja en pie para que con su semilla se repueble el monte. ‖ **respiratorio.** *Med.* Sistema orgánico formado por la ramificación de los bronquios que parten del tronco de la laringe y de la tráquea. ‖ **Árbol de buen natío, toma un palmo y paga cinco.** ref. que enseña que el buen **árbol** ocupa poco terreno y da mucha utilidad. ‖ **Del árbol caído todos hacen leña.** ref. que da a entender el desprecio que se hace comúnmente de aquel a quien ha sido contraria la suerte, y la utilidad que todos procuran sacar de su desgracia. ‖ **Quien a buen árbol se arrima, buen sombra le cobija.** ref. que da a entender las ventajas que logra el que tiene protección poderosa. ‖ **Reniego del árbol que a palos ha de dar el fruto.** ref. que reprende al indócil que no obra bien sino a fuerza de castigo.

Arbolado, da. adj. Dícese del sitio poblado de árboles. ‖ **2.** m. Conjunto de árboles. ‖ **3.** *Germ.* Hombre de grande estatura.

Arboladura. (De *arbolar.*) f. *Mar.* Conjunto de árboles y vergas de un buque.

Arbolar. tr. **Enarbolar,** 1.ª acep. ‖ **2.** Poner los árboles a una embarcación. ‖ **3.** Arrimar derecho un objeto alto a una cosa. ARBOLAR *escalas al muro, a las torres.* ‖ **4.** r. **Encabritarse,** 1.ª acep.

Arbolario, ria. adj. fig. y fam. **Herbolario,** 2.ª acep. Ú. t. c. s.

Arbolecer. intr. **Arborecer.**

Arboleda. (Del lat. *arborēta*, pl. de *arborētum*, arboledo.) f. Sitio poblado de árboles, principalmente el sombrío y ameno.

Arboledo. (Del lat. *arborētum.*) m. **Arbolado,** 2.ª acep.

Arbolejo. m. d. de **Árbol.**

Arbolete. m. d. de **Árbol.** ‖ **2.** Rama de árbol de que usan los cazadores, hincándola en tierra y poniendo en ella las varetas de liga en que se prenden los pájaros. ‖ **3.** En los antiguos racimos de metralla, el núcleo o palo sobre el que se formaban.

Arbolillo. m. d. de **Árbol.** ‖ **2.** *And.* **Arbolete,** 2.ª acep. ‖ **3.** *Min.* Cada uno de los dos muros que forman los costados de los hornos de cuba.

Arbolista. com. Persona dedicada por oficio al cultivo de los árboles. ‖ **2.** Persona que comercia en ellos.

Arbollón. (De *arbellón.*) m. **Albollón,** 1.ª y 2.ª aceps. ‖ **Salir** uno **por el arbollón.** fr. fig. y fam. **Salir por el albañal.**

Árbor. m. ant. **Árbol.**

Arborado, da. adj. ant. **Arbolado,** 1.ª acep.

Arborecer. (Del lat. *arborescĕre.*) intr. Hacerse árbol.

Arbóreo, a. (Del lat. *arborĕus.*) adj. Perteneciente o relativo al árbol. ‖ **2.** Semejante al árbol. ‖ **3.** V. **Hiedra, malva arbórea.**

Arborescencia. (Del lat. *arborescens, -entis*, arborescente.) f. Crecimiento o calidad de las plantas arborescentes. ‖ **2.** Semejanza de ciertos minerales o cristalizaciones con la forma de un árbol.

Arborescente. (Del lat. *arborescens, -entis.*) adj. Dícese de la planta que tiene caracteres parecidos a los del árbol. ‖ **2.** V. **Alfalfa arborescente.**

Arboricultor. (Del lat. *arbor, -ris*, árbol, y *cultor*, cultivador.) m. El que se dedica a la arboricultura.

Arboricultura. (Del lat. *arbor, -ris*, árbol, y *cultūra*, cultivo.) f. Cultivo de los árboles. ‖ **2.** Enseñanza relativa al modo de cultivarlos.

Arboriforme. (Del lat. *arbor, -ris*, árbol, y *forma*, figura.) adj. De figura de árbol.

Arbotante. (Del fr. *arc-boutant;* de *arc*, arco, y *bouter* por *buter*, apoyar.) m. *Arq.* Arco por tranquil que se apoya por su extremo inferior en un botarel, y por el superior contrarresta el empuje de algún arco o bóveda. || **2.** *Mar.* Palo o hierro que sobresale del casco del buque, en el cual se asegura para sostener cualquier objeto.

Arbustivo, va. adj. *Bot.* Que tiene la naturaleza o calidades del arbusto.

Arbusto. (Del lat. *arbustum.*) m. Planta perenne, de tallos leñosos y ramas desde la base, como la lila, la jara, etc.

Arca. (Del lat. *arca.*) f. Caja, comúnmente de madera sin forrar y con tapa llana que aseguran varios goznes o bisagras por uno de los lados, y uno o más candados o cerraduras por el opuesto. || **2. Caja,** 2.ª acep. || **3.** Cada uno de los hornos secundarios de las fábricas de vidrio, donde se ponen las piezas después de labradas, ya para caldearlas hasta cierto grado, ya para enfriarlas. || **4. Arca de agua.** || **5.** En Valencia, pedrea que tenían los estudiantes unos con otros. || **6.** ant. Especie de nave o embarcación. || **7.** ant. Sepulcro o ataúd. || **8.** pl. Pieza donde se guarda el dinero en las tesorerías. || **9.** Vacíos que hay debajo de las costillas, encima de los ijares. || **10.** ant. Parte anterior del pecho o tórax. || **Arca cerrada.** fig. Persona muy reservada. || **2.** fig. persona o cosa de que aún no se tiene cabal idea. || **de agua** Casilla o depósito para recibir el agua y distribuirla. || **de la alianza.** Aquella en que se guardaban las tablas de la ley, el maná y la vara de Aarón. || **del cuerpo.** Tronco del cuerpo humano. || **del diluvio. Arca de Noé,** 1.ª acep. || **del pan.** fig. y fam. **Vientre,** 1.ª acep. || **del testamento. Arca de la alianza.** || **de Noé.** Especie de embarcación en que se salvaron del diluvio Noé y su familia y los animales encerrados en ella. || **2.** *Zool.* Molusco lamelibranquio, muy común en los mares de España, y cuyas valvas son de unos siete centímetros de largo y tres de ancho, rectas por la parte de la charnela, estriadas, y de color blanco con bandas angulosas amarillentas. || **3.** fig. y fam. Pieza, cajón o cofre donde se encierran muchas y varias cosas. || **Arca llena y arca vacía.** expr. fig. Alternativa de abundancia y escasez de dinero o de otras cosas. || **En arca abierta, el justo peca.** ref. **La ocasión hace al ladrón.** || **En arca de avariento, el diablo yace dentro.** ref. que denota la fealdad de la avaricia. || **Hacer arcas.** fr. Abrirlas en las tesorerías con asistencia de los claveros, para recibir o entregar alguna cantidad.

Arca. (De *arcar.*) f. ant. Acción de arquear, 1.er art., 2.ª acep.

Arcabucear. tr. Tirar arcabuzazos. || **2.** *Mil.* Ejecutar a una persona con una descarga de arcabucería.

Arcabucería. f. Tropa militar armada de arcabuces. || **2.** Fuego de arcabuces. || **3.** Conjunto de arcabuces. || **4.** Fábrica de arcabuces. || **5.** Paraje donde se vendían.

Arcabucero. m. Soldado armado de arcabuz. || **2.** Fabricante de arcabuces y de otras armas de fuego.

Arcabucete. m. d. de **Arcabuz,** 1.ª acep.

Arcabuco. m. Monte muy espeso y cerrado.

Arcabucoso, sa. adj. Que abunda en arcabucos.

Arcabuezo. m. ant. **Carcavuezo.**

Arcabuz. (Del fr. *harquebuse,* y éste del neerl. *haakbuse.*) m. Arma antigua de fuego, con cañón de hierro y caja de madera, semejante al fusil, y que se disparaba prendiendo la pólvora del tiro mediante una mecha móvil colocada en la misma arma. || **2. Arcabucero,** 1.ª acep.

Arcabuzal. m. ant. **Arcabuco.**

Arcabuzazo. m. Tiro de arcabuz. || **2.** Herida que causa.

Arcacil. m. **Alcacil.**

Arcada. f. Conjunto o serie de arcos en las fábricas y especialmente en los puentes. || **2. Ojo,** 11.ª acep. || **3.** Movimiento violento y penoso del estómago, que excita a vómito. Ú. m. en pl.

Árcade. (Del lat. *arcas, -ădis,* y éste del gr. ἀρκάς.) adj. Natural de la Arcadia. Ú. t. c. s. || **2.** Perteneciente a este país de Grecia. || **3.** m. Individuo de la academia de poesía y buenas letras, llamada de los **Árcades,** establecida en Roma.

Arcádico, ca. adj. Perteneciente o relativo a la Arcadia o a los árcades.

Arcadio, dia. (Del lat. *arcadĭus.*) adj. **Árcade,** 1.ª y 2.ª aceps.

Arcador. m. El que tiene por oficio arcar.

Arcaduz. (De *alcaduz.*) m. Caño por donde se conduce el agua. || **2.** Cada uno de los caños de que se compone una cañería. || **3. Cangilón,** 2.ª acep. || **4.** fig. y fam. Medio por donde se consigue o entabla alguna pretensión y negocio. || **Arcaduz de noria, el que lleno viene, vacío torna.** ref. que se aplica a los que gastan su caudal en pleitos y pretensiones y se quedan sin conseguir lo que solicitaban.

Arcaduzar. tr. ant. Conducir el agua por arcaduces.

Arcaico, ca. (Del lat. *archaĭcus,* y éste del gr. ἀρχαϊκός, de ἀρχαῖος, antiguo.) adj. Perteneciente o relativo al arcaísmo.

Arcaísmo. (Del lat. *archaismus,* y éste del gr. ἀρχαϊσμός.) m. Voz, frase o manera de decir anticuadas. || **2.** Empleo de voces, frases o maneras de decir anticuadas. || **3.** Imitación de las cosas de la antigüedad.

Arcaísta. com. Persona que emplea arcaísmos sistemáticamente.

Arcaizante. p. a. de **Arcaizar.** Que arcaíza.

Arcaizar. (Del gr. ἀρχαΐζω.) intr. Usar arcaísmos. || **2.** tr. Dar carácter de antigua a una lengua, empleando arcaísmos.

Arcanamente. adv. m. Con arcano, misteriosamente.

Arcángel. (Del lat. *archangĕlus,* y éste del gr. ἀρχάγγελος; de ἀρχός, jefe, y ἄγγελος, ángel.) m. Espíritu bienaventurado, de orden media entre los ángeles y los principados, y que, por tanto, pertenece al octavo coro de los espíritus celestes.

Arcangélico, ca. adj. Perteneciente o relativo a los arcángeles. || **2.** V. **Angélica arcangélica.**

Arcanidad. f. ant. **Arcano,** 2.ª acep.

Arcano, na. (Del lat. *arcānus.*) adj. Secreto, recóndito, reservado. Dícese más comúnmente de las cosas. || **2.** m. Secreto muy reservado y de importancia.

Arcar. tr. **Arquear,** 1.er art., 1.ª y 2.ª aceps.

Arcatura. f. *Arq.* Arcada figurada, principalmente la voladiza sobre columnitas o modillones que reemplaza a los canecillos en algunos tejaroces del último período románico.

Arcaz. m. ant. aum. de **Arca,** 1.er art.

Arcazón. m. *And.* **Mimbre.**

Arce. (Del ár. *arz,* cedro.) m. *Bot.* Árbol de la familia de las aceráceas, de madera muy dura y generalmente salpicada de manchas a manera de ojos, con ramas opuestas, hojas sencillas, lobuladas o angulosas; flores en corimbo o en racimo, ordinariamente pequeñas, y fruto de dos sámaras unidas.

Arce. (Del lat. *arger, -ĕris,* cerco.) m. ant. **Arcén.**

Arcea. f. *Ast.* **Chocha.**

Arcedianadgo. m. ant. **Arcedianazgo.**

Arcedianato. m. Dignidad de arcediano. || **2.** Territorio de su jurisdicción.

Arcedianazgo. m. ant. **Arcedianato.**

Arcediano. (Del lat. *archidiacŏnus,* y éste del gr. ἀρχιδιάκονος; de ἄρχω, mandar, y διάκονος, diácono.) m. En lo antiguo, el primero o principal de los diáconos. Hoy es dignidad en las iglesias catedrales. || **2.** Juez ordinario que ejercía jurisdicción delegada de la episcopal en determinado territorio, y que más tarde pasó a formar parte del cabildo catedral.

Arcedo. m. Sitio poblado de arces 1.er art.

Arcén. (De *arce,* 2.° art.) m. Margen u orilla. || **2. Brocal,** 1.ª acep.

Arcense. adj. **Arcobricense.** Apl. a pers., ú. t. c. s.

Arcidriche. (Del m. or. que *ajedrez.*) m. ant. Tablero de ajedrez.

Arcifinio, nia. (Del lat. *arcifinĭum.*) adj. Dícese del territorio que tiene límites naturales.

Arcilla. (De *argilla.*) f. Substancia mineral, ordinariamente blanca, combinación de sílice y alúmina: empapada en agua, da olor característico y se hace muy plástica, y por la calcinación pierde esta propiedad y se contrae. || **figulina.** La que contiene caliza, arena, óxidos de hierro, etc., y es de uso corriente en alfarería.

Arcillar. tr. Mejorar las tierras silíceas echándoles arcilla o greda.

Arcilloso, sa. (Del lat. *argillōsus.*) adj. Que tiene arcilla. || **2.** Que abunda en arcilla. || **3.** Semejante a ella.

Arción. m. *Arq.* Dibujo de líneas enlazadas que, imitando las mallas de una red, se usaba en la ornamentación arquitectónica de la Edad Media.

Arciprestado. m. *Ar.* **Arciprestazgo.**

Arciprestal. adj. De arcipreste o propio de él.

Arciprestazgo. m. Dignidad o cargo de arcipreste. || **2.** Territorio de su jurisdicción.

Arcipreste. (Del lat. *archipresbўter,* y éste del gr. ἀρχός, jefe, y πρεσβύτερος, presbítero.) m. En lo antiguo, el primero o principal de los presbíteros. Hoy es dignidad en las iglesias catedrales. || **2.** Presbítero que, por nombramiento del obispo, ejerce ciertas atribuciones sobre los curas e iglesias de un territorio determinado.

Arco. (Del lat. *arcus.*) m. *Geom.* Porción de curva. ARCO *de círculo, de elipse.* || **2.** Arma hecha de una varilla de acero, madera u otra materia elástica, sujeta por los extremos con una cuerda o bordón, de modo que forme una curva, y la cual sirve para disparar flechas. || **3.** Vara delgada, corva o doblada en sus extremos, en los cuales se fijan algunas cerdas que sirven para herir las cuerdas de varios instrumentos de música. || **4.** Aro que ciñe y mantiene unidas las duelas de pipas, cubas, etc. || **5.** *Arq.* Fábrica en forma de **arco,** que cubre un vano entre dos pilares o puntos fijos. || **6.** *Fís.* Descarga eléctrica luminosa entre dos conductores separados por un medio aislador, con vaporización parcial de aquéllos. || **7.** V. **Danza de arcos.** || **8.** V. **Secante, seno, tangente de un arco.** || **9.** V. **Secante segunda, tangente segunda de un arco.** || **abocinado.** *Arq.* El que tiene más luz en un paramento que en el opuesto. || **adintelado.** *Arq.* El que viene a degenerar en línea recta. || **alveolar.** *Zool.* Cada uno de los bordes formados respectivamente por el borde superior y el inferior de cada quijada. || **a nivel.** *Arq.* **Arco adintelado.** || **apainelado.** *Arq.* **Arco carpanel.** || **apuntado.** *Arq.* El que consta de dos porciones de curva que forman ángulo en la clave. || **a regla.** *Arq.* **Arco adintelado.** || **aviajado.** *Arq.* **Arco enviajado.** || **botarete.** *Arq.* **Arbotante,** 1.ª acep. || **carpanel.** *Arq.* El que consta de varias porciones de circunferencia tangentes entre sí y trazadas desde distintos centros. || **cegado.** *Arq.* El que tiene tapiada su luz. || **ciego.**

Arq. **Arco cegado.** || **complementario.** *Geom.* **Complemento,** 5.ª acep. || **conopial.** *Arq.* El muy rebajado y con una escotadura en el centro de la clave, que lo hace semejante a un pabellón o cortinaje. || **crucero.** *Arq.* El que une en diagonal dos ángulos en la bóveda por arista. || **de círculo.** *Geom.* Parte de la circunferencia. || **degenerante.** *Arq.* **Arco adintelado.** || **de iglesia.** fig. y fam. Cosa muy difícil de ejecutar. Ú. con el verbo *ser* y generalmente con negación. || **del cielo. Arco iris.** || **de medio punto.** *Arq.* El que consta de un semicírculo entero. || **de punto entero.** *Arq.* **Arco de todo punto.** || **de punto hurtado.** *Arq.* **Arco rebajado.** || **de San Martín.** *Murc.* **Arco iris.** || **de todo punto.** *Arq.* El apuntado cuyos dos centros están en los puntos de arranque. || **enviajado.** *Arq.* El que tiene los machos o apoyos colocados oblicuamente respecto a su planta. || **escarzano.** *Arq.* El que es menor que el semicírculo del mismo radio. || **iris. Iris,** 1.ª acep. || **perpiaño.** *Arq.* El resaltado a manera de cincho en la parte inferior del cañón de una nave. || **por tranquil.** *Arq.* El que tiene sus arranques a distinta altura uno de otro. || **realzado.** *Arq.* Aquel cuya altura es mayor que la mitad de su luz. || **rebajado.** *Arq.* Aquel cuya altura es menor que la mitad de su luz. || **remontado.** *Arq.* **Arco realzado.** || **suplementario.** *Geom.* **Suplemento,** 5.ª acep. || **tercelete.** *Arq.* El que en las bóvedas por arista sube por un lado hasta la mitad del **arco** diagonal. || **toral.** *Arq.* Cada uno de los cuatro en que estriba la media naranja de un edificio. || **triunfal.** Monumento compuesto de uno o varios **arcos,** adornado con obras de escultura y erigido en honor de un ejército o de su caudillo, para conmemorar victorias señaladas. || **2.** Por ext., el que se erige en celebridad de cualquier suceso notable. || **voltaico.** Flujo de chispas en el punto donde se interrumpe un circuito eléctrico con un intervalo sumamente pequeño. || **zarpanel.** *Arq.* **Arco carpanel.** || **Arco de tejo, recio de armar y flojo de dejo.** ref. que denota que la madera de este árbol no es a propósito para hacer **arcos.** || **Arco de tejo y cureña de serbal, cuando disparan, hecho han el mal.** ref. que denota que, por lo quebradizo de estas maderas, recibe daño el que dispara, antes que ofenda al enemigo. || **Arco que mucho brega, o él o la cuerda.** ref. que advierte que el mucho trabajo quebranta las fuerzas. || **Arco siempre armado, o flojo o quebrado.** ref. que da a entender que las cosas humanas no pueden mantenerse mucho tiempo en un estado violento.

Arcobricense. (Del lat. *arcobrigenses.*) adj. Natural de Arcos de la Frontera. Ú. t. c. s. || **2.** Perteneciente a esta ciudad.

Arcón, na. m. y f. aum. de **Arca,** 1.er art.

Arcontado. m. Forma de gobierno que en Atenas substituyó a la monarquía, y en la cual, tras varias vicisitudes, el poder supremo residía en nueve jefes, llamados arcontes, que cambiaban todos los años.

Arconte. (Del lat. *archon, -ontis,* y éste del gr. ἄρχων, de ἄρχω, gobernar.) m. Magistrado a quien se confió el gobierno de Atenas después de la muerte del rey Codro. || **2.** Cada uno de los nueve que posteriormente se crearon con el mismo fin.

Arcosa. f. Arenisca compuesta de granos de cuarzo mezclados con otros de feldespato. Es de textura variable y se emplea como piedra de construcción y para empedrados.

Arctado. (Del lat. *arctātus,* p. p. de *arctāre,* estrechar, limitar.) adj. Dícese del clérigo que tiene tiempo limitado para ordenarse.

Árctico, ca. (Del lat. *arctĭcus,* y éste del gr. ἀρκτικός, de ἄρκτος, oso, osa.) adj. ant. *Astron.* y *Geog.* **Ártico.**

Arcuación. (Del lat. *arcuatĭo, -ōnis.*) f. Curvatura de un arco.

Arcuado, da. (Del lat. *arcuātus.*) adj. ant. De figura de arco.

Arcual. (Del lat. *arcus,* arco.) adj. ant. **Arcuado.**

Archa. (Del fr. *arche.*) f. Arma ofensiva que usaban los archeros de Castilla, compuesta de una cuchilla larga fija en la extremidad de una asta.

Archero. (Del fr. *archer,* y éste del lat. *arcārius,* de *arcus,* arco.) m. Soldado de la guardia principal de la casa de Borgoña, que trajo a Castilla el emperador Carlos V. Era guardia noble, y se reformó a la entrada de Felipe V en España. || **2.** Soldado de la compañía del preboste.

Archi. (Del gr. ἄρχω, ser el primero.) Voz que sólo tiene uso como prefijo de vocablos compuestos. Con substantivos denota preeminencia o superioridad: ARCHI*duque,* ARCHI*diácono.* Con adjetivos equivale a *muy:* ARCHI*notable,* ARCHI*pícaro.*

Archí. (Del ár. *jarŷī,* comisario de gastos.) m. Sargento mayor de la milicia turca de los jenízaros argelinos, encargado de la administración económica del batallón.

Archibribón, na. (De *archi* y *bribón.*) adj. Muy bribón. Ú. t. c. s.

Archibruto, ta. (De *archi* y *bruto.*) adj. Muy bruto.

Archicofrade. m. Individuo de una archicofradía.

Archicofradía. (De *archi* y *cofradía.*) f. Cofradía más antigua o que tiene mayores privilegios que otras.

Archidiácono. m. **Arcediano.**

Archidiócesis. f. Diócesis arquiepiscopal.

Archiducado. m Dignidad de archiduque. || **2.** Territorio perteneciente al archiduque.

Archiducal. adj. Perteneciente o relativo al archiduque o al archiducado.

Archiduque. (De *archi* y *duque.*) m. En lo antiguo, duque revestido de autoridad superior a la de otros duques. Modernamente es dignidad de los príncipes de la casa de Austria.

Archiduquesa. f. Princesa de la casa de Austria, o mujer o hija del archiduque.

Archilaúd. (De *archi* y *laúd.*) m. Instrumento de música antiguo, semejante al laúd, pero mayor, con mástil mucho más largo, ocho bordones y cuerdas gruesas para indicar los bajos, siete pares de cuerdas para los acordes y otra sencilla más delgada para la melodía.

Archimandrita. (Del lat. *archimandrīta,* y éste del gr. ἀρχιμανδρίτης; de ἄρχω, mandar, y μάνδρα, establo, monasterio.) m. En la Iglesia griega, dignidad eclesiástica del estado regular, inferior al obispo. || **2.** *Germ.* Jefe o superior de una junta o comunidad.

Archipámpano. m. fest. Persona que ejerce gran dignidad o autoridad imaginaria.

Archipiélago. (Del b. gr. ἀρχιπέλαγος; de ἄρχω, ser superior, y πέλαγος, mar.) m. Parte del mar poblada de islas. || **2.** Por antonom., parte del mar Mediterráneo poblada de islas y comprendida entre Asia y Grecia. || **3.** fig. **Piélago,** 4.ª acep.

Architriclino. (Del lat. *architriclīnus,* y éste del gr. ἀρχιτρίκλινος; de ἄρχω, mandar, y τρίκλινον, comedor.) m. Entre griegos y romanos, persona encargada de ordenar los banquetes y de dirigir el servicio de la mesa.

Archivador, ra. adj. Que archiva. Ú. t. c. s. || **2.** m. Mueble de oficina convenientemente dispuesto para archivar documentos, fichas u otros papeles.

Archivar. tr. Poner y guardar papeles o documentos en un archivo.

Archivero. m. El que tiene a su cargo un archivo, o sirve como técnico en él.

Archivista. m. **Archivero.**

Archivístico, ca. adj. Perteneciente o relativo a los archivos.

Archivo. (Del lat. *archīvum,* y éste del gr. ἀρχεῖον, de ἀρχή, principio, origen.) m. Local en que se custodian documentos públicos o particulares. || **2.** Conjunto de estos documentos. || **3.** fig. Persona en quien se confía un secreto o recónditas intimidades y sabe guardarlas. || **4.** fig. Persona que posee en grado sumo una perfección o conjunto de perfecciones. ARCHIVO *de la cortesía, de la lealtad.*

Archivolta. (Del ital. *archivolto,* de *arco* y *volto.*) f. *Arq.* Conjunto de molduras que decoran un arco en su paramento exterior vertical, acompañando a la curva en toda su extensión y terminando en las impostas.

Arda. f. **Ardilla.**

Arda. f. *And.* **Ardentía,** 3.ª acep.

Ardalear. (De *ralear.*) intr. **Ralear,** 2.ª acep.

Árdea. (Del lat. *ardĕa.*) f. **Alcaraván.**

Ardentía. (De *ardiente.*) f. **Ardor.** || **2. Pirosis.** || **3.** Especie de reverberación fosfórica que suele mostrarse en las olas agitadas y a veces en la mar tranquila.

Ardentísimamente. adv. m. Con mucho ardor.

Ardentísimo, ma. (Del lat. *ardentissĭmus.*) adj. sup. de **Ardiente.**

Arder. (Del lat. *ardēre.*) intr. Estar encendido. || **2.** fig. **Resplandecer,** 1.ª acep. Ú. sólo en poesía. || **3.** fig. Repudrirse el estiércol, produciendo calor y vapores. || **4.** fig. Con las preps. *de* o *en,* y tratándose de pasiones o movimientos del ánimo, estar muy agitado por ellos. ARDER *de,* o *en, amor, odio, ira.* || **5.** fig. Con la prep. *en,* y tratándose de guerras, discordias, etc., ser éstas muy vivas y frecuentes. ARDER *en guerras un país.* || **6.** tr. **Abrasar,** 1.ª acep. Ú. t. c. r. || **7.** r. Echarse a perder por el excesivo calor y la humedad. Dícese de las mieses, la paja, el trigo, las aceitunas, el tabaco, etc. || **Arder verde por seco.** fr. fig. y fam. **Pagar justos por pecadores.**

Ardero, ra. (De *arda.*) adj. V. **Perro ardero.**

Ardeviejas. (De *arder* y *vieja.*) f. fam. **Aulaga.**

Ardicia. (De *arder.*) f. ant. Deseo ardiente o eficaz de alguna cosa.

Ardid. (Del lat. *artītus,* instruido en artes.) adj. Mañoso, astuto, sagaz. || **2.** m. Artificio, medio empleado hábil y mañosamente para el logro de algún intento.

Ardid. (Del dialect. *ardit,* y éste del germ. *hurdjan,* endurecer.) adj. ant. **Ardido.**

Ardidamente. adv. m. ant. Con ardimiento o valor.

Ardidez. f. ant. **Ardideza,** 1.er art.

Ardideza. (De *ardid,* 1.er art.) f. ant. Maña, astucia, sagacidad.

Ardideza. (De *ardid,* 2.° art.) f. ant. **Ardimiento,** 2.° art.

Ardido, da. (Del germ. *hardjan,* endurecer.) adj. Valiente, intrépido, denodado.

Ardidosamente. adv. m. ant. **Ardidamente.**

Ardidoso, sa. adj. ant. **Ardid,** 1.er art., 1.ª acep.

Ardidoso, sa. adj. ant. **Ardido.**

Ardiente. (Del lat. *ardens, -entis.*) p. a. de **Arder.** Que arde. || **2.** adj. Que causa ardor o parece que abrasa. *Sed, fiebre* ARDIENTE. || **3.** fig. Fervoroso, activo, eficaz. || **4.** fig. y poét. De color rojo o de fuego. *Clavel* ARDIENTE. || **5.** fig. V. **Capilla ardiente.**

Ardientemente. adv. m. Con ardor.

Ardilla. (d. de *arda.*) f. Mamífero roedor, de unos 20 centímetros de largo, de color negro rojizo por el lomo, blanco por el vientre y con cola muy poblada, que dobla hasta sobresalir de la cabeza. Críase en los bosques; es muy inquieto, vivo y ligero; salta desde las copas de unos árboles a las de otros, aliméntase con los frutos de ellos, y tiene la singularidad de llevarse a la boca el alimento con la mano.

Ardimiento. m. Acción y efecto de arder o arderse.

Ardimiento. (Del germ. *hardjan* y el sufijo latino *mentum.*) m. Valor, intrepidez, denuedo.

Ardínculo. m. *Veter.* Absceso que se presenta en las heridas de las caballerías cuando se declara la gangrena.

Ardiondo, da. adj. Lleno de ardor o coraje.

Ardite. m. Moneda de poco valor que hubo antiguamente en Castilla. || **2.** V. **Real de ardite.** || **No dársele** a uno **un ardite. No estimarse en un ardite. No importar,** o **no valer, un ardite.** frs. fams. con que se denota el poco valor de una cosa o el poco aprecio que se hace de ella.

Ardor. (Del lat. *ardor, -ōris.*) m. Calor grande. || **2.** fig. Brillo, resplandor. || **3.** fig. Encendimiento, enardecimiento de los afectos y pasiones. || **4.** fig. Ardimiento, intrepidez, denuedo. || **5.** fig. Viveza, ansia, anhelo. || **En el ardor de la batalla, de la disputa,** etc. loc. fig. En lo más encendido o empeñado de ella.

Ardorada. (De *ardor.*) f. Oleada de rubor que pone encendido el rostro.

Ardorosamente. adv. m. Con ardor.

Ardoroso, sa. adj. Que tiene ardor. || **2.** fig. Ardiente, vigoroso, eficaz.

Arduamente. adv. m. Con gran dificultad.

Arduidad. (Del lat. *arduĭtas, -ātis.*) f. Calidad de arduo.

Arduo, dua. (Del lat. *ardŭus.*) adj. Muy difícil.

Ardura. (De *arduo.*) f. ant. Estrechez, angustia, apuro. Ú. en *Ál.*

Ardurán. (Del berb. *'ayārdan*, trigo.) m. Variedad de la zahína de Berbería.

Área. (Del lat. *arĕa.*) f. Espacio de tierra que ocupa un edificio. || **2.** Medida de superficie, que es un cuadrado de diez metros de lado, equivalente a poco más de 143 varas cuadradas. || **3. Era,** 2.° art., 2.ª acep. || **4.** *Geom.* Superficie comprendida dentro de un perímetro.

Areca. f. Palma de tronco algo más delgado por la base que por la parte superior y con corteza surcada por multitud de anillos, hojas aladas, hojuelas ensiformes y lampiñas, pecíolos anchos, flores dispuestas en espigada panoja y fruto del tamaño de una nuez común. || **2.** Fruto de esta planta. Se emplea en tintorería, y sirve en Filipinas para hacer buyo.

Arecer. (Del lat. *arescĕre.*) tr. ant. **Secar.**

Arefacción. (Del lat. *arefactum*, supino de *arefacĕre*, secarse.) f. Secamiento, acción y efecto de secar o secarse.

Areito. m. Canto popular de los antiguos indios de las Antillas y de la América Central. || **2.** Danza que se bailaba con este canto.

Arel. (Del lat. *areāle cribrum*, harnero.) m. Criba grande para limpiar el trigo en la era.

Arelar. tr. Limpiar el trigo con arel.

Arena. (Del lat. *arēna.*) f. Conjunto de partículas desagregadas de las rocas, sobre todo si son silíceas, y acumuladas, ya en las orillas del mar o de los ríos, ya en capas de los terrenos de acarreo. || **2.** Metal o mineral reducido por la naturaleza o el arte a partes muy pequeñas. || **3.** V. **Calza, reloj de arena.** || **4.** fig. Sitio o lugar del combate o la lucha. || **5.** fig. Redondel de la plaza de toros. || **6.** pl. Piedrecitas o concreciones pequeñas que se encuentran en la vejiga. || **Arena bruja.** *Murc.* La más sutil y menuda que se saca de las acequias cuando se limpian. || **de mina.** La que se explota subterráneamente entre las formaciones geológicas. || **muerta.** La que por estar pura y sin mezcla de tierra, no sirve para el cultivo. || **Comer arena antes que hacer vileza.** ref. que exhorta a la virtud, aconsejando que no se obre contra ella, por más que estreche la necesidad. || **Edificar sobre arena.** fr. fig. con que se denota la instabilidad y poca duración de alguna cosa. || **Escribir en la arena.** fr. fig. con que se da a entender la poca firmeza o duración en lo que se resuelve o determina. || **Sembrar en arena.** fr. fig. de que se usa para denotar el trabajo vano e infructuoso.

Arenáceo, a. (Del lat. *arenacĕus.*) adj. Arenoso.

Arenación. (Del lat. *arenatĭo, -ōnis.*) f. *Med.* Operación que consiste en cubrir, del todo o en parte, con arena caliente el cuerpo de un enfermo.

Arenal. m. Suelo de arena movediza. || **2.** Extensión grande de terreno arenoso.

Arenalejo. m. d. de **Arenal.**

Arenar. tr. **Enarenar,** 1.ª acep. || **2.** Refregar con arena.

Arenaza. (De *arena.*) f. *Jaén.* Granito descompuesto que suele encontrarse en contacto con los filones de galena.

Arencar. tr. Salar y secar sardinas al modo de los arenques.

Arencón. m. Especie de arenque mayor que los comunes.

Arenero, ra. m. y f. Persona que vende arena. || **2.** m. Caja en que las locomotoras llevan arena para soltarla sobre los carriles y aumentar la adherencia de las ruedas cuando es necesario. || **3.** *Taurom.* Mozo encargado de mantener en condiciones convenientes, durante la lidia, la superficie de arena del redondel.

Arenga. (Del gót. *hrings*, círculo.) f. Discurso por lo general solemne y de elevado tono. Tómase con especialidad por el que se pronuncia con el solo fin de enardecer los ánimos, y por cualquiera de los que solían poner los historiadores en boca de algunos personajes. || **2.** fig. y fam. Discurso, razonamiento largo, impertinente y enfadoso.

Arengador, ra. adj. Que arenga. Ú. t. c. s.

Arengar. intr. Decir en público una arenga. Ú. t. c. tr.

Arenilla. (d. de *arena.*) f. Arena menuda, generalmente de hierro magnético, que se echa en los escritos recientes para secarlos y que no se borren. || **2.** pl. Salitre beneficiado y reducido a granos menudos, al modo de arena, que se emplea en la fabricación de la pólvora. || **3. Cálculo,** 3.ª acep. || **4.** ant. Dados que sólo tienen puntos por una cara, como los que se usan en el juego de la rentilla.

Arenillero. (De *arenilla.*) m. **Salvadera,** 1.ª acep.

Arenisca. (De *arena.*) f. Roca formada con granillos de cuarzo unidos por un cemento silíceo, arcilloso, calizo o ferruginoso.

Arenisco, ca. adj. Aplícase a lo que tiene mezcla de arena. *Vaso, ladrillo, terreno* ARENISCO.

Arenoso, sa. (Del lat. *arenōsus.*) adj. Que tiene arena, o abunda en ella. || **2.** Que participa de la naturaleza y calidades de la arena.

Arenque. (Del germ. *haring.*) m. *Zool.* Pez teleósteo, fisóstomo, de unos 25 centímetros de longitud, cuerpo comprimido, boca pequeña, dientes visibles en las dos mandíbulas, aletas ventrales estrechas, y color azulado por encima, plateado por el vientre, y con una raya dorada a lo largo del cuerpo en la época de la freza.

Arenzata. (De *arienzo.*) f. ant. **Almudelio.**

Areola [**Aréola**]. (Del lat *areŏla.*) f. *Med.* Círculo rojizo que limita ciertas pústulas, como en la viruelas y la vacuna. || **2.** *Zool.* Círculo rojizo algo moreno que rodea el pezón del pecho.

Areolar. adj. *Zool.* Perteneciente o relativo a las areolas.

Areómetro. (Del gr. ἀραιός, tenue, y μέτρον, medida.) m. *Fís.* Instrumento que sirve para determinar las densidades relativas o los pesos específicos de los líquidos, o de los sólidos por medio de los líquidos.

Areopagita. (Del lat. *areopagīta*, y éste del gr. ἀρεοπαγίτης.) m. Cada uno de los jueces del Areópago.

Areópago. (Del lat. *aeropăgus*, y éste del gr. ἀρειόπαγος; de ἄρειος, consagrado a Marte, y πάγος, colina: colina de Marte, en la cual se reunía este tribunal.) m. Tribunal superior de la antigua Atenas. || **2.** fig. Grupo de personas graves a quienes se atribuye, las más veces irónicamente, predominio o autoridad para resolver ciertos asuntos.

Areosístilo. adj. *Arq.* Dícese del edificio o monumento adornado con columnatas, en las cuales se combinan los módulos del areóstilo con los del sístilo. Ú. t. c. s.

Areóstilo. (Del gr. ἀραιόστυλος; de ἀραιός, poco abundante, y στύλος, columna.) adj. *Arq.* Dícese del monumento o edificio adornado con columnatas, cuyos intercolumnios son de ocho módulos o rara vez más. Ú. t. c. s.

Arepa. (Del cumanagoto *erepa*, maíz.) f. Pan de forma circular que se usa en América, compuesto de maíz salcochado, majado y pasado por tamiz, huevos y manteca, y cocido al horno.

Arepita. (d. de *arepa.*) f. Tortita usada en América, hecha de la masa del maíz, con papelón y queso.

Ares. Voz usada en la loc. **Ares y mares** para denotar prodigios, maravillas, etc. Ú. con los verbos *poseer, contar, hacer.*

Aresta. (Del lat. *arĭsta.*) f. ant. **Espina.** 1.ª acep. || **2.** ant. **Tomento,** 1.ª acep.

Arestil. (De *aresta.*) m. **Arestín.**

Arestín. (De *aresta.*) m. Planta perenne de la familia de las umbelíferas, de unos tres decímetros de altura, con tallo ramoso y hojas partidas en tres gajos y llenas de púas en sus bordes, así como el cáliz de la flor: toda la planta es de color azul bajo. || **2.** *Veter.* Excoriación que padecen las caballerías en las cuartillas de pies y manos, con picazón molesta. || **3.** *Veter.* En algunos otros animales, **fuego,** 7.ª acep. || **4.** fig. Desazón, molestia.

Arestinado, da. adj. *Veter.* Que padece arestín.

Arete. m. d. de **Aro,** 1.er art. || **2.** Arillo de metal, casi siempre precioso, que como adorno llevan las mujeres atravesado en el lóbulo de cada una de las orejas.

Aretino, na. (Del lat. *aretīnus*, de *Aretĭum*, Arezzo.) adj. Natural de Arezzo. Ú. t. c. s. || **2.** Perteneciente a esta ciudad de Italia.

Arévaco, ca. (Del lat. *arevăcus.*) adj. Natural de una región de la España Tarraconense, territorio en que existen hoy las poblaciones de Arévalo, El Escorial, Sigüenza, Medinaceli, Almazán, Osma, Sepúlveda y Segovia. Ú. t. c. s. || **2.** Perteneciente a este región.

Arfada. f. *Mar.* Acción de arfar.

Arfar. (Del ár. *raf'a*, elevación.) intr. *Mar.* **Cabecear,** 5.ª acep.

Arfil. m. ant. **Alfil,** 1.er art. Ú. en *Amér.*

Arfil. m. ant. **Alfil,** 2.° art.

Argadijo. m. **Argadillo.** || **2. Argamandijo.**

Argadillo. (Del lat. *ergăta*, máquina, especie de cabrestante, y éste del gr. ἐργάτης.) m. **Devanadera,** 1.ª acep. || **2.** Armazón de aros o listones con que se forma la parte inferior del cuerpo de algunas imágenes. ‖ **3.** fig. y fam. Persona bulliciosa, inquieta y entremetida. ‖ **4.** ant. fig. Armazón o fábrica del cuerpo humano. ‖ **5.** *Ar.* Cesto grande de mimbres.

Argado. m. Enredo, travesura, dislate.

Argalia. (Del gr. ἐργαλεῖον, instrumento; de ἔργον, obra.) f. **Algalia,** 2.° art.

Argallera. (De *argolla.*) f. Serrucho curvo para labrar canales en redondo, y especialmente para ruñar los cubos y toneles.

Argamandel. (Del ár. *ḥirqa mandīl,* harapo de lienzo.) m. **Andrajo,** 1.ª acep.

Argamandijo. m. fam. Conjunto de varias cosas menudas que sirven para algún arte u oficio o para cualquier fin. ‖ **2.** V. **Dueño, señor del argamandijo.**

Argamasa. f. Mezcla de cal, arena y agua que se emplea en las obras de albañilería. ‖ **2.** ant. Lugar público, como alhóndiga.

Argamasar. tr. Hacer argamasa. ‖ **2.** Trabar o unir con argamasa los materiales de construcción.

Argamasón. m. Pedazo o conjunto de pedazos grandes de argamasa.

Árgamula. f. *And.* **Lengua de buey.**

Argán. (Del ár. *arŷān,* acebuche espinoso.) m. *Bot.* **Erguén.**

Árgana. (De *árgano.*) f. Máquina a modo de grúa para subir piedras o cosas de mucho peso.

Árganas. f. pl. Especie de angarillas, formadas con dos cuévanos o cestos. ‖ **2. Árguenas,** 1.ª acep.

Argandeño, ña. adj. Natural de Arganda, villa de la provincia de Madrid. Ú. t. c. s. ‖ **2.** Perteneciente a esta villa.

Arganel. (Del cat. *arganell,* d. del lat. *orgănum,* aparato.) m. Círculo pequeño de metal, parte del astrolabio.

Arganeo. (Del fr. *arganeau,* argollón, y éste del lat. *orgănum.*) m. Argolla de hierro en el extremo superior de la caña del ancla.

Árgano. (Del lat. *orgănum,* aparato.) m. **Árgana.**

Argaña. f. **Argaya.**

Argavieso. m. **Turbión,** 1.ª acep.

Argaya. (Del ár. *al-gāya,* el término, el fin.) f. ant. Arista de trigo.

Argayar. impers. Desprenderse argayos.

Argayo. m. Porción de tierra y piedras que se desprende y cae deslizándose por la ladera de un monte. ‖ **de nieve.** *Ast.* **Alud,** 1.ª acep.

Argayo. m. Prenda de abrigo de paño burdo que los religiosos de Santo Domingo solían ponerse sobre el hábito.

Argel. (Del ár. *arŷal.*) adj. Dícese del caballo o yegua que solamente tiene blanco el pie derecho.

Argelino, na. adj. Natural de Argel o de Argelia. Ú. t. c. s. ‖ **2.** Perteneciente a esta ciudad y región de África.

Argemone. (Del lat. *argemōne,* y éste del gr. ἀργεμώνη.) f. Planta anua de la familia de las papaveráceas, de tallo ramoso, hojas dentadas y espinosas y semilla en cápsula ovoide. Se cultiva en Europa como planta de adorno y se emplea en medicina. En Asia y América se hace uso del jugo lechoso y amarillento que suda esta planta, como antídoto contra la mordedura de las culebras venenosas.

Argén. (Del prov. o cat. *argent,* y éste del lat. *argĕntum,* plata.) m. ant. **Argento.** ‖ **2.** ant. **Dinero,** 1.ª y 3.ª aceps. ‖ **3.** *Blas.* Color blanco o de plata. ‖ **Quien tiene argén, tiene todo bien.** ref. con que se pondera la utilidad del dinero.

Argent. m. ant. **Argento.** Ú. en *Ar.*

Argentada. (Del lat. *argentata,* plateada.) f. Especie de afeite que usaban las mujeres.

Argentado, da. p. p. de **Argentar.** ‖ **2.** adj. **Plateado,** 2.ª y 3.ª aceps. ‖ **3.** fig. V. **Voz argentada.** ‖ **4.** V. **Zapato argentado.**

Argentador, ra. adj. Que argenta. Ú. t. c. s.

Argentar. (Del lat. *argentāre.*) tr. **Platear.** ‖ **2.** Guarnecer alguna cosa con plata. ‖ **3.** fig. Dar brillo semejante al de la plata.

Argentario. (Del lat. *argentarĭus.*) m. **Platero,** 1.ª acep. ‖ **2.** Gobernador de los monederos.

Argente. m. ant. **Argento.**

Argénteo, a. (Del lat. *argentĕus.*) adj. De plata. ‖ **2.** Dado o bañado de plata. ‖ **3.** fig. De brillo como la plata o semejante a ella en alguna de sus cualidades.

Argentería. (De *argentero.*) f. Bordadura brillante de plata u oro. ‖ **2.** p. us. **Platería.** ‖ **3.** fig. Ornato, gala y hermosura de las obras de ingenio. ‖ **4.** fig. Expresión que tiene más de brillante que de sólida.

Argentero. m. **Argentario,** 1.ª acep.

Argentífero, ra. (Del lat. *argentĭfer;* de *argentum,* plata, y *ferre,* llevar.) adj. Que contiene plata. *Mineral* ARGENTÍFERO.

Argentina. (Del lat. *argentīna,* plateada.) f. Planta perenne de la familia de las rosáceas, con vástagos tomentosos de tres a cuatro decímetros de altura, hojas divididas en cinco gajos de figura de cuña, por encima verdes y por el envés con vello sedoso plateado, y flores amarillas en corimbo.

Argentinismo. m. Locución, giro o modo de hablar propio y peculiar de los argentinos.

Argentino, na. (Del lat. *argentīnus,* de *argentum,* plata.) adj. **Argénteo.** ‖ **2.** Natural de la República Argentina. Ú. t. c. s. ‖ **3.** Perteneciente a esta república de América. ‖ **4.** fig. V. **Voz argentina.** ‖ **5.** m. Moneda de oro de la República Argentina, que vale cinco pesos de oro.

Argento. (Del lat. *argentum.*) m. poét. **Plata,** 1.ª acep. ‖ **vivo. Azogue,** 1.er art., 1.ª acep. ‖ **vivo sublimado.** *Quím.* **Solimán.**

Argentoso, sa. (Del lat. *argentōsus.*) adj. Que tiene mezcla de plata.

Argentpel. (Del lat. *argentum,* plata, y *pellis,* piel, forro.) m. ant. Lámina de latón muy batida y con baño de plata.

Argila. (Del lat. *argĭlla,* arcilla.) f. **Arcilla.**

Argiloso, sa. (De *argila.*) adj. **Arcilloso.**

Argilla. (Del lat. *argilla.*) f. **Arcilla.**

Arginas. (Del m. or. que *árguenas.*) f. pl. ant. Aguaderas, 3.ª acep. de **Aguadera.**

Argivo, va. (Del lat. *argīvus.*) adj. Natural de Argos o de la Argólida. Ú. t. c. s. ‖ **2.** Perteneciente a esta ciudad y país de Grecia. ‖ **3.** Por ext., natural de Grecia antigua. Ú. t. c. s. ‖ **4.** Por ext., perteneciente a Grecia antigua.

Argo. (Del gr. ἀργός, inactivo.) m. **Argón.**

Argólico, ca. (Del lat. *argolĭcus.*) adj. **Argivo.**

Argolla. (Del ár. *al-gulla,* el collar, las esposas.) f. Aro grueso, generalmente de hierro, que afirmado debidamente sirve para amarre o de asidero. ‖ **2.** Juego cuyo principal instrumento es una **argolla** de hierro que, con una espiga o punta aguda que tiene, se clava en la tierra de modo que pueda moverse fácilmente alrededor, y por la cual se han de hacer pasar unas bolas de madera que se impelen con palas cóncavas. ‖ **3.** Pena que consistía en exponer al reo a la vergüenza pública, sujeto por el cuello con una **argolla** a un poste. ‖ **4.** Especie de gargantilla de que usaban las mujeres por adorno. ‖ **5.** fig. Sujeción, cosa que sujeta a uno a la voluntad de otro. ‖ **6.** ant. Aro, manilla o brazalete que se llevaba como adorno. ‖ **Echar** a uno **una argolla.** fr. fig. **Echarle una ese y un clavo.** ‖ **En torcida argolla no entra la bola.** ref. con que se da a entender que muchos negocios suelen malograrse por los obstáculos que ponen los contrarios. ‖ **Poner** a uno **una argolla.** fr. fig. **Echarle una argolla.**

Argolleta. f. d. de **Argolla,** 1.ª acep.

Argollón. m. aum. de **Argolla,** 1.ª acep.

Árgoma. f. **Aulaga.**

Argomal. m. Terreno poblado de árgomas.

Argón. m. Cuerpo simple, gaseoso, inerte para las combinaciones, y que en proporción de 1 por 100 entra en la composición del aire. Fué descubierto en 1894 por los físicos ingleses Rayleigh y Ramsay, separándolo del nitrógeno atmosférico, del cual no se le había distinguido hasta entonces.

Argonauta. (Del lat. *argonauta,* y éste del gr. ἀργοναύτης; de Ἀργώ, nombre de un buque, y ναύτης, marinero.) m. Cada uno de los héroes griegos que, según la mitología, fueron a Colcos en la nave Argos a la conquista del vellocino de oro. ‖ **2.** Molusco marino, cefalópodo, dibranquial, octópodo; la hembra, que es mucho mayor que el macho, deposita sus huevos en un receptáculo calcáreo segregado por ella, muy semejante a una concha por su aspecto, de paredes delgadas y blancas, y que el animal mantiene unido a su propio cuerpo con ayuda de los dos tentáculos dorsales, que están ensanchados en su extremo.

Argos. (Por alusión a *Argos,* personaje mitológico a quien se representa con cien ojos.) m. fig. Persona muy vigilante. ‖ **2.** *Astron.* V. **Navío Argos.**

Argucia. (Del lat. *argutia.*) f. Sutileza, sofisma, argumento falso presentado con agudeza.

Argüe. (Del fr. *argue,* y éste del lat. *orgănum,* aparato.) m. **Cabrestante.**

Arguellarse. r. *Ar.* Desmedrarse por falta de salud.

Arguello. m. *Ar.* Acción y efecto de arguellarse.

Árguenas. f. pl. **Angarillas,** 1.ª acep. ‖ **2. Alforjas.** ‖ **3.** *Chile.* **Árganas,** 1.ª acep.

Arguenero. m. *Chile.* El que hace o vende árguenas, 3.ª acep.

Árguenas. (Del ár. *al-wanya,* el saco.) f. pl. **Árguenas.**

Argüidor, ra. adj. Que arguye, 4.ª y 5.ª aceps.

Argüir. (Del lat. *arguĕre.*) tr. Sacar en claro, deducir como consecuencia natural. ‖ **2.** Descubrir, probar, dejar ver con claridad. Dícese de las cosas que son indicio y como prueba de otras. ‖ **3.** Echar en cara, acusar. ‖ **4.** intr. Disputar impugnando la sentencia u opinión ajena. ‖ **5.** Poner argumentos contra alguna opinión o contra quien la sostiene. ‖ **6.** p. us. **Alegar.**

Argüitivo, va. adj. p. us. Que arguye o contradice.

Argullo. m. ant. **Orgullo.** Ú. en *Burg.*

Argulloso, sa. adj. ant. **Orgulloso.** Ú. en *Burg.*

Argumentación. (Del lat. *argumentatĭo, -ōnis.*) f. Acción de argumentar. ‖ **2. Argumento,** 1.ª acep.

Argumentador, ra. (Del lat. *argumentātor.*) adj. Que argumenta. Ú. t. c. s.

Argumentante. p. a. de **Argumentar.** Que argumenta.

Argumentar. (Del lat. *argumentāre.*) tr. p. us. **Argüir,** 1.ª y 2.ª aceps. ‖ **2.** intr. **Argüir,** 4.ª y 5.ª aceps. Ú. t. c. rec.

Argumentativo, va. adj. Propio de la argumentación o del argumento.

Argumentista. com. **Argumentador.**

Argumento. (Del lat. *argumentum.*) m. Razonamiento que se emplea para probar o demostrar una proposición, o bien para convencer a otro de aquello que se afirma o se niega. ‖ **2.** Asunto o materia de que se trata en una obra. ‖ **3.** Sumario que, para dar breve noticia del asunto de la obra literaria o de cada una de las partes en que está dividida, suele ponerse al principio de ellas. ‖ **4.** Indicio o señal. ‖ **a contrariis.** *Lóg.* El que parte de la oposición entre dos hechos para concluir del uno lo contrario de lo que ya se sabe del otro. ‖ **ad hóminem.** *Lóg.* El que se funda en las opiniones o actos de la misma persona a quien se dirige, para combatirla o tratar de convencerla. ‖ **a pari.** *Lóg.* El fundado en razones de semejanza y de igualdad entre el hecho propuesto y el que de él se concluye. ‖ **Aquiles.** Raciocinio que se tiene por decisivo para demostrar justificadamente una tesis. ‖ **a símili.** *Lóg.* **Argumento a pari.** ‖ **cornuto.** *Lóg.* **Dilema.** ‖ **disyuntivo.** *Lóg.* El que tiene por mayor una proposición disyuntiva, como cuando se dice: *El vicio debe ser castigado en esta vida o en la otra; es así que no siempre es castigado en ésta, luego ha de ser castigado en la otra.* ‖ **negativo.** *Lóg.* El que se toma del silencio de aquellos sujetos de autoridad que, siendo natural que supiesen o hablasen de una cosa, por ser concerniente a la materia que tratan, la omiten. ‖ **ontológico.** *Fil.* El empleado por San Anselmo para demostrar a priori la existencia de Dios, partiendo de la idea que tenemos del Ser perfectísimo. ‖ **Apretar el argumento.** fr. *Lóg.* Reforzarlo para dificultar más su solución. ‖ **Desatar el argumento.** fr. *Lóg.* Darle solución.

Argumentoso, sa. (Del lat. *argumentōsus.*) adj. desus. Solícito, ingenioso. Decíase de la abeja.

Arguyente. p. a. de **Argüir.** Que arguye.

Aria. (Del ital. *aria*, y éste del lat. *aera*, pl. n. de *aer*, aire.) f. Composición música sobre cierto número de versos para que la cante una sola voz.

Aricado. m. Acción y efecto de aricar.

Aricar. tr. Arar muy superficialmente. ‖ **2. Arrejacar.**

Aridecer. tr. Hacer árida alguna cosa. Ú. t. c. intr. y c. r.

Aridez. f. Calidad de árido.

Árido, da. (Del lat. *arĭdus.*) adj. Seco, estéril; de poco jugo y humedad. ‖ **2.** fig. Falto de amenidad. *Asunto, estilo* ÁRIDO; *poesía, plática* ÁRIDA. ‖ **3.** m. pl. Granos, legumbres y otros frutos secos a que se aplican medidas de capacidad.

Arienzo. (Del lat. *argentĕus*, de plata.) m. Cierta moneda antigua de Castilla. ‖ **2.** Peso equivalente a 123 centigramos, usado en el Alto Aragón.

Aries. (Del lat. *arĭes*, carnero.) m. *Astron.* Primer signo o parte del Zodiaco, de 30 grados de amplitud, que el Sol recorre aparentemente al comenzar la primavera. ‖ **2.** *Astron.* Constelación zodiacal que en otro tiempo debió de coincidir con el signo de este nombre, pero que actualmente, por resultado del movimiento retrógrado de los puntos equinocciales, se halla delante del mismo signo y un poco hacia el Oriente.

Arieta. (Del ital. *arietta*, d. de *aria.*) f. d. de **Aria.**

Arietar. tr. p. us. Atacar o batir con ariete.

Arietario, ria. (Del lat. *arietarĭus.*) adj. Perteneciente al ariete, 1.ª acep.

Ariete. (Del lat. *arĭes*, *-ĕtis*, carnero.) m. Máquina militar que se empleaba antiguamente para batir murallas. Era una viga larga y muy pesada, uno de cuyos extremos estaba reforzado con una pieza de hierro o bronce, labrada, por lo común, en figura de cabeza de carnero. ‖ **2.** *Mar.* Buque de vapor, blindado y con un espolón muy reforzado y saliente, para embestir con empuje a otras naves y echarlas a pique. ‖ **hidráulico.** *Mec.* Máquina para elevar agua utilizando el movimiento oscilatorio producido por una columna del mismo líquido.

Arietino, na. (Del lat. *arietīnus.*) adj. Semejante a la cabeza del carnero.

Arifarzo. m. *Germ.* Capote de dos faldas o bonito sayagués.

Arigue. m. *Filip.* Madero, comúnmente enterizo, que sirve para la construcción de edificios.

Arije. (Del ár. *'arīš*, parra.) adj. V. **Uva arije.**

Arijo, ja. adj. Aplícase a la tierra delgada y fácil de cultivar.

Arilo. (Del b. lat. *arillus.*) m. *Bot.* Envoltura, casi siempre carnosa y de colores vivos, que tienen algunas semillas; como las del trigo.

Arillo. (d. de *aro.*) m. Aro de madera, de tres a cuatro centímetros de ancho, que sirve para armar los alzacuellos de los eclesiásticos. ‖ **2. Arete,** 2.ª acep. ‖ **Entrar** uno **por el arillo.** fr. fig. y fam. **Entrar por el aro.** Ú. t. precedida del verbo *hacer.*

Arimaspe. m. **Arimaspo.**

Arimaspo. (Del lat. *arimaspus.*) m. *Mit.* Cada uno de los pobladores fabulosos de una región asiática, que tenían solamente un ojo y luchaban con los grifos para arrebatarles las riquezas de que éstos eran guardadores.

Arimez. (Del ár. *al-'imād*, la pilastra, el sostén.) m. *Arq.* Resalto que, como refuerzo o como adorno, suele haber en algunos edificios.

Ario, ria. (Del sánsc. *arya*, noble.) adj. Dícese del individuo de una raza o pueblo primitivo que habitó en el centro de Asia en época muy remota, y del cual, según opinión casi general de los etnógrafos y filólogos, proceden todos los pueblos jaféticos o indoeuropeos. Ú. t. c. s. ‖ **2.** Dícese de las lenguas que hablaron estos pueblos. ‖ **3.** Perteneciente a los **arios.** ‖ **4.** Por ext., **jafético.**

Aríol. m. ant. **Aríolo.**

Aríolo. (Del lat. *hariŏlus.*) m. ant. **Agorero,** 1.ª acep.

Arique. m. *Cuba.* Tira de yagua que se emplea para atar.

Arísaro. (Del lat. *arisărus*, y éste del gr. ἀρίσαρον.) m. *Bot.* Planta perenne de la familia de las aráceas, herbácea, con hojas radicales, grandes, gruesas, acorazonadas y de color verde claro, entre las que nace un bohordo de unos 20 centímetros con espata blanquecina, cerrada en la base y en forma de capucha por arriba, para envolver flores masculinas y femeninas, separadas y desprovistas de cáliz y corola. Toda la planta es viscosa, de mal olor y muy acre; pero, después de cocida, se come, sobre todo la raíz, de la que se extrae abundante fécula.

Arisblanco, ca. (De *arista* y *blanco.*) adj. De aristas o raspas blancas. Dícese del trigo y de la espiga.

Ariscarse. r. Enojarse, ponerse arisco.

Arisco, ca. (Cfr. dialect. *jarisco* [*Sant.*], del lat. *fĕrus*, fiero.) adj. Áspero, intratable. Dícese de las personas y de los animales.

Arismética. f. ant. **Aritmética.**

Arismético, ca. adj. ant. **Aritmético.** ‖ **2.** fig. ant. Sodomita, pederasta.

Arisnegro, gra. adj. De aristas o raspas negras. Dícese del trigo y de la espiga.

Arisprieto, ta. (De *arista* y *prieto.*) adj. **Arisnegro.**

Arista. (Del ant. *ariesta*, del lat. **arĕsta*, por *arista.*) f. Filamento áspero del cascabillo que envuelve el grano de trigo y el de otras plantas gramíneas. ‖ **2.** Pajilla del cáñamo o lino que queda después de agramarlos. ‖ **3.** Borde de un sillar, madero o cualquier otro sólido, convenientemente labrado. ‖ **4.** Intersección de dos mesas en las armas blancas. ‖ **5.** ant. **Espina,** 1.ª acep. ‖ **6.** *Germ.* **Piedra,** 1.ª acep. ‖ **7.** *Geom.* Línea que resulta de la intersección de dos superficies, considerada por la parte exterior del ángulo que forman. ‖ **8.** V. **Bóveda por arista.** ‖ **de retroceso.** *Geom.* Línea que resulta en las intersecciones sucesivas de las generatrices de una superficie desarrollable.

Aristado, da. adj. Que tiene aristas. ‖ **2.** V. **Trigo aristado.**

Aristarco. (Por alusión a *Aristarco*, famoso crítico de la antigüedad.) m. fig. Crítico entendido, pero excesivamente severo.

Aristín. m. *Murc.* **Aristino.**

Aristino. (De *arista.*) m. *Veter.* **Arestín,** 2.ª y 3.ª aceps.

Aristocracia. (Del lat. *aristocratĭa*, y éste del gr. ἀριστοκρατία; de ἄριστος, el mejor, y κράτος, fuerza.) f. Gobierno en que solamente ejercen el poder las personas más notables del Estado. ‖ **2.** Clase noble de una nación, provincia, etc. ‖ **3.** Por ext., clase que sobresale entre las demás por alguna circunstancia. ARISTOCRACIA *del saber, del dinero.*

Aristócrata. com. Individuo de la aristocracia. ‖ **2.** Partidario de la aristocracia.

Aristocráticamente. adv. m. De modo aristocrático.

Aristocrático, ca. (Del gr. ἀριστοκρατικός.) adj. Perteneciente o relativo a la aristocracia. ‖ **2.** Fino, distinguido.

Aristofánico, ca. adj. Propio y característico del poeta cómico griego Aristófanes. ‖ **2.** Parecido a cualquiera de las dotes o calidades por que se distinguen las producciones de este escritor.

Aristoloquia. (Del lat. *aristolochĭa*, y éste del gr. ἀριστολοχία; de ἄριστος, excelente, y λόχος, parto.) f. Planta herbácea de la familia de las aristoloquiáceas, con raíz fibrosa, tallos tenues y ramosos, de unos cuatro decímetros de largo, hojas acorazonadas, flores amarillas y fruto esférico y coriáceo. ‖ **hembra. Aristoloquia redonda.** ‖ **larga,** o **macho.** La de raíz fusiforme, hojas pecioladas y obtusas, flores obscuras y fruto en figura de pera. ‖ **redonda.** La de raíz redonda, hojas pecioladas y flores de color pardo amarillento.

Aristoloquiáceo, a. (De *aristolochia*, nombre de un género de plantas.) adj. *Bot.* Dícese de hierbas, matas o arbustos angiospermos dicotiledóneos, con leño no dividido en zonas, tallo nudoso, hojas alternas de pecíolos ensanchados, flores por lo común solitarias, situadas en las axilas de las hojas, frutos capsulares y raras veces abayados y semillas en gran número con albumen carnoso o casi córneo, como la aristoloquia y el ásaro. Ú. t. c. s. f. ‖ **2.** f. pl. *Bot.* Familia de estas plantas.

Aristoso, sa. adj. Que tiene muchas aristas.

Aristotélico, ca. adj. Perteneciente o relativo a Aristóteles. *Sistema* ARISTOTÉLICO; *doctrina* ARISTOTÉLICA. ‖ **2.** Conforme con la doctrina de Aristóteles. ‖ **3.** Partidario de esta doctrina. Ú. t. c. s.

Aristotelismo. m. **Peripato.**

Aritmética. (Del lat. *arithmetĭca*, y éste del gr. ἀριθμητική, t. f. de -κός, aritmético.) f. Parte de las matemáticas, que estudia la composición y descomposición de la cantidad representada por números.

Aritméticamente. adv. m. Según las reglas de la aritmética.

Aritmético, ca. (Del lat. *arithmetĭcus*, y éste del gr. ἀριθμητικός, de ἀριθμέω, contar.) adj. Perteneciente o relativo a la aritmética. ‖ **2.** V. **Cálculo aritmético.** ‖ **3.** V. **Línea, progresión, proporción, razón aritmética.** ‖ **4.** m. y f. Persona que profesa la aritmética o en ella tiene especiales conocimientos.

Aritmómetro. (Del gr. ἀριθμός, número, y μέτρον, medida.) m. Instrumento que sirve para ejecutar mecánicamente las operaciones aritméticas.

Arjorán. (Del ár. *urŷuwān*, púrpura.) m. Ciclamor.

Arlar. tr. Poner las frutas en arlos, 2.ª acep.

Arlequín. (Del ital. *arlecchino*, y éste de *Hernequin*, conde de Bolonia.) m. Personaje cómico de la antigua comedia italiana, que llevaba mascarilla negra y traje de cuadros o losanges de distintos colores. || **2.** Persona vestida con este traje. || **3.** Gracioso o bufón de algunas compañías de volatines. || **4.** desus. Tejido de hilo o lana y de colores variados. || **5.** fig. y fam. Persona informal, ridícula y despreciable. || **6.** fig. y fam. Sorbete de dos o más substancias y colores.

Arlequinada. f. Acción o ademán ridículo, como los de los arlequines.

Arlequinesco, ca. adj. Propio del arlequín o perteneciente a él.

Arlo. m. **Agracejo,** 3.ª acep. || **2. Colgajo,** 2.ª acep.

Arlota. f. **Alrota.**

Arlote. (Del ital. *arlotto*, y éste del lat. *ardelĭo*, *-ōnis*.) adj. ant. Holgazán, bribón. || **2.** *Ál.* y *Ar.* Descuidado, desaseado en el vestido y porte. Ú. t. c. s.

Arlotería. (De *arlote*.) f. ant. Holgazanería, bribonería. || **2.** ant. Malicia, picardía.

Arlotía. (De *arlote*.) f. ant. **Arlotería.**

Arma. (Del lat. *arma*, *-ōrum*, armas.) f. Instrumento destinado a ofender o defenderse. || **2.** p. us. Rebato o acometimiento repentino. || **3.** *Mil.* Cada uno de los institutos que constituyen la parte principal de los ejércitos combatientes. *El* ARMA *de infantería, de caballería, de artillería.* || **4.** pl. **Armadura,** 1.ª acep. || **5.** V. **Cámara de las armas.** || **6.** V. **Escudo, fiesta, gente, hacha, hecho, hombre, maestro, paje, plaza, rey, suspensión, trance, ujier de armas.** || **7.** Tropas o ejércitos de un Estado. *Las* ARMAS *de España, del Imperio.* || **8.** Defensas naturales de los animales. || **9.** Piezas con que se arman algunos instrumentos, como la sierra, la brújula, etc. || **10.** Milicia o profesión militar. Ú. casi siempre contrapuesto a letras. || **11.** Hechos de armas, hazañas guerreras. || **12.** fig. Medios que sirven para conseguir alguna cosa. *Yo no tengo más* ARMAS *que la verdad y la justicia.* || **13.** *Blas.* Blasones del escudo de las familias nobles o de los soberanos, naciones, provincias o pueblos. || **14.** *Blas.* **Escudo,** 8.ª acep. || **Arma arrojadiza.** La ofensiva que se arroja desde lejos, como la flecha o el dardo. || **automática.** La que, hecho el primer disparo, descarga mecánicamente y con rapidez una serie de proyectiles. || **blanca.** La ofensiva de hoja de acero, como la espada. || **de chispa.** La de fuego cuyo cebo se inflama con las chispas que da el rastrillo herido por el pedernal. || **defensiva.** La que sólo sirve para defenderse. || **de fuego.** La que se carga con pólvora. || **de percusión.** La de fuego cebada con mixto fulminante, cuya explosión se produce por golpe. || **de precisión.** La de fuego construida de modo que su tiro es más certero que el de las ordinarias. || **de puño.** La que consiste en una hoja de hierro y acero con punta y corte y un mango proporcionado para empuñarlo con una sola mano. || **falsa.** Acometimiento o ataque fingido para probar la gente o para deslumbrar al enemigo. || **negra.** Espada, florete u otra **arma** semejante de hierro ordinario, sin filo y con un botón en la punta, con que se aprende la esgrima en las escuelas. || **ofensiva.** La que sirve para ofender. || **Armas blancas.** *Blas.* Las que en lo antiguo llevaba el caballero novel, sin empresa en el escudo hasta que por su esfuerzo la ganase. || **falsas.** *Blas.* Las formadas contra las reglas del arte. || **parlantes.** *Blas.* Las que representan un objeto de nombre igual o parecido al de la persona o Estado que las usa, como las de León, Castilla, Granada, etc. || **¡Al arma!** exclam. **¡A las armas!** || **¡A las armas!** exclam. con que se previene a los soldados que tomen prontamente las **armas.** || **Alzarse en armas.** fr. **Sublevarse,** 1.ª acep. || **¡Arma, arma!** exclam. **¡A las armas!** || **Armas y dineros, buenas manos quieren.** ref. que advierte que para que sean de provecho estas dos cosas, importa saberlas manejar. || **Con las armas en la mano.** loc. adv. Estando armado y dispuesto para hacer la guerra. || **Dar arma.** fr. ant. Hacer señales el centinela para que acudan los soldados que están de guardia. || **De armas tomar.** loc. Dícese de la persona que muestra bríos y resolución para acometer empresas arriesgadas. || **Dejar** uno **las armas.** fr. fig. Retirarse del servicio militar. || **Descansar las armas.** fr. *Mil.* Aliviarse del peso de ellas los soldados apoyándolas en el suelo. || **Descansar** uno **sobre las armas.** fr. *Mil.* **Descansar las armas.** || **Estar en arma** o **en armas.** fr. Estar alterado un pueblo o gente con guerras civiles. || **Hacer armas.** fr. Pelear, hacer guerra. || **2.** Amenazar uno con **arma** en mano. || **3.** Pelear uno cuerpo a cuerpo con otro en sitio aplazado y público. || **Hacerse** uno **a las armas.** fr. fig. Acostumbrarse y acomodarse a alguna cosa a que obliga la necesidad. || **Llegar a las armas.** fr. Llegar a reñir o pelear. || **Medir las armas.** fr. fig. Reñir o pelear. || **2.** fig. Contender de palabra, por escrito o de otra manera. || **Meter en armas.** fr. ant. **Poner en armas.** || **Pasar** a uno **por las armas.** fr. *Mil.* Arcabucearlo o fusilarlo. || **Poner en arma.** fr. **Alarmar,** 1.ª acep. || **Poner en armas.** fr. Armar o apercibir para combatir. Ú. t. el verbo c. r. || **2.** Alterar a un pueblo o gente con guerras civiles. Ú. t. el verbo c. r. || **Ponerse** uno **en arma.** fr. fig. y fam. Apercibirse o disponerse para ejecutar alguna cosa. || **Presentar las armas.** fr. *Mil.* Hacer la tropa los honores militares a los reyes y demás personas a quienes por la ordenanza corresponden, poniendo el fusil frente al pecho, con el disparador hacia fuera. || **Probar las armas.** fr. *Esgr.* Tentar y reconocer la habilidad y fuerzas de los que las manejan. || **2.** fig. Poner a prueba la capacidad de las personas en cualquiera materia o para cualquier cosa. || **Publicar armas.** fr. Desafiar a combate público. || **Rendir el arma.** fr. *Mil.* Hacer la tropa de infantería los honores al Santísimo, hincando en tierra la rodilla derecha e inclinando las **armas** y el cuerpo hacia adelante, en señal de respeto. || **Rendir las armas.** fr. *Mil.* Entregar la tropa sus **armas** al enemigo, reconociéndose vencida. || **Sobre las armas.** loc. *Mil.* En su puesto y preparado para lo que pueda ocurrir. Dícese de la tropa, y se usa más con los verbos *estar*, *poner* y *ponerse*. || **Tocar al arma,** o **tocar arma.** fr. *Mil.* Tañer o tocar los instrumentos militares para advertir a los soldados que tomen las **armas.** || **Tomar armas.** fr. fig. **Tomar las armas,** 1.ª acep. || **Tomar las armas.** fr. Armarse para la defensa o el ataque. || **2.** *Mil.* Hacer los honores militares que corresponden al rey, a las personas reales y a los generales y demás oficiales, según su grado. || **Tomar** uno **las armas contra** otro. fr. fig. Declararse su contrario y hacerle guerra como a enemigo. || **Velar** uno **las armas.** fr. Guardarlas el que había de ser armado caballero, haciendo centinela por la noche cerca de ellas, sin perderlas de vista. || **Vestir** uno **las armas.** fr. Ponérselas para entrar en la pelea o armarse con ellas.

Armada. (Del lat. *armāta*, f. de *armātus*, armado.) f. Conjunto de fuerzas navales de un Estado. || **2.** V. **Ingeniero de la armada.** || **3. Escuadra,** 6.ª acep. || **4.** *Amér. Merid.* Forma en que se dispone el lazo para lanzarlo. || **5.** *Germ.* Flor que el fullero lleva hecha en los naipes. || **6.** *Mont.* Línea de cazadores que acechan a las reses espantadas o forzadas en la batida. || **7.** *Mont.* Manga de gente con perros que se ponía en las batidas para espantar a las reses, obligándolas a salir frente a las paranzas de los cazadores.

Armadera. f. *Mar.* **Cuaderna de armar.**

Armadía. (De *almadía*.) f. Conjunto de vigas o maderos unidos con otros en forma plana, para poderlos conducir fácilmente a flote. || **2.** ant. **Armadija.**

Armadija. (Del lat. **armaticŭla*, de *armatus*.) f. ant. **Armadijo.**

Armadijo. (De *armadija*.) m. **Trampa,** 1.ª acep. || **2.** Armazón de palos.

Armadilla. f. *Germ.* Dinero que uno da a otro para que juegue por él.

Armadillo. (De *armado*.) m. Mamífero del orden de los desdentados, con algunos dientes laterales; el cuerpo, que mide de tres a cinco decímetros de longitud, está protegido por un caparazón formado de placas óseas cubiertas por escamas córneas, las cuales son movibles, de modo que el animal puede arrollarse sobre sí mismo. Todas las especies son propias de la América Meridional.

Armado, da. p. p. de **Armar.** || **2.** V. **Cemento, hormigón, instituto armado.** || **3.** V. **Gallina armada.** || **4.** m. Hombre vestido como los antiguos soldados romanos, que suele acompañar los pasos de las procesiones y dar guardia a los monumentos de Semana Santa.

Armador, ra. m. y f. Persona que arma, 5.ª acep. || **2.** m. El que por su cuenta arma o avía una embarcación. || **3. Corsario,** 1.ª acep. || **4.** El que busca y alista marineros para la pesca de la ballena o del bacalao. Ú. esta voz en las costas de Cantabria. || **5. Jubón,** 1.ª acep.

Armadura. (Del lat. *armatūra*.) f. Conjunto de armas de hierro con que se vestían para su defensa los que habían de combatir. || **2.** Pieza o conjunto de piezas unidas unas con otras, en que o sobre que se arma alguna cosa. || **3. Esqueleto,** 1.ª acep. || **4.** p. us. **Cornamenta.** || **5.** V. **Cuchillo de armadura.** || **6.** ant. **Armadijo.** || **7.** *Fís.* Cada uno de los cuerpos conductores de la electricidad, separados por otro aislador, con que se forman la botella de Leiden y otros condensadores eléctricos. || **8.** *Fís.* Cada una de las piezas de hierro dulce con las cuales se evita que los imanes pierdan sus propiedades magnéticas. || **9.** *Mar.* Aro de metal con que se refuerza la unión de algunas cosas, y muy especialmente el codaste, las chumaceras y el pozo de la hélice.

Armajal. m. **Almarjal,** 2.° art.

Armajo. m. **Almarjo,** 1.ª acep.

Armamento. (Del lat. *armamentum*.) m. Aparato y prevención de todo lo necesario para la guerra. || **2.** Conjunto de armas de todo género para el servicio de un cuerpo militar. || **3.** Armas y fornitura de un soldado. || **4.** Equipo y provisión de un buque para el servicio a que se le destina. || **5. Armadura,** 2.ª acep.

Armamiento. m. ant. **Armamento.** || **2.** ant. **Armadura,** 4.ª acep.

Armandijo. m. ant. **Armadijo.**

Armanza. (De *armar*.) f. ant. **Armadijo.**

Armar. (Del lat. *armāre*.) tr. Vestir o poner a uno armas ofensivas o defensivas.

Ú. t. c. r. || **2.** Proveer de armas. Ú. t. c. r. || **3.** Apercibir y aparejar para la guerra. Ú. m. c. r. || **4.** Tratándose de ciertas armas, como la ballesta o el arco, aprestarlas para disparar. || **5.** Concertar y juntar entre sí las varias piezas de que se compone un mueble, artefacto, etc. ARMAR *una cama, una máquina.* || **6.** Sentar, fundar una cosa sobre otra. || **7.** Poner los pasamaneros y tiradores de oro este metal o la plata sobre otro metal. *Oro* ARMADO *sobre cobre.* || **8.** Dejar a los árboles una o más guías, según la figura, altura o disposición que se les quiere dar. || **9.** V. **Cuaderna, espejo de armar.** || **10.** fig. y fam. Disponer, fraguar, formar alguna cosa. ARMAR *un baile.* Ú. t. c. r. ARMARSE *una tempestad.* || **11.** fig. y fam. Tratándose de pleitos, pendencias, escándalos, etc., mover, causar. Ú. t. c. r. || **12.** fig. y fam. **Aviar,** 4.ª acep. Ú. t. c. r. || **13.** ant. Poner armadijo o trampa para cazar o coger una res. || **14.** *Mar.* Aprestar una embarcación o proveerla de todo lo necesario. || **15.** intr. Cuadrar o convenir una cosa a alguno, sentarle bien, acomodarse a su genio o dictamen. || **16.** *Min.* Yacer el mineral explotable entre las rocas que lo acompañan o contienen. || **17.** r. fig. Ponerse voluntaria y deliberadamente en disposición de ánimo eficaz para lograr algún fin o resistir alguna contrariedad. ARMARSE *de valor, de paciencia.* || **18.** *Guat.* y *Méj.* Plantarse, 14.ª acep. de **Plantar.** || **Armarla.** fr. fam. En el juego, hacer trampas, componiendo los naipes para ganar. || **2.** fam. Promover riña o alboroto.

Armario. (Del lat. *armarĭum.*) m. Mueble con puertas y anaqueles o perchas en lo interior, donde se pueden guardar libros, ropas u otros objetos cualesquiera. Se construye a veces en el espesor de un muro.

Armatoste. (De *armar* y el adv. ant. *toste,* prontamente.) m. Cualquiera máquina o mueble tosco, pesado y mal hecho, que sirve más de embarazo que de conveniencia. || **2. Armadijo,** 2.ª acep. || **3.** Ingenio o aparato con que se armaban antiguamente las ballestas. || **4.** fig. y fam. Persona corpulenta que para nada sirve.

Armazón. (Del lat. *armatĭo, -ōnis.*) f. **Armadura,** 2.ª acep. || **2.** Acción y efecto de armar, 5.ª acep. || **3. Armadura,** 3.ª acep.

Armella. (Del lat. *armilla,* aro.) f. Anillo de hierro u otro metal que por lo común suele tener una espiga o tornillo para clavarlo en parte sólida, como aquel por donde entra el cerrojo. || ant. **Brazalete,** 1.ª acep.

Armelluela. f. d. de **Armella.**

Armenia. n. p. V. **Bol, bolo de Armenia.**

Arménico. (Del lat. *armenĭcus.*) adj. V. **Bol, bolo arménico.**

Armenio, nia. (Del lat. *armenĭus.*) adj. Natural de Armenia. Ú. t. c. s. || **2.** Perteneciente a este país de Asia. || **3.** Dícese de ciertos cristianos de Oriente, originarios de Armenia, que conservan su antiquísimo rito y forman en lo religioso cuatro patriarcados. Ú. t. c. s. || **4.** m. Lengua **armenia.**

Armento. (Del lat. *armentum.*) m. ant. **Ganado,** 3.ª acep.

Armería. (De *armero.*) f. Edificio o sitio en que se guardan diferentes géneros de armas para curiosidad o estudio. || **2.** Arte de fabricar armas. || **3.** Tienda en que se venden armas. || **4. Blasón,** 1.ª acep. || **5.** V. **Cabo de armería.**

Armero. (Del lat. *armarĭus.*) m. Fabricante de armas. || **2.** Vendedor o componedor de armas. || **3.** El que en las armerías, unidades del ejército, buques de guerra, etc., está encargado de custodiar y limpiar o de tener corrientes las armas. || **4.** Aparato de madera para tener las armas en los puestos militares y otros puntos. || **mayor.** Jefe del oficio palatino de la real armería.

Armerol. m. desus. Maestro armero.

Armífero, ra. (Del lat. *armĭfer;* de *arma,* armas, y *ferre,* llevar.) adj. poét. **Armígero,** 1.ª acep.

Armígero, ra. (Del lat. *armĭger;* de *arma,* armas, y *gerĕre,* llevar.) adj. poét. Dícese del que viste o lleva armas. || **2.** fig. Belicoso o inclinado a la guerra. || **3.** m. Escudero que tenía por oficio llevar las armas de su señor. || **del rey.** En lo antiguo, el que llevaba sus armas.

Armilar. (Del lat. *armilla,* anillo.) adj. V. **Esfera armilar.**

Armilla. (Del lat. *armilla.*) f. ant. **Armella,** 2.ª acep. || **2.** *Arq.* **Astrágalo,** 2.ª acep. || **3.** *Arq.* **Espira,** 1.ª acep. || **4.** *Astron.* Antiguo instrumento de disposición análoga a la de la esfera armilar, y que servía para resolver problemas de trigonometría esférica.

Arminio. (Del lat. *armenĭus,* de Armenia.) m. ant. **Armiño.**

Armiñado, da. p. p. de **Armiñar.** || **2.** adj. Guarnecido de armiños, 2.ª y 5.ª aceps. || **3.** Semejante en la blancura al armiño, 2.ª y 5.ª aceps.

Armiñar. tr. Dar a una cosa el color blanco del armiño.

Armiño. (Como el fr. *hermine,* del lat. *armĕnius,* de Armenia.) m. *Zool.* Mamífero del orden de los carnívoros, de unos 25 centímetros de largo (sin contar la cola, que tiene ocho, poco más o menos), de piel muy suave y delicada, parda en verano y blanquísima en invierno, exceptuada la punta de la cola, que es siempre negra. || **2.** Piel de este animal. || **3.** fig. Lo puro o limpio. || **4.** Pinta blanca junto al casco de las caballerías. || **5.** *Blas.* Figura convencional, a manera de mota negra y larga, sobre campo de plata, que quiere representar la punta de la cola de este animal.

Armipotente. (Del lat. *armipŏtens, -entis;* de *arma,* armas, y *potens,* poderoso.) adj. poét. Poderoso en armas.

Armisonante. (Del lat. *arma,* armas, y *sonans, -antis,* que suena.) adj. poét. Que lleva o tiene armas que suenan al ser movidas o al chocar unas con otras.

Armisticio. (Del lat. *arma,* armas, y *statĭo,* detención, suspensión.) m. Suspensión de hostilidades pactada entre pueblos o ejércitos beligerantes.

Armón. (De *armar.*) m. Juego delantero de la cureña de campaña, con el cual se completa un carruaje de cuatro ruedas para mayor facilidad en la conducción, y se separa cuando la pieza ha de hacer fuego. || **2.** *Sant.* Parte delantera del carro de dos ruedas.

Armonía. (Del lat. *harmonĭa,* y éste del gr. ἁρμονία, de ἁρμός, ajustamiento, combinación.) f. Unión o combinación de sonidos simultáneos y diferentes, pero acordes. || **2.** Bien concertada y grata variedad de sonidos, medidas y pausas que resulta en la prosa o en el verso por la feliz combinación de las sílabas, voces y cláusulas empleadas en él. || **3.** fig. Conveniente proporción y correspondencia de unas cosas con otras. || **4.** fig. Amistad y buena correspondencia. || **5.** *Mús.* Arte de formar y enlazar los acordes. || **6.** V. **Tabla de armonía.** || **imitativa.** Cierta vaga conveniencia del tono dominante en el lenguaje prosaico o poético con la índole del pensamiento que se exprese o del asunto de que se trate. || **2.** Imitación, por medio de las palabras, de otros sonidos, de ciertos movimientos o de las conmociones del ánimo.

Armoniaco [~**níaco**]. adj. desus. **Amoniaco,** 1.ª acep.

Armónicamente. adv. m. De manera armónica.

Armónico, ca. (Del lat. *harmonĭcus,* y éste del gr. ἁρμονικός.) adj. Perteneciente o relativo a la armonía. *Instrumento* ARMÓNICO; *composición* ARMÓNICA. || **2.** V. **Música, proporción armónica.** || **3.** m. *Mús.* Sonido agudo, concomitante, producido naturalmente por la resonancia de otro fundamental. || **4.** *Mús.* Sonido muy agudo y dulce que se produce en los instrumentos de cuerda apoyando con mucha suavidad el dedo sobre los nodos de la cuerda.

Armonio. (De *armonía.*) m. Órgano pequeño, con la figura exterior del piano, y al cual se da el aire por medio de un fuelle que se mueve con los pies.

Armoniosamente. adv. m. Con armonía.

Armonioso, sa. adj. Sonoro y agradable al oído. || **2.** fig. Que tiene armonía o correspondencia entre sus partes.

Armonista. (De *armonía.*) com. ant. **Músico,** 2.ª acep.

Armonizable. adj. Que puede armonizarse.

Armonización. f. *Mús.* Acción y efecto de armonizar.

Armonizar. tr. Poner en armonía, o hacer que no discuerden o se rechacen, dos o más partes de un todo, o dos o más cosas que deben concurrir al mismo fin. || **2.** *Mús.* Escoger y escribir los acordes correspondientes a una melodía o a un bajete. || **3.** intr. Estar en armonía.

Armoricano, na. adj. Natural de Armórica. Ú. t. c. s. || **2.** Perteneciente o relativo a este antiguo país, hoy Bretaña francesa.

Armos. (Del lat. *armus,* la cruz de los animales.) m. pl. *Ar.* En las caballerías, la cruz.

Armuelle. (Del lat. *atrĭplex mollis.*) m. *Bot.* Planta anua de la familia de las quenopodiáceas, de un metro de altura, con hojas triangulares, recortadas o arrugadas por su margen, flores en espiga, muy pequeñas y de color verde amarillento, y semilla negra y dura. En varias partes la cultivan y la comen cocida. || **2. Bledo.** || **3. Orzaga.** || **borde. Ceñiglo.**

Arna. (Del b. lat. *arna,* y éste tal vez del lat. *urna.*) f. Vaso de colmena.

Arnacho. m. **Asnallo.**

Arnadí. (Del ár. *garnāṭī,* granadino.) m. Dulce hecho al horno con calabaza y boniato y relleno de piñones, almendras, nueces, etc.

Arnasca. (Del vasc. *arn,* piedra, y *asca,* gamella, 1.er art.) f. *Ál.* Artesa o pila de piedra. Dícese generalmente de la colocada a la puerta de las casas.

Arnaúte. (Del turco *arnāwud,* albanés.) adj. **Albanés,** 2.° art. Ú. t. c. s.

Arnequín. (De *arlequín.*) m. ant. **Maniquí.**

Arnés. (Del fr. *harnais,* y éste del bretón *harn,* hierro.) m. Conjunto de armas de acero defensivas que se vestían y acomodaban al cuerpo, asegurándolas con correas y hebillas. || **2.** pl. Guarniciones de las caballerías. || **3.** fig. y fam. Cosas necesarias para algún fin. *Manuel llevaba todos los* ARNESES *para cazar.* || **Arnés tranzado.** El compuesto de diversas piezas con sus junturas, para que el hombre armado con él pudiera hacer fácilmente todos los movimientos del cuerpo. || **Blasonar** uno **del arnés.** fr. fig. Echar fanfarronadas, contar valentías que no ha hecho.

Árnica. (Del lat. *ptarmĭca,* y éste del gr. πταρμική, estornutatoria.) f. Planta de la familia de las compuestas, de raíz perenne, tallo de unos tres decímetros de altura, hueco, velloso y áspero; ramas colocadas de dos en dos, simples, derechas, desnudas y con una flor terminal amarilla; hojas aovadas y semejantes a las del llantén, ásperas por encima y lampiñas por el envés, y semillas de color pardo, con un vilano que las rodea. Las flores y la raíz tienen sabor acre, aromático y olor fuerte, que hace estornudar. Se emplea en medicina. || **2.** Tintura de árnica.

Arnillo. m. *Zool.* Pez teleósteo del mar de las Antillas, del suborden de los acantopterigios, de 20 a 30 centímetros de largo, y figura y color parecidos a los del barbero, aunque no aplastado el cuerpo.

Aro. m. Pieza de hierro o de otra materia rígida, en figura de circunferencia. ‖ **2.** Argolla o anillo grande de hierro con su espigón movible, que sirve para el juego de la argolla. ‖ **3.** Armadura de madera, circular o no, que sostiene el tablero de la mesa, y con la cual suelen estar ensamblados los pies. ‖ **4.** Juguete en forma de **aro,** que los niños hacen rodar valiéndose de un palo. ‖ **5.** *Argent.* y *Chile.* **Arete,** 2.ª acep. ‖ **Entrar uno por el aro.** fr. fig. y fam. Ejecutar, vencido por fuerza o maña de otro, lo que no quería. Úsase también precedida del verbo *hacer.*

Aro. (Del lat. *arum,* y éste del gr. ἄρον.) m. *Bot.* Planta perenne de la familia de las aráceas, con raíz tuberculosa y feculenta, de la cual salen las hojas, que son sagitales, lisas, grandes y de color verde obscuro manchado a veces de negro; bohordo central, de tres a cuatro decímetros de altura, con espata larga y amarillenta que envuelve flores sin cáliz ni corola; espádice purpúreo prolongado en figura de maza, y fruto del color y tamaño de la grosella. ‖ **de Etiopía. Cala,** 3.er art.

¡Aro! (Voz aimará.) *Chile.* interj. con que se interrumpe a uno que habla, canta o baila, presentándole a la vez una copa de licor. Ú. t. c. s. m. con el verbo *hacer.*

Aroca. f. Lienzo labrado en Arouca, villa de Portugal.

Aroideo, a. (De *oro,* 2.° art.) adj. *Bot.* **Aráceo.**

Aroma. (Del lat. *arōma,* y éste del gr. ἄρωμα.) f. Flor del aromo: es dorada, redonda, vellosa, de olor muy fragante, pedunculada y de unos dos centímetros de diámetro. ‖ **2.** m. Cualquier goma, bálsamo, leño o hierba de mucha fragancia. Ú. alguna vez c. f. ‖ **3.** Perfume, olor muy agradable.

Aromar. (De *aroma.*) tr. **Aromatizar.**

Aromaticidad. f. Calidad de aromático.

Aromático, ca. (Del lat. *aromatĭcus,* y éste del gr. ἀρωματικός.) adj. Que tiene aroma, 3.ª acep. ‖ **2.** V. **Cálamo aromático.**

Aromatización. f. Acción de aromatizar.

Aromatizante. p. a. de **Aromatizar.** Que aromatiza.

Aromatizar. (Del lat. *aromatizāre,* y éste del gr. ἀρωματίζω.) tr. Dar o comunicar aroma a alguna cosa.

Aromo. (De *aroma.*) m. *Bot.* Árbol de la familia de las mimosáceas, especie de acacia, que crece hasta 17 metros en climas cálidos, con ramas espinosas, hojas compuestas, y por frutos vainas fuertes y encorvadas. Su flor es la aroma.

Aromoso, sa. adj. **Aromático.**

Aron. m. **Aro,** 2.° art.

Arpa. (Del lat. *harpa,* y éste del germ. *harpa.*) f. Instrumento músico, de figura triangular, con cuerdas colocadas verticalmente y que se tocan con ambas manos. ‖ **eolia.** Instrumento músico, compuesto de una caja sonora con seis u ocho cuerdas afinadas en un mismo tono, y en el cual se producían los sonidos exponiéndolo a una corriente de aire. ‖ **Tronar como arpa vieja** una persona o cosa. fr. fig. y fam. Acabar desastrosa y repentinamente.

Arpado, da. p. p. de **Arpar.** ‖ **2.** adj. Que remata en dientecillos como de sierra.

Arpado, da. (De *arpa.*) adj. poét. Dícese de los pájaros de canto grato y armonioso.

Arpador. m. ant. **Arpista.**

Arpadura. (De *arpar.*) f. Araño o rasguño.

Arpar. (Del lat. *harpe,* y éste del gr. ἅρπη, hoz, gancho.) tr. Arañar o rasgar con las uñas. ‖ **2.** Hacer tiras o pedazos alguna cosa.

Arpegio. (Del ital. *arpeggio,* y éste de *arpa.*) m. *Mús.* Sucesión más o menos acelerada de los sonidos de un acorde.

Arpella. (Del lat. *harpe,* y éste del gr. ἅρπη.) f. Ave rapaz diurna, de color pardo con manchas rojizas en el pecho y el vientre, y collar y moño amarillentos. Anida en tierra, cerca de los sitios pantanosos.

Arpende. (Del lat. *arapennis.*) m. Medida superficial usada por los antiguos españoles y que, según San Isidoro, equivalía al acto cuadrado de los romanos.

Arpeo. (De *arpar.*) m. *Mar.* Instrumento de hierro con unos garfios, que sirve para rastrear, o para aferrarse dos embarcaciones.

Arpía. (Del lat. *harpyia,* y éste del gr. Ἅρπυια.) f. Ave fabulosa, cruel y sucia, con el rostro de mujer y lo demás de ave de rapiña. ‖ **2.** fig. y fam. Persona codiciosa que con arte o maña saca cuanto puede. ‖ **3.** fig. y fam. Mujer de muy mala condición. ‖ **4.** fig. y fam. Mujer muy fea y flaca. ‖ **5.** *Germ.* Corchete o criado de justicia.

Arpillador. m. *Méj.* El que tiene por oficio arpillar.

Arpilladura. f. *Méj.* Acción y efecto de arpillar.

Arpillar. tr. *Méj.* Cubrir fardos o cajones con arpillera.

Arpillera. (Por *las* [*s*]*arpilleras,* del fr. *serpillière,* y éste del lat. *sirpĭcŭla,* tejido de juncos.) f. Tejido por lo común de estopa muy basta, con que se cubren varias cosas para defenderlas del polvo y del agua.

Arpista. com. Persona que ejerce o profesa el arte de tocar el arpa.

Arpón. (Del gr. ἅρπη, instrumento en forma de anzuelo.) m. Instrumento que se compone de un astil de madera armado por uno de sus extremos con una punta de hierro que sirve para herir o penetrar, y de otras dos que miran hacia el astil y hacen presa. ‖ **2.** ant. **Veleta,** 1.ª acep. ‖ **3.** *Arq.* **Grapa,** 1.ª acep.

Arponado, da. adj. Parecido al arpón.

Arponar. tr. Herir con arpón.

Arponero. m. El que fabrica arpones. ‖ **2.** El que pesca o caza con arpón.

Arqueada. f. En los instrumentos músicos de arco, golpe o movimiento de éste hiriendo las cuerdas o pasando por ellas. ‖ **2. Arcada,** 3.ª acep.

Arqueador. m. Perito que arquea o mide la capacidad de las embarcaciones.

Arqueador. m. El que tiene por oficio arquear la lana.

Arqueaje. m. **Arqueo,** 2.° art.

Arqueamiento. m. **Arqueo,** 2.° art.

Arquear. tr. Dar figura de arco. Ú. t. c. r. ‖ **2.** En el obraje de paños, sacudir y ahuecar la lana, con un arco de una o dos cuerdas. ‖ **3.** intr. **Nausear.**

Arquear. (De *arca,* 2.° art., 1.ª acep.) tr. Medir la cabida de una embarcación.

Arqueo. m. Acción y efecto de arquear o arquearse, 1.er art.

Arqueo. m. Acción de arquear, 2.° art. ‖ **2.** Cabida de una embarcación. ‖ **3.** V. **Tonelada, tonelada métrica de arqueo.**

Arqueo. (De *arca,* 2.° art., 2.ª acep.) m. Reconocimiento de los caudales y papeles que existen en la caja de una casa, oficina o corporación.

Arqueolítico, ca. (Del gr. ἀρχαῖος, antiguo, y λίθος, piedra.) adj. Perteneciente o relativo a la edad de piedra.

Arqueología. (Del gr. ἀρχαιολογία; de ἀρχαῖος, antiguo, y λόγος, dicurso.) f. Ciencia que estudia todo lo que se refiere a las artes y a los monumentos de la antigüedad.

Arqueológico, ca. (Del gr. ἀρχαιολογικός.) adj. Perteneciente o relativo a la arqueología. ‖ **2.** fig. Antiguo, desusado, sin importancia actual.

Arqueólogo. (Del gr. ἀρχαιολόγος.) m. El que profesa la arqueología o tiene en ella especiales conocimientos.

Arquería. f. Serie de arcos.

Arquero. (De *arca.*) m. **Cajero,** 2.ª acep.

Arquero. (De *arco.*) adj. V. **Hierro arquero.** ‖ **2.** m. Soldado que peleaba con arco y flecha. ‖ **3.** El que tiene por oficio hacer arcos o aros para toneles, cubas, etc.

Arqueta. f. d. de **Arca,** 1.er art.

Arquetípico, ca. adj. Perteneciente o relativo al arquetipo.

Arquetipo. (Del lat. *archetȳpum,* y éste del gr. ἀρχέτυπος; de ἄρχω, ser el primero, y τύπος, modelo.) m. *Teol.* Tipo soberano y eterno, que sirve de ejemplar y modelo al entendimiento y a la voluntad de los hombres. ‖ **2.** Modelo original y primario en un arte u otra cosa.

Arquetón. m. aum. de **Arqueta.**

Arquibanco. m. Banco largo con respaldo o sin él y uno o más cajones a modo de arcas, cuyas tapas sirven de asiento.

Arquidiócesis. f. **Archidiócesis.**

Arquiepiscopal. (De *arqui,* por *archi,* y *episcopal.*) adj. **Arzobispal.**

Arquímedes. n. p. V. **Rosca de Arquímedes.**

Arquimesa. (De *arca* y *mesa.*) f. Mueble con tablero de mesa y varios compartimientos o cajones.

Arquíptero. (Del gr. ἀρχή, principio, y πτερόν, ala.) adj. *Zool.* Dícese de insectos masticadores con metamorfosis sencillas o complicadas, parásitos o de vida libre, ápteros con cuatro alas membranosas y reticuladas; sus larvas son acuáticas y zoófagas en muchas especies; como el caballito del diablo. Ú. t. c. s. ‖ **2.** m. pl. *Zool.* Orden de estos animales.

Arquisinagogo. (Del lat. *archisynagōgus,* y éste del gr. ἀρχισυνάγωγος; de ἄρχω, gobernar, y συναγωγή, sinagoga.) m. El principal de la sinagoga.

Arquitecto. (Del lat. *architectus,* y éste del gr. ἀρχιτέκτων; de ἄρχω, mandar, y τέκτων, obrero.) m. El que profesa o ejerce la arquitectura.

Arquitectónico, ca. (Del lat. *architectonĭcus,* y éste del gr. ἀρχιτεκτονικός.) adj. Perteneciente o relativo a la arquitectura.

Arquitector. (Del lat. *architector.*) m. ant. **Arquitecto.**

Arquitectura. (Del lat. *architectūra.*) f. Arte de proyectar y construir edificios. ‖ **civil.** Arte de construir edificios y monumentos públicos y particulares. ‖ **hidráulica.** Arte de conducir y aprovechar las aguas, o de construir obras debajo de ellas. ‖ **militar.** Arte de fortificar. ‖ **naval.** Arte de construir embarcaciones. ‖ **religiosa.** Arte de construir templos, monasterios, sepulcros y demás edificios de carácter religioso.

Arquitectural. adj. **Arquitectónico.**

Arquitrabe. (Del ital. *architrave,* trabe maestra.) m. *Arq.* Parte inferior del entablamento, la cual descansa inmediatamente sobre el capitel de la columna.

Arquivolta. (Del ital. *archivolta.*) f. *Arq.* **Archivolta.**

Arra. f. p. us. **Arras,** 1.ª acep. ‖ **2.** *Ar.* Cada una de las dos tortas de pan o de bizcocho que se llevan a las bodas, y de las cuales una es para el cura párroco y otra para los desposados.

Arrabá. (Del ár. *ar-rabāʻ,* el cuadro.) m. *Arq.* Adorno en forma de marco rectangular, que suele circunscribir el arco de las puertas y ventanas de estilo árabe.

Arrabal. (Del ár. *ar-rabad*, el barrio de las afueras.) m. Barrio fuera del recinto de la población a que pertenece. || **2.** Cualquiera de los sitios extremos de una población. || **3.** Población anexa a otra mayor.

Arrabalde. m. ant. **Arrabal.**

Arrabalero, ra. adj. Habitante de un arrabal. Ú. t. c. s. || **2.** fig. y fam. Dícese de la persona, y especialmente de la mujer, que en su traje, modales o manera de hablar da muestra de mala educación. Ú. t. c. s.

Arrabiadamente. adv. m. ant. Con rabia, airadamente.

Arrabio. m. *Metal.* **Hierro colado.**

Arracachá. (Del quichua *racachá.*) f. Planta de la América Meridional, de la familia de las umbelíferas, semejante a la chirivía, pero de raíz más larga y gruesa y muy exquisita. || **2.** fig. *Colomb.* Sandez, pie de banco.

Arracada. (Del ár. *al-qarrāṭ*, el pendiente.) f. Arete con adorno colgante.

Arracimado, da. p. p. de **Arracimarse.** || **2.** adj. En racimo.

Arracimarse. r. Unirse o juntarse algunas cosas en figura de racimo.

Arraclán. (Del vasc. *ollacarana.*) m. *Bot.* Árbol de la familia de las ramnáceas, sin espinas y de hojas ovales, enteras y con nervios laterales, flores hermafroditas y madera flexible, que da un carbón muy ligero.

Arraclán. m. *Ar.* y *Sal.* **Alacrán,** 1.ª acep.

Arráez. (Del ár. *ar-ra'is*, el jefe, el caudillo, el capitán.) m. Caudillo o jefe árabe o morisco. || **2.** Capitán de embarcación árabe o morisca. || **3.** Antiguamente, en Andalucía, capitán o patrón de un barco. || **4.** Capitán o patrón de un barco en el archipiélgo de Filipinas. || **5.** Tratándose de una almadraba, jefe de todas las faenas que en ella se ejecutan, así a flote como en tierra.

Arraezar. (De *a*, 2.º art., y *rahez.*) intr. ant. Dañarse, malearse alguna cosa, como los granos, comestibles, etc. Usáb. t. c. r.

Arrafiz. (De *arrezafe.*) m. ant. Cardo comestible.

Arraigadamente. adv. m. Fijamente, con fijeza o permanencia.

Arraigadas. (De *arraigar.*) f. pl. *Mar.* Cabos o cadenas para seguridad de las obencaduras de los masteleros: se afirman en un zuncho de hierro que hay en el cuello del palo macho, y desde allí van al canto de la cofa.

Arraigado, da. p. p. de **Arraigar.** || **2.** adj. Que posee bienes raíces. || **3.** m. *Mar.* Amarradura de un cabo o cadena.

Arraigadura. (De *arraigar.*) f. ant. **Arraigo,** 1.ª acep.

Arraigamiento. (De *arraigar.*) m. ant. **Arraigo,** 1.ª acep.

Arraigante. p. a. de **Arraigar.** Que arraiga.

Arraigar. (Del lat. *ad*, a, y *radicāre.*) intr. Echar o criar raíces. Ú. t. c. r. y como causativo. || **2.** fig. Hacerse muy firme y difícil de extinguir o extirpar un afecto, virtud, vicio, uso o costumbre. Ú. m. c. r. || **3.** *For.* Afianzar la responsabilidad a las resultas del juicio. Dícese así porque esta fianza suele hacerse con bienes raíces; pero también se puede hacer por medio de depósito en metálico o presentando fiador abonado. Ú. t. c. r. || **4.** tr. fig. Establecer, fijar firmemente una cosa. || **5.** Fijar y afirmar a alguien en una virtud, vicio, costumbre, posesión, etc. || **6.** r. Establecerse de asiento en un lugar, adquiriendo en él bienes, granjerías, parentesco u otras conexiones.

Arraigo. m. Acción y efecto de arraigar o arraigarse. || **2. Bienes raíces.** Ú. m. en expresiones como éstas: *hombre o persona de* ARRAIGO; *tener* ARRAIGO. || **3.** V. **Fianza de arraigo.**

Arralar. (De *a*, 2.º art., y *ralo.*) intr. **Ralear,** 1.ª y 2.ª aceps.

Arramblar. (De *a*, 2.º art., y *rambla.*) tr. Dejar los ríos, arroyos o torrentes cubierto de arena el suelo por donde pasan, en tiempo de avenidas. || **2.** fig. Arrastrarlo todo, llevándoselo con violencia. || **3.** fig. Recoger y llevarse codiciosamente todo lo que hay en algún lugar. || **4.** r. Quedarse el suelo cubierto de arena a causa de una avenida.

Arramplar. tr. fam. **Arramblar,** 3.ª acep. Ú. t. c. intr.

Arrancada. (De *arrancar.*) f. Partida o salida violenta. || **2.** ant. Acometimiento, embestida. || **3.** ant. **Derrota,** 3.ª acep. || **4.** *Mar.* Primer empuje de un buque al emprender su marcha. || **5.** Aumento repentino de velocidad en la marcha de un buque, automóvil u otro vehículo, o en la carrera de una persona o animal. || **6.** ant. *Mont.* Huella de la res que sale de su querencia. || **De arrancada.** expr. adv. ant. **De vencida.**

Arrancadera. (De *arrancar.*) f. Esquila grande que llevan los mansos, y sirve, entre otras cosas, para levantar y guiar el ganado.

Arrancadero. (De *arrancar.*) m. Punto desde donde se echa a correr. || **2.** *Ar.* La parte más gruesa del cañón de la escopeta.

Arrancado, da. p. p. de **Arrancar.** || **2.** adj. fig. y fam. Dícese del sujeto que, habiendo tenido bienes de fortuna, los pierde y queda pobre. || **3.** *Blas.* Se dice del árbol o planta que descubre sus raíces, y también de la cabeza o miembro del animal que no están bien cortados. || **4.** *Mar.* V. **Boga arrancada.**

Arrancador, ra. adj. Que arranca. Ú. t. c. s.

Arrancadura. f. Acción de arrancar.

Arrancamiento. m. **Arrancadura.**

Arrancapinos. (De *arrancar* y *pino*, 1.er art.) m. fig. y fam. Hombre de pequeño cuerpo.

Arrancar. (Del lat. *eruncāre.*) tr. Sacar de raíz. ARRANCAR *un árbol, una planta.* || **2.** Sacar con violencia una cosa del lugar a que está adherida o sujeta, o de que forma parte. ARRANCAR *una muela, un clavo, un pedazo de traje.* || **3.** Quitar con violencia. || **4.** fig. Obtener o conseguir algo de una persona con trabajo, violencia o astucia. || **5.** fig. Conseguir algo en fuerza del entusiasmo, admiración u otro afecto vehemente que se siente o se inspira. || **6.** fig. Separar con violencia o con astucia a una persona de alguna parte, o de costumbres, vicios, etc. || **7.** fig. Despedir o hacer salir la flema arrojándola; dícese también de la voz, suspiro, etc. || **8.** ant. Acometer, embestir. || **9.** ant. **Derrotar,** 3.ª acep. || **10.** *Mar.* Dar a un barco mayor velocidad de la que lleva, halando con más fuerza los remos. Ú. t. c. intr. || **11.** intr. Partir de carrera para seguir corriendo. || **12.** Iniciarse el funcionamiento de una máquina o el movimiento de traslación de un vehículo. Ú. t. c. tr. || **13.** fam. Partir o salir de alguna parte. || **14.** fig. Provenir, traer origen. || **15.** *Arq.* Principiar el arco o la bóveda; empezar a formar su curvatura sobre el salmer o la imposta.

Arrancasiega. f. Acción de arrancar y segar algo, como el trigo o la cebada cuando se han quedado cortos, y, por no poderse segar todo, parte se arranca y parte se siega. || **2.** fig. *Ar.* Riña o quimera en que unos a otros se dicen palabras injuriosas.

Arranciarse. r. Enranciarse.

Arranchar. (Del fr. *ranger.*) tr. *Mar.* Dicho de la costa o de un cabo, un bajo, etc., pasar muy cerca de ellos. || **2.** *Mar.* Tratándose del aparejo de un buque, cazarlo y bracearlo todo lo posible.

Arrancharse. r. Juntarse en ranchos. Ú. t. c. intr.

Arranque. m. Acción y efecto de arrancar. || **2.** V. **Carbón de arranque.** || **3.** fig. Ímpetu de cólera, piedad, amor u otro afecto. || **4.** fig. Prontitud demasiada en alguna acción. || **5.** fig. Ocurrencia viva o pronta que no se esperaba. || **6.** fig. Pujanza, brío. Ú. m. en pl. || **7.** *Arq.* Principio de un arco o bóveda. || **8.** *Hist. Nat.* Comienzo de un miembro o de una parte de un animal o vegetal.

Arranquera. (De *arrancar.*) f. *Can.*, *Cuba* y *Méj.* Falta de dinero habitual o pasajera.

Arrapar. (Del germ. *rapon*, quitar.) tr. **Arrebatar,** 1.ª acep. Hoy sólo se emplea en estilo bajo.

Arrapiezo. (despect. de *arrapo.*) m. **Harapo,** 1.ª acep. || **2.** fig. y despect. Persona pequeña, de corta edad o humilde condición.

Arrapo. m. **Harapo,** 1.ª acep.

Arraquive. m. ant. **Arrequive.**

Arras. (Del lat. *arrha*, y éste del gr. ἀῤῥαβών.) f. pl. Lo que se da como prenda o señal en algún contrato o concierto. || **2.** Las trece monedas que, al celebrarse el matrimonio, sirven para la formalidad de aquel acto, pasando de las manos del desposado a las de la desposada. || **3.** *For.* Donación que el esposo hace a la esposa en remuneración de la dote o por sus cualidades personales, y la cual no puede exceder, en Castilla, de la décima parte, y en Navarra, de la octava de los bienes de aquél. || **4.** Dote que entre los godos tenía muchos puntos de semejanza con esta donación.

Arrás. n. p. V. **Paño de Arrás.**

Arrasado, da. adj. De la calidad del raso, o parecido a él.

Arrasadura. (De *arrasar.*) f. **Rasadura.**

Arrasamiento. m. Acción y efecto de arrasar.

Arrasar. (De *a*, 2.º art., y *rasar.*) tr. Allanar la superficie de alguna cosa. || **2.** Echar por tierra, destruir, arruinar violentamente, no dejar piedra sobre piedra. || **3.** p. us. **Rasurar.** || **4. Rasar,** 1.ª acep. || **5.** Llenar de líquido una vasija hasta el borde. || **6.** Llenar o cubrir los ojos de lágrimas. Ú. t. c. r. || **7.** intr. Quedar el cielo despejado de nubes. Ú. t. c. r.

Arrascar. tr. ant. **Rascar.** Usáb. t. c. r. Ú. en *Ál.*, *Burg.* y *Sor.*

Arrastraculo. (De *arrastrar* y *culo.*) m. *Mar.* Vela pequeña que se largaba debajo de la botavara.

Arrastradamente. adv. m. fig. y fam. Imperfecta o defectuosamente. || **2.** fig. y fam. Con trabajo o escasez. || **3.** fig. y fam. **Infelizmente.**

Arrastradera. f. *Mar.* Ala del trinquete.

Arrastradero. m. Camino por donde se hace, en el monte, el arrastre de maderas. || **2.** Sitio por donde se sacan arrastrando de la plaza de toros los animales muertos.

Arrastradizo, za. (De *arrastrado.*) adj. Que se lleva o puede llevarse a rastra. || **2.** Que ha sido trillado.

Arrastrado, da. p. p. de **Arrastrar.** || **2.** adj. fig. y fam. Pobre, desastrado y azaroso; afligido de privaciones, molestias y trabajos. *Luciano trae una vida* ARRASTRADA. || **3.** fig. y fam. Pícaro, tunante, bribón. Ú. t. c. s. || **4.** Dícese del juego de naipes en que es obligatorio servir la carta de la jugada. *Tute* ARRASTRADO.

Arrastradura. f. ant. **Arrastramiento.**

Arrastramiento. m. Acción de arrastrar o arrastrarse.

Arrastrante. p. a. de **Arrastrar.** Que arrastra. || **2.** m. El que arrastraba bayetas en las universidades.

Arrastrapiés. m. Acción de ir arrastrando los pies por el suelo, como era costumbre en las antesalas de los grandes señores.

Arrastrar (De *a*, 2.° art., y *rastrar*.) tr. Llevar a una persona o cosa por el suelo, tirando de ella. ‖ **2.** Llevar o mover rasando el suelo. ‖ **3.** fig. Impulsar un poder o fuerza irresistible. ‖ **4.** fig. Llevar uno tras sí, o traer a otro a su dictamen o voluntad. ‖ **5.** fig. Tener por consecuencia inevitable. ‖ **6.** fig. Llevar adelante o soportar algo penosamente. ‖ **7.** intr. Ir una cosa rasando el suelo y como barriéndolo, o pender hasta tocar el suelo. ‖ **8.** Ir de un punto a otro rozando con el cuerpo en el suelo. Ú. m. c. r. ‖ **9.** En varios juegos de naipes, jugar carta a que han de servir los demás jugadores. ‖ **10.** r. fig. Humillarse vilmente. ‖ **Lo que arrastra, honra.** ref. con que se suele notar irónicamente el desaliño o descuido de los que llevan la ropa arrastrando.

Arrastre. m. Acción de arrastrar cosas que se llevan así de una a otra parte. Tómase especialmente por la conducción de madera desde el monte en que se cortó, hasta la orilla del agua o del camino. ‖ **2.** Acción de arrastrar en los juegos de naipes. ‖ **3.** Acción de arrastrar bayetas en las universidades. ‖ **4.** *Min.* Talud o inclinación de las paredes de un pozo de mina. ‖ **5.** *Min. Méj.* Molino donde se pulverizan los minerales de plata que se benefician por amalgamación.

Arrate. (Del m. or. que *arrelde*.) m. Libra de 16 onzas.

Arratonado, da. adj. Comido o roído de ratones.

Arrayán. (Del ár. *ar-raiḥān*, el aromático, el mirto.) m. Arbusto de la familia de las mirtáceas, de dos a tres metros de altura, oloroso, con ramas flexibles, hojas opuestas, de color verde vivo, lustrosas, pequeñas, duras y persistentes, flores axilares, solitarias, pequeñas y blancas, y bayas de color negro azulado. ‖ **brabántico.** Mata de la familia de las mirtáceas, de seis a ocho decímetros de altura, con hojas lanceoladas y aserradas por su margen, y cuyo fruto es una baya que puesta a cocer arroja una substancia semejante a la cera. ‖ **moruno.** El de hojas más pequeñas que el común.

Arrayanal. m. Terreno poblado de arrayanes.

Arrayaz. m. Arráez.

Arraz. m. Arráez.

¡Arre! (De *¡harre!*) interj. que se emplea para arrear a las bestias. ‖ **2.** Úsase también para denotar que se desaprueba o rechaza algo. ‖ **3.** m. fam. Caballería ruin; caballo de juguete. ‖ **¡Arre allá!** exclam. fam. de desprecio o enfado, que se emplea para rechazar a alguno.

Arreada. (De *arrear*, 1.er art.) f. *Argent.* y *Méj.* Robo de ganado. ‖ **2.** *Argent.* y *Méj.* Acción y efecto de arrear, 1.er art., 2.ª acep. Por ext. se aplica a las personas.

Arreador. (De *arrear*, 1.er art.) m. *Argent.*, *Colomb.* y *Perú.* Látigo de mango corto y lonja larga, destinado a arrear. ‖ **2.** Vareador de aceituna. ‖ **3.** *And.* Capataz de operarios del campo.

Arreala. f. Derecho que se pagaba por ciertos rebaños de la Mesta formados a reala.

Arreamiento. (De *arrear*, 2.° art.) m. ant. **Arreo,** 1.er art., 1.ª acep.

Arrear. (De *harrear*.) tr. Estimular a las bestias con la voz, con la espuela, con golpes o con chasquidos, para que echen a andar, o para que sigan caminando, o para que aviven el paso. ‖ **2.** *Argent.* y *Méj.* Llevarse violenta o furtivamente ganado ajeno. ‖ **3.** Dar prisa, estimular. ‖ **4. Dar,** 17.ª acep. ‖ **5.** intr. Ir, caminar de prisa. ‖ **6.** ant. Ejercer el oficio de arriero. ‖ **¡Arrea!** interj. fam. que se emplea para meter prisa. ‖ **2.** fam. **¡Aprieta!**

Arrear. (Del lat. *ad*, a, y el gót. *rêdan*, adornar.) tr. Poner arreos, adornar, hermosear, engalanar.

Arrebañaderas. (De *arrebañar*.) f. pl. Ganchos de hierro destinados a sacar los objetos que se caen a los pozos.

Arrebañador, ra. adj. **Rebañador.** Ú. t. c. s.

Arrebañadura. f. fam. **Rebañadura,** 1.ª acep. ‖ **2.** pl. Residuos de alguna cosa, por lo común comestible, que se recogen arrebañando.

Arrebañar. tr. **Rebañar.**

Arrebatacapas. (De *arrebatar* y *capa*.) m. V. **Puerto de arrebatacapas.**

Arrebatadamente. adv. m. Precipitada e impetuosamente. ‖ **2.** fig. Inconsiderada y violentamente.

Arrebatadizo, za. adj. fig. Propenso a arrebatarse.

Arrebatado, da. p. p. de **Arrebatar.** ‖ **2.** adj. Precipitado e impetuoso. ‖ **3.** fig. Inconsiderado y violento. ‖ **4.** Dicho del color del rostro, muy encendido.

Arrebatador, ra. adj. Que arrebata. Ú. t. c. s.

Arrebatamiento. m. Acción de arrebatar o arrebatarse. ‖ **2.** fig. Furor, enajenamiento causado por la vehemencia de alguna pasión, y especialmente por la ira. ‖ **3. Éxtasis.**

Arrebatapuñadas. (De *arrebatar* y *puñada*.) m. p. us. **Matón.**

Arrebatar. (De *a*, 2.° art., y *rebatar*.) tr. Quitar o tomar alguna cosa con violencia y fuerza. ‖ **2.** Llevar tras sí o consigo con fuerza irresistible. ‖ **3.** fig. Sacar de sí, conmover poderosamente excitando alguna pasión o afecto. Ú. t. c. r. ‖ **4.** Arrobar el espíritu. Ú. t. c. r. ‖ **5.** Hablando de las mieses, agostarlas antes de tiempo el demasiado calor. Ú. t. c. r. ‖ **6.** r. Enfurecerse, dejarse llevar de alguna pasión, y especialmente de la ira. Aplícase, por semejanza, a los animales. ‖ **7.** Asarse o cocerse mal y precipitadamente un manjar por exceso de fuego.

Arrebatarse. (De *arrebato*, 2.° art.) r. ant. Acudir la gente cuando tocan a rebato.

Arrebatiña. f. Acción de recoger arrebatada y presurosamente alguna cosa entre muchos que pretenden apoderarse de ella, como sucede cuando se arroja dinero entre mucha gente.

Arrebato. m. **Arrebatamiento,** 2.ª y 3.ª aceps. ‖ **Arrebato y obcecación.** *For.* Una de las circunstancias que atenúan la responsabilidad penal.

Arrebato. m. ant. **Rebato.**

Arrebatoso, sa. adj. Pronto, repentino, arrebatado.

Arrebol. (De *arrebolar*.) m. Color rojo que se ve en las nubes heridas por los rayos del Sol. ‖ **2.** Color encarnado que se ponen las mujeres en el rostro. ‖ **3.** pl. **Arrebolada.** ‖ **Arreboles al oriente, agua amaneciente. Arreboles a todos cabos, tiempo de los diablos. Arreboles de Aragón, a la noche con agua son. Arreboles de la mañana, a la noche son agua. Arreboles de la noche, a la mañana son soles. Arreboles de Portugal, a la mañana sol serán. Arreboles en Castilla, viejas a la cocina. Arreboles en Portugal, viejas a solejar. Arreboles por la tarde, a la mañana aire.** refs. con que se indica el diferente estado atmosférico que anuncian los **arreboles,** según la hora y situación en que aparecen.

Arrebolada. (De *arrebol*.) f. Conjunto de nubes enrojecidas por los rayos del Sol.

Arrebolar. (Del lat. **irrŭbōrāre*, de *rŭbor*, rojez.) tr. Poner de color de arrebol. Ú. m. c. r.

Arrebolera. f. Salserilla o tacita en que se ponía el arrebol. ‖ **2.** Mujer que vendía salserillas de arrebol. ‖ **3. Dondiego de noche.**

Arrebollarse. r. *Ast.* Despeñarse, precipitarse.

Arrebozar. tr. **Rebozar.** Ú. t. c. r. ‖ **2.** fig. Ocultar, encubrir mañosamente. ‖ **3.** r. Arracimarse las abejas alrededor de la colmena, o las moscas o las hormigas en alguna parte. ‖ **Arrebócese con ello.** fr. fam. **Arrópese con ello.**

Arrebozo. (De *arrebozar*.) m. **Rebozo.**

Arrebujadamente. adv. m. fig. Confusa o embozadamente; sin precisión ni claridad.

Arrebujar. (De *a*, 2.° art., y *rebujo*.) tr. Coger mal y sin orden alguna cosa flexible, como ropa, lienzo, etc. ‖ **2.** Cubrir bien y envolver con la ropa de la cama, arrimándola al cuerpo, o con alguna prenda de vestir de bastante amplitud, como una capa, un mantón, etc. Ú. m. c. r. ‖ **3.** Reburujar, revolver, enredar. Ú. m. c. r.

Arrecadar. (Del lat. **recapĭtāre*, recoger.) tr. *Sal.* Guardar, poner a buen recaudo.

Arreciar. (De *a*, 2.° art., y recio.) tr. Dar fuerza y vigor. Ú. t. c. r. ‖ **2.** intr. Cobrar fuerza, vigor o gordura. ‖ **3.** Irse haciendo cada vez más recia, fuerte o violenta alguna cosa. ARRECIAR *la calentura, la cólera, la tempestad, el viento.* Ú. t. c. r. ‖ **4.** r. **Arrecirse.**

Arrecifar. tr. *And.* Empedrar un camino.

Arrecife. (Del ár. *ar-raṣīf*, la calzada.) m. Calzada, camino afirmado o empedrado, y, en general, carretera. ‖ **2.** Afirmado o firme de un camino. ‖ **3.** Banco o bajo formado en el mar por piedras, puntas de roca o poliperos casi a flor de agua.

Arrecir. (Del lat. **arrĭgescĕre*, de *arrĭgĕre*, atiesarse.) tr. p. us. Hacer que uno se entumezca por el frío. ‖ **2.** r. Entorpecerse o entumercerse por exceso de frío.

Arrecho, cha. (Del lat. *arrectus*, p. p. de *arrĭgĕre*, enderezar.) adj. ant. Tieso, erguido, brioso. Ú. en *Al.*, *Burg.* y *Sor.*

Arrechucho. m. fam. **Arranque,** 3.ª y 4.ª aceps. ‖ **2.** fam. Indisposición repentina y pasajera.

Arredilar. tr. Meter en redil.

Arredomado, da. p. p. de **Arredomar.** ‖ **2.** adj. **Redomado.**

Arredomar. tr. *Germ.* **Juntar,** 1.ª acep. ‖ **2.** r. *Germ.* **Escandalizarse.**

Arredondar. tr. ant. **Arredondear.**

Arredondear. tr. **Redondear.** Ú. t. c. r.

Arredor. (De *a*, 2.° art., y *redor*.) adv. l. ant. **Alrededor,** 1.ª acep.

Arredramiento. m. Acción y efecto de arredrar o arredrarse.

Arredrar. (De *arredro*.) tr. Apartar, separar. Ú. t. c. r. ‖ **2.** fig. Retraer, hacer volver atrás, por el peligro que ofrece o el temor que infunde la ejecución de alguna cosa. Ú. t. c. r. ‖ **3.** fig. Amedrentar, atemorizar. Ú. t. c. r.

Arredro. (Del lat. *ad*, hacia, y *retro*, atrás.) adv. l. Atrás, detrás o hacia atrás.

Arregazado, da. p. p. de **Arregazar.** ‖ **2.** adj. fig. Que tiene la punta hacia arriba. *Nariz* ARREGAZADA.

Arregazar. tr. Recoger las faldas hacia el regazo. Ú. m. c. r.

Arregladamente. adv. m. Con sujeción a regla o con arreglo. ‖ **2. Con arreglo.** *Juan procedió* ARREGLADAMENTE *a lo que se le previno y mandó.* ‖ **3.** fig. Con orden y moderación.

Arreglado, da. p. p. de **Arreglar.** ‖ **2.** adj. Sujeto a regla. ‖ **3.** fig. Ordenado y moderado.

Arreglador, ra. adj. Que arregla.

Arreglamiento. (De *arreglar*.) m. ant. **Reglamento.**

Arreglar. tr. Reducir o sujetar a regla; ajustar, conformar. Ú. t. c. r. ‖ **2.** Componer, ordenar, concertar. ‖

|| **3.** fam. En frases que envuelven amenaza, corregir a uno, castigarle u obligarle a hacer lo que no quería. *Ya te* ARREGLARÉ *yo.* || **4.** *Mar.* Tratándose de los cronómetros, determinar su estado absoluto y su movimiento. || **Arreglárselas.** fr. fam. **Componérselas.**

Arreglo. m. Acción de arreglar o arreglarse. || **2.** Regla, orden, coordinación. || **3.** Avenencia, conciliación. || **4.** fam. **Amancebamiento.** || **parroquial.** Reforma de las categorías y demarcaciones de las parroquias de una diócesis. || **Con arreglo.** m. adv. Conformemente, según.

Arregostarse. (De *a*, 2.° art., y el lat. *regŭstāre*, gustar.) r. fam. Engolosinarse, aficionarse a alguna cosa.

Arregosto. (De *arregostarse.*) m. fam. Gusto que se toma a una cosa, hecho ya costumbre.

Arrejacar. (De *a*, 2.° art., y *rejacar.*) tr. Dar a los sembrados, cuando ya tienen bastantes raíces, una labor, que consiste en romper la costra del terreno con azadilla, grada o rastra, a través de los surcos que se abrieron para sembrar el grano.

Arrejaco. m. **Arrejaque,** 2.ª acep.

Arrejada. (De *a*, 2.° art., y *rejada.*) f. **Aguijada,** 2.ª acep.

Arrejaque. (Del ár. *ar-rašāq*, el tridente.) m. Garfio de hierro con tres puntas torcidas, que se usa en algunas partes para pescar. || **2. Vencejo,** 2.ª acep.

Arrejerar. (De *a*, 2.° art., y *rejera.*) tr. *Mar.* Sujetar la embarcación con dos anclas por la proa y una por la popa.

Arrejonado, da. adj. *Bot.* Dícese de la hoja en forma de rejón.

Arrela. f. ant. **Arrelde.**

Arrelde. (Del ár. *ar-riṭl*, la libra.) m. Peso de cuatro libras. Ú. t. c. f. || **2.** Pesa de un **arrelde,** usada principalmente para pesar carne.

Arrellanarse. (De *a*, 2.° art., y *rellano.*) r. Ensancharse y extenderse en el asiento con toda comodidad y regalo. || **2.** fig. Vivir uno en su empleo con gusto y sin ánimo de dejarlo.

Arremangado, da. p. p. de **Arremangar.** || **2.** adj. fig. Levantado o vuelto hacia arriba.

Arremangar. tr. **Remangar.** Ú. t. c. r.

Arremango. m. Acción y efecto de arremangar o arremangarse. || **2.** Parte de ropa plegada que se recoge en la cintura al arremangarse.

Arrematar. tr. fam. Rematar, dar fin a una cosa.

Arremedador, ra. (De *arremedar.*) adj. ant. **Remedador.**

Arremedar. (Del lat. *ad*, a, y *re-imĭtāri.*) tr. **Remedar.**

Arremembrar. tr. ant. **Remembrar.** Usáb. t. c. r.

Arremetedero. (De *arremeter.*) m. *Mil.* Paraje por donde puede atacarse un lugar fuerte.

Arremetedor, ra. adj. Que arremete. Ú. t. c. s.

Arremeter. (De *a*, 2.° art., y *remeter.*) tr. desus. Hacer al caballo arrancar con ímpetu. || **2.** intr. Acometer con ímpetu y furia. || **3.** Arrojarse con presteza. || **4.** fig. y fam. Chocar, disonar u ofender a la vista alguna cosa. || **5.** r. ant. Meterse con ímpetu, acometer. || **6.** ant. Meterse, arrogarse algún título o dignidad.

Arremetida. f. Acción de arremeter.

Arremetimiento. m. **Arremetida.**

Arremolinadamente. adv. m. Apiñada, amontonadamente.

Arremolinarse. r. fig. Amontonarse o apiñarse desordenadamente las gentes.

Arrempujar. tr. **Rempujar.**

Arremueco. m. ant. **Arremuesco.** Ú. en *Colomb.*

Arremuesco. m. ant. **Arrumaco,** 1.ª acep. Ú. en *Colomb.*

Arrendable. adj. Que puede o suele arrendarse, 1.er art.

Arrendación. f. **Arrendamiento.**

Arrendadero. (De *arrendar*, 2.° art., 1.ª acep.) m. Anillo de hierro con una armella que se clava en madera o en la pared, y sirve para atar las caballerías en los pesebres por las riendas o por el ramal de la cabezada.

Arrendado, da. p. p. de **Arrendar,** 2.° art. || **2.** adj. Se dice de las caballerías que obedecen a la rienda.

Arrendador, ra. m. y f. Persona que da en arrendamiento alguna cosa. || **2. Arrendatario, ria.** || **3.** m. *Germ.* El que compra las cosas hurtadas.

Arrendador, ra. adj. Que sabe arrendar un caballo. Ú. t. c. s. || **2.** m. **Arrendadero.**

Arrendadorcillo. m. d. de **Arrendador,** 1.er art. || **Arrendadorcillos, comer en plata y morir en grillos.** ref. que se dijo porque ciertos arrendadores que manejan mucho dinero suelen gastar sin medida, y al ajuste de cuentas resultan alcanzados y vienen a parar en la cárcel.

Arrendajo. (De *arrendar*, 3.er art.) m. Ave del orden de los pájaros, parecida al cuervo, pero más pequeña, de color gris morado, con moño ceniciento, de manchas obscuras y rayas transversales de azul, cuya intensidad varía desde el celeste al de Prusia, en las plumas de las alas. Abunda en Europa, habita en los bosques espesos y se alimenta principalmente de los frutos de diversos árboles. Destruye los nidos de algunas aves canoras, cuya voz imita para sorprenderlas con mayor seguridad, y aprende también a repetir tal cual palabra. || **2.** Ave americana del orden de los pájaros, de color negro brillante, el pico de igual color, ribeteado de amarillo, y los ojos también negros con un círculo gualdo. Este mismo color tiene en el extremo superior de las alas, en el vientre y muslos y en el arranque de la cola. Una vez domesticada, puede vivir suelta y entrar por sí misma en la jaula. Su canto es hermoso, y tiene la particularidad de remedar la voz de otros animales. Cuelga su nido, en forma de botella, en las ramas delgadas de los árboles más altos. || **3.** fig. y fam. Persona que remeda las acciones o palabras de otra. || **4.** fig. Remedo o copia imperfecta de una cosa. || **Ser uno el arrendajo** de otro. fr. fig. y fam. Parecérsele mucho físicamente.

Arrendamiento. m. Acción de arrendar, 1.er art. || **2.** Contrato por el cual se arrienda. || **3.** Precio en que se arrienda. || **4.** *For.* V. **Contrato de arrendamiento.**

Arrendante. p. a. de **Arrendar,** 1.er art. Que arrienda.

Arrendar. (De *a*, 2.° art., y *renda*, renta.) tr. Ceder o adquirir por precio el goce o aprovechamiento temporal de cosas, obras o servicios.

Arrendar. (De *a*, 2.° art., y *rienda.*) tr. Atar y asegurar por las riendas una caballería. || **2.** Enseñar al caballo a que obedezca a la rienda. || **3.** fig. **Sujetar.** || **4.** *Ál.*, *Ast.*, *Cuba* y *Gal.* **Acollar,** 1.ª acep.

Arrendar. (De *arremedar.*) tr. p. us. Remedar la voz o las acciones de alguno.

Arrendatario, ria. (De *arrendar*, 1.er art.) adj. Que toma en arrendamiento alguna cosa. *Compañía* ARRENDATARIA. Apl. a pers., ú. t. c. s.

Arrendaticio, cia. adj. *For.* Perteneciente o relativo al arrendamiento.

Arrentado, da. adj. ant. Decíase de quien tenía o gozaba rentas copiosas.

Arreo. (De *arrear*, 2.° art.) m. Atavío, adorno. || **2.** pl. Guarniciones o jaeces de las caballerías de montar o de tiro. || **3.** Adherentes o cosas menudas que pertenecen a otra principal o se usan con ella.

Arreo. (Del cat. *arreu*, seguido, y éste del germ. *reds*, consejo, suerte.) adv. t. Sucesivamente, sin interrupción.

Arrepanchigarse. r. fam. **Repantigarse.**

Arrepápalo. m. Fruta de sartén, especie de buñuelo.

Arrepasarse. r. fam. **Repasar,** 1.ª acep. Ú. sólo en el juego llamado **Arrepásate** *acá, compadre.*

Arrepentida. f. Mujer que, habiendo conocido sus yerros y mala vida, se arrepiente y vuelve a Dios, y se encierra en clausura o monasterio fundado para este fin, a vivir religiosamente y en comunidad.

Arrepentimiento. (De *arrepentirse.*) m. Pesar de haber hecho alguna cosa. || **2.** *Pint.* Enmienda o corrección que se advierte en la composición y dibujo de los cuadros y pinturas. || **activo.** *For.* El que manifiesta el reo en actos encaminados a disminuir o reparar el daño de un delito, o a facilitar su castigo. Es circunstancia atenuante.

Arrepentirse. (De *a*, 2.° art., y *repentirse.*) r. Pesarle a uno de haber hecho o haber dejado de hacer alguna cosa.

Arrepiso, sa. (De *a*, 2.° art., y *repiso*, 2.° art.) p. p. irreg. de **Arrepentirse.**

Arrepistar. (De *a*, 2.° art., *re*, y el lat. *pistāre*, machacar.) tr. Picar y moler en la máquina de arrepisto el trapo con que se fabrica la pasta del papel de tina.

Arrepisto. m. Acción de arrepistar.

Arrepticio, cia. (Del lat. *arreptitius.*) adj. Endemoniado o espiritado.

Arrequesonarse. (De *a*, 2.° art., y *requesón.*) r. Torcerse la leche, separándose el suero de la parte más crasa.

Arrequife. (Del ár. *ar-rikāb*, el soporte, el estribo, con imela.) m. Cada una de las dos palomillas de hierro que en el almarrá van sujetas a las extremidades de la empuñadura y mantienen el cilindro paralelo a ella.

Arrequive. (Del ár. *ar-rakib*, lo inserto, lo sobrepuesto.) m. Labor o guarnición que se ponía en el borde del vestido, como hoy el ribete o galoncillo que se echa al canto. || **2.** pl. fam. Adornos o atavíos. *Juana iba con todos sus* ARREQUIVES. || **3.** fig. y fam. Circunstancias o requisitos.

Arrestado, da. p. p. de **Arrestar.** || **2.** adj. Audaz, arrojado.

Arrestar. (Del lat. *ad*, a, y *restāre*, quedar.) tr. Detener, poner preso. Hoy se usa más comúnmente en la milicia. || **2.** p. us. **Arriesgar.** || **3.** r. Determinarse, resolverse, y por ext., arrojarse a una acción o empresa ardua.

Arresto. m. Acción de arrestar. || **2.** Detención provisional del presunto reo. || **3.** Reclusión por un tiempo breve, como corrección o pena. || **4.** Arrojo o determinación para emprender una cosa ardua. || **mayor.** Pena de privación de libertad desde un mes y un día hasta seis meses. || **menor.** Pena de igual índole que la anterior y de duración de uno a treinta días que en ciertos casos se puede cumplir en el mismo domicilio del reo.

Arretín. (Como *retina*, del fr. *ratine.*) m. **Filipichín.**

Arretranca. f. *Colomb.*, *Ecuad.* y *Méj.* **Retranca,** 3.ª acep.

Arrevesado, da. adj. **Revesado,** 2.ª acep.

Arrevolvedor. (De *arrevolver.*) m. ant. **Gusano revoltón.**

Arrevolver. tr. ant. **Revolver.** Ú. en *And.* y *Colomb.*

Arrezafe. (Del ár. *al-jiršāf*, el suelo duro y áspero.) m. **Cardal.**

Arrezagar. (Metát. de *arregazar.*) tr. **Arremangar.** Ú. t. c. r. || **2.** Alzar, mover de abajo arriba. ARREZAGAR *el brazo.*

Arria. (De *arre.*) f. **Recua.** || **2.** V. **Aguja de arria.**

Arriada. (De *a*, 2.° art., y *río.*) f. **Riada.**

Arriada. f. *Mar.* Acción de arriar, 1.er art.

Arrial. m. **Arriaz.**

Arrianismo. m. Herejía de los arrianos.

Arriano, na. adj. Dícese de los herejes sectarios de Arrio, el cual enseñaba que el Verbo o Hijo de Dios no es igual o consubstancial al Padre. Ú. m. c. s. || **2.** Perteneciente o relativo al arrianismo.

Arriar. tr. *Mar.* Bajar las velas o las banderas que están izadas. || **2.** *Mar.* Aflojar o soltar un cabo, cadena, etc.

Arriar. (De *a*, 2.° art., y *río.*) tr. Inundar, arroyar. || **2.** r. Inundarse por una avenida algún paraje.

Arriata. f. **Arriate.**

Arriate. (Del ár. *ar-riyāḍ*, los jardines.) m. Era estrecha y dispuesta para tener plantas de adorno junto a las paredes de los jardines y patios. || **2.** Calzada, camino o paso. || **3. Encañado,** 2.° art., 2.ª acep.

Arriaz. (Del ár. *ar-riyās*, el puño de la espada, el extremo de la vaina.) m. Gavilán de espada. || **2.** Por ext., puño de la espada.

Arriba. (Del lat. *ad ripam*, a la orilla.) adv. l. A lo alto, hacia lo alto. || **2.** En lo alto, en la parte alta. || **3.** En lugar anterior o que está antes de otro; pero denotando superioridad, ya real, ya imaginaria. || **4.** En dirección hacia lo que está más alto, respecto de lo que está más bajo. *Cuesta* ARRIBA. || **5.** En los escritos, antes o antecedentemente. || **6.** Con voces expresivas de cantidades o medidas de cualquier especie, denota exceso indeterminado. *De cuatro pesetas* ARRIBA. || **7.** ant. **Adelante,** 1.ª y 2.ª aceps. || **¡Arriba!** interj. que se emplea para excitar a alguno a que apure una bebida, a que se levante, a que suba, etc. || **De arriba.** loc. fig. De Dios. *Venir* DE ARRIBA *una cosa.* || **De arriba abajo.** m. adv. Del principio al fin, de un extremo a otro. *Rodar una escalera* DE ARRIBA ABAJO. || **2.** De superior a inferior, o con desdén. *Mirar o tratar a uno* DE ARRIBA ABAJO.

Arribada. f. Acción de arribar, 1.ª y 2.ª aceps. || **2.** *Mar.* Bordada que da un buque, dejándose ir con el viento. || **forzosa.** *For.* Accidente del comercio marítimo, cuyas formalidades y consecuencias jurídicas determina la ley. || **De arribada.** m. adv. *Mar.* Denota la acción de dirigirse o llegar la nave por algún motivo a puerto que no es el de su destino.

Arribaje. (De *arribar.*) m. **Arribada,** 1.ª acep. Úsase más en la marinería.

Arribar. (Del lat. **arripāre*, de *rīpa*, orilla.) intr. Llegar la nave al puerto en que termina su viaje. || **2.** Llegar la nave a un puerto a que tenga que dirigirse para evitar algún peligro o remediar alguna necesidad. || **3.** Llegar por tierra a cualquier paraje. Ú. t. c. r. || **4.** fig. y fam. Convalecer, ir recobrando la salud o reponiendo la hacienda. || **5.** fig. y fam. Llegar a conseguir lo que se desea. || **6.** *Mar.* Dejarse ir con el viento. || **7.** *Mar.* Girar el buque abriendo el ángulo que forma la dirección de la quilla con la del viento. || **8.** tr. ant. Llevar o conducir.

Arribazón. (De *arribar.*) f. Gran afluencia de peces a las costas y puertos en determinadas épocas.

Arribeño, ña. (De *arriba.*) adj. *Amér.* Aplícase por los habitantes de las costas, al que procede de las tierras altas. Ú. t. c. s.

Arribo. (De *arribar.*) m. **Llegada.**

Arribota. adj. vulg. aum. de **Arriba,** 2.ª acep.

Arricés. (Del ár. *ar-rizār*, los cierres.) m. Cada una de las dos hebillas con que se sujetan a la silla de montar las aciones de los estribos.

Arricesa. f. **Arricés.**

Arricete. m. **Restinga.**

Arridar. (Del lat. *ad*, a, y *rigidāre*, poner rígido.) tr. *Mar.* Tratándose de las jarcias muertas, **tesar,** 1.ª acep.

Arriedro. adv. l. ant. **Arredro.**

Arriendo. (De *arrendar*, 1.er art.) m. **Arrendamiento.**

Arriería. f. Oficio o ejercicio de arriero.

Arrierito. m. d. de **Arriero.** || **Arrieritos somos; en el camino, o y en el camino, nos encontraremos.** ref. **Arrieros somos,** etc.

Arriero. (De *harriero.*) m. El que trajina con bestias de carga. || **Arrieros somos; en el camino, o y en el camino, nos encontraremos.** ref. con que se da a entender que aquel a quien se ha negado una gracia o favor se desquitará en otra ocasión en que se necesite de él.

Arriesgadamente. adv. m. Con riesgo.

Arriesgado, da. p. p. de **Arriesgar.** || **2.** adj. Aventurado, peligroso. || **3.** Osado, imprudente, temerario.

Arriesgar. tr. Poner a riesgo. Ú. t. c. r.

Arriesgón. m. Acción y efecto de arriesgar.

Arrigirse. (Del lat. *arrigĕre*, enderezar, erizar.) r. p. us. **Arrecirse.**

Arrima. (De *arrimar.*) f. ant. **Bocha,** 1.er art., 2.ª acep.

Arrimadero. m. Cosa en que se puede estribar o a que uno puede arrimarse.

Arrimadillo. m. Estera o tela a modo de friso que, arrimada a la pared o clavada en ella, se pone en una habitación.

Arrimadizo, za. adj. Aplícase a lo que está hecho de propósito para arrimarlo a alguna parte. || **2.** fig. Dícese del que interesadamente se arrima o pega a otro. Ú. t. c. s. || **3.** m. ant. Puntal o estribo para sostener un edificio.

Arrimador. (De *arrimar.*) m. Tronco o leño grueso que se pone en las chimeneas para apoyar en él otros al quemarlos.

Arrimadura. (De *arrimar.*) f. **Arrimo,** 1.ª acep.

Arrimar. (De *a*, 2.° art., y *rima*, rimero.) tr. Acercar o poner una cosa junto a otra, de modo que toque con ella. Ú. t. c. r. || **2.** fig. Con nombres expresivos de cosas materiales, dejar o abandonar la profesión, ejercicio, etc., simbolizados por ellas. ARRIMAR *el bastón* (dejar o abandonar el mando); ARRIMAR *los libros* (dejar o abandonar el estudio). || **3.** fig. **Arrinconar,** 3.ª acep. || **4.** fig. y fam. **Dar,** 17.ª acep. ARRIMAR *un bofetón, un palo, un tiro.* || **5.** r. Apoyarse o estribar sobre alguna cosa, como para descansar o sostenerse. || **6.** Agregarse, juntarse a otros, haciendo un cuerpo con ellos. || **7.** fig. Acogerse a la protección de uno, valerse de ella. || **8.** fig. Acercarse al conocimiento de alguna cosa. ARRIMARSE *al punto de la dificultad.*

Arrime. (De *arrimar.*) m. En el juego de las bochas, parte o sitio muy inmediato o arrimado al boliche o bolín.

Arrimo. m. Acción de arrimar o arrimarse. || **2.** Apoyo, sostén. || **3.** Ayuda, auxilio. || **4.** Apego, afición, inclinación. || **5.** Pared medianera. || **6.** *Cuba.* Cerca que divide las heredades unas de otras.

Arrimón. m. El que está aguardando en la calle durante mucho tiempo, arrimado a la pared. || **2. Arrimadizo,** 2.ª acep. || **Estar uno de arrimón.** fr. fam. Estar largo tiempo en acecho, arrimado a alguna parte. || **Hacer uno el arrimón.** fr. fam. Ir arrimándose a las paredes por no poderse tener bien en pie a causa de la embriaguez. || **2.** fam. Estar los gigantones arrimados a una pared.

Arrincada. (De *arrincar.*) f. ant. **Arrancada.**

Arrincar. tr. ant. **Arrancar.** || **2.** ant. Echar, ahuyentar.

Arrinconado, da. p. p. de **Arrinconar.** || **2.** adj. Apartado, retirado, distante del centro. || **3.** fig. Desatendido, olvidado.

Arrinconamiento. (De *arrinconar.*) m. Recogimiento o retiro.

Arrinconar. tr. Poner alguna cosa en un rincón o lugar retirado. || **2.** Estrechar a una persona hasta que halle obstáculo para seguir retrocediendo. || **3.** fig. Privar a uno del cargo, confianza o favor que gozaba; desatenderlo, no hacer caso de él. || **4.** fig. **Arrimar,** 2.ª acep. || **5.** r. fig. y fam. Retirarse del trato de las gentes.

Arriñonado, da. adj. De figura de riñón.

Arriostrar. tr. **Riostrar.**

Arriscadamente. adv. m. Con atrevimiento u osadía.

Arriscado, da. p. p. de **Arriscar.** || **2.** adj. Formado o lleno de riscos. *Monte* ARRISCADO; *altura* ARRISCADA. || **3.** Atrevido, resuelto. || **4.** Ágil, gallardo, libre en la apostura o en la manera de presentarse o de caminar. Dícese de personas y animales.

Arriscador, ra. m. y f. Persona que recoge la aceituna que se cae de los olivos al tiempo de varearlos.

Arriscamiento. (De *arriscar.*) m. Atrevimiento, ímpetu denodado, resolución vigorosa.

Arriscar. (De *a*, 2.° art., y *risco.*) tr. **Arriesgar.** Ú. t. c. r. || **2.** p. us. **Enriscar.** Ú. t. c. r. || **3.** r. Despeñarse las reses por los riscos en las fragosidades del monte. || **4.** fig. Encresparse, enfurecerse, alborotarse. || **Quien no arrisca, no aprisca.** ref. que enseña que para conseguir lo que se apetece es menester arriesgar algo.

Arrisco. (De *arriscar.*) m. **Riesgo.**

Arritmia. f. Falta de ritmo regular. || **2.** *Med.* Irregularidad y desigualdad en las contracciones del corazón.

Arrítmico, ca. adj. Perteneciente o relativo a la arritmia.

Arritranca. f. desus. **Retranca,** 1.ª acep.

Arrizar. tr. *Mar.* **Tomar rizos.** || **2.** *Mar.* Colgar alguna cosa en el buque, de modo que resista los balances y movimientos. || **3.** Entre la gente de mar, atar o asegurar a uno.

Arroaz. m. **Delfín,** 1.er art., 1.ª acep.

Arroba. (Del ár. *ar-rub'*, la cuarta parte [del quintal].) f. Peso de 25 libras, equivalente a 11 kilogramos y 502 gramos. || **2.** En Aragón, peso de 36 libras, equivalente a 12 kilogramos y medio. || **3.** Pesa de una **arroba.** || **4.** Medida de líquidos que varía de peso según las provincias y los mismos líquidos. || **Echar uno por arrobas.** fr. fig. y fam. Abultar y ponderar mucho las cosas. || **Por arrobas.** m. adv. fig. **A montones.**

Arrobadera. f. **Traílla,** 3.ª acep.

Arrobadizo, za. adj. Que finge o suele arrobarse.

Arrobado, da. p. p. de **Arrobar,** 2.° art. || **2.** m. ant. Peso por arrobas. || **Por arrobado.** m. adv. ant. Por arrobas o por mayor.

Arrobador, ra. (De *arrobar*, 1.er art.) adj. Que causa arrobamiento.

Arrobador. m. ant. El que arroba, 2.° art.

Arrobal. adj. *And.* Que puede contener una arroba.

Arrobamiento. m. Acción de arrobar o arrobarse, 1.er art., 3.ª acep. || **2. Éxtasis.**

Arrobar. (De *a*, 2.° art., y *robar.*) tr. Embelesar. || **2.** ant. **Robar,** 1.ª acep. || **3.** r. Enajenarse, quedar fuera de sí.

Arrobar. tr. ant. Pesar o medir por arrobas.

Arrobeño, ña. adj. *And.* **Arrobal.**

Arrobero, ra. adj. De una arroba de peso o poco más o menos. || **2.** m. y f. Persona que hace pan y surte de él a una comunidad.

Arrobeta. f. *Ar.* Medida de aceite, de 24 libras, a diferencia de la arroba, que es de 36.

Arrobiñar. (De *arrebañar*, infl. por *robar.*) tr. *Germ.* **Recoger,** 5.ª acep.

Arrobo. (De *arrobar*, 1.er art., 3.ª acep.) m. **Arrobamiento,** 2.ª acep.

Arrocabe. (Del ár. *ar-rukkāb*, los montantes.) m. Maderamen colocado en lo alto de los muros de un edificio para ligar a éstos entre sí y con la armadura que han de sostener. || **2.** Adorno a manera de friso.

Arrocado, da. adj. De figura de rueca. || **2.** V. **Manga arrocada.**

Arrocero, ra. adj. Perteneciente o relativo al arroz. || **2.** V. **Molino arrocero.** || **3.** m. y f. Persona que cultiva arroz.

Arrocinado, da. p. p. de **Arrocinar.** || **2.** adj. Parecido al rocín. Dícese comúnmente de los caballos.

Arrocinar. (De *a*, 2.° art., y *rocín.*) tr. fig. y fam. **Embrutecer.** Ú. t. c. r. || **2.** r. fig. y fam. Enamorarse ciegamente.

Arrodajarse. (De *a*, 2.° art., y *rodaja.*) r. *C. Rica.* Sentarse con las piernas cruzadas, al estilo de los orientales.

Arrodeamiento. (De *arrodear.*) m. ant. Turbación, mareo de cabeza.

Arrodear. intr. **Rodear.** Ú. t. c. tr.

Arrodelar. tr. p. us. Resguardar a uno con rodela. || **2.** r. Cubrirse con rodela.

Arrodeo. (De *arrodear.*) m. **Rodeo.**

Arrodillada. f. *Sal.* y *Chile.* Genuflexión, arrodillamiento.

Arrodilladura. f. **Arrodillamiento.**

Arrodillamiento. m. Acción de arrodillar o arrodillarse.

Arrodillar. tr. Hacer que uno hinque la rodilla o ambas rodillas. || **2.** intr. Ponerse de rodillas. Ú. m. c. r.

Arrodrigar. (De *a*, 2.° art., y *rodrigar.*) tr. *Agr.* **Arrodrigonar.**

Arrodrigonar. tr. *Agr.* Poner rodrigones a las vides.

Arrogación. (Del lat. *arrogatĭo, -ōnis.*) f. Acción y efecto de arrogar o arrogarse.

Arrogador, ra. (Del lat. *arrogātor.*) adj. Que se arroga alguna cosa. Ú. t. c. s.

Arrogancia. (Del lat. *arrogantĭa.*) f. Calidad de arrogante, 2.ª, 3.ª y 4.ª aceps.

Arrogante. (Del lat. *arrŏgans, -antis.*) p. a. de **Arrogar.** Que arroga. || **2.** adj. Altanero, soberbio. || **3.** Valiente, alentado, brioso. || **4.** Gallardo, airoso.

Arrogantemente. adv. m. Con arrogancia.

Arrogar. (Del lat. *arrogāre;* de *ad*, a, y *rogāre*, pedir.) tr. *For.* Adoptar o recibir como hijo al huérfano o al emancipado. || **2.** r. Atribuirse, apropiarse. Dícese de cosas inmateriales, como jurisdicción, facultad, etc.

Arrojadamente. adv. m. Con arrojo.

Arrojadizo, za. (De *arrojado.*) adj. Que se puede fácilmente arrojar o tirar. || **2.** V. **Arma arrojadiza.** || **3.** ant. fig. **Arrojado,** 2.ª acep.

Arrojado, da. p. p. de **Arrojar,** 1.er art. || **2.** adj. fig. Resuelto, osado, intrépido, imprudente, inconsiderado. || **3.** m. pl. *Germ.* Calzones o zaragüelles.

Arrojador, ra. adj. Que arroja, 1.er art.

Arrojamiento. (De *arrojar*, 1.er art.) m. ant. fig. **Arrojo.**

Arrojar. (Del lat. **rŏtŭlāre*, de *rŏtŭlus*, rodillo.) tr. Impeler con violencia una cosa, de modo que recorra una distancia, movida del impulso que ha recibido. || **2.** **Echar,** 1.ª a 6.ª aceps. || **3.** fig. Tratándose de cuentas, documentos, etc., presentar, dar de sí como consecuencia o resultado. || **4.** fam. **Vomitar,** 1.ª acep. || **5.** r. Precipitarse, dejarse ir con violencia de alto a bajo. ARROJARSE *al mar, por una ventana.* || **6.** Ir violentamente hacia una persona o cosa hasta llegar a ella. SE ARROJÓ *a Pedro para matarle;* SE ARROJÓ *a las llamas para salvar a Miguel.* || **7.** fig. Resolverse a emprender o hacer alguna cosa sin reparar en sus dificultades o riesgos. || **Arrojar uno de sí a otro.** fr. fig. Despedirle con enojo.

Arrojar. (De *a*, 2.° art., y *rojo.*) tr. *Ast.* Calentar el horno hasta enrojecerlo.

Arroje. m. Cada uno de los hombres que en los teatros se arrojaban desde el telar para hacer que con el peso de su cuerpo subiese el telón, a cuyas cuerdas iban sujetos o asidos. || **2.** pl. Sitio del telar desde donde se arrojaban estos hombres.

Arrojo. (De *arrojar*, 1.er art.) m. fig. Osadía, intrepidez.

Arrollable. adj. Que se puede arrollar.

Arrollado, da. p. p. de **Arrollar.** || **2.** m. *Chile.* Carne de puerco que, cocida y aderezada con ingredientes, se acomoda en rollo formado de la piel, también cocida, del mismo animal.

Arrollador, ra. adj. Que arrolla.

Arrollamiento. (De *arrollar*, 2.° art.) m. ant. **Arrullo,** 1.ª acep.

Arrollar. (Del lat. *rŏtŭlāre.*) tr. Envolver una cosa de tal suerte que resulte en forma de rollo lo que antes la tenía plana y extendida. || **2.** Llevar rodando la violencia del agua o del viento alguna cosa sólida. ARROLLAR *las piedras, los árboles.* || **3.** fig. Desbaratar o derrotar al enemigo. || **4.** fig. Atropellar, no hacer caso de leyes, respetos ni otros miramientos ni inconvenientes. || **5.** fig. Vencer, dominar, superar. || **6.** fig. Confundir una persona a otra, dejándola sin poder replicar, en controversia o disputa verbal o por escrito.

Arrollar. (De la onomat. *ro*, sobre el modelo de *aullar* y *maullar.*) tr. fig. Cunear, dormir al niño meciéndolo en la cuna o en los brazos.

Arromadizar. tr. Causar romadizo. || **2.** r. Contraer romadizo.

Arromanzar. tr. Poner en romance o traducir de otro idioma al castellano.

Arromar. tr. Poner roma alguna cosa. Ú. t. c. r.

Arromper. tr. fam. Romper o roturar.

Arrompido, da. p. p. de **Arromper.** || **2.** m. **Rompido,** 3.ª acep.

Arrompimiento. m. ant. Acción de arromper.

Arronjar. tr. desus. **Arrojar,** 1.er art., 1.ª acep.

Arronquecer. intr. ant. **Enronquecer.**

Arronzar. tr. *Mar.* **Ronzar,** 2.° art. || **2.** ant. *Mar.* **Levar anclas.** || **3.** intr. *Mar.* Caer el buque demasiado a sotavento.

Arropamiento. m. Acción y efecto de arropar o arroparse, 1.er art.

Arropar. tr. Cubrir o abrigar con ropa. Ú. t. c. r. || **2.** Por ext., cubrir, abrigar. || **3.** *And.* Cubrir la vid injertada con un montoncito de tierra para preservarla de la acción del calor y del frío. || **4.** Rodear o cercar los cabestros a las reses bravas para conducirlas. || **Arrópate, que sudas.** loc. irón. que se dice del que, habiendo trabajado poco, aparenta estar muy cansado. || **Arrópese con ello.** fr. fam. con que se rechaza despectivamente lo que a uno le dan. Úsase también el verbo en otros tiempos. *Bien se puede* ARROPAR *con ello.*

Arropar. tr. Echar arrope al vino.

Arrope. (Del ár. *ar-rubb*, el jugo de frutas cocido.) m. Mosto cocido hasta que toma consistencia de jarabe, y en el cual suelen echarse trozos de calabaza u otra fruta. || **2.** *Extr.* y *Mancha.* Almíbar de miel cocida y espumada. || **3.** *Farm.* Jarabe concentrado hecho con miel blanca y que contiene alguna substancia vegetal y medicinal. ARROPE *de moras, de granada, de saúco.*

Arropea. (De *herropea.*) f. **Grillete.** || **2.** Traba o trabón que se pone a las caballerías.

Arropera. f. Vasija para arrope.

Arropía. (De *arrope.*) f. **Melcocha,** 1.ª acep.

Arropiero, ra. m. y f. Persona que hace o vende arropía.

Arroscar. tr. ant. **Enroscar.** Usáb. t. c. r. || **2.** *Germ.* Envolver o juntar.

Arrostrado, da. p. p. de **Arrostrar.** || **2.** adj. **Agestado.** Ú. con los advs. *bien* o *mal.*

Arrostrar. (De *a*, 2.° art., y *rostro.*) tr. Hacer cara, resistir, sin dar muestras de cobardía, a las calamidades o peligros. || **2.** Sufrir o tolerar a una persona o cosa desagradable. Ú. t. c. intr. || **3.** r. Atreverse, arrojarse a batallar rostro a rostro con el contrario.

Arrotado, da. adj. *Chile.* Dícese de la persona que tiene aire o modales de roto, 5.ª acep. Ú. t. c. s.

Arroto, ta. p. p. irreg. de **Arromper.** || **2.** m. *León.* Porción de terreno recién roturado para dedicarlo al cultivo de cereales.

Arrotura. (De *a*, 2.° art., y *rotura.*) f. ant. **Arrompido,** 2.ª acep.

Arroyada. (De *arroyar.*) f. Valle por donde corre un arroyo. || **2.** Corte, surco o hendedura producida en la tierra por el agua corriente. || **3.** Crecida de un arroyo e inundación consiguiente a ella.

Arroyadero. m. **Arroyada,** 1.ª y 2.ª aceps.

Arroyar. tr. Formar la lluvia arroyadas, 2.ª acep. Ú. m. c. r. || **2.** Formar arroyos.

Arroyarse. r. Contraer roya las plantas.

Arroyato. m. ant. **Arroyo,** 1.ª acep.

Arroyo. (De la voz hispánica *arrŭgia*, galería de mina y arroyo.) m. Caudal corto de agua, casi continuo. || **2.** Cauce por donde corre. || **3.** V. **Sopa de arroyo.** || **4.** Parte de la calle por donde suelen correr las aguas. || **5.** Por ext., **calle,** 1.ª acep. || **6.** fig. Afluencia o corriente de cualquier cosa líquida. ARROYOS *de lágrimas, de sangre.* || **Plantar,** o **poner,** a uno **en el arroyo.** fr. fig. y fam. **Plantarle,** o **ponerle, en la calle.**

Arroyuela. (De *arroyo*, por criarse junto a ellos.) f. **Salicaria.**

Arroyuelo. m. d. de **Arroyo.**

Arroz. (Del ár. *ar-ruz* o *ar-ruzz.*) m. Planta anua de la familia de las gramíneas, originaria de las Indias Orientales y propia, por regla general, de terrenos muy húmedos: tiene la caña con tres o cuatro nudos, hojas largas, lineares, agudas y muy ásperas en los bordes; flores blanquecinas en panoja terminal y por fruto un grano oval, harinoso y blanco después de descascarillado, que, cocido, es alimento de mucho uso. || **2.** Fruto de esta planta. || **Arroz y gallo muerto.** expr. fam. con que festivamente se pondera la esplendidez de una comida o banquete, aludiendo a los de las aldeas. Úsase más con los verbos *haber* y *tener.* || **El arroz, el pez y el pepino nacen en agua y mueren en vino.** ref. que da a entender que sobre estas cosas conviene beber vino para que no hagan daño.

Arrozal. m. Tierra sembrada de arroz.

Arruar. intr. *Mont.* Dar el jabalí cierto gruñido cuando huye viéndose perseguido.

Arrufadía. (De *arrufar.*) f. ant. **Engreimiento.**

Arrufado, da. (De *a,* 2.° art., y *rufo,* 1.er art.) adj. ant. **Arrufianado.**

Arrufadura. (De *arrufar.*) f. *Mar.* Curvatura que hacen las cubiertas, cintas, galones y bordas de los buques, levantándose más, respecto de la superficie del agua, por la popa y proa que por el centro.

Arrufaldado, da. p. p. de **Arrufaldarse.** || **2.** adj. Levantado y arremangado; dicho del sobrero, levantado de ala.

Arrufaldarse. r ant. Arrufarse, 6.ª acep.; envalentonarse. Ú. en *Murc.*

Arrufar. (Voz onomatopéyica.) tr. ant. Encoger o arquear. || **2.** ant. Instigar, azuzar. || **3.** *Mar.* Dar arrufo al buque en su construcción. || **4.** intr. *Mar.* Hacer arrufo. || **5.** r. ant. Gruñir los perros hinchando el hocico y las narices y enseñando los dientes. || **6.** ant. Envanecerse, ensoberbecerse.

Arrufianado, da. adj. Parecido al rufián en las costumbres, modales u otras cualidades. || **2.** Dícese también de las mismas cualidades en que consiste esta semejanza.

Arrufo. (De *arrufar.*) m. *Mar.* **Arrufadura.**

Arruga. (De *arrugar.*) f. Pliegue que se hace en la piel, ordinariamente por efecto de la edad. || **2.** Pliegue deforme o irregular que se hace en la ropa o en cualquiera tela o cosa flexible, ya porque se la doble mal o comprima, ya porque no ajuste bien al cuerpo, mueble, etc., que con ella se vista o cubra, o por otro motivo.

Arrugación. f. **Arrugamiento.**

Arrugamiento. m. Acción y efecto de arrugar o arrugarse.

Arrugar. (Del lat. *irrūgāre,* arrugar.) tr. Hacer arrugas. Ú. t. c. r. || **2.** V. **Media de arrugar.** || **3.** Con el complemento directo *frente, ceño, entrecejo,* y siendo el sujeto nombre de persona, mostrar en el semblante ira o enojo. || **4.** r. **Encogerse.** || **5.** *Germ.* Huir, escaparse.

Arrugia. (Voz española y latinizada, según Plinio, *Hist. Nat.,* 33, 70.) f. Excavación subterránea que hacían los antiguos mineros españoles para producir el hundimiento de las tierras de aluvión que, sometidas después al lavado, daban el oro. || **2.** Mina de oro.

Arruinador, ra. adj Que arruina Ú. t. c. s.

Arruinamiento. m. Acción y efecto de arruinar o arruinarse.

Arruinar. tr. Causar ruina. Ú. t. c. r. || **2.** fig. Destruir, ocasionar grave daño. Ú. t. c. r.

Arrullador, ra. adj. Que arrulla. Ú. t. c. s.

Arrullar. (De la onomat. *ru,* sobre el modelo de *aullar* y *maullar.*) tr. Atraer con arrullos el palomo o el tórtolo a la hembra, o al contrario. || **2.** fig. Adormecer al niño con arrullos. || **3.** fig. y fam. Enamorar una persona a otra de distinto sexo con palabras dulces y halagüeñas

Arrullo. (De *arrullar.*) m. Canto grave y monótono con que se enamoran las palomas y las tórtolas. || **2.** Habla dulce y halagüeña con que se enamora a una persona || **3.** fig. Cantarcillo grave y monótono para adormecer a los niños. || **4.** fig. Susurro y también todo ruido que sirve para arrullar.

Arruma. (De *arrumar.*) f. *Mar.* División que se hace en la bodega de un buque para colocar la carga.

Arrumaco. m. fam. Demostración de cariño hecha con gestos o ademanes. Ú. m. en pl. || **2.** fam. Adorno o atavío estrafalario.

Arrumaje. (De *arrumar.*) m. *Mar.* Distribución y colocación de la carga en un buque.

Arrumar. (Del neerl. *ruim,* bodega de un buque.) tr. *Mar.* Distribuir y colocar la carga en un buque. || **2.** r. *Mar.* Cargarse de nubes el horizonte.

Arrumazón. f. *Mar.* Acción y efecto de arrumar. || **2.** *Mar.* Conjunto de nubes en el horizonte.

Arrumbación. f. Conjunto de faenas que efectúan en las bodegas los arrumbadores. || **2.** *Mar.* Acción de arrumbar, 2.° art., 3.ª acep.

Arrumbada. f. *Mar.* Corredor que tenían las galeras en la parte de proa a una y otra banda, en el que se colocaban los soldados para hacer fuego.

Arrumbador, ra. adj. Que arrumba, 1.er art. Ú. t. c. s. || **2.** m. Obrero que en las bodegas efectúa la operación de sentar las botas y las de trasegar, cabecear y clarificar los vinos.

Arrumbamiento. (De *arrumbar,* 2.° art.) m. **Rumbo,** 1.er art., 1.ª acep.

Arrumbar. (De *arrumar.*) tr. Poner una cosa como inútil en lugar excusado. || **2.** fig. Arrollar a uno en la conversación, obligándole a callar. || **3.** fig. **Arrinconar,** 3.ª acep.

Arrumbar. (De *a,* 2.° art., y *rumbo.*) tr. *Mar.* Determinar la dirección que sigue una costa para establecerla en la carta hidrográfica en su verdadera posición. || **2.** *Mar.* Hacer coincidir dos o más objetos en una sola marcación o arrumbamiento. || **3.** intr. *Mar.* Fijar el rumbo a que se navega o a que se debe navegar. || **4.** r. *Mar.* **Marcarse.**

Arrumueco. m. p. us. **Arrumaco.** Ú. m. en pl.

Arrunflar. (De *a,* 2.° art., y *runfla.*) tr. En los juegos de naipes, juntar muchas cartas de un mismo palo. Ú. m. c. r.

Arrurruz. (Del ingl. *arrowroot,* raíz de flecha, porque los indos atribuyen al jugo de la raíz de que se extrae la propiedad de curar las heridas de flechas emponzoñadas.) m. Fécula que se extrae de la raíz de una planta cingiberácea que crece en la India.

Arsáfraga. f. **Berrera.**

Arsenal. (Del ár. *dār aṣ-ṣinā'a,* casa de fabricación, taller.) m. Establecimiento militar o particular en que se construyen, reparan y conservan las embarcaciones, y se guardan los pertrechos y géneros necesarios para equiparlas. || **2.** Depósito o almacén general de armas y otros efectos de guerra. || **3.** fig. Conjunto o depósito de noticias, datos, etc. *Esa obra es el* ARSENAL *de donde Antonio saca sus noticias.*

Arseniato. m. *Quím.* Sal formada por la combinación del ácido arsénico con una base.

Arsenical. adj. *Quím.* Perteneciente al arsénico. || **2.** *Quím.* Que contiene arsénico. || **3.** *Quím.* V. **Pirita arsenical.**

Arsénico. (Del lat. *arsenĭcum,* y éste del gr. ἀρσενικόν, de ἄρσην, varonil, macho.) adj. *Quím.* V. **Ácido arsénico.** || **2.** m. Metaloide de color, brillo y densidad semejantes a los del hierro colado; agrio y volatilizable a un calor de 300 grados, sin fundirse. Los ácidos producidos por combinación del oxígeno con este metaloide son venenos violentos. || **blanco. Anhídrido arsenioso.**

Arsenioso. adj. *Quím.* V. **Ácido, anhídrido arsenioso.**

Arsenito. m. *Quím.* Sal formada por la combinación del ácido arsenioso con una base

Arseniuro. m. *Quím.* Combinación del arsénico con otro cuerpo simple.

Arsolla. f. **Arzolla.**

Arta. f. **Plantaina.** || **de agua. Zaragatona.** || **de monte.** Planta perenne de la familia de las plantagináceas, de tallo corto y leñoso, hojas lanceoladas, vellosas y blanquizcas, escapos afelpados y flores en espiga, pequeñas y blancas. Se cría en parajes áridos.

Ártabro, bra. adj. Dícese del habitante de una región galaica que se extendía desde el puerto de Camariñas hasta los cabos Ortegal y de Vares, y desde el mar hasta las sierras de Montemayor y la Faladora. Ú. t. c. s. || **2.** Perteneciente a este región.

Artado. adj. **Arctado.**

Artal. (De *harto,* relleno.) m. ant. Especie de empanada.

Artalejo. m. d. de **Artal.**

Artalete. m. d. de **Artal.**

Artanica. f. **Artanita.**

Artanita. (Tal vez del gr. ἄρτος, pan.) f. **Pamporcino.**

Artar. (Del lat. *arctāre,* apretar, estrechar.) tr. ant. *Ar.* **Precisar.**

Arte. (Del lat. *ars, artis.*) amb. Virtud, disposición e industria para hacer alguna cosa. || **2.** Acto o facultad mediante los cuales, valiéndose de la materia, de la imagen o del sonido, imita o expresa el hombre lo material o lo inmaterial, y crea copiando o fantaseando. || **3.** Conjunto de preceptos y reglas necesarios para hacer bien alguna cosa. || **4.** desus. Libro que contiene los preceptos de la gramática latina. || **5.** Cautela, maña, astucia. || **6.** V. **Mujer del arte.** || **7.** Con los adjetivos *buen* o *mal* antepuestos, buena o mala disposición personal de alguno. || **8.** Aparato que sirve para pescar. || **9.** V. **Copla de arte mayor.** || **10.** V. **Verso de arte menor.** || **11.** *Mancha.* **Noria,** 1.ª acep. || **12.** pl. Lógica, física y metafísica. *Curso de* ARTES. || **13.** V. **Licencia de artes.** || **14.** V. **Bachiller, maestro en artes.** || **Arte angélico.** Medio por el cual se suponía supersticiosamente que con el auxilio del ángel de la guarda o de otro ángel bueno podía adquirir el hombre la sabiduría por infusión. || **bella.** Cualquiera de las que tienen por objeto expresar la belleza. Se da más ordinariamente esta denominación a la pintura, la escultura, la arquitectura y la música. Ú. m. en pl. con el calificativo antepuesto. *Academia de* BELLAS ARTES. || **cisoria.** La de trinchar. || **decorativa.** La pintura o la escultura en cuanto no crean obras independientes, sino subordinadas al embellecimiento de edificios. || **de los espíritus. Arte angélico.** || **de maestría mayor.** Artificio rítmico usado antiguamente, y el cual consiste en repetir los mismos consonantes en todas las coplas o estrofas de una composición. || **de maestría media.** El mismo artificio, con la sola diferencia de poderse variar una rima en cada copla o estrofa. || **liberal.** Cualquiera de las que principalmente requieren el ejercicio del entendimiento. Ú. m. en pl || **mecánica.** Cualquiera de aquellas en que principalmente se necesita el trabajo manual o el uso de máquina. || **metálica. Metálica.** || **métrica. Métrica.** || **militar.** Conjunto de preceptos y reglas para la creación, organización, sostenimiento, progreso y empleo de las instituciones armadas de los Estados. || **noble. Arte bella.** || **notoria.** Medio por el cual se suponía supersticiosamente que con ayunos, confesiones y otras ceremonias podía el hombre adquirir la sabiduría por infusión. || **plumaria.** La que imita pinturas mediante plumas de colores adheridas a un plano; como se practicaba en Méjico antes de la conquista. || **poética. Poética,** 2.ª acep. || **servil. Arte mecánica.** || **tormentaria. Artillería,** 1.ª acep. || **De arte que.** m. adv. ant. **De suerte que.** || **De mal arte.** m. adv. En mal estado o disposición. || **Con arte y engaño se vive medio año; y con engaño y arte, la otra parte.** ref. que moteja a los que viven de la trápala y faramalla. || **Malas artes.** Medios o procedimientos reprobables de que se vale uno para conseguir algún fin. || **No ser,** o **no tener, arte ni parte en** alguna cosa. fr. No intervenir en ella de ningún modo. || **Por arte de birlibirloque,** o **de encantamiento.** loc. fam. con que se denota haberse hecho una cosa por medios ocultos y extraordinarios. || **Por arte del diablo.** expr. fig. Por vía o medio que parece fuera del orden natural. || **Quien tiene arte, va por toda parte.** ref. que enseña cuán útil es saber algún oficio para ganar de comer.

Artefacto. (Del lat. *arte factus,* hecho con arte.) m. Obra mecánica hecha según arte.

Artejo. (Del lat. *articŭlus,* d. de *artus,* artejo, nudo.) m. **Nudillo,** 1.ª acep. || **2.** *Zool.* Cada una de las piezas articuladas entre sí de que se forman los apéndices de los artrópodos.

Artellería. f. ant. Conjunto de máquinas, ingenios o instrumentos de que se servían antiguamente en la guerra para combatir alguna plaza o fortaleza.

Artemisa. (De *artemisia.*) f. Planta olorosa de la familia de las compuestas, de tallo herbáceo, empinado, que crece hasta un metro de altura; hojas hendidas en gajos agudos, lampiños y verdes por encima, blanquecinos y tomentosos por el envés, y flores de color blanco amarillento, en panojas. Es medicinal. || **2. Matricaria.** || **3.** Planta americana de la familia de las compuestas, de metro y medio de altura, de tallo estriado, hojas parecidas a las de la **artemisa** común, y flores verdes y amarillentas. Es medicinal. || **bastarda. Milenrama.** || **pegajosa.** Especie muy parecida a la común, pero de cabezuelas más pequeñas, tallos estriados y hojas glutinosas.

Artemisia. (Del lat. *artemisĭa,* y éste del gr. ἀρτεμισία, de Ἄρτεμις, Diana.) f. **Artemisa.**

Artera. (Del m. or. que *artesa.*) f. Instrumento de hierro con que cada uno marca su pan antes de enviarlo a un horno común.

Arteramente. adv. m. Con artería.

Arteria. (Del lat. *arterĭa,* y éste del gr. ἀρτηρία.) f. Cada uno de los vasos que llevan la sangre desde el corazón a las demás partes del cuerpo. || **2.** fig. Calle de una población, a la cual afluyen muchas otras. || **celiaca.** *Zool.* La que lleva la sangre al estómago y otros órganos abdominales. || **coronaria.** *Zool.* Cada una de las dos que nacen de la aorta y dan ramas que se distribuyen por el corazón. || **emulgente.** *Zool.* Cada una de las que llevan la sangre a los riñones. || **ranina.** *Zool.* La que da ramas que se distribuyen por la parte anterior de la lengua. || **subclavia.** *Zool.* Cada una de las dos que, partiendo del tronco braquiocefálico, a la derecha, y del cayado de la aorta, a la izquierda, corren hacia el hombro respectivo, y al pasar por debajo de la clavícula cambian su nombre por el de **arteria** axilar.

Artería. (De *artero.*) f. Amaño, astucia que se emplea para algún fin. Hoy se toma siempre en mal sentido.

Arterial. adj. Perteneciente o relativo a las arterias.

Arteriografía. (Del gr. ἀρτηρία, arteria, y γράφω, describir.) f. Descripción de las arterias. || **2.** Fotografía obtenida por los rayos X de una o varias arterias, hechas previamente opacas por la inyección de una substancia no transparente a dichos rayos.

Arteriola. f. Arteria pequeña.

Arteriología. (Del gr. ἀρτηρία, arteria, y λόγος, tratado.) f. Parte de la anatomía, que trata de las arterias.

Arteriosclerosis. (Del gr. ἀρτηρία, arteria, y σκλήρωσις, endurecimiento.) f. *Med.* Endurecimiento de las arterias.

Arterioso, sa. adj. **Arterial.** || **2.** Abundante en arterias. || **3.** V. **Conducto arterioso.**

Artero, ra. (De *arte,* cautela, astucia.) adj. Mañoso, astuto. Hoy se toma siempre en mal sentido.

Artesa. (Del gr. ἄρτος, pan.) f. Cajón cuadrilongo, por lo común de madera, que por sus cuatro lados va angostando hacia el fondo. Sirve para amasar el pan y para otros usos.

Artesanía. f. Clase social constituida por los artesanos. || **2.** Arte u obra de los artesanos.

Artesano, na. (Del b. lat. *artesānus,* y éste del lat. *ars, artis,* arte.) m. y f. Persona que ejercita un arte u oficio meramente mecánico. Modernamente se distingue con este nombre al que hace por su cuenta objetos de uso doméstico imprimiéndoles un sello personal, a diferencia del obrero fabril.

Artesiano, na. (Del b. lat. *artesiānus,* y éste del lat. *Artesĭa,* Artois.) adj. Natural del Artois. Ú. t. c. s. || **2.** Perteneciente a esta antigua provincia de Francia. || **3.** V. **Agua artesiana.** || **4.** V. **Pozo artesiano.**

Artesilla. (d. de *artesa.*) f. Cajón de madera que en las norias sirve de recipiente al agua que vierten los arcaduces. || **2.** Juego que consiste en poner entre dos pies derechos, de modo que se pueda mover fácilmente, una artesa pequeña llena de agua, que tiene en la parte inferior un labio a manera de quilla, a fin de que por debajo de la artesa pase un hombre corriendo a caballo y dé un bote de lanza en el borde o quilla; y consiste la destreza en dar el golpe y pasar con tanta velocidad, que el agua caiga por detrás del caballo sin mojar a éste ni al caballero.

Artesón. m. Artesa redonda o cuadrada que regularmente sirve en las cocinas para fregar. || **2.** *Arq.* Cada uno de los adornos cuadrados o poligonales, por lo común con molduras y un florón en el centro, que se ponen en los techos y bóvedas o en la parte interior y cóncava de los arcos. || **3.** *Arq.* **Artesonado,** 2.ª acep.

Artesonado, da. adj. *Arq.* Adornado con artesones. || **2.** m. *Arq.* Techo adornado de artesones.

Artesuela. f. d. de **Artesa.**

Artético, ca. (Del lat. *arthritĭcus,* y éste del gr. ἀρθριτικός, de ἄρθρον, articulación.) adj. Dícese del que padece dolores en las articulaciones. || **2.** Dícese también de estos mismos dolores. || **3.** V. **Gota artética.**

Artica. f. *Ar.* **Artiga.**

Ártico, ca. (De *árctico.*) adj. *Astron.* y *Geogr.* V. **Polo ártico.** || **2.** *Astron.* y *Geogr.* Perteneciente, cercano o relativo al **polo ártico.** *Tierras* ÁRTICAS.

Articulación. (Del lat. *articulatĭo, -ōnis.*) f. Acción y efecto de articular o articularse. || **2.** Enlace o unión de dos piezas o partes de una máquina o instrumento. || **3.** Pronunciación clara y distinta de las palabras. || **4.** *Bot.* Especie de coyuntura que forma en las plantas la unión de una parte con otra distinta de la cual puede desgajarse; como la unión del aguijón o de la rama con el tallo o el tronco, del pecíolo con la rama, etc. || **5.** *Bot.* Nudo a manera de soldadura en algunas partes de ciertas plantas; como la caña o tallo de las gramíneas. || **6.** *Gram.* Posición y movimientos de los órganos de la voz para la pronunciación de una vocal o consonante. || **7.** *Zool.* Unión de un hueso u órgano esquelético con otro, ya sea del dermatoesqueleto o del neuroesqueleto. || **artificial.** Juego de los órganos orales, con emisión o sin emisión de sonidos, empleado por los sordomudos para darse a entender.

Articuladamente. adv. m. Con pronunciación clara y distinta.

Articulado, da. p. p. de **Articular.** || **2.** adj. Que tiene articulaciones. || **3.** V. **Tuya articulada.** || **4.** *Zool.* Decíase del animal cuyo exoesqueleto está formado de piezas que se articulan unas con otras; como el de los insectos, los arácnidos y los crustáceos. Ú. t. c. s. || **5.** m. Conjunto o serie de los artículos de un tratado, ley, reglamento, etc. || **6.** *For.* Conjunto o serie de los medios de prueba que propone un litigante. || **7.** pl. *Zool.* Uno de los grandes grupos de la antigua clasificación zoológica, que comprendía los animales **articulados.**

Articulador, ra. adj. Que articula.

Articular. (Del lat. *articulāris,* de *articŭlus,* artejo, nudo.) adj. Perteneciente o relativo a la articulación o a las articulaciones.

Articular. (Del lat. *articulāre,* de *articŭlus,* juntura.) tr. Unir, enlazar. Ú. t. c. r. || **2.** Pronunciar las palabras clara y distintamente. || **3.** Colocar los órganos de la voz en la forma que requiere la pronunciación de cada sonido. || **4.** *For.* Proponer medios de prueba o preguntas para los litigantes o los testigos.

Articulario, ria. (Del lat. *articularĭus.*) adj. **Articular.**

Articulatorio, ria. adj. *Gram.* Perteneciente o relativo a la articulación de los sonidos del lenguaje. *Canal* ARTICULATORIO, *movimiento* ARTICULATORIO.

Articulista. com. Persona que escribe artículos para periódicos o publicaciones análogas.

Artículo. (Del lat. *articŭlus.*) m. **Artejo.** || **2.** Una de las partes en que suelen dividirse los escritos. || **3.** Cada una de las divisiones de un diccionario encabezada con distinta palabra. || **4.** Cada una de las disposiciones numeradas de un tratado, ley, reglamento, etc. || **5.** Cualquiera de los escritos de mayor extensión que se insertan en los periódicos u otras publicaciones análogas. || **6.** Mercancía, cosa con que se comercia. || **7.** ant. **Dedo,** 1.ª acep. || **8.** ant. Punto, asunto, cuestión. || **9.** ant. **Arte,** 5.ª acep. || **10.** *For.* Cuestión incidental en un juicio. || **11.** *For.* Cualquiera de las probanzas, o párrafo distinto de un interrogatorio. || **12.** *Gram.* Parte de la oración, que sirve principalmente para denotar la extensión en que ha de tomarse el nombre al cual se antepone. || **adicional.** Cada uno de los que al final de una ley, regulan la implantación, alcance y vigencia de ella. || **de comercio.** Cosa comerciable. || **de fe.** Verdad que se debe creer como revelada por Dios, y propuesta, como tal, por la Iglesia. || **de fondo.** El que en los periódicos políticos se inserta en lugar preferente, por lo común sin firma, y trata temas de actualidad con arreglo al criterio de la redacción. || **de la muerte.** Último estado o tiempo de la vida, próximo a la muerte. || **de previo pronunciamiento.** *For.* El incidente que, mientras se decide, paraliza la tramitación del asunto principal. || **de primera necesidad.** Cualquiera de las cosas más indispensables para el sostenimiento de la vida; como el agua, el pan, etc. || **definido** o **determinado.** *Gram.* El que principalmente sirve para limitar la extensión del nombre a un objeto ya consabido del que habla y de aquel a quien se dirige la palabra. Tiene en singular las formas *el, la, lo,* según el género, y en plural, *los, las.* || **genérico, indefinido** o **indeterminado.** *Gram.* El que se antepone al nombre para indicar que éste se refiere a un objeto no consabido del que habla ni del que escucha. Es en singular *un, una,* y en plural, *unos, unas.* || **Formar artículo.** fr. *For.* Introducir la cuestión incidental llamada **artículo** para que sobre ella recaiga pronunciamiento judicial. || **Formar, o hacer, uno artículo de alguna cosa.** fr. fig. Dificultarla o contradecirla.

Artifara. m. *Germ.* **Pan,** 1.ª acep. || **2.** *Germ.* V. **Peso de artifara.**

Artife. m. *Germ.* **Artifara.**

Artifero. (De *artife.*) m. *Germ.* **Panadero,** 1.ª acep.

Artífice. (Del lat. *artĭfex, -fĭcis;* de *ars,* arte, y *facĕre,* hacer.) com. **Artista,** 2.ª acep. || **2.** Persona que ejecuta científicamente una obra mecánica o aplica a ella alguna de las bellas artes. || **3.** fig. **Autor,** 1.ª acep. || **4.** fig. Persona que tiene arte para conseguir lo que desea.

Artificiado, da. p. p. ant. de **Artificiar.** || **2.** adj. ant. **Artificial.**

Artificial. (Del lat. *artificiālis.*) adj. Hecho por mano o arte del hombre. || **2.** V. **Agnación, articulación, bálsamo, día, espino, horizonte, imán, luz, memoria, neumotórax, venturina artificial.** || **3.** V. **Fuegos artificiales.** || **4.** No natural, falso. || **5.** ant. fig. **Artificioso,** 2.ª acep.

Artificialmente. adv. m. De manera artificial.

Artificiar. tr. ant. Hacer con artificio alguna cosa.

Artificiero. (De *artificio.*) m. *Art.* Artillero especialmente instruido en la clasificación, reconocimiento, conservación, empaque, carga y descarga de proyectiles, cartuchos, espoletas y estopines.

Artificio. (Del lat. *artificĭum;* de *ars,* arte, y *facĕre,* hacer.) m. Arte, primor, ingenio o habilidad con que está hecha alguna cosa. || **2.** Máquina o aparato para lograr un fin con mayor facilidad o perfección que por los medios ordinarios o comunes, como el **artificio de Juanelo** para elevar a Toledo las aguas del Tajo. || **3.** fig. Disimulo, cautela, doblez.

Artificiosamente. adv. m. De manera artificiosa.

Artificioso, sa. (Del lat. *artificiōsus.*) adj. Hecho con artificio, 1.ª acep. || **2.** fig. Disimulado, cauteloso, doble. || **3.** *For.* V. **Agnación artificiosa.**

Artífico, ca. adj. ant. **Artificioso,** 1.ª acep.

Artiga. f. Acción y efecto de artigar. || **2.** Tierra artigada.

Artigar. (Del lat. **exsarticāre,* rozar.) tr. Romper un terreno para cultivarlo, quemando antes el monte bajo y las ramas de los árboles que hay en él.

Artilugio. m. despect. Aparato o mecanismo artificioso, pero de poca importancia y duración.

Artillado, da. p. p. de **Artillar.** || **2.** m. Artillería de un buque o de una plaza de guerra.

Artillar. (Del fr. *artillier.*) tr. Armar de artillería las fortalezas o las naves. || **2.** Colocar en disposición de combate la artillería de una batería, obra, fortaleza o nave. || **3.** r. *Germ.* Armarse, prevenirse de armas.

Artillería. (Del fr. *artillerie.*) f. Arte de construir, conservar y usar todas las armas, máquinas y municiones de guerra. || **2.** Tren de cañones, morteros, obuses, pedreros y otras máquinas de guerra que tiene una plaza, un ejército o un buque. || **3.** Cuerpo militar destinado a este servicio. || **4.** V. **Parque, pieza de artillería.** || **5.** V. **General de la artillería.** || **6.** ant. Conjunto de varias piezas de alguna máquina. || **antiaérea.** La destinada a combatir contra los aviones militares. || **de a lomo. Artillería de montaña.** || **de batalla, o de campaña.** La que forma parte de los ejércitos destinados a operaciones campales. || **de costa.** La que se destina a las obras defensivas de los frentes marítimos de las plazas. || **de montaña.** La de pequeño calibre, que es conducida a lomo y se destina a las columnas que han de operar en terreno montuoso. || **de plaza, o de sitio.** La que se emplea indistintamente en el ataque y defensa de las plazas fuertes y posiciones fortificadas. || **ligera, montada, rodada, o volante.** La de campaña que acompaña a la infantería siempre que el terreno permita el paso de carruajes, y que constituye el núcleo más importante de la dotación de los ejércitos. || **Apear la artillería.** fr. ant. **Desmontar la artillería.** || **Asestar** uno **toda la artillería.** fr. fig. Hacer todo el esfuerzo posible para conseguir alguna cosa. || **Clavar la artillería.** fr. Meter clavos o hierros por los fogones de las piezas para dejarlas inservibles. || **Desmontar la artillería.** fr. Sacarla de las cureñas o afustes. || **Encabalgar la artillería.** fr. ant. **Montar la artillería.** || **Montar la artillería.** fr. Ponerla o colocarla en las cureñas. || **Poner** uno **toda la artillería.** fr. fig. **Asestar toda la artillería.**

Artillero. m. El que profesa por principios teóricos la facultad de la artillería. || **2.** Individuo que sirve en la artillería del ejército o de la armada. || **de mar.** Marinero destinado especialmente al servicio de la artillería de los buques.

Artimaña. (De *arte* y *maña.*) f. **Trampa,** 1.ª acep. || **2.** fam. Artificio o astucia para engañar a uno, o para otro fin. || **3.** ant. **Industria,** 1.ª acep.

Artimón. (Del lat. *artĕmo, -ōnis,* y éste del gr. ἀρτέμων.) m. *Mar.* Una de las velas que se usaban en las galeras.

Artina. f. Fruto del arto, 1.ª acep.

Artiodáctilo. (Del gr. ἄρτιος, par, y δάκτυλος, dedo.) adj. *Zool.* Dícese del mamífero ungulado cuyas extremidades terminan en un número par de dedos, de los cuales apoyan en el suelo por lo menos dos, que son simétricos. Ú. t. c. s. || **2.** m. pl. *Zool.* Orden de estos animales, que comprende los paquidermos y los rumiantes.

Artista. adj. Dícese del que estudiaba el curso de artes. *Colegial* ARTISTA. || **2.** com. Persona que ejercita alguna arte bella. || **3.** Persona dotada de la virtud y disposición necesarias para alguna de las bellas artes.

Artísticamente. adv. m. Con arte, de manera artística.

Artístico, ca. adj. Perteneciente o relativo a las artes, especialmente a las que se denominan bellas. || **2.** V. **Belleza artística.** || **3.** V. **Director artístico.**

Artizado, da. p. p. de **Artizar.** || **2.** adj. ant. Aplicábase a la persona que sabía algún arte. || **3.** ant. **Artificioso,** 2.ª acep.

Artizar. (De *arte.*) tr. Hacer alguna cosa con arte. || **2. Artificiar.**

Arto. (Del vasc. *lartzo,* zarza.) m. **Cambronera.** || **2.** Por ext., nombre que se da a varias plantas espinosas que se emplean para formar setos vivos.

Artocarpáceo, cea. adj. *Bot.* **Artocárpeo.**

Artocárpeo, a. (De *artocarpus,* nombre lat. dado por Linneo al árbol del pan; del gr. ἄρτος, pan, y καρπός, fruto.) adj. *Bot.* Dícese de árboles o arbustos de la familia de las moráceas, con jugo lechoso, ramos a veces nudosos, hojas alternas, simples y con estípulas caedizas, flores unisexuales sentadas sobre un receptáculo carnoso y raras veces en espiga, fruto vario, compuesto, y semilla sin albumen; como el árbol del pan.

Artolas. (De *cartolas.*) f. pl. Aparato que, en forma parecida a las aguaderas y compuesto de dos asientos, se coloca sobre la caballería para que puedan ir sentadas dos personas.

Artos. m. **Arto.**

Artrítico, ca. (Del lat. *arthritĭcus,* y éste del gr. ἀρθριτικός.) adj. *Med.* Concerniente a la artritis, o a las enfermedades que afectan a los tejidos de las articulaciones; como el reúma articular, la gota, etc. || **2.** Que padece artritis. Ú. t. c. s.

Artritis. (Del lat. *arthrītis,* y éste del gr. ἀρθρῖτις, de ἄρθρον, articulación.) f. *Med.* Inflamación de las articulaciones.

Artritismo. (De *artritis.*) m. *Med.* Enfermedad general que se atribuye a deficiencia de los actos nutritivos, y se manifiesta por obesidad, diabetes, litiasis, gota y otras afecciones.

Artrografía. (Del gr. ἄρθρον, articulación, y γράφω, describir.) f. Descripción de las articulaciones.

Artrología. (Del gr. ἄρθρον, articulación, y λόγος, tratado.) f. Parte de la anatomía, que trata de las articulaciones.

Artropatía. (Del gr. ἄρθρον, articulación, y πάθος, enfermedad.) f. Enfermedad de las articulaciones.

Artrópodo. (Del gr. ἄρθρον, articulación, y πούς, ποδός, pie.) adj. *Zool.* Dícese de animales invertebrados, de cuerpo con simetría bilateral formado por una serie lineal de segmentos más o menos ostensibles y provisto de apéndices compuestos de piezas articuladas o artejos; como los insectos y las arañas. Ú. t. c. s. || **2.** m. pl. *Zool.* Tipo de estos animales.

Artuña. (De *abortar.*) f. Entre pastores, oveja parida que ha perdido la cría.

Arturo. (Del lat. *arctūrus,* y éste del gr. ἀρκτοῦρος; de ἄρκτος, osa, y οὖρος, guardián, custodio.) m. *Astron.* Estrella de primera magnitud en la constelación de Bootes.

Arugas. f. pl. **Matricaria.**

Árula. (Del lat. *arŭla,* d. de *ara.*) f. *Arqueol.* Ara pequeña.

Arundense. adj. Natural de Arunda, hoy Ronda. Ú. t. c. s. || **2.** Perteneciente a esta ciudad de la Bética.

Arundíneo, a. (Del lat. *arundinĕus.*) adj. Perteneciente o relativo a las cañas.

Aruñar. (De *arañar,* infl. por *uña.*) tr. fam. **Arañar.**

Aruñazo. (De *aruñar.*) m. fam. **Arañazo.**

Aruño. De *aruñar.*) m. fam. **Araño.**

Arúspice. (Del lat. *haruspex, -ĭcis.*) m. Sacerdote que en la antigua Roma examinaba las entrañas de las víctimas para hacer presagios.

Aruspicina. (Del lat. *haruspicīna.*) f. Arte supersticiosa de adivinar por las entrañas de los animales.

Arveja. (Del lat. *ērvilia.*) f. **Algarroba,** 1.ª y 2.ª aceps. || **2.** *Chile.* **Arvejo.** || **silvestre. Áfaca.**

Arvejal. m. Terreno poblado de arvejas.

Arvejana. f. **Arveja.**

Arvejar. m. **Arvejal.**

Arvejera. (De *arveja.*) f. **Algarroba,** 1.ª acep.

Arvejo. (De *arveja.*) m. **Guisante.**

Arvejón. (*De arvejo.*) m. *And.* **Almorta.**

Arvejona. f. *And.* **Arveja,** 1.ª acep. || **loca.** *And.* **Arveja silvestre.**

Arvejote. m. *Ál.* **Arvejón.**

Arvense. (Del lat. *arva,* campo cultivado.) adj. *Bot.* Aplícase a toda planta que crece en los sembrados.

Arzobispado. m. Dignidad de arzobispo. || **2.** Territorio en que el arzobispo ejerce jurisdicción.

Arzobispal. adj. Perteneciente o relativo al arzobispo.

Arzobispazgo. m. ant. **Arzobispado.**

Arzobispo. (Del lat. *archiepiscŏpus,* y éste del gr. ἀρχιεπίσκοπος.) m. Obispo de iglesia metropolitana o que tiene honores de tal.

Arzolla. f. Planta anua de la familia de las compuestas, con tallo herbáceo de unos siete decímetros de altura, armado de espinas triples en el arranque de las hojas, que son largas, hendidas y blanquecinas por debajo, y con fruto oval y espinoso. || **2. Cardo lechero.**

|| **3.** Almendruco. || **4.** *Ar.* Planta herbácea de la familia de las compuestas, de tallo muy ramoso, de unos 30 centímetros de altura, blanquecino, como todo el vegetal; hojas lineales divididas en lacinias, y flores purpúreas con cabezuela cubierta de espinas.

Arzón. (Del b. lat. *arcio, -ōnis*, y éste del lat. *arcus.*) m. Fuste delantero o trasero de la silla de montar. || **2.** *Ar.* Cada uno de los palos o espigas que se ponen en las colleras para sujetarlas al yugo de labrar.

As. (Del lat. *as.*) m. Primitiva moneda romana, fundida en bronce y de peso variable hasta que se le fijó el de una libra. Después se acuñó y se le minoró el peso, pero conservando su valor de 12 onzas. || **2.** Carta que en la numeración de cada palo de la baraja de naipes lleva el número uno. || **3.** Punto único señalado en una de las seis caras del dado. || **4.** fig. Persona que sobresale de manera notable en un ejercicio o profesión. *Los* ASES *de la aviación.* || **hereditario.** Neto haber universal de una sucesión testada o intestada. || **As de oros, no le jueguen bobos.** ref. en que se advierte que para cualquier empleo o ejercicio, por fácil que parezca, es necesario tener inteligencia.

Asa. (Del lat. *ansa.*) f. Parte que sobresale del cuerpo de una vasija, cesta, bandeja, etc., generalmente de figura curva o de anillo, y sirve para asir el objeto a que pertenece. || **2.** V. **Amigo del asa.** || **3.** fig. **Asidero,** 2.ª acep. || **4.** *Germ.* **Oreja,** 2.ª acep. || **En asas.** m. adv. **En jarras.** || **Ser del asa,** o **muy del asa.** fr. fam. Ser amigo íntimo, o de la parcialidad, de otro.

Asa. (Del b. lat. *assa.*) f. Jugo que fluye de diversas plantas umbelíferas. || **dulce.** Gomorresina muy apreciada en la antigüedad, producida por la planta que llamaban laserpicio y que suele confundirse con el benjuí. || **fétida.** Planta perenne, exótica, de la familia de las umbelíferas, de unos dos metros de altura, con tallo recto, hojas de pecíolos envainadores y divididas en lóbulos, flores amarillas y fruto seco en cápsula estrellada. || **2.** Gomorresina de esta planta, concreta, de color amarillento sucio, con grumos blancos o blanquizcos de olor muy fuerte y fétido, semejante al del puerro, y de sabor amargo y nauseabundo. Fluye naturalmente o por incisiones hechas en el cuello de la raíz, y se usa en medicina como antiespasmódico. || **olorosa. Asa dulce.**

Asa. (Del lat. *acer.*) f. *Gran.* **Acebo.**

Asá. (De *así*, con la *a* de *acá*, según la correlación *aquí, acá.*) V. **Así que asá.**

Asaborado, da. p. p. de **Asaborar.** || **2.** adj. ant. fig. Divertido, embebecido con el gusto de alguna cosa.

Asaborar. (De *a*, 2.° art., y *sabor.*) tr. ant. **Saborear.**

Asaborgar. (De *a*, 2.° art., y *saborgar.*) tr. ant. **Asaborar.**

Asaborir. tr. ant. **Asaborar.**

Asacador, ra. (De *asacar.*) adj. ant. Calumniador, cizañero. Usáb. t. c. s.

Asacamiento. m. ant. Acción y efecto de asacar.

Asacar. (De *a*, 2.° art., y *sacar.*) tr. Sacar, inventar. || **2.** Fingir, pretextar. || **3.** Achacar, imputar.

Asación. f. Acción y efecto de asar. || **2.** *Farm.* Cocimiento asativo.

Asacristanado, da. adj. Que participa de las cualidades propias del sacristán, o que se parece a él.

Asadero, ra. adj. A propósito para asarse. Dícese más comúnmente de cierta especie de queso y de algunas peras. || **2.** m. ant. **Asador.**

Asado, da. p. p. de **Asar.** || **2.** V. **Así que asado.** || **3.** m. Carne asada. || **Pasarse el asado.** fr. fig. y fam. *Ar.* Perderse la oportunidad.

Asador. m. Varilla puntiaguda en que se clava y se pone al fuego lo que se quiere asar. || **2.** Aparato de uno u otro mecanismo para igual fin. || **Parecer que uno come,** o **ha comido, asadores.** fr. fig. y fam. Andar muy tieso.

Asadura. (De *asar.*) f. Conjunto de las entrañas del animal. Ú. t. en pl. || **2.** Hígado y bofes. || **3. Hígado,** 1.ª acep. || **4.** Derecho que se pagaba por el paso de los ganados. Díjose así porque se pagaba una **asadura** o res por cierto número de cabezas. || **Echar uno las asaduras.** fr. fig. y fam. **Echar el bofe,** o **los bofes.**

Asaduría. f. **Asadura,** 4.ª acep.

Asaeteador, ra. adj. Que asaetea. Ú. t. c. s.

Asaetear. (De *a*, 2.° art., y *saetear.*) tr. Disparar saetas contra alguien. || **2.** Herir o matar con saetas. || **3.** fig. Causar a uno repetidamente disgustos o molestias.

Asaetinado, da. adj. Aplícase a ciertas telas, parecidas al saetín.

Asafétida. f. **Asa fétida.**

Asainetado, da. adj. Parecido al sainete. *Comedia* ASAINETADA.

Asainetear. (De *a* y *sainete.*) tr. **Salpimentar.**

Asalariado, da. p. p. de **Asalariar.** || **2.** adj. Que percibe un salario por su trabajo. Ú. t. c. s. || **3.** despect. Dícese de la persona que supedita indecorosamente su voluntad a la merced ajena.

Asalariar. tr. Señalar salario a una persona.

Asalir. intr. ant. Salir al encuentro.

Asalmerar. (De *a*, 2.° art., y *salmer.*) tr. *Cant.* Dar a la parte superior de los estribos la forma de plano inclinado, para apoyar en ellos un arco o bóveda.

Asalmonado, da. adj. **Salmonado.** || **2.** De color rosa pálido.

Asaltador, ra. adj. Que asalta. Ú. t. c. s.

Asaltante. p. a. de **Asaltar.** Que asalta.

Asaltar. (De *a*, 2.° art., y *salto.*) tr. Acometer impetuosamente una plaza o fortaleza para entrar en ella escalando las defensas. || **2.** Acometer repentinamente y por sorpresa a las personas, como los ladrones a los pasajeros en los caminos. || **3.** fig. Acometer, sobrevenir, ocurrir de pronto alguna cosa; como una enfermedad, la muerte, un pensamiento, etc.

Asalto. m. Acción y efecto de asaltar. || **2.** Juego entre dos personas, una de las cuales dispone de 24 peones, y la otra sólo de 2, de distinta forma o color que los primeros, y se juega atacando los unos y defendiendo los otros la parte superior del tablero del juego, que se considera como un castillo. Es una variedad del juego de tres en raya. || **3.** V. **Carro, guardia de asalto.** || **4.** *Esgr.* Acometimiento que se hace metiendo el pie derecho y la espada al mismo tiempo. || **5.** *Esgr.* Combate simulado entre dos personas, a arma blanca. || **Dar asalto.** fr. **Asaltar,** 1.ª y 2.ª aceps.

Asamblea. (Del fr. *assemblée*, de *assembler*, y éste del lat. **assimŭlare*, juntar.) f. Reunión numerosa de personas convocadas para algún fin. || **2.** Cuerpo político y deliberante, como el Congreso o el Senado. Tómase especialmente por el que es único y no se halla partido en dos cámaras. || **3.** Tribunal peculiar de la orden de San Juan, compuesto de caballeros profesos y capellanes de justicia de la misma orden. || **4.** Conjunto de los principales funcionarios de las órdenes de Carlos III o de Isabel la Católica, o de la militar de San Hermenegildo. || **5.** *Mil.* Reunión numerosa de tropas para su instrucción o para entrar en campaña. || **6.** *Mil.* Toque para que la tropa se una y forme en sus cuerpos respectivos y lugares determinados.

Asambleísta. com. Persona que forma parte de una asamblea, 1.ª acep.

Asamiento. m. ant. **Asación.**

Asañar. (De *ensañar*, con cambio de prefijo.) tr. **Ensañar.** Usáb. t. c. r.

Asar. (Del lat. *assāre.*) tr. Hacer comestible un manjar por la acción directa del fuego, o la del aire caldeado, y a veces rociándolo con grasa o con algún líquido. || **2.** fig. Tostar, abrasar. || **3.** r. fig. Sentir extremado ardor o calor. || **Asarse vivo.** fr. fig. y fam. **Asar,** 3.ª acep. || **Aún no asamos, y ya pringamos,** o **empringamos.** ref. con que se reprende a quien antes de tiempo intenta lograr o hacer alguna cosa.

Asarabácara. (Del lat. *asărum*, ásaro, y *baccar*, esclarea.) f. **Ásaro.**

Asáraca. f. **Ásaro.**

Asardinado, da. (De *a*, 2.° art., y *sardina*, véase *sardinel.*) adj. Aplícase a la obra hecha de ladrillos o adobes puestos de canto.

Asarero. (De *ásaro.*) m. **Endrino,** 2.ª acep.

Asargado, da. adj. Parecido a la sarga, 1.er art., 1.ª acep.

Asarina. f. Planta perenne de la familia de las escrofulariáceas, que nace entre las peñas y echa vástagos rastreros de unos tres decímetros de largo: las hojas son vellosas, acorazonadas y aserradas y las flores de color violado.

Ásaro. (Del lat. *asărum*, y éste del gr. ἄσαρον.) m. Planta perenne de la familia de las aristoloquiáceas, con rizoma rastrero, hojas radicales, arriñonadas y gruesas, y bohordo central con flores terminales de color rojo que tira a negro. Toda la planta tiene olor fuerte y nauseabundo.

Asativo, va. (De *asar.*) adj. *Farm.* Aplícase al cocimiento que se hace de alguna cosa con su propio zumo, sin ningún líquido ni humedad extraña.

Asayar. (Del lat. *exagiāre*, ensayar.) tr. ant. **Experimentar.**

Asaz. (Del lat. *ad*, a, y *satiem*, acus. de *saties*, saciedad.) adv. c. Bastante, harto, muy. Ú. generalmente en poesía.

Asbestino, na. adj. Perteneciente al asbesto.

Asbesto. (Del lat. *asbestos*, y éste del gr. ἄσβεστος, incombustible, inextinguible; de ἀ, priv., y σβέννυμι, extinguir.) m. Mineral de composición y caracteres semejantes a los del amianto, pero de fibras duras y rígidas que pueden compararse con el cristal hilado.

Asca. f. *Bot.* **Teca,** 2.° art., 2.ª acep.

Ascalonia. (Del lat. *ascalonia.*) f. **Chalote.** || **2.** V. **Ajo de ascalonia.**

Ascalonita. adj. Natural de Ascalón. Ú. t. c. s. || **2.** Perteneciente a esta ciudad de Palestina.

Áscar. (Del ár. *'askar*, ejército.) m. En Marruecos, **ejército,** 1.ª y 2.ª aceps.

Áscari. (Del ár. *'askari*, soldado.) m. Soldado de infantería marroquí.

Ascáride. (Del lat. *ascaridae, -ārum*, y éste del gr. ἀσκαρίς.) f. **Lombriz intestinal.**

Ascendencia. f. Serie de ascendientes, 2.ª acep.

Ascendente. (Del lat. *ascendens, -entis.*) p. a. de **Ascender.** Que asciende. || **2.** adj. V. **Fuente, nodo, progresión, tren ascendente.**

Ascender. (Del lat. *ascendĕre*; de *ad*, a, y *scandĕre*, subir.) intr. **Subir,** 1.ª y 5.ª aceps. || **2.** fig. Adelantar en empleo o dignidad. || **3.** tr. Dar o conceder un ascenso. *Miguel* ASCENDIÓ *a sus parientes.*

Ascendiente. p. a. de **Ascender. Ascendente.** || **2.** com. Padre, madre, o cualquiera de los abuelos, de quien desciende una persona. || **3.** m. Predominio moral o influencia.

Ascensión. (Del lat. *ascensio, -ōnis.*) f. Acción y efecto de ascender, 1.ª acep. || **2.** Por excelencia, la de Cristo a los cielos. || **3.** Fiesta movible con que anualmente celebra la Iglesia este misterio, el jueves, cuadragésimo día después de la Pascua de Resurrección. || **4.** Exaltación a una dignidad suprema, como la del pontificado o del trono. || **oblicua.** *Astron.* Arco del Ecuador, tomado desde el principio de Aries hacia el oriente, hasta aquel punto que nace o llega al horizonte al mismo tiempo que el astro en la esfera oblicua. || **recta.** *Astron.* Arco del Ecuador, contado de occidente a oriente y comprendido entre el punto equinoccial de primavera y el horario o meridiano de un astro.

Ascensional. adj. Aplícase al movimiento de un cuerpo hacia arriba. || **2.** Dícese también de la fuerza que produce la ascensión. || **3.** *Astron.* Perteneciente o relativo a la ascensión de los astros.

Ascensionista. com. Persona que asciende a puntos muy elevados de las montañas. || **2. Aeronauta.**

Ascenso. (Del lat. *ascensus.*) m. p. us. **Subida,** 1.ª acep. || **2.** fig. Promoción a mayor dignidad o empleo. || **3.** fig. Cada uno de los grados señalados para el adelanto en una carrera o jerarquía.

Ascensor. (Del lat. *ascensor,* el que sube.) m. Aparato para trasladar personas de unos a otros pisos. || **2. Montacargas.**

Ascensorista. m. Persona que tiene a su cargo el manejo del ascensor.

Asceta. (Del lat. *ascēta,* y éste del gr. ἀσκητής, de ἀσκέω, ejercitar.) com. Persona que hace vida ascética.

Asceterio. (Del lat. *ascētērium,* lugar para practicar ejercicios.) m. En el monacato oriental, colonia o agregación de anacoretas o eremitas.

Ascética. f. **Ascetismo,** 2.ª acep.

Ascético, ca. (Del gr. ἀσκητικός, de ἀσκέω, ejecutar.) adj. Dícese de la persona que se dedica particularmente a la práctica y ejercicio de la perfección cristiana. || **2.** Perteneciente o relativo a este ejercicio y práctica. *Vida* ASCÉTICA. || **3.** Que trata de la vida **ascética,** ensalzándola o recomendándola. *Escritor, libro* ASCÉTICO. || **4.** V. **Teología ascética.**

Ascetismo. m. Profesión de la vida ascética. || **2.** Doctrina de la vida ascética.

Ascio, cia. (Del lat. *ascius,* y éste del gr. ἄσκιος; de ἀ, priv., y σκιά, sombra.) adj. *Geogr.* Dícese del habitante de la zona tórrida, donde dos veces al año, a la hora de mediodía, cae verticalmente el sol, y los cuerpos no proyectan sombra lateral. Ú. t. c. s. y m. en pl.

Asciro. (Del lat. *ascȳron,* y éste del gr. ἄσκυρον.) m. Planta indígena de España, muy parecida al hipérico, con tallo cuadrangular y hojas perforadas de puntitos sólo en las márgenes.

Asciterio. (Del lat. *ascētērium,* y éste del gr. ἀσκητήριον.) m. ant. **Monasterio.**

Ascítico, ca. adj. *Med.* Que padece ascitis. Ú. t. c. s.

Ascitis. (Del lat. *ascītes,* y éste del gr. ἀσκίτης, de ἀσκός, odre.) f. *Med.* Hidropesía del vientre, ocasionada por acumulación de serosidad en la cavidad del peritoneo.

Asclepiadáceo, a. (De *asclepias,* nombre de un género de plantas.) adj. *Bot.* Dícese de hierbas, arbustos y árboles angiospermos dicotiledóneos, con hojas alternas, opuestas o verticiladas, sencillas y enteras; flores en racimo, corimbo o umbela, y fruto en folículo con muchas semillas provistas de albumen; como la mata de la seda, la cornicabra y la arauja. Ú. t. c. s. f. || **2.** f. pl. *Bot.* Familia de estas plantas.

Asclepiadeo. (Del lat. *asclepiadēus,* de *Asclepiades,* poeta griego, propagador de este metro.) adj. V. **Verso asclepiadeo.** Ú. t. c. s.

Asclepiadeo, a. adj. *Bot.* **Asclepiadáceo.**

Asco. (De *asqueroso.*) m. Alteración del estómago causada por la repugnancia que se tiene a alguna cosa que incita a vómito. || **2.** fig. Impresión desagradable causada por alguna cosa que repugna. || **3.** fig. Esta misma cosa. || **4.** fig. y fam. **Miedo.** || **Estar hecho un asco.** fr. fig. y fam. Estar muy sucio. || **Hacer uno ascos.** fr. fig. y fam. Hacer afectadamente desprecio poco justificado de una cosa. || **Ser un asco** una cosa. fr. fig. y fam. Ser muy indecorosa y despreciable. || **2.** fig. y fam. Ser muy mala o imperfecta, no valer nada.

Asconder. (Del lat. *abscondĕre,* esconder.) tr. ant. **Esconder.** Usáb. t. c. r. Ú. en *Burg.* y *Sor.*

Ascondidamente. adv. m. ant. **Escondidamente.**

Ascondido. p. p. del ant. **Asconder.** || **En ascondido.** m. adv. ant. **En escondido.**

Ascondimiento. (De *asconder.*) m. ant. **Escondrijo.**

Ascondredijo. m. ant. **Ascondrijo.**

Ascondrijo. (De *asconder.*) m. ant. **Escondrijo.**

Ascoroso, sa. adj. ant. **Asqueroso.**

Ascosidad. (De *ascoso.*) f. Podre e inmundicia que mueve a asco.

Ascoso, sa. (De *asco.*) adj. **Asqueroso,** 1.ª acep.

Ascreo, a. (Del lat. *ascraeus.*) adj. Natural de Ascra. Ú. t. c. s. || **2.** Perteneciente a esta aldea de Beocia.

Ascua. f. Pedazo de cualquier materia sólida y combustible que por la acción del fuego se pone incandescente y sin llama. || **de oro.** fig. Cosa que brilla y resplandece mucho. || **Arrimar uno el ascua a su sardina.** fr. fig. y fam. Aprovechar, para lo que le interesa o importa, la ocasión o coyuntura que se le ofrece. || **¡Ascuas!** interj. fest. con que se manifiesta dolor o extrañeza. || **Estar uno en ascuas.** fr. fig. y fam. Estar inquieto, sobresaltado. || **Sacar uno el ascua con la mano del gato,** o **con mano ajena.** fr. fig. y fam. Valerse de tercera persona para la ejecución de alguna cosa de que puede resultar daño o disgusto.

Ascuso (A o **En).** m. adv. ant. **A escuso.**

Aseadamente. adv. m. Con aseo.

Aseado, da. p. p. de **Asear.** || **2.** adj. Limpio, curioso.

Asear. (En port. *assear.*) tr. Adornar, componer con curiosidad y limpieza. Ú. t. c. r.

Asecución. (Del b. lat. *assecutĭo, -ōnis,* y éste del lat. *assĕqui,* conseguir, obtener.) f. ant. **Consecución.**

Asechador, ra. adj. Que asecha. Ú. t. c. s.

Asechamiento. m. **Asechanza.**

Asechanza. (De *asechar.*) f. Engaño o artificio para hacer daño a otro. Ú. m. en pl.

Asechar. (Del lat. *assectāri,* ir al alcance de uno; de *ad,* a, y *sectāri,* seguir.) tr. Poner o armar asechanzas. || **2.** ant. **Acechar.**

Asecho. (De *asechar.*) m. **Asechanza.**

Asechoso, sa. (De *asecho.*) adj. ant. Dispuesto con asechanzas. || **2.** adj. Propio para ellas.

Asedar. tr. Poner suave como la seda alguna cosa. Dícese más comúnmente del cáñamo o del lino.

Asediador, ra. adj. Que asedia. Ú. t. c. s.

Asediar. (Del b. lat. *assediāre,* y éste del lat. *ad,* a, y *sedēre,* estar sentado.) tr. Cercar un punto fortificado, para impedir que salgan los que están en él o que reciban socorro de fuera. || **2.** fig. Importunar a uno sin descanso con pretensiones.

Asedio. m. Acción y efecto de asediar.

Aseglararse. r. Relajarse el clérigo o religioso en la perfección de su estado, portándose y viviendo como seglar.

Aseglarizar. tr. p. us. Relajar la virtud propia del estado religioso, haciendo que el clérigo se porte como un seglar.

Aseguir. (Del lat. *assĕqui;* de *ad,* a, y *sĕqui,* seguir.) tr. ant. **Conseguir.**

Asegundar. (De *a,* 2.° art., y *segundo.*) tr. Repetir un acto inmediatamente o poco después de haberlo llevado a cabo por vez primera.

Aseguración. f. **Seguro,** 7.ª acep. || **2.** ant. **Aseguramiento,** 1.ª acep.

Aseguradamente. adv. m. ant. **Seguramente.**

Asegurado, da. p. p. de **Asegurar.** || **2.** adj. Dícese de la persona que ha contratado un seguro. Ú. t. c. s.

Asegurador, ra. adj. Que asegura. Ú. t. c. s. || **2.** Dícese de la persona o empresa que asegura riesgos ajenos. Ú. t. c. s.

Aseguramiento. m. Acción y efecto de asegurar. || **2. Seguro,** 8.ª acep. || **de bienes litigiosos.** *For.* Conjunto de medidas adoptadas por el juez para impedir el deterioro o fraude, especialmente tratándose de árboles, minas o industrias. || **2.** *For.* Procedimiento especial para acordar esas medidas.

Aseguranza. (De *asegurar.*) f. ant. Seguridad, resguardo. Ú. en *Sal.*

Asegurar. (De *a,* 2.° art., y *seguro.*) tr. Dejar firme y seguro; establecer, fijar sólidamente. ASEGURAR *el edificio.* ASEGURAR *el clavo en la pared.* || **2.** Poner a una persona en condiciones que le imposibiliten la huida o la defensa. || **3.** Librar de cuidado o temor; tranquilizar, infundir confianza. Ú. t. c. r. || **4.** Dejar seguro de la realidad o certeza de alguna cosa. || **5.** Afirmar la certeza de lo que se refiere. Ú. t. c. r. || **6.** Preservar o resguardar de daño a las personas y las cosas; defenderlas y estorbar que pasen a poder de otro. ASEGURAR *el reino de las invasiones enemigas.* Ú. t. c. r. || **7.** Dar firmeza o seguridad, con hipoteca o prenda que haga cierto el cumplimiento de una obligación. || **8.** Poner a cubierto una cosa de la pérdida que por naufragio, incendio o cualquiera otro accidente o motivo pueda tener en ella su dueño, obligándose a indemnizar a éste del importe total o parcial de dicha pérdida, con sujeción a las condiciones pactadas. ASEGURAR *un buque, una finca, mercaderías, muebles.*

Aseidad. (Del lat. *a se,* por sí.) f. Atributo de Dios, por el cual existe por sí mismo o por necesidad de su propia naturaleza.

Aseladero. m. Sitio en que se aselan las gallinas.

Aselador. m. **Aseladero.**

Aselarse. (Del lat. **asȳlāre,* de *asȳlum,* refugio.) intr. *Sal.* Acomodarse las gallinas y otros animales para pasar la noche.

Asemblar. (Del lat. *assimulāre;* de *ad,* a, y *simul,* juntamente.) tr. ant. Juntar, reunir.

Asemejar. (De *a,* 2.° art., y *semejar.*) tr. Hacer una cosa con semejanza a otra. || **2.** Representar una cosa semejante a otra. Ú. t. c. r. || **3.** intr. Tener semejanza. || **4.** r. Mostrarse semejante.

Asemillar. (De *a,* 2.° art., y *semilla.*) intr. *Chile.* **Cerner,** 4.ª acep.

Asencio. m. ant. **Asenjo.**

Asendereado, da. p. p. de **Asenderar.** || **2.** adj. V. **Camino asendereado.** || **3.** fig. Agobiado de trabajos o adversidades. || **4.** fig. Práctico, experto.

Asenderear. tr. Hacer o abrir sendas o senderos. || **2.** Perseguir a uno haciéndole salir de los caminos y andar fugitivo por los senderos.

Asengladura. f. *Mar.* **Singladura.**

Asenjo. m. ant. **Ajenjo,** 1.ª acep.

Asensio. m. ant. **Asenjo.**

Asenso. (Del lat. *assensus.*) m. Acción y efecto de asentir. || **Dar asenso.** fr. **Dar crédito.**

Asentación. (Del lat. *assentatio, -ōnis.*) f. ant. Adulación o lisonja.

Asentada. f. Sentada.

Asentadamente. adv. m. ant. Llana y terminantemente. || **2.** ant. **Habitualmente.**

Asentaderas. (De *asentar.*) f. pl. fam. Nalgas, pl. de **nalga.**

Asentadillas (A). (De *asentar.*) m. adv. **A mujeriegas.**

Asentado, da. p. p. de **Asentar.** || **2.** adj. **Sentado,** 2.ª acep. || **3.** fig. Estable, permanente. || **4.** m. *And.* Acción de asentar la paja para la formación del pajar. || **A asentadas.** m. adv. ant. **A sentadillas.**

Asentador. m. El que asienta o cuida de que asiente una cosa. || **2.** El que contrata por mayor víveres para un mercado público. || **3.** Instrumento de hierro con boca de acero, a manera de formón, que sirve al herrero para repasar su obra y quitarle desigualdades. || **4. Suavizador,** 2.ª acep. || **5.** *And.* Obrero que lleva la dirección en la formación del pajar. || **6.** *And.* El que paga el arbitrio correspondiente por cada carga de frutas u hortalizas que introduce en el palenque. || **7.** *Impr. Méj.* **Tamborilete,** 2.ª acep. || **de real.** El que tenía a su cuidado acuartelar o alojar un ejército.

Asentadura. (De *asentar.*) f. ant. Asentamiento, 1.ª acep.

Asentamiento. m. Acción y efecto de asentar o asentarse. || **2. Establecimiento,** 5.ª acep. || **3.** Lugar que ocupa cada pieza o cada batería en una posición. || **4.** ant. Situación o asiento. || **5.** ant. Sitio, solar. || **6.** ant. **Asiento,** 1.ª acep. || **7.** fig. Juicio, cordura. || **8.** *For.* Tenencia o posesión que daba el juez al demandador de algunos bienes del demandado, por rebeldía de éste. || **9.** Instalación provisional por la autoridad gubernativa, de colonos o cultivadores, en tierras destinadas a expropiarse. || **de real.** ant. Alojamiento de ejército.

Asentar. (De *a*, 2.° art., y *sentar.*) tr. Sentar, 1.ª acep. Ú. m. c. r. || **2.** Colocar a uno en determinado lugar o asiento, en señal de posesión de algún empleo o cargo. Ú. t. c. r. || **3.** Poner o colocar alguna cosa de modo que permanezca firme. || **4.** Tratándose de pueblos o edificios, situar, fundar. || **5.** Tratándose de golpes, darlos con tino y violencia. || **6.** Aplanar o alisar, planchando, apisonando, etc. ASENTAR *una costura, el piso.* || **7.** Afinar, poner plano o suave el filo de una navaja de afeitar o cualquiera otro instrumento. || **8.** Presuponer o hacer supuesto de alguna cosa. || **9.** Afirmar, dar por cierto un hecho. || **10.** Ajustar o hacer un convenio o tratado. || **11.** Anotar o poner por escrito alguna especie, para que conste. || **12.** ant. Poner o colocar a uno en servicio de otro. || **13.** ant. Imponer o situar una renta sobre bienes raíces o fincas. || **14.** *For.* Poner al demandador en posesión de algunos bienes del demandado, por la rebeldía de éste en no comparecer o no responder a la demanda. || **15.** intr. **Sentar,** 5.ª acep. || **16.** r. **Posar,** 3.ª acep. || **17.** Establecerse en un pueblo o paraje. || **18.** Tratándose de líquidos, **posarse.** || **19.** Dicho del aparejo, la silla o la albarda, hacer daño o lastimar a las caballerías. || **20.** Hacer asiento una obra. || **21.** Estancarse algún manjar indigesto o sin digerir en el estómago o en los intestinos.

Asentimiento. (De *asentir.*) m. **Asenso.** || **2. Consentimiento.**

Asentir. (Del lat. *assentire;* de *ad*, a, y *sentire*, sentir.) intr. Admitir como cierto o conveniente lo que otro ha afirmado o propuesto antes.

Asentista. m. El que hace asiento o contrata con el gobierno o con el público, para la provisión o suministro de víveres u otros efectos, a un ejército, armada, presidio, plaza, etc.

Aseñorado, da. adj. Dícese de la persona ordinaria que tira a señor o señora, o los imita en algo. || **2.** Parecido a lo que es propio de señor o señora.

Aseo. (De *asear.*) m. Limpieza, curiosidad. || **2.** Adorno, compostura. || **3.** Esmero, cuidado. || **4.** Apostura, gentileza, buena disposición.

Asépala. (De *a*, 3.er art., y *sépalo.*) adj. *Bot.* Dícese de la flor que carece de sépalos.

Asepsia. (De ἀ, priv., y σῆψις, putrefacción.) f. *Med.* Ausencia de materia séptica; estado libre de infección. || **2.** *Med.* Conjunto de procedimientos científicos destinados a preservar de gérmenes infecciosos el organismo. Se aplican principalmente a la esterilización del material quirúrgico.

Aséptico, ca. (De *a*, 3.er art., y *séptico.*) adj. *Med.* Perteneciente o relativo a la asepsia.

Asequi. (Del ár. *az-zakā* [con imela, *az-zakī*], el *azaque.*) m. Cierto derecho que se pagaba en Murcia por todo ganado menor, en llegando a cuarenta cabezas.

Asequible. (Del lat. *assĕqui*, conseguir, obtener.) adj. Que puede conseguirse o alcanzarse.

Aserción. (Del lat. *assertio, -ōnis.*) f. Acción y efecto de afirmar, 2.ª acep. || **2.** Proposición en que se afirma o da por cierta alguna cosa.

Aserenar. tr. Serenar. Ú. t. c. r.

Aseriarse. r. Ponerse serio.

Asermonado, da. adj. Que participa de las cualidades propias del sermón. *Discurso* ASERMONADO.

Aserradero. m. Paraje donde se asierra la madera u otra cosa.

Aserradizo, za. adj. A propósito para ser aserrado. || **2.** Dícese del madero que ha sido aserrado para reducirlo al grueso y ancho convenientes.

Aserrado, da. p. p. de **Aserrar.** || **2.** adj. *Bot.* V. **Hoja aserrada.**

Aserrador, ra. adj. Que sierra. || **2.** m. El que tiene por oficio aserrar.

Aserradura. (De *aserrar.*) f. Corte que hace la sierra. || **2.** Parte donde se ha hecho el corte. || **3.** pl. **Aserrín.**

Aserrar. tr. Serrar.

Aserrín. m. Serrín.

Aserruchar. tr. *Colomb., Chile, Hond.* y *Perú.* Cortar o dividir con serrucho la madera u otra cosa.

Asertivamente. adv. m. **Afirmativamente.**

Asertivo, va. (De *aserto.*) adj. **Afirmativo.**

Aserto. (Del lat. *assertus.*) m. **Aserción,** 1.ª acep.

Asertor, ra. (Del lat. *assertor, -ōris.*) m. y f. Persona que afirma, sostiene o da por cierta una cosa.

Asertorio. (Del lat. *assertorius.*) adj. *Fil.* Se dice del juicio que no excluye la posibilidad lógica de una contradicción. || **2.** V. **Juramento asertorio.**

Asesar. tr. Hacer que uno adquiera seso o cordura. || **2.** intr. Adquirir seso o cordura.

Asesinar. (De *asesino.*) tr. Matar alevosamente, o por precio, o con premeditación. || **2.** fig. Causar viva aflicción o grandes disgustos. || **3.** fig. Engañar o hacer traición a mansalva y en asunto grave a persona que se fiaba de quien la hace.

Asesinato. m. Acción y efecto de asesinar.

Asesino, na. (Del ár. *ḥaššāšīn*, los bebedores de *ḥašīš* [preparación narcótica hecha de las hojas y sumidades del cáñamo], nombre de los individuos de una secta religiosa que, al ingresar en ella, hacían voto de matar a quien su jefe les ordenase.) adj. Que asesina, homicida; *gente, mano* ASESINA; *puñal* ASESINO. Ú. t. c. s.

Asesor, ra. (Del lat. *assessor*, de *assidēre*, asistir, ayudar a otro.) adj. Que asesora. Ú. t. c. s. || **2.** Dícese del letrado a quien por razón de oficio incumbe aconsejar o ilustrar con su dictamen a un juez lego. Ú. m. c. s.

Asesoramiento. m. Acción y efecto de asesorar o asesorarse.

Asesorar. tr. Dar consejo o dictamen. || **2.** r. Tomar consejo del letrado asesor, o consultar su dictamen. || **3.** Por ext., tomar consejo una persona de otra, o ilustrarse con su parecer.

Asesoría. f. Oficio de asesor. || **2.** Estipendio o derechos del asesor. || **3.** Oficina del asesor.

Asestadero. m. *Ar.* Sesteadero.

Asestadura. f. Acción de asestar.

Asestar. (De *a*, 2.° art., y *sestar.*) tr. Dirigir una arma hacia el objeto que se quiere amenazar u ofender con ella. ASESTAR *el cañón, la lanza.* || **2.** Dirigir la vista, los anteojos, etc. || **3.** Descargar contra un objeto el proyectil o el golpe de una arma o de cosa que haga su oficio. ASESTAR *un tiro, una puñalada, una pedrada, un puñetazo.* || **4.** fig. Intentar causar daño. || **5.** fig. desus. Preparar, tener pensado. || **6.** intr. fig. Poner la mira, dirigirse.

Asestar. (De *a*, 2.° art., y *siesta.*) intr. *Ar.* y *Sal.* Sestear, 2.ª acep.

Aseveración. (Del lat. *asseveratio, -ōnis.*) f. Acción y efecto de aseverar.

Aseveradamente. adv. m. Con aseveración.

Aseverancia. (De *aseverar.*) f. ant. **Aseveración.**

Aseverar. (Del lat. *asseverāre;* de *ad*, a, y *sevērus*, severo.) tr. Afirmar o asegurar lo que se dice.

Aseverativo, va. adj. Que asevera o afirma.

Asexual. (De *a*, priv., y el lat. *sexus*, sexo.) adj. Sin sexo; ambiguo, indeterminado. || **2.** *Biol.* Dícese de la reproducción que se verifica sin intervención de los dos sexos; como la gemación.

Asfaltado, da. p. p. de **Asfaltar.** || **2.** m. Acción de asfaltar. || **3.** Solado de asfalto.

Asfaltar. tr. Revestir de asfalto.

Asfáltico, ca. adj. De asfalto. || **2.** Que tiene asfalto.

Asfalto. (Del lat. *asphaltus*, y éste del gr. ἄσφαλτος.) m. Betún negro, sólido, quebradizo, que se derrite al fuego y arde con dificultad. Se llama también betún de Judea, porque los antiguos lo recogían en diversos puntos de Palestina, y principalmente en el lago Asfaltites o mar Muerto. Suele emplearse, mezclado con arena, en pavimentos y revestimiento de muros, y entra también en la composición de algunos barnices y en varias preparaciones farmacéuticas.

Asfíctico, ca. adj. Perteneciente o relativo a la asfixia.

Asfixia. (Del gr. ἀσφυξία, de ἄσφυκτος; de ἀ, priv., y σφύζω, palpitar.) f. Suspensión de la respiración, y estado de muerte aparente o inminente, por la sumersión, por la estrangulación, por la acción de gases no respirables, etc.

Asfixiante. p. a. de **Asfixiar.** Que asfixia.

Asfixiar. t. Producir asfixia. Ú. t. c. r.

Asfíxico, ca. adj. **Asfíctico.**

Asfódelo. (Del lat. *asphodĕlus*, y éste del gr. ἀσφόδελος.) m. **Gamón.**

Asgo. m. ant. **Asco.**

Así. (Del lat. *ad sic.*) adv. m. De esta, o de esa, suerte o manera. || **2.** Úsase en las oraciones desiderativas para expresar un deseo como pago de la acogida que se dé a una súplica o petición. ASÍ *Dios te ayude.* || **3.** Úsase con énfasis para denotar extrañeza o admiración. ¿ASÍ *te estás mano sobre mano cuando* *tanto hay que hacer?; ¿*ASÍ *me abandonas?* || **4.** Adquiere sentido ponderativo, equivaliendo a tanto, o de tal suerte o manera, en frases como la siguiente: ASÍ *le habían desfigurado las penas, que no le conocí.* || **5.** También, igualmente. *A la muy alta e* ASÍ *esclarecida princesa doña Isabel, la tercera de este nombre.* || **6.** Usado como conjunción comparativa, correspondiéndose con las partículas *como* o *cual*, equivale a tanto, o a de igual manera. *La virtud infunde respeto* ASÍ *a los buenos como a los malos.* || **7.** También hace veces de conjunción continuativa, equivaliendo a en consecuencia, por lo cual, de suerte que; y en este caso generalmente lleva antepuesta la copulativa *y. Nadie quiso ayudarle, y* ASÍ, *tuvo que desistir de su noble empeño.* || **8.** Aunque, por más que. || **Así así.** m. adv. Tal cual, medianamente. || **Así como.** m. adv. **Así que,** 1.ª acep. || **2.** m. adv. y conjunt. que denota comparación, equivaliendo a como, o a de igual manera que. *Todas las cosas criadas,* ASÍ COMO *tienen limitada esencia, tienen limitado poder.* En el segundo término de la comparación repítese frecuentemente esta voz. *Todas las cosas criadas,* ASÍ COMO *tienen limitada esencia,* ASÍ *tienen limitado poder.* || **Así como así.** m. adv. De cualquiera suerte, de todos modos. || **Así o asá; así o así.** exprs. fams. **Así que asá.** || **Así que.** m. adv. Tan luego como, al punto que. ASÍ QUE *amanezca se dará la batalla.* || **2.** m. conjunt. En consecuencia, de suerte que, por lo cual. *El enemigo había cortado el puente;* ASÍ QUE *no fué posible seguir adelante.* || **Así que asá, o así que asado.** expr. fam. que se usa regularmente con los verbos *ser, dar* y *tener,* y vale tanto como si se dijese: lo mismo importa de un modo que de otro. || **Así que así.** m. adv. **Así como así.**

Asiano, na. adj. ant. **Asiático.** Apl. a pers., usáb. t. c. s.

Asiático, ca. (Del gr. ἀσιατικός, del nombre Ἀσία, que en un principio dieron los griegos a las comarcas jónicas y lidias regadas por el Caístro.) adj. Natural de Asia. Ú. t. c. s. || **2.** Perteneciente a esta parte del mundo. || **3.** V. **Cólera, lujo, tifo asiático.**

Asibilación. f. Acción de asibilar.

Asibilar. (Del lat. *assibilāre.*) tr. Hacer sibilante el sonido de una letra.

Asidero. m. Parte por donde se ase alguna cosa. || **2.** fig. Ocasión o pretexto.

Asidilla. f. ant. **Asidero.**

Asidonense. (Del lat. *asidonensis.*) adj. Natural de Asido, hoy Medinasidonia. Ú. t. c. s. || **2.** Perteneciente a esta ciudad de la Bética. || **3.** Natural de Medinasidonia. Ú. t. c. s. || **4.** Perteneciente a esta ciudad.

Asiduamente. adv. m. Con asiduidad.

Asiduidad. (Del lat. *assiduĭtas, -ātis.*) f. Frecuencia, puntualidad o aplicación constante a una cosa.

Asiduo, dua. (Del lat. *assidŭus.*) adj. Frecuente, puntual, perseverante.

Asiento. (De *asentar.*) m. Silla, taburete, banco u otra cualquier cosa destinada para sentarse en ella. || **2.** Lugar que tiene alguno en cualquier tribunal o junta. || **3.** Sitio en que está o estuvo fundado un pueblo o edificio. || **4.** Parte más o menos plana de las vasijas, botellas y otros utensilios semejantes, que sirve para sentarlos en el suelo o en otra parte, de modo que se mantengan derechos. || **5. Poso,** 1.ª acep. || **6.** Acción y efecto de asentar un material en obra. || **7.** Descenso por mayor unión de los materiales de un edificio a causa de la presión de los unos sobre los otros, y así, cuando ha pasado algún tiempo después de haberse acabado una obra, se dice que ya hizo **asiento.** || **8.** Tratado o ajuste de paces. || **9.** Contrato u obligación que se hace para proveer de dinero, víveres o géneros a un ejército, asilo, etc. || **10.** Anotación o apuntamiento de una cosa para que no se olvide. || **11.** En América, territorio y población de las minas. || **12.** Parte del freno que entra dentro de la boca de la caballería. || **13.** Espacio sin dientes en la mandíbula posterior de las caballerías sobre el cual asienta el cañón del freno. || **14.** Estancamiento de alguna substancia indigesta o sin digerir en el estómago o en los intestinos, que es causa de enfermedad, más generalmente en los niños. || **15.** Capa de argamasa sobre la que se colocan los ladrillos cuando se pavimenta. || **16.** fig. Estabilidad, permanencia. || **17.** fig. Cordura, prudencia, madurez. *Hombre de* ASIENTO. || **18.** fig. Estado y orden que deben tener las cosas. *No se puede hacer nada hasta que se tome el* ASIENTO *conveniente.* || **19.** V. **Culo de mal asiento.** || **20.** pl. Perlas desiguales, que por un lado son chatas o llanas y por el otro redondas. || **21.** Tirillas de lienzo doblado que se ponen en los cuellos y puños de la camisa y otras piezas de ropa. || **22. Asentaderas.** || **Asiento de colmenas.** Trozo de monte bajo en el cual hay un colmenar no cercado. || **de molino.** Piedra armada y con toda la disposición necesaria para moler. || **de pastor.** *Bot.* Mata de la familia de las papilionáceas, de quince a veinte centímetros de altura, arredondeada, de ramas entrelazadas y muy espinosas, hojas lineares y flores de color azul blanquecino o violáceo. Abunda en España y florece en primavera y verano. || **de presentación.** *For.* Primera y sucinta toma de razón de un título en el registro de la propiedad, a cuya fecha se retrotraen los efectos de la ulterior inscripción, y determina la preferencia entre éstas cuando son varias y están relacionadas. || **de tahona. Asiento de molino.** || **Estar uno de asiento.** fr. Estar establecido en un pueblo o paraje. || **Hacer uno asiento.** fr. **Tomar asiento,** 2.ª acep. || **No calentar uno el asiento.** fr. fig. y fam. Durar poco en el empleo, destino o puesto que tiene. || **Pegársele a uno el asiento.** fr. fig. y fam. **Pegársele la silla.** || **Quedarse uno de asiento.** fr. Quedarse establecido en un pueblo o paraje. || **Tomar uno asiento.** fr. Sentarse. || **2.** Establecerse en un pueblo o paraje.

Asignable. adj. Que se puede asignar.

Asignación. (Del lat. *assignatĭo, -ōnis.*) f. Acción y efecto de asignar. || **2.** Cantidad señalada por sueldo o por otro concepto.

Asignado, da. p. p. de **Asignar.** || **2.** m. Cada uno de los títulos que sirvieron de papel moneda en Francia durante la Revolución. || **3.** *Ar.* Sueldo, haber de un funcionario.

Asignar. (Del lat. *assignāre;* de *ad,* a, y *signāre,* señalar.) tr. Señalar lo que corresponde a una persona o cosa. || **2.** Señalar, fijar. || **3.** p. us. Nombrar, designar.

Asignatario, ria. m. y f. *For. Amér.* Persona a quien se asigna la herencia o el legado.

Asignatura. (Del lat. *assignatus,* signado.) f. Cada uno de los tratados o materias que se enseñan en un instituto docente, o forman un plan académico de estudios.

Asilado, da. p. p. de **Asilar.** || **2.** m. y f. **Acogido, da,** 2.ª acep.

Asilar. tr. Albergar en un asilo. Ú. t. c. r.

Asilo. (Del lat. *asȳlum,* y éste del gr. ἄσυλον, sitio inviolable; de ἀ, priv., y συλάω, despojar, quitar.) m. Lugar privilegiado de refugio para los delincuentes. || **2.** Establecimiento benéfico en que se recogen menesterosos, o se les dispensa alguna asistencia. || **3.** fig. Amparo, protección, favor.

Asilo. (Del lat. *asīlus.*) m. *Zool.* Insecto díptero, del suborden de los braquíceros, de abdomen alargado, con trompa larga que utiliza para matar otros insectos de cuyo cuerpo se alimenta.

Asilvestrado, da. adj. Dícese de la planta silvestre que procede de semilla de planta cultivada.

Asilla. f. ant. **Islilla,** 1.ª acep.

Asilla. f. d. de **Asa,** 1.er art. || **2.** Asidero, ocasión o pretexto.

Asimesmo. adv. m. ant. **Así mismo.**

Asimetría. f. Falta de simetría.

Asimétrico, ca. (De *a,* 3.er art., y *simétrico.*) adj. Que no guarda simetría.

Asimiento. m. Acción de asir. || **2.** fig. Adhesión, apego o afecto.

Asimilable. adj. Que puede asimilarse.

Asimilación. (Del lat. *assimilatĭo, -ōnis.*) f. Acción y efecto de asimilar o asimilarse. || **2.** *Biol.* **Anabolismo.**

Asimilar. (Del lat. *assimilāre;* de *ad,* a, y *simĭlis,* semejante.) tr. Asemejar, comparar. Ú. t. c. r. || **2.** Conceder a los individuos de una carrera o profesión, derechos u honores iguales a los que tienen los individuos de otra. || **3.** *Biol.* Incorporarse a las células substancias aptas para cooperar a la formación de protoplasma. || **4.** *Gram.* Alterar un sonido aproximándolo a otro semejante que influye sobre aquél. || **5.** intr. Ser semejante una cosa a otra. || **6.** r. Parecerse, asemejarse.

Asimilativo, va. (De *asimilar.*) adj. Dícese de lo que tiene fuerza para hacer semejante una cosa a otra.

A símili. (Lit., *por semejanza.*) expr. lat. *Lóg.* V. **Argumento a símili.**

Asimilista. adj. Que procura asimilar. Aplícase especialmente a la política que persigue tal fin, respecto de minorías étnicas o lingüísticas, o de colonias.

Asimismo. adv. m. **Así mismo.**

Asimplado, da. adj. Que parece simple. *Persona* ASIMPLADA. || **2.** Que parece de simple. *Rostro* ASIMPLADO.

Asín. (De *así,* con la *n* de otras partículas.) adv. m. fam. **Así.**

Asina. (De *asín.*) adv. m. fam. **Así.**

Asíndeton. (Del lat. *asyndĕton,* y éste del gr. ἀσύνδετον; de ἀ, priv., y συνδέω, unir, ligar.) m. *Ret.* Figura que consiste en omitir las conjunciones para dar viveza o energía al concepto.

Asinergia. (De *a,* priv., y *sinergia.*) f. *Fisiol.* Defecto o carencia de sinergia.

Asinino, na. (Del lat. *asinīnus.*) adj. **Asnino.**

Asíntota. (Del gr. ἀσύμπτωτος; de ἀ, priv., y συμπίπτω, unir, coincidir.) f. *Geom.* Línea recta que, prolongada indefinidamente, se acerca de continuo a una curva, sin llegar nunca a encontrarla.

Asir. (Como el fr. *saisir,* del germ. *sazian,* apoderarse.) tr. Tomar o coger con la mano, y en general, tomar, coger, prender. || **2.** intr. Tratándose de plantas, arraigar o prender en la tierra. || **3.** r. Agarrarse de alguna cosa. ASIRSE *de una cuerda.* || **4.** fig. Tomar ocasión o pretexto para decir o hacer lo que se quiere. || **5.** rec. fig. Reñir o contender dos o más, de obra o de palabra.

Asiriano, na. adj. ant. **Asirio.** Apl. a pers., usáb. t. c. s.

Asirio, ria. (Del lat. *assyrius.*) adj. Natural de Asiria. Ú. t. c. s. || **2.** Perteneciente a este país de Asia antigua. || **3.** m. Lengua **asiria.**

Asiriología. (De *asiriólogo.*) f. Ciencia que trata de la escritura, lengua, historia y antigüedades de Asiria y Babilonia.

Asiriólogo. (De *Asiria,* y el gr. λέγω, tratar.) m. El versado en asiriología.

Asisia. (Del b. lat. *assissia,* anotación; del lat. *assessum,* asentado.) f. ant. *For. Ar.* Cláusula de proceso, y principalmente la que contenía declaración de testigos. || **2.** ant. *For. Ar.* Pedimento que se daba sobre algún incidente que sobrevenía empezado ya el proceso.

Asistencia. f. Acción de asistir o presencia actual. || **2.** Recompensa o emolumentos que se ganan con la **asistencia** personal. || **3.** Socorro, favor, ayuda. || **4.** Empleo o cargo de asistente, 3.ª acep. || **5.** *Méj.* Pieza destinada para recibir las visitas de confianza y que por lo común está en el piso alto de la casa. || **6.** pl. Medios que se dan a alguno para que se mantenga. || **7.** *Taurom.* Conjunto de los mozos de plaza.

Asistenta. f. Mujer del que servía el cargo de asistente, 3.ª acep. || **2.** En algunas órdenes religiosas de mujeres, monja que asiste, ayuda y suple a la superiora. || **3.** Criada que servía en el palacio real a damas, señoras de honor y camaristas que habitaban en él. || **4.** Criada seglar que sirve en convento de religiosas de las órdenes militares. || **5.** Mujer que sirve como criada en una casa sin residir en ella.

Asistente. (Del lat. *assistens, -entis.*) p. a. de **Asistir.** Que asiste. || **2.** m. Cualquiera de los dos obispos que ayudan al consagrante en la consagración de otro. || **3.** Funcionario público que en ciertas villas y ciudades, como Marchena, Santiago y Sevilla, tenía las mismas atribuciones que el corregidor en otras partes. || **4.** En algunas órdenes regulares, religioso nombrado para asistir al general en el gobierno universal de la orden y en el particular de las respectivas provincias. || **5.** Soldado destinado al servicio personal de un general, jefe u oficial. || **a Cortes.** Cada uno de los consejeros de la real cámara que, de orden del rey, reconocían los poderes de los procuradores a Cortes y asistían a sus deliberaciones.

Asistimiento. (De *asistir.*) m. *Sal.* Servicio, asistencia.

Asistir. (Del lat. *assistĕre;* de *ad,* a, y *sistĕre,* detenerse.) tr. Acompañar a alguno en un acto público. || **2.** Servir en algunas cosas, como los mozos de asistencia, que no sirven para todo lo que los criados. || **3.** Servir interinamente. *Estoy ahora sin criado, y me* ASISTE *Martín.* || **4.** Socorrer, favorecer, ayudar. || **5.** Tratándose de enfermos, cuidarlos y procurar su curación. *Le* ASISTE *un médico famoso; estoy* ASISTIENDO *a Rafael.* || **6.** Hablando de la razón, el derecho, etc., estar de parte de una persona. || **7.** intr. Concurrir con frecuencia a alguna casa o reunión. || **8.** Estar o hallarse presente. || **9.** En ciertos juegos de naipes, echar cartas del mismo palo que el de aquella que se jugó primero.

Asistolia. (De *a,* 3.er art., y *sístole.*) f. Síndrome que es signo de extrema gravedad en ciertas enfermedades, debido a una extraordinaria debilidad de la sístole cardíaca.

Asistólico, ca. adj. Perteneciente a la asistolia.

Aslilla. (Del lat. **axillĕlla,* d. de *axĭlla,* sobaco.) f. ant. **Islilla,** 1.ª acep.

Asma. (Del lat. *asthma,* y éste del gr. ἄσθμα; de ἄω, respirar.) f. Enfermedad de los bronquios, caracterizada por accesos ordinariamente nocturnos e infebriles, con respiración difícil y anhelosa, tos, expectoración escasa y espumosa, y estertores sibilantes.

Asmadamente. adv. m. ant. Considerada o atentamente.

Asmadero, ra. (De *asmar.*) adj. ant. Que discierne o hace discernir.

Asmadura. f. ant. **Asmamiento.**

Asmamento. m. ant. **Asmamiento.**

Asmamiento. m. ant. Acción de asmar.

Asmar. (Del lat. *adaestimāre,* estimar.) tr. ant. **Estimar,** 1.ª y 2.ª aceps. || **2.** ant. **Comparar.**

Asmático, ca. (Del lat. *asthmatĭcus,* y éste del gr. ἀσθματικός.) adj. Perteneciente o relativo al asma. || **2.** Que la padece. Ú. t. c. s.

Asmoso, sa. (De *asmar.*) adj. ant. Discursivo, capaz de pensar.

Asna. (Del lat. *asĭna.*) f. Hembra del asno. || **2.** pl. Costaneras, 3.ª acep. de **Costanera.** || **Asna con pollino, no va derecha al molino.** ref. con que se da a entender que no puede hacer rectamente las cosas quien está poseído de alguna pasión.

Asnacho. (De *asno.*) m. Mata de la familia de las papilionáceas, de uno a dos metros de altura, con ramillas verdosas estriadas; hojuelas oblongas, velludas y blanquizcas por debajo; flores en hacecillo de corolas amarillas y fruto en vaina lampiña, pequeña, negruzca, con cuatro semillas. || **2. Gatuña.**

Asnada. f. fig. y fam. **Asnería.**

Asnado. (De *asno.*) m. En las minas de Almadén, cada madero de los que se ponen de trecho en trecho para asegurar los costados de la mina.

Asnal. (Del lat. *asinālis.*) adj. Perteneciente o relativo al asno, 1.ª acep. || **2.** fam. Bestial o brutal. || **3.** fig. V. **Media asnal.**

Asnalmente. adv. m. fam. Cabalgando en un asno. || **2.** fam. Bestial o brutalmente.

Asnallo. m. Asnacho, 2.ª acep.

Asnejón. m. aum. y despect. de **Asno,** 2.ª acep.

Asnería. f. fam. Conjunto de asnos. || **2.** fig. y fam. Necedad, tontería.

Asnerizo. (De *asnero.*) m. ant. Arriero de asnos.

Asnero. (De *asno.*) m. ant. **Asnerizo.**

Asnico. (d. de *asno.*) m. *Ar.* Instrumento de cocina para afirmar el asador.

Asnilla. (d. de *asna.*) f. Sostén formado con un madero horizontal apoyado en cuatro tornapuntas arriostradas que sirven de pies. || **2.** *Albañ.* Pieza de madera sostenida por dos pies derechos, para que descanse y se mantenga en ella la parte del edificio que amenaza ruina.

Asnillo. (d. de *asno.*) m. Insecto coleóptero, de unos tres centímetros de largo, con antenas rectas, cabeza grande y semicircular, élitros cortos que apenas cubren la mitad del cuerpo y abdomen eréctil terminado en dos tubillos, por donde lanza un líquido volátil. Es insectívoro y muy voraz. || **2.** *Ar.* **Asnico.**

Asnino, na. (Del lat. *asinīnus.*) adj. fam. **Asnal,** 1.ª acep.

Asno. (Del lat. *asĭnus.*) m. Animal solípedo, como de metro y medio de altura, de color, por lo común, ceniciento, con las orejas largas y la extremidad de la cola poblada de cerdas. Es muy sufrido y se le emplea como caballería y como bestia de carga y a veces también de tiro. || **2.** fig. Persona ruda y de muy poco entendimiento. Ú. t. c. adj. || **3.** fig. y fam. V. **Puente de los asnos.** || **4.** pl. *Astron.* Dos estrellas notables de la constelación del Cangrejo. || **Asno cargado de letras.** fig. y fam. Erudito de cortos alcances. || **silvestre.** Variedad del **asno,** de pelo pardo y andar muy veloz, que en grandes manadas habita algunas regiones de África y del centro y occidente de Asia. || **A asno lerdo,** o **modorro, arriero loco.** ref. que significa que para los que, a título de tontos, no hacen lo que deben, el mejor remedio es el castigo. || **Al asno muerto, la cebada al rabo.** ref. que reprende la necedad de querer aplicar remedio a las cosas, pasada la ocasión oportuna. || **Apearse** uno **de su asno.** fr. fig. y fam. **Caer de su asno.** || **Asno con oro, alcánzalo todo.** ref. con que se da a enteder que quien tiene dinero consigue lo que quiere, por necio que sea. || **Asno de Arcadia, lleno de oro, y come paja.** ref. que reprende a los que siendo ricos se tratan con miseria. || **Asno de muchos, lobos lo comen.** ref. con que se denota que nadie cuida de lo que está encargado a muchos. || **Asno lerdo: tu dirás lo tuyo y lo ajeno.** ref. que advierte que los necios no saben callar nada. || **Asno malo, cabe casa aguija sin palo.** ref. con que se zahiere a los malos trabajadores, que sólo se dan prisa a trabajar cuando ya se acaba la tarea. || **Asno que entra en dehesa ajena, volverá cargado de leña.** ref. con que se da a entender el riesgo a que se expone quien entra en sitio vedado o en que no debe entrar. || **Asno sea quien asno batea.** ref. que reprende a los que dan empleos a quienes son incapaces de desempeñarlos. || **Bien sabe el asno en cuya cara, o casa, rebuzna.** ref. con que se denota que la demasiada familiaridad suele dar motivo a libertades o llanezas. || **Burlaos con el asno: daros ha en la barba con el rabo.** ref. que enseña que no conviene gastar chanzas con gente de limitada capacidad. || **Cada asno, con su tamaño.** ref. que enseña que cada uno debe juntarse con los de su igual. || **Caer** uno **de su asno.** fr. fig. y fam. Conocer que ha errado en alguna cosa el mismo que la sostenía y defendía como acertada. || **Do vino el asno, vendrá la albarda.** ref. que denota que con lo principal va comúnmente lo accesorio. || **El asno que no está hecho a la albarda, muerde la atafarra.** ref. con que se da a entender lo mal que llevan las incomodidades los que no están acostumbrados a ellas. || **El asno sufre la carga, pero no la sobrecarga.** ref. que advierte que la paciencia tiene sus límites. || **Más quiero asno que me lleve, que caballo que me derrueque.** ref. que enseña que es mejor contentarse con un mediano estado que aspirar al peligro de los grandes puestos. || **No compres asno de recuero ni te cases con hija de mesonero.** ref. que enseña que está muy expuesto a ser engañado el que compra caballería que vende un arriero y el que se casa con mujer criada muy a su libertad. || **No ver** uno **siete,** o **tres, sobre un asno.** fr. fig. y fam. Ver muy poco. || **Por dar en el asno, dar en la albarda.** fr. fig. fam. Tocar y confundir las cosas, sin acertar en lo que se hace o dice. || **Quien no puede dar en el asno, da en la albarda.** ref. que se dice de los que, no pudiendo vengarse de la misma persona que los ofendió, se venga en alguna cosa suya. || **Tal sabe el asno qué cosa es melcocha.** ref. **No es la miel,** etc.

Asnuno, na. adj. ant. **Asnal,** 1.ª acep.

Asobarcar. tr. fam. **Sobarcar.**

Asobinarse. (Del lat. *ad,* a, y *supināre,* poner boca arriba.) r. Quedar una bestia, al caer, con la cabeza metida entre las patas delanteras, de modo que por sí no pueda levantarse. || **2.** Por ext., quedar una persona hecha un ovillo al caer.

Asocarronado, da. adj. Que parece socarrón. *Persona* ASOCARRONADA. || **2.** Que parece de socarrón. *Gesto* ASOCARRONADO.

Asociable. adj. Dícese de lo que se puede asociar a otra cosa.

Asociación. f. Acción de asociar o asociarse. || **2.** Conjunto de los asociados para un mismo fin y persona jurídica por ellos formada. || **3.** *Ret.* Figura que consiste en decir de muchos lo que sólo es aplicable a varios o a uno solo, ordinariamente con el fin de atenuar el propio elogio o la censura de los demás.

Asociacionismo. m. Doctrina psicológica, sostenida principalmente por algunos pensadores ingleses, que explica todos los fenómenos psíquicos por las leyes de la asociación de las ideas.

Asociado, da. p. p. de **Asociar.** || **2.** adj. Dícese de la persona que acompaña a otra en alguna comisión o encargo. Ú. t. c. s. || **3.** m. y f. Persona que forma parte de una asociación o compañía.

Asociamiento. m. Asociación, 1.ª y 2.ª aceps.

Asociar. (Del lat. *associāre;* de *ad,* a, y *socius,* compañero.) tr. Dar a uno por compañero persona que le ayude en el desempeño de algún cargo, comisión o trabajo. || **2.** Juntar una cosa con otra, de suerte que se hermanen o concurran a un mismo fin. || **3.** Tomar uno compañero que le ayude. || **4.** r. Juntarse, reunirse para algún fin.

Asohora. (De la prep. *a,* de *so,* bajo, debajo de, y de *hora.*) adv. t. ant. De improviso, repentina o impensadamente.

Asolación. f. **Asolamiento.**

Asolador, ra. adj. Que asuela, 1.er art., 1.ª acep.

Asoladura. f. ant. **Asolamiento.**

Asolamiento. m. Acción y efecto de asolar, 1.er art., 1.ª acep.

Asolanar. tr. Dañar o echar a perder el viento solano alguna cosa, como frutas, legumbres, mieses, vino, etc. Ú. m. c. r.

Asolapar. (De *a,* 2.° art., y *solapo.*) tr. Asentar una teja, loza, etc., sobre otra, de modo que sólo cubra parte de ella.

Asolar. (Del lat. *assolāre;* de *ad,* a, y *solum,* suelo.) tr. Poner por el suelo, destruir, arruinar, arrasar. || **2.** r. Tratándose de líquidos, **posarse.**

Asolar. (De *a,* 2.° art., y *sol.*) tr. Secar los campos, o echar a perder sus frutos, el calor, una sequía, etc. Ú. m. c. r.

Asolazar. tr. ant. **Solazar.** Usáb. t. c. r.

Asoldadar. (De *a,* 2.° art., y *soldada.*) tr. **Asoldar.** Ú. t. c. r.

Asoldamiento. (De *asoldar.*) m. ant. Sueldo o salario que se daba por servicio.

Asoldar. (De *a,* 2.° art., y *sueldo.*) tr. Tomar a sueldo, asalariar. Decíase especialmente en lo antiguo tratándose de gente de guerra. Ú. t. c. r.

Asoleada. (De *asolearse.*) f. *Colomb., Chile* y *Guat.* **Insolación,** 1.ª acep.

Asoleamiento. (De *asolear.*) m. ant. **Insolación.**

Asolear. tr. Tener al sol una cosa por algún tiempo. || **2.** r. Acalorarse tomando el sol. || **3.** Ponerse muy moreno por haber andado mucho al sol. || **4.** *Veter.* Contraer asoleo los animales. En *Méj.,* ú. t. c. tr.

Asolejar. (De *a,* 2.° art., y *solejar.*) tr. ant. **Asolear.**

Asoleo. m. Acción y efecto de asolear. || **2.** *Mil.* Operación de secar la pólvora al sol o al aire libre, después de granulada. || **3.** *Veter.* Enfermedad de ciertos animales, caracterizada principalmente por sofocación y violentas palpitaciones.

Asolvamiento. m. Acción y efecto de asolvar.

Asolvar. tr. ant. **Azolvar.**

Asomada. (De *asomar.*) f. Acción y efecto de manifestarse o dejarse ver por poco tiempo. || **2.** Paraje desde el cual se empieza a ver algún sitio o lugar.

Asomante. p. a. ant. de **Asomar.** Que asoma.

Asomar. (De *a,* 2.° art., y *somo.*) intr. Empezar a mostrarse. || **2.** ant. fig. Subir a un estado superior. || **3.** tr. Sacar o mostrar alguna cosa por una abertura o por detrás de alguna parte. ASOMAR *la cabeza a la ventana.* Ú. t. c. r. || **4.** desus. Indicar, apuntar. || **5.** r. fam. Tener algún principio de borrachera. || **6.** fam. Empezar a enterarse de una cosa sin propósito de profundizar en su estudio. Ú. más en frases negativas.

Asombradizo, za. (De *asombrado,* p. p. de *asombrar.*) adj. **Espantadizo.** || **2.** ant. Sombrío, 1.ª acep.

Asombrador, ra. adj. Que asombra.

Asombramiento. (De *asombrar.*) m. ant. **Asombro.**

Asombrar. (De *a,* 2.° art., y *sombra.*) tr. Hacer sombra una cosa a otra. || **2.** Obscurecer un color mezclándolo con otro. || **3.** fig. Asustar, espantar. Ú. t. c. r. || **4.** fig. Causar grande admiración. Ú. t. c. r.

Asombro. (De *asombrar.*) m. Susto, espanto. || **2.** Grande admiración. || **3.** Persona o cosa asombrosa.

Asombrosamente. adv. m. Maravillosamente, de manera asombrosa.

Asombroso, sa. adj. Que causa asombro.

Asomo. (De *asomar.*) m. Acción de asomar o asomarse. || **2.** Indicio o señal de alguna cosa. || **3.** Sospecha, presunción. || **Ni por asomo.** m. adv. De ningún modo.

Asonada. (De *asonar.*) f. Reunión o concurrencia numerosa para conseguir tumultuaria y violentamente cualquier fin, por lo común político.

Asonadía. f. ant. Hostilidad cometida por los que iban en asonadas.

Asonancia. (De *asonar,* 1.ª acep.) f. Correspondencia de un sonido con otro. || **2.** fig. Correspondencia o relación de una cosa con otra. *Esto tiene* ASONANCIA *con lo que se dijo antes.* || **3.** *Métr.* Identidad de vocales en las terminaciones de dos palabras a contar desde la última acentuada, cualesquiera que sean las consonantes intermedias o las vocales no acentuadas de los diptongos. En los esdrújulos no se cuenta tampoco la sílaba penúltima. || **4.** *Ret.* Vicio así de la prosa como de la poesía, que consiste en el uso inmotivado de voces que se correspondan unas con otras, hiriendo el oído. || **5.** *Ret.* Figura que consiste en emplear adrede, al fin de dos o más cláusulas o miembros del período, voces que terminan en sílaba o sílabas iguales. Sólo rara vez puede usarse con tino.

Asonantar. intr. Ser una palabra asonante de otra. || **2.** Incurrir en el vicio de la asonancia. || **3.** tr. Emplear en la rima una palabra como asonante de otra.

Asonante. p. a. ant. de **Asonar.** Que asuena o hace asonancia. || **2.** adj. Dícese de cualquiera voz con respecto a otra de la misma asonancia. Ú. t. c. s.

Asonántico, ca. adj. Perteneciente o relativo a los asonantes.

Asonar. (Del lat. *assonāre;* de *ad,* a, y *sonus,* sonido, acento.) intr. Hacer asonancia o convenir un sonido con otro. || **2.** tr. ant. Juntar en asonada, y en general, juntar, reunir. Usáb. t. c. r. || **3.** ant. Poner en música.

Asondar. tr. ant. **Sondar.**

Asordante. p. a. de **Asordar.** Que asorda.

Asordar. (De *a,* 2.° art., y *sordo.*) tr. Ensordecer a alguno con ruido o con voces, de suerte que no oiga, como sucede al que está cerca de las campanas cuando se tocan.

Asorocharse. r. *Amér. Merid.* Padecer soroche.

Asosegadamente. adv. m. ant. **Sosegadamente.**

Asosegar. tr. **Sosegar.** Ú. t. c. intr. y c. r.

Asotanar. tr. Excavar el suelo de un edificio para construir en él sótanos o bodegas.

Asotilar. tr. ant. **Asutilar.** Usáb. t. c. r.

Aspa. (Del germ. *haspa.*) f. Conjunto de dos maderos o palos atravesados el uno sobre el otro de modo que formen la figura de una X. || **2.** Instrumento que sirve para aspar el hilo, y que por lo regular se compone de un palo y de otros dos menos gruesos atravesados en los extremos de aquél con dirección opuesta entre sí. || **3.** Aparato exterior del molino de viento, que figura una cruz o **aspa,** en cuyos brazos se ponen unos lienzos a manera de velas, y el cual, girando a impulso del viento, mueve el molino. || **4.** Cada uno de los brazos de este aparato. || **5.** Cualquier agrupación, figura, representación o signo en forma de X. || **6.** *Blas.* **Sotuer.** || **7.** *Min.* Punto de intersección de dos vetas. || **8.** pl. *Mancha.* Dos maderos en cruz que, movidos con el peón, hacen andar la rueda donde están los arcaduces. || **Aspa de San Andrés.** Insignia de la casa de Borgoña, que se pone en las banderas de España y en los blasones de algunas familias. || **2.** Cruz de paño o bayeta colorada, en figura de **aspa,** que se ponía en el capotillo amarillo que llevaban los penitenciados por la Inquisición.

Aspadera. (De *aspar.*) f. Aspa, 2.ª acep.

Aspado, da. p. p. de **Aspar.** || **2.** adj. Dícese del que por penitencia, que más comúnmente se hacía en Semana Santa, llevaba los brazos extendidos en forma de cruz, atados por las espaldas a una barra de hierro, espadas, madero u otra cosa. Ú. t. c. s. || **3.** Que tiene forma de aspa. || **4.** fig. y fam. Aplícase al que no puede manejar con facilidad los brazos por oprimirle el vestido o no estar acostumbrado a él. || **5.** *Blas.* Adornado de aspa.

Aspador, ra. adj. Que aspa. Ú. t. c. s. || **2.** m. Aspa, 2.ª acep.

Aspálato. (Del lat. *aspalăthus,* y éste del gr. ἀσπάλαθος.) m. Nombre dado a varias plantas espinosas parecidas a la retama y a algunas maderas olorosas.

Aspalto. m. desus. **Asfalto.**

Aspar. tr. Hacer madeja el hilo en el aspa. || **2.** Fijar o clavar en una aspa a una persona. Es género de suplicio de muerte. || **3.** fig. y fam. Mortificar o dar que sentir a alguno. || **4.** r. fig. Mostrar con quejidos y contorsiones enojo excesivo o dolor vehemente. ASPARSE *a gritos.*

Aspaventar. (Del lat. **expaventāre,* de *expavens, -entis,* el que teme.) tr. Atemorizar o espantar.

Aspaventero, ra. adj. Que hace aspavientos. Ú. t. c. s.

Aspaviento. (De *aspaventar.*) m. Demostración excesiva o afectada de espanto, admiración o sentimiento.

Aspearse. (De *despearse.*) r. **Despearse.**

Aspecto. (Del lat. *aspectus.*) m. Apariencia de las personas y los objetos a la vista. *El* ASPECTO *venerable de un anciano; el* ASPECTO *del campo, del mar.* || **2.** V. **Visita de aspectos.** || **3.** Particular situación de un edificio respecto al oriente, poniente, norte o mediodía. || **4.** fig. **Semblante,** 4.ª acep. || **5.** *Astrol.* Fases y situación respectiva de dos astros con relación a las casas celestes que ocupan. || **cuadrado.** *Astrol.* El de dos astros cuando quedan entre ambos dos casas celestes vacías. || **partil.** *Astrol.* Aquel en que la diferencia de longitudes de los dos astros es un múltiplo exacto de la dozava parte del círculo. || **sextil.** *Astrol.* El de dos astros cuando queda entre ambos una casa celeste vacía. || **trino.** *Astrol.* El de dos astros cuando quedan entre ambos tres casas celestes vacías. || **Al, o a, primer aspecto.** m. adv. **A primera vista.**

Ásperamente. adv. m. Con aspereza.

Asperarteria. (De *áspera* y *arteria.*) f. **Tráquea,** 1.ª acep.

Asperear. intr. Tener sabor áspero. || **2.** tr. ant. **Exasperar.** Usáb. t. c. r.

Asperedumbre. f. ant. **Aspereza.**

Asperete. m. **Asperillo.**

Asperez. f. ant. **Aspereza.**

Aspereza. f. Calidad de áspero. ‖ **2.** Desigualdad del terreno, que lo hace escabroso y difícil para caminar por él.

Asperger. (Del lat. *aspĕrgĕre*, rociar.) tr. **Asperjar.**

Asperges. (Voz latina con que empieza la antífona que dice el sacerdote al rociar con agua bendita el altar para celebrar el santo sacrificio de la misa. De *aspĕrgĕre*, rociar.) m. fam. Antífona que comienza con esta palabra. ‖ **2.** fam. y fest. Rociadura o aspersión. ‖ **3.** fig. y fam. **Hisopo,** 2.ª y 3.ª aceps. ‖ **Quedarse uno asperges.** fr. fig. y fam. No lograr lo que esperaba.

Asperidad. (Del lat. *asperĭtas, -ātis.*) f. **Aspereza.**

Asperiego, ga. (De *áspero.*) adj. V. **Manzano asperiego.** Ú. t. c. s. ‖ **2.** V. **Manzana asperiega.** Ú. t. c. s.

Asperilla. (d. de *áspera.*) f. Planta herbácea, olorosa, de la familia de las rubiáceas, con tallos nudosos que no crecen más de 15 centímetros, hojas ásperas en verticilo y casi lineales, flores de color blanco azulado y fruto redondo lleno de puntitas romas.

Asperillo. (d. de *áspero.*) m. Gustillo agrio de la fruta no bien madura, o el que por su naturaleza tiene algún manjar o bebida.

Asperjar. (De *asperges.*) tr. **Hisopear.** ‖ **2. Rociar,** 2.ª acep.

Áspero. m. **Aspro.**

Áspero, ra. (Del lat. *asper.*) adj. Insuave al tacto, por tener la superficie desigual, como la piedra o madera no pulimentada, la tela grosera, etc. ‖ **2. Escabroso.** ‖ **3.** fig. Desapacible al gusto o al oído. *Fruta, voz* ÁSPERA; *estilo* ÁSPERO. ‖ **4.** fig. Tempestuoso o desapacible, hablando del tiempo. ‖ **5.** fig. Violento, hablando de combates o disidencias. ‖ **6.** fig. Desabrido, riguroso, rígido, falto de afabilidad o suavidad. *Genio* ÁSPERO. ‖ **7.** V. **Espíritu áspero.**

Asperón. (aum. de *áspero,* 2.° art.) m. Arenisca de cemento silíceo o arcilloso, que se emplea en los usos generales de construcción y también, cuando es de grano fino y uniforme, en piedras de amolar.

Asperón. m. ant. **Esperón.**

Aspérrimo, ma. (Del lat. *asperrĭmus.*) adj. sup. de **Áspero.**

Aspersión. (Del lat. *aspersĭo, -ōnis.*) f. Acción de asperjar.

Aspersorio. (Del lat. *aspĕrsus,* de *aspĕrgĕre,* rociar.) m. Instrumento con que se asperja.

Asperura. (De *áspero.*) f. **Aspereza.**

Áspid. (Del lat. *aspis, -ĭdis,* y éste del gr. ἀσπίς.) m. Víbora que apenas se diferencia de la culebra común más que en tener las escamas de la cabeza iguales a las del resto del cuerpo. Es muy venenosa y se encuentra en los Pirineos y en casi todo el centro y el norte de Europa. ‖ **2.** Culebra venenosa propia del Egipto y que puede alcanzar hasta dos metros de longitud; es de color verde amarillento con manchas pardas y cuello extensible. Si se le oprime la nuca, queda rígida como un palo, suerte que realizan los juglares para asombrar al público. ‖ **3.** Pieza de artillería antigua, de pequeño calibre.

Áspide. m. **Áspid.**

Aspidistra. (Del gr. ἀσπίδιον, escudo pequeño, por la forma del estigma de la flor.) f. Planta de la familia de las liliáceas, acaule, con hojas persistentes, grandes, de tres a cuatro decímetros de longitud y ocho a diez centímetros de ancho, verdinegras, pecioladas y de nervios bien señalados. Es originaria de la China y se cultiva en nuestro clima para adorno de las habitaciones.

Aspilla. f. *And.* Listón delgado de madera que, en el sentido de su longitud, lleva señalada una escala que permite apreciar, en recipientes de cabida y forma conocidas, el volumen de la parte que tienen ocupada por un líquido.

Aspillador. m. El que aspilla.

Aspillar. tr. *And.* Averiguar, mediante la aspilla, la cantidad de vino envasado en cubas.

Aspillera. (Del lat. *specularĭa,* lugar desde el cual se vigila.) f. *Fort.* Abertura larga y estrecha en un muro para disparar por ella. ‖ **apaisada.** *Fort.* La que tiene su mayor dimensión en sentido horizontal. ‖ **invertida.** *Fort.* La que es más ancha por la parte exterior que por la interior del muro o pared.

Aspillerar. tr. Hacer aspilleras.

Aspiración. (Del lat. *aspiratĭo, -ōnis.*) f. Acción y efecto de aspirar. ‖ **2.** En la teología mística, afecto encendido del alma hacia Dios. ‖ **3.** *Fon.* Sonido del lenguaje que resulta del roce del aliento, cuando se emite con relativa fuerza, hallándose abierto el canal articulatorio. ‖ **4.** *Mús.* Espacio menor de la pausa y que sólo da lugar a respirar.

Aspirado, da. p. p. de **Aspirar.** ‖ **2.** adj. *Fon.* Dícese del sonido que se pronuncia emitiendo con cierta fuerza el aire de la garganta; como la *h* alemana y la *j* castellana. ‖ **3.** *Fon.* Dícese de la letra que representa este sonido. Ú. t. c. s. ‖ **4.** m. ant. **Aspiración,** 1.ª acep.

Aspirador, ra. adj. Que aspira el aire. ‖ **2.** f. Máquina que, movida por la electricidad, sirve para limpiar el polvo absorbiéndolo.

Aspirante. p. a. de **Aspirar.** Que aspira. ‖ **2.** adj. V. **Bomba aspirante.** ‖ **3.** V. **Bomba aspirante e impelente.** ‖ **4.** m. Persona que ha obtenido derecho a ocupar un cargo público, según las disposiciones legales.

Aspirar. (Del lat. *aspirāre;* de *ad,* a, y *spirāre,* respirar.) tr. Atraer el aire exterior a los pulmones. ‖ **2.** Pretender o desear algún empleo, dignidad u otra cosa. ‖ **3.** desus. Exhalar aromas. ‖ **4.** ant. fig. **Inspirar,** 3.ª acep. ‖ **5.** *Gram.* Pronunciar con aspiración. La *h,* signo de aspiración en varias lenguas, tuvo también a veces en antiguo castellano ese mismo sonido, conservado aún en pronunciaciones dialectales de España y América. Se *aspiran* las consonantes fricativas *j, s,* etc., cuando se pronuncian con mayor abertura de la que corresponde a su articulación ordinaria, y las oclusivas *p, t, k,* cuando terminan con una breve explosión sorda, como en alemán y en otras lenguas. ‖ **6.** intr. ant. Alentar, respirar.

Aspirina. (Del al. *Aspirin,* nombre comercial registrado.) f. Cuerpo blanco cristalizado en agujas, insípido y muy poco soluble en el agua. Lo constituyen los radicales de los ácidos acético y salicílico y se usa como antirreumático y antipirético.

Aspro. (Del gr. mod. ἄσπρον.) m. Moneda turca cuyo valor ha variado, según los tiempos y lugares, desde seis céntimos a un cuarto de céntimo de peseta.

Asquear. tr. Sentir asco de alguna cosa: desecharla, repudiarla. Ú. t. c. intr.

Asquerosamente. adv. m. Puerca o suciamente.

Asquerosidad. (De *asqueroso.*) f. Suciedad que mueve a asco.

Asqueroso, sa. (Del lat. *eschăra,* y éste del gr. ἐσχάρα, costra, postilla.) adj. Que causa asco. ‖ **2.** Que tiene asco. ‖ **3.** Propenso a tenerlo.

Asta. (Del lat. *hasta.*) f. Arma ofensiva de los antiguos romanos, compuesta de hierro, astil y regatón. Empleábase como lanza, y también como dardo, para arrojarla con la mano contra el enemigo. ‖ **2.** Palo de la lanza, pica, venablo, etc. ‖ **3.** Lanza o pica. ‖ **4.** Palo a cuyo extremo o en medio del cual se pone una bandera. ‖ **5. Cuerno,** 1.ª acep. ‖ **6.** desus. Hilada de ladrillos. ‖ **7.** *Mar.* Cada una de las piezas del enramado del buque que van desde la cuadra a popa y proa. ‖ **8.** *Mar.* Extremo superior de un mastelerillo. ‖ **9.** *Mar.* Verguita en que se fija un gallardete para suspenderlo del tope de un palo. ‖ **10.** *Mont.* Tronco principal del cuerno del ciervo. ‖ **11.** *Pint.* Mango de brocha o de pincel. ‖ **pura.** Asta sin hierro que los capitanes romanos daban por recompensa al soldado que se distinguía en la batalla. ‖ **A media asta.** fr. que denota estar a medio izar una bandera, en señal de luto. ‖ **Darse de las astas.** fr. fig. y fam. Batallar hasta estrecharse y mezclarse unos con otros. ‖ **2.** fig. y fam. Repuntarse dos o más en la conversación, diciéndose palabras picantes. ‖ **3.** fig. y fam. **Porfiar,** 1.ª acep. ‖ **De asta.** m. adv. *Albañ.* Hablando de ladrillos, **a tizón.** ‖ **Dejar a uno en las astas del toro.** fr. fig. y fam. Abandonarlo en un peligro. ‖ **De media asta.** m. adv. *Albañ.* Hablando de ladrillos, **a soga.** ‖ **El que lo tiene lo gasta, y si no, se lame el asta.** ref. con que se da a entender que cada uno debe resignarse con su suerte.

Astabatán. (Del vasc. *astoa,* burro, y *batán,* menta.) m. *Ál.* **Marrubio.**

Ástaco. (Del lat *astăcus.*) m. Cangrejo de agua dulce.

Astado, da. (Del lat. *hastātus.*) adj. Provisto de asta. ‖ **2.** m. **Astero.**

Astático, ca. (Del gr. ἀ, priv., y στατικός, estático.) adj. V. **Corriente astática.** ‖ **2.** V. **Sistema astático.**

Asteísmo. (Del lat. *asteismus,* y éste del gr. ἀστεϊσμός, de ἀστεΐζω, hablar con urbanidad.) m. *Ret.* Figura que consiste en dirigir graciosa y delicadamente una alabanza con apariencia de reprensión o vituperio.

Astenia. (Del gr. ἀσθένεια, debilidad.) f. *Med.* Falta o decaimiento considerable de fuerzas.

Asténico, ca. (Del gr. ἀσθενικός, valetudinario, enfermizo; de ἀσθενής, débil, sin vigor.) adj. *Med.* Perteneciente o relativo a la astenia. ‖ **2.** *Med.* Que la padece. Ú. t. c. s.

Aster. (Del lat. *aster.*) m. Género de plantas de la familia de las compuestas, generalmente vivaces, con hojas alternas, sencillas, y flores con cabezuelas solitarias reunidas en panoja o corimbo.

Asterisco. (Del lat. *asteriscus,* y éste del gr. ἀστερίσκος, de ἀστήρ, estrella.) m. Signo ortográfico (*) empleado para llamada a notas, u otros usos convencionales.

Asterismo. (Del gr. ἀστερισμός, de ἀστήρ, astro.) m. *Astron.* **Constelación,** 1.ª acep.

Astero. (Del lat. *hastarĭus.*) m. Soldado de la antigua milicia romana, que peleaba con asta. ‖ **2.** El encargado de dar las lanzas a los justadores. ‖ **3.** El que fabricaba astas.

Asteroide. (Del gr. ἀστεροειδής; de ἀστήρ, astro, y εἶδος, forma.) adj. De figura de estrella. ‖ **2.** m. Cada uno de los planetas telescópicos, cuyas órbitas se hallan comprendidas, en su mayoría, entre las de Marte y Júpiter. Se conocen más de 300, y los cuatro que primeramente se descubrieron al comenzar el siglo XIX, se denominan, respectivamente, Ceres, Palas, Juno y Vesta.

Astifino. adj. Dícese del toro de astas delgadas y finas.

Astigitano, na. (Del lat. *astigitānus.*) adj. Natural de Ástigi, hoy Écija. Ú. t. c. s. ‖ **2.** Perteneciente a esta ciudad de la Bética.

Astigmatismo. (Del gr. ἀ, priv., y στίγμα, -ατος, punto, pinta.) m. *Med.* Imperfección del ojo o de los instrumentos dióptricos, que hace confusa la visión, y consiste en que un punto luminoso determine una mancha lineal, elíptica o irregular.

Astigmómetro. m. *Med.* Instrumento que sirve para apreciar o medir el astigmatismo y su dirección.

Astil. (Del lat. *hastile.*) m. Mango, ordinariamente de madera, que tienen las hachas, azadas, picos y otros instrumentos semejantes. || **2.** Palillo o varilla de la saeta. || **3.** Barra horizontal, de cuyos extremos penden los platillos de la balanza. || **4.** Vara de hierro por donde corre el pilón de la romana. || **5.** Eje córneo que continúa el cañón y del cual salen las barbas de la pluma. || **6.** ant. Pie que sirve para sostener alguna cosa.

Astillejos. m. pl. *Astron.* **Astillejos.**

Astilla. (Del lat. **astĕlla,* de **astŭla,* por *assŭla.*) f. Fragmento irregular que salta o queda de una pieza u objeto de madera que se parte o rompe violentamente. || **2.** El que salta o queda del perdernal y otros minerales. || **3.** ant. Peine para tejer. || **4.** *Germ.* Flor hecha en los naipes. || **No hay peor astilla que la de la misma madera, o del mismo palo.** ref. **No hay peor cuña que la de la misma madera, o del mismo palo.** || **Sacar uno astilla.** fr. fig. y fam. Lograr un beneficio, lucro o ganancia, o, cuando menos, alguna parte de lo que desea.

Astillar. tr. Hacer astillas.

Astillazo. m. Golpe que da una astilla al desprenderse de la madera.

Astillejos. (Del lat. *aster,* estrella.) m. pl. *Astron.* Cástor y Pólux, estrellas principales de la constelación de Géminis.

Astillero. (De *astilla.*) m. Percha en que se ponen las astas o picas y lanzas. || **2.** Establecimiento donde se construyen y reparan buques. || **3.** Depósito de maderos. || **4.** ant. Fondo de la nave. || **5.** ant. Oficial que hacía peines para telares. || **6.** *Méj.* Lugar del monte en que se hace corte de leña. || **En astillero.** loc. fig. En puesto, dignidad o empleo importante.

Astillón. m. aum. de **Astilla.**

Astilloso, sa. (De *astilla.*) adj. Aplícase a los cuerpos que fácilmente saltan o se rompen formando astillas. || **2.** *Mineral.* Dícese de la fractura de los minerales que, al quebrarse, tienen sus caras o superficies ásperas como las de las astillas.

Asto. (Del lat. *astus.*) m. ant. **Astucia.**

Astorgano, na. adj. Natural de Astorga. Ú. t. c. s. || **2.** Perteneciente a esta ciudad.

Astracán. m. Piel de cordero nonato o recién nacido, muy fina y con el pelo rizado, que se prepara en la ciudad rusa del mismo nombre. || **2.** Tejido de lana o de pelo de cabra, de mucho cuerpo y que forma rizos en la superficie exterior.

Astracanada. f. fam. Farsa teatral disparatada y chabacana.

Astrágalo. (Del lat. *astragălus,* y éste del gr. ἀστράγαλος.) m. **Tragacanto.** || **2.** *Arq.* Cordón en forma de anillo, que rodea el fuste de la columna debajo del tambor del capitel. En la orden dórico griego está constituido por ánulos. || **3.** *Art.* Adorno de las piezas de artillería antiguas compuesto de un cordón o junquillo colocado entre dos filetes. Los había cerca de la boca y cerca de la culata, y algunas piezas los tenían también intermedios. || **4.** *Zool.* Uno de los huesos del tarso, que está articulado con la tibia y el peroné. Vulgarmente se denomina **taba.**

Astrago. (Por *estrado,* del lat. *strātus.*) m. ant. **Suelo,** 1.ª acep.

Astral. (Del lat. *astrālis.*) adj. Perteneciente o relativo a los astros. || **2.** *Astron.* V. **Año astral.**

Astral. m. *Ar.* **Destral.**

Astreñir. (Del lat. *adstringĕre,* apretar.) tr. **Astringir.**

Astricción. (Del lat. *astrictĭo, -ōnis.*) f. Acción y efecto de astringir.

Astrictivo, va. (De *astricto.*) adj. Que astringe o tiene virtud de astringir.

Astricto, ta. (Del lat. *astrictus.*) p. p. irreg. de **Astringir.** || **2.** adj. *For. Ar.* V. **Procurador astricto.**

Astrífero, ra. (Del lat. *astrĭfer, -ĕri;* de *aster, astri,* estrella, y *ferre,* llevar.) adj. poét. Estrellado o lleno de estrellas.

Astringencia. f. Calidad de astringente. || **2.** **Astricción.**

Astringente. (Del lat. *astringens, -entis.*) p. a. de **Astringir.** Que astringe. Dícese principalmente de los alimentos o remedios. Ú. t. c. s.

Astringir. (Del lat. *astringĕre;* de *ad,* a, y *stringĕre,* apretar.) tr. Apretar, estrechar, contraer alguna substancia los tejidos orgánicos. || **2.** fig. Sujetar, obligar, constreñir.

Astriñir. tr. **Astringir.**

Astro. (Del lat. *astrum,* y éste del gr. ἄστρον.) m. Cualquiera de los innumerables cuerpos celestes que pueblan el firmamento.

Astrofísica. f. Parte de la astronomía, que estudia especialmente la constitución física de los astros.

Astrofísico, ca. adj. Perteneciente o relativo a la astrofísica.

Astrográfico, ca. adj. Relativo a la fotografía de los astros. || **2.** Perteneciente o relativo al astrógrafo.

Astrógrafo. (Del gr. ἄστρον, astro, y γράφω, describir.) m. Aparato astronómico formado por dos anteojos, uno visual y otro fotográfico, unidos en un solo cuerpo.

Astrolabio. (Del gr. ἀστρολάβιον; de ἄστρον, astro, y λαμβάνω, coger, encontrar.) m. *Astron.* Antiguo instrumento de metal, cartón, madera o vitela, esférico o plano, en que estaba representada la esfera del firmamento con las principales estrellas, y el cual tenía además limbos graduados, y alidadas con pínulas, para observar las alturas, lugares y movimiento de los astros.

Astrolito. (Del gr. ἄστρον, astro, y λίθος, piedra.) m. **Aerolito.**

Astrologal. (De *astrólogo.*) adj. ant. **Astrológico.**

Astrologar. tr. Averiguar o pronosticar por la astrología.

Astrología. (Del lat. *astrologĭa,* y éste del gr. ἀστρολογία; de ἀστρολόγος, astrólogo.) f. Ciencia de los astros, que en otro tiempo se creyó que servía también para pronosticar los sucesos por la situación y aspecto de los planetas. || **2.** ant. **Astronomía.** || **judiciaria. Astrología,** 1.ª acep.

Astrológico, ca. (Del lat. *astrologĭcus,* y éste del gr. ἀστρολογικός.) adj. Perteneciente o relativo a la astrología.

Astrólogo, ga. (Del lat. *astrolŏgus,* y éste del gr. ἀστρολόγος; de ἄστρον, astro, y λέγω, decir, designar.) adj. **Astrológico.** || **2.** m. y f. Persona que profesa la astrología. || **3.** m. ant. **Astrónomo.**

Astronomero. (De *astrónomo.*) m. ant. **Astrólogo,** 2.ª acep.

Astronomía. (Del lat. *astronomĭa,* y éste del gr. ἀστρονομία, de ἀστρονόμος, astrónomo.) f. Ciencia que trata de cuanto se refiere a los astros, y principalmente a las leyes de sus movimientos.

Astronomiano. (De *astronomía.*) m. ant. **Astrólogo,** 2.ª acep.

Astronomiático. (De *astronomía.*) m. ant. **Astrólogo,** 2.ª acep.

Astronómicamente. adv. m. Según los principios y reglas de las astronomía.

Astronómico, ca. (Del lat. *astronomĭcus,* y éste del gr. ἀστρονομικός.) adj. Perteneciente o relativo a la astronomía. || **2.** V. **Efemérides astronómicas.** || **3.** V. **Geografía astronómica.** || **4.** fig. y fam. Dícese de las cantidades extraordinariamente grandes. || **5.** *Astron.* V. **Anillo, año, día astronómico.** || **5.** *Astron.* V. **Mes solar astronómico.**

Astrónomo. (Del lat. *astronŏmus,* y éste del gr. ἀστρονόμος; de ἄστρον, astro, y νέμω, atribuir, regir.) m. El que profesa la astronomía o tiene en ella especiales conocimientos.

Astrosamente. adv. m. Puerca o desaliñadamente.

Astroso, sa. (Del lat. *astrōsus,* de *astrum,* astro.) adj. Infausto, malhadado, desgraciado. || **2.** fig. Desaseado o roto. || **3.** fig. Vil, abyecto, despreciable.

Astucia. (Del lat. *astutĭa.*) f. Calidad de astuto. || **2.** **Ardid,** 1.er art., 2.ª acep.

Astucioso, sa. (De *astucia.*) adj. **Astuto.**

Astur. adj. Natural de una antigua región de España, cuya capital era Astúrica, hoy Astorga, y cuyo río principal era el Ástura, hoy Esla. || **2.** **Asturiano,** 1.ª acep. Ú. t. c. s.

Asturianismo. m. Locución, giro o modo de hablar peculiar y propio de los asturianos.

Asturiano, na. adj. Natural de Asturias. Ú. t. c. s. || **2.** Perteneciente a este principado.

Asturias. n. p. V. **Princesa, príncipe de Asturias.**

Asturicense. (Del lat. *asturicensis.*) adj. Natural de Astúrica, hoy Astorga. Ú. t. c. s. || **2.** Perteneciente a esta ciudad de la España Tarraconense.

Asturión. (De *esturión.*) m. **Esturión.**

Asturión. (De *astur.*) m. **Jaca,** 1.ª acep.

Astutamente. adv. m. Con astucia.

Astuto, ta. (Del lat. *astūtus.*) adj. Agudo, hábil para engañar o evitar el engaño o para lograr artificiosamente cualquier fin. || **2.** Que implica astucia.

Asuardado, da. (De *a,* 2.° art., y *suarda.*) adj. **Juardoso.**

Asubiadero. m. *Sant.* Lugar donde puede uno asubiarse.

Asubiar. (De *a,* 2.° art., y el lat. *sŭb ŏbviāre,* acogerse.) intr. *Sant.* Guarecerse de la lluvia. Ú. t. c. r.

Asuelo. (De *asolar,* 1.er art.) m. ant. **Asolamiento.**

Asueto, ta. (Del lat. *assuētus.*) adj. ant. Acostumbrado, habituado. || **2.** m. Vacación por un día o una tarde, y especialmente la que se da a los estudiantes. *Día, tarde de* ASUETO.

Asulcar. tr. ant. **Sulcar.**

Asumadamente. adv. m. ant. En suma o compendio.

Asumar. tr. ant. **Sumar.**

Asumir. (Del lat. *assumĕre;* de *ad,* a, y *sumĕre,* tomar.) tr. Atraer a sí, tomar para sí.

Asunción. (Del lat. *assumptĭo, -ōnis.*) f. Acción y efecto de asumir. || **2.** Por excelencia, acto de ser elevada por Dios la Virgen Santísima en su propia inmaculada carne desde la tierra al cielo. || **3.** Fiesta con que anualmente celebra la Iglesia este misterio el día 15 de agosto. || **4.** Hablando de las primeras dignidades, como el pontificado, el imperio, etc., acto de ser ascendido a ellas por elección o aclamación.

Asuncionista. adj. Dícese del religioso que pertenece a la congregación agustiniana de la Asunción de María, fundada en Francia en el siglo XIX. Ú. t. c. s.

Asunto, ta. (Del lat. *assumptus,* tomado.) p. p. irreg. de **Asumir.** || **2.** m. Materia de que se trata. || **3.** Tema o argumento de una obra. || **4.** Lo que se representa en una composición pictórica o escultórica. || **5.** **Negocio,** 3.ª acep.

Asuramiento. m. Acción y efecto de asurar o asurarse.

Asurar. (Del lat. *arsūra,* de *ardēre,* arder.) tr. Requemar los guisados en la vasija donde se cuecen, por falta de jugo o de humedad. Ú. m. c. r. || **2.** Abrasar los sembrados el calor excesivo. Ú. m. c. r. || **3.** fig. Inquietar mucho. Ú. m. c. r. || **4.** r. **Asarse.**

Asurcado, da. p. p. de **Asurcar.** || **2.** adj. Que tiene surcos o hendeduras.

Asurcano, na. adj. Dícese de un labrador respecto de otro, cuando están contiguos los surcos o labores de ambos. ‖ **2.** Aplícase a las mismas labores o tierras contiguas.

Asurcar. tr. Surcar.

Asuso. (Del lat. *ad sursum.*) adv. l. **Arriba.**

Asustadizo, za. adj. Que se asusta con facilidad.

Asustar. (Del lat. *suscitāre*, levantar.) tr. Dar o causar susto. Ú. t. c. r.

Asutilar. (De *a*, 2.° art., y *sutil.*) tr. **Sutilizar.** Ú. t. c. r.

Ata. prep. ant. **Hasta.**

Atabaca. (Del ár. *aṭ-ṭabbāqa*, el eupatorio.) f. *And.* Atarraga, 1.er art.

Atabacado, da. adj. De color de tabaco.

Atabal. (Del ár. *aṭ-ṭabal*, el tímpano.) m. **Timbal,** 1.ª acep. ‖ **2.** Tamborcillo o tamboril que suele tocarse en fiestas públicas. ‖ **3. Atabalero.** ‖ **Traer** uno **los atabales a cuestas.** fr. fig. y fam. Ser conocido de todos por hacer públicas sus bellaquerías.

Atabalear. intr. Producir los caballos con las manos ruido semejante al que hacen los atabales. ‖ **2.** Imitar con los dedos sobre una mesa u otro mueble, el golpear de los palillos sobre los atabales o el tambor.

Atabalejo. m. d. de **Atabal.**

Atabalero. m. El que toca el atabal.

Atabalete. m. d. de **Atabal.**

Atabanado, da. (De *a*, 2.° art., y *tábano*, por la señal que deja su picadura.) adj. Dícese del caballo o yegua de pelo obscuro y con pintas blancas en los ijares y en el cuello.

Atabardillado, da. adj. Aplícase al accidente o enfermedad que participa de las calidades del tabardillo. *Tercianas* ATABARDILLADAS.

Atabe. (Del ár. *aṭ-ṭaqb*, el agujero.) m. Abertura pequeña que dejan los fontaneros a las cañerías que suben por las paredes, para desventarlas o reconocer si llega hasta allí el agua.

Atabernado. (De *a*, 2.° art., y *taberna.*) adj. V. **Vino atabernado.**

Atabillar. (De *a*, 2.° art., y *tabellar.*) tr. En el obraje de paños y otros tejidos de lana, doblarlos o plegarlos, dejándolos sueltos por las orillas para que por todas partes se puedan registrar.

Atabladera. (De *atablar.*) f. Tabla que, arrastrada por caballerías, sirve para allanar la tierra ya sembrada.

Atablar. (De *a*, 2.° art., y *tabla.*) tr. Allanar con la atabladera la tierra ya sembrada.

Atacable. adj. Que puede ser atacado.

Atacadera. f. Barra de cobre o madera para atacar la carga de los barrenos hechos en las rocas.

Atacado, da. p. p. de **Atacar.** ‖ **2.** adj. V. **Calzas atacadas.** ‖ **3.** fig. y fam. Encogido, irresoluto. ‖ **4.** fig. y fam. Miserable, mezquino. ‖ **5.** *Germ.* Muerto a puñaladas.

Atacador, ra. adj. Que ataca, 2.ª, 3.ª y 6.ª aceps. Ú. t. c. s. ‖ **2.** m. Instrumento para atacar los cañones de artillería. ‖ **3.** *Germ.* **Puñal,** 1.er art., 2.ª acep.

Atacadura. f. Acción y efecto de atacar o atacarse, 1.ª acep.

Atacamiento. m. **Atacadura.**

Atacamita. (Por haberse descubierto en el territorio de *Atacama.*) f. Mineral cobrizo, de hermoso color verde, que se funde con facilidad, dando cobre.

Atacante. p. a. de **Atacar.** Que ataca.

Atacar. (Del ital. *attaccare battaglia*, comenzar la batalla.) tr. Atar, abrochar, ajustar al cuerpo cualquiera pieza del vestido que lo requiere. Ú. t. c. r. ‖ **2.** Apretar el taco en una arma de fuego, una mina o un barreno. ‖ **3.** Apretar, atestar, atiborrar. ‖ **4.** Acometer, embestir. ‖ **5.** fig. Impugnar, refutar, contradecir. ‖ **6.** fig. Apretar o estrechar a una persona en algún argumento o sobre alguna pretensión. ‖ **7.** fig. Tratándose del sueño, enfermedades, plagas, etc., **acometer,** 5.ª acep. ‖ **8.** *Mús.* Producir un sonido por medio de un golpe seco y fuerte para que se destaque. ‖ **9.** *Quím.* Ejercer acción una substancia sobre otra, combinándose con ella o simplemente variando su estado.

Atacir. (Del ár. *at-ta'ṯīr*, el influjo de los astros.) m. *Astrol.* División de la bóveda celeste en doce partes iguales o casas por medio de meridianos. ‖ **2.** *Astrol.* Instrumento en que se halla representada esta división.

Atacola. (De *atar* y *cola.*) m. Tira de cuero o de tela fuerte con hebillas o cintas con que se mantiene recogida la cola del caballo.

Atachonado, da. (De *a*, 2.° art., y *tachón*, 2.° art.) adj. ant. Abrochado.

Ataderas. f. pl. fam. Ligas para atar las medias.

Atadero. m. Lo que sirve para atar. ‖ **2.** Parte por donde se ata alguna cosa. ‖ **3.** Gancho, anillo, etc., en que se ata alguna cosa, especialmente el ramal de las bestias. ‖ **No tener atadero.** fr. fig. y fam. No tener orden ni concierto. Dícese de personas y cosas. Úsase también con otros verbos. *No se le puede tomar* ATADERO; *no se le encuentra* ATADERO.

Atadijo. (De *atado.*) m. fam. Lío pequeño y mal hecho. ‖ **2. Atadero,** 1.ª acep.

Atado, da. p. p. de **Atar.** ‖ **2.** adj. fig. Dícese de la persona que es para poco, o que se embaraza con cualquier cosa. ‖ **3.** m. Conjunto de cosas atadas. *Un* ATADO *de ropa, de medias.*

Atador, ra. adj. Que ata. Ú. t. c. s. ‖ **2.** m. Entre segadores, el que ata los haces o gavillas.

Atadura. f. Acción y efecto de atar. ‖ **2.** Cosa con que se ata. ‖ **3.** fig. Unión o enlace.

Atafagar. (De *tafo.*) tr. Sofocar, aturdir, hacer perder el uso de los sentidos, especialmente con olores fuertes, buenos o malos. Ú. t. c. r. ‖ **2.** fig. y fam. Molestar a uno con insufrible importunidad.

Atafarra. (Del ár. *aṭ-ṭafara*, el baste.) f. ant. **Ataharre.**

Atafea. (Del ár. *aṭ-ṭafāḥa*, la plenitud.) f. Ahíto o hartazo. ‖ **Uno muere de atafea, y otro la desea.** ref. con que se denota que muchas veces procuramos satisfacer nuestros apetitos, sin escarmentar en los daños que de ellos han resultado a otros.

Atafetanado, da. adj. Semejante al tafetán.

Atagallar. intr. *Mar.* Navegar un buque muy forzado de vela.

Ataguía. (De *atajar.*) f. Macizo de tierra arcillosa u otro material impermeable, para atajar el paso del agua durante la construcción de una obra hidráulica.

Ataharre. (De *atafarra.*) m. Banda de cuero, cáñamo o esparto que, sujeta por sus puntas o cabos a los bordes laterales y posteriores de la silla, albarda o albardón, rodea los ijares y las ancas de la caballería y sirve para impedir que la montura o el aparejo se corran hacia adelante.

Atahona. (Del ár. *aṭ-ṭaḥūna*, el molino de cereales.) f. **Tahona.**

Atahonero. m. **Tahonero.**

Atahorma. (Del ár. *at-tafurma*, la hembra del halcón.) f. *Zool.* Ave rapaz diurna, africana, de color ceniciento, con el pecho manchado de gris rojizo, la cola blanca y los tarsos amarillos; se alimenta de pequeños mamíferos, aves, batracios y reptiles, sin exceptuar las serpientes. Es ave de paso, y sólo en el invierno permanece en España.

Atahúlla. f. **Tahúlla.**

Ataifor. (Del ár. *aṭ-ṭaifūr*, la bandeja, la mesilla.) m. Plato hondo para servir viandas, que se usaba antiguamente. ‖ **2.** Mesa redonda y pequeña usada por los musulmanes.

Atairar. tr. Hacer ataires.

Ataire. (Del ár. *ad-dā'ir*, lo que circunda, el círculo.) m. Moldura en las escuadras y tableros de puertas o ventanas.

Atajada. f. *Chile.* Acción de atajar, 1.ª y 6.ª aceps.

Atajadamente. adv. m. ant. **Solamente.**

Atajadero. m. Caballón, lomo u obstáculo de tierra, madera o piedra, que se pone en las caceras, acequias o regueras para hacer entrar o distribuir el agua en una finca.

Atajadizo. m. Tabique o cualquiera otra cosa con que se ataja un sitio o terreno. ‖ **2.** Porción menor del sitio o terreno atajado.

Atajador, ra. (De *atajar.*) adj. Que ataja. Ú. t. c. s. ‖ **2.** m. ant. *Mil.* **Explorador.** ‖ **3.** *Chile.* El que guía la recua. ‖ **de ganado.** ant. El que hurta ganado con engaño o fuerza.

Atajamiento. m. Acción de atajar o atajarse.

Atajante. p. a. ant. de **Atajar.** Que ataja.

Atajar. (De *a*, 2.° art., y *tajar.*) intr. Ir o tomar por el atajo. ‖ **2.** tr. Tratándose de personas o animales que huyen o caminan, salirles al encuentro por algún atajo. ‖ **3.** Cortar o dividir algún sitio o terreno, dejando alguna parte de él separada de la otra por medio de un tabique, un biombo, un cancel, surco, etc. ‖ **4.** Señalar con rayas en un escrito la parte que se ha de omitir al leerlo, recitarlo o copiarlo. ‖ **5.** Hablando de un rebaño, dividirlo en atajos o porciones, o disgregar de él una parte. ‖ **6.** Detener a alguna persona en su acción; o cortar, impedir, detener el curso de alguna cosa. ATAJAR *el fuego, un pleito.* ‖ **7.** fig. Interrumpir a uno en lo que va diciendo. ‖ **8.** ant. Reconocer o explorar la tierra. ‖ **9.** r. fig. Cortarse o correrse de vergüenza, respeto, miedo o perplejidad. ‖ **10.** *And.* **Emborracharse,** 3.ª acep.

Atajasolaces. (De *atajar* y *solaz.*) m. **Espantagustos.**

Atajea. f. **Atarjea.**

Atajía. f. **Atajea.**

Atajo. (De *atajar.*) m. Senda o paraje por donde se abrevia el camino. ‖ **2.** fig. Procedimiento o medio rápido. ‖ **3.** Separación o división de alguna cosa. ‖ **4.** Acción y efecto de atajar, 4.ª acep. ‖ **5.** Pequeño grupo de cabezas de ganado. ‖ **6.** fig. Conjunto o copia. *Un* ATAJO *de disparates.* ‖ **7.** ant. fig. Ajuste, corte que se da para finalizar un negocio. ‖ **8.** *Esgr.* Treta para herir al adversario por el camino más corto esquivando la defensa. ‖ **Dar atajo a** una cosa. fr. ant. Atajarla, cerrarla con prontitud. ‖ **Echar** uno **por el atajo.** fr. fig. y fam. Emplear medio por donde salir brevemente de cualquiera dificultad o mal paso. ‖ **No hay atajo sin trabajo.** ref. con que se explica que sin trabajo no se puede conseguir en poco tiempo lo que se quiere. ‖ **Poner** uno **el atajo.** fr. *Esgr.* Poner la espada sobre la del contrario, cortándola. ‖ **Salir** uno **al atajo.** fr. fig. y fam. Interrumpir el discurso a otro.

Atajuelo. m. d. de **Atajo.**

Atal. adj. ant. **Tal.**

Atalador, ra. adj. ant. **Talador.** Usáb. t. c. s.

Ataladrar. tr. ant. **Taladrar.**

Atalaero. (De *atalayero.*) m. ant. **Atalayador.**

Atalajar. tr. Poner el atalaje a las caballerías de tiro y engancharlas. Ú. m. en artillería.

Atalaje. m. **Atelaje.** Úsase más en artillería. ‖ **2.** fig. y fam. Ajuar o equipo.

Atalantar. (De *a*, 2.° art., y *talante*.) tr. Agradar, convenir.

Atalantar. tr. **Atarantar.** Ú. t. c. r.

Atalar. tr. ant. **Talar.**

Atalaya. (Del ár. *aṭ-ṭalā'i'*, los centinelas.) f. Torre hecha comúnmente en lugar alto, para registrar desde ella el campo o el mar y dar aviso de lo que se descubre. || **2.** Cualquier eminencia o altura desde donde se descubre mucho espacio de tierra o mar. || **3.** fig. Estado o posición desde la que se aprecia bien una verdad. || **4.** m. Hombre destinado a registrar desde la **atalaya** y avisar de lo que descubre. || **5.** El que atisba o procura inquirir y averiguar lo que sucede. || **6.** *Germ.* **Ladrón,** 1.ª acep.

Atalayador, ra. adj. Que atalaya. Ú. t. c. s. || **2.** fig. y fam. Que atisba o procura inquirir y averiguar todo lo que sucede. Ú. t. c. s.

Atalayamiento. m. ant. Acción y efecto de atalayar.

Atalayar. tr. Registrar el campo o el mar desde una atalaya o altura, para dar aviso de lo que se descubre. || **2.** fig. Observar o espiar las acciones de otros. || **3.** r. ant. Mostrarse.

Atalayero. (De *atalayar*.) m. El que servía en el ejército en puestos avanzados, para observar y avisar los movimientos del enemigo.

Atalayuela. f. d. de **Atalaya.**

Atalear. tr. ant. **Atalayar.**

Ataludar. tr. Dar talud.

Ataluzar. tr. **Ataludar.**

Atalvina. (Del ár. *at-talbīna*, el manjar hecho con harina, leche y miel.) f. **Talvina.**

Atambor. (Del ár. *aṭ-ṭunbūr*, el tambor, la cítara.) m. ant. **Tambor,** 1.ª y 2.ª aceps.

Atamiento. m. ant. **Atadura.** || **2.** fig. y fam. Encogimiento o cortedad de ánimo. || **3.** ant. fig. Embarazo, impedimento. || **4.** ant. fig. **Obligación,** 1.ª, 2.ª y 3.ª aceps.

Atamor. m. ant. **Atambor.**

Atán. adv. c. ant. **Tan,** 3.er art.

Atanasia. (Del gr. ἀθανασία, inmortalidad.) f. **Hierba de Santa María.**

Atanasia. f. *Impr.* Carácter de letra de catorce puntos, intermedia entre la de texto y la de lectura, y llamada así porque la primera obra que con ella se imprimió fué la vida de San Atanasio.

Atancar. (De *estancar*, con cambio de prefijo.) tr. ant. **Atrancar,** 1.ª y 2.ª aceps. || **2.** r. ant. Atascarse.

Atanco. (De *atancar*.) m. p. us. Atasco, atranco.

Atandador. m. *Murc.* El encargado de fijar la tanda o turno en el riego.

Atanor. (Del ár. *at-tannūr*, el horno circular, la boca de pozo.) m. Cañería para conducir el agua. || **2.** Cada uno de los tubos de barro cocido de que suele formarse la dicha cañería. || **3.** V. **Hornillo de atanor.**

Atanquía. (Del ár. *at-tanqiya*, la limpiadura.) f. Ungüento depilatorio, ordinariamente compuesto de cal viva, aceite y otras cosas. || **2.** **Adúcar,** 1.ª acep. || **3.** **Cadarzo,** 1.ª acep.

Atañedero, ra. (De *atañer*.) adj. Tocante o perteneciente.

Atañer. (Del lat. *attangĕre*, por *attingĕre*, tocar.) intr. Corresponder, tocar o pertenecer. || **2.** tr. *Sal.* Detener a un animal que va desmandado.

Atapar. tr. **Tapar.**

Atapierna. (De *atar* y *pierna*.) f. ant. **Liga,** 1.ª acep.

Ataque. m. Acción de atacar, 4.ª acep. || **2.** Conjunto de trabajos de trinchera para tomar o expugnar una plaza. || **3.** *Mil.* V. **Paso de ataque.** || **4.** fig. Acometimiento de algún accidente repentino; como de parálisis, apoplejía, etc. || **5.** fig. Impugnación, pendencia, disputa.

Ataquiza. f. *Agr.* Acción y efecto de ataquizar.

Ataquizar. (Del ár. *at-takāṯar*, la multiplicación.) tr. *Agr.* **Amugronar.**

Atar. (Del lat. *aptāre*, ajustar, adaptar.) tr. Unir, juntar o sujetar con ligaduras o nudos. || **2.** fig. Impedir o quitar el movimiento. || **3.** fig. Juntar, relacionar, conciliar. || **4.** r. fig. Embarazarse, no saber cómo salir de un negocio o apuro. || **5.** fig. Ceñirse o reducirse a una cosa o materia determinada. || **Al atar de los trapos.** expr. fig. y fam. Al fin, o al dar las cuentas. || **Atar corto** a uno. fr. fig. y fam. Reprimirle, sujetarle. || **Hermoso atar de rocín, y atábale por la cola.** fr. proverb. con que se reconviene al que hace o dice cualquiera cosa fuera de propósito. || **No atar ni desatar.** fr. fig. y fam. Hablar sin concierto. || **2.** fig. y fam. No resolver ni determinar nada en ningún sentido. || **Quien bien ata, bien desata.** ref. con que se da a entender que el que emprende con conocimiento un negocio, sabrá salir bien de él.

Ataracea. (Del ár. *at-tarṣī'a*, la incrustación.) f. **Taracea.**

Ataracear. tr. **Taracear.**

Atarantado, da. p. p. de **Atarantar.** || **2.** adj. Picado de la tarántula. || **3.** fig. y fam. Inquieto y bullicioso, que no para ni sosiega. || **4.** fig. y fam. Aturdido o espantado.

Atarantamiento. m. Acción y efecto de atarantar o atarantarse.

Atarantapayos. (De *atarantar* y *payo*.) m. *Mej.* **Espantavillanos.**

Atarantar. (De *a*, 2.° art., y *tarántula*.) tr. **Aturdir,** 1.ª acep. Ú. t. c. r.

Atarazana. (Del ár. *ad-dār aṣ-ṣinā'a*, la casa de fabricación, el taller.) f. **Arsenal,** 1.ª acep. || **2.** Cobertizo o recinto en que trabajan los cordeleros o los fabricantes de márragas u otras telas de estopa o cáñamo. || **3.** *And.* Paraje donde se guarda el vino en toneles. || **4.** *Germ.* Casa donde los ladrones recogen los hurtos.

Atarazanal. m. ant. **Atarazana,** 1.ª acep.

Atarazar. (De *a*, 2.° art., y *tarazar*.) tr. Morder o rasgar con los dientes.

Atardecer. intr. **Tardecer.**

Atardecer. m. Último período de la tarde.

Atarea. f. ant. **Tarea.**

Atarear. tr. Poner o señalar tarea. || **2.** r. Entregarse mucho al trabajo.

Atarfe. (Del ár. *aṭ-ṭarfā'*, el tamariz.) f. ant. **Taray.**

Atarjea. (Del ár. *aṭ-ṭarḥiyya*, la vía de los excrementos.) f. Caja de ladrillo con que se visten las cañerías para su defensa. || **2.** Conducto o encañado por donde las aguas de la casa van al sumidero. || **3.** *Mej.* Canalito de mampostería, a nivel del suelo o sobre arcos, que sirve para conducir agua.

Atarquinar. tr. Llenar de tarquín. Ú. m. c. r.

Atarraga. f. **Olivarda,** 2.° art.

Atarraga. (Del ár. *aṭ-ṭarrāqa*, el instrumento que golpea, el martillo.) m. ant. **Martillo,** 1.ª acep.

Atarragar. (De *atarraga*, 2.° art.) tr. Entre herradores, dar con el martillo la forma conveniente a la herradura y a los clavos, para su mejor aplicación al casco de la bestia.

Atarrajar. tr. **Aterrajar.**

Atarraya. (Del ár. *aṭ-ṭarrāḥa*, la red.) f. **Esparabel,** 1.ª acep.

Atarugamiento. m. fam. Acción y efecto de atarugar o atarugarse.

Atarugar. tr. Asegurar el carpintero un ensamblado con tarugos, cuñas o clavijas. || **2.** Tapar con tarugos o tapones los agujeros de los pilones, pilas o vasijas, para impedir que se escape el líquido que contengan. || **3.** fig. y fam. Hacer callar a alguno, dejándole sin saber qué responer. Ú. t. c. r. || **4.** fig. y fam. **Atestar,** 1.er art., 1.ª acep. || **5.** fig. y fam. **Atracar,** 1.er art., 1.ª acep. Ú. t. c. r. || **6.** r. fig. y fam. **Atragantarse.**

Atasajado, da. p. p. de **Atasajar.** || **2.** adj. fam. Dícese de la persona que va tendida sobre una caballería.

Atasajar. tr. Hacer tasajos la carne.

Atascadero. m. Lozadal o sitio donde se atascan los carruajes, las caballerías o las personas. || **2.** fig. Estorbo o embarazo que impide la continuación de un proyecto, empresa, pretensión, etc.

Atascado, da. p. p. de **Atascar.** || **2.** adj. *Mur.* Pertinaz, obstinado, terco.

Atascamiento. (De *atascar*.) m. Atasco.

Atascar. (De *a*, 2.° art., y *tasco*.) tr. Tapar con tascos o estopones las aberturas que hay entre tabla y tabla y las hendeduras de ellas, como se hace cuando se calafatea un buque. || **2.** Obstruir o cegar un conducto con alguna cosa. Ú. m. c. r. ATASCARSE *una cañería.* || **3.** fig. Poner embarazo en cualquier dependencia o negocio para que no prosiga. || **4.** fig. Detener, impedir a alguno que prosiga lo comenzado. || **5.** r. Quedarse detenido en un pantano o barrizal de donde no se puede salir sino con gran dificultad. || **6.** fig. y fam. Quedarse detenido por algún obstáculo, no pasar adelante. || **7.** Quedarse en algún razonamiento o discurso sin poder proseguir.

Atasco. (De *atascar*.) m. Impedimento que no permite el paso. || **2.** Obstrucción de un conducto, con materias sólidas que impiden el paso de las líquidas.

Atasquería. (De *atasco*.) f. *Murc.* Terquedad.

Ataúd. (Del ár. *at-tābūt*, la caja, el arca.) m. Caja, ordinariamente de madera, donde se pone el cadáver para llevarlo a enterrar. || **2.** Cierta medida antigua de granos.

Ataudado, da. adj. De figura de ataúd.

Ataujía. (Del ár. *at-tawṣiya*, el adorno con dibujo en colores.) f. Obra de adorno que se hace con filamentos de oro o plata embutiéndolos en ranuras o huecos previamente abiertos en piezas de hierro u otro metal. || **2.** fig. Labor primorosa, o de difícil combinación o engarce.

Ataujiado, da. adj. Dicho del metal, trabajado o adornado con ataujía.

Ataurique. (Del ár. *at-tawrīq*, el adorno foliáceo.) m. Labor que representa hojas y flores, hecha con yeso, y de que usaban los moros en España para adornar sus edificios.

Ataviar. (De *atavío*.) tr. Componer, asear, adornar. Ú. t. c. r.

Atávico, ca. adj. Perteneciente o relativo al atavismo.

Atavío. (Del ár. *'attābī*, tela de seda y algodón en colores, fabricada en un barrio de Bagdad del mismo nombre.) m. Compostura y adorno. || **2.** fig. **Vestido,** 2.ª acep. || **3.** pl. Objetos que sirven para adorno.

Atavismo. (Del lat. *atăvus*, cuarto abuelo, antepasado.) m. Semejanza con los abuelos. || **2.** *Biol.* Tendencia, en los seres vivos, a la reaparición de caracteres propios de sus ascendientes más o menos remotos.

Ataxia. (Del gr. ἀταξία, de ἄτακτος; de ἀ, priv., y τάσσω, arreglar.) f. *Med.* Desorden, irregularidad, perturbación de las funciones del sistema nervioso. || **locomotriz.** La que afecta a los movimientos voluntarios; como en la tabes dorsal.

Atáxico, ca. adj. *Med.* Perteneciente o relativo a la ataxia. || **2.** *Med.* Que padece ataxia. Ú. t. c. s.

Atear. (De *a*, 2.° art., y *tea*.) tr. ant. Encender, avivar. Ú. t. c. r.

Ateca. f. ant. **Espuerta.**

Atediante. p. a. de **Atediar.** Que atedia. || **2.** adj. **Tedioso.**

Atediar. tr. Causar tedio. Ú. t. c. r.

Ateísmo. m. Opinión o doctrina del ateo.

Ateísta. adj. **Ateo.** Apl. a pers., ú. t. c. s.

Ateje. m. Árbol de Cuba, de la familia de las borragináceas, de unos tres metros de altura, con las ramas y ramillas trifurcadas, hojas parecidas a las del café, y fruto colorado, dulce y gomoso, en figura de racimo. Su madera se emplea en las artes, y su raíz en medicina.

Atelaje. (Del fr. *attelage.*) m. **Tiro,** 9.ª acep. Úsase más en artillería. || **2.** Conjunto de guarniciones de las bestias de tiro. Úsase más en artillería.

Atelana. (Del lat. *atellāna fabŭla;* de *Atella,* ciudad de los oscos, célebre por su anfiteatro y sus representaciones graciosas.) adj. Aplícase a una pieza cómica de los latinos, semejante al entremés o sainete. Ú. t. c. s. f.

Atemorar. tr. ant. **Atemorizar.**

Atemorizar. tr. Causar temor. Ú. t. c. r.

Atempa. (Del lat. *tempĕa,* y éste del gr. τέμπεα, cañadas.) f. *Ast.* Pastos en llanuras o en lugares bajos y descampados.

Atemperación. f. Acción y efecto de atemperar o atemperarse.

Atemperante. p. a. de **Atemperar.** Que atempera. Ú. t. c. s.

Atemperar. (Del lat. **attĕmpĕrāre,* de *tĕmpĕrāre,* templar.) tr. Moderar, templar. Ú. t. c. r. || **2.** Acomodar una cosa a otra. Ú. t. c. r.

Atempero. (De *atemperar.*) m. ant. **Temperamento,** 1.ª acep.

Atenacear. tr. Arrancar con tenazas pedazos de carne a una persona, suplicio usado antiguamente. || **2.** fig. Torturar, afligir cruelmente.

Atenazado, da. p. p. de **Atenazar.** || **2.** adj. Dícese de las fortificaciones en forma de tenaza, o sea formando grandes ángulos entrantes y salientes.

Atenazar. tr. **Atenacear.** || **2.** Hablando de los dientes, ponerlos apretados por la ira o el dolor.

Atención. (Del lat. *attentĭo, -ōnis.*) f. Acción de atender. || **2.** Cortesanía, urbanidad, demostración de respeto u obsequio. || **3.** Entre ganaderos, contrato de compra o venta de lanas, sin determinación de precio, sino remitiéndose al que otros hicieren. || **4.** pl. Negocios, obligaciones. || **¡Atención!** interj. *Mil.* Voz preventiva con que se advierte a los soldados formados que va a empezar un ejercicio o maniobra. || **2.** Se usa también para que se aplique especial cuidado a lo que se va a decir o hacer. || **En atención a.** m. adv. Atendiendo, teniendo presente.

Atendalar. (De *a,* 2.° art., y *tendal.*) intr. ant. *Mil.* **Atendar.** Usáb. t. c. r.

Atendar. intr. ant. Acampar, armando las tiendas de campaña. Usáb. t. c. r.

Atendedor, ra. m. y f. *Impr.* Persona que atiende, 6.ª acep.

Atendencia. f. Acción de atender.

Atender. (De lat. *attendĕre;* de *ad,* a, y *tendĕre,* extender.) tr. Esperar o aguardar. || **2.** Acoger favorablemente, o satisfacer un deseo, ruego o mandato. Ú. t. c. intr. || **3.** intr. Aplicar voluntariamente el entendimiento a un objeto espiritual o sensible. Ú. t. c. tr. || **4.** Tener en cuenta o en consideración alguna cosa. || **5.** Mirar por alguna persona o cosa, o cuidar de ella. Ú. t. c. tr. || **6.** *Impr.* Leer uno para sí el original de un escrito, con el fin de ver si está conforme con él la prueba que va leyendo en voz alta el corrector.

Atendible. adj. Digno de atención o de ser atendido. *Razones* ATENDIBLES.

Atendimiento. m. ant. Acción y efecto de atender, 1.ª acep.

Atenebrarse. (De *a,* 2.° art., y el lat. *tenebrāre,* obscurecer; de *tenebrae,* tinieblas.) r. **Entenebrecerse.**

Atenedor. m. ant. Parcial, el que se atiene a un partido.

Ateneísta. com. Socio de un ateneo.

Atenencia. (De *atener.*) f. ant. Amistad, parcialidad, concordia.

Ateneo. (Del lat. *Athenaeum,* y éste del gr. 'Αθηναῖον, templo de Minerva en Atenas.) m. Nombre de algunas asociaciones, las más veces científicas o literarias. || **2.** Local en donde se reúnen.

Ateneo, a. (Del lat. *Athenaeus,* y éste del gr. ἀθηναῖον.) adj. **Ateniense.** No se usa, por lo común, sino en lenguaje poético. Ú. t. c. s.

Atener. (Del lat. *attinēre;* de *ad,* a, y *tenēre,* tener.) tr. ant. Mantener, guardar u observar alguna cosa. || **2.** intr. ant. Seguido de las preps. *a* o *con,* andar igualmente o al mismo paso que otro. || **3.** r. Arrimarse, adherirse a una persona o cosa, teniéndola por más segura. || **4.** Ajustarse, sujetarse uno en sus acciones a alguna cosa. ATENERSE *a una orden, a lo dicho, a las resultas.*

Ateniense. (Del lat. *atheniensis.*) adj. Natural de Atenas. Ú. t. c. s. || **2.** Perteneciente a esta ciudad de Grecia o a la antigua república del mismo nombre.

Ateniés, sa. adj. ant. **Ateniense.** Usáb. t. c. s.

Atenorado, da. adj. Dícese de la voz parecida a la del tenor y de los instrumentos cuyo sonido tiene timbre parecido.

Atentación. (Del lat. *attentatĭo, -ōnis.*) f. **Atentado,** 4.ª acep.

Atentadamente. adv. m. Con tiento, con prudencia. || **2.** Contra el orden o forma que previenen las leyes.

Atentado, da. p. p. de **Atentar.** || **2.** adj. Cuerdo, prudente, moderado. || **3.** Hecho con mucho tiento, sin meter ruido. || **4.** m. Procedimiento abusivo de cualquiera autoridad. || **5.** Delito, principalmente el cometido contra el Estado o una persona constituida en autoridad, || **6.** *For.* Delito que consiste en la violencia o resistencia grave contra la autoridad o sus agentes en el ejercicio de funciones públicas, sin llegar a la rebelión ni sedición.

Atentamente. adv. m. Con atención, 1.ª y 2.ª aceps.

Atentar. (Del lat. *attentāre,* frec. de *attinēre,* tener, detener.) tr. Emprender o ejecutar alguna cosa ilegal o ilícita. || **2.** Intentar, especialmente hablando de un delito. || **3.** ant. **Tentar,** 1.ª y 2.ª aceps. Ú. en Chile. || **4.** intr. Cometer atentado. || **5.** r. Ir o proceder con cuidado, contenerse, moderarse.

Atentatorio, ria. (De *atentar.*) adj. Que lleva en sí la tendencia, el conato o la ejecución del atentado.

Atento, ta. (Del lat. *attentus.*) p. p. irreg. de **Atender.** || **2.** adj. Que tiene fija la atención en alguna cosa. || **3.** Cortés, urbano, comedido. || **4.** adv. m. **En atención a.**

Atenuación. (Del lat. *attenuatĭo, -ōnis.*) f. Acción y efecto de atenuar. || **2.** *Ret.* Figura que consiste en no expresar todo lo que se quiere dar a entender, sin que por esto deje de ser bien comprendida la intención del que habla. Cométese generalmente negando lo contrario de aquello que se quiere afirmar, v. gr.: *No soy tan feo; en esto no os alabo.*

Atenuante. p. a. de **Atenuar.** Que atenúa. || **2.** adj. V. **Circunstancia atenuante.** Ú. t. c. s. f.

Atenuar. (Del lat. *attenuāre;* de *ad,* a, y *tenŭis,* tenue, sutil.) tr. Poner tenue, sutil o delgada alguna cosa. || **2.** fig. Minorar o disminuir alguna cosa.

Ateo, a. (Del lat. *athĕus,* y éste del gr. ἄθεος; de ἀ, priv., y Θεός, Dios.) adj. Que niega la existencia de Dios. Apl. a pers., ú. t. c. s.

Atepocate. (Del mejic. *atepocatl.*) m. *Méj.* **Renacuajo,** 1.ª acep.

Atercianado, da. adj. Que padece tercianas. Ú. t. c. s.

Aterciopelado, da. adj. Semejante al terciopelo.

Aterecer. (De *aterir.*) tr. p. us. Hacer temblar. || **2.** r. Aterirse.

Aterecimiento. m. ant. Acción y efecto de aterecerse.

Atericia. f. ant. **Ictericia.**

Atericiarse. (De *atericia.*) r. ant. **Atiriciarse.**

Aterimiento. m. Acción y efecto de aterirse.

Aterir. (De la onomatopeya *ter,* del temblor.) tr. Pasmar de frío. Ú. m. c. r.

Atérmano, na. (Del gr. ἀ, priv., y θέρμη, calor.) adj. *Fís.* Que difícilmente da paso al calor.

Aternecer. tr. ant. **Enternecer.**

Aterrador, ra. adj. Que aterra, 3.ª acep.

Aterrajar. tr. Labrar con la terraja las roscas de los tornillos y tuercas. || **2.** Hacer molduras con la terraja. || **3.** V. **Macho de aterrajar.**

Aterraje. m. Acción de aterrar un buque o un aviador con su aparato. || **2.** *Mar.* Determinación geográfica del punto en que ha aterrado una nave.

Aterramiento. (De *aterrar.*) m. **Terror.** || **2.** Humillación, abatimiento.

Aterrar. (De *tierra.*) tr. Bajar al suelo. || **2.** Derribar, abatir. || **3. Aterrorizar.** Ú. t. c. r. || **4.** Cubrir con tierra. || **5.** *Min.* Echar los escombros y escorias en los terrenos. || **6.** intr. Llegar a tierra. || **7.** *Mar.* Acercarse a tierra los buques en su derrota.

Aterrecer. (De *a,* 2.° art., y *terrecer.*) tr. ant. **Aterrorizar.**

Aterrerar. (De *a,* 2.° art., y *terrero.*) tr. *Min.* **Aterrar,** 5.ª acep.

Aterrizaje. m. Acción de aterrizar.

Aterrizar. intr. Descender a tierra el aviador con el aparato que dirige.

Aterronar. tr. Hacer terrones alguna materia suelta. Ú. m. c. r.

Aterrorizar. (De *a,* 2.° art., y *terror.*) tr. Causar terror. Ú. t. c. r.

Atesar. (De *a,* 2.° art., y *tesar.*) tr. ant. **Atiesar.** || **2.** *Mar.* ant. **Tesar,** 1.ª acep.

Atesorar. (De *a,* 2.° art., y *tesoro.*) tr. Reunir y guardar dinero o cosas de valor. || **2.** fig. Tener muchas buenas cualidades, gracias o perfecciones.

Atestación. (Del lat. *attestatĭo, -ōnis.*) f. Deposición de testigo o de persona que testifica o afirma alguna cosa.

Atestado, da. p. p. de **Atestar,** 2.° art. || **2.** m. Instrumento oficial en que una autoridad o sus delegados hacen constar como cierta alguna cosa. Aplícase especialmente a las diligencias de averiguación de un delito, instruidas por la autoridad gubernativa o policía judicial como preliminares de un sumario. || **3.** pl. Testimoniales.

Atestado, da. (De *a,* 2.° art., y *testa.*) adj. **Testarudo.**

Atestadura. f. **Atestamiento.** || **2.** Porción de mosto con que se atiestan las cubas de vino.

Atestamiento. m. Acción y efecto de atestar, 1.er art., 3.ª acep.

Atestar. (De *a,* 2.° art., y *tiesto,* 2.° art.) tr. Henchir alguna cosa hueca, apretando lo que se mete en ella. ATESTAR *de lana un costal.* || **2.** Meter o introducir una cosa en otra. || **3.** Rellenar, rehenchir con mosto las cubas de vino para suplir la merma producida por la fermentación. || **4.** fig. y fam. **Atracar,** 1.er art., 1.ª acep. Ú. m. c. r.

Atestar. (Del lat. *attestāri;* de *ad,* a, y *testis,* testigo.) tr. *For.* **Testificar,** 1.ª y 2.ª aceps. || **Ir, salir,** o **venir, atestando.** fr. fam. con que se denota que alguno va enfadado y lo manifiesta con maldiciones, amenazas u otras expresiones de enojo.

Atestiguación. f. Acción de atestiguar.

Atestiguamiento. m. **Atestiguación.**

Atestiguar. (Del lat. *ad*, a, y *testificāre*.) tr. Deponer, declarar, afirmar como testigo alguna cosa.

Atetado, da. adj. De figura de teta.

Atetar. tr. Dar la teta. Dícese más comúnmente de los irracionales. || **2.** intr. *Sal.* **Mamar,** 1.ª acep.

Atetillar. (De *a*, 2.° art., y *tetilla*.) tr. *Agr.* Hacer una excava alrededor de los árboles, dejando un poco de tierra arrimada al tronco.

Atezado, da. p. p. de **Atezar.** || **2.** adj. Que tiene la piel tostada y obscurecida por el sol. || **3.** De color negro.

Atezamiento. m. Acción y efecto de atezar.

Atezar. (De *a*, 2.° art., y *tez*.) tr. Poner liso, terso o lustroso. || **2. Ennegrecer.** Ú. t. c. r.

Atibar. (Del lat. *stīpāre*, estibar, con cambio de pref.) tr. *Min.* Rellenar con zafras, tierra o escombros, las excavaciones de una mina que no conviene dejar abierta.

Atibiante. p. a. ant. de **Atibiar.** Que atibia.

Atibiar. tr. ant. **Entibiar.**

Atiborrar. (De *atibar* y *borra*.) tr. Llenar alguna cosa de borra, apretándola de suerte que quede repleta. || **2.** fig. y fam. **Atracar,** 1.ª acep. Ú. m. c. r.

Aticismo. (Del lat. *atticismus*, y éste del gr. ἀττικισμός.) m. Delicadeza, elegancia que caracteriza a los escritores y oradores atenienses de la edad clásica. || **2.** Por ext., esta misma delicadeza de gusto en escritores y oradores de cualquier época o país.

Ático, ca. (Del lat. *atticus*, y éste del gr. ἀττικός, del Ática.) adj. Natural del Ática o de Atenas. Ú. t. c. s. || **2.** Perteneciente a este país o a esta ciudad de Grecia. || **3.** Perteneciente o relativo al aticismo. || **4.** V. **Sal ática.** || **5.** *Arq.* V. **Basa, columna ática.** || **6.** m. Uno de los dialectos de la lengua griega. || **7.** *Arq.* Último piso de un edificio, más bajo de techo que los inferiores, que se construye para encubrir el arranque de las techumbres y a veces por ornato. || **8.** *Arq.* Cuerpo que se coloca por ornato sobre la cornisa de un edificio.

Atierre. (De *aterrar*.) m. *Min.* Escombro que por hundimiento natural llena a veces los sitios de labor de las minas.

Atiesar. tr. Poner tiesa una cosa. Ú. t. c. r.

Atiesto. (De *atestar*, 1.er art.) m. ant. **Atestamiento.**

Atifle. (Del ár. *aṯāfī*, puntos de apoyo de una marmita, trébedes.) m. Utensilio de barro, a manera de trébedes, que ponen los alfareros en el horno, entre pieza y pieza, para evitar que se peguen al cocerse.

Atigrado, da. adj. Manchado como la piel de tigre. *Piel* ATIGRADA. || **2.** De piel **atigrada.** Dícese de varios animales. *Caballo* ATIGRADO.

Atijara. (Del ár. *at-tiŷāra*, la mercancía, el negocio comercial.) f. Mercancía, comercio. || **2.** Precio de transporte de una mercancía. || **3.** Merced, recompensa.

Atijarero. (De *atijara*.) m. **Porteador.**

Atildado, da. p. p. de **Atildar.** || **2.** adj. Pulcro, elegante.

Atildadura. f. **Atildamiento.**

Atildamiento. m. Acción y efecto de atildar o atildarse.

Atildar. tr. Poner tildes a las letras. || **2.** fig. Componer, asear. Ú. t. c. r.

Atinadamente. adv. m. Con tino.

Atinar. (De *a*, 2.° art., y *tino*.) intr. Encontrar lo que se busca a tiento, sin ver el objeto. || **2.** Dar por sagacidad natural o por un feliz acaso con lo que se busca o necesita. Ú. t. c. tr. || **3.** Acertar a dar en el blanco. || **4.** Acertar una cosa por conjeturas.

Atincar. (Del ár. *at-tinkār*, el bórax.) m. **Bórax.**

Atinconar. tr. *Min.* Asegurar provisionalmente los hastiales con estemples para evitar hundimientos.

Atinente. (Del lat. *attinens, -entis*, p. a. de *attinēre*, pertenecer.) adj. Tocante o perteneciente.

Atino. (De *atinar*.) m. ant. **Tino,** 1.er art.

Atiplado, da. p. p. de **Atiplar.** || **2.** adj. Hablando de la voz o del sonido, agudo, en tono elevado.

Atiplar. tr. Elevar la voz o el sonido de un instrumento hasta el tono de tiple. || **2.** r. Volverse la cuerda del instrumento, o la voz, del tono grave al agudo.

Atirantar. tr. Poner tirante. || **2.** *Arq.* Afirmar con tirantes.

Atirelado, da. (De *a*, 2.° art., y *tirela*.) adj. ant. Aplicábase a la tela tejida en listas.

Atiriciarse. r. Contraer la ictericia.

Atisbador, ra. adj. Que atisba. Ú. t. c. s.

Atisbadura. f. Acción de atisbar.

Atisbar. tr. Mirar, observar con cuidado, recatadamente.

Atisbo. m. **Atisbadura.** || **2. Vislumbre,** 2.ª acep.

Atisuado, da. adj. Parecido al tisú.

Atizacandiles. (De *atizar* y *candil*.) com. fig. y fam. Entremetido, servidor oficioso e impertinente.

Atizadero. m. Lo que sirve para atizar.

Atizador, ra. adj. Que atiza. Ú. t. c. s. || **2.** m. Instrumento que sirve para atizar. || **3.** El que en los molinos de aceite cuida de arrimar con una pala la aceituna para que pase la piedra por ella, y de apartar la que ya está molida.

Atizar. (Del lat. **attitiāre*, de *titĭo, -ōnis*, tizón.) tr. Remover el fuego o añadirle combustible para que arda más. || **2.** Despabilar o dar más mecha a la luz artificial para que alumbre mejor. || **3.** fig. Avivar pasiones o discordias. || **4.** fig. y fam. **Dar,** 17.ª acep. ATIZAR *un puntapié, un palo.* || **¡Atiza!** interj. fam. **¡Aprieta!**

Atizonar. tr. *Albañ.* Enlazar y asegurar la trabazón en una obra de mampostería con piedras colocadas a tizón. || **2.** *Albañ.* Dícese también cuando un madero entra y descansa en alguna pared. || **3.** r. Contraer tizón el trigo y otros cereales.

Atlante. (Del lat. *at antes*.) m. *Arq.* Cada una de las estatuas de hombres que, en lugar de columnas, se ponen en el orden atlántico, y sustentan sobre sus hombros o cabeza los arquitrabes de las obras. || **2.** fig. Persona que es firme sostén y ayuda de algo pesado o difícil.

Atlántico, ca. (Del lat. *atlanticus*.) adj. Perteneciente al monte Atlas o Atlante. || **2.** Dícese del mar u océano que se extiende desde las costas occidentales de Europa y África hasta las orientales de América. Ú. t. c. s. || **3.** V. **Folio atlántico.** || **4.** *Arq.* V. **Orden atlántico.** || **5.** *Impr.* V. **Papel atlántico.**

Atlántidas. (Del lat. *Atlantides*, y este del gr. Ἀτλαντίς, hija de Atlante.) f. pl. **Híadas.**

Atlas. (Del lat. *Atlas*, y éste del gr. Ἄτλας, nombre del gigante a quien se suponía que sostenía con sus hombros la bóveda celeste.) m. Colección de mapas geográficos, en un volumen. || **2.** Colección de láminas, las más veces aneja a una obra. || **3.** *Zool.* Primera vértebra de las cervicales, así llamada porque sostiene inmediatamente la cabeza, por estar articulada con el cráneo mediante los cóndilos del occipital. No está bien diferenciada más que en los reptiles, aves y mamíferos.

Atleta. (Del lat. *athlēta*, y éste del gr. ἀθλητής.) m. El que tomaba parte en los antiguos juegos públicos de Grecia y Roma. || **2.** El que practica ejercicios o deportes que requieren el empleo de la fuerza. || **3.** fig. Hombre muy membrudo, corpulento y de grandes fuerzas. || **4.** fig. Defensor enérgico.

Atlético, ca. (Del lat. *athleticus*, y éste del gr. ἀθλητικός.) adj. Perteneciente o relativo al atleta o a los juegos públicos o ejercicios propios de él. || **2.** m. ant. **Atleta.**

Atletismo. m. Práctica de ejercicios atléticos y doctrina referente a los mismos.

Atmósfera [Atmosfera]. (Del gr. ἀτμός, vapor, aire, y σφαῖρα, esfera.) f. Envoltura de aire que rodea el globo terráqueo. || **2.** Fluido gaseoso que rodea un cuerpo celeste. || **3.** Fluido gaseoso que rodea un cuerpo cualquiera. || **4.** fig. Espacio a que se extienden las influencias de una persona o cosa. || **5.** fig. Prevención o inclinación de los ánimos, favorable o adversa, a una persona o cosa. || **6.** *Mec.* Presión o tensión equivalente al peso de una columna de aire de toda la altura de la **atmósfera.**

Atmosférico, ca. adj. Perteneciente o relativo a la atmósfera. || **2.** V. **Constitución atmosférica.**

Atoar. (De *a*, 2.° art., y *toar*.) tr. *Mar.* Llevar a remolque una nave, por medio de un cabo que se echa por la proa para que tiren de él una o más lanchas. || **2.** *Mar.* **Espiar,** 2.° art.

Atoba. (Del ár. *aṭ-ṭūba*, el ladrillo.) f. *Murc.* **Adobe,** 1.er art.

Atobar. (Del lat. **attubāre*, de *tŭba*, trompeta.) tr. ant. Aturdir o sorprender y admirar. Usáb. t. c. r.

Atocinado, da. p. p. de **Atocinar.** || **2.** adj. fig. y fam. Dícese de la persona muy gorda.

Atocinar. tr. Partir el puerco en canal; hacer los tocinos y salarlos. || **2.** fig. y fam. Asesinar o matar a uno alevosamente. || **3.** r. fig. y fam. Irritarse, amostazarse. || **4.** fig. y fam. Enamorarse perdidamente.

Atocha. f. **Esparto,** 1.ª acep.

Atochada. f. En algunas provincias, lomo que se hace en los bancales, con atocha, romero o broza y tierra, para contener el agua.

Atochado, da. (De *a*, 2.° art., y *tocho*.) adj. ant. Atontado o asimplado.

Atochal. (De *atocha*.) m. **Espartizal.**

Atochar. m. **Atochal.**

Atochar. (De *atocha*.) tr. Llenar alguna cosa de esparto. || **2.** Por ext., llenar alguna cosa de cualquiera otra materia, apretándola. || **3.** *Mar.* Oprimir el viento una vela contra su jarcia u otro objeto firme cualquiera. Ú. t. c. r. || **4.** r. *Mar.* Sufrir un cabo presión entre dos objetos que dificultan su laboreo.

Atochero, ra. m. y f. Persona que en otro tiempos llevaba la atocha a los puntos de consumo.

Atochón. m. Caña de la atocha. || **2. Esparto,** 1.ª acep.

Atochuela. f. d. de **Atocha.**

Atol. m. *Cuba, Guat.* y *Venez.* **Atole.**

Atole. (Del mej. *atolli*.) m. Bebida a manera de gachas, muy usada en América, la cual se hace con harina, ordinariamente de maíz, disuelta en agua o leche hervida. || **Dar atole con el dedo** a uno. fr. fig. *Méj.* Engañarle, embaucarle.

Atoleadas. (De *atole*.) f. pl. Fiestas familiares que se celebran en Honduras entre julio y diciembre y en las cuales se obsequia a los invitados con atole de elote.

Atolería. (De *atolero*.) f. Lugar donde se hace o vende atole.

Atolero, ra. m. y f. Persona que hace o vende atole.

Atolillo. (De *atole*.) m. *C. Rica* y *Hond.* Gachas de harina de maíz, azúcar y huevo.

Atolón. (De *atolu*, voz local.) m. Isla madrepórica de forma anular, con una laguna interior que comunica con el mar por pasos estrechos. Esta clase de islas abunda en los archipiélagos de Malasia y de Polinesia.

Atolondradamente. adv. m. Con atolondramiento.

Atolondrado, da. p. p. de **Atolondrar.** || **2.** adj. fig. Que procede sin reflexión.

Atolondramiento. m. Acción de atolondrar o atolondrarse.

Atolondrar. (De *a*, 2.° art., y *tolondro.*) tr. Aturdir, 1.ª acep. Ú. t. c. r.

Atolladal. m. *Extr.* **Atolladero.**

Atolladar. m. *Extr.* **Atolladal.**

Atolladero. (De *atollar.*) m. **Atascadero.**

Atollar. (De *a*, 2.° art., y *tollo.*) intr. Dar en un atolladero. Ú. t. c. r. || **2.** r. fig. y fam. **Atascarse,** 5.ª acep.

Atomecer. (Del lat. *ad*, a, y *tumescĕre*, hincharse.) tr. ant. **Entumecer.** Usáb. m. c. r.

Atómico, ca. adj. Perteneciente o relativo al átomo. || **2.** V. **Peso atómico.** || **3.** V. **Bomba atómica.**

Atomir. (Del lat. *ad*, a, y *tumēre*, hincharse.) intr. ant. **Helarse.**

Atomismo. m. Doctrina de la formación del mundo por el concurso fortuito de los átomos.

Atomista. com. Partidario del atomismo.

Atomístico, ca. adj. Perteneciente o relativo al atomismo.

Atomización. f. Acción y efecto de atomizar.

Atomizar. (De *átomo.*) tr. Dividir en partes sumamente pequeñas.

Átomo. (Del lat. *atŏmus*, y éste del gr. ἄτομος; de ἀ, priv., y τέμνω, cortar, dividir.) m. Corpúsculo que forma parte de la molécula en los elementos químicos, de diferente naturaleza en cada uno de éstos. Modernamente se considera integrado por un núcleo denso cargado de electricidad positiva y rodeado de un número variable de electrones. || **2.** Partícula material de pequeñez extremada. || **3.** fig. Cualquier cosa muy pequeña. || **En un átomo.** expr. fig. y fam. En la cosa más mínima o pequeña.

Atona. f. Oveja que cría un cordero de otra madre.

Atonal. (De *a*, 3.er art., y *tonal.*) adj. *Mús.* Dícese de la composición en que no existe una tonalidad bien definida.

Atonalidad. f. *Mús.* Calidad de atonal.

Atondar. (Del lat. *ad*, a, y *tundĕre*, golpear.) tr. *Equit.* Estimular el jinete con las piernas al caballo.

Atonía. (Del lat. *atonia*, y éste del gr. ἀτονία.) f. *Med.* Falta de tono y de vigor, o debilidad de los tejidos orgánicos, particularmente de los contráctiles.

Atónico, ca. adj. **Átono.**

Atónito, ta. (Del lat. *attonĭtus.*) adj. Pasmado o espantado de un objeto o suceso raro.

Átono, na. (Del gr. ἄτονος; de ἀ, priv., y τόνος, tono.) adj. *Gram.* Aplícase a la vocal, sílaba o palabra que se pronuncia sin acento prosódico y que con más propiedad se llama vocal, sílaba o palabra inacentuada.

Atontadamente. adv. m. Indiscreta o neciamente.

Atontamiento. m. Acción y efecto de atontar o atontarse.

Atontar. (Del lat. *attonĭtus*, atónito.) tr. Aturdir o atolondrar. Ú. t. c. r.

Atontecer. tr. ant. **Atontar.**

Atontolinar. tr. fam. **Atontar.** Ú. m. c. r.

Atopadizo, za. adj. *Ast.* Dícese del paraje muy frecuentado y en el que es fácil tropezar con personas conocidas.

Atopile. (Del mejic. *atl*, agua, y *topilli*, criado, alguacil.) m. *Méj.* El que en las haciendas de caña tiene por oficio hacer diariamente la distribución general de las aguas para los riegos.

Atoque. m. *Ar.* Listón de madera que forma el borde de un escalón, de un pesebre, o de otra construcción similar hecha de yeso.

Atora. (Del hebr. *ha-Tōrāh*, la institución, el precepto, la ley divina.) f. ant. La ley de Moisés.

Atoradamente. adv. m. ant. Con atascamiento u obstrucción.

Atoramiento. m. Acción de atorarse o atragantarse.

Atorar. (Del lat. *obtūrāre*, cerrar.) tr. Atascar, obstruir. Ú. t. c. intr. y c. r. || **2.** r. **Atragantar,** 2.ª acep.

Atorar. (De *a*, 2.° art., y *tuero.*) tr. Partir leña en tueros.

Atorcer. (De *a*, 2.° art., y *torcer.*) intr. ant. Separarse, desviarse. Usáb. t. c. r.

Atordecer. tr. ant. **Aturdir,** 1.ª acep. Usáb. t. c. r.

Atordecimiento. (De *atordecer.*) m. ant. **Aturdimiento.**

Atorgar. tr. **Otorgar.**

Atormecer. tr. ant. **Adormecer.** Usáb. t. c. r.

Atormecimiento. (De *atormecer.*) m. ant. **Adormecimiento.**

Atormentadamente. adv. m. Con tormento.

Atormentador, ra. adj. Que atormenta. Ú. t. c. s.

Atormentante. p. a. de **Atormentar.** Que atormenta.

Atormentar. (De *a*, 2.° art., y *tormentar.*) tr. Causar dolor o molestia corporal. Ú. t. c. r. || **2.** Dar tormento al reo para que confiese la verdad. || **3.** Batir con la artillería. || **4.** fig. Causar aflicción, disgusto o enfado. Ú. t. c. r.

Atornillador. m. **Destornillador.**

Atornillar. tr. Introducir un tornillo haciéndole girar alrededor de su eje. || **2.** Sujetar con tornillos.

Atoro. m. *Chile.* **Atoramiento.**

Atorozonarse. r. Padecer torozón las caballerías.

Atorra. (Del vasc. *atorra*, camisa de mujer.) f. *Ál.* Enagua o saya bajera de lino o cáñamo.

Atorrante. m. *Argent.* Vago, callejero y generalmente sin domicilio, que vive de pordiosear.

Atortolar. (De *a*, 2.° art., y *tórtola.*) tr. fam. Aturdir, confundir o acobardar. Ú. t. c. r.

Atortorar. tr. *Mar.* Fortalecer con tortores.

Atortujar. (De *a*, 2.° art., y *torta.*) tr. Aplanar o aplastar alguna cosa apretándola.

Atosigador, ra. adj. Que atosiga. Ú. t. c. s.

Atosigamiento. m. Acción de atosigar, 2.° art.

Atosigar. (De *tósigo*, veneno.) tr. Emponzoñar con tósigo o veneno.

Atosigar. (Del lat. **tussicāre*, toser, fatigarse.) tr. fig. Fatigar u oprimir a alguno, dándole mucha prisa para que haga una cosa. Ú. t. c. r.

Atoxicar. (De *a*, 2.° art., y *tóxico.*) tr. p. us. **Atosigar,** 1.er art. Ú. t. c. r.

Atrabajado, da. p. p. de **Atrabajar.** || **2.** adj. Abrumado de trabajos. || **3.** Sobado, hecho a fuerza de trabajo, falto de naturalidad, de fluidez. Se dice del estilo, los versos, etc.

Atrabajar. tr. p. us. Hacer pasar trabajos; cansarle a uno con ellos.

Atrabancar. (De *a* y *trabanco.*) tr. Pasar o saltar de prisa, salvar obstáculos. Ú. t. c. intr. || **2.** *And.* y *Can.* Abarrotar, llenar.

Atrabanco. m. Acción de atrabancar.

Atrabiliario, ria. adj. *Med.* Perteneciente o relativo a la atrabilis. || **2.** fam. De genio destemplado y violento. Ú. t. c. s. || **3.** *Zool.* V. **Cápsula atrabiliaria.**

Atrabilioso, sa. adj. *Med.* **Atrabiliario,** 1.ª acep.

Atrabilis. (Del lat. *atra*, negra, y *bilis*, cólera.) f. *Med.* Cólera negra y acre.

Atracada. f. *Cuba* y *Méj.* **Atracón.** || **2.** *Mar.* Acto de atracar una embarcación.

Atracadero. (De *atracar*, 2.° art.) m. Paraje donde pueden sin peligro arrimarse a tierra las embarcaciones menores.

Atracar. tr. fam. Hacer comer y beber con exceso, hartar. Ú. t. c. r. || **2.** Saltear en poblado.

Atracar. (Del ár. *at-taraqqā*, la acción de anclar la nave.) tr. *Mar.* Arrimar unas embarcaciones a otras, o a tierra. Ú. t. c. intr.

Atracción. (Del lat. *attractĭo, -ōnis.*) f. Acción de atraer. || **2.** Fuerza para atraer. || **3.** *For.* Preferencia de los autos a los cuales son acumulados otros. || **molecular.** *Fís.* La que ejercen recíprocamente todas las moléculas de los cuerpos mientras están unidas o en contacto. || **universal.** *Fís.* La que ejercen unos sobre otros todos los cuerpos que componen el universo y que depende de las masas y distancias respectivas de éstos. Principalmente se denomina así la que ejercen recíprocamente los astros.

Atraco. m. Acción de atracar, 1.er art., 2.ª acep.

Atracón. m. fam. Acción y efecto de atracar., 1.er art., 1.ª acep.

Atractivo, va. (Del lat. *attractīvus.*) adj. Que atrae o tiene fuerza para atraer. || **2.** Que gana o inclina la voluntad. || **3.** m. Gracia en el semblante o en las palabras, acciones o costumbres, que atrae la voluntad.

Atractriz. adj. f. *Fís.* Que atrae.

Atraer. (Del lat. *attrahĕre*; de *ad*, a, y *trahĕre*, traer.) tr. Traer hacia sí alguna cosa; como el imán al hierro, y el azabache, frotado o electrizado, a la paja. || **2.** fig. Inclinar o reducir una persona a otra a su voluntad, opinión, etc. || **3.** fig. Ocasionar, acarrear o hacer que recaiga algo en uno.

Atrafagar. (De *a*, 2.° art., y *tráfago.*) intr. Fatigarse o afanarse. Ú. t. c. r.

Atragantar. (De *a*, 2.° art., y *tragante.*) tr. p. us. Tragar, pasar con dificultad. || **2.** Ahogar o producir ahogos a uno por detenerse algo en la garganta. Ú. m. c. r. || **3.** r. fig. y fam. Cortarse o turbarse en la conversación. Ú. alguna vez c. tr.

Atraíble. adj. Que se puede atraer.

Atraicionar. tr. **Traicionar.**

Atraidoradamente. adv. m. ant. A traición, alevosamente.

Atraidorado, da. adj. Que procede como traidor. || **2.** Peculiar o propio del traidor.

Atraillar. tr. Atar con traílla. Dícese comúnmente de los perros. || **2.** Seguir el cazador la res, yendo guiado del perro que lleva asido con la traílla. || **3.** fig. Dominar o sujetar. Ú. t. c. r.

Atraimiento. m. Acción de atraer.

Atramento. (Del lat. *atramentum*, tinta, licor negro.) m. p. us. Color negro.

Atramentoso, sa. (De *atramento.*) adj. ant. Que tiene virtud de teñir de negro.

Atrampar. (De *a*, 2.° art., y *trampa.*) tr. Coger o pillar en la trampa o en lugar del que no se puede salir. || **2.** r. Caer en la trampa o en lugar del que no se puede salir. || **3.** Cegarse o taparse un conducto. || **4.** Caerse el pestillo de la puerta, de modo que no se pueda abrir. || **5.** fig. y fam. Detenerse o embarazarse en alguna cosa, sin poder salir de ella.

Atramuz. m. **Altramuz,** 1.ª y 2.ª aceps.

Atrancar. (De *a*, 2.° art., y *tranca.*) tr. Asegurar la puerta por dentro con una tranca. || **2.** **Atascar,** 2.ª acep. Ú. m. c. r. || **3.** intr. fam. Dar trancos o pasos largos. || **4.** fig. y fam. Leer muy de prisa, saltando cláusulas u omitiendo algunas palabras. || **5.** r. Encerrarse asegurando la puerta con una tranca.

Atranco. (De *atrancar.*) m. **Atolladero.** || **2.** Embarazo o apuro.

Atranque. m. Atranco.

Atrapamoscas. (De *atrapar* y *mosca.*) m. *Bot.* Planta americana de la familia de la droseráceas, cuyas hojas tienen en su haz numerosas y diminutas glándulas y seis pelos sensitivos. Cuando un insecto toca estos pelos al posarse sobre la hoja, las dos mitades del limbo de ésta giran sobre el nervio central y se juntan, aprisionando al insecto, cuyas partes blandas son digeridas por el líquido que segregan las mencionadas glándulas.

Atrapar. (Del germ. *trappa,* trampa.) tr. fam. Coger al que huye o va de prisa. || **2.** fam. Coger alguna cosa. || **3.** fig. y fam. Conseguir alguna cosa de provecho. ATRAPAR *un empleo.* || fig. y fam. Engañar, atraer a alguno con maña.

Atrás. (Del lat. *ad,* a, y *trans,* al otro lado, más allá.) adv. l. Hacia la parte que está o queda a las espaldas de uno. || **2.** En la parte hacia donde se tiene vuelta la espalda; a las espaldas. || **3.** Úsase también para expresar tiempo pasado. || **4.** Aplicado al hilo del discurso, **anteriormente.** || **5.** *Mil.* V. **Paso atrás.** || **¡Atrás!** interj. de que se usa para mandar retroceder a alguno.

Atrasado, da. p. p. de **Atrasar.** || **2.** adj. Alcanzado, empeñado.

Atrasamiento. m. ant. Atraso, 1.ª acep.

Atrasar. (De *atrás.*) tr. **Retardar.** Ú. t. c. r. || **2.** Fijar un hecho en época posterior a la en que ha ocurrido. || **3.** Hacer que retrocedan las agujas del reloj, o tocar su registro a fin de que el volante o la péndola marchen con menos velocidad. || **4.** Hacer que el reloj señale tiempo que ya ha pasado. || **5.** intr. Señalar el reloj tiempo que ya ha pasado, o no marchar con la debida velocidad. Ú. t. c. r. || **6.** r. Quedarse atrás. || **7.** *Chile.* Dejar de crecer las personas, los animales o las plantas; no llegar a su completo desarrollo.

Atraso. m. Efecto de atrasar o atrasarse. || **2.** pl. Pagas o rentas vencidas y no cobradas.

Atravesado, da. p. p. de **Atravesar.** || **2.** adj. Que no mira derecho y tiene los ojos un poco vueltos, casi como los bizcos. || **3.** Dícese del animal cruzado o mestizo. || **4.** fig. Que tiene ruin alma o dañada intención. || **5.** fig. y fam. V. **Alma atravesada.** || **6.** *And.* Mulato o mestizo.

Atravesador, ra. adj. Que atraviesa. || **2.** p. us. **Acaparador.** Ú. t. c. s.

Atravesaño. m. Travesaño, 1.ª acep.

Atravesar. (De *a,* 2.° art., y *través.*) tr. Poner una cosa de modo que pase de una parte a otra. ATRAVESAR *un madero en una calle, en un arroyo.* || **2.** Pasar un objeto por sobre otro o hallarse puesto sobre él oblicuamente. || **3.** Tender a una persona o cosa sobre una caballería, o sobre la carga que ésta lleva. || **4.** Pasar un cuerpo penetrándolo de parte a parte. || **5.** Poner delante algo que impida el paso o haga caer. || **6.** Pasar cruzando de una parte a otra. ATRAVESAR *la plaza, el monte, el camino.* || **7.** En el juego, poner traviesas, apostar alguna cosa fuera de lo que se juega; lo que suelen también hacer los mirones, ateniéndose a alguno de los que juegan. || **8.** En el juego del hombre, y otros, meter triunfo a la carta que viene jugada, para que el que sigue no la pueda tomar sin triunfo superior. || **9.** p. us. **Acaparar,** 1.ª acep. || **10. Aojar,** 1.er art., 1.ª acep. || **11.** *Mar.* Poner una embarcación en facha, al pairo o a la capa. Ú. t. c. r. || **12.** r. Ponerse alguna cosa entremedias de otras. || **13.** fig. Interrumpir la conversación de otros, mezclándose en ella. || **14.** fig. Interesarse, mezclarse en algún empeño o lance de otro. || **15.** fig. Intervenir, ocurrir alguna cosa que altera el curso de otra. || **16.** Encontrarse con alguno, tener pendencia con él. || **17.** fig. En los juegos de interés, se dice de la cantidad arriesgada.

Atravesía. f. ant. **Travesía.**

Atrayente. (Del lat. *attrahens, -entis.*) p. a. de **Atraer.** Que atrae.

Atrazar. tr. ant. **Trazar.**

Atraznalar. tr. *Ar.* **Atresnalar.**

Atregar. (Del germ. *treuwa,* tregua.) tr. ant. Asegurar, tomar a su cargo la defensa y amparo de algo.

Atreguadamente. adv. m. ant. Con manía, alocadamente.

Atreguado, da. p. p. de **Atreguar.** || **2.** adj. **Lunático.** || **3.** Que está en tregua con su enemigo.

Atreguar. tr. Dar o conceder treguas. Ú. t. c. r.

Atrenzo. m. *Amér.* Conflicto, apuro, dificultad.

Atresia. (Del gr. ἀ, priv., y τρῆσις, agujero.) f. *Med.* Imperforación u oclusión de un orificio o conducto normal del cuerpo humano.

Atresnalar. tr. Poner y ordenar los haces en tresnales.

Atreudar. (De *a,* 2.° art., y *treudo.*) tr. *Ar.* Dar en enfiteusis.

Atrevencia. f. ant. **Atrevimiento.**

Atrever. (Del lat. *attribuĕre.*) tr. desus. Dar atrevimiento. || **2.** r. Determinarse a algún hecho o dicho arriesgado. || **3.** Insolentarse, faltar al respeto debido. || **4.** ant. **Confiarse,** 3.ª acep. || **5.** fig. Llegar a competir u ofender.

Atrevidamente. adv. m. Con atrevimiento.

Atrevido, da. p. p. de **Atrever.** || **2.** adj. Que se atreve. Ú. t. c. s. || **3.** Hecho o dicho con atrevimiento.

Atreviente. p. a. ant. de **Atrever.** Que se atreve.

Atrevimiento. m. Acción y efecto de atrever, 2.ª y 3.ª aceps.

Atriaca [Atríaca]. (Del ár. *at-tiryāq,* el antídoto, y éste del gr. θηριακή.) f. ant. **Triaca,** 1.ª acep.

Atriaquero. (De *atriaca.*) m. ant. **Boticario,** 1.ª acep.

Atribución. (Del lat. *attributio, -ōnis.*) f. Acción de atribuir. || **2.** Cada una de las facultades que a una persona da el cargo que ejerce. || **3.** V. **Objeto de atribución.**

Atribuir. (Del lat. *attribuĕre;* de *ad,* a, y *tribuĕre,* dar.) tr. Aplicar, a veces sin conocimiento seguro, hechos o cualidades a alguna persona o cosa. Ú. t. c. r. || **2.** Señalar o asignar una cosa a alguno como de su competencia. || **3.** fig. Achacar, imputar.

Atribulación. (De *atribular.*) f. **Tribulación.**

Atribuladamente. adv. m. Con tribulación.

Atribular. (De *a,* 2.° art., y *tribular.*) tr. Causar tribulación. || **2.** r. Padecerla.

Atributar. tr. ant. Imponer tributo sobre alguna finca.

Atributivo, va. adj. Que indica o enuncia un atributo o cualidad.

Atributo. (Del lat. *attribūtum.*) m. Cada una de las cualidades o propiedades de un ser. || **2.** En obras artísticas, símbolo que denota el carácter y representación de las figuras; como la *palma,* ATRIBUTO *de la victoria; el caduceo, de Mercurio,* etc. || **3.** *Gram.* Lo que se enuncia del sujeto. || **4.** *Teol.* Cualquiera de las perfecciones propias de la esencia de Dios; como su omnipotencia, su sabiduría, su amor, etc.

Atrición (Del lat. *attritio, -ōnis.*) f. Dolor de haber ofendido a Dios, por la gravedad y fealdad de los pecados, por miedo de las penas del infierno, o de perder la bienaventuranza, con propósito de la enmienda. || **2.** ant. *Veter.* Encogimiento del nervio maestro de la mano de una caballería.

Atril. (Por *el* [*l*]*atril,* del lat. **lectōrīle,* de *lector, -oris,* lector.) m. Mueble en forma de plano inclinado, con pie o sin él, que sirve para sostener libros o papeles abiertos y leer con más comodidad.

Atrilera. f. Cubierta que se pone al atril o facistol en que se cantan la epístola y el evangelio en las misas solemnes.

Atrincheramiento. m. Conjunto de trincheras, y, en general, toda obra de defensa o fortificación pasajera o de campaña.

Atrincherar. (De *a* y *trinchera.*) tr. Fortificar una posición militar con atrincheramientos. || **2.** r. Ponerse en trincheras a cubierto del enemigo.

Atrio. (Del lat. *atrĭum.*) m. Espacio descubierto y por lo común cercado de pórticos, que hay en algunos edificios. || **2.** Andén que hay delante de algunos templos y palacios, por lo regular enlosado y más alto que el piso de la calle. || **3. Zaguán.** || **4.** *Min.* Cabecera de la mesa de lavar.

Atrípedo, da. (Del lat. *ater,* negro, y *pes, pedis,* pie.) adj. *Zool.* Se dice de los animales que tienen negros los pies.

Atrirrostro, tra. (Del lat. *ater,* negro, y *rostrum,* pico.) adj. *Zool.* Se dice de las aves que tienen negro el pico.

Atristar. (De *a,* 2.° art., y *triste.*) tr. ant. **Entristecer.** Usáb. t. c. r.

Atrito, ta. (Del lat. *attrītus,* quebrantado.) adj. Que tiene atrición.

Atrocidad. (Del lat. *atrocĭtas, -ātis.*) f. Crueldad grande. || **2.** fam. Exceso, demasía. || **3.** fam. Dicho o hecho muy necio o temerario.

Atrochar. intr. Andar por trochas o sendas. || **2.** Ir por la trocha o a campo traviesa para llegar más pronto que por el camino al sitio adonde uno se dirige.

Atrofia. (Del lat. *atrophia,* y éste del gr. ἀτροφία, falta de nutrición.) f. Falta de desarrollo de cualquiera parte del cuerpo. || **2.** *Med.* Disminución en el tamaño o número, o en ambas cosas a la vez, de uno o varios tejidos de los que forman un órgano, con la consiguiente minoración del volumen, peso y actividad funcional, a causa de escasez o retardo en el proceso nutritivo. || **degenerativa.** La que va acompañada de un proceso destructor de las células de un tejido. || **fisiológica.** La de algunos tejidos u órganos que en la evolución natural del organismo resultan innecesarios. || **senil.** La de los tejidos y órganos cuando el individuo llega a edad avanzada.

Atrofiar. tr. Producir atrofia. || **2.** r. Padecer atrofia.

Atrófico, ca. adj. Perteneciente a la atrofia.

Atrojar. (De *a,* 2.° art., y *troj.*) tr. **Entrojar.** || **2.** r. fig. y fam. *Méj.* No hallar uno salida en algún empeño o dificultad.

Atrompetado, da. (De *a,* 2.° art., y *trompeta.*) adj. **Abocardado.** Dícese de las escopetas y también de las narices gordas y torcidas.

Atronadamente. adv. m. Precipitadamente, sin cordura ni reflexión.

Atronado, da. p. p. de **Atronar.** || **2.** adj. Dícese del que hace las cosas precipitadamente, sin cordura ni reflexión. || **3.** *Veter.* V. **Casco atronado.**

Atronador, ra. adj. Que atruena.

Atronadura. f. Daño de algunas maderas, consistente en hendeduras que desde la periferia penetran en lo interior del tronco del árbol, según la dirección de los radios medulares. || **2.** *Veter.* **Alcanzadura.**

Atronamiento. m. Acción de atronar o atronarse. || **2.** Aturdimiento causado regularmente, por algún golpe. || **3.** *Veter.* Enfermedad que padecen las caballerías en los cascos de pies y manos, y suele proceder de algún golpe o zapatazo.

Atronante. p. a. ant. de **Atronar.** Que atruena.

Atronar. (Del lat. *attonāre.*) intr. ant. **Tronar.** ‖ **2.** tr. Asordar o perturbar con ruido como de trueno. ‖ **3. Aturdir,** 1.ª acep. ‖ **4.** Tapar los oídos de una caballería para que no se espante con el ruido. ‖ **5.** Dejar sin sentido a una res en el matadero con un golpe de porra, para degollarla después. ‖ **6.** Matar un toro, acertando a herirlo de punta en medio de la cerviz. ‖ **7.** r. Aturdirse y quedarse sin acción vital con el ruido de los truenos. Dícese de los pollos al tiempo o antes de salir del cascarón, y de los gusanos de seda y otras crías, que se pierden o mueren cuando truena.

Atronerar. tr. Abrir troneras.

Atropado, da. p. p. de **Atropar.** ‖ **2.** adj. *Agr.* Dícese de las plantas de ramas recogidas.

Atropar. tr. Juntar gente en tropas o en cuadrillas, sin orden ni formación. Ú. t. c. r. ‖ **2.** Juntar, reunir. Dícese especialmente de la mies que se recoge en gavillas, y del heno que antes se ha esparcido para que se seque.

Atropelladamente. adv. m. De tropel, con desorden y confusión, muy de prisa.

Atropellado, da. p. p. de **Atropellar.** ‖ **2.** adj. Que habla u obra con precipitación.

Atropellador, ra. adj. Que atropella. Ú. t. c. s.

Atropellamiento. m. **Atropello.**

Atropellar. (De *a*, 2.° art., y *tropel.*) tr. Pasar precipitadamente por encima de alguna persona. ‖ **2.** Derribar o empujar violentamente a alguno para abrirse paso. ‖ **3.** fig. Agraviar a alguno empleando violencia o abusando de la fuerza o poder que se tiene. ‖ **4.** fig. Ultrajar a uno de palabra, sin darle lugar de hablar o exponer su razón. ‖ **5.** fig. Proceder sin miramiento a leyes, respetos o inconvenientes, persiguiendo un intento a cualquier costa. Ú. t. c. intr. con la prep. *por. Pedro* ATROPELLÓ POR *todos los inconvenientes.* ‖ **6.** fig. Hacer una cosa precipitadamente y sin el cuidado necesario. ‖ **7.** fig. Oprimir o abatir a uno el tiempo, los achaques o las desgracias. ‖ **8.** r. fig. Apresurarse demasiado en las obras o palabras.

Atropello. m. Acción y efecto de atropellar o atropellarse.

Atropina. (De *atropa*, nombre científico de la belladona.) f. *Quím.* Alcaloide venenoso que, cristalizado en agujas blancas y brillantes, se extrae de la belladona y se emplea en medicina para dilatar las pupilas de los ojos y para otros usos terapéuticos.

Atroz. (Del lat. *atrox, -ōcis.*) adj. Fiero, cruel, inhumano. ‖ **2.** Enorme, grave. ‖ **3.** fam. Muy grande o desmesurado. *Estatura* ATROZ.

Atrozmente. adv. m. De manera atroz.

Atruchado, da. adj. Dícese del hierro colado o fundición cuyo grano semeja a las pintas de la trucha.

Atruendo. m. desus. **Atuendo.**

Atruhanado, da. adj. Aplícase al que en sus palabras o modales parece truhán. ‖ **2.** También se dice de las cosas que parecen de truhán.

Atuendo. m. Aparato, ostentación. ‖ **2.** Atavío, vestido. ‖ **3.** *Sal.* Mueble viejo e inútil. ‖ **4.** pl. *Al.* Aparejos del asno.

Atufadamente. adv. m. Con enfado o enojo.

Atufado, da. adj. Dícese del que usaba tufos.

Atufamiento. (De *atufar*, 1.ª y 2.ª aceps.) m. **Atufo.**

Atufar. (De *a*, 2.° art., y *tufo.*) tr. Trastornar con el tufo. Ú. m. c. r. ‖ **2.** fig. Enfadar, enojar. Ú. m. c. r. ‖ **3.** r. Recibir o tomar tufo. ‖ **4.** Tratándose de licores, y especialmente del vino, avinagrarse o apuntarse.

Atufo. (De *atufar.*) m. Enfado o enojo.

Atumecerse. (De *a*, 2.° art., y el lat. *tūmescĕre*, hincharse.) r. ant. **Entumecerse.**

Atumecimiento. (De *atumecerse.*) m. ant. **Entumecimiento.**

Atumno. (Del lat. *autumnus.*) m. ant. **Otoño.**

Atumultuar. tr. **Tumultuar.** Ú. t. c. r.

Atún. (Del ár. *at-tūn* o *at-tunn;* éste del lat. *thunnus*, y éste del gr. θύννος.) m. Pez teleósteo, acantopterigio, común en los mares de España, frecuentemente de dos a tres metros de largo, negro azulado por encima y gris plateado por debajo, y con los ojos muy pequeños. Su carne, tanto fresca como salada, es de gusto agradable. ‖ **2.** fig. y fam. Hombre ignorante y rudo. ‖ **Por atún y a ver al duque.** expr. fig. y fam. que se dice de los que hacen alguna cosa con dos fines.

Atunara. (De *atún.*) f. **Almadraba,** 2.ª acep.

Atunera. f. Anzuelo grande para pescar atunes.

Atunero, ra. m. y f. Persona que trata en atún o lo vende. ‖ **2.** m. Pescador de atún.

Aturada. (De *aturar*, 1.er art.) f. ant. Duración o detención.

Aturadamente. (De *aturar*, 1.er art.) adv. m. ant. Con ahínco o vehemencia.

Aturador, ra. adj. ant. Que sufre o aguanta mucho el trabajo.

Aturar. (Del lat. *obdūrāre*, durar.) tr. ant. Hacer durar. ‖ **2.** ant. Hacer parar o detener a las bestias. Ú. en *Ar.* ‖ **3.** intr. ant. Aguantar, perseverar. ‖ **4.** ant. **Durar.** Ú. en *Sal.* ‖ **5.** fig. Obrar con asiento y juicio. ‖ **El que a cuarenta no atura y a cincuenta no adivina, a sesenta desatina.** ref. que reprende a los que llegan a la edad madura, y aun a la vejez, sin tener asiento en sus juicios ni cordura en su proceder.

Aturar. (Del lat. *obturāre.*) tr. fam. Tapar y cerrar muy apretadamente alguna cosa.

Aturbonado, da. adj. Perteneciente o relativo al turbón o a la turbonada.

Aturdidamente. adv. m. Con aturdimiento.

Aturdido, da. p. p. de **Aturdir.** ‖ **2.** adj. **Atolondrado,** 2.ª acep.

Aturdidor, ra. adj. Que aturde.

Aturdimiento. (De *aturdir.*) m. Perturbación de los sentidos por efecto de un golpe, de un ruido extraordinario, etc. ‖ **2.** fig. Perturbación moral ocasionada por una desgracia, una mala noticia etc. ‖ **3.** fig. Torpeza, falta de serenidad y desembarazo para ejecutar alguna cosa. ‖ **4.** *Med.* Estado morboso en que los sonidos se confunden y parece que los objetos giran alrededor de uno.

Aturdir. (Como el fr. *étourdir*, del lat. *turdus*, tordo.) tr. Causar aturdimiento. Ú. t. c. r. ‖ **2.** fig. Confundir, descencertar, pasmar. Ú. t. c. r.

Aturquesado, da. (De *a*, 2.° art., y *turquesa*, 2.° art.) adj. De color azul turquí.

Aturrar. (De la onomat. *turr.*) tr. ant. *Sal.* Aturdir, ensordecer.

Aturriar. (De *aturrar.*) tr. ant. *Sal.* **Aturrar.**

Aturrullar. (De la onomat. *turr.*) tr. fam. Confundir a uno, turbarle de modo que no sepa qué decir o cómo hacer una cosa. Ú. t. c. r.

Aturullamiento. (De *aturullar.*) m. **Atolondramiento.**

Aturullar. (De *a*, 2.° art., y *turullo.*) tr. **Aturrullar.** Ú. t. c. r.

Atusador, ra. adj. Que atusa. Ú. t. c. s.

Atusar. (Del lat. *attonsus*, p. p. de *attondēre*, pelar, trasquilar.) tr. Recortar e igualar el pelo con tijeras. ‖ **2.** Igualar los jardineros con tijeras las murtas y otras plantas. ‖ **3.** Alisar el pelo, especialmente pasando por él la mano o el peine mojados. ‖ **4.** r. fig. Componerse o adornarse con demasiada afectación y prolijidad.

Atutía. (Del ár. *at-tūtiyā*, el cinc, o el antimonio.) f. Óxido de cinc, generalmente impurificado con otras sales metálicas, que, a manera de costra dura y de color gris, se adhiere a los conductos y chimeneas de los hornos donde se tratan minerales de cinc o se fabrica latón. ‖ **2.** Ungüento medicinal hecho con **atutía.** ‖ **3.** ant. **Azogue,** 1.er art., 1.ª acep.

Auca. (Del lat. *auca.*) f. **Oca,** 1.er art.

Auca. (Voz quichua que significa *guerrero.*) adj. Dícese del indio de una parcialidad, rama de los araucanos, que corría la Pampa en las cercanías de Mendoza. Ú. t. c. s. ‖ **2.** Perteneciente a esta parcialidad.

Aucción. (Del lat. *auctĭo, -ōnis*, acción de aumentar.) f. ant. Acción o derecho a alguna cosa.

Aucténtico, ca. adj. ant. **Auténtico.**

Auctor. m. ant. **Autor.**

Auctoridad. f. ant. **Autoridad.**

Auctorizar. tr. ant. **Autorizar.**

Audacia. (Del lat. *audacĭa.*) f. Osadía, atrevimiento.

Audaz. (Del lat. *audax*, de *audēre*, atreverse.) adj. Osado, atrevido.

Audazmente. adv. m. Con audacia.

Audible. (Del lat. *audibĭlis.*) adj. Que se puede oir.

Audición. (Del lat. *auditĭo, -ōnis.*) f. Acción de oir.

Audidor. m. ant. **Auditor.**

Audiencia. (Del lat. *audientĭa.*) f. Acto de oir los soberanos u otras autoridades a las personas que exponen, reclaman o solicitan alguna cosa. ‖ **2.** Ocasión para aducir razones o pruebas que se ofrece a un interesado en juicio o en expediente. ‖ **3.** Lugar destinado para dar **audiencia.** ‖ **4.** Tribunal de justicia colegiado y que entiende en los pleitos o en las causas de determinado territorio. ‖ **5.** Distrito de la jurisdicción de este tribunal. ‖ **6.** Edificio en que se reúne. ‖ **de los grados.** Se llamó así la **audiencia** de Sevilla, en la cual se refundió la jurisdicción de diferentes jueces, ante quienes, de grado en grado, se repetían muchas veces las apelaciones. ‖ **eclesiástica.** Tribunal de un juez eclesiástico. ‖ **en justicia.** *For.* Procedimiento especial para revisar, a petición del funcionario judicial corregido, la sanción que sus superiores le han impuesto por incidencia, al conocer de asunto en que aquél intervino. ‖ **pretorial.** En Indias, la que no dependía del virrey para algunos efectos. ‖ **provincial.** La que sólo tiene jurisdicción en lo penal, limitada a una provincia. ‖ **territorial.** La sucesora de las antiguas chancillerías, con jurisdicción especialmente civil y de apelación sobre varias provincias o una región histórica. ‖ **Dar audiencia.** fr. Admitir el rey, sus ministros u otras autoridades a los sujetos que tienen que exponer, reclamar o solicitar alguna cosa. ‖ **Hacer audiencia.** fr. *For.* Ver y determinar los pleitos y causas. ‖ **Prestar audiencia.** fr. *For.* Atender la pretensión del litigante rebelde, otorgándole rescisión del fallo dictado sin oírle, y sentenciando de nuevo oída su defensa.

Audienciero. adj. ant. Decíase de los ministros inferiores de las audiencias o tribunales seculares o eclesiásticos, como los escribanos, notarios, alguaciles, etc. Usáb. t. c. s.

Auditivo, va. (De *audito.*) adj. Que tiene virtud para oir. ‖ **2.** Perteneciente al órgano del oído. || **3.** m. Pieza del aparato telefónico destinada para oir.

Audito. (Del lat. *auditus.*) m. ant. Sentido del oído. || **2.** ant. Acción de oir.

Auditor. (Del lat. *auditor.*) m. ant. **Oyente.** || **de guerra.** Funcionario del cuerpo jurídico militar que informa sobre la interpretación o aplicación de las leyes y propone la resolución correspondiente en los procedimientos judiciales y otros instruidos en el ejército o región militar donde tiene su destino. || **de la nunciatura.** Asesor del nuncio en España. || **de la Rota.** Cada uno de los doce prelados que en el tribunal romano llamado Rota tiene jurisdicción para conocer en apelación de las causas eclesiásticas de todo el orbe católico. || **de marina.** Juez letrado de alta categoría que entiende en las causas del fuero de mar. || **de Rota. Auditor de la Rota.**

Auditoría. f. Empleo de auditor. || **2.** Tribunal o despacho del auditor.

Auditorio. (Del lat. *auditorium.*) m. Concurso de oyentes. || **2.** ant. **Audiencia,** 3.ª acep.

Auditorio, ria. (Del lat. *auditorius.*) adj. **Auditivo,** 1.ª y 2.ª aceps.

Auge. (Del ár. *awŷ,* el punto más alto del cielo.) m. Elevación grande en dignidad o fortuna. || **2.** *Astron.* **Apogeo,** 1.ª acep.

Augita. (Del lat. *augites,* y éste del gr. αὐγῖτις, especie de piedra preciosa.) f. Mineral formado por un silicato doble de cal y magnesia, brillante, de color verde obscuro o negro y textura cristalina, y que se halla enclavado en los basaltos.

Augmentación. f. ant. **Aumentación.**

Augmentar. tr. ant. **Aumentar.**

Augur. (Del lat. *augur, -ŭris.*) m. Ministro de la religión gentílica, que en la antigua Roma practicaba oficialmente la adivinación por el canto, el vuelo y la manera de comer de las aves y por otros signos.

Auguración. (Del lat. *auguratio, -ōnis.*) f. Adivinación por el vuelo y el canto de las aves.

Augurador, ra. adj. Que augura.

Augural. (Del lat. *augurālis.*) adj. Perteneciente al agüero o a los agoreros.

Augurar. (Del lat. *augurāre,* de *augur,* agorero.) tr. Adivinar, pronosticar por el vuelo o canto de las aves u otras observaciones. || **2.** Presagiar, presentir, predecir.

Augurio. (Del lat. *augurium.*) m. Presagio, anuncio, indicio de algo futuro.

Augustal. (Del lat. *augustālis.*) adj. Perteneciente o relativo al emperador romano Augusto o establecido en honor suyo. *Prefecto* AUGUSTAL; *juegos* AUGUSTALES. || **2.** V. **Flamen, sacerdote, séviro, augustal.**

Augustamente. adv. m. Excelente, ilustre o eminentemente.

Augusto, ta. (Del lat. *augustus.*) adj. Dícese de lo que infunde o merece gran respeto y veneración por su majestad y excelencia. || **2.** Dictado de Octaviano César, que llevaron después todos los emperadores romanos y sus mujeres.

Aula. (Del lat. *aula.*) f. Sala donde se enseña algún arte o facultad en las universidades o casas de estudios. || **2.** poét. Palacio de un príncipe soberano.

Aulaga. (Del ár. *ŷawlaq,* nombre de la misma planta.) f. *Bot.* Planta de la familia de las papilionáceas, como de un metro de altura, espinosa, con hojas lisas terminadas en púas y flores amarillas. Las puntas tiernas gustan al ganado; el resto de la planta se machaca, aplastando las espinas, para darlo en pienso. || **2.** Por ext., nombre que se da a varias matas de la misma familia, espinosas y de flores amarillas. || **merina. Asiento de pastor.** || **vaquera.** *Bot.* Planta de la familia de las papilionáceas, de un metro de altura, muy ramosa, con ramillas de espinas cortas y axilares y flores amarillas.

Aulagar. m. Sitio poblado de aulagas.

Auláquida. f. ant. **Alguaquida.**

Áulico, ca. (Del lat. *aulĭcus,* de *aula,* corte.) adj. Perteneciente a la corte o al palacio. || **2.** Cortesano o palaciego. Ú. t. c. s.

Aulladero. m. *Mont.* Sitio donde de noche se juntan y aúllan los lobos.

Aullador, ra. adj. Que aúlla. || **2.** V. **Mono aullador.**

Aullante. p. a. de **Aullar.** Que aúlla.

Aullar. (Del lat. *ululāre.*) intr. Dar aullidos.

Aullido. (De *aullar.*) m. Voz triste y prolongada del lobo, el perro y otros animales.

Aúllo. (De *aullar.*) m. **Aullido.**

Aumentable. adj. Que se puede aumentar.

Aumentación. (Del lat. *augmentatĭo, -ōnis.*) f. ant. **Aumento.** || **2.** *Ret.* Especie de gradación en que el sentido va de menos a más.

Aumentada. (De *aumentar.*) adj. *Mús.* V. **Séptima, sexta aumentada.**

Aumentador, ra. adj. Que aumenta alguna cosa.

Aumentante. p. a. de **Aumentar.** Que aumenta.

Aumentar. (Del lat. *augmentāre.*) tr. Acrecentar, dar mayor extensión, número o materia a alguna cosa. Ú. t. c. intr. y c. r. || **2.** Adelantar o mejorar en conveniencias, empleos o riquezas. Ú. t. c. r.

Aumentativo, va. adj. Que aumenta. || **2.** *Gram.* Aplícase a los vocablos que aumentan y acrecientan la significación de los positivos de que proceden. Los hay de otros **aumentativos,** como *picaronazo,* de *picarón.* De muchos nombres femeninos se forman **aumentativos** masculinos, como de *aldaba* y *cuchara, aldabón* y *cucharón.*

Aumento. (Del lat. *augmentum.*) m. Acrecentamiento o extensión de una cosa. || **2.** Adelantamiento o medra en conveniencias o empleos. Ú. m. en pl. || **3.** *Astron.* Potencia o facultad amplificadora de una lente, anteojo o telescopio.

Aun. (Del lat. *adhŭc.*) adv. t. y m. **Todavía,** 1.ª, 3.ª, 4.ª y 5.ª aceps. || **2.** Denota a veces idea de encarecimiento en sentido afirmativo o negativo. Se escribe con acento cuando pueda substituirse por **todavía** sin alterar el sentido de la frase. AÚN *está enfermo; está enfermo* AÚN. En los demás casos, es decir, con el significado de *hasta, también, inclusive* (o *siquiera,* con negación), se escribirá sin tilde. *Te daré cien duros, y* AUN (hasta) *doscientos, si los necesitas; no tengo yo tanto, ni* AUN (ni siquiera) *la mitad.* || **Aun cuando.** m. conj. advers. **Aunque.**

Aunamiento. m. ant. Acción y efecto de aunar o aunarse.

Aunar. (Del lat. *adūnāre,* juntar.) tr. Unir, confederar para algún fin. Ú. m. c. r. || **2. Unificar.** Ú. t. c. r. || **3.** Poner juntas o armonizar varias cosas. Ú. t. c. r.

Aungar. (Del lat. **adūnĭcāre,* de *adūnāre,* juntar.) tr. ant. Unir o juntar.

Auniga. f. Ave palmípeda de Filipinas, que tiene el pico más largo que la cabeza, delgado y hendido, el cuello muy largo y delgado, la cola larga y redondeada y las uñas corvas y robustas.

Aunque. (De *aun que.*) conj. advers. con que se denota oposición, a pesar de la cual puede ser, ocurrir o hacerse alguna cosa. Constrúyese con el verbo en indicativo y subjuntivo y también con otras partes de la oración, entendiéndose omitido algún verbo en este último caso. AUNQUE *estoy malo, no faltaré a la cita; haz el bien que pudieres,* AUNQUE *nadie te lo agradezca;* AUNQUE *severo, es justo; sigo trabajando en mi obra,* AUNQUE *muy poco a poco.* || **Aunque más.** m. conj. **Por mucho que.** *Pero* AUNQUE MÁS *tendimos la vista, ni poblado, ni persona, ni senda, ni camino descubrimos.*

¡Aúpa! interj. **¡Upa!**

Aupar. (De *aúpa.*) tr. fam. Levantar o subir una persona. Ú. t. c. r. || **2.** fig. Ensalzar, enaltecer. Ú. t. c. r.

Aura. (Del lat. *aura,* y éste del gr. αὔρα, de ἄω, soplar.) f. Viento suave y apacible. Úsase más en poesía. || **2.** Hálito, aliento, soplo. || **3.** fig. Favor, aplauso, aceptación general. || **epiléptica,** o **histérica.** *Med.* Sensación como la que ocasionaría un vapor que se elevase desde una región del tronco o de los miembros hasta la cabeza, y la cual precede algunas veces a los paroxismos epilépticos o histéricos.

Aura. (Voz americana.) f. Ave del orden de las rapaces diurnas, del tamaño de una gallina, de plumaje negro con visos verdes, cabeza desnuda y tarsos y pico de color de carne. Despide olor hediondo, vive en grandes bandadas y se alimenta con preferencia de animales muertos. En ciertos puntos de América, de donde es indígena, se la llama gallinaza.

Auranciáceo, a. (De *aurantium,* nombre de una especie de plantas del género *citrus.*) adj. *Bot.* Dícese de árboles y arbustos de la familia de las rutáceas, siempre verdes, con hojas alternas, cáliz persistente, ovario de muchas celdillas y fruto carnoso, como el naranjo, el limonero y el cidro. Ú. t. c. s. f.

Aurelianense. (Del lat. *aurelianensis,* de *Aurelia,* Orleáns.) adj. Perteneciente a Orleáns, ciudad de Francia.

Áureo, a. (Del lat. *aurĕus.*) adj. De oro. Úsase más en poesía. || **2.** Parecido al oro o dorado. Úsase más en poesía. || **3.** V. **Leyenda Áurea.** || **4.** *Cronol.* V. **Áureo número.** || **5.** m. Moneda de oro que corría en tiempo del santo rey don Fernando. || **6.** Peso de cuatro escrúpulos, que se usaba en farmacia. || **7.** *Numism.* Moneda de oro, y especialmente la acuñada por los emperadores romanos.

Aureola [**Auréola**]. (Del lat. *aureŏla,* dorada.) f. Resplandor, disco o círculo luminoso que suele figurarse detrás de la cabeza de las imágenes santas. || **2. Areola.** || **3.** fig. Gloria que alcanza una persona por sus méritos o virtudes. || **4.** *Astron.* Corona sencilla o doble que en los eclipses de Sol se ve alrededor del disco de la Luna. || **5.** *Teol.* Resplandor que, como premio no esencial, corresponde en la bienaventuranza a cada estado y jerarquía. AUREOLA *de las vírgenes, de los mártires, de los doctores.*

Aureolar. tr. Adornar como con aureola.

Aurero. m. *Cuba.* Lugar donde se reúnen muchas auras, 2.° art.

Aurgitano, na. adj. Natural de Aurgi, hoy Jaén. Ú. t. c. s. || **2.** Perteneciente a esta ciudad de la España Tarraconense.

Auricalco. (Del lat. *orichalcum,* y éste del gr. ὀρείχαλκος, cobre de montaña.) m. ant. Cobre, bronce o latón.

Áurico, ca. adj. De oro.

Aurícula. (Del lat. *auricŭla cordis.*) f. *Zool.* Cavidad, que puede ser única, doble o cuádruple, del corazón de los moluscos, que recibe sangre arterial. || **2.** *Zool.* Cavidad de la parte anterior del corazón de los peces, que recibe sangre venosa. || **3.** *Zool.* Cada una de las dos cavidades de la parte anterior (superior en el hombre) del corazón de los batracios, reptiles, aves y mamíferos, que reciben sangre aportada por las venas. || **4.** *Bot.* Prolongación de la parte inferior del limbo de las hojas.

Auricular. (Del lat. *auriculāris.*) adj. Perteneciente o relativo al oído. || **2.** V. **Confesión auricular.** || **3.** V. **Dedo au-**

ricular. Ú. t. c. s. || **4.** m. En los aparatos telefónicos, el utensilio o parte de él, que se aplica al oído.

Auricular. (De *aurĭcula.*) adj. Perteneciente o relativo a las aurículas del corazón.

Auriense. adj. Natural de Auria o Aregia, hoy Orense. Ú. t. c. s. || **2.** Perteneciente a esta ciudad de la España Tarraconense. || **3. Orensano.** Apl. a pers., ú. t. c. s.

Aurifabrista. (Del lat. *aurum,* oro, y *faber, fabri,* artífice.) m. ant. **Orífice.**

Aurífero, ra. (Del lat. *aurĭfer, -ĕri;* de *aurum,* oro, y *ferre,* llevar.) adj. Que lleva o contiene oro.

Auriga. (Del lat. *aurīga.*) m. poét. El que dirige o gobierna las caballerías que tiran de un carruaje. || **2.** *Astron.* Constelación boreal muy notable, entre Géminis y Perseo.

Aurígero, ra. (Del lat. *aurĭger, -ĕri.*) adj. **Aurífero.**

Aurívoro, ra. (Del lat. *aurum,* oro, y *vorāre,* devorar.) adj. poét. Codicioso de oro.

Aurora. (Del lat. *aurōra,* de *aura,* brillo, resplandor.) f. Luz sonrosada que precede de inmediatamente a la salida del Sol. || **2.** fig. Canto religioso que se entona al amanecer, antes del rosario, y con el que se da comienzo a la celebración de una festividad de la Iglesia. || **3.** fig. Principio o primeros tiempos de alguna cosa. || **4.** fig. Hermosura del rostro, y por ext., el rostro sonrosado. || **5.** fig. Bebida compuesta de leche de almendras y agua de canela. || **austral.** *Meteor.* Meteoro luminoso que en el hemisferio austral se observa hacia el Sur y se atribuye a la electricidad. || **boreal.** *Meteor.* Meteoro luminoso que en el hemisferio septentrional se observa hacia el Norte y se atribuye a la electricidad. || **Despuntar,** o **romper, la aurora.** fr. Empezar a amanecer.

Auroral. adj. Perteneciente o relativo a la aurora.

Aurragado, da. (Del vasc. *aurraca,* a empujones, de prisa.) adj. Aplícase a la tierra mal labrada.

Aurúspice. m. **Arúspice.**

Auscultación. (Del lat. *auscultatĭo, -ōnis.*) f. *Med.* Acción y efecto de auscultar.

Auscultar. (Del lat. *auscultāre.*) tr. *Med.* Aplicar el oído a la pared torácica o abdominal, con instrumentos adecuados o sin ellos, a fin de explorar los sonidos o ruidos normales o patológicos producidos en los órganos que las cavidades del pecho o vientre contienen.

Ausencia. (Del lat. *absentĭa.*) f. Acción y efecto de ausentarse o de estar ausente. || **2.** Tiempo en que alguno está ausente. || **3.** Falta o privación de alguna cosa. || **4.** *For.* Condición legal de la persona cuyo paradero se ignora. || **Buenas,** o **malas, ausencias.** Encomio o vituperio que se hace de una persona ausente, o buenas o malas noticias que se dan de ella. Ú. con los verbos *hacer, tener, deber, merecer,* etc. || **Ausencia, enemiga de amor; cuan lejos de ojos, tan lejos de corazón.** ref. que denota que con la **ausencia** se olvida lo que se ama. || **Brillar** uno **por su ausencia.** loc. fam. No estar presente una persona o cosa en el lugar en que era de esperar.

Ausentado, da. p. p. de **Ausentar.** || **2.** adj. **Ausente.**

Ausentar. (Del lat. *absentāre.*) tr. Hacer que alguno parta o se aleje de un lugar. || **2.** fig. Hacer desaparecer alguna cosa. || **3.** r. Separarse de una persona o lugar, y especialmente de la población en que se reside. || **4.** Desaparecer alguna cosa.

Ausente. (Del lat. *absens, -entis,* p. a. de *abesse,* estar ausente.) adj. Dícese del que está separado de alguna persona o lugar, y especialmente de la población en que reside. Ú. t. c. s. || **2.** *For.* Persona de quien se ignora si vive todavía y dónde está. || **Ni ausente sin culpa, ni presente sin disculpa.** ref. que da a entender cuán difícil es al **ausente** contestar a los cargos que se le hacen.

Ausetano, na. (Del lat. *ausetānus.*) adj. Natural de Ausa, hoy Vich. Ú. t. c. s. || **2.** Perteneciente a esta ciudad de la España Tarraconense. || **3. Vigitano.** Apl. a pers., ú. t. c. s.

Ausonense. adj. **Ausetano.**

Ausonio, nia. (Del lat. *ausonĭus.*) adj. Natural de Ausonia. Ú. t. c. s. || **2.** Perteneciente a este país de Italia antigua. || **3.** Por ext., **italiano.** Apl. a pers., ú. t. c. s.

Auspiciar. tr. *Amér.* Patrocinar, favorecer.

Auspicio. (Del lat. *auspicĭum,* de *auspex,* agorero; de *avis,* ave, y *spicĕre,* observar.) m. **Agüero.** || **2.** Protección, favor. || **3.** pl. Señales prósperas o adversas que en el comienzo de un negocio parecen presagiar su buena o mala terminación.

Austeramente. adv. m. Con austeridad.

Austeridad. (Del lat. *austerĭtas, -ātis.*) f. Calidad de austero. || **2.** Mortificación de los sentidos y pasiones.

Austero, ra. (Del lat. *austērus,* y éste del gr. αὐστηρός, de αὔω, desecar.) adj. Agrio, astringente y áspero al gusto. || **2.** Retirado, mortificado y penitente. || **3.** Severo, rígido.

Austral. (Del lat. *australis.*) adj. Perteneciente al austro, y en general al polo y al hemisferio del mismo nombre. || **2.** *Astron.* V. **Corona, hemisferio, nodo, pez, triángulo austral.** || **3.** *Astron.* y *Geogr.* V. **Polo austral.** || **4.** *Meteor.* V. **Aurora austral.**

Austral. (De *Austria.*) adj. ant. **Austriaco.**

Australiano, na. adj. Natural de Australia. Ú. t. c. s. || **2.** Perteneciente a este continente o gran isla de Oceanía.

Austriaco, ca [Austríaco, ca]. adj. Natural de Austria. Ú. t. c. s. || **2.** Perteneciente a esta nación de Europa.

Austrida. adj. p. us. **Austriaco.**

Austrino, na. (Del lat. *austrīnus.*) adj. ant. **Austral,** 1.er art.

Austrino, na. adj. p. us. De la casa de Austria; perteneciente a ella.

Austro. (Del lat. *auster, austri.*) m. Viento que sopla de la parte del Sur. || **2. Sur,** 1.ª acep.

Aután. (Del lat. *alid,* otro, y *tantum,* tanto.) adv. m. ant. Tanto o igualmente.

Autarquía. (Del gr. αὐτάρκεια.) f. Condición o calidad del ser que no necesita de otro para su propia subsistencia o desarrollo. || **2.** Independencia económica de un Estado.

Autárquico, ca. adj. Perteneciente o relativo a la autarquía económica.

Auténtica. (Del lat. *authentĭca,* t. f. de *-cus,* auténtico.) f. Despacho o certificación con que se testifica la identidad y verdad de alguna cosa, y especialmente de alguna reliquia o milagro. || **2.** Copia autorizada de alguna orden, carta, etc. || **3.** *For.* Cualquiera de las Constituciones recopiladas de orden de Justiniano después del Código, y también la parte dispositiva de cada una de ellas, trasladada en los títulos respectivos del mismo Código.

Autenticación. f. Acción y efecto de autenticar.

Auténticamente. adv. m. Con autenticidad o en forma que haga fe.

Autenticar. (De *auténtico.*) tr. Autorizar o legalizar alguna cosa. || **2.** Acreditar, dar fama.

Autenticidad. f. Calidad de auténtico.

Auténtico, ca. (Del lat. *authentĭcus,* y éste del gr. αὐθεντικός.) adj. Acreditado de cierto y positivo por los caracteres, requisitos o circunstancias que en ello concurren. || **2.** Autorizado o legalizado; que hace fe pública. || **3.** ant. Se aplicaba a los bienes o heredades sujetos u obligados a alguna carga o gravamen. || **4.** *For.* V. **Interpretación auténtica.** || **5.** *Mús.* V. **Modo auténtico.**

Autillo. (d. de *auto.*) m. Auto particular del tribunal de la Inquisición, a distinción del general.

Autillo. (Del lat. *avis* **ōtĕllus,* d. de *ōtus,* del gr. ὦτος.) m. Ave rapaz nocturna, parecida a la lechuza, pero algo mayor, de color pardo rojizo con manchas blancas, y las remeras y timoneras rayadas de gris y rojo.

Auto. (De *acto.*) m. *For.* Forma de resolución judicial, fundada, que decide cuestiones secundarias, previas o incidentales, para las que no se requiere sentencia. || **2.** desus. Escritura o documento. || **3.** Composición dramática de breves dimensiones y en que por lo común intervienen personajes bíblicos o alegóricos. || **4.** ant. Acto o hecho. Ú. en *Ar.* || **5.** pl. *For.* Conjunto de actuaciones o piezas de un procedimiento judicial. || **6.** *For.* V. **Pieza de autos.** || **Auto acordado.** *For.* Determinación que tomaba por punto general algún consejo o tribunal supremo con asistencia de todas las salas. || **de fe.** Castigo público de los penitenciados por el tribunal de la Inquisición. || **definitivo.** *For.* El que impide la continuación del pleito o deja resuelta alguna de las cuestiones litigiosas, aunque sea dictado incidentalmente. || **de legos.** *For.* Providencia o despacho que un tribunal superior expedía para que algún juez eclesiástico se inhibiera del conocimiento de una causa puramente civil y entre personas legas, remitiéndola al juez competente. || **de oficio.** *For.* El que provee el juez sin pedimento de parte. || **de providencia.** *For.* El que da el juez mandando lo que debe ejecutarse en algún caso, sin perjuicio del derecho de las partes; disposición que sólo dura hasta la definitiva. || **de tunda.** *For.* En los juzgados ordinarios de la corte, el que proveía el juez mandando de una vez diferentes cosas, como que alguno reconociera el vale, y reconocido, se le notificara que pagase, y que no haciéndolo, se le exigiera fianza de saneamiento, y que no dándola, se le pusiera preso. || **interlocutorio.** *For.* El que decide asunto incidental durante el curso del juicio. || **sacramental. Auto** dramático escrito en loor del misterio de la Eucaristía. || **Arrastrar los autos.** fr. *For.* **Arrastrar la causa.** || **Auto en favor.** loc. fig. y fam. Con tanta más razón. || **Constar de autos,** o **en autos.** fr. *For.* Hallarse probada en ellos alguna cosa. || **Estar** uno **en autos, o en los autos.** fr. fig. y fam. Estar enterado de alguna cosa. || **Estar,** o **ir,** uno **cosido a los autos.** fr. fig. y fam. Acompañar siempre a persona determinada. || **Hacer auto de fe** de una cosa. fr. fig. y fam. Quemarla. || **Lo que no está en los autos no está en el mundo.** *For.* fr. que expresa que los tribunales deben fallar por el resultado de las actuaciones y no por sus referencias privadas. || **Poner** a uno **en autos.** fr. fig. Enterarle de algún negocio.

Auto. (Del gr. αὐτός, mismo, propio.) Voz que se usa como prefijo con la significación de *propio, por uno mismo,* AUTO*sugestión.* || **2.** m. fam. **Automóvil.**

Autobiografía. (De *auto,* 2.° art., y *biografía.*) f. Vida de una persona escrita por ella misma.

Autobiográfico, ca. adj. Perteneciente o relativo a la autobiografía.

Autobiógrafo. m. Autor de una autobiografía.

Autobombo. (De *auto,* 2.° art., y *bombo.*) m. fest. Elogio desmesurado y público que hace uno de sí mismo.

Autocamión. m. Camión automóvil.

Autoclave. (De *auto,* 2.° art., y *clave.*) f. Aparato en forma de vasija cilíndrica, de paredes resistentes y con cubierta cerrada y atornillada herméticamente que, por medio del vapor a presión y temperaturas elevadas, sirve para destruir los gérmenes patógenos, esterilizando todos los objetos y substancias que se emplean en las operaciones y curas quirúrgicas.

Autocopista. f. Aparato que permite sacar varias copias de un escrito o dibujo, empleando para ello tinta especial y una prensa.

Autocracia. (Del gr. αὐτοκράτεια, de αὐτοκρατής, autócrata.) f. Sistema de gobierno en el cual la voluntad de un solo hombre es la suprema ley.

Autócrata. (Del gr. αὐτοκρατής; de αὐτός, uno mismo, y κράτος, poder, dominio.) com. Persona que ejerce por sí sola la autoridad suprema en un Estado. Se daba especialmente este título al emperador de Rusia.

Autocrático, ca. adj. Perteneciente o relativo al autócrata o a la autocracia.

Autocrítica. f. Crítica de una obra por su autor. ‖ **2.** Breve noticia crítica de una obra teatral, escrita por el autor de ella para que se publique antes del estreno.

Autoctonía. f. Calidad de autóctono.

Autóctono, na. (Del lat. *autochthŏnes,* y éste del gr. αὐτόχθων; de αὐτός, mismo, y χθών, tierra.) adj. Aplícase a los pueblos o gentes originarios del mismo país en que viven. Se dice también de los animales y plantas. Apl. a pers., ú. t. c. s.

Autodidacto, ta. (Del gr. αὐτοδίδακτος.) adj. Que se instruye por sí mismo, sin auxilio de maestro. Ú. t. c. s.

Autógeno, na. (Del gr. αὐτός, mismo, y γεννάω, producir.) adj. Dícese de la soldadura de metales que se hace, sin intermedio de materia extraña, fundiendo con el soplete de oxígeno y acetileno las partes por donde ha de hacerse la unión.

Autogiro. (De *auto,* 2.° art., y γῦρος, giro.) m. Aparato de aviación provisto de una hélice horizontal formada de grandes palas, articuladas en un eje vertical, y dispuestas para que giren por la acción del viento. Dichas palas sirven de planos de sustentación y permiten que el aparato tome tierra casi verticalmente.

Autografía. (Del gr. αὐτός, mismo, y γράφω, escribir, grabar.) f. Procedimiento por el cual se traslada un escrito hecho con tinta y en papel de condiciones especiales a un piedra preparada al efecto, para tirar con ella muchos ejemplares del mismo escrito. ‖ **2.** Oficina o dependencia donde se autografía.

Autografiar. tr. Reproducir un escrito por medio de la autografía.

Autográfico, ca. adj. Perteneciente o relativo a la autografía.

Autógrafo, fa. (Del lat. *autogrăphus,* y éste del gr. αὐτόγραφος; de αὐτός, uno mismo, y γράφω, escribir.) adj. Aplícase al escrito de mano de su mismo autor. Ú. t. c. s. m.

Autointoxicación. (De *auto,* 2.° art., e *intoxicación.*) f. Intoxicación del organismo por productos que él mismo elabora y que debían ser eliminados.

Autómata. (Del lat. *automăta,* t. f. de *-tus,* y éste del gr. αὐτόματος, espontáneo; de αὐτός, uno mismo, y μαίομαι, lanzarse.) m. Instrumento o aparato que encierra dentro de sí el mecanismo que le imprime determinados movimientos. ‖ **2.** Máquina que imita la figura y los movimientos de un ser animado. ‖ **3.** fig. y fam. Persona estúpida o excesivamente débil, que se deja dirigir por otra.

Automáticamente. adv. m. De manera automática.

Automático, ca. adj. Perteneciente o relativo al autómata. ‖ **2.** V. **Arma automática.** ‖ **3.** fig. Maquinal o indeliberado. ‖ **4.** m. Especie de corchete que se cierra sujetando el macho con los dientes de la hembra, que actúan como un resorte.

Automatismo. (Del gr. αὐτοματισμός, de αὐτοματίζω, obrar espontáneamente.) m. *Med.* Ejecución de actos diversos sin participación de la voluntad.

Automedonte. (Por alusión a *Automedonte,* conductor del carro de Aquiles.) m. fig. **Auriga,** 1.ª acep.

Automotor, ra. (De *auto,* 2.° art., y *motor.*) adj. Dícese de la máquina, instrumento o aparato que ejecuta determinados movimientos sin la intervención directa de una acción exterior. ‖ **2.** Apl. a vehículos de tracción mecánica, ú. t. c. s. m.

Automotriz. (De *auto,* 2.° art., y *motriz.*) adj. f. **Automotora.**

Automóvil. (De *auto,* 2.° art., y *móvil.*) adj. Que se mueve por sí mismo. Aplícase principalmente a los carruajes que pueden ser guiados para marchar por una vía ordinaria sin necesidad de carriles y llevan un motor, generalmente de explosión, que los pone en movimiento. Ú. m. c. s. m. ‖ **2.** V. **Torpedo automóvil.**

Automovilismo. m. Conjunto de conocimientos teóricos y prácticos referentes a la construcción, funcionamiento y manejo de vehículos automóviles. ‖ **2.** Ejercicio del que conduce un automóvil.

Automovilista. com. Persona que conduce un automóvil.

Automovilístico, ca. adj. Perteneciente o relativo al automovilismo.

Autonomía. (Del lat. *autonomĭa,* y éste del gr. αὐτονομία.) f. Estado y condición del pueblo que goza de entera independencia política. ‖ **2.** Condición del individuo que de nadie depende bajo ciertos conceptos. ‖ **3.** Potestad que dentro del Estado pueden gozar municipios, provincias, regiones u otras entidades de él, para regir intereses peculiares de su vida interior, mediante normas y órganos de gobierno propios. ‖ **4.** Capacidad máxima de un vehículo marítimo, aéreo o terrestre, para efectuar un recorrido ininterrumpido sin repostarse.

Autonómicamente. adv. m. De manera autónoma; con autonomía.

Autonómico, ca. adj. Perteneciente o relativo a la autonomía.

Autonomista. adj. Partidario de la autonomía política o que la defiende. Apl. a pers., ú. t. c. s.

Autónomo, ma. (Del gr. αὐτόνομος; de αὐτός, propio, y νόμος, ley.) adj. Que goza de autonomía.

Autopista. (De *auto,* 2.° art., 2.ª acep., y *pista,* 2.ª acep.) f. Camino especialmente acondicionado para el tránsito de vehículos automóviles.

Autoplastia. (Del gr. αὐτός, uno mismo, y πλαστός, formado; de πλάσσω, formar.) f. *Cir.* Operación que consiste en restaurar un tejido destruido o separado con otro tejido sano del mismo individuo.

Autopsia. (Del gr. αὐτοψία, acción de ver por los propios ojos.) f. *Med.* Examen anatómico del cadáver. ‖ **2.** fig. Examen analítico minucioso.

Autópsido, da. (Del gr. αὐτός, mismo, y ὄψις, vista.) adj. Dícese de los minerales que tienen aspecto metálico.

Autor, ra. (Del lat. *auctor, -ōris.*) m. y f. El que es causa de alguna cosa. ‖ **2.** El que la inventa. ‖ **3.** Persona que ha hecho alguna obra científica, literaria o artística. ‖ **4.** En las compañías cómicas, hasta principios del siglo XIX, el que cuidaba del gobierno económico de ellas y de la distribución de caudales. ‖ **5.** *For.* En lo criminal, persona que comete el delito, o fuerza o induce directamente a otras a ejecutarlo, o coopera a la ejecución por un acto sin el cual no se habría ejecutado. ‖ **6.** *For.* **Causante.** ‖ **7.** ant. *For.* **Actor,** 1.er art., 2.ª acep.

Autoría. f. Empleo de autor de las antiguas compañías cómicas.

Autoridad. (Del lat. *auctorĭtas, -ātis.*) f. Carácter o representación de una perna por su empleo, mérito o nacimiento. ‖ **2.** Potestad, facultad. ‖ **3.** Potestad que en cada pueblo ha establecido su constitución para que le rija y gobierne, ya dictando leyes, ya haciéndolas observar, ya administrando justicia. ‖ **4.** Poder que tiene una persona sobre otra que le está subordinada, como el padre sobre los hijos, el tutor sobre el pupilo, el superior sobre los inferiores. ‖ **5.** Persona revestida de algún poder, mando o magistratura. ‖ **6.** Crédito y fe que, por su mérito y fama, se da a una persona o cosa en determinada materia. ‖ **7.** Ostentación, fausto, aparato. ‖ **8.** Texto, expresión o conjunto de expresiones de un libro o escrito, que se citan o alegan en apoyo de lo que se dice. ‖ **Pasado en autoridad de cosa juzgada.** loc. *For.* Se dice de lo que está ejecutado. ‖ **2.** fig. Se dice de cualquiera cosa que se da por sabida y de que es ocioso tratar.

Autoritariamente. adv. m. De modo autoritario, imperiosamente.

Autoritario, ria. adj. Que se funda exclusivamente en la autoridad. ‖ **2.** Partidario extremado del principio de autoridad. Ú. t. c. s.

Autoritarismo. (De *autoritario.*) m. Sistema fundado en la sumisión incondicional a la autoridad.

Autoritativo, va. (Del lat. *auctorĭtas, -ātis,* autoridad.) adj. p. us. Que incluye o supone autoridad.

Autorizable. adj. Que se puede autorizar.

Autorización. f. Acción y efecto de autorizar. ‖ **previa.** *For.* En algunos sistemas políticos y procesales, la que se reserva el gobierno para impedir o permitir el procesamiento de sus subordinados por hechos que ejecutan como funcionarios.

Autorizadamente. adv. m. Con autoridad. ‖ **2.** Con autorización.

Autorizado, da. p. p. de **Autorizar.** ‖ **2.** adj. Dícese de la persona respetada o digna de respeto por sus cualidades o circunstancias.

Autorizador, ra. adj. Que autoriza. Ú. t. c. s.

Autorizamiento. m. **Autorización.**

Autorizante. p. a. de **Autorizar.** Que autoriza.

Autorizar. (De *autor.*) tr. Dar a uno autoridad o facultad para hacer alguna cosa. ‖ **2.** Dar fe el escribano o notario en un documento. ‖ **3.** Confirmar, comprobar una cosa con autoridad, texto o sentencia de algún autor. ‖ **4.** Aprobar o abonar. ‖ **5.** Dar importancia y lustre a una persona o cosa.

Autorretrato. (De *auto,* 2.° art., y *retrato.*) m. Retrato de una persona hecho por ella misma.

Autosugestión. (De *auto,* 2.° art., y *sugestión.*) f. *Med.* Sugestión que nace espontáneamente en una persona, independientemente de toda influencia extraña.

Autrigón, na. (Del lat. *autrigōnes.*) adj. Dícese del individuo de un antiguo pueblo que en el norte de España ocupó el territorio que media entre Bilbao y la ría de Oriñón, Medina de Pomar y Miranda de Ebro, Haro y Briviesca. Ú. m. c. s. m. y en pl. ‖ **2.** Perteneciente a este pueblo.

Autumnal. (Del lat. *autumnālis.*) adj. Otoñal.

Auxiliador, ra. (Del lat. *auxiliātor.*) adj. Que auxilia. Ú. t. c. s.

Auxiliante. p. a. de **Auxiliar.** Que auxilia.

Auxiliar. (Del lat. *auxiliāris.*) adj. Que auxilia. Ú. t. c. s. ‖ **2.** V. **Obispo auxiliar.** ‖ **3.** *Gram.* V. **Verbo auxiliar.** Ú. t. c. s. ‖ **4.** m. En los ministerios y otras dependencias del Estado, funcionario técnico o administrativo de categoría subalterna. ‖ **5.** Profesor encargado de substituir a los catedráticos en ausencias y enfermedades.

Auxiliar. (Del lat. *auxiliāre.*) tr. Dar auxilio. ‖ **2.** Ayudar a bien morir.

Auxiliaría. f. Empleo de auxiliar, 5.ª acep.

Auxiliatorio, ria. (De *auxiliar,* 2.° art.) adj. *For.* Aplícase al despacho o provisión que se daba por los tribunales superiores, para que se obedecieran y cumplieran los mandatos y providencias de los inferiores y de otros tribunales y jueces. Ú. t. c. s. f.

Auxilio. (Del lat. *auxilium.*) m. Ayuda, socorro, amparo. ‖ **2.** V. **Denegación de auxilio.** ‖ **Impartir el auxilio.** fr. *For.* Prestar auxilio o socorro una jurisdicción o autoridad a otra.

Avacado, da. adj. Dícese de la caballería parecida a la vaca en que tiene mucho vientre y pocos bríos.

Avadar. intr. Menguar los ríos y arroyos tanto, que se puedan vadear. Ú. m. c. r. ‖ **2.** ant. fig. Sosegarse, mitigarse una pasión. Usáb. m. c. r.

Avahado, da. p. p. de **Avahar.** ‖ **2.** adj. ant. Se aplicaba al sitio o paraje falto de ventilación, y que por esto abundaba de vapores.

Avahar. tr. Echar vaho, dirigiéndolo hacia una persona o cosa. ‖ **2.** Calentar con el vaho alguna cosa. ‖ **3.** intr. Echar de sí o despedir vaho. Ú. t. c. r.

Aval. (Del fr. *aval,* y éste del lat. *ad vallem,* abajo.) m. *Com.* Firma que se pone al pie de una letra u otro documento de crédito, para responder de su pago en caso de no efectuarlo la persona principalmente obligada a él. ‖ **2.** Escrito en que uno responde de la conducta de otro, especialmente en materia política.

Avalar. tr. Garantizar por medio de aval.

Avalentado, da. adj. Propio del valentón; como el traje, el aire en el andar, etc.

Avalentamiento. m. p. us. Bravuconada, alarde de valentía.

Avalentar. tr. Dar ánimos; envalentonar. Ú. m. c. r.

Avalentonado, da. adj. **Valentón.**

Avaliar. (De *a* y *valía.*) tr. ant. **Valuar.**

Avalío. (De *avaliar.*) m. ant. **Avalúo.**

Avalista. com. Persona que avala.

Avalorar. tr. Dar valor o precio a alguna cosa. ‖ **2.** Aumentar el valor o la estimación de una cosa. ‖ **3.** fig. Infundir valor o ánimo.

Avaluación. f. **Valuación.**

Avaluar. tr. **Valuar.**

Avalúo. (De *avaluar.*) m. **Valuación.**

Avallar. tr. p. us. Cerrar con valla una heredad.

Avambrazo. (De *aván,* por *avante,* adelante, y *brazo.*) m. Pieza del arnés o armadura antigua, que servía para cubrir y defender el antebrazo.

Avampiés. (Del fr. *avant-pied,* y éste del lat. *ab ante pedem.*) m. ant. Parte de la polaina o botín, que cubre el empeine del pie.

Avancarga (De). (De *aván,* por *avante,* y *carga.*) loc. Se dice de las armas de fuego que se cargan por la boca.

Avance. m. Acción de avanzar, 1.ª y 2.ª aceps. ‖ **2.** Anticipo de dinero. ‖ **3.** En ciertos coches, parte anterior de la caja, que es de quita y pon, a voluntad de los que los usan. ‖ **4. Avanzo,** 1.ª y 2.ª aceps. ‖ **5.** *Chile.* Juego de pelota en campo raso y abierto, de modo que cada adversario pueda avanzar con ella hasta hacerla pasar del término propuesto.

Avandicho, cha. (De *aván,* por *avante,* y *dicho.*) adj. ant. **Sobredicho.**

Avanecerse. (De *a,* 2.° art., y *vano.*) r. **Acorcharse.** Dícese de la fruta.

Avanguarda. f. desus. *Mil.* **Avanguardia.**

Avanguardia. (De *aván,* por *avante,* y *guardia.*) f. desus. *Mil.* **Vanguardia.**

Avantal. (De *avante.*) m. **Devantal.**

Avante. (Del lat. *ab ante.*) adv. l. y t. ant. **Adelante.** Hoy tiene uso en *Sal.* y en la marina. ‖ **2.** *Mar.* V. **Orza de avante.**

Avantrén. (Del fr. *avant-train.*) m. Juego delantero de los carruajes de que se sirve la artillería.

Avanzada. f. Partida de soldados destacada del cuerpo principal, para observar de cerca al enemigo y precaver sorpresas.

Avanzado, da. p. p. de **Avanzar.** ‖ **2.** adj. V. **Edad avanzada.** ‖ **3.** De ideas políticas radicales en sentido liberal y democrático. Ú. t. c. s.

Avanzar. (Del lat. **abantiāre,* de *ab ante.*) tr. p. us. Adelantar, mover o prolongar hacia adelante. ‖ **2.** intr. Ir hacia adelante, especialmente las tropas. Ú. t. c. r. ‖ **3.** Tratándose de tiempo, acercarse a su fin. Ú. t. c. r. ‖ **4.** ant. Entre mercaderes y tratantes, sobrar de las cuentas alguna cantidad. ‖ **5.** fig. Adelantar, progresar o mejorar en la acción, condición o estado.

Avanzo. (De *avanzar.*) m. **Balance,** 3.ª acep. ‖ **2. Presupuesto,** 4.ª acep. ‖ **3.** ant. Sobra o alcance en las cuentas.

Avaramente. adv. m. **Avariciosamente.**

Avaricia. (Del lat. *avaritia.*) f. Afán desordenado de poseer y adquirir riquezas para atesorarlas.

Avariciar. tr. ant. Desear con avaricia. Usáb. t. c. intr.

Avariciosamente. adv. m. Con avaricia.

Avaricioso, sa. (De *avaricia.*) adj. **Avariento.**

Avarientamente. adv. m. **Avariciosamente.**

Avarientez. (De *avariento.*) f. ant. **Avaricia.**

Avariento, ta. (De *avaro.*) adj. Que tiene avaricia. Ú. t. c. s. ‖ **El avariento, do tiene el tesoro tiene el entendimiento.** ref. que denota el gran apego que tienen los **avarientos** al dinero. ‖ **Piensa el avariento que gasta por uno, y gasta por ciento.** ref. que advierte que el excesivo ahorro suele ocasionar al **avariento** mayores gastos.

Avaro, ra. (Del lat. *avārus,* de *avēre,* desear con ansia.) adj. **Avariento.** Ú. t. c. s. ‖ **2.** fig. Que reserva, oculta o escatima alguna cosa.

Avasallador, ra. adj. Que avasalla. Ú. t. c. s.

Avasallamiento. m. Acción y efecto de avasallar o avasallarse. ‖ **2.** ant. **Vasallaje.**

Avasallar. (De *a,* 2.° art., y *vasallo.*) tr. Sujetar, rendir o someter a obediencia. ‖ **2.** r. Hacerse súbdito o vasallo de algún rey o señor. ‖ **3.** Sujetarse, someterse por impotencia o debilidad al que tiene poder o valimiento.

Ave. (Del lat. *avis.*) f. *Zool.* Animal vertebrado, ovíparo, de respiración pulmonar y sangre de temperatura constante, pico córneo, cuerpo cubierto de plumas, con dos patas y dos alas aptas por lo común para el vuelo. En el estado embrionario tiene amnios y alantoides. ‖ **2.** pl. *Zool.* Clase de estos animales. ‖ **Ave brava. Ave silvestre.** ‖ **de cuchar,** o **de cuchara. Cuchareta,** 5.ª acep. ‖ **del Paraíso.** Pájaro exótico, del tamaño de la codorniz, de color rojizo, con cabeza dorada y garganta azul; las plumas de sus alas son muy abundantes, filiformes, doble de largas que el cuerpo, y de color amarillo que se va cambiando en rojo hacia la punta. ‖ **2.** *Astron.* Constelación situada entre el Triángulo y la Abeja. ‖ **de paso.** La que, siendo migratoria, se detiene en una localidad solamente el tiempo necesario para descansar y comer durante sus viajes periódicos. ‖ **2.** fig. y fam. Persona que se detiene poco en pueblo o sitio determinado. ‖ **de rapiña.** *Zool.* Cualquiera de las carnívoras que tienen pico y uñas muy robustos, encorvados y puntiagudos; como el águila y el buitre. ‖ **2.** fig. y fam. Persona que se apodera con violencia o astucia de lo que no es suyo. ‖ **de ribera.** Cualquiera de las pertenecientes al orden de las zancudas. ‖ **fénix.** *Astron.* Constelación austral situada al sur de la Grulla. ‖ **fría. Ave** zancuda que, en España, vive únicamente durante el otoño y el invierno: es de unos 20 centímetros de largo, de color verde obscuro, con alas y pico negros, timoneras externas blancas, tarsos largos y delgados, y en la cabeza un moño de cinco o seis plumas, que se encorvan en la punta. ‖ **2.** fig. y fam. Persona de poco espíritu y viveza. ‖ **lira.** Pájaro dentirrostro, originario de Australia, del tamaño de una gallina, en cuyo plumaje predominan los matices pardos. El macho tiene una magnífica cola, erguida, compuesta de 16 plumas, de las que las dos laterales son muy largas, anchas y encarnadas y forman en conjunto la figura de una lira. ‖ **migratoria.** La que cada año hace un largo viaje, en primavera o en otoño, a partir del lugar donde nidifica, y retorna a éste en el otoño o en la primavera siguiente. ‖ **pasajera. Ave de paso,** 1.ª acep. ‖ **rapaz. Ave de rapiña,** 1.ª acep. ‖ **Ave rapiega. Ave de rapiña,** 1.ª acep. ‖ **ratera.** La que va volando muy cerca de la tierra. ‖ **silvestre.** La que huye de poblado y nunca o rara vez se domestica. ‖ **tonta.** Pájaro indígena de España, del tamaño del gorrión, de color pardo verdoso por encima y amarillento por el pecho y abdomen, siendo las alas y cola casi negras. Hace sus nidos en tierra, y se deja coger con mucha facilidad. ‖ **zonza. Ave tonta.** ‖ **2.** fig. y fam. Persona descuidada, simple, tarda y sin viveza. ‖ **Al ave de paso, cañazo.** ref. que aconseja no tener trato íntimo con forasteros o transeúntes. ‖ **Ave de albarda, señal de tierra que nunca yerra.** ref. con que se da a entender que alguna cosa es tan evidente que no tiene duda. ‖ **2.** Empléase también para zaherir al que, después de haber discurrido largamente, dice lo que todos saben o conocen. ‖ **Ave de cuchar, más come que val. Ave de cuchar, nunca en mi corral.** refs. que denotan la poca utilidad de estas **aves.** ‖ **De las aves, la mejor es el ave de tuyo.** ref. con que se moteja así al miserable y avaro, como al pródigo o generoso en demasía. **Ave de tuyo** es juego de palabras, por *habe de tuyo,* ten de lo tuyo y no de lo ajeno; sé rico de tus cosas. ‖ **De las aves que alzan el rabo, la peor es el jarro.** ref. que denota las fatales consecuencias de la embriaguez. ‖ **Ser uno una ave.** fr. fig. y fam. Ser muy ligero o veloz.

Avecilla. (Del lat. *avicella.*) f. d. de **Ave.** ‖ **de las nieves. Aguzanieves.**

Avecinar. (De *a,* 2.° art., y *vecino.*) tr. **Acercar.** Ú. m. c. r. ‖ **2. Avecindar,** 1.ª acep. Ú. m. c. r.

Avecindamiento. m. Acción y efecto de avecindarse. ‖ **2.** Lugar en que uno está avecindado.

Avecindar. tr. Dar vecindad o admitir a alguno en el número de los vecinos de un pueblo. || **2.** r. Establecerse en algún pueblo en calidad de vecino. || **3.** fig. Arraigar o estar de asiento una persona o cosa. || **4.** p. us. Avecinarse, acercarse.

Avechucho. m. Ave de figura desagradable. || **2.** fig. y fam. Sujeto despreciable por su figura o costumbres.

Avefría. f. **Ave fría,** 1.ª acep.

Avejar. tr. ant. **Vejar.**

Avejentar. tr. Poner a alguno sus males, o cualquiera otra causa, en estado de parecer viejo antes de serlo por la edad. Ú. m. c. r.

Avejigar. tr. Levantar vejigas sobre alguna cosa. Ú. t. c. intr. y c. r.

Avelar. tr. ant. Poner a la vela el buque.

Avelenar. tr. ant. **Avenenar.**

Avellana. (Del lat. *abellāna* [*nux*], de *Abella*, ciudad de Campania.) f. Fruto del avellano: es casi esférico, de unos dos centímetros de diámetro, con corteza dura, delgada y de color de canela, dentro de la cual, y cubierta con una película rojiza, hay una carne blanca, aceitosa y de gusto agradable. || **2.** Carbón mineral de la cuenca de Puertollano, lavado y clasificado, cuyos trozos han de tener un tamaño reglamentario comprendido entre 15 y 25 milímetros. || **de la India,** o **índica. Mirobálano.**

Avellanador. m. Barrena cuya rosca está substituida por una cabecilla de forma de avellana y estriada, la cual suele emplearse para ensanchar o alisar los taladros o barrenos.

Avellanal. m. **Avellanar,** 1.er art.

Avellanar. m. Sitio poblado de avellanos.

Avellanar. (De *avellana*.) tr. Ensanchar en una corta porción de su longitud los agujeros para los tornillos, a fin de que la cabeza de éstos quede embutida en la pieza taladrada. || **2.** r. Arrugarse y ponerse enjuta, como las avellanas secas, una persona o cosa.

Avellanate. (Del cat. *avellanat*, de *avellana*.) m. Guiso o pasta con avellanas.

Avellaneda. (De *avellana*, con el suf. *-eda*, del lat. *-ēta*, pl. de *-ētum*.) f. **Avellanar,** 1.er art.

Avellanedo. (De *avellano*, con el suf. *-edo*, del lat. *-ētum*.) m. **Avellaneda.**

Avellanera. f. **Avellano,** 1.ª acep. || **2.** La que vende avellanas.

Avellanero. m. El que vende avellanas.

Avellano. (De *avellana*.) m. *Bot.* Arbusto de la familia de las betuláceas, de tres a cuatro metros de altura, bien poblado de tallos, hojas anchas, acorazonadas en la base, pecioladas y aserradas por el margen; flores masculinas y femeninas en la misma o en distintas ramas, y cuyo fruto es la avellana. La madera de esta planta es dura y correosa, y muy usada para aros de pipas y barriles. || **2.** Madera de este árbol. || **3.** Árbol de la isla de Cuba, de la familia de las euforbiáceas, de madera tierna, viscosa y blanca; hojas alternas y flores verdosas e inodoras, de cinco pétalos. Su fruto es una baya de tres cavidades con sendas almendras blancas, de sabor algo semejante al de la avellana, y del jugo de su tronco se obtiene goma elástica.

Avemaría. (Del lat. *ave*, voz empleada como salutación, y *María*, nombre de la Virgen.) f. Oración compuesta de las palabras con que el Arcángel San Gabriel saludó a Nuestra Señora, de las que dijo Santa Isabel y de otras que añadió la Iglesia. || **2.** Cada una de las cuentas pequeñas del rosario, llamada así porque al pasarla se reza aquella oración. || **3. Ángelus.** || **Al avemaría.** m. adv. **Al anochecer.** Dícese así por la costumbre que hay de tocar a estas horas las campanas y rezar la salutación angélica en memoria de la Encarnación del Verbo Divino. || **En una avemaría.** loc. fig. y fam. En un instante. || **Saber** uno **como el avemaría** alguna cosa. fr. fig. y fam. Tenerla en la memoria con tanta claridad y orden que puntualmente pueda referirla.

¡Ave María! exclam. con que se denota asombro o extrañeza. || **2.** Úsase también como saludo al llamar a una puerta o entrar en una casa. || **¡Ave María Purísima!** exclam. **¡Ave María!**

Avena. (Del lat. *avēna*.) f. Planta anua de la familia de las gramíneas, con cañas delgadas, guarnecidas de algunas hojas estrechas, y flores en panoja radiada, con una arista torcida, más larga que la flor, inserta en el dorso del cascabillo. Se cultiva para alimento. || **2.** Conjunto de granos de esta planta. || **3.** poét. **Zampoña,** 1.ª acep. || **caballuna.** Especie muy parecida a la loca, pero que tiene todos los ramos de la panoja a un solo lado. || **loca. Ballueca.** || **morisca.** *Cád.* **Avena loca.**

Avenado, da. p. p. de **Avenar.** || **2.** adj. Que tiene vena de loco.

Avenado, da. adj. ant. Perteneciente a la avena o que tiene avena.

Avenamiento. m. Acción y efecto de avenar.

Avenar. (De *a*, 2.° art., y *vena*.) tr. Dar salida y corriente a las aguas muertas o a la excesiva humedad de los terrenos, por medio de zanjas o cañerías.

Avenate. m. Bebida fresca y pectoral, hecha de avena mondada, cocida en agua, y molida a manera de almendrada.

Avenate. (De *a*, 2.° art., y *vena*.) m. *And.* Arranque de locura.

Avenedizo, za. adj. ant. **Advenedizo.**

Avenenar. (De *a*, 2.° art., y *veneno*.) tr. **Envenenar.**

Avenencia. (De *avenir*.) f. Convenio, transacción. || **2.** Conformidad y unión. || **Más vale mala avenencia que buena sentencia.** ref. que advierte la utilidad que se sigue de componer los pleitos y diferencias, aunque haya derecho.

Avenencia. f. p. us. **Venencia.**

Avenenteza. (Del lat. *advĕniens, -entis*, que se acerca.) f. ant. Ocasión, coyuntura, oportunidad.

Avenible. adj. Fácil de avenirse o concertarse.

Aveníceo, a. adj. Perteneciente a la avena.

Avenida. (De *avenir*.) f. Creciente impetuosa de un río o arroyo. || **2.** Camino que conduce a un pueblo o paraje determinado. || **3.** Vía ancha con árboles a los lados. || **4.** fig. Concurrencia de varias cosas. || **5.** *Ar.* **Avenencia,** 1.er art. || **6.** *Mil.* Desfiladero, barranco, camino, puente, etc., que conduce a una plaza fuerte, campamento o posición.

Avenidero, ra. adj. ant. **Advenidero.**

Avenidizo, za. adj. ant. **Advenedizo.**

Avenido, da. p. p. de **Avenir.** || **2.** adj. Con los advs. *bien* o *mal*, concorde o conforme con personas o cosas, o al contrario.

Avenidor, ra. (De *avenir*.) adj. Que media entre dos o más sujetos, para componer sus diferencias o discordias. Ú. t. c. s.

Aveniente. p. a. de **Avenir.** Que aviene.

Avenimiento. m. Acción y efecto de avenir o avenirse. || **2.** ant. **Advenimiento.** || **3.** ant. Caso o suceso. || **4.** ant. Avenida de aguas.

Avenir. (Del lat. *advenīre*; de *ad*, a, y *venīre*, venir.) tr. Concordar, ajustar las partes discordes. Ú. m. c. r. || **2.** intr. **Suceder,** 4.ª acep. Ú. en el infinit. y en las terceras personas de sing. y pl. || **3.** ant. Concurrir, juntarse. || **4.** ant. Hablando de los ríos o arroyos, salir de madre o tener avenidas. || **5.** r. Componerse o entenderse bien con alguna persona o cosa. || **6.** Ajustarse, ponerse de acuerdo en materia de opiniones o pretensiones. || **7.** Amoldarse, hallarse a gusto, conformarse o resignarse con algo. || **8.** Hablándose de cosas, hallarse en armonía o conformidad. || **Allá se las avenga,** o **avengan,** o **se lo avenga,** o **avengan,** o **te las avengas,** o **te lo avengas.** locs. fams. **Allá se las haya,** o **hayan,** etcétera.

Aventadero. m. ant. Sitio donde se avienta. || **2.** ant. **Aventador,** 2.ª, 3.ª y 4.ª aceps. || **3.** ant. **Mosqueador,** 1.ª acep.

Aventado, da. p. p. de **Aventar.** || **2.** adj. p. us. Dícese del que tiene anchas las ventanas de la nariz, o a quien se le hinchan las narices.

Aventador, ra. adj. Dícese del que avienta y limpia los granos. Ú. t. c. s. || **2.** Aplícase a la máquina o instrumento que se emplea con este fin. Ú. t. c. s. || **3.** m. **Bieldo.** || **4.** Soplillo, mosqueador o abanico. || **5.** *Min.* Válvula de suela, colocada en la parte superior del tubo de aspiración de las bombas.

Aventadura. (De *aventar*.) f. Enfermedad de las caballerías, que consiste en levantarse la carne y formarse hinchazón y tumor.

Aventaja. (Del fr. *avantage*, y éste del lat. **abantaticum*, de *ab ante*.) f. ant. **Ventaja.** || **2.** pl. *For. Ar.* **Adventajas.**

Aventajadamente. adv. m. Con ventaja.

Aventajado, da. p. p. de **Aventajar.** || **2.** adj. Que aventaja a lo ordinario o común en su línea; notable, digno de llamar la atención. || **3.** Ventajoso, provechoso, conveniente. || **4.** m. Antiguamente, soldado raso que por merced particular tenía alguna ventaja en el sueldo.

Aventajamiento. (De *aventajar*.) m. **Ventaja.**

Aventajar. tr. Adelantar, poner en mejor estado, conceder alguna ventaja o preeminencia. Ú. t. c. r. || **2.** Anteponer, preferir. || **3.** Mejorar a uno o ponerlo en mejor estado. Ú. t. c. r.

Aventamiento. m. Acción de aventar.

Aventar. (De *a*, 2.° art., y *viento*.) tr. Hacer o echar aire a alguna cosa. || **2.** Echar al viento alguna cosa. Dícese ordinariamente de los granos que se limpian en la era. || **3.** Impeler el viento alguna cosa. || **4.** fig. y fam. Echar o expulsar. Dícese más comúnmente de las personas. || **5.** *Cuba.* En los ingenios, exponer el azúcar al aire y al sol. || **6.** intr. ant. Resollar por las narices. || **7.** r. Llenarse de viento algún cuerpo. || **8.** fig. y fam. Huirse, escaparse. || **9.** *Extr.* Tratándose de carnes comestibles, oler mal o empezar a corromperse.

Aventear. tr. ant. **Ventear.**

Aventura. (Del lat. *adventūra*, t. f. del p. f. de *advenīre*, llegar, suceder.) f. Acaecimiento, suceso o lance extraño. || **2.** Casualidad, contingencia. || **3.** Riesgo, peligro inopinado.

Aventurado, da. p. p. de **Aventurar.** || **2.** adj. Arriesgado, atrevido, inseguro. || **3.** ant. Venturoso, afortunado.

Aventurar. (De *aventura*.) tr. Arriesgar, poner en peligro. Ú. t. c. r. || **2.** Decir alguna cosa atrevida o de la que se tiene duda o recelo.

Aventureramente. adv. m. **A la ventura.** || **2.** A modo de aventurero.

Aventurero, ra. adj. Que busca aventuras. Ú. t. c. s. || **2.** V. **Caballero aventurero.** Ú. t. c. s. || **3.** V. **Estómago aventurero.** || **4.** Que voluntariamente tomaba parte en las justas o torneos. Ú. t. c. s. || **5.** Que entraba voluntariamente en la milicia y servía a su costa al rey. Ú. t. c. s. ‖ **6.** Dícese del soldado o gente colecticia y mal disciplinada de la antigua milicia. Ú. t. c. s. ‖ **7.** Que sin obligación va a vender comestibles u otros géneros a algún lugar. Ú. t. c. s. ‖ **8.** Aplícase a la persona de obscuros o malos antecedentes, sin oficio ni profesión, que por medios desconocidos o reprobados trata de conquistar en la sociedad un puesto que no le corresponde. Ú. m. c. s. ‖ **9.** *Cuba.* Dícese del maíz, arroz, etc., que se produce fuera del tiempo apropiado para su cultivo. ‖ **10.** *Méj.* Dícese del trigo que se siembra de secano. ‖ **11.** m. *Méj.* Mozo que los tratantes en bestias, especialmente en mulas, alquilan para que los ayude a conducirlas, y una vez vendidas, lo despiden. ‖ **12.** *Mar.* Aspirante sin sueldo ni uniforme, que alternaba a bordo con los guardias marinas.

Averar. tr. ant. **Adverar.**

Averdugar. (De *a*, 2.° art., y *verdugo*.) tr. *Veter.* Apretar o ajustar con exceso, hasta causar lesión o daño. Dícese especialmente hablando de las herraduras.

Avergonzadamente. adv. m. ant. **Vergonzosamente.**

Avergonzado, da. p. p. de **Avergonzar.** ‖ **2.** adj. ant. **Vergonzante.**

Avergonzamiento. m. ant. Acción y efecto de avergonzar o avergonzarse.

Avergonzar. tr. Causar vergüenza. ‖ **2.** fig. Superar en perfección o dejar atrás a una cosa. ‖ **3.** r. Tener vergüenza o sentirla.

Avergoñar. tr. ant. **Avergonzar.**

Avería. f. Casa o lugar donde se crían aves. ‖ **2. Averío.**

Avería. (Del ár. *al-ʿawāriyya*, las mercaderías estropeadas.) f. Daño que padecen las mercaderías o géneros. ‖ **2. Derecho de avería.** ‖ **3.** fam. Azar, daño o perjuicio. ‖ **4.** *Mar.* Daño que por cualquier causa sufre la embarcación o su carga. ‖ **gruesa.** Daño o gasto causado deliberadamente en el buque o en el cargamento, para salvarlos o para preservar otros buques, pagadero por cuantos tienen interés en el salvamento que se ha procurado. ‖ **simple.** La que no afecta a todos los interesados en el riesgo o salvamento. ‖ **vieja.** En la Casa de la Contratación de Indias, derecho y repartimiento que se hacía para satisfacer el descubierto en que estaban las arcas de la **avería,** 2.ª acep.

Averiarse. (De *avería*, 2.° art.) r. Maltratarse o echarse a perder alguna cosa. Dícese más comúnmente de las mercaderías.

Averiguable. adj. Que se puede averiguar.

Averiguación. f. Acción y efecto de averiguar.

Averiguadamente. adv. m. **Seguramente.**

Averiguador, ra. adj. Que averigua. Ú. t. c. s.

Averiguamiento. m. **Averiguación.**

Averiguar. (Del lat. *ad*, a, y *verificāre*; de *verum*, verdadero, y *facĕre*, hacer.) tr. Inquirir la verdad hasta descubrirla. ‖ **Averiguarse con** alguno. fr. fam. Avenirse con él, sujetarle o reducirle a la razón. *No hay quien* SE AVERIGÜE CON *Manuel.*

Averío. (Del lat. *habēre*, tener, con la term. *-ío* de *cabrío*, etc.) m. Copia o conjunto de muchas aves.

Averno. (Del lat. *avernus*.) m. poét. **Infierno,** 1.ª acep. ‖ **2.** *Mit.* **Infierno,** 4.ª acep.

Averno, na. (Del lat. *avernus*.) adj. Perteneciente o relativo al averno.

Averroísmo. m. Sistema o doctrina del filósofo árabe Averroes, natural de Córdoba, y especialmente su opinión sobre la unidad del entendimiento agente en todos los hombres.

Averroísta. adj. Que profesa el averroísmo. Apl. a pers., ú. t. c. s.

Averrugado, da. adj. Que tiene muchas verrugas.

Aversar. (Del lat. *aversāri*, intens. de *avertĕre*, apartar, desechar.) tr. ant. Repugnar, contradecir, manifestar aversión a alguna cosa.

Aversario, ria. adj. ant. **Adversario.** ‖ **2.** m. y f. ant. **Adversario, ria.**

Aversión. (Del lat. *aversio, -ōnis*.) f. Oposición y repugnancia que se tiene a alguna persona o cosa.

Averso, sa. (Del lat. *aversus*.) adj. ant. Opuesto y contrario. ‖ **2.** ant. Malo, perverso.

Avés. (Del lat. *ad vix*, apenas.) adv. m. ant. **Abés.**

Avesta. m. Nombre con que se designan los libros sagrados de los antiguos persas.

Avestruz. (Del lat. *avis strūthius*, y éste del gr. στροῦθος.) m. Ave del orden de las corredoras, la mayor de las conocidas, pues llega a dos metros de altura: tiene sólo dos dedos en cada pie, las piernas largas y robustas, la cabeza y el cuello casi desnudos, el plumaje suelto y flexible, negro en el macho, gris en la hembra, y blancas en ambos las remeras y timoneras. Habita en el África y en la Arabia. ‖ **de América. Ñandú.** ‖ **Ea, sus, y traga el avestruz.** ref. con que se reprende a los hipócritas que, notando los más leves defectos del prójimo, cometen enormes delitos o desaciertos.

Avetado, da. adj. Veteado, que tiene vetas.

Avetarda. (Del lat. *avis tarda*, ave torpe, pesada.) f. **Avutarda.**

Avetoro. (Tal vez del lat. *botaurus*, nombre científico de este pájaro.) m. *Zool.* Ave zancuda parecida a la garza, de color leonado con pintas pardas, cabeza negra y alas con manchas transversales negruzcas.

Aveza. (De *veza*, con la *a* del art. *la*.) f. *Ar.* **Arveja.**

Avezadura. (De *avezar*.) f. ant. **Costumbre,** 1.ª acep.

Avezar. (De *a*, 2.° art., y *vezar*, del lat. *vitiāre*, enviciar, infl. en la significación por el ant. *avesar*, del lat. *versāri*, acostumbrar.) tr. **Acostumbrar.** Ú. t. c. r.

Aviación. (De *ave*.) f. Locomoción aérea por medio de aparatos más pesados que el aire. ‖ **2.** Cuerpo militar que utiliza este medio de locomoción para la guerra. ‖ **civil.** La que no está afecta a servicios militares. ‖ **comercial.** La que se destina al transporte de mercancías. ‖ **de transporte.** La que se destina al de viajeros y mercancías.

Aviador, ra. adj. Dícese de la persona provista de licencia para gobernar un aparato de aviación. Ú. t. c. s. ‖ **2.** m. Individuo que presta servicio en la aviación militar.

Aviador, ra. adj. Que avía, dispone o prepara una cosa. Ú. t. c. s. ‖ **2.** m. Barrena que usan los calafates. ‖ **3.** *Amér.* El que costea labores de minas. ‖ **4.** *Amér.* El que presta dinero o efectos a labrador, ganadero o minero.

Aviajado, da. adj. *Arq.* V. **Arco aviajado.**

Aviamiento. (De *aviar*, 1.er art.) m. **Avío,** 1.ª acep.

Aviar. (Del lat. *ad*, para, y *via*, camino.) tr. Prevenir o disponer alguna cosa para el camino. ‖ **2.** fam. Alistar, aprestar, arreglar, componer. AVIAR *a una persona;* AVIAR *una habitación.* Ú. t. c. r. ‖ **3.** fam. Despachar, apresurar y avivar la ejecución de lo que se está haciendo. *Vamos* AVIANDO. ‖ **4.** fam. Proporcionar a uno lo que le hace falta para algún fin, y especialmente dinero. Ú. t. c. r. ‖ **5.** *Amér.* Prestar dinero o efectos a labrador, ganadero o minero. ‖ **6.** *Chile.* Costear las labores de una mina para que continúe la explotación de la misma, con el fin de resacirse de los préstamos hechos a su dueño. ‖ **7.** r. ant. Encaminarse o dirigirse a alguna parte. Usáb. t. c. tr. ‖ **Estar uno aviado.** fr. fig. y fam. Estar rodeado de dificultades o contratiempos.

Aviar. adj. **Aviario.**

Aviario, ria. adj. Dícese de las enfermedades de las aves domésticas. *Peste* AVIARIA.

Avica. (d. de *ave*.) f. *Ál.* **Reyezuelo,** 2.ª acep.

Avicena. n. p. de un célebre médico árabe. **Más vale un no cena que cien Avicenas.** ref. **Más mato la cena, que sanó Avicena.**

Aviciar. tr. ant. **Enviciar.** Usáb. t. c. r. ‖ **2.** *Sal.* Abonar la tierra; estercolar. ‖ **3.** *Agr.* Dar vicio y frondosidad a las plantas.

Avícola. (Del lat. *avis*, ave, y *colĕre*, cultivar.) adj. Perteneciente o relativo a la avicultura.

Avicultor, ra. (Del lat. *avis*, ave, y *cultor*, que cultiva.) m. y f. Persona que se dedica a la cría y fomento de aves para aprovechar sus productos.

Avicultura. (Del lat. *avis*, ave, y *cultūra*, cultivo.) f. Arte de criar y fomentar la reproducción de las aves y de aprovechar sus productos.

Ávidamente. adv. m. Con avidez.

Avidez. (De *ávido*.) f. Ansia, codicia.

Ávido, da. (Del lat. *avĭdus*.) adj. Ansioso, codicioso.

Aviejar. (De *a*, 2.° art., y *viejo*.) tr. **Avejentar.** Ú. m. c. r.

Avienta. (De *aventar*.) f. Aventamiento del grano.

Aviento. (De *aventar*.) m. **Bieldo.** ‖ **2.** Instrumento a manera de bieldo y mayor que él, con que se carga la paja en los carros.

Aviesamente. adv. m. Siniestra o malamente.

Aviesas. (De *avieso*.) adv. m. ant. Al revés, puesto al contrario.

Avieso, sa. (Del lat. *aversus*, desviado, torcido.) adj. Torcido, fuera de regla. ‖ **2.** fig. Malo o mal inclinado. ‖ **3.** m. ant. Maldad, delito. ‖ **4.** ant. **Extravío,** 1.ª acep. ‖ **En avieso.** m. adv. ant. **Aviesamente.** ‖ **2.** ant. **De través.**

Avigorar. tr. **Vigorar.**

Avilantarse. (De *avilantez*.) r. Insolentarse.

Avilantez. (De *a*, 2.° art., y *vil*.) f. Audacia, insolencia.

Avilanteza. f. **Avilantez.**

Avilar. (De *a*, 2.° art., y *vil*.) tr. desus. **Envilecer.**

Avilés, sa. adj. Natural de Ávila. Ú. t. c. s. ‖ **2.** Perteneciente a esta ciudad.

Avilesino, na. adj. Natural de Avilés. Ú. t. c. s. ‖ **2.** Perteneciente a esta población asturiana.

Aviltación. (De *aviltar*.) f. ant. **Envilecimiento.**

Aviltadamente. adv. m. ant. Con envilecimiento o ignominia.

Aviltamiento. (De *aviltar*.) m. ant. Envilecimiento, baldón, injuria.

Aviltanza. f. ant. **Aviltación.**

Aviltar. (Del dialect. *viltat*, y éste del lat. *vilitas, -tātis*, vileza.) tr. ant. Envilecer, menospreciar, afrentar. Usáb. t. c. r.

Avillanado, da. p. p. de **Avillanar.** ‖ **2.** adj. Que parece villano. *Persona* AVILLANADA. ‖ **3.** Que parece de villano. *Lenguaje* AVILLANADO.

Avillanamiento. m. Acción y efecto de avillanar o avillanarse.

Avillanar. tr. Hacer que alguno degenere de su nobleza y proceda como villano. Ú. m. c. r.

Avinagradamente. adv. m. fig. y fam. Agriamente, ásperamente.

Avinagrado, da. p. p. de **Avinagrar.** ‖ **2.** adj. fig. y fam. De condición acre y áspera.

Avinagrar. (De *a*, 2.° art., y *vinagre*.) tr. Poner aceda o agria una cosa. Ú. m. c. r.

Avinenteza. f. ant. **Avenenteza.**

Aviñonense. adj. **Aviñonés.** Apl. a pers., ú. t. c. s.

Aviñonés, sa. adj. Natural de Aviñón. Ú. t. c. s. || **2.** Perteneciente a esta ciudad de Francia.

Avío. (De *aviar*, 1.er art.) m. Prevención, apresto. || **2.** Entre pastores y gente de campo, provisión que llevan al hato para alimentarse durante el tiempo que tardan en volver al pueblo o cortijo. || **3.** *Amér.* Préstamo en dinero o efectos, que se hace al labrador, ganadero o minero. || **4.** pl. fam. Utensilios necesarios para alguna cosa. AVÍOS *de escribir, de coser, de afeitar.* || **¡Al avío!** loc. fam. que se emplea para excitar a uno a que se ocupe en lo que tenga que hacer, o a que se apresure en la ejecución de alguna cosa.

Avión. (De *gavión*.) m. Pájaro, especie de vencejo.

Avión. (De *ave*.) m. Vehículo aéreo, más pesado que el aire. Se compone de una armadura fusiforme, dentro de la cual van de ordinario los tripulantes y la carga, y a la cual se adaptan: una o varias hélices propulsoras y el motor o motores que las ponen en movimiento; unos planos rígidos, llamados alas, inclinados de manera que la resistencia del aire durante la marcha sustente el aparato; varios timones para guiarlo, y una ruedas que le sirven de apoyo mientras anda por el suelo al emprender el vuelo o al posarse. || **de caza.** El de tamaño reducido y gran velocidad destinado principalmente a reconocimientos y combates aéreos.

Avioneta. f. Avión pequeño y de poca potencia.

Avisación. (De *avisar*.) f. ant. **Avisamiento.**

Avisacoches. m. Persona que, mediante una gratificación, se encarga de avisar al conductor de un automóvil estacionado cuando el dueño o el ocupante lo requiere.

Avisadamente. adv. m. Con prudencia, discreción o sagacidad.

Avisado, da. p. p. de **Avisar.** || **2.** adj. Prudente, discreto, sagaz. || **3.** *Taurom.* Dícese del toro que, bien por disposición natural o bien por la experiencia adquirida al ser toreado, atiende a cuanto se mueve en la plaza, dificultando y haciendo peligrosa su lidia. || **4.** m. *Germ.* **Juez,** 1.ª acep. || **Mal avisado.** Que obra sin deliberación ni consejo.

Avisador, ra. adj. Que avisa. Ú. t. c. s. || **2.** m. Persona que se ocupa en llevar avisos de una parte a otra. || **3.** ant. **Denunciador.**

Avisamiento. (De *avisar*.) m. ant. **Aviso,** 1.ª y 3.ª aceps.

Avisar. (De *aviso*.) tr. Dar noticia de algún hecho. || **2.** Advertir o aconsejar. || **3.** *Germ.* Notar, observar. || **4.** r. ant. Intruirse, 3.ª acep.

Aviso. (Del lat. *ad visum*.) m. Noticia dada a alguno. || **2.** Indicio, señal. || **3.** Advertencia, consejo. || **4.** Precaución, atención, cuidado. || **5.** Prudencia, discreción. || **6.** *Mar.* Buque de guerra de vapor, pequeño y muy ligero, para llevar de parte de la autoridad pliegos, órdenes, etc. || **7.** *Germ.* **Rufián,** 1.ª acep. || **8.** *Taurom.* Advertencia que hace la presidencia de la corrida de toros al espada cuando éste prolonga la faena de matar más tiempo del prescrito por el reglamento. || **Andar,** o **estar, uno sobre aviso,** o **sobre el aviso.** fr. Estar prevenido y con cuidado.

Avisón. (De *aviso*.) Voz usada a manera de adverbio, con la significación de **alerta.**

Avispa. (Del lat. *vĕspa*, avispa, con la *a* de *abeja*.) f. Insecto himenóptero, de un centímetro a centímetro y medio de largo, de color amarillo con fajas negras, y el cual tiene en la extremidad posterior del cuerpo un aguijón con que pica, introduciendo un humor acre que causa escozor e inflamación. Vive en sociedad y fabrica panales con sus compañeras.

Avispado, da. p. p. de **Avispar.** || **2.** adj. fig. y fam. Vivo, despierto, agudo. || **3.** *Germ.* Suspicaz, recatado.

Avispar. (De *avispa*.) tr. Avivar o picar con látigo u otro instrumento a las caballerías. || **2.** fig. y fam. Hacer despierto y avisado a alguno. *Hay que* AVISPAR *a este muchacho.* Ú. t. c. r. || **3.** *Germ.* Inquirir, avizorar. || **4.** *Germ.* y *Chile.* **Espantar,** 1.ª acep. Ú. t. c. r. || **5.** r. fig. Inquietarse, desasosegarse.

Avispedar. (De *avispar*.) tr. *Germ.* Mirar con cuidado o recato.

Avispero. m. Panal que fabrican las avispas. || **2.** Lugar en donde las avispas fabrican sus panales y el cual suele ser el tronco de un árbol, el hueco de una peña u otro cualquier paraje oculto. || **3.** Conjunto o multitud de avispas. || **4.** fig. y fam. Negocio enredado y que ocasiona disgustos. *No quiero meterme en tal* AVISPERO. || **5.** *Med.* Grupo o aglomeración de diviesos, con varios focos de supuración, al modo de las celdillas del panal de las avispas.

Avispón. m. aum. de **Avispa.** || **2.** Especie de avispa, mucho mayor que la común, y la cual se distingue por una mancha encarnada en la parte anterior de su cuerpo. Se oculta en los troncos de los árboles, de donde sale a cazar abejas, que son su principal mantenimiento. || **3.** *Germ.* El que anda viendo dónde se puede robar.

Avistar. tr. Alcanzar con la vista alguna cosa. || **2.** r. Reunirse una persona con otra para tratar algún negocio.

Avitaminosis. f. *Med.* Carencia o escasez de vitaminas. || **2.** Enfermedad producida por la escasez o falta de ciertas vitaminas.

Avitelado, da. adj. Parecido a la vitela.

Avituallamiento. m. Acción y efecto de avituallar.

Avituallar. tr. Proveer de vituallas.

Avivadamente. adv. m. Con viveza.

Avivador, ra. adj. Que aviva. || **2.** m. Pequeño espacio hueco que se deja entre dos molduras para hacerlas resaltar. || **3.** Cepillo especial de que se valen los carpinteros y tallistas para hacer esas molduras. || **4.** *Murc.* Papel con varios agujeros, que se pone encima de la simiente de los gusanos de seda, para que suban los gusanitos que se van avivando.

Avivamiento. m. Acción y efecto de avivar o avivarse.

Avivar. (De *a*, 2.º art., y *vivo*.) tr. Dar viveza, excitar, animar. || **2.** fig. Encender, acalorar. || **3.** fig. Tratándose del fuego, hacer que arda más. || **4.** fig. Tratándose de la luz artificial, hacer que dé más claridad. || **5.** fig. Hablando de los colores, ponerlos más vivos, encendidos, brillantes o subidos. || **6.** intr. Hablando de la semilla de los gusanos de seda, empezar a vivir o nacer éstos. Ú. t. c. r. || **7.** Cobrar vida, vigor. Ú. t. c. r.

Avizor. (Del b. lat. *advisor*, *-ōris*, y éste del lat. *ad*, a, y *visor*, *-ōris*, el que inspecciona.) adj. V. **Ojo avizor.** || **2.** m. El que avizora. || **3.** pl. *Germ.* **Ojos,** 1.ª acep.

Avizorador, ra. adj. Que avizora. Ú. t. c. s.

Avizorante. p. a. de **Avizorar.** Que avizora.

Avizorar. (De *avizor*.) tr. **Acechar.**

Avo, va. Terminación que se añade a los números cardinales para significar las partes en que se ha dividido una unidad. *Una doz*AVA *parte; tres dieciseis*AVOS. || **2.** m. Parte pequeña de una cosa.

Avocación. (Del lat. *advocatĭo*, *-ōnis*.) f. *For.* Acción y efecto de avocar.

Avocamiento. (De *avocar*.) m. *For.* **Avocación.**

Avocar. (Del lat. *advocāre*.) tr. *For.* Atraer o llamar a sí un juez o tribunal superior, sin que medie apelación, la causa que se estaba litigando o debía litigarse ante otro inferior. Hoy está absolutamente prohibido. || **2.** Atraer o llamar a sí cualquier superior un negocio que está sometido a examen y decisión de un inferior.

Avoceta. (Del ital. *avocetta*.) f. Ave del orden de las zancudas, de cuerpo blanco con manchas negras, pico largo, delgado y encorvado hacia arriba, cola corta y dedos palmeados.

Avol. adj. ant. Vil, malo, ruin.

Avolcanado, da. adj. Aplícase al lugar, tierra o monte donde hay volcanes o que muestra señales de haberlos tenido.

Avoleza. (De *avol*.) f. ant. Vileza, maldad, ruindad.

Avoluntamiento. m. ant. **Voluntariedad.**

Avolvimiento. (Del lat. *advolvĕre*, revolver, mezclar.) m. ant. Mezcla de una cosa con otra.

Avucasta. (Del lat. *avis casta*.) f. **Avutarda.**

Avucastro. (De *avucasta*, por alusión a la pesadez de esta zancuda.) m. ant. Persona pesada y enfadosa.

Avugo. m. Fruta del avuguero, la más temprana y pequeña de todas las peras, redonda, como de un centímetro de diámetro, sostenida por un cabillo de unos tres centímetros, de color verde que tira a amarillo, y de gusto poco agradable.

Avuguero. m. Árbol, variedad del peral, cuyo fruto es el avugo.

Avugués. m. *Rioja.* **Gayuba.**

Avulsión. (Del lat. *avulsĭo*, *-ōnis*.) f. *Cir.* **Extirpación.**

Avutarda. (Cruce de *avetarda* y *autarda*, del lat. *avis tarda*.) f. Ave zancuda, muy común en España, de unos ocho decímetros de longitud desde la cabeza hasta la cola, y de color rojo manchado de negro, con las remeras exteriores blancas y las otras negras, el cuello delgado y largo, y las alas pequeñas, por lo cual su vuelo es corto y pesado. Hay otra especie algo más pequeña. || **menor. Sisón,** 1.er art.

Avutardado, da. adj. Parecido o semejante a la avutarda.

¡Ax! interj. de dolor. || **2.** m. ant. Aje o achaque.

Axe. m. ant. **Eje.**

Axial. (Del fr. *axial*.) adj. **Axil.**

Axil. (Del lat. *axis*, eje.) adj. Perteneciente o relativo al eje.

Axila. (Del lat. *axilla*.) f. *Bot.* Ángulo formado por la articulación de cualquiera de las partes de la planta con el tronco o la rama. || **2.** *Zool.* **Sobaco,** 1.ª acep.

Axilar. adj. *Bot.* y *Zool.* Perteneciente o relativo a la axila.

Axinita. (Del gr. ἀξίνη, hacha.) f. Mineral compuesto de ácido bórico, sílice y alúmina, con cal, óxidos de hierro y manganeso: es de color gris, azul o violado, translúcido y con brillo cristalino.

Axioma. (Del lat. *axiōma*, y éste del gr. ἀξίωμα, lo que parece o se estima como justo; de ἀξιόω, estimar.) m. Principio, sentencia, proposición tan clara y evidente, que no necesita demostración.

Axiomático, ca. (De *axioma*.) adj. Incontrovertible, evidente.

Axiómetro. (Del gr. ἄξιος, justo, y μέτρον, medida.) m. *Mar.* Instrumento compuesto de una porción de círculo graduado, en cuyo centro hay una manecilla giratoria que, engranada con el eje de la rueda del timón, da a conocer sobre cubierta la dirección que éste tiene.

Axis. (Del lat. *axis*, eje.) m. *Zool.* Segunda vértebra del cuello, sobre la cual se verifica el movimiento de rotación de la cabeza. No está bien diferenciada más que en los reptiles, aves y mamíferos.

Axoideo, a. (Del lat. *axis*, eje, y el gr. εἶδος, forma.) adj. Perteneciente o relativo al axis. *Músculo* AXOIDEO.

Axón. (Del lat. *axis*, eje.) m. *Zool.* **Neurita.**

Axovar. (Del m. or. que *ajuar.*) m. *Ar.* Heredad que en algunas comarcas aragonesas recibe de sus ascendientes la esposa, sin facultad de enajenarla mientras no tenga descendencia, y que se convierte en dote ordinaria desde que nace prole.

¡Ay! interj. con que se expresan muchos y muy diversos movimientos del ánimo, y más ordinariamente aflicción o dolor. Seguida de la partícula *de* y un nombre o pronombre, denota pena, temor, conmiseración o amenaza. ¡AY *de mí!*, ¡AY *del que me ofenda!* ‖ **2.** m. Suspiro, quejido. *Tiernos* AYES; *estar en un* AY. ‖ **¡Ay me!** interj. ant. **¡Ay** de mí! Ú. aún en poesía.

Ayacuá. (Del guaraní *aña qua.*) m. desus. Diablo pequeño e invisible que algunas generaciones de indios argentinos se imaginaban armado de arco, y a cuyas heridas atribuían sus dolencias.

Ayahuasa. f. *Ecuad.* Planta narcótica cuya infusión toman los indios ecuatorianos para embriagarse y tener visiones fantásticas.

Ayalés, sa. adj. Natural del valle de Ayala. Ú. t. c. s. ‖ **2.** Perteneciente a este valle.

Ayate. (Del mejic. *ayatl.*) m. *Méj.* Tela rala de hilo de maguey.

Ayear. intr. p. us. Repetir ayes en manifestación de algún sentimiento, pena o dolor.

Ayeaye. (Voz onomatopéyica del grito de este animal.) m. *Zool.* Prosimio del tamaño de un gato, con hocico agudo, la cola más larga que el cuerpo y muy poblada; los dedos muy largos y delgados y con uñas corvas y puntiagudas, excepto los pulgares de las extremidades posteriores que las tienen planas.

Ayer. (Del lat. *ad hĕri.*) adv. t. En el día que precedió inmediatamente al de hoy. ‖ **2.** fig. Poco tiempo ha. ‖ **3.** fig. En tiempo pasado. ‖ **4.** m. Tiempo pasado. ‖ **De ayer acá. De ayer a hoy.** exprs. figs. En breve tiempo; de poco tiempo a esta parte.

Ayermar. tr. Convertir en yermo. Ú. t. c. r.

¡Aymé! interj. ant. **¡Ay me!** Aún suele usarse en poesía.

Ayo, ya. (Del gót. **hagja*, guarda.) m. y f. Persona encargada en las casas principales de custodiar niños o jóvenes y de cuidar de su crianza y educación.

Ayocote. (Del mejic. *ayecotli.*) m. *Méj.* Especie de fríjol más grueso que el común.

Ayote. (Del mejic. *ayotli.*) m. *Amér. Central.* **Calabaza,** 2.ª acep. ‖ **Dar ayotes.** fr. fig. *Guat.* **Dar calabazas.**

Ayotera. (De *ayote.*) f. *Amér. Central.* **Calabacera,** 2.ª acep.

Ayúa. f. Árbol de América, de la familia de las rutáceas, de madera blanda, que se raja con facilidad y está cubierta de púas, hojas compuestas de hojuelas lanceoladas, dentadas, verdosas, algo vellosas por el envés y en número impar, flores pequeñas y fruto compuesto de cinco cápsulas unidas por la parte inferior y rojas cuando están maduras. Se emplea en construcción y en medicina.

Ayuda. (De *ayudar.*) f. Acción y efecto de ayudar. ‖ **2. Ayuda de costa.** ‖ **3.** Persona o cosa que ayuda. ‖ **4.** Entre pastores, **aguador,** 1.ª acep. ‖ **5.** Medicamento líquido que se introduce en el cuerpo por el ano con instrumento adecuado para impelerlo, y sirve por lo común para limpiar y descargar el vientre. ‖ **6. Lavativa,** 2.ª acep. ‖ **7.** V. **Perro de ayuda.** ‖ **8.** *Equit.* Estímulo que el jinete comunica al caballo por medio de la brida, espuela, voz o cualquier otro medio eficaz. ‖ **9.** m. Subalterno que en alguno de varios oficios de palacio servía bajo las órdenes de su jefe. AYUDA *de la furriera.* ‖ **10.** *Mar.* Cabo o aparejo que se pone para mayor seguridad de otro. ‖ **de cámara.** Criado cuyo principal oficio es cuidar del vestido de su amo. ‖ **de costa.** Socorro en dinero para costear en parte alguna cosa. ‖ **2.** Emolumento que se suele dar, además del sueldo, al que ejerce algún empleo o cargo. ‖ **de oratorio.** Clérigo que en los oratorios de palacio hacía el oficio de sacristán. ‖ **de parroquia.** Iglesia que sirve para ayudar a alguna parroquia en sus ministerios. ‖ **de vecino.** fam. Auxilio ajeno. *No necesitar* AYUDA DE VECINO. ‖ **Con la ayuda de vecino mató mi padre un cochino.** fr. proverb. con que se zahiere a quien se vale de auxilio ajeno sin declararlo.

Ayudado, da. p. p. de **Ayudar.** ‖ **2.** adj. *Taurom.* Dícese del pase de muleta en cuya ejecución intervienen las dos manos del matador. Ú. t. c. s.

Ayudador, ra. adj. Que ayuda. Ú. t. c. s. ‖ **2.** m. Pastor que cuida de las ovejas y conduce las piaras de ganado: tiene el primer lugar después del mayoral.

Ayudamiento. (De *ayudar.*) m. ant. Ayuda o auxilio.

Ayudante. p. a. de **Ayudar.** Que ayuda. ‖ **2.** m. En algunos cuerpos y oficinas, oficial subalterno. ‖ **3.** Maestro subalterno que enseña en las escuelas, bajo la dirección de otro superior, y le suple en ausencias y enfermedades. ‖ **4.** Profesor subalterno que ayuda a otro superior en el ejercicio de su facultad. ‖ **5.** *Mil.* Oficial destinado personalmente a las órdenes de un general o jefe superior. AYUDANTE *general, mayor, de campo, de plaza.* ‖ **de montes. Capataz de cultivo.** ‖ **de obras públicas.** El que, con ciertos conocimientos facultativos, auxilia como subalterno a los ingenieros de caminos, canales y puertos.

Ayudantía. f. Empleo de ayudante. ‖ **2.** Oficina del ayudante.

Ayudar. (Del lat. *adiutāre.*) tr. Prestar cooperación. ‖ **2.** Por ext., auxiliar, socorrer. ‖ **3.** r. Hacer un esfuerzo, poner los medios para el logro de alguna cosa. ‖ **4.** Valerse de la cooperación o ayuda de otro. ‖ **Ayúdate, y ayudarte he.** ref. que enseña que para conseguir uno algún fin, ha de poner de su parte lo que pueda y no fiarlo todo al auxilio ajeno.

Ayudorio. (Del lat. *adiutorĭum.*) m. ant. **Ayudamiento.**

Ayuga. (Del lat. *aiŭga.*) f. **Mirabel,** 1.ª acep.

Ayunador, ra. adj. Que ayuna. Ú. t. c. s.

Ayunante. p. a. de **Ayunar.** Que ayuna.

Ayunar. (Del lat. *iēiūnāre.*) intr. Abstenerse total o parcialmente de comer o beber. ‖ **2.** Privarse o estar privado de algún gusto o deleite. ‖ **3.** Guardar el ayuno eclesiástico. ‖ **Ayunar después de harto.** fr. fig. y fam. con que se nota a los que ostentan mortificación y viven regaladamente. ‖ **Ayunarle** a uno. fr. fig. y fam. Temerle o respetarle. ‖ **Bien,** o **harto, ayuna quien mal come.** ref. con que se explica la penalidad del mal comer, que equivale al ayuno.

Ayuno. (Del lat. *ieiunĭum.*) m. Acción y efecto de ayunar. ‖ **2.** Manera de mortificación por precepto eclesiástico o por devoción, y la cual consiste substancialmente en no hacer más que una comida al día, absteniéndose por lo regular de ciertos manjares. ‖ **natural.** Abstinencia de toda comida y bebida desde las doce de la noche antecedente.

Ayuno, na. (De *ayunar.*) adj. Que no ha comido. ‖ **2.** fig. Privado de algún gusto o deleite. ‖ **3.** fig. Que no tiene noticia de lo que se habla, o no lo comprende. ‖ **En ayunas,** o **en ayuno.** m. adv. Sin haberse desayunado. ‖ **2.** fig. y fam. Sin tener noticia de alguna cosa, o sin penetrarla o comprenderla. Ú. más con los verbos *quedar* o *estar.*

Ayunque. m. **Yunque.**

Ayuntable. adj. ant. Que se puede ayuntar.

Ayuntablemente. adv. m. ant. **Ayuntadamente.**

Ayuntación. f. ant. Acción y efecto de ayuntar.

Ayuntadamente. adv. m. ant. **Juntamente.** ‖ **2.** ant. **Por junto.**

Ayuntador, ra. adj. Que ayunta. Ú. t. c. s.

Ayuntamiento. (De *ayuntar.*) m. Acción y efecto de ayuntar o ayuntarse. ‖ **2. Juntar,** 1.ª acep. ‖ **3.** Corporación compuesta de un alcalde y varios concejales para la administración de los intereses de un municipio. ‖ **4. Casa consistorial.** ‖ **5.** Cópula carnal. ‖ **6.** V. **Alguacil de ayuntamiento.**

Ayuntante. p. a. ant. de **Ayuntar.** Que ayunta.

Ayuntanza. f. ant. **Ayuntamiento,** 5.ª acep.

Ayuntar. (Del lat. *adiunctum*, supino de *adiungĕre*; de *ad*, a, y *iungĕre*, juntar.) tr. ant. **Juntar,** 1.ª acep. Usáb. t. c. r. ‖ **2.** ant. **Añadir.** ‖ **3.** r. ant. Tener cópula carnal.

Ayunto. (Del lat. *adiunctus*, junto.) m. ant. **Junta,** 1.ª acep.

Ayuso. (Del lat. *ad deorsum*, hacia abajo.) adv. l. **Abajo.**

Ayustar. (Del lat. *ad*, a, y *iuxta*, cerca, al lado de.) tr. *Mar.* Unir dos cabos por sus chicotes, o las piezas de madera por sus extremidades.

Ayuste. m. *Mar.* Acción de ayustar. ‖ **2.** *Mar.* Costura o unión de dos cabos.

Azabachado, da. adj. Semejante al azabache en el color o en el brillo.

Azabache. (Del ár. *as-sabaŷ.*) m. Variedad de lignito, bastante dura y compacta, de hermoso color negro de ébano, y susceptible de pulimento. Úsase para hacer esculturas, dijes y otras obras de adorno. ‖ **2.** Pájaro de unos ocho centímetros de largo, con el lomo de color ceniciento obscuro, el vientre blanco y la cabeza y las alas negras. ‖ **3.** pl. Conjunto de dijes de **azabache.**

Azabachero. m. Artífice que labra el azabache. ‖ **2.** El que vende azabaches.

Azabara. (Del ár. *aṣ-ṣabbāra*, el áloe.) f. *Bot.* **Zabila.**

Azacán, na. (Del ár. *as-saqqā'*, el aguador.) adj. Que se ocupa en trabajos humildes y penosos. Ú. t. c. s. ‖ **2.** m. **Aguador,** 1.ª acep. ‖ **3.** ant. **Odre,** 1.ª acep. ‖ **Hecho un azacán.** loc. fig. y fam. Muy afanado en dependencias o negocios. Úsase, por lo común, con los verbos *andar* y *estar.*

Azacanarse. r. p. us. Afanarse.

Azacanear. (De *azacán.*) intr. Azacanarse, trabajar con afán.

Azacaneo. m. Acción y efecto de azacanarse.

Azacaya. (Del ár. *as-saqāya*, la fuente, el depósito de agua, la reguera.) f. ant. Noria grande. ‖ **2.** *Gran.* Ramal o conducto de aguas.

Azache. (Del ár. *as-sāŷ*, cierta tela de seda.) adj. V. **Seda azache.** Ú. t. c. s.

Azada. (Del lat. **asciala*, de *ascia.*) f. Instrumento que consiste en una lámina o pala cuadrangular de hierro, ordinariamente de 20 a 25 centímetros de lado, cortante uno de éstos y provisto el opuesto de un anillo donde encaja y se sujeta el astil o mango, formando con la pala un ángulo un tanto agudo. Sirve para cavar tierras roturadas o blandas, remover el estiércol, amasar la cal para mortero, etc. || **2. Azadón,** 1.ª acep. || **Quien trae azada, trae zamarra.** ref. que da a entender la utilidad que reporta el trabajo.

Azadada. f. Golpe dado con azada.

Azadazo. m. **Azadada.**

Azadilla. (d. de *azada.*) f. **Almocafre.**

Azadón. (aum. de *azada.*) m. Instrumento que se distingue de la azada en que la pala, cuadrangular, es algo curva y más larga que ancha. Sirve para rozar y romper tierras duras, cortar raíces delgadas y otros usos análogos. || **2. Azada,** 1.ª acep. || **de peto,** o **de pico. Zapapico.**

Azadonada. f. Golpe dado con azadón. || **A la primera azadonada.** expr. adv. fig. con que se da a entender haberse hallado a la primera diligencia lo que se buscaba. || **A la primera azadonada, disteis en el agua.** ref. con que se denota haberse conocido, a poco de tratar o de observar a una persona, no ser merecido el buen concepto que de ella se tenía. || **¿A la primera azadonada, queréis sacar agua?** ref. que advierte que las cosas arduas no se consiguen a las primeras diligencias. || **A tres azadonadas, sacar agua.** fr. fig. con que se da a entender que algunos a poca diligencia suelen conseguir lo que pretenden.

Azadonazo. m. **Azadonada.**

Azadonero. m. El que trabaja con azadón. || **2.** ant. *Mil.* **Gastador,** 4.ª y 5.ª aceps.

Azafata. (De *azafate.*) f. Criada de la reina, a quien sirve los vestidos y alhajas que se ha de poner y los recoge cuando se desnuda. || **2.** Camarera distinguida que presta sus servicios a bordo de un avión.

Azafate. (Del ár. *as-safaṭ*, la cesta, el canastillo.) m. Especie de canastillo tejido de mimbres, llano y con borde de poca altura. También se hacen de paja, oro, plata y otras materias.

Azafrán. (Del ár. *az-za'farān.*) m. Planta de la familia de las iridáceas, con rizoma en forma de tubérculo, hojas lineales, perigonio de tres divisiones externas y tres internas algo menores; tres estambres, ovario triangular, estilo filiforme, estigma de color rojo anaranjado, dividido en tres partes colgantes, y caja membranosa con muchas semillas. Procede de Oriente y se cultiva en varias provincias de España. || **2.** Estigma de las flores de esta planta. Se usa para condimentar manjares y para teñir de amarillo, y en medicina como estimulante y emenagogo. || **3.** V. **Rosa del azafrán.** || **4.** *Mar.* Madero exterior que forma parte de la pala del timón y se une con pernos a la madre. || **5.** *Pint.* Color amarillo anaranjado para iluminar, que se saca del estigma del **azafrán** desleído en agua. || **bastardo. Alazor.** || **de Marte.** *Farm.* Herrumbre de hierro. || **romí,** o **romín. Azafrán bastardo.**

Azafranado, da. p. p. de **Azafranar.** || **2.** adj. De color de azafrán. || **3.** V. **Mielga azafranada.**

Azafranal. m. Sitio plantado de azafrán.

Azafranar. tr. Teñir de azafrán. || **2.** Poner azafrán en un líquido. || **3.** Mezclar, juntar azafrán con otra cosa.

Azafranero, ra. m. y f. Persona que cultiva o vende azafrán.

Azagadero. m. **Azagador.**

Azagador. m. Vereda o paso del ganado.

Azagaya. (Del berb. *az-zagāya*, el venablo, la lanza.) f. Lanza o dardo pequeño arrojadizo.

Azaguán. m. ant. **Zaguán.**

Azahar. ((Del ár. *al-azhār*, flores blancas, y por antonom., las del naranjo.) m. Flor del naranjo, del limonero y del cidro, la cual es blanca y muy olorosa. Se emplea en medicina y perfumería.

Azainadamente. adv. m. **A lo zaino.**

Azalá. (Del ár. *aṣ-ṣalā*, la oración ritual.) m. Entre los mahometanos, **oración,** 2.ª acep.

Azalea. (Del gr. ἀζαλέος, seco árido.) f. Arbolito de la familia de las ericáceas, originario del Cáucaso, de unos dos metros de altura, con hojas oblongas y hermosas flores reunidas en corimbo, con corolas divididas en cinco lóbulos desiguales, que contienen una substancia venenosa.

Azamboa. (Del ár. *az-zanbū'a*, la toronja.) f. Fruto del azamboero, variedad de cidra muy arrugada.

Azamboero. m. Árbol, variedad del cidro, cuya fruta es la azamboa.

Azamboo. m. **Azamboero.**

Azanahoriate. m. Zanahoria confitada. || **2.** fig. y fam. Cumplimiento o expresión muy afectada.

Azanca. f. *Min.* Manantial de agua subterránea.

Azándar. (Del ár. *aṣ-ṣandal*, el sándalo, y éste del gr. σάνταλον, madera olorosa.) m. *And.* **Sándalo,** 1.ª acep.

Azanefa. f. desus. **Cenefa.**

Azanoria. (Del ár. *isfanāriya*, pastinaca.) f. **Zanahoria.**

Azanoriate. m. *Ar.* **Azanahoriate.**

Azaque. (Del ár. *az-zakā*, la limosna ritual.) m. Tributo que los muslimes están obligados a pagar de sus bienes y consagrar a Dios.

Azaquefa. (Del ár. *as-saqīfa*, el pórtico, el vestíbulo.) f. ant. **Pórtico.** || **2.** ant. Patio con trojes cubiertos en los molinos de aceite.

Azar. (Del ár. *az-zahr*, el dado para jugar.) m. Casualidad, caso fortuito. || **2.** Desgracia imprevista. || **3.** En los juegos de naipes o dados, carta o dado que tiene el punto con que se pierde. || **4.** En el juego de trucos o billar, cualquiera de los dos lados de la tronera que miran a la mesa. || **5.** En el juego de pelota, esquina, puerta, ventana u otro estorbo. || **6.** V. **Juego de azar.** || **Salir azar.** fr. fig. y fam. Malograrse o salir mal una cosa.

Azarandar. tr. **Zarandar.**

Azarar. (De *azorar.*) tr. Conturbar, sobresaltar, averiguar. Ú. t. c. r.

Azararse. (De *azar.*) r. Torcerse un asunto o lance por un caso imprevisto. Dícese más generalmente con referencia al juego.

Azarba. f. ant. **Azarbe.**

Azarbe. (Del ár. *as-sarb*, el correntío, la cloaca.) m. Cauce adonde van a parar por las azarbetas los sobrantes o filtraciones de los riegos.

Azarbeta. f. d. de **Azarbe.** || **2.** Cada una de las acequias o cauces pequeños que recogen los sobrantes o filtraciones de un riego y los llevan al azarbe.

Azarcón. (Del ár. *az-zarqūn*, el carbonato de plomo, la cerusa.) m. **Minio.** || **2.** *Pint.* Color anaranjado muy encendido.

Azarearse. r. *Chile, Guat.* y *Hond.* Turbarse, avergonzarse. || **2.** *Chile* y *Perú.* Irritarse, enfadarse.

Azarja. (Del ár. *as-sāriya*, la devanadera.) f. Instrumento que sirve para coger la seda cruda, y se compone de cuatro costillas unidas en dos rodetes agujereados por medio, para que pueda pasar el huso.

Azarnefe. (Del ár. *az-zarnīḫ*, el arsénico.) m. ant. **Oropimente.**

Azaro. (De *azarote.*) m. ant. **Sarcocola.**

Azarolla. f. **Acerola.** || **2.** *Ar.* **Serba.**

Azarollo. m. **Acerolo.** || **2.** *Ar.* **Serbal.**

Azarosamente. adv. m. Con azar o desgracia.

Azaroso, sa. adj. Que tiene en sí azar o desgracia. || **2.** Turbado, temeroso.

Azarote. (Del ár. *'anzarūt*, sarcocola.) m. ant. **Azaro.**

Azaya. f. En Galicia, **cantueso,** 1.ª acep.

Azcarrio. (Del vasc. *ascarr.*) m. *Ál.* **Arce,** 1.er art.

Azcón. m. ant. **Azcona.**

Azcona. (De *fascona.*) f. Arma arrojadiza, como dardo, usada antiguamente.

Azemar. tr. Sentar, alisar.

Azenoria. f. **Azanoria.**

Ázimo. (Del lat. *azȳmus*, y éste del gr. ἄζυμος; de ἀ, priv., y ζύμη, levadura.) adj. V. **Pan ázimo.**

Azimut. m. *Astron.* **Acimut.**

Azimutal. adj. *Astron.* **Acimutal.**

Aznacho. (De *asnacho.*) m. Pino rodeno, generalmente achaparrado. || **2.** Madera de este árbol.

Aznallo. m. **Aznacho.** || **2. Gatuña.**

Azoado, da. p. p. de **Azoar.** || **2.** adj. Que tiene ázoe. Dícese principalmente de las aguas.

Azoar. tr. *Quím.* Impregnar de ázoe o nitrógeno. Ú. t. c. r.

Azoato. (De *ázoe.*) m. *Quím.* **Nitrato.**

Azocar. (Del fr. *souquer.*) tr. *Mar.* Tratándose de nudos, trincas, ligaduras, etc., apretarlos bien. || **2.** *Cuba.* Apretar demasiado una cosa. *Tabaco* AZOCADO.

Azoche. m. ant. **Azogue,** 2.° art.

Ázoe. (Del gr. ἀ, priv., y ζωή, vida, existencia.) m. *Quím.* **Nitrógeno.**

Azoemia. (De *ázoe*, y el gr. αἷμα, sangre.) f. *Med.* Existencia de substancias nitrogenadas en la sangre. Se ha aplicado este nombre impropiamente al nitrógeno de la urea contenida en la sangre.

Azofaifa. f. **Azufaifa.**

Azofaifo. m. **Azufaifo.**

Azófar. (Del ár. *aṣ-ṣufar*, el cobre.) m. **Latón,** 1.er art.

Azofeifa. f. ant. **Azufaifa.**

Azofeifo. m. ant. **Azufaifo.**

Azofra. (Del ár. *as-sujra*, el impuesto, el trabajo forzoso y gratuito.) f. **Prestación personal.** || **2.** *Ar.* **Sufra,** 1.ª acep.

Azofrar. intr. *Ar.* Prestar la azofra, 1.ª acep.

Azogadamente. adv. m. fig. y fam. Con mucha celeridad y agitación.

Azogamiento. m. Acción y efecto de azogar o azogarse.

Azogar. tr. Cubrir con azogue alguna cosa, como se hace con los cristales para que sirvan de espejos. || **2.** r. Contraer la enfermedad producida por la absorción de los vapores de azogue, cuyo síntoma más visible es un temblor continuado. || **3.** fig. y fam. Turbarse y agitarse mucho, desatentarse.

Azogar. tr. Apagar la cal rociándola con agua, de modo que se deshaga sin formar lechada.

Azogue. (Del ár. *az-zā'ūq*, el mercurio.) m. Metal blanco y brillante como la plata, más pesado que el plomo y líquido a la temperatura ordinaria. Hállase en las minas en estado nativo, pero principalmente en combinación con el azufre, formando el cinabrio. Puro o unido a otras substancias, se emplea en medicina y en la industria y tiene mucho uso en el beneficio del oro y de la plata. || **2.** Cada una de las naves destinadas antes para conducir **azogue** de España a América. || **Ser uno un azogue.** fr. fig. y fam. Ser muy inquieto.

Azogue. (Del ár. *as-sūq*, el mercado.) m. Plaza de algún pueblo, donde se tiene el trato y comercio público. || **En el azogue, quien mal dice mal oye.** ref. con que se advierte que quien murmura de otros en parte pública es por lo común castigado con la pena de que también se murmure de él públicamente.

Azoguejo. m. d. de **Azogue,** 2.° art.

Azoguería. (De *azoguero.*) f. *Min.* Oficina donde se hacen las operaciones de la amalgamación.

Azoguero. (De *azogue,* 1.er art.) m. *Min.* Amalgamador, jefe que dirige las operaciones de la amalgamación.

Azoico. (De *ázoe.*) adj. *Quím.* **Nítrico.**

Azoláceo, a. (De *azolla,* nombre de un género de plantas.) adj. *Bot.* Dícese de plantas pteridofitas de la clase de las hidropteríneas, con tallo filiforme provisto de raíces de trecho en trecho, hojas simples e imbricadas. Tiene por frutos esporangios y esporocarpios, situados en la base del tallo, dehiscentes y llenos de esporas redondas o angulosas. Ú. t. c. s. f. || **2.** f. pl. *Bot.* Familia de estas plantas.

Azolar. tr. *Carp.* Desbastar la madera con azuela.

Azoleo, a. (De *azolla,* nombre de un género de plantas.) adj. *Bot.* **Azoláceo.**

Azolvamiento. m. p. us. Acción y efecto de azolvar.

Azolvar. (Del ár. *aṣ-ṣulba,* la obstrucción, la detención.) tr. Cegar o tupir con alguna cosa un conducto. Ú. t. c. r.

Azolve (De *azolvar.*) m. *Méj.* Lodo o basura que obstruye un conducto de agua.

Azomamiento. m. ant. Acción de azomar.

Azomar. (De *asomar.*) tr. ant. Incitar a los animales para que embistan.

Azor. (De *atzor,* y éste de *aztor.*) m. *Zool.* Ave rapaz diurna, como de medio metro de largo, por encima de color negro y por el vientre blanca con manchas negras; de alas y pico negros, cola cenicienta, manchada de blanco, y piernas amarillas. || **2.** *Germ.* Ladrón de presa alta. || **desbañado.** *Cetr.* El que no ha tomado el agua los día que le hacen volar.

Azor. (Del ár. *as-sūr,* la muralla.) m. ant. **Muro,** 1.ª acep.

Azorafa. (Del ár. *az-zurāfa.*) f. ant. **Jirafa,** 1.ª acep.

Azoramiento. m. Acción y efecto de azorar o azorarse.

Azorante. p. a. de **Azorar.** Que causa azoramiento.

Azorar. (De *azor,* 1.er art.) tr. fig. Conturbar, sobresaltar. Ú. t. c. r. || **2.** fig. Irritar, encender, infundir ánimo. Ú. t. c. r.

Azorero. (De *azor,* 1.er art.) m. *Germ.* El que acompaña al ladrón y lleva lo que éste hurta.

Azorramiento. m. Efecto de azorrarse.

Azorrarse. (De *a,* 2.º art., y *zorra,* 1.er art.) r. Quedarse como adormecido por tener la cabeza muy cargada.

Azotable. adj. Que merece ser azotado.

Azotacalles. (De *azotar* y *calle.*) com. fig. y fam. Persona ociosa que anda continuamente callejeando.

Azotado, da. p. p. de **Azotar.** || **2.** adj. De varios colores unidos confusamente y sin orden. Dícese más de las flores. || **3.** m. Reo castigado con pena de azotes. || **4. Disciplinante,** 2.ª acep.

Azotador, ra. adj. Que azota. Ú. t. c. s.

Azotaina. f. fam. Zurra de azotes.

Azotalenguas. (De *azotar* y *lengua.*) f. *And.* **Amor de hortelano,** 1.ª acep.

Azotamiento. m. Acción y efecto de azotar o azotarse.

Azotar. tr. Dar azotes a uno. Ú. t. c. r. || **2.** Dar golpes con la cola o con las alas. || **3.** Cortar el aire violentamente. || **4.** fig. Golpear una cosa o dar repetida y violentamente contra ella. *El mar* AZOTA *los peñascos.*

Azotazo. m. Golpe grande dado con el azote. || **2.** Golpe grande dado en las nalgas con la mano.

Azote. (Del ár. *as-sūṭ,* el látigo.) m. Instrumento de suplicio formado con cuerdas anudadas y a veces erizadas de puntas, con que se castigaba a los delincuentes. || **2.** Vara, vergajo o tira de cuero que sirve para azotar. || **3.** Golpe dado con el azote. || **4.** Golpe dado en las nalgas con la mano. || **5.** Embate o golpe repetido del agua o del aire. || **6.** fig. Aflicción, calamidad, castigo grande. || **7.** fig. Persona que es causa o instrumento de este castigo, calamidad o aflicción. || **8.** pl. Pena que se imponía a ciertos criminales, y se ejecutaba paseando al reo montado en un burro por las calles y dándole el verdugo en cada esquina cierto número de golpes con la penca en las espaldas desnudas. Este castigo era infamante y no se imponía a los nobles. || **Azotes y galeras.** fig. y fam. Comida ordinaria que no se varía. || **Besar uno el azote.** fr. fig. Recibir el castigo con resignación. || **No salir uno de azotes y galeras.** fr. fig. y fam. No medrar, no prosperar.

Azotea. (Del ár. *as-suṭaiḥa,* el terradillo.) f. Cubierta llana de un edificio, dispuesta para poder andar por ella.

Azotina. f. fam. **Azotaina.**

Azre. m. **Arce,** 1.er art.

Azteca. adj. Dícese del individuo de un antiguo pueblo invasor y dominador del territorio conocido después con el nombre de Méjico. Ú. t. c. s. || **2.** Perteneciente a este pueblo. || **3.** m. Idioma **azteca.**

Aztor. (Del lat. *acceptor, -ōris.*) m. **Azor,** 1.er art., 1.ª acep.

Azua. f. **Chicha,** 2.º art.

Azúcar. (Del ár. *as-sukkar.*) amb. Cuerpo sólido, cristalizable, perteneciente al grupo químico de los hidratos de carbono, de color blanco en estado puro, soluble en el agua y en el alcohol y de sabor muy dulce. Se extrae de la caña dulce, de la remolacha y de otros vegetales. Según su estado de pureza o refinación, se distinguen diversas clases. || **2.** V. **Caña, costra, ingenio, pan de azúcar.** || **3.** *Quím.* Nombre genérico de un grupo de hidratos de carbono que tienen un sabor más o menos dulce. || **amarilla. Azúcar** de segunda producción, cuyo color varía desde el amarillo claro al pardo obscuro, según la cantidad de melaza que queda adherida a los cristales. || **blanco,** o **blanca. Azúcar de flor.** || **blanquilla.** El semirrefinado, moldeado en forma de cortadillo. || **cande,** o **candi.** El obtenido por evaporación lenta, en cristales grandes, cuyo color varía desde el blanco transparente y amarillo al pardo obscuro, por agregación de melaza o substancias colorantes. || **centrífuga.** El semirrefinado de primera producción, pero amarillo y de grano grueso. || **comprimido.** El refinado, cuyo moldeado se hace comprimiendo el polvo o grano fino en forma de cortadillo. || **de cortadillo. Azúcar** refino, moldeado en aparatos centrífugos y que se expende fraccionado en pequeños trozos o terrones, de forma regular, embalados en cajas. || **de flor.** El refinado, obtenido en polvo muy tamizado. || **de leche.** Hidrato de carbono, de sabor dulce, que se halla disuelto en la leche. || **de lustre.** El molido y pasado por cedazo. || **de malta. Maltosa.** || **de pilón.** El refinado, obtenido en panes de figura cónica. || **de plomo.** *Quím.* **Sal de plomo.** || **de quebrados.** El refino moldeado, imperfectamente elaborado. || **de redoma.** El que se queda en las paredes y suelo de las vasijas que han contenido jarabes. || **de Saturno.** *Quím.* **Sal de Saturno.** || **de uva.** Glucosa que forma el principio dulce de la uva y de otras frutas. || **estuchado.** El cortadillo cuando se expende en pequeños estuches de cartón o papel. || **florete.** El semirrefinado, en pedazos irregulares mezclados con polvo. || **granulado.** El semirrefinado, en cristales sueltos y gruesos. || **jugosa. Azúcar** blanquilla de caña ligeramente fermentada. || **mascabado,** o **mascabada.** El de caña de segunda producción. || **moreno,** o **morena. Azúcar amarilla.** || **moscabado,** o **moscabada. Azúcar mascabado.** || **negro,** o **negra. Azúcar moreno.** || **piedra. Azúcar cande.** || **quebrado,** o **quebrada.** El que no ha sido blanqueado. || **refinado. Azúcar** de la mayor pureza que se fabrica en las refinerías. || **refino,** o **refina. Azúcar** refinado muy puro. || **rosado,** o **rosada.** Azucarillo de color de rosa. || **semirrefinado.** El que se produce directamente en las fábricas que elaboran la caña o la remolacha, de color blanco, aunque de menor pureza que el refinado. || **terciado,** o **terciada. Azúcar amarilla.** || **Azúcar y canela.** loc. Color de algunos caballos mezcla de blanco y rojo.

Azucarado, da. p. p. de **Azucarar.** || **2.** adj. Semejante al azúcar en el gusto. || **3.** fig. y fam. Blando, afable y meloso en las palabras. || **4.** m. Especie de afeite de que usaban las mujeres.

Azucarar. tr. Bañar con azúcar. || **2.** Endulzar con azúcar. || **3.** fig. y fam. Suavizar y endulzar alguna cosa. || **4.** r. **Almibarar,** 1.ª acep. || **5.** *Méj.* Cristalizarse el almíbar de las conservas.

Azucarera. f. Vasija para poner azúcar en la mesa. || **2.** Fábrica en que se extrae y elabora el azúcar.

Azucarería. f. *Cuba* y *Méj.* Tienda en que se vende azúcar por menor.

Azucarero, ra. adj. Perteneciente o relativo al azúcar. || **2.** m. Persona técnica en la fabricación de azúcar. Antes se llamaba así el maestro de labores en un ingenio de azúcar. || **3.** Ave de los países tropicales, del orden de las trepadoras, de cuerpo pequeño, colores hermosos y variados, pico largo, agudo y algo encorvado y con los dos dedos exteriores soldados. Se alimenta de insectos, miel y jugos azucarados de las plantas. || **4. Azucarera,** 1.ª acep.

Azucarí. (Del ár. *as-sukkarī,* azucarado, dulce.) adj. *And.* **Azucarado,** 1.ª acep. Aplícase a ciertos frutos.

Azucarillo. (d. de *azúcar.*) m. Porción de masa esponjosa que se hace con almíbar muy en punto, clara de huevo y zumo de limón. Empapado en agua o deshecho en ella, sirve para endulzarla ligeramente y templar su crudeza.

Azucena. (Del ár. *as-sūsāna,* el lirio.) f. Planta perenne de la familia de las liliáceas, con un bulbo de que nacen varias hojas largas, estrechas y lustrosas, tallo alto y flores terminales grandes, blancas y muy olorosas. Sus especies y variedades se diferencian en el color de las flores y se cultivan para adorno en los jardines. || **2.** Flor de esta planta. || **3.** fig. Persona o cosa especialmente calificada por su pureza o blancura. || **anteada.** Planta perenne de la familia de las liliáceas, de hojas parecidas a las de la **azucena,** 1.ª acep., pero de tallo ramoso y flor de color de ante. || **de agua.** *Sal.* **Nenúfar.** || **de Buenos Aires.** *Bot.* Planta perenne de la familia de las amarilidáceas, con tallo de cuatro a seis decímetros de altura, hojas tiernas de color verde claro y flores abigarradas de rojo, amarillo, blanco y negro, de las cuales nacen varias juntas. || **de Guernesey.** Planta perenne de la familia de las amarilidáceas, con hojas largas, estrechas y romas, que nacen desde la raíz, bohordo de tres a cuatro decímetros de altura y flores terminales de color encarnado vivo.

Azuche. (Del lat. *soccus,* zueco, calzado.) m. Punta de hierro que suele colocarse en la extremidad inferior del pilote.

Azud. (Del ár. *as-sudd,* la barrera, la presa.) amb. Máquina con que se saca agua de los ríos para regar los campos. Es una gran rueda afianzada por el eje en dos fuertes pilares, y la cual, movida por el impulso de la corriente, da vueltas y arroja el agua fuera. ‖ **2.** Presa hecha en los ríos a fin de tomar agua para regar y para otros usos.

Azuda. f. Azud.

Azuela. (Del lat. **asciŏla*, d. de *ascĭa*.) f. Herramienta de carpintero, compuesta de una plancha de hierro acerada y cortante, de 10 a 12 centímetros de anchura, y un mango corto de madera, que forma recodo. Sirve para desbastar.

Azufaifa. (Del ár. *az-zufaizaf*, y éste del gr. ζίζυφον.) f. Fruto del azufaifo: es una drupa elipsoidal, de poco más de un centímetro de largo, encarnada por fuera y amarilla por dentro, dulce y comestible. Se usa como medicamento pectoral.

Azufaito. m. Árbol de la familia de las ramnáceas, de cinco a seis metros de altura, con tronco tortuoso, ramas ondeadas, inclinadas al suelo y llenas de aguijones rectos, que nacen de dos en dos; hojas alternas, festoneadas y lustrosas, de unos tres centímetros de largo, y flores pequeñas y amarillas. Su fruto es la azufaifa. ‖ **de Túnez.** Variedad **del azufaifo,** espontánea en algunas partes de España, y cuyo fruto es agrio. ‖ **loto. Loto,** 4.ª acep.

Azufeifa. f. Azufaifa.

Azufeifo. m. Azufaifo.

Azufrado, da. p. p. de **Azufrar.** ‖ **2.** adj. **Sulfuroso.** ‖ **3.** Parecido en el color al azufre.

Azufrador, ra. adj. Que azufra. Ú. t. c. s. ‖ **2.** m. **Enjugador,** 3.ª acep. Llámase así porque en él se suele sahumar con azufre la ropa, para que se ponga más blanca. ‖ **3.** Instrumento o aparato con que se azufran las vides atacadas del oídio.

Azuframiento. m. Acción o efecto de azufrar.

Azufrar. tr. Echar azufre en alguna cosa. ‖ **2.** Dar o impregnar de azufre. ‖ **3.** Sahumar con él.

Azufre. (Del lat. *sulphur, -ŭris*.) m. Metaloide de color amarillo, quebradizo, insípido, craso al tacto, que por frotación se electriza fácilmente y da olor característico: se funde a temperatura poco elevada, y arde con llama azul, desprendiendo anhídrido sulfuroso. Abunda en estado nativo. ‖ **vegetal.** Materia pulverulenta amarilla, compuesta de esporos de licopodio. ‖ **vivo.** El nativo.

Azufrera. f. Mina de azufre.

Azufrón. (De *azufre*.) m. Mineral piritoso en estado pulverulento.

Azufroso, sa. adj. Que contiene azufre.

Azul. (Del ár. persa *lāzūrd*, por *lāzaward*, lapislázuli, azulita.) adj. Del color del cielo sin nubes. Ú. t. c. s. Es el quinto color del espectro solar. ‖ **2.** V. **Caparrosa, ceniza, libro, malaquita, sangre, trigo, zorro azul.** ‖ **3.** *Quím.* V. **Vitriolo azul.** ‖ **celeste.** El más claro. ‖ **de cobalto.** Materia colorante muy usada en la pintura, que resulta de calcinar una mezcla de alúmina y fosfato de cobalto. ‖ **de mar.** El obscuro parecido al que suelen tener las aguas del mar. ‖ **de montaña.** Carbonato de cobre natural. ‖ **de Prusia.** Substancia de color **azul** subido, compuesta de cianógeno y hierro. Úsase en la pintura, y ordinariamente se expende en forma de panes pequeños fáciles de pulverizar. ‖ **de Sajonia.** Disolución de índigo en ácido sulfúrico concentrado, que se emplea como materia colorante. ‖ **de ultramar.** Lapislázuli pulverizado que se usa mucho como color en la pintura. ‖ **2.** m. Materia colorante que se fabrica calcinando una mezcla de sulfato de hierro, bisulfuro de sodio y arcilla, y sirve para substituir a la anterior. ‖ **3.** Pasta de añil. ‖ **marino. Azul de mar.** ‖ **turquí.** El más obscuro. Es el sexto color del espectro solar. ‖ **ultramarino, o ultramaro. Azul de ultramar.** ‖ **El que quiera azul celeste, que le cueste.** fr. fig. con que se da a entender que quien quiera obtener lo que desea, no debe quejarse si por ello se le originan gastos y molestias.

Azulado, da. p. p. de **Azular.** ‖ **2.** adj. De color azul o que tira a él.

Azulaque. (Del ár. *as-sulāqa*, el betún.) m. **Zulaque.**

Azular. tr. Dar o teñir de azul.

Azulear. intr. Mostrar alguna cosa el color azul que en sí tiene. ‖ **2.** Tirar a azul.

Azulejar. tr. Revestir de azulejos, 2.° art.

Azulejería. f. Oficio de azulejero. ‖ **2.** Obra hecha o revestida de azulejos, 2.° art.

Azulejero. m. El que hace azulejos, 2.° art.

Azulejo, ja. adj. d. de **Azul.** ‖ **2.** V. **Trigo azulejo.** ‖ **3.** *Amér.* **Azulado,** 2.ª acep. ‖ **4.** m. **Carraca,** 2.° art., 4.ª acep. ‖ **5.** Pájaro americano de unos 12 centímetros de largo; en verano el macho es de color azul que tira a verdoso hacia la rabadilla y a negro en las alas y la cola, y en invierno, lo mismo que la hembra en todo tiempo, es moreno obscuro con algunas fajas azules y visos verdosos. ‖ **6. Aciano menor.**

Azulejo. (Del ár. *az-zulaiý*, el ladrillito.) m. Ladrillo pequeño vidriado, de varios colores, que sirve más comúnmente para frisos en las iglesias, portales, cocinas y otros sitios, y también para inscripciones, como nombres de calles y números de casas.

Azulenco, ca. adj. *Hist. Nat.* **Azulado,** 2.ª acep. ‖ **2.** V. **Trigo azulenco.**

Azulete. m. Viso de color azul que se da a las medias de seda blanca y a otras prendas de vestir. ‖ **2.** *Ar.* Pasta de añil en bolas.

Azulino, na. adj. Que tira a azul.

Azulona. f. Especie de paloma de las Antillas, de unos tres decímetros de largo: tiene la cabeza y el cuello azules con una faja blanca, el cuerpo morado, y el vientre, del mismo color más claro.

Azumar. tr. Teñir los cabellos con algún zumo que les dé lustre o color.

Azúmbar. (Del ár. *as-sunbul*, la espiga, el nardo.) m. Planta perenne de la familia de las alismatáceas, con escapo de 10 a 15 centímetros, hojas acorazonadas, flores blancas en umbela terminal y fruto en forma de estrella de seis puntas. ‖ **2. Espicanardo.** ‖ **3. Estoraque,** 2.ª acep.

Azumbrado, da. adj. Medido por azumbres. ‖ **2.** fig. y fam. **Ebrio,** 1.ª acep.

Azumbre. (Del ár. *aṯ-ṯumn*, la octava parte [de la cántara].) f. Medida de capacidad para líquidos, compuesta de 4 cuartillos, y equivalente a 2 litros y 16 mililitros.

Azur. (Voz francesa.) adj. *Blas.* Dícese del color heráldico que en pintura se denota con el azul obscuro, y en el grabado, por medio de líneas horizontales muy espesas. Ú. t. c. s. m.

Azurita. (De *azur*.) f. **Malaquita azul.**

Azurronarse. r. Dícese de la espiga del trigo cuando por efecto de la sequía no puede salir del zurrón, 3.ª acep.

Azut. m. *Ar.* **Azud.**

Azutea. f. desus. **Azotea.**

Azutero. m. *Ar.* El que cuida del azut.

Azuzador, ra. adj. Que azuza. Ú. t. c. s.

Azuzar. (De *a*, 2.° art., y *¡sus!*) tr. Incitar a los perros para que embistan. ‖ **2.** fig. Irritar, estimular.

B

B. f. Letra consonante cuyo sonido, bilabial sonoro, es oclusivo cuando va detrás de *m* o en posición inicial absoluta, como en *ambos, bien;* y fricativo, en cualquier otra posición, como en *lobo, árbol, sobre,* etc. Su nombre es **be.**

Baalita. adj. Adorador de Baal, divinidad semita. Ú. t. c. s.

Baba. (De la onomat. *bab.*) f. *Zool.* Saliva espesa y abundante que a veces fluye de la boca del hombre y de algunos mamíferos. ‖ **2.** *Zool.* Líquido viscoso segregado por ciertas glándulas del tegumento de la babosa, el caracol y otros invertebrados. ‖ **3.** Por ext., jugo viscoso de algunas plantas. ‖ **Caérsele** a uno **la baba.** fr. fig. y fam. con que se da a entender, o que es bobo, o que experimenta gran complacencia viendo u oyendo cosa que le sea grata.

Babada. (De *baba.*) f. **Babilla,** 1.ª acep.

Babada. f. *Ar.* y *Cast.* Barro que se forma en los campos a consecuencia del deshielo.

Babadero. (De *baba.*) m. **Babador.**

Babador. (De *baba.*) m. **Babero.**

Babanca. (De la onomat. *bab.*) com. ant. Persona boba. Ú. en *Sal.*

Babatel. (De *baba.*) m. ant. Cualquiera cosa desaliñada que cuelga del cuello cerca de la barba.

Babaza. (aum. de *baba.*) f. **Baba,** 2.ª y 3.ª aceps. ‖ **2. Babosa,** 1.ª acep.

Babazorro, rra. (Del vasc. *babazorro;* de *baba,* haba, y *zorro,* saco.) adj. *Ar.* Joven atrevido y arriscado. Ú. t. c. s. ‖ **2.** *Ar.* Rústico, tosco. Ú. t. c. s. ‖ **3.** Natural de Álava.

Babear. (De *baba.*) intr. Expeler o echar de sí la baba. ‖ **2.** fig. y fam. Obsequiar a una mujer con demostraciones de excesivo rendimiento.

Babel. (Del hebr. *Bābēl,* la ciudad o el imperio de Babilonia, y esta voz de *balbēl,* confusión [de lenguas].) amb. fig. y fam. Lugar en que hay gran desorden y confusión o en que hablan muchos sin entenderse; por alusión a la Torre de Babel. ‖ **2.** fig. y fam. Desorden y confusión.

Babélico, ca. adj. Perteneciente o relativo a la Torre de Babel. ‖ **2.** fig. confuso, ininteligible.

Babeo. (De *babear.*) m. Acción de babear.

Babera. (De *baba.*) f. Pieza de la armadura antigua, que cubría la boca, barba y quijadas. ‖ **2. Babador.**

Babero. (De *baba.*) m. Pedazo de lienzo u otra materia que para limpieza se pone a los niños pendiente del cuello y sobre el pecho.

Baberol. m. **Babera,** 1.ª acep.

Babia. (Territorio de las montañas de León.) n. p. **Estar** uno **en Babia.** fr. fig. y fam. Estar distraído y como ajeno a aquello de que se trata.

Babiano, na. adj. Natural de Babia. Ú. t. c. s. ‖ **2.** Perteneciente a este territorio de las montañas de León.

Babieca. (De *Babia.*) com. fam. Persona floja y boba. Ú. t. c. adj.

Babilar. m. En los molinos harineros, eje sobre el que se mueve la canaleja.

Babilonia. (Por alusión a la célebre torre de la ciudad de aquel nombre en el Asia.) f. fig. y fam. **Babel.** ‖ **2.** V. **Sauce de Babilonia.**

Babilónico, ca. (Del lat. *babylonĭcus.*) adj. Perteneciente o relativo a Babilonia. ‖ **2.** fig. Fastuoso, ostentoso.

Babilonio, nia. (Del lat. *babylōnius.*) adj. Natural de Babilonia. Ú. t. c. s.

Babilla. (d. de *baba.*) f. En los cuadrúpedos, región de las extremidades posteriores formada por los músculos y tendones que articulan el fémur con la tibia y la rótula; en ella el humor sinovial es muy abundante y parecido a la baba. Equivale a la rodilla del hombre. ‖ **2.** Choquezuela o rótula de los cuadrúpedos. ‖ **3.** *Méj.* Humor que a consecuencia de la desgarradura de los tejidos, o fractura de los huesos, se extravasa e impide la buena consolidación.

Babirusa. (Del malayo *baby-rusa,* puercociervo.) m. Cerdo salvaje que vive en Asia, de mayor tamaño que el jabalí, cuyos colmillos salen de la boca dirigiéndose hacia arriba y luego se encorvan hacia atrás. Su carne es comestible.

Babismo. (Del ár. *bāb,* puerta, en el sentido místico de «medio que permite comunicar con el interior».) m. Sistema religioso, fundado en Persia en el siglo XIX por Mirza Alí Mohámed, quien, pretendiendo ser la encarnación del espíritu de todos los profetas, interpretó alegóricamente los dogmas y ritos del Islam para crear una sociedad nueva basada en la fraternidad universal y en el feminismo.

Bable. (Del lat. *fabŭla,* habla.) m. Dialecto de los asturianos.

Babor. (Del neerl. *bakboord.*) m. *Mar.* Lado o costado izquierdo de la embarcación, mirando de popa a proa.

Babosa. (De *baba.*) f. Molusco gasterópodo pulmonado, terrestre, sin concha, que cuando se arrastra deja como huella de su paso una abundante baba; por su voracidad es muy dañoso en las huertas. ‖ **2.** *Ar.* Cebolla añeja que se planta y produce otra. ‖ **3.** *Ar.* **Cebolleta,** 1.ª acep. ‖ **4.** *Germ.* **Seda,** 1.ª acep.

Babosear. (De *baboso.*) tr. Llenar o rociar de babas. ‖ **2.** intr. fig. y fam. **Babear,** 2.ª acep.

Baboseo. (De *babosear.*) m. fig. y fam. Acción de babosear, 2.ª acep.

Babosilla. f. Especie de babosa más pequeña que la ordinaria.

Baboso, sa. (De *baba.*) adj. Aplícase a la persona que echa muchas babas. Ú. t. c. s. ‖ **2.** fig. y fam. Enamoradizo y rendidamente obsequioso con las mujeres. Ú. t. c. s. ‖ **3.** fig. y fam. Aplícase al que no tiene edad o condiciones para lo que hace, dice o intenta. Ú. t. c. s. ‖ **4.** m. **Budión.**

Babosuelo, la. adj. d. de **Baboso.** Ú. t. c. s.

Babucha. (Del ár. *bābūŷ* o *bābuš,* y éste del persa *pāpūš,* lo que cubre el pie.) f. Zapato ligero y sin tacón, usado principalmente por los moros.

Babuchero, ra. m. y f. Persona que hace o vende babuchas. ‖ **2.** m. Lugar destinado en algunos edificios para depositar las babuchas.

Baca. (Del célt. *bacca,* vaso.) f. Sitio en la parte superior de las diligencias y demás coches de camino, donde pueden ir pasajeros y se colocan equipajes y otros efectos, resguardados con una cubierta de cuero o de tela embreada. ‖ **2.** Esta cubierta.

Baca. (Del lat. *bacca.*) f. Fruto o baya del laurel.

Bacada. (De *baque.*) f. ant. **Batacazo.**

Bacalada. f. Bacalao curado.

Bacaladero, ra. adj. Perteneciente o relativo al bacalao, o a la pesca y comercio de este pez.

Bacalao. (De *bacallao.*) m. *Zool.* Pez teleósteo, anacanto, de cuerpo simétrico con tres aletas dorsales y dos anales, y una barbilla en la sínfisis de la mandíbula inferior. Es comestible y se conserva salado y prensado. ‖ **de Escocia.** Merluza a la que se da la misma preparación que al bacalao común y es más apreciada que él. Se encuentra en ambos continentes, pero es poco frecuente en las costas de España; abunda más en el Norte, desde Escocia hasta Islandia. ‖ **Cortar el bacalao.** fr. fig. y fam. Ser el dueño del cuchillón.

Bacallao. (Del hol. *kabeljau.*) m. **Bacalao.**

Bacallar. (Del b. lat. *baccallarius*, siervo de una corta heredad.) m. Hombre rústico, villano.

Bacanal. (Del lat. *bacchanālis*.) adj. Perteneciente al dios Baco. Aplícase a las fiestas que celebraban los gentiles en honor de este dios. Ú. m. c. s. f. y en pl. ‖ **2.** f. fig. Orgía con mucho desorden y tumulto.

Bacante. (Del lat. *bacchans, -antis*.) f. Mujer que celebraba las fiestas bacanales. ‖ **2.** fig. Mujer descocada, ebria y lúbrica.

Bácara. (De *bácaris*.) f. **Amaro**, 1.er art.

Bácaris. (Del lat. *baccăris*, y éste del gr. βάκκαρις.) f. **Bácara.**

Bacelar. (Del gall. port. *bacelar*, y éste del lat. *bacillum*, sarmiento.) m. **Parral**, 1.er art., 1.ª acep.

Bacera. (De *bazo*.) f. Enfermedad carbuncosa de los ganados vacuno, lanar y cabrío, acompañada de profundas alteraciones en el bazo.

Baceta. (De *baza*.) f. Naipes que, en varios juegos, quedan sin repartir, después de haber dado a cada jugador los que le corresponden.

Bacía. (Del lat. *bacchīa*, taza, en San Isidoro.) f. **Vasija**, 1.ª y 2.ª aceps. ‖ **2.** La que usan los barberos para remojar la barba, y tiene, por lo común, una escotadura semicircular en el borde. ‖ **3.** ant. **Taza**, 3.ª acep. ‖ **de barbero. Bacía**, 2.ª acep.

Báciga. (Del fr. *bésigue*.) f. Juego de naipes entre dos o más personas, cada una con tres cartas. ‖ **2.** Lance principal con que en dicho juego se gana la partida, y que consiste en hacer un punto que no pase de nueve.

Bacilar. (De *bacilo*.) adj. Perteneciente o relativo a los bacilos. ‖ **2.** *Mineral.* De textura en fibras gruesas.

Bacilo. (Del lat. *bacillus*, báculo pequeño.) m. Bacteria en forma de bastoncillo o filamento más o menos largo, recto o encorvado según las especies.

Bacillar. (Del lat. *bacillum*, sarmiento.) m. **Bacelar.** ‖ **2.** Viña nueva.

Bacillo. (Del lat. *bacillus*, palo.) m. *León* y *Zam.* Vástago o renuevo de la vid.

Bacín. (Del ant. cat. *bacín*, y éste del lat. *baccīnum*, taza.) m. Vaso de barro vidriado, alto y cilíndrico, que sirve para recibir los excrementos mayores del cuerpo humano. ‖ **2.** Bacineta para pedir limosna. ‖ **3.** fig. y fam. Hombre despreciable por sus acciones. ‖ **4.** ant. **Bacía**, 1.ª y 2.ª aceps.

Bacina. (Del lat. *baccinum*, taza.) f. ant. **Bacín**, 4.ª acep. ‖ **2.** *Extr.* Caja o cepo que llevan los demandadores para recoger las limosnas.

Bacinada. f. Inmundicia arrojada del bacín. ‖ **2.** fig. y fam. Acción indigna y despreciable.

Bacinador. (De *bacina*.) m. ant. **Bacinero.**

Bacinejo. m. d. de **Bacín.**

Bacinero, ra. (De *bacina*.) m. y f. Demandante de limosna para el culto religioso o para obras pías.

Bacineta. (d. de *bacina*.) f. Bacía pequeña que sirve para recoger limosna y para otros usos.

Bacinete. (Del fr. *bassinet*, y éste del lat. *baccīnum*, taza.) m. Pieza de la armadura antigua, que cubría la cabeza a modo de yelmo. ‖ **2.** Soldado que vestía coraza y bacinete. ‖ **3.** *Anat.* **Pelvis.**

Bacinica. (d. de *bacina*.) f. **Bacineta.** ‖ **2.** Bacín bajo y pequeño.

Bacinilla. (d. de *bacina*.) f. **Bacinica.**

Bacisco. (De *bazo*, 1.ª acep.) m. Mineral menudo y tierra de la mina, con que se hace barro y se moldean adobes que entran en la carga de los hornos de Almadén. Ú. m. en pl.

Baconiano, na. adj. Perteneciente al método y doctrina del filósofo inglés Bacon.

Bacteria. (Del gr. βακτηρία, bastón.) f. *Bot.* Vegetal unicelular, microscópico, sin clorofila ni núcleo, pero con gránulos de cromatina dispersos en el protoplasma y provisto a veces de flagelos o cilios mediante los cuales se mueve en un medio líquido. Muchas de sus especies viven en las aguas, dulces o marinas, abundantes en substancias orgánicas, en el suelo y en materias orgánicas en putrefacción; otras son parásitas, más o menos patógenas.

Bacteriano, na. adj. Perteneciente o relativo a las bacterias.

Bactericida. adj. Que mata las bacterias o impide su desarrollo. *Suero* BACTERICIDA.

Bacteriología. (De *bacteriólogo*.) f. Parte de la microbiología, que tiene por objeto el estudio de todo lo concerniente a las bacterias.

Bacteriológico, ca. adj. Perteneciente a la bacteriología.

Bacteriólogo. (De *bacteria* y el gr. λέγω, tratar.) m. El que se dedica al estudio de la bacteriología.

Bactriano, na. (Del lat. *bactrianus*.) adj. Natural de la Bactriana. Ú. t. c. s. ‖ **2.** Perteneciente a esta región de Asia antigua.

Báculo. (Del lat. *bacŭlum*.) m. Palo o cayado que traen en la mano para sostenerse los que están débiles o viejos. ‖ **2.** fig. Alivio, arrimo y consuelo. ‖ **pastoral.** El que usan los obispos como pastores espirituales del pueblo, y que por su figura se parece casi siempre al cayado que traen los pastores de ovejas.

Bache. m. Hoyo que se hace en la calle o camino por el mucho batimiento de los carruajes o caballerías. ‖ **2.** Desigualdad de la densidad atmosférica que determina un momentáneo descenso del avión.

Bache. m. Sitio donde se encierra el ganado lanar para que sude, antes de esquilarlo.

Bachear. tr. Arreglar las vías públicas rellenando los baches, 1.er art., 1.ª acep.

Bacheo. m. Acción de bachear.

Bachiller. (Del fr. *bachelier*, y éste del b. lat. *baccalaurĕus*.) com. Persona que ha recibido el primer grado académico que se otorgaba antes a los estudiantes de facultad, y que ahora se concede en las de teología y derecho canónico en los seminarios. ‖ **2.** Persona que ha obtenido el grado que se concede al terminar la segunda enseñanza. ‖ **en artes. Bachiller**, 1.er art., 2.ª acep. ‖ **El que ha de ser bachiller, menester ha deprender.** ref. que enseña que para lograr algún fin es necesario poner los medios adecuados.

Bachiller, ra. (De *bachiller*.) m. y f. fig. y fam. Persona que habla mucho e impertinentemente. Ú. t. c. adj.

Bachilleradgo. m. ant. **Bachillerato.**

Bachilleramiento. m. Acción y efecto de bachillerar o bachillerarse.

Bachillerar. tr. Dar el grado de bachiller. ‖ **2.** r. Tomar el grado de bachiller.

Bachillerato. (De *bachiller*.) m. Grado de bachiller. ‖ **2.** Estudios necesarios para obtener dicho grado.

Bachillerear. (De *bachiller*.) intr. fig. y fam. Hablar mucho e impertinentemente.

Bachillerejo, ja. m. y f. d. de **Bachiller, ra.**

Bachillería. (De *bachiller*, 2.º art.) f. fam. Locuacidad impertinente. ‖ **2.** fam. Cosa dicha sin fundamento.

Bada. f. **Abada.**

Badajada. (De *badajo*.) f. Golpe que da el badajo en la campana. ‖ **2.** fig. y fam. Necedad, despropósito.

Badajazo. m. **Badajada**, 1.ª acep.

Badajear. (De *badajo*, 2.ª acep.) intr. fig. y fam. Hablar mucho y neciamente.

Badajo. (Del lat. **batacŭlum* por **battuacŭlum*.) m. Pieza metálica, generalmente en forma de pera, que pende en lo interior de las campanas, y con la cual se golpean éstas para hacerlas sonar. En los cencerros y esquilas suele ser de madera o hueso. ‖ **2.** fig. y fam. Persona habladora, tonta y necia.

Badajocense. adj. Natural de Badajoz. Ú. t. c. s. ‖ **2.** Perteneciente o relativo a esta ciudad.

Badajuelo. m. d. de **Badajo**, 1.ª acep.

Badal. (Del b. lat. *badallum*, acial.) m. ant. Bozal para las bestias. ‖ **2. Acial.** ‖ **3.** Balancín que, enganchado a los tirantes de las caballerías, sirve para arrastrar maderos, trillos, etc. ‖ **Echar** a uno **un badal a la boca.** fr. ant. fig. Dejarle sin tener qué responder.

Badal. (Del ár. *bādila*, la carne entre el pecho y la axila.) m. *Ar.* Carne de la espalda y las costillas, principalmente hacia el pescuezo, en las reses que sirven para el abasto.

Badalonés, sa. adj. Natural de Badalona. Ú. t. c. s. ‖ **2.** Perteneciente a esta ciudad.

Badallar. intr. *Ar.* **Bostezar.**

Badán. (Del ár. *badan*, tronco del cuerpo.) m. Tronco del cuerpo en el animal.

Badana. (Del ár. *biṭāna*, forro.) f. Piel curtida de carnero u oveja. ‖ **2.** m. fam. Persona floja y perezosa. Ú. m. en pl. *Tu yerno es un* BADANAS. ‖ **Zurrar** a uno **la badana.** fr. fig. y fam. Darle de golpes. ‖ **2.** fig. y fam. Maltratarle de palabra.

Badanado, da. adj. ant. Aforrado o cubierto con badana.

Badaza. (Del dialect. *bedasa beasa*, y éste del lat. *bissaccium*, alforja.) f. ant. **Barjuleta**, 1.ª acep.

Badea. (Del ár. *baṭija*, cucurbitácea.) f. Sandía o melón de mala calidad. ‖ **2.** En algunas partes, pepino o cohombro insípido y amarillento. ‖ **3.** fig. y fam. Persona floja. ‖ **4.** fig. y fam. Cosa sin substancia.

Badelico. m. *Germ.* **Badil.**

Badén. (Del ár. *baṭn*, cavidad, depresión del suelo.) m. Zanja o depresión que forma en el terreno el paso de las aguas llovedizas. ‖ **2.** Cauce enlosado o empedrado, que se hace en una carretera para dar paso a un corto caudal de agua.

Baderna. (Del b. bret. *badern*.) f. *Mar.* Cabo trenzado, de uno a dos metros de largo, que se emplea para sujetar el cable al virador, trincar la caña del timón, etc.

Badián. (Del persa *bādiyān*, anís.) m. Árbol de Oriente, siempre verde, de la familia de las magnoliáceas, de hasta seis metros de altura, con hojas alternas, enteras y lanceoladas; flores blancas, solitarias y axilares, y fruto capsular, estrellado, con carpelos leñosos igualmente desarrollados y terminados en punta arqueada: sus semillas son pequeñas, lustrosas y aromáticas, y se emplean en medicina y como condimento con el nombre de anís estrellado.

Badiana. f. **Badián.** ‖ **2.** Fruto de este árbol.

Badil. (Del lat. *batillum*.) m. Paleta de hierro o de otro metal, para mover y recoger la lumbre en las chimeneas y braseros.

Badila. (De *badil*.) f. **Badil**, y más comúnmente el del brasero. ‖ **Dar** a uno **con la badila en los nudillos.** fr. fig. y fam. Vejarle, molestarle indirecta o disimuladamente. ‖ **Gustarle** a uno **que le den con la badila en los nudillos.** fr. fig. y fam. que se aplica irónicamente al que disimula un agravio o contrariedad.

Badilazo. m. Golpe dado con el badil o la badila.

Badilejo. (d. de *badil*.) m. **Llana**, 1.er art.

Badina. (Del m. or. que *badén.*) f. *Ar.* Balsa o charca de agua.

Badomía. f. Despropósito, disparate.

Badulaque. m. Afeite compuesto de varios ingredientes, que se usaba en otro tiempo. ‖ **2.** ant. **Chanfaina,** 1.ª acep. ‖ **3.** fig. y fam. Persona de poca razón y fundamento. Ú. t. c. adj.

Baenero, ra. adj. Perteneciente o relativo a Baena. ‖ **2.** Natural de esta población de la provincia de Córdoba. Ú. t. c. s.

Baezano, na. adj. Natural de Baeza. Ú. t. c. s. ‖ **2.** Perteneciente a esta ciudad.

Bafear. (De la onomat. *baf.*) intr. *Sal.* **Vahear.**

Baga. (Del lat. *bacca,* baya.) f. Cápsula que contiene la linaza o semillas del lino.

Baga. (Del prov. *baga,* carga.) f. *Ar.* Soga con que se atan y aseguran las cargas que llevan las caballerías.

Bagá. m. Árbol de la isla de Cuba, de la familia de las anonáceas, que crece hasta ocho metros de altura, de hojas elípticas y lustrosas y fruto globoso, que sirve de alimento para toda clase de ganados. Sus raíces son tan porosas, que se usan como corcho en las redes, boyas, etc.

Bagacera. (De *bagazo.*) Lugar de los ingenios de azúcar, en que se tiende el bagazo de la caña, para que, secándose al sol, sirva de combustible.

Bagaje. (Del fr. *bagage,* de *bague,* y éste del escand. *baggi,* paquete.) m. Equipaje militar de un ejército o tropa cualquiera en marcha. ‖ **2.** Bestia que, para conducir el equipaje militar y en ocasiones algunos individuos del ejército y sus familias, se toma en los pueblos por vía de carga concejil, pero mediante remuneración. Llámase **bagaje mayor** al caballo y al mulo o mula, y **menor** al asno. Suelen también tomarse para este servicio carros y carretas con sus respectivos tiros. ‖ **3.** fig. Conjunto de conocimientos o noticias de que dispone una persona.

Bagajero. m. El que conduce el bagaje, 1.ª acep.

Bagar. intr. Echar el lino baga y semilla. *El lino* HA BAGADO *bien; está bien* BAGADO.

Bagarino. (Del ár. *baḥrī,* marino, marinero.) m. Remero libre asalariado, a diferencia del galeote o forzado.

Bagasa. (Del ár. *baggāza,* mujer libertina.) f. **Ramera.**

Bagatela. (Del ital. *bagatella,* y éste de *bagata,* del lat. *baca,* baya.) f. Cosa de poca substancia y valor.

Bagazal. m. *Cuba.* Terreno en que abundan los bagaes.

Bagazo. (De *baga,* 1.er art.) m. Cáscara que queda después de deshecha la baga y separada de ella la linaza. ‖ **2.** En algunas partes, residuo de aquellas cosas que se exprimen fuertemente para sacar el licor o zumo; como de la naranja, aceituna o caña de azúcar.

Bago. (Del lat. *pagus,* aldea.) m. *León.* **Pago,** 2.° art.

Bagre. (Del cat. *bagre,* y éste del lat. *pagrus.*) m. *Zool.* Pez teleósteo del suborden de los fisóstomos, de cuatro a ocho decímetros de longitud, abundante en la mayor parte de los ríos de América, sin escamas, pardo por los lados y blanquecino por el vientre, de cabeza muy grande, hocico obtuso, y con barbillas. Su carne es amarillenta, sabrosa y con pocas espinas.

Bagual, la. (Del araucano *cahual,* y éste del cast. *caballo.*) adj. *Argent., Bol.* y *Urug.* **Incivil.** ‖ **2.** m. *Argent., Bol.* y *Urug.* Potro o caballo no domado.

Bagualada. f. *Argent.* Manada de baguales, caballada.

Baguarí. (Del guaraní *mbaguari.*) m. Especie de cigüeña de la Argentina, de un metro próximamente de longitud, cuerpo blanco, y alas y cola negras.

Baguio. m. Huracán en el archidiélago filipino.

¡Bah! interj. con que se denota incredulidad o desdén. Ú. también repetida.

Baharí. (Del ár. *baḥrī,* marino, marinero.) m. Ave rapaz diurna, de unos 15 centímetros de altura, color gris azulado por encima, colorado obscuro con manchas de diversos tonos en las partes inferiores, y pies rojos. Es propia de Asia y África, y suele verse en España.

Bahía. (Del lat. *baia,* en San Isidoro, y éste de origen ibérico.) f. Entrada de mar en la costa, de extensión considerable, que puede servir de abrigo a las embarcaciones.

Bahorrina. (Del ár. *bāŷūri,* propio del vapor o exhalación fétida.) f. fam. Conjunto de muchas cosas asquerosas mezcladas con agua sucia. ‖ **2.** fig. y fam. Conjunto de gente soez y ruin. ‖ **3. Suciedad.**

Bahúno, na. (De la onomat. *baf.*) adj. Dícese de la gente soez y ruin.

Bahurrero. m. ant. *Ar.* Cazador de aves con lazos o redes.

Baila. f. **Raño,** 1.ª acep.

Baila. f. ant. **Baile,** 1.er art., 1.ª, 2.ª y 3.ª aceps.

Bailable. adj. Dícese de la música compuesta para bailar. ‖ **2.** m. Cada una de las danzas, más o menos largas y complicadas, que se ejecutan en el espectáculo compuesto de mímica y baile, y especialmente en algunas óperas u obras dramáticas.

Bailadero, ra. adj. ant. **Bailable,** 1.ª acep. ‖ **2.** m. En algunas provincias, sitio destinado para los bailes públicos.

Bailador, ra. adj. Que baila. Ú. m. c. s. ‖ **2.** m. y f. Bailarín o bailarina profesional que ejecuta bailes populares de España, especialmente andaluces. ‖ **3.** m. *Germ.* **Ladrón,** 1.ª acep.

Bailante. p. a. de **Bailar.** Que baila. ‖ **2.** adj. **Bailarín,** 1.ª acep. ‖ **3.** m. *Argent.* Orgía nocturna de gente pobre.

Bailar. (Del lat. *ballāre,* y éste del gr. βαλλίζω, danzar.) intr. Hacer mudanzas con los pies, el cuerpo y los brazos, en orden y a compás. Ú. t. c. tr. BAILAR *una polca.* ‖ **2.** Moverse o agitarse rápidamente una cosa sin salir de espacio determinado. ‖ **3. Retozar,** 4.ª acep. ‖ **4.** *Equit.* Ejecutar el caballo algunos movimientos irregulares y de índole nerviosa, ya andando, ya estando parado. ‖ **5.** tr. Hacer **bailar.** ‖ **6.** *Germ.* **Hurtar,** 1.ª acep. ‖ **Otra, u otro, que bien baila.** expr. fig. y fam. con que se da a entender que una persona se parece a otra u otras en un vicio o en una cualidad no digna de encomio.

Bailarín, na. adj. Que baila. Ú. t. c. s. ‖ **2.** V. **Peuco bailarín.** ‖ **3.** m. y f. Persona que ejercita o profesa el arte de bailar.

Baile. (De *bailar.*) m. Acción de bailar. ‖ **2.** Cada una de las series de mudanzas que hacen los que bailan. Se conocen con nombres particulares; como vals, rigodón, fandango, etc. ‖ **3.** Festejo en que se juntan varias personas y se baila. ‖ **4.** Espectáculo teatral en que se representa una acción por medio de la mímica y se ejecutan varias danzas. ‖ **5.** *Germ.* **Ladrón,** 1.ª acep. ‖ **de botón gordo, de candil,** o **de cascabel gordo.** Festejo o diversión en que la gente vulgar, o los que quieren imitarla, se regocijan y alegran. ‖ **de cuenta. Baile** de figuras. ‖ **de San Vito.** Nombre vulgar de varias enfermedades convulsivas, especialmente de los niños, como la corea y otras caracterizadas por movimientos y ataques histéricos. Se llamaban así porque se invocaba a este santo para remediarlas. ‖ **de trajes.** Aquel en que los asistentes van caprichosamente vestidos de manera no acostumbrada. ‖ **serio.** El de etiqueta, por contraposición al que no la requiere.

Baile. (Del lat. *baiŭlus,* teniente, el que ayuda a sobrellevar un cargo.) m. Antiguamente, en la corona de Aragón, juez ordinario en ciertos pueblos de señorío. ‖ **2.** En Andorra, magistrado de menor categoría que la del veguer, encargado principalmente de fallar, oyendo asesor, en primera instancia. ‖ **general.** Antiguamente, ministro superior del real patrimonio. ‖ **local.** El que en algunos territorios entendía en primera instancia de lo tocante a rentas reales.

Bailete. (De *baile,* 1.er art.) m. Baile de corta duración que solía introducirse en la representación de ciertas obras dramáticas.

Bailía. (De *baile,* 2.° art.) f. Territorio sometido a la jurisdicción del baile. ‖ **2.** Territorio de alguna encomienda de las órdenes.

Bailiaje. (De *bailía.*) m. Especie de encomienda o dignidad en la orden de San Juan, que los caballeros profesos obtenían por su antigüedad y a veces por gracia particular del gran maestre de la orden.

Bailiazgo. m. **Bailía.**

Bailinista. adj. desus. Decíase del poeta que escribía la letra para los bailes. Usáb. t. c. s.

Bailío. (De *baile,* 2.° art.) m. Caballero profeso de la orden de San Juan, que tenía bailiaje.

Bailista. com. p. us. Bailarín o bailarina.

Bailón. (De *baile,* 1.er art., 5.ª acep.) m. *Germ.* Ladrón viejo.

Bailotear. intr. Bailar mucho, y en especial cuando se hace sin gracia ni formalidad.

Bailoteo. m. Acción y efecto de bailotear.

Baivel. (Del ant. fr. *baivel,* mod. *biveau.*) m. Escuadra falsa con uno de sus brazos recto y curvo el otro, usada generalmente por los canteros al labrar dovelas.

Baja. (De *bajar.*) f. Disminución del precio, valor y estimación de una cosa. BAJA *del trigo, de los tributos.* ‖ **2. Alemanda.** ‖ **3.** ant. **Bajío,** 2.ª acep. ‖ **4.** *Mil.* Pérdida o falta de un individuo. *El ejército enemigo tuvo mil* BAJAS *en el combate.* ‖ **5.** *Mil.* Documento que acredita o en que consta la falta de un individuo. ‖ **6.** Acto en que se declara la cesación en industrias o profesiones sometidas a impuesto. ‖ **7.** Formulario fiscal para tales declaraciones. ‖ **8.** Cese de una persona en un cuerpo, profesión, carrera, etc. ‖ **Dar baja** una cosa. fr. Perder mucho de su estimación. ‖ **Dar de baja.** fr. *Mil.* Tomar nota de la falta de un individuo, ocasionada por muerte, enfermedad, deserción, etc. ‖ **2.** Eliminar a una persona del escalafón o nómina de un cuerpo o sociedad. ‖ **Darse de baja.** fr. fig. Cesar en el ejercicio de una industria o profesión. ‖ **2.** Dejar de pertenecer voluntariamente a una sociedad o corporación. ‖ **De,** o **en, baja.** loc. adv. Disminuyendo la estimación de una cosa o persona. Ú. m. con los verbos *ir* y *estar.* ‖ **Jugar a la baja.** fr. *Com.* Especular con las mudanzas de la cotización de los valores públicos o mercantiles, previendo **baja** en la misma. ‖ **Ser baja.** *Mil.* Dejar de estar en un cuerpo un individuo por habérsele destinado a otro, o por muerte, enfermedad, deserción, etc.

Bajá. (Del ár. *bāšā;* éste del turco *pāšā,* y éste del persa *pādišāh,* con probable contaminación del turco *basqāq.*) m. En Turquía, antiguamente, el que obtenía algún mando superior, como el de la mar, o el de alguna provincia en calidad de virrey o gobernador. Hoy es título de honor que se da a personas de alta clase, aunque no obtengan mando ni gobierno.

Bajada. f. Acción de bajar. ‖ **2.** Camino o senda por donde se baja desde alguna parte. ‖ **al foso.** *Fort.* Excavación en rampa que hace el sitiador por debajo del camino cubierto, avanzando en galería blindada subterránea hasta cortar la contraescarpa, enfrente de la brecha abierta por la artillería en la escarpa. ‖ **de aguas.** Canal o conjunto de caños que en un edificio recogen el agua llovediza y le dan salida.

Bajalato. m. Dignidad de bajá. ‖ **2.** Territorio de su mando.

Bajamanero. (De *bajamano.*) m. *Germ.* Ladrón ratero.

Bajamano. (De *bajar* y *mano.*) m. *Germ.* Ladrón que entra en una tienda, y señalando con la una mano alguna cosa, hurta con la otra lo que tiene junto a sí. ‖ **2.** adv. m. *Germ.* Debajo del sobaco.

Bajamar. (De *bajar* y *mar.*) f. Fin o término del reflujo del mar. ‖ **2.** Tiempo que éste dura.

Bajamente. adv. m. fig. Con bajeza o abatimiento.

Bajamiento. m. ant. Acción y efecto de bajar.

Bajar. (De *bajo.*) intr. Ir desde un lugar a otro que esté más bajo. Ú. t. c. r. ‖ **2.** Minorarse o disminuirse alguna cosa. BAJAR *la calentura, el frío, el precio, el valor.* ‖ **3.** Hablando de los expedientes y provisiones, remitirse despachados al tribunal o secretaría que los ha de publicar. ‖ **4.** tr. Poner alguna cosa en lugar inferior al en que estaba. ‖ **5.** **Rebajar,** 1.ª acep. BAJAR *el piso, la cuesta.* ‖ **6.** **Apear,** 1.ª acep. Ú. t. c. intr. y c. r. ‖ **7.** Inclinar hacia abajo. BAJAR *la cabeza el cuerpo.* ‖ **8.** Disminuir la estimación, precio o valor de alguna cosa. ‖ **9.** fig. Humillar, abatir. *Le* BAJARÉ *los bríos.* Ú. t. c. r. ‖ **10.** r. Inclinarse uno hacia el suelo.

Bajareque. m. *Cuba.* Bohío o casucho muy pobre o ruinoso. ‖ **2.** *Guat.* y *Hond.* Pared de palos entretejidos con cañas y barro.

Bajedad. f. ant. **Bajeza.**

Bajel. (Del cat. *vaixel*, y éste del lat. *vascĕllum*, vaso.) m. **Buque,** 3.ª acep. ‖ **Sentenciar a uno a bajeles.** fr. Condenarle a servicio forzado en los buques de guerra, pena usada antiguamente.

Bajelero. m. Dueño, patrón o fletador de un bajel.

Bajera. f. ant. Bajada o pendiente de una cuesta.

Bajero, ra. adj. **Bajo,** 2.ª acep. ‖ **2.** Que se usa o se pone debajo de otra cosa. *Sábana, falda* BAJERA.

Bajete. m. d. despect. de **Bajo.** ‖ **2.** *Mús.* **Barítono,** 1.ª acep. ‖ **3.** *Mús.* Tema escrito en clave de bajo, que se da al discípulo de armonía para que se ejercite escribiendo sus acordes y modulaciones.

Bajez. f. ant. **Bajeza.**

Bajeza. (De *bajo.*) f. Hecho vil o acción indigna. ‖ **2.** fig. Abatimiento, humillación, condición de humildad o inferioridad. ‖ **3.** ant. Lugar bajo u hondo. ‖ **de ánimo.** fig. **Poquedad,** 2.ª acep. ‖ **de nacimiento.** fig. Humildad y obscuridad de nacimiento.

Bajial. (De *bajío.*) m. *Perú.* Lugar bajo en las provincias litorales, que se inunda en el invierno.

Bajillo. (Del lat. *vascĕllum*, vaso.) m. *Ar.* Cuba o tonel en que se guarda el vino en las bodegas.

Bajío, a. (De *bajo.*) adj. ant. **Bajo.** ‖ **2.** m. **Bajo,** 18.ª acep., y más comúnmente el de arena. ‖ **3.** ant. fig. **Bajón,** 2.° art., 2.ª acep. Usáb. más con el verbo *dar.* ‖ **4.** *Amér.* Terreno bajo. ‖ **Dar uno en un bajío.** fr. fig. Tropezar en un grave inconveniente que puede destruir el fin a que aspiraba.

Bajista. com. Persona que juega a la baja en la bolsa.

Bajo, ja. (Del lat. *bassus.*) adj. De poca altura. ‖ **2.** Dícese de lo que está en lugar inferior respecto de otras cosas de la misma clase o naturaleza. *Piso* BAJO; *sala* BAJA. ‖ **3.** Inclinado hacia abajo y que mira al suelo. *Cabeza* BAJA; *ojos* BAJOS. ‖ **4.** Hablando de colores, poco vivo. ‖ **5.** Dícese del oro y de la plata, cuando tienen sobrada liga. ‖ **6.** Dícese de la fiesta movible o de la cuaresma que cae más pronto que en otros años. ‖ **7.** Dícese del puyazo, par o medio par, pinchazo o estocada que hiere al toro por debajo del alto de las agujas. ‖ **8.** fig. Humilde, despreciable, abatido. ‖ **9.** fig. Aplicado a expresiones, lenguaje, estilo, etc., vulgar, ordinario, innoble. ‖ **10.** fig. Dicho del precio de las cosas, corto, poco considerable. ‖ **11.** fig. Tratándose de sonidos, **grave.** ‖ **12.** fig. Que no se oye de lejos. ‖ **13.** V. **Agua, caja, cámara, planta, plaza baja.** ‖ **14.** V. **Baja danza, baja latinidad.** ‖ **15.** V. **Bajo alemán, bajo latín, bajo relieve.** ‖ **16.** V. **Carmín, llar, monte, truco bajo.** ‖ **17.** m. Sitio o lugar hondo. ‖ **18.** En los mares, ríos y lagos navegables, elevación del fondo, que impide flotar a las embarcaciones. ‖ **19.** Casco de las caballerías. Ú. m. en pl. ‖ **20.** *Mús.* La más grave de las voces humanas. ‖ **21.** *Mús.* Instrumento que produce los sonidos más graves de la escala general. ‖ **22.** *Mús.* Persona que tiene aquella voz, o que toca este instrumento. ‖ **23.** *Mús.* Nota que sirve de base a un acorde. ‖ **24.** *Mús.* Parte de música escrita para ser ejecutada por un cantor o un instrumentista de la cuerda de **bajos.** ‖ **25.** pl. Parte inferior del traje de las mujeres, y especialmente de la ropa interior. ‖ **26.** Piso bajo de las casas que tienen dos o más. ‖ **27.** *Equit.* Manos y pies del caballo. ‖ **28.** adv. l. **Abajo,** 1.ª acep. ‖ **29.** adv. m. En voz **baja** o que apenas se oiga. ‖ **30.** prep. **Debajo,** 1.ª acep. BAJO *techado;* BAJO *tutela;* BAJO *palabra.* ‖ **Bajo cantante.** *Mús.* Barítono de voz tan robusta como la del **bajo.** ‖ **cifrado.** *Mús.* Parte de **bajo** sobre cuyas notas se escriben números y signos que determinan la armonización correspondiente. ‖ **continuo.** *Mús.* Parte de música que no tiene pausas y sirve para la armonía de acompañamiento instrumental. ‖ **de agujas.** *Equit.* Dícese del caballo más **bajo** de cruz que de grupa. ‖ **profundo.** *Mús.* Cantor cuya voz excede en corpulencia y gravedad a la ordinaria de **bajo.** ‖ **Por lo bajo.** m. adv. fig. Recatada o disimuladamente.

Bajoca. (Del cat. *bajoca.*) f. *Murc.* Judía verde. ‖ **2.** *Murc.* Gusano de seda que enferma y se muere, quedándose tieso como la vaina de la judía.

Bajocar. m. *Murc.* Haza sembrada de bajocas, 1.ª acep.

Bajón. (aum. de *bajo.*) m. Instrumento músico de viento, construido de una pieza de madera como de 80 centímetros de longitud, con ocho agujeros para los dedos y otro u otros dos que se tapan con llaves; en su parte lateral superior se encaja un tudel de cobre, de forma curva, y en éste una pipa de cañas con la cual se hace sonar el instrumento, que tiene la extensión de bajo. ‖ **2.** **Bajonista.** ‖ **3.** p. us. **Bajo,** 22.ª acep.

Bajón. m. aum. de **Baja.** ‖ **2.** fig. y fam. Notable menoscabo o disminución en el caudal, la salud, las facultades intelectuales, etc. Úsase más con el verbo *dar. Francisco ha dado un gran* BAJÓN.

Bajonado. m. Pez de los mares de Cuba, parecido a la dorada.

Bajonazo. (De *bajo.*) m. despect. *Taurom.* Estocada excesivamente baja.

Bajoncillo. (d. de *bajón*, 1.er art.) m. Instrumento músico parecido al bajón, pero de menor tamaño, proporcionado al tono de tiple, de contralto o de tenor. Fabricábanse **bajoncillos** de tres medidas diferentes, y juntos con el bajón formaban cuarteto.

Bajonista. m. El que ejercita o profesa el arte de tocar el bajón.

Bajotraer. (De *bajo* y *traer.*) m. **ant.** Abatimiento, humillación, envilecimiento.

Bajuelo, la. adj. d. de **Bajo.**

Bajuno, na. (De la onomat. *baf.*) adj. **Bahúno.**

Bajura. f. Falta de elevación. ‖ **2.** ant. **Bajeza,** 1.ª y 2.ª aceps.

Bala. (Del fr. *balle*, y éste del germ. *balla*, bola, fardo.) f. Proyectil de diversos tamaños y de forma esférica o cilíndrico-ojival, generalmente de plomo o hierro, para cargar las armas de fuego. Hoy las más comunes son: de cañón, de fusil; de plomo, de acero, de hierro; incendiaria, de iluminación, roja, forzada y explosiva. ‖ **2.** Confite redondo, liso, todo de azúcar. ‖ **3.** Pelotilla hueca, de cera, y dada de algún color, llena de agua de olor o común, de que se usa por burla en carnestolendas. ‖ **4.** Entre mercaderes, cualquier fardo apretado de mercaderías, y en especial de los que se transportan embarcados. ‖ **5.** Entre impresores y libreros, atado de 10 resmas de papel. ‖ **6.** *Impr.* Almohadilla circular con que se toma tinta para ponerla sobre las galeradas cuando se quieren sacar pruebas de una composición. ‖ **de cadena,** o **encadenada.** La de hierro, partida en dos mitades, unidas por la parte interior con una cadenilla. Se usaba en la carga de artillería de marina, para romper la arboladura de los buques enemigos. ‖ **enramada. Palanqueta,** 3.ª acep. ‖ **fría.** fig. La que ha perdido casi por completo la velocidad. ‖ **naranjera. Naranja,** 2.ª acep. ‖ **perdida.** La que va a dar en un punto apartado de aquel adonde el tirador quiso dirigirla. ‖ **2.** **Tarambana,** 1.ª acep. ‖ **rasa.** La sólida y esférica que se lanzaba aisladamente, o sea como único proyectil en cada disparo. ‖ **2.** fig. **Balarrasa.** ‖ **roja.** La de hierro que, hecha ascua, se metía en la pieza de artillería, y se usaba para incendiar. ‖ **Como una bala.** expr. fig. y fam. con que se pondera la presteza y velocidad con que camina o va de una a otra parte una persona o cosa.

Balada. f. **Balata.** ‖ **2.** Composición poética dividida generalmente en estrofas iguales, y en la cual, por lo común, se refieren sencilla y melancólicamente sucesos legendarios o tradicionales, y se deja ver la profunda emoción del poeta. Esta composición es originaria del norte de Europa, donde adquirió los caracteres que la distinguen de la antigua **balada** o balata. ‖ **3.** Composición poética provenzal dividida en estrofas de varia rima que terminan en un mismo verso a manera de estribillo. ‖ **4.** *Germ.* Concierto, convenio.

Baladí. (Del ár. *bāṭilī*, inútil, vano, sin valor.) adj. De clase inferior, poca substancia y aprecio. ‖ **2.** V. **Clavo baladí.**

Baladí. (Del ár. *baladī*, indígena, perteneciente a un país o pueblo.) adj. Propio de la tierra.

Balador, ra. adj. Que bala.

Baladrar. (Del lat. *blaterāre.*) intr. Dar baladros.

Baladre. (Del cat. *baladre*, y éste del lat. *veratrum*, eléboro.) m. **Adelfa.**

Baladrear. (De *baladro.*) intr. ant. **Baladronear.**

Baladrero, ra. (De *baladro.*) adj. Gritador, alborotador.

Baladro. (De *baladrar.*) m. Grito, alarido o voz espantosa.

Baladrón, na. (Del lat. *balatro, -ōnis.*) adj. Fanfarrón y hablador que, siendo cobarde, blasona de valiente.

Baladronada. f. Hecho o dicho propio de baladrones.

Baladronear. (De *baladrón.*) intr. Hacer o decir baladronadas.

Balagar. (De *bálago.*) m. *Ast.* Montón o haz grande de bálago, que se guarda para sustento de las bestias en el invierno.

Balagariense. adj. Natural de Balaguer. Ú. t. c. s. || **2.** Perteneciente o relativo a esta ciudad.

Bálago. (Del lat. *palĕa,* paja.) m. Paja larga de los cereales después de quitarle el grano. || **2.** En algunas partes, paja trillada. || **3.** Espuma crasa del jabón, de la cual se hacen bolas. || **4. Balaguero.** || **Menear, sacudir,** o **zurrar** a uno **el bálago.** fr. fig. y fam. **Zurrarle la badana.**

Balagre. m. *Hond.* Bejuco algo grueso y espinoso que sirve para hacer nasas.

Balaguero. m. Montón grande de bálago, que se hace en la era cuando se limpia el grano.

Balaj. (Del ár. *balajš* o *balājš,* y éste de *Balajšān,* variante del nombre del territorio de Badajšān, donde se encuentran estas piedras.) m. **Balaje.**

Balaje. (De *balaj.*) m. Rubí de color morado.

Balalaica. (Del ruso *balalayka.*) f. Instrumento músico parecido a la guitarra, pero con caja de forma triangular. Es de uso popular en Rusia.

Balance. (De *balanzar.*) m. Movimiento que hace un cuerpo, inclinándose ya a un lado, ya a otro. || **2.** fig. Vacilación, inseguridad. || **3.** *Com.* Confrontación del activo y el pasivo para averiguar el estado de los negocios o del caudal. || **4.** *Com.* Estado demostrativo del resultado de dicha operación. || **5.** *Esgr.* Movimiento que se hace inclinando el cuerpo hacia adelante o hacia atrás, sin mover los pies. || **6.** *Mar.* Movimiento que hace la nave de babor a estribor, o al contrario.

Balanceador, ra. adj. Que balancea fácilmente.

Balanceante. p. a. de **Balancear.** Que balancea.

Balancear. (De *balance.*) intr. Dar o hacer balances. Dícese más tratándose de naves. Ú. t. c. r. || **2.** fig. Dudar, estar perplejo en la resolución de alguna cosa. || **3.** tr. Igualar o poner en equilibrio, contrapesar.

Balanceo. (De *balancear.*) m. Acción y efecto de balancear o balancearse.

Balancero. m. **Balanzario.**

Balancín. m. d. de **Balanza,** 1.ª acep. || **2.** Madero que se atraviesa paralelamente al eje de las ruedas delanteras de un carruaje, fijándolo en su promedio a la tijera, y por los extremos a los del eje mismo, con dos hierros que se llaman guardapolvos. || **3.** Madero que se cuelga de la vara de guardia, y a cuyas extremidades se enganchan los tirantes de las caballerías. || **4.** Palo largo de que usan los volatineros para mantenerse en equilibrio sobre la cuerda. || **5.** Volante pequeño para sellar monedas y medallas. || **6.** Barra fuerte e inflexible que puede moverse alrededor de un eje y se emplea en las máquinas de vapor como órgano intermedio para transformar un movimiento alternativo rectilíneo en otro circular continuo. || **7.** pl. *Mar.* Cabos que penden de la entena de la nave y sirven para ponerla en medio, o para llamarla hacia una de las bandas. || **8.** *Zool.* Cada uno de los dos órganos, semejantes a diminutas cachiporras, que tienen los dípteros a los lados del tórax, detrás de las alas; la ablación de uno de ellos o de los dos incapacita al animal para volar. || **Balancín grande. Balancín,** 2.ª acep. || **pequeño. Balancín,** 3.ª acep.

Balandra. (Del fr. *balandre,* y éste del neerl. *bylander.*) f. Embarcación pequeña con cubierta y sólo un palo.

Balandrán. (Del ant. al. *wallender,* peregrino.) m. Vestidura talar ancha y con esclavina que suelen usar los eclesiásticos. || **Desdichado balandrán, nunca sales de empeñado.** ref. que se dice de los que nunca pueden salir de deudas o atrasos.

Balandrista. com. Persona que gobierna un balandro.

Balandro. m. Balandra pequeña. || **2.** Barco pescador aparejado de balandra, que se usa en la isla de Cuba.

Balanitis. f. Inflamación de la membrana mucosa que reviste el bálano o glande.

Bálano [Balano]. (Del lat. *balănus,* bellota, y éste del gr. βάλανος.) m. Parte extrema o cabeza del miembro viril. || **2.** *Zool.* Crustáceo cirrópodo, sin pedúnculo, que vive fijo sobre las rocas. Algunas de sus especies son tan abundantes que cubren la superficie de las peñas hasta el límite de las mareas.

Balante. p. a. de **Balar.** Que bala. || **2.** m. *Germ.* **Carnero,** 1.er art., 1.ª acep.

Balanza. (Del lat. *bilanx, -ancis;* de *bis,* dos, y *lanx,* plato.) f. Instrumento que sirve para pesar. Compónese ordinariamente de una barra metálica horizontal suspendida de una armadura en su punto medio por un eje, encima del cual va fija perpendicularmente la aguja que señala el equilibrio cuando se pesa. De los extremos de la barra cuelgan dos platillos: en el uno se pone lo que ha de pesarse, y en el otro las pesas. || **2.** V. **Derecho, juez, maestro de balanza.** || **3.** fig. Comparación o juicio que el entendimiento hace de las cosas. || **4.** *Astron.* **Libra,** 7.ª y 8.ª aceps. || **comercial,** o **de comercio.** Estado comparativo de la importación y exportación de artículos mercantiles en un país. || **de Roberval.** Aquella cuyos platillos quedan libres encima de la barra principal, la cual descansa en un pie convenientemente dispuesto. || **Acostarse la balanza.** fr. ant. *And.* Inclinarse a un lado, perdiendo el equilibrio. || **Caer la balanza.** fr. Inclinarse a una parte más que a otra. || **En balanza,** o **en balanzas.** loc. fig. En peligro o en duda. || **Poner en balanza.** fr. fig. Hacer dudar o titubear.

Balanzar. (De *balanza.*) tr. ant. **Balancear,** 3.ª acep.

Balanzario. (De *balanza.*) m. El que en las casas de moneda tiene el oficio de pesar los metales antes y después de amonedarlos.

Balanzo. (De *balanzar.*) m. ant. **Balance.**

Balanzón. (De *balanza,* por la forma.) m. Vasija, por lo común de cobre, circular u oval, con mango de hierro, de que usan los plateros para blanquecer o limpiar la plata o el oro.

Balar. (Del lat. *balāre.*) intr. Dar balidos. || **Balar** uno por una cosa. fr. fig. y fam. **Suspirar por** ella.

Balarrasa. (De *bala* y *rasa.*) m. fig. y fam. Aguardiente fuerte.

Balastar. (De *balasto.*) tr. Tender el balasto.

Balasto. (Del ingl. *ballast,* lastre.) m. Capa de grava o de piedra machacada, que se tiende sobre la explanación de los ferrocarriles para asentar y sujetar sobre ella las traviesas.

Balata. (Del ital. *ballata,* y éste del lat. *ballāre,* bailar.) f. Composición poética que se hacía para ser cantada al son de la música de los bailes.

Balate. (Del ár. *balāṭ,* camino.) m. Margen de una parata. || **2.** Terreno pendiente, lindazo, etc., de muy poca anchura. || **3.** Borde exterior de las acequias, aunque estén en terrenos llanos.

Balate. m. *Zool.* Especie de cohombro de mar, que abunda en las costas de las islas situadas entre Asia y Australia, y es muy estimado en China como alimento.

Balausta. (Del lat. *balaustĭum,* flor del granado.) f. *Bot.* Fruto carnoso, adherente al cáliz y dividido en celdillas de un modo irregular, como la granada.

Balaustra. (Del lat. *balaustĭum,* flor del granado.) f. Árbol, variedad del granado, que se diferencia del común en que sus flores son dobles, mayores y de color más vivo.

Balaustrada. f. Serie u orden de balaustres colocados entre los barandales.

Balaustrado, da. adj. De figura de balaustre.

Balaustral. adj. **Balaustrado.**

Balaustre [Balaústre]. (De *balaustra,* por la semejanza del adorno.) m. Cada una de las columnitas que con los barandales forman las barandillas o antepechos de balcones, azoteas, corredores y escaleras.

Balaustrería. f. ant. **Balaustrada.**

Balaustriado, da. adj. ant. **Balaustrado.**

Balay. m. *Amér.* Cesta de mimbre o de carrizo. || **2.** *Cuba.* Plato de madera, especie de batea, con que se avienta el arroz antes de cocerlo.

Balazo. m. Golpe de bala disparada con arma de fuego. || **2.** Herida causada por una bala.

Balboa. (Del nombre del conquistador Vasco Núñez de Balboa.) m. Moneda de oro de Panamá, equivalente a cinco pesetas.

Balbucear. intr. **Balbucir.**

Balbucencia. f. Acción y efecto de balbucir.

Balbuceo. m. Acción de balbucear.

Balbuciente. (Del lat. *balbutiens, -entis,* que balbucea.) p. a. de **Balbucir.** Que balbuce.

Balbucir. (De *balbuciente.*) intr. Hablar o leer con pronunciación dificultosa, tarda y vacilante, trastrocando a veces las letras o las sílabas.

Balbusardo. m. *Zool.* **Águila pescadora.**

Balcánico, ca. adj. Perteneciente o relativo a la región europea de los Balcanes.

Balcarrotas. f. pl. *Méj.* Mechones de pelo que los indios de Méjico dejan colgar a ambos lados de la cara, llevando rapado el resto de la cabeza. || **2.** *Colomb.* Patillas, pl. de **Patilla,** 3.ª acep.

Balcón. (Del ital. *balcone,* y éste del germ. *balko,* palo.) m. Hueco abierto al exterior desde el suelo de la habitación, con barandilla por lo común saliente. || **2.** Esta barandilla. || **3.** fig. **Miranda.**

Balconada. f. En Galicia, balcón o miradero que domina un vasto horizonte.

Balconaje. m. Conjunto de balcones de un edificio.

Balconcillo. m. d. de **Balcón.** || **2.** Galería que en los teatros está más baja y delante de la primera fila de palcos. || **3.** Espacio aislado, con barandilla, que en las plazas de toros suele haber sobre las puertas o sobre el toril.

Balconería. f. ant. **Balconaje.**

Balda. f. Anaquel de armario o alacena.

Balda. (Del ár. *bāṭila,* cosa vana, inútil.) f. ant. Cosa de poquísimo precio y de ningún provecho.

Balda. f. *Ar.* y *Val.* **Aldaba,** 3.ª acep.

Baldado, da. (Del m. or. que *baldar.*) p. p. de **Baldar.** || **2.** adj. ant. Dado de balde.

Baldadura. f. Impedimento físico del que está baldado.

Baldamiento. m. **Baldadura.**

Baldaquín. (De *Baldac,* nombre dado en la Edad Media a Bagdad, de donde venía una tela así llamada.) m. Especie de dosel o palio hecho de tela de seda. || **2.** Pabellón que cubre un altar.

Baldaquino. m. **Baldaquín.**

Baldar. (Del ár. *baṭṭala*, anular, hacer cesar, inutilizar.) tr. Impedir o privar una enfermedad o accidente el uso de los miembros o de alguno de ellos. Ú. t. c. r. || **2.** Fallar, 2.° art., 1.ª acep. || **3.** ant. Inutilizar, impedir, embarazar. || **4.** fig. Causar a uno gran contrariedad. || **5.** *Ar.* Descabalar.

Balde. (Del lat. *baiŭlus aquae.*) m. Cubo, generalmente de lona o cuero, que se emplea para sacar y transportar agua, sobre todo en las embarcaciones.

Balde (De). (Del ár. *bāṭil*, vano, inútil, sin valor, ocioso.) m. adv. Graciosamente, sin precio alguno. || **2.** Sin motivo, sin causa. || **3. En balde.** || **En balde.** m. adv. **En vano.** || **Estar de balde.** fr. **Estar de más.** || **2.** Estar ocioso, sin ocupación.

Baldear. tr. Regar las cubiertas de los buques con los baldes, a fin de refrescarlas y limpiarlas. || **2.** Achicar con baldes el agua de una excavación. || **3.** Regar con baldes cualquier suelo, piso o pavimento.

Baldeo. m. Acción de baldear.

Baldeo. m. *Germ.* **Espada,** 1.ª acep.

Baldero, ra. (De *balde*, 2.° art.) adj. ant. Ocioso, baldío.

Baldés. (De *baldrés.*) m. Piel de oveja curtida, suave y endeble, que sirve para guantes y otras cosas.

Baldíamente. adv. m. En balde, vana, inútil u ociosamente. || **2.** Sin guarda.

Baldío, a. (De *balda*, 2.° art.) adj. Aplícase a la tierra que ni se labra ni está adehesada. Dícese en algunas partes, en especial de los terrenos comunales. Ú. t. c. s. || **2.** Dícese del terreno de particulares que huelga, que no se labra. || **3.** Vano, sin motivo ni fundamento. || **4.** Vagabundo, perdido, sin ocupación ni oficio.

Baldo, da. (De *balda*, 2.° art.) adj. Fallo, 2.° art., 1.ª acep. || **2.** m. **Fallo,** 2.° art., 2.ª acep. || **A la balda.** m. adv. ant. Descuidada u ociosamente.

Baldón. (De *balda*, 2.° art.) m. Oprobio, injuria o palabra afrentosa. || **De baldón de señor o de marido, nunca zaherido.** ref. con que se denota que los criados no deben ofenderse de ninguna palabra de sus amos, ni las mujeres de las de sus maridos. || **En baldón.** m. adv. ant. **De balde.**

Baldonado, da. p. p. de **Baldonar.** || **2.** adj. f. ant. Aplicábase a la mujer de mala vida.

Baldonadamente. adv. m. ant. Con baldón o injuria.

Baldonador, ra. adj. Que baldona. Ú. t. c. s.

Baldonamiento. m. ant. Acción y efecto de baldonar.

Baldonar. (De *baldón.*) tr. Injuriar a alguno de palabra en su cara.

Baldonear. tr. **Baldonar.** Ú. t. c. r.

Baldono, na. (De *balda*, 2.° art.) adj. ant. **Barato,** 1.ª acep.

Baldosa. (Del ital. *baldosa*, de *baldo*, y éste del germ. *bald*, atrevido.) f. Antiguo instrumento músico de cuerda parecido al salterio.

Baldosa. (Del ár. *balāṭ*, losa cuadrada.) f. Ladrillo, fino por lo común, que sirve para solar.

Baldosador. m. El que tiene por oficio embaldosar.

Baldosar. tr. **Embaldosar.**

Baldosín. (d. de *baldosa*, 2.° art.) m. Baldosa pequeña y fina.

Baldosón. m. aum. de **Baldosa,** 2.° art.

Baldragas. m. Hombre flojo, sin energía.

Baldrés. (Del ant. fr. *baldret*, y éste del ant. alto al. *balderich*, cintura, ceñidor.) m. ant. **Baldés.**

Balduque. (De *Bois-le-Duc*, ciudad de Holanda, a que los españoles decían *Bolduque*, y donde se tejían estas cintas.) m. Cinta angosta, por lo común encarnada, que se usa en las oficinas para atar legajos.

Balea. (Del célt. *balan*, retama.) f. Escobón para barrer las eras.

Balear. (Del lat. *baleāris.*) adj. Natural de las islas Baleares. Ú. t. c. s. || **2. Baleárico.**

Balear. tr. *Ar.* y *Sal.* **Abalear.**

Balear. tr. *Amér.* Herir o matar a balazos.

Baleárico, ca. (Del lat. *balearĭcus.*) adj. Perteneciente a las islas Baleares.

Baleario, ria. adj. **Baleárico.**

Balénido. (Del lat. *balaena.*) adj. *Zool.* Dícese de los mamíferos cetáceos que en el estado adulto carecen de dientes y cuya boca está provista de grandes láminas córneas, insertas en la mandíbula superior, con las cuales retienen en la boca los pequeños animales, moluscos por lo común, que les sirven de alimento como la ballena. Ú. t. c. s. || **2.** m. pl. *Zool.* Familia de estos animales.

Baleo. (Del célt. *balazn*, retama.) m. Ruedo o felpudo. || **2. Aventador,** 4.ª acep. || **3.** *Sal.* **Escobilla,** 4.ª acep.

Balería. f. Provisión de balas de un ejército o una plaza.

Balerío. m. **Balería.**

Balero. m. *Méj.* **Boliche,** 1.er art., 5.ª acep.

Baleta. f. d. de **Bala,** 4.ª acep.

Balhurria. f. *Germ.* Gente baja.

Balido. (De *balar.*) m. Voz del carnero, el cordero, la oveja, la cabra, el gamo y el ciervo.

Balimbín. m. *Bot.* Árbol de Filipinas de la familia de las oxalidáceas, de hoja pequeña, flor colorada y fruta agria. El dulce que se hace de ella es muy estimado.

Balín. m. d. de **Bala.** || **2.** Bala de menor calibre que la ordinaria de fusil.

Balista. (Del lat. *balista*, y éste del gr. βάλλω, lanzar, arrojar.) f. Máquina usada antiguamente en los sitios de las ciudades y fortalezas para arrojar piedras de mucho peso.

Balística. (De *balista.*) f. Ciencia que tiene por objeto el cálculo del alcance y dirección de los proyectiles.

Balístico, ca. adj. Perteneciente o relativo a la balista o a la balística. *Método* BALÍSTICO; *teoría* BALÍSTICA.

Balita. f. Medida agraria usada en Filipinas, décima parte del quiñón, compuesta de 10 loanes y equivalente a 5 celemines y 10 estadales, o sea a 27 áreas y 95 centiáreas.

Balitadera. (De *balitar.*) f. Instrumento hecho de un trozo de caña hendido por la parte del nudo, que, tocándolo con la boca, imita la voz del gamo nuevo y hace acudir a la madre.

Balitar. (Del lat. *balitāre*, frec. de *balāre*, balar.) intr. Balar con frecuencia.

Balitear. intr. **Balitar.**

Baliza. (Del prov. *palissa*, y éste del lat. *palus*, palo.) f. *Mar.* Señal fija o flotante que se pone de marca para indicar bajos, veriles, direcciones de canales o cualquier otro punto o rumbo que convenga señalar.

Balizamiento. (De *balizar.*) m. **Abalizamiento.**

Balizar. (De *baliza.*) tr. **Abalizar.**

Balneario, ria. (Del lat. *balnearĭus*, de *balnĕum*, baño.) adj. Perteneciente o relativo a baños públicos, especialmente a los medicinales. || **2.** m. Edificio con baños medicinales y en el cual suele darse hospedaje.

Balneoterapia. f. Tratamiento de las enfermedades según la terapéutica balnearia.

Balón. m. aum. de **Bala.** || **2.** Fardo grande de mercancías. || **3.** Pelota grande de viento que se usa en varios juegos. || **4.** Este mismo juego. || **5.** Recipiente flexible, dispuesto para contener cuerpos gaseosos. || **6.** Recipiente esférico de vidrio con cuello prolongado. || **de papel.** Fardo que incluye veinticuatro resmas de papel.

Baloncesto. m. Juego al aire libre, semejante al fútbol, en el que los tantos se ganan metiendo a mano el balón en un cesto colocado en lo alto de una percha en la meta del equipo contrario.

Balota. (Del fr. *ballotte.*) f. Bolilla de que algunas comunidades usan para votar.

Balotada. (De *balota.*) f. *Equit.* Salto que da el caballo alzando las patas en tal forma que deja ver las herraduras, como si fuese a tirar un par de coces.

Balotar. intr. Votar con balotas.

Balsa. f. Hueco del terreno que se llena de agua, natural o artificialmente. || **2.** En los molinos de aceite, estanque donde van a parar las heces, agua y demás desperdicios de aquel líquido. || **3.** En la vinatería y tonelería de la Andalucía Baja, media bota. || **de aceite.** fig. y fam. Lugar o concurso de gente muy tranquilo. || **de sangre.** *Ar.* Aquella en que, a fuerza de mucho trabajo y costa, se recoge agua para los ganados y, en algunos territorios, para las personas.

Balsa. f. Conjunto de maderos que, fuertemente unidos unos con otros, forman una especie de explanada o plancha de agua. Empléase para navegar en ríos y lagunas y, en caso de naufragio, para salvar la vida en los mares. || **2.** *Germ.* Embarazo, impedimento.

Balsadera. f. Paraje en la orilla de un río, donde hay balsa en que pasarlo.

Balsadero. m. **Balsadera.**

Balsamar. (De *bálsamo.*) tr. ant. **Embalsamar.**

Balsamera. f. Vaso pequeño y cerrado que se hace de varias materias y figuras para poner bálsamo.

Balsamerita. (d. de *balsamera.*) f. **Balsamera.**

Balsamía. (De *blasfemia*, 2.ª acep.) f. ant. Cuento fabuloso, hablilla.

Balsámico, ca. (Del lat. *balsamĭcus.*) adj. Que tiene bálsamo o cualidades de tal.

Balsamina. (Del gr. βαλσαμίνη, de βάλσαμον, bálsamo.) f. Planta anual de la familia de las cucurbitáceas, con tallos de cerca de un metro de altura, sarmentosos y llenos de zarcillos trepadores; hojas pequeñas, recortadas, semejantes a las de la vid, pedunculadas y de color verde brillante; flores axilares, dioicas, amarillas, encarnadas o blanquecinas, y fruto capsular, alargado, de color rojo amarillento, con semillas grandes en forma de almendra. Es planta americana, naturalizada en España. || **2.** *Bot.* Planta perenne originaria del Perú, de la familia de las balsamináceas, con tallo ramoso como de medio metro de altura, hojas gruesas, alternas y lanceoladas, flores amarillas y fruto redondo que, estando maduro, arroja con fuerza la semilla en cuanto se le toca. Se emplea en medicina como vulneraria.

Balsamináceo, a. (De *impatiens balsamina*, nombre de una especie de plantas.) adj. *Bot.* Dícese de plantas herbáceas angiospermas, dicotiledóneas, con tallos generalmente carnosos, hojas sin estípulas, alguna vez con glándulas en los peciolos; flores cigomorfas con cálices frecuentemente coloreados que tienen uno de sus sépalos con espolón; fruto en forma de cápsula carnosa; como la balsamina, 2.ª acep. Ú. t. c. s. f. || **2.** f. pl. *Bot.* Familia de estas plantas.

Balsamita. (Del lat. *balsamīta.*) f. **Jaramago.** || **mayor. Berro.**

Bálsamo. (Del lat. *balsămum*, y éste del gr. βάλσαμον.) m. Substancia aromática, líquida y casi transparente al tiempo que por incisión se obtiene de ciertos árboles, pero que va espesándose y tomando color a medida que, por la acción atmosférica, los aceites esenciales que contiene se cambian en resina y en ácido benzoico o cinámico. || **2.** *Farm.* Medicamento compuesto de substancias comúnmente aromáticas, que se aplica como remedio en las heridas, llagas y otras enfermedades. || **artificial. Bálsamo,** 2.ª acep. || **de calaba.** Resina de calaba o calambuco. || **de copaiba.** Oleorresina del copayero, blanca la primera que sale, y dorada y más espesa la segunda. Se emplea en medicina contra las inflamaciones de las mucosas. || **de copaiba de la India.** Oleorresina procedente de plantas de la misma familia a que pertenece el copayero, aunque de distinto género, y cuyos caracteres y virtud medicinal son semejantes a los del **bálsamo** de copaiba. || **de Judea,** o **de la Meca. Opobálsamo.** || **del Canadá.** Oleorresina de una especie de abeto muy usada para las observaciones microscópicas. || **del Perú.** Resina muy parecida al **bálsamo** de Tolú, pero de calidad algo inferior. || **de María. Bálsamo de calaba.** || **de Tolú.** Resina que se extrae del tronco de un árbol de la familia de las papilionáceas, muy abundante en Colombia. Se usa en medicina como pectoral. || **natural. Bálsamo,** 1.ª acep. || **Ser** una cosa **un bálsamo.** fr. fig. Ser muy generosa, de mucha fragancia y perfecta en su especie. Dícese por lo común del buen vino añejo.

Balsar. m. **Barzal.**

Balsear. tr. Pasar en balsas los ríos.

Balsero. m. El encargado de conducir la balsa.

Balsete. m. *Ar.* Balsilla o charca pequeña.

Balso. (Del lat. *baltĕus.*) m. *Mar.* Lazo grande, de dos a tres vueltas, que sirve para suspender pesos o elevar a los marineros a lo alto de los palos o a las vergas.

Balsopeto. (De *falsopeto.*) m. fam. Bolsa grande que de ordinario se trae junto al pecho. || **2.** fig. y fam. Interior del pecho.

Bálteo. (Del lat. *baltĕus.*) m. *Mil.* Cíngulo militar, insignia de oficial, que se usaba antiguamente. || **2.** *Astron.* **Cinturón de Orión.**

Báltico, ca. (Del lat. *balticus,* de *Baltia,* Escandinavia.) adj. Aplícase al mar comprendido entre Suecia, Finlandia, Estonia, Letonia y Lituania. || **2.** Dícese de estos cuatro últimos países. || **3.** Perteneciente o relativo a estos países o al mar Báltico. Apl. a pers., ú. t. c. s.

Balto, ta. (Del lat. *Baltia,* Escandinavia.) adj. Dícese de uno de los linajes más ilustres de los godos. Apl. a pers., ú. t. c. s.

Baltra. f. *Sal.* Vientre, panza.

Baluarte. (Del al. *bolwerk,* fortificación.) m. Obra de fortificación de figura pentagonal, que sobresale en el encuentro de dos cortinas, y se compone de dos caras que forman ángulo saliente, dos flancos que las unen al muro y una gola de entrada. || **2.** fig. Amparo y defensa. BALUARTE *de la religión.*

Baluma. (Del lat. *volūmina,* pl. n. de *volūmen,* bulto.) f. ant. **Balumba.** || **2.** *Mar.* Caída de popa de las velas de cuchillo.

Balumba. (Del lat. *volūmina,* pl. de *volūmen.*) f. Bulto que hacen muchas cosas juntas. || **2.** Conjunto desordenado y excesivo de cosas.

Balumbo. (De *balumba.*) m. Lo que abulta mucho y es más embarazoso por su volumen que por su peso.

Balume. (Del lat. *volūmen.*) m. ant. **Balumbo.**

Ballación. (Del lat. *ballatio, -ōnis,* danza.) f. ant. Acción de ballar.

Ballar. (Del lat. *ballāre,* danzar.) tr. ant. Bailar y cantar.

Ballarte. (Como el fr. *baillard, bayart,* angarillas, del lat. *baiŭlus,* cargador.) m. *Ar., Nav.* y *Soria.* **Bayarte.**

Ballena. (Del lat. *balaena.*) f. Cetáceo, el mayor de todos los animales conocidos, que llega a crecer hasta más de 30 metros de longitud. Su color es, en general, obscuro por encima y blanquecino por debajo. Vive en todos los mares, y generalmente en los polares. Su pesca es una industria importantísima. || **2.** V. **Aceite, barba, esperma de ballena.** || **3.** Cada una de las láminas córneas y elásticas que tiene la **ballena** en la mandíbula superior, y que, cortadas en tiras más o menos anchas, sirven para diferentes usos. || **4.** Cada una de estas tiras. || **5.** *Astron.* Constelación del hemisferio austral, próxima al Ecuador y situada debajo de Piscis.

Ballenato. m. Hijuelo de la ballena.

Ballener. (Del cat. *ballener,* y éste del lat. *balaena,* ballena.) m. Bajel largo, abierto y bajo de costados, de figura de ballena, que se usó en la Edad Media. Generalmente era de guerra, y los había grandes y pequeños, de remo y vela.

Ballenero, ra. adj. Perteneciente o relativo a la pesca de la ballena. *Barco, arpón* BALLENERO. || **2.** m. Pescador de ballenas.

Ballesta. (Del lat. *ballista.*) f. Máquina antigua de guerra para arrojar piedras o saetas gruesas. || **2.** Arma portátil, antigua, compuesta de una caja de madera como la del fusil moderno, con un canal por donde salían flechas y bodoques impulsados por la fuerza elástica de un muelle, que primero fue de hierro forjado y después se hizo de acero, a los extremos del cual iba atada una cuerda que se tesaba con una gafa y se aseguraba en la nuez hasta quedar libre en el momento del disparo y transmitir a los proyectiles la fuerza de dicho muelle propulsor. || **3.** Armadijo para cazar pájaros. || **4.** Cada uno de los muelles en que descansa la caja de los coches para apoyarse en los ejes de las ruedas. || **5.** V. **Canal de ballesta.** || **6.** *Germ.* **Alforja,** 1.ª acep. Ú. m. en pl. || **Armar la ballesta.** fr. Disponerla para tirar. || **Encabalgar la ballesta.** fr. Montarla sobre su tablero.

Ballestada. f. Tiro de ballesta.

Ballestazo. m. Golpe dado con el proyectil de la ballesta.

Ballesteador. (De *ballestear.*) m. ant. **Ballestero,** 1.ª acep.

Ballestear. tr. *Mont.* Tirar con la ballesta.

Ballestera. f. Tronera o abertura por donde en las naves o muros se disparaban las ballestas.

Ballestería. (De *ballestero.*) f. Arte de la caza mayor. || **2.** Conjunto de ballestas. || **3.** Gente armada de ellas. || **4.** Casa en que se alojaban los ballesteros y se guardaban los instrumentos de caza.

Ballestero. (Del lat. *ballistarius.*) m. El que usaba de la ballesta o servía con ella en la guerra. || **2.** El que tenía por oficio hacer ballestas. || **3.** El que por oficio cuidaba de las escopetas o arcabuces de las personas reales y las asistía cuando salían a caza. En lo antiguo se usaba de ballesta en lugar de arcabuces, y por eso se llamó **ballestero** el que tenía este cuidado. || **4.** V. **Hierba ballestera,** o **de ballestero.** || **de corte.** Cada uno de los porteros del rey y de su consejo, que tenían obligación de cumplir mandamientos de los alcaldes. || **de maza.** Cada uno de los maceros o porteros que había antiguamente en palacio, en los tribunales y ayuntamientos, etc. || **mayor.** Jefe de los **ballesteros** del rey, oficio antiguo de la casa real de Castilla, en nuestros días anexo al empleo de caballerizo mayor. || **Ballestero que mal tira, presto halla la mentira.** ref. que demuestra que los malos tiradores y jugadores, cuando yerran o se equivocan, hallan siempre excusas para cohonestar sus faltas.

Ballestilla. (d. de *ballesta.*) f. En carretería, balancín pequeño. || **2.** Cierta fullería en los juegos de naipes. || **3.** *Astron.* Antiguo instrumento, usado principalmente en la navegación, para tomar las alturas de los astros. Componíase de una vara cuadrangular, llamada virote, de unos 15 decímetros de alto, graduada en una de sus caras, a lo largo de la cual podía correr una reglita, llamada sonaja, colocada transversalmente; y enfilando con el astro las extremidades de ambas piezas, la graduación daba a conocer el ángulo de la altura. || **4.** *Mar.* Arte de anzuelo y cordel, a modo de arco de ballesta. || **5.** *Veter.* **Fleme.**

Ballestón. m. aum. de **Ballesta.** || **2.** *Germ.* **Ballestilla,** 2.ª acep. || **No se ha de apretar tanto el ballestón que salte la verga.** ref. que reprende la intolerancia y excesiva severidad con los inferiores.

Ballestrinque. m. *Mar.* Nudo marinero que se forma con dos vueltas de cabo, dadas de tal modo que resultan cruzados los chicotes.

Ballico. m. Planta vivaz de la familia de las gramíneas, muy parecida al joyo, del cual difiere en ser más baja y tener las espigas sin aristas. Es buena para pasto y para formar céspedes.

Ballueca. f. Especie de avena, cuya caña se levanta hasta un metro o más de altura, con hojas estriadas y estrechas, y flores en panoja desparramada, vellosas en su base. Crece entre los trigos, a los cuales perjudica mucho.

Bamba. (De la onomat. *bamb.*) f. **Bambarria,** 2.ª acep. || **2.** *Murc.* Especie de bollo muy esponjado.

Bamba. n. p. V. **Caballito de Bamba.**

Bambalear. (De la onomat. *bambal.*) intr. **Bambolear.** Ú. m. c. r. || **2.** fig. No estar segura o firme alguna cosa. Ú. m. c. r.

Bambalina. (De *bambalear.*) f. Cada una de las tiras de lienzo pintado que cuelgan del telar del teatro de uno a otro lado del escenario, y figuran la parte superior de lo que la decoración representa.

Bambalinón. m. Bambalina grande que, con los bastidores de ropa, forma como una segunda embocadura que reduce el hueco de la escena.

Bambanear. intr. **Bambonear.** Ú. m. c. r.

Bambarria. (De *camba,* 1.er art.) com. fam. Persona tonta o boba. Ú. t. c. adj. || **2.** f. En el juego de trucos y en el de billar, acierto o logro casual.

Bambarrión. m. fam. aum. de **Bambarria,** 2.ª acep.

Bambochada. (Del ital. *bambocciata,* y éste de *bamboccio,* bamboche.) f. Cuadro o pintura que representa borracheras o banquetes ridículos.

Bamboche. (Del ital. *bamboccio,* y éste de la onomat. *bamb.*) m. fam. Persona rechoncha y de cara abultada y encendida.

Bambolear. (Como *bambalear,* voz onomatopéyica.) intr. Moverse una persona o cosa a un lado y otro sin perder el sitio en que está. Ú. m. c. r.

Bamboleo. m. Acción y efecto de bambolear o bambolearse.

Bambolla. (De la onomat. *bamb.*) f. fam. Boato, fausto u ostentación excesiva y de más apariencia que realidad.

Bambollero, ra. adj. fam. Dícese de la persona que gasta mucha bambolla.

Bambonear. intr. **Bambolear.** Ú. m. c. r.

Bamboneo. m. **Bamboleo.**

Bambú. (Del ár. vulgar *bambūh*, caña de la India, y éste del malayo.) m. Planta de la familia de las gramíneas, originaria de la India, con tallo leñoso que llega a más de 20 metros de altura, y de cuyos nudos superiores nacen ramitos muy cargados de hojas grandes de color verde claro, y con flores en panojas derechas, ramosas y extendidas. Las cañas, aunque ligeras, son muy resistentes, y se emplean en la construcción de casas y en la fabricación de muebles, armas, instrumentos, vasijas y otros objetos; las hojas, para envolver las cajas de té que vienen de la China; la corteza, en las fábricas de papel; los nudos proporcionan una especie de azúcar, y los brotes tiernos son comestibles.

Bambuc. m. **Bambú.**

Bambuco. (Quizá de *Bambuc*, región africana.) m. Baile popular en Colombia. || **2.** Tonada de este baile.

Banaba. f. Árbol de las islas Filipinas, de la familia de las litráceas, que crece hasta 10 ó 12 metros de altura, de hojas alternas, lanceoladas, enteras y lampiñas y flores grandes, encarnadas, axilares y terminales, dispuestas en racimos. Se conocen dos especies: una de madera roja y otra blanca; la primera es más estimada, por su tenacidad, para toda clase de obras. || **2.** Madera de este árbol.

Banana. (Voz formada por los indios chaimas, de *balatana*, corrupción caribe de *plátano*.) f. **Banano.** || **2.** *Argent.* **Plátano,** 3.ª acep.

Bananal. m. *C. Rica.* **Bananar.**

Bananar. m. *C. Rica* y *Guat.* Sitio poblado de bananos.

Bananero, ra. adj. Dícese del terreno poblado de bananos o plátanos. || **2.** m. **Plátano,** 2.ª acep.

Banano. (De *banana*.) m. **Plátano,** 2.ª acep. || **2. Cambur.**

Banas. (De *banir, bandir*, y éste del germ. *bandvjan*, desterrar.) f. pl. ant. Amonestaciones matrimoniales. Ú. en Méj. en la loc. *dispensa de* BANAS.

Banasta. (Del célt. *benna*, cesta, cruzado con *canasta*.) f. Cesto grande formado de mimbres o listas de madera delgadas y entretejidas. Las hay de distintos tamaños y figuras.

Banastero, ra. m. y f. Persona que hace o vende banastas. || **2.** m. *Germ.* Carcelero o alcaide de la cárcel.

Banasto. m. Banasta redonda. || **2.** *Germ.* **Cárcel,** 1.ª acep.

Banca. (Del germ. *bank*, banco.) f. Asiento de madera, sin respaldo y a modo de mesilla baja. || **2.** Cajón hecho de tablas, donde se colocan los lavanderos o lavanderas para preservarse de la humedad de las aguas en que lavan la ropa. || **3.** Embarcación pequeña y estrecha usada en Filipinas, construída de un tronco ahuecado, con las dos extremidades agudas, muy remangadas y planas por la parte de arriba. Carece de cubierta, quilla y timón; se gobierna con la pagaya; lleva una o dos batangas amadrinadas a los costados, que aseguran su flotación, bancadas de tablas movibles y zaguales en vez de remos. || **4.** Juego que consiste en poner el que lleva el naipe una cantidad de dinero y en apuntar los demás, a las cartas que eligen, la cantidad que quieren. || **5.** Cantidad de dinero que pone el que lleva el naipe. || **6.** Comercio que principalmente consiste en operaciones de giro, cambio y descuento, en abrir créditos y llevar cuentas corrientes, y en comprar y vender efectos públicos, especialmente en comisión. || **7.** V. **Casa de banca.** || **8.** Mesa de cuatro pies puesta en la plaza u otro paraje público y donde se tienen las frutas y otras cosas que se venden. || **9.** fig. Conjunto de bancos o banqueros. || **10.** *Amér.* **Banco,** 1.ª acep. || **11.** *Murc.* **Bancal,** 2.ª acep.

Bancada. f. Mesa o banco grande con un colchoncillo encima, sobre el cual se tundían los tejidos en las fábricas de paños. || **2.** Porción de paño preparada para ser tundida. || **3.** *Arq.* Trozo de obra. || **4.** *Mar.* Tabla o banco donde se sientan los remeros. || **5.** *Mec.* Basamento firme para una máquina o conjunto de ellas. || **6.** *Min.* Trozo o escalón en las galerías subterráneas.

Bancal. (De *banco*.) m. En las sierras y terrenos pendientes, rellano de tierra que natural o artificialmente se forma, y que se aprovecha para algún cultivo. || **2.** Pedazo de tierra cuadrilongo, dispuesto para plantar legumbres, vides, olivos u otros árboles frutales. || **3.** Arena amontonada a la orilla del mar, al modo de la que se amontona dentro de él dejando poco fondo. || **4.** Tapete o cubierta que se pone sobre el banco para adorno o para cubrir su madera. || **5.** Árbol de Filipinas, de la familia de las rubiáceas, que llega hasta 10 metros de altura. Su madera, de color amarillo, es apreciada por su tenacidad y duración. || **6.** Madera de este árbol.

Bancalero. m. Tejedor de bancales, 4.ª acep.

Bancario, ria. adj. Perteneciente o relativo a la banca mercantil.

Bancarrota. (Del ital. *bancarotta*.) f. **Quiebra,** 4.ª acep., y más comúnmente la completa o casi total que procede de falta grave, o la fraudulenta. || **2.** fig. Desastre hundimiento, descrédito de un sistema o doctrina.

Bance. (Del m. or. que *banzo*.) m. Cada uno de los palos sueltos que, atravesados a cierta distancia unos de otros y en sentido horizontal, sirven para cerrar los portillos de las fincas.

Banco. (Del germ. *bank*.) m. Asiento de madera por lo común, y con respaldo o sin él, en que pueden sentarse varias personas. || **2.** En las galeras o embarcaciones de remo, asiento de los galeotes y demás remeros. || **3.** Madero grueso escuadrado que se coloca horizontalmente sobre cuatro pies y sirve como de mesa para muchas labores de los carpinteros, cerrajeros, herradores y otros artesanos. || **4.** Mesa que usaban los cambiantes. || **5.** Establecimiento público de crédito, constituído en sociedad por acciones. Según sea su ejercicio mercantil, se le llama agrícola, de descuento, de emisión, de exportación, de fomento, hipotecario, industrial, etc. || **6.** Cama del freno. Ú. m. en pl. || **7.** En los mares, ríos y lagos navegables, bajo que se prolonga en una grande extensión. || **8.** Conjunto de peces que en gran número van juntos; como las sardinas y los atunes. || **9.** fig. y fam. V. **Pata, pie de banco.** || **10.** p. us. **Cambiante,** 3.ª acep. || **11.** *Germ.* **Cárcel,** 1.ª acep. || **12.** *Arq.* **Sotabanco,** 1.ª acep. || **13.** *Geol.* Estrato de grande espesor. || **14.** *Min.* Macizo de mineral que presenta dos caras descubiertas, una horizontal superior y otra vertical. || **azul.** Por antonomasia, aquel donde tienen su asiento los ministros del Gobierno en las Cortes españolas. || **de comercio. Banco,** 4.ª y 5.ª aceps. || **de la paciencia.** *Mar.* El que está en el alcázar de los navíos delante del palo de mesana. || **de piedra.** Veta de una cantera, que contiene una sola especie de piedra. || **pinjado.** Antigua máquina militar hecha de maderos bien trabados, con cubierta difícil de quemarse, debajo de la cual se llevaba el ariete. || **Estar uno en el banco de la paciencia.** fr. fig. y fam. Estar aguantando o sufriendo alguna grave molestia. || **Herrar, o quitar el banco.** fr. fig. y fam. con que se excita a uno a ejecutar alguna cosa o a desistir desde luego de llevarla a cabo.

Bancocracia. (De *banco* y el gr. κράτος, fuerza, poder.) f. Influjo abusivo de la banca en la administración de un Estado.

Banda. (Del germ. *band*, cinta.) f. Cinta ancha o tafetán de colores determinados que se lleva atravesada desde un hombro al costado opuesto. Antiguamente fué distintivo de los oficiales militares, y hoy lo es de grandes cruces, así españolas como extranjeras. || **2.** V. **Orden de la Banda.** || **3.** Faja o lista. || **4.** Porción de gente armada. || **5.** Parcialidad o número de gente que favorece y sigue el partido de alguno. || **6.** Bandada, manada. || **7.** V. **Rey de banda.** || **8. Lado,** 4.ª acep. Dícese de algunas cosas. *De la* BANDA *de acá del río; de la* BANDA *de allá del monte.* || **9. Baranda,** 2.ª acep. || **10. Humeral,** 3.ª acep. || **11.** ant. Hablando de las personas, **lado** o **costado.** || **12.** *Ar.* **Llanta,** 2.° art., 1.ª acep. || **13.** *Blas.* Pieza honorable que representa la insignia distintiva de las altas jerarquías militares, y se coloca diagonalmente de derecha a izquierda. || **14.** *Mar.* Costado de la nave. || **15.** *Mil.* Conjunto de tambores y cornetas, o de músicos que pertenecen a institutos de a pie, o de trompetas que sirven en cuerpos montados del ejército. A veces la **banda** comprende toda clase de instrumentos de viento. Por ext., se da el mismo nombre a otros cuerpos de músicos no militares. || **16.** pl. *Impr.* Carriles de hierro sobre los cuales va y viene el carro o la platina en algunas máquinas de imprimir. || **Arriar en banda.** fr. *Mar.* Soltar enteramente los cabos. || **Caer en banda.** fr. *Mar.* **Estar en banda,** 2.ª acep. || **Cerrarse uno a la banda.** fr. fig. y fam. Mantenerse firme en un propósito, negarse rotundamente a todo acomodamiento o a conceder lo que se pretende o desea. || **Dar a la banda.** fr. *Mar.* Tumbar la embarcación sobre un costado para descubrir sus fondos y limpiarlos o componerlos. || **De banda a banda.** m. adv. De parte a parte, o de uno a otro lado. || **Estar en banda.** fr. *Blas.* Estar colocadas las piezas del blasón en los dos campos del escudo partido en banda. || **2.** *Mar.* Se dice de cualquier cosa que pende en el aire, sin sujeción. *Ese cabo* ESTÁ EN BANDA. || **Partido en,** o **por, banda.** loc. *Blas.* **Escudo partido en,** o **por, banda.**

Bandada. (De *banda*.) f. Número crecido de aves que vuelan juntas.

Bandado, da. adj. ant. **Bandeado.**

Bandarria. f. *Mar.* **Mandarria.**

Bandazo. (De *banda*.) m. *Mar.* Tumbo o balance violento que da una embarcación hacia cualquiera de los dos lados.

Bandeado, da. p. p. de **Bandear.** || **2.** adj. **Listado,** 2.ª acep.

Bandear. (De *bando*, 2.° art.) tr. ant. Guiar, conducir. || **2.** intr. ant. Andar en bandos o parcialidades. || **3.** ant. Inclinarse a un bando o parcialidad.

Bandear. (De *banda*.) tr. ant. Mover a una y otra banda alguna cosa; como una cuerda floja, etc. || **2.** r. Saberse gobernar o ingeniar para satisfacer las necesidades de la vida. || **3.** *Ar.* **Columpiarse.**

Bandeja. f. Pieza de metal o de otra materia, plana o algo cóncava, en la cual se sirven dulces, refrescos y otras cosas.

Bandejador, ra. (De *bandejar*.) adj. ant. Que andaba en bandos o parcialidades. Usáb. t. c. s.

Bandejar. intr. ant. Hacer o sustentar bandos, 2.° art., 1.ª acep.

Bandera. (De *banda*.) f. Lienzo, tafetán u otra tela, de figura comúnmente cuadrada o cuadrilonga, que se asegura por uno de sus lados a una asta o una driza, y se emplea como insignia o señal. Sus colores o el escudo que lleva, indican la potencia o nación a que pertenece el castillo, la fortaleza, la embarcación, etc., en que está izada. || **2.** V. **Bene-**

ficio, capitán, derecho, derecho diferencial, habilitación de bandera. ‖ **3.** Lienzo u otra tela, que suele ser de diversos colores, y sirve para adornar alguna cosa en las grandes fiestas, y también en las escuadras y torres de la costa para hacer señales. ‖ **4.** Insignia de que usan las tropas de infantería: consiste en un tafetán de metro y medio a dos metros en cuadro, asegurado por un lado en una asta o pica de unos dos metros y medio de largo con regatón y moharra, y con las armas o distintivo del cuerpo militar que la lleva y las de la nación a que éste pertenece. ‖ **5.** V. **Cuarto de banderas.** ‖ **6.** Gente o tropa que milita debajo de una misma **bandera.** ‖ **7.** Cada una de las compañías de los antiguos tercios españoles, y también actualmente de ciertas unidades tácticas, en el ejército de África. ‖ **8.** ant. Montón o tropel de gente. ‖ **blanca.** Bandera de paz, 1.ª acep. ‖ **de combate.** La nacional de gran tamaño que largan a popa los buques en las acciones de guerra y en otras grandes solemnidades. ‖ **de inteligencia.** *Mar.* La que, con arreglo al código de señales, sirve para indicar que se han entendido las comunicaciones recibidas. ‖ **de paz.** La que se enarbola como señal de querer tratar de convenio o paz, y en los buques en señal de que son amigos. Regularmente es blanca. ‖ **2.** fig. Convenio y ajuste cuando ha habido disensión. ‖ **de recluta.** Partida de tropa mandada por un oficial o sargento, destinada a reclutar soldados. ‖ **morrón.** *Mar.* La que está amorronada. ‖ **negra.** La de este color, que izan los piratas para anunciar que no dan ni esperan cuartel. ‖ **2.** loc. fig. con que se denota hostilidad o rigor extremado contra algo, o contra alguien. ‖ **repetidora.** *Mar.* La que, con arreglo al código de señales, repite alguna que se halla colocada sobre ella. ‖ **A banderas desplegadas.** m. adv. fig. Abierta o descubiertamente, con toda libertad. ‖ **Afianzar,** o **afirmar, la bandera.** fr. *Mar.* **Asegurar la bandera.** ‖ **Alzar bandera,** o **banderas.** fr. fig. **Levantar bandera,** o **banderas.** ‖ **Arriar bandera,** o **la bandera.** fr. *Mar.* Rendirse uno o más buques al enemigo. ‖ **Asegurar** un buque **la bandera.** fr. *Mar.* Disparar un cañonazo con bala al tiempo de izar el pabellón, como señal de la legitimidad del que se arbola o tremola. ‖ **Batir banderas.** fr. *Mil.* Hacer reverencia con ellas al superior, inclinándolas o bajándolas en reconocimiento de su grado y dignidad. ‖ **Dar** a uno **la bandera.** fr. fig. Cederle la primacía, reconocerle ventaja en alguna materia. ‖ **De bandera.** loc. vulg. Excelente en su línea. ‖ **Levantar bandera,** o **banderas.** fr. fig. Convocar gente de guerra. ‖ **2.** fig. Hacerse cabeza de bando. ‖ **Llevarse** uno **la bandera.** fr. fig. **Llevarse la palma.** ‖ **Militar** uno **debajo de la bandera de** otro. fr. fig. Ser de su opinión, bando o partido. ‖ **Rendir la bandera.** fr. *Mar.* Arriarla en señal de respeto y cortesía. ‖ **2.** *Mil.* Inclinarla de modo que apoye en el suelo la moharra, lo cual se hace por honor militar al Santísimo Sacramento. ‖ **Salir con banderas desplegadas.** fr. *Mil.* Úsase para significar uno de los honores que se conceden en algunas capitulaciones a los sitiados, para la entrega de las plazas. ‖ **Seguir la bandera de** uno. fr. fig. **Militar debajo de su bandera.**

Banderado. m. ant. **Abanderado.**

Bandereta. f. d. de **Bandera.**

Bandería. (De *bandera.*) f. Bando o parcialidad.

Banderilla. f. d. de **Bandera.** ‖ **2.** Palo delgado de siete a ocho decímetros de largo, armado de una lengüeta de hierro en uno de sus extremos, y que, revestido de papel picado y adornado a veces con una banderita, usan los toreros para clavarlo en el cerviguillo de los toros. ‖ **3.** fig. y fam. Dicho picante o satírico; pulla. Ú. principalmente con los verbos *clavar, plantar* o *poner.* ‖ **4.** *Impr.* Papel que se pega en las pruebas o en el original para añadir o enmendar el texto. ‖ **5.** *Min.* Papel dispuesto en forma de cucurucho que el barrenero coloca junto a la mecha de los barrenos cargados, para que el pegador pueda distinguirlos fácilmente. ‖ **de fuego.** La que está guarnecida de petardos que estallan al clavarla en el toro.

Banderillazo. (De *banderilla.*) m. *Méj.* Petardo, parche o sablazo.

Banderillear. tr. Poner banderillas a los toros.

Banderillero. m. Torero que pone banderillas.

Banderín. m. d. de **Bandera.** ‖ **2.** Cabo o soldado que sirve de guía a la infantería en sus ejercicios, y lleva al efecto una banderita en la bayoneta o cuchillo bayoneta del fusil. ‖ **3.** Depósito para enganchar reclutas.

Banderizamente. adv. m. ant. Con bando o parcialidad.

Banderizar. (De *banderizo.*) tr. **Abanderizar.** Ú. t. c. r.

Banderizo, za. (De *bandera.*) adj. Que sigue bando o parcialidad. Ú. t. c. s. ‖ **2.** fig. Fogoso, alborotado.

Bandero, ra. (De *bando,* 2.° art.) adj. ant. **Banderizo,** 1.ª acep.

Banderola. (Del ital. *banderuola,* de *bandiera,* bandera.) f. Bandera pequeña, como de 30 centímetros en cuadro, y con asta, que tiene varios usos en la milicia, en la topografía y en la marina. ‖ **2.** Bandera pequeña que se pone en las efigies de Cristo resucitado, San Juan Bautista y otros santos. ‖ **3.** Adorno que llevan los soldados de caballería en las lanzas, y es una cinta o pedazo de tela que se coloca debajo de la moharra.

Bandidaje. m. **Bandolerismo.**

Bandido, da. p. p. del ant. **Bandir.** ‖ **2.** adj. Fugitivo de la justicia llamado por bando. Ú. t. c. s. ‖ **3.** m. **Bandolero,** 1.ª acep. ‖ **4.** Persona perversa y desenfrenada.

Bandín. m. Banda corta que los condecorados con una gran cruz llevan debajo del chaleco, pero en dirección menos inclinada que la banda, y que substituye a ésta en actos menos solemnes. ‖ **2.** *Mar.* Cada uno de los asientos que se ponen en las galeras, galeotas, botes y otras embarcaciones, alrededor de las bandas o costados que forman la popa.

Bandir. (Del gót. *bandvjan,* desterrar, pregonar.) tr. ant. Publicar bando contra un reo ausente, con sentencia de muerte en su rebeldía.

Bando. (De *bandir.*) m. Edicto o mandato solemnemente publicado de orden superior. ‖ **2.** Solemnidad o acto de publicarlo. ‖ **Echar bando.** fr. Publicar un edicto o mandato.

Bando. (Del gót. *band,* lazo, bandera.) m. Facción, partido, parcialidad. ‖ **2. Bandada.** ‖ **3.** Cardumen o banco de peces. ‖ **4.** V. **Rey de bando.**

Bandola. (Del lat. *pandūra,* y éste del gr. πανδοῦρα, guitarra de tres cuerdas.) f. Instrumento músico pequeño de cuatro cuerdas y de cuerpo combado como el del laúd. ‖ **2.** *Mar.* Armazón provisional que, para seguir navegando, se pone en el buque que ha perdido algún palo por cualquier accidente. ‖ **En bandolas.** m. adv. *Mar.* Con **bandolas** en lugar de palos.

Bandolera. f. Mujer que vive con bandoleros, o toma parte en sus delitos.

Bandolera. (De *banda.*) f. Correa que cruza por el pecho y la espalda desde el hombro izquierdo hasta la cadera derecha, y que en el remate lleva un gancho de acero para colgar una arma de fuego. Es distintivo de los guardas jurados. ‖ **2.** Banda usada por los guardias de Corps, con galones de plata formando cuadritos del color con que debía distinguirse cada una de las compañías de aquel cuerpo. Actualmente, en los institutos montados del ejército, para días de gala y ciertos servicios, llevan los jefes y oficiales una **banderola** de charol o de correa con cartera portapliegos; y los soldados, dos de correa, cruzadas sobre el pecho y la espalda, para suspender respectivamente la carabina y el morral del pan. ‖ **3.** fig. Plaza de guardia de Corps.

Bandolerismo. m. Existencia continuada de bandoleros en una comarca. ‖ **2.** Desafueros y violencias propias de los bandoleros.

Bandolero. (De *bando,* 2.° art.) m. Ladrón, salteador de caminos. ‖ **2.** fig. **Bandido,** 4.ª acep.

Bandolín. m. d. de **Bandola.** ‖ **2. Bandola,** 1.ª acep.

Bandolina. (Del fr. *bandoline,* voz formada de *bandeau,* venda, y el lat. *linĕre,* untar.) f. Mucilago que sirve para mantener asentado el cabello después de atusado.

Bandolinista. m. y f. Persona que toca con destreza el bandolín.

Bandolón. m. aum. de **Bandola.** ‖ **2.** Instrumento músico semejante en la figura a la bandurria, pero del tamaño de la guitarra. Sus cuerdas, de acero unas, de latón otras, y de entorchado las demás, son 18, repartidas en seis órdenes de a tres, y se hieren con una púa de carey o de cuerno.

Bandolonista. m. El que toca con destreza el bandolón.

Bandosidad. f. ant. Bando o parcialidad.

Bandujo. (De *bandullo.*) m. Tripa grande de cerdo, carnero o vaca, llena de carne picada. ‖ **2.** *Sal.* **Bandullo.**

Bandullo. (Del lat. *ventricŭlum,* d. de *venter,* vientre.) m. fam. Vientre o conjunto de las tripas.

Bandurria. (Del lat. *pandūra,* y éste del gr. πανδοῦρα.) f. Instrumento músico de cuerda, semejante a la guitarra, pero de mucho menor tamaño que ésta y de una forma relativamente más estrecha en la parte que se junta con el mástil: tuvo en lo antiguo sólo tres cuerdas y el mástil liso y sin trastes; hoy tiene 12 cuerdas pareadas, de tripa las seis primeras, entorchadas las otras seis, y el mástil con 14 trastes fijos de metal: se toca con una púa de concha o de cuerno de búfalo, y sirve de tiple en el concierto de instrumentos de su clase, principalmente de música popular. ‖ **sonora.** La que, en lugar de las seis cuerdas de tripa, tiene otras tantas de alambre.

Baniano. m. Comerciante de la India, por lo común sin residencia fija.

Banido, da. (Del germ. *bandvjan,* pregonar, desterrar.) adj. ant. Pregonado por delitos y llamado con público pregón.

Banquera. f. *Ar.* Sitio donde se ponen en línea las colmenas sobre bancos. ‖ **2.** *Ar.* Colmenar pequeño sin cerca.

Banquero. m. Jefe de una casa de banca. ‖ **2.** El que se dedica a operaciones mercantiles de giro, descuento, cuentas corrientes y otras análogas sobre dinero o valores. ‖ **3.** En el juego de la banca y otros, el que lleva el naipe. ‖ **4.** *Germ.* Alcaide de la cárcel o carcelero.

Banqueta. f. Asiento de tres o cuatro pies y sin respaldo. ‖ **2.** Banco corrido y sin respaldo, guarnecido con más o menos lujo. ‖ **3.** Banquillo muy bajo para poner los pies. ‖ **4.** Andén de alcantarilla subterránea, a propósito para poder visitarla y limpiarla. ‖ **5.** *Fort.* Obra de tierra o mampostería, a modo de banco corrido, al cual se sube por una rampa desde el interior de una fortificación y tiene amplitud bastante para que los soldados se coloquen sobre él en dos filas, resguardados detrás de pared, parapeto o muralla hasta la altura de los hombros.

Banquete. m. d. de **Banco.** ‖ **2.** Comida a que concurren muchas personas para celebrar algún acontecimiento. ‖ **3.** Comida espléndida.

Banquetear. tr. Dar banquetes o andar entre ellos. Ú. t. c. intr. y c. r.

Banquillo. m. d. de **Banco.** ‖ **2.** Asiento en que se coloca el procesado ante el tribunal.

Banzo. m. Cada uno de los dos listones de madera más gruesos del bastidor para bordar, guarnecidos con tiras de lienzo a que se cose la tela. ‖ **2.** Cada uno de los dos largueros paralelos o apareados que sirven para afianzar una armazón; como una escalera de mano, el respaldo de una silla, etc. ‖ **3. Quijero.**

Baña. (De *bañar.*) f. *Mont.* **Bañadero.**

Bañadero. m. Charco o paraje donde suelen bañarse y revolcarse los animales monteses.

Bañado, da. p. p. de **Bañar.** ‖ **2.** m. **Bacín,** 1.ª acep. ‖ **3.** *Amér.* Terreno húmedo, a trechos cenagoso y a veces inundado por las aguas pluviales o por las de un río o laguna cercana.

Bañador, ra. (Del lat. *balneator, ōris.*) adj. Que baña. Apl. a pers., ú. t. c. s. ‖ **2.** m. Cajón o vaso que sirve para bañar algunas cosas; como, por ejemplo, las velas de cera. ‖ **3.** Traje para bañarse.

Bañar. (Del lat. *balneāre.*) tr. Meter el cuerpo o parte de él en agua o en otro líquido, por limpieza, para refrescarse o con un fin medicinal. Ú. t. c. r. ‖ **2.** Sumergir alguna cosa en un líquido. ‖ **3.** Humedecer, regar o tocar el agua alguna cosa. ‖ **4.** Tocar algún paraje el agua del mar, de un río, etc. *El río* BAÑA *las murallas de la ciudad.* ‖ **5.** Cubrir una cosa con una capa de otra substancia, mediante su inmersión en ésta o untándola con ella. ‖ **6.** Entre zapateros, dejar un borde a la suela en todo el contorno del zapato, para evitar que el material roce con el suelo. ‖ **7.** Tratándose del sol, de la luz o del aire, dar de lleno en alguna cosa. ‖ **8.** *Pint.* Dar una mano de color transparente sobre otro.

Bañera. f. Mujer que cuida de los baños y sirve a las que se bañan. ‖ **2. Baño,** 1.er art., 3.ª acep.

Bañero. (De *baño,* 1.er art.) m. Dueño de un baño, 1.er art., 4.ª acep. ‖ **2.** El que cuida de los baños y sirve a los que se bañan. ‖ **3. Bañador,** 1.ª acep.

Bañezano, na. adj. Natural de La Bañeza. Ú. t. c. s. ‖ **2.** Perteneciente a esta villa.

Bañil. (De *baño,* 1.er art.) m. *Mont.* **Bañadero.**

Bañista. com. Persona que concurre a tomar baños. ‖ **2.** Por ext., **agüista.**

Baño. (Del lat. *balnĕum.*) m. Acción y efecto de bañar o bañarse. ‖ **2.** Agua o líquido para bañarse. ‖ **3.** Pila que sirve para bañar o lavar todo el cuerpo o parte de él. ‖ **4.** Sitio donde hay aguas para bañarse. ‖ **5.** V. **Casa de baños.** ‖ **6.** V. **Colegial de baño.** ‖ **7.** Capa de materia extraña con que queda cubierta la cosa bañada; como la de azúcar en los dulces, la de cera en varios objetos, y la de plata u oro en cubiertos y alhajas. ‖ **8.** ant. Lavadero público. ‖ **9.** fig. **Tintura,** 4.ª acep. ‖ **10.** *Ast.* y *Gal.* Artesón de madera o piedra en que se mete en salmuera la carne del cerdo para conservarla. ‖ **11.** *Metal.* Masa de metal fundido, junta en la plaza o crisol de un horno. ‖ **12.** *Pint.* Mano de color que en la pintura de brocha gorda se da sobre lo ya pintado. ‖ **13.** *Quím.* Calor templado por la interposición de alguna materia entre el fuego y lo que se calienta. Tiene diferentes nombres, según la diversidad de las materias que se interponen; como **baño** de arena, de cenizas, etc. ‖ **14.** pl. **Balneario,** 2.ª acep. ‖ **Baño de aire comprimido.** *Med.* Remedio que consiste en someter el cuerpo, en un espacio cerrado, a la acción del aire comprimido. ‖ **de María** o **Baño María.** Vaso con agua puesto a la lumbre y en el cual se mete otra vasija para que su contenido reciba un calor suave y constante en ciertas operaciones químicas, farmacéuticas o culinarias. ‖ **de vapor.** *Med.* Remedio que consiste en someter el cuerpo o parte de él a la acción del vapor de agua o de otro líquido caliente. ‖ **Jurado ha el baño, de negro no hacer blanco.** ref. que da a entender que lo natural prevalece siempre contra los esfuerzos del arte. ‖ **2.** También advierte que es muy difícil borrar las manchas de la reputación. ‖ **¿Para qué va al baño la negra, si negra se queda,** o **si blanca no puede ser?** ref. que enseña que en vano se aplican los medios cuando el fin no es asequible.

Baño. (Del ár. *bunayya,* edificio.) m. Especie de corral grande o patio con aposentillos o chozas alrededor, en el cual los moros tenían encerrados a los cautivos.

Bañón. m. V. **Palo de bañón.**

Bañuelo. (Del lat. *balnĕŏlum,* bañito.) m. d. de **Baño,** 1.er art.

Bao. (Del dialect. *bau,* y éste del lat. *baiŭlus,* el que lleva la carga.) m. *Mar.* Cada uno de los miembros de madera, hierro o acero que, puestos de trecho en trecho de un costado a otro del buque, sirven de consolidación y para sostener las cubiertas. ‖ **2.** *Mar.* Cada uno de los dos barrotes que empernados en las cacholas, en el sentido de la quilla, sirven para sostener las cofas.

Baobab. m. *Bot.* Árbol del África tropical, de la familia de las bombacáceas, con tronco derecho de nueve a 10 metros de altura y hasta 10 de circunferencia, ramas horizontales de 16 a 20 metros de largo, flores grandes y blancas, y frutos capsulares, carnosos y de sabor acídulo agradable.

Baptismal. (De *baptismo.*) adj. ant. **Bautismal.**

Baptismo. (Del lat. *baptismus,* y éste del gr. βαπτισμός, de βαπτίζω, bautizar.) m. ant. **Bautismo.**

Baptisterio. (Del lat. *baptisterium,* y éste del gr. βαπτιστήριον.) m. Sitio donde está la pila bautismal. ‖ **2. Pila bautismal.** ‖ **3.** *Arq.* Edificio por lo común de planta circular o poligonal, próximo a un templo y generalmente pequeño, donde se administraba el bautismo.

Baptizador. (De *baptizar.*) m. ant. El que bautiza.

Baptizante. p. a. ant. de **Baptizar. Bautizante.** Usáb. t. c. s.

Baptizar. (Del lat. *baptizāre,* y éste del gr. βαπτίζω, sumergir.) tr. ant. **Bautizar.**

Baptizo. (De *baptizar.*) m. ant. **Bautizo.**

Baque. (Del ár. *wāqi',* el que cae, o lo que cae.) m. Golpe que da el cuerpo o cualquiera cosa pesada cuando cae. ‖ **2. Batacazo.**

Baqueano, na. adj. **Baquiano.**

Baquear. (Del ingl. *to back.*) intr. *Mar.* Navegar al amor del agua cuando la corriente de ésta supera en rapidez a la que daría a la nave el impulso del viento.

Baquero. adj. V. **Sayo baquero.** Ú. t. c. s.

Baqueta. (Del ital. *bacchetta,* y éste del ant. ital. *bac,* del lat. **bacus,* regresión de *bacŭlus,* palo.) f. Vara delgada de hierro o de madera, con un casquillo de cuerno o metal, que sirve para atacar las armas de fuego. ‖ **2.** Varilla seca de membrillo o de otro árbol, de que usan los picadores para el manejo de los caballos. ‖ **3.** *Arq.* **Junquillo,** 3.ª acep. ‖ **4.** pl. Palillos con que se toca el tambor. ‖ **5. Carrera de baquetas,** 1.ª acep. ‖ **Mandar** uno **a baqueta,** o **a la baqueta.** fr. fig. y fam. Mandar despóticamente. ‖ **Tratar a baqueta,** o **a la baqueta,** a uno. fr. fig. y fam. Tratarle con desprecio o severidad.

Baquetazo. m. Golpe dado con la baqueta.

Baqueteado, da. p. p. de **Baquetear.** ‖ **2.** adj. fig. Acostumbrado a negocios o trabajos.

Baquetear. (De *baqueta.*) tr. Dar o ejecutar el castigo de baquetas. ‖ **2.** fig. Incomodar demasiado.

Baqueteo. m. Acción y efecto de baquetear.

Baquetón. m. *Arq.* Baqueta grande.

Baquía. (Voz haitiana.) f. Conocimiento práctico de las sendas, atajos, caminos, ríos, etc., de un país. ‖ **2.** *Amér.* Habilidad y destreza para obras manuales.

Baquiano, na. (De *baquía.*) adj. Experto, cursado. ‖ **2.** Práctico de los caminos, trochas y atajos. Apl. a pers., ú. t. c. s. ‖ **3.** m. Guía para poder transitar por ellos.

Báquico, ca. (Del lat. *bacchicus,* y éste del gr. βακχικός.) adj. Perteneciente o relativo a Baco. *Furor* BÁQUICO. ‖ **2.** fig. Perteneciente a la embriaguez.

Baquio. (Del lat. *bacchīus,* y éste del gr. βακχεῖος.) m. Pie de las métricas griega y latina, compuesto de tres sílabas: la primera, breve, y las otras dos, largas.

Báquira. m. **Saino.**

Bar. (Del ingl. *bar,* barra.) m. Local en que se despachan bebidas que suelen tomarse de pie, ante el mostrador. Por ext., se da también este nombre a ciertas cervecerías.

Baraca. (Del ár. *baraka,* bendición, don carismático.) f. En Marruecos, don divino atribuido a los jerifes o morabitos, y que creen transmitir como bendición.

Barafunda. (En port. *barafunda,* y en fr. *baragouin.*) f. ant. **Barahúnda.**

Barahá. (Del hebr. *barakah.*) f. ant. Entre los judíos, **oración,** 2.ª acep.

Barahúnda. (De *barafunda.*) f. Ruido y confusión grandes.

Barahustar. tr. ant. **Barajustar.**

Baraja. f. Conjunto de naipes que sirve para varios juegos. La **baraja** española consta de 48 naipes, y la francesa de 52. ‖ **2.** Riña, contienda o reyerta entre varias personas. Ú. m. en pl. ‖ **Echarse uno en la baraja.** fr. fig. **Entrarse en baraja,** 2.ª acep. ‖ **Entrarse en baraja.** fr. En algunos juegos de naipes, dar por perdida la mano. ‖ **2.** fig. Desistir de una pretensión o intento. ‖ **Irse a la baraja.** fr. fig. **Entrarse en baraja,** 1.ª acep. ‖ **Jugar uno con dos barajas.** fr. fig. y fam. Proceder con doblez. ‖ **Meterse en baraja.** fr. **Entrarse en baraja,** 1.ª acep. ‖ **Peinar la baraja.** fr. **Peinar los naipes.**

Barajada. f. **Barajadura.**

Barajador, ra. (De *barajar.*) adj. ant. Pendenciero, pleiteador.

Barajadura. f. Acción de barajar.

Barajar. (En port. *baralhar.*) tr. En el juego de naipes, mezclarlos unos con otros antes de repartirlos. ‖ **2.** En el juego de la taba o dados, impedir o embarazar la suerte que se va a hacer. ‖ **3.** fig. Mezclar y revolver unas personas o cosas con otras. Ú. t. c. r. ‖ **4.** ant. Atropellar, llevarse de calle alguna cosa. ‖ **5.** *Equit.* Tirar al caballo de una y otra rienda para refrenarlo. ‖ **6.** *Mar.* **Barajar la costa.** ‖ **7.** intr. Reñir, altercar o contender unos con otros.

Baraje. (De *barajar.*) m. **Barajadura.**

Barajón. (Del b. lat. *barallio, -ōnis,* y éste del lat. *vara.*) m. Bastidor de madera que sujeta un tejido de varas y se ata debajo del pie para que éste no se hunda al andar sobre la nieve. Se hace también de una tabla con tres agujeros en los cuales entran los tarugos de las almadreñas. Ú. m. en pl.

Barajustar. tr. ant. **Baraustar,** 3.ª acep.

Baranda. (Del lat. *vara.*) f. **Barandilla.** ‖ **2.** Borde o cerco que tienen las mesas de billar. ‖ **Echar** uno **de baranda.** fr. fig. y fam. Exagerar o ponderar mucho una cosa.

Barandado. (De *baranda.*) m. **Barandilla.**

Barandaje. De *baranda.*) m. **Barandilla.**

Barandal. (De *baranda.*) m. Listón de hierro u otra materia, sobre que se sientan los balaustres. ‖ **2.** El que los sujeta por arriba. ‖ **3. Barandilla.**

Barandilla. (d. de *baranda.*) f. Antepecho compuesto de balaustres de madera, hierro, bronce u otra materia, y de los barandales que los sujetan: sirve de ordinario para los balcones, pasamanos de escaleras y división de piezas.

Barangay. (Del tagalo *balañgay.*) m. Embarcación de remos, baja de bordo, usada en Filipinas. ‖ **2.** Cada uno de los grupos de 45 a 50 familias de raza indígena o de mestizos, en que se divide la vecindad de los pueblos de Filipinas, y que está bajo la dependencia y vigilancia de un jefe. ‖ **3.** V. **Cabeza de barangay.**

Barangayán. (De *barangay.*) m. **Gubán.**

Baraño. m. *Sal.* Fila de heno recién guadañado y tendido en tierra. ‖ **2.** *Sal.* Parte de ella que corresponde a cada uno de los cortes o golpes de la guadaña.

Barata. (De *baratar.*) f. **Baratura.** ‖ **2.** Trueque, cambio. ‖ **3. Mohatra,** 1.ª acep. ‖ **4.** En el juego de las tablas reales, disposición de las piezas que mira a ocupar las dos últimas casas del contrario, donde se termina el juego con piezas dobles. ‖ **5.** ant. **Barato,** 6.ª acep. ‖ **6.** *Méj.* **Barato,** 3.ª acep. ‖ **Mala barata.** ant. Desperdicio, abandono y profusión de los bienes. ‖ **A la barata.** m. adv. Confusamente, sin gobierno ni orden.

Barata. (Del lat. *blatta.*) f. *Zam., Chile* y *Perú.* **Cucaracha.**

Baratador, ra. (De *baratar.*) adj. ant. Embustero, engañador. Usáb. t. c. s. ‖ **2.** Que hace baratas o trueques. Ú. t. c. s.

Baratamente. adv. m. A poca costa.

Baratar. (Del gr. πράττω, hacer, obrar.) tr. ant. Permutar o trocar unas cosas por otras. ‖ **2.** ant. Dar o recibir una cosa por menos de su precio ordinario. ‖ **3.** ant. Proceder, obrar.

Baratear. (De *barato.*) tr. Dar una cosa por menos de su precio ordinario. ‖ **2.** ant. Regatear una cosa antes de comprarla.

Baratería. (De *baratero.*) f. ant. Delito cometido con fraude. ‖ **2.** *For.* Engaño, fraude en compras, ventas o trueques. ‖ **3.** *For.* Delito del juez que admite dinero o regalos por dar una sentencia justa. ‖ **de capitán,** o **patrón.** Acto u omisión de los que mandan o tripulan un buque, en perjuicio del armador, del cargador o de los aseguradores.

Baratero, ra. (De *barato.*) adj. ant. **Engañoso.** ‖ **2.** m. El que de grado o por fuerza cobra el barato de los que juegan.

Baratía. (De *barato.*) f. *Colomb.* **Baratura.**

Baratija. (De *barato.*) f. Cosa menuda y de poco valor. Ú. m. en pl.

Baratillero, ra. m. y f. Persona que tiene baratillo.

Baratillo. (d. de *barato.*) m. Conjunto de cosas de lance, o de poco precio, que están de venta en paraje público. ‖ **2.** Tienda o puesto en que se venden. ‖ **3.** Sitio fijo en que se hacen estas ventas. ‖ **4.** Conjunto de gente ruin que a boca de noche se solía poner en los rincones de las plazas, donde vendían lo viejo por nuevo y se engañaban unos a otros.

Baratista. (De *baratar.*) com. ant. Persona que tiene por oficio o costumbre trocar unas cosas por otras.

Barato, ta. (De *baratar.*) adj. Vendido o comprado a bajo precio. ‖ **2.** fig. Que se logra con poco esfuerzo. ‖ **3.** m. Venta de efectos que se hace a bajo precio con el fin de despacharlos pronto. ‖ **4.** V. **Corredor de baratos.** ‖ **5.** Porción de dinero que da voluntariamente el que gana en el juego, y también la que exige por fuerza el baratero. ‖ **6.** ant. Fraude o engaño. ‖ **7.** ant. Abundancia, sobra, baratura. ‖ **8.** adv. m. Por poco precio. ‖ **Ahorcado sea tal barato.** expr. fam. que se usa para denotar que una cosa se da o se vende por un precio muy bajo. ‖ **Cobrar el barato.** fr. fig. y fam. Predominar una persona por el miedo que impone a otras. ‖ **Dar de barato.** fr. fig. y fam. Conceder graciosa o hipotéticamente alguna cosa, por no ser del caso, o por no embarazar el fin principal que se pretende. ‖ **De barato.** m. adv. De balde, sin interés. ‖ **Hacer barato.** fr. Dar las mercancías a menos precio por salir pronto de ellas. ‖ **Hacer mal barato.** fr. ant. Obrar o proceder mal. ‖ **Echar a barato.** fr. fam. **Meter a barato,** 1.ª acep. ‖ **Lo barato es caro.** fr. con que se da a entender que lo que cuesta poco suele salir caro por su mala calidad o poca duración. ‖ **Meter a barato.** fr. fam. Confundir y obscurecer lo que uno va a decir, metiendo bulla y dando grandes voces. ‖ **2.** ant. Dicho de un país, tierra, etc., talarlos, destruirlos.

Baratón, na. (De *baratar.*) m. y f. ant. **Baratista.** ‖ **2.** ant. **Chalán,** 1.ª acep.

Báratro. (Del lat. *barăthrum,* y éste del gr. βάραθρον.) m. poét. **Infierno,** 1.ª acep. ‖ **2.** *Mit.* **Infierno,** 4.ª acep.

Baratura. (De *barato.*) f. Bajo precio de las cosas vendibles.

Baraúnda. f. **Barahúnda.**

Baraustado, da. p. p. de **Baraustar.** ‖ **2.** adj. *Germ.* Muerto a puñaladas. Ú. t. c. s.

Baraustador. (De *baraustar.*) m. *Germ.* **Puñal,** 1.er art., 2.ª acep.

Baraustar. (De *barahustar.*) tr. **Asestar,** 1.ª acep. ‖ **2.** Desviar el golpe de una arma. ‖ **3.** ant. Confundir, trastornar.

Barauste. (Del lat. *bălaŭstium,* granada.) m. ant. **Balaustre.**

Barba. (Del lat. *barba.*) f. Parte de la cara, que está debajo de la boca. ‖ **2.** Pelo que nace en esta parte de la cara y en los carrillos. Ú. t. en pl. ‖ **3.** En el ganado cabrío, mechón de pelo pendiente del pellejo que cubre la quijada inferior. ‖ **4.** Carúnculas colgantes que en la mandíbula inferior tienen algunas aves. ‖ **5.** Entre colmeneros, primer enjambre que sale de la colmena. ‖ **6.** Parte superior de la colmena, donde se ponen las abejas cuando se va formando nuevo enjambre. ‖ **7. Rasura,** 1.ª acep. ‖ **8.** m. Comediante que hace el papel de viejo o anciano. ‖ **9.** f. pl. *Bot.* Conjunto de raíces delgadas de las plantas. ‖ **10.** Bordes desiguales del papel de tina. ‖ **11.** V. **Papel de barbas.** ‖ **12.** Filamentos sutiles que guarnecen el astil de la pluma; generalmente están unidos entre sí por medio de otros más tenues que hay en sus bordes: ostentan gran variedad de colores; muchos, brillantes, y algunos, metálicos. ‖ **13. Barbilla,** 5.ª acep. ‖ **Barba cabruna.** Planta perenne de la familia de las compuestas, de unos ocho decímetros de altura, con tallo lampiño, hojas lisas y lanceoladas, flores amarillas y raíz comestible después de cocida. ‖ **cerrada.** fig. La del hombre muy poblada y fuerte. ‖ **complida.** ant. fig. Hombre valiente, esforzado. ‖ **corrida.** La del hombre que se la deja crecer toda sin afeitar parte ninguna de ella. ‖ **de ballena. Ballena,** 3.ª acep. ‖ **de cabra.** Hierba vivaz de la familia de las rosáceas, con tallos delgados de 60 a 70 centímetros, hojas partidas, duras, ásperas y dentadas, y flores en panojas colgantes, blancas y de buen olor. ‖ **honrada.** fig. Persona digna y respetable. ‖ **Barbas de chivo.** fig. y fam. Las que son escasas en los carrillos y largas debajo de la boca. ‖ **2.** fig. y fam. Hombre que las tiene de este modo. ‖ **3.** Planta anua de la familia de las gramíneas, con hojas radicales muy delgadas, de unos cinco centímetros de largo, que forman un césped, del cual salen cañitas lampiñas de unos 20 centímetros, con nudos casi negros y hojas más cortas que sus vainas; las flores forman panoja cilíndrica, blanca y brillante, y las aristas son muy finas por la parte superior. ‖ **de macho.** fig. y fam. **Barbas de chivo,** 1.ª, 2.ª y 3.ª aceps. ‖ **de zamarro.** fig. y fam. Las muy pobladas y crespas. ‖ **2.** fig. y fam. Hombre que las tiene de este modo. ‖ **A barba muerta, obligación cubierta.** ref. que denota que, muerto el dueño de la casa, los que tenían obligaciones con él, no las confiesan a la viuda ni a los hijos. ‖ **A barba regada.** m. adv. Con mucha abundancia. ‖ **A la barba.** m. adv. **En las barbas.** ‖ **A las barbas con dineros, honra hacen los caballeros.** ref. que advierte que a los viejos acaudalados les muestran todo respeto por el interés que esperan lograr cuando mueran. ‖ **Andar** uno **con la barba por el suelo.** fr. fig. y fam. Ser muy anciano o estar decrépito. ‖ **Andar** uno **con la barba sobre el hombro.** fr. fig. Estar alerta, vivir con vigilancia y cuidado. ‖ **Antes barba blanca para tu hija, que muchacho de crencha partida.** ref. que enseña deberse preferir para yerno el hombre de juicio, aunque de edad, al mozo que no lo tiene. ‖ **A poca barba, poca vergüenza.** ref. que advierte que regularmente los pocos años hacen a los hombres atrevidos. ‖ **Barba a barba.** m. adv. **Cara a cara.** ‖ **Barba a barba, honra,** o **vergüenza, se cata.** ref. con que se da a entender que estando presente una persona, se le tiene mayor atención y respeto que en ausencia de ella. ‖ **Barba pone mesa, que no pierna tiesa.** ref. que recomienda el trabajo y la aplicación para adquirir lo necesario. ‖ **Barbas mayores quitan menores.** ref. que demuestra que siempre se atiende con preferencia a las personas de mayor importancia. ‖ **Callen barbas y hablen cartas.** ref. que advierte ser ocioso gastar palabras cuando hay instrumentos para probar lo que se dice. ‖ **Con más barbas que un zamarro.** expr. con que se reprende y da en cara al que ya es hombre, por alguna acción aniñada que ejecuta o intenta. ‖ **Con toda la barba.** loc. fam. con que se pondera la plenitud de cualidades a que se hace referencia. ‖ **Cuales barbas, tales tobajas.** ref. que advierte que a cada uno se le debe hacer el honor y obsequio que corresponde a su clase. ‖ **Cuando la barba de tu vecino vieres pelar, echa la tuya a remojar,** o **en remojo.** ref. que advierte que debemos aprender de lo que sucede a otros, para escarmentar y vivir con cuidado. ‖ **De tal barba, tal escama.** ref. que advierte que regularmente no se debe esperar de los hombres otra cosa que la que corresponde a su nacimiento y crianza. ‖ **Dos barbas parejas, mal guardan ovejas.** ref. que enseña que cuando la autoridad y gobierno están repartidos entre muchos, unos por otros descuidan su obligación. || **Echar a la buena barba.** fr. Señalar a alguno para que pague lo que él y sus compañeros han comido o gastado. || **Echar a las barbas.** fr. fig. **Echar a la cara, o en cara.** || **En las barbas de** uno. m. adv. En su presencia, a su vista, en su cara. || **Estar** uno **con la barba sobre el hombro.** fr. fig. **Andar con la barba sobre el hombro.** || **Fondear a barba de gato.** fr. fig. *Mar.* Fondear con dos anclas, de manera que sus cables formen aproximadamente ángulo recto. || **Hacer la barba.** fr. Afeitar la **barba** o el bigote. || **2.** fig. y fam. Fastidiar, incomodar. || **3.** fig. y fam. Adular, obsequiar con fines interesados. || **Hazme la barba, hacerte he el copete.** ref. que aconseja que conviene ayudarse uno a otro para conseguir lo que desean. || **Llevar** a uno **de la barba.** fr. fig. y fam. Gobernarlo, doctrinarlo. || **Mentir por la barba.** fr. fig. y fam. Mentir con descaro. || **Para mis barbas.** loc. Fórmula de juramento para aseverar alguna cosa. || **Pelarse** uno **las barbas.** fr. fig. Manifestar con ademanes grande ira y enojo. || **Por barba.** m. adv. Por cabeza o por persona. *A perdiz* POR BARBA. || **Subirse** uno **a las barbas** de otro. fr. fig. y fam. Atreverse o perder el respeto al superior, o quererse igualar con quien le excede. || **Temblarle** a uno **la barba.** fr. fig. y fam. Tener miedo, estar con recelo. || **Tener** una mujer **buenas barbas.** fr. fig. y fam. Ser bien parecida. || **Tener** uno **pocas barbas.** fr. fig. y fam. Tener pocos años o poca experiencia. || **Tentarse** uno **las barbas.** fr. fam. **Tentarse la ropa.** || **Tirarse** uno **de las barbas.** fr. fig. **Pelarse las barbas** || **Traer** uno **la barba sobre el hombro.** fr. fig. **Andar con la barba sobre el hombro.**

Barbacana. f. *Fort.* Obra avanzada y aislada para defender puertas de plazas, cabezas de puente, etc. || **2.** Muro bajo con que se suelen rodear las plazuelas que algunas iglesias tienen alrededor de ellas o delante de alguna de sus puertas. || **3.** Saetera o tronera.

Barbacoa. f. *Amér.* Zarzo cuadrado u oblongo, sostenido con puntales, que sirve de camastro. || **2.** *Amér.* Andamio en que se ponen los muchachos para guardar los maizales. || **3.** *Amér.* Casita construida en alto sobre árboles o estacas. || **4.** *Amér.* Zarzo o tablado tosco en lo alto de las casas, donde se guardan granos, frutos, etc. || **5.** *C. Rica.* Emparrado o armazón sobre el que se extienden las plantas enredaderas. || **6.** *Méj.* Conjunto de palos de madera verde puestos sobre un hueco, a manera de parrilla, que usan los indios para asar carne. || **7.** *Méj.* Carne asada de este modo.

Barbacuá. f. **Barbacoa.**

Barbada. f. Quijada inferior de las caballerías. || **2.** Cadenilla o hierro corvo que se pone a las caballerías por debajo de la barba, atravesada de una cama a otra del freno, para regirlas y sujetarlas. || **3.** *Zool.* Pez teleósteo del suborden de los anacantos, parecido al abadejo, pero de cabeza más gruesa, dos aletas dorsales en vez de tres, y una barbilla en la mandíbula inferior, a lo cual debe el nombre. Vive en el Mediterráneo, crece hasta unos siete decímetros de largo, es negruzco por el lomo y azul plateado por el abdomen.

Barbadamente. adv. m. ant. Fuertemente, varonilmente.

Barbado, da. p. p. de **Barbar.** || **2.** adj. Que tiene barbas. Apl. a pers., ú. t. c. s. || **3.** ant. **Barbato.** || **4.** m. Árbol que se planta con raíces, o sarmiento con ellas que sirve para plantar viñas. || **5.** Renuevo o hijuelo que brota de las raíces de los árboles o arbustos. || **6.** *Germ.* **Cabrón,** 1.ª acep. || **Plantar de barbado.** fr. *Agr.* Trasplantar un vástago o sarmiento que ha echado ya raíces.

Barbaja. (despect. de *barba.*) f. Planta perenne de la familia de las compuestas, parecida a la escorzonera, de unos tres decímetros de altura, con tallo recto y ramoso, hojas lanceoladas, lineales y aserradas, y flores rojizas. Abunda en España. || **2.** pl. *Agr.* Primeras raíces que echan los vegetales recién plantados.

Barbaján. m. *Cuba* y *Méj.* adj. Tosco, rústico, brutal. Ú. t. c. s.

Barbajuelas. f. pl. d. de Barbajas, 2.ª acep. de **barbaja.**

Barbar. intr. Echar barbas el hombre. || **2.** Entre colmeneros, criar las abejas. || **3.** *Agr.* Echar raíces las plantas.

Bárbaramente. adv. m. Con barbaridad, grosera y toscamente.

Barbarería. f. ant. Barbaridad, barbarie.

Barbaresco, ca. adj. ant. **Barbárico.**

Barbaria. (Del lat. *barbaria.*) f. ant. **Barbarie.**

Barbáricamente. adv. m. Al modo de los pueblos bárbaros.

Barbárico, ca. (Del lat. *barbaricus.*) adj. Perteneciente o relativo a los pueblos bárbaros.

Barbaridad. f. Calidad de bárbaro. || **2.** Dicho o hecho necio o temerario. || **3. Atrocidad,** 2.ª acep.

Barbarie. (Del lat. *barbaries.*) f. fig. Rusticidad, falta de cultura. || **2.** fig. Fiereza, crueldad.

Barbarismo. (Del lat. *barbarismus.*) m. Vicio del lenguaje, que consiste en pronunciar o escribir mal las palabras, o en emplear vocablos impropios. || **2.** fig. **Barbaridad,** 2.ª acep. || **3.** fig. y fam. **Barbarie,** 1.ª acep. || **4.** poét. Multitud de bárbaros.

Barbarizante. p. a. de **Barbarizar.** Que barbariza.

Barbarizar. (Del lat. *barbarizāre.*) tr. p. us. Adulterar una lengua con barbarismos. || **2.** intr. fig. Decir barbaridades.

Bárbaro, ra. (Del lat. *barbărus,* y éste del gr. βάρβαρος, extranjero.) adj. Dícese del individuo de cualquiera de las hordas o pueblos que en el siglo V abatieron el imperio romano y se difundieron por la mayor parte de Europa. Ú. t. c. s. || **2.** Perteneciente a estos pueblos. || **3.** fig. Fiero, cruel. || **4.** fig. Arrojado, temerario. || **5.** fig. Inculto, grosero, tosco.

Barbarote, ta. adj. fam. aum. de **Bárbaro,** 3.ª, 4.ª y 5.ª aceps.

Barbastrense. adj. **Barbastrino.** Apl. a pers., ú. t. c. s.

Barbastrino, na. adj. Natural de Basbastro. Ú. t. c. s. || **2.** Perteneciente a esta ciudad.

Barbato. (Del lat. *barbātus.*) adj. *Astron.* V. **Cometa barbato.**

Barbaza. f. aum. de **Barba,** 2.ª acep.

Barbear. tr. Llegar con la barba a cierta altura. *Los toros, vacas y otros animales saltan toda la altura que* BARBEAN. || **2. Hacer la barba,** 1.ª acep. || **3.** fig. *Méj.* **Hacer la barba,** 3.ª acep. || **4.** fig. *Méj.* Coger una res vacuna, particularmente si es pequeña, por el hocico y el testuz o el cuerno, y haciendo fuerza con las manos en direcciones opuestas, torcerle el cuello hasta dar en tierra con el animal. || **5.** intr. Trabajar el barbero en su oficio. || **6.** fig. Acercarse o llegar casi una cosa a la altura de otra. || **7.** fig. *C. Rica.* Halagar, lisonjear. || **8.** *Taurom.* Andar el toro a lo largo de las tablas, rozándolas con el hocico, como olfateando y buscando la salida del ruedo.

Barbechada. (De *barbechar.*) f. **Barbechera,** 3.ª acep.

Barbechar. (De *barbecho.*) tr. Arar o labrar la tierra disponiéndola para la siembra. || **2.** Arar la tierra para que se meteorice y descanse.

Barbechera. f. Conjunto de varios barbechos. || **2.** Tiempo en que se barbecha. || **3.** Acción y efecto de barbechar.

Barbecho. (Del lat. *vervactum,* de *vervagĕre,* arar la tierra en la primavera.) m. Tierra labrantía que no se siembra durante uno o más años. || **2.** Acción de barbechar. || **3.** Haza arada para sembrar después. || **Firmar** uno **como en un barbecho.** fr. fig. y fam. Hacerlo sin examinar lo que firma.

Barbera. f. Mujer del barbero.

Barbería. f. Tienda del barbero. || **2.** Oficio de barbero. || **3.** Sala o pieza destinada en las comunidades y otros establecimientos para servicios de barbero o peluquero.

Barberil. adj. fam. Propio de barberos.

Barbero. (De *barba.*) m. El que tiene por oficio afeitar o hacer la barba. || **2.** V. **Bacía de barbero.** || **3.** Pez del mar de las Antillas, del orden de los acantopterigios, de 15 a 20 centímetros de largo y la mitad de ancho, de color de chocolate, cola ahorquillada, boca pequeña, ojos grandes y negros con cerco amarillo, una espina dura y puntiaguda junto a la cola, y piel muy áspera. Hay varias especies. || **4.** *Méj.* **Adulador.** || **De barbero a barbero no pasa dinero.** ref. **Entre sastres no se pagan hechuras.** || **Ni barbero mudo ni cantor sesudo.** ref. que denota el demasiado hablar de ciertos **barberos** cuando afeitan, y el poco asiento o juicio que suelen tener algunos músicos.

Barbero. (De *barbo.*) m. *Ál.* Red que se tiende de orilla a orilla en los ríos, para pescar barbos.

Barberol. m. *Zool.* Pieza que, con otras, forma el labio inferior de los insectos masticadores.

Barbeta. (Del fr. *barbette,* d. de *barbe,* y éste del lat. *barba,* barba.) f. *Fort.* Trozo de parapeto, ordinariamente en los ángulos de un bastión, destinado a que tire la artillería a descubierto. || **2.** *Mar.* Trozo de meollar o filástica. || **A barbeta.** m. adv. *Art.* y *Fort.* Dícese de la fortificación cuyo parapeto no tiene troneras ni merlones, ni cubre a los artilleros; y de la artillería puesta sobre este género de fortificación.

Barbián, na. adj. fam. Desenvuelto, gallardo, arriscado. Ú. t. c. s.

Barbiblanco, ca. adj. **Barbicano.**

Barbicacho. (Del lat. *barba,* barba, y **capsus,* quijada, de *capsa,* caja.) m. Cinta o toca que se echa por debajo de la barba.

Barbicano, na. adj. Que tiene cana la barba.

Barbicastaño, ña. adj. Que tiene la barba de color castaño.

Barbiespeso, sa. adj. Que tiene espesa la barba.

Barbihecho. (De *barba* y *hacer.*) adj. Recién afeitado.

Barbijo. m. *Argent.* y *Sal.* **Barbiquejo,** 1.ª acep.

Barbilampiño. (De *barba* y *lampiño.*) adj. Dícese del varón adulto que no tiene barba o tiene poca.

Barbilindo. (De *barba* y *lindo.*) adj. Galancete, preciado de lindo y bien parecido.

Barbilucio. (De *barba* y *lucio,* 2.º art.) adj. **Barbilindo.**

Barbiluengo, ga. (De *barba* y *luengo.*) adj. Que tiene larga la barba.

Barbilla. (d. de *barba.*) f. Punta o remate de la barba, 1.ª acep. || **2.** Apéndice carnoso que algunos peces tienen en la parte inferior de la cabeza, a manera de mamellas. || **3.** Cartílago que, a modo de fleco, rodea como aleta a ciertos peces, como el lenguado y el pejesapo. || **4.** *Carp.* Corte dado oblicuamente en la cara de un madero para que encaje en el hueco poco profundo de otro. || **5.** *Veter.* **Sapillo,** 2.ª acep. || **6.** m. pl. *Colomb.* Hombre de barba escasa.

Barbillera. (De *barbilla.*) f. Rollo de estopa que se pone alrededor de las cubas de vino para que, si al tiempo de hervir sale algo de mosto, tropezando éste con la estopa, destile y caiga por las puntas del rollo, que se dejan pendientes, en la vasija que se pone debajo para recogerlo. || **2.** Especie de barboquejo que se suele poner a los cadáveres para cerrarles la boca.

Barbimoreno, na. adj. Que tiene la barba morena.

Barbinegro, gra. adj. Que tiene negra la barba.

Barbiponiente. (De *barbipungente.*) adj. fam. Dícese del joven a quien empieza a salir la barba. || **2.** fig. y fam. **Principiante,** 2.ª acep.

Barbipungente. (Del lat. *barba,* barba, y *pungens, -entis,* punzante.) adj. **Barbiponiente,** 1.ª acep.

Barbiquejo. (Del lat. *barba,* barba, y **capsus,* quijada, por *capsa,* caja.) m. **Barboquejo.** || **2.** *Perú.* Pañuelo que, a modo de venda, se pasa por debajo de la barba y ata por encima de la cabeza, o a un lado de la cara. || **3.** *Mar.* Cabo o cadena que sujeta el bauprés al tajamar o a la roda.

Barbirrapado, da. adj. Que tiene rapada la barba.

Barbirrojo, ja. adj. **Barbitaheño.**

Barbirrubio, bia. adj. Que tiene rubia la barba.

Barbirrucio, cia. (De *barba* y *rucio.*) adj. Que tiene la barba mezclada de pelos blancos y negros.

Barbitaheño, ña. (De *barba* y *taheño.*) adj. Que tiene roja o bermeja la barba.

Barbiteñido, da. adj. Que lleva teñida la barba.

Barbitonto, ta. (De *barba* y *tonto.*) adj. Que tiene cara de tonto.

Barbitúrico. (Del lat. *barbata,* y *úrico.*) adj. *Quím.* Dícese de un ácido cristalino cuyos derivados tienen propiedades hipnóticas. || **2.** m. Nombre común a estos derivados.

Barbo. (Del lat. *barbus,* de *barba,* barba.) m. *Zool.* Pez de río, fisóstomo, de color fusco por el lomo y blanquecino por el vientre. Crece hasta unos 60 centímetros de longitud y tiene cuatro barbillas en la mandíbula superior, dos hacia el centro y otras dos, más largas, a uno y otro lado de la boca. Es comestible. || **de mar. Salmonete.** || **Hacer el barbo.** fr. fig. y fam. Dícese de la persona que en un coro abre la boca y gesticula fingiendo cantar.

Barbón. m. Hombre barbado. || **2.** En la orden de la Cartuja, religioso lego, porque se deja crecer la barba. || **3. Cabrón,** 1.ª acep.

Barboquejo. (De *barbiquejo.*) m. Cinta con que se sujeta por debajo de la barba el sombrero o morrión para que no se lo lleve el aire.

Barbotar. (De la onomat. *barb.*) intr. **Mascullar.** Ú. t. c. tr.

Barbote. (De *barba.*) m. **Babera,** 1.ª acep. || **2.** Palito o barrita de plata que, embutida en el labio inferior, llevan como insignia algunas parcialidades de indios de la Argentina.

Barboteadura. f. ant. Material y obra con que se barbotea, 2.° art.

Barbotear. intr. Barbullar, mascullar.

Barbotear. tr. ant. Atrancar y fortificar.

Barboteo. m. Acción y efecto de barbotear, 1.er art.

Barbucha. f. despect. de **Barba.**

Barbudo, da. (De *barbado,* con la term. *-udo.*) adj. Que tiene muchas barbas. || **2.** V. **Águila barbuda.** || **3.** m. **Barbado,** 5.ª acep.

Barbulla. (De *barbullar.*) f. fam. Ruido, voces y gritería de los que hablan a un tiempo confusa y atropelladamente.

Barbullar. (De la onomat. *barb.*) intr. fam. Hablar atropelladamente y a borbotones, metiendo mucha bulla.

Barbullido. m. Rizado que produce en la superficie de la mar el paso de un banco de sardinas.

Barbullón, na. (De *barbullar.*) adj. fam. Que habla confusa y atropelladamente. Ú. t. c. s.

Barbuquejo. m. **Barboquejo.**

Barbusano. m. Árbol de las islas Canarias, de la familia de las lauráceas, que crece hasta 16 metros de altura. Su madera es durísima, pero frágil, algo parecida a la caoba y de mucha duración. || **2.** Madera de este árbol.

Barca. (Del lat. *barca.*) f. Embarcación pequeña para pescar o traficar en las costas del mar, o para atravesar los ríos. || **2. Barcaje,** 3.ª acep. || **de pasaje.** Lancha grande y plana que se utiliza para atravesar los ríos, palmeándola por medio de un andarivel. || **Quien ha de pasar la barca, no cuente jornada.** ref. que advierte que no ha de darse por seguro el éxito mientras haya obstáculos que vencer.

Barcada. f. Carga que transporta o lleva una barca en cada viaje. || **2.** Cada viaje de una barca.

Barcaje. m. Transporte de efectos en una barca. || **2.** Precio o flete que por él se paga. || **3.** Precio o derecho que se paga por pasar de una a otra parte del río en un barca.

Barcal. (De *barca.*) adj. V. **Madero, tabla barcal.** Ú. t. c. s. || **2.** m. Artesa de una pieza, en la cual, al medir vino, se colocan las vasijas para recoger el que se derrame. || **3. Dornajo.** || **4.** Cajón chato, con abrazaderas de hierro, que se usa en vez de espuerta en las minas de la provincia de Huelva.

Barcarola. (Del ital. *barcarola,* de *barcarolo,* barquerillo.) f. Canción popular de Italia, y especialmente de los gondoleros de Venecia. || **2.** Canto de marineros, en compás de seis por ocho, que imita por su ritmo el movimiento de los remos.

Barcaza. (aum. de *barca.*) f. Lanchón para transportar carga de los buques a tierra, o viceversa.

Barcelona. n. p. V. **Conde de Barcelona.**

Barcelonés, sa. adj. Natural de Barcelona. Ú. t. c. s. || **2.** Perteneciente a esta ciudad.

Barceno, na. adj. **Barcino.**

Barceo. m. **Albardín.** || **2.** Albardín seco de que en lugar de esteras se sirve la gente pobre en varios lugares de Castilla la Vieja.

Barcia. f. Desperdicio o ahechaduras que se sacan al limpiar el grano.

Barcina. (De *barceo.*) f. *And.* y *Méj.* **Herpil.** || **2.** *And.* y *Méj.* Carga o haz grande de paja.

Barcinador. m. *And.* El que barcina.

Barcinar. (De *barcina,* 2.ª acep.) intr. *And.* Coger las gavillas de mies, echarlas en el carro y conducirlas a la era.

Barcino, na. (Del ár. *barŝi,* de color mixto de cetrino, o negro, y rojo, es decir, abigarrado, manchado.) adj. Dícese de los animales de pelo blanco y pardo, y a veces rojizo; como ciertos perros, toros y vacas.

Barco. (De *barca.*) m. Vaso de madera, hierro u otra materia, que flota y que, impulsado y dirigido por un artificio adecuado, puede transportar por el agua personas o cosas. || **2.** Barranco poco profundo. || **Por viejo que sea el barco, pasa una vez el vado.** ref. que advierte que por inútil y quebrantado que esté cualquiera, puede en ocasiones servir de algo.

Barcolongo. (Del gall. y port. *barco longo.*) m. Embarcación antigua larga y estrecha, de dos palos y muy velera. || **2.** También han tenido este nombre otros buques de proa redonda, con cubierta, un solo mástil y vela de popa a proa

Barcoluengo. (De *barco* y *luengo.*) m. **Barcolongo.**

Barcón. (De *barca.*) m. Embarcación menor que se llevaba a remolque o sobre cubierta en los galeones y bajeles grandes para servicios auxiliares de los mismos, principalmente en tiempo de guerra. || **mastelero.** El que, aparejado de mástil y de velas, servía para navegaciones costeras.

Barcote. m. aum. de **Barco.**

Barchilón, na. (De *Barchilón,* apellido de un español caritativo que vivió en el Perú en el siglo XVI.) m. y f. *Amér.* Enfermero de hospital.

Barchilla. (Del ár. *barŷila* o *barŷālla,* y éste del lat. **particĕlla,* porción.) f. Medida de capacidad para áridos, usada en las provincias de Alicante, Castellón y Valencia. En la primera equivale a 2.077 centilitros; en la segunda, a 166 decilitros, y en la tercera, a 1.675 centilitros.

Barda. (Del germ. *bardi,* escudo.) f. Arnés o armadura de vaqueta o hierro, o de una y otro juntamente, con que en lo antiguo se guarnecían el pecho, los costados y las ancas de los caballos para su defensa en la guerra, en los torneos, etc. || **2.** Cubierta de sarmientos, paja, espinos o broza, que se pone, asegurada con tierra o piedras, sobre las tapias de los corrales, huertas y heredades, para su resguardo. || **3.** ant. Borrén de la silla. || **4.** *Ar.* Seto o vallado de espinos. || **5.** *Sal.* **Quejigo,** 2.ª acep. || **6.** *Mar.* Nubarrón obscuro, alargado y de mal aspecto, que sobresale pegado al horizonte.

Bardado, da. p. p. de **Bardar.** || **2.** adj. Armado o defendido con la barda.

Bardaguera. f. Arbusto de la familia de las salicáceas, muy ramoso, de dos o cuatro metros de altura, con hojas lanceoladas, verdes y lampiñas por la haz, blanquecinas y algo vellosas por el envés, y flores verdes en amentos muy precoces. Los ramos más delgados sirven para hacer canastillas y cestas. || **2.** p. us. **Barda,** 2.ª acep.

Bardaja. m. **Bardaje.**

Bardaje. (Del ár. *bardaŷ,* mancebo, cautivo.) m. Sodomita paciente.

Bardal. (De *barda.*) m. **Barda,** 2.ª y 4.ª aceps. || **Saltando bardales.** expr. fig. y fam. Huyendo sin reparar en obstáculos.

Bardana. (Como el fr. *bardane,* de origen incierto.) f. **Lampazo,** 1.ª acep. || **menor. Cadillo,** 1.er art., 1.ª acep.

Bardanza (Andar de). fr. fam. Andar de aquí para allí.

Bardar. (De *barda.*) tr. Poner bardas a los vallados, paredes o tapias.

Bardiota. (Del gr. bizantino βαρδαριώτης.) adj. Dícese de ciertos soldados de la milicia bizantina encargados de guardar las personas del emperador y de los príncipes de su familia. Ú. t. c. s.

Bardiza. (De *barda.*) f. *Murc.* Vallado de cañas con que se cerca una heredad.

Bardo. (Del lat. *bardus,* y éste del célt. *bardd,* poeta.) m. Poeta de los antiguos celtas. || **2.** Por ext., poeta heroico o lírico de cualquiera época o país.

Bardoma. f. *Ar.* Suciedad, porquería y lodo corrompido.

Bardomera. f. *Murc.* Broza que, de los montes y otros parajes, traen en las avenidas los ríos y arroyos.

Baremo. (Del fr. *barème,* y éste del nombre del inventor, B. F. Barrême.) m. Cuaderno o tabla de cuentas ajustadas.

Bargueño, ña. adj. Natural de Bargas. Ú. t. c. s. || **2.** Perteneciente a esta población. || **3.** m. Mueble de madera con muchos cajoncitos y gavetas, adornado con labores de talla o de taracea, en parte dorados y en parte de colores vivos, al estilo de los que se construían en Bargas, provincia de Toledo.

Barí. (Del ár. *bārīᶜ*, superior, excelente.) adj. *Caló.* **Excelente,** 1.ª acep.

Baría. (Voz cubana.) f. Árbol de la isla de Cuba, de la familia de las borragináceas, que crece hasta ocho metros de altura. La babaza de su corteza se emplea para clarificar el azúcar.

Baria. (Del gr. βάρος, pesadez.) f. En el sistema cegesimal, unidad de presión equivalente a una dina por centímetro cuadrado.

Baril. adj. *Caló.* **Barí.**

Bario. (De *barita*, por haberse extraído de este mineral.) m. Metal blanco amarillento, dúctil y difícil de fundir. En contacto con el aire, y más aún con el agua, se oxida rápidamente.

Barisfera. (Del gr. βαρύς, pesado, y σφαῖρα, esfera.) f. Núcleo central del globo terrestre.

Barita. (Del gr. βαρύς, pesado.) f. Óxido de bario, que en forma de polvo blanco se obtiene en los laboratorios. Combinado con el ácido sulfúrico, se encuentra generalmente en la naturaleza, formando la baritina.

Baritel. m. **Malacate,** 1.ª acep.

Baritina. f. Sulfato de barita, de formación natural, que se usa para falsificar el albayalde.

Barítono. (Del lat. *barytŏnus*, y éste del gr. βαρύτονος; de βαρύς, grave, y τόνος, tensión.) m. *Mús.* Voz media entre la de tenor y la de bajo. || **2.** *Mús.* El que tiene esta voz.

Barjuleta. (Tal vez del b. lat. *bursa*, bolsa.) f. Bolsa grande de tela o cuero, cerrada con una cubierta, que llevan a la espalda los caminantes, con ropa, utensilios o menesteres. || **2.** Bolsa con dos senos, de que se usa en algunos cabildos de la corona de Aragón para repartir las distribuciones.

Barloa. f. *Mar.* Cable o calabrote con que se sujetan los buques abarloados.

Barloar. (De *barloa.*) tr. *Mar.* **Abarloar.** Ú. t. c. intr. y c. r.

Barloventear. (De *barlovento.*) intr. *Mar.* Ganar distancia contra el viento, navegando de bolina. || **2.** fig. y fam. Andar de una parte a otra, sin permanencia en ningún lugar.

Barlovento. (Del fr. *par le vent.*) m. *Mar.* Parte de donde viene el viento, con respecto a un punto o lugar determinado. || **Ganar el barlovento.** fr. Situarse dejando al enemigo u otra escuadra o buque a sotavento y en disposición de poder arribar sobre él. || **2.** fig. Aventajar a otro en cualquier línea.

Barnabita. (Del lat. *Barnăba*, Bernabé.) adj. Dícese de los clérigos regulares de la congregación de San Pablo, que tomaron este nombre por haber dado principio a su ejercicio el año 1530 en la iglesia de San Bernabé de Milán. Ú. t. c. s.

Barnacla. (Del irlandés *barnacle*, percebe.) m. Pato marino de Hibernia, el cual se creyó que nacía de las conchas o mariscos que se adhieren a los vegetales que crecen en la orilla del mar.

Barniz. (De *berniz.*) m. Disolución de una o más substancias resinosas en un líquido que al aire se volatiliza o se deseca. Con ella se da a las pinturas, maderas y otras cosas, con objeto de preservarlas de la acción de la atmósfera, del polvo, etc., y para que adquieran lustre. || **2.** Baño que se da en crudo al barro, loza y porcelana y que se vitrifica con la cocción. || **3.** Baño o afeite con que se componen el rostro las mujeres. || **4. Tintura,** 4.ª acep. || **5.** *Impr.* Compuesto de trementina y aceite cocido, con el cual y polvos de humo de pez se hace la tinta para imprimir. || **del Japón. Ailanto.** || **2. Maque,** 2.ª acep. || **de pulimento.** El que, después de seco, adquiere tanta dureza que puede pulimentarse como el mármol. || **Al barniz blando.** m. adv. V. **Grabado al barniz blando.**

Barnizador, ra. adj. Que barniza. Apl. a pers., ú. t. c. s.

Barnizar. tr. Dar un baño de barniz.

Barógrafo. (Del gr. βαρύς, pesado, y γράφω, describir.) m. Barómetro registrador.

Barométrico, ca. adj. Perteneciente o relativo al barómetro. *Escala* BAROMÉTRICA. || **2.** V. **Columna barométrica.**

Barómetro. (Del gr. βάρος, pesadez, y μέτρον, medida.) m. Instrumento que sirve para determinar la presión atmosférica. || **aneroide.** El que consiste en una cajita metálica perfectamente cerrada, en la cual se ha hecho el vacío, y cuya tapa es convexa y de tanta flexibilidad que se comba o se deprime según las variaciones de la presión atmosférica. Los movimientos de la tapa se transmiten a una aguja, que los indica en un limbo graduado por comparación con un **barómetro de mercurio.** || **de mercurio.** El que indica en una escala la presión del aire por la altura de la columna de mercurio contenida en un tubo vertical de vidrio, como de ocho decímetros de largo, cerrado y vacío por el extremo superior y en comunicación por el inferior con un depósito del mismo líquido. || **holostérico. Barómetro aneroide.** || **metálico.** El que consiste en un trozo circular de un tubo metálico de paredes muy delgadas y lleno de aire comprimido. Las variaciones de la presión atmosférica hacen variar la curva del tubo, y los movimientos de una de sus extremidades se transmiten a una aguja, como en el **barómetro** aneroide.

Barón. (Del germ. *baro*, hombre libre.) m. Título de dignidad, de más o menos preeminencias, según los diferentes países. || **2.** V. **Corona de barón.**

Baronesa. f. Mujer del barón. || **2.** Mujer que goza una baronía.

Baronía. f. Dignidad de barón. || **2.** Territorio o lugar sobre que recae este título o en que ejercía jurisdicción un barón.

Baroto. m. Banca muy pequeña que se usa en Filipinas y que, careciendo de batangas, sólo se emplea en las aguas tranquilas. Sirve de bote a los barcos menores de cabotaje.

Barquear. tr. Atravesar en barco un río o lago. || **2.** intr. Utilizar los botes o lanchas para trasladarse de un punto a otro.

Barqueo. m. Acción de barquear.

Barquero, ra. m. y f. Persona que gobierna la barca.

Barqueta. f. d. de **Barca.** || **Si no fuere, o es, en esta barqueta, irá, o será, en la que se fleta.** ref. que da a entender que lo que no se logra en una ocasión se puede o suele conseguir en otra.

Barquete. m. d. de **Barco.**

Barquía. f. Embarcación capaz, a lo sumo, de cuatro remos por banda.

Barquichuelo. m. d. de **Barco.**

Barquilla. (d. de *barca.*) f. Molde prolongado, a manera de barca, que sirve para hacer pasteles. || **2.** Cesto o artefacto en que van los tripulantes de un globo o de una aeronave. || **3.** *Mar.* Tablita en figura de sector de círculo, con una chapa de plomo en el arco para que se mantenga vertical en el agua, y en cuyo vértice se afirma el cordel de la corredera que mide lo que anda la nave.

Barquillero, ra. m. y f. Persona que hace o vende barquillos. || **2.** m. Molde de hierro para hacer barquillos. || **3.** V. **Palillo de barquillero.**

Barquillo. (d. de *barco.*) m. Hoja delgada de pasta hecha con harina sin levadura y azúcar o miel y por lo común canela, la cual, en moldes calientes, recibía en otro tiempo figura convexa o de barco, y hoy suele tomar la de canuto, más ancho por uno de sus extremos que por el otro.

Barquín. (Del lat. *[follis] vervēcīnus.*) m. Fuelle grande que se usa en las ferrerías y fraguas.

Barquinazo. m. fam. Tumbo o vaivén recio de un carruaje, y también vuelco del mismo.

Barquinera. f. **Barquín.**

Barquino. m. **Odre,** 1.ª acep.

Barra. (Quizá del m. or. que *vara.*) f. Pieza de metal u otra materia, de forma generalmente prismática o cilíndrica y mucho más larga que gruesa. || **2.** Palanca de hierro que sirve para levantar o mover cosas de mucho peso. || **3.** Rollo de oro, plata u otro metal sin labrar. || **4.** V. **Cabo de barra.** || **5.** Pieza prolongada de hierro, de diferentes figuras y pesos, con la cual se juega, tirándola desde un sitio determinado. Gana el que la arroja a mayor distancia, cuando aquélla cae de punta. || **6.** Pieza de hierro para barretear. || **7.** Barandilla que, en la sala donde un tribunal, corporación o asamblea celebra sus sesiones, separa el lugar destinado al público. || **8.** En la mesa de trucos, hierro en forma de arco, distante de la barandilla unos ocho decímetros. || **9.** Banco o bajo de arena que se forma a la entrada de algunas rías, en la embocadura de algunos ríos y en la estrechura de ciertos mares o lagos, y que hace peligrosa su navegación. || **10.** Defecto de algunos paños en el tejido, y es cierta señal de distinto color, a modo de lista. || **11.** *Chile.* **Marro,** 4.ª acep. || **12.** *Blas.* Pieza honorable que representa el tahalí de la espada del caballero y ocupa diagonalmente, de izquierda a derecha, el tercio central del escudo. Cuando éste lleva dos **barras,** se colocan a los lados, y los muebles se dice que están en **barra.** Por ext., vulg., otras listas o bastones verticales. *Las* BARRAS *de Aragón.* || **13.** *Mar.* La de hierro con grilletes, en que se aseguran los presos a bordo. || **14.** *Min. Amér.* Cada una de las acciones o participaciones en que se dividía una empresa para el laboreo de alguna mina. || **15.** pl. En el juego de la argolla, el frente de ella señalado con unas rayas atravesadas en forma de **barras.** || **16.** Arcos de madera de que se sirven los albarderos para formar sobre ellos las albardas y los albardones, y darles hueco. || **17.** Dos listones de madera delgados, con agujeros que entran en los banzos del bastidor de bordar y que, por medio de clavijas que se ponen en los agujeros, sirven para tenerlo tirante. || **Barra de bastardía.** *Blas.* Pieza honorable disminuida, es decir, menor que el tercio del escudo, que, a diferencia de la **barra,** se coloca, como la banda, de derecha a izquierda. Sobre cualquier escudo personal o el franco cuartel de uno familiar, sirve, como otros signos heráldicos, para distinguir la rama bastarda del apellido de la legítima. || **fija.** La sujeta horizontalmente a la altura conveniente para hacer ciertos ejercicios gimnásticos. || **A barras derechas.** m. adv. Sin engaño. || **De barra a barra.** m. adv. De parte a parte o de extremo a extremo. || **Estar uno en barras.** fr. En el juego de la argolla, hallarse próximo a embocar la bola por el aro. || **2.** fig. y fam. Tener su pretensión, negocio o dependencia en buen estado.

|| **Estirar** uno **la barra**, fr. fig. y fam. Hacer todo el esfuerzo posible para conseguir alguna cosa. || **Llevar a la barra** a uno. fr. fig. Residenciarle. || **Sin mirar, pararse, reparar,** o **tropezar, en barras.** expr. adv. fig. Sin consideración de los inconvenientes, sin reparo. || **Tirar** uno **a la barra.** fr. Ejercitar el juego que se ejecuta con la **barra.** || **Tirar** uno **la barra.** fr. fig. y fam. Vender las cosas al mayor precio que puede. || **2.** fig. y fam. **Estirar la barra.**

Barrabás. (Por alusión al judío indultado con preferencia a Jesús.) m. fig. y fam. Persona mala, traviesa, díscola.

Barrabasada. (De *barrabás.*) f. fam. Travesura grave, acción atropellada.

Barraca. (Del ital. *barracca,* y éste del célt. *barr,* palo, tabla.) f. Caseta o albergue construido toscamente y con materiales ligeros. || **2.** Vivienda rústica, propia de las huertas de Valencia y Murcia, hecha con adobes y cubierta con cañas a dos aguas muy vertientes. || **3.** *Amér.* Edificio en que se depositan cueros, lanas, cereales u otros efectos destinados al tráfico.

Barracón. m. aum. de **Barraca.**

Barrachel. (Del ant. fr. *barigel,* y éste del germ. *barigildus,* jefe.) m. ant. Jefe de los alguaciles.

Barrado, da. p. p. de **Barrar.** || **2.** adj. Dícese del paño o tejido que saca alguna lista o tira que desdice de lo demás. || **3.** *Blas.* Aplícase a la pieza sobre la cual se ponen barras.

Barragán. adj. ant. Esforzado, valiente. || **2.** m. ant. **Compañero,** 1.ª acep. || **3.** ant. Mozo soltero. Ú. en *Sal.*

Barragán. (Del ár. *barrakān,* chamelote basto, y manto hecho de esta tela.) m. Tela de lana, impenetrable al agua. || **2.** Abrigo de esta tela, para uso de los hombres.

Barragana. (De *barragán,* 1.er art.) f. **Manceba.** || **2.** Concubina que vivía en la casa del que estaba amancebado con ella. || **3.** ant. Mujer legítima, aunque de condición desigual y sin el goce de los derechos civiles. || **4.** ant. **Compañera,** 1.ª acep.

Barraganada. (De *barragán,* 1.er art.) f. ant. Barrumbada, mocedad, travesura.

Barraganería. (De *barragana.*) f. **Amancebamiento.**

Barraganete. m. *Mar.* Última pieza alta de la cuaderna.

Barragania. f. ant. **Barraganería.** || **2.** ant. **Barraganada.**

Barral. (Del m. or. que *barril;* en b. lat. *barrāle.*) m. *Ar.* Redoma grande y capaz de una arroba de agua o vino, poco más o menos.

Barranca. f. **Barranco.**

Barrancal. m. Sitio donde hay muchos barrancos.

Barranco. (Del gr. φάραγξ, -αγγος, precipicio.) m. Despeñadero, precipicio. || **2.** Quiebra profunda que hacen en la tierra las corrientes de las aguas. || **3.** fig. Dificultad o embarazo en lo que se intenta o ejecuta. || **No hay barranco sin atranco.** ref. con que se da a entender que en toda empresa difícil o descabellada hay algún entorpecimiento, peligro o daño. || **Salir** uno **del barranco.** fr. fig. Desembarazarse de una grave dificultad o librarse de un gran trabajo.

Barrancoso, sa. adj. Que tiene muchos barrancos.

Barranquera. f. **Barranca.**

Barraque. m. V. **A traque barraque.**

Barraquero, ra. adj. Relativo o perteneciente a la barraca. || **2.** m. *Murc.* Constructor de barracas. || **3.** m. y f. Dueño o administrador de una barraca, 3.ª acep.

Barraquillo. m. Pieza pequeña de artillería, reforzada y corta, que se usaba para campaña.

Barrar. (De *barro,* 1.er art.) tr. **Embarrar,** 1.er art.

Barrar. (De *barra.*) tr. ant. **Barrear,** 1.ª acep.

Barreal. (De *barro,* 1.er art.) m. **Barrizal.**

Barrear. (De *barra.*) tr. Cerrar, fortificar con maderos o fajinas cualquiera sitio abierto. || **2. Barretear.** || **3.** *Ar.* Cancelar o borrar lo escrito, tachando el renglón con una raya. || **4.** intr. Resbalar la lanza por encima de la armadura del caballero acometido. || **5.** r. ant. **Atrincherarse.**

Barrearse. (De *barro,* 1.er art.) r. *Extr.* Revolcarse los jabalíes en los parajes donde hay barro o lodo.

Barreda. (De *barra.*) f. **Barrera,** 1.er art., 1.ª y 3.ª aceps.

Barredero, ra. (De *barrer.*) adj. fig. Que arrastra o se lleva cuanto encuentra. || **2.** V. **Red barredera.** Ú. t. c. s. || **3.** m. Varal con unos trapos a su extremo, con el que se barre el horno antes de meter el pan a cocer.

Barredor, ra. adj. Que barre. Ú. t. c. s.

Barreduela. (De *barreda.*) f. *And.* Plazoleta, por lo común sin salida.

Barredura. f. Acción de barrer. || **2.** pl. Inmundicia o desperdicios que se juntan con la escoba cuando se barre. || **3.** Residuos que suelen quedar como desecho de algunas cosas, especialmente de las sueltas y menudas, como granos, etc.

Barrena. (Del lat. *veruīna,* infl. por *barra.*) f. Instrumento de acero, de varios gruesos y tamaños, con una rosca en espiral en su punta y una manija en el extremo opuesto: sirve para taladrar o hacer agujeros en madera, metal, piedra u otro cuerpo duro. Otras hay sin manija, que se usan con berbiquí. || **2.** Barra de hierro con uno o los dos extremos cortantes, que sirve para agujerear peñascos, sondar terrenos, etc. || **de mano.** La que tiene manija. || **Entrar en barrena.** fr. Empezar a descender un avión verticalmente y en giro, por faltarle, deliberadamente o por accidente, la velocidad mínima indispensable para sostenerse en el aire.

Barrenar. (De *barrena.*) tr. Abrir agujeros con barrena o barreno en algún cuerpo, como hierro, madera, piedra, etc. || **2. Dar barreno.** || **3.** fig. Desbaratar la pretensión de alguno; impedirle maliciosamente el logro de alguna cosa. || **4.** fig. Hablando de leyes, derechos, etc., traspasar, conculcar. || **5.** *Taurom.* Hincar la puya o el estoque revolviéndolos a modo de barrera.

Barrendero, ra. m. y f. Persona que tiene por oficio barrer.

Barrenero. m. El que hace o vende barrenas. || **2.** Operario que abre los barrenos en las minas, en las canteras o en las obras de desmonte en roca.

Barrenillo. (d. de *barreno.*) m. Insecto que ataca a los árboles, horadando la corteza y comiendo la albura. || **2.** Enfermedad que produce este insecto en los olmos y otros árboles.

Barreno. (De *barrena.*) m. **Barrena,** 1.ª acep. Comúnmente se usa para significar la de mayor tamaño. || **2.** Agujero que se hace con la barrena. || **3.** Agujero relleno de pólvora u otra materia explosiva, en una roca o en una obra de fábrica, para hacerla volar. || **4.** V. **Pico barreno.** || **5.** fig. Vanidad, presunción o altanería. || **6.** fig. Tema o manía. || **Dar barreno.** fr. *Mar.* Agujerear una embarcación para que se vaya a fondo. || **Llevarle el barreno** a uno. fr. fig. y fam. *Méj.* Acomodarse a su gusto o humor, aparentando aceptar sus opiniones y seguir su dictamen.

Barreña. (De *barro,* 1.er art.) f. **Barreño.**

Barreño. (De *barro,* 1.er art., 1.ª acep.) m. Vasija de barro tosco, bastante capaz y generalmente más ancha por la boca que por el asiento; sirve para fregar la loza y para otros usos.

Barrer. (Del lat. *verrĕre.*) tr. Quitar del suelo con la escoba el polvo, la basura, etc. || **2.** fig. No dejar nada de lo que había en alguna parte, llevárselo todo. || **Barrer hacia dentro.** loc. fig. Comportarse interesadamente.

Barrera. (De *barra.*) f. Especie de valla, generalmente de palos o tablas, que se usa para atajar un camino, para cerrar un sitio o para otro fin análogo. || **2.** En la fortificación antigua, parapeto para defenderse de los enemigos. || **3.** Antepecho de madera con que se cierra alrededor el redondel en las principales plazas de toros. || **4.** fig. En las mismas plazas, **delantera,** 2.ª acep. || **5.** fig. Obstáculo, embarazo entre una cosa y otra. || **de golpe.** La que, cerrándose en virtud de su propia fuerza de gravedad, queda asegurada al dar el golpe contra su quicio. || **2.** La que, en los pasos a nivel de los ferrocarriles, está dispuesta de manera que funciona automáticamente, cerrándose al aproximarse los trenes. || **Sacar a barrera.** fr. ant. fig. Sacar al público. || **Salir** uno **a barrera.** fr. fig. Manifestarse o exponerse a la pública censura o contienda.

Barrera. (De *barro,* 1.er art.) f. Sitio de donde se saca el barro de que se hace uso en los alfares, y para otras obras. || **2.** Montón de tierra que queda después de haber sacado el salitre. || **3.** Escaparate o alacena para guardar barros, 1.er art., 3.ª acep.

Barrero. (De *barro,* 1.er art.) m. **Alfarero.** || **2. Barrera,** 2.° art., 1.ª acep. || **3. Barrizal.** || **4.** Terreno salitroso de algunos parajes de la América del Sur, que lamen los ganados cuando se alimentan de pastos muy dulces.

Barreta. f. d. de **Barra.** || **2.** Barra o palanca pequeña de hierro que usan los mineros, albañiles, etc. || **3.** Tira de cuero que suele ponerse en lo interior del calzado para reforzar la costura. || **4.** *And.* Trozo de arropía, cuadrado por lo común, en cuya composición entran cañamones o garbanzos tostados en lugar de harina.

Barreta. (Del lat. *birrus,* rojo.) f. ant. **Gorra,** 1.ª acep. || **2.** ant. **Capacete,** 1.ª acep.

Barrete. (Del lat. *birrus,* rojo.) m. ant. **Barreta,** 2.° art.

Barretear. (De *barreta,* 1.er art.) tr. Afianzar o asegurar alguna cosa con barras de metal o de madera, como se hace con los baúles, cofres, cajones, etc.

Barretero. m. *Min.* El que trabaja con barra, cuña o pico.

Barretina. (De *barreta,* 2.° art.) f. **Gorro catalán.**

Barriada. f. **Barrio.** || **2.** Parte de un barrio.

Barrial. (De *barro,* 1.er art.) adj. ant. Aplicábase a la tierra gredosa o arcilla. Ú. en *Méj.* || **2.** m. ant. **Barrizal.** Ú. en *Amér.*

Barrica. (Del m. or. que *barril.*) f. Especie de tonel mediano que sirve para diferentes usos. || **bordelesa.** Tonel de vino de cabida de 225 litros.

Barricada. (Del fr. *barricade,* o del ital. *barricata,* y éste del célt. *barr,* palo, travesaño.) f. Reparo a modo de parapeto que se hace, ya con barricas, ya con carruajes volcados, tablas, palos, piedras del pavimento, etc. Sirve para estorbar el paso al enemigo, y es de más uso en las revueltas populares que en el arte militar.

Barrido, da. p. p. de **Barrer.** || **2.** m. Acción de barrer. || **3.** Barreduras.

Barriga. (Quizá de *barrica.*) f. **Vientre,** 1.ª acep. || **2.** fam. **Vientre,** 2.ª acep. || **3.** fig. Parte media abultada de una vasija. || **4.** fig. Comba que hace una pared. || **Estar, o hallarse, con la barriga a la boca.** fr. fig. y fam. Hallarse en días de parir. || **Sacar la barriga de mal año.** fr. fig. y fam. **Sacar el vientre de mal año.** || **Tener la barriga a la boca.** fr. fig. y fam. **Estar con la barriga a la boca.**

Barrigón, na. adj. fam. **Barrigudo.**

Barrigudo, da. adj. Que tiene gran barriga.

Barriguera. f. Correa que se pone en la barriga a las caballerías de tiro.

Barril. (Del b. lat. *barrillus*, y éste de origen incierto.) m. Vasija de madera, de varios tamaños y hechuras, que sirve para conservar y transportar diferentes licores y géneros. || **2.** Vaso de barro, de gran vientre y cuello angosto, en que ordinariamente tienen los segadores y gente del campo el agua para beber. || **3.** *Chile.* Nudo, por lo general de figura de un barrilito, que por adorno se hace en las riendas. || **bizcochero.** El que sirve para llevar el bizcocho en las embarcaciones.

Barrila. (De *barril.*) f. *Sant.* **Botija.**

Barrilaje. m. *Méj.* **Barrilamen.**

Barrilamen. m. **Barrilería,** 1.ª acep.

Barrilejo. m. d. de **Barril.**

Barrilería. f. Conjunto de barriles. || **2.** Taller donde se fabrican. || **3.** Sitio donde se venden.

Barrilero. m. El que hace o vende barriles.

Barrilete. (De *barril.*) m. d. de **Barril.** || **2.** Instrumento grueso de hierro y de la figura de un siete, de que usan los carpinteros y otros artífices para asegurar sobre el banco los materiales que labran. || **3.** En algunas provincias, **cometa,** 2.ª acep. || **4.** *Mar.* Especie de nudo en forma de barril que se hace en algunos cabos para que no pasen del sitio en que deben quedar firmes o para que sirva de apoyo a un mojel, a una boza o a cosa semejante. || **5.** *Mús.* La pieza cilíndrica del clarinete más inmediata a la boquilla. || **6.** *Zool.* Cangrejo de mar, decápodo, de carapacho trapezoidal y liso, común en las costas africanas y en las de Cádiz; sus dos patas anteriores, terminadas en pinza, son muy desiguales, y de ellas la más grande es comestible y se conoce con el nombre de boca de la isla.

Barrilla. (d. de *barra.*) f. Planta de la familia de las quenopodiáceas, ramosa, empinada, con tallos lampiños, hojas blanquecinas, crasas, semicilíndricas, puntiagudas, pero no espinosas, y flores verduscas, axilares y solitarias. Crece en terrenos salados, y sus cenizas, que contienen muchas sales alcalinas, sirven para obtener la sosa. || **2.** Estas mismas cenizas. || **borde.** Planta muy parecida a la anterior, de la que se distingue por ser vellosa, de tallos tumbados y terminar las hojas en espina. || **de Alicante.** Planta de la misma familia que las anteriores y con hojas más pequeñas y cilíndricas. Sus cenizas dan la **barrilla** mejor que se conoce, y por esto se cultiva mucho en Alicante, Cartagena y otras partes de España.

Barrillar. m. Sitio poblado de barrilla. || **2.** Paraje donde se quema.

Barrillero, ra. Que contiene o puede producir barrilla.

Barrillo. (d. de *barro,* 1.er art.) m. V. **Miel de barrillos.**

Barrillo. m. **Barro,** 2.º art., 1.ª acep.

Barrio. (Del ár. *barrī*, exterior, propio de las afueras, arrabal.) m. Cada una de las partes en que se dividen los pueblos grandes o sus distritos. || **2.** V. **Alcalde de barrio.** || **3.** **Arrabal,** 2.ª acep. *El* BARRIO *de Triana en Sevilla.* || **4.** V. **Gente de barrio.** || **5.** Grupo de casas o aldehuela dependiente de otra población, aunque esté apartado de ella. || **El otro barrio.** fig. y fam. El otro mundo, la eternidad. || **Andar, o estar, uno de barrio, o vestido de barrio.** fr. fam. Andar de trapillo.

Barrioso, sa. adj. ant. **Barroso,** 1.er art., 1.ª acep.

Barriscar. (De *barrer.*) tr. *Ar.* Dar o entregar a bulto y sin peso ni medida cosas vendibles.

Barrisco (A). (De *barriscar.*) m. adv. En junto, sin distinción.

Barrito. (Del lat. *barritus.*) m. ant. Berrido del elefante.

Barrizal. m. Sitio o terreno lleno de barro o lodo.

Barro. m. Masa que resulta de la unión de tierra y agua. || **2.** Lodo que se forma en las calles cuando llueve. || **3.** **Búcaro,** 2.ª acep. || **4.** V. **Lana en barro.** || **5.** V. **Tabaco de barro.** || **6.** fig. Cosa despreciable, nonada. || **blanco. Arcilla figulina.** || **de hierbas.** Búcaro adornado con relieves de la misma tierra, que representan o imitan hierbas. || **A arrastra barro.** m. adv. que se dice cuando se siembra sobre llovido, y el arado se embarra al cubrir la simiente. || **Barro y cal encubren mucho mal.** ref. que denota que el afeite y barniz puesto en muchas cosas oculta lo malo que hay en ellas. || **Dar a uno barro a mano.** fr. fig. y fam. Darle dinero u otros medios para que haga alguna cosa, o cumpla su gusto. || **Estar uno comiendo, o mascando, barro.** fr. fig. y fam. **Estar comiendo, o mascando, tierra.** || **No ser barro** una cosa. fr. fig. y fam. Tener valor, no ser despreciable. || **Tener uno barro a mano.** fr. fig. y fam. Contar con dinero o recursos en abundancia.

Barro. (Del lat. *varus*, grano en la cara.) m. Cada uno de los granillos de color rojizo que salen al rostro, particularmente a los que empiezan a tener barbas. || **2.** Cada uno de los tumorcillos que salen al ganado mular y vacuno.

Barroco, ca. (Quizá del m. or. que *barrueco.*) adj. Dícese del estilo de ornamentación caracterizado por la profusión de volutas, roleos y otros adornos en que predomina la línea curva. Por ext., se aplica también a las obras de pintura y escultura donde son excesivos el movimiento de las figuras y el partido de los paños; y en el arte literario a toda obra en que predominan la pompa y el ornato.

Barrocho. m. **Birlocho.**

Barrón. m. aum. de **Barra.** || **2.** Planta perenne de la familia de las gramíneas, con tallos de cerca de un metro de altura y derechos; hojas arrolladas, punzantes y glaucas, y flores en panoja amarillenta y cilíndrica, con pelos cortos. Crece en los arenales marítimos y sirve para consolidarlos.

Barroquismo. m. Tendencia a lo barroco.

Barroso, sa. (De *barro,* 1.er art.) adj. Dícese del terreno o sitio que tiene barro o en que se forma barro fácilmente. || **2.** De color de barro; que tira a rojo. || **3.** m. *Germ.* **Jarro,** 1.ª acep.

Barroso, sa. (De *barro,* 2.º art.) adj. Se aplica al rostro que tiene barros.

Barrote. m. Barra gruesa. || **2.** Barra de hierro con que se aseguran las mesas por debajo. || **3.** Barra de hierro que sirve para afianzar o asegurar alguna cosa; como cofre, ventana, etc. || **4.** *Carp.* Palo que se pone atravesado sobre otros palos o tablas para sostener o reforzar.

Barrueco. (Del lat. *verrūca*, verruga.) m. Perla irregular. || **2.** Nódulo esferoidal que suele encontrarse en las rocas.

Barrumbada. f. fam. Dicho jactancioso. || **2.** fam. Gasto excesivo hecho por jactancia.

Barrunta. (De *barruntar.*) f. ant. fig. Penetración o trascendencia.

Barruntador, ra. adj. Que barrunta.

Barruntamiento. m. **Barrunto,** 1.ª acep.

Barruntar. tr. Prever, conjeturar o presentir por alguna señal o indicio.

Barrunte. (De *barruntar.*) m. Indicio, noticia. || **2.** ant. **Espía,** 1.er art.

Barrunto. m. Acción de barruntar. || **2. Barrunte,** 1.ª acep.

Bartola (A la). m. adv. fam. Sin ningún cuidado. Úsase con los verbos *echarse, tenderse* y *tumbarse.*

Bartolillo. m. Pastel pequeño en forma casi triangular, relleno de crema o carne.

Bartolina. f. *Méj.* Calabozo estrecho, obscuro e incómodo.

Bartulear. (De *bártulos.*) intr. *Chile.* Cavilar, devanarse los sesos.

Bartuleo. m. *Chile.* Acción de bartulear.

Bártulos. (De *Bártulo*, famoso jurisconsulto italiano del siglo XIV; y de ir muy pertrechados con sus libros los estudiantes, se aplicó la voz a otros objetos.) m. pl. fig. Enseres que se manejan. || **Liar los bártulos.** fr. fig. y fam. Arreglarlo todo para una mudanza o un viaje. || **Preparar los bártulos.** fr. fig. y fam. Disponer los medios de ejecutar alguna cosa.

Baruca. (De *boruca.*) f. fam. Enredo o artificio de que se usa para impedir el efecto de alguna cosa.

Barullero, ra. adj. Enredador, que promueve barullo o es propenso a causarlo. Apl. a pers., ú. t. c. s.

Barullo. (Del b. lat. *brolium*, y éste del al. *bruhl*, maleza.) m. fam. Confusión, desorden, mezcla de gentes o cosas de varias clases.

Barza. (Del lat. *virgĕa*, de varas.) f. *Ar.* **Zarza.**

Barzal. (De *barza.*) m. Terreno cubierto de zarzas y maleza.

Barzón. (Del lat. *virgĕus*, de varas.) m. Paseo ocioso. Ú. en algunas partes de Andalucía y Extremadura en la fr. **dar, echar** o **hacer barzones.** || **2.** *Agr.* Anillo de hierro, madera o cuero por donde pasa el timón del arado en el yugo. || **3.** *C. Rica.* **Coyunda,** 1.ª acep. || **4. Arzón.**

Barzonear. (De *barzón.*) intr. Andar vago y sin destino.

Basa. (De *basar.*) f. **Base,** 1.ª acep. || **2.** *Arq.* Asiento sobre que se pone la columna o estatua. || **ática.** La formada por una escocia entre dos filetes y dos toros. Es la más usada y de ella se derivaron otras. || **corintia.** La formada por dos escocias y uno o dos junquillos entre dos toros. || **toscana.** La formada por un filete y un toro.

Basa. f. *Ar.* **Balsa,** 1.er art., 1.ª acep.

Basada. (De *basa,* 1.er art.) f. Aparato armado en la grada debajo del buque, para botarlo al agua.

Basáltico, ca. adj. Formado de basalto o que participa de su naturaleza.

Basalto. (Del lat. *basaltes.*) m. Roca volcánica, por lo común de color negro o verdoso, de grano fino, muy dura, compuesta principalmente de feldespato y piroxena o augita, y a veces de estructura prismática.

Basamento. (De *basar.*) m. *Arq.* Cualquier cuerpo que se pone debajo de la caña de la columna, y que comprende la basa y el pedestal.

Basanita. (Del lat. *basanītes.*) f. **Basalto.**

Basar. (De *base.*) tr. Asentar algo sobre una base. || **2.** fig. Fundar, apoyar. Ú. t. c. r. || **3.** Partir, en las operaciones geodésicas, de una base previamente determinada; referirse constantemente a la misma base. Ú. t. c. r.

Basáride. (Del lat. *bassăris, -ĭdis*, y éste del gr. βασσαρίς, vulpeja.) f. Mamífero carnívoro, parecido a la comadreja, pero de mayor tamaño, que tiene la piel de color leonado y en la cola ocho anillos negros. Habita en Méjico, en California y en otros parajes de América, y vive en las oquedades de las tapias y paredes. Los indios la ponen disecada como trofeo en los techos y soportales de sus cabañas.

Basca. (Quizá del vasc. *basca*, que tiene la misma significación.) f. Ansia, desazón e inquietud que se experimenta en el estómago cuando se quiere vomitar. Ú. m. en pl. ‖ **2.** Por ext., en algunas partes, ansia, desazón, furia que siente el perro o animal rabioso durante los ataques o accesos, y que le impele irresistiblemente a morder a otros animales o a las personas. ‖ **3.** fig. y fam. Arrechucho o ímpetu colérico o muy precipitado, en una acción o asunto. *Juan obrará segun le dé la* BASCA.

Bascar. (De *basca*.) intr. ant. **Basquear.** ‖ **2.** ant. fig. Tener o padecer cualquier ansia o congoja de cuerpo o ánimo.

Basco. m. ant. **Basca,** 1.ª acep.

Bascosidad. (De *bascoso*.) f. Inmundicia, suciedad.

Bascoso, sa. adj. Que padece bascas.

Báscula. (Del fr. *bascule*, del ant. *bacule*, *bacul*, y éste del lat. *batte-cūlum*.) f. Aparato para medir pesos, generalmente grandes, que se colocan sobre un tablero, y por medio de una combinación de palancas se equilibran con el pilón de un brazo de romana, donde está la escala correspondiente. ‖ **2.** *Fort.* Máquina para alzar el puente levadizo.

Bascuñana. f. Trigo, variedad del fanfarrón, de aristas azuladas y negras, buen grano y excelente paja.

Base. (Del lat. *basis*, y éste del gr. βάσις.) f. Fundamento o apoyo principal en que estriba o descansa alguna cosa. ‖ **2.** V. **Ley de bases.** ‖ **3.** *Arit.* Cantidad fija y distinta de la unidad, que ha de elevarse a una potencia dada para que resulte un número determinado. ‖ **4.** *Arq.* **Basa,** 1.er art., 2.ª acep. ‖ **5.** *Geom.* Línea o superficie en que se supone que insiste una figura. En algunas de éstas, como el trapecio, cilindro, etc., se llama también **base** la línea o superficie paralela a aquélla. ‖ **6.** *Quím.* Cada uno de los cuerpos, de procedencia orgánica o inorgánica, que tienen la propiedad de combinarse con los ácidos para formar sales. ‖ **7.** *Topogr.* Recta que se mide sobre el terreno y de la cual se parte en las operaciones geodésicas y topográficas. ‖ **aérea.** *Mil.* Aeropuerto militar. ‖ **de operaciones.** *Mil.* Lugar, comarca o línea fronteriza donde se concentra y prepara un ejército para la guerra. ‖ **naval.** Puerto o parte de costa en que las fuerzas navales se preparan y pertrechan para combatir o navegar.

Baseláceo, a. (De *basella*, nombre de un género de plantas.) adj. *Bot.* Dícese de plantas angiospermas dicotiledóneas, herbáceas o arbustivas y propias de los países tropicales, de caracteres semejantes a los de las portulacáceas y cuyos tubérculos son, en general, comestibles; como el melloco. Ú. t. c. s. f. ‖ **2.** f. pl. *Bot.* Familia de estas plantas.

Básico, ca. adj. Perteneciente a la base o bases sobre que se sustenta una cosa; fundamental. ‖ **2.** *Quím.* Dícese de la sal en que predomina la base.

Basilar. adj. Perteneciente o relativo a la base.

Basilea. f. *Germ.* **Horca,** 1.ª acep.

Basileense. adj. **Basiliense.** Apl. a pers., ú. t. c. s.

Basilense. adj. **Basileense.** Apl. a pers., ú. t. c. s.

Basílica. (Del lat. *basilĭca*, y éste del gr. βασιλική, regia.) adj. *Zool.* V. **Vena basílica.** Ú. t. c. s. ‖ **2.** f. Palacio o casa real. ‖ **3.** Edificio público que servía a los romanos de tribunal y de lugar de reunión y de contratación. ‖ **4.** Cada una de las trece iglesias de Roma, siete mayores y seis menores, que se consideran como las primeras de la cristiandad en categoría y gozan de varios privilegios. ‖ **5.** Iglesia notable por su antigüedad, extensión o magnificencia, o que goza de ciertos privilegios, por imitación de las **basílicas** romanas. ‖ **mayor.** Cada una de las siete de Roma que son estaciones para ganar el jubileo y tienen título cardenalicio con un prelado por vicario. ‖ **menor.** Cada una de las seis de Roma que gozan menores privilegios que las demás.

Basilical. adj. Perteneciente o relativo a la basílica.

Basílicas. f. pl. Colección de leyes formada por orden del emperador bizantino Basilio el Macedonio y de su hijo León.

Basilicón. (Del lat. *basilĭcon*, y éste del gr. βασιλικόν, real, regio.) adj. V. **Ungüento basilicón.** Ú. t. c. s.

Basiliense. adj. Natural de Basilea. Ú. t. c. s. ‖ **2.** Perteneciente a esta ciudad de Suiza.

Basilio, lia. adj. Dícese del monje que sigue la regla de San Basilio. Ú. t. c. s.

Basilisco. (Del lat. *basiliscus*, y éste del gr. βασιλίσκος, reyezuelo.) m. Animal fabuloso, al cual se atribuía la propiedad de matar con la vista. ‖ **2.** Pieza antigua de artillería, de muy crecido calibre y mucha longitud. ‖ **3.** *Ecuad.* Reptil de color verde muy hermoso y del tamaño de una iguana pequeña. ‖ **Estar uno hecho un basilisco.** fr. fig. y fam. Estar muy airado.

Basis. (Del lat. *basis*.) amb. ant. Base o fundamento.

Basna. f. *Sant.* Especie de narria, 1.ª acep.

Baso, sa. (Del lat. *bassus*, gordo, bajo.) adj. ant. **Bajo.**

Basquear. intr. Tener o padecer bascas. ‖ **2.** tr. Producir bascas.

Basquilla. (d. de *basca*.) f. Enfermedad que padece el ganado lanar por abundancia de sangre.

Basquiña. (De *vasco*.) f. Saya, negra por lo común, que usan las mujeres sobre la ropa interior para salir a la calle.

Basta. (De *bastar*, 2.° art.) f. **Hilván.** ‖ **2.** Cada una de las puntadas o ataduras que suele tener a trechos el colchón para mantener la lana en su lugar. ‖ **3.** V. **Colchón sin bastas.**

Bastadamente. adv. c. ant. **Bastantemente.**

Bastaje. (Del cat. *bastan*, y éste del gr. βάσταξ, -ακος, mozo de cuerda.) m. **Ganapán.**

Bastamente. adv. m. De modo basto; tosca o groseramente.

Bastante. (De *bastar*, 1.er art.) p. a. de **Bastar.** Que basta. ‖ **2.** adv. c. Ni mucho ni poco, ni más ni menos de lo regular, ordinario o preciso; sin sobra ni falta. ‖ **3.** No poco. *Es* BASTANTE *rico; es* BASTANTE *bella.*

Bastantear. (De *bastante*.) intr. *For.* Afirmar un abogado, por escrito y bajo su responsabilidad, que un instrumento público, en donde consta un contrato de mandato, es suficiente para dar valor legal a una o más actuaciones del mandatario. Ú. t. c. tr. ‖ **2.** Por ext., declarar persona competente que un poder u otro documento es bastante para el fin con que ha sido otorgado. Ú. t. c. tr.

Bastantemente. adv. c. Suficiente y cumplidamente; tanto cuanto es menester.

Bastanteo. m. Acción de bastantear. ‖ **2.** Documento o sello con que se hace constar.

Bastantero. (De *bastantear*.) m. *For.* En la chancillería de Valladolid y otros tribunales, oficio para reconocer si los poderes que se presentaban eran bastantes.

Bastar. (De *bastir*.) intr. Ser suficiente y proporcionado para alguna cosa. Ú. t. c. r. ‖ **2. Abundar,** 1.ª acep. ‖ **3.** tr. ant. Dar o suministrar lo que se necesita. ‖ **¡Basta!** interj. que sirve para poner término a una acción o discurso.

Bastar. (Del ant. alto al. *bestan*, coser.) tr. ant. **Bastear.** Ú. en *Venez.*

Bastarda. (De *bastardo*.) f. Lima de grano más fino que usan los cerrajeros para dar lustre a las piezas. ‖ **2.** Culebrina cuya longitud no alcanzaba a treinta veces el calibre o diámetro de la boca.

Bastardear. (De *bastardo*.) intr. Degenerar de su naturaleza. Dícese de los brutos y plantas. ‖ **2.** fig. Aplicado a personas, apartarse en sus obras de lo que conviene a su origen. ‖ **3.** fig. Aplicado a cosas, apartarse de la pureza e institución primitiva. ‖ **4.** tr. Apartar una cosa de la pureza primitiva de ella.

Bastardelo. (d. de *bastardo*.) m. **Minutario.**

Bastardería. f. ant. **Bastardía.**

Bastardía. f. Calidad de bastardo. ‖ **2.** fig. Dicho o hecho que desdice o es indigno del estado u obligaciones de cada uno.

Bastardilla. f. Instrumento músico, especie de flauta.

Bastardillo, lla. (d. de *bastardo*.) adj. V. **Letra bastardilla.** Ú. t. c. s. m. y f.

Bastardo, da. (Del ant. fr. *bastard*.) adj. Que degenera de su origen o naturaleza. ‖ **2.** V. **Acacia, águila, artemisa, galera, manzanilla, silla, vela bastarda.** ‖ **3.** V. **Ácoro, azafrán, hermano bastardo.** ‖ **4.** V. **Hijo bastardo.** Ú. t. c. s. ‖ **5.** V. **Letra bastarda.** Ú. t. c. s. ‖ **6.** m. **Boa,** 1.ª acep. ‖ **7.** *Sal.* y *Gal.* Culebra grande. ‖ **8.** *Mar.* Vela que antiguamente se usaba en los navíos y galeras. ‖ **9.** *Mar.* Especie de racamento. ‖ **A la bastarda.** m. adv. *Equit.* En silla bastarda.

Baste. m. **Basta,** 1.ª acep.

Baste. (Del m. or. que *bastar*, 1.er art.) m. Especie de almohadilla que lleva la silla de montar o la albarda en su parte inferior para comodidad de la caballería.

Bastear. tr. Echar bastas.

Bastecedor, ra. (De *bastecer*.) adj. ant. **Abastecedor.** Úsáb. t. c. s.

Bastecer. (De *bastir*.) tr. ant. **Abastecer.** ‖ **2.** ant. fig. Tramar o maquinar.

Bastecimiento. (De *bastecer*.) m. ant. **Abastecimiento.**

Bastedad. f. Calidad de basto.

Basterna. (Del lat. *basterna*.) m. Individuo de un pueblo antiguo sármata que al norte de los montes Cárpatos y a la derecha de las fuentes del Vístula, ocupó sobre los ríos Dniéster y Dniéper el territorio donde hoy están Podolia y Ucrania. Ú. m. en pl. ‖ **2.** f. Carro peculiar de los antiguos **basternas.** ‖ **3.** Litera cubierta, comúnmente llevada por dos mulas o asnos, que en la antigüedad usaban las damas romanas.

Bastero. m. El que hace o vende las albardas que se llaman bastos.

Bastetano, na. (Del lat. *bastetānus*.) adj. Natural de la Bastetania. Ú. t. c. s. ‖ **2.** Perteneciente a esta región de la España Tarraconense.

Basteza. (De *basto*, 2.° art.) f. Grosura, tosquedad.

Bastida. (De *bastir*.) f. Máquina militar de que se usaba en lo antiguo para batir los castillos y plazas fuertes. Era un castillo de madera más alto que la muralla, colocado sobre ruedas, con un cobertizo de maderos fuertes, debajo del cual iban defendidos los que lo ocupaban; y arrimándolo a los muros, arrojaban desde allí a los enemigos flechas y otras armas para desalojarlos, pasando después, con un puente levadizo que llevaban consigo, a ocupar el muro.

Bastidor. (De *bastir.*) m. Armazón de palos o listones de madera o de barras delgadas de metal, en la cual se fijan lienzos para pintar y bordar; sirve también para armar vidrieras y para otros usos análogos. || **2.** Armazón de listones o maderos, sobre la cual se extiende y fija un lienzo o papel pintados; y especialmente cada uno de los que, dando frente al público, se ponen a un lado y otro del escenario y forman parte de la decoración teatral. || **3.** Armazón metálica que soporta la caja de un vagón, de un automóvil, etc. A veces se da este nombre al conjunto de dicha armazón con el motor y las ruedas. || **4.** *Mar.* Hablando de la hélice, armazón de hierro o bronce en que aquélla apoya su eje cuando no es fija, como sucede en ciertos buques mixtos. || **Bastidores de ropa.** Los que en los teatros van inmediatamente detrás de la embocadura. || **Entre bastidores.** loc. fam. Dícese de lo que se refiere a la organización interior de las representaciones teatrales y a los dichos y ocurrencias particulares de los actores y demás gente relacionada con el arte escénico. || **2.** Por ext., dícese también de todo aquello que se trama o prepara reservadamente entre algunas personas y de modo que no trascienda al público.

Bastilla. (d. de *basta.*) f. Doblez que se hace y asegura con puntadas, a manera de hilván menudo, a los extremos de la tela para que ésta no se deshilache.

Bastimentar. tr. Proveer de bastimentos, 1.er art., 2.a acep.

Bastimentero. (De *bastimentar.*) m. ant. **Abastecedor.**

Bastimento. (De *bastir.*) m. **Embarcación,** 1.a acep. || **2.** Provisión para sustento de una ciudad, ejército, etc. || **3.** V. **Tenedor de bastimentos.** || **4.** En la orden de Santiago, derecho de cobrar o pagar las primicias o efectos que constituían las encomiendas de este nombre. || **5.** ant. **Edificio.** || **6.** pl. En la orden de Santiago, primicias de que en algunos territorios se constituía encomienda, y así se decía: *Encomienda y comendador de* BASTIMENTOS.

Bastimento. m. ant. Conjunto de bastas de colcha o colchón.

Bastión. (Del ital. *bastione*, y éste del m. or. que *bastir.*) m. *Fort.* **Baluarte,** 1.a acep.

Bastir. (Del germ. *bastjan*, construir.) tr. ant. Hacer, disponer alguna cosa. || **2.** ant. Construir, fabricar. || **3.** ant. **Abastecer.**

Bastitano, na. (Del lat. *bastitāni, -orum.*) adj. Natural de Baza. Ú. t. c. s. || **2.** Perteneciente a esta ciudad.

Basto. (De *bastir.*) m. Cierto género de aparejo o albarda que llevan las caballerías de carga. || **2.** As en el palo de naipes llamado **bastos.** Úsase más con el artículo. || **3.** Cualquiera de los naipes del palo de **bastos.** || **4.** pl. Uno de los cuatro palos de la baraja española, en cuyos naipes está representado por una o varias figuras de leños a modo de clavas. || **5.** *Amér.* Almohadas que forman el lomillo.

Basto, ta. (De *bastar.*) adj. Grosero, tosco, sin pulimento. || **2.** fig. Dícese de la persona rústica, tosca o grosera. || **3.** V. **Esparto basto.** || **4.** ant. Decíase de lo que estaba abastecido.

Bastón. (De *basto*, 1.er art.) m. Vara de una u otra materia, por lo común con puño y contera y más o menos pulimento, que sirve para apoyarse al andar. || **2.** Insignia de mando o de autoridad, generalmente de caña de Indias. || **3.** En el arte de la seda, palo redondo de unos cuatro decímetros de largo, en que está envuelta toda la tela junta para pasarla desde allí al plegador. || **4.** *Sal.* Tallo o brote tierno de barda o carrasco. || **5.** *Blas.* Cada una de las dos o más listas que parten el escudo de alto a bajo, como las que tiene el de Aragón. || **6.** pl. ant. **Basto,** 1.er art., 4.a acep. || **Dar bastón.** fr. Entre cosecheros de vino, moverlo con un palo en la vasija cuando se ha ahilado, para deshacer la coagulación. || **Empuñar uno el bastón.** fr. fig. Tomar o conseguir el mando. || **Meter uno el bastón.** fr. fig. Meterse de por medio o poner paz.

Bastonada. f. **Bastonazo.**

Bastonazo. m. Golpe dado con el bastón.

Bastoncillo. (d. de *bastón.*) m. Bastón pequeño. || **2.** Galón angosto que sirve para guarnecer. || **3.** *Zool.* Prolongación cilíndrica, larga y delgada, de cada una de ciertas células de la retina de los vertebrados, que está situada en la llamada capa de los conos y **bastoncillos** y recibe las impresiones luminosas incoloras.

Bastonear. tr. Dar golpes con bastón o palo. || **2. Dar bastón.** || **3.** intr. *Sal.* Comer bastones el ganado.

Bastonera. f. Mueble para colocar en él paraguas y bastones. || **2.** La que dirige ciertos bailes.

Bastonero. m. El que hace o vende bastones. || **2.** El que en ciertos bailes designa el lugar que han de ocupar las parejas y el orden en que han de bailar. || **3.** Ayudante del alcaide de la cárcel.

Basura. (Del lat. *versūra*, de *verrĕre*, barrer.) f. Inmundicia, suciedad, y especialmente la que se recoge barriendo. || **2.** Desecho o estiércol de las caballerías.

Basural. m. *Chile.* **Basurero,** 2.a acep.

Basurero. m. El que lleva o saca la basura al campo o al sitio destinado para echarla. || **2.** Sitio en donde se arroja y amontona la basura.

Bata. (Del ár. *batt*, vestido grosero a modo de alquicel.) f. Ropa talar con mangas, de que usan los hombres para estar en casa con comodidad. || **2.** Traje holgado y cómodo que, generalmente con el mismo fin, usan las mujeres. || **3.** Traje que usaban las mujeres para ir a visitas o funciones, y que solía tener cola. || **Media bata. Batín.**

Bata. (Voz tagala.) adj. *Filip.* **Niño** o **niña,** 1.a acep. || **2.** m. Criado joven de raza indígena.

Batacazo. (De *bacada*, por metátesis.) m. Golpe fuerte y con estruendo que da alguna persona cuando cae.

Batahola. (De *batayola.*) f. fam. Bulla, ruido grande.

Batalla. (Del fr. *bataille*, y éste del lat. *battālia, de *battŭĕre*, batir.) f. Lid, combate o pelea de un ejército con otro, o de una armada naval con otra. || **2.** Acción bélica en que toman parte todos o los principales elementos de combate. || **3.** En lo antiguo, centro del ejército, a distinción de la vanguardia y retaguardia. || **4.** Cada uno de los trozos en que se dividía antiguamente el ejército. || **5.** Orden de **batalla.** *Formar la* BATALLA. || **6.** V. **Artillería, caballo, campo, frente, mar, mesa, orden, sargento general de batalla.** || **7.** V. **Centro, cuerpo de la batalla.** || **8.** Justa o torneo. || **9.** Encaje de la nuez donde en la ballesta se pone el lance para que al tiempo de dispararla dé la cuerda en él. || **10.** Parte de la silla de montar en que descansa el cuerpo del jinete. || **11.** Distancia de eje a eje en los carruajes de cuatro ruedas. || **12.** fig. Agitación e inquietud interior del ánimo. || **13.** ant. **Guerra,** 1.a y 2.a aceps. || **14.** *Esgr.* Pelea de los que juegan con espadas negras. || **15.** *Pint.* Cuadro en que se representa alguna **batalla** o acción de guerra. || **campal.** *Mil.* La general y decisiva entre dos ejércitos completos, en un terreno en que puede abrazarse el conjunto de las maniobras que se ejecutan. || **2.** *Mil.* La que se da en campo raso. || **cibdadana.** ant. **Guerra civil.** || **de flores.** Regocijo público en que los concurrentes se arrojan flores. || **Dar la batalla.** fr. fig. Arrostrar las dificultades de un asunto. || **En batalla.** m. adv. *Mil.* Con el frente de la tropa extendido y con poco fondo. || **Perder la batalla.** fr. *Mil.* Ser vencido en ella. || **Presentar la batalla.** fr. *Mil.* Desplegar las tropas ante las del enemigo, provocándole al combate. || **Representar la batalla.** fr. ant. *Mil.* **Presentar la batalla.**

Batallador, ra. adj. Que batalla. || **2.** Renombre que se aplicaba al que había dado muchas batallas. *El rey don Alfonso el* BATALLADOR. || **3.** m. **Esgrimidor.**

Batallante. p. a. ant. de **Batallar.** Que batalla.

Batallar. (De *batalla.*) intr. Pelear, reñir con armas. || **2.** fig. **Disputar,** 1.a y 2.a aceps. || **3.** fig. Fluctuar, vacilar. || **4.** *Esgr.* Contender una persona con otra, jugando con espadas negras.

Batallaroso, sa. (De *batallar.*) adj. ant. Guerrero, belicoso, marcial.

Batallola. (Del ital. *battagliola*, d. de *battaglia*, y éste del lat. *battŭalia, de *battŭĕre*, batir.) f. *Mar.* **Batayola,** 1.a acep.

Batallón. (De *batalla.*) m. Unidad compuesta de varias compañías de una misma arma o cuerpo, mandada por un jefe del ejército cuya categoría es inferior a la de coronel. || **2.** V. **Capitán, fuego de batallón.** || **3.** En lo antiguo, escuadrón de caballería.

Batallona. (De *batallar.*) adj. fam. V. **Cuestión batallona.**

Batalloso, sa. adj. ant. Perteneciente o relativo a las batallas. || **2.** ant. Muy reñido o disputado. || **3.** ant. **Batallaroso.**

Batán. (Del cat. *batán*, y éste der. del lat. *battŭĕre*, batir.) m. Máquina generalmente hidráulica, compuesta de gruesos mazos de madera, movidos por un eje, para golpear, desengrasar y enfurtir los paños. || **2.** V. **Tierra de batán.** || **3.** Edificio en que funciona esta máquina. || **4.** pl. Juego que se hace entre dos o más personas, las cuales se tienden en el suelo pie con cabeza, y levantando las piernas alternativamente, dan un golpe en el suelo, otro en la mano y otro en las nalgas del que tiene las piernas levantadas, con un zapato u otra cosa que tienen en la mano, al compás del son que les tocan.

Batanar. (De *batán.*) tr. **Abatanar.**

Batanear. (De *batán.*) tr. fig. y fam. Sacudir o dar golpes a alguno.

Batanero. m. El que cuida de los batanes o trabaja en ellos.

Batanga. f. Cada uno de los refuerzos o balancines de cañas gruesas de bambú amadrinados a lo largo de los costados de las embarcaciones filipinas, para que floten mejor, defenderlas cuando atracan a muelles o a otros buques, y servir en ciertos casos de corredores o pasillos. También suele sujetarse la **batanga** a las extremidades de dos maderos que parten de las bordas y van a tocar en el agua a gran distancia.

Bataola. f. **Batahola.**

Batata. (De *patata.*) f. Planta vivaz de la familia de las convolvuláceas, de tallo rastrero y ramoso, hojas alternas, acorazonadas y profundamente lobuladas, flores grandes, acampanadas, rojas por dentro, blancas por fuera, y raíces como las de la patata. || **2.** Cada uno de los tubérculos de las raíces de esta planta, que son de color pardo por fuera y amarillento o blanco por dentro, del tamaño de unos doce centímetros de largo, cinco de diámetro y figura fusiforme. Es comestible. ‖ **en polvo. Polvo de batata.**

Batatín. m. d. de **Batata,** 2.ª acep. ‖ **2.** *And.* Batata menuda.

Batavia. n. p. V. **Caña, lágrima de Batavia.**

Bátavo, va. (Del lat. *batăvus.*) adj. Natural de Batavia. Ú. t. c. s. ‖ **2.** Perteneciente a este país de Europa antigua.

Batayola. (De *batallola.*) f. *Mar.* Barandilla, fija o elevadiza, hecha de madera, que, encajada en los candeleros, se colocaba sobre las bordas del buque para sostener los empalletados. ‖ **2.** *Mar.* Caja cubierta con encerados que se construye sobre la regala de los buques, a lo largo de ésta, y dentro de la cual se acomodan o recogen los coyes de la tripulación.

Batea. (Voz caribe.) f. Bandeja o azafate de diferentes hechuras y tamaños, de madera pintada, o con pajas sentadas sobre la madera. ‖ **2. Bandeja.** ‖ **3. Dornajo.** ‖ **4.** Barco pequeño de figura de cajón, que se usa en los puertos y arsenales. ‖ **5.** Vagón descubierto, con los bordes muy bajos. ‖ **6.** *Perú.* Artesa para lavar.

Batear. (Del lat. *baptĭdiāre,* bautizar.) tr. ant. **Bautizar,** 1.ª acep.

Batehuela. f. d. de **Batea.**

Batel. (Del b. lat. *batellus,* y éste del lat. *patella,* especie de vaso o escudilla.) m. **Bote,** 3.er art. ‖ **2.** pl. *Germ.* Junta de ladrones o de rufianes.

Batelejo. m. d. de **Batel,** 1.ª acep.

Batelero, ra. m. y f. Persona que gobierna el batel, 1.ª acep.

Bateo. (De *batear.*) m. fam. **Bautizo.**

Batería. (De *batir.*) f. Conjunto de piezas de artillería colocadas en un paraje para hacer fuego al enemigo. ‖ **2.** Unidad táctica del arma de artillería, que se compone de cierto número de piezas y de los artilleros que las sirven. ‖ **3.** Obra de fortificación destinada a contener algún número de piezas de artillería reunidas y a cubierto. ‖ **4.** En los buques mayores de guerra, conjunto de cañones que hay en cada puente o cubierta cuando siguen de popa a proa. ‖ **5.** Espacio o entrepuente en que los mismos cañones están colocados. ‖ **6.** Acción y efecto de batir. ‖ **7. Brecha,** 1.ª acep. ‖ **8.** Conjunto de instrumentos de percusión en una banda u orquesta. ‖ **9.** fig. En los teatros, fila de luces del proscenio. ‖ **10.** fig. Cualquier cosa que hace grande impresión en el ánimo. ‖ **11.** fig. Multitud o repetición de empeños e importunaciones para que alguna persona haga lo que se le pide. ‖ **de cocina.** Conjunto de utensilios necesarios para la cocina, que son comúnmente de cobre, hierro o aluminio. No se comprenden en la **batería** las vasijas de barro. ‖ **eléctrica.** *Fís.* Acumulador de electricidad, o conjunto de ellos. ‖ **Dar batería.** fr. ant. Combatir una plaza o muro. ‖ **Hacer batería.** fr. **Batir,** 1.ª acep.

Batero, ra. m. y f. Persona que tiene por oficio hacer batas.

Batey. (Voz caribe.) m. Lugar ocupado por las casas de vivienda, calderas, trapiche, barracones, almacenes etc., en los ingenios y demás fincas de campo de las Antillas.

Batiborrillo. m. **Baturrillo.**

Batiburrillo. m. **Batiborrillo.**

Baticabeza. (De *batir* y *cabeza.*) m. Coleóptero de cuerpo prolongado, estrecho y atenuado hacia atrás, que por la disposición de las piezas de su esternón, puede dar saltos cuando cae de espaldas, golpeando el suelo con el cuerpo hasta que logra colocarse en la posición normal.

Baticola. (De *batir,* ludir, rozar, y de *cola.*) f. Correa sujeta al fuste trasero de la silla o albardilla, que termina en una especie de ojal, donde entra el maslo de la cola. Sirve para evitar que la montura se corra hacia adelante.

Baticor. (De *batir* y *cor,* corazón.) m. ant. Pena, dolor.

Baticulo. m. *Mar.* Cabo grueso que se da en ayuda de los viradores de los masteleros. ‖ **2.** *Mar.* Cangrejo pequeño que, en buenos tiempos, arman y orientan en una de sus aletas los faluchos y otras embarcaciones latinas.

Batida. f. En la montería, acción de batir el monte para que las reses que haya salgan a los puestos donde están esperando los cazadores. ‖ **2.** Acción de batir, 11.ª acep.

Batidera. f. Instrumento parecido al azadón, de astil muy largo, y que se emplea para batir o mezclar la cal con la arena y el agua al hacer argamasa. ‖ **2.** Instrumento pequeño con que se cortan los panales al catar las colmenas.

Batidero. (De *batir.*) m. Continuo golpear de una cosa con otra. ‖ **2.** Lugar donde se bate y golpea. ‖ **3.** Terreno desigual que por los hoyos, piedras o rodadas hace molesto y difícil el movimiento de los carruajes. ‖ **4.** pl. *Mar.* Pedazos de tabla que forman un triángulo y se ponen en la parte inferior de las bandas del tajamar, para que a la cabezada que dé el buque no hagan las aguas mucha batería en ellas. ‖ **5.** *Mar.* Refuerzo de lona que se pone a las velas en los sitios que pueden rozar con las cofas, crucetas, etc. ‖ **Guardar los batideros.** fr. Ir con tiento por ellos. ‖ **2.** fig. y fam. Prevenir y evitar todos los inconvenientes.

Batido, da. p. p. de **Batir.** ‖ **2.** adj. Aplícase a los tejidos de seda que, por tener la urdimbre de un color y la trama de otro, resultan con visos distintos. ‖ **3.** Aplícase al camino muy andado y trillado. ‖ **4.** V. **Oro batido.** ‖ **5.** m. Masa o gachuela de que se hacen hostias y bizcochos. ‖ **6.** Claras, yemas o huevos batidos.

Batidor, ra. adj. Que bate. ‖ **2.** m. Instrumento para batir. ‖ **3.** Explorador que descubre y reconoce el campo o el camino para ver si está libre de enemigos. ‖ **4.** Cada uno de los dos o cuatro jinetes que preceden al rey, persona real o generales en revistas y solemnidades. ‖ **5.** Cada uno de los soldados escogidos de caballería que, como los gastadores en infantería, preceden al regimiento. ‖ **6.** Peine claro de púas y a veces compartido en dos mitades, una más espesa que otra. ‖ **7.** *Mont.* El que levanta la caza en las batidas. ‖ **de oro,** o **plata.** El que hace panes de oro o plata para dorar o platear.

Batiente. p. a. de **Batir.** Que bate. ‖ **2.** m. Parte del cerco de las puertas, ventanas y otras cosas semejantes, en que se detienen y baten cuando se cierran. ‖ **3.** Lugar donde la mar bate el pie de una costa o de un dique. ‖ **4.** En los claves y pianos, listón de madera forrado de paño por la parte inferior, en el cual baten los martinetes o los macillos cuando se pulsan las teclas. ‖ **5.** *Fort.* Madero de unos dos metros de largo y unos 20 centímetros de grueso, que se coloca al pie de la cañonera para impedir que las ruedas de la cureña deterioren el parapeto. ‖ **6.** *Mar.* Cada uno de los dos cantos verticales de las portas de las baterías.

Batifulla. (De *batir* y el cat. *fulla,* hoja.) m. ant. *Ar.* **Batihoja.**

Batihoja. (De *batir* y *hoja.*) m. **Batidor de oro,** o **plata.** ‖ **2.** Artífice que a golpes de mazo labra metales, reduciéndolos a láminas.

Batimán. (Del fr. *battement,* de *battre,* y éste del lat. *battŭere,* batir.) m. *Danza.* Movimiento que se hace alzando una pierna y llevándola rápidamente hacia la otra como para sacudirla.

Batimento. m. *Pint.* **Esbatimento.**

Batimetría. (Del gr. βαθύς, profundo, y μετρία, medida.) f. Arte de medir las profundidades del mar y estudio de la distribución de las plantas y animales en sus diversas capas o zonas.

Batimétrico, ca. adj. Perteneciente o relativo a la batimetría.

Batimiento. m. Acción de batir. ‖ **2.** *Fís.* Variación periódica de la amplitud de una oscilación, al combinarse con otra de frecuencia ligeramente diferente.

Batín. m. Bata con haldillas que llega sólo un poco más abajo de la cintura.

Batintín. m. Campana que llevan los chinos a bordo; es una especie de caldero compuesto de dos metales y sumamente sonoro, que tocan con una bola cubierta de lana y forrada, fija en el extremo de un palito.

Batiportar. tr. *Mar.* Trincar la artillería de modo que las bocas de las piezas se apoyen en el batiporte alto de las portas respectivas.

Batiporte. m. *Mar.* Canto alto o bajo de la porta de una batería.

Batir. (Del lat. *battŭere.*) tr. Dar golpes, golpear. ‖ **2.** Golpear para destruir o derribar; arruinar, echar por tierra alguna pared, edificio, etc. ‖ **3.** Por ext., hablando de la tienda o el toldo, recogerlo, desarmarlo. ‖ **4.** Hablando del sol, el agua, o el aire, dar en una parte sin estorbo alguno. ‖ **5.** Mover con ímpetu y fuerza alguna cosa. BATIR *las alas, los remos.* ‖ **6.** Mover y revolver alguna cosa para que se condense o trabe, o para que se liquide o disuelva. ‖ **7.** Martillar una pieza de metal hasta reducirla a chapa. ‖ **8.** Peinar el pelo hacia arriba, a fin de que se ahueque y esponje. ‖ **9.** Ajustar y acomodar las resmas de papel. ‖ **10.** Derrotar al enemigo. ‖ **11. Acuñar,** 1.er art., 2.ª acep. ‖ **12.** Con voces significativas de terreno en despoblado, como *campo, estrada, monte, selva, soto,* etc., reconocer, registrar, recorrer, ya para operaciones militares, ya para cazar, ya con otro motivo. Úsase especialmente en esta acepción como voz técnica de la milicia y la montería. ‖ **13.** *Encuad.* Golpear con mazo o martillo el volumen para disminuir su grosor y hacer que desaparezca el resalto de la impresión. ‖ **14.** ant. Arrojar, derribar. ‖ **15.** *Ar.* y *Nav.* Arrojar o echar desde lo alto alguna cosa. BATIR *el agua por la ventana.* ‖ **16.** *Ar.* y *Nav.* Derribar, dejar caer al suelo. ‖ **17.** r. Combatir, pelear. ‖ **18. Abatirse,** 8.ª acep.

Batista. (De *Baptiste,* Bautista, nombre del primer fabricante de esta tela, en Cambray.) f. Lienzo fino muy delgado.

Batisterio. m. ant. **Baptisterio.**

Bato. (Del gr. Βάττος, rey de Cirene, famoso por su tartamudez.) m. Hombre tonto, o rústico y de pocos alcances.

Batojar. (Del lat. *battŭcŭlāre,* de *battŭere,* batir.) tr. **Varear,** 1.ª acep.

Batología. (Del lat. *battologĭa,* y éste del gr. βαττολογία; de βάττος, bato, y λέγω, decir.) f. *Ret.* Repetición de vocablos inmotivada y enojosa.

Batómetro. (Del gr. βάθος, profundidad, y μέτρον, medida.) m. *Fís.* Aparato que sirve para medir la profundidad del mar, sin necesidad de la sonda.

Batracio. (Del lat. *batrachĭum* y éste del del gr. βατράχειος, propio de las ranas; de βάτραχος, rana.) adj. *Zool.* Dícese de los vertebrados de temperatura variable que son acuáticos y respiran por branquias durante su primera edad, haciéndose aéreos y respirando por pulmones en su estado adulto; en el estado embrionario carecen de amnios y alantoides, como la salamandra y el sapo. Ú. m. c. s. ‖ **2.** m. pl. *Zool.* Clase de estos animales.

Batucar. tr. ant. **Batir,** 5.ª acep. Usáb. t. c. r.

Batuda. (De *batudo.*) f. Serie de saltos que dan los gimnastas por el trampolín unos tras otros. || **2.** ant. Huella, rastro.

Batudo, da. p. p. ant. de **Batir.**

Batuecas. n. p. **Estar** uno **en las Batuecas.** fr. fig. y fam. **Estar en Babia.**

Batueco, ca. adj. Natural de las Batuecas. Ú. t. c. s. || **2.** m. *Ar.* y *Nav.* Huevo huero.

Batuquear. tr. *Colomb., Cuba, Guat.* y *Venez.* **Batucar.**

Baturrada. f. Acción, dicho o hecho propios de baturro.

Baturrillo. (De *batir,* mezclar, revolver.) m. Mezcla de cosas que no dicen bien unas con otras. Úsase más tratándose de guisados. || **2.** fig. y fam. En la conversación y en los escritos, mezcla de especies inconexas y que no vienen a propósito.

Baturro, rra. (De *bato.*) adj. Rústico aragonés. Ú. t. c. s. || **2.** Perteneciente o relativo al **baturro.** *Cuento* BATURRO.

Batuta. (Del ital. *battuta,* pulsación, p. p. de *battere,* y éste del lat. *battŭĕre,* batir.) f. Bastón corto con que el director de una orquesta marca el compás en la ejecución de una pieza de música. || **Llevar** uno **la batuta.** fr. fig. y fam. Dirigir una corporación o conjunto de personas, determinando lo que se ha de hacer o la conducta que se debe seguir.

Baúl. m. **Cofre,** 1.ª acep. || **2.** fig. y fam. **Vientre,** 1.ª acep. || **mundo.** El grande y de mucho fondo. || **Henchir,** o **llenar, el baúl.** fr. fig. y fam. Comer mucho.

Baulero. m. El que tiene por oficio hacer o vender baúles.

Bauprés. (Del fr. *beaupré,* y éste del ingl. *bowsprit;* de *bow,* proa, y *sprit,* palo.) m. *Mar.* Palo grueso, horizontal o algo inclinado, que en la proa de los barcos sirve para asegurar los estayes del trinquete, orientar los foques y algunos otros usos.

Baurac. (Del ár. *bawraq,* bórax, nitro.) m. desus. **Bórax.**

Bausán, na. (Quizá del m. or. que *bauzador.*) m. y f. Figura de hombre, embutida de paja, heno u otra materia semejante y vestida de armas. || **2.** fig. Persona boba, simple, necia.

Bautismal. adj. Perteneciente o relativo al bautismo. || **2.** V. **Pila bautismal.**

Bautismo. (De *baptismo.*) m. Primero de los sacramentos de la Iglesia, con el cual se da el ser de gracia y el carácter de cristianos. || **2. Bautizo.** || **Romper el bautismo** a uno. fr. fig. y fam. **Romperle la crisma.**

Bautista. (Del lat. *baptista,* y éste del gr. βαπτιστής.) m. El que bautiza. || **El Bautista.** Por antonom., San Juan, el precursor de Cristo.

Bautisterio. m. **Baptisterio.**

Bautizado, da. p. p. de **Bautizar.** || **2.** m. **Bautizo,** en el ref. **a boda ni bautizado no vayas sin ser llamado.**

Bautizante. p. a. de **Bautizar.** Que bautiza.

Bautizar. (De *baptizar.*) tr. Administrar el sacramento del bautismo. || **2.** fig. Poner nombre a una cosa. || **3.** fig. y fam. Dar a una persona o cosa otro nombre que el que le corresponde. || **4.** fig. y fam. Tratándose del vino, mezclarlo con agua. || **5.** fig. y fest. Arrojar casual o intencionadamente sobre una persona agua u otro líquido.

Bautizo. m. Acción de bautizar y fiesta con que ésta se solemniza.

Bauyúa. f. *Cuba.* Árbol cubano, lauráceo, de buena madera, llamado también aguacatillo.

Bauza. f. Madero sin labrar de dos a tres metros de longitud.

Bauzado. m. *Sant.* Techumbre de una cabaña, armada con bauzas.

Bauzador, ra. (Del b. lat. *bausiātor,* de *bausia,* y éste del ant. alto al. *bōsa,* engaño.) adj. ant. **Embaucador.**

Bauzón. m. *Ast.* y *Gal.* Bolita de cristal, pintada interiormente de varios colores, que sirve para juegos infantiles.

Bávara. (De *bávaro.*) f. Coche antiguo al modo de los llamados estufas, aunque más prolongado.

Bávaro, ra. (Del lat. *bavărus.*) adj. Natural de Baviera. Ú. t. c. s. || **2.** Perteneciente a este país de Europa.

Baya. (Del fr. *baie,* y éste del lat. *baca, baga.*) f. Fruto de ciertas plantas, carnoso y jugoso, que contiene semillas rodeadas de pulpa, como la uva, la grosella y otros. || **2.** Planta de la familia de las liliáceas, de raíz bulbosa y hojas radicales, que son estrechas y cilíndricas; el bohordo, de 10 a 12 centímetros de altura, produce en su extremidad multitud de florecitas de color azul obscuro. || **3. Matacandiles.**

Bayadera. (Del port. *bailadeira,* bailarina.) f. Bailarina y cantora india, dedicada a intervenir en las funciones religiosas o sólo a divertir a la gente con sus danzas o cantos.

Bayal. (Del ár. *ba'l,* tierra de secano, o planta que no se riega.) adj. V. **Lino bayal.**

Bayal. m. Palanca compuesta de dos maderos, uno derecho y otro encorvado, unidos con una abrazadera de hierro, que sirve en las tahonas para volver las piedras de un lado a otro cuando es necesario picarlas.

Bayamés, sa. adj. Natural de Bayamo. Ú. t. c. s. || **2.** Perteneciente a esta ciudad de Cuba.

Bayano, na. adj. Natural de Bayas. Ú. t. c. s. || **2.** Perteneciente a esta ciudad de Italia.

Bayarte. (Del fr. *baiart.*) m. **Parihuela,** 1.ª acep. Úsase especialmente en Aragón y Navarra.

Bayeta. (Del ital. *baietta,* y éste de *baio,* del lat. *badius,* rojizo.) f. Tela de lana, floja y poco tupida. || **Arrastrar bayetas.** fr. Ir el que pretendía beca en un colegio a visitar al rector y a los colegiales y hacer los actos de opositor con bonete y hábitos de **bayeta** sueltos y arrastrando. || **2.** fig. y fam. Cursar en una universidad. || **3.** fig. y fam. Andar en pretensiones.

Bayetón. m. aum. de **Bayeta.** || **2.** Tela de lana con mucho pelo, que se usa para abrigo.

Bayo, ya. (Del lat. *badĭus.*) adj. De color blanco amarillento. Se aplica más comúnmente a los caballos y a su pelo. Ú. t. c. s. || **2.** m. Mariposa del gusano de seda, que los pescadores de caña ponen como cebo en el anzuelo. || **Pescar de bayo.** fr. Pescar empleando como cebo la mariposa del gusano de seda. || **Uno piensa el bayo y otro el que le ensilla.** ref. que advierte el diferente modo de pensar de los que mandan y de los que obedecen.

Bayoco. (Del ital. *baiocco.*) m. Moneda de cobre equivalente a unos cinco céntimos de peseta, que tuvo curso en Roma y en gran parte en Italia.

Bayoco. m. *Murc.* Higo o breva por madurar o que se ha perdido o secado en el árbol antes de llegar a sazón.

Bayón. m. Saco de estera hecha con las hojas del burí, usado en Filipinas para empaquetar o embalar ciertos artículos de comercio. || **2.** *Extr.* y *Sal.* **Espadaña,** 1.ª acep.

Bayona. n. p. **Arda Bayona.** expr. fig. y fam. con que se denota el poco cuidado que a uno se le da de que se gaste mucho en alguna cosa.

Bayonense. adj. **Bayonés.** Apl. a pers., ú. t. c. s.

Bayonés, sa. adj. Natural de Bayona. Ú. t. c. s. || **2.** Perteneciente a esta ciudad de Francia.

Bayoneta. (Del fr. *baïonnette,* y éste de *Bayona.*) f. Arma blanca que usan los soldados de infantería, complementaria del fusil, a cuyo cañón se adapta exteriormente junto a la boca. Modernamente ha sido reemplazada por el cuchillo **bayoneta.** || **A la bayoneta.** m. adv. *Mil.* Sirviéndose de ella armada en el fusil sin hacer fuego. || **Armar la bayoneta.** fr. *Mil.* Asegurarla en la boca del fusil. || **Calar la bayoneta.** fr. *Mil.* Ajustar a la boca del cañón del fusil el mango de la antigua **bayoneta.** || **2.** *Mil.* Poner el fusil con la punta de la **bayoneta** al frente, apoyándolo en la mano izquierda y empuñándolo con la derecha por la garganta.

Bayonetazo. m. Golpe dado con la bayoneta. || **2.** Herida hecha con esta arma.

Bayoque. m. **Bayoco,** 1.er art.

Bayosa. f. *Germ.* **Espada,** 1.ª acep.

Bayú. m. *Cuba.* Casa, sitio o reunión indecente u obscena.

Bayúa. f. *Cuba.* **Ayúa.**

Bayuca. f. fam. **Taberna.**

Baza. (Del ár. *bazza,* ganancia conquistada en la disputa.) f. Número de cartas que en ciertos juegos de naipes recoge el que gana la mano. || **Asentar** uno **bien** su **baza.** fr. fig. Establecer bien su crédito, opinión o intereses. || **Asentar** uno **la baza,** o su **baza.** fr. Levantar, el que gana, las cartas de cada jugada y ponerlas a su lado. || **Entrar** a uno **en baza.** fr. En el juego del revesino, obligar a hacer **baza** al que tiene cuatro ases. || **Hacer baza.** fr. fig. y fam. Prosperar en cualquier asunto o negocio. || **Meter baza.** fr. Intervenir en la conversación de otros, especialmente sin tener autoridad para ello. || **Meterse en bazas.** fr. fig. En el tresillo, procurar hacer **bazas** el jugador que no robó primero. || **No dejar meter baza.** fr. fig. y fam. Hablar una persona de modo que no deje hablar a otra. || **Sentada esta baza,** o **la baza.** loc. fig. y fam. Sentado este principio, o el principio; esto supuesto. || **Soltar la baza.** fr. En el juego de naipes, dejarla pudiéndola ganar.

Bazar. (Del persa *bâzâr,* mercado con puertas y cubierto.) m. En Oriente, mercado público o lugar destinado al comercio. || **2.** Tienda en que se venden productos de varias industrias, comúnmente a precio fijo.

Bazo, za. (Del lat. *badĭus,* rojizo.) adj. De color moreno y que tira a amarillo. || **2.** V. **Pan bazo.** || **3.** m. *Zool.* Víscera propia de los vertebrados, de color rojo obscuro y forma variada, frecuentemente de gran tamaño, intercalada en el trayecto de la circulación sanguínea, situada casi siempre a la izquierda del estómago, y en la cual se producen substancias que destruyen los hematíes caducos.

Bazofia. (Del ital. *bazzoffia.*) f. Mezcla de heces, sobras o desechos de comidas. || **2.** fig. Cosa soez, sucia y despreciable.

Bazucar. tr. Menear o revolver una cosa líquida moviendo la vasija en que está. || **2. Traquetear,** 2.ª acep.

Bazuquear. tr. **Bazucar.**

Bazuqueo. m. Acción y efecto de bazuquear.

Be. f. Nombre de la letra *b.* || **Be por be.** m. adv. fig. **Ce por be.**

Be. Onomatopeya de la voz del carnero y de la oveja. || **2.** m. **Balido.**

Beaciense. adj. **Baezano.**

Beamontés, sa. adj. Dícese de una antigua facción de Navarra que acaudillaba el condestable don Luis de Beaumont y de los individuos de este bando, enemigo del de los agramonteses. Apl. a pers., ú. t. c. s.

Bearnés, sa. adj. Natural del Bearne. Ú. t. c. s. ‖ **2.** Perteneciente a esta antigua provincia de Francia.

Beata. (De *beato.*) f. Mujer que viste hábito religioso y, sin pertenecer a ninguna comunidad, vive en su casa con recogimiento, ocupándose en obras de virtud. ‖ **2.** La que vive con otras en clausura o sin ella bajo cierta regla. ‖ **3.** La que con hábito religioso se emplea en pedir limosnas o en otros menesteres en nombre de la comunidad a que está agregada. ‖ **4.** fam. Mujer que frecuenta mucho los templos y se dedica a toda clase de devociones.

Beatería. (De *beato,* 4.ª acep.) f. Acción de afectada virtud.

Beaterio. m. Casa en que viven las beatas formando comunidad y siguiendo alguna regla.

Beatificación. f. Acción de beatificar.

Beatíficamente. adv. m. *Teol.* Con visión beatífica.

Beatificante. p. a. de **Beatificar.** Que beatifica.

Beatificar. (Del lat. *beatificāre;* de *beātus,* beato, feliz, y *facĕre,* hacer.) tr. Hacer feliz a alguno. ‖ **2.** Hacer respetable o venerable una cosa. ‖ **3.** Declarar el Sumo Pontífice que algún siervo de Dios, cuyas virtudes heroicas han sido previamente calificadas, goza de la eterna bienaventuranza y se le puede dar culto.

Beatífico, ca. (Del lat. *beatificus.*) adj. *Teol.* Que hace bienaventurado a alguno. ‖ **2.** *Teol.* V. **Visión beatífica.**

Beatilla. (Del fr. *bétille.*) f. Especie de lienzo delgado y ralo.

Beatísimo. (sup. de *beato.*) adj. sup. V. **Beatísimo Padre.**

Beatitud. (Del lat. *beatitūdo.*) f. Bienaventuranza eterna. ‖ **2.** Tratamiento que se da al Sumo Pontífice. ‖ **3.** ant. **Felicidad.**

Beato, ta. (Del lat. *beātus.*) adj. Feliz o bienaventurado. ‖ **2.** Dícese de la persona beatificada por el Sumo Pontífice. Ú. m. c. s. ‖ **3.** Que se ejercita en obras de virtud y se abstiene de las diversiones comunes. Ú. t. c. s. ‖ **4.** fig. Que afecta virtud. Ú. t. c. s. ‖ **5.** m. El que trae hábito religioso sin vivir en comunidad ni seguir regla determinada. ‖ **6.** fam. Hombre que frecuenta mucho los templos y se dedica a toda clase de devociones.

Beatuco, ca. adj. despect. de **Beato.**

Bebdar. (De *bebdo.*) tr. ant. **Embeodar.** Usáb. t. c. r.

Bebdez. (De *bebdo.*) f. ant. **Beodez.**

Bebdo, da. adj. ant. **Bébedo.**

Bebedero, ra. adj. Aplícase al agua u otro licor que es bueno de beber. ‖ **2.** m. Vaso en que se echa la bebida a los pájaros de jaula y a otras aves domésticas, como gallinas, palomas, etc. ‖ **3.** Paraje donde acuden a beber las aves. ‖ **4.** Pico saliente que en el borde tienen algunas vasijas y que sirve para beber. ‖ **5.** *C. Rica* y *Méj.* **Abrevadero.** ‖ **6.** pl. Piezas o pedazos largos de tela que se ponen en los extremos del vestido, como en las delanteras y bocamangas, por la parte de adentro, para reforzarlos.

Bebedizo, za. adj. **Potable.** ‖ **2.** m. Bebida que se da por medicina. ‖ **3.** Bebida que supersticiosamente se decía tener virtud para conciliar el amor de otras personas. ‖ **4.** Bebida confeccionada con veneno.

Bébedo, da. (Del lat. *bibĭtus.*) adj. ant. **Bebido,** 2.ª acep. Ú. en *Ast.*

Bebedor, ra. (Del lat. *bibĭtor, -ōris.*) adj. Que bebe. ‖ **2.** fig. Que abusa de las bebidas alcohólicas. Ú. t. c. s. ‖ **3.** m. *Ar.* **Bebedero,** 2.ª acep.

Beber. m. Acción de beber. ‖ **2.** **Bebida,** 1.ª acep. ‖ **Do entra beber, sale saber.** ref. que expresa que el exceso en beber vino embota el entendimiento.

Beber. (Del lat. *bibĕre.*) intr. Hacer que un líquido pase de la boca al estómago. Ú. t. c. tr. ‖ **2.** **Brindar,** 1.ª acep. ‖ **3.** fig. Hacer por vicio uso frecuente de bebidas alcohólicas. ‖ **Beber con blanco,** o **en blanco.** fr. Tener blanco el belfo un caballo. *El caballo de Pedro es castaño y* BEBE EN BLANCO. ‖ **Beber fresco.** fr. fig. Estar sin cuidado ni sobresalto de lo que pueda suceder.

Bebería. f. ant. Exceso o continuación de beber.

Beberrón, na. adj. fam. Que bebe mucho. Ú. t. c. s.

Bebestible. (De *beber,* 2.° art., a imitación de comestible.) adj. fam. Que se puede beber. Ú. t. c. s.

Bebetura. (Del lat. *bibitūra,* p. f. de *bibĕre,* beber.) f. ant. **Bebida,** 1.ª y 2.ª aceps.

Bebible. (De *beber,* 2.° art.) adj. fam. Aplícase a los líquidos que no son del todo desagradables al paladar.

Bebida. f. Cualquier líquido simple o compuesto que se bebe. ‖ **2.** En sentido restricto, líquido compuesto, como la horchata o los medicinales, y más especialmente los alcohólicos. ‖ **3.** *Ar.* Tiempo que descansan los trabajadores, principalmente en el campo, y en que toman algún bocado o beben un trago.

Bebido, da. p. p. de **Beber.** ‖ **2.** adj. Que ha bebido en demasía y está casi embriagado. ‖ **3.** m. **Bebida,** 2.ª acep.

Bebienda. (Del lat. *bibenda,* que se ha de beber.) f. **Bebida,** 2.ª acep.

Bebiente. p. a. ant. de **Beber.** Que bebe.

Bebistrajo. (De *beber,* 2.° art., a imitación de *comistrajo.*) m. fam. Mezcla irregular y extravagante de bebidas. ‖ **2.** fam. Bebida nauseabunda o muy desagradable.

Beborrotear. intr. fam. Beber a menudo y en poca cantidad.

Beca. f. Insignia que traen los colegiales sobre el manto, del mismo o diferente color. Es una faja de paño de unos 20 centímetros de ancho, que llevan cruzada por delante del pecho desde el hombro izquierdo al derecho y desciende por la espalda más o menos, según el estilo de los colegios, teniendo comúnmente en su lado izquierdo una rosca del mismo paño, fijada como a una vara de su extremo. ‖ **2.** Embozo de capa. ‖ **3.** Especie de chía de seda o paño que colgaba del cuello hasta cerca de los pies, y de que usaban sobre sus lobas los clérigos constituidos en dignidad. ‖ **4.** fig. Plaza o prebenda de colegial. ‖ **5.** fig. El mismo colegial. ‖ **6.** fig. Estipendio o pensión temporal que se concede a uno para que continúe o complete sus estudios.

Becacina. f. **Agachadiza.**

Becada. (Del célt. *bĕccus,* pico.) f. **Chocha.**

Becafigo. (De un inus. *becar,* picar, derivado del lat. *bĕccus,* pico, y de *figo.*) m. **Papafigo,** 1.ª acep.

Becardón. (Del fr. *becard,* der. de *bec,* pico.) m. *Ar.* **Agachadiza.**

Becario, ria. m. y f. Persona que disfruta de una beca para estudios. ‖ **2.** m. Colegial o seminarista con beca, 6.ª acep.

Becerra. (Del vasc. *beia,* vaca, y *cecorra,* ternera.) f. Vaca hasta que cumple uno o dos años o poco más. ‖ **2.** **Dragón,** 3.ª acep. ‖ **3.** *Gal.* Parte de masa apelmazada y húmeda que aparece en el interior de algunos panes, bizcochos, hojaldres, etc., mal cocidos o de escasa levadura.

Becerrada. f. Lidia o corrida de becerros.

Becerrero. m. Peón, casi siempre mozo, que en los hatos cuida de los becerros.

Becerril. adj. Perteneciente al becerro.

Becerrilla. f. d. de **Becerra,** 1.ª acep. ‖ **Becerrilla mansa, a su madre y a la ajena mama,** o **a todas las vacas mama.** ref. que denota que el hombre comedido, dócil y de buen genio halla buena acogida entre todas las gentes.

Becerrillo. m. d. de **Becerro.** ‖ **2.** Piel de becerro curtida.

Becerro. (De *becerra,* 1.ª acep.) m. Toro hasta que cumple uno o dos años o poco más. En lenguaje taurino se llama a veces así a los novillos. ‖ **2.** Piel de ternero o ternera curtida y dispuesta para varios usos, y principalmente para hacer zapatos y botines. ‖ **3.** Libro en que las iglesias y monasterios antiguos copiaban sus privilegios y pertenencias para el uso manual y corriente. ‖ **4.** Libro en que algunas comunidades tienen asentadas sus pertenencias. ‖ **5.** Libro en que están sentadas las iglesias y piezas que eran del real patronato. ‖ **6.** V. **Libro, pie de becerro.** ‖ **de las behetrías.** Libro en que, de orden del rey don Alfonso XI y de su hijo el rey don Pedro, se escribieron las behetrías de las merindades de Castilla y los derechos que pertenecían en ellas a la corona y a otros partícipes. ‖ **de oro.** **Dinero,** 1.ª acep. ‖ **marino. Foca.**

Becoquín. m. **Bicoquín.**

Becoquino. m. **Ceriflor.**

Becqueriana. f. **Bequeriana.**

Becuadrado. (De *becuadro.*) m. *Mús.* Primera de las llamadas propiedades en el canto llano o gregoriano, la cual se funda en el hexacordo *sol, la, si, do, re, mi,* notas que, al ser solfeadas, cambian sus nombres en *do, re, mi, fa, sol, la.* ‖ **Cantar por becuadrado.** fr. *Mús.* Girar dentro de los grados de la escala diatónica de *do,* principiando en el quinto grado, que antiguamente se marcaba con una G.

Becuadro. (De *be* y *cuadro,* por su forma de una *b* cuadrada.) m. *Mús.* Signo con el cual se expresa que la nota o notas a que se refiere deben sonar con su entonación natural.

Bedel. (Del prov. *bedel,* y éste del germ. *bidal,* alguacil.) m. En las universidades y otros establecimientos de enseñanza, empleado subalterno cuyo oficio es cuidar del orden y compostura fuera de las aulas, anunciar la hora de entrada a las clases y la de salida de las mismas, etc. Antiguamente pregonaba también los acuerdos del claustro y los mandatos del rector.

Bedelía. f. Empleo de bedel.

Bedelio. (Del lat. *bdellium,* y éste del gr. βδέλλιον.) m. Gomorresina de color amarillo, gris o pardo, olor suave y sabor amargo, procedente de árboles burseráceos que crecen en la India, en la Arabia y en el nordeste de África. Entra en la composición de varias preparaciones farmacéuticas para uso externo.

Bederre. m. *Germ.* **Verdugo,** 5.ª acep.

Beduino, na. (Del ár. *badawī,* el que vive en desierto o despoblado.) adj. Dícese de los árabes nómadas que habitan su país originario o viven esparcidos por la Siria y el África Septentrional. Ú. m. c. s. ‖ **2.** m. fig. Hombre bárbaro y desaforado.

Beduro. (De *be* y *duro.*) m. *Mús.* **Becuadrado.**

Befa. (De *befar.*) f. Grosera e insultante expresión de desprecio.

Befabemí. (De la letra *b* y de las notas musicales *fa, mi.*) m. En la música antigua, indicación del tono que principia en el séptimo grado de la escala diatónica de *do* y se desarrolla según los preceptos del canto llano y del canto figurado.

Befar. (De la onomat. *bef.*) intr. Mover los caballos el befo, alargándolo para alcanzar la cadenilla del freno. ‖ **2.** tr. Burlar, mofar, escarnecer.

Befedad. f. Calidad de befo, 3.ª acep.

Befo, fa. adj. **Belfo,** 1.ª acep. Ú. t. c. s. ‖ **2.** De labios abultados y gruesos.

Ú. t. c. s. || **3.** Zambo o zancajoso. Ú. t. c. s. || **4.** m. **Belfo,** 2.ª acep. || **5.** Especie de mico.

Befre. m. ant. Bíbaro.

Begardo, da. (Del b. lat. *beggardus*, y éste del flam. *beggen*, pedir, mendigar.) m. y f. Hereje de los siglos XIII y XIV, que profesaba doctrinas muy análogas a las de los gnósticos e iluminados, defendiendo, entre otras cosas, la impecabilidad del alma humana cuando llega a la visión directa de Dios, la cual creía posible en esta vida. Se extendieron mucho por Italia, Francia y los Países Bajos y llegaron a penetrar en Cataluña.

Begastrense. adj. Natural de Begastro, hoy ruinas próximas a Cehegín, en la provincia de Murcia. Ú. t. c. s. || **2.** Perteneciente a esta ciudad episcopal.

Begonia. (De *Bégon*, botánico francés.) f. Planta perenne, originaria de América, de la familia de las begoniáceas, de unos cuatro decímetros de altura, con tallos carnosos, hojas grandes, acorazonadas, dentadas, de color verde bronceado por encima, rojizas y con nervios muy salientes por el envés, y flores monoicas, con pedúnculos largos y dicótomos, sin corola y con el cáliz de color de rosa.

Begoniáceo, a. (De *begonia*, nombre de un género de plantas.) adj. *Bot.* Dícese de un género de plantas angiospermas dicotiledóneas, que pertenecen exclusivamente al género de la begonia. Ú. t. c. s. f. || **2.** f. pl. *Bot.* Familia de estas plantas.

Beguina. (De Lambert le *Bègue*, fundador, en el siglo XII, del primer convento de estas religiosas.) f. Beata que forma parte de ciertas comunidades religiosas existentes en Bélgica.

Beguino, na. (De *beguina*.) m. y f. **Begardo, da.**

Behaísmo. (Del ár. *Bahā'Allān*, el esplendor de dios, sobrenombre del fundador.) m. Cisma del babismo, fundado en Palestina en el siglo XIX por el persa Mirza Hosain Alí, que bajo las apariencias de una religión universal, es realmente un racionalismo antimusulmán e irreligioso.

Behetría. (De *benefactria*.) f. En lo antiguo, población cuyos vecinos, como dueños absolutos de ella, podían recibir por señor a quien quisiesen. La elección de estos señores, como la dificultad de poner en claro los derechos de cada vecino, solían ocasionar perturbaciones y trastornos. || **2.** V. **Becerro de las behetrías.** || **3.** fig. Confusión o desorden. || **cerrada, de entre parientes,** o **de linaje.** La que podía elegir por señor a quien quisiese, con tal que fuese de determinados linajes que tuviesen naturaleza en aquel lugar. || **de mar a mar.** La que libremente podía elegir señor sin sujeción a linaje determinado, por haber sido extranjeros sus conquistadores y haberse luego ausentado de los reinos de la Península.

Bejarano, na. adj. Natural de Béjar. Ú. t. c. s. || **2.** Perteneciente a esta ciudad. || **3.** Dícese de una facción que luchaba en Badajoz contra la de los portugaleses en tiempos del rey don Sancho el Bravo y de los individuos de este bando. Apl. a pers., ú. t. c. s.

Bejerano, na. adj. **Bejarano.** Apl. a pers., ú. t. c. s.

Bejín. (Del lat. **vissinus*, de *vissire*, ventosear.) m. *Bot.* Hongo de color blanco, cuyo cuerpo fructífero, cerrado y semejante a una bola, a veces muy voluminosa, se desgarra cuando llega a la madurez y deja salir un polvo negro, que está formado por las esporas y se emplea para restañar la sangre y para otros usos. || **2.** Persona que se enfada y enoja con poco motivo, y más comúnmente muchacho que llora mucho y se irrita.

Bejina. (Del lat. *faecina*, f. de *-inus*, que tiene muchas heces.) f. ant. *And.* **Alpechín.**

Bejinero. (De *bejina*.) m. ant. *And.* El que arrendaba la bejina para sacar el aceite. || **2.** ant. *And.* Cualquiera que entendía en este aprovechamiento.

Bejucal. m. Sitio donde se crían o hay muchos bejucos.

Bejuco. (Voz caribe.) m. Nombre de diversas plantas tropicales, sarmentosas, y cuyos tallos, largos y delgados, se extienden por el suelo o se arrollan a otros vegetales. Se emplean, por su flexibilidad y resistencia, para toda clase de ligaduras y para jarcias, tejidos, muebles, bastones, etc.

Bejuquear. (De *bejuco*.) tr. *Perú.* Varear, apalear.

Bejuqueda. f. Bejucal. || **2.** *Perú.* **Paliza,** 1.ª acep.

Bejuquillo. (d. de *bejuco*.) m. Cadenita de oro fabricada en la China y con que se adornan el cuello las mujeres. || **2. Ipecacuana.**

Bel. m. *Fís.* Nombre del belio en la nomenclatura internacional.

Bel, la. (Del prov. o cat. *bell*, y éste del lat. *bĕllus*, bello.) adj. ant. **Bello.**

Belcho. m. *Bot.* Mata de la familia de las efedráceas, de medio metro a uno de altura, muy ramificada, sin hojas, con flores en amento y frutos en forma de baya, carnosos y encarnados. Vive principalmente en los arenales.

Beldad. (Del lat. **bellitas, -ātis*, de *bĕllus*, bello.) f. Belleza o hermosura, y más particularmente la de la mujer. || **2.** Mujer notable por su belleza.

Beldar. (Del lat. *vĕntilāre*.) tr. Aventar con el bieldo las mieses, legumbres, etc., trilladas, para separar del grano la paja.

Belduque. (Del m. or. que *balduque*, por la procedencia de estos cuchillos.) m. *Colomb.* y *Méj.* Cuchillo grande de hoja puntiaguda.

Belemnita. (Del gr. βέλεμνον, flecha.) f. *Paleont.* Fósil de figura cónica o de maza. Es la extremidad de la concha interna que, a semejanza de las jibias, tenían ciertos cefalópodos que vivieron en los períodos jurásico y cretáceo.

Belén. m. fig. **Nacimiento,** 7.ª acep. || **2.** fig. y fam. Sitio en que hay mucha confusión. || **3.** fig. y fam. La misma confusión. || **4.** fig. y fam. Negocio o lance ocasionado a contratiempos o disturbios. Ú. m. en pl. *Meterse en* BELENES. || **Estar,** o **estar bailando,** uno **en Belén.** fr. fig. y fam. Estar embobado, en Babia.

Beleño. (Del lat. *vĕnĕnum*, veneno.) m. Planta de la familia de las solanáceas, como de un metro de altura, con hojas anchas, largas, hendidas y vellosas; flores a lo largo de los tallos, amarillas por encima y rojas por debajo, y fruto capsular con muchas semillas pequeñas, redondas y amarillentas. Toda la planta, especialmente la raíz, es narcótica. || **blanco.** Planta del mismo género que la anterior, de la cual se diferencia en tener las hojas redondeadas y las flores amarillas por fuera y verdosas por dentro. || **negro. Beleño.**

Belérico. m. **Mirobálano.**

Belesa. (Del gót. **bilisa*.) f. *Bot.* Planta vivaz de la familia de las plumbagináceas, como de un metro de altura, con tallos rectos, delgados y cilíndricos, cubiertos de hojas alternas, lanceoladas y ásperas, y coronados por flores purpúreas, muy menudas, en espiga.

Belez. m. **Vasija,** 1.ª acep. || **2.** Parte del menaje de casa, ajuar. || **3.** *Alcarria.* Tinaja para echar vino o aceite. || **4.** *Germ.* Cosa de casa.

Belezo. m. **Belez,** 2.ª acep.

Belfo, fa. adj. Dícese del que tiene más grueso el labio inferior, como suelen tenerlo los caballos. Apl. a pers., ú. t. c. s. || **2.** m. Cualquiera de los dos labios del caballo y otros animales.

Belga. (Del lat. *belga*.) adj. Natural de Bélgica. Ú. t. c. s. || **2.** Perteneciente a esta nación de Europa. || **3.** m. Moneda imaginaria de valor de cinco francos, introducida en Bélgica en octubre de 1926.

Bélgico, ca. adj. Perteneciente a los belgas, o a Bélgica.

Belhez. m. ant. **Belez,** 2.ª acep.

Bélico, ca. (Del lat. *bellĭcus*, de *bellum*, guerra.) adj. **Guerrero,** 1.ª acep.

Belicosidad. f. Calidad de belicoso.

Belicoso, sa. (Del lat. *bellicōsus*.) adj. Guerrero, marcial. || **2.** fig. Agresivo, pendenciero.

Belido, da. adj. V. **Hierba belida.**

Beligerancia. f. Calidad de beligerante. || **Conceder,** o **dar, beligerancia** a uno. fr. Atribuirle la importancia bastante para contender con él. Ú. más con negación.

Beligerante. (Del lat. *belligĕrans, -antis*; de *bellum*, guerra, y *gĕrere*, sustentar.) adj. Aplícase a la potencia, nación, etc., que está en guerra. Ú. t. c. s., y más en pl.

Belígero, ra. (Del lat. *bellĭger, -ĕri*.) adj. poét. Dado a la guerra, belicoso, guerrero.

Belio. (Del nombre de A. G. *Bell*, inventor del teléfono.) m. *Fís.* Unidad de medida cuya décima parte es el decibelio, más usado en la práctica.

Belísono, na. (Del lat. *bellisŏnus*; de *bellum*, guerra, y *sonus*, sonido.) adj. De ruido bélico o marcial.

Belitre. (Del fr. *bélitre*, y éste del germ. *bettler*, mendigo.) adj. fam. Pícaro, ruin y de viles costumbres. Ú. t. c. s.

Belitrero. m. *Germ.* Rufián que estafa a los pícaros o belitres.

Belorta. f. **Vilorta,** 2.ª acep.

Beltrán. n. p. **Quien bien quiere a Beltrán, bien quiere a su can.** ref. que da a entender que el cariño que se tiene a una persona suele extenderse a todas las que le son allegadas o a las cosas que tienen relación con ella.

Belua. (Del lat. *bellŭa*.) f. ant. **Bestia,** 1.ª acep.

Bellacada. f. ant. Junta de bellacos. || **2. Bellaquería.**

Bellacamente. adv. m. Con bellaquería.

Bellaco, ca. (Del ital. *vigliacco*, y éste del lat. *vilia*, pl. n. de *vilis*, vil.) adj. Malo, pícaro, ruin. Ú. t. c. s. || **2.** Astuto, sagaz. Ú. t. c. s. || **Bellacos hay en casa, madre, y no somos yo ni mi padre.** ref. con que se da a entender a alguien que se le conoce a fondo.

Bellacuelo, la. adj. d. de **Bellaco.**

Belladona. (Del ital. *belladonna*.) f. *Bot.* Planta de la familia de las solanáceas, que es muy venenosa y se utiliza con fines terapéuticos, principalmente por contener el alcaloide llamado atropina.

Bellamente. (De *bello*.) adv. m. Con primor o perfección.

Bellaquear. intr. Hacer bellaquerías.

Bellaquería. f. Calidad de bellaco. || **2.** Acción o dicho propio de bellaco.

Bellasombra. (De *bella* y *sombra*.) f. *And.* y *Argent.* **Ombú.**

Belleguín. m. ant. Corchete o alguacil.

Bellerife. m. *Germ.* Criado de justicia.

Belleza. (De *bello*.) f. Propiedad de las cosas que nos hace amarlas, infundiendo en nosotros deleite espiritual. Esta propiedad existe en la naturaleza y en las obras literarias y artísticas. La **belleza** absoluta sólo reside en Dios. || **2.** Mujer notable por su hermosura. || **artística.** La que se produce de modo cabal y conforme a los principios estéticos, por imitación de la naturaleza o por intuición del espíritu. || **ideal.** Prototipo, modelo o ejemplar de **belleza,** que sirve de norma al artista en sus creaciones. Es frase usada principalmente por los estéticos platónicos. || **Decir bellezas.** fr. fig. Decir una cosa con gracia y primor.

Bellido, da. (De *bello.*) adj. Bello, agraciado, hermoso.

Bellista. adj. Perteneciente o relativo a la vida y obras del escritor venezolano Andrés Bello. || **2.** Dedicado con especialidad al estudio de las obras de Andrés Bello y cosas que le pertenecen. Apl. a pers., ú. t. c. s.

Bello, lla. (Del lat. *bellus.*) adj. Que tiene belleza. || **2.** V. **Arte bella.** || **3.** V. **Bellas letras.** || **4.** V. **Bello sexo.**

Bellota. (Del ár. *ballūṭa*, encina.) f. Fruto de la encina, del roble y otros árboles del mismo género. Es un aquenio muy voluminoso, ovalado, algo puntiagudo, de dos o más centímetros de largo, y se compone de una cáscara medianamente dura, de color castaño claro, dentro de la cual está la única semilla, desprovista de albumen y con sus cotiledones carnosos y muy ricos en fécula. Es un alimento muy sano para el ganado de cerda. || **2.** Bálano o glande. || **3.** Botón o capullo del clavel sin abrir. || **4.** Vasija pequeña, de figura de **bellota** por lo común, y de una u otra materia, en que se echan bálsamos u otras especies aromáticas. || **5.** Adorno de pasamanería, que consiste en una piececita de madera, de forma de **bellota,** cubierta de hilo de seda o lana. || **6.** Extremidad de las capas y hojas córneas de que va desprendiéndose el cuerno del toro con los años, y que queda en forma de dedal en la punta. Desaparece totalmente a los tres años. || **7.** V. **Animal de bellota.** || **de mar. Bálano,** 2.ª acep.

Bellote. m. Clavo de unos 20 centímetros de largo y uno de grueso, y con la cabeza parecida al cascabillo de la bellota.

Bellotear. intr. Comer la bellota el ganado de cerda.

Bellotera. f. La que coge y vende bellotas. || **2.** Tiempo de recoger la bellota. || **3.** Cosecha de bellota. || **4. Montanera.**

Bellotero. m. El que coge o vende bellotas. || **2. Bellotera,** 2.ª y 4.ª aceps. || **3.** ant. Árbol que lleva bellotas.

Bellotillo. m. d. de **Bellote.** || **2.** V. **Clavo bellotillo.**

Belloto. (De *bellota.*) m. Árbol chileno, de la familia de las lauráceas, cuyo fruto es una especie de nuez que sirve de alimento a los animales.

Bembo. m. *Cuba.* **Bezo,** y especialmente el del negro bozal.

Bembón, na. (De *bembo.*) adj. *Cuba.* **Bezudo.** Dícese sólo de las personas.

Bemol. (De *b*, letra musical, que en la gama antigua representaba la nota *si*, y *mol*, por *mole*, suave, blando.) adj. *Mús.* Dícese de la nota cuya entonación es un semitono más baja que la de su sonido natural. *Re* BEMOL. Ú. t. c. s. || **2.** m. *Mús.* Signo (♭) que representa esta alteración del sonido natural de la nota o notas a que se refiere. || **Doble bemol.** *Mús.* Nota cuya entonación es de dos semitonos más baja que la de su sonido natural. *El la* DOBLE BEMOL. || **2.** *Mús.* Signo compuesto de dos **bemoles,** que representa esta doble alteración del sonido natural de la nota o notas a que se refiere. || **Tener bemoles,** o **tres bemoles.** fr. fig. y fam. con que se pondera lo que se tiene por muy grave y dificultoso.

Bemolado, da. adj. Con bemoles.

Ben. (Del ár. *bān.*) m. *Bot.* Árbol de la familia de las moringáceas que crece en países intertropicales, con tronco recto, de mediana altura y flores blancas, y cuyo fruto, del tamaño de la avellana, da por presión un aceite que no se enrancia y que se emplea en relojería y perfumería.

Ben. adv. m. ant. **Bien.**

Benceno. m. Hidrocarburo volátil inflamable, que se obtiene por destilación de la hulla.

Bencina. (De *benzoe*, nombre dado por los botánicos al benjuí.) f. *Quím.* Substancia líquida, incolora, de olor aromático y penetrante, compuesta de carbono y de hidrógeno, la cual se obtiene de varias materias y principalmente de la brea o del aceite de la hulla; y por su facultad de disolver el aceite, la cera, la goma elástica, el azufre, el fósforo, etc., se emplea más generalmente para quitar manchas de la ropa.

Bendecidor, ra. adj. Que bendice. || **2.** ant. Que dice bien, o habla bien y con razón.

Bendecir. (Del lat. *benedicĕre;* de *bene*, bien, y *dicĕre*, decir.) tr. Alabar, engrandecer, ensalzar. || **2.** Colmar de bienes a uno la Providencia; hacerle prosperar. || **3.** Invocar en favor de alguna persona o cosa la bendición divina. || **4.** Consagrar al culto divino alguna cosa, mediante determinada ceremonia. || **5.** Formar el obispo o el presbítero cruces en el aire con la mano extendida sobre personas o cosas, invocando a la Santísima Trinidad o recitando preces u oraciones.

Bendicera. (De *bendicir.*) f. ant. Mujer que santiguaba con señales y oraciones supersticiosas, para sanar a los enfermos.

Bendiciente. p. a. ant. de **Bendecir.** Que bendice.

Bendición. (Del lat. *benedictĭo, -ōnis.*) f. Acción y efecto de bendecir. || **2.** V. **Fruto, hijo de bendición.** || **3.** pl. Ceremonias con que se celebra el sacramento del matrimonio. Regularmente se dicen **bendiciones nupciales.** || **Bendición episcopal,** o **pontifical.** La que en días solemnes dan el Papa, los obispos y otros prelados, haciendo tres veces la señal de la cruz cuando se nombran las tres personas de la Santísima Trinidad. || **Echar la bendición** a una cosa. fr. fig. y fam. Levantar mano en algún negocio; no querer ya mezclarse en él. || **Echar la bendición** a uno. fr. fig. y fam. Renunciar a toda relación con él. || **Hacerse con bendición** una cosa. fr. fig. Hacerse con acierto y felicidad. || **Ser una cosa bendición de Dios,** o **una bendición.** fr. fig. y fam. Ser muy abundante, o muy excelente, o muy digna de admirar.

Bendicir. tr. ant. **Bendecir.**

Bendicho, cha. (Del lat. *bĕnedictus*, bendito.) p. p. irreg. ant. de **Bendecir.** || **2.** adj. ant. **Bendito.**

Benditera. f. *Sant.* Pila de agua bendita.

Bendito, ta. (Del lat. *benedictus.*) p. p. irreg. de **Bendecir.** || **2.** adj. Santo o bienaventurado. Ú. t. c. s. || **3. Dichoso,** 1.ª y 2.ª aceps. || **4.** Sencillo y de pocos alcances. || **5.** V. **Agua, ánima bendita.** || **6.** V. **Cardo, pan bendito.** || **7.** m. Oración que empieza así: **Bendito** *y alabado sea*, etc. || **Saber** uno una cosa **como el bendito.** fr. fig. y fam. *Chile.* **Saber** uno **como el avemaría** alguna cosa.

Benedícite. (2.ª pers. de pl. del imperat. del lat. *benedicĕre*, bendecir.) m. Licencia que los religiosos piden a sus prelados para ir a alguna parte. || **2.** Oración que empieza con esta palabra, para bendecir la comida al sentarse a la mesa.

Benedicta. (Del lat. *benedicta*, bendita, santa.) f. Electuario o confección de varios polvos de hierbas y raíces purgantes y estomacales mezclados con miel espumada.

Benedictino, na. (Del lat. *Benedictus*, Benito.) adj. Perteneciente a la regla u orden de San Benito. Apl. a pers., ú. t. c. s. || **2.** m. Licor que fabrican los frailes de esta orden.

Benefactor, ra. (Del lat. *benefactor.*) adj. ant. **Bienhechor.** Ú. t. c. s.

Benefactoría. (De *benefactor.*) f. ant. **Benefactría.**

Benefactría. (De *benefactoría.*) f. ant. Acción buena. || **2.** Behetría, 1.ª acep.

Beneficencia. (Del lat. *beneficentĭa.*) f. Virtud de hacer bien. || **2.** V. **Casa de beneficencia.** || **3.** Conjunto de fundaciones, mandas, establecimientos y demás institutos benéficos, y de los servicios gubernativos referentes a ellos, a sus fines y a los haberes y derechos que les pertenecen.

Beneficentísimo, ma. adj. sup. de **Benéfico.**

Beneficiación. f. Acción y efecto de beneficiar.

Beneficiado, da. p. p. de **Beneficiar.** || **2.** m. y f. Persona en beneficio de la cual se ejecuta una función de teatro u otro espectáculo público. || **3.** m. Presbítero o, por rara excepción, clérigo de grado inferior que goza un beneficio eclesiástico que no es curato o prebenda.

Beneficiador, ra. adj. Que beneficia. Ú. t. c. s.

Beneficial. (Del lat. *beneficiālis.*) adj. Perteneciente a beneficios eclesiásticos.

Beneficiar. (De *beneficio.*) tr. Hacer bien. Ú. t. c. r. || **2.** Cultivar, mejorar una cosa, procurando que fructifique. || **3.** Trabajar un terreno para hacerlo productivo. || **4.** Extraer de una mina las substancias útiles. || **5.** Someter estas mismas substancias al tratamiento metalúrgico cuando lo requieren. || **6.** Conseguir un empleo por dinero. || **7.** Administrar por cuenta de la real hacienda las rentas que procedían del servicio de millones. || **8.** Hablando de efectos, libranzas y otros créditos, cederlos o venderlos por menos de lo que importan. || **9.** ant. Dar o conceder un beneficio eclesiástico. || **10.** *Cuba, Chile* y *P. Rico.* Hablando de una res, descuartizarla y venderla al menudeo.

Beneficiario, ria. (Del lat. *beneficiarĭus.*) adj. Dícese de la persona a quien beneficia un contrato de seguro. Ú. t. c. s. || **2.** m. y f. *For.* El que goza un territorio, predio o usufructo que recibió graciosamente de otro superior a quien reconoce.

Beneficio. (Del lat. *beneficĭum.*) m. Bien que se hace o se recibe. || **2.** Utilidad, provecho. || **3.** Labor y cultivo que se da a los campos, árboles, etc. || **4.** Acción de beneficiar minas o minerales. || **5.** V. **Hacienda de beneficio.** || **6.** Conjunto de derechos y emolumentos que obtiene un eclesiástico, inherentes o no a un oficio. || **7.** Acción de beneficiar empleos por dinero, o de dar los créditos por menos de lo que importan. || **8.** Función de teatro u otro espectáculo público, cuyo producto se concede a una persona, corporación, establecimiento, etc. || **9.** *For.* Derecho que compete a uno por ley o privilegio. || **amovible,** o **amovible ad nútum. Beneficio** eclesiástico que no es colativo, y del cual puede, el que lo da, remover al que lo goza. || **compulso.** En las órdenes militares, el que por su cortísimo valor se llegó a unir e incorporar a otro; y se decía así porque para su servicio se compelía a los religiosos. || **consistorial.** El que el Papa provee en consistorio. || **curado.** El eclesiástico que tiene obligación aneja de cura de almas. || **de bandera.** Disminución de los derechos arancelarios que pagan las mercancías transportadas en buques de la propia nación, o en los de nación extranjera a quien por tratado se ha concedido esta ventaja. || **de deliberar.** *For.* El concedido por la ley al heredero para diferir la adición o repudiación de la herencia hasta que se haya hecho el inventario. || **de excusión. Excusión.** || **de inventario.** Facultad que la ley concede al heredero, de aceptar la herencia con la condición de no quedar obligado a pagar a los acreedores del difunto más de lo que importe la herencia misma, por lo cual se compromete a hacer inventario formal de los bienes en que consiste. || **exento.** Aquel cuya provisión está reservada exclusivamente al Papa. || **simple.** El eclesiástico que no tiene obligación aneja de cura de almas. || **A beneficio de inventario.** expr. adv. fig. Con reserva, con precaución, con su cuenta y razón. || **Desconocer uno el beneficio.** fr. No corresponder a él, ser ingrato.

Beneficioso, sa. (Del lat. *beneficiōsus.*) adj. Provechoso, útil.

Benéfico, ca. (Del lat. *beneficus.*) adj. Que hace bien.

Benemerencia. (der. del lat. *benemĕrens, -entis,* benemérito.) f. ant. Mérito o servicio.

Benemérito, ta. (Del lat. *benemerĭtus.*) adj. Digno de galardón. || **La benemérita.** La guardia civil.

Beneplácito. (Del lat. *bene placĭtus,* bien querido.) m. Aprobación, permiso.

Benévolamente. adv. m. Con benevolencia.

Benevolencia. (Del lat. *benevolentĭa.*) f. Simpatía y buena voluntad hacia las personas.

Benevolentísimo, ma. (Del lat. *benevolentissimus.*) adj. sup. de **Benévolo.**

Benévolo, la. (Del lat. *benevŏlus;* de *bene,* bien, y *volo,* quiero.) adj. Que tiene buena voluntad o afecto.

Bengala. f. *Bot.* **Caña de Bengala.** || **2.** Insignia antigua de mando militar a modo de cetro o bastón. || **3.** V. **Luz de Bengala.** Ú. t. c. s. || **4.** ant. *Sant.* **Muselina.** Se llamó así por haber venido primeramente de Bengala.

Bengalí. adj. Natural de Bengala. Ú. t. c. s. || **2.** Perteneciente a esta provincia del Indostán. || **3.** m. Lengua derivada del sánscrito y que se habla en Bengala. || **4.** Pájaro pequeño, de pico cónico, alas puntiagudas, patas delgadas y vivos colores, que habita en las regiones intertropicales del antiguo continente.

Benignamente. adv. m. Con benignidad.

Benignidad. (Del lat. *benignĭtas, -ātis.*) f. Calidad de benigno.

Benigno, na. (Del lat. *benignus,* y éste del arc. *benus,* por *bonus,* bueno, y *genus,* índole.) adj. Afable, benévolo, piadoso. || **2.** fig. Templado, suave, apacible. *Estación* BENIGNA.

Benimerín. (Del ár. *Banī Marīn,* los descendientes de *Marīn.*) m. Dícese del individuo de una tribu belicosa de Marruecos que durante los siglos XIII y XIV de J. C. fundó una dinastía en el norte de África y substituyó a los almohades en el imperio de la España musulmana. Ú. m. en pl.

Benino, na. adj. ant. **Benigno.**

Benito, ta. (Del lat. *benedictus.*) adj. **Benedictino.** Apl. a pers., ú. t. c. s.

Benjamín. (Por alusión a *Benjamín,* hijo último y predilecto de Jacob.) m. fig. Hijo menor y por lo común el más querido de sus padres.

Benjamita. adj. Descendiente de la tribu de Benjamín. Ú. t. c. s. || **2.** Perteneciente o relativo a Benjamín.

Benjuí. (Del ár. *laban ŷāwī,* incienso de Java.) m. Bálsamo aromático que se obtiene por incisión en la corteza de un árbol del mismo género botánico que el que produce el estoraque en Malaca y en varias islas de la Sonda.

Benquerencia. f. ant. **Bienquerencia.**

Bentónico, ca. (Del gr. βένθος, profundidad.) adj. *Biol.* Dícese del animal o planta que habitualmente vive en contacto con el fondo del mar, aun cuando pueda separarse del mismo y flotar o nadar en el agua durante algún tiempo.

Bentos. (Del gr. βένθος, fondo del mar.) m. *Biol.* Conjunto de los seres bentónicos.

Benzoico, ca. (Del m. or. que *bencina.*) adj. *Quím.* Perteneciente o relativo al benjuí. || **2.** *Quím.* V. **Ácido benzoico.**

Benzol. (De *benzoe,* nombre dado por los botánicos al *benjuí.*) m. Hidrocarburo que se extrae de la brea de hulla, y se emplea en los motores de explosión.

Beocio, cia. (Del lat. *boeotĭus.*) adj. Natural de Beocia. Ú. t. c. s. || **2.** Perteneciente a esta región de Grecia antigua. || **3.** fig. Estúpido, tonto.

Beodera. (De *beodo.*) f. ant. **Beodez.**

Beodez. (De *beodo.*) f. Embriaguez o borrachera.

Beodo, da. (De *beudo.*) adj. Embriagado o borracho. Ú. t. c. s.

Beorí. m. Tapir americano.

Beque. (Del fr. *bec,* y éste del célt. *bĕccus,* pico.) m. *Mar.* Obra exterior de proa. || **2.** *Mar.* En los barcos, retrete de la marinería. Ú. más en pl. || **3.** fig. **Bacín,** 1.ª acep.

Bequeriana. f. Composición poética, generalmente breve, de asunto amoroso, llamada así de su autor Gustavo Adolfo Bécquer.

Berbén. m. *Méj.* **Loanda.**

Berberecho. (Del gr. βέρβερι, ostra de las perlas.) m. Molusco bivalvo, de unos cuatro centímetros de largo y conchas estriadas casi circulares. Se cría en las costas del norte de España y se come crudo o guisado.

Berberí. (Del ár. *barbarī,* bárbaro, natural de Berbería, beréber.) adj. **Beréber.** Apl. a pers. ú. t. c. s.

Berberidáceo, a. (De *berberis,* nombre de un género de plantas.) adj. *Bot.* Dícese de arbustos y matas angiospermas dicotiledóneas, con hojas sencillas o compuestas, flores hermafroditas regulares, fruto en baya seca o carnosa y semillas con albumen; como el arlo. Ú. t. c. s. f. || **2.** f. pl. *Bot.* Familia de estas plantas.

Berberídeo, a. (De *berberis.*) adj. *Bot.* **Berberidáceo.**

Berberís. (Del ár. *barbāris,* espino de fruto rojo y ácido.) m. **Bérbero.**

Berberisco, ca. adj. **Beréber,** 1.ª y 2.ª aceps. Apl. a pers., ú. t. c. s. || **2.** V. **Hoja berberisca.**

Bérbero. (De *berberis.*) m. **Agracejo,** 3.ª acep. || **2.** Fruto del **bérbero,** llamado también agracejina. || **3.** Confección hecha con este fruto.

Bérberos. m. **Bérbero.**

Berbí. (De *Verviers,* ciudad de Bélgica, célebre por sus paños.) adj. V. **Paño berbí.**

Berbiquí. (Del fr. *vilebrequin,* y éste del flam. *wimpelkin.*) m. Manubrio semicircular o en forma de doble codo, que puede girar alrededor de un puño ajustado en una de sus extremidades, y tener sujeta en la otra la espiga de cualquier herramienta propia para taladrar.

Berceo. m. **Barceo.**

Bercería. f. ant. Paraje donde se venden berzas o verduras.

Bercero, ra. (De *berza.*) m. y f. ant. **Verdulero, ra.**

Bercial. m. Sitio poblado de berceos.

Berciano, na. adj. Natural del Bierzo. Ú. t. c. s. || **2.** Perteneciente a este territorio.

Beréber. (Del ár. *barbar,* bárbaro, natural de Berbería.) adj. Natural de Berbería. Ú. t. c. s. || **2.** Perteneciente a esta región de África. || **3.** m. Individuo de la raza más antigua y numerosa de las que habitan el África Septentrional desde los desiertos de Egipto hasta el océano Atlántico y desde las costas del Mediterráneo hasta lo interior del desierto de Sahara.

Berebere. adj. **Beréber.**

Berengario, ria. adj. Sectario de Berenger, heresiarca francés del siglo XI que negaba la presencia real de Jesucristo en la Eucaristía. Ú. m. c. s. y en pl.

Berenice. n. p. V. **Cabellera de Berenice.**

Berenjena. (Del ár. *bādinŷāna.*) f. Planta anua de la familia de las solanáceas, de cuatro a seis decímetros de altura; ramosa, con hojas grandes, aovadas, de color verde, casi cubiertas de un polvillo blanco y llenas de aguijones; flores grandes y de color morado, y fruto aovado, de 10 a 12 centímetros de largo, cubierto por una película morada y lleno de una pulpa blanca dentro de la cual están las semillas. || **2.** Fruto de esta planta. || **catalana.** Variedad de la común, cuyo fruto es casi cilíndrico y de color morado muy obscuro. || **de huevo.** Variedad de la común, cuyo fruto, en su hechura, tamaño y color, es enteramente semejante a un huevo de gallina. || **morada,** o **moruna. Berenjena catalana.** || **zocata.** La que estando ya muy madura se pone amarilla y como hinchada.

Berenjenado, da. (De *berenjena.*) adj. ant. **Aberenjenado.**

Berenjenal. m. Sitio plantado de berenjenas. || **Meterse uno en buen, en mal, o en un, berenjenal.** fr. fig. y fam. Meterse en negocios enredados y dificultosos.

Berenjenín. m. d. de **Berenjena.** || **2.** Variedad de la berenjena común, cuyo fruto es casi cilíndrico, de 12 a 14 centímetros de largo, y de color enteramente blanco, o blanco rayado de rojo o de morado claro.

Bergadán, na. adj. Natural de Berga. Ú. t. c. s. || **2.** Perteneciente a esta ciudad y a su comarca.

Bergadano. adj. **Bergadán.**

Bergamasco, ca. adj. Natural de Bérgamo. Ú. t. c. s. || **2.** Perteneciente a esta ciudad de Italia.

Bergamota. (De *Bérgamo,* ciudad de donde procede.) f. Variedad de pera muy jugosa y aromática. || **2.** Variedad de lima muy aromática, de la cual se extrae una esencia usada en perfumería.

Bergamote. (Del fr. *bergamote,* y éste del ital. *bergamotta.*) m. **Bergamoto.**

Bergamoto. m. Limero que produce la bergamota. || **2.** Peral que produce la bergamota.

Bergante. (Del gót. *brikan,* romper, luchar.) m. Pícaro sinvergüenza.

Bergantín. (Del fr. *brigantin,* y éste del ital. *brigantino,* der. de *brigante,* del célt. *briga,* tropa.) m. Buque de dos palos y vela cuadra o redonda. || **goleta.** El que usa aparejo de goleta en el palo mayor. || **Estar,** o **ser,** uno **bergantín.** fr. fig. En el tresillo, no tener cartas más que de dos palos.

Bergantinejo. m. d. de **Bergantín.**

Beriberi. (Del cingalés *beri,* debilidad.) m. *Med.* Enfermedad caracterizada por polineuritis, debilidad general y rigidez dolorosa de los miembros. Es una forma de avitaminosis producida por el consumo casi exclusivo de arroz descascarillado.

Berilio. (Del m. or. que *berilo.*) m. Metal alcalino térreo, ligero, de color blanco y sabor dulce, al que debe el nombre de glucinio con el que también se lo conoce.

Berilo. (Del lat. *beryllus,* y éste del gr. βήρυλλος.) m. Silicato de alúmina y glucina, variedad de esmeralda, de color verdemar y a veces amarillo, blanco o azul. Cuéntase entre las piedras preciosas cuando es hialino y de color uniforme.

Beritense. (Del lat. *berytensis.*) adj. Natural de Berito. Ú. t. c. s. || **2.** Perteneciente a esta ciudad de Fenicia.

Berlandina. f. desus. **Bernardina.**

Berlanga. (Del ant. alto al. *brettenc,* d. de *brett,* tabla.) f. Juego de naipes en que se gana reuniendo tres cartas iguales, como tres reyes, tres ases, etc.

Berlina. (De *Berlín*, ciudad donde se construyeron las primeras.) f. Coche cerrado de dos asientos comúnmente. || **2.** En las diligencias y otros carruajes de dos o más departamentos, el que es cerrado, está delante y sólo tiene una fila de asientos. || **3.** Departamento en los coches de los ferrocarriles, que se distingue por esta última circunstancia.

Berlina (En). (Del ital. *berlina*, picota.) expr. adv. fig. **En ridículo.** Ú. con los verbos *estar*, *poner* y *quedar*.

Berlinés, sa. adj. Natural de Berlín. Ú. t. c. s. || **2.** Perteneciente a esta ciudad de Alemania.

Berlinga. (Del germ. *bret-ling*, tabla pequeña.) f. Pértiga de madera verde con que se remueve la masa fundida en los hornos metalúrgicos. || **2.** *And.* Palo hincado en el suelo, desde el cual se ata a otro semejante un cordel o soga para tender ropa al sol y para otros usos. || **3.** *Mar.* **Percha,** 10.ª acep.

Berlingar. tr. Remover con la berlinga una masa metálica incandescente.

Berma. (Del fr. *berme*, y éste del neerl. *breme*, borde, margen.) f. *Fort.* Espacio al pie de la muralla y declive exterior del terraplén, que sirve para que la tierra y las piedras que se desprenden de ella cuando la bate el enemigo, se detengan y no caigan dentro del foso.

Bermejal. (De *bermejo*.) m. Extensión grande de terreno bermejo.

Bermejear. intr. Mostrar alguna cosa el color bermejo que en sí tiene. || **2.** Tirar a bermejo.

Bermejecer. intr. ant. **Bermejear.** || **2.** r. ant. Ponerse bermejo.

Bermejenco, ca. adj. ant. **Bermejo.**

Bermejez. f. ant. **Bermejura.**

Bermejía. f. ant. Agudeza maliciosa y perjudicial, que se atribuía a los bermejos.

Bermejizo, za. adj. Que tira a bermejo. || **2.** m. **Panique.**

Bermejo, ja. (Del lat. *vĕrmĭcŭlus*, gusanillo.) adj. Rubio, rojizo. || **2.** V. **Calzas bermejas.**

Bermejón, na. (aum. de *bermejo*.) adj. De color bermejo o que tira a él. || **2.** m. ant. **Bermellón.**

Bermejor. (De *bermejo*.) m. ant. **Bermejura.**

Bermejuela. (d. de *bermeja*.) f. Pez teleóstero, fisóstomo, común en algunos ríos de España, de unos cinco centímetros de largo, y cuyo color varía, pues los hay enteramente verdosos con una mancha negra junto a la cola, y otros tienen bandas y manchas doradas y encarnadas. || **2.** Pez, también común en algunos ríos de España, del mismo género y tamaño que el anterior, pero más comprimido, con el lomo constantemente negruzco y el vientre blanco y algunas veces rojo. || **3.** *And.* **Brezo,** 1.er art.

Bermejuelo, la. adj. d. de **Bermejo.**

Bermejura. f. Color bermejo.

Bermellón. (Del fr. *vermillon*, y éste de *vermeil*, del lat. *vĕrmĭcŭlus*, gusanillo.) m. Cinabrio reducido a polvo, que toma color rojo vivo.

Bermudina. (Del poeta Salvador *Bermúdez* de Castro, que usa mucho esta estrofa en sus *Ensayos poéticos*, 1840.) f. Octava endecasílaba o decasílaba, cuyos versos cuarto y octavo tienen rima común aguda. Los demás tienen terminación llana; pareados el segundo y el tercero, así como el sexto y el séptimo, quedando libres el primero y el quinto.

Bernardina. (¿De *Bernardo* del Carpio?) f. fam. **Mentira.** Regularmente se llama así la que se dice fingiendo valentías o cosas extraordinarias. Ú. t. en pl.

Bernardo, da. adj. Dícese del monje o monja de la orden del Cister. Ú. t. c. s.

Bernegal. (Quizá del ár. *barniya*, vaso de barro o cristal.) m. Taza para beber, ancha de boca y de figura ondeada. || **2.** *Venez.* Tinaja que recibe el agua que destila el filtro.

Bernés, sa. adj. Natural de Berna. Ú. t. c. s. || **2.** Perteneciente a esta ciudad y cantón de Suiza.

Bernia. (De *Hibernia*, llamada también *Bernia*, hoy Irlanda, isla donde se fabricaba esta tela.) f. Tejido basto de lana, semejante al de las mantas y de varios colores, del que se hacían capas de abrigo. || **2.** Capa hecha de esta tela.

Bernio. m. ant. **Bernia.**

Berniz. (Del lat. *veronix, -īcis*, barniz.) m. *Ar.* **Barniz,** 1.ª acep.

Berozo. (Del célt. **vroiceus*, de **vroicus*, brezo.) m. *Ál.* **Brezo,** 1.er art.

Berra. (Del lat. **bĕrŭra*, *bĕrŭla*, berro.) f. **Berraza,** 2.ª acep.

Berraña. f. Planta, variedad del berro común, del que se distingue por tener los tallos más robustos y las hojas grandes, de 8 a 16 lóbulos casi iguales, ovales u oblongos. No es comestible.

Berraza. f. **Berrera.** || **2.** Berro crecido y talludo.

Berrear. (Del lat. *verres*, el verraco.) intr. Dar berridos los becerros u otros animales. || **2.** fig. Gritar o cantar desentonadamente una persona. || **3.** r. *Germ.* Descubrir, declarar o confesar alguna cosa.

Berrenchín. m. Vaho o tufo que arroja el jabalí furioso. || **2.** fig. y fam. **Berrinche.**

Berrendearse. (De *berrendo*.) r. *And.* Pintarse el trigo.

Berrendo, da. (Del lat. *variandus*, ger. de *variāre*, variar, presentar diferentes matices.) adj. Manchado de dos colores por naturaleza o por arte. || **2.** Dícese del toro que tiene manchas de color distinto del de la capa. Ú. t. c. s. || **3.** V. **Trigo berrendo.** || **4.** *Murc.* Se aplica al gusano de seda que tiene el color moreno, y al que adquiere cierta enfermedad que le hace tomar este color. || **5.** m. Animal mamífero, del orden de los rumiantes, que habita en los Estados del norte de la República mejicana. Tiene de color castaño la parte superior del cuerpo, el vientre blanco, lo mismo que la cola, y es semejante al ciervo en lo esbelto, en la clase de pelo y en la cornamenta, que es ramosa. Vive en estado salvaje, formando manadas numerosas.

Berreón, na. (De *berrear*.) adj. *Sal.* Gritador, chillón.

Berrera. (De *berro*.) f. Planta de la familia de las umbelíferas, que se cría en las orillas y remansos de los riachuelos y en las balsas, de seis a siete decímetros de altura, con tallos cilíndricos y ramosos, hojas anchas, compuestas de hojuelas dentadas, lisas, algo duras y de un verde hermoso, y flores blancas.

Berrido. (De *berrear*.) m. Voz del becerro y otros animales que berrean. || **2.** fig. Grito desaforado de persona, o nota alta y desafinada al cantar.

Berrín. (De *berrear*.) m. **Bejín,** 2.ª acep.

Berrinche. (De *berrín*.) m. fam. Coraje, enojo grande, y más comúnmente el de los niños.

Berro. (De *berra*.) m. Planta de la familia de las crucíferas, que crece en lugares aguanosos, con varios tallos de unos tres decímetros de largo, hojas compuestas de hojuelas lanceoladas, y flores pequeñas y blancas. Toda la planta tiene un gusto picante y las hojas se comen en ensalada. || **Enviar** a uno **a buscar berros.** fr. fig. Despedirlo, hacer que se vaya. || **Tú que coges el berro, guárdate del anapelo.** ref. que aconseja la cautela con que se debe proceder para evitar lo malo que tiene apariencia de bueno.

Berrocal. m. Sitio lleno de berruecos, 2.ª acep.

Berroqueña. (De *berrueco*.) adj. V. **Piedra berroqueña.** Ú. t. c. s.

Berrueco. (Del lat. *verrūca*, verruga.) m. Tumorcillo que se cría en el iris de los ojos, muy incómodo y de difícil cura. || **2.** Tolmo granítico. || **3. Barrueco.**

Berta. (Del n. p. *Berta*.) f. desus. Tira de punto o blonda que adornaba generalmente el vestido de las mujeres, por el pecho, hombros y espalda.

Bervete. (Del fr. *brevet*, y éste der. del lat. *brĕvis*, breve.) m. ant. Apuntación breve de alguna cosa.

Berza. (Del lat. *virdia*, pl. n. de *virdis*, *viridis*, verde.) f. **Col.** || **de pastor. Ceñiglo.** || **de perro,** o **perruna. Vencetósigo.** || **Berzas y nabos, para en una son entrambos.** ref. que se dice de aquellos que siendo de malas propiedades, se conforman y juntan para hacer alguna cosa. || **Estar en berza.** fr. Estar tiernos o en hierba los sembrados. || **Mezclar** uno **berzas con capachos.** fr. fig. y fam. Traer a cuento cosas inconexas. || **Picar** uno **la berza.** fr. fig. y fam. Empezar a aprender una facultad y estar poco adelantado. || **Si preguntáis por berzas, mi padre tiene un garbanzal.** expr. fig. y fam. con que se zahiere al que responde fuera de propósito.

Berzal. m. Campo plantado de berzas.

Bes. (Del lat. *bes*.) m. Peso de ocho onzas, o sea dos tercios de la libra romana.

Besalamano. m. Esquela con la abreviatura B. L. M., que se redacta en tercera persona y que no lleva firma.

Besamanos. (De *besa manos*.) m. Acto en que concurrían muchas personas a manifestar su adhesión al rey y personas reales, y en el cual antiguamente se les besaba la mano. || **2.** El mismo acto celebrado en provincias ante la autoridad que representaba a las personas reales. || **3.** Modo de saludar a algunas personas, tocando o acercando la mano derecha a la boca y apartándola de ella una o más veces. || **Dar** a uno **besamanos.** fr. fig. y fam. Gratificarle por algún favor que se le deba o se espere de él.

Besamela. (Del fr. *béchamelle*.) f. Salsa blanca que se hace con harina, crema de leche y manteca.

Besana. (Der. del lat. *vĕrsāre*, volver.) f. Labor de surcos paralelos que se hace con el arado. || **2.** Primer surco que se abre en la tierra cuando se empieza a arar. || **3.** Medida agraria usada en Cataluña, que tiene 3.130 varas cuadradas y equivale a 2.187 centiáreas. || **4.** *Sal.* **Haza,** 1.ª acep.

Besante. (Del ant. fr. *besant*, y éste del lat. *byzantius*.) m. Antigua moneda bizantina de oro o plata, que también tuvo curso entre los mahometanos y en el occidente de Europa. || **2.** *Blas.* Figura heráldica que representa la moneda de este nombre.

Besar. (Del lat. *basiāre*.) tr. Tocar alguna cosa con los labios contrayéndolos y dilatándolos suavemente, en señal de amor, amistad o reverencia. || **2.** fig. y fam. Tratándose de cosas inanimadas, tocar unas a otras. || **3.** rec. fig. y fam. Tropezar impensadamente una persona con otra, dándose un golpe en la cara o en la cabeza. || **Besadme, y abrazaros he.** fr. que se dice cuando uno pide más que promete.

Besico. m. d. de **Beso.** || **de monja. Farolillo,** 1.ª acep.

Beso. (Del lat. *basium*.) m. Acción de besar. || **2.** fig. Golpe violento que mutuamente se dan dos personas en la cara o en la cabeza, o el que se dan las cosas cuando se tropiezan unas con otras. || **de Judas.** fig. El que se da con doblez y falsa intención. || **de paz.** El que se da en muestra de cariño y amistad. || **Co-**

merse a besos a uno. fr. fig. y fam. Besarle con repetición y vehemencia.

Bestezuela. f. d. de Bestia.

Bestia. (Del lat. *bestia.*) f. Animal cuadrúpedo. Más comúnmente se entiende por los domésticos de carga, como caballo, mula, etc. || **2.** com. fig. Persona ruda e ignorante. Ú. t. c. adj. || **de albarda. Asno.** Usábase de esta locución por fórmula en las sentencias de causas criminales cuando se condenaba al reo a un castigo afrentoso. || **de carga.** Animal destinado para llevar carga, como el macho, la mula, el jumento. || **de guía.** La que, para llevar una carga o persona, dan las justicias en virtud de guía o pasaporte que para ello se concede. || **Gran bestia. Anta,** 1.er art. || **2. Tapir.** || **A la bestia cargada, el sobornal la mata.** ref. que significa que al que tiene mucha carga, si le aumentan otra, por ligera que sea, le rinde. || **Quedarse uno por bestia.** fr. fam. que festivamente se dice del que se queda en su sitio por no hallar cabalgadura en que trasladarse a otro. || **Quien quiere bestia sin tacha, a pie se anda.** ref. que enseña que no se han de pretender imposibles, sino tomar las cosas como suelen ser. || **Reniego de bestia que en invierno tiene siesta.** ref. que reprende a los flojos y perezosos.

Bestiaje. m. Conjunto de bestias de carga.

Bestial. (Del lat. *bestiālis.*) adj. Brutal o irracional. *Deseo, apetito* BESTIAL. || **2.** fig. y fam De grandeza desmesurada, extraordinario. || **3.** m. desus. Bestia vacuna, mular, caballar o asnal.

Bestialidad. (De *bestial.*) f. Brutalidad o irracionalidad. || **2.** Pecado de lujuria cometido con una bestia.

Bestializarse. r. Hacerse bestial, vivir o proceder como las bestias.

Bestialmente. adv. m. Con bestialidad.

Bestiame. m. ant. Bestiaje.

Bestiario. (Del lat. *bestiarius.*) m. Hombre que luchaba con las fieras en los circos romanos. || **2.** En la literatura medieval, colección de fábulas referentes a animales reales o quiméricos.

Bestiedad. f. ant. **Bestialidad.**

Bestihuela. f. ant. d. de **Bestia.**

Bestión. m. aum. de **Bestia.** || **2.** Bicha o monstruo de uso en la ornamentación arquitectónica.

Bestión. m. ant. **Bastión.**

Bestizuela. f. ant. d. de **Bestia.**

Béstola. f. **Arrejada.**

Besucador, ra. adj. fam. Que besuca. Ú. t. c. s.

Besucar. tr. fam. **Besuquear.**

Besucón, na. adj. fam. **Besucador.** Ú. t. c. s.

Besugada. f. Francachela en que sólo se come besugo o en que este pescado es el plato principal.

Besugo. m. *Zool.* Pez teleósteo, acantopterigio, provisto de algunos dientes cónicos en la parte anterior de las mandíbulas, y de dos filas de otros tuberculosos en la posterior. El besugo común con una mancha negra sobre la axila de las aletas torácicas, y el de Laredo, de mayor tamaño y con la mancha sobre las aletas, son comunes en el Cantábrico y muy apreciados por su carne. || **2.** Especie de pagel, propia del Mediterráneo, de color verdoso por el lomo, plateado por el vientre y con dos manchas rojas muy obscuras en el arranque de las aletas pectorales. || **3.** fig. y fam. V. **Ojo de besugo.** || **Te veo, o ya te veo, besugo, que tienes el ojo claro.** fr. fig. y fam. con que se da a entender que se penetra la intención de alguno.

Besuguera. f. La que vende besugos. || **2.** Cazuela ovalada que sirve para guisar besugos u otros pescados.

Besuguero. m. El que vende o transporta besugos. || **2.** *Ast.* Anzuelo para pescar besugos.

Besuguete. m. d. de **Besugo.** || **2. Pagel.**

Besuqueador, ra. adj. **Besucador.**

Besuquear. tr. fam. Besar repetidamente.

Besuqueo. m. Acción de besuquear.

Beta. (Del gr. βῆτα.) f. Nombre de la segunda letra del alfabeto griego, que corresponde a la que en el nuestro se llama *be.*

Beta. (Del lat. *vitta*, venda.) f. *Ar.* Pedazo de cuerda o hilo. || **2.** *Mar.* Cualquiera de los cabos empleados en los aparejos, como no sea guindaleza u otro que por su grueso y hechura tenga su nombre particular.

Betarraga. (Del fr. *betterave*, y éste del lat. *beta*, acelga, y *rapa*, nabo.) f. **Remolacha.**

Betarrata. f. **Betarraga.**

Betel. (Del malabar *betle.*) m. Planta trepadora de la familia de las piperáceas, que se cultiva en el Extremo Oriente. Sus hojas, hendidas en la base, aovadas, aguzadas y con los nervios medio esparcidos, tienen cierto sabor a menta y sirven en Filipinas para la composición del buyo; y su fruto, en forma de baya, contiene una semilla o grano como de pimienta. || **2. Buyo.**

Betelgeuse. (Del ár. *ibṭ al-ŷawzā'*; la axila de Géminis.) f. *Astron.* Estrella de primera magnitud en la constelación de Orión.

Bético, ca. (Del lat. *baetĭcus.*) adj. Natural de la antigua Bética, hoy Andalucía. Ú. t. c. s. || **2.** Perteneciente a ella.

Betijo. (Del lat. **vitticŭlum*, de *vitta*, venda.) m. Palito de torvisco que se les pone a los chivos atravesado en la boca por encima de la lengua, de modo que les impida mamar, pero no pacer. Con un cordel que lleva atado a ambos extremos se sujeta en los cuernos del animal.

Betlehemita. adj. **Betlemita.**

Betlehemítico, ca. adj. **Betlemítico.**

Betlemita. (Del lat. *bethlemītes*, de Belén.) adj. Natural de Belén. Ú. t. c. s. || **2.** Perteneciente a esta ciudad de Tierra Santa. || **3.** Dícese del religioso profeso de la orden fundada en Guatemala en el siglo XVII por Pedro de Betencourt. Ú. t. c. s.

Betlemítico, ca. (Del lat. *bethlemitĭcus.*) adj. Perteneciente a Belén. || **2.** Perteneciente a los betlemitas.

Betónica. (Del lat. *betonĭca.*) f. Planta de la familia de las labiadas, como de medio metro de altura, con tallo cuadrado y lleno de nudos, de cada uno de los cuales nacen dos hojas, y de flores moradas y alguna vez blancas. Sus hojas y raíces son medicinales. || **2.** Planta silvestre de la isla de Cuba, muy parecida a la anterior, y de la cual, entre otras aplicaciones que tiene, se hace aguardiente aromático. || **coronaria. Gariofilea.**

Betuláceo, a. (Del lat. *betŭla*, abedul.) adj. *Bot.* Dícese de árboles o arbustos angiospermos dicotiledóneos, de hojas alternas, simples, aserradas o dentadas, flores monoicas en amento que pueden carecer de cáliz, y fruto en forma de sámara o aquenio, a veces protegido por una cúpula; como el abedul, el aliso y el avellano. Ú. t. c. s. f. || **2.** f. pl. *Bot.* Familia de estas plantas.

Betume [Betumen]. m. ant. **Betún.**

Betuminoso, sa. adj. **Bituminoso.**

Betún. (Del lat. *bitūmen.*) m. Nombre genérico de varias substancias, compuestas principalmente de carbono e hidrógeno, que se encuentran en la naturaleza y arden con llama, humo espeso y olor peculiar. || **2.** Mezcla de varios ingredientes, líquida o en pasta, que se usa para poner negro y lustroso el calzado. || **3. Zulaque.** || **4.** Nombre genérico con que se designaba el producto de la destilación seca de los pinos. || **de Judea,** o **judaico. Asfalto.**

Betunar. (De *betún.*) tr. ant. **Embetunar.**

Betunería. f. Fábrica de betunes. || **2.** Tienda donde los venden.

Betunero. m. El que elabora o vende betunes.

Beudez. (De *beudo.*) f. ant. **Beodez.**

Beudo, da. (De *bebdo.*) adj. ant. **Beodo.**

Beuna. f. *Ar.* Uva de color bermejo, pequeña y de hollejo tierno. || **2.** m. *Ar.* Vino de color de oro que se hace de esta uva.

Bevra. (Del lat. *bifĕra*, f. de *bifer*; de *bis*, dos veces, y *fero*, producir.) f. ant. **Breva.**

Bey. (Del turco *bey*, en otras formas *beg* o *bek*, título honorífico.) m. Gobernador de una ciudad, distrito o región del imperio turco. Hoy se emplea también como título honorífico.

Bezaar. (Del ár. *bazahār*, antídoto, contraveneno.) m. **Bezoar.**

Bezaártico, ca. adj. ant. **Bezoárdico.**

Bezante. (De *besante.*) m. *Blas.* Figura redonda, llana y maciza como el tortillo, pero de metal.

Bezar. m. **Bezoar.**

Bezo. (De la onomat. *bez.*) m. Labio grueso. || **2. Labio,** 1.a acep. || **3.** fig. Carne que se levanta alrededor de la herida enconada.

Bezoar. (De *bezaar.*) m. Concreción calculosa que suele encontrarse en las vías digestivas y en las urinarias de algunos mamíferos, y que se ha considerado como antídoto y medicamento. || **occidental.** El del cuajar o cuarta cavidad del estómago de algunas especies de cabras. || **oriental.** El de la misma cavidad del estómago del antílope.

Bezoárdico, ca. adj. **Bezoárico.**

Bezoárico, ca. adj. Aplícase a lo que contiene bezoar y también a los medicamentos contra el veneno o contra enfermedades malignas. Ú. m. c. s. m. || **mineral.** Peróxido de antimonio, substancia blanca y pulverulenta obtenida por la acción repetida del ácido nítrico sobre el metal, y a la cual se han atribuido virtudes medicinales parecidas a las del bezoar.

Bezón. m. ant. **Bozón.**

Bezote. (De *bezo.*) m. Adorno o arracada que usaban los indios de América en el labio inferior.

Bezudo, da. (De *bezo.*) adj. Grueso de labios. Dícese de las personas y también de las cosas inanimadas o materiales, como monedas, etc.

Bi. (Del lat. *bi*, por *bis.*) prep. insep. que significa dos, como en BI*corne*, o dos veces, como en BI*cóncavo.*

Biajaiba. f. Pez del mar de las Antillas, de unos 30 centímetros de largo, con la aleta dorsal y las pectorales de color rojo claro y la cola ahorquillada y rojiza. Su carne es apreciada.

Biarca. (Del lat. *biarchus*, y éste del gr. βίαρχος; de βίος, víveres, y ἄρχω, gobernar.) m. Oficial que en la milicia romana cuidaba especialmente de los víveres y de las pagas, bajo la dependencia del prefecto de los reales.

Biarrota. adj. Natural de Biarritz. Ú. t. c. s. || **2.** Perteneciente a esta población del sur de Francia.

Biauricular. adj. Perteneciente o relativo a ambos oídos.

Biaza. f. **Bizaza.**

Bíbaro. (Del lat. *fiber*, y éste del germ. *béber.*) m. ant. **Castor,** 1.a acep.

Biberón. (Del fr. *biberon*, y éste del lat. *bibĕre*, beber.) m. Utensilio para la lactancia artificial: es una botella pequeña de cristal o porcelana, con un pezón, generalmente de goma elástica, para la succión de la leche.

Bibicho. (Quizá de *micho.*) m. *Hond.* **Gato,** 1.er art., 1.ª acep.

Bibijagua. f. Especie de hormiga de la isla de Cuba, muy perjudicial a los árboles y plantas.

Bibir. tr. ant. **Beber.**

Biblia. (Del lat. *biblia,* y éste del gr. βιβλία, libros.) f. La Sagrada Escritura, o sea los libros canónicos del Antiguo y Nuevo Testamento.

Bíblico, ca. adj. Perteneciente o relativo a la Biblia.

Bibliofilia. (De *bibliófilo.*) f. Pasión por los libros, y especialmente por los raros y curiosos.

Bibliófilo. (Del gr. βιβλίον, libro, y φίλος, amigo.) m. El aficionado a las ediciones originales, más correctas o más raras de los libros.

Bibliografía. (Del gr. βιβλιογραφία, copia de libros.) f. Descripción, conocimiento de libros, de sus ediciones, etc. || **2.** Relación o catálogo de libros o escritos referentes a materia determinada.

Bibliográfico, ca. adj. Perteneciente o relativo a la bibliografía.

Bibliógrafo. (Del gr. βιβλιογράφος, copista; de βιβλίον, libro, y γράφω, escribir.) m. El que posee gran conocimiento de libros o el que los describe.

Bibliología. (Del gr. βιβλίον, libro, y λέγω, tratar.) f. Estudio general del libro en su aspecto histórico y técnico.

Bibliomanía. (Del gr. βιβλίον, libro, y μανία, locura, pasión violenta.) f. Pasión de tener muchos libros raros o los pertenecientes a tal o cual ramo, más por manía que para instruirse.

Bibliómano. m. El que tiene bibliomanía.

Bibliopola. (Del gr. βιβλίον, libro, y πωλέω, vender.) m. Librero, vendedor de libros.

Biblioteca. (Del lat. *bibliothēca,* y éste del gr. βιβλιοθήκη; de βιβλίον, libro, y θήκη, caja.) f. Local donde se tiene considerable número de libros ordenados para la lectura. || **2.** Conjunto de estos libros. || **3.** Obra en que se da cuenta de los escritores de una nación o de un ramo del saber y de las obras que han escrito. *La* BIBLIOTECA *de don Nicolás Antonio.* || **4.** Colección de libros o tratados análogos o semejantes entre sí, ya por las materias de que tratan, ya por la época y nación o autores a que pertenecen. BIBLIOTECA *de Jurisprudencia y Legislación;* BIBLIOTECA *de Escritores Clásicos Españoles.* || **circulante.** Aquella cuyos libros pueden prestarse a los lectores bajo determinadas condiciones.

Bibliotecario, ria. m. y f. Persona que tiene a su cargo el cuidado, ordenación y servicio de una biblioteca.

Bical. (Del fr. *bécard.*) m. Salmón macho.

Bicarbonato. (De *bis,* 2.ª acep., y *carbonato.*) m. *Quím.* Sal formada por una base y por ácido carbónico en doble cantidad que en los carbonatos neutros.

Bicéfalo, la. (Del lat. *bis,* dos veces, y el gr. κεφαλή, cabeza.) adj. **Bicípite.**

Bíceps. (Del lat. *biceps;* de *bis,* dos, y *caput,* cabeza.) adj. *Zool.* De dos cabezas, dos puntas, dos cimas o cabos. || **2.** *Zool.* Dícese de los músculos pares que tienen por arriba dos porciones o cabezas. Ú. t. c. s. || **braquial.** *Zool.* El que va desde el omóplato a la parte superior del radio y, al contraerse, dobla el antebrazo sobre el brazo. || **femoral.** *Zool.* El que está situado en la parte posterior del muslo y, contrayéndose, dobla la pierna sobre éste.

Bicerra. (Del lat. **ibiciārĭa,* de *ibex, -icis,* cabra silvestre.) f. Especie de cabra montés, como de metro y medio de largo, de color rojo obscuro, de cuernos levantados y ganchosos, con la frente y barbas manchadas de blanco.

Bicicleta. f. Velocípedo de dos ruedas iguales y más pequeño que el biciclo.

Biciclo. (Del lat. *bis,* dos, y *cyclus,* rueda.) m. Velocípedo de dos ruedas.

Bicípite. (Del lat. *biceps, -ipĭtis.*) adj. Que tiene dos cabezas.

Bicoca. (Del ital. *bicocca,* y éste de la Batalla y lugar de *Bicocca.*) f. ant. Fortificación pequeña y de poca defensa. || **2.** fig. y fam. Cosa de poca estima y aprecio.

Bicolor. (Del lat. *bicŏlor;* de *bis,* dos, y *color,* color.) adj. De dos colores.

Bicóncavo, va. (De *bis,* 2.ª acep., y *cóncavo.*) adj. *Geom.* Dícese del cuerpo que tiene dos superficies cóncavas opuestas.

Biconvexo, xa. (De *bis,* 2.ª acep., y *convexo.*) adj. *Geom.* Dícese del cuerpo que tiene dos superficies convexas opuestas.

Bicoquete. (Del fr. *bicoquet.*) m. **Papalina,** 1.er art., 2.ª acep.

Bicoquín. m. **Bicoquete.**

Bicorne. (Del lat. *bicornis;* de *bis,* dos, y *cornu,* cuerno.) adj. poét. De dos cuernos o dos puntas.

Bicos. (Del célt. *beccus,* pico.) m. pl. Ciertas puntillas de oro que se ponían en los birretes de terciopelo con que antiguamente se cubría la cabeza.

Bicuento. (De *bis,* 2.ª acep., y *cuento.*) m. *Arit.* **Billón.**

Bicúspide. adj. Que tiene dos cúspides. Ú. m. en odontología.

Bicha. (Del dialect. *bicha,* y éste del lat. *bēstia,* bestia.) f. ant. **Bicho.** Ú. en *Colomb.* || **2.** fam. Entre personas supersticiosas, **culebra,** porque creen de mal agüero el pronunciar este nombre. || **3.** *Arq.* Figura fantástica, en forma de mujer de medio cuerpo arriba y de pez u otro animal en la parte inferior, que entre frutas y follajes se emplea como objeto de ornamentación.

Bicharraco. m. despect. de **Bicho.**

Bichero. m. *Mar.* Asta larga que en uno de los extremos tiene un hierro de punta y gancho, y que sirve en las embarcaciones menores para atracar y desatracar.

Bicho. (Del dialect. *bicho,* y éste del lat. *bēstius,* bestia.) m. Cualquier sabandija o animal pequeño. || **2.** Toro de lidia. || **3.** Animal, especialmente el doméstico. || **4.** fig. Persona de figura ridícula. || **viviente.** fam. **Alma viviente.** *Ya no hay* BICHO VIVIENTE *que no sepa tal cosa.* || **Mal bicho.** fig. Persona de perversa intención.

Bichoco, ca. adj. *Argent.* y *Chile.* Dícese del caballo que por debilidad o vejez no puede apenas moverse. Por ext., se aplica a las personas que se encuentran en esta condición.

Bichozno. (De *bis,* 2.ª acep., y *chozno.*) m. Quinto nieto, o sea hijo del cuadrinieto.

Bidé. (Del fr. *bidet,* y éste del célt. *bid,* pequeño.) m. Mueble de tocador que encierra una cubeta de forma alargada, sobre la cual puede una persona colocarse a horcajadas para lavarse.

Bidente. (Del lat. *bidens, -entis;* de *bis,* dos, y *dens,* diente.) adj. poét. De dos dientes. || **2.** m. Palo largo con una cuchilla en forma de media luna que usaban los primitivos españoles. || **3.** poét. Especie de azada o azadón de dos dientes. || **4.** ant. **Carnero,** 1.er art., 1.ª acep. || **5.** ant. **Oveja,** 1.ª acep.

Bidma. (Del lat. *epithĕma,* y éste del gr. ἐπίθεμα, de ἐπιτίθημι, poner encima o sobre.) f. ant. **Bizma.**

Biela. (Del fr. *bielle.*) f. Barra que en las máquinas sirve para transformar el movimiento de vaivén en otro de rotación, o viceversa.

Bielda. (De *beldar.*) f. Instrumento agrícola que sólo se diferencia del bieldo en tener seis o siete puntas y dos palos atravesados, que con las puntas o dientes forman como una rejilla, y el cual sirve para recoger, cargar y encerrar la paja. || **2.** Acción de beldar.

Bieldar. tr. **Beldar.**

Bieldo. (De *beldar.*) m. Instrumento para beldar, compuesto de un palo largo, de otro de unos 30 centímetros de longitud, atravesado en uno de los extremos de aquél, y de cuatro fijos en el transversal, en figura de dientes. || **2. Bielda,** 1.ª acep.

Bielga. (Del lat. *mĕrga,* horca, cruzado con *bieldo.*) f. *And.* Bieldo de dobles dimensiones que el ordinario y que se emplea para hacer los pajares.

Bielgo. (De *bielga.*) m. **Bieldo.**

Bien. (Del lat. *bene,* bien.) m. Aquello que en sí mismo tiene el complemento de la perfección en su propio género, o lo que es objeto de la voluntad, la cual ni se mueve ni puede moverse sino por el **bien,** sea verdadero o aprehendido falsamente como tal. **Bien** en toda su perfección, o **bien** sumo, solamente lo es Dios. || **2.** V. **Árbol de la ciencia del bien y del mal.** || **3.** V. **Gente, hombre, hombría de bien.** || **4.** Utilidad, beneficio. *El* BIEN *de la patria.* || **5.** ant. Caudal o hacienda. || **6.** adv. m. Según es debido, con razón, perfecta o acertadamente, de buena manera. *Juan se conduce siempre* BIEN; *Pedro lo hace todo* BIEN. || **7.** Según se apetece o requiere, felizmente, de manera propia o adecuada para algún fin. *La estratagema salió* BIEN; *el enfermo va* BIEN. || **8.** Con gusto, de buena gana. *Yo* BIEN *accedería a tu súplica, pero no puedo.* || **9.** Sin inconveniente o dificultad. BIEN *puedes creerlo;* o BIEN *se puede hacer esta labor.* || **10.** A veces equivale a bastantemente o mucho, modificando la significación del verbo; y a muy, si califica la de adverbios o adjetivos, a los cuales en este caso ha de ir siempre antepuesto. BIEN *se conoce que eres su amigo; entérate* BIEN; BIEN *hemos caminado hoy; cenó* BIEN; BIEN *tarde;* BIEN *desdichadamente;* BIEN *rico;* BIEN *malo.* || **11.** Úsase con algunos participios pasivos, casi a manera de prefijo, llegando a veces a formar con ellos una sola palabra: BIEN *criado;* BIEN *hablado.* || **12.** Empléase también para denotar cálculo aproximado, y en este caso equivale a ciertamente o seguramente, y va siempre antepuesto al verbo. BIEN *andaríamos cinco leguas.* || **13.** Denota a veces condescendencia o asentimiento. *¿Iremos al teatro esta noche?* BIEN. || **14.** Úsase repetido, haciendo veces de conjunción distributiva. *Se te enviará el diploma,* BIEN *por el correo de hoy,* BIEN *por el de mañana.* || **15.** m. pl. Hacienda, riqueza, caudal. || **16.** *For.* V. **Alzamiento, cesión, colación, entramiento de bienes.** || **Bienes acensuados.** *For.* **Bienes** raíces gravados con algún censo. || **adventicios.** *For.* Los que el hijo de familia que está bajo la patria potestad adquiere por su trabajo en algún oficio, arte o industria o por fortuna; y los que hereda de propios o extraños. || **alodiales.** *For.* Los que están libres de toda carga y derecho señorial. || **antifernales.** Los que el marido donaba a la mujer en compensación y para seguridad de la dote. || **castrenses.** *For.* Los que adquiere el hijo de familia por la milicia o con ocasión del servicio militar. || **comunales,** o **concejiles.** Los que pertenecen al común o concejo de algún pueblo. || **cuasi castrenses.** *For.* Los que adquiere el hijo de familia ejerciendo cargo público, profesión o arte liberal. || **de abadengo.** Los que estaban situados en el territorio jurisdiccional de alguna autoridad eclesiástica, y se hallaban, por tal motivo, exentos de ciertas contribuciones. || **de abolengo.** *For.* Los heredados de los abuelos. || **de aprovechamiento común.** Los comunales, que en cuanto a la propiedad pertenecen a un pueblo y en cuanto al uso a todos y a cada uno de sus vecinos. || **de difuntos.** En nuestras antiguas colonias, los de españoles y extranjeros que morían en Ultramar y cuyos herederos se hallaban ausentes. || **de**

fortuna. Bienes. || **de ninguno.** Los que o nunca han pertenecido a nadie o han sido abandonados por su dueño. || **de propios. Bienes propios.** || **de realengo.** Los que estaban afectos a los tributos y derechos reales, a diferencia de los libres de todos o de algunos tributos, como los de abadengo. || **dotales.** *For.* Los que constituyen la dote de la mujer en el matrimonio. || **forales.** *For.* Los que concede el dueño a otra persona, reservándose el dominio directo por algún tiempo, mediante el pago de un reconocimiento o pensión anual. || **fungibles.** *For.* Los muebles de que no puede hacerse el uso adecuado a su naturaleza sin consumirlos y aquellos en reemplazo de los cuales se admite legalmente otro tanto de igual calidad. || **gananciales.** Los adquiridos por el marido o la mujer, o por ambos, durante la sociedad conyugal, en virtud de título que no los haga privativos del adquirente, sino partibles por mitad. || **heridos.** Los que están ya gravados con alguna carga. || **inmuebles. Bienes raíces.** || **libres.** Los que no están vinculados y los que no tienen ninguna otra carga. || **mostrencos.** Los muebles o los semovientes que, por no tener dueño conocido, se aplican al Estado. Suele, sin embargo, darse este nombre en general a todos los que carecen de dueño conocido, ya sean muebles, ya raíces. || **muebles.** Los que pueden trasladarse de una parte a otra sin menoscabo de la cosa inmueble que los contiene. || **nacionales.** Los que posee el Estado, sea por su calidad de mostrencos o vacantes, sea por haberlos sacado del poder de manos muertas, o por cualquiera otra razón o causa. || **nullíus.** *For.* **Bienes** sin dueño. || **parafernales.** *For.* Los que lleva la mujer al matrimonio fuera de la dote y los que adquiere durante él por título lucrativo, como herencia o donación. || **profecticios.** *For.* Los que adquiere el hijo que vive bajo la patria potestad con los de su padre, o le vienen por respecto de éste. || **propios.** Los comunales que formaban el patrimonio de un pueblo, y cuyos productos sirven para objetos de utilidad común. || **raíces.** Las tierras, edificios, caminos, construcciones y minas y los adornos, artefactos o derechos a los cuales atribuye la ley consideración de inmuebles. || **relictos.** *For.* Los que dejó alguno o quedaron de él a su fallecimiento. || **reservables,** o **reservativos.** *For.* Los heredados bajo precepto legal de que pasen después a otra persona en casos determinados. || **secularizados.** Los que fueron eclesiásticos y se han desamortizado. || **sedientes. Bienes raíces.** || **semovientes.** Los que consisten en ganados de cualquier especie. || **sitos,** o **sitios. Bienes sedientes.** || **troncales.** *For.* Los patrimoniales que, muerto el poseedor sin posteridad, en vez de pasar al heredero regular, vuelven, por ministerio de la ley, a la línea, tronco o raíz de donde vinieron. || **vacantes.** Los inmuebles que no tienen dueño conocido. || **A bien que.** m. adv. Por fortuna. Ú. en frs. de sentido concesivo. || **Aprehender los bienes.** fr. *For. Ar.* Embargarlos. || **Bien a bien.** m. adv. De buen grado, sin contradicción ni disgusto. || **Bien así.** expr. ant. comparativa que equivalía a *así también.* || **Bien así como,** o **bien como.** m. adv. y conjunt. Así como, o al modo o de igual modo que. || **Bienes de campana, dalos Dios, y el diablo los derrama.** ref. que denota la frecuencia con que el caudal de los eclesiásticos es dilapidado por sus herederos. || **Bien haya quien a los suyos se parece.** ref. que se dice de los que ejecutan algunas acciones semejantes a las que ejecutaron sus padres o parientes. || **Bien que.** m. conjunt. Aunque. || **Contar mil bienes** de uno. fr. fig. y fam. **Decir mil bienes.** || **Cuando viene el bien, métele en tu casa.** ref. que nos enseña a no despreciar la buena suerte. || **De bien a bien.** m. adv. **Bien a bien.** || **De bien en mejor.** m. adv. Cada vez más acertada o prósperamente. || **Decir mil bienes** de uno. fr. fig. y fam. Alabarle mucho. || **Del bien al mal no hay un canto de real.** ref. con que se advierte cuán cerca están los males de los **bienes.** || **Desamparar** uno sus **bienes.** fr. *For.* Hacer cesión de ellos a los acreedores. || **Ejecutar en los bienes** a uno. fr. *For.* Venderlos para pagar a los acreedores. || **El bien le hace mal.** loc. fam. que se dice de quien convierte en daño propio el bien que tiene. || **El bien no es conocido hasta que es perdido.** ref. que denota el gran aprecio que debe hacerse de la buena suerte, por los perjuicios y daños que se experimentan cuando se malogra. || **El bien** o **el mal a la cara sal,** o **sale.** ref. que da a entender que la buena o mala disposición de la salud o del ánimo se manifiestan en el semblante. || **El bien que viniere, para todos sea, y el mal, para la manceba del abad.** expr. usada al principio de los cuentos. || **El bien suena, y el mal vuela.** ref. que da a entender que más presto se saben las cosas malas que las buenas. || **Hacer bien.** fr. Beneficiar, socorrer, dar limosna. || **Hacer bien, nunca se pierde.** ref. que enseña lo mucho que importa hacer buenas obras, y que siempre traen alguna utilidad al que las hace, aunque sean mal correspondidas. || **Haz bien y guárdate.** ref. que da a entender la ordinaria ingratitud de los hombres. || **Haz bien y no cates,** o **no mires, a quién.** ref. que enseña que el **bien** se ha de hacer desinteresadamente. || **No bien.** m. conjunt. Apenas, luego que, al punto que. || **No hay bien ni mal que cien años dure.** ref. con que se procura consolar al que padece. || **No parar en bien.** fr. **Malparar.** || **Por bien.** m. adv. **Bien a bien.** || **Por bien de paz.** fr. Por vía de transacción o arreglo amistoso. || **Pues bien.** m. conjunt. que se usa para admitir o conceder algo. || **Quien bien te hará, o se te irá, o se te morirá.** ref. que advierte que los desgraciados pierden luego sus bienhechores. || **Quien bien tiene y mal escoge, del mal que le venga no se enoje.** ref. que advierte que el que deja un bien cierto por otro dudoso no debe quejarse de su desgracia. || **Quien quisiere el bien, no lo merezca.** ref. que denota que muchas veces alcanzan los bienes de fortuna quienes menos los merecen. || **Si bien.** m. conjunt. que se emplea para contraponer un concepto a otro o denotar alguna excepción; equivale a **aunque.** || **Tener uno a bien,** o **por bien.** fr. Estimar justo o conveniente, querer o dignarse mandar o hacer alguna cosa. || **Y bien.** expr. que sirve para introducirse a preguntar alguna cosa. Y BIEN, *¿qué tenemos de este negocio?*

Bienal. (Del lat. *biennālis;* de *bis,* dos veces, y *annālis,* anual.) adj. Que sucede o se repite cada bienio. || **2.** Que dura un bienio.

Bienalmente. adv. t. Cada dos años.

Bienandancia. f. ant. **Bienandanza.**

Bienandante. (De *bien* y *andante,* p. a. de *andar.*) adj. Feliz, dichoso, afortunado.

Bienandanza. (De *bien* y *andanza.*) f. Felicidad, dicha, fortuna en los sucesos.

Bienaparente. (De *bien* y *aparente.*) adj. ant. Bien parecido.

Bienaventuradamente. adv. m. Con bienaventuranza, con felicidad.

Bienaventurado, da. p. p. del ant. **Bienaventurar.** || **2.** adj. Que goza de Dios en el cielo. Ú. t. c. s. || **3.** Afortunado, feliz. || **4.** irón. Dícese de la persona demasiadamente sencilla o cándida. Ú. t. c. s.

Bienaventuranza. (De *bienaventurar.*) f. Vista y posesión de Dios en el cielo. || **2.** Prosperidad o felicidad humana. || **3.** pl. Las ocho felicidades que manifestó Cristo a sus discípulos para que aspirasen a ellas.

Bienaventurar. (De *bien* y *aventura.*) tr. ant. Hacer bienaventurado a uno.

Bienestar. (De *bien* y *estar.*) m. **Comodidad,** 2.ª acep. || **2.** Vida holgada o abastecida de cuanto conduce a pasarlo bien y con tranquilidad.

Bienfacer. (De *bien* y *facer.*) m. ant. Beneficio.

Bienfamado, da. adj. ant. De buena fama.

Bienfecho. (De *bienfacer.*) m. ant. **Beneficio.**

Bienfechor, ra. (De *bien* y *fechor.*) adj. ant. **Bienhechor.** Usáb. t. c. s.

Bienfechoría. (De *bien* y *fechoría.*) f. ant. **Beneficencia.**

Bienfetría. (De *benefactoria.*) f. ant. **Behetría.**

Bienfortunado, da. adj. **Afortunado,** 2.ª acep.

Biengranada. (De *bien* y *granada.*) f. Planta aromática, de la familia de las quenopodiáceas, como de medio metro de altura, con hojas ovaladas, medio hendidas, de color verde amarillento, y flores de color bermejo que nacen en racimos pequeños junto a las hojas. Se considera como específico contra la hemoptisis.

Bienhablado, da. adj. Que habla cortésmente y sin murmurar.

Bienhaciente. (De *bien* y *haciente.*) adj. ant. **Bienhechor.**

Bienhadado, da. (De *bien* y *hadado,* de *hado.*) adj. **Bienfortunado.**

Bienhechor, ra. (De *bienfechor.*) adj. Que hace bien a otro. Ú. t. c. s.

Bienintencionadamente. adv. m. Con buena intención.

Bienintencionado, da. (De *bien* e *intencionado.*) adj. Que tiene buena intención.

Bienio. (Del lat. *biennĭum;* de *bis,* dos, y *annus,* año.) m. Tiempo de dos años.

Bienllegada. (De *bien* y *llegada.*) f. **Bienvenida.**

Bienmandado, da. (De *bien* y *mandado.*) adj. Obediente y sumiso de buen grado a sus superiores.

Biemereciente. (De *bien* y *mereciente.*) adj. ant. **Benemérito.**

Bienmesabe. (De *bien* y *me sabe.*) m. Dulce de claras de huevo y azúcar clarificado, con el cual se forman los merengues.

Bienoliente. (De *bien* y *oliente.*) adj. **Fragante.**

Bienplaciente. (De *bien* y *placiente.*) adj. ant. Muy agradable.

Bienquerencia. (De *bienquerer,* 2.° art.) f. Buena voluntad, cariño.

Bienquerer. (De *bienquerer,* 2.° art.) m. **Bienquerencia.**

Bienquerer. (De *bien* y *querer.*) tr. Querer bien, estimar, apreciar.

Bienqueriente. p. a. de **Bienquerer.** Que bienquiere.

Bienquiriente. p. a. ant. de **Bienquerer.** || **2. Bienqueriente.**

Bienquistar. (De *bienquisto.*) tr. Poner bien a una o varias personas con otra u otras. Ú. t. c. r.

Bienquisto, ta. (De *bien* y *quisto.*) p. p. irreg. de **Bienquerer.** || **2.** adj. De buena fama y generalmente estimado.

Bienteveo. (De *bien* y *te veo.*) m. **Candelecho.**

Bienvenida. f. Venida o llegada feliz. || **2.** Parabién que se da a uno por haber llegado con felicidad.

Bienvenido. m. **Bienvenida.**

Bienvista. (De *bien* y *vista.*) f. ant. Juicio prudente o buen parecer.

Bienviviente. p. a. ant. de **Bienvivir.** Que bienvive.

Bienvivir. intr. Vivir con holgura. ‖ **2.** Vivir honestamente.

Bienza. f. *Ar.* **Binza,** 1.ª y 3.ª aceps.

Bierva. (Del lat. *priva,* privada.) f. *Ast.* Vaca que ha perdido, o a quien se ha quitado la cría y sigue dando leche.

Bierzo. n. p. V. **Carga del Bierzo.** ‖ **2.** m. Lienzo labrado en el Bierzo, territorio de la provincia de León.

Bifásico, ca. adj. *Fís.* Se dice de un sistema de dos corrientes eléctricas alternas iguales, procedentes del mismo generador y desplazadas en el tiempo, la una respecto de la otra, un semiperíodo.

Bífero, ra. (Del lat. *bifĕrus;* de *bis,* dos veces, y *ferre,* llevar.) adj. *Bot.* Dícese de la planta que fructifica dos veces al año.

Bífido, da. (Del lat. *bifĭdus,* partido en dos.) adj. *Bot.* Hendido en dos partes.

Bifloro, ra. (Del lat. *bis,* dos, y *flos, flōris,* flor.) adj. Que tiene o encierra dos flores.

Bifocal. adj. *Ópt.* Que tiene dos focos. Dícese principalmente de las lentes que tienen una parte adecuada para corregir la visión a corta distancia y otra para lo lejos.

Biforme. (Del lat. *biformis;* de *bis,* dos, y *forma,* figura.) adj. De dos formas.

Bifronte. (Del lat. *bifrons, -ontis;* de *bis,* dos, y *frons,* frente.) adj. De dos frentes o dos caras.

Bifurcación. (Del lat. *bifurcatio, -ōnis.*) f. Acción y efecto de bifurcarse.

Bifurcado, da. p. p. de **Bifurcarse.** ‖ **2.** adj. De figura de horquilla.

Bifurcarse. (Del lat. *bifurcus,* ahorquillado; de *bis,* dos, y *furca,* horca.) r. Dividirse en dos ramales, brazos o puntas una cosa. BIFURCARSE *un río, la rama de un árbol.*

Biga. (Del lat. *biga.*) f. Carro de dos caballos. ‖ **2.** poét. Tronco de caballos que tiran de la **biga.**

Bigamia. (De *bígamo.*) f. *For.* Estado de un hombre casado con dos mujeres a un mismo tiempo, o de la mujer casada con dos hombres. ‖ **2.** *For.* Segundo matrimonio que contrae el que sobrevive de los dos consortes. ‖ **interpretativa.** La que resulta del matrimonio con una mujer que notoriamente ha perdido su virginidad, bien por haberse prostituido, bien por haberse declarado nulo su primer matrimonio. ‖ **similitudinaria.** Entre los canonistas, aquella de que se hace reo un religioso profeso o un clérigo casándose de hecho, aunque de derecho sea nulo su matrimonio.

Bígamo, ma. (Del lat. *bis,* dos, y el gr. γάμος, casamiento, latinizado por San Isidoro, en *bigămus,* casado con dos.) adj. Que se casa por segunda vez, viviendo el primer cónyuge. Ú. t. c. s. ‖ **2. Bínubo.** Ú. t. c. s. ‖ **3.** Casado con viuda, o casada con viudo. Ú. t. c. s.

Bigarda. f. *León.* **Billalda.**

Bigardear. (De *bigardo.*) intr. fam. Andar uno vago y mal entretenido.

Bigardía. f. Burla, fingimiento, disimulación.

Bigardo, da. (De *begardo.*) adj. fig. que se solía aplicar a los frailes desenvueltos y de vida libre. Usáb. t. c. s. ‖ **2.** fig. Vago, vicioso. Ú. t. c. s.

Bígaro. m. Caracol marino de concha blanquecina rayada en forma de retículo, de unos cuatro centímetros de largo y carne comestible poco estimada. Abunda en las costas del Cantábrico.

Bigarrado, da. adj. **Abigarrado.**

Bigarro. m. **Bígaro.**

Bigato. (Del lat. *bigātus.*) m. Moneda antigua romana de plata, que representa en el reverso una biga.

Bignonia. (Por haber sido dedicada a *Bignon,* bibliotecario de Luis XIV.) f. Planta exótica y trepadora, de la familia de las bignoniáceas, con grandes flores encarnadas: se cultiva en los jardines.

Bignoniáceo, a. (De *bignonia,* nombre de un género de plantas.) adj. *Bot.* Aplícase a plantas arbóreas angiospermas, dicotiledóneas, sarmentosas y trepadoras, con hojas generalmente compuestas, cáliz de una pieza con cinco divisiones, corola gamopétala con cinco lóbulos, cuatro estambres fértiles y uno estéril, y fruto en cápsula; como la bignonia. Ú. t. c. s. f. ‖ **2.** f. pl. *Bot.* Familia de estas plantas.

Bigorneta. f. d. de **Bigornia.**

Bigornia. (Del lat. *bicōrnia,* pl. n. de *bicōrnius,* de dos cuernos.) f. Yunque con dos puntas opuestas. ‖ **Los de la bigornia.** *Germ.* Los guapos que andan en cuadrilla para hacerse temer.

Bigornio. (De *bigornia.*) m. *Germ.* Guapo o valentón de los que andan en cuadrilla.

Bigorrella. f. Piedra de gran peso que sirve para calar las collas.

Bigote. m. Pelo que nace sobre el labio superior. Ú. t. en pl. ‖ **2.** V. **Hombre de bigote al ojo,** y **Hombre de bigotes.** ‖ **3.** *Impr.* Línea horizontal, comúnmente de adorno, gruesa por en medio y delgada por los extremos. ‖ **4.** *Min.* Abertura semicircular que los hornos de cuba tienen en la delantera, para que salga la escoria fundida. ‖ **5.** pl. *Min.* Llamas que salen por esta abertura. ‖ **6.** *Min.* Infiltraciones del metal en las hendeduras o grietas de lo interior del horno. ‖ **El bigote al ojo, aunque no haya un cuarto.** loc. fig. y fam. que se aplica a los que con cortos medios quieren ostentar valimiento o superioridad. ‖ **No tener malos bigotes.** fr. fig. y fam. con que se da a entender que una mujer es bien parecida. ‖ **Tener uno bigotes.** fr. fig. y fam. Tener tesón y constancia en sus resoluciones, y no dejarse manejar fácilmente.

Bigotera. (De *bigote.*) f. Tira de gamuza suave o de otra materia con que se cubren los bigotes estando en casa o en la cama, para que no se descompongan. ‖ **2.** Bocera de vino u otro licor, que cuando se bebe queda en el labio de arriba. Ú. m. en pl. ‖ **3.** Cierto adorno de cintas, en figura de bigotes, que usaban las mujeres para el pecho. ‖ **4.** Asiento estrecho que se pone enfrente de la testera en las berlinas y otros coches, y puede doblarse, u ocultarse en la caja, cuando no se hace uso de él. ‖ **5. Puntera,** 2.ª acep. ‖ **6.** Compás pequeño. ‖ **7.** *Murc.* Añadido que suele ponerse a las galeras y tartanas unido por delante a la tienda, fijo unas veces y otras movible, con fuelle para resguardarse del sol o de la lluvia. ‖ **Pegar** a uno **una bigotera.** fr. fig. y fam. Estafarle o pegarle un petardo. ‖ **Tener buenas malos bigoteras.** fr. fig. y fam. **No tener malos bigotes.**

Bigotudo, da. adj. Que tiene mucho bigote.

Bija. (Del caribe *bija,* encarnado, rojo.) f. Árbol de la familia de las bixáceas, de poca altura, con hojas alternas, aovadas y de largos pecíolos, flores rojas y olorosas, y fruto oval y carnoso que encierra muchas semillas. Críase en regiones cálidas de América; del fruto, cocido, se hace una bebida medicinal y refrigerante, y de la semilla se saca por maceración una substancia de color rojo que los indios empleaban antiguamente para teñirse el cuerpo y hoy se usa en pintura y en tintorería. ‖ **2.** Fruto de este árbol. ‖ **3.** Semilla de este fruto. ‖ **4.** Pasta tintórea que se prepara con esta semilla. ‖ **5.** Pasta hecha con bermellón, que los indios americanos usaban para pintarse.

Bilabial. (De *bis,* 2.ª acep., y *labio.*) adj. Dícese del sonido en cuya pronunciación intervienen los dos labios; como la *b* y la *p.* ‖ **2.** Dícese de la letra que representa este sonido. Ú. t. c. s. f.

Bilao. m. Bandeja o batea que se labra en Filipinas con tiras de caña.

Bilateral. (De *bis,* 2.ª acep., y *lateral.*) adj. Perteneciente o relativo a los dos lados, partes o aspectos que se consideran. ‖ **2.** *For.* V. **Contrato bilateral.**

Bilbaíno, na. adj. Natural de Bilbao. Ú. t. c. s. ‖ **2.** Perteneciente a esta villa.

Bilbilitano, na. (Del lat. *bilbilitānus.*) adj. Natural de Bílbilis. Ú. t. c. s. ‖ **2.** Perteneciente a esta antigua ciudad. ‖ **3.** Natural de Calatayud. Ú. t. c. s. ‖ **4.** Perteneciente a esta ciudad.

Biliar. adj. Perteneciente o relativo a la bilis. *Conductos* BILIARES. ‖ **2.** V. **Litiasis, vesícula biliar.**

Biliario, ria. adj. **Biliar.**

Bilimbín. m. Arbolillo de Filipinas, de la familia de las oxalidáceas, de fruto comestible.

Bilingüe. (Del lat. *bilinguis;* de *bis,* dos, y *lingua,* lengua.) adj. Que habla dos lenguas. ‖ **2.** Escrito en dos idiomas.

Bilingüismo. (De *bilingüe.*) adj. Uso habitual de dos lenguas en una misma región.

Bilioso, sa. (Del lat. *biliōsus.*) adj. Abundante de bilis. ‖ **2.** *Med.* Aplícase a aquello en que predomina la bilis. *Temperamento, cólico* BILIOSO.

Bilis. (Del lat. *bilis.*) f. Humor algo viscoso, amarillento o verdoso, de sabor amargo, segregado por el hígado de los vertebrados, de donde fluye directamente en el intestino duodeno o se recoge en la vejiga de la hiel. Emulsiona las grasas de los alimentos que se encuentran en el intestino, facilitando así la digestión de ellas mediante el jugo pancreático. ‖ **2.** V. **Vejiga de la bilis.** ‖ **vitelina.** La de color amarillo obscuro. ‖ **Cortar la bilis.** fr. Atenuarla tomando alguna cosa para el efecto. ‖ **Exaltársele** a uno **la bilis.** fr. fig. Conmoverse, irritarse.

Bilítero, ra. (Del lat. *bis,* dos, y *littĕra,* letra.) adj. De dos letras.

Bilma. (De *bidma.*) f. *Cuba, Chile, Méj.* y *Sal.* **Bizma.**

Bilmar. (De *bilma.*) tr. *Cuba, Chile, Méj.* y *Sal.* **Bizmar.**

Bilobulado, da. adj. Que tiene dos lóbulos.

Bilocarse. (Del lat. *bis,* dos, y *locāre,* de *locus,* lugar.) r. Hallarse a un tiempo en dos distintos lugares o parajes.

Bilogía. (De *bis,* 2.ª acep., y el gr. λόγος, tratado.) f. Libro, tratado o composición literaria que consta de dos partes.

Billa. (Del fr. *bille,* y éste del ant. al. *bickel.*) f. En el juego de billar, jugada que consiste en meter una bola en la tronera después de haber chocado con otra bola. Llámase **limpia** cuando la bola que entra en la tronera es la del jugador, y **sucia** cuando es cualquiera otra.

Billalda. (De *billarda.*) f. **Tala,** 2.° art., 1.ª acep.

Billar. (Del fr. *billard.*) m. Juego de destreza que se ejecuta impulsando con tacos bolas de marfil en una mesa rectangular forrada de paño, rodeada de barandas elásticas y con troneras o sin ellas. ‖ **2.** Casa pública o aposento privado donde están la mesa o mesas para este juego. ‖ **romano.** Juego de salón que consiste en hacer correr unas bolitas sobre un tablero inclinado y erizado de púas o clavos, y gana el que alcanza mejores puntos, según el paradero de su bolita.

Billarda. (Del fr. *billard.*) f. **Billalda.** ‖ **2.** *Hond.* Trampa para coger lagartos.

Billarista. m. Jugador de billar.

Billetado, da. (De *billete.*) adj. *Blas.* **Cartelado.**

Billetaje. m. Conjunto o totalidad de los billetes de un teatro, tranvía, etc.

Billete. (Del fr. *billet,* y éste del lat. *bŭlla,* sello.) m. Carta breve por lo común. ‖ **2.** Tarjeta o cédula que da derecho para entrar u ocupar asiento en alguna parte o para viajar en un tren o vehículo cualquiera. || **3.** Cédula impresa o manuscrita que acredita participación en una rifa o lotería. || **4.** Cédula impresa o grabada que representa cantidades de numerario. || **5.** *Blas.* **Cartela,** 4.ª acep. || **circular.** El de ferrocarril que da derecho a recorrer un circuito de varias estaciones con facultad de detenerse en cualquiera de ellas a condición de regresar al punto de partida dentro de cierto plazo. || **de banco.** Título al portador, a la vista y sin devengar interés, que autoriza a exigir del respectivo banco de emisión el pago en la moneda del país de la cantidad que representa. || **kilométrico.** El que autoriza para recorrer por ferrocarril cierto número de kilómetros en un plazo determinado.

Billón. (De *bi,* por *bis,* y la terminación de *millón.*) m. *Arit.* Un millón de millones, que se expresa por la unidad seguida de doce ceros. || **2.** En Francia y Norteamérica, un millar de millones.

Billonésimo, ma. (De *billón.*) adj. *Arit.* Aplícase a cada una de las partes, iguales entre sí, de un todo dividido, o que se considera dividido, en un billón de ellas. Ú. t. c. s. || **2.** *Arit.* Que ocupa en una serie el lugar al cual preceden otros 999,999.999,999 lugares.

Bimano, na [Bímano, na]. (Del lat. *bis,* dos, y *mănus,* mano.) adj. *Zool.* De dos manos. Dícese sólo del hombre. Ú. t. c. s. || **2.** m. pl. *Zool.* Grupo del orden de los primates, al cual sólo pertenece el hombre.

Bimba. f. fam. **Chistera,** 3.ª acep.

Bimbalete. (Quizá de *guimbalete.*) m. *Méj.* Palo redondo, largo y rollizo, que se emplea para sostener tejados y para otros varios usos.

Bimbral. m. fam. **Mimbreral.**

Bimbre. (De *vimbre.*) m. fam. **Mimbre.**

Bimembre. (Del lat. *bimembris;* de *bis,* dos, y *membrum,* miembro.) adj. De dos miembros o partes.

Bimensual. (De *bis,* 2.ª acep., y *mensis,* mes.) adj. Que se hace u ocurre dos veces al mes.

Bimestral. adj. Que sucede o se repite cada bimestre. || **2.** Que dura un bimestre.

Bimestre. (Del lat. *bimestris;* de *bis,* dos, y *mensis,* mes.) adj. **Bimestral.** || **2.** m. Tiempo de dos meses. || **3.** Renta, sueldo, pensión, etc., que se cobra o paga por cada bimestre.

Bimetalismo. (De *bis,* 2.ª acep., y *metal.*) m. Sistema monetario que admite como patrones el oro y la plata, conforme a la relación que la ley establece entre ellos.

Bimetalista. adj. Propio del bimetalismo o relativo a él. || **2.** com. Partidario del bimetalismo.

Bimotor. m. Avión provisto de dos motores.

Bina. f. Acción y efecto de binar, 1.ª y 2.ª aceps.

Binación. f. Acción de binar, 3.ª acep.

Binador. m. El que bina. || **2.** Instrumento que sirve para binar, 2.ª acep.

Binadura. f. Acción y efecto de binar, 1.ª y 2.ª aceps.

Binar. (Del lat. *bīnus,* de dos en dos.) tr. Dar segunda reja a las tierras de labor. || **2.** Hacer la segunda cava en las viñas. || **3.** intr. Celebrar un sacerdote dos misas en día festivo.

Binario, ria. (Del lat. *binarĭus,* de *binus,* doble.) adj. Compuesto de dos elementos, unidades o guarismos. || **2.** *Astron.* V. **Estrella binaria.** || **3.** *Mús.* V. **Compás binario.**

Binazón. f. **Bina.**

Bingarrote. m. Aguardiente destilado del binguí, que se hace en Méjico.

Binguí. m. Bebida que en Méjico extraen del tronco del maguey, asado y fermentado en una vasija que haya tenido pulque.

Binóculo. (Del lat. *binus,* doble, y *ocŭlus,* ojo.) m. Anteojo con lunetas para ambos ojos.

Binomio. (De *bis,* 2.ª acep., y el gr. νομός, parte, porción.) m. *Álg.* Expresión compuesta de dos signos algebraicos separados por los signos más o menos.

Bínubo, ba. (Del lat. *binŭbus.*) adj. Casado segunda vez. Ú. t. c. s.

Binza. f. **Fárfara,** 2.° art. || **2.** Película que tiene la cebolla por la parte exterior. || **3.** Cualquier telilla o panículo del cuerpo del animal. || **4.** *Murc.* Simiente del tomate o del pimiento.

Biodinámica. (Del gr. βίος, vida, y de *dinámica.*) f. Ciencia de las fuerzas vitales.

Biografía. (Del gr. mod. βιογραφία; de βιογράφος, biógrafo.) f. Historia de la vida de una persona.

Biografiado, da. m. y f. Persona cuya vida es el objeto de una biografía.

Biográfico, ca. adj. Perteneciente o relativo a la biografía.

Biógrafo, fa. (Del gr. mod. βιογράφος; de βίος, vida, y γράφω, escribir.) m. y f. Escritor de vidas particulares.

Biología. (De *biólogo.*) f. Ciencia que trata de los seres vivos, considerándolos en su doble aspecto morfológico y fisiológico.

Biológico, ca. adj. Perteneciente o relativo a la biología.

Biólogo. (Del gr. βιολόγος; de βίος, vida, y λέγω, referir.) m. El que profesa la biología o en ella tiene especiales conocimientos.

Biombo. (Del japonés *byó,* protección, y *bu,* viento.) m. Mampara compuesta de varios bastidores unidos por medios de goznes, que se cierra, abre y despliega.

Biopsia. (Del gr. βίος, vida, y ὄψις, vista.) f. *Med.* Examen que se hace de un trozo de tejido tomado de un ser vivo, generalmente para completar un diagnóstico.

Bioquímica. (Del gr. βίος, vida, y de *química.*) f. Ciencia que estudia los fenómenos químicos en el ser vivo.

Bioquímico, ca. adj. Perteneciente o relativo a la bioquímica.

Bióxido. (De *bis,* 2.ª acep., y *óxido.*) m. *Quím.* Combinación de un radical simple o compuesto con dos átomos de oxígeno.

Bipartición. (Del lat. *bipartitĭo, -ōnis.*) f. División de una cosa en dos partes.

Bipartido, da. (Del lat. *bipartĭtus;* de *bis,* dos veces, y *partĭtus,* partido.) adj. Partido en dos, dividido en dos pedazos o partes. Úsase en el lenguaje poético y en el científico.

Bípede. (Del lat. *bipes, -ĕdis;* de *bis,* dos, y *pes,* pie.) adj. **Bípedo.**

Bípedo, da. (Del lat. *bipĕdus.*) adj. De dos pies. Ú. t. c. s. m.

Biplano. (De *bis,* 2.ª acep., y *plano.*) m. Avión con cuatro alas que, dos a dos, forman planos paralelos.

Bipontino, na. (De *Bipontium,* con que en latín moderno se nombra la ciudad de Dos Puentes.) adj. Natural de Dos Puentes (Zweibrücken). Ú. t. c. s. || **2.** Perteneciente a esta ciudad alemana del Bajo Rin, antiguamente capital del ducado y Estado del mismo nombre.

Biribís. (Del ital. *biribisso.*) m. **Bisbís.**

Biricú. (De *bridecú.*) m. Cinto de que penden dos correas unidas por la parte inferior, en que se engancha el espadín, sable, etc.

Birimbao. (Voz imitativa del sonido de este instrumento.) m. Instrumento músico pequeño, que consiste en una barrita de hierro en forma de herradura, que lleva en medio una lengüeta de acero que se hace vibrar con el índice de la mano derecha, teniendo con la izquierda el instrumento entre los dientes.

Birla. (De *birlar.*) f. *Ar.* **Bolo,** 1.er art., 1.ª acep. || **2.** *Sant.* Juego de la tala.

Birlador, ra. adj. Que birla. Ú. t. c. s. || **2.** *Germ.* **Estafador.**

Birlar. (De *birlo.*) tr. Tirar segunda vez la bola en el juego de bolos desde el lugar donde se detuvo la primera vez que se tiró. || **2.** fig. y fam. Matar o derribar a uno de un golpe o disparo. || **3.** fig. y fam. Alzarse uno, por medio de alguna intriga, con la novia de otro o con el empleo o colocación que éste esperaba fundadamente conseguir. || **4.** *Germ.* **Estafar.**

Birlesca. (De *birlesco.*) m. *Germ.* Junta de ladrones o de rufianes.

Birlesco. (De *birlar.*) m. *Germ.* Ladrón y rufián.

Birlí. m. *Impr.* Parte inferior que queda en blanco en las páginas de un impreso. || **2.** *Impr.* Ganancia que por ello obtiene el impresor; y también la que consigue aprovechando para distinta tirada la composición ya hecha.

Birlibirloque. m. V. **Por arte de birlibirloque.**

Birlo. (Del b. lat. *pirŭlus,* d. del lat. *pirum,* pera.) m. ant. **Bolo,** 1.er art., 1.ª acep. || **2.** *Germ.* **Ladrón,** 1.ª acep. || **3.** pl. ant. Bolos, 10.ª acep. de **Bolo,** 1.er art.

Birlocha. (De *milocha,* infl. por *birlo* o *birlar.*) f. **Cometa,** 2.ª acep.

Birloche. m. *Germ.* **Birlesco.**

Birlocho. (Del ingl. *whirlicote,* carro abierto.) m. Carruaje ligero y sin cubierta, de cuatro ruedas y cuatro asientos, dos en la testera y dos enfrente, abierto por los costados y sin portezuelas.

Birlón. (De *birlo.*) m. *Ar.* En el juego de bolos, bolo grande que se pone en medio.

Birlonga. (Del ant. fr. *berlenc,* tabla para el juego de dados, y este del al. *bretling,* tabla.) f. Variedad del juego del hombre en que el que tiene la espada está obligado a entrar, y cuando carece de juego, arrima este naipe al basto o a un rey, y toma las restantes cartas, descubriendo la última, que es el triunfo. || **A la birlonga.** m. adv. fig. y fam. Al descuido o con desaliño. || **Andar uno a la birlonga.** fr. fig. y fam. Andar a la suerte y a lo que sale, sin dedicarse a nada de provecho.

Birmano, na. adj. Natural de Birmania. Ú. t. c. s. || **2.** Perteneciente o relativo a este país de la India Transgangética.

Birrectángulo. (De *bis,* 2.ª acep., y *rectángulo.*) adj. *Geom.* V. **Triángulo esférico birrectángulo.**

Birreme. (Del lat. *birēmis;* de *bis,* dos, y *remus,* remo.) adj. De dos órdenes de remos. Dícese de una antigua especie de nave. Ú. t. c. s.

Birreta. (Del lat. *birrus,* rojo.) f. Bonete cuadrangular que usan los clérigos. Suele tener en la parte superior una borla del mismo color de la tela; ésta es roja para los cardenales, morada para los obispos y negra para los demás.

Birrete. (Del fr. *birrete, barrette,* der. de *barre,* del célt. *barr,* extremidad.) m. **Birreta.** || **2.** Gorro armado en forma prismática y coronado por una borla de color determinado, el cual es distintivo de los profesores de las facultades universitarias. || **3.** Gorro con borla de color negro que llevan en los actos judiciales solemnes los magistrados, jueces, relatores y abogados. || **4. Gorro,** 1.ª acep. || **5. Bonete,** 1.ª acep.

Birretina. (d. de *birreta.*) f. Gorro o birrete pequeño. || **2.** Gorra de pelo que usaban los granaderos del ejército en el siglo XVIII, y que hoy se usa todavía en algunos regimientos de húsares.

Birria. f. Zaharrón, moharracho. || **2.** Mamarracho, facha, adefesio. || **3.** *Colomb.* Tema, capricho, obstinación.

Bis. (Del lat. *bis,* dos veces.) adv. c. Se emplea en los papeles de música y en impresos o manuscritos castellanos para dar a entender que una cosa debe repetirse o está repetida. || **2.** prep. insep. que significa dos veces, como en BIS*traer*.

Bisabuelo, la. (De *bis*, 2.ª acep., y *abuelo*.) m. y f. Respecto de una persona, el padre o la madre de su abuelo o de su abuela. || **2.** m. pl. El **bisabuelo** y la **bisabuela.**

Bisagra. (Del lat. *bis-acra*, de dos puntas, como *bicornis* y *bidens*.) f. Conjunto de dos planchitas unidas por medio de cilindros huecos atravesados con un pasador, y que sirve para facilitar el movimiento giratorio de las puertas y otras cosas que se abren y cierran. || **2.** Palo de boj, corto y cuadrado, con algunas molduras en los extremos, de que usan los zapateros para alisar y dar lustre al canto de la suela de los zapatos después de desvirada.

Bisagüelo, la. m. y f. ant. **Bisabuelo, la.**

Bisalta. (Del lat. *bisalta*.) adj. Dícese del individuo de un antiguo pueblo de Macedonia. Ú. m. c. s. y en pl.

Bisalto. m. *Ar.* y *Nav.* **Guisante.**

Bisarma. (Del fr. *guisarme*.) f. ant. **Alabarda,** 1.ª acep.

Bisayo, ya. adj. Natural de las Bisayas. Ú. t. c. s. || **2.** Perteneciente a estas islas del archipiélago filipino. || **3.** m. Lengua **bisaya.**

Bisbís. (De *biribís*.) m. Juego que se hace en un tablero o lienzo dividido en casillas con números y figuras, en cada una de las cuales colocan los jugadores las puestas que quieren. Sacado a la suerte el número de una de aquéllas, el banquero paga al jugador favorecido su puesta multiplicada, y los demás pierden las suyas. || **2.** Tablero o lienzo que sirve para este juego.

Bisbisar. (Voz onomatopéyica.) tr. fam. **Musitar.**

Bisbisear. tr. fam. **Bisbisar.**

Bisbiseo. m. Acción de bisbisar.

Bisecar. (Del lat. *bis*, dos veces, y *secāre*, cortar.) tr. *Geom.* Dividir en dos partes iguales.

Bisección. (De *bis*, 2.ª acep., y *sección*.) f. *Geom.* Acción y efecto de bisecar. Aplícase generalmente a la división de los ángulos.

Bisector, triz. (De *bis*, 2.ª acep., y *sector*, el que corta.) adj. *Geom.* Que divide en dos partes iguales. Aplícase comúnmente a un plano o a una recta. Ú. t. c. s.

Bisel. (Del dialect. *bisel*, fr. *biseau*.) m. Corte oblicuo en el borde o en la extremidad de una lámina o plancha; como en el filo de una herramienta, en el contorno de un cristal labrado, etc.

Biselador. m. El que tiene por oficio hacer biseles en espejos y lunas.

Biselar. tr. Hacer biseles.

Bisemanal. (De *bis*, 2.ª acep., y *semana*.) adj. Que se hace u ocurre dos veces por semana.

Bisextil. (Del b. lat. *bisextilis*.)adj. ant. **Bisiesto.**

Bisexual. (Del lat. *bis*, dos, y *sexus*, sexo.) adj. **Hermafrodita.** Ú. t. c. s.

Bisiesto. (Del lat. *bisextus*; de *bis*, dos veces, y *sextus*, sexto, porque los latinos llamaban *bis sexto kalendas Martii* al día 25 de febrero cuando este mes tenía 29.) adj. V. **Año bisiesto.** Ú. t. c. s. || **Mudar uno bisiesto, o de bisiesto.** fr. fig. y fam. Variar de lenguaje o de conducta.

Bisilábico, ca. adj. **Bisílabo.**

Bisílabo, ba. (Del lat. *bisyllăbus*.) adj. De dos sílabas.

Bismuto. (Del al. *wismuth*.) m. Metal muy brillante, de color gris rojizo, hojoso, muy frágil y fácilmente fusible. Se encuentra o en estado nativo o combinado con oxígeno y azufre, y algunas de sus sales se emplean en medicina.

Bisnieto, ta. (De *bis*, 2.ª acep., y *nieto*.) m. y f. Respecto de una persona, hijo o hija de su nieto o de su nieta.

Biso. m. *Zool.* Producto de secreción de una glándula situada en el pie de muchos moluscos lamelibranquios, que se endurece en contacto del agua y toma la forma de filamentos mediante los cuales se fija el animal a las rocas u otros cuerpos sumergidos; como el mejillón.

Bisojo, ja. (Por *vesojo*, del lat. *vĕrsāre*, volver, y *ŏcŭlus*, ojo.) adj. Dícese de la persona que padece estrabismo. Ú. t. c. s.

Bisonte. (Del lat. *bison*, *-ōntis*, y éste del gr. βίσων, toro salvaje.) m. Bóvido salvaje, parecido al toro, con la parte anterior del cuerpo hasta la cruz, muy abultada, cubierto de pelo áspero y con cuernos poco desarrollados. Se conocen dos especies: una europea y otra americana.

Bisoñada. (De *bisoño*.) f. fig. y fam. Dicho o hecho de quien no tiene conocimiento o experiencia.

Bisoñé. (Del fr. *bisognée*.) m. Peluca que cubre sólo la parte anterior de la cabeza.

Bisoñería. f. fig. y fam. **Bisoñada.**

Bisoño, ña. (Del ital. *bisogno*.) adj. Aplícase al soldado o tropa nuevos. Ú. t. c. s. || **2.** fig. y fam. Nuevo e inexperto en cualquier arte u oficio. Ú. t. c. s.

Bispón. m. Rollo de encerado de cerca de un metro de largo, de que se valen los espaderos para varios usos.

Bissextil. adj. ant. **Bisextil.**

Bistec. (Del ingl. *beefsteak*; de *beef*, buey, y *steak*, lonja, tajada.) m. Lonja de carne de vaca soasada en parrillas o frita.

Bístola. f. *Mancha.* **Béstola.**

Bistorta. (Del lat. *bis*, dos veces, y *torta*, torcida.) f. Planta de la familia de las poligonáceas, de unos cuatro decímetros de altura, de raíz leñosa y retorcida, tallo sencillo, hojas aovadas de color verde obscuro, y flores en espiga, pequeñas y de color encarnado claro. La raíz es astringente.

Bistraer. (Del lat. *bis*, dos veces, y *trahĕre*, traer.) tr. *Ar.* Anticipar, dar dinero de antemano o tomarlo. || **2.** *Ar.* **Sonsacar.**

Bistrecha. (Del lat. *bis*, dos veces, y *tracta*, p. p. de *trahĕre*, traer.) f. Anticipo de un pago.

Bistreta. (De *bistraer*.) f. *Ar.* **Bistrecha.** || **2.** *Ar.* Cantidad que en lo antiguo se adelantaba a un procurador.

Bisturí. (Del fr. *bistouri*.) m. *Cir.* Instrumento en forma de cuchillo pequeño, de hoja fija en un mango metálico y que sirve para hacer incisiones en tejidos blandos.

Bisulco, ca. (Del lat. *bisulcus*; de *bis*, dos, y *sulcus*, surco.) adj. *Zool.* De pezuñas partidas.

Bisulfuro. (De *bis*, 2.ª acep., y *sulfuro*.) m. *Quím.* Combinación de un radical simple o compuesto con dos átomos de azufre.

Bisunto, ta. (De *bis*, 2.ª acep., y *unto*.) adj. Sucio, sobado y grasiento.

Bisurco. adj. Dícese del arado mecánico que por tener dos rejas abre dos surcos paralelos.

Bisutería. (Del fr. *bijouterie*.) f. Joyería de imitación.

Bita. (Del fr. *bitte*, y éste del ant. nórdico *biti*, travesaño.) f. Cada uno de los postes de madera o hierro que, fuertemente asegurados a la cubierta en las proximidades de la proa, sirven para dar vuelta a los cables del ancla cuando se fondea la nave.

Bitácora. (Del fr. *bitacle*, por *habitacle*, y éste del lat. *habitacŭlum*, habitación.) f. *Mar.* Especie de armario, fijo a la cubierta e inmediato al timón, en que se pone la aguja de marear. || **2.** V. **Aguja, cuaderno de bitácora.**

Bitadura. (De *bita*.) f. *Mar.* Porción del cable del ancla, que se tiene preparada sobre cubierta, desde las bitas hacia proa, cuando la nave está próxima a fondear.

Bitango. (De *beta*, cuerda.) adj. V. **Pájaro bitango.**

Bitar. tr. Amarrar y asegurar la cadena del ancla a las bitas.

Bitínico, ca. (Del lat. *bithynĭcus*.) adj. Perteneciente a Bitinia, país de Asia antigua.

Bitinio, nia. (Del lat. *bithynius*.) adj. Natural de Bitinia. Ú. t. c. s.

Bitneriáceo, a. (De *bitneria*, nombre de un género dedicado a *Büttner*, botánico alemán del siglo XVIII.) adj. *Bot.* **Esterculiáceo.**

Bitongo. adj. fam. V. **Niño bitongo.**

Bitoque. (De *bita*.) m. Tarugo de madera con que se cierra el agujero o piquera de los toneles. || **2.** fig. y fam. V. **Ojos de bitoque.** || **3.** fig. *Colomb.*, *Chile* y *Méj.* Cánula de la jeringa. || **4.** *Méj.* **Grifo,** 1.er art., 3.ª acep.

Bitor. (Del lat. *avis tauri*, ave del toro.) m. **Rey de codornices.**

Bitume. m. ant. **Bitumen.**

Bitumen. (Del lat. *bitūmen*, *-ĭnis*, betún.) m. ant. **Betún,** 1.ª acep.

Bituminado, da. (Del lat. *bituminātus*.) adj. ant. **Bituminoso.**

Bituminoso, sa. (Del lat. *bituminōsus*.) adj. Que tiene betún o semejanza con él.

Bivalvo, va. (De *bis*, 2.ª acep., y *valva*.) adj. Que tiene dos valvas.

Bixáceo, a. adj. *Bot.* Dícese de árboles y arbustos angiospermos dicotiledóneos, que tienen hojas alternas, sencillas y enteras, con estípulas caducas, flores axilares hermafroditas, apétalas o con cinco pétalos, y fruto en cápsula; como la bija. Ú. t. c. s. f. || **2.** f. pl. *Bot.* Familia de estas plantas.

Bixíneo, a. (De *bixa*, antigua ortografía de *bija*.) adj. *Bot.* **Bixáceo.**

Biza. f. **Bonito,** 1.er art.

Bizantinismo. m. Corrupción por lujo en la vida social, o por exceso de ornamentación en el arte. || **2.** Afición a discusiones bizantinas.

Bizantino, na. (Del lat. *byzantinus*.) adj. Natural de Bizancio, hoy Constantinopla. Ú. t. c. s. || **2.** Perteneciente a esta ciudad. || **3.** fig. Dícese de las discusiones baldías, intempestivas, o demasiado sutiles.

Bizarramente. adv. m. Con bizarría.

Bizarrear. intr. Ostentar bizarría u obrar con ella.

Bizarría. (De *bizarro*.) f. Gallardía, valor. || **2.** Generosidad, lucimiento, esplendor.

Bizarro, rra. (Del vasc. *bizarr*, barba.) adj. **Valiente,** 3.ª acep. || **2.** Generoso, lucido, espléndido.

Bizarrón. m. Candelero grande, o blandón.

Bizaza. (Del lat. *bisaccia*, pl. n. de *bisaccium*, alforja.) f. Alforja de cuero. Ú. m. en pl.

Bizcar. (Del lat. **vĕrsĭcāre*, de *vĕrsāre*, volver.) intr. Padecer estrabismo o simularlo. || **2.** tr. **Guiñar,** 1.ª acep. BIZCAR *el ojo* o *los ojos*.

Bizco, ca. (Del lat. **vĕrsĭcus*, de *vĕrsus*, vuelto.) adj. **Bisojo.** Ú. t. c. s.

Bizcochada. f. Sopa de bizcochos que comúnmente se hace con leche. || **2.** Panecillo de masa sobada y figura prolongada, con una cortadura en medio y a lo largo.

Bizcochar. (De *bizcocho*, 1.ª acep.) tr. Recocer el pan para que se conserve mejor.

Bizcochería. f. *Méj.* Tienda donde se venden bizcochos y algunos otros comestibles, como chocolate, azucarillos, etcétera.

Bizcochero, ra. adj. V. **Barril bizcochero.** Ú. t. c. s. || **2.** m. y f. Persona que hace bizcochos por oficio, y la que los vende.

Bizcocho. (Del lat. *bis*, dos veces, y *coctus*, cocido.) m. Pan sin levadura, que se cuece segunda vez para que se enjugue y dure mucho tiempo, y con el cual se abastecen las embarcaciones. || **2.** Masa compuesta de la flor de la harina, huevos y azúcar, que se cuece en hornos pequeños, y se hace de diferentes especies y figuras. || **3.** Yeso que se hace de yesones. || **4.** Objeto de loza o porcelana después de la primera cochura y antes de recibir algún barniz o esmalte. || **borracho.** El empapado en almíbar y vino generoso. || **Embarcarse** uno **con poco bizcocho.** fr. fig. y fam. Empeñarse en un negocio o empresa sin tener lo necesario para salir bien de ello.

Bizcochuelo. m. d. de **Bizcocho,** 1.ª acep.

Bizcorneado, da. p. p. de **Bizcornear.** || **2.** adj. *Cuba.* **Bizco.** || **3.** *Impr.* Se aplica al pliego que por haber sido mal marcado o apuntado sale torcido.

Bizcornear. (De *bizcuerno.*) intr. *Cuba.* **Bizcar,** 1.ª acep.

Bizcorneta. (De *bizcuerno.*) adj. *Colomb.* **Bizco.**

Bizcotela. (Del ital. *biscottella*, d. de *biscotto*, y éste del lat. *bis cŏctus*, cocido dos veces.) f. Especie de bizcocho ligero, cubierto de un baño blanco de azúcar.

Bizcuerno, na. (Del lat. *bis*, pref. despect., y *cornu*, cuerno.) adj. *Ar.* **Bizco.**

Bizma. (De *bidma.*) f. Emplasto para confortar, compuesto de estopa, aguardiente, incienso, mirra y otros ingredientes. || **2.** Pedazo de baldés o lienzo cubierto de emplasto y cortado en forma adecuada a la parte del cuerpo a que ha de aplicarse.

Bizmar. tr. Poner bizmas. Ú. t. c. r.

Bizna. (De *binza.*) f. Película que separa los cuatro gajitos de la nuez.

Biznaga. (Del ár. *bišnāqa*, pastinaca.) f. Planta de la familia de las umbelíferas, como de un metro de altura, con tallos lisos, hojas hendidas muy menudamente, flores pequeñas y blancas, y fruto oval y lampiño. || **2.** Cada uno de los piececillos de las flores de esta planta, que se emplean en algunas partes para mondadientes. || **3.** *Bot.* Planta de Méjico, de la familia de las cactáceas, notable por consistir sólo en un tallo muy corto, casi cilíndrico y sin hojas. Es propia de tierras más que templadas y crece sin cultivo en terrenos áridos. Hay de ella varias especies. || **4.** *And.* Ramillete de jazmines en forma de bola.

Biznagal. m. Terreno en el que hay muchas biznagas.

Biznieto, ta. m. y f. **Bisnieto, ta.**

Bizquear. intr. fam. Torcer la vista el que es bisojo.

Bizquera. (De *bizco.*) f. **Estrabismo.**

Blago. (Del lat. *bacŭlum*, bastón.) m. ant. **Báculo.**

Blanca. (De *blanco.*) f. Moneda antigua de vellón, que, según los tiempos, tuvo diferentes valores, y últimamente el de medio maravedí cobreño. || **2.** ant. Moneda de plata. || **3.** *Murc.* **Urraca.** || **4.** *Mús.* **Mínima,** 2.ª acep. || **morfea.** *Veter.* **Albarazo.** || **Estar** uno **sin blanca.** fr. fig. **No tener blanca.** || **Más vale blanca de paja que maravedí de lana.** ref. que denota que algunas cosas baratas aprovechan más que otras de mayor precio. || **No tener** uno **blanca.** fr. fig. No tener dinero.

Blancal. (De *blanco.*) adj. V. **Perdiz blancal.**

Blancazo, za. adj. fam. **Blanquecino.**

Blanco, ca. (Del ant. alto al. *blanch.*) adj. De color de nieve o leche. Es el color de la luz solar, no descompuesta en los varios colores del espectro. Ú. t. c. s. || **2.** Dícese de las cosas que sin ser **blancas** tienen color más claro que otras de la misma especie. *Pan, vino* BLANCO. || **3.** Tratándose de la especie humana, dícese del color de la raza europea o caucásica, en contraposición con el de las demás. Apl. a pers., ú. t. c. s. || **4.** V. **Abeto, ajo, álamo, amate, azúcar, barro, beleño, caballo, cabo, cedro, díctamo, eléboro, espino, flujo, heno, libro, lirio, mangle, maravedí, metal, monte, oso, palo, papel, plomo, precipitado, rosal, ruibarbo, sauce, tomillo, verso, vitriolo, zafiro blanco.** || **5.** V. **Acacia, agua, águila, arma, azúcar, bandera, cancha, caparrosa, carta, cera, espada, espina, estepa, helada, hulla, jara, labor, lepra, magia, morera, mostaza, nueza, perdiz, pez, pimienta, retama, ropa, salsa blanca.** || **6.** V. **Armas, carnes, moscas blancas.** || **7.** V. **Carpintero de blanco.** || **8.** V. **Cédula, firma, madera, millar, papel, patente en blanco.** || **9.** fig. y fam. **Cobarde,** 1.ª acep. Ú. t. c. s. || **10.** *And.* V. **Miel blanca.** || **11.** *Gran.* V. **Pino blanco.** || **12.** m. Mancha o lunar de pelo **blanco** que tienen algunos caballos y otros animales en la cabeza y en el extremo inferior de los miembros. || **13.** Objeto situado lejos para ejercitarse en el tiro y puntería, o bien para adiestrar la vista en medir distancias, y a veces para graduar el alcance de las armas. || **14.** Por ext., todo objeto sobre el cual se dispara una arma de fuego. || **15.** Hueco o intermedio entre dos cosas. || **16.** Espacio que en los escritos se deja sin llenar. || **17. Intermedio,** 4.ª acep. || **18.** fig. Fin u objeto a que se dirigen nuestros deseos o acciones. || **19.** *Germ.* Hombre bobo o necio. || **20.** *Impr.* Forma o molde con que se imprime la primera cara de cada pliego. || **de España.** Nombre común al carbonato básico de plomo, al subnitrato de bismuto y a la creta lavada. || **de huevo.** Afeite que se hace con cáscaras de huevo. || **de la uña.** Faja blanquecina estrecha y arqueada que se nota en el nacimiento de la uña. || **de plomo. Albayalde.** || **En blanco.** loc. adv. Dícese del libro, cuaderno u hoja que no están escritos o impresos. || **2.** Dicho de la espada, desenvainada. || **3.** fig. y fam. **A la luna,** o **a la luna de Valencia.** Ú. con los verbos *dejar* y *quedarse.* || **4.** Sin comprender lo que se oye o lee. Úsase con el verbo *quedarse.* || **En el blanco de la uña.** expr. adv. fig. y fam. En lo más mínimo. || **Hacer blanco.** fr. Dar en el **blanco** a que se dispara. || **No distinguir** uno **lo blanco de lo negro.** fr. fig. y fam. Ser muy lerdo o ignorante.

Blancor. m. **Blancura.**

Blancote, ta. adj. aum. de **Blanco.** || **2.** fig. y fam. **Cobarde,** 1.ª acep. Ú. t. c. s.

Blancura. f. Calidad de blanco. || **del ojo.** *Veter.* **Nube,** 6.ª acep.

Blancuzco, ca. adj. Que tira a blanco, o es de color blanco sucio.

Blanchete. (Del fr. *blanchet*, blanquecino, por ser comúnmente de este color los primeros que vinieron de Malta.) m. ant. Perrillo blanquecino. Usáb. t. c. adj. || **2.** ant. Ribete con que se guarnece el cuero que cubre la silla.

Blanda. (De *blando.*) f. *Germ.* **Cama,** 1.er art., 1.ª acep.

Blandamente. adv. m. Con blandura. || **2.** fig. Suave y mansamente.

Blandeador, ra. adj. Que blandea.

Blandear. (De *blando.*) intr. Aflojar, ceder. Ú. t. c. r. || **2.** tr. Hacer que uno mude de parecer o propósito. || **Blandear con** uno. fr. Contemporizar con él o complacerle.

Blandear. tr. **Blandir,** 1.er art. Ú. t. c. intr. y c. r.

Blandengue. adj. Blando, suave. Dícese de personas. || **2.** m. Soldado armado con lanza, que defendía los límites de la provincia de Buenos Aires.

Blandenguería. f. Calidad de blandengue, 1.ª acep.

Blandense. adj. Natural de Blanes. Ú. t. c. s. || **2.** Perteneciente a esta villa.

Blandeza. f. ant. **Blandicia,** 2.ª acep.

Blandicia. (Del lat. *blanditĭa.*) f. Adulación, halago. || **2.** Molicie, delicadeza.

Blandicioso, sa. (De *blandicia.*) adj. ant. Adulador, halagüeño, lisonjero.

Blandiente. (De *blandir*, 1.er art.) adj. Que se blande.

Blandimiento. (Del lat. *blandimentum.*) m. ant. **Blandicia,** 1.ª acep.

Blandir. (Del germ. *brand*, espada.) tr. Mover una arma u otra cosa con movimiento trémulo o vibratorio. || **2.** intr. p. us. Moverse con agitación trémula o de un lado a otro. Ú. t. c. r.

Blandir. (Del lat. *blandīre.*) tr. ant. Adular, halagar, lisonjear.

Blando, da. (Del lat. *blandus.*) adj. Tierno, suave; que cede fácilmente al tacto. || **2.** Tratándose de los ojos, **tierno.** || **3.** Tratándose del tiempo o la estación, **templado.** || **4.** V. **Jabón blando.** || **5.** fig. Suave, dulce, benigno. || **6.** fig. Afeminado y que no es para el trabajo. || **7.** fig. De genio y trato apacibles. || **8.** fig. y fam. V. **Ojos blandos.** || **9.** fig. y fam. **Cobarde,** 1.ª acep. || **10.** *Mús.* **Bemolado.** || **11.** adv. m. Blandamente, con suavidad, con blandura.

Blandón. (Del fr. *brandon*, y éste del germ. *brand*, cosa encendida.) m. Hacha de cera de un pabilo. || **2.** Candelero grande en que se ponen esta hachas.

Blanducho, cha. adj. fam. Algo blando.

Blandujo, ja. adj. fam. **Blanducho.**

Blandura. f. Calidad de blando. || **2.** Emplasto que se aplica a los tumores para que se ablanden y maduren. || **3.** Temple del aire húmedo, que deshace los hielos y nieves. || **4. Blanquete.** || **5.** fig. Regalo, deleite, delicadeza. || **6.** fig. Dulzura, afabilidad en el trato. || **7.** fig. Palabra halagüeña o requiebro. || **8.** *Cant.* Capa o costra blanda que tienen algunas piedras calizas, y que debe quitarse al labrarlas.

Blandurilla. (d. de *blandura.*) f. Pomada hecha de manteca de cerdo batida y aromatizada con esencia de espliego o de otras plantas olorosas, usada como afeite.

Blanqueación. (De *blanquear.*) f. **Blanquición.** || **2. Blanqueo.**

Blanqueador, ra. adj. Que blanquea. Ú. t. c. s.

Blanqueadura. (De *blanquear.*) f. **Blanqueo.**

Blanqueamiento. m. **Blanqueo.**

Blanquear. (De *blanco.*) tr. Poner blanca una cosa. || **2.** Dar una o varias manos de cal o de yeso blanco, diluidos en agua, a las paredes, techos o fachadas de los edificios. || **3.** Dar las abejas cierto betún a los panales en que empiezan a trabajar después del invierno. || **4. Blanquecer,** 1.ª acep. || **5.** intr. Mostrar una cosa la blancura que en sí tiene. || **6.** Tirar a blanco.

Blanquecedor. m. Oficial que se ocupaba en blanquecer las monedas.

Blanquecer. (De *blanco.*) tr. En las casas de moneda y entre plateros, limpiar y sacar su color al oro, plata y otros metales. || **2. Blanquear,** 1.ª acep.

Blanquecimiento. (De *blanquecer.*) m. **Blanquición.**

Blanquecino, na. adj. Que tira a blanco.

Blanqueo. m. Acción y efecto de blanquear.

Blanquero. (De *blanco.*) m. *Ar.* **Curtidor.**

Blanqueta. f. Tejido basto de lana, que se usaba antiguamente.

Blanquete. m. Afeite que suelen usar las mujeres para blanquearse el cutis.

Blanquíbolo. (De *blanco* y *bolo*, arcilla.) m. ant. **Albayalde.**

Blanquición. f. Acción y efecto de blanquear los metales.

Blanquilla. f. Enfermedad en las perdices enjauladas que se manifiesta como disentería de color lechoso.

Blanquillo, lla. (d. de *blanco*.) adj. **Candeal.** Ú. t. c. s. m. || **2.** V. **Azúcar blanquilla.** || **3.** V. **Pino blanquillo.** || **4.** fam. V. **Soldado blanquillo.** Ú. t. c. s. || **5.** *Chile* y *Perú*. Durazno de cáscara blanca. || **6.** Pez chileno, de unos tres decímetros de longitud, de color rojizo más o menos pardo por el lomo y plateado por el vientre.

Blanquimento. m. **Blanquimiento.**

Blanquimiento. m. Disolución, generalmente de un cloruro, que se emplea para blanquear telas, metales, etc.

Blanquinoso, sa. adj. **Blanquecino.**

Blanquizal. (De *blanquizo*.) m. **Gredal,** 2.ª acep.

Blanquizar. m. **Blanquizal.**

Blanquizco, ca. adj. **Blanquecino.**

Blanquizo, za. adj. ant. **Blanquecino.**

Blao. (Del germ. *blao*.) adj. ant. **Azul.** || **2.** ant. Dícese de la tela de este color. Usáb. t. c. s. || **3.** *Blas.* **Azur.** Ú. t. c. s. m.

Blas. n. p. **Díjolo Blas, punto redondo.** expr. con que se replica al que presume de llevar siempre la razón.

Blasfemable. (Del lat. *blasphemabilis*.) adj. **Vituperable.**

Blasfemador, ra. adj. Que blasfema. Ú. t. c. s.

Blasfemamente. adv. m. Con blasfemia.

Blasfemante. p. a. de **Blasfemar.** Que blasfema. Ú. t. c. s.

Blasfemar. (Del lat. *blasphemāre*, y éste del gr. βλασφημέω.) intr. Decir blasfemias. || **2.** fig. Maldecir, vituperar.

Blasfematorio, ria. adj. **Blasfemo,** 1.ª acep.

Blasfemia. (Del lat. *blasphemĭa*, y éste del gr. βλασφημία.) f. Palabra injuriosa contra Dios, la Virgen o los santos. || **2.** fig. Palabra gravemente injuriosa contra una persona.

Blasfemo, ma. (Del lat. *blasphēmus*, y éste del gr. βλάσφημος; de βλάπτω, herir, y φήμη, fama.) adj. Que contiene blasfemia. || **2.** Que dice blasfemia. Ú. t. c. s.

Blasmar. (Del lat. *blasphĕmāre*, insultar.) tr. ant. Hablar mal de una persona o cosa. || ant. **Acusar,** 1.ª acep. || **3.** ant. Reprobar, vituperar.

Blasmo. (De *blasmar*.) m. ant. Desdoro, vituperio.

Blasón. (Del fr. *blason*.) m. Arte de explicar y describir los escudos de armas de cada linaje, ciudad o persona. || **2.** Cada figura, señal o pieza de las que se ponen en un escudo. || **3. Escudo de armas.** || **4.** Honor o gloria. || **Hacer** uno **blasón.** fr. fig. **Blasonar,** 2.ª acep.

Blasonado, da. p. p. de **Blasonar.** || **2.** adj. Ilustre por sus blasones.

Blasonador, ra. adj. Que blasona o se jacta de alguna cosa.

Blasonante. p. a. de **Blasonar.** Que blasona.

Blasonar. (De *blasón*.) tr. Disponer el escudo de armas de una ciudad o familia según la regla del arte. || **2.** intr. fig. Hacer ostentación de alguna cosa con alabanza propia.

Blasonería. (De *blasonar*.) f. **Baladronada.**

Blastema. (Del gr. βλάστημα, germen, retoño.) m. *Biol.* Conjunto de células embrionarias que, mediante su proliferación, llegan a formar un órgano determinado.

Blastoderno. (Del gr. βλαστός, germen, y δέρμα, piel.) m. *Zool.* Conjunto de las células procedentes de la segmentación del huevo de los animales, que suele tener la forma de disco o de membrana.

Blavo, va. (Del lat. *blavus*, y éste del germ. *blao*, azul.) adj. ant. De color compuesto de blanco y pardo, o algo bermejo.

Ble. m. **Pie.**

Bleda. (Del lat. *bēta*, acelga, cruzado con *blĭtum*, bledo.) f. ant. **Acelga.**

Bledo. (Del lat. *blĭtum*.) m. *Bot.* Planta anua de la familia de las quenopodiáceas, de tallos rastreros, de unos tres decímetros de largo, hojas triangulares de color verde obscuro y flores rojas, muy pequeñas y en racimos axilares. En muchas partes la comen cocida. || **No dársele a** uno **un bledo de** alguna cosa. fr. fig. y fam. Hacer desprecio de ella. || **No importar,** o **no valer, un bledo** alguna cosa. fr. fig. y fam. Ser de suyo insignificante.

Blefaritis. (Del gr. βλέφαρον, párpado, y el sufijo *itis*, que en medicina indica inflamación.) f. *Med.* Inflamación aguda o crónica de los párpados.

Blefaroplastia. (Del gr. βλέφαρον, párpado, y πλαστός, adj. verbal de πλάσσω, formar.) f. *Cir.* Restauración del párpado o de una parte de él por medio de la aproximación de la piel inmediata.

Blenda. (Del al. *blende*.) f. Sulfuro de cinc, que se halla en la naturaleza en cristales muy brillantes, de color que varía desde el amarillo rojizo al pardo obscuro, y se utiliza para extraer el cinc.

Blenorragia. (Del gr. βλέννος, mucosidad, y ῥήγνυμι, romper, brotar.) f. Flujo mucoso ocasionado por la inflamación de una membrana, principalmente de la uretra. Se dice casi exclusivamente de la uretritis gonocócica.

Blenorrágico, ca. adj. *Med.* Perteneciente o relativo a la blenorragia.

Blenorrea. (Del gr. βλέννος, mucosidad, y ῥέω, fluir.) f. *Med.* Blenorragia crónica.

Blezo. (De *brezo*, 2.° art.) m. ant. **Brizo.**

Blincar. intr. vulg. **Brincar.**

Blinco. m. vulg. **Brinco.**

Blinda. (Del fr. *blinde*, y éste del germ. *blende*.) f. *Fort.* Viga gruesa que con fajinas, zarzos, tierra, estiércol, etc., constituye un cobertizo defensivo. || **2.** Bastidor de madera compuesto de dos montantes y dos travesaños, que sirve para contener las tierras o las fajinas en las trincheras.

Blindaje. m. *For.* Cobertizo o defensa que se hace con blindas u otro material, para resguardarse de los tiros por elevación de la artillería. || **2.** *Mar.* Conjunto de planchas que sirven para blindar.

Blindar. (Del fr. *blinder*, y éste del germ. *blende*, pantalla.) tr. Proteger exteriormente con diversos materiales las cosas o los lugares, contra los efectos de las balas, el fuego, etc. Actualmente se aplican con preferencia a este fin planchas metálicas.

Bloca. f. Punta aguda de forma cónica o piramidal que tenían en el centro algunos escudos y rodelas.

Blocao. (Del al. *blockhaus*; de *block*, pieza de madera, y *haus*, casa.) m. *Fort.* Fortín de madera que se desarma y puede transportarse fácilmente para armarlo en el paraje que más convenga.

Blonda. (Del al. *blonde*.) f. Encaje de seda de que se hacen y guarnecen vestidos de mujer y otras ropas.

Blondina. (d. de *blonda*.) f. Blonda angosta.

Blondo, da. (Del al. *blond*.) adj. **Rubio,** 1.ª acep.

Bloque. (Del fr. *bloc*, y éste del germ. *block*, bloque.) m. Trozo grande de piedra sin labrar. || **2.** Sillar artificial hecho de hormigón. || **3.** Paralelepípedo recto rectangular de materia dura. || **4.** *Mec.* En los motores de explosión, pieza de fundición en cuyo interior se ha labrado el cuerpo de uno o varios cilindros, y está provista de dobles paredes para que circule entre ellas el agua de refrigeración || **En bloque.** loc. fig. En conjunto, sin distinción.

Bloqueador, ra. adj. Que bloquea. Ú. t. c. s.

Bloquear. (De *blocao*.) tr. **Asediar.** || **2.** desus. Reemplazar provisionalmente en una parte de la composición las letras que faltan en las cajas por otras cualesquiera, que se ponen ojo abajo, a fin de reconocerlas más fácilmente en el momento de cambiarlas por las que deben servir para la tirada. || **3.** *Com.* Inmovilizar la autoridad una cantidad o crédito, privando a su dueño de disponer de ellos total o parcialmente por cierto tiempo. || **4.** *Mar.* Cortar todo género de comunicaciones a uno o más puertos, y con frecuencia a una parte determinada del litoral del país enemigo.

Bloqueo. m. Acción de bloquear. || **2.** *Com.* Acción y efecto de bloquear una cantidad o crédito. || **3.** *Mar.* Fuerza marítima que bloquea. || **efectivo.** El que se hace con fuerzas marítimas suficientes para cortar las comunicaciones. || **en el papel.** El que consiste sólo en declaraciones escritas, sin estar apoyado por fuerzas bastantes para que resulte efectivo. || **Declarar el bloqueo.** fr. Proclamarlo o notificarlo oficialmente la potencia bloqueadora. || **Violar el bloqueo.** fr. Entrar un buque neutral en punto o paraje bloqueado, o salir de él.

Blusa. (Del fr. *blouse*.) f. Vestidura exterior a manera de túnica holgada y con mangas. || **2.** Prenda exterior, a modo de jubón holgado, que usan las mujeres y los niños.

Blusón. m. Blusa larga que llega hasta más abajo de las rodillas.

Boa. (Del lat. *boa*.) f. Serpiente americana, la mayor de las conocidas, pues llega a 10 metros de largo, con la piel pintada de vistosas y simétricas manchas obscuras sobre fondo claro: no es venenosa, pero tiene tanta fuerza, que sujeta hasta a los toros, y, comprimiéndolos, les da muerte para devorarlos después. || **2.** m. Prenda de piel o pluma y en forma de culebra, que usan las mujeres para abrigo o adorno del cuello.

Boalaje. m. Dehesa boyal. || **2.** *Ar.* Tributo que pagaba al rey el dueño de bueyes.

Boalar. (Del lat. **boalis*, der. de *boe*, por *bovem*, buey.) m. **Dula,** 3.ª acep. || **2.** ant. *Ar.* **Boalaje,** 1.ª acep.

Boarda. f. ant. **Buharda.**

Boardilla. (d. de *boarda*.) f. **Buharda.**

Boato. (Del lat. *boātus*, grito, alboroto.) m. Ostentación en el porte exterior. || **2.** ant. Vocería o gritos en aclamación de una persona.

Bobada. f. **Bobería.**

Bobalías. com. fam. Persona muy boba.

Bobalicón, na. adj. fam. aum. de **Bobo.** Ú. t. c. s.

Bobamente. adv. m. Con bobería. || **2.** Sin cuidado ni estudio, o sin trabajo.

Bobarrón, na. adj. fam. aum. de **Bobo.** Ú. t. c. s.

Bobatel. m. fam. Hombre bobo.

Bobáticamente. adv. m. **Bobamente.**

Bobático, ca. adj. fam. Aplícase a lo que se dice o hace neciamente o con bobería.

Bobear. (De *bobo*.) intr. Hacer o decir boberías. || **2.** fig. Emplear y gastar el tiempo en cosas vanas e inútiles.

Bobedad. f. ant. **Bobería.**

Bobera. (De *bobo*.) f. **Bobería.**

Bobería. (De *bobo*.) f. Dicho o hecho necio.

Bóbilis, bóbilis (De). m. adv. fam. **De balde.** || **2.** fam. Sin trabajo.

Bobillo. (d. de *bobo.*) m. Jarro vidriado y barrigudo, con una asa como la del puchero. ‖ **2.** Encaje que llevaban las mujeres prendido alrededor del escote, y que caía hacia abajo como valona.

Bobina. (Del fr. *bobine.*) f. **Carrete,** 1.ª y 3.ª aceps.

Bobo, ba. (Del lat. *balbus,* balbuciente.) adj. De muy corto entendimiento y capacidad. Ú. t. c. s. ‖ **2.** Extremada y neciamente candoroso. Ú. t. c. s. ‖ **3.** fam. Bien cumplido, no escaso. ‖ **4.** V. **Manga boba.** ‖ **5.** V. **Pájaro, sayo bobo.** ‖ **6.** fig. y fam. V. **Paraíso de los bobos.** ‖ **7.** m. Adorno de que usaban antiguamente las mujeres, y se echaba por debajo de la barba para abultar la cara. ‖ **8.** Gracioso de las farsas, autos o entremeses. ‖ **9.** *Cuba.* **Mona,** 1.er art., 6.ª acep. ‖ **10.** Pez de los ríos de Guatemala y Méjico, de unos 60 centímetros de largo y 12 de ancho, de piel negra y sin escamas, carne blanca y con pocas espinas. Se le llama así por la facilidad con que se deja matar a palos en las orillas, adonde acude en tropel a comerse las migas de pan que se le echan. ‖ **11.** *Germ.* Cosa hurtada que ha parecido. ‖ **de capirote. Tonto de capirote.** ‖ **de Coria.** Personaje proverbial, símbolo de tontería y mentecatez. ‖ **A bobas.** m. adv. ant. **Boba** o neciamente. ‖ **Al bobo múdale el juego.** ref. con que se da a entender que a los que quieren parecer instruidos en todas las cosas, porque hablan mucho de las que tienen estudiadas o saben de memoria, se les descubre su ignorancia mudándoles de asunto. ‖ **A los bobos se les aparece la Madre de Dios.** ref. que denota que a algunos les viene la fortuna sin saberse cómo. ‖ **Bobos van al mercado, cada cual con su asno.** ref. contra los que insisten necia y porfiadamente en su dictamen, aunque conozcan que es contra razón. ‖ **El bobo, si es callado, por sesudo es reputado.** ref. que recomienda la prudencia en ocultar con el silencio la falta de capacidad. ‖ **Entre bobos anda el juego.** fr. irón. de que se usa cuando los que tratan alguna cosa son igualmente diestros y astutos. ‖ **¿Qué haces, bobo? —Bobeo: escribo lo que me deben y borro lo que debo.** ref. que denota que algunos que parecen lerdos sólo hacen lo que les tiene cuenta y se desentienden de lo demás.

Bobote, ta. adj. fam. aum. de **Bobo.** Ú. t. c. s.

Boca. (Del lat. *bŭcca.*) f. Abertura anterior del tubo digestivo de los animales, situada en el extremo anterior del cuerpo, o sea en la cabeza. Sirve de entrada a la cavidad bucal. También se aplica a toda la expresada cavidad en la cual está colocada la lengua y los dientes cuando existen. ‖ **2.** *Zool.* Pinza con que termina cada una de las patas delanteras de los crustáceos. ‖ **3.** fig. Entrada o salida. BOCA *de horno, de cañón, de calle, de puerto, de río.* Con esta última aplicación se usa frecuentemente en plural. *Las* BOCAS *del Danubio, del Ródano.* ‖ **4.** V. **Cocina, cola, gentilhombre, municiones, oficio, telón de boca.** ‖ **5.** V. **Cámara anterior, cámara posterior, cielo, oficio de la boca.** ‖ **6.** V. **Caballo de buena boca.** ‖ **7.** fig. Abertura, agujero. BOCA *de tierra.* ‖ **8.** fig. En ciertas herramientas, como escoplos, cinceles, azadones, etc., parte afilada con que cortan; y en algunos instrumentos, como el martillo, la extremidad opuesta al cotillo, en la cual van las orejas. ‖ **9.** fig. Hablando de vinos, gusto o sabor. *Este vino tiene buena* BOCA. ‖ **10.** fig. Órgano de la palabra. *No abrir, o no despegar, la* BOCA; *buscarle a uno la* BOCA. ‖ **11.** fig. Persona o animal a quien se mantiene y da de comer. ‖ **12.** pl. En el juego de la argolla, parte del aro que tiene las rayas que se dicen barras, las cuales ha de volver a deshacer el que entra la bola por ellas, para poder en adelante ganar raya. ‖ **Boca de cangrejo. Boca de la isla.** ‖ **de dragón. Dragón,** 3.ª acep. ‖ **de escorpión.** fig. Persona muy maldiciente. ‖ **de espuerta.** fig. y fam. La muy grande y rasgada. ‖ **de fraile.** loc. que se emplea con algunos verbos para indicar demasía en el pedir. También se dice *haberle hecho* a uno *la* BOCA *un fraile.* ‖ **de fuego.** Cualquier arma que se carga con pólvora, y especialmente la escopeta, la pistola, el cañón, etc. ‖ **de gachas.** fig. y fam. Persona que habla con tanta blandura que no se le entiende. ‖ **2.** fig. y fam. Persona que hace mucha saliva, salpicando con ella cuando habla. ‖ **de guácharo,** o **guacho. Pamplina,** 2.ª acep. ‖ **de la isla.** Pinza grande arrancada al barrilete, crustáceo común en las costas del norte de África y de Cádiz. De las dos **bocas** o pinzas de las patas anteriores de este cangrejo, la una queda pequeña y la otra crece mucho, y le sirve al animal de tapa o puerta del escondrijo en que se alberga en la arena. ‖ **del Can Mayor.** *Astron.* **Sirio,** 1.er art. ‖ **del estómago.** Parte central de la región epigástrica. ‖ **2. Cardias.** ‖ **de lobo.** expr. fig. de que se usa para significar una grande obscuridad. Más comúnmente se dice: **estar como boca de lobo,** u **obscuro como boca de lobo.** ‖ **2.** *Mar.* Agujero cuadrado en el medio de la cofa, por el que entra el calcés del palo, quedando espacio a banda y banda, para el paso de la gente que sube a maniobrar. ‖ **de oro.** fig. **Pico de oro.** ‖ **de riego.** Abertura en un conducto de agua en la cual se enchufa una manga para regar calles, jardines, etc. ‖ **de risa.** fig. Afabilidad y agrado en el semblante y en las palabras. ‖ **de verdades.** fig. Persona que dice a otra con claridad lo que sabe o siente. ‖ **2.** irón. Persona que miente mucho. ‖ **rasgada.** La grande, que no guarda proporción con las demás facciones de la cara. ‖ **regañada.** fig. La que tiene un frunce que la desfigura y le impide cerrarse por completo. ‖ **A boca.** m. adv. Verbalmente o de palabra. ‖ **A boca de cañón.** m. adv. **A quema ropa,** 1.ª acep. ‖ **A boca de costal.** m. adv. Sin medida, sin tasa. ‖ **A boca de invierno.** m. adv. A principio o entrada de invierno. ‖ **A boca de jarro.** m. adv. que denota la acción de beber sin tasa. ‖ **2.** fig. **A boca de cañón.** ‖ **A boca de noche.** m. adv. **Al anochecer.** ‖ **A boca de sorna.** m. adv. *Germ.* **A boca de noche.** ‖ **A boca llena.** m. adv. Con claridad, abiertamente, hablando sin rebozo. ‖ **Abrir boca.** fr. fig. Despertar el apetito con algún manjar o bebida. ‖ **Andar de boca en boca** una cosa. fr. fig. Saberse de público, estar divulgada una noticia o especie. ‖ **Andar en boca de** alguno o algunos. fr. fig. Ser objeto de lo que éste o éstos hablen o digan. ‖ **Andar en boca de todos.** fr. fig. **Andar de boca en boca.** ‖ **A pedir de boca.** loc. adv. fig. **A medida del deseo.** ‖ **2.** fig. Con toda propiedad, exactamente. ‖ **A qué quieres, boca.** loc. adv. fig. **A pedir de boca,** 1.ª acep. ‖ **A una boca, una sopa.** ref. que recomienda la justicia distributiva. ‖ **Blando de boca.** fig. Se dice de las bestias de freno que sienten mucho los toques del bocado. ‖ **2.** fig. Se dice de la persona fácil en decir lo que debiera callar. ‖ **Boca abajo.** m. adv. Tendido con la cara hacia el suelo. ‖ **¡Boca abajo todo el mundo!** expr. con que uno impone despóticamente su voluntad. ‖ **Boca a boca.** m. adv. **A boca.** ‖ **Boca arriba.** m. adv. Tendido de espaldas. ‖ **Boca brozosa cría mujer hermosa.** ref. **Boca pajosa cría cara hermosa.** ‖ **Boca con boca.** m. adv. Estando muy juntos. ‖ **Boca con duelo no dice bueno.** ref. que denota que los que están enojados con alguna persona no hallan cosa buena que decir de ella. ‖ **Boca con rodilla, y al rincón con la almohadilla.** ref. que enseña el retiro y aplicación que deben tener las doncellas. ‖ **Boca pajosa cría cara hermosa.** ref. que advierte lo bien que parecen las mujeres aplicadas a sus labores. ‖ **Boca por boca.** m. adv. ant. **Boca a boca.** ‖ **Buscar a uno la boca.** fr. fig. Dar motivo, con lo que se dice o hace, para que alguno hable y diga lo que de otro modo callaría. ‖ **Calentársele a uno la boca.** fr. fig. Hablar con extensión, explayarse en el discurso o conversación acerca de algún punto. ‖ **2.** fig. Enardecerse, prorrumpir en claridades o palabras descompuestas. ‖ **Callar uno la boca.** fr. fam. **Callar,** 1.ª, 2.ª, 3.ª y 4.ª aceps. ‖ **Cerrar la boca a uno.** fr. fig. y fam. Hacerle callar. ‖ **Cerrar uno la boca.** fr. **Callar uno la boca.** ‖ **Con la boca abierta,** o **con tanta boca abierta.** loc. adv. fig. y fam. Suspenso o admirado de alguna cosa que se ve o se oye. Úsase con los verbos *estar, quedarse,* etc. ‖ **Coserse uno la boca.** fr. fig. y fam. **Cerrar uno la boca.** ‖ **De boca.** m. adv. con que se califican acciones o cualidades de que alguno se jacta sin motivo. ‖ **De boca en boca.** m. adv. con que se denota la manera de propagarse de unas personas a otras noticias, rumores, alabanzas, etc. ‖ **De buena boca.** loc. Dícese de la persona benévola que de todo habla bien. ‖ **Decir uno alguna cosa con la boca chica,** o **chiquita.** fr. fig. y fam. Ofrecer algo por mero cumplimiento. ‖ **Decir uno lo que se le viene a la boca.** fr. fig. y fam. No tener reparo ni miramiento en lo que dice. ‖ **Despegar,** o **desplegar, uno la boca.** fr. **Hablar.** Úsase más en frases negativas. ‖ **Duro de boca.** fig. Se dice de las bestias de freno que sienten poco los toques del bocado. ‖ **Echar boca.** fr. fig. Acerar la de una herramienta cuando por el uso se ha gastado. ‖ **2.** Hablando de los tacos de billar, trucos y otras cosas, calzarlos; esto es, añadirles la materia conveniente a la punta ya gastada. ‖ **Echar uno de,** o **por, aquella boca.** fr. fam. Decir contra otro con imprudencia y enojo palabras injuriosas y ofensivas. ECHABA POR AQUELLA BOCA *sapos y culebras.* ‖ **En boca cerrada no entra mosca,** o **no entran moscas.** ref. que enseña cuán útil es callar. ‖ **En la boca del discreto lo público es secreto.** ref. que recomienda la reserva y prudencia en el hablar. ‖ **Estar uno a qué quieres boca.** fr. fig. Disfrutar de gran regalo. ‖ **Estar colgado,** o **pendiente, de la boca de uno.** fr. fig. **Estar colgado,** o **pendiente, de las palabras de uno.** ‖ **Estar uno con la boca a la pared,** o **pegada a la pared.** fr. fig. y fam. Hallarse en extrema necesidad y no tener a quién recurrir. ‖ **Ganar a uno la boca.** fr. fig. Persuadirle o procurar reducirle a que siga algún dictamen u opinión, precisándole a que calle o disimule la suya propia. ‖ **Guardar uno la boca.** fr. fig. No hacer exceso en la comida. ‖ **2.** fig. Callar lo que no conviene decir. ‖ **Hablar uno por boca de otro.** fr. fig. Conformarse, en lo que dice, con la opinión y voluntad ajena. ‖ **Hablar uno por boca de ganso.** fr. fig. y fam. Decir lo que otro le ha sugerido. ‖ **Hacer boca.** fr. fig. y fam. Tomar algún alimento ligero y aperitivo, o beber en pequeña cantidad algún licor estimulante, a fin de preparar el estómago para la comida. ‖ **Hacer la boca** a una caballería. fr. fig. Acostumbrarla a llevar el bocado. ‖ **Halagar con la boca y morder con la cola.** fr. fig. y fam. con que se nota la falsedad de los que se muestran amigos y proceden como enemigos. || **Heder la boca** a uno. fr. fig. y fam. Ser pedigüeño. || **Irse** uno **de boca.** fr. fig. Dejarse llevar del vicio. || **2.** fig. **Írsele la boca** a uno. || **Irse la boca a donde está el corazón.** fr. fig. Hablar alguno conforme a sus deseos. || **Írsele la boca** a uno. fr. fig. Hablar mucho y sin consideración, o con imprudencia. || **La boca hace juego.** loc. fam. que se usa para denotar que en el juego se debe estar a lo que se dice, aunque sea contra la intención del que lo ha dicho. || **2.** fig. Significa también que se debe cumplir lo que una vez se dice. || **La boca y la bolsa abierta, para hacer casa cierta.** ref. que enseña que para ser bienquisto en cualquier lugar en que uno se establezca, ha de hablar bien de todos y ser liberal y franco. || **Llorar a boca cerrada, y no dar cuenta a quien no se le da nada.** ref. que nos aconseja no comunicar nuestros males a quien no se ha de compadecer de ellos ni remediarlos. || **Mala boca, peces coma.** ref. contra los murmuradores y maldicientes. Díjose así por el riesgo que tienen de ahogarse con las espinas los que comen peces. || **Mentir** uno **con toda la boca.** fr. fig. y fam. Mentir de todo en todo o absolutamente. || **Meterse** uno **en la boca del lobo.** loc. fam. Exponerse sin necesidad a un peligro cierto. || **No abrir** uno **la boca.** fr. fig. Callar cuando se debería hablar. || **No caérsele** a uno **de la boca** alguna cosa. fr. fig. Decirla con frecuencia y repetición. || **No decir** uno **esta boca es mía.** fr. fig. y fam. No hablar palabra. || **No descoser** uno **la boca.** fr. fig. y fam. **No abrir la boca.** || **No diga la boca lo que pague la coca.** ref. **No diga la lengua lo que pague la cabeza.** || **No salir** una cosa **de la boca** de uno. fr. fig. Callarla. || **No tomar** uno **en boca, o en la boca,** a una persona o cosa. fr. fig. No hablar ni hacer mención de ella. || **Oler la boca** a uno. fr. fig. y fam. **Heder la boca** a uno. || **Pegar** uno **la boca a la pared.** fr. fig. Resolverse a callar la necesidad que padece. || **Poner boca,** o **la boca, en** uno. fr. fig. Hablar mal de él. || **Poner en boca** de uno algún dicho. fr. fig. Atribuírselo. || **Poner la boca al viento.** fr. fam. No tener qué comer. || **Por la boca muere el pez.** ref. que advierte cuán peligroso puede ser el hablar inconsideradamente. || **Por una boca.** m. adv. **A una voz.** || **Quien tiene boca, no diga a otro sopla.** ref. que enseña no dejar al cuidado ajeno lo que uno puede hacer por sí. || **Quitar** a uno **de la boca** alguna cosa. fr. fig. y fam. Anticiparse uno a decir lo que iba a decir otro. || **Quitárselo** uno **de la boca.** fr. fig. y fam. Privarse de las cosas precisas para dárselas a otro. || **Repulgar** uno **la boca.** fr. Plegar los labios, formando un género de hocico o doblez con ellos. || **Respirar** uno **por la boca de** otro. fr. fig. Vivir sujeto a la voluntad de otro, o no hacer o decir cosa sin su dictamen. || **Saber** uno algo **de boca, o de la boca, de** otro. fr. Saberlo o tener de ello noticia por habérselo oído referir. || **Ser la boca** de uno **medida.** fr. fig. y fam. Darle todo cuanto quiera o pida. || **Tapar bocas.** fr. fig. y fam. Impedir que se continúe censurando a una persona. || **Tapar la boca** a uno. fr. fig. y fam. Cohecharle con dinero u otra cosa para que calle. || **2.** fig. y fam. Citarle un hecho o darle una razón tan concluyente que no tenga qué responder. || **Tener buena, o mala, boca.** fr. fig. Dícese de las caballerías según sean o no obedientes al freno. || **2.** fig. Hablar uno bien, o mal, de otros. || **Tener** a uno **sentado en la boca del estómago.** fr. fig. y fam. Indigestársele. || **Tomar en boca** a uno. fr. fig. Traer **en bocas** a uno, 2.ª acep. || **Torcer** uno **la boca.** fr. Volver el labio inferior hacia alguno de los carrillos, en ademán o en demostración de disgusto. || **Traer en bocas** a uno. fr. fig. Murmurar frecuentemente de él. || **2.** fig. Hablar frecuentemente de él. || **Traer** uno **siempre en la boca** una cosa. fr. fig. Repetirla mucho, hablar frecuentemente de ella. || **Venírsele** a uno **a la boca** alguna cosa. fr. Sentir el sabor de alguna cosa que hay en el estómago. || **2.** fig. Ofrecerse algunas especies y palabras para proferirlas.

Bocabarra. (De *boca* y *barra.*) f. *Mar.* Cada una de las muescas abiertas en el sombrero del cabrestante, donde se encajan las barras para hacerlo girar.

Bocacalle. (De *boca* y *calle.*) f. Entrada o embocadura de una calle.

Bocacaz. (De *boca* y *caz.*) m. Abertura o boca que hay en una presa para que por ella salga cierta porción de agua destinada al riego o a otro fin.

Bocací. (Del ár. *bugāzī*, tela de seda grosera.) m. Tela de hilo, de color, más gorda y basta que la holandilla.

Bocacín. m. ant. **Bocací.**

Bocacha. f. aum. de **Boca.** || **2.** **Trabuco naranjero.**

Bocada. f. ant. **Bocado.** || **2.** ant. **Boqueada.**

Bocadear. tr. Partir en bocados una cosa.

Bocadillo. (d. de *bocado.*) m. Cierto lienzo delgado y poco fino. || **2.** Especie de cinta de las más angostas. || **3.** Alimento que los trabajadores del campo suelen tomar entre almuerzo y comida, hacia las diez de la mañana. || **4.** Dulce de guayaba conservado en corta cantidad y envuelto en hojas de plátano. Son muy celebrados los de Mérida de Venezuela y los de Vélez de Colombia. || **5.** Panecillo relleno con una loncha de jamón o de otro manjar apetitoso, como anchoas, lengua, ternera, queso, etc. || **6.** *Amér.* Dulce que en unas partes, como en Honduras y Méjico, se hace de coco, y en otras, como en Cuba, de boniato.

Bocado. m. Porción de comida que naturalmente cabe de una vez en la boca. || **2.** Un poco de comida. *Tomar un* BOCADO. || **3.** Mordedura o herida que se hace con los dientes. || **4.** Pedazo de cualquier cosa que se saca o arranca con la boca. || **5.** Pedazo arrancado de cualquier cosa con el sacabocados o violentamente. || **6.** Veneno que se da a uno en la comida. || **7.** Parte del freno que entra en la boca de la caballería. || **8.** **Freno,** 1.ª acep. || **9.** Estaquilla de retama que se pone en la boca a las reses lanares para que babeen. || **10.** V. **Potro de primer, y de segundo bocado.** || **11.** Escalerilla para tener abierta la boca del animal cuando hay que mirarla o hacer alguna cura en ella. || **12.** pl. Fruta en conserva, partida en pedazos que se dejan secar. || **Bocado de Adán.** Nuez de la garganta. || **sin hueso.** fig. y fam. Bien sin mezcla de mal. || **2.** fig. y fam. Provecho sin desperdicio. || **3.** fig. y fam. Empleo de mucha utilidad y poco trabajo. || **A bocado harón, espolada de vino.** ref. que advierte que así como se ayuda a la bestia lerda con la espuela, así al manjar seco e indigesto se le ha de ayudar con el vino. || **A buen bocado buen grito, o buen suspiro.** ref. que da a entender estarle bien empleado a uno el mal que se ha buscado por entregarse sin rienda a algún placer. || **Beber** uno **a bocados.** fr. ant. Beber de bruces en una fuente o río. || **Bocado comido no gana amigo.** ref. que advierte que quien no parte lo suyo con otros no gana las voluntades. || **Buen bocado.** loc. fig. y fam. con que se encarece la excelencia de ciertas cosas que no son de comer; como un empleo lucrativo, etc. || **Caro bocado.** loc. fig. y fam. Lo que cuesta mucho o tiene malas resultas. || **Comer** una cosa **en un bocado, o en dos bocados.** fr. fig. y fam. Comerla muy de prisa. || **Con el bocado en la boca.** expr. fig. y fam. Acabado de comer. || **Contarle** a uno **los bocados.** fr. fig. Darle poco de comer. || **2.** fig. y fam. Tener particular cuenta con sus acciones. || **Dar** a uno **un bocado.** fr. fig. Darle de comer por caridad o conmiseración. || **Más valen dos bocados de vaca que siete de patata.** ref. con que se denota que es mejor poco bueno que mucho malo. || **Me lo comeré, me lo comería, o quisiera comérmelo, a bocados.** fr. fig. y fam. con que se pondera el furor o rabia que se tiene contra alguno. || **2.** fig. y fam. con que se expresa la vehemencia del cariño. || **No haber para un bocado.** fr. fig. y fam. Ser muy escasa la comida, o no haber cantidad bastante de alguna otra cosa. || **No tener para un bocado.** fr. fig. y fam. Estar uno en extrema necesidad. || **2.** fig. y fam. **No haber para un bocado.**

Bocal. (Del lat. *baucālis*, y éste del gr. βαύκαλις, especie de vaso.) m. Jarro de boca ancha y cuello corto para sacar el vino de las tinajas.

Bocal. (De *boca.*) adj. *Mar.* V. **Tabla bocal.** || **2.** m. ant. **Boquilla,** 3.ª acep. || **3.** *Ar.* **Presa,** 4.ª acep.

Bocamanga. (De *boca* y *manga.*) f. Parte de la manga que está más cerca de la muñeca, y especialmente por lo interior o el forro.

Bocamina. f. Boca de la galería o pozo que sirve de entrada a una mina.

Bocana. f. Paso estrecho de mar que sirve de entrada a una bahía o fondeadero.

Bocanada. f. Cantidad de líquido que de una vez se toma en la boca o se arroja de ella. || **2.** Porción de humo que se echa cuando se fuma. || **de aire.** fig. **Bocanada de viento.** || **de gente.** fig. y fam. Tropel de gente que sale con dificultad de algún local o lugar cerrado. || **de viento.** fig. Golpe de viento que viene o entra de repente y cesa luego. || **Echar** uno **bocanadas.** fr. fig. y fam. Hablar con jactancia. || **Echar** uno **bocanadas de sangre.** fr. fig. y fam. Hacer alarde de ser muy noble o de estar emparentado con personas ilustres. || **Hablar** uno **a bocanadas.** fr. fig. y fam. Hablar sin ton ni son o con fanfarronería.

Bocarte. m. *Sant.* Cría de la sardina.

Bocateja. (De *boca* y *teja.*) f. Teja primera de cada una de las canales de un tejado, junto al alero o a la lima hoya.

Bocatijera. (De *boca* y *tijera.*) f. En los carruajes de cuatro ruedas, parte del juego delantero en donde se afirma y juega la lanza.

Bocatoma. (De *boca* y *tomar.*) f. *Chile* y *Ecuad.* **Bocacaz,** boquera.

Bocaza. f. aum. de **Boca.** || **2.** m. fig. y fam. El que habla más de lo que aconseja la discreción.

Bocazo. m. Explosión que sale por la boca del barreno sin producir efecto.

Bocear. intr. **Bocezar,** 1.ª acep.

Bocel. m. *Arq.* Moldura convexa de sección semicilíndrica. || **2.** V. **Cepillo bocel.** Ú. t. c. s. || **Cuarto bocel.** *Arq.* Moldura convexa, cuya sección es un cuarto de círculo. || **Medio bocel.** *Arq.* **Cuarto bocel.**

Bocelar. tr. Formar bocel a una pieza de plata u otra materia.

Bocelete. m. d. de **Bocel.** || **2.** **Bocel.**

Bocelón. m. aum. de **Bocel.**

Bocera. f. Lo que queda pegado a la parte exterior de los labios después de haber comido o bebido. || **2.** **Boquera,** 5.ª acep.

Boceras. m. Bocaza, hablador. || **2.** Persona despreciable.

Boceto. (Del ital. *bozzetto.*) m. En pintura, el borroncillo en colores previo a la ejecución del cuadro; en escultura, el modelado sin pormenor, y en tamaño reducido de la figura o de la composición. Por ext., se aplica a otras obras de arte que no tienen forma acabada.

Bocezar. (De *bozo.*) intr. Mover los labios el caballo y demás bestias hacia uno y otro lado, como lo hacen cuando toman el pienso o beben. || **2.** ant. **Bostezar.**

Bocezo. (De *bocezar.*) m. ant. **Bostezo.**

Bocín. (Del lat. *buxis pyxis,* caja.) m. Pieza redonda de esparto, que se pone por defensa alrededor de los cubos de las ruedas de carros y galeras. || **2.** En los molinos de cubo, agujero estrecho por donde cae el agua al rodezno.

Bocina. (Del lat. *bŭcĭna,* trompeta, infl. por *voz.*) f. **Cuerno,** 4.ª acep. || **2.** Instrumento de metal, en figura de trompeta, con ancha embocadura para meter los labios, y que se usa principalmente en los buques para hablar de lejos. || **3.** Instrumento semejante al anterior, que se hace sonar mecánicamente en los automóviles y otros artefactos. || **4.** Pabellón con que se refuerza el sonido en los gramófonos. || **5. Caracola,** 1.ª acep. || **6.** *Astron.* **Osa Menor.** || **7.** *Mar.* Revestimiento metálico con que se guarnece interiormente un orificio.

Bocinar. (Del lat. *buccināre.*) intr. Tocar la bocina o usarla para hablar.

Bocinero. m. El que toca la bocina.

Bocio. (Del b. lat. *bocĭa.*) m. Hipertrofia de la glándula tiroides, congénita y endémica en regiones muy montañosas. || **2.** Tumor, benigno o maligno, localizado en el cuerpo tiroides. || **exoftálmico.** Variedad de **bocio** caracterizada por la exoftalmía, acompañada de anemia, excitación cardiaca, irritabilidad mental y trastornos generales.

Bocón, na. adj. fam. **Bocudo.** Ú. t. c. s. || **2.** fig. y fam. Que habla mucho y echa bravatas. Ú. t. c. s. || **3.** m. Especie de sardina del mar de las Antillas, mayor que la común y de ojos y boca muy grandes.

Bocoy. (Del fr. *boucaut;* de *bouc,* macho cabrío, y éste del germ. *bukk.*) m. Barril grande para envase.

Bocudo, da. adj. Que tiene grande la boca.

Bocha. (Del ital. *boccia,* y éste del lat. ***botlia,* bulto, bola.) f. Bola de madera, de mediano tamaño, que sirve para tirar en el juego de **bochas.** || **2.** pl. Juego entre dos o más personas, que consiste en tirar a cierta distancia unas bolas medianas y otra más pequeña, y gana el que se arrima más a ésta con las otras.

Bocha. (Como el fr. *bouche,* del celta *bulga,* bolsa.) f. *Murc.* **Bolsa,** 5.ª acep.

Bochado. (De *boche,* 3.er art.) m. *Germ.* **Ajusticiado,** 2.ª acep.

Bochar. tr. En el juego de bochas, dar con una bola tirada por el aire un golpe a otra para apartarla del sitio en que está. || **2.** fig. y fam. *Venez.* **Dar boche.**

Bochazo. m. Golpe dado con una bocha a otra.

Boche. (Quizá de *bache,* 1.er art.) m. Hoyo pequeño y redondo que hacen los muchachos en el suelo para jugar, tirando a meter dentro de él las piezas con que juegan.

Boche. (De *bocha.*) m. *Venez.* **Bochazo.** || **2.** fig. y fam. *Venez.* Repulsa, desaire. || **Dar boche, o un boche,** a uno. fr. fig. y fam. Rechazarle, desairarle.

Boche. (Del fr. *boucher,* carnicero.) m. *Germ.* **Verdugo,** 5.ª acep. || **2.** *Chile.* **Bochinche.**

Bochero. (De *boche,* 3.er art.) m. *Germ.* Criado del verdugo.

Bochín. m. ant. **Boche,** 3.er art., 1.ª acep.

Bochinche. m. Tumulto, barullo, alboroto, asonada.

Bochinchero, ra. adj. Que toma parte en los bochinches o los promueve. Ú. t. c. s.

Bochista. com. Persona diestra en bochar.

Bochorno. (Del lat. *vŭltŭrnus,* viento del este.) m. Aire caliente y molesto que se levanta en el estío. || **2.** Calor sofocante, por lo común en horas de calma o por fuego excesivo. || **3.** Encendimiento pasajero del rostro. || **4.** Desazón o sofocamiento producido por algo que ofende, molesta o avergüenza. || **5.** fig. Encendimiento y alteración del rostro por haber recibido ofensa el pudor o la vergüenza.

Bochornoso, sa. adj. Que causa o da bochorno.

Boda. (Del lat. *vota,* pl. de *votum,* voto, promesa.) f. Casamiento y fiesta con que se solemniza. Ú. m. en pl. || **2.** V. **Anillo de boda.** || **3.** V. **Pan de la boda.** || **4.** V. **Perrillo de todas bodas.** || **5.** V. **La vaca de la boda.** || **de negros.** fig. y fam. Cualquiera función en que hay mucha bulla, confusión, grita y algazara. || **Bodas de diamante.** Aniversario sexagésimo de la **boda** o de otro acontecimiento solemne o muy señalado en la vida de quien lo celebra. || **de oro.** Aniversario quincuagésimo de los mismos hechos. || **de plata.** Aniversario vigésimo quinto. || **A boda ni bautizado, no vayas sin ser llamado.** ref. que reprende a los entremetidos. || **Bodas largas, barajas nuevas.** ref. con que se denota que al cabo suelen no celebrarse las que se aplazan demasiado. || **De tales bodas, tales costras,** o **tortas.** ref. que enseña que los que andan en malos pasos no pueden tener buen fin. || **En la boda, quien menos come es la novia.** ref. que muestra que en las grandes funciones el que menos las disfruta es el dueño de la casa, por el cuidado que tiene en dar providencias para que todo esté bien servido. || **Lo que no viene a la boda, no viene a toda hora.** ref. que denota que lo que prometen los suegros, si no se cumple antes de la **boda,** se realiza después con dificultad. || **Ni boda pobre ni mortuorio rico.** ref. que da a entender que ordinariamente se ponderan los caudales más de lo que son en realidad al tiempo de celebrarse los casamientos, y se disminuyen al de la muerte. || **No hay boda sin doña toda.** ref. que se dice de algunas señoras que se hallan en todas las fiestas. || **No ir uno a bodas.** fr. fig. y fam. No ir a divertirse, sino a pasar trabajos. || **No se hace la boda de hongos, sino de buenos bollos, o ducados, redondos.** ref. con que se denota que las cosas importantes no se hacen a poca costa. || **Quien bien baila, de boda en boda se anda.** ref. que muestra que el que tiene alguna gracia o habilidad quiere manifestarla a todos, o es bien recibido en todas partes. || **Quien se ensaña en la boda, piérdela toda.** ref. que censura a los aguafiestas. || **Si de ésta escapo y no muero, nunca más bodas al cielo, o ni en el cielo.** ref. que dicen los que se hallan en un lance peligroso de que les parece muy difícil salir o los que, escarmentados de algún daño, hacen propósito de ser más cautos en adelante.

Bode. (De ***boc,* boque, y éste del germ. *bukk,* macho cabrío.) m. **Macho cabrío.** || **Bésote bode, porque has de ser odre.** ref. que se dice de aquello que esperamos que, andando el tiempo, nos dé alguna utilidad.

Bodega. (Del lat. *apothēca,* y éste del gr. ἀποθήκη, depósito, almacén.) f. Lugar donde se guarda y cría el vino. || **2.** Cosecha o mucha abundancia de vino en algún lugar. *La* BODEGA *de Arganda, de Valdepeñas.* || **3. Despensa,** 1.ª acep. || **4.** Troj o granero. || **5.** En los puertos de mar, pieza o piezas bajas que sirven de almacén a los mercaderes. || **6.** *Sant.* Pieza baja que sirve de habitación en las casas de vecindad de los barrios pobres. || **7.** *Mar.* Espacio interior de los buques desde la cubierta inferior hasta la quilla. || **Al que va a la bodega, por vez se le cuenta, beba o no beba.** ref. que advierte que se huya de lugares sospechosos, aunque se vaya con buen fin. || **La bodega huele al vino que tiene.** ref. que denota que los hombres en sus obras y palabras manifiestan siempre su interior, aunque procuren disimularlo.

Bodegaje. m. *Chile.* **Almacenaje.**

Bodego. m. desus. **Bodegón,** 1.ª y 2.ª aceps.

Bodegón. (aum. de *bodega.*) m. Sitio o tienda donde se guisan y dan de comer viandas ordinarias. || **2. Taberna.** || **3.** Pintura o cuadro donde se representan cosas comestibles, vasijas, cacharros y utensilios vulgares. || **Echar uno el bodegón por la ventana.** fr. fig. y fam. **Echar la casa por la ventana.** || **2.** fig. y fam. Enfadarse o encolerizarse con demasía. || **¿En qué bodegón hemos comido juntos?** fr. fig. y fam. que reprende al que se toma demasiada familiaridad con quien no debe usarla.

Bodegoncillo. m. d. de **Bodegón.** || **de puntapié.** Tiendecilla ambulante donde se venden cosas de comer.

Bodegonero, ra. m. y f. Persona que tiene bodegón, 1.ª y 2.ª aceps.

Bodeguero, ra. m. y f. Dueño de una bodega, 1.ª acep. || **2.** Persona que tiene a su cargo la bodega.

Bodegueta. f. d. ant. de **Bodega.**

Bodigo. (Del lat. *panis votīvus,* pan ofrecido en voto; de *votum,* voto, ofrenda.) m. Panecillo hecho de la flor de la harina, que se suele llevar a la iglesia por ofrenda.

Bodijo. m. fam. Boda desigual. || **2.** fam. Boda sin aparato ni concurrencia.

Bodocal. (De *bodoque.*) adj. V. **Uva bodocal.** Ú. t. c. s. || **2.** Dícese también de las vides y del veduño de esta especie.

Bodocazo. m. Golpe que da el bodoque disparado de la ballesta.

Bodollo. m. *Ar.* **Podón.**

Bodón. (Del lat. *buda,* anea.) m. Charca o laguna invernal que se seca en verano.

Bodonal. (De *bodón.*) m. *Sal.* Terreno encenagado. || **2.** *Sal.* **Juncar.**

Bodoque. (Del ár. *bunduq,* avellana, píldora, bolita.) m. Pelota o bola de barro hecha en turquesa y endurecida al aire, como una bala de mosquete, la cual servía para tirar con ballesta de **bodoques.** || **2. Burujo,** 1.ª acep. || **3.** Reborde con que se refuerzan los ojales del colchón por donde se pasan las bastas. || **4.** Relieve de forma redonda que sirve de adorno en algunos bordados. || **5.** fig. y fam. Persona de cortos alcances. Ú. t. c. adj. || **6.** fig. *Méj.* Chichón, bollo, y en general hinchazón de forma redonda en cualquier parte del cuerpo. || **Estar uno haciendo bodoques.** fr. fig. y fam. **Estar comiendo, o mascando, tierra.**

Bodoquera. f. Molde o turquesa para bodoques, 1.ª acep. || **2.** Escalerita de cuerda de vihuela que se formaba en medio de la cuerda de la ballesta, y la cual, cuando ésta se armaba, abrazaba el bodoque que se ponía encima, como en una caja, y le tenía sujeto para que no se cayese ni torciese. || **3. Cerbatana,** 1.ª acep.

Bodorrio. m. fam. **Bodijo.**

Bodrio. (De *brodio.*) m. Caldo con algunas sobras de sopa, mendrugos, verduras y legumbres que de ordinario se daba a los pobres en las porterías de algunos conventos. || **2.** Guiso mal aderezado. || **3.** Sangre de cerdo mezclada con cebolla para embutir morcillas.

Boe. (Del lat. *boem,* por *bovem.*) m. ant. **Buey.**

Bóer. (Voz holandesa que significa *colono.*) adj. Dícese de los habitantes del África Austral, al norte del Cabo, y que son de origen holandés. Ú. t. c. s. || **2.** Perteneciente a esta región del sur de África.

Boezuelo. (De *boe.*) m. d. de **Buey.** || **2.** Figura que representa un buey y que se usa en la caza de perdices.

Bofe. (De la onomat. *buf.*) m. **Pulmón,** 1.ª acep. Ú. m. en pl. || **Echar** uno el **bofe,** o **los bofes.** fr. fig. y fam. Afanarse, trabajar excesivamente. || **Echar uno el bofe, o los bofes, por** una cosa. fr. fig. y fam. Solicitarla con toda ansia.

Bofena. (De *bofe.*) f. **Bofe.**

Bofeña. (De *bofe.*) f. *Mancha.* **Bohena,** 2.ª acep.

Bófeta. (Del ár. *bafta,* tela de algodón blanco de las Indias.) f. Cierta tela de algodón delgada y tiesa.

Bofetada. (Del dialect. *bofet,* y éste de la onomat. *buf.*) f. Golpe que se da en el carrillo con la mano abierta. || **2.** *Chile.* **Puñetazo.** || **de cuello vuelto.** loc. fam. La que se da con gran violencia. || **Dar una bofetada** a uno. fr. fig. Hacerle un gran desaire.

Bofetán. m. **Bófeta.**

Bofetón. (Del dialect. *bofet,* y éste de la onomat. *buf.*) m. Bofetada dada con fuerza. || **2. Bofetada.** || **3.** Tramoya de teatro que se funda en un quicio como de puerta y que, al girar, hace aparecer o desaparecer ante los espectadores personas u objetos. || **Bofetón amagado, nunca bien dado.** ref. que significa que el que amenaza no tiene ánimo de ejecutar lo que dice, sino de atemorizar.

Bofo, fa. (De la onomat. *buf.*) adj. **Fofo.**

Bofordar. intr. ant. **Bohordar.**

Bofordo. m. ant. **Bohordo,** 2.ª acep.

Boga. (Del lat. *boca.*) f. *Zool.* Pez teleósteo, fisóstomo, que puede alcanzar 40 centímetros de largo, aunque comúnmente es menor, de color plateado y con aletas casi blancas. Abunda en los ríos españoles y es comestible. || **2.** Pez teleósteo, acantopterigio, de cuerpo comprimido, color blanco azulado, con seis u ocho rayas por toda su longitud: las superiores, negruzcas, y las inferiores, doradas y plateadas. Abunda en los mares de España y es comestible.

Boga. f. Acción de bogar o remar. || **2.** fig. Buena aceptación, fortuna o felicidad creciente. Ú. principalmente en la frase **en boga.** || **3.** com. **Bogador.** || **arrancada.** *Mar.* La que se hace con la mayor fuerza y precipitación, y echando muy a proa las palas de los remos al meterlos en el agua. || **larga.** *Mar.* La pausada, que se hace manteniendo el remo el mayor tiempo posible debajo del agua. || **A boga lenta.** m. adv. *Mar.* Remando despacio.

Boga. f. *Extr.* Cuchillo pequeño de dos filos, ancho a modo de rejón.

Bogada. (De *bogar.*) f. Espacio que la embarcación navega por el impulso de un solo golpe de los remos.

Bogada. (De *bugada.*) f. *Ast.* **Colada,** 1.er art., 1.ª a 4.ª aceps.

Bogador, ra. m. y f. Persona que boga.

Bogante. p. a. de **Bogar.** Que boga.

Bogar. (Del germ. *wogen,* bogar.) intr. *Mar.* **Remar,** 1.ª acep. || **2.** tr. ant. Conducir remando. || **3.** *Min. Chile.* **Desnatar,** 3.ª acep.

Bogavante. (De *bogar* y *avante.*) m. Primer remero de cada banco de la galera. || **2.** Lugar en que se sentaba este remero. || **3.** *Zool.* Crustáceo marino, decápodo, de color vivo, muy semejante por su forma y tamaño a la langosta, de la cual se distingue porque las patas del primer par terminan en pinzas muy grandes y robustas.

Bogotano, na. adj. Natural de Bogotá. Ú. t. c. s. || **2.** Perteneciente a esta ciudad de América.

Bohardilla. (d. de *bufarda.*) f. **Buhardilla.**

Bohemia. n. p. V. **Granate, rubí de Bohemia.**

Bohemiano, na. adj. **Bohemo.** Apl. a pers., ú. t. c. s.

Bohémico, ca. adj. Perteneciente a Bohemia.

Bohemio, mia. (Del lat. *bohemius.*) adj. **Bohemo.** Apl. a pers., ú. t. c. s. || **2. Gitano,** 1.ª y 2.ª aceps. Apl. a pers., ú. t. c. s. || **3.** Dícese de la persona de costumbres libres y vida irregular y desordenada. Ú. t. c. s. || **4.** Dícese de la vida y costumbres de esta persona. || **5.** m. **Checo,** 3.ª acep. || **6.** Capa corta que usaba la guardia de archeros.

Bohemo, ma. (Del lat. *bohēmus.*) adj. Natural de Bohemia. Ú. t. c. s. || **2. Bohémico.**

Bohena. f. **Bofena.** || **2.** Longaniza hecha de los bofes del puerco.

Boheña. (De *bofe.*) f. ant. **Bohena.**

Bohío. (Voz de las Antillas.) m. Cabaña de América, hecha de madera y ramas, cañas o pajas y sin más respiradero que la puerta.

Bohonería. f. ant. **Buhonería.**

Bohonero. m. ant. **Buhonero.**

Bohordar. intr. ant. Tirar o arrojar bohordos en los juegos de caballería.

Bohordo. (Del fr. *bohort.*) m. Junco de la espadaña. || **2.** Lanza corta arrojadiza, de que se usaba en los juegos y fiestas de caballería, y que comúnmente servía para arrojarla contra una armazón de tablas. || **3.** En los juegos de cañas y ejercicios de la jineta, varita o caña de seis palmos y de cañutos muy pesados, derecha y limpia. El primer cañuto delantero se llenaba de arena o de yeso fraguado, a fin de que no se torciese y estuviese más pesada para poderla arrojar. || **4.** *Bot.* Tallo herbáceo y sin hojas que sostiene las flores y el fruto de algunas plantas, como el narciso, el lirio y otras.

Boíl. (Del lat. **bōile,* por *bovīle.*) m. **Boyera.**

Boina. f. Gorra sin visera, redonda y chata, de lana, generalmente de una sola pieza y de uno u otro color, de uso antiguo en las Provincias Vascongadas y Navarra y muy extendido después.

Boira. (Del lat. *bŏrĕas,* viento norte.) f. **Niebla.**

Boj. (Del cat. y arag. *box,* y éste del lat. *būxus.*) m. Arbusto de la familia de las buxáceas, de unos cuatro metros de altura, con tallos derechos, muy ramosos, hojas persistentes, opuestas, elípticas, duras y lustrosas; flores pequeñas, blanquecinas, de mal olor, en hacecillos axilares, y madera amarilla, sumamente dura y compacta, muy apreciada para el grabado, obras de tornería y otros usos. La planta se emplea como adorno en los jardines. || **2.** Madera de este arbusto. || **3.** Bolo de madera con un remate a modo de oreja, sobre el cual se cosen los pedazos de cordobán de que se hace el zapato.

Boj. (De *bojar,* 2.° art.) m. *Mar.* **Bojeo.**

Boja. f. **Abrótano.**

Boja. (Como el ital. *bogia,* vesícula, del lat. *būbia,* pezón.) f. *Vallad.* **Ampolla,** 1.ª acep. || **2.** ant. **Buba.**

Bojar. tr. Quitar la flor, las aguas y las manchas al cordobán de colores, rayéndolo con la estira.

Bojar. (Quizá del neerl. *buigen,* doblar, torcer.) tr. *Mar.* Medir el perímetro de una isla, cabo o porción saliente de la costa. || **2.** intr. Tener una isla, cabo o porción saliente de la costa tal o cual dimensión en circuito. || **3.** Rodear, recorrer dicho circuito navegando.

Boje. m. **Boj,** 1.er art., 1.ª y 2.ª aceps.

Bojear. tr. e intr. *Mar.* **Bojar,** 2.° art., 1.ª y 2.ª aceps. || **2.** intr. Navegar a lo largo de una costa.

Bojedal. (der. del lat. *bŭxetum,* lugar de bojes.) m. Sitio poblado de bojes.

Bojeo. m. *Mar.* Acción de bojear. || **2.** Perímetro o circuito de una isla o cabo.

Bojeta. f. ant. *Ar.* **Sardineta,** 1.ª acep.

Bojiganga. f. Compañía corta de farsantes, que en lo antiguo representaba algunas comedias y autos en los pueblos pequeños.

Bojo. m. *Mar.* Acción de bojar, 2.° art.

Bojote. m. *Colomb., Hond.* y *Venez.* Lío, bulto, envoltorio, paquete.

Bojotero. m. *Colomb.* El que en los trapiches forma bojotes de bagazo para echarlos a la hornilla.

Bol. (Del ingl. *bowl,* taza.) m. **Ponchera.** || **2.** Taza grande y sin asa.

Bol. (Del lat. *bolus,* y éste del gr. βόλος, de βάλλω, lanzar.) m. **Redada,** 1.ª acep. || **2. Jábega,** 1.er art.

Bol. m. **Bolo,** 1.er art. || **arménico,** o **de Armenia.** Arcilla rojiza procedente de Armenia y usada en medicina, en pintura y como aparejo en el arte de dorar.

Bola. (Del ant. fr. *boule,* y éste del lat. *bŭlla,* bola.) f. Cuerpo esférico de cualquiera materia. || **2.** Juego que consiste en tirar con la mano una **bola** de hierro, a pie quieto o a la carrera, según se conviene, y en el cual gana el jugador que al fin de la partida ha pasado con su **bola** más adelante. || **3.** En algunos juegos de naipes, como el tresillo, lance que consiste en hacer uno todas las bazas. || **4.** Armazón compuesta de dos discos circulares, negros y cruzados entre sí perpendicularmente por los diámetros, la cual tiene apariencia de **bola** y sirve para hacer señales en los buques y en otros sitios. || **5. Betún,** 2.ª acep. || **6.** V. **Comendador de bola.** || **7.** V. **Golpe en bola.** || **8.** V. **Guerra de bolas.** || **9.** V. **Niño de la bola.** || **10.** fig. y fam. Embuste, mentira. || **11.** *Venez.* Tamal de figura esférica. || **12.** *Germ.* **Feria,** 3.ª y 4.ª aceps. || **13.** pl. *Cuba* y *Chile.* **Argolla,** 2.ª acep. || **Bola de nieve. Mundillo,** 3.ª y 4.ª aceps. || **A bola vista.** m. adv. fig. A las claras, descubiertamente, con evidencia y seguridad. || **¡Dale bola!** expr. fig. y fam. que denota el enfado que causa una cosa cuando se repite muchas veces. || **Dar, o darle, a la bola.** fr. fig. *Méj.* **Atinar.** || **Dejar que ruede,** o **dejar rodar, la bola.** fr. fig. y fam. Dejar que un suceso o negocio siga su curso sin intervenir en él. || **2.** fig. y fam. Mirar con indiferencia que las cosas vayan de uno o de otro modo. || **Escurrir la bola.** fr. fig. y fam. Huir, escapar. || **Hacer bolas.** fr. fig. y fam. **Hacer novillos.** || **Ruede la bola.** expr. fig. y fam. con que alguno manifiesta el deseo de **dejar que ruede la bola.**

Bolada. f. Tiro que se hace con la bola. || **2.** Caña del cañón de artillería.

Bolado. (De *bola.*) m. **Azucarillo.**

Bolaga. f. *Cád.* y *Murc.* **Torvisco.**

Bolagar. m. *Murc.* Sitio donde abunda la bolaga.

Bolán. V. **De bolín, de bolán.**

Bolandista. (Del P. Juan van *Bolland,* fundador de la sociedad de este nombre.) m. Individuo de una sociedad formada por miembros de la Compañía de Jesús, para publicar y depurar críticamente los textos originales de las vidas de los santos.

Bolañego, ga. adj. Natural de Bolaños. Ú. t. c. s. || **2.** Perteneciente a esta villa.

Bolaño. m. Bola o pelota de piedra que disparaban las bombardas y pedreros.

Bolar. (De *bol,* 3.er art.) adj. V. **Tierra bolar.**

Bolardo. (Del ingl. *bollard.*) m. Noray de hierro colado o acero, con la extremidad superior encorvada, que se coloca junto a la arista exterior de un muelle, para que las amarras no estorben el paso.

Bolazo. m. Golpe de bola. ‖ **De bolazo.** m. adv. fig. y fam. De prisa y sin esmero.

Bolchaca. (Del lat. *bŭrsa.*) f. fam. *Ar.* y *Murc.* Bolsillo o faltriquera.

Bolchaco. m. fam. y despect. *Ar.* Bolchaca.

Bolchevique. (Del ruso *bolchevik*, partidario del máximo.) adj. Partidario del bolcheviquismo. Ú. t. c. s.

Bolcheviquismo. m. Sistema de gobierno establecido en Rusia por la revolución social de 1917, que practica el colectivismo mediante la dictadura que ejerce en nombre del proletariado. ‖ **2.** Doctrina defensora de tal sistema.

Bolchevismo. m. **Bolcheviquismo.**

Boldina. f. Alcaloide extraído del boldo: es de sabor amargo.

Boldo. m. Arbusto de la familia de las monimiáceas, originario de Chile, de hojas siempre verdes, flores blancas en racimos cortos, y fruto comestible. La infusión de sus hojas, que es muy aromática, se considera de gran eficacia para curar las enfermedades del estómago y del hígado.

Boleador. (De *bolear*, 2.° art.) m. *Germ.* El que hace caer a otro.

Boleadoras. (De *bolear*, 2.° art.) f. pl. Instrumento que se arroja a los pies o al pescuezo de los animales para aprehenderlos. Se usa en la América del Sur, y está compuesto de dos o tres bolas de piedra u otra materia pesada, forradas de cuero y sujetas fuertemente a sendas guascas. Las de dos se emplean para cazar avestruces, venados y animales semejantes; y las de tres, para toros y caballos.

Bolear. (De *bola.*) intr. En los juegos de trucos y billar, jugar por puro entretenimiento, sin interés y sin hacer partido. ‖ **2.** Tirar las bolas de madera o de hierro, apostando a quién las arroja más lejos. ‖ **3.** *Murc.* Decir muchas mentiras. ‖ **4.** tr. *Argent.* Echar o arrojar las boleadoras a un animal. ‖ **5.** fig. *Argent.* Envolver, enredar a uno; hacerle una mala partida. Ú. t. c. r.

Bolear. (De *bol*, 2.° art.) tr. fam. **Arrojar,** 1.ª acep. ‖ **2.** intr. *Germ.* **Caer,** 1.ª y 2.ª aceps.

Boleo. m. Acción de bolear, 1.er art., 1.ª y 2.ª aceps. ‖ **2.** Sitio en que se bolea o tira la bola.

Bolera. (De *bolo.*) f. **Boliche,** 1.er art., 4.ª acep.

Boleras. f. pl. **Bolero,** 2.° art., 2.ª acep.

Bolero, ra. (De *bola.*) adj. **Novillero,** 5.ª acep. ‖ **2.** V. **Escarabajo bolero.** ‖ **3.** fig. y fam. Que dice muchas mentiras. Ú. t. c. s.

Bolero, ra. m. y f. Persona que ejerce o profesa el arte de bailar el **bolero** o cualquiera otro baile nacional de España. ‖ **2.** m. Aire musical popular español, cantable y bailable en compás ternario y de movimiento majestuoso. ‖ **3.** Chaquetilla corta de señora. ‖ **4.** *Guat.* y *Hond.* **Chistera,** 3.ª acep. ‖ **A lo bolero.** m. adv. Con meneos parecidos a los de quien baila el bolero.

Boleta. (Del ital. *bolletta.*) f. Cédula que se da para poder entrar sin embarazo en alguna parte. ‖ **2.** Cédula que se da a los militares cuando entran en un lugar, señalando a cada uno la casa donde ha de alojarse. ‖ **3.** Especie de libranza para tomar o cobrar alguna cosa. ‖ **4.** Papelillo con una corta porción de tabaco, que se vendía por menor. ‖ **5.** Cédula que se insacula llevando inscrito un número, o nombre de persona o cosa.

Boletar. tr. Hacer boletas o papelillos de tabaco.

Boletería. (De *boleta.*) f. *Amér.* Taquilla, casillero o despacho de billetes.

Boletero. m. Individuo encargado de hacer y repartir las boletas de alojamiento.

Boletero, ra. m. y f. *Amér.* Persona que vende boletos.

Boletín. (Del ital. *bollettino*, de *bolletta*, y éste del lat. *bŭlla*, bola.) m. d. de **Boleta.** ‖ **2.** Libramiento para cobrar dinero. ‖ **3. Boleta,** 1.ª y 2.ª aceps. ‖ **4.** Cédula de suscripción a una obra o empresa. ‖ **5.** Publicación destinada a tratar de asuntos científicos, artísticos, históricos o literarios, generalmente publicada por alguna corporación. BOLETÍN *meteorológico;* BOLETÍN *de la Academia Española.* ‖ **6.** Periódico que contiene disposiciones oficiales.

Boleto. (De *boleta.*) m. *Chile, Guat., Méj.* y *Perú.* **Billete,** 2.ª y 3.ª aceps.

Bolichada. f. Lance de la red llamada boliche. ‖ **2.** fig. y fam. Lance afortunado en que median intereses pecuniarios. ‖ **De una bolichada.** m. adv. fig. y fam. De un golpe, de una vez.

Boliche. (Del lat. *bŭlla*, bola.) m. Bola pequeña de que se usa en el juego de las bochas. ‖ **2.** Juego que se ejecuta en una mesa cóncava, donde hay unos cañoncillos que salen como un palmo hacia la circunferencia, y echando con las manos tantas bolas como hay cañoncillos, según el mayor número de bolas que entran por ellos, se gana lo apostado o parado. ‖ **3.** Juego de bolos. ‖ **4.** Lugar donde se ejecuta este juego. ‖ **5.** Juguete de madera o hueso, que se compone de un palo terminado en punta por un extremo y con una cazoleta en el otro, y de una bola taladrada sujeta por un cordón al medio del palo y que, lanzada al aire, se procura recoger, ya en la cazoleta, ya acertando a meterle en el taladro la punta del palo. ‖ **6.** Adorno de forma torneada por lo común, en que rematan ciertas partes de algunos muebles. ‖ **7.** Tabaco de clase inferior que se produce en la isla de Puerto Rico. ‖ **8.** Horno pequeño para hacer carbón de leña. ‖ **9.** Horno pequeño de reverbero y de dos plazas, para fundir minerales de plomo. ‖ **10.** Tienda de baratijas; tenducho, taberna o figón ‖ **11.** *And.* Establecimiento industrial, fábrica o taller de poca importancia. ‖ **12.** *Germ.* **Casa de juego.**

Boliche. (De *bol*, 2.° art.) m. Jábega pequeña. ‖ **2.** Pescado menudo que se saca con ella. ‖ **3.** *Mar.* Bolina de las velas menudas.

Bolichero. m. *And.* Vendedor del pescado llamado boliche.

Bolichero, ra. m. y f. Persona que tiene por su cuenta un boliche, 1.er art., 2.ª acep.

Bólido. (Del lat. *bolis, -idis*, y éste del gr. βολίς, arma arrojadiza, tiro; de βάλλω, lanzar.) m. *Meteor.* Cantidad de materia cósmica de dimensiones apreciables a simple vista que, a manera de globo inflamado, atraviesa rápidamente la atmósfera y suele estallar y dividirse en pedazos.

Bolillo. (d. de *bolo.*) m. Palito torneado que sirve para hacer encajes y pasamanería: el hilo se arrolla o devana en la mitad superior, que es más delgada, y queda tirante por el peso de la otra mitad, que es más gruesa. ‖ **2.** En la mesa de trucos, hierro redondo, de 10 a 12 centímetros de alto, puesto perpendicularmente en una cabecera, enfrente de la barra. ‖ **3.** Horma para aderezar vuelos de gasa o de encaje. ‖ **4.** Cada uno de estos vuelos. ‖ **5.** Hueso a que está unido el casco de las caballerías. ‖ **6.** pl. Barritas de masa dulce.

Bolín. m. d. de **Bolo.** ‖ **2. Boliche,** 1.er art., 1.ª acep. ‖ **De bolín, de bolán.** m. adv. fam. Inconsideradamente, sin reflexión.

Bolina. (Del ingl. *bowline.*) f. *Mar.* Cabo con que se hala hacia proa la relinga de barlovento de una vela para que reciba mejor el viento. ‖ **2.** *Mar.* **Sonda,** 2.ª acep. ‖ **3.** *Mar.* Cada uno de los cordeles que forman las arañas que sirven para colgar los coyes. ‖ **4.** V. **Viento de bolina.** ‖ **5.** *Mar.* Castigo que se daba a los marineros a bordo, y que consistía en azotar al reo, corriendo éste al lado de una cuerda que pasaba por una argolla asegurada a su cuerpo. ‖ **6.** *Mar.* Respecto a un rumbo de la aguja, cada uno de los dos que distan seis cuartas de él, por banda y banda. ‖ **7.** fig. y fam. Ruido o bulla de pendencia o alboroto. ‖ **Echar** uno **de bolina.** fr. fig. y fam. Proferir bravatas. ‖ **2.** fig. y fam. Exagerar sin consideración. ‖ **Ir, o navegar, de bolina.** fr. *Mar.* Navegar de modo que la dirección de la quilla forme con la del viento el ángulo menor posible.

Bolineador, ra. adj. *Mar.* **Bolinero,** 1.ª acep.

Bolinear. intr. *Mar.* **Ir, o navegar, de bolina.**

Bolinero, ra. adj. *Mar.* Dícese del buque que tiene la propiedad de navegar bien de bolina. ‖ **2.** *Chile.* Alborotador, bullanguero.

Bolisa. f. En algunas partes, **pavesa.**

Bolívar. (Del nombre de Simón *Bolívar*, que inició la independencia de América.) m. Moneda de plata de Venezuela que, a la par, equivale a una peseta. Es la unidad monetaria.

Bolivariano, na. adj. Perteneciente o relativo a Simón Bolívar o a su historia, su política, etc. *Congreso* BOLIVARIANO; *doctrina* BOLIVARIANA.

Boliviano, na. adj. Natural de Bolivia. Ú. t. c. s. ‖ **2.** Perteneciente o relativo a esta república de América. ‖ **3.** m. Moneda de plata de Bolivia, equivalente a cinco pesetas.

Bolo. (De *bola.*) m. Trozo de palo labrado en forma cónica o en otra de base plana, para que se tenga derecho en el suelo. ‖ **2. Bola,** 3.ª acep. ‖ **3.** En el juego de las cargadas, el que no hace ninguna baza. ‖ **4.** fig. y fam. Hombre ignorante o de escasa habilidad. Ú. t. c. adj. ‖ **5.** Actor independiente de una compañía, contratado sólo para hacer un determinado papel. ‖ **6.** Reunión de pocos y medianos cómicos que recorren los pueblos para explotar alguna obra famosa. ‖ **7.** *Ar.* Almohadilla prolongada y redonda en que las mujeres hacen encajes. ‖ **8.** *Arq.* **Nabo,** 6.ª acep. ‖ **9.** *Farm.* Píldora más grande que la ordinaria. ‖ **10.** pl. Juego que consiste en poner sobre el suelo nueve **bolos** derechos, formando tres hileras equidistantes, y en derribar cada jugador los que pueda, tirando con una bola desde una raya señalada. ‖ **11.** V. **Diez, veinte de bolos.** ‖ **Bolo alimenticio.** Alimento masticado e insalivado que de una vez se deglute. ‖ **arménico,** o **de Armenia. Bol arménico.** ‖ **Echar** uno **a rodar los bolos.** fr. fig. y fam. Promover reyerta o disturbio, prescindiendo de todo miramiento o consideración. ‖ **Mudarse los bolos.** fr. fig. y fam. Descomponerse o mejorarse los medios o empeños de una pretensión o negocio. ‖ **Quedarse,** o **volver, bolo.** fr. fig. que se dice del cazador que no cobra pieza ninguna. ‖ **Tener** uno **bien puestos los bolos.** fr. fig. y fam. Tener bien tomadas las medidas para el logro de algún fin. ‖ **Trocarse los bolos.** fr. fig. y fam. **Mudarse los bolos.**

Bolo. m. Cuchillo grande, a manera de machete, de que se sirven los filipinos como de arma, y para cortar ramas y otros varios usos.

Bolón. (De *molón.*) m. *Chile.* Piedra de regular tamaño que se emplea en los cimientos de las construcciones.

Bolonio. adj. fam. Dícese de los estudiantes y graduados del Colegio Español de Bolonia. Ú. t. c. s. || **2.** fig. y fam. Necio, ignorante. Ú. t. c. s.

Boloñés, sa. adj. Natural de Bolonia. Ú. t. c. s. || **2.** Perteneciente a esta ciudad de Italia.

Bolsa. (Cruce del lat. *bŭrsa* y de *bulga.*) f. Especie de talega o saco de tela u otra materia flexible, que sirve para llevar o guardar alguna cosa. || **2.** Saquillo de cuero o de otra cosa en que se echa dinero, y que se ata o cierra para que éste no se salga. || **3.** Taleguilla de tafetán o moaré negro con una cinta en la parte superior, que usaban los hombres para llevar recogido el pelo. || **4.** **Folgo.** || **5.** Arruga que hace un vestido cuando viene ancho o no ajusta bien al cuerpo, o la que forman dos telas cosidas cuando una es más larga o ha dado de sí más que la otra. || **6.** Pieza de estera en forma de saco, que pende entre los varales del carro o galera, y debajo de la zaga de los coches o calesas, para colocar efectos. || **7.** fig. **Lonja,** 2.° art., 1.ª acep. || **8.** fig. Reunión oficial de los que operan con fondos públicos. *El Jueves Santo no hay* BOLSA. || **9.** fig. Caudal o dinero de una persona. *A Juan se le acabó la* BOLSA. || **10.** *Cir.* Cavidad llena de pus, linfa, etc. || **11.** *Min.* Parte de un criadero donde el mineral está reunido con mayor abundancia y en forma redondeada. || **12.** pl. Las dos cavidades del escroto en las cuales se alojan los testículos. || **Bolsa de corporales.** Pieza de dos hojas de cartón cuadradas y forradas de tela, entre las cuales se guardan plegados los corporales. || **de Dios.** ant. fig. **Limosna,** 1.ª acep. || **de hierro.** fig. Persona miserable. || **de trabajo.** Organismo encargado de recibir ofertas y peticiones de trabajo y de ponerlas en conocimiento de los interesados. || **rota.** fig. **Manirroto.** || **turca.** Vaso de vaqueta, plegable y a propósito para llevarlo en el bolsillo, que suele usarse para beber en él cuando se va al campo o se viaja. || **Alargar** uno **la bolsa.** fr. fig. y fam. Prevenir dinero para un gasto grande. || **Bajar la bolsa.** fr. fig. Bajar el precio de los valores fiduciarios que se cotizan en ella, y especialmente los de la deuda pública. || **Bolsa sin dinero, llámola cuero.** ref. que significa el poco aprecio que se debe hacer de las cosas cuando no sirven para el fin a que están destinadas. || **Castigar** a uno **en la bolsa.** fr. fam. Imponerle alguna pena o responsabilidad pecuniaria. || **El que compra y miente, en su bolsa lo siente.** ref. contra los que por ufanía fingen que compran barato. || **Estar peor que en la bolsa.** fr. fig. y fam. que se dice para denotar la incertidumbre o poca seguridad que se tiene del empleo de algún dinero. || **Huélame a mí la bolsa, y hiédate a ti la boca.** ref. que se dice de los que prefieren su comodidad y provecho a su buen nombre y fama. || **Jugar a la bolsa.** fr. fig. Comprar o vender al descubierto y a plazo, valores cotizables previendo ganancia en las diferencias que resulten. || **Llevar** uno **bien herrada la bolsa.** fr. ant. **Tener bien herrada la bolsa.** || **No echarse** uno **nada en la bolsa.** fr. fig. **No echarse nada en el bolsillo.** || **Subir la bolsa.** fr. fig. Subir el precio de los valores fiduciarios que se cotizan en ella, y especialmente los de la deuda pública. || **Tener** uno **bien herrada la bolsa.** fr. ant. Estar o ir bien provisto de dineros. || **Tener** uno alguna cosa **como en la bolsa.** fr. Tener entera seguridad de conseguirla. || **Trae la bolsa abierta, y entrársete ha en ella la sentencia.** ref. que advierte cuánto puede el dinero como medio de corrupción.

Bolsada. f. *Min.* **Bolsa,** 11.ª acep.

Bolsear. intr. *Ar.* Hacer bolsas el vestido, las tapicerías, paños, etc. || **2.** tr. *C. Rica, Guat., Hond.* y *Méj.* Quitarle a uno furtivamente del bolsillo el reloj o el dinero.

Bolsera. f. Bolsa o talega para el pelo, de que usaban las mujeres.

Bolsería. (De *bolsero.*) f. Oficio de hacer bolsas. || **2.** Fábrica de bolsas. || **3.** Paraje donde se venden. || **4.** Conjunto de ellas.

Bolsero, ra. m. y f. Persona que hace o vende bolsas o bolsillos. || **2.** m. ant. Tesorero, depositario. Ú. en *Ál.*

Bolsico. (d. de *bolso.*) m. ant. fig. **Bolsa,** 9.ª acep. || **2.** *Chile.* **Bolsillo,** 2.ª acep. || **Quien tiene cuatro y gasta cinco, no ha menester bolsico.** ref. contra el que gasta más de lo que tiene.

Bolsilla. (d. de *bolsa.*) f. *Germ.* Bolsa que llevan los fulleros para esconder los naipes.

Bolsillo. (d. de *bolso.*) m. **Bolsa,** 2.ª acep. || **2.** Saquillo más o menos grande cosido en una u otra parte de los vestidos, y que sirve para meter en él algunas cosas usuales. || **3.** V. **Brújula, pañuelo, pistola de bolsillo.** || **4.** fig. **Bolsa,** 9.ª acep. *Mateo tiene buen* BOLSILLO. || **de parche.** El sobrepuesto a la prenda, de la misma tela que ésta, sin forro y con cartera y botón. || **secreto.** Cierto caudal que antiguamente tenía destinado el rey, para diferentes gastos particulares. || **Consultar** uno **con el bolsillo.** fr. fig. y fam. Examinar el estado de su caudal para emprender alguna cosa. || **De bolsillo.** loc. Dícese de la cosa que por su hechura y tamaño es adecuada para llevarla en el **bolsillo.** || **No echarse** uno **nada en el bolsillo.** fr. fig. y fam. No resultarle provecho alguno en aquello de que se trata. || **Rascarse el bolsillo.** fr. fig. y fam. Soltar dinero, gastar, comúnmente de mala gana. || **Tener** uno **en el bolsillo** a otro. fr. fig. y fam. Contar con él con entera seguridad.

Bolsín. m. d. de **Bolsa,** 7.ª acep. || **2.** Reunión de los bolsistas para sus tratos, fuera de las horas y sitio de reglamento. || **3.** Lugar donde habitualmente se verifica dicha reunión.

Bolsiquear. tr. *Amér. Merid.* **Bolsear,** 2.ª acep.

Bolsista. (De *bolsa,* 8.ª acep.) m. El que se dedica a especulaciones bursátiles.

Bolso. (De *bolsa.*) m. **Bolsa,** 2.ª acep. || **2.** *Mar.* Seno que por la acción del viento se forma en las velas cuando se efectúan en ellas ciertas maniobras, como las de cargar o arrizar.

Bolsón. (aum. de *bolso.*) m. En los molinos de aceite, tablón de madera con que se forra el suelo del alfarje desde la solera a la superficie. || **2.** *Albañ.* Abrazadera de hierro en un barrón vertical de este metal, donde se fijan los tirantes o barras, también de hierro, que abrazan horizontalmente las bóvedas, para su mayor firmeza. || **Donde hay saca y nunca pon, presto se acaba el bolsón.** ref. que advierte que por grande que sea el caudal, si se gasta y no se repone, llega el caso de acabarse.

Bolsor. (Del fr. *voussoir,* der. del lat. **volsus,* por *vŏlūtus,* vuelto.) m. ant. **Dovela,** 1.ª acep.

Bolla. (Del lat. *bŭlla,* sello.) f. Derecho que se pagaba en Cataluña al tiempo de vender por menor los tejidos de lana y seda que se consumían en el principado, a los cuales se ponía un sello en la aduana. || **2.** Derecho que se pagaba por fabricar naipes.

Bolla. (Del lat. *bŭlla,* bola.) f. *León.* Bollo de harina de flor y leche. || **2.** *León.* Mollete o panecillo de una libra de peso, con que las cofradías religiosas de Astorga obsequian a los cofrades en determinados días del año.

Bolladura. (De *bollar,* 2.° art.) f. **Abolladura.**

Bollar. (De *bolla,* 1.er art.) tr. Poner un sello de plomo en los tejidos para que se conozca la fábrica de donde salen.

Bollar. (De *bollo,* 2.° art.) tr. **Abollonar,** 1.ª acep. || **2.** *Mál.* **Abollar,** 1.er art.

Bollecer. intr. ant. Meter bulla o ruido, alborotarse.

Bollén. m. Árbol chileno, de la familia de las rosáceas, cuya madera, que es muy dura, se emplea para hacer mangos y en la construcción de casas. Sus hojas son febrífugas. || **2.** Madera de este árbol.

Bollería. f. Establecimiento donde se hacen bollos, 1.er art., 1.ª acep. || **2.** Tienda donde se venden.

Bollero, ra. m. y f. Persona que hace o vende bollos.

Bolliciador, ra. (De *bolliciar.*) adj. ant. Que mueve inquietudes y alborotos. Usáb. t. c. s.

Bolliciar. tr. ant. Alborotar o causar bullicio. Usáb. t. c. r.

Bollicio. (De *bollir.*) m. ant. **Bullicio.** Ú. en *Sal.*

Bollición. f. ant. Acción y efecto de bollir .

Bollimiento. m. ant. **Bollición.**

Bollir. (Del lat. *bŭllīre,* bullir.) intr. ant. **Bullir.**

Bollo. (Del lat. *bŭlla,* bola.) m. Panecillo de harina amasada con huevos, leche, etc. || **2.** Cierto plegado de tela, de forma esférica, usado en las guarniciones de trajes de señora y en los adornos de tapicería. || **3.** fig. **Chichón.** || **de relieve.** Resalto esférico o elipsoidal que se hace repujando o estampando piezas de plata, como salvillas, bandejas, etc. || **maimón.** Roscón de masa de bizcocho. || **2.** Mazapán relleno de conservas. || **Ese bollo no se ha cocido en su horno.** loc. fig. y fam. con que se da a entender que un dicho o escrito no procede originariamente de quien pasa por su autor. || **No cocérsele** a uno **el bollo.** fr. fig. y fam. **No cocérsele** a uno **el pan.** || **Perdonar el bollo por el coscorrón.** fr. fig. y fam. con que se indica la conveniencia de renunciar a alguna cosa por el demasiado esfuerzo que costaría el lograrla.

Bollo. (De *abollar,* 1.er art.) m. fam. **Abolladura.**

Bollón. (aum. de *bollo.*) m. Clavo de cabeza grande, comúnmente dorada, que sirve para adorno. || **2.** Broquelillo o pendiente con sólo un botón. || **3.** **Bollo de relieve.** || **4.** *Ar.* Botón que echan las plantas, principalmente la vid.

Bollonado, da. adj. Adornado con bollones.

Bolluelo. m. d. de **Bollo.**

Bomba. (Del lat. *bombus,* ruido, zumbido.) f. Máquina para elevar el agua u otro líquido y darle impulso en dirección determinada. Se compone generalmente del cuerpo de **bomba** y de los correspondientes tubos con válvulas para aspiración o impulso, o ambas cosas a la vez, según su clase. || **2.** Proyectil esférico, ordinariamente de hierro, hueco y lleno de pólvora, de máximo calibre, que se disparaba con mortero y precisamente por elevación. En el agujero por donde se cargaba llevaba una espoleta llena de un mixto con el cual se inflamaba la pólvora y hacía estallar la **bomba.** || **3.** Pieza hueca de cristal, abierta por la parte superior y la inferior, y generalmente esférica, que se pone en las lámparas y otros utensilios semejantes, con el fin de que alumbre mejor y la luz no ofenda la vista. También las hay con una sola abertura circular en la parte superior, que se usan para las lámparas eléctricas. || **4.** Pieza hueca de metal que, llena de materias explosivas y provista de una mecha, se emplea para producir daños o atentados. || **5.** En los instrumentos músicos de metal, tubo encorvado que por sus extremos enchufa con otros abiertos en la mitad del instrumento, y sirve, sacándolo más o menos, para la buena afinación. La flauta, el clarinete y el fagot tienen otra especie de **bomba**, que sirve para alargar un poco el instrumento y bajar su entonación. || **6.** En los molinos de aceite, tinaja soterrada donde se recoge el agua que sale del pozuelo, y sirve para separar de ésta el aceite que pueda contener. || **7.** V. **Cuerpo de bomba.** || **8.** fig. Noticia inesperada que se suelta de improviso y causa estupor. || **9.** fig. y fam. Versos que improvisa la gente del pueblo en sus jaranas. || **10.** fig. *Colomb.* y *Hond.* **Pompa,** 4.ª acep. || **11.** fig. y fam. *Guat.*, *Hond.* y *Perú.* **Borrachera,** 1.ª acep. || **12.** fig. *Cuba* y *Méj.* **Chistera,** 3.ª acep. || **alimenticia.** La que sirve para proveer de agua la caldera de una máquina de vapor. || **aspirante.** La que eleva el líquido por combinación con la presión atmosférica. || **aspirante e impelente.** La que saca el agua de profundidad por aspiración y luego la impele con esfuerzo. || **atómica.** Proyectil explosivo, cuya enorme potencia es producida por la desintegración del átomo de determinadas substancias. || **centrífuga.** Aquella en que se hace la aspiración y elevación del agua por medio de una rueda de paletas que gira rápidamente dentro de una caja cilíndrica. || **de alimentación. Bomba alimenticia.** || **de mano.** *Mil.* La explosiva de tamaño reducido que se puede lanzar con la mano. || **impelente.** La que no saca el agua de profundidad, sino que la eleva desde el plano mismo que ocupa la máquina. || **neumática.** La que se emplea para extraer el aire y a veces para comprimirlo. || **rotatoria. Bomba centrífuga.** || **¡Bomba!** exclam. fig. con que en ciertos convites anuncia uno que va a pronunciar un brindis, a decir unos versos o a dar pie para ellos. || **Caer como una bomba.** fr. fig. y fam. que se dice de la persona que se presenta inopinadamente en una reunión o de la noticia inesperada que se comunica, y cuya respectiva aparición o referencia deja atónitos a los circunstantes. || **Dar a la bomba.** fr. *Mar.* **Picar,** 23.ª acep. || **Estar echando bombas** una cosa. fr. fig. y fam. Estar muy caldeada.

Bombacáceo, a. (De *bombax*, nombre de un género de plantas.) adj. *Bot.* Dícese de árboles y arbustos intertropicales dicotiledóneos, con hojas alternas, por lo común palmeadas, flores axilares, en racimo o en panoja, fruto vario y semilla frecuentemente cubierta de lana o pulpa; como el baobab. Ú. t. c. s. f. || **2.** f. pl. *Bot.* Familia de estas plantas.

Bombáceo, a. adj. *Bot.* **Bombacáceo.**

Bombacha. f. *Amér.* Calzón o pantalón bombacho. Ú. t. en pl.

Bombacho. adj. V. **Calzón bombacho.** || **2.** V. **Pantalón bombacho.** Ú. t. c. s.

Bombarda. (Del b. lat. *bombarda*, y éste del lat. *bombus*, ruido.) f. Máquina militar de metal, con un cañón de gran calibre, que se usaba antiguamente. || **2.** Buque de dos palos, armado de morteros instalados en la parte de proa. || **3.** Embarcación de cruz, sin cofas, de dos palos, el mayor casi en el centro y el otro a popa, usada en el Mediterráneo. || **4.** Antiguo instrumento músico de viento, del género de la chirimía, construido de una pieza de madera con lengüeta de caña. || **5.** Registro del órgano, compuesto de grandes tubos con lengüeta que producen sonidos muy fuertes y graves.

Bombardear. (De *bombarda.*) tr. **Bombear,** 1.er art. || **2.** Hacer fuego violento y sostenido de artillería, dirigiendo los proyectiles contra lo interior de una población u otro recinto más que contra sus muros y defensas. || **3.** *Fís.* Someter un cuerpo a la acción de ciertas radiaciones o al impacto de neutrones u otros elementos del átomo.

Bombardeo. m. Acción de bombardear.

Bombardero, ra. adj. V. **Lancha bombardera.** || **2.** m. Oficial o soldado de artillería destinado al servicio de las bombardas. || **3.** Artillero que estaba destinado al servicio especial del mortero. || **4.** ant. **Artillero.**

Bombardino. (De *bombarda.*) m. Instrumento músico de viento, de metal, semejante al figle, pero con pistones o cilindros en vez de llaves, y que pertenece a la clase de bajos.

Bombardón. (aum. de *bombarda.*) m. Instrumento músico de viento, de grandes dimensiones, de metal y con cilindros, que sirve de contrabajo en las bandas militares.

Bombasí. (Del fr. *bombasin*, y éste del ital. *bambagine*, der. del lat. *bombyx*, *-ĭcis*, gusano de seda.) m. **Fustán,** 1.ª acep.

Bombástico, ca. (Del ingl. *bombastic.*) adj. Dícese del lenguaje hinchado, campanudo o grandilocuente, sobre todo cuando la ocasión no lo justifica. || **2.** Aplícase a la persona que habla o escribe de este modo.

Bombazo. m. Golpe que da la bomba al caer. || **2.** Explosión y estallido de este proyectil. || **3.** Daño que causa.

Bombé. (Del fr. *voiture bombée*, carruaje combado.) m. Carruaje muy ligero de dos ruedas y otros tantos asientos, abierto por delante.

Bombear. tr. Arrojar o disparar bombas de artillería.

Bombear. tr. Dar bombo.

Bombeo. (De *bomba.*) m. Comba, convexidad.

Bombero. m. El que tiene por oficio trabajar con la bomba hidráulica. || **2.** Cada uno de los operarios encargados de extinguir los incendios. || **3.** Cañón que sirve para disparar bombas.

Bombilla. (d. de *bomba.*) f. **Bombillo,** 2.ª acep. || **2.** Globo de cristal en el que se ha hecho el vacío y dentro del cual va colocado un hilo de platino, carbón, tungsteno, etc., que al paso de una corriente eléctrica se pone incandescente. || **3.** Caña delgada de que se sirven para sorber el mate en América; tiene unos 20 centímetros de largo y medio de diámetro, y por la parte que se introduce en el líquido termina en figura de una almendra llena de agujeritos, para que pase la infusión y no la hierba del mate. También las hay de plata y de oro. || **4.** *Mar.* Farol muy usado a bordo, el cual lleva sobre la candileja y adherido a ella un cristal casi esférico y remata en un anillo para colgarlo.

Bombillo. (d. de *bombo.*) m. Aparato con sifón para evitar la subida del mal olor en las bajadas de aguas inmundas, como las de los comunes o letrinas. || **2.** Tubo de hojalata o de plata con un ensanche en la parte inferior, para sacar líquidos. || **3.** *Mar.* Bomba pequeña, generalmente portátil, que se destina a varios usos y principalmente a extinguir incendios.

Bombín. m. fam. **Hongo,** 2.ª acep.

Bombo, ba. (Del lat. *bombus*, ruido.) adj. fam. Aturdido, atolondrado por alguna novedad extraordinaria o por algún dolor agudo. || **2.** m. Tambor muy grande que se toca con una maza y se emplea en las orquestas y en las bandas militares. || **3.** El que toca este instrumento. || **4.** Buque de fondo chato, poco calado, muy romo o lleno en la proa, que sirve para carga o para el paso de un brazo estrecho de mar. || **5.** Caja cilíndrica o esférica y giratoria que sirve para contener bolas numeradas, cédulas escritas o cualesquiera otros objetos que han de sacarse a la suerte. || **6.** Vaso, ordinariamente de cuero y de figura semejante a la de una botella ancha y de gollete muy corto, que en ciertos juegos de billar sirve para contener bolas numeradas que han de distribuirse por suerte entre los jugadores. || **7.** fig. Elogio exagerado y ruidoso con que se ensalza a una persona o se anuncia o publica alguna cosa. *Con mucho* BOMBO *se viene anunciando esa obra.* || **Dar bombo.** fr. fig. y fam. Elogiar con exageración, especialmente por medio de la prensa periódica. Ú. t. c. r. || **De bombo y platillos.** loc. fig. y fam. **De cascabel gordo.**

Bombón. (Del fr. *bonbon*, voz infantil, bueno, bueno.) m. Pieza pequeña de chocolate o azúcar, que en lo interior suele contener licor o crema.

Bombón. (De *bomba.*) m. Vasija usada en Filipinas, destinada comúnmente para contener líquidos, y la cual se hace de un trozo de la caña espina, aprovechando el nudo para que sirva de suelo.

Bombona. (De *bombón*, 2.º art.) f. Vasija de vidrio o loza, de boca estrecha, muy barriguda y de bastante capacidad, que se usa para el transporte de ciertos líquidos.

Bombonaje. m. *Bot.* Planta de la familia de las pandanáceas, de tallo sarmentoso y hojas alternas y palmeadas que, cortadas en tiras, sirven para fabricar objetos de jipijapa. Es originaria de las regiones tropicales de América.

Bombonera. f. Cajita para bombones.

Bon, na. (Proclítico, del lat. *bŏnus*, bueno.) adj. ant. **Bueno.**

Bona. n. p. V. **Trigo de Bona.**

Bona. (Del lat. *bona*, bienes, riquezas.) f. ant. Bienes o hacienda.

Bonachón, na. (aum. de *bueno.*) adj. fam. De genio dócil, crédulo y amable. Ú. t. c. s.

Bonachonería. f. Calidad de bonachón.

Bonaerense. adj. Natural de Buenos Aires. Ú. t. c. s. || **2.** Perteneciente o relativo a esta provincia de la Argentina.

Bonancible. (De *bonanza.*) adj. Tranquilo, sereno, suave. Dícese del mar, del tiempo y del viento.

Bonanza. (Del ital. *bonaccia*, en contraposición al lat. *malacia*, calma del mar.) f. Tiempo tranquilo o sereno en el mar. || **2.** V. **Mar bonanza, o en bonanza.** || **3.** fig. **Prosperidad.** || **4.** *Min.* Zona de mineral muy rico. || **Ir en bonanza.** fr. *Mar.* Navegar con viento suave. || **2.** fig. Caminar con felicidad en lo que se desea y pretende.

Bonanzoso, sa. (De *bonanza.*) adj. Próspero, bondadoso.

Bonapartismo. m. Partido o comunión política de los bonapartistas.

Bonapartista. adj. Partidario de Napoleón Bonaparte, o del imperio y dinastía fundados por él. Apl. a pers., ú. t. c. s. || **2.** Perteneciente o relativo al bonapartismo.

Bonazo, za. adj. aum. de **Bueno.** || **2.** fam. Dícese de la persona pacífica o de buen natural.

Bondad. (Del lat. *bonĭtas*, *-ātis.*) f. Calidad de bueno. || **2.** Natural inclinación a hacer el bien. || **3.** Blandura y apacibilidad de genio.

Bondadosamente. adv. m. Con bondad.

Bondadoso, sa. adj. Lleno de bondad, de genio apacible.

Bondoso, sa. adj. **Bondadoso.**

Boneta. (De *bonete*, por la forma.) f. *Mar.* Paño que se añade a algunas velas para aumentar su superficie.

Bonetada. f. fam. Cortesía que se hace quitándose el bonete o el sombrero.

Bonetazo. m. Golpe dado con el bonete.

Bonete. (Del b. lat. *bonētus*, cierta clase de tela, y éste tal vez del lat. *bonus*, bueno.) m. Especie de gorra de varias hechuras y comúnmente de cuatro picos, usada por los eclesiásticos y seminaristas, y antiguamente por los colegiales y graduados. || **2.** fig. Clérigo secular, a diferencia del regular, que se llama capilla. || **3.** Dulcera de vidrio ancha de boca y angosta de suelo. || **4.** V. **Pimiento de bonete.** || **5. Gorro,** 1.ª acep. || **6.** *Fort.* Obra exterior en las plazas y castillos, con dos ángulos entrantes y tres salientes, y más ancha por el frente que por la gola, a manera de cola de golondrina || **7.** *Zool.* Redecilla de los rumiantes. || **Bravo bonete.** expr. irón. Persona tonta e idiota. || **Gran bonete.** Persona importante y de gran influencia. || **2.** irón. **Bravo bonete.** || **A tente bonete.** m. adv. fig. y fam. Con insistencia, con empeño, con demasía. *Porfiar, beber* A TENTE BONETE. || **Bonete y almete hacen casas de copete.** ref. que denota que letras y armas dan lustre a las familias. || **Hasta tente bonete.** m. adv. fig. y fam. **A tente bonete.** || **Tirarse los bonetes.** fr. fig. y fam. Disputar o porfiar descompuestamente.

Bonetería. f. Oficio de bonetero. || **2.** Taller donde se fabrican bonetes. || **3.** Tienda donde se venden.

Bonetero, ra. adj. V. **Calabaza bonetera.** || **2.** m. y f. Persona que tiene por oficio hacer o vender bonetes. || **3.** m. Arbusto de la familia de las celastráceas, de tres a cuatro metros de altura, derecho, ramoso, con hojas opuestas, aovadas, dentadas y de pecíolo muy corto, flores pequeñas y blanquecinas, y por frutos cápsulas rojizas con tres o cuatro lóbulos obtusos. Florece en verano, se cultiva en los jardines de Europa, sirve para setos, y su carbón se emplea en la fabricación de la pólvora.

Bonetillo. (d. de *bonete.*) m. Cierto adorno de las mujeres sobre el tocado.

Bonetón. m. En Chile, juego de prendas muy parecido al de la pájara pinta.

Bonga. f. *Filip.* **Areca.**

Bongo. m. Especie de canoa usada por los indios de la América Central. || **2.** *Cuba.* **Barca de pasaje.**

Boniatillo. (De *boniato.*) m. *Cuba.* Cafiroleta hecha sin coco.

Boniato. (Voz caribe.) m. Planta de la familia de las convolvuláceas, de tallos rastreros y ramosos, hojas alternas lobuladas, flores en campanilla y raíces tuberculosas de fécula azucarada. || **2.** Cada uno de los tubérculos de la raíz de esta planta. Son comestibles.

Bonicamente. adv. m. **Bonitamente.**

Bonico, ca. adj. d. de **Bueno.** || **A bonico.** m. adv. *Ar.* y *Murc.* En voz baja; en silencio.

Bonificación. f. Acción y efecto de bonificar.

Bonificar. (Del lat. *bonus*, bueno, y *facĕre*, hacer.) tr. ant. **Abonar,** 3.ª, 7.ª y 9.ª aceps.

Bonificativo, va. (De *bonificar.*) adj. ant. Que hace buena alguna cosa.

Bonillo, lla. adj. ant. d. de **Bueno.** || **2.** ant. Que es algo crecido y va siendo grande.

Bonina. (Del lat. *bonus*, bueno.) f. **Manzanilla loca.**

Bonísimo, ma. adj. sup. de **Bueno.**

Bonítalo. m. **Bonito,** 1.er art.

Bonitamente. adv. m. Con tiento, maña o disimulo.

Bonitera. f. Pesca del bonito, y temporada que dura.

Bonito. (Del b. lat. *boniton.*) m. Pez muy parecido al atún y del mismo género que él, pero de carne más fina y apreciada.

Bonito, ta. adj. d. de **Bueno.** *Tiene un* BONITO *mayorazgo* || **2.** Lindo, agraciado, de cierta proporción y belleza. || **3.** m. *Germ.* **Ferreruelo.** || **sayagués.** *Germ.* Sayo de Castilla o de Sayago.

Bonizal. m. Terreno poblado de bonizo.

Bonizo. m. Especie de panizo, de poca altura y de granos muy menudos, que en Asturias nace espontáneamente entre los maizales y hortalizas.

Bono, na. adj. ant. **Bueno.** || **2.** m. Tarjeta o medalla a modo de vale que puede canjearse por comestibles u otros artículos de primera necesidad, y a veces por dinero. || **3.** *Com.* Título de deuda emitido comúnmente por una tesorería pública.

Bononiense. (Del lat. *bononiensis*. de *Bononia*, Bolonia.) adj. **Boloñés.** Apl. a pers., ú. t. c. s.

Bonote. m. Filamento extraído de la corteza del coco.

Bonzo. (Del japonés *bonsa.*) m. Sacerdote del culto de Buda en el Asia Oriental.

Boñiga. (Del lat. **bŏvinica*, de *bŏbinus*, de buey.) f. Excremento del ganado vacuno y el semejante de otros animales.

Boñigar. (De *boñigal.*) adj. V. **Higo boñigar.** Ú. t. c. s.

Boñigo. (De *boñiga.*) m. Cada una de las porciones o piezas del excremento del ganado vacuno.

Boñiguero. m. **Abanto,** 1.ª acep.

Bootes. (Del lat. *boōtes*, y éste del gr. βοώτης, boyero; de βοῦς, buey.) m. *Astron.* Constelación boreal próxima a la Osa Mayor y cuya estrella principal es Arturo.

Boque. (Del germ. *bukk*, macho cabrío.) m. *Ar.* **Buco,** 1.er art.

Boqueada. (De *boquear.*) f. Acción de abrir la boca. Sólo se dice de los que están para morir. Ú. m. en pl. || **Dar las boqueadas,** o **estar dando las boqueadas.** fr. fig. y fam. **Boquear,** 3.ª acep.

Boquear. intr. Abrir la boca. || **2.** Estar expirando. || **3.** fig. y fam Estar una cosa acabándose y en los últimos términos. || **4.** tr. Pronunciar una palabra o expresión.

Boquera. (De *boca.*) f. Boca o puerta de piedra que se hace en el caz o cauce para regar las tierras. || **2.** Ventana por donde se echa la paja o el heno en el pajar. || **3.** *Ast.* Abertura que se hace en las heredades cerradas, para entrada de los ganados. || **4.** *Murc.* Sumidero grande adonde van a parar las aguas inmundas || **5.** *Med.* Excoriación que se forma en las comisuras de los labios de los racionales, y les impide abrir la boca con facilidad. || **6.** *Veter.* Llaga en la boca de los animales. || **7.** m. pl. vulg. *And.* **Boceras.**

Boquerón. m. aum. de **Boquera.** || **2.** Abertura grande. || **3.** *Zool.* Pez teleósteo, fisóstomo, semejante a la sardina, pero mucho más pequeño. Abunda en el Mediterráneo y parte del Océano y con él se preparan las anchoas.

Boquete. (De *boca.*) m. Entrada angosta de un lugar o paraje. || **2. Brecha,** 2.ª acep.

Boqui. m. *Bot.* Especie de enredadera de Chile, de la familia de las vitáceas, cuyo tallo, que es muy resistente, se emplea en la fabricación de cestos y canastos.

Boquiabierto, ta. adj. Que tiene la boca abierta. || **2.** fig. Que está embobado mirando alguna cosa.

Boquiancho, cha. adj. De boca ancha.

Boquiangosto, ta. adj. De boca estrecha.

Boquiblando, da. adj. **Blando de boca,** 1.ª acep.

Boquiconejuno, na. adj. Dícese del caballo o yegua que tiene la boca parecida a la del conejo.

Boquiduro, ra. adj. **Duro de boca.**

Boquifresco, ca. adj. Aplícase a las caballerías que tienen la boca muy salivosa, y por eso se les mantiene siempre fresca y son dóciles y obedientes al freno. || **2.** fig. y fam. Aplícase a la persona que con serenidad y sin reparo dice verdades desagradables

Boquifruncido, da. (De *boca* y *fruncido*, p. p. de *fruncir.*) adj. Dícese de la caballería que tiene bajas o estrechas las comisuras de los labios.

Boquihendido, da. adj. De boca muy hendida. Se dice principalmente de las caballerías.

Boquihundido, da. (De *boca* y *hundido*, p. p. de *hundir.*) adj. Dícese de la caballería que tiene muy altas las comisuras de los labios.

Boquilla. (d. de *boca.*) f. Abertura inferior del calzón, por donde sale la pierna. || **2.** Cortadura o abertura que se hace en las acequias a fin de extraer las aguas para el riego. || **3.** Pieza pequeña y hueca, y en general cónica, de metal, marfil o madera, que se adapta al tubo de varios instrumentos de viento y sirve para producir el sonido, apoyando los labios en los bordes de ella. En los clarinetes y saxófonos tiene la forma de pico de pato, con lengüeta de caña, y parte de ella se introduce en la boca para hacerlos sonar. || **4.** Tubo pequeño, de varias materias y diversas formas, en cuya parte más ancha se pone el cigarro para fumarlo aspirando el humo por el extremo opuesto. También se llama así la parte de la pipa que se introduce en la boca. || **5.** Escopleadura que se abre en las piezas de madera para ensamblarlas. || **6.** Tercera abrazadera del fusil, y que es la más próxima a la boca del mismo. || **7.** Orificio cilíndrico por donde se introduce la pólvora en las bombas y granadas, y en donde se asegura la espoleta. || **8.** Pieza de metal que guarnece la boca o entrada de la vaina de una arma blanca. || **9.** Pieza donde se produce la llama en los aparatos de alumbrado. || **10.** Extremo anterior del cigarro puro, por el cual se enciende. || **11.** Rollito o tubo de cartulina que se coloca en uno de los extremos de ciertos cigarrillos, y por el cual se aspira el humo al fumar. || **12.** Banda estrecha de paja, corcho, seda, oro, etc., con que suele substituirse aquel rollito. || **De boquilla.** loc. adv. con que se denota que el jugador hace la postura sin apronta el dinero || **2. De pico,** 1.ª acep.

Boquimuelle. (De *boca* y *muelle*, blando, suave.) adj. **Blando de boca,** 1.ª acep. || **2.** fig. Aplícase a la persona fácil de manejar o engañar.

Boquín. m. Bayeta tosca, de menos ancho que la fina.

Boquín. (Del m. or. que *bochín.*) m. ant. **Verdugo,** 5.ª acep

Boquinatural. (De *boca* y *natural.*) adj. Dícese de la caballería que ni es blanda ni dura de boca, sino que tiene en ella regular sensación.

Boquinegro, gra. adj. Aplícase a los animales que tienen la boca u hocico negro, siendo de otro color lo restante de la cabeza o de la cara. || **2.** m. Caracol terrestre muy común en varias regiones de España, redondo, chato, de unos tres centímetros de diámetro, liso, lustroso, de color amarillento con zonas rojizas y puntos blancos, y negra la boca o abertura.

Boquino, na. (De *boca.*) adj. *And.* Dícese de la persona que por defecto congénito o por lesión sufrida no puede cerrar enteramente los labios. || **2.** *And.* Dícese del cántaro u otra vasija que, por habérsele roto la boca, no puede taparse como antes ni servir cómodamente.

Boquirrasgado, da. adj. De boca rasgada.

Boquirroto, ta. (De *boca* y *roto*.) adj. Boquirrasgado. || **2.** fig. y fam. Fácil en hablar.

Boquirrubio, bia. (De *boca* y *rubio*.) adj. fig. Que sin necesidad ni reserva dice cuanto sabe. || **2.** Inexperto, candoroso. || **3.** m. fam. Mozalbete presumido de lindo y de enamorado.

Boquiseco, ca. adj. Que tiene seca la boca. || **2.** Dícese de la caballería que no saborea el freno ni hace espuma.

Boquisumido, da. (De *boca* y *sumido*, p. p. de *sumir*.) adj. **Boquihundido.**

Boquitorcido, da. adj. **Boquituerto.**

Boquituerto, ta. (De *boca* y *tuerto*.) adj. Que tiene torcida la boca.

Boratera. f. *Chile.* Mina de borato.

Boratero, ra. adj. *Chile.* Perteneciente o relativo al borato. || **2.** m. *Chile.* El que trabaja o negocia en borato.

Borato. m. *Quím.* Combinación del ácido bórico con una base.

Bórax. (Del m. or. que *baurac*.) m. Sal blanca compuesta de ácido bórico, sosa y agua, que se encuentra formada en las playas y en las aguas de varios lagos de China, Tíbet, Ceilán y Potosí, y también se prepara artificialmente. Se emplea en medicina y en la industria.

Borbollar. (De la onomat. *bor* y del lat. *bŭllare*.) intr. Hacer borbollones el agua.

Borbollear. intr. **Borbollar.**

Borbolleo. m. Acción de borbollear.

Borbollón. (De *borbollar*.) m. Erupción que hace el agua de abajo para arriba, elevándose sobre la superficie. || **A borbollones.** m. adv. fig. **Atropelladamente.**

Borbollonear. (De *borbollón*.) intr. **Borbollar.**

Borbónico, ca. adj. Perteneciente o relativo a los Borbones.

Borbor. (Voz onomatopéyica.) m. Acción de borbotar.

Borborigmo. (Del gr. βορβορυγμός, de βορβορύζω, hacer ruido las tripas.) m. Ruido de tripas producido por el movimiento de los gases en la cavidad intestinal. Ú. m. en pl.

Borboritar. (De la onomat. *bor, bor*.) intr. Borbotar, borbollar.

Borborito. (De *borboritar*.) m. *Sal.* **Borbotón.**

Borbotar. (De la onomat. *bor* y *botar*.) intr. Nacer o hervir el agua impetuosamente o haciendo ruido.

Borbotear. intr. **Borbotar.**

Borboteo. m. Acción de borbotear.

Borbotón. (De *borbotar*.) m. **Borbollón.** || **A borbotones.** m. adv. **A borbollones.** || **Hablar uno a borbotones.** fr. fig. y fam. Hablar acelerada y apresuradamente, queriendo decirlo todo de una vez.

Borceguí. (Del flam. *brosekin*.) m. Calzado que llega hasta más arriba del tobillo, abierto por delante y que se ajusta por medio de correas o cordones.

Borceguinería. (De *borceguinero*.) f. Taller donde se hacen borceguíes. || **2.** Tienda o barrio donde se vendían borceguíes.

Borceguinero, ra. m. y f. Persona que hace o vende borceguíes.

Borcellar. (Del lat. *buccella*, boquilla.) m. Borde de una vasija o vaso.

Borda. (De *borde*, 2.° art.) f. ant. **Borde**, 1.er art., 1.ª acep. || **2.** *Mar.* Vela mayor en las galeras. || **3.** *Mar.* Canto superior del costado de un buque. || **Echar,** o **tirar, por la borda.** fr. fig. y fam. Deshacerse inconsideradamente de una persona o cosa.

Borda. (Del célt. *borda*, tabla.) f. **Choza.**

Bordada. (De *bordo*.) f. *Mar.* Derrota o camino que hace entre dos viradas una embarcación cuando navega, voltejeando para ganar o adelantar hacia barlovento. || **2.** fig. y fam. Paseo reiterado de una parte a otra. || **Dar bordadas.** fr. *Mar.* Navegar de bolina alternativa y consecutivamente de una y otra banda. || **Rendir** el buque **una bordada.** tr. *Mar.* Llegar al sitio en que conviene virar.

Bordadillo. (De *bordado*.) m. ant. Tafetán doble labrado.

Bordado, da. p. p. de **Bordar.** || **2.** adj. V. **Pintura bordada.** || **3.** m. Acción de bordar. || **4. Bordadura,** 1.ª acep. || **a canutillo.** El que se hace con hilo de oro o plata rizado en canutos. || **al pasado.** El que se hace pasando las hebras de un lado a otro de la tela o piel en que se ejecuta el trabajo, formando dibujos, sin cosido. || **a tambor.** El que se hace con punto de cadeneta en un bastidor pequeño, que en la figura se parece al tambor, o en bastidor regular, con una aguja que, fija por un extremo en un cabo de palo, hueso o marfil, remata por el otro en un ganchito. || **de imaginería. Imaginería,** 1.ª acep. || **de pasado. Bordado al pasado.** || **de realce.** Aquel en que sobresalen mucho las figuras o adornos ejecutados con la aguja. || **de sobrepuesto.** El que se hace bordando las figuras o adornos separadamente y sueltos y aplicándolos luego al campo de la tela o piel que han de exornar.

Bordador, ra. m. y f. Persona que tiene por oficio bordar.

Bordadura. f. Labor de relieve ejecutada en tela o piel con aguja y diversas clases de hilo. || **2.** *Blas.* **Bordura.**

Bordar. (Del germ. *bruzdan*, bordar, infl. por *borde*, 1.er art.) tr. Adornar una tela o piel con bordadura, 1.ª acep. || **2.** fig. Ejecutar alguna cosa con arte y primor.

Borde. (Del germ. *bord*, lado de la nave.) m. Extremo u orilla de alguna cosa. || **2.** En las vasijas, orilla o labio que tienen alrededor de la boca. || **3. Bordo,** 1.ª acep. || **A borde.** m. adv. A pique o cerca de suceder alguna cosa.

Borde. (Del arag. *borde*, y éste del lat. *bŭrdus*, bastardo.) adj. *Bot.* Aplícase a plantas no injertas ni cultivadas. || **2.** Dícese del hijo o hija nacidos fuera de matrimonio. Ú. t. c. s. || **3.** V. **Armuelle, barrilla, caña, té borde.** || **4.** m. ant. Vástago de la vid, que no nace de la yema.

Bordear. intr. Andar por la orilla o borde. Ú. t. c. tr. BORDEAR *una montaña.* || **2.** *Mar.* **Dar bordadas.** || **3.** fig. **Frisar,** 1.er art., 5.ª acep.

Bordelés, sa. (Del ant. fr. *Bourdel*, Burdeos.) adj. Natural de Burdeos. Ú. t. c. s. || **2.** Perteneciente a esta ciudad de Francia. || **3.** V. **Barrica bordelesa.** Ú. t. c. s. f.

Bordillo. (De *borde*, 1.er art.) m. **Encintado,** 3.ª acep.

Bordiona. (De *burdel*.) f. ant. **Ramera.**

Bordo. (De *borde*, 1.er art.) m. Lado o costado exterior de la nave. || **2. Bordada,** 1.ª acep. || **3.** *Alm.* y *Ast.* **Linde,** 2.ª acep. || **4.** ant. **Borde,** 1.er art., 1.ª acep. Ú. en *Guat.* || **5.** *Guat.* y *Méj.* Reparo, por lo común de céspedes y estacas, que forman los labradores en los campos, con objeto de represar las aguas, ya para formar aguajes, ya para enlamar las tierras. || **A bordo.** m. adv. En la embarcación. *Comer* A BORDO. || **Al bordo.** m. adv. Al costado de la nave. || **Dar bordos.** fr. *Mar.* **Dar bordadas.** || **De alto bordo.** expr. que se dice de los buques mayores. || **2.** V. **Capitán, navío de alto bordo.** || **3.** fig. Dícese también del sujeto o negocio de mucha cuenta. || **Rendir el bordo en,** o **sobre,** alguna parte. fr. *Mar.* Llegar a ella el buque.

Bordón. (Del b. lat. *burdo, -ōnis*, mulo, zángano.) m. Bastón o palo más alto que la estatura de un hombre, con una punta de hierro y en el medio de la cabeza unos botones que lo adornan. || **2.** Verso quebrado que se repite al fin de cada copla. || **3.** Voz o frase que inadvertidamente y por hábito vicioso repite una persona con mucha frecuencia en la conversación. || **4.** En los instrumentos músicos de cuerda, cualquiera de las más gruesas que hacen el bajo. || **5.** Cuerda de tripa atravesada diametralmente en el parche inferior del tambor. || **6.** fig. Persona que guía y sostiene a otra. || **7.** *Cir.* Cuerda de tripa que se emplea para dilatar conductos naturales o conservar los que se han practicado artificialmente. || **Bordón y calabaza, vida holgada.** ref. contra los vagabundos que andan peregrinando por no trabajar

Bordoncillo. (d. de *bordón*.) m. **Bordón,** 3.ª acep.

Bordonear. intr. Ir tentando o tocando la tierra con el bordón o bastón. || **2.** Dar palos con el bordón o bastón. || **3.** Pulsar el bordón de la guitarra. || **4.** fig. Andar vagando y pidiendo por no trabajar.

Bordoneo. m. Sonido ronco del bordón de la guitarra.

Bordonería. (De *bordonero*.) f. Costumbre viciosa de andar vagando como peregrino.

Bordonero, ra. (De *bordonear*.) adj. **Vagabundo.** Ú. t. c. s.

Bordura. (Del fr. *bordure*, orilla.) f. *Blas.* Pieza honorable que rodea el ámbito del escudo por lo interior de él, tomando, según unos, la décima parte de su latitud, y según otros, la sexta.

Boreal. (Del lat. *boreālis*.) adj. Perteneciente al bóreas. || **2.** *Astron.* y *Geogr.* **Septentrional.** || **3.** *Astron.* V. **Corona, hemisferio, nodo, polo, triángulo boreal.** || **4.** *Meteor.* V. **Aurora boreal.**

Bóreas. (Del lat. *borĕas*, y éste del gr. βορέας.) m. Viento norte.

Bóreo. (Del lat. *borēus*, boreal.) adj. V. **Noto bóreo.**

Borgoña. n. p. V. **Cruz, pez de Borgoña.** || **2.** m. fig. Vino de Borgoña.

Borgoñón, na. adj. Natural de Borgoña. Ú. t. c. s. || **2.** Perteneciente a esta antigua provincia de Francia. || **A la borgoñona.** m. adv. Al uso o al modo de Borgoña.

Borgoñota. adj. V. **Celada borgoñota.** Ú. t. c. s. || **A la borgoñota.** m. adv. **A la borgoñona.**

Borguil. m. *Ar.* **Almiar,** 2.ª acep.

Boricado, da. adj. Dícese de algunas preparaciones que contienen ácido bórico.

Bórico. (De *bórax*.) adj. *Quím.* V. **Ácido, anhídrido bórico.**

Borinqueño, ña. (De *Borinquén*, antiguo nombre de la isla de Puerto Rico.) adj. **Puertorriqueño.** Apl. a pers., ú. t. c. s.

Borla. (Del lat. **bŭrrŭla*, d. de *bŭrra*, borra.) f. Conjunto de hebras, hilos o cordoncillos que, sujetos y reunidos por su mitad o por uno de sus cabos en una especie de botón y sueltos por el otro o por ambos, penden en forma de cilindro o se esparcen en figura de media bola. También se hacen de filamentos de pluma para aplicar los polvos que se usan como cosmético. || **2.** Insignia de los graduados de doctores y maestros en las universidades, y consiste en una **borla** cuyo botón está fijo en el centro del bonete, y cuyos hilos se esparcen alrededor, cayendo por los bordes. || **3.** pl. **Amaranto.** || **Tomar uno la borla.** fr. fig. Graduarse de doctor o maestro.

Borlilla. (d. de *borla*.) f. **Antera.**

Borlón. m. aum. de **Borla.** || **2.** Tela de lino y algodón sembrada de borlitas, semejante a la cotonía. || **3.** pl. **Amaranto.**

Borne. (Del fr. *borne*, extremo, límite.) m. Extremo de la lanza de justar. || **2.** Cada uno de los botones de metal en que suelen terminar ciertas máquinas y aparatos eléctricos, y a los cuales se unen los hilos conductores. || **3.** Tornillo en el cual puede sujetarse el extremo de un conductor para poner en comunicación el aparato en que va montado con un circuito independiente de él. || **4.** *Germ.* Horca, 1.ª acep.

Borne. (Del lat. *laburnum.*) m. **Codeso.**

Borne. (De **alborne*, y éste del lat. *albŭrnum*, albura, en que se vio falsamente el art. ár. *al.*) adj. V. **Madera, roble borne.**

Borneadizo, za. (De *bornear*, 1.er art.) adj. Fácil de torcerse o combarse.

Borneadura. (De *bornear*, 2.° art.) f. Borneo, 2.° art.

Bornear. (De *borne*, 1.er art.) tr. Dar vuelta, revolver, torcer o ladear. || **2.** Labrar en contorno las columnas. || **3.** Disponer y mover oportunamente los sillares y otras piezas de arquitectura, hasta sentarlos y dejarlos colocados en su debido lugar. || **4.** intr. *Sal.* Hacer mudanzas y figuras con los pies en el baile. || **5.** *Mar.* Girar el buque sobre sus amarras estando fondeado. || **6.** r. Torcerse la madera, hacer combas.

Bornear. (Del fr. *bornoyer*, de *borgne*, tuerto.) tr. *Arq.* Mirar con un solo ojo, teniendo el otro cerrado, para examinar si un cuerpo o varios están en una misma línea con otro u otros, o si una superficie tiene alabeo.

Borneo. m. Acción y efecto de bornear o bornearse, 1.er art. || **2.** Balance o movimiento del cuerpo en el baile.

Borneo. m. Acción de bornear, 2.° art.

Bornero, ra. adj. V. **Piedra bornera.** || **2.** V. **Trigo bornero.**

Borní. (Del ár. *burnī*, especie de halcón.) m. Ave rapaz diurna, que tiene el cuerpo de color ceniciento y la cabeza, el pecho, las remeras y los pies de color amarillo obscuro; habita en lugares pantanosos y anida en la orilla del agua.

Bornido. (De *borne*, 1.er art., 4.ª acep.) m. *Germ.* Ahorcado.

Bornizo. (De *borne*, 3.er art.) adj. V. **Corcho bornizo.** || **2.** m. *Ar.* **Vástago,** 1.ª acep.

Boro. (De *bórax.*) m. Metaloide de color pardo obscuro, semejante al carbono en sus propiedades químicas y que, como éste, se presenta amorfo o cristalizado en octaedros con el brillo y la dureza del diamante cuando se descompone a elevadísima temperatura el ácido bórico por medio del aluminio.

Borona. (Del célt. *bron*, pan.) f. **Mijo.** || **2. Maíz.** || **3.** En varias provincias, pan de maíz. || **4.** *Amér.* **Migaja,** 1.ª acep.

Boronía. f. **Alboronía.**

Borra. (Del lat. *bŭrra.*) f. Cordera de un año. || **2.** Parte más grosera o corta de la lana. || **3.** Pelo de cabra de que se rehinchen las pelotas, cojines y otras cosas. || **4.** Pelo que el tundidor saca del paño con la tijera. || **5.** Pelusa o vello que sale y se extiende, al abrirse, por efecto del calor, la cápsula del algodón. || **6.** Pelusa polvorienta que se forma y reúne en los bolsillos, entre los muebles y sobre las alfombras cuando se retarda la limpieza de ellos. || **7.** Tributo sobre el ganado, que consiste en pagar, de cierto número de cabezas, una. || **8.** Hez o sedimento espeso que forman la tinta, el aceite, etc. || **9.** fig. y fam. Cosas, expresiones y palabras inútiles y sin substancia. || **¿Acaso es borra?** loc. fig. y fam. con que se da a entender que una cosa no es tan despreciable como se piensa. || **Meter borra.** fr. fig. y fam. **Meter ripio.**

Borra. f. **Bórax.**

Borracha. (Como el ital. *borraccia*, del lat. **bŭrrăcĕa*, de *bŭrra*, borra.) f. fig. y fam. Bota para el vino.

Borrachada. f. **Borrachera,** 1.ª acep.

Borrachear. (De *borracho.*) intr. Emborracharse frecuentemente.

Borrachera. f. Efecto de emborracharse. || **2.** Banquete o función en que hay algún exceso en comer y beber. || **3.** fig. y fam. Disparate grande. || **4.** fig. y fam. Exaltación extremada en la manera de hacer o decir alguna cosa. || **Borrachera de agua nunca se acaba.** ref. **Borrachez de agua nunca se acaba.**

Borrachería. f. ant. **Borrachera,** 1.ª, 3.ª y 4.ª aceps.

Borrachero. (De *borracho.*) m. Arbusto de la América Meridional, de la familia de las solanáceas, de unos cuatro metros de altura, muy ramoso, de hojas grandes, vellosas y aovadas, flores blancas de forma tubular y fruto drupáceo. Despide olor desagradable de día y grato y narcótico de noche, y comido el fruto, causa delirio.

Borrachez. (De *borracho.*) f. **Embriaguez,** 1.ª acep. || **2.** fig. Turbación del juicio o de la razón. || **Borrachez de agua nunca se acaba.** ref. que enseña que los vicios crecen al paso que menudean las ocasiones.

Borrachín. m. d. de **Borracho,** 2.ª acep.

Borracho, cha. (De *borracha.*) adj. **Ebrio,** 1.ª acep. Ú. t. c. s. || **2.** Que se embriaga habitualmente. Ú. t. c. s. || **3.** V. **Bizcocho borracho.** || **4.** V. **Sopa borracha.** || **5.** Aplícase a algunos frutos y flores de color morado. *Pero* BORRACHO; *zanahoria* BORRACHA. || **6.** fig. y fam. Vivamente poseído o dominado de alguna pasión, y especialmente de la ira. || **Al borracho fino, ni el agua basta ni el vino.** ref. con que se nota que el que bebe mucho vino necesita después mucha agua.

Borrachuela. (d. de *borracha.*) f. **Cizaña,** 1.ª acep.

Borrachuelo, la. adj. d. de **Borracho.** Apl. a pers., ú. t. c. s.

Borrado, da. p. p. de **Borrar.** || **2.** adj. *Perú.* Picado de viruelas.

Borrador. (De *borrar.*) m. Escrito de primera intención, en que se hacen o pueden hacerse adiciones, supresiones o enmiendas. || **2.** Libro en que los comerciantes y hombres de negocios hacen sus apuntes para arreglar después sus cuentas. || **3. Goma de borrar.** Ú. m. en Amér. || **Sacar de borrador** a uno. fr. fig. y fam. Vestirle limpia y decentemente.

Borrador. m. *Gal.* y *Vallad.* Cartera que suelen usar los niños para llevar en ella, cuando van a la escuela, los libros, papeles y pluma que utilizan en sus estudios.

Borradura. f. Acción y efecto de borrar, 1.ª acep.

Borragináceo, a. (De *borrago*, nombre de un género de plantas.) adj. *Bot.* Dícese de plantas angiospermas dicotiledóneas, la mayor parte herbáceas, cubiertas de pelos ásperos, con hojas sencillas y alternas, flores gamopétalas y pentámeras, dispuestas en espiga, racimo o panoja, y fruto cariópside, cápsula o baya con una sola semilla sin albumen; como la borraja y el heliotropo. Ú. t. c. s. f. || **2.** f. pl. *Bot.* Familia de estas plantas.

Borragíneo, a. (Del lat. *borrăgo, -ĭnis*, borraja.) adj. *Bot.* **Borragináceo.**

Borraj. m. **Bórax.**

Borraja. (Del cat. *borratja*, y éste del lat. *borrăgo, -ĭnis.*) f. Planta anua de la familia de las borragináceas, de unos cuatro decímetros de altura, con tallo grueso y ramoso, hojas grandes y aovadas, flores azules dispuestas en racimo y semillas muy menudas. Está cubierta de pelos ásperos y punzantes, es comestible y la infusión de sus flores se emplea como sudorífico. || **2.** V. **Agua de borrajas.**

Borrajear. (De *borrar.*) tr. Escribir sin asunto determinado, a salga lo que saliere. || **2.** Hacer rúbricas, rasgos o figuras por mero entretenimiento o por ejercitar la pluma.

Borrajo. m. **Rescoldo,** 1.ª acep. || **2.** Hojarasca de los pinos.

Borrar. (De *borra.*) tr. Hacer rayas horizontales o transversales sobre lo escrito, para que no pueda leerse o para dar a entender que no sirve. || **2.** Hacer que la tinta se corra y desfigure lo escrito, poniéndola en contacto con alguna cosa cuando está fresca. Ú. t. c. r. || **3.** Hacer desaparecer por cualquier medio lo representado con tinta, lápiz, etc. Ú. t. c. r. || **4.** fig. Desvanecer, quitar, hacer que desaparezca una cosa. Ú. t. c. r. BORRARÉ *la mancha que hoy deslustra mi escudo; aquel lance no* SE BORRARÁ *nunca de mi memoria.*

Borrasca. (Del ital. *burrasca*, y éste del lat. *bŏrra, bŏrĕas*, norte.) f. Tempestad, tormenta del mar. || **2.** fig. Temporal fuerte o tempestad que se levanta en tierra. || **3.** fig. Riesgo, peligro o contradicción que se padece en algún negocio. || **4.** fig. y fam. **Orgía,** 1.ª acep. || **5.** fig. *Méj.* En las minas, carencia de mineral útil en el criadero.

Borrascoso, sa. adj. Que causa borrascas. *Viento* BORRASCOSO. || **2.** Propenso a ellas. *El cabo de Hornos es* BORRASCOSO. || **3.** fig. y fam. Dícese de la vida, diversiones, etc., en que predominan el desorden y el libertinaje.

Borrasquero, ra. adj. fig. y fam. Dícese de la persona dada a diversiones borrascosas y ocasionadas.

Borregada. f. Rebaño o número crecido de borregos o corderos.

Borrego, ga. (De *borra*, 1.er art.) m. y f. Cordero o cordera de uno a dos años. || **2.** fig. y fam. Persona sencilla o ignorante. Ú. t. c. adj. || **3.** m. fig. *Cuba* y *Méj.* **Pajarota.** || **No haber tales borregos.** fr. fig. y fam. **No haber tales carneros.**

Borreguero, ra. adj. Dícese del coto, dehesa o terreno cuyos pastos son de mejores condiciones para borregos que para otra clase de ganados. || **2.** V. **Cielo borreguero.** || **3.** m. y f. Persona que cuida de los borregos.

Borreguil. adj. Perteneciente o relativo al borrego.

Borrén. m. En las sillas de montar, encuentro del arzón y las almohadillas que, sostenidas por un cuero fuerte, se ponen delante y detrás.

Borrena. f. ant. **Borrén.**

Borrero. (De *borro.*) m. ant. **Verdugo,** 5.ª acep.

Borrica. (De *borrico.*) f. **Asna,** 1.ª acep. || **2.** V. **Señal de borrica frontina.** || **3.** fig. y fam. Mujer necia. Ú. t. c. adj. || **A la borrica arrodillada, doblarle la carga.** ref. que se dice contra los que añaden trabajo a los que no pueden con el que tienen.

Borricada. f. Conjunto o multitud de borricos. || **2.** Cabalgata que se hace en borricos por diversión y bulla. || **3.** fig. y fam. Dicho o hecho necio.

Borrical. adj. **Asnal.**

Borricalmente. adv. m. fam. **Asnalmente.**

Borrico. (Del lat. *bŭrrīcus, bŭrĭcus*, caballejo.) m. **Asno,** 1.ª acep. || **2.** Armazón compuesta de tres maderos que, unidos y cruzándose en ángulos agudos hacia su parte superior, forman una especie de trípode que sirve a los carpinteros para apoyar en ella la madera que labran. || **3.** fig. y fam. **Asno,** 2.ª acep. Ú. t. c. adj. || **Caer uno de su borrico.** fr. fig. y fam. **Caer de su asno.** || **Poner a uno sobre un borrico.** fr. que solía emplearse para amenazar con el castigo afrentoso de azotes o vergüenza pública. || **Puesto en el borrico.** expr. fig. y fam. con que se denota que uno está ya resuelto a seguir el empeño en que se halla metido, aunque sea a costa de más gravamen. || **Ser uno un borrico.** fr. fig. y fam. Ser de mucho aguante o sufrimiento en el trabajo.

Borricón. (aum. de *borrico.*) m. fig. y fam. Hombre sufrido en demasía. Ú. t. c. adj.

Borricote. m. fig. y fam. **Borricón.** Ú. t. c. adj.

Borrina. (Del lat. *bŏrra, bŏrĕas*, norte, con la term. de *calina.*) f. *Ast.* Niebla densa y húmeda.

Borriqueño, ña. adj. Propio del borrico o perteneciente a él. || **2.** V. **Cardo borriqueño.**

Borriquero. adj. V. **Cardo borriquero.** || **2.** m. Guarda o conductor de una borricada.

Borriquete. m. Borrico, 2.ª acep. || **2.** Vela que se pone sobre el trinquete para servirse de ella en caso de rifarse éste.

Borro. (De *borra.*) m. Cordero que pasa de un año y no llega a dos. || **2.** Cierto tributo sobre el ganado lanar, semejante al tributo de borra.

Borrominesco. adj. Dícese del gusto introducido en la arquitectura española por los italianos Borromini y otros en el siglo XVII.

Borrón. (De *borrar.*) m. Gota de tinta que cae, o mancha de tinta que se hace en el papel. || **2. Borrador,** 1.ª acep. || **3.** fig. Denominación que por modestia suelen dar los autores a sus escritos. Ú. m. en pl. *Haced buena acogida a estos* BORRONES. || **4.** fig. Imperfección que desluce o afea. || **5.** fig. Acción indigna que mancha y obscurece la reputación o fama. || **6.** *Ast.* **Hormiguero,** 9.ª acep. || **7.** *Pint.* Primera invención para un cuadro, hecha con colores o de claro y obscuro. || **8.** pl. *Impr.* Exceso parcial de engrudo que ha servido para fijar las alzas sobre el cilindro de una máquina de imprimir. También se dice de cualquier cuerpo extraño introducido debajo de las alzas y que produce mal efecto. || **Borrón y cuenta nueva.** fr. fig. y fam. con que se expresa olvido o disculpa de abusos pasados, con el deseo de terminarlos y la salvedad de corregirlos si se repiten.

Borroncillo. m. **Borrón,** 7.ª acep.

Borronear. (De *borrón.*) tr. **Borrajear.**

Borrosidad. f. Calidad de borroso, 2.ª acep.

Borroso, sa. adj. Lleno de borra o heces, como sucede al aceite, la tinta y otras cosas líquidas que no están claras. || **2.** Dícese del escrito, dibujo o pintura cuyos trazos aparecen desvanecidos y confusos. || **3.** Que no se distingue con claridad.

Borrufalla. (Del lat. *mala fŏlia*, malas hojas.) f. fam. *Ar.* Hojarasca, fruslería, cosa de poca substancia.

Borrumbada. f. fam. **Barrumbada.**

Bortal. (De *borto.*) m. *Ál.* **Madroñal.**

Borto. (De *alborto.*) m. *Ál., Burg.* y *Logr.* Alborocera, madroño.

Boruca. (Del vasc. *buruka*, lucha, topetazo.) f. Bulla, algazara.

Boruga. f. *Cuba.* Requesón que, después de coagulada la leche, sin separar el suero, se bate con azúcar y se toma como refresco.

Borujo. (Del lat. **vŏlūcŭlum*, envoltura.) m. Burujo, 1.ª acep. || **2.** Masa que resulta del hueso de la aceituna después de molida y exprimida. || **3.** ant. **Orujo,** 1.ª acep.

Borujón. m. **Burujón.**

Borundés, sa. ad. Natural del valle de la Borunda o de la Barranca. Ú. t. c. s. || **2.** Perteneciente a esta comarca navarra.

Boruquiento, ta. (De *boruca.*) adj. *Méj.* Bullicioso, alegre, ruidoso.

Borusca. (De *brusca.*) f. **Seroja.**

Bosadilla. (De *bosar.*) f. ant. **Vómito.**

Bosar. (Del lat. *versāre*, frec. de *vertĕre*, volver.) tr. ant. **Vomitar,** 1.ª acep. || **2.** ant. fig. Proferir palabras descomedidas.

Boscaje. m. Bosque de corta extensión. || **2.** *Pint.* Cuadro o tapiz que representa un país poblado de árboles, matorrales y animales.

Boscoso, sa. adj. Abundante en bosques.

Bósforo. (Del lat. *bosphŏrus*, y éste del gr. βόσπορος.) m. *Geogr.* Estrecho, canal o garganta entre dos tierras firmes por donde un mar se comunica con otro. Aplícase esta voz al de Tracia y al Címero.

Bosniaco, ca [**Bosníaco, ca**]. adj. Bosnio. Apl. a pers., ú. t. c. s.

Bosnio, nia. adj. Natural de Bosnia. Ú. t. c. s. || **2.** Perteneciente o relativo a este país de Europa.

Bosque. (Del b. lat. *boscus.*) m. Sitio poblado de árboles y matas. || **2.** V. **Alcalde de obras y bosques.** || **3.** *Germ.* Barba, 2.ª acep. || **maderable.** El que da árboles maderables.

Bosquejar. (De *bosquejo.*) tr. Pintar o modelar, sin definir los contornos ni dar la última mano a la obra. || **2.** Disponer o trabajar cualquier obra, pero sin concluirla. || **3.** fig. Indicar con alguna vaguedad un concepto o plan.

Bosquejo. (De *bosque.*) m. Traza primera y no definitiva de una obra pictórica, y en general de cualquiera producción del ingenio. || **2.** fig. Idea vaga de alguna cosa. || **En bosquejo.** loc. fig. No perfeccionado, no concluido.

Bosquete. m. d. de **Bosque.** || **2.** Bosque artificial y de recreo, en los jardines o en las casas de campo.

Bosquimán. (Del neerl. *boschjesman*, hombre del bosque.) m. Individuo de una tribu del África Meridional al norte del Cabo.

Bosta. (De *bostar.*) f. Excremento del ganado vacuno o del caballar.

Bostar. (Del lat. *bostar, -āris;* de *bos*, buey, y *stabŭlum*, establo.) m. ant. **Boyera.**

Bostear. (De *bosta.*) intr. *Argent.* y *Chile.* Excretar el ganado vacuno o el caballar, y por ext., cualquier animal.

Bostezador, ra. adj. Que bosteza con frecuencia.

Bostezante. p. a. de **Bostezar.** Que bosteza.

Bostezar. (Del lat. *oscitāre;* de *os*, boca, y *citāre*, mover.) intr. Hacer involuntariamente, abriendo mucho la boca, inspiración lenta y profunda y luego espiración, también prolongada y generalmente ruidosa. Es indicio de tedio, debilidad, etc., y más ordinariamente de sueño.

Bostezo. m. Acción de bostezar.

Bota. (De *botar.*) f. Cuero pequeño empegado por su parte interior y cosido por sus bordes, que remata en un cuello con brocal de cuerno o madera por donde se llena de vino y se bebe. || **2.** Cuba para guardar vino y otros líquidos. || **3.** Medida para líquidos, equivalente a 32 cántaras ó 516 litros. || **4.** Calzado, generalmente de cuero, que resguarda el pie y parte de la pierna. || **5.** Especie de borceguí de piel o tela que usan las mujeres. || **de montar.** La que cubre la pierna por encima del pantalón o del calzón y usan los jinetes para cabalgar, o como prenda de uniforme, los militares de cuerpos montados. || **de potro.** *Argent.* Bota de montar hecha de una pieza con la piel de la pierna de un caballo. || **fuerte.** La de montar más holgada, alta y de material resistente. || **Estar uno de botas, o con las botas puestas.** fr. fig. Estar dispuesto para hacer un viaje. || **2.** fig. Estar dispuesto para cualquier cosa. || **Ponerse uno las botas.** fr. fig. y fam. Enriquecerse o lograr un provecho extraordinario. || **Sentar las botas.** fr. En Jerez, colocarlas en hileras a lo largo de las paredes de las bodegas.

Botador, ra. adj. Que bota. || **2.** m. Palo largo o varal con que los barqueros hacen fuerza en la arena para desencallar o para hacer andar los barcos. || **3.** *Carp.* Instrumento de hierro, a modo de cincel sin afilar, para arrancar los clavos que no se pueden sacar con las tenazas, o para embutir sus cabezas. || **4.** *Cir.* Hierro en forma de escoplillo, dividido en dos dientes o puntas, de que usan los dentistas. || **5.** *Impr.* Trozo de madera fuerte, agudo por un extremo, que sirve para apretar y aflojar las cuñas de la forma.

Botadura. (De *botar.*) f. Acto de echar al agua un buque.

Botafuego. (De *botar*, arrojar, y *fuego.*) m. *Art.* Varilla de madera en cuyo extremo se ponía la mecha encendida para pegar fuego, desde cierta distancia, a las piezas de artillería. || **2.** fig. y fam. Persona que se acalora fácilmente y es propensa a suscitar disensiones y alborotos.

Botafumeiro. (Por alusión al *Botafumeiro*, gran incensario de la catedral compostelana.) m. fig. y fam. **Incensario.** || **2.** fig. y fam. **Adulación.** || **Manejar el botafumeiro.** fr. fig. y fam. **Adular.**

Botagueña. (Del lat. **bŏtus*, de *bŏtŭlus*, embutido, y *guena*, de bofes.) f. Longaniza hecha de asadura de puerco.

Botalomo. m. *Chile.* Instrumento de hierro con que los encuadernadores forman la pestaña en el lomo de los libros.

Botalón. (De *botar*, echar fuera.) m. *Mar.* Palo largo que se saca hacia la parte exterior de la embarcación cuando conviene, para varios usos. || **2.** V. **Torpedo de botalón.**

Botamen. m. Conjunto de botes de una oficina de farmacia. || **2.** *Mar.* **Pipería,** 2.ª acep.

Botana. (De *bota.*) f. Remiendo que se pone en los agujeros de los odres para que no se salga el líquido. || **2.** Taruguito de madera que se pone con el mismo objeto en las cubas de vino. || **3.** fig. y fam. Parche que se pone en una llaga para que se cure. || **4.** fig. y fam. Cicatriz de una llaga.

Botánica. (Del lat. *botanica*, y éste del gr. βοτανική, t. f. de -κός, botánico.) f. Ciencia que trata de los vegetales.

Botánico, ca. (Del lat. *botanĭcus*, y éste del gr. βοτανικός; de βοτάνη, hierba.) adj. Perteneciente a la botánica. || **2.** V. **Jardín botánico.** || **3.** m. y f. Persona que profesa la botánica o tiene en ella especiales conocimientos.

Botanista. com. **Botánico,** 3.ª acep.

Botar. (Del germ. *botan*, golpear.) tr. Arrojar o echar fuera. || **2.** Echar al agua un buque haciéndolo resbalar por la grada después de construido o carenado. || **3.** ant. Embotar, entorpecer. || **4.** *Mar.* Echar o enderezar el timón a la parte que conviene, para encaminar la proa al rumbo que se quiere seguir. BOTAR *a babor, a estribor.* || **5.** intr. En el juego de la pelota, saltar o levantarse ésta después de haber chocado con el suelo. || **6.** Saltar o levantarse otra cosa cualquiera como la pelota. || **7. Saltar,** 1.ª acep. || **8.** Dar botes el caballo. || **9.** ant. **Salir,** 1.ª acep. || **10.** r. *Equit.* Substraerse el caballo a la acción del bocado, intentando por medio de saltos y movimientos desconcertados derribar al jinete.

Botaratada. f. fam. Dicho o hecho propio de un botarate.

Botarate. (De *botar*, saltar.) m. fam. Hombre alborotado y de poco juicio. Ú. t. c. adj.

Botarel. (Del m. or. que *botar.*) m. *Arq.* **Contrafuerte,** 3.ª acep.

Botarete. (Del m. or. que *botar.*) adj. *Arq.* V. **Arco botarete.**

Botarga. (De *boto.*) f. Especie de calzón ancho y largo que se usaba en lo antiguo. || **2.** Vestido ridículo de varios colores, que se usa en las mojigangas y en algunas representaciones teatrales. || **3.** El que lleva este vestido. || **4.** Especie de embuchado. || **5.** *Ar.* Dominguillo que se usaba en la fiesta de toros.

Botasela. f. ant. **Botasilla.**

Botasilla. (De *botar*, echar, y *silla.*) f. *Mil.* En los cuerpos de caballería, toque de clarín para que los soldados ensillen los caballos.

Botavante. (De *botar*, arrojar, y *avante.*) m. Asta larga herrada por uno de los extremos, como un chuzo, de que usaban los marineros para defenderse en los abordajes.

Botavara. (De *botar* y *vara.*) f. *Mar.* Palo horizontal que, apoyado en el coronamiento de popa y asegurado en el mástil más próximo a ella, sirve para cazar la vela cangreja.

Bote. (Del lat. *bŭttis.*) m. Golpe que se da con ciertas armas enastadas, como lanza o pica. || **2.** Cada salto que da el caballo cuando desahoga su alegría o su impaciencia, o cuando quiere tirar a su jinete. || **3.** Salto que da la pelota al chocar con el suelo. || **4.** Salto que da una persona, o una cosa cualquiera, botando como la pelota. || **5.** Cada salto que da la bala de cañón u obús disparada a rebote. || **6. Boche,** 1.er art. || **de carnero.** Salto que, para tirar a su jinete, da el caballo metiendo la cabeza entre los brazos y botando sobre éstos y sobre las piernas simultáneamente. || **De bote y voleo.** expr. fig. y fam. Sin dilación, a toda prisa, con presteza, inconsideradamente, sin reflexión.

Bote. (Del m. or. que *pote.*) m. Vasija pequeña, comúnmente cilíndrica, que sirve para guardar medicinas, aceites, pomadas, tabaco, conservas, etc. || **2.** V. **Pastel en bote.** || **de metralla.** Tubo de metal u otra materia cargado de balas o pedazos de hierro, y que se dispara con cañón u obús.

Bote. (Del ingl. *boat.*) m. Barco pequeño y sin cubierta, cruzado de tablones que sirven de asiento a los que reman. Se usa para los transportes de gente y equipajes a los buques grandes, y para todo tráfico en los puertos. || **2.** V. **Patrón de bote.** || **Tocarle a uno amarrar el bote.** fr. fig. y fam. *Venez.* Quedarse el último en la recompensa, el trabajo o el peligro.

Bote. (Del germ. *bock*, macho cabrío.) m. *Sor.* **Macho cabrío.**

Bote (De bote en). fr. fig. y fam. tomada del fr. *de bout en bout* (de extremo a extremo), y que se dice de cualquier sitio o local completamente lleno de gente.

Boteal. (Del lat. *puteālis*, de *putĕus*, pozo.) m. desus. Paraje en que abundan charcas de aguas manantiales.

Botecario. (Del lat. *apothēcārius*, bodeguero.) m. Cierto tributo que se pagaba en tiempo de guerra.

Botedad. (De *boto.*) f. ant. **Embotamiento.**

Boteja. f. *Ar.* **Botijo.**

Botella. (Del dialect. *botella*, o del fr. *bouteille*, del lat. *bŭttĭcŭla.*) f. Vasija de cristal, vidrio o barro cocido, con el cuello angosto, que sirve para contener líquidos. || **2.** Todo el líquido que cabe en una **botella.** BOTELLA *de vino.* || **3.** Medida de capacidad para ciertos líquidos, equivalente a cuartillo y medio, o sea a 756,3 mililitros. || **de Leiden.** *Fís.* La que, llena de hojuelas de oro, forrada con papel de estaño hasta más de la mitad de su altura y tapada con un corcho bien lacrado y atravesado por una varilla de cobre o latón, sirve para recibir y acumular electricidad.

Botellazo. m. Golpe dado con una botella.

Boteller. (Del prov. *boteller*, y éste del lat. *bŭttĭcŭla*, botella.) m. ant. **Botillero.**

Botellero. m. El que fabrica botellas o trafica con ellas. || **2.** *And.* **Embotellador,** 1.ª acep.

Botellón. m. aum. de **Botella.** || **2.** *Méj.* **Damajuana.**

Botequín. (Del neerl. *botkin*, barquito.) m. desus. *Mar.* Bote pequeño.

Botería. f. Taller o tienda del botero. || **2.** *Mar.* **Botamen**, 2.ª acep.

Botero. m. El que hace, adereza o vende botas o pellejos para vino, vinagre, aceite, etc.

Botero. m. Patrón de un bote.

Boteza. f. ant. **Botedad.**

Botica. (Del b. gr. ἀποθήκη, almacén; véase *bodega.*) f. Oficina en que se hacen y despachan las medicinas o remedios para la curación de las enfermedades. || **2.** Asistencia de medicamentos durante un plazo. *Dar médico y* BOTICA. || **3.** En algunas partes, tienda de mercader. || **4.** ant. Vivienda o aposento surtido del ajuar preciso para habitarlo. || **5.** fig. Ingrediente, droga o mejunje. || **6.** *Germ.* Tienda de mercero. || **Haber de todo en alguna parte como en botica.** fr. fig. y fam. Haber allí provisión, colección o surtido completo o muy variado de cosas diversas. || **Recetar uno de buena botica.** fr. fig. y fam. Gastar largamente por tener padres u otras personas que le asisten con todo lo que necesita.

Boticaje. (De *botica.*) m. ant. Derecho o alquiler de la tienda en que se vende alguna cosa.

Boticaria. f. Profesora de farmacia que prepara y expende las medicinas. || **2.** fam. Mujer del boticario.

Boticario. (De *botica.*) m. Profesor de farmacia que prepara y expende las medicinas. || **2.** *Germ.* Tendero de mercería. || **3.** V. **Ojo de boticario.**

Botiga. (Del lat. *apŏthēca*, bodega.) f. En algunas partes, **botica,** 3.ª acep.

Botiguero. (De *botiga.*) m. En algunas partes, mercader de tienda abierta.

Botija. (Del lat. *bŭttĭcŭla.*) f. Vasija de barro mediana, redonda y de cuello corto y angosto. || **Estar hecho una botija.** fr. fig. y fam. Se dice del niño cuando se enoja y llora. || **2.** fig. y fam. Dícese también del que tiene grosura extraordinaria.

Botijero, ra. m. y f. Persona que hace o vende botijas o botijos.

Botijo. (De *botija.*) m. Vasija de barro poroso, que se usa para refrescar el agua. Es de vientre abultado, con asa en la parte superior, a uno de los lados boca proporcionada para echar el agua, y al opuesto un pitón para beber.

Botijuela. f. d. de **Botija.** || **2. Agujeta,** 3.ª acep. || **3. Alboroque.**

Botilla. (d. de *bota.*) f. Cierto calzado de que usaban las mujeres. || **2. Borceguí.**

Botiller. (Del fr. *bouteiller*, de *bouteille*, botella.) m. **Botillero.**

Botillería. (De *botillero.*) f. Casa o tienda, a manera de café, donde se hacían y vendían bebidas heladas o refrescos. || **2. Botecario.** || **3.** ant. Despensa para guardar licores y comestibles. || **4.** *Chile.* Comercio de venta de vinos o licores embotellados.

Botillero. (De *botella.*) m. El que hacía o vendía bebidas heladas o refrescos.

Botillo. (De *bote*, 2.° art.) m. Pellejo pequeño que sirve para llevar vino.

Botín. (De *bota.*) m. Calzado antiguo de cuero, que cubría todo el pie y parte de la pierna. || **2.** Calzado de cuero, paño o lienzo, que cubre la parte superior del pie y parte de la pierna, a la cual se ajusta con botones, hebillas o correas.

Botín. (Del prov. *botin*, y éste del germ. *bytin*, presa.) m. Despojo que se concedía a los soldados, como premio de conquista, en el campo o plazas enemigas. || **2.** Conjunto de las armas, provisiones y demás efectos de una plaza o de un ejército vencido y de los cuales se apodera el vencedor.

Botina. (d. de *bota.*) f. Calzado moderno que pasa algo del tobillo.

Botinería. f. Taller donde se hacen botines. || **2.** Tienda donde se venden.

Botinero. m. El que guardaba o vendía botín o presa.

Botinero, ra. adj. Dícese de la res vacuna de pelo claro que tiene negras las extremidades. || **2.** m. El que hace o vende botines.

Botiondo, da. (De *bote*, macho cabrío.) adj. Dícese de la cabra en celo. || **2.** fig. Dominado del apetito venéreo.

Botiquería. f. ant. Botica o tienda donde se vendían botes de olor.

Botiquín. (d. de *botica.*) m. Mueble, caja o maleta para guardar medicinas o transportarlas a donde convenga. || **2.** Conjunto de estas medicinas.

Botito. m. Especie de bota de hombre, con elásticos o con botones, que se ciñe al tobillo.

Botivoleo. (De *bote* y *voleo.*) m. Acción de jugar la pelota a volea después que ha botado en el suelo.

Boto. m. *And.* y *Extr.* Bota alta enteriza para montar a caballo.

Boto, ta. (De *bota.*) adj. **Romo,** 1.ª acep. || **2.** fig. Rudo o torpe de ingenio o de algún sentido. || **3.** m. Cuero pequeño para echar vino, aceite u otro líquido. || **4.** *Ast.* Tripa de vaca, llena de manteca.

Botocudo, da. adj. Dícese del individuo de una tribu de indios del Brasil que suelen ir desnudos.

Botón. (De *botar.*) m. **Yema,** 1.ª acep. || **2.** Flor cerrada y cubierta de las hojas que unidas la defienden, hasta que se abre y extiende. || **3.** Pieza pequeña y de forma varia, de metal, hueso, nácar u otra materia, forrada de tela o sin forrar, que se pone en los vestidos para que, entrando en el ojal, los abroche y asegure. También se ponen por adorno. || **4.** Resalto de forma cilíndrica o esférica que se atornilla en algún objeto, para que sirva de tirador asidero, tope, etc., según los casos. || **5.** Labor a modo de anillo formado por bolitas o medias bolitas con que se adornan balaustres, llaves y otras piezas de piedra, metal u otra materia. || **6.** En el timbre eléctrico, pieza en forma de **botón** que, al oprimirla, cierra el circuito de la corriente y hace que suene aquél. || **7.** V. **Baile de botón gordo.** || **8.** *Bot.* Parte central, ordinariamente esférica, de las flores de la familia de las compuestas. || **9.** *Esgr.* Chapita redonda de hierro, en figura de **botón,** que se pone en la punta de la espada o del florete para no hacerse daño en la esgrima. || **10.** *Mont.* Pedazo de palo que tiene la red o tela de caza para asegurarla en los ojales que corresponden del lado opuesto. || **11.** *Mús.* En los instrumentos músicos de pistones, pieza circular y metálica que recibe la presión del dedo para funcionar. || **12.** *Mús.* Pieza en forma de **botón** que tienen los instrumentos de arco en su parte inferior para sujetar a ella el trascoda. || **de fuego.** *Cir.* Cauterio que se da con un hierro u otra pieza de metal enrojecida al fuego. Ordinariamente tiene figura esférica. Úsase especialmente con los verbos *dar* o *poner.* || **de oro. Ranúnculo.** || **Contarle uno los botones** a otro. fr. *Esgr.* Ser tanta la destreza de alguno, que da a su adversario las estocadas donde quiere. || **De botones adentro.** m. adv. fig. y fam. En lo interior del ánimo.

Botonadura. f. Juego de botones para un traje o prenda de vestir.

Botonazo. m. *Esgr.* Golpe dado con el botón de la espada o del florete.

Botonería. f. Fábrica de botones. || **2.** Tienda en que se venden.

Botonero, ra. m. y f. Persona que hace o vende botones.

Botones. (De *botón*, por los que lucen en su vestido.) m. Muchacho que sirve en hoteles y otros establecimientos para llevar los recados u otras comisiones que se le encargan.

Botor. (Del ár. *buṭūr*, postemas.) m. ant. Buba o tumor.

Botoral. adj. ant. Perteneciente al botor o semejante a él.

Botoso, sa. adj. ant. **Boto,** 2.° art., 1.ª y 2.ª aceps.

Bototo. (De *bota*.) m. *Amér.* Calabaza para llevar agua.

Botrino. (Del lat. *vŭltŭrīnus*, buitre.) m. *Ál.*, *Ar.*, *Burg.* y *Logr.* **Butrino.**

Botuto. (Voz caribe.) m. Pezón largo y hueco que sostiene la hoja del lechoso o papayo. || **2.** Trompeta sagrada y de guerra de los indios del Orinoco.

Bou. (Del cat. *bou*, y éste del m. or. que *bol*, 2.° art.) m. Pesca en que dos barcas, apartada la una de la otra, tiran de la red, arrastrándola por el fondo. || **2.** Barca o vaporcito destinado a este arte de pesca.

Bovaje. (Del lat. **bŏvātĭcum*, de *bos*, *bŏvis*, buey.) m. Servicio que se pagaba antiguamente en Cataluña por las yuntas de bueyes.

Bovático. m. **Bovaje.**

Bóveda. (Del lat. **vŏlvita* por *vŏlūta*, t. f. de *vŏlūtus*, infl. por *volvo*, volver.) f. *Arq.* Obra de fábrica, que sirve para cubrir el espacio comprendido entre dos muros o varios pilares. || **2.** Habitación labrada sin madera alguna, cuya cubierta o parte superior es de **bóveda.** || **3. Cripta,** 1.ª acep. || **celeste. Firmamento,** 1.ª acep. || **claustral. Bóveda de aljibe.** || **craneal.** *Zool.* Parte superior e interna del cráneo. || **de aljibe,** o **esquifada.** *Arq.* Aquella cuyos dos cañones semicilíndricos se cortan el uno al otro. || **en cañón.** *Arq.* La de superficie semicilíndrica que cubre el espacio comprendido entre dos muros paralelos. || **fingida.** *Arq.* La construida de tabique, bajo un techo o armadura, para imitar una **bóveda.** || **palatina.** *Zool.* **Cielo de la boca.** || **por arista. Bóveda claustral.** || **tabicada.** *Arq.* La que se hace de ladrillos puestos de plano sobre la cimbra, unos a continuación de otros, de modo que viene a ser toda la **bóveda** como un tabique. || **vaída.** *Arq.* La formada de un hemisferio cortado por cuatro planos verticales, cada dos de ellos paralelos entre sí. || **Hablar** uno **de bóveda, o en bóveda.** fr. ant. fig. Hablar hueco y con arrogancia.

Bovedar. tr. ant. **Abovedar.**

Bovedilla. (d. de *bóveda*.) f. Bóveda pequeña que se forja entre viga y viga del techo de una habitación, para cubrir el espacio comprendido entre ellas. Antiguamente se hacían de yeso; hoy se hacen de ladrillo u hormigón. || **2.** *Mar.* Parte arqueada de la fachada de popa de los buques, desde el yugo principal hasta el de la segunda cubierta. En los buques que no la tienen, suele darse este nombre a la parte que ella ocuparía, caso de existir. || **Subirse** uno **a las bovedillas.** fr. fig. y fam. **Montar en cólera.**

Bóvido. (Del lat. *bos*, *bŏvis*, buey.) m. Mamífero rumiante, con cuernos óseos cubiertos por estuche córneo, no caedizos, y que existen tanto en el macho como en la hembra. Están desprovistos de incisivos en la mandíbula superior y tienen ocho en la inferior; como la cabra y el toro. || **2.** m. pl. *Zool.* Familia de estos animales.

Bovino, na. (Del lat. *bovīnus*.) adj. Perteneciente al buey o a la vaca. || **2.** Dícese de todo mamífero rumiante, con el estuche de los cuernos liso, el hocico ancho y desnudo y la cola larga con un mechón en el extremo. Son animales de gran talla y muchos de ellos están reducidos a domesticidad. || **3.** m. pl. *Zool.* Tribu de estos animales.

Boxeador. m. El que se dedica al boxeo; púgil.

Boxear. (der. del ingl. *box*, golpear.) intr. Luchar a puñetazos.

Boxeo. (De *boxear*.) m. **Pugilato,** 1.ª acep.

Boy. (dialect. del lat. *bŏe*, por *bŏvem*, de *bos*, *bŏvis*, buey.) m. ant. **Buey,** 1.er art.

Boya. (Del neerl. *boei*, y éste del germ. *bauk*, señal.) f. Cuerpo flotante sujeto al fondo del mar, de un lago, de un río, etc., que se coloca como señal, y especialmente para indicar un sitio peligroso o un objeto sumergido. || **2.** Corcho que se pone en la red para que las plomadas o piedras que la cargan no la lleven al fondo, y sepan los pescadores donde está cuando vuelven por ella. || **De buena boya.** loc. **Boyante,** 1.er art., 2.ª acep. Úsase comúnmente con el verbo *estar*.

Boya. (De *boy*.) m. ant. Carnicero que mata los bueyes. || **2.** ant. **Verdugo,** 5.ª acep.

Boyada. f. Manada de bueyes.

Boyal. (De *boy*.) adj. Perteneciente o relativo al ganado vacuno. Aplícase comúnmente a las dehesas o prados comunales donde el vecindario de un pueblo suelta o apacienta sus ganados, aunque éstos no sean vacunos.

Boyante. p. a. de **Boyar.** Que boya. || **2.** adj. fig. Que tiene fortuna o felicidad creciente. || **3.** *Mar.* Dícese del buque que por llevar poca carga no cala todo lo que debe calar.

Boyante. (De *boy*.) adj. Dícese del toro que acomete de modo franco.

Boyar. (De *boya*, 1.er art.) intr. *Mar.* Volver a flotar la embarcación que ha estado en seco.

Boyarda. f. Mujer del boyardo.

Boyardo. m. Señor ilustre, antiguo feudatario de Rusia o Transilvania.

Boyazo. m. aum. de **Buey,** 1.er art.

Boyera. f. Corral o establo donde se recogen los bueyes.

Boyeral. (De *boyero*.) adj. ant. **Boyal.**

Boyeriza. f. **Boyera.**

Boyerizo. m. **Boyero,** 1.ª acep.

Boyero. (De *buey*.) m. El que guarda bueyes o los conduce. || **2. Bootes.**

Boyezuelo. m. d. de **Buey,** 1.er art.

Boyuda. f. *Germ.* Baraja de naipes.

Boyuno, na. adj. **Bovino.** || **2.** V. **Esparaván boyuno.**

Boza. (Del ital. *bozza*, y éste del germ. *botja*, golpe.) f. Pedazo de cuerda hecho firme por un extremo en un punto fijo del buque, y que por medio de vueltas que da al calabrote, cadena, etc., que trabaja, impide que se escurra. || **2.** *Mar.* Cabo de pocas brazas de longitud, hecho firme en la proa de las embarcaciones menores, que sirve para amarrarlas a un buque, muelle, etc.

Bozal. (De *bozo*.) adj. Dícese del negro recién sacado de su país. Ú. t. c. s. || **2.** fig. y fam. **Bisoño,** 2.ª acep. Ú. t. c. s. || **3.** fig. y fam. Simple, necio o idiota. Ú. t. c. s. || **4.** Tratándose de caballerías, **cerril,** 2.ª acep. || **5.** m. Esportilla, comúnmente de esparto, la cual, colgada de la cabeza, se pone en la boca a las bestias de labor y de carga, para que no hagan daño a los panes o se paren a comer. || **6.** Aparato, comúnmente de correas o alambres, que se pone en la boca a los perros para que no muerdan. || **7.** Tableta con púas de hierro, que se pone a los terneros para que las madres no les dejen mamar. || **8.** Adorno con campanillas o cascabeles, que se pone a los caballos en el bozo. || **9.** *Amér.* **Bozo,** 3.ª acep.

Bozalejo. m. d. de **Bozal,** 6.ª y 7.ª aceps.

Bozo. (De un der. del lat. *bucca*, boca.) m. Vello que apunta a los jóvenes sobre el labio superior antes de nacer la barba. || **2.** Parte exterior de la boca. || **3.** Cabestro o cuerda que se echa a las caballerías sobre la boca, y dando un nudo por debajo de ella, forma un cabezón con sólo un cabo o rienda.

Bozón. (Del prov. *bosó[n]*.) m. ant. **Ariete,** 1.ª acep.

Brabante. (De *Brabant*.) m. Lienzo fabricado en el territorio de este nombre.

Brabántico. adj. V. **Arrayán brabántico.**

Brabanzón, na. adj. Natural de Brabante. Ú. t. c. s. || **2.** Perteneciente a este territorio de los Países Bajos.

Bracamarte. m. Espada usada antiguamente, de un solo filo y de lomo algo encorvado cerca de la punta.

Bracarense. (Del lat. *bracarensis*.) adj. Natural de Braga. Ú. t. c. s. || **2.** Perteneciente a esta ciudad de Portugal.

Braceada. f. Movimiento de brazos ejecutado con esfuerzo y valentía.

Braceador, ra. adj. Que bracea, 1.er art., 4.ª acep.

Braceaje. (De *brazo*.) m. En las casas de moneda, trabajo y labor de ella. || **2.** V. **Derecho de braceaje.**

Braceaje. (De *braza*.) m. *Mar.* Profundidad del mar en determinado paraje.

Bracear. intr. Mover repetidamente los brazos, por lo común con esfuerzo o gallardía. || **2.** Nadar sacando los brazos fuera del agua y volteándolos hacia adelante. || **3.** fig. Esforzarse, forcejear. || **4.** *Equit.* Doblar el caballo los brazos con soltura al andar, levantándolos de manera que parece que toque la cincha con ellos.

Bracear. intr. *Mar.* Halar de las brazas para hacer girar las vergas.

Braceo. m. Acción de bracear, 1.er art.

Braceo. m. Acción de bracear, 2.° art.

Braceral. m. **Brazal,** 1.ª acep.

Bracero, ra. (De *brazo*.) adj. Aplícase al arma que se arrojaba con el brazo. *Chuzo* BRACERO; *lanza* BRACERA. || **2.** m. El que da el brazo a otro para que se apoye en él. Dícese comúnmente de los que dan el brazo a las señoras. En palacio, cuando había meninos, tenía este ejercicio uno de ellos, el cual daba el brazo a la reina. || **3. Peón,** 1.er art., 2.ª acep. || **4.** El que tiene buen brazo para tirar barra, lanza u otra arma arrojadiza. || **De bracero.** m. adv. con que se denota que dos personas, van asida una al brazo de la otra.

Bracete. m. d. de **Brazo.** || **De bracete.** m. adv. fam. **De bracero.**

Bracil. (Del lat. *brachĭle*.) m. **Brazal,** 1.ª acep.

Bracillo. (d. de *brazo*.) m. Cierta pieza del freno de los caballos.

Bracio. (Del lat. *bracchium*, brazo.) m. *Germ.* **Brazo,** 1.ª acep. || **godo.** *Germ.* Brazo derecho. || **ledro.** *Germ.* Brazo izquierdo.

Bracmán. m. **Brahmán.**

Braco, ca. (Del germ. *brakko*, perro de caza.) adj. V. **Perro braco.** Ú. t. c. s. || **2.** fig. y fam. Aplícase a la persona que tiene la nariz roma y algo levantada. Ú. t. c. s.

Bráctea. (Del lat. *bractĕa*, hoja delgada de metal.) f. *Bot.* Hoja que nace del pedúnculo de las flores de ciertas plantas, y suele diferir de la hoja verdadera por la forma, la consistencia y el color.

Bractéola. (Del lat. *bracteŏla*.) f. *Bot.* Bráctea pequeña.

Bradicardia. (Del gr. βραδύς, lento, y καρδία, corazón.) f. Ritmo excesivamente lento de la contracción cardiaca; generalmente es indicio de enfermedades del corazón, y también puede ser síntoma de meningitis u otras lesiones del encéfalo.

Bradilalia. (Del gr. βραδύς, lento, y λαλέω, hablar.) f. Emisión lenta de la palabra; se observa en algunas enfermedades nerviosas.

Bradipepsia. (Del gr. βραδυπεψία; de βραδύς, lento, y πέσσω, digerir.) f. *Med.* Digestión lenta.

Bradita. (Del gr. βραδύς, lento.) f. *Astron.* Estrella fugaz de poco brillo y que se mueve con lentitud.

Brafonera. (De *brahonera.*) f. Pieza de la armadura antigua, que cubría la parte superior del brazo. Poníase también a los caballos armados. || **2.** ant. **Brahonera.**

Braga. (Del lat. *braca.*) f. **Calzón,** 2.ª acep. Ú. m. en pl. || **2. Metedor,** 3.ª acep. || **3.** Conjunto de plumas que cubren las patas de las aves calzadas. || **4.** pl. Especie de calzones anchos. || **5.** Prenda interior que usan las mujeres, y que cubre desde la cintura hasta el arranque de las piernas, con aberturas para el paso de éstas. También la usan los niños de corta edad. || **Al que no está hecho a bragas, las costuras le hacen llagas.** ref. que denota la repugnancia y dificultad que cuesta hacer las cosas a que no está uno enseñado o acostumbrado. || **Calzarse las bragas.** fr. fig. y fam. **Calzarse,** o **ponerse, los calzones.** || **¿Qué tienen que hacer las bragas, con la alcabala de las habas?** ref. con que se nota a los que hablan fuera de propósito, o del asunto que se está tratando.

Braga. (De *briaga.*) f. Cuerda con que se ciñe un fardo, un tonel, una piedra, etc., para suspenderlo en el aire.

Bragada. (De *braga,* 1.er art.) f. Cara interna del muslo del caballo y de otros animales. || **2.** *Mar.* Parte más ancha de una curva, 3.ª acep.

Bragado, da. (Del lat. *bracātus.*) adj. Aplícase al buey y a otros animales que tienen la bragadura de diferente color que lo demás del cuerpo. || **2.** fig. Dícese de la persona de dañada intención, con alusión a las mulas **bragadas,** que por lo común son falsas. || **3.** fig. y fam. Aplícase a la persona de resolución enérgica y firme.

Bragadura. f. Entrepiernas del hombre o del animal. || **2.** Parte de las bragas, calzones o pantalones, que da ensanche al juego de los muslos.

Bragazas. (f. pl. aum. de *bragas.*) m. fig. y fam. Hombre que se deja dominar o persuadir con facilidad, especialmente por las mujeres. Ú. t. c. adj.

Braguero. (De *braga,* 1.er art.) m. Aparato o vendaje destinado a contener las hernias o quebraduras. || **2.** *Méj.* Cuerda que a modo de cincha rodea el cuerpo del toro, y de la cual se ase el que lo monta en pelo. || **3.** *Perú.* **Gamarra.** || **4.** *Art.* y *Mar.* Cabo grueso, que, pasado por el ojo del cascabel de una pieza de artillería y hecho firme por sus extremos a uno y otro lado de la porta o de la parte anterior de la explanada, servía en los buques para moderar el retroceso producido por el disparo.

Bragueta. (De *braga,* 1.er art.) f. Abertura de los calzones o pantalones por delante. || **2.** V. **Hidalgo de bragueta.**

Braguetazo. m. aum. de **Bragueta.** || **Dar braguetazo.** fr. fig. y fam. Casarse un hombre pobre con mujer rica.

Braguetero. (De *bragueta.*) adj. fam. Dícese del hombre dado al vicio de la lascivia. Ú. t. c. s.

Braguillas. (f. pl. d. de *bragas.*) m. fig. Niño que empieza a usar los calzones. || **2.** fig. Niño pequeño y mal dispuesto.

Brahmán. m. (Del sánscr. *brahmāna,* hombre de la casta sacerdotal.) m. Cada uno de los individuos de la primera de las cuatro castas en que se halla dividida la población de la India, y que por suponer que proceden de la boca del dios Brahma, no deben dedicarse más que al sacerdocio y al estudio y meditación de los libros sagrados de su religión.

Brahmanismo. m. Religión de la India, que reconoce y adora a Brahma como a dios supremo.

Brahmín. m. Brahmán.

Brahón. (Del ant. fr. *braón,* y éste del nórdico *brado,* músculo.) m. Rosca o doblez que ceñía la parte superior del brazo en algunos vestidos antiguos.

Brahonera. f. Brahón.

Brama. (De *bramar.*) f. Acción y efecto de bramar. Úsase especialmente para designar el celo de los ciervos y algunos otros animales salvajes, y también la temporada en que se hallan poseídos de él.

Bramadera. (De *bramar.*) f. Pedazo de tabla delgada, en forma de rombo, con un agujero y una cuerda atada en él, que usan los muchachos como juguete. Cogida esta cuerda por el extremo libre, se agita con fuerza en el aire la tabla, de modo que forme un círculo cuyo centro sea la mano, y hace ruido semejante al del bramido o del viento. || **2.** Instrumento de que usan los pastores para llamar y guiar el ganado. || **3.** Instrumento de que usaban los guardas de campo, viñas u olivares para espantar los ganados. Se hacía de un medio cántaro cubierto con una piel de cordero y atravesado con un cordel delgado, con dos pequeños agujeros, uno para arrimar los labios, y otro para que saliera la voz. || **4.** *Colomb.* y *Cuba.* **Bravera.**

Bramadero. (De *bramar.*) m. Poste al cual en América amarran en el corral los animales para herrarlos, domesticarlos o matarlos. || **2.** *Mont.* Sitio adonde acuden con preferencia los ciervos y otros animales salvajes cuando están en celo.

Bramador, ra. adj. Que brama. Ú. t. c. s. || **2.** m. *Germ.* **Pregonero,** 2.ª acep.

Bramante. p. a. de **Bramar.** Que brama.

Bramante. (De *brabante.*) m. Hilo gordo o cordel muy delgado hecho de cáñamo. Ú. t. c. adj. || **2. Brabante.**

Bramar. (Del germ. *brammōn.*) intr. Dar bramidos. || **2.** fig. Manifestar uno con voces articuladas o inarticuladas y con extraordinaria violencia la ira de que está poseído. || **3.** fig. Hacer ruido estrepitoso el viento, el mar, etc., cuando están violentamente agitados. || **4.** *Germ.* Dar voces, gritar.

Bramido. (De *bramar.*) m. Voz del toro y de otros animales salvajes. || **2.** fig. Grito o voz fuerte y confusa del hombre cuando está colérico y furioso. || **3.** fig. Ruido grande producido por la fuerte agitación del aire, del mar, etc.

Bramo. (De *bramar.*) m. *Germ.* Bramido o grito. || **2.** *Germ.* Grito con que se avisa el descubrimiento de alguna cosa.

Bramón. (De *bramar.*) m. *Germ.* Soplón.

Bramona (De *bramar.*) **(Soltar la).** fr. fig. Entre tahúres, prorrumpir en dicterios.

Bramuras. (De *bramar.*) f. pl. Fieros, bravatas, muestras de gran enojo.

Bran de Inglaterra. (Del fr. *branle,* cierto baile antiguo.) m. Baile usado en España antiguamente.

Branca. f. ant. Branquia.

Branca. (Del lat. *branca,* garra.) f. *Ar.* Tallo que arranca desde la raíz de la planta. || **2.** ant. Punta de una cuerna. || **ursina.** Acanto, 1.ª acep.

Brancada. (Del lat. *branca,* garra.) f. Red barredera con que se suelen atajar los ríos o un brazo de mar para encerrar la pesca y poderla coger a mano.

Brancal. (Del lat. *branca,* garra.) m. Conjunto de las dos viguetas largas o gualderas del bastidor de un carruaje o cureña de artillería, que descansan por intermedio de cojinetes sobre los extremos de los ejes de rotación de las ruedas.

Brancha. (Del fr. *branche,* y éste del lat. *branca,* garra.) f. ant. **Branquia.**

Brandal. m. *Mar.* Cada uno de los dos ramales de cabo sobre los cuales se forman las escalas de viento que se utilizan en algunos casos para subir a los buques. || **2.** *Mar.* Cabo grueso, firme o volante, que se da en ayuda de los obenques de juanete.

Brandecer. (De *blando.*) tr. ant. Ablandar o suavizar.

Brandís. (Del fr. *brandebourgeois,* de *Brandebourg.*) m. Casacón grande que solapaba sobre el pecho, se abrochaba con botones y se ponía sobre la casaca, para abrigo.

Branque. m. *Mar.* **Roda,** 2.° art.

Branquia. (Del lat. *branchia,* y éste del gr. βράγχια.) f. *Zool.* Órgano respiratorio de muchos animales acuáticos, como peces, moluscos, cangrejos y gusanos, constituido por láminas o filamentos de origen tegumentario; las branquias están al descubierto o en cavidades cerradas por un opérculo. Ú. m. en pl.

Branquial. adj. Perteneciente o relativo a las branquias. *Respiración* BRANQUIAL.

Branquífero, ra. (De *branquia* y el lat. *ferre,* llevar.) adj. Que tiene branquias.

Branza. f. Argolla en que se aseguraba la cadena de los forzados en las galeras.

Braña. (Del lat. *vŏrāgo -inis,* abismo.) f. *Ast.* y *Sant.* Pasto de verano, que por lo común está en la falda de algún montecillo donde hay agua y prado. || **2.** *Ast.* Prado para pasto, donde hay agua o humedad, aun cuando no haya monte. || **3.** *Ast.* Poblado, antes veraniego y hoy permanente, habitado por los vaqueiros de alzada.

Braquete. m. d. de **Braco,** 1.ª acep.

Braquial. (Del lat. *brachiālis.*) adj. Perteneciente o relativo al brazo. *Arteria* BRAQUIAL. || **2.** *Zool.* V. **Bíceps, tríceps braquial.**

Braquicefalia. f. Cualidad de braquicéfalo.

Braquicéfalo, la. (Del gr. βραχύς, breve, y κεφαλή, cabeza.) adj. Dícese de la persona cuyo cráneo es casi redondo, porque su diámetro mayor excede en menos de un cuarto al menor. Ú. t. c. s.

Braquícero. (Del gr. βραχύς, breve, y κέρας, cuerno.) adj. *Zool.* Dícese de los insectos dípteros que tienen cuerpo grueso, alas anchas y antenas cortas. Ú. t. c. s. || **2.** m. pl. *Zool.* Suborden de estos animales, que se conocen con el nombre de moscas.

Braquigrafía. (Del gr. βραχύς, breve, y γράφω, escribir.) f. Estudio de las abreviaturas.

Braquiocefálico, ca. adj. *Anat.* Dícese de los vasos que se distribuyen por la cabeza y por los brazos.

Braquiópodo. (Del gr. βραχύς, breve, y πούς, ποδός, pie.) adj. *Zool.* Dícese de animales marinos que se parecen a los moluscos lamelibranquios por estar provistos de una concha compuesta de dos valvas, pero que por su organización se asemejan a los gusanos, en cuyo grupo los incluyen muchos zoólogos. Una de las valvas protege la región dorsal, y la otra, más grande, la ventral, con un orificio por el que sale un pedúnculo con que el animal se fija a las rocas submarinas. Estos invertebrados alcanzaron gran desarrollo en períodos geológicos antiguos. Ú. t. c. s.

Braquiuro. (Del gr. βραχύς, breve, y οὐρά, cola.) adj. *Zool.* Dícese de crustáceos decápodos cuyo abdomen es corto y está recogido debajo del pereion, no sirviéndole al animal para nadar; como la centolla. Ú. t. c. s. || **2.** m. pl. *Zool.* Suborden de estos animales.

Brasa. (Del germ. *brasa,* fuego.) f. Leña o carbón encendido y pasado del fuego. || **2.** *Germ.* **Ladrón,** 1.ª acep. || **Brasa trae en el seno la que cría hijo ajeno.** ref. que denota el gran cuidado y zozobra que ocasiona el encargarse de cosas ajenas. || **Estar uno como en brasas,** o **en**

brasas. fr. fig. y fam. **Estar en ascuas.** || **Estar** uno **hecho unas brasas.** fr. fig. Estar muy encendido de rostro. || **Pasar como sobre brasas.** fr. fig. Tocar muy de pasada un asunto de que no cabe prescindir. || **Sacar** uno **la brasa con mano ajena,** o **de gato.** fr. fig. y fam. Sacar el ascua, etc.

Brasar. (De *brasa.*) tr. ant. **Abrasar.**

Brasca. (Del fr. *brasque.*) f. *Min.* Mezcla de polvo de carbón y arcilla con que se forma la plaza y copela de algunos hornos metalúrgicos, y también se rellenan los crisoles cuando han de sufrir fuego muy vivo.

Brasero. (De *brasa.*) m. Pieza de metal, honda, ordinariamente circular, con borde, y en la cual se echa o se hace lumbre para calentarse. Suele ponerse sobre una tarima, caja o pie de madera o metal. || **2.** Sitio que se destinaba para quemar a ciertos delincuentes. || **3.** *Méj.* **Hogar,** 1.ª acep. || **4.** *Germ.* **Hurto,** 1.ª acep.

Brasil. (De *brasa,* por el color rojo.) m. Árbol de la familia de las papilionáceas, que crece en los países tropicales, y cuya madera es el palo brasil. || **2. Palo brasil.** || **3.** Color encarnado que servía para afeite de las mujeres.

Brasil. n. p. V. **Loro, palo, rubí, topacio del Brasil.**

Brasilado, da. adj. De color encarnado o de brasil.

Brasileño, ña. adj. Natural del Brasil. Ú. t. c. s. || **2.** Perteneciente a este país de América.

Brasilete. m. Árbol de la misma familia que el brasil, y cuya madera es menos sólida y de color más bajo que la de éste. || **2.** Madera de este árbol.

Brasmología. (Del gr. βράσμα, ebullición, agitación, y λόγος, tratado.) f. Tratado acerca del flujo y reflujo del mar.

Bravamente. adv. m. Con bravura. || **2. Cruelmente.** || **3.** Bien, perfectamente. || **4.** Copiosa, abundantemente. BRAVAMENTE *hemos comido;* BRAVAMENTE *ha llovido.*

Bravata. (Del ital. *bravatta.*) f. Amenaza proferida con arrogancia para intimidar a alguno. || **2. Baladronada.**

Bravatero. m. *Germ.* Guapo que echa bravatas y fieros.

Bravato, ta. (De *bravata.*) adj. ant. Que ostenta baladronería y descaro.

Braveador, ra. adj. Que bravea. Ú. t. c. s.

Bravear. (De *bravo.*) intr. Echar fieros o bravatas.

Bravera. f. Ventana o respiradero que tienen algunos hornos.

Bravería. (De *bravo.*) f. ant. **Bravata.**

Braveza. f. **Bravura,** 1.ª y 2.ª aceps. || **2.** Ímpetu de los elementos; como el del mar embravecido, el de la tempestad, etc.

Bravío, a. (De *bravo.*) adj. Feroz, indómito, salvaje. Regularmente se dice de los animales cerriles o que andan por los montes y están por domesticar o domar. || **2.** fig. Se dice de los árboles y plantas silvestres. || **3.** fig. Se aplica al que tiene costumbres rústicas por falta de buena educación o del trato de gentes. || **4.** m. Hablando de los toros y otras fieras, **bravura,** 1.ª acep.

Bravo, va. (Del lat. *pravus,* malo, inculto.) adj. Valiente, esforzado. || **2.** Bueno, excelente. || **3.** Hablando de animales, fiero o feroz. || **4.** Aplícase al mar cuando está alborotado y embravecido. || **5.** Áspero, inculto, fragoso. || **6.** Enojado, enfadado, violento. || **7.** V. **Ave, caña, madera, paja, palma, paloma, tuna brava.** || **8.** V. **Ganado, ganso, pino bravo.** || **9.** fam. Valentón o preciado de guapo. || **10.** fig. y fam. De genio áspero. || **11.** fig. y fam. Suntuoso, magnífico, soberbio. || **12.** m. *Germ.* **Juez,** 1.ª acep. || **¡Bravo!** interj. de aplauso. Úsase también repetida.

Bravocear. (De *bravo.*) tr. p. us. Infundir bravura. || **2.** intr. **Bravear.**

Bravonel. (De *bravo.*) m. **Fanfarrón,** 1.ª acep.

Bravosamente. adv. m. ant. **Bravamente.**

Bravosía. f. **Bravosidad.**

Bravosidad. (De *bravoso.*) f. Gallardía o gentileza. || **2.** Arrogancia, baladronada.

Bravoso, sa. adj. **Bravo.**

Bravote. (De *bravo.*) m. *Germ.* Fanfarrón o matón.

Bravucón, na. (De *bravo.*) adj. fam. Esforzado sólo en la apariencia. Ú. t. c. s.

Bravuconada. f. Dicho o hecho propio del bravucón.

Bravuconería. f. Calidad de bravucón. || **2. Bravuconada.**

Bravura. (De *bravo.*) f. Fiereza de los brutos. || **2.** Esfuerzo o valentía de las personas. || **3. Bravata.**

Braza. (Del lat. *brachia,* pl. de *brachium,* brazo, por ser la distancia media entre los dedos pulgares del hombre, extendidos horizontalmente los brazos.) f. Medida de longitud, generalmente usada en la marina y equivalente a 2 varas ó 1,6718 metros. || **2.** Medida agraria usada en Filipinas, centésima parte del loán, y equivalente a 36 pies cuadrados, o sea a 2 centiáreas y 79 miliáreas. || **3.** *Mar.* Cabo que laborea por el penol de las vergas y sirve para mantenerlas fijas y hacerlas girar en un plano horizontal.

Brazada. f. Movimiento que se hace con los brazos, extendiéndolos y recogiéndolos como cuando se saca de un pozo un cubo de agua o cuando se rema. || **2. Brazado.** || **3.** ant. **Braza,** 1.ª acep. Ú. en *Colomb., Chile* y *Venez.* || **de piedra.** *Méj.* Medida que sirve de unidad en la compraventa de mampuestos, y equivale al conjunto de éstos que forme un paralelepípedo de cuatro varas de largo, dos de ancho y una de profundidad; o sea 4,70 metros cúbicos.

Brazado. m. Cantidad de leña, palos, bálago, hierba, etc., que se puede abarcar y llevar de una vez con los brazos.

Brazaje. m. **Braceaje,** 1.er art.

Brazaje. m. *Mar.* **Braceaje,** 2.° art.

Brazal. (Del lat. *brachiālis.*) m. Pieza de la armadura antigua, que cubría el brazo. || **2. Embrazadura,** 2.ª acep. || **3.** En el juego del balón, instrumento de madera labrado por de fuera en forma de puntas de diamante y hueco por dentro, que se encaja en el brazo desde la muñeca al codo, y se empuña por una asa que tiene en el extremo. || **4.** Sangría que se saca de un río o acequia grande para regar. || **5.** Tira de tela que ciñe el brazo izquierdo por encima del codo y que sirve de distintivo. Indica luto, si la tela es negra. || **6.** ant. **Brazalete,** 1.ª acep. || **7.** ant. **Asa,** 1.er art., 1.ª acep. || **8.** *Mar.* Cada uno de los maderos fijados por sus extremos en una y otra banda desde la serviola al tajamar, tanto para la sujeción de éste y del mascarón de proa, como para la formación de los enjaretados y beques.

Brazalete. m. Aro de metal o de otra materia, con piedras preciosas o sin ellas, que rodea el brazo por más arriba de la muñeca y se usa como adorno. || **2. Brazal,** 1.ª acep.

Brazar. (De *brazo.*) tr. ant. **Abrazar.**

Braznar. tr. ant. **Estrujar.**

Brazo. (Del lat. *brachium.*) m. Miembro del cuerpo, que comprende desde el hombro a la extremidad de la mano. || **2.** Parte de este miembro desde el hombro hasta el codo. || **3.** Cada una de las patas delanteras de los cuadrúpedos. || **4.** En las arañas y demás aparatos de iluminación, candelero que sale del cuerpo central y sirve para sostener las luces. || **5.** Cada uno de los dos palos que salen desde la mitad del respaldo del sillón hacia adelante y sirven para que descanse o afirme los **brazos** el que está sentado en él. || **6.** En la balanza, cada una de las dos mitades de la barra horizontal, de cuyos extremos cuelgan o en los cuales se apoyan los platillos. || **7.** Rama de árbol. || **8.** fig. Valor, esfuerzo, poder. *Nada resiste a su* BRAZO. || **9.** *Mec.* Cada una de las distancias del punto de apoyo de la palanca, a las direcciones de la potencia y la resistencia. || **10.** pl. fig. Protectores, valedores. *Valerse de buenos* BRAZOS. || **11.** fig. Braceros, jornaleros. || **Brazo de cruz.** Mitad del más corto de los dos palos que la forman. || **de Dios.** Poder y grandeza de Dios. || **de gitano.** Pieza de repostería formada de una capa de bizcocho, grande y delgada, que se unta por encima con crema o dulce de fruta, y se arrolla en figura de cilindro, del que luego se cortan ruedas. || **de la nobleza.** Estado o cuerpo de la nobleza, que representaban sus diputados en las Cortes. || **del reino.** Cada una de las distintas clases que representaban al reino junto en Cortes. || **de mar.** Canal ancho y largo del mar, que entra tierra adentro. || **de río.** Parte del río que, separándose de él, corre independientemente hasta reunirse de nuevo con el cauce principal o desembocar en el mar. || **eclesiástico.** Estado o cuerpo de los diputados que representaban la voz del clero en las Cortes o juntas del reino. || **real, secular** o **seglar.** Autoridad temporal que se ejerce por los tribunales y magistrados reales. || **Abiertos los brazos.** m. adv. fig. **Con los brazos abiertos.** || **A brazo.** m. adv. **A mano,** 1.ª acep. || **A brazo partido.** m. adv. Con los **brazos** solos, sin usar de armas. || **2.** fig. A viva fuerza, de poder a poder. || **Andar a los brazos** con uno. fr. fig. **Venir** algunos, o uno con otro, **a las manos.** || **Brazo a brazo.** m. adv. Cuerpo a cuerpo y con iguales armas. || **Brazo por brazo.** m. adv. ant. **Brazo a brazo.** || **Con los brazos abiertos.** m. adv. fig. Con agrado y amor. Úsase con los verbos *recibir, admitir,* etc. || **Con los brazos cruzados.** m. adv. fig. **Con las manos cruzadas.** || **Cruzarse de brazos.** fr. fig. Estar o quedarse **con los brazos cruzados.** || **2.** Abstenerse de obrar o de intervenir en un asunto. || **Dar el brazo** a uno. fr. fig. Ofrecérselo para que se apoye en él. || **2.** fig. **Dar la mano** a uno, 2.ª acep. || **Dar los brazos** a uno. fr. fig. y fam. **Abrazarle.** || **Dar** uno **su brazo a torcer.** fr. fig. Rendirse, desistir de su dictamen o propósito. || **Dar** uno **un brazo por** alguna cosa. fr. fig. y fam. **Dar una mano.** || **Del brazo.** loc. **De bracero.** || **Echarse en brazos** de uno. fr. fig. **Ponerse en manos** de uno. || **Entregar al brazo secular** una cosa. fr. fig. y fam. Ponerla en poder de quien dé fin de ella prontamente. || **Entregarse en brazos** de uno. fr. fig. **Ponerse en manos** de uno. || **Hecho un brazo de mar.** loc. fig. y fam. Dícese de la persona ataviada con mucho lujo y lucimiento. Úsase más con los verbos *ir, venir* y *estar.* || **No dar** uno **su brazo a torcer.** fr. fig. y fam. Mantenerse firme en su dictamen o propósito. || **Ponerse,** o **tomarse, a brazos.** fr. **Luchar.** || **Ponerse en brazos** de uno. fr. fig. **Ponerse en manos** de uno. || **Quedar** a uno **el brazo sabroso.** fr. fig. Estar contento y ufano de alguna acción propia y con deseo de reiterarla. || **Quedar el brazo sano** a uno. fr. fig. Tener caudal de reserva después de haber hecho grandes gastos. || **Ser el brazo derecho** de uno. fr. fig. Ser la persona de su mayor confianza, de quien se sirve principalmente para que le ayude en el manejo de sus negocios. || **Soltar** uno **los brazos.** fr. Dejarlos caer como miembros muertos. || **Tener brazo** uno. fr. fig. y fam. Tener mucha robustez y fuerza. || **Venir a brazos** con uno. fr. fig. **Andar a los brazos.** || **Venirse** uno **con los brazos cruzados.** fr. fig. **Volverse con los brazos cruzados.** || **Vivir** uno **por su brazo,** o **sus brazos.** fr. fig. y fam. **Vivir por sus manos.** || **Volverse** uno **con los brazos cruzados.** fr. fig. Volverse sin haber hecho lo que le encargaron.

Brazola. (En fr. *vassole.*) f. *Mar.* Reborde con que se refuerza la boca de las escotillas y se evita, en lo posible, la caída del agua u otros objetos a las cubiertas inferiores de la nave.

Brazolargo. m. *Amér.* **Mono araña.**

Brazuelo. (Del lat. *brachĭŏlum.*) m. d. de Brazo || **2.** *Zool.* Parte de las patas delanteras de los mamíferos comprendida entre el codo y la rodilla. || **3. Bracillo.** || **4.** *León.* Pértigo de los carros en forma de Y.

Brea. (Del fr. *brai,* y éste del germ. *bragen.*) f. Substancia viscosa de color rojo obscuro que se obtiene haciendo destilar al fuego la madera de varios árboles de la familia de las coníferas. Se emplea en medicina como pectoral y antiséptico. || **2.** Especie de lienzo muy basto y embreado con que se suelen cubrir y forrar los fardos de ropa y cajones, para su resguardo en los transportes. || **3.** Arbusto de Chile, de la familia de las compuestas, del cual se extraía una resina que se usaba en lugar de brea. || **4.** *Mar.* Mezcla de **brea,** pez, sebo y aceite de pescado, que se usa en caliente para calafatear y pintar las maderas y jarcias. || **crasa.** Mezcla de partes iguales de colofonia, alquitrán y pez negra. || **líquida. Alquitrán,** 1.ª acep. || **mineral.** Substancia crasa y negra semejante a la **brea,** que se obtiene por destilación de la hulla. || **seca. Colofonia.**

Brear. (De *brea.*) tr. ant. **Embrear.**

Brear. (Del lat. *verberāre,* azotar.) tr. Maltratar, molestar, dar que sentir a uno. || **2.** fig. y fam. **Zumbar, chasquear.**

Brebaje. (Del fr. *breuvage,* y éste del lat. **bibĕrătĭcum,* bebida, de *bĭbĕre,* beber.) m. Bebida, y en especial la compuesta de ingredientes desagradables al paladar. || **2.** En los buques, vino, cerveza o sidra que bebían los marineros.

Brebajo. m. **Brebaje.** || **2.** *Sal.* Refresco compuesto de salvado, sal y agua que se da al ganado como medicina.

Breca. (Del ingl. *bleak,* albur.) f. **Albur,** 1.er art. || **2.** Variedad de pagel con las aletas azuladas.

Brécol. (De *bróculi.*) m. Variedad de la col común, cuyas hojas, de color más obscuro, son más recortadas que las de ésta y no se apiñan. Ú. m. en pl.

Brecolera. f Especie de brécol, que echa pellas a semejanza de la coliflor.

Brecha. (Del fr. *brèche,* y éste del germ. *brecha,* rotura.) f. Rotura o abertura que hace en la muralla o pared la artillería u otro ingenio. || **2.** Cualquier abertura hecha en una pared o edificio. || **3.** V. **Mármol brecha.** || **4.** fig. Impresión que hace en el ánimo la razón o sugestión ajena o algún sentimiento propio. Úsase más con el verbo *hacer.* || **5.** *Germ.* **Dado,** 1.er art., 1.ª acep. || **6.** *Germ.* El que tercia en el juego. || **Abrir brecha.** fr. *Mil.* Arruinar con las máquinas de guerra parte de la muralla de una plaza, castillo, etc., para poder dar el asalto. || **2.** fig. Persuadir a uno, hacer impresión en su ánimo. || **Batir en brecha.** fr. *Mil.* Percutir un muro o muralla para abrir **brecha** en ellos. || **2.** *Mil.* **Batir en ruina.** || **3.** fig. Perseguir a una persona hasta derribarla de su valimiento. || **Estar** uno **siempre en la brecha.** fr. fig. Estar siempre preparado y dispuesto para defender un negocio o interés. || **Montar la brecha.** fr. *Mil.* Asaltar la plaza por la **brecha.**

Brechador. (De *brechar.*) m. *Germ.* El que entra a terciar en el juego.

Brechar. (De *brecha.*) intr. *Germ.* Meter dado falso en el juego.

Brechero. (De *brecha.*) m. *Germ.* El que mete dado falso.

Brega. f. Acción y efecto de bregar, 1.er art. || **2.** Riña o pendencia. || **3.** fig. Chasco, zumba, burla. Úsase con el verbo *dar.* || **3.** V. **Capote de brega.** || **Andar a la brega.** fr. Trabajar afanosamente.

Bregadura. (De *bregar,* 1.er art.) f. desus. **Brega,** 2.ª acep.

Bregadura. (De *bregar,* 2.° art.) f. desus. **Costurón,** 3.ª acep.

Bregar. (Del gót. *brikan,* golpear.) intr. Luchar, reñir, forcejear unos con otros. || **2.** Ajetrearse, agitarse, trabajar afanosamente. || **3.** fig. Luchar con los riesgos y trabajos o dificultades para superarlos.

Bregar. (Del lat. *plicare,* doblar.) **tr.** Amasar de cierta manera.

Breguero, ra. adj. ant. Amigo de bregas, 2.ª acep.

Bren. (Del célt. *bran, brenn.*) m. **Salvado.**

Brenca. (Del m. or. que *brancal.*) f. Poste que en las acequias sujeta las compuertas o presas de agua para que ésta suba hasta alcanzar los repartidores. || **2.** ant. **Culantrillo.**

Brenca. (Del célt. **brinica,* de **brīnos,* filamento, brizna.) f. Fibra, filamento, y especialmente el estigma del azafrán.

Brenga. (De **brinĭcus,* del célt. **brinos,* fibra.) f. *Ast.* Fibra o haz de fibras reviradas en un tronco.

Breña. (Del lat. *vŏrāgo, -ĭnis,* abismo.) f. Tierra quebrada entre peñas y poblada de maleza.

Breñal. m. Sitio o paraje de breñas.

Breñar. m. **Breñal.**

Breñoso, sa. (Del lat. *vŏrāgĭnōsus,* abismal.) adj. Lleno de breñas.

Breque. (Del ingl. *bleak,* albur.) m. **Breca,** 2.ª acep. || **2.** V. **Ojo de breque.**

Bresca. (Del célt. **brisca,* panal.) f. Panal de miel.

Brescar. (De *bresca.*) tr. **Castrar,** 4.ª acep.

Bretador. (De *brete,* 1.er art.) m. ant. Reclamo o silbo para cazar aves.

Bretánico, ca. adj. ant. **Británico.**

Bretaña. f. Lienzo fino fabricado en Bretaña. || **2. Jacinto,** 1.ª y 2.ª aceps.

Brete. (Del germ. *brett,* tabla.) m. Cepo o prisión estrecha de hierro que se pone a los reos en los pies para que no puedan huir. || **2.** fig. y p. us. **Calabozo,** 1.er art. || **3.** fig. Aprieto sin efugio o evasiva. Úsase por lo común en las frases **estar** y **poner, en un brete.** || **4.** fig. *Argent.* En las estancias, estaciones ferroviarias y mataderos, pasadizo corto entre dos estacadas, con atajadizos en ambos extremos para enfilar el ganado a fin de marcarlo, curarlo, descornarlo, conducirlo al baño o al vagón, o matarlo.

Brete. (Del m. or. que *betel.*) m. En la India, comida que los naturales hacen de una hoja que es de hechura de corazón, grande como una mano y de olor, sabor y color de clavo. Junta con otras cosas, la mascan, echan fuera el primer zumo y tragan el resto.

Bretón, na. (Del lat. *brĭtto, -ōnis,* bretón.) adj. Natural de Bretaña. Ú. t. c. s. || **2.** Perteneciente a esta antigua provincia de Francia. || **3.** m. Lengua, derivada del celta, que hablan los bretones. || **4.** Variedad de la col, cuyo troncho, que crece a la altura de un metro poco más o menos, echa muchos tallos, y arrancados éstos, brotan otros. || **5.** Renuevo o tallo de esta planta.

Bretoniano, na. adj. Propio y característico de Bretón de los Herreros como escritor, o que tiene semejanza con las dotes y calidades por las que se distinguen sus obras.

Bretónica. f. **Betónica.**

Breva. (De *bevra.*) f. Primer fruto que anualmente da la higuera breval, y que es mayor que el higo. || **2.** Bellota temprana. || **3.** Cigarro puro algo aplastado y menos apretado que los de forma cilíndrica. || **4.** fig. Ventaja lograda o poseída por alguno. *Cogió, se chupó buena* BREVA. || **Más blando que una breva.** loc. fig. Se dice del que, habiendo estado antes muy tenaz, se ha reducido a la razón o a lo que otros le han persuadido.

Brevador. m. ant. **Abrevadero.**

Breval. (De *breva.*) adj. V. **Higuera breval.** Ú. t. c. s. m.

Breve. (Del lat. *brevis.*) adj. De corta extensión o duración. || **2.** V. **Sílaba, vocal breve.** || **3.** Aplicado a palabras, **grave,** 13.ª acep. || **4.** m. Documento pontificio redactado con formas menos solemnes que las bulas, sellado con el Anillo del Pescador y expedido por la Secretaría de Breves para llevar la correspondencia política de los Papas y dictar resoluciones concernientes al gobierno y disciplina de la Iglesia. || **5.** ant. **Membrete.** || **6.** f. *Mús.* Figura o nota musical que vale dos compases mayores. || **7.** adv. m. **En breve.** || **En breve.** m. adv. Dentro de poco tiempo, muy pronto.

Brevedad. (Del lat. *brevĭtas, -ātis.*) f. Corta extensión o duración de una cosa, acción o suceso.

Brevemente. adv. m. Con brevedad.

Brevera. (De *breva.*) f. *Ál.* y *Sal.* **Higuera breval.**

Brevete. (Del fr. *brevet,* y éste del lat. *brĕvis,* breve.) m. d. de **Breve,** 4.ª y 5.ª aceps. || **2. Membrete.**

Breveza. (De *breve.*) f. ant. **Brevedad.**

Breviario. (Del lat. *breviarius,* compendioso, sucinto.) m. Libro que contiene el rezo eclesiástico de todo el año. || **2.** Epítome o compendio. || **3.** ant. Libro de memoria o de apuntamiento. || **4.** *Germ.* El que es breve o ligero en ejecutar alguna cosa. || **5.** *Impr.* Fundición de nueve puntos, como la que solía usarse en las antiguas impresiones del Breviario romano.

Brevipenne. (Del lat. *brevis,* breve, y *penna,* pluma.) adj. *Zool.* **Corredor,** 3.ª acep. Ú. t. c. s.

Brezal. m. Sitio poblado de brezos.

Brezo. (Del célt. **vroiceus,* de **vroicos.*) m. Arbusto de la familia de las ericáceas, de uno a dos metros de altura, muy ramoso, con hojas verticiladas, lineales y lampiñas, flores pequeñas en grupos axilares, de color blanco verdoso o rojizas, madera dura y raíces gruesas, que sirven para hacer carbón de fragua.

Brezo. m. **Brizo.**

Briadado, da. adj. ant. Decíase del caballo o yegua que tenía puesta la brida.

Briaga. (Del lat. *ēbrĭāca* (f. de *-cus,* borracho).) f. Maroma gruesa de esparto con que se ceñía el pie u orujo de la uva en los lagares, para exprimirlo con la viga o prensa. || **2. Braga,** 2.° art.

Brial. (Del ant. fr. y prov. *blialt.*) m. Vestido de seda o tela rica de que usaban las mujeres, y el cual se ataba a la cintura y bajaba en redondo hasta los pies. || **2.** Faldón de seda u otra tela que traían los hombres de armas desde la cintura hasta encima de las rodillas.

Briba. (Del fr. *bribe,* mendrugo.) f. Holgazanería picaresca. || **Andar,** o **echarse,** uno **a la briba.** fr. Vivir en holgazanería picaresca o darse a este género de vida.

Bribar. intr. ant. **Andar a la briba.**

Bribia. f. ant. **Briba.** || **2.** *Germ.* Arte y modo de engañar halagando con buenas palabras. || **Echar** uno **la bribia.** fr. fig. y fam. Hacer arenga de pobre, representando necesidad y miseria.

Bribiar. (De *bribia.*) intr. ant. **Bribar.**

Bribiático, ca. (De *bribia.*) adj. ant. Propio de la briba o perteneciente a ella.

Bribión. (De *bribia.*) m. *Germ.* El que halaga con buenas palabras para engañar.

Bribón, na. (De *briba.*) adj. Haragán, dado a la briba. Ú. t. c. s. || **2.** Pícaro, bellaco. Ú. t. c. s.

Bribonada. (De *bribón.*) f. Picardía, bellaquería.

Bribonear. intr. Hacer vida de bribón. || **2.** Hacer bribonadas.

Bribonería. f. Vida o ejercicio de bribón.

Bribonesco, ca. adj. Perteneciente o relativo al bribón.

Bribonzuelo, la. adj. d. de **Bribón.** Ú. t. c. s.

Bricbarca. (Del ingl. *brig,* barco con dos mástiles, y *barca.*) m. Buque de tres palos sin vergas de cruz en la mesana.

Bricho. (Del lat. *obryzum,* oro afinado.) m. Hoja angosta y sutil de plata u oro que sirve para bordados, telas y galones.

Brida. (Del fr. *bride,* y éste del germ. *brittil.*) f. Freno del caballo con las riendas y todo el correaje, que sirve para sujetarlo a la cabeza del animal. || **2.** V. **Cincha de brida.** || **3.** Reborde circular en el extremo de los tubos metálicos para acoplar unos a otros con tornillos o roblones. || **4.** *Equit.* Arte o modo de andar a caballo, cuyo ornato era distinto del que hoy se usa. || **5.** pl. *Cir.* Filamentos membranosos que se forman en los labios de las heridas o en los abscesos. || **A la brida.** m. adv. *Equit.* A caballo en silla de borrenes o rasa con los estribos largos. || **A toda brida.** fr. fig. **A todo correr.** || **Beber la brida.** fr. *Equit.* Coger el caballo la embocadura entre las muelas por tener la boca rasgada, con lo que se anula la acción de la mano del jinete.

Bridar. (De *brida.*) tr. ant. **Embridar,** 1.ª acep.

Bridecú. (Del fr. *bridecu,* y éste del germ. *brittil,* brida.) m. **Biricú.**

Bridón. (De *brida.*) m. El que va montado a la brida. || **2.** Brida pequeña que se pone a los caballos por si falta la grande. || **3.** Varilla de hierro, compuesta regularmente de tres pedazos, enganchando uno en otro, que se pone a los caballos debajo del bocado. Tiene cabezada diversa de la del freno, y las riendas van unidas a él. || **4.** Caballo ensillado y enfrenado a la brida. || **5.** En estilo poético o elevado, caballo brioso y arrogante.

Briega. (De *brega.*) f. *And.* **Brega.**

Brigada. (Del fr. *brigade.*) f. *Mil.* Unidad orgánica del arma de infantería, formada por dos regimientos o por cuatro o seis batallones, o de la de caballería, constituida por dos regimientos de esta arma. || **2.** *Mil.* Antiguamente, cierta agregación de tropa, de número y procedencia variables. Así, se llamaba **brigada de carabineros reales** a la compuesta de seis escuadrones de soldados escogidos; **de guardias de Corps,** a la que se componía de 50 individuos, que era la cuarta parte de la fuerza de cada compañía, y hoy mismo conserva esta palabra varias acepciones y se usa con diferentes denominaciones: de artillería, de cadetes de los colegios militares, sanitaria, etc. || **3.** *Mil.* Grado de la jerarquía militar, comprendido actualmente entre los de sargento y alférez. || **4.** V. **Sargento mayor de brigada.** || **5.** Cierto número de bestias con sus tiros y conductores para llevar los trenes y provisiones de campaña. || **6.** Conjunto de personas reunidas para dedicarlas a ciertos trabajos. BRIGADA *de trabajadores.* || **7.** *Mar.* Cada una de las secciones en que se divide la marinería de un buque para los servicios militar y marinero. || **mixta.** *Mil.* La de infantería o la de caballería que se complementan con material y tropas de artillería, ingenieros, administración, sanidad, etc.

Brigadero. m. Paisano que sirve en las brigadas de acémilas contratadas para el ejército de campaña.

Brigadier. (Del fr. *brigadier.*) m. Oficial general cuya categoría era inmediatamente superior a la de coronel en el ejército y a la de contraalmirante en la marina. Hoy ha sido reemplazada esta categoría por la de general de brigada en el ejército y la de contraalmirante en la marina. || **2.** Militar que entre los antiguos guardias de Corps desempeñaba en su compañía las funciones del sargento mayor de brigada del ejército. || **3.** En las antiguas compañías de guardias marinas, el que ejercía las funciones de cabo, y actualmente, el aspirante naval o guardia marina que en la escuela cuida del orden de su sección, y en los buques, del de la camareta.

Brigadiera. f. fam. Mujer del brigadier.

Brigantina. f. Coraza disimulada en forma de jubón, de tejido fuerte, totalmente forrado de láminas metálicas.

Brigantino, na. (Del lat. *brigantīnus,* de *Brigantium,* nombre antiguo de La Coruña y de otras ciudades.) adj. Propio de La Coruña o relativo a ella.

Brigola. (Del b. lat. *bricola.*) f. *Mil.* Máquina usada antiguamente para batir las murallas.

Brigoso, sa. (Del b. lat. *brigosus,* y éste del célt. *briga,* fuerza.) adj. ant. **Brioso.**

Briján. n. p. **Saber más que Briján.** fr. fig. y fam. Ser muy advertido, tener mucha trastienda o perspicacia.

Brilla. f. *Sant.* **Cachurra.**

Brillador, ra. adj. Que brilla.

Brilladura. (De *brillar.*) f. ant. **Brillo.**

Brillante. p. a. de **Brillar.** Que brilla. || **2.** adj. fig. Admirable o sobresaliente en su línea. || **3.** m. **Diamante brillante.**

Brillantemente. adv. m. De manera brillante, con mucho lucimiento.

Brillantez. (De *brillante.*) f. **Brillo.**

Brillar. (De *brillo.*) intr. Resplandecer, despedir rayos de luz, como las estrellas, diamantes, etc. || **2.** fig. Lucir o sobresalir en talento, hermosura, etc.

Brillo. (Del lat. *beryllus,* berilo, piedra preciosa.) m. Lustre o resplandor. || **2.** fig. Lucimiento, gloria. || **absoluto.** *Fís.* El intrínseco de una fuente luminosa, con diferencia del que aparenta.

Brin. (Del célt. **brinos,* fibra; fr. *brin.*) m. **Vitre.** || **2.** *Ar.* Brizna o hebra del azafrán. || **3.** Tela ordinaria y gruesa de lino, que comúnmente se usa para forros y para pintar al óleo.

Brincador, ra. adj. Que brinca.

Brincar. intr. Dar brincos o saltos. || **2.** fig. y fam. Omitir con cuidado alguna cosa pasando a otra, para disimular u ocultar en la conversación o lectura algún hecho o cláusula. || **3.** fig. y fam. Resentirse y alterarse demasiado. || **4.** tr. Jugar con un niño elevándolo en brazos y bajándolo sucesivamente, como si se le hiciera **brincar.** || **5.** p. us. **Saltar,** 11.ª acep.

Brinco. (De *brincar.*) m. Movimiento que se hace levantando los pies del suelo con ligereza. || **2.** Joyel pequeño de que usaron las mujeres, y el cual, por colgar de las tocas e ir en el aire, parecía que saltaba o brincaba. || **En dos brincos,** o **en un brinco.** loc. En un momento.

Brincho. m. En el juego de las quínolas, flux mayor.

Brindador, ra. adj. Que brinda. Ú. t. c. s.

Brindar. (De *brindis.*) intr. Manifestar, al ir a beber vino u otro licor, el bien que se desea a personas o cosas. || **2.** Ofrecer voluntariamente a uno alguna cosa, convidarle con ella. Ú. t. c. tr. || **3.** fig. Provocar, convidar las cosas a que alguien se aproveche de ellas o las goce. || **4.** r. Ofrecerse voluntariamente a ejecutar o hacer alguna cosa.

Brindis. (Del ital. *brindisi,* y éste del al. *bring dir's!,* yo te lo ofrezco.) m. Acción de brindar, 1.ª acep. || **2.** Lo que se dice al brindar.

Brinquillo. (d. de *brinco.*) m. **Brinquiño.**

Brinquiño. m. d. de **Brinco.** || **2.** Alhaja pequeña o juguete mujeril. || **3.** Dulce menudo y muy delicado que se hace generalmente en Portugal. || **Estar, o ir, hecho un brinquiño.** fr. fig. y fam. Estar, o ir, muy compuesto y adornado.

Briñón. (Como el fr. *brugnon,* de un der. del lat. *prūnum.*) m. **Griñón,** 2.° art.

Brío. (Del célt. **brivos,* fuerza; irlandés, *brig.*) m. **Pujanza.** Ú. más en pl. *Hombre de* BRÍOS. || **2.** fig. Espíritu, valor, resolución. || **3.** fig. Garbo, desembarazo, gallardía, gentileza.

Briocense. adj. Natural de Brihuega. Ú. t. c. s. || **2.** Perteneciente o relativo a este pueblo.

Briofito, ta. (Del gr. βρύον, musgo, y φυτόν, planta.) adj. *Bot.* Dícese de las plantas criptógamas que tienen tallos y hojas, pero no vasos ni raíces, haciendo las veces de estas últimas unos filamentos que absorben del suelo el agua con las sales minerales que el vegetal necesita para su nutrición; en su mayoría son terrestres y viven en lugares húmedos, pero algunas son acuáticas; como los musgos. Ú. t. c. s. || **2.** f. pl. *Bot.* Tipo de estas plantas.

Briol. (Del fr. *breuil,* y éste der. de *braie,* braga.) m. *Mar.* Cada uno de los cabos que sirven para cargar las relingas de las velas de cruz, cerrándolas y apagándolas para facilitar la operación de aferrarlas.

Brionia. (Del lat. *bryonia,* y éste del gr. βρυωνία.) f. **Nueza.**

Brios! (¡Voto a). expr. fam. **¡Voto a Dios!**

Briosamente. adv. m. Con brío.

Brioso, sa. (De *brío.*) adj. Que tiene brío.

Briqueta. (Del fr. *briquette.*) f. Conglomerado de carbón u otra materia en forma de ladrillo.

Brisa. f. Viento de la parte del Nordeste, contrapuesto al vendaval. || **2.** Airecillo que en las costas suele tomar dos direcciones opuestas: por el día viene de la mar, y por la noche de la parte de la tierra, a causa de la alternativa de rarefacción y condensación del aire sobre el terreno.

Brisa. (Del lat. *brīsa.*) f. **Orujo,** 1.ª acep.

Brisca. f. Juego de naipes, en el cual se dan al principio tres cartas a cada jugador, y se descubre otra que indica el palo de triunfo: después se van tomando una a una de la baraja hasta que se concluye. Gana el que al fin tiene más puntos. || **2.** El as o el tres de los palos que no son triunfo en el juego de la **brisca** y en el del tute.

Briscado, da. p. p. de **Briscar.** || **2.** adj. Se dice del hilo de oro o plata, rizado, escarchado o retorcido, y a propósito para emplearse entre seda, en el tejido de ciertas telas. || **3.** m. Labor hecha con este hilo.

Briscar. (Del lat. **obrycĭcāre,* de *obryzum,* prueba del oro.) tr. Tejer o hacer labores con hilo briscado.

Brisera. (De *brisa,* 1.er art.) f. Especie de guardabrisa, usado en América.

Brisote. m. Brisa dura y con fuertes chubascos, propia de las costas de la América Septentrional.

Brisura. (Del fr. *brisure,* de *briser,* romper.) f. *Blas.* **Lambel,** u otra pieza de igual significado.

Británica. (Del lat. *britannĭca.*) f. Romaza de hojas vellosas y de color morado obscuro.

Británico, ca. (Del lat. *britannĭcus.*) adj. Perteneciente a la antigua Britania. || **2.** Perteneciente a Inglaterra.

Britano, na. (Del lat. *britannus.*) adj. Natural de la antigua Britania. Ú. t. c. s. || **2.** Inglés, 1.ª acep. Ú. t. c. s. || **3.** Británico.

Briza. f. Género de plantas de la familia de las gramíneas, de tallo poco elevado, hojas en corto número y ordinariamente provistas de una lígula visible; flores de dos glumas y en espigas que forman racimos más o menos ramificados según las especies. Se utilizan como plantas de adorno; vegetan en casi todos los terrenos y son muy estimadas como pasto, especialmente por el ganado lanar.

Brizar. (De *brizo.*) tr. **Cunear,** 1.ª acep.

Brizna. (Quizá de *brin.*) f. Filamento o partecilla delgada de una cosa, o hebra que tiene en la sutura la vaina de la judía y de otras legumbres.

Briznoso, sa. adj. Que tiene muchas briznas.

Brizo. (De *brizar.*) m. **Cuna,** 1.ª acep.

Broa. (Del m. or. que *brodio.*) f. Especie de galleta o bizcocho.

Broa. (Del gall. *boroa, broa,* borona.) f. Abra o ensenada llena de barras y rompientes.

Broca. (Del lat. *brŏccus,* dentón.) f. Carrete que dentro de la lanzadera lleva el hilo para la trama de ciertos tejidos. || **2.** Barrena de boca cónica que se usa con las máquinas de taladrar. || **3.** Clavo redondo y de cabeza cuadrada, con que los zapateros afianzan la suela en la horma al tiempo de hacer o remendar el calzado. || **4.** ant. **Botón,** 3.ª acep. || **5.** ant. **Tenedor,** 3.ª acep.

Brocadillo. (d. de *brocado.*) m. Tela de seda y oro, de inferior calidad y más ligera que el brocado.

Brocado, da. (Del ital. *broccato,* y éste de *brocco,* del lat. *brŏccus,* dentón.) adj. ant. Decíase de la tela entretejida con oro o plata. || **2.** m. Guadamecí dorado o plateado. || **3.** Tela de seda entretejida con oro o plata, de modo que el metal forme en la haz flores o dibujos briscados. || **4.** Tejido fuerte, todo de seda, con dibujos de distinto color que el del fondo.

Brocadura. (Del m. or. que *broca.*) f. ant. Mordedura de oso.

Brocal. (Del lat. *bŭccŭlāre,* taza.) m. Antepecho alrededor de la boca de un pozo, para evitar el peligro de caer en él. || **2. Boquilla,** 8.ª acep. || **3.** Cerco de madera o de cuerno que se pone a la boca de la bota para llenarla con facilidad y beber por él. || **4.** Ribete de acero que guarnece el escudo. || **5.** *Mil.* Moldura que refuerza la boca de las piezas de artillería. || **6.** *Min.* Boca de un pozo.

Brocalado, da. (De *broca.*) adj. ant. Bordado.

Brocamantón. (De *broca* y *mantón.*) m. Joya grande de oro o piedras preciosas, a manera de broche, que traían las mujeres al pecho.

Brocárdico. m. desus. Entre los profesores de derecho, sentencia, axioma legal o refrán.

Brocatel. (Del cat. *brocatell,* de *brocat,* brocado.) adj. V. **Mármol brocatel.** Ú. t. c. s. || **2.** m. Tejido de cáñamo y seda, a modo de damasco, que se emplea en muebles y colgaduras. || **de seda. Brocado,** 4.ª acep.

Brocato. m. *Ar.* **Brocado,** 2.ª a 4.ª aceps.

Brocearse. (De *broza.*) r. *Min. Amér. Merid.* Esterilizarse una mina, ya por cortarse o perderse la veta metálica, ya por salir el metal de mala ley.

Brocense. adj. Natural de las Brozas. Ú. t. c. s. || **2.** Perteneciente a esta villa, patria del célebre humanista Francisco Sánchez.

Broceo. m. *Min. Amér. Merid.* Acción y efecto de brocearse.

Brocino. m. **Porcino,** 4.ª acep.

Brócul. m. *Ál.* y *Ar.* **Bróculi.** || **2.** *Sal.* **Coliflor.**

Bróculi. (Del ital. *broccoli,* y éste de *brocco,* del lat. *brŏccus,* dentón.) m. **Brécol.**

Brocha. (Del ant. alto al. *brusta.*) f. Escobilla de cerda atada al extremo de una varita o mango, que sirve para pintar y también para otros usos. || **De brocha gorda.** expr. fig. Dícese del pintor y de la pintura de puertas, ventanas, etc. || **2.** fig. y fam. Dícese del mal pintor. || **3.** fig. y fam. Aplícase a las obras de ingenio despreciables por su tosquedad o mal gusto.

Brocha. (Del fr. *broche.*) f. Entre fulleros, dado falso y cargado. || **2.** ant. **Broca,** 4.ª acep. || **3.** ant. **Joya,** 1.ª acep.

Brochada. (De *brocha.*) f. Cada una de las idas y venidas de la brocha sobre la superficie que se pinta.

Brochado, da. (De *brocado.*) adj. Aplícase a los rasos, brocados y otros tejidos de seda que tienen alguna labor de oro, plata o seda, con el torzal o hilo retorcido o levantado.

Brochadura. (De *broche.*) f. Juego de broches que se solía traer en las capas y casacas.

Brochal. (De *broche.*) m. *Arq.* Madero atravesado entre otros dos de un suelo y ensamblado en ellos, con objeto de recibir los intermedios que para dejar un hueco no han de llegar hasta el muro.

Brochazo. m. **Brochada.**

Broche. (Del fr. *broche,* y éste del lat. *brŏccus,* dentón.) m. Conjunto de dos piezas, por lo común de metal, una de las cuales engancha o encaja en la otra.

Brocheta. f. **Broqueta.**

Brochón. m. aum. de **Brocha.** || **2.** Escobilla de cerdas atada a una asta de madera, y que sirve para blanquear las paredes. || **3.** ant. Brocha del sayo.

Brochuela. f. d. de **Brocha.**

Brodete. m. fam. d. de **Brodio.**

Brodio. (Del germ. *brode,* caldo.) m. **Bodrio.**

Brodista. com. desus. **Sopista.**

Brollador, ra. adj. Que brolla. **Ú.** t. c. s. m.

Brollar. intr. **Borbotar.**

Broma. (Del gr. βρῶμα, alegría de sobremesa, de βιβρώσκω, devorar.) f. Bulla, algazara, diversión. || **2.** Chanza, burla.

Broma. f. *Zool.* **Taraza.**

Broma. f. Masa de cascote, piedra y cal, que solía emplearse para rellenar huecos en cimientos y paredes.

Bromar. (De *broma,* 2.° art.) tr. Roer la broma la madera.

Bromatología. (Del gr. βρῶμα, -ατος, alimento, y λόγος, tratado.) f. Ciencia que trata de los alimentos.

Bromear. (De *broma,* 1.er art.) intr. Usar de bromas o chanzas. Ú. t. c. r.

Bromeliáceo, a. (De *bromelia,* nombre de un género dedicado a *Bromel,* botánico sueco del siglo XVIII.) adj. *Bot.* Dícese de hierbas y matas angiospermas, monocotiledóneas, por lo común anuales y de raíz fibrosa, casi siempre parásitas, con las hojas reunidas en la base, envainadoras, rígidas, acanaladas, dentadas y espinosas por el margen; flores en espiga, racimo o panoja y con una bráctea, y por frutos bayas o cápsulas con semillas de albumen amiláceo; como el ananás. Ú. t. c. s. f. || **2.** f. pl. *Bot.* Familia de estas plantas.

Bromista. (De *broma,* 1.er art.) adj. Aficionado a dar bromas. Ú. t. c. s.

Bromo. (Del gr. βρῶμος, fetidez.) m. Metaloide, líquido a la temperatura ordinaria, de color rojo pardusco y olor fuerte y repugnante. Es venenoso, destruye los colores orgánicos y se halla, formando bromuros, principalmente en las aguas y algas marinas.

Bromo. (Del lat. *brŏmos,* y éste del gr. βρόμος.) m. Planta de la familia de las gramíneas, de medio metro a uno de altura, con hojas planas, flores en panoja laxa y con aristas que salen de una hendedura del cascabillo. Sirve para forraje.

Bromuro. (De *bromo,* 1.er art.) m. *Quím.* Combinación del bromo con un radical simple o compuesto. Varios bromuros se usan como medicamentos.

Bronca. (Tal vez de *bronco.*) f. Riña o disputa entre varios. || **2.** Reprensión áspera. || **3.** Manifestación colectiva y ruidosa de desagrado en un espectáculo público, especialmente en los toros.

Broncamente. adv. m. Con bronquedad o aspereza.

Bronce. m. Cuerpo metálico que resulta de la aleación del cobre con el estaño y a veces con adición de cinc o algún otro cuerpo. Es de color amarillento rojizo, muy tenaz y sonoro. || **2.** V. **Edad de bronce.** || **3.** fig. Estatua o escultura de bronce. || **4.** fig. y fam. V. **Gente del bronce.** || **5.** fig. poét. El cañón de artillería, la campana, el clarín o la trompeta. || **6.** *Numism.* Moneda de cobre. || **de aluminio.** Cuerpo metálico que resulta de la aleación del cobre con el aluminio, y se usa en quincallería por su color muy parecido al del oro. || **Escribir** uno **en bronce** alguna cosa. fr. fig. Retenerla constantemente en la memoria. || **No hay más bronce que años once, ni más lana que no saber que hay mañana.** ref. que denota la robustez y resistencia de los pocos años. || **Ser** uno **de bronce,** o **un bronce.** fr. fig. y fam. Ser duro e inflexible y apiadarse dificultosamente. || **2.** fig. y fam. Ser robusto e infatigable en el trabajo.

Bronceado, da. p. p. de **Broncear.** || **2.** adj. De color de bronce. || **3.** m. Acción y efecto de broncear.

Bronceadura. f. **Bronceado,** 3.ª acep.

Broncear. tr. Dar de color de bronce.

Broncería. f. Conjunto de piezas de bronce.

Broncíneo, a. adj. De bronce. || **2.** Parecido a él.

Broncista. m. El que trabaja en bronce.

Bronco, ca. (Quizá del lat. *bronchus,* diente saltón.) adj. Tosco, áspero, sin desbastar. || **2.** Aplícase a los metales vidriosos, quebradizos, poco dúctiles y sin elasticidad. || **3.** fig. Dícese de la voz y de los instrumentos de música que tienen sonido desagradable y áspero. || **4.** fig. De genio y trato ásperos.

Bronconeumonía. (Del gr. βρόγχος, traquearteria, y πνευμονία, pulmonía.) f. *Med.* Inflamación de la mucosa bronquial y del parénquima pulmonar.

Broncorragia. (Del gr. βρόγχος, bronquio, y ῥήγνυμι, brotar.) f. *Med.* Hemorragia de la mucosa bronquial. Se manifiesta generalmente, por vómito abundante de sangre muy roja.

Broncorrea. (Del gr. βρόγχος traquearteria, y ῥέω, fluir.) f. *Med.* Flujo mucoso de los bronquios, debido a un catarro crónico del pecho.

Broncha. f. Arma corta, especie de puñal, usada antiguamente. || **2.** ant. **Brocha,** 1.er art., 1.ª acep., y 2.° art., 3.ª acep.

Bronquedad. f. Calidad de bronco.

Bronquial. adj. Perteneciente o relativo a los bronquios.

Bronquiectasia. (Del gr. βρόγχος, bronquio, y ἔκτασις, dilatación.) f. *Med.* Enfermedad crónica, caracterizada principalmente por tos insistente con copiosa expectoración, producida por la dilatación de uno o varios bronquios.

Bronquina. (De *bronca.*) f. fam. Quimera, pendencia, riña.

Bronquio. (Del lat. *bronchia,* y éste del gr. βρόγχια, pl. de βρόγχιον, traquearteria.) m. *Zool.* Cada uno de los dos conductos fibrocartilaginosos en que se bifurca la tráquea y que entran en los pulmones. Ú. m. en pl.

Bronquiolo [~**quíolo**]. (De *bronquio.*) m. *Zool.* Cada uno de los pequeños conductos en que se dividen y subdividen los bronquios dentro de los pulmones. Ú. m. en pl.

Bronquitis. (De *bronquio* y el sufijo *itis,* inflamación.) f. *Med.* Inflamación aguda o crónica de la membrana mucosa de los bronquios.

Bronzo. m. desus. **Bronce.**

Broquel. (Del ant. fr. *bocler,* y éste de *bocle,* del lat. *bŭccŭla,* centro del escudo.) m. Escudo pequeño de madera o corcho, cubierto de piel o tela encerada, o de otra material, con guarnición de hierro a canto y una cazoleta en medio, para que la mano pueda empuñar el asa o manija que tiene por la parte de adentro. || **2. Escudo,** 1.ª acep. || **3.** fig. Defensa o amparo. || **4.** *Mar.* Posición en que quedan las velas y vergas cuando se abroquelan.

Broquelarse. (De *broquel.*) r. **Abroquelarse.**

Broquelazo. m. Golpe dado con broquel.

Broquelero. (De *broquel.*) m. El que hacía broqueles. || **2.** El que usaba de ellos. || **3.** fig. Hombre amigo de pendencias.

Broquelete. m. d. de **Broquel.**

Broquelillo. (d. de *broquel.*) m. Botoncillo, con colgante o sin él, que, pendiente de las orejas, usan las mujeres como adorno.

Broqueta. (De *broca.*) f. Aguja o estaquilla con que se sujetan las piernas de las aves para asarlas, o en que se ensartan o espetan pajarillos, pedazos de carne u otro manjar.

Bróquil. m. *Ar.* **Brécol.**

Brosla. (De *broslar.*) f. ant. **Bresladura.**

Broslador. (De *broslar.*) m. ant. **Bordador.**

Brosladura. (De *broslar.*) f. ant. **Bordadura,** 1.ª acep.

Broslar. (Del germ. *bruzdan,* bordar.) tr. ant. **Bordar.**

Brosquil. (Del lat. *vervecīle,* apartadero de carneros.) m. *Ar.* **Redil.**

Brota. f. **Brote,** 1.ª acep.

Brotadura. f. Acción de brotar.

Brótano. m. **Abrótano.**

Brotante. m. ant. *Arq.* **Arbotante,** 1.ª acep.

Brotar. (De *brote.*) intr. Nacer o salir la planta de la tierra. BROTAR *el trigo.* || **2.** Nacer o salir en la planta renuevos, hojas, flores, etc. || **3.** Echar la planta hojas o renuevos. *Este árbol empieza a* BROTAR. || **4.** Manar, salir el agua de los manantiales. || **5.** fig. Tratándose de viruelas, sarampión, granos, etc., salir al cutis. || **6.** fig. Tener principio o empezar a manifestarse alguna cosa. || **7.** tr. Echar la tierra plantas, hierba, flores, etc. || **8.** fig. Arrojar, echar fuera, producir, causar, originar.

Brote. (Del ant. bajo al. *brot,* retoño.) m. Pimpollo o renuevo que empieza a desarrollarse. || **2.** Acción de brotar, 6.ª acep. || **3.** *Murc.* Migaja, pizca.

Broto. m. ant. **Brote,** 1.ª acep. Ú. en *Sal.*

Brotón. (De *brotar.*) m. ant. **Brochón,** 3.ª acep. || **2.** ant. Vástago o renuevo que sale del árbol.

Broza. (Del b. lat. *brustia, brozia,* y éste del alto al. *brusta.*) f. Conjunto de hojas, ramas, cortezas y otros despojos de las plantas. || **2.** Desecho o desperdicio de alguna cosa. || **3.** Maleza o espesura de arbustos y plantas en los montes y campos. || **4.** fig. Cosas inútiles que se dicen de palabra o por escrito. || **5.** fig. y fam. V. **Gente de toda broza.** || **6.** *Impr.* **Bruza.** || **Meter broza.** fr. fig. y fam. **Meter ripio.** || **Servir de toda broza.** fr. fig. Servir de todo o para todo, sin destino especial.

Brozador. (De *brozar.*) m. *Impr.* **Bruzador.**

Brozar. (De *broza.*) tr. *Impr.* **Bruzar.**

Broznamente. (De *brozno.*) adv. m. Ásperamente, duramente. || **2.** ant. Neciamente, rústicamente.

Broznedad. (De *brozno.*) f. ant. Necedad, rusticidad.

Brozno, na. adj. **Bronco.** || **2.** fig. De ingenio rudo, bronco y pesado.

Brozoso, sa. adj. Que tiene o cría mucha broza.

Brucero. m. El que hace o vende bruzas, cepillos, escobillas, etc.

Bruces (A, o de). (Del vasc. *burutz,* de cabeza, infl. en el sentido por *buces.*) m. adv. **Boca abajo.** Se junta con varios verbos. *Beber* DE BRUCES; *echarse* DE BRUCES. || **Caer, o dar, de bruces.** fr. fam. **Caer, o dar, de hocicos.**

Brucio, cia. adj. ant. **Abruzo.** Apl. a pers., usáb. t. c. s.

Brucita. (De *Bruce,* mineralogista distinguido.) f. Mineral formado de magnesia hidratada, de color blanco o gris y brillo anacarado, infusible al soplete, y que se halla en cristales o masas compactas. Se emplea en medicina.

Brugo. (Del lat. *bruchus,* y éste del gr. βροῦχος.) m. Larva de un lepidóptero pequeño y nocturno que devora las hojas de los encinares y robledales. || **2.** Larva de una especie de pulgón.

Bruja. adj. *Murc.* V. **Arena bruja.** || **2.** f. **Lechuza,** 1.ª acep. || **3.** Mujer que, según la opinión vulgar, tiene pacto con el diablo y, por medio de éste, hace cosas extraordinarias. || **4.** fig. y fam. Mujer fea y vieja. || **5.** V. **Casabe de bruja.** || **Creer en brujas.** fr. fig. y fam. Ser demasiado crédulo y de pocos alcances. || **Parecer que a uno le chupan, o le han chupado, brujas, o las brujas.** fr. fig. y fam. Estar muy flaco y descolorido.

Brujear. (De *bruja.*) intr. Hacer brujerías.

Brujería. (De *bruja.*) f. Superstición y engaños en que cree el vulgo que se ejercitan las brujas.

Brujesco, ca. adj. Propio del brujo o de la brujería, o perteneciente a ellos.

Brujidor. m. **Grujidor.**

Brujilla. (De *bruja.*) f. **Dominguillo,** 2.ª acep.

Brujir. tr. **Grujir.**

Brujo. m. Hombre supersticioso o embaucador de quien se dice que tiene pacto con el diablo, como las brujas. || **Él es brujo y ella bruja, y saben hacer calzas de aguja.** ref. con que se moteja a ciertos matrimonios taimados.

Brujo, ja. adj. *Chile.* Falso, fraudulento. || **2.** *Cuba, Méj.* y *P. Rico.* Empobrecido, arrancado, sin dinero. Ú. m. en terminación femenina, aun con substantivos masculinos. Ú. t. c. s. m.

Brújula. (Del ital. *bussola,* y éste del lat. *bŭxis pyxis,* caja.) f. Barrita o flechilla imanada que, puesta en equilibrio sobre una púa, se vuelve siempre hacia el norte magnético. || **2.** *Mar.* Instrumento que se usa a bordo, compuesto de una caja redonda de bronce en la que se hallan dos círculos concéntricos: el interior es de cartón o talco; está puesto en equilibrio sobre una púa, y tiene la rosa náutica; lleva adherida a su línea norte-sur una barrita o flechilla imanada, la cual, arrastrando en su movimiento la rosa de los vientos, indica el rumbo de la nave, por comparación con el otro círculo exterior, que está fijo y lleva señalada la dirección de la quilla del buque. || **3.** Agujerito que sirve para precisar la puntería de la escopeta y que corresponde a lo que hoy se llama mira, aunque es de otra figura. || **4.** Agujerito por donde, recogiendo la vista, se mira mejor un objeto. || **de bolsillo.** La que, encerrada en una caja semejante a la de un reloj, puede llevarse con facilidad en el bolsillo. || **Mirar por brújula.** fr. fig. **Brujulear,** 1.ª acep. || **Perder la brújula.** fr. fig. Perder el tino en el manejo de algún negocio. || **Ver por brújula.** fr. fig. Mirar desde un paraje por donde se descubre poco.

Brujulear. (De *brújula.*) tr. En el juego de naipes, descubrir poco a poco las cartas para conocer por las rayas o pintas de qué palo son. || **2.** fig. y fam. Adivinar, acechar, descubrir por indicios y conjeturas algún suceso o negocio que se está tratando. || **3.** fig. y fam. Buscar con diligencia y por varios caminos el logro de una pretensión.

Brujuleo. m. Acción de brujulear.

Brulote. (Del fr. *brûlot,* de *brûler,* quemar.) m. Barco cargado de materias combustibles e inflamables, que se dirigía sobre los buques enemigos para incendiarlos.

Bruma. (Del lat. *brumă,* solsticio de invierno.) f. Niebla, y especialmente la que se forma sobre el mar. || **2.** ant. **Invierno,** 1.ª acep.

Brumador, ra. (De *brumar.*) adj. **Abrumador.**

Brumal. (Del lat. *brumālis.*) adj. Perteneciente o relativo a la bruma. || **2.** ant. fig. Perteneciente o relativo al invierno.

Brumamiento. m. Acción y efecto de brumar.

Brumar. (De *bruma.*) tr. **Abrumar.**

Brumario. (Del fr. *brumaire,* y éste del lat. *brumă,* bruma.) m. Segundo mes del calendario republicano francés, cuyos días primero y último coincidían respectivamente con el 22 de octubre y el 20 de noviembre.

Brumazón. m. aum. de **Bruma.** || **2.** Niebla espesa y grande.

Brumo. (De *grumo.*) m. Cera blanca y bien purificada de que usan los cereros para dar el último baño a las hachas y cirios blancos.

Brumoso, sa. (De *bruma.*) adj. **Nebuloso.**

Bruneta. (De *bruno,* 2.° art.) adj. ant. V. **Plata bruneta.** || **2.** f. ant. Paño negro.

Brunete. (De *bruno,* 2.° art.) m. ant. Cierto paño basto de color negro.

Bruno. (Del lat. *prūnum,* ciruela, y de *prūnus,* ciruelo.) m. Ciruela negra que se coge en el norte de España. || **2.** Árbol que la da.

Bruno, na. (Del germ. *brūn,* moreno.) adj. De color negro u obscuro.

Bruñido. p. p. de **Bruñir.** || **2.** m. Acción y efecto de bruñir.

Bruñidor, ra. adj. Que bruñe. Ú. t. c. s. || **2.** m. Instrumento para bruñir.

Bruñidura. f. **Bruñido,** 2.ª acep.

Bruñimiento. m. **Bruñido,** 2.ª acep.

Bruñir. (Del germ. *brūn,* moreno.) tr. Acicalar, sacar lustre o brillo a una cosa; como metal, piedra, etc. || **2.** fig. y fam. Afeitar el rostro, como hacen las mujeres, con varios ingredientes.

Bruño. (Del lat. **prūnĕum,* de *prūnum,* ciruela.) m. **Bruno,** 1.er art.

Brusca. f. Planta de la familia de las papilionáceas, de flores amarillas, parecidas a las de la cañafístula. Crece en los alrededores de Caracas, donde usan el cocimiento de su raíz como remedio contra los dolores reumáticos y el cólico uterino. || **2. Chamarasca,** 1.ª acep. || **3.** *Mar.* Ramaje que se usa para dar fuego exteriormente a los fondos de las embarcaciones, a fin de matar la broma. || **4.** *Mar.* Regla o medida de compás para el arqueo de baos, palos y vergas. || **5.** *Mar.* Medida que se toma en la orilla de la lona para determinar el corte diagonal de un paño de cuchillo.

Bruscadera. f. *Mar.* Horquilla de mango largo con que se enganchan los haces de brusca, 3.ª acep., para dar fuego a las embarcaciones.

Bruscamente. adv. m. De manera brusca.

Bruscate. m. Cierto guisado antiguo de asadura de carnero o cabrito.

Brusco, ca. (Del lat. *ruscus.*) adj. Áspero, desapacible. || **2.** Rápido, repentino, pronto. || **3.** m. Planta perenne de la familia de las liliáceas, como de medio metro de altura, con tallos ramosos, flexibles y estriados cubiertos de cladodios ovalados, retorcidos en el eje, y de punta aguda; flores verdosas que nacen en el centro de los cladodios, y bayas del color y tamaño de una guinda pequeña. || **4.** Lo que se desperdicia en las cosechas por muy menudo, como en la vendimia las uvas que se caen del racimo.

Brusela. f. **Hierba doncella.**

Bruselas. f. pl. Pinzas anchas que usan los plateros para arrancar los pallones de oro o plata que quedan en las copelas al hacer los ensayos.

Bruselense. adj. Natural de Bruselas. Ú. t. c. s. || **2.** Perteneciente a esta ciudad de Bélgica.

Brusquedad. f. Calidad de brusco. || **2.** Acción o procedimiento bruscos.

Brutal. adj. Que imita o semeja a los brutos. || **2.** m. **Bruto,** 5.ª acep.

Brutalidad. (De *brutal.*) f. Calidad de bruto. || **2.** fig. Excesivo desorden de los afectos y pasiones. || **3.** fig. Acción torpe, grosera o cruel.

Brutalizarse. (De *brutal.*) r. p. us. Proceder como los brutos o irracionales; embrutecerse.

Brutalmente. adv. m. Con brutalidad.

Brutedad. (De *bruto.*) f. ant. **Brutalidad.**

Brutesco, ca. adj. **Grutesco.**

Brutez. (De *bruto.*) f. ant. **Brutalidad.**

Bruteza. (De *bruto.*) f. **Brutalidad.** || **2.** Falta de pulimento, adorno o artificio.

Bruto, ta. (Del lat. *brutus.*) adj. Necio, incapaz, estólido, que obra como falto de razón. Ú. t. c. s. || **2.** Vicioso, torpe, o excesivamente desarreglado en sus costumbres. || **3.** Dícese de las cosas toscas y sin pulimento. || **4.** V. **Diamante, peso bruto.** || **5.** m. Animal irracional. Comúnmente se entiende de los cuadrúpedos. || **6.** fig. y fam. V. **Pedazo de bruto.** || **En bruto.** m. adv. Sin pulir o labrar. || **2.** Dícese de las cosas que se toman por peso sin rebajar la tara, o de otras cualesquiera de que hay que hacer rebaja.

Bruza. (Del ant. alto al. *brusta.*) f. Cepillo de cerdas muy espesas y fuertes, generalmente con una abrazadera de cuero para meter la mano, y el cual sirve para limpiar las caballerías, los moldes de imprenta, etc.

Bruzador. (De *bruzar.*) m. *Impr.* Tablero inclinado para limpiar las formas con la bruza.

Bruzar. tr. Limpiar con la bruza.

Bruzas (De). (De *buces,* intl. por *boruca,* del vasc. *buru,* cabeza.) m. adv. ant. **De bruces.**

Bruzos (De). m. adv. ant. **De bruces.**

Bu. m. fam. Fantasma imaginario con que se asusta a los niños. *Mira que viene el* BU. || **2.** fam. y fest. Persona o cosa que mete o pretende meter miedo. || **Hacer el bu.** fr. fig. Asustar, amedrentar.

Búa. (De *buba.*) f. Postilla o tumorcillo de materia que sale en el cuerpo. || **2.** pl. Bubas, 2.ª acep. de **Buba.** || **El que tiene búa, ése la estruja.** ref. que significa que nadie se interesa en remediar los males tanto como el que los padece.

Buarillo. m. **Buaro.**

Buaro. (Como *buharro,* de *buho.*) m. **Buharro.**

Buba. (De *bubón.*) f. *Ast.* **Búa.** || **2.** pl. Tumores blandos, comúnmente dolorosos y con pus, que se presentan de ordinario en la región inguinal como consecuencia del mal venéreo, y también a veces en las axilas y en el cuello. También se denominan así tumores análogos que son de distinto origen.

Búbalo, la. (Del lat. *bubălus,* y éste del gr. βούβαλος.) m. y f. Búfalo de Asia, del cual proceden los búfalos domésticos de Egipto, Grecia e Italia.

Bubático, ca. adj. Perteneciente o relativo a las bubas. || **2. Buboso,** 1.ª acep. Ú. t. c. s.

Bubón. (Del gr. βουβών, tumor en la ingle.) m. Tumor purulento y voluminoso. || **2.** pl. Bubas, 2.ª acep. de **Buba.**

Bubónico, ca. adj. Perteneciente o relativo al bubón. || **2.** V. **Peste bubónica.**

Buboso, sa. adj. Que padece de bubas. Ú. t. c. s. || **2.** ant. Llagado o herido.

Bucal. (Del lat. *bucca,* boca.) adj. Perteneciente o relativo a la boca.

Bucaral. m. Sitio plantado de bucares.

Bucarán. (En fr. *bouquerant.*) m. *Ar.* Bocací.

Bucardo. (De *buco,* 1.er art.) m. *Ar.* Macho de la cabra montés.

Bucare. m. Árbol americano de la familia de las papilionáceas, de unos 10 metros de altura, con espesa copa, hojas compuestas de hojuelas puntiagudas y truncadas en la base, y flores blancas. Sirve en Venezuela para defender contra el rigor del sol los plantíos de café y de cacao, dándoles sombra.

Búcare. m. En algunos países de América, **bucare.**

Búcaro. (Del lat. *pōcŭlum,* vaso, taza.) m. Arcilla que se encuentra en varias partes del mundo y principalmente en América; despide, sobre todo cuando está mojada, un olor agradable, y solían mascarla y aun comerla las mujeres. Hay tres especies, que se diferencian, entre otras cosas, en el color, que puede ser rojo, negro o blanco. || **2.** Vasija hecha con esta arcilla.

Buccino. (Del lat. *buccĭnum.*) m. Caracol marino de concha pequeña y abocinada, cuya tinta solían mezclar los antiguos con las de las púrpuras y los múrices para teñir las telas.

Bucear. (De *buzo.*) intr. Nadar y mantenerse debajo del agua, conteniendo el resuello. || **2.** Trabajar como buzo. || **3.** fig. Explorar acerca de algún tema o asunto material o moral.

Bucéfalo. (Del nombre del caballo de Alejandro, Βουκέφαλος; de βοῦς, buey, y κεφαλή, cabeza [cabeza de buey].) m. fig. y fam. Hombre rudo, estúpido, incapaz.

Bucelario. (Del lat. *buccellarius.*) m. Soldado de ciertas milicias bizantinas. || **2.** Entre los visigodos, hombre libre que voluntariamente se sometía al patrocinio de un magnate, a quien prestaba determinados servicios, y del cual recibía el disfrute de alguna propiedad.

Buceo. (De *bucear.*) m. Acción de bucear.

Bucero, ra. adj. V. **Perro bucero.** Ú. t. c. s.

Buces (De). (De *buz,* labio.) m. adv. **De bruces.**

Bucle. (Del fr. *boucle,* y éste del lat. *bŭccŭla,* boquita.) m. Rizo de cabello en forma helicoidal.

Buco. (Del b. lat. *buccus,* y éste del ant. alto al. *bukk.*) m. **Cabrón,** 1.ª acep.

Buco. m. ant. **Buque,** 1.ª acep.

Buco. (Del lat. *bucca,* boca.) m. *Hist. Nat.* Abertura o agujero.

Bucólica. (Del lat. *bucolĭca,* t. f. de *-cus,* bucólico.) f. Composición poética del género bucólico.

Bucólica. (Del lat. *bucca,* boca.) f. fam. Comida, 1.ª y 2.ª aceps.

Bucólico, ca. (Del lat. *bucolicus,* y éste del gr. βουκολικός, de βουκόλος, boyero.) adj. Aplícase al género de poesía o a cualquiera composición poética en que se trata de cosas concernientes a los pastores o a la vida campestre. Las composiciones **bucólicas** son por lo común dialogadas. || **2.** Perteneciente o relativo a este género de poesía. || **3.** Aplícase al poeta que lo cultiva. Ú. t. c. s.

Bucha. f. ant. **Hucha.**

Buchada. (De *buche.*) f. **Bocanada.**

Buche. (En fr. *poche.*) m. *Zool.* Bolsa membranosa que comunica con el esófago de las aves, en la cual se reblandece el alimento || **2.** En algunos animales cuadrúpedos, **estómago.** || **3.** Porción de líquido que cabe en la boca. || **4. Bolsa,** 5.ª acep. || **5.** En las almadrabas, red colocada en el vértice del ángulo que forman las dos alas o raberas de la manga, y en la cual entran y quedan encerrados los atunes hasta que conviene sacarlos. || **6.** V. **Almadraba de buche.** || **7.** fam. Estómago de los racionales. *Cristóbal ha llenado bien el* BUCHE. || **8.** fig. y fam. Pecho, o lugar en que se finge que se reservan los secretos. *No le cupo en el* BUCHE *tal cosa.* || **Sacar el buche a uno.** fr. fig. y fam. Hacerle desembuchar o decir todo lo que sabe.

Buche. (Contracc. de *burrucho,* despect. de *burro.*) m. Borrico recién nacido y mientras mama.

Bucheta. f. desus. **Bujeta.**

Buchete. (d. de *buche,* 1.er art.) m. Mejilla inflada.

Buchín. (Del fr. *boucher,* verdugo, y éste del germ. *bukk,* macho cabrío.) m. ant. **Bochín.**

Buchinche. m. Zaquizamí, cuchitril. || **2.** *Cuba.* Café o taberna de aspecto pobre.

Buchón, na. (De *buche,* 1.er art.) adj. Dícese del palomo o paloma domésticos que se distinguen por la propiedad de inflar el buche en tales términos que a las veces parece más voluminoso que todo el resto del cuerpo. Es casta muy arrulladora y fecunda.

Budare. m. Plato de barro o de hierro, de unos 60 centímetros de diámetro, que en Venezuela se usa para cocer el pan de maíz.

Búdico, ca. adj. Perteneciente o relativo al budismo.

Budín. (Del ingl. *pudding.*) m. Plato de dulce que se prepara con bizcocho o pan deshecho en leche y azúcar y frutas secas, cocido todo al baño de María.

Budinera. f. Cazuela de cobre o hierro estañado en que se hace el budín.

Budión. m. *Zool.* Pez teleósteo, del suborden de los acantopterigios, caracterizado por los dobles labios carnosos que cubren sus mandíbulas; es de forma oblonga y está revestido de escamas. Se hallan varias especies en las costas de España, y es su carne bastante apreciada.

Budismo. m. Doctrina filosófica fundada en la India por Buda, y cuyo principal problema consiste en suprimir la causa del dolor mediante la aniquilación del deseo. || **2.** Doctrina religiosa inspirada por las máximas de Buda, y derivada del brahmanismo, con mezcla de supersticiones populares.

Budista. adj. Perteneciente o relativo al budismo. || **2.** com. Persona que profesa el budismo.

Bué. m. ant. **Buey,** 1.er art. Ú. en *León* y en *Sal.*

Búe. (Del lat. *bŏem,* por *bŏvem,* por buey.) m. ant. **Bué.**

Buega. *Ar.* Mojón que señala el límite entre dos heredades.

Buéis. (Del lat. *bŏes,* por *bŏves,* bueyes.) m. pl. ant. de **Buey,** 1.er art.

Bueitre. (Cruce del vulg. *buetre,* y de *buitre.*) m. ant. **Buitre.**

Buen. adj. Apócope de **Bueno.** Úsase precediendo a un substantivo, como BUEN *año,* o a un verbo en presente de infinitivo, como BUEN *andar.* || **2. V.**

Buen bocado, dinero, mozo, paso, rato, sastre, varón. || 3. V. Buen Juan. || 4. V. El Buen Pastor. || 5. V. El buen ladrón.

Buena. (Del lat. *bona*, bienes.) f. ant. Hacienda o bienes, herencia.

Buenaboya. (Del ital. *bonavoglia*; de *buona*, buena, y *voglia*, voluntad.) f. **Bagarino.**

Buenamente. adv. m. Fácilmente, cómodamente, sin mucha fatiga, sin dificultad. || 2. **Voluntariamente.**

Buenamersciente. adj. ant. Bienmereciente.

Buenandanza. f. **Bienandanza.**

Buenaventura. (De *buena* y *ventura*.) f. Buena suerte, dicha de alguno. || 2. Adivinación supersticiosa, que hacen las gitanas, de la suerte de las personas, por el examen de las rayas de las manos y por su fisonomía.

Bueno, na. (Del lat. *bŏnus*.) adj. Que tiene bondad en su género. || 2. Útil y a propósito para alguna cosa. || 3. Gustoso, agradable, divertido. || 4. **Grande**, 1.ª acep. BUENA *calentura*; BUENA *cuchillada*. || 5. **Sano.** || 6. Demasiadamente sencillo. || 7. No deteriorado y que puede servir. *Este vestido todavía está* BUENO. || 8. Bastante, suficiente. || 9. V. **Ángel, dolo, hombre, sueldo bueno.** || 10. V. **Hierba, noche buena.** || 11. V. **Buena fe, figura, firma, moneda, moza, muerte, noche, obra, pasta, pieza, presa, pro, sociedad, ventura.** || 12. V. **Buenas letras.** || 13. V. **Maravedí de los buenos.** || 14. fig. V. **Buena mano, paga.** || 15. fig. y fam. V. **Buena planta, tijera.** || 16. Usado irónicamente con el verbo *ser*, extraño, particular, notable. *Lo* BUENO ES *que quiera enseñar a su maestro;* BUENO FUERA *que ahora negase lo que ha dicho tantas veces.* || 17. Usado como adverbio a manera de exclamación, denota aprobación, contentamiento, sorpresa, etc., o equivale a **basta** o **no más.** || 18. m. En exámenes, nota superior a la de aprobado. || **A buenas.** m. adv. fig. De grado, voluntariamente. || **¿Adónde bueno?** expr. fam. ¿A dónde va, que en hora **buena** sea su venida? || **Allégate, o arrímate, a los buenos, y serás uno de ellos.** ref. que enseña el provecho que se saca de las **buenas** compañías. || **¡Buena es ésa,** o **ésta!** expr. irón. con que se denota, ya extrañeza, ya desaprobación. || **¡Buenas y gordas!** exclam. fam. con que se desdeña cualquier especie añeja, falsa o absurda. || **Bueno a bueno.** fr. **De buenas a buenas.** || 2. Lealmente, en igualdad de condiciones. || **¡Bueno es eso,** o **esto!** expr. irón. **¡Buena es ésa,** o **ésta!** || **Bueno está.** expr. fam. Basta, o no más, o ya está bien. || **Bueno está lo bueno.** fr. fam. con que se da a entender que cuando una cosa está bien no conviene violentarla o sacarla de quicio por el empeño de que esté mejor. || **De buenas a buenas.** m. adv. fam. Buenamente o sin repugnancia. || **De buenas a primeras.** m. adv. A la primera vista, en el principio, al primer encuentro. || **De bueno a bueno.** m. adv. **De buenas a buenas.** || **¿De dónde bueno?** expr. fam. ¿De dónde viene, que en hora **buena** sea su venida? || **¿Dónde bueno?** expr. fam. **¿De dónde bueno?** || **¡Ésa,** o **ésta, es buena!** o **¡eso,** o **esto, es bueno!** exprs. iróns. **¡Buena es ésa,** o **ésta!** || **Estar de buenas.** loc. fam. **Estar de buena luna.** || **Por buenas,** o **por la buena.** m. adv. fig. **A buenas.**

Buenos Aires. n. p. V. **Azucena de Buenos Aires.**

Buera. (De la onomat. *buf*.) f. *Murc.* Postilla o grano que sale en la boca.

Buétago. m. ant. **Bofe.**

Buetre. (Del lat. *vŭltŭr, -ŭris*, buitre.) m. ant. **Buitre.**

Buey. (Del lat. *bos, bŏvis*.) m. Macho vacuno castrado || 2. V. **Día de bueyes.** || 3. V. **Herradura, lengua, nervio, ojo de buey.** || 4. pl. *Germ* Naipes. || **Buey de cabestrillo,** o **de caza. Buey** de que se sirven los cazadores atándole una traílla a los cuernos y a una oreja para gobernarle, y escondiéndose detrás de él para tirar a la caza. || 2. Armazón de arcos ligeros y de lienzo pintado, dentro de la cual se mete el cazador para tirar desde allí a la caza. || **de marzo. Marzadga.** || **marino. Vaca marina.** || **A buey harón poco le presta el aguijón.** ref. que se aplica a la persona lerda y perezosa, que por mucho que la estimulen, nunca sale de su paso. || **A buey viejo no le cates abrigo. A buey viejo no le cates majada, que él se la cata.** refs. contra los que quieren dar consejos y advertencias a los experimentados. || **¿A dó irá el buey que no are?** ref. que enseña que en todos los oficios y estados hay trabajos que sufrir. || **Al buey maldito el pelo le luce.** ref. que advierte que muchas veces prosperan los hombres más, cuanto más malquistos están. || **Al buey por el asta, y al hombre por la palabra,** o **al buey por el cuerno y al hombre por el verbo.** ref. que declara quedar el hombre tan atado por la palabra a cumplirla como el **buey** uncido por el cuerno para tirar o arar. || **Al buey viejo, múdale el pesebre y dejará el pellejo.** ref. que enseña que los hombres ancianos, mudando de clima y alimentos, exponen su salud y vida. || **Are mi buey por lo holgado, y el tuyo por lo alabado.** ref. que enseña que la tierra holgada da más fruto que la que se siembra todos los años, aunque sea de mejor calidad. || **Buey, frontudo; caballo, cascudo.** ref. que indica las cualidades que son preferibles respectivamente en los animales de una y otra especie. || **Buey viejo, surco derecho.** ref. que se aplica a los hombres que, guiados de su inteligencia y práctica, manejan bien sus encargos u oficios. || **El buey bravo, en tierra ajena se hace manso.** ref. que denota que en país ajeno se procede con más templanza y moderación que en el propio, por faltar el apoyo que se halla en éste. || **El buey harto no es comedor.** ref. que significa que la continuación en los deleites causa fastidio. || **El buey que me acornó, en buen lugar me echó.** ref. con que se denota que lo que parece desgracia suele ser origen de alguna fortuna. || **El buey sin cencerro piérdese presto.** ref. que advierte la diligencia y cuidado que se debe poner en las cosas para que no se pierdan. || **El buey suelto bien se lame.** ref. con que se denota lo apreciable que es la libertad. || **El buey traba el arado, mas no de su grado.** ref. con que se da a entender que el trabajo siempre cuesta repugnancia. || **El buey viejo arranca la gatura del barbecho.** ref. que da a entender que no se deben despreciar ligeramente las cosas viejas, porque suelen ser muchas veces de mayor provecho y utilidad que las nuevas. || **El que no tiene buey ni cabra, toda la noche ara.** ref. que enseña el desvelo y cuidado que ocasiona el carecer de los medios necesarios para algún fin. || **El ruin buey holgando se descuerna.** ref. que se dice de los que se fatigan con poco trabajo. || **Habló el buey y dijo mu.** ref. que se aplica a los necios acostumbrados a callar, y que cuando llegan a hablar es para decir algún disparate. || **Lo que ha de cantar el buey, canta la carreta.** ref. **Lo que ha de cantar el carro, canta la carreta.** || **Quien bueyes ha perdido, los cencerros trae al oído.** ref. que advierte lo que engaña el deseo, pues con poco fundamento persuade el logro de lo que apetecemos.

Buey. (Del gr. βόλος, golpe, tirada.) **Buey de agua.** loc. Medida hidráulica aproximada, que usan en algunas localidades para apreciar el volumen del agua que pasa por una acequia o brota de un manantial cuando es en gran cantidad. || 2. Golpe o caudal muy grueso de agua que sale por un encañado, canal o nacimiento. || 3. *Mar.* Golpe de mar que entra por una porta, desfondada por efecto del mismo golpe o abierta por descuido.

Bueyecillo. m. d. de **Buey**, 1.er art.

Bueyezuelo. m. d. de **Buey**, 1.er art.

Bueyuno, na. adj. **Boyuno.**

Bufa. (Del ital. *buffa*, y éste de la onomat. *buf*.) f. Burla, bufonada. || 2. En la armadura antigua, pieza de refuerzo que se colocaba en la parte anterior del guardabrazo izquierdo, asegurándola con uno o más tornillos.

Bufado, da. p. p. de **Bufar.** || 2. adj. V. **Vidrio bufado.**

Bufalino, na. adj. Perteneciente o relativo al búfalo.

Búfalo, la. (Del lat. *bufălus*.) m. y f. *Zool.* Bisonte que vive en América del Norte y está en vías de desaparición. || 2. *Zool.* Bóvido corpulento, con largos cuernos deprimidos, de cuyas dos especies principales una es de origen asiático y otra de origen africano.

Bufanda. (De *bufar*.) f. Prenda, por lo común de lana o seda, con que se envuelve y abriga el cuello y la boca.

Búfano, na. (De *búfalo*.) m. y f. ant. **Búfalo, la.**

Bufar. (De la onomat. *buf*.) intr. Resoplar con ira y furor el toro, el caballo y otros animales. || 2. ant. **Soplar**, 1.ª acep. Ú. en *Murc.* || 3. fig. y fam. Manifestar el hombre su enojo, imitando en cierto modo a los animales cuando bufan. || 4. r. **Afollar**, 6.ª acep.

Bufarda. (De *bufar*.) f. *Sal.* Agujero abierto a ras de tierra en la carbonera, por el cual respira ésta mientras se hace el carbón.

Bufeta. f. d. de **Bufa**, 2.ª acep.

Bufete. (Del fr. *buffet*, aparador.) m. Mesa de escribir con cajones. || 2. fig. Estudio o despacho de un abogado. || 3. fig. Clientela del abogado. || **Abrir bufete.** fr. fig. Empezar a ejercer la abogacía.

Bufete. (De *bufar*.) m. ant. **Fuelle**, 1.ª acep.

Bufí. m. ant. *Ar.* Especie de tela como camelote de aguas.

Bufia. (De *bufar*.) f. *Germ.* Bota de vino.

Bufiador. (De *bufia*.) m. *Germ.* **Tabernero**, 1.ª acep.

Bufido. (De *bufar*.) m. Voz del animal que bufa. || 2. fig. y fam. Expresión o demostración de enojo o enfado. || 3. *Germ.* Grito o voz levantada o descompuesta.

Bufo, fa. (Del ital. *buffo*, y éste de la onomat. *buf*.) adj. Aplícase a lo cómico que raya en grotesco y burdo. || 2. **Bufón**, 2.º art., 1.ª acep. || 3. m. y f. Persona que hace papel de gracioso en la ópera italiana.

Bufón. m. **Buhonero.**

Bufón, na. (Del ital. *buffone*, y éste de *buffo*.) adj. **Chocarrero.** || 2. m. y f. Truhán que se ocupa en hacer reír.

Bufonada. f. Dicho o hecho propio de bufón. || 2. Chanza satírica. Tómase generalmente en mala parte. *Con buena* BUFONADA *te vienes.*

Bufonearse. (De *bufón*, 2.º art.) r. Burlarse, decir bufonadas. Ú. t. c. intr.

Bufonería. f. **Bufonada.**

Bufonería. f. ant. *Ar.* **Buhonería.**

Bufonesco, ca. adj. Bufo, chocarrero.

Bufonizar. (De *bufón*, 2.º art.) intr. Decir bufonadas.

Bufos. (De la onomat. *buf*.) m. pl. ant. Papos, 6.ª acep. de **Papo.**

Bugada. (Del germ. *bukon*, suciedad.) f. ant. **Bogada**, 2.º art.

Bugalla. (En port. *bugalho.*) f. Agalla del roble y otros árboles, que sirve para tintes o tinta.

Buganvilla. f. *Bot.* Arbusto trepador de la familia de las nictagináceas, con hojas ovales o elípticas, brácteas de color rojo morado y flores pequeñas y verdosas. Es oriunda de América, de donde la trajo el naturalista Bougainville.

Bugle. (Del ingl. *bugle,* y éste del ant. fr. *bugle,* del lat. *bucŭlus,* boyezuelo.) m. Instrumento músico de viento, formado por un largo tubo cónico de metal, arrollado de distintas maneras y provisto de pistones en número variable. Es de distintos tamaños, según la tesitura a que se destina.

Buglosa. (Del lat. *buglossa,* y éste del gr. βούγλωσσον; de βοῦς, buey, y γλῶσσα, lengua.) f. **Lengua de buey.**

Buhar. (De la onomat. *buf.*) tr. *Germ.* Descubrir una cosa o dar soplo de ella.

Buharda. (De la onomat. *buf.*) f. **Buhardilla.**

Buhardilla. (d. de *buharda.*) f. Ventana que se levanta por encima del tejado de una casa, con su caballete cubierto de tejas o pizarras, y sirve para dar luz a los desvanes o para salir por ella a los tejados. || **2. Desván.**

Buharro. (despect. de *búho.*) m. **Corneja,** 2.ª acep.

Buhedal. (De *buhedo.*) m. ant. Lugar cenagoso.

Buhedera. (De *buhar.*) f. Tronera, agujero.

Buhedo. (Del lat. *budetum,* de *būda,* espadaña.) m. **Bodón.**

Buhero. (De *búho.*) m. El que cuidaba de los búhos de caza.

Buhío. m. **Bohío.**

Búho. (Del lat. *būfus,* dialect. de *bubo, -ōnis.*) m. *Zool.* Ave rapaz nocturna, indígena de España, de unos 40 centímetros de altura, de color mezclado de rojo y negro, calzada de plumas, con el pico corvo, los ojos grandes y colocados en la parte anterior de la cabeza, sobre la cual tiene unas plumas alzadas que figuran orejas. || **2.** fig. y fam. Persona huraña. || **3.** *Germ.* Descubridor o soplón.

Buhonería. (De *buhonero.*) f. Chucherías y baratijas de poca monta, como botones, agujas, cintas, peines, etc., que en tienda portátil o colgada de los hombros lleva su dueño a vender por las calles. || **2.** pl. Objetos de **buhonería.**

Buhonero. (De *bujón,* 1.er art.) m. El que lleva o vende cosas de buhonería. || **Cada buhonero alaba sus agujas.** ref. **Cada ollero alaba su puchero.**

Buido, da. (Del cat. *buit,* y éste del lat. *vŏcĭtus,* hueco.) adj. Aguzado, afilado. || **2.** Acanalado o con estrías.

Buitre. (Del lat. *vŭltur, -ŭris.*) m. Ave del orden de las rapaces, de cerca de dos metros de envergadura, con el cuello desnudo, rodeado de un collar de plumas largas, estrechas y flexibles, cuerpo leonado, remeras obscuras y una faja blanca a través de cada ala. Se alimenta de carne muerta y vive en bandadas. || **Buitre franciscano.** Casi tan grande como el anterior, pero menos abundante, se caracteriza por el color castaño obscuro de su plumaje y por las plumas suaves que rodean la cabeza y simulan en conjunto una capucha. || **monje. Buitre franciscano.** || **negro. Buitre franciscano.** || **Gran buitre de las Indias. Cóndor,** 1.ª acep.

Buitrear. intr. *Chile.* Cazar buitres.

Buitrera. (De *buitre.*) f. Lugar en que los cazadores ponen el cebo al buitre. || **Estar ya para buitrera.** fr. Dícese de la bestia flaca que está cerca de morirse y ser alimento de buitres.

Buitrero, ra. adj. Perteneciente al buitre. || **2.** m. Cazador de buitres. || **3.** El que les pone el cebo en las buitreras.

Buitrino. m. desus. **Buitrón,** 2.ª acep.

Buitrón. (De *buitre.*) m. Arte de pesca en forma de cono prolongado, en cuya boca hay otro más corto, dirigido hacia adentro y abierto por el vértice para que entren los peces y no puedan salir. || **2.** Cierta red para cazar perdices. || **3.** Horno de manga usado en América para fundir minerales argentíferos. || **4.** Era honda y solada donde, en las minas de América, se benefician los minerales argentíferos, mezclándolos con azogue y magistral después de molidos y calcinados en hornos. || **5.** Cenicero del hogar en los hornos metalúrgicos. || **6.** *Mont.* Artificio formado con setos de estacas entretejidas con ramas, el cual, estrechándose, va a rematar en una hoya grande, para que, acosada con el ojeo la caza, venga a caer en ella.

Bujalazor. m. p. us. **Bujarasol.** Ú. t. c. adj.

Bujarasol. m. Variedad de higo de carne colorada que se cría en el reino de Murcia. Ú. t. c. adj.

Bujarrón. (Del ital. *buggerone,* y éste del lat. *Bulgărus.*) adj. **Sodomita.** Ú. t. c. s.

Buje. (Del lat. *būxis, pyxis,* caja.) m. Pieza cilíndrica de hierro o de cobre que guarnece interiormente el cubo de las ruedas de los carruajes, para disminuir el rozamiento con los ejes.

Bujeda. (Del lat. *bŭxēta,* pl. de *bŭxētum,* lugar de bojes.) f. **Bujedal.**

Bujedal. m. **Bojedal.**

Bujedo. (Del lat. *būxētum,* lugar de bojes.) m. **Bujedal.**

Bujelada. f. ant. Especie de afeite para el rostro.

Bujería. f. Mercadería de estaño, hierro, vidrio, etc., de poco valor y precio.

Bujeta. (Del prov. *boiseta,* y éste del lat. *būxis, pyxis,* caja.) f. Caja de madera. || **2.** Pomo para perfumes que se suele traer en la faltriquera. || **3.** Cajita en que se guarda este pomo.

Bujía. (Del n. p. de la ciudad de *Bujía,* en África.) f. Vela de cera blanca, de esperma de ballena o esteárica. || **2.** Candelero en que se pone. || **3.** Unidad empleada para medir la intensidad de un foco de luz artificial. || **4.** Pieza que en los motores de combustión interna sirve para que salte la chispa eléctrica que ha de inflamar la mezcla gaseosa.

Bujier. (Del fr. *bougier,* der. de *bougie,* bujía.) m. Jefe de la bujiería.

Bujiería. (De *bujier.*) f. Pieza de la casa real donde se guardaban y distribuían los combustibles.

Bujo. (Del lat. *būxus,* boj.) m. ant. **Boj,** 1.er art. Ú. en Burgos.

Bula. (Del lat. *bulla.*) f. Distintivo, a manera de medalla, que en la antigua Roma llevaban al cuello los hijos de familias nobles hasta que vestían la toga. || **2.** Sello de plomo que va pendiente de ciertos documentos pontificios y que por un lado representa las cabezas de San Pedro y San Pablo y por el otro lleva el nombre del Papa. || **3.** Documento pontificio relativo a materia de fe o de interés general, concesión de gracias o privilegios o asuntos judiciales o administrativos, expedido por la cancillería apostólica y autorizado con el sello de su nombre u otro parecido estampado con tinta roja. || **4.** ant. **Burbuja.** || **de carne.** La que da el Papa en dispensación de comer de vigilia en ciertos días. || **de composición.** La que da el comisario general de Cruzada a los que poseen bienes ajenos cuando no les consta el dueño de ellos. || **de difuntos.** La que se toma con el objeto de aplicar a un difunto las indulgencias en ella indicadas. || **de la Cruzada. Bula de la Santa Cruzada.** || **de lacticinios.** La que permite a los eclesiásticos el uso de lacticinios en ocasiones en que les está vedado. || **de la Santa Cruzada. Bula** apostólica en que los romanos pontífices concedían diferentes indulgencias a los que iban a la guerra contra infieles o acudían a los gastos de ella con limosnas. Hoy se conceden estas indulgencias a los fieles de España que contribuyan con la limosna determinada en la misma **bula,** y cuyo importe se destina a las atenciones del culto divino y al socorro de las iglesias españolas. || **2.** Sumario de la misma **bula,** que expide el comisario general de Cruzada y se reparte impreso. || **de oro.** Ordenanza hecha por el emperador de Alemania Carlos IV el año de 1356 y aprobada por todos los príncipes del imperio, que servía en él de ley fundamental; determinaba las ceremonias y forma de la elección de emperador y fijaba el número de electores. || **Echar las bulas** a uno. tr. Antiguamente, encomendarle por carga concejil la administración de las **bulas** y la cobranza de su importe en cada pueblo. || **2.** fig. y fam. Imponerle alguna carga o gravamen. || **3.** fig. y fam. Reprenderle severamente. || **Haber bulas para difuntos.** fr. fig. y fam. Haber privilegio o favor para eximirse de alguna carga o precepto. || **No poder con la bula.** fr. fig. y fam. Estar sin fuerzas para nada. || **No valerle** a uno **la bula de Meco.** fr. fig. y fam. No haber remedio para él. Dícese generalmente en son de amenaza. NO *le* VALDRÁ LA BULA DE MECO.

Bular. (De *bula,* sello.) tr. ant. Sellar o marcar con hierro encendido al esclavo o al reo

Bulárcama. f. *Mar.* **Sobreplán.**

Bulario. m. Colección de bulas.

Bulbo. (Del lat. *bŭlbus.*) m. *Bot.* Tallo subterráneo, a modo de gruesa yema de la que pueden nacer los órganos aéreos, y ordinariamente ensanchado en su parte inferior y cubierto de hojas, las más exteriores de las cuales son carnosas y contienen reservas nutritivas; se llama tunicado cuando estas hojas forman envolturas completas a manera de túnicas, como en la cebolla, y escamoso cuando son estrechas y están imbricadas, como en la azucena. || **piloso.** *Zool.* Abultamiento ovoideo en que termina la raíz del pelo de los mamíferos por su extremo profundo. || **raquídeo.** *Zool.* **Medula oblonga** u **oblongada.**

Bulboso, sa. adj. *Bot.* Que tiene bulbos.

Bulda. f. ant. **Bula.**

Buldar. (De *bulda.*) tr. ant. **Bular.**

Buldería. (De *buldero.*) f. ant. Palabra de injuria o denuesto.

Buldero. (De *bulda.*) m. ant. **Bulero.**

Bulerías. f. pl. Cante popular andaluz de ritmo vivo que se acompaña con palmoteo. || **2.** Baile que se ejecuta al son de este cante.

Bulero. m. Persona comisionada para distribuir las bulas de la Santa Cruzada y recaudar el producto de la limosna que dan los fieles.

Buleto. (De *bula.*) m. **Breve,** 4.ª acep.

Búlgaro, ra. adj. Natural de Bulgaria. Ú. t. c. s. || **2.** Perteneciente a este Estado europeo. || **3.** m. Lengua **búlgara.**

Bulí. m. *Filip.* **Burí.**

Bulimia. (Del gr. βουλιμία, de βούλιμος, que tiene mucha hambre; de βοῦς, buey, y λιμός, hambre.) f. *Med.* **Hambre canina.**

Bulo. m. Noticia falsa propalada con algún fin.

Bulto. (Del lat. *vŭltus,* rostro.) m. Volumen o tamaño de cualquiera cosa. || **2.** Cuerpo que por la distancia, por falta de luz o por estar cubierto no se distingue lo que es. || **3.** Elevación causada por cualquier tumor o hinchazón. || **4.** Busto o estatua. || **5.** Fardo, caja, baúl, maleta, etc., comúnmente tratándose de transportes o viajes. || **6.** Funda de la almohada. || **7.** V. **Figura de bulto.** || **8.** ant. **Túmulo.** || **redondo.** Obra escultórica aislada, y por tanto visible por todo su contorno. || **A bulto.** m. adv. fig. Por mayor, sin examinar bien las cosas. || **A menos bultos, más claridad.** loc. fam. con que se da a entender que no tiene importancia la ausencia o la retirada de personas convocadas a una reunión. || **Buscar** a uno **el bulto.** fr. fam. Perseguirle con intención hostil. || **Coger** a uno **el bulto.** fr. fig. y fam. Haberle a las manos. || **Escurrir, guardar,** o **huir,** uno **el bulto.** fr. fig. y fam. Eludir o esquivar un trabajo, riesgo o compromiso. || **Menear** a uno **el bulto.** fr. fig. y fam. Cascarle, sacudirle, darle golpes. || **Pescar** a uno **el bulto.** fr. fig. y fam. **Coger** a uno **el bulto.** || **Poner de bulto** una cosa. fr. fig. Referirla de modo que llame vivamente la atención y pueda ser apreciada en todo su valor o importancia. || **Ser de bulto** una cosa. fr. fig. Ser muy manifiesta y clara. || **Tentar,** o **tocar, a** uno **el bulto.** fr. fig. y fam. **Menear** a uno **el bulto.**

Bululú. (Voz imitativa.) m. Farsante que en lo antiguo representaba él solo, en los pueblos por donde pasaba, una comedia, loa o entremés, mudando la voz según la calidad de las personas que iban hablando. || **2.** *Venez.* Alboroto, tumulto, escándalo.

Bulla. (De *bullir.*) f. Gritería o ruido que hacen una o más personas. || **2.** Concurrencia de mucha gente. || **Meter a bulla.** fr. fig. y fam. Impedir que se prosiga en un asunto, introduciendo muchas especies extrañas.

Bulla. f. *Nav.* **Bolla,** 1.er art.

Bullaje. (De *bulla,* 1.er art.) m. Concurso y confusión de mucha gente.

Bullanga. (De *bulla,* 1.er art.) f. Tumulto, rebullicio.

Bullanguero, ra. adj. Alborotador, amigo de bullangas. Ú. t. c. s.

Bullar. (Del lat. *bŭlla,* bola.) tr. *Ar.* y *Nav.* **Bollar,** 1.er art.

Bullarengue. m. fam. Prenda que usaron las mujeres para dar a las nalgas apariencia voluminosa. || **2.** *Cuba.* Cosa fingida o postiza.

Bullebulle. (De *bullir.*) com. fig. y fam. Persona inquieta, entremetida y de viveza excesiva.

Bullecer. (Del lat. *bullescĕre.*) intr. ant. **Bullir.**

Bullente. p. a. de **Bullir.** Que bulle.

Bullicio. (De *bullir.*) m. Ruido y rumor que causa la mucha gente. || **2.** Alboroto, sedición o tumulto.

Bullición. f. ant. **Bullicio,** 2.a acep.

Bulliciosamente. adv. m. Con inquietud, con bullicio.

Bullicioso, sa. adj. Dícese de lo que causa bullicio o ruido y de aquello en que lo hay. *Asamblea, fiesta, corriente, calle* BULLICIOSA. || **2.** Inquieto, desasosegado, que no para, que se mueve mucho o con gran viveza. || **3.** Sedicioso, alborotador. Ú. t. c. s.

Bullidor, ra. adj. Que bulle o se mueve con viveza.

Bullidura. (De *bullir.*) f. ant. **Bullicio.**

Bullir. (Del lat. *bullīre.*) intr. Hervir el agua u otro líquido. || **2.** Agitarse una cosa con movimiento parecido al del agua que hierve. BULLIR *la sangre, el agua corriente.* || **3.** fig. Moverse, agitarse a semejanza, en algún modo, de los borbollones del agua hirviendo, muchos insectos reunidos. || **4.** fig. Moverse, agitarse una persona con viveza excesiva; no parar, no estarse quieta en ninguna parte. || **5.** fig. Moverse como dando señal de vida. Ú. t. c. r. || **6.** fig. Ocurrir con frecuencia y actividad cosas de una misma naturaleza. BULLIR *las pláticas;* BULLIR *las asonadas.* || **7.** tr. fig. Mover, menear. *Don Quijote no* BULLÍA *pie ni mano.* || **8.** ant. Menear, revolver alguna cosa. BULLIR *una confección farmacéutica.* || **Bullirle** a uno una cosa. fr. fig. y fam. con que se expresa el deseo vehemente que se tiene de algo, como BULLIRLE *a uno los pies* cuando ve bailar.

Bullón. (De *bullir,* hervir.) m. Tinte que está hirviendo en la caldera.

Bullón. (Del lat. *bulla,* bola.) m. Pieza de metal con varias labores y en figura de cabeza de clavo que sirve para guarnecer las cubiertas de los libros grandes, especialmente los de coro. || **2. Bollo,** 1.er art., 2.a acep. || **3.** Especie de cuchillo usado antiguamente.

Buniatal. m. Campo plantado de buniatos.

Buniato. m. **Boniato.**

Bunio. (Del lat. *bunion,* y éste del gr. βούνιον.) m. Nabo que se deja para simiente y que crece y se endurece mucho.

Buñolería. (De *buñolero.*) f. Tienda en que se hacen y venden buñuelos.

Buñolero, ra. m. y f. Persona que por oficio hace o vende buñuelos. || **Buñolero, a tus buñuelos,** o **haz tus buñuelos.** fr. proverb. **Zapatero, a tus zapatos.**

Buñuelo. (Del ant. alto al. *bungo,* gleba, bulbo; en fr. *beignet.*) m. Fruta de sartén que se hace de masa de harina bien batida y frita en aceite. Al tiempo de freírse se esponja y sale de varias figuras y tamaños. || **2.** fig. y fam. Cosa hecha mal y atropelladamente. || **de viento.** El que se rellena de crema, cabello de ángel u otro dulce. || **¿Es buñuelo? No es buñuelo. No son buñuelos.** exprs. figs. y fams. con que se nota la inconsideración del que quiere que se haga una cosa sin dar el tiempo necesario.

Buque. (Del fr. *buc,* casco.) m. **Cabida,** 1.a acep. || **2.** *Mar.* Casco de la nave. || **3.** *Mar.* Barco con cubierta que, por su tamaño, solidez y fuerza, es adecuado para navegaciones o empresas marítimas de importancia. || **4.** V. **Corredor intérprete de buques.** || **a la carga.** *Mar.* El que está en el puerto esperando cargamento. || **de cabotaje.** *Mar.* El que se dedica a esta especie de navegación. || **de cruz.** *Mar.* El que lleva velas cuadras cuyas vergas se cruzan sobre los palos. || **de guerra.** *Mar.* El del Estado, construido y armado para usos militares. || **de hélice.** *Mar.* El de vapor, que se mueve por tal medio. || **de pozo.** *Mar.* El que no tiene cubierta sobre la de la batería. || **de ruedas.** *Mar.* El de vapor cuyo propulsor consiste en una rueda montada a popa, o en dos: una a cada costado. || **de torres.** *Mar.* Suele llamarse así el que las lleva sobre cubierta, blindadas y fijas o giratorias, y en el interior de las cuales funcionan cañones de grueso calibre. || **de transporte.** *Mar.* El del Estado, empleado en la conducción de hombres o efectos de guerra. || **de vapor.** *Mar.* El que navega a impulso de uno o más máquinas de esta especie. || **de vela.** *Mar.* El que aprovecha con cualquier aparejo la fuerza del viento. || **en lastre.** *Mar.* El que navega sin carga útil. || **en rosca.** *Mar.* El que está acabado de construir, sin aparejo ni máquinas y con sólo el casco. || **escuela.** Barco de la marina de guerra en que completan su instrucción los guardias marinas. || **mercante.** El de persona o empresa particular y que se emplea en la conducción de pasajeros y mercancías. || **mixto.** *Mar.* El que está habilitado para navegar a impulso del viento y del vapor. || **submarino.** *Mar.* El de guerra que puede cerrarse herméticamente, sumergirse a voluntad con su tripulación y, por medio de una máquina eléctrica, navegar dentro del agua para hacer reconocimientos en los **buques** enemigos y lanzarles torpedos, o para exploraciones submarinas.

Buraco. m. vulg. **Agujero,** 1.a acep.

Burato. (Del ital. *buratto,* y éste del lat. **bŭra, bŭrra,* borra.) m. Tejido de lana o seda que sirve para alivio de lutos en verano y para manteos. || **2.** Cendal o manto transparente.

Burbuja. (De *borbollar.*) f. Glóbulo de aire u otro gas que se forma en el interior de algún líquido y sale a la superficie del mismo.

Burbujeante. p. a. de **Burbujear.** Que burbujea.

Burbujear. intr. Hacer burbujas.

Burbujeo. m. Acción de burbujear.

Burchaca. f. **Burjaca.**

Burche. (Del ár. *burý,* torre de fuerte o castillo, y éste del gr. πύργος.) f. **Torre,** 1.a acep.

Burda. f. *Mar.* Brandal de los masteleros de juanete.

Burdallo, lla. adj. ant. **Burdo.**

Burdamente. adv. m. De modo burdo.

Burdégano. (Del lat. **bŭrdĭcŭlus,* de *bŭrdus,* mulo.) m. Hijo de caballo y burra.

Burdel. (Del ant. fr. *bordel,* choza, y éste del célt. *borda,* tabla.) adj. Lujurioso, vicioso. || **2.** m. **Mancebía,** 1.a acep. || **3.** fig. y fam. Casa o lugar en que se falta al decoro con ruido y confusión.

Burdelero, ra. m. y f. ant. Alcahuete, mozo de burdel.

Burdeos. m. fig. **Vino de Burdeos.**

Burdinalla. f. ant. *Mar.* Cabo o conjunto de cabos delgados que sujetaban el mastelero de la sobrecebadera y se hacían firmes en el estay mayor.

Burdo, da. adj. Tosco, basto, grosero. *Paño* BURDO; *lana* BURDA.

Burel. (Del ant. fr. *burel.*) m. *Blas.* Pieza que consiste en una faja cuyo ancho es la novena parte del escudo.

Burelado. (De *burel.*) adj. *Blas.* V. **Escudo burelado.**

Burengue. m. *Murc.* Esclavo mulato.

Bureo. (Del fr. *bureau.*) m. Junta formada por altos dignatarios palatinos y presidida por el mayordomo mayor que resolvía los expedientes administrativos de la casa real y ejercía jurisdicción sobre las personas sujetas al fuero de ella. || **2.** Entretenimiento, diversión. || **Entrar en bureo.** fr. ant. fig. Juntarse para tratar alguna cosa.

Burga. (Tal vez del vasc. *bero-ur-ga,* lugar de agua caliente.) f. Manantial de agua caliente. *Las* BURGAS *de Orense.*

Burgado. (Del lat. *mūrĭcātŭs,* múrice.) m. Caracol terrestre, de color moreno y del tamaño de una nuez pequeña.

Burgalés, sa. adj. Natural de Burgos. Ú. t. c. s. || **2.** Perteneciente a esta ciudad. || **3.** V. **Dinero, maravedí, sueldo burgalés.**

Burgés, sa. (Del lat. *burgensis.*) adj. ant. **Burgués,** 1.a y 2.a aceps. Apl. a pers., usáb. t. c. s.

Burgo. (Del lat. *burgus,* y éste del germ. *burg;* en gr. πύργος.) m. ant. Aldea o población muy pequeña, dependiente de otra principal.

Burgomaestre. (Del al. *burgmeister;* de *burg,* ciudad, villa, y *meister,* magistrado.) m. Primer magistrado municipal de algunas ciudades de Alemania, los Países Bajos, Suiza, etc.

Burgrave. (Del al. *burggraf;* de *burg,* ciudad, villa, y *graf,* conde.) m. Señor de una ciudad, título usado antiguamente en Alemania.

Burgraviato. m. Dignidad de burgrave. || **2.** Territorio del burgrave.

Burgueño, ña. adj. Natural de un burgo. Ú. t. c. s. || **2.** ant. **Burgalés.** Apl. a pers., usáb. t. c. s.

Burgués, sa. adj. ant. Natural o habitante de un burgo. Usáb. t. c. s. || **2.** Perteneciente al burgo. || **3.** m. y f. Ciudadano de la clase media, acomodada u opulenta. Ú. comúnmente en contraposición a proletario. || **4.** adj. Perteneciente o relativo al **burgués,** 3.ª acep.

Burguesía. f. Cuerpo o conjunto de burgueses o ciudadanos de las clases acomodadas o ricas.

Burí. m. Palma que se cría en Filipinas, de tronco alto, muy grueso y derecho; hojas por extremo grandes, de figura de parasol; flores que forman una gran panoja; fruto de drupa globosa, y semilla redonda, membranácea y dura. De la medula del tronco se obtiene el sagú; de las espatas de las flores, la tuba, y de las hojas, un filamento textil. || **2.** Este filamento.

Buriel. (Del cat. *burell*, y éste del lat. **būriĕllus*, d. de *būrius*, rojizo.) adj. De color rojo, entre negro y leonado. || **2.** V. **Paño buriel.** Ú. t. c. s.

Burielado, da. adj. ant. Semejante o perteneciente al color o paño buriel.

Buril. (Del fr. *burin.*) m. Instrumento de acero, prismático y puntiagudo, que sirve a los grabadores para abrir y hacer líneas en los metales. || **2.** Constelación austral situada entre la Paloma y Erídano. || **chaple redondo.** El que tiene la punta en forma de gubia. || **chaple en forma de escoplo.** El que tiene la punta en figura de escoplo. || **de punta.** El que tiene la punta aguda.

Burilada. f. Trazo o rasgo de buril. || **2.** Porción de plata que los ensayadores sacan con un buril del parragón y de la pieza que prueban, para ver si es de ley.

Burilador, ra. adj. Que burila. Ú. t. c. s.

Buriladura. f. Acción y efecto de burilar.

Burilar. tr. Grabar con el buril.

Burjaca. (Del lat. *bursa*, cruzado con el germ. *habersack*, saco de mano.) f. Bolsa grande de cuero que los peregrinos o mendigos suelen llevar debajo del brazo izquierdo colgando de una correa, cinta o cordel desde el hombro derecho, y en la cual meten el pan y las demás cosas que les dan de limosna.

Burla. (Del b. lat. *burula*, d. del lat. *burra*, necedad, bagatela.) f. Acción, ademán o palabras con que se procura poner en ridículo a personas o cosas. || **2. Chanza.** || **3. Engaño.** || **4.** En plural se dice en contraposición de **veras.** || **A la burla, dejarla cuando más agrada.** ref. que da a entender que la demasiada continuación de la chanza suele parar en pesadumbre y disgustos. || **A las burlas, así ve a ellas que no te salgan a veras.** ref. que enseña el miramiento y discreción que se deben guardar en las chanzas para que no sean ofensivas. || **Burla burlando.** m. adv. fam. Sin advertirlo o sin darse cuenta de ello. BURLA BURLANDO *hemos andado ya dos leguas.* || **2.** fam. Disimuladamente o como quien no quiere la cosa. BURLA BURLANDO *consiguió su empleo.* || **Burla burlando vase el lobo al asno.** ref. que denota la facilidad con que cada uno se encamina a lo que es de su inclinación o conveniencia. || **Burla con daño no cumple el año.** ref. que da a entender que las burlas perjudiciales duran poco tiempo. || **Burlas de manos, burlas de villanos.** ref. **Juego de manos, juego de villanos.** || **De burlas.** m. adv. No de veras. *Hablar, jugar* DE BURLAS. || **Decir** una cosa **entre burlas y veras.** fr. Decir una cosa desagradable en tono festivo. || **Hablar** uno **de burlas.** fr. Hablar aparentando sinceridad cuando realmente no habla de veras. || **Mezclar** uno **burlas con veras.** fr. Introducir en un escrito o conversación cosas jocosas y serias a un mismo tiempo. || **2.** Decir en tono de chanza algunas verdades. || **Ni en burlas ni en veras, con tu amo no partas peras.** ref. que enseña que no conviene usar familiaridad con los superiores. || **No hay peor burla que la verdadera.** ref. que aconseja que en las chanzas no se echen en cara a los otros los defectos que tienen. || **Quien hace la burla, guárdese de la escarapulla.** ref. que denota que quien gasta chanzas pesadas debe recelarse de enemistades y venganzas.

Burladero, ra. (De *burlar.*) adj. ant. **Burlón.** || **2.** m. Trozo de valla que se pone delante de las barreras o de las paredes de las plazas y corrales de toros, separada de ellas lo suficiente para que pueda refugiarse el lidiador, burlando al toro que le persigue.

Burlador, ra. adj. Que burla. Ú. t. c. s. || **2.** m. Libertino habitual que hace gala de deshonrar a las mujeres, seduciéndolas y engañándolas. || **3.** Vaso de barro que, por tener ciertos agujeros ocultos, moja y burla a quien se lo lleva a la boca para beber. || **4.** Conducto oculto de agua que, a voluntad del que lo dirige, la esparce fuera para mojar a los que se acercan incautamente.

Burlar. (De *burla.*) tr. Chasquear, zumbar. Ú. m. c. r. || **2. Engañar,** 1.ª y 2.ª aceps. || **3.** Frustrar, desvanecer la esperanza, el deseo, etc., de alguno. || **4.** r. Hacer burla de personas o cosas. Ú. t. c. intr.

Burlería. f. Burla, engaño. || **2.** Cuento fabuloso o conseja de viejas. || **3.** Engaño, ilusión. || **4.** Irrisión, mengua.

Burlescamente. adv. m. De manera burlesca.

Burlesco, ca. adj. fam. Festivo, jocoso, sin formalidad, que implica burla o chanza.

Burleta. f. d. de **Burla.**

Burlete. (Del fr. *bourrelet.*) m. Tira de vendo o tela, y generalmente de figura cilíndrica, con relleno de estopa o algodón, que se pone al canto de las hojas de puertas, balcones o ventanas para que al cerrarse queden cubiertos los intersticios y no pueda entrar por ellos el aire en las habitaciones.

Burlón, na. adj. Inclinado a decir burlas o a hacerlas. Ú. t. c. s. || **2.** Que implica o denota burla.

Burlonamente. adv. m. Con burla.

Burlote. m. Entre jugadores, el monte o partida más pequeña que alguno de ellos pone, acabada por cualquier motivo la primera.

Buro. m. *Ar.* **Greda.**

Burocracia. (Del fr. *bureaucratie*, y éste de *bureau*, oficina, escritorio, y el gr. κράτος, poder.) f. Influencia excesiva de los empleados públicos en los negocios del Estado. || **2.** Clase social que forman los empleados públicos.

Burócrata. com. Persona que pertenece a la burocracia, 2.ª acep.

Burocrático, ca. adj. Perteneciente o relativo a la burocracia.

Burra. (De *burro.*) f. **Asna,** 1.ª acep. || **2.** fig. Mujer necia, ignorante y negada a toda instrucción. Ú. t. c. adj. || **3.** fig. y fam. Mujer laboriosa y de mucho aguante. || **4.** fig. y fam. V. **Panza de burra.** || **Caer** uno **de su burra.** fr. fig. y fam. **Caer** uno **de su burro.** || **Descargar la burra.** fr. fig. y fam. de que se usa para notar al que sin causa bastante rehúsa el trabajo que le corresponde, echando la carga a otro. || **2.** Cierto juego de tablas entre dos, en que, según los puntos que señalan los dados, se ponen todas las piezas en las seis casas y después se van sacando, y el que primero las saca todas gana el juego. || **Estarle** a uno una cosa **como a la burra las arracadas.** fr. fig. y fam. Sentar mal una cosa al que se la pone. || **Írsele** a uno **la burra.** fr. fig. y fam. **Írsele la lengua.** || **Jo, que te estrego, burra de mi suegro.** ref. que se aplica a los que se resienten cuando les hacen bien. || **La burra que tiene pollino, no va derecha al molino.** ref. **Asna con pollino,** etc.

Burrada. f. Cabaña o manada de burros. || **2.** fig. En el juego del burro, jugada hecha contra regla. || **3.** fig. y fam. Necedad.

Burrajear. tr. **Borrajear.**

Burrajo. (De *burro.*) m. Estiércol seco de las caballerizas, usado en algunas partes como combustible.

Burral. adj. p. us. **Asnal,** 2.ª acep.

Burreño. (De *burro.*) m. **Burdégano.**

Burrero. m. El que tiene o conduce burras para vender la leche de ellas. || **2.** *Méj.* Dueño o arriero de burros.

Burriciego, ga. adj. vulg. **Cegato.**

Burriel. (De *buriel.*) adj. desus. **Buriel.**

Burrillo. (d. de *burro.*) m. fam. **Añalejo.**

Burrito. m. d. de **Burro.** || **2.** *Méj.* **Flequillo.**

Burro. (De *borrico.*) m. **Asno,** 1.ª acep. || **2.** Armazón compuesta de dos brazos que forman ángulo y un travesaño que se puede colocar a diferentes alturas por medio de clavijas. Sirve para sujetar y tener en alto una de las cabezas del madero que se ha de aserrar, haciendo descansar la otra en el suelo. || **3.** Rueda dentada de madera con la cual se ponen en movimiento todas las estrellas o ruedas que en el torno de la seda sirven para torcerla. || **4.** Juego de naipes en que se dan tres cartas a cada jugador, se descubre la que queda encima de las que sobran, para señalar el triunfo, entra el que quiere y gana el que hace más bazas, o parten los que las hacen iguales. Hay otros juegos con el mismo nombre. || **5.** V. **Pájaro burro.** || **6.** V. **Casco, mosca, pie de burro.** || **7.** fig. y fam. **Asno,** 2.ª acep. Ú. t. c. adj. || **8.** fig. y fam. **Burro de carga.** || **9.** fig. El que pierde en cada mano en el juego del **burro.** || **10.** fig. *Méj.* **Escalera de tijera.** || **cargado de letras.** fig. Persona que ha estudiado mucho y no tiene discernimiento ni ingenio. || **de carga.** fig. y fam. Hombre laborioso y de mucho aguante. || **Caer** uno **de su burro.** fr. fig. y fam. **Caer de su asno.** || **Correr burro** una cosa. fr. fig. y fam. Desaparecer, perderse, extraviarse. || **Puesto en el burro.** expr. fig. y fam. **Puesto en el borrico.**

Burrumbada. f. **Barrumbada.**

Bursátil. (Del lat. *bŭrsa*, bolsa.) adj. *Com.* Concerniente a la bolsa, a las operaciones que en ella se hacen y a los valores cotizables.

Burseráceo, a. (De *bursera*, nombre de un género de plantas.) adj. *Bot.* Dícese de plantas angiospermas dicotiledóneas, semejantes a las simarubáceas, de las que difieren especialmente por tener en su corteza conductos que destilan resinas y bálsamos; como el arbolito que produce el incienso. Ú. t. c. s. f. || **2.** f. pl. *Bot.* Familia de estas plantas.

Burujo. (De *borujo.*) m. Bulto pequeño o pella que se forma uniéndose y apretándose unas con otras las partes que estaban o debían estar sueltas, como en la lana, en la masa, en el engrudo, etc. || **2.** Borujo, 2.ª y 3.ª aceps.

Burujón. m. aum. de **Burujo.** || **2. Chichón.**

Busarda. f. **Buzarda.**

Busca. f. Acción de buscar. || **2.** Tropa de cazadores, monteros y perros que corre el monte para hallar o levantar la caza. || **3.** V. **Can perro de busca.**

Buscada. (De *buscar.*) f. **Busca,** 1.ª acep.

Buscador, ra. adj. Que busca. Ú. t. c. s. || **2.** m. Anteojo pequeño de mucho campo que forma cuerpo con los telescopios, refractores y reflectores para facilitar su puntería.

Buscamiento. (De *buscar.*) m. ant. **Busca,** 1.ª acep.

Buscaniguas. (De *buscar* y *nigua.*) m. *Colomb.* y *Guat.* **Buscapiés.**

Buscapié. (De *buscar* y *pie.*) m. fig. Especie que se suelta en conversación o por escrito para dar a alguno en qué entender o para rastrear y poner en claro alguna cosa.

Buscapiés. (De *buscar* y *pie.*) m. Cohete sin varilla que, encendido, corre por la tierra entre los pies de la gente.

Buscapiques. (De *buscar* y *pique,* 5.ª acep.) m. *Perú.* **Buscapiés.**

Buscapleitos. com. *Amér. Central* y *Merid.* Buscarruidos, picapleitos.

Buscar. tr. Inquirir, hacer diligencias para hallar o encontrar alguna persona o cosa. || **2.** *Germ.* Hurtar rateramente o con mañas. || **Buscársela.** fam. Ingeniarse para hallar medios de subsistencia. || **Quien busca halla.** fr. proverb. que da a entender lo que importan la inteligencia y actividad para conseguir lo que se desea.

Buscarruidos. (De *buscar* y *ruido.*) com. fig. y fam. Persona inquieta, provocativa, que anda moviendo alborotos, pendencias y discordias. || **2.** m. *Mar.* Embarcación menor que iba de exploradora delante de una flota.

Buscavida. com. **Buscavidas,** 2.ª acep.

Buscavidas. (De *buscar* y *vida.*) com. fig. y fam. Persona demasiadamente curiosa en averiguar las vidas ajenas. || **2.** fig. y fam. Persona diligente en buscarse por cualquier medio lícito el modo de vivir.

Busco. (Del fr. *busc.*) m. Umbral de una puerta de esclusa.

Busco. (De *buscar.*) m. ant. Rastro que dejan los animales.

Buscón, na. (De *buscar.*) adj. Que busca. Ú. t. c. s. || **2.** Dícese de la persona que hurta rateramente o estafa con socaliña. Ú. t. c. s. || **3.** f. **Ramera.**

Busier. m. **Bujier.**

Busilis. m. fam. Punto en que estriba la dificultad del asunto de que se trata. || **Dar en el busilis.** fr. fam. **Dar en el hito.**

Buso. m. ant. **Agujero,** 1.ª acep.

Búsqueda. (De *buscar.*) f. **Busca,** 1.ª acep. Úsase con frecuencia en los archivos y escribanías.

Busquillo. (De *buscar.*) m. fam. *Chile* y *Perú.* **Buscavidas,** 2.ª acep.

Busto. (Del lat. *bŭstum,* por análisis de *combustum,* quemado.) m. Escultura o pintura de la cabeza y parte superior del tórax. || **2.** Parte superior del cuerpo humano.

Bustrófedon. (Del gr. βουστροφηδόν; de βοῦς, buey, y στρέφω, volver, tornar.) adv. m. Manera de escribir que consiste en trazar un renglón de izquierda a derecha y el siguiente de derecha a izquierda. Usóse en Grecia antigua, y tomó nombre de su semejanza con los surcos que abren los bueyes arando.

Butaca. (Del cumanagoto *putaca,* asiento.) f. Silla de brazos con el respaldo inclinado hacia atrás. || **2. Luneta,** 3.ª acep.

Buten (De). loc. vulg. Excelente, lo mejor en su clase.

Butifarra. (Del cat. *butifarra,* y éste del lat. *bŏtŭ[lus],* tripa, y **farsus* por *fartus,* relleno.) f. Cierto embuchado que se hace principalmente en Cataluña, las Baleares y Valencia. || **2.** *Perú.* Pan dentro del cual se pone un trozo de jamón y un poco de ensalada. || **3.** fig. y fam. Calza o media muy ancha o que no ajusta bien.

Butifarrero, ra. m. y f. Persona que tiene por oficio hacer butifarras o venderlas.

Butiondo, da. (Del dialect. *bote,* macho cabrío, por *boc,* del germ. *bukk,* macho cabrío.) adj. **Botiondo.**

Butiro. (Del lat. *butȳrum,* y éste del gr. βούτυρον.) m. **Mantequilla,** 3.ª acep.

Butiroso, sa. (De *butiro.*) adj. **Mantecoso.**

Butomáceo, a. (De *botumus,* nombre de un género de plantas.) adj. *Bot.* Dícese de hierbas angiospermas monocotiledóneas, perennes, palúdicas, con bohordo, hojas radicales, flores solitarias o en umbela, frutos capsulares y semillas sin albumen, como el junco florido. Ú. t. c. s. f. || **2.** f. pl. *Bot.* Familia de estas plantas.

Butomeo, a. (Del gr. βούτομος, junco florido; de βοῦς, buey, y τέμνω, cortar.) adj. *Bot.* **Butomáceo.**

Butrino. (De *botrino.*) m. **Buitrón,** 1.ª acep.

Butrón. m. **Buitrón,** 1.ª acep.

Buxáceo, a. (De *buxus,* nombre de un género de plantas.) adj. *Bot.* Dícese de plantas angiospermas dicotiledóneas, muy semejantes a las euforbiáceas, de las que difieren principalmente por los caracteres del fruto, que es capsular, y por la disposición de los óvulos en el ovario; como el boj. Ú. t. c. s. f. || **2.** f. pl. *Bot.* Familia de estas plantas.

Buyador. m. *Ar.* **Latonero,** 1.er art.

Buyes. m. pl. *Germ.* Naipes.

Buyo. m. Mixtura hecha con el fruto de la areca, hojas de betel y cal de conchas, que mascan los naturales del Extremo Oriente.

Buz. (Del ár. *būs,* beso.) m. Beso de reconocimiento y reverencia. || **2. Labio,** 1.ª acep. || **Hacer uno el buz.** fr. fig. y fam. Hacer alguna demostración de obsequio, rendimiento o lisonja.

Buzamiento. (De *buzar.*) m. Inclinación de un filón o de una capa del terreno.

Búzano. m. p. us. **Buzo,** 1.ª acep. || **2.** Cierta pieza de artillería que se usaba antiguamente.

Buzaque. (Quizá del ár. *abū zaqq,* el del zaque.) m. **Beodo.**

Buzar. (De *buzo.*) intr. Inclinarse hacia abajo los filones o las capas del terreno.

Buzarda. f. *Mar.* Cada una de las piezas curvas con que se liga y fortalece la proa de la embarcación.

Buzcorona. (De *buz* y *coronar.*) m. Burla que se hacía dando a besar la mano y descargando un golpe sobre la cabeza y carrillo del que la besaba.

Buzo. (Del gr. βύθιος, sumergido, de βυθός, fondo.) m. El que tiene por oficio trabajar enteramente sumergido en el agua, bien conteniendo largo rato la respiración, bien efectuándola con auxilio de aparatos adecuados. || **2.** V. **Campana de buzo.** || **3.** Cierta embarcación antigua. || **4.** *Germ.* Ladrón muy diestro o que ve mucho.

Buzón. (Del lat. *bucco, -ōnis,* boca grande.) m. Conducto artificial o canal por donde desaguan los estanques. || **2.** Abertura por la que se echan las cartas y papeles para el correo o para otro destino. || **3.** Por ext., caja o receptáculo donde caen los papeles echados por el **buzón.** || **4.** Tapón de cualquier agujero para dar entrada o salida al agua u otro líquido.

Buzonera. (De *buzón.*) f. *Tol.* Sumidero de patio.

Buzos (De). (De *buz.*) m. adv. ant. **De bruces.**

C

C. f. Letra consonante cuya pronunciación es interdental fricativa, sorda ante *e, i (cena, cifra),* y velar oclusiva sorda en los demás casos *(cama, cola, cuba, clero, clima, crema, criba, efecto, conflicto).* Con frecuencia, en posición final de sílaba, ante consonante que no sea la *t,* el sonido velar oclusivo de esta letra se debilita y suaviza haciéndose sonoro y fricativo *(anécdota, técnica, acción, facsímil).* || **2.** Letra numeral que tiene el valor de ciento en la numeración romana, y de que también usamos en español. Cuando se le ponía una línea encima, valía cien mil. Repetida, combinada con otras letras y vuelta al revés, representa diferentes valores; v. gr.: CC, doscientos; XC, noventa; CIƆ, mil; IƆ, quinientos.

Ca. (Del lat. *quia.*) conj. causal ant. **Porque.**

¡Ca! interj. fam. **¡Quia!**

Cabadelante. (De *cabo* y *adelante.*) adv. m. ant. En adelante.

Cabal. (De *cabo,* extremo.) adj. Ajustado a peso o medida. || **2.** Dícese de lo que cabe a cada uno. || **3.** fig. Completo, acabado. || **4.** m. ant. **Caudal,** 4.ª acep. || **5.** *Ar.* Pegujal del segundogénito. || **6.** adv. m. **Cabalmente.** || **Al cabal.** m. adv. ant. Cabalmente, al justo. || **No estar uno en sus cabales.** fr. fig. **Estar fuera de juicio.** || **Por su cabal.** m. adv. ant. Con mucho empeño, con mucho ahínco, poniendo uno cuanto está de su parte. || **Por sus cabales.** m. adv. Cabalmente o perfectamente. || **2.** Por su justo precio. || **3.** Por el orden regular.

Cábala. (Del hebr. *qabbalah,* tradición.) f. Tradición oral que entre los judíos explicaba y fijaba el sentido de los libros del Antiguo Testamento, ya en lo moral y práctico, ya en lo místico y especulativo. || **2.** Arte vano y supersticioso practicado por los judíos, que consiste en valerse de anagramas, transposiciones y combinaciones de las letras hebraicas y de las palabras de la Sagrada Escritura, con el fin de descubrir su sentido. La **cábala** servía de fundamento a la astrología, la nigromancia y demás ciencias ocultas. || **3.** fig. Cálculo supersticioso para adivinar una cosa. || **4.** fig. y fam. Negociación secreta y artificiosa. || **5.** fig. Conjetura, suposición. Ú. m. en pl.

Cabalar. tr. p. us. **Acabalar.**

Cabalero. adj. *Arag.* Dícese del hijo de familia que no es heredero. Ú. t. c. s.

Cabalfuste. (De *caballo* y *fuste.*) m. ant. Cabalhuste.

Cabalgada. (De *cabalgar,* 2.º art.) f. Tropa de gente de a caballo que salía a correr el campo. || **2.** Servicio que debían hacer los vasallos al rey, saliendo en **cabalgada** por su orden. || **3.** Despojo o presa que se hacía en las **cabalgadas** sobre las tierras del enemigo. || **4.** ant. **Correría,** 1.ª acep. || **doble.** La que hacía una partida, entrando dos veces en las tierras del enemigo antes de volver al lugar de donde había salido.

Cabalgador, ra. m. y f. Persona que cabalga. || **2.** m. ant. **Montador,** 2.ª acep.

Cabalgadura. f. Bestia en que se cabalga o se puede cabalgar. || **2.** **Bestia de carga.**

Cabalgamiento. m. *Ret.* **Hipermetría.**

Cabalgante. p. a. de **Cabalgar.** Que cabalga.

Cabalgar. (De *cabalgar,* 2.º art.) m. ant. Conjunto de los arreos y arneses para andar a caballo.

Cabalgar. (Del b. lat. *caballicāre,* y éste del lat. *caballus,* caballo.) intr. Subir o montar a caballo. Ú. t. c. tr. || **2.** Andar o pasear a caballo. || **3.** *Equit.* Mover el caballo los remos cruzando el uno sobre el otro. || **4.** tr. Cubrir el caballo u otro animal a su hembra.

Cabalgata. (De *cabalgar,* 2.º art.) f. Reunión de muchas personas que van cabalgando. || **2.** Comparsa de jinetes.

Cabalgazón. f. Acción de cubrir o cabalgar el caballo u otro animal a su hembra.

Cabalhuste. (De *cabalfuste.*) m. **Caballete,** 5.ª acep.

Cabalino, na. (Del lat. *caballīnus,* de *caballus,* caballo.) adj. que en poesía se aplica al mitológico caballo Pegaso, al monte Helicón, que aquél, al nacer, hirió con su planta, y a la fuente Hipocrene, que brotó del golpe.

Cabalista. m. El que profesa la cábala.

Cabalístico, ca. adj. Perteneciente o relativo a la cábala. *Libro, concepto* CABALÍSTICO.

Cabalmente. adv. m. Precisa, justa o perfectamente.

Cabalonga. f. *Cuba* y *Méj.* **Haba de San Ignacio.**

Caballa. (Del lat. *caballa,* yegua.) f. *Zool.* Pez teleósteo, acantopterigio, muy común en los mares de España, de tres a cuatro decímetros de largo, comprimido, muy estrecho hacia la cola, de color azul y verde con rayas negras por el lomo, y de carne roja y poco estimada.

Caballada. f. Manada de caballos o de caballos y yeguas. || **2.** *León.* **Cabalgata.** || **3.** *Amér.* **Animalada.**

Caballaje. (De *caballo.*) m. Acción de montar, 6.ª acep. || **2.** Precio que se paga por ella.

Caballar. adj. Perteneciente o relativo al caballo. || **2.** Parecido a él. || **3.** V. **Apio caballar.**

Caballazo. m. *Chile* y *Méj.* Encontrón o golpe que da un jinete a otro o a alguno de a pie, echándole encima el caballo.

Caballear. intr. fam. Andar frecuentemente a caballo.

Caballejo. m. d. de **Caballo.** || **2.** **Caballete,** 3.ª acep.

Caballerato. (De *caballero.*) m. Derecho o título concedido por dispensa pontificia al seglar que contrae matrimonio, para percibir pensiones eclesiásticas. || **2.** La misma pensión. || **3.** Categoría intermedia entre la nobleza y el estado llano, que el rey concedía por privilegio o gracia a los naturales de Cataluña.

Caballerear. intr. Hacer del caballero.

Caballerescamente. adv. m. De modo caballeresco.

Caballeresco, ca. adj. Propio de caballero. || **2.** Perteneciente o relativo a la caballería de los siglos medios. *Costumbres* CABALLERESCAS. || **3.** Aplícase especialmente a los libros y composiciones poéticas en que se cuentan las empresas o fabulosas hazañas de los antiguos paladines o caballeros andantes.

Caballerete. m. d. de **Caballero.** || **2.** fam. Caballero joven, presumido en su traje y acciones.

Caballería. (De *caballero.*) f. Cualquier animal solípedo, que, como el caballo, sirve para cabalgar en él. Llámase mayor si es mula o caballo, y menor si es borrico. || **2.** Cuerpo de soldados montados y del personal y material de guerra complementarios que forman parte de un ejército. || **3.** Cualquiera porción del mismo cuerpo. || **4.** Cualquiera de las órdenes militares que ha habido y hay en España, como las de la Banda, Santiago, Calatrava, etc. || **5.** Preeminencia y exenciones de que goza el caballero. || **6.** Empresa o acción propia de un caballero. || **7.** Instituto propio de los caballeros que hacían profesión de las armas. || **8.** Cuerpo de nobleza de una provincia o lugar. || **9.** Conjunto, concurso o multitud de caballeros. || **10.** Servicio militar que se hacía a caballo. || **11.** Porción que de los despojos tocaba a cada caballero en la guerra. || **12.** Porción de tierra que se repartía a los caballeros que habían contribuido a la conquista o a la colonización de un territorio. || **13.** Suerte de tierra que, por la corona, los señores o las comunidades, se daba en usufructo a quien se comprometía a sostener en guerra o en paz un hombre de armas con su caballo. || **14.** Medida agraria equivalente a 60 fanegas o a 3.863 áreas. || **15.** Medida agraria usada en la isla de Cuba, equivalente a 1.343 áreas. || **16.** Medida agraria usada en la isla de Puerto Rico, equivalente a 7.858 áreas. || **17.** Arte y destreza de manejar el caballo, jugar las armas y hacer otros ejercicios de caballero. || **18.** ant. Generosidad y nobleza de ánimo propias del caballero. || **19.** ant. Expedición militar. || **20.** *Ar.* Rentas que señalaban los ricoshombres a los caballeros que acaudillaban para la guerra. || **andante.** Profesión, regla u orden de los caballeros aventureros. || **ligera.** Arma de combate constituida por soldados de poco peso, armados con lanza, carabina o sable y montados en caballos de poca alzada, ágiles y maniobreros. || **Andarse** uno **en caballerías.** fr. fig. y fam. Hacer galanterías o cumplimientos innecesarios.

Caballeril. adj. ant. Perteneciente al caballero. || **2.** V. **Pendón caballeril.**

Caballerilmente. adv. m. ant. Caballerosamente.

Caballeriza. (De *caballería.*) f. Sitio o lugar cubierto destinado para estancia de los caballos y bestias de carga. || **2.** Conjunto de caballos o mulas de una **caballeriza.** || **3.** Conjunto de los criados y dependientes que la sirven. || **4.** Mujer del caballerizo. || **Mancarse en la caballeriza.** fr. fig. y fam. con que se reprueba la ociosidad o cobardía de alguno.

Caballerizo. m. El que tiene a su cargo el gobierno y cuidado de la caballeriza y de los que sirven en ella. || **de campo,** o **del rey.** Empleado de la servidumbre de palacio, que tenía por oficio ir a caballo a la izquierda del coche de las personas reales. || **mayor del rey.** Uno de los jefes de palacio a cuyo cargo estaba el cuidado y gobierno de las caballerizas de S. M., de la armería real y otras dependencias. || **Primer caballerizo del rey.** Inmediato subalterno y lugarteniente del **caballerizo mayor.**

Caballero, ra. (Del lat. *caballarius.*) adj. Que cabalga, 2.ª acep. CABALLERO *en un rocín, en una mula, en un asno.* || **2.** fig. Seguido de nombres regidos por la prep. *en,* que expresen actos de voluntad, o de inteligencia, como *propósito, empeño, porfía, opinión,* etc., dícese de la persona obstinada que no se deja disuadir por ninguna consideración. || **3.** V. **Perspectiva caballera.** || **4.** m. Hidalgo de calificada nobleza. || **5.** El que pertenece a alguna de las antiguas órdenes de caballería, como la de Santiago, Calatrava, etc., o a alguna de las modernas, como la de Carlos III, San Hermenegildo, etc. || **6.** El que se porta con nobleza y generosidad. || **7.** Persona de alguna consideración o de buen porte. || **8.** **Señor,** 10.ª acep. || **9.** Baile antiguo español. || **10.** Depósito de tierra sobrante colocado al lado y en lo alto de un desmonte. || **11.** V. **Espuela de caballero.** || **12.** V. **Maestro de los caballeros.** || **13.** ant. Dueño de una caballería, 12.ª acep. || **14.** ant. Soldado de a caballo. || **15.** *Fort.* Obra de fortificación defensiva, interior y bastante elevada sobre otras de una plaza, para mejor protegerlas con sus fuegos o dominarlas si las ocupase el enemigo. || **andante.** El que en los libros de caballerías se finge que anda por el mundo buscando aventuras. || **2.** fig. y fam. Hidalgo pobre y ocioso que anda vagando de una parte a otra. || **aventurero. Caballero andante,** 1.ª acep. || **cuantioso.** Hacendado que en las costas de Andalucía y otras partes tenía obligación de mantener armas y caballo para salir a la defensa de la costa cuando la acometían los moros. || **cubierto.** Grande de España que gozaba de la preeminencia de ponerse el sombrero en presencia del monarca. || **2.** fig. y fam. Hombre descortés que no se descubre cuando lo reclama la urbanidad. || **de alarde.** El que tenía obligación de pasar muestra o revista a caballo. || **de conquista.** Conquistador a quien se repartían las tierras que ganaba. || **de contía,** o **cuantía. Caballero cuantioso.** || **de espuela dorada.** El que siendo hidalgo era solemnemente armado **caballero.** || **de industria,** o **de la industria.** Hombre que con apariencia de **caballero** vive a costa ajena por medio de la estafa o del engaño. || **de la jineta.** Soldado que montaba a la jineta. || **de la sierra. Caballero de sierra.** || **del hábito.** El que lo es de alguna de las órdenes militares. || **de mohatra.** Persona que aparenta ser **caballero** no siéndolo. || **2. Caballero de industria.** || **de premia.** El que estaba obligado a mantener armas y caballo para ir a la guerra. || **de sierra.** En algunos pueblos, guarda de a caballo de los montes. || **de trinchera.** *Fort.* Obras culminantes sobre las demás de ataque a una plaza, que se construyen a inmediación de las trincheras para instalar las baterías de brecha. || **en plaza.** El que torea a caballo con garrochón o rejoncillo. || **gran cruz. Gran cruz,** 2.ª acep. || **mesnadero.** Descendiente de un jefe de mesnada. || **novel.** El que aún no tenía divisa por no haberla ganado con las armas. || **pardo.** El que, no siendo noble, alcanzaba privilegios del rey para no pechar y gozar las preeminencias de hidalgo. || **A caballero.** m. adv. fig. A o desde mayor altura. || **A caballero nuevo, caballo viejo.** ref. que enseña que los principiantes en algún arte necesitan medios o instrumentos buenos que les faciliten el aprendizaje. || **Armar caballero** a uno. fr. Vestirle las armas otro **caballero** o el rey, el cual le ciñe la espada con ciertas ceremonias. Hoy se observa y practica con los **caballeros** de las órdenes militares y de algunas otras, que son armados por otro de su orden. || **Artero, artero, mas non buen caballero.** ref. con que se reprende a los que en su proceder usan de alguna astucia para engañar a otro. || **De caballero a caballero.** fr. Entre **caballeros,** a estilo de **caballeros.** || **Poderoso caballero es don dinero.** fr. proverb. con que se encarece lo mucho que puede el dinero.

Caballerosamente. adv. m. Generosamente, como caballero.

Caballerosidad. f. Calidad de caballeroso. || **2.** Proceder caballeroso.

Caballeroso, sa. adj. Propio de caballeros. || **2.** Que tiene acciones propias de caballero. || **3.** V. **Manto caballeroso.**

Caballerote. m. aum. de **Caballero.** || **2.** fam. Caballero tosco y desairado en su persona.

Caballeta. (De *caballo,* por la forma.) f. Saltamontes.

Caballete. m. d. de **Caballo.** || **2.** Línea horizontal y más elevada de un tejado, de la cual arrancan dos vertientes. || **3.** Potro de madera, en que se daba tormento. || **4.** Madero en que se quebranta el cáñamo o el lino. || **5.** Pieza de los guadarneses, que se compone de dos tablas juntas a lo largo, de modo que formen lomo, y las cuales, elevadas sobre cuatro pies, sirven para tener las sillas de manera que no se maltraten los fustes. || **6. Asnilla,** 1.ª acep. || **7. Caballón,** 1.ª acep. || **8.** Extremo o parte más alta de la chimenea, que suele formarse de una teja vuelta hacia abajo o de dos tejas o ladrillos empinados que forman un ángulo, para que no entre el agua cuando llueve y no impida la salida del humo. || **9.** Prominencia que la nariz suele tener en medio y la hace corva. || **10. Quilla,** 2.ª acep. || **11. Atifle.** || **12. Boca de la isla.** || **13.** *Impr.* Pedazo de madero asegurado con un tornillo en la pierna izquierda de la prensa de mano, donde descansa y se detiene la barra o manubrio. || **14.** *Min. Méj.* **Caballo,** 12.ª acep. || **15.** *Pint.* Armazón de madera compuesta de tres pies, con una tablita transversal donde se coloca el cuadro. Los hay también verticales, en los cuales la tablita o soporte se sube y baja por medio de una manivela. || **del pintor.** *Astron.* Constelación austral situada al norte del Fénix.

Caballico. m. d. de **Caballo.** || **2.** *Ar.* **Galápago,** 5.ª acep.

Caballillo. (d. de *caballo.*) m. ant. **Caballete,** 2.ª acep. || **2.** ant. **Caballón,** 1.ª acep.

Caballista. m. El que entiende de caballos y monta bien. || **2.** *And.* Ladrón de a caballo.

Caballito. m. d. de **Caballo.** || **2.** pl. Juego de azar, en el que se gana o se pierde según sea la casilla numerada donde cesa la rotación de una figura de caballo. || **3. Tiovivo.** || **4.** *Perú.* Especie de balsa compuesta de dos odres fuertemente unidos entre sí, en la cual puede navegar un solo hombre, aun en días en que el mar esté muy alborotado. || **Caballito de Bamba.** fr. que se dice de la persona o cosa que es inútil o sirve para poco. || **del diablo.** *Zool.* Insecto del orden de los arquípteros, con cuatro alas reticulares estrechas e iguales y de abdomen muy largo y filiforme. En muchas de sus especies las alas son de color azul intenso en los machos y transparentes en las hembras. Vuela con rapidez por sobre los cursos de agua en los que moró cuando larva. || **de San Vicente.** *Cuba* y *Hond.* **Caballito del diablo.** || **de totora.** *Amér.* Haz de totora, de tamaño suficiente para que, puesta sobre él a horcajadas una persona, pueda mantenerse a flote. Tiene un extremo arqueado hacia arriba y lo usan los indios del Perú para navegar, sirviéndose de un trozo de bambú a manera de canalete.

Caballo. (Del lat. *caballus,* y éste del gr. καβάλλης.) m. *Zool.* Mamífero del orden de los perisodáctilos, solípedo, de cuello y cola poblados de cerdas largas y abundantes, que se domestica fácilmente y es de los más útiles al hombre, por su aplicación al tiro de carruajes, a servir de cabalgadura, a las labores agrícolas, etc. || **2.** Pieza grande del juego de ajedrez, única que salta sobre las demás y que pasa oblicuamente de escaque negro a blanco, dejando en medio uno negro, o de blanco a negro, dejando en medio uno blanco. || **3.** Naipe que representa un **caballo** con su jinete. || **4. Burro,** 2.ª acep. || **5.** Hebra de hilo que se cruza y atraviesa al tiempo de formar la madeja en el aspa. || **6. Bubón,** 2.ª acep. || **7.** V. **Alma, cola, uña de caballo.** || **8.** V. **Cepa caballo.** || **9.** ant. **Tonel,** 2.ª acep. || **10.** *Sal.* En la vid, el sarmiento que brota con más pujanza. || **11.** *Mil.* V. **Cuerpo de caballo.** || **12.** *Min.* Masa de roca estéril que corta el filón metalífero || **13.** pl. *Mil.* Soldados con sus correspondientes **caballos.** *El ejército tiene cinco mil* CABALLOS; *acometió con treinta* CABALLOS. || **Caballo aguililla.** En algunos países de América, cierto **caballo** muy veloz en el paso. || **albardón.** ant. **Caballo** de carga. || **blanco.** Persona que apronta el dinero para una empresa dudosa. || **coraza.** ant. Coracero de a **caballo.** || **de agua. Caballo marino.** || **de albarda.** ant. **Caballo albardón.** || **de aldaba. Caballo de regalo.** Llámase así por estar lo más del tiempo en la caballeriza atado a la aldaba, sin trabajar. || **de batalla.** El que los antiguos guerreros y paladines se reservaban para el día del combate, por ser el más fuerte, diestro y seguro entre los que poseían. También lo tienen hoy los oficiales generales y otros de alta graduación. || **2.** fig. Aquello en que sobresale el que profesa un arte o ciencia y en que más suele ejercitarse. *La legislación testamentaria es el* CABALLO DE BATALLA *de tal abogado; tal ópera es el* CABALLO DE BATALLA *de tal cantante.* || **3.** fig. Punto principal de una controversia. || **de buena boca.** fig. y fam. Persona que se acomoda fácilmente a todo, sea bueno o malo. Dícese más comúnmente hablando de la comida. || **de Frisa,** o **Frisia.** *Mil.* Madero de regular escuadría, cilíndrico u ochavado, atravesado por largas púas de hierro o estacas aguzadas, que se usa como defensa contra la caballería y para cerrar pasos importantes. || **del diablo. Caballito del diablo.** || **de mano.** El que se engancha a la derecha de la lanza. || **de mar. Caballo marino.** || **de palo.** fig. y fam. **Caballete,** 3.ª acep. || **2.** fig. y fam. Cualquier embarcación. || **de regalo.** El que se tiene reservado para el lucimiento. || **de silla.** El que se engancha a la izquierda de la lanza. || **de vapor.** Unidad de medida que expresa la potencia de una máquina y representa el esfuerzo necesario para levantar, a un metro de altura, en un segundo, 75 kilogramos de peso, lo cual equivale a 75 kilográmetros. || **ligero.** El que no lleva armas defensivas, y por eso se revuelve y maneja con más facilidad y ligereza. || **2.** pl. **Caballería ligera.** || **Caballo marino. Hipopótamo.** || **2.** Pez teleósteo del suborden de los lofobranquios, que habita en los mares de España, de 15 a 20 centímetros de largo, con el cuerpo comprimido y cubierto de tubérculos duros, hocico prolongado, cola igualmente comprimida, prensil y más larga que el cuerpo, y la cabeza prolongada y erguida como la del **caballo.** || **menor.** *Astron.* Constelación boreal situada al oriente del Pegaso. || **mulero.** El aficionado a mulas y que se enciende demasiado con ellas. || **padre.** El que los criadores tienen destinado para la monta de las yeguas. || **recelador.** El destinado para incitar a las yeguas. || **A caballo.** m. adv. Montado en una caballería. || **2.** fig. Apoyándose en dos cosas contiguas o participando de ambas. || **3.** V. **Aguisado de a caballo.** || **A caballo comedor, cabestro corto.** ref. que enseña la necesidad de sujetar al vicioso. || **A caballo presentado,** o **regalado, no hay que mirarle el diente.** ref. con que se da a entender que las cosas que nada cuestan pueden admitirse sin inconveniente, aunque tengan algún defecto o falta. || **A mata caballo.** m. adv. Atropelladamente, muy de prisa. || **Armarse el caballo.** fr. Impedir el **caballo** el efecto de la brida, encorvando el cuello hasta apoyar en el pecho las camas del bocado. || **Caballo que alcanza, pasar querrá.** ref. con que se denota que por lo común aspiramos a más de lo que hemos conseguido. || **Caer** uno **bien,** o **mal, a caballo.** fr. fig. y fam. Estar airoso a **caballo** y manejarlo con garbo, o al contrario. || **Con mil de a caballo.** expr. fam. de enojo. Úsase más generalmente para despedir a uno. Dícese también *con cuatrocientos, con dos mil o con cien mil de a caballo.* || **De caballo de regalo, a rocín de molinero.** expr. fig. que se dice del que pasa de la prosperidad a la desgracia. || **De caballos.** m. adv. ant. **A caballo,** 1.ª acep. || **El caballo harto no es comedor.** ref. **El buey harto no es comedor.** || **El caballo y la mujer, al ojo se han de tener.** ref. que denota la asistencia que requieren uno y otra. || **Eso queremos los de a caballo, que salga el toro.** ref. que explica el deseo que tiene alguno de lo que mira como útil, aunque a costa de alguna dificultad o peligro. || **Montar** uno **a caballo.** fr. Montar en una caballería. || **Poner** a uno **a caballo.** fr. Empezar a enseñarle y a adiestrarle en el arte o habilidad de andar a **caballo.** || **Ponerse** uno **bien,** o **mal, en un caballo.** fr. **Caer bien,** o **mal, a caballo.** || **Sacar** uno **bien,** o **limpio, el caballo.** fr. En el manejo de caballería, y particularmente en las corridas de toros, salir del lance o de la suerte sin que el **caballo** padezca y siguiendo la mano y el paso que enseñan las reglas del manejo. || **2.** fig. Salir bien de una disputa, empeño o acusación. || **3.** fig. Hacer una cosa difícil o peligrosa, evitando todo daño. || **Si el caballo tuviese bazo y la paloma hiel, toda la gente se avendría bien.** ref. que enseña que no podrá tener buen trato y correspondencia el que no contemporice con los afectos o inclinaciones de los demás. || **Subir** uno **a caballo.** fr. **Montar a caballo.**

Caballón. (aum. de *caballo.*) m. Lomo entre surco y surco de la tierra arada. || **2.** El que se levanta con la azada para formar y dividir las eras de las huertas y para plantar las hortalizas o aporcarlas. || **3.** El que se dispone para contener las aguas o darles dirección en los riegos.

Caballuelo. m. d. de **Caballo.**

Caballuno, na. adj. Perteneciente o semejante al caballo. || **2.** V. **Avena caballuna.**

Cabaña. (Del lat. *capanna,* choza, de *capĕre,* caber.) f. Casilla tosca hecha en el campo, generalmente de palos entretejidos con cañas y cubierta de ramas, de paja o de hierbas, para refugio o habitación de pastores, pescadores y gente humilde. || **2.** Número considerable de cabezas de ganado. || **3.** Recua de caballerías que se emplea en portear granos. || **4.** En el juego de billar, espacio dividido por una raya a la cabecera de la mesa, desde el cual juega el que tiene bola en mano. || **5.** *Pint.* Cuadro en que hay pintadas **cabañas** de pastores con aves y animales domésticos. || **real.** Conjunto de ganado trashumante propio de los ganaderos que componían el Concejo de la Mesta.

Cabañal. adj. Dícese del camino o vereda por donde pasan las cabañas. || **2.** m. Población formada de cabañas. || **3.** *Sal.* Cobertizo formado con maderos y escobas para cobijar el ganado.

Cabañera. (De *cabaña.*) f. *Ar.* **Cañada,** 1.er art., 2.ª acep.

Cabañería. (De *cabañero.*) f. Ración de pan, aceite, vinagre y sal que se da a los pastores para mantenerse varios días, generalmente una semana.

Cabañero, ra. adj. Perteneciente a la cabaña, 1.ª, 2.ª y 3.ª aceps. || **2.** m. El que cuida de la cabaña, 2.ª y 3.ª aceps.

Cabañil. adj. Perteneciente a las cabañas de los pastores. || **2.** V. **Mula cabañil.** || **3.** m. El que cuida de la cabaña, 3.ª acep.

Cabañuela. f. d. de **Cabaña.** || **2.** pl. Cálculo que, observando las variaciones atmosféricas en los doce, dieciocho o veinticuatro primeros días de enero o de agosto, forma el vulgo para pronosticar el tiempo que ha de hacer durante cada uno de los meses del mismo año o del siguiente. || **3.** V. **Fiesta de las cabañuelas.**

Cabarra. (Del lat. **crabrus,* der. regres. de *crabo, -ōnis* tábano.) f. *Vallad.* Caparra, garrapata.

Cabás. (Del fr. *cabas.*) m. Sera pequeña, esportilla o cestillo de que usan las mujeres para guardar sus compras.

Cabaza. (De *capa.*) f. ant. Manto largo o gabán.

Cabción. f. ant. **Caución.**

Cabdal. (Del lat. *capitālis,* de *caput, -ĭtis,* cabeza.) adj. V. **Águila cabdal.** || **2.** ant. **Principal,** 1.ª acep. Decíase de las insignias o banderas que llevaban los caudillos. || **3.** ant. **Caudaloso,** 1.ª acep. || **4.** m. ant. **Caudal,** 1.er art.

Cabdellador. (De *cabdellar.*) m. ant. Caudillo.

Cabdellar. tr. ant. **Cabdillar.**

Cabdiello. m. ant. **Cabdillo.**

Cabdillamiento. (De *cabdillar.*) m. ant. **Acaudillamiento.**

Cabdillar. (De *cabdillo.*) tr. ant. **Acaudillar.**

Cabdillazgo. m. ant. Empleo de caudillo.

Cabdillo. (Del lat. *capitĕllum,* d. de *caput,* cabeza.) m. ant. **Caudillo.**

Cabe. (De *caber.*) m. Golpe de lleno que en el juego de la argolla da una bola a otra, impelida por la pala, de forma que llegue al remate del juego, con que se gana raya. || **a paleta. Cabe de paleta.** || **de pala.** fig. y fam. Ocasión o lance que impensadamente se ofrece para lograr lo que se desea. || **de paleta.** En el juego de la argolla, suerte que consiste en quedar las dos bolas a tal distancia que a lo menos cabe entre ellas la pala con que se juega. || **Dar un cabe.** fr. fig. y fam. Causar un perjuicio o menoscabo. DAR UN CABE *al bolsillo, a la hacienda.*

Cabe. (De *cabo,* orilla, borde.) prep. ant. Cerca de, junto a. Ú. aún en poesía.

Cabear. tr. ant. Poner cabos, extremos, puntas o vivos.

Cabeceado. (De *cabecear.*) m. Mayor grueso que se daba en la parte superior al palo de algunas letras, como la *b* o la *d.*

Cabeceador. m. ant. **Cabecera,** 14.ª acep. || **2.** *Colomb.* y *Chile.* Que cabecea, 3.ª y 4.ª aceps.

Cabeceamiento. m. **Cabeceo.**

Cabecear. intr. Mover o inclinar la cabeza, ya a un lado, ya a otro, o moverla reiteradamente hacia adelante. || **2.** Volver la cabeza de un lado a otro en demostración de que no se asiente a lo que se oye o se pide. || **3.** Dar cabezadas o inclinar la cabeza hacia el pecho cuando uno, de pie o sentado, se va durmiendo. || **4.** Mover los caballos reiteradamente la cabeza de alto a bajo. || **5.** Hacer la embarcación un movimiento de proa a popa, bajando y subiendo alternativamente una y otra. || **6.** Moverse demasiado hacia adelante y hacia atrás la caja de un carruaje. || **7.** Inclinarse a una parte o a otra lo que debía estar en equilibrio, como el peso o tercio de una carga. || **8.** *Chile.* Formar las puntas o cabezas de los cigarros. || **9.** tr. Dar a los palos de las letras el cabeceado. || **10.** Echar un poco de vino añejo en las cubas o tinajas del nuevo para darle más fuerza. || **11.** En la viticultura jerezana, formar de varias clases de vinos uno solo. || **12.** Poner el encuadernador cabezadas a un libro. || **13.** Coser en los extremos de las esteras o ropas unas listas o guarniciones que, cubriendo la orilla, la hagan más fuerte y de mejor vista. || **14.** Poner nuevo pie a las calcetas. || **15.** *And.* Contar el número de las reses de pago por el acogido de los ganados en una dehesa o cortijo. || **16.** *Cuba.* Unir cierto número de hojas de tabaco, atándolas por los pezones. || **17.** *Agr.* Arar las cabeceras, 11.ª acep. || **18.** *Carp.* Poner cabezas en los tableros.

Cabeceo. m. Acción y efecto de cabecear.

Cabecequia. (De *cap* y *acequia.*) m. *Ar.* Persona que tiene a su cargo el cuidado de las acequias y la distribución de las aguas para el riego.

Cabecera. (De *cabeza.*) f. Principio o parte principal de algunas cosas. || **2.** Parte superior o principal de un sitio en que se juntan varias personas, y en la cual se sientan las más dignas y autorizadas. *La* CABECERA *del tribunal, del estrado.* || **3.** Parte de la cama, donde se ponen las almohadas. || **4.** Tabla o barandilla que se suele poner en la cama para que no se caigan las almohadas. || **5.** V. **Médico de cabecera.** || **6.** Tratándose de la mesa, principal y más honorífico asiento de ella. || **7.** Origen de un río. || **8.** Capital o población principal de un territorio o distrito. || **9.** Adorno que se pone a la cabeza de una página, capítulo o parte de un impreso. || **10.** Cada uno de los dos extremos del lomo de un libro. || **11.** Cada uno de los dos extremos de una tierra de labor, adonde no puede llegar el surco que abre el arado. || **12.** **Almohada,** 1.ª acep. || **13.** ant. Cabeza o principio de un escrito. || **14.** ant. **Cabezalero.** || **15.** ant. Oficio de albacea. || **16.** m. ant. Capitán o cabeza de un ejército, provincia o pueblo. || **17.** *Sal.* **Cabeza,** 17.ª acep. || **18.** *Min.* Jefe de una cuadrilla de barreneros. || **19.** f. pl. *Impr.* Cuñas de madera con que, por la parte superior, se asegura el molde a la rama. || **Cabecera de puente. Cabeza de puente.** || **Asistir,** o **estar,** uno **a la cabecera del enfermo.** fr. Asistirle continuamente para todo lo que necesite.

Cabecero, ra. adj. ant. **Cabezudo,** 1.ª acep. || **2.** m. ant. **Cabeza de casa.** || **3.** ant. **Albacea.**

Cabeciancho, cha. adj. De cabeza ancha.

Cabeciduro, ra. (De *cabeza* y *duro.*) adj. *Colomb.* y *Cuba.* **Testarudo.**

Cabecilla. f. d. de **Cabeza.** || **2.** Conjunto de dobleces con que se cierra el tubo de papel de algunas clases de cigarrillos para que no se caiga la picadura. || **3.** com. fig. y fam. Persona de mal porte, de mala conducta o de poco juicio. || **4.** m. Jefe de rebeldes.

Cabedero, ra. adj. ant. Que tiene cabida.

Cabellado, da. adj. De color castaño con visos. || **2.** ant. **Cabelludo.**

Cabelladura. (De *cabellar.*) f. **Cabellera.**

Cabellar. intr. Echar cabello. || **2.** Ponérselo postizo. Ú. t. c. r.

Cabellejo. m. d. de **Cabello.**

Cabellera. (De *cabello.*) f. El pelo de la cabeza, especialmente el largo y tendido sobre la espalda. || **2.** Pelo postizo, peluca. || **3.** Ráfaga luminosa de que aparece rodeado el cometa crinito. || **de Berenice.** *Astron.* Constelación boreal situada debajo de los Lebreles y al oriente del Boyero.

Cabello. (Del lat. *capillus.*) m. Cada uno de los pelos que nacen en la cabeza. || **2.** Conjunto de todos ellos. || **3.** pl. Barbas de la mazorca del maíz. || **Cabello,** o **cabellos, de ángel.** Dulce de almíbar que se hace con la cidra cayote. || **2.** *Argent.* y *Chile.* **Cuscuta.** || **3.** *Chile* y *Perú.* Cierta clase de fideos delgados. || **merino.** El crespo y muy espeso. || **Asirse** uno **de un cabello.** fr. fig. y fam. Aprovecharse o valerse de cualquier pretexto para conseguir sus deseos. || **Cabellos y cantar, no cumplen ajuar,** o **no es buen ajuar.** ref. que denota que la mujer atenta principalmente a componerse y divertirse no es hacendosa. || **Cada cabello hace su sombra en el suelo.** ref. que aconseja no despreciar ninguna cosa, por insignificante que parezca. || **Cortar** uno **un cabello en el aire.** fr. fig. Tener gran perspicacia o viveza en comprender las cosas. || **En cabello.** m. adv. Con el cabello suelto. || **2.** ant. **En cabellos,** 2.ª acep. || **En cabellos.** m. adv. Con la cabeza descubierta y sin adornos. || **2.** ant. Dícese de la mujer soltera. Usáb. con los substantivos *moza, manceba,* etc. || **Estar** uno **colgado de los cabellos.** fr. fig. y fam. Estar con sobresalto, duda o temor esperando el fin de algún suceso. || **Estar** una cosa **pendiente de un cabello.** fr. fig. y fam. Estar en riesgo inminente. || **Hender** uno **un cabello en el aire.** fr. fig. **Cortar un cabello en el aire.** || **Llevar** a uno **de un cabello.** fr. fig. y fam. con que se denota la facilidad que hay de inclinar a lo que se quiere al que es muy dócil. || **Llevar** a uno **de,** o **por, los cabellos.** fr. fig. Llevarle contra su voluntad o con violencia. || **No faltar un cabello** a una cosa. fr. fig. y fam. Estar completa o en inminencia muy próxima de estarlo. || **No montar un cabello** una cosa. fr. fig. y fam. Ser de muy poca importancia. || **Partir** uno **un cabello en el aire.** fr. fig. **Cortar un cabello en el aire.** || **Podérsele ahogar** a uno **con un cabello.** fr. fig. y fam. Estar muy acongojado y falto de espíritu. || **Ponérsele** a uno **los cabellos de punta,** o **tan altos.** fr. **Ponérsele los pelos de punta.** || **Tirar** a uno **de,** o **por, los cabellos.** fr. fig. **Llevar** a uno **de,** o **por, los cabellos.** || **Tocar** a uno **en un cabello.** fr. fig. Ofenderle en una cosa muy leve. || **Traer** una cosa **por los cabellos.** fr. fig. Aplicar alguna autoridad, sentencia o suceso a una materia con la cual no tiene relación ni conexión. || **Tropezar en un cabello.** fr. fig. y fam. Hallar dificultad o detenerse en cosas de poca monta. || **Un cabello hace su sombra en el suelo.** ref. **Cada cabello hace su sombra en el suelo.**

Cabelloso, sa. adj. ant. **Cabelludo.**

Cabelludo, da. adj. De mucho cabello. || **2.** Aplícase a la fruta o planta cubierta de hebras largas y vellosas. || **3.** V. **Cuero cabelludo.**

Cabelluelo. m. d. de **Cabello.**

Caber. (Del lat. *capĕre,* coger.) intr. Poder contenerse una cosa dentro de otra. || **2.** Tener lugar o entrada. || **3.** Tocarle a uno o pertenecerle alguna cosa. || **4.** Ser posible o natural. || **5.** ant. Tener parte en alguna cosa o concurrir a ella. || **6.** tr. Coger, tener capacidad. || **7.** **Admitir.** || **8.** ant. Comprender, entender. || **No cabe más.** expr. con que se da a entender que una cosa es extremada en su línea. || **No caber en** uno alguna cosa. fr. fig. y fam. No ser capaz de ella. || **No caber** uno **en sí.** fr. fig. Tener mucha soberbia o vanidad. || **Todo cabe en** fulano. fr. fig. y fam. que da a entender ser alguno capaz de cualquiera acción mala.

Cabero, ra. (De *cabo,* 1.er art.) adj. ant. **Último,** 2.ª acep. Ú. en *Méj.* || **2.** m. En Andalucía Baja, el que tiene por oficio echar cabos, mangos o astiles a las herramientas de campo, como azadas, azadones, escardillos, etc., y hacer otras de madera, como rastrillos, aguijadas u horcas.

Cabestraje. m. Conjunto de cabestros. || **2.** Agasajo que se hace a los vaqueros que han conducido con los cabestros la res vendida. || **3.** ant. Acción de encabestrar, 1.ª acep.

Cabestrante. m. **Cabrestante.**

Cabestrar. tr. Echar cabestros a las bestias que andan sueltas. || **2.** intr. Cazar con buey de cabestrillo.

Cabestrear. intr. Seguir sin repugnancia la bestia al que la lleva del cabestro.

Cabestrería. (De *cabestrero.*) f. Taller donde se hacen cabestros, cuerdas, jáquimas, cinchas, etc. || **2.** Tienda donde se venden.

Cabestrero, ra. adj. *And.* Aplícase a las caballerías que empiezan a dejarse llevar del cabestro. *Potro* CABESTRERO. || **2.** m. El que hace o vende cabestros y otras obras de cáñamo. || **3.** El que conduce las reses vacunas de un sitio a otro por medio de los cabestros.

Cabestrillo. (d. de *cabestro.*) m. Banda o aparato pendiente del hombro para sostener la mano o el brazo lastimados. || **2.** Cadena delgada de oro, plata o aljófar, que se traía al cuello por adorno. || **3.** V. **Buey de cabestrillo.**

Cabestro. (Del lat. *capistrum.*) m. Ramal o cordel que se ata a la cabeza o al cuello de la caballería para llevarla o asegurarla. || **2.** Buey manso que suele llevar cencerro y sirve de guía en las toradas. || **3.** **Cabestrillo,** 2.ª acep. || **Llevar,** o **traer, del cabestro** a uno. fr. fig. fam. **Llevarle,** o **traerle, de los cabezones.**

Cabete. (De *cabo,* extremo.) m. **Herrete,** 2.ª acep.

Cabeza. (De *cabezo.*) f. *Zool.* Parte superior del cuerpo del hombre y superior o anterior del de muchos animales, en la que están situados algunos órganos de los sentidos. En los vertebrados contiene el encéfalo, y en los artrópodos y moluscos ciertos ganglios nerviosos que en el aspecto fisiológico son equivalentes al encéfalo. || **2.** En el hombre y algunos mamíferos, parte superior y posterior de ella, que comprende desde la frente hasta el cuello, excluida la cara. || **3.** Principio o parte extrema de una cosa. *Las* CABEZAS *de una viga, las de un puente.* || **4.** Extremidad roma y abultada, opuesta a la punta de un clavo, alfiler, etc. || **5.** Parte superior del corte de un libro. || **6.** Parte superior de la armazón de madera y barrotes de hierro en que está sujeta la campana. || **7.** Cumbre o parte más elevada de un monte o sierra. || **8.** fig. Manantial, origen, principio. || **9.** fig. Juicio, talento y capacidad. *Pedro es hombre de buena* CABEZA; *es gran* CABEZA. || **10.** fig. **Persona,** 1.ª acep. || **11.** fig. **Res,** 1.er art. || **12.** fig. **Capital,** 3.ª acep. || **13.** ant. **Capítulo,** 6.ª acep. || **14.** ant. **Encabezamiento,** 3.ª acep. || **15.** *Carp.* Listón de madera que se machihembra contrapeado al extremo de un tablero para evitar que éste se alabee. || **16.** m. Superior, jefe que gobierna, preside o acaudilla una comunidad, corporación o muchedumbre. || **17.** Jefe de una familia que vive reunida. || **18.** f. pl. Juego que consistía en poner en el suelo o en un palo tres o cuatro figuras de **cabeza** humana o de animales, y enristrarlas con espada o lanza o herirlas con dardo o pistola, al pasar corriendo a caballo. || **19.** *Méj.* Por antonomasia, las de carnero que en parihuelas y dentro de un horno portátil llevan dos hombres a vender por la calle. || **Cabeza de ajo,** o **de ajos.** Conjunto de las partes o dientes que forman el bulbo de la planta llamada ajo cuando están todavía reunidos formando un solo cuerpo. || **de barangay.** Jefe administrativo de estas colectividades, que formaba parte de la principalía de Filipinas. || **de casa.** El que por legítima descendencia del fundador tiene la primogenitura y hereda todos sus derechos. || **de chorlito.** fig. y fam. Persona ligera y de poco juicio. || **de fierro.** ant. **Testa de ferro.** || **de ganado mayor. Cabeza mayor,** 2.ª acep. || **de hierro.** fig. Persona terca y obstinada en sus opiniones. || **2.** fig. La que no se cansa ni fatiga, aunque por mucho tiempo se ocupe en algún trabajo mental. || **de la Iglesia.** Atributo o título que se da al Papa respecto de la Iglesia universal. || **del Dragón.** *Astron.* **Nodo ascendente.** || **de linaje. Cabeza de casa.** || **de**

lobo. Cosa que se exhibe u ostenta para atraerse el favor de los demás, a semejanza del que, después de matar un lobo, llevaba la cabeza por los lugares vecinos para que le diesen dinero como gratificación del servicio prestado. || **de Medusa.** *Astron.* **Algol.** || **de olla.** Substancia que sale en las primeras tazas que se sacan de la olla. || **2. Calderón,** 2.ª acep. || **de partido.** Ciudad o villa principal de un territorio, que comprende distintos pueblos dependientes de ella en lo judicial, y antiguamente también en lo gubernativo. || **de perro. Celidonia menor.** || **de proceso.** Auto de oficio que provee el juez para la investigación del delito y de los delincuentes. || **de puente.** Fortificación que lo defiende. || **2.** Posición militar que establece un ejército en la orilla de un río o estrecho, situada en territorio enemigo, para preparar el paso del grueso de las fuerzas. || **de tarro.** fig. y fam. Persona que tiene grande la cabeza. || **2.** fig. y fam. Persona necia. || **de testamento.** Principio de él hasta donde empieza la parte dispositiva. || **de turco.** Persona a quien se suele hacer blanco de inculpaciones por cualquier motivo o pretexto. || **mayor.** La de algún linaje o familia. || **2.** El buey, el caballo o la mula respecto del carnero o la cabra. || **menor.** El carnero o la cabra respecto del buey, el caballo o la mula. || **moruna.** La del caballo de color claro que la tiene negra. || **redonda.** fig. y fam. Persona de rudo entendimiento y que no puede comprender las cosas. *No es esto para* CABEZAS REDONDAS. || **torcida.** fig. y fam. Persona hipócrita. || **vana.** fig. y fam. La que está débil y flaca por enfermedad o demasiado trabajo. || **Mala cabeza.** fig. y fam. Persona que procede sin juicio ni consideración. || **Abrir la cabeza.** fr. fig. y fam. **Descalabrar,** 1.ª acep. || **A la cabeza.** m. adv. **Delante,** 1.ª acep. || **Alzar cabeza** uno. fr. fig. y fam. Salir de la pobreza o desgracia en que se hallaba. || **2.** fig. y fam. Recobrarse o restablecerse de una enfermedad. || **Andársele** a uno **la cabeza.** fr. fig. y fam. Estar perturbado o débil, pareciéndole que todo lo que ve se mueve a su alrededor. || **2.** fig. y fam. Estar amenazado de perder su dignidad o empleo. || **Bajar** uno **la cabeza.** fr. fig. y fam. Obedecer y ejecutar sin réplica lo que se manda. || **2.** fig. y fam. Conformarse, tener paciencia cuando no hay otro remedio. || **Cabeza loca no quiere toca.** ref. con que se moteja a la persona que fuera de ocasión lleva descubierta la cabeza. || **2.** Empléase también para dar a entender que la persona de poco juicio no se sujeta a regla o método alguno. || **Calentarle** a uno **la cabeza.** fr. fig. y fam. **Quebrantarle** a uno **la cabeza,** 2.ª acep. || **2. Levantarle de cascos.** || **Calentarse** uno **la cabeza.** fr. fig. y fam. Fatigarse en el trabajo mental. || **Cargársele** a uno **la cabeza.** fr. Sentir en ella pesadez o entorpecimiento. || **Casarme quiero; comeré cabeza de olla y sentarme he primero.** ref. que denota las ventajas que consigue el que es **cabeza** de familia. || **Dar** uno **con la cabeza en las paredes.** fr. fig. y fam. Precipitarse en un negocio con daño suyo. || **Dar** uno **de cabeza.** fr. fig. y fam. Caer de su fortuna o autoridad. || **Dar en la cabeza** a uno. fr. fig. Frustrar sus designios, vencerle. || **2.** ant. fig. Porfiar indiscretamente. || **De cabeza.** m. adv. **De memoria.** Úsase con los verbos *aprender, hablar, tomar,* etc. || **2.** Con rapidez y decisión, sin pararse en obstáculos. || **3.** Con muchos quehaceres urgentes. Ú. m. con los verbos *andar* y *estar.* || **De mi cabeza, de su cabeza,** etc. expr. De propio ingenio o invención. || **Dejar** una cosa **en cabeza de mayorazgo.** fr. Vincularla. || **Descomponérsele** a uno **la cabeza.** fr. Turbársele la razón, o perder el juicio. || **Doblar** uno **la cabeza.** fr. fig. y fam. **Bajar la cabeza.** || **Dolerle** a uno **la cabeza.** fr. fig. y fam. Estar próximo a caer de su privanza y autoridad. || **Do no hay cabeza raída, no hay cosa cumplida.** ref. que advierte que los eclesiásticos son por lo regular el amparo de sus familias. || **Echar de cabeza.** fr. *Agr.* Tratándose de vides y otras plantas, enterrar algunos de sus sarmientos o varas para que arraiguen y se puedan trasplantar después. || **En cabeza de mayorazgo.** loc. fig. y fam. con que se pondera la mucha estimación que uno hace de una cosa. || **Encajársele** a uno **en la cabeza** alguna cosa. fr. fig. **Metérsele** a uno **en la cabeza** alguna cosa. || **Encasquetarle** a uno **en la cabeza** alguna cosa. fr. fig. y fam. Darle con ella un golpe como para encajársela en el cráneo. || **2.** fig. Convencerle de ella. || **En volviendo la cabeza.** fr. fig. y fam. **A un volver de cabeza.** || **Escarmentar** uno **en cabeza ajena.** fr. Tener presente el suceso adverso ajeno para evitar la misma suerte. || **Estar** una cosa **en cabeza de mayorazgo.** fr. Estar vinculada. || **Flaco de cabeza.** expr. Se dice de la persona poco firme en sus juicios e ideas. || **Hacer** uno **cabeza.** fr. Ser el principal en un negocio o grupo de personas. || **2.** ant. Hacer frente a los enemigos. || **Henchir** a uno **la cabeza de viento.** fr. fig. y fam. Adularle, lisonjearle, llenarle de vanidad. || **Hundir de cabeza.** fr. *Agr.* **Echar de cabeza.** || **Ir** uno **cabeza abajo.** fr. fig. y fam. Decaer, arruinarse por grados. || **Írsele** a uno **la cabeza.** fr. fig. Perturbársele el sentido o la razón. || **2.** fig. **Andársele** a uno **la cabeza.** || **La cabeza, blanca, y el seso, por venir.** ref. que reprende a los que, siendo ya ancianos, proceden en sus acciones sin juicio ni madurez. || **Levantar cabeza** uno. fr. fig. y fam. **Alzar cabeza.** || **Levantar** uno **de su cabeza** alguna cosa. fr. fig. y fam. Fingirla o inventarla. || **Llenar** a uno **la cabeza de viento.** fr. fig. y fam. **Henchir** a uno **la cabeza de viento.** || **Llevar** uno **en la cabeza.** fr. fig. y fam. Recibir daño o perjuicio en vez de lo que pretendía. || **Más vale ser cabeza de ratón que cola de león.** ref. que denota que es más apreciable ser el primero y mandar en una comunidad o cuerpo, aunque pequeño, que ser el último en otro mayor. || **Meter** a uno **en la cabeza** alguna cosa. fr. fig. y fam. Persuadirle de ella eficazmente. || **2.** fig. y fam. Hacérsela comprender o enseñársela, venciendo con trabajo su torpeza o ineptitud. || **Meter** uno **la cabeza** en alguna parte. fr. fig. y fam. Conseguir introducirse o ser admitido en ella. || **Meter** uno **la cabeza en un puchero.** fr. fig. y fam. con que se da a entender que, aunque ha padecido equivocación notoria en alguna materia, mantiene su dictamen con gran tesón y terquedad. || **Meterse** uno **de cabeza.** fr. fig. y fam. Entrar de lleno en un negocio. || **Metérsele** a uno **en la cabeza** alguna cosa. fr. fig. y fam. Figurársela con poco o ningún fundamento y obstinarse en considerarla cierta o probable. || **2.** fig. y fam. Perseverar en un propósito o capricho. || **No haber donde volver la cabeza.** fr. fig. **No tener donde volver la cabeza.** || **No levantar** uno **cabeza.** fr. fig. Estar muy atareado, especialmente en leer o escribir. || **2.** fig. No acabar de convalecer de una enfermedad, padeciendo frecuentes recaídas. || **3.** fig. No poder salir de la pobreza o miseria. || **No tener** uno **donde volver la cabeza.** fr. fig. No hallar auxilio, carecer de todo favor y amparo. || **Otorgar** uno **de cabeza.** fr. Bajarla para decir que sí. || **Pasarle** a uno una cosa **por la cabeza.** fr. fig. y fam. Antojársele, imaginarla. || **Pasársele** a uno **la cabeza.** fr. Resfriarse. || **Perder** uno **la cabeza.** fr. fig. Faltarle u ofuscársele la razón o el juicio por algún accidente. || **Podrido de cabeza.** expr. ant. fig. **Loco,** 1.ª acep. || **2.** ant. fig. **Necio.** || **Poner** una cosa **en cabeza de mayorazgo.** fr. **Dejarla en cabeza de mayorazgo.** || **Ponérsele** a uno **en la cabeza** alguna cosa. fr. **Metérsele en la cabeza.** || **Poner** uno **sobre la cabeza** alguna cosa. fr. Tratándose de bulas, breves, despachos reales, etc., ponerlos sobre su **cabeza** el que los recibe, en señal de respeto y reverencia. || **2.** fig. Hacer grandísima estimación de alguna cosa. || **Por** su **cabeza.** m. adv. Por su dictamen, sin consultar ni tomar consejo. || **Quebrantar** a uno **la cabeza.** fr. fig. Humillar su soberbia, sujetarlo. || **2.** fig. Cansarlo y molestarlo con pláticas y conversaciones necias, porfiadas o pesadas. || **Quebrarle** a uno **la cabeza.** fr. fig. y fam. **Quebrantar la cabeza,** 2.ª acep. || **Quebrarse** uno **la cabeza.** fr. fig. y fam. Hacer o solicitar alguna cosa con gran cuidado, diligencia o empeño, o buscarla con mucha solicitud, especialmente cuando es difícil o imposible su logro. || **Quebrásteme la cabeza, y ahora me untas el casco.** ref. que reprende al que con adulación o lisonja quiere curar el grave daño que antes ha hecho contra el mismo sujeto. || **Quitar** a uno **de la cabeza** alguna cosa. fr. fig. y fam. Disuadirle del concepto que había formado o del ánimo que tenía. || **Romper** a uno **la cabeza.** fr. Descalabrarle o herirle en ella. || **2.** fig. y fam. **Quebrantar la cabeza,** 2.ª acep. || **Romperse** uno **la cabeza.** fr. fig. y fam. **Devanarse los sesos.** || **Sacar** uno **de** su **cabeza** alguna cosa. fr. fig. y fam. **Levantarla** de su **cabeza.** || **Sacar la cabeza.** fr. fig. y fam. Manifestarse o dejarse ver alguno o alguna cosa que no se había visto en algún tiempo. *Empiezan las viruelas a* SACAR LA CABEZA. || **2.** fig. y fam. Gallear, empezar a atreverse a hablar o hacer alguna cosa el que estaba antes abatido o tímido. || **Sentar** uno **la cabeza.** fr. fig. y fam. Hacerse juicioso y moderar su conducta el que era turbulento y desordenado. || **Subirse** una cosa **a la cabeza.** fr. Ocasionar aturdimiento alguna cosa material o inmaterial, como el vino, la vanagloria, etc. || **Tener** uno **la cabeza a las once,** o **a pájaros.** fr. fig. y fam. No tener juicio. || **2.** fig. y fam. Estar distraído. || **Tener** uno **la cabeza como una olla de grillos.** fr. fig. y fam. Estar atolondrado. || **Tener** uno **mala cabeza.** fr. fig. y fam. Proceder sin juicio ni consideración. || **Tocado de la cabeza.** expr. fig. y fam. Dícese de la persona que empieza a perder el juicio. || **Torcer** uno **la cabeza.** fr. fig. y fam. **Enfermar,** 1.ª acep. || **2.** fig. y fam. **Morir,** 1.ª acep. || **Tornar** uno **cabeza** a alguna cosa. fr. fig. Tener atención o consideración a ella. || **Traer** uno **sobre su cabeza** a una persona o cosa. fr. fig. **Ponerla sobre la cabeza,** 2.ª acep. || **Vestirse por la cabeza** una persona. fr fig. y fam. Ser del sexo femenino o bien clérigo o religioso. || **Volver** uno **la cabeza** a alguna cosa. fr. fig. **Tornar cabeza.** || **Volvérsele** a uno **la cabeza.** fr. **Perder la cabeza.**

Cabezada. f. Golpe dado con la cabeza. || **2.** El que se recibe en ella chocando con un cuerpo duro. || **3.** Cada movimiento o inclinación que hace con la cabeza el que, sin estar acostado, se va durmiendo. || **4.** Inclinación de cabeza, como saludo de cortesía. || **5.** Acción de cabecear, 5.ª acep. || **6.** Correaje que ciñe y sujeta la cabeza de una caballería, al que está unido el ramal. || **7.** Guarnición de cuero, cáñamo o seda que se pone a las caballerías en la cabeza y sirve para afianzar el bocado. || **8.** Cordel con que los encuadernadores cosen las cabeceras de los libros. || **9.** En las botas, cuero que cubre el pie. || **10.** Parte más elevada de una haza de tierra. || **potrera.** La de cáñamo que se pone a los potros. || **Dar cabezadas.** fr. fam. **Cabecear,** 3.ª acep. || **Darse uno de cabezadas.** fr. fig. y fam. Fatigarse en inquirir o averiguar alguna cosa sin poder dar con ella. || **Darse uno de cabezadas por las paredes.** fr. fig. y fam. **Darse contra las paredes.**

Cabezador. (De *cabeza.*) m. ant. **Cabezalero,** 1.ª acep.

Cabezaje. m. ant. **Capitación.** || **A cabezaje.** m. adv. ant. Por cabezas.

Cabezal. m. Almohada pequeña, comúnmente cuadrada o cuadrilonga, en que se reclina la cabeza. || **2.** Pedazo de lienzo con varios dobleces que se pone sobre la cisura de la sangría, y que en cirugía sirve también para otros usos análogos. || **3.** Almohada larga que ocupa toda la cabecera de la cama. || **4.** Colchoncillo angosto para dormir en los escaños o poyos junto a la lumbre. || **5.** En los coches, parte que va sobre el juego delantero, y se compone de dos pilares labrados, con su asiento, de dos piezas chicas llamadas tijeras, de otra que cubre la clavija maestra y de la telera. || **6.** *Fort.* Larguero superior del bastidor de encofrado de una mina. || **7.** *Fort.* En el puente levadizo, viga que se apoya en la contraescarpa o en la primera pila del puente. || **8.** *Mec.* Pieza fija del torno en la que gira el árbol.

Cabezalejo. m. d. de **Cabezal.**

Cabezalería. (De *cabezalero.*) f. ant. Albaceazgo.

Cabezalero, ra. m. y f. **Testamentario, ria.** || **2.** Persona que hace cabeza entre los que llevan foro, y cobra y paga el canon por todos, entendiéndose con el dueño.

Cabezazo. m. Cabezada, 1.ª acep.

Cabezcaído, da. (De *cabeza* y *caído*) adj. desus. **Cabizcaído.**

Cabezo. (Del lat. *capitium*, de *caput*, cabeza.) m. Cerro alto o cumbre de una montaña. || **2.** Montecillo aislado. || **3. Cabezón,** 4.ª acep. || **4.** *Mar.* Roca de cima redonda que sobresale del agua o dista poco de la superficie de ésta.

Cabezón, na. adj. fam. **Cabezudo,** 1.ª y 2.ª aceps. Ú. t. c. s. || **2.** m. aum. de **Cabeza.** || **3.** Padrón o lista de los contribuyentes y contribuciones, y escritura de obligación de la cantidad que se ha de pagar de alcabala y otros impuestos. || **4.** Lista de lienzo doblado que se cose en la parte superior de la camisa y, rodeando el cuello, se asegura con unos botones o cintas. || **5.** Abertura que tiene cualquier ropaje para poder sacar la cabeza. || **6. Cabezada,** 6.ª acep. En algunas partes, la de correa fuerte y holgada, sin frontalera y muy alta de muserola en cuya parte anterior lleva la argolla para el ronzal. || **7. Cabezón de serreta.** || **8.** ant. **Encabezamiento,** 3.ª acep. || **de cuadra. Cabezada,** 6.ª acep. || **de serreta.** Cabezada con serreta. || **Llevar,** o **traer, de los cabezones** a uno. fr. fig. y fam. Llevarle a donde se quiere o contra su voluntad.

Cabezonada. (De *cabezón*, 1.ª acep.) f. fam. Acción propia de persona terca u obstinada.

Cabezorro. m. aum. fam. Cabeza grande y desproporcionada.

Cabezota. m. aum. de **Cabeza.** || **2.** com. fam. Persona que tiene la cabeza muy grande. || **3.** fig. y fam. Persona terca, testaruda. Ú. t. c. adj.

Cabezudamente. adv. m. Terca y obstinadamente.

Cabezudo, da. adj. Que tiene grande la cabeza. || **2.** fig. y fam. Terco, obstinado. || **3.** fig. y fam. Dícese del vino muy espiritoso. || **4.** V. **Sarmiento cabezudo.** || **5.** m. Cada una de las figuras de enanos de gran cabeza que en algunas fiestas suelen llevarse con los gigantones. || **6. Mújol.** || **7.** *Ar.* **Renacuajo,** 1.ª acep.

Cabezuela. f. d. de **Cabeza.** || **2.** Harina más gruesa que sale del trigo después de sacada la flor. || **3.** Heces que cría el vino a los dos o tres meses de haberse desliado el mosto. || **4.** Planta perenne de la familia de las compuestas, de 10 a 12 decímetros de altura, con tallo anguloso, ramos mimbreños y velludos, hojas aserradas, ásperas y erizadas, y flores blancas o purpúreas con los cálices cubiertos de espinas muy pequeñas. Es indígena de España y se emplea para hacer escobas. || **5.** Botón de la rosa, que se usa en las boticas para preparar agua de olor. || **6.** *Bot.* Inflorescencia cuyas flores, que son sentadas o tienen un pedúnculo muy corto, están insertas en un receptáculo, comúnmente rodeado de brácteas. || **7.** com. fig. y fam. Persona de poco juicio. || **Quitar la cabezuela al vino.** fr. Trasegar el vino a los dos o tres meses de haberse desliado el mosto, para separarlo de las heces que nuevamente ha criado.

Cabezuelo. m. d. de **Cabezo.**

Cabida. (De *caber.*) f. Espacio o capacidad que tiene una cosa para contener otra. || **2.** Extensión superficial de un terreno o heredad. || **Tener uno cabida,** o **gran cabida, con** alguna persona o **en** alguna parte. fr. fig. Tener valimiento.

Cabido, da. p. p. de **Caber.** || **2.** adj. ant. Bien admitido, estimado. || **3.** En la orden de San Juan, decíase del caballero o freile que por opción o derecho disfrutaba o beneficiaba una encomienda.

Cabila. (Del ár. *qabīla*, tribu.) f. Tribu de beduinos o de beréberes.

Cabildada. f. fam. Resolución atropellada o imprudente de una comunidad o cabildo.

Cabildante. m. *Amér. Merid.* Regidor o concejal.

Cabildear. (De *cabildo.*) intr. Gestionar con actividad y maña para ganar voluntades en un cuerpo colegiado o corporación.

Cabildeo. m. Acción y efecto de cabildear. || **Andar de cabildeos.** fr. Intrigar.

Cabildero. m. El que cabildea.

Cabildo. (Del lat. *capitŭlum.*) m. Cuerpo o comunidad de eclesiásticos capitulares de una iglesia catedral o colegial. || **2.** En algunos pueblos, cuerpo o comunidad que forman los eclesiásticos que hay con privilegio para ello. || **3. Ayuntamiento,** 3.ª acep. || **4.** Junta celebrada por un **cabildo.** || **5.** Sala donde se celebra. || **6.** Capítulo que celebran algunas religiones para elegir sus prelados y tratar de su gobierno. || **7.** Junta de hermanos de ciertas cofradías, aunque sean legos. || **8.** En algunos puertos, corporación o gremio de matriculados que atiende principalmente a socorros mutuos. || **9.** Sesión celebrada por este gremio. || **10.** Corporación que en Canarias representa a los pueblos de cada isla y administra los intereses comunes de ellos y los peculiares de ésta.

Cabileño, ña. adj. Propio de la cabila o perteneciente a ella. || **2.** m. Individuo de una cabila.

Cabilla. (dialect. del lat. **cavicula* por *clavicŭla*, clavija.) f. V. **Hierro cabilla.** || **2.** *Mar.* Barra redonda de hierro, de seis a ocho centímetros de grueso, con la cual se clavan las curvas y otros maderos que entran en la construcción de los buques. || **3.** *Mar.* Cada una de las barritas de madera o de metal que sirven para manejar la rueda del timón y para amarrar los cabos de labor.

Cabillero. m. *Mar.* Pieza de madera o metal con agujeros, por los que se atraviesan las cabillas que sirven para amarrar y tomar vuelta a los cabos de labor.

Cabillo. (d. de *cabo*, 1.er art.) m. **Pezón,** 1.ª acep.

Cabillo. m. ant. **Cabildo.**

Cabimiento. m. **Cabida,** 1.ª acep. || **2.** En la religión de San Juan, opción o derechos que por antigüedad tenían los caballeros y freiles para obtener las encomiendas o beneficios de ella. || **Tener cabimiento.** fr. Hablando de juros, caber o tener lugar en el valor de la renta sobre que están consignados.

Cabio. (De *cabrio.*) m. Vara o listón que se atraviesa a las vigas para formar suelos y techos. || **2.** *Arq.* Madero menor que la carrera, sobre el cual van asentados los maderos de suelo. || **3.** *Arq.* Madero de suelo, más grueso que los demás del entramado, que cierra de cada lado el hueco de una chimenea y lleva ensamblado el brochal. || **4.** *Arq.* **Cabrio,** 1.ª acep. || **5.** *Arq.* Travesaño superior e inferior que con los largueros forman el marco de las puertas o ventanas.

Cabizbajo, ja. adj. Dícese de la persona que tiene la cabeza inclinada hacia abajo por abatimiento, tristeza o cuidados graves.

Cabizcaído, da. (De *cabezcaído.*) adj. **Cabizbajo.**

Cabizmordido, da. (Del ant. *cabezmordido*, y éste de *cabeza* y *morder.*) adj. fam. Deprimido de nuca.

Cable. (Del lat. *capŭlum*, amarra.) m. Maroma gruesa. || **2. Cablegrama.** || **3.** *Mar.* Cabo grueso que se hace firme en el arganeo de una ancla. || **4.** *Mar.* Décima parte de la milla, equivalente a 185 metros. || **de alambre.** El construido con alambres torcidos en espiral. || **de cadena.** *Mar.* Cadena gruesa de hierro, cada uno de cuyos eslabones tiene en medio un dado que forma dos ojos o agujeros, para que no pueda enredarse ni hacer cocas. || **eléctrico.** Cordón formado con varios conductores aislados unos de otros y protegido generalmente por una envoltura que reúna la flexibilidad y resistencia necesarias al uso a que el **cable** se destine. || **submarino.** El eléctrico algo reforzado y aislado con esmero, que se forra con una envoltura que lo defiende de la humedad, y se rodea después de una armadura formada por vueltas de alambre, para evitar los peligros del roce con las rocas, la acción destructora de los peces, etc. Se emplea como conductor en las líneas telegráficas submarinas.

Cablegrafiar. (De *cable* y *grafiar*, aféresis de *telegrafiar.*) tr. Transmitir noticias por cable submarino.

Cablegráfico, ca. adj. Perteneciente o relativo al cablegrama.

Cablegrama. (De *cable* y *grama*, terminación de *telegrama.*) m. Telegrama transmitido por cable submarino.

Cablieva. (Del b. lat. *caplevāre*, fiar.) f. ant. Fianza de saneamiento.

Cabo. (Del lat. *caput*, cabeza.) m. Cualquiera de los extremos de las cosas. || **2.** V. **Verso de cabo roto.** || **3.** Extremo o parte pequeña que queda de alguna cosa. CABO *de hilo, de vela.* || **4. Mango,** 1.er art. || **5.** En algunos oficios, hilo o hebra. || **6.** En las aduanas, lío pequeño que no llega a fardo. || **7.** Lengua de tierra que penetra en el mar. *El* CABO *de Buena Esperanza.* || **8.** En el juego del revesino, carta inferior de cualquiera de los cuatro palos, como el dos. || **9.** En el mismo juego, cualquiera otra carta cuando han salido todas las superiores a ella. || **10.** Caudillo, capitán, jefe. || **11.** Parte, lugar, sitio o lado. || **12.** fig. **Fin,** 1.ª y 2.ª aceps. || **13.** ant. Parte, requisito, circunstancia. || **14.** ant. fig. Suma perfección. || **15.** *Ar.* Párrafo, división o capítulo. || **16.** *Mar.* **Cuerda,** 1.ª acep. || **17.** *Mil.* Individuo de la clase de tropa inmediatamente superior al soldado. En algunos cuerpos ha habido **cabos** primeros y segundos, que se diferenciaban casi exclusivamente en el distintivo. || **18.** prep. ant. **Cabe,** 2.° art. || **19.** pl. Piezas sueltas que se usan con el vestido y que son aditamentos o adornos, pero no partes principales de él. || **20.** Patas, hocico y crines del caballo o yegua. *Yegua castaña con* CABOS *negros.* || **21.** fig. Especies varias que se han tocado en algún asunto o discurso. || **Cabo blanco.** *Mar.* El que no está alquitranado. || **de año. Aniversario,** 2.ª acep. || **de armería.** *Nav.* Casa solariega de un linaje. || **de barra.** Real de a ocho mejicano, que en su hechura manifiesta que es el último que se hace de la barra o remate de ella. || **2.** Última moneda que se da cuando se ajusta una cuenta, aunque no llegue a completarla o exceda algo de ella. || **de cañón.** *Mar.* Soldado o marinero encargado del manejo de una pieza de artillería. || **de casa.** ant. Superior o cabeza de una familia. || **de escuadra.** *Mil.* El que manda una escuadra de soldados. || **de fila.** *Mil.* Soldado que está a la cabeza de la fila. || **de labor.** *Mar.* Cada una de las cuerdas que sirven para manejar el aparejo. || **de maestranza.** Capataz de una brigada de obreros. || **de mar.** Individuo de clase superior en la marinería de un buque de guerra. || **de rancho.** En los de marinería y tropa, su jefe, y en los de oficiales y subalternos, el que los administra. || **de ronda.** Alguacil que iba gobernando la ronda. || **2.** En el resguardo de rentas, el que manda una partida de guardas para impedir los contrabandos. || **3.** *Mil.* Militar que manda una patrulla de noche. || **suelto.** fig. y fam. Circunstancia imprevista o que ha quedado pendiente en algún negocio. || **Segundo cabo.** Título jerárquico que vulgarmente se daba al que ejercía la autoridad militar inmediatamente después del capitán general. || **Cabos negros.** En las mujeres, pelos, cejas y ojos negros. || **A cabo.** m. adv. ant. **Al cabo.** || **A cabo de cien años, los reyes son villanos, y a cabo de ciento y diez, los villanos son reyes.** ref. que alude a la inconstancia de las cosas y suerte de los hombres. || **Al cabo.** m. adv. Al fin, por último. || **Al cabo, al cabo.** loc. fam. Después de todo, por último, al fin. || **Al cabo de cien años todos seremos calvos,** o **todos seremos salvos.** ref. que denota que al fin de este tiempo ya habremos muerto y estaremos libres de las miserias de esta vida. || **Al cabo de Dios os salve, o te salve.** m. adv. Después de mucho tiempo. || **Al cabo de la jornada.** loc. fam. **Al cabo, al cabo.** || **Al cabo del año, más come el muerto que el sano.** ref. con que se indica lo mucho que suele gastarse en sufragios y otras cosas por los difuntos en el primer año después de su muerte. || **Al cabo del mundo.** loc. fam. A cualquiera parte, por distante y remota que esté. || **Al cabo de los años mil, vuelve el agua por do solía ir,** o **vuelven las aguas por do solían ir,** o **torna el agua a su cubil.** refs. que advierten que con el transcurso del tiempo tornan ciertas cosas a su primitivo ser, o vuelve a hacerse lo que había caído en desuso || **Al cabo de un año tiene el mozo las mañas de su amo.** ref. que denota lo que influye en los inferiores el ejemplo de los superiores. || **Al cabo y a la postre.** loc. fam. **Al cabo, al cabo.** || **Al cabo y al fin.** m. adv. **Al fin y al cabo.** || **Atar uno cabos.** fr fig. Reunir especies, premisas o antecedentes para sacar una consecuencia. || **Cabo adelante.** m. adv. ant. **Cabadelante.** || **Dar cabo.** fr. ant. fig Dar luz, abrir camino. || **Dar uno cabo a** una cosa. fr. Perfeccionarla. || **Dar uno cabo de** una cosa. fr. Acabarla, destruirla. || **De cabo.** m. adv. ant. **Nuevamente.** || **2.** ant. **Al cabo.** || **De cabo a cabo.** m. adv. Del principio al fin. || **De cabo a rabo.** m. adv. fam. **De cabo a cabo.** || **Echar a cabo** un negocio. fr. ant. Concluirlo, olvidarlo. || **Echar al cabo del tranzado** una cosa. fr. fig y fam. **Echar al trenzado** una cosa. || **En cabo.** m. adv. ant. **Al cabo.** || **En mi cabo, en tu cabo, en su cabo.** m. adv. ant. **En mi solo cabo, en tu solo cabo, en su solo cabo.** || **En mi solo cabo, en tu solo cabo, en su solo cabo.** m. adv. A mis solas, a tus solas, a sus solas. || **Estar uno al cabo de** una cosa, o **al cabo de la calle.** fr. fig. y fam. Haber entendido bien alguna cosa y comprendido todas sus circunstancias. || **Estar uno al cabo, o muy al cabo.** fr. fig. Estar para morir, en el fin de la vida. || **Hasta el cabo del mundo.** loc. fam. **Al cabo del mundo.** || **Juntar cabos.** fr. fig. **Atar cabos.** || **Llevar uno a cabo** o **al cabo,** una cosa. fr. Ejecutarla, concluirla. || **2. Darle cabo.** || **3.** fig. **Llevarla hasta el cabo.** || **Llevar** uno **hasta el cabo** una cosa. fr. fig. Seguirla con tenacidad hasta el extremo. LLEVÓ *la disputa, la afición* HASTA EL CABO || **No tener** una cosa **cabo ni cuerda.** fr. fig. y fam. Estar tan llena de dificultades y contradicciones que no se sabe cómo ponerla en claro o por dónde se ha de empezar. || **Ponerse** uno **al cabo de** una cosa, o **al cabo de la calle.** fr. fig. y fam. Llegar a entender bien alguna cosa y a comprender todas sus circunstancias. || **Por cabo,** o **por el cabo.** m. adv. **Extremadamente.** || **Por ningún cabo** m. adv. De ningún modo, por ningún medio. || **Recoger uno cabos.** fr. fig. **Atar cabos.** || **Tener** uno alguna cosa **al cabo del trenzado.** fr. fig. y fam. Conocerla bien. || **Unir uno cabos.** fr. fig. **Atar cabos.**

Cabo. n. p. V. **Carnero del Cabo.**

Caboral. (De *caporal.*) adj. ant. **Capital.** || **2.** m. ant. Capitán o cabo que mandaba alguna gente.

Caboso, sa. (De *cabo,* extremo.) adj. ant. Cabal, perfecto.

Cabotaje. (De *cabo,* 1.er art.) m. Navegación o tráfico que hacen los buques entre los puertos de su nación sin perder de vista la costa, o sea siguiendo derrota de cabo a cabo. La legislación marítima y la aduanera de cada país suelen alterar sus límites en el concepto administrativo, pero sin modificar su concepto técnico. || **2.** V. **Buque de cabotaje.** || **3.** Tráfico marítimo en las costas de un país determinado. || **Gran cabotaje.** El que un buque nacional hace entre los puertos españoles de la Península, Baleares, Canarias, norte y noroeste de África, y los puertos extranjeros situados en el Mediterráneo o en la costa africana del Atlántico hasta el cabo Blanco.

Cabra. (Del lat. *capra.*) f. Mamífero rumiante doméstico, como de un metro de altura, ligero, esbelto, con pelo corto, áspero y a menudo rojizo, cuernos huecos, grandes, esquinados, nudosos y vueltos hacia atrás, un mechón de pelos largos colgante de la mandíbula inferior y cola muy corta. || **2.** Hembra de esta especie, algo más pequeña que el macho y a veces sin cuernos. || **3.** Máquina militar que se usaba antiguamente para tirar piedras. || **4.** Molusco marino de hasta 15 centímetros de largo, de concha formada por dos valvas iguales, pero no equiláteras, abierta por los extremos y sobre todo por el posterior. Se encuentra en Santander. || **5.** V. **Barba, pata, pie de cabra.** || **6.** *Sal.* Espiga que, por no haberse segado, queda en los rastrojos. || **7.** *Colomb.* y *Cuba.* **Brocha,** 2.° art., 1.ª acep || **8.** *Chile.* Carruaje ligero de dos ruedas. || **9.** *Astron.* Estrella de primera magnitud en la constelación del Cochero. || **10.** pl. **Cabrilla,** 4.ª acep. || **Cabra de almizcle. Almizclero,** 3.ª acep. || **del Tíbet.** Cabra de pelo muy largo y fino que vive en el Tíbet. || **montés.** Especie salvaje, de color ceniciento o rojizo, con las patas, la barba y la punta de la cola negras, una línea del mismo color a lo largo del espinazo y los cuernos muy grandes, rugosos, echados hacia atrás y con la punta retorcida. Vive en las regiones más escabrosas de España. || **Cabra coja no tenga siesta.** ref. con que se da a entender que el que tiene poco talento debe poner más aplicación. || **Cabra por viña, cual la madre tal la hija.** ref. que denota que los hijos tienen por lo común el genio y costumbres de sus padres. || **Cargar las cabras** a uno. fr. fig. y fam. Hacer que pague solo lo que con otro u otros ha perdido. || **2.** fig. y fam. Echar la culpa al que no la tiene. || **Echar cabras,** o **las cabras.** fr. fig. y fam. Jugar los que han perdido algún partido a cuál ha de pagar solo lo que se ha perdido entre todos. || **Echar las cabras** a uno. fr. fig. y fam. **Cargar las cabras** a uno. || **La cabra siempre tira al monte.** expr. con que se significa que regularmente se obra según el origen o natural de cada uno. || **Meterle a uno las cabras en el corral.** fr. fig. y fam. Atemorizarle, infundirle miedo. || **Por do salta la cabra, salta la chiva,** o **la que la mama.** ref. **Cabra por viña, cual la madre tal la hija.**

Cabrada. f. Rebaño de cabras.

Cabrafigar. (Del lat. *caprificāre.*) tr. ant. **Cabrahigar.**

Cabrafigo. (Del lat. *caprificus*) m. ant. **Cabrahígo.**

Cabrahigadura. f. Acción y efecto de cabrahigar.

Cabrahigal. m. **Cabrahigar,** 1.er art.

Cabrahigar. m. Terreno poblado de cabrahígos.

Cabrahigar. (De *cabrafigar.*) tr. Colgar sartas de higos silvestres o cabrahígos en las ramas de las higueras, con lo cual se cree que, por mejor fecundación, los frutos de éstas serán más sazonados y dulces.

Cabrahígo. (De *cabrafigo.*) m. Higuera silvestre. || **2.** Fruto de este árbol.

Cabrear. tr. Meter ganado cabrío en un terreno. || **2.** fig. y fam. Enfadar, amostazar, poner a uno malhumorado o receloso. Ú. m. c. r. || **3.** intr. *Chile.* Ir saltando y brincando.

Cabrela. (Del lat. *caprĕa,* cabra.) f. ant. **Cabra,** 3.ª acep.

Cabreo. (Del b. lat. *capibrevium,* y éste del lat. *caput,* cabeza, y *brevis,* pequeña) m. *Ar.* **Becerro,** 3.ª, 4.ª y 5.ª aceps.

Cabreo. m. fam. Efecto de cabrear, 2.ª acep.

Cabrera. f. Pastora de cabras. || **2.** Mujer del cabrero.

Cabrería. (De *cabrero.*) f. Casa en que se vende leche de cabras. || **2.** Casa en donde se recogen las cabras por la noche. || **3.** ant. Ganado cabrío.

Cabreriza. f. Choza en que se guarda el hato y en que se recogen de noche los cabreros, situada en la inmediación de los corrales donde se meten las cabras. || **2. Cabrera,** 2.ª acep.

Cabrerizo, za. adj. Perteneciente o relativo a las cabras. || **2.** m. **Cabrero,** 1.ª acep.

Cabrero. (Del lat. *caprarius*) m. Pastor de cabras. || **2.** Pájaro poco más grande que el canario, de cabeza negra con listas blancas y cuerpo amarillo anaranjado, con una mancha verdosa en el lomo. Abunda en la isla de Cuba, donde anida hasta en la jaula.

Cabrestante. (Del lat. *caper,* cabrón, y *stans, stantis,* p. a. de *stāre,* estar firme.) m. Torno de eje vertical que se emplea para mover grandes pesos por medio de una maroma o cable que se va arrollando en él a medida que gira movido por la potencia aplicada en unas barras o palancas que se introducen en las cajas abiertas en el canto exterior del cilindro o en la parte alta de la máquina.

Cabrevación. f. *Ar.* Acción y efecto de cabrevar.

Cabrevar. (Del b. lat. *capibrevium*, cabreo.) tr. *Ar.* Apear en los terrenos realengos las fincas que estaban sujetas al pago de los derechos del patrimonio real.

Cabreve. m. *Ar.* Acción de cabrevar.

Cabria. (Del lat. *caprĕa*, cabra.) f. Máquina para levantar pesos, cuya armazón consiste en dos vigas ensambladas en ángulo agudo, mantenidas por otra que forma trípode con ellas, o bien por una o varias amarras. Un torno colocado entre las dos vigas y una polea suspendida del vértice reciben la cuerda con que se maniobra el peso.

Cabrial. m. ant. **Cabrio,** 1.ª acep.

Cabrilla. (d. de *cabra*.) f. *Zool.* Pez teleósteo de nuestros mares, acantopterigio, de unos dos decímetros de largo, de boca grande con muchos dientes, color azulado obscuro, con cuatro fajas encarnadas a lo largo del cuerpo y la cola mellada. Salta mucho en el agua y su carne es blanda e insípida. || **2.** Trípode de madera en que los carpinteros y aserradores sujetan los maderos grandes para labrarlos o aserrarlos. || **3.** pl. **Pléyades.** || **4.** Manchas o vejigas que se hacen en las piernas por permanecer mucho tiempo cerca del fuego. || **5.** Juego de muchachos, que consiste en tirar piedras planas sobre la superficie del agua y de modo que corran largo trecho rebotando. || **6.** Pequeñas olas blancas y espumosas que se levantan en el mar cuando éste empieza a agitarse.

Cabrillear. intr. Formarse cabrillas en el mar. || **2. Rielar,** 1.ª acep.

Cabrilleo. m. Acción de cabrillear.

Cabrina. (Del lat. *caprīna*, de cabra.) f. ant. Piel de cabra.

Cabrio. (De *cabria*.) m. *Arq.* Madero colocado paralelamente a los pares de una armadura de tejado para recibir la tablazón. || **2.** Madero de construcción, variable según las provincias, de tres a seis metros de longitud y de 10 a 15 centímetros de tabla. || **3.** *Blas.* Pieza honorable, en forma de medio sotuer, cuya punta se alarga hasta el centro del jefe y queda como un compás abierto.

Cabrío, a. adj. Perteneciente a las cabras. || **2.** V. **Macho cabrío.** || **3.** m. Rebaño de cabras. || **4.** ant. **Cabrón,** 1.ª acep.

Cabriol. (Del lat. *capriŏlus*.) m. ant. **Cabrio,** 1.ª acep.

Cabriola. (Del lat. *capriŏla*, d. de *capra*, cabra.) f. Brinco que dan los que danzan, cruzando varias veces los pies en el aire. || **2.** fig. **Voltereta,** 1.ª acep. || **3.** fig. Salto que da el caballo, soltando un par de coces mientras se mantiene en el aire.

Cabriolar. intr. Dar o hacer cabriolas.

Cabriolé. (Del fr. *cabriolet*.) m. Especie de birlocho o silla volante. || **2.** Especie de capote con mangas o aberturas en los lados para sacar por ellas los brazos, y que con diferentes hechuras usaban hombres y mujeres.

Cabriolear. intr. **Cabriolar.**

Cabríolo. (Del lat. *caprielus*.) m. ant. **Cabrito,** 1.ª acep.

Cabrita. (d. de *cabra*.) f. **Cabra,** 3.ª acep. || **2.** ant. Piel de cabrito adobada.

Cabritero, ra. adj. V. **Navaja cabritera.** || **2.** m. y f. Persona que vende carne de cabrito. || **3.** m. ant. El que aderezaba y adobaba cabritillas.

Cabritilla. f. Piel curtida de cualquier animal pequeño, como cabrito, cordero, etc.

Cabrito. m. Cría de la cabra desde que nace hasta que deja de mamar. || **2.** pl. *Chile.* Rosetas, 7.ª acep. de **Roseta.**

Cabrituno, na. adj. Perteneciente o relativo al cabrito.

Cabro. (Del lat. *caprum*, acus. de *caper*.) m. ant. **Cabrón,** 1.ª acep. Ú. en *Amér.*

Cabrón. (aum. de *cabra*.) m. Macho de la cabra. || **2.** fig. y fam. El que consiente el adulterio de su mujer. Ú. t. c. adj. || **3.** *Chile.* **Rufián,** 1.ª acep.

Cabronada. (De *cabrón*, 2.ª acep.) f. fam. Acción infame que permite alguno contra su honra. || **2.** fig. y fam. Cualquiera incomodidad grave e importuna que hay que aguantar por alguna consideración.

Cabronzuelo. m. d. de **Cabrón.**

Cabruna. f. ant. Piel de cabra. Ú. en Aragón.

Cabruno, na. adj. Perteneciente o relativo a la cabra. || **2.** V. **Barba, ruda cabruna.** || **3.** V. **Sauce cabruno.**

Cabruñar. tr. *Ast.* Sacar o renovar el corte al dalle o guadaña, picándolo en toda su longitud con un martillo adecuado sobre un yunque pequeño que se clava en tierra.

Cabruño. m. *Ast.* Acción y efecto de cabruñar.

Cabujón. (Del fr. *cabochon*, de *caboche*, cabeza grande, y éste del lat. *caput*, cabeza.) m. Piedra preciosa pulimentada y no tallada, de forma convexa.

Caburé. (Voz guaraní.) m. Ave de rapiña, menor que el puño, parda, redondita y fornida; aturde con su chillido a los pájaros de tal manera que no huyen al acercárseles ella para devorarlos. Vive en las selvas del Paraguay y de la Argentina, y sus plumas son muy codiciadas por el vulgo, que les atribuye poder mágico.

Cabuya. (Voz caribe.) f. **Pita,** 1.er art. || **2.** Fibra de la pita, con que se fabrican cuerdas y tejidos. || **3.** *And.* y *Amér.* Cuerda, y especialmente la de pita. || **4.** *Mar.* **Cabuyería.** || **Dar cabuya.** fr. *Amér. Merid.* **Amarrar,** 1.ª acep. || **Ponerse en la cabuya.** fr. fig. *Amér. Merid.* Coger el hilo, ponerse al cabo de algún asunto.

Cabuyera. f. Conjunto de las cabuyas o cuerdas que a cada extremo lleva la hamaca.

Cabuyería. (De *cabuya*.) f. *Mar.* Conjunto de cabos menudos.

Caca. (Voz infantil sobre el lat. *cacāre*.) f. fam. Excremento humano, y especialmente el de los niños pequeños. || **2.** fig. y fam. Defecto o vicio. Úsase comúnmente con los verbos *callar, ocultar, tapar* o *descubrir.* || **3.** fig. y fam. Suciedad, inmundicia.

Cacahual. m. Terreno poblado de cacaos.

Cacahuate. m. **Cacahuete.**

Cacahuatero, ra. m. y f. *Méj.* Persona que vende cacahuates en tiendas ambulantes.

Cacahué. m. **Cacahuete.**

Cacahuero. m. *Amér.* Propietario de huertas de cacao, y por ext., individuo que se ocupa especialmente en esta almendra, ya como cultivador, zarandero, cargador de sacos de ella o negociante exportador.

Cacahuete. (Del mejic. *cacahuatl*.) m. Planta anua procedente de América, de la familia de las papilionáceas, con tallo rastrero y velloso, hojas alternas lobuladas, flores amarillas, estériles las superiores y fecundas las inferiores, que alargan el pedúnculo y se introducen en el suelo para que sazone el fruto, que tiene cáscara coriácea y, según la variedad, dos o cuatro semillas blancas y oleaginosas, comestibles después de tostadas. || **2.** Fruto de esta planta.

Cacahuey. m. **Cacahuete.**

Cacalote. (Del mejic. *cacalotl*.) m. *Méj.* **Cuervo,** 1.ª acep. || **2.** *Amér. Central* y *Méj.* Rosetas, 7.ª acep. de **Roseta.**

Cacao. (Del mejic. *cacahuatl*.) m. Árbol de América, de la familia de las esterculiáceas, de tronco liso de 10 a 12 metros de altura, hojas alternas, lustrosas, lisas, duras y aovadas; flores pequeñas, amarillas y encarnadas, y cuyo fruto es de forma elíptica y aristada, de 20 centímetros de largo, que contiene de 20 a 40 semillas carnosas cubiertas por una cáscara delgada, de color pardo, de la cual se despojan tostándolas, y que se emplean como principal ingrediente del chocolate. || **2.** Semilla de este árbol. || **3.** Moneda ínfima de los aztecas, que consistía en granos de **cacao.** || **No valer un cacao** alguna cosa. fr. fam. Ser de muy escaso valor.

Cacao. (Onomatopeya de la voz del gallo que huye.) **Pedir cacao.** fr. *Colomb., Guat., Méj.* y *Venez.* **Pedir alafia.**

Cacaotal. m. **Cacahual.**

Cacaraña. f. Cada uno de los hoyos o señales que hay en el rostro de una persona, sean o no ocasionados por las viruelas.

Cacarañado, da. p. p. de **Cacarañar.** || **2.** adj. Lleno de cacarañas.

Cacarañar. tr. *Guat.* Ocasionar cacarañas la viruela. || **2.** *Méj.* Pellizcar una cosa blanda dejándola llena de hoyos semejantes a las cacarañas.

Cacareador, ra. adj. Que cacarea. || **2.** fig. y fam. Que exagera y pondera con arrogancia sus cosas.

Cacarear. (Voz imitativa; en lat. *cucurīre*) intr. Dar voces repetidas el gallo o la gallina. || **2.** tr. fig. y fam. Ponderar, exagerar con exceso las cosas propias.

Cacareo. m. Acción de cacarear.

Cacarizo, za. adj. *Méj.* **Cacarañado,** 2.ª acep.

Cacarro. m. *Ál.* Agalla del roble.

Cacatúa. (Del malayo *kakatw*, voz imitativa de su canto.) f. Ave de Oceanía, del orden de las trepadoras, con pico grueso, corto, ancho y dentado en los bordes; mandíbula superior sumamente arqueada, un moño de grandes plumas movibles a voluntad, cola corta y plumaje blanco brillante. Aprende a hablar con facilidad y, domesticada, vive en los climas templados de Europa.

Cacaxtle. (Del mejic. *cacaxtli*.) m. *Méj.* Armazón de madera, de una u otra forma, para llevar algo a cuestas.

Cacaxtlero. m. *Méj.* Indio que transporta mercancías u otras cosas en cacaxtle.

Cacear. tr. Revolver una cosa con el cazo. || **2.** intr. *Ast.* y *Sant.* Mover los pescadores el anzuelo incesantemente de un lado a otro.

Caceo. m. Acción de cacear.

Cacera. (De *caz*.) f. Zanja o canal por donde se conduce el agua para regar.

Cacera. (De *cazar*.) f. *Murc.* **Cacería,** 1.ª acep.

Cacereño, ña. adj. Natural de Cáceres. Ú. t. c. s. || **2.** Perteneciente a esta ciudad.

Cacería. f. Partida de caza. || **2.** Conjunto de animales muertos en la caza. || **3.** *Pint.* Cuadro que figura una caza.

Cacerina. (De *caza*.) f. Bolsa grande de cuero con divisiones, de que se usa para llevar cartuchos y balas. || **2.** *Mar.* Caja pequeña de metal que el cabo de cañón llevaba sujeta a la cintura y en la cual guardaba los estopines o fulminantes con que se daba fuego a la pieza.

Cacerola. (De *cazo*.) f. Vasija de metal, de figura cilíndrica, con asas o mango, la cual sirve para cocer y guisar en ella.

Caceta. f. Cazo con mango corto y fondo taladrado en diversos sitios, que usan los boticarios a modo de colador.

Cacica. f. Mujer del cacique. ‖ **2.** Señora de vasallos en alguna provincia o pueblo de indios.

Cacicazgo. m. Dignidad de cacique o de cacica. ‖ **2.** Territorio que posee el cacique o la cacica. ‖ **3.** fam. Autoridad o poder del cacique, 2.ª acep.

Cacillo. m. Cazo pequeño.

Cacimba. (De *cachimba.*) f. Hoyo que se hace en la playa para buscar agua potable. ‖ **2. Balde,** 1.er art.

Cacique. (Voz caribe.) m. Señor de vasallos o superior en alguna provincia o pueblo de indios. ‖ **2.** fig. y fam. Persona que en un pueblo o comarca ejerce excesiva influencia en asuntos políticos o administrativos.

Caciquear. intr. fam. **Mangonear,** 2.ª acep.

Caciquil. adj. Perteneciente o relativo al cacique, 2.ª acep.

Caciquismo. m. Dominación o influencia de los caciques, 2.ª acep.

Cacle. m. Sandalia tosca de cuero, muy usada en Méjico por los indios y también por la tropa cuando camina.

Caco. (Del lat. *Cacus,* Caco, ladrón mitológico.) m. fig. Ladrón que roba con destreza. ‖ **2.** fig. y fam. Hombre muy tímido, cobarde y de poca resolución.

Cacodilato. m. Nombre genérico de las sales formadas por el ácido cacodílico. La de mayor uso en medicina es el **cacodilato** sódico.

Cacodílico. (De *cacodilo.*) adj. *Quím.* V. **Ácido cacodílico.**

Cacodilo. (Del gr. κακός, malo, y la raíz ὀδ, del verbo ὄζω, oler.) m. *Quím.* Arseniuro de metilo.

Cacofonía. (Del gr. κακοφωνία, de κακόφωνος, que tiene mal sonido; de κακός, malo, y φωνή, voz, sonido.) f. Disonancia que resulta de la inarmónica combinación de los elementos acústicos de la palabra.

Cacofónico, ca. adj. Que tiene cacofonía

Cacografía. (Del gr. κακός, malo, y γραφή, escritura.) f. Escritura viciosa contra las normas de la ortografía.

Cacomite. (Del mejic. *cacomitl.*) m. Planta de la familia de las iridáceas, oriunda de Méjico, de hojas opuestas y ensiformes, flores grandes y muy hermosas, en forma de copa, por lo común rojas en la periferia y amarillas en el centro, pero con manchas también rojas. La raíz es tuberculosa y feculenta, y se come cocida.

Cacomiztle. m. *Méj.* **Basáride.**

Cacoquimia. (Del gr. κακοχυμία, de κακόχυμος, que tiene o produce mal jugo; de κακός, malo, y χυμός, jugo.) f. *Med.* Depravación de los humores normales. ‖ **2.** *Med.* **Caquexia,** 2.ª acep.

Cacoquímico, ca. adj. *Med.* Perteneciente o relativo a la cacoquimia. ‖ **2.** *Med.* Que padece cacoquimia. Ú. t. c. s.

Cacoquimio, mia. (De *cacoquimia.*) m. y f. Persona que padece tristeza o disgusto que le ocasiona estar pálida y melancólica.

Cactáceo, a. (De *cacto.*) adj. *Bot.* Dícese de plantas angiospermas dicotiledóneas, originarias de América, sin hojas, con tallos carnosos casi esféricos, prismáticos o divididos en paletas que semejan grandes hojas, y con flores grandes y olorosas; como la chumbera y el cacto. ‖ **2.** f. pl. *Bot.* Familia de estas plantas.

Cácteo, a. adj. *Bot.* **Cactáceo.**

Cacto. (Del lat. *cactos,* y éste del gr. κάκτος, hoja espinosa.) m. *Bot.* Planta de la familia de las cactáceas, procedente de Méjico, con tallo globoso provisto de costillas y grandes surcos meridianos y con grandes flores amarillas sobre las costillas.

Cacumen. (Del lat. *cacūmen.*) m. ant. **Altura,** 4.ª acep. ‖ **2.** fig. y fam. Agudeza, perspicacia.

Cacha. (Del lat. *capŭla,* pl. de *capŭlum,* puño.) f. Cada una de las dos chapas que cubren o de las dos piezas que forman el mango de las navajas y de algunos cuchillos. Ú. m. en pl. ‖ **2.** Cada una de las ancas de la caza menor, como liebres, conejos, etc. ‖ **3. Cachete,** 2.ª acep. ‖ **4.** *Sal.* **Nalga.** ‖ **5.** Mango de cuchillo o de navaja. ‖ **Hasta las cachas.** m. adv. fig. y fam. Sobremanera, a más no poder. Dícese principalmente del que se mete en algún empeño.

Cacha. (Del lat. *capsa.*) f. *Colomb.* **Cacho,** 3.er art., 3.ª acep.

Cachaco. m. *Colomb.* Hombre joven, elegante, servicial y caballeroso. ‖ **2.** *Colomb., Ecuad.* y *Venez.* Gomoso, lechuguino, petimetre.

Cachada. (De *cacho,* 3.er art.) f. Golpe que dan los muchachos con el hierro del trompo en la cabeza de otro trompo. ‖ **2.** *Colomb.* y *Hond.* **Cornada,** 1.ª acep.

Cachalote. m. Cetáceo que vive en los mares templados y tropicales, de 15 a 20 metros de largo, de cabeza muy gruesa y larga, con más de 20 dientes cónicos en la mandíbula inferior y otros tantos agujeros en la superior, para alojarlos cuando cierra la boca. De la parte dorsal de su cabeza se extrae una substancia grasa llamada esperma de ballena, y de su intestino se saca el ámbar gris.

Cachamarín. m. **Cachemarín.**

Cachanlagua. (Del araucano *cachanlahuen.*) f. **Canchalagua.**

Cachano. m. fam. El diablo. ‖ **Llamar a Cachano.** fr. fig. y fam. Pedir auxilio inútilmente.

Cachapa. f. Panecillo de maíz que se usa en Venezuela, ya en forma de bollo envuelto en la hoja de la mazorca y hervido, ya cocido y a manera de torta. Uno y otro son platos de dulce.

Cachapera. f. *Vallad.* Choza hecha de ramaje.

Cachar. tr. Hacer cachos o pedazos una cosa. ‖ **2.** Partir o rajar madera en el sentido de las fibras. ‖ **3.** Arar una tierra alomada llevando la reja por el medio de cada uno de los lomos, de modo que éstos queden abiertos.

Cacharpari. (Del m. or. que *cacharpas.*) m. *Perú.* Convite que por despedida se ofrece al que va a emprender un viaje. ‖ **2.** *Perú.* Baile que se celebra con este motivo.

Cacharpas. (De quichua *cacharpayani,* despachar, aviar al caminante.) f. pl. *Amér. Merid.* Trebejos, trastos de poco valor.

Cacharrería. (De *cacharrero.*) f. Tienda de cacharros o loza ordinaria.

Cacharrero, ra. m. y f. Persona que vende cacharros o loza ordinaria.

Cacharro. (De *cacho,* 1.er art.) m. Vasija tosca. ‖ **2.** Pedazo de ella en que se puede echar alguna cosa.

Cachava. f. Juego de niños, que consiste en hacer entrar con un palo una pelota en hoyuelos abiertos en la tierra a cierta distancia unos de otros. ‖ **2.** Palo que sirve para este juego. ‖ **3. Cayado,** 1.ª acep.

Cachavazo. m. Golpe dado con la cachava.

Cachaza. f. fam. Lentitud y sosiego en el modo de hablar o de obrar; flema, frialdad de ánimo. ‖ **2.** Aguardiente de melaza de caña. ‖ **3.** Espuma e impurezas que se forman y segregan al someter el jugo de la caña de azúcar a la defecación o purificación.

Cachazudo, da. adj. Que tiene cachaza. Apl. a pers., ú. t. c. s. ‖ **2.** m. *Cuba.* Gusano de unos cuatro centímetros de longitud y de cabeza negra y dura. Es muy perjudicial a los tabacales, porque roe de noche las hojas y el tallo del tabaco.

Cachear. tr. Registrar a gente sospechosa para quitarle las armas que pueda llevar ocultas.

Cachelos. (De *cacho,* 1.er art.) m. pl. *Gal.* Trozos de patata cocida que se sirven acompañando a carne o pescado fritos, cocidos o guisados.

Cachemarín. m. Quechemarín.

Cachemir. m. **Casimir.**

Cacheo. m. Acción de cachear.

Cachera. (Del ár. *qišra,* corteza, vestido.) f. Ropa de lana muy tosca y de pelo largo.

Cacheta. f. **Gacheta,** 2.° art.

Cachetada. (De *cachete,* 2.ª acep.) f. *Can., Colomb., Chile, Perú* y *P. Rico.* **Bofetada.**

Cachete. (De una forma *capulete,* d. del lat. *capŭlus,* puño.) m. Golpe que con el puño se da en la cabeza o en la cara. ‖ **2.** Carrillo de la cara, y especialmente el abultado. ‖ **3. Cachetero,** 2.ª acep.

Cachetero. (De *cachete.*) m. Especie de puñal corto y agudo que antiguamente usaban los malhechores. ‖ **2.** Puñal de forma semejante con que se remata a las reses. ‖ **3.** Torero que remata al toro con este instrumento. ‖ **4.** fig. y fam. El postrero entre los que causan un daño a una persona o cosa.

Cachetina. f. Riña a cachetes.

Cachetón, na. adj. *Colomb.* y *Chile.* **Cachetudo.**

Cachetudo, da. (De *cachete.*) adj. **Carrilludo.**

Cachi. (De *cacho,* 1.er art.) Voz que como prefijo entra en composición con algunos adjetivos y substantivos, con la significación del adv. **casi.** CACHI*negro,* CACHI*marido.*

Cachicamo. (Voz tamanaca.) m. *Amér.* **Armadillo.**

Cachicán. m. **Capataz,** 2.ª acep. ‖ **2.** fig. y fam. Hombre astuto, diestro. Ú. t. c. adj.

Cachicuerno, na. adj. Aplícase al cuchillo u otra arma que tiene las cachas o mango de cuerno.

Cachidiablo. (De *cachi* y *diablo.*) m. fam. El que se viste de botarga, imitando la figura con que suele pintarse al diablo.

Cachifollar. (De *cachi* y *afollar.*) tr. fam. Dejar a uno deslucido y humillado.

Cachigordete, ta. adj. fam. d. de **Cachigordo.**

Cachigordo, da. (De *cachi* y *gordo.*) adj. fam. Dícese de la persona pequeña y gorda.

Cachillada. (Del lat. *catellus,* cachorrillo.) f. **Lechigada,** 1.ª acep.

Cachimba. (Voz africana.) f. *Amér.* **Cachimbo,** 1.ª acep. ‖ **2.** *Argent.* **Cacimba,** 1.ª acep.

Cachimbo. (De *cachimba.*) m. *Amér.* **Pipa,** 1.er art., 2.ª acep. ‖ **2.** despect. *Perú.* Guardia nacional. ‖ **Chupar cachimbo.** fr. *Venez.* Fumar en pipa. ‖ **2.** fam. *Venez.* Chuparse el niño, durante la lactancia, algún dedo de la mano.

Cachipolla. f. *Zool.* Insecto del orden de los arquípteros, de unos dos centímetros de largo, de color ceniciento, con manchas obscuras en las alas y tres cerditas en la parte posterior del cuerpo. Habita en las orillas del agua y apenas vive un día.

Cachiporra. (De *cachi* y *porra.*) f. Palo enterizo que tiene en un extremo una bola o cabeza abultada.

Cachiporrazo. m. Golpe dado con una cachiporra u otro instrumento parecido.

Cachirulo. (Del lat. *capsŭla.*) m. Vasija de vidrio, barro u hojalata en que se suele guardar el aguardiente u otros licores. ‖ **2.** Embarcación muy pequeña de tres palos con velas al tercio. ‖ **3.** Adorno que las mujeres usaban en la cabeza a fines del siglo XVIII. ‖ **4. Moña,** 2.° art., 2.ª acep. ‖ **5.** En estilo bajo, **cortejo,** 4.ª acep. ‖ **6.** *And.* Vasija ordinaria y pequeña. ‖ **7.** *Ar.* Pañuelo que los aragoneses del pueblo llevan atado a la cabeza. || **8.** *Méj.* Forro de paño o de gamuza que se pone al pantalón por la parte interior de los muslos y el asiento, y se usa especialmente para montar. || **9.** *Val.* **Cometa,** 2.ª acep.

Cachivache. m. despect. Vasija, utensilio, trebejo. Ú. m. en pl. || **2.** despect. Cosa de este género, rota o arrinconada por inútil. Ú. m. en pl. || **3.** fig. y fam. Hombre ridículo, embustero e inútil.

Cachizo. adj. V. **Madero cachizo.** Ú. t. c. s.

Cacho. (Del lat. *capŭlum*, de *capĕre*, coger.) m. Pedazo pequeño de alguna cosa, y más especialmente el del pan y el de algunas frutas, como el limón y la calabaza. || **2.** Juego de naipes que se juega con media baraja, repartiendo a cada jugador tres cartas; cuando llegan a ligarse las tres de un palo se forma el **cacho,** y se llama **cacho mayor** el de los tres reyes.

Cacho. (Del lat. *catŭlus*, animal pequeño.) m. *Zool.* Pez teleósteo, fisóstomo, de 15 a 20 centímetros de largo, comprimido, de color obscuro y con la cola mellada y de color blanquizco como las aletas. Es muy común en el Tajo, el Ebro y otros ríos caudalosos de España.

Cacho, cha. (Del lat. *coactus*, p. p. de *cogĕre*, recoger, condensar.) adj. **Gacho.** || **2.** m. *Amér.* **Cuerno,** 1.ª acep. || **3.** *Chile* y *Guat.* Cuerna o aliara. || **4.** *Chile.* Maula; objeto inservible.

Cachola. f. *Mar.* Cada una de las dos curvas con que se forma el cuello de un palo, y en cuyas pernadas superiores sientan los baos que sostienen las cofas. || **2.** *Mar.* Cada uno de los pedazos gruesos de tablón colocados a uno y otro lado de la cabeza del bauprés.

Cachón. (De *cachar.*) m. Ola de mar que rompe en la playa y hace espuma. Ú. m. en pl. || **2.** Chorro de agua que cae de poca altura y rompe formando espuma.

Cachondearse. r. vulg. Burlarse, guasearse.

Cachondeo. m. vulg. Acción y efecto de cachondearse.

Cachondez. (De *cachondo.*) f. Apetito venéreo.

Cachondiez. f. ant. **Cachondez.**

Cachondo, da. (Del lat. *catŭlus*, cachorro.) adj. Dícese de la perra salida. || **2.** fig. Dominado del apetito venéreo.

Cachopín. m. **Cachupín.**

Cachopo. m. *Ast.* Tronco seco de árbol.

Cachorreñas. f. pl. Sopas hechas con agua caliente, aceite, ajos, cornetilla colorada o pimentón, sal y vinagre. Es comida muy usada en las casas de campo de Andalucía.

Cachorrillo. (d. de *cachorro.*) m. Pistola pequeña.

Cachorro, rra. (Del lat. *catŭlus.*) m. y f. Perro de poco tiempo. || **2.** Hijo pequeño de otros mamíferos, como león, tigre, lobo, oso, etc. || **3.** m. **Cachorrillo.**

Cachú. m. **Cato,** 1.er art.

Cachua. f. Baile de los indios del Perú, Ecuador y Bolivia, suelto y zapateado, que tiene tres figuras.

Cachucha. (De *cachucho*, 1.er art.) f. Bote o lanchilla. || **2.** Especie de gorra. || **3.** Baile popular de Andalucía, en compás ternario y con castañuelas. || **4.** Canción y tañido de este baile.

Cachuchero. m. El que hace o vende cachuchas, 2.ª acep. || **2.** El que hace o vende cachuchos, 3.ª acep. || **3.** *Germ.* Ladrón que hurta oro.

Cachucho. (Del lat. *capsŭla.*) m. Medida de aceite equivalente a la sexta parte de una libra, o sea poco más de ocho centilitros. || **2.** En la aljaba, hueco en que se metía cada flecha. || **3. Alfiletero.** || **4. Cachucha,** 1.ª acep. || **5.** ant. **Cartucho,** 1.ª acep. || **6.** *And.* Vasija tosca y pequeña. || **7.** *Germ.* **Oro,** 1.ª y 2.ª aceps.

Cachucho. m. Pez del mar de las Antillas, de unos 40 centímetros de largo, color de escarlata, más claro por el vientre y aletas ventrales y pectorales y más vivo en las aletas anal y dorsal, así como en la cola, que la tiene ahorquillada; ojos muy grandes y negros con cerco rojo. Su carne es estimada.

Cachudo, da. (De *cacho*, 3.er art.) adj. *Chile, Ecuad.* y *Méj.* Dícese del animal que tiene los cuernos grandes.

Cachuela. (De *cazuela.*) f. Guisado que hacen en Extremadura de la asadura del puerco. || **2.** Guisado que se usa entre cazadores, compuesto de hígados, corazones y riñones de conejo. || **3. Molleja,** 3.ª acep.

Cachuelo. (d. de *cacho*, 2.º art.) m. *Zool.* Pez teleósteo, fisóstomo, abundante en los ríos de la mitad meridional de España, de unos ocho centímetros de largo, de color azulado por el lomo y blanco amarillento por el vientre, con dos barbillas en los extremos de la boca, aletas pintadas de puntos pardos y cola ahorquillada. Su carne es fina y apreciada.

Cachulera. (Del lat. *cavĕŏla*, jaula.) f. *Murc.* Cueva o sitio donde alguno se esconde.

Cachulero. (Del lat. *cavĕŏla*, jaula.) m. *Murc.* Gayola, especie de jaula.

Cachumba. f. Planta de la familia de las compuestas, del mismo género que el alazor, propia de las islas Filipinas, donde se emplea en vez del azafrán.

Cachumbo. m. **Gachumbo.**

Cachunde. (Como el port. *cachú*, del malayo *kachú.*) f. Pasta compuesta de almizcle, ámbar y cato, de la cual se forman unos granitos que se traen en la boca y sirven para fortificar el estómago. || **2. Cato,** 1.er art.

Cachupín, na. (d. del port. *cachopo*, niño.) m. y f. Mote que se aplica al español que pasa a la América Septentrional y se establece en ella.

Cachurra. f. *Sant.* Juego de niños semejante al de la cachava. || **2.** Palo que sirve para este juego.

Cada. (Del fr. *cade*, y éste del lat. *catănus*, enebro.) m. **Enebro.** || **2.** V. **Aceite de cada.**

Cada. (Del lat. *cata*, y éste del gr. κατά, según, conforme a.) adj. que sirve para designar separadamente una o más personas o cosas con relación a otras de su especie. *Un doblón a* CADA *criado; el pan nuestro de* CADA *día.* Este adjetivo no se aplica al género neutro, y para usarlo con nombres en plural ha de ir acompañado de un numeral absoluto. CADA *tres meses;* CADA *mil hombres.* || **2.** ant. A cada uno. || **Cada cual. Cada uno.** || **Cada cuando que.** m. conjunt. **Cada y cuando que.** || **Cada que.** m. adv. Siempre que, o **cada** vez que. || **Cada quisque.** loc. fam. **Cada cual.** || **Cada y cuando que.** m. conjunt. Siempre que, o luego que.

Cadafalso. (Del m. or. que *cadafalco.*) m. ant. **Cadalso,** 1.ª acep.

Cadahalso. (De *cadafalso.*) m. Cobertizo o barraca de tablas. || **2.** ant. **Cadalso,** 1.ª acep.

Cadaldía. adv. t. ant. Cada día.

Cadalecho. (Del b. lat. *catalectum*, y éste tal vez de *catar*, mirar, y el lat. *lectus*, lecho; véase *candelecho.*) m. Cama tejida de ramas, de que usan para las chozas en Andalucía y otras partes.

Cadalso. (De *cadahalso.*) m. Tablado que se levanta en cualquier sitio para un acto solemne. || **2.** El que se levanta para la ejecución de la pena de muerte. || **3.** ant. Fortificación o baluarte de madera.

Cadañal. adj. ant. Que se hace o sucede cada año.

Cadañego, ga. adj. ant. **Cadañal.** || **2.** Aplícase a las plantas que dan fruto abundante todos los años.

Cadañero, ra. adj. Que dura un año. || **2. Anual.** || **3.** Que pare cada año. Ú. t. c. s. f.

Cadarzo. (Del gr. ἀκάθαρτος, impuro.) m. Seda basta de los capullos enredados, que no se hila a torno. || **2.** Camisa del capullo. || **3.** *Ast.* Cinta estrecha de seda basta.

Cadascuno, na. (De *cada* y *cascuno.*) adj. ant. **Cada uno.**

Cádava. f. *Ast.* Tronco de árgoma o de tojo que, chamuscado, queda en pie en terreno donde ha habido una quema, y sirve para leña.

Cadaval. m. *Ast.* Terreno donde quedan en pie muchas cádavas.

Cadáver. (Del lat. *cadāver.*) m. Cuerpo muerto.

Cadavera. f. ant. **Calavera,** 1.ª acep.

Cadávera. (Del lat. *cadāvĕra*, pl. n. de *cadāver.*) f. ant. **Cadáver.**

Cadavérico, ca. adj. Perteneciente o relativo al cadáver. || **2.** fig. Pálido y desfigurado como un cadáver.

Cadaveroso, sa. (Del lat. *cadaverōsus.*) adj. desus. **Cadavérico.**

Cadejo. (Del lat. *capitellum*, cabecita.) m. Parte del cabello muy enredada que se separa para desenredarla y peinarla. || **2.** Madeja pequeña de hilo o seda. || **3.** Conjunto de muchos hilos para hacer borlas u otra obra de cordonería.

Cadena. (Del lat. *catēna.*) f. Serie de muchos eslabones enlazados entre sí. Hácense de hierro, plata y otros metales o materias. || **2.** La de metal y de eslabones largos unidos cada uno al siguiente por una anilla, que ordinariamente tiene 10 metros de largo y cada pieza uno o dos decímetros. Suele usarse para las mediciones topográficas. || **3.** Cuerda de galeotes o presidiarios que iban encadenados a cumplir la pena que se les había impuesto. || **4.** Serie de perchas, masteleros o piezas de madera semejante, unidas a tope por medio de cables o eslabones, que sirve para cerrar la boca de un puerto, de una dársena o de un río. || **5.** V. **Bala, cable de cadena.** || **6.** fig. Sujeción que causa una pasión vehemente o una obligación. || **7.** fig. Continuación de sucesos. || **8.** *Arq.* Bastidor de maderos fuertemente ensamblados, sobre el cual se levanta una fábrica, como el revestimiento de un pozo, o una armazón, como el chapitel de una torre. || **9.** *Arq.* Madero o barra que resguarda la arista horizontal de un fogón de cocina. || **10.** *Arq.* Machón de sillería con que se fortifica un muro de mampostería o ladrillo. || **11.** *For.* Pena aflictiva, de gravedad variable según los códigos anteriores al vigente, y llamada así porque antiguamente los condenados a ella llevaban sujeta al cuerpo una **cadena.** || **de agrimensor. Cadena,** 2.ª acep. || **de montañas. Cordillera,** 1.ª acep. || **sin fin.** Conjunto de piezas metálicas, iguales, articuladas entre sí, que forman un circuito cerrado. || **Estar en cadena.** fr. Dícese del que estaba en la cárcel asegurado a una **cadena** fija por los dos extremos. || **2.** fig. Estar muy sujeto, oprimido y mortificado. || **Renunciar la cadena.** fr. En la antigua jurisprudencia de Castilla, hacer cesión de bienes el preso por deudas, con el fin de salir de carcelería, sujetándose además a llevar una argolla de hierro al cuello y a vivir en poder de sus acreedores hasta satisfacer todos los créditos.

Cadenado. (Del lat. *catenātus*, de *catenāre*, sujetar con cadenas.) m. ant. **Candado,** 1.ª acep.

Cadencia. (Del lat. *cadens, -entis*, cadente.) f. Serie de sonidos o movimientos que se suceden de un modo regular o medido. || **2.** Proporcionada y grata distribución o combinación de los acentos y de los cortes o pausas, así en la prosa como en el verso. || **3.** Efecto de tener un verso la acentuación que le corresponde para constar o para no ser duro o defectuoso. || **4.** *Danza.* Medida del sonido, que regla el movimiento de la persona que danza. || **5.** *Danza.* Conformidad de los pasos del que danza con la medida indicada por el instrumento. || **6.** *Mús.* Manera de terminar una frase musical; reposo marcado de la voz o del instrumento. || **7.** *Mús.* Ritmo, sucesión o repetición de sonidos diversos que caracterizan una pieza musical. || **8.** *Mús.* Resolución de un acorde disonante sobre un acorde consonante.

Cadenciosamente. adv. m. De modo cadencioso.

Cadencioso, sa. adj. Que tiene cadencia, 1.ª y 2.ª aceps.

Cadenero, ra. adj. El encargado de manejar la cadena de agrimensor.

Cadeneta. f. Labor o randa que se hace con hilo o seda, en figura de cadena muy delgada. || **2.** Labor hecha por los encuadernadores en las cabeceras de los libros para firmeza del cosido.

Cadenilla. (d. de *cadena.*) f. Cadena estrecha que se pone por adorno en las guarniciones. || **y media cadenilla.** Perlas que se distinguen y separan por razón del tamaño o hechura.

Cadente. (Del lat. *cadens, -entis,* p. a. de *cadĕre,* caer.) adj. Que amenaza ruina o está para caer o destruirse. || **2. Cadencioso.**

Cader. (Del lat. *cadĕre.*) intr. ant. Caer, postrarse, humillarse.

Cadera. (Del lat. *cathĕdra,* asiento, silla, y éste del gr. καθέδρα.) f. Cada una de las dos partes salientes formadas a los lados del cuerpo por los huesos superiores de la pelvis. || **2.** ant. **Silla.** || **3.** pl. **Caderillas.** || **4.** ant. V. **Silla de caderas.** || **5.** *Zool.* La primera de las cinco piezas de que constan las patas de los insectos, que por un lado está articulada con el tórax y por otro con el trocánter. || **Derribar las caderas** a un caballo. fr. *Equit.* Derribarlo.

Caderillas. f. pl. Tontillo pequeño y corto que sólo servía para ahuecar la falda por la parte correspondiente a las caderas.

Cadetada. (De *cadete.*) f. fam. Acción irreflexiva o ligereza impropia de gente formal.

Cadete. (Del fr. *cadet,* y éste del ant. fr. *capdel,* del lat. *caput, -itis,* cabeza.) m. Joven noble que se educaba en los colegios de infantería o caballería o servía en algún regimiento y ascendía a oficial sin pasar por los grados inferiores. || **2.** Alumno de una academia militar. || **Hacer el cadete.** fr. fig. y fam. Hacer cadetadas.

Cadí. m. Especie de palmera del Ecuador, cuyas hojas, gigantescas, se usan para el techado de las casas en los pueblos y en el campo. Su fruto es la tagua.

Cadí. (Del ár. *qādī,* juez.) m. Entre turcos y moros, juez que entiende en las causas civiles.

Cadiazgo. m. Cargo de cadí.

Cadillar. m. Sitio en que se crían muchos cadillos, 1.er art., 1.ª y 2.ª aceps.

Cadillo. (Del lat. *capitellum,* cabecita.) m. Planta de la familia de las umbelíferas, muy común en los campos cultivados, con tallo áspero y estriado, que crece hasta unos 30 centímetros de altura; hojas anchas en grupos de seis o siete, con dientes profundos; flores en umbela sin pie, de color rojo o purpúreo, y fruto elipsoidal de un centímetro de largo, erizado de espinas tiesas. || **2.** Planta de la familia de las compuestas, con tallo ahorquillado, de unos 60 centímetros de altura; hojas alternas, pecioladas, de orillas en serrezuela, lobuladas, ásperas y vellosas; flores de color verde amarillento, separadas las masculinas de las femeninas, y frutos aovados cubiertos de espinas ganchudas. Es muy común entre los escombros y en los campos áridos de toda Europa. || **3. Verruga,** 1.ª acep. || **4.** pl. Primeros hilos de la urdimbre de la tela. || **5.** *Ar.* Flor del olivo.

Cadillo. (Del lat. *catĕllus.*) m. *Ar.* **Cachorro,** 1.ª acep.

Cadira. (Del lat. *cathĕdra,* asiento.) f. ant. **Silla,** 1.ª acep.

Cadira. (Del ár. *qadra,* olla.) f. ant. Olla pequeña.

Cadmía. (Del lat. *cadmia,* y éste del gr. καδμεία.) f. Óxido de cinc sublimado durante la fundición de este metal, y que lleva ordinariamente consigo óxido de cadmio. || **2.** Por ext., cualquier sublimado metálico adherido a una chimenea o a la bóveda de un horno.

Cadmio. (De *cadmía.*) m. Metal de color blanco algo azulado, brillante y muy parecido al estaño, dúctil y maleable. Los minerales que lo contienen son poco abundantes y suelen estar asociados a los de cinc.

Cado. (Por *cao,* del cat. y arag. *cau,* y éste del lat. *cavus.*) m. *Ar.* Huronera o madriguera.

Cadoce. m. **Gobio.**

Cadoz. m. *Ast.* **Cadoce.**

Cadozo. (Del lat. *cadus,* olla.) m. **Olla,** 3.ª acep.

Caducamente. adv. m. Débilmente.

Caducante. p. a. de **Caducar.** Que caduca.

Caducar. (De *caduco.*) intr. **Chochear,** 1.ª acep. || **2.** Perder su fuerza una ley, testamento, contrato, etc. || **3.** Extinguirse un derecho, una facultad, una instancia o recurso. || **4.** fig. Arruinarse o acabarse alguna cosa por antigua y gastada.

Caduceador. (Del lat. *caduceātor.*) m. Rey de armas que publicaba la paz y llevaba en la mano el caduceo.

Caduceo. (Del lat. *caduceum,* y éste del gr. κηρύκειον, del heraldo.) m. Vara delgada, lisa y cilíndrica, rodeada de dos culebras, atributo de Mercurio. Los gentiles la consideraron como símbolo de la paz, y hoy suele emplearse como símbolo del comercio.

Caducidad. f. Acción y efecto de caducar, 2.ª y 3.ª aceps. || **de la instancia.** *For.* Presunción legal de que los litigantes han abandonado sus pretensiones cuando, por determinado plazo, se abstienen de gestionar en los autos.

Caduco, ca. (Del lat. *cadūcus.*) adj. Decrépito, muy anciano. || **2.** Perecedero, poco durable. || **3.** V. **Gota caduca.** || **4.** V. **Mal caduco.** || **5.** *Zool.* V. **Membrana caduca.** Ú. m. c. s. f.

Caduquez. f. Caducidad, calidad de caduco.

Caecer. (Del lat. *cadescĕre,* incoat. de *cadĕre.*) intr. ant. **Acaecer.**

Caedizo, za. adj. Que cae fácilmente, que amenaza caerse.

Caedura. f. Lo que en los telares se desperdicia o cae de los materiales que se tejen.

Caer. (Del lat. *cadĕre.*) intr. Venir un cuerpo de arriba abajo por la acción de su propio peso. Ú. t. c. r. || **2.** Perder un cuerpo el equilibrio hasta dar en tierra o cosa firme que lo detenga. Ú. t. c. r. || **3.** Desprenderse o separarse una cosa del lugar u objeto a que estaba adherida. CAER *las hojas de los árboles.* Ú. t. c. r., y sólo como tal cuando se trata de cosas pertenecientes a un cuerpo animado. CAERSE *los dientes, el pelo.* || **4.** Seguido de la prep. *de* y del nombre de alguna parte del cuerpo, venir al suelo dando en él con la parte nombrada. CAER *de espaldas, de cabeza.* || **5.** Venir a dar un animal o una persona en el armadijo o engaño dispuesto contra él o ella. CAER *en la red, en la trampa, en la emboscada, en el garlito.* || **6.** fig. Venir impensadamente a encontrarse en alguna desgracia o peligro. || **7.** fig. Dejar de ser, desaparecer. CAER *un imperio, un ministerio.* || **8.** fig. Perder la prosperidad, fortuna, empleo o valimiento. || **9.** fig. Incurrir en algún error o ignorancia o en algún daño o peligro. || **10.** fig. Tratándose de operaciones del entendimiento, venir en conocimiento, llegar a comprender. || **11.** fig. Minorarse, disminuirse, debilitarse alguna cosa. CAER *el caudal, el favor, la salud, el ánimo.* || **12.** fig. Tratándose del color, bajar, perder su viveza. || **13.** fig. Ir a parar a distinta parte de aquella que uno se propuso al principio. || **14.** fig. Cumplirse los plazos en que empiezan a devengarse o deberse algunos frutos o réditos. || **15.** fig. Tocar o corresponder a alguno una alhaja, empleo, carga o suerte. || **16.** fig. Estar situado en alguna parte o cerca de ella. *La puerta* CAE *a la derecha, a oriente.* || **17.** fig. Quedar incluido en alguna denominación o categoría, o sujeto a una regla. || **18.** fig. Corresponder un suceso a determinada época del año. *La Pascua* CAE *en marzo; San Juan* CAYÓ *en viernes.* || **19.** fig. Venir o sentar bien o mal. || **20.** fig. Hablando del Sol, del día, de la tarde, etc., acercarse a su ocaso o a su fin. || **21.** fig. **Sobrevenir.** || **22.** fig. y fam. **Morir,** 1.ª acep. || **23.** ant. **Caber,** 4.ª acep. || **24.** tr. p. us. Hacer **caer.** || **25.** r. fig. Desconsolarse, afligirse, descaecer. || **Al caer de la hoja, o de la pámpana.** m. adv. fam. Al fin del otoño, al acercarse el invierno. || **Caer bien, o mal,** una persona. fr. fig. y fam. Obtener buena, o mala, acogida. || **Caer uno de plano.** fr. **Caer** tendido a la larga. || **Caer enfermo, o malo.** fr. **Enfermar,** 1.ª acep. || **Caer** una cosa **por de fuera.** fr. fam. No perjudicar notablemente a uno o no sentir éste demasiado el perjuicio que recibe. || **Caer que hacer.** fr. fam. Ofrecerse inopinadamente ocasión de trabajar o de hacer alguna cosa. || **2.** Sobrevenir trabajos o adversidades. || **Caer** uno **redondo.** fr. fig. **Caerse** uno **redondo.** || **Caerse de maduro.** fr. fig. y fam. que se aplica al viejo decrépito cercano a la muerte. || **Caerse de suyo.** fr. fig. que nota la poca firmeza de las cosas mal fundadas, que sin extraño impulso se desbaratan. || **2.** fig. Ser una cosa muy natural o fácil de comprender. || **Caerse muerto.** fr. fig. Con la prep. *de* y algunos nombres, como *miedo, susto, gozo, risa,* etc., se emplea para ponderar el sumo miedo, susto, etc., que alguno padece. || **Caerse** uno **redondo.** fr. fig. Venir al suelo por algún desmayo u otro accidente. || **Cayendo y levantando.** loc. fig. y fam. Con alternativas adversas y favorables; sin fijeza en lo bueno o conveniente. Dícese con más frecuencia de los enfermos que experimentan algún alivio de cuando en cuando. || **El que no cae no se levanta.** ref. que da a entender que nada instruye tanto como las consecuencias de los yerros propios. || **Estar** una cosa **al caer.** fr. fig. Estar muy próxima a suceder, con alusión a la fruta ya madura y próxima a **caer** del árbol.

Café. (Del turco *qahwé,* y éste del ár. *qahwa.*) m. **Cafeto.** || **2.** Semilla del cafeto, como de un centímetro de largo, de color amarillento verdoso, convexa por una parte y plana, con un surco longitudinal, por la otra. || **3.** Bebida que se hace por infusión con esta semilla tostada y molida. || **4.** Casa o sitio público donde se vende y toma esta bebida. || **5.** fig. y fam. *Chile.* **Reprimenda.**

Cafeína. f. *Quím.* Alcaloide blanco, cristalizable en agujas transparentes, que se obtiene de las semillas y de las hojas del café, del té y de otros vegetales; se emplea como tónico del corazón y en las fiebres intermitentes.

Cafela. (Del ár. *qaffāla*, la que cierra fuertemente.) f. ant. **Cerrojo.**

Cafería. (Del ár. *kafriyya*, propia de aldea.) f. Aldea o cortijo.

Cafetal. m. Sitio poblado de cafetos.

Cafetalero, ra. adj. Que tiene cafetales. Ú. t. c. s.

Cafetalista. com. *Cuba.* Persona dueña de un cafetal.

Cafetera. f. Dueña de un café. ‖ **2.** Mujer que vende café en un sitio público. ‖ **3.** Vasija en que se hace o se sirve café.

Cafetería. f. Despacho de café y otras bebidas. En algunos países se reserva este nombre para el local en que el cliente se sirve sin intervención de otra persona.

Cafetero, ra. adj. Perteneciente o relativo al café. ‖ **2.** m. y f. Persona que en los cafetales tiene por oficio coger la simiente en el tiempo de la cosecha. ‖ **3.** m. Dueño de un café. ‖ **4.** El que vende café en un sitio público.

Cafetín. m. d. de **Café,** 4.ª acep.

Cafeto. m. Árbol de la familia de las rubiáceas, originario de Etiopía, de cuatro a seis metros de altura, con hojas opuestas, lanceoladas, persistentes y de un hermoso color verde; flores blancas y olorosas, parecidas a las del jazmín, y fruto en baya roja, cuya semilla es el café.

Cafetucho. m. despect. de **Café,** 4.ª acep.

Cáfila. (Del ár. *qāfila*, caravana.) f. fam. Conjunto o multitud de gentes, animales o cosas. Dícese especialmente de las que están en movimiento y van unas tras otras.

Cafiroleta. f. *Cuba.* Dulce compuesto de boniato, coco rallado y azúcar.

Cafiz. (Del ár. *qafīz*, medida de capacidad para áridos.) m. ant. **Cahíz,** 1.ª acep.

Cafizamiento. m. ant. Derecho que se pagaba por regar cada cahizada.

Cafre. (Del ár. *kāfir*, infiel, incrédulo.) adj. Habitante de la parte oriental del África del Sur, en las colonias inglesas del Cabo y de Natal. Es de color cobrizo y de costumbres sedentarias. Ú. t. c. s. ‖ **2.** fig. Bárbaro y cruel. Ú. m. c. s. ‖ **3.** fig. Zafio y rústico. Ú. m. c. s.

Caftán. (Del ár. *qaftān*, especie de vestido.) m. Vestimenta que cubre el cuerpo desde el pescuezo hasta la mitad de la pierna, sin cuello, abierta por delante, con mangas cortas y usada por hombres y mujeres entre turcos y moros.

Cagaaceite. (De *cagar* y *aceite*, por la calidad oleosa de su excremento.) m. Pájaro insectívoro de unos 28 centímetros de largo, de color gris obscuro por encima, blanquizco por debajo, con manchas negras triangulares en la garganta y redondeadas en el pecho y abdomen, y filetes de color gris amarillento en las plumas de las alas y de la cola; el pico amarillo en la base y pardo en el resto, y las patas de color de carne.

Cagachín. m. Mosquito que se diferencia del común en ser mucho más pequeño y de color rojizo. ‖ **2.** Pájaro más pequeño que el jilguero, con plumaje de tonos azules en la parte superior, verdoso en la espalda, pardo con manchas blancas en la garganta, blanco en el abdomen y alas negruzcas con listas rojizas. Es común en España.

Cagada. (Del lat. *cacāta*.) f. Excremento que sale cada vez que se evacua el vientre. ‖ **2.** fig. y fam. Acción contraria a lo que corresponde hacer en un negocio. ‖ **A buscar la cagada del lagarto.** expr. fig. y fam. que se emplea para despedir a uno con desprecio.

Cagadero. (De *cagar*.) m. Sitio donde va mucha gente a exonerar el vientre.

Cagado, da. p. p. de **Cagar.** ‖ **2.** adj. fig. y fam. Que es para poco y sin espíritu.

Cagafierro. (De *cagar* y *fierro*.) m. Escoria de hierro.

Cagajón. (De *cagar*.) m. Cada una de las porciones, de forma aproximadamente esférica, del excremento de las caballerías.

Cagalaolla. (De *cagar* y *olla*.) m. fam. El que va vestido de botarga, con máscara o sin ella, en algunas fiestas en que hay danzantes.

Cagalar. (De *cagar*.) m. V. **Tripa del cagalar.**

Cagalera. (De *cagalar*.) f. fam. Repetición de cursos o cámaras.

Cagaluta. f. **Cagarruta.**

Cagar. (Del lat. *cacāre*.) intr. **Evacuar el vientre.** Ú. t. c. tr. y c. r. ‖ **2.** tr. fig. y fam. Manchar, deslucir, echar a perder alguna cosa.

Cagarrache. m. Mozo que en el molino de aceite lava el hueso de la aceituna. ‖ **2. Cagaaceite.**

Cagarria. f. **Colmenilla.**

Cagarropa. (De *cagar* y *arropa*.) m. **Cagachín,** 1.ª acep.

Cagarruta. (De *cagar*.) f. Cada una de las porciones, aproximadamente esféricas, del excremento del ganado menor y de ciervos, gamos, corzos, conejos y liebres.

Cagatinta. (De *cagar* y *tinta*.) m. fam. despect. **Oficinista.**

Cagatintas. m. fam. despect. **Cagatinta.**

Cagatorio. m. **Cagadero.**

Cagón, na. (De *cagar*.) adj. Que exonera el vientre muchas veces. Apl. a pers., ú. t. c. s. ‖ **2.** fig. y fam. Dícese de la persona muy medrosa y cobarde. Ú. t. c. s.

Caguama. (Voz caribe.) f. Tortuga marina, algo mayor que el carey, y cuyas huevas son más estimadas que las de éste. ‖ **2.** Materia córnea de esta tortuga, no tan estimada como la del carey.

Cahíz. (De *cafiz*.) m. Medida de capacidad para áridos, de distinta cabida según las regiones. La de Castilla tiene 12 fanegas y equivale a 666 litros. ‖ **2. Cahizada.** ‖ **3.** Medida de peso, usada en la provincia de Madrid para el yeso, equivalente a 15 quintales, o sean 690 kilogramos.

Cahizada. f. Porción de terreno que se puede sembrar con un cahíz de grano. ‖ **2.** Medida agraria, usada en la provincia de Zaragoza, equivalente a 5.457 varas cuadradas, ó 38 áreas y 140 miliáreas.

Cahuerco. m. ant. **Carcavuezo.**

Cai. (Del fr. *quai*, muelle.) m. ant. **Cortina de muelle.**

Caíble. adj. Que puede caer.

Caico. m. *Cuba.* Bajo o arrecife grande que llega a veces a formar isletas.

Caíd. (Del ár. *qā'id*, jefe, conductor, general.) m. Especie de juez o gobernador en el antiguo reino de Argel y otros países musulmanes.

Caída. f. Acción y efecto de caer. ‖ **2.** Declinación o declive de alguna cosa, como la de una cuesta a un llano. ‖ **3.** Hablando de tapices, cortinas u otras colgaduras, cada una de las partes de ellas que penden de alto abajo. ‖ **4.** Manera de plegarse o de caer los paños y ropajes. ‖ **5.** Galería interior de las casas de Manila, con las vistas al patio. ‖ **6.** fig. Culpa de los ángeles malos y del primer hombre. ‖ **7.** *Germ.* **Afrenta,** 1.ª acep. ‖ **8.** *Germ.* Lo que gana la mujer con su cuerpo. ‖ **9.** *Ar.* **Añadidura,** 2.ª acep. ‖ **10.** *Mar.* Altura de las velas de cruz desde el grátil al pujamen, y largo de popa de las de cuchillo. ‖ **11.** pl. Entre los tratantes de lana, la que se desprende del vellón, y también la que el ganado lanar cría hacia el anca y otras partes. ‖ **12.** V. **Lana de caídas.** ‖ **13.** fig. y fam. Dichos oportunos, y en especial los que ocurren naturalmente y sin estudio. ‖ **Caída de latiguillo.** La que sufre un picador que, por efecto de la acometida del toro, es arrojado del caballo por la grupa y choca contra el suelo de espaldas a todo lo largo de su cuerpo. ‖ **de ojos.** Manera habitual de bajarlos una persona. ‖ **A la caída de la tarde.** m. adv. Al concluirse, estando para finalizar la tarde. ‖ **A la caída del Sol.** m. adv. Al ir a ponerse. ‖ **Andar, o ir, uno de caída.** fr. fig. y fam. **Andar de capa caída.**

Caído, da. p. p. de **Caer.** ‖ **2.** adj. fig. Desfallecido, amilanado. ‖ **3.** m. Cada una de las líneas oblicuas del papel pautado en que se aprende a escribir. ‖ **4.** pl. Réditos ya devengados.

Caigua. f. Planta de la familia de las cucurbitáceas, indígena del Perú, cuyos frutos, que son unas calabacitas de cáscara gruesa, rellenos de carne picada, constituyen un plato usual en aquel país. Plántase también como enredadera.

Caiguá. adj. Dícese del indio de la América Meridional que habitaba en los montes del Uruguay, Paraná y Paraguay. Ú. t. c. s.

Caimacán. (Del ár. *qā'im maqām*, lugarteniente.) m. Lugarteniente del gran visir.

Caimán. (Del taino *kaimán*.) m. *Zool.* Reptil del orden de los emidosaurios, propio de los ríos de América, muy parecido al cocodrilo, pero algo más pequeño, con el hocico obtuso y las membranas de los pies muy poco extensas. ‖ **2.** fig. Persona que con astucia y disimulo procura salir con sus intentos.

Caimiento. (De *caer*.) m. **Caída,** 1.ª acep. ‖ **2.** fig. Desfallecimiento de ánimo o de fuerzas corporales.

Caimital. m. Terreno en que abundan los caimitos.

Caimito. (Voz haitiana.) m. Árbol silvestre de las Antillas, de la familia de las sapotáceas, de corteza rojiza, madera blanda, hojas alternas y ovales, flores blancuzcas y fruto redondo, del tamaño de una naranja, de pulpa azucarada, mucilaginosa y refrigerante. ‖ **2.** Árbol del Perú de la misma familia que el anterior, pero de distinta especie. ‖ **3.** Fruto de estos árboles.

Caín. n. p. V. **Alma de Caín.**

Caique. (Del ár. turco *qā'iq*, barca.) m. Barca muy ligera que se usa en los mares de Levante. ‖ **2.** Esquife destinado al servicio de las galeras.

Caire. m. *Germ.* **Dinero.** ‖ **Quien no tiene caire, no tiene amigos ni donaire.** ref. que pone de manifiesto el poder del dinero.

Cairel. (Del cat. *cairell*, y éste del lat. *caliendrum*, adorno de la cabeza.) m. Cerco de cabellera postiza que imita al pelo natural y suple por él. ‖ **2.** Guarnición que queda colgando a los extremos de algunas ropas, a modo de fleco. ‖ **3.** Entre peluqueros, hebras de seda a que han afianzado el pelo de que forman después la cabellera, cosiéndola a la red.

Cairelar. tr. Guarnecer la ropa con caireles.

Cairelota. (De *cairelar*.) f. *Germ.* Camisa gayada o galana.

Cairino, na. (Del Cairo, capital de Egipto.) adj. Natural del Cairo. Ú. t. c. s. ‖ **2.** Perteneciente o relativo a dicha ciudad.

Caite. m. *Amér. Central.* **Cacle.**

Caja. (Del lat. *capsa*.) f. Pieza hueca de madera, metal, piedra u otra materia, que sirve para meter o guardar en ella alguna cosa. Se cubre con una tapa, suelta o unida a la parte principal. Tiene muchos usos y puede ser de varias formas y tamaños. ‖ **2. Caja,** por lo común de hierro o acero, para guardar con seguridad dinero, alhajas y otros objetos de valor. || **3. Ataúd,** 1.ª acep. || **4.** Parte del coche destinada para las personas que se sirven de él, y en la cual van sentadas. || **5. Tambor,** 1.ª acep. || **6.** Parte exterior de madera que cubre y resguarda algunos instrumentos, como el órgano, piano, etc., o que forma parte principal del instrumento, como en el violín, la guitarra, etc. || **7.** Hueco o espacio en que se introduce alguna cosa. CAJA *en que entra la espiga de un madero.* || **8.** Armazón o tarima de madera con un hueco en medio, donde se pone el brasero. || **9.** Pieza de la balanza y de la romana, en que entra el fiel cuando el peso está equilibrado. || **10.** En las armas de fuego portátiles, pieza de madera en que se ponen y aseguran el cañón y la llave. || **11.** En la ballesta, hueco que está en el tablero donde anda y se encaja la nuez. || **12.** Espacio o hueco en que se forma la escalera de un edificio. || **13.** Oficina pública de correos situada en un pueblo, donde se recogen las cartas de otros varios para dirigirlas a su destino y se distribuyen las que para ellos se reciben de otras partes. || **14.** Pieza, sitio o dependencia destinada en las tesorerías, bancos y casas de comercio para recibir o guardar dinero o valores equivalentes y para hacer pagos. || **15.** Alguna vez, el mismo cajero. || **16.** V. **Hilo de cajas.** || **17.** V. **Jubileo, libro, notario de caja.** || **18. Caja de reclutamiento.** || **19.** En los escenarios, espacio comprendido entre cada dos bastidores. || **20.** ant. Almacén o depósito de géneros y mercaderías para el comercio. || **21.** *Bot.* **Cápsula,** 3.ª acep. || **22.** *Impr.* Cajón con varias separaciones o cajetines, en cada uno de los cuales se ponen los caracteres que representan una misma letra o signo tipográfico. || **23.** pl. Recado de escribir que llevaban consigo los escribanos. || **Caja alta.** *Impr.* Parte superior izquierda de la **caja,** en la que se colocan las letras mayúsculas o versales y algunos otros signos. || **2.** *Impr.* V. **Letra de caja alta.** || **baja.** *Impr.* Parte inferior de la **caja,** en la que se colocan las minúsculas, los números, la puntuación y los espacios. || **2.** *Impr.* V. **Letra de caja baja.** || **de ahorros.** Establecimiento, casi siempre benéfico, destinado a recibir cantidades pequeñas que vayan formando un capital a sus dueños, devengando réditos en favor de los mismos. || **de amortización.** Establecimiento público que tenía a su cargo liquidar y clasificar las deudas del Estado, pagar los réditos y extinguir los capitales, administrando y recaudando los fondos aplicados a este objeto. Hoy tiene estos cargos y atribuciones la Dirección general de la Deuda. || **de caudales. Caja,** 2.ª acep. || **de consulta.** Parte narrativa o expositiva que precede al dictamen del tribunal o cuerpo que hace la consulta. || **de las muelas.** fam. Encías. || **2.** fam. Toda la boca. *Le deshizo,* o *descompuso, la* CAJA DE LAS MUELAS. || **del cuerpo. Tórax.** || **del tambor,** o **del tímpano.** *Zool.* Parte media del órgano del oído de la mayoría de los vertebrados, formada por una cavidad excavada en el hueso temporal, que contiene los huesecillos del oído y está separada del conducto auditivo externo por el tímpano. || **de música.** Instrumento pequeño de barretas de acero, a las cuales hace sonar un cilindro con púas, movido por un muelle de reloj. Las hay con fuelle y flautas en lugar de barretas. || **de reclutamiento.** Organismo militar encargado de la inscripción, clasificación y destino a cuerpo activo de los reclutas. || **perdida.** *Impr.* Parte de la **caja** alta donde se pone el galerín, y que contiene los signos de poco uso. || **registradora.** La que se usa en el comercio, la cual, por medio de un mecanismo, señala y suma automáticamente el importe de las ventas. || **Despedir,** o **echar, a uno con cajas destempladas.** fr. fig. y fam. Despedirle o echarle de alguna parte con grande aspereza o enojo. || **En caja.** loc. fig. y fam. En buen estado de salud o en vida ordenada, dicho de las personas, o en regla y concierto, hablando de las cosas. Úsase más con los verbos *entrar* y *estar.*

Cajá. adj. *Cuba.* V. **Palo cajá.**

Cajel. (Del cat. *caixell,* y este del lat. *capsellum,* de *capsa,* caja.) adj. V. **Naranja cajel.**

Cajera. f. Mujer que en las casas de comercio, banca y otros establecimientos está encargada de la caja. || **2.** *Mar.* Abertura donde se colocan las roldanas de motones y cuadernales.

Cajería. f. Tienda de cajas.

Cajero. m. El que hace cajas. || **2.** Persona que en las tesorerías, bancos, casas de comercio y en algunas particulares está encargada de la entrada y salida de caudales. || **3.** En acequias o canales, parte de talud comprendida entre el nivel ordinario del agua y la superficie del terreno. || **4.** Por ext., pared que forma la caja de un acueducto. || **5. Buhonero.**

Cajeta. f. d. de **Caja.** || **2.** *Ar.* Caja o cepo para recoger limosnas. || **3.** desus. *Cuba.* Caja de tabaco, tabaquera. || **4.** *C. Rica.* y *Méj.* Caja redonda con tapa que se usa para poner postres y jaleas. También el dulce que contiene.

Cajeta. (Del ingl. *gaskett.*) f. *Mar.* **Trenza** hecha de filásticas o meollar.

Cajete. m. *Méj.* y *Guat.* Cazuela honda y gruesa sin vidriar.

Cajetilla. (d. de *cajeta.*) f. Paquete de tabaco picado o de cigarrillos con envoltura de papel o cartulina.

Cajetín. m. d. de **Cajeta,** 1.er art. || **2.** Sello de mano con que en determinados papeles de las oficinas y en títulos y valores negociables se estampan diversas anotaciones. || **3.** Cada una de estas anotaciones. || **4.** Caja metálica con tapa articulada que usan los cobradores del tranvía para llevar los tacos de los billetes. || **5.** *Electr.* Listón de madera que se cubre con una moldura y tiene dos ranuras en las que se alojan por separado los conductores eléctricos. || **6.** *Impr.* Cada uno de los compartimientos de la caja.

Cají. (Voz cubana.) m. *Cuba.* Pez como de 30 centímetros de largo, de cola ahorquillada y color morado y amarillo, que se cría en el mar de las Antillas.

Cajiga. f. **Quejigo.**

Cajigal. m. **Quejigal.**

Cajilla. (Del lat. **capsella,* por *capsŭla,* cajita.) f. *Bot.* **Caja,** 21.ª acep. || **2.** pl. **Mandíbula.**

Cajín. (Del cat. *caixin,* de *caixa,* y éste del lat. *capsa,* caja.) adj. *Murc.* V. **Granada cajín.**

Cajista. (De *caja.*) com. Oficial de imprenta que, juntando y ordenando las letras, compone lo que se ha de imprimir.

Cajo. (Del lat. *capsus,* caja.) m. Pestaña que forma el encuadernador en el lomo de un libro sobre las primeras y últimas hojas, para que quepan cómodamente los cartones que han de cubrirlas al encuadernarlo.

Cajón. m. aum. de **Caja.** || **2. Caja,** comúnmente de madera y de forma prismática, cuadrilonga o cúbica, destinada a guardar o preservar las cosas que se ponen dentro de ella. || **3.** Cualquiera de los receptáculos que se pueden sacar y meter en ciertos huecos, a los cuales se ajustan, de armarios, mesas, cómodas y otros muebles. || **4.** En los estantes de libros y papeles, espacio que media entre tabla y tabla. || **5.** Casilla o garita de madera que sirve de tienda o de obrador. || **6.** *Chile.* Cañada larga por cuyo fondo corre algún río o arroyo. || **7.** *Amér.* Correspondencia que llegaba de España en los galeones. || **8.** *Amér.* Comercio, tienda de abacería. || **9.** *Arq.* Cada uno de los espacios **en que queda** dividida una tapia o pared **por los machones** y verdugadas de material **más fuerte.** || **de sastre.** fig. y fam. Conjunto de cosas diversas y desordenadas. || **2.** fig. y fam. Persona que tiene en su imaginación gran variedad de especies desordenadas y confusas. || **Ser de cajón una cosa.** fr. Ser corriente y de estilo.

Cajonada. (De *cajón.*) f. *Mar.* Encasillado a una y otra banda del sollado para colocar las maletas de la marinería.

Cajonera. f. Conjunto de cajones que hay en las sacristías para guardar las vestiduras sagradas y ropas de altar.

Cajonería. f. Conjunto de cajones de un armario o estantería.

Cajonero. m. Mozo o criado que en las jornadas y viajes antiguos cuidaba de las acémilas y de su carga. || **2.** *Amér.* Dueño de un cajón o tienda. || **3.** *Min.* Operario que en el brocal de un pozo de mina recibe o amaina las vasijas en que se extraen las aguas.

Cajonga. (Voz americana.) f. *Hond.* Tortilla grande de maíz mal molido.

Cajuela. f. d. de **Caja.** || **2.** *Cuba.* Árbol silvestre, de buena madera y color amarillo y pardusco. Pertenece a las euforbiáceas.

Cajuil. m. *Bot.* **Marañón.**

Cal. (Del lat. *calx.*) f. Óxido de calcio, substancia blanca, ligera, cáustica y alcalina, que en estado natural se halla siempre combinada con alguna otra. Cuando está viva, al contacto del agua se hidrata o apaga hinchándose con desprendimiento de calor, y, mezclada con arena, forma la argamasa o mortero. || **2.** V. **Agua, cloruro, piedra de cal.** || **3.** *Alq.* Cualquier óxido metálico. || **anhidra.** La que está privada de agua. || **hidráulica.** Producto de la calcinación de piezas calizas con cierta porción de arcilla, el cual se endurece al contacto del agua. || **muerta.** La apagada. || **viva. Cal anhidra.** || **Ahogar la cal.** fr. Apagarla. || **De cal y canto.** expr. fig. y fam. Fuerte, macizo y muy durable. || **Una de cal y otra de arena.** loc. fig. y fam. Alternar cosas diversas o contrarias para contemporizar.

Cal. f. ant. **Calle.**

Cala. f. Acción y efecto de calar un melón u otras frutas semejantes. || **2.** Pedazo cortado de una fruta para probarla. || **3.** Mecha de jabón, aceite y sal que sirve de ayuda a los niños y que para los adultos solía prepararse con jirapliega y otros ingredientes. Llámase también supositorio. || **4.** Rompimiento hecho para reconocer el grueso de una pared o su fábrica o para descubrir bajo el pavimento, cañerías, conducciones de agua, electricidad, etc. || **5.** Parte más baja en lo interior de un buque. || **6.** Paraje distante de la costa, propio para pescar con anzuelo. || **7.** Tienta que mete el cirujano para reconocer la profundidad de una herida. || **8.** *Germ.* **Agujero,** 1.ª acep. || **Hacer cala, o hacer cala y cata.** fr. Reconocer alguna cosa para saber su cantidad o calidad.

Cala. (Del ár. *kallā'*, fondeadero abrigado.) f. Ensenada pequeña.

Cala. (Del lat. *calla,* cierta planta.) f. Planta acuática aroidea, con hojas radicales de pecíolos largos, espádice amarillo y espata grande y blanca; se cultiva en los jardines por su buen olor y hermoso aspecto.

Calaba. (Voz americana.) m. **Calambuco.** || **2.** V. **Bálsamo de calaba.**

Calabacear. tr. fig. y fam. **Dar calabazas.** || **2.** r. **Darse de calabazadas.**

Calabacera. f. Mujer que vende calabazas. || **2.** *Bot.* Planta anua de la familia de las cucurbitáceas, con tallos rastreros muy largos y cubiertos de pelo áspero, hojas anchas y lobuladas y flores amarillas. Su fruto es la calabaza.

Calabacero. m. El que vende calabazas. || **2.** *Germ.* Ladrón que hurta con ganzúa.

Calabacero. m. *C. Rica.* **Jícaro.**

Calabacil. (De *calabaza.*) adj. V. **Pera calabacil.**

Calabacilla. (d. de *calabaza.*) f. **Cohombrillo amargo.** || **2.** Colgante del pendiente o arete de las orejas, cuando tiene forma semejante a una calabacita.

Calabacín. m. Calabacita cilíndrica de corteza verde y carne blanca. || **2.** fig. y fam. **Calabaza,** 4.ª acep.

Calabacinate. m. Guisado hecho con calabacines.

Calabacino. m. Calabaza seca y hueca, para tener vino u otro líquido.

Calabaza. f. **Calabacera,** 2.ª acep. || **2.** Fruto de la calabaza, muy vario en su forma, tamaño y color; por lo común grande, redondo y con multitud de pipas o semillas. || **3. Calabacino.** || **4.** fig. y fam. Persona inepta y muy ignorante. || **5.** fig. y fam. *Mar.* Buque pesado y de malas condiciones náuticas. || **6.** *Germ.* **Ganzúa,** 1.ª acep. || **bonetera,** o **pastelera.** La de forma de bonete y gran tamaño. || **confitera,** o **totanera.** La de mayor tamaño entre las conocidas. || **vinatera.** La que forma cintura en medio y es más ancha por la parte de la flor. Sirve después de seca para llevar vino u otro licor. || **Aún no está en la calabaza y ya se torna vinagre.** ref. alusivo a la persona que apenas ocupa un buen lugar o empleo, descubre su mala condición o genio adusto. || **Beber de calabaza.** fr. fig. y fam. Aprovechar la confusión u obscuridad de un negocio para lucrarse sin que se le entienda. Se dijo porque no se sabe cuánto bebe el que lo hace de una **calabaza.** || **Dar calabazas.** fr. fig. y fam. Reprobar a uno en exámenes. || **2.** fig. y fam. Desairar o rechazar la mujer al que la pretende o requiere de amores. || **Echar en calabaza.** fr. fig. y fam. Perder el tiempo, especialmente cuando le faltan a uno a la palabra dada. || **Nadar sin calabazas.** fr. fig. y fam. Saber manejarse uno por sí solo en la vida. || **Ni calabaza sin tapón ni mujer sin quita y pon.** ref. que aconseja no tomar la primera, porque se vierte o evapora el líquido, ni la segunda sin bienes que ayuden a la comodidad de la vida. || **No necesitar de calabazas para nadar.** fr. fig. y fam. **Nadar sin calabazas.** || **Salir uno calabaza.** fr. fig. y fam. No corresponder al buen concepto que se había formado de él.

Calabazada. f. **Cabezada,** 1.ª y 2.ª aceps. || **Darse uno de calabazadas.** fr. fig. y fam. Fatigarse por averiguar o conseguir alguna cosa.

Calabazar. m. Sitio sembrado de calabazas.

Calabazate. m. Dulce seco de calabaza. || **2.** Cascos de calabaza en miel o arrope.

Calabazazo. m. Golpe dado con una calabaza, 2.ª acep. || **2.** fam. Golpe que uno recibe en la cabeza.

Calabazo. m. **Calabaza,** 2.ª acep. || **2. Calabacino.** || **3.** *Cuba.* **Güiro,** 3.ª acep. || **4.** *Mar.* **Calabaza,** 5.ª acep.

Calabazón. m. aum. de **Calabaza.** || **2.** *Al.* Especie de cerezo cuyos frutos son mayores y de pulpa más consistente que los del cerezo común.

Calabazona. f. *Al.* **Calabazón,** 2.ª acep. || **2.** *Murc.* Calabaza inverniza.

Calabazuela. f. Planta que se cría en la sierra de la provincia de Sevilla y que se emplea contra la mordedura de la víbora.

Calabobos. (De *calar,* 2.° art., y *bobo.*) m. fam. Lluvia menuda y continua que, cayendo con suavidad, al cabo moja al que la recibe.

Calabocero. m. El encargado de asistir a los presos que lo están en calabozo.

Calabozaje. m. Derecho que pagaba al carcelero el que había estado preso en calabozo.

Calabozo. m. Lugar seguro, las más veces lóbrego y aun subterráneo, donde se encierra a determinados presos. || **2.** Aposento de cárcel para incomunicar a un preso.

Calabozo. (De *calagozo.*) m. Instrumento de hoja acerada, ancha y fuerte, para podar y rozar árboles y matas.

Calabre. (Del gr. καταβολή, acto de bajar.) m. ant. *Mar.* **Cable,** 1.ª acep.

Calabrés, sa. adj. Natural de Calabria. Ú. t. c. s. || **2.** Perteneciente a esta región de Italia.

Calabriada. f. Mezcla de vinos, especialmente de blanco y **tinto.** || **2.** fig. Mezcla de cosas diversas.

Calabrotar. tr. *Mar.* **Acalabrotar.**

Calabrote. (De *calabre.*) m. *Mar.* Cabo grueso hecho de nueve cordones colchados de izquierda a derecha, en grupos de a tres y en sentido contrario cuando se reúnen para formar el cabo.

Calacuerda. (De *calar,* 2.° art., y *cuerda.*) f. *Mil.* Toque militar antiguo para acometer resueltamente al enemigo. Servía para mandar que, en los mosquetes y arcabuces, se aplicase la mecha o cuerda encendida a sus cazoletas u oídos, cebados con pólvora.

Calada. f. Acción y efecto de calar, 1.ª y 15.ª aceps. || **2.** Vuelo rápido del ave de rapiña, ya abatiéndose, ya levantándose. || **3.** ant. Camino estrecho y áspero. || **Dar una calada.** fr. fig. y fam. Reprender ásperamente.

Caladelante. (De *cal,* calle, y *adelante.*) adv. t. y l. ant. **Caradelante.**

Caladera. (De *calar,* 2.° art.) f. *Murc.* Red que se usa para la pesca de mújoles y lisas.

Caladero. m. Sitio a propósito para calar las redes de pesca.

Calado. (De *calar,* 2.° art.) m. Labor que se hace con aguja en alguna tela, sacando o juntando hilos, con que se imita la randa o encaje. || **2.** Labor que consiste en taladrar el papel, tela, madera, metal u otra materia, con sujeción a un dibujo. || **3.** *Germ.* Hurto que ha parecido. || **4.** *Mar.* Profundidad que alcanza en el agua la parte sumergida de un barco. || **5.** *Mar.* Altura que alcanza la superficie del agua sobre el fondo. || **6.** pl. Encajes o galones con que las mujeres guarnecían los jubones desde los hombros bajando en punta hasta más abajo de la cintura.

Calador. (De *calar,* 2.° art.) m. El que cala. || **2.** Tienta del cirujano. || **3.** Hierro cilíndrico por uno de sus extremos, plano y algo afilado por el otro, con que los calafates introducen las estopas en las costuras al carenar las embarcaciones. || **4.** *Chile.* Punzón o aguja grande para abrir los sacos, barriles, etc., y robar el contenido sin que se conozca. || **5.** *Argent.* y *Méj.* Barrena acanalada para sacar muestras de las mercaderías sin abrir los bultos que las contienen, a fin de conocer su clase o calidad.

Caladora. (De *calar,* 2.° art.) f. *Venez.* Piragua grande.

Caladre. f. Calandria, 1.er art., 1.ª acep.

Caladura. (De *calar,* 2.° art.) f. **Cala,** 1.er art., 1.ª acep.

Calafate. (Del ár. *qalfāṭ.*) m. El que calafatea las embarcaciones. || **2. Carpintero de ribera.**

Calafateado. m. Arte del calafate. || **2. Calafateo.**

Calafateador. m. **Calafate,** 1.ª acep.

Calafateadura. f. **Calafateo.**

Calafatear. (De *calafate.*) tr. Cerrar las junturas de las maderas de las naves con estopa y brea para que no entre el agua. || **2.** Por ext., cerrar o tapar otras junturas.

Calafateo. m. Acción y efecto de calafatear.

Calafatería. f. **Calafateo.**

Calafatín. m. Aprendiz de calafate.

Calafetar. tr. ant. **Calafetear.**

Calafetear. tr. **Calafatear.**

Calagozo. m. **Calabozo,** 2.° art. || **Calagozo corta encina, que no cola vulpina.** ref. que advierte que el fin sólo se consigue empleando medios adecuados.

Calagraña. f. Variedad de **uva** de mala calidad. || **2. Uva torrontés.**

Calaguala. f. *Bot.* Helecho de la familia de las papilionáceas, originario del Perú, con hojas rastreras, ensiformes, lisas, de unos ocho decímetros de largo, y raíz rastrera y dura. Se emplea en medicina.

Calaguasca. f. *Colomb.* **Aguardiente.**

Calagurritano, na. (Del lat. *calagurritānus.*) adj. Natural de la antigua Calagurris o de la moderna Calahorra, ciudad de la Rioja. Ú. t. c. s. || **2.** Perteneciente a esta ciudad. || **3.** V. **Hambre calagurritana.**

Calahorra. (De *Calahorra.*) f. Casa pública con rejas por donde se daba el pan en tiempo de escasez.

Calahorrano, na. (De *Calahorra.*) adj. **Calagurritano.**

Calahorreño, ña. adj. **Calagurritano.**

Calaínos. n. p. V. **Coplas de Calaínos.**

Calaita. (Del lat. *callais,* y éste del gr. κάλλαϊς.) f. **Turquesa,** 2.° art.

Calaje. m. *Ar.* Cajón o naveta.

Calalú. m. *Cuba.* Potaje compuesto de hojas de la planta de su nombre, verdolaga, calabaza, bledo y otros vegetales picados y cocidos con sal, vinagre, manteca y otros condimentos. Lo comían principalmente los negros. || **2.** Nombre que se da en Cuba a una planta amarantácea que produce una legumbre que sirve para aderezar el **calalú.** También se llama jaboncillo. || **3.** *Salv.* **Quingombó.**

Calaluz. m. Embarcación pequeña usada en las Indias Orientales.

Calamaco. m. Tela de lana delgada y angosta, que tiene un torcidillo como jerga y se parece al droguete. || **2.** *Méj.* **Fríjol.** || **3.** *Méj.* **Mezcla,** 2.ª acep.

Calamar. (Del lat. *calamarius,* de *calămus,* caña o pluma de escribir.) m. Molusco cefalópodo, de cuerpo oval, con un rudimento de concha interna, que tiene consistencia córnea y es semejante por su forma a una pluma de ave; todos sus tentáculos están provistos de ventosas, mediante las cuales se adhiere a los objetos sólidos que lo rodean.

Calambac. (Del persa *kalanbak.*) m. Árbol del Extremo Oriente, leguminoso, con hojas sencillas, lanceoladas, y flores en racimos erguidos, terminales. Su madera es el palo áloe.

Calambre. (Del ant. nórdico *klampi,* laña, corchete; en al. *krampf,* calambre.) m. Contracción espasmódica, involuntaria, dolorosa y poco durable de ciertos músculos, particularmente de los de la pantorrilla. || **2.** Enfermedad caracterizada por el espasmo de ciertos grupos de músculos, generalmente de la mano, que dificulta o impide el ejercicio de la función de ésta, en algunos oficios y profesiones, como de escribiente, telegrafista, pianista, etc. || **de estómago.** *Pat.* Gastralgia; dolor muy fuerte de estómago, generalmente causado por lesión en el mismo.

Calambuco. (De *calaba.*) m. Árbol americano, de la familia de las gutíferas, de unos 30 metros de altura, con tronco negruzco y rugoso, hojas aovadas, lisas, duras y lustrosas, flores en ramillete, blancas y olorosas, y frutos redondos y carnosos. Su resina es el bálsamo de María.

Calamento. (Del gr. καλάμινθος.) m. *Bot.* Planta vivaz, de la familia de las labiadas, de unos seis decímetros de altura, ramosa, velluda, con hojas aovadas y flores purpúreas en racimos. Despide olor agradable, y se usa en medicina.

Calamento. (De *calar*, 2.° art.) m. Acción de calar las redes o cualquier arte de pesca.

Calamida. f. ant. **Calamita,** 2.° art.

Calamidad. (Del lat. *calamĭtas, -ātis.*) f. Desgracia o infortunio que alcanza a muchas personas. ‖ **Ser uno una calamidad.** fr. fig. y fam. Ser una persona de condición molesta o enfadosa.

Calamiforme. (De *cálamo* y *forma.*) adj. Dícese de las partes vegetales o animales que tienen figura de cañón de pluma.

Calamillera. f. **Caramilleras.**

Calamina. (Del lat. *cadmea*, b. lat. *calamina.*) f. Carbonato de cinc, anhidro, pétreo, blanco o amarillento, o rojizo cuando le tiñe el hierro. Es la mena de que generalmente se extrae el cinc. ‖ **2.** Cinc fundido.

Calaminar. adj. V. **Piedra calaminar.**

Calaminta. (Del lat. *calaminthe*, y éste del gr. καλαμίνθη.) f. **Calamento,** 1.er art.

Calamistro. (Del lat. *calamister, -trum;* de *calămus*, caña.) m. *Arqueol.* Hierro usado antiguamente para rizar el pelo.

Calamita. f. **Calamite.**

Calamita. (Del m. or. que *caramida.*) f. Piedra imán. ‖ **2. Brújula,** 1.ª acep.

Calamite. (Del lat. *calamites*, y éste del gr. καλαμίτης, el que mora entre cañas.) f. Sapo pequeño, verde, con las uñas planas y redondas.

Calamitosamente. adv. m. Con calamidad, desgraciadamente.

Calamitoso, sa. (Del lat. *calamitōsus.*) adj. Que causa calamidades o es propio de ellas. ‖ **2.** Infeliz, desdichado.

Cálamo. (Del lat. *calămus.*) m. Especie de flauta antigua. ‖ **2.** poét. **Caña,** 1.ª acep. ‖ **3.** poét. **Pluma,** 3.ª y 4.ª aceps. ‖ **aromático.** Raíz medicinal del ácoro, de unos dos centímetros de diámetro, nudosa, ligera y de olor agradable, usada como ingrediente para componer la triaca. ‖ **2.** Planta medicinal gramínea, muy parecida al esquenanto y cuya raíz substituye a la del ácoro.

Calamocano, na. adj. Dícese de la persona que está algo embriagada. ‖ **2.** m. fam. **Chocho,** 2.° art., 1.ª acep.

Calamoco. m. **Canelón,** 2.ª acep.

Cálamo currente. (Lit., *al correr de la pluma;* de *calămus*, pluma, y *currens, -entis*, que corre.) loc. adv. lat. fig. Sin reflexión previa, con presteza y de improviso. Por lo común se usa hablando de escritos.

Calamocha. f. Ocre amarillo de color muy bajo.

Calamón. m. Ave zancuda, de unos tres decímetros de largo, con la cabeza roja, el lomo verde y violado el vientre. Habita en las orillas del mar y se alimenta de peces. ‖ **2.** Clavo de cabeza en forma de botón, que se usa para tapizar o adornar. ‖ **3.** Cada uno de los dos palos con que se sujeta la viga en el lagar y en el molino de aceite.

Calamón. m. Parte superior de la alcoba de la balanza, donde se introduce y sujeta el vástago del garabato de que ésta se cuelga, cuando no es de pie.

Calamonarse. r. *Ar.* Corromperse o fermentar la hierba u otro vegetal.

Calamorra. adj. Se dice de la oveja que tiene lana en la cara. ‖ **2.** f. fam. **Cabeza,** 1.ª acep.

Calamorrada. (De *calamorrar.*) f. fam. **Cabezada,** 1.ª y 2.ª aceps.

Calamorrar. (De *calamorra.*) intr. ant. Darse de testaradas o topar los carneros unos con otros.

Calamorrazo. (De *calamorra.*) m. fam. Golpe en la cabeza.

Calamorro. m. *Chile.* Zapato grueso y de forma grosera.

Calandraca. f. *Mar.* Sopa que se hace a bordo con pedazos de galleta cuando escasean los víveres. ‖ **2.** fig. *Murc.* Conversación molesta y enfadosa.

Calandrado. m. Acción y efecto de calandrar.

Calandrajo. (Del lat. *caliendrum*, cairel, colgante.) m. fam. Pedazo de tela grande, rota y desgarrada, que cuelga del vestido. ‖ **2.** fam. Trapo viejo. ‖ **3.** fig. y fam. Persona ridícula y despreciable. ‖ **4.** *Sal.* Suposición, comentario, invención.

Calandrar. tr. Pasar el papel o la tela por la calandria, a fin de satinarlo.

Calandria. (Del gr. κάλανδρος.) f. *Zool.* Pájaro perteneciente a la misma familia que la alondra, de dorso pardusco con manchas claras, vientre blanquecino, alas anchas, de 40 centímetros de envergadura, y pico grande y grueso. Anida en el suelo y es común en España. ‖ **2.** *Germ.* **Pregonero.**

Calandria. (Del lat. *cylindrum*, y éste del gr. κύλινδρος, cilindro.) f. Máquina para prensar y satinar ciertas telas o el papel. ‖ **2.** Cilindro hueco de madera, giratorio alrededor de un eje horizontal, movido por el peso del hombre o los hombres que entran en él. Se emplea para levantar cosas pesadas, por medio de un torno. ‖ **3.** com. fam. Persona que se finge enferma para tener vivienda y comida en un hospital.

Cálanis. m. **Cálamo aromático.**

Calántica. (Del lat. *calantĭca*, cofia.) f. Tocado de tela semejante a una mitra, que usaban las mujeres de la antigüedad clásica.

Calaña. (De un der. del lat. *qualis.*) f. Muestra, modelo, patrón, forma. ‖ **2.** fig. Índole, calidad, naturaleza de una persona o cosa. *Ser de buena*, o *mala*, CALAÑA.

Calaña. f. Abanico muy ordinario con varillaje de caña.

Calañas. (De *Calañas*, en Huelva.) n. p. V. **Sombrero de Calañas.**

Calañés, sa. adj. Natural de Calañas (Huelva). Ú. t. c. s. ‖ **2.** Perteneciente o relativo a este pueblo. ‖ **3.** V. **Sombrero calañés.** Ú. t. c. s.

Calaño, ña. (De *calaña.*) adj. ant. Compañero, igual, semejante.

Cálao. m. Ave grande, trepadora, que tiene sobre el pico, que es grueso, un voluminoso apéndice córneo, de figura variada. Conócense diversas especies, que viven en Filipinas y en otras islas del Océano Pacífico.

Calapé. m. *Amér.* Tortuga asada en su concha

Calar. (De *cal*, 1.er art.) adj. **Calizo.** ‖ **2.** m. Lugar en que abunda la piedra caliza.

Calar. (Del lat. *chalāre*, bajar, descender, y éste del gr. χαλάω.) tr. Penetrar un líquido en un cuerpo permeable. ‖ **2.** Atravesar un instrumento, como espada, barrena, etc., otro cuerpo de una parte a otra. ‖ **3.** Imitar la labor de la randa o encaje en las telas, sacando o juntando algunos de sus hilos. ‖ **4.** Agujerear tela, papel, metal o cualquiera otra materia en hojas, de forma que resulte un dibujo parecido al de la randa o encaje. ‖ **5.** Cortar de un melón o de otras frutas un pedazo con el fin de probarlas. ‖ **6.** Dicho de la gorra, el sombrero, etc., ponérselos, haciéndolos entrar mucho en la cabeza. Ú. t. c. r. ‖ **7.** Hablando de las picas y otras armas, inclinarlas hacia adelante en disposición de herir. ‖ **8.** fig. y fam. Tratándose de personas, conocer sus cualidades o intenciones. ‖ **9.** fig. y fam. Penetrar, comprender el motivo, razón o secreto de una cosa. ‖ **10.** fig. y fam. Entrarse, introducirse en alguna parte. Ú. m. c. r. ‖ **11.** *Colomb.* Apabullar, cachifollar. ‖ **12.** *Méj.* Sacar con el calador una muestra en un fardo. ‖ **13.** *Germ.* Meter la mano en la faltriquera para hurtar lo que hay dentro. ‖ **14.** *Mar.* Arriar o bajar un objeto resbalando sobre otro, como mastelero, verga, etc., sirviéndose de un aro u otro medio adecuado para guiar su movimiento. ‖ **15.** *Mar.* Sumergir en el agua cualquier objeto, como las redes o artes de pesca, etc. ‖ **16.** intr. *Mar.* Alcanzar un buque en el agua determinada profundidad por la parte más baja de su casco. ‖ **17.** r. Mojarse una persona hasta que el agua, penetrando la ropa, llegue al cuerpo. ‖ **18.** Abalanzarse las aves sobre alguna cosa para hacer presa en ella. ‖ **19.** *Germ.* Entrarse en una casa para hurtar.

Calasancio, cia. adj. **Escolapio.**

Cálato. (Del gr. κάλαθος, canastillo.) m. *Arqueol.* Cesto de juncos o de mimbres entrelazados, de forma semejante a un cáliz sin el pie. ‖ **2.** *Arq.* Tambor del capitel del orden corintio.

Calato, ta. adj. *Perú.* Desnudo, en cueros.

Calatrava. n. p. V. **Cruz de Calatrava.**

Calatraveño, ña. adj. Natural de Calatrava. Ú. t. c. s. ‖ **2.** Perteneciente o relativo a esta antigua fortaleza y villa de la Mancha o a su campo.

Calatravo, va. adj. Dícese de los caballeros, freires y personas de la orden militar de Calatrava. Ú. t. c. s.

Calavera. (Del lat. *calvaria*, cráneo.) f. Conjunto de los huesos de la cabeza mientras permanecen unidos, pero despojados de la carne y de la piel. ‖ **2.** Mariposa de cuerpo grueso y pelado, con antenas prismáticas y adelgazadas hacia el extremo; alas estrechas y vuelo pesado acompañado de un sonido especial. Tiene sobre el dorso del tórax unas manchas cenicientas que contrastan con el color pardo del cuerpo y forman un dibujo parecido a una **calavera.** Su oruga vive sobre las patatas y se alimenta de las hojas de esta planta. ‖ **3.** m. fig. Hombre de poco juicio y asiento. ‖ **in coquis.** fig. y fam. **Calavera,** 3.ª acep.

Calaverada. (De *calavera*, 3.ª acep.) f. fam. Acción desconcertada, **propia de** hombres de poco juicio.

Calaverear. (De *calavera*, 3.ª acep.) intr. fam. Hacer calaveradas.

Calaverna. (Del lat. *cadaverina*, t. f. de *-nus*, de cadáver.) f. ant. **Calavera,** 1.ª acep.

Calavernario. (De *calaverna.*) m. Osario, 1.er art

Calavero. m. ant. **Calavera,** 1.ª acep. Ú. en *Sal.*

Calaverón. m. aum. de **Calavera.**

Calboche. (De *calibo.*) m. *Sal.* Olla de barro con asa y boca como las del cántaro, y agujereada toda, excepto el asiento. Se usa para asar castañas.

Calbote. m. *Sal.* Castaña asada.

Calbotes. m. pl. *Ál.* Judías verdes.

Calca. (De *calcar*, pisar.) f. *Germ.* **Camino,** 1.ª acep. ‖ **2.** pl. *Germ.* Pisadas, 1.ª y 2.ª aceps.

Calcadera. (De *calcar.*) f. ant. **Calcañar.**

Calcado. m. Acción de calcar.

Calcador, ra. m. y f. Persona que calca. ‖ **2.** m. Instrumento para calcar.

Calcáneo. (Del lat. *calcanĕum.*) m. *Zool.* Uno de los huesos del tarso, que en el hombre está situado en el talón o parte posterior del pie.

Calcañal. m. **Calcañar.**

Calcañar. (De *calcaño.*) m. Parte posterior de la planta del pie.

Calcaño. (Del lat. *calcanĕum*, talón.) m. **Calcañar.**

Calcañuelo. m. Cierta enfermedad que padecen las abejas.

Calcar. (Del lat. *calcāre.*) tr. Sacar copia de un dibujo, inscripción o relieve por contacto del original con el papel o la tela a que han de ser trasladados. ‖ **2.** Apretar con el pie. ‖ **3.** fig. Imitar, copiar o reproducir con exactitud y a veces servilmente.

Calcáreo, a. (Del lat. *calcarius.*) adj. Que tiene cal.

Calcatrife. m. *Germ.* **Ganapán.**

Calce. (Del *calzar.*) m. **Llanta,** 2.° art., 1.ª acep. ‖ **2.** Porción de hierro o acero que se añade a la boca o punta de algunas herramientas o a la reja del arado cuando están gastadas. ‖ **3.** Cuña o alza que se introduce para ensanchar el espacio entre dos cuerpos. ‖ **4. Calza,** 2.° art., 3.ª acep. ‖ **5.** *Méj.* y *Guat.* Pie de un documento. *El Presidente firmó al* CALCE.

Calce. (Del lat. *calix, -icis,* tubo de conducción.) m. ant. **Cáliz,** 1.ª y 3.ª aceps. ‖ **2.** ant. **Caz.** Ú. en *Burg.* ‖ **3.** *Ál.* **Cauce.**

Calceatense. adj. Natural de Santo Domingo de la Calzada. Ú. t. c. s. ‖ **2.** Perteneciente a esta ciudad de la Rioja.

Calcedonense. adj. **Calcedonio.**

Calcedonia. (De *Calcedonia,* ciudad de Bitinia, de donde procede esta piedra.) f. **Ágata** muy translúcida, de color azulado o lechoso.

Calcedonio, nia. adj. Natural de Calcedonia. Ú. t. c. s. ‖ **2.** Perteneciente a esta ciudad de Bitinia.

Cálceo. (Del lat. *calcĕus.*) m. *Arqueol.* Calzado alto y cerrado que usaban los romanos, algo semejante a las botas modernas.

Calceolaria. (De *calcĕolus,* zapatito.) f. Planta anual, de la familia de las escrofulariáceas, cuyas flores, en corimbo y de color de oro, semejan un zapatito. Es originaria de la América Meridional, y se cultiva en los jardines.

Calcés. (Del ital. *calcese,* y éste del lat. *carchesium,* gavia.) m. *Mar.* Parte superior de los palos mayores y masteleros de gavia, comprendida entre la cofa o cruceta y el tamborete.

Calceta. (d. de *calza,* 2.° art.) f. **Media.** 1.ª acep. ‖ **2.** fig. Grillete que se ponía al forzado. ‖ **3.** *Murc.* Embuchado en tripa gruesa, por el estilo de la butifarra. ‖ **4.** *C. Rica.* **Calceto.**

Calcetar. intr. Hacer calceta o media.

Calcetería. f. Oficio de calcetero. ‖ **2.** Tienda donde se vendían calzas y calcetas.

Calcetero, ra. m. y f. Persona que hace y compone medias y calcetas. ‖ **2.** m. Maestro sastre que hacía las calzas de paño. ‖ **3.** *Germ.* El que echa los grillos.

Calcetín. m. d. de **Calceta,** 1.ª acep. ‖ **2.** Calceta o media que sólo llega a la mitad de la pantorrilla.

Calceto. adj. *Colomb.* Dícese del pollo calzado. Ú. t. c. s.

Calcetón. m. aum. de **Calceta,** 1.ª acep. ‖ **2.** Media de lienzo o paño para debajo de la bota.

Cálcico, ca. adj. *Quím.* Perteneciente o relativo al calcio.

Calcicosis. f. *Med.* Neumoconiosis causada por el polvo de la cal.

Calcídico. (Del lat. *chalcidĭcum.*) m. *Arqueol.* Galería o corredor construido generalmente en sentido perpendicular al eje de un edificio.

Calcificación. f. *Biol.* Acción o efecto de calcificar o calcificarse.

Calcificación. (De *calcificar.*) f. *Med.* Transformación de los tejidos, tumores y paredes de los vasos, por depositarse en ellos sales de cal.

Calcificar. (Del lat. *calx, calcis,* cal, y *facĕre,* hacer.) tr. Producir por medios artificiales carbonato de cal. ‖ **2.** *Biol.* Dar a un tejido orgánico propiedades calcáreas mediante la adición de sales de calcio. ‖ **3.** r. Modificarse o degenerar en esta forma un tejido orgánico.

Calcilla. f. *Ar.* Media sin pie, pero con una trabilla que sirve para sujetarla.

Calcillas. (De *calza.*) f. pl. Calzas más cortas y estrechas que las ordinarias. ‖ **2.** m. fig. y fam. Hombre tímido o cobarde. ‖ **3.** fig. y fam. Hombre de corta estatura.

Calcímetro. (De *calcio* y μέτρον, medida.) m. Aparato que sirve para determinar la cal contenida en las tierras de labor.

Calcina. (Del lat. *calx, calcis,* cal.) f. **Hormigón,** 1.er art.

Calcinable. adj. Que puede calcinarse.

Calcinación. f. Acción y efecto de calcinar. ‖ **2.** V. **Horno de calcinación.**

Calcinado. (De *calcinar.*) adj. V. **Ocre calcinado.**

Calcinador, ra. adj. Que calcina. Ú. t. c. s.

Calcinamiento. m. **Calcinación.**

Calcinar. (Del lat. *calx, calcis,* cal.) tr. Reducir a cal viva los minerales calcáreos, privándolos del ácido carbónico por el fuego. ‖ **2.** *Quím.* Someter al calor los minerales de cualquier clase, para que de ellos se desprendan las substancias volátiles.

Calcinatorio. m. Vasija en que se calcina.

Calcinero. m. **Calero,** 2.ª acep.

Calcio. (Del lat. *calx, calcis,* cal.) m. Metal blanco, muy alterable al aire y al agua, que, combinado con el oxígeno, forma la cal.

Calcitrapa. f. **Cardo estrellado.**

Calco. (De *calcar.*) m. Copia que se obtiene calcando. ‖ **2.** *Germ.* **Zapato.**

Calcografía. (Del gr. χαλκός, bronce, cobre, y γράφω, grabar.) f. Arte de estampar con láminas metálicas grabadas. ‖ **2.** Oficina donde se hace dicha estampación.

Calcografiar. tr. Estampar por medio de la calcografía.

Calcográfico, ca. adj. Perteneciente a la calcografía.

Calcógrafo. m. El que ejerce el arte de la calcografía.

Calcomanía. (Del fr. *décalcomanie;* de *décalquer,* calcar, y *manie,* manía.) f. Entretenimiento que consiste en pasar de un papel a objetos diversos de madera, porcelana, seda, estearina, etc., imágenes coloridas preparadas con trementina. ‖ **2.** Imagen obtenida por este medio. ‖ **3.** El papel o cartulina que tiene la figura, antes de transportarla.

Calcopirita. (Del gr. χαλκός, cobre, y de *pirita.*) f. *Mineral.* Sulfuro natural de cobre y hierro, de color amarillo claro y brillante y no muy duro.

Calcorrear. (De *calcorro.*) intr. *Germ.* Correr, 1.ª acep.

Calcorreo. m. *Germ.* Acción de calcorrear.

Calcorro. (De *calcar.*) m. *Germ.* **Zapato.**

Calcotipia. (Del gr. χαλκός, cobre, y τύπος, molde.) f. Procedimiento de grabado en cobre, para reproducir en planchas sólidas en relieve una composición tipográfica de caracteres movibles.

Calculable. adj. Que puede reducirse a cálculo.

Calculación. (Del lat. *calculatio, -onis.*) f. **Cálculo,** 1.ª acep. ‖ **2.** ant. Acción de calcular.

Calculadamente. adv. m. Con cálculo.

Calculador, ra. (Del lat. *calculātor.*) adj. Que calcula. Ú. t. c. s. ‖ **2.** Dícese de la máquina con que se ejecutan mecánicamente operaciones aritméticas.

Calcular. (Del lat. *calculāre.*) tr. Hacer cálculos.

Calculatorio, ria. adj. Que es propio del cálculo.

Calculista. (De *cálculo.*) adj. **Proyectista.** Ú. t. c. s.

Cálculo. (Del lat. *calcŭlus.*) m. Cómputo, cuenta o investigación que se hace de alguna cosa por medio de operaciones matemáticas. ‖ **2. Conjetura.** ‖ **3.** Concreción anormal que se forma en la vejiga de la orina y también en la de la bilis, en los riñones y en las glándulas salivares. Su expulsión ocasiona accesos de cólicos que se llaman nefríticos o hepáticos, según los casos. ‖ **4.** pl. **Mal de piedra.** ‖ **Cálculo algebraico.** *Mat.* El que se hace con letras que representan las cantidades, aunque también se empleen algunos números. ‖ **aritmético.** *Mat.* El que se hace con números exclusivamente y algunos signos convencionales. ‖ **diferencial.** *Mat.* Parte de las matemáticas que trata de las diferencias infinitamente pequeñas de las cantidades variables. ‖ **infinitesimal.** *Mat.* Conjunto de los **cálculos** diferencial e integral. ‖ **integral.** *Mat.* Parte de las matemáticas que enseña a determinar las cantidades variables, conocidas sus diferencias infinitamente pequeñas. ‖ **prudencial.** El que se hace a bulto, con aproximación y sin buscar la exactitud.

Calculoso, sa. (Del lat. *calculōsus.*) adj. Perteneciente o relativo al mal de piedra. ‖ **2.** Que padece esta enfermedad. Ú. t. c. s.

Calcha. (Del arauc. *calcha,* pelos interiores.) f. *Chile.* **Cerneja.** Ú. m. en pl. ‖ **2.** *Chile.* Pelusa o pluma que tienen algunas aves en los tarsos. ‖ **3.** *Chile* y *Argent.* Conjunto de las ropas de vestir y cama de los trabajadores.

Calchacura. (Del arauc. *calcha* y *cura,* pelo o barba de la piedra.) f. *Chile.* Liquen semejante al islándico y de aplicación igual en medicina.

Calchaquí. adj. Se aplica al indio que habita en un valle del Tucumán, llamado de Calchaquí, y también al sur del Chaco, junto a la provincia de Santa Fe, originario quizá del mismo valle. Ú. t. c. s.

Calchín. adj. Dícese del indio de origen guaraní que, en tribus, habita hoy el Rincón de San José, al norte de Santa Fe, y está dedicado a la agricultura y a la ganadería. Ú. t. c. s.

Calchón, na. (De *calcha.*) adj. *Chile.* Dícese del ave que tiene calchas. ‖ **2.** *Chile.* Dícese de la caballería que tiene muchas cernejas.

Calchona. (De *calchón.*) f. *Chile.* Ser fantástico y maléfico que atemoriza a los caminantes solitarios. Al son de este nombre se cometen robos y otros daños. ‖ **2.** *Chile.* **Bruja,** 3.ª acep. ‖ **3.** *Chile.* Mujer vieja y fea.

Calchudo, da. adj. *Chile.* **Calchón.**

Calda. (Del lat. *calda.*) f. Acción y efecto de caldear. ‖ **2.** Acción de introducir en los hornos de fundición cierta cantidad de combustibles, para producir en ellos un aumento de temperatura. ‖ **3.** pl. Baños de aguas minerales calientes. ‖ **Dar calda,** o **una calda,** a uno. fr. fig. y fam. Acalorarle, estimularle para que haga alguna cosa. ‖ **Dar una calda.** fr. Recalentar en la fragua el hierro que se trabaja en estado candente, cada vez que pierde por enfriamiento su color rojizo brillante.

Caldaico, ca. (Del lat. *chaldaĭcus.*) adj. Perteneciente a Caldea, región asiática.

Caldaria. (Del lat. *caldaria,* de *caldus,* caliente.) adj. V. **Ley caldaria.**

Caldario. (Del lat. *caldarium.*) m. Sala donde en las casas de baños de los antiguos romanos se tomaban los de vapor.

Caldeamiento. m. Acción y efecto de caldear.

Caldear. (Del lat. *caldus*, caliente.) tr. Calentar mucho. *El sol o la lumbre* HAN CALDEADO *esta pieza.* Ú. t. c. r. || **2.** Hacer ascua el hierro para labrarlo o para soldar un trozo con otro Ú. t. c. r.

Caldeísmo. m. Giro o modo de hablar propio de la lengua caldea.

Caldén. m. *Bot.* Árbol leguminoso, que alcanza más de 10 metros de altura y cuya madera, dura y sólida, se emplea en carpintería. Abunda en la República Argentina.

Caldeo. (De *caldear.*) m. **Calda,** 1.ª acep.

Caldeo, a. (Del lat. *chaldaeus*, y éste del gr. χαλδαῖος.) adj. Natural de Caldea, hoy Curdistán. Ú. t. c. s. || **2. Caldaico.** || **3.** m. Lengua de los **caldeos**, una de las semíticas. || **4.** ant. **Astrólogo,** 2.ª acep || **5.** ant **Matemático,** 3.ª acep.

Caldera. (Del lat. *caldaria.*) f. Vasija de metal, grande y redonda, que sirve comúnmente para poner a calentar o hacer cocer algo dentro de ella. || **2. Calderada.** || **3.** Caja del timbal hecha con latón o cobre. || **4.** *Argent.* Cafetera, tetera y vasija para hacer el mate. || **5.** *Blas.* Figura artificial que se pinta con las asas levantadas, terminadas en cabezas de serpientes. En España fue señal de ricahombría. Se usan casi siempre en número de dos, en el campo del escudo o en orla. || **6.** *Min.* Parte más baja de un pozo, donde se hacen afluir las aguas para extraerlas más fácilmente. || **de jabón. Jabonería,** 1.ª acep. || **de vapor** Recipiente donde hierve el agua, cuyo vapor en tensión constituye la fuerza motriz de la máquina. || **tubular.** La de esta clase que lleva en su interior varios tubos longitudinales, por entre los cuales penetran los gases y llamas del hogar, para aumentar la superficie de calefacción del agua que los rodea. || **Las calderas de Pero Botero.** expr. fig. y fam. El infierno.

Calderada. f. Lo que cabe de una vez en una caldera.

Calderería. f. Oficio de calderero. || **2.** Tienda y barrio en que se hacen o venden obras de calderero. || **3.** Parte o sección de los talleres de metalurgia donde se cortan, forjan, entraman y unen barras y planchas de hierro o de acero, con mecanismos apropiados.

Calderero. m. El que hace o vende obras de calderería.

Caldereta. f. d. de **Caldera.** || **2. Calderilla,** 1.ª acep. || **3.** Guisado que se hace cociendo el pescado fresco con sal, cebolla y pimiento, y echándole aceite y vinagre antes de apartarlo del fuego. || **4.** Guisado que hacen los pastores con carne de cordero o cabrito. || **5.** *Mar.* Viento terral, acompañado de lluvia y truenos, que corre de la parte del sur en Costa Firme, desde junio a fin de septiembre.

Calderil. m. *Sal.* Palo con muescas para colgar el caldero en las cocinas. Hace el oficio de las llares.

Calderilla. (d. de *caldera.*) f. Caldera pequeña para llevar el agua bendita. || **2.** Numerario de cobre, bronce u otro metal no precioso, que tiene limitada por la ley su fuerza liberatoria. || **3.** Arbustillo de la familia de las saxifragáceas, de uno a dos metros de altura, con hojas pequeñas, acorazonadas y lampiñas, flores de color amarillo verdoso en racimos colgantes, y bayas rojas, carnosas e insípidas.

Caldero. (Del lat. *caldarium.*) m. Caldera pequeña de suelo casi semiesférico, y con asa sujeta a dos argollas en la boca. || **2.** Lo que cabe en esta vasija. || **Con un caldero viejo se compra otro nuevo.** ref. que se aplica a los mozos y mozas que se casan con viejos con el fin de heredarlos. || **Quién dice a quién: el caldero a la sartén.** ref. que se aplica a las disputas entre los que, por su ruindad, nada tienen que perder ni que echarse en cara.

Calderón. m. aum. de **Caldera.** || **2.** Delfín de gran tamaño, pues alcanza hasta cinco metros de longitud, de cabeza voluminosa, casi globosa, y de aletas pectorales estrechas y largas; es de color blanquecino por debajo y negro por encima. Suele ir en bandadas y se alimenta principalmente de calamares. || **3.** *Ál.* Juego de muchachos parecido al de la tala. || **4.** *Arit.* Signo (.Ɒ) con que se denotaban abreviadamente los millares. || **5.** *Gram.* Signo ortográfico (¶) usado antiguamente como el párrafo (§). Lo empleaban también los impresores como signatura de los pliegos que no formaban parte del texto principal. || **6.** *Mús.* Signo (𝄐) que representa la suspensión del movimiento del compás. || **7.** *Mús.* Esta suspensión. || **8.** *Mús.* Frase o floreo que el cantor o el tañedor ejecuta ad líbitum durante la momentánea suspensión del compás.

Calderoniano, na. adj. Propio y característico de don Pedro Calderón de la Barca como escritor, o que tiene semejanza con cualquiera de las dotes o calidades por que se distinguen sus producciones.

Calderuela. f. d. de **Caldera.** || **2.** Vasija en que los cazadores nocturnos llevan la luz para encandilar y deslumbrar las perdices, que huyendo de ella caen en la red.

Caldibache. m. despect. **Calducho.**

Caldibaldo. (De *caldo.*) m. **Calducho.**

Caldillo. (d. de *caldo.*) m. Salsa de algunos guisados. || **2.** *Méj.* Picadillo de carne con caldo, sazonado con orégano y otras especias.

Caldo. (Del lat. *caldus*, caliente.) m. Líquido que resulta de cocer en agua la vianda. || **2.** Aderezo de la ensalada o del gazpacho. || **3.** *Méj.* Jugo o guarapo de la caña. || **4.** *Méj.* Maravilla o flor de muerto. || **5.** *Agr.* y *Com.* Cualquiera de los jugos vegetales destinados a la alimentación, y directamente extraídos de los frutos: como el vino, aceite, sidra, etc. Ú. m. en pl. || **alterado.** El que se hacía cociendo juntas ternera, perdices, ranas, víboras y varias hierbas. || **bordelés.** Nombre con que son designados varios líquidos que contienen sulfato de cobre en disolución y se utilizan para impedir el desarrollo del hongo microscópico que produce el mildiu de la vid El que se emplea con mayor frecuencia es una disolución acuosa de sulfato de cobre al 1,5 ó 2 por 100, a la que se ha añadido cal en cantidad superior para neutralizarla. || **de cultivo.** *Med.* Líquido convenientemente preparado para favorecer la proliferación de determinadas bacterias. || **esforzado.** El que presta vigor y esfuerzo al que está desmayado. || **Al que no quiere caldo, la taza llena,** o **taza y media,** o **tres tazas.** fr. fig. y fam. que se dice cuando uno es obligado o hacer o padecer con exceso lo mismo que repugnaba. || **Amargar el caldo.** fr. fig. y fam. Dar a uno una pesadumbre. || **Caldo de tripas, bien te repicas; o cómo te repicas, caldo de tripas.** ref. dirigido a los que fingen hacer gran favor con una nonada. || **Caldo de uvas, marido, que me tino.** ref. contra los que exageran sus males o necesidad para pedir con exceso. || **Como caldo de altramuces, o de zorra, que está frío y quema.** ref. que se aplica a ciertos dichos y expresiones que, aunque parecen suaves, tienen sentido picante y ofensivo. Dícese también de la persona que se finge pacífica y afable para lograr astutamente su intención. || **De esos caldos denle hartos,** o **váyanle dando.** ref. que recuerda cómo las cosas útiles, v. gr., el dinero, no hay inconveniente en que se prodiguen en favor de alguno. || **El caldo, en caliente; la injuria, en frío.** ref. que advierte que las ofensas deben recibirse con ánimo sereno y tranquilo, a fin de no precipitarse o excederse en la forma de reprimirlas o castigarlas. || **Hacer a uno el caldo gordo.** fr. fig. y fam. Obrar uno de modo que aproveche a otro, involuntaria o inadvertidamente por lo general. || **Haz de ese caldo tajadas.** expr. fig. y fam. que denota la dificultad suma o imposibilidad de una cosa. || **Lo que me ha de dar cocho, démelo asado, que yo le perdono el caldo.** ref. que reprende a los que para hacer un favor lo retardan o lo ponderan de antemano. || **Quien tras el caldo no bebe, no sabe lo que pierde.** ref. Si **bebieres con el caldo,** etc. || **Revolver caldos.** fr. fig. y fam. Desenterrar cuentos viejos, para mover disputas o rencillas. || **Revolver uno el caldo.** fr. fig. y fam. **Revolver el ajo.** || **Si bebieres con el caldo, no darás al médico un puerco cada año.** ref. que expresa la creencia antigua de que el vino sobre el **caldo** preservaba de enfermedades.

Caldoso, sa. adj. Que tiene mucho caldo.

Calducho. m. despect. Caldo de poca substancia o mal sazonado.

Calduda. f. *Chile.* Empanada caldosa de huevos, pasas, aceitunas, etc.

Caldudo, da. adj. **Caldoso.**

Cale. m. Apabullo, golpe dado con la mano y sin gran violencia. *Dar un* CALE *en el sombrero.*

Calé. m. *Germ.* Moneda de cobre que valía un cuarto, o sean cuatro maravedises. || **2.** *Colomb.* y *Ecuad.* Moneda de cuartillo de real. || **3.** *And.* **Gitano,** 1.ª acep.

Calecer. (Del lat. *calescĕre.*) intr. Ponerse caliente alguna cosa.

Calecerse. (De *calesa,* 2.ª art.) r. *Sal.* Corromperse la carne; criar calesa.

Calecico. m. d. de **Cáliz.**

Caledonio, nia. (Del lat. *caledonius.*) adj. Natural de la Caledonia, antigua región de la Gran Bretaña. Ú. t. c. s. **2.** Perteneciente o relativo a esta región.

Calefacción. (Del lat. *calefactio, -ōnis.*) f. Acción y efecto de calentar o calentarse. || **2.** Conjunto de aparatos destinados a calentar un edificio o parte de él. || **central.** La procedente de un solo foco que eleva la temperatura en todo un edificio.

Calefactor. m. Persona que construye, instala o repara aparatos de calefacción.

Calefactorio. (Del lat. *calefactorius.*) m. Lugar que en algunos conventos se destina para calentarse los religiosos.

Caleidoscopio. m **Calidoscopio.**

Calejo. m. *Sal.* **Canto rodado.**

Calembé. m. desus. *Cuba.* **Taparrabo.**

Calenda. (Del lat. *kalendae, -arum,* primer día de mes.) f. Lección del martirologio romano, con los nombres y hechos de los santos, y las fiestas pertenecientes a cada día. || **2.** pl. En el antiguo cómputo romano y en el eclesiástico, el primer día de cada mes. || **3.** fam. Época o tiempo pasado. || **Las calendas griegas.** expr. irón. que denota un tiempo que no ha de llegar, porque los griegos no tenían calendas.

Calendar. (De *calenda.*) tr. Poner en las escrituras, cartas u otros instrumentos la fecha o data del día, mes y año.

Calendario. (Del lat. *calendarium.*) m. **Almanaque.** **2.** ant. **Data,** 1.er art., 1.ª acep. || **americano. Calendario de pared.** || **de Flora.** *Bot.* Tabla de las épocas del año en que florecen ciertas plantas. || **de pared.** El formado por un taco de tantas hojas como los días, las semanas o los meses del año. Arrancada la hoja del día, la semana o el mes transcurridos, queda a la vista la siguiente. || **gregoriano.** El que no cuenta como bisiestos los años que terminan siglo, excepto cuando caen en decena de siglo. El papa Gregorio XIII lo estableció en 1582, haciendo correr diez días en el mes de octubre, y hoy lo usan todas las naciones cristianas, menos las que siguen el cisma griego. || **juliano.** El que cuenta como bisiestos todos los años cuyo número de días es divisible por 4, aunque terminen siglo. Lo estableció Julio César para todo el imperio romano, lo conservan todavía los cismáticos griegos, y en las naciones musulmanas lo emplean para los cálculos astronómicos y los usos de la agricultura. || **nuevo. Calendario gregoriano.** || **perpetuo.** El que puede utilizarse siempre, ya por estar fundado en la oportuna distribución de las letras dominicales que señalan los días de la semana y las fiestas movibles en cualquier año, o ya por corresponder a un mecanismo ingenioso en el que a voluntad se van cambiando en un disco giratorio o en una faja de papel los números de los días del mes, los nombres de los días de la semana y el de cada mes y el número del año cuyo **calendario** se quiere formar. || **reformado. Calendario gregoriano.** || **Hacer** uno **calendarios.** fr. fig. y fam. Estar pensativo, discurriendo a solas sin objeto determinado. || **2.** fig. y fam. Hacer cálculos o pronósticos aventurados. || **Parecer** una cosa **calendario de vicario.** fr. fig. y fam. que se aplica a los deseos, proyectos o discursos del que todo lo encamina a su provecho.

Calendarista. com. Persona que hace o compone calendarios.

Calendata. (De *calendar.*) f. ant. *For. Ar.* **Data,** 1.er art., 1.a acep.

Caléndula. (De *calendŭla,* nombre científico de esta planta.) f. **Maravilla,** 3.a acep.

Calentador, ra. adj. Que calienta. || **2.** m. Recipiente con lumbre, agua, vapor o corriente eléctrica, que sirve para calentar la cama, el baño, etc. || **3.** fig. y fam. Reloj de bolsillo demasiado grande.

Calentamiento. (De *calentar.*) m. **Calefacción,** 1.a acep. || **2.** Enfermedad que padecen las caballerías en las ranillas y el pulmón.

Calentano, na. (De *caliente.*) adj. *Amér.* Natural de Tierra Caliente. Ú. t. c. s. || **2.** Perteneciente o relativo a este territorio.

Calentar. (Del lat. *calentāre.*) tr. Comunicar calor a un cuerpo haciendo que se eleve su temperatura. Ú. t. c. r. || **2.** En el juego de la pelota, detenerla algún tanto en la paleta o en la mano antes de arrojarla o rebatirla. || **3.** fig. Avivar o dar calor a una cosa, para que se haga con más celeridad. || **4.** fig. y fam. Azotar, dar golpes. || **5.** r. Hablando de las bestias, estar rijosas o en celo. || **6.** fig. Enfervorizarse en la disputa o porfía.

Calentito, ta. (d. de *caliente.*) adj. fig. y fam. **Reciente,** 1.a acep. || **2.** m. *And.* **Cohombro,** 3.a acep. Ú. m. en pl.

Calentón. m. fam. Acto de calentarse de prisa o fugazmente. Ú. m. en la fr. **darse un calentón.**

Calentura. (De *calentar.*) f. **Fiebre,** 1.a acep. || **2.** ant. **Calor.** || **3.** En Cuba, descomposición por fermentación lenta que sufre el tabaco apilado. || **4.** En Cuba, nombre de una planta silvestre, de tallo cilíndrico, hojas lanceoladas, alternas y lustrosas y florecilla anaranjada. Crece en la humedad, es emética, y se usa en la cordelería. || **del león.** Estado de excitación causado en este animal por el celo o por el hambre y expresado por el aumento de sus rugidos. || **Calentura cuartana, a los viejos mata y a los mozos sana.** ref. que advierte que ciertas cosas parecen bien en la juventud y mal en la edad madura. || **Calentura del hogar, sólo dura hasta el umbral, o calentura del llar, hasta el umbral, o hasta el corral.** ref. que enseña que el calor más útil es el del alimento. || **Calentura de pollo por comer gallina.** expr. fig. y fam. que se dice del que finge alguna enfermedad por no trabajar o por que le regalen. || **Calenturas de mayo, salud para todo el año.** ref.; porque el buen tiempo que sigue, las cura. || **Calenturas otoñales, o muy largas, o mortales.** ref.; porque el invierno las agrava. || **Ni calentura con frío, ni marido en casa contino.** ref. que advierte que ambas cosas cansan y molestan.

Calenturiento, ta. adj. Dícese del que tiene indicios de calentura. Ú. t. c. s. || **2.** *Chile.* **Tísico.**

Calenturón. m. aum. de **Calentura,** 1.a acep.

Calenturoso, sa. adj. **Calenturiento,** 1.a acep.

Caleño, ña. adj. Que puede dar o producir cal. || **2. Calizo.**

Calepino. (De Ambrosio *Calepino,* agustino italiano autor de un diccionario poligloto.) m. fig. Diccionario latino.

Caler. (Del lat. *calēre,* estar caliente.) intr. Convenir, importar.

Calera. f. Cantera que da la piedra para hacer cal. || **2.** Horno donde se calcina la piedra caliza.

Calera. (De *cala.*) f. Chalupa que sale a pescar en las calas muy distantes de la costa en Vizcaya y Guipúzcoa.

Calería. f. Sitio donde se muele y vende la cal.

Calero, ra. adj. Perteneciente a la cal, o que participa de ella. || **2.** m. El que saca la piedra y la calcina en la calera. || **3.** El que vende cal.

Calés. (Del fr. *calèche.*) m. **Calesa,** 1.er art.

Calesa. (Del fr. *calèche,* y éste del checo *kolesa.*) f. Carruaje de cuatro y, más comúnmente, de dos ruedas, con la caja abierta por delante, dos o cuatro asientos y capota de vaqueta.

Calesa. (Del lat. *caries,* carcoma.) f. *Sal.* Gusanillo que en verano cría la carne manida o el jamón cuando empieza a corromperse.

Calesera. f. Chaqueta con adornos, a estilo de la que usan los caleseros andaluces. || **2.** Cante popular andaluz que solían entonar los caleseros para alivio de los viajes. La copla es una seguidilla sin estribillo.

Calesero, ra. adj. V. **Doblón calesero.** || **2.** m. El que tiene por oficio conducir calesas. || **A la calesera.** m. adv. Dícese de los arreos y guarniciones de coches y trajes de cochero que imitan los de las antiguas calesas.

Calesín. (d. de *calés.*) m. Carruaje ligero, de cuatro ruedas y dos asientos, del cual tiraba una sola caballería.

Calesinero. m. El que alquilaba calesines. || **2.** El que tenía por oficio conducirlos.

Caleta. f. d. de **Cala,** 2.o art. || **2.** *Amér.* Dícese del barco que va tocando, fuera de los puertos mayores, en las calas o caletas. || **3.** En Venezuela, gremio de porteadores de mercancías, especialmente en los puertos de mar.

Caleta. (De *cala,* agujero.) m. *Germ.* Ladrón que hurta por agujero.

Caletero. m. *Venez.* Trabajador que pertenece a la caleta.

Caletero. m. *Germ.* Ladrón que va con el caleta.

Caletre. (Del lat. *character.*) m. fam. Tino, discernimiento, capacidad.

Caleza. (De *catar.*) f. ant. Penetración, capacidad.

Cali. m. *Quím.* **Álcali.**

Cálibe. (Del pl. lat. *Chalybes.*) m. Individuo de un pueblo que habitaba cerca del río Termodonte en el Ponto, y se ocupaba en beneficiar y labrar el hierro. Ú. m. en pl.

Cálibo. (Del ár. *qālib, qālab* molde, y éste del gr. καλόπους, horma.) m. ant. **Calibre.**

Calibo. (Del lat. *calēre,* estar caliente.) m. *Ar.* **Rescoldo,** 1.a acep.

Calibración. f. Acción y efecto de calibrar.

Calibrador. m. Instrumento para calibrar. || **2.** Tubo cilíndrico de bronce, por el cual se hace correr el proyectil para apreciar su calibre.

Calibrar. tr. Medir o reconocer el calibre de las armas de fuego o el de otros tubos. || **2.** Medir o reconocer el calibre de los proyectiles, o el grueso de los alambres, chapas de metal, etc. || **3.** Dar al alambre, al proyectil o al ánima del arma el calibre que se desea.

Calibre. (De *cálibo.*) m. *Art.* Diámetro interior de las armas de fuego. || **2.** *Art.* Por ext., diámetro del proyectil o de un alambre. || **3.** Diámetro interior de muchos objetos huecos; como tubos, conductos, cañerías. || **4.** V. **Compás de calibres.** || **5.** fig. Tamaño, importancia; clase.

Calicanto. (De *cal* y *canto.*) m. **Mampostería,** 1.a acep.

Calicata. (De *calar* y *catar.*) f. *Min.* Exploración que con labores mineras se hace en un terreno, para saber los minerales que contiene.

Cálice. (Del lat. *calix, -icis.*) m. ant. **Cáliz.**

Caliciflora. (De *cáliz* y *flor.*) adj. *Bot.* Dícese de la planta cuyos pétalos y estambres parecen insertarse en el cáliz. Ú. t. c. s.

Caliciforme. (De *cáliz* y *forma.*) adj. *Bot.* Que tiene forma de cáliz.

Calicillo. (d. de *cáliz.*) m. *Bot.* Verticilo de apéndices foliáceos.

Calicó. (Del fr. *calicot,* y éste de *Calicut,* en la India.) m. Tela delgada de algodón.

Calicud. (De *Calicut.*) f. ant. Tejido delgado de seda.

Caliculado, da. adj. *Bot.* Dícese de las flores que tienen calículo.

Calicular. adj. *Bot.* Perteneciente o relativo al calículo. || **2.** *Bot.* En forma de calículo.

Calículo. (Del lat. *caliculus,* d. de *calix, -icis,* cáliz.) m. *Bot.* Conjunto de brácteas simulando un cáliz alrededor del verdadero cáliz o del involucro, como la malva, el clavel y la fresa.

Calicut. (Nombre español antiguo de la ciudad de Calcuta.) f. ant **Calicud.**

Caliche. (De *cal.*) m. Piedrecilla que, introducida por descuido en el barro, se calcina al cocerlo. || **2.** En los melones y otras frutas, **maca.** || **3.** Costrilla de cal que suele desprenderse del enlucido de las paredes. || **4.** *And.* Raja en una vasija. || **5.** *Murc.* Juego del hito. || **6.** *Chile.* Nitrato de sosa, salitre de sosa o nitrato cúbico. || **7.** *Chile.* **Calichera.** || **8.** *Perú.* Barrera, 2.o art., 2.a acep.

Calichera. f. *Chile.* Yacimiento de caliche; terreno en que hay caliche.

Calidad. (Del lat. *qualitas, -ātis.*) f. Manera de ser una persona o cosa. || **2.** Carácter, genio, índole. || **3.** Condición o requisito que se pone en un contrato. || **4.** Estado de una persona, su naturaleza, su edad y demás circunstancias y condiciones que se requieren para un cargo o dignidad. || **5.** Nobleza del linaje. || **6.** V. **Voto de calidad.** || **7.** fig. Importancia o gravedad de alguna cosa. || **8.** pl. Prendas del ánimo. || **9.** Condiciones que se ponen en algunos juegos de naipes. || **A calidad de que.** m. adv. Con la condición de que. || **Dar,** o **pedir, calidades.** fr. En el arriendo de las rentas reales, comunicar relación jurada del estado de las cobranzas y pagos. || **De calidad.** loc. que se aplica a personas o cosas que gozan de estimación general. ||

En calidad de. loc. Con el carácter o la investidura de.

Calidad. (De *cálido.*) f. **Calidez.**

Calidez. (De *cálido.*) f. *Med.* Calor, ardor.

Cálido, da. (Del lat. *calĭdus.*) adj. Que da calor, o porque está caliente, o porque excita ardor en el organismo animal, como la pimienta. ‖ **2. Caluroso,** 1.ª acep. ‖ **3.** *Pint.* Se dice del colorido en que predominan los matices dorados o rojizos.

Cálido, da. (Del lat. *callĭdus;* de *callēre,* ser diestro.) adj. ant. **Astuto.**

Calidonio, nia. (Del lat. *calydonius.*) adj. Natural de Calidonia. Ú. t. c. s. ‖ **2.** Perteneciente a esta ciudad de Grecia antigua.

Calidoscópico, ca. adj. Perteneciente o relativo al calidoscopio.

Calidoscopio. (Del gr. καλός, bello; εἶδος, imagen, y σκοπέω, observar.) m. Tubo ennegrecido interiormente, que encierra dos o tres espejos inclinados y en un extremo dos láminas de vidrio, entre las cuales hay varios objetos de figura irregular, cuyas imágenes se ven multiplicadas simétricamente al ir volteando el tubo, a la vez que se mira por el extremo opuesto.

Calientapiés. m. Calorífero destinado especialmente a calentar los pies.

Calientaplatos. m. Caja de hierro, con una lámpara encendida para conservar calientes los platos.

Caliente. (Del lat. *calens, entis,* p. a. de *calēre,* tener calor.) adj. Que tiene calor. ‖ **2.** V. **Lino caliente.** ‖ **3.** fig. Acalorado, vivo, si se trata de disputas, riñas, batallas, etc. ‖ **4.** fig. V. **Paños calientes.** ‖ **5.** *Pint.* **Cálido,** 1.er art., 3.ª acep. ‖ **En caliente.** m. adv. fig. Luego, al instante. ‖ **2.** Tratándose de operaciones quirúrgicas en un órgano o tejido inflamado, practicarlas durante la fase aguda y febril de la enfermedad. ‖ **Estar caliente.** fr. fig. Estar en celo un animal.

Califa. (Del ár. *jalīfa,* sucesor, lugarteniente, a través del fr. *khalife.*) m. Título de los príncipes sarracenos que, como sucesores de Mahoma, ejercieron la suprema potestad religiosa y civil en Asia, África y España.

Califal. adj. Dícese de la época en que reinaron los califas, o de cosa perteneciente a ellos.

Califato. m. Dignidad de califa. ‖ **2.** Tiempo que duraba el gobierno de un califa. ‖ **3.** Territorio gobernado por el califa. ‖ **4.** Período histórico en que hubo califas.

Califero, ra. (Del lat. *calx,* cal, y *ferre,* llevar.) adj. Que contiene cal.

Calificable. adj. Que se puede calificar.

Calificación. f. Acción y efecto de calificar.

Calificadamente. adv. m. Con calificación, de manera calificada.

Calificado, da. adj. Dícese de la persona de autoridad, mérito y respeto. ‖ **2.** Dícese de la cosa que tiene todos los requisitos necesarios. *Pruebas muy* CALIFICADAS.

Calificador, ra. adj. Que califica. Ú. t. c. s. ‖ **del Santo Oficio.** Teólogo nombrado por el tribunal de la Inquisición para censurar libros y proposiciones.

Calificar. (Del lat. *qualis,* cual, y *facĕre,* hacer.) tr. Apreciar o determinar las calidades o circunstancias de una persona o cosa. ‖ **2.** Expresar o declarar este juicio. ‖ **3.** fig. Ennoblecer, ilustrar, acreditar una persona o cosa. ‖ **4.** r. fig. Probar uno legalmente su nobleza.

Calificativo, va. adj. Que califica. ‖ **2.** *Gram.* V. **Adjetivo calificativo.** Ú. t. c. s. m.

Californiano, na. adj. **Californio.** Ú. t. c. s. ‖ **2.** Perteneciente o relativo a la California, país de América.

Califórnico, ca. adj. **Californiano,** 2.ª acep.

Californio, nia. adj. Natural de la California. Ú. t. c. s.

Cáliga. (Del lat. *calĭga.*) f. Especie de sandalia guarnecida de clavos que usaban los soldados de Roma antigua. ‖ **2.** Cada una de las polainas que usaron los monjes en la Edad Media y posteriormente los obispos. Ú. m. en pl.

Calígine. (Del lat. *calīgo, -igĭnis.*) f. Niebla, obscuridad, tenebrosidad.

Caliginidad. f. ant. **Calígine.**

Caliginoso, sa. (Del lat. *caliginōsus.*) adj. Denso, obscuro, nebuloso.

Caligrafía. (Del gr. καλλιγραφία, de καλλιγράφος, calígrafo.) f. Arte de escribir con letra correctamente formada.

Caligrafiar. tr. Hacer un escrito con hermosa letra.

Caligráfico, ca. adj. Relativo a la caligrafía.

Calígrafo. (Del gr. καλλιγράφος; de κάλλος, belleza, y γράφω, escribir.) m. El perito en caligrafía.

Calilo, la. (Del ár. *qalil,* escaso [de entendimiento].) adj. *Ar.* **Tonto,** 1.ª acep. Ú. t. c. s.

Calilla. f. d. de **Cala,** 1.er art., 3.ª acep. ‖ **2.** *Guat.* y *Hond.* Persona molesta y pesada. ‖ **3.** fam. *Amér.* Molestia, pejiguera. ‖ **4.** fam. *Chile.* **Calvario,** 2.ª acep.

Calima. (De *calina,* infl. por *bruma.*) f. **Calina.**

Calima. (Del gr. κάλυμμα, red.) f. *Mar.* Conjunto de corchos enfilados a modo de rosario y que en algunas partes sirven de boya.

Calimaco. m. **Calamaco,** 1.ª acep.

Calimba. f. *Cuba.* El hierro con que se marcan los animales.

Calimbar. (De *calimba.*) tr. *Cuba.* **Herrar,** 2.ª acep.

Calimbo. (De *calimba.*) m. fig. Calidad, pelaje, marca.

Calimoso, sa. (De *calima,* 1.er art.) adj. **Calinoso.**

Calimote. (De *calima,* 2.º art.) m. El corcho del medio de los tres que se ponen a la entrada del copo para pescar.

Calina. (Del lat. *calīgo, -igĭnis,* obscuridad.) f. Accidente atmosférico que enturbia el aire y suele producirse por vapores de agua.

Calinda. f. *Cuba.* Baile de negros, a estilo africano y muy licencioso.

Calinoso, sa. adj. Cargado de calina.

Calípedes. (Del lat. *callipides.*) m. **Perico ligero.**

Calipedia. (Del gr. καλλιπαιδία; de κάλλος, belleza, y παῖς, hijo.) f. Arte quimérica de procrear hijos hermosos.

Calipédico, ca. adj. Perteneciente a la calipedia.

Calípico. adj. Dícese del ciclo lunar equivalente a un período de 76 años, ideado por el astrónomo griego Calipo para corregir, cuadruplicándolo, el áureo número.

Calisaya. (De *Calisaya,* nombre de una colina de Bolivia.) adj. Dícese de una especie de quina muy estimada, que se halló por primera vez en dicho lugar. Se llama también quina amarilla. Ú. t. c. s.

Calistenia. (Del gr. καλλισθενής, vigoroso.) f. Ejercicio físico conducente al desarrollo de las fuerzas musculares. Es parte de la gimnasia.

Calitipia. (Del gr. καλός, bello, y τύπος, molde, modelo.) f. Procedimiento para sacar pruebas fotográficas, empleando un papel sensible que da imágenes de color de sepia o violado.

Cáliz. (De *cálice.*) m. Vaso sagrado de oro o plata que sirve en la misa para echar el vino que se ha de consagrar. ‖ **2.** V. **Paño de cáliz.** ‖ **3.** poét. Copa o vaso. ‖ **4.** fig. Con los verbos *beber, apurar,* expresos o sobrentendidos, conjunto de amarguras, aflicciones o trabajos. ‖ **5.** *Bot.* Cubierta externa de las flores completas, casi siempre verde y de la misma naturaleza de las hojas. ‖ **actinomorfo.** *Bot.* Cáliz regular. ‖ **cigomorfo.** *Bot.* Cáliz irregular. ‖ **irregular.** *Bot.* El que no queda dividido en dos partes simétricas por todos los planos que pasan por el eje de la flor y por la línea media de un sépalo. ‖ **regular.** *Bot.* El que queda dividido en dos partes simétricas por cualquier plano que pase por el eje de la flor y por la línea media de un sépalo.

Caliza. f. Roca formada de carbonato de cal. ‖ **fétida.** La que desprende olor desagradable cuando se la frota con un cuerpo duro. ‖ **hidráulica.** La que por calcinación da cal hidráulica. ‖ **lenta. Dolomía.**

Calizo, za. adj. Aplícase al terreno o a la piedra que tiene cal. ‖ **2.** V. **Espato calizo.**

Calma. (Del lat. *cauma,* y éste del gr. καῦμα, bochorno.) f. Estado de la atmósfera cuando no hay viento. ‖ **2.** V. **Mar en calma.** ‖ **3.** fig. Cesación o suspensión de algunas cosas. CALMA *en los dolores, en los negocios.* ‖ **4.** fig. Paz, tranquilidad. ‖ **5.** fig. y fam. Cachaza, pachorra. ‖ **chicha.** Se dice, especialmente en la mar, cuando el aire está en completa quietud. ‖ **2.** fig. y fam. Pereza, indolencia. ‖ **En calma.** m. adv. Dícese del mar cuando no levanta olas. ‖ **Gran calma, señal de agua.** ref. que puede aplicarse a lo moral.

Calmado, da. adj. *Sal.* Sudoroso, caliente, fatigado.

Calmante. p. a. de **Calmar.** Que calma. ‖ **2.** adj. *Med.* Dícese de los medicamentos narcóticos o de los que disminuyen o hacen desaparecer un dolor u otro síntoma molesto. Ú. t. c. s. m.

Calmar. (De *calma.*) tr. Sosegar, adormecer, templar. Ú. t. c. r. ‖ **2.** intr. Estar en calma o tender a ella.

Calmaría. f. ant. **Calma,** 1.ª acep.

Calmazo. m. aum. de **Calma.** ‖ **2. Calma chicha.**

Calmería. f. ant. Calma o falta de viento en el mar.

Calmil. (Del azteca *calli,* casa, y *milli,* sementera.) m. *Méj.* Tierra sembrada junto a la casa del labrador.

Calmo, ma. (De *calmar.*) adj. Dícese del terreno o tierra erial sin árboles ni matas. ‖ **2.** Que está en descanso.

Calmoso, sa. adj. Que está en calma. ‖ **2.** fam. Aplícase a la persona cachazuda, indolente, perezosa. ‖ **3.** *Mar.* V. **Viento calmoso**

Calmuco, ca. adj. Natural de cierto distrito de la Mogolia. Ú. t. c. s. ‖ **2.** Perteneciente a los calmucos.

Calmudo, da. adj. **Calmoso.**

Calnado. m. ant. **Candado,** 1.ª acep. Hoy tiene uso en algunas partes.

Calo. (De *calar,* 2.º art.) m. *Sant.* Profundidad sondeable del agua. ‖ **Hacer calo.** fr. fig. *Sant.* **Hacer pie,** 1.ª acep.

Calo. m. *Ecuad.* Caña gruesa y larga que contiene agua en su interior.

Caló. m. Lenguaje o dialecto de los gitanos adoptado en parte por la gente del pueblo bajo.

Calobiótica. (Del gr. καλός, bello, y βίος, vida.) f. Arte de vivir bien. ‖ **2.** Tendencia natural del hombre a una vida ordenada y regular.

Calocéfalo, la. (Del gr. καλός, bello, y κεφαλή, cabeza.) adj. *Zool.* Que tiene hermosa cabeza.

Calofilo, la. (Del gr. καλός, bello, y φύλλον, hoja.) adj. *Bot.* Que tiene hermosas hojas.

Calofriarse. r. Sentir calofríos.

Calofrío. m. **Escalofrío.** Ú. m. en pl.

Calografía. f. **Caligrafía.**

Calología. (Del gr. καλός, bello, y λόγος, discurso.) f. **Estética.**

Calomanco. m. ant. *Ar.* **Calamaco,** 1.ª acep.
Calomel. m. **Calomelanos.**
Calomelanos. (Del gr. καλός, bello, y μέλας, -ανος, negro, con alusión a un esclavo negro del químico francés Turquet de Mayerne.) m. pl. Protocloruro de mercurio sublimado, que se emplea como purgante, vermífugo y antisifilítico.
Calomnia. f. ant. **Caloña.**
Calón. m. Palo redondo, de cerca de un metro de largo, que sirve para mantener extendidas las redes, colgándolas de él por uno de sus costados. || **2.** Pértiga con que se puede medir la profundidad de un río, canal o puerto. || **3.** *Min.* Vena de hierro cargado de arena en las minas de Vizcaya.
Calonche. m. Bebida alcohólica hecha con zumo de tuna brava o colorada y azúcar.
Calonge. (Del cat. *canonge,* y éste del lat. *canŏnicus,* canónico.) m. ant. **Canónigo.**
Calongía. (De *calonge.*) f. ant. **Canonjía.** || **2.** ant. Casa inmediata a la iglesia, donde habitan los canónigos.
Caloniar. tr. ant. **Caloñar.**
Calonnia. f. ant. **Calomnia.**
Caloña. (Del lat. *calumnia,* calumnia.) f. ant. **Calumnia.** || **2.** ant. Pena pecuniaria que se imponía por ciertos delitos o faltas. || **3.** ant. **Querella.** || **4.** ant. Tacha, censura.
Caloñar. (Del lat. *calŭmniāri,* calumniar.) tr. ant. **Calumniar.** || **2.** ant. Exigir responsabilidad, principalmente pecunaria, por un delito o falta.
Caloñosamente. adv. m. ant. Con calumnia.
Calóptero, ra. (Del gr. καλός, bello, y πτερόν, ala.) adj. *Zool.* Que tiene hermosas alas.
Calor. (Del lat. *calor, -oris.*) m. *Fís.* Fuerza que se manifiesta elevando la temperatura y dilatando los cuerpos y que llega a fundir los sólidos y evaporar los líquidos, comunicándose de unos a otros hasta nivelar su temperatura. || **2.** Sensación que experimenta el cuerpo animal cuando su temperatura es menos elevada que la de otro cualquiera que le transmite la suya por contacto o radiación. Ú. t. c. f. || **3.** Aumento extraordinario de temperatura que experimenta el cuerpo animal por causas fisiológicas o morbosas. || **4.** fig. Ardimiento, actividad, ligereza. || **5.** fig. Favor, buena acogida. || **6.** fig. Lo más fuerte y vivo de una acción. || **canicular.** fig. El excesivo y sofocante. || **del hígado.** Mancha o conjunto de manchas de color rojo violado que, por efervescencia crónica, aparece en una o ambas mejillas y se achaca a enfermedad del hígado. || **específico.** *Fís.* Cantidad de **calor** que por kilogramo necesita un cuerpo para que su temperatura se eleve en un grado centígrado. || **latente.** *Fís.* El que, sin aumentar la temperatura de los cuerpos que lo contienen, produce en ellos una alteración molecular tal como la de los cuerpos sólidos cuando pasan al estado líquido y la de los líquidos al convertirse en gases o vapores. || **natural.** El que producen las funciones orgánicas del cuerpo, estando sano, que es el propio y necesario para conservar la vida. || **Ahogarse** uno **de calor.** fr. fig. y fam. Estar muy fatigado por el excesivo **calor.** || **Asarse** uno **de calor.** fr. fig. **Asarse.** || **Calor, agua ni hielo nunca se quedan en el cielo.** ref.; porque sentimos nosotros sus efectos. También se aplica en sentido moral. || **Calor de paño jamás hizo daño.** ref.; porque sólo conserva el natural. || **Coger calor.** fr. Recibir la impresión del **calor.** || **Dar calor.** fr. fig. Fomentar, avivar, ayudar a otro para acelerar alguna cosa. || **Dejarse caer el calor.** fr. fig. y fam. Hacer mucho **calor.** || **Entrar en calor.** fr. fig. Empezar a sentirlo el que tenía frío. || **Freírse** uno **de calor.** fr. fig. y fam. Padecer, sentir un calor excesivo. || **Gastar** uno **el calor natural** en una cosa. fr. fig. y fam. Poner en ella más atención que se merece. || **2.** fig. y fam. Emplear en ella el mayor conato y estudio. || **Meter en calor.** fr. fig. Mover el ánimo eficazmente hacia algún intento. || **Tomar calor** una cosa. fr. fig. Avivarse o adelantarse eficazmente. || **Tomar con calor** una cosa. fr. fig. Poner mucha diligencia en ejecutarla.
Caloría. f. *Fís.* Unidad de medida térmica equivalente al calor que basta para elevar un solo grado centígrado la temperatura de un litro de agua.
Caloriamperímetro. (De *caloría* y *amperímetro.*) m. *Electr.* Aparato para medir la intensidad de una corriente eléctrica por el método calorimétrico.
Caloricidad. f. *Fisiol.* Propiedad vital por la que los animales conservan casi todos un calor superior al del ambiente en que viven.
Calórico. (De *calor.*) m. *Fís.* Principio o agente hipotético de los fenómenos del calor. || **2. Calor,** 1.ª acep. || **radiante.** *Fís.* El que se transmite a distancia sin necesidad de contacto inmediato.
Caloridoro. (De *calor,* y del gr. δῶρον, regalo.) m. Aparato usado en tintorería para aprovechar el calor de los baños después de haber agotado los tintes.
Calorífero, ra. (Del lat. *calor,* calor, y *ferre,* llevar.) adj. Que conduce y propaga el calor. || **2.** m. Aparato con que se calientan las habitaciones. || **3. Calientapiés.** || **de aire.** El que calienta aire para dirigirlo a las diversas piezas de la casa. || **de vapor.** El que tiene una caldera con agua, cuyo vapor circula por los tubos de calefacción.
Calorificación. (De *calorífico.*) f. *Fisiol.* Función del organismo vivo, de la cual procede el calor de cada individuo.
Calorífico, ca. (Del lat. *calorificus;* de *calor,* calor y *facĕre,* hacer.) adj. Que produce o distribuye calor.
Calorífugo. (De *calor* y *fugĕre,* huir.) adj. Que se opone a la transmisión del calor. || **2. Incombustible,** 1.ª acep.
Calorimetría. (De *calorímetro.*) f. *Fís.* Medición del calor específico.
Calorimétrico, ca. adj. *Fís.* Perteneciente o relativo a la calorimetría.
Calorímetro. (Del lat. *calor, -ōris,* calor, y el gr. μέτρον, medida.) m. *Fís.* Instrumento para medir el calor específico de los cuerpos.
Calorimotor. m. *Fís.* Aparato para producir calor por medio de una corriente eléctrica de mucha potencia.
Calorina. (De *calor,* sobre el modelo de *calina.*) f. *Murc.* **Calina.**
Calorosamente. adv. m. **Calurosamente.**
Caloroso, sa. adj. **Caluroso.**
Calosfriarse. (De *calor* y *esfriar.*) r. **Calofriarse.**
Calosfrío. (De *calosfriarse.*) m. **Calofrío.** Ú. m. en pl.
Caloso, sa. (De *calar.*) adj. Dícese del papel que se cala.
Calostro. (Del lat. *colostra.*) m. Primera leche que da la hembra después de parida. Ú. t. en pl.
Calotipia. f. **Calitipia.**
Caloto. m. Metal proveniente de la campana de un pueblo americano así llamado y que, según el vulgo, poseía ciertas virtudes.
Caloyo. m. Cordero o cabrito recién nacido. || **2.** fig. *Ál.* y *Murc.* **Quinto,** 4.ª acep.
Calpamulo, la. adj. *Méj.* Dícese del mestizo de albarazado y negra o de negro y albarazada. Ú. t. c. s.
Calpixque. (Del azteca *calli,* casa, y *pixqui,* guardián.) m. *Méj.* Capataz encargado por los encomenderos del gobierno de los indios, de su repartimiento y del cobro de los tributos.
Calpuchero. (De *calboche,* infl. por *puchero.*) m. *Sal.* **Calboche.**
Calpul. m. *Guat.* Reunión, conciliábulo. || **2.** *Hond.* Montículo que señala los antiguos pueblos de indios aborígenes.
Calquín. (Voz pampa.) m. *Argent.* Variedad mediana del águila, que vive en los Andes patagónicos.
Calseco, ca. adj. Curado con cal.
Calta. (Del lat. *caltha.*) f. Planta anua de la familia de las ranunculáceas, de unos cuatro metros de altura, con tallos lisos, hojas gruesas y acorazonadas y flores terminales, grandes y amarillas.
Caltrizas. f. pl. *Ar.* **Angarillas,** 1.ª acep.
Calucha. f. *Bolivia.* La segunda corteza o corteza interior del coco, almendra o nuez.
Caluma. f. *Perú.* Cada una de las gargantas o estrechuras de la cordillera de los Andes. || **2.** *Perú.* Puesto o lugar de indios.
Calumbarse. (Como *columpiar,* voz onomatopéyica.) r. *Ast.* y *Sant.* Chapuzarse, zambullirse.
Calumbo. (De *calumbarse.*) m. *Ast.* y *Sant.* Acción y efecto de calumbarse.
Calumbrecerse. r. ant. Enmohecerse.
Calumbriento, ta. adj. ant. Mohoso, tomado del orín.
Calumnia. (Del lat. *calŭmnia.*) f. Acusación falsa, hecha maliciosamente para causar daño. || **2.** *For.* Imputación falsa de un delito de los que dan lugar a procedimiento de oficio. || **3.** *For.* V. **Juramento de calumnia.** || **Afianzar de calumnia.** fr. *For.* Antiguamente, obligarse el acusador a probar su imputación contra el acusado, bajo las penas establecidas si no la probare. || **Calumnia, que algo queda.** fr. que explica lo difícil que es demostrar la inocencia del calumniado.
Calumniador, ra. (Del lat. *calumniātor.*) adj. Que calumnia. Ú. t. c. s.
Calumniar. (Del lat. *calumniāri.*) tr. Atribuir falsa y maliciosamente a alguno palabras, actos o intenciones deshonrosas. || **2.** ant. Vengar o reparar agravios. || **3.** *For.* Imputar a una persona falsamente la comisión de un delito de los que dan lugar a procedimiento de oficio, siempre que la imputación se haga fuera del proceso en que se persiga el delito imputado.
Calumniosamente. adv. m. Con calumnia.
Calumnioso, sa. (Del lat. *calumniōsus.*) adj. Que contiene calumnia.
Calungo. m. *Colomb.* Especie de perro de pelo crespo.
Calunia. f. ant. **Calumnia.**
Caluña. f. ant. **Caloña,** 2.ª acep.
Calura. f. p. us. **Calor.**
Caluro. m. *Amér. Central.* Ave trepadora, de plumaje verde y negro por el cuerpo y negro y blanco por las alas, pico delgado y encorvado hacia la punta.
Calurosamente. adv. m. Con calor.
Caluroso, sa. adj. Que siente o causa calor. || **2.** fig. Vivo, ardiente.
Caluyo. m. *Bol.* Baile indio, zapateado y con mudanzas.
Calva. (Del lat. *calva.*) f. Parte de la cabeza de la que se ha caído el pelo. || **2.** Parte de una piel, felpa u otro tejido semejante que ha perdido el pelo por el uso. || **3.** Sitio en los sembrados, plantíos y arbolados donde falta la vegetación correspondiente. || **4.** Juego que consiste en tirar los jugadores a proporcionada distancia piedras a la parte superior de un madero sin tocar antes en tierra. || **de almete.** Parte superior de esta pieza de armadura que cubre el cráneo.
Calvar. tr. En el juego de la calva, dar en la parte superior del madero o hito. || **2.** Engañar a uno.

Calvario. (Del lat. *calvarium.*) m. **Vía crucis.** || **2.** fig. y fam. Serie o sucesión de adversidades y pesadumbres. || **3.** fig. y fam. Conjunto numeroso de deudas, especialmente por comprar al fiado, que se van apuntando con rayas y cruces. || **4.** ant. Osario, 1.er art.

Calvatrueno. (De *calva* y *trueno.*) m. fam. Calva grande que coge toda la cabeza. || **2.** fig. y fam. Hombre alocado, atronado.

Calvecer. (Del lat. *calvescĕre.*) intr. ant. Encalvecer.

Calverizo, za. (De *calvero.*) adj. Aplícase al terreno de muchos calveros.

Calvero. (De *calva.*) m. Paraje sin árboles en lo interior de un bosque. || **2.** Gredal, 2.ª acep.

Calveta. f. ant. Calvete, 2.ª acep.

Calvete. adj. d. de **Calvo.** Ú. t. c. s. || **2.** m. ant. **Estaca.**

Calvez. (Del lat. *calvities.*) f. **Calvicie.**

Calveza. (Del lat. *calvitia*, calvicie.) f. ant. Calvez.

Calvicie. (Del lat. *calvities.*) f. Falta de pelo en la cabeza.

Calvijar. m. Calvero.

Calvinismo. m. Herejía de Calvino. || **2.** Su secta.

Calvinista. adj. Perteneciente a la secta de Calvino. Apl. a pers., ú. t. c. s.

Calvitar. m. Calvijar.

Calvo, va. (Del lat. *calvus.*) adj. Que ha perdido el pelo de la cabeza. Ú. t. c. s. || **2.** Tratándose del terreno, pelado, sin vegetación alguna. || **3.** Dícese del paño y otros tejidos que han perdido el pelo. || **Calvo vendrá que calvo me hará,** o **que calvo vengará.** ref. que alude a la muerte. || **¿Cómo te hiciste calvo? —Pelo a pelo pelando.** ref. que demuestra que no se debe tener en poco un mal pequeño si es continuo.

Calza. (Del lat. *calx, calcis.*) f. ant. **Cal,** 1.er art.

Calza. (Del lat. *calcĕus*, calzado.) f. Prenda de vestir que, según los tiempos, cubría, ciñéndolos, el muslo y la pierna o bien, en forma holgada, sólo el muslo o la mayor parte de él. Ú. m. en pl. || **2.** Liga o cinta con que se suele señalar a algunos animales para distinguirlos de otros de la misma especie. || **3.** Cuña con que se calza. || **4. Braga,** 1.er art., 4.ª acep. || **5.** fam. **Media,** 1.ª acep. || **6.** *Sal.* **Pina,** 2.ª acep. || **7.** pl. *Germ.* Grillos de prisión. || **Calza de arena.** Talego lleno de arena con que se azotaba a alguno, a veces hasta matarle. || **Calzas atacadas.** Calzado antiguo que cubría las piernas y muslos y se unía a la cintura con agujetas. || **2.** V. **Hombre de calzas atacadas.** || **bermejas.** Calzas rojas de que usaban los nobles. || **Medias calzas.** Calzas que sólo subían hasta la rodilla. || **A calza corta, agujeta longa,** o **a corta calza, agujeta larga.** ref. que, en lo moral, enseña a suplir con buen ánimo la cortedad de los dones de la suerte. || **Echarle una calza** a uno. fr. fig. y fam. Notarle para conocerle y guardarse de él. || **En calzas prietas.** expr. fig. y fam. En aprieto o apuro. Ú. con los verbos *poner, verse*, etc. || **En calzas y jubón.** m. adv. fig. que denota estar las cosas informes o incompletas. || **Si te vas y me dejas, déjame unas calzas viejas.** ref.; porque con poco se remediará la ausencia. || **Tomar uno calzas, o las calzas, de Villadiego.** fr. fig. y fam. Ausentarse repentinamente, fugarse.

Calzacalzón. (De *calza* y *calzón.*) m. Calza más larga que la ordinaria.

Calzada. (Del lat. *calciāta*, vía; de *calx, calcis*, piedra para hacer cal.) f. Camino empedrado y cómodo por su anchura. || **romana.** Cualquiera de las grandes vías construidas por los romanos, de que hay aún muchos restos en España.

Calzadera. (De *calzar.*) f. Cuerda delgada de cáñamo para atar y ajustar las abarcas. || **2.** Hierro con que se calza la rueda del carruaje para que sirva de freno. || **3.** *Guadal.* Calzadura, 3.ª acep. || **Apretar las calzaderas.** fr. fig. y fam. Para que no se le caigan en la carrera, pues el sentido de la frase es huir.

Calzado, da. (De *calzar.*) adj. Dícese de algunos religiosos porque usan zapatos, en contraposición a los descalzos. || **2.** Dícese del ave cuyos tarsos están cubiertos de plumas hasta el nacimiento de los dedos. || **3.** Aplícase al cuadrúpedo cuyas patas tienen en su parte inferior color distinto al del resto de la extremidad. || **4.** V. **Águila, frente, paloma calzada.** || **5.** *Blas.* Se dice del escudo dividido por dos líneas que parten de los ángulos superiores del jefe y se encuentran en la punta. Es lo contrario de cortinado. || **6.** m. Todo género de zapato, borceguí, abarca, alpargata, almadreña, etc., que sirve para cubrir y resguardar el pie. || **7.** Todo lo que pertenece a cubrir y adornar el pie y la pierna, y así, por un **calzado** se entienden también medias y ligas. || **8.** *Germ.* El que lleva grillos. || **9.** pl. p. us. Medias, calcetas y ligas que se pone una persona cuando se viste. || **Calzado de uno, no lo des a ninguno.** ref. que muestra no debe uno desprenderse de aquello que le es más necesario. || **El ruin calzado sube a los cascos** ref., porque produce dolores.

Calzador. (De *calzar.*) m. Trozo de pellejo, metal o asta, de forma acanalada, que sirve para hacer que entre el pie en el zapato. || **2.** En la República Argentina, portaplumas, palillero. || **3.** En Bolivia, **lapicero,** 1.ª acep. || **Entrar** una cosa **con calzador.** fr. fig. y fam. Ser dificultoso o estar forzada.

Calzadura. f. Acción de calzar los zapatos u otra cosa. || **2.** Propina con que se retribuía al que calzaba los zapatos. || **3.** Cada uno de los trozos de madera fuerte que, en las ruedas de carros o carretas, substituyen a la llanta.

Calzar. (Del lat. **calceare*, de *calcĕus*, calzado.) tr. Cubrir el pie y algunas veces la pierna con el calzado. Ú. t. c. r. || **2.** Tratándose de guantes, espuelas, etc., usarlos o llevarlos puestos. Ú. t. c. r. || **3.** Poner calces. || **4.** Poner una cuña entre el piso y alguna rueda de un carruaje o máquina, que los inmovilice, o que debajo de cualquier mueble o trasto lo afirme de modo que no cojee. || **5.** En los coches y carros, ponerles una piedra u otro obstáculo arrimado a la rueda, para que se detengan cuando están en cuesta. || **6.** Admitir las armas de fuego bala de un calibre determinado. || **7.** En la reja del arado, poner otra nueva para reemplazar a la ya gastada. || **8.** fig. y fam. Tener pocos o muchos alcances. || **9.** *Guat.* **Aporcar.** || **10.** *Impr.* Poner con alzas los clisés o grabados a la altura de la letra. || **Calza como vistes y viste como calzas.** ref. que recomienda que se guarde la armonía y proporción de unas cosas con otras. || **Calzarse** a alguno. fr. fig. y fam. Gobernarle, manejarle. || **Calzarse** uno alguna cosa. fr. fig. y fam. Conseguirla.

Calzatrepas. (De *calzar*, y el b. lat. *trappa*, trampa.) f. ant. Trampa o cepo.

Calzo. m. Calce, 1.er art., 3.ª acep. || **2.** Muelle sobre el cual se aseguraba la patilla de la llave del arcabuz cuando se la ponía en el punto. || **3.** *Mar.* Cada uno de los maderos de forma adecuada que se disponen a bordo para que en ellos descansen y puedan afirmarse algunos objetos pesados. || **4.** *Mar.* Calza, 2.° art., 3.ª acep. || **5.** pl. Las extremidades de un caballo o yegua. Se designan especialmente cuando son de color distinto del pelo general del cuerpo. *Un caballo pío con* CALZOS *negros.*

Calzón. m. aum. de **Calza,** 2.° art. || **2.** Prenda de vestir del hombre, que cubre desde la cintura hasta las rodillas. Está dividido en dos piernas o fundas, una para cada muslo; los hay de diferentes hechuras. Ú. m. en pl. || **3.** Lazo de cuerda con que los pizarreros se sostienen en los tejados ciñéndoselo a los muslos. || **4. Tresillo,** 1.ª acep. || **5.** *Méj.* Enfermedad de la caña de azúcar en que, por falta de riego, se secan las dos hojitas inmediatas al pie de la planta, cuyo desarrollo se detiene. || **bombacho. Calzón** ancho y abierto por un lado, que se usaba especialmente en Andalucía. Ú. m. en pl. || **Calzarse,** o **ponerse,** una mujer **los calzones.** fr. fig. y fam. Mandar o dominar en la casa, supeditando al marido. || **En calzones.** m. adv. *Mar.* Se dice de las velas mayores cuando para disminuir su superficie, a causa de la mucha fuerza del viento, se cargan los brioles, dejando más o menos cazados los puños. || **Tener uno bien puestos los calzones. Tener uno muchos calzones.** frs. figs. y fams. **Ser muy hombre.**

Calzonazos. (aum. de *calzones.*) m. fig. y fam. Hombre muy flojo y condescendiente.

Calzoncillos. (d. de *calzones.*) m. pl. Calzones interiores de punto o de tela de hilo, lana o algodón.

Calzoneras. (De *calzón.*) f. pl. *Méj.* Pantalón abotonado de arriba abajo por ambos costados.

Calzorras. m. fig. y fam. **Calzonazos.**

Calla. f. *Amér.* Palo puntiagudo usado para sacar plantas con sus raíces y abrir hoyos para sembrar.

Callacuece. m. fam. *And.* **Mátalas callando.**

Callada. f. Silencio o efecto de callar. || **2.** *Mar.* Intermisión de la fuerza del viento o de la agitación de las olas. || **A las calladas.** m. adv. fam. **De callada.** || **Dar uno la callada por respuesta.** fr. fam. Dejar intencionadamente de contestar. || **De callada.** m. adv. fam. Sin estruendo, secretamente.

Callada. f. Francachela en que única o principalmente se comen callos.

Calladamente. adv. m. Con secreto o con silencio.

Callado, da. (De *callar.*) adj. Silencioso, reservado. || **2.** Se dice de lo hecho con silencio o reserva. || **3.** V. **Condición callada.**

Callador, ra. adj. ant. **Callado.**

Callamiento. m. Acción de callar.

Callampa. (Del quichua *ccallampa.*) f. *Chile.* Seta, 2.° art., 1.ª acep. || **2.** fig. y fam. *Chile.* Sombrero de fieltro.

Callana. (Voz quichua.) f. *Amér.* Vasija tosca que usan los indios americanos para tostar maíz o trigo. || **2.** Manchas callosas que se dice tienen en las nalgas los descendientes de negros o zambos. || **3.** Escoria metalífera que puede beneficiarse. || **4.** Crisol para ensayar metales. || **5.** fig. *Chile.* Reloj de bolsillo, muy grande. || **6.** *Perú.* **Tiesto,** 1.er art., 1.ª acep.

Callandico, to. (De *callando.*) advs. m. fams. En silencio, con disimulo.

Callando. (De *callar.*) adv. m. **Callandico.**

Callantar. (De *callante.*) tr. **Acallar.**

Callante. p. a. ant. de **Callar.** Que calla.

Callantío, a. (De *callante.*) adj. ant. Callado, silencioso.

Callao. (Como el gall. port. *callau* y el fr. *caillou*, de una forma céltica **caliavo*, de *cal*, piedra.) m. Guijo, peladilla de río. || **2.** En las islas Canarias, terreno llano y cubierto de cantos rodados.

Callapo. (Del aimará *callapu.*) m. *Chile. Min.* **Entibo,** 2.ª acep. || **2.** *Chile. Min.* Grada de escalera en la mina. || **3.** *Perú.* **Parihuela.**

Callar. (Del lat. *chalāre*, bajar, y éste del gr. χαλάω.) intr. No hablar, guardar silencio una persona. CALLA *como un muerto.*

Ú. t. c. r. || 2. Cesar de hablar. *Cuando esto hubo dicho,* CALLÓ. Ú. t. c. r. || 3. Cesar de llorar, de gritar, de cantar, de tocar un instrumento músico, de meter bulla o ruido. Ú. t. c. r. || 4. Abstenerse de manifestar lo que se siente o se sabe. Ú. t. c. r. || 5. Cesar ciertos animales en sus voces, como dejar de cantar un pájaro, de ladrar un perro, de croar una rana, etc. Ú. t. c. r. || 6. Dejar de hacer ruido el mar, el viento, un volcán, etc. Ú. m. en estilo poét. y t. c. r. || 7. fig. Cesar de sonar un instrumento músico. Ú. t. c. r. || 8. tr. Tener reservada, no decir una cosa. CALLAR *un secreto.* Ú. t. c. r. || 9. Omitir, pasar algo en silencio. *En su relación* HA CALLADO *lo principal.* Ú. t. c. r. || **Al buen callar llaman Sancho,** o **santo.** ref. que recomienda la prudente moderación en el hablar. || **Buen callar se pierde.** fr. fam. con que se reprende el hablar indiscreto. || **¡Calla!** interj. fam. **¡Calle!** || **Calla callando.** m. adv. fam. **Chiticallando.** || **Cállate y callemos, que sendas nos tenemos.** ref. con que se denota que al que tiene defectos propios no le conviene dar en cara a otro con los suyos. || **Calla y cuez.** fr. fig. O sea «cuece tu pan y calla»; atiende al trabajo útil sin perder el tiempo en cosas fútiles. || **¡Calle!** interj. fam. con que se denota extrañeza. || **Calle el que dió y hable el que tomó.** ref. que advierte que el que ha recibido el beneficio es quien debe publicarlo, y no el que lo hace. || **El callar y el hablar no caben en un lugar.** ref. que denota que no puede ser prudente y discreto el que es locuaz en demasía. || **Más vale callar que mal hablar.** ref. de sentido recto y claro. || **Por eso te callo: por que me calles.** ref. que explica cómo el que, pudiendo evitarlos, tolera los desafueros de otro para que no descubra los suyos. || **Quien calla, otorga.** ref. que enseña que el que no contradice en ocasión conveniente, da a entender que aprueba.

Calle. (Del lat. *callis,* senda, camino.) f. Vía en poblado. || 2. Denominación del pueblo que depende de otro, como si estuviese dentro de él. || 3. *Germ.* **Libertad,** 3.ª acep. || 4. En los juegos de damas y ajedrez, serie de casillas en línea diagonal en el primero, y diagonal y paralela a las orillas del tablero en el segundo. || 5. *Impr.* Línea de espacios vertical u oblicua que se forma ocasionalmente en una composición tipográfica y la afea. || **de árboles.** Camino entre dos hileras de ellos, plantadas paralelamente. || **mayor.** En el juego de damas, la fila diagonal de casillas que tiene mayor número en el tablero, según el color sobre que se juega. || **pública.** La de uso comunal. || **Abrir calle.** fr. fig. y fam. Apartar la gente que está aglomerada, para que pase alguno por medio de ella. || **Alborotar la calle.** fr. fig. y fam. Inquietar la vecindad. || **Azotar calles.** fr. fig. y fam. Andarse ocioso de **calle** en **calle.** || **Calle hita.** loc. adv. de que se usa cuando se visitan todas las casas de una **calle,** o todas las **calles** de un pueblo para empadronar los vecinos o para otros fines. || **Coger** uno **la calle.** fr. fam. **Coger la puerta.** || **Coger las calles.** fr. Cerrarlas, impidiendo el paso. || **Dejar** a uno **en la calle.** fr. fig. y fam. Quitarle la hacienda o empleo con que se mantenía. || **Doblar** uno **la calle.** fr. Pasar de una **calle** a otra contigua. || **Echar** a uno **a la calle.** fr. fig. y fam. Despedirle de casa. || **Echar** uno **a,** o **en, la calle** alguna cosa. fr. fig. y fam. Publicarla. || **Echar** uno **por la calle de en medio.** fr. fig. y fam. Atropellar por todo para conseguir un fin. || 2. fig. y fam. **Echar por en medio.** || **Echarse a la calle.** fr. Ponerse en la calle, 1.ª acep. || 2. Amotinarse. || **En la calle de Meca, quien no entra no peca.** ref. que se explica por el de **Quien quita la ocasión, quita el pecado.** || **Hacer calle.** fr. fig. y fam. **Abrir calle.** || 2. fig. y fam. Franquear la salida de alguna cosa. || **Hacer huir una calle de hombres.** fr. fig. y fam. **Llevarse una calle de hombres.** || **Ir** uno **desempedrando las calles.** fr. fig. y fam. Correr velozmente por ellas en coche o a caballo. || **Llevar,** o **llevarse,** a uno **de calle.** fr. fig. y fam. Superarle, arrollarle, dominarle. || 2. fig. y fam. Convencerle, confundirle con razones y argumentos. || **Llevarse una calle de hombres.** fr. fig. y fam. Hacer huir a mucha gente junta. || **Pasear** uno **la calle** a una mujer. fr. fig. y fam. Cortejarla o galantearla. || **Plantar,** o **poner,** a uno **en la calle.** fr. fig. y fam. **Echarle a la calle.** || **Ponerse** uno **en la calle.** fr. Salir de casa. || 2. Presentarse en público. || **Quedar,** o **quedarse,** uno **en la calle.** fr. fig. y fam. Perder la hacienda o medios con que se mantenía. || **Rondar** uno **la calle** a una mujer. fr. fig. **Pasear la calle** a una mujer. || **Salí a la calle y afrentéme; volví a mi casa y remediéme.** ref. que enseña a contentarse con lo que se tiene. Es el mismo que el que dice: **Fui a casa de mi vecino,** etc. || **Ser buena** una cosa **sólo para echada a la calle.** fr. fig. y fam. que denota el desprecio que se hace de ella.

Callear. (De *calle.*) Cortar o separar en las viñas los sarmientos que atraviesan los entreliños, para facilitar la vendimia.

Callecalle. amb. *Chile.* Nombre de una planta irídea, del género *libertia* y de flores blancas. Es medicinal.

Callecer. (De *callo.*) intr. ant. **Encallecer.**

Calleja. (Del lat. **callicŭla,* de *callis,* senda.) f. d. de **Calle.** || 2. **Callejuela.** || 3. *Germ.* El acto de huir de la justicia. || **Aquel se andará por las callejas, que no pone rienda en las expensas.** ref. que manifiesta que la pobreza es la consecuencia de la prodigalidad.

Calleja. n. p. **Sépase,** o **ya se verá,** o **ya verán, quién es Calleja.** expr. fam. con que alguno se jacta de su poder o autoridad. || 2. También se dice en sentido irónico hablando del poder o habilidad de otra persona.

Callejear. (De *calleja,* 1.er art.) intr. Andar frecuentemente y sin necesidad de calle en calle.

Callejeo. (De *callejear.*) m. Acción y efecto de callejear.

Callejero, ra. (De *calleja.*) adj. Perteneciente o relativo a la calle. || 2. Que gusta de callejear. || 3. m. Lista de las calles de una ciudad populosa que traen las guías descriptivas de ella. || 4. Registro o nota de los domicilios de los suscriptores, que usan los repartidores de periódicos y de otras publicaciones.

Callejo. m. *Sant.* **Trampa,** 1.ª acep.

Callejón. m. aum. de **Calleja,** 1.er art. || 2. Paso estrecho y largo entre paredes, casas o elevaciones del terreno. || 3. *Taurom.* Espacio existente entre la barrera y la contrabarrera de las plazas de toros. || **sin salida.** fig. y fam. Negocio o conflicto de muy difícil o de imposible resolución.

Callejuela. f. d. despect. de **Calleja,** 1.er art. || 2. fig. y fam. Efugio o pretexto para no conceder alguna cosa o eludir alguna dificultad. || **Todo se sabe, hasta lo de la callejuela.** fr. fig. y fam. que explica que con el tiempo aun lo más escondido se descubre.

Callentar. tr. ant. **Calentar.** Usáb. t. c. r.

Callera. (De *callo.*) adj. V. **Hierba callera.** || 2. f. Mujer que vende callos.

Calletre. m. ant. **Caletre.**

Callialto, ta. (De *callo* y *alto.*) adj. Aplícase al herraje o herradura que tiene los callos más gruesos para suplir el defecto de los cascos en las caballerías. Ú. t. c. s.

Callicida. (De *callo* y el lat. *-cīda,* de *caedĕre,* matar.) amb. Substancia preparada para extirpar los callos.

Callista. com. Persona que se dedica a cortar o extirpar y curar callos, uñeros y otras dolencias de los pies, sea o no cirujano.

Callizo. m. *Ar.* **Callejón,** 1.ª acep. || 2. *Ar.* **Callejuela.**

Callo. (Del lat. *callum.*) m. Dureza que por roce o presión se llega a formar en los pies, manos, rodillas, etc. || 2. Cualquiera de los dos extremos de la herradura. || 3. Cada una de las chapas a modo de herradura, con que se refuerzan las pezuñas de los bueyes domésticos. || 4. *Cir.* Cicatriz que se forma en la reunión de los fragmentos de un hueso fracturado. || 5. pl. Pedazos del estómago de la vaca, ternera o carnero, que se comen guisados. || **Callo de herradura.** Cada uno de los dos extremos o puntas de ella. || **Criar, hacer,** o **tener callos.** fr. fig. y fam. Habituarse a los trabajos, al maltrato o a los vicios. || **Dos buenos callos me han nacido: el uno en la boca y el otro en el oído.** ref. que aconseja hablar poco y no hacer caso de las impertinencias que se oigan.

Callón. m. Utensilio para afilar las leznas.

Callonca. adj. Dícese de la castaña o bellota a medio asar. || 2. fig. Mujer jamona y corrida. || 3. fam. **Cellenca.**

Callosar. (De *calloso.*) intr. ant. **Encallecer,** 1.ª acep.

Callosidad. (Del lat. *callosĭtas, -ātis.*) f. Dureza de la especie del callo, menos profunda. || 2. pl. Durezas en algunas úlceras crónicas. || **Callosidad isquiática.** *Zool.* Cada una de las dos que tienen en las nalgas muchos simios catirrinos. Ú. m. en pl.

Calloso, sa. (Del lat. *callōsus.*) adj. Que tiene callo. || 2. Relativo a él. || 3. *Zool.* V. **Cuerpo calloso.**

Callueso. m. *Murc.* Insecto que roe y destruye las hortalizas.

Cama. (Del lat. de S. Isidoro *cama,* por *camba.*) f. Armazón de madera, bronce o hierro en que generalmente se pone jergón o colchón de muelles, colchones de lana, sábanas, mantas, colcha y almohadas, y que sirve para dormir y descansar en ella las personas. || 2. Esta armazón por sí sola. || 3. V. **Colgadura de cama.** || 4. V. **Cosido de la cama.** || 5. V. **Casa de camas.** || 6. Plaza para un enfermo en el hospital o sanatorio o para un alumno en el colegio. || 7. fig. Sitio donde se echan los animales para su descanso. CAMA *de liebres, de conejos, de lobos.* || 8. Mullido de paja, helecho u otras plantas que en los establos sirve para que el ganado descanse y hacer estiércol. || 9. fig. Suelo o plano del carro o carreta. || 10. fig. En el melón y otros frutos, parte que está pegada contra la tierra mientras están en la mata. || 11. fig. En los guisados, porción de vianda que se echa extendida encima de otra para que se comuniquen el calor. || 12. **Camada,** 1.ª acep. || 13. ant. **Sepulcro.** || 14. *Mar.* Hoyo que forma en la arena o en el fango una embarcación varada. || **de galgos,** o **de podencos.** fig. y fam. La mal acondicionada y revuelta. || **Media cama.** La compuesta solamente de un colchón, una sábana, una manta y una almohada. || 2. Se usa para explicar que dos duermen en una **cama.** || **A chica cama, si queréis remedio, echaos en medio.** ref. que aconseja aprovechar las cosas según vienen: conformarse uno con su suerte. || **A mala cama, colchón de vino.** ref. que advierte que cuando se espera pasar mala noche se procura aliviar este trabajo bebiendo vino. || **Caer** uno

en cama, o en la cama. fr. **Enfermar,** 1.ª acep. || **Cama y condidura, y cebada para la mula.** ref. con que se reprende a los que exigen comodidades donde no suele o no puede haberlas. || **Échate en tu cama y piensa en lo de tu casa.** ref. que declara ser buena la noche para tomar consejo. || **En la cama del can no busques el pan, ni en el hocico de la perra la manteca.** ref. que denota que no se ha de buscar el remedio donde no hay lo que se desea o se necesita. || **Estar uno en cama. Guardar uno cama, o la cama. Hacer uno cama.** frs. Estar en ella por necesidad. || **Hacer la cama.** fr. Prepararla para acostarse en ella. || **Hacerle a uno la cama.** fr. fig. Trabajar en secreto para perjudicarle. || **Hagamos esta cama: hágase, haga, y nadie comenzaba.** ref. que demuestra que la obligación de muchos no se desempeña. Es el mismo sentido que el de **unos por otros y la casa por barrer.** || **La cama, caliente, y la escudilla, reciente.** ref. que aconseja se haga pronto la una y se lave la otra al acabar de comer y, en general, que no se descuide el ejecutar lo que debe hacerse. || **La cama es buena cosa: quien no puede dormir, reposa.** ref. que muestra que no deben desdeñarse los provechos menores de las cosas cuando faltan los otros mejores. || **La cama guarda la fama.** ref. que aconseja la reserva y prudencia en todo aquello cuya divulgación puede perjudicar. || **La cama y la cárcel son prueba de amigos.** ref. de sentido recto, por el desamparo en que la enfermedad y la prisión suelen dejar a uno. || **La mala cama hace la noche larga.** ref. que denota que las desgracias e incomodidades parecen al que las soporta mayores de lo que son. || **Ni cama sin cabezales, ni tintero sin cendales.** ref. que demuestra que las cosas de uso deben reunir todo su complemento si han de ser de provecho. || **No hay tal cama como la de la enjalma.** ref. que manifiesta que no hay lecho duro ni incómodo cuando hay buena disposición o gana de dormir. || **Quien mala cama hace, en ella se yace.** ref. con que se demuestra que el daño granjeado por voluntad deberá soportarse sin queja. || **Saltar uno de la cama.** fr. fig. y fam. Levantarse de ella con aceleración.

Cama. (Del celtolat. *camba.*) f. Cada una de las barretas o palancas del freno, a cuyos extremos interiores van sujetas las riendas. Ú. m. en pl. || **2.** En el arado, pieza encorvada de madera o de hierro, en la cual encajan por la parte inferior delantera el dental y la reja, y por detrás la esteva; por el otro extremo está afianzada en el timón. || **3. Pina,** 2.ª acep. || **4.** Cada uno de los pedazos de tafetán con que se hacían los mantos de las mujeres. || **5.** pl. Nesgas que se ponían a las capas para que resultasen redondas.

Camá. m. *Cuba.* **Camao.**

Camacero. m. Árbol de la familia de las solanáceas, que se cría en los países tropicales de América y da un fruto parecido a la totuma, pero más grande y de pericarpio más grueso.

Camachil. m. Árbol de Filipinas que alcanza el tamaño de los de Europa.

Camachuelo. m. **Pardillo,** 6.ª acep.

Camada. (De *cama,* 1.er art.) f. Todos los hijuelos que paren de una vez la coneja, la loba u otros animales, y se hallan juntos en una misma parte. || **2.** Conjunto o serie de cosas numerables, extendidas horizontalmente de modo que puedan colocarse otras sobre ellas. *Una* CAMADA *de huevos.* || **3.** fig. y fam. Cuadrilla de ladrones o de pícaros. || **4.** *Min.* Piso de ademes en las galerías de las minas.

Camafeo. (En b. lat. *camahutus.*) m. Figura tallada de relieve en ónice u otra piedra dura y preciosa. || **2.** La misma piedra labrada.

Camagón. m. *Bot.* Árbol de Filipinas, de la familia de las ebenáceas, de buena madera rojiza, con vetas y manchas negras.

Camagua. (Del azteca *camauac.*) adj. *C. Rica, El Salv., Hond.* y *Méj.* Dícese del maíz que empieza a madurar. || **2.** f. *Cuba.* Árbol silvestre, de tronco recto, de doce pies de altura y seis pulgadas de grueso, y de madera blanca y fuerte. Su fruto sirve de alimento a varios animales.

Camagüeyano, na. adj. Natural del Camagüey, región y provincia de la isla de Cuba. Ú. t. c. s. || **2.** Perteneciente o relativo a este territorio.

Camaguira. f. *Cuba.* Árbol silvestre, de buena madera, compacta, dura y de color amarillo veteado, que admite pulimento.

Camahuas. m. pl. *Etnogr.* Antigua tribu de salvajes que vivía en las orillas del Ucayali, en el Perú.

Camal. (Del lat. *cāmus,* freno, bozal.) m. Cabestro de cáñamo o cabezón con que se ata la bestia. || **2.** Palo grueso de que se suspende por las patas traseras al cerdo muerto. || **3.** ant. Cadena gruesa, con su argolla, que se echaba a los esclavos para que no se huyesen. || **4.** *Ar.* Rama gruesa. || **5.** *Perú.* Matadero principal.

Camalara. f. *Cuba.* Árbol silvestre, de buena madera amarilla verdosa capaz de pulimento.

Camáldula. (De *Camaldoli,* en Toscana, donde se fundó esta orden.) f. Orden monástica fundada por San Romualdo en el siglo XI, bajo la regla de San Benito.

Camaldulense. (De *camáldula.*) adj. Perteneciente o relativo a la orden de la Camáldula. Apl. a pers., ú. t. c. s.

Camaleja. f. *Murc.* Ballestilla del trillo.

Camaleón. (Del lat. *chamaeleon,* y éste del gr. χαμαιλέων; de χαμαί, en, o sobre la tierra, y λέων, león.) m. Saurio de cuerpo comprimido y cola prensil y lengua contráctil, y tan ágil que apenas permite ver cómo la lanza contra los insectos para cogerlos mediante la saliva viscosa que la cubre, por lo que el vulgo cree que se alimenta del aire. Cambia de color en virtud de los movimientos de expansión y retracción que ciertas células cutáneas, cargadas de pigmentos negros, pardos o rojos, verifican, principalmente por el influjo de las condiciones del medio (frío, calor, luz). Hay varias especies; pero en el sur de España y norte de África vive una en la que cada individuo alcanza unos 30 centímetros de longitud. Es pesado para andar y muy tímido. || **2.** fig. y fam. Persona que por carácter o a impulsos del favor o del interés, muda con facilidad de pareceres o doctrinas. || **3.** *Bol.* **Iguana.** || **4.** *Cuba.* Lagarto verde, grande, que trepa con ligereza a los árboles. También le llaman chipojo. || **5.** *C. Rica.* Ave de rapiña, pequeña, común, que suele posarse en las ramas de los árboles para acechar su presa. || **mineral.** Nombre vulgar del permanganato potásico. || **Como el camaleón, que se muda de colores do se pon.** ref. que censura el servilismo y la poca constancia en los pareceres.

Camaleónico, ca. adj. fig. Perteneciente o relativo al camaleón, 2.ª acep.

Camaleopardo. m. *Astron.* Constelación boreal situada en la proximidad del polo.

Camalero. (De *camal.*) m. *Perú.* **Matarife.** || **2.** *Perú.* Traficante de carnes.

Camalotal. m. Paraje cubierto de camalotes en las orillas de los ríos y pantanos.

Camalote. m. *Bot. Cuba* y *Méj.* Planta de la familia de las gramíneas, que abunda en las orillas de las lagunas y cuyo tallo contiene una medula, con la cual se hacen flores y figuras para adornar cajas de dulces.

Camama. f. Vulgarismo por embuste, falsedad, burla.

Camambú. (Voz guaraní que significa *ampolla.*) m. *Amér.* Planta silvestre americana, de la familia de las solanáceas, de flor amarilla, que da un fruto pequeño, redondo, blanco y muy dulce.

Camamila. (Del lat. *chămaemelon,* y este del gr. χαμαίμηλον; de χαμαί, en tierra, y μῆλον, manzana.) f. **Camomila.**

Camanance. (Del azteca *camatl,* boca, y *nanzi.*) m. *C. Rica.* Hoyuelo que se forma a cada lado de la boca en algunas personas cuando se ríen.

Camanchaca. f. *Chile* y *Perú.* Niebla espesa y baja que reina en el desierto de Tarapacá.

Camándula. f. **Camáldula.** || **2.** Rosario de uno o tres dieces. || **3.** fig. y fam. Hipocresía, astucia, trastienda. Ú. m. en la fr. **tener muchas camándulas.**

Camandulear. (De *camándula.*) intr. Ostentar falsa o exagerada devoción. || **2.** *Sal.* Corretear, chismear.

Camandulense. adj. **Camaldulense.**

Camandulería. f. **Gazmoñería.**

Camandulero, ra. (De *camándula.*) adj. fam. Hipócrita, astuto, embustero y bellaco. Ú. t. c. s.

Camanonca. f. Tela antigua para forros de vestidos.

Camao. m. *Cuba.* Paloma pequeña, silvestre, de color pardo.

Cámara. (Del lat. *camăra,* y éste del gr. καμάρα, bóveda, cámara.) f. Sala o pieza principal de una casa. || **2. Ayuntamiento,** 2.ª acep. CÁMARA *de comercio;* CÁMARA *agrícola.* || **3.** Cada uno de los cuerpos colegisladores en los gobiernos representativos. Comúnmente se distinguen con los nombres de **Cámara alta** y **baja.** || **4.** En el palacio real, pieza en donde sólo tienen entrada los gentileshombres y ayudas de **cámara,** los embajadores y algunas otras personas. || **5.** En casas de labranza, local alto destinado para recoger y guardar los granos. || **6. Cilla,** 1.ª acep. || **7.** Cualquiera de los departamentos que en los buques de guerra se destina a alojamiento de los generales, jefes y oficiales, y en los mercantes, al de la oficialidad o al servicio común de los pasajeros. || **8.** Compartimiento que tiene comunicación con los hornos metalúrgicos, para condensar o transformar las substancias volatilizadas. || **9.** En las armas de fuego, espacio que ocupa la carga. || **10.** Anillo tubular de goma, que forma parte de los neumáticos, y está provisto de una válvula para inyectar aire a presión. || **11. Morterete,** 2.ª acep. || **12. Deposición,** 3.ª acep. || **13.** Excremento humano. || **14.** V. **Ayuda, clericato, clérigo, feudo, gentilhombre, montero, moza, paje, penas, ropa, ujier de cámara.** || **15.** V. **Maestría** y **maestro de la cámara.** || **16.** ant. Residencia o corte del rey o del poseedor de algún Estado. *La ciudad de Burgos es cabeza de Castilla y* CÁMARA *de S. M.* || **17.** ant. Alcoba o aposento donde se duerme. || **18.** ant. **Ayuntamiento,** 3.ª acep. || **19.** pl. **Diarrea.** || **Cámara anterior de la boca.** Espacio que se extiende desde la abertura de la boca hasta el istmo de las fauces. || **anterior del ojo.** Espacio comprendido entre la córnea y el iris. || **apostólica.** Tesoro pontificio. || **2.** Junta que lo administra, presidida por el cardenal camarlengo. || **clara. Cámara lúcida.** || **de Castilla.** Órgano ejecutivo del Consejo de Castilla, que se componía del presidente o gobernador y tres o cuatro ministros de él para resolver asuntos de trámite y de suma urgencia. || **de combustión.** En los motores de explosión, espacio libre entre la cabeza del pistón y la culata, donde se produce la ignición de los gases. || **de Comptos.** Tribunal de Navarra que conocía de los negocios de la real hacienda. || **de Indias.** Tribunal compuesto de ministros del Consejo de Indias, que ejercía respecto de los dominios de Ultramar las mismas funciones que la **Cámara** de Castilla respecto de la Península. || **de las armas.** ant. **Guadarnés,** 4.ª acep. || **de los Comunes.** Asamblea parlamentaria y legislativa en Inglaterra, equivalente a nuestro Congreso de los diputados. || **de los Lores.** Asamblea de nobles que, juntamente con la **Cámara** de los Comunes, constituye el Parlamento en Inglaterra. || **de los paños.** Oficio antiguo para el gobierno de todo lo que tocaba a ropas y vestidos de palacio. || **del rey.** Fisco real. || **doblada.** Aposento con alcoba. || **fotográfica.** Aparato que consta principalmente de un objetivo con una **cámara** obscura en cuyo fondo se coloca una placa o película sensible a los rayos luminosos y en la que queda registrada la imagen de los objetos exteriores. || **frigorífica.** Especie de armario cuyo interior, a la temperatura del hielo, sirve para conservar algunos alimentos. || **lúcida.** Aparato óptico en el que, por medio de prismas o espejos, se proyecta la imagen virtual de un objeto exterior en una superficie plana sobre la cual puede dibujarse el contorno y las líneas de dicha imagen. || **mortuoria. Capilla ardiente,** 2.ª acep. || **obscura.** Aparato óptico en que los objetos exteriores se representan como pintados en un papel o cristal, dentro de una cavidad obscura. || **posterior de la boca.** Espacio comprendido entre el istmo de las fauces y la parte posterior de la faringe. || **posterior del ojo.** Espacio comprendido entre el iris y el cristalino. || **De cámara.** loc. Aplícase al que en el palacio real tiene determinado cometido. || **2.** V. **Médico de cámara.** || **Irse uno de cámaras.** fr. Hacer aguas mayores sin querer. || **Padecer cámaras.** fr. Tener flujo de vientre. || **Tener uno cámaras en la lengua.** fr. fig. y fam. Ser hablador indiscreto.

Camarada. (De *cámara*, por dormir en un mismo aposento.) com. El que acompaña a otro y come y vive con él. || **2.** El que anda en compañía con otros, tratándose con amistad y confianza. || **3.** f. ant. **Batería,** 1.ª y 3.ª acepS. || **4.** Compañía o junta de **camaradas.**

Camaradería. f. Amistad o relación cordial que mantienen entre sí los buenos camaradas.

Camaraje. m. Alquiler de la pieza o cámara donde se tienen guardados los granos.

Camaranchón. (De *cámara*.) m. despect. Desván de la casa, o lo más alto de ella, donde se suelen guardar trastos viejos.

Camarera. (De *camarero*.) f. Mujer de más respeto entre las que sirven en las casas principales. || **2.** Criada que sirve en las fondas, balnearios, cafés, horchaterías u otros establecimeintos análogos, y también en los barcos de pasajeros. || **mayor.** Señora de más autoridad entre las que servían a la reina. Había de ser grande de España.

Camarería. f. Empleo u oficio de camarera. || **2.** Descuento que llevaba el camarero del rey en las libranzas extraordinarias, y que se extendió después a ciertos sueldos militares.

Camarero. (Del lat. *camerārius*, de *cámara*.) m. Oficial de la cámara del papa. || **2.** En la etiqueta de la casa real de Castilla, jefe de la cámara del rey, hasta que por introducirse el estilo y los nombres de la casa de Borgoña, **se confundió** con el sumiller de corps, **aunque en época** moderna. || **3.** En algunos lugares, el encargado del trigo del pósito o de los diezmos y tercias, o del grano que se echa en las cámaras. || **4.** Criado distinguido en las casas de los grandes, encargado de cuanto pertenecía a su cámara. || **5.** Criado que sirve en las fondas y barcos de pasajeros y sus camarotes y cuida de los aposentos. || **6.** Mozo de café, horchatería u otro establecimiento semejante. || **mayor. Camarero,** 2.ª acep.

Camareta. f. d. de **Cámara.** || **2.** *Argent.* y *Perú.* Especie de cañoncito de hierro, que se dispara en algunas fiestas de los indios o los criollos. || **3.** *Mar.* Cámara de los buques pequeños. || **4.** *Mar.* Local que en los buques de guerra sirve de alojamiento a los guardias marinas.

Camareto. m. *Cuba.* Planta parecida al aje, que tiene el sarmiento morado, como las venas de las hojas, que son cordiformes, y sus tubérculos son blancos interiormente, aunque también morados al exterior.

Camarico. (Voz quichua.) m. Ofrenda que hacían los indios americanos a los sacerdotes, y después a los españoles. || **2.** fig. y fam. *Chile.* Lugar preferido de una persona. || **3.** fig. y fam. *Chile.* Amorío, enredo amoroso. *Tener un* CAMARICO.

Camariento, ta. adj. Que padece cámaras. Ú. t. c. s.

Camarilla. (d. de *cámara*.) f. Conjunto de palaciegos que influyen subrepticiamente en los negocios del Estado. || **2.** Grupo de personas familiares o amigos, que subrepticiamente influyen en las decisiones de alguna autoridad superior o en los actos de algún personaje importante.

Camarillesco, ca. adj. despect. Propio de una camarilla.

Camarín. m. d. de **Cámara.** || **2.** Capilla pequeña colocada algo detrás de un altar y en la cual se venera alguna imagen. || **3.** Pieza en que se guardan las alhajas y vestidos de una imagen. || **4.** En los teatros, cada uno de los cuartos donde los actores se visten para salir a la escena. || **5.** Pieza pequeña retirada donde se guardaban las bujerías de búcaros, barros, cristales y porcelanas, y también alhajas de más precio. || **6. Tocador,** 1.er art., 3.ª acep. || **7.** Pieza retirada para el despacho de los negocios. || **8.** *Ál.* **Cambarín.**

Camarinas. m. Arbolillo muy común que se cría en Moguer, provincia de Huelva.

Camarista. m. Ministro del Consejo de la Cámara. || **2.** ant. El que vivía en alguna cámara de posada y no tenía trato con los demás hospedados. || **3.** f. Criada distinguida de la reina, princesa o infantas.

Camarlengo. (Del germ. *kamerlinc*, camarero.) m. Título de dignidad entre los cardenales de la Santa Iglesia Romana, presidente de la Cámara Apostólica y gobernador temporal en sede vacante. || **2.** Título de dignidad en la casa real de Aragón, semejante al de camarero en Castilla.

Cámaro. (Del lat. *cammărus*, y éste del gr. κάμμαρος.) m. **Camarón,** 1.ª acep.

Camarón. (aum. de *cámaro*.) m. *Zool.* Crustáceo decápodo, macruro, de tres a cuatro centímetros de largo, de color pardusco, con el cuerpo estrecho, comprimido y algo encorvado; caparazón terminado por un rostro largo y finamente dentado; antenas muy largas. Es comestible y se conoce también con los nombres de quisquilla y esquila. || **2.** *C. Rica.* Propina o gratificación. || **Al camarón que se duerme se lo lleva la corriente.** ref. con que se estimula la diligencia de una persona. || **Camarón y cangrejo corren parejo.** ref. que compara dos cosas o personas casi iguales.

Camaronera. f. Mujer que vende camarones. || **2.** Red para pescarlos.

Camaronero. m. El que pesca o vende camarones. || **2.** *Perú.* **Martín pescador.**

Camarote. (De *cámara*.) m. Cualquiera división pequeña de las que hay en los barcos para poner la cama.

Camarotero. (De *camarote*.) m. *Amér.* Camarero que sirve en los barcos.

Camarroya. f. Achicoria silvestre.

Camarú. (Voz guaraní.) m. Árbol del Brasil y otros países de la América del Sur. Se le llama también roble de Orán, porque su madera se parece a la del roble, así como su corteza se parece a la quina, y se emplea como medicamento.

Camasquince. (De *cama* y *quince*.) com. fam. Persona entremetida.

Camastro. (De *cama*.) m. despect. Lecho pobre y sin aliño

Camastrón, na. m. y f. fam. Persona disimulada y doble que espera oportunidad para hacer o dejar de hacer las cosas, según le conviene. Ú. t. c. adj.

Camastronería. f. fam. Cualidad y modo de proceder del camastrón.

Camatón. m. *Ar.* Haz pequeño de leña.

Camaza. f. *Amér. Central.* Fruta del camacero, especialmente cuando ha sido aserrada y preparada como la totuma.

Camba. (Del celtolat. *camba*, corva.) f. **Cama,** 2.º art., 1.ª acep. || **2.** *Ast.*, *Sal.* y *Sant.* **Pina,** 2.ª acep. || **3.** *Sant.* Faja de prado cuya hierba queda cortada cada vez que el operario va segando con el dalle lo largo o lo ancho de la finca. || **4.** Hilada de hierba segada en cada una de las dichas carreras o fajas. || **5. pl. Cama,** 2.º art., 5.ª acep.

Cambado, da. (De *camba*.) adj. *R. de la Plata.* Dícese del estevado o patizambo.

Cambalachar. tr. **Cambalachear.**

Cambalache. (De *cambiar*.) m. fam. Trueque de objetos de poco valor. || **2.** *Argent.* **Prendería.**

Cambalachear. (De *cambalache*.) tr. fam. Hacer cambalaches.

Cambalachero, ra. adj. Que cambalachea. Ú. t. c. s.

Cambalada. f. *And.* Vaivén del hombre ebrio.

Cambaleo. m. Compañía antigua de la legua, compuesta ordinariamente de cinco hombres y una mujer que cantaba.

Cambalud. (dialect. de *camba*.) m. *Sal.* Tropezón violento, pero sin caída.

Cambar. (Del celtolat. *camba*.) tr. *Argent.* y *Venez.* Combar, encorvar.

Cámbara. (De *cámbaro*.) f. *Zool.* En el Cantábrico, es el nombre de la centolla.

Cambará. (Voz guaraní.) m. Árbol de la América del Sur, frondoso, de hoja discolora, verde y blanca y flor blanca diminuta. Su corteza se emplea como febrífugo, y la infusión de sus hojas, preparada como cataplasma, se tiene como eficaz remedio contra la tos.

Cambarín. (De *cambra*.) m. *Ál.* Descansillo, meseta o rellano de la escalera.

Cámbaro. (Del lat. *cammărus*.) m. *Zool.* Crustáceo decápodo, braquiuro, marino más ancho que largo, con el caparazón verde, y fuertes pinzas en el primer par de patas. Algunas de sus especies son comestibles. || **mazorgano.** Crustáceo marino, braquiuro, de cuerpo ligeramente velloso y con el último par de patas terminado en paleta natatoria. Es común en el Cantábrico. || **volador.** Crustáceo marítimo, braquiuro, de cuerpo casi discoidal, liso y deprimido. Se encuentra en alta mar y en tanta abundancia, que en Galicia lo emplean a veces como abono de las tierras.

Cambera. (De *camba*.) f. Red pequeña para pescar cámbaros y otros crustáceos.

Cambera. (De *camba.*) f. *Sant.* Camino de carros.

Cambero. (De *camba.*) m. *Ast.* Rama delgada de sauce terminada en un gancho, en la que el pescador ensarta por las agallas los peces que coge.

Cambeto, ta. (De *camba.*) adj. *Venez.* Patiestevado.

Cambia. f. ant. *For.* **Cambio,** 10.ª acep.

Cambiable. adj. Que se puede cambiar.

Cambiada. f. *Equit.* Acción de cambiar, 4.ª acep. ‖ **2.** *Mar.* Acción de cambiar la posición del aparejo, el rumbo, etc.

Cambiadizo, za. (De *cambiar.*) adj. ant. **Mudadizo.**

Cambiador, ra. adj. Que cambia. ‖ **2.** m ant **Cambista.** ‖ **3.** *Germ* **Padre de mancebía.** ‖ **4.** *Chile* y *Méj.* **Guardagujas.** ‖ **5.** *Chile.* Pieza que sirve para mudar en las máquinas, o cuerda que va de la polea fija a la mudable y viceversa.

Cambiamiento. (De *cambiar.*) m. Mutación, variedad.

Cambiante. p. a. de **Cambiar.** Que cambia. ‖ **2.** m. Variedad de colores o visos que hace la luz en algunos cuerpos. Ú. m. en pl. y hablando de algunas telas. ‖ **3. Cambista,** 1.ª acep.

Cambiar. (Del lat. *cambiāre.*) tr. Dar, tomar o poner una cosa por otra. Ú. t. c. intr. ‖ **2.** Mudar, variar, alterar. Ú. t. c. intr. ‖ **3.** Dar o tomar moneda, billetes o papel moneda de una especie por su equivalente en otra. ‖ **4.** *Equit.* Hacer que galope con pie y mano derechos el caballo que va galopando con pie y mano izquierdos, o al contrario. Ú. t. c. intr. ‖ **5.** *Mar.* Bracear el aparejo, cuando se navega ciñendo por una banda, a fin de orientarlo por la contraria. ‖ **6.** *Mar.* **Virar,** 2.ª y 3.ª aceps. ‖ **7.** intr. Mudar de dirección el viento. Ú. t. c. r.

Cambiavía. m. *Cuba* y *Méj.* **Guardagujas.**

Cambiazo. m. aum. de **Cambio.** ‖ **Dar el cambiazo.** fr. Cambiar fraudulentamente una cosa por otra.

Cambija. f. Arca de agua elevada sobre las cañerías que la conducen.

Cambil. m. *Veter.* Compuesto de bol de Armenia, que se usó como medicina contra la diarrea de los perros.

Cambín. m. Nasa de junco parecida a un sombrero redondo, que sirve para cierta clase de pesca.

Cambio. (De *cambiar.*) m. Acción y efecto de cambiar. ‖ **2.** Dinero menudo. ‖ **3.** V. **Agente, cédula, contrato, letra de cambio.** ‖ **4.** V. **Corredor, mesa de cambios.** ‖ **5.** p. us. **Cambista.** ‖ **6.** *Com.* Tanto que se abona o cobra, según los casos, sobre el valor de una letra de **cambio.** ‖ **7.** *Com.* Precio de cotización de los valores mercantiles. ‖ **8.** *Com.* Valor relativo de las monedas de países diferentes o de las de distinta especie de un mismo país. ‖ **9.** *Ferr.* Mecanismo formado por las agujas y otras piezas de las vías férreas, que sirve para que las locomotoras, los vagones o los tranvías vayan por una u otra de las vías que concurren en un punto. ‖ **10.** *For.* **Permuta.** ‖ **11.** *Automov.* Sistema de engranajes que permite ajustar la velocidad del vehículo al régimen de revoluciones del motor. ‖ **minuto. Cambio,** 8.ª acep. ‖ **Libre cambio.** Sistema económico que franquea o favorece el comercio, principalmente el internacional. ‖ **2.** Régimen aduanero fundado en esta doctrina. ‖ **A las primeras de cambio.** loc. adv. fig. **De buenas a primeras.** ‖ **En cambio.** m. adv. En lugar de, en vez de; cambiando una cosa por otra.

Cambista. com. Que cambia, 3.ª acep. ‖ **2.** m. **Banquero,** 2.ª acep.

Cambiza. (De *camba.*) f. *Sal.* Trozo de madera encorvado, en cuyos extremos se sujetan dos cordeles que luego se unen y se atan al yugo para poder amontonar la parva, ya trillada, y hacer la limpia del grano.

Cambizar. tr. *Sal.* Recoger con la cambiza la parva para limpiarla.

Cambizo. (De *camba.*) m. *Sal.* El timón del trillo.

Cambo. (De *camba.*) m. *Sal.* Aposento donde se cuelgan, en varales, los chorizos, morcillas y longanizas para que se curen o sazonen.

Cambocho. (De *camba.*) m. *Ál.* Nombre de uno de los dos palos con que se juega al calderón.

Cambón. (De *camba.*) m. *Ast.* Trozo de la rueda de la carreta, que sirve de sostén a las cambas y en el medio del cual penetra el eje.

Cambra. (Del lat. *camĕra,* cámara.) f. ant. Cámara.

Cambray. m. Especie de lienzo blanco y sutil, a que dio nombre Cambray, ciudad de Francia donde se fabricaba.

Cambrayado, da. (De *Cambray.*) adj. **Acambrayado.**

Cambrayón. m. Lienzo parecido al cambray, pero menos fino.

Cambriano, na. (Del ingl. *Cambria,* nombre antiguo del país de Gales.) adj. *Geol.* Relativo al primero de los cuatro períodos geológicos en que se divide la era primaria o paleozoica. ‖ **2.** Perteneciente al terreno **cambriano,** en que se han hallado los fósiles de edad más remota. ‖ **3.** Dícese de los antiguos habitantes del país de Gales. Ú. t. c. s. ‖ **4.** Perteneciente a este país o a sus habitantes.

Cámbrico, ca. adj. **Cambriano.** Ú. t. c. s.

Cambrillón. (Del fr. *cambrillon,* y este del picardo *cambre,* del lat. *camŭrus,* curvo.) m. Cada una de las suelas angostas que los zapateros ponen de relleno entre la exterior y la plantilla del calzado para armarlo. Ú. m. en pl.

Cambrón. (Del lat. *camŭrus,* curvo.) m. *Bot.* Arbusto de la familia de las ramnáceas, de unos dos metros de altura, con ramas divergentes, torcidas, enmarañadas y espinosas, hojas pequeñas y glaucas, flores solitarias blanquecinas y bayas casi redondas. ‖ **2. Espino cerval.** ‖ **3. Zarza.** ‖ **4.** pl. **Espina santa.**

Cambronal. m. Sitio o paraje en que abundan los cambrones o las cambroneras.

Cambronera. (De *cambrón.*) f. Arbusto de la familia de las solanáceas, de unos dos metros de altura, con multitud de ramas mimbreñas, curvas y espinosas, hojas cuneiformes, flores axilares, sonrosadas o purpúreas y bayas rojas elipsoidales. Suele plantarse en los vallados de las heredades.

Cambroño. (De *cambrón.*) m. Piorno que se cría en las sierras de Guadarrama, Gata y Peña de Francia.

Cambrún. m. *Colomb.* Cierta clase de tela de lana.

Cambucha. (De *camba.*) m. *Ast.* **Pina,** 2.ª acep ‖ **2.** f. *Chile.* Cometa pequeña y sin palillos con que juegan los niños.

Cambucho. (De *camba.*) m. *Chile.* **Cucurucho.** ‖ **2.** *Chile.* Cesta o canasto en que se echan los papeles inútiles, o se guarda la ropa sucia. ‖ **3.** *Chile.* Chiribitil, tabuco, tugurio. ‖ **4.** *Chile.* Funda o forro de paja que se pone a las botellas para que no se quiebren.

Cambuí. (Voz guaraní.) m. *R. de la Plata.* Árbol de tronco liso, semejante al guayabo, que da semillas coloradas en racimos. ‖ **2.** Fruto de este árbol.

Cambuj. (Del ár. *kanbūš,* velo con que se cubren el rostro las mujeres.) m. Mascarilla o antifaz. ‖ **2.** Capillo de lienzo que ponen prendido a los niños para que tengan derecha la cabeza.

Cambujo, ja. (De *camba.*) adj. Tratándose de caballerías menores, **morcillo,** 2.° art. ‖ **2.** *Méj.* Dícese del descendiente de zambaigo y china, o de chino y zambaiga. Ú. t. c. s. ‖ **3.** *Méj.* Dícese del ave que tiene negras la pluma y la carne.

Cambullón. (De *cambio.*) m. *Perú.* Enredo, trampa, cambalache de mal género. ‖ **2.** *Chile.* Cosa hecha por confabulación de algunos, con engaño o malicia, para alterar la vida social o política. ‖ **3.** *Colomb.* y *Méj.* **Cambalache,** 1.ª acep.

Cambur. m Planta de la familia de las musáceas, parecida al plátano, pero con la hoja más ovalada y el fruto más redondeado, e igualmente comestible. ‖ **amarillo.** El que da fruto de este color y del mismo tamaño que el pigmeo. ‖ **criollo.** Variedad de fruto verdoso. ‖ **hartón. Cambur topocho.** ‖ **higo.** Variedad de fruto más pequeño que el del titiaro. ‖ **manzano.** Especie muy fina y cuyo fruto tiene un ligero sabor a manzana. ‖ **morado.** El de fruto morado o escarlata. ‖ **pigmeo.** El de tallo más pequeño y fruto más largo que el del criollo. ‖ **titiaro.** Variedad de fruto pequeño. ‖ **topocho.** El de fruto semejante a un plátano pequeño.

Cambute. m. Planta tropical gramínea, de unos 40 centímetros de largo, hojas algo anchas y agudas y flores en espigas pareadas y divergentes. ‖ **2.** *Cuba.* **Cambutera.** ‖ **3.** *Cuba.* Nombre del fruto y la flor de la cambutera. ‖ **4.** En las costas del Pacífico y Costa Rica, caracol grande y comestible.

Cambutera. (De *cambute.*) f. *Bot. Cuba.* Bejuco silvestre de la familia de las convolvuláceas, de hojas alternas y cuya flor, de cinco pétalos y color rojo, tiene figura de estrella. Es trepadora y se cultiva en los jardines.

Cambuto, ta. adj *Perú.* Pequeño, rechoncho, grueso. Se aplica a personas y cosas.

Camedrio. (Del lat. *chamaedrȳs, -ȳos,* y éste del gr. χαμαίδρυς; de χαμαί, en tierra, y δρῦς, encina.) m. Planta de la familia de las labiadas, pequeña, de tallos duros, vellosos, hojas pequeñas parecidas a las del roble y flores purpúreas en verticilos colgantes, usadas como febrífugo.

Camedris. m. **Camedrio.**

Camedrita. m. Vino preparado con la infusión del camedrio.

Camelador, ra. adj. Que camela.

Camelar. (De *camelo.*) tr. fam. Galantear, requebrar. ‖ **2.** fam. Seducir, engañar adulando. ‖ **3.** fam. Amar, querer, desear ‖ **4.** *Méj.* Ver, mirar, acechar.

Camelete. (De *camello,* 3.ª acep.) m. Pieza grande de artillería, de que se usó para batir murallas.

Camelia. (De *Camelli,* jesuita que la importó a Europa.) f. Arbusto de la familia de las teáceas, originario del Japón y de la China, de hojas perennes, lustrosas y de un verde muy vivo y flores muy bellas, inodoras, blancas, rojas o rosadas. ‖ **2.** Flor de este arbusto. ‖ **3.** *Cuba.* **Amapola.**

Caméiido. (Del lat. *camēlus.*) adj. *Zool.* Dícese de rumiantes artiodáctilos que carecen de cuernos y tienen en la cara interior del pie una excrecencia callosa que comprende los dos dedos; como el camello y el dromedario. Ú. t. c. s. ‖ **2.** m. pl. *Zool.* Familia de estos animales.

Camelieo, a. adj. *Bot.* **Teáceo.**

Camelina. f. *Bot.* Planta de la familia de las crucíferas, con semillas oleaginosas, de las que se obtiene aceite para el alumbrado Vive en el centro, **sur** y este de España.

Camelo. m. fam. **Galanteo.** ‖ **2.** fam Chasco, burla. ‖ **3.** *Cuba.* Malva roja y sin olor y más grande **que** la ordinaria.

Camelotado, da. adj. Dícese del tejido o tela hechos por el estilo del camelote.

Camelote. (Del gr. καμηλωτή, de κάμηλος, camello.) m. Tejido fuerte e impermeable, que antes se hacía con pelo de camello y después con el de cabra, mezclados con lana, y más recientemente con lana sola. || **de aguas.** El prensado y lustroso. || **de pelo.** El muy fino.

Camelote. m. Planta tropical gramínea, con el tallo ramoso, rastrero y lampiño, vainas infladas, hojas cortas y flores en espigas pareadas.

Camelotina. f. Especie de camelote, 1.er art.

Camelotón. m. Tela bastante parecida al camelote.

Camella. f. **Gamella,** 1.er art.

Camella. (Del lat. *camella.*) f. **Gamella,** 2.° art.

Camella. f. Hembra del camello. || **2. Camellón,** 1.er art., 1.ª acep.

Camellejo. m. d. de **Camello.**

Camellería. f. Oficio de camellero.

Camellero. m. El que cuida de los camellos o trajina con ellos.

Camello. (Del lat. *camēlus,* y éste del gr. κάμηλος.) m. *Zool.* Artiodáctilo rumiante, oriundo del Asia Central, corpulento y algo más alto que el caballo. Tiene el cuello largo, la cabeza proporcionalmente pequeña y dos gibas en el dorso, formadas por acumulación de tejido adiposo. || **2.** V. **Hilo, paja, pelo de camello.** || **3.** Pieza antigua de artillería gruesa de batir, de dieciséis libras de bala, pero corta y de poco efecto. || **4.** *Mar.* Mecanismo flotante destinado a suspender un buque o una de sus extremidades, disminuyendo su calado. || **pardal. Jirafa,** 1.ª acep.

Camellón. (De *camello,* por la forma.) m. **Caballón.** || **2.** En algunas partes, camelote, 1.er art.

Camellón. (De *camella,* 2.° art.) m. Artesa cuadrilonga para abrevar al ganado vacuno.

Camena. (Del lat. *camēna.*) f. poét. **Musa,** 1.ª acep.

Camenal. (De *camena.*) adj. Perteneciente o relativo a las camenas o musas.

Cámera. (Del lat. *camĕra.*) f. ant. **Cámara.**

Camera. f. *Colomb.* Especie de conejo silvestre.

Camerano, na. adj. Natural de la sierra de Cameros. Ú. t. c. s. || **2.** Perteneciente a ella.

Camero, ra. adj. Dícese de la cama grande, en contraposición a la más estrecha o catre. || **2.** Lo relativo a ella. *Colchón* CAMERO, *manta* CAMERA. || **3.** m. y f. Persona que hace camas, colgaduras u otras cosas pertenecientes a ellas. || **4.** Persona que alquila camas.

Camia. f. *Bot.* Árbol frutal de Filipinas, de la familia de las oxalidáceas, del tamaño de un ciruelo, que da su fruto, no en las ramas, sino en el mismo tronco.

Camiar. (Del lat. *cambiāre.*) tr. ant. **Cambiar.** || **2.** ant. **Vomitar,** 1.ª acep.

Camíbar. m. *C. Rica* y *Nicar.* **Copayero.** || **2.** *C. Rica* y *Nicar.* **Bálsamo de copaiba.**

Cámica. f. *Chile.* Declive del techo.

Camilo. (Del lat. *camillus,* ministro.) m. Muchacho que los romanos empleaban en el servicio del culto.

Camilo. adj. Dícese del clérigo que pertenece a la congregación fundada en Roma por San Camilo de Lelis para el servicio de los enfermos. Ú. t. c. s.

Camilucho, cha. adj. *Amér.* Dícese del indio jornalero del campo. Ú. t. c. s.

Camilla. (d. de *cama.*) f. Cama que sirve para estar medio vestido en ella, como lo hacen las mujeres convalecientes de parto y como lo hacían cuando estaban de duelo. || **2.** Mesa armada con unos bastidores plegadizos y un tablero de quita y pon, debajo del cual hay un enrejado y una tarima para brasero. Cúbresela con tapete largo de lana y sirve para calentarse las personas y también para secar ropa sobre el enrejado. || **3.** Cama angosta y portátil, ordinariamente cubierta, que se lleva sobre varas a mano o sobre ruedas, y sirve para la conducción de enfermos y heridos.

Camillero. m. Cada uno de los que transportan la camilla. || **2.** *Mil.* Soldado práctico en conducir heridos en camilla y hasta en hacerles algunas curas elementales.

Caminada. (De *caminar.*) f. ant. **Jornada,** 1.ª acep. || **2.** ant. Camino o viaje de aguadores o jornaleros.

Caminador, ra. adj. Que camina mucho.

Caminante. p. a. de **Caminar.** Que camina. Ú. m. c. s. || **2.** m **Mozo de espuela.** || **3.** Ave chilena muy parecida a la alondra. Tiene el pico largo, algo encorvado, pluma de color gris rojizo, como el del terreno, y cola corta. || **Caminante cansado, subirá en asno, si no encuentra caballo.** ref. con que se denota que el que con urgencia necesita algo, tomará cualquier remedio que halle a mano, aunque no sea el mejor.

Caminar. (De *camino.*) intr. Ir de viaje. || **2. Andar,** 1.er art., 1.ª acep. || **3.** fig. Seguir su curso las cosas inanimadas. CAMINAR *los ríos, los planetas.* || **4.** tr. Recorrer caminando. *Hoy* HE CAMINADO *cinco leguas.* || **Caminar derecho.** fr. fig. y fam. Proceder con rectitud.

Caminata. (Del ital. *camminatta,* de *camminare,* caminar.) f. fam. Paseo o recorrido largo y fatigoso. || **2.** Viaje corto que se hace por diversión.

Caminejo. m. d. despect. de **Camino.**

Caminero, ra. adj. Relativo al camino. || **2.** V. **Peón, serón caminero.** || **3.** m. y f. ant. **Caminante,** 1.ª acep.

Camini. (Del guaraní *caá,* hierba, y *miri,* pequeña, en polvo.) m. **Mate,** 2.° art., 5.ª acep. Es la variedad más estimada en el Río de la Plata.

Camino. (Del célt. *cammīnos.*) m. Tierra hollada por donde se transita habitualmente. || **2.** Vía que se construye para transitar. || **3. Viaje,** 1.ª acep. || **4.** Cada uno de los viajes que hace el aguador o el conductor de otras cosas. || **5.** V. **Aposentador, coche, ermitaño de camino.** || **6.** V. **Tenedor de caminos.** || **7.** V. **Ingeniero de caminos,** etc. || **8.** fig. Medio o arbitrio para hacer o conseguir alguna cosa. || **asendereado. Camino trillado,** 1.ª acep. || **capdal.** ant. **Camino real,** 1.ª acep. || **carretero,** o **carretil.** El que está expedito para el tránsito de coches o de otros carruajes. || **2.** fig. y fam. **Camino trillado,** 2.ª acep. || **carril. Carril,** 4.ª acep. || **cubierto.** En las obras de fortificación permanente, terraplén de tránsito y vigilancia que rodea y defiende el foso y tiene a lo largo una banqueta, desde la cual puede hacer fuego la guarnición por encima del glacis, que le sirve de parapeto. || **de cabaña. Cañada,** 1.er art., 2.ª acep. || **2. Cordel,** 4.ª acep. || **de herradura.** El que es estrecho de modo que puedan transitar caballerías, pero no carros. || **de hierro. Ferrocarril.** || **derecho.** fig. Conjunto de medios conducentes para lograr algún fin sin andar por rodeos. || **de ruedas. Camino carretero,** 1.ª acep || **de Santiago. Vía Láctea.** || **de sirga.** El que a orillas de los ríos y canales sirve para llevar las embarcaciones tirando de ellas desde tierra. || **real.** El construido a expensas del Estado, más ancho que los otros, capaz para carruajes y que pone en comunicación entre sí poblaciones de cierta importancia. || **2.** fig Medio más fácil y seguro para la consecución de algún fin. || **seronero.** *Cuba.* Vereda por donde sólo puede pasar una caballería con serón abierto. || **trillado,** o **trivial.** El que es común, usado y frecuentado. || **2.** fig. Modo común o regular de obrar o discurrir. || **vecinal.** El construido y conservado por el municipio, cuyas necesidades sirve, y suele ser más estrecho que las carreteras. || **Abrir camino.** fr. Facilitar el tránsito de una parte a otra. || **2.** fig. Hallar, sugerir o allanar el medio de vencer una dificultad o mejorar de fortuna *Dios* ABRIRÁ CAMINO. || **3.** fig. Iniciar o inventar alguna cosa. || **Al mal camino, darle priesa.** ref. con que se aconseja que los asuntos enojosos deben despacharse pronto. || **Andar uno al camino.** fr. fig. Dedicarse al contrabando o al robo en despoblado. || **Camino de Roma, ni mula coja ni bolsa floja.** ref. que aconseja no emprender cosas arduas sin medios proporcionados. || **Camino de Santiago, tanto anda el cojo como el sano.** ref. que se dice de los que se juntan para ir en romería, que como se van esperando unos a otros, todos vienen a llegar a un mismo tiempo, aunque no sean de igual robustez y aguante. || **Camino viejo y sendero nuevo.** ref. que aconseja tomar uno u otro, según los casos, y no al contrario, porque el **camino** antiguo, por más trillado y sabido, es mejor, y el sendero reciente está limpio de zarzas y maleza, al revés del sendero antiguo. || **Coger uno el camino.** fr. fig. **Coger la puerta.** || **Cuando fueres por camino, no digas mal de tu enemigo.** ref. que enseña la precaución con que se debe hablar de otros en los **caminos** y parajes públicos donde concurren personas desconocidas. || **De camino.** m. adv. **De paso,** 1.ª y 2.ª aceps. || **2.** loc. Dícese del traje y avíos que suelen usar los que van de viaje. || **De un camino, dos mandados.** loc. fam. que denota la oportunidad que unas diligencias ofrecen para otras. || **Echar cada cual por su camino.** fr. fig. **Ir cada cual por su camino.** || **En luengos caminos se conocen los amigos.** ref.; porque se molestan unos a otros y hay lugar de ejercitar la paciencia y la tolerancia mutuas. || **Entrar a uno por camino.** fr. fig. **Meterle por camino.** || **Hacer,** o **hacerse, camino.** fr. fig. Alcanzar fama y provecho en la profesión u oficio que uno ejerce. || **Ir cada cual por su camino.** fr. fig. Estar discordes dos o más personas en sus dictámenes. || **Ir uno su camino.** fr. Seguir el que lleva. || **2.** fig. Dirigirse a su fin sin divertirse a otra cosa. || **Ir una cosa fuera de camino.** fr. fig. No estar puesta en razón. || **Ir uno fuera de camino.** fr. fig. Proceder con error. || **2.** fig Obrar sin método, orden ni razón. || **Llevar camino una cosa.** fr. fig. Tener fundamento o razón. || **2.** Estar en vías de lograrse || **Meter a uno por camino.** fr. fig. Reducirle a la razón, sacándole del error o dictamen torcido en que estaba. || **No llevar camino una cosa.** fr. fig. No ser acertado el discurso o el parecer que oímos. || **Partir el camino.** fr. Elegir un paraje intermedio para reunirse las personas o zanjar una desavenencia con mutuas concesiones. || **Ponerse uno en camino.** fr. Emprender viaje. || **Procurar el camino.** fr **Abrir camino,** 1.ª acep. || **Quedarse uno a medio camino.** fr. fig. y fam. No acabar la cosa o el discurso comenzado. || **Quien malos caminos anda, malos abrojos halla.** ref que declara que las malas acciones traen peores consecuencias. || **Quien siembra en el camino, cansa los bueyes y pierde el trigo.** ref. que enseña que trabajan inútilmente los que no se valen de los medios oportunos para conseguir alguna cosa. || **Romper un camino.** fr. Abrirlo. || **Salir al cami-**

no. fr. fig. **Salir al encuentro.** || **2.** fig. Saltear, 1.ª acep. || **Ser una cosa fuera de camino.** fr. fig. y fam. Ir una cosa fuera de camino. || **Tomar el camino en las manos.** fr. fam. **Ponerse en camino.** || **Traer a uno a buen camino.** fr. fig. Sacarle del error o apartarle de la mala vida.

Camio. m. ant. **Cambio.**

Camión. (Del fr. *camion.*) m. Vehículo de cuatro o más ruedas, grande y fuerte, que se usa pricipalmente para transportar cargas o fardos muy pesados.

Camionaje. (De *camión.*) m. Servicio de transportes hecho con camión. || **2.** Precio de este servicio.

Camioneta. (Del fr. *camionette,* d. de *camion.*) f. Vehículo automóvil menor que el camión y que sirve para transporte de toda clase de mercancías.

Camisa. (Del lat. *camisia.*) f. Prenda de vestido interior hecha de lienzo, algodón u otra tela. || **2. Camisola,** 1.ª acep. || **3.** Telilla con que están inmediatamente cubiertos algunos frutos, legumbres y granos, como la almendra, el guisante, el trigo, etc. || **4.** Epidermis de los ofidios, de que el animal se desprende periódicamente después de haberse formado debajo de ella un nuevo tejido que la sustituye. || **5.** En el juego de la rentilla, suerte en que salen en blanco los seis dados. || **6.** Revestimiento interior de un artefacto o una pieza mecánica. || **7.** Capa de cal, yeso o tierra blanca que se echa en la pared cuando se enluce o enjalbega. || **8.** Funda en forma de red, hecha con fibras de metales raros, con la cual se cubre la llama de ciertos aparatos de alumbrado para que, poniéndose candente, aumente la fuerza luminosa y disminuya el consumo de combustible. || **9.** Cubierta suelta de papel fuerte con que se protege un libro y lleva impreso el título de la obra. || **10.** p. us. Menstruo o regla de las mujeres. || **11.** ant. **Alba,** 4.ª acep. || **12.** ant. **Dote,** 3.ª acep. ||**13.** fig. Envoltura de papel de un expediente o legajo. || **14.** *Chile.* Entre los empapeladores, papel ordinario que suele ponerse debajo del fino para que éste asiente y pegue mejor. || **15.** *Fort.* Parte de la muralla, hacia la campaña, que solía revestirse con piedras o ladrillos de color claro. || **16.** *Impr.* Lienzo que se pone encima del muletón o pañete, como forro exterior y más suave del rodillo de imprimir. || **alquitranada, o de fuego.** Pedazo de vela de buque o de otra tela parecida que, impregnado de alquitrán, brea u otra materia inflamable, servía en la guerra para incendiar embarcaciones, descubrir de noche los trabajos del enemigo, etc. || **de fuerza.** Especie de **camisa** fuerte abierta por detrás, con mangas cerradas en su extremidad, propia para sujetar los brazos de quien padece demencia o delirio violento. || **embreada. Camisa alquitranada.** || **romana.** ant. **Roquete,** 1.er art. || **Camisa con trenzas, más es de lo que piensas.** ref. con que se indica que el mérito de las personas suele conocerse aun por ligeras señales. || **Camisa y toca negra no sacan al ánima de pena.** ref. que reprende el exceso en los lutos y exterioridades de los duelos, cuando se descuida lo que importa al alma del difunto. || **Dejar a uno sin camisa.** fr. fig. y fam. Arruinarle enteramente. || **En camisa.** m. adv. fig. y fam. Tratándose de la esposa, recibirla sin dote. || **Jugar uno hasta la camisa.** fr. fig. y fam. Tener desordenada afición al juego. || **Más cerca está la camisa de la carne que el jubón.** ref. que advierte la preferencia que debe darse a los parientes o personas inmediatas sobre las que no lo son. || **Meterse uno en camisa de once varas.** fr. fig. y fam. Inmiscuirse en lo que no le incumbe o no le importa. || **No dejarle a uno ni aun camisa.** fr. fig. y fam. **Dejar a uno sin camisa.** || **No llegarle a uno la camisa al cuerpo.** fr. fig. y fam. Estar lleno de zozobra y temor por algún riesgo que amenaza. || **Primero es la camisa que el sayo.** ref. con que se esfuerza la necesidad del orden en las cosas, empezando por lo que debe ir primero. || **Pues que la camisa lo calla, cállelo la saya.** ref. que acredita que en cosas de honra, si el interesado calla, el allegado o el amigo no debe ser menos discreto. || **Vender uno hasta la camisa.** fr. fig. y fam. Vender todo lo que tiene, sin reservar cosa alguna.

Camisería. (De *camisero.*) f. Tienda en que se venden camisas. || **2.** Taller donde se hacen.

Camisero, ra. m. y f. Persona que hace o vende camisas.

Camiseta. f. Camisa corta y con mangas anchas. || **2.** Camisa corta, ajustada y sin cuello, de franela, algodón o seda, ordinariamente de punto, y que por lo común se pone a raíz de la carne.

Camisola. (Del ital. *camisola,* y éste de *camisa,* del lat. *camisia,* camisa.) f. Camisa fina de hombre, de la cual se planchan especialmente el cuello, puños y pechera. || **2.** Camisa de lienzo delgado que se ponía sobre la interior, y solía estar guarnecida de puntillas o encajes en la abertura del pecho y en los puños. || **3.** *Chile.* **Jubón.**

Camisolín. (d. de *camisola.*) m. Pedazo de lienzo planchado, con cuello y sin espalda, que se pone sobre la camiseta, delante del pecho, para excusar la camisola.

Camisón. m. aum. de **Camisa.** || **2.** Camisa larga. || **3.** En algunas partes, camisa de hombre. || **4.** En las Antillas y Costa Rica, camisa de mujer. || **5.** *Colomb., Chile* y *Venez.* Vestido, traje de mujer, excepto cuando es de seda negra. || **Tu camisón no sepa tu intención.** ref. que pondera lo conveniente de la reserva en todos los asuntos.

Camisote. (De *camisa.*) m. Cota de mallas con mangas que llegaban hasta las manos.

Camita. adj. Descendiente de Cam. Ú. t. c. s.

Camítico, ca. adj. Perteneciente o relativo a los camitas.

Camoatí. m. Nombre que en el Río de la Plata dan a una especie de avispa. || **2.** *R. de la Plata.* Panal que fabrica este insecto.

Camocán. (Del ár. *kamujā,* brocado.) m. Brocado usado en Oriente y en España en los siglos medios.

Camochar. (Del lat. *caput,* cabeza, y *mŭtilāre,* mochar.) tr. *Hond.* Desmochar los árboles y otras plantas.

Camodar. (Del lat. *commutāre.*) tr. *Germ.* **Trastrocar.**

Camomila. (De *camamila.*) f. **Manzanilla,** 1.ª y 2.ª aceps.

Camón. m. aum. de **Cama,** 1.er art. || **2.** Trono real portátil que se colocaba junto al presbiterio cuando asistían los reyes en público a la real capilla. || **3. Mirador,** 3.ª acep. || **4.** *Cuba.* **Pina,** 2.ª acep. || **de vidrios.** Cancel de vidrios que sirve para dividir una pieza.

Camón. m. aum. de **Cama,** 2.° art., 1.ª acep. || **2.** Cada una de las piezas curvas que componen los dos anillos o cercos de las ruedas hidráulicas. || **3.** *Arq.* Armazón de cañas o listones con que se forman las bóvedas que llaman encamonadas o fingidas. || **4.** pl. Maderos gruesos de encina con que se forran las pinas de las ruedas de las carretas y sirven de calce.

Camonadura. f. *Cuba.* Conjunto de camones, 2.° art., 4.ª acep.

Camoncillo. (De *camón,* 1.er art.) m. Taburetillo de estrado.

Camorra. (Del ital. *camorra.*) f. fam. Riña o pendencia. || **2.** *Ar.* Panecillo largo con un trozo de longaniza dentro.

Camorrero, ra. adj. **Camorrista.**

Camorrista. adj. fam. Que fácilmente y por leves causas arma camorras y pendencias. Ú. t. c. s.

Camota. (Como el fr. *cabot,* aum. del lat. *caput,* cabeza.) f. fam. *Burg.* **Cabeza,** 4.ª acep. || **2.** com. *Murc.* Persona torpe, de cabeza dura.

Camotal. m. *Amér.* Terreno plantado de camotes.

Camote. (Del mejic. *camotli.*) m. *Amér.* **Batata.** || **2.** *Amér.* **Bulbo.** || **3.** fig. *Amér.* **Enamoramiento.** || **4.** fig. *Amér.* Amante, querida. || **5.** fig. *Amér.* Mentira, bola. || **6.** fig. *Méj.* Bribón, desvergonzado. || **7.** fig. *El Salv.* **Verdugón,** cardenal. || **8.** fig. *Ecuad.* y *Méj.* Persona tonta, boba. || **Tomar uno un camote.** fr. fig. y fam. *Amér.* Tomar afecto o cariño a una persona, generalmente del otro sexo. || **Tragar camote.** fr. fig. y fam. *Méj.* Expresarse con dificultad por no saber o no querer hacerlo claramente.

Camotear. intr. *Méj.* Andar vagando sin acertar con lo que se busca.

Camotero, ra. adj. *Méj.* Se dice de la persona que vende camotes.

Camotillo. m. *Chile* y *Perú.* Dulce de camote machacado. || **2.** *Méj.* Madera de color violado, veteada de negro. || **3.** *El Salv., Guat.* y *Hond.* **Cúrcuma,** 1.ª acep. || **4.** *C. Rica.* **Yuquilla.**

Campa. (De *campo.*) adj. V. **Tierra campa.**

Campago. (Del lat. *campāgus.*) m. *Arqueol.* Zapato usado por los patricios en las épocas romana y bizantina.

Campal. adj. desus. Perteneciente al campo. || **2.** *Mil.* V. **Batalla campal.**

Campamento. (De *campar.*) m. Acción de acampar o acamparse. || **2.** *Mil.* Lugar en despoblado donde se establecen temporalmente fuerzas del ejército, resguardadas de la intemperie bajo tiendas de campaña o barracas, distribuidas de modo que dejen entre sí fácil tránsito para la vigilancia y rápida formación en caso de alarma. **3.** *Mil.* Tropa acampada. || **4.** Por ext., instalación eventual, en terreno abierto, de personas que van de camino o que se reúnen para un fin especial, como en las monterías, en la observación de los eclipses, etc.

Campamiento. m. Acción y efecto de acampar.

Campana. (Del lat. *campāna,* de *Campania,* en Italia, donde se usó por primera vez.) f. Instrumento de metal, en forma de copa invertida, que suena herido por el badajo, y sirve principalmente en los templos para convocar a los fieles. || **2.** fig. Cualquiera cosa que tiene forma semejante a la **campana,** abierta y más ancha en la parte inferior. CAMPANA *de la chimenea;* CAMPANA *de vidrio.* || **3.** fig. Iglesia o parroquia. *Estos diezmos se deben a la* CAMPANA. || **4.** fig. Territorio de una iglesia o parroquia. *Esta tierra está debajo de la* CAMPANA *de Albalat.* || **5.** V. **Reloj de campana.** || **6.** V. **Juego, vuelta de la campana.** || **7.** En algunas partes, **queda,** 2.ª acep. || **8.** *Germ.* Saya o basquiña. || **de buzo.** Aparato dentro del cual descienden los buzos para trabajar debajo del agua, y donde se renueva continuamente el aire respirable. || **A campana herida, o tañida.** m. adv. A toque de campana. || **Campana cascada, nunca sana.** ref. que explica la esterilidad de los esfuerzos dedicados a imposibles remedios. || **Cual es la campana, tal la badajada.** ref. que enseña que las acciones son más o menos sonadas según la calidad de las personas. || **Doblar las campanas.** fr. **Doblar,** 14.ª acep. || **Echar las campanas a vuelo.** fr. fig. y fam. Dar publicidad con júbilo a alguna cosa. || **No ha-**

ber oído uno campanas. fr. fig. y fam. que nota la falta de conocimiento en las cosas comunes. ‖ **Oir uno campanas y no saber dónde.** fr. fig. y fam. Entender mal una cosa o tergiversar una noticia. ‖ **Picar la campana.** fr. *Mar.* Tocarla a bordo para señalar la hora.

Campanada. f. Golpe que da el badajo en la campana. ‖ **2.** Sonido que hace. ‖ **3.** fig. Escándalo o novedad ruidosa.

Campanario. m. Torre, espadaña o armadura donde se colocan las campanas. ‖ **2.** *Sal.* Flor de la piña. ‖ **3.** Una de las partes que forman el telar de mano. Cada telar tiene dos **campanarios.** ‖ **De campanario.** loc. Dícese del hecho o propósito ruin y mezquino, propio de gente rústica.

Campanear. intr. Tocar las campanas con frecuencia. ‖ **Allá se las campanee, o se las campaneen, o te las campanees.** locs. fams. **Allá se las haya, o se las hayan, o te las hayas.**

Campanela. (Del ital. *campanella*, campanilla.) f. Paso de danza que consiste en dar un salto, describiendo al par un círculo con uno de los pies cerca de la punta del otro. ‖ **2.** Sonido de la cuerda de guitarra que se toca en vacío, en medio de un acorde hecho a bastante distancia del puente del instrumento.

Campaneo. m. Reiterado toque de campanas. ‖ **2.** fig. y fam. **Contoneo.**

Campanero. m. Artífice que vacía y funde las campanas. ‖ **2.** El que tiene por oficio tocarlas. ‖ **3.** Pájaro del género de los mirlos, que habita en los bosques de Venezuela e imita el sonido de una campana con lo pausado, sonoro y vibrante de su canto.

Campaneta. f. d. de **Campana.**

Campaniforme. adj. De forma de campana.

Campanil. (De *campana.*) adj. V. **Metal campanil.** ‖ **2.** m. **Campanario,** 1.ª acep. ‖ **3.** *Ál.* Término municipal. ‖ **4.** *Ar.* Una clase de piedra de sillería.

Campanilla. (d. de *campana.*) f. Campana manuable y de usos más variados que la grande. Sirve en las iglesias para muchas ceremonias religiosas; en las casas, para llamar desde la puerta; en las reuniones numerosas, para que el presidente reclame la atención de los circunstantes, etc. ‖ **2. Burbuja.** ‖ **3. Úvula.** ‖ **4.** Flor cuya corola es de una pieza, y de figura de campana, que producen la enredadera y otras plantas. ‖ **5.** Adornos de figura de campana; como las borlitas de los flecos, cenefas, etc. ‖ **6.** V. **Toro de campanilla.** ‖ **7.** *Bot. Cuba.* V. **Bejuco.** ‖ **8.** *Impr.* Letra mal encajada que suele caer haciendo ruido sobre la platina. ‖ **De campanillas, o de muchas campanillas** expr. fig. y fam. Dícese de la persona de grande autoridad o de circunstancias muy relevantes

Campanillazo. m. Toque fuerte de la campanilla.

Campanillear. intr. Tocar reiteradamente la campanilla.

Campanilleo. m. Sonido frecuente o continuado de la campanilla.

Campanillero. m. El que por oficio toca la campanilla.

Campanillo. m. *Ál.* Cencerro de cobre o bronce, precisamente en forma de campana. Si es de otro metal, se llama campanilla.

Campano. m. **Cencerro.** ‖ **2. Esquila,** 1.er art. ‖ **3.** Árbol americano, cuya madera se emplea en la construcción de buques.

Campanología. f. Arte del campanólogo.

Campanólogo, ga. m. y f. Persona que toca piezas musicales haciendo sonar campanas o vasos de cristal de diferentes tamaños.

Campante. p. a. de **Campar.** Que campa, 1.ª acep. ‖ **2.** adj. fam. Ufano, satisfecho.

Campanudo, da. adj. Que tiene alguna semejanza con la figura de la campana; como ciertos trajes de las mujeres. ‖ **2.** Dícese del vocablo de sonido muy fuerte y lleno, y del lenguaje o estilo hinchado y retumbante. ‖ **3.** m. *Germ.* **Broquel,** 1.ª acep.

Campánula. f. **Farolillo,** planta campanulácea.

Campanuláceo, a. (De *campanula*, nombre de un género de plantas.) adj. *Bot.* Dícese de plantas angiospermas dicotiledóneas, lechosas, con hojas alternas u opuestas y sin estípulas, flores de corola gamopétala, azules, amarillas o purpúreas, y fruto capsular con muchas semillas pequeñas y de albumen carnoso; como el farolillo y el rapónchigo. Ú. t. c. s. ‖ **2.** f. pl. *Bot.* Familia de estas plantas.

Campaña. (Del lat. **campanĕa*, de *campus*, campo.) f. Campo llano sin montes ni aspereza. ‖ **2.** Conjunto de actos o esfuerzos de índole diversa que se aplican a conseguir un fin determinado. CAMPAÑA *contra la usura, contra los toros,* etc. ‖ **3.** V. **Artillería, cepo, fortificación, misa, olla, tienda de campaña.** ‖ **4.** fig. Período en que una persona ejerce un cargo o profesión, o se dedica a ocupaciones determinadas. CAMPAÑA *política, parlamentaria, periodística, mercantil, industrial,* etc. ‖ **5.** fig. Cada ejercicio industrial o mercantil que corresponde a uno de los períodos que en él se distinguen, natural o convencionalmente. ‖ **6.** *Amér.* **Campo,** 1.ª acep. ‖ **7.** *Blas.* Pieza de honor, en forma de faja, que ocupa en la parte inferior del escudo todo el ancho de él y la cuarta parte de su altura. ‖ **8.** *Mar.* Período de operaciones de un buque o de una escuadra, desde la salida de un puerto hasta su regreso a él o comienzo de ulterior servicio. ‖ **9.** *Mil.* Tiempo que cada año están los ejércitos fuera de cuarteles contra sus enemigos. ‖ **10.** *Mil.* Duración de determinado servicio militar. ‖ **Batir la campaña.** fr. *Mil.* **Batir el campo.** ‖ **Correr la campaña.** fr. *Mil.* Reconocerla para saber el estado de los enemigos y observar sus intentos y operaciones. ‖ **Estar, o hallarse, en campaña.** fr. *Mil.* Hallarse en operaciones de guerra. ‖ **Salir a campaña, o a la campaña.** fr. *Mil.* Ir a la guerra.

Campañista. m. *Chile.* Pastor que cuida de los animales en las fincas que tienen campaña, cerros o montañas.

Campañol m. Mamífero roedor, muy parecido al ratón, que vive en galerías subterráneas, comúnmente en las proximidades de estanques y charcas.

Campar. (De *campo.*) intr. **Sobresalir,** 2.ª acep. ‖ **2. Acampar.**

Camparín. m. *Ál.* **Cambarín.**

Campeada. (De *campear.*) f. ant. Correría, salida repentina, expedición súbita contra el enemigo en son de algarada. ‖ **2.** *Chile.* Acción de campear, 5.ª acep.

Campeador. (De *campear.*) adj. Decíase del que sobresalía en el campo con acciones señaladas. Este calificativo se dió por excelencia al Cid Ruy Díaz de Vivar. Usáb. t. c. s.

Campear. (De *campo.*) intr. Salir a pacer los animales domésticos, o salir de sus cuevas o manidas y andar por el campo los que son salvajes. ‖ **2.** Verdear ya las sementeras. ‖ **3. Campar,** 1.ª acep. ‖ **4.** V. **Campear de sol a sombra.** ‖ **5.** *Chile* y *R. de la Plata.* Salir al campo en busca de alguna persona, o animal o cosa. ‖ **6.** *Mil.* **Estar en campaña.** ‖ **7.** *Mil.* Sacar el ejército a combatir en campo raso. ‖ **8.** *Mil.* Correr o reconocer con tropas el campo para ver si hay en él enemigos. ‖ **9.** tr. ant. *Mil.* Tremolar banderas o estandartes.

Campecico, llo, to. ms. ds. de **Campo.**

Campechana. f. *Mar.* Enjaretado que llevan algunas embarcaciones menores en la parte exterior de la popa. ‖ **2.** desus. *Cuba* y *Méj.* Bebida compuesta de diferentes licores mezclados. ‖ **3.** *Venez.* **Hamaca.** ‖ **4.** *Venez.* **Mujer pública.**

Campechanamente. adv. m. De manera campechana; a la buena de Dios.

Campechanía. f. Calidad de campechano.

Campechano, na. adj. fam. Franco, dispuesto para cualquier broma o diversión. ‖ **2.** fam. **Dadivoso.**

Campechano, na. adj. Natural de Campeche. Ú. t. c. s. ‖ **2.** Perteneciente a esta ciudad y Estado de la república mejicana.

Campeche. (De *Campeche*, ciudad de Méjico, en la península de Yucatán.) m. V. **Palo campeche, o de Campeche.**

Campejar. intr. ant. **Campear,** 1.ª acep.

Campeo. m. *Sal.* Sitio donde holgadamente puede campear y extenderse a su placer el ganado.

Campeón. (Del germ. *kampia*, vencedor.) m. Héroe famoso en armas. ‖ **2.** El que en los desafíos antiguos hacía campo y entraba en batalla. ‖ **3.** El que obtiene la primacía en el campeonato. ‖ **4.** fig. Defensor esforzado de una causa o doctrina.

Campeonato. (De *campeón.*) m. Certamen o contienda en que se disputa el premio en ciertos juegos o deportes. ‖ **2.** Preeminencia o primacía obtenida en las luchas deportivas. *Fulano se alzó con el* CAMPEONATO *de la bicicleta.*

Camperero, ra. adj. *Sal.* Dícese de la persona que tiene a su cargo cuidar de los cerdos en la montanera.

Campería. f. *Sal.* Temporada de montanera en que los cerdos andan al rebusco en la bellota.

Campero, ra. (Del lat. *camparius*, del campo.) adj. Perteneciente o relativo al campo, 1.ª acep. ‖ **2.** Descubierto en el campo y expuesto a todos vientos. ‖ **3.** Se aplica al ganado y a otros animales cuando duermen en el campo y no se recogen a cubierto. ‖ **4.** *Amér.* Dícese del animal muy adiestrado en el paso de los ríos, montes, zanjas, etc. ‖ **5.** *Méj.* Dícese de cierto andar del caballo, a manera de trote muy suave. ‖ **6.** *R. de la Plata.* Aplícase a la persona que es muy práctica en el campo, así como en las operaciones y usos peculiares de las estancias. ‖ **7.** *Agr.* Dícese de las plantas que tienen las hojas o los tallos tendidos por el suelo u horizontalmente en el aire. ‖ **8.** m. En algunas comunidades, religioso destinado a cuidar de las haciendas del campo. ‖ **9.** ant. El que corría el campo para guardarlo. ‖ **10.** *Sal.* Cerdo que anda a la campería.

Campés, sa. (De *campo.*) adj. ant. Silvestre, campestre.

Campesino, na. adj. Dícese de lo que es propio del campo o perteneciente a él. ‖ **2.** Que suele andar en él. Ú. t. c. s. ‖ **3.** Natural de tierra de Campos. Ú. t. c. s. ‖ **4.** Perteneciente a ella.

Campestre. (Del lat. *campestris.*) adj. **Campesino,** 1.ª acep. ‖ **2.** V. **Halcón campestre.** ‖ **3.** m. Baile antiguo de Méjico.

Campichuelo. (d. de *campo.*) m. p. us. *Argent.* Campo pequeño abierto y cubierto de hierba.

Campilán. m. Sable recto con puño de madera, y cuya hoja va ensanchando hacia la punta. Es muy usado por los indígenas de Joló.

Campillo. (d. de *campo.*) m. Campo pequeño. ‖ **2. Ejido.**

Campiña. (der. de *campo.*) f. Espacio grande de tierra llana labrantía. ‖ **Cerrarse uno de campiña.** fr. fig. y fam. **Cerrarse a la banda.**

Campiñés, sa. adj. Natural de Villacarrillo, en la provincia de Jaén. Ú. t. c. s. ‖ **2.** Perteneciente o relativo a dicha villa.

Campión. m. ant. **Campeón.**

Campirano, na. (De *campo.*) adj. *C. Rica.* Patán, rústico. ‖ **2.** *Méj.* **Campesino.** Ú. t. c. s. ‖ **3.** *Méj.* Entendido en las faenas del campo. Ú. t. c. s. ‖ **4.** *Méj.* Diestro en el manejo del caballo y en domar o sujetar a otros animales. Ú. t. c. s.

Campista. m. *Amér. Min.* Arrendador o partidario de minas. ‖ **2.** *Hond.* Persona que por oficio recorre los bosques o sabanas para ver el ganado de los hatos.

Campizal. m. Terreno corto cubierto a trechos de césped.

Campo. (Del lat. *campus.*) m. Terreno extenso fuera de poblado. ‖ **2.** Tierra laborable. ‖ **3.** En contraposición a sierra o monte, **campiña.** ‖ **4.** Sembrados, árboles y demás cultivos. *Están perdidos los* CAMPOS. ‖ **5.** Sitio que se elige para salir a algún desafío. ‖ **6. Término,** 6.ª acep. ‖ **7.** V. **Alguacil, caballerizo, casa, día, hombre, maestre, mariscal, partida de campo.** ‖ **8.** V. **Mozo de campo y plaza.** ‖ **9.** V. **Albahaquilla, oráculo del campo.** ‖ **10.** fig. Extensión o espacio real o imaginario en que cabe o por donde corre o se dilata alguna cosa material o inmaterial. *El* CAMPO *de sus aventuras; el* CAMPO *de la erudición.* ‖ **11.** fig. Parte lisa o de un solo color en telas, tablas o papeles que tienen labores o dibujos. ‖ **12.** fig. En el grabado y las pinturas, espacio que no tiene figuras o sobre el cual se representan éstas. ‖ **13.** *Blas.* Superficie total e interior del escudo, donde se dibujan las particiones y figuras. Debe tener, por lo menos, uno de los esmaltes. ‖ **14.** *Fís.* Espacio en que se hace perceptible un determinado fenómeno. CAMPO *eléctrico,* CAMPO *magnético.* ‖ **15.** *Mil.* Terreno o comarca ocupados por un ejército o por fuerzas considerables de él durante las operaciones de guerra. ‖ **16.** *Mil.* Algunas veces, el ejército mismo. *Este oficial procede del* CAMPO *carlista; el duque partió con la mayor parte del* CAMPO *para poner sitio a Mastrich.* ‖ **de Agramante.** fig. Lugar donde hay mucha confusión y en que nadie se entiende. Agramante es un personaje del *Orlando furioso.* ‖ **de batalla.** *Mil.* Sitio donde combaten dos ejércitos. ‖ **de concentración.** Recinto en que por orden de la autoridad se obliga a vivir a cierto número de personas por razones políticas, sanitarias, etc. ‖ **de deportes.** Espacio de terreno acotado para la práctica de deportes. ‖ **del honor.** fig. Sitio donde conforme a ciertas reglas combaten dos o más personas. ‖ **2.** fig. **Campo de batalla.** ‖ **de pinos.** *Germ.* **Mancebía,** 1.ª acep. ‖ **magnético** El espacio en que se hace sensible la inducción electromagnética de un imán colocado en el interior del mismo. ‖ **raso.** El que es llano y sin árboles ni casas. ‖ **regadío.** *Ar.* Tierra de cultivo con agua de riego permanente. ‖ **santo.** Cementerio de los católicos. ‖ **visual.** El espacio que abarca la vista estando el ojo inmóvil. ‖ **2.** *Astron.* Área o espacio que se ve con un anteojo o telescopio. ‖ **Campos Elíseos,** o **Elisios.** *Mit.* Lugar delicioso donde, según los gentiles, iban a parar las almas de los que merecían este premio. ‖ **A campo abierto.** m. adv. Se aplicaba al duelo entre caballeros que se efectuaba sin valla hasta rendir el vencedor al vencido, no bastando que éste cediese el **campo,** como bastaba en el palenque cerrado. ‖ **A campo raso.** m. adv. Al descubierto, a la inclemencia. ‖ **A campo traviesa,** o **travieso.** m. adv. Dejando el camino y cruzando el **campo.** ‖ **Al campo y al señor cómprale cuando le hayas menester, antes no.** ref. que pondera la conveniencia de no tomarse cuidados y peligros sin necesidad. ‖ **Batir el campo.** fr. *Mil.* Reconocerlo. ‖ **Campo a campo.** m. adv. *Mil.* **De poder a poder.** ‖ **Correr el campo.** fr. Correr la tierra. ‖ **Cuando no lo dan los campos, no lo han los santos.** ref. que manifiesta que la escasez no es propicia a la devoción dadivosa. ‖ **Dejar uno el campo abierto, desembarazado, expedito, libre,** etc. fr. fig. Retirarse de algún empeño en que hay competidores. ‖ **Descubrir campo,** o **el campo.** fr. *Mil.* Reconocer, explorar la situación del ejército enemigo. ‖ **2.** fig. Sondear a alguno, averiguar alguna cosa. ‖ **El campo fértil, no descansando, tórnase estéril.** ref. que denota la necesidad del descanso en el trabajo para continuarlo con aprovechamiento. ‖ **En el campo de Barahona, más vale mala capa que buena azcona.** ref. que denota que se debe usar de las cosas según la necesidad de ellas. ‖ **Entrar en campo con** uno. fr. Pelear con él en desafío. ‖ **Estar bien gobernado el campo.** fr. **Estar bien gobernada la tierra.** ‖ **Hacer campo.** fr. Desembarazar de gente un paraje o lugar. ‖ **2.** Batallar cuerpo a cuerpo en desafío. ‖ **Hacerse** uno **al campo.** fr. Retirarse al campo, huyendo de algún peligro o para robar o vengarse de sus enemigos. ‖ **Juntar campo.** fr. Reunir gente de guerra. ‖ **Levantar el campo.** fr. Abandonar una tropa su campamento. ‖ **2.** fig. Dar por terminada una empresa o desistir de ella. ‖ **Mantener campo.** fr. ant. **Hacer campo,** 2.ª acep. ‖ **Marcar el campo.** fr. *Mil.* Determinar con estacas u otras señales el espacio que ha de ocupar un ejército para acampar. ‖ **Partir el campo.** fr. **Partir el sol.** ‖ **Quedar el campo por** uno. fr. fig. **Quedar** uno **señor del campo.** ‖ **Quedar** uno **en el campo.** fr. fig. Caer muerto en acción de guerra o en desafío. ‖ **Reconocer el campo.** fr. Explorarlo. ‖ **2.** fig. Prevenir los inconvenientes en algún negocio. ‖ **Sacar al campo** a uno. fr. fig. Retarle, hacerle que salga a desafío. ‖ **Salir a campo,** o **al campo.** fr. fig. Ir a reñir en desafío. ‖ **Salir en campo contra** alguno. fr. ant. **Salir a campaña.** ‖ **2.** ant. **Salir a campo,** o **al campo.**

Camporruteño, ña. adj. Natural de Camporrobles (Valencia). Ú. t. c. s. ‖ **2.** Perteneciente o relativo a dicha villa.

Camposanto. m. **Campo santo.**

Camposino, na. adj. Natural de Villalcampo, en la provincia de Zamora. Ú. t. c. s. ‖ **2.** Perteneciente o relativo a dicho pueblo.

Campuroso, sa. adj. *Sal.* Espacioso, holgado

Campurriano, na. adj. Natural de Campoo. Ú. t. c. s. ‖ **2.** Perteneciente a esta comarca de Santander, confinante con Palencia y Burgos.

Camuatí. (Voz guaraní.) m. En las barrancas del Paraná, rancho de leñadores y caleros.

Camucha. f. fam. despect. de **Cama,** 1.ᵉʳ art., 1.ª acep.

Camuesa. f. Fruto del camueso, especie de manzana fragante y sabrosa.

Camueso. m. Árbol, variedad de manzano cuyo fruto es la camuesa. ‖ **2.** fig. y fam. Hombre muy necio e ignorante.

Camuliano, na. (Del azteca *camiliui.*) adj. *Hond.* Se dice de las frutas cuando empiezan a madurar.

Camungo. m. *Perú.* **Chajá.**

Camuña. (De *comuña.*) f. En algunas partes, toda especie de semillas, menos trigo, centeno o cebada.

Camuza. f. **Gamuza.**

Camuzón. m. aum. de **Camuza.**

Can. (Del lat. *canis.*) m. **Perro,** 2.° art., 1.ª acep. ‖ **2.** Pieza pequeña de bronce en la artillería antigua. ‖ **3. Gatillo,** 2.ª acep. ‖ **4.** poét. **Can Mayor.** ‖ **5.** ant. **As,** 3.ª acep. ‖ **6.** *Ál.* y *Pal.* Cada uno de los golpes que en el juego del peón se dan al trompo que ha perdido. ‖ **7.** *Arq.* Cabeza de una viga del techo interior, que carga en el muro y sobresale al exterior, sosteniendo la corona de la cornisa. ‖ **8.** *Arq.* **Modillón.** ‖ **de busca.** *Mont.* **Perro de busca.** ‖ **de levantar.** ant. *Mont.* Perro que sirve para levantar o echar la caza. ‖ **Luciente. Sirio,** 1.ᵉʳ art. ‖ **Mayor.** *Astron.* Constelación austral situada debajo y algo al oriente de la de Orión. ‖ **2. Sirio,** 1.ᵉʳ art. ‖ **Menor.** *Astron.* Constelación ecuatorial al oriente de Orión y debajo del Cangrejo y de los Gemelos. ‖ **2. Proción.** ‖ **que mata al lobo. Perro mastín.** ‖ **rostro.** ant. Especie de perro de caza. ‖ **A can que lame ceniza, no le fiar la harina.** ref. con que se manifiesta que la extrema necesidad suele inducir a malas acciones. ‖ **Calar el can.** fr. fig. Poner en el disparador la llave del arma de fuego. ‖ **Canes que ladran, ni muerden ni toman caza.** ref. aplicable al hombre alabancioso y holgazán, que no hace cosa de provecho ni aun para sí mismo. ‖ **Can que mucho ladra, ruin es para casa.** ref. que demuestra lo vano de las baladronadas. ‖ **Can que mucho lame, saca sangre.** ref. que enseña que el demasiado cariño suele ser dañoso. ‖ **El can con agosto, a su amo vuelve el rostro. El can con rabia, de su dueño traba.** refs. que enseñan que el hombre airado maltrata aun a las personas que más quiere. ‖ **El can de buena raza, siempre ha mientes del pan de la casa.** ref. con que se explica que el hombre honrado se acuerda siempre del beneficio que ha recibido. ‖ **El pequeño can levanta la liebre, y el grande la prende.** ref. que tiende a demostrar que la iniciativa y primeros esfuerzos en algunas empresas suelen tocar al humilde y desvalido, y el provecho a los poderosos. ‖ **Los canes de Zurita, no teniendo a quien morder, uno a otro se mordían.** ref. que acredita que los ruines, a falta de enemigo común, entre sí mismos mueven guerra y se destrozan. ‖ **No te fíes en can que ladra ni en gato que miaña.** ref.; porque avisan al enemigo y, además, ni el uno muerde ni el otro caza ratones. ‖ **Quien su can quiere matar,** o **quien mal quiere a su can, levántale que quiere rabiar.** ref. que declara la ruindad del que para deshacerse de un amigo le imputa faltas que no ha cometido. ‖ **¿Quieres que te siga el can? Dale pan.** ref. que da a entender lo mucho que puede el interés.

Can. m. **Kan.**

Cana. (Del lat. *cāna;* de *cānus,* blanco.) f. Cabello que se ha vuelto blanco. Ú. m. en pl. ‖ **A canas honradas, no hay puertas cerradas.** ref. que enseña el respeto y atención que se debe tener a los ancianos. ‖ **Canas son, que no lunares, cuando comienzan por los aladares.** ref. que se dice contra los que quieren disimular lo que todos ven, procurando desmentir con apariencias y ficciones lo que no se puede negar. ‖ **Canas y armas vencen batallas.** ref.; que a los consejos de la experiencia se ha de añadir la fuerza para lograr buen éxito ‖ **Echar** uno **una cana al aire.** fr. fig. y fam. Esparcirse, divertirse. ‖ **Peinar** uno **canas.** fr. fig. y fam. Ser viejo. ‖ **Quitar mil canas** a uno. fr. fig. y fam. Causarle gran gusto y satisfacción.

Cana. (Del lat. *canna,* caña.) f. Medida

como de dos varas, usada en Cataluña y otras partes. Esta dimensión fue variable. También se llamaba estado. || **2.** *Cuba.* V. **Palma cana.** || **de rey.** Medida agraria usada en Tarragona, equivalente a 6.084 centiáreas.

Canaballa. f. ant. Barca pescadora

Canabíneo, a. (Del lat. *cannăbis*, cáñamo.) adj. *Bot.* **Cannabáceo.**

Canaca. (Voz de Oceanía.) m. *Chile.* Nombre despectivo que se da al individuo de raza amarilla. || **2.** *Chile.* Dueño de un burdel.

Canáceo, a. (Del lat. *canna*, caña.) adj. *Bot.* Cannáceo.

Canaco, ca. m. y f. Nombre que se da a los indígenas de varias islas de Oceanía, Taití y otras.

Canacuate. (Del azteca *canautli*, pato, y *coatl*, culebra.) m. *Méj.* Cierta serpiente acuática de gran tamaño.

Canadá. n. p. V. **Bálsamo, raigón del Canadá.**

Canadiella. (Del b. lat. *canadella*, y éste del lat. *canna*, caña.) f. Antigua medida para líquidos.

Canadiense. adj. Natural del Canadá. Ú. t. c. s. || **2.** Perteneciente a este país de América

Canadillo. m. Belcho.

Canadio. m. Metal perteneciente al grupo del platino y que, por su peso atómico, está comprendido entre el platino y el oro. En su estado natural se presenta en combinación con el osmio y otros, de color blanco muy brillante; inoxidable, dúctil y maleable como la plata y más fusible que ella. Puede tener las mismas aplicaciones que el oro.

Canado. (Del ant. *cadnado*, y éste del lat. *catenātus*, candado.) m. ant. **Candado,** 1.ª acep.

Canal. (Del lat. *canālis.*) amb. Cauce artificial por donde se conduce el agua para darle salida o para diversos usos. || **2.** Parte más profunda y limpia de la entrada de un puerto. || **3.** En el mar, paraje angosto por donde sigue el hilo de la corriente hasta salir a mayor anchura y profundidad. || **4.** m. Estrecho marítimo, que a veces es obra de la industria humana, como el de Suez y el de Panamá. || **5.** amb. Cualquiera de las vías por donde las aguas o los gases circulan en el seno de la tierra. || **6.** Llanura larga y estrecha entre dos montañas. || **7.** Teja delgada y mucho más combada que las comunes, la cual sirve para formar en los tejados los conductos por donde corre el agua. || **8.** Cada uno de estos conductos. || **9.** Cualquier conducto del cuerpo. || **10.** **Camellón,** 2.° art. || **11.** Res muerta y abierta, sin las tripas y demás despojos. || **12.** Cavidad que se forma entre las dos ancas del caballo cuando está muy gordo. || **13.** Peine que usan los tejedores de lienzo. || **14.** Cáñamo que se saca limpio de la primera operación en el rastrillo. || **15.** Corte delantero y acanalado de un libro encuadernado, no siendo en rústica. Es la parte opuesta al lomo. || **16.** **Faringe.** ||**17.** V. **Sombrero, tabla de canal.** || **18.** *Arq.* **Estría,** 1.ª acep. Ú. t. c. m. || **de ballesta.** Hueso largo en la cara del tablero de la ballesta, más arriba de la nuez. || **maestra.** En los tejados, la principal, que recibe aguas de las otras **canales** menores. || **2.** En los ríos, madre o lecho. || **3.** fig. y fest. **Tragadero,** 1.ª acep. || **torácico.** *Zool.* Uno de los dos grandes conductos colectores de la linfa que existen en el cuerpo de los vertebrados, que en el hombre se extiende desde la tercera vértebra lumbar hasta la vena subclavia izquierda, y al cual afluyen los vasos linfáticos de los miembros inferiores del abdomen, del brazo y lado izquierdo de la cabeza, del cuello y del pecho. || **Abrir en canal.** m. adv. Abrir de arriba abajo. || **Correr las canales.** fr. Caer el agua por ellas, por haber llovido en abundancia.

Canalado, da. (De *canal.*) adj. **Acanalado,** 3.ª y 4.ª aceps.

Canalador. (De *canal.*) m. ant. **Acanalador.**

Canaladura. (De *canal.*) f. *Arq.* Moldura hueca que se hace en algún miembro arquitectónico, en línea vertical.

Canaleja. (Del lat. *canalicŭla*, canalita.) f. d. de **Canal.** || **2.** Pieza de madera unida a la tolva, por donde pasa el grano a la muela.

Canalera. f. *Ar.* Canal del tejado. || **2.** *Ar.* Agua que cae por ella cuando llueve.

Canaleta. f. *Ar.* **Canaleja,** 2.ª acep. || **2.** Pieza de madera en forma de teja de los telares de terciopelos, en la cual apoya el pecho el obrero. || **3.** *Chile.* **Canaleja,** 1.ª acep.

Canalete. (De *canal*, por la forma.) m. Remo de pala muy ancha, generalmente postiza y ovalada, con el cual se boga sin escálamo ni chumacera, y sirve al mismo tiempo para gobernar las canoas. Los hay también con dos palas, una a cada extremo. || **2.** *Mar.* Devanadera para hacer meollar.

Canaleto. m. **Mediacaña,** 1.ª acep.

Canalí. m. *Cuba.* Remo o paleta hecho de palma cana, que servía para impulsar y dirigir la canoa.

Canaliega. f. ant. **Canal,** 7.ª acep.

Canalizable. adj. Que puede ser canalizado.

Canalización. f. Acción y efecto de canalizar.

Canalizar. tr. Abrir canales. || **2.** Regularizar el cauce o la corriente de un río o arroyo. || **3.** Aprovechar para el riego o la navegación las aguas corrientes o estancadas, dándoles conveniente dirección por medio de canales o acequias.

Canalizo. m. *Mar.* Canal estrecho entre islas o bajos.

Canalón. (aum. de *canal.*) m. Conducto que recibe y vierte el agua de los tejados. || **2.** **Sombrero de teja.**

Canalla. (Del lat. vulg. *canalia*; de *can*, *canis*, perro.) f. ant. **Perrería,** 1.ª acep. || **2.** fig. y fam. Gente baja, ruin. || **3.** m. fig. y fam. Hombre despreciable y de malos procederes.

Canallada. f. Acción o dicho propios de un canalla.

Canallesco, ca. adj. Propio de la canalla o de un canalla.

Canana. (Del ár. *kināna*, aljaba.) f. Cinto dispuesto para llevar cartuchos.

Cananeo, a. (Del lat. *cananæus.*) adj. Natural de la tierra de Canaán. Ú. t. c. s. || **2.** Perteneciente a este país asiático.

Cananga. (Voz malaya.) f. Planta olorosa de Siam, de la familia de las anonáceas, usada en perfumería.

Canapé. (Del fr. *canapé*; éste del lat. *conopēum*, y éste del gr. κωνώπιον, cama con mosquitero.) m. Escaño que comúnmente tiene acolchado el asiento y el respaldo para mayor comodidad, y sirve para sentarse o acostarse. Los hay también de enrejado de junco delgado y con respaldo sólo de madera.

Canaria. f. Hembra del canario.

Canariense. adj. **Canario,** 1.ª y 2.ª aceps. Apl. a pers., ú. t. c. s.

Canariera. f. Jaula grande o lugar a propósito para la cría de canarios.

Canario, ria. adj. Natural de las islas Canarias. Ú. t. c. s. || **2.** Perteneciente a ellas. || **3.** m. Pájaro originario de las islas Canarias, de unos 13 centímetros de longitud; tiene las alas puntiagudas, cola larga y ahorquillada, pico cónico y delgado y plumaje amarillo, verdoso o blanquecino, a veces con manchas pardas. Es una de las aves de mejor canto y más sostenido; se reproduce en cautividad y a veces se cruza la hembra del canario con el macho del jilguero. || **4.** Baile antiguo procedente de las islas Canarias, que se ejecutaba en compás ternario y con gracioso zapateo. || **5.** Tañido de este baile. || **6.** Cierta embarcación latina que se usa en las islas Canarias y en el Mediterráneo. || **7.** fig. *Chile.* **Pito,** 1.er art., 3.ª acep. ||**8.** *C. Rica.* Planta de flores amarillas que crece en los terrenos pantanosos. || **9.** *Bot.* **Gayomba.** || **¡Canario!** interj. con que se indica sorpresa, agradable o desagradable.

Canasta. (De *canasto*, con la term. de *cesta.*) f. Cesto de mimbres, ancho de boca, que suele tener dos asas. || **2.** Medida para aceitunas, usada en el Aljarafe de Sevilla; su cabida es de media fanega. || **3.** *Mar.* Conjunto de vueltas de cabo, la última mordida, con que se tiene aferrada, mientras se iza, una vela o una bandera y que permite largarlas, cuando han llegado a su lugar, con sólo dar un estrechón a la tira que se conserva en la mano.

Canastada. f. Lo que cabe en una canasta.

Canastero, ra. m. y f. Persona que hace o vende canastos. || **2.** *Chile.* Vendedor ambulante de frutas y legumbres, que lleva en canastos. || **3.** *Chile.* Mozo de las panaderías, que traslada el pan en canasto desde el horno al enfriadero. || **4.** *Chile.* Ave indígena, que fabrica su nido en forma de canasto alargado. Es de color obscuro por el lomo y vientre y amarillo por la garganta y pecho; su tamaño, el de un mirlo.

Canastilla. (d. de *canasta.*) f. Cestilla de mimbres en que se tienen objetos menudos de uso doméstico. *La* CANASTILLA *de la costura.* || **2.** Ropa que se previene para el niño que ha de nacer. *Hacer, preparar la* CANASTILLA. || **3.** Regalo de dulces que se solía dar a las damas de palacio cuando iban a ver alguna función pública. || **4.** Agasajo de dulces y chocolate que se daba a los Consejos cuando asistían a las diversiones públicas.

Canastillero, ra. m. y f. Persona que hace o vende canastillos.

Canastillo. (Del lat. *canistellum*, infl. por *canasto.*) m. Azafate hecho con mimbres.

Canastita. (d. de *canasta.*) f. *Argent.* Avecita de laguna, más chica que el chorlito, fina y bien proporcionada.

Canasto. (De *canastro.*) m. Canasta recogida de boca. || **¡Canastos!** interj. con que se indica sorpresa.

Canastro. (Del lat. *canistrum*, y éste del gr. κάναστρον.) m. En algunas partes, canasto.

Canaula. (Del lat. *cannabŭla*, collera.) f. *Ar.* Collar de madera, del que pende la esquila, que se pone al cuello de una res.

Cancagua. (Voz mapuche.) f. En Chile y otros países de América, arenilla consistente, usada para ladrillos, hornos, braseros y como cemento en las construcciones.

Cáncamo. (Del lat. *cancămum*, y éste del gr. κάγκαμον.) m. Substancia conocida de los antiguos y que era, a lo que parece, resina o goma de un árbol de Oriente.

Cáncamo. m. *Mar.* Pieza o cabilla de hierro en forma de armella, clavada en la cubierta o costado del buque, y que sirve para enganchar motones, amarrar cabos, etc. || **de mar.** *Mar.* Ola gruesa o fuerte golpe de mar.

Cancamurria. f. fam. **Murria,** 1.er art.

Cancamusa. f. fam. Artificio con que se tira a deslumbrar a alguno para que no entienda el engaño que se le va a hacer.

Cancán. (Del fr. *cancan.*) m. Baile descocado que se importó de Francia después de mediar el siglo XIX.

Cancán. m. *Murc.* Molestia, fastidio.

Cancán. m. *C. Rica.* Especie de loro que no aprende a hablar.

Cáncana. (Del b. lat. *carcannum*, picota, y éste del gr. καρκίνος, tenaza.) f. Banquillo raso en que el maestro hacía sentar a los muchachos para castigarlos, poniéndolos a la vergüenza.

Cáncana. (Del ár. *ʿankaba*, araña.) f. Araña gruesa, de patas cortas y color obscuro.

Cancaneado, da. adj. *C. Rica* y *Sant.* Se dice de la persona picada de viruelas.

Cancanear. intr. fam. Errar, vagar o pasear sin objeto determinado. || **2.** *Colomb.*, *C. Rica* y *Méj.* Tartajear, tartamudear.

Cancaneo. m. fam. *Colomb.*, *C. Rica* y *Méj.* Tartamudeo, tartajeo.

Cancanilla. (d. de *cáncana*, 1.er art.) f. ant. Especie de armadijo. || **2.** ant. fig. Engaño o trampa.

Cáncano. (Del ár. *qamqam*, piojo.) m. fam. **Piojo**, 1.ª acep.

Cancano, na. adj. *Sal.* Dícese de la persona tonta o simple.

Cancanoso, sa. adj. *Murc.* Dícese de la persona de conversación molesta.

Cancel. (Del ant. fr. *cancel*, y éste del lat. *cancĕlli*, celosía.) m. Contrapuerta, generalmente de tres hojas, una de frente y dos laterales, ajustadas éstas a las jambas de una puerta de entrada y cerrado todo por un techo. Evita las corrientes de aire y amortigua los ruidos exteriores. || **2.** En la capilla de palacio, vidriera detrás de la cual se ponía de incógnito el rey. || **3.** ant. fig. Término o límite hasta donde se puede extender alguna cosa. || **4.** *Méj.* Biombo, mampara, persiana.

Cancela. (De *cancel*.) f. Verjilla que se pone en el umbral de algunas casas para reservar el portal o zaguán del libre acceso del público. || **2.** Verja, comúnmente de hierro y muy labrada, que en muchas casas de Andalucía substituye a la puerta divisoria del portal y el recibimiento o pieza que antecede al patio, de modo que las macetas y otros adornos de éste se vean desde la calle.

Cancelación. (Del lat. *cancellatio, -ōnis*.) f. Acción y efecto de cancelar. || **2.** *For.* Asiento en los libros del Registro de la propiedad, que anula total o parcialmente los efectos de una inscripción o de una anotación preventiva.

Canceladura. f. **Cancelación.**

Cancelar. (Del lat. *cancellāre*.) tr. Anular, hacer ineficaz un instrumento público, una inscripción en registro, una nota o una obligación que tenía autoridad o fuerza. || **2.** fig. Borrar de la memoria, abolir, derogar.

Cancelaría. (De *cancelería*.) f. Tribunal romano, por donde se despachan las gracias apostólicas.

Cancelariato. m. Dignidad y oficio de cancelario.

Cancelario. (Del lat. *cancellarius*.) m. El que en las universidades tenía la autoridad pontificia y regia para dar los grados. || **2.** *Bol.* Rector de universidad.

Cancelería. (Del m. or. que *cancellería*.) f. **Cancelaría.**

Canceller. (Del fr. *canceller*, y éste del lat. *cancĕllārius*, secretario.) m. ant. **Canciller**, 2.ª acep. || **2.** ant. En algunas iglesias, **maestrescuela.**

Cancellería. (De *canceller*, canciller.) f. ant. Oficina destinada para registrar y sellar los despachos y provisiones reales.

Cancellero. (Del lat. *cancĕllārius*.) m. ant. **Canciller**, 2.ª acep.

Cáncer. (Del lat. *cancer*.) m. Tumor maligno, duro o ulceroso, que invade y destruye los tejidos orgánicos animales y es casi siempre incurable. || **2.** *Astron.* Cuarto signo del Zodíaco, de 30° de amplitud, que el Sol recorre aparentemente al comenzar el verano. || **3.** *Astron.* Constelación zodiacal que en otro tiempo debió de coincidir con el signo de este nombre, pero que actualmente, por resultado del movimiento retrógrado de los puntos equinocciales, se halla delante del mismo signo y un poco hacia el oriente.

Cancerado, da. adj. Que participa del cáncer. || **2.** Atacado del cáncer. || **3.** fig. Epíteto que se aplica al corazón y al alma del hombre corrompido o de aviesa intención.

Cancerar. (De *cáncer*.) tr. Padecer de cáncer o degenerar en cancerosa alguna úlcera. Ú. t. c. r. || **2.** fig. Consumir, enflaquecer, destruir. || **3.** fig. Mortificar, castigar, reprender.

Cancerbero. (De *can*, 1.er art., y *Cerbero*.) m. *Mit.* Perro de tres cabezas que, según la fábula, guardaba la puerta de los infiernos. || **2.** fig. Portero o guarda severo e incorruptible o de bruscos modales.

Canceriforme. (De *cáncer* y *forma*.) adj. Que tiene forma o aspecto de cáncer, 1.ª acep.

Canceroso, sa. adj. Tocado del cáncer o que participa de su naturaleza.

Cancilla. (Del lat. *cancĕlli*, celosía.) f. Puerta hecha a manera de verja, que cierra los huertos, corrales o jardines.

Canciller. (De *canceller*.) m. Empleado auxiliar en las embajadas, legaciones, consulados y agencias diplomáticas y consulares. || **2.** Magistrado supremo en algunos países. || **3.** Funcionario de alta jerarquía. || **4.** En lo antiguo, secretario encargado del sello real, con el que autorizaba los privilegios y cartas reales. Empezó este oficio en tiempo de Alfonso VII. || **5.** Título que lleva, en algunos Estados de Europa, un alto funcionario que es a veces jefe o presidente del gobierno. || **6.** ant. **Cancelario**, 1.ª acep. || **del sello de la puridad.** El que antiguamente tenía el sello secreto que se ponía en las cartas que el rey daba por sí. Duró este oficio hasta 1496. || **mayor.** El que guardaba el sello real y lo ponía en los despachos por sí o por sus tenientes. || **mayor de Castilla.** El que tenía a su cargo los sellos reales para autorizar cartas o provisiones regias hasta que el título fue honorífico y se vinculó en el Arzobispo Primado de Toledo. || **Gran canciller de las Indias.** El que tenía a su cargo los sellos reales para autorizar las cartas y provisiones tocantes a las Indias. Fue cargo de poca duración y se refundió en el Consejo de Indias.

Cancillera. (De *calce* 2.° art.) f. *Sal.* Cuneta o canal de desagüe en las lindes de las tierras labrantías.

Cancilleresco, ca. adj. Perteneciente o relativo a la cancillería. || **2.** V. **Letra cancilleresca.** || **3.** Ajustado al estilo, reglas o fórmulas de cancillería.

Cancillería. f. Oficio de canciller. || **2.** Oficina especial en las embajadas, legaciones, consulados y agencias diplomáticas y consulares. || **3.** Alto centro diplomático en el cual se dirige la política exterior. Ú. m. en pl. || **4.** ant. **Chancillería**, 1.ª acep. || **apostólica.** Oficina romana que registra y expide las disposiciones pontificias, y principalmente las bulas.

Cancín, na. adj. Dícese de la res lanar que tiene más de un año y no llega a dos. Ú. t. c. s. m. y f. || **2.** f. *Vallad.* Cordera que sin pasar de un año tiene ya cría.

Canción. (Del lat. *cantio, -ōnis*.) f. Composición en verso, que se canta, o hecha a propósito para que se pueda poner en música. || **2.** Música con que se canta esta composición. || **3.** Composición lírica a la manera italiana, dividida casi siempre en estancias largas, todas de igual número de versos endecasílabos y heptasílabos, menos la última, que es más breve. || **4.** Nombre antiguo de composiciones poéticas de distintos géneros, tonos y formas, muchas con todos los caracteres de la oda. || **de cuna.** Cantar con que se procura hacer dormir a los niños, generalmente al mecerlos en la cuna. || **de trilla.** Cantar suave y monótono peculiar de los trilladores en su faena. || **Saber una canción con dos guiaderas.** fr. fig. que alude a los hombres solapados o de dos caras. || **Volver uno a la misma canción.** fr. fig. y fam. Insistir importunamente en alguna cosa.

Cancioneril. adj. Dícese del estilo propio de las antiguas canciones poéticas.

Cancionero. m. Colección de canciones y poesías, por lo común de diversos autores.

Cancioneta. f. d. de **Canción.**

Cancionista. com. Persona que compone o canta canciones.

Canco. (Del mapuche *can*, cántaro, y *co*, agua.) m. *Chile.* Especie de olla hecha de greda. || **2.** *Chile.* **Maceta**, 2.° art., 1.ª acep. || **3.** *Bol.* **Nalga.** || **4.** pl. *Chile.* Caderas anchas en la mujer.

Cancón. (Del b. lat. *cacanus*, y éste del ár. *jāqān*, jefe turco.) m. fam. **Bu.**

Cancona. (Del mapuche *canque*, posaderas.) adj. *Chile.* Se dice de la mujer de anchas caderas. Ú. t. c. s.

Cancro. (Del lat. *cancer, -cri*.) m. **Cáncer**, 1.ª acep. || **2.** *Bot.* Úlcera que se manifiesta por manchas blancas o rosadas en la corteza de los árboles, la cual se resquebraja por el sitio dañado y segrega un líquido acre y rojizo.

Cancroide. m. Tumor parecido al cáncer.

Cancroideo, a. (De *cancro* y el gr. εἶδος, forma.) adj. Que tiene aspecto de cáncer o cancro.

Cancha. (Del quichua *cancha*, recinto, cercado.) f. Local destinado a juego de pelota, riñas de gallos u otros usos análogos. || **2.** Parte de la explanada del frontón o trinquete en la cual juegan los pelotaris. || **3.** *Amér.* En general, terreno, espacio, local o sitio llano y desembarazado. || **4.** *Amér.* Corral o cercado espacioso para depositar ciertos objetos. CANCHA *de maderas.* || **5.** *Amér.* **Hipódromo.** || **6.** *Amér.* Paraje en que el cauce de un río es más ancho y desembarazado. || **7.** *Colomb.* Lo que cobra el dueño de una casa de juego. || **8.** *Urug.* Senda o camino. || **¡Cancha!** interj. que en el Río de la Plata se emplea para pedir que abran paso. || **Abrir, o dar, cancha a** uno. fr. fig. *Argent.*, *C. Rica* y *Chile.* Concederle alguna ventaja. || **Estar uno en su cancha.** fr. fig. *Chile* y *R. de la Plata.* **Estar en su elemento.**

Cancha. (Del quichua *camcha*, maíz tostado.) f. Maíz o habas tostadas que se comen en la América del Sur. || **2.** *Perú.* Maíz tostado. || **blanca.** *Perú.* Rosetas, 7.ª acep. de **Roseta.**

Canchal. (De *cancho*, 1.er art.) m. Peñascal o sitio de grandes piedras descubiertas. || **2.** *Sal.* Caudal, abundancia de dinero.

Canchalagua. (Del chileno *cachanlagua*, hierba contra el dolor de costado.) f. Planta anua, americana, de la familia de las gencianáceas, muy semejante a la centaura menor, pero con los tallos más delgados y las hojas más estrechas. Se usa en medicina. || **de Aragón.** Lino purgante.

Canchamina. f. *Chile.* Cancha o patio cercado en una mina para recoger el mineral y escogerlo.

Canchaminero. m. *Chile.* El que trabaja en una canchamina.

Canchear. (De *cancho*, 1.er art.) intr. Trepar o subir por los canchos, 1.er art., 1.ª acep., o por los canchales. 1.ª acep.

Canchear. (De *cancha*, 1.er art.) intr. *Amér. Merid.* Buscar entretenimiento por no trabajar seriamente.

Canchelagua. f. **Canchalagua.**

Cancheo. m. *Chile.* Acción y efecto de canchear.

Canchera. f. *Sal.* Llaga, herida grande.

Canchero, ra. adj. *Amér.* El que tiene una cancha de juego o cuida de ella. || **2.** *Argent.* Ducho y experto en determinada actividad. || **3.** *Chile.* Se aplica al trabajador encargado de una cancha. || **4.** *Chile.* Se aplica al que señala los tantos en el juego. || **5.** *Chile.* Aplícase al muchacho maletero.

Cancho. (Del lat. **canthŭlus*, d. de *canthus*, canto.) m. Peñasco grande. || **2. Canchal,** 1.ª acep. Ú. m. en pl. || **3.** *Sal.* Borde, canto o grueso de un objeto. || **4.** *Sal.* Casco de la cebolla o del pimiento.

Cancho. m. fam. *Chile.* Paga que exigen por el más ligero servicio algunas personas, especialmente abogados y clérigos.

Candado. (Del lat. *catēnātus.*) m. Cerradura suelta contenida en una caja de metal, que por medio de armellas asegura puertas, ventanas, tapas de cofres, maletas, etc. || **2.** *Extr.* **Zarcillo,** 1.er art., 1.ª acep. || **3.** *Colomb.* Perilla de la barba. || **4.** fig. y fam. Cláusula de un proyecto de ley, ratificado en ella, que fija o retrotrae su vigencia desde la presentación de tal proyecto. || **5.** pl. Las dos concavidades inmediatas a las ranillas que tienen las caballerías en los pies. || **Candado sin tornillo da la hacienda al vecino.** ref. que pondera la conveniencia de asegurarse uno en los contratos y negocios. || **Echar,** o **poner,** uno **un candado a la boca,** o **a los labios.** fr. fig. y fam. Callar o guardar un secreto.

Candajón, na. adj. *Sal.* Corretero, visitero.

Candalera. (De *cándalo.*) f. *Vallad.* Montón de cándalos.

Candaliza. f. *Mar.* Cada uno de los cabos que hacen en los cangrejos oficio de brioles.

Cándalo. (Del lat. *scandŭla*, palo.) m. *Sal.* Rama deshojada. || **2.** *Sal.* Panoja desgranada. || **3.** *Vallad.* Rama intermedia del pino, preferida como combustible.

Candalo. m. ant. Variedad del pino.

Candamo. m. Antiguo baile rústico.

Cándano. m. *Sal.* Grumos o posos que dejan los líquidos en el fondo de las vasijas.

Candar. (Del lat. *catenāre*, sujetar con cadenas.) tr. Cerrar con llave. || **2.** Por ext., cerrar de cualquier modo.

Cándara. f. *Ar.* Criba, 1.ª y 2.ª aceps.

Cande. (Del ár. *qand*, azúcar cristalizado.) adj. V. **Azúcar cande.**

Cande. (Del lat. *candĭdus.*) adj. *Ast.* **Blanco,** 1.ª acep.

Candeal. (De *cande*, 2.° art.) adj. **Pan, trigo candeal.** Ú. t. c. s. || **2.** fig. *Sal.* Dícese de la persona franca, noble, leal.

Candeda. f. **Candela,** 2.ª acep.

Candela. (Del lat. *candēla.*) f. **Vela,** 1.er art., 7.ª acep. || **2.** Flor del castaño. || **3. Candelero,** 1.ª acep. || **4.** fam. **Lumbre,** 1.ª acep. || **5.** fig. Claro que deja el fiel de la balanza cuando se inclina a la cosa que se pesa. || **6.** *Ál.* **Carámbano,** 1.ª acep. || **7.** *Ál.* **Luciérnaga.** || **8.** *Sal.* Flor de la encina y del alcornoque. || **9.** *Fís.* Unidad fotométrica internacional, basada en la radiación de un cuerpo negro a la temperatura de solidificación del platino. Dicha radiación, por centímetro cuadrado, equivale a 60 candelas. || **Acabarse la candela.** fr. fig. Terminar en las subastas el tiempo señalado para los remates, que se medía por la duración de una vela o candelilla encendida. || **2.** fig. y fam. Estar alguno próximo a morir. || **A mata candelas.** m. adv. con que se explica la última lectura de la excomunión, tomado de que en ella se apagan las **candelas** en agua. || **2. Acabarse la candela,** 1.ª acep. || **Arrimar candela.** fr. fig. y fam. Pegar, dar de palos. || **Como unas candelas.** expr. adv. fig. y fam. Denota lindeza, por lo que las **candelas** brillan y alegran de noche la casa. || **En candela.** m. adv. *Mar.* En posición vertical. Dícese de los palos del buque y de otros objetos semejantes. || **Estar con la candela en la mano.** fr. fig. Estar próximo a morir el enfermo. || **Pedir candela.** fr. *And.* **Arrepásate acá, compadre.** || **Quien pide para candela no se acuesta sin cena.** ref. que se aplica al que, teniendo lo indispensable, pide o exige lo superfluo.

Candelabro. (Del lat. *candelābrum.*) m. Candelero de dos o más brazos, que se sustenta sobre su pie o sujeto en la pared. || **2.** Planta de la familia de las cactáceas, cuyos frutos se llaman tunas, peladas o chulas. Alcanza una altura de más de seis metros y se cría en varias provincias de la República Argentina.

Candelada. (De *candela.*) f. **Hoguera.**

Candelaria. (De *candela.*) f. Fiesta que celebra la Iglesia el día de la Purificación de Nuestra Señora, y en el cual se hace procesión solemne con candelas benditas y se asiste a la misa con ellas. || **2. Gordolobo.** || **3.** *Perú.* Flor de la **candelaria** o gordolobo. || **Cuando la Candelaria plora, el invierno es fora; cuando ni plora ni hace viento, el invierno es dentro, y cuando ríe, quiere venire.** ref. antiguo cuyo sentido es claro y conocido.

Candelecho. (Del m. or. que *cadalecho.*) m. Choza levantada sobre estacas, desde donde el viñador otea y guarda toda la viña.

Candeledano, na. adj. Natural de Candeleda (Ávila). Ú. t. c. s. || **2.** Perteneciente o relativo a esta villa.

Candeleja. f. *Chile* y *Perú.* **Arandela,** 1.er art., 1.ª acep.

Candelejón. adj. *Colomb., Chile* y *Perú.* Cándido, inocentón o de cortos alcances.

Candelera. f. ant. **Candelaria,** 1.ª acep. || **2.** *Bot.* **Gordolobo.** || **Por la Candelera, mide tu puchera y guarda tu cibera.** ref. que preconiza el buen orden y economía en los gastos durante el año.

Candelerazo. m. Golpe dado con un candelero, 1.ª acep.

Candelería. (De *candelero.*) f. ant. **Velería.**

Candelero. (De *candela.*) m. Utensilio que sirve para mantener derecha la vela o candela, y consiste en un cilindro hueco unido a un pie por una barreta o columnilla. || **2. Velón,** 1.ª acep. || **3.** Instrumento para pescar deslumbrando a los peces con teas encendidas. || **4.** El que hace o vende candelas. || **5.** ant. **Velero,** 1.er art., 2.ª acep. || **6.** *Fort.* Bastidor de madera, compuesto de una solera y dos montantes, entre los cuales se ponen fajinas o sacos terreros, y que se emplea como defensa contra el fuego enemigo. || **7.** *Mar.* Cualquiera de los puntales verticales, generalmente de metal, que se colocan en diversos lugares de una embarcación para asegurar en ellos cuerdas, telas, listones o barras y formar barandales, batayolas y otros accesorios. || **ciego.** *Mar.* El que no tiene anillo en la parte superior. || **de ojo.** *Mar.* El que tiene anillo. || **En candelero.** loc. fig. En puesto, dignidad o ministerio de grande autoridad. Ú. con los verbos *estar, poner,* etcétera.

Candeleta. f. **Candaliza.**

Candelilla. f. d. de **Candela.** || **2.** Instrumento flexible de goma elástica u otra substancia no metálica, que emplean los cirujanos para explorar las vías urinarias o curar sus estrecheces. || **3.** Planta euforbiácea que da un jugo lechoso y drástico. || **4.** *Bot.* **Amento,** 2.ª acep. || **5. Candela,** 8.ª acep. || **6.** *Cuba.* Costura, especie de hilván. || **7.** *C. Rica, Chile* y *Hond.* Luciérnaga, gusano de luz. || **8.** *Chile.* **Fuego fatuo.** Ú. m. en pl. || **Acabarse la candelilla.** fr. fig. **Acabarse la candela,** 1.ª acep. || **Hacerle a uno candelillas los ojos.** fr. fig. y fam. Brillarle los ojos con los vapores del vino, por estar medio borracho. || **Muchas candelillas hacen un cirio pascual.** expr proverb. **Muchos pocos hacen un mucho.**

Candelizo. (De *candela*, 6.ª acep.) m. fam. **Carámbano,** 1.ª acep.

Candelón. m. *Bot. Ant.* y *Méj.* Mangle.

Candelor. m. ant. **Candelaria,** 1.ª acep.

Candencia. (Del lat. *candentia.*) f. Calidad de candente.

Candente. (Del lat. *candens, -entis*, p. a. de *candēre*, brillar.) adj. Dícese del cuerpo, generalmente metal, cuando se enrojece o blanquea por la acción del calor. || **2.** fig. V. **Cuestión candente.**

Candi. adj. **Cande,** 1.er art.

Candial. adj. **Candeal,** 1.ª acep.

Candidación. f. Acción de cristalizarse el azúcar.

Candidado. m. ant. **Candidato.**

Cándidamente. adv. m. Sencillamente, con candor.

Candidato, ta. (Del lat. *candidātus.*) m. y f. Persona que pretende alguna dignidad, honor o cargo. || **2.** Persona propuesta o indicada para una dignidad o un cargo, aunque no lo solicite. || **3.** Persona a quien, mediante representación anterior o propuesta autorizada por electores, se reconoce el derecho a intervenir por sí o por apoderados las operaciones de una elección popular.

Candidatura. f. Reunión de candidatos a un empleo. || **2.** Aspiración a cualquier honor o cargo o a la propuesta para él. || **3.** Papeleta en que va escrito o impreso el nombre de uno o varios candidatos. || **4.** Propuesta de persona para una dignidad o un cargo.

Candidez. f. Calidad de cándido.

Cándido, da. (Del lat. *candĭdus.*) adj. **Blanco,** 1.ª acep. || **2.** Sencillo, sin malicia ni doblez. || **3.** Simple, poco advertido.

Candiel. m. Manjar que se hace con vino blanco, yemas de huevo, azúcar y algún otro ingrediente.

Candil. (Del ár. *qindil*, lámpara colgante.) m. Utensilio para alumbrar, formado por dos recipientes de metal superpuestos, cada uno con su pico; en el superior se ponen el aceite y la torcida, y en el inferior una varilla con garfio para colgarlo. || **2.** Lamparilla manual de aceite, usada antiguamente, en forma de taza cubierta, que tenía en su borde superior, por un lado, la piquera o mechero, y por el otro el asa. || **3.** Punta alta de las cuernas de los venados. || **4.** V. **Baile, sombrero de candil.** || **5.** V. **Sombrero de tres candiles.** || **6.** fig. y fam. Pico del sombrero en el de **candil.** || **7.** fig. y fam. Pico largo y desigual que solían tener las sayas de las mujeres. || **8.** ant. **Velón,** 1.ª acep. || **9.** ant. **Candelero,** 3.ª acep. || **10.** *Cuba.* Pez teleósteo, del suborden de los acantopterigios, de unos 30 centímetros de largo, con grandes escamas que, así como sus ojos, brillan en la obscuridad. A esta circunstancia debe su nombre. || **11.** *Méj.* **Araña,** 6.ª acep. || **12.** pl. Planta aristoloquiácea que nace espontánea en Andalucía y trepa por los troncos de los árboles. || **13.** Planta muy parecida al aro y que difiere de él en tener la espata amarillenta y las hojas veteadas de blanco, con aurículas divergentes y puntiagudas. || **14. Arísaro.** || **Adóbame esos candiles.** expr. fig. y fam. con que se señala una contradicción o incoherencia en lo que se oye o dice. || **Arder en un candil, o poder arder en un candil.** fr. fig. y fam. con que se pondera la fuerza de un vino. || **2.** fig. y fam. Empléase también para ponderar la agudeza o sagacidad de las personas y la eficacia de las cosas. || **En balde quemas tu candil, obrero ruin.** ref. alusivo al operario torpe e ignorante. || **Ni buscado con un candil.** expr. fig. y fam. que se aplica a la persona muy hábil y apta para el desempeño de lo que ha de encomendársele. || **Pescar al candil.** fr. Hacerlo de noche, alucinando a los peces con una tea o antorcha. || **¿Qué aprovecha candil sin mecha?** ref. que se usa cuando queda inútil una cosa por falta de los adherentes necesarios.

Candilada. f. fam. Porción de aceite que se ha derramado o caído de un candil.

Candilazo. m. Golpe dado con un candil. || **2.** fig. Arrebol crepuscular.

Candileja. (De *candil.*) f. Vaso interior del candil. || **2.** Cualquier vaso pequeño en que se pone aceite u otra materia combustible para que ardan una o más mechas. || **3. Lucérnula.** || **4.** pl. Línea de luces en el proscenio del teatro.

Candilejo. m. d. de **Candil,** 1.ª acep. || **2. Candileja,** 3.ª acep.

Candilera. (De *candil.*) f. Mata de la familia de las labiadas, de hojas lineales y flores amarillas con el cáliz cubierto de pelos largos.

Candilero. m. *Murc.* Percha de madera con agujeros para colgar los candiles.

Candiletear. (De *candil.*) intr. *Ar.* Andar vagando para curiosear lo que ocurre.

Candiletero, ra. (De *candiletear.*) m. y f. *Ar.* Persona ociosa y entremetida.

Candilillo. (d. de *candil.*) m. **Arísaro.** Ú. m. en pl.

Candilón. m. aum. de **Candil,** 1.ª acep. || **Estar con el candilón.** fr. fig. que se usaba en algunos hospitales para indicar que estaba moribundo un enfermo, porque se le ponía un **candilón** cerca de la cama.

Candín. adj. *Sal.* **Cojo.**

Candinga. f. *Chile.* Cansera, majadería, machaqueo. || **2.** *Hond.* Chanfaina, enredo, baturrillo. || **3.** *Méj.* **Diablo,** 1.ª acep.

Candiota. adj. Natural de Candía. Ú. t. c. s. || **2.** Perteneciente a esta isla del Mediterráneo. || **3.** f. Cubeto o barril que sirve para llevar o tener vino u otro licor. || **4.** Vasija de barro como de un metro de alto y medio de ancho, empegada por dentro y con una espita por la parte inferior; sirve para tener vino y se pone, como las tinajas del agua, sobre un pie.

Candiote. adj. ant. **Candiota,** 1.ª y 2.ª aceps. Apl. a pers., ú. t. c. s.

Candiotera. f. Local donde están ordenados los envases en que se cría y conserva el vino. || **2.** Conjunto de estos vasos.

Candiotero. m. El que hace o vende candiotas, 3.ª y 4.ª aceps.

Candirse. r. *Ar.* Consumirse, aniquilarse poco a poco una persona o un animal que sufren una enfermedad larga.

Candombe. (Voz de la Nigricia.) m. Baile grosero y estrepitoso entre los negros de la América del Sur. || **2.** Casa o sitio donde se ejecuta este baile. || **3.** Tambor prolongado, de un solo parche, en que los negros golpean con las manos para acompañar al baile **candombe.**

Candonga. (De *candongo.*) f. fam. Cancamusa. || **2.** fam. Chasco o burla que se hace a alguno de palabra con apodos o chanzas continuadas. || **3.** fam. Mula de tiro. || **4.** *Hond.* Lienzo en dobleces con que se faja el vientre a los niños recién nacidos. || **5.** *Mar.* Vela triangular que algunas embarcaciones latinas largan en el palo de mesana para capear el temporal. || **6.** pl. *Colomb.* Pendientes, arracadas.

Candongo, ga. adj. fam. Zalamero y astuto. Ú. t. c. s. || **2.** fam. Que tiene maña para huir del trabajo. Ú. t. c. s. || **3.** V. **Seda de candongo, o de candongos.**

Candonguear. tr. fam. Dar a uno vaya o candonga. || **2.** intr. fam. Hacerse el marrajo por no trabajar.

Candongueo. m. *Sal.* Acción y efecto de candonguear.

Candonguero, ra. adj. fam. Que suele dar candonga a otros o chasquearlos.

Candor. (Del lat. *candor, -ōris.*) m. Suma blancura. || **2.** fig. Sinceridad, sencillez y pureza del ánimo.

Candorga. f. *Sal.* Planta parietal de hojas largas y carnosas, que el vulgo femenino emplea como supersticioso amuleto contra brujerías, llevándola en contacto con la piel cerca de la cintura.

Candorosamente. adv. m. Con candor, 2.ª acep.; de modo candoroso.

Candoroso, sa. adj. Que tiene candor.

Candray. m. Embarcación pequeña de dos proas, que se usa en el tráfico de algunos puertos.

Canducho, cha. adj. *Sal.* Fornido, robusto.

Candujo. m. *Germ.* Candado, 1.ª acep.

Cané. (De *sacanete.*) m. Juego de azar parecido al monte, sólo usado entre gente baja.

Canear. intr. *And.* Encanecer, 1.ª acep. || **2.** tr. *Murc.* Calentar al sol alguna cosa.

Caneca. f. Frasco cilíndrico de barro vidriado, que sirve para contener ginebra u otros licores. || **2.** *Argent.* Vasija o balde de madera. || **3.** *Cuba.* Botella de barro llena de agua caliente, que sirve de calentador. || **4.** *Cuba.* Medida de capacidad para líquidos, equivalente a 19 litros. || **5.** *Ecuad.* **Alcarraza.** || **6.** *Venez.* Botella de barro vidriado, larga y cilíndrica, para ginebra o cerveza.

Canecer. (Del lat. *canescĕre.*) intr. ant. **Encanecer,** 1.ª acep.

Caneciente. (De *canecer.*) adj. ant. **Cano.**

Canecillo. m. *Arq.* **Can,** 1.er art., 7.ª y 8.ª aceps.

Caneco, ca. (De *caneca.*) adj. *Bol.* Que está ebrio, achispado.

Caneco. m. **Caneca,** 1.ª acep.

Canéfora. (Del lat. *canephŏra,* y éste del gr. κανηφόρος.) f. Doncella que en algunas fiestas de la antigüedad pagana llevaba en la cabeza un canastillo con flores, ofrendas y cosas necesarias para los sacrificios.

Caneforias. (Del gr. κανηφορία, acción de llevar la canastilla sagrada.) f. pl. *Mit.* Fiestas griegas en honra de Diana.

Caneicito. (d. de Caney, pueblo de Cuba.) m. *Cuba.* Diversión popular en la que, a semejanza de las del pueblo que le da nombre, hay música, rifas, venta de dulces, etc. Ú. m. en pl.

Canela. (Del port. *canela,* y éste del lat. **cannella,* de *canna,* caña.) f. Corteza de las ramas, quitada la epidermis, del canelo, de color rojo amarillento y de olor muy aromático y sabor agradable. || **2.** V. **Leche de canela.** || **3.** fig. y fam. Cosa muy fina y exquisita.

Caneláceo, a. (De *canella,* nombre de un género de plantas.) adj. *Bot.* Dícese de plantas angiospermas dicotiledóneas, leñosas, propias de países tropicales, que están agrupadas en un pequeño número de especies y son muy semejantes a las miristicáceas; como la cúrbana. Ú. t. c. s. f. || **2.** f. pl. *Bot.* Familia de estas plantas.

Canelada. f. *Cetr.* Cierta clase de comida que se daba al halcón.

Canelado, da. (De *canela.*) adj. Acanelado.

Canelar. m. Plantío de canelos.

Canelero. m. Canelo, 2.ª acep.

Canelilla. f. *Bot.* Árbol de la familia de las euforbiáceas que se cría en Méjico y Cuba.

Canelillo. m. *C. Rica.* Canelo, 4.ª acep.

Canelina. f. *Quím.* Substancia cristalizable contenida en la canela blanca.

Canelita. f. *Geol.* Especie de roca meteórica.

Canelo, la. adj. De color de canela, aplicado especialmente a los perros y caballos. || **2.** m. *Bot.* Árbol originario de Ceilán, de la familia de las lauráceas, de siete a ocho metros de altura, con tronco liso, hojas parecidas a las del laurel, flores terminales blancas y de olor agradable y por fruto drupas ovales de color pardo azulado. La segunda corteza de sus ramas es la canela. || **3.** Árbol chileno perteneciente a la familia de las magnoliáceas, cuyo tronco alcanza a veces 15 metros de altura; tiene ramas en forma de cruz, hojas grandes, alternas, parecidas a las del laurel, flores blancas y olorosas y bayas ovales y de color negro. || **4.** *C. Rica.* Planta lauráceа, de la que sólo se utiliza la madera en ebanistería.

Canelón. m. **Canalón,** 1.ª acep. || **2.** Carámbano largo y puntiagudo que cuelga de las canales cuando se hiela el agua lluvia o se derrite la nieve. || **3.** Cada una de ciertas labores tubulares de pasamanería, como los flecos huecos y las caídas de las charreteras de oro o plata de los militares. || **4.** Confite largo que tiene dentro una raja de canela o de acitrón. || **5.** fam. Extremo de los ramales de las disciplinas, más grueso y retorcido que ellos. || **6.** *R. de la Plata.* **Capororoca.** || **7.** *Méj.* Cachada que se da con un trompo en otro. || **8.** *Venez.* Rizo hecho en el pelo por medio de tenacillas.

Canequí. m. Caniquí.

Canequita. (d. de *caneca,* 2.ª acep.) f. *Cuba.* Medida para líquidos, equivalente a dos frascos, o sea algo más de dos litros.

Canero. (Del lat. *canārius,* perruno.) m. *Ar.* Salvado grueso.

Canesú. (Del fr. *canezou.*) m. Cuerpo de vestido de mujer corto y sin mangas. || **2.** Pieza superior de la camisa o blusa a que se pegan el cuello, las mangas y el resto de la prenda.

Caney. (Voz taina.) m. *Cuba.* Recodo de un río. || **2.** *Cuba.* Especie de bohío cónico con garita en su cumbre. || **3.** *Venez.* Choza redonda hecha con palos y cañas.

Canez. (Del lat. *canities.*) f. ant. **Canicie.** || **2.** ant. fig. Estado de la persona que se acerca a la vejez.

Canfín. (Del ingl. *candle line.*) m. *C. Rica.* **Petróleo.**

Canfor. m. ant. **Alcanfor.**

Cánfora. f. ant. **Canfor.**

Canforar. (De *canfor.*) tr. ant. **Alcanforar.**

Canga. f. *And.* Yunta de cualesquiera animales, excepto bueyes. || **2.** *Sal.* Arado dispuesto para una sola caballería. || **3.** En China, instrumento de suplicio, que consiste en un círculo, un cuadrado o triángulo de madera y a veces una tabla pesada con tres agujeros, en que se aprisionan el cuello y las muñecas del reo. || **4.** En China, suplicio que se aplica con este instrumento.

Canga. (De *ganga,* 2.º art.) f. *Amér. Merid.* Mineral de hierro con arcilla.

Cangagua. f. *Ecuad.* Tierra que se usa para hacer adobes.

Cangalla. (De *canga,* 1.er art.) f. *Sal.* **Andrajo,** 1.ª acep. || **2.** com. *Colomb.* Persona o animal enflaquecidos. || **3.** *Argent.* y *Perú.* Persona cobarde, pusilánime, despreciable. || **4.** *Bol.* Aparejo con albarda para llevar cargas las bestias. || **5.** *Germ.* **Carreta.**

Cangalla. (De *canga,* 2.º art.) f. *Argent.* y *Chile.* Desperdicios de los minerales.

Cangallar. tr. *Chile.* Robar en las minas metales o piedras metalíferas.

Cangallero. m. *Chile* y *Perú.* Ladrón de metales o piedras metalíferas de la mina donde trabaja. || **2.** *Chile.* El que compra cangalla robada. || **3.** *Perú.* Vendedor de objetos a bajo precio. || **4.** *Germ.* **Carretero,** 3.ª acep.

Cangallo. (De *canga,* 1.er art.) m. fam. *And.* Apodo que se da a la persona muy alta o flaca. || **2.** *Sal.* **Zancajo,** 1.ª acep. || **3.** *Sal.* Objeto estropeado. || **4.** *Germ.* **Carro,** 1.er art., 1.ª acep.

Cangar. tr. *Ast.* Estorbar, entorpecer, ocupar un sitio indebidamente. CANGAR *una habitacion.* || **2.** *Sal.* Quitar la vez o turno para jugar a la pina.

Cangilón. (Tal vez del lat. *congius,* congio.) m. Vaso grande de barro o metal hecho de varias figuras, y principalmente en forma de cántaro, para traer o tener líquidos y a veces para medirlos. || **2.** Vasija de barro o metal que sirve para sacar agua de los pozos y ríos, atada con otras a una maroma doble que descansa sobre la rueda de la noria. || **3.** Cada una de las vasijas de hierro que forman parte de ciertas dragas y extraen del fondo de los puertos, ríos, etc., el fango, piedras y arena que los obstruyen. || **4.** Cada uno de los pliegues hechos con molde y forma de cañón en los cuellos apanalados o escarolados.

Cangre. m. *Cuba.* Mata o tallo de yuca.

Cangreja. (De *cangrejo,* 6.ª acep.) adj. *Mar.* V. **Vela cangreja.** Ú. t. c. s.

Cangrejal. m. *R. de la Plata.* Terreno pantanoso e intransitable por la abundancia de ciertos cangrejillos negruzcos que en él se crían.

Cangrejera. f. Nido de cangrejos.

Cangrejero, ra. m. y f. Persona que coge o vende cangrejos. || **2.** m. Ave del orden de las zancudas, parecida a la garza, de color rojizo leonado, plumas occipitales blanquecinas y pecho, abdomen y piernas blancos. || **3.** *Chile.* **Cangrejera.** || **4.** *Guat.* Carnívoro semejante al perro y que se alimenta de cangrejos.

Cangrejo. (Del lat. **cancricŭlus,* d. de *cancer, cancri.*) m. *Zool.* Cualquiera de los artrópodos crustáceos del orden de los decápodos. || **2.** V. **Boca, ojos de cangrejo.** || **3.** *Astron.* **Cáncer,** 3.ª acep. || **4.** *Astron.* Nebulosa situada en la constelación del Toro. || **5.** En las armaduras antiguas, conjunto de láminas articuladas para facilitar el movimiento en las corvas y en la sangría del brazo. || **6.** *Mar.* Verga que tiene en uno de sus extremos una boca semicircular por donde ajusta con el palo del buque, y la cual puede correr de arriba abajo o viceversa, y girar a su alrededor mediante los cabos que se emplean para manejarla. || **de mar. Cámbaro.** || **de río.** Crustáceo decápodo, macruro, de unos diez centímetros de largo, con caparazón de color verdoso, que al cocerlo se cambia en rojo, y gruesas pinzas en los extremos de las patas del primer par. Abunda en muchos ríos españoles, es comestible y su carne es muy apreciada. || **moro.** *And.* y *Amér.* El de mar, con manchas rojas.

Cangrejuelo. m. d. de **Cangrejo,** 1.ª acep.

Cangrena. f. **Gangrena.**

Cangrenarse. r. **Gangrenarse.**

Cangro. (Del lat. *cancer, cancri,* cangrejo.) m. *Colomb., Guat.* y *Méj.* **Cáncer,** 1.ª acep.

Cangroso, sa. (De *cangro.*) adj. ant. Que adolece de cáncer.

Canguelo. m. *Germ.* Miedo, temor.

Cangüeso. m. *Zool.* Pez marino teleósteo, acantopterigio, de color pardo aceitunado, con manchas más obscuras, oblongo y de unos 12 centímetros de largo; tiene la cabeza ancha, la cola redondeada y exuda por toda la piel una materia mucosa.

Canguil. m. *Ecuad.* Maíz pequeño y muy estimado, del cual hay varias especies.

Canguro. m. Mamífero didelfo, herbívoro, que anda a saltos por tener las extremidades delanteras mucho más cortas que las posteriores, y cuando está quieto se apoya en éstas y en la cola, que es muy robusta. Vive en rebaños en las praderas de Australia y Tierra de Van Diemen. Existen varias especies y algunos viven en los árboles.

Cania. (Del lat. *cania.*) f. **Ortiga menor.**

Caníbal. (De *caribal.*) adj. Dícese del salvaje de las Antillas, que era tenido por antropófago. Ú. t. c. s. || **2.** fig. Dícese del hombre cruel y feroz. Ú. t. c. s. || **3.** *Zool.* Dícese del animal que come carne de otros de su misma especie.

Canibalismo. m. Antropofagia atribuida a los caníbales. || **2.** fig. Ferocidad o inhumanidad propias de caníbales. || **3.** *Zool.* Costumbre que tienen algunos animales de comer carne de otros de su misma especie.

Canica. (Del port. *cana,* caña y canela.) f. Canela silvestre de la isla de Cuba.

Canica. (Del germ. *knicker,* bola de jugar los niños.) f. Juego de niños que se hace con bolitas de barro, vidrio u otra materia dura. Ú. m. en pl. || **2.** Cada una de estas bolitas.

Canicie. (Del lat. *canities.*) f. Color cano del pelo.

Canícula. (Del lat. *canicŭla.*) f. Período del año en que son más fuertes los calores. Suele computarse del 23 de julio al 2 de septiembre. || **2.** *Astron.* **Sirio,** 1.er art. || **3.** *Astron.* Tiempo del nacimiento heliaco de Sirio, que antiguamente coincidía con la época más calurosa del año, pero que hoy no se verifica hasta fines de agosto.

Canicular. (Del lat. *caniculāris.*) adj. Perteneciente a la canícula. || **2.** fig. V. **Calor canicular.** || **3.** m. pl. Días que dura la canícula.

Caniculario. (Del lat. *canicula,* perrita.) m. **Perrero,** 1.ª acep.

Cánido. (Del lat. *canis,* perro.) adj. *Zool.* Dícese de mamíferos carnívoros que son digitígrados, de uñas no retráctiles, con cinco dedos en las patas anteriores y cuatro en las posteriores; como el perro y el lobo. Ú. t. c. s. || **2.** m. pl. *Zool.* Familia de estos animales.

Canijo, ja. (Del lat. **cannicŭla,* de *canna,* caña.) adj. fam. Débil y enfermizo. Ú. t. c. s.

Canil. (De *can,* 1.er art.) m. Morena o pan de perro. || **2.** *Ast.* **Colmillo.**

Canilla. (Del lat. **cannella,* d. de *canna,* caña.) f. Cualquiera de los huesos largos de la pierna o del brazo. || **2.** Cualquiera de los huesos principales del ala del ave. || **3.** Caño pequeño que se pone en la parte inferior de la cuba o tinaja para dar salida al líquido. || **4.** Carrete metálico en que se devana la seda o el hilo y que va dentro de la lanzadera en las máquinas de tejer y coser. || **5.** Lista que en los tejidos suelen formar, por descuido, algunas hebras de distinto color o grueso. || **6.** *Perú.* Juego de dados. || Irse uno **como una canilla, o de canilla.** fr. fig. y fam. Padecer excesivo flujo de vientre. || **2.** fig. y fam. Hablar sin reflexión cuanto se viene a la boca.

Canilla. f. *Colomb.* **Pantorrilla.** || **2.** fig. *Méj.* Fuerza física.

Canilla. (De *cano.*) adj. V. **Uva canilla.**

Canillado, da. (De *canilla,* 1.er art.) adj. **Acanillado.**

Canillera. (De *canilla,* 1.er art.) f. **Espinillera,** 2.ª acep.

Canillero, ra. m. y f. Persona que hace canillas para tejer. || **2.** m. Agujero que se hace en las tinajas o cubas para poner la canilla. || **3.** *Sal.* **Sauquillo.**

Canime. m. *Bot.* Árbol de Colombia y Perú, de la familia de las gutíferas, que produce un aceite medicinal.

Canina. (De *canino.*) f. Excremento de perro. || **2.** ant. **Canícula.**

Caninamente. adv. m. Rabiosamente, como de perro.

Caninero. (De *canina.*) m. El que recoge la canina para las tenerías.

Caninez. (De *canino.*) f. Ansia extremada de comer.

Canino, na. (Del lat. *canīnus,* de *canis,* perro.) adj. Relativo al can. *Raza* CANINA. || **2.** Aplícase a las propiedades que tienen semejanza con las del perro. || **3.** V. **Diente canino.** Ú. t. c. s. || **4.** V. **Hambre, lengua, letra canina.**

Caniquí. (Del ár. *kamjī,* propio del brocado.) m. Tela delgada hecha de algodón, que venía de la India.

Canistel. m. *Bot. Cuba.* Árbol de la familia de las sapotáceas, de hoja lanceolada y terminada en punta, y cuyo fruto, de figura oblonga, semejante al mango, es comestible. || **2.** Fruto de este árbol.

Canistro. (Del lat. *canistrum.*) m. *Arqueol.* Cesta de junco, de la cual se servían los antiguos en sus fiestas públicas.

Canivete. (Del ant. fr. *canivet,* y éste del ant. nórdico *knīfr,* cuchillo.) m. *Sal.* Navaja en forma de podadera, que usa la gente del campo. Distinto del cañivete.

Canje. (De *canjear.*) m. Cambio, trueque o substitución. Ú. en la diplomacia, la milicia y el comercio. CANJE *de notas diplomáticas, de prisioneros de guerra, de láminas representativas de valores,* etc.

Canjeable. adj. Que se puede canjear.

Canjear. (Del ital. *cangiare,* y éste del lat. *cambiare.*) tr. Hacer canje. Ú. en la diplomacia, la milicia y el comercio.

Canjilón, na. adj. Natural de Canjáyar, en la provincia de Almería. Ú. t. c. s. || **2.** Perteneciente o relativo a esta villa.

Canjura. f. *Hond.* Cierto veneno tan activo como la estricnina.

Canjuro. m. *C. Rica.* Árbol de cuyo fruto se alimentan los pavones silvestres.

Canmiar. tr. ant. **Cambiar.**

Cannabáceo, a. (De *cannabis,* nombre de un género de plantas.) adj. *Bot.* Dícese de plantas angiospermas dicotiledóneas, herbáceas, sin látex, con tallo de fibras tenaces, hojas opuestas, flores unisexuales dispuestas en cimas, fruto en cariópside o aquenio y semillas sin albumen; como el cáñamo y el lúpulo. Ú. t. c. s. f. || **2.** f. pl. *Bot.* Familia de estas plantas.

Cannáceo, a. (De *canna,* nombre de un género de plantas.) adj. *Bot.* Dícese de plantas angiospermas monocotiledóneas, perennes, con raíz fibrosa, hojas alternas, sencillas, anchas, envainadoras en la base del tallo; flores irregulares en racimo o en panoja y fruto en cápsula con semillas de albumen amiláceo o casi córneo; como el cañacoro. Ú. t. c. s. f. || **2.** f. pl. *Bot.* Familia de estas plantas.

Cano, na. (Del lat. *canus.*) adj. Que tiene blanco todo o lo más del pelo o de la barba. || **2.** fig. Anciano o antiguo. || **3.** fig. y poét. **Blanco,** 1.ª acep. || **4.** V. **Hierba, uva cana.** || **No todos los canos son viejos ni sabios.** ref. que muestra que no siempre con la edad se adquieren ciencia y prudencia.

Canoa. (Del caribe *canaua.*) f. Embarcación de remo muy estrecha, ordinariamente de una pieza, sin quilla y sin diferencia de forma entre proa y popa.

|| **2.** Bote muy ligero que llevan algunos buques, generalmente para uso del capitán o comandante. || **3. Sombrero de canoa.** || **4.** *Amér.* Canal de madera u otra materia para conducir el agua. || **5.** *Chile.* Vaina grande y ancha de los coquitos de la palmera. || **6.** *C. Rica* y *Chile.* Canal del tejado, que generalmente es de cinc. || **7.** *Chile.* Especie de artesa o cajón de forma oblonga que sirve para dar de comer a los animales y otros usos.

Canoero, ra. m. y f. Persona que gobierna la canoa. || **2.** m. *Méj.* y *R. de la Plata.* El que trajina con una canoa o es dueño de ella.

Canon. (Del lat. *canon*, y éste del gr. κανών, regla, modelo.) m. Regla o precepto. || **2.** Decisión o regla establecida en algún concilio de la Iglesia sobre el dogma o la disciplina. || **3.** Catálogo de los libros sagrados y auténticos recibidos por la Iglesia católica. || **4.** Catálogo o lista. || **5.** Parte de la misa, que empieza *Te igitur* y acaba con el *Pater noster.* || **6.** El libro que usan los obispos en la misa, desde el principio del **canon** hasta terminar las abluciones. || **7.** V. **Privilegio del canon.** || **8.** Regla de las proporciones de la figura humana, conforme al tipo ideal aceptado por los escultores egipcios y griegos. || **9.** Prestación pecuniaria periódica que grava una concesión gubernativa o un disfrute en el dominio público, regulado en minería según el número de pertenencias o de hectáreas, sean o no explotadas. || **10.** Percepción pecuniaria convenida o estatuida para cada unidad métrica que se extraiga de un yacimiento o que sea objeto de otra operación mercantil o industrial, como embarque, lavado, calcinación, etc. || **11.** *For.* Lo que paga periódicamente el censatario al censualista. || **12.** *For.* Precio del arrendamiento rústico. CANON *conducticio.* || **13.** *Impr.* Caracteres gruesos equivalentes al cuerpo de veinticuatro puntos. || **14.** *Mús.* Composición de contrapuntos en que sucesivamente van entrando las voces, repitiendo o imitando cada una el canto de la que le antecede. || **15.** pl. **Derecho canónico.** || **Canon de superficie.** *Min.* Canon, 9.ª acep. || **Gran canon.** *Impr.* Grado de letra de imprenta, la mayor que se usaba. || **Cánones sin leyes, arado sin bueyes.** ref. **Canonista sin leyes, arador sin bueyes.**

Canonesa. (De *canonisa.*) f. Mujer que en las abadías flamencas y alemanas vive en comunidad, pero sin hacer votos solemnes ni obligarse a perpetua clausura.

Canonía. f. ant. **Canonjía,** 1.ª acep.

Canónica. (Del lat. *canonica*, t. f. de *-cus*, canónico.) f. Vida conventual de los canónigos, según las antiguas reglas. *La* CANÓNICA *agustiniana.*

Canonical. (De *canónico.*) adj. Perteneciente al canónigo. || **2.** fig. y fam. V. **Vida canonical.**

Canónicamente. adv. m. Conforme a lo dispuesto en los sagrados cánones.

Canonicato. m. Canonjía, 1.ª acep.

Canónico, ca. (Del lat. *canonicus*, regular, conforme a las reglas.) adj. Arreglado a los sagrados cánones y demás disposiciones eclesiásticas. || **2.** Se aplica a los libros y epístolas que se contienen en el canon de los libros auténticos de la Sagrada Escritura. || **3.** V. **Compurgación, degradación, elección, institución, penitencia, purgación canónica.** || **4.** V. **Derecho canónico.** || **5.** V. **Horas canónicas.** || **6.** ant. Se aplicaba a la iglesia o casa donde residían los canónigos reglares. Usáb. t. c. s.

Canóniga. (De *canónigo.*) f. fam. Siesta que se duerme antes de comer.

Canonigado. m. ant. **Canonicato.**

Canónigo. (Del lat. *canonicus.*) m. El que obtiene y desempeña una canonjía. || **2.** fig. y fam. V. **Vida de canónigo.** || **doctoral.** Prebendado de oficio. Es el asesor jurídico del cabildo catedral y debe estar graduado en derecho canónico o ser perito en cánones. || **lectoral.** Prebendado de oficio. Es el teólogo del cabildo, y deberá ser licenciado o doctor en teología. || **magistral.** Prebendado de oficio. Es el predicador propio del cabildo. || **penitenciario.** Prebendado de oficio. Es el confesor propio del cabildo. || **reglar,** o **regular.** El perteneciente a cabildo que observa vida conventual, siguiendo generalmente la regla de San Agustín, como en la orden premonstratense y en las colegiatas de Covadonga y Roncesvalles.

Canonisa. (Del b. lat. *canonissa*, y éste del lat. *canon*, canon.) f. ant. **Canonesa.**

Canonista. (De *canon.*) m. El que profesa el derecho canónico o tiene en él especiales conocimientos. || **2.** Estudiante de cánones. || **Canonista sin leyes, arador sin bueyes. Canonista y no legista, no vale una arista.** refs. que dan a entender que para salir consumado en el estudio de los cánones es también necesario el de las leyes civiles.

Canonizable. (De *canonizar.*) adj. Digno de ser canonizado.

Canonización. f. Acción y efecto de canonizar.

Canonizar. (Del b. lat. *canonizāre*, y éste del gr. κανονίζω.) tr. Declarar solemnemente santo y poner el papa en el catálogo de ellos a un siervo de Dios, ya beatificado. || **2.** fig. Calificar de buena a una persona o cosa, aun cuando no lo sean. || **3.** fig. Aprobar y aplaudir alguna cosa.

Canonje. (Del prov. *canonge*, y éste del lat. *canonĭcus*, canónico.) m. ant. **Canónigo.**

Canonjía. (De *canonje.*) f. Prebenda del canónigo. || **2.** fig. y fam. Empleo de poco trabajo y bastante provecho. || **de penitenciario.** La que pertenece al canónigo penitenciario. || **doctoral.** La que pertenece al canónigo doctoral. || **lectoral.** La que pertenece al canónigo lectoral. || **magistral.** La que pertenece al canónigo magistral.

Canonjible. adj. ant. Perteneciente al canónigo o a la canonjía.

Canope. (Del lat. *Canopus*, nombre de una ciudad egipcia.) m. *Arqueol.* Vaso que se encuentra en las antiguas tumbas de Egipto y estaba destinado a contener las vísceras de los cadáveres momificados.

Canopo. m. Estrella del hemisferio austral, de primera magnitud y una de las mayores del cielo, situada en la constelación del Navío.

Canorca. f. *Val.* **Cueva,** 1.ª acep.

Canoro, ra. (Del lat. *canōrus.*) adj. Dícese del ave de canto grato y melodioso. *El* CANORO *ruiseñor.* || **2.** Grato y melodioso, hablando de la voz de las aves y de las personas, y en sentido figurado, de la poesía, instrumentos músicos, etc.

Canoso, sa. (Del lat. *canōsus.*) adj. Que tiene muchas canas.

Canotié. (Del fr. *canotier.*) m. Sombrero de paja, de copa plana y baja y ala recta.

Canquén. (Del mapuche *canqueñ.*) m. *Chile.* Ganso silvestre que los naturalistas denominan *vernicla chiloensis.* Tiene la cabeza y el cuello cenicientos; el pecho, plumas y cola bermejos, y las patas negras y anaranjadas. La hembra tiene en casi todo el cuerpo fajas negras. En algunos lugares es doméstico.

Cansadamente. adv. m. Importuna y molestamente. || **2.** Cansando o experimentando cansancio.

Cansado, da. p. p. de **Cansar.** || **2.** adj. Dícese de las cosas que declinan o decaen y de las degeneradas o enervadas. *Tierra* CANSADA; *pluma* CANSADA. || **3.** V. **Vista cansada.** || **4.** Aplícase a la persona o cosa que produce cansancio.

Cansamiento. m. ant. **Cansancio.**

Cansancio. (De *cansar.*) m. Falta de fuerzas que resulta de haberse fatigado.

Cansar. (Del lat. *campsāre*, doblar, volver, y éste del gr. κάμπτω.) tr. Causar cansancio. Ú. t. c. r. || **2.** Quitar fertilidad a la tierra, bien por la continuidad o la índole de la cosechas o bien por la clase de los abonos. Ú. t. c. r. || **3.** fig. Enfadar, molestar. Ú. t. c. r. || **4.** intr. ant. **Cansarse.** || **Más se cansa quien mira, que no quien juega.** ref. con que se indica que el estímulo del vicio es imperioso, aun con los trabajos y disgustos que ocasiona.

Cansera. (De *cansar.*) f. fam. Molestia y enojo causados por la importunación. || **2.** *Sal.* Cansancio, galbana. || **3.** *Amér.* Tiempo perdido en algún empeño.

Cansí. m. Entre los indígenas de la isla de Cuba, en la época precolombina, bohío o choza del cacique.

Cansino, na. (De *cansar.*) adj. Aplícase al hombre o al animal cuya capacidad de trabajo está disminuida por el cansancio. || **2.** *And.* Cansado, pesado.

Cansío, a. adj. *Sal.* Cansado, fatigado.

Canso, sa. (De *cansar.*) adj. **Cansado,** 2.ª acep. Tiene uso entre los rústicos de Castilla la Vieja, Aragón y también en algunas comarcas americanas.

Cansoso, sa. (De *cansar.*) adj. ant. Cansado, 4.ª acep.

Canstadiense. (De *Canstadt*, ciudad de Alemania.) adj. *Geol.* Dícese de una época de la historia de la Tierra, en que aparece la llamada raza de Canstadt, por haberse hallado en esta ciudad los primeros restos fósiles de aquella raza.

Canta. (De *cantar*, 2.° art.) f. *Ar.* Cantar, canción o copla.

Cantable. (Del lat. *cantabĭlis.*) adj. Que se puede cantar. || **2.** *Mús.* Que se canta despacio. || **3.** m. Parte que el autor del libreto de una zarzuela escribe en versos, debidamente acentuados, para que puedan ponerse en música. || **4.** Escena de la zarzuela en que se canta, para diferenciarla de aquella en que se habla. || **5.** *Mús.* Trozo de música majestuoso y sencillo.

Cantábrico, ca. (Del lat. *cantabrĭcus.*) adj. Perteneciente a Cantabria.

Cantabrio, bria. (Del lat. *cantabrĭus.*) adj. ant. **Cántabro.** Usáb. t. c. s.

Cántabro, bra. (Del lat. *cantăber, -bri.*) adj. Natural de Cantabria. Ú. t. c. s.

Cantada. (De *cantar*, 2.° art.) adj. V. **Misa cantada.** || **2.** f. **Cantata.**

Cantadera. (De *cantar*, 2.° art.) f. ant. Cantadora.

Cantador, ra. (De *cantar*, 2. art.) adj. ant. **Cantor.** Usáb. t. c. s. || **2.** m. y f. Persona que tiene habilidad para cantar coplas populares. || **3.** El que tiene por oficio cantarlas.

Cantal. m. Canto de piedra. || **2. Cantizal.**

Cantalear. (De *canto*, 1.er art.) intr. Gorjear, arrullar las palomas.

Cantaleta. (De *cantar* 2.° art.) f. Ruido y confusión de voces e instrumentos con que se burlaban de alguna persona. || **2.** Canción burlesca con que, ordinariamente de noche, se hacía mofa de una o varias personas. || **3.** fig. y fam. Chasco, vaya, zumba.

Cantaletear. tr. *Amér.* Repetir las cosas hasta causar fastidio. || **2.** *Méj.* Dar cantaleta o vaya.

Cantalinoso, sa. (De *cantal.*) adj. Dícese de la tierra o terreno en que abundan los cantos, 2.° art., 8.ª acep.

Cantante. p. a. de **Cantar.** Que canta. || **2.** adj. V. **Bajo, voz cantante.** || **3.** com. Cantor o cantora de profesión.

Cantar. (De *cantar*, 2.° art.) m. Copla o breve composición poética puesta en música para cantarse, o adaptable a alguno de los aires populares, como el fandango, la jota, etc. || **2.** Especie de saloma que usan los trabajadores de tierra. || **de gesta.** Poesía popular en que se referían hechos de personajes históricos, legendarios o tradicionales. || **de los Cantares.** Libro canónico del Antiguo Testamento, que bajo una alegoría poética representa, según los intérpretes, el amor recíproco de Dios y el alma justa, y el de Jesucristo y su esposa la Iglesia. || **Ése es otro cantar.** expr. fig. y fam. Eso es distinto

Cantar. (Del lat. *cantāre*, frec. de *canĕre.*) intr. Formar con la voz sonidos melodiosos y variados. Dícese de las personas y, por ext., de los animales, principalmente de las aves. Ú. t. c. tr. || **2.** Producir algunos insectos sonidos estridentes, haciendo vibrar ciertas partes de su cuerpo. || **3.** fig. Componer o recitar alguna poesía. Ú. t. c. tr. || **4.** fig. En ciertos juegos de naipes, decir el punto o calidades. || **5.** fig. y fam. Rechinar y sonar los ejes y otras piezas de los carruajes cuando se mueven. || **6.** fig. y fam. Sonar las abrazaderas del fusil, ludiendo contra el cañón. || **7.** fig. y fam. Descubrir o confesar lo secreto. || **8.** *Mar.* **Avisar,** 1.ª acep. || **9.** *Mar.* Sonar el pito como señal de mando. || **10.** *Mar.* **Salomar.** || **11.** *Mús.* Ejecutar con un instrumento el canto de una pieza concertante. || **Cantar** uno **de plano.** fr. fig. y fam. Confesar todo lo que se le pregunta o sabe. || **Cantarlas claras.** fr. Hablar recio, sin pelos en la lengua. || **Cantar mal y porfiar.** fr. fam. contra los impertinentes y presumidos que molestan repitiendo lo que no saben hacer. || **Quien mal canta, bien le suena.** ref. que prueba cuánto ciega el amor propio, que nos impide conocer nuestros defectos.

Cántara. (De *cántaro.*) f. Medida de capacidad para líquidos, que tiene ocho azumbres y equivale a 1.613 centilitros. || **2. Cántaro.**

Cantarada. (De *cántaro.*) f. **Cántaro,** 2.ª acep. || **2.** Obsequio de un cántaro de vino que los mozos de un pueblo exigen al forastero para dejarle hablar la primera vez por la reja a una joven.

Cantaral. m. *Ar.* **Cantarera,** 1.ª acep.

Cantarela. f. Nombre de la prima del violín o de la guitarra.

Cantarera. f. Poyo de fábrica o armazón de madera que sirve para poner los cántaros. || **2.** fig. vulg. Hueco supraclavicular.

Cantarería. (De *cantarero.*) f. Lugar donde se venden cántaros.

Cantarero. (De *cántaro.*) m. **Alfarero.**

Cantárida. (Del lat. *canthăris, -ĭdis*, y éste del gr. κανθαρίς.) f. Insecto coleóptero, de 15 a 20 milímetros de largo y de color verde obscuro brillante, que vive en las ramas de los tilos y, sobre todo, de los fresnos. Empléase en medicina como vejigatorio, así en polvo como en tintura alcohólica, en ungüento y emplasto y en papel epispástico. || **2.** Ampolla o llaga que producen las **cantáridas** sobre la piel. *Le han curado las* CANTÁRIDAS. || **3.** desus. Parche de **cantáridas** que se aplica a los enfermos.

Cantarilla. (d. de *cántara.*) f. Vasija de barro, sin baño, del tamaño y forma de una jarra ordinaria y boca redonda.

Cantarillo. m. d. de **Cántaro,** 1.ª acep. || **Cantarillo que muchas veces va a la fuente, o deja el asa o la frente.** ref. que advierte que el que frecuentemente se expone a las ocasiones, peligra en ellas.

Cantarín, na. adj. fam. Aficionado con exceso a cantar. || **2.** m. y f. **Cantante,** 3.ª acep.

Cántaro. (Del lat. *canthărus*, y éste del gr. κάνθαρος.) m. Vasija grande de barro o metal, angosta de boca, ancha por la barriga y estrecha por el pie y por lo común con una o dos asas. || **2.** Todo el líquido que cabe en un **cántaro.** *Bebió medio* CÁNTARO *de agua.* || **3.** Medida de vino, de diferente cabida según las varias regiones de España. || **4.** Arquilla, cajón o vasija en que se echan las bolas o cédulas para hacer sorteos. || **5.** V. **Alma, moza de cántaro.** || **6.** *Méj.* **Piporro.** || **7.** *Ar.* Impuesto municipal sobre el vino, aceite o bebidas alcohólicas compuestas, que se percibe al venderse toda o parte de la cosecha. || **A cántaros.** m. adv. En abundancia, con mucha fuerza. Ú. con los verbos *llover, caer, echar*, etc. || **Entrar** uno **en cántaro.** fr. fig. Entrar, o estar, en suerte para algún oficio u otro efecto. || **Estar** uno **en cántaro.** fr. fig. Estar propuesto para algún empleo o próximo a conseguirlo. || **Si da el cántaro en la piedra, o la piedra en el cántaro, mal para el cántaro.** ref. que advierte que conviene excusar disputas y contiendas con el que tiene más poder.

Cantarrana. (De *cantar*, 2.° art., y *rana.*) f. *Ál.* Juguete que consiste en una cáscara de nuez cubierta con un pedacito de pergamino y sujeta por un hilo que, girando rápidamente por un palito que se une al otro extremo del hilo, produce un ruido semejante al croar de la rana.

Cantata. (Del ital. *cantata*, y éste del lat. *cantāta*, t. f. de *-tus.*) f. Composición poética de alguna extensión, escrita para que se ponga en música y se cante.

Cantatriz. (Del lat. *cantatrix.*) f. **Cantante,** 3.ª acep.

Cantazo. m. Pedrada o golpe dado con canto.

Cante. (De *canto*, 1.er art.) m. *And.* Acción y efecto de cantar. || **2.** *And.* Cualquier género de canto popular. || **3.** *Ast.* Canción, sonsonete. || **hondo** o **flamenco.** El andaluz agitanado.

Canteado, da. p. p. de **Cantear.** || **2.** adj. Dícese de la piedra, ladrillo u otro material puestos o asentados de canto.

Cantear. tr. Labrar los cantos de una tabla, piedra u otro material. || **2.** Poner de canto los ladrillos. || **3.** *Sal.* **Apedrear,** 1.ª acep. || **4.** *Chile.* Labrar la piedra de sillería para las construcciones.

Cantel. (Del cat. *cantell*, y éste del lat. *cantherius*, palo, percha.) m. *Mar.* Pedazo de cabo que sirve para arrimar la pipería. Ú. m. en pl.

Cantera. (De *canto*, 2.° art.) f. Sitio de donde se saca piedra, greda u otra substancia análoga para obras varias. || **2.** V. **Agua de cantera.** || **3.** fig. Talento, ingenio y capacidad que muestra alguna persona. || **Armar, levantar,** o **mover, una cantera.** fr. fig. y fam. Causar o agravar una lesión o enfermedad por impericia o descuido. || **2.** fig. y fam. Dar causa con algún dicho o acción a que haya grandes disensiones.

Cantería. (De *cantero.*) f. Arte de labrar las piedras para las construcciones. || **2.** Obra hecha de piedra labrada. || **3.** Porción de piedra labrada. || **4.** ant. **Cantera,** 1.ª acep.

Canterios. (Del lat. *cantherius.*) m. pl. Vigas que se colocan en sentido transversal para formar el techo de un edificio.

Canterito. m. Pedazo pequeño de pan.

Canterla. f. *Ast.* **Cantesa.**

Cantero. (De *canto*, 2.° art.) m. El que labra las piedras para las construcciones. || **2.** Extremo de algunas cosas duras que se pueden partir con facilidad. *Un* CANTERO *de pan.* || **3.** Trozo de tierra laborable o de huerta, generalmente largo y estrecho. || **4.** Parte o pedazo de heredad, que en Salamanca es de cuatro regaderas. || **5.** *Amér.* **Cuadro,** 6.ª acep.

Cantesa. f. *Ast.* Abrazadera de fleje o alambre para sujetar las almadreñas cuando se agrietan.

Cantía. f. ant. **Cuantía,** 1.ª acep.

Cántica. (Del lat. *cantica*, pl. de *cantĭcum*, cántico.) f. ant. **Cantar,** 1.ª acep.

Canticar. (Del lat. *canticāre.*) intr. ant. **Cantar.** Usáb. t. c. tr.

Canticio. m. fam. Canto frecuente y molesto.

Cántico. (Del lat. *cantĭcum.*) m. Cada una de las composiciones poéticas de los libros sagrados y los litúrgicos en que sublime o arrebatadamente se dan gracias o tributan alabanzas a Dios; como los CÁNTICOS *de Moisés*, el *Tedéum*, el *Magníficat*, etc. || **2.** En estilo poético, suele también darse este nombre a ciertas poesías profanas. CÁNTICO *de alegría, de amor, guerrero, nupcial.*

Cantidad. (Del lat. *quantĭtas, -ātis.*) f. Todo lo que es capaz de aumento y disminución y puede, por consiguiente, medirse o numerarse. || **2.** Porción grande de alguna cosa. || **3.** V. **Rata por cantidad.** || **4.** Porción indeterminada de dinero. || **5.** *Pros.* Tiempo que se invierte en la pronunciación de una sílaba. || **alzada.** La suma total de dinero que se considera suficiente para algún objeto. || **concurrente.** La necesaria para completar cierta suma. || **constante.** *Mat.* La que conserva valor fijo en el desarrollo de un cálculo. || **continua.** *Mat.* La que consta de unidades o partes que no están separadas unas de otras, como la longitud de una cinta, el área de una superficie, el volumen de un sólido, la cabida de un vaso, etc. || **discreta.** *Mat.* La que consta de unidades o partes separadas unas de otras, como los árboles de un monte, los soldados de un ejército, los granos de una espiga, etc. || **exponencial.** *Mat.* La que está elevada a una potencia cuyo exponente es desconocido. || **imaginaria.** *Mat.* La que por la naturaleza de su definición no puede existir, como la raíz cuadrada de una **cantidad** negativa o el logaritmo de un número negativo. || **negativa.** *Mat.* La que por su naturaleza disminuye el valor de las **cantidades** positivas a que se contrapone. En los cálculos, a la expresión de esta **cantidad** se antepone siempre el signo (—) menos. || **positiva.** *Mat.* La que agregada a otra la aumenta. En las expresiones algebraicas y numéricas va precedida del signo (+) más, y siendo única, o encabezando un polinomio, no lleva signo alguno. || **racional.** *Mat.* Aquella en cuya expresión no entra radical alguno. || **real.** *Mat.* La que realmente puede existir, en oposición a la imaginaria. || **variable.** *Mat.* La que no tiene valor constante y determinado, sino que crece o mengua según ciertas condiciones. || **Hacer buena** una **cantidad.** fr. Abonarla.

Cantiga [**Cántiga**]. (Del lat. *cantica*, pl. n. de *cantĭcum.*) f. Antigua composición poética destinada al canto. || **2.** ant. **Cantar,** 1.ª acep.

Cantil. (De *canto*, 2.° art., 8.ª acep.) m. Sitio o lugar que forma escalón en la costa o en el fondo del mar. || **2.** *Amér.* Borde de un despeñadero. || **3.** *Guat.* Especie de culebra grande.

Cantilena. (Del lat. *cantilēna.*) f. Cantar, copla, composición poética breve, hecha generalmente para que se cante. || **2.** fig. y fam. Repetición molesta e importuna de alguna cosa. *Siempre vienen con esa* CANTILENA.

Cantillo. (De *canto*, 2.° art.) m. Piedrecilla con que los muchachos hacen el juego de los **cantillos.** || **2.** Cantón, esquina. || **3.** V. **Juego de los cantillos.** || **4.** *And.* **Esquina,** 1.ª acep.

Cantimpla. adj. *R. de la Plata.* Dícese de la persona callada y medio zonza, y que alguna vez ríe sin motivo. **Ú. t. c. s.**

Cantimplora. (Del cat. *cantimplora*, de *cantar* y *plorar*, como el fr. *chantepleure*.) f. **Sifón,** 1.ª acep. ‖ **2.** Vasija de metal que sirve para enfriar el agua, y es semejante a la garrafa. ‖ **3.** Frasco aplanado y revestido de cuero, paja o bejuco, para llevar la bebida. ‖ **4.** *Sal.* Olla grande. ‖ **5.** *Sal.* Vasija o bota de vino de gran tamaño. ‖ **6.** *Guat.* **Papera,** 1.ª acep. ‖ **7.** *Colomb.* Frasco de la pólvora.

Cantina. (Del ital. *cantina*, der. de *canto*, del lat. *canthus*, cantón.) f. Sótano donde se guarda el vino para el consumo de la casa. ‖ **2.** Puesto público en que se venden bebidas y algunos comestibles. ‖ **3.** Pieza de la casa donde se tiene el repuesto del agua para beber. ‖ **4.** Caja de madera, metal o corcho, cubierta de cuero y dividida en varios compartimientos, para llevar las provisiones de boca. ‖ **5.** pl. Estuche doble con fiambreras y divisiones a propósito para llevar en los viajes las provisiones diarias. ‖ **6.** *Méj.* Dos bolsas cuadradas de cuero, con sus tapas, que, unidas, se colocan junto al borrén trasero de la silla de montar, quedando una a cada lado, como las antiguas alforjas. Sirven para llevar comida.

Cantinela. f. **Cantilena.**

Cantinera. (De *cantinero*.) f. Mujer que tiene por oficio servir bebidas a la tropa, hasta durante las acciones de guerra.

Cantinero. (De *cantina*.) m. El que cuida de los licores y bebidas. ‖ **2.** El que tiene cantina, 2.ª acep.

Cantiña. f. fam. **Cantar,** 1.ª acep. Llámase así comúnmente el que usa el vulgo.

Cantista. adj. **Cantor,** 1.ª acep. Ú. t. c. s.

Cantitativo, va. adj. ant. **Cuantitativo.**

Cantizal. m. Terreno donde hay muchos cantos y guijarros.

Canto. (Del lat. *cantus*.) m. Acción y efecto de cantar. ‖ **2.** Arte de cantar. ‖ **3.** Poema corto del género heroico, llamado así por su semejanza con cada una de las divisiones del poema épico, a que se da este mismo nombre. ‖ **4.** También se llama así a otras composiciones de distinto género. CANTO *fúnebre, guerrero, nupcial*. ‖ **5.** Composición lírica, genéricamente hablando. *Los* CANTOS *del poeta*. ‖ **6.** Cada una de las partes en que se divide el poema épico. Hay algunos poemas, considerados como tales, que por excepción constan de un solo **canto.** ‖ **7.** ant. **Cántico,** 1.ª acep. ‖ **8.** ant. *Mús.* V. **Instrumento de canto.** ‖ **9.** *Mús.* Parte melódica que da carácter a una pieza de música concertante. ‖ **ambrosiano.** El introducido por San Ambrosio en la iglesia de Milán. ‖ **de órgano,** o **figurado.** El que se compone de notas diferentes en forma y duración y se puede acomodar a distintos ritmos o compases. ‖ **gregoriano,** o **llano.** El propio de la liturgia cristiana, cuyos puntos o notas son de igual y uniforme figura y proceden con la misma medida de tiempo. ‖ **mensurable. Canto de órgano.** ‖ **Al canto del gallo.** m. adv. fam. **Al amanecer.** ‖ **Al canto de los gallos.** m. adv. fam. A la medianoche, que es cuando regularmente cantan la primera vez. ‖ **En canto llano.** expr. adv. fig. y fam. Con sencillez y claridad. ‖ **2.** fig. y fam. De manera vulgar y corriente. ‖ **Por el canto se conoce el pájaro.** ref. que expresa que por los hechos se conoce la condición de las personas. ‖ **Ser canto llano** una cosa. fr. fig. y fam. Ser sencilla y corriente. ‖ **2.** fig. y fam. No tener adorno. ‖ **3.** fig. y fam. No ofrecer dificultad.

Canto. (Del lat. *canthus*, y éste del gr. κανθός, esquina.) m. Extremidad o lado de cualquiera parte o sitio. ‖ **2.** Extremidad, punta, esquina o remate de alguna cosa. CANTO *de mesa, de vestido*. ‖ **3. Cantón,** 1.er art., 1.ª acep. ‖ **4.** En el cuchillo o en el sable, lado opuesto al filo. ‖ **5.** Corte del libro, opuesto al lomo. ‖ **6.** Grueso de alguna cosa. ‖ **7.** Dimensión menor de una escuadría. ‖ **8.** Trozo de piedra. ‖ **9.** Juego que consiste en tirar una piedra, de modo convenido, y gana el que la arroja más lejos. ‖ **10.** *Ar.* Bizcocho rectangular bañado en azúcar que dan las cofradías a cada uno de sus individuos el día de la fiesta mayor. ‖ **de pan.** Cantero de pan. ‖ **pelado,** o **rodado.** Piedra alisada y redondeada a fuerza de rodar impulsada por las aguas. ‖ **A canto.** m. adv. ant. A pique, o muy cerca de. ‖ **Al canto.** m. adv. ant. **A canto.** ‖ **2.** fam. Junto a sí, a su lado. ‖ **Con un canto a los pechos.** m. adv. fam. Con mucho gusto y complacencia. ‖ **Darse uno con un canto en los pechos.** fr. fig. y fam. Darse por contento cuando lo que ocurre es más favorable o menos adverso de lo que podía esperarse. ‖ **De canto.** m. adv. De lado, no de plano. ‖ **Echar cantos** uno. fr. fig. **Tirar piedras.** ‖ **Entre tanto, llévate este canto.** ref. que censura el abuso de ocupar los servidores en las horas de descanso.

Cantollanista. com. Persona perita en el arte del canto llano.

Cantón. (De *canto*, 2.º art.) m. **Esquina,** 1.ª acep. ‖ **2.** Región, territorio. ‖ **3. Acantonamiento,** 2.ª acep. ‖ **4.** *Hond.* Parte alta aislada en medio de una llanura. ‖ **5.** *Blas.* Cada uno de los cuatro ángulos que pueden considerarse en el escudo, y sirven para designar el lugar de algunas piezas. CANTÓN *diestro*, o *siniestro, del jefe*. También es una de ellas; su tamaño, la novena parte del campo, y se coloca a uno u otro lado del jefe. Difiere del francocuartel en que éste es mayor y siempre está a la diestra. También en las cruces se llama **cantón** cada uno de los ángulos que hay entre dos brazos. ‖ **de honor.** *Blas.* **Francocuartel.** ‖ **redondo.** *Carp.* **Limatón.** ‖ **Tras cada cantón, buen cerrevedijón.** ref. que reprende a los que, no sabiendo un arte u oficio, desperdician más que aprovechan las materias en que trabajan. El ref., en sentido recto, habla de las malas hilanderas, que dejan caer los mechones de lino.

Cantón. (De *Cantón*, ciudad de China.) m. *Méj.* Tela de algodón que imita al casimir y tiene los mismos usos.

Cantonada. f. ant. *Ar.* **Cantón,** 1.er art., 1.ª acep. ‖ **Dar cantonada** a uno. fr. fig. **Darle esquinazo.** ‖ **2.** fig. Dejarle burlado, no haciendo caso de él.

Cantonado, da. adj. *Blas.* Se aplica a la cruz o sotuer cuando en sus cantones los acompañan otras piezas.

Cantonal. (De *cantón*, 1.er art., 2.ª acep.) adj. Partidario o defensor del cantonalismo. Ú. t. c. s. ‖ **2.** Perteneciente o relativo al cantón o al cantonalismo.

Cantonalismo. (De *cantonal*.) m. Sistema político que aspira a dividir el Estado en cantones casi independientes. ‖ **2.** fig. Desconcierto político caracterizado por una gran relajación del poder soberano en la nación.

Cantonalista. adj. **Cantonal,** 1.ª acep. Ú. t. c. s.

Cantonar. (De *cantón*, 1.er art.) tr. **Acantonar.** Ú. t. c. r.

Cantonear. (De *cantón*, 1.er art.) intr. Andar vagando ociosamente de esquina en esquina.

Cantonearse. r. fam. **Contonearse.**

Cantoneo. m. fam. **Contoneo.**

Cantonera. (De *cantón*, esquina.) f. Pieza que se pone en la esquina de libros, muebles u otros objetos como refuerzo o adorno. ‖ **2. Rinconera,** 1.ª acep. ‖ **3.** Mujer pública que anda de esquina en esquina atrayendo a los hombres.

Cantonero, ra. (De *cantón*, esquina.) adj. Que cantonea. Ú. t. c. s. ‖ **2.** m. Instrumento con que los encuadernadores doran los cantos de los libros.

Cantor, ra. (Del lat. *cantor*, *-ōris*.) adj. Que canta, principalmente si lo tiene por oficio. Ú. t. c. s. ‖ **2.** *Zool.* Dícese de las aves que, por tener la siringe muy desarrollada, son capaces de emitir sonidos melodiosos y variados; como el mirlo y el ruiseñor. ‖ **3.** m. ant. Compositor de cánticos y salmos. ‖ **4.** *Germ.* El que declaraba en el tormento. ‖ **5.** f. fam. *Chile.* **Bacín,** 1.ª acep. ‖ **6.** pl. *Zool.* Orden de las aves **cantoras.**

Cantoral. (De *cantor*.) m. Libro de coro.

Cantoría. f. ant. **Canturía,** 1.ª y 2.ª aceps.

Cantorral. m. **Cantizal.**

Cantoso, sa. adj. Dícese del cantizal.

Cantú. m. Planta jardinera del Perú, de la familia de las polemoniáceas, que da unas flores muy hermosas; su madera y hojas tiñen de color amarillo.

Cantúa. f. *Cuba.* Dulce seco, compuesto de boniato, coco, ajonjolí y azúcar moreno.

Cantuariense. (Del lat. *cantuariensis*, de *Cantuaria*, Cantórbery.) adj. Natural de Cantórbery. Ú. t. c. s. ‖ **2.** Perteneciente a esta ciudad de Inglaterra.

Cantueso. m. Planta perenne, de la familia de las labiadas, semejante al espliego, de cinco a seis decímetros de altura, con tallos derechos y ramosos, hojas oblongas, estrechas y vellosas, y flores olorosas y moradas, en espiga que remata en un penacho. ‖ **2.** fig. y fam. V. **Flores de cantueso.**

Canturía. f. Ejercicio de cantar. ‖ **2.** Canto de música. ‖ **3.** Canto monótono. ‖ **4.** *Mús.* Modo o aire de cantarse que tienen las composiciones músicas. *Esta composición tiene buena* CANTURÍA.

Canturrear. intr. fam. **Canturriar.**

Canturreo. m. Acción de canturrear.

Canturria. f. *And.* y *Perú.* **Canturía,** 3.ª acep.

Canturriar. intr. fam. Cantar a media voz.

Cantusar. (De *cantar*.) tr. ant. **Engatusar.** ‖ **2.** intr. *And.* y *Murc.* **Canturriar.**

Cantuta. (Voz quichua) f. *Amér. Merid.* **Clavellina,** 1.ª acep.; también llamada flor de los incas.

Canudo, da. (Del lat. *canūtus*.) adj. ant. **Canoso.** ‖ **2.** ant. fig. Antiguo, anciano.

Cánula. (Del lat. *cannŭla*, cañita.) f. Caña pequeña. ‖ **2.** Tubo corto que se emplea en diferentes operaciones de cirugía o que forma parte de aparatos físicos o quirúrgicos. ‖ **3.** Tubo terminal o extremo de las jeringas.

Canular. adj. Que tiene forma de cánula.

Canute. (Del cat. *canut*, y éste del lat. **cannūtus*, de *canna*, caña.) m. *Murc.* Cañuto, cerbatana. ‖ **2.** *Murc.* Gusano de seda que enferma después de recordar y muere a los pocos días.

Canutero. m. **Cañutero.** ‖ **2.** *Amér.* Mango de la pluma de escribir.

Canutillo. m. **Cañutillo.** ‖ **2.** V. **Bordado a canutillo.** ‖ **3.** V. **Carbón de canutillo.**

Canuto. m. **Cañuto,** 1.ª y 2.ª aceps. ‖ **2.** Licencia absoluta del soldado. Se dice por el cañuto en que solía encerrarse. ‖ **3.** *Zool.* Tubo formado por la tierra que se adhiere a los huevos que la langosta y otros ortópteros depositan después de haber introducido verticalmente el abdomen en el suelo. ‖ **4.** *And.* Caña pequeña para beber aguardiente. ‖ **5.** *Amér. Central* y *Venez.* Mango de la pluma de escribir. ‖ **6.** *Méj.* Sorbete de leche, huevo y azúcar, cuajado en moldes que tienen la forma de **canuto.**

Canuto. (De *Canut*, famoso pastor protestante.) m. Nombre que el pueblo de Chile da a los ministros o pastores protestantes.

Caña. (Del lat. *canna.*) f. Tallo de las plantas gramíneas, por lo común hueco y nudoso. ‖ **2.** Planta gramínea, indígena de la Europa Meridional: tiene tallo leñoso, hueco, flexible y de tres a cuatro metros de altura; hojas anchas, un tanto ásperas, y flores en panojas muy ramosas; se cría en parajes húmedos. ‖ **3.** V. **Aguardiente, miel, papa, patata de caña.** ‖ **4. Caña de Indias.** ‖ **5.** Canilla del brazo o de la pierna. ‖ **6. Tuétano.** ‖ **7.** Parte de la bota, que cubre la pierna. ‖ **8.** Parte de la media, que cubre desde la pantorrilla hasta el talón. ‖ **9.** Vaso de forma ligeramente cónica, alto y estrecho, de que se usa en Andalucía para beber vino. ‖ **10.** Medida de vino. ‖ **11.** Medida superficial agraria, que tiene exactamente seis codos cuadrados. Se usa en el sudeste de España. ‖ **12.** Grieta en la hoja de la espada. ‖ **13.** Parte de la caja del arma portátil de fuego en que descansa el cañón. ‖ **14.** Tercer cuerpo del antiguo cañón de artillería. ‖ **15.** *Arq.* **Fuste,** 8.ª acep. ‖ **16.** *Min.* Galería de mina. ‖ **17.** pl. Fiesta de a caballo en que diferentes cuadrillas hacían varias escaramuzas, arrojándose recíprocamente las **cañas,** de que se resguardaban con las adargas. ‖ **18.** Cierta canción popular que se usó mucho en Andalucía. ‖ **Caña agria.** *Bot. C. Rica.* Nombre de varias especies de plantas, de la familia de las cingiberáceas, cuyo jugo, extraído por maceración e infusión, se usa en medicina como diurético. ‖ **amarga.** Planta gramínea de la América tropical, con tallos derechos, de unos dos metros de altura, hojas prolongadas y aserradas finamente, y flores unisexuales en panojas ramosísimas y difusas. ‖ **borde.** Especie de carrizo, cuyos tallos alcanzan mayores dimensiones. ‖ **brava.** *C. Rica, Hond., Perú* y *Venez.* Gramínea silvestre muy dura, con cuyos tallos se hacen tabiques y se emplean en los tejados para sostener las tejas. ‖ **danta.** *C. Rica.* Nombre de una variedad de palmera. ‖ **de azúcar.** Planta gramínea, originaria de la India, con el tallo leñoso, de unos dos metros de altura, hojas largas, lampiñas, y flores en panoja piramidal purpúreas; el tallo está lleno de un tejido esponjoso y dulce, del que se extrae azúcar. ‖ **de Batavia.** Planta gramínea, de unos tres metros de altura, con el tallo de color de violeta, nudos vellosos, hojas de color verde obscuro y jugo abundante, acuoso y poco azucarado. ‖ **de Bengala. Caña de la India.** ‖ **de Castilla.** *Méj.* **Caña de azúcar.** ‖ **de cuentas. Cañacoro.** ‖ **de Indias. Cañacoro.** ‖ **de la India. Rota,** 3.er art. ‖ **del ancla.** *Mar.* Parte comprendida entre la cruz y el arganeo. ‖ **del pulmón. Tráquea,** 1.ª acep. ‖ **del timón.** *Mar.* Palanca encajada en la cabeza del timón y con la cual se maneja. ‖ **de pescar.** La que sirve para pescar, y se compone de varios pedazos que entran unos en otros, en los cuales se fijan los arillos por donde pasa el sedal; éste se arrolla al carrete, fijo en el extremo de que se ase la **caña,** y sale por el opuesto, donde se ata el anzuelo. ‖ **de vaca.** Hueso de la pierna de la vaca. ‖ **2.** Tuétano de este hueso. ‖ **dulce. Caña de azúcar.** ‖ **espina.** Especie de bambú, cuyo tallo, de nudos espinosos, llega a 30 metros de altura y 18 centímetros de diámetro; sus hojas son ensiformes y ásperas en los bordes. ‖ **hueca.** *Bot. C. Rica* y *Méj.* **Caña,** 2.ª acep. ‖ **melar. Caña de azúcar.** ‖ **¡Cañas vanas, cañas vanas; mucho creces y poco granas!** ref. que condena las apariencias del hombre vanidoso y de poco entendimiento. ‖ **Correr cañas.** fr. Cañas, 17.ª acep. de **Caña.** ‖ **Jugar** a uno **a las cañas.** fr. fig. Acañaverearle. ‖ **Las cañas se vuelven lanzas.** fr. proverb. para expresar que algunas veces las cosas que empiezan por juego se hacen serias y graves. ‖ **Ser** uno **brava, buena,** o **linda, caña de pescar.** fr. fig. y fam. Ser muy astuto o taimado.

Cañacoro. m. Planta herbácea de la familia de las cannáceas, de metro y medio de altura, con grandes hojas aovadas, puntiagudas por ambas extremidades, y hermosas espigas de flores encarnadas. El fruto es una cápsula dividida en tres celdas llenas de muchas semillas globosas sin albumen, de que se hacen cuentas de rosario, y sirven a los indios en lugar de balas.

Cañada. (Del lat. *canna*, caña.) f. Espacio de tierra entre dos alturas poco distantes entre sí. ‖ **2.** Vía para los ganados trashumantes, que debía tener noventa varas de ancho. ‖ **3. Caña de vaca,** 2.ª acep. ‖ **4.** *Sal.* Tributo que pagaban los ganaderos a los guardas del campo por el paso de los ganados por el cordel o cañada. ‖ **Real cañada. Cañada,** 2.ª acep.

Cañada. (Del lat. *canna*, medida.) f. En Asturias y en algunas partes de Aragón, cierta medida de vino.

Cañadilla. f. Múrice **comestible,** común en los mares españoles, que, según se cree, utilizaban los antiguos para dar a las telas el famoso color de púrpura con el líquido rojo violado que el animal segrega.

Cañado. m. Medida para líquidos usada en Galicia, equivalente a unos 37 litros.

Cañaduz. (Del lat. *canna*, caña, y *dulcis*, dulce.) f. *And.* y *Colomb.* **Caña de azúcar.**

Cañaduzal. (De *cañaduz.*) m. *And.* y *Colomb.* **Cañamelar.**

Cañafístola. f. **Cañafístula.**

Cañafístula. (De *caña* y *fístula*, tubo, cañón.) f. Árbol de la familia de las papilionáceas, propio de los países intertropicales, de unos 10 metros de altura, con tronco ceniciento y ramoso, hojas compuestas de hojuelas enteras y puntiagudas, flores amarillas en racimos colgantes, y por frutos vainas cilíndricas de color pardo obscuro, que contienen de trecho en trecho una pulpa negruzca y dulce que se usa en medicina. ‖ **2.** Fruto de este árbol.

Cañaheja. (De *cañaherla.*) f. Planta umbelífera, de unos dos metros de altura, con raíces crasas, tallo recto, cilíndrico, hueco y ramoso, hojas divididas en tiras delgadísimas y flores amarillas; por incisiones hechas en la base se saca una gomorresina parecida al sagapeno. ‖ **2.** Tallo principal de esta planta después de cortado y seco. ‖ **hedionda. Tapsia.**

Cañaherla. (Del lat. *canna ferŭla.*) f. **Cañaheja,** 1.ª acep.

Cañahierla. f. ant. **Cañaherla.**

Cañahua. f. *Perú.* Especie de mijo que sirve de alimento a los indios y con el cual, fermentado, se hace chicha.

Cañahuatal. m. Terreno plantado de cañahuates.

Cañahuate. m. Árbol que se produce en Colombia, especie de guayaco.

Cañahueca. com. fig. Persona habladora y que no guarda secreto.

Cañajelga. f. **Cañaheja.**

Cañal. (De *caña.*) m. **Cañaveral.** ‖ **2.** Cerco de cañas que se hace en los ríos para pescar. ‖ **3.** Canal pequeño que se hace al lado de algún río para que entre la pesca y se pueda recoger con facilidad y abundancia. ‖ **4.** ant. **Cañería.** ‖ **5.** ant. Caño del agua.

Cañaliega. f. **Cañal,** 2.ª acep.

Cáñama. f. Repartimiento de cierta contribución, unas veces a proporción del haber y otras por cabezas. ‖ **2.** V. **Casa cáñama.**

Cañamar. m. Sitio sembrado de cáñamo.

Cañamazo. (Del lat. **cannabacĕus*, de *cannăbum*, cáñamo.) m. Estopa de cáñamo. ‖ **2.** Tela tosca de cáñamo. ‖ **3.** Tela de tejido ralo, dispuesta para bordar en ella con seda o lana de colores. ‖ **4.** La misma tela después de bordada. ‖ **5.** *Cuba.* Planta silvestre, gramínea, permanente y muy común, que comen los animales.

Cañamelar. (De *cañamiel.*) m. Plantío de cañas de azúcar.

Cañameño, ña. adj. Hecho con hilo de cáñamo.

Cañamero. m. *Al.* **Verderón,** 1.er art.

Cañamero, ra. adj. Perteneciente o relativo al cáñamo. *Industria* CAÑAMERA *de Tarrasa.*

Cañamiel. (Del lat. *canna*, caña, y *mel*, miel.) f. **Caña melar.**

Cañamiza. (De *cáñamo.*) f. **Agramiza,** 1.ª acep.

Cáñamo. (Del lat. *cannăbum.*) m. Planta anua, de la familia de las cannabáceas, de unos dos metros de altura, con tallo erguido, ramoso, áspero, hueco y velloso, hojas lanceoladas y opuestas, y flores verdosas. Su simiente es el cañamón. Esta planta se cultiva y prepara como el lino. ‖ **2.** Filamento textil de esta planta. ‖ **3.** Lienzo de **cáñamo.** ‖ **4.** Por sinécdoque, suele tomarse por alguna de varias cosas que se hacen de **cáñamo,** como la honda, la red, la jarcia, etc. ‖ **5.** *Amér.* Nombre que se da a varias plantas textiles. ‖ **6.** *C. Rica, Chile* y *Hond.* **Bramante,** 2.° art., 1.ª acep. ‖ **de Manila. Abacá,** 2.ª acep.

Cañamón. (De *cáñamo.*) m. Simiente del cáñamo, con núcleo blanco, redondo, más pequeño que la pimienta y cubierto de una corteza lisa de color gris verdoso. Se emplea principalmente para alimentar pájaros.

Cañamonado, da. (De *cañamón.*) adj. *And.* Dícese de algunas aves que tienen plumas de color verdoso como el cañamón.

Cañamoncillo. m. Arena muy fina que sirve para mezclas en tierras y argamasas.

Cañamonero, ra. m. y f. Persona que vende cañamones.

Cañar. m. **Cañal,** 1.ª y 2.ª aceps.

Cañareja. f. **Cañaheja,** 1.ª acep.

Cañarí. (De *caña.*) adj. *And.* Dícese de lo que es hueco como caña.

Cañariega. (De *cañar.*) f. *Sal.* Canal que se abre en las pesqueras de los molinos, para repartir el agua e impedir que la arena se acumule en un solo sitio.

Cañariego, ga. adj. Aplícase al pellejo de la res lanar que se muere en las cañadas. ‖ **2.** Dícese también de los hombres, perros y caballerías que van con los ganados trashumantes.

Cañarroya. (De *caña* y *royo.*) f. **Parietaria.**

Cañavera. f. **Carrizo,** 1.ª acep.

Cañaveral. (De *cañavera.*) m. Sitio poblado de cañas o cañaveras. ‖ **2.** Plantío de cañas. ‖ **Recorrer** uno **los cañaverales.** fr. fig. y fam. Andar de casa en casa, buscando dónde le den algo.

Cañaverar. tr. ant. **Cañaverear.**

Cañaverear. (De *cañavera.*) tr. **Acañaverear.**

Cañavereria. (De *cañaverero.*) f. Paraje donde se vendían cañas.

Cañaverero. (De *cañavera.*) m. El que vendía cañas.

Cañazo. m. Golpe dado con una caña. ‖ **2.** *Amér.* **Aguardiente de caña.** ‖ **3.** *Cuba.* Herida o golpe que se da el gallo de pelea, o le dan, en las cañas o piernas. || **Dar cañazo** a uno. fr. fig. y fam. Dejarle entristecido o pensativo. || **Darse cañazo.** fr. fig. y fam. *Cuba.* Engañarse, chasquearse.

Cañedo. (Del lat. *cannētum.*) m. **Cañaveral.**

Cañera. f. Cañero, 2.° art., 2.ª acep.

Cañería. f. Conducto formado de caños por donde se distribuyen las aguas o el gas.

Cañerla. f. **Cañaherla.**

Cañero. (De *caño.*) m. El que hace cañerías. || **2.** El que tiene por oficio cuidarlas.

Cañero. (De *caña.*) adj. *Méj.* Que sirve para los trabajos de la caña. || **2.** *And.* Utensilio en forma de doble bandeja, con agujeros en la parte superior para sujetar las cañas o vasos del vino de manzanilla al servirlos. || **3.** m. *Extr.* Pescador de caña. || **4.** *Cuba.* Vendedor de caña dulce. || **5.** *Hond.* El que tiene hacienda de caña de azúcar y destila el aguardiente. || **6.** *Méj.* Lugar en que se deposita la caña en los ingenios.

Cañeta. (d. de *caña.*) f. **Carrizo,** 1.ª acep.

Cañete. m. d. de **Caño.** || **2.** V. **Ajo cañete.**

Cañí. m. *Germ.* **Gitano,** 1.ª acep.

Cañiceras. f. pl. *Sal.* Polainas de vaqueta que protegen toda la pierna hasta el tobillo.

Cañifla. f. *C. Rica* y *Hond.* El brazo o pierna flacos o enjutos.

Cañiherla. f. ant. **Cañerla.**

Cañihueco. (De *caña* y *hueco.*) adj. V. **Trigo cañihueco.**

Cañilavado, da. (De *caña* y *lavado,* p. p. de *lavar.*) adj. Aplícase a los caballos y mulas que tienen las canillas delgadas.

Cañilero. (De *cañerla.*) m. *Sal.* **Saúco,** 1.ª acep.

Cañilla. (De *caña.*) f. *Chile.* Papelito o cañita en que los muchachos envuelven el hilo de las cometas.

Cañillera. f. **Canillera.**

Cañinque. adj. *Amér.* **Enclenque.**

Cañirla. (De *cañerla.*) m. **Caña.**

Cañista. com. Persona que hace cañizos. || **2.** m. El que tiene por oficio colocarlos en las obras.

Cañivano. (De *caña* y *vano.*) adj. **Cañihueco.**

Cañivete. (De *canivete,* ant. nórdico *knifr,* cuchillo.) m. ant. Cuchillo pequeño.

Cañiza. (De *caña.*) adj. V. **Madera cañiza.** || **2.** f. Especie de lienzo. || **3.** *León* y *Sal.* Conjunto de cañizos unidos entre sí por medio de pielgas, que sirve para formar corraliza o redil en que se encierran las ovejas en el campo.

Cañizal. m. **Cañizar.**

Cañizar. (De *caña.*) m. **Cañaveral.**

Cañizo. (Del lat. *cannicius,* de *canna,* caña.) m. Tejido de cañas y bramante o tomiza que sirve para camas en la cría de gusanos de seda, armazón en los toldos de los carros, sostén del yeso en los cielos rasos, etc. || **2.** *Sal.* **Cancilla.** || **3.** El timón del trillo.

Caño. (De *caña.*) m. Tubo corto de metal, vidrio o barro, a modo de cañuto. || **2. Albañal,** 1.ª acep. || **3.** En el órgano, conducto del aire que produce el sonido. || **4. Chorro,** 1.ª acep. || **5.** Cueva donde se enfría el agua. || **6.** En las bodegas, subterráneos donde están las cubas. || **7.** Galería de mina. || **8.** ant. Mina o camino subterráneo para comunicarse de una parte a otra. || **9.** *Ar.* **Vivar,** 1.ª acep. || **10.** *Mar.* Canal angosto, aunque navegable, de un puerto o bahía. || **11.** *Mar.* **Canalizo.**

Cañocal. adj. *Mar.* Dícese de la madera que se abre o raja fácilmente.

Cañocazo. adj. ant. V. **Lino cañocazo.**

Cañón. (aum. de *caño.*) m. Pieza hueca y larga, a modo de caña. CAÑÓN *de escopeta, de órgano, de anteojo, de fuelle.* || **2.** En los vestidos, parte que por su figura o doblez imita de algún modo al **cañón,** como, por ejemplo, ciertos pliegues de las togas, los de una clase de planchado que se llama encañonado, etc. || **3.** Parte córnea y hueca de la pluma del ave. || **4.** Pluma del ave cuando empieza a nacer. || **5.** Pluma de ave con que se escribe. || **6.** Lo más recio, inmediato a la raíz, del pelo de la barba. || **7.** Pieza de artillería, de gran longitud respecto a su calibre, destinada a lanzar balas, metralla o cierta clase de proyectiles huecos. Tiene diferentes denominaciones, según el uso a que se le destina o el lugar que ocupa, como **cañón** de batir, de campaña, de montaña, de crujía, etc. || **8.** Pieza de la antigua armadura, que pertenecía al brazal y se unía a él por la parte superior. || **9.** Cada uno de los dos hierros redondos que, unidos por el desveno o enlazados por un anillo, componen la embocadura de los frenos de los caballos. || **10.** Cencerro algo más pequeño que la zumba. || **11.** Paso estrecho o garganta profunda entre dos altas montañas, por donde suelen correr los ríos. || **12.** V. **Cabo carne, pólvora de cañón.** || **13.** *Colomb.* Tronco de un árbol. || **14.** *Perú.* **Camino,** 1.ª y 2.ª aceps. || **15.** *Germ.* Pícaro perdido que no tiene oficio ni domicilio. || **de chimenea.** Conducto que sube desde la campana de la chimenea y sirve de respiradero para que salga el humo. || **lanzacabos.** El pequeño, que sirve para disparar un proyectil especial con un cabo delgado unido a otro más grueso, por el cual, palmeándose, puedan salvarse los náufragos. || **naranjero.** El que calza bala del diámetro de una naranja. || **obús.** Pieza de artillería muy semejante al **cañón** ordinario, que se emplea para hacer fuego por elevación con proyectiles huecos. || **rayado.** El que tiene en el ánima estrías helicoidales para aumentar su alcance.

Cañonazo. m. Tiro del cañón de artillería. || **2.** Ruido y estrago que causa.

Cañonear. (De *cañón.*) tr. Batir a cañonazos. Ú. t. c. rec.

Cañoneo. m. Acción y efecto de cañonear.

Cañonera. f. **Tronera,** 1.ª acep. || **2.** Espacio en las baterías para colocar la artillería. || **3.** Tienda de campaña para soldados. || **4.** *Amér.* **Pistolera.** || **5.** *Mar.* Porta para el servicio de la artillería.

Cañonería. f. Conjunto de los cañones de un órgano. || **2.** Conjunto de cañones de artillería.

Cañonero, ra. adj. Aplícase a los barcos o lanchas que montan algún cañón. Ú. t. c. s. || **2.** V. **Lancha cañonera.**

Cañota. (De *caña.*) f. *Bot.* **Carrizo,** 1.ª acep.

Cañucela. f. Cañita delgada.

Cañuela. f. d. de **Caña.** || **2.** Planta anua, gramínea, de un metro de altura, hojas anchas, puntiagudas, planas, ligeramente estriadas y panojas laxas, verdes o violáceas. || **3.** *Chile.* **Cañilla.**

Cañutazo. (De *cañuto*) m. fig. y fam. Soplo o chisme.

Cañutería. (De *cañuto.*) f. **Cañonería,** 1.ª acep. || **2.** Labor de oro o plata hecha con cañutillo, 1.ª acep.

Cañutero. (De *cañuto.*) m. **Alfiletero.**

Cañutillo. (d. de *cañuto.*) m. Tubito sutil de vidrio que se emplea en trabajos de pasamanería. || **2.** Hilo de oro o de plata rizado para bordar. || **3.** Zurrón u hollejo en que la langosta guarda su simiente. || **4.** *Bot. Cuba.* Planta silvestre muy común, de la familia de las commelináceas, de hojas pequeñas y flores de color azul celeste. || **de suplicaciones. Suplicación,** 2.ª acep. || **De cañutillo.** m. adv. Uno de los modos de injertar, que se hace poniendo en contacto con el pie el trocito de rama con las yemas que han de recibir la savia y producir el nuevo árbol.

Cañuto. (De *caño.*) m. En las cañas, en los sarmientos y demás tallos semejantes, parte intermedia entre nudo y nudo. || **2.** Cañón de palo, metal u otra materia, corto y no muy grueso, que sirve para diferentes usos. || **3.** fig. y fam. **Soplón.** || **4.** ant. fig. **Cañutazo.** || **5.** *Ar.* **Cañutero.**

Cao. m. *Cuba.* Ave carnívora, de plumaje negro y pico corvo, muy semejante al cuervo, aunque más pequeña. Se domestica con facilidad y su carne es dura y desagradable. Se conocen dos especies, llamadas **cao montero** y **cao pinatero.**

Caoba. (Voz caribe.) f. Árbol de América, de la familia de las meliáceas, de unos 20 metros de altura, con tronco recto y grueso, hojas compuestas de hojuelas enteras y aovadas, flores pequeñas y blancas en panoja colgante y fruto capsular duro, leñoso, de la forma y tamaño de un huevo de pava. Su madera es muy estimada para muebles, por su hermoso aspecto y fácil pulimento. || **2.** Madera de este árbol.

Caobana. f. **Caoba,** 1.ª acep.

Caobilla. (De *caoba.*) f. *Bot.* Árbol silvestre de las Antillas, de la familia de las euforbiáceas, cuya madera es parecida a la caoba, y también imita algo al cedro por su color amarillento.

Caobo. m. **Caoba,** 1.ª acep.

Caolín. (Del chino *kao* alto, y *ling,* colina, nombre de los lugares de donde se toma esta arcilla.) m. Arcilla blanca muy pura que se emplea en la fabricación de la porcelana y del papel. Es un silicato de alúmina hidratado.

Caos. (Del lat. *chăos,* y éste del gr. χάος, abertura.) m. Estado de confusión en que se hallaban las cosas al momento de su creación, antes que Dios las colocase en el orden que después tuvieron. || **2.** fig. Confusión, desorden.

Caostra. f. ant. **Claustro,** 1.ª acep.

Caótico, ca. adj. Perteneciente o relativo al caos.

Cap. (Voz aragonesa, del lat. *caput,* cabeza.) m. *Ar.* Cabeza principal. || **2.** V. **Jurado en cap.**

Capa. (Del lat. *cappa,* especie de tocado de cabeza.) f. Ropa larga y suelta, sin mangas, que usan los hombres sobre el vestido: es angosta por el cuello, ancha y redonda por abajo y abierta por delante. Hácese de paño y de otras telas. || **2.** Prenda de forma y uso análogos para mujer. || **3.** Substancia diversa que se sobrepone en una cosa para cubrirla o bañarla. *Una* CAPA *de azúcar.* || **4.** Porción de algunas cosas que están extendidas unas sobre otras. CAPA *del terreno.* || **5.** Hoja de tabaco que, por su tersura y sanidad, se destina a envolver la tripa, formando el cigarro puro. || **6.** Cubierta con que se preserva de daño una cosa. || **7.** Color de los caballos y otros animales. || **8. Paca,** 1.er art. || **9.** V. **Veinticuatreno, veintidoseno de capas.** || **10.** fig. Pretexto con que se encubre un designio. || **11.** fig. **Encubridor.** CAPA *de ladrones.* || **12.** fig. Caudal, hacienda. || **13.** ant. En las aves, plumaje que cubre el lomo. || **14.** *Germ.* **Noche,** 1.ª acep. || **15.** *Blas.* División del escudo abierto en pabellón desde la mitad del jefe hasta la de los flancos. Es una variedad del cortinado, como también el mantelado. || **16.** *Com.* Cantidad que percibe el capitán de una nave, y se hace constar en la póliza de fletamento. || **17.** *Fort.* Especie de revestimiento que se hace con tierra y tepes sobre el talud del parapeto en las obras de campaña, para disimularlas y dar consistencia a las tierras de que están formadas. || **18.** *Geol.* **Estrato,** 1.ª acep. || **aguadera.** La que se hace de tela impermeable. || **2.** *Mar.* Trozo de lona embreada que rodea al palo de un buque en la parte próxima a la cubierta, y que se clava a ésta para impedir que entre el agua por la fogonadura. || **consistorial. Capa magna.** || **de coro.** La que usan los dignidades, canónigos y demás prebendados de las iglesias catedrales y colegiales para asistir en el coro a los oficios divinos y horas canónicas y para otros actos capitulares. || **2.** Prebendado de alguna iglesia catedral o colegial. || **del cielo.** fig. El mismo cielo, que cubre todas las cosas. || **de rey.** Especie de lienzo que se usaba antiguamente. || **2. Papagayo,** 3.ª acep. || **gascona. Capa aguadera.** || **inversora.** *Astron.* Zona media de la envoltura gaseosa del Sol, formada por gases incandescentes que tienen la propiedad de invertir el espectro, haciendo brillantes sus rayos. || **magna.** La que se ponen los arzobispos y obispos para asistir, en el coro de sus iglesias, a los oficios divinos y otros actos capitulares. || **negra.** fig. V. **Gente, hombre de capa negra.** || **parda.** fig. V. **Gente de capa parda.** || **pigmentaria.** La más profunda de la epidermis, formada por una sola capa de células que contienen el pigmento en forma de granulaciones casi imperceptibles. || **pluvial.** La que se ponen principalmente los prelados y los prestes en actos del culto divino. Lleva una cenefa ancha en los bordes delanteros y capillo o escudo por la espalda. || **rota.** fig. y fam. Persona que se envía disimuladamente para algún negocio de consideración. || **torera.** La que usan los toreros para su oficio. || **2.** Capa corta y airosa que suele llevar la gente joven, muy señaladamente en Andalucía. || **A capa vieja no dan oreja.** ref. que expresa cómo al pobre nadie le atiende ni ayuda. || **Al que veas con capa de lamparilla por Navidad, no le preguntes cómo le va.** ref. con que se denota que ir desabrigado en invierno, es claro indicio de falta de medios. || **Andar** uno **de capa caída.** fr. fig. y fam. Padecer gran decadencia en sus bienes, fortuna o salud. || **Capa, calzón y sayo, de un mesmo paño.** ref. que recomienda la uniformidad en cosas y hechos de carácter semejante. || **Capa negra y cofradía, no puede ser cada día.** ref. que muestra cómo el lujo y fiestas no han de ser continuos. || **Debajo de una mala capa hay,** o **suele haber, un buen bebedor,** o **vividor.** ref. que advierte que se suelen encontrar en un sujeto prendas y circunstancias que las señales exteriores no prometían. || **De capa y espada.** m. adv. V. **Comedia, consejero, hombre, ministro, plaza de capa y espada.** || **De capa y gorra.** m. adv. fig. y fam. Con traje de llaneza y confianza. || **Defender a capa y espada** a una persona o cosa. fr. fig. Patrocinarla a todo trance. || **Defender** uno su **capa.** fr. fig. y fam. Velar por su hacienda o derecho. || **Dejar la capa al toro.** fr. fig. y fam. Perder algo por salvarse de otro peligro mayor. || **Derribar** uno **la capa.** fr. Echarla hacia la espalda, desembarazando la acción de brazos y piernas. || **De so capa.** m. adv. ant. Secretamente, con soborno. || **Donde perdiste la capa, ahí la cata.** ref. que aconseja no descaecer de ánimo cuando se sufren pérdidas en el caudal o en algún negocio, sino proseguir buscando allí la fortuna. || **Echa la capa y bailemos, que buen rey tenemos.** ref. que reprende a los imprevisores. || **Echar** uno **la capa** a otro. fr. fig. Ocultar sus defectos, ampararle. || **Echar** uno **la capa al toro.** fr. fig. y fam. Intervenir en asunto que interesa a otro, para favorecerle. || **El que tiene capa, escapa.** ref. con que se da a entender que logra evitar riesgos o salir de conflictos el que para ello cuenta con medios adecuados o tiene quien le valga. || **Esperar, estar, o estarse, a la capa.** fr. *Mar.* Disponer las velas de la embarcación de modo que ande poco o nada. || **2.** fig. Guardar reserva, observando y esperando una ocasión favorable para algún fin. || **Guardar** uno su **capa.** fr. fig. y fam. **Defender** uno su **capa.** || **Hacer** uno **de su capa un sayo.** fr. fig. y fam. Obrar uno según su propio albedrío y con libertad en cosas o asuntos que a él solo pertenecen o atañen. || **Hacer** a uno **la capa.** fr. fig. y fam. Encubrirle. || **Ir** uno **de capa caída.** fr. fig. y fam. **Andar de capa caída.** || **No tener** uno **más que la capa en el hombro.** fr. fig. y fam. Estar muy pobre. || **Pasear** uno **la capa.** fr. fig. y fam. **Callejear.** || **Ponerse a la capa.** fr. *Mar.* **Esperar, estar, o estarse, a la capa.** || **Que por allá, que por acá, daca la capa.** ref. contra los que intentan disfrazar con pretextos sus malos hechos. || **Quien tiene capa, escapa; quien chapirón, o escapa o non.** ref. con que se denota que el rico puede salir mejor que el pobre de cualquier aprieto. || **Quitar** a uno **la capa.** fr. fig. y fam. Robarle, cobrarle con título de derechos más de lo lícito y justo. || **Ron, ron; tras la capa te andan.** ref. que manifiesta cómo el que tiene que perder debe vivir prevenido. || **Sacar la capa.** fr. En la lidia, desviar del cuerpo al toro con la capa, pasándola con limpieza por encima de éste. || **Sacar** uno **la capa,** o su **capa.** fr. fig. Justificarse o argüir bien en algún trance apretado. || **Salir** uno **de capa de raja.** fr. fig. y fam. Pasar de trabajos y miserias a mejor fortuna. || **So capa.** m. adv. fig. Con aspecto falso o pretexto. || **Soltar** uno **la capa.** fr. fig. **Dejar la capa al toro.** || **Tirar** a uno **de la capa.** fr. fig. y fam. Advertirle de algún mal, defecto o peligro, para que no caiga en él. || **Todos son buenos, u honrados, mas mi capa no parece.** ref. que pondera la dificultad de hallar el autor de un daño cuando son varios los que pudieron causarlo. || **Una buena capa todo lo tapa.** ref. con que se da a entender que una buena apariencia puede encubrir muchas faltas.

Capá. (Voz americana.) m. Árbol de las Antillas, de la familia de las borragináceas, cuya madera es de mucho uso en la construcción de buques, porque no la ataca la broma.

Capacear. intr. ant. *Ar.* Detenerse con frecuencia en la calle para hablar con las personas. || **2.** tr. *Murc.* Transportar en capazos, 1.er art.

Capaceta. f. *Sal.* Capa de hojas anchas, como de parra o de higuera, con que se cubren los cestos en que se transporta la fruta.

Capacete. (Del fr. *cabasset,* de *cabas,* y éste del lat. *capax, -ăcis,* capaz.) m. Pieza de la armadura, que cubría y defendía la cabeza. || **2.** *Cuba.* Pieza de paño que cubría por delante el quitrín o volante para resguardar, a los que ocupaban el asiento, del sol, del polvo o de la lluvia.

Capacidad. (Del lat. *capacĭtas, -ātis.*) f. Espacio hueco de alguna cosa, suficiente para contener otra u otras. || **2.** Extensión o espacio de algún sitio o local. || **3.** Aptitud o suficiencia para alguna cosa. || **4.** fig. Talento o disposición para comprender bien las cosas. || **5.** fig. Oportunidad, lugar o medio para ejecutar alguna cosa. || **6.** *For.* Aptitud legal para ser sujeto de derechos y obligaciones, o facultad más o menos amplia de realizar actos válidos y eficaces en derecho.

Capacitar. tr. Hacer a uno apto, habilitarle para alguna cosa. Ú. t. c. r. || **2.** *Chile.* Falcultar o comisionar a una persona para hacer algo.

Capacha. f. **Capacho,** 2.ª acep. || **2.** Esportilla de palma para llevar fruta y otras cosas menudas. || **3.** fig. y fam. Orden de San Juan de Dios, cuyos religiosos en un principio recogían en **capachas** la limosna que pedían para los pobres.

Capachada. f. *Chile.* Lo que cabe en un capacho o capacha.

Capachero. m. El que se ocupa en portear en capachos alguna mercadería.

Capacho. (De *capazo.*) m. Espuerta de juncos o mimbres que suele servir para llevar fruta. || **2.** Media sera de esparto con que se cubren los cestos de frutas y las seras del carbón y donde suelen comer los bueyes. || **3.** Especie de espuerta de cuero o de estopa muy recia, en que los albañiles llevan la mezcla de cal y arena desde el montón para la obra. || **4.** Seroncillo de esparto apretado, compuesto de dos piezas redondas cosidas por el canto: la de abajo tiene un agujero pequeño, y la de arriba otro mayor, por donde se llena de la aceituna ya molida. Se apilan, se riegan con agua hirviendo, y sobre todos carga la viga o prensa, para que salga el aceite. || **5. Chotacabras,** 3.ª acep. || **6.** Planta tropical del género del cañacoro y de fruto comestible. || **7.** fig. y fam. Religioso de la orden de San Juan de Dios. || **8.** *Bot. Venez.* Planta de la familia de las cannáceas, cuya raíz es comestible y de uso en medicina. Hay dos variedades: una blanca y otra morada. || **9.** *Venez.* Raíz de esta planta.

Capada. f. fam. Lo que cabe en la punta de la capa, recibiendo sobre los brazos la tela delantera, de modo que forme bolsa. || **2.** ant. **Alondra.**

Capadillo. m. ant. Especie de chilindrón o parte de él.

Capadocio, cia. adj. Natural de Capadocia. Ú. t. c. s. || **2.** Perteneciente a esta región de Asia.

Capador. m. El que tiene el oficio de capar. || **2. Castrapuercas.**

Capadura. f. Acción y efecto de capar. || **2.** Cicatriz que queda al castrado. || **3.** Hoja de tabaco de calidad inferior, que se emplea para picadura y alguna vez para tripas.

Capar. (De *capón,* 1.er art.) tr. Extirpar o inutilizar los órganos genitales. || **2.** fig. y fam. Disminuir o cercenar.

Capararoch. m. Ave de rapiña de las nocturnas, que vive en América.

Caparazón. (Del prov. *capairon,* y éste del lat. *cappa,* capa.) m. Cubierta que se pone al caballo que va de mano para tapar la silla y aderezo, y también la de cuero con que se preserva de la lluvia a las caballerías de tiro. || **2.** Cubierta que se pone encima de algunas cosas para su defensa. || **3.** Serón que contiene el pienso y se cuelga de la cabeza de la caballería. || **4.** Esqueleto torácico del ave. || **5.** Cubierta quitinosa incrustada por sales calizas que se extiende por encima del tórax y a veces por todo el dorso de muchos crustáceos. || **6.** *Zool.* Cutícula de los protozoos. || **7.** *Zool.* Coraza que protege el cuerpo de los quelonios.

Caparidáceo, a. (De *cappăris,* nombre de un género de plantas.) adj. *Bot.* Dícese de plantas angiospermas dicotiledóneas, herbáceas o arbóreas, sin látex, con hojas simples o compuestas, flores actinomorfas o cigomorfas y fruto en baya o silicua; como la alcaparra. Ú. t. c. s. || **2.** f. pl. *Bot.* Familia de estas plantas.

Caparídeo, a. (Del lat. *cappăris,* alcaparra.) adj. *Bot.* **Caparidáceo.**

Caparina. f. *Ast.* **Mariposa,** 1.ª acep.

Caparra. (Del lat. *crabrus, der. regres. de crabro, -ōnis, tábano.) f. En algunas partes, **garrapata,** 1.ª acep. || **2.** fig. y fam. *Ar.* Persona pesada en su conversación o advertencias.

Caparra. (Del ital. *caparra.*) f. **Señal,** 11.ª acep.

Caparra. f. *Ar.* **Alcaparra.**

Caparro. m. *Perú* y *Venez.* Mono lanoso de pelo blanco.

Caparrón. (De *caparra*, 3.er art.) m. Botón que sale de la yema de la vid o del árbol. || **2.** *Ál.* Alubia más corta y gruesa que la común. || **3.** *Rioja.* Judía de vainas sin briznas y de semilla corta y redondeada. || **4.** *Rioja.* Fruto o semilla de esta planta.

Caparrós. m. *Ar.* **Caparrosa.**

Caparrosa. (Del fr. *couperose*, y éste del germ. *kupferasche.*) f. Sal compuesta de ácido sulfúrico y de cobre o hierro. || **azul.** La que tiene cobre. Se emplea en medicina y tintorería. || **blanca.** Sulfato de cinc. || **roja.** Variedad de la verde, roja o amarilla de ocre. || **verde.** La que tiene hierro. Se usa en tintorería.

Capasurí. m. *C. Rica.* Venado que tiene los cuernos cubiertos por la piel.

Capataz. (Del lat. *caput, -ĭtis*, cabeza.) m. El que gobierna y vigila a cierto número de operarios. || **2.** Persona a cuyo cargo está la labranza y administración de las haciendas de campo. || **3.** En las casas de moneda, el encargado de recibir el metal marcado y pesado para las labores. || **de cultivo.** Persona de conocimientos prácticos para auxiliar a los ingenieros agrónomos y a los de montes.

Capataza. f. Mujer del capataz, 2.ª acep., dedicada a faenas propias de su cargo.

Capaz. (Del lat. *capax, -ācis.*) adj. Que tiene ámbito o espacio suficiente para recibir o contener en sí otra cosa. || **2.** Grande o espacioso. || **3.** fig. Apto, proporcionado, suficiente para alguna cosa determinada. || **4.** fig. De buen talento, instruido, diestro. || **5.** *For.* Apto legalmente para una cosa.

Capaza. (De *capazo*, 1.er art.) f. *Ar.* y *Murc.* **Capacho,** 4.ª acep. || **2.** *Sal.* **Capaceta.**

Capazmente. adv. m. Con capacidad, con anchura.

Capazo. (Del lat. *capax, -ācis*, capaz.) m. Espuerta grande de esparto o de palma.

Capazo. m. Golpe dado con la capa. || **Acabarse, o salir, a capazos.** fr. fig. y fam. Parar una reunión en desavenencia o riña.

Capción. (Del lat. *captĭo, -ōnis.*) f. **Captación.** || **2.** *For.* **Captura.**

Capcionar. (De *capción.*) tr. ant. *For.* **Capturar.**

Capciosamente. adv. m. Con artificio y engaño.

Capciosidad. f. Calidad de capcioso.

Capcioso, sa. (Del lat. *captiōsus.*) adj. Artificioso, engañoso.

Capdal. (Del lat. *capitālis*, capital.) adj. ant. **Cabdal.** || **2.** ant. V. **Camino capdal.**

Capea. f. Acción de capear, 2.ª acep. || **2.** Lidia de becerros o novillos por aficionados.

Capeador. m. El que capea o roba la capa.

Capear. tr. Despojar a uno de la capa, especialmente en poblado y de noche. || **2.** Hacer suertes con la capa al toro o novillo. || **3.** fig. y fam. Entretener a uno con engaños o evasivas. || **4.** Eludir mañosamente un compromiso o un trabajo desagradable. || **5.** *Mar.* **Esperar, estar,** o **estarse, a la capa,** 1.ª acep. || **6.** *Mar.* Mantenerse sin retroceder más de lo inevitable cuando el viento es duro y contrario. || **7.** *Mar.* Sortear el mal tiempo con adecuadas maniobras.

Capeja. f. despect. Capa pequeña o mala.

Capel. (Del cat. *capell*, y éste del lat. *cappĕllus*, capillo.) m. *Ar.* Capullo del gusano de seda.

Capela. (Del lat. *capella*, cabrita.) f. *Astron.* **Cabra,** 9.ª acep.

Capelán. m. Pez de la familia de los salmónidos, de color verde obscuro por el lomo, con aletas grises orilladas de negro. Vive en los mares septentrionales y se utiliza generalmente como cebo para la pesca del abadejo.

Capelardente. (Del lat. *capella*, capilla, y *ardens, -entis*, ardiente.) f. ant. **Capilla ardiente.**

Capelete. (De *capuleto.*) m. Individuo de una familia veronesa enemiga tradicional de otra llamada de los Montescos.

Capelina. f. *Cir.* **Capellina,** 4.ª acep.

Capelo. (Del ital. *cappello*, y éste del lat. *cappĕllus*, sombrero.) m. Cierto derecho que los obispos percibían del estado eclesiástico. || **2.** Sombrero rojo, insignia de los cardenales de la Santa Iglesia Romana. || **3.** fig. Dignidad de cardenal. *El Papa dio el* CAPELO; *vacó el* CAPELO. || **4.** ant. **Sombrero,** 1.ª acep. || **5.** *Amér.* **Fanal,** 4.ª acep. || **6.** *Blas.* Timbre del escudo de los prelados, consistente en el sombrero forrado de gules y los cordones pendientes con 15 borlas, en los cardenales; sombrero de sinople para los arzobispos y obispos, y negro o sable para los abades. Las borlas de los cordones son 10 para los primeros y 6 y 3 en los demás. || **de doctor.** *Amér.* **Capirote,** 4.ª acep. || **No lo quiero, no lo quiero, mas échamelo en el capelo.** ref. que reprende la hipocresía del que se finge desprendido y a la vez solicita su provecho.

Capellada. (De *capilla.*) f. **Puntera,** 2.ª acep. || **2.** Remiendo que se echa en la pala a los zapatos rotos. || **3. Pala,** 10.ª acep. || **4.** V. **Tabla de capellada.**

Capellán. (Del prov. *capellán*, y éste del lat. **capellānus*, de *capella*, capilla.) m. El que obtiene alguna capellanía. || **2.** Cualquiera eclesiástico, aunque no tenga capellanía. || **3.** Sacerdote que dice misa en un oratorio privado y frecuentemente mora en la casa. || **4.** V. **Colegial capellán.** || **de altar.** El que canta las misas solemnes en palacio los días en que no hay capilla pública. || **2.** Sacerdote destinado para asistir al que celebra. || **de coro.** Sacerdote sin prebenda, asistente al coro en los oficios divinos y horas canónicas. Suele tener cada uno nombre especial, como el sochantre, etc. || **de honor.** El que decía misa a las personas reales en su oratorio privado y asistía a funciones de la capilla real en el banco que llaman de **capellanes.** || **del ejército y de la armada.** El que ejerce sus funciones en las fuerzas de mar y tierra. || **mayor.** Superior de un cabildo o comunidad de **capellanes.** || **mayor de los ejércitos. Vicario general castrense.** || **mayor del rey.** Prelado que tenía la jurisdicción espiritual y eclesiástica en palacio y en las casas y sitios reales, como también sobre los criados de S. M. Ésta la ejercía el patriarca de las Indias. || **real.** El nombrado por el rey, como los hay en las capillas reales de Toledo, Sevilla, Granada, etc. || **A buen capellán, mejor sacristán. A mal capellán, mal sacristán.** refs. ambos que se toman en mal sentido, censurando la falta de cumplimiento en su oficio a uno y otro.

Capellanía. (De *capellán.*) f. Fundación en la cual ciertos bienes quedan sujetos al cumplimiento de misas y otras cargas pías. || **colativa.** La que el ordinario erige en beneficio, reservando para sí la colación. || **laical.** Aquella en que no intervenía la autoridad eclesiástica.

Capellar. (Del lat. **cappĕlla*, d. de *cappa*, capa.) m. Especie de manto a la morisca que se usó en España.

Capellina. (Del lat. **cappĕlla*, d. de *cappa*, capa.) f. Pieza de la armadura que cubría la parte superior de la cabeza. || **2.** Capucho usado por los rústicos para resguardarse del agua y del aire frío. || **3.** fig Soldado de a caballo armado de **capellina.** || **4.** *Cir.* Vendaje en forma de gorro. || **5.** *Min.* Campana de hierro o bronce bajo la cual se colocaban en América las pellas de plata en sus vasos y hornillos para desazogarlas por destilación y afinar la plata por el fuego. || **6.** *Min.* Mufla de grandes dimensiones para afinar la plata en cantidad considerable.

Capeo. m. Acción de robar la capa o de capear al toro. || **2.** pl. **Capea,** 2.ª acep.

Capeón. m. Novillo que se capea.

Capero. (De *capa.*) adj. V. **Tabaco capero.** || **2.** m. El que en iglesias catedrales, colegiales y otras asiste al coro y al altar con capa pluvial, por días o semanas, conforme a los estatutos. || **3. Cuelgacapas.**

Caperol. m. *Mar.* Extremo superior de cualquiera pieza de construcción, y especialmente el de la roda en las embarcaciones menores.

Caperucear. (De *caperuza.*) tr. Quitarse el sombrero, gorra o caperuza para saludar.

Caperuceta. f. d. de **Caperuza,** 1.ª acep.

Caperuza. (Del b. lat. *capero*, y éste del lat. *cappa*, capa.) f. Bonete que remata en punta inclinada hacia atrás. || **2.** Cilindro hueco de barro con que se cubría la plata mientras se desazogaba ésta por medio del fuego. || **Dar en caperuza** a uno. fr. fig. y fam. Darle en la cabeza, hacerle daño, frustrarle sus designios o dejarle cortado en la disputa. || **Echar caperuzas a la tarasca.** fr. con que se reprende la ambición insaciable o la ingratitud de algunas personas.

Caperuzado, da. adj. *Blas.* **Capirotado.**

Caperuzón. m. aum. de **Caperuza,** 1.ª acep.

Capeta. f. d. de **Capa,** 1.ª acep. || **2.** Capa corta y sin esclavina, que no pasa de la rodilla.

Capetonada. f. Vómito violento que ataca a los europeos que pasan la zona tórrida.

Capi. (Voz quichua.) m. *Amér. Merid.* **Maíz.** || **2.** *Chile.* Vaina de simiente, como el fréjol, cuando está tierna.

Capia. (Voz quichua que significa *maíz blanco.*) f. *Argent., Colomb.* y *Perú.* Maíz blanco y muy dulce que se emplea en la preparación de golosinas. || **2.** *Argent.* y *Colomb.* Dulce o masita compuesta con harina de **capia** y azúcar.

Capialzado. adj. *Arq.* Dícese del arco o dintel más levantado por uno de sus frentes para formar el derrame o declive en una puerta o ventana. Ú. t. c. s.

Capialzar. (De *cap* [del lat. *caput*, cabeza] y *alzar.*) tr. *Arq.* Levantar un arco o dintel por uno de sus frentes para formar el derrame volteado sobre una puerta o ventana.

Capialzo. m. *Arq.* Pendiente o derrame del intradós de una bóveda.

Capiatí. (Del guaraní *capiú*, pasto, y *atí*, espina, espinoso.) m. *Argent.* Planta de uno a dos metros de altura y cuyas hojas se usan como remedio en algunas enfermedades de la boca.

Capicatí. (De *capií-catí*, en guaraní, *pasto oloroso.*) m. Planta ciperácea americana cuya raíz, muy aromática y de sabor cálido y acre, sirve para fabricar un licor especial en el Paraguay.

Capicúa. (Del cat. *cap*, cabeza, y *cúa*, cola.) m. En el juego del dominó, ganarlo con una ficha que puede colocarse en cualquiera de los dos extremos. En el uso común, una cifra que, como el número 1331, es igual leída de izquierda a derecha que de derecha a izquierda.

Capichola. f. Tejido de seda que forma un cordoncillo a manera de burato.

Capicholado, da. adj. Semejante a la capichola.

Capidengue. (De *capa* y *dengue.*) m. Especie de pañuelo o manto pequeño con que se cubrían las mujeres.

Capigorra. (De *capa* y *gorra.*) m. **Capigorrón,** 1.ª acep.

Capigorrista. adj. fam. **Capigorrón,** 1.ª acep. Ú. t. c. s.

Capigorrón. adj. fam. Ocioso y vagabundo que andaba comúnmente de capa y gorra. Ú. t. c. s. ‖ **2.** Dícese del que tiene órdenes menores y se mantiene así sin pasar a las mayores. Ú. t. c. s.

Capiguara. (Del guaraní *capiiguá.*) m. *Amér.* **Carpincho.**

Capilar. (Del lat. *capillāris,* de *capillus,* cabello.) adj. Perteneciente o relativo al cabello. ‖ **2.** Dícese de los fenómenos producidos por la capilaridad. ‖ **3.** fig. Se aplica a los tubos muy angostos, comparables al cabello. ‖ **4.** *Anat.* Cada uno de los vasos muy finos que, en forma de red, enlazan en el organismo la terminación de las arterias con el comienzo de las venas.

Capilaridad. f. Calidad de capilar. ‖ **2.** *Fís.* Propiedad de atraer un cuerpo sólido y hacer subir por sus paredes, hasta cierto límite, el líquido que las moja, como el agua, y de repeler y formar en su rededor un hueco o vacío con el líquido que no las moja, como el mercurio.

Capilarímetro. m. *Fís.* Aparato para graduar la pureza de los alcoholes.

Capilla. (Del lat. **cappĕlla,* d. de *cappa,* capa.) f. Capucha sujeta al cuello de las capas, gabanes o hábitos. ‖ **2.** Edificio contiguo a una iglesia o parte integrante de ella, con altar y advocación particular. ‖ **3.** Cuerpo o comunidad de capellanes, ministros y dependientes de ella. ‖ **4.** Cuerpo de músicos asalariados de alguna iglesia. ‖ **5.** En los colegios, junta o cabildo que hacen los colegiales para tratar de los negocios de su comunidad. ‖ **6.** Oratorio portátil de los regimientos y otros cuerpos militares. ‖ **7. Oratorio,** 1.er art., 2.ª acep. ‖ **8.** V. **Maestro de capilla.** ‖ **9.** ant. Capullo o vaina en que se cría la semilla de algunas hierbas. ‖ **10.** fig. y fam. Religioso regular, a diferencia del clérigo secular. ‖ **11.** *Impr.* Pliego que se entrega suelto durante la impresión de una obra. ‖ **ardiente.** fig. La de la iglesia en que se levanta el túmulo y se celebran honras solemnes por algún difunto. Se llama ardiente por estar alumbrada con muchas luces. ‖ **2.** fig. Oratorio fúnebre provisional donde se celebran las primeras exequias por una persona, en la misma casa en que ha fallecido. ‖ **mayor.** Parte principal de la iglesia, en que están el presbiterio y el altar mayor. ‖ **negra.** ant. fig. **Paro carbonero.** ‖ **real.** La de regio patronato. ‖ **2.** La que tenía el rey en su palacio. ‖ **Estar en capilla,** o **en la capilla.** fr. Dícese del reo desde que se le notifica la sentencia de muerte hasta la ejecución, tiempo durante el cual permanece en cualquiera pieza de la cárcel dispuesta como **capilla.** ‖ **2.** fig. y fam. Estar alguno esperando muy cerca el éxito de una pretensión o negocio que le da cuidado. ‖ **No quiero, no quiero; pero echádmelo en la capilla.** ref. **No quiero, no quiero; pero echádmelo en el sombrero.** ‖ **No son todos los que traen capilla frailes.** ref. **El hábito no hace al monje.**

Capillada. f. Porción que cabe en la capilla o caperuza que se usa en varias provincias. ‖ **2.** Golpe dado con la capilla, 1.ª acep.

Capilleja. f. d. de **Capilla,** 1.ª acep. ‖ **2.** ant. **Caperuceta.**

Capillejo. m. d. de **Capillo,** 2.ª acep. ‖ **2.** Especie de cofia que se usaba antiguamente. ‖ **3.** Madeja de seda, doblada y torcida en disposición de usarla para coser.

Capiller. m. **Capillero.** ‖ **2.** En algunas partes, muñidor de cofradía.

Capillero. m. Encargado de una capilla y de lo perteneciente a ella.

Capilleta. f. d. de **Capilla,** 2.ª y 3.ª aceps. ‖ **2.** Nicho o hueco en figura de capilla.

Capillo. (Del lat. **cappĕllus,* d. de *cappa,* capa.) m. Cubierta de lienzo que se pone en la cabeza a los niños de pecho. ‖ **2.** Capucha y mantilla que usaban las labradoras de tierra de Campos y también las mujeres principales, con la diferencia de traerla de seda y bordada. ‖ **3.** Vestidura de tela blanca que se pone en la cabeza de los niños al bautizarlos. ‖ **4.** Derecho que cobra la fábrica cuando se usa el **capillo** de la iglesia. ‖ **5.** Paño con que se cubría la ofrenda de pan, etc., que se hacía a la iglesia. ‖ **6. Capirote,** 8.ª acep. ‖ **7.** Refuerzo con que se ahueca la punta del zapato para que no se lastimen los dedos. ‖ **8. Rocadero,** 3.ª acep. ‖ **9.** Red con que se tapan las bocas de los vivares después de haber echado el hurón para que los conejos que salen huyendo caigan en ella. ‖ **10.** Manga de lienzo para colar la cera. ‖ **11. Capullo,** 1.ª, 2.ª, 3.ª y 8.ª aceps. ‖ **12.** Hoja de tabaco que forma la primera envoltura de la tripa de los cigarros puros. ‖ **13.** *Sal.* Trampa, engaño. ‖ **14.** *Mar.* Cubierta de hoja de lata o madera con que se preservan de la humedad las bitácoras cuando están forradas de cobre. ‖ **15.** *Mar.* Pedazo de lona con que se recubren los chicotes de los obenques. ‖ **de hierro Capacete,** 1.ª acep. ‖ **Lo que en el capillo se toma y pega, con la mortaja se deja.** ref. **Lo que en la leche se mama, en la mortaja se derrama.** ‖ **Ponte el capillo, ruin, que viene abril.** ref. que, en general, aconseja tomar las precauciones debidas para resistir algún daño.

Capilludo, da. adj. Perteneciente a la capilla, 1.ª acep., o semejante a ella. ‖ **2.** Que tiene o usa capilla, 1.ª acep.

Capín. m. *Bot. Amér. Merid.* Planta forrajera de la familia de las **gramíneas.**

Capincho. m. En algunos lugares del Río de la Plata, **carpincho.**

Capingo. m. Capa corta y de poco ruedo que se usó en Chile en el siglo XVIII y principios del siguiente.

Capipardo. m. Hombre del pueblo bajo, artesano.

Capirón. (Del lat. *cappa.*) m. ant. Cubierta de la cabeza.

Capirotada. (De *capirote.*) f. Aderezo hecho con hierbas, huevos, ajos y otros adherentes para cubrir y rebozar con él otros manjares. ‖ **2.** *Amér.* Plato criollo que se hace con carne, maíz tostado y queso, manteca y especias. ‖ **3.** *Méj.* Entre el vulgo, la fosa común del cementerio.

Capirotado, da. adj. *Blas.* Dícese de cualquiera figura humana o animal con caperuza, singularmente las aves de caza con el capirote puesto.

Capirotazo. m. Golpe que se da generalmente en la cabeza, haciendo resbalar con violencia, sobre la yema del pulgar, el envés de la última falange de otro dedo de la misma mano.

Capirote. (De *capirón.*) adj. Dícese de la res vacuna que tiene la cabeza de distinto color que el cuerpo. ‖ **2.** m. Capucho antiguo con falda que caía sobre los hombros y a veces llegaba a la cintura. ‖ **3.** Capucho, unido a veces a la loba cerrada, que se usó como traje de luto en los siglos XVI y XVII. ‖ **4.** Muceta con capillo, del color respectivo de cada facultad, que usan los doctores en ciertos actos solemnes. ‖ **5.** Beca que usaban los colegiales militares de Salamanca. Era de figura cuadrada, cubría la espalda y por delante se aseguraba con dos caídas, todo ello de paño negro. ‖ **6.** Cucurucho de cartón, cubierto de tela blanca o de color, que traían en la cabeza los disciplinantes en las procesiones de cuaresma. ‖ **7.** El que traen, cubierto de holandilla negra o de otro color, los que van a las procesiones de semana santa tocando las trompetas o alumbrando. ‖ **8.** Caperuza de cuero que se pone a las aves de cetrería para que se estén quietas, hasta que han de volar. ‖ **9. Capota,** 1.er art., 3.ª acep. ‖ **10. Capirotazo.** ‖ **11.** fam. V. **Bobo, tonto de capirote.** ‖ **de colmena.** Barreño o medio cesto invertido con que se suelen cubrir las colmenas cuando tienen mucha miel.

Capirotera. (De *capirote.*) f. ant. **Caperuza,** 1.ª acep.

Capirotero. adj. Dícese del azor o del halcón hecho al capirote.

Capirucho. m. fam. **Capirote,** 2.ª acep.

Capisayo. m. Vestidura corta a manera de capotillo abierto, que sirve de capa y sayo. ‖ **2.** Vestidura común de los obispos. ‖ **3.** *Colomb.* **Camiseta.**

Capiscol. (Del b. lat. *capischolus,* y éste del lat. *caput,* cabeza, y *schola,* escuela.) m. **Chantre.** ‖ **2.** En algunas provincias, sochantre que rige el coro, gobernando el canto llano. ‖ **3.** *Germ.* **Gallo,** 1.ª acep.

Capiscolía. f. Dignidad de capiscol, 1.ª acep.

Capistro. (Del lat. *capĭstrum.*) m. *Arqueol.* Arnés con que los romanos defendían la cabeza de los caballos de batalla.

Capitá. m. *Amér. Merid.* Pajarillo de cuerpo negro y cabeza de color rojo encendido.

Capitación. (Del lat. *capitatĭo, -ōnis.*) f. Repartimiento de tributos y contribuciones por cabezas.

Capital. (Del lat. *capitālis.*) adj. Tocante o perteneciente a la cabeza. ‖ **2.** Aplícase a los siete pecados o vicios que son cabeza u origen de otros; como la soberbia, etc. ‖ **3.** Dícese de la población principal y cabeza de un Estado, provincia o distrito. Ú. t. c. s. ‖ **4.** fig. Principal o muy grande. Dícese sólo de algunas cosas. *Enemigo, error* CAPITAL. ‖ **5.** V. **Letra capital.** Ú. t. c. s. ‖ **6.** V. **Pecado, pena capital.** ‖ **7.** m. Hacienda, caudal, patrimonio. ‖ **8.** Cantidad de dinero que se presta, se impone o se deja a censo sobre una o varias fincas. ‖ **9.** Caudal o bienes que aporta el marido al matrimonio. ‖ **10.** Valor permanente de lo que de manera periódica o accidental rinde u ocasiona rentas, intereses o frutos. ‖ **11.** Elemento o factor de la producción formado por la riqueza acumulada que en cualquier aspecto se destina de nuevo a aquélla en unión del trabajo y de los agentes naturales. ‖ **12.** f. *Fort.* Línea imaginaria que es bisectriz en un ángulo saliente en el trazado de una fortificación. ‖ **circulante,** o **de rotación.** El que, destinado a producir, cambia sucesivamente de forma, siendo primeras materias, productos elaborados, numerario, créditos, etc. ‖ **fijo.** El que se destina, con incorporación y forma estables, a la producción, como son los edificios o las máquinas de una fábrica. ‖ **líquido.** Residuo del activo, detraído el pasivo de una persona natural o jurídica.

Capitalidad. f. Calidad de ser una población cabeza o capital de partido, de provincia, región o estado.

Capitalismo. m. Régimen económico fundado en el predominio del capital como elemento de producción y creador de riqueza. ‖ **2.** Conjunto de capitales o capitalistas, considerado como entidad económica.

Capitalista. (De *capital,* caudal.) adj. Propio del capital o del capitalismo. ‖ **2.** V. **Socio capitalista.** ‖ **3.** com. Persona acaudalada, principalmente en dinero o valores, a diferencia del hacendado, poseedor de fincas valiosas. || **4.** *Com.* Persona que coopera con su capital a uno o más negocios, en oposición a la que contribuye con sus servicios o su pericia.

Capitalizable. adj. Que puede capitalizarse

Capitalización. f. Acción y efecto de capitalizar.

Capitalizar. tr. Fijar el capital que corresponde a determinado rendimiento o interés, según el tipo que se adopta para el cálculo. || **2.** Agregar al capital el importe de los intereses devengados, para computar sobre la suma los réditos ulteriores, que se denominan interés compuesto.

Capitalmente. adv. m. Mortalmente, gravemente.

Capitán. (Del ital. *capitano*, y éste del lat. *caput, -ĭtis*, cabeza.) m. Oficial del ejército a quien reglamentariamente corresponde el mando de una compañía, escuadrón o batería. || **2.** El que manda un buque mercante de altura, y antiguamente, solía llamarse así al comandante del barco de guerra. || **3.** Genéricamente, caudillo militar. || **4.** El que es cabeza de alguna gente forajida. CAPITÁN *de salteadores, de bandoleros.* || **5.** V. **Baratería de capitán.** || **6.** ant. *Mil.* **General,** 5.ª acep. || **7.** fig. y fam. V. **Las cuentas del Gran Capitán.** || **a guerra.** Autoridad civil habilitada para entender en asuntos de guerra. En lo antiguo eran los corregidores, gobernadores y alcaldes mayores. || **de alto bordo. Capitán de navío.** || **de bandera.** En la armada, el que manda y gobierna el buque en que va el general. || **de batallón.** El que mandaba una compañía de infantería de marina. || **de corbeta.** Oficial del cuerpo general de la armada, cuya categoría equivale a la de comandante de ejército. || **de fragata.** Oficial del cuerpo general de la armada, cuya categoría equivale a la de teniente coronel de ejército. || **de guardias de Corps.** El que mandaba, con inmediata subordinación al rey, una compañía de estos guardias. || **de lanzas.** El que, en la antigua organización del ejército español, mandaba cierto número de soldados de caballería armados de lanzas. || **de llaves.** En las plazas de armas, el encargado de abrir y cerrar las puertas a las horas de ordenanza. || **de maestranza.** desus. Comandante de arsenal. || **de mar y guerra.** El que mandaba navío de guerra. || **de navío.** Oficial del cuerpo general de la armada, cuya categoría equivale a la de coronel de ejército. En la organización antigua de la marina, el **capitán** de navío de primera clase tenía categoría igual a la de brigadier de ejército. || **de partido.** Autoridad que ejercía en la isla de Cuba funciones administrativas y judiciales bajo la dependencia de los gobernadores y sus tenientes. || **de proa.** Marinero encargado, generalmente por castigo, de la limpieza de los beques. || **de puerto.** Oficial de la marina de guerra encargado del orden y policía del puerto. || **general.** El superior de todos los oficiales y cabos militares de un ejército, distrito o armada; y se nombraba, **capitán general** de ejército, **capitán general** de distrito o **capitán general** de la armada. Son cargos hoy suprimidos. || **2.** Grado supremo de la milicia. || **mayor.** ant. **Capitán general.** || **pasado.** En Filipinas, nombre del que había sido gobernadorcillo. || **preboste.** Oficial que en tiempo de guerra y durante la campaña se solía nombrar para que con su compañía cuidase de perseguir a los malhechores, formándoles sumaria y sentenciándolos, y de velar sobre la observancia de los bandos y órdenes del general y sobre todo lo perteneciente a la policía. || **Capitán vencido, ni loado ni bien recibido.** ref. que enseña que el desgraciado, aun siéndolo sin culpa, no suele hallar compasión ni justicia.

Capitana. f. Nave en que va embarcado y arbola su insignia el jefe de una escuadra. || **2.** fam. Mujer que es cabeza de una tropa. || **3.** fam. Mujer del capitán.

Capitanear. tr. Mandar tropa haciendo oficio de capitán. || **2.** fig. Guiar o conducir cualquiera gente, aunque no sea militar ni armada.

Capitaneja. f. *Bot. C. Rica, Méj.* y *Nicar.* Planta perenne de la familia de las compuestas, que se emplea en la medicina rural.

Capitanía. f. Empleo de capitán. || **2.** Voz genérica que se empleó hasta el siglo XVI para designar la fuerza militar equivalente al batallón o regimiento modernos. || **3.** Compañía de soldados, con sus oficiales subalternos, mandada por un capitán. || **4.** **Anclaje,** 3.ª acep. || **5.** ant. Gobierno militar. || **6.** ant. **Señorío,** 1.ª y 2.ª aceps. || **de puerto.** Oficina del capitán de puerto. || **general.** Cargo que ejercía un capitán general de región o territorio, y territorio de la misma. || **2.** Edificio donde residía el capitán general, con sus oficinas militares. || **3.** En América, durante la dominación española, extensa demarcación territorial gobernada con relativa independencia del virreinato a que pertenecía.

Capitel. (Del prov. *capitell*, y éste del lat. *capitĕllum*, cabecita.) m. *Arq.* Parte superior de la columna y de la pilastra que las corona con figura y ornamentación distintas, según el estilo de arquitectura a que corresponde. Suele dividirse en tres partes: astrágalo tambor y ábaco. || **2.** *Arq.* **Chapitel,** 1.ª acep. || **compuesto.** El que tiene ábaco chaflanado, escotado y decorado, cuarto bocel también decorado, volutas y hojas de acanto. || **dórico.** En Grecia, el formado por ábaco liso, equino y ánulos. En Roma, el de ábaco moldurado, cuarto bocel en vez de equino, collarino con florones y astrágalo. || **jónico.** El que tiene ábaco moldurado, tambor adornado con volutas y astrágalo. || **toscano.** El que tiene ábaco liso, cuarto bocel, collarino también liso y astrágalo.

Capítol. (Del cat. *capítol*, y éste del lat. *capitŭlum*, capítulo.) m. ant. **Capítulo,** 6.ª acep. || **2.** ant. **Cabildo,** 1.ª acep.

Capitolino, na. (Del lat. *capitolinus.*) adj. Perteneciente o relativo al Capitolio. *Júpiter* CAPITOLINO, *Monte* CAPITOLINO. || **2.** m. Cada una de las cabezuelas o puntas de piedras preciosas que se usan para adorno de ciertos objetos.

Capitolio. (Del lat. *capitolium.*) m. fig. Edificio majestuoso y elevado. || **2.** *Arqueol.* **Acrópolis.**

Capitón. (Del lat. *capito, -ōnis.*) m. Mújol o cabezudo. || **2.** *Sal.* **Cabezada,** 1.ª y 2.ª aceps. || **3.** *Sal.* Vuelta, voltereta.

Capitoso, sa. (Del lat. *capito*, cabezudo.) adj. ant. Caprichudo, terco o tenaz en su dictamen u opinión.

Capítula. (Del lat. *capitŭla*, capítulos.) f. Lugar de la Sagrada Escritura que se reza en todas las horas del oficio divino después de los salmos y las antífonas, excepto en maitines.

Capitulación. (Del lat. *capitulatio, -ōnis.*) f. Concierto o pacto hecho entre dos o más personas sobre algún negocio, comúnmente grave. || **2.** Convenio en que se estipula la rendición de un ejército, plaza o punto fortificado. || **3.** pl. Conciertos que se hacen entre los futuros esposos y se autorizan por escritura pública, al tenor de los cuales se ajusta el régimen económico de la sociedad conyugal. || **4.** Escritura pública en que constan tales pactos.

Capitulado, da. (Del lat. *capitulātus.*) adj. Resumido, compendiado. || **2.** m. Disposición capitular, capitulación, concierto constante de artículos.

Capitulante. p. a. de **Capitular.** Que capitula. || **2.** m. ant. **Capitular.**

Capitular. adj. Perteneciente o relativo a un cabildo secular o eclesiástico o al capítulo de una orden. *Casas* CAPITULARES, *Sala* CAPITULAR. || **2.** V. **Manto capitular.** || **3.** m. Individuo de alguna comunidad eclesiástica o secular con voto en ella, como el canónigo en su cabildo y el regidor en su ayuntamiento.

Capitular. (De *capítulo.*) intr. Pactar, hacer algún ajuste o concierto. || **2.** Entregarse una plaza de guerra o un cuerpo de tropas bajo determinadas condiciones. || **3.** Cantar las capítulas de las horas canónicas. || **4.** Disponer, ordenar, resolver. || **5.** tr. Hacer a uno capítulos de cargos por excesos o delitos en el ejercicio de su empleo.

Capitulario. m. Libro de coro que contiene las capítulas.

Capitularmente. adv. m. En forma de capítulo o cabildo.

Capítulo. (Del lat. *capitŭlum.*) m. Junta que hacen los religiosos y clérigos reglares a determinados tiempos, conforme a los estatutos de sus órdenes, para las elecciones de prelados y para otros asuntos. Es general cuando concurren todos los vocales de una orden y se elige el general de ella, y provincial cuando asisten sólo los de una provincia y se nombra provincial. || **2.** En las órdenes militares, junta de los caballeros y demás vocales de alguna de ellas para sus asuntos comunes, y también la que se hace para poner el hábito a algún caballero. || **3.** Cabildo secular. || **4.** Reprensión grave que se da a un religioso en presencia de su comunidad. || **5.** Cargo que se hace a quien ejerció un empleo. || **6.** División que se hace en los libros y en cualquier otro escrito para el mejor orden y más fácil inteligencia de la materia. || **7.** fig. Determinación, resolución. || **8.** *Ar.* **Cabildo,** 1.ª y 2.ª aceps. || **9.** *Bot.* **Cabezuela,** 6.ª acep. || **de culpas. Capítulo,** 5.ª acep. || **provincial.** En la orden de San Juan, tribunal de apelación, compuesto de cinco vocales. || **Capítulos matrimoniales. Capitulación,** 3.ª y 4.ª aceps. || **Ganar,** o **perder, capítulo.** fr. fig. y fam. Conseguir o no lo que se pretendía o trataba entre muchos. || **Llamar,** o **traer, a uno a capítulo.** fr. fig. Residenciarle, obligarle a que dé cuenta de su conducta.

Capizana. f. Pieza de la barda o armadura del caballo, que cubría la parte superior del cuello y se componía de varias launas en escama.

Capnomancia [~ **mancía**]. (Del gr. καπνός, humo, y μαντεία, predicción.) f. Adivinación supersticiosa hecha por medio del humo, que practicaban los antiguos.

Capolado. (De *capolar.*) m. *Ar.* **Picadillo.**

Capolar. (Del lat. *capulāre*, cortar.) tr. Despedazar, dividir en trozos. || **2.** *Ar.* Picar la carne para hacer picadillo. || **3.** *Murc.* Cortar la cabeza a alguno, degollarle.

Capón. (Del lat. *cappo, por *capo, -ōnis.*) adj. Dícese del hombre y del animal castrado. Apl. a pers., ú. t. c. s. || **2.** m. Pollo que se castra cuando es pequeño, y se ceba para comerlo. || **3.** Haz de sarmientos. || **4.** *Mar.* Cadena o cabo grueso, firme en la serviola, que sirve para tener suspendida el ancla por el arganeo. || **de galera.** Especie de gazpacho que se hace con bizcocho, aceite, vinagre, ajos, aceitunas y otros adherentes. || **de leche.** El cebado en caponera. || **Al capón que se hace gallo, azotallo.** ref. en que se advierte que merece castigo el que se hace altanero y orgulloso sin tener méritos para ello. || **A quien te da el capón, dale la pierna y el alón.** ref. que advierte que seamos agradecidos.

Capón. (Del cat. *cap*, y éste del lat. *caput*, cabeza.) m. fam. Golpe dado en la cabeza con el nudillo del dedo del corazón. || **de ceniza.** fam. Golpe dado en la frente con un trapo atado y lleno de ceniza.

Capona. (De *capón*, 1.er art.) adj. V. **Llave capona.** || **2.** f. Divisa militar como la charretera, pero sin canelones.

Caponada. f. *Ál.* Fogata que se hace con leña menuda o ramaje.

Caponar. (De *capón*, 1.er art.) tr. Atar los sarmientos en la vid para que no embaracen al labrar la tierra. || **2.** ant. **Capar,** 1.ª acep.

Caponera. adj. V. **Yegua caponera.** Ú. t. c. s. || **2.** f. Jaula de madera en que se pone a los capones para cebarlos. Suele servir de banco en las cocinas. || **3.** fig. y fam. Sitio o casa en que alguno halla conveniencia, asistencia o regalo sin costa alguna. || **4.** fig. y fam. **Cárcel,** 1.ª acep. Ú. en la fr. **estar metido en caponera.** || **5.** *Fort.* Obra de fortificación que primitivamente consistió en una estacada con aspilleras y troneras para defender el foso. En nuestro tiempo se da este nombre a una galería o a una casamata colocada en sitios diversos para el flanqueo de un foso o de varios, del cuerpo de plaza. || **doble.** Comunicación desde la plaza a las obras exteriores, trazada al través del foso seco y defendida por ambos lados con parapetos, generalmente provistos de troneras o de aspilleras.

Caporal. (Del ital. *caporale*, y éste del lat. *caput*, cabeza.) adj. ant. Capital o principal. Decíase sólo de algunas cosas, como de los vientos. || **2.** m. El que hace cabeza de alguna gente y la manda. || **3.** El que tiene a su cargo el ganado que se emplea en la labranza. || **4.** *Amér.* Capataz de una estancia de ganado. || **5.** *Germ.* **Gallo,** 1.ª acep. || **6.** *Mil.* **Cabo de escuadra.**

Caporalista. m. **Caporal,** 2.ª acep.

Capororoca. (Del guaraní *caá* y *pororog*, hierba que estalla.) m. *R. de la Plata.* Árbol de la familia de las mirsináceas, de tronco empinado, ramas altas y hojas de color verde obscuro que, arrojadas al fuego, estallan ruidosamente.

Caporos. (Del lat. *capori, -oros.*) m. pl. Antiguo pueblo de Galicia, el más meridional del Convento lucense, y cuyo territorio se extendía desde las fuentes de los ríos Ulla y Tambre hasta el Padrón.

Capota. (Del lat. *caput*, cabeza.) f. Cabeza de la cardencha. || **2.** Tocado femenino, por lo común de menos lujo que el sombrero, más ceñido a la cabeza y sujeto con cintas por debajo de la barba. || **3.** Cubierta plegadiza que llevan algunos carruajes.

Capota. (De *capote.*) f. **Capeta,** 2.ª acep.

Capotazo. m. Suerte del toreo hecha con el capote para ofuscar o detener al toro.

Capote. (Del fr. *capot*, y éste der. del lat. *cappa*, capa.) m. Capa de abrigo hecha con mangas y con menor vuelo que la capa común. || **2.** Especie de gabán ceñido al cuerpo y con largos faldones, que usan los soldados de infantería como prenda de abrigo en las marchas. || **3.** fig y fam. **Ceño,** 2.° art., 1.ª acep. || **4.** fig. y fam. **Cargazón,** 3.ª acep. || **de brega.** Capa de color vivo, por lo común rojo, algo más larga que el capote de paseo, usada por los toreros para la lidia. || **de dos faldas,** o **haldas. Capotillo de dos faldas,** o **haldas.** || **de montar** Prenda de uniforme que usan, para su abrigo a caballo, las plazas montadas del ejército. || **de monte.** Manta de jerga o paño, con una abertura guarnecida de cuello en el centro, para sacar la cabeza, y a veces con botones para cerrar los costados. || **de paseo.** Capa corta de seda con esclavina, bordada de oro o plata con lentejuelas, que los toreros de a pie usan en el desfile de las cuadrillas y al entrar y salir de la plaza. || **A,** o **para, mi capote.** m. adv. fig. y fam. A mi modo de entender, en mi interior. || **Aunque me veis con este capote, otro tengo allá en el monte.** ref. contra los que se jactan de poseer lo que no tienen. || **Dar capote.** fr. fig. y fam. En algunos juegos de naipes, hacer uno de los jugadores todas las bazas en una mano. || **Dar capote** a uno. fr. fig. y fam. **Llevar** uno **capote.** || **2** fig. y fam. Dejarle corrido y sin tener qué contestar en discusión o controversia. || **3.** fig. y fam. Dejarle sus compañeros sin comer por haber llegado tarde. || **4.** *Chile* y *Méj.* Capotearle, engañarle, burlarlo. || **De capote.** m. adv. *Méj.* Ocultamente, a escondidas. || **Decir** uno **a,** o **para,** su **capote** alguna cosa. fr. fig. y fam. **Decirla a,** o **para,** su **sayo.** || **Echar un capote.** fr. fig. y fam. Terciar en una conversación o disputa para desviar su curso o evitar un conflicto entre dos o más personas. || **Llevar** uno **capote.** fr. fig. y fam. En algunos juegos de naipes, quedarse un jugador sin hacer baza en una mano.

Capotear. (De *capote.*) tr. **Capear,** 2.ª acep. || **2.** fig. **Capear,** 3.ª acep. || **3.** fig. Evadir mañosamente las dificultades y compromisos.

Capoteo. m. Acción de capotear, 1.ª acep.

Capotera. (De *capote.*) f. *Amér.* Percha para la ropa. || **2.** *Venez.* Maleta de viaje hecha de lienzo y abierta por los extremos.

Capotero, ra. (De *capote.*) adj. V. **Aguja capotera.** || **2.** m. El que hacía capotes.

Capotillo. (d. de *capote.*) m. Prenda a manera de capote o capa, que llegaba hasta la cintura. || **2.** Capote corto que usaban las mujeres. || **de dos faldas,** o **haldas.** Casaquilla hueca, abierta por los costados hasta abajo y cerrada por delante y por detrás, con mangas que se podían dejar caer a la espalda. || **2.** Capote que para distintivo ponía la Inquisición a los penitentes reconciliados.

Capotudo, da. (De *capote*, 3.ª acep.) adj. **Ceñudo.**

Cappa. f. **Kappa.**

Caprario, ria. (Del lat. *caprarius.*) adj. Perteneciente a la cabra.

Capricornio. (Del lat. *capricornus; de capra*, cabra, y *cornu*, cuerno.) m. *Astron.* Décimo signo o parte del Zodíaco, de 30° de amplitud, que el Sol recorre aparentemente al comenzar el invierno. || **2.** *Astron.* Constelación zodiacal que en otro tiempo debió de coincidir con el signo de este nombre, pero que actualmente, por resultado del movimiento retrógrado de los puntos equinocciales, se halla delante del mismo signo y un poco hacia el oriente.

Capricho. (Del ital. *capriccio*, y éste del lat. *caper*, macho cabrío.) m. Idea o propósito que uno forma, sin razón, fuera de las reglas ordinarias y comunes. || **2.** Obra de arte en que el ingenio rompe, con cierta gracia o buen gusto, la observancia de las reglas. || **3.** Antojo, deseo vehemente.

Caprichosamente. adv. m. Según el capricho.

Caprichoso, sa. adj. Que obra por capricho y lo sigue con tenacidad. || **2.** Que se hace por capricho.

Caprichudo, da. (De *capricho.*) adj. **Caprichoso,** 1.ª acep.

Caprifoliáceo, a. (Del lat. *caprifolium*, madreselva.) adj. *Bot.* Dícese de matas y arbustos angiospermos, de hojas opuestas, cáliz adherente al ovario y semillas con albumen carnoso, de cubierta crustácea; como el saúco, el mundillo o bola de nieve, el durillo y la madreselva. Ú. t. c. s. f. || **2.** f. pl. *Bot.* Familia de estas plantas.

Capriforme. adj. Se dice del excremento humano que tiene forma parecida al de la cabra.

Caprino, na. (Del lat. *caprinus.*) adj. **Cabruno.**

Caprípede. adj. poét. **Caprípedo.**

Caprípedo, da. (Del lat. *capripes, -ĕdis;* de *caper*, macho cabrío, y *pes*, pie.) adj. De pies de cabra.

Capsueldo. m. *Ar.* Beneficio que se concede al que paga por adelantado.

Cápsula. (Del lat. *capsŭla*, d. de *capsa*, caja.) f. Cajita cilíndrica de metal con que se cierran herméticamente las botellas después de llenas y taponadas con corcho. || **2.** Cilindro pequeño y hueco, hecho de una hoja delgada de cobre, cerrado por una de sus bases, en cuyo fondo hay un fulminante cubierto de barniz. Ajustado a la chimenea del arma de fuego, se inflama el mixto al caer el gatillo y comunica el fuego a la carga. || **3.** *Bot.* Fruto seco, dehiscente, con una o más cavidades que contienen varias semillas y cuya dehiscencia se efectúa según un plano que no es perpendicular al eje del fruto; como el de la amapola. || **4.** *Farm.* Envoltura insípida y soluble de ciertos medicamentos desagradables al paladar. || **5.** *Quím.* Vasija de bordes muy bajos que se emplea principalmente para evaporar líquidos. || **atrabiliaria,** o **renal.** ant. *Zool.* **Cápsula suprarrenal.** || **del cristalino.** *Zool.* La que contiene a éste. || **sinovial.** *Zool.* Membrana en forma de saco cerrado, que tapiza las superficies articulares de los huesos y contiene un líquido llamado sinovia. || **suprarrenal.** *Anat.* **Glándula suprarrenal.**

Capsular. adj. Perteneciente o semejante a la cápsula.

Capsular. tr. Cerrar definitivamente las botellas, poniéndoles la cápsula.

Captación. f. Acción y efecto de captar.

Captador, ra. adj. Que capta. Ú. t. c. s. CAPTADOR *de herencias.*

Captar. (Del lat. *captāre*, frec. de *capĕre*, coger.) tr. Con voces como *voluntad, benevolencia, estimación, atención*, etc., atraer, conseguir, lograr lo que estas voces significan. Ú. t. c. r. || **2.** Tratándose de aguas, recoger convenientemente las de uno o más manantiales.

Captatorio, ria. adj. Que capta.

Captenencia. (De *captener.*) f. ant. Conservación, amparo o protección.

Captener. (Del lat. *caput*, cabeza, y *tenēre*, guardar.) tr. ant. Conservar o proteger.

Captivante. p. a. ant. de **Captivar.** Que captiva.

Captivar. tr. ant. **Cautivar.**

Captiverio. m. ant. **Cautiverio.**

Captividad. f. ant. **Cautividad.**

Captivo, va. (Del lat. *captivus*, cautivo.) adj. ant. **Cautivo.** Ú. t. c. s. || **2.** ant. Infeliz, desdichado. || **3.** m. ant. **Captiverio.**

Captura. (Del lat. *captūra*, de *capĕre*, coger.) f. Acción y efecto de capturar.

Capturar. (De *captura.*) tr. Aprehender a persona que es o se reputa delincuente.

Capuana. f. fam. **Zurra,** 2.ª acep.

Capuceta. f. En algunas comarcas, diminutivo de capuz o chapuz.

Capucete. m. *Ar.* Capuceta, chapuz. || **2.** *Ar.* Acción de arrojarse de cabeza al agua para bañarse.

Capucha. (De *capucho.*) f. Capilla que las mujeres traían en las manteletas, caída ordinariamente sobre la espalda. || **2.** Capucho, 1.ª acep. || **3.** *Impr.* **Acento circunflejo.** || **4.** *Zool.* Conjunto de plumas que cubre la parte superior de la cabeza de las aves.

Capuchina. (De *capucha.*) f. Planta trepadora de la familia de las tropeoláceas, de tallos sarmentosos, de tres a cuatro metros de largo, con hojas alternas abroqueladas y flores en forma de capucha, de color rojo anaranjado, olor aromático suave y sabor algo picante. Es originaria del Perú, se cultiva por adorno en los jardines, y se suele usar en ensaladas. || **2.** Lamparilla portátil de metal, con apagador en forma de capucha. || **3.** Dulce de yema cocido al baño de María, y comúnmente en figura de capucha. || **4.** Cometa de papel en forma de capucha y sin armadura. || **5.** *Impr.* Conjunto de dos o más chibaletes unidos por su parte posterior.

Capuchino, na. (De *capucha.*) adj. Dícese del religioso descalzo de la orden de San Francisco, que trae barba larga, hábito y manto corto de sayal pardo obscuro, sandalias y un capucho puntiagudo que cae hacia la espalda y sirve para cubrir la cabeza. Ú. t. c. s. || **2.** Dícese de la religiosa descalza de la orden de San Francisco, que sigue la regla y vida de los religiosos **capuchinos.** Ú. t. c. s. || **3.** Perteneciente o relativo a la orden de los **capuchinos.** || **4.** *Chile.* Aplícase a la fruta muy pequeña. || **5.** m. V. **Polvo de capuchino.** || **6.** V. **Mono capuchino.** || **Llover capuchinos,** o **capuchinos de bronce.** fr. fig. y fam. Caer la lluvia con gran intensidad o ímpetu.

Capucho. (Del ital. *cappuccio.*) m. Pieza del vestido, que sirve para cubrir la cabeza; remata en punta, y se puede echar a la espalda. || **2.** ant. **Capullo,** 1.ª y 2.ª aceps.

Capuchón. m. aum. de **Capucha,** 1.ª y 2.ª aceps. || **2.** Abrigo, a manera de capucha, que suelen usar las damas, sobre todo de noche. || **3.** Prenda carcelaria, destinada a estorbar la comunicación entre los presos fuera de las celdas. || **4.** Dominó corto.

Capuleto. (Del ital. *Capuletto.*) m. **Capelete.**

Capulí. (De *capulín.*) m. Árbol de América, de la familia de las rosáceas, de unos 15 metros de altura, especie de cerezo, que da una frutilla de gusto y olor agradables. || **2.** Fruta de este árbol. || **3.** *Cuba.* **Capulina,** 1.ª y 2.ª aceps. || **4.** *Perú.* Fruto de una planta solanácea, parecido a una uva, de sabor agridulce, que se emplea como condimento. || **cimarrón.** El silvestre, que no se come.

Capúlido. (De *cápulo.*) adj. *Zool.* Dícese de moluscos gasterópodos, existentes en todos los mares, cuya concha se distingue por su figura de bonete cónico y por su ancha abertura. Ú. t. c. s. m. || **2.** m. pl. *Zool.* Familia de estos animales.

Capulín. (Voz azteca.) m. **Capulí,** 1.ª acep.

Capulina. f. *Amer.* Cereza que produce el capulí. || **2.** *Cuba.* Árbol silvestre, de la familia de las tiliáceas, que alcanza hasta 20 metros de altura; de ramas velludas con hojas oblongas, flores blancas, fruta globosa, pequeña, rojiza y agradable. Su madera es dura, fina, amarillenta, con venas parduscas. || **3.** *Méj.* Araña negra muy venenosa. || **4.** *Méj.* **Ramera.** || **5.** adj. *Méj.* V. **Vida capulina.**

Cápulo. (Del lat. *cāpŭlus,* puño de espada.) m. Molusco gasterópodo, tipo de la familia de los capúlidos.

Capultamal. m. *Méj.* Tamal o torta de capulí, 2.ª acep.

Capullina. (De *capullo.*) f. *Sal.* Copa de árbol.

Capullo. (Del lat. *capŭlum,* cabecita.) m. Envoltura de la figura y tamaño de un huevo de paloma y de color pajizo, blanco o azulado, dentro de la cual se encierra, hilando su baba, el gusano de seda para transformarse en crisálida. || **2.** Obra análoga de las larvas de otros insectos. || **3.** Botón de las flores, especialmente de la rosa. || **4. Cascabillo,** 3.ª acep. || **5.** Manojo de lino cocido, cuyas hebras se anudan por las puntas o cabezas. || **6.** Tela basta hecha de seda de **capullos.** || **7.** V. **Seda de capullos,** o **de todo capullo.** || **8. Prepucio.** || **ocal.** El formado por dos o más gusanos de seda juntos. || **En capullo.** loc. fam. Dícese de lo que está en sus comienzos y ya muestra lo que puede llegar a ser.

Capuz. m. **Capucho,** 1.ª acep. || **2.** Vestidura larga y holgada, con capucha y una cola que arrastraba: se ponía encima de la demás ropa, y servía en los lutos. || **3.** Cierta capa o capote que antiguamente se usaba por gala. || **4. Chapuz,** 1.er art.

Capuzar. (Del lat. *caput,* cabeza, y **puteāre,* sumergir.) tr. **Chapuzar.** || **2.** *Mar.* Cargar y hacer calar el buque de proa.

Capuzón. (De *capuzar.*) m. *Murc.* **Chapuzón.**

Caquéctico, ca. (Del gr. καχεκτικός.) adj. Relativo a la caquexia. || **2.** Que padece caquexia. Apl. a pers., ú. t. c. s.

Caquexia. (Del gr. καχεξία, mala constitución, de καχέκτης; de κακός, malo, y ἔχω, estar.) f. *Bot.* Decoloración de las partes verdes de las plantas por falta de luz. || **2.** *Med.* Estado de extrema desnutrición producido por enfermedades consuntivas; como la tuberculosis, las supuraciones, el cáncer, etc.

Caqui. m. *Bot.* Árbol de la familia de las ebenáceas, originario del Japón y de la China, del que se cultivan numerosas variedades en Europa y América del Sur; su fruto, dulce y carnoso, del tamaño de una manzana aproximadamente, es comestible. || **2.** Fruto de este árbol.

Caqui. (Del ingl. *khaki,* y éste del indostánico *khākī,* de color de polvo.) m. Tela de algodón o de lana, cuyo color varía desde el amarillo de ocre al verde gris. Se empezó a usar para uniformes militares en la India, y de allí se extendió su empleo a otros ejércitos. || **2.** Color de esta tela.

Caquino. (Del lat. *cachinnus.*) m. *Méj.* Risa muy ruidosa, carcajada. Ú. m. en pl.

Car. (Del b. gr. κάροιον.) m. *Mar.* Extremo inferior y más grueso de la entena.

Car. (Del lat. *quāre.*) conj. causal ant. **Porque.**

Cara. (Del lat. *cara,* y éste del gr. κάρα, cabeza.) f. Parte anterior de la cabeza desde el principio de la frente hasta la punta de la barba. Se dice, por ext., de algunos animales; como la lechuza, el mono, el toro y el perro. || **2. Semblante,** 2.ª acep. *José me recibió con buena* CARA. || **3.** V. **Encaje de la cara.** || **4.** Parte inferior o base del pan de azúcar. || **5.** V. **Miel de caras.** || **6.** Fachada o frente de alguna cosa. || **7.** Superficie de alguna cosa. || **8. Anverso,** 1.ª acep. || **9.** fig. Presencia de alguno. || **10.** fig. V. **Hombre de dos caras.** || **11.** *Agr.* Conjunto de entalladuras contiguas hechas en un árbol. || **12.** *Geom.* Cada plano de un ángulo diedro o poliedro. || **13.** *Geom.* Cada una de las superficies que forman o limitan un poliedro. || **14.** adv. l. **Hacia,** 1.ª acep. CARA *adelante;* CARA *al sol.* || **apedreada.** fig. y fam. **Cara de rallo.** || **con dos haces.** fig. y fam. Persona que habla u obra de modo diverso en presencia o en ausencia de alguno. || **de acelga.** fig. y fam. Persona de color pálido o verdinegro. || **de aleluya.** fig. y fam. **Cara de pascua.** || **de gualda.** fig. y fam. Persona muy pálida. || **de hereje.** fig. y fam. Catadura fea, horrible. || **de juez,** o **de justo juez.** fig. y fam. Semblante severo y adusto. || **del montón.** *Agr.* Parte del trigo que en la limpia cae del lado que sopla el viento, y es el grano mejor y de más peso. || **de pascua.** fig. y fam. La apacible, risueña y placentera. || **de perro.** fig. y fam. Semblante expresivo de hostilidad o de reprobación. || **de pocos amigos.** fig. y fam. La que tiene el aspecto desagradable o adusto. || **de rallo.** fig. y fam. La muy picada de viruelas. || **de risa.** fig. y fam. **Cara de pascua.** || **de vaqueta.** fig. y fam. Semblante muy serio, hostil. || **2.** fig. y fam. Persona que no tiene vergüenza. || **de viernes.** fig. y fam. La macilenta y triste. || **de vinagre.** fig. y fam. **Cara de pocos amigos.** || **empedrada.** fig. y fam. **Cara de rallo.** || **larga.** fig. y fam. La que expresa tristeza o contrariedad. || **y cruz.** Juego de las chapas. || **A cara descubierta.** m. adv. fig. **Paladinamente.** || **Andar a cara descubierta.** fr. fig. Obrar sin disimulo, cual suelen quienes proceden bien y conforme a razón. || **A primera cara.** m. adv. ant. **A primera vista.** || **Caérsele a uno la cara de vergüenza.** fr. fig. y fam. Sonrojarse. || **Cara a cara.** m. adv. En presencia de otro y descubiertamente. Dícese también figuradamente de algunas cosas inanimadas. || **2.** En presencia, delante de alguno. || **Cara a cara, vergüenza se cata.** ref. que da a entender que en presencia de uno no se dice, por respeto, lo que a sus espaldas se habla sin reparo. || **2.** También denota que se niega con alguna dificultad lo que se pide **cara a cara.** || **Cara de beato y uñas de gato.** ref. contra los hipócritas. || **Cara pone mesa, que no barba, o pierna, tiesa.** ref. que enseña cuánto son más agradables la humildad o buenas y graciosas maneras que la altivez y la soberbia. || **Cara sin dientes hace a los muertos vivientes.** ref. que irónicamente denota que el buen alimento, como el de carne de gallina, hace recobrar las fuerzas perdidas, y en cierto modo da la vida. || **Cruzar la cara** a uno. fr. Darle en ella una bofetada, un latigazo, etc. || **Cual tenéis la cara, tal tengáis la pascua.** ref. que va contra los mal agestados por efecto de su mala condición. || **Dar en cara** a uno. fr. fig. Reconvenirle afeándole alguna cosa. || **Dar la cara.** fr. fig. Responder de los propios actos y afrontar las consecuencias. || **Dar** uno **la cara por** otro. fr. fig. y fam. Salir a su defensa. || **2.** fig. y fam. Abonarle, responder por él. || **De cara.** m. adv. **Enfrente,** 1.ª acep. *Da el sol* DE CARA. || **Echar a cara o cruz** una cosa. fr. Jugarla o librar su decisión a cierto azar que consiste en tirar por alto una moneda, apostando uno a que, al llegar al suelo, quedará hacia arriba la **cara,** y el otro a que quedará la cruz. || **Echar a la cara,** o **en cara,** o **en la cara,** a uno alguna cosa. fr. fig. **Darle en cara.** || **2.** fig. Recordarle algún beneficio que se le ha hecho. || **En la cara se le conoce.** expr. fam. **La cara se lo dice.** || **Escupir en la cara** a uno. fr. fig. y fam. Burlarse de él **cara a cara,** despreciándole mucho. || **Estar mirando a la cara** a uno. fr. fig. y fam. Poner sumo esmero en complacerle. || **Ganar la cara.** fr. fig. Ir con cuidado a ponerse enfrente de las reses. || **Guardar** uno **la cara.** fr. fig. Ocultarse, procurar no ser visto ni conocido. || **Hacer a dos caras.** fr. fig. Proceder con doblez. || **Hacer cara.** fr. Oponerse, resistir. || **2.** fig. y fam. Condescender, dar oídos a lo que se propone. || **Huir la cara.** fr. fig. Evitar el trato de alguna persona. || **La cara se lo dice.** expr. fam. con que se denota la conformidad entre las inclinaciones o costumbres de una persona y su semblante. Tómase por lo común en mala parte. || **Lavar la cara** a una cosa. fr. fig. y fam. Limpiarla, asearla. || **Lavar la cara** a uno. fr. fig. y fam. Adularle, linsojearle. || **Mírame esta cara,** o **la cara.** expr. fam. con que se le da a entender a alguno que desconoce el mérito de quien habla. || **Mirar a la cara** a uno. fr. fig. y fam. **Estar mirando a la cara** a uno. || **No conocer la cara al miedo, a la necesidad,** etc. fr. fig. y fam. No tener miedo, necesidad, etc. || **No haber visto la cara al enemigo.** fr. fig. con que se denota que un soldado no se ha hallado en ninguna acción de guerra. || **No mirar la cara** a uno. fr. fig. y fam. Tener enfado con él. || **No saber** uno **dónde tiene la cara.** fr. fig. y fam. con que se denota la incapacidad de alguno en su profesión. || **No tener** uno **a quien volver la cara.** fr. fig. y fam. **No tener donde volver la cabeza.** || **No volver la cara atrás.** fr. fig. Proseguir con tesón y constancia lo empezado. || **Poner buena,** o **mala, cara.** fr. fam. Acoger bien, o mal, a una persona, o una idea o propuesta. || **Por su bella,** o **linda, cara.** m. adv. fig. y fam. con que se tacha de injustificada una pretensión del que carece de méritos para lograrla. || **Quitar la cara.** fr. fig. y fam. que se usa para amenazar a alguno que se le castigará rigurosamente. || **Sacar** uno **la cara.** fr. fig. Presentarse como interesado en algún asunto. Ú. más con negación. *No quiere* SACAR LA CARA. || **Sacar** uno **la cara por** otro. fr. fig. y fam. Dar la cara por otro. || **Salir a la cara** a uno alguna cosa. fr. fig. y fam. Conocérsele en el semblante. || **2.** fig. y fam. Tener que sentir por haber hecho o dicho algo. || **Saltar a la cara.** fr. fig. y fam. Responder uno a los avisos o reprensiones con descompostura, ira o descomedimiento. || **2.** fig. y fam. Ser una cosa cierta y evidente. || **Si me quiere, con esta cara; si no, vaya.** ref. que aconseja tomar a las personas tales como son. || **Su cara defiende su casa.** fr. fig. y fam. Ponderación de la fealdad de una persona. || **Tener** uno **cara de alejijas.** fr. fig. y fam. *And.* **Parecer que** uno **ha comido alejijas.** || **Tener** uno **cara de corcho.** fr. fig. y fam. Tener poca vergüenza. || **Tener cara para hacer** una cosa. fr. Tener atrevimiento para hacerla. || **Terciar la cara** a uno. fr. Cortársela, cruzársela o herírsela de filo, para dejarle afrentado y señalado. || **Verse las caras.** fr. fig. y fam. Avistarse una persona con otra para manifestar vivamente enojo o para reñir. NOS VEREMOS LAS CARAS. || **Volver a la cara** una cosa. fr. fig. y fam. No admitirla, devolverla con desprecio. || **Volver a la cara las palabras, las injurias,** etc. fr. fig. y fam. Corresponder con otras equivalentes. || **Volver la cara al enemigo.** fr. fig. Rehacerse los que van huyendo, y pelear con los que los perseguían.

Cáraba. (De *cárabo,* 1.er art.) f. Cierta embarcación grande usada en Levante.

Caraba. (Del m. or. que *carava.*) f. *Sal.* Conversación, broma, holgorio.

Carabalí. (De *Carabalí,* nombre propio.) adj. Dícese del negro o negra de esta región africana, que eran poco estimados por su carácter indómito.

Carabao. m. Rumiante parecido al búfalo, pero de color gris azulado y cuernos largos, aplanados y dirigidos hacia atrás. Es la principal bestia de tiro en Filipinas.

Cárabe. (Del ár. *kahrabā',* ámbar amarillo, y éste del persa *kāh,* paja, y *rubā,* que atrae.) m. **Ámbar,** 1.ª acep.

Carabear. intr. *Sal.* Descuidarse, holgar, distraerse. *El tiempo no* CARABEA.

Carabela. (Del port. o gall. *caravela,* y éste del lat. *carăbus,* una embarcación.) f. *Mar.* Antigua embarcación muy ligera, larga y angosta, con una sola cubierta, espolón a proa, popa llana, con tres palos y cofa sólo en el mayor, entenas en los tres para velas latinas, y algunas vergas de cruz en el mayor y en el de proa. || **2.** *Gal.* Cesta muy grande que suelen llevar las mujeres en la cabeza, para conducir cosas comestibles.

Carabelón. (De *carabela.*) m. *Mar.* Carabela pequeña.

Carabero, ra. adj. *Sal.* Amigo de caraba o de holgarse.

Carábido. (De *cárabo,* 1.er art., 2.ª acep.) adj. *Zool.* Dícese de insectos coleópteros, pentámeros, carnívoros, que son muy voraces, y beneficiosos para la agricultura porque destruyen muchas orugas y otros animales perjudiciales. || **2.** m. pl. *Zool.* Familia de estos insectos que comprende muchos millares de especies.

Carabina. (En ital. *carabina.*) f. Arma de fuego, portátil, compuesta de las mismas piezas que el fusil, pero de menor longitud. || **2.** fig. y fam. Mujer de edad que acompaña a ciertas señoritas cuando salen a la calle de paseo o a sus quehaceres. || **rayada.** La que tiene estrías en lo interior del cañón. || **Ser** una cosa **la carabina de Ambrosio,** o **lo mismo que la carabina de Ambrosio.** fr. fam. No servir para nada.

Carabinazo. m. Estruendo que hace la carabina al dispararla. || **2.** Estrago que hace el tiro de la carabina.

Carabinera. f. *Sal.* Alondra moñuda.

Carabinero. m. Soldado que usaba carabina. || **2.** Soldado destinado a la persecución del contrabando. || **Carabineros reales.** Cuerpo de caballería que pertenecía a la guardia real.

Carabinero. m. Crustáceo de carne comestible semejante a la quisquilla, pero algo mayor.

Carablanca. m. *Colomb.* y *C. Rica.* Mono del género *cebus.* También se llama en Colombia mico maicero.

Cárabo. (Del lat. *carăbus,* y éste del gr. κάραβος.) m. Embarcación pequeña, de vela y remo, usada por los moros. || **2.** m. *Zool.* Insecto coleóptero, tipo de la familia de los carábidos, que es el de mayor tamaño de ellos y llega a alcanzar cuatro centímetros de largo. Durante el día vive debajo de las piedras. || **3.** ant. **Cáraba.** || **4.** ant. **Cangrejo,** 1.ª acep.

Cárabo. (Del ár. *qarāb,* ave nocturna.) m. **Autillo,** 2.° art.

Cárabo. (Del ár. *kalb,* perro.) m. ant. Cierto perro de caza.

Carabritear. (De *cabra.*) intr. Perseguir el macho cabrío montés en celo a la hembra.

Caraca. f. *Cuba.* Especie de bollo de maíz.

Caracal. m. Animal carnicero, especie de lince, que habita en los climas cálidos y es temible por su ferocidad.

Caracalla. (Del lat. *Caracălla.*) f. Prenda de vestir de origen galo, a manera de sobretodo, adoptada por los romanos a ejemplo del emperador Caracalla. || **2.** Peinado que estuvo en moda en el siglo XVIII.

Caracará. adj. Dícese de la tribu de indios que habitaban unos en la banda occidental del Paraná y otros en las islas e inmediaciones de la laguna Iberá. Ú. t. c. s. || **2.** Perteneciente o relativo a estos indios.

Caracará. (Voz guaraní, onomatopeya del canto de esta ave.) m. *R. de la Plata.* Ave de rapiña, de la familia de las falcónidas, de color pardo, con alas y cola blanquecinas y pico y garras fuertes. Se alimenta de muchas clases de animales vivos y muertos.

Caracas. m. Cacao procedente de la costa de Caracas, en la América del Sur. || **2.** fig. y fam. *Méj.* **Chocolate.**

Caracas. m. pl. *Etnogr.* Tribu, de la familia guaraní, que en la época de la conquista habitaba en los territorios del Río de la Plata.

Caracatey. m. *Cuba.* Ave crepuscular, de color ceniciento salpicado de verde y con una mancha blanca. Se alimenta de mosquitos, que caza en el aire, y en su canto parece repetir la palabra *crequeté,* por lo cual algunos, por onomatopeya, le dan dicho nombre.

Caracense. (De *Caracca,* antigua ciudad española que se supone sea la actual Guadalajara.) adj. **Guadalajareño.** Ú. t. c. s.

Caracoa. (Del ár. *qarqūra.*) f. Embarcación de remo, que se usa en Filipinas.

Caracol. (Del cat. *caragol,* y éste del lat. *scarabaeŏlus,* d. de *scarabaeus.*) m. *Zool.* Cualquiera de los moluscos testáceos de la clase de los gasterópodos. De sus muchas especies, algunas de las cuales son comestibles, unas viven en el mar, otras en las aguas dulces y otras son terrestres. El animal puede sacar parte del cuerpo fuera de la concha, principalmente la cabeza, en la que tiene la cavidad bucal y dos o cuatro tentáculos llamados vulgarmente cuernos, en donde están los ojos. || **2.** Concha de **caracol.** || **3.** V. **Escalera de caracol.** || **4.** Pieza del reloj, cónica, con un surco en el cual se enrosca la cuerda. || **5.** Rizo de pelo. || **6.** *Méj.* Especie de camisón ancho y corto que usan las mujeres para dormir. || **7.** *Méj.* Blusa de lienzo bordada que usan las señoras. || **8.** *Méj.* **Chambra.** || **9.** *Equit.* Cada una de las vueltas y tornos que el jinete hace dar al caballo. || **10.** *Zool.* Una de las cavidades que constituyen el laberinto del oído de los vertebrados, que en los mamíferos es un conducto arrollado en espiral y semejante por su forma a la concha de un caracol. || **11.** pl. Variedad del cante andaluz, caracterizada por la repetición de la palabra **¡caracoles!** a modo de estribillo. || **Caracol chupalandero.** *Murc.* El que se cría en los árboles y en las hierbas. || **judío.** El de concha muy blanca, pero de cuerpo obscuro. Poco apreciado como alimento. Común en el mediodía y oriente de España. || **moro.** De concha blanca, pero de boca negra. Vive en los países del anterior. || **sapenco.** De color verdoso con rayas transversas pardas. Es terrestre, común y poco apreciado. || **serrano,** o **de monte.** Blancuzco, con listas negras a lo largo y la superficie de la concha áspera. Muy estimado. || **Caracol de mayo, candela en mano.** ref. de sentido recto, porque los **caracoles** son dañosos en primavera. || **¡Caracoles!** interj. **¡Caramba!** || **El caracol, por quitarse de enojos, por los cuernos dio los ojos.** ref. que suele aplicarse al que deja lo bueno por lo que no lo es. || **Hacer caracoles.** fr. fig. Dar vueltas a una parte y a otra torciendo el camino. || **No se le da, no importa, no vale, un caracol,** o **dos caracoles.** fr. fig. que demuestra el desprecio o poca estimación de alguna cosa.

Caracola. f. *Zool.* Concha de un caracol marino de gran tamaño, de forma cónica, que, abierta por el ápice y soplando por ella, produce un sonido como de trompa. || **2.** *Ar.* Caracol terrestre de concha blanca. || **3.** *Ar.* **Tuerca.** || **4.** *Murc.* Planta trepadora de jardín y la flor de ella.

Caracolada. f. Guisado de caracoles.

Caracolear. intr. Hacer caracoles el caballo.

Caracolejo. m. d. de **Caracol,** 1.ª acep.

Caracoleo. m. Acción y efecto de caracolear.

Caracolero, ra. m. y f. Persona que coge o vende caracoles.

Caracoleta. f. *Ar.* Caracol pequeño. || **2.** *Ar.* Niña diminuta, despejada y traviesa.

Caracolí. m. *Colomb.* **Anacardo,** 1.ª acep.

Caracolillo. m. d. de **Caracol,** 1.ª acep. || **2.** Planta de jardín, originaria de la América Meridional, leguminosa, con tallos volubles, hojas romboidales puntiagudas, flores grandes, blancas y azules, aromáticas y enroscadas en figura de espiral. || **3.** Flor de esta planta. Ú. t. en pl. || **4.** Cierta clase de café muy estimado, cuyo grano es más pequeño y redondo que el común. || **5.** Cierta clase de caoba que tiene muchas vetas. || **6.** pl. Guarnición que solía ponerse al canto de los vestidos.

Carácter. (Del lat. *character*, y éste del gr. χαρακτήρ; de χαράσσω, grabar.) m. Señal o marca que se imprime, pinta o esculpe en alguna cosa. || **2.** Signo de escritura. Ú. m. en pl. || **3.** Estilo o forma de los signos de la escritura. CARÁCTER *cursivo, redondo.* || **4.** Señal o figura mágica. || **5.** Marca o hierro con que se distinguen de los animales de un rebaño los de otro. || **6.** Rastro que se supone dejar en el alma alguna cosa conocida o sentida. || **7.** Conjunto de cualidades psíquicas y afectivas, heredadas o adquiridas, que condicionan la conducta de cada individuo humano distinguiéndole de los demás. || **8.** Señal espiritual indeleble que imprimen en el alma los sacramentos del bautismo, confirmación y orden. || **9.** Índole, condición, conjunto de rasgos o circunstancias con que se da a conocer una cosa, distinguiéndose de las demás. || **10.** Modo de ser peculiar y privativo de cada persona por sus cualidades morales. || **11.** Cualidades que moralmente diferencian de otro un conjunto de personas o todo un pueblo. || **12.** Fuerza y elevación de ánimo, firmeza, energía. || **13.** Natural o genio. || **14.** Condición de las personas por sus relaciones naturales, dignidades o estados. *El* CARÁCTER *de padre, de juez, de militar.* || **15.** En las obras literarias y artísticas, aquella fuerza y originalidad de intención y de estilo que las diferencia notablemente de lo común y vulgar. || **16.** V. **Comedia de carácter.** || **17.** Modo de decir, o estilo. || **18.** pl. Letras de imprenta. CARACTERES *elzeverianos.* || **Carácter adquirido.** Cada uno de los rasgos anatómicos o funcionales no heredados, sino adquiridos por el animal durante su vida. || **heredado.** Cada uno de los rasgos funcionales o anatómicos que se transmiten de una generación a otra, en los animales y plantas. || **sexual.** Cada uno de los rasgos anatómicos o funcionales que distinguen al organismo del macho y al de la hembra. || **De medio carácter.** loc. fam. Sin cualidades bien definidas, como la música de un género entre el grave y el cómico. || **Imprimir carácter.** fr. Dar o dotar de ciertas condiciones esenciales y permanentes a una persona y, por extensión, a una cosa. Se dice de los cargos, empleos y honores.

Caracterismo. (De *carácter.*) m. Carácter, 9.ª acep.

Característica. (De *característico.*) f. *Mat.* Cifra o cifras que indican la parte entera de un logaritmo.

Característicamente. adv. m. Señaladamente.

Característico, ca. adj. Perteneciente o relativo al carácter. || **2.** Aplícase a la cualidad que da carácter o sirve para distinguir una persona o cosa de sus semejantes. Ú. t. c. s. f. || **3.** m. y f. Actor y más comúnmente actriz que representa papeles de personas de edad.

Caracterizado, da. (De *caracterizar.*) adj. Distinguido, autorizado por prendas personales, por categoría social o por oficio público.

Caracterizar. tr. Determinar los atributos peculiares de una persona o cosa, de modo que claramente se distinga de las demás. || **2.** Autorizar a una persona con algún empleo, dignidad u honor. || **3.** Representar un actor su papel con la verdad y fuerza de expresión necesarias para reconocer al personaje representado. || **4.** r. Pintarse la cara o vestirse el actor conforme al tipo o figura que ha de representar.

Caracterología. f. Parte de la psicología, que estudia el carácter y personalidad del hombre.

Caracú. (Voz guaraní.) m. *Argent., Bol. Chile, Parag.* y *Urug.* Hueso con tuétano que se echa en algunos guisos.

Caracha. (Voz quichua.) m. Enfermedad de los pacos o llamas y otros animales, semejante a la sarna o roña. En el Perú se llama también así la sarna de las personas.

Carache. m. **Caracha.**

Carachento, ta. adj. *Amér. Merid.* **Carachoso.**

Caracho, cha. adj. De color violáceo.

Carachoso, sa. adj. *Perú.* **Sarnoso.**

Carachupa. f. *Perú.* **Zarigüeya.**

Caradelante. (De *cara* y *adelante.*) adv. t. ant. En adelante. || **2.** adv. l. ant. Hacia adelante.

Carado, da. (De *cara.*) adj. Con los adverbios *bien* o *mal*, que tiene buena o mala cara.

Carago. m. *El Salv.* y *Hond.* **Carao.**

Caraguatá. (Voz guaraní.) f. *Amér.* Especie de agave o pita del Río de la Plata y otros lugares de América. Es buena planta textil. En varias regiones le llaman chaguar y cardo, y antiguamente los españoles garabatá. || **2.** Filamento producido por esta planta textil.

Caraguay. m. *Bol.* Lagarto grande.

Caraipo. m. Planta de la América del Sur.

Caraira. f. *Cuba.* Ave de rapiña diurna, especie de gavilán, de color leonado y cabeza negra, alas largas y robustas. Es muy voraz; vuela horizontalmente y su vista es de gran perspicacia.

Caraísmo. m. Doctrina de los caraítas.

Caraíta. (Del hebr. *qara'í.*) adj. Dícese del individuo de una secta judaica que profesa escrupulosa adhesión al texto literal de la Escritura, rechazando las tradiciones. Ú. t. c. s. || **2.** Perteneciente o relativo a los **caraítas.**

Caraja. f. *Mar.* Vela cuadrada que los pescadores de Veracruz largan en un botalón.

Carajas. m. pl. *Etnogr.* Tribu indígena del Brasil, del grupo de los tapuyas.

Caralla. m. *Sal.* Higo de pepita negra.

Carama. f. **Escarcha.**

Caramanchel. (Por **camaranchel*, de *cámara.*) m. Cubierta fija o móvil, a modo de tejadillo, con que se cierran las escotillas de algunos buques. || **2.** Tugurio, chiribitil, desván. || **3.** *Chile.* **Cantina,** 2.ª acep. || **4.** *Ecuad.* Caja de vendedor ambulante, que la sitúa en los soportales para vender sus chucherías. || **5.** *Perú.* **Cobertizo,** 2.ª acep.

Caramanchelero, ra. m. y f. Persona que vende en un caramanchel, 2.ª acep.

Caramanchón. m. **Camaranchón.**

Caramañola. (Del fr. *carmagnole*, y éste de *Carmagnola*, ciudad del Piamonte.) f. *León.* Vasija con tubo para beber. || **2.** *Argent.* y *Chile.* **Caramayola.**

Caramarama. f. *Bot. Cuba.* Especie de culantrillo que comen las reses vacunas y caballares.

Caramayola. (De *caramañola.*) f. *Chile.* Vasija de aluminio en forma de cantimplora, que usan los soldados para llevar agua.

Caramba. (De *Caramba*, n. p.) f. Moña que llevaban las mujeres sobre la cofia, a fines del siglo XVIII.

¡Caramba! interj. con que se denota extrañeza o enfado.

Carambanado, da. adj. Helado, o hecho carámbano.

Carámbano. m. Pedazo de hielo más o menos largo y puntiagudo. || **2.** *Nicar.* **Carao.**

Carambillo. m. **Caramillo,** 3.ª acep.

Carambola. (Del fr. *carambole.*) f. Lance del juego de trucos o billar, que se hace con tres bolas, arrojando una de suerte que toque a las otras dos, y ésta se llama **carambola** limpia; pero si la bola impelida por la que se arrojó toca a la otra tercera, se llama **carambola** sucia o rusa. || **2.** En los trucos o billar, juego con tres bolas y sin palos. || **3.** En el juego del revesino, jugada en que a un tiempo se sacan el as y el caballo de copas. || **4.** fig. y fam. Doble resultado que se alcanza mediante una sola acción. || **5.** fig. y fam. Enredo, embuste o trampa para alucinar y burlar a alguno. || **Por carambola.** m. adv. fig. y fam. Indirectamente, por rodeos.

Carambola. f. Fruto del carambolo, del tamaño de un huevo de gallina, amarillo y de sabor agrio, que contiene pepitas en cuatro celdillas.

Carambolero, ra. m. y f. *Argent.* y *Chile.* **Carambolista.**

Carambolí. m. *Cuba.* Flor de color anaranjado muy subido, que se produce en ramilletes.

Carambolista. com. Persona que juega bien o frecuentemente las carambolas, 1.ª acep.

Carambolo. (Del malayo *karambil.*) m. *Bot.* Árbol de la familia de las oxalidáceas, indígena de la India y de otros países intertropicales del antiguo continente, de unos tres metros de altura, con hojas compuestas de folíolos aovados, flores rojas y bayas amarillas y comestibles.

Caramel. m. Variedad de sardina, propia del Mediterráneo. || **2.** ant. **Caramelo,** 1.ª acep.

Caramela. f. ant. **Caramillo,** 1.ª acep.

Caramelizar. tr. **Acaramelar,** 1.ª acep. Ú. t. c. r.

Caramelo. (Del fr. *caramel*, y éste del lat. *canna mellis*, caña de miel.) m. Pasta de azúcar hecho almíbar al fuego y endurecido sin cristalizar al enfriarse. Es quebradiza y generalmente se aromatiza con esencias. || **2.** V. **Punto de caramelo.** || **3.** *Filip.* **Azucarillo.**

Caramente. adv. m. **Costosamente.** || **2. Encarecidamente.** || **3. Rigurosamente.** Usáb. en las fórmulas de los juramentos.

Caramera. f. *Venez.* Dentadura mal ordenada.

Caramida. (Del ár. *qaramīt*, aguja imantada.) f. **Imán,** 1.er art., 1.ª acep.

Caramiello. m. Tocado o sombrero a manera de mitra, usado por las mujeres en Asturias y León.

Caramilla. (De *calamina.*) f. **Calamina.**

Caramillar. m. Terreno poblado de caramillos.

Caramillar. intr. ant. Tocar el caramillo, 1.ª y 2.ª aceps.

Caramilleras. (Del b. lat. *cremalleria*, y éste del neerl. *kram*, garfio.) f. pl. *Sant.* Llares, 2.ª acep. de **Llar.**

Caramillo. (Del lat. *calamellus*, cañita.) m. Flautilla de caña, madera o hueso, con sonido muy agudo. || **2. Zampoña,** 1.ª acep. || **3.** Planta del mismo género y usos de la barrilla, con el tallo fruticoso, erguido y pubescente, y hojas glaucas y agudas. || **4.** Montón mal hecho. || **5.** fig. Chisme, enredo, embuste. Ú. m. en las frs. **armar,** o **levantar, un caramillo.**

Caramilloso, sa. (De *caramillo*, 5.ª acep.) adj. fam. **Quisquilloso.**

Cáramo. m. *Germ.* **Vino,** 1.ª acep.

Caramujo. m. Especie de caracol pequeño que se pega a los fondos de los buques.

Caramullo. m. *Ar.* **Colmo,** 1.er art., 1.a acep.

Caramuzal. (Del ár. *qārib musaṭṭaḥ,* barco aplanado.) m. Buque mercante turco de tres palos, con la popa muy elevada.

Carancho. (De *cara* y *ancho.*) m. *Bol.* y *R. de la Plata.* **Caracará,** 2.° art. ‖ **2.** *Perú.* **Búho,** 1.a acep.

Caranday [Carandaí]. (Voz guaraní que significa fruta redonda.) m. *Argent.* Especie de palmera alta, originaria del Brasil y muy abundante en toda la América del Sur. Su madera se emplea en construcción. De sus hojas, en forma de abanico, se hacen pantallas y sombreros, y produce además una cera excelente.

Carandero. m. Palmera pequeña de la isla de Ceilán.

Caranegra. adj. *Argent.* Dícese de una oveja de raza especial, por el color de su cara. Ú. t. c. s. ‖ **2.** m. *Colomb., C. Rica* y *Venez.* Especie de mono negro, del género *Ateles.* Tiene además otros nombres.

Caranga. f. *Hond.* **Carángano.**

Caranganal. m. *León.* Terreno de poco fondo y de baja calidad.

Carángano. m. *Amér.* **Cáncano,** 1.er art. ‖ **2.** *Colomb.* Instrumento que en la música de los negros de los Chacoes hace la voz de bajo. Consiste en un trozo de guadua como de tres varas, con una tira de la corteza casi de la misma longitud, levantada sobre dos uñas, la cual se golpea con un palillo.

Carantamaula. f. fam. Careta de cartón, de aspecto horrible y feo. ‖ **2.** fig. y fam. Persona mal encarada.

Carantoña. f. fam. **Carantamaula.** ‖ **2.** fig. y fam. Mujer vieja y fea que se afeita y se compone para disimular su fealdad. ‖ **3.** pl. fam. Halagos y caricias que se hacen a uno para conseguir de él alguna cosa.

Carantoñero, ra. m. y f. fam. Persona que hace caricias, halagos o carantoñas.

Caraña. (Voz americana.) f. *Bot.* Resina medicinal de ciertos árboles gutíferos americanos, sólida, quebradiza, gris amarillenta, algo lustrosa y de mal olor. ‖ **2.** *C. Rica.* Nombre de estos árboles, que son de poca altura.

Carao. m. *Bot. Amér. Central.* Árbol de la familia de las papilionáceas, con flores rosadas, dispuestas en racimos y frutos provistos de celdillas que contienen una especie de melaza.

Caraos. (De *carauz.*) m. ant. **Carauz.**

Caráota. f. *Venez.* Alubia o judía.

Carapa. f. Planta meliácea de las Antillas. Los indios extraían de ella un aceite que, mezclado con bija, les servía para teñirse el cuerpo

Carapachay. m. *R. de la Plata.* Nombre de los antiguos habitantes del delta del Paraná. ‖ **2.** *Argent.* y *Par.* Leñador carbonero.

Carapacho. m. Caparazón que cubre las tortugas, los cangrejos y otros animales. ‖ **2.** *Cuba.* Guisado que se hace en la misma concha de los mariscos. ‖ **3.** pl. *Etnogr.* Pueblo indígena del Perú, en el departamento de Huánaco.

Carapato. (De *carapa.*) m. Aceite de ricino.

¡Carape! interj. **¡Caramba!**

Carapico. m. Planta rubiácea y de flor pequeña, propia de la Guayana.

Carapopela. m. Especie de lagarto muy venenoso del Brasil.

Carapucho. m. *Ast.* **Capucho,** 1.a acep. ‖ **2.** *Ast.* Sombrero de forma ridícula. ‖ **3.** *Perú.* Planta gramínea, cuyas semillas embriagan y producen delirio.

Carapulca. (Voz peruana.) f. Cierto guisado criollo, hecho de carne, papa seca y ají.

Caraqueño, ña. adj. Natural de Caracas. Ú. t. c. s. ‖ **2.** Perteneciente a esta ciudad de Venezuela.

Caraquilla. (De *caracol.*) f. *Ál.* Molusco parecido al caracol, pero de menor tamaño.

Carasol. (De *cara al sol.*) m. **Solana,** 1.a acep.

Carate. m. Especie de sarna, común en algunos países de América.

Caratea. f. *Amér.* Enfermedad escrofulosa, propia de los países cálidos y húmedos de América, común en Nueva Granada.

Carato. m. *Amér.* **Jagua.**

Carato. m. *Venez.* Bebida refrescante hecha con arroz o maíz molido o con el jugo de la piña o de la guanábana y aderezada con azúcar blanco o papelón y agua.

Carátula. f. **Careta,** 1.a acep. ‖ **2.** fig. Profesión histriónica.

Caratulado, da. adj. Que tiene cubierto el rostro con carátula, 1.a acep.

Caratulero, ra. m. y f. Persona que hace o vende carátulas, 1.a acep.

Caraú. (Voz guaraní, del grito de esta ave.) m. Ave zancuda, de unos 35 centímetros de alto, de pico largo y encorvado y color castaño obscuro. Vive en la República Argentina, solitaria, en los carrizales.

Carauz. (Del al. *gar aus,* en el sentido de apurar el vaso.) m. ant. Acto de brindar apurando el vaso.

Carava. (Del ár. *qarāba,* propincuidad.) f. Reunión que celebraban los labradores los días de fiesta para recrearse. ‖ **Quien no va a carava, no sabe nada.** ref. que advierte que para adquirir experiencia es necesario el trato con los hombres.

Caravaca. n. p. V. **Cruz de Caravaca.**

Caravana. (Del persa arabizado *karawān,* recua.) f. Grupo de gentes que en Asia y África se juntan para hacer un viaje con seguridad: es muy frecuente entre los turcos, moros, persas y otras naciones, cuando van por el desierto a visitar el sepulcro de Mahoma, o a las ferias de diferentes ciudades. ‖ **2.** En la orden militar de San Juan o de Malta, cada una de las primeras campañas que hacían los caballeros por la mar, en persecución de piratas y moros. ‖ **3.** fig. y fam. Gran número de personas que se reúnen para ir juntas, y principalmente de campo. ‖ **4.** *Cuba.* Cierta trampa que se usa en Vuelta de Arriba para cazar pájaros. ‖ **5.** *Hond.* y *Méj.* **Cortesía,** 1.a acep. ‖ **6.** pl. *Argent., Bol.* y *Chile.* Pendientes, arracadas. ‖ **Correr,** o **hacer, caravanas,** o **las caravanas.** fr. En la orden de San Juan, servir los caballeros novicios por espacio de tres años, andando a corso en las galeras y navíos, o defendiendo algún castillo contra infieles, requisito para poder profesar. ‖ **2.** fig. y fam. Hacer las diligencias conducentes para lograr alguna pretensión.

Caravanero. m. Conductor de una caravana, 1.a acep.

Caravasar. (Del persa *karawān sarāy,* palacio de las caravanas.) m. Posada en Oriente destinada a las caravanas, 1.a acep.

Caray. m. **Carey,** 1.a y 2.a aceps.

¡Caray! interj. **¡Caramba!**

Carayá. (Voz guaraní.) m. *Argent.* y *Colomb.* Mono grande, aullador, de color negro, cola prensil y unos 70 centímetros de alto, sin contar la cola, que tiene otros tantos.

Carayaca. m. *Venez.* **Carayá.**

Carba. f. *Sal.* Matorral espeso de carbizos. ‖ **2.** *Sal.* Sitio donde sestea el ganado.

Carbalí. adj. **Carabalí.**

Cárbaso. (Del lat. *carbăsus.*) m. Variedad de lino muy delgado que, según Plinio, se halló primeramente en España. ‖ **2.** fig. Vestidura hecha de este lino. ‖ **3.** poét. **Lino,** 4.a acep.

Carbinol. (De *carbono* y *ol,* terminación genérica de los alcoholes.) m. *Quím.* **Alcohol metílico.**

Carbizal. (De *carbizo.*) m. *Sal.* **Carba,** 1.a acep.

Carbizo. (De *carba.*) m. *Sal.* Roble basto que produce la bellota gorda y áspera, y tiene la hoja ancha como la del castaño.

Carbodinamita. f. *Quím.* Materia explosiva derivada de la nitroglicerina.

Carbógeno. (De *carbono* y el gr. γεννάω, engendrar.) m. Polvo que sirve para preparar el agua de Seltz.

Carbol. m. *Quím.* **Fenol.**

Carbólico. (De *carbol.*) adj. *Quím.* **Fénico.**

Carbolíneo. (De *carbón* y el lat. *olĕum,* aceite.) m. Substancia líquida, grasa y de color verdoso, obtenida por destilación del alquitrán de hulla, y que sirve para hacer impermeable la madera.

Carbón. (Del lat. *carbo, -ōnis.*) m. Materia sólida, ligera, negra y muy combustible, que resulta de la destilación o de la combustión incompleta de la leña o de otros cuerpos orgánicos. ‖ **2.** Brasa o ascua después de apagada. ‖ **3. Carboncillo,** 1.a acep. ‖ **4.** V. **Horno de carbón.** ‖ **animal.** El que por calcinación se obtiene de los huesos y sirve para descolorar ciertos líquidos. ‖ **de arranque.** El que se hace de raíces. ‖ **de canutillo.** El que se fabrica de las ramas delgadas de algunos árboles. ‖ **de piedra,** o **mineral.** Substancia fósil, dura, bituminosa y térrea, de color obscuro o casi negro, que resulta de la descomposición lenta de la materia leñosa, y arde con menos facilidad, pero dando más calor que el carbón vegetal. ‖ **vegetal.** El de leña. ‖ **Echa carbón y fuella, y llámame a las doce.** ref. que reprende a los que por pereza dejan perderse tiempo y hacienda. ‖ **Ni carbón ni leña no los compres cuando hiela.** ref.; porque pesan más que en tiempo seco.

Carbonada. f. Cantidad grande de carbón que se echa de una vez en la hornilla. ‖ **2.** Carne cocida picada, y después asada en las ascuas o en las parrillas. ‖ **3.** Bocado hecho de leche, huevo y dulce, y después frito en manteca. ‖ **4.** *Argent., Chile* y *Perú.* Guisado nacional, compuesto de carne desmenuzada, rebanadas de choclos, zapallo, papas y arroz.

Carbonado. m. Diamante negro.

Carbonalla. f. Mortero o mezcla de arena, arcilla y carbón, que sirve para construir el suelo de los hornos de reverbero.

Carbonar. tr. Hacer carbón. Ú. t. c. r.

Carbonario, ria. (Traducción del ital. *carbonaro,* y éste del lat. *carbonārius,* carbonero.) adj. Se dice de cada una de ciertas sociedades secretas establecidas con fines políticos o revolucionarios. *Las logias* CARBONARIAS. ‖ m. Individuo afiliado a alguna de estas sociedades.

Carbonatado, da. adj. *Mineral.* Se aplica a toda base combinada con el ácido carbónico, formando carbonato. *Cal* CARBONATADA.

Carbonatar. tr. *Quím.* Convertir en carbonato. Ú. t. c. r.

Carbonato. (De *carbono.*) m. *Quím.* Sal resultante de la combinación del ácido carbónico con un radical simple o compuesto.

Carboncillo. (d. de *carbón.*) m. Palillo de brezo, sauce u otra madera ligera, que, carbonizado, sirve para dibujar. ‖ **2. Tizón,** 4.a acep. ‖ **3. Hongo,** 1.a acep. ‖ **4.** Una clase de arena de color negro por la acción del sol. ‖ **5.** *Bot. C. Rica.* Árbol de la familia de las mimosáceas, con flores grandes y rosadas, que están provistas de largos pelos. Por esta circunstancia se llama también cabello de ángel.

Carbonear. tr. Hacer carbón de leña.

Carboneo. m. Acción y efecto de carbonear.

Carbonera. (De *carbón.*) f. Pila de leña, cubierta de arcilla para el carboneo. ‖ **2.** Lugar donde se guarda carbón. ‖ **3.** Mujer que vende carbón. ‖ **4.** *Colomb.* Mina de hulla. ‖ **5.** *Chile.* Parte del ténder en que va el carbón. ‖ **6.** *Hond.* Cierta planta de los jardines. ‖ **7.** *Mar.* Nombre vulgar de la vela de estay mayor.

Carbonería. f. Puesto o almacén donde se vende carbón. ‖ **2.** *Chile.* Instalación destinada en los campos a hacer carbón de leña mediante el empleo de hornos.

Carbonerica. f. *Ál.* **Paro carbonero.**

Carbonero. m. *Bot. Cuba* y *P. Rico.* Árbol de la familia de las mimosáceas, de madera dura, compacta, blanquecina y correosa.

Carbonero, ra. (Del lat. *carbonarius.*) adj. Perteneciente o relativo al carbón. ‖ **2.** V. **Paro carbonero.** ‖ **3.** m. El que hace o vende carbón. ‖ **Tiznar al carbonero.** fr. fig. y fam. *Méj.* Engañar al que se da de advertido y astuto.

Carbonero. m. *Cuba.* Árbol de madera dura, compacta, blanquecina y correosa.

Carbónico, ca. adj. *Quím.* Se aplica a muchas combinaciones o mezclas en que entra el carbono. ‖ **2.** *Quím.* V. **Ácido, anhídrido carbónico.**

Carbónidos. m. pl. *Quím.* Grupo de substancias que comprenden los cuerpos formados de carbono puro o combinado.

Carbonífero, ra. (Del lat. *carbo, -ōnis,* carbón, y *ferre,* producir.) adj. Dícese del terreno que contiene carbón mineral. ‖ **2.** Dícese de todo lo relativo al período durante el cual se han formado las masas de carbón de piedra. *Fauna* CARBONÍFERA.

Carbonilla. f. Carbón mineral menudo que, como residuo, suele quedar al mover y trasladar el grueso. ‖ **2.** Coque menudo, especialmente el que se desprende al calentar las locomotoras y otras máquinas, y pasa al través de la parrilla del hogar.

Carbonita. (De *carbón.*) f. Substancia carbonosa de las hulleras de la Virginia central. Es semejante al coque. ‖ **2.** Substancia explosiva, compuesta de nitroglicerina, sulfuro de benzol y un polvo hecho con aserrín, nitrato de potasio o sodio y carbonato de sodio. Se emplea con los mismos fines que la dinamita.

Carbonización. f. Acción y efecto de carbonizar o carbonizarse.

Carbonizar. tr. Reducir a carbón un cuerpo orgánico. Ú. t. c. r.

Carbono. (Del lat. *carbo, -ōnis,* carbón.) m. Metaloide simple, sólido, insípido e inodoro, que a temperaturas elevadísimas se convierte en vapor sin pasar por el estado líquido. El diamante es **carbono** casi puro.

Carbonoso, sa. adj. Que tiene carbón. ‖ **2.** Parecido al carbón.

Carborundo. m. *Quím.* Carburo de silicio que se prepara sometiendo a elevadísima temperatura una mezcla de coque, arena silícea y cloruro de sodio, y resulta una masa cristalina que por su gran dureza, próxima a la del diamante, se usa para sustituir ventajosamente al asperón y al esmeril.

Carbuncal. adj. Perteneciente o relativo al carbunco.

Carbunclo. (Del lat. *carbuncŭlus.*) m. **Carbúnculo.** ‖ **2. Carbunco,** 1.ª acep.

Carbunco. (De *carbunclo.*) m. Enfermedad virulenta y contagiosa, frecuente y mortífera en el ganado lanar, vacuno, cabrío y a veces en el caballar; es transmisible al hombre, y está causada por una bacteria específica. ‖ **2.** *C. Rica.* **Cocuyo,** 1.ª acep. ‖ **sintomático.** Enfermedad virulenta, contagiosa, muy mortífera en los animales jóvenes del ganado vacuno y lanar; no se transmite al hombre y está causada por una bacteria que no es la del **carbunco** común.

Carbuncosis. f. *Med.* Infección carbuncosa.

Carbuncoso, sa. adj. **Carbuncal.**

Carbúncula. f. ant. **Carbúnculo.**

Carbúnculo. (Del lat. *carbuncŭlus.*) m. **Rubí.** Se le dio este nombre suponiendo que lucía en la obscuridad como un carbón encendido.

Carburación. (De *carburar.*) f. Acto por el que se combinan el carbono y el hierro para producir el acero. ‖ **2.** *Quím.* Acción y efecto de carburar.

Carburador. (De *carburar.*) m. Aparato que sirve para carburar. ‖ **2.** Pieza de los automóviles, donde se efectúa la carburación.

Carburante. adj. *Quím.* Que contiene hidrocarburo. Ú. t. c. s.

Carburar. (De *carburo.*) tr. *Quím.* Mezclar los gases o el aire atmosférico con los carburantes gaseosos o con los vapores de los carburantes líquidos, para hacerlos combustibles o detonantes.

Carburina. f. Sulfuro de carbono usado en tintorería y en economía doméstica para quitar las manchas de grasa en los tejidos.

Carburo. m. *Quím.* Combinación del carbono con un radical simple.

Carca. adj. despect. **Carlista.** Ú. t. c. s.

Carca. f. *Amér.* Olla en que se cuece la chicha.

Carcaj. (Del fr. *carcas,* y éste del grecolatino *tarcasium,* carcaj, infl. por *capsa.*) m. **Aljaba.** ‖ **2.** Especie de cuja pendiente de un tahalí, en que los sacristanes meten el extremo del palo de la cruz alta cuando la llevan en procesión. ‖ **3.** *Amér.* Funda de cuero en que se lleva el rifle al arzón de la silla.

Carcajada. (Del ár. *qahqaha,* risa violenta.) f. Risa impetuosa y ruidosa. ‖ **A carcajada tendida.** m. adv. Con risa estrepitosa y prolongada.

Carcamal. m. fam. Persona decrépita y achacosa. Ú. t. c. adj.

Carcamán, na. m. y f. *Argent.* y *Perú.* Persona de muchas pretensiones y poco mérito.

Carcamán. (De *cárcamo.*) m. *Mar.* Cualquier buque grande, malo y pesado.

Cárcamo. (De *cárcavo.*) m. **Cárcavo,** 1.ª acep.

Carcañal. m. **Calcañar.**

Carcaño. m. ant. **Calcaño.**

Carcasa. (Del fr. *carcasse,* y éste del lat. *carchesium,* vaso.) f. Cierta bomba incendiaria.

Cárcava. (De *cárcavo.*) f. Hoya o zanja grande que suelen hacer las avenidas de agua. ‖ **2.** Zanja o foso. ‖ **3. Sepultura,** 2.ª acep.

Carcavar. (De *cárcava* y *cárcavo.*) tr. ant. **Carcavear.**

Carcavear. (De *cárcava.*) tr. ant. Fortificar un campo o ciudad, haciéndole una cárcava alrededor.

Carcavera. adj. ant. Decíase de la ramera que se iba a las cárcavas a usar de sus liviandades. Usáb. t. c. s.

Carcavina. f. **Cárcava.**

Carcavinar. (Del dialect. *carcavina,* hedor de sepultura, y éste de *cárcava.*) intr. *Sal.* Heder las sepulturas.

Cárcavo. (Del lat. *caccăbus,* olla, infl. por *concavāre,* cavar.) m. Hueco en que juega el rodezno de los molinos. ‖ **2.** ant. Cóncavo del vientre del animal.

Carcavón. m. aum. de **Cárcava,** 1.ª acep. ‖ **2.** Barranco que hacen las avenidas en la tierra movediza.

Carcavonera. (De *carcavón.*) f. *Sal.* **Peñascal.**

Carcavuezo. (De *cárcavo.*) m. Hoyo profundo en la tierra.

Carcax. m. **Carcaj.**

Carcax. (Del ár. *jaljāl.*) m. **Ajorca.**

Carcaza. f. **Carcaj,** 1.ª acep.

Cárcel. (Del lat. *carcer, -ĕris.*) f. Edificio o local destinado para la custodia y seguridad de los presos. ‖ **2.** V. **Visita de cárcel, o de cárceles.** ‖ **3.** Unidad de medida para la venta de leñas, que en Segovia tiene 100 pies cúbicos y en Valsaín 160. ‖ **4.** Ranura por donde corren los tablones de una compuerta. ‖ **5.** *Carp.* Barra de madera con dos salientes, entre los cuales se colocan y oprimen con un tornillo o con cuñas dos piezas de madera encoladas, para que se peguen. ‖ **6.** *Impr.* Par de tablas iguales que, afirmadas en las piernas de la prensa, abrazan y sujetan el husillo. ‖ **A la cárcel, ni por lumbre.** fr. fig. y fam. que puede extenderse al trato y amistad con ciertas personas mal reputadas o antipáticas. ‖ **Cárceles y caminos hacen amigos.** ref. que expresa ser ambas cosas ocasión de contraer amistades, por los servicios mutuos a que dan lugar.

Carcelaje. m. Derecho que al salir de la cárcel pagaban los presos. ‖ **2. Carcelería,** 1.ª acep.

Carcelario, ria. (Del lat. *carcerarius.*) adj. Perteneciente o relativo a la cárcel. *Fiebre* CARCELARIA.

Carcelera. f. Canto popular andaluz, cuyo tema son los trabajos y penalidades de los presidiarios.

Carcelería. f. Detención forzada, aunque no sea en la cárcel. ‖ **2. Fianza carcelera.** ‖ **3.** ant. Conjunto de delincuentes presos en una cárcel. ‖ **Guardar carcelería.** fr. No salir el reo del pueblo o paraje designado para su retención.

Carcelero, ra. (Del lat. *carcerarius.*) adj. **Carcelario.** ‖ **2.** V. **Fiador carcelero.** ‖ **3.** V. **Fianza carcelera.** ‖ **4.** m. y f. Persona que tiene cuidado de la cárcel.

Carceraje. m. ant. **Carcelaje.**

Carcerar. (Del lat. *carcerāre.*) tr. ant. **Encarcelar,** 1.ª acep.

Carcinología. (Del gr. καρκίνος, crustáceo, y λόγος, tratado.) f. Parte de la zoología, que trata de los crustáceos.

Carcinológico, ca. adj. Perteneciente o relativo a la carcinología o a los crustáceos.

Carcinoma. (Del lat. *carcinōma,* y este del gr. καρκίνωμα.) m. Cáncer formado a expensas del tejido epitelial de los órganos, con tendencia a difundirse y producir metástasis.

Cárcola. f. Listón delgado de madera, como de un metro de largo, que se pone en los telares, tendido en el suelo y pendiente por un palo de una cuerda que va a la viadera, en que está metida la urdimbre; lo mueve con el pie el tejedor, bajándolo hacia el suelo, y con este movimiento sube y baja la viadera para mudar los hilos, y para que pase tejiendo la lanzadera.

Carcoma. (De la raíz *carc,* de donde el gr. καρκίνωμα, carcinoma, y el lat. *cancer,* cáncer.) f. Insecto coleóptero muy pequeño y de color obscuro, cuya larva roe y taladra la madera, produciendo a veces un ruido perceptible. ‖ **2.** Polvo que produce este insecto después de digerir la madera que ha roído. ‖ **3.** fig. Cuidado grave y continuo que mortifica y consume al que lo tiene. ‖ **4.** fig. Persona o cosa que poco a poco va gastando y consumiendo la hacienda. ‖ **5.** *Germ.* **Camino,** 1.ª y 2.ª aceps.

Carcomecer. tr. ant. **Carcomer.** Usáb. t. c. r.

Carcomer. tr. Roer la carcoma la madera. ‖ **2.** fig. Consumir poco a poco alguna cosa; como la salud, la virtud, etc. Ú. t. c. r. ‖ **3.** r. Llenarse de carcoma alguna cosa.

Carcomiento, ta. (De *carcomer.*) adj. ant. fig. Que padece carcoma o consunción.

Carcón. m. Correa con argollas en sus extremos, en que se afirman las varas de la silla de manos.

Carcunda. adj. despect. **Carca,** 1.er art. Ú. t. c. s.

Carda. (De *cardar.*) f. Acción y efecto de cardar. ‖ **2.** Cabeza terminal del tallo de la cardencha. Sirve para sacar el pelo a los paños y felpas. ‖ **3.** Instrumento que consiste en una tabla sobre la cual se sienta y asegura un pedazo de becerrillo cuajado de puntas de alambre de hierro, para preparar el hilado de la lana lavada, a fin de poderla hilar con facilidad y perfección. ‖ **4.** fig. y fam. Amonestación, reprensión. ‖ **5.** V. **Gente de carda,** o **de la carda.** ‖ **6.** ant. Especie de embarcación semejante a la galeota. ‖ **Dar una carda.** fr. fig. y fam. Reprender fuertemente. ‖ **Todos somos de la carda.** fr. fig. y despect. Todos somos de la misma condición o clase.

Cardada. f. Porción de lana que se carda de una vez.

Cardador, ra. m. y f. Persona que carda la lana. ‖ **2.** m. Miriópodo de cuerpo cilíndrico y liso, con poros laterales por donde sale un licor fétido. Se alimenta de substancias en descomposición, y, cuando se ve sorprendido, se arrolla en espiral.

Cardadura. f. Acción de cardar la lana.

Cardaestambre. (De *cardar* y *estambre.*) m. ant. **Cardador,** 1.a acep.

Cardal. m. **Cardizal.**

Cardamina. f. **Mastuerzo,** 1.a acep.

Cardamomo. (Del lat. *cardamōmum,* y éste del gr. καρδάμωμον.) m. Planta medicinal, especie de amomo, con el fruto más pequeño, triangular y correoso, y las semillas esquinadas, aromáticas y de sabor algo picante. Se conocen tres especies, mayor, media y menor.

Cardancho. (De *cardo.*) m. *Rioja.* Cardillo áspero y grueso no comestible.

Cardar. (De *cardo.*) tr. Preparar con la carda una materia textil para el hilado. ‖ **2.** Sacar suavemente el pelo con la carda a los paños y felpas.

Cardario. m. *Zool.* Pez selacio del suborden de los ráyidos, que tiene en el dorso de la cola numerosos aguijones a modo de carda.

Cardelina. (Del lat. *carduēlis.*) f. **Jilguero.**

Cardenal. (Del lat. *cardinālis,* fundamental.) m. Cada uno de los 70 prelados que componen el Sacro Colegio: son los consejeros del Papa en los negocios graves de la Iglesia, y forman el conclave para la elección del Sumo Pontífice. Su distintivo es capelo, birreta y vestido encarnados. ‖ **2.** V. **Colegio de cardenales.** ‖ **3.** Pájaro americano muy hermoso, de 12 centímetros de largo, ceniciento, con una faja negra alrededor del pico, que se extiende hasta el cuello, y con un alto penacho rojo, al cual debe su nombre. Es muy erguido, inquieto y arisco, pero se halla bien en la jaula. Su canto es sonoro, variado y agradable. Vive unos veinticinco años. El de Venezuela es más pequeño: tiene el pico y los pies negros, el pecho rojizo, el lomo azul obscuro y el penacho rojo, en forma de mitra. ‖ **4.** *Chile.* **Geranio.** ‖ **de Santiago.** Cada uno de los siete canónigos de la iglesia compostelana, que tienen este título y algunas preeminencias exclusivamente suyas. ‖ **in péctore,** o **in petto.** Eclesiástico elevado a **cardenal,** pero cuya proclamación e institución se reserva hasta momento oportuno el papa.

Cardenal. (De *cárdeno.*) m. **Equimosis.**

Cardenaladgo. m. ant. **Cardenalazgo.**

Cardenalato. m. Dignidad de cardenal.

Cardenalazgo. m. ant. **Cardenalato.**

Cardenalía. f. ant. **Cardenalato.**

Cardenalicio, cia. adj. Perteneciente al cardenal, 1.er art., 1.a acep.

Cardencha. (Del lat. **cardincŭlus,* de *carduus,* cardo.) f. Planta bienal, de la familia de las dipsacáceas, de unos dos metros de altura, con las hojas aserradas, espinosas y que abrazan al tallo, y flores purpúreas, terminales, cuyos involucros, largos, rígidos y con la punta en figura de anzuelo, forman cabezas que usan los pelaires para sacar el pelo a los paños en la percha. ‖ **2. Carda,** 3.a acep.

Cardenchal. m. Sitio donde nacen y se crían las cardenchas, 1.a acep.

Cardenilla. (De *cárdeno.*) f. Variedad de uva menuda, tardía y de color amoratado.

Cardenillo. (d. de *cárdeno.*) m. *Quím.* Mezcla venenosa de acetatos básicos de cobre: materia verdosa o azulada, que se forma en los objetos de cobre o sus aleaciones. ‖ **2.** Acetato de cobre que se emplea en la pintura. ‖ **3.** Color verde claro semejante al del acetato de cobre.

Cárdeno, na. (Del lat. *cardĭnus,* de *carduus,* cardo.) adj. De color amoratado. ‖ **2.** Dícese del toro cuyo pelo tiene mezcla de negro y blanco. ‖ **3.** Dícese del agua de color opalino. ‖ **4.** V. **Lirio cárdeno.**

Cardeña. f. ant. Piedra preciosa de color cárdeno. ‖ **2.** *Sal.* Mota o pavesa de la lumbre.

Cardería. f. Taller en donde se carda la lana. ‖ **2.** Fábrica de cardas.

Cardero. m. El que hace cardas.

Cardiaca [Cardíaca]. (De *cardiaco.*) f. **Agripalma.**

Cardiáceo, a. (Del gr. καρδία, corazón.) adj. Que tiene forma de corazón.

Cardiaco, ca [Cardíaco, ca]. (Del lat. *cardiăcus,* y éste del gr. καρδιακός, de καρδία, corazón.) adj. Perteneciente o relativo al corazón. ‖ **2.** Que padece del corazón. Ú. t. c. s. ‖ **3.** *Zool.* V. **Vena cardiaca.**

Cardial. adj. ant. **Cardiaco.**

Cardialgia. (Del gr. καρδιαλγία, de καρδιαλγής; de καρδία, estómago, corazón, y ἀλγέω, sufrir, padecer.) f. *Med.* Dolor agudo que se siente en el cardias y oprime el corazón.

Cardiálgico, ca. (Del gr. καρδιαλγικός.) adj. Perteneciente a la cardialgia.

Cardias. (Del gr. καρδία, estómago.) m. *Zool.* Orificio que sirve de comunicación entre el estómago y el esófago de los vertebrados terrestres.

Cardillar. m. Sitio en que abundan los cardillos.

Cardillo. (d. de *cardo.*) m. Planta bienal, compuesta, que se cría en sembrados y barbechos, con flores amarillentas y hojas rizadas y espinosas por la margen, de las cuales la penquita se come cocida cuando está tierna.

Cardillo. m. *Méj.* **Escardillo,** 4.a acep.

Cardimuelle. (De *cardo* y *muelle.*) m. *Ál.* **Cerraja,** 1.er art.

Cardinal. (Del lat. *cardinālis.*) adj. Principal, fundamental. ‖ **2.** V. **Número, punto, viento, virtud cardinal.** ‖ **3.** *Astron.* Se aplica a los signos Aries, Cáncer, Libra y Capricornio. Llámanse así porque tienen su principio en los cuatro puntos **cardinales** del Zodiaco, y entrando el Sol en ellos, empiezan respectivamente las cuatro estaciones del año. ‖ **4.** *Gram.* Dícese del adjetivo numeral que expresa exclusivamente cuántas son las personas o cosas de que se trata; como *uno, diez, ciento.*

Cardinas. f. pl. *Arq.* Hojas parecidas a las del cardo, que se usan como adorno en el estilo ojival.

Cardinche. (Como *cardencha,* del lat. **cardincŭlus,* de *carduus,* cardo.) m. *Ál.* **Cardimuelle.**

Cardiografía. (Del gr. καρδία, corazón, y γράφω, escribir.) f. *Med.* Estudio y descripción del corazón.

Cardiógrafo. m. Aparato que registra gráficamente la intensidad y el ritmo de los movimientos del corazón.

Cardiograma. (Del gr. καρδία, corazón, y γράμμα, trazado.) m. Trazado que se obtiene con el cardiógrafo.

Cardiología. (Del gr. καρδία, corazón, y λόγος, discurso.) f. Tratado del corazón y de sus funciones y enfermedades.

Cardiólogo. m. Médico especializado en las enfermedades del corazón.

Cardiópata. (Del gr. καρδία, y πάθος, enfermedad.) adj. Dícese de la persona que padece alguna afección cardiaca. Ú. t. c. s.

Cardiopatía. f. Enfermedad del corazón.

Cardítico, ca. adj. Relativo al corazón.

Carditis. (Del gr. καρδία, corazón, y el sufijo *itis,* inflamación.) f. *Med.* Inflamación del tejido muscular del corazón.

Cardizal. m. Sitio en que abundan los cardos y otras hierbas inútiles.

Cardo. (Del lat. *cardus.*) m. Planta anua, compuesta, como de un metro de altura, hojas grandes y espinosas como las de la alcachofa, flores azules en cabezuela, y pencas que se comen crudas o cocidas, después de aporcada la planta para que resulten más blancas, tiernas y sabrosas. ‖ **2.** *Amér.* **Caraguatá.** ‖ **ajonjero,** o **aljonjero. Ajonjera.** ‖ **bendito. Cardo santo.** ‖ **borriqueño,** o **borriquero.** El que llega a unos tres metros de altura, con las hojas rizadas y espinosas; el tallo con dos bordes membranosos, y flores purpúreas en cabezuelas terminales. ‖ **corredor.** Planta anua, umbelífera, de un metro de altura, tallo subdividido, hojas coriáceas, espinosas por el borde, flores blancas en cabezuelas y fruto ovoide espinoso. ‖ **de María. Cardo mariano.** ‖ **estelado corredor. Cardo corredor.** ‖ **estrellado.** El de tallo peloso, hojas laciniadas, y flores blancas o purpúreas, dispuestas en cabezuelas laterales y sentadas, con espinas blancas. ‖ **huso.** Planta anua, especie de alazor o cártamo, de cuyos tallos hacían antiguamente husos las mujeres. ‖ **lechar,** o **lechero.** El de tallo derecho y leñoso, de unos dos metros de altura, hojas grandes, sinuosas, dentadas y con espinas; flores de color amarillento rojizo, solitarias, terminales y sentadas. La planta está cubierta de un jugo viscoso y blanquecino. ‖ **mariano.** El de tallos derechos, hojas abrazadoras, escotadas, espinosas por el margen y manchadas de blanco, y flores purpúreas en cabezuelas terminales. ‖ **santo.** El de tallo cuadrangular, ramoso y velludo, de tres a cuatro decímetros de altura, hojas envainadoras con dientecitos espinosos y flores amarillas dispuestas en cabezuelas terminales y escamosas. El zumo es narcótico y purgante, pero de uso peligroso. ‖ **setero. Cardo corredor.** Se llama así porque alrededor de él se crían las setas. ‖ **yesquero. Cardo borriquero.** ‖ **El cardo que ha de picar, luego nace con espinas.** ref. que alude a los que temprano muestran condición aviesa. ‖ **Más áspero que un cardo.** expr. fig. y fam. Dícese de la persona adusta y desabrida. ‖ **Más valen cardos en paz que pollos con agraz.** ref. **Más vale vaca en paz, que pollos con agraz.** ‖ **Sacadlo,** o **sacaldo, de entre los cardos, sacároslo hemos de entre las manos.** ref. que alude a los que encomiendan a otros lo difícil o áspero de los negocios y se reservan la parte fácil o beneficiosa.

Cardón. (De *cardo.*) m. **Cardencha,** 1.ª acep. || **2.** Acción y efecto de sacar pelo al paño o al fieltro antes de tundirlo. || **3.** Planta bromeliácea que abunda en Chile, y cuyo fruto es el chagual. || **4.** *Argent.* Especie de cacto gigante que sirve para setos vivos y como planta forrajera. || **5.** *Bol.* El de gran tamaño, pues alcanza unos 20 metros de altura. || **6.** *C. Rica, Méj.* y *Perú.* Planta cáctea de que existen varias especies. || **7.** *Perú* y *Venez.* **Cardo,** 1.ª acep.

Cardona. n. p. **Más listo que Cardona.** expr. fig. y fam. con que se pondera el despejo, trastienda y expedición de alguno.

Cardona. (De *cardón.*) f. *Cuba.* Especie de cacto que se cría en la costa.

Cardonal. m. *Argent., Chile* y *Venez.* Sitio en que abundan los cardones, 1.ª acep.

Cardoncillo. (d. de *cardón.*) m. **Cardo mariano.**

Carducha. f. Carda gruesa de hierro.

Cardume. m. **Cardumen,** 1.ª acep.

Cardumen. m. **Banco,** 8.ª acep. || **2.** *Chile.* Multitud y abundancia de cosas.

Carduza. f. ant. **Carda,** 3.ª acep.

Carduzador, ra. m. y f. Persona que carduza. || **2.** *Germ.* El que negocia con la ropa que hurtan los ladrones.

Carduzal. m. **Cardizal.**

Carduzar. (De *carduza.*) tr. **Cardar.**

Carea. f. *Sal.* Acción y efecto de carear, 2.ª acep.

Careado, da. adj. *Sal.* Se aplica al ganado que está o va de careo.

Careador. (De *carear.*) adj. *Sal.* Se aplica al perro destinado a carear o guiar las ovejas, en oposición al mastín que se emplea en defenderlas. || **2.** m. En Santo Domingo, el que cuida del gallo durante la riña.

Carear. (De *cara.*) tr. Poner a una o varias personas en presencia de otra u otras, con objeto de apurar la verdad de dichos o hechos. || **2.** Dirigir el ganado hacia alguna parte. || **3.** Dar la última mano a la cara del pan de azúcar para limpiarle el barro de la purga. || **4.** fig. Cotejar una cosa con otra. || **5.** *Sal.* Oxear, espantar. || **6.** intr. Dar o presentar la faz hacia una parte. || **7.** *Sal.* Pacer o pastar el ganado. || **8.** r. Verse las personas para algún negocio. || **9.** Ponerse resueltamente cara a cara dos o más personas a fin de resolver algún asunto desagradable para cualquiera de ellas.

Carecer. (Del lat. **carescĕre,* de *carēre.*) intr. Tener falta de alguna cosa.

Careciente. p. a. de **Carecer.** Que carece.

Carecimiento. (De *carecer.*) m. **Carencia,** 1.ª acep.

Careicillo. m. *Cuba.* Arbusto silvestre de hojas ásperas y flores blancas en ramillete.

Carel. m. *Mar.* Borde superior de una embarcación pequeña donde se fijan los remos que la mueven.

Carena. (Del ital. *carena,* y éste del lat. *carīna,* quilla, nave.) f. *Mar.* Reparo y compostura que se hace en el casco de la nave para que pueda volver a servir. || **2.** fig. y fam. Burla y chasco con que se zahiere y reprende. Úsase con los verbos *dar, sufrir, llevar, aguantar.*

Carena. (De *cuarentena.*) f. ant. Penitencia hecha por espacio de cuarenta días ayunando a pan y agua.

Carenadura. f. Acción y efecto de carenar.

Carenar. (Del lat. *carināre.*) tr. *Mar.* Reparar o componer el casco de la nave. || **Carenar de firme.** fr. *Mar.* Reparar completamente el barco.

Carencia. (Del lat. *carentia.*) f. Falta o privación de alguna cosa. || **2.** *Med.* Falta de determinadas substancias en la ración alimenticia, especialmente vitaminas. *Enfermedades por* CARENCIA.

Carencial. adj. *Med.* Perteneciente o relativo a la carencia, 2.ª acep.

Carenero. m. *Mar.* Sitio o paraje en que se carenan buques.

Carenóstilo. m. Insecto de la familia de los carábidos, común en España y en los países meridionales.

Carenote. (De *carena,* 1.er art.) m. *Mar.* Cada uno de los tablones que se aplican a los lados de la quilla de una embarcación, para que se mantenga derecha cuando se vara en la playa.

Carente. p. a. irreg. de **Carecer. Careciente.**

Careo. m. Acción y efecto de carear o carearse. || **2.** *Extr.* Porción de terreno dividido para la montanera, 1.ª acep, || **3.** *Sal.* **Pasto,** 2.ª acep. || **4.** *Sal.* Conversación, charla, holgorio.

Carero, ra. adj. fam. Que acostumbra vender caro.

Carestía. (Del b. lat. *carestia,* y éste del lat. *carēre,* carecer.) f. Falta o escasez de alguna cosa; por antonomasia, de los víveres. || **2.** Subido precio de las cosas de uso común.

Careta. (Del ital. *caretta,* y éste d. del lat. *cara,* cara.) f. Máscara o mascarilla de cartón u otra materia, para cubrir la cara. || **2.** Mascarilla de alambres con que los colmeneros preservan la cara de las picaduras de las abejas. || **3.** Máscara de red metálica con la que los que se ensayan en la esgrima resguardan la cara de los golpes del contrario. || **4.** V. **Judía de careta.** || **Quitarle** a uno **la careta.** fr. fig. Desenmascararle.

Careto, ta. (De *careta.*) adj. Dícese del animal de raza caballar o vacuna que tiene la cara blanca, y la frente y el resto de la cabeza de color obscuro.

Carey. (Como el fr. *caret,* voz de la India.) m. Tortuga de mar, como de un metro de longitud, con las extremidades anteriores más largas que las posteriores, los pies palmeados, las mandíbulas festoneadas y el espaldar de color pardo o leonado y dividido en segmentos imbricados. Su carne es indigesta, pero sus huevos se aprecian como manjar excelente; abunda en las costas de las Indias Orientales y del golfo de Méjico, donde se pesca por el valor que tiene en el comercio. || **2.** Materia córnea que se saca en chapas delgadas calentando por debajo las escamas del **carey;** es translúcida, con manchas amarillas, rojas y negras, dura, de estructura compacta, capaz, por tanto, de recibir hermoso pulimento, y sirve para cajas, peines y otros objetos, así como para incrustaciones o embutidos. || **3.** *Cuba.* Bejuco de hojas anchas y tan ásperas, que se usa como lija. || **4.** *Bot. Cuba.* Arbusto de las costas, de la familia de las ramnáceas, cuya madera, que es durísima y tiene el mismo color y aspecto que el caparazón del quelonio del mismo nombre, se emplea en ebanistería y para hacer bastones.

Careza. (De *caro.*) f. p. us. **Carestía.**

Carga. f. Acción y efecto de cargar. || **2.** Cosa que hace peso sobre otra. || **3.** Cosa transportada en hombros, a lomo, o en cualquier vehículo. || **4.** Unidad de medida de algunos productos forestales, como leñas, carbones, frutos, etc. || **5.** Cierta cantidad de granos, que en unas partes es de cuatro fanegas y en otras de tres. || **6.** Cantidad de pólvora, con proyectiles o sin ellos, que se echa en el cañón de una arma de fuego. || **7.** Boquilla del frasco u otra medida de la pólvora que corresponde a cada disparo. || **8.** Cantidad de substancia explosiva con que se causa la voladura de una mina o barreno. || **9.** V. **Bestia, fila, indio, navío, paso de carga.** || **10.** ant. Acción de disparar a un tiempo muchas armas de fuego. || **11.** fig. Tributo, imposición, pecho, gravamen. || **12.** fig. Censo, hipoteca, servidumbre u otro gravamen real de la propiedad, generalmente en la inmueble. || **13.** fig. Obligación aneja a un estado, empleo u oficio. || **14.** fig. Cuidados y aflicciones del ánimo. || **15.** fig. y fam. V. **Burro de carga.** || **16.** *Mar.* V. **Buque a la carga.** || **17.** *Mil.* Embestida o ataque resuelto al enemigo. || **18.** *Mil.* Evolución de gente armada, principalmente la mantenedora del orden público, para dispersar o ahuyentar a los grupos de revoltosos. || **19.** *Veter.* Bizma para las caballerías, compuesta de harina, claras de huevos, ceniza y bol arménico, todo batido con la sangre del mismo animal. || **abierta.** *Mil.* Embestida al arma blanca en formación espaciada. || **a fondo.** *Mil.* **Carga de petral.** || **aragonesa.** La de tres quintales, y tenían: el quintal, cuatro arrobas, y la arroba, 36 libras. || **catalana.** La que constaba de tres quintales; el quintal, de cuatro arrobas, y la arroba, de 26 libras de 12 onzas cada una. || **cerrada.** *Mil.* Embestida al arma blanca en formación compacta. || **2.** ant. **Descarga cerrada.** || **3.** fig. y fam. Reprensión áspera y fuerte. || **concejil.** Servicio o gravamen exigible a todos los vecinos no exentos por la ley; como los de alojamientos, bagajes, etc. || **de aposento.** Renta en dinero que se pagaba en substitución del derecho de aposento impuesto sobre las casas de Madrid en tiempos de Felipe III. || **de caballería.** *Mil.* Embestida de tropas de esta arma. || **de justicia.** Obligación contraída por el Estado de indemnizar a los sucesores de los antiguos dueños de oficios o derechos enajenados de la corona o poseedores de donaciones y privilegios reales, o bien a los que deben percibir ciertas cantidades por causa onerosa. || **del Bierzo.** Unidad de medida para terrenos usada en esta región leonesa, equivalente a cuatro fanegas ó 400 estadales cuadrados, de cuatro varas de lado cada uno. || **de petral.** *Mil.* Embestida de caballería contra caballería y cuerpo a cuerpo. || **mayor.** La que suele llevar una acémila. || **menor.** La que puede llevar un asno. || **personal.** Servicio a que están obligadas las personas. || **real.** Gravamen impuesto sobre bienes inmuebles, quienquiera que sea el poseedor de éstos. || **vecinal. Carga concejil.** || **A carga cerrada.** m. adv. Dícese de lo que se compra a bulto y sin previo examen, por alusión a la manera como suelen comprarse ciertas especies; como el carbón, las frutas, etc. || **2.** fig. Sin reflexión, consideración ni examen. || **3.** fig. Sin distinguir, sin restricción. || **4.** fig. A un tiempo, de una vez. || **A cargas.** m. adv. fig. y fam. Con mucha abundancia. A CARGAS *le vienen los regalos.* || **Acodillar** uno **con la carga.** fr. fig. y fam. No poder cumplir con la obligación de su empleo. || **Echar** uno **la carga** a otro. fr. fig. Transferirle lo más pesado de la obligación propia. || **Echar** uno **la carga de sí.** fr. fig. Eludir un gravamen o cuidado. || **Echar** uno **las cargas** a otro. fr. fig. y fam. Imputarle lo que no ha hecho. || **Echarse** uno **con la carga.** fr. fig. y fam. Enfadarse o rendirse y abandonarlo todo. || **La carga bien se lleva: el sobornal causa la queda. La carga cansa, la sobrecarga mata.** refs. **A la bestia cargada el sobornal la mata.** || **Llevar** uno **la carga.** fr. fig. Asumir cuidado o trabajo de alguna cosa. || **No hay carga más pesada que la mujer liviana.** ref. y sentido claros. || **¿Por qué carga de agua?** loc. fig. y fam. ¿Por qué razón? ¿Por qué causa o motivo? || **Sentarse la carga.** fr. fig. Lastimar la carga a la bestia por no estar bien puesta. || **2.** fig. y fam. Hacerse molesta una obligación o empresa. || **Ser de ciento en carga** una cosa. fr. fig. y fam. Ser ordinaria y de poca estimación. || **Ser en carga.** fr. Molestar, enfadar. || **Soltar** uno **la carga.** fr. fig. **Echar la carga de sí.** || **Terciar la carga.** fr. Repartirla en porciones iguales. || **Volver a la carga.** fr. fig. Insistir en un empeño o tema.

Cargadal. m. *Ar.* Cargazón de tierra y otras substancias en el fondo de los ríos y acequias.

Cargadas. f. pl. Juego de naipes en que el que no hace baza es bolo y pierde, y cuando todos los que juegan hacen bazas, el que tiene más, por estar cargado de ellas, pierde también.

Cargadera. (De *cargar.*) f. *Mar.* Cabo con que se facilita la operación de arriar o cerrar las velas volantes y de cuchillo.

Cargadero. m. Sitio donde se cargan y descargan las mercancías que se transportan, y artefactos instalados para estas operaciones. || **2.** *Arq.* **Dintel.**

Cargadilla. (De *cargar.*) f. fam. Aumento que, por la acumulación de intereses, va teniendo una deuda.

Cargado, da. p. p. de **Cargar.** || **2.** adj. Dícese del tiempo o de la atmósfera bochornosos. || **3.** Aplícase a la oveja próxima a parir. En algunas partes se dice también de otras hembras, y aun de las mujeres. || **4.** Fuerte, espeso, saturado; como el café. || **5.** *Blas.* Dícese de la pieza o armas sobre las que se han pintado otra u otras que no sean brisura. || **6.** f. En el juego del monte, la carta a que se ha puesto más dinero, de las dos que forman el albur y el gallo. || **7.** m. *Danza.* Movimiento de la danza española, que se hace alzando el pie derecho y poniéndolo sobre el otro, de manera que lo quite de su asiento y quede él en su lugar.

Cargador. m. El que embarca las mercancías para que sean transportadas. || **2.** El que tiene por oficio conducir cargas. || **3.** El que carga las escopetas en la caza de ojeo. || **4.** Bieldo grande para cargar y encerrar la paja. || **5.** Pieza o instrumento que sirve para cargar ciertas armas de fuego. || **6.** *Chile, Guat., Méj.* y *Perú.* **Mozo de cordel.** || **7.** *Guat.* Cohete muy ruidoso. || **8.** *Chile.* Sarmiento algo recortado en la poda, que se deja para que lleve el peso del nuevo fruto. || **9.** *Art.* Cada uno de los dos sirvientes que introducen la carga en las piezas de artillería.

Cargamento. m. Conjunto de mercaderías que carga una embarcación.

Cargancia. (De *cargar.*) f. *Sal.* Molestia, pesadez.

Cargante. p. a. de **Cargar.** Que carga o molesta.

Cargar. (Del lat. *carricāre*, y éste del lat. *carrus*, carro.) tr. Poner o echar peso sobre una persona o una bestia. || **2.** Embarcar o poner en un vehículo mercancías para transportarlas. || **3.** Introducir la carga en el cañón de cualquier arma de fuego. || **4.** Acopiar con abundancia algunas cosas. || **5.** fig. Usado con algunos adverbios, como *mucho, demasiado,* etc., llenarse, comer o beber destempladamente. || **6.** fig. Aumentar, agravar el peso de alguna cosa. || **7.** fig. Imponer a las personas o cosas un gravamen, carga u obligación. || **8.** fig. Imputar, achacar a uno alguna cosa. || **9.** fig. En los juegos de la malilla, y otros, echar sobre la carta jugada otra que la gane. || **10.** fig. En el juego del monte, aumentar el dinero puesto a una carta. || **11.** fig. y fam. Incomodar, molestar, cansar. Ú. t. c. r. || **12.** *Blas.* Pintar sobre una pieza o armas otra u otras que no sean brisura. || **13.** *Com.* Anotar en las cuentas corrientes las partidas que corresponden al debe. || **14.** *Mar.* Tratándose de las velas, cerrar o recoger sus paños, dejándolas listas para ser aferradas. || **15.** *Mil.* Acometer con fuerza y vigor a los enemigos. || **16.** *Mil.* Evolucionar los guardias o agentes de orden público para dispersar o rechazar a la multitud. || **17.** *Veter.* Untar las bestias caballares desde la cruz hasta las caderas con su propia sangre, mezclada con otros ingredientes, después de haberlas sangrado. || **18.** intr. Inclinarse una cosa hacia alguna parte. CARGÓ *la tempestad hacia el puerto.* Ú. t. c. r. SE CARGÓ *el viento al Norte.* || **19.** Mantener, tomar o **cargar** sobre sí algún peso. || **20.** Estribar o descansar una cosa sobre otra. || **21.** Junto con la prep. *con*, llevarse, tomar. || **22.** Llevar los árboles fruto en gran abundancia. || **23.** fig. Concurrir mucha gente a un paraje. || **24.** fig. Tomar o tener sobre sí alguna obligación o cuidado. || **25.** fig. Con la prep. *sobre*, hacer a uno responsable de culpas o defectos ajenos. || **26.** fig. Junto con la misma prep., instar, importunar a uno para que condescienda con lo que se le pide. CARGARON *tanto* SOBRE *Ramón, que no pudo negarse.* || **27.** *Gram.* Tratándose de acentuación o pronunciación, tener una letra o sílaba más valor prosódico que otras de la misma palabra. || **28.** r. Echar el cuerpo hacia alguna parte. || **29.** fig. En las cuentas, admitir el cargo de alguna cantidad. || **30.** fig. Tratándose del tiempo, el cielo, el horizonte, etc., irse aglomerando y condensando las nubes. || **31.** fig. Con la prep. *de*, llenarse o llegar a tener copia o abundancia de ciertas cosas. CARGARSE *uno* DE *razón,* DE *años,* DE *hijos;* CARGARSE DE *lágrimas los ojos.* || **Cargar delantero.** fr. fig. y fam. Haber bebido demasiado.

Cargareme. (De la 1.ª pers. de sing. del fut. de indic. de *cargar* y el pron. *me: cargaréme:* me cargaré.) m. Documento con que se hace constar el ingreso de alguna cantidad en caja o tesorería.

Cargazón. (De *cargar.*) f. **Cargamento.** || **2.** Pesadez sentida en alguna parte del cuerpo, como la cabeza, el estómago, etc. || **3.** Aglomeración de nubes espesas. || **4.** *Argent.* Obra mecánica tosca o mal rematada. || **5.** *Chile.* Abundancia de frutos en los árboles y otras plantas.

Cargo. (De *cargar.*) m. Acción de cargar. || **2.** Carga o peso. || **3.** Cantidad de piedra para mampostería o afirmado, próximamente de un tercio de metro cúbico. || **4.** Conjunto de capachos, llenos de aceituna molida en el alfarje, que se apilan sobre la regaifa, para sujetarlos de una vez a la acción de la viga o prensa del molino de aceite. || **5.** Cantidad de uva ya pisada, que se pone de una vez bajo la acción de la viga o la prensa en el lagar. || **6.** Unidad de medida de maderas que se usa en Granada, equivalente a una vara cúbica. || **7.** En las cuentas, conjunto de cantidades de que uno debe dar satisfacción. || **8.** V. **Pino de cargo.** || **9.** fig. Dignidad, empleo, oficio. || **10** fig. Obligación, precisión de haber de hacer o cumplir alguna cosa. || **11.** fig. Gobierno, dirección, custodia. || **12.** fig. Falta que se imputa a uno en su comportamiento. || **13.** *Sal.* **Dintel.** || **14.** *Chile.* Certificado que al pie de los escritos pone el secretario judicial para señalar el día o la hora en que fueron presentados. || **concejil.** Oficio obligatorio para los vecinos, como el de regidor, etc. || **de conciencia.** Lo que la grava. || **de la república. Cargo concejil.** || **A cargo de.** loc. con que se indica que algo está confiado al cuidado de una persona. || **2.** A expensas, a costa, a cuenta de. || **Con cargo a.** loc. **A cargo de,** 2.ª acep. || **Hacer cargo** a uno **de** alguna cosa. fr. Imputársela, reconvenirle con ella. || **Hacerse** uno **cargo** de alguna cosa. fr. Encargarse de ella. || **2.** Formar concepto de ella. || **3.** Considerar todas sus circunstancias. || **Ser** uno **en cargo** a otro. fr. Ser su deudor.

Cargosear. tr. *Chile.* Importunar, molestar.

Cargoso, sa. (De *cargar.*) adj. Pesado, grave. || **2.** Molesto, gravoso. || **3.** *Argent.* y *Chile.* **Cargante.** || **4.** *Argent.* y *Perú.* **Gravoso.**

Cargue. m. ant. Acción y efecto de cargar una embarcación. || **2.** ant. Pasaporte o licencia para cargar.

Carguerío. (De *carguero.*) m. ant. **Carguío.**

Carguero, ra. adj. Que lleva carga. || **2.** m. *Argent.* **Bestia de carga.**

Carguillero, ra. adj. *Sal.* Dícese del que tiene por oficio llevar cargas de leña para enrojar los hornos.

Carguío. m. Cantidad de géneros u otras cosas que componen la carga. || **2. Carga,** 3.ª acep.

Cari. (Del mapuche *cari*, verde.) adj. *Amér.* **Zarzamora.** || **2.** *Chile.* Dícese del color pardo claro. *Manta* CARI. || **3.** *Chile.* Pimienta de la India.

Caria. f. *Arq.* Fuste o caña de columna.

Cariacedo, da. (De *cara* y *acedo.*) adj. Desapacible, desagradable, enojado.

Cariaco. (Del caribe *cariacu*, corza.) m. desus. *Cuba.* Baile popular parecido a la titundia. || **2.** *Guay.* Bebida fermentada de jarabe de caña, de cazabe y de patatas.

Cariacontecido, da. (De *cara* y *acontecido.*) adj. fam. Que muestra en el semblante pena, turbación o sobresalto.

Caríacos. m. pl. *Etnogr.* Indios caribes de las Antillas en la época del descubrimiento.

Cariacuchillado, da. adj. Que tiene en la cara alguna cicatriz.

Cariado, da. adj. Dícese de los huesos dañados o podridos.

Cariadura. f. El daño del hueso cariado.

Cariaguileño, ña. (De *cara* y *aguileño.*) adj. fam. Que tiene larga la cara, enjutos los carrillos y algo corva la nariz.

Carialegre. adj. **Risueño,** 1.ª y 2.ª aceps.

Carialzado, da. adj. Que tiene la cara levantada.

Cariampollado, da. adj. **Cariampollar.**

Cariampollar. (De *cara* y *ampolla.*) adj. **Mofletudo.**

Cariancho, cha. adj. fam. Que tiene ancha la cara.

Cariaquito. (Voz caribe.) m. Arbusto vivaz de la familia de las verbenáceas, propio de los lugares cálidos, secos y áridos, que crece hasta poco más de un metro de altura, con ramos angulosos y cubiertos de pelos ásperos, hojas recias, dentadas y salpicadas de puntos blanquecinos en un fondo verde sin brillo; flores pequeñas, blancas o moradas, y fruto dulce, consistente en una pequeña baya globulosa que encierra una semilla. Toda la planta despide un aroma suave.

Cariar. (Del lat. *cariāre.*) tr. Corroer, producir caries. Ú. m. c. r.

Cariátide. (Del lat. *caryătis*, *-idis*, y éste del gr. καρυᾶτις.) f. *Arq.* Estatua de mujer con traje talar, y que hace oficio de columna o pilastra. || **2.** *Arq.* Por ext., cualquiera figura humana que en un cuerpo arquitectónico sirve de columna o pilastra.

Caríbal. (De *caribe.*) adj. **Caníbal,** 1.ª acep. Ú. t. c. s.

Caribe. adj. Dícese del individuo de un pueblo del mismo nombre, que en otro tiempo dominó una parte de las Antillas. Ú. t. c. s. || **2.** Perteneciente a este pueblo. || **3.** m. Lengua de los **caribes.** || **4.** Pez pequeño y muy voraz que vive en las costas de Venezuela. || **5.** fig. Hombre cruel e inhumano. Dícese con alusión a los indios de la provincia de Caribana.

Caribello. adj. Dícese del toro que tiene la cabeza obscura y la frente con manchas blancas.

Cariblanca. m. *Colomb.* y *C. Rica.* Carablanca.

Cariblanco. m. *C. Rica.* Puerco montés más pequeño que el jabalí europeo y más feroz, y de carne más estimada que el saíno. Vive en grandes manadas en los bosques vírgenes de los países cálidos.

Caribú. m. *Zool.* Reno salvaje del Canadá, cuya carne es comestible.

Caricáceo, a. (De *carica,* nombre de un género de plantas.) adj. *Bot.* Dícese de árboles angiospermos dicotiledóneos con tallo poco ramificado y jugoso, flores generalmente unisexuales, de cáliz muy pequeño y corola gamopétala y pentámera; fruto en baya, de carne apretada al exterior y pulposa en lo interior, con semillas semejantes a las de las cucurbitáceas; como el papayo. Ú. t. c. s. f. || **2.** f. pl. *Bot.* Familia de estas plantas.

Caricari. (Voz caribe.) m. Halcón brasileño que se alimenta de reptiles, ratones, pajarillos e insectos.

Caricarillo, lla. m. y f. *Vallad.* Cada uno de los hijos de un cónyuge con relación a los del otro, cuando siendo ambos cónyuges viudos contraen entre sí matrimonio.

Caricato. (Del ital. *caricato,* de *caricare,* cargar, y éste del lat. *carricāre.*) m. Bajo cantante que en la ópera hace los papeles de bufo. || **2.** *Amér.* **Caricatura.**

Caricatura. (Del ital. *caricatura,* der. de *caricare,* y éste del lat. *carricāre,* cargar.) f. Figura ridícula en que se deforman las facciones y el aspecto de alguna persona. || **2.** Obra de arte en que claramente o por medio de emblemas y alusiones se ridiculiza una persona o cosa.

Caricaturar. tr. **Caricaturizar.**

Caricaturesco, ca. adj. Perteneciente o relativo a la caricatura.

Caricaturista. com. Dibujante de caricaturas.

Caricaturizar. (De *caricatura.*) tr. Representar por medio de caricatura a una persona o cosa.

Caricia. (De *caro,* amado.) f. Demostración cariñosa que consiste en rozar suavemente con la mano el rostro de una persona, el cuerpo de un animal, etc. || **2.** Halago, agasajo, demostración amorosa. || **3.** *Germ.* Cosa que cuesta cara.

Cariciosamente. adv. m. Haciendo caricias.

Caricioso, sa. (De *caricia.*) adj. **Cariñoso.**

Carichato, ta. adj. Chato, que tiene la cara aplanada.

Caridad. (Del lat. *carĭtas, -ātis.*) f. Una de las tres virtudes teologales, que consiste en amar a Dios sobre todas las cosas, y al prójimo como a nosotros mismos. || **2.** Virtud cristiana opuesta a la envidia y a la animadversión. || **3.** Limosna que se da, o auxilio que se presta a los necesitados. || **4.** Refresco de vino, pan y queso u otro refrigerio, que en algunos lugares se da por las cofradías a los que asisten a la fiesta del santo que se celebra. || **5.** Agasajo que se hacía en muchos pueblos pequeños, con motivo de las honras de los difuntos. || **6.** V. **Obra de caridad.** || **7.** Tratamiento usado en ciertas órdenes religiosas de mujeres, y en alguna cofradía devota de varones. || **8.** *Méj.* Comida de los presos. || **9.** *Mar.* Quinta ancla de respeto que han solido llevar los navíos en la bodega. || **La caridad bien ordenada empieza por uno mismo.** ref. con que se denota lo natural que es pensar en las necesidades propias antes que en las ajenas.

Caridelantero, ra. (De *cara* y *delantero.*) adj. fam. Descarado y entremetido.

Caridoliente. (De *cara* y *doliente.*) adj. Que en el semblante manifiesta dolor.

Caridoso, sa. (De *caridad.*) adj. ant. Caritativo.

Cariedón. m. Insecto que roe las nueces.

Carientismo. (Del lat. *charientismos,* y éste del gr. χαριεντισμός, de χαριεντίζομαι, chancear, bromear.) m. *Ret.* Figura que consiste en disfrazar ingeniosa y delicadamente la ironía o la burla.

Caries. (Del lat. *caries.*) f. Úlcera de un hueso. || **2. Tizón,** 4.ª acep. || **seca.** Enfermedad de los árboles, que convierte el tejido leñoso en una substancia amarillenta, seca y estoposa.

Carifruncido, da. adj. fam. Que tiene fruncida la cara.

Carigordo, da. adj. fam. Que tiene gorda la cara.

Cariharto, ta. (De *cara* y *harto.*) adj. Carirredondo.

Carilampiño, ña. adj. *Chile* y *Perú.* Barbilampiño.

Carilargo, ga. adj. fam. Que tiene larga la cara.

Carilindo, da. adj. De linda cara. Ú. t. c. s.

Carilucio, cia. (De *cara* y *lucio.*) adj. fam. Que tiene lustrosa la cara.

Carilla. (d. de *cara.*) f. **Careta,** 2.ª acep. || **2. Dieciocheno,** 3.ª acep. || **3.** Plana o página.

Carilleno, na. (De *cara* y *lleno.*) adj. fam. Que tiene abultada la cara.

Carillo, lla. (d. de *caro.*) adj. Que es caro, amado o querido. || **2.** m. y f. Amante, novio. Ú. m. en lenguaje rústico y poético.

Carillón. (Del fr. *carillon,* y éste del ant. *careignon,* del lat. *quaternio, -ōnis,* grupo de cuatro.) m. Grupo de campanas en una torre, que producen un sonido armónico por estar acordadas. || **2.** Juego de tubos o planchas de acero que producen un sonido musical.

Carimba. f. En el Perú, marca que con hierro candente se ponía a los esclavos. || **2.** *Cuba.* **Calimba.**

Carimbo. m. *Bol.* Hierro para marcar las reses.

Carincho. m. Guisado americano, hecho con patatas cocidas enteras, carne de vaca, carnero o gallina y salsa con ají.

Carinegro, gra. (De *cara* y *negro.*) adj. Que tiene muy morena la cara.

Carininfo, fa. (De *cara* y *ninfa.*) adj. De cara afeminada.

Cariñana. f. Toca femenina del siglo XVII ajustada al rostro, como las que usan las religiosas. La introdujo en España María de Borbón, princesa de Carignan.

Cariñar. intr. *Ar.* Sentir nostalgia o añoranza. Ú. t. c. r.

Cariñena. m. Vino tinto muy dulce y oloroso, que recibió el nombre de la ciudad de que procede, perteneciente a la provincia de Zaragoza.

Cariño. (Del gall. o port. *cariño,* y éste del lat. *carus,* querido.) m. Inclinación de amor o buen afecto que se siente hacia una persona o cosa. || **2.** fig. Expresión y señal de dicho sentimiento. Ú. m. en pl. || **3.** fig. Esmero, afición con que se hace una labor o se trata una cosa.

Cariñosamente. adv. m. Con cariño.

Cariñoso, sa. (De *cariño.*) adj. Afectuoso, amoroso. || **2.** ant. **Enamorado.**

Cario, ria. adj. Natural de la Caria. Ú. t. c. s. || **2.** Perteneciente a esta región asiática. || **3.** *Amér.* **Guaraní.**

Cariocar. m. *Bot.* Árbol de la América tropical, de gran altura, tipo de la familia de las cariocariáceas.

Cariocariáceo, a. (De *caryocar,* nombre de un género de plantas.) adj. *Bot.* Dícese de plantas angiospermas dicotiledóneas, casi siempre leñosas, con frutos drupáceos provistos de una o cuatro semillas que pueden contener materias albuminoideas y grasa, pero nunca fécula, y hojas divididas en tres lóbulos. Ú. t. c. s. f. || **2.** f. pl. *Bot.* Familia de estas plantas.

Cariocinesis. (Del gr. κάρυον, núcleo, y κίνησις, movimiento.) f. *Biol.* **Mitosis.**

Cariocinético, ca. (De *cariocinesis.*) adj. *Biol.* Perteneciente o relativo a la cariocinesis.

Cariofiláceo, a. (De *cariofileo.*) adj. *Bot.* Dícese de hierbas o matas angiospermas dicotiledóneas, con tallos erguidos, nudosos y articulados, o tendidos, frecuentemente provistos de estípulas membranosas; flores regulares, hermafroditas, y fruto en cápsula; como el clavel, la minutisa y la quebrantapiedras. Ú. t. c. s. f. || **2.** f. pl. *Bot.* Familia de estas plantas.

Cariofileo, a. (Del lat. *caryophyllon,* y éste del gr. καρυόφυλλον, clavo de especia; de κάρυον, nuez, y φύλλον, hoja.) adj. *Bot.* Cariofiláceo.

Cariofilina. (De *cariofileo.*) f. *Quím.* Substancia contenida en gran cantidad en el clavo de las Molucas.

Cariópside. (Del gr. κάρυον, nuez, y ὄψις, vista, aspecto.) f. *Bot.* Fruto seco e indehiscente a cuya única semilla está íntimamente adherido el pericarpio; como el grano de trigo.

Carioso, sa. (Del lat. *cariōsus.*) adj. ant. Que tiene caries.

Cariparejo, ja. (De *cara* y *parejo,* igual, lo mismo de un modo que de otro.) adj. fam. Se dice de la persona cuyo semblante no se inmuta por nada.

Caripelado. m. *Colomb.* Especie de mono.

Carirraído, da. (De *cara* y *raído.*) adj. fam. Descarado o sin vergüenza.

Carirredondo, da. adj. fam. Redondo de cara.

Carisea. (Del fr. *cariseau,* y éste del ingl. *kersey.*) f. Tela basta de estopa, que se tejía en Inglaterra, muy usada en España en los siglos XVI y XVII para ropas de cama pobre. También se hacía de lana a modo de estameña.

Cariseto. (Del fr. *cariset,* y éste del ingl. *kersey.*) m. Tela basta de lana.

Carisias. (Del gr. χαρίσια, de χάρις, la gracia.) f. pl. *Mit.* Fiestas griegas nocturnas en honor de las Gracias.

Carisma. (Del lat. *charisma,* y éste del gr. χάρισμα, de χαρίζομαι, agradar, hacer favores.) m. *Teol.* Don gratuito que concede Dios con abundancia a una criatura.

Carismático, ca. adj. Perteneciente o relativo al carisma.

Carisquio. m. *Bot.* Árbol de la familia de las mimosáceas, parecido a la acacia, que vive en los países cálidos del Antiguo Mundo, y cuyas especies, algunas de las cuales se cultivan en los jardines, son apreciadas por su buena madera.

Caristias. (Del lat. *charistia.*) f. pl. *Mit.* Convite familiar que los romanos celebraban el 18 y 20 de febrero de cada año, para hacer paces entre los parientes.

Caritán. m. Colector de la tuba en Filipinas.

Caritatero. (Del lat. *caritas, -ātis,* caridad.) m. *Ar.* Canónigo de la catedral de Zaragoza, encargado de repartir las limosnas a pobres y enfermos que anualmente señalaba en conjunto el cabildo.

Caritativamente. adv. m. Con caridad.

Caritativo, va. (Del lat. *charitatīvus.*) adj. Que ejercita la caridad. || **2.** Perteneciente o relativo a la caridad.

Carite. m. *Cuba.* Pez parecido al pez sierra, pero más largo y delgado.

Cariucho. (Voz quichua.) m. *Ecuad.* Guiso de carne y patatas con ají.

Cariz. (De *cara.*) m. Aspecto de la atmósfera. || **2.** fig. y fam. Aspecto que presentan un negocio o una reunión de personas.

Carla. f. Tela pintada de las Indias.

Carlán. m. El que en Aragón tenía cierta jurisdicción y derechos en un territorio.

Carlanca. f. Collar ancho y fuerte, erizado de puntas de hierro, que preserva a los mastines de las mordeduras de los lobos. || **2.** fig. y fam. Maula, picardía, roña. Ú. m. en pl. || **3.** *Germ.* Cuello de camisa. || **4.** *Colomb.* y *C. Rica.* **Grillete.** || **5.** *Ecuad.* Especie de trangallo o palo que se cuelga de la cabeza a los animales para que no entren en los sembrados. || **6.** *Chile* y *Hond.* Molestia causada por alguna persona machacona y fastidiosa. || **7.** *Hond.* Persona de tal condición. || **Tener uno muchas carlancas.** fr. fig. y fam. **Tener muchas conchas.**

Carlanco. m. Ave zancuda del tamaño de un pollo pequeño, y de color azulado, que vive en España en estado salvaje.

Carlancón, na. m. y f. Persona astuta que tiene muchas carlancas. Ú. t. c. adj.

Carlanga. (De *carlanca.*) f. *Méj.* Pingajo, harapo, guiñapo.

Carlanía. f. Dignidad de carlán. || **2.** Territorio sujeto a él.

Carlear. intr. **Jadear.**

Carleta. (Del fr. *carlette.*) f. Lima para desbastar el hierro. || **2.** *Mineral.* Especie de pizarra francesa procedente de Angers.

Carlín. (De *Carlos.*) m. Moneda española pequeña y de plata, que se batió en tiempo del emperador Carlos V.

Carlina. adj. V. **Angélica carlina.** Ú. t. c. s.

Carlincho. m. *Ál.* Cardo corredor o setero.

Carlinga. (Como el fr. *carlingue,* del ingl. *carling.*) f. *Mar.* Hueco, generalmente cuadrado, en que se encaja la mecha de un árbol u otra pieza semejante.

Carlismo. m. Orden de ideas profesadas por los carlistas. || **2.** Partido o comunión política de los carlistas.

Carlista. adj. Partidario de los derechos que don Carlos María Isidro de Borbón y sus descendientes han alegado a la corona de España. Ú. t. c. s.

Carlita. f. Nombre que dan los ópticos a las lunetas que sirven para leer.

Carló. m. Vino tinto que se produce en Sanlúcar de Barrameda, así llamado por ser imitación del de Benicarló de Castellón de la Plana.

Carlón. m. *And.* **Carló.**

Carlos. n. p. *Astron.* V. **Corazón de Carlos.**

Carlota. f. Torta hecha con leche, huevos, azúcar, cola de pescado y vainilla. || **rusa. Carlota.**

Carlovingio, gia. adj. **Carolingio.** Ú. t. c. s.

Carmañola. (Del fr. *carmagnole.*) f. Especie de chaqueta parecida al marsellés y de cuello estrecho. || **2.** Canción revolucionaria francesa de la época del terror en 1793.

Carme. (Del ár. *karm,* viña.) m. *Gran.* **Carmen,** 2.° art.

Carmel. m. Especie de llantén.

Carmelina. f. Segunda lana que se saca de la vicuña.

Carmelita. (Del monte *Carmelo.*) adj. Dícese del religioso de la orden del Carmen. Ú. t. c. s. || **2. Carmelitano.** || **3.** *Cuba* y *Chile.* Dícese del color pardo, castaño claro o acanelado, por alusión al del hábito de los **carmelitas.** || **4.** f. Flor de la planta llamada capuchina, que se suele echar en las ensaladas.

Carmelitano, na. (De *carmelita.*) adj. Perteneciente a la orden del Carmen.

Carmen. m. Orden regular de religiosos mendicantes, fundada por Simón Stock en el siglo XIII. Los hay calzados y descalzos. El hábito y escapulario son de color negro o pardo, y la capa o manto, blanco. También hay conventos de monjas de esta orden, calzadas y descalzas.

Carmen. (De m. or. que *carme.*) m. En Granada, quinta con huerto o jardín.

Carmen. (Del lat. *carmen.*) m. Verso o composición poética.

Carmenador. (Del lat. *carminātor, -ōris.*) m. El que carmena. || **2.** Instrumento para carmenar. || **3. Batidor,** 6.ª acep.

Carmenadura. (De *carmenar.*) f. Acción y efecto de carmenar.

Carmenar. (Del lat. *carmināre.*) tr. Desenredar, desenmarañar y limpiar el cabello, la lana o la seda. Ú. t. c. r. || **2.** fig. y fam. **Repelar,** 1.ª acep. || **3.** fig. y fam. Quitar a uno dinero o cosas de valor.

Carmentales. (Del lat. *carmentalia.*) f. pl. *Arqueol.* Fiestas romanas en honra de la ninfa Carmenta.

Carmentina. f. Planta de la familia de las acantáceas, usada en medicina como pectoral.

Carmes. m. **Quermes,** 1.ª acep.

Carmesí. (Del ár. *qirmizí,* rojo, color del quermes.) adj. Aplícase al color de grana dado por el quermes animal. Ú. t. c. s. || **2.** m. Polvo de color de la grana quermes. || **3.** Tela de seda roja.

Carmesín. adj. ant. **Carmesí,** 1.ª acep. Usáb. t. c. s.

Carmesita. f. *Mineral.* Silicato hidratado de hierro y alúmina.

Cármeso. m. ant. **Carmesí,** 1.ª acep.

Carmín. (De *quermes.*) m. Materia de color rojo encendido, que se saca principalmente de la cochinilla, 1.ª acep. || **2.** Este mismo color. || **3.** Rosal silvestre cuyas flores son del color antedicho. || **4.** Flor de esta planta. || **5.** V. **Hierba carmín.** || **bajo.** El que se hace con yeso mate y cochinilla, 2.ª acep.

Carminante. p. a. ant. de **Carminar.** Que carmina.

Carminar. (Del lat. *carmināre,* cardar.) tr. ant. **Expeler.**

Carminativo, va. (De *carminar.*) adj. *Med.* Dícese del medicamento que favorece la expulsión de los gases desarrollados en el tubo digestivo. Ú. t. c. s.

Carmíneo, a. adj. De carmín. || **2.** De color de carmín.

Carminita. (De *carmín.*) f. *Mineral.* Arseniato anhidro de hierro y de plomo.

Carminoso, sa. adj. De color que tira a carmín.

Carnación. f. *Blas.* Color natural y no heráldico, que se da en el escudo a varias partes del cuerpo humano. *Cara y manos de* CARNACIÓN.

Carnada. f. Cebo para pescar o cazar. || **2.** fig. y fam. **Añagaza,** 2.ª acep.

Carnadura. (De *carne,* 1.er art.) f. Musculatura, robustez, abundancia de carnes. || **2. Encarnadura,** 1.ª acep.

Carnaje. m. **Tasajo,** señaladamente cuando lo llevan las embarcaciones. || **2.** ant. Destrozo grande o mortandad que resulta de una batalla.

Carnal. (Del lat. *carnālis.*) adj. Perteneciente a la carne. || **2.** Lascivo o lujurioso. || **3.** Perteneciente a la lujuria. || **4.** fig. Terrenal y que mira solamente las cosas del mundo. || **5.** V. **Hermano, primo, sobrino, tía, tío carnal.** || **6.** m. Tiempo del año que no es cuaresma. || **7.** ant. **Carnaval,** 1.ª acep.

Carnalidad. (Del lat. *carnalitas, -ātis.*) f. Vicio y deleite de la carne.

Carnalmente. adv. m. Con carnalidad.

Carnario. (Del lat. *carnarium,* de *caro, carnis,* carne.) m. ant. **Carnero,** 2.° art.

Carnauba. f. *Amér.* **Carandaí.**

Carnaval. (Del ital. *carnevale.*) m. Los tres días que preceden al miércoles de ceniza. || **2.** Fiesta popular que se celebra en tales días, y consiste en mascaradas, comparsas, bailes y otros regocijos bulliciosos. || **Ser una cosa un carnaval.** fr. fig. y fam. Dícese de cualquiera reunión muy alegre y ruidosa. || **2.** fig. y despect. Dícese del conjunto de informalidades y fingimientos que se reprochan en una reunión o en el trato de un negocio.

Carnavalada. f. Acción o broma propia del tiempo de carnaval.

Carnavalesco, ca. adj. Perteneciente o relativo al carnaval.

Carnaválico, ca. adj. p. us. **Carnavalesco.**

Carnaza. f. Cara de las pieles, que ha estado en contacto con la carne y opuesta a la flor de las mismas. || **2. Carnada,** 1.ª acep. || **3.** fam. Abundancia de carnes en una persona. || **4.** fig. *Colomb., C. Rica, Chile, Hond.* y *Méj.* El que sufre el daño a que otro le arroja para librarse él. *Echar a uno de* CARNAZA.

Carnazón. f. *Sal.* Inflamación de una herida.

Carne. (Del lat. *caro, carnis.*) f. Parte blanda y mollar del cuerpo de los animales. || **2.** Por antonomasia, la comestible de vaca, ternera y carnero, y muy señaladamente la que se vende para el abasto común del pueblo. || **3.** Alimento consistente en todo o parte del cuerpo de un animal de la tierra o del aire, en contraposición a la comida de pescados y mariscos. || **4.** Parte mollar de la fruta, que está bajo la cáscara o el pellejo. || **5.** Uno de los tres enemigos del alma, que inclina a la sensualidad y lascivia. || **6.** V. **Bula, comida, día de carne.** || **7.** V. **Mosca de la carne.** || **8.** *Amér.* **Cerne.** || **9.** *Teol.* V. **Resurrección de la carne.** || **ahogadiza.** La de los animales que han muerto ahogados, cuando se emplea como alimento. || **cediza.** La que empieza a corromperse. || **de cañón.** fig. Tropa inconsideradamente expuesta a peligro de muerte. || **2.** fig. y fam. Gente ordinaria, tratada sin miramientos. || **de doncella.** Nombre que en el siglo XVII se daba al color rosado de algunas telas finas. || **2.** *Cuba.* Árbol silvestre común con hojas ovales, obtusas, coriáceas, verde obscuras por encima y blanquecinas por debajo, y flor rosada. Alcanza 20 pies de altura por uno y medio de diámetro, y su madera, colorada y fuerte, se emplea en lanzas de carretas. || **de gallina.** fig. Daño que en algunas maderas se manifiesta por el color blanco amarillento, y es comienzo de podredumbre, que suele aumentar después de apeado el árbol. || **2.** fig. Espasmo, por frío, horror o miedo, que da a la epidermis del cuerpo humano la apariencia de la piel de las gallinas desplumadas. || **de membrillo. Codoñate.** || **de pelo.** La de conejos, liebres y demás caza análoga, en contraposición a la de pluma. || **de pluma.** La de las aves comestibles. || **de sábado.** Los extremos, despojos y grosura de los animales, que se permitía comer en este día. || **mollar.** La magra y sin hueso. || **momia.** La embalsamada de una persona o animal. || **2.** fam. La de parte escogida y sin hueso. || **3.** ant. **Caromomia.** || **nueva.** La que se vende por Pascua de Resurrección, por ser la primera que se come después de la cuaresma. Ú. m. en pl. || **salvajina.** La de animales monteses, como el venado, jabalí y otros. || **sin hueso.** fig. y fam. Conveniencia o empleo de mucha utilidad y de poco o ningún trabajo. || **valiente.** Tendones en forma de cinta gruesa, fibrosa y blanca, que enlazan los músculos del cuello de las reses con las agujas. || **viciosa. Fungosidad.** || **viva.** En la herida o llaga, la sana, a distinción de la que está con materia o en putrefacción. || **Carnes blancas.** Las comestibles de reses tiernas o de aves. || **A carne de lobo, diente de perro.** ref. **A buena hambre**

no hay pan duro, etc. || **Carne a carne, amor se hace.** ref. con que se da a entender que el trato íntimo produce amor o amistad. || **Carne, carne cría; y peces, agua fría.** ref. con que se da a entender que la **carne** es alimento más substancioso que el pescado. || **Carne de pluma quita del rostro la arruga. Carne de pluma, siquiera de grúa.** refs. con que se denota que por lo general engordan los que comen regaladamente. || **Carne mal asada, buen tozuelo para.** ref. de sentido recto y claro, pues dicha **carne** engorda. || **Carne que crece, no puede estar si no mece.** ref. que explica cuán propio es de los muchachos el jugar y no estarse quietos. || **Carne sin hueso no se da sino a don Bueso.** ref. que explica la preferencia con que se suele tratar a los ricos o poderosos. || **Carne y sangre.** loc. fig. Hermanos y parientes. || **Cobrar carnes.** fr. fam. Engordar el que estaba flaco. || **Criar carnes.** fr. Ir engordando. || **Deja la carne un mes, y ella te dejará tres.** ref. que enseña que las malas costumbres excitan y estimulan más al pecado que la misma naturaleza. || **Echar carnes.** fr. fam. **Cobrar carnes.** || **En carnes.** m. adv. En cueros o desnudo. || **En carne viva.** loc. adv. Dícese de la parte del cuerpo animal accidentalmente despojada de epidermis. || **En vivas carnes.** m. adv. **En carnes.** || **Hacer carne.** fr. fig. Hablando de los animales carnívoros, matar, hacer carnicería. || **2.** fig. y fam. Herir o maltratar a otro. || **Hacer carne y sangre de** una cosa. fr. fig. y fam. Servirse de una cosa ajena, sin pensar en restituirla o pagarla. || **Hacerse carne.** fr. fig. Cebarse en el dolor. || **2.** fig. Alborotarse y maltratar uno su propia **carne.** || **3.** fig. Encarnarse, tomar realidad. || **La carne en el techo, y la hambre en el pecho.** ref. contra los avaros, que se privan aun de lo preciso. || **La carne sobre el hueso relumbra como espejo.** ref. que denota cómo la buena salud realza la hermosura. || **Metido en carnes.** Dícese de la persona algo gruesa, sin llegar a la obesidad. || **No está la carne en el garabato por falta de gato.** ref. que se dice comúnmente de las mujeres que no dejan de casarse por falta de quien las quiera, sino por algún otro motivo. || **No ser uno carne ni pescado.** fr. fig. y fam. Carecer de carácter o ser inútil. || **Poner uno toda la carne en el asador.** fr. fig. y fam. Arriesgarlo todo de una vez, o extremar el conato. || **Quien come la carne, que roa el hueso.** ref. **Tomar las duras con las maduras.** || **Ser uno de carne y hueso.** fr. fig. y fam. Sentir como los demás las incomodidades y trabajos de esta vida. || **Temblarle las carnes** a uno. fr. fig. y fam. Tener gran miedo u horror de alguna cosa. || **Tener uno carne de perro.** fr. fig. y fam. Ser recio y de buena encarnadura. || **Tomar carnes.** fr. fam. **Cobrar carnes.** || **Yo soy la carne y usted el cuchillo.** expr. fig. que denota sumisión a la voluntad de otro.

Carne. f. En el juego de la taba, parte que ésta tiene algo cóncava, y forma una figura como S, contraria a la parte lisa.

Carneada. f. *Amér.* Acción y efecto de carnear, 1.ª acep. || **2.** Lugar en que se carnean las reses.

Carnear. (De *carne,* 1.er art.) tr. *Amér.* Matar y descuartizar las reses, para aprovechar su carne. || **2.** *Méj.* Herir y matar con arma blanca en un combate o en un alcance.

Cárneas. (Del gr. χάρνεια, de Κάρνειος, sobrenombre de Apolo.) f. pl. *Arqueol.* Fiestas lacedemonias en honor de Apolo.

Carnecilla. (d. de *carne,* 1.er art.) f. Carnosidad pequeña que se levanta en alguna parte del cuerpo.

Cárneo, a. (Del lat. *carnĕus.*) adj. ant. Que tiene carne.

Carnerada. f. Rebaño de carneros.

Carneraje. m. Derecho o contribución que se paga por los carneros.

Carnerario. m. *Ar.* **Carnero,** 2.° art., 1.ª acep.

Carnereamiento. (De *carnerear.*) m. Pena que se impone por entrar a hacer daño los carneros en alguna parte.

Carnerear. (De *carnero,* 1.er art.) tr. Matar, degollar reses, en pena de haber hecho algún daño el ganado.

Carnerero. m. Pastor de carneros.

Carneril. (De *carnero,* 1.er art.) adj. V. **Dehesa carneril.**

Carnero. (Del lat. [*agnus*] *carnārĭus,* de carne.) m. Mamífero rumiante, de siete a ocho decímetros de altura hasta la cruz, frente convexa, cuernos huecos, angulosos, arrugados transversalmente y arrollados en espiral y lana espesa, blanca, negra o rojiza: es animal doméstico muy apreciado por su carne y por su lana. || **2.** V. **Bote, pie de carnero.** || **3.** ant. **Ariete,** 1.ª acep. || **4.** ant. El signo Aries. || **5.** *Ar.* Piel de **carnero** curtida. || **6.** *Argent., Bol.* y *Perú.* **Llama,** 3.er art. || **7.** *Argent.* y *Chile.* Persona que no tiene voluntad ni iniciativa propias. || **adalid.** ant. **Carnero** manso para guía. || **de cinco cuartos.** Especie africana de testuz prominente, cuernos cortos, lana larga y cola muy gruesa. || **de dos dientes.** ant. El que pasa de un año y no ha entrado en el tercero. || **de la sierra,** o **de la tierra.** *Argent.* Nombre común a la alpaca, vicuña, guanaco y llama. || **del Cabo.** Ave palmípeda, muy voraz, mayor que el ganso, cuyo plumaje tiene algún parecido al vellón del **carnero.** Hállase en el Océano Pacífico. || **de simiente.** El que se guarda para moruecо. || **llano.** fig. El que está castrado. || **marino. Foca.** || **verde.** El guisado con perejil, ajos partidos, rajitas de tocino, pan, yemas de huevo y especias finas. || **A carnero castrado no le tientes el rabo.** ref. que aconseja no indagar sobre cosas notorias, porque el **carnero** castrado suele estar gordo. || **Cada carnero cuelga de su piezgo.** ref. que se aplica a las cosas que están en su lugar debido. || **Carnero, hijo de oveja; no yerra quien a los suyos semeja.** ref. que denota que los hechos de las personas son según los antecedentes que hay de ellas. || **El carnero encantado, que fue por lana y volvió trasquilado.** ref. **Ir por lana y volver trasquilado.** || **Harto está el carnero que anda a testaradas con su compañero.** ref. que se aplica a las personas juguetonas. || **No haber tales carneros.** fr. fig. y fam. No ser cierto lo que se dice. || **Siembra temprano y cría carneros; que para venirte uno malo, te vendrán ciento buenos.** ref. que indica la probabilidad de obtener resultados de **carneros** y de siembras tempranas, más que de ovejas y de siembras tardías.

Carnero. (Del lat. *carnārium,* tosa.) m. Lugar donde se echan los cadáveres. || **2. Osario,** 1.er art. || **3.** Sepulcro de familia que solía haber en algunas iglesias, elevado como una vara del suelo. || **4.** ant. Sitio o lugar donde se guarda la carne.

Carneruno, na. adj. Perteneciente al carnero, 1.er art., 1.ª acep. || **2.** Semejante a él.

Carnestolendas. (Del lat. *caro, carnis,* carne, y *tollendus,* p. p. de fut. de *tollĕre,* quitar, retirar.) f. pl. **Carnaval,** 1.ª acep.

Carnicería. (De *carnicero.*) f. Casa o sitio público donde se vende por menor la carne para el abasto del lugar. || **2.** Destrozo y mortandad de gente causados por la guerra u otra gran catástrofe. || **3.** *Ecuad.* Matadero, rastro. || **Hacer carnicería.** fr. fig. y fam. Hacer muchas heridas o cortar mucha carne a alguno. || **Parecer carnicería.** fr. fam. con que se denota el gran desorden en gritar y hablar muchos a un tiempo.

Carnicero, ra. (De *carniza.*) adj. Dícese del animal que da muerte a otros para comérselos. Ú. t. c. s. || **2.** Se aplica al coto o dehesa donde pace el ganado que se destina al abasto público. || **3.** V. **Cazuela, dehesa, libra, olla carnicera.** || **4.** fam. Dícese de la persona que come mucha carne. || **5.** fig. Cruel, sanguinario, inhumano. || **6.** m. y f. Persona que vende carne.

Carnicol. (De *carne,* 2.° art., y *culo,* 5.ª acep.) m. **Pesuño.** || **2. Taba,** 3.ª acep. Ú. m. en pl.

Carnícoles. (Del lat. *carnicŭla,* carnecita.) m. pl. *Sal.* Ú. en la fr. **estar en carnícoles,** aplicada a las aves que están sin pluma.

Carnificación. (Del lat. *caro, carnis,* carne, y *facĕre,* hacer.) f. *Med.* Alteración morbosa del tejido de ciertos órganos, como el del pulmón, etc., que toma el aspecto y consistencia del tejido muscular.

Carnificarse. r. Sufrir carnificación algún órgano o tejido.

Carnífice. (Del lat. *carnifex, -icis,* carnicero.) m. Nombre del fuego entre los alquimistas. || **2.** ant. **Verdugo,** 5.ª acep.

Carniforme. adj. Que tiene aspecto de carne.

Carnina. f. *Quím.* Principio amargo contenido en el extracto de carne.

Carniola. (De *Carniola,* antigua región de Austria.) f. *Mineral.* Variedad de la calcedonia, de color rojo amarillento.

Carnios. m. pl. *Etnogr.* Antiguo pueblo que habitó la Italia septentrional y dió nombre a la Carniola.

Carniseco, ca. adj. Delgado, de pocas carnes.

Carnívoro, ra. (Del lat. *carnivōrus;* de *caro, carnis,* carne, y *vorāre,* devorar.) adj. Aplícase al animal que se ceba en la carne cruda de los cuerpos muertos. Ú. t. c. s. m. || **2.** Dícese también del animal que puede alimentarse de carne, por oposición al herbívoro o frugívoro. || **3.** Se dice igualmente de ciertas plantas de la familia de las droseráceas y otras afines, que se nutren de ciertos insectos que cogen por medio de órganos dispuestos para ello. || **4.** *Zool.* Dícese de los mamíferos terrestres, unguiculados, cuya dentición se caracteriza por tener caninos robustos y molares con tubérculos cortantes; como el oso, la hiena y el tigre. Ú. t. c. s. || **5.** m. pl. *Zool.* Orden de estos animales.

Carniza. (Del lat. *carniceus, a, de *caro, carnis,* carne.) f. fam. Desperdicio de la carne que se mata. || **2.** fig. y fam. Carne muerta.

Carnosidad. (De *carnoso.*) f. Carne superflua que crece en una llaga. || **2.** Carne irregular que sobresale en alguna parte del cuerpo. || **3.** Gordura extremada.

Carnoso, sa. (Del lat. *carnōsus.*) adj. De carne, 1.er art., 1.ª acep. || **2.** Que tiene muchas carnes. || **3.** Dícese de lo que tiene mucho meollo. || **4.** *Bot.* Dícese de los órganos vegetales formados por parénquima blando.

Carnudo, da. (De *carne,* 1.er art.) adj. **Carnoso,** 2.ª acep.

Carnuz. m. *Ar.* **Carroña.**

Carnuza. f. despect. Carne basta o demasiada, que produce hastío.

Caro, ra. (Del lat. *carus.*) adj. Que excede mucho del valor o estimación regular. || **2.** Subido de precio. || **3.** Amado, querido. || **4.** ant. Gravoso o dificultoso. || **5.** fam. V. **Cara mitad.** || **6.** fig. y fam. V. **Caro bocado.** || **7.** adv. m. A un precio alto o subido. || **A lo caro, añadir dinero, o dejarlo.** ref. que recomienda aceptar lo irremediable del mejor modo posible.

Caro. m. *Cuba.* Comida que se hace de huevas de cangrejo y cazabe, y también las mismas huevas.

Caroba. f. *Bot.* Nombre de varios árboles americanos, de la familia de las bignoniáceas, a cuyas hojas y corteza se atribuyen propiedades medicinales.

Caroca. (Del lat. *carrūca*, carroza.) f. Decoración de lienzos y bastidores con que, para regocijo público en determinadas solemnidades, se adornan ciertas calles o plazas, o que en algún tiempo ostentaron los teatros ambulantes, sobre todo en las fiestas del Corpus; la cual ofrece pintadas escenas graciosas, picarescas o epigramáticas. ‖ **2.** Composición bufa, a semejanza de los mimos antiguos, escrita para solazar al vulgo. ‖ **3.** fig. y fam. Palabra o acción afectadamente cariñosa y lisonjera. ‖ **4.** fig. y fam. **Carantoña,** 3.ª acep. Ú. m. en pl.

Carocha. (Del lat. *caries*, carcoma.) f. **Carrocha.**

Carochar. (De *carocha*.) tr. **Carrochar.**

Carola. (Del fr. *carole*, y éste del lat. *choraules*.) f. Danza antigua acompañada generalmente de canto.

Carolina. f. *Cuba.* **Cuyá.**

Carolingio, gia. adj. Perteneciente o relativo a Carlomagno y a su familia y dinastía o a su tiempo. Ú. t. c. s.

Carolino, na. adj. Natural de las Carolinas. Ú. t. c. s. ‖ **2.** Perteneciente a estas islas.

Carolo. (Del lat. *collyra*, pan basto.) m. *Sal.* Pedazo de pan que se suele dar de merienda a los jornaleros en algunos lugares.

Cárolus. (Por el nombre latino del emperador.) m. Moneda flamenca que se usó en España en tiempo de Carlos V.

Caromomia. (Del lat. *caro*, carne, y de *momia*.) f. Carne seca de los cuerpos humanos embalsamados. Se usó antiguamente en medicina, y se daba mucha importancia a la que venía de Egipto.

Carona. (Del lat. *caro, carnis*, carne.) f. Pedazo de tela gruesa acojinado que, entre la silla o albarda y el sudadero, sirve para que no se lastimen las caballerías. ‖ **2.** Parte interior de la albarda. ‖ **3.** Parte del lomo sobre la cual cae la carona de la albarda. ‖ **4.** *Germ.* **Camisa,** 1.ª acep. ‖ **A carona.** m. adv. ant. Inmediato a la carne o pellejo del cuerpo. ‖ **Blando de carona.** loc. Se dice de las bestias en cuyo pellejo delicado se hacen fácilmente mataduras con la silla o albarda. ‖ **2.** fig. y fam. Flojo y para poco trabajo. ‖ **3.** fig. y fam. **Enamoradizo.** ‖ **Corto, o largo, de carona.** loc. Dícese del caballo o yegua que tiene corta, o larga, la parte del lomo donde se coloca la **carona.** ‖ **Hacer la carona.** fr. fig. y fam. Esquilar a las caballerías la **carona.**

Caronchado, da. adj. *Sal.* Dícese de la madera carcomida.

Caroncharse. (De *caroncho*.) r. *Sal.* Carcomerse, podrirse la madera.

Caroncho. (Del lat. **cariuncula*, d. de *caries*, carcoma.) m. *Ast.* y *Sal.* **Carcoma,** 1.ª acep.

Caronchoso, sa. adj. *Sal.* Dícese de la madera carcomida o podrida.

Caronjo. m. *León.* **Caroncho.**

Caroñoso, sa. (De *carona*.) adj. Aplícase a las caballerías que están desolladas o tienen mataduras.

Caroquero, ra. adj. Que hace carocas. Ú. t. c. s.

Carosiera. f. Fruto del carosiero.

Carosiero. m. Especie de palmera del Brasil, cuyo fruto es muy parecido al del manzano.

Carosis. (Del gr. κάρωσις, adormecimiento.) f. *Med.* Sopor profundo acompañado de insensibilidad completa.

Carótida. (Del gr. καρωτίδες, de καρόω, adormecer, amodorrar.) adj. *Zool.* Dícese de cada una de las dos arterias, propias de los vertebrados, que por uno y otro lado del cuello llevan la sangre a la cabeza. Ú. m. c. s.

Carotina. (Del lat. *carōta*, zanahoria.) f. *Quím.* Hidrocarburo de color rojo anaranjado, que forma parte del pigmento llamado clorofila y existe, además, en gran cantidad en las células de ciertos órganos vegetales, como los pétalos de las flores de la capuchina y la raíz de la zanahoria.

Caroto. m. Árbol de madera pesada, propio de la República del Ecuador.

Carozo. (Del lat. *carydĭum*, nuez.) m. Raspa de la panoja o espiga del maíz. También se llama garojo y zuro. ‖ **2.** *Sal.* Hueso de la aceituna bien molido con que se ceba a los cerdos. ‖ **3.** *Amér.* Hueso del durazno y otras frutas.

Carpa. (Del visigót. *carpa*.) f. Pez teleósteo fisóstomo, verdoso por encima y amarillo por abajo, boca pequeña sin dientes, escamas grandes y una sola aleta dorsal; vive muchos años en las aguas dulces y es apreciado comestible. Hay una especie procedente de la China, de color rojo y dorado.

Carpa. (Del m. or. que *grapa*; en fr. *grappe*.) f. Gajo de uvas.

Carpa. (Del quichua *carppa*, toldo, enramada.) f. *Amér. Merid.* Toldo, tenderete de feria. ‖ **2.** *Chile* y *Perú.* **Tienda de campaña.**

Carpancho. m. *Sant.* Batea redonda hecha de mimbres o de tiras de avellano, para llevar, comúnmente sobre la cabeza, pescado, hortalizas, etc.

Carpanel. (De *zarpanel*, escrito antiguamente *çarpanel* y perdida la cedilla.) adj. *Arq.* V. **Arco carpanel.**

Carpanta. f. fam. Hambre violenta. ‖ **2.** *Sal.* Galbana, flojera. ‖ **3.** *Méj.* Pandilla o trulla de gente alegre o maleante.

Carpe. (Del lat. *carpĭnus*.) m. *Bot.* Planta leñosa de la familia de las betuláceas, con hojas aserradas y lampiñas; flores femeninas en racimos flojos; frutos de una sola semilla, con brácteas de tres lóbulos y mucho mayores que los frutos. ‖ **2.** *Cuba.* Árbol silvestre, bastante alto y tortuoso, que florece en mayo y da una madera muy dura y resistente, que se utiliza para entramados y empalizadas.

Carpedal. m. Plantío de carpes.

Carpelar. adj. *Bot.* Que se refiere al carpelo.

Carpelo. (Del gr. καρπός, fruto.) m. *Bot.* Hoja transformada para formar un pistilo o parte de un pistilo.

Carpentear. (Del lat. *carpens, -entis*, p. a. de *carpĕre*, arrancar, desgarrar.) tr. ant. **Arrejacar.**

Carpeño, ña. adj. Natural del Carpio. Ú. t. c. s. ‖ **2.** Perteneciente a esta villa.

Carpeta. (Del fr. *carpette*, y éste del ingl. *carpet*, tapete.) f. Cubierta de badana o de tela que se pone sobre las mesas y arcas para aseo y limpieza. ‖ **2.** Cartera grande para escribir sobre ella y guardar papeles. ‖ **3.** Cubierta con que se resguardan y ordenan los legajos. ‖ **4.** Manta, cortina o paño que se ponía en las puertas de las tabernas. ‖ **5.** Factura o relación detallada de los valores o efectos públicos o comerciales que se presentan al cobro, al canje o a la amortización. ‖ **6.** *Ar.* Sobre de carta. ‖ **provisional.** La que se expide en tanto no se fabrican las definitivas, y puede negociarse como ellas.

Carpetano, na. (Del lat. *carpetānus*.) adj. Natural del reino de Toledo, antiguamente llamado Carpetania. Ú. t. c. s. ‖ **2.** Perteneciente a él.

Carpetazo (Dar). (De *carpeta*.) fr. fig. En las oficinas, dejar tácita y arbitrariamente sin curso ni resolución una solicitud o expediente. ‖ **2.** fig. Dar por terminado un asunto o desistir de proseguirlo.

Carpiano, na. adj. *Zool.* Perteneciente o relativo al carpo.

Carpidor. m. *Amér.* Instrumento usado para carpir.

Carpincho. m. *Amér.* Roedor anfibio, de un metro de largo, que vive en el Brasil, Paraguay, Argentina, Chile y otros países americanos, a orillas de los ríos y lagunas; se alimenta de peces y de hierbas y se le domestica con facilidad, pero su carne es poco estimada.

Carpintear. intr. Trabajar en el oficio de carpintero. ‖ **2.** fam. Hacer obra de carpintero por afición y mero entretenimiento.

Carpintera. adj. V. **Abeja carpintera.**

Carpintería. f. Taller o tienda en donde trabaja el carpintero. ‖ **2.** Oficio de carpintero.

Carpinteril. (De *carpintero*.) adj. Dícese de lo relativo o perteneciente al carpintero o a la carpintería.

Carpintero. (Del lat. *carpentarĭus*.) m. El que por oficio trabaja y labra madera ordinariamente común. ‖ **2. Abeja carpintera.** ‖ **3. Pájaro carpintero.** ‖ **4.** V. **Pico carpintero.** ‖ **de armar. Carpintero de obra de afuera.** ‖ **de blanco.** El que trabaja en taller y hace mesas, bancos, etc. ‖ **de carretas. Carretero,** 2.ª acep. ‖ **de obra de afuera.** El que hace las armaduras, entramados y demás armazones de madera para los edificios. ‖ **de prieto. Carpintero de carretas.** ‖ **de ribera.** El que trabaja en obras navales.

Carpintesa. f. *Zool. Zam.* **Santateresa.**

Carpir. (Del lat. *carpĕre*, tirar, arrancar.) tr. p. us. Rasgar, arañar o lastimar. Ú. t. c. r. ‖ **2.** Dejar a uno pasmado y sin sentido. Ú. t. c. r. ‖ **3.** *Amér.* Limpiar o escardar la tierra con el carpidor, quitando la hierba inútil o perjudicial.

Carpo. (Del lat. *carpus*, y éste del gr. καρπός.) m. *Zool.* Conjunto de huesos que, en número variable, forman parte del esqueleto de las extremidades anteriores de los batracios, reptiles y mamíferos, y que por un lado está articulado con el cúbito y el radio y por otro con los huesos metacarpianos. En el hombre constituye el esqueleto de la muñeca y está compuesto de ocho huesos íntimamente unidos y dispuestos en dos filas.

Carpobálsamo. (Del lat. *carpobalsămum*, y éste del gr. καρποβάλσαμον; de καρπός, fruto, y βάλσαμον, el árbol que destila el bálsamo.) m. Fruto del árbol que produce el opobálsamo.

Carpófago, ga. (Del gr. καρπός, fruto, y φαγεῖν, comer.) adj. Se dice del animal que principalmente se alimenta de frutos.

Carpología. (Del gr. καρπός, fruto, y λόγος, tratado.) f. *Bot.* Parte de la botánica, que estudia el fruto de las plantas.

Carquerol. (Del cat. *carquerol*, y éste de *cárcola*.) m. Cada una de las piezas de los telares de terciopelo, de las que penden unas cuerdas que se fijan en las cárcolas. Ú. m. en pl.

Carquesa. (Del lat. *carchesĭum*, y éste del gr. καρχήσιον, vaso.) f. Horno para templar objetos de vidrio.

Carquesia. (Del lat. *carchesĭum*, y éste del gr. καρχήσιον, vaso.) f. Mata leñosa, de la familia de las papilionáceas, parecida a la retama, con ramas rastreras y ramillas herbáceas, hojas escasas, alternas, lanceoladas, algo vellosas y flores amarillas. Es medicinal.

Carquiñol. m. *Ar.* Pasta de harina, huevos y almendra machacada, a la que luego se da varias formas.

Carraca. (Del ár. *ḥarrāqa*, nave grande.) f. Antigua nave de transporte de hasta 2.000 toneladas, inventada por los italianos. ‖ **2.** despect. Barco viejo o tardo en navegar, y por extensión, cualquier artefacto deteriorado o caduco. || **3.** Sitio en que se construían en lo antiguo los bajeles. Actualmente, nombre propio del astillero de Cádiz.

Carraca. (Voz onomatopéyica.) f. Instrumento de madera, en que los dientes de una rueda, levantando consecutivamente una o más lengüetas, producen un ruido seco y desapacible. Úsase para significar el terremoto al final de las tinieblas en Semana Santa, y también como juguete de muchachos. || **2.** *Colomb.* Mandíbula o quijada seca de algunos animales. || **3.** *Mec.* Mecanismo de rueda dentada y linguete que tienen algunas herramientas para que el movimiento de vaivén del mango sólo actúe en un mismo sentido. || **4.** *Zool.* Pájaro que llama la atención por su lindo plumaje, de tonalidades azules. Es relativamente abundante en España, excepto en las provincias del Norte.

Carracero, ra. adj. Natural de Alcarraz, pueblo de la provincia de Lérida. Ú. t. c. s. || **2.** Perteneciente o relativo a este pueblo.

Carraco, ca. (De *carraca*, 1.er art.) adj. fam. Viejo achacoso o impedido. Ú. t. c. s. || **2.** m. *Colomb.* **Aura,** 2.° art. || **3.** *C. Rica.* Ánade más pequeño que el común, con la cabeza y cuello tornasolados y las alas de color obscuro.

Carracón. (De *carraca*, 1.er art.) m. ant. Buque que se usaba en la Edad Media.

Carracuca. n. p. **Estar más perdido que Carracuca.** fr. con que se suele ponderar la situación angustiosa o comprometida de una persona.

Carrada. (De *carro*, 1.er art.) f. **Carretada,** 1.ª acep.

Carrafa. f. *Sal.* Fruto del algarrobo.

Carral. (De *carro*, 1.er art.) m. Barril o tonel a propósito para acarrear vino.

Carral. (Del célt. o ibér. *car, carr*, encina.) m. *Murc.* y *Sal.* **Carraco,** 1.ª acep.

Carraleja. f. Insecto coleóptero, heterómero, de color por lo común negro y con rayas transversales rojas; carece de alas posteriores, tiene élitros cortos y abdomen que arrastra al andar. Es de la familia de las cantáridas y sus propiedades terapéuticas son semejantes, por lo que se usa en veterinaria. Hay en España varias especies que varían en el color.

Carraleja. (De *cañaheja*.) f. ant. **Cañaheja.**

Carralero. m. El que hace carrales.

Carramarro. (De *cámbaro*.) m. *Ál.* **Cámbaro.**

Carramplón. m. *Colomb.* Instrumento músico rústico que usan los negros.

Carranca. f. **Carlanca,** 1.ª acep. || **2.** *Ál.* Capa de hielo en las charcas, ríos o lagunas.

Carranza. f. Cada una de las puntas de hierro de la carlanca.

Carraña. f. *Ar.* Ira, enojo. || **2.** *Ar.* Persona propensa a estas pasiones.

Carrañón. adj. *Ar.* **Regañón,** 1.ª acep. Ú. t. c. s.

Carrañoso. adj. *Ar.* **Carrañón.** Ú. t. c. s.

Carrao. m. *Venez.* Ave zancuda y de pico largo.

Carraón. m. Especie de trigo de poca altura, con espigas dísticas comprimidas y grano también comprimido, parecido al de la escanda.

Carrasca. f. Encina generalmente pequeña, o mata de ella. || **2.** *Ál.* Residuo del rastrillado del cáñamo y lino, que se emplea para rellenar muebles. || **3.** *Amér.* Instrumento músico de negros, consistente en un bordón con muescas que se raspa a compás con un palillo. || **Derribada la carrasca, cualquiera la leña apaña.** ref. **Del árbol caído todos hacen leña.**

Carrascal. m. Sitio o monte poblado de carrascas, 1.ª acep. || **2.** *Chile.* **Pedregal.**

Carrascalejo. m. d. de **Carrascal.**

Carrasco. adj. V. **Pino carrasco.** || **2.** m. **Carrasca,** 1.ª acep. || **3.** *Amér.* Extensión grande de terreno cubierto de vegetación leñosa.

Carrascón. m. aum. de **Carrasca.**

Carrascoso, sa. adj. Dícese del terreno que abunda en carrascas.

Carraspada. f. Bebida compuesta de vino tinto aguado, o del pie de este vino con miel y especias.

Carraspear. (De la onomat. *crasp.*) intr. Sentir o padecer carraspera. || **2.** Mondar la garganta.

Carraspeño, ña. (De *carraspear*.) adj. Áspero, bronco.

Carraspeo. (De *carraspear*.) m. Acción y efecto de carraspear, 1.ª acep.

Carraspera. (De *carraspear*.) f. fam. Cierta aspereza de la garganta, que obliga a desembarazarla tosiendo. || **2.** Acción y efecto de carraspear, 1.ª acep.

Carraspina. f. *Ál.* **Colmenilla.**

Carraspique. m. Planta de jardín, herbácea, crucífera, de unos cuatro decímetros de altura, con tallos rectos, hojas lanceoladas y flores moradas o blancas en corimbos redondos muy apretados.

Carrasposa. f. *Colomb.* Cierta planta de hojas ásperas, y de ahí su nombre.

Carrasposo, sa. (De *carraspear*.) adj. Dícese de la persona que padece carraspera crónica. Ú. t. c. s. || **2.** *Colomb.* y *Venez.* Dícese de lo que es áspero al tacto, que raspa la mano.

Carrasquear. intr. *Ál.* Crujir o rechinar entre los dientes una substancia algo dura, seca y quebradiza.

Carrasqueño, ña. adj. Perteneciente a la carrasca. || **2.** Semejante a ella. || **3.** V. **Pino, roble carrasqueño.** || **4.** fig. y fam. Áspero o duro.

Carrasquera. f. **Carrascal,** 1.ª acep.

Carrasquilla. (De *carrasca*.) f. *Ál.* y *Ar.* Aladierna, nevadilla.

Carrasquizo. m. *Ar.* Arbusto parecido a la carrasca por sus hojas y fruto.

Carraza. f. *Ar.* **Ristra,** 1.ª acep.

Carrazo. (Del lat. *caryon*, nuez.) m. *Ar.* Racimillo, principalmente de uvas.

Carrazón. m. *Ar.* Romana grande. || **2.** *Ar.* Aparato para colocarla y ayudarla en las pesadas grandes.

Carrear. (De *carro*, 1.er art.) tr. ant. Acarrear, 1.ª y 2.ª aceps.

Carredano, na. adj. Natural de Villacarriedo, en la provincia de Santander. Ú. t. c. s. || **2.** Perteneciente o relativo a dicha villa.

Carrejar. (De *carro*, 1.er art.) tr. ant. **Carrear.**

Carrejo. (De *carro*, 1.er art.) m. **Pasillo,** 1.ª acep.

Carrendera. f. *Sal.* **Carrera,** 4.ª acep.

Carrendilla. f. *Chile.* Sarta, hilera. || **De carrendilla.** m. adv. **De carretilla.**

Carreña. f. *León.* Sarmiento con muchos racimos.

Carrera. (Del lat. **carrāria*, de *carrus*, carro.) f. Paso rápido del hombre o del animal, para trasladarse de un sitio a otro. || **2.** Sitio destinado para correr. || **3.** Curso de los astros. || **4.** Camino real o carretera. || **5.** Calle que fue antes camino. *La* CARRERA *de San Jerónimo.* || **6.** Serie de calles que ha de recorrer una comitiva en procesiones y otros actos públicos y solemnes. || **7.** Fiesta de parejas o apuestas, que se hace a pie o a caballo para diversión o para probar la ligereza. || **8.** Pugna de velocidad entre personas que corren, guían vehículos o montan animales. || **9.** fig. Conjunto o serie de cosas puestas en orden o hilera. CARRERA *de árboles.* || **10.** fig. Línea de puntos que se sueltan en la media o en otro tejido análogo. || **11.** fig. **Crencha,** 1.ª acep. || **12.** fig. Camino o curso que sigue uno en sus acciones. || **13.** fig. Curso o duración de la vida humana. || **14.** fig. Profesión de las armas, letras, ciencias, etc. || **15.** fig. Camino, medio o modo de hacer alguna cosa. || **16.** *Germ.* **Calle,** 1.ª acep. || **17.** *Arq.* Viga horizontal para sostener otras, o para enlace de las construcciones. || **18.** *Danza* y *Mús.* **Carrerilla.** || **19.** pl. Concurso hípico para probar la ligereza de los caballos de raza especial, educados para este ejercicio. || **Carrera de baquetas.** *Mil.* Castigo, hoy suprimido en nuestro ejército, que consistía en correr el reo, con la espalda desnuda, por entre dos filas de soldados, que le azotaban con el portafusil, si era de infantería, o con las correas de grupa, si de caballería. || **2.** fig. Serie de molestias o vejámenes inferidos a una persona. || **de galgos.** Prueba de selección que se hace compitiendo los galgos en la persecución y alcance de las liebres. || **de gamos.** Fiesta antigua de montería, que consistía en cercar con una red cierta extensión de terreno, que se iba estrechando poco a poco hasta obligar a los gamos que quedaban encerrados a entrar en una especie de calle formada por lienzos; al final de ésta había un tablado para los reyes e invitados, debajo del cual esperaban a las reses para que las desjarretasen los criados y monteros. || **de Indias.** Navegación que se hacía a las Indias con naves que iban y volvían de aquellos reinos con mercaderías. || **del Sol.** Curso diario que aparentemente sigue. || **Abrir carrera.** fr. ant. Franquear o dar paso y lugar a uno. || **A carrera abierta. A carrera tendida. A la carrera.** ms. advs. **A más correr.** || **Aparejar carrera.** fr. ant. **Abrir camino,** 1.ª y 2.ª aceps. || **Carrera al ojo, marido astroso.** ref. que aconseja el aliño y pulcritud a las mujeres con el ejemplo de traer torcida la raya o **carrera.** || **Dar carrera** a uno. fr. Costearle los estudios hasta habilitarle para ejercer alguna facultad, arte u oficio. || **2.** ant. **Abrir carrera.** || **De carrera.** m. adv. Con facilidad y presteza. || **2.** fig. Sin reflexión. || **Entrar uno por carrera.** fr. fig. Salir del error persistente. || **Estar en carrera.** fr. Empezar a servir en algún destino o profesión. || **Estar en carrera de salvación.** fr. Tener ya asegurada su salvación las ánimas del purgatorio, en acabando de satisfacer la pena debida por sus culpas. || **No poder hacer carrera con, o de,** alguno. fr. fam. No poder reducirle a que haga lo que es razón y debe hacer. || **Partir de carrera.** fr. fig. Emprender irreflexivamente una cosa. || **Tomar carrera.** fr. Retroceder para poder avanzar con más ímpetu.

Carrerilla. (d. de *carrera*.) f. En la danza española, dos pasos cortos acelerados hacia adelante, inclinándose a uno u otro lado. || **2.** *Mús.* Subida o bajada, por lo común de una octava, pasando ligeramente por los puntos intermedios. || **3.** *Mús.* Notas que expresan la **carrerilla.**

Carrerista. com. Persona aficionada o concurrente a las carreras. || **2.** La que apuesta en ellas. || **3.** La que hace carreras de velocípedos, bicicletas, etcétera. || **4.** m. Caballerizo que iba delante del coche que ocupaban las personas reales.

Carrero. (De *carro*, 1.er art.) m. **Carretero,** 3.ª acep. || **2.** *Ast.* Rastro o huella que dejan en los caminos la gente, los animales o los carros. || **3.** *Ast.* **Estela,** 1.er art., 1.ª acep.

Carreta. (De *carro*, 1.er art.) f. Carro largo, angosto y más bajo que el ordinario, cuyo plano se forma de tres o cinco maderos separados entre sí, y el de en medio más largo, que sirve de lanza, donde se sujeta el yugo. Tiene sólo dos ruedas, comúnmente sin herrar, las cuales suelen llevar pinas de madera en lugar de llantas. || **2.** Carro cerrado por los lados, que no tiene las ruedas herradas, sino calzadas con pinas de madera. || **3.** V. **Carpintero de carretas.** || **4.** V. **Tren carreta.** || **cubierta.** *Mil.* Especie de galería o testudo con que se cubrían los sitiadores para acercarse a la muralla. || **Quien hace la carreta, sabrá deshacella.** ref. de claro sentido moral.

Carretada. f. Carga que lleva una carreta o un carro. || **2.** Medida que se usa en Méjico para vender y comprar cal: consta de 12 cargas de 10 arrobas cada una. || **3.** fig. y fam. Gran cantidad de cualquier especie de cosas. || **A carretadas.** m. adv. fig. y fam. En abundancia.

Carretaje. m. Trato y trajín que se hace con carretas y carros.

Carretal. (De *carreta.*) m. Sillar toscamente desbastado.

Carrete. (De *carro*, 1.er art.) m. Cilindro generalmente de madera, taladrado por el eje, con bordes en sus bases, que sirve para devanar y mantener arrollados en él hilos, alambres, cordeles o cables. || **2.** Rueda en que llevan los pescadores rodeado el sedal. || **3.** *Fís.* Cilindro hueco de madera al que se arrolla un hilo metálico cubierto de seda u otra materia aisladora. Sirve para imantar, por medio de la electricidad, una barra de hierro dulce colocada en su interior. || **Dar carrete.** fr. Ir largando el sedal para que no lo rompa el pez grande que ha caído en el anzuelo. || **Dar carrete** a uno. fr. fig. Entretener su instancia o empeño con estudiadas dilatorias.

Carretear. tr. Conducir una cosa en carreta o carro. || **2.** Gobernar un carro o carreta. || **3.** intr. *Cuba.* Gritar las cotorras y loros, sobre todo cuando son jóvenes. Es voz semejante al sonido que producen. || **4.** r. Inclinar el cuerpo con los pies hacia afuera los bueyes o mulas tirando de un carruaje.

Carretel. m. *Extr.* **Carrete,** 2.a acep. || **2.** *Mar.* Carrete grande que se emplea a bordo, principalmente para arrollar el cordel de la corredera.

Carretela. (Del ital. *carrettella*, y éste de *carro.*) f. Coche de cuatro asientos, con caja poco profunda y cubierta plegadiza. || **2.** *Chile.* Ómnibus, diligencia.

Carretera. (De *carreta.*) f. Camino público, ancho y espacioso, dispuesto para carros y coches. || **2.** *Sal.* Cobertizo que se hace en el corral, para colocar los carros y aperos de labranza.

Carretería. f. Conjunto de carretas. || **2.** Ejercicio de carretear. || **3.** Taller en que se fabrican o reparan carros y carretas. || **4.** Barrio, plaza o calle en que abundan estos talleres. || **5.** Lugar donde antiguamente pernoctaban al aire libre las carretas de transporte, en los arrabales o afueras de una población. || **6.** Baile del siglo XVII a imitación de los que usaban los carreteros y trajinantes.

Carreteril. adj. Perteneciente o relativo a los carreteros.

Carretero. adj. V. **Camino carretero.** || **2.** m. El que hace carros y carretas. || **3.** El que guía las caballerías o los bueyes que tiran de ellos. || **4.** *Germ.* **Fullero.** || **Jurar como un carretero.** fr. fig. y fam. Blasfemar, o echar muchas maldiciones.

Carretil. adj. Perteneciente o relativo a la carreta. || **2.** V. **Camino, hierro carretil.**

Carretilla. (d. de *carreta.*) f. Carro pequeño de mano, que se compone de un cajón, donde se pone la carga; una rueda en la parte anterior, y en la posterior dos pies para descansarlo y dos varas que coge, y entre las que se coloca, el conductor para dirigirlo. En las obras sirve para trasladar tierras, arenas y otros materiales. || **2.** Bastidor de madera con tres ruedas por pies, y una manija de la cual se asen los niños para enseñarse a andar. || **3. Buscapiés.** || **4. Pintadera.** || **5.** Utensilio de que se usa en las cocinas para cortar la masa de las empanadillas, formado con un mango que termina en una rodaja, generalmente dentada. || **6.** *Argent.* y *Urug.* Carro común de menores dimensiones que la carreta. || **7.** *Argent.* y *Chile.* Quijada, mandíbula, carrillera. || **8.** *Argent.* Fruto del trébol de **carretilla,** que se enreda entre la lana de las ovejas y con dificultad se separa de ella. || **De carretilla.** m. adv. fig. y fam. Por costumbre, sin reflexión ni reparo. || **2.** fig. y fam. Tomando bien de memoria lo que se ha leído y estudiado, y diciéndolo corrientemente. Se usa con los verbos *saber, repetir*, etc.

Carretillada. f. Lo que cabe en una carretilla.

Carretillero. m. El que conduce una carretilla. || **2.** *R. de la Plata.* **Carretero,** 3.a acep.

Carretillo. m. Especie de garrucha o polea que tienen los telares de galones.

Carretón. m. Carro pequeño a modo de un cajón abierto, que tiene dos ruedas y que puede ser arrastrado por una caballería. También los hay de cuatro ruedas, para ser llevados por dos caballerías. || **2.** Armazón con una rueda, y a modo de carro pequeño, en donde lleva el afilador las piedras y un barrilito con agua. || **3.** Taburete sobre cuatro ruedas pequeñas, en donde se pone a los niños que están en mantillas. || **4.** En Toledo, carro en que se representaban los autos sacramentales el día del Corpus. || **5.** ant. **Cureña,** 1.a acep. || **de lámpara.** Garrucha para subir y bajar las lámparas de las iglesias.

Carretonada. f. Lo que cabe en un carretón.

Carretonaje. m. *Chile.* Transporte en carretón. || **2.** *Chile.* Precio de cada uno de estos transportes.

Carretoncillo. m. d. de **Carretón.** Carro muy pequeño. || **2.** Especie de trineo, usado en algunas montañas cubiertas de nieve.

Carretonero. m. El que conduce el carretón. || **2.** *Colomb.* **Trébol.**

Carric. (Del nombre de *Carrick*, actor inglés.) m. Especie de gabán o levitón muy holgado, con varias esclavinas sobrepuestas de menor a mayor. Estuvo en uso en la primera mitad del siglo XIX.

Carricar. (Del b. lat. *carricāre*, y éste del lat. *carrus*, carro.) tr. ant. **Acarrear,** 1.a y 2.a aceps.

Carricera. (De *carrizo.*) f. Planta perenne de la familia de las gramíneas, con el tallo de más de dos metros de altura, hojas surcadas por canalillos, y flores blanquizcas en panoja muy ramosa, con aristas largas.

Carricillo. m. d. de **Carrizo.** || **2.** *Cuba.* Nombre vulgar de una planta ramosa, de hojas oblongas, puntiagudas, vellosas en su base y de color amarillento, y semilla negra y lustrosa. Es hierba de pasto. || **3.** *C. Rica.* Gramínea trepadora, común en las breñas.

Carricoche. m. Carro cubierto cuya caja era como la de un coche. Los había de varias clases: unos con dos ruedas, otros con cuatro, las dos pequeñas debajo de la caja, las dos grandes fuera; y otros con tres, la una pequeña, debajo de la caja. || **2.** despect. Coche viejo o de mala figura. || **3.** *Murc.* Chirrión o carro de la basura.

Carricuba. f. Carro que tiene un depósito para transportar líquidos.

Carriego. (De *carro*, 1.er art.) m. **Buitrón,** 1.a acep. || **2.** Cesta grande para echar en colada las madejas de lino cuando se cura y blanquea.

Carriel. m. *Colomb.*, *Ecuad.* y *Venez.* **Garniel,** 2.a acep. || **2.** *C. Rica.* Bolsa de viaje con varios compartimientos para papeles y dinero. || **3.** *C. Rica.* **Ridículo,** 1.er art.

Carril. adj. ant. **Carretero,** 1.a acep. || **2.** m. Huella que dejan en el suelo las ruedas del carruaje. || **3. Surco,** 1.a acep. || **4.** Camino capaz tan sólo para el paso de un carro. || **5.** En las vías férreas, cada una de las barras de hierro o de acero laminado que, formando dos líneas paralelas, sustentan y guían las locomotoras y vagones que ruedan sobre ellas.

Carrilada. f. **Carril,** 2.a acep. || **6.** *C. Rica.* **Carrera,** 10.a acep.

Carrilano. m. *Chile.* Operario del ferrocarril. || **2.** *Chile.* Ladrón, bandolero.

Carrilera. f. **Carril,** 2.a acep. || **2.** *Colomb.* **Emparrillado.**

Carrilete. m. *Cir.* Cierto instrumento quirúrgico usado antiguamente.

Carrillada. (De *carrillo*, 1.a acep.) f. Grasa que tiene el puerco a uno y otro lado de la cara. || **2.** Tiritón que hace temblar y chocar las mandíbulas. Ú. m. en pl. || **3.** ant. **Carrillera,** 1.a acep. || **4.** ant. **Bofetón,** 1.a y 2.a aceps. Ú. hoy en *Sant.* || **5.** pl. *Extr.* Cascos de carnero o de vaca.

Carrillera. (De *carrillo.*) f. Quijada de ciertos animales. || **2.** Cada una de las dos correas, por lo común cubiertas de escamas de metal, que forman el barboquejo del casco o chacó.

Carrillo. (d. de *carro*, 1.er art.) m. Parte carnosa de la cara, desde la mejilla hasta lo bajo de la quijada. || **2. Garrucha,** 1.a acep. || **Carrillos de monja boba, de trompetero,** etc. loc. fig. y fam. Los muy abultados. || **Comer,** o **masticar,** uno **a dos carrillos.** fr. fig. y fam. Comer con rapidez y voracidad. || **2.** fig. y fam. Tener a un mismo tiempo varios cargos o empleos lucrativos. || **3.** fig. y fam. Sacar utilidad de dos personas o parcialidades de opiniones contrarias, complaciendo o sirviendo al mismo tiempo a la una y la otra.

Carrilludo, da. adj. Que tiene abultados los carrillos.

Carriño. (De *carro*, 1.er art.) m. *Art.* En la milicia antigua, **avantrén.**

Carriola. (Del siciliano *carriola*, y éste del lat. *carrus*, carro.) f. Cama baja o tarima con ruedas. || **2.** Carro pequeño con tres ruedas, lucidamente vestido, en que solían pasearse las personas reales.

Carriona. (Del lat. *caryon*, nuez.) adj. *Ál.* Aplícase a la nuez ferreña, muy dura y desmedrada. Ú. t. c. s.

Carrique. m. **Carric.**

Carriquí. m. *Colomb.* Pajarillo de canto agradable.

Carrizada. f. *Mar.* Fila de pipas amarradas que se conducen a remolque flotando sobre el agua.

Carrizal. m. Sitio poblado de carrizos.

Carrizo. (Del lat. *carricĕus, de *carex*, -*ĭcis*.) m. Planta gramínea, indígena de España, con la raíz larga, rastrera y dulce, tallo de dos metros, hojas planas, lineares y lanceoladas, y flores en panojas anchas y copudas. Se cría cerca del agua; sus hojas sirven para forraje; sus tallos servían para construir cielos rasos, y sus panojas, para hacer escobas. || **2.** Planta indígena de Venezuela, gramínea, de tallos nudosos y de seis a siete centímetros de diámetro, que contienen agua dulce y fresca. || **3.** *Ast.* Pajarillo muy común, de color pardo, que anida en los vallados.

Carro. (Del lat. *carrus.*) m. Carruaje de dos ruedas, con lanza o varas para enganchar el tiro, y cuya armazón consiste en un bastidor con listones o cuerdas para sostener la carga, y varales o tablas en los costados, y a veces en los frentes, para sujetarla. || **2.** Carga de un **carro.** || **3.** Juego del coche, sin la caja. || **4. Osa Mayor.** || **5.** *Amér.* **Automóvil.**

1.ª acep. || **6.** *Germ.* El juego. || **7.** *Impr.* Aparato compuesto de un tablero de hierro en que se coloca la forma que se va a imprimir, y que, por medio de una cigüeña u otro mecanismo, corre sobre las bandas de la máquina. || **8.** *Mec.* Pieza de algunas máquinas dotada de un movimiento de traslación horizontal; como la que sostiene el papel en las máquinas de escribir o la que sirve de portaherramientas en el torno. || **9.** *Mil.* Tanque de guerra. || **de asalto.** Tanque grande, fuertemente blindado y de mucho poder ofensivo. || **de oro.** Tela tornasolada, muy fina, de lana. || **de tierra.** *Sant.* Medida agraria superficial, cuyo lado oscila entre 44 y 48 pies. || **falcado.** El que antiguamente tenía fijas en los ejes unas cuchillas fuertes y afiladas, para herir al enemigo y servía para guarnecer los costados del ejército. || **fuerte.** El de gran resistencia, mucho más largo que ancho y sin bordes, formado su tablero con cuartones fuertemente unidos, y dos ruedas, para transportar grandes pesos. || **Mayor. Carro,** 4.ª acep. || **Menor. Osa Menor.** || **triunfal. Carro** grande con asientos, pintado y adornado, de que se usa en las procesiones y festejos. || **Cogerle** a uno **el carro.** fr. fig. y fam. Ocurrirle algo que le moleste o perjudique. || **Lo que ha de cantar el carro, canta la carreta.** ref. que se dice del que se anticipa a reñir o a quejarse, teniendo menos motivo que otro. || **No se puede hacer el carro sin pisar el barro.** ref. que indica que para conseguir algo bueno, hay que pasar trabajos. || **Parar** uno **el carro.** fr. fig. y fam. Contenerse o moderarse el que está enojado u obra arrebatadamente. No se usa, por lo común, sino en imperativo. PARE *usted* EL CARRO. || **Tirar del carro.** fr. fig. y fam. Pesar sobre una o más personas exclusivamente el trabajo en que otras debieran o pudieran tomar parte. || **Untar el carro.** fr. fig. y fam. Regalar o gratificar a alguno para conseguir lo que se desea.

Carro. m. *C. Rica.* Árbol que da fruta comestible y vive en la vertiente del Pacífico.

Carro, rra. adj. *Ál.* Podrido, pasado. Se dice en especial de la fruta.

Carrocería. (De *carrocero.*) f. Establecimiento en que se construyen, venden y componen carruajes. || **2.** Parte de los coches automóviles asentada sobre el bastidor y destinada para las personas.

Carrocero. (De *carroza.*) adj. Perteneciente o relativo a la carroza o a la carrocería. || **2.** m. Constructor de carruajes. || **3.** ant. **Cochero.**

Carrocín. (d. de *carroza.*) m. **Silla volante.**

Carrocha. (De *carocha.*) f. Huevecillos del pulgón o de otros insectos.

Carrochar. (De *carrocha.*) intr. Poner sus huevecillos los insectos.

Carromatero. m. El que gobierna un carromato.

Carromato. m. Carro grande de dos ruedas, con dos varas para enganchar una caballería o más en reata, y que suele tener bolsas de cuerda para recibir la carga, y un toldo de lienzo y cañas.

Carrón. (De *carro,* 1.er art.) m. Cantidad de ladrillos que puede llevar un hombre al sitio en que han de emplearse. || **2.** *Cuba.* Macizo de hierro colado usado en los ingenios.

Carronada. (Del ingl. *carronade,* de *Carron,* ciudad de Escocia.) f. Cañón antiguo de marina, corto y montado sobre correderas.

Carroña. (De un der. del lat. *caro, carnis,* carne.) f. Carne corrompida.

Carroñar. (De *carroña.*) tr. Causar roña o infectar con ella al ganado lanar.

Carroño, ña. (De *carroña.*) adj. Podrido, corrompido.

Carroza. (Del ital. *carrozza,* y éste del lat. *carrus,* carro.) f. Coche grande, ricamente vestido y adornado. || **2.** Por ext., se llama así a la que se construye para funciones públicas. || **3.** *Mar.* Armazón de hierro o madera que, cubierta con una funda o toldo generalmente de lona, sirve para defender de la intemperie algunas partes del buque, y en particular la cámara de las góndolas y falúas.

Carruaje. (Del prov. ant. *carriatge,* y éste del lat. *carrus,* carro.) m. Vehículo formado por una armazón de madera o hierro, montada sobre ruedas. || **2.** Conjunto de carros, coches, calesas, etc., que se previene para un viaje. || **3.** ant. Trato o trajín con carros, coches, calesas, etc.

Carruajero. m. El que guía o conduce cualquier clase de carruaje. || **2.** *Amér.* El que fabrica carruajes.

Carruata. f. Especie de pita de la Guayana y otros puntos de América, que sirve para hacer cuerdas muy resistentes.

Carruca. (Del lat. *carrūcha.*) f. *Arqueol.* Coche de lujo, introducido en Roma en la época imperial.

Carrucar. intr. *Sal.* Correr la peonza.

Carruco. (De *carro,* 1.er art.) m. despect. de **Carro.** || **2.** Carro pequeño cuyo eje da vueltas con las ruedas, que carecen de rayos. || **3.** Porción de tejas que puede cargar un hombre.

Carrucha. (De *carro,* 1.er art.) f. **Garrucha,** 1.ª acep.

Carruchera. f. *Murc.* Dirección, vía.

Carrujado, da. adj. **Encarrujado,** 2.ª acep. || **2.** m. **Encarrujado,** 4.ª acep.

Carrujo. m. **Copa,** 3.ª acep.

Carruna. f. En el Bierzo, senda o camino carretil.

Carta. (Del lat. *charta.*) f. Papel escrito, y ordinariamente cerrado, que una persona envía a otra para comunicarse con ella. || **2.** Despacho o provisión expedidos por los tribunales superiores. || **3.** Comunicación oficial entre el gobierno y las antiguas provincias de Ultramar. || **4.** Cada uno de los naipes de la baraja. || **5.** Constitución escrita o código fundamental de un Estado, y especialmente la otorgada por el soberano. || **6. Mapa,** 1.ª acep. || **7.** V. **Hilo, juego, polvos de cartas.** || **8.** ant. Papel para escribir. || **9.** ant. Hoja escrita de papel o pergamino. || **10.** ant. Instrumento público. Se conserva su uso en muy pocos lugares. || **abierta.** La dirigida a una persona y destinada a la publicidad. || **2.** Despacho y provisión real, con carácter de generalidad. || **3.** La de crédito, por cuantía indefinida. || **acordada.** La que contiene reprensión o advertencia reservada de un tribunal superior a un cuerpo o persona de carácter. || **blanca.** Nombramiento para un empleo, sin el nombre del agraciado, para poderlo poner después a favor de quien parezca. || **2.** La que se da a una autoridad para que obre discrecionalmente. || **3.** Naipe que no es figura o no tiene valor especial en muchos juegos. || **4.** fig. y fam. Facultad amplia que se da a alguno para obrar en determinado negocio. || **credencial.** La que se da al embajador o ministro para que se le admita y reconozca por tal. || **cuenta.** La que contiene la razón y cuenta de alguna cosa. || **de ahorría,** o **de ahorro. Carta de horro.** || **de amparo.** La que daba el rey a alguno para que nadie le ofendiese, bajo ciertas penas. || **de comisión.** *For.* Provisión que despachaba el tribunal superior, cometiendo y dando delegación para algún negocio, causa o diligencia. || **de compañería. Carta de mancebía.** || **de contramarca.** La dada por un soberano para que los súbditos suyos puedan corsear y apresar las naves y efectos de los de otra potencia que haya dado **cartas** de represalia o de marca. || **de crédito.** La que previene a uno que dé a otro dinero por cuenta del que la escribe. || **2.** ant. **Carta de creencia.** || **de creencia.** La que lleva uno para ser creído en la dependencia o negocio que va a tratar. || **2. Carta credencial.** || **de dote.** Escritura pública que expresa la aportación de bienes que hace la esposa. || **de emplazamiento.** *For.* Despacho que se expedía para citar o emplazar a alguno o algunos. || **de encomienda. Carta de amparo.** || **de espera.** *For.* Moratoria concedida al deudor por un tiempo señalado. || **de examen.** Despacho que se daba a alguno, aprobándole y habilitándole para ejercer el oficio que había aprendido. || **de fletamento.** Escritura en que consta el contrato de fletamento. || **de gracia. Carta forera,** 3.ª acep. || **2.** *For.* Pacto de retroventa. || **de guía.** Despacho que se daba para que el que iba por tierra extraña pudiera ir seguro, sin que nadie le impidiera su camino. || **de hermandad.** Título que expide el prelado de una comunidad religiosa a favor del que admite por hermano. || **de hidalguía. Ejecutoria,** 1.ª acep. || **de horro.** Escritura de libertad que se daba al esclavo. || **de legos.** *For.* **Auto de legos.** || **de libre.** ant. *For.* Finiquito o liberación que los menores dan al tutor, concluida la tutela. || **de mancebía.** La que se hacía para seguridad del contrato de mancebía. || **de marca. Patente de corso.** || **de marear.** Mapa en que se describe el mar, o una porción de él, con sus costas o los parajes donde hay escollos o bajíos. || **de naturaleza.** Concesión a un extranjero de la gracia de ser tenido por natural del país. Las había de primera, segunda, tercera y cuarta clase, según las limitaciones que contenían. || **de pago.** Escritura en que el acreedor confiesa haber recibido lo que se le debía, o parte de ello. || **de pago y lasto.** Instrumento que da quien cobra de otro que no es el principal obligado, y cede al pagador la acción para que repita contra el deudor pidiendo reembolso. || **de personería.** ant. Poder para pleitos y otras dependencias. || **de porte.** Documento que es título legal del contrato de transporte terrestre. || **de quitación,** o **de quito.** ant. **Carta de repudio.** || **de repudio.** Documento en que se acreditaba el repudio. || **desaforada.** Despacho derogatorio de una exención, franqueza o privilegio. || **2.** Provisión que se expedía contra justicia o fuero, y que no debía cumplirse, para prender, matar, desterrar o penar de cualquiera otra manera a una persona. || **de seguro. Carta de amparo.** || **de Urías.** fig. Medio falso y traidor que uno emplea para dañar a otro, abusando de su confianza y buena fe. Dícese por alusión a la **carta** de David en que Urías fue portador de su propia sentencia de muerte. || **de vecindad.** Despacho o título que se daba a uno para que fuese reconocido como vecino de algún lugar o villa. || **de venta.** Escritura pública en la que se vende alguna cosa. || **dotal.** La de dote. || **ejecutoria,** o **carta ejecutoria de hidalguía. Ejecutoria,** 1.ª acep. || **falsa.** En algunos juegos de naipes, la que no es triunfo, o es de poco o ningún valor. || **familiar.** Se llama así especialmente a la que se escribe a un pariente o amigo, en que se trata de asuntos muy íntimos o de la vida privada. || **forera.** Provisión arreglada a los fueros y leyes. || **2.** Provisión que se obtenía para poner demanda a una persona dentro del año de su fecha, porque pasado éste no tenía efecto. || **3.** Privilegio real de exenciones, fueros e inmunidades. || **mensajera.** La que se envía a una persona ausente. || **orden.** La que contiene una orden o mandato. || **2.** *For.* Comunicación dirigida por autoridad judicial a sus inferiores. || **partida por A, B, C.** Instrumento que se escribía dos veces en un mismo papel o pergamino, poniendo en medio las letras, A, B, C; por donde se cortaban en zigzag las escrituras, y la autenticidad del contrato se comprobaba al aproximar los bordes de ambos documentos por la parte en que estaban dichas letras. || **2.** Cada uno de los dos pedazos del pergamino o papel así escrito. || **pastoral.** Escrito o discurso que con instrucciones o exhortaciones dirige un prelado a sus diocesanos. || **pécora. Pergamino,** 2.ª acep. || **plomada.** Escritura con sello de plomo. || **puebla.** Diploma en que se contiene el repartimiento de tierras y derechos que se concedían a los nuevos pobladores del sitio o paraje en que se fundaba pueblo. || **receptoria.** Despacho en que se encomendaba recibir o hacer alguna probanza o diligencia || **vista.** En el juego del revesino, partido que consiste en poder ver antes la **carta** que toca, para quedarse con ella o dejarla. || **viva.** fig. Persona que, yendo a alguna parte, lleva encargo de decir a otro lo que se le había de comunicar por escrito. || **Cartas expectativas. Letras expectativas.** || **A carta cabal.** loc. adv. Intachable, completo. *Hombre de bien, mujer honrada,* A CARTA CABAL. || **A cartas, cartas; y a palabras, palabras.** ref. que aconseja conducirse uno según los demás proponen con sus actos. || **Apartar las cartas.** fr. En el correo, no incluirlas en reparto, para darlas separadamente. || **Carta canta.** expr. fig. y fam. que sirve para denotar que hay documento con que probar lo que se dice. || **Echar las cartas.** fr. Hacer con los naipes ciertas combinaciones, fingiendo con ellas adivinar cosas ocultas o venideras. || **Entregar** uno **la carta.** fr. fig. y fam. Declarar la intención, o soltar la especie, que no quería manifestar o descubrir. || **Hablen cartas y callen barbas.** ref. que advierte ser ocioso gastar palabras cuando hay instrumentos para probar lo que se dice. || **Irse** uno **de una buena carta.** fr. fig. y fam. Desprenderse voluntariamente de algún elemento favorable para el logro de una pretensión o deseo. || **Jugar** uno **a cartas vistas.** fr. fig. y fam. Obrar a ciencia cierta, por tener datos de que carecen los demás. || **2.** fig. Proceder franca y abiertamente. || **No saber** uno **a qué carta quedarse.** loc. fam. Estar indeciso en el juicio o en la resolución que ha de tomar. || **No ver carta.** fr. fig. y fam. Tener malos naipes. || **Perder** uno **con buenas cartas.** fr. fig. y fam. Perder alguna pretensión, teniendo méritos y buenos medios para conseguirla. || **Por carta de más, o de menos.** fr. fig. y fam. con que se nota el exceso, o defecto, en lo que se hace o dice. || **Por carta de más o de menos se pierden los juegos.** ref. que también aconseja huir de los extremos viciosos. || **Sacar cartas.** Juego de naipes en que toma uno la baraja, va contando desde el as todos los puntos, y si casualmente saca el punto que cuenta, lo guarda, y las otras **cartas** las pone otra vez al fin de la baraja: lo mismo hacen los otros, y después que acaban las **cartas,** gana el que ha juntado mayor número. || **Tomar** uno **cartas en** algún negocio. fr. fig. y fam. Intervenir en él. || **Traer** uno **malas cartas. Venir** uno **con malas cartas.** frs. figs. y fams. No tener los medios proporcionados para conseguir algún fin.

Cartabón. (Del ital. *quarto buono.*) m. Instrumento en forma de triángulo rectángulo isósceles, que se emplea en el dibujo lineal. || **2.** Regla graduada, con dos topes, uno fijo y otro movible, que los zapateros usan para medir la longitud del pie. || **3.** *Arq.* Ángulo que forman en el caballete las dos vertientes de una armadura de tejado. || **4.** *Topogr.* Prisma octagonal, metálico, de un decímetro de altura y cuatro o cinco centímetros de ancho, que se encaja en un bastón y tiene en cada cara una rendija vertical para dirigir visuales que formen entre sí ángulos rectos. || **Echar** uno **el cartabón.** fr. fig. y fam. Tomar sus medidas para lograr alguna cosa.

Cartagenero, ra. adj. Natural de Cartagena. Ú. t. c. s. || **2.** Perteneciente a esta ciudad.

Cartaginense. (Del lat. *carthaginensis.*) adj. **Cartaginés.** Apl a pers., ú. t. c. s.

Cartaginés, sa. adj. Natural de Cartago. Ú. t. c. s. || **2.** Perteneciente a esta antigua ciudad de África. || **3. Cartagenero.** Apl. a pers., ú. t. c. s.

Cartaginiense. adj. **Cartaginense.** Apl. a pers., ú. t. c. s.

Cártama. f. **Cártamo.**

Cártamo. (Del ár. *qurṭum.*) m **Alazor.**

Cartapacio. (Del b. lat. *chartapacia,* éste del lat. *charta,* carta, y *pax, pacis,* paz.) m. Cuaderno para escribir o tomar apuntes. || **2.** Funda de badana, hule, cartón u otra materia adecuada, en que los muchachos que van a la escuela meten sus libros y papeles. || **3.** Conjunto de papeles contenidos en una carpeta. || **4.** fig. y fam. V. **Razón de cartapacio.**

Cartapel. (De *carta* y *papel.*) m. Papel que contiene cosas inútiles o impertinentes. || **2.** ant. Cartel o edicto. || **3.** *Sal.* **Rocadero,** 3.ª acep.

Cartazo. m. aum. de **Carta.** || **2.** fam. Carta o papel que contiene alguna grave reprensión o disgusto.

Carteado, da. p. p. de **Cartear.** || **2.** adj. V. **Juego carteado.** Ú. t. c. s.

Cartear. intr. Jugar las cartas falsas para tantear el juego. || **2.** ant. Hojear los libros. Díjose así porque entonces se llamaban cartas cualesquiera hojas de papel o pergamino. || **3.** r. Corresponderse por cartas.

Cartel. (Del fr. *cartel,* y éste del ital. *cartello,* d. de *carta.*) m. Papel que se fija en un paraje público para hacer saber alguna cosa. || **2.** Papel encartonado, con letras, sílabas o palabras en grandes caracteres, que sirve en las escuelas para enseñar a leer. || **3.** Escrito relativo al canje o rescate de los prisioneros, o a alguna otra proposición de los enemigos. || **4.** Escrito que se hacía público y en que uno desafiaba a otro para reñir con él. || **5.** Red que sirve para la pesca de la sardina. || **6. Pasquín.** || **7.** *Econ* Convenio entre varias empresas similares para evitar la mutua competencia y regular la producción y los precios en determinado campo industrial. || **Tener** uno **cartel.** fr. fig. Tener la reputación bien sentada en el asunto de que se trata.

Cartela. (Del ital. *cartella,* d. de *carta.*) f. Pedazo de cartón, madera u otra materia, a modo de tarjeta, destinado para poner o escribir en él alguna cosa. || **2.** Ménsula a modo de modillón, de más altura que vuelo. || **3.** Cada uno de los hierros que sostienen los balcones cuando no tienen repisa de albañilería. || **4.** *Blas.* Cada una de las piezas heráldicas ordinarias, pequeñas y de forma rectangular, que se ponen verticalmente y en serie en la parte superior del escudo. Sirven para cargar otras piezas principales, como la banda y la bordura. Se llama también billete. || **abierta.** *Blas.* La que lleva en el medio una especie de agujero redondo o cuadrado de otro esmalte. || **acostada.** *Blas.* **Cartela** puesta no en sentido vertical, sino al contrario.

Cartelado, da. adj. *Blas.* Se dice del escudo o pieza heráldica sembrada de cartelas. También se llama billetado.

Cartelear. tr. ant. Poner carteles infamatorios.

Cartelera. f. Armazón con superficie adecuada para fijar los carteles o anuncios públicos.

Cartelero. m. El que pone carteles en los lugares públicos.

Cartelón. m. aum. de **Cartel,** 1.ª acep.

Carteo. m. Acción y efecto de cartear o cartearse.

Cárter. (Del nombre del inventor.) m. *Mec.* Pieza de la bicicleta destinada a proteger la cadena de transmisión. || **2.** *Mec.* En los automóviles y otras máquinas, pieza o conjunto de piezas que protege determinados órganos y a veces sirve como depósito del lubricante.

Cartera. (De *carta.*) f. Utensilio a modo de libro, casi siempre de piel, que suele contener dos o más divisiones. Es de tamaño adecuado para llevarla en el bolsillo. || **2.** Estuche de igual forma y mayores dimensiones que la **cartera** de bolsillo, que usan los negociantes y ciertos funcionarios públicos para guardar valores en papel o documentos. || **3.** Cubierta formada de dos hojas rectangulares de cartón o piel, unidas por uno de sus lados, que sirve para dibujar o escribir sobre ella y para resguardar estampas o papeles. || **4.** Adorno o tira de tela que cubre la abertura del bolsillo de algunas prendas del vestido. || **5.** V. **Ministro sin cartera.** || **6.** fig. Empleo de ministro, 4.ª acep. || **7.** fig. Ejercicio de las funciones propias de cada ministerio. || **8.** *Com.* Valores o efectos comerciales de curso legal, que forman parte del activo de un comerciante, banco o sociedad. || **Tener en cartera** una cosa. fr. fig. Tenerla preparada o en estudio para su próxima ejecución.

Cartería. f. Empleo de cartero. || **2.** Oficina inferior de correos, donde se recibe y despacha la correspondencia pública.

Carterista. m. Ladrón de carteras de bolsillo.

Cartero. m. Repartidor de las cartas del correo.

Cartesianismo. m. Sistema filosófico de Cartesio o Descartes y de sus discípulos.

Cartesiano, na. adj. Partidario del cartesianismo o perteneciente a él. Apl. a pers., ú. t. c. s. || **2.** *Geom.* V. **Coordenada cartesiana.**

Carteta. (De *carta.*) f. **Parar,** 1.er art.

Cartiero. (Del lat. *quartarius,* cuarta parte.) m. ant. Una de las cuatro partes en que se distribuía el año para algunos fines.

Cartilágine. (Del lat. *cartilāgo, -ĭnis.*) m. **Cartílago.**

Cartilagíneo. (Del lat. *cartilagineus.*) adj. *Zool.* Dícese de los peces cuyo neuroesqueleto consta de piezas cartilaginosas.

Cartilaginoso, sa. (Del lat. *cartilaginōsus.*) adj. Relativo a los cartílagos. || **2.** Semejante al cartílago o de tal naturaleza.

Cartílago. (Del lat. *cartilāgo.*) m. *Zool.* Cualquiera de las piezas formadas por tejido cartilaginoso, que pertenecen al endoesqueleto de los animales vertebrados y constituyen la envoltura de los centros nerviosos de los cefalópodos.

Cartilla. (d. de *carta.*) f. Cuaderno pequeño, impreso, que contiene las letras del alfabeto y los primeros rudimentos para aprender a leer. || **2.** Cualquier tratado breve y elemental de algún oficio o arte. || **3.** Testimonio que dan a los ordenados, para que conste que lo están. || **4.** Cuaderno o libreta donde se anotan ciertas circunstancias o vicisitudes que interesan a determinada persona, como la que la policía da a los sirvientes, las cajas de ahorros a los imponentes, etc.

|| **5. Añalejo.** || **Cantarle,** o **leerle,** a uno la **cartilla.** fr. fig. y fam. Reprenderle, advirtiendo lo que debe hacer en algún asunto. || **No estar en la cartilla** una cosa. fr. fig. y fam. Ser irregular o fuera de lo ordinario. || **No saber** uno **la cartilla.** fr. fig. y fam. Ignorar los principios de un arte u oficio.

Cartillero, ra. adj. fam. Dícese de las obras de teatro que se representan con gran frecuencia y de los actores amanerados y vulgares.

Cartivana. f. Tira de papel o tela, que se pone en las láminas u hojas sueltas para que se puedan encuadernar de modo conveniente.

Cartografía. (De *cartógrafo.*) f. Arte de trazar cartas geográficas. || **2.** Ciencia que las estudia.

Cartográfico, ca. adj. Perteneciente o relativo a la cartografía.

Cartógrafo. (De *carta* y el gr. γράφω, describir.) m. Autor de cartas geográficas.

Cartolas. (Del vasc. *cartolac,* jamugas.) f. pl. **Artolas.** || **2.** *Ál.* Adrales hechos de tablas y no de carrizo.

Cartomancia [~ **mancía**]. (De *carta,* 4.ª acep., y el gr. μαντεία, adivinación.) f. Arte vano y supersticioso de adivinar lo futuro por medio de los naipes.

Cartomántico, ca. adj. Que practica la cartomancia. Ú. t. c. s. || **2.** Perteneciente o relativo a la cartomancia.

Cartometría. (De *cartómetro.*) f. Medición de las líneas de las cartas geográficas.

Cartométrico, ca. adj. Relativo a la cartometría.

Cartómetro. (De *carta* y el gr. μέτρον, medida.) m. Curvímetro, aparato que sirve para medir las líneas trazadas en las cartas geográficas.

Cartón. (De *carta,* papel.) m. Conjunto de varias hojas superpuestas de pasta de papel que, en estado húmedo, se adhieren unas a otras por compresión y se secan después por evaporación. || **2.** Hoja de varios tamaños, hecha de pasta de trapo, papel viejo y otras materias. || **3.** Adorno que imita las hojas largas de algunas plantas; se hace de hierro, latón u otro metal, y rara vez de madera. || **4.** *Arq.* Adorno prominente de la clave del arco romano y de los modillones. Suele llevar sobrepuesta una hoja de acanto. || **5.** *Pint.* Dibujo sobre papel, a veces colorido, de una composición o figura, ejecutado en el mismo tamaño que ha de tener la obra de pintura, mosaico, tapicería o vidriería para la que servirá de modelo. Por ext., se aplica a los modelos para tapices pintados sobre lienzo. || **piedra.** Pasta de **cartón** o papel, yeso y aceite secante que luego se endurece mucho y con la cual puede hacerse toda clase de figuras.

Cartonaje. m. Obras de cartón.

Cartonera. f. *Amér.* Especie de avispa cuyo nido semeja una caja de cartulina.

Cartonería. f. Fábrica en que se hace el cartón. || **2.** Tienda en que se vende.

Cartonero, ra. adj. Perteneciente o relativo al cartón. || **2.** m. y f. Persona que hace o vende cartones u obras hechas en cartón.

Cartuchera. f. Caja, generalmente de cuero, y destinada a llevar la dotación individual de cartuchos de guerra o caza. || **2. Canana.** || **Quien manda, manda, y cartuchera en el cañón.** expr. fig. y fam. con que se da idea de la obediencia ciega.

Cartucho. (Del ital. *cartoccio,* y éste del lat. *charta,* papel.) m. Carga de pólvora y municiones, o de pólvora sola, correspondiente a cada tiro de alguna arma de fuego, envuelta en papel o lienzo o encerrada en un tubo metálico, para cargar de una vez. || **2.** Envoltorio cilíndrico de monedas de una misma clase. || **3.** Bolsa hecha de cartulina, para contener dulces, frutas y cosas semejantes. || **4. Cucurucho.** || **de perdigones.** Engañifa consistente de ordinario en entregar, con apariencia de un rollo de monedas, otra cosa de ningún valor. || **2.** fig. Cualquiera otra de que se es víctima por exceso de simplicidad. || **Quemar** uno **el último cartucho.** fr. fig. Emplear el último recurso en casos apurados.

Cartuja. (Del b. lat. *Cartusia,* luego *Chartreuse,* lugar del Delfinado.) f. Orden religiosa muy austera, que fundó San Bruno el año 1086. || **2.** Monasterio o convento de esta orden.

Cartujano, na. adj. Perteneciente a la Cartuja. || **2. Cartujo.** Apl. a pers., ú. t. c. s. || **3.** Se dice del caballo o yegua que ofrece las señales más características de la raza andaluza.

Cartujo. adj. Dícese del religioso de la Cartuja. Ú. t. c. s. || **2.** m. fig. y fam. Hombre taciturno o muy retraído.

Cartulario. (Del lat. *chartularium,* de *chartŭla,* escritura pública.) m. En algunos archivos, libro becerro o tumbo. || **2. Escribano,** 1.ª acep. Principalmente el de número de un juzgado, o el notario en cuyo oficio se custodian las escrituras de que se habla.

Cartulina. (Del lat. *chartŭla,* d. de *charta,* papel.) f. Cartón delgado, generalmente terso, que se usa para tarjetas, diplomas y cosas análogas.

Cartusana. f. Galón de bordes ondulados.

Caruata. f. *Bot. Venez.* **Carruata.**

Caruja. f. *León.* Pera inverniza, dura y desabrida, pero buena para dulce.

Carúncula. (Del lat. *caruncŭla,* d. de *caro,* carne.) f. Especie de carnosidad de color rojo vivo y naturaleza eréctil, que poseen en la cabeza algunos animales, como el pavo y el gallo. || **lagrimal.** *Zool.* Grupo pequeño de glándulas en el ángulo interno del ojo, cubierto por una membrana mucosa.

Carunculado, da. adj. Que tiene carúnculas.

Caruncular. adj. Perteneciente o relativo a las carúnculas.

Carurú. (Voz guaraní.) m. *Bot.* Planta americana de la familia de las amarantáceas, como de medio metro de altura, que sirve para hacer lejía.

Caruto. m. Nombre de una planta, especie de jagua, propia de la región del Orinoco.

Carvajal. m. **Carvallar.**

Carvajo. (De *carba.*) m. **Carvallo.**

Carvallar. m. **Carvalledo.**

Carvallada. f. **Robledal.**

Carvalledo. m. **Robledal.**

Carvallo. (De *carba.*) m. **Roble,** 1.ª acep.

Carvayo. (Tal vez del lat. *quercus,* encina, y *robur,* roble.) m. *Ast.* **Roble.,** 1.ª acep.

Carvi. (Del lat. *carĕum* [*carum, carvi* en Nebrija].) m. *Farm.* Simiente de la alcaravea.

Cas. f. Apócope de **Casa.** Hoy sólo tiene uso entre gente del pueblo.

Cas. (Voz indígena.) m. Árbol que crece en las costas templadas de Costa Rica, de unos 12 metros de altura, de buena madera y un fruto semejante a la guayaba redonda, pero excesivamente ácido, que se usa para refrescos. || **2.** Este fruto.

Casa. (Del lat. *casa,* choza.) f. Edificio para habitar. || **2.** Piso o parte de una **casa,** en que vive un individuo o una familia. || **3. Familia,** 1.ª acep. || **4.** Estados, vasallos y rentas de un señor. || **5.** Descendencia o linaje que tiene un mismo apellido y viene del mismo origen. || **6.** Establecimiento industrial o mercantil. *Esta* CASA *es la más antigua en su ramo.* || **7. Escaque,** 1.ª acep. || **8.** En el juego de tablas reales, cada uno de los semicírculos laterales cortados en el mismo tablero, en donde se van colocando las piezas. || **9. Cabaña,** 4.ª acep. || **10.** V. **Cabeza, cabo, casco, composición de casa.** || **11.** V. **Gentilhombre de la casa.** || **12.** V. **Mujer de su casa.** || **13.** V. **Aposentador de casa y corte.** || **14.** *For. Ar.* V. **Casamiento en casa.** || **15.** pl. ant. **Casa,** 1.ª acep. || **Casa abierta.** Domicilio y también estudio o despacho del que ejerce profesión, arte o industria. || **2.** Tienda a puerta de calle. || **a la malicia.** La antiguamente edificada en la corte, sólo con piso bajo, para librarse de la carga de aposento. || **cabeza de armería. Casa de cabo de armería.** || **cáñama. Casa dezmera,** o **excusada.** || **celeste.** *Astrol.* Cada una de las 12 partes en que se considera dividido el cielo por círculos de longitud o por los del atacir. || **consistorial. Casa** de la villa o ciudad adonde concurren los capitulares de su ayuntamiento a celebrar sus juntas. Ú. t. en pl. || **cuna. Inclusa,** 1.er art. || **2.** Establecimiento en que se acogen niños pequeños durante las horas en que sus padres no pueden atenderlos por tener que dedicarse al trabajo. || **de altos.** *Urug.* Vivienda que se construye sobre otra de planta baja, pero conservando ambas uso y entrada independientes. || **de aposento.** La sujeta al servicio que la villa de Madrid hacía al rey, dando una parte de todas las **casas** para el aposento de la corte. || **2.** Vivienda que se repartía a los que gozaban de tal privilegio. || **3. Carga de aposento.** || **de banca. Banca,** 6.ª acep. || **de baños.** Establecimiento en que se tienen baños para el servicio público. || **de beneficencia.** Hospital, hospicio o asilo. || **de cabo de armería.** En Navarra, **casa** solariega del pariente mayor, cabeza de su linaje. || **de cadenas.** *Perú.* **Casa** que gozaba el derecho de asilo. || **de calderas.** *Cuba.* Edificio contiguo al trapiche, donde se hallan las piezas y utensilios necesarios para la fabricación del azúcar. || **de camas. Mancebía,** 1.ª acep. || **de campo.** La que está fuera de poblado y sirve para cuidar del cultivo, para recrearse o para ambos objetos a la vez. || **de citas.** Aquella en que se ejerce clandestinamente la alcahuetería. || **de coima.** ant. **Casa de juego.** || **de comidas. Figón,** 1.ª acep. || **de compromiso,** o **de compromisos. Casa de citas.** || **de contratación de las Indias.** Tribunal que entendía en los negocios pertenecientes al tráfico de las Indias, con un presidente, varios ministros, togados unos y otros de capa y espada, y un fiscal togado. Estuvo en Sevilla mucho tiempo, y después en Cádiz. || **de conversación.** En el siglo XVII, casino o círculo de recreo. || **de devoción.** Templo o santuario donde se venera alguna imagen en particular. || **de Dios.** Templo o iglesia. || **de dormir.** Aquella en que se da hospedaje sólo para pasar la noche. || **de empeños.** Establecimiento donde se presta dinero mediante la entrega condicionada de alhajas o ropas. || **de esgrimidores.** La desaliñada y sin alhajas. || **de estado.** ant. **Hostería.** || **de expósitos. Inclusa,** 1.er art. || **de fieras.** En Madrid, parque zoológico. || **de ganado.** *Ast.* **Casa** en el campo para recoger el ganado en la parte baja o corte, y almacenar el heno en el piso alto o henal || **de huéspedes.** Aquella en que, mediante cierto precio, se da estancia y comida, o sólo alojamiento, a algunas personas. || **de juego.** La destinada a juegos prohibidos. || **de labor,** o **de labranza.** Aquella en que habitan los labradores y en que se tienen sus ganados y aperos. || **de lenocinio. Mancebía,** 1.ª acep. || **de locos. Manicomio.** || **2.** fig. Aquella en que hay mucho bullicio, inquietud y falta de gobierno. || **del rey. Casa real.** || **del Señor. Casa de Dios.** || **de malicia. Casa a la malicia.**

|| **de mancebía. Mancebía,** 1.ª acep. || **de maternidad.** Hospital destinado a la asistencia de parturientas. || **de moneda.** La destinada para fundir, fabricar y acuñar moneda. || **de moradores.** *Murc.* **Casa de vecindad.** || **de oración. Casa de Dios.** || **de orates. Casa de locos.** || **de pailas.** En Cuba, **casa de calderas.** || **de placer. Casa** de recreo en el campo. || **de posada,** o **de posadas. Casa de huéspedes.** || **de postas.** Parada donde tomaban caballos de refresco los correos y los que viajaban en posta. || **de préstamos. Casa de empeños.** || **de pupilos. Casa de huéspedes.** || **de socorro.** Establecimiento benéfico donde se prestan los primeros auxilios facultativos a heridos o atacados de cualquier repentino accidente. || **de tía.** fam. **Cárcel,** 1.ª acep. || **de tócame Roque.** fig. y fam. Aquella en que vive mucha gente y hay mala dirección y el consiguiente desorden. Dícese aludiendo a la **casa** de vecindad de este nombre que hubo en la calle del Barquillo, de Madrid, y que hizo famosa un sainete de don Ramón de la Cruz. || **de trato. Mancebía,** 1.ª acep. || **de trueno.** fig. y fam. Aquella en que suele faltar buena crianza, y aun sana moral. || **de vacas.** Establecimiento donde se tienen vacas, para vender su leche. || **de vecindad.** La que contiene muchas viviendas reducidas, por lo común con acceso a patios y corredores. || **dezmera,** o **excusada.** La del vecino hacendado que se elegía para percibir los diezmos. || **fuerte.** La fabricada para habitar en ella, con fortalezas y reparos para defenderse de los enemigos. || **2.** La muy acaudalada. || **grande.** ant. Entre jugadores, nombre con que designaban los reyes de la baraja. || **llana. Mancebía,** 1.ª acep. || **2.** ant. **Casa** en el campo, sin fortificación ni defensa. || **mortuoria. Casa** donde recientemente ha muerto alguna persona. || **paterna.** Domicilio de los padres. || **profesa.** La de religiosos que viven en comunidad. || **pública. Mancebía,** 1.ª acep. || **real. Palacio,** 1.ª acep. || **2.** Personas reales y conjunto de sus familias. || **robada.** fig. y fam. La que carece del moblaje más preciso. || **santa.** Por antonom., la de Jerusalén, en que está el santo sepulcro de Cristo Nuestro Señor. || **solar,** o **solariega.** La más antigua y noble de una familia. || **A casa de tu hermano no irás cada serano. A casa de tu tía, mas no cada día.** refs. que aconsejan no abusar de la bondad aun de los que más nos quieren. || **Afumar casa.** fr. ant. Tener **casa** abierta, sostenerla. || **¡Ah de casa!** expr. fam. para llamar en **casa** ajena. || **A «idos de mi casa» y «qué queréis con mi mujer» no hay que responder.** ref. con que se significa que al que manda o reconviene con autoridad y evidente derecho, no se le puede replicar. || **A mal decir no hay casa fuerte.** ref. que enseña que cuando la fortuna se declara contra alguno, de nada sirven el poder ni las riquezas para resistirla. || **Apartar casa.** fr. Separarse los que vivían juntos. || **Arderse la casa.** fr. fig. y fam. Haber en ella mucho alboroto por cuestión o riña. || **Armar** una **casa.** fr. Hacer de madera la armazón de ella, para vestirla después de fábrica. || **Arrancar la casa.** fr. fig. y fam. **Levantar la casa.** || **Asentar casa** uno. fr. Ponerla de nuevo y de asiento. || **A tuerto o a derecho, nuestra casa hasta el techo.** ref. que denota que el ambicioso usa todos los medios que se le ofrecen, sean buenos o malos, para satisfacer su ambición. || **Beata la casa en que hay viejo cabe su brasa.** ref. que ensalza la prudencia y experiencia que suelen acompañar a la ancianidad. || **Bina cuando otro alza, si quieres henchir tu casa.** ref. que aconseja no retrasar las labores que tienen plazo fijo. || **Cada uno en su casa, y Dios en la de todos.** ref. de que se usa para significar que conviene que las familias vivan separadas, para evitar disensiones. || **Caérsele** a uno **la casa a cuestas,** o **encima.** fr. fig. y fam. Sobrevenirle grave conflicto o contratiempo. || **Casa con dos puertas mala es de guardar.** ref. que sólo se emplea en sentido recto. También se decía: **Casa con dos puertas no la guardan dueñas.** || **Casa de padre, viña de abuelo y olivar de bisabuelo.** ref. que expresa la duración respectiva de esas cosas y la conveniencia de aprovecharlas por su orden. || **Casa en cantón y viña en rincón.** ref. que establece la conveniencia de tener **casa** con vistas a dos calles y viña escondida para que no la esquilmen los viandantes. || **Casa, en la que vivas; viña, de la que bebas; y tierras, cuantas veas.** ref. que enseña la manera de elegir cierta clase de bienes. || **Casa hecha, sepultura abierta.** ref. que se dice con ocasión de morir una persona cuando acababa de construir una **casa.** || **Casa hita.** loc. adv. **Casa** por **casa.** || **Casa hospedada, comida y denostada.** ref. que reprende a los que pagan los beneficios con ingratitud. || **Casa negra, candela accensa.** ref. que advierte que en las **casas** obscuras se necesita luz artificial. || **Casa reñida, casa regida.** ref. que expresa la conveniencia de ser severo, para que en el hogar doméstico haya regularidad y concierto. || **Casas, cuantas mores; viñas, cuantas podes.** ref. de sentido recto y claro, así como el de **casas, cuantas quepas; viñas, cuantas bebas.** || **Cuando fueres a casa ajena, llama de fuera.** ref. que reprende la mala crianza de los que se entran en el interior de una **casa** o habitación sin llamar antes. || **Cuando vieres tu casa quemar, llégate a escalentar.** ref. que aconseja la paciencia en los males que no tienen remedio. || **De buena casa, buena brasa.** ref. que denota que de las **casas** o personas ricas, aun los desperdicios son buenos. || **De su casa.** m. adv. De propia invención o ingenio. || **De fuera vendrá quien de casa nos echará.** ref. con que se reprende al que se mete a mandar en **casa** ajena. || **Deshacerse** una **casa.** fr. fig. Venir a menos, parar en la pobreza una familia rica. || **Echar** uno **la casa por la ventana.** fr. fig. y fam. Gastar con esplendidez en un convite o con cualquier otro motivo. || **En cada casa cuecen habas, y en la nuestra, a calderadas.** ref. que denota que en todas partes se hallan trabajos, y que cada uno tiene los suyos por mayores. || **En casa de Gonzalo, más puede la gallina que el gallo.** ref. que denota que en algunas partes suele tener más dominio la mujer que el marido. || **En casa del abad, comer y llevar.** ref. con que se pondera la abundancia que suele haber en las **casas** de los abades y otros eclesiásticos ricos. || **En casa del ahorcado, no hay que,** o **no se ha de, mentar la soga.** fr. proverb. **No se ha de mentar la soga en casa del ahorcado.** || **En casa del alboguero todos son alboguеros.** ref. **En casa del gaitero todos son danzantes.** || **En casa del bueno, el ruin cabe el fuego.** ref. que da a entender que el que es bueno da el mejor lugar en su **casa** aun al más infeliz. || **En casa del gaitero todos son danzantes.** ref. con que se advierte que conforme a las costumbres del padre de familia, suelen ser las de las personas que están a su cargo. || **En casa del herrero, badil de madero;** o **cuchillo de palo,** o **mangorrero.** ref. que denota que allí donde hay la proporción y facilidad de hacer y conseguir alguna cosa, suele descubrirse o verificarse la falta de ella. || **En casa del mezquino, más manda la mujer que el marido.** ref. **En casa del ruin, la mujer es alguacil.** || **En casa del moro no hables algarabía.** ref. que recomienda callar lo que ofende al que oye. || **En casa del oficial, asoma el hambre, mas no osa entrar.** ref. que enseña que al que sabe un oficio o arte y se aplica a su ejercicio, con dificultad le faltará lo necesario para su mantenimiento. || **En casa del ruin, la mujer es alguacil.** ref. que denota que cuando el marido es flojo y de poco ánimo, la mujer se levanta con el mando y hace lo que quiere. || **En casa del tamborilero todos son danzantes.** ref. **En casa del gaitero todos son danzantes.** || **En casa de Mari-Miguel, ella es él.** ref. **En casa del ruin, la mujer es alguacil.** || **En casa de mujer rica, ella manda y ella grita.** ref. que denota la soberbia que la riqueza suele infundir a las mujeres. || **En casa llena, presto se guisa la cena.** ref. con que se denota que donde hay abundancia de medios, se sale con facilidad de cualquier empeño. || **En la casa donde no hay harina, todo es mohína.** ref. **Donde no hay harina, todo es mohína.** || **En la casa donde no hay panchón, todos riñen y todos tienen razón.** ref. *Ast.* **Donde no hay harina, todo es mohína.** || **Entrar** una **cosa como por su casa.** fr. fig. y fam. Venir ancha y muy holgada; como el zapato, calzón, etc. || **En tu casa no tienes sardina, y en la ajena pides gallina.** ref. que reprende la vanidad de algunos pobretones. || **Estar de casa.** fr. fig. Estar de llaneza. || **Franquear** a uno **la casa.** fr. Darle pie para que la frecuente. || **Fui a casa de mi vecino, y afrentéme; volví a mi casa, y remediéme.** ref. **Salí a la calle, y afrentéme,** etc. || **Guardar la casa.** fr. fig. Estarse en ella por necesidad. || **Hoy me iré, cras me iré, mal la casa mantendré.** ref. que reprende a los perezosos y flojos, que por diferir el trabajo de un día para otro, no medran ni tienen lo necesario para mantener su **casa.** || **La casa hecha, y el huerco a la puerta.** ref. **Casa hecha, sepultura abierta.** || **La casa quemada, acudir con el agua.** ref. que moteja a los que dan el socorro fuera de tiempo. || **Levantar** uno **la casa.** fr. fig. Mudar su residencia a otro lugar. || **Llovérsele** a uno **la casa.** fr. fig. y fam. Empezar a venir a menos. || **Mi casa y mi hogar cien doblas val.** ref. que denota el grande aprecio que se hace de la **casa** propia. || **Mientras en mi casa estoy, rey me soy.** ref. que indica que quien está contento con su suerte, no solicita favores ajenos. || **Misar y rezar, y casa guardar.** ref. que enseña que no se desatienda la obligación por la devoción. || **Ni en tu casa galgo, ni a tu puerta hidalgo.** ref. que, en sentido figurado, aconseja librarse de cuidados innecesarios. || **Ni por casa ni por viña, no tomes mujer jimia.** ref. que amonesta que por razón de intereses no hay que casarse nunca con mujer casquivana o lasciva. || **No caber en toda la casa.** fr. fig. y fam. Estar muy enojado el señor de ella, y alborotarse con todos. || **No hará casa con azulejos.** expr. fig. con que se moteja al dilapidador y al holgazán. || **No hay casa harta, sino donde hay corona rapada.** ref. que se aplicaba al clero, en otro tiempo rico. || **No hay casa que no tenga su chiticalla, o do no haya su calla, calla.** ref. que advierte lo generales que son las penurias y lacerias humanas. || **No parar** uno **en casa,** o **en su casa.** fr. fig. Pasar fuera de ella la mayor parte del tiempo. || **No tener** uno **casa ni hogar.** fr. fam. Ser sumamente pobre. || **2.** fam. Ser un

vagabundo. || **Oler la casa a hombre.** fr. fig. y fam. para dar a entender que alguno quiere hacerse obedecer en su **casa**, por lo común sin conseguirlo. || **Poner casa.** fr. Tomar **casa** el que antes no la tenía, haciéndose cabeza de familia. || **Poner la casa** a uno. fr. Alhajársela para que pueda habitar en ella. || **Pues la casa se quema, calentémonos a ella,** o **calentémonos todos.** ref. que se dice de los que procuran aprovecharse de los desperdicios propios o ajenos. || **Quémese la casa y no salga humo.** ref. que aconseja la reserva en las cosas domésticas. || **Ser** uno **muy de casa.** fr. fam. Tener mucha familiaridad y confianza. || **Tal queda la casa de la dueña, ido el escudero, como el fuego sin trashoguero.** ref. con que se encarece la necesidad de que en toda **casa** haya un hombre que la defienda. || **Tener casa y tinelo.** fr. ant. *Ar.* Dar de comer a todo el que quiera ir; tener mesa franca. || **Tener** uno **la casa como una colmena.** fr. fig. y fam. Tenerla llena y abastecida. || **Toma casa con hogar, y mujer que sepa hilar.** ref. con que se advierte que en los matrimonios, además de las conveniencias, se ha de buscar mujer hacendosa. || **Triste está la casa donde la gallina canta y el gallo calla.** ref. que denota que regularmente no está bien gobernada una **casa** donde manda la mujer. || **Unos por otros y la casa por barrer.** ref. **Hagamos esta cama,** etc. || **Vivir** uno una **casa.** fr. Habitar en ella. || **Vos cazáis, otro vos caza; más valiera estar en casa.** ref. cuya intención satírica se deja adivinar.

Casabe. m. **Cazabe.** || **2.** *Cuba.* Pez del mar de las Antillas, que tiene un palmo de largo y forma media luna; es de color amarillento, y no tiene escamas. || **de bruja.** *Cuba.* Especie de hongo.

Casabillo. m. *Cuba.* Lunar blanco en el rostro, y por lo común cerca de los ojos.

Casaca. (De *casa.*) f. Vestidura ceñida al cuerpo, con mangas que llegan hasta la muñeca, y con faldones hasta las corvas. Hoy es prenda de uniforme. || **2.** fam. **Casamiento,** 3.ª acep. || **Volver** uno **casaca,** o **la casaca.** fr. fig. y fam. Dejar el bando o partido que seguía, y adoptar el contrario.

Casación. f. *For.* Acción de casar o anular. || **2.** *For.* V. **Recurso de casación.**

Casacón. m. aum. de **Casaca.** 1.ª acep.

Casada. f. ant. *Ar.* **Casal,** 2.ª acep.

Casadero, ra. adj. Que está en edad de casarse.

Casado, da. p. p. de **Casar,** 3.er art. Ú. t. c. s. || **2.** m. *Impr.* Modo de colocar las páginas en la platina para que, doblado el pliego, queden numeradas correlativamente. || **Casado y arrepentido.** ref. que, además del sentido recto, se extiende a los que habiendo hecho alguna cosa sin reflexión, se arrepienten de haberla ejecutado, cuando ya no tiene remedio. || **El casado casa quiere.** ref. que encarece la conveniencia de que cada matrimonio viva independientemente en casa aparte.

Casador. (De *casar,* 2.° art.) m. ant. *For.* El que anula, borra o inutiliza una escritura u otra cosa.

Casaisaco. m. *Cuba.* Vegetal parásito adherido al tronco de las palmeras, con el que algunos pájaros fabrican sus nidos. Tiene hojas anchas y de color morado.

Casal. (Del lat. *casāle.*) m. Casería, casa de campo. || **2.** Solar o casa solariega. || **3.** *Ál.* Solar sin edificar, o sitio donde hubo edificios. || **4.** *R. de la Plata.* Pareja de macho y hembra.

Casalero, ra. m. y f. ant. Persona que vivía en un casal o casería.

Casalicio. m. Casa, edificio.

Casamata. (Tal vez de *casa* y *mata,* 3.er art.; en ital. *casamatta.*) f. *Fort.* Bóveda muy resistente para instalar una o más piezas de artillería.

Casamentar (De *casamiento.*) intr. ant. **Casar,** 3.er art., 1.ª acep.

Casamentero, ra. (De *casamiento.*) adj. Que propone una boda o interviene en el ajuste de ella. Se dice más bien del que con frecuencia entiende en tales negocios, por afición o por interés. Ú. t. c. s.

Casamiento. m. Acción y efecto de casar o casarse, 3.er art., 1.ª acep. || **2.** Ceremonia nupcial. || **3.** Contrato hecho con las solemnidades legales entre hombre y mujer, para vivir maridablemente. || **4.** ant. **Dote,** 1.ª acep. || **a sobre bienes.** *For. Ar.* Sociedad familiar que se contrae pactando comunidad de bienes un matrimonio con otro que no tiene hijos y haciendo implícitamente herederos a los nuevos cónyuges, de los cuales, a lo menos uno es pariente. || **en casa.** *For. Ar.* El autorizado por el cónyuge que antes muere al sobreviviente, sea por manifestación directa, sea mediante fideicomisarios, para que, contraído el nuevo matrimonio, la casa y bienes del premuerto queden en poder del que sobrevive, y en ellos tengan iguales derechos los hijos de ambos enlaces. || **Esto de mi casamiento es cosa de cuento: cuando más se trata, más se desbarata.** ref. que enseña que la demasiada prolijidad y precaución en los negocios suele malograrlos. || **No perderás por eso casamiento.** expr. fig. y fam. que da a entender que uno no desmerece por hacer alguna cosa que juzga impropia.

Casampulga. f. *El Salv.* y *Hond.* Araña venenosa del tamaño de un guisante, patas cortas y abdomen de color rojo.

Casamuro. m. En la fortificación antigua, muralla ordinaria y sin terraplén.

Casapuerta. (De *casa* y *puerta.*) f. Zaguán o portal.

Casaquilla. (d. de *casaca,* 1.ª acep.) f. Casaca muy corta.

Casaquín. m. d. despect. de **Casaca,** 1.ª acep.

Casar. m. Conjunto de casas que no llegan a formar pueblo. || **2.** ant. Solar, pueblo arruinado, o conjunto de restos de edificios antiguos.

Casar. (Del lat. *cassāre,* de *cassus,* vano, nulo.) tr. *For.* Anular, abrogar, derogar.

Casar. (De *casa.*) intr. **Contraer matrimonio.** Ú. m. c. r. || **2.** tr. Autorizar el cura párroco u otro sacerdote con licencia suya, el sacramento del matrimonio. || **3.** fam. Disponer un padre o superior el casamiento de persona que está bajo su autoridad. || **4.** fig. Poner sobre una carta un jugador y el banquero cantidades iguales. || **5.** fig. Unir o juntar una cosa con otra. || **6.** fig. Disponer y ordenar algunas cosas de suerte que hagan juego o tengan correspondencia entre sí. Ú. t. c. intr. || **Antes que te cases, mira lo que haces.** ref. que, además de su recta significación, advierte que se mediten bien los asuntos graves, antes de meterse en ellos. || **Casarás y amansarás.** fr. fam. con que se ponderan los cuidados inherentes al matrimonio. || **Casar, que bien, que mal.** ref. que denota que el estado natural del hombre y de la mujer es el del matrimonio. || **Casar y compadrar, cada cual con su igual.** ref. que enseña a mantenerse cada cual en su esfera, sin aspirar a más ni descender a menos. || **El que fuera va a casar, o va engañado, o va a engañar. Quien lejos va a casar,** etc. || **El que se casa, por todo pasa.** ref. que pondera los muchos cuidados, obligaciones y vicisitudes de la vida matrimonial. || **No casarse uno con nadie.** fr. fig. y fam. Conservar la independencia de su opinión o actitud. || **Quien mal casa, tarde enviuda.** ref. que indica cuán duraderas parecen las cosas adversas.

Casariego, ga. adj. *Ast.* **Casero,** 4.ª acep.

Casarón. m. aum. de **Casa.** || **2. Caserón,** 2.ª acep.

Casateniente. m. ant. El que tenía casa en un pueblo y era cabeza de familia.

Casatienda (De *casa* y *tienda.*) f. Tienda junta con la vivienda del mercader

Casca. (De *cascar.*) f. Hollejo de la uva después de pisada y exprimida. || **2.** Corteza de ciertos árboles, que se usa para curtir las pieles. || **3.** Rosca compuesta de mazapán y cidra o batata, bañada y cubierta con azúcar. || **4. Cáscara,** 1.ª acep. || **5.** *Tol.* **Aguapié,** 1.ª acep.

Cascabel. (Del prov. y cat. *cascabel,* y éste del lat. **cascabĕllus,* d. de *cascăbus* por *caccăbus,* puchero.) m. Bola hueca de metal, ordinariamente del tamaño de una avellana o de una nuez, con asa y una abertura debajo rematada en dos agujeros. Lleva dentro un pedacito de hierro o latón para que, moviéndolo, suene. Sirve para ponerlo al cuello a algunos animales, en los jaeces de los caballos y para otros usos. || **2.** Remate posterior, en forma casi esférica, de algunos cañones de artillería. || **3.** V. **Culebra, serpiente de cascabel.** || **De cascabel gordo.** loc. fig. y fam. Dícese de las obras literarias o artísticas toscas, vanas y aparentes, y sólo capaces de producir efecto grosero o de mala ley. || **2.** V. **Baile de cascabel gordo.** || **Echar el cascabel.** fr. fig. y fam. Soltar alguna especie en la conversación para ver cómo se toma. || **Echar** uno **el cascabel** a otro. fr. fig. y fam. Excusarse de algún cargo gravoso, para que recaiga en otro. || **Poner el cascabel al gato.** fr. fig. y fam. Arrojarse a alguna acción peligrosa o muy difícil. Ú. también en la fr. interrogativa **¿quién ha de poner, o le pone, el cascabel al gato?** || **Ser** uno **un cascabel.** fr. fig. y fam. Tener poco juicio y asiento. || **Soltar** uno **el cascabel** a otro. fr. fig. y fam. **Echarle el cascabel.** || **Tener** uno **cascabel.** fr. fig. y fam. Estar con algún cuidado que fatiga su imaginación.

Cascabela. f. *C. Rica.* Crótalo o serpiente de cascabel.

Cascabelada. f. Fiesta ruidosa y jugareña que se hacía con los pretales de cascabeles. || **2.** fig. y fam. Dicho o hecho que denota poco juicio.

Cascabelear. (De *cascabel.*) tr. fig. y fam. Alborotar a uno con esperanzas lisonjeras y vanas para que ejecute alguna cosa. || **2.** intr. fig. y fam. Portarse con ligereza y poco juicio.

Cascabeleo. m. Ruido de cascabeles o de voces o risas que lo semejan.

Cascabelero, ra. (De *cascabel.*) adj. fig. y fam. Se dice de la persona de poco seso y fundamento. Ú. t. c. s. || **2.** m. Sonajero.

Cascabelillo. (d. de *cascabel.*) m. Variedad de ciruela, chica y redonda, de color purpúreo obscuro y de sabor dulce, que suelta con facilidad el hueso, y que, expuesta al sol o al aire, se reduce a pasa.

Cascabillo. (Del lat. **cascabĕllus,* d. de *cascăbus* por *caccăbus,* puchero.) m. **Cascabel,** 1.ª acep. || **2.** Cascarilla en que se contiene el grano de trigo o de cebada. || **3.** Cúpula de la bellota.

Cascabullo. m. *Sal.* **Cascabillo,** 3.ª acep.

Cascaciruelas. (De *cascar* y *ciruela.*) com. fig. y fam. Persona inútil y despreciable. || **Hacer lo que Cascaciruelas.** fr. fig. y fam. Afanarse mucho por nada, o sin resultado equivalente al trabajo.

Cascado, da. p. p. de **Cascar.** || **2.** adj. fig. Dícese de la voz que carece de fuerza, sonoridad y fácil entonación. || **3.** fig. y fam. Aplícase a la persona o cosa que se halla muy trabajada o gastada. || **4.** f. Caída de agua desde cierta altura por rápido desnivel del cauce.

Cascadura. f. Acción y efecto de cascar o cascarse.

Cascajal. m. **Cascajar,** 1.ª acep.

Cascajar. m. Paraje en donde hay mucho cascajo, 1.ª acep. || **2.** Vertedero de la casca de la uva fuera del lagar.

Cascajera. f. **Cascajar,** 1.ª acep.

Cascajo. (De *cascar.*) m. Guijo, fragmentos de piedra y de otras cosas que se quiebran. || **2.** Conjunto de frutas de cáscara secas, como nueces, avellanas, castañas, piñones, etc., que se suelen comer en las navidades. || **3.** fam. Vasija rota e inútil. Dícese también de algunos trastos o muebles viejos; como coches, sillas, etc. || **4.** fig. y fam. **Moneda de vellón.** || **Estar** uno **hecho un cascajo.** fr. fig. y fam. Estar decrépito.

Cascajoso, sa. adj. Abundante en piedras o guijo.

Cascajuelo, la. adj. Natural de Villalmanzo, pueblo de la provincia de Burgos. || **2.** Perteneciente o relativo a dicha villa.

Cascalbo. (De *casca* y *albo.*) adj. V. **Pino, trigo cascalbo.**

Cascalote. m. *Bot.* Árbol americano, de la familia de las mimosáceas, muy alto y grueso, cuyo fruto abunda en tanino y se emplea para curtir, y también en medicina como astringente.

Cascalleja. f. *Ál.* Grosella silvestre.

Cascamajar. (De *cascar* y *majar.*) tr. Quebrantar una cosa, machacándola algo.

Cascamiento. (De *cascar.*) m. **Cascadura.**

Cascante. p. a. de **Cascar.** Que casca.

Cascanueces. (De *cascar* y *nuez.*) m. Instrumento de hierro o de madera, a modo de tenaza, para partir nueces. || **2.** *Zool.* Pájaro conirrostro de la familia de los fringílidos. || **3.** fig. y fam. **Trincapiñones.**

Cascapiñones. (De *cascar* y *piñón.*) m. El que saca los piñones de las piñas calientes, y después les rompe la cáscara y monda la almendra. || **2.** Tenaza para cascar los piñones.

Cascar. (Del lat. **quassicāre*, de *quassāre*, golpear.) tr. Quebrantar o hender una cosa quebradiza. Ú. t. c. r. || **2.** fam. Dar a uno golpes con la mano u otra cosa. || **3.** fig. y fam. Quebrantar la salud de uno. Ú. t. c. r. || **4.** fam. **Charlar.** Ú. m. c. intr.

Cáscara. (De *cascar.*) f. Corteza o cubierta exterior de los huevos, de varias frutas y de otras cosas. || **2.** Corteza de los árboles. || **3.** *Murc.* Capillo del que se extrae el gusano de seda muerto para hacer el filadiz. || **4.** *Murc.* Pimiento desecado al aire libre y preparado para la molienda. || **5.** pl. *Germ.* **Medias calzas.** || **Cáscara sagrada.** *Bot.* Corteza de una planta leñosa, de la familia de las ramnáceas, que vive en la América Septentrional; se utiliza en medicina por sus propiedades tónicas y laxantes. || **¡Cáscaras!** interj. fam. que denota sorpresa o admiración. || **Ser uno de,** o **de la, cáscara amarga.** fr. fig. y fam. Ser travieso y valentón. || **2.** fig. y fam. Ser persona de ideas muy avanzadas.

Cascarada. (De *cascar.*) f. *Germ.* Alboroto, pendencia.

Cascarela. f. **Cuatrillo.**

Cascarilla. (d. de *cáscara.*) f. Corteza de un árbol de América, de la familia de las euforbiáceas, amarga, aromática y medicinal, que cuando se quema despide un olor como de almizcle. || **2.** Quina delgada, y más comúnmente la que se llama de Loja. || **3.** Laminilla de metal muy delgada que se emplea en cubrir o revestir varios objetos. *Botones de* CASCARILLA. || **4.** Blanquete hecho de cáscara de huevo. || **5.** Cáscara de cacao tostada, de cuya infusión se hace una bebida que se toma caliente.

Cascarillal. m. *Perú.* Lugar poblado de muchos árboles silvestres de quina.

Cascarillero, ra. m. y f. Persona que recoge o vende cascarilla. || **2.** m. **Cascarillo.**

Cascarillina. f. *Quím.* Principio amargo de la corteza del cascarillo.

Cascarillo. m. *Amér.* Arbusto que produce la quina o cascarilla.

Cascarón. m. aum. de **Cáscara.** || **2.** Cáscara de huevo de cualquier ave, y más particularmente la rota por el pollo al salir de él. || **3.** En el juego de la cascarela, lance de ir a robar con espada y basto. || **4.** *Urug.* Árbol parecido al alcornoque. || **5.** *Arq.* Bóveda cuya superficie es la cuarta parte de la de una esfera. || **de nuez.** fam. Embarcación muy pequeña para el uso a que se destina. || **Aún no ha salido del cascarón, y ya tiene presunción.** ref. contra los mozos que, teniendo poca experiencia, quieren parecer hombres. Hoy sólo se usa la primera parte del refrán, y la segunda se varía según viene al propósito. Otros dicen: **Aún no ha salido del cascarón, y ya tiene espolón,** que parece más propio.

Cascarrabias. (De *cascar* y *rabia.*) com. fam. Persona que fácilmente se enoja, riñe o demuestra enfado.

Cascarria. f. **Cazcarria.**

Cascarrina. f. *Ál.* **Granizo,** 1.ª acep.

Cascarrinada. f. *Ál.* **Granizada,** 1.ª acep.

Cascarrinar. intr. *Ál.* **Granizar,** 1.ª acep.

Cascarrojas. m. pl. Insectos o gusanillos que se crían en los buques.

Cascarrón, na. (De *cascar.*) adj. fam. Bronco, áspero y desapacible. || **2.** *Mar.* Dícese del ventarrón que obliga a tomar rizos a las gavias. Ú. m. c. s.

Cascarudo, da. adj. Que tiene gruesa la cáscara.

Cascaruja. f. *Murc.* **Cascajo,** 2.ª acep.

Cascaruleta. f. **Cuchareta,** 2.ª acep. || **2.** fam. Ruido que se hace en los dientes, dándose golpes con la mano en la barbilla.

Cascás. m. *Chile.* Insecto coleóptero, notable por sus mandíbulas en figura de gancho.

Cascatreguas. (De *cascar* y *tregua.*) m. ant. El que quebranta las treguas.

Casco. (De *cascar.*) m. **Cráneo.** || **2.** Cada uno de los pedazos de vasija o vaso que se rompe. || **3.** Cada una de las capas gruesas de la cebolla. || **4.** Copa del sombrero. || **5.** Pieza de la armadura, que cubre y defiende la cabeza. || **6.** Armazón de la silla de montar. || **7.** Tonel, pipa o botella que sirve para contener líquidos. || **8.** *Mar.* Cuerpo de la nave, con abstracción del aparejo y las máquinas. || **9.** Embarcación filipina de fondo plano y costados verticales, con batangas y velas de estera. Carga unas 50 toneladas. || **10.** En las bestias caballares, uña del pie o de la mano, que se corta y alisa para sentar la herradura. || **11. Casquete,** 3.ª acep. || **12.** *Blas.* Pieza que imita el **casco** de la armadura y sirve para timbrar el escudo, poniéndolo inmediatamente encima de la línea superior del jefe. Se conocen en heráldica diez especies de **cascos,** según la materia de que, en todo o en parte, están hechos, si están cerrados o abiertos, y la posición en que se colocan, entendiéndose que si es de lado, siempre estarán mirando a la diestra del escudo: lo contrario es signo de bastardía. También el **casco** puede ser mueble y pintarse dentro del escudo. Se llama igualmente yelmo, celada y morrión. || **13.** *Chile.* Suelo de una propiedad rústica aparte de los edificios y plantaciones. || **14.** pl. Cabeza de carnero o de vaca, quitados los sesos y la lengua. || **15.** fam. **Cabeza,** 1.ª y 9.ª aceps. || **Casco atronado.** *Veter.* El de la caballería que se ha dado algún alcance o zapatazo. || **de burro.** *El Salv.* Especie de molusco. || **de casa.** Lo material del edificio, sin adornos ni otros adherentes. || **de mantilla.** Su tela, aparte de la guarnición y el velo. || **de mula.** *Guat.* Especie de tortuga. || **de población.** Conjunto de sus edificios agrupados, hasta donde empieza el radio de la población misma. || **Abajar el casco.** fr. *Veter.* Cortar mucho del **casco** de las caballerías. || **Alegre,** o **barrenado, de cascos.** loc. fam. Dícese de la persona de poco asiento y reflexión. || **Cortar a casco.** fr. Podar de modo que el corte quede raso y limpio. || **De cascos lucios.** loc. fam. **Alegre de cascos.** || **Lavar el casco,** o **los cascos,** a uno. fr. fig. y fam. **Lavarle la cara.** || **Levantar de cascos** a uno. fr. fig. y fam. **Cascabelear,** 1.ª acep. || **Ligero de cascos.** loc. fam. **Alegre de cascos.** || **Meter** a uno **en los cascos** alguna cosa. fr. fig. y fam. **Metérsela en la cabeza.** || **Metérsele** a uno **en los cascos** alguna cosa. fr. fig. y fam. **Metérsele en la cabeza.** || **Parecerse los cascos a la olla.** fr. fig. y fam. Dícese por lo común de los que heredan y practican las malas costumbres de sus padres. || **Quitarle,** o **raerle,** a uno **del casco** alguna cosa. fr. fig. y fam. Disuadirle de algún pensamiento o idea que se le había fijado. || **Romper** a uno **los cascos.** fr. **Romperle la cabeza.** || **2.** fig. y fam. Molestarle y fatigarle con discursos impertinentes. || **Romperse** uno **los cascos.** fr. fig. y fam. Fatigarse mucho con el estudio, o procurando investigar alguna cosa. || **Tener** uno **cascos de calabaza,** o **los cascos a la jineta,** o **malos cascos.** frs. figs. y fams. Tener poco asiento y reflexión. || **Untar el casco,** o **los cascos,** a uno. fr. fig. y fam. **Lavarle el casco,** o **los cascos.**

Cascol. m. Resina de un árbol de la Guayana, que sirve para fabricar lacre negro.

Cascolitro. m. Planta gramínea de la América del Sur.

Cascote. (De *casco.*) m. Fragmento de alguna fábrica derribada o arruinada. || **2.** Conjunto de escombros, usado para otras obras nuevas.

Cascudo, da. adj. Aplícase a los animales que tienen mucho casco en los pies.

Cascué. m. Especie de sollo del río Nilo.

Cascún. adj. ant. Apócope de **Cascuno.**

Cascuno, na. (Del lat. *quisque unus.*) adj. ant. **Cada uno.**

Caseación. (Del lat. *casĕus*, queso.) f. Acción de cuajarse o endurecerse la leche.

Caseico, ca. adj. *Quím.* **Caseoso.** || **2.** Dícese de un ácido producido por la descomposición del queso.

Caseificación. f. Acción y efecto de caseificar.

Caseificar. (De *caseína*, y el lat. *facĕre.*) tr. Transformar en caseína. || **2.** Separar o precipitar la caseína de la leche.

Caseína. (Del lat. *casĕus*, queso.) f. *Quím.* Substancia albuminoidea de la leche, que unida a la manteca forma el queso.

Cáseo, a. (Del lat. *casĕus*, queso.) adj. **Caseoso.** || **2.** m. **Cuajada.**

Caseoso, sa. (Del lat. *casĕus*, queso.) adj. Perteneciente o relativo al queso. || **2.** Semejante a él.

Casera. (De *casa.*) f. *Ar.* Ama o mujer de gobierno que sirve a hombre solo.

Caseramente. adv. m. Con llaneza, sin ceremonia.

Casería. f. Casa aislada en el campo, con edificios dependientes y fincas rústicas unidas o cercanas a ella. || **2.** Gobierno económico interior de una casa, propio de las mujeres. || **3.** ant. Cría de gallinas en casa.

Caserillo. m. Especie de lienzo casero.

Caserío. m. Conjunto de casas. || **2. Casería,** 1.ª acep.

Caserna. (Del prov. *cazerna*, y éste del lat. *quaterna*, de cuatro.) f. *Cuen.* Casa a orilla de un camino, generalmente destinada a mesón o parador. || **2.** *Fort.* Bóveda, a prueba de bomba, que se construye debajo de los baluartes y sirve para alojar soldados y también para almacenar víveres y otras cosas.

Casero, ra. adj. Que se hace o cría en casa o pertenece a ella. *Pan, conejo* CASERO. || **2.** Que se hace en las casas, entre personas de confianza, sin aparato ni cumplimiento. *Función* CASERA. || **3.** V. **Ejemplo, remedio casero.** || **4.** fam. Dícese de la persona que es muy asistente a su casa, y también de la que cuida mucho de su gobierno y economía. || **5.** ant. Decíase de los árboles cultivados, a diferencia de los silvestres. || **6.** m. y f. Dueño de alguna casa, que la alquila a otro. || **7.** Administrador de ella. || **8.** Persona que cuida de una casa y vive en ella, ausente el dueño. || **9. Inquilino,** 1.ª acep. || **10.** Arrendatario agrícola de tierras que forman un lugar o casería. || **11.** ant. Habitante, morador. || **Estar muy casera** una mujer. fr. fam. Estar en su traje ordinario, y sin adorno.

Caserón. m. aum. de **Casa.** || **2.** Casa muy grande y destartalada.

Caseta. (De *casa.*) f. Casa pequeña que sólo tiene el piso bajo. || **2.** En los balnearios, casilla o garita donde se desnudan los bañistas. || **de derrota.** *Mar.* Cámara o habitación sobre cubierta, en que se guardan los mapas y derroteros.

Caseto. m. *Sal.* y otras provincias del Norte. **Caseta,** 1.ª acep.

Casetón. (De *casa.*) m. *Arq.* **Artesón,** 2.ª acep.

Casi. (Del lat. *quasi.*) adv. c. Cerca de, poco menos de, aproximadamente, con corta diferencia, por poco. También se usa repetido. CASI, CASI *me caigo.* || **2.** Hállase construído con la conj. *que.* CASI QUE *parece de ayer.*

Casia. (Del lat. *casĭa*, y éste del gr. κασία.) f. *Bot.* Arbusto de la India, de la familia de las papilionáceas, de unos cuatro metros de altura, con ramas espinosas, hojas compuestas y puntiagudas, flores amarillas y olorosas, y semillas negras y duras. || **2.** ant. **Canela,** 1.ª acep.

Casicontrato. m. *For.* **Cuasicontrato.**

Casida. (Del ár. *qaṣīda*, composición poética.) f. Composición poética arábiga y también persa, monorrima, de asuntos variados, y con un número indeterminado de versos.

Casidulina. f. *Zool.* Foraminífero microscópico, habitante en muchos mares, cuyo caparazón tiene dos series paralelas de celdas o cavidades.

Casilla. (d. de *casa.*) f. Casa o albergue pequeño y aislado, del guarda de un campo, paso a nivel, almenara, puerta de jardín, etc. || **2.** En muchas poblaciones, despacho de billetes de los teatros. || **3. Casa,** 7.ª acep. || **4.** Cada una de las divisiones del papel rayado verticalmente o en cuadrículas, en que se anotan separados y en orden guarismos u otros datos. || **5.** Cada uno de los senos o divisiones del casillero. || **6.** Cada uno de los compartimientos que se hacen en algunas cajas, estanterías y en varios recipientes. || **7.** *Cuba.* Trampa para cazar pájaros. || **8.** *Ecuad.* Excusado, retrete. || **postal.** *Amér.* **Apartado,** 6.ª acep. || **Sacar** a uno **de sus casillas.** fr fig. y fam. Alterar su método de vida. || **2.** fig. y fam. Hacerle perder la paciencia. || **Salir** uno **de sus casillas.** fr. fig. y fam. Excederse, especialmente por ira u otra pasión.

Casiller. m. En palacio, era el mozo destinado para sacar y limpiar los vasos inmundos.

Casillero. (De *casilla.*) m. Mueble con varios senos o divisiones, para tener clasificados papeles u otros objetos.

Casimba. f. *Cuba.* y *Perú.* **Cacimba,** 1.ª acep.

Casimir. (Del n. p. *Kaśmīr*, Cachemira, Estado en el Indostán.) m. Tela muy fina, de poco grueso, lisa, generalmente negra y fabricada con lana merina y en punto de tafetán. Hay también **casimires** de lana y algodón y **de lana** y seda.

Casimira. (De *casimir.*) f. **Casimir.**

Casimodo. m. ant. **Cuasimodo.**

Casimpulga. f. *Nicar.* **Casampulga.**

Casina. f. Especie de té.

Casineta. (Del fr. *cassinette.*) f. Tejido delgado de lana, que en la República Argentina se usaba para forros. || **2. Casinete.**

Casinete. m. *Argent., Chile* y *Hond.* Cierta tela de calidad inferior al casimir. || **2.** *Ecuad.* y *Venez.* Pañete barato.

Casinita. f. *Mineral.* Feldespato de barita.

Casino. (Del ital. *casino*, casa de campo.) m. Casa de recreo, situada por lo común fuera de poblado. || **2.** Sociedad de hombres que se juntan en una casa, aderezada a sus expensas, para conversar, leer, jugar y otros esparcimientos, y en la que se entra mediante presentación y pago de una cuota de ingreso y otra mensual. || **3. Club,** 2.ª acep. || **4.** Asociación análoga, formada por los adeptos de un partido político o por hombres de una misma clase o condición. CASINO *liberal;* CASINO *agrícola,* CASINO *militar.* || **5.** Edificio en que esta sociedad se reúne.

Casio. (Médico y alquimista del siglo XVII, descubridor del precipitado de oro que lleva su nombre.) n. p. V. **Púrpura de Casio.**

Casiopea. (Del lat. *Cassiopēa*, y éste del gr. Κασσιέπεια.) f. *Astron.* Constelación boreal muy notable, de no grande extensión, que respecto del polo dista próximamente lo que la Osa Mayor por el lado opuesto.

Casiopiri. m. Arbusto que se cría en toda la India, y que se cultiva en los jardines europeos por su hermosura y fragancia.

Casis. (Del lat. *cassis*, casco.) f. Planta muy parecida al grosellero, pero de fruto negro. || **2.** m. *Zool.* Molusco gasterópodo, con concha arrollada en espiral, una sola branquia y provisto de un opérculo que cierra la abertura de la concha cuando el animal se introduce en ésta. Vive en el Mediterráneo y otros mares.

Casitéridos. (Del lat. *cassitĕrum*, y éste del gr. κασσίτερος, estaño.) m. pl. Grupo de elementos que comprende el estaño, el antimonio, el cinc y el cadmio.

Casiterita. (Del lat. *cassitĕrum*, y éste del gr. κασσίτερος, estaño.) f. Bióxido de estaño, mineral de color pardo y brillo diamantino, de que principalmente se extrae el metal.

Casmodia. (Del gr. χασμωδία bostezo frecuente.) f. *Med.* Enfermedad o fenómeno morboso que consiste en bostezar con excesiva frecuencia por afección espasmódica.

Caso. (Del lat. *casus.*) m. Suceso, acontecimiento. || **2.** Casualidad, acaso. || **3.** Lance, ocasión o coyuntura. || **4.** Especie o asunto de que se trata o que se propone para consultar a alguno y pedirle su dictamen. || **5.** Tratándose de enfermedades, y principalmente de las epidémicas, cada una de las invasiones individuales. || **6.** *Gram.* Relación que tienen u oficio que hacen en la oración sus partes declinables. En unas lenguas, como en la latina, esta relación y oficio se indican por la variación que en sus terminaciones experimentan tales palabras, y en la castellana, por análoga alteración de desinencias en el pronombre personal, y por medio de preposiciones en el mismo pronombre y en las demás voces declinables, o bien solamente por el enlace de unas de estas voces con otras. Los **casos** son seis: nominativo, genitivo, dativo, acusativo, vocativo y ablativo. || **apretado.** El de dificultosa salida o solución. || **de conciencia.** Punto dudoso en materia moral. || **de corte.** *For.* Causa civil o criminal que por su gravedad, su cuantía o la calidad de las personas, se podía litigar desde la primera instancia en el Consejo, sala de alcaldes de corte, chancillerías y audiencias, excluídas de su conocimiento a las justicias ordinarias. || **de honra.** Lance en que está empeñada la reputación personal. || **de menos valer.** Acción de que resulta a alguno mengua o deshonor. || **fortuito.** Suceso, por lo común dañoso, que acontece inesperadamente. || **2.** *For.* Hecho no imputable a la voluntad del obligado, que impide y excusa el cumplimiento de obligaciones. || **oblicuo.** *Gram.* Cada uno de los de la declinación, excepto el nominativo y el vocativo. || **recto.** *Gram.* El nominativo y el vocativo. || **reservado.** Culpa grave de que sólo puede absolver el superior, o quien tenga licencia suya. || **A caso hecho.** m. adv. **De caso pensado.** || **2. A cosa hecha.** || **Al caso repentino, el consejo de la mujer, y al de pensado, el del más barbado.** ref. que enseña que el consejo pronto de la mujer suele ser bueno; pero que en los negocios difíciles se busque el de persona madura. || **Caer uno en mal caso.** fr. fam. Incurrir en mala nota. || **Caso que.** m. adv. **En caso de que.** || **Dado caso que.** expr. **Dado que.** || **De caso pensado.** m. adv. De propósito, deliberadamente, con premeditación. || **Demos caso.** expr. Supongamos tal o tal cosa. || **En caso de que.** m. adv. Si sucede tal o tal cosa. || **En todo caso.** loc. adv. Como quiera que sea, o sea lo que fuere. || **Estar** uno **en el caso.** fr. fam. Estar bien enterado de un asunto. || **Hablar al caso.** fr. Hablar con oportunidad y acierto. || **Hacer al caso** una cosa. fr. fam. Venir al propósito de lo que se trata. || **2.** fam. Convenir, importar o conducir para algún efecto. || **Hacer caso de** uno, o **de una** cosa. fr. fig. y fam. Tener consideración a alguna persona o cosa, apreciarla. || **Hacer caso omiso.** fr. Prescindir de alguna cosa, no hacer hincapié en ella. || **Poner caso.** fr. Dar por supuesta alguna cosa. || **2.** Poner por ejemplo. || **Por el mismo caso.** m. adv. Por igual razón o motivo. || **Prestar el caso.** fr. *For.* Responder uno de las contingencias fortuitas. || **Ser caso negado.** fr. fam. Ser casi imposible que suceda o se ejecute alguna cosa. || **Ser del caso** una cosa. fr. fam. **Hacer al caso,** 1.ª acep. || **Vamos al caso.** expr. fam. de que se usa para que, dejando lo accesorio o inútil, se pase a tratar de lo principal. || **Venir al caso** una cosa. fr. fam. **Hacer al caso,** 1.ª acep.

Caso, sa. (Del lat. *cassus*, vano.) adj. ant. *For.* **Nulo,** 1.ª acep.

Casón, na. m. y f. aum. de **Casa.** || **2.** f. *Sant.* Casa señorial antigua

Casorio. m. fam. Casamiento hecho sin juicio ni consideración, o de poco lucimiento.

Caspa. f. Escamilla parecida al salvado, que se forma en la cabeza o raíz de los cabellos. ‖ **2.** La que forman las herpes o queda de las hinchazones o llagas, después de sanas. ‖ **3.** *Sal.* Musgo que se cría en la corteza de algunos árboles. ‖ **4.** *Mineral.* Óxido y pátina que se desprende del cobre antes de fundirlo.

Caspera. f. Lendrera.

Caspia. f. *Ast.* Orujo de la manzana.

Caspicias. f. pl. fam. Resto, sobras de ningún valor.

Caspio, pia. (Del lat. *caspĭus.*) adj. Dícese del individuo de un antiguo pueblo de Hircania. Ú. t. c. s. y en pl. ‖ **2.** Perteneciente a este pueblo.

Caspiroleta. f. *Amér.* Bebida compuesta de leche caliente, huevos, canela, aguardiente, azúcar y algún otro ingrediente.

¡Cáspita! interj. con que se denota extrañeza o admiración.

Caspolino, na. adj. Natural de Caspe. U. t. c. s. ‖ **2.** Perteneciente a esta ciudad.

Casposo, sa. adj. Lleno de caspa.

Casquería. f. Tienda del casquero.

Casquero. (De *casco.*) m. **Tripicallero.** ‖ **2.** Lugar donde se cascan los piñones del pino doncel.

Casquetada. (De *casquete.*) f. p. us. Calaverada.

Casquetazo. (De *casquete.*) m. **Cabezazo.**

Casquete. (De *casco.*) m. Pieza de la armadura, que cubría y defendía el casco de la cabeza. ‖ **2.** Cubierta de tela, cuero, papel, etc., que se ajusta al casco de la cabeza. ‖ **3.** Empegado de pez y otros ingredientes, que ponen en la cabeza de los tiñosos a fin de curarlos. ‖ **4.** Media peluca que cubre solamente una parte de la cabeza. ‖ **5. Cariel,** 1.ª y 3.ª aceps. ‖ **esférico.** *Geom.* Parte de la superficie de la esfera, cortada por un plano que no pasa por su centro. ‖ **A casquete quitado.** loc. adv. fam. Libremente y sin miramientos.

Casquiacopado, da. adj. Aplícase al caballo o yegua que tiene el casco alto, redondo y hueco, a manera de copa.

Casquiblando, da. adj. Dícese del caballo o yegua que tiene blandos los cascos.

Casquiderramado, da. (De *casco* y *derramado.*) adj. Aplícase al caballo o yegua que tiene ancho de palma el casco.

Casquijo. (De *casco.*) m. Multitud de piedra menuda que sirve para hacer hormigón y, como grava, para afirmar los caminos.

Casquilucio, cia. (De *casco* y *lucio,* 2.° art.) adj. **Casquivano.**

Casquilla. (De *casco.*) f. Entre colmeneros, cubierta de las celdas o nichos donde se crían las reinas; tiene la figura de una rodela lisa por dentro como un capullo de gusano de seda, y por fuera áspera y de color tostado. ‖ **2.** pl. Cápsulas pequeñas de plata que sirven a los plateros para graduar el peso de los ensayes en la balanza de precisión.

Casquillo. (d. de *casco.*) m. Anillo o abrazadera de metal, que sirve para reforzar la extremidad de una pieza de madera; como el cabo de una lanza, la punta del eje de un carro, la cabeza de un pilote o el mango de una herramienta. ‖ **2.** Hierro de la saeta o flecha. Llámase así por la figura de anillo que tiene para fijarlo en la vara o asta de la saeta. ‖ **3.** Parte metálica del cartucho de cartón. ‖ **4.** Cartucho metálico vacío. ‖ **5.** *Amér. Central.* **Herradura,** 1.ª acep. ‖ **6.** *Hond.* Forro de tafilete u otro cuero suave y adobado que se pone a los sombreros.

Casquimuleño, ña. adj. Dícese del caballo o yegua que tiene los cascos pequeños, duros y encañutados como los de las mulas.

Casquiñón. m. *Murc.* Caramelo grande que contiene trocitos de almendra o de avellana.

Casquite. adj. *Venez.* Agriado, aplicado a la bebida llamada carato. ‖ **2.** Por ext., se dice de la persona de mal carácter.

Casquivano, na. (De *casco* y *vano.*) adj. fam. **Alegre de cascos.**

Casta. (Del lat. *casta,* f. de *castus,* puro.) f. Generación o linaje. Dícese también de los irracionales. ‖ **2.** Parte de los habitantes de un país que forma clase especial, sin mezclarse con las demás, unas veces por considerarse privilegiada y otras por miserable y abatida. ‖ **3.** V. **Perro de casta.** ‖ **4.** fig. Especie o calidad de una cosa. ‖ **Cruzar las castas.** fr. Mezclar diversas familias de animales para mejorar o variar las **castas.** ‖ **De casta le viene al galgo el ser rabilargo.** ref. que da a entender que los hijos suelen tener las costumbres de los padres.

Castálidas. (Del lat. *Castalĭdes,* por el nombre de la fuente Castalia, consagrada a ellas.) f. pl. Las musas.

Castalio, lia. (Del lat. *castalĭum.*) adj. Perteneciente a la fuente Castalia. ‖ **2.** Perteneciente a las musas.

Castamente. adv. m. Con castidad.

Castaña. (Del lat. *castanĕa.*) f. Fruto del castaño, muy nutritivo y sabroso, del tamaño de la nuez, y cubierto de una cáscara gruesa y correosa de color pardo obscuro. ‖ **2.** Vasija o frasco de figura semejante a la de la **castaña.** Sirve para contener líquidos. ‖ **3.** Especie de moño que con la mata del pelo se hacen las mujeres en la parte posterior de la cabeza. ‖ **4.** *Cuba.* Pieza que sirve de chumacera a la maza mayor en los ingenios. ‖ **5.** *Mej.* Barril pequeño. ‖ **apilada. Castaña pilonga.** ‖ **maya.** *Gal.* **Castaña pilonga.** ‖ **pilonga.** La que se ha secado al humo y se guarda todo el año. ‖ **regoldana.** La que da el castaño silvestre, y es más ruin y menos gustosa. ‖ **Dar** a uno **la castaña.** fr. fig. y fam. Chasquearle. ‖ **Dar** a uno **para castañas.** fr. fig. y fam. **Darle para peras.** ‖ **Parecerse** una cosa **a** otra **como una castaña a un huevo.** fr. fig. y fam. **Parecerse como un huevo a una castaña.** ‖ **Sacar** uno **castañas del fuego con la mano del gato.** fr. fig. y fam. **Sacar el ascua con la mano del gato.** ‖ **Temprana es la castaña que por mayo regaña.** ref. alusivo a que fuera de su oportunidad no son buenas las cosas.

Castañal. m. Castañar.

Castañar. m. Sitio poblado de castaños.

Castañeda. (De *castaño.*) f. **Castañar.**

Castañedo. (Del lat. *castanētum.*) m. *Ast.* **Castañar.**

Castañera. f. *Ast.* **Castañar.**

Castañero, ra. m. y f. Persona que vende castañas. ‖ **2.** m. *Zool.* Cierta ave palmípeda.

Castañeta. (De *castaña,* por la semejanza de su forma.) f. **Castañuela,** 1.ª acep. ‖ **2.** Sonido que resulta de juntar la yema del dedo de en medio con la del pulgar, y hacerla resbalar con fuerza y rapidez para que choque en el pulpejo. ‖ **3.** V. **Guarnición de castañeta.** ‖ **4.** Pez chileno, de unos dos decímetros de largo, de color azul apizarrado por el dorso y plateado por el vientre. ‖ **5.** *Ál.* **Reyezuelo,** 2.ª acep. ‖ **6. Moña,** 2.° art., 3.ª acep.

Castañetada. f. **Castañetazo.**

Castañetazo. m. Golpe recio que se da con las castañetas o castañuelas, o con los dedos. ‖ **2.** Estallido que da la castaña cuando revienta en el fuego. ‖ **3.** Chasquido fuerte que suelen dar las coyunturas de los huesos por razón de algún movimiento extraordinario o violento.

Castañete. adj. d. de **Castaño,** 1.ª y 2.ª aceps. ‖ **2.** V. **Ajo castañete.**

Castañeteado. m. Son que se hace con las castañuelas, tocándolas para bailar.

Castañetear. tr. Tocar las castañuelas, 1.ª acep. ‖ **2.** intr. Sonarle a uno los dientes, dando los de una mandíbula contra los de la otra. ‖ **3.** Sonarle a uno las choquezuelas de las rodillas cuando va andando. ‖ **4.** Producir el macho de la perdiz unos sonidos sueltos, a manera de chasquidos.

Castañeteo. m. Acción de castañetear.

Castaño, ña. adj. Dícese del color de la cáscara de la castaña. Ú. t. c. s. ‖ **2.** Que tiene este color. ‖ **3.** m. Árbol de la familia de las cupulíferas, de unos 20 metros de altura, con tronco grueso, copa ancha y redonda, hojas grandes, lanceoladas, aserradas y correosas, flores blancas y frutos a manera de zurrones espinosos parecidos al erizo, que encierran la castaña. ‖ **4.** Madera de este árbol. ‖ **de Indias.** Árbol de la familia de las hipocastanáceas, de madera blanda y amarillenta, hojas palmeadas compuestas de siete hojuelas, flores en racimos derechos, y truto que contiene las semillas. Es planta de adorno originaria de la India. ‖ **regoldano.** El silvestre o no injerto, el cual da las castañas regoldanas. ‖ **Pasar de castaño obscuro** una cosa. fr. fig. y fam. Ser demasiado enojosa o grave.

Castañola. (Del cat. *castanyola,* y éste d. de *castaña.*) f. *Zool.* Pez grande, teleósteo, del suborden de los acantopterigios, de color de acero, con el hocico romo, el cuerpo más levantado por la parte anterior que por la posterior, escamas blandas que cubren las aletas, y carne blanca y floja. Abunda en el Mediterráneo y es comestible.

Castañuela. (d. de *castaña.*) f. Instrumento músico de percusión, hecho de madera dura o de marfil, compuesto de dos mitades cóncavas, que juntas forman la figura de una castaña. Por medio de un cordón que atraviesa las orejas del instrumento, se sujeta éste al dedo pulgar o al de en medio y se repica con los demás dedos. Por lo común se usan dos, una para cada mano, y sirven para acompañar el tañido o los movimientos en ciertos bailes populares. ‖ **2.** desus. Antigua labor femenina en forma de castaña, que servía para adornar vestidos. ‖ **3.** Planta ciperácea, delgada, larga y de raíz tuberculosa y negruzca, que se cría en la Andalucía Baja, en lagunas y sitios pantanosos, y sirve para cubrir las chozas y para otros usos. ‖ **Estar** uno **como unas castañuelas.** fr. fig. y fam. Estar muy alegre.

Castañuelo, la. adj. d. de **Castaño.** Dícese del color de los caballos y yeguas. ‖ **2.** V. **Ajo castañuelo.**

Castel. m. ant. **Castillo.**

Castellán. m. **Castellano,** 11.ª acep. Ú. sólo en la orden de San Juan, en Aragón, hablando del **castellán** de Amposta.

Castellana. f. Señora de un castillo. ‖ **2.** Mujer del castellano. ‖ **3.** Copla de cuatro versos de romance octosílabo. ‖ **de oro. Castellano,** 7.ª acep.

Castellanamente. adv. m. Según las costumbres y usos castellanos.

Castellanía. (De *castellano.*) f. Territorio o jurisdicción independiente, con leyes particulares y jurisdicción separada para el gobierno de su capital y pueblos de su distrito.

Castellanismo. m. Dicho o modo de hablar propio de alguna parte de Castilla.

Castellanizar. tr. Dar forma castellana a un vocablo de otro idioma.

Castellano, na. (Del lat. *castellānus.*) adj. Natural de Castilla. Ú. t. c. s. ‖ **2.** Perteneciente a esta región de España. ‖ **3.** V. **Horno, mulo, paso, rosal castellano.** ‖ **4.** V. **Lanza castellana.** ‖ **5.** *Chile.* Aplícase a la gallina de color ceniciento obscuro con pintas rojizas, por haber sido de esta clase las primeras que llevaron allí los españoles, y eran procedentes de Castilla. ‖ **6.** m. Idioma **castellano,** o sea lengua nacional de España. ‖ **7.** Nombre que se dio vulgarmente a ciertas monedas de oro castellanas de la Edad Media, cuyo valor equivalía a 10 pesetas actuales poco más o menos. ‖ **8.** Cincuentava parte del marco oro, equivalente a ocho tomines o a 46 decigramos. ‖ **9. Lanza,** 4.ª acep. ‖ **10.** Señor de un castillo. ‖ **11.** Alcaide o gobernador de un castillo. ‖ **12.** *Ál.* Viento sur. ‖ **A la castellana.** m. adv. Al uso de Castilla. ‖ **Castellano viejo, ajo con pescado abadejo.** ref. que indica ser frugal la comida de los hijos de Castilla.

Castellar. (Del ant. *castiello.*) m. **Todabuena.** ‖ **2.** ant. Campo donde hay o hubo castillo.

Castellería. f. ant. **Castillería,** 1.ª acep.

Castellero. (Del lat. *castellarius.*) m. ant. **Castillero.**

Castellonense. adj. Natural de Castellón de la Plana. Ú. t. c. s. ‖ **2.** Perteneciente a esta ciudad.

Casticidad. f. Calidad de castizo.

Casticismo. m. Amor a lo castizo, así en el idioma como en las costumbres, usos y modales.

Casticista. com. Purista en el modo de usar el idioma.

Castidad. (Del lat. *castĭtas, -ātis.*) f. Virtud que se opone a los afectos carnales. ‖ **conyugal.** La que se guardan mutuamente los casados.

Castigación. (Del lat. *castigatio, -ōnis.*) f. Castigo, 1.ª acep.

Castigadamente. adv. m. ant. **Correctamente.**

Castigadera. (De *castigar.*) f. Entre arrieros, correa o cuerda con que se ata el badajo del cencerro.

Castigador, ra. (Del lat. *castigātor.*) adj. Que castiga. Ú. t. c. s. ‖ **2.** ant. Que reprende y amonesta a otro para su enmienda. Usáb. t. c. s. ‖ **3.** fig. y fam. Que castiga, 6.ª acep. Ú. t. c. s.

Castigamento [~ **miento**]. m. ant. **Castigo.**

Castigar. (Del lat. *castigāre.*) tr. Ejecutar algún castigo en un culpado. ‖ **2.** Mortificar y afligir. ‖ **3. Escarmentar,** 1.ª acep. ‖ **4.** fig. Tratándose de obras o escritos, corregirlos, enmendarlos. ‖ **5.** fig. Tratándose de gastos, aminorarlos. ‖ **6.** fig. Enamorar por puro pasatiempo o jactancia a personas del otro sexo ‖ **7.** ant. Advertir, prevenir, enseñar. ‖ **8.** r. ant. Enmendarse, corregirse, abstenerse. ‖ **Quien a uno castiga, a ciento hostiga.** ref. que advierte lo provechoso que es el castigo de los delitos para el escarmiento.

Castigo. (De *castigar.*) m. Pena que se impone al que ha cometido un delito o falta. ‖ **2.** ant. Reprensión, aviso, consejo, amonestación o corrección. ‖ **3.** ant. Ejemplo, advertencia, enseñanza. ‖ **4.** fig. Tratándose de obras o escritos, enmienda, corrección. ‖ **ejemplar.** El grave y extraordinario, para que sirva de mayor escarmiento. ‖ **Más vale el castigo que el vestido.** ref. que encarece la utilidad de la educación y enseñanza aun antes que otras cosas necesarias. ‖ **No te ensañes del castigo que no te da tu enemigo.** ref. que recomienda no irritarse por las enseñanzas que nos dan los que no nos aborrecen. ‖ **Ser de castigo** una cosa. fr. fig. Ser penosa o ardua.

Castila. (De *Castilla.*) adj. *Filip.* Español. Apl. a pers., ú. t. c. s. ‖ **2.** m. Idioma español.

Castilla. n. p. V. **Cámara, canciller mayor, caña de Castilla.** ‖ **Ancha Castilla.** expr. fam. con que se alienta uno a sí mismo o anima a otros para obrar libre y desembarazadamente. ‖ **En Castilla, el caballo lleva la silla.** ref. que denota que en los reinos de Castilla el hijo sigue la nobleza de su padre, aunque la madre sea plebeya.

Castilla. (De *Castilla,* de donde procedía esta tela.) f. *Chile.* **Bayetón,** 2.ª acep.

Castillado, da. adj. *Blas.* Se aplica al escudo o pieza sembrados de castillos y a la bordura cargada de ellos.

Castillaje. m. **Castillería,** 1.ª acep.

Castillejo. m. d. de **Castillo.** ‖ **2.** Carretón pequeño en que se pone a los niños para que se enseñen a andar. ‖ **3.** Andamio que se arma para levantar pesos considerables, generalmente en la construcción de edificios. ‖ **4.** Juego infantil que consiste en tirar a distancia una o más nueces sobre un montoncito formado por otras cuatro. Gana el que derriba el **castillejo.** ‖ **5.** Una de las partes del telar de mano. Cada uno tiene dos **castillejos.** ‖ **6.** *Méj.* Cada una de las dos armazones verticales de hierro colocadas a ambos lados del trapiche o molino de cañas, en las cuales descansan los ejes de los cilindros moledores o mazas.

Castillería. (De *castillero.*) f. Derecho que se pagaba al pasar por el territorio de un castillo. ‖ **2.** ant. Alcaidía de un castillo.

Castillero. (De *castillo.*) m. ant. **Castellano,** 11.ª acep.

Castillete. m. d. de **Castillo.**

Castillo. (De *castiello.*) m. Lugar fuerte, cercado de murallas, baluartes, fosos y otras fortificaciones. ‖ **2.** Máquina de madera, en forma de torre, de que usaban en la guerra los antiguos, y la ponían sobre elefantes. ‖ **3. Maestril.** ‖ **4.** Cabida de un carro, desde la escalera hasta lo alto de los varales. ‖ **5.** *Blas.* Figura que representa una o más torres, en este caso, unidas por cortinas. Pueden ser abiertos, adjurados, fabricados o mazonados según la combinación de los esmaltes. El **castillo** es la pieza principal del escudo de España. ‖ **6.** *Mar.* Parte de la cubierta alta o principal del buque, comprendida entre el palo trinquete y la proa. ‖ **7.** *Mar.* Cubierta parcial que, en la misma sección, tienen algunos buques a la altura de la borda. ‖ **de fuego.** Armazón vestida de varios fuegos artificiales, de que se usa en algunos regocijos públicos. ‖ **de popa.** *Mar.* Antiguamente solía llamarse así a la toldilla. ‖ **Buen castillo es el de Peñafiel, si no tuviese a ojo el de Curiel.** ref. que muestra no confiarse uno demasiado en sus fuerzas si tiene rivales o adversarios. ‖ **Castillo apercebido, no es decebido. Castillo apercibido, no es sorprendido.** refs. que recomiendan la vigilancia y precaución para no ser engañado. ‖ **Castillos en el aire.** Ilusiones lisonjeras con poco o ningún fundamento. Ú. con los verbos *hacer, forjar,* etc. ‖ **Hacer uno castillos de naipes.** fr. fig. y fam. Confiar en el logro de una cosa, contando para ello con medios débiles e ineficaces. ‖ **Levantar uno castillos de naipes.** fr. fig. y fam. **Hacer castillos de naipes.**

Castilluelo. m. d. de **Castillo.**

Castimonia. (Del lat. *castimonĭa.*) f. ant. **Castidad.**

Castina. (Del al. *kalkstein;* de *kalk,* cal, y *stein,* piedra.) f. Fundente calcáreo que se emplea cuando el mineral que se trata de fundir contiene mucha arcilla.

Castizamente. adv. m. De manera castiza y pura.

Castizo, za. (Del lat. **casticĕus,* de *castus,* casto.) adj. De buen origen y casta. ‖ **2.** Aplícase al lenguaje puro y sin mezcla de voces ni giros extraños. ‖ **3.** Muy prolífico. ‖ **4.** En Méjico, **cuarterón,** 1.ª acep. Ú. t. c. s.

Casto, ta. (Del lat. *castus.*) adj. Puro, honesto, opuesto a la sensualidad. ‖ **2.** fig. Se dice también de las cosas que conservan en sí aquella pureza y hermosura con que se criaron y para que fueron destinadas, y alejan toda idea de sensualidad en quien las contempla. ‖ **3.** ant. Hablando del estilo, **castizo,** 2.ª acep. ‖ **A la casta, Dios le basta.** ref. **A la mujer casta,** etc. ‖ **A la casta, pobreza la hace hacer feeza,** o **soeza.** ref. de sentido contrario al anterior. ‖ **Ya que no seas casto, sé cauto.** ref. que previene que ya que se tenga algún defecto, se procure evitar el escándalo.

Castor. (Del lat. *castor.*) m. Mamífero roedor, de cuerpo grueso, que llega a tener 65 centímetros de largo, cubierto de pelo castaño muy fino; patas cortas, pies con cinco dedos palmeados, y cola aplastada, oval y escamosa. Vive mucho en el agua, se alimenta de hojas, cortezas y raíces de los árboles, y construye con destreza sus viviendas a orillas de ríos o lagos, haciendo verdaderos diques de gran extensión. Se le caza para quitarle la piel, que se aprovecha en manguitería, así como para extraerle el castóreo. Habita en Asia, en América Septentrional y en el norte de Europa. ‖ **2.** Pelo de este animal. ‖ **3.** Cierta tela de lana, así llamada por la semejanza que tiene con la suavidad del pelo de **castor.** ‖ **4.** Paño o fieltro hecho con pelo del **castor.**

Cástor. (Héroe mitológico, hermano de *Pólux.*) m. *Astron.* Una de las dos estrellas principales de la constelación de los Gemelos. ‖ **y Pólux. Fuego de Santelmo.** ‖ **2.** *Astron.* **Géminis,** 2.ª acep.

Castora. f. *And.* y *Extr.* **Sombrero de copa alta.**

Castorcillo. (d. de *castor.*) m. Tela de lana, tejida como la estameña, con pelo semejante al del paño.

Castoreño. (De *castor.*) adj. V. **Sombrero castoreño.** Ú. t. c. s.

Castóreo. (Del lat. *castorēum.*) m. *Zool.* Substancia crasa, untuosa, de color castaño, aspecto resinoso y olor fuerte y desagradable, segregada por dos glándulas abdominales que tiene el castor. Es medicamento antiespasmódico.

Castorina. f. Especie de tejido parecido a la tela de castor. ‖ **2.** *Quím.* Materia grasa especial contenida en el castóreo.

Castorio. m. ant. **Castóreo.**

Castra. f. Acción de castrar. ‖ **2.** Tiempo en que se suele hacer esta operación.

Castración. (Del lat. *castratio, -ōnis.*) f. Acción y efecto de castrar.

Castradera. (Del lat. *castratorĭa,* propia para castrar.) f. Instrumento de hierro que sirve para castrar las colmenas.

Castrado. p. p. de **Castrar.** ‖ **2.** adj. Que ha sufrido la castración. Ú. t. c. s.

Castrador. (Del lat. *castrātor.*) m. El que castra. ‖ **2. Castrapuercas.**

Castradura. (Del lat. *castratūra.*) f. **Castración.** ‖ **2. Capadura,** 2.ª acep.

Castrametación. (Del lat. *castra,* campamento, y *metatĭo, -ōnis,* medición, limitación.) f. Arte de ordenar los campamentos militares.

Castrapuercas. (De *castrar* y *puerca.*) m. Silbato compuesto de varios cañoncillos unidos, de que usan los capadores para anunciarse.

Castrapuercos. m. **Castrapuercas.**

Castrar. (Del lat. *castrāre.*) tr. **Capar,** 1.ª acep. ‖ **2.** Secar o enjugar las llagas.

Ú. t. c. r. || **3.** Podar. || **4.** Quitar a las colmenas panales con miel, dejando los suficientes para que las abejas se puedan mantener y fabricar nueva miel. || **5.** Arrancar o cortar al maíz las matas sobrantes, para que las otras se desarrollen mejor. || **6.** fig. Debilitar, enervar, apocar.

Castrazón. (Del lat. *castratio, -ōnis.*) f. Acción y efecto de castrar las colmenas. || **2.** Tiempo de castrarlas.

Castrense. (Del lat. *castrensis*, perteneciente al campamento.) adj. Aplícase a algunas cosas pertenecientes o relativas al ejército y al estado o profesión militar. || **2.** V. **Corona castrense.** || **3.** V. **Vicario general castrense.** || **4.** *For.* V. **Bienes castrenses.** || **5.** *For.* V. **Bienes cuasi castrenses.** || **6.** *For.* V. **Peculio castrense.** || **7.** *For.* V. **Peculio cuasi castrense.**

Castreño, ña. adj. Natural de Castrojeriz, de Castro Urdiales o de Castro del Río. Ú. t. c. s. || **2.** Perteneciente o relativo a dichos pueblos.

Castro. (Del lat. *castrum.*) m. Juego que usan los muchachos, dirigiendo unas piedrecitas por unas rayas, dispuestas al modo de un ejército acampado. || **2.** ant. Real o sitio donde estaba acampado y fortificado un ejército. || **3.** *Ast.* Altura donde hay vestigios de fortificaciones antiguas. || **4.** *Ast.* y *Sant.* Peñasco que avanza de la costa hacia el mar, o que sobresale aislado en éste y próximo a aquélla.

Castro. (De *castrar.*) m. **Castrazón.**

Castrón. m. Macho cabrío castrado. || **2.** *Cuba.* Puerco grande castrado.

Castuga. f. *Amér.* Cierto insecto lepidóptero.

Cástula. (Del lat. *castŭla.*) f. *Indum.* Túnica larga que las mujeres romanas usaban en contacto con la piel y ceñida por debajo de los pechos.

Casual. (Del lat. *casuālis.*) adj. Que sucede por casualidad. || **2.** *For.* V. **Condición casual.** || **3.** *For. Ar.* Aplícase a las firmas o decretos judiciales para impedir atentados.

Casualidad. (De *casual.*) f. Combinación de circunstancias que no se pueden prever ni evitar.

Casualismo. (De *casual.*) m. Teoría que funda en el acaso el origen de todos los acontecimientos.

Casualista. com. Persona que profesa el casualismo.

Casualmente. adv. m. Por casualidad, impensadamente.

Casuárida. (De *casuario.*) adj. *Zool.* Dícese del ave corredora que tiene tres dedos en cada pie y pico comprimido; como el casuario. Ú. t. c. s. f. || **2.** f. pl. *Zool.* Familia de estos animales.

Casuarina. (De *casuario*, por la semejanza de sus hojas con las plumas de esta ave.) f. Árbol de la familia de las casuarináceas, que vive en Australia, Java, Madagascar y Nueva Holanda. Sus hojas son parecidas a las plumas del casuario, y sus ramas producen con el viento un sonido algo musical.

Casuarináceo, a. (De *casuarina*, nombre de un género de plantas.) adj. *Bot.* Dícese de plantas angiospermas dicotiledóneas, leñosas, que viven en Australia y en otras islas del Océano Pacífico y por muchos de sus caracteres se asemejan a las gimnospermas. Tienen flores unisexuales sin periantio o con periantio sencillo, estando provistas las masculinas de un solo estambre; la polinización se verifica por medio del viento; como la casuarina. Ú. t. c. s. f. || **2.** f. pl. *Bot.* Familia de estas plantas.

Casuario. (Del malayo *casuguaris.*) m. *Zool.* Ave corredora de la familia de las casuáridas, de menor tamaño que el avestruz, de color negro o gris y tan poco sueltas las barbas de sus plumas, que el animal parece cubierto de crines. La especie que vive en las islas del Océano Índico tiene una protuberancia ósea en la cabeza.

Casuca. f. d. de **Casa.** || **2.** despect. **Casucha.**

Casucha. f. despect. Casa pequeña y mal construida.

Casucho. m. despect. **Casucha.**

Casuismo. m. Doctrina casuística.

Casuista. (Del lat. *casus*, caso.) adj. Dícese del autor que expone casos prácticos de teología moral. Ú. t. c. s. || **2.** Por ext., se aplica también al que expone casos prácticos, propios de cualquiera de las ciencias morales o jurídicas. Ú. t. c. s.

Casuística. (De *casuista.*) f. Parte de la teología moral, que trata de los casos de conciencia. || **2.** Consideración de los diversos casos particulares que se pueden prever en determinada materia.

Casuístico, ca. adj. Perteneciente o relativo al casuista o a la casuística. || **2.** Se dice de las disposiciones legales que rigen casos especiales y no tienen aplicación genérica.

Casulla. (Del lat. *casubla*, capa con capucha.) f. Vestidura sagrada que se pone el sacerdote sobre las demás que sirven para celebrar el santo sacrificio de la misa. Está abierta por lo alto, para entrar la cabeza, y por los lados; cae por delante y detrás desde los hombros hasta media pierna. || **2.** *Hond.* Grano de arroz que conserva la cáscara, entre los demás ya descascarillados.

Casullero. m. El que hace casullas y demás vestiduras y ornamentos para el servicio del culto divino.

Casus belli. expr. lat. Caso o motivo de guerra.

Cata. f. Acción de catar, 1.ª, 2.ª y 4.ª aceps. || **2.** Porción de alguna cosa que se prueba. || **3.** ant. Cordel con un plomo en un extremo, para medir alturas. || **4.** *Colomb.* y *Méj.* **Calicata.** || **5.** *Colomb.* Cosa oculta o encerrada. || **Dar cata.** fr. fam. Catar, mirar o advertir. || **2. Catear,** 1.ª acep. || **Darse cata de** una cosa. fr. Percatarse de ella. || **Echar cata.** fr. ant. Mirar o buscar con cuidado alguna cosa.

Cata. f. *Argent.* Acción de catear. || **2.** *Argent.* y *Chile.* desus. Cotorra, perico. || **3.** *Bol.* **Catita.** || **4.** *Cuba.* **Catey.** || **5.** *Méj.* **Catarinita.**

Cata. (Del gr. κατά.) prep. insep. cuya significación primitiva es la de hacia abajo. CATA*plasma.*

Catabejas. m. **Paro carbonero.**

Catabólico, ca. adj. *Biol.* Perteneciente o relativo al catabolismo.

Catabolismo. (Del gr. κατά, abajo, y βάλλω, echar.) m. *Biol.* Fase del metabolismo en la que predominan las reacciones químicas que producen la desintegración de las materias constitutivas del protoplasma.

Catabre. m. *Colomb.* Vasija de calabaza en que se lleva el grano para sembrar.

Catabro. m. *Colomb.* **Catabre.**

Catacaldos. (De *catar* y *caldo.*) com. fig. y fam. Persona que emprende muchas cosas sin fijarse en ninguna. || **2.** Persona entremetida.

Cataclismo. (Del lat. *cataclysmus*, y este del gr. κατακλυσμός, inundación.) m. Trastorno grande del globo terráqueo, producido por el agua; como el diluvio universal, el hundimiento de la Atlántida, etc. || **2.** fig. Gran trastorno en el orden social o político.

Catacresis. (Del lat. *catachrēsis*, y éste del gr. κατάχρησις, de καταχράω, abusar.) f. *Ret.* Tropo que consiste en dar a una palabra sentido traslaticio para designar una cosa que carece de nombre especial; v. gr.: *La hoja de la espada; una hoja de papel.*

Catacumbas. (Del lat. *catacumba*, y éste del gr. κατά, debajo, y κύμβη, hueco, cavidad.) f. pl. Subterráneos en los cuales los primitivos cristianos, especialmente en Roma, enterraban sus muertos y practicaban las ceremonias del culto.

Catachín. m. *Al.* **Pinzón,** 1.ª acep.

Catadióptrico, ca. (Del gr. κατά, hacia abajo, y διοπτρικός, dióptrico.) adj. *Ópt.* Dícese del aparato compuesto de espejos y lentes.

Catador. m. El que cata. || **2.** p. us. **Catavinos,** 1.ª acep.

Catadura. f. Acción y efecto de catar. || **2.** Gesto o semblante. Ú. generalmente con los calificativos de *mala, fea,* etc.

Catafalco. (Del ital. *catafalco*, y éste del lat. *captāre*, catar, mirar, y el germ. *balko*, tablado.) m. Túmulo adornado con magnificencia, el cual suele ponerse en los templos para las exequias solemnes.

Catalán, na. adj. Natural de Cataluña. Ú. t. c. s. || **2.** Perteneciente a este antiguo principado. || **3.** V. **Berenjena, carga, libra catalana.** || **4.** V. **Gorro catalán.** || **5.** V. **Fruta a la catalana.** || **6.** m. Lenguaje hablado en Cataluña.

Catalanidad. f. Calidad o carácter de lo que es catalán.

Catalanismo. (De *catalán.*) m. Partido político regional y defensor de que Cataluña tenga autonomía más o menos limitada. || **2.** Doctrina de dicho partido. || **3.** Expresión, vocablo o giro propio de la lengua hablada en Cataluña.

Catalanista. adj. Perteneciente o relativo al catalanismo. || **2.** com. Partidario del catalanismo.

Cataláunico, ca. (Del lat. *catalaunicus.*) adj. Perteneciente a la antigua Catalaunia, hoy Châlons de Marne. Aplícase a los campos en que fue derrotado Atila.

Cataldo. m. *Mar.* Vela triangular que los bombos, quechemarines y lugres largan a modo de arrastradera.

Cataléctico. (Del lat. *catalectĭcus*, y éste del gr. καταληκτικός, de καταλήγω, hacer cesar.) adj. V. **Verso cataléctico.** Ú. t. c. s.

Catalecto. (Del lat. *catalectus.*) adj. **Cataléctico.** Ú. t. c. s.

Catalejo. (De *catar*, ver, y *lejos.*) m. **Anteojo de larga vista.**

Catalepsia. (Del lat. *catalepsis*, y éste del gr. κατάληψις, de καταλαμβάνω, coger, sorprender.) f. *Med.* Accidente nervioso repentino, de índole histérica, que suspende las sensaciones e inmoviliza el cuerpo en cualquier postura en que se le coloque.

Cataléptico, ca. (Del lat. *catalepticus*, y éste del gr. καταληπτικός.) adj. Perteneciente o relativo a la catalepsia. || **2.** Atacado de catalepsia. Ú. t. c. s.

Catalicón. m. *Farm.* **Catolicón.**

Catalicores. m. *Al.* Pipeta muy larga para tomar pruebas de un líquido en su envase.

Catalina. adj. V. **Rueda catalina.**

Catalineta. f. *Cuba.* Pez de unos 30 centímetros de largo, color amarillo con fajas obscuras, cola ahorquillada y escamas ásperas. Se cría en el mar de las Antillas.

Catálisis. (Del gr. κατάλυσις, disolución, acabamiento.) f. *Quím.* Transformación química motivada por cuerpos que al finalizar la reacción aparecen inalterados.

Catalítico, ca. adj. *Quím.* Relativo a la catálisis.

Catalizador. (De *catálisis.*) m. *Quím.* Cuerpo capaz de producir la transformación catalítica.

Catalnica. f. fam. **Cotorra,** 1.ª acep.

Catalogación. f. Acción y efecto de catalogar.

Catalogador, ra. adj. Que cataloga. || **2.** m. y f. Persona que forma catálogos.

Catalogar. tr. Apuntar, registrar ordenadamente libros, manuscritos, etc., formando catálogo de ellos.

Catálogo. (Del lat. *catalŏgus*, y éste del gr. κατάλογος, lista, registro.) m. Memoria, inventario o lista de personas, cosas o sucesos, puestos en orden.

Catalpa. f. Árbol de adorno, de la familia de las bignoniáceas, de unos 10 metros de altura, hojas en verticilo, grandes y acorazonadas; flores en hacecillos terminales, blancas, con puntos purpúreos, y por fruto vainas largas, casi cilíndricas. Es originario de la Carolina (América).

Catalufa. f. Tejido de lana tupido y afelpado, con variedad de dibujos y colores, del cual se hacen alfombras. ‖ **2.** ant. Tafetán doble labrado. ‖ **3.** *Cuba.* **Catalineta.**

Cataluja. f. *Cuba.* **Catalineta.**

Catamarqueño, ña. adj. Natural de la provincia o de la ciudad de Catamarca, en la República Argentina. Ú. t. c. s. ‖ **2.** Perteneciente o relativo a esta provincia.

Catamenial. (Del gr. καταμήνιος, mensual.) adj. Se aplica a lo que tiene relación con la función menstrual.

Catamiento. (De *catar*, 2.ª acep.) m. ant. Observación, advertencia.

Catán. (Del ár. *qaṭ'ā'*, cortante, dicho de una espada.) m. Especie de alfanje que usaban los indios y otros pueblos del Oriente.

Catana. f. **Catán.** ‖ **2.** *Argent.* y *Chile.* Sable, en especial el largo y viejo, y el que usan los policías. Es voz despectiva. ‖ **3.** *Cuba.* Cosa pesada, tosca, deforme. ‖ **4.** *Venez.* Loro verde y azul. Hay otras variedades.

Catanga. (Del quichua *acatanca.*) f. *Argent.* **Escarabajo,** 1.ª acep. ‖ **2.** *Chile.* Escarabajo pelotero de color verde. ‖ **3.** *Colomb.* **Nasa,** 1.ª acep. ‖ **4.** *Bol.* Carrito tirado por un caballo, para el transporte de frutas.

Catante. p. a. de **Catar.** Que cata o mira.

Cataplasma. (Del lat. *cataplasma*, y éste del gr. κατάπλασμα.) f. Tópico de consistencia blanda, que se aplica para varios efectos medicinales, y más particularmente el que es calmante o emoliente.

Cataplexia. (Del lat. *cataplexis*, y éste del gr. καταπλήσσω, pasmar.) f. *Pat.* Especie de asombro o estupefacción que se manifiesta, sobre todo en los ojos. ‖ **2.** Embotamiento súbito de la sensibilidad en una parte del cuerpo. ‖ **3.** ant. **Apoplejía.** ‖ **4.** *Veter.* Catalepsia de los animales.

¡Cataplum! interj. **¡Pum!**

Catapulta. (Del lat. *catapulta.*) f. Máquina militar antigua para arrojar piedras o saetas.

Catar. (Del lat. *captāre*, coger, buscar.) tr. Probar, gustar alguna cosa para examinar su sabor o sazón. ‖ **2.** Ver, examinar, registrar. ‖ **3. Castrar,** 4.ª acep. ‖ **4. Mirar,** 1.ª, 2.ª, 3.ª, 5.ª, 7.ª y 9.ª aceps. Ú. t. c. r. ‖ **5.** ant. Buscar, procurar, solicitar. ‖ **6.** ant. Guardar, tener. ‖ **7.** ant. **Curar,** 3.ª acep. ‖ **El que adelante no cata, atrás se halla.** ref. que aconseja la previsión en todos los actos de la vida.

Cataraña. (Del lat. *cataracta.*) f. Ave zancuda, variedad de garza, con el cuerpo blanco, y los ojos, el pico y los pies de color verde rojizo. Vive en el mediodía de Europa y norte de África. ‖ **2.** Lagarto de las Antillas.

Catarata. (Del lat. *cataracta*, y éste del gr. καταράκτης, de καταρρήγνυμι, caer con fuerza, despeñarse.) f. Cascada o salto grande de agua. ‖ **2.** Opacidad del cristalino del ojo, o de su cápsula, o del humor que existe entre uno y otra, causada por una especie de telilla que impide el paso de los rayos luminosos y produce necesariamente la ceguera. ‖ **3.** pl. Las nubes cargadas de agua, en el momento en que la vierten copiosamente. *Abrirse las* CATARATAS *del cielo.* ‖ **Batir la catarata.** fr. *Cir.* Hacerla bajar a la parte inferior de la cámara posterior del globo del ojo. ‖ **Extraer la catarata.** fr. *Cir.* Sacar el cristalino por una abertura hecha en la córnea transparente. ‖ **Tener uno cataratas.** fr. fig. y fam. Estar ofuscado por ignorancia o por pasión.

Catarinita. f. *Zool. Méj.* **Catalnica.** ‖ **2.** *Méj.* Coleóptero pequeño y de color rojo.

Cátaros. (Del gr. καθαρός, puro.) m. pl. Nombre común a varias sectas heréticas que pregonaban una extremada sencillez en las costumbres como principal culto religioso.

Catarral. adj. Perteneciente o relativo al catarro.

Catarribera. (De *catar*, ver, examinar, y *ribera.*) m. *Cetr.* Sirviente de a caballo que tomaba los puestos y seguía los halcones para cogerlos cuando bajaban con la presa. ‖ **2.** fam. Se daba este nombre a los abogados que se empleaban en residencias y pesquisas, y a los alcaldes mayores y corregidores de letras, así como a los pretendientes de estas plazas.

Catarrino. m. **Catirrino.**

Catarro. (Del lat. *catarrhus*, y éste del gr. κατάῤῥοος, de καταῤῥέω, afluir.) m. Flujo o destilación procedente de las membranas mucosas. ‖ **2.** Inflamación aguda o crónica de estas membranas, con aumento de la secreción habitual de moco. ‖ **Al catarro, con el jarro.** ref. que recomienda contra el constipado beber mucho vino.

Catarroso, sa. adj. Que habitualmente padece catarro. Ú. t. c. s.

Catarrufín. m. *Murc.* Mata que suele abundar en los eriales, y tiene flores blancas y hojas que frotándolas exhalan un olor desagradable.

Catarsis. (Del gr. κάθαρσις.) f. Purificación de las pasiones del ánimo mediante las emociones provocadas por la obra de arte, y más especialmente por la tragedia. ‖ **2.** *Med.* Expulsión espontánea o provocada de substancias nocivas al organismo ‖ **3.** Por ext., eliminación de recuerdos que perturban la conciencia o el equilibrio nervioso.

Catártico, ca. (Del gr. καθαρτικός, de καθαίρω, purificar, purgar.) adj. *Med.* Aplícase a algunos medicamentos purgantes.

Catasalsas. com. fig. y fam. **Catacaldos.**

Catascopio. (Del lat. *catascopium*, y éste del verbo gr. κατασκοπέω, espiar.) m. *Arqueol.* Nave muy ligera que en la antigüedad se empleaba para transmitir noticias o para hacer descubiertas en tiempo de guerra.

Catasta. (Del lat. *catasta.*) f. ant. Potro para dar tormento descoyuntando al paciente.

Catástasis. (Del gr. κατάστασις, constitución, temperamento.) f. *Ret.* Punto culminante del asunto de un drama, tragedia o poema épico.

Catastral. adj. Perteneciente o relativo al catastro.

Catastro. (Del ital. *catastro*, y éste del lat. **capitastrum*, de *caput, -ĭtis*, cabeza.) m. Contribución real que pagaban nobles y plebeyos, y se imponía sobre todas las rentas fijas y posesiones que producían frutos anuales, fijos o eventuales; como censos, hierbas, bellotas, molinos, casas, ganados, etc. ‖ **2.** Censo y padrón estadístico de las fincas rústicas y urbanas.

Catástrofe. (Del lat. *catastrŏphe*, y éste del gr. καταστροφή, de καταστρέφω, abatir, destruir.) f. Última parte del poema dramático, con el desenlace, especialmente cuando es doloroso. ‖ **2.** Por ext., desenlace desgraciado de otros poemas. ‖ **3.** fig. Suceso infausto que altera gravemente el orden regular de las cosas.

Catata. f. *Cuba.* Mate amarillo grande.

Catatán. m. fam. *Chile.* **Castigo,** 1.ª acep.

Catatar. tr. *Amér.* Hechizar, fascinar.

Catató. adj. *Cuba.* Aplícase a persona fatua, despreciable o insignificante. Ú. t. c. s.

Catatipia. (De la combinación de *catálisis* y *tipo.*) f. Procedimiento fotográfico para obtener pruebas por medio de la catálisis.

Cataubas. m. pl. *Etnogr.* Tribu indígena, ya extinguida, de la América del Norte.

Catauro. m. En las Antillas, especie de cesto formado de yaguas, y muy usado para transportar frutas, carne y otros efectos.

Cataviento. (De *catar* y *viento.*) m. *Mar.* Hilo como de medio metro de largo que, algo separadas unas de otras, lleva ensartadas varias ruedecitas de corcho circuidas de plumas, y puesto en una asta manual se coloca en la borda de barlovento, para que, al flotar en el aire, indique su dirección aproximadamente.

Catavino. (De *catar* y *vino.*) m. Jarrillo o taza destinada para dar a probar el vino de las cubas o tinajas. ‖ **2.** *Mancha.* Agujerito en la parte superior de la tinaja, para probar el vino. ‖ **3.** *Ar.* Tubo abierto por ambos extremos y terminado por uno de ellos en forma de pera, que se introduce en la cuba para sacar algo de vino tapando el orificio superior.

Catavinos. (De *catar* y *vino.*) m. El que tiene por oficio catar los vinos para informar de su calidad y sazón. ‖ **2.** fig. y fam. Borracho que anda de taberna en taberna.

Cate. m. Peso común que se usaba en Filipinas, décima parte de la chinanta, igual a una libra castellana y seis onzas, o a 632 gramos y 63 centigramos.

Cate. m. *And.* Golpe, bofetada. ‖ **Dar cate.** fr. fig. y fam. **Catear,** 3.ª acep.

Cateada. f. fam. *Chile.* Acción y efecto de catear.

Cateador. m. *Amér. Min.* El que hace catas para hallar minerales. ‖ **2.** *Min.* Martillo de punta y mazo que usan los mineros para romper los minerales que van a estudiar.

Catear. (De *cata*, 1.er art.) tr. **Catar,** 5.ª acep. ‖ **2.** Buscar, descubrir, espiar, acechar. ‖ **3.** fig. y fam. Suspender en los exámenes a un alumno. ‖ **4.** *Argent., Chile* y *Perú.* Reconocer o explorar los terrenos en busca de alguna veta minera. ‖ **5.** *Amér.* Allanar la casa de alguno.

Catecismo. (Del lat. *catechismus*, y éste del gr. κατηχισμός, de κατηχέω, instruir.) m. Libro en que se contiene la explicación de la doctrina cristiana en forma de diálogo entre el maestro y el discípulo. ‖ **2.** Obra que, redactada en preguntas y respuestas, contiene la exposición sucinta de alguna ciencia o arte.

Catecú. m. **Cato,** 1.er art.

Catecumenado. m. Tiempo durante el cual se preparaba el catecúmeno para recibir el bautismo.

Catecumenia. (Del gr. κατηχουμενεῖα.) f. ant. Galería alta u otro lugar reservado en las antiguas iglesias, donde se colocaban los catecúmenos.

Catecúmeno, na. (Del lat. *catechumēnus*, y éste del gr. κατηχούμενος, el que se instruye.) m. y f. Persona que se está instruyendo en la doctrina y misterios de la fe católica, con el fin de recibir el bautismo.

Cátedra. (Del lat. *cathedra*, y éste del gr. καθέδρα, asiento; de κατά, en, y ἕδρα, silla.) f. Asiento elevado, desde donde el maestro da lección a los discípulos. ‖ **2.** Aula, 1.ª acep. || **3.** Especie de púlpito con asiento, donde los catedráticos y maestros leen y explican las ciencias a sus discípulos. || **4.** fig. Empleo y ejercicio del catedrático. || **5.** fig. Facultad o materia particular que enseña un catedrático. || **6.** fig. Dignidad pontificia o episcopal. || **7.** fig. Capital o matriz donde reside el prelado. || **del Espíritu Santo. Púlpito,** 1.ª acep. || **de San Pedro.** Dignidad del Sumo Pontífice. || **Pasear** uno **la cátedra.** fr. fig. Asistir a ella cuando no acuden los discípulos. || **Poder** uno **poner cátedra.** fr. fig. Dominar una ciencia o arte. || **Poner cátedra** uno. fr. fig. Hablar afectadamente en tono magistral.

Catedral. (De *cátedra.*) adj. V. **Iglesia catedral.** Ú. t. c. s.

Catedralicio, cia. adj. Perteneciente o relativo a una catedral.

Catedralidad. f. Dignidad de ser catedral una iglesia.

Catedrar. intr. ant. Conseguir cátedra en un establecimiento de enseñanza.

Catedrática. f. Mujer que desempeña una cátedra. || **2.** fam. Mujer del catedrático.

Catedrático. (Del lat. *cathedraticus.*) m. El que tiene cátedra para dar enseñanza en ella. || **2.** Cierto derecho que se pagaba al prelado eclesiástico. || **de prima.** El que tenía este tiempo destinado para sus lecciones.

Catedrilla. (d. de *cátedra.*) f. Cátedra servida generalmente por bachilleres que aspiraban a la licenciatura.

Categorema. (Del lat. *categorēma,* y éste del gr. κατηγόρημα, de κατηγορέω, afirmar algo de alguna persona o cosa.) f. *Lóg.* Cualidad por la que un objeto se clasifica en una u otra categoría.

Categoría. (Del lat. *categoria,* y éste del gr. κατηγορία, cualidad atribuida a un objeto.) f. *Fil.* En la lógica aristotélica, cada una de las diez nociones abstractas y generales siguientes: substancia, cantidad, calidad, relación, acción, pasión, lugar, tiempo, situación y hábito. || **2.** *Fil.* En la crítica de Kant, cada una de las formas del entendimiento; a saber: cantidad, cualidad, relación y modalidad. || **3.** *Fil.* En los sistemas panteísticos, cada uno de los conceptos puros o nociones a priori con valor trascendental al par lógico y ontológico. || **4.** Cada uno de los grados establecidos en una profesión o carrera. || **5.** fig. Condición social de unas personas respecto de las demás. || **6.** fig. Uno de los diferentes elementos de clasificación que suelen emplearse en las ciencias. || **De categoría.** loc. Dícese de la persona de elevada condición.

Categóricamente. adv. m. Decisivamente, afirmando o negando clara y sencillamente alguna cosa.

Categórico, ca. (Del lat. *categoricus,* y éste del gr. κατηγορικός.) adj. Aplícase al discurso o proposición en que explícita o absolutamente se afirma o se niega alguna cosa.

Categorismo. m. Sistema de categorías.

Catela. (Del lat. *catella,* d. de *catena,* cadena.) f. *Arqueol.* Cadenilla de oro o de plata que los romanos solían poner en cualquiera alhaja, como hoy también se usa.

Catenaria. (Del lat. *catenaria,* propia de la cadena.) adj. Dícese de la curva que forma una cadena, cuerda o cosa semejante suspendida entre dos puntos que no están situados en la misma vertical. Ú. m. c. s.

Catenular. (Del lat. *catenŭla,* cadenilla.) adj. De forma de cadena.

Cateo. m. ant. Acción y efecto de catear. De uso en América.

Catequesis. (Del lat. *catechēsis,* y éste del gr. κατήχησις.) f. **Catequismo.**

Catequismo. (Del m. or. que *catecismo.*) m. Ejercicio de instruir en cosas pertenecientes a la religión. || **2.** Arte de instruir por medio de preguntas y respuestas. || **3.** ant. **Catecismo.**

Catequista. (Del lat. *catechista,* y éste del gr. κατηχιστής.) com. Persona que instruye a los catecúmenos. || **2.** La que ejerce el catequismo.

Catequístico, ca. adj. Perteneciente o relativo al catequismo. || **2.** Dícese de lo que está escrito en preguntas y respuestas, como el catecismo.

Catequizador, ra. (De *catequizar.*) m. y f. Persona que intenta persuadir a otra a que ejecute o consienta lo que antes repugnaba.

Catequizante. p. a. de **Catequizar.** Que catequiza.

Catequizar. (Del lat. *catechizāre,* y éste del gr. κατηχίζω, instruir.) tr. Instruir en la doctrina de la fe católica. || **2.** Persuadir a uno a que ejecute o consienta alguna cosa que repugnaba.

Cateramba. f. Coloquíntida de Egipto.

Cateresis. (Del gr. καθαίρεσις, destrucción.) f. *Med.* Extenuación independiente de toda evacuación artificial.

Caterético, ca. (Del gr. καθαιρετικός, que destruye.) adj. *Cir.* Aplícase a la substancia que cauteriza superficialmente los tejidos.

Caterva. (Del lat. *caterva.*) f. Multitud de personas o cosas consideradas en grupo, pero sin concierto, o de poco valor e importancia.

Catervarios. (Del lat. *catervarius,* caterva.) m. pl. Gladiadores romanos que luchaban formados en grupos o compañías.

Catete. m. *Chile.* Nombre que el vulgo da al demonio.

Catéter. (Del lat. *cathĕter,* y éste del gr. καθετήρ, de καθίημι, introducir.) m. *Cir.* **Tienta,** 4.ª acep. || **2.** *Cir.* **Algalia,** 2.° art. || **3.** *Cir.* Sonda metálica o de otra substancia, que se introduce por la uretra o por cualquier otro conducto, natural o artificial, para explorarlo o dilatarlo o para servir de guía y vehículo a otros instrumentos.

Cateterismo. (Del lat. *catheterismus,* y éste del gr. καθετηρισμός.) m. *Cir.* Acto quirúrgico o exploratorio, que consiste en introducir un catéter o algalia en un conducto o cavidad.

Cateto. (Del lat. *cathetus,* y éste del gr. κάθετος, perpendicular; de καθίημι, tirar de arriba abajo.) m. *Geom.* Cada uno de los dos lados que forman el ángulo recto en el triángulo rectángulo.

Cateto. m. Lugareño, palurdo.

Catetómetro. (Del gr. κάθετος, cateto, y μέτρον, medida.) m. *Fís.* Instrumento que sirve para medir exactamente pequeñas longitudes verticales.

Catey. m. *Cuba.* **Perico,** 2.ª acep. || **2.** En algunas islas de las Antillas, nombre de una de las especies de palmera.

Cateya. (Del lat. *catēia,* voz de origen celta.) f. Arma arrojadiza de punta acerada, provista de una correa en el extremo opuesto, para recogerla después de hecho el tiro. Fué bastante común en los pueblos de la antigüedad.

Catibía. f. *Cuba.* Raíz de la yuca, rallada, prensada y exprimido el anaiboa. Se hace con ella una especie de panetela.

Catibo. m. *Cuba.* Pez de forma de anguila, especie de murena, negra y amarilla, que se cría en aquellos ríos y tiene cerca de un metro de largo.

Catifa. f. ant. **Alcatifa,** 1.ª acep.

Catigua. m. Árbol de la familia de las meliáceas, de 12 a 14 metros de altura, propio de la provincia de Corrientes, en la República Argentina.

Catilinaria. adj. Dícese de las oraciones pronunciadas por Cicerón contra Catilina. Ú. m. c. s. || **2.** f. fig. Escrito o discurso vehemente dirigido contra alguna persona.

Catimbao. m. *Chile* y *Perú.* Máscara o figurón que sale en la procesión del Corpus. || **2.** *Chile.* Persona ridículamente vestida. || **3.** *Chile.* **Payaso.** || **4.** *Perú.* Persona obesa y de corta estatura.

Catimía. f. ant. Vena mineral honda de que se saca oro o plata.

Catín. m. Crisol en que se refina el cobre para obtener las rosetas.

Catinga. (Voz guaraní.) f. *Amér.* Olor fuerte y desagradable propio de algunos animales y plantas. || **2.** *Amér.* Olor que los negros exhalan al transpirar. || **3.** Bosques del Brasil formados por árboles de hojas caducas.

Catingoso, sa. adj. *Argent.* Se aplica a lo que tiene catinga o mal olor.

Catingudo, da. adj. **Catingoso.** Ú. en sentido despectivo o familiar.

Catino. (Del lat. *catinus.*) m. ant. Escudilla o cazuela. || **2.** *Min.* Especie de hornilla dispuesta para recoger los metales derretidos, según iban saliendo del fuego.

Catión. m. *Fís.* Elemento electropositivo de una molécula que en la electrólisis se dirige al cátodo.

Catire. (Del fr. *cataire.*) adj. *Amér.* Dícese del individuo rubio, en especial del que tiene el pelo rojizo y ojos verdosos o amarillentos, por lo común hijo de blanco y mulata, o viceversa.

Catirrino. (Del gr. κατά, hacia abajo, y ῥίς, nariz.) adj. *Zool.* Dícese de los simios cuyas fosas nasales están separadas por un tabique cartilaginoso, tan estrecho que las ventanas de la nariz quedan dirigidas hacia abajo. Ú. t. c. s. || **2.** m. pl. *Zool.* Grupo de estos animales. Viven en Asia y África.

Catita. (d. de *Catalina.*) f. *Argent.* y *Bol.* Especie de loro, de unos 15 a 20 centímetros de largo, de color verde claro brillante y remos azules. Es muy inquieto y puede aprender algunas palabras. Anda en bandadas, vive en los árboles y se alimenta de granos, sobre todo de maíz. Hay varias especies, según su color, que a veces es rojo.

Catite. m. Piloncillo que en los ingenios se hace del azúcar más depurado. || **2.** V. **Sombrero de catite.** || **3.** Golpe o bofetada dados con poca fuerza. || **4.** *Méj.* Especie de tela de seda. || **Dar catite** a uno. fr. fam. Darle de golpes.

Catitear. intr. *Argent.* Oscilar o moverse la cabeza en los ancianos. || **2.** fig. Andar escaso de dinero.

Cativar. tr. ant. **Cautivar.**

Cativí. f. *Hond.* Especie de herpe que produce unas manchas moradas en todo el cuerpo. Créese que es enfermedad contagiosa y hereditaria.

Cativo, va. adj. ant. **Cautivo,** 1.ª acep. Ú. t. c. s. || **2.** ant. Malo, infeliz, desgraciado.

Cativo. (Del lat. *captivus,* cautivo.) m. *C. Rica.* Árbol colosal de la familia de las papilionáceas, que llega a 60 metros de altura y vive en las llanuras cenagosas del litoral del Atlántico. Sus flores, agrupadas en espigas menudas, son blancas, y sus frutos, en vainas colgantes de una sola semilla, son tan abundantes que cubren el suelo alrededor del árbol. La resina que mana del tronco se emplea en la curación de las llagas.

Cato. m. Substancia medicinal concreta y astringente, que por decocción se extrae de los frutos verdes y de la parte central del leño de una especie de acacia.

Cato. m. *Bol.* Medida agraria equivalente a 40 varas en cuadro.

Catoche. m. fam. *Méj.* Mal humor, displicencia.

Catódico, ca. adj. *Fís.* Perteneciente al cátodo.

Cátodo. (Del gr. κάθοδος, camino descendente.) m. *Fís.* Polo negativo de un generador de electricidad o de una batería eléctrica.

Catodonte. (Del gr. κατά, debajo, y ὀδούς, ὀδοντος, diente.) m. *Zool.* **Cachalote.**

Católicamente. adv. m. Conforme a la doctrina católica.

Catolicidad. f. Universalidad de la doctrina católica. Es uno de sus caracteres.

Catolicísimo, ma. adj. sup. de **Católico.**

Catolicismo. (De *católico.*) m. Comunidad y gremio universal de los que viven en la religión católica. || **2.** Creencia de la Iglesia católica.

Católico, ca. (Del lat. *catholĭcus,* y éste del gr. καθολικός, universal.) adj. **Universal,** 1.ª acep.; y por esta calidad se ha dado este nombre a la Santa Iglesia Romana. || **2.** V. **Epístola, fe, religión católica.** || **3.** Verdadero, cierto, infalible, de fe divina. || **4.** Que profesa la religión católica. Apl. a pers., ú. t. c. s. || **5.** Renombre que de antiguo tienen los reyes de España, y especialmente aplicado a los reyes don Fernando V y doña Isabel I. || **6.** fig. y fam. Sano y perfecto. Ú. por lo común en la fr. **no estar muy católico.**

Catolicón. (Del gr. καθολικόν [ἴαμα], universal [remedio].) m. *Farm.* **Diacatolicón.**

Catolizar. tr. Convertir a la fe católica; predicarla, propagarla.

Catón. (Por alusión a Marco Porcio Catón, célebre por la austeridad de sus costumbres.) m. fig. Censor severo.

Catón. (De Dionisio Catón, gramático latino.) m. Libro compuesto de frases y períodos cortos y graduados para ejercitar en la lectura a los principiantes.

Catoniano, na. adj. Aplícase a las virtudes de Catón y de sus imitadores.

Catonismo. m. Imitación o tendencia a imitar las virtudes catonianas. *Fingiendo un rígido* CATONISMO.

Catonizar. (De *Catón.*) intr. Censurar con rigor y aspereza, a la manera de Catón.

Catóptrica. (Del gr. κατοπτρική, t. f. de -κός, catóptrico.) f. Parte de la óptica, que trata de las propiedades de la luz refleja.

Catóptrico, ca. (Del gr. κατοπτρικός, de κάτοπτρον, espejo.) adj. Perteneciente o relativo a la catóptrica. || **2.** Dícese de los aparatos que muestran los objetos por medio de la luz refleja.

Catoptromancia [~ **mancía**]. (Del gr. κάτοπτρον, espejo, y μαντεία, adivinación.) f. Arte supuesto de adivinar por medio del espejo.

Catoptroscopia. (Del gr. κάτοπτρον, espejo, y σκοπέω, examinar.) f. *Med.* Reconocimiento del cuerpo humano por medio de aparatos catóptricos.

Catoquita. (Del gr. κάτοχος, que retiene.) f. *Mineral.* Piedra bituminosa de la isla de Córcega, que parece tener la propiedad de atraer y retener la mano cuando se la pone en contacto con ella.

Catorce. (Del lat. *quattuordĕcim.*) adj. Diez más cuatro. || **2. Decimocuarto.** *Luis* CATORCE, *número* CATORCE, *año* CATORCE. Apl. a los días del mes, ú. t. c. s. *El* CATORCE *de abril.* || **3.** m. Conjunto de signos con que se representa el número **catorce.** *En la pared había un* CATORCE *medio borrado.*

Catorcén. adj. *Ar.* Se dice del madero en rollo de 14 medias varas de longitud y un diámetro de 10 a 13 dedos. Ú. m. c. s.

Catorcena. f. Conjunto de catorce unidades.

Catorceno, na. (De *catorce.*) adj. **Decimocuarto.** || **2.** V. **Paño catorceno.** Ú. t. c. s. || **3.** Que tiene catorce años.

Catorro. m. *Méj.* **Golpe,** encuentro violento y su efecto.

Catorzal. adj. Se dice de la pieza de madera de hilo de 14 pies de longitud y escuadría de 8 pulgadas de tabla por 6 de canto. Ú. m. c. s.

Catorzavo, va. (De *catorce* y *avo.*) adj. Dícese de cada una de las 14 partes iguales en que se divide un todo. Ú. t. c. s. m.

Catos. (Del lat. *Catti, -os.*) m. pl. Antiguo pueblo germano que habitó las tierras que hoy forman los dos ducados de Hesse y Nassau y el territorio de Westfalia.

Catotal. m. *Brasil* y *Méj.* Especie de verderón.

Catraca. f. *Zool. Méj.* Ave semejante al faisán.

Catre. (De *cuatro,* por alusión a los cuatro pies que tiene.) m. Cama ligera para una sola persona. || **de tijera.** El que tiene lecho de tela o de cuerdas entrelazadas, y armazón compuesta de dos largueros y cuatro pies cruzados en aspa y sujetos con una clavija para poderlo plegar.

Catrecillo. (d. de *catre.*) m. Silla pequeña de tijera.

Catricofre. m. Cofre destinado para recoger la cama en él, y que tiene dentro unos bastidores que pueden servir de catre.

Catrín. m. *Méj.* **Petimetre.**

Catrintre. m. *Chile.* Queso hecho de leche desnatada. || **2.** *Chile* Pobre mal vestido.

Caturra. f. *Chile.* Cotorra o loro pequeño.

Catzo. m. *Ecuad.* Especie de abejorro de que hay algunas variedades.

Cauba. f. Arbolito espinoso de la República Argentina, que sirve de adorno y cuya madera se usa en ebanistería.

Cauca. m. *Colomb.* y *Ecuad.* Hierba forrajera que se siembra en los potreros cercados, para alimento de las bestias. || **2.** *Bol.* Bizcocho de harina de trigo.

Caucáseo, a. (Del lat. *caucasĕus.*) adj. Perteneciente a la cordillera del Cáucaso.

Caucasiano, na. adj. **Caucáseo.**

Caucásico, ca. adj. Aplícase a la raza blanca o indoeuropea, por suponerla oriunda del Cáucaso.

Cauce. (Del lat. *calix, -icis,* tubo de conducción.) m. Lecho de los ríos y arroyos. || **2.** Conducto descubierto o acequia por donde corren las aguas para riegos u otros usos.

Caucel. (Del azteca *quauh-ocelotl,* tigre de árbol.) m. *C. Rica* y *Hond.* Gato montés o tigrillo americano, animal inofensivo, a diferencia del ocelote, que es feroz. Vive en los árboles a orillas de los ríos y tiene la piel, que es hermosa, manchada como el jaguar.

Caucense. (De *Cauca.*) adj. Natural de Coca. Ú. t. c. s. || **2.** Perteneciente a esta villa.

Caucera. (De *cauce.*) f. ant. **Cacera,** 1.er art.

Caución. (Del lat. *cautĭo, -ōnis.*) f. Prevención, precaución o cautela. || **2.** *For.* Seguridad personal de que se cumplirá lo pactado, prometido o mandado. || **de conducta.** *For.* Pena que obliga con destierro a presentar fiador de no ejecutar el obligado un determinado mal dentro de cierto plazo. || **de indemnidad.** *For.* La que se otorga para dejar a otro exento de alguna obligación. || **juratoria.** *For.* La que se abona con juramento. || **2.** *For.* Obligación que hacía el pobre que no tenía fiador, para salir de la cárcel, jurando volver a ella cuando se le mandase.

Caucionar. tr. *For.* Dar caución. || **2.** *For.* Precaver cualquier daño o perjuicio.

Caucionero. m. ant. El que hace la fianza y da caución.

Caucos. (Del lat. *Cauci, -os.*) m. pl. Antiguo pueblo del nordeste de la Germania.

Caucha. f. *Chile.* Especie de cardo, de hojas lanceoladas, de 20 centímetros de largo. Se usa como antídoto de la picadura de la araña venenosa.

Cauchal. m. Sitio que abunda en plantas de caucho.

Cauchau. m. *Chile.* Fruto de la luma, semejante en la figura y gusto a la murtilla. Los indios se embriagaban con una bebida que hacían de esta fruta.

Cauchera. f. Planta de la cual se extrae el caucho.

Cauchero. m. El que busca o trabaja el caucho.

Cauchil. (Voz mozárabe, del lat. **calicĕllus,* de *calix, -icis,* cauce.) m. *Gran.* **Arca de agua.**

Caucho. (Voz americana, que significa impermeable.) m. **Goma elástica.**

Cauchotina. f. *Quím.* Compuesto de caucho, muy usado en las tenerías para dar flexibilidad e impermeabilidad a las pieles.

Cauda. (Del lat. *cauda,* cola.) f. Falda o cola de la capa magna o consistorial.

Caudado, da. (Del lat. *caudātus,* con cola.) adj. *Blas.* Aplícase al cometa o estrella heráldicos que tiene cola o una punta más larga que las otras y de esmalte diferente. *Un cometa* CAUDADO *de oro.*

Caudal. (Del lat. *capitālis,* capital.) adj. **Caudaloso,** 1.ª acep. || **2.** V. **Águila caudal.** || **3.** ant. **Principal,** 1.ª acep. || **4.** m. Hacienda, bienes de cualquiera especie, y más comúnmente dinero. || **5.** Cantidad de agua que mana o corre. || **6.** fig. Abundancia de cosas que no sean dinero o hacienda. || **7.** ant. Capital o fondo. || **relicto.** *For.* **Bienes relictos.** || **A chico caudal, mala ganancia.** ref. que indica cómo los fines corresponden a los medios. || **Echar caudal en** alguna cosa. fr. Gastarlo en ella. || **El caudal de la labranza, siempre rico de esperanza.** ref. cuyo sentido es recto, claro y exacto. Se usa como forma de comparación con otros negocios. || **Hacer caudal de** una persona o cosa. fr. fig. Tenerla en aprecio y estimación, haciendo mucho caso de ella. *Es la mejor gente que tiene el rey y de que más* CAUDAL HACE. || **Redondear uno el, o su, caudal.** fr. Completarlo, sanearlo. || **Tras poco caudal, mala ventura.** ref. que muestra cómo a veces tras una desgracia viene otra mayor.

Caudal. (Del lat. *cauda,* cola.) adj. Perteneciente o relativo a la cola.

Caudalejo. m. d. de **Caudal,** 1.er art., 4.ª acep.

Caudalosamente. adv. m. Con mucho caudal o con grande abundancia.

Caudaloso, sa. (De *caudal,* 1.er art.) adj. De mucha agua. *Río, lago, manantial* CAUDALOSO. || **2. Acaudalado,** 2.ª acep. || **3.** V. **Águila caudalosa.**

Caudatario. (Del b. lat. *caudatarĭus,* y éste del lat. *cauda,* cola.) m. Eclesiástico doméstico del obispo o arzobispo, destinado a llevarle alzada la cauda.

Caudato, ta. (Del lat. *cauda,* cola.) adj. V. **Cometa, soneto caudato.** || **2.** *Blas.* **Caudado.**

Caudatrémula. (Del lat. *cauda tremŭla,* cola temblona.) f. **Aguzanieves.**

Caudillaje. m. Mando o gobierno de un caudillo. || **2.** *Amér.* **Caciquismo.** || **3.** *Argent.* y *Chile.* Conjunto o sucesión de caudillos. || **4.** *Argent.* Época de su predominio histórico.

Caudillismo. m. Sistema de caudillaje, 1.ª acep.

Caudillo. (De *cabdillo.*) m. El que como cabeza, guía y manda la gente de guerra. || **2.** El que dirige algún gremio, comunidad o cuerpo.

Caudimano [**Caudímano**]. (Del lat. *cauda* y *manus.*) adj. *Zool.* Dícese del animal que tiene cola prensil y del que se sirve de ella como instrumento de trabajo; como el castor.

Caudino, na. (Del lat. *caudīnus.*) adj. Natural de Caudio. Ú. t. c. s. || **2.** Perteneciente a esta antigua ciudad samnita. || **3.** V. **Pasar uno por las horcas caudinas.**

Caudón. (Del lat. *capito, -ōnis,* cabezudo.) m. **Alcaudón.**

Caujazo. m. *Bot.* Planta americana, de la familia de las borragináceas, cuya madera pardusca se emplea para construcciones civiles y se conserva muchos años.

Cauje. m. *Ecuad.* Árbol cuya fruta es del tamaño de una toronja, pero de corteza dura, lisa y de color verde o amarilla; su carne, blanca y delicada, es gelatinosa y se toma con cuchara. Es fruta semejante al caqui del Japón, pero más sabrosa.

Caula. f. *Chile* y *Hond.* Treta, engaño, ardid.

Caulescente. (Del lat. *caulescens, -entis,* de *caulescĕre,* crecer en tallo.) adj. *Bot.* Dícese de la planta cuyo tallo se distingue fácilmente de la raíz por estar bien desarrollado.

Caulícolo. m. *Arq.* **Caulículo.**

Caulículo. (Del lat. *caulicŭlus,* d. de *caulis,* tallo.) m. *Arq.* Cada uno de los vástagos que nacen de lo interior de las hojas que adornan el capitel corintio, y van a enroscarse en los ángulos y medios del ábaco.

Caulífero, ra. (Del lat. *caulis,* tallo, y *ferre,* llevar.) adj. *Bot.* Dícese de las plantas cuyas flores nacen sobre el tallo.

Cauliforme. adj. De forma de tallo.

Caulinar. (Del lat. *caulis,* tallo.) adj. *Bot.* Perteneciente o relativo al tallo.

Caulote. (Del azteca *quauhxiotl,* herpe de árbol.) m. *Hond.* Árbol malváceo, semejante al moral en la hoja y fruto. El mucílago que abunda en la corteza se emplea contra la disentería.

Cauno. m. **Chajá.**

Cauque. m. *Chile.* Pejerrey grande. || **2.** fig. *Chile.* Persona lista y viva.

Cauquén. m. *Chile.* **Canquén.**

Cauri. (Voz de Bengala.) m. Molusco gasterópodo que abunda en las costas del Oriente y cuya concha blanca y brillante sirve de moneda en la India y costas africanas, siendo su valor poco más de medio céntimo de peseta.

Cauriense. (Del lat. *cauriensis.*) adj. Natural de Caurio, hoy Coria. Ú. t. c. s. || **2.** Perteneciente a esta antigua ciudad.

Cauro. (Del lat. *caurus.*) m. **Noroeste,** 2.ª acep.

Causa. (Del lat. *causa.*) f. Lo que se considera como fundamento u origen de algo. || **2.** Motivo o razón para obrar. || **3.** Empresa o doctrina en que se toma interés o partido. || **4. Litigio,** 1.ª acep. || **5.** *For.* Proceso criminal que se instruye de oficio o a instancia de parte. || **6.** *For.* V. **Continencia de la causa.** || **eficiente.** *Fil.* Primer principio productivo del efecto, o la que hace o por quien se hace alguna cosa. || **final.** *Fil.* Fin con que o por que se hace alguna cosa. || **formal.** La que hace que alguna cosa sea formalmente lo que es. || **ilícita.** La que se opone a las leyes o a la moral. || **impulsiva.** *Fil.* Razón o motivo que inclina a hacer alguna cosa. || **instrumental.** La que sirve de instrumento. || **lucrativa.** *For.* Título dimanado de la liberalidad, por oposición al conmutativo u oneroso. || **motiva. Causa impulsiva.** || **onerosa.** *For.* La que implica conmutación de prestaciones. || **primera.** *Fil.* La que con independencia absoluta produce el efecto, y así, sólo Dios es propiamente **causa** primera. || **pública.** Utilidad y bien del común. || **segunda.** *Fil.* La que produce su efecto con dependencia de la primera. || **Causas mayores.** En el derecho canónico, las que son reservadas a la Sede Apostólica, de las cuales sólo juzga el papa. || **Acriminar la causa.** fr. *For.* Agravar o hacer mayor el delito o la culpa. || **Arrastrar la causa.** fr. *For.* Avocar un tribunal el conocimiento de alguna **causa** que pendía en otro. || **Conocer de una causa.** fr. *For.* Ser juez de ella. || **Dar la causa por conclusa.** fr. *For.* Declararla terminada y a punto de sentenciarla. || **Formar,** o **hacer,** uno **causa común** con otro. fr. Aunarse con una persona para un mismo fin. || **Hacer** uno **la causa de** otro. fr. Favorecerla. || **Quita la causa, quitarás el pecado.** ref. que aconseja buscar el remedio de los males en su origen. || **Salir** uno **a la causa.** fr. *For.* **Salir a la demanda,** 1.ª acep.

Causa. (Del quichua *causay,* el sustento de la vida.) f. fam. *Perú.* Puré de papas, aderezado con lechugas, queso fresco, aceitunas, choclo y ají. Se come frío y es plato criollo.

Causador, ra. adj. Que causa. Ú. t. c. s.

Causahabiente. m. *For.* Persona que ha sucedido o se ha subrogado por cualquier otro título en el derecho de otra u otras.

Causal. (Del lat. *causālis.*) adj. *Gram.* V. **Conjunción causal.** || **2.** f. Razón y motivo de alguna cosa.

Causalidad. (De *causal.*) f. Causa, origen, principio. || **2.** *Fil.* Ley en virtud de la cual se producen efectos.

Causante. p. a. de **Causar.** Que causa. Ú. t. c. s. || **2.** m. *For.* Persona de quien proviene el derecho que alguno tiene.

Causar. (Del lat. *causāre.*) tr. Producir la causa su efecto. || **2.** Ser causa, razón y motivo de que suceda una cosa. Ú. t. c. r. || **3.** Por ext., ser ocasión o darla para que una cosa suceda. Ú. t. c. r. || **4.** *Ar.* Hacer causa o proceso.

Causativo, va. (Del lat. *causativus.*) adj. Que es origen o causa de alguna cosa.

Causear. intr. *Chile.* Tomar el causeo; merendar. || **2.** *Chile.* Comer a deshora fiambres. || **3.** tr. fig. *Chile.* Vencer con facilidad a una persona. || **4.** *Chile.* Comer, en general.

Causeo. (Del m. or. que *causa,* 2.° art.) m. *Chile.* Comida que se hace fuera de horas, ordinariamente de fiambres o cosas secas.

Causeta. (Del lat. *capsa,* caja.) f. *Chile.* Nombre de una hierba que nace entre el lino.

Causía. (Del lat. *causia,* del gr. καυσία.) f. *Indum.* Sombrero de fieltro y alas anchas, usado por los antiguos griegos y romanos.

Causídica. f. *Arq.* Crucero de iglesia.

Causídico, ca. (Del lat. *causidĭcus;* de *causa,* causa, y *dicĕre,* decir.) adj. *For.* Perteneciente a causas o pleitos. || **2.** m. **Abogado,** 1.ª acep.

Causón. (Del lat. *causon, -ōnis,* y éste del gr. καῦσος, ardor.) m. Calentura fuerte que dura algunas horas, y no tiene malas resultas.

Cáusticamente. adv. m. De una manera acre, mordicante.

Causticar. (De *cáustico.*) tr. Dar causticidad a alguna cosa.

Causticidad. f. Calidad de cáustico. || **2.** fig. Malignidad en lo que se dice o escribe, mordacidad.

Cáustico, ca. (Del lat. *caustĭcus,* y éste del gr. καυστικός, de καίω, quemar.) adj. Dícese de lo que quema y desorganiza los tejidos animales. || **2.** fig. Mordaz, agresivo. || **3.** *Cir.* Aplícase al medicamento que desorganiza los tejidos como si los quemase, produciendo una escara. Ú. m. c. s. m. || **4.** m. **Vejigatorio.**

Causuelo. m. *Nicar.* **Caucel.**

Cautamente. adv. m. Con precaución.

Cautela. (Del lat. *cautēla,* de *cautus,* cauto.) f. Precaución y reserva con que se procede. || **2.** Astucia, maña y sutileza para engañar. || **Absolver a cautela.** fr. Se dice en el juicio eclesiástico cuando, en la duda de si alguno ha incurrido o no en la excomunión, se le absuelve. || **Buena cautela iguala buen consejo.** ref. que recomienda prevenirse con tiempo de daños que puedan sobrevenir.

Cautelar. (De *cautela.*) tr. Prevenir, precaver. || **2.** r. Precaverse, recelarse.

Cautelosamente. adv. m. Con cautela.

Cauteloso, sa. adj. Que obra con cautela. || **2.** fig. Se aplica también a las acciones y a las cosas.

Cauterio. (Del lat. *cauterium,* y éste del gr. καυτήριον.) m. **Cauterización.** || **2.** fig. Lo que corrige o ataja eficazmente algún mal. || **3.** *Cir.* Medio empleado en cirugía para convertir los tejidos en una escara. || **actual.** *Cir.* El que consiste en una varilla metálica con mango en uno de sus extremos y diversamente conformada en el otro, la cual se aplica candente para la formación instantánea de una escara. || **potencial.** *Cir.* El que obra con más o menos lentitud por sus propiedades químicas.

Cauterización. f. Acción y efecto de cauterizar.

Cauterizador, ra. adj. Que cauteriza. Ú. t. c. s.

Cauterizante. p. a. de **Cauterizar.** Que cauteriza.

Cauterizar. (Del lat. *cauterizāre.*) tr. *Cir.* Restañar la sangre, castrar las heridas y curar otras enfermedades con el cauterio. || **2.** fig. Corregir con aspereza o rigor algún vicio. || **3.** fig. Calificar o tildar con alguna nota.

Cautín. m. Aparato para soldar con estaño.

Cautivador, ra. adj. Que cautiva.

Cautivar. (Del lat. *captivāre.*) tr. Aprisionar al enemigo en la guerra, privándole de libertad. || **2.** fig. Atraer, ganar. CAUTIVAR *la atención, la voluntad.* || **3.** fig. Ejercer irresistible influencia en el ánimo por medio de atractivo físico o moral. || **4.** intr. Ser hecho cautivo, o entrar en cautiverio.

Cautiverio. (De *cautivo.*) m. Estado de la persona que, aprisionada en la guerra, vive en poder del enemigo.

Cautividad. (Del lat. *captivĭtas, -ātis.*) f. **Cautiverio.**

Cautivo, va. (Del lat. *captīvus.*) adj. Aprisionado en la guerra. Aplícase más particularmente a los cristianos hechos prisioneros por los infieles. Ú. t. c. s. || **2.** ant. **Cativo,** 1.er art., 2.ª acep.

Cauto, ta. (Del lat. *cautus,* p. p. de *cavēre,* precaver.) adj. Que obra con sagacidad o precaución.

Cauza. (Del lat. *capsa,* caja.) f. *Mur.* Cajilla de esparto, donde se incuba la simiente del gusano de seda.

Cava. (De *cavar.*) f. Acción de cavar; y más comúnmente, la labor que se hace a las viñas, cavándolas.

Cava. (Del lat. *cava,* zanja, cueva.) f. En palacio, oficina donde se cuidaba del agua y del vino que bebían las personas reales. || **3.** **Foso,** 3.ª acep. || **4.** ant. Cueva u hoyo.

Cavacote. (De *cavar* y *coto.*) m. Montoncillo de tierra hecho con la azada para que sirva de señal o mojón.

Cavada. (De *cavar.*) f. ant. **Hoyo.**

Cavadiza. adj. Aplícase a la arena o tierra que se separa cavando.

Cavado, da. (Del lat. *cavātus.*) adj. ant. **Cóncavo,** 1.ª acep.

Cavador. (Del lat. *cavātor.*) m. El que tiene por oficio cavar la tierra. || **2.** ant. Enterrador o sepulturero.

Cavadura. (Del lat. *cavatūra.*) f. Acción y efecto de cavar.

Cavalillo. m. *Agr.* Reguera o canal entre dos fincas.

Caván. m. Medida filipina de capacidad para áridos, igual a 25 gantas, y a una fanega, cuatro celemines y medio cuartillo, o a 75 litros.

Cavanillero, ra. m. y f. *Sal.* Persona que tiene las piernas largas y delgadas.

Cavar. (Del lat. *cavāre.*) tr. Levantar y mover la tierra con la azada, azadón u otro instrumento semejante. ‖ **2.** intr. Ahondar, penetrar. ‖ **3.** fig. Pensar con intención o profundamente en alguna cosa. ‖ **Dame «cava y bina», darte he la rama y vendimia.** ref. que muestra la necesidad de trabajar la tierra si han de lograrse buenos frutos.

Cavaria. f. Ave americana que defiende a las demás de ciertas aves de rapiña.

Cavaril. m. *Sal.* **Cavador,** 1.ª acep.

Cavaros. (Del lat. *Cavares.*) m. pl. Antiguo pueblo de la Galia céltica, o mediodía de Francia.

Cavatina. (Del ital. *cavatina,* der. de *cavata,* y éste del lat. *cavāre,* cavar.) f. *Mús.* Aria de cortas dimensiones, que a veces consta de dos tiempos o partes.

Cavazón. f. Acción de cavar las tierras.

Cávea. (Del lat. *cavĕa.*) f. *Arqueol.* Jaula romana para aves y otros animales. ‖ **2.** *Arqueol.* Cada una de las dos zonas en que se dividía la gradería de los teatros y de los circos romanos.

Cavedio. (Del lat. *cavaedium.*) m. *Arqueol.* Patio de la casa, entre los antiguos romanos.

Caverna. (Del lat. *caverna.*) f. Concavidad profunda, subterránea o entre rocas. ‖ **2.** *Germ.* Casa, 1.ª acep. ‖ **3.** *Med.* Hueco que resulta en algunos tejidos orgánicos después de evacuada la materia tuberculosa, o de salir el pus de un absceso, y en algunas úlceras cuando ha habido pérdida de substancia.

Cavernario, ria. adj. Propio de las cavernas, o que tiene caracteres de ellas.

Cavernícola. adj. Que vive en las cavernas. Ú. t. c. s. ‖ **2.** despect. fig. y fam. **Retrógrado,** 2.ª acep.

Cavernidad. f. **Cavernosidad.**

Cavernosidad. f. Oquedad, hueco natural de la tierra, cueva. Ú. m. en pl.

Cavernoso, sa. (Del lat. *cavernōsus.*) adj. Perteneciente, relativo o semejante a la caverna en alguna de sus cualidades. *Humedad, obscuridad* CAVERNOSA. ‖ **2.** Aplícase especialmente a la voz, a la tos, a cualquier sonido sordo y bronco. ‖ **3.** Que tiene muchas cavernas.

Cavero. m. *Ál.* Obrero dedicado a abrir zanjas de desagüe en las tierras labrantías.

Caveto. (Del ital. *cavetto,* y éste del lat. *cavus,* hueco.) m. *Arq.* Moldura cóncava cuyo perfil es un cuarto de círculo.

Caví. m. Raíz seca y guisada de la oca del Perú.

Cavia. (Del lat. *cavĕa.*) f. Especie de alcorque o excavación.

Cavia. m. **Conejillo de Indias.**

Cavial. (De *caviar.*) m. **Caviar.**

Caviar. (Del turco *jāwiyār.*) m. Manjar que consiste en huevas de esturión frescas y salpresas. Proviene principalmente de Rusia.

Cavicornio. adj. *Zool.* Dícese de los rumiantes de la familia de los bóvidos porque tienen huecos los cuernos. Ú. t. c. s. pl.

Cavidad. (Del lat. *cavĭtas, -ātis.*) f. Espacio hueco dentro de un cuerpo cualquiera.

Cavilación. (Del lat. *cavillatĭo, -ōnis.*) f. Acción y efecto de cavilar. ‖ **2. Cavilosidad.**

Cavilar. (Del lat. *cavillāre.*) tr. Fijar tenazmente la consideración en una cosa con demasiada sutileza.

Cavilosamente. adv. m. Con cavilación.

Cavilosidad. (De *caviloso.*) f. Aprensión infundada, juicio poco meditado.

Caviloso, sa. (Del lat. *cavillōsus.*) adj. Que por sobrada suspicacia, desconfianza y aprensión, se deja preocupar de alguna idea, dándole excesiva importancia y deduciendo consecuencias imaginarias.

Cavío. (De *cavar.*) m. *Sal.* **Cava,** acción de cavar.

Cavo, va. (Del lat. *cavus.*) adj. ant. Cóncavo, 1.ª acep. ‖ **2.** *Zool.* V. **Vena cava.** Ú. t. c. s.

Cay. m. *Argent.* **Mono capuchino.**

Cayá. m. Cargo o dignidad personal en Argel, inmediatamente inferior al agá.

Cayada. (Del lat. *caia,* garrote.) f. **Cayado,** 1.ª acep.

Cayadilla. (De *cayada.*) f. Instrumento que usan los forjadores, y consiste en un hierro largo como de 70 centímetros, con el que agrupan el carbón en el centro del hogar.

Cayado. (Del lat. *caia,* garrote.) m. Palo o bastón corvo por la parte superior. Suelen usarlo los pastores para prender y retener las reses. ‖ **2.** Báculo pastoral de los obispos. ‖ **de la aorta.** Arco que describe esta arteria a poco de su nacimiento en el ventrículo izquierdo, para descender a lo largo del tórax y del abdomen.

Cayajabo. m. *Bot. Cuba.* Semilla muy dura, de color rojo obscuro, de una planta papilionácea. Se usa como dije, atribuyéndosele cualidades de amuleto, y los niños juegan con ellas como con canicas. ‖ **2.** *Cuba.* Mate amarillo.

Cayama. f. *Cuba.* Ave zancuda, acuática, que se alimenta de peces; construye su nido en la copa de los árboles.

Cayán. m. **Tapanco.**

Cayana. f. **Callana,** 1.ª acep.

Cayanco. m. *Hond.* Cataplasma de hierbas calientes.

Cayapear. intr. *Venez.* Reunirse muchos para atacar a uno sobre seguro.

Cayapona. f. Planta americana, de la familia de las cucurbitáceas, de cuyo fruto se extrae un purgante muy enérgico.

Cayapos. m. pl. *Etnogr.* Pueblo de indígenas del Brasil, en el Goyas meridional.

Cayarí. m. *Cuba.* Cangrejo pequeño, de color rojo, que vive en agujeros que abre en terrenos húmedos, a orillas de los ríos.

Cayaya. f. *Bot. Cuba.* Arbusto silvestre, de la familia de las borragináceas, de florecillas blancas en racimos, y frutilla parecida a la pimienta. ‖ **2.** *Guat.* Especie de chachalaca.

Cayente. (Del lat. *cadens, -entis.*) p. a. de **Caer.** Que cae.

Cayeputi. (Del malayo *kāyu pūti,* árbol blanco.) m. Árbol de la India Oriental y de Oceanía, de la familia de las mirtáceas, con el tronco negro y los ramos blancos, hojas alternas, lanceoladas, puntiagudas y falcadas, flores en espiga y frutos capsulares con muchas semillas. De las hojas se saca por destilación un aceite fuertemente aromático que se emplea en medicina.

Cayetés. m. pl. *Etnogr.* Nombre de una de las naciones de la América del Sur que existían al tiempo de su descubrimiento.

Cayo. (Del bajo al. *kaye,* médano.) m. Cualquiera de las islas rasas, arenosas, frecuentemente anegadizas y cubiertas en gran parte de mangle, muy comunes en el mar de las Antillas y en el golfo mejicano.

Cayota. f. *Ast.* y *Argent.* **Cayote,** 1.ª acep.

Cayote. m. **Chayote.** ‖ **2.** V. **Cidra cayote.** ‖ **3.** *Zool.* **Coyote.**

Cayuco. m. Embarcación india de una pieza, más pequeña que la canoa, con el fondo plano y sin quilla, que se gobierna y mueve con el canalete.

Cayuco, ca. m. y f. *Cuba.* Persona de cabeza grande.

Cayuela. f. *Ál.* y *Sant.* Roca caliza, de color azulado, que abunda en fósiles del período cretáceo.

Cayumbo. m. *Cuba.* Especie de junco que nace en las ciénagas y en los ríos.

Cayutana. f. *Bot.* Planta de Filipinas, perteneciente a la familia de las rutáceas.

Caz. (Del lat. *calix, -ĭcis,* conducto de agua.) m. Canal para tomar el agua y conducirla a donde es aprovechada.

Caza. (De *cazar.*) f. Acción de cazar. ‖ **2.** Animales salvajes, antes y después de cazados. ‖ **3.** V. **Anteojo, avión, buey, cuerno, partida, pólvora de caza.** ‖ **mayor.** La de jabalíes, lobos, ciervos, etc. ‖ **menor.** La de liebres, conejos, perdices, palomas, etc. ‖ **Alborotar** uno **la caza.** fr. fig. y fam. **Levantar la caza.** ‖ **Andar a caza de** una cosa. fr. fig. y fam. Procurarla o solicitarla. ‖ **Andar** uno **a caza de gangas.** fr. fig. y fam. Procurar proporcionarse utilidades y ventajas con poco trabajo o a poca costa. ‖ **2.** ant. fig. y fam. Empeñarse en conseguir una cosa difícil, con riesgo de quedar burlado. ‖ **Dar caza.** fr. Perseguir a un animal para cogerlo o matarlo. ‖ **2.** fig. Procurar con afán llegar a comprender o conseguir alguna cosa. DAR CAZA *a un secreto, a un empleo.* ‖ **3.** *Mar.* Perseguir una embarcación a otra con toda diligencia para alcanzarla. ‖ **El que sigue la caza, ése la mata.** ref. demostrativo de que el que pone los medios necesarios consigue el fin que pretende. ‖ **Espantar** uno **la caza.** fr. fig. y fam. Precipitar o perder un negocio, por anticipar importunamente los medios para conseguirlo, o por emplear los que no son a propósito. ‖ **Ir** uno **a caza de gangas.** fr. fig. y fam. **Andar a caza de gangas.** ‖ **Levantar** uno **la caza.** fr. fig. y fam. Llamar la atención sobre algún asunto dando lugar a que otro se entremeta en él. ‖ **Ponerse en caza.** fr. *Mar.* Maniobrar para que una nave se ponga en fuga y escape de otra que la persigue. ‖ **Seguir** uno **la caza.** fr. fig. y fam. **Seguir la liebre.** ‖ **Uno levanta la caza y otro la mata.** ref. que advierte que los afortunados consiguen por casualidad y sin trabajo el fruto de los desvelos y fatigas de otros.

Caza. (De *Gaza.*) f. Lienzo muy delgado semejante a la gasa, usado antiguamente.

Cazabe. (Del haitiano *cazabi,* pan de yuca.) m. Torta que se hace en varias partes de América con una harina sacada de la raíz de la mandioca.

Cazaclavos. m. Especie de tenaza que sirve para arrancar los clavos.

Cazadero. m. Sitio en que se caza o que es a propósito para cazar.

Cazador, ra. adj. Que caza por oficio o por diversión. Ú. t. c. s. ‖ **2.** V. **Misa de los cazadores.** ‖ **3.** Se dice de los animales que por instinto persiguen y cazan otros animales; como de los perros y los gatos. ‖ **4.** fig. y fam. Dícese del que gana a otro, trayéndolo a su partido. ‖ **5.** m. Soldado que hace el servicio de tropas ligeras. En los batallones de línea había antes una compañía de **cazadores,** los cuales forman ahora batallones sueltos. ‖ **de alforja.** El que no mata la caza con escopeta, sino con perros, lazos u otro artificio. ‖ **furtivo.** El que caza en terreno vedado, sin autorización del dueño. ‖ **mayor.** Oficio de grande honor en palacio, que ejercía el montero mayor. Era jefe de la volatería y cetrería. ‖ **Al mejor cazador se le va la liebre.** fr. fig. que expresa cómo el más hábil en cualquier materia, puede errar por equivocación u olvido.

Cazadora. f. **Americana.**

Cazadora. f. *C. Rica.* Avecilla muy vivaz y de lindo plumaje de color amarillo limón, que vive de insectos, emigra en su época y gorjea de un modo agradable.

Cazaguate. m. *Méj.* Planta semejante a la pasionaria.

Cazallero, ra. adj. Natural de Cazalla. Ú. t. c. s. ‖ **2.** Perteneciente a esta villa.

Cazar. (Del lat. **captiāre*, de *captāre*, coger.) tr. Buscar o seguir a las aves, fieras y otras muchas clases de animales para cogerlos o matarlos. ‖ **2.** fig. y fam. Adquirir con destreza alguna cosa difícil o que no se esperaba. ‖ **3.** fig. y fam. Prender, cautivar la voluntad de alguno con halagos o engaños. ‖ **4.** fig. y fam. Sorprender a alguno en un descuido, error o acción que desearía ocultar. ‖ **5.** *Mar.* Poner tirante la escota, hasta que el puño de la vela quede lo más cerca posible de la borda. ‖ **Cazar uno largo,** o **muy largo.** fr. fig. y fam. Ser muy advertido o sagaz. ‖ **Si cazares, no te alabes; si no cazares, no te enfades.** ref. que aconseja la serenidad de ánimo con que se deben tomar los sucesos prósperos o adversos.

Cazarete. m. Una de las piezas de la jábega o del boliche.

Cazarra. f. *Ál.* Pesebre hecho del tronco de un árbol, que sirve para dar en el campo pienso al ganado, más comúnmente al lanar.

Cazarrica. (d. de *cazarra.*) f. *Ál.* Artesilla para la comida de las aves de corral.

Cazarro. m. *Ál.* Tronco de árbol ahuecado en figura de canal, para desalojar agua sobrante.

Cazata. f. **Cacería,** 1.ª y 2.ª aceps.

Cazatorpedero. m. *Mar.* Buque de guerra pequeño y bien armado, de marcha muy rápida, destinado a la persecución de los torpederos enemigos.

Cazcalear. intr. fam. Andar de una parte a otra, afectando diligencia, sin hacer cosa de substancia.

Cazcarria. f. Lodo o barro que se coge y seca en la parte de la ropa que va cerca del suelo. Ú. m. en pl.

Cazcarriento, ta. adj. fam. Que tiene muchas cazcarrias.

Cazcorvo, va. (De *casco corvo.*) adj. Aplícase a la caballería que tiene las patas corvas. ‖ **2.** ant. Patizambo, zancajoso. Ú. hoy todavía en Colombia y Venezuela. ‖ **3.** m. ant. Hoz, podadera.

Cazo. (Del ár. *qaṣʿa*, escudilla grande.) m. Vasija metálica, por lo común semiesférica y con mango largo para manejarla. ‖ **2.** Vasija de metal, con un mango que forma recodo, y un gancho a la punta; sirve para sacar agua de las tinajas. ‖ **3.** Vasija metálica con mango, que usan los carpinteros para hacer o calentar la cola. ‖ **4. Recazo,** 2.ª acep. ‖ **5.** fig. y fam. V. **Mano de cazo.** ‖ **Dijo el cazo a la caldera: quítate allá, tiznera.** ref. que tiene otras varias formas, siempre indicando que entre dos personas igualmente ruines nada tienen que echarse en cara.

Cazolada. f. Cantidad de comida que cabe en una cazuela.

Cazoleja. f. d. de **Cazuela.** ‖ **2. Cazoleta,** 2. acep.

Cazolero. (De *cazuela.*) adj. **Cominero.** Ú. t. c. s.

Cazoleta. f. d. de **Cazuela.** ‖ **2.** Pieza de la llave de las armas de chispa, inmediata al oído del cañón: era cóncava, a modo de media esfera, y se llenaba de pólvora, para que, recibiendo las chispas del pedernal, inflamase la carga e hiciese disparar el tiro. ‖ **3.** Pieza redonda de acero, que se fija en el medio de la parte exterior del broquel para cubrir su empuñadura, y se hace de varias figuras. ‖ **4.** Pieza de hierro u otro metal, que se pone debajo del puño de la espada y del sable, y sirve para resguardo de la mano. ‖ **5.** Especie de perfume. ‖ **6.** Receptáculo pequeño que llevan algunos objetos, como el palo del boliche, el depósito del tabaco en la pipa o el narguile, etc.

Cazoletear. intr. **Cucharetear,** 2.ª acep.

Cazoletero. adj. **Cazolero.** Ú. t. c. s.

Cazolón. m. aum. de **Cazuela.**

Cazón. (De *cazar.*) m. *Zool.* Pez selacio del suborden de los escuálidos, de unos dos metros de largo, de cuerpo esbelto y semejante al del marrajo, pero la aleta caudal no es semilunar y la cola carece de quillas longitudinales en su raíz. Tiene los dientes agudos y cortantes.

Cazón. (Del fr. *casson.*) m. ant. Azúcar que, por no estar bien purificado, es moreno.

Cazonal. (De *cazón*, 1.er art.) m. Conjunto de arreos y aparejos que sirven para la pesca de los cazones, como redes, cuerdas, anzuelos, barcos, etc. ‖ **2.** Red de grandes mallas que se cala al fondo del agua para pescar cazones y otros peces grandes. ‖ **3.** fig. y fam. Negocio o empeño muy arduo y sin salida. *Meterse en un* CAZONAL.

Cazonete. m. *Mar.* Muletilla cilíndrica de madera, que se pone a la extremidad de un cabo para pasarla por una gaza.

Cazorría. (De *cazurro.*) f. ant. Dicho indecoroso o malsonante.

Cazudo, da. (De *cazo.*) adj. Que tiene mucho recazo, o que lo tiene pesado.

Cazuela. (De *cazo.*) f. Vasija, por lo común redonda y de barro, más ancha que honda, que sirve para guisar y otros usos. ‖ **2.** Guisado que se hace en ella, compuesto de varias legumbres y carne. ‖ **3.** Sitio del teatro, a que sólo podían asistir mujeres. ‖ **4.** Galería alta o paraíso, en los teatros. ‖ **5.** fig. **Cazolada.** ‖ **6.** *Impr.* Componedor ancho que puede contener varias líneas. ‖ **carnicera.** La grande, en que se puede guisar mucha carne. ‖ **mojí,** o **mojina.** Torta cuajada, hecha en **cazuela,** con queso, pan rallado, berenjenas, miel y otras cosas.

Cazumbrar. (De *cazumbre.*) tr. Juntar con cazumbre las duelas y tablas de las cubas de vino, uniéndolas a golpe de mazo para que no se salgan.

Cazumbre. m. Cordel de estopa poco torcida, con que se unen las tablas y duelas de las cubas de vino. ‖ **2.** *Ast.* Savia de los árboles y zumo de las frutas.

Cazumbrón. m. Oficial que cazumbra.

Cazurría. f. Cualidad de cazurro.

Cazurro, rra. (Del ár. *qaḏūr*, insociable, sucio.) adj. fam. De pocas palabras y muy metido en sí. Ú. t. c. s. ‖ **2.** ant. Decíase de las palabras y expresiones bajas y groseras y del que las usaba.

Cazuz. (Del ár. *qissūs*, y éste del gr. κισσός, hiedra.) m. **Hiedra.**

Cazuzo, za. adj. *Chile.* **Hambriento.**

Ce. f. Nombre de la letra *c.* ‖ **Ce por be,** o **ce por ce.** m. adv. fig. y fam. Menuda, circunstanciadamente. *Le refirió* CE POR BE *cuanto había pasado.* ‖ **Por ce o por be.** loc. adv. fig. y fam. De un modo o de otro. POR CE O POR BE *se salió con la suya.*

¡Ce! (Del lat. *ecce*, he aquí, mira.) interj. con que se llama, se hace detener o se pide atención a una persona.

Cea. f. **Cía,** 1.ª acep.

Ceajo, ja. m. y f. *Ar.* Chivo o cordero que no llega a primal.

Ceanoto. (Del gr. κεάνωθος.) m. Planta rámnea americana y oceánica, cuya especie más importante, vulgarmente conocida con el nombre de té de Jersey, se emplea por los indios americanos contra la disentería y la sífilis.

Cearina. f. Pomada de color blanco, que sirve de excipiente de otras pomadas y se prepara con cera, ceresina y parafina líquida.

Ceática. f. **Ciática,** 1.er art.

Ceba. (De *cebar.*) f. Alimentación abundante y esmerada que para que engorde se da al ganado, especialmente al que sirve para el sustento del hombre. ‖ **2.** fig. Acción de alimentar los hornos con el combustible necesario. ‖ **3.** *Sant.* Hierba seca acopiada para el invierno. ‖ **4.** ant. *Mont.* **Cebo,** 1.er art., 1.ª acep.

Cebada. (Del lat. *cibāta*, t. f. del p. p. de *cibāre*, cebar.) f. Planta anua, de la familia de las gramíneas, parecida al trigo, con cañas de algo más de seis decímetros, espigas prolongadas, flexibles, un poco arqueadas, y semilla ventruda, puntiaguda por ambas extremidades y adherida al cascabillo, que termina en arista larga: sirve de alimento a diversos animales, y tiene además otros usos. ‖ **2.** Conjunto de granos de esta planta. ‖ **ladilla.** Especie de **cebada** cuya espiga tiene dos órdenes de granos, y éstos son chatos y pesados. ‖ **perlada.** La mondada y redondeada a máquina. ‖ **Cebada granada, a ocho días segada.** ref. que da la regla para recoger dicho fruto. ‖ **Cebada hostigada, muermo cría, que no nalga.** ref. que enseña que la **cebada** averiada o viciosa daña al ganado. ‖ **Dar cebada.** fr. Echar o dar pienso a las caballerías. ‖ **La cebada en lodo, y el trigo, en polvo.** ref. con que se indica el tiempo, húmedo o seco, en que deben sembrarse estos dos cereales.

Cebadal. m. Terreno sembrado de cebada.

Cebadar. tr. Dar cebada a las bestias.

Cebadazo, za. adj. Perteneciente a la cebada. *Paja* CEBADAZA.

Cebadera. f. Morral o manta que sirve de pesebre para dar cebada al ganado en el campo. ‖ **2.** Arca o cajón en que los posaderos y mayorales de labor tienen la cebada para las caballerías.

Cebadera. (De *cebar.*) f. *Mar.* Vela que se envergaba en una percha cruzada bajo el bauprés, fuera del barco. ‖ **2.** *Min.* Caja de palastro que no tiene tapa ni uno de los costados, y sirve para introducir la carga en el horno a través del cebadero.

Cebadería. f. ant. Lugar o paraje donde se vende cebada.

Cebadero. m. El que vende cebada. ‖ **2. Mozo de paja y cebada.** ‖ **3.** Macho que, a prevención, llevaban los arrieros cargado de cebada, para dar de comer a la recua. ‖ **4.** Caballería que va delante en las cabañas del ganado mular, a la cual siguen las otras.

Cebadero. m. El que tenía por oficio cebar y adiestrar a las aves de la cetrería. ‖ **2.** Lugar destinado a cebar animales. ‖ **3.** Sitio o paraje en que se acostumbra echar el cebo a la caza. ‖ **4.** Pintura de aves domésticas en acto de comer. ‖ **5.** *Min.* Abertura por donde se introduce mineral en el horno.

Cebadilla. (d. de *cebada.*) f. Especie de cebada que crece espontánea en las paredes y caminos: tiene unos tres decímetros de altura, hojas blandas y vellosas, y espigas terminales densas con aristas muy largas. ‖ **2.** *Bot.* Fruto de una planta mejicana del mismo género que el eléboro blanco; es una cápsula de la forma, tamaño y color de tres granos de cebada reunidos, y contiene seis semillas negruzcas, algo relucientes y arrugadas, cuyo polvo se usa como estornutatorio y para matar insectos. ‖ **3.** Raíz del eléboro blanco, cuyo polvo tiene los mismos usos.

Cebado, da. p. p. de **Cebar.** ‖ **2.** adj. *Amér.* Dícese de la fiera que por haber probado carne humana, es más temible. ‖ **3.** *Blas.* V. **Lobo cebado.**

Cebador, ra. adj. Que ceba. ‖ **2.** m. Frasquito en que se lleva pólvora para cebar las armas de fuego.

Cebadura. f. Acción y efecto de cebar o cebarse.

Cebar. (Del lat. *cibāre.*) tr. Dar o echar cebo a los animales para alimentarlos, engordarlos o atraerlos. ‖ **2.** fig. Alimentar, fomentar; como echar aceite a la luz, leña al fuego, mineral al horno, etc. ‖ **3.** fig. Poner en las armas, proyectiles huecos, torpedos y barrenos el cebo necesario para inflamarlos. ‖ **4.** fig. Poner cebo al cohete u otro artificio de pólvora. ‖ **5.** fig. Hablando de máquinas o aparatos, ponerlos en condiciones de empezar a funcionar; como un sifón llenándolo de líquido, una máquina de vapor dando vueltas con la mano al volante, etc. ‖ **6.** fig. Tratándose de la aguja magnética, tocarla a un imán para darle o renovarle la fuerza. ‖ **7.** fig. Fomentar o alimentar un afecto o pasión. Ú. t. c. r. ‖ **8.** intr. fig. Penetrar, prender, agarrar o asirse una cosa en otra; como el clavo en la madera, el tornillo en la tuerca, etc. Ú. t. c. tr. ‖ **9.** r. fig. Entregarse con mucha eficacia e intensión a una cosa. ‖ **10.** fig. Encarnizarse, ensañarse. SE CEBÓ *en su víctima.*

Cebellina. (Del ruso *sobolj,* marta.) adj. V. **Marta cebellina.** Ú. t. c. s.

Cebera. (Del lat. *cibāria,* t. f. de *-rius.*) f. ant. **Cibera,** 3.ª y 4.ª aceps.

Cebero. (Del lat. *cibārius,* de cebo.) m. *Murc.* Capazo en que se echa el grano que sirve de pienso a las bestias.

Cebiche. m. *Perú.* Guisado común, hecho de pescado con ají.

Cebil. m. *Bot.* Árbol leguminoso que vive en el Río de la Plata. Es alto y corpulento; su madera se emplea en las construcciones, sus hojas las come el ganado en años de escasez, y su corteza, que contiene mucho tanino, es un curtiente enérgico.

Cebipiro. m. *Bot.* Árbol del Brasil, de la familia de las papilionáceas, a cuya corteza, de propiedades astringentes, se atribuyen virtudes medicinales.

Cebique. m. *Sal.* Cebo que dan las aves a sus hijuelos.

Cebo. (Del lat. *cibus.*) m. Comida que se da a los animales para alimentarlos, engordarlos o atraerlos. ‖ **2.** fig. Porción de materia explosiva que se coloca en determinados puntos de las armas de fuego, los proyectiles huecos, los torpedos y los barrenos, para producir, al inflamarse, la explosión de la carga. ‖ **3.** fig. Porción de mineral que se echa de una vez para cebar el horno. ‖ **4.** fig. Fomento o pábulo que se da a un afecto o pasión. ‖ **Cebo de anzuelo y carne de buitrera.** fr. fig. y fam. Se aplica para comparar cosas engañosas, como el **cebo** del anzuelo y la carne para cazar buitres. ‖ **Cebo haya en el palomar, que palomas no faltarán.** ref. con que se expresa el poder atractivo del interés.

Cebo. (Del lat. *cepus,* y éste del gr. κῆπος.) m. Cefo.

Cebolla. (Del lat. *caepŭlla.*) f. Planta hortense, de la familia de las liliáceas, con tallo de seis a ocho decímetros de altura, hueco, fusiforme e hinchado hacia la base, hojas fistulosas y cilíndricas, flores de color blanco verdoso en umbela redonda, y raíz fibrosa que nace de un bulbo esferoidal, blanco o rojizo, formado de capas tiernas y jugosas, de olor fuerte y sabor más o menos picante. ‖ **2.** Cepa o bulbo de esta planta. ‖ **3.** V. **Tela de cebolla.** ‖ **4.** V. **Horca de cebollas.** ‖ **5. Bulbo.** ‖ **6.** fig. Corazón del madero o pieza de madera acebollados. ‖ **7.** fig. Parte redonda del velón, en la cual se echa el aceite. ‖ **8.** fig. Pieza esférica de plomo o cinc, con agujeros pequeños, que se pone en las cañerías para que por ellas no pase broza. ‖ **albarrana.** Planta perenne y medicinal, de la familia de las liliáceas, como de metro y medio de altura, con las hojas de hermoso color verde obscuro, aovadas, lanceoladas, onduladas por los bordes y algo carnosas; flores blancas en racimo, y un bulbo semejante al de la **cebolla** común, con los cascos interiores más gruesos, viscosos, muy acres y amargos. ‖ **escalonia. Chalote.** ‖ **—Come esa cebolla. —Bien me sabe el queso.** ref. con que se advierte y corrige al que pudiendo ofrecer cosa mejor, pretende satisfacer su obligación con lo que es malo o mediano.

Cebollada. f. Guiso hecho con cebolla, como principal ingrediente.

Cebollana. f. Planta muy parecida a la cebolla, con el tallo cilíndrico, de unos cuatro decímetros de altura, las flores violadas, uno o varios bulbos pequeños y ovoides, de sabor dulce, y hojas jugosas, que se comen en ensalada.

Cebollar. m. Sitio sembrado de cebollas.

Cebollero, ra. adj. Perteneciente o relativo a la cebolla. ‖ **2.** V. **Alacrán, grillo cebollero.** ‖ **3.** m. y f. Persona que vende cebollas.

Cebolleta. f. Planta muy parecida a la cebolla, con el bulbo pequeño y parte de las hojas comestibles. ‖ **2.** Cebolla común que, después del invierno, se vuelve a plantar y se come tierna antes de florecer. ‖ **3.** *Cuba.* Especie de juncia cuyos tubérculos son parecidos a las chufas valencianas, aunque más pequeños.

Cebollino. m. Sementero de cebollas, cuando están en sazón para ser trasplantadas. ‖ **2.** Simiente de cebolla. ‖ **3. Cebollana.** ‖ **Arráncate, cebollino.** *Ar.* **Arráncate, nabo.** ‖ **Escardar cebollinos.** fr. fig. y fam. No hacer nada de provecho. Ú. en sentido despect. con los verbos *enviar, ir, estar,* etc., y más generalmente para echar a alguno en hora mala.

Cebollón. m. aum. de **Cebolla.** ‖ **2.** Variedad de cebolla, de figura aovada, menos picante y acre que la común.

Cebolludo, da. adj. Aplícase a las plantas y flores que son de cebolla o nacen de ella. ‖ **2.** ant. Decíase de la persona tosca y basta, o gruesa y abultada.

Cebón, na. (De *cebar.*) adj. Dícese del animal que está cebado. Ú. t. c. s. ‖ **2.** m. **Puerco.**

Ceborrincha. f. Cebolla silvestre y cáustica.

Cebra. (Del ant. *cebro, ecebro,* del lat. **equiferus* [*equus ferus*], caballo salvaje.) f. Animal solípedo del África Austral, parecido al asno, de pelo blanco amarillento, con listas transversales pardas o negras. Tiene la gallardía y viveza del caballo. Hay varias especies, y alguna del tamaño del caballo. ‖ **2.** ant. Nombre antiguo de la cabra montés.

Cebrado, da. (De *cebra.*) adj. Dícese del caballo o yegua que tiene, como la cebra, manchas negras transversales, por lo común alrededor de los antebrazos, piernas o corvejones, o debajo de estas partes. Por ext., dícese también de otros animales.

Cebratana. f. **Cerbatana.**

Cebrero. (De *cebra.*) m. ant. Sitio áspero y quebrado preferido por las cabras monteses. Ú. m. en pl.

Cebrión. m. Insecto coleóptero de cuerpo prolongado y de élitros blandos. Los hay de varias especies.

Cebruno, na. adj. **Cervuno,** 3.ª acep.

Cebtí. (Del ár. *sabtí,* relat. a *Sabta,* Ceuta.) adj. ant. **Ceutí.** Apl. a pers., usáb. t. c. s.

Cebú. m. Variedad del toro común, caracterizada por la giba adiposa que tiene sobre el lomo. Vive doméstico en la India y en África, y se utiliza como bestia de silla y carga. Su carne es de buena calidad, así como la leche que da la hembra. ‖ **2.** Variedad del mono llamado carayá.

Cebuano, na. adj. Natural de Cebú. Ú. t. c. s. ‖ **2.** Perteneciente a esta isla del archipiélago filipino. ‖ **3.** Lengua **cebuana.**

Ceburro. adj. Dícese del trigo candeal. ‖ **2.** V. **Mijo ceburro.**

Ceca. (Del ár. *sikka,* cuño o troquel de moneda, lugar en que se acuña.) f. Casa donde se labra moneda. ‖ **2.** En Marruecos, **moneda.**

Ceca. f. **De Ceca en Meca. De la Ceca a la Meca.** locs. figs. y fams. De una parte a otra, de aquí para allí.

Cecal. (Del lat. *caecus* ciego.) adj. Perteneciente o relativo al intestino ciego. ‖ **2.** *Zool.* V. **Apéndice cecal.**

Ceceante. p. a. de **Cecear.** Que cecea. ‖ **2.** adj. Que da a la *s* el sonido de *c.*

Cecear. intr. Pronunciar la *s* como *c* por vicio o por defecto orgánico. ‖ **2.** tr. Decir *¡ce, ce!* para llamar a alguno.

Ceceo. m. Acción y efecto de cecear.

Ceceoso, sa. adj. Que pronuncia la *s* como *c.* Ú. t. c. s.

Cecesmil. (Del azteca *cecelic,* tierno, y *milli,* campo cultivado.) m. *Hond.* Plantío de maíz temprano.

Cecí. m. *Cuba.* Sesí.

Cecial. (Del lat. **sicciālis,* de *siccus,* seco.) m. Merluza u otro pescado parecido a ella, seco y curado al aire. Ú. t. c. adj. *Pescado* CECIAL.

Cecidia. f. **Agalla,** 1.ª acep.

Cecina. (Del b. lat. *siccina* cosa seca, y éste del lat. *siccus,* seco.) f. Carne salada, enjuta y seca al aire, al sol o al humo. ‖ **2.** p. us. *Argent.* Tira de carne delgada, seca y sin sal.

Cecinar. (De *cecina.*) tr. **Acecinar.**

Ceción. (Del lat. *accessio, -ōnis,* entrada.) f. ant. **Cición.**

Cecografía. f. Escritura y modo de escribir de los ciegos.

Cecógrafo. m. Aparato con que escriben los ciegos.

Cécubo. (Del lat. *caecŭbum.*) m. Vino célebre en Roma antigua, que procedía de un pago del mismo nombre en Campania.

Cechero. (De *acechar.*) m. Acechador, el que acecha en la caza.

Ceda. (Del lat. *seta.*) f. **Cerda,** 1.ª acep.

Ceda. f. **Zeda.**

Cedacear. intr. Aplicado a la vista, disminuir, obscurecerse.

Cedacería. (De *cedacero.*) f. Sitio donde se hacen cedazos. ‖ **2.** Tienda donde se venden.

Cedacero. m. El que por oficio hace o vende cedazos.

Cedacillo. (d. de *cedazo.*) m. Planta anua, de la familia de las gramíneas, parecida a la tembladera, de la cual se distingue por tener las espiguillas acorazonadas y violáceas.

Cedacito. m. d. de **Cedazo.** ‖ **Cedacito nuevo, tres días en estaca.** ref. que advierte que muchas cosas se aprecian y cuidan más por su novedad que por su verdadero valor. ‖ **2.** fig. También denota lo poco que suele durar el fervor con que algunas personas empiezan a servir sus nuevos destinos.

Cedazo. (Del lat. *saetācĕum,* cribo de seda.) m. Instrumento compuesto de un aro y de una tela, por lo común de cerdas, más o menos clara, que cierra la parte inferior. Sirve para separar las partes sutiles de las gruesas de algunas cosas; como la harina, el suero, etc. ‖ **2.** Cierta red grande para pescar. ‖ **eléctrico.** Aparato para separar la harina del salvado y otras partes ligeras, que atrae la electricidad convenientemente aplicada. ‖ **Más quiero pedir a mi cedazo un pan apretado, que a mi vecina un pan prestado.** ref. que enseña ser preferible lo nuestro, aunque no sea de lo mejor, que lo ajeno prestado.

Cedazuelo. m. d. de **Cedazo.**

Cedente. (Del lat. *cedens, -entis.*) p. a. de **Ceder.** Que cede.

Ceder. (Del lat. *cedĕre.*) tr. Dar, transferir, traspasar a otro una cosa, acción o derecho. || **2.** intr. Rendirse, sujetarse. || **3.** Ser, resultar o convertirse una cosa en bien o mal, estimación o alabanza, etc., de alguno. || **4.** Hablando de ciertas cosas, como el viento, la calentura, etc., mitigarse, disminuirse su fuerza. || **5.** Disminuirse o cesar la resistencia de una cosa. || **6.** Ser inferior una persona a otra con la que se compara. Ú. m. en frases negativas.

Cedicio, cia. (De *ceder.*) adj. ant. **Lacio.**

Cedilla. (d. de *ceda.*) f. Letra de la antigua escritura española, que es una *c* con una virgulilla debajo (ç), y servía para expresar un sonido parecido al de la *z.* || **2.** Esta misma virgulilla.

Cedizo, za. (De *ceder.*) adj. Dícese de algunas cosas de comer que empiezan a pudrirse o corromperse. || **2.** V. **Carne cediza.**

Cedo. (De lat. *cĭto,* pronto.) adv. t. ant. Luego, presto, al instante. Se usa en el norte de España.

Cedoaria. (Del ár. *zadwār.*) f. Raíz medicinal, redonda, nudosa, de sabor acre algo amargo y de olor aromático, que proviene de una planta de la India oriental, del mismo género de la cúrcuma. || **amarilla.** Raíz de propiedades análogas a las de la anterior, procedente de una planta de la India oriental, del género del jengibre. || **larga. Cedoaria.**

Cedra. f. ant. **Cítara.**

Cedras. f. pl. Alforjas de pellejo en que los pastores llevan el avío.

Cedreleón. (Del gr. κέδρος, cedro, y ἔλαιον, aceite.) m. Aceite de cedro; especie de resina que usaban los antiguos.

Cedreno. m. *Quím.* Parte líquida de la esencia de cedro.

Cedrero. (De *cedra.*) m. ant. **Citarista.**

Cedria. (Del lat. *cedria,* y éste del gr. κεδρία.) f. Goma, resina o licor que destila el cedro.

Cédride. (Del lat. *cedris, -ĭdis,* y éste del gr. κεδρίς.) f. Fruto del cedro, que es como una piña pequeña formada por escamas muy apretadas.

Cedrino, na. (Del lat. *cedrīnus.*) adj. Perteneciente al cedro. *Tabla* CEDRINA.

Cedrito. m. Bebida preparada con vino dulce y resina de cedro.

Cedro. (Del lat. *cedrus,* y éste del gr. κέδρος.) m. Árbol de la familia de las abietáceas, de unos 40 metros de altura, con tronco grueso y derecho, ramas horizontales, hojas persistentes casi punzantes, flores rojas al principio y después amarillas, y cuyo fruto es la cédride. Vive más de dos mil años, y su madera, de color más claro que la del caobo, es aromática, compacta y de larguísima duración. || **2.** Madera de este árbol. || **amargo, o blanco.** *C. Rica.* Una clase de las más estimadas por su madera olorosa y duradera. Abunda en la vertiente del Pacífico. || **colorado. Cedro dulce.** || **de España. Sabina.** || **de la India.** El de ramas inclinadas y hojas no punzantes. Cultívase como árbol de adorno. || **del Líbano. Cedro,** 1.ª acep. || **de Misiones.** *Argent.* Especie de **cedro** que forma inmensos bosques en las vertientes de los ríos Paraná y Uruguay; produce madera fina y un extracto febrífugo. Hay varias clases, que se diferencian muy poco. || **deodara. Cedro de la India.** || **dulce.** *C. Rica.* Uno gigantesco de madera menos estimada, aunque de hermosa apariencia, que se cría en la vertiente del Atlántico.

Cedróleo. m. *Quím.* Aceite esencial extraído del cedro.

Cedrón. m. Planta verbenácea, olorosa y medicinal, originaria del Perú, pero que se cría también en Chile y la República Argentina. || **2.** Planta de Costa Rica, Nicaragua y Honduras, cuyas semillas, muy amargas, se emplean contra las calenturas y el veneno de las serpientes.

Cédula. (Del lat. *schedŭla,* d. de *schĕda,* hoja de papel.) f. Pedazo de papel o pergamino escrito o para escribir en él alguna cosa. || **2.** Documento en que se reconoce una deuda u otra obligación. || **3.** *For.* V. **Pleito de cédula.** || **ante díem.** Papel firmado, regularmente del secretario de alguna comunidad, por el que se cita a sus individuos para juntarse al día siguiente, y en él se expresa el asunto que se ha de tratar. || **de abono.** La que se daba por los tribunales de Hacienda cuando el rey perdonaba a un pueblo algún débito, a fin de que el recaudador se la admitiese en data de igual cantidad. || **de cambio.** ant. *Com.* **Letra de cambio.** || **de comunión.** La que se da en las parroquias en tiempo del cumplimiento de iglesia, para que conste. || **de diligencias.** Despacho que se expedía por el Consejo de la Cámara, dando comisión a un juez para hacer alguna averiguación. || **de inválidos.** Orden del rey, en que concedía a algún soldado el pase a las compañías de inválidos. || **de preeminencias.** La que se daba a algunos individuos de un cuerpo que, habiendo servido muchos años sus oficios, no podían continuar por enfermos u ocupados, o por otras justas causas. || **2.** En la milicia, orden del rey por la que se conservaba en su grado el fuero militar al oficial que se retiraba. || **de vecindad. Cédula personal.** || **en blanco.** La que va firmada y se da a alguno con facultad de llenarla según le pareciere. || **personal.** Documento oficial que expresa el nombre, profesión, domicilio y demás circunstancias de cada vecino; acredita el pago de un impuesto, y sirve para identificar la persona. || **real.** Despacho del rey, expedido por algún tribunal superior, en que se concede una merced o se toma alguna providencia. Su cabeza es: *El Rey,* sin expresión de más dictados; la firma S. M.; el secretario del tribunal a que pertenece pone el refrendo; se rubrica por algunos ministros, y por lo regular se entrega a la parte. || **testamentaria. Memoria,** 6.ª acep. || **Real cédula. Cédula real.** || **Dar cédula de vida.** fr. fig. y fam. que se dice de los preciados de guapos, porque parece que hacen gracia en no quitar la vida.

Cedulaje. m. Derecho que se pagaba por el despacho de las cédulas reales.

Cedular. (De *cédula.*) tr. p. us. Publicar una cosa por medio de carteles puestos en las paredes.

Cedulario. m. Colección de reales cédulas.

Cedulón. m. fam. aum. de **Cédula.** || **2.** Edicto o anuncio que se fija en sitios públicos. || **3.** fig. **Pasquín.**

Cefalalgia. (Del lat. *cephalalgia,* y éste del gr. κεφαλαλγία.) f. *Med.* Dolor de cabeza.

Cefalálgico, ca. adj. *Pat.* Relativo a la cefalalgia.

Cefalea. (Del lat. *cephalaea,* y éste del gr. κεφαλαία, de κεφαλή, cabeza.) f. *Med.* Cefalalgia violenta y tenaz, alguna vez intermitente y grave, que afecta ordinariamente a uno de los lados de la cabeza; como la jaqueca.

Cefálico, ca. (Del lat. *cephalĭcus,* y éste del gr. κεφαλικός.) adj. *Zool.* Perteneciente a la cabeza. || **2.** *Zool.* V. **Índice cefálico.** || **3.** *Zool.* V. **Vena cefálica.** Ú. t. c. s. || **4.** *Zool.* V. **Vena yugular cefálica.**

Cefalitis. (Del gr. κεφαλή, cabeza, y el sufijo *-itis,* inflamación.) f. *Med.* Inflamación de la cabeza.

Céfalo. (Del lat. *cephălus,* y éste del gr. κέφαλος.) m. **Róbalo.**

Cefalópodo. (Del gr. κεφαλή, cabeza, y πούς, ποδός, pie.) adj. *Zool.* Dícese de los moluscos marinos que tienen el manto en forma de saco con una abertura por la cual sale la cabeza, que se distingue bien del resto del cuerpo y está rodeada de tentáculos largos a propósito para la natación y provistos de ventosas; en general carecen de concha y segregan un líquido negruzco con que enturbian el agua con objeto de ocultarse; como el pulpo, el argonauta y el calamar. Ú. t. c. s. || **2.** m. pl. *Zool.* Clase de estos animales.

Cefalorraquídeo. (Del gr. κεφαλή, cabeza, y *raquídeo.*) adj. *Zool.* Suele aplicarse al sistema nervioso cerebroespinal por hallarse éste alojado en la cabeza y en la columna vertebral; aplícase asimismo al líquido incoloro y transparente, ligeramente alcalino, en el que están sumergidos los centros nerviosos de los vertebrados, que llena también los ventrículos del encéfalo y ejerce una acción protectora de aquellos órganos.

Cefalotórax. (Del gr. κεφαλή, cabeza, y θώραξ, pecho.) m. *Zool.* Parte del cuerpo de los crustáceos y arácnidos que está formada por la íntima unión de la cabeza y el tórax.

Cefea. f. *Sal.* Comida que buscan los cerdos hozando en la tierra.

Cefear. intr. *Sal.* **Hozar.**

Cefeida. (De *Cefeo,* constelación boreal.) f. *Astron.* Se dice de la estrella variable cuyo período guarda relación con el brillo absoluto, por lo que se puede calcular su distancia comparando ese brillo con el aparente.

Cefeo. (Del lat. *Cephēus,* y éste del gr. Κηφεύς.) m. *Astron.* Constelación boreal, poco importante por su extensión y el resplandor de sus estrellas, situada cerca de la Osa Mayor.

Céfiro. (Del lat. *zephȳrus,* y éste del gr. ζέφυρος.) m. **Poniente,** 2.ª acep. || **2.** poét. Cualquier viento suave y apacible. || **3.** Tela de algodón casi transparente y de colores variados.

Cefo. (Del lat. *cēphus,* y éste del gr. κῆφος, mono de cola larga.) m. Mamífero cuadrumano, originario de la Nubia, de unos seis decímetros de largo, sin contar la cola, y con el cuerpo rojo, menos la nariz, que es blanca.

Cefrado, da. adj. *Extr.* Cansado, agotado, especialmente por efecto de haber corrido.

Cegador, ra. (De *cegar,* deslumbrar.) adj. Que ciega o deslumbra. || **2.** ant. Adulador y lisonjero. Usáb. t. c. s.

Cegajear. (Del m. or. que *cegajo.*) intr. ant. Tener malos los ojos. || **2.** ant. Ver poco.

Cegajez. (Del m. or. que *cegajo.*) f. ant. Dolencia de los ojos.

Cegajo, ja. (Del lat. **caecacŭlus,* d. de *caecus,* ciego.) m. adj. Dícese del cordero o chivo que no llega a primal. Ú. t. c. s.

Cegajoso, sa. (De *cegar.*) adj. Que habitualmente tiene cargados y llorosos los ojos. Ú. t. c. s.

Cegama. com. *Ál.* **Cegato.**

Cegamiento. (De *cegar.*) m. ant. **Ceguedad.**

Cegar. (Del lat. *caecāre.*) intr. Perder enteramente la vista. || **2.** tr. Quitar la vista a alguno. || **3.** fig. Ofuscar el entendimiento, turbar o extinguir la luz de la razón, como suelen hacer los afectos y pasiones desordenadas. Ú. t. c. intr. || **4.** fig. Cerrar, macizar alguna cosa que antes estaba hueca o abierta; como puerta, pozo, cañería, etc. || **5.** fig. Tratándose de conductos, veredas u otros pasos estrechos, impedir, embarazar con broza, piedras u otros estorbos el tránsito por ellos. || **Antes ciegues que tal veas.** fr. fig. y fam. Que en ninguna manera suceda el mal que otro nos predice o anuncia.

Cegarra. (De *ciego.*) adj. fam. **Cegato.** Ú. t. c. s.

Cegarrita. (d. de *cegarra.*) adj. fam. Dícese de la persona que por debilidad de la vista necesita recogerla mucho para poder ver. Ú. t. c. s. || **A cegarritas.** m. adv. fam. **A ojos cegarritas.**

Cegatero, ra. (Del ár. *saqqāṭ*, revendedor.) m. y f. ant. **Regatón,** 2.° art.

Cegato, ta. (Del lat. *caecātus*, cegado.) adj. fam. Corto de vista, o de vista escasa. Ú. t. c. s.

Cegatoso, sa. adj. **Cegajoso.** Ú. t. c. s.

Cegesimal. adj. V. **Sistema cegesimal.**

Cegrí. (Del ár. *tagrī*, fronterizo.) m. Individuo de una familia del reino musulmán de Granada. || **Cegríes y abencerrajes.** loc. fig. **Tirios y troyanos.**

Ceguecillo, lla. adj. d. de **Ciego.** Ú. t. c. s.

Ceguedad. (De *ciego.*) f. Total privación de la vista. || **2.** fig. Alucinación, afecto que ofusca la razón.

Ceguera. (De *ciego.*) f. **Ceguedad.** || **2.** Especie de oftalmía que suele dejar ciego al enfermo.

Ceguezuelo, la. adj. d. de **Ciego.** Ú. t. c. s.

Ceiba. (Voz haitiana.) f. *Bot.* Árbol americano, de la familia de las bombacáceas, de unos 30 metros de altura, con tronco grueso, limpio y de color ceniciento, copa extensa casi horizontal, ramas rojizas y espinosas, hojas palmeadas, flores rojas axilares, y frutos cónicos de unos 30 centímetros de largo, que contienen seis semillas pequeñas envueltas en gran cantidad de una especie de algodón, usado para rellenar almohadas. Con su madera se fabrican celulosa y piezas como adoquines para suelo de las calles; sus flores, rojas, son tintóreas. || **2.** Alga de figura de cinta, de unos tres decímetros de largo y menos de un centímetro de ancho, que se cría en el océano.

Ceibal. m. Lugar plantado de ceibas o ceibos.

Ceibo. m. *Bot.* Árbol americano, de la familia de las papilionáceas, notable por sus flores de cinco pétalos, rojas y brillantes, que nacen antes que las hojas, que son lanceoladas, verdes por la haz y gríseas por el envés; fruto de unos 15 centímetros de largo, peludo y con semillas ovoides. Tiene diferentes nombres según la región en que se cría.

Ceibón. m. *Cuba.* Especie de ceiba, que alcanza más de 20 metros de altura. Su madera es ligera; la corteza, verdosa; las hojas, lanceoladas, discoloras; las flores, blancas, y el fruto, grueso.

Ceilán. n. p. V. **Jacinto de Ceilán.**

Ceína. (Del gr. ζέα, espelta.) f. *Quím.* Substancia extraída del maíz.

Ceisatita. f. *Mineral.* Variedad de ópalo.

Ceja. (Del lat. *cilia*, pl. n. de *cilium*, ceja.) f. Parte prominente y curvilínea cubierta de pelo, sobre la cuenca del ojo. || **2.** Pelo que la cubre. || **3.** fig. Parte que sobresale un poco en algunas cosas, como en las encuadernaciones de los libros, en los vestidos, en algunas obras de arquitectura y carpintería, etc. || **4.** fig. Lista o banda de nubes que suele haber sobre las cumbres de los montes. || **5.** fig. Parte superior o cumbre del monte o sierra. || **6.** *Cuba.* Camino estrecho, senda o vereda en una faja de bosque. || **7.** *Bol.* y *R. de la Plata.* Sección de un bosque cortado por un camino. || **8.** *Mús.* Listón que tienen los instrumentos de cuerda entre el clavijero y el mástil, para apoyo y separación de las cuerdas. || **9.** *Mús.* **Cejuela,** 2.ª acep. || **Arquear las cejas.** fr. fam. Levantarlas, poniéndolas en figura de arco, como sucede cuando uno se admira. || **Dar a uno entre ceja y ceja.** fr. fig. y fam. Decirle en su cara alguna cosa que le sea muy sensible. || **Hasta las cejas.** m. adv. fig. y fam. Hasta lo sumo, al extremo. || **Llevar** uno, o **metérsele,** o **ponérsele,** a uno, **entre ceja y ceja** alguna cosa. fr. fig. y fam. **Tenerla entre ceja y ceja.** || **Quemarse uno las cejas.** fr. fig. y fam. Estudiar mucho. || **Tener a uno entre cejas,** o **entre ceja y ceja.** fr. fig. y fam. Mirarle con prevención desfavorable. || **Tener** uno **entre ceja y ceja** alguna cosa. fr. fig. y fam. Fijarse en un pensamiento o propósito.

Cejadero. m. En los carruajes, tirante que se asegura en la retranca de la guarnición, y, trabado en el roscón que se encaja en la lanza, sirve para cejar y retroceder.

Cejador. m. **Cejadero.**

Cejar. (Del lat. *cēssāre*, retirarse.) intr. Retroceder, andar hacia atrás, ciar. || **2.** Andar hacia atrás las caballerías que tiran de un carruaje. || **3.** fig. Aflojar o ceder en un negocio, empeño o discusión.

Ceje. (Del ár. *šīḥ*, planta aromática.) m. *Murc.* Cierta mata que se emplea para curar las erupciones.

Cejijunto, ta. (De *ceja* y *junto.*) adj. Que tiene las cejas muy pobladas de pelo hacia el entrecejo, de suerte que casi se juntan. || **2.** fig. **Ceñudo.**

Cejilla. f. *Mús.* **Ceja,** 8.ª acep. || **2. Cejuela,** 2.ª acep.

Cejo. (Del lat. *cilium*, ceja.) m. Niebla que suele levantarse sobre los ríos y arroyos después de salir el Sol. || **2.** ant. Ceño o sobrecejo. || **3.** *Murc.* Corte vertical y profundo de una montaña.

Cejo. m. Atadura de esparto con que se sujetan los manojos de la misma planta.

Cejudo, da. adj. Que tiene las cejas muy pobladas y largas.

Cejuela. f. d. de **Ceja.** || **2.** *Mús.* Pieza suelta que, aplicada transversalmente sobre la encordadura de la guitarra y sujeta al mástil por medio de una abrazadera o de otro modo, sirve para elevar por igual la entonación del instrumento.

Cejunto, ta. adj. **Cejijunto.**

Cela. (Del lat. *cĕlla*, dormitorio, hueco.) f. ant. **Celda.** || **2.** ant. **Cilla.**

Celada. (Del lat. [*cassis*] *caelata*, [yelmo] cincelado.) f. Pieza de la armadura, que servía para cubrir y defender la cabeza. || **2.** Parte de la llave de la ballesta, que se arrima a la quijera. || **3.** Soldado de a caballo que usaba **celada.** || **borgoñota.** Pieza de la armadura, que, dejando descubierta la cara, cubría y defendía la parte superior de la cabeza.

Celada. (De *celar*, 2.° art.) f. Emboscada de gente armada en paraje oculto, acechando al enemigo para asaltarle descuidado o desprevenido. || **2.** Engaño o fraude dispuesto con artificio o disimulo. || **A celada de bellacos, más vale por los pies que por las manos.** ref. que enseña cómo es mejor huir que rechazar por la fuerza las añagazas traicioneras. || **A quien has descubierto celada, de ése te guarda.** ref. que manifiesta cuán peligroso es descubrir un secreto, pues el primero a quien se le confía suele aprovecharse de él en contra del que tuvo la debilidad de confiárselo. || **Caer** uno **en la celada.** fr. fig. **Caer en el lazo.**

Celadamente. adv. m. ant. A escondidas, encubiertamente.

Celador, ra. (Del lat. *celātor.*) adj. Que cela o vigila. || **2.** m. y f. Persona destinada por la autoridad para ejercer vigilancia.

Celaduría. f. Oficina o despacho del celador.

Celaje. (De *cielo.*) m. Aspecto que presenta el cielo cuando hay nubes tenues y de varios matices. Ú. m. en pl. || **2.** Claraboya o ventana, y la parte superior de ella. || **3.** fig. Presagio, anuncio o principio de lo que se espera o desea. || **4.** *Mar.* Conjunto de nubes.

Celajería. (De *celaje.*) f. *Mar.* **Celaje,** 4.ª acep.

Celambre. f. Celos, 6.ª acep. de **Celo.**

Celán. m. Especie de arenque.

Celandés, sa. adj. **Zelandés.** Apl. a pers., ú. t. c. s.

Celante. p. a. ant. de **Celar.** Que cela. || **2.** adj. Dícese del religioso franciscano que, a diferencia de los llamados conventuales, observa la regla rígidamente en cuanto a no poseer bienes.

Celar. (Del lat. *zelāre*, emular.) tr. Procurar con particular cuidado el cumplimiento y observancia de las leyes, estatutos u otras obligaciones o encargos. || **2.** Observar los movimientos y acciones de una persona por recelos que se tienen de ella. || **3.** Vigilar a los dependientes o inferiores; cuidar de que cumplan con sus deberes. || **4.** Atender con esmero al cuidado y observación de la persona amada, por tener celos de ella. || **5.** ant. **Recelar,** 1.ª acep.

Celar. (Del lat. *celāre.*) tr. **Encubrir,** ocultar. Ú. t. c. r.

Celar. (Del lat. *caelāre.*) tr. Grabar en láminas de metal o madera para sacar estampas. || **2.** Cortar con buril o cinceles metal, piedra o madera, para darles alguna forma o esculpir con cualquiera de ellos.

Celastráceo, a. (De *celastrus*, nombre de un género de plantas, y éste del gr. κήλαστρος, cambrón.) adj. *Bot.* Dícese de árboles y arbustos angiospermos dicotiledóneos que tienen hojas opuestas o alternas, con estípulas; flores hermafroditas o unisexuales, con cáliz y corola tetrámeros o pentámeros; fruto seco, dehiscente, y semillas con arilo; como el bonetero. Ú. t. c. s. f. || **2.** f. pl. *Bot.* Familia de estas plantas.

Celastríneo, a. adj. *Bot.* **Celastráceo.**

Celastro. (Del gr. κήλαστρος, cambrón.) m. *Bot.* Arbusto de la familia de las celastráceas, del que se conocen varias especies que viven en América Septentrional y en África.

Celda. (Del lat. *cellŭla*, d. de *cella*, cela.) f. Aposento destinado al religioso o religiosa en su convento. || **2.** Aposento individual en colegios y otros establecimientos análogos. || **3.** Cada uno de los aposentos donde se encierra a los presos en las cárceles celulares. || **4. Celdilla,** 1.ª acep. || **5.** ant. Alojamiento o camarote que tiene el patrón en su **nave.** || **6.** ant. Cámara o aposento.

Celdilla. (d. de *celda.*) f. Cada una de las casillas de que se componen los panales de las abejas, avispas y otros insectos. || **2.** fig. **Nicho,** 1.ª acep. || **3. Célula,** 1.ª acep. || **4.** *Bot.* Cada uno de los huecos que ocupan las simientes en la caja o cajilla.

Celdrana. f. *Murc.* Variedad de aceituna gorda.

Cele. m. *C. Rica.* Celeque.

Celebérrimo, ma. (Del lat. *celeberrimus.*) adj. sup. de **Célebre.**

Celebración. (Del lat. *celebratĭo, -ōnis.*) f. Acción de celebrar. || **2.** Aplauso, aclamación.

Celebrador, ra. (Del lat. *celebrātor.*) adj. Que celebra o aplaude alguna cosa. || **2.** m. y f. ant. Persona que mandaba celebrar a sus expensas la fiesta de algún santo en el templo.

Celebrante. p. a. de **Celebrar.** Que celebra. || **2.** m. Sacerdote que está diciendo misa o preparado para decirla.

Celebrar. (Del lat. *celebrāre.*) tr. Alabar, aplaudir, encarecer a una persona o cosa. || **2.** Reverenciar, venerar solemnemente con culto público los misterios de la religión y la memoria de sus santos. || **3.** Hacer solemnemente y con los requisitos necesarios alguna función, junta o contrato. || **4. Decir misa.** Ú. t. c. intr.

Célebre. (Del lat. *celĕber, -bris.*) adj. **Famoso,** 1.ª y 3.ª aceps.

Célebremente. adv. m. Con celebridad.

Celebrero. (De *celebrar.*) m. ant. Clérigo que asistía a los entierros.

Celebridad. (Del lat *celebrĭtas, -ātis.*) f. Fama, renombre o aplauso que tiene una persona o cosa. || **2.** Conjunto de aparatos, festejos y otras cosas con que se solemniza y celebra una fiesta o suceso. || **3.** Persona famosa.

Celebro. m. **Cerebro.**

Celedón. adj. **Verdeceledón.**

Celemí. (Del ár. *ṯumnī*, relativo a la octava parte, o sea el tomín.) m. ant. **Celemín.**

Celemín. (De *celemí.*) m. Medida de capacidad para áridos, que tiene cuatro cuartillos y equivale en Castilla a 4.625 mililitros. || **2.** Porción de grano, semillas u otra cosa semejante que llena exactamente la medida del **celemín.** || **3.** Medida antigua superficial que en Castilla equivalía próximamente a 537 metros cuadrados, espacio de terreno que se consideraba necesario para sembrar un **celemín** de trigo. || **Celemín por celemín, de trigo a mi rocín.** ref. que se aplica a los que en son de terciar en disputa ajena, buscan o logran su provecho.

Celeminada. (De *celemín.*) f. **Celemín,** 2.ª acep.

Celeminear. intr. *Sal.* Andar de un sitio para otro.

Celeminero. (De *celemín.*) m. **Mozo de paja y cebada.**

Celentéreo. (Del gr. κοῖλος, hueco, y ἔντερον, intestino.) adj. *Zool.* Dícese del animal de simetría radiada cuyo cuerpo, de paredes no perforadas, contiene una sola cavidad, llamada digestiva o gastrovascular, que comunica con el exterior por un orificio único. Constituyen uno de los grandes grupos en que se divide el reino animal. Ú. t. c. s. || **2.** m. pl. *Zool.* Grupo que forman estos animales.

Celeque. (Del azteca *celic.*) adj. *El Salv.* y *Hond.* Dícese de las frutas tiernas o en leche.

Celera. f. Celos, 6.ª acep. de **Celo.**

Celerado, da. (Del lat. *scelerātus*, de *scelus*, maldad.) adj. ant. Malvado, perverso.

Celeramiento. (De *celerar.*) m. ant. **Aceleramiento.**

Celerar. (Del lat. *celerāre.*) tr. ant. **Acelerar.**

Celerario, ria. adj. ant. **Celerado.**

Célere. (Del lat. *celer, -ĕris.*) adj. Pronto, rápido. || **2.** m. Individuo del orden ecuestre en los primeros tiempos de Roma. || **3.** f. pl. *Mit.* Las horas.

Celeridad. (Del lat. *celerĭtas, -ātis.*) f. Prontitud, rapidez, velocidad.

Celerizo. m. ant. **Cellerizo.**

Celescopio. (Del gr. κοῖλος, hueco, y σκοπέω, examinar.) m. *Fís.* Aparato que sirve para iluminar las cavidades de un cuerpo orgánico.

Celesta. f. *Mús.* Instrumento de teclado en que los macillos producen el sonido golpeando láminas de acero.

Celeste. (Del lat. *caelestis.*) adj. Perteneciente al cielo. *Los cuerpos* CELESTES; *la* CELESTE *eternidad.* || **2.** V. **Azul celeste.** Ú. t. c. s. || **3.** V. **Bóveda, esfera, globo, mecánica, ocular celeste.** || **4.** *Astrol.* V. **Casa, estado, figura, tema celeste.**

Celestial. (De *celeste.*) adj. Perteneciente al cielo, considerado como la mansión eterna de los bienaventurados. || **2.** fig. Perfecto, delicioso. || **3.** irón. Bobo, tonto o inepto. || **4.** fig. V. **Música, patria celestial.**

Celestialmente. adv. m. Por virtud, orden o disposición del cielo. || **2.** fig. Perfecta, agradable, admirablemente.

Celestina. (Por alusión al personaje de la *Tragicomedia de Calixto y Melibea.*) f. fig. **Alcahueta.**

Celestina. (De *celeste.*) f. Mineral formado por sulfato de estronciana, de color azulado generalmente y de fractura concoidea; es insoluble en los ácidos y comunica a la llama vivo color carmesí.

Celestina. f. Avecita canora, de Tucumán, de alas verdes y azuladas, y lo demás del cuerpo de amarillo claro.

Celestinesco, ca. (De *celestina*, 1.er art.) adj. Propio o perteneciente a la celestina.

Celestino, na. adj. Dícese del religioso que profesa la orden de los eremitas, fundada por el papa Celestino V en 1251 e incorporada más tarde por Urbano IV a la orden de San Benito. Ú. t. c. s. || **2.** Perteneciente o relativo a esta orden.

Celestre. (De *celeste*, por el color.) m. Baño o calda que se daba a los paños.

Celfo. m. **Cefo.**

Celia. (Voz de la primitiva lengua española.) f. Bebida de los antiguos españoles, que se hacía de trigo echado en infusión, al modo de la cerveza o de la chicha.

Celiaca. (Del lat. *coeliăca*, t. f. de *-cus*, celiaco.) f. *Med.* Diarrea blanquecina.

Celiaco, ca [Celíaco, ca]. (Del lat. *coeliăcus*, y éste del gr. κοιλιακός, de κοιλία, vientre.) adj. *Zool.* Perteneciente o relativo al vientre o a los intestinos. || **2.** *Zool.* V. **Arteria celiaca.** Ú. t. c. s. || **3.** *Med.* Enfermo de celiaca. Ú. t. c. s. || **4.** *Med.* Perteneciente a esta enfermedad.

Celibato. (Del lat. *caelibātus.*) m. **Soltería.** || **2.** fam. Hombre célibe.

Célibe. (Del lat. *caelebs, -ĭbis.*) adj. Dícese de la persona que no ha tomado estado de matrimonio. Ú. t. c. s.

Célico, ca. (Del lat. *caelĭcus*, celeste.) adj. poét. **Celeste,** 1.ª acep. || **2.** poét. **Celestial,** 2.ª acep.

Celícola. (Del lat. *caelum*, cielo, y *colĕre*, habitar.) m. Habitante del cielo.

Celidonato. m. *Quím.* Sal resultante de la combinación del ácido celidónico con una base.

Celidonia. (Del lat. *chelidonĭa*, y éste del gr. χελιδόνιον, d. de χελιδών, golondrina, porque vulgarmente se creía que esta ave la usaba para dar vista a sus polluelos.) f. Hierba de la familia de las papaveráceas, con tallo ramoso de unos cinco decímetros de altura, hojas verdes por encima y amarillentas por el envés, flores en umbela, pequeñas y amarillas, y por frutos vainas capsulares muy delgadas. Por cualquiera parte que se corte, echa un jugo amarillo y cáustico que se ha usado en medicina, principalmente para quitar las verrugas. || **menor.** Hierba de la familia de las ranunculáceas, de tallo tendido, hojas lustrosas acorazonadas, enteras o festoneadas, y flores amarillas. Es venenosa y se la ha empleado en medicina.

Celidónico, ca. adj. *Quím.* Dícese de un ácido contenido en la celidonia, en combinación con la cal y con ácidos orgánicos.

Celidueña. f. ant. **Celidonia.**

Celinda. f. **Jeringuilla,** 1.er art.

Celindrate. (Del cat. *celindrat*, de *celindre*, cilantro.) m. Guisado compuesto con cilantro.

Celo. (Del lat. *zelus*, y éste del gr. ζῆλος.) m. Impulso íntimo que promueve las buenas obras. || **2.** Amor extremado y eficaz a la gloria de Dios y al bien de las almas. || **3.** Por ext., cuidado del aumento y bien de otras cosas o personas. || **4.** Recelo que uno siente de que cualquier afecto o bien que disfrute o pretenda, llegue a ser alcanzado por otro. || **5.** Apetito de la generación en los irracionales. || **6.** pl. Sospecha, inquietud y recelo de que la persona amada haya mudado o mude su cariño, poniéndolo en otra. || **Dar celos.** fr. Dar una persona motivo para que otra los sienta. || **Los celos, a las veces, despiertan a quien duerme.** ref. que enseña el peligro de ser celoso sin fundamento, porque puede dar lugar a que los **celos** lleguen a ser fundados. || **Pedir celos.** fr. Hacer cargo a la persona amada de haber puesto su cariño en otra.

Celofán. (Del fr. *cellophane;* de *cell-*, abrev. de celulosa, y *phane*, del gr. φαίνω, mostrar.) m. Tejido delgado y flexible, a manera de papel transparente, hecho de viscosa solidificada. Se usa principalmete para envolver objetos y preservarlos de la humedad.

Celoidina. f. Preparación que se emplea en papeles fotográficos, que los hace sensibles a la luz.

Celosa. f. *Bot. Cuba.* Arbusto espinoso, de la familia de las verbenáceas, de flores azuladas, en espiga, y madera amarilla, con vetas suaves, dura, compacta y pesada.

Celosamente. adv. m. Con celo.

Celosía. (De *celoso.*) f. Enrejado de listoncillos de madera o de hierro, que se pone en las ventanas de los edificios y otros huecos análogos, para que las personas que están en lo interior vean sin ser vistas. || **2.** Por ext., enrejado parecido a la **celosía.** || **3. Celotipia.**

Celoso, sa. (Del lat. *zelōsus.*) adj. Que tiene celo, o celos. || **2. Receloso.** || **3.** *Mar.* Aplícase a la embarcación que por falta de estabilidad suficiente aguanta poca vela.

Celotipia. (Del lat. *zelotypĭa*, y éste del gr. ζηλοτυπία, de ζηλότυπος, celoso.) f. Pasión de los celos.

Celsitud. (Del lat. *celsitūdo*, de *celsus*, elevado.) f. Elevación, grandeza y excelencia de alguna cosa o persona. || **2. Alteza,** 3.ª acep. Diose este tratamiento en lo antiguo a las personas reales.

Celta. (Del lat. *celta.*) adj. Dícese del individuo de una nación que se estableció en parte de la antigua Galia, de las Islas Británicas y también de España. Ú. t. c. s. || **2.** Perteneciente a dicha nación. || **3.** m. Idioma de los **celtas.**

Celtibérico, ca. (Del lat. *celtibērĭcus.*) adj. **Celtíbero,** 1.ª acep. Ú. t. c. s. || **2.** Perteneciente a la Celtiberia, territorio de la España Tarraconense que se extendía por gran parte de las actuales provincias de Zaragoza, Teruel, Cuenca, Guadalajara y Soria.

Celtiberio, ria. (Del lat. *celtiberius.*) adj. **Celtibérico.** Apl. a pers., ú. t. c. s.

Celtíbero, ra [Celtibero, ra]. adj. Natural de la antigua Celtiberia. Ú. t. c. s. || **2. Celtibérico,** 2.ª acep.

Céltico, ca. (Del lat. *celtĭcus.*) adj. Perteneciente a los celtas.

Celtídeo, a. (Del lat. *celtis*, almez.) adj. *Bot.* Dícese de árboles o arbustos pertenecientes a la familia de las ulmáceas, con hojas alternas, enteras o aserradas, casi siempre de tres nervios, estípulas caedizas, flores hermafroditas o unisexuales, solitarias, en racimo o en panoja, y por frutos drupas carnosas con una sola semilla; como el almez. Ú. t. c. s. || **2.** f. pl. *Bot.* Familia de estas plantas.

Celtismo. (De *celta.*) m. Doctrina que supone ser la lengua céltica origen de la mayoría de las modernas. || **2.** Tendencia de algunos arqueólogos a reputar célticos los monumentos megalíticos. || **3.** Amor al estudio de lo relativo al pueblo celta.

Celtista. com. Persona que cultiva la lengua y literatura célticas.

Celtohispánico, ca. adj. Dícese de los monumentos o restos de la cultura céltica existentes en la península española.

Celtohispano, na. adj. Celtohispánico.

Celtolatino, na. adj. Dícese de las palabras de origen céltico incorporadas al latín.

Celtre. m. ant. Acetre.

Célula. (Del lat. *cellŭla*, d. de *cella*, hueco.) f. Pequeña celda, cavidad o seno. ‖ **2.** *Biol.* Cada uno de los dos elementos, generalmente microscópicos, constituídos por protoplasma y dotados de vida propia, que, según la teoría celular, son las unidades morfológicas y fisiológicas que componen el cuerpo de las plantas y de los animales. ‖ **huevo. Cigoto.** ‖ **pigmentaria.** La que contiene glándulas de pigmento.

Celulado, da. adj. Provisto de células o dispuesto en forma de ellas.

Celular. (De *célula*.) adj. Perteneciente o relativo a las células. ‖ **2.** *For.* Dícese del establecimiento carcelario donde los reclusos están sistemáticamente incomunicados.

Celulario, ria. adj. Compuesto de muchas celdillas o células.

Celulita. (De *célula*.) f. Especie de pasta, muy usada en la industria, que se obtiene machacando la fibra leñosa y mezclándola con substancias minerales, cera y caucho.

Celuloide. (Del lat. *cellŭla*, hueco, y el gr. εἶδος, forma.) m. Substancia fabricada con pólvora de algodón y alcanfor. Es un cuerpo sólido, casi transparente y muy elástico, que se emplea en la industria y las artes para imitar el marfil, la concha, el coral, etc.

Celulosa. (Del lat. *cellŭla*, hueco.) f. *Quím.* Cuerpo sólido insoluble en el agua, el alcohol y el éter, perteneciente al grupo químico de los hidratos de carbono, que forma casi totalmente la membrana envolvente de las células vegetales. Mediante la ebullición en ácidos minerales concentrados se descompone en hidratos de carbono más sencillos, y con el ácido nítrico da un compuesto fulminante análogo a la nitroglicerina. Compone casi por completo el papel blanco sin cola. ‖ **nítrica.** *Quím.* La que sirve para formar el colodión.

Cella. f. *Arq.* Espacio interior de los templos griegos y romanos comprendido entre el pronaos y el pórtico.

Cellar. (Del lat. *circulāris*.) adj. V. **Hierro cellar.**

Cellenca. f. Mujer pública.

Cellenco, ca. (Del lat. *senicŭlus*, d. de *senex*, viejo.) adj. fam. Dícese de la persona que, por vejez o achaques, no se maneja sino con trabajo y dificultad.

Cellerizo. m. ant. **Cillerizo.** ‖ **2.** Cillerero.

Cellero. (Del lat. *cellarius*.) m. ant. **Cillero.**

Cellisca. f. Temporal de agua y nieve muy menuda, impelidas con fuerza por el viento.

Cellisquear. intr. Caer agua y nieve muy menuda, impelidas con fuerza por el viento.

Cello. (Del lat. *cingŭlum*, ceñidor.) m. Aro con que se sujetan las duelas de las cubas, comportas, pipotes, etc.

Cembo. m. *León.* Cada uno de los caballones que hay a los bordes de un río, arroyo, canal o acequia, así como los de los senderos y caminos.

Cembrio. m. *León.* Parte superior de la ladera de una montaña, muy batida por el viento, que ofrece paso fácil al viandante en tiempo de nieve.

Cementación. f. Acción y efecto de cementar.

Cementar. (De *cemento*.) tr. Calentar una pieza de metal en contacto con otra materia en polvo o en pasta; como el hierro con el carbón, para convertirlo en acero; el cobre con verdete, sal amoniaco y vinagre, para broncear su superficie, etc. ‖ **2.** *Min.* Meter barras de hierro en disoluciones de sales de cobre para que este metal se precipite.

Cementerial. adj. Perteneciente al cementerio.

Cementerio. (Del lat. *coemeterĭum*, y éste del gr. κοιμητήριον.) m. Terreno descubierto, pero cercado con muralla, destinado a enterrar cadáveres.

Cemento. (Del lat. *cementum*, usado en la Vulgata por argamasa.) m. Cal muy hidráulica. ‖ **2.** Materia con que se cementa una pieza de metal. ‖ **3.** Masa mineral que une los fragmentos o arenas de que se componen algunas rocas. ‖ **4.** *Zool.* Tejido óseo que cubre el marfil en la raíz de los dientes de los vertebrados. ‖ **armado. Hormigón armado.** ‖ **de Pórtland.** Cemento hidráulico así llamado por su color, semejante al de la piedra de las canteras inglesas de Pórtland. ‖ **real.** Pasta compuesta de cuatro partes de arcilla seca, una de caparrosa y otra de sal marina, que los orífices y plateros usaban para los apartados del oro.

Cementoso, sa. adj. Dícese de lo que tiene los caracteres del cemento.

Cempoal. m. *Méj.* Clavel de las Indias.

Cena. (Del lat. *coena*.) f. Comida que se toma por la noche. ‖ **2.** Acción de cenar. *La* CENA *duró tres horas.* ‖ **3.** Por antonom., última **cena** de Nuestro Señor Jesucristo con sus apóstoles. ‖ **4.** V. **Jueves de la cena.** ‖ **del rey.** En Navarra y Aragón, tributo que se pagaba al rey para su mesa, y equivalía al que en Castilla se pagaba con el nombre de yantar. ‖ **Acuéstate sin cena y amanecerás sin deuda.** ref. que amonesta a los que inmoderadamente gastan aun de lo que no es suyo. ‖ **A quien has de dar la cena, no le quites la merienda.** ref.; porque eso menos consumirá al cenar. Aplícase a lo moral. ‖ **Cenas, soles y Magdalenas tienen las sepulturas llenas.** ref. con que se reprenden los excesos dañosos para la salud. ‖ **La cena y la guerra comiénzala, que ella se atea.** ref. que advierte el peligro de comenzar ciertas cosas que pueden ser malas, puesto que ellas por sí mismas se acrecientan luego. ‖ **Más mató la cena, que sanó Avicena.** ref. que advierte que el cenar mucho es perjudicial a la salud. ‖ **Más vale acostarse sin cena que levantarse con deuda.** ref. **Acuéstate sin cena y amanecerás sin deuda.**

Cena. (Por *ecena*, del lat. *scaena*, escena.) f. ant. **Escena.**

Cenaaoscuras. (De *cenar* y *a oscuras*.) com. fig. y fam. Persona huraña. ‖ **2.** fig. y fam. Persona que por tacañería se priva de las comodidades regulares.

Cenáculo. (Del lat. *cenacŭlum*, cenador.) m. Sala en que Cristo Nuestro Señor celebró la última cena. ‖ **2.** fig. Reunión poco numerosa de personas que profesan las mismas ideas, y más comúnmente de literatos y artistas.

Cenacho. (Del ár. *ṣannāŷ*, capacho del molino de aceite.) m. Espuerta de esparto o palma, con una o dos asas, que sirve para llevar carne, pescado, hortalizas, frutas o cosas semejantes.

Cenadero. (Del lat. *cenatōrium*, cenador.) m. Sitio destinado para cenar. ‖ **2.** Cenador, 3.ª acep.

Cenado, da. (Del lat. *cenātus*, cenado.) adj. Dícese del que ha cenado.

Cenador, ra. (De *cenar*, 2.° art.) adj. Que cena. Ú. t. c. s. ‖ **2.** Que cena con exceso. Ú. t. c. s. ‖ **3.** m. Espacio, comúnmente redondo, que suele haber en los jardines, cercado y vestido de plantas trepadoras, parras o árboles. ‖ **4.** Cada una de las galerías que hay en la planta baja de algunas casas de Granada, a los lados del patio, sin pared que de él las separe y con un techo correspondiente, que suele servir de piso a otra galería alta.

Cenaduría. (De *cenador*.) f. *Méj.* Fonda o figón en que sirven comidas por la noche.

Cenagal. (Del ant. *cenagar*, del lat. **coenicāre*, de *coenum*, cieno.) m. Sitio o lugar lleno de cieno. ‖ **2.** fig. y fam. Negocio de difícil salida. Ú. con los verbos *meter*, *salir*, etc.

Cenagoso, sa. (Del lat. **coenicōsus*, de *coenum*, cieno.) adj. Lleno de cieno.

Cenal. m. *Mar.* Aparejo que llevan los faluchos y sirve para cargar la vela por alto.

Cenancle. m. *Méj.* Mazorca del maíz.

Cenar. m. ant. **Cena,** 1.er art.

Cenar. (Del lat. *coenāre*.) intr. Tomar la cena. ‖ **2.** tr. Comer en la cena tal o cual cosa. CENAR *perdices.* ‖ **Cena poco, come más, duerme en alto y vivirás.** ref. que expresa preceptos claros de higiene.

Cenata. (De *cena*, 1.er art.) f. *Colomb.* Cena copiosa y alegre entre amigos.

Cenca. f. *Perú.* Nombre que se da a la cresta de las aves.

Cencapa. f. *Perú.* Jáquima que se pone a la llama.

Cencellada. f. *Sal.* Rocío, escarcha.

Cenceño, ña. (Del lat. *sincerus*, puro, con cambio de sufijo.) adj. Delgado o enjuto. Dícese de las personas, de los animales y aun de las plantas. ‖ **2.** ant. Puro, sencillo, sin composición. ‖ **3.** V. **Pan cenceño.**

Cencerra. f. **Cencerro.**

Cencerrada. f. fam. Ruido desapacible que se hace con cencerros, cuernos y otras cosas para burlarse de los viudos la primera noche de sus nuevas bodas. *Dar* CENCERRADA.

Cencerrado, da. adj. ant. **Encerrado,** 2.ª acep.

Cencerrear. intr. Tocar o sonar insistentemente cencerros. ‖ **2.** fig. y fam. Tocar un instrumento destemplado, o tocarlo sin arreglo a la música; comúnmente se aplica a la guitarra. ‖ **3.** fig. y fam. Hacer ruido desapacible las aldabas y cerrojos; las puertas y ventanas cuando están flojas y las mueve el viento, y los hierros de coches, carros y máquinas cuando no están bien ajustados.

Cencerreo. m. Acción y efecto de cencerrear.

Cencerril. adj. ant. Perteneciente al cencerro.

Cencerrillas. f. pl. *Ál.* Colleras con campanillas o cencerros para las caballerías.

Cencerrión. m. ant. **Cerrión.**

Cencerro. (Del vasc. *cincerra*.) m. Campana pequeña y cilíndrica, tosca por lo común, hecha con chapa de hierro o de cobre. Se usa para el ganado y suele atarse al pescuezo de las reses. ‖ **zumbón.** El que se pone a la guía o cabestro, y por lo regular se le echa un sobrecerco a la boca para que suene más. ‖ **A cencerros tapados.** m. adv. Rellenando con hierbas u otra cosa, para que no suenen, los cencerros de las reses, por lo común cuando entran a comer sementeras o pastos del ganado de otro dueño. ‖ **2.** fig. y fam. Callada y cautelosamente. ‖ **Troque, troque; los cencerros míos y los bueyes de otre.** ref. dirigido a los que se contentan con las vanas apariencias de las cosas.

Cencerrón. m. Redrojo, 1.ª acep.

Cencido, da. (De *sencido*.) adj. Dícese de la hierba, dehesa o terreno antes de ser hollado.

Cencío. adj. *Sal.* Se aplica al terreno fértil. ‖ **2.** m. *Sal.* Frescor de la ribera.

Cencivera. f. *Ar.* Cierta clase de uva menuda y temprana.

Cenco. m. Reptil del orden de los ofidios, que vive en América.

Cencuate. m. *Méj.* Culebra venenosa de más de un metro de largo y muy pintada.

Cencha. (Del lat. *cingŭla*, pl. n. de *cingŭlum*, ceñidor.) f. Traviesa en que se fijan los pies de las butacas, camas, etc.

Cendal. (Del prov. *sendal*, y éste del lat. *sindon, -ōnis*, con cambio de sufijo.) m. Tela de seda o lino muy delgada y transparente. || **2. Humeral**, 3.ª acep. || **3.** Barbas de la pluma. || **4.** ant. Especie de guarnición para el vestido. || **5.** *Mar.* Embarcación moruna muy larga, con tres palos y aparejo de jabeque y armada en guerra por lo común. || **6.** pl. Algodones, 5.ª acep. de **Algodón.**

Cendalí. adj. Perteneciente o relativo al cendal.

Céndea. f. En Navarra, congregación de varios pueblos que componen un ayuntamiento.

Cendolilla. (De *cendal*.) f. Mozuela de poco juicio.

Cendra. (De *cendrar*.) f. Pasta de ceniza de huesos, limpia y lavada, con que se preparan las copelas para afinar el oro y la plata. || **Ser uno una cendra,** o **vivo como una cendra.** fr. fig. y fam. Tener mucha viveza.

Cendrada. (De *cendrar*.) f. **Cendra.** || **2.** Asiento de ceniza que se pone en la plaza del horno de afinar la plata.

Cendradilla. (d. de *cendra*.) f. *Min.* Horno pequeño de afinación para metales ricos.

Cendrado, da. (De *cendrar*.) adj. **Acendrado,** 2.ª acep.

Cendrar. (Del lat. *cinĕrāre*, hacer ceniza.) tr. **Acendrar.**

Cendrazo. (De *cendra*.) m. Parte de la copela que se arranca con los pallones de plata antes de pesarlos.

Cenefa. (Del ár. *ṣanifa*, borde o fimbria del vestido.) f. Lista sobrepuesta o tejida en los bordes de las cortinas, doseles, pañuelos, etc., de la misma tela y a veces de otra distinta. || **2.** En las casullas, lista de en medio, la cual suele ser de tela o color diferente de la de los lados. || **3.** Dibujo de ornamentación que se pone a lo largo de los muros, pavimentos y techos y suele consistir en elementos repetidos de un mismo adorno. || **4.** *Mar.* Madero grueso que rodea una cofa, o en que termina y apoya su armazón. || **5.** *Mar.* Cada uno de los cantos circulares de la armazón de los tambores en las ruedas de un vapor. || **6.** *Mar.* Tira de lona que cuelga de las relingas del toldo, para que no entre el sol por el costado.

Ceneja. f. *Murc.* Tejido de esparto; ceñidor.

Ceneque. m. *Germ.* **Panecillo,** 1.ª y 2.ª aceps.

Cenero. (Del lat. *sincērus*, intacto.) m. *Ar.* Terreno o campo no pacido.

Cenestesia. (Del gr. κοινός, común, y αἴσθησις, sensación.) f. *Fil.* Sensación general de la existencia del propio cuerpo, independiente de los sentidos, y resultante de la síntesis de las sensaciones, simultáneas y sin localizar, de los diferentes órganos y singularmente los abdominales y torácicos.

Cenestésico, ca. adj. Relativo o perteneciente a la cenestesia.

Cenete. (Del berber. *Zanāta*, tribu de ese nombre.) adj. Dícese del individuo de la tribu berberisca de Zeneta, una de las más antiguas y principales del África Septentrional. Ú. m. c. s. y en pl. || **2.** Perteneciente a esta tribu.

Cenhegí. (Del berber. *ṣinhāŷī*, de la tribu de los *Ṣinhāŷa*.) adj. Dícese del individuo de la tribu berberisca de Zanhaga, una de las más antiguas y principales del África Septentrional, y de cuyo seno salieron los almorávides. Ú. m. c. s. y en pl. || **2.** Perteneciente a esta tribu.

Cení. (Del ár. *ṣinī*, perteneciente o relativo a la China.) m. Especie de latón o de azófar muy fino.

Cenia. (Del m. or. que *aceña*, sin el art. *al*.) f. Azuda o máquina simple para elevar el agua y regar terrenos, muy usada al norte de la provincia de Valencia. || **2.** En Marruecos, **noria,** 1.ª acep. || **3.** En Marruecos, huerto o jardín que se riega con este artefacto.

Cenicense. adj. Natural de Cenia, villa de la provincia de Tarragona. Ú. t. c. s. || **2.** Perteneciente o relativo a dicha villa.

Cenicerense. adj. Natural de Cenicero, villa de la provincia de Logroño. Ú. t. c. s. || **2.** Perteneciente o relativo a dicha villa.

Cenicero. m. Espacio que hay debajo de la rejilla del hogar, para que en él caiga la ceniza. || **2.** Sitio donde se recoge o echa la ceniza. || **3.** Vasija o platillo donde deja el fumador la ceniza del cigarro.

Cenícero. m. *Amér. Merid.* **Cenízaro.**

Cenicienta. f. Persona o cosa injustamente postergada, desconsiderada o despreciada.

Ceniciento, ta. adj. De color de ceniza. || **2.** V. **Luz cenicienta.**

Cenicilla. (d. de *ceniza*.) f. **Oídio.**

Cenismo. (Del gr. κοινισμός.) m. Mezcla de dialectos.

Cenit. (Del m. or. que *acimut*, por error de transcripción de los copistas.) m. *Astron.* Punto del hemisferio celeste superior al horizonte, que corresponde verticalmente a un lugar de la Tierra.

Cenital. adj. Perteneciente o relativo al cenit. || **2.** V. **Ángulo, luz cenital.**

Ceniza. (Del lat. **cinisĭa*, de *cinis*.) f. Polvo de color gris claro que queda después de una combustión completa, y está formado, generalmente, por sales alcalinas y térreas, sílice y óxidos metálicos. || **2.** V. **Capón, día, miércoles de ceniza** || **3. Cenicilla.** || **4.** fig. Reliquias o residuos de un cadáver. Ú. m. en pl. || **5.** *Pint.* **Cernada,** 2.ª acep. || **azul,** o **cenizas azules.** Carbonato de cobre artificial, mezclado ordinariamente con cal y óxido de cobre. || **verde,** o **cenizas verdes.** Mezcla de sulfato de cobre con cierta combinación arsenical. || **Convertir en cenizas** una cosa. fr. fig. **Reducirla a cenizas.** || **Descubrir la ceniza.** fr. fig. y fam. Mover disputas y pleitos ya olvidados. || **Escribir en la ceniza.** fr. fig. **Escribir en la arena.** || **Hacer ceniza,** o **cenizas,** una cosa. fr. fig. **Reducirla a cenizas.** || **2.** fig. y fam. Destruirla, o disiparla del todo. || **Huir de la ceniza y caer en las brasas.** ref. que expresa cómo a veces, por alejar un mal pasajero, se cae en otro más grave. || **Poner a uno la ceniza en la frente.** fr. fig. y fam. Vencerle, excediéndole en alguna habilidad o convenciéndole en alguna disputa. || **Reducir a cenizas** una cosa. fr. fig. Destruirla, arruinarla, reduciéndola a partes muy pequeñas. *La artillería* REDUJO A CENIZAS *la muralla.* || **Tomar** uno **la ceniza.** fr. Recibirla en la frente de manos del sacerdote el primer día de cuaresma.

Cenizal. m. **Cenicero,** 2.ª acep.

Cenízaro. m. *Bot. C. Rica.* Árbol de ancha copa, de la familia de las mimosáceas, que se cubre de flores rosadas o rojas, según la variedad, y cuya fruta, en vainas, sirve de alimento al ganado. Su madera es dura y fina.

Cenizo, za. adj. **Ceniciento,** 1.ª acep. || **2.** m. *Bot.* Planta silvestre, de la familia de las quenopodiáceas, con tallo herbáceo, blanquecino, erguido, de seis a ocho decímetros de altura; hojas romboidales, dentadas, verdes por encima y cenicientas por el envés, y flores verdosas en panoja. || **3. Cenicilla.** || **4.** fam. Aguafiestas, persona que tiene mala sombra o que la trae a los demás.

Cenizoso, sa. adj. Que tiene ceniza. || **2.** Cubierto de ceniza. || **3. Ceniciento,** 1.ª acep.

Cenobial. adj. Perteneciente al cenobio.

Cenobio. (Del lat. *coenobĭum*, y éste del gr. κοινόβιον; de κοινός, común, y βίος, vida.) m. **Monasterio.**

Cenobita. (Del lat. *coenobīta*.) com. Persona que profesa la vida monástica.

Cenobítico, ca. adj. Perteneciente al cenobita.

Cenobitismo. m. Método de vida que observan los cenobitas. || **2.** Cosa peculiar de ellos.

Cenojil. (Del ant. *xenojil*, y éste der. del lat. *genŭcŭlum*, rodilla.) m. **Liga,** 1.ª acep.

Cenopegias. (Del lat. *scenopegĭa*, y éste del gr. σκηνοπηγία; de σκηνή, tienda, y πήγνυμι, fijar.) f. pl. **Fiesta de los tabernáculos.**

Cenoso, sa. (Del lat. *coenōsus*.) adj. ant. **Cenagoso.**

Cenotafio. (Del lat. *cenotaphĭum*, y éste del gr. κενοτάφιον; de κενός, vacío, y τάφος, sepulcro.) m. Monumento funerario en el cual no está el cadáver del personaje a quien se dedica.

Cenote. m. Depósito de agua que se halla en algunas cavernas de Méjico y otras partes de América, generalmente a gran profundidad de la tierra.

Cenozoico, ca. (Del gr. καινός, nuevo, y ζῷον, animal.) adj. *Geol.* Se aplica a los terrenos o formaciones que componen la parte superior de las tres en que se divide la corteza terrestre.

Censal. (De *censo*.) adj. *Ar.* **Censual.** || **2.** m. **Censo,** 5.ª acep.

Censalero. m. *Murc.* **Censatario.**

Censalista. com. *Ar.* **Censualista.**

Censar. intr. *C. Rica.* Hacer el censo o empadronamiento de los habitantes de algún lugar.

Censatario. m. El obligado a pagar los réditos de un censo.

Censido, da. adj. *For.* Gravado con censo.

Censo. (Del lat. *census*.) m. Padrón o lista que los censores romanos hacían de las personas y haciendas. || **2.** Padrón o lista de la población o riqueza de una nación o pueblo. || **3.** Contribución o tributo que entre los antiguos romanos se pagaba por cabeza, en reconocimiento de vasallaje y sujeción. || **4.** Pensión que anualmente pagaban algunas iglesias a su prelado por razón de superioridad u otras causas. || **5.** *For.* Contrato por el cual se sujeta un inmueble al pago de una pensión anual, como interés de un capital recibido en dinero, y reconocimiento de un dominio que no se transmite con el inmueble. || **6.** Registro general de ciudadanos con derecho de sufragio activo. || **al quitar. Censo** redimible. || **consignativo.** Aquel en que se recibe alguna cantidad por la cual se ha de pagar una pensión anual, asegurando dicha cantidad o capital con bienes raíces. || **de agua.** En Madrid, pensión que pagaban a la villa los dueños de casas que tenían agua de pie, a proporción de la que se les repartía. || **de por vida.** El que se impone por una o más vidas. || **enfitéutico. Enfiteusis.** || **fructuario.** El que se paga en frutos. || **irredimible. Censo** perpetuo que por pacto no podía redimirse nunca. En la actualidad todos son redimibles. || **mixto.** El que se impone sobre una finca, quedando además obligada la persona; de modo que aun cuando la finca perezca, pueda reclamarse la pensión. || **muerto. Censo irredimible.** || **perpetuo.** Imposición hecha sobre bienes raíces, en virtud de la cual queda obligado el comprador a pagar al vendedor cierta pensión cada año, contrayendo también la obligación de no poder enajenar la casa o heredad que con esta carga ha comprado, sin dar cuenta primero al señor del **censo**, para que use de una de dos acciones que le competen, que son: o tomarla por el tanto que otro diere, o percibir la veintena parte de todo el precio en que se ajustare; pero aunque no pague algunos años la pensión, o venda sin licencia, no cae en comiso, a menos que se pacte expresamente. || **reservativo.** Aquel en que se da un edificio o heredad con pacto de pagar el adquirente al enajenante cierta pensión cada año. || **Cargar censo.** fr. Imponerlo sobre alguna casa, hacienda, etc. || **Constituir un censo.** fr. Recibir o entregar un capital gravando fincas determinadas con las obligaciones consiguientes. || **2.** Trasladar el dominio útil, o el directo y útil de ellas, pactando pagar, el que recibe el capital o las fincas, el rédito anual dentro del límite señalado por las leyes. || **Fundar un censo.** fr. fig. Establecer una renta, hipotecando para su seguridad algunos bienes, que regularmente son raíces. || **Ser** uno, o una cosa, **un censo, o un censo perpetuo.** fr. fig. y fam. Ocasionar gastos repetidos o continuos.

Censor. (Del lat. *censor.*) m. Magistrado de la república romana, a cuyo cargo estaba formar el censo de la ciudad, velar sobre las costumbres de los ciudadanos y castigar con la pena debida a los viciosos. || **2.** El que de orden del gobierno o de autoridad competente examina obras literarias y emite su dictamen sobre ellas. || **3.** El que, en función gubernativa, interviene las comunicaciones telegráficas, telefónicas y en general todas las noticias destinadas a la publicidad. || **4.** En las academias y otras corporaciones, individuo encargado principalmente de velar por la observancia de estatutos, reglamentos y acuerdos. || **5.** El que es propenso a murmurar o criticar las acciones o cualidades de los demás.

Censorino, na. (De *censor.*) adj. **Censorio.**

Censorio, ria. (Del lat. *censorius.*) adj. Relativo al censor o a la censura.

Censual. (Del lat. *censuālis.*) adj. Perteneciente al censo.

Censualista. com. Persona a cuyo favor se impone o está impuesto un censo, o la que tiene derecho a percibir sus réditos.

Censuar. (Del lat. *census*, censo.) tr. ant. **Acensuar.**

Censuario. (Del lat. *censuarius.*) m. **Censatario.**

Censura. (Del lat. *censūra.*) f. Entre los antiguos romanos, oficio y dignidad de censor. || **2.** Dictamen y juicio que se hace o da acerca de una obra o escrito. || **3.** Nota, corrección o reprobación de alguna cosa. || **4.** Murmuración, detracción. || **5.** Pena eclesiástica del fuero externo, impuesta por algún delito con arreglo a los cánones. || **6.** Intervención que ejerce el censor gubernativo en las comunicaciones de carácter público, como telégrafos, teléfonos, etc. || **7.** ant. Padrón, asiento, registro o matrícula. || **ferendae sententiae. Excomunión ferendae sententiae.** || **latae sententiae. Excomunión latae sententiae.** || **Previa censura.** Examen y aprobación que anticipadamente hace la autoridad gubernativa de ciertos escritos antes de darse a la imprenta.

Censurable. adj. Digno de censura.

Censurador, ra. adj. Que censura. Ú. t. c. s.

Censurante. p. a. de **Censurar.** Que censura.

Censurar. (De *censura.*) tr. Formar juicio de una obra u otra cosa. || **2.** Corregir, reprobar o notar por mala alguna cosa. || **3.** Murmurar, vituperar. || **4.** ant. Hacer registro o matrícula.

Censurista. com. Persona que tiene propensión a censurar o reprender a las demás.

Centalla. (De *centella.*) f. Chispa que salta del carbón de madera cuando se enciende.

Centaura. (De *centaurea.*) f. Planta perenne, de la familia de las compuestas, de tallo ramoso, recto, de uno a dos metros de altura, con hojas grandes divididas en lacinias aserradas desigualmente, y flores de color pardo purpúreo en corimbo irregular, con cáliz de cabecilla escamosa. || **mayor. Centaura.** || **menor.** Planta de la familia de las gencianáceas, con tallo de tres a cuatro decímetros de altura, cuadrangular, lampiño por abajo y ramoso por arriba; hojas radicales lisas, pequeñas, aovadas y estrechas, y casi lineales las superiores; flores en ramillete, róseas o blancas y de forma de embudo partido en cinco pétalos.

Centaurea. (Del lat. *centaurēa.*) f. **Centaura.**

Centaurina. (De *centauro.*) f. *Quím.* Substancia que existe en ciertas plantas amargas y que se ha extraído del cardo bendito y del cardo estrellado.

Centauro. (Del lat. *centaurus*, y éste del gr. κένταυρος.) m. Monstruo fingido por los antiguos, mitad hombre y mitad caballo. || **2.** *Astron.* Constelación extensa del hemisferio austral, compuesta de estrellas muy brillantes, situada cerca y al occidente del Lobo y debajo de Virgo.

Centavo, va. (De *ciento* y *avo.*) adj. **Centésimo,** 2.ª acep. Ú. t. c. s. m. || **2.** m. Moneda americana de bronce, cobre o níquel, que vale un céntimo de peso.

Centella. (Del lat. *scintilla.*) f. **Rayo,** 3.ª acep. Dícese vulgarmente del de poca intensidad. || **2.** Chispa o partícula de fuego que se desprende o salta del pedernal herido con el eslabón o cosa semejante. || **3.** fig. Reliquia de algún vivo afecto del ánimo, de alguna discordia o de otras cosas semejantes. || **4.** *Ar.* Enfermedad del trigo, que seca la espiga antes de granar. || **5.** *Sal.* Hierba venenosa que se cría en los hondonales. || **6.** *Chile.* **Ranúnculo.** || **7.** *Germ.* **Espada,** 1.ª acep.

Centellador, ra. adj. Que centellea.

Centellante. p. a. de **Centellar.** Que centellea.

Centellar. (Del lat. *scintillāre.*) intr. **Centellear.**

Centelleante. p. a. de **Centellear.** Que centellea.

Centellear. (De *centella.*) intr. Despedir rayos de luz como indecisos o trémulos, o de intensidad y coloración variables por momentos.

Centelleo. m. Acción y efecto de centellear.

Centellón. m. aum. de **Centella,** 1.ª acep.

Centén. (De *centeno*, 2.° art.) m. Moneda española de oro, que valía cien reales, hoy 25 pesetas.

Centena. (Del lat. *centēna.*) f. *Arit.* Conjunto de cien unidades.

Centena. f. ant. Caña del centeno.

Centenada. (De *centeno*, 2.° art.) f. Cantidad como de ciento. || **A centenadas.** m. adv. fig. **A centenares.**

Centenal. m. **Centenar,** 1.er art.

Centenal. m. Sitio sembrado de centeno.

Centenal. m. *Ar.* El atador de una madeja.

Centenar. m. **Centena,** 1.er art. || **2. Centenario,** 4.ª acep. || **A centenares.** m. adv. con que se pondera el mucho número de algunas cosas.

Centenar. m. **Centenal,** 2.° art.

Centenario, ria. (Del lat. *centenarius.*) adj. Perteneciente a la centena. || **2.** Dícese de la persona que tiene cien años de edad, o poco más o menos. Ú. t. c. s. || **3.** m. Tiempo de cien años. || **4.** Fiesta que se celebra de cien en cien años. || **5.** Día en que se cumplen una o más centenas de años del nacimiento o muerte de alguna persona ilustre, o de algún suceso famoso. CENTENARIO *de Cervantes;* CENTENARIO *del Dos de Mayo.* || **6.** Fiestas que alguna vez se celebran con dichos motivos. || **7.** ant. **Centena,** 1.er art.

Centenaza. (De *centeno*, 1.er art.) adj. V. **Paja centenaza.** Ú. t. c. s.

Centenero, ra. adj. Aplícase al terreno en que se da bien el centeno.

Centenilla. f. Género de plantas primuláceas de América que comprende varias especies.

Centeno. (Del lat. *centēnum*, sobrentendiéndose *hordeum*, de *centum*, ciento.) m. Planta anua, de la familia de las gramíneas, muy parecida al trigo, con el tallo delgado, fuerte y flexible, de uno a dos metros de altura, hojas planas y estrechas, espiga larga, estrecha y comprimida, de la que se desprenden con facilidad los granos, que son de figura oblonga, puntiagudos por un extremo y envueltos en un cascabillo áspero por el dorso y terminado en arista. || **2.** Conjunto de granos de esta planta. Es muy alimenticia y sirve para los mismos usos que el trigo.

Centeno, na. (Del lat. *centenus.*) adj. **Centésimo,** 1.ª acep.

Centenoso, sa. adj. Mezclado con mucho centeno.

Centesimal. (De *centésimo.*) adj. Dícese de cada uno de los números del uno al noventa y nueve inclusive.

Centésimo, ma. (Del lat. *centesimus.*) adj. Que sigue inmediatamente en orden al o a lo nonagésimo nono. || **2.** Dícese de cada una de las cien partes iguales en que se divide un todo. Ú. t. c. s. m. y f.

Centi. (Del lat. *centum*, ciento.) Voz que sólo tiene uso como prefijo de vocablos compuestos, con la significación de cien; v. gr.: CENTI*mano;* o de centésima parte; v. gr.: CENTÍ*metro.*

Centiárea. f. Medida de superficie, que tiene la centésima parte de una área, es decir, un metro cuadrado.

Centígrado, da. (Del lat. *centum*, ciento, y *gradus*, grado.) adj. Que tiene la escala dividida en cien grados. *Termómetro* CENTÍGRADO.

Centigramo. m. Peso que es la centésima parte de un gramo.

Centilación. (Del lat. *scintillatio, -ōnis.*) f. ant. **Centelleo.**

Centilitro. m. Medida de capacidad que tiene la centésima parte de un litro.

Centiloquio. (Del lat. *centum*, ciento, y *eloquium*, habla, discurso.) m. Obra que tiene cien partes, tratados o documentos.

Centillero. m. Candelabro de siete luces, que se usa en la exposición del Santísimo Sacramento.

Centimano [Centímano]. (Del lat. *centimănus; de centum*, ciento, y *manus*, mano.) adj. De cien manos. Aplícase a Briareo y a otros gigantes que tenían cien manos, según la mitología. Ú. t. c. s.

Centímetro. m. Medida de longitud que tiene la centésima parte de un metro. || **cuadrado.** Medida superficial correspondiente a un cuadrado que tenga un **centímetro** de lado. || **cúbico.** Medida de volumen correspondiente a un cubo cuyo lado es un **centímetro,** y equivale a 138 líneas cúbicas.

Céntimo, ma. (Del fr. *centime*, con cambio de acento por analogía con *décimo.*) adj. **Centésimo,** 2.ª acep. || **2.** m. Moneda, real o imaginaria, que vale la centésima parte de la unidad monetaria, sea real, peseta, escudo o peso.

Centinela. (Del ital. *sentinella.*) amb. *Mil.* Soldado que vela guardando el puesto que se le encarga. || **2.** fig. Persona que está en observación de alguna cosa. || **de vista.** La que se pone al preso para que no le pierda de vista. || **perdida.** *Mil.* La que se envía para que, corriendo la campaña, observe mejor al enemigo, y va muy expuesta a perderse. || **Estar de centinela.** fr. *Mil.* Estar el soldado guardando algún puesto. || **Falsear las centinelas.** fr. *Mil.* **Falsear las guardas,** 2.ª acep. || **Hacer centinela.** fr. *Mil.* **Estar de centinela.**

Centinodia. (Del lat. *centinodĭa; de centum,* ciento, y *nodus,* nudo.) f. Planta de la familia de las poligonáceas, con hojas enteras, oblongas y pequeñas, tallos cilíndricos con muchos nudos y tendidos sobre la tierra, y pequeña la semilla, que es muy apetecida de las aves. Es medicinal. || **2.** Planta de la familia de las poligonáceas, de poco más de un metro de altura, con tallo recto y de articulaciones muy abultadas, hojas lanceoladas, flores en espiga terminal, inodoras y de color verde o de rosa.

Centiplicado, da. (Del lat. *centum,* ciento, y *plicātus,* doblado.) adj. Que está centuplicado.

Centipondio. (De *centum,* ciento, y *pondus,* peso.) m. **Quintal.**

Centola. f. **Centolla.**

Centolla. (Del lat. *centocŭla,* de cien ojos, por los tubérculos del carapacho.) f. Crustáceo decápodo marino, braquiuro, de caparazón casi redondo cubierto de pelos y tubérculos ganchudos, y con cinco pares de patas largas y vellosas. Vive entre las piedras y su carne es muy apreciada.

Centollo. m. **Centolla.**

Centón. (Del lat. *cento, -ōnis.*) m. Manta hecha de gran número de piecezitas de paño o tela de diversos colores. || **2.** Manta grosera con que antiguamente se cubrían las máquinas militares. || **3.** fig. Obra literaria, en verso o prosa, compuesta enteramente, o en la mayor parte, de sentencias y expresiones ajenas.

Centonar. (De *centón.*) tr. Amontonar cosas o trozos de ellas sin el orden debido. || **2.** fig. Componer obras literarias con retazos y sentencias de otras.

Centrado, da. (Del lat. *centrātus.*) adj. Dícese del instrumento matemático o de la pieza de una máquina cuyo centro se halla en la posición que debe ocupar. || **2.** *Blas.* V. **Globo, mundo centrado.**

Central. (De lat. *centrālis.*) adj. Perteneciente al centro. || **2.** Que está en el centro. || **3.** V. **Aduana, calefacción, central.** || **4.** f. Oficina donde están reunidos o centralizados varios servicios públicos de una misma clase. CENTRAL *de Correos, de Teléfonos.* || **5.** Casa o establecimiento principal de algunas empresas particulares. || **6.** Oficina donde se produce la energía eléctrica o se transforman las corrientes.

Centralismo. m. Doctrina de los centralistas.

Centralista. (De *central.*) adj. Partidario de la centralización política o administrativa. Apl. a pers., ú. t. c. s.

Centralización. f. Acción y efecto de centralizar o centralizarse.

Centralizador, ra. adj. Que centraliza.

Centralizar. (De *central.*) tr. Reunir varias cosas en un centro común, o hacerlas depender de un poder central. Ú. t. c. r. || **2.** Asumir el poder público facultades atribuidas a organismos locales.

Centrar. (De *centro.*) tr. Determinar el punto céntrico de una superficie o de un volumen. || **2.** Colocar una cosa de modo que su centro coincida con el de otra. || **3.** Entre cazadores, coger en el centro de la munición la pieza sobre la cual se ha disparado. || **4.** Hacer que se reúnan en el lugar conveniente los proyectiles de una arma de fuego, los rayos procedentes de un foco luminoso, etc. || **5.** *Carp.* y *Cerraj.* Colocar el objeto que se va a tornear de modo que las puntas del torno determinen el eje de rotación.

Centrarco. (Del gr. κέντρον, aguijón.) m. *Zool. Amér.* Pez teleósteo, del suborden de los acantopterigios, que tiene muchas espinas en las aletas.

Centrical. (De *céntrico.*) adj. ant. **Central.**

Céntrico, ca. (De *centro.*) adj. **Central.** || **2.** V. **Punto céntrico.**

Centrifugador, ra. adj. Dícese del aparato o máquina en que se aprovecha la fuerza centrífuga para sacar ciertas substancias o para separar los componentes de una masa o mezcla, según sus distintas densidades. Ú. t. c. s. || **2.** f. Máquina que se emplea en la fabricación del azúcar y en otras industrias.

Centrífugo, ga. (Del lat. *centrum,* centro, y *fugĕre,* huir.) adj. *Mec.* Que aleja del centro. || **2.** V. **Azúcar, bomba, fuerza centrífuga.**

Centrina. (Del gr. κέντρον, aguijón.) f. *Zool.* Pez selacio, del suborden de los escuálidos, que vive en el Mediterráneo y en el Atlántico y puede alcanzar más de un metro de longitud. Cada una de sus aletas dorsales, la primera de las cuales es mucho mayor que la segunda, está cruzada por una robusta espina, incluida casi por completo en el espesor de la aleta.

Centrípeto, ta. (Del lat. *centrum,* centro, y *petĕre,* ir, dirigir.) adj. *Mec.* Que atrae, dirige o impele hacia el centro. || **2.** *Mec.* V. **Fuerza centrípeta.**

Centris. m. Insecto himenóptero propio de la América del Sur.

Centrisco. (De gr. κεντρίσκος.) m. *Zool.* **Trompetero,** 3.ª acep.

Centro. (Del lat. *centrum,* y éste del gr. κέντρον, aguijón.) m. *Geom.* Punto en lo interior del círculo, del cual equidistan todos los de la circunferencia. || **2.** *Geom.* En la esfera, punto interior del cual equidistan todos los de la superficie. || **3.** *Geom.* En los polígonos y poliedros, punto en que todas las diagonales que pasan por él quedan divididas en dos partes iguales. || **4.** *Geom.* En las líneas y superficies curvas, punto de intersección de todos los diámetros. || **5.** Lo más distante o retirado de la superficie exterior de una cosa. || **6.** Lugar de donde parten o a donde convergen acciones particulares coordenadas. || **7.** Punto donde habitualmente se reúnen los miembros de una sociedad o corporación. || **8.** Ministerio, dirección general o cualquier otra dependencia de la administración del Estado. || **9.** Traje corto de bayeta que usan las indias y mestizas ecuatorianas. || **10.** fig. Fin u objeto principal a que se aspira. || **11.** fig. El punto o las calles más concurridos de una población. || **12.** *Cuba.* Saya de raso u otra tela de color, que se trasluce por el traje de género claro que se le sobrepone. || **13.** desus. *Cuba.* Terno de pantalón, camisa y chaleco. || **14.** *Cuba.* **Asiento,** 21.ª acep. || **15.** *Hond.* y *Méj.* **Chaleco.** || **16.** *Esgr.* Punto en que, según su situación y figura, está la fuerza del cuerpo. || **de gravedad.** *Fís.* Punto en donde, aplicando una sola fuerza vertical, se podrían equilibrar todas la de la gravedad que actúan en un cuerpo. || **de la batalla.** *Mil.* Parte del ejército, que está en medio de las dos alas. || **de mesa.** Vasija de porcelana, cristal o metal, que se utiliza frecuentemente para colocarla con flores en medio de las mesas de comedor. || **Centros nerviosos.** *Zool.* Parte del sistema nervioso, que recibe las impresiones de la periferia y transmite las excitaciones motrices a los órganos correspondientes. || **Estar uno en su centro.** fr. fig. Estar bien hallado y contento en algún lugar o empleo.

Centroamericano, na. adj. Natural de Centroamérica. Ú. t. c. s. || **2.** Perteneciente a esta parte del Nuevo Mundo.

Centrobárico, ca. (Del gr. κέντρον, aguijón, y βάρος, pesadez.) adj. *Mec.* Perteneciente o relativo al centro de gravedad.

Centunviral. (Del lat. *centumvirālis.*) adj. Perteneciente o relativo a los centunviros.

Centunvirato. (Del lat. *centumvirātus.*) m. Consejo de los centunviros.

Centunviro. (Del lat. *centumvir.*) m. Cada uno de los cien ciudadanos que en la antigua Roma, para conocer de ciertos asuntos civiles de importancia, asistían al pretor urbano a quien correspondía fallar.

Centuplicar. (Del lat. *centuplicāre; de centum,* ciento, y *plicāre,* doblar.) tr. Hacer cien veces mayor una cosa. || **2.** *Arit.* Multiplicar una cantidad por ciento.

Céntuplo, pla. (Del lat. *centŭplus.*) adj. *Arit.* Dícese del producto de la multiplicación por 100 de una cantidad cualquiera. Ú. t. c. s. m.

Centuria. (Del lat. *centurĭa.*) f. Número de cien años, siglo. || **2.** En la milicia romana, compañía de cien hombres.

Centurión. (Del lat. *centurio, -ōnis.*) m. Jefe de una centuria en la milicia romana.

Centurionazgo. m. Empleo de centurión.

Cenzalino, na. adj. Perteneciente al cénzalo.

Cénzalo. m. **Mosquito,** 1.ª acep.

Cenzaya. (Del vasc. *sein,* niño, y *zai,* guarda.) f. *Al.* **Cinzaya.**

Cenzayo. (De *cenzaya.*) m. *Ál.* Marido de la que ha sido cenzaya o niñera.

Cenzonte. (Del azteca *centzontli,* cuatrocientas veces.) m. *Hond.* y *Méj.* **Sinsonte.**

Ceñar. tr. *Ar.* Guiñar, hacer señas.

Cañideras. (De *ceñir.*) f. pl. Prenda que usan algunos obreros y trabajadores del campo para cubrir los pantalones y evitar su deterioro.

Ceñidero. (De *ceñir.*) m. ant. **Ceñidor.**

Ceñido, da. p. p. de **Ceñir.** || **2.** adj. fig. Moderado y reducido en sus gastos. || **3.** Aplícase a los insectos que tienen muy señalada la división entre el tórax y el abdomen; como la mosca, la hormiga y la abeja.

Ceñidor. m. Faja, cinta, correa o cordel con que se ciñe el cuerpo por la cintura.

Ceñidura. f. Acción y efecto de ceñir o ceñirse.

Ceñiglo. m. **Cenizo,** 2.ª acep.

Ceñir. (Del lat. *cingĕre.*) tr. Rodear, ajustar o apretar la cintura, el cuerpo, el vestido u otra cosa. || **2.** Cerrar o rodear una cosa a otra. || **3.** fig. Abreviar una cosa o reducirla a menos. || **4.** *Mar.* **Navegar de bolina.** || **5.** r. fig. Moderarse o reducirse en los gastos, en las palabras, etc. || **6.** fig. Amoldarse, concretarse a una ocupación o trabajo.

Ceño. (Del lat. *cingŭlum,* ceñidor.) m. Cerco o aro que ciñe alguna cosa. || **2.** *Veter.* Especie de cerco elevado que suele hacerse en la tapa del casco a las caballerías.

Ceño. (Del gr. σκύνιον, sobrecejo.) m. Demostración o señal de enfado y enojo, que se hace con el rostro, dejando caer el sobrecejo o arrugando la frente. || **2.** fig. Aspecto imponente y amenazador que toman ciertas cosas. *El* CEÑO *del mar, el de las nubes.* || **Ceño y enseño, del mal hijo hacen bueno.** ref. que advierte que para la crianza de un hijo travieso son necesarias la severidad y la instrucción.

Ceñoso, sa. (De *ceño,* 1.er art.) adj. *Veter.* Que tiene ceño, 1.er art.

Ceñoso, sa. (De *ceño,* 2.° art.) adj. **Ceñudo.**

Ceñudo, da. (De *ceño,* 2.° art.) adj. Que tiene ceño o sobrecejo.

Ceo. (Del lat. *zeus.*) m. **Gallo,** 2.ª acep.

Ceoán. m. *Méj.* Ave parecida al tordo, aunque mayor que él.

Cepa. (De *cepo*, 1.er art.) f. Parte del tronco de cualquier árbol o planta, que está dentro de tierra y unida a las raíces. ‖ **2.** Tronco de la vid, del cual brotan los sarmientos, y, por extensión, toda la planta. ‖ **3.** Raíz o principio de algunas cosas, como el de las astas y colas de los animales. ‖ **4.** fam. V. **Agua, zumo de cepas.** ‖ **5.** fig. Núcleo de un nublado. ‖ **6.** fig. Tronco u origen de una familia o linaje. ‖ **7.** *Hond.* Conjunto de varias plantas que tienen una raíz común. ‖ **8.** *Méj.* Foso, hoyo casi siempre grande. ‖ **9.** *Arq.* En los arcos y puentes, parte del machón desde que sale de la tierra hasta la imposta. ‖ **caballo. Ajonjera.** ‖ **virgen.** Planta sarmentosa, muy parecida a la vid. ‖ **A cepa revuelta.** m. adv. Dícese del viñedo viejo, cuyas **cepas** no conservan la alineación y orden con que fueron plantadas. ‖ **De buena cepa.** fr. fig. De calidad reconocida por buena.

Cepadgo. m. Lo que pagaba el preso al que le ponía en el cepo.

Cepeda. f. Lugar en que abundan arbustos y matas de cuyas cepas se hace carbón.

Cepejón. (De *cepa.*) m. Raíz gruesa que arranca del tronco del árbol.

Cepellón. (De *cepa.*) m. *Agr.* Pella de tierra que se deja adherida a las raíces de los vegetales para trasplantarlos.

Cepera. (De *cepa.*) f. **Cepeda.** ‖ **2.** *Sal.* Inflamación de las pezuñas del ganado cabrío.

Cepilladura. (De *cepillar.*) f. **Acepilladura.**

Cepillar. (De *cepillo.*) tr. **Acepillar.**

Cepillo. (d. de *cepo.*) m. **Cepo,** 1.er art., 6.a acep. CEPILLO *del Santísimo, de las ánimas.* ‖ **2.** Instrumento de carpintería formado por un prisma cuadrangular de madera dura, que lleva embutido en una abertura transversal y sujeto por una cuña un hierro acerado con filo, el cual sobresale un poco de la cara que ha de ludir con la madera que se quiere labrar. ‖ **3.** Instrumento semejante al anterior, pero todo de hierro, que se usa para labrar metales. ‖ **4.** Instrumento hecho de manojitos de cerdas, o cosa semejante, sujetos en agujeros distribuidos convenientemente en una plancha de madera, hueso, pasta, etc., de modo que queden iguales las cerdas. Se hace de varias formas y tamaños, y sirve para quitar el polvo a la ropa, para menesteres de aseo personal y para otros usos de limpieza. ‖ **bocel.** Cepillo con canales y hierros semicirculares de que se sirven los carpinteros y tallistas para hacer mediascañas en la madera.

Cepita. (Del lat. *cēpa*, cebolla.) f. *Mineral.* Especie de ágata formada de conchas o capas concéntricas como una cebolla.

Cepo. (Del lat. **cippus* por *cippus.*) m. Gajo o rama de árbol. ‖ **2.** Madero grueso y de más de medio metro de alto, en que se fijan y asientan la bigornia, yunque, tornillos y otros instrumentos de los herreros, cerrajeros y operarios de otros oficios. ‖ **3.** Instrumento hecho de dos maderos gruesos, que unidos forman en el medio unos agujeros redondos, en los cuales se aseguraba la garganta o la pierna del reo, juntando los maderos. ‖ **4.** Cierto instrumento para devanar la seda antes de torcerla. ‖ **5.** Trampa para cazar lobos u otros animales, formada por lo común de dos zoquetes recios de madera, armados con puntas de hierro, los cuales, al juntarse, aseguran lo que cogen en medio. Hoy suelen hacerse de metal. ‖ **6.** Arquilla o caja de madera, piedra u otra materia, con su cerradura y una abertura capaz para que pase de canto una moneda: se pone fija en las iglesias y otros parajes para que echen en ella limosna o donativos. ‖ **7.** Instrumento de madera con que se amarra y afianza la pieza de artillería en el carro. ‖ **8.** Utensilio compuesto de una o dos varillas de madera o metal, que sirve para sujetar los periódicos y revistas sin doblarlos, en cafés, hoteles y otros locales de pública lectura. ‖ **9.** *Arq.* Conjunto de dos vigas entre las cuales se sujetan piezas de madera, como los pilotes de una cimentación. ‖ **colombiano.** *Argent., Hond.* y *Urug.* Castigo militar que se ejecutaba oprimiendo al reo entre dos fusiles, o con uno solo, atándolo con las correas de un soldado. ‖ **de campaña.** *Amér.* **Cepo colombiano.** ‖ **del ancla.** *Mar.* Pieza de madera o hierro, que se adapta a la caña del ancla cerca del arganeo, en sentido perpendicular a ella y al plano de los brazos, y sirve para que alguna de las uñas penetre y agarre en el fondo. ‖ **Afeita un cepo y parecerá un mancebo.** ref. que acredita ser el adorno y aseo parte a encubrir defectos. ‖ **Cepos quedos.** expr. fig. y fam. de que se usa para decir a alguno que se esté quieto, o para cortar una conversación que disgusta u ofende.

Cepo. (Del lat. *cephus.*) m. **Cefo.**

Cepola. f. *Zool.* Pez teleósteo del suborden de los fisóstomos, provisto de largas aletas, que vive en el Mediterráneo y en el Atlántico y del cual se conocen varias especies.

Cepón. m. aum. de **Cepa,** 2.a acep.

Ceporro. m. Cepa vieja que se arranca para la lumbre. ‖ **2.** fig. Hombre rudo.

Cepote. m. *Mil.* Pieza de hierro del fusil, que aseguraba por la parte inferior el arco del guardamonte.

Ceprén. m. *Ar.* **Palanca,** 1.a acep.

Ceptí. adj. **Ceutí.**

Cequeta. f. *Murc.* Acequia estrecha.

Cequí. (Del ár. *sikkī*, relativo a la ceca, moneda de oro.) m. Moneda antigua de oro, de valor de unas 10 pesetas, acuñada en varios Estados de Europa, especialmente en Venecia, y que, admitida en el comercio de África, recibió de los árabes este nombre.

Cequia. f. **Acequia.**

Cequiaje. m. **Acequiaje.**

Cequión. (aum. de *cequia.*) m. *Murc.* Caz de un molino u otro artefacto hidráulico. ‖ **2.** *Chile.* Canal o acequia grande.

Cera. (Del lat. *cēra.*) f. Substancia sólida que segregan las abejas para formar las celdillas de los panales: es de color amarillo, que blanquea por la acción del sol, y se emplea principalmente para hacer velas, cirios y para otros fines. Algunos otros insectos la fabrican también. ‖ **2.** Conjunto de velas o hachas de **cera,** que sirven en alguna función. ‖ **3.** V. **Árbol de la cera.** ‖ **4.** V. **Color, librillo de cera.** ‖ **5.** *Bot.* Substancia muy parecida a la **cera** elaborada por los insectos, que producen algunas plantas y se deposita sobre las células de la epidermis de hojas, flores y frutos. ‖ **6.** *Zool.* Membrana que rodea la base del pico de algunas aves, como las rapaces, gallinas y palomas. ‖ **7.** pl. Entre colmeneros, conjunto de las casillas de **cera** que fabrican las abejas en las colmenas. ‖ **Cera aleda.** Betún o primera **cera** con que las abejas untan por dentro la colmena. ‖ **amarilla.** La que tiene el color que saca comúnmente del panal, después de separada de la miel y derretida y colada. ‖ **blanca.** La que, reducida a hojas, se blanquea puesta al sol. ‖ **de los oídos.** *Zool.* Substancia crasa segregada por ciertas glándulas, parecidas a las sudoríparas, que existen en el conducto auditivo externo. ‖ **de palma.** *Zool.* Substancia dura y porosa, semejante a la **cera,** elaborada por los insectos, que se extrae del tronco de algunas palmas sudamericanas. ‖ **toral.** **Cera** por curar o que está aún amarilla. ‖ **vana.** La de los panales sin miel. ‖ **vegetal.** *Hond.* La que se extrae de las semillas del arbusto llamado pimientilla. ‖ **vieja.** La de los cabos que quedan de velas o cirios. ‖ **virgen.** Entre colmeneros, la que no está aún melada. ‖ **2.** La que está en el panal y sin labrarse. ‖ **Cuando es demasiada la cera, quema la iglesia.** ref. que condena el exceso, aun en las cosas en que suele haber abundancia. ‖ **Hacer de** uno **cera y pabilo.** fr. fig. con que se explica la facilidad con que uno reduce a otro a que haga lo que se quiere. ‖ **Melar las ceras.** fr. **Melar,** 2.° art., 2.a acep. ‖ **No hay más cera que la que arde.** expr. fig. y fam. con que se nota que uno no tiene más que lo que se ve de aquella especie de que se trata. ‖ **No quedar** a uno **cera en el oído.** fr. fig. y fam. Haber consumido todos sus bienes. ‖ **Pesar a cera** a uno. fr. Cumplir la promesa piadosa de dar tanta **cera** para el culto de una iglesia, capilla o imagen como pesa la persona que hizo o por quien se hizo tal voto. ‖ **Ser** uno **como una cera,** o **hecho de cera,** o **una cera.** fr. fig. y fam. Ser de genio blando y dócil.

Ceracate. f. *Mineral.* Especie de ágata de color de cera.

Ceración. (De *cera.*) f. *Quím.* Operación de fundir metales.

Cerafolio. (Del lat. *chaerefolium*, y éste del gr. χαιρέφυλλον, hoja elegante; de χαίρω, alegrar, y φύλλον, hoja.) m. **Perifollo,** 1.a acep.

Ceragallo. m. *Bot. C. Rica.* Planta perenne herbácea, de la familia de las lobeliáceas, con tallo ramoso y flores rojas y amarillas.

Cerámica. (Del gr. κεραμική, t. f. de -κός, cerámico.) f. Arte de fabricar vasijas y otros objetos de barro, loza y porcelana, de todas clases y calidades. CERÁMICA *griega, morisca*, etc. ‖ **2.** Conocimiento científico de los mismos objetos, desde el punto de vista arqueológico.

Cerámico, ca. (Del gr. κεραμικός, de κέραμος, arcilla.) adj. Perteneciente o relativo a la cerámica.

Ceramista. com. El que fabrica objetos de cerámica.

Ceramita. (Del lat. *ceramites.*) f. Especie de piedra preciosa. ‖ **2.** Ladrillo de resistencia superior a la del granito.

Cerapez. (De *cera* y *pez*, 2.° art.) f. **Cerote,** 1.a acep.

Cerasiote. (Del lat. *cerăsum*, cereza.) m. *Farm.* Purgante que contiene jugo de cerezas.

Cerasita. f. *Mineral.* Silicato de alúmina y magnesia.

Cerasta. (Del lat. *cerasta*, y éste del gr. κεράστης, de κέρας, cuerno.) f. Víbora de más de seis decímetros de longitud y con manchas de color pardo rojizo, que tiene una especie de cuernecillos encima de los ojos. Se cría en los arenales de África y es muy venenosa.

Cerastas. f. **Cerasta.**

Ceraste. m. **Cerasta.**

Cerastes. (Del lat. *cerastes.*) m. **Ceraste.**

Cerástide. m. Lepidóptero nocturno que vive en Europa.

Cerate. m. Pesa usada antiguamente en España.

Ceratias. (Del lat. *ceratias*, del gr. κερατίας.) m. *Astron.* Cometa de dos colas.

Cerato. (Del lat. *cerātum.*) m. *Farm.* Composición que tiene por base una mezcla de cera y aceite, y se diferencia del ungüento en no contener resinas. ‖ **de Galeno.** Cerato simple con agua de rosas. ‖ **de Saturno.** Cerato de Galeno, a que se añade subacetato de plomo líquido, o sea extracto de Saturno. ‖ **simple.** El que sólo tiene aceite y cera.

Ceraunia. (Del lat. *ceraunia*, del gr. κεραυνός, rayo.) f. **Piedra de rayo.**

Ceraunomancia [~ **mancía**]. (Del gr. κεραυνός, rayo, y μαντεία, adivinación.) f. Adivinación por medio de las tempestades.

Ceraunómetro. (Del gr. κεραυνός, rayo, y μέτρον, medida.) m. *Fís.* Aparato para medir la intensidad de los relámpagos.

Cerbas. m. Árbol muy corpulento de la India.

Cerbatana. (Del ár. *zarbaṭāna*, cañuto para tirar a los pájaros.) f. Cañuto en que se introducen bodoques u otras cosas, para despedirlas o hacerlas salir impetuosamente después, soplando con violencia por una de sus extremidades. || **2.** Instrumento parecido al anterior, hecho de carrizo, y que como arma de caza usan algunos indios de América para disparar flechas. || **3.** Trompetilla para los sordos. || **4.** Culebrina de muy poco calibre usada antiguamente. || **Hablar uno por cerbatana.** fr. fig. y fam. Manifestar por medio de otro lo que no quiere decir por sí mismo.

Cerbelo. m. ant. **Cerebelo.**

Cerbero. (Del lat. *Cerbĕrus*, y éste del gr. Κέρβερος.) m. **Cancerbero.** || **2.** Arbusto pequeño del que hay variedades, alguna con cierto principio o jugo venenoso.

Cerbillera. (De *cerbillo*.) f. **Capacete,** 1.ª acep.

Cerbillo. (Del lat. *cerebellum*.) m. ant. **Cerebro.**

Cerca. (De *cercar*.) f. Vallado, tapia o muro que se pone alrededor de cualquier sitio, heredad o casa para su resguardo o división. || **2.** ant. Cerco de una ciudad o plaza. || **3.** *Mil.* Formación de infantería, parecida al cuadro moderno, en que la tropa presentaba por todas partes el frente al enemigo, teniendo los flancos cubiertos unos con otros y dejando vacío el centro.

Cerca. (Del lat. *circa*.) adv. l. y t. Próxima o inmediatamente. Antecediendo a nombre o pronombre a que se refiera, pide la prep. *de. Ponte* CERCA DE *mí; son* CERCA DE *las diez.* || **2.** Con la misma prep., sirve en lenguaje diplomático para designar la residencia de un ministro en determinada corte extranjera. *Embajador* CERCA DE *la Santa Sede;* CERCA DE *Su Majestad Católica.* || **3.** m. pl. *Pint.* Objetos situados en el primer término de un cuadro. || **Cerca de.** m. adv. Aproximadamente, con corta diferencia, poco menos de. *En esta batalla murieron* CERCA DE *dos mil hombres.* || **2. Acerca de.** || **De cerca.** m. adv. A corta distancia. || **En cerca.** m. adv. ant. En contorno o alrededor. || **Tener buen, o mal, cerca.** fr. fam. Parecer bien, o mal, mirado desde **cerca.**

Cercado. (De *cercar*.) m. Huerto, prado u otro sitio rodeado de valla, tapia u otra cosa para su resguardo. || **2. Cerca,** 1.er art., 1.ª acep. || **3.** *Perú.* División territorial que comprende la capital de un Estado o provincia y los pueblos que de aquélla dependen.

Cercador, ra. adj. Que cerca. Ú. t. c. s. || **2.** m. Entre cinceladores, hierro adelgazado, pero sin corte, que sirve para dibujar cualquier contorno en piezas de chapa delgada sin cortarla, rehundiendo la huella que hace, y presentándola en relieve por la parte opuesta.

Cercadura. f. ant. **Cerca,** 1.er art., 1.ª acep.

Cercamiento. m. ant. Acción y efecto de cercar.

Cercanamente. adv. l. y t. Próximamente, a poca distancia.

Cercandanza. (De *cerca*, 2.° art., y *andanza*.) f. ant. Acción de andar cerca o aproximarse alguna cosa.

Cercanía. f. Calidad de cercano. || **2. Contorno,** 1.ª acep. Ú. m. en pl.

Cercanidad. f. ant. **Cercanía.**

Cercano, na. (De *cerca*, 2.° art.) adj. Próximo, inmediato.

Cercar. (Del lat. *circāre*, rodear.) tr. Rodear o circunvalar un sitio con vallado, tapia o muro, de suerte que quede cerrado, resguardado y dividido de otros. || **2.** Poner cerco o sitio a una plaza, ciudad o fortaleza. || **3.** Rodear mucha gente a una persona o cosa. || **4.** ant. **Acercar.** Ú. t. c. r.

Cercear. (De *cierzo*.) intr. *León.* Soplar con fuerza el viento cierzo o norte, sobre todo cuando le acompaña llovizna.

Cercen. (Del lat. *circen, -inis*, círculo.) adv. m. **Cercén.**

Cercén. (De *cercen*.) adv. m. **A cercén.** || **A cercén.** m. adv. Enteramente y en redondo.

Cercenadamente. adv. m. Con cercenadura.

Cercenador, ra. adj. Que cercena. Ú. t. c. s.

Cercenadura. f. Acción y efecto de cercenar. || **2.** Parte o porción que se quita de la cosa cercenada.

Cercenamiento. m. **Cercenadura.**

Cercenar. (Del lat. *circināre*.) tr. Cortar las extremidades de alguna cosa. || **2.** Disminuir o acortar. CERCENAR *el gasto, la familia.*

Cércene. (Del lat. *circen, -inis*, círculo.) adv. m. *Sal.* **Cercén.** || **A cércene.** m. adv. *Sal.* **A cercén.**

Cercenó, na. (Del lat. *circĭnus*, círculo.) adj. *Sal.* Cortado de un solo golpe; a cercén.

Cercera. (De *cierzo*.) f. *Ar.* Viento cierzo muy fuerte y seguido.

Cerceta. (Del lat. **cercedŭla*, por *querquedŭla*, con cambio de sufijo.) f. Ave del orden de las palmípedas, del tamaño de una paloma, con la cola corta y el pico grueso y ancho por la parte superior, que cubre a la inferior; es parda, cenicienta, salpicada de lunarcillos más obscuros, con un orden de plumitas blancas en las alas, y otro de verdes tornasoladas por la mitad. || **2.** ant. **Coleta,** 2.ª acep. || **3.** pl. Pitoncitos blancos que nacen al ciervo en la frente.

Cercillo. (Del lat. *circĕllus*, circulito.) m. desus. **Zarcillo,** 1.er art., 1.ª acep. || **2.** *Sal.* Corte que, como señal, se hace al ganado en una oreja, de modo que le quede colgando la parte de ella a modo de zarcillo. || **de vid.** *Agr.* **Tijereta,** 2.ª acep.

Cerciorar. (Del lat. *certiorāre*, de *certior*, sabedor.) tr. Asegurar a alguno la verdad de una cosa. Ú. t. c. r.

Cerco. (Del lat. *circus*, círculo.) m. Lo que ciñe o rodea. || **2.** Aro de cuba, de rueda y de otros objetos. || **3.** Asedio que pone un ejército, rodeando una plaza o ciudad para combatirla. || **4. Corrillo.** || **5.** Giro o movimiento circular. || **6.** Figura supersticiosa que trazan en el suelo los hechiceros y nigrománticos para invocar dentro de ella a los demonios y hacer sus conjuros. || **7. Halo.** || **8. Marco,** 5.ª acep. || **9.** *Chile.* **Cercado,** 1.ª acep. || **10.** *Hond.* **Seto vivo.** || **11.** *Germ.* Vuelta, rodeo. || **12.** *Germ.* **Mancebía,** 1.ª acep. || **Alzar el cerco.** fr. Apartarse, desistir del sitio o asedio de una plaza. || **Cerco de sol, moja pastor; cerco de luna, pastor enjuga.** ref. meteorológico de claro sentido. Tiene otras formas, alguna muy antigua, como la que dice: **Cerco de luna, pastor enjuga, si al tercio no enjurra.** || **En cerco.** m. adv. ant. **Alrededor,** 1.ª acep. || **Levantar el cerco.** fr. **Alzar el cerco.** || **Poner cerco.** fr. Sitiar una plaza o ponerle sitio.

Cercopiteco. (Del gr. κέρκος, rabo, y πίθηκος, mono.) m. Mono catirrino, propio del África, de formas ligeras y graciosas, provisto de abazones y con las callosidades isquiáticas muy desarrolladas.

Cércopo. (Del lat. *cercōpis*.) m. Insecto hemíptero, de cabeza alongada, cuatro alas, dos coriáceas y dos membranosas, y del que hay algunas variedades. Sus larvas viven sobre las plantas y están envueltas en una espuma blanca segregada por el propio animal.

Cercote. m. Red para cercar los peces.

Cercha. (De **cercho*, del lat. *circŭlus*.) f. **Cimbra,** 1.ª acep. || **2.** *Cuba.* Cada una de las varas curvas que sostienen y dan forma a las capotas de los quitrines. || **3.** *Cuba.* Cada una de las varillas que sostienen el mosquitero o la colgadura de la cama. || **4.** *Arq.* Regla delgada y flexible de madera, que sirve para medir superficies cóncavas o convexas. || **5.** *Arq.* Patrón de contorno curvo, sacado de una tabla, que se aplica de canto en un sillar para labrar en él una superficie cóncava o convexa. || **6.** *Carp.* Cada una de las piezas de tabla aserradas que forman segmentos de círculo, con las cuales, encoladas unas con otras, se forma el aro de una mesa redonda, un arco, o cosas semejantes. || **7.** *Mar.* Círculo de madera que forma la rueda del timón, en el que se afirman las cabillas.

Cerchar. (Del lat. *circulāre*, rodear, encorvar.) tr. *Agr.* Tratándose de las vides, **acodar,** 2.ª acep.

Cerchearse. (De *cercha*.) r. *Ar.* y *Murc.* Doblarse o encorvarse las vigas u otras maderas que sustentan algún peso, por la humedad u otra causa.

Cerchón. (De *cercha*.) m. *Arq.* **Cimbra,** 1.ª acep.

Cerda. (Del lat. *sētŭla*, d. de *sēta*, seda.) f. Pelo grueso, duro y largo que tienen las caballerías en la cola y en la cima del cuello. También se llama así el pelo de otros animales, como el jabalí, puerco, etc., que aunque más corto, es recio. || **2.** V. **Ganado de cerda.** || **3.** Hembra del cerdo. || **4.** Tumor carbuncoso que se le forma al cerdo en las partes laterales del cuello. || **5.** Alar o lazo hecho de **cerda,** para cazar perdices. Ú. m. en pl. || **6.** Mies segada. *Se han traído a la era cinco carros de* CERDA. || **7.** Manojo pequeño de lino sin rastrillar. || **8.** *Germ.* **Cuchillo,** 1.ª acep.

Cerdamen. m. Manojo de cerdas atadas y dispuestas para hacer brochas, cepillos, etc.

Cerdear. (De *cerdo*, por el andar de este animal.) intr. Flaquear de los brazuelos el animal, por cuya causa no puede asentar las manos con igualdad. Dícese especialmente de los toros cuando están heridos de muerte, y de los caballos cuando padecen alguna debilidad en los brazuelos. || **2.** Sonar mal o ásperamente las cuerdas de un instrumento. || **3.** fig. y fam. Resistirse a hacer algo, o andar buscando excusas para no hacerlo.

Cerdo. (De *cerda*, 1.ª acep.) m. Mamífero paquidermo doméstico, que tiene unos siete decímetros de alto y próximamente un metro de largo; cabeza grande, orejas caídas, jeta casi cilíndrica, con la cual hoza la tierra y las inmundicias; cuerpo muy grueso, con cerdas fuertes y ralas, patas cortas, pies con cuatro dedos, los del medio envueltos por la uña, y rudimentales los de los lados, y cola corta y delgada. Se cría y ceba para aprovechar su carne y grasa, abundantes y muy sabrosas. || **2. Puerco,** 2.ª y 3.ª aceps. || **3.** V. **Queso de cerdo.** || **de muerte.** El que ha pasado de un año, y está ya en disposición de poderlo matar. || **de vida.** El que no ha cumplido un año, y no está todavía bien criado para la matanza. || **marino.** Marsopa.

Cerdoso, sa. adj. Que cría y tiene muchas cerdas. || **2.** Parecido a ellas por su aspereza.

Cerdudo, da. adj. **Cerdoso.** || **2.** fig. Dícese del hombre que tiene mucho pelo y fuerte en el pecho. || **3.** m. ant. **Cerdo.**

Cereal. (Del lat. *cereālis*.) adj. Perteneciente a la diosa Ceres. || **2.** Dícese de las fiestas que se hacían en honor de esta diosa. Ú. t. c. s. y en pl. ‖ **3.** Aplícase a las plantas gramíneas que dan frutos farináceos, o a estos mismos frutos; como el trigo, el centeno y la cebada. Ú. t. c. s. m. y f.

Cerealina. (De *cereal.*) f. *Quím.* Fermento nitrogenado contenido en el salvado, que tiene la propiedad de sacarificar el almidón y alterar el gluten.

Cerealista. adj. Relativo a la producción y tráfico de los cereales. *Primer Congreso* CEREALISTA.

Cerebelo. (Del lat. *cerebellum.*) m. *Zool.* Uno de los centros nerviosos constitutivos del encéfalo, que ocupa la parte posterior de la cavidad craneana.

Cerebral. adj. Perteneciente o relativo al cerebro. ‖ **2.** V. **Circunvolución cerebral.**

Cerebrina. (De *cerebro.*) f. *Farm.* Medicamento antineurálgico, compuesto de antipirina, cafeína y cocaína.

Cerebro. (Del lat. *cerebrum.*) m. *Zool.* Uno de los centros nerviosos constitutivos del encéfalo, que en el hombre y en muchos mamíferos está situado delante y encima del cerebelo. ‖ **2.** fig. **Cabeza,** 2.ª y 9.ª aceps.

Cerebroespinal. adj. *Zool.* Que tiene relación con el cerebro y con la espina dorsal. Aplícase principalmente al sistema constituido por los centros nerviosos de los vertebrados y al líquido cefalorraquídeo.

Cereceda. (De *cereza.*) f. **Cerezal,** 1.ª acep. ‖ **2.** *Germ.* Cadena en que iban aprisionados los presidiarios y galeotes.

Cerecilla. f. **Guindilla,** 2.ª acep. ‖ **2.** V. **Pimiento de cerecilla.**

Ceremonia. (Del lat. *caeremonĭa.*) f. Acción o acto exterior arreglado, por ley, estatuto o costumbre, para dar culto a las cosas divinas, o reverencia y honor a las profanas. ‖ **2.** Ademán afectado, en obsequio de una persona o cosa. ‖ **3.** V. **Maestro de ceremonias.** ‖ **4.** V. **Traje, vestido de ceremonia.** ‖ **De ceremonia.** m. adv. con que se denota que se hace una cosa con todo el aparato y solemnidad que le corresponde. ‖ **2. Por ceremonia.** ‖ **Guardar ceremonia.** fr. Observar compostura exterior y las formalidades acostumbradas. Ú. frecuentemente en los tribunales y comunidades. ‖ **Por ceremonia.** m. adv. con que se denota que uno hace alguna cosa tan sólo por cumplir con otro.

Ceremonial. (Del lat. *caeremoniālis.*) adj. Perteneciente o relativo al uso de las ceremonias. ‖ **2.** m. Serie o conjunto de formalidades para cualquier acto público o solemne. ‖ **3.** Libro, cartel o tabla en que están escritas las ceremonias que se deben observar en ciertos actos públicos.

Ceremonialmente. adv. m. **Ceremoniosamente.**

Ceremoniáticamente. adv. m. Con arreglo a las ceremonias.

Ceremoniático, ca. adj. **Ceremonioso.**

Ceremoniero. m. **Ceremonioso,** 2.ª acep.

Ceremoniosamente. adv. m. Con ceremonia.

Ceremonioso, sa. (Del lat. *caeremoniōsus.*) adj. Que observa con puntualidad las ceremonias. ‖ **2.** Que gusta de ceremonias y cumplimientos exagerados.

Cereño, ña. (De *cera.*) adj. De color de cera. Aplícase a los perros.

Cereño, ña. adj. *Ar.* Fuerte, duro, resistente.

Céreo, a. (Del lat. *cerĕus.*) adj. De cera.

Cerería. (De *cerero.*) f. Casa o tienda donde se trabaja o vende la cera. ‖ **2.** Oficio o pieza de la casa real, donde se guardaba y repartía la cera.

Cerero. (Del lat. *cerarĭus.*) m. El que labra o vende la cera. ‖ **mayor.** En la casa real, persona que tenía a su cargo el oficio de la cerería. ‖ **Al que ha de morir a obscuras, poco le importa ser cerero.** ref. que muestra lo inútiles que son los bienes al que no puede aprovecharlos.

Ceres. (De *Ceres,* diosa de la agricultura entre los romanos.) m. *Astron.* El primer asteroide, que fué conocido y descubierto por Piazzi en 1801.

Ceresina. (De *cerezo.*) adj. V. **Goma ceresina.** Ú. t. c. s.

Cerevisina. f. Levadura de la cerveza; se usa como medicina.

Cereza. (Del lat. **cerasĕa,* por *cerasa,* pl. n. de *cerăsum,* del gr. κέρασος, cerezo.) f. Fruto del cerezo. Es una drupa con cabillo largo, casi redonda, de unos dos centímetros de diámetro, con surco lateral, piel lisa de color encarnado más o menos obscuro, y pulpa muy jugosa, dulce y comestible. ‖ **2.** Color rojo obscuro que ofrecen algunos minerales, como el antimonio rojo. ‖ **3.** Grado de incandescencia de algunos metales, que toman un color rojo vivo. Se llama también rojo **cereza.** ‖ **4.** *Bot. C. Rica.* Fruta empalagosa y muy diferente de la europea, producida por un árbol muy frondoso de la familia de las malpigiáceas, que se cultiva en los jardines. ‖ **mollar. Cereza,** 1.ª acep. ‖ **póntica. Guinda,** 1.er art. ‖ **Cerezas y hadas malas, toman pocas, y llevan hartas,** o **sartas;** o **pensáis tomar pocas y viénense hartas.** ref. con que se denota que las unas traen o llevan consigo otras.

Cerezal. m. Sitio poblado de cerezos. ‖ **2.** *Ast.* y *Sal.* **Cerezo,** 1.ª acep.

Cerezo. (Del lat. **cerasĕus,* por *cerăsus,* y éste del gr. κέρασος.) m. Árbol frutal de la familia de las rosáceas, de unos cinco metros de altura, que tiene tronco liso y ramoso, copa abierta, hojas ásperas lanceoladas, flores blancas y por fruto la cereza. Su madera, de color castaño claro, se emplea en ebanistería. ‖ **2.** Madera de este árbol. ‖ **3.** V. **Laurel cerezo.** ‖ **4.** *Amér.* **Chaparro,** 2.ª acep. ‖ **de los hotentotes. Celastro.** ‖ **silvestre. Cornejo.**

Ceriballo. m. *Sal.* Rastro, vestigio.

Ceribón. (Del lat. *cedĕre,* ceder, y *bona,* bienes.) m. ant. **Cesión de bienes.** ‖ **Hacer ceribones.** fr. ant. fig. Hacer excesivos rendimientos y sumisiones, como algunas veces los que hacían cesión de bienes.

Cérido. m. *Quím.* Nombre genérico de los cuerpos simples cuyo tipo es el cerio.

Cerífero, ra. (De *cera,* y el lat. *ferre,* llevar.) adj. Que produce o da cera.

Cerífica. (Del lat. *cera,* cera, y *facĕre,* hacer.) adj. V. **Pintura cerífica.**

Ceriflor. (De *cera* y *flor.*) f. Planta de la familia de las borragináceas, de unos tres decímetros de altura, con ramos alternos, hojas envainadoras, aovadas, dentadas, tuberculosas y de color verde claro; flores algo amarillentas y cuatro semillas dentro de dos nueces huesosas contenidas en el fondo del cáliz, que es persistente. Supónese vulgarmente que de la flor de esta planta sacan la cera con preferencia las abejas. ‖ **2.** Flor de la misma planta.

Cerilla. (De *cera.*) f. Vela de cera, muy delgada y larga, que se arrolla en varias figuras, y más comúnmente en la de librillo. Sirve para luz manual y para otros usos. ‖ **2. Fósforo,** 2.ª acep. ‖ **3.** Masilla de cera compuesta con otros ingredientes, de que usaban las mujeres para afeites. ‖ **4. Cera de los oídos.**

Cerillera. f. **Fosforera.**

Cerillero. m. **Fosforera.** ‖ **2.** El que vende cerillas.

Cerillo. m. **Cerilla,** 1.ª acep. ‖ **2.** *And.* Cerilla, fósforo. ‖ **3.** *Bot. Cuba.* Árbol silvestre de la familia de las rubiáceas, que alcanza hasta ocho metros de altura, y cuya madera, muy estimada en carpintería por sus vetas, se usa también para hacer bastones. ‖ **4.** *C. Rica.* Planta gutífera de los países cálidos. Mana de su corteza una goma amarilla que al cuajarse parece cera, que los indios utilizaban para calafatear sus canoas. ‖ **5.** *Nicar.* **Cerito.**

Cerina. f. Especie de cera que se extrae del alcornoque. ‖ **2.** *Mineral.* Silicato de cerio. ‖ **3.** *Quím.* Substancia que se obtiene de la cera blanca.

Cerio. (De *Ceres,* n. p.) m. *Mineral.* Metal de color pardo rojizo que se oxida en el agua hirviendo y se emplea en medicina.

Ceriolario. (Del lat. *ceriolarĭum.*) m. *Arqueol.* Candelabro para velas de cera, que usaban los romanos.

Ceriondo, da. (Del lat. *serotĭnus,* tardío.) adj. *Sal.* Aplícase a los cereales que empiezan a sazonarse tomando color amarillo.

Cerita. (De *cerio.*) f. Mineral formado por la combinación de los silicatos de cerio, lantano y didimio, que se encuentra en masas amorfas con lustre como de cera en el gneis del norte de Europa.

Cerito. m. *C. Rica.* Arbusto de la costa, cuyas flores blancas parecen de cera.

Cermeña. f. Fruto del cermeño, que es una pera pequeña muy aromática y sabrosa, y madura al fin de la primavera.

Cermeñal. m. ant. **Cermeño.**

Cermeño. m. Especie de peral, con las hojas de figura de corazón, vellosas por el envés, y cuyo fruto es la cermeña. ‖ **2.** fig. Hombre tosco, sucio, necio. Ú. t. c. adj.

Cerna. (Del lat. *circĭnus,* círculo.) f. *Gal.* Parte interior y más dura del tronco de los árboles maderables.

Cernada. (De un der. del lat. *cinis, cinĕris,* ceniza.) f. Parte no disuelta de la ceniza, que queda en el cernadero después de echada la lejía sobre la ropa. ‖ **2.** *Pint.* Aparejo de ceniza y cola para imprimar los lienzos que se han de pintar, especialmente al temple. ‖ **3.** *Veter.* Cataplasma de ceniza y otros ingredientes, para fortalecer las partes lastimadas de las caballerías.

Cernadero. (De *cernada.*) m. Lienzo gordo que se pone en el cesto o coladero sobre toda la ropa, para que, echando sobre él la lejía, pase a la ropa sólo el agua con las sales que lleve en disolución y se detenga en él la cernada. ‖ **2.** Lienzo de hilo, o de hilo y seda, de que se hacían valonas.

Cernaja. f. *Sal.* Especie de fleco, terminado en borlitas, que se pone a los bueyes en el testuz para espantarles las moscas. Ú. m. en pl.

Cerne. (Del lat. *circen, -ĭnis,* círculo.) adj. Se dice de lo que es sólido y fuerte. Aplícase especialmente a las maderas. ‖ **2.** m. Parte más dura y sana del tronco de los árboles, que se prefiere para las artes y construcciones de importancia.

Cernear. tr. *Sal.* Mover con violencia alguna cosa.

Cernedera. f. Marco de madera del tamaño de la artesa, sobre el cual se pone uno o dos cedazos para cerner con más facilidad la harina que cae dentro de la artesa. Ú. m. en pl.

Cernedero. m. Lienzo que se pone por delante la persona que cierne la harina, para no enharinarse la ropa. ‖ **2.** Lugar destinado para cerner la harina.

Cernedor, ra. m. y f. Persona que cierne. ‖ **2.** m. Torno para cerner harina.

Cerneja. (Del lat. *crinicŭlus,* d. de *crinis,* cabello, crin.) f. Mechón de pelo que tienen las caballerías detrás del menudillo, de longitud, espesor y finura diferentes según las razas. Ú. por lo común en pl.

Cernejudo, da. adj. Que tiene muchas cernejas.

Cerner. (Del lat. *cĕrnĕre*, separar.) tr. Separar con el cedazo la harina del salvado, u otra cualquiera materia reducida a polvo, de suerte que lo más grueso quede sobre la tela, y lo sutil caiga al sitio destinado para recogerlo. || **2.** fig. Atalayar, observar, examinar. || **3.** fig. Depurar, afinar los pensamientos y las acciones. || **4.** intr. Hablando de la vid, del olivo, del trigo y de otras plantas, estar fecundándose la flor. || **5.** fig. Llover suave y menudo. || **6.** r. Andar o menearse moviendo el cuerpo a uno y otro lado, como quien cierne. || **7.** Mover las aves sus alas, manteniéndose en el aire sin apartarse del sitio en que están. || **8.** fig. Amenazar de cerca algún mal.

Cernera. f. *Murc.* Caballete para mover el cedazo en la artesa.

Cernícalo. m. Ave de rapiña, común en España, de unos cuatro decímetros de largo, con cabeza abultada, pico y uñas negros y fuertes, y plumaje rojizo más obscuro por la espalda que por el pecho y manchado de negro. || **2.** fig. y fam. Hombre ignorante y rudo. Ú. t. c. adj. || **3.** *Germ.* Manto de mujer. || **Coger, o pillar, uno un cernícalo.** fr. fig. y fam. Embriagarse.

Cernidero. m. *Sal.* **Cernedero.**

Cernidillo. (d. de *cernido.*) m. Lluvia muy menuda. || **2.** fig. Modo de andar menudo y contoneándose.

Cernido. m. Acción de cerner. || **2.** Cosa cernida, y principalmente harina cernida para hacer el pan.

Cernidura. f. Cernido, 1.ª acep. || **2.** pl. Lo que queda después de cernida la harina.

Cernina. f. *Ast.* Trampa en el juego.

Cernir. tr. **Cerner.**

Cerno. (Del lat. *circĭnus*, círculo.) m. *Ast.* **Cerne**, 2.ª acep. || **2.** Corazón de algunas maderas duras, como el roble.

Cero. (Del ar. *ṣifr*, vacío o exento de cantidad o de número.) m. *Arit.* Signo sin valor propio, que en la numeración arábiga sirve para ocupar los lugares donde no haya de haber cifra significativa. Colocado a la derecha de un número entero, decuplica su valor; pero a la izquierda, en nada lo modifica. || **2.** *Fís.* En las diversas escalas de los termómetros, manómetros y otros aparatos semejantes, punto desde el cual se cuentan los grados y otras fracciones de medida. || **absoluto.** *Fís.* Lugar de la escala termométrica que corresponde aproximadamente a 273 grados centígrados por debajo del **cero** normal. || **Ser uno cero, o un cero, a la izquierda.** fr. fig. y fam. Ser inútil, o no valer para nada.

Ceroferario. (Del lat. *ceroferarius*; de *cera*, cera, y *ferre*, llevar.) m. Acólito que lleva el cirial en la iglesia y procesiones.

Cerógrafo. (Del gr. κηρογράφος, que pinta al encausto.) m. *Arqueol.* Anillo con que los romanos sellaban en cera los cofres y armarios.

Ceroleína. (Del lat. *cera*, y *olĕum*, aceite.) f. *Quím.* Una de las tres substancias que constituyen la cera de las abejas.

Cerollo, lla. (Del lat. **serŭcŭlus*, d. de *serus*, tardío.) adj. Aplícase a las mieses que al tiempo de segarlas están algo verdes y correosas.

Ceroma. (Del lat. *cerōma*, del gr. κήρωμα.) f. *Arqueol.* Ungüento cuyo principal ingrediente era la cera, y con el que se frotaban los miembros los atletas antes de empezar la lucha.

Ceromancia [∼ **mancía**]. (Del gr. κηρός, cera, y μαντεία, adivinación.) f. Arte vano de adivinar, que consiste en ir echando gotas de cera derretida en una vasija llena de agua, para hacer cómputos o deducciones según las figuras que se forman.

Ceromático, ca. (Del lat. *ceromatĭcus*, untado con ceroma.) adj. *Farm.* Dícese del medicamento en que entran aceite y cera.

Ceromiel. m. *Med.* Mezcla de una parte de cera y dos de miel, que antiguamente se empleaba en la cura de las úlceras y heridas.

Cerón. m. Residuo, escoria o heces de los panales de la cera.

Ceronero. adj. Dícese del que se dedica a comprar cerones. Ú. t. c. s.

Ceroplástica. (Del gr. κηροπλαστική, f. de κηροπλαστικός, arte del cerero.) f. Arte de modelar la cera.

Cerorrinco. (Del gr. κέρας, -ατος, cuerno, y ῥύγχος, pico.) m. Ave de rapiña parecida al halcón, que vive en América.

Ceroso, sa. adj. Que tiene cera, o se parece a ella.

Cerote. (De *cera.*) m. Mezcla de pez y cera de que usan los zapateros para encerar los hilos con que cosen el calzado. Hácese también de pez y aceite. || **2.** fig. y fam. **Miedo**, 1.ª acep.

Cerotear. tr. Dar cerote los zapateros a los hilos con que cosen el calzado. || **2.** intr. *Chile.* Gotear la cera de las velas encendidas.

Cerotero. (De *cerote.*) m. Pedazo de fieltro con que los pirotécnicos untan de pez los cohetes.

Cerotico. m. d. de **Cerote**, 1.ª acep. || **Cerotico de pez, no me engañaréis otra vez.** ref. que alude al escarmentado de los engaños hechos con disimulo y apariencia modesta.

Ceroto. (Del lat. *cerōtum*, y éste del gr. κηρωτόν.) m. *Farm.* **Cerato.**

Cerpa. f. *Ar.* Cantidad de lana que una persona puede coger con los dedos.

Cerquillo. (d. de *cerco.*) m. Círculo o corona formada de cabello en la cabeza de los religiosos de algunas órdenes. || **2.** Vira, 2.ª acep.

Cerquita. adv. l. y t. Muy cerca, a poca distancia.

Cerra. (Del fr. *serre*, garra; éste del b. lat. *serra*, cerrojo, y éste del lat. *sera*, cerradura.) f. *Germ.* **Mano**, 1.ª acep.

Cerracatín, na. m. y f. Tacaño, miserable.

Cerrada. f. Parte de la piel del animal que corresponde al cerro o lomo.

Cerrada. f. ant. Acción y efecto de cerrar.

Cerradamente. adv. m. ant. **Implícitamente.**

Cerradera. f. Cerradero, 2.ª acep. || **Echar uno la cerradera.** fr. fig. y fam. Negarse del todo a lo que se le pide, sin querer oir más razones en el asunto de que se trata.

Cerradero, ra. adj. Aplícase al lugar que se cierra, o al instrumento con que se ha de cerrar alguna cosa. Ú. t. c. s. m. y f. || **2.** m. Parte de la cerradura, en forma de cajuela, en la cual penetra el pestillo. Se pone en el marco o en la otra hoja de la puerta o mueble que se ha de cerrar. || **3.** Agujero que se suele hacer en algunos marcos para el mismo fin, aunque no se le ponga caja de chapa. || **4.** Cordones con que se cierran y abren las bolsas y bolsillos.

Cerradizo, za. adj. Que se puede cerrar.

Cerrado, da. (De *cerrar.*) adj. V. **Arca, barba, behetría, carga, descarga, escala, espejuela, loba, mar, octava, sílaba, vocal cerrada.** || **2.** V. **Códico, millar, monte, testamento cerrado.** || **3.** fig. Incomprensible, oculto y obscuro. || **4.** fig. Se dice del cielo o de la atmósfera cuando se presentan muy cargados de nubes. || **5.** fig. y fam. Aplícase a la persona muy callada, disimulada y silenciosa o torpe de entendimiento. CERRADO *de mollera.* || **6.** m. **Cercado**, huerto con valla y tapia.

Cerrador, ra. adj. Que cierra. Ú. t. c. s. || **2.** m. Cualquiera cosa con que se cierra otra.

Cerradura. (De *cerrar.*) f. **Cerramiento**, 1.ª acep. || **2.** Mecanismo de metal que se fija en puertas, tapas de cofres, arcas, cajones, etc., y sirve para cerrarlos por medio de uno o más pestillos que se hacen jugar con la llave. || **3.** ant. **Cercado**, 1.ª y 2.ª aceps. || **4.** ant. **Encerramiento.** || **de golpe, o de golpe y porrazo.** La que, por tener pestillo de muelle, se cierra automáticamente y sin llave. || **de loba.** Aquella en que los dientes de las guardas son semejantes a los del lobo. || **de molinillo.** La que tiene movible y giratorio el caño por donde entra la tija de la llave. || **No hay cerradura donde es oro la ganzúa.** ref. que advierte lo mucho que puede el interés.

Cerraduría. (De *cerrador.*) f. ant. **Cerramiento**, 1.ª acep.

Cerraja. (Del lat. *seracŭlum*, de *serāre*, cerrar.) f. **Cerradura**, 2.ª acep.

Cerraja. (Del lat. *serralĭa.*) f. Hierba de la familia de las compuestas, de seis a ocho decímetros de altura, con tallo hueco y ramoso, hojas lampiñas, jugosas, oblongas y con dientecillos espinosos en el margen, y flores amarillas en corimbos terminales. || **2.** V. **Agua de cerrajas.**

Cerraje. (Del persa *serāy*, serrallo, palacio.) m. ant. **Serrallo**, 1.ª acep.

Cerrajear. intr. Ejercer el oficio de cerrajero.

Cerrajería. f. Oficio de cerrajero. || **2.** Tienda, taller o calle donde se fabrican o venden cerraduras y otros instrumentos de hierro.

Cerrajerillo. m. *Ál.* **Reyezuelo**, 2.ª acep.

Cerrajero. (De *cerraja*, 1.er art.) m. Maestro u oficial que hace cerraduras, llaves, candados, cerrojos y otras cosas de hierro. || **2.** *Ál.* **Calandria**, 1.er art., 1.ª acep.

Cerrajón. m. Cerro alto y escarpado.

Cerralle. (Del lat. *seracŭlum*, cierre.) m. ant. **Cerco**, 1.ª acep.

Cerralle. (Del persa *serāy*, serrallo, palacio.) m. ant. **Cerraje.**

Cerramiento. m. Acción y efecto de cerrar. || **2.** Cosa que cierra o tapa cualquier abertura, conducto o paso. || **3.** Cercado y coto. || **4.** Entre albañiles, división que se hace con tabique, y no con pared gruesa, en una pieza o estancia. || **5.** *Arq.* Lo que cierra y termina el edificio por la parte superior. || **de razones.** ant. *For.* Conclusión de los alegatos.

Cerrar. (Del lat. **serrare*, de *serare.*) tr. Asegurar con cerradura, pasador, pestillo, tranca u otro instrumento, una puerta, ventana, tapa, etc., para impedir que se abra. || **2.** Encajar en su marco la hoja o las hojas de una puerta, balcón, ventana, etc., de manera que impidan el paso del aire o de la luz. CERRAR *una ventana.* || **3.** Hacer que el interior de un edificio, recinto, receptáculo, etc., quede incomunicado con el espacio exterior. CERRAR *una habitación.* || **4.** Juntar los párpados, los labios, o los dientes de arriba con los de abajo, haciendo desaparecer la abertura que forman estas partes del cuerpo cuando están separadas. || **5.** Juntar o aproximar los extremos libres de dos miembros del cuerpo, o de dos partes de una cosa articuladas por el otro extremo. CERRAR *las piernas, las tijeras, una navaja,* etc. || **6.** Tratándose de libros, cuadernos, etc., juntar todas sus hojas de manera que no se puedan ver las páginas interiores. || **7.** Tratándose de los cajones de una mesa o cualquier otro mueble, de los cuales se haya tirado hacia fuera sin sacarlos del todo, volver a hacerlos entrar en su hueco. || **8.** Estorbar o impedir el tránsito por un paso, camino u otra vía. || **9.** Cercar, vallar, rodear, acordonar. || **10.** Tapar, macizar u obstruir aberturas, huecos, conductos, etc. Ú. t. c. r. || **11.** Poner el émbolo de un grifo, espita, llave de paso, etc., de manera que impida la salida o circulación del fluido contenido en el recipiente o conducto en que se hallan colocados dichos instrumentos. Ú. t. c. r. || **12.** Hablando de arcos o bóvedas, formar la clave de ellos. || **13.** Completar un perfil o figura uniendo el final del trazado con el principio de él. CERRAR *una circunferencia.* || **14.** Hablando de heridas o llagas, cicatrizarlas. Ú. t. c. r. || **15.** Encoger, doblar o plegar lo que estaba extendido, o encogerlo más de lo que ya estaba y apretarlo. CERRAR *la mano, la cola* ciertas aves, *un abanico, un paraguas.* || **16.** Apiñar, agrupar, unir estrechamente. Ú. t. c. r. CERRAR *el escuadrón.* || **17.** Tratándose de cartas, paquetes, sobres, cubiertas o cosa semejante, disponerlos, pegarlos o lacrarlos de modo que no sea posible ver lo que contienen, ni abrirlos sin despegarlos o romperlos por alguna parte. || **18.** fig. Concluir ciertas cosas o ponerles término. CERRAR *el debate.* || **19.** fig. Tratándose de certámenes, concursos de opositores, subscripciones, empréstitos, etc., declarar fenecido el plazo dentro del cual era posible tomar parte en ellos. || **20.** fig. Hablando de cuerpos o establecimientos políticos, administrativos, científicos, literarios, artísticos, comerciales o industriales, poner fin a las tareas, ejercicios o negocios propios de cada uno de ellos. Ú. t. c. r. CERRAR *las Cortes.* || **21.** Tratándose de ajustes, tratos o contratos, darlos por concertados y firmes. || **22.** fig. Refiriéndose a locales en que ciertas personas practican ordinariamente su profesión, cesar en el ejercicio de ella. CERRAR *el bufete.* || **23.** Tratándose de gente que camina formando hilera o columna, ir detrás o en último lugar. CERRAR *la marcha.* || **24.** Encerrar. Ú. t. c. r. || **25.** intr. **Cerrarse** o poderse **cerrar** una cosa. *Este armario, este reloj, este medallón, esta puerta* CIERRA *bien,* o *mal,* o *no* CIERRA. || **26.** En el juego del dominó, poner una ficha que impida seguir colocando las demás que aún tengan los jugadores. || **27.** Dicho de las caballerías, llegar a igualarse todos sus dientes, lo que se verifica a la edad de siete años. || **28.** Hablando de la noche, llegar ésta a su plenitud. Ú. t. c. r. CERRAR *la noche.* || **29.** fig. Seguido de la prep. *con,* trabar batalla, embestir, acometer. CERRAR *con el enemigo.* || **30.** r. Tratándose de flores, juntarse unos con otros sus pétalos sobre el botón o capullo. || **31.** Refiriéndose al cielo, a la atmósfera, el horizonte, etc., encapotarse, o cargarse de nubes o vapores que producen obscuridad. || **32.** fig. Mantenerse firme en un própósito. || **Cerrar en falso.** fr. Echar la llave, cerrojo o falleba de modo que, no cebando en el cerradero o armella, se abra sin dificultad alguna. || **Cerrarse en falso.** fr. Se dice de la herida que no está bien curada, aunque en lo exterior aparenta estarlo.

Cerras. (De *cerro.*) f. pl. *León.* Fleco de ciertas prendas de vestir. *Un pañuelo de* CERRAS.

Cerrateño, ña. adj. Perteneciente o relativo a la comarca de Cerrato, en Palencia. || **2.** Natural de dicha comarca. Ú. t. c. s.

Cerrazón. (De *cerrar.*) f. Obscuridad grande que suele preceder a las tempestades, cubriéndose el cielo de nubes muy negras. || **2.** Incapacidad de comprender algo por ignorancia o prejuicio.

Cerrazón. (De *cerro.*) f. **Cerrajón.** || **2.** *Colomb.* Contrafuerte de una cordillera.

Cerrebojar. (De *rebojo.*) tr. *Sal.* Espigar, rebuscar o andar al rebusco, así del grano como de la uva, almendra y aceituna.

Cerrejón. m. Cerro pequeño.

Cerrería. (De *cerrero.*) f. fig. Soltura, desenfreno de costumbres.

Cerrero, ra. (De *cerro.*) adj. Que vaga o anda de cerro en cerro, libre y suelto. || **2. Cerril.** || **3.** ant. fig. Altanero, soberbio. || **4.** fig. *Amér.* Tratándose de personas, inculto, brusco. || **5.** *Venez.* Dícese de lo que es amargo.

Cerreta. f. *Mar.* **Brazal,** 8.ª acep.

Cerretano, na. (Del lat. *cerretānus.*) adj. Natural de Cerretania, hoy Cerdaña. Ú. t. c. s. || **2.** Perteneciente a esta región de la España Tarraconense.

Cerrevedijón. (De *cerro* y *vedija.*) m. Vedija grande.

Cerrica. f. *Ast.* Ave diminuta, de color rubio en parte, y en parte amoratado.

Cerril. (De *cerro,* 3.ª acep.) adj. Aplícase al terreno áspero y escabroso. || **2.** Dícese del ganado mular, caballar o vacuno no domado. || **3.** V. **Puente cerril.** || **4.** fig. y fam. Grosero, tosco, rústico.

Cerrilmente. adv. m. De manera cerril. || **2.** A secas, con laconismo descortés.

Cerrilla. f. Instrumento para cerrillar la moneda.

Cerrillar. tr. Poner el cordoncillo a las piezas de moneda.

Cerrillo. (d. de *cerro.*) m. **Grama del Norte.** || **2.** pl. Hierros en que está grabado el cordoncillo para cerrillar.

Cerrión. m. **Canelón,** 2.ª acep.

Cerristopa. f. *Sal.* Camisa dominguera o de fiesta, cuya parte delantera y superior es hecha de cerro y el faldón de estopa.

Cerro. (Del lat. *cirrus,* copo.) m. Cuello o pescuezo del animal. || **2.** Espinazo o lomo. || **3.** Elevación de tierra aislada y de menor altura que el monte o la montaña. || **4.** Manojo de lino o cáñamo, después de rastrillado y limpio. || **Echar uno por esos cerros.** fr. fig. y fam. **Echar por esos trigos.** || **En cerro.** m. adv. **En pelo.** || **Por los cerros de Úbeda.** loc. fig. y fam. Por sitio o lugar muy remoto y fuera de camino. Con esta locución se da a entender que lo que se dice es incongruente o fuera de propósito, o que uno divaga o se extravía en el raciocinio o discurso. Úsase con el adverbio de comparación *como,* y con los verbos *echar, ir* o *irse,* etc.

Cerrojazo. (De *cerrojo.*) m. Acción de echar el cerrojo recia y bruscamente. Se usa con más frecuencia con el verbo *dar.* || **2.** fig. Clausura inesperada de las Cortes. Se usa en la fr. **dar cerrojazo a las Cortes.**

Cerrojillo, to. (d. de *cerrojo.*) m. **Herreruelo,** 1.er art., 2.ª acep.

Cerrojo. (Del lat. *verucŭlum,* barra de hierro, d. de *veru,* el asador.) m. Barreta cilíndrica de hierro, con manija, por lo común en la forma de T, que está sostenida horizontalmente por dos armellas, y entrando en otra o en un agujero dispuesto al efecto, cierra y ajusta la puerta o ventana con el marco, o una con otra las hojas, si la puerta es de dos.

Cerrón. (De *cerro,* 4.ª acep.) m. Lienzo basto que se fabrica en Galicia, y es una especie de estopa algo mejor que la común.

Cerrón. (De *cerrar.*) m. *Germ.* Llave o cerrojo.

Cerrotino. m. ant. Cerro que se saca del cáñamo o lino cuando se rastrilla.

Cerruma. (Del lat. *cirrus,* copo.) f. *Veter.* **Cuartilla,** 6.ª acep.

Certa. f. *Germ.* **Camisa,** 1.ª acep.

Certamen. (Del lat. *certāmen.*) m. ant. Desafío, duelo, pelea o batalla entre dos o más personas. || **2.** fig. Función literaria en que se argumenta o disputa sobre algún asunto, comúnmente poético. || **3.** fig. Concurso abierto por las academias u otras corporaciones, para estimular con premios el cultivo de las ciencias, las letras o las artes.

Certanedad. (De *certano.*) f. ant. **Certeza.**

Certano, na. adj. ant. **Cierto.**

Certeneja. f. *Méj.* Pantano pequeño, pero profundo.

Certeramente. adv. m. De un modo certero.

Certería. (De *certero.*) f. p. us. Acierto, tino y destreza en tirar.

Certero, ra. (De *cierto.*) adj. Diestro y seguro en tirar. || **2.** Seguro, acertado. || **3.** Cierto, sabedor, bien informado. || **No es buen certero quien carga delantero.** ref. que declara la torpeza del que se da a la bebida.

Certeza. (De *cierto.*) f. Conocimiento seguro y claro de alguna cosa.

Certidumbre. (Del lat. *certitūdo, -ĭnis.*) f. **Certeza.** || **2.** ant. Seguro, obligación de cumplir alguna cosa.

Certificable. adj. Que puede o debe certificarse.

Certificación. f. Acción y efecto de certificar. || **2.** Instrumento en que se asegura la verdad de un hecho.

Certificadamente. adv. m. ant. Cierta o seguramente.

Certificado, da. p. p. de **Certificar.** || **2.** adj. Dícese de la carta o paquete que se certifica. Ú. t. c. s. || **3.** m. **Certificación,** 2.ª acep.

Certificador, ra. adj. Que certifica. Ú. t. c. s.

Certificar. (Del lat. *certificāre:* de *certus,* cierto, y *facĕre,* hacer.) tr. Asegurar, afirmar, dar por cierta alguna cosa. Ú. t. c. r. || **2.** Tratándose de cartas o paquetes que se han de remitir por el correo, obtener, mediante pago, un certificado o resguardo con que se pueda acreditar haberlos remitido. || **3.** *For.* Hacer cierta una cosa por medio de instrumento público. || **4.** intr. ant. Fijar, señalar con certeza.

Certificatoria. f. ant. **Certificación,** 2.ª acep.

Certificatorio, ria. adj. Que certifica o sirve para certificar.

Certinidad. f. **Certeza.**

Certísimo, ma. adj. sup. de **Cierto.**

Certitud. (Del lat. *certitūdo.*) f. **Certeza.**

Ceruca. (Del lat. *siliqua.*) f. *Ál.* Vaina de legumbre.

Cerúleo, a. (Del lat. *caerulĕus.*) adj. Aplícase al color azul del cielo despejado, o de la alta mar o de los grandes lagos.

Cerulina. (De *cerúleo.*) f. *Quím.* Azul de añil soluble.

Ceruma. f. *Veter.* **Cerruma.**

Cerumen. (De *cera.*) m. Cera de los oídos.

Cerusa. (Del lat. *cerussa.*) f. *Quím.* Carbonato de plomo.

Cerusita. f. *Mineral.* **Cerusa.**

Cerval. adj. **Cervuno,** 1.ª y 2.ª aceps. || **2.** V. **Espino, gato, jara, lengua, lobo, miedo cerval.**

Cervantesco, ca. adj. **Cervantino.**

Cervántico, ca. adj. **Cervantino.**

Cervantino, na. adj. Propio y característico de Cervantes como escritor, o que tiene semejanza con cualquiera de las dotes o calidades por que se distinguen sus producciones.

Cervantismo. m. Influencia de las obras de Miguel de Cervantes en la literatura general. || **2.** Giro o locución cervantina.

Cervantista. adj. Dedicado con especialidad al estudio de las obras de Cervantes y cosas que le pertenecen. Apl. a pers., ú. t. c. s.

Cervantófilo, la. (De *Cervantes,* y el gr. φίλος, amigo.) adj. Devoto de Cervantes. || **2.** Aficionado a coleccionar ediciones de las obras de Cervantes. Ú. t. c. s.

Cervariense. adj. Natural de la ciudad de Cervera, en la provincia de Lérida. Ú. t. c. s. || **2.** Perteneciente a dicha ciudad.

Cervario, ria. (Del lat. *cervarius.*) adj. **Cerval,** 1.ª acep. || **2.** V. **Lobo cervario.**

Cervatica. f. **Langostón.**

Cervatillo. (d. de *cervato.*) m. **Almizclero,** 3.ª acep.

Cervato. m. Ciervo menor de seis meses.

Cerveceo. m. Fermentación de la cerveza.

Cervecería. (De *cervecero.*) f. Fábrica de cerveza. || **2.** Tienda donde se vende.

Cervecero, ra. m. y f. Persona que hace cerveza. || **2.** Persona que tiene cervecería.

Cerverano, na. adj. Natural de Cervera. Ú. t. c. s. || **2.** Perteneciente a esta villa.

Cerveza. (Del celtolat. *cerevisia.*) f. Bebida hecha con granos germinados de cebada u otros cereales fermentados en agua, y aromatizada con lúpulo, boj, casia, etc. || **doble. Cerveza** fuerte.

Cervicabra. (De *ciervo* y *cabra.*) f. Especie de antílope de la India, tipo del género, notable por sus cuernos divergentes, retorcidos y largos como de 80 centímetros.

Cervical. (Del lat. *cervicālis.*) adj. Perteneciente o relativo a la cerviz. *Vértebra* CERVICAL.

Cervicular. (Del lat. *cervicŭla*, d. de *cervix*, cerviz.) adj. **Cervical.**

Cérvido. (Del lat. *cervus*, ciervo.) adj. *Zool.* Dícese de mamíferos artiodáctilos rumiantes cuyos machos tienen cuernos ramificados que caen y se renuevan periódicamente; como el ciervo y el reno. Ú. t. c. s. || **2.** m. pl. *Zool.* Familia de estos animales.

Cervigón. m. **Cerviguillo.**

Cervigudo, da. adj. De cerviz abultada y gruesa. || **2.** fig. Porfiado, terco, testarudo.

Cerviguillo. m. Parte exterior de la cerviz, cuando es gruesa y abultada.

Cervino, na. (Del lat. *cervīnus.*) adj. **Cervuno,** 1.ª y 2.ª aceps. || **2.** V. **Lengua cervina.**

Cerviz. (Del lat. *cervix, -īcis.*) f. *Zool.* Parte dorsal del cuello, que en el hombre y en la mayoría de los mamíferos consta de siete vértebras, de varios músculos y de la piel. Con el atlas, que es la primera de dichas vértebras, se articula el cráneo. || **Bajar,** o **doblar, uno la cerviz.** fr. fig. Humillarse, deponiendo el orgullo y altivez. || **Levantar uno la cerviz.** fr. fig. Engreírse, ensoberbecerse. || **Ser uno de dura cerviz.** fr. fig. Ser indómito.

Cervuno, na. adj. Perteneciente al ciervo. || **2.** Parecido a él. || **3.** Dícese del color del caballo o yegua que es intermedio entre el obscuro y zaino, o que tiene ojos parecidos a los del ciervo o la cabra. || **4.** V. **Jara cervuna.**

Cesación. (Del lat. *cessatio, -ōnis.*) f. Acción y efecto de cesar. || **a divinis.** Suspensión canónica de los divinos oficios en una iglesia violada.

Cesamiento. (De *cesar.*) m. **Cesación.**

Cesante. p. a. de **Cesar.** Que cesa. || **2.** adj. Dícese del empleado del gobierno a quien se priva de su empleo, dejándole, en algunos casos, parte del sueldo. Ú. t. c. s.

Cesantía. f. Estado de cesante. || **2.** Paga que, según las leyes, disfruta el empleado cesante en quien concurren ciertas circunstancias. || **3.** Correctivo por el que se priva al empleado de su destino, sin que le incapacite para volver a desempeñarlo.

César. (Del lat. *Caesar.*) m. Sobrenombre de la familia romana Julia, que como título de dignidad llevaron juntamente con el de Augusto los emperadores romanos, y el cual fué también distintivo especial de la persona designada para suceder en el imperio. || **2. Emperador,** 1.ª acep. || **O César, o nada.** expr. fig. con que se pondera la extremada ambición de algunas personas.

Cesar. (Del lat. *cessāre.*) intr. Suspenderse o acabarse una cosa. || **2.** Dejar de desempeñar algún empleo o cargo. || **3.** Dejar de hacer lo que se está haciendo.

Cesaraugustano, na. adj. Natural de la antigua Cesaraugusta, hoy Zaragoza. Ú. t. c. s. || **2.** Perteneciente a esta ciudad.

Cesáreo, a. (Del lat. *caesarĕus.*) adj. Perteneciente al imperio o a la majestad imperial. || **2.** V. **Derecho cesáreo.** || **3.** f. *Cir.* **Operación cesárea.**

Cesariano, na. (Del lat. *caesariānus.*) adj. Perteneciente a Julio César. || **2.** Partidario de este emperador. Ú. t. c. s. || **3.** Perteneciente al César.

Cesariense. (Del lat. *caesariensis.*) adj. Natural de Cesarea. Ú. t. c. s. || **2.** Perteneciente a cualquiera de las antiguas ciudades de este nombre.

Cesarino, na. (Del lat. *caesarīnus.*) adj. ant. **Cesariano.**

Cesarismo. (De *César.*) m. Sistema de gobierno en el cual una sola persona asume y ejerce todos los poderes públicos.

Cesarista. m. Partidario o servidor del cesarismo.

Cese. (imper. del verbo *cesar.*) m. Nota que se pone en la nómina o título de los que gozan sueldo del Estado, o documento que se expide para que desde aquel día cese el pago de la asignación que tenía algún individuo.

Cesenés, sa. adj. Natural de Cesena. Ú. t. c. s. || **2.** Perteneciente a esta ciudad de Italia.

Cesible. (Del lat. *cessus*, p. p. de *cedĕre*, ceder.) adj. *For.* Que se puede ceder o dar a otro.

Cesio. (Del lat. *caesius*, azul.) m. Metal alcalino, muy parecido al potasio, cuyos compuestos producen dos rayas azules en el espectroscopio y se hallan en varias aguas minerales.

Cesión. (Del lat. *cessĭo, -ōnis.*) f. Renuncia de alguna cosa, posesión, acción o derecho, que una persona hace a favor de otra. || **de bienes.** *For.* Dejación que los deudores hacen de sus bienes, cuando no pueden pagar prontamente a sus acreedores, para que éstos cobren sus créditos según sean reconocidos y graduados.

Cesión. (Del lat. *accesĭo, -ōnis*, entrada.) f. ant. **Ción.**

Cesionario, ria. m. y f. Persona en cuyo favor se hace alguna cesión.

Cesionista. com. Persona que hace cesión de bienes.

Ceso. (Del lat. *cessus*, cedido.) m. ant. **Cesión,** 1.er art.

Cesolfaút. (De la letra *c* y de las notas musicales *sol, fa, ut.*) m. En la música antigua, indicación del tono que principia en el primer grado de la escala diatónica de *do* y se desarrolla según los preceptos del canto llano o del canto figurado.

Cesonario, ria. m. y f. **Cesionario, ria.**

Césped. (De *céspede.*) m. Hierba menuda y tupida que cubre el suelo. || **2. Tepe.** || **3.** Corteza que se forma en el corte por donde han sido podados los sarmientos. || **inglés. Ballico.**

Céspede. (Del lat. *caespes, -ĭtis.*) m. **Césped.**

Cespedera. f. Prado de donde se sacan céspedes.

Cespitar. (Del lat. *cespitāre*, tropezar.) intr. Titubear, vacilar.

Cespitoso, sa. (Del lat. *caespes, -ĭtis*, césped.) adj. *Bot.* Que crece en forma de matas espesas.

Cesta. (Del lat. *cista.*) f. Utensilio que se hace tejiendo con mimbres, juncos, cañas, varillas de sauce u otra madera flexible un recipiente, por lo común redondo, que sirve para recoger o llevar ropas, frutas y otros objetos. || **De eso que poco cuesta, hínchemе la cesta.** ref. que en sentido irónico reprende las excesivas exigencias de algunos. || **Háblanle en cesta y responde en ballesta.** ref. que se aplica a los que por excusarse de hacer algo, fingen no entender lo que se les dice.

Cesta. (De *cesto*, 2.° art.) f. Especie de pala de tiras de madera de castaño entretejidas, cóncava y en figura de uña, que, sujeta a la mano, sirve para jugar a la pelota.

Cestada. f. Lo que puede caber en una cesta.

Cestaño. (De *cesta.*) m. *Rioja.* **Canastilla,** 1.ª acep.

Cestería. (De *cestero.*) f. Sitio o paraje donde se hacen cestos o cestas. || **2.** Tienda donde se venden. || **3.** Arte del cestero.

Cestero, ra. m. y f. Persona que hace o vende cestos o cestas.

Cestiario. (Del lat. *caestiarius*, luchador de cesto.) m. Gladiador que combatía armado con el cesto, 2.° art.

Cesto. (De *cesta*, con la terminación de *canasto.*) m. Cesta grande y más alta que ancha, formada a veces con mimbres, tiras de caña o varas de sauce sin pulir. || **2. Tabaque,** 1.er art. || **3.** V. **Cordero de so cesto.** || **Alábate, cesto, que venderte quiero.** ref. que advierte que el que desea conseguir alguna cosa, no ha de contentarse con el favor o protección de otro, sino que debe ayudarse con su propia diligencia. || **Estar uno hecho un cesto.** fr. fig. y fam. Estar poseído del sueño o de la embriaguez. || **Quien hace un cesto, hará ciento.** ref. que advierte que quien hace una cosa puede hacer otras muchas de la misma calidad o especie. Suele añadirse: **si le dan mimbres y tiempo;** esto es, si tiene ocasiones y lugar. Tómase por lo común en mala parte. || **Rompióse el cesto, y acabóse el parentesco.** ref. **Quitósele el culo al cesto, y acabóse el parentesco.** || **Ser uno un cesto.** fr. fig. y fam. Ser ignorante, rudo e incapaz.

Cesto. (Del lat. *caestus.*) m. Armadura de la mano, usada en el pugilato por los antiguos atletas, que consistía en correas guarnecidas con puntas de metal, y que se ataba alrededor de la mano y de la muñeca, y a veces subía hasta el codo.

Cestodo. (Del lat. *cestus.*) adj. *Zool.* Dícese de gusanos platelmintos de cuerpo largo y aplanado semejante a una cinta y dividido en segmentos y que carecen de aparato digestivo; viven en cavidades del cuerpo de otros animales, a cuyas paredes se fijan mediante ventosas o ganchos, y se alimentan absorbiendo por su piel líquidos nutritivos del cuerpo de su huésped; como la solitaria. Ú. t. c. s. || **2.** m. pl. *Zool.* Orden de estos animales.

Cestón. (aum. de *cesto*, 1.er art.) m. **Gavión,** 1.er art., 1.ª y 2.ª aceps. || **2.** Cesto grande.

Cestonada. f. *Mil.* Fortificación hecha con cestones.

Cestro. (Del lat. *sistrum*, instrumento músico, del gr. σεῖστρον.) m. ant. **Sistro.**

Cesura. (Del lat. *caesūra*, de *caedĕre*, cortar.) f. En la poesía moderna, corte o pausa que se hace en el verso después de cada uno de los acentos métricos reguladores de su armonía. || **2.** En la poesía griega y latina, sílaba con que termina una palabra, después de haber formado un pie, y sirve para empezar otro.

Ceta. f. **Zeta.**

Cetáceo. (Del lat. *cetus*, y éste del gr. κῆτος.) adj. *Zool.* Dícese de mamíferos pisciformes, marinos, algunos de gran tamaño, que tienen las aberturas nasales en lo alto de la cabeza, por las cuales sale el aire espirado, cuyo vapor acuoso, cuando el ambiente es frío, suele condensarse en forma de nubecillas que simulan chorros de agua; los miembros anteriores transformados en aletas, careciendo de los posteriores, y el cuerpo terminado en una sola aleta horizontal; como la ballena y el delfín. Viven en todos los mares. Ú. t. c. s. m. || **2.** m. pl. *Zool.* Orden de estos animales.

Cetárea. f. **Cetaria.**

Cetaria. (Del lat. *cetaria*.) f. Estanque en comunicación con el mar, donde se conservan vivos langostas y crustáceos destinados al consumo.

Cetarina. f. Producto medicinal extraído del liquen de Islandia.

Cetario. (Del lat. *cetaria*.) m. Paraje en que la ballena y otros vivíparos marinos, suelen fijarse para parir y criar sus hijuelos.

Cético, ca. (Del lat. *cetus*, cetáceo.) adj. Dícese de un ácido extraído de la cetina.

Cetil. m. Moneda portuguesa, corriente en Castilla en el siglo XVI, y cuyo valor era la tercera parte de una blanca.

Cetilato. m. *Quím.* Sal formada por el ácido de cetilo y una base.

Cetilo. (Del lat. *cetus*, cetáceo, y el gr. χηλός.) m. *Quím.* Hidrocarburo que contiene el radical alcohol propio de este cuerpo y demás compuestos de la serie del mismo.

Cetina. (Del lat. *cetus*, cetáceo.) f. **Esperma de ballena.**

Cetís. (Del ár. *sabtí*.) m. Moneda antigua portuguesa, que tuvo curso en Galicia y valía la sexta parte de un maravedí de plata.

Cetonia. f. *Zool.* Insecto coleóptero pentámero, con reflejos metálicos, que frecuenta las flores; su larva vive en las colmenas y se alimenta de miel.

Cetra. (Del lat. *cetra*.) f. Escudo de cuero de que usaron antiguamente los españoles en lugar de adarga o de broquel.

Cetrarina. f. *Quím.* Materia amarga señalada en algunos líquenes.

Cetre. m. ant. **Acetre.** || **2.** *Sal.* Sacristán segundo o acólito que lleva el acetre.

Cetrería. (De *cetrero*, 2.° art.) f. Arte de criar, domesticar, enseñar y curar los halcones y demás aves que servían para la caza de volatería. || **2.** Caza de aves y algunos cuadrúpedos que se hacía con halcones, azores y otros pájaros que perseguían la presa hasta herirla o matarla.

Cetrero. m. Ministro que sirve con capa y cetro en las funciones de iglesia.

Cetrero. (De *cetro*, 4.ª acep.) m. El que ejercía la cetrería, cazando con halcones y otros pájaros.

Cetrinidad. f. ant. Color cetrino.

Cetrino, na. (Del lat. *citrus*, cidra.) adj. Aplícase al color amarillo verdoso. || **2.** Compuesto con cidra o que participa de sus cualidades. || **3.** fig. Melancólico y adusto.

Cetro. (Del lat. *sceptrum*, y éste del gr. σκῆπτρον.) m. Vara de oro u otra materia preciosa, labrada con primor, de que usan solamente emperadores y reyes por insignia de su dignidad. || **2.** Vara larga de plata, o cubierta de ella, de que usan en la iglesia los prebendados o los capellanes que acompañan al preste en el coro y en el altar. || **3.** Vara de plata, o de madera dorada, plateada o pintada, de que usan en sus actos públicos las congregaciones, cofradías o sacramentales, llevándola sus mayordomos o diputados. || **4.** Vara o percha de la alcándara. || **5.** fig. Reinado de un príncipe. || **6.** fig. Dignidad de tal. || **Empuñar uno el cetro.** fr. fig. Empezar a reinar.

Ceugma. f. *Gram.* **Zeugma.**

Ceutí. (Del ár. *sabtí*.) adj. Natural de Ceuta. Ú. t. c. s. || **2.** Perteneciente a esta ciudad. || **3.** V. **Limón ceutí.** || **4.** m. Cierta moneda antigua de Ceuta.

Cía. (Del lat. *scias*, y éste del gr. ἰσχιάς.) f. Hueso de la cadera. || **2.** *Ar.* Silo, 1.ª acep.

Ciaboga. (De *ciar* y *bogar*.) f. *Mar.* Vuelta que se da a una embarcación bogando avante los remos de una banda y al revés o para atrás los de la otra. || **2.** Por analogía, hacer igual maniobra un buque de vapor sirviéndose del timón y la máquina. || **Hacer ciaboga.** fr. fig. Hacer remolino algunas personas para huir o para otro fin.

Cianato. m. *Quím.* Sal resultante de la combinación del ácido ciánico con una base o con un radical alcohólico.

Cianea. (Del gr. κύανος, azul.) f. *Mineral.* **Lazulita.**

Cianhídrico. (Del gr. κύανος, azul, e ὕδωρ, agua.) adj. *Quím.* V. **Ácido cianhídrico.**

Ciani. (Del ár. *zayānī* o *ziyānī*, perteneciente o relativo a *Abū Zayān*, rey de Tremecén.) m. Moneda de oro de baja ley, usada entre los moros de África, y que valía cien aspros, o sea poco más de seis pesetas.

Ciánico, ca. adj. Dícese de un ácido resultante de la oxidación e hidratación del cianógeno.

Cianita. (Del gr. κύανος, azul.) f. Turmalina de color azul o silicato natural de alúmina.

Cianógeno. (Del gr. κύανος, azul, y γεννάω, engendrar.) m. *Quím.* Gas incoloro, de olor penetrante, y compuesto de ázoe y carbono. Sigue las leyes de los cuerpos simples en la mayor parte de sus combinaciones y entra en la composición del azul de Prusia.

Cianosis. (Del gr. κυάνωσις.) f. *Med.* Coloración azul y alguna vez negruzca o lívida de la piel, procedente de la mezcla de la sangre arterial con la venosa, de la alteración de la sangre, como en el cólera morbo, o de su estancación en los vasos capilares.

Cianótico, ca. adj. *Med.* Perteneciente o relativo a la cianosis. || **2.** Que la padece.

Cianuro. m. *Quím.* Sal resultante de la combinación del cianógeno con un radical simple o compuesto.

Ciar. intr. Andar hacia atrás, retroceder. || **2.** *Mar.* Remar hacia atrás. || **3.** fig. Aflojar en un negocio, cesando en él, sin pasar adelante.

Ciática. (Del lat. *sciatica*, t. f. de *-cus*, ciático.) f. Neuralgia del nervio ciático.

Ciática. f. *Perú.* Arbusto de hojas largas y estrechas como cintas, y flor semejante a la campanilla, pero de un hermoso color de oro, que gotea al ser cortada del tallo un líquido blanco y venenoso, como lo es la simiente, especie de nuez vómica.

Ciático, ca. (Del lat. *sciatĭcus*, de *scias*, cía.) adj. Perteneciente a la cadera. || **2.** V. **Nervio ciático.** Ú. t. c. s.

Ciato. (Del lat. *cyathus*, copa.) m. *Arqueol.* Vaso usado por los romanos para trasegar los líquidos.

Cibaje. m. *Amér.* Una variedad del pino.

Cibal. (Del lat. *cibus*, alimento.) adj. Dícese de lo perteneciente o relativo a la alimentación.

Cibarcos. (Del lat. *Cibarci*, *-cos*.) m. pl. Pueblo antiguo que habitaba la costa norte de Galicia.

Cibario, ria. (Del lat. *cibarĭus*, de *cibus*, comida.) adj. Aplícase a las leyes romanas que regulaban las comidas y convites del pueblo.

Cibdadano, na. adj. ant. **Ciudadano.** || **2.** ant. **Batalla cibdadana.**

Cibeleo, a. (Del lat. *cybelēius*.) adj. poét. Perteneciente o relativo a la diosa Cibeles.

Cibeles. (Del lat. *Cybĕle*, y éste del gr. Κυβέλη.) f. *Astron.* **Tierra,** 1.ª acep.

Cibelina. (Del fr. *zibeline*, y éste del ruso *sobolj*, marta.) adj. V. **Cebellina.**

Cibera. (Del lat. *cibaria*, trigo, alimento.) adj. Que sirve para cebar. || **2.** V. **Agua cibera.** || **3.** f. Porción de trigo que se echa en la tolva del molino para que vaya cebando la rueda. || **4.** Todo género de simiente que puede servir para mantenimiento y cebo. || **5.** Residuo de los frutos después de exprimidos. || **6.** *Extr.* **Tolva,** 1.ª acep.

Cibernética. (Del gr. κυβερνητική [τέχνη].) f. *Med.* Ciencia que estudia el funcionamiento de las conexiones nerviosas en los seres vivos. || **2.** *Electr.* Arte de construir y manejar aparatos y máquinas que mediante procedimientos electrónicos efectúan automáticamente cálculos complicados y otras operaciones similares.

Ciberuela. f. d. de **Cibera.**

Cibi. m. *Cuba.* Nombre común de una clase de peces marítimos de regular tamaño y comestibles, aunque algunas especies suelen producir la ciguatera.

Cibiaca. f. **Parihuela.**

Cibica. (Del ár. *sabīka*, lingote.) f. Barra de hierro dulce, que se embute como refuerzo en la parte superior de la manga de los ejes de madera de los carruajes. || **2.** *Mar.* Grapa con que se sujeta una pieza a otra mayor.

Cibicón. m. aum. de **Cibica.** || **2.** Barra de hierro dulce, más gruesa que la cibica, que como refuerzo se embute en la parte inferior de la manga de los ejes de madera de los carruajes.

Cibo. (Del lat. *cibus*.) m. ant. **Cebo,** 1.ª art., 1.ª acep.

Cíbola. f. Hembra del cíbolo.

Cíbolo. m. **Bisonte.**

Ciborio. (Del lat. *ciboria*, copa hecha con el fruto del nenúfar.) m. *Arqueol.* Copa para beber, usada entre los antiguos griegos y romanos. || **2.** Baldaquino que corona un altar o tabernáculo en las iglesias románicas.

Cibucán. m. *Amér.* Espuerta o serón tejido con la filástica de corteza de árboles, y que solían tener de 10 a 12 palmos de diámetro.

Cibui. m. *Perú.* **Cedro.**

Cica. (Del ár. *ziqq*, odre.) f. *Germ.* **Bolsa,** 2.ª acep.

Cicádeo, a. adj. Semejante a la cigarra.

Cicádido. (Del lat. *cicāda*, cigarra.) adj. *Zool.* Dícese de insectos hemípteros del suborden de los homópteros cuyos machos tienen en la base del abdomen una especie de timbal, el parche del cual puede vibrar, produciendo un sonido estridente y monótono; como la cigarra. Ú. t. c. s. m. || **2.** m. pl. *Zool.* Familia de estos animales.

Cicalar. tr. ant. **Acicalar.**

Cicarazate. m. *Germ.* **Cicatero,** 2.ª acep.

Cicatear. intr. fam. Hacer cicaterías.

Cicatería. (De *cicatero*.) f. Calidad de cicatero.

Cicatero, ra. (Quizá de *cica*.) adj. Ruin, miserable, que escasea lo que debe dar. Ú. t. c. s. || **2.** m. *Germ.* Ladrón que hurta bolsas.

Cicateruelo, la. adj. d. de **Cicatero.** Ú. t. c. s.

Cicatricera. (De *cicatriz*.) f. Mujer que en los antiguos ejércitos españoles curaba a los heridos.

Cicatriz. (Del lat. *cicatrix*.) f. Señal que queda en los tejidos orgánicos después de curada una herida o llaga. || **2.** fig. Impresión que queda en el ánimo por algún sentimiento pasado.

Cicatrización. f. Acción y efecto de cicatrizar o cicatrizarse.

Cicatrizal. adj. Perteneciente a la cicatriz.

Cicatrizamiento. m. ant. Cicatrización.

Cicatrizante. p. a. de **Cicatrizar.** Que cicatriza. Ú. t. c. s.

Cicatrizar. (De *cicatriz*.) tr. Completar la curación de las llagas o heridas, hasta que queden bien cerradas. Ú. t. c. intr. y r.

Cicatrizativo, va. adj. Que tiene virtud de cicatrizar.

Cicca. f. *Bot.* Arbusto de la familia de las euforbiáceas, cuyas semillas son purgantes.

Cícera. (Del lat. *cicĕra*.) f. Especie de garbanzo, cicércula o almorta.

Cicércula. (Del lat. *cicercŭla*, d. de *cicer*, garbanzo.) f. **Almorta.**

Cicercha. f. **Cicércula.**

Cícero. (Del lat. *Cicĕro*, Cicerón, por ser del cuerpo 12 ó lectura los tipos de una de las primeras ediciones de sus obras.) m. *Impr.* **Lectura,** 7.ª acep. || **2.** *Impr.* Unidad de medida usada generalmente en tipografía para la justificación de líneas, páginas, etc. Tiene 12 puntos y equivale a poco más de cuatro milímetros y medio.

Cicerón. (Por alusión al famoso orador romano.) m. fig. Hombre muy elocuente.

Cicerone. (Del ital. *Cicerone*, Cicerón, por alusión a la facundia de estos guías.) m. Persona que enseña y explica las curiosidades de una localidad, edificio, etc.

Ciceroniano, na. (Del lat. *ciceroniānus*.) adj. Propio y característico de Cicerón como orador o literato, o que tiene semejanza con cualquiera de las dotes o calidades por que se distinguen sus obras.

Cicial. (Del lat. **siccialis*, de *siccus*, seco.) m. ant. **Cecial.**

Cicimate. (De *cimatl*.) m. *Méj.* Especie de hierba cana medicinal.

Cicindela (Del lat. *cicindēla*, especie de linterna.) f. *Zool.* Coleóptero pentámero, zoófago, cuya larva vive en agujeros que hace en el suelo y en los cuales aguarda a su presa para devorarla.

Cicindélido. (De *cicindela*.) adj. *Zool.* Dícese de los coleópteros del tipo de la cicindela, que tienen colores variados con brillo metálico, y élitros verdes o amarillos. Ú. t. c. s. || **2.** m. pl. *Zool.* Familia de estos animales.

Cición. (De *ceción*.) f. ant. Calentura intermitente que entra con frío. || **2.** *Tol.* **Terciana.**

Ciclada. (Del lat. *cyclas, -ădis*, y éste del gr. κυκλάς, de κύκλος, círculo.) f. Vestidura larga y redonda de que usaron antiguamente las mujeres.

Ciclamino. (Del lat. *cyclamĭnum*.) m. **Pamporcino.**

Ciclamor. m. Árbol de la familia de las papilionáceas, de unos seis metros de altura, con tronco y ramas tortuosos, hojas sencillas y acorazonadas, flores de color carmesí anteriores a las hojas y en racimos abundantes, que nacen en las ramas o en el mismo tronco. Es planta de adorno, muy común en España.

Ciclán. adj. Que tiene un solo testículo. Ú. t. c. s. || **2.** m. Borrego o primal cuyos testículos están en el vientre y no salen al exterior.

Ciclar. tr. Bruñir y abrillantar las piedras preciosas.

Ciclatón. (Del ár. *siqlāṭūn*, y éste del lat. *cyclas, -ădis*, ciclada.) m. Vestidura de lujo usada en la Edad Media. Tenía la forma de túnica, y a veces de manto. || **2.** Tela de seda y oro con que se hacían dichas vestiduras.

Cíclico, ca. (Del lat. *cyclĭcus*, y éste del gr. κυκλικός.) adj. Perteneciente o relativo al ciclo. || **2.** Aplícase al poeta que refiere en alguna obra todos los casos de un ciclo, o a la misma poesía épica que abarca y comprende el ciclo todo. || **3.** Aplícase a la enseñanza o instrucción gradual y de carácter enciclopédico. || **4.** *Med.* Aplícase a un antiguo método curativo de las enfermedades crónicas.

Ciclismo. (Del m. or. que *ciclista*.) m. Deporte de los aficionados a la bicicleta o al velocípedo.

Ciclista. (Del gr. κύκλος, rueda.) com. Persona que anda o sabe andar en bicicleta. || **2.** Persona que practica el ciclismo.

Ciclo. (Del lat. *cyclus*, y éste del gr. κύκλος, círculo.) m. Período de tiempo o cierto número de años que, acabados, se vuelven a contar de nuevo. || **2.** Serie de fases por que pasa un fenómeno físico periódico hasta que se reproduce una fase anterior. || **3.** Conjunto de tradiciones épicas concernientes a determinado período de tiempo, a un grupo de sucesos o a un personaje heroico. *El* CICLO *troyano; el* CICLO *bretón; el* CICLO *del rey Artús o Arturo.* || **4.** *Bot.* Cada una de las espiras que forman alrededor del tallo los puntos de inserción de las hojas. || **decemnovenal, decemnovenario,** o **lunar.** *Cronol.* Período de 19 años, en que los novilunios y demás fases de la Luna vuelven a suceder en los mismos días del año, con diferencia de hora y media próximamente. || **2.** *Cronol.* Número de años en que el de una fecha excede al de **ciclos** lunares justos, contados desde el año anterior al de la era cristiana. || **pascual.** *Cronol.* Período de 532 años, producto de los **ciclos** lunar y solar, en el cual se creyó que caerían los días de Pascua y demás fiestas movibles en iguales días del año. || **solar.** *Cronol.* Período de 28 años, en el cual, en el calendario juliano, volvían los días de la semana a caer en los mismos días del mes.

Cicloidal. adj. Perteneciente o relativo al cicloide.

Cicloide. (Del gr. κυκλοειδής; de κύκλος, círculo, y εἶδος, forma.) f. *Geom.* Curva plana descrita por un punto de la circunferencia cuando ésta rueda sobre una línea recta.

Cicloideo, a. adj. **Cicloidal.**

Ciclón. (Del gr. κυκλῶν, p. a. de pres. de κυκλόω, remolinarse.) m. **Huracán,** 1.ª acep.

Ciclonal. adj. Relativo o perteneciente a los ciclones.

Ciclónico, ca. adj. Perteneciente o relativo al ciclón.

Cíclope [**Ciclope**]. (Del lat. *cyclops, -ōpis*, y éste del gr. κύκλωψ; de κύκλος, círculo, y ὤψ, ojo.) m. Cada uno de los gigantes que, según la mitología griega, eran hijos del Cielo y de la Tierra, y de los cuales se decía que tenían sólo un ojo en medio de la frente. Se les suponía ocupados en fabricar rayos para Júpiter en la fragua de Vulcano, bajo el monte Etna.

Ciclópeo, a. (Del lat. *cyclopēus*.) adj. Perteneciente o relativo a los cíclopes. || **2.** Aplícase a ciertas construcciones antiquísimas que se distinguen por lo enorme de las piedras que entran en ellas, por lo común sin argamasa. || **3.** fig. **Gigantesco,** 2.ª acep.

Ciclópico, ca. adj. **Ciclópeo.**

Ciclorama. (Del gr. κύκλος, círculo, y ὅραμα, vista.) m. **Panorama,** 1.ª acep.

Ciclostilo. (Del gr. κύκλος, círculo, y στῦλος, columna.) m. Aparato que sirve para copiar muchas veces un escrito o dibujo por medio de una tinta especial sobre una plancha gelatinosa.

Ciclóstoma. (Del gr. κύκλος, círculo, y στόμα, boca.) m. *Zool.* Molusco gasterópodo pulmonado, muy común en España, terrestre y de pequeño tamaño, la abertura de cuya concha es circular.

Ciclóstomo. (Del gr. κύκλος, círculo, y στόμα, boca.) adj. *Zool.* Dícese de peces de cuerpo largo y cilíndrico, esqueleto cartilaginoso, piel sin escamas, con seis o siete pares de branquias contenidas en cavidades en forma de bolsas, y boca circular que les sirve para la succión de sus alimentos; como la lamprea. Ú. t. c. s. m. || **2.** m. pl. *Zool.* Orden de estos animales.

Ciclotimia. (Del gr. κύκλος, círculo, y θυμός, ánimo.) f. **Psicosis maniacodepresiva.**

Ciclotímico, ca. adj. *Med.* Perteneciente o relativo a la ciclotimia. || **2.** Dícese de la persona que la padece. Ú. t. c. s.

Ciclotrón. m. *Electr.* Aparato que actúa mediante fuerzas electromagnéticas sobre elementos desprendidos de un átomo, haciéndoles recorrer determinada órbita con movimiento acelerado hasta imprimirles una enorme velocidad con el fin de que sirvan de proyectiles para bombardear otros átomos.

Cicoleta. (De *cieca cequia*.) f. *Ar.* Acequia muy pequeña.

Cicuta. (Del lat. *cicūta*.) f. Planta de la familia de las umbelíferas, de unos dos metros de altura, con tallo rollizo, estriado, hueco, manchado de color purpúreo en la base y muy ramoso en lo alto; hojas blandas, fétidas, verdinegras, triangulares y divididas en gajos elípticos, puntiagudos y dentados; flores blancas, pequeñas, y semilla negruzca menuda. El zumo de esta hierba, cocido hasta la consistencia de miel dura, es venenoso y se usa interiormente, en corta cantidad, como medicina muy activa. || **menor.** Hierba venenosa de la familia de las umbelíferas, semejante al perejil, del cual apenas se distingue más que por el color obscuro y el olor desagradable de sus hojas.

Cicutina. f. Alcaloide contenido en la cicuta, que se presenta como un aceite amarillento y es muy venenoso.

Cid. (Por alusión al Cid Campeador.) m. fig. Hombre fuerte y muy valeroso.

Cidiano, na. adj. Perteneciente o relativo al Cid.

Cidra. (Del lat. *citra*, pl. n. de *-um*.) f. Fruto del cidro, semejante al limón, y comúnmente mayor, oblongo y algunas veces esférico; la corteza es gorda, carnosa y sembrada de vejiguillas muy espesas, llenas de aceite volátil, de olor muy desagradable, y el centro, pequeño y agrio. Su corteza, semilla y zumo se usan en medicina como los del limón. || **cayote.** Planta, variedad de sandía, cuyo fruto es de corteza lisa y verde con manchas blanquecinas y amarillentas, y simiente comúnmente negra. Su carne es jugosa, blanca, y tan fibrosa que después de cocida se asemeja a una cabellera enredada, de la cual se hace el dulce llamado cabello de ángel. || **2.** Fruto de esta planta.

Cidrada. f. Conserva hecha de cidra.

Cidral. m. Sitio poblado de cidros. || **2. Cidro.**

Cidrayota. f. *Chile.* **Chayotera.**

Cidrera. f. **Cidro.**

Cidria. f. **Cedria.**

Cidro. (Del lat. *citrus*.) m. Árbol de la familia de las rutáceas, con tronco liso y ramoso de unos cinco metros de altura, hojas permanentes, duras y agudas, verdes y lustrosas por encima, rojizas por el envés, y flores encarnadas olorosas. Su fruto es la cidra.

Cidronela. (De *cidra*, por el olor de la planta.) f. **Toronjil.**

Ciegamente. adv. m. Con ceguedad.

Ciegayernos. m. fig. y fam. Cosa de poco valor que aparenta tenerlo grande.

Ciego, ga. (Del lat. *caecus*.) adj. Privado de la vista. Ú. t. c. s. || **2.** V. **Coplas, oración, palo, relación, romance de ciego.** || **3.** V. **Arco, cocuyo, lazo, nudo, paquete ciego.** || **4.** V. **Gallina, morcilla, obediencia, olla, piedra ciega.** || **5.** fig. Poseído con vehemencia de alguna pasión. CIEGO *de ira, de amor.* || **6.** fig. Ofuscado, alucinado. || **7.** fig. Aplícase al pan o queso que no tiene ojos. || **8.** fig. Dícese de cualquier conducto lleno de tierra o broza, de suerte que no se puede usar. || **9.** *Mar.* V. **Candelero ciego.** || **10.** m. Intestino **ciego.** || **11.** *Ecuad.* Pez de los ríos de este país. || **A ciegas.** m. adv. **Ciegamente.** || **2.** fig. Sin conocimiento, sin reflexión. || **Cuando guían los ciegos, guay de los que van tras ellos.** ref. que muestra los perjuicios que una mala dirección suele causar en la vida. || **No tener uno con qué hacer cantar, o rezar, a un ciego.** fr. fig. y fam. Ser muy pobre. || **¿Para qué quiere el ciego la casa enjalbegada, si no ve nada?** ref. con que se reprocha al que pretende una cosa que es incapaz de aprovechar. || **Soñaba el ciego que veía, y soñaba lo que quería.** ref. que denota la facilidad con que algunos se lisonjean de que van a conseguir lo que quieren.

Cieguecico, ca, llo, lla, to, ta. adj. d. de **Ciego.** Ú. t. c. s.

Cieguezuelo, la. adj. d. de Ciego. Ú. t. c. s.

Cielito. (d. de *cielo.*) m. *Argent.* Baile y tonada de los gauchos, que se hace entre muchas parejas asidas de las manos, quedando una pareja en el centro del corro.

Cielo. (Del lat. *caelum.*) m. Esfera aparente azul y diáfana que rodea a la Tierra, y en la cual parece que se mueven los astros. || **2. Atmósfera,** 1.ª acep. CIELO *alegre.* || **3.** Clima o temple. *España goza de benigno* CIELO, *o* CIELO *saludable.* || **4.** Mansión en que los ángeles, los santos y los bienaventurados gozan la presencia de Dios. Ú. t. en pl. || **5.** V. **Reino de los cielos.** || **6.** Gloria o bienaventuranza. || **7.** V. **Árbol, arco, capa, tocino del cielo.** || **8.** fig. Dios o su providencia. Ú. t. en pl. *¡Valedme,* CIELOS! || **9.** fig. Parte superior que cubre algunas cosas. *El* CIELO *de la cama; el* CIELO *del coche.* || **borreguero. Cielo aborregado.** || **de la boca. Paladar,** 1.ª acep. || **raso.** En lo interior de los edificios, techo de superficie plana y lisa. || **viejo.** *Mar.* Color azul visible a través de los rompimientos del celaje durante los malos tiempos. || **Medio cielo.** *Astron.* Meridiano superior, esto es, parte del círculo meridiano que está sobre el horizonte. || **A cielo abierto.** m. adv. Sin techo ni cobertura alguna. || **A cielo descubierto.** m. adv. **Al descubierto.** || **Al que al cielo escupe, en la cara le cae.** ref. que enseña lo expuesta que es a duro escarmiento la excesiva arrogancia. || **Bajado del cielo.** expr. fig. y fam. Prodigioso, excelente, peregrino y cabal en todo. || **Cerrarse el cielo.** fr. fig. Cubrirse de nubes || **Cielo aborregado, suelo mojado. Cielo borreguero, vendaval o agua del cielo.** refs. que indican estar próxima la lluvia cuando las nubes se aborregan. || **Coger uno el cielo con las manos.** fr. fig. y fam. **Tomar el cielo con las manos.** || **Comprar, o conquistar el cielo.** fr. fig. **Ganar el cielo.** || **Descargar el cielo.** fr. **Descargar el nublado,** 1.ª acep. || **Desencapotarse el cielo.** fr. fig. Despejarse de nubes y quedar claro. || **Desgarrarse el cielo.** fr. fig. Ser muy copiosa la lluvia, o muy fuerte una tempestad. || **Despejarse el cielo.** fr. **Desencapotarse el cielo.** || **El cielo aborregado, antes de tres días bañado.** ref. **Cielo aborregado, suelo mojado.** || **Entoldarse el cielo.** fr. fig. **Cerrarse el cielo.** || **Escupir uno al cielo.** fr. fig. Decir o hacer cosas ilícitas que se vuelven en su daño. || **Estar hecho un cielo.** fr. fig. y fam. Estar muy iluminado y adornado un templo u otro sitio. || **Ganar uno el cielo.** fr. fig. Conseguir el cielo o la bienaventuranza con virtudes y buenas obras. || **Herir uno los cielos con voces,** lamentos, quejas, etc. fr. fig. **Herir el aire.** || **Irse uno al cielo calzado y vestido, o vestido y calzado.** fr. fig. y fam. Ganar el **cielo** sin pasar por el purgatorio. Dícese respecto de persona a quien por su inocencia o sus virtudes se cree digna de este premio. || **Juntársele a uno el cielo con la tierra.** loc. fam. Verse impensadamente en un trance grave o peligroso. || **Llovido del cielo.** loc. fig. y fam. que denota la oportunidad con que llega una persona u ocurre alguna cosa donde o cuando más convenía. || **Mover uno cielo y tierra.** fr. fig. y fam. Hacer con suma diligencia todas las gestiones posibles para el logro de alguna cosa. || **Mudar cielo,** o **de cielo.** fr. **Mudar aires,** o **de aires.** || **Nublársele el cielo** a uno. fr. fig. Entristecerse y acongojarse demasiado. || **Poner en el cielo,** o **los cielos,** a una persona o cosa. fr. fig. **Poner en,** o **sobre, las nubes** a una persona o cosa. || **Tomar uno el cielo con las manos.** fr. fig. y fam. Recibir grande enfado o enojo por alguna cosa, manifestándolo con demostraciones exteriores. || **¡Vaya usted al cielo!** expr. fig. y fam. con que uno desprecia lo que otro dice. || **Venido del cielo.** expr. fig. y fam. **Bajado del cielo.** || **Venirse el cielo abajo.** fr. fig. y fam. Desatarse una tempestad o lluvia grande. || **2.** fig. y fam. Suceder un alboroto o ruido extraordinario. || **Ver uno el cielo abierto,** o **los cielos abiertos.** fr. fig. y fam. Presentársele ocasión o coyuntura favorable para salir de un apuro o conseguir lo que deseaba. || **Ver uno el cielo por embudo.** fr. fig. y fam. Tener poco conocimiento del mundo, por haberse criado con mucho recogimiento. || **Volar al cielo.** fr. fig. Separarse del cuerpo el alma bienaventurada.

Ciella. (Del lat. *cella,* granero.) f. ant. **Cilla.**

Ciempiés. m. Miriápodo de cuerpo prolongado y estrecho, con un par de patas en cada uno de los 21 anillos en que tiene dividido el cuerpo; dos antenas, cuatro ojos, y en la boca mandibulillas córneas y ganchudas que, al morder el animal, sueltan un veneno activo. Vive oculto entre las piedras y en parajes húmedos. Se conocen varias especies. || **2.** fig. y fam. Obra o trabajo desatinado o incoherente.

Cien. adj. Apócope de **Ciento.** Úsase siempre antes de substantivo. CIEN *doblones;* CIEN *años.* || **2.** V. **Rosal de cien hojas.** || **3.** fig. V. **Cuchillada de cien reales.**

Ciénaga. (Del ant. *cenagar,* del lat. **coenicāre,* de *coenum,* cieno.) f. Lugar o paraje lleno de cieno o pantanoso.

Ciénago. m. ant. **Cieno.** || **2.** ant. **Cenagal,** 1.ª acep.

Ciencia. (Del lat. *scientĭa,* de *sciens,* instruido, ciente.) f. Conocimiento cierto de las cosas por sus principios y causas. || **2.** Cuerpo de doctrina metódicamente formado y ordenado, que constituye un ramo particular del humano saber. || **3.** fig. Saber o erudición. *Tener mucha,* o *poca,* CIENCIA; *ser un pozo de* CIENCIA; *hombre de* CIENCIA *y virtud.* || **4.** fig. Habilidad, maestría, conjunto de conocimientos en cualquier cosa. *La* CIENCIA *del caco, del palaciego, del hombre vividor.* || **Gaya ciencia.** Arte de la poesía. || **Ciencias exactas.** Las que sólo admiten principios, consecuencias y hechos rigurosamente demostrables. || **2.** Por antonom., matemáticas. || **naturales.** Las que tienen por objeto el conocimiento de las leyes y propiedades de los cuerpos. || **A,** o **de, ciencia cierta.** m. adv. Con toda seguridad, sin duda alguna. Ú. por lo común con el verbo *saber.* || **A ciencia y paciencia.** m. adv. Con noticia, permisión o tolerancia de alguno.

Cienmilésimo, ma. adj. Dícese de cada una de las 100.000 partes iguales en que se divide un todo. **Ú. t. c. s.**

Cienmilímetro. m. Centésima parte de un milímetro.

Cienmilmillonésimo, ma. adj. Dícese de cada una de los cien mil millones de partes iguales en que se divide un todo. Ú. t. c. s.

Cienmillonésimo, ma. adj. Dícese de cada una de los cien millones de partes iguales en que se divide un todo. Ú. t. c. s.

Cieno. (Del lat. *coenum,* con la vocal de *stĕrcus.*) m. Lodo blando que forma depósito en ríos, y sobre todo en lagunas o en sitios bajos y húmedos.

Cienoso, sa. adj. **Cenagoso.**

Ciensayos. m. Pájaro fabuloso, del que se decía que debajo de su plumaje, de colores diversos, tenía un vello muy espeso.

Cientanal. (De *ciento* y *anal.*) adj. **ant.** De cien años. Decíase sólo de cosas.

Ciente. (Del lat. *scientis,* p. a. de *scīre,* saber.) adj. ant. **Esciente.**

Cientemente. adv. m. ant. **Escientemente.**

Cienteñal. adj. ant. **Cientanal.**

Científicamente. adv. m. Según los preceptos de una ciencia o arte.

Cientificismo. m. Tendencia a dar excesivo valor a las nociones científicas o pretendidamente científicas.

Científico, ca. (Del lat. *scientificus;* de *scientia,* ciencia, y *facĕre,* hacer.) adj. Que posee alguna ciencia o ciencias. **Ú. t. c. s.** || **2.** Perteneciente a ellas.

Ciento. (Del lat. *centum.*) adj. Diez veces diez. || **2. Centésimo,** 1.ª acep. *Número* CIENTO; *año* CIENTO. || **3.** m. Signo o conjunto de signos con que se representa el número **ciento.** *En la pared había un* CIENTO *medio borrado.* || **4. Centena,** 1.er art. *Un* CIENTO *de huevos, de agujas.* || **5.** V. **Consejo de Ciento.** || **6.** V. **Doblón de a ciento.** || **7.** pl. Tributo que llegó hasta el cuatro por **ciento** de las cosas que se vendían y pagaban alcabala. || **8.** Juego de naipes que comúnmente se juega entre dos, y el que primero llega a hacer **cien** puntos, según las leyes establecidas, gana la suerte.

Cientoemboca. m. *And.* Mostachón muy pequeño, del tamaño y forma del fruto del altramuz.

Cientopiés. m. **Ciempiés,** 1.ª acep.

Cierna. (De *cerner.*) f. Antera de la flor del trigo, de la vid y de otras plantas.

Cierne. (De *cerner.*) m. Acción de cerner, 4.ª acep. || **En cierne.** m. adv. En flor. Dícese de la vid, del olivo, del trigo y de otras plantas. || **Estar en cierne** una cosa. fr. fig. Estar muy a sus principios, faltarle mucho para su perfección.

Cierre. m. Acción y efecto de cerrar o cerrarse. *El* CIERRE *de una carta, de un abanico.* || **2.** Lo que sirve para cerrar. || **3.** Clausura temporal de tiendas y otros establecimientos mercantiles, por lo regular concertada entre los dueños. || **metálico.** Cortina metálica arrollable que cierra y defiende la puerta de una tienda u otro establecimiento.

Cierro. m. **Cierre,** 1.ª acep. || **2.** *Chile.* Cerca, tapia o vallado. || **3.** *Chile.* Sobre, 14.ª acep. || **de cristales.** *And.* **Mirador,** 3.ª acep.

Cierta (La). (De *cierto.*) f. *Germ.* La muerte 1.ª acep.

Ciertamente. adv. m. Con certeza.

Ciertísimo, ma. adj. fam. **Certísimo.**

Cierto, ta. (Del lat. *certus.*) adj. Conocido como verdadero, seguro, indubitable. || **2.** Se usa algunas veces en sentido indeterminado. CIERTO *lugar;* CIERTO *día;* CIERTA *noche.* Cuando se usa en este sentido, precede a los substantivos, pero sin artículo, porque si se pone, determina el sentido. *Es* CIERTO *el día; es* CIERTO *el lugar.* || **3.** Hablando de los perros, se dice de aquellos que dan señas ciertas de la caza, y que seguramente la levantan. ‖ **4.** Sabedor, seguro de la verdad de algún hecho. ‖ **5.** ant. **Certero.** ‖ **6.** *Germ.* **Fullero.** ‖ **7.** adv. afirm. **Ciertamente.** ‖ **Al cierto.** **De cierto.** ms. advs. **Ciertamente.** ‖ **Dejar lo cierto por lo dudoso.** fr. fig. Perder o abandonar lo seguro por adquirir lo que suele no lograrse. ‖ **En cierto.** m. adv. ant. **De cierto.** ‖ **No, por cierto.** loc. adv. No, ciertamente; no, en verdad. ‖ **Por cierto.** m adv. Ciertamente, a la verdad. ‖ **Sí, por cierto.** loc. adv. Ciertamente, en verdad.

Cierva. (Del lat. *cĕrva.*) f. Hembra del ciervo: es casi de su mismo tamaño y figura, pero no tiene cuernos.

Ciervo. (Del lat. *cĕrvus.*) m. Animal mamífero rumiante, de unos 13 decímetros de altura, esbelto, de pelo áspero, corto y pardo rojizo en verano y gris en invierno; más claro por el vientre que por el lomo; patas largas y cola muy corta. El macho está armado de astas o cuernas estriadas y ramosas, que pierde y renueva todos los años, aumentando con el tiempo el número de puntas, que llega a 10 en cada asta. Es animal indomesticable y se caza para utilizar su piel, sus astas y su carne. ‖ **2.** V. **Lengua de ciervo.** ‖ **volante.** Insecto coleóptero de unos cinco centímetros de largo, parecido al escarabajo, de color negro, con cuatro alas, y las mandíbulas lustrosas, ahorquilladas y ramosas, como los cuernos del **ciervo.**

Cierzas. f. pl. Vástagos o renuevos de la vid.

Cierzo. (Del lat. *cĕrcius,* por *circius.*) m. Viento septentrional más o menos inclinado a levante o a poniente, según la situación geográfica de la región en que sopla.

Cifac. (Del ár. *ṣifāq,* abdomen.) m. ant. **Cifaque.**

Cifaque. m. ant. **Peritoneo.**

Cifela. (Del pl. gr. κύφελλα, nubes.) m. Hongo que crece y vive entre el musgo de los tejados.

Cifosis. (Del gr. κυφός, convexo.) f. *Med.* Encorvadura defectuosa de la espina dorsal, de convexidad posterior.

Cifra. (Del ár. *ṣifr,* nombre del cero, aplicado luego a los demás números.) f. **Número,** 2.ª acep. ‖ **2.** Escritura en que se usan signos, guarismos o letras convencionales, y que sólo puede comprenderse conociendo la clave. ‖ **3.** Enlace de dos o más letras, generalmente las iniciales de nombres y apellidos, que como abreviatura se emplea en sellos, marcas, etc. ‖ **4. Abreviatura,** 1.ª y 2.ª aceps. ‖ **5.** Modo vulgar de escribir música por números. ‖ **6.** fig. Suma y compendio, emblema. ‖ **7.** *Germ.* **Astucia.** ‖ **En cifra.** m. adv. fig. Obscura y misteriosamente. ‖ **2.** fig. Con brevedad, en compendio.

Cifradamente. adv. m. En cifra; resumidamente.

Cifrado, da. p. p. de **Cifrar.** ‖ **2.** adj *Mús.* V. **Bajo cifrado.**

Cifrar. tr. Escribir en cifra. ‖ **2.** fig. Compendiar, reducir muchas cosas a una, o un discurso a pocas palabras. Ú. t. c. r. ‖ **3.** fig. Seguido de la prep. *en,* reducir exclusivamente a cosa, persona o idea determinadas lo que ordinariamente procede de varias causas. CIFRAR *la dicha* EN *la estimación pública; la esperanza,* EN *Dios.*

Cigala. f. Crustáceo marino, de color claro y caparazón duro, semejante al cangrejo de río. Es comestible y los hay de gran tamaño.

Cigala. (Del fr. *cigale.*) f. *Mar.* Forro, generalmente de piola, que se pone al arganeo de anclotes y rezones.

Cigallo. m. *Mar.* **Cigala,** 2.° art.

Cigarra. (Del lat. *cicāda.*) f. *Zool.* Insecto hemíptero, del suborden de los homópteros, de unos cuatro centímetros de largo, de color comúnmente verdoso amarillento, con cabeza gruesa, ojos salientes, antenas pequeñas, cuatro alas membranosas y abdomen cónico, en cuya base tienen los machos un aparato con el cual producen un ruido estridente y monótono. Después de adultos sólo viven un verano. ‖ **2.** *Germ.* **Bolsa,** 2.ª acep. ‖ **de mar.** Crustáceo decápodo, marino, semejante a la langosta de mar. Común en el Mediterráneo.

Cigarral. (De *cigarra.*) m. En Toledo, huerta cercada fuera de la ciudad, con árboles frutales y casa para recreo.

Cigarralero, ra. m. y f. Persona que habita en un cigarral o cuida de él.

Cigarrera. f. Mujer que hace o vende cigarros. ‖ **2.** Caja o mueblecillo en que se tienen a la vista cigarros puros. ‖ **3. Petaca,** 2.ª acep.

Cigarrería. f. *Amér.* Tienda en que se venden cigarros.

Cigarrero. m. El que hace o vende cigarros.

Cigarrillo. (d. de *cigarro.*) m. Cigarro pequeño de picadura envuelta en un papel de fumar.

Cigarro. (Del maya *siqar.*) m. Rollo de hojas de tabaco, que se enciende por un extremo y se chupa o fuma por el opuesto. ‖ **de papel. Cigarrillo.** ‖ **puro. Cigarro.**

Cigarrón. m. aum. de **Cigarra.** ‖ **2. Saltamontes.** ‖ **3.** *Germ.* Bolsa grande.

Cigofiláceo, a. (De *zygophyllum,* nombre científico de la morsana, y éste del gr. ζυγός, yugo, y φύλλον, hoja, porque tiene las hojas compuestas de dos hojuelas pareadas.) adj. *Bot.* Dícese de plantas leñosas, rara vez herbáceas, angiospermas dicotiledóneas, que tienen hojas compuestas, opuestas por lo común; flores actinomorfas, con cáliz y corola tetrámeros o pentámeros, el primero sin glándulas; fruto en cápsula, en drupa o en baya, y semillas con albumen córneo o sin albumen; como la morsana, el abrojo y el guayacán. Ú. t. c. s. f. ‖ **2.** f. pl. *Bot.* Familia de estas plantas.

Cigofíleo, a. adj. *Bot.* **Cigofiláceo.**

Cigomático, ca. (Del gr. ζύγωμα, -ατος, pómulo.) adj. *Zool.* Perteneciente o relativo a la mejilla o al pómulo. *Arco* CIGOMÁTICO.

Cigomorfa. (Del gr. ζυγός, lo que une, y μορφή, forma.) adj. *Bot.* Dícese de la flor en la que solamente uno de los planos que pasan por su eje la divide en dos partes simétricas; como la del garbanzo.

Cigoñal. (De *cigüeña,* por imitación.) m. Pértiga enejada sobre un pie en horquilla, y dispuesta de modo que, atando una vasija a un extremo y tirando del otro, puede sacarse agua de pozos someros ‖ **2.** *Fort.* Viga que sirve para mover la báscula de un puente levadizo, y de la cual pende la cadena que lo levanta.

Cigoñino. (Del lat. *ciconinus,* con la *ñ* de *cigüeña.*) m. Pollo de la cigüeña.

Cigoñuela. (De *cigüeña.*) f. Ave del orden de las zancudas, menor que la cigüeña, de plumaje blanco, algo sonrosado por el pecho y abdomen; nuca, espaldas y alas negras, cola cenicienta, pico largo, recto y anaranjado y pies rojos.

Cigoto. m. *Biol.* **Huevo,** 1.ª acep.

Cigua. (Voz americana.) f. Árbol de las Antillas, de la familia de las lauráceas, con tronco maderable, hojas gruesas, elípticas, pecioladas, lampiñas, flores verdosas en grupos axilares, y bayas ovoides sostenidas por el cáliz de la flor. ‖ **2.** *Cuba.* Caracol de mar.

Ciguapa. (Voz americana.) f. *Cuba.* Ave de rapiña, nocturna, semejante a la lechuza y menor que ella; de pico corto, azulado; color pardo con manchas amarillas, el pecho y vientre más claros, con pintas rojizas. ‖ **2.** m. *Bot. C. Rica* y *Cuba.* Árbol de la familia de las sapotáceas, que produce una especie de zapotillos de carne color de yema de huevo y semilla semejante a la del mamey.

Ciguapate. (Del azteca *cihuapatli,* remedio femenino.) f. *Hond.* Planta umbelífera, aromática. que crece a orillas de los ríos, y cuyas hojas, alternas, vellosas y pecioladas, se emplean en medicina.

Ciguaraya. f. *Bot. Cuba.* Planta meliácea, de hojas opuestas, ovales, coriáceas, flores axilares en racimos y cápsulas coriáceas y rojizas. Se usa en medicina y en la industria.

Ciguatarse. r. **Aciguatarse.**

Ciguatera. f. Enfermedad que suelen contraer los peces y crustáceos de las costas del golfo de Méjico y que produce perniciosos efectos a las personas que los comen.

Ciguato, ta. adj. Que padece ciguatera. Ú. t. c. s.

Cigüeña. (Del lat. *cicōnia.*) f. Ave del orden de las zancudas, como de un metro de altura, de cabeza redonda, cuello largo, cuerpo generalmente blanco, alas negras, patas largas y rojas, lo mismo que el pico, con el cual crotora sacudiendo rápidamente la parte superior sobre la inferior. Es ave de paso, anida en las torres y árboles elevados, y se alimenta de sabandijas. ‖ **2.** Hierro sujeto a la cabeza de la campana, donde se asegura la cuerda para tocarla. ‖ **3.** Codo que tienen los tornos y otros instrumentos y máquinas en la prolongación del eje, por cuyo medio se les da con la mano movimiento rotatorio. ‖ **4.** V. **Pico de cigüeña.** ‖ **negra.** *Zool.* La que se distingue principalmente de la ordinaria por el color negro metálico de su plumaje. ‖ **Pintar la cigüeña.** fr. fig. y fam. **Pintarla.**

Cigüeñal. m. **Cigoñal.** ‖ **2.** *Mec.* Doble codo en el eje de ciertas máquinas.

Cigüeño. m. p. us. Macho de la cigüeña.

Cigüeñuela. f. **Cigüeña,** 3.ª acep. ‖ **2.** *Zool.* Ave del orden de las zancudas, más pequeña que la cigüeña, con plumaje en el que dominan los colores blanco y negro, patas muy largas con tarsos encarnados; vive cerca de las lagunas y pantanos y abunda en las proximidades del estrecho de Gibraltar.

Cigüete. adj. V. **Uva cigüete.** Ú. t. c. s.

Cigüñuela. f. ant. d. de **Cigüeña.**

Cija. (Del lat. *sedīlia,* pl. n. de *sedile,* asiento.) f. Cuadra para encerrar el ganado lanar durante el mal tiempo. ‖ **2. Pajar.** ‖ **3.** *Ar.* Prisión estrecha o calabozo. ‖ **4.** *Ar.* **Cilla,** 1.ª acep.

Cilampa. (Del quichua *tzirapa,* llovizna.) f. *C Rica* y *El Salv.* **Llovizna.**

Cilanco. m. Charco que deja un río en la orilla al retirar sus aguas, o en el fondo cuando se ha secado.

Cilantro. (Del lat. *coriandrum.*) m. Hierba de la familia de las umbelíferas, con tallo lampiño de seis a ocho decímetros de altura, hojas inferiores divididas en segmentos dentados, y filiformes las superiores, flores rojizas y simiente elipsoidal, aromática y de virtud estomacal.

Ciliado, da. (De *cilio.*) adj. *Biol.* Dícese de la célula o microorganismo que tiene cilios. Ú. t. c. s. m. ‖ **2.** m. pl. *Zool.* Clase de protozoos, que comprende animales provistos de cilios. Muchas de sus especies viven en las aguas dulces o marinas, y algunas son parásitas.

Ciliar. (Del lat. *cilium,* ceja.) adj. *Zool.* Perteneciente o relativo a las cejas o a los cilios.

Cilicio. (Del lat. *cilicium.*) m. Saco o vestidura áspera de que usaban en lo antiguo para la penitencia. ‖ **2.** Faja de cerdas o de cadenillas de hierro con puntas, ceñida al cuerpo junto a la carne, que para mortificación usan algunas personas. ‖ **3.** *Mil.* **Centón,** 2.ª acep.

Cilindrado, da. p. p. de **Cilindrar.** ‖ **2.** m. Acción y efecto de cilindrar.

Cilindrar. tr. Comprimir con el cilindro o rodillo.

Cilíndrico, ca. (De *cilindro.*) adj. *Geom.* V. **Superficie cilíndrica.** ‖ **2.** *Geom.* Perteneciente al cilindro. *Hélice* CILÍNDRICA. ‖ **3.** De forma de cilindro. *Cañón, cuerpo* CILÍNDRICO.

Cilindro. (Del lat. *cylindrus,* y éste del gr. κύλινδρος, de κυλίνδω, arrollar, revolver.) m. *Geom.* Sólido limitado por una superficie cilíndrica cerrada y dos planos que forman sus bases. ‖ **2.** *Geom.* Por antonomasia, el recto y circular. ‖ **3.** *Impr.* Pieza de la máquina que, girando sobre el molde, o sobre el papel si ella tiene los moldes, hace la impresión. ‖ **4.** *Impr.* Pieza que por su movimiento de rotación bate y toma la tinta con que los rodillos han de bañar el molde. ‖ **5.** *Mec.* Tubo en que se mueve el émbolo de una máquina. ‖ **6.** *Reloj.* Tambor de la máquina del reloj, sobre el cual se enrosca la cuerda. ‖ **central.** *Bot.* Parte interior del tallo y de la raíz de las plantas fanerógamas, que está rodeada por la corteza y formada principalmente por la medula y por haces de vasos leñosos y cribosos. ‖ **circular.** *Geom.* El de bases circulares. ‖ **compresor. Rodillo,** 1.er art., 2.ª acep. ‖ **eje.** *Zool.* **Neurita.** ‖ **oblicuo.** *Geom.* El de bases oblicuas a las generatrices de la superficie cilíndrica. ‖ **recto.** *Geom.* El de bases perpendiculares a las generatrices de la superficie cilíndrica. ‖ **truncado.** *Geom.* El terminado por dos planos no paralelos.

Cilio. (Del lat. *cilium,* ceja.) m. *Biol.* Filamento protoplasmático delgado y permanente que emerge del cuerpo de los protozoos ciliados y de algunas otras células; distínguese del flagelo por ser más corto que éste y por existir en gran número en una misma célula; mediante sus movimientos se efectúa la locomoción de las células en un medio líquido.

Cilla. (De *ciella.*) f. Casa o cámara donde se recogían los granos. ‖ **2.** Renta decimal.

Cillazgo. m. Derecho que pagaban los partícipes en los diezmos, para que estuviesen recogidos y guardados en la cilla los granos y demás frutos decimales.

Cillerero. (Del lat. *cellararius,* de *cella,* despensa.) m. En algunas órdenes monacales, mayordomo del monasterio.

Cillería. f. Cargo que desempeñaban el cillerero o la cilleriza.

Cilleriza. (De *cillero.*) f. En los conventos de religiosas de la orden de Alcántara, monja que tiene la mayordomía del convento.

Cillerizo. m. **Cillero,** 1.ª acep.

Cillero. (Del lat. *cellarius.*) m. El que tenía a su cargo guardar los granos y frutos de los diezmos en la cilla, dar cuenta de ellos, y entregarlos a los partícipes. ‖ **2. Cilla,** 1.ª acep. ‖ **3.** Bodega, despensa o sitio seguro para guardar algunas cosas.

Cima. (Del lat. *cyma,* y éste del gr. κῦμα, lo que se hincha, ola.) f. Lo más alto de los montes, cerros y collados. ‖ **2.** La parte más alta de los árboles. ‖ **3.** Tallo del cardo y de otras verduras. ‖ **4.** fig. Fin o complemento de alguna obra o cosa. ‖ **5.** *Bot.* Inflorescencia cuyo eje tiene una flor en su extremo. ‖ **A la por cima.** m. adv. ant. Al fin, por último. ‖ **Dar cima** a una cosa. fr. fig. Concluirla felizmente, llevarla hasta su fin y perfección. ‖ **Mirar** una cosa **por cima.** fr. fig. Mirarla ligeramente, sin enterarse de ella a fondo. ‖ **Por cima.** m. adv. En lo más alto. ‖ **2. Por encima.**

Cimacio. (Del lat. *cymatium,* y éste del gr. κυμάτιον, d. de κῦμα, onda.) m. *Arq.* **Gola,** 6.ª acep.

Cimar. (De *cima.*) tr. ant. Recortar una cosa por encima; como el pelo de los paños y las puntas de las hierbas o de los árboles.

Cimarra (Hacer). fr. fam. *Argent.* y *Chile.* **Hacer novillos.**

Cimarrón, na. (De *cima.*) adj. *Amér.* Dícese del esclavo o del animal doméstico que huye al campo y se hace montaraz. Apl. a pers., ú. t. c. s. ‖ **2.** *Amér.* Aplícase a la planta silvestre de cuyo nombre o especie hay otra cultivada. ‖ **3.** V. **Capulí cimarrón.** ‖ **4.** *Argent.* Dícese del mate amargo, o sea sin azúcar. ‖ **5.** *Mar.* fig. Dícese del marinero indolente y poco trabajador. Ú. t. c. s.

Cimarronada. f. *Amér.* Manada de animales cimarrones.

Cimate. m. *Méj.* Planta cuyas raíces se usan como condimento en ciertos guisados.

Cimba. (Del lat. *cymba.*) f. *Bol.* Trenza que usan algunos negros. ‖ **2.** *Arqueol.* Barquilla cuyos extremos formaban curva hacia arriba. La empleaban los romanos en los ríos.

Cimbado. m. *Bol.* Látigo trenzado, chicote.

Cimbalaria. (De *címbalo,* por la forma de la flor.) f. Hierba de la familia de las escrofulariáceas, que se cría en las peñas y murallas, con tallos delgados, ramosos y capaces de arraigar, hojas carnosas parecidas a las de la hiedra, pero más redondas, y flores pedunculadas, de corola entera y purpúrea, con una mancha amarilla. Se usa en jardinería como adorno de las paredes o en vasos colgantes.

Cimbalero. m. *Mús.* Tañedor de címbalo.

Cimbalillo. (d. de *címbalo.*) m. Campana pequeña. Llámase así comúnmente la que en las catedrales y otras iglesias se toca después de las campanas grandes, para entrar en el coro.

Cimbalista. m. **Cimbalero.**

Címbalo. (Del lat. *cymbălum,* y éste del gr. κύμβαλον.) m. Campana pequeña. ‖ **2.** *Arqueol.* Instrumento músico muy parecido o casi idéntico a los platillos, de que se servían los griegos y romanos en algunas de sus ceremonias religiosas.

Cimbanillo. m. **Cimbalillo.**

Címbara. (Del ár. *zabbāra,* hocino, podadera.) f. **Rozón.**

Cimbel. (De *cimbellum,* d. vulgar del lat. *cymbălum,* címbalo.) m. Cordel que se ata a la punta del cimillo en que se pone el ave que sirve de señuelo para cazar otras. ‖ **2.** Ave o figura de ella que se emplea con dicho objeto.

Cimboga. f. **Acimboga.**

Cimborio. m. *Arq.* **Cimborrio.**

Cimborrio. (Del lat. *ciborium,* y éste del gr. κιβώριον, el fruto del nenúfar, copa de forma semejante a la de este fruto.) m. *Arq.* Cuerpo cilíndrico que sirve de base a la cúpula y descansa inmediatamente sobre los arcos torales. ‖ **2.** *Arq.* **Cúpula,** 1.ª acep.

Cimbra. f. *Arq.* Armazón que sostiene el peso de un arco de otra construcción, destinada a salvar un vano, en tanto no está en condiciones de sostenerse por sí misma. ‖ **2.** *Arq.* Vuelta o curvatura de la superficie interior de un arco o bóveda. ‖ **3.** *Mar.* Vuelta o curvatura que se obliga a tomar a una tabla, para colocarla y clavarla en su lugar en el forro de un casco. ‖ **Plena cimbra.** La que forma un semicírculo.

Cimbrado, da. p. p. de **Cimbrar.** ‖ **2.** m. Paso de baile que se hace doblando rápidamente el cuerpo por la cintura.

Cimbrar. tr. Mover una vara larga u otra cosa flexible, asiéndola por un extremo y vibrándola. Ú. t. c. r. ‖ **2.** fig. y fam. Dar a uno con una vara o palo, de modo que le haga doblar el cuerpo. ‖ **3.** *Arq.* Colocar las cimbras en una obra.

Cimbre. (De *cimbrar.*) m. Galería subterránea.

Cimbreante. adj. Flexible, que se cimbra fácilmente.

Cimbrear. tr. **Cimbrar.** Ú. t. c. r.

Cimbreño, ña. adj. Aplícase a la vara que se cimbra. ‖ **2.** fig. Dícese también de la persona delgada que mueve el talle con soltura y facilidad.

Cimbreo. m. Acción y efecto de cimbrar o cimbrarse.

Cimbria. f. **Filete,** 1.ª acep. ‖ **2.** ant. *Arq.* **Cimbra,** 1.ª acep.

Címbrico, ca. (Del lat. *cimbricus.*) adj. Perteneciente a los cimbros.

Cimbro, bra. (Del lat. *cimber, -bri.*) adj. Dícese del individuo de un pueblo que habitó antiguamente en Jutlandia. Hiciéronse famosos los **cimbros** al mediar el siglo VII de Roma, apareciendo de improviso, unidos a los teutones, en lo que hoy se llama Estiria, donde derrotaron a un ejército romano. Ú. m. c. s. y en pl. ‖ **2.** m. Lengua de los **cimbros,** uno de los dialectos del celta.

Cimbrón. m. *Ecuad.* Punzada, dolor lancinante.

Cimbronazo. m. **Cintarazo.** ‖ **2.** *Colomb.* y *C. Rica.* Estremecimiento nervioso muy fuerte.

Cimentación. f. Acción y efecto de cimentar.

Cimentado, da. p. p. de **Cimentar.** ‖ **2.** m. Afinamiento del oro pasándolo por el cimiento real.

Cimentador, ra. adj. Que cimienta. Ú. t. c. s.

Cimental. (De *cimiento.*) adj. ant. **Fundamental,** 1.ª acep.

Cimentar. tr. Echar o poner los cimientos de un edificio o fábrica. ‖ **2.** Afinar el oro con cimiento real. ‖ **3. Fundar,** 1.ª acep. ‖ **4.** fig. Establecer o asentar los principios de algunas cosas espirituales; como virtudes, ciencias, etc.

Cimentera. f. ant. Arte de cimentar, 1.ª acep.

Cimenterio. m. **Cementerio.**

Cimento. m. **Cemento,** 3.ª acep.

Cimera. (De *cima.*) f. Parte superior del morrión, que se solía adornar con plumas y otras cosas. ‖ **2.** *Blas.* Cualquier adorno que en las armas se pone sobre la cima del yelmo o celada, como una cabeza de perro, un grifo, un castillo, etc.

Cimerio, ria. (Del lat. *cimmerius.*) adj. Dícese del individuo de un pueblo que moró largo tiempo en la margen oriental de la laguna Meótides o mar de Azof, y que, según presumen algunos, dió nombre a Crimea. Ú. m. c. s. y en pl. ‖ **2.** Perteneciente a este pueblo o región.

Cimero, ra. (De *cima.*) adj. Dícese de lo que está en la parte superior y finaliza o remata por lo alto alguna cosa elevada.

Cimia. f. ant. **Marrubio.**

Cimicaria. f. **Yezgo.**

Cimiento. (Del lat. *caementum.*) m. Parte del edificio, que está debajo de tierra y sobre que estriba toda la fábrica. Ú. m. en pl. ‖ **2.** Terreno sobre que descansa el mismo edificio. ‖ **3.** fig. Principio y raíz de alguna cosa; como la humildad, de las otras virtudes, y la ociosidad de los otros vicios. ‖ **real.** Composición de vinagre, sal común y polvo de ladrillo, que se empleó para afinar el oro a fuego. ‖ **Abrir los cimientos.** fr. Hacer la excavación o zanjas en que se han de fabricar los **cimientos.**

Cimillo. (Del lat. vulgar *cimbellum,* d. del lat. *cymbălum.*) m. Vara larga y flexible que se ata por un extremo a la rama de un árbol y por el medio a otra, y en el otro extremo se pone sujeta una ave, que sirve de señuelo. Átase un cimbel a dicha vara, y tirando de él el cazador desde un lugar oculto, al movimiento del ave acuden otras, y entonces les tira.

Cimitarra. (Del ár. *šimšara*, espada.) f. Especie de sable usado por turcos y persas.

Cimofana. (Del gr. κῦμα, ola, y φαίνω, resplandecer.) f. Aluminato de glucina, de color verde amarillento, que se usa como piedra preciosa.

Cimógeno, na. (Del gr. ζύμη, fermento, y γεννάω, producir.) adj. Dícese de las bacterias que originan fermentaciones.

Cimorra. f. ant. *Veter.* Especie de catarro nasal de las caballerías.

Cimorro. (Del m. or. que *cimborrio.*) m. p. us. Torre de las iglesias.

Cimpa. f. *Perú.* **Crizneja.**

Cina. f. *Ecuad.* Cierta especie de planta gramínea.

Cinabrio. (Del lat. *cinnabăris*, y éste del gr. κιννάβαρι.) m. Mineral compuesto de azufre y mercurio, muy pesado y de color rojo obscuro. Del **cinabrio** se extrae por calcinación y sublimación el mercurio o azogue. || **2. Bermellón.**

Cinacina. f. *Bot. Argent.* Árbol espinoso de la familia de las papilionáceas, de hoja estrecha y menuda y flor olorosa amarilla y roja. Tiene poca altura y se emplea en setos vivos. La semilla es medicinal.

Cinámico, ca. (Del lat. *cinnămum*, canela.) adj. *Quím.* Perteneciente o relativo a la canela. || **2.** *Quím.* V. **Ácido cinámico.**

Cinamomo. (Del lat. *cinnamōmum.*) m. Árbol exótico y de adorno, de la familia de las meliáceas, de unos seis metros de altura, con hojas alternas, compuestas de hojuelas lampiñas y dentadas, flores en racimos axilares de color de violeta y de olor agradable, y cápsulas del tamaño de garbanzos, que sirven para cuentas de rosario. Su madera es dura y aromática. || **2.** Substancia aromática que, según unos, es la mirra, y según otros, la canela. || **3.** *Filip.* **Alheña,** 1.ª y 2.ª aceps.

Cinarra. f. *Ar.* Nieve menuda en forma de gragea.

Cinc. (Del al. *zink.*) m. Metal de color blanco azulado y brillo intenso, bastante blando y de estructura laminosa; se funde a poco más de 400 grados, es quebradizo a la temperatura ordinaria, y expuesto al aire húmedo se oxida, cubriéndose de una película que protege la masa interior. No se encuentra puro en la naturaleza y tiene muchas aplicaciones. || **2.** V. **Flores de cinc.**

Cinca. f. En el juego de los bolos, cualquiera falta que se hace por no observar las leyes con que se juega; como cuando la bola no entra por la caja, o no va rodando, o no pasa por la raya, etc., y en estos casos se pierden cinco rayas.

Cincel. (Del b. lat. *scisellum*, y éste del lat. *scindĕre*, hender.) m. Herramienta de 20 a 30 centímetros de largo, con boca acerada y recta de doble bisel, que sirve para labrar a golpe de martillo piedras y metales.

Cincelado, da. p. p. de **Cincelar.** || **2.** m. **Cinceladura.**

Cincelador. m. El que cincela.

Cinceladura. f. Acción y efecto de cincelar.

Cincelar. tr. Labrar, grabar con cincel en piedras o metales.

Cinco. (Del lat. *quinque.*) adj. Cuatro y uno. || **2. Quinto,** 1.ª acep. *Número* CINCO; *año* CINCO. Aplicado a los días del mes, ú. t. c. s. *El* CINCO *de mayo.* || **3.** m. Signo o cifra con que se representa el número **cinco.** || **4.** En el juego de bolos, en algunas partes, el que ponen delante de los otros, separado de ellos, al cual en otras dan distintos nombres según su valor. || **5.** Naipe que representa **cinco** señales. *El* CINCO *de oros.* || **6.** Guitarrilla venezolana de **cinco** cuerdas. || **7.** *C. Rica* y *Chile.* Moneda de plata de valor de **cinco** centavos. || **Cinco primeras.** expr. con que se entiende en varios juegos haber hecho las **cinco** primeras bazas seguidas, calidad que se paga, como no se pacte lo contrario. || **Esos cinco.** fr. fig. y fam. La mano. Ú. principalmente con los verbos *venir, dar, chocar* y otros análogos, en frases como éstas: *Vengan* ESOS CINCO; *choque usted* ESOS CINCO.

Cincoañal. adj. ant. De cinco años.

Cincoenrama. (De *cinco, en* y *rama.*) f. Hierba de la familia de las rosáceas, con tallos de cuatro a seis decímetros de largo, rastreros y capaces de arraigar, hojas compuestas de cinco hojuelas aovadas y dentadas, flores solitarias, amarillas y raíz delgada y de color pardo rojizo, que se usa en medicina.

Cincograbado. m. Grabado en cinc hecho en una pila por medio de un mordiente.

Cincografía. (De *cinc*, y el gr. γράφω, dibujar.) f. Arte de dibujar o grabar en una plancha de cinc preparada al efecto.

Cincollagas. m. *Cuba.* Planta silvestre parecida al ajonjolí, pero con la flor en ramilletes, rematando en cinco conchitas manchadas de color de sangre.

Cincomesino, na. adj. De cinco meses.

Cinconegritos. m. *Bot. C. Rica* y *Nicar.* Arbustillo de la familia de las verbenáceas, con hojas aromáticas y flores que forman manojillos en las axilas de las hojas y que al abrirse son amarillas, aunque luego se vuelven rojas.

Cincuenta. (Del lat. *quinquaginta.*) adj. Cinco veces diez. || **2. Quincuagésimo,** 1.ª acep. *Número* CINCUENTA; *año* CINCUENTA. || **3.** m. Signo o conjunto de signos con que se representa el número **cincuenta.**

Cincuentaina. f. ant. Mujer de cincuenta años.

Cincuentañal. adj. ant. De cincuenta años.

Cincuentavo, va. (De *cincuenta* y *avo.*) adj. Dícese de cada una de las 50 partes iguales en que se divide un todo. Ú. t. c. s. m.

Cincuentén. adj. Aplícase en el Pirineo aragonés y catalán a la pieza de madera de hilo, de 50 palmos de longitud, con una escuadría de tres palmos de tabla por dos de canto. Ú. m. c. s. m.

Cincuentena. f. Conjunto de 50 unidades homogéneas. || **2.** p. us. Cada una de las 50 partes iguales en que se divide un todo.

Cincuentenario, ria. adj. ant. Perteneciente al número 50. || **2.** Conmemoración del día en que se cumplen cincuenta años de algún suceso.

Cincuenteno, na. (De *cincuenta.*) adj. **Quincuagésimo.**

Cincuentín. m. Moneda de plata de gran módulo y valor de cincuenta reales de plata, que se acuñó en Segovia en los reinados de Felipe III, Felipe IV y Carlos II.

Cincuentón, na. adj. Dícese de la persona que tiene cincuenta años cumplidos. Ú. t. c. s.

Cincuesma. (De *quincuagésima.*) f. ant. Día de la pascua del Espíritu Santo. Díjose así por caer a los cincuenta días después de la de Resurrección.

Cincha. (Del lat. *cingŭla*, pl. n. de *cingŭlum*, ceñidor.) f. Faja de cáñamo, lana, cerda, cuero o esparto, con que se asegura la silla o albarda sobre la cabalgadura, ciñéndola ya por detrás de los codillos o ya por debajo de la barriga y apretándola con una o más hebillas. || **2.** *C. Rica.* Machete que usa la policía para dar de plano. || **de brida.** La que consta de tres fajas de cáñamo, y se asegura a la silla con contrafuertes y hebillas. || **de jineta.** La que consta de tres fajas de cáñamo largas que, pasando por encima de la silla de jineta, la sujetan al cuerpo del caballo. || **maestra.** La que consta de una sola faja y, pasando por encima del caparazón, sujeta al caballo toda la montura. || **A revienta cinchas.** m. adv. fig. **A mata caballo.** || **Ir,** o **venir, uno rompiendo cinchas.** fr. fig. y fam. Correr con celeridad en coche o a caballo.

Cinchadura. f. Acción de cinchar.

Cinchar. m. ant. **Cinchera,** 1.ª acep.

Cinchar. tr. Asegurar la silla o albarda apretando las cinchas. || **2.** Asegurar con cinchos, 2.ª acep.

Cinchazo. m. *C. Rica* y *Hond.* **Cintarazo.**

Cinchera. f. Parte del cuerpo de las caballerías en que se pone la cincha. || **2.** *Veter.* Enfermedad que padecen los animales en la parte donde se les cincha, que es detrás de los codillos, por las costillas verdaderas.

Cincho. (Del lat. *cingŭlum*, ceñidor.) m. Faja ancha, de cuero o de otra materia, con que se suele ceñir y abrigar el estómago. || **2.** Aro de hierro con que se aseguran o refuerzan barriles, ruedas, maderos ensamblados, edificios, etc. || **3.** Pleita de esparto que forma el contorno de la encella. || **4.** *Méj.* **Cincha,** 1.ª acep. || **5.** *Arq.* Porción de arco saliente en el intradós de una bóveda en cañón. || **6.** *Veter.* **Ceño,** 1.er art., 2.ª acep.

Cinchón. m. *R. de la Plata.* Cincha angosta con una argolla en un extremo, que hace oficios de sobrecincha. || **2.** *Ecuad.* Aro o fleje de hierro o madera que sujeta las duelas de las cubas. || **3.** *Colomb.* **Sobrecarga,** 2.ª acep.

Cinchuela. f. d. de **Cincha.** || **2.** Lista o faja angosta.

Cinchuelo. m. Cincha o faja estrecha y de adorno, que se pone a los caballos cuando se trata de exhibirlos.

Cine. m. fam. **Cinematógrafo.** || **sonoro.** Aquel en que a la vez se habla, canta o suenan instrumentos, ruidos, etc.

Cineasta. m. Actor cinematográfico.

Cinegética. (Del lat. *cynegetica*, t. f. de *-cus*, y éste del gr. κυνηγετικός, cinegético.) f. Arte de la caza.

Cinegético, ca. (Del lat. *cynegeticus*, y éste de gr. κυνηγετικός, de κυνηγέτης, cazador; de κύων, perro, y ἄγω, llevar, conducir.) adj. Perteneciente o relativo a la cinegética.

Cinemática. (Del gr. κίνημα, -ατος, movimiento.) f. Parte de la mecánica, que estudia el movimiento en sus condiciones de espacio y tiempo, prescindiendo de la idea de fuerza.

Cinematografía. (De *cinematógrafo.*) f. Arte de representar imágenes en movimiento por medio del cinematógrafo.

Cinematográfico, ca. adj. Perteneciente o relativo al cinematógrafo o a la cinematografía. || **2.** V. **Cinta cinematográfica.**

Cinematógrafo. (Del gr. κίνημα, -ατος, movimiento, y γράφω, grabar, dibujar.) m. Aparato óptico en el cual, haciendo pasar rápidamente muchas imágenes fotográficas que representan otros tantos momentos consecutivos de una acción determinada, se produce la ilusión de un cuadro cuyas figuras se mueven. || **2.** Edificio público en que como espectáculo se exhiben las películas cinematográficas.

Cineración. f. **Incineración.**

Cineraria. (Del lat. *cinerārius, -a, -um*, de ceniza.) f. *Bot.* Género de plantas compuestas, cuya especie principal es la cineraria común, bienal, de tallo como de 50 centímetros; hojas elegantes, alternas y dentadas, y flores olorosas, de color diverso, según las variedades, y de duración prolongada. Es muy estimada como planta de adorno para habitaciones.

Cinerario, ria. (Del lat. *cinerārius.*) adj. Cinéreo, 1.ª acep. ‖ **2.** Destinado a contener cenizas de cadáveres. *Urna* CINERARIA.

Cinéreo, a. (Del lat. *cinerĕus.*) adj. Ceniciento. ‖ **2.** V. **Luz cinérea.**

Cinericeo, a. adj. ant. Cinericio.

Cinericio, cia. (Del lat. *cinericius.*) adj. De ceniza. ‖ **2.** Cinéreo, 1.ª acep.

Cinético, ca. (Del gr. κίνησις, movimiento.) adj. *Fís.* Perteneciente o relativo al movimiento. *Energía* CINÉTICA.

Cingalés, sa. adj. Natural de Ceilán. Ú. t. c. s. ‖ **2.** Perteneciente a esta isla de Asia.

Cíngaro, ra. (Del ital. *zingaro.*) adj. Gitano, 1.ª acep Ú. t. c. s.

Cingiberáceo, a. (De *zingiber*, nombre de un género de plantas.) adj. *Bot.* Dícese de plantas angiospermas monocotiledóneas, herbáceas, con rizoma rastrero o tuberoso; hojas alternas, sencillas, con pecíolos envainadores; flores terminales o radicales en espiga, racimo o panoja, y frutos capsulares con semillas de albumen amiláceo; como el jengibre y el amomo. Ú. t. c. s. f. ‖ **2.** f. pl. *Bot.* Familia de estas plantas.

Cingir. (Del lat. *cingĕre.*) tr. ant. **Ceñir.**

Cinglado, da. p. p. de **Cinglar.** ‖ **2.** m. *Metal.* Depuración de las masas metálicas por medio del fuego.

Cinglar. (De *singlar.*) tr. Hacer andar un bote, canoa, etc., con un solo remo puesto a popa.

Cinglar. (Del prov. y cat. *cinglar*, y éste del lat. *cingŭlare*, ceñir.) tr. *Metal.* Forjar el hierro para limpiarlo de escorias.

Cingleta. f. Cuerda con un corcho en una punta, que el jabegote lía al cabo de la jábega para tirar de él.

Cíngulo. (Del lat. *cingŭlum*, de *cingĕre*, ceñir.) m. Cordón o cinta de seda o de lino, con una borla a cada extremo, que sirve para ceñirse el sacerdote el alba cuando se reviste. ‖ **2.** Cordón que usaban por insignia los soldados.

Cínicamente. adv. m. Con cinismo.

Cínico, ca. (Del lat. *cynicus*, y éste del gr. κυνικός; de κύων, κυνός, perro.) adj. Aplícase al filósofo de cierta escuela que nació de la división de los discípulos de Sócrates, y de la cual fué fundador Antístenes, y Diógenes su más señalado representante. Ú. t. c. s. ‖ **2.** Perteneciente a esta escuela. ‖ **3.** Impúdico, procaz. ‖ **4.** Desaseado, 2.ª acep.

Cínife. (Del lat. *cinifes*, y éste del gr. κνίψ.) m. **Mosquito,** 1.ª acep.

Cinismo. (Del lat. *cynismus*, y éste del gr. κυνισμός.) m. Doctrina de los cínicos. ‖ **2.** Desvergüenza en defender o practicar acciones o doctrinas vituperables. ‖ **3.** Afectación de desaseo y grosería. ‖ **4.** Impudencia, obscenidad descarada.

Cinocéfalo. (Del lat. *cynocephălus*, y éste del gr. κυνοκέφαλος; de κύων, κυνός, perro, y κεφαλή, cabeza.) m. Mamífero cuadrumano que se cría en África, de unos siete decímetros de largo, con cabeza redonda, hocico semejante al del perro dogo, cara rodeada de vello blanquecino, manos negras, lomo pardo verdoso, y gris el resto del cuerpo, cola larga y callosidades isquiáticas.

Cinoglosa. (Del lat. *cynoglossos*, y éste del gr. κυνόγλωσσος; de κύων, κυνός, perro, y γλῶσσα, lengua.) f. Hierba de la familia de las borragináceas, con raíz fusiforme, negra por fuera y blanca por dentro, tallo velloso de seis a ocho decímetros, hojas largas y lanceoladas cubiertas de un vello suave y blanquecino, y flores violáceas en racimos derechos. La planta es de mal olor y la corteza de su raíz se emplea en medicina como pectoral.

Cinosura. (Del lat. *cynosūra*, y éste del gr. κυνόσουρα; de κυνός, de perro, y οὐρά, cola.) f. *Astron.* Osa Menor.

Cinquén. (De *cinqueno.*) m. Moneda antigua castellana que valía medio cornado.

Cinquena. f. ant. Conjunto de cinco unidades.

Cinqueno, na. (De *cinco.*) adj. ant. Quinto, 1.ª y 2.ª aceps.

Cinqueño. m. Juego del hombre entre cinco.

Cinquero. m. Trabajador en cinc.

Cinquillo. m. Cinqueño.

Cinquina. (De *cinco.*) f. **Quinterna.**

Cinquino. m. Moneda portuguesa que corría en España en el siglo XVI y valía cinco maravedís.

Cinta. (Del lat. *cincta*, f. de *cinctus*, cinto.) f. Tejido largo y angosto de seda, hilo u otra cosa parecida, y de uno o más colores, que sirve para atar, ceñir o adornar. ‖ **2.** Por ext., tira de papel, talco, celuloide u otra materia semejante. ‖ **3.** Red de cáñamo fuerte, para pescar atunes. ‖ **4.** Hilera de baldosas que se pone en los solados, paralela a las paredes y arrimada a ellas. ‖ **5.** Planta perenne de adorno, de la familia de las gramíneas, con tallos estriados, como de un metro de alto, hojas anchas, listadas de blanco y verde, ásperas por los bordes, y flores en panoja alargada, mezclada de blanco y violeta. ‖ **6.** ant. **Cintura,** 1.ª acep. ‖ **7.** ant. **Cinto,** 2.ª acep. ‖ **8.** ant. **Correa,** 1.ª acep. ‖ **9.** *Cuba.* Listoncito plano de madera que cubre y disimula las junturas de las tablas en cierta clase de tejados. ‖ **10.** *Arq.* Filete, 1.ª acep. ‖ **11.** *Arq.* Adorno a manera de tira estrecha que se pliega y repliega en diferentes formas. ‖ **12.** *Blas.* Divisa, 1.er art., 5.ª acep. ‖ **13.** *Mar.* Maderos que van por fuera del costado del buque desde proa a popa, y sirven de refuerzo a la tablazón. ‖ **14.** *Topogr.* Tira de acero, o de algodón con trama de acero o sin ella, y dividida en metros y centímetros, o de otra manera, que sirve para medir distancias cortas. ‖ **15.** *Veter.* **Corona del casco.** ‖ **aisladora.** La impregnada en una solución adhesiva de caucho, que se emplea para recubrir los empalmes de los conductores eléctricos. ‖ **cinematográfica.** Película, 4.ª acep. ‖ **manchega.** Pineda, 2.ª art. ‖ **En cinta.** m. adv. En sujeción, o con sujeción.

Cintadero. m. Parte del tablero, donde se aseguraba la cuerda de la ballesta.

Cintagorda. f. Red de cáñamo, de hilos fuertes y gruesos, que ciñe y abraza la primera con que se detienen los atunes, para, con esta seguridad, sacarlos a tierra.

Cintajo. m. despect. de **Cinta.**

Cintar. tr. *Arq.* Poner cintas o fajas imitadas, como adorno, en las construcciones.

Cintarazo. (De *cinta.*) m. Golpe que se da de plano con la espada.

Cintarear. tr. fam. Dar cintarazos.

Cinteado, da. adj. Guarnecido o adornado de cintas o de otra cosa que imita su figura.

Cintería. f. Conjunto de cintas. ‖ **2.** Trato y comercio de ellas. ‖ **3.** Tienda en que se venden.

Cintero, ra. m. y f. Persona que hace o vende cintas. ‖ **2.** m. Ceñidor que usaban las mujeres, especialmente aldeanas, adornado y tachonado. ‖ **3.** Soga o maroma que se ciñe a alguna cosa; como a los cuernos de un toro, al torno de una máquina, etc. ‖ **4.** *Ar.* **Braguero,** 1.ª acep.

Cinteta. f. Red que se usa en las costas del Mediterráneo para pescar.

Cintilar. (Del m. or. que *centellar.*) tr. Brillar, centellear.

Cintillo. (d. de *cinto.*) m. Cordoncillo de seda, labrado con flores a trechos y otras labores hechas de la misma materia, de que se usaba en los sombreros para ceñir la copa. Hacíanse también de cerdas, plata, oro y pedrería. ‖ **2.** Sortija pequeña de oro o plata, guarnecida de piedras preciosas.

Cinto, ta. (Del lat. *cinctus*, de *cingĕre*, ceñir.) p. p. irreg. de **Ceñir.** ‖ **2.** m. Faja de cuero, estambre o seda, que se usa para ceñir y ajustar la cintura con una sola vuelta, y se aprieta con agujetas, hebillas o broches. ‖ **3.** **Cintura,** 1.ª acep. ‖ **4.** ant. Recinto murado. ‖ **5.** ant. **Cíngulo.** ‖ **de onzas.** El que ha solido llevarse interiormente, lleno de onzas de oro.

Cintra. (De **cintrar*, del lat. **cincturāre*, de *cinctūra.*) f. *Arq.* Curvatura de una bóveda o de un arco.

Cintrado, da. (Como el fr. *cintrer*, del lat. **cincturāre*, de *cinctura.*) adj. *Arq.* Encorvado en forma de cintra.

Cintrel. (Del ant. fr. *cintrel*, de *cintrer*, del lat. *cinctūra*, cintura.) m. *Albañ.* y *Cant.* Cuerda o regla que, fija por un extremo en el centro de un arco o bóveda, señala en las distintas direcciones que se le da, la oblicuidad de las hiladas de la fábrica.

Cintroniguero, ra. adj. Natural de Cintruénigo, villa de la provincia de Navarra. Ú. t. c. s. ‖ **2.** Perteneciente o relativo a dicha villa.

Cintura. (Del lat. *cinctūra.*) f. Parte más estrecha del cuerpo humano, por encima de las caderas. ‖ **2.** Cinta o pretinilla con que las damas solían apretar la cintura para hacerla más delgada. ‖ **3.** *Arq.* Parte superior de la campana de una chimenea, donde empieza el cañón. ‖ **4.** *Mar.* Ligadura que se da a las jarcias o cabos contra sus respectivos palos. ‖ **Meter a uno en cintura.** fr. fig. y fam. Sujetarle, hacerle entrar en razón.

Cinturica, lla, ta. (d. de *cintura.*) f. **Cintura** 2.ª acep.

Cinturón. m. aum. de **Cintura.** ‖ **2.** Cinto de que se lleva pendiente la espada o el sable. ‖ **3.** Cinta, correa o cordón que se usa sobre el vestido para ajustarlo al cuerpo. ‖ **4.** fig. Serie de cosas que circuyen a otra. CINTURÓN *de baluartes.* ‖ **de Orión.** *Astron.* Las tres brillantes estrellas alineadas oblicuamente en el centro de la constelación de Orión.

Cinzaya. (Del éuscaro *seinzain* o *seintzain*; de *sein*, niño, y *zain* o *zai*, guarda.) f. *Burg.* y *Al.* Niñera.

Cinzolín. adj. De color de violeta rojizo Ú. t. c. s.

Ciñuela. f. *Murc.* Variedad de la granada, algo más agria que la albar.

Cipariso. (Del lat. *cyparissus*, y éste del gr. κυπάρισσος.) m. poét. **Ciprés.**

Cipayo. (Del persa *sipāhi*, *sipahi*, caballero turco.) m. Soldado indio al servicio de una potencia europea.

Cipe. (Del azteca *tzipitl.*) adj. *C. Rica*, *El Salv.* y *Hond.* Dícese del niño encanijado durante la lactancia. ‖ **2.** m. *El Salv.* Resina.

Cipera. (Del lat. *cippus.*) f. *Arq.* Asiento que se hace sobre los tirantes para el pie del árbol de una linterna.

Ciperáceo, a. (Del lat. *cypĕros*, y éste del gr. κύπειρος, juncia.) adj. *Bot.* Dícese de plantas angiospermas, monocotiledóneas, herbáceas, anuales o perennes, con rizoma corto dividido en fibras, o rastrero, tallos por lo común triangulares y sin nudos, hojas envainadoras, a veces sin limbo flores en espigas solitarias o aglomeradas en cabezuelas, cariópsides por frutos, y semilla con albumen amiláceo o carnoso; como la juncia, la castañuela y el papiro. Ú. t. c. s. ‖ **2.** f. pl. *Bot.* Familia de estas plantas.

Cipión. (Del lat. *scipio, -ōnis,* y éste del gr. σκίπων, de σκίμπτομαι, apoyar.) m. ant. **Báculo,** 1.ª acep.

Cipo. (Del lat. *cippus.*) m. Pilastra o trozo de columna erigido en memoria de alguna persona difunta. ‖ **2.** Poste en los caminos, para indicar la dirección o la distancia. ‖ **3.** Hito, mojón.

Cipolino, na. adj. Dícese de una especie de mármol micáceo. Ú. t. c. s.

Cipote. (De *cipo.*) adj. *Colomb.* Zonzo, bobo. ‖ **2.** *Guat.* Rechoncho, obeso. ‖ **3.** *El Salv.* y *Hond.* Chiquillo, pilluelo.

Ciprés. (Del prov. *cyprés,* y éste del gr. κυπάρισσος.) m. Árbol de la familia de las cupresáceas, de 15 a 20 metros de altura, con tronco derecho, ramas erguidas y cortas, copa espesa y cónica, hojas pequeñas en filas imbricadas, persistentes y verdinegras, flores amarillentas terminales, y por frutos gálbulas de unos tres centímetros de diámetro. Su madera es rojiza y olorosa y pasa por incorruptible. ‖ **2.** Madera de cualquiera de las especies de este árbol. ‖ **3.** V. **Agalla, nuez, piña de ciprés.** ‖ **de Levante.** El de ramas abiertas.

Cipresal. m. Sitio poblado de cipreses.

Cipresillo. m. **Abrótano hembra.**

Cipresino, na. (Del lat. *cypressinus.*) adj. Perteneciente al ciprés. ‖ **2.** Hecho o sacado de él. ‖ **3.** Parecido al ciprés en alguna de sus cualidades.

Ciprino, na. adj. ant. **Cipresino.**

Ciprino, na. adj. **Ciprio.**

Ciprio, pria. (Del lat. *cyprius.*) adj. **Chipriota.** Apl. a pers., ú. t. c. s.

Cipriota. com. **Chipriota.**

Ciquiribaile. (De *cigarra,* bolsa, y *baile,* ladrón.) m. *Germ.* **Ladrón,** 1.ª acep.

Ciquiricata. f. fam. Ademán o demostración con que se intenta lisonjear a alguno.

Ciquitroque. m. **Pisto,** 2.ª acep.

Circasiano, na. adj. Natural de Circasia. Ú. t. c. s. ‖ **2.** Perteneciente a esta región de la Rusia europea.

Circe. (De *Circe,* nombre propio.) f. Mujer astuta y engañosa.

Circense. (Del lat. *circensis.*) adj. Aplícase a los juegos o espectáculos que hacían los romanos en el circo.

Circo. (Del lat. *circus.*) m. Lugar destinado entre los romanos para algunos espectáculos, especialmente para la carrera de carros o caballos. Era, por lo común, de figura de paralelogramo prolongado, redondeado en uno de sus extremos, con gradas alrededor para los espectadores. ‖ **2.** Edificio u otro local con gradería para los espectadores que tiene en medio un espacio circular, donde se ejecutan ejercicios ecuestres y gimnásticos, se exhiben animales amaestrados y se practican juegos malabares. ‖ **3.** Conjunto de asientos puestos en cierto orden para los que van de oficio o convidados a asistir a alguna función. ‖ **4.** fig. Conjunto de las personas que ocupan estos asientos. ‖ **5.** ant. **Cerco,** 6.ª acep.

Circón. (Del ár. *zarqūn,* cerusa roja, minio, y éste del persa *āzargūn,* color de fuego, o de *zargūn,* color de oro.) m. Silicato de circonio, más o menos transparente, incoloro o amarillento rojizo, que difícilmente produce raya en el cuarzo y posee en alto grado la doble refracción. Hállase en cristales rodados entre los terrenos de aluvión de la India y se usa como piedra fina, con el nombre de jacinto.

Circona. f. *Quím.* Óxido de circonio, de color blanco, insípido, incoloro, insoluble en el agua y que, cuando se le calienta en ciertas condiciones, despide una luz blanca y muy intensa.

Circonio. (De *circón.*) m. *Mineral.* Metal muy raro que se presenta en forma de polvo coherente y negro, mal conductor de la electricidad y susceptible de adquirir, por la frotación, brillo y color gris obscuro. Arde sin producir llama, es inodoro y sólo le atacan la potasa en fusión o el ácido fluorhídrico acuoso.

Circuición. (Del lat. *circuitio, -ōnis.*) f. Acción y efecto de circuir.

Circuir. (Del lat. *circuire.*) tr. Rodear, cercar.

Circuito. (Del lat. *circuitus.*) m. Terreno comprendido dentro de un perímetro cualquiera. ‖ **2.** Bojeo o contorno. ‖ **3.** *Fís.* Conjunto de conductores que recorre una corriente eléctrica, y en el cual hay generalmente intercalados aparatos productores o consumidores de esta corriente. ‖ **Corto circuito.** El que ofrece una resistencia sumamente pequeña, y en especial el que se produce accidentalmente por contacto entre los conductores y suele determinar una descarga.

Circulación. (Del lat. *circulatio, -ōnis.*) f. Acción de circular. ‖ **2.** Ordenación del tránsito por las vías urbanas. ‖ **3.** *Econ.* Movimiento total y ordenado de los productos, monedas, signos de crédito y, en general, de la riqueza. ‖ **4.** Parte de la Economía política que estudia estos fenómenos o hechos. ‖ **5.** *Quím.* Operación que consiste en tratar por medio del fuego una substancia contenida en uno de los matraces del vaso de reencuentro, de modo que los vapores que de la misma se desprenden se condensen en el otro matraz y vuelvan a la masa de donde salieron. ‖ **de la sangre.** Función fisiológica propia de la mayoría de los animales metazoos, la cual consiste en que la sangre sale del corazón por las arterias, se distribuye por todo el cuerpo para proporcionar a las células las substancias que necesitan para el ejercicio de sus actividades vitales, y vuelve al corazón por las venas.

Circulante. p. a. de **Circular.** Que circula. ‖ **2.** adj. V. **Biblioteca, capital circulante.**

Circular. (Del lat. *circulāris.*) adj. Perteneciente al círculo. ‖ **2.** De figura de círculo. ‖ **3.** V. **Billete circular.** ‖ **4.** *Geom.* V. **Cilindro, cono circular.** ‖ **5.** f. Orden que una autoridad superior dirige a todos o gran parte de sus subalternos. ‖ **6.** Cada una de las cartas o avisos iguales dirigidos a diversas personas para darles conocimiento de alguna cosa.

Circular. (Del lat. *circulāre,* de *circŭlus,* círculo.) intr. Andar o moverse en derredor. ‖ **2.** Ir y venir. *Los convidados* CIRCULAN *por el jardín; los carruajes, por la vía pública; el aire, por las habitaciones.* ‖ **3.** Correr o pasar alguna cosa de unas personas a otras. CIRCULÓ *una noticia, un escrito.* ‖ **4.** Partir de un centro órdenes, instrucciones, etc., verbales o escritas, dirigidas en iguales términos a varias personas. Ú. t. c. tr. por dirigir uno estas órdenes, instrucciones, etc. ‖ **5.** Salir alguna cosa por una vía y volver por otra al punto de partida. *La sangre* CIRCULA *por las arterias y las venas; la electricidad, por los alambres.* ‖ **6.** *Com.* Pasar los valores de una en otra persona mediante trueque o cambio.

Circularmente. adv. m. En círculo.

Circulatorio, ria. (Del lat. *circulatorius.*) adj. Perteneciente o relativo a la circulación.

Círculo. (Del lat. *circŭlus,* d. de *circus,* cerco.) m. *Geom.* Área o superficie plana contenida dentro de la circunferencia. ‖ **2.** **Circunferencia.** ‖ **3.** Circuito, distrito, corro. ‖ **4.** **Cerco,** 6.ª acep. ‖ **5.** Antiguo recinto formado por menhires puestos de trecho en trecho. ‖ **6.** **Casino,** 2.ª a 5.ª aceps. ‖ **acimutal.** *Mar.* Instrumento náutico portátil que consiste en un platillo horizontal y graduado, alrededor de cuyo centro gira una alidada provista de dos pínulas, con las cuales se enfilan los objetos exteriores para conocer el rumbo a que demoran, por la combinación de las indicaciones del instrumento con las de la brújula. ‖ **de declinación.** *Astron.* **Círculo** graduado de los instrumentos ecuatoriales que sirve para medir la declinación del astro observado. ‖ **de iluminación.** *Astron.* El que separa el hemisferio iluminado del hemisferio obscuro en la Luna o en otro astro. ‖ **de reflexión.** Instrumento matemático, usado principalmente en astronomía náutica, que se compone de un **círculo** graduado y dos alidadas con un espejo cada una, y sirve para medir ángulos en cualquier plano, repitiéndolos. ‖ **horario.** *Astron.* **Círculo** graduado de los instrumentos ecuatoriales que sirve para medir la ascensión recta del astro observado. ‖ **magnético.** Parte de una máquina o aparato electromagnético, generalmente de hierro, por donde fluye, en trayecto cerrado, la inducción magnética. ‖ **mamario.** *Zool.* **Areola,** 2.ª acep. ‖ **máximo.** *Geom.* El que tiene por centro el de la esfera y la divide en dos partes iguales o hemisferios. ‖ **menor.** *Geom.* El formado por cualquier plano que corta la esfera sin pasar por el centro. ‖ **meridiano.** *Astron.* Anteojo montado sobre un eje en el plano meridiano y solidario con uno o varios **círculos** graduados, por el cual se observa y determina la culminación de los astros. ‖ **mural.** *Astron.* **Círculo** graduado, de considerable diámetro, con un anteojo en su centro, colocado verticalmente y en el plano meridiano. ‖ **polar.** *Astron.* Cada uno de los dos **círculos** menores que se consideran en la esfera celeste paralelos al Ecuador y que pasan por los polos de la Eclíptica. El del hemisferio boreal se llama **ártico,** y el del austral, **antártico.** ‖ **2.** *Geogr.* Cada uno de los dos **círculos** menores que se consideran en el globo terrestre en correspondencia con los correlativos de la esfera celeste, y reciben los mismos nombres. ‖ **repetidor.** Instrumento matemático, empleado principalmente en la geodesia, que se compone de un **círculo** graduado y dos anteojos, montado todo ello sobre un pie giratorio, y sirve para medir ángulos en cualquier plano, repitiéndolos. ‖ **vicioso.** Vicio del discurso que se comete cuando dos cosas se explican una por otra recíprocamente, y ambas quedan sin explicación; como si se dijese: *Abrir es lo contrario de cerrar, y cerrar es lo contrario de abrir.*

Circumcirca. adv. lat. que en estilo familiar suele emplearse en castellano significando alrededor de, sobre poco más o menos.

Circumpolar. (Del lat. *circum,* alrededor, y de *polar.*) adj. Que está alrededor del polo.

Circun. (Del lat. *circum.*) prep. insep. que significa **alrededor.** CIRCUN*dar,* CIRCUN*navegación.*

Circuncidante. p. a. de **Circuncidar.** Que circuncida.

Circuncidar. (Del lat. *circumcidĕre;* de *circum,* alrededor, y *caedĕre,* cortar.) tr. Cortar circularmente una porción del prepucio. ‖ **2.** fig. Cercenar, quitar o moderar alguna cosa.

Circuncisión. (Del lat. *circumcisio, -ōnis.*) f. Acción y efecto de circuncidar. ‖ **2.** Por excelencia, la de Nuestro Señor Jesucristo. ‖ **3.** Fiesta con que anualmente celebra la Iglesia este misterio, el día 1.° de enero.

Circunciso. (Del lat. *circumcīsus.*) p. p. irreg. de **Circuncidar,** 1.ª acep. Ú. t. c. s. ‖ **2.** fig. Judío, moro.

Circundante. p. a. de **Circundar** Que circunda.

Circundar. (Del lat. *circumdāre.*) tr. Cercar, rodear.

Circunferencia. (Del lat. *circumferentia*, de *circumferens, -ĕntis*, que va alrededor.) f. *Geom.* Curva plana, cerrada, cuyos puntos son equidistantes de otro, que se llama centro, situado en el mismo plano. ‖ **2.** Contorno de una superficie, territorio, mar, etc.

Circunferencial. adj. Perteneciente a la circunferencia.

Circunferencialmente. adv. m. En circunferencia.

Circunferente. (Del lat. *circumferens, -ĕntis.*) adj. Que circunscribe.

Circunferir. (Del lat. *circumfĕro, -ris, -erre.*) tr. Circunscribir, limitar.

Circunflejo. (Del lat. *circumflexus.*) adj. V. **Acento circunflejo.**

Circunfuso, sa. (Del lat. *circumfusus*; de *circum*, en torno, y *fusus*, derramado.) adj. Difundido o extendido en derredor.

Circunlocución. (Del lat. *circumlocutĭo, -ōnis.*) f. *Ret.* Figura que consiste en expresar por medio de un rodeo de palabras algo que hubiera podido decirse con menos o con una sola, pero no tan bella, enérgica o hábilmente.

Circunloquio. (Del lat. *circumloquĭum*; de *circum*, alrededor, y *loqui*, hablar.) m. Rodeo de palabras para dar a entender algo que hubiera podido expresarse más brevemente.

Circunnavegación. f. Acción y efecto de circunnavegar.

Circunnavegante. p. a. de **Circunnavegar.** Que circunnavega. Ú. t. c. s.

Circunnavegar. (Del lat. *circumnavigāre.*) tr. Navegar alrededor. ‖ **2.** Dar un buque la vuelta al mundo.

Circunscribir. (Del lat. *circumscribĕre.*) tr. Reducir a ciertos límites o términos alguna cosa. ‖ **2.** *Geom.* Formar una figura de modo que otra quede dentro de ella, tocando a todas las líneas o superficies que la limitan, o teniendo en ellas todos sus vértices. ‖ **3.** r. **Ceñirse,** 6.ª acep.

Circunscripción. (Del lat. *circumscriptĭo, -ōnis.*) f. Acción y efecto de circunscribir. ‖ **2.** División administrativa, militar, electoral o eclesiástica de un territorio.

Circunscripto, ta. p. p. irreg. **Circunscrito.**

Circunscrito, ta. (Del lat. *circumscriptus.*) p. p. irreg. de **Circunscribir.** ‖ **2.** adj. *Geom.* Aplícase a la figura que circunscribe a otra.

Circunsolar. (De *circum* y *solar*, 2.° art.) adj. Que rodea al Sol.

Circunspección. (Del lat. *circumspectĭo, -ōnis.*) f. Atención, cordura, prudencia. ‖ **2.** Seriedad, decoro y gravedad en acciones y palabras.

Circunspecto, ta. (Del lat. *circumspectus.*) adj. Cuerdo, prudente. ‖ **2.** Serio, grave, respetable.

Circunstancia. (Del lat. *circumstantĭa.*) f. Accidente de tiempo, lugar, modo, etc., que está unido a la substancia de algún hecho o dicho. ‖ **2.** Calidad o requisito. ‖ **agravante.** *For.* Motivo legal para recargar la pena del reo. ‖ **atenuante.** *For.* Motivo legal para aliviarla. ‖ **eximente.** *For.* La que libra de responsabilidad criminal. ‖ **De circunstancias.** loc. que se aplica a lo que de algún modo está influído por una situación ocasional. ‖ **En las circunstancias presentes.** m. adv. En el estado de los negocios, o según van las cosas.

Circunstanciadamente. adv. m. Con toda menudencia, sin omitir ninguna circunstancia o particularidad.

Circunstanciado, da. adj. Que se refiere o explica circunstanciadamente.

Circunstancial. adj. Que implica o denota alguna circunstancia o depende de ella.

Circunstante. (Del lat. *circumstans, -antis*, p. a. de *circumstāre*, estar alrededor.) adj. Que está alrededor. ‖ **2.** Dícese de los que están presentes, asisten o concurren. Ú. t. c. s.

Circunvalación. f. Acción de circunvalar. ‖ **2.** V. **Línea de circunvalación.** ‖ **3.** *Mil.* Línea de atrincheramientos u otros medios de resistencia, que sirven de defensa a una plaza o una posición contra el sitiador, o a éste contra el ejército de socorro.

Circunvalar. (Del lat. *circumvallāre.*) tr. Cercar, ceñir, rodear una ciudad, fortaleza, etc.

Circunvecino, na. (De *circun* y *vecino.*) adj. Aplícase a los lugares u objetos que se hallan próximos y alrededor de otro.

Circunvenir. (Del lat. *circumvenīre*; de *circum*, alrededor, y *venīre*, venir.) tr. ant. Estrechar u oprimir con artificio engañoso.

Circunvolar. (Del lat. *circumvolāre.*) tr. Volar alrededor.

Circunvolución. (Del lat. *circum*, en derredor, y *volutĭo, -ōnis*, vuelta.) f. Vuelta o rodeo de alguna cosa. ‖ **cerebral.** Cada uno de los relieves que se observan en la superficie exterior del cerebro, separados unos de otros por unos surcos llamados anfractuosidades.

Circunyacente. adj. **Circunstante.**

Cirenaico, ca. (Del lat. *cyrenaĭcus.*) adj. Natural de Cirene. Ú. t. c. s. ‖ **2.** Perteneciente a esta ciudad de la Cirenaica, región de África antigua. ‖ **3.** Aplícase a la escuela filosófica fundada por Arístipo, discípulo de Sócrates. Ú. t. c. s. ‖ **4.** Perteneciente a esta escuela.

Cireneo, a. (Del lat. *cyrenaeus.*) adj. **Cirenaico,** 1.ª y 2.ª aceps. Apl. a pers., ú. t. c. s.

Cirial. (De *cirio.*) m. Cada uno de los candeleros altos que llevan los acólitos en algunas funciones de iglesia.

Cirigallo, lla. m. y f. Persona que pasa el tiempo yendo y viniendo, sin hacer cosa de provecho.

Cirigaña. f. *And.* Adulación, lisonja o zalamería. ‖ **2.** *And.* **Chasco.** ‖ **3.** *And.* Friolera, cosa de poca entidad.

Cirineo. (Por alusión a Simón *Cirineo*, que ayudó a Jesús a llevar la cruz en el camino del Calvario.) m. fig. y fam. Persona que ayuda a otra en algún empleo o trabajo.

Cirineo, a. adj. **Cireneo.**

Cirio. (Del lat. *cerĕus*, de cera.) m. Vela de cera de un pabilo, larga y gruesa. ‖ **pascual.** El muy grueso, al cual se le clavan cinco piñas de incienso en forma de cruz. Se bendice el sábado santo, y arde en la iglesia durante la misa y vísperas en ciertas solemnidades hasta el día de la Ascensión, que se apaga, acabado el evangelio.

Cirolero. m. **Ciruelo,** 1.ª acep.

Cirrípedo. (Del lat. *cirrus*, cirro, 2.° art., y *pes, pedis*, pie.) adj. *Zool.* **Cirrópodo.**

Cirro. (De *escirro.*) m. Tumor duro, sin dolor continuo y de naturaleza particular, el cual se forma en diferentes partes del cuerpo.

Cirro. (Del lat. *cirrus*, rizo, sortijilla de pelo.) m. *Bot.* **Zarcillo,** 1.er art., 3.ª acep. ‖ **2.** *Meteor.* Nube blanca y ligera, en forma de barbas de pluma o filamentos de lana cardada, que se presenta en las regiones superiores de la atmósfera. ‖ **3.** *Zool.* Cada una de las patas de los crustáceos cirrópodos, que son flexibles y articuladas y están bifurcadas en dos largas ramas.

Cirrópodo. (Del lat. *cirrus*, cirro, 2.° art., y el gr. πούς, ποδός, pie.) adj. *Zool.* Dícese de crustáceos marinos, hermafroditas, cuyas larvas son libres y nadadoras; en el estado adulto viven fijos sobre los objetos sumergidos, por lo común mediante un pedúnculo; tienen el cuerpo rodeado de un caparazón compuesto de varias placas calcáreas, entre las cuales pueden sacar los cirros; como el percebe y la bellota de mar. Algunas especies son parásitas. Ú. t. c. s. ‖ **2.** m. pl. *Zool.* Orden de estos animales.

Cirrosis. (De *cirro*, 1.er art.) f. *Med.* Enfermedad caracterizada por una lesión que se desenvuelve en las vísceras, especialmente en el hígado, y consiste en la induración de los elementos conjuntivos y atrofia de los demás.

Cirroso, sa. adj. Que tiene cirros.

Cirrótico, ca. adj. Perteneciente o relativo a la cirrosis.

Ciruela. (Del lat. *cereŏla*, que tiene color de cera.) f. *Bot.* Fruto del ciruelo. Es una drupa, muy variable en forma, color y tamaño según la variedad del árbol que la produce. El epicarpio suele separarse fácilmente del mesocarpio, que es más o menos dulce y jugoso y a veces está adherido al endocarpio; la semilla es amarga. ‖ **amacena. Ciruela damascena.** ‖ **claudia. Ciruela** redonda, de color verde claro y muy jugosa y dulce. ‖ **damascena. Ciruela** de color morado y figura oval, muy gustosa, aunque algo agria. ‖ **de corazoncillo. Ciruela** de color verde y de no mal gusto: su figura es a semejanza de un corazón, y algo chata. ‖ **de dama. Cascabelillo.** ‖ **de data. Ciruela de pernigón.** ‖ **de fraile.** Especie de ciruela de figura oblonga, más o menos puntiaguda, de color comúnmente verde amarillento, con la carne adherida al hueso y menos dulce que las demás. ‖ **de Génova. Ciruela** grande y de color negro, que suelta el hueso limpio. ‖ **de pernigón. Ciruela** de color negro, muy jugosa y de un gusto muy delicado. ‖ **de yema. Ciruela** aovada, de color amarillento, de buen sabor y que suelta el hueso limpio. ‖ **imperial. Cascabelillo.** ‖ **porcal.** Especie de **ciruela** gorda y basta. ‖ **regañada.** Especie de **ciruela** que se abre hasta descubrir el hueso. ‖ **verdal.** Especie de **ciruela** de color que tira a verde aun que esté madura. ‖ **zaragocí.** Especie de **ciruela** amarilla, originaria de Zaragoza.

Ciruelillo. (d. de *ciruelo.*) m. *Bot. Argent.* y *Chile.* Árbol de la familia de las proteáceas, de madera fina, cuyas flores son de un color rojo escarlata.

Ciruelo. m. Árbol frutal de la familia de las rosáceas, de seis a siete metros de altura, con las hojas entre aovadas y lanceoladas, dentadas y un poco acanaladas, los ramos mochos y la flor blanca: su fruto es la ciruela. ‖ **2.** fig. y fam. Hombre muy necio e incapaz. Ú. t. c. adj.

Cirugía. (Del lat. *chirurgia*, y éste del gr. χειρουργία; de χειρουργός, cirujano, de χείρ, mano, y ἔργον, obra.) f. Parte de la medicina, que tiene por objeto curar las enfermedades por medio de operaciones hechas con la mano o con instrumentos. ‖ **menor, o ministrante.** La que comprende ciertas operaciones secundarias que no suele practicar el médico.

Cirujano. m. El que profesa la cirugía. ‖ **romancista.** Decíase del que no sabía latín. ‖ **No hay mejor cirujano que el bien acuchillado.** ref. que enseña cuánto importa la experiencia para proceder con acierto.

Cis. (Del lat. *cis.*) prep. insep. De la parte o del lado de acá. CIS*montano.*

Cisalpino, na. (Del lat. *cisalpīnus*, de *cis* y *alpīnus*, de los Alpes.) adj. Situado entre los Alpes y Roma.

Cisandino, na. adj. Del lado de acá de los Andes.

Cisca. (Del celta *sessca.*) f. **Carrizo,** 1.ª acep.

Ciscar. tr. fam. Ensuciar alguna cosa. ‖ **2.** r. Soltarse o evacuarse el vientre.

Cisco. m. Carbón vegetal menudo. ‖ **2.** fig. y fam. Bullicio, reyerta, alboroto. ‖ **Hacer cisco.** fr. fig. y fam. **Hacer trizas.**

Ciscón. (aum. de *cisco.*) m. Restos que quedan en los hornos de carbón después de apagados.

Cisión. (Del lat. *caesio, -ōnis.*) f. Cisura o incisión.

Cisípedo. (Del lat. *caesus*, cortado, y *pes, pedis*, pie.) adj. Que tiene el pie dividido en dedos.

Cisma. (Del lat. *schisma*, y éste del gr. σχίσμα, escisión, separación.) amb. División o separación entre dos individuos de un cuerpo o comunidad. || **2.** Discordia, desavenencia.

Cismar. (De *cisma.*) tr. *Sal.* Meter discordia, sembrar cizaña.

Cismáticamente. adv. m. De manera cismática.

Cismático, ca. (Del lat. *schismatĭcus*, y éste del gr. σχισματικός.) adj. Que se aparta de su legítima cabeza. Apl. a pers., ú. t. c. s. || **2.** Dícese del que introduce cisma o discordia en un pueblo o comunidad. Ú. t. c. s.

Cismontano, na. (Del lat. *cismontānus*; de *cis* y *montānus*, de monte o montaña.) adj. Situado en la parte de acá de los montes, respecto al punto o lugar desde donde se considera.

Cisne. (Del ant. fr. *cisne*, y éste del lat. *cycnus*, por *cygnus*, del gr. κύκνος.) m. Ave palmípeda, de plumaje blanco, cabeza pequeña, pico de igual ancho en toda su extensión y de color anaranjado, y en los bordes y el tubérculo de la base negro; cuello muy largo y flexible, patas cortas y alas grandes. Su vuelo es sostenido y elevado, su andar torpe y su voz un graznido desagradable. Originaria de países fríos, sirve de adorno en los parques y jardines de Europa, y su piel, curtida con el plumón, se usa en peletería. || **2.** Ave palmípeda congénere con la especie anterior, semejante a ella en la forma, pero de plumaje negro. Es originaria de Australia y está ya naturalizada en Europa. || **3.** fig. Poeta o músico excelente. || **4.** *Germ.* **Ramera.** || **5.** *Astron.* Una de las principales constelaciones boreales de la Vía Láctea, situada entre Cefeo y el Águila.

Cisneriense. adj. Natural de la villa de Cisneros, provincia de Palencia. || **2.** Perteneciente o relativo a dicha villa.

Cisoria. (Del lat. *cisorĭum*, de *caesus*, p. p. de *caedĕre*, cortar.) adj. V. **Arte cisoria.**

Cispadano, na. (Del lat. *cispadanus*; de *cis* y *Padus*, el río Po.) adj. Situado entre Roma y el río Po.

Cisquera. f. Lugar donde se almacena el cisco.

Cisquero. m. El que hace cisco o lo vende. || **2.** Muñequilla hecha de lienzo, apretada y atada con un hilo, dentro de la cual se pone carbón molido, y sirve para pasarla por encima de los dibujos picados, a fin de traspasarlos a alguna tela o a otro papel.

Cistáceo, a. (De *cistus*, nombre de un género de plantas.) adj. *Bot.* Dícese de matas o arbustos angiospermos dicotiledóneos, con hojas sencillas, casi siempre opuestas, flores por lo común en corimbo o en panoja, y fruto en cápsula con semillas de albumen amiláceo; como la jara y la estepa blanca. Ú. t. c. s. f. || **2.** f. pl. *Bot.* Familia de estas plantas.

Cistel. m. **Císter.**

Císter. (De *Cistercĭum*, nombre latino de Citeaux, lugar de Francia, donde se retiró San Roberto con algunos de sus religiosos.) m. Orden religiosa, de la regla de San Benito, fundada por San Roberto en el siglo XI, y que debió su mayor florecimiento a San Bernardo.

Cisterciense. (Del lat. *cisterciensis.*) adj. Perteneciente a la orden del Císter.

Cisterna. (Del lat. *cisterna.*) f. Depósito subterráneo donde se recoge y conserva el agua llovediza o la que se lleva de algún río o manantial.

Cisticerco. (Del gr. κύστις, vejiga, y κέρκος, cola.) m. *Zool.* Larva de tenia, que vive encerrada en un quiste vesicular, en el tejido conjuntivo subcutáneo o en un músculo de algunos mamíferos, especialmente del cerdo o de la vaca, y que, después de haber pasado al intestino de un hombre que ha comido la carne cruda de este animal, se desarrolla, adquiriendo la forma de solitaria adulta.

Cisticercosis. f. *Med.* Enfermedad causada por la presencia de muchos cisticercos en los órganos de un animal o del hombre.

Cístico. (Del gr. κύστις, vejiga.) adj. *Zool.* Dícese del conducto que desde la vesícula biliar va a unirse al conducto hepático.

Cistíneo, a. (Del lat. *cistus*, jara.) adj. *Bot.* **Cistáceo.**

Cistitis. (Del gr. κύστις, vejiga, y el sufijo *itis*, inflamación.) f. *Med.* Inflamación de la vejiga.

Cistotomía. (Del gr. κύστις, vejiga, y τομή, incisión.) f. *Cir.* Incisión de la vejiga para operar en el interior de este órgano.

Cisura. (Del lat. *caesūra.*) f. Rotura o abertura sutil que se hace en cualquiera cosa. || **2.** Herida que hace el sangrador en la vena.

Cita. (De *citar.*) f. Señalamiento, asignación de día, hora y lugar para verse y hablarse dos o más personas. || **2.** Nota de ley, doctrina, autoridad u otro cualquier instrumento que se alega para prueba de lo que se dice o refiere.

Citación. (Del lat. *citatio, -ōnis.*) f. Acción de citar. || **de evicción.** *For.* La que se hace al vendedor por ser llegado el caso de la evicción. || **de remate.** *For.* La que en juicio ejecutivo se hace al deudor emplazándole para que pueda oponerse a la ejecución.

Citador, ra. adj. Que cita. Ú. t. c. s.

Citano, na. (Del lat. **scitanus*, de *scītus*, sabido.) m. y f. fam. **Zutano.**

Citar. (Del lat. *citāre.*) tr. Avisar a uno señalándole día, hora y lugar para tratar de algún negocio. || **2.** Referir, anotar o sacar a la margen o al pie de un escrito los autores, textos o lugares que se alegan en comprobación de lo que se dice o escribe. || **3.** En las corridas de toros, provocar a la fiera para que embista, o para que acuda a determinado paraje. || **4.** *For.* Notificar, hacer saber a una persona el emplazamiento o llamamiento del juez.

Cítara. (Del lat. *cithăra*, y éste del gr. κιθάρα.) f. Instrumento músico antiguo semejante a la lira, pero con caja de resonancia de madera. Modernamente esta caja tiene forma trapezoidal y el número de sus cuerdas varía de 20 a 30. Se tocan con púa.

Citara. (Del ár. *sitāra*, velo, muro, empalizada.) f. Pared con sólo el grueso del ancho del ladrillo común. || **2.** Tropas que formaban en los flancos del cuerpo principal combatiente. || **3.** ant. Cojín o almohada.

Citaredo. (Del lat. *citharoedus*, y éste del gr. κιθαρῳδός; de κιθάρα, cítara, y ἀοιδός, cantor.) m. ant. **Citarista.**

Citarilla. f. d. de **Cítara.** || **sardinel.** *Arq.* Paredilla divisoria hecha de ladrillos puestos alternativamente de plano y de canto u oblicuamente, dejando espacios que quedan vacíos o se rellenan algunas veces con mezcla.

Citarista. (Del lat. *citharista.*) com. Persona que profesa o ejerce el arte de tocar la cítara.

Citarizar. (Del lat. *citharizāre*, y éste del gr. κιθαρίζω.) intr. ant. Tocar o tañer la cítara.

Citarón. (aum. de *citara.*) m. Zócalo de albañilería sobre el cual se pone un entramado de madera.

Citatorio, ria. (Del lat. *citatorius.*) adj. *For.* Aplícase al mandamiento o despacho con que se cita o emplaza a alguno para que comparezca ante el juez. Ú. t. c. s. f.

Citereo, a. (Del lat. *cytherēus.*) adj. poét. Relativo a Venus, adorada en la isla de Chipre o Citeres.

Citerior. (Del lat. *citerior.*) adj. Situado de la parte de acá, o aquende, en contraposición de lo que está de la parte de allá, o allende, que se llama ulterior. *Los romanos llamaron España* CITERIOR *a la Tarraconense, y ulterior a la Lusitana y a la Bética.*

Cítiso. (Del lat. *cytisus*, y éste del gr. κύτισος.) m. **Codeso.**

¡Cito! ant. Voz para llamar a los perros.

Cítola. (Del lat. *cithăra.*) f. Tablita de madera, pendiente de una cuerda sobre la piedra del molino harinero, para que la tolva vaya despidiendo la cibera, y para conocer que se para el molino, cuando deja de golpear. || **2.** ant. **Cítara.** || **La cítola es por demás, cuando el molinero es sordo.** ref. que significa ser precisa la capacidad y disposición en una cosa, para que los medios que se quieran aplicar no salgan vanos.

Citolero, ra. (De *cítola.*) m. y f. ant. **Citarista.**

Citoplasma. (Del gr. κύτος, cubierta, y de *plasma.*) m. *Bot.* y *Zool.* Parte del protoplasma, que en la célula rodea al núcleo.

Cítora. (Del lat. *cithăra*, cítara.) f. *Murc.* Especie de arpón con cuatro o seis púas, para pinchar los peces que se ocultan entre la arena al cerrar el bol.

Citoria. f. ant. **Citación.**

Citote. (De *cito*, 1.ª pers. de sing. del pres. de indic. de *citar*, y el pron. *te.*) m. fam. Citación o intimación que se hace a uno para obligarle a que ejecute alguna cosa. || **2.** ant. Persona que hacía la citación.

Citra. (Del lat. *citra.*) adv. l. ant. Del lado de acá. || **2.** prep. insep. **Cis.** CITRA*montano.*

Citramontano, na. (Del lat. *citra*, del lado de acá, y *montānus*, del monte.) adj. **Cismontano.**

Citrato. (Del lat. *citrātus*; de *citrus*, limón.) m. *Quím.* Sal formada por la combinación del ácido cítrico con una base.

Cítrico, ca. (Del lat. *citrus*, limón.) adj. Perteneciente o relativo al limón. || **2.** *Quím.* V. **Ácido cítrico.**

Citrina. (Del lat. *citrus.*) f. *Quím.* Aceite esencial del limón.

Citrón. (Del lat. *citrus.*) m. **Limón,** 1.er art.

Ciudad. (Del lat. *civĭtas, -ātis.*) f. Población, comúnmente grande, que en lo antiguo gozaba de mayores preeminencias que las villas. || **2.** Conjunto de calles y edificios que componen la **ciudad.** || **3.** Ayuntamiento o cabildo de cualquiera **ciudad.** || **4.** Diputados o procuradores en Cortes, que representaban una **ciudad** en lo antiguo. || **lineal.** La que ocupa una faja de terreno de varios kilómetros de longitud y de poca anchura, con una sola avenida central y calles transversales que van a dar al campo. Por antonom., la fundada al este de Madrid por don Arturo Soria, inventor de este sistema de urbanización. || **universitaria.** Conjunto de edificios situados en terreno acotado al efecto, destinados a la enseñanza superior y más especialmente la que es propia de las universidades.

Ciudadanía. f. Calidad y derecho de ciudadano.

Ciudadano, na. adj. Natural o vecino de una ciudad. Ú. t. c. s. || **2.** Perteneciente a la ciudad o a los **ciudadanos.** || **3.** m. El habitante de las ciudades antiguas o de Estados modernos como sujeto de derechos políticos y que interviene, ejercitándolos, en el gobierno del país. || **4.** El que en el pueblo de su domicilio tenía un estado medio entre el de caballero y el de oficial mecánico. || **5. Hombre bueno,** 1.ª acep.

Ciudadela. (Del lat. vulgar *civitatella*, d. del clásico *civĭtas, -ātis.*) f. Recinto de fortificación permanente en el interior de una plaza, que sirve para dominarla o de último refugio a su guarnición.

Ciudad-realeño, ña. adj. Natural de Ciudad Real. Ú. t. c. s. || **2.** Perteneciente a esta ciudad.

Civeta. (De *civeto.*) f. **Gato de algalia.**

Civeto. (Del ár. *zabāda*, almizcle, algalia.) m. **Algalia,** 1.er art., 1.a acep.

Cívico, ca. (Del lat. *civĭcus*, de *civis*, ciudadano.) adj. **Civil,** 1.a acep. || **2. Patriótico.** || **3.** Perteneciente o relativo al civismo. || **4. Doméstico,** 1.a acep. || **5.** V. **Corona cívica.** || **6.** V. **Valor cívico.**

Civil. (Del lat. *civīlis.*) adj. **Ciudadano,** 2.a acep. || **2.** Sociable, urbano, atento. || **3.** ant. Grosero, ruin, mezquino, vil. || **4.** V. **Año, arquitectura, corona, derecho, día, fiscal, guardia, guerra, ingeniero, interdicción, matrimonio, obligación, registro, sanidad civil.** || **5.** V. **Frutos civiles.** || **6.** Aplícase a la persona que no es militar. || **7.** *For.* Perteneciente a las relaciones e intereses privados en orden al estado de las personas, régimen de la familia, condición de los bienes y los contratos. *Ley, acción, pleito, demanda* CIVIL. || **8.** *For.* Dícese de las disposiciones que emanan de las potestades laicas, en oposición a las que proceden de la Iglesia; y de las referentes a la generalidad de los ciudadanos, enfrente de las especiales que rigen la organización militar o que regulan las relaciones mercantiles. || **9.** *For.* V. **Muerte, pleito, posesión civil.** || **10.** m. fam. **Guardia civil,** 2.a acep. || **11.** V. **Fiscal de lo civil.**

Civilidad. (Del lat. *civilĭtas, -ātis.*) f. Sociabilidad, urbanidad. || **2.** ant. Miseria, mezquindad, grosería, vulgaridad, vileza.

Civilista. adj. Dícese del abogado que preferentemente defiende asuntos civiles. || **2.** m. El que profesa el derecho civil, o tiene en él especiales conocimientos.

Civilización. f. Acción y efecto de civilizar o civilizarse. || **2.** Conjunto de ideas, ciencias, artes y costumbres que forman y caracterizan el estado social de un pueblo o de una raza.

Civilizador, ra. adj. Que civiliza. Ú. t. c. s.

Civilizar. (De *civil.*) tr. Sacar del estado salvaje a pueblos o personas. Ú. t. c. r. || **2.** Educar, ilustrar. Ú. t. c. r.

Civilmente. adv. m. Con civilidad, 1.a acep. || **2.** desus. **Vilmente.** || **3.** *For.* Conforme o con arreglo al derecho civil.

Civismo. (Del lat. *civis*, ciudadano.) m. Celo por las instituciones e intereses de la patria.

Cizalla. (Del fr. *cisailles.*) f. Instrumento, a modo de tijeras grandes, con el cual se cortan en frío las planchas de metal. En algunos modelos, una de las hojas es fija. Ú. m. en pl. || **2.** Especie de guillotina que sirve para cortar cartones y cartulinas en pequeñas cantidades y a tamaño reducido. || **3.** Cortadura o fragmento de cualquier metal. || **4.** En las casas de moneda, residuo de los rieles de que se ha cortado la moneda.

Cizallar. tr. Cortar con la cizalla.

Cizallas. f. pl. **Cizalla.**

Cizaña. (Del lat. *zizania*, y éste del gr. ζιζάνια, pl. de ζιζάνιον.) f. Planta anua, de la familia de las gramíneas, cuyas cañas crecen hasta más de un metro, con hojas estrechas de 20 centímetros de largo, y flores en espigas terminales comprimidas, con aristas agudas. Se cría espontáneamente en los sembrados y la harina de su semilla es venenosa. || **2.** fig. Vicio que se mezcla entre las buenas acciones o costumbres. || **3.** fig. Cualquier cosa que hace daño a otra, maleándola o echándola a perder. || **4.** fig. Disensión o enemistad. Úsase más con los verbos *meter* y *sembrar*.

Cizañador, ra. adj. Que cizaña. Ú. t. c. s.

Cizañar. tr. Sembrar o meter cizaña, 4.a acep.

Cizañear. tr. **Cizañar.**

Cizañero, ra. (De *cizaña*, 4.a acep.) adj. Que tiene el hábito de cizañar. Ú. t. c. s.

Clac. (Del fr. *claque.*) m. Sombrero de copa alta, que por medio de muelles puede plegarse con el fin de llevarlo sin molestia en la mano o debajo del brazo en saraos o tertulias. || **2.** Sombrero de tres picos, cuyas partes laterales se juntan, y que se puede llevar fácilmente debajo del brazo.

Claco. (De *tlaco.*) m. *Méj.* Moneda antigua de cobre, equivalente a unos tres céntimos de peseta.

Clacopacle. (De *tlacotl*, vara, y *patli*, medicina.) m. *Méj.* **Aristoloquia.**

Clacota. (De *tlaco*, y *tolli*, pequeño.) f. *Méj.* Tumorcillo o divieso.

Clachique. (De *tlachique.*) m. *Méj.* Pulque sin fermentar.

Cladócero. (Del gr. κλάδος, rama, y κέρας, -ατος, cuerno.) adj. *Zool.* Dícese de los crustáceos de pequeño tamaño, casi todos vivientes en las aguas dulces, partenogenéticos, provistos de un caparazón bivalvo que deja libre la cabeza y el extremo del abdomen, con las antenas del segundo par ramificadas y grandes, que el animal utiliza para nadar; como la pulga de agua. Ú. t. c. s. || **2.** m. pl. Orden de estos animales.

Cladodio. (Del lat. moderno *cladodium*, y éste del gr. κλάδος, rama.) m. *Bot.* Rama que sustituye a las hojas, desempeñando las funciones de éstas y tomando a veces forma foliácea, como el brusco.

Clamar. (Del lat. *clamāre.*) tr. ant. **Llamar.** || **2.** intr. Quejarse, dar voces lastimosas, pidiendo favor o ayuda. || **3.** fig. Se dice algunas veces de las cosas inanimadas que manifiestan tener necesidad de algo. *La tierra* CLAMA *por agua.* || **4.** Emitir la palabra con vehemencia o de manera grave y solemne.

Clámide. (Del lat. *chlamys, -ÿdis*, y éste del gr. χλαμύς.) f. Capa corta y ligera que usaron los griegos, principalmente para montar a caballo, y que después adoptaron los romanos.

Clamo. m *Germ.* **Diente,** 1.a acep. || **2.** *Germ.* **Enfermedad,** 1.a acep.

Clamor. (Del lat. *clamor, -ōris.*) m. Grito, o voz que se profiere con vigor y esfuerzo. || **2.** Voz lastimosa que indica aflicción o pasión de ánimo. || **3.** Toque de campanas por los difuntos. || **4.** ant. Voz o fama pública. || **5.** *Ar.* Barranco o arroyo formado por la lluvia violenta.

Clamoreada. (De *clamorear.*) f. **Clamor,** 1.a y 2.a aceps.

Clamorear. (De *clamor.*) tr. Rogar con instancias y quejas o voces lastimeras para conseguir una cosa. || **2.** intr. **Doblar,** 12.a acep.

Clamoreo. (De *clamorear.*) m. Clamor repetido o continuado. || **2.** fam. Ruego importuno y repetido.

Clamoroso, sa. (De *clamor.*) adj. Dícese del rumor lastimoso que resulta de las voces o quejas de mucha gente reunida. || **2. Vocinglero.**

Clamosidad. f. Calidad de clamoso.

Clamoso, sa. (Del lat. *clamōsus.*) adj. ant. Que clama o grita.

Clan. (Del celta *clann*, hijo.) m. Nombre que en Escocia designaba tribu o familia, y que por extensión se aplica a otras formas de agrupación humana.

Clandestinamente. adv. m. De manera clandestina.

Clandestinidad. f. Calidad de clandestino.

Clandestino, na. (Del lat. *clandestinus*; de *clam*, en secreto, encubiertamente.) adj. Secreto, oculto. Aplícase generalmente a lo que se hace o se dice secretamente por temor a la ley o para eludirla. || **2.** V. **Matrimonio clandestino.** || **3.** *For.* Dícese del impreso sin pie de imprenta, o que lo lleva imaginario o falso, o que se publica sin observancia de los requisitos legales. || **4.** *For.* V. **Posesión clandestina.**

Clanga. (Del lat. *clanga.*) f. **Planga.**

Clangor. (Del lat. *clangor, -ōris.*) m. poét. Sonido de la trompeta o del clarín.

Clapa. f. *Ar.* Peladura o calva de un terreno por no haber nacido o haber muerto las semillas.

Claque. (Del fr. *claque*, y éste de la onomat. *clac.*) f. fig. y fam. Conjunto de los alabarderos de un teatro.

Clara. (De *claro.*) f. Materia blanquecina, líquida y transparente, de naturaleza albuminoidea, que rodea la yema del huevo de las aves y ha sido segregada por pequeñas glándulas existentes en las paredes del oviducto. || **2.** En la pelairía, pedazo de paño que por no estar bien tejido se trasluce. || **3.** Raleza de parte del pelo, que deja ver un pedazo de la piel. || **4.** fam. Espacio corto durante el cual se suspende el agua en tiempo lluvioso y hay alguna claridad. *Hubo una* CLARA.

Claraboya. (Del fr. *claire-voie*, y éste del lat. *clara via.*) f. Ventana abierta en el techo o en la parte alta de las paredes.

Claramente. adv. m. Con claridad.

Clarar. (Del lat. *clarāre.*) tr. **Aclarar.**

Clarea. (De *claro.*) f. Bebida que se hace con vino claro, azúcar o miel, canela y otras cosas aromáticas. || **2.** *Germ.* **Día,** 2.a acep.

Clarear. (De *claro.*) tr. Dar claridad. || **2.** *Germ.* **Alumbrar,** 1.a acep. || **3.** intr. Empezar a amanecer. || **4.** Irse abriendo y disipando el nublado. || **5.** r. **Transparentarse.** || **6.** fig. y fam. Descubrir uno involuntariamente sus planes, intenciones o propósitos.

Clarecer. (Del lat. *clarescĕre.*) intr. **Amanecer,** 1.er art., 1.a acep.

Clarens. m. Coche de cuatro asientos con capota.

Clareo. m. Acción de aclarar un monte.

Clarete. (De *claro.*) adj. V. **Vino clarete.** Ú. t. c. s.

Clareza. (De *claro.*) f. **Claridad.**

Claridad. (Del lat. *claritas, -ātis.*) f. Calidad de claro. || **2.** Efecto que causa la luz iluminando un espacio, de modo que se distinga lo que hay en él. || **3.** Distinción con que por medio de los sentidos, y más especialmente de la vista y del oído, percibimos las sensaciones, y por medio de la inteligencia, las ideas. || **4.** Una de las cuatro dotes de los cuerpos gloriosos, que consiste en el resplandor y luz que en sí tienen. || **5.** fig. Palabra o frase con que se dice a uno francamente o resueltamente algo desagradable. Ú. m. en pl. || **6.** fig. Buena opinión y fama que resulta del nombre y de los hechos de alguna persona. || **de la vista, o de los ojos.** Limpieza o perspicacia que tienen para ver.

Clarificación. (Del lat. *clarificatĭo, -ōnis.*) f. Acción de clarificar.

Clarificadora. f. *Cuba.* Vasija cuadrilonga que se usa para clarificar el guarapo del azúcar.

Clarificar. (Del lat. *clarificāre*; de *clarus*, claro, y *facĕre*, hacer.) tr. Iluminar, alumbrar. || **2.** Aclarar alguna cosa, quitarle los impedimentos que la ofuscan. || **3.** Poner claro, limpio, y purgar de heces lo que estaba denso, turbio o espeso. Comúnmente se dice de los licores, y del azúcar para hacer almíbar.

Clarificativo, va. adj. Que tiene virtud de clarificar.

Clarífico, ca. (Del lat. *clarificus.*) adj. **Resplandeciente.**

Clarilla. (d. de *clara.*) f. *And.* Lejía que se saca de la ceniza para lavar la ropa blanca.

Clarimente. (De *claro*.) m. Agua compuesta o afeite de que usaban las mujeres para lavarse el rostro.

Clarimento. (De *claro*.) m. Color claro y vivo de cualquiera pintura. Ú. m. en pl.

Clarín. (De *claro*.) m. Instrumento músico de viento, de metal, semejante a la trompeta, pero más pequeño y de sonidos más agudos. || **2.** Registro del órgano, compuesto de tubos de estaño con lengüeta, cuyos sonidos son una octava más agudos que los del registro análogo llamado trompeta. || **3.** El que ejerce o profesa el arte de tocar el **clarín**. || **4.** Tela de hilo muy delgada y clara que suele servir para vueltas, pañuelos, etc. || **5.** *Chile*. **Guisante de olor.** || **de la selva.** Nombre con que en Méjico se designa al sinsonte o alguna de sus variedades.

Clarinada. (De *clarín*.) f. fam. Toque del clarín. || **2.** fig. Dicho intempestivo o desentonado.

Clarinado, da. (Traducción del fr. *clariné*, de *clarine*, esquila o cencerro de las bestias.) adj. *Blas*. Aplícase a los animales que llevan campanillas o cencerros; como las vacas, carneros y camellos.

Clarinero. m. Clarín, 3.ª acep.

Clarinete. (d. de *clarín*.) m. Instrumento músico de viento, que se compone de una boquilla de lengüeta de caña, un tubo formado por varias piezas de madera dura, con agujeros que se tapan con los dedos o se cierran con llave, y un pabellón de clarín. Alcanza cerca de cuatro octavas y se usa mucho en orquestas y bandas militares. || **2.** El que ejerce o profesa el arte de tocar este instrumento.

Clarinetista. m. Clarinete. 2.ª acep.

Clarión. (Del fr. *craion*, de *craie*, del lat. *creta*, infl. por *claro*.) m. Pasta hecha de yeso mate y greda, de que se usa como de lápiz para dibujar en los lienzos imprimados lo que se ha de pintar, y para escribir en los encerados de las escuelas.

Clarioncillo. (d. de *clarión*.) m. Pasta blanca en figura de barra, que se aguza como el lápiz y sirve para pintar al pastel.

Clariosa. (De *clara*.) f. *Germ*. **Agua**, 1.ª acep.

Clarisa. adj. Dícese de la religiosa que pertenece a la segunda orden de San Francisco, fundada por Santa Clara en el siglo XIII. Ú. t. c. s.

Clarividencia. f. Facultad de comprender y discernir claramente las cosas. || **2.** Penetración, perspicacia.

Clarividente. adj. Dícese del que posee clarividencia. Ú. t. c. s.

Claro, ra. (Del lat. *clarus*.) adj. Bañado de luz. || **2.** Que se distingue bien. || **3.** Limpio, puro, desembarazado. *Cielo* CLARO; *vista, pronunciación* CLARA. || **4.** Transparente y terso; como el agua, el cristal, etc. || **5.** Se aplica a las cosas líquidas mezcladas con algunos ingredientes, que no están muy trabadas ni espesas; como el chocolate, la almendrada, etc. || **6.** Más ensanchado o con más espacios e intermedios de lo regular. *Pelo* CLARO. || **7.** Dícese del color no subido o no muy cargado de tinte. *Azul* CLARO, *castaño* CLARO. || **8.** Inteligible, fácil de comprender. *Lenguaje* CLARO, *explicación* CLARA, *cuentas* CLARAS. || **9.** Evidente, cierto, manifiesto. *Verdad* CLARA, *hecho* CLARO. || **10.** Expresado con lisura, sin rebozo, con libertad. || **11.** Aplícase a la persona que se expresa de este modo. || **12.** Hablando de toros, dícese del que no tiene resabios y acomete francamente y sin repararse. || **13.** Se dice del tiempo, día, noche, etc., en que está el cielo despejado y sin nubes. || **14.** En los tejidos, ralo, 1.ª acep. || **15.** V. **Cámara clara.** || **16.** V. **Intervalo claro.** || **17.** V. **Miel de claros.** || **18.** fig. Perspicaz, agudo. || **19.** fig. Ilustre, insigne, famoso. || **20.** *Pint*. V. **Masa de claro.** || **21.** *Veter*. Se dice del caballo que andando aparta los brazos uno de otro, echando las manos hacia afuera, de modo que no puedan cruzarse ni rozarse. || **22.** m. Abertura, a modo de claraboya, por donde entra luz. || **23.** Espacio que media de palabra a palabra en lo escrito. || **24.** Tiempo durante el cual se suspende una peroración o discurso. || **25.** Espacio o intermedio que hay entre algunas cosas; como en las procesiones, líneas de tropas, sembrados, etc. || **26.** *Germ*. **Clarea**, 2.ª acep. || **27.** *Arq*. **Luz**, 1.er art., 11.ª acep. Ú. m. en pl. || **28.** *Pint*. Porción de luz que baña la figura u otra parte del lienzo. || **29.** adv. m. **Claramente.** || **de luna.** Momento corto en que la Luna se muestra en noche obscura con toda claridad. || **oscuro,** o **claro y oscuro.** *Pint*. **Claroscuro**, 1.ª y 2.ª aceps. || **A la clara,** o **a las claras.** m. adv. Manifiesta, públicamente. || **¡Claro!** o **¡claro está!** expr. de que se usa para dar por cierto o asegurar lo que se dice. || **De claro en claro.** m. adv. Manifiestamente, con toda claridad. || **2.** De un extremo a otro, del principio al fin. || **Meter en claros.** fr. *Pint*. Poner o colocar los pintores los claros en sus lugares correspondientes. || **Por lo claro.** m. adv. Claramente, manifiestamente, sin rodeos.

Claror. (Del lat. *claror*.) m. Resplandor o claridad.

Claroscuro. (De *claro* y *oscuro*.) m. *Pint*. Conveniente distribución de la luz y de las sombras en un cuadro. || **2.** *Pint*. Diseño o dibujo que no tiene más que un color sobre el campo en que se pinta, sea en lienzo o en papel. || **3.** *Caligr*. Aspecto que ofrece las escritura mediante la combinación de los trazos gruesos, medianos y finos de las letras.

Clarucho, cha. adj. despect. Aplícase a la substancia desleída en cantidad excesiva de agua u otro líquido.

Clascal. (De *tlascal*.) m. *Méj*. Tortilla de maíz.

Clase. (Del lat. *classis*.) f. Orden o número de personas del mismo grado, calidad u oficio. *La* CLASE *de los menestrales*. || **2.** Orden en que, con arreglo a determinadas condiciones o calidades, se consideran comprendidas diferentes personas o cosas. || **3.** En las universidades, cada división de estudiantes que asisten a sus diferentes aulas. || **4.** En las escuelas, conjunto de niños que reciben un mismo grado de enseñanza. || **5.** **Aula**, 1.ª acep. || **6.** Lección que da el maestro a los discípulos cada día. || **7.** En los establecimientos de enseñanza, cada una de las asignaturas a que se destina separadamente determinado tiempo. || **8.** *Bot*. y *Zool*. Grupo taxonómico que comprende varios órdenes de plantas o de animales con muchos caracteres comunes. CLASE *de las angiospermas, de los mamíferos*. || **9.** pl. *Mil*. Nombre genérico de los individuos de tropa que forman los escalones intermedios entre el oficial y el soldado raso. || **Clase media.** La que se halla entre las nobles y ricas y la de los que viven de jornal o salario. || **Clases de etiqueta.** Parte de la servidumbre palatina. || **pasivas.** Denominación oficial bajo la que se comprenden los cesantes, jubilados, retirados, inválidos y exclaustrados que disfrutan algún haber pasivo, y, por extensión, las viudas y huérfanos que gozan pensión en virtud de los servicios que prestaron sus maridos o padres.

Clásicamente. adv. m. De modo clásico.

Clasicismo. (De *clásico*.) m. Sistema literario o artístico fundado en la imitación de los modelos de la antigüedad griega y romana. Dícese en oposición a romanticismo.

Clasicista. adj. Dícese del partidario del clasicismo. Ú. t. c. s.

Clásico, ca. (Del lat. *classĭcus*.) adj. Dícese del autor o de la obra que se tiene por modelo digno de imitación en cualquier literatura o arte. Apl. a pers., ú. t. c. s. || **2.** Principal o notable en algún concepto. || **3.** Perteneciente a la literatura o al arte de la antigüedad griega y romana, y a los que en los tiempos modernos los han imitado. Dícese especialmente en oposición a romántico. Apl. a pers., ú. t. c. s. || **4.** Partidario del clasicismo. Ú. t. c. s.

Clasificación. f. Acción y efecto de clasificar.

Clasificador, ra. adj. Que clasifica. Ú. t. c. s. || **2.** m. Mueble de despacho con varios cajoncitos para guardar separadamente y con orden los papeles.

Clasificar. (Del b. lat. *classificāre*, y éste del lat. *classis*, clase, y *facĕre*, hacer.) tr. Ordenar o disponer por clases.

Clauca. (Del lat. **clavica*, de *clavis*, llave.) f. *Germ*. **Ganzúa**, 1.ª acep.

Claudia. (De la reina *Claudia*, mujer de Francisco I de Francia.) adj. V. **Ciruela claudia.**

Claudicación. (Del lat. *claudicatio, -ōnis*.) f. Acción y efecto de claudicar.

Claudicante. p. a. de **Claudicar.** Que claudica.

Claudicar. (Del lat. *claudicāre*, de *claudus*, cojo.) intr. **Cojear.** || **2.** fig. Proceder y obrar defectuosa o desarregladamente.

Clauquillador. (De *clauquillar*.) m. ant. *Ar*. El que sellaba los cajones de mercaderías en la aduana.

Clauquillar. (De *clauca*.) tr. ant. *Ar*. Sellar los cajones de mercaderías en la aduana.

Claustra. (Del lat. *claustra*, pl. de *claustrum*.) f. **Claustro**, 1.ª acep.

Claustral. (Del lat. *claustrālis*.) adj. Perteneciente o relativo al claustro. *Procesión* CLAUSTRAL. || **2.** Dícese de ciertas órdenes religiosas y de sus individuos. *Los franciscanos los benedictinos* CLAUSTRALES. Apl. a pers., ú. t. c. s. || **3.** V. **Bóveda claustral.**

Claustrar. (De *claustro*.) tr. ant. **Cercar**, 1.ª acep.

Claustrero. (Del lat. *claustrarius*, de *claustrum*, claustro.) adj. ant. Decíase del que profesaba la vida del claustro. Usáb. t. c. s.

Claustrillo. (d. de *claustro*.) m. Salón de algunas universidades en que se celebraban ciertos actos académicos de segundo orden.

Claustro. (Del lat. *claustrum*, de *claudĕre*, cerrar.) m. Galería que cerca el patio principal de una iglesia o convento. || **2.** Junta formada por el rector, consiliarios, doctores y maestros graduados en las universidades. || **3.** ant. Cámara o cuarto. || **4.** fig. Estado monástico. || **de licencias.** Junta de la facultad de teología o de la de medicina, en que, atendidos los méritos, se prescribía el orden con que los bachilleres formados en dichas facultades habían de obtener el grado de licenciado para ascender al de doctor. || **de profesores.** Conjunto de catedráticos de algún centro oficial de enseñanza. || **materno.** **Matriz**, 1.ª acep.

Claustrofobia. (Del lat. *claustrum*, encierro, y el gr. φόβος, temor.) f. *Med*. Sensación morbosa de angustia producida por la permanencia en lugares cerrados.

Cláusula. (Del lat. *clausŭla*, de *clausus*, cerrado.) f. *For*. Cada una de las disposiciones de un contrato, tratado, testamento o cualquier otro documento análogo, público o particular. || **2.** *Gram*. y *Ret*. Conjunto de palabras que, formando sentido cabal, encierran una sola proposición o varias íntimamente relacionadas entre sí. || **ad cautélam.** *For*. La que para favorecer la libertad de revocar un testamento, exige que en otro posterior se empleen determinados vocablos, frases o signos. || **compuesta.** *Gram.* y *Ret.* La que consta de dos o más proposiciones. || **penal.** *For.* Estipulación en las obligaciones de una sanción, generalmente pecuniaria, que sustituye, salvo pacto en contrario, a las indemnizaciones por incumplimiento o retardo. || **resolutoria.** *For.* La que previene o motiva la ineficacia del título o acto en que va contenida. || **simple.** *Gram.* y *Ret.* La que consta de una sola proposición.

Clausulado, da. (De *clausular.*) adj. **Cortado,** 3.ª acep. || **2.** m. Conjunto de cláusulas.

Clausular. (De *cláusula.*) tr. Cerrar o terminar el período; poner fin a lo que se estaba diciendo.

Clausura. (Del lat. *clausūra.*) f. En los conventos de religiosos, recinto interior donde no pueden entrar mujeres; y en los de religiosas, aquel donde no pueden entrar hombres ni mujeres. || **2.** Obligación que tienen las personas religiosas de no salir de cierto recinto, y prohibición a las seglares de entrar en él. || **3.** Vida religiosa o en **clausura.** || **4.** Acto solemne con que se terminan o suspenden las deliberaciones de un congreso, un tribunal, etc. || **5.** ant. Sitio cercado o corral.

Clausurar. (De *clausura.*) tr. **Cerrar,** 20.ª acep.

Clava. (Del lat. *clava.*) f. Palo toscamente labrado, como de un metro de largo, que va aumentando de diámetro desde la empuñadura hasta el extremo opuesto. || **2.** *Mar.* Abertura superior y a lo largo del trancanil de ambas bandas de la cubierta de proa en algunas embarcaciones de poco porte, para dar salida al agua que embarcan.

Clavadizo, za. (De *clavar.*) adj. Dícese de las puertas, ventanas y muebles adornados con clavos de bronce, hierro o hierro bañado con estaño, muy usados en los pasados siglos.

Clavado, da. adj. Guarnecido o armado con clavos. || **2.** Fijo, puntual. || **3.** **Pintiparado,** 2.ª acep.

Clavadura. f. Herida que se hace a las caballerías cuando se les introduce en los pies o manos un clavo que penetra hasta la carne.

Claval. (De *clavo.*) adj. *Zool.* V. **Juntura claval.**

Clavar. (Del lat. *clavāre,* de *clavus,* clavo.) tr. Introducir un clavo u otra cosa aguda, a fuerza de golpes, en un cuerpo. || **2.** Asegurar con clavos una cosa en otra. || **3.** Introducir una cosa puntiaguda. Ú. t. c. r. *Me* CLAVÉ *una espina.* || **4.** Entre plateros, sentar o engastar las piedras en el oro o la plata. || **5.** Hablando de caballerías, causarles una clavadura. || **6.** Hablando de cañones, inutilizarlos introduciendo en el oído un clavo de acero a golpe de mazo. || **7.** ant. **Herretear,** 1.ª acep. || **8.** fig. Fijar, parar, poner. CLAVÓ *los ojos en ella.* || **9.** fig. y fam. Engañar a uno perjudicándole. Ú. t. c. r.

Clavario, ria. m. y f. **Clavero, ra,** 2.° art.

Clavazón. f. Conjunto de clavos puestos en alguna cosa, o preparados para ponerlos.

Clave. (Del lat. *clavis,* llave.) m. **Clavicordio.** || **2.** f. Explicación de los signos convenidos para escribir en cifra, o de cualesquiera otros distintos de los conocidos o usuales. || **3.** Nota o explicación que necesitan algunos libros o escritos para la inteligencia de su composición artificiosa; como la *Argenis* de Barclayo. || **4.** Noticia o idea por la cual se hace comprensible algo que era enigmático. || **5.** ant. **Llave,** 1.ª acep. || **6.** *Arq.* Piedra con que se cierra el arco o bóveda. || **7.** *Mús.* Signo que se pone al principio del pentágrama para determinar el nombre de las notas. || **De clave.** loc. Dícese de las obras literarias en que los personajes y sucesos fingidos encubren otros reales. *Novela, comedia* DE CLAVE. || **Echar la clave.** fr. fig. Concluir o finalizar un negocio o discurso.

Clavecímbano. m. ant. **Clavicímbalo.**

Clavel. (Del cat. *clavell,* y éste del lat. *clavĕllus,* clavillo.) m. Planta de la familia de las cariofiláceas, de tres a cuatro decímetros de altura, con tallos nudosos y delgados, hojas largas, estrechas, puntiagudas y de color gríseo; muchas flores terminales, con cáliz cilíndrico y cinco pétalos de color rojo subido y olor muy agradable. Se la cultiva por lo hermoso de sus flores, que se hacen dobles y adquieren colores muy diversos. || **2.** Flor de esta planta. || **coronado. Clavellina de pluma.** || **de China.** *Cuba.* **Clavel** de hojas más anchas que el común, pero de flores más pequeñas.

Clavelito. (d. de *clavel.*) m. Especie de clavel con tallos rectos de más de tres decímetros de altura, ramosos, con multitud de flores dispuestas en corimbos desparramados, que despiden aroma suave por la tarde y por la noche, y tienen pétalos blancos o de color de rosa divididos en lacinias pinatífidas. || **2.** Flor de esta planta.

Clavelón. (aum. de *clavel.*) m. Planta herbácea, de la familia de las compuestas, de tallo y ramas erguidas, hojas recortadas y flores amarillas y fétidas. Críase en Méjico; es muy común en los jardines, y su fruto y raíz son purgantes.

Clavellina. (Del cat. *clavellina,* y éste del lat. *clavĕllus,* clavillo.) f. **Clavel,** principalmente el de flores sencillas. || **2.** Planta semejante al clavel común, pero de tallos, hojas y flores más pequeños. || **3.** *Art.* Tapón de estopa que sirve para impedir que el polvo entre por el oído del cañón. || **de pluma.** Especie de clavel con los tallos tendidos al principio, erguidos después hasta tres decímetros de altura, hojas radicales, lineares, largas y que forman césped, y flores blancas o rojas con cinco pétalos finamente divididos en lacinias largas y estrechas. || **2.** Flor de esta planta.

Claveque. (De *Clabecq,* población de Bélgica.) m. Cristal de roca, en cantos rodados, que se talla imitando el diamante.

Clavera. f. Agujero o molde en que se forman las cabezas de los clavos. || **2.** Agujero por donde se introduce el clavo. || **3.** **Mojonera,** 1.ª acep. Ú. en Extremadura y otras partes.

Clavería. f. Dignidad de clavero en las órdenes militares. || **2.** *Mej.* Oficina que en las catedrales entiende en la recaudación y distribución de las rentas del cabildo.

Clavero. (De *clavo,* 4.ª acep.) m. Árbol tropical, de la familia de las mirtáceas, de unos seis metros de altura, copa piramidal, hojas opuestas, ovales, enteras, lisas y coriáceas; flores róseas en corimbo, con cáliz de color rojo obscuro y de cuatro divisiones, y por fruto drupa como la cereza, con almendra negra, aromática y gomosa. Los capullos de sus flores son los clavos de especia.

Clavero, ra. (Del lat. *clavarius.*) m. y f. **Llavero, ra,** 1.ª acep. || **2.** m. En algunas órdenes militares, caballero que tenía cierta dignidad y a cuyo cargo estaba la custodia y defensa de su principal castillo o convento.

Claveta. (De *clavo.*) f. Estaquilla o clavo de madera.

Clavete. m. d. de **Clavo.** || **2.** *Mús.* La púa o plumilla con que se tañe la bandurria.

Clavetear. (De *clavete.*) tr. Guarnecer o adornar con clavos de oro, plata u otro metal alguna cosa; como caja, puerta, coche, etc. || **2.** **Herretear,** 1.ª acep. || **3.** fig. Tratándose de negocios, expedientes, etc., disponerlos o terminarlos de la manera más segura y completa.

Clavicímbalo. (De *clave* y *címbalo.*) m. ant. **Clavicordio.**

Clavicímbano. m. **Clavicordio.**

Clavicordio. (Del lat. *clavis,* llave, y *chorda,* cuerda.) m. Antiguo instrumento músico de cuerdas de alambre y con teclado, en su forma total semejante al piano de cola, pero con la diferencia de que el mecanismo en el **clavicordio** hace sonar las cuerdas hiriéndolas con puntas de pluma o con lengüetas de cobre, en lugar de los modernos macillos del piano.

Clavícula. (Del lat. *clavicŭla.*) f. *Zool.* Cada uno de los dos huesos situados transversalmente y con alguna oblicuidad en uno y otro lado de la parte superior del pecho, y articulados por dentro con el esternón y por fuera con el acromion del omóplato. No existe o es rudimentaria en los mamíferos acleidos.

Claviculado, da. adj. Que tiene clavículas.

Clavicular. adj. Perteneciente a la clavícula.

Clavija. (Del lat. *clavicŭla,* llavecita.) f. Trozo cilíndrico o ligeramente cónico de madera, metal u otra materia apropiada, que se encaja en un taladro hecho al efecto en una pieza sólida. Sirve para asegurar el ensamblaje de dos maderos, embutiéndola a golpe de mazo; para eje de giro en las partes movibles de una máquina o aparato, y provista de una cabeza a modo de oreja, se coloca a mano en los agujeros correspondientes para sujetar alguna cosa, para hacer señales en un tablero o para otros objetos. De madera y con oreja se usa en los instrumentos músicos con astil, para asegurar y arrollar las cuerdas; y de hierro con espiga cuadrada, en los de clavijero con igual objeto. || **maestra.** Barra de hierro, en forma de clavo grueso y redondo, que se usa en los coches para fijar el carro sobre el juego delantero y facilitar su movimiento a un lado y a otro. || **Apretarle** a uno **las clavijas.** fr. fig. y fam. Estrecharle en un discurso o argumento, respecto de su conducta, para compelerle o sujetarle.

Clavijera. (De *clavijero.*) f. *Ar.* Abertura hecha en las tapias de los huertos para que entre el agua.

Clavijero. (Del lat. *clavicularius.*) m. Pieza maciza, larga y angosta, de madera o hierro, en que están hincadas las clavijas de los clavicordios, pianos y otros instrumentos análogos. || **2.** **Percha,** 1.er art., 2.ª acep. || **3.** *Agr.* Parte del timón del arado en la cual están los agujeros para poner la clavija.

Clavillo, to. (d. de *clavo.*) m. Pasador que sujeta las varillas de un abanico o las dos hojas de unas tijeras. || **2.** **Clavo,** 4.ª acep. || **3.** Cada una de las puntas de hierro colocadas en el puente y en el secreto del piano, para dar dirección a las cuerdas.

Claviórgano. m. Instrumento músico muy armonioso, que tiene cuerdas como clave, y flautas o cañones como órgano.

Clavo. (Del lat. *clavus.*) m. Pieza de hierro larga y delgada, con cabeza y punta, que sirve para fijarla en alguna parte, o para asegurar una cosa a otra. Los hay de varias formas y tamaños. || **2.** Callo duro y de figura piramidal, que se cría regularmente sobre los dedos de los pies. || **3.** **Lechino,** 1.ª acep. || **4.** Capullo seco de la flor del clavero. Tiene la figura de un **clavo** pequeño, con una cabecita redonda formada por los pétalos y rodeada de cuatro puntas, que son las divisiones del cáliz, de color pardo obscuro, de olor muy aromático y agradable, y sabor acre y picante. Es medicinal y se usa como especia en diferentes condimentos. || **5.** **Jaqueca.** || **6.** Daño o perjuicio que uno recibe. || **7.** fig. Dolor agudo, o grave cuidado o pena que acongoja el corazón. || **8.** *Cir.* Tejido muerto que se desprende del divieso. || **9.** *Veter.* Tumor que sale a las caballerías en la cuartilla entre pelo y casco. || **baladí.** El de herrar y de tamaño menor que el hechizo. || **bellote.** **Bellote.** || **bellotillo.** El que mide unos 15 centímetros. || **calamón.** **Calamón,** 1.er art., 2.ª acep. || **chanflón.** El que estaba labrado toscamente. || **chillón.** **Chillón,** 1.er art. || **de a cuarto.** El que tiene de largo unos ocho centímetros. || **de ala de mosca.** El parecido al de chilla, con la cabeza aplanada lateralmente para poder embutirla en la madera. || **de a ochavo.** El que mide unos siete centímetros. || **de cera.** **Clavo de gota de sebo.** || **de chilla.** **Clavo** de hierro, de seis centímetros de largo y espiga delgada y piramidal, que se emplea generalmente para clavar la tablazón de los techos. || **de gota de sebo.** El de cabeza semiesférica. || **de media chilla.** El de unos tres centímetros de largo. || **de pie.** El que no pasa de 20 centímetros de largo. || **de rosca.** **Tornillo,** 2.ª acep. || **de roseta.** El de adorno, cuya cabeza se ensanchaba en figura de rosa. || **de tercia.** El que tiene algo menos de 30 centímetros de largo. || **estaca,** o **estaquilla.** **Estaca,** 4.ª acep. || **hechizo.** El que se usa en la herradura hechiza. || **jemal.** **Clavo bellote.** || **pasado.** *Veter.* Tumor que pasa de un lado a otro. || **romano.** El de adorno, con cabeza grande de latón labrado, que se atornilla en la extremidad de aquél después de clavado. || **tabaque.** **Tabaque,** 2.° art. || **tablero.** Especie de clavo a propósito para clavar tablas. || **tachuela.** **Tachuela,** 1.er art., 1.ª acep. || **trabal.** El que sirve para unir y clavar las vigas o trabes. || **Agarrarse uno a, o de, un clavo ardiendo.** fr. fig. y fam. Valerse de cualquier recurso o medio, por difícil o arriesgado que sea, para salvarse de un peligro, evitar un mal que amenaza o conseguir alguna otra cosa. || **Arrimar el clavo.** fr. *Veter.* Introducirlo por el casco de las caballerías al tiempo de herrarlas, hasta tocar en lo vivo, de forma que las hiere y las hace cojear. || **Arrimar el clavo a uno.** fr. ant. fig. **Clavar,** 9.ª acep. || **Clavará un clavo con la cabeza.** expr. fig. y fam. que se dice del muy testarudo o tenaz en su dictamen. || **Dar uno en el clavo.** fr. fig. y fam. Acertar en lo que hace o dice, especialmente cuando es dudosa la resolución. || **Dar una en el clavo y ciento en la herradura.** fr. fig. y fam. Acertar por casualidad; equivocarse a menudo. || **De clavo pasado.** loc. adv. fig. De toda evidencia. || **2.** fig. Muy hacedero y al alcance de cualquiera. || **Echar uno un clavo a la rueda de la fortuna.** fr. fig. **Clavar la rueda de la fortuna.** || **Hacer clavo.** fr. *Albañ.* Unirse y trabarse sólidamente los materiales de una edificación o la piedra del firme de un camino. || **No dejar clavo ni estaca en pared.** fr. fig. y fam. Llevar todo cuanto había en una casa, sin dejar cosa alguna en ella. || **No importar un clavo** una cosa. fr. fig. y fam. Merecer poco aprecio. || **Por un clavo se pierde una herradura.** expr. proverb. con que se advierte que de descuidos pequeños pueden originarse males grandes. || **Remachar uno el clavo.** fr. fig. y fam. Añadir a un error otro mayor, queriendo enmendar el desacierto. || **2.** fig. y fam. Añadir uno o más argumentos en pro de una aserción ya acreditada por anteriores razones. || **Sacar un clavo con otro clavo.** fr. fig. y fam. **Un clavo saca otro clavo.** || **Tener buen, o mal, clavo.** fr. Hablando del azafrán, cuando está en flor, tener muchas hebras y largas, o pocas y desmedradas. || **Un clavo saca otro clavo.** expr. proverb. con que se da a entender que a veces un mal o un cuidado hace olvidar o no sentir otro que antes molestaba.

Clazol. (De *tla,* cosa, y *zolli,* viejo.) m. *Méj.* Bagazo de la caña, estiércol.

Cleda. (Del célt. *cleta,* armazón de palos.) f. ant. *Mil.* **Mantelete,** 4.ª acep.

Clemátide. (Del lat. *clemătis, -ĭdis,* y éste del gr. κληματίς.) f. Planta medicinal, de la familia de las ranunculáceas, de tallo rojizo, sarmentoso y trepador, hojas opuestas y compuestas de hojuelas acorazonadas y dentadas, y flores blancas y de olor suave.

Clemencia. (Del lat. *clementia.*) f. Virtud que modera el rigor de la justicia.

Clemente. (Del lat. *clemens, -entis.*) adj. Que tiene clemencia.

Clementemente. adv. m. Con clemencia.

Clementina. (Del nombre del papa *Clemente V,* autor de las constituciones que forman esta colección.) f. Cada una de las constituciones de que se compone la colección del derecho canónico publicada por el papa Juan XXII el año de 1317. || **2.** pl. Esta colección.

Clepsidra. (Del lat. *clepsȳdra,* y éste del gr. κλεψύδρα; de κλέπτω, despojar, y ὕδωρ, agua.) f. **Reloj de agua.**

Cleptomania. (Del gr. κλέπτω, quitar, y μανία, manía.) f. Propensión morbosa al hurto.

Cleptomaniaco, ca [~ **maníaco, ca**]. (De *cleptomanía.*) adj. **Cleptómano.**

Cleptómano, na. adj. Dícese de la persona que padece cleptomanía. Ú. t. c. s.

Clerecía. f. Conjunto de personas eclesiásticas que componen el clero. || **2.** Número de clérigos que concurren con sobrepellices a una función de iglesia. || **3.** Oficio u ocupación de clérigos. || **4.** V. **Mester de clerecía.**

Clerical. (Del lat. *clericālis.*) adj. Perteneciente al clérigo. *Hábito, estado* CLERICAL.

Clericalismo. m. Nombre que suele darse a la influencia excesiva del clero en los asuntos políticos.

Clericalmente. adv. m. Como corresponde al estado clerical.

Clericato. (Del lat. *clericātus.*) m. Estado y honor del clérigo. || **de cámara.** Empleo honorífico en el palacio del papa.

Clericatura. f. Estado clerical.

Clerigalla. f. despect. Calificativo aplicado a los malos clérigos.

Clérigo. (Del lat. *clericus,* y éste del gr. κληρικός.) m. El que ha recibido las órdenes sagradas. || **2.** El que tiene la primera tonsura. || **3.** En la Edad Media, hombre letrado y de estudios escolásticos, aunque no tuviese orden alguna, en oposición al indocto y especialmente al que no sabía latín. Por ext., el sabio en general, aunque fuese pagano. || **de cámara.** El que obtiene un clericato de cámara. || **de corona.** El que sólo tiene la primera tonsura. || **de menores.** El que sólo tiene las órdenes menores o alguna de ellas. || **de misa.** Presbítero o sacerdote. || **pobre de la Madre de Dios.** **Escolapio,** 2.ª acep. || **Clérigos menores.** Orden de clérigos regulares establecida en Nápoles el año de 1588 por Juan Agustín Adorno, caballero genovés, junto con San Francisco Caracciolo. || **Clérigo viajero, ni misero ni misero.** ref. que enseña que la persona que anda de acá para allá, desatendiendo su oficio, gasta y no gana.

Cleriguicia. (De *clérigo.*) f. despect. **Clerecía,** 2.ª acep.

Clerizón. (Del fr. *clergeon,* de *clergé,* y éste del lat. *clericatus.*) m. En algunas catedrales, mozo de coro o monacillo. || **2.** ant. **Clerizonte.**

Clerizonte. m. El que usaba de hábitos clericales sin estar ordenado. || **2.** Clérigo mal vestido o de malos modales.

Clero. (Del lat. *clerus,* y éste del gr. κλῆρος.) m. Conjunto de los clérigos, así de órdenes mayores como menores, inclusos los de la primera tonsura. || **2.** Clase sacerdotal en la Iglesia católica. || **regular.** El que se liga con los tres votos religiosos de pobreza, obediencia y castidad. || **secular.** El que no hace dichos votos.

Clerofobia. (Del gr. κλῆρος, y φόβος, horror.) f. Odio manifiesto al clero.

Cleròfobo, ba. adj. Dícese de la persona que manifiesta clerofobia. Ú. t. c. s.

Cleuasmo. (Del lat. *chleuasmos,* y éste del gr. χλευασμός, sarcasmo.) m. *Ret.* Figura que se comete cuando el que habla atribuye a otro sus buenas acciones o cualidades, o cuando se atribuye a sí mismo las malas de otro.

Clíbano. (Del lat. *clibănus,* horno de campaña.) m. ant. Horno portátil. || **2.** *Mil.* Especie de coraza que usaban los soldados persas.

Clica. f. *Zool.* Molusco lamelibranquio marino, dimiario, con valvas iguales, de forma acorazonada, y provistas de surcos radiantes. Común en las costas españolas y comestible.

Cliente. (Del lat. *cliens, -entis.*) com. Persona que está bajo la protección o tutela de otra. || **2.** Respecto del que ejerce alguna profesión, persona que utiliza sus servicios. || **3.** Por ext., **parroquiano,** 2.ª acep.

Clientela. (Del lat. *clientēla.*) f. Protección, amparo con que los poderosos patrocinan a los que se acogen a ellos. || **2.** Conjunto de los clientes de una persona.

Clima. (Del lat. *clima,* y éste del gr. κλίμα.) m. Conjunto de condiciones atmosféricas que caracterizan una región. || **2.** Temperatura particular y demás condiciones atmosféricas y telúricas de cada país. || **3.** País, región. || **4.** Medida superficial agraria que constaba de 60 pies de lado, o sea unos 290 metros cuadrados. || **5.** *Geogr.* Espacio del globo terráqueo, comprendido entre dos paralelos, en los cuales la duración del día mayor del año se diferencia en determinada cantidad. Los antiguos dividieron el mundo por ellos conocido en siete **climas** de a media hora; y los modernos han adoptado 24 **climas** de a media hora entre el Ecuador y cada uno de los círculos polares, y seis de a mes desde dichos círculos hasta el polo respectivo.

Climatérico, ca. (Del lat. *climactericus,* y éste del gr. κλιμακτηρικός, de κλιμακτήρ, escalón.) adj. V. **Año climatérico.** || **2.** Relativo a cualquiera de los períodos de la vida considerados como críticos, especialmente el de la declinación sexual. || **3.** Dícese del tiempo peligroso por alguna circunstancia. || **Estar uno climatérico.** fr. fig. y fam. Estar de mal temple.

Climaterio. (Del gr. κλιμακτήρ, escalón.) adj. Dícese del período de la vida que precede y sigue a la extinción de la función genital.

Climático, ca. adj. Perteneciente o relativo al clima.

Climatología. (Del gr. κλίμα, -ατος, clima, y λόγος, tratado, doctrina.) f. Tratado de los climas, 2.ª acep.

Climatológico, ca. adj. Perteneciente o relativo a la climatología. || **2.** Perteneciente o relativo a las condiciones propias de cada clima.

Clímax. (Del lat. *climax,* y éste del gr. κλῖμαξ, escala.) m. *Ret.* **Gradación,** 4.ª acep.

Clin. f. Crin.

Clínica. (Del gr. κλινική, t. f. de -κός, clínico.) f. Parte práctica de la enseñanza de la medicina. || **2.** Departamento de los hospitales destinado a dar esta enseñanza. || **3.** Hospital privado, más comúnmente quirúrgico, regido por uno o varios médicos.

Clínico, ca. (Del lat. *clinĭcus*, y éste del gr. κλινικός; de κλίνη, lecho.) adj. Perteneciente a la clínica. Ú. t. c. s. || **2.** m. y f. ant. Persona adulta que pedía el bautismo en la cama, por hallarse en peligro de muerte.

Clinómetro. m. *Fís.* Especie de nivel. || **2.** *Fís.* Aparato que mide la diferencia de calado entre la proa y la popa de un buque.

Clinopodio. (Del lat. *clinopodion*, y éste del gr. κλινοπόδιον; de κλίνη, lecho y πούς, ποδός, pie.) m. Hierba de la familia de las labiadas, con raíz vivaz y rastrera, tallo de medio metro de altura, cuadrangular, ramoso y velloso, hojas opuestas, aovadas y dentadas, y flores en cabezuela terminal, blancas o purpúreas, ligeramente aromáticas, acompañadas de brácteas cerdosas.

Clípeo. (Del lat. *clypĕus.*) m. *Arqueol.* Escudo de forma circular y abombada que usaron los antiguos.

Clíper. (Del ingl. *clipper.*) m. Buque de vela, fino, ligero y de mucho aguante.

Clisado. m. *Impr.* Acción y efecto de clisar. || **2.** *Impr.* Arte de clisar.

Clisar. (De *clisé.*) tr. *Impr.* Reproducir con planchas de metal la composición de imprenta, o grabados en relieve, de que previamente se ha sacado un molde.

Clisé. (Del fr. *cliché.*) m. *Impr.* Plancha clisada, y especialmente la que representa algún grabado.

Clisos. m. pl. *Germ.* Los ojos.

Clistel. m. **Clister.**

Clistelera. f. Mujer que echaba ayudas o clisteles.

Clister. (Del lat. *clyster*, y éste del gr. κλυστήρ, de κλύζω, lavar.) m. **Ayuda**, 5.ª acep.

Clisterizar. tr. Administrar el clister. Ú. t. c. r.

Clitómetro. (Del gr. κλίτος, inclinación, y μέτρον, medida.) m. *Topogr.* Instrumento que se emplea en la medición de las pendientes del terreno.

Clítoris. (Del gr. κλειτορίς, de κλείω, cerrar.) m. Cuerpecillo carnoso eréctil, que sobresale en la parte más elevada de la vulva.

Clivoso, sa. (Del lat. *clivōsus*, de *clivus*, cuesta.) adj. poét. Que está en cuesta.

Clo. Onomatopeya con que se representa la voz propia de la gallina clueca.

Cloaca. (Del lat. *cloăca.*) f. Conducto por donde van las aguas sucias o las inmundicias de los pueblos. || **2.** *Zool.* Porción final, ensanchada y dilatable, del intestino de las aves y otros animales, en la cual desembocan los conductos genitales y urinarios.

Clocar. intr. **Cloquear**, 1.er art.

Clochel. (Del fr. *clocher*, de *cloche*, campana.) m. ant. **Campanario**, 1.ª acep.

Clonqui. m. *Chile.* Planta muy común semejante a la arzolla.

Cloque. (Del fr. *croc*, y éste del nórdico *krókr*, garfio.) m. **Bichero.** || **2.** Garfio enastado que sirve para enganchar los atunes en las almadrabas.

Cloquear. intr. Hacer clo, clo la gallina clueca.

Cloquear. tr. Enganchar el atún con el cloque en las almadrabas, para sacarlo a tierra.

Cloqueo. (De *cloquear*, 1.er art.) m. Cacareo sordo de la gallina clueca.

Cloquera. (De *clocar.*) f. Estado de las gallinas y otras aves, que las incita a permanecer sobre los huevos para incubarlos o empollarlos.

Cloquero. m. El que maneja el cloque.

Cloral. m. *Quím.* Líquido producido por la acción del cloro sobre el alcohol anhidro, y que con el agua forma un hidrato sólido. Ú. en medicina como anestésico.

Clorato. m. *Quím.* Sal formada por la combinación del ácido clórico con una base.

Clorhidrato. m. *Quím.* Sal formada por la combinación del ácido clorhídrico con una base.

Clorhídrico, ca. (De *cloro* y el gr. ὕδωρ, agua.) adj. *Quím.* Perteneciente o relativo a las combinaciones del cloro y del hidrógeno. || **2.** *Quím.* V. **Ácido clorhídrico.**

Clórico, ca. adj. *Quím.* Perteneciente o relativo al cloro. || **2.** *Quím.* V. **Ácido clórico.**

Clorita. (Del gr. χλωρός, verde.) f. Mineral de color verdoso y brillo anacarado, compuesto de un silicato y un aluminato hidratados de magnesia y óxido de hierro.

Clorítico, ca. adj. *Geol.* Dícese del terreno o roca en cuya composición se halla la clorita.

Cloro. (Del gr. χλωρός, de color verde amarillento.) m. Metaloide gaseoso de color verde amarillento, olor fuerte y sofocante y sabor cáustico. Tiene mucha afinidad con el hidrógeno, por lo cual descompone la mayor parte de las substancias orgánicas, propiedad que le hace útil para blanquear materias vegetales y como desinfectante.

Clorofila. (Del gr. χλωρός, verde, y φύλλον, hoja.) f. *Bot.* Pigmento que existe en muchas células del tallo de las algas y del tallo y hojas de las briofitas, pteridofitas y fanerógamas, al cual deben estas plantas su color verde característico, y que está formado por la asociación de cuatro substancias diferentes, cuyos colores, cuando están aisladas, son respectivamente el verde, el azul verdoso, el rojo anaranjado y el amarillo. Absorbe ciertas radiaciones de la luz solar, que proporcionan al vegetal la energía necesaria para elaborar, por síntesis, productos orgánicos indispensables para el desarrollo de sus actividades vitales.

Clorofílico, ca. adj. Perteneciente o relativo a la clorofila.

Clorofilo, la. adj. *Bot.* De hojas verdes o amarillentas.

Clorofórmico, ca. adj. Perteneciente o relativo al cloroformo y a los efectos de su acción sobre el organismo.

Cloroformización. f. *Med.* Acción y efecto de cloroformizar.

Cloroformizar. tr. *Med.* Aplicar, según arte, el cloroformo para producir la anestesia.

Cloroformo. (De *cloro* y *formo*, abreviación de *fórmico.*) m. *Quím.* Cuerpo constituido en la proporción de un átomo de carbono por uno de hidrógeno y tres de cloro. Es líquido, incoloro, de olor agradable parecido al de la camuesa, y de sabor azucarado y picante, y se emplea en medicina como poderoso anestésico.

Clorosis. (Del gr. χλωρός, de color verde pálido.) f. *Med.* Enfermedad de las jóvenes caracterizada por anemia con palidez verdosa, trastornos menstruales, opilación y otros síntomas nerviosos y digestivos. Suele curarse con el hierro.

Clorótico, ca. adj. Perteneciente o relativo a la clorosis. || **2.** Dícese de la mujer que la padece. Ú. t. c. s.

Clorurar. tr. Transformar una substancia en cloruro.

Cloruro. m. *Quím.* Combinación del cloro con un metal o alguno de ciertos metaloides. || **de cal.** *Quím.* Producto químico que resulta de la absorción del cloro por la cal apagada, y que sirve para desinfectar y para blanquear el papel y las telas. || **de sodio, o sódico.** *Quím.* **Sal**, 1.ª acep.

Clota. f. *Ar.* Hoya que se hace para plantar un árbol o arbusto.

Club. (Del ingl. *club.*) m. Junta de individuos de una sociedad política, a veces clandestina. || **2.** Sociedad de recreo.

Clubista. m. Socio de un club o círculo.

Clueco, ca. (De *cloquear*, 1.er art.) adj. Aplícase a la gallina y otras aves cuando se echan sobre los huevos para empollarlos. Ú. t. c. s. || **2.** fig. y fam. Se dice de la persona muy débil y casi impedida por la vejez.

Cluniacense. (Del lat. *cluniacensis*, de *Cluniacum*, Cluni.) adj. Perteneciente al monasterio o congregación de Cluni, que es de San Benito, en Borgoña. Apl. a pers., ú. t. c. s.

Cluniense. adj. Natural de Clunia, hoy Coruña del Conde. Ú. t. c. s. || **2.** Perteneciente a esta ciudad de los arévacos.

Cneoráceo, a. (De *cneorum*, nombre de un género de plantas.) adj. *Bot.* Dícese de plantas angiospermas dicotiledóneas, afines a las cigofiláceas; como el olivillo. Ú. t. c. s. f. || **2.** f. pl. *Bot.* Familia de estas plantas.

Co. prep. insep. equivalente a **con**, y que indica unión o compañía. co*acusado*, co*heredero*, co*delincuente*.

Coa. f. Palo aguzado y endurecido al fuego, de que se valían los indios americanos para labrar la tierra. || **2.** Instrumento de agricultura que se usa en Méjico en lugar de la azada. Es a modo de pala de hierro, recta por un lado, curva por el otro y terminada en punta, con un astil largo de madera en la misma línea de la parte recta. || **3.** *Chile.* Jerga hablada por los ladrones y presidiarios.

Coacción. (Del lat. *coactĭo, -ōnis.*) f. Fuerza o violencia que se hace a una persona para precisarla a que diga o ejecute alguna cosa. || **2.** *For.* Empleo habitual de fuerza legítima que acompaña al derecho para hacer exigibles sus obligaciones y eficaces sus preceptos.

Coaccionar. tr. Ejercer coacción.

Coacervación. (Del lat. *coacervatĭo, -ōnis.*) f. Acción y efecto de coacervar.

Coacervar. (Del lat. *coacervāre.*) tr. Juntar o amontonar.

Coacreedor, ra. m. y f. Acreedor con otro.

Coactivo, va. (Del lat. *coactus*, impulso.) adj. Que tiene fuerza de apremiar u obligar.

Coacusado, da. adj. *For.* Acusado en juicio con otro u otros. Ú. t. c. s.

Coadjutor, ra. (Del lat. *coadiūtor*; de *co*, por *cum*, con, y *adiūtor*, ayudador.) m. y f. Persona que ayuda y acompaña a otra en ciertas cosas. || **2.** m. El que, en virtud de bulas pontificias, tenía la futura sucesión de alguna prebenda eclesiástica y la servía por el propietario. || **3.** Eclesiástico que tiene título y disfruta dotación para ayudar al cura párroco en la cura de almas. || **4.** Entre los regulares de la Compañía de Jesús, el que no hace la profesión solemne; llámase **coadjutores** espirituales a los sacerdotes, y temporales a los que no lo han de ser.

Coadjutoría. f. Empleo o cargo de coadjutor. || **2.** Facultad que por bulas apostólicas se concedía para servir una dignidad o prebenda eclesiástica en vida del propietario, con derecho de suceder en ella después de su muerte.

Coadministrador. (De *co* y *administrador.*) m. El que en vida de un obispo propietario ejerce ciertas funciones de éste con las facultades necesarias.

Coadquisición. f. Adquisición en común entre dos o más personas.

Coadunación. (Del lat. *coadunatĭo, -ōnis.*) f. Acción y efecto de coadunar.

Coadunamiento. (De *coadunar.*) m. Coadunación.

Coadunar. (Del lat. *coadunāre:* de *cum*, con, y *adunāre*, reunir.) tr. Unir, mezclar e incorporar unas cosas con otras. Ú. t. c. r.
Coadyudador, ra. m. y f. ant. Coadyuvador, ra.
Coadyutor. m. Coadjutor.
Coadyutorio, ria. (Del lat. *cum*, con, y *adiutorium*, ayuda, auxilio.) adj. Que ayuda o auxilia.
Coadyuvador, ra. m. y f. Persona que coadyuva.
Coadyuvante. p. a. de **Coadyuvar.** Que coadyuva. Apl. a pers., ú. t. c. s. ‖ **2.** com. *For.* En lo contencioso administrativo, parte que, juntamente con el fiscal, sostiene la resolución de la administración demandada.
Coadyuvar. (Del lat. *co*, por *cum*, con, y *adiuvāre*, ayudar.) tr. Contribuir, asistir o ayudar a la consecución de alguna cosa.
Coagente. (De *co* y *agente*.) m. El que coopera a algún fin.
Coagulable. adj. Que puede coagularse.
Coagulación. (Del lat. *coagulatĭo, -ōnis.*) f. Acción y efecto de coagular o coagularse.
Coagulador, ra. adj. Que coagula.
Coagulante. p. a. de **Coagular.** Que coagula.
Coagular. (Del lat. *coagulāre.*) tr. Cuajar, solidificar lo líquido; como la leche, la sangre, etc. Ú. t. c. r.
Coágulo. (Del lat. *coagŭlum.*) m. Coagulación de la sangre. ‖ **2.** Grumo extraído de un líquido coagulado. ‖ **3.** Masa coagulada.
Coaguloso, sa. adj. Que se coagula o está coagulado.
Coairón. (De *cuairón*.) m. *Huesca.* Pieza de madera de sierra, de 10 a 15 palmos de longitud y cuya escuadría es variable. ‖ **2.** *Zar.* Pieza de madera de sierra, de seis, siete u ocho pies de longitud, con una escuadría de seis, siete u ocho dedos de tabla por cuatro, cinco o seis dedos de canto.
Coaita. f. *Zool.* **Mono araña.**
Coalición. (Del lat. *coalitum*, supino de *coalescĕre*, reunirse, juntarse.) f. Confederación, liga, unión.
Coalicionista. m. Miembro de una coalición, o partidario de ella.
Coalla. (Del lat. **cuacŭla*, codorniz.) f. **Chocha.** ‖ **2.** ant. **Codorniz.**
Coamante. (De *co* y *amante*.) adj. ant. Compañera o compañero en el amor.
Coapóstol. m. El que es apóstol juntamente con otro.
Coaptación. (Del lat. *coaptatĭo, -ōnis.*) f. Acción y efecto de coaptar. ‖ **2.** *Cir.* Acción de colocar en sus relaciones naturales los fragmentos de un hueso fracturado. ‖ **3.** *Cir.* Acción de restituir en su sitio un hueso dislocado.
Coaptar. (Del lat. *coaptāre;* de *co*, por *cum*, con, y *aptāre*, adaptar.) tr. ant. Proporcionar, ajustar o hacer que convenga una cosa con otra.
Coarcho. m. Cabo fijo por un extremo en la almadraba, y por el otro en una ancla que sostiene la red del cobarcho.
Coarrendador, ra. (De *co* y *arrendador*.) m. y f. Persona que juntamente con otra arrienda una cosa.
Coartación. (Del lat. *coarctatĭo, -ōnis.*) f. Acción y efecto de coartar. ‖ **2.** Precisión de ordenarse dentro de cierto término, por obligar a ello el beneficio eclesiástico que se ha obtenido.
Coartada (Probar la). (De *coartar*.) tr. *For.* Hacer constar el presunto reo que estaba ausente del paraje en que se cometió el delito, al mismo tiempo y hora en que se supone haberse cometido.
Coartado, da. (Del lat. *coarctātus.*) adj. Aplicábase al esclavo o esclava que mediante pacto con el dueño había de rescatarse en condiciones determinadas. Ú. t. c. s.
Coartador, ra. adj. Que coarta. Ú. t. c. s.
Coartar. (Del lat. *coarctāre;* de *co*, por *cum*, con, y *arctāre*, estrechar.) tr. Limitar, restringir, no conceder enteramente alguna cosa. COARTAR *la voluntad, la jurisdicción.*
Coate, ta. (Del mejic. *cóatl.*) adj. *Méj.* Cuate.
Coatí. m. **Cuati.**
Coautor, ra. m. y f. Autor o autora con otro u otros.
Coba. f. fam. Embuste gracioso. ‖ **2.** Halago o adulación fingidos. ‖ **Dar coba.** fr. Emplear con insistencia estos halagos y embustes.
Coba. (Del ant. *cobar*, y éste del lat. *cubāre*, incubar.) f. *Germ.* **Gallina,** 1.ª acep. ‖ **2.** *Germ.* Moneda de a real.
Coba. (Del ár. *qubba*, bóveda, cúpula.) f. En Marruecos, tienda de campaña que usa el sultán en sus expediciones. ‖ **2.** En Marruecos, cúpula o edificio terminado en cúpula. ‖ **3.** En Marruecos, edificio donde se guarda la tumba de un santón.
Cobáltico, ca. adj. Perteneciente o relativo al cobalto.
Cobaltina. f. Sal de cobalto usada en pintura y otras artes.
Cobalto. (Del al. *kobalt.*) m. Metal de color blanco rojizo, duro y tan difícil de fundir como el hierro. Combinado con el oxígeno, forma la base azul de muchas pinturas y esmaltes. ‖ **2.** V. **Azul de cobalto.**
Cobarba. f. *Germ.* **Ballesta,** 2.ª acep.
Cobarcho. m. Una de las partes de la almadraba, que forma como una pared o barrera de red, sostenida con corchos colocados en la relinga alta y por plomos o pedrales en la baja.
Cobarde. (Del fr. *couard*, del ant. *coue*, y éste del lat. *cauda*, cola.) adj. Pusilánime, sin valor ni espíritu. Ú. t. c. s. ‖ **2.** Hecho con cobardía. ‖ **3.** fig. Aplícase a la vista delicada y de poca claridad o alcance.
Cobardear. intr. Tener o mostrar cobardía.
Cobardemente. adv. m. Con cobardía.
Cobardía. (De *cobarde*.) f. Falta de ánimo y valor.
Cobayo. m. **Conejillo de Indias.**
Cobea. f. *Bot. Amér. Central.* Planta enredadera, de la familia de las convolvuláceas, que llama la atención por sus lindas flores violáceas.
Cobejera. (De *cobijera*.) f. ant. Encubridora o alcahueta.
Cobertera. (Del lat. **coopertorium*, de *coopĕrtus*, cubierto.) f. Pieza llana de metal o de barro, de forma generalmente circular, y con una asa o botón en medio, que sirve para tapar las ollas, etc. ‖ **2.** ant. Cubierta de alguna cosa. ‖ **3.** fig. **Alcahueta.** ‖ **4.** *Tol.* **Nenúfar.** ‖ **5.** Cada una de las plumas que cubren la base de la cola de las aves
Coberteraza. f. aum. de **Cobertera,** 1.ª acep.
Cobertero. (Del lat. *coopertorium*.) m. ant. Cubierta o tapa.
Cobertizo. (Del ant. *cobierto*.) m. Tejado que sale fuera de la pared y sirve para guarecerse de la lluvia. ‖ **2.** Sitio cubierto ligera o rústicamente para resguardar de la intemperie hombres, animales o efectos.
Cobertor. (Del lat. *coopertorium*, cubierta.) m. **Colcha.** ‖ **2.** Manta o cobertura de abrigo para la cama. ‖ **3.** ant. **Cobertero.**
Cobertura. (Del ant. *cobierta*, de *cobrir*.) f. **Cubierta,** 1.ª acep. ‖ **2.** Ceremonia por la cual los grandes de España tomaban posesión de su dignidad poniéndose el sombrero delante del rey. ‖ **3.** Acción de cubrir, 10.ª acep. ‖ **4.** ant. fig. Encubrimiento, ficción.
Cobez. m. Ave de rapiña de la familia de los halcones.
Cobija. (Del lat. *cubilia*, pl. n. de *cubile*, aposento.) f. Teja que se pone con la parte cóncava hacia abajo abrazando sus lados dos canales del tejado. ‖ **2.** Mantilla corta de que usan las mujeres en algunas provincias, para abrigar la cabeza. ‖ **3.** Cada una de la plumas pequeñas que cubren el arranque de las penas del ave. ‖ **4. Cubierta,** 1.ª acep. ‖ **5.** *Méj.* **Manta,** 3.ª acep. ‖ **6.** pl. *Amér.* Ropa de la cama.
Cobijador, ra. adj. Que cobija. Ú. t. c. s.
Cobijadura. (De *cobijar*.) f. ant. **Cobijamiento.** ‖ **2.** ant. **Cubierta,** 1.ª acep.
Cobijamiento. m. Acción y efecto de cobijar o cobijarse.
Cobijar. (De *cobija*.) tr. Cubrir o tapar. Ú. t. c. r. ‖ **2.** fig. **Albergar,** 1.ª acep. Ú. t. c. r.
Cobijera. (Del lat. *cubicularia*.) f. ant. **Moza de cámara.**
Cobijo. (Del lat. *cubicŭlum*, dormitorio.) m. **Cobijamiento.** ‖ **2.** Hospedaje en que el posadero no da de comer.
Cobijón. (De *cobija*.) m. *Colomb.* Cuero o piel grande con que se cubre la carga de las caballerías.
Cobil. (Del lat. *cubīle*, aposento.) m. ant. Escondite o rincón.
Cobista. com. fam. **Adulador.**
Cobla. f. **Copla.** Era composición poética de la poesía trovadoresca. ‖ **2.** En Cataluña, conjunto de músicos, generalmente once, que se dedican a tocar sardanas.
Cobo. m. *Cuba.* Caracol el mayor de las Antillas, pues tiene de diámetro 25 centímetros: es de color nacarado. ‖ **2.** *C. Rica.* **Frazada.**
Cobra. (Del lat. *copŭla*.) f. Coyunda para uncir bueyes. ‖ **2.** Cierto número de yeguas enlazadas, y amaestradas para la trilla.
Cobra. f. *Zool.* **Serpiente de anteojos.**
Cobra. (De *cobrar*.) f. *Caza.* Acción de buscar el perro la pieza muerta o herida, hasta traerla al cazador.
Cobrable. adj. **Cobradero.**
Cobradero, ra. adj. que se ha de cobrar o puede cobrarse.
Cobrado, da. p. p. de **Cobrar.** ‖ **2.** adj. ant. Bueno, cabal, esforzado.
Cobrador, ra. (De *cobrar*.) adj. V. **Perro cobrador.** ‖ **2.** m. El que tiene a su cargo cobrar caudales u otras cosas. ‖ **El mal cobrador hace mal pagador.** ref. que reprende a los que se descuidan en lo que les importa, ocasionando que no les atiendan aun en lo que les es debido.
Cobramiento. (De *cobrar*.) m. ant. Recobro o recuperación. ‖ **2.** ant. Utilidad, ganancia, aprovechamiento.
Cobranza. f. Acción y efecto de cobrar. ‖ **2.** Exacción o recolección de caudales o frutos. ‖ **3.** *Mont.* Acción de cobrar las piezas que se matan.
Cobrar. (Análisis de *recobrar*, del lat. *recŭperāre*.) tr. Percibir uno la cantidad que otro le debe. ‖ **2. Recuperar.** ‖ **3.** Tratándose de ciertos afectos o movimientos del ánimo, tomar o sentir. COBRAR *cariño a Juan, afición a las letras;* COBRAR *espíritu, valor.* ‖ **4.** Tratándose de cuerdas, sogas, etc., tirar de ellas e irlas recogiendo. ‖ **5. Adquirir.** COBRAR *buena fama, crédito, un enemigo.* ‖ **6.** *Mont.* Recoger las reses y piezas que se han herido o muerto. ‖ **7.** intr. ant. Reparar, enmendar. ‖ **8.** r. Recuperarse, volver en sí.
Cobratorio, ria. adj. Perteneciente a la cobranza. *Cuaderno* COBRATORIO.
Cobre. (Del lat. *cyprum*.) m. Metal de color rojo pardo, brillante, maleable y dúctil, el más tenaz después del hierro, más pesado que el níquel y más duro que el oro y la plata, a los cuales comunica consistencia en la moneda y otras alea-

ciones. Se encuentra nativo y también en combinación con el oxígeno, el ácido carbónico, el azufre, la plata, el hierro, el antimonio, etc. Aleado con el estaño forma el bronce; con el cinc, el latón, el metal blanco, el similor, etc. || **2.** Batería de cocina, cuando es de **cobre.** || **3.** V. **Pirita, siglo de cobre.** || **4.** pl. *Mús.* Conjunto de los instrumentos metálicos de viento de una orquesta. || **Cobre quemado.** Sulfato de cobre. || **verde.** Malaquita. || **Batir uno el cobre.** fr. fig. y fam. Tratar un negocio con mucha viveza y empeño. || **Batirse el cobre.** fr. fig. y fam. Trabajar mucho en negocios que producen utilidad. || **2.** fig. y fam. Disputar con mucho acaloramiento y empeño. || **Cobre gana cobre, que no huesos del hombre.** ref. que enseña que para aumentar el caudal, sirve más que el trabajo personal tener dinero con que comerciar y tratar.

Cobre. (De *cobra.*) m. Atado de dos pescadas de cecial. || **2.** ant. Reata de bestias. || **3.** ant. Horca de cebollas o ajos.

Cobreño, ña. (Del lat. *cuprinus.*) adj. De cobre. || **2.** V. **Maravedí cobreño.**

Cobrizo, za. adj. Aplícase al mineral que contiene cobre. || **2.** Parecido al cobre en el color. || **3.** V. **Pirita cobriza.**

Cobro. (De *cobrar.*) m. **Cobranza.** || **2.** ant. Lugar donde se asegura, guarda o salva una cosa. || **3.** ant. Expediente, arbitrio, providencia, medio para conseguir un fin. || **de lo indebido.** *For.* Cuasicontrato que obliga a la devolución de pagos hechos por error o sin causa. || **Poner cobro en** una cosa. fr. Hacer diligencias para cobrarla. || **2.** Poner cuidado, tener precaución y cautela. || **Poner en cobro** una cosa. fr. Colocarla en paraje donde esté segura. || **Ponerse** uno **en cobro.** fr. Acogerse, refugiarse adonde pueda estar con seguridad.

Coca. (Del aimará *kkoka.*) f. Arbusto del Perú, de la familia de las eritroxiláceas, con hojas alternas, aovadas, enteras, de estípulas axilares y flores blanquecinas. Se cultiva en varias partes de la América del Sur, donde se toma el cocimiento de las hojas como el té o el café: en lo antiguo fueron éstas objeto de muchas supersticiones, y los indios gustan de mascarlas. || **2.** Hoja de este arbusto. || **del Perú. Coca,** 1.er art., 1.ª acep.

Coca. (Del lat. *coccus*, del gr. κόκκος, baya.) f. Baya pequeña, y redonda, fruto. || **de Levante.** *Bot.* Arbusto tropical de la familia de las menispermáceas. || **2.** Fruto de este arbusto.

Coca. (De *coco*, 4.° art.) f. En Galicia y otras partes, tarasca que sacan el día del Corpus.

Coca. (Del lat. *concha*, concha.) f. Cierta embarcación usada en la Edad Media. || **2.** Cada una de las dos porciones en que suelen dividir el cabello las mujeres, dejando más o menos descubierta la frente y sujetándolo por detrás de las orejas. || **3.** fam. **Cabeza,** 1.ª acep. || **4.** fam. Golpe que, cerrado el puño, se da con los nudillos en la cabeza de uno. || **5. Cachada,** 1.ª acep. || **6.** *Mar.* Vuelta que toma un cabo, por vicio de torsión.

Coca. (Del germ. *koka*, torta.) f. *Ar.* **Torta,** 1.ª acep.

Cocacho. adj. *Perú.* Se dice de los fríjoles que se endurecen al cocer. || **2.** m. *Argent., Ecuad.* y *Perú.* **Coscorrón,** golpe con los nudillos en la cabeza.

Cocada. f. Dulce compuesto principalmente de la medula rallada del coco. || **2.** *Bol.* y *Colomb.* Especie de turrón.

Cocador, ra. adj. fam. Que coca. Ú. t. c. s.

Cocadriz. (Del b. lat. *cocatrix*, y éste del lat. *crocodīlus.*) f. ant. **Cocodrilo,** 1.ª acep.

Cocaína. f. Alcaloide de la coca del Perú, que se usa mucho en medicina como anestésico de las membranas mucosas, y en inyección hipodérmica como anestésico local de la región en que se inyecte.

Cocal. m. *Perú.* Sitio donde se crían o cultivan los árboles que producen la coca. || **2.** *Venez.* **Cocotal.**

Cocamas. m. pl. *Etnogr.* Tribu indígena del Perú, que vive en el distrito de Omaguas.

Cocán. m. *Perú.* Pechuga de ave.

Cocar. tr. fam. **Hacer cocos.**

Cocarar. tr. Proveer y abastecer de coca americana.

Cocaví. m. *Amér. Merid.* Provisión de coca y, en general, de víveres que llevan los que viajan a caballo.

Coccidio. adj. *Zool.* Dícese de los protozoos esporozoos que casi siempre viven parásitos dentro de células, especialmente epiteliales, de muchos animales, donde permanecen hasta el momento de la reproducción, saliendo entonces los individuos hijos para instalarse a su vez en sendas células. Muchos son patógenos. Ú. t. c. s. m. || m. pl. *Zool.* Orden de estos animales.

Cóccido. (Del lat. *coccĭnum*, grana.) adj. *Zool.* Dícese de insectos hemípteros, parásitos de vegetales, que tienen un gran dimorfismo sexual, siendo alados los machos y ápteras las hembras; éstas clavan su pico en la planta y permanecen inmóviles, absorbiendo los jugos de que se alimentan. Algunos producen substancias útiles, como la grana quermes de la coscoja, la cochinilla del nopal, la goma laca, la cera de la China, etc. Ú. t. c. s. || **2.** m. pl. *Zool.* Familia de estos animales.

Coccígeo, a. adj. Relativo al cóccix.

Coccinélido. adj. *Zool.* Dícese de insectos coleópteros, trímeros, de pequeño tamaño y cuerpo hemisférico, cuyos élitros, lisos y de colores vivos, tienen varios puntos negros; como la mariquita. En su mayor parte se alimentan de pulgones, por lo cual son útiles a la agricultura. Ú. t. c. s. || **2.** m. pl. *Zool.* Familia de estos animales.

Coccíneo, a. (Del lat. *coccinĕus*, de *coccinum*, grana.) adj. **Purpúreo,** 1.ª acep.

Cocción. (Del lat. *coctio, -ōnis.*) f. Acción y efecto de cocer o cocerse.

Cóccix. (Del lat. *coccyx*, y éste del gr. κόκκυξ.) m. *Zool.* Hueso propio de los vertebrados que carecen de cola, formado por la unión de las últimas vértebras y articulado por su base con el hueso sacro.

Coce. (Del lat. *calx, calcis*, talón.) f. ant. **Coz.**

Coceador, ra. (De *cocear.*) adj. Dícese del animal que tira muchas coces, o que tiene el resabio de tirarlas.

Coceadura. f. Acción y efecto de cocear.

Coceamiento. m. **Coceadura.**

Cocear. intr. Dar o tirar coces. || **2.** fig. y fam. Resistir, repugnar, no querer convenir en alguna cosa.

Cocedera. (De *cocer.*) f. ant. **Cocinera.**

Cocedero, ra. adj. Fácil de cocer. || **2.** m. Pieza o lugar en que se cuece una cosa, y especialmente el vino.

Cocedizo, za. adj. **Cocedero,** 1.ª acep.

Cocedor. m. Maestro u operario que en ciertas industrias se ocupa en la cocción o concentración de un producto. || **2. Cocedero,** 2.ª acep.

Cócedra. f. ant. **Cólcedra.**

Cocedrón. m. aum. de **Cócedra.**

Cocedura. (De *cocer.*) f. **Cocción.**

Cocer. (Del lat. *coquĕre.*) tr. Hacer que un manjar crudo llegue a estar en disposición de poderse comer, manteniéndolo dentro de un líquido en ebullición. || **2.** Tratándose del pan, cerámica, piedra caliza, etc., someterlos a la acción del calor en el horno, para que pierdan humedad y adquieran determinadas propiedades. || **3.** Someter alguna cosa a la acción del fuego en un líquido para que comunique a éste ciertas propiedades. || **4.** Digerir la comida o los manjares en el estómago. || **5.** ant. fig. Pensar, estudiar o meditar alguna cosa. || **6.** *Cir.* **Madurar,** 6.ª acep. || **7.** intr. Hervir un líquido. *El agua está* COCIENDO; *ya* CUECE *el chocolate.* || **8.** Fermentar o hervir sin fuego un líquido; como el vino. || **9. Enriar.** || **10.** r. fig. Padecer intensamente y por largo tiempo un dolor o incomodidad. || **Duro de cocer y peor de comer.** expr. proverb. que da a entender que las cosas que por su naturaleza son aviesas y malignas, dificultosamente las reduce a razón el tiempo y la disciplina. || **Quien cuece y amasa, de todo pasa.** ref. con que se denota que en todos los cargos y oficios se padecen ciertas incomodidades inevitables. || **Vieja fue y no se coció.** expr. fig. y fam. con que se nota o reprende la excusa vana que se da por haber dejado de hacer alguna cosa.

Cocero, ra. (De *coz.*) adj. ant. **Coceador.**

Cocido, da. p. p. de **Cocer.** || **2.** adj. V. **Seda cocida.** || **3.** m. **Olla,** 2.ª acep. || **Estar** uno **cocido en una cosa.** fr. fig. y fam. Estar muy experimentado o versado en ella.

Cociente. (De *cuociente.*) m. *Álg.* y *Arit.* Resultado que se obtiene dividiendo una cantidad por otra, el cual expresa cuántas veces está contenido el divisor en el dividendo. || **2.** *Mat.* V. **Razón por cociente.**

Cocimiento. (De *cocer.*) m. **Cocción.** || **2.** Líquido cocido con hierbas u otras substancias medicinales, que se hace para beber y para otros usos. || **3.** Entre tintoreros, baño dispuesto con diversos ingredientes, que sirve sólo para preparar y abrir los poros de la lana, a fin de que reciba mejor el tinte. || **4.** ant. Escozor o picazón en alguna parte del cuerpo.

Cocina. (Del lat. *coquīna*, de *coquĕre*, cocer.) f. Pieza o sitio de la casa en el cual se guisa la comida. || **2.** V. **Batería, galopín, maestro, pícaro de cocina.** || **3.** Potaje o menestra que se hace de legumbres y semillas; como garbanzos, espinacas, etc. || **4. Caldo,** 1.ª acep. || **5.** fig. Arte o manera especial de guisar de cada país y de cada cocinero. *Buena* COCINA; COCINA *española, italiana, francesa.* || **de boca.** En palacio, aquella en que sólo se hacía la comida para el rey y personas reales. || **económica.** Aparato de hierro en el cual la circulación de la llama y el humo del fogón comunica el calor a varios compartimientos y economiza así combustible.

Cocinar. (Del lat. *coquinare.*) tr. Guisar, aderezar las viandas. Ú. t. c. intr. || **2.** intr. fam. Meterse uno en cosas que no le tocan.

Cocinería. (De *cocinero.*) f. ant. Manera de guisar. || **2.** *Chile* y *Perú.* **Figón,** 1.ª acep.

Cocinero, ra. (Del lat. *coquinarius.*) m. y f. Persona que tiene por oficio guisar y aderezar las viandas. || **Haber sido uno cocinero antes que fraile.** fr. proverb. que denota ser garantía de acierto en quien manda una cosa el haberla practicado por sí mismo.

Cocinilla. (De *cocina.*) m. fam. El que se entremete en cosas, especialmente domésticas, que no son de su incumbencia.

Cocinilla, ta. (d. de *cocina.*) f. Aparato, por lo común de hojalata, con lamparilla de alcohol, que sirve para calentar agua y hacer cocimientos y para otros usos análogos. || **2.** En algunas partes, chimenea para calentarse.

Cóclea. (Del lat. *cōchlĕa*, y éste del gr. κοχλίας.) f. **Rosca de Arquímedes.**

Coclear. (Del lat. *cōchlĕa*, caracol.) adj. *Bot.* En forma de espiral.

Coclear. m. Unidad de peso equivalente a media dracma.

Coclearia. (Del lat. *cochlearia*, pl. n. de *-are*, cuchara.) f. Hierba medicinal de la familia de las crucíferas, de dos o tres decímetros de altura, hojas acucharadas, tiernas y de sabor parecido al del berro, y flores blancas en racimo.

Coco. (Voz aimará.) m. Árbol de América, de la familia de las palmas, de 20 a 25 metros de altura, con las hojas divididas en lacinias ensiformes plegadas hacia atrás, y flores en racimos. Suele producir anualmente dos o tres veces su fruto, que es de la forma y tamaño de un melón regular, cubierto de dos cortezas, al modo que la nuez, la primera fibrosa y la segunda muy dura; por dentro y adherida a ésta tienen una pulpa blanca y gustosa, y en la cavidad central un líquido refrigerante. Con la primera corteza se hacen cuerdas y tejidos bastos; con la segunda, tazas, vasos y otros utensilios; de la carne se hacen dulces y se saca aceite, y del tronco del árbol una bebida alcohólica. || **2.** Fruto de este árbol. || **3.** Segunda cáscara de este fruto. || **4.** V. **Vino de coco.** || **5. Percal.** || **de Indias. Coco,** 1.er art., 1.a, 2.a y 3.a aceps.

Coco. (Del lat. *coccum*, y éste del gr. κόκκος.) m. *Zool.* **Gorgojo,** 1.a acep. || **2.** Insecto coleóptero, del suborden de los tetrámeros, de pequeño tamaño, cuyas larvas viven dentro de las semillas de lentejas y guisantes. || **3. Micrococo.**

Coco. (De *coca*, 2.° art.) m. Cada una de las cuentecillas que vienen de las Indias, de color obscuro, con unos agujeritos, de las cuales se hacen rosarios. || **de Levante. Coca de Levante.**

Coco. m. Fantasma que se figura para meter miedo a los niños. || **2.** fam. Gesto, mueca. || **Hacer cocos.** fr. fam. Halagar a uno con fiestas o ademanes para persuadirle a hacer alguna cosa. || **2.** fam. Hacer ciertas señas o expresiones los que están enamorados, para manifestarse su cariño. || **Parecer,** o **ser,** uno **un coco.** fr. fig. y fam. Ser muy feo.

Coco. m. *Cuba. Zool.* Ave zancuda, especie de ibis, de cuerpo como una gallina, cuello muy largo y color blanco. || **prieto.** *Cuba.* El que tiene la pluma negra. || **rojo.** *Cuba.* El que tiene la pluma de color carmín.

Cocó. m. *Cuba.* Tierra blanquecina que emplean los albañiles para las obras de mampostería y suelos de hormigón.

Cocobálsamo. (De *coco*, 2.° art., y *bálsamo*.) m. *Bot.* Fruto del árbol que produce el bálsamo de la Meca.

Cocobolo. m. Árbol de América, de la familia de las poligonáceas, de unos 30 metros de altura, con tronco grueso y derecho, hojas muy grandes, casi redondas, rugosas y de color verde rojizo, flores encarnadas en racimos, y frutos parecidos a la guinda. Su madera es encarnada, muy preciosa, dura y pesada, y se la emplea en carpintería y ebanistería. || **2.** Madera de este árbol.

Cocodrilo. (De *crocodilo*.) m. *Zool.* Reptil del orden de los emidosaurios, de cuatro a cinco metros de largo, cubierto de escamas durísimas en forma de escudo, de color verdoso obscuro con manchas amarillento-rojizas; tiene el hocico oblongo; la lengua, corta y casi enteramente adherida a la mandíbula inferior; los dos pies de atrás, palmeados, y la cola, comprimida y con dos crestas laterales en la parte superior. Vive en los grandes ríos de las regiones intertropicales, nada y corre con mucha rapidez, y es temible por su voracidad. || **2.** V. **Lágrimas de cocodrilo.**

Cocol. m *Méj.* Panecillo que tiene forma de rombo.

Cocolera. f. *Méj* Especie de tórtola.

Cocolero. (De *cocol*.) m. *Méj.* Panadero que sólo hace o vende cocoles.

Cocolía. f. *Méj.* Ojeriza, antipatía.

Cocoliche. m. *Argent.* Jerga híbrida y grotesca que hablan ciertos inmigrantes italianos mezclando su habla con el español. ||. **2.** *Argent.* Italiano que habla de este modo.

Cocoliste. m. *Méj.* Cualquier enfermedad epidémica. || **2.** *Méj.* **Tabardillo,** 1.a acep.

Cócora. com. fam. Persona molesta e impertinente en demasía. Ú. t. c. adj.

Cocoso, sa. adj. Dañado del coco, 2.° art.

Cocota. (De *cocote*.) f. ant. **Cogotera,** 3.a acep.

Cocotal. m. Sitio poblado de cocoteros.

Cocote. (De *cota*, cabeza.) m. **Cogote.**

Cocotero. m. **Coco,** 1.er art., 1.a acep.

Cocotriz. (De *cocadriz*.) f. ant. **Cocodrilo,** 1.a acep.

Cocui. m. *Venez.* **Pita,** 1.er art., 1.a acep.

Cocuiza. f. *Méj.* y *Venez.* Cuerda muy resistente que se hace con las fibras del cocui.

Cocuma. f. *Perú.* Mazorca de maíz asada.

Cocuy. m. **Cocuyo.** || **2.** *Amér.* Agave o pita.

Cocuyo. m. Insecto coleóptero de la América tropical, de unos tres centímetros de largo, oblongo, pardo y con dos manchas amarillentas a los lados del tórax, por las cuales despide de noche una luz azulada bastante viva. || **2.** *Cuba.* Árbol silvestre de unos 10 metros de altura; hojas lanceoladas, ondeadas y lampiñas; fruto del tamaño de la aceituna, y madera muy dura que se emplea en las construcciones. || **ciego.** *Cuba.* Variedad menor del insecto **cocuyo,** de color negro y sin fosforescencia. || **de sabana.** *Cuba.* Árbol menor que el **cocuyo** común, pero más resistente, propio de las sabanas.

Cocha. (Del quichua *kocha*, laguna.) f. En el beneficio de los metales, estanque que se separa de la tina o lavadero principal con una compuerta. || **2. Cochiquera.** || **3.** *Perú.* Espacio grande y despejado, pampa. || **4.** *Ecuad.* Laguna, charco.

Cochama. m. *Colomb.* Pez grueso del río Magdalena.

Cochambre. (De *cocho*, puerco.) amb. fam. Suciedad, cosa puerca, grasienta y de mal olor.

Cochambrería. f. fam. Conjunto de cosas que tienen cochambre.

Cochambrero, ra. adj. fam. **Cochambroso.** Ú. t. c. s.

Cochambroso, sa. adj. fam. Lleno de cochambre. Ú. t. c. s.

Cocharro. (Del lat. *cochleāre*, medida de capacidad.) m. Vaso o taza de madera, y más comúnmente de piedra.

Cochastro. (despect. de *cocho*, puerco.) m. Jabalí pequeño de leche.

Cochayuyo. (Del quichua *kocha*, laguna, y *yuyu*, hortaliza.) m. *Bot. Amér. Merid.* Alga marina cuyo talo, en forma de cinta, puede alcanzar más de tres metros de largo y dos decímetros de ancho. Es comestible.

Coche. (Del magiar *kocsi*, carruaje.) m. Carruaje de cuatro ruedas, con una caja, dentro de la cual hay asiento para dos o más personas. || **2.** V. **Maestro, sobrestante de coches.** || **de camino.** El destinado para hacer viajes. || **de colleras.** El tirado por mulas guarnecidas con colleras. || **de estribos.** El que tenía asientos en las portezuelas. || **de plaza,** o **de punto.** El matriculado y numerado con destino al servicio público por alquiler y que tiene un punto fijo de parada en plaza o calle. || **de rúa.** El que no era de camino. || **fúnebre.** El construido ad hoc para la conducción de cadáveres al cementerio. || **parado.** fig. Balcón o mirador en parte pública y pasajera, en que se logra la diversión sin salir a buscarla. || **simón. Coche de plaza.** || **tumbón. Tumbón,** 1.er art., 2.a acep. || **Caminar,** o **ir,** uno **en el coche de San Francisco.** fr. fig. y fam. Caminar, o ir, a pie. || **No pararse los coches** de dos o más personas. fr. fig. No correr éstas con amistad, no tratarse con intimidad.

Coche. (De la voz *cochi*, con que se llama al cerdo.) m. **Cochino,** 1.a acep. || **2. Cochi.** || **Andar a coche acá, cinchado.** fr. fig. y fam. Empeñarse trabajosamente en hacer cumplir bien a quienes rehúyen hacerlo.

Cochear. intr. Gobernar, guiar los caballos o mulas que tiran del coche. || **2.** Andar con frecuencia en coche. Ú. t. c. r.

Cochera. adj. V. **Puerta cochera.** || **2.** f. Paraje donde se encierran los coches. ||. **3.** Mujer del cochero.

Cocheril. adj. fam. Propio de los coches y de los cocheros.

Cochero. m. El que tiene por oficio gobernar los caballos o mulas que tiran del coche. ||. **2.** ant. **Maestro de coches.** || **3.** *Astron.* **Auriga,** 2.a acep. || **de punto,** o **simón.** El que guía el coche de punto o simón.

Cochero, ra. (De *cocho*, 1.er art.) adj. Que fácilmente se cuece.

Cocherón. m. aum. de **Cochera,** 2.a acep.

Cochevira. (De *cocho*, puerco, y el lat. *butȳrum*, manteca.) f. Manteca de puerco.

Cochevís. (Del fr. *cochevis*.) f. **Cogujada.**

Cochi. Voz con que, pronunciada repetidamente, se llama a los cerdos en varias provincias españolas y en Chile.

Cochifrito. (De *cocho*, cocido, y *frito*.) m. Guisado que ordinariamente se hace de tajadas de cabrito o cordero, y después de medio cocido se fríe, sazonándolo con especias, vinagre y pimentón. Es muy usado entre pastores y ganaderos.

Cochigato. m. Ave zancuda propia de Méjico, de cabeza y cuello negros, con un collar rojo, vientre verde y pico largo y robusto.

Cochillo. m. ant. **Cuchillo.**

Cochina. f. Hembra del cochino.

Cochinada. (De *cochino*.) f. fig. y fam. **Cochinería.**

Cochinamente. adv. m. Suciamente, con desaseo. || **2.** fig. y fam. Con bajeza.

Cochinata. (De *cochino*.) f. *Mar.* Cada uno de los maderos de la parte inferior de la popa, que están endentados en el codaste y demás armaduras de aquella parte.

Cochinería. (De *cochino*.) f. fig. y fam. Porquería, suciedad. || **2.** fig. y fam. Acción indecorosa, baja, grosera.

Cochinero, ra. adj. Dícese de ciertos frutos que, por ser de inferior calidad dentro de su clase, se dan a los cochinos. *Habas* COCHINERAS. || **2.** fam. V. **Trote cochinero.**

Cochinilla. (d. de *cochina*, por la forma del animal.) f. *Zool.* Crustáceo isópodo terrestre, de uno a dos centímetros de largo, de figura aovada, de color ceniciento obscuro con manchas laterales amarillentas, y patas muy cortas. Cuando se le toca, se hace una bola. Se cría en parajes húmedos. || **de humedad.** Nombre que se da a cualquier especie de isópodo terrestre.

Cochinilla. (Del lat. *coccinus*, escarlata, grana.) f. Insecto hemíptero, originario de Méjico, del tamaño de una chinche, pero con el cuerpo arrugado transversalmente y cubierto de un vello blanquizco, cabeza cónica, antenas cortas y trompa filiforme. Vive sobre el nopal, y, reducido a polvo, se empleaba mucho, y se usa todavía, para dar color de grana a la seda, lana y otras cosas. Hay varias especies. || **2.** Materia colorante obtenida de dicho insecto. || **3.** V. **Nopal de la cochinilla.** || **de San Antón. Mariquita,** 1.ª acep.

Cochinillo. (d. de *cochino.*) m. Cochino o cerdo de leche.

Cochinito de San Antón. m. *And.* Mariquita, 1.ª acep.

Cochino, na. (De *cocho,* 2.º art.) m. y f. Cerdo. || **2.** Cerdo cebado que se destina a la matanza. || **3.** fig. y fam. Persona muy sucia y desaseada. Ú. t. c. adj. || **3.** fig. y fam. Persona cicatera, tacaña o miserable. ||. **4.** m. *Cuba.* Pez teleósteo del suborden de los plectognatos, de unos 30 centímetros de largo, con dos aletas dorsales; la anal muy corta, así como la ventral y las pectorales; de color obscuro por el lomo y claro en el vientre. || **chino.** El que carece de cerdas. || **de monte.** El de patas largas, cerdas erizadas, arisco y ágil. || **montés. Jabalí.** || **Cochino fiado, buen invierno y mal verano.** ref. que denota los inconvenientes que tiene el comprar fiado, por la dificultad que suele haber al tiempo de la paga.

Cochío, a. (Del lat. *coctīvus,* de *coctus,* cocho, 1.er art.) adj ant. **Cochero,** 2.º art.

Cochiquera. f fam. **Cochitril.**

Cochite hervite. (De *cocho,* cocido, y *hervido.*) loc. fam. para significar que se hace o se ha hecho alguna cosa con celeridad y atropellamiento. || **2.** m. fam. El que muestra en sus acciones sobrada viveza y aturdimiento.

Cochitril. (De *cocho,* 2.º art.) m. fam. **Pocilga.** || **2.** fig. y fam. Habitación estrecha y desaseada.

Cochizo. m. *Min.* Parte más rica de una mina.

Cochizo, za. adj. ant. **Cochío.**

Cocho, cha. (Del lat. *coctus.*) p. p. irreg. de **Cocer.**

Cocho, cha. (De *coch, goch,* voz con que se llama al cerdo.) m. y f. *Ast.* y *Gal.* **Cochino,** 1.ª y 2.ª aceps.

Cochorro. m. *Zool.* **Abejorro,** 2.ª acep.

Cochura. (Del lat. *coctūra.*) f. **Cocción.** || **2.** Masa o porción de pan que se ha amasado para cocer. *En esta tahona hacen cada día cuatro* COCHURAS. || **3.** *Min.* Calcinación en los hornos de Almadén de una carga de mineral de azogue. || **Padecer, o sufrir, cochura por hermosura.** ref. que advierte que no se pueden lograr algunos gustos sin pasar por mortificaciones.

Cochurero. (De *cochura.*) m. *Min.* Operario encargado de cuidar del fuego en los hornos de destilación del azogue en Almadén.

Coda. (Del lat. *cōda.*) f. ant. y en *Ar.* **Cola,** 1.er art.

Coda. (Del ital. *coda,* cola.) f. *Mus.* Adición brillante al período final de una pieza de música. || **2.** *Mus.* Repetición final de una pieza bailable.

Coda. (De *codo.*) f. *Carp.* Prisma pequeño triangular, de madera, que se encola en el ángulo entrante formado por la unión de dos tablas, para que ésta sea más segura.

Codada. (De *codo.*) f. ant. **Codazo.**

Codadura. (De *acodadura.*) f. Parte del sarmiento tendida en el suelo, de donde se levanta la vid.

Codal. (Del lat. *cubitālis,* de *cubĭtus,* codo.) adj. Que consta de un codo. || **2.** Que tiene medida o figura de codo. || **3.** V. **Palo codal.** || **4.** m. Pieza de la armadura antigua, que cubría y defendía el codo. || **5.** Vela o hacheta de cera, del tamaño de un codo. || **6.** Mugrón de la vid. || **7.** *Ar.* **Aguja,** 17.ª acep. || **8.** *Arq.* Madero atravesado horizontalmente entre las dos jambas de un vano o entre las dos paredes de una excavación, para evitar que se muevan o se desplomen. || **9.** *Carp.* Cada uno de los dos palos o listones en que se asegura la hoja de la sierra. || **10.** *Carp.* Cada una de las dos reglas que se colocan transversalmente en las cabezas de un madero para desalabear sus caras. || **11.** *Carp.* Cada uno de los dos brazos de un nivel de albañil. || **12.** *Min.* Arco de ladrillo que se apoya en el mineral por sus extremos, construido provisionalmente para contrarrestar la presión de los hastiales.

Codaste. (De *coda,* 1.er art.) m. *Mar.* Madero grueso puesto verticalmente sobre el extremo de la quilla inmediato a la popa, y que sirve de fundamento a toda la armazón de esta parte del buque. En las embarcaciones de hierro forma una sola pieza con la quilla.

Codazo. m. Golpe dado con el codo.

Codear. intr. Mover los codos, o dar golpes con ellos frecuentemente. || **2.** *Amér. Merid.* Pedir con insistencia; socaliñar. || **3.** r. fig. Tratarse de igual a igual una persona con otra.

Codecildo. m. ant. **Codecillo.**

Codecillar. intr. ant **Codicilar.**

Codecillo. m. ant. **Codicillo.**

Codeína. (Del gr. κώδεια, cabeza de adormidera.) f. Alcaloide que se extrae del opio y se usa como calmante.

Codelincuencia. (De *co* y *delincuencia.*) f. Relación entre codelincuentes.

Codelincuente. (De *co* y *delincuente.*) adj. Dícese de la persona que delinque en compañía de otra u otras. Ú. t. c. s.

Codena. (Como el fr. *couenne,* del cat. *cūtinna,* por *cūtina,* de *cutio,* y pellejo.) f. p. us. En la fabricación de paños, grado de resistencia del tejido.

Codeo. (De *codo.*) m. Acción y efecto de codear o codearse.

Codeo. m. Acción y efecto de codear, 2.ª acep.

Codera. f. Sarna que sale en el codo. || **2.** Pieza de adorno que se pone en los codos de los chaquetones o marselleses || **3.** Pieza o remiendo que se echa a las mangas de las chaquetas y prendas semejantes en la parte que cubre el codo. || **4.** *Ar.* La última porción de un cauce de riego. || **5.** *Mar.* Cabo grueso con que se amarra el buque, por la popa, a otra embarcación, a una boya o a tierra, para mantenerlo presentando el costado en determinada dirección.

Codero, ra. (De *codo.*) adj. *Ar.* Dícese del terreno que recibe riego al final del ador. || **2.** m. *Ar.* Usuario del agua de riego para dicha tierra.

Codesera. f. Terreno poblado de codesos.

Codeso. (Del gr. κύτισος.) m. Mata de la familia de las papilionáceas, de uno a dos metros de altura, ramosa, con hojas compuestas de tres hojuelas, flores amarillas y en las vainas del fruto semillas arriñonadas.

Codeudor, ra. m. y f. Persona que con otra u otras participa en una deuda.

Codezmero. (De *co* y *dezmero.*) m. Recibidor de diezmos y partícipe en ellos.

Códice. (Del lat. *codex, -icis.*) m Libro manuscrito de cierta antigüedad y de importancia histórica o literaria. || **2.** *Liturg.* Parte del misal y del breviario que contiene los oficios concedidos a una diócesis o corporación particularmente.

Codicia. (Del lat. *cŭpidĭtia,* de *cupidĭtas, -ātis.*) f. Apetito desordenado de riquezas. || **2.** fig. Deseo vehemente de algunas cosas buenas || **3.** ant. Apetito sensual. || **Codicia mala, en mancilla para.** ref. que advierte las malas consecuencias de la excesiva **codicia.** || **La codicia rompe el saco.** ref. que enseña que muchas veces se frustra el logro de una ganancia moderada por el ansia de aspirar a otra exorbitante. || **Por codicia del florín, no te cases con ruin.** ref. que aconseja que nadie se deje llevar de sólo el interés para casarse. || **Quien por codicia vino a ser rico, corre más peligro.** ref. que explica que lo mal ganado dura poco.

Codiciable. (De *codiciar.*) adj. Apetecible.

Codiciador, ra. adj. Que codicia. Ú. t. c. s.

Codiciante. p. a. de **Codiciar.** Que codicia.

Codiciar. (De *codicia.*) tr. Desear con ansia las riquezas u otras cosas.

Codicilar. (Del lat. *codicillāris.*) adj. Perteneciente al codicilo.

Codicilar. intr. ant. Hacer codicilo.

Codicilio. m. ant. **Codicilo.**

Codicilo. (Del lat. *codicillus,* d. de *codex,* código.) m. Instrumento en que, antes de ser promulgado el código civil, se podían y solían hacer con menos solemnidades disposiciones de última voluntad.

Codicillo. m ant. **Codicilo.**

Codiciosamente. adv. m. Con codicia.

Codicioso, sa. adj. Que tiene codicia. Ú. t. c. s. || **2.** fig. y fam. Laborioso, hacendoso || **Juntáronse el codicioso y el tramposo.** expr. fig. y fam. que se dice de las personas que en sus ajustes y tratos procuran engañarse.

Codificación. f. Acción y efecto de codificar

Codificador, ra. adj. Que codifica.

Codificar. (Del lat. *codex,* código, y *facĕre,* hacer.) tr. Hacer o formar un cuerpo de leyes metódico y sistemático.

Código. (Del lat. *codicus,* de *codex, -icis,* códice.) m. Cuerpo de leyes dispuestas según un plan metódico y sistemático. || **2.** Recopilación de las leyes o estatutos de un país. || **3.** Por antonom., el de Justiniano || **4.** ant. **Códice,** 1.ª acep. || **5.** fig. Conjunto de reglas o preceptos sobre cualquier materia. || **civil.** El que contiene lo estatuido sobre régimen jurídico, aplicable a personas, bienes, modos de adquirir la propiedad, obligaciones y contratos. || **de comercio.** El que reúne cuanto jurídicamente concierne a los comerciantes y sus contratos, el comercio marítimo, la suspensión de pagos, la quiebra y la prescripción. || **de señales.** *Mar.* Vocabulario convencional que consiste en una combinación de banderas, faroles o destellos luminosos, que usan los buques para comunicarse entre sí o con los semáforos. || **fundamental. Constitución,** 4.ª acep. || **penal.** El que reúne lo estatuido sobre faltas y delitos, personas responsables de ellos y penas en que respectivamente incurren.

Codillera. f. *Veter.* Tumor que padecen las caballerías en el codillo, por la compresión del callo interno de la herradura a consecuencia de la costumbre de acostarse como las vacas.

Codillo. (d. de *codo.*) m En los animales cuadrúpedos, coyuntura del brazo próxima al pecho. || **2.** Parte comprendida desde esta coyuntura hasta la rodilla. || **3.** Parte de la rama que queda unida al tronco por el nudo cuando aquélla se corta. || **4.** Entre cazadores, parte de las res, que está debajo del brazuelo izquierdo. || **5. Codo,** 3.ª acep. || **6.** En el juego del hombre y otros, lance de perder el que ha entrado, por haber hecho más bazas que él alguno de los otros jugadores. || **7. Estribo,** 1.ª acep. || **8.** *Mar.* Cada uno de los extremos de la quilla, desde los cuales arrancan la roda y el codaste. || **Codillo y moquillo.** expr. fam. que en el juego del hombre o tresillo vale sacar o ganar la puesta, después de haber dado **codillo.** || **Jugársela uno de codillo a otro.** fr. fig. y fam. Usar de alguna astucia o engaño a fin de lograr para sí lo que otro solicitaba. || **Tirar a uno al codillo.** fr. fig. y fam. Procurar destruirle, haciéndole todo el daño posible.

Codín. (De *codo.*) m. *Sal.* Manga estrecha del jubón.

Codina. f. *Sal.* Especie de ensalada que se hace con castañas cocidas.

Codo. (Del lat. *cŭbitus.*) m. Parte posterior y prominente de la articulación del brazo con el antebrazo. || **2.** En los cuadrúpedos, **codillo,** 1.ª acep. || **3.** Trozo de tubo, doblado en ángulo o en arco, que sirve para variar la dirección recta de una tubería. || **4.** Medida lineal, que se tomó de la distancia que media desde el codo a la extremidad de la mano. || **común. Codo geométrico.** || **de rey, o de ribera. Codo real.** || **de ribera cúbico.** Medida de capacidad, equivalente a 329 decímetros cúbicos. || **geométrico.** Medida de media vara, equivalente a 418 milímetros. || **geométrico cúbico.** Medida de capacidad, equivalente a 173 decímetros cúbicos. || **mayor.** Medida lineal morisca que tenía 32 pulgadas. || **mediano.** Medida lineal morisca que tenía 24 pulgadas. || **perfecto. Codo de rey.** || **real.** El de 33 dedos, equivalente a 574 milímetros. || **Alzar uno de codo, o el codo.** fr. fig. y fam. Beber mucho vino u otros licores. || **Apretar uno el codo.** fr. fam. Se dice del que asiste a un moribundo próximo a expirar. || **Beber, de codo; y cabalgar, de poyo.** ref. que aconseja que todas las cosas se hagan con la posible comodidad y seguridad. || **Beber uno de codos.** fr. ant. fig. Beber con mucho reposo y gusto. || **Comerse uno los codos de hambre.** fr. fig. y fam. Padecer gran necesidad o miseria. || **Dar uno de, o del, codo.** fr. fam. Avisar al que está cercano y advertirle de alguna cosa tocándole recatadamente con el codo. || **2.** fig. y fam. Despreciar o rechazar a personas o cosas. || **Del codo a la mano.** expr. fig. con que se pondera la estatura pequeña de alguno. || **Empinar uno de codo, o el codo.** fr. fig. y fam. **Alzar de codo, o el codo.** || **Hablar uno por los codos.** fr. fig. y fam. Hablar demasiado. || **Hincar uno el codo.** fr. fam. **Apretar el codo.** || **Levantar uno de codo, o el codo.** fr. fig. y fam. **Alzar de codo, o el codo.** || **Meterse, o estar metido, uno hasta los codos en** alguna cosa. fr. fig. y fam. Estar muy empeñado o interesado en ella.

Codón. (De *coda,* 1.ᵉʳ art.) m. Bolsa de cuero que, atada a la grupa, sirve para cubrir la cola del caballo cuando hay barro. || **2.** ant. **Maslo,** 1.ª acep.

Codón. (Del lat. *cos, cotis,* piedra.) m. *Burg.* **Guijarro.**

Codoñate. (Del cat. *codonyat,* de *codony, codonya,* del lat. *cotonĕum, cotonĕa,* membrillo.) m. Dulce de membrillo.

Codorniz. (Del lat. *coturnix, -icis.*) f. *Zool.* Ave del orden de las gallináceas, de unos dos decímetros de largo, con alas puntiagudas, la cola muy corta, los pies sin espolón, el pico obscuro, las cejas blancas, la cabeza, el lomo y las alas de color pardo con rayas más obscuras, y la parte inferior gris amarillenta. Es común en España, de donde emigra a África en otoño. || **2.** V. **Guión, rey de codornices.**

Codorno. m. *Sal.* Rescaño de pan; cantero.

Codorro, rra. adj. *Sal.* Dícese de la persona terca. Ú. t. c. s.

Codujo. (der. regres. de *codujón.*) m. *Ar.* Muchacho. || **2.** *Ar.* fam. Persona de poca estatura.

Codujón. (De *cogujón,* infl. por *codo.*) m. *Ar.* **Cogujón.**

Coeducación. (Del lat. *co,* por *cum,* y *educatĭo, -ōnis.*) f. Educación que se da juntamente a jóvenes de ambos sexos.

Coeficencia. (De *co* y *eficiencia.*) f. Acción de dos o más causas para producir un efecto.

Coeficiente. (De *co* y *eficiente.*) adj. Que juntamente con otra cosa produce un efecto. || **2.** m. *Álg.* Número o, en general, factor que, escrito a la izquierda e inmediatamente antes de un monomio, hace oficio de multiplicador. Cuando el **coeficiente** se refiere a todo un binomio o polinomio, enciérrase éste dentro de un paréntesis.

Coendú. m. *Zool. Amér.* Mamífero roedor parecido al puerco espín, pero con cola larga.

Coepíscopo. (Del lat. *coepiscŏpus;* de *co,* por *cum,* con, y *episcŏpus,* obispo.) m. Obispo contemporáneo de otros en una misma provincia eclesiástica.

Coercer. (Del lat. *coercēre.*) tr. Contener, refrenar, sujetar.

Coercible. adj. Que puede ser coercido.

Coerción. (Del lat. *coercĭo, -ōnis.*) f. *For.* Acción de coercer.

Coercitivo, va. (Del lat. *coercitum,* supino de *coercēre,* contener.) adj. Dícese de lo que coerce.

Coetáneo, a. (Del lat. *coaetanĕus;* de *co,* por *cum,* con, y *aetas,* edad.) adj. Aplícase a las personas y a algunas cosas que viven o coinciden en una misma edad o tiempo. Ú. t. c. s.

Coeternidad. f. Calidad de coeterno.

Coeterno, na. (Del lat. *coaeternus;* de *co,* por *cum,* con, y *aeternus,* eterno.) adj. En la teología se usa para denotar que las tres personas divinas son igualmente eternas.

Coevo, va. (Del lat. *coaevus;* de *co,* por *cum,* con, y *aevum,* edad, siglo.) adj. Dícese de las cosas que existieron en un mismo tiempo. Apl. a pers., ú. t. c. s.

Coexistencia. f. Existencia de una cosa a la vez que otra u otras.

Coexistente. p. a. de **Coexistir.** Que coexiste.

Coexistir. intr. Existir una persona o cosa a la vez que otra.

Coextenderse. r. Extenderse a la vez que otro.

Cofa. (Del ár. *quffa,* canasto.) f. *Mar.* Meseta colocada horizontalmente en el cuello de un palo para afirmar la obencadura de gavia, facilitar la maniobra de las velas altas, y también para hacer fuego desde allí en los combates.

Cofia. (Del ant. alto al. *kupphja.*) f. Red de seda o hilo, que se ajusta a la cabeza con una cinta pasada por su jareta, de que usaban los hombres y las mujeres para recoger el pelo. || **2.** Gorra que usaban las mujeres para abrigar y adornar la cabeza, hecha de encajes, blondas, cintas, etc., y de varias figuras y tamaños. || **3.** Birrete almohadillado y con armadura de hierro, que se llevaba debajo del yelmo. || **4.** Pieza de la armadura antigua que se atornillaba a la calva del casco para reforzarla, y de la que pendían tres ramales articulados para la defensa del cuello. || **5.** *Bot.* Cubierta membranosa que envuelve algunas semillas.

Cofiador. m. *For.* Fiador con otro, o compañero en la fianza.

Cofiezuela. f. d. de **Cofia.**

Cofín. (De *cofino.*) m. Cesto o canasto de esparto, mimbres o madera, para llevar frutas u otras cosas.

Cofina. f. ant. **Cofín.**

Cofino. (Del lat. *cophĭnus,* y éste del gr. κόφινος.) m. ant. **Cofín.**

Cofrada. (De *cofrade.*) f. p. us. La que pertenece a una cofradía.

Cofrade. (Del lat. *cum,* con, y *frater,* hermano.) com. Persona que pertenece a una cofradía. || **2.** m. ant. El que está admitido en un pueblo, concejo o partido, o es de él. || **de pala.** *Germ.* Ayudante de ladrones.

Cofradero. (De *cofrade.*) m. ant. **Muñidor,** 1.ª acep.

Cofradía. (De *cofrade.*) f. Congregación o hermandad que forman algunos devotos, con autorización competente, para ejercitarse en obras de piedad. || **2.** Gremio, compañía o unión de gentes para un fin determinado. || **3.** ant. Vecindario, unión de personas o pueblos congregados entre sí para participar de ciertos privilegios. || **4.** *Germ.* Muchedumbre de gente. || **5.** *Germ.* Junta de ladrones o rufianes. || **6.** *Germ.* Malla o cota. || **Dos cofradías y un cigarral llevan un hombre al hospital.** ref. que pondera lo costosas que son ambas cosas. || **Ni fía ni porfía, ni entres en cofradía.** ref. que denota cuántos disgustos pueden ocasionar estas cosas.

Cofre. (Del fr. *coffre,* y éste del lat. *cophĭnus.*) m. Mueble parecido al arca, de tapa convexa, cubierto por lo común de piel, tela u otra materia, y forrado interiormente de tela o papel, que sirve generalmente para guardar ropas. || **2.** *Zool.* Pez teleósteo, del suborden de los plectognatos, con el cuerpo cubierto de escudetes óseos, hexagonales y unidos entre sí, sin dejar abertura más que para la boca, ojos, branquias y aletas dorsal y anal, ambas pequeñas. Se conocen varias especies, todas de la zona tórrida. A su forma debe el nombre que lleva. || **3.** fig. y fam. V. **Pelo de cofre.** || **4.** *Impr.* Cuadro formado de cuatro listones de madera, que en las antiguas máquinas de imprimir abrazaba y sujetaba la piedra en que se echaba el molde en la prensa.

Cofrear. (Del lat. *cum,* con, y *fricāre,* frotar.) tr. ant. Estregar, refregar.

Cofrero. m. El que tiene por oficio hacer cofres o venderlos.

Cofto, ta. adj. **Copto,** 1.ª y 2.ª aceps. Apl. a pers., ú. t. c. s.

Cogecha. (Del lat. *collecta,* t. f. de *-tus,* cogecho.) f. ant. **Cosecha,** 1.ª acep. De uso en algunas provincias, como Burgos y Soria.

Cogecho, cha. (Del lat. *collectus,* p. p. de *colligĕre,* recoger.) adj. ant. **Cogido,** 2.ª acep.

Cogedera. f. Varilla de madera o de hierro con que se coge el esparto. || **2.** Caja pequeña, ancha de boca, que sirve a los colmeneros para recoger el enjambre cuando está parado en sitio oportuno. || **3.** Palo largo terminado por varios hierros corvos, que sirve para coger del árbol la fruta a que no alcanza la mano. Las hay también en forma de tenaza.

Cogedero, ra. adj. Que está en disposición o sazón de cogerse. || **2.** m. Mango o parte por donde se coge una cosa.

Cogedizo, za. adj. Que fácilmente se puede coger.

Cogedor, ra. adj. Que coge. Ú. t. c. s. || **2.** V. **Fiel cogedor.** || **3.** m. Especie de cajón de madera sin cubierta ni tabla por delante, y con un mango por detrás, que sirve para recoger la basura que se barre y saca de las casas. || **4.** Ruedo pequeño de esparto o palma, que sirve para el mismo fin. || **5.** Utensilio de hierro u otro metal, en forma de cucharón, que sirve en las cocinas y en las chimeneas para coger el carbón y la ceniza. || **6.** ant. Cobrador o recaudador de rentas y tributos reales.

Cogedura. f. Acción de coger.

Coger. (Del lat. *colligĕre.*) tr. Asir, agarrar o tomar. Ú. t. c. r. COGERSE *un pellizco.* || **2.** Recibir en sí alguna cosa. *La tierra no* HA COGIDO *bastante agua.* || **3.** Recoger o juntar algunas cosas, lo que comúnmente se dice de los frutos del campo. COGER *los granos, la uva, la aceituna.* || **4.** Tener capacidad o hueco para contener cierta cantidad de cosas. *Esta tinaja* COGE *treinta arrobas de vino.* || **5.** Ocupar cierto espacio. *La alfombra*

COGE *toda la sala.* || **6.** Hallar, encontrar. *Me* COGIÓ *descuidado; procuré* COGERLE *de buen humor.* || **7.** Descubrir un engaño, penetrar un secreto, sorprender a uno en un descuido. || **8.** Tomar u ocupar un sitio, etc. *Están las puertas* COGIDAS. || **9.** Sobrevenir, sorprender. *Me* COGIÓ *la hora, la noche, la tempestad.* || **10.** Unido a otro verbo por la conj. *y*, resolverse o determinarse a la acción significada por éste. || **11.** **Alcanzar,** 1.ª acep. || **12.** Herir o enganchar el toro a una persona con los cuernos. || **13.** Cubrir el macho a la hembra. || **14.** ant. Acoger, dar asilo. || **15.** intr. **Caber,** 1.ª acep. *Esto no* COGE *aquí.* || **16.** ant. Acogerse. || **Aquí te cojo, aquí te mato.** expr. fig. y fam. que se usa para significar que alguno quiere aprovechar la ocasión que se le presenta, favorable a sus intentos. || **Coger** a uno **de nuevo** una cosa. fr. No tener noticia alguna o especie antecedente de lo que oye o ve, por lo cual parece que se sorprende con la novedad. || **¡Cogíte!** expr. fam. con que se significa que a alguno se le ha obligado con maña a que confiese lo que quería negar.

Cogermano, na. (Del lat. *cum*, con, y *germānus*, hermano.) m. y f. ant. **Cohermano, na,** 1.ª acep.

Cogida. (De *coger.*) f. fam. Cosecha de frutos. || **2.** fam. Acto de esquilmarlos. || **3.** fam. Acto de coger el toro a un torero de oficio o de afición.

Cogido, da. p. p. de **Coger.** || **2.** adj. ant. Junto, unido. || **3.** m. Pliegue que de propósito o casualmente se hace en la ropa de las mujeres, en cortinas, etc.

Cogienda. (Del lat. *colligenda*, pl. n. de *-dus.*) f. ant. **Cosecha,** 1.ª acep. Ú. hoy en Colombia.

Cogimiento. (De *coger.*) m. ant. **Cogedura.**

Cogitabundo, da. (Del lat. *cogitabundus.*) adj. Muy pensativo.

Cogitación. (Del lat. *cogitatĭo, -ōnis.*) f. Acción y efecto de cogitar.

Cogitar. (Del lat. *cogitāre.*) tr. ant. Reflexionar o meditar.

Cogitativo, va. (De *cogitar.*) adj. Que tiene facultad de pensar.

Cognación. (Del lat. *cognatĭo, -ōnis.*) f. Parentesco de consanguinidad por la línea femenina entre los descendientes de un tronco común. || **2.** Por ext., cualquier parentesco.

Cognado, da. (Del lat. *cognātus;* de *cum*, con, y *gnatus*, nacido.) adj. *Gram.* Semejante, parecido. || **2.** m. y f. Pariente por cognación.

Cognaticio, cia. (Del lat. *cognātus*, cognado.) adj. Perteneciente al parentesco de cognación.

Cognición. (Del lat. *cognitĭo, -ōnis.*) f. **Conocimiento,** 1.ª acep.

Cognocer. (Del lat. *cognoscĕre.*) tr. ant. **Conocer.**

Cognombre. (Del lat. *cognōmen, -ĭnis.*) m. ant. Sobrenombre o apellido.

Cognomento. (Del lat. *cognomentum.*) m. Renombre que adquiere una persona por causa de sus virtudes o defectos, o un pueblo por notables circunstancias o acaecimientos; como *Alejandro* MAGNO, *Dionisio* EL TIRANO, LA IMPERIAL *Toledo.*

Cognominar. (Del lat. *cognomināre*, de *cognōmen*, sobrenombre.) tr. ant. Llamar a uno por el sobrenombre o apellido.

Cognoscible. (Del lat. *cognoscibĭlis.*) adj. **Conocible.**

Cognoscitivo, va. (Del lat. *cognoscĕre*, conocer.) adj. Dícese de lo que es capaz de conocer. *Potencia* COGNOSCITIVA.

Cogolmar. (Del inus. lat. *concumulāre;* de *cum*, con, y *cumulāre*, colmar.) tr. ant. **Colmar,** 1.ª acep.

Cogolla. (Del lat. *cucŭlla*, capucha.) f. ant. **Cogulla.**

Cogollero. m. *Cuba.* Gusano de unos tres centímetros de largo, que vive en el cogollo del tabaco y destruye la hoja; es de color blanco con vetas obscuras y cabeza dura, con dos garras o dientes.

Cogollo. (Del lat. *cucŭllus*, capucho.) m. Lo interior y más apretado de la lechuga, berza y otras hortalizas. || **2.** Brote que arrojan los árboles y otras plantas. || **3.** Parte alta de la copa del pino, que se corta y deseca al aprovechar el árbol para madera.

Cogombradura. f. ant. **Acogombradura.**

Cogombrillo. m. **Cohombrillo.**

Cogombro. (Del lat. *cucŭmis, -mĕris.*) m. **Cohombro.**

Cogón. m. Planta de la familia de las gramíneas, propia de los países cálidos, que tiene las flores en panoja cilíndrica y cuyas cañas sirven en Filipinas para techar las casas en el campo.

Cogonal. m. Sitio abundante en cogones.

Cogorza. f. vulg. **Borrachera,** 1.ª acep.

Cogotazo. m. Golpe dado en el cogote con la mano abierta.

Cogote. (De *cocote.*) m. Parte superior y posterior del cuello. || **2.** Penacho que se colocaba en la parte del morrión que corresponde al **cogote.** || **Ser** uno **tieso de cogote.** fr. fig. y fam. Ser presuntuoso o altanero.

Cogotera. (De *cogote.*) f. Trozo de tela que, sujeto con botones en la parte posterior de algunas prendas que cubren la cabeza, sirve para resguardar la nuca del sol o de la lluvia. || **2.** Sombrero que los cocheros ponen a las bestias de tiro cuando han de sufrir un sol muy ardiente. || **3.** ant. Pelo rizado y compuesto que caía sobre el cogote.

Cogotillo. m. d. de **Cogote.** || **2.** En los coches, arco de hierro detrás de la chapa de herraje del fuste delantero.

Cogotudo, da. adj. Dícese de la persona que tiene excesivamente grueso el cogote. || **2.** fig. y fam. Dícese de la persona muy altiva u orgullosa. || **3.** m. y f. *Amér.* Plebeyo enriquecido.

Cogucho. m. Azúcar de inferior calidad que se saca de los ingenios.

Cogüelmo. m. *Sal.* **Colmo,** 1.er art., 1.ª acep.

Cogüerzo. (Del lat. *conf*ortiāre*, de **fortia*, de *fortis.*) m. ant. **Confuerzo,** 2.ª acep.

Cóguil. (Del arauc. *coghull.*) m. *Chile.* Fruto comestible del boqui.

Coguilera. f. *Chile.* **Boqui.**

Cogujada. (Del lat. **cuculliata*, de *cucŭllio*, capucha.) f. *Zool.* Pájaro de la misma familia que la alondra y muy semejante a ésta, de la que se distingue por tener en la cabeza un largo moño puntiagudo. Es muy andadora y anida comúnmente en los sembrados.

Cogujón. (Del lat. *cucŭllio, -ōnis*, capucha.) m. Cualquiera de las puntas que forman los colchones, almohadas, serones, etc.

Cogujonero, ra. adj. De figura de cogujón. *Canasta* COGUJONERA.

Cogulla. (Del lat. *cucŭlla*, capuz, cogulla.) f. Hábito o ropa exterior que visten varios religiosos monacales.

Cogullada. (De *cogulla.*) f. Papada del puerco.

Cohabitación. (Del lat. *cohabitatĭo, -ōnis.*) f. Acción de cohabitar.

Cohabitar. (Del lat. *cohabitāre;* de *cum*, con, y *habitāre*, habitar.) tr. Habitar juntamente con otro u otros. || **2.** Hacer vida marital el hombre y la mujer.

Cohecha. f. *Agr.* Acción y efecto de cohechar, 2.ª acep.

Cohechador, ra. adj. Que cohecha, 1.ª acep. Ú. t. c. s. || **2.** ant. Decíase del juez que se dejaba cohechar.

Cohechamiento. (De *cohechar.*) m ant. **Cohecho,** 1.ª acep.

Cohechar. (Del lat. **confectāre*, arreglar, preparar, de *confectus.*) tr. Sobornar, corromper con dádivas al juez, a persona que intervenga en el juicio o a cualquier funcionario público, para que, contra justicia o derecho, haga o deje de hacer lo que se le pide. || **2.** *Agr.* Alzar el barbecho, o dar a la tierra la última vuelta antes de sembrarla. || **3.** ant. Obligar, forzar, hacer violencia. || **4.** intr. ant. Dejarse **cohechar.**

Cohechazón. f. ant. *Agr.* **Cohecha.**

Cohecho. (De *cohechar.*) Acción y efecto de cohechar, 1.ª acep. || **2.** Tiempo de cohechar la tierra. || **Ni hagas cohecho ni pierdas derecho.** ref. que advierte que no debe uno tomar lo que no le toca, ni perder lo que le pertenece.

Cohen. (Del hebr. *kohen*, sacerdote; ár. *kāhin*, adivino.) m. y f. Adivino, hechicero. || **2.** **Alcahuete,** 1.ª acep.

Coheredar. tr. Heredar juntamente con otro u otros.

Coheredero, ra. m. y f. Heredero juntamente con otro u otros.

Coherencia. (Del lat. *cohaerentia.*) f. Conexión, relación o unión de unas cosas con otras. || **2.** *Fís.* **Cohesión,** 3.ª acep.

Coherente. (Del lat. *cohaerens, -entis*, p. a. de *cohaerēre*, estar unido.) adj. Que tiene coherencia.

Cohermano, na. (De *cogermano.*) m. y f. ant. **Primo hermano.** || **2.** ant. **Medio hermano.** || **3.** ant. **Hermanastro.** || **4.** ant. **Cofrade.**

Cohesión. (Del lat. *cohaesum*, supino de *cohaerēre*, estar unido.) f. Acción y efecto de reunirse o adherirse las cosas entre sí o la materia de que están formadas. || **2.** **Enlace,** 2.ª acep. || **3.** *Fís.* Unión íntima entre las moléculas de un cuerpo. || **4.** *Fís.* Fuerza de atracción que las mantiene unidas.

Cohesivo, va. adj. Que produce cohesión.

Cohesor. m. *Fís.* Detector constituido por un tubo de substancia dieléctrica, lleno de limaduras metálicas, que se usó exclusivamente en los primeros años de la telegrafía sin hilos.

Cohetazo. (aum. de *cohete.*) m. desus. **Barreno,** 3.ª acep.

Cohete. (Del cat. *coet*, y éste del lat. *coda*, *cauda*, cola.) m. Tubo de papel, pergamino, caña o lata, cargado de pólvora y otros explosivos, y reforzado con muchas vueltas de hilo o de cordel empegado, que, sujeto al extremo de una vara delgada que le sirve de cola o contrapeso, se lanza a lo alto dándole fuego por un orificio abierto en su parte inferior. || **2.** fig. y fam. V. **Olla de cohetes.** || **3.** *Méj.* **Barreno,** 3.ª acep. || **a la Congreve.** *Art.* Proyectil empleado principalmente contra la caballería y que consistía en un tubo de hierro con carga explosiva y una cola de madera. || **chispero.** El que arroja muchas chispas. || **de guerra.** **Cohete a la Congreve.** || **tronador.** El que da muchos truenos.

Cohetera. f. Mujer del cohetero.

Cohetero. m. El que tiene por oficio hacer cohetes y otros artificios de fuego.

Cohibición. (Del lat. *cohibitĭo, -ōnis.*) f. Acción y efecto de cohibir.

Cohibir. (Del lat. *cohibēre;* de *cum*, con, y *habēre*, tener.) tr. Refrenar, reprimir, contener.

Cohita. (Del lat. *conficta*, p. p. de *configĕre;* de *cum*, juntamente y *figĕre*, fijar.) f. ant. Porción de cosas contiguas, y principalmente manzana de casas.

Cohobación. f. *Quím.* Acción y efecto de cohobar.

Cohobar. (Del b. lat. *cohobare*, y éste del lat. *cooptāre*, elegir.) tr. *Quím.* Destilar repetidas veces una misma substancia.

Cohobo. m. Piel de ciervo. || **2.** *Ecuad.* y *Perú.* **Ciervo.**

Cohol. m. ant. **Alcohol.**

Cohollo. m. ant. **Cogollo.**

Cohombral. m. Sitio sembrado de cohombros.

Cohombrillo. m. d. de **Cohombro.** || **amargo.** Planta medicinal, de la familia de las cucurbitáceas, con tallos rastreros, hojas acorazonadas, blanquecinas, ásperas y vellosas por el envés, y flores amarillas. El fruto, del tamaño de un huevo de paloma, aunque algo más largo, cuando se le toca, estando maduro, se desprende y arroja con fuerza las semillas y el jugo, que es muy amargo. || **2.** Fruto de esta planta.

Cohombro. (De *cogombro.*) m. Planta hortense, variedad de pepino, cuyo fruto es largo y torcido. || **2.** Fruto de esta planta. || **3. Churro,** 1.er art. || **de mar.** *Zool.* Equinodermo de la clase de los holotúridos, unisexual, con piel coriácea, cuerpo cilíndrico y tentáculos muy ramificados alrededor de la boca. Se contrae tan violentamente cuando se le molesta, que a veces arroja por la boca las vísceras, que fácilmente regenera después. || **Aborrecí el cohombro y nacióme en el hombro.** ref. que indica que a veces hay que aceptar o sufrir aquello que menos se quería. || **Quien hizo el cohombro, que lo lleve al hombro.** ref. que denota que el que ha hecho alguna cosa de que proviene gravamen, debe sufrir sus resultas.

Cohonder. (Del lat. *confundĕre.*) tr. ant. Confundir. || **2.** ant. Manchar, corromper, vituperar.

Cohondimiento. m. ant. Acción y efecto de cohonder.

Cohonestador, ra. adj. Que cohonesta.

Cohonestar. (Del lat. *cohonestāre.*) tr. Dar semejanza o visos de buena a una acción.

Cohortar. (Del lat. *cohortāre; de co,* por *cum,* con, y *hortāre,* animar.) tr. ant. **Conhortar.**

Cohorte. (Del lat. *cohors, -ortis.*) f. Unidad táctica del antiguo ejército romano, compuesta de tres, cinco o seis manípulos o centurias. || **2.** fig. Conjunto, número, serie. COHORTE *de males.*

Coición. (Del lat. *coitio, -ōnis;* de *coitum,* de *coīre,* juntarse, reunirse.) f. ant. Junta o conjunción.

Coicoy. m. *Chile.* Sapo pequeño que recibe este nombre por su grito particular, en que parece repetir la sílaba *coy.* Tiene en la espalda cuatro protuberancias a manera de ojos, por lo cual se le llama también sapo de cuatro ojos.

Coidar. (Del lat. *cōgitāre,* pensar.) tr. ant. Cuidar.

Coido. (De *coidar.*) m. ant. **Cuidado,** 2.ª acep.

Coidoso, sa. (De *coido.*) adj. ant. **Cuidadoso.**

Coihue. m. *Argent.* Variedad de jara pequeña propia de los Andes patagónicos.

Coihué. (Voz araucana.) m. *Perú.* Árbol de la familia de las fagáceas, de mucha elevación y de madera semejante a la del roble, con hojas lanceoladas, coriáceas, glabras y ligeramente pecioladas, y flores de a tres en un pedúnculo.

Coillazo. m. ant. *Nav.* **Collazo,** 1.er art., 1.ª acep.

Coima. (Del ár. *quwaima,* muchacha.) f. **Manceba.**

Coima. (Del ár. *quwaima,* d. de *qīma,* precio.) f. Gaje del garitero, por el cuidado de prevenir lo necesario para las mesas de juego. || **2.** *Argent.* y *Chile.* Gratificación, dádiva con que se soborna a un empleado o persona influyente. || **3.** V. **Casa de coima.**

Coimbricense. adj. **Conimbricense.**

Coime. (Del ár. *qā'im,* el que se encarga de algo.) m. El que cuida del garito y presta con usura a los jugadores. || **2.** Mozo de billar. || **3.** *Germ.* Señor de casa.

Coimero. (De *coima,* 2.º art.) m. **Coime,** 1.ª acep.

Coincidencia. f. Acción y efecto de coincidir.

Coincidente. p. a. de **Coincidir.** Que coincide.

Coincidir. (Del lat. *co,* por *cum,* con, e *incidĕre,* caer en, acaecer.) intr. Convenir una cosa con otra; ser conforme con ella. || **2.** Ocurrir dos o más cosas a un mismo tiempo; convenir en el modo, ocasión u otras circunstancias. || **3.** Ajustarse una cosa con otra; confundirse con ella, ya por superposición, ya por otro medio cualquiera. || **4.** Concurrir simultáneamente dos o más personas en un mismo lugar.

Coinquilino, na. m. y f. Inquilino con otro.

Coinquinar. (Del lat. *coinquināre,* manchar.) tr. Manchar, ensuciar, inficionar. || **2.** r. Mancharse, 2.ª acep. de **Manchar.**

Cointeresado, da. adj. Interesado juntamente con otro u otros en un todo del cual han de participar. Ú. t. c. s.

Coipo. (Del arauc. *coipu.*) m. *Argent.* y *Chile.* Mamífero anfibio semejante al castor. Tiene el pelo del color de la nutria, las orejas redondas, el hocico largo y cubierto de barbas, las patas cortas, la cola gruesa, redonda y peluda.

Coirón. m. *Bol., Chile* y *Perú.* Planta gramínea de hojas duras y punzantes, que se usa principalmente para techar las barracas de los campos.

Coironal. m. Terreno en que abunda el coirón.

Coitar. (Del lat. *cogitāre.*) tr. ant. **Cuitar.** Usáb. t. c. r.

Coitivo, va. adj. ant. Perteneciente al coito.

Coito. (Del lat. *coĭtus.*) m. Ayuntamiento carnal del hombre con la mujer.

Coitoso, sa. (De *coitar.*) adj. ant. **Cuitoso.**

Coja. (Del lat. *coxa,* anca.) f. ant. **Corva,** 1.ª acep. || **2.** fig. y fam. Mujer de mala vida.

Cojal. (De *coja.*) m. Pellejo que los cardadores se ponen en la rodilla, para cardar.

Cojate. m. *Bot. Cuba.* Planta silvestre de la familia de las cingiberáceas, de unos dos metros de altura, con grandes y anchas hojas, flores rojas obscuras, en forma de tirso, y raíces muy diuréticas.

Cojatillo. m. *Cuba.* Especie de jengibre silvestre, que nace a orillas de los ríos y en los bosques espesos.

Cojear. (De *cojo.*) intr. Andar inclinando el cuerpo más a un lado que a otro, por no poder sentar con regularidad e igualdad ambos pies. || **2.** Moverse una mesa o cualquiera otro mueble, por tener algún pie más o menos largo que los demás, o por desigualdad del piso. || **3.** fig. y fam. Faltar a la rectitud en algunas ocasiones. || **4.** fig. y fam. Adolecer de algún vicio o defecto. || **El que no cojea, renquea.** ref. con que se da a entender que nadie es perfecto.

Cojedad. (De *cojo.*) f. ant. **Cojera.**

Cojera. (De *cojo.*) f. Accidente que impide andar con regularidad. || **en caliente.** La que manifiesta el caballo después de un largo ejercicio. || **en frío.** La del caballo que rompe a andar con dificultad o cojeando, y que normaliza la marcha después de un ejercicio más o menos largo. || **En cojera de perro y en lágrimas de mujer, no hay que creer.** ref. que aconseja desconfiar de aspavientos o exageradas lamentaciones.

Cojez. (De *cojo.*) f. ant. **Cojera.**

Cojijo. (Del lat. *culicŭlus,* d. de *culex,* mosquito.) m. Sabandija, bicho. || **2.** Desazón o queja que proviene de causa ligera.

Cojijoso, sa. (De *cojijo.*) adj. Que se queja o resiente por causa ligera.

Cojín. (Del fr. *coussin,* y éste del lat. **cŭlcitinus,* de *cŭlcĭta,* colcha.) m. Almohadón que sirve para sentarse, arrodillarse o apoyar sobre él cómodamente alguna parte del cuerpo. || **2.** *Mar.* Defensa de cajeta que se pone en las vergas y en las bordas para que no se rocen determinados cabos.

Cojinete. m. d. de **Cojín.** || **2. Almohadilla,** 1.ª acep. || **3.** Pieza de hierro con que se sujetan los carriles a las traviesas del ferrocarril. || **4.** Pieza movible de acero, con limas o cortes en uno de sus cantos, que sirve en las terrajas para labrar la espiral del tornillo. || **5.** V. **Terraja de cojinetes.** || **6.** *Impr.* Cada una de las piezas de metal que sujetan el cilindro. || **7.** *Mec.* Pieza o conjunto de piezas en que se apoya y gira cualquier eje de maquinaria.

Cojinúa. f. *Cuba.* Pez como de 30 centímetros de largo, color plateado, cola ahorquillada abierta, aletas largas, ojos negros con cerco blanquecino, y escamas comunes y pequeñas. Su carne es muy apreciada.

Cojitranco, ca. (De *cojo* y *tranco,* 1.ª acep.) adj. despect. Dícese del cojo travieso que anda inquieto de una parte a otra. Ú. t. c. s.

Cojo, ja. (Del lat. *coxus,* de *coxa,* anca.) adj. Aplícase a la persona o animal que cojea. Ú. t. c. s. || **2.** Dícese de la persona o animal a quien falta una pierna o un pie, o tiene perdido el uso de cualquiera de estos miembros. Ú. t. c. s. || **3.** También se aplica al pie o pierna enfermo de donde proviene el andar así. || **4.** fig. Dícese también de algunas cosas inanimadas; como del banco o la mesa cuando balancean a un lado y a otro, y hasta de cosas inmateriales. *Razonamiento* COJO. || **No ser uno cojo ni manco.** fr. fig. y fam. Ser muy inteligente y experimentado en lo que le toca.

Cojobo. m. *Cuba.* Jabí, árbol americano.

Cojolite. m. *Méj.* Especie de faisán.

Cojudo, da. (Del lat. *cōlĕux,* testículo.) adj. Dícese del animal no castrado.

Cojuelo, la. adj. d. de **Cojo.** Ú. t. c. s.

Cok. m. **Coque.**

Col. (Del lat. *caulis.*) f. Planta hortense, de la familia de las crucíferas, con hojas radicales muy anchas por lo común y de pencas gruesas, flores en panoja al extremo de un bohordo, pequeñas, blancas o amarillas, y semilla muy menuda. Se cultivan muchas variedades, todas comestibles, que se distinguen por el color y la figura de sus hojas; la más vulgar tiene las pencas blancas. || **Alabaos, coles, que hay nabos en la olla.** ref. con que se nota a los que estiman tanto ser preferidos, que pretenden serlo aun en comparación de otros más ruines. || **Coles y nabos, para en una son entrambos.** ref. **Berzas y nabos, para en una son entrambos.** || **El que quiere a la col, quiere a las hojas de alrededor.** ref. **Quien bien quiere a Beltrán, bien quiere a su can.** || **Entre col y col, lechuga.** ref. que advierte que para que no fastidien algunas cosas, se necesita variarlas.

Cola. (Del lat. *caudŭla,* d. de *cauda,* cola.) f. Extremidad posterior del cuerpo y de la columna vertebral de algunos animales. || **2.** Conjunto de plumas fuertes y más o menos largas que tienen las aves en la rabadilla. || **3.** Porción que en algunas ropas talares se prolonga por la parte posterior y se lleva comúnmente arrastrando. || **4.** Extremidad del paño, que por lo común remata en tres o cuatro orillos, y es la contrapuesta a la punta en que está la muestra. || **5.** Punta o extremidad posterior de alguna cosa, por oposición a cabeza o principio. || **6.** Apéndice luminoso que suelen tener los cometas. || **7.** Apéndice prolongado que se une a alguna cosa. || **8.** Hilera de personas que esperan vez. || **9.** Entre los antiguos estudiantes, voz de oprobio, en contraposición de la aclamación o vítor.

|| **10.** *Arq.* Entrega del sillar. || **11.** *Fort.* Parte posterior de una explanada, trinchera o cualquier obra de fortificación. || **12.** *Fort.* **Gola,** 7.ª acep. || **13.** *Mús.* Detención en la última sílaba de lo que se canta. || **de caballo.** *Bot.* Planta de la clase de las equisetíneas, con tallos de cuatro a seis decímetros de altura, huecos anudados de trecho en trecho y envainados unos en otros, que terminan en una especie de ramillete de hojas filiformes, a manera de **cola de caballo.** Crece en los prados y después de seca sirve para limpiar las matrices de las letras de imprenta y para otros usos. || **de golondrina.** *Fort.* Obra de defensa en forma de ángulo entrante. || **del Dragón.** *Astron.* Parte extrema de la constelación de este nombre. || **2.** *Astron.* ant. **Nodo descendente.** || **del León.** *Astron.* **Denébola.** || **de milagro,** o **de pato.** Espiga de ensamblaje, en forma de trapecio, más ancha por la cabeza que por el arranque. || **2.** Adorno arquitectónico hecho en esta forma. || **de zorra.** Planta perenne de la familia de las gramíneas, con raíz articulada, tallo de 30 a 80 centímetros, hojas planas, lineares y lanceoladas, y flores en tirso cilíndrico con aristas largas y paralelas. || **A cola de milano.** m. adv. Dícese de lo hecho o adornado así. || **A la cola.** m. adv. fig. y fam. **Detrás,** 1.ª acep.|| **Apearse uno por la cola.** fr. fig. y fam. Responder o decir algún disparate o despropósito. || **Dar a la cola.** fr. ant. *Mil.* **Picar la retaguardia.** || **Estar,** o **faltar, la cola por desollar.** fr. fig. y fam. **Estar,** o **faltar, el rabo por desollar.** || **Hacer bajar la cola a uno.** fr. fig. y fam. Humillar su altivez o soberbia por medio de la reprensión o el castigo. || **Hacer uno cola.** fr. fig. y fam. Esperar vez, formando hilera con muchas personas, para poder entrar en una parte o acercarse a un lugar con algún objeto. || **Llevar uno cola,** o **la cola.** fr. fig. En el juicio de exámenes en oposiciones públicas, llevar el último lugar; y en los estudios de gramática, perder en la composición que se encarga a todos. || **Menea la cola el can, no por ti, sino por el pan.** ref. que enseña que generalmente los halagos y obsequios más se hacen por interés que por amor. || **Ser uno arrimado a la cola,** o **de hacia la cola.** fr. fig. y fam. Ser corto o rudo de entendimiento. || **Ser uno cola.** fr. fig. **Llevar cola.** || **Tener,** o **traer, cola** una cosa. fr. fig. y fam. Tener, o traer, consecuencias graves.

Cola. (Del lat. *cŏlla,* y éste del gr. κόλλα.) f. Pasta fuerte, translúcida y pegajosa, que se hace generalmente cociendo raeduras y retazos de pieles, y que disuelta después en agua caliente, sirve para pegar. || **de boca.** Masa compuesta de **cola** de pescado y **cola** de retal, que, azucarada y aromatizada, se empleaba en forma de pastilla para pegar papel, mojándola con la saliva. || **de pescado.** Gelatina casi pura que se hace con la vejiga de los esturiones. || **de retal.** La que se hace con las recortaduras del baldés, y sirve para preparar los colores al temple y aparejar los lienzos y piezas del dorado bruñido.

Cola. f. *Bot.* Semilla de un árbol ecuatorial, de la familia de las esterculiáceas, que por contener teína y teobromina se utiliza en medicina como excitante de las funciones digestivas y nerviosas.

Colaboración. f. Acción y efecto de colaborar.

Colaborador, ra. (De *colaborar.*) m. y f. Compañero en la formación de alguna obra, especialmente literaria. || **2.** Persona que escribe habitualmente en un periódico, sin pertenecer a la plantilla de redactores.

Colaborar. (Del lat. *collaborāre;* de *cum,* con, y *laborāre,* trabajar.) intr. Trabajar con otra u otras personas, especialmente en obras de ingenio.

Colación. (Del lat. *collatĭo, -ōnis:* de *collātum,* supino de *conferre,* comparar, conferir.) f. Acto de colar o conferir canónicamente un beneficio eclesiástico, o el de conferir un grado de universidad. || **2.** Cotejo que se hace de una cosa con otra. || **3.** Conferencia o conversación que tenían los antiguos monjes sobre cosas espirituales. || **4.** Territorio o parte de vecindario que pertenece a cada parroquia en particular. || **5.** Refacción que se acostumbra tomar por la noche en los días de ayuno. || **6.** Porción de cascajo, dulces, frutas u otras cosas de comer, que se da a los criados el día de Nochebuena. || **7.** Refacción de dulces, pastas y a veces fiambres, con que se obsequia a un huésped o se celebra algún suceso. || **de bienes.** *For.* Manifestación que al partir una herencia se hace de los bienes que un heredero forzoso recibió gratuitamente del causante en vida de éste, para que sean contados en la computación de legítimas y mejoras. || **Sacar uno a colación** a una persona o cosa. fr. fig. y fam. Hacer mención, mover la conversación de ellas. || **Traer a colación.** fr. fig. y fam. Aducir pruebas o razones en abono de una causa. || **2.** fig. y fam. Mezclar especies inoportunas en un discurso o conversación. || **Traer a colación y partición** una cosa. fr. *For.* Incluirla en la **colación** de bienes.

Colacionar. (De *colación.*) tr. **Cotejar.** || **2. Traer a colación y partición.** || **3.** Hacer la colación de un beneficio eclesiástico.

Colactáneo, a. (Del lat. *collactanĕus;* de *cum,* con, y *lactāre,* mamar.) m. y f. **Hermano de leche.**

Colada. f. Acción y efecto de colar, 2.° art. || **2.** Tómase especialmente por la acción de colar la ropa. || **3.** Lejía en que se cuela la ropa. || **4.** Ropa colada. || **5.** Faja de terreno por donde pueden transitar los ganados para ir de unos a otros pastos, bien en campos libres, adehesados o eriales, bien en los de propiedad particular, después de levantadas las cosechas. || **6.** Paso o garganta entre montañas difícil de cruzar por su angostura y mal suelo. || **7.** *Metal.* Sangría que se hace en los altos hornos para que salga el hierro fundido. || **Salir** una cosa **en la colada.** fr. fig. y fam. Averiguarse, descubrirse lo que ya había pasado y estaba olvidado y oculto. || **2.** fig. y fam. Ponerse en claro o averiguarse las malas acciones o actos censurables de una persona. Dícese más generalmente: **Todo saldrá en la colada.** || **3.** fig. y fam. Pagar de una vez las malas acciones hechas en tiempos diversos por quien no ha querido enmendarse jamás. Se suele emplear en son de amenaza.

Colada. (Por alusión a una de las espadas del Cid.) f. fig. Buena espada.

Coladera. f. Cedacillo para licores. || **2.** *Méj.* Sumidero con agujeros.

Coladero. m. Manga, cedazo, paño, cesto o vasija en que se cuela un líquido. || **2.** Camino o paso estrecho. || **3.** ant. **Colada,** 1.er art., 5.ª acep. || **4.** *Min.* Boquete que se deja en el entrepiso de una mina para echar por él los minerales al piso general inferior, y desde allí sacarlos afuera.

Coladizo, za. adj. Que penetra o se cuela fácilmente por dondequiera.

Colado, da. p. p. de **Colar,** 2.° art. || **2.** adj. V. **Aire, hierro colado.**

Colador. (De *colar,* 1.er art.) m. El que confiere o da la colación de los beneficios eclesiásticos.

Colador. (De *colar,* 2.° art.) m. **Coladero,** 1.ª acep. || **2.** *Impr.* Cubeto con varios agujeros en la tabla de abajo, el cual se llena de ceniza, y echándole agua para que pase por ella, sale hecha lejía.

Coladora. (De *colador,* 2.° art.) f. La que hace coladas.

Coladura. f. Acción y efecto de colar líquidos. || **2.** fig. y fam. Acción y efecto de colar, 2.° art., 7.ª acep.

Colágena. (Del gr. κόλλα, cola, y γεννάω, engendrar.) f. *Quím.* Substancia albuminoidea que existe en el tejido conjuntivo, en los cartílagos y en los huesos, y que se transforma en gelatina por efecto de la cocción.

Colágeno, na. adj. *Quím.* Perteneciente o relativo a la colágena.

Colagogo, ga. (Del gr. χολή, bilis, y ἄγω, mover.) adj. *Farm.* Se dice de los purgantes que se emplean especialmente contra la acumulación de bilis.

Colaina. (Del lat. *coriago, -ĭnis,* enfermedad del cuero.) f. **Acebolladura.**

Colaire. (De *colar* y *aire.*) m. *And.* Lugar o paraje por donde pasa el aire colado.

Colambre. f. **Corambre.**

Colana. f. fam. Trago, trinquis.

Colandero, ra. m. y f. *Rioja.* Persona que por oficio se dedica a colar la ropa.

Colanilla. f. Pasadorcillo con que se cierran y aseguran puertas y ventanas.

Colante. p. a. ant. de **Colar,** 2.° art. Que cuela.

Colaña. (Del lat. *colŭmna.*) f. Tabique de poca altura, que sirve de antepecho en las escaleras o de división en los graneros. || **2.** *Murc.* Pieza de madera de hilo, de 20 palmos de longitud, con una escuadría de seis pulgadas de tabla por cuatro de canto.

Colapez. (De *cola,* 2.° art., y *pez.*) f. **Cola de pescado.**

Colapiscis. (De *cola* y el lat. *piscis,* pez.) f. **Colapez.**

Colapso. (Del lat. *collapsus,* p. p. de *collābi,* caer, arruinarse.) m. *Med.* Postración repentina de las fuerzas vitales, determinada por debilidad de la influencia necesaria de los centros nerviosos.

Colar. (Del b. lat. *collāre,* conferir, y éste del lat. *collātum,* conferido.) tr. Hablando de beneficios eclesiásticos, conferirlos canónicamente.

Colar. (Del lat. *colāre.*) tr. Pasar un líquido por manga, cedazo o paño. || **2.** Blanquear la ropa después de lavada, metiéndola en lejía caliente. || **3.** intr. Pasar por un lugar o paraje estrecho. || **4.** fam. Beber vino. || **5.** fam. Pasar una cosa en virtud de engaño o artificio. || **6.** r. fam. Introducirse a escondidas o sin permiso en alguna parte. || **7.** fig. y fam. Decir inconveniencias o embustes. || **No colar** una cosa. fr. fig. y fam. No ser creída.

Colateral. (Del lat. *collaterālis.*) adj. Dícese de las cosas que están a uno y otro lado de otra principal. Aplícase a las naves y altares de los templos, que están en esta situación. || **2.** Dícese del pariente que no lo es por línea recta. Ú. t. c. s. || **3.** V. **Consejo, línea colateral.**

Colativo, va. (Del lat. *collatīvus.*) adj. Aplícase a los beneficios eclesiásticos y a todo lo que no se puede gozar sin colación canónica. || **2.** V. **Capellanía colativa.**

Colativo, va. (Del lat. *colātum,* supino de *colāre,* colar.) adj. Dícese de lo que tiene virtud de colar y limpiar.

Colaudar. (Del lat. *collaudāre;* de *cum,* con, y *laudāre,* alabar.) tr. ant. **Alabar,** 1.ª acep.

Colayo. m. **Pimpido.**

Cólcedra. (Del lat. *cūlcĭta,* colcha.) f. ant. Colchón de lana o pluma. || **2.** ant. **Colcha.**

Colcedrón. m. aum. de **Cólcedra.**

Colcótar. (Del ár. *qulqutar,* caparrosa, tal vez corrupción del gr. χαλκάνθη.) m. *Quím.* Color rojo que se emplea en pintura, formado por el peróxido de hierro pulverizado.

Colcha. (Del lat. *cūlcĭta.*) f. Cobertura de cama que sirve de adorno y abrigo.

Colchado, da. p. p. de **Colchar.** || **2.** adj. Se dice de la prenda o presea hecha de tela y rellena a modo de almohadilla.

Colchadura. f. Acción y efecto de colchar, 1.er art.

Colchar. (De *colcha.*) tr. **Acolchar,** 1.er art.

Colchar. tr. *Mar.* **Corchar.**

Colchero, ra. m. y f. Persona que tenía por oficio hacer colchas y venderlas.

Colchón. (De *colcha.*) m. Especie de saco cuadrilongo, relleno de lana, pluma, cerda u otra cosa filamentosa o elástica, cosido por todos lados, basteado por lo común y de tamaño proporcionado para dormir sobre él. || **de muelles.** Armadura de madera o hierro, con varios resortes colocados en el mismo plano, enlazados y sobre la cual se ponen los **colchones** ordinarios. || **de tela metálica.** El de tela elástica de alambre que se mantiene tirante por medio de unos rollizos de madera puestos en los pies y en la cabecera del mismo **colchón.** || **de viento.** El de tela impermeable henchido de aire. || **sin bastas.** fig. y fam. *Ar.* Persona obesa y mal ceñida, sobre todo tratándose de una mujer. || **Hacer un colchón.** fr. Descoserlo, varear la lana para ahuecarla y volverlo a coser.

Colchonera. adj. V. **Aguja colchonera.**

Colchonería. f. **Lanería.** || **2.** Tienda en que se hacen o venden colchones, almohadas, acericos, cojines y otros objetos semejantes.

Colchonero, ra. m. y f. Persona que tiene por oficio hacer o vender colchones.

Colchoneta. (De *colchón.*) f. Cojín largo y delgado que se pone encima del asiento de un sofá, de un banco o de otro mueble semejante. || **2.** Colchón delgado.

Cole. m. fam. *Sant.* **Chapuzón.**

Coleada. f. Sacudida o movimiento de la cola de los peces y otros animales. || **2.** *Venez.* Acto de derribar una res tirándole de la cola.

Coleador. adj. Que colea; se aplica a ciertos animales como el león, el lobo, etc. || **2.** m. *Venez.* El que en las corridas de toros y en los hatos tira de la cola de una res para derribarla en la carrera.

Coleadura. f. Acción de colear.

Colear. intr. Mover con frecuencia la cola. || **2.** tr. En las corridas de toros, sujetar la res por la cola, por lo común cuando embiste al picador caído. || **3.** *Méj.* Coger el jinete la cola al toro que huye, y, sujetándola bajo la pierna derecha contra la silla, derribarle por efecto del mayor arranque del caballo. || **4.** *Venez.* Tirar, corriendo a pie o a caballo, de la cola de una res para derribarla. || **Todavía colea.** expr. fig. y fam. con que se indica no haberse concluido todavía un negocio, o no ser aún conocidas todas sus consecuencias.

Colección. (Del. lat. *collectio, -ōnis.*) f. Conjunto de cosas, por lo común de una misma clase. COLECCIÓN *de escritos, de medallas, de mapas.*

Coleccionador, ra. m. y f. Persona que colecciona.

Coleccionar. tr. Formar colección. COLECCIONAR *monedas, manuscritos.*

Coleccionista. com. **Coleccionador, ra.**

Colecta. (Del lat. *collecta.*) f. Repartimiento de una contribución o tributo, que se cobra por vecindario. || **2.** Recaudación de los donativos voluntarios de los concurrentes a una reunión, especialmente si es con objeto piadoso o caritativo. || **3.** Cualquiera de las oraciones de la misa, llamadas así porque se dicen cuando están juntos los fieles para celebrar los divinos oficios. || **4.** Junta o congregación de los fieles en los templos de la primitiva Iglesia, para celebrar los oficios divinos.

Colectación. f. Acción y efecto de colectar.

Colectánea. (Del lat. *collectanĕa.*) f. ant. **Colección.**

Colectar. (De *colecta.*) tr. **Recaudar,** 1.ª acep.

Colecticio, cia. (Del lat. *collectitĭus.*) adj. Aplícase al cuerpo de tropa compuesto de gente nueva, sin disciplina y recogida de diferentes parajes. || **2.** Dícese del tomo formado por obras sueltas y antes esparcidas.

Colectivamente. adv. m. En común, conjuntamente.

Colectividad. (De *colectivo.*) f. Conjunto de personas reunidas o concertadas para un fin.

Colectivismo. m. Doctrina que tiende a suprimir la propiedad particular, transferirla a la colectividad y confiar al Estado la distribución de la riqueza.

Colectivista. adj. Perteneciente o relativo al colectivismo. || **2.** Dícese del partidario de dicho sistema. Ú. t. c. s.

Colectivizar. tr. Transformar evolutiva o coactivamente lo individual en colectivo.

Colectivo, va. (Del lat. *collectīvus.*) adj. Perteneciente o relativo a cualquier agrupación de individuos. || **2.** Que tiene virtud de recoger o reunir. || **3.** *Com.* V. **Compañía regular, sociedad regular colectiva.** || **4.** *Gram.* V. **Nombre colectivo.**

Colector. (Del lat. *collector.*) adj. Que recoge. || **2.** m. El que hace alguna colección. || **3.** **Recaudador.** || **4.** En las iglesias, eclesiástico a cuyo cargo está recibir las limosnas de las misas para distribuirlas entre los que las han de celebrar. || **5.** Caño o canal que recoge todas las aguas procedentes de un avenamiento o las sobrantes del riego. || **6.** Conducto subterráneo en el cual vierten las alcantarillas sus aguas. || **7.** *Electr.* Anillo de cobre al que se aplican las escobillas para comunicar el inducido con el circuito exterior. || **de espolios.** El encargado de recoger, de entre los bienes que dejaban los obispos, aquellos que les pertenecían por razón de su dignidad, para emplearlos en limosnas y obras pías.

Colecturía. (De *colector.*) f. Ministerio de recaudar algunas rentas. || **2.** Oficio de colector de las limosnas de las misas. || **3.** Oficina o paraje donde se reciben las rentas y paran los papeles de ellas.

Colédoco. (Del gr. χολή, bilis, y δέχεσθαι, recibir.) adj. *Zool.* Dícese del conducto formado por la unión de los conductos cístico y hepático y que desemboca en el duodeno. Ú. t. c. s. m.

Colega. (Del lat. *collēga.*) m. Compañero en un colegio, iglesia, corporación o ejercicio.

Colegatario. (Del lat. *collegatarĭus.*) m. Aquel a quien se le ha legado una cosa juntamente con otro u otros.

Colegiación. f. Acción y efecto de colegiarse.

Colegiadamente. adv. m. En forma de colegio o comunidad.

Colegiado, da. p. p. de **Colegiarse.** || **2.** adj. Dícese del individuo que pertenece a una corporación que forma colegio. || **3.** También se aplica al cuerpo constituido en colegio. *La nobleza* COLEGIADA *de Madrid.* || **4.** V. **Tribunal colegiado.**

Colegial. (Del lat. *collegiālis.*) adj. Perteneciente al colegio. || **2.** V. **Iglesia colegial.** Ú. t. c. s. || **3.** m. El que tiene beca o plaza en un colegio. || **4.** El que asiste a cualquier colegio particular. || **5.** fig. y fam. Mancebo inexperto y tímido. || **6.** *Chile.* Pájaro que vive a orillas de los ríos y lagunas y tiene unos 13 centímetros de largo. La hembra es de color ceniciento y el macho negro y rojo, a lo cual se debió el nombre que lleva. || **capellán.** El que en los colegios tenía beca o plaza y a cuyo cargo estaba el cuidado de la iglesia o capilla, según las constituciones y costumbres de los colegios. || **de baño.** El que tomaba la beca en un colegio sólo para condecorarse con ella. || **freile.** El de cualquiera de los colegios de las órdenes militares. || **huésped.** El que habiendo cumplido los años de colegio, se quedaba en él con manto y beca, pero sin voto ni ración. || **mayor.** El que tenía beca en un colegio mayor. || **menor.** El que tenía beca en un colegio menor. || **militar. Colegial freile.** || **nuevo.** El alumno que no había llegado a antiguar, según las particulares reglas establecidas para ello. || **porcionista. Porcionista,** 2.ª acep.

Colegiala. f. Alumna que tiene plaza en un colegio o asiste a él

Colegialmente. adv. m. **Colegiadamente.**

Colegiarse. r. Reunirse en colegio los individuos de una misma profesión o clase.

Colegiata. (Del lat. *collegiāta,* t. f. de *-tus,* perteneciente a un colegio.) f. **Iglesia colegial.**

Colegiatura. f. Beca o plaza de colegial o de colegiala.

Colegio. (Del lat. *collegĭum,* de *colligĕre,* reunir.) m. Comunidad de personas que viven en una casa destinada a la enseñanza de ciencias, artes u oficios, bajo el gobierno de ciertos superiores y reglas. || **2.** Casa o edificios del **colegio.** || **3.** Casa o convento de regulares, destinado para estudios. || **4.** Establecimiento de enseñanza para niños y jóvenes de uno u otro sexo. || **5.** Sociedad o corporación de hombres de la misma dignidad o profesión. COLEGIO *de abogados, de médicos.* || **apostólico.** El de los apóstoles. || **de cardenales.** Cuerpo que componen los cardenales de la Iglesia Romana. || **electoral.** Reunión de electores comprendidos legalmente en un mismo grupo para ejercer su derecho con arreglo a las leyes. || **2.** Sitio donde se reúnen. || **mayor.** Comunidad de jóvenes seculares, de familias distinguidas, dedicados a varias facultades, que vivían en cierta clausura, sujetos a un rector colegial que ellos nombraban por lo común cada año. Su vestuario se componía de un manto de paño, comúnmente de color pardo, beca del mismo o diverso color, y bonete de bayeta negra. || **menor.** Comunidad de jóvenes dedicados a las ciencias, que vivían dentro de una misma casa, sujetos a un rector. || **militar.** Casa y escuela destinadas a la educación e instrucción de los jóvenes que se dedican a la milicia. || **2.** Cualquiera de los **colegios** de las órdenes militares destinados para que en ellos estudiasen las ciencias los freiles. || **Entrar uno en colegio.** fr. Ser admitido en una comunidad, vistiendo el hábito o traje de su uso o instituto.

Colegir. (Del lat. *colligĕre:* de *cum,* con, y *legĕre,* coger.) tr. Juntar, unir las cosas sueltas y esparcidas. || **2.** Inferir, deducir una cosa de otra.

Colegislador, ra. (De *co* y *legislador.*) adj. Dícese del cuerpo que concurre con otro para la formación de las leyes.

Colemia. (Del gr. χολή, bilis, y αἷμα, sangre.) f. *Med.* Presencia de bilis en la sangre y estado morboso consiguiente.

Colendo. (Del lat. *colendus,* venerable.) adj. V. **Día colendo.**

Coleo. m. **Coleadura.**

Coleóptero. (Del gr. κολεόπτερος; de κολεός, estuche, y πτερόν, ala.) adj. *Zool.*

Dícese de insectos que tienen boca dispuesta para masticar, caparazón consistente y dos élitros córneos que cubren dos alas membranosas, plegadas al través cuando el animal no vuela; como el escarabajo, el cocuyo, la cantárida y el gorgojo. Ú. t. c. s. || **2.** m. pl. *Zool.* Orden de estos insectos.

Colera. f. Adorno de la cola del caballo.

Cólera. (Del lat. *cholĕra*, y éste del gr. χολέρα, de χολή, bilis.) f. **Bilis.** || **2.** fig. Ira, enojo, enfado. || **3.** m. Enfermedad infecciosa y epidémica, originaria de la India, caracterizada por vómitos, deposiciones alvinas, acuosas, de abundantes calambres, supresión de la orina y postración general. || **asiático. Colera,** 1.er art., 3.ª acep. || **de las gallinas.** *Zool.* Epizootia que suelen padecer las gallinas, palomos, ánades, faisanes, etc., caracterizada por su breve curso y gran mortalidad. Es producida por un bacilo específico. || **morbo. Cólera,** 1.er art., 3.ª acep. || **nostras.** Gastroenteritis aguda con diarrea, calambres y vómitos. || **Cortar la cólera.** fr. **Cortar la bilis.** || **2.** fig. y fam. Tomar un refrigerio entre dos comidas. || **Cortar la cólera** a uno. fr. fig. y fam. Amansarle por medio del castigo, de la amenaza, de la burla o de la razón. || **Cuando la cólera sale de madre, no tiene la lengua padre.** ref. con que se da a entender que una persona enfurecida no puede medir sus palabras. || **Descargar la cólera en** uno. fr. fig. **Descargar la ira en** uno. || **Emborracharse** uno **de cólera.** fr. fig. y fam. **Tomarse de la cólera.** || **Exaltársele** a uno **la cólera.** fr. fig. **Exaltársele la bilis.** || **Montar** uno **en cólera.** fr. Airarse, encolerizarse. || **Tomar** uno **cólera.** fr. Padecer este afecto, o dejarse poseer de él. || **Tomarse** uno **de la cólera.** fr. Perder el uso racional por la vehemencia de la ira.

Cólera. f. Tela blanca de algodón engomada.

Colérico, ca. (Del lat. *cholerĭcus*, y éste del gr. χολερικός.) adj. Perteneciente a la cólera o que participa de ella. *Humor* COLÉRICO. || **2.** Perteneciente o relativo al cólera, 1.er art., 3.ª acep. *Síntoma* COLÉRICO; *fisonomía, frialdad* COLÉRICA. || **3.** Atacado de cólera, 1.er art., 3.ª acep. Ú. t. c. s. || **4.** Que fácilmente se deja llevar de la cólera, 1.er art., 2.ª acep.

Coleriforme. (De *cólera*, 1.er art., y *forma*.) adj. *Med.* Aplícase a las enfermedades que tienen algunos síntomas parecidos a los del cólera, 1.er art., 3.ª acep. *Diarrea, tifo, fiebre intermitente, perniciosa* COLERIFORME.

Colerina. (d. de *cólera*, 1.er art.) f. Enfermedad parecida al cólera, 1.er art., 3.ª acep., pero menos grave. || **2.** Enfermedad de índole catarral y alguna vez epidémica, en la cual se observa una diarrea coleriforme. || **3.** Diarrea que anuncia en muchos casos la próxima aparición del cólera epidémico.

Colerizar. tr. p. us. Irritar, poner colérico. Ú. m. c. r.

Colero. m. *Amér.* En algunas labores de minas, lo mismo que ayudante del capataz o jefe de las labores.

Colesterina. (Del gr. χολή, bilis, y στερεός, sólido.) f. *Med.* Substancia grasa que existe normalmente en la sangre, en la bilis y en otros humores y se encuentra cristalizada en los cálculos biliares. También existe en la yema del huevo.

Coleta. (d. de *cola*.) f. Mechón que en la parte posterior de la cabeza solían dejarse los que se cortaban el cabello, para que les sirviese de adorno. || **2.** Cabello envuelto desde el cogote en una cinta en forma de cola, que caía sobre la espalda. Poníase también en algunos peluquines y la han usado hasta fecha reciente los toreros. || **3. Crehuela.** || **4.** fig. y fam. Adición breve a lo escrito o hablado, por lo común con el fin de salvar alguna omisión o de esforzar compendiosamente lo que antes se ha dicho. || **Media coleta.** La más corta que la ordinaria, cuando era de uso general. || **Cortarse la coleta.** fr. fig. Dejar su oficio el torero. || **2.** fig. Apartarse uno de alguna afición o dejar una costumbre. || **Tener,** o **traer, coleta** una cosa. fr. fig. y fam. **Tener,** o **traer, cola.**

Coletazo. m. Golpe dado con la cola.

Coletero. m. El que tenía por oficio hacer o vender coletos.

Coletilla. (d. de *coleta*.) f. **Coleta,** 2.ª, 3.ª y 4.ª aceps.

Coletillo. (d. de *coleto*.) m. Corpiño sin mangas, que usan las serranas de Castilla.

Coleto. (Del ital. *colletto*, y éste del lat. *collum*, cuello.) m. Vestidura hecha de piel, por lo común de ante, con mangas o sin ellas, que cubre el cuerpo, ciñéndolo hasta la cintura. En lo antiguo tenía unos faldones que no pasaban de las caderas. || **2.** fig. y fam. Cuerpo del hombre. *Pescar a uno el* COLETO. || **3.** fig. y fam. Interior de una persona. *Dije para mi* COLETO. || **Echarse** una cosa **al coleto.** fr. fig. y fam. Comérsela o bebérsela. || **2.** fig. y fam. Leer desde el principio hasta el fin un libro o escrito.

Coletón. (De *coleta*.) m. *Venez.* Tela basta de estopa; harpillera.

Coletuy. m. Nombre vulgar de varias especies leñosas de plantas leguminosas que abundan en España.

Colgadero, ra. adj. A propósito para colgarse o guardarse. *Uvas* COLGADERAS. || **2.** m. Garfio, escarpia u otro cualquier instrumento que sirve para colgar de él alguna cosa. || **3.** Asa o anillo que entra en el garfio o escarpia.

Colgadizo, za. adj. Dícese de algunas cosas que sólo tienen uso estando colgadas. || **2.** m. Tejadillo saliente de una pared y sostenido solamente con tornapuntas.

Colgado, da. (De *colgar*.) adj. fig. y fam. Dícese de la persona burlada o frustrada en sus esperanzas o deseos. Ú. con los verbos *dejar, quedar,* etc. || **2.** Contingente, incierto.

Colgador. m. *Impr.* Tabla de medio metro de largo, y delgada por la parte superior, la cual, puesta en un palo largo, sirve para subir los pliegos recién impresos y colgarlos en las cuerdas en que se enjugan.

Colgadura. (De *colgar*.) f. Conjunto de tapices o telas con que se cubren y adornan las paredes interiores o exteriores y balcones de las casas, iglesias, etc. || **de cama.** Cortinas, cenefas y cielo de la cama que sirven de abrigo y adorno de ella: hácense de varias telas.

Colgajo. m. Cualquier trapo o cosa despreciable que cuelga; como los pedazos de la ropa rota o descosida. || **2.** Racimo de uvas o porción de frutas que se cuelga para conservarlas. || **3.** *Cir.* Porción de piel sana que en las operaciones quirúrgicas se reserva para cubrir la herida.

Colgamiento. m. Acción y efecto de colgar.

Colgandero, ra. adj. **Colgante,** 1.ª acep.

Colgante. p. a. de **Colgar.** Que cuelga. Ú. t. c. s. || **2.** adj. V. **Puente colgante.** || **3.** m. **Pinjante,** 1.ª acep. || **4.** *Arq.* **Festón,** 4.ª acep.

Colgar. (Del lat. *cŏllŏcāre*, colocar.) tr. Suspender, poner una cosa pendiente de otra, sin que llegue al suelo; como las ropas, las frutas, etc. || **2.** Entapizar, adornar con tapices o telas. || **3.** fig. y fam. **Ahorcar.** || **4.** fig. Regalar o presentar a uno una alhaja en celebridad del día de su santo o de su nacimiento. Dícese así porque se hacía esta demostración echando al cuello, a la persona a quien se obsequiaba, una cadena de oro o una joya pendiente de una cinta. || **5.** fig. Imputar, achacar. || **6.** intr. Estar una cosa en el aire pendiente o asida de otra; como las campanas, las borlas, etc. || **7.** fig. Depender de la voluntad o dictamen de otro.

Colibacilo. (Del gr. κῶλον, colon, y *bacilo*.) m. Bacilo que se halla normalmente en el intestino del hombre y de algunos animales, y que, en determinadas circunstancias, puede adquirir virulencia morbosa y producir septicemias.

Colibacilosis. f. *Med.* Septicemia producida por el colibacilo.

Colibrí. (Nombre caribe.) m. *Zool.* Pájaro americano, insectívoro, de tamaño muy pequeño y pico largo y débil. Hay varias especies. || **2.** *Zool.* **Pájaro mosca.**

Cólica. f. Cólico pasajero determinado por indigestión y caracterizado por vómitos y evacuaciones de vientre, que resuelven espontáneamente la dolencia.

Colicano, na. adj. Dícese del animal que tiene en la cola canas o cerdas blancas.

Cólico, ca. (Del lat. *colĭcus*, y éste del gr. κωλικός, de κῶλον, miembro, colon.) adj. Perteneciente al intestino colon. *Omento* CÓLICO, *arteria* CÓLICA, *dolor* CÓLICO. || **2.** m. Acceso doloroso, localizado en los intestinos y caracterizado por violentos retortijones, ansiedad, sudores y vómitos. Se llama bilioso cuando se presenta con abundancia la bilis. || **cerrado.** Aquel en que el estreñimiento es pertinaz y aumenta la gravedad de la dolencia. || **hepático.** Acceso de dolor violento determinado por el paso de las concreciones anómalas contenidas en la vejiga de la hiel al través de los conductos de ésta para salir al intestino. || **miserere.** Oclusión intestinal aguda, por causas diferentes, que determina un estado gravísimo cuyo síntoma más característico es el vómito de los excrementos. || **nefrítico,** o **renal.** Acceso de dolor violentísimo, determinado por el paso de las concreciones anormales formadas en el riñón por los uréteres, hasta desembocar en la vejiga de la orina.

Colicoli. (Voz mapuche.) m. *Chile.* Especie de tábano, de color pardo, muy común y molesto.

Colicuación. f. Acción y efecto de colicuar o colicuarse. || **2.** *Med.* Enflaquecimiento rápido a consecuencia de evacuaciones abundantes.

Colicuante. p. a. de **Colicuar.** Que colicua.

Colicuar. (Del lat. *colliquāre*.) tr. Derretir, desleír o hacer líquidas a la vez dos o más substancias sólidas o crasas. Ú. t. c. r.

Colicuativo, va. (De *colicuar*.) adj. *Med.* Aplícase a varios flujos que producen con rapidez el enflaquecimiento y parecen dependientes de la licuación de partes sólidas del organismo. *Sudor* COLICUATIVO, *diarrea* COLICUATIVA.

Colicuecer. (Del lat. *colliquescĕre*; de *cum*, con, y *liquescĕre*, liquidarse.) tr. **Colicuar.**

Coliche. m. fam. Baile o fiesta a la que, sin ser formalmente convidados, pueden acudir los amigos de quien la da.

Colidir. (Del lat. *collīdĕre*; de *cum*, con, y *laedĕre*, dañar.) tr. ant. **Ludir.**

Coliflor. (De *col* y *flor*.) f. Variedad de col que al entallecerse echa una pella compuesta de diversas cabezuelas o grumitos blancos. Se come cocida y condimentada de diferentes modos.

Coligación. (Del lat. *colligatio, -ōnis*.) f. Acción y efecto de coligarse. || **2.** Unión, trabazón o enlace de unas cosas con otras.

Coligado, da. (Del lat. *colligātus*.) adj. Unido o confederado con otro u otros. Ú. t. c. s.

Coligadura. (De *coligarse.*) f. Coligación.

Coligamiento. m. Coligadura.

Coligarse. (Del lat. *colligāre;* de *cum,* con, y *ligāre,* atar.) r. Unirse, confederarse unos con otros para algún fin. Ú. alguna vez c. tr.

Coliguacho. (Del arauc. *collihuacho.*) m. *Chile.* Moscardón negro, especie de tábano, con los bordes del coselete y el abdomen cubiertos de pelos anaranjados o rojizos.

Coligüe. (De mapuche *culiu.*) m. *Argent.* y *Chile.* Planta gramínea, de hoja perenne, muy ramosa y trepadora y de madera dura en algunas de sus variedades. Las hojas sirven de pasto a los animales y de la semilla se hace una clase de sopa.

Colilarga. f. *Chile.* Pájaro insectívoro, de color rojizo por encima, alas grises obscuras, capucha bermeja y que tiene en la cola dos plumas más largas que todo el cuerpo.

Colilla. (d. de *cola.*) f. Resto del cigarro, que se tira por no querer o no poder fumarlo. || **2.** Tira ancha que llevaban los antiguos mantos de mujer para que cubriese, por detrás, desde la cintura hasta el borde del vestido.

Colillero, ra. m. y f. Persona que recoge por calles, cafés, etc., las colillas que tiran los fumadores.

Colimación. (Del b. lat. *collimāre,* por *collineāre,* alinear.) f. *Fís.* Acción de dar a la vista una dirección determinada, en ciertos aparatos ópticos.

Colimador. (Del b. lat. *collimare,* por *collineare,* alinear.) m. *Fís.* Parte del espectroscopio donde se reconcentra la luz para su observación. || **2.** *Fís.* Parte de un anteojo astronómico dispuesta para asegurar la colimación.

Colimbo. (Del lat. *colymbus* nombre científico del animal.) m. Ave palmípeda, con membranas interdigitales completas; el pico comprimido; alas cortas, pero útiles para el vuelo. Su posición es casi vertical, por tener las patas muy atrás. Vive en las costas de países fríos y se alimenta de peces y otros animales marítimos.

Colín, na. adj. Dícese del caballo o yegua con el maslo cortado a un tercio aproximadamente de su base. || **2.** m. *Méj.* Ave del orden de las gallináceas, muy semejante a la codorniz.

Colina. (Del lat. **colina,* por *collīna,* t. t. de *collīnus,* del collado.) f. Elevación natural de terreno, menor que una montaña.

Colina. (De *col.*) f. Simiente de coles y berzas. || **2.** Colino, 1.er art. 2.ª acep.

Colina. (Del gr. χολή, bilis.) f. *Quím.* Substancia básica existente en la bilis de muchos animales.

Colinabo. m. Berza de hojas sueltas, sin repollar.

Colindante. (De *co* y *lindante.*) adj. Dícese de los campos o edificios contiguos entre sí. || **2.** *For.* Aplícase también a los propietarios de dichas fincas. || **3.** *For.* También se dice de los términos municipales y de los municipios que son limítrofes unos de otros.

Colindar. intr. Lindar entre sí dos o más fincas.

Colineta. (De *colina.*) f. **Ramillete,** 2.ª acep.

Colino. (De *col.*) m. **Colina,** 2.° art., 1.ª acep. || **2.** m. Era de coles pequeñas que aún no se han trasplantado.

Colino, na. adj. *And.* **Colín,** 1.ª acep.

Colipavo, va. (De *cola* y *pava.*) adj. Dícese de cierta clase de palomas que tienen la cola más ancha que las demás.

Colirio. (Del lat. *collyrium,* y éste del gr. κολλύριον.) m. Medicamento compuesto de una o más substancias disueltas o diluidas en algún licor, o sutilmente pulverizadas y mezcladas, que se emplea en las enfermedades de los ojos.

Colirrojo. m. *Zool.* Pájaro de la misma familia que el tordo, con la cola y sus coberteras dorsales de color castaño rojizo.

Colisa. (Del fr. *coulisse,* corredera, der. de *couler,* y éste del lat. *colāre,* colar.) f. *Mar.* Plataforma giratoria horizontalmente, sobre la cual se coloca la cureña, sin ruedas, de un cañón de artillería. || **2.** *Mar.* El mismo cañón montado de ese modo.

Coliseo. (Del lat. *colosseus,* y éste del gr. κολοσσιαῖος, colosal.) m. Teatro destinado a las representaciones de tragedias y comedias. Trae su origen del anfiteatro Flavio, delante del cual se puso una estatua colosal de Domiciano.

Colisión. (Del lat. *collisio, -ōnis,* de *collīdĕre,* chocar, rozar.) f. Choque de dos cuerpos. || **2.** Rozadura o herida hecha a consecuencia de ludir y rozarse una cosa con otra. || **3.** fig. Oposición y pugna de ideas, principios o intereses, o de las personas que los representan.

Coliteja. adj. Dícese de las palomas cuya cola tiene forma de teja árabe.

Colitigante. com. Persona que litiga en unión con otra.

Colitis. f. *Med.* Inflamación del intestino colon.

Coliza. f. *Mar.* **Colisa.**

Colmadamente. adv. m. Con mucha abundancia.

Colmado, da. p. p. de **Colmar.** || **2.** adj. Abundante, copioso, completo. || **3.** m. Figón o tienda donde se sirven comidas especiales, principalmente mariscos.

Colmadura. (De *colmar.*) f. ant. **Colmo,** 1.er art.

Colmar. (Del lat. *cŭmulare,* amontonar.) tr. Llenar una medida, un cajón, un cesto, etc., de modo que lo que se echa en ellos exceda su capacidad y levante más que los bordes. || **2.** Llenar las cámaras o trojes. || **3.** fig. Dar con abundancia. || **4.** fig. Satisfacer plenamente deseos, aspiraciones, etc.

Colmena. (Del lat. **columena,* de *columella,* infl. por *columna.*) f. Especie de vaso que suele ser de corcho, madera, mimbres, etc., embarrados, y sirve a las abejas de habitación y para depósito de los panales que fabrican. || **2.** V. **Capirote de colmena.** || **3.** V. **Asiento, posada de colmenas.** || **rinconera.** La que tiene la obra sesgada. || **yaciente.** La que está tendida a lo largo.

Colmenar. m. Paraje o lugar donde están las colmenas.

Colmenero, ra. adj. V. **Oso colmenero.** || **2.** m. y f. Persona que tiene colmenas o cuida de ellas. || **3.** m. ant. **Colmenar.**

Colmenilla. (d. de *colmena.*) f. Hongo de sombrerete aovado, consistente y carnoso, tallo liso y cilíndrico, y color amarillento obscuro por encima y más claro por debajo. Es comestible.

Colmillada. f. **Colmillazo.**

Colmillar. (Del lat. *columellāris.*) adj. Perteneciente a los colmillos.

Colmillazo. m. Golpe dado o herida hecha con el colmillo.

Colmillejo. m. d. de **Colmillo.**

Colmillo. (Del lat. *columĕllus,* de *columella,* columnita.) m. Diente agudo y fuerte, colocado en cada uno de los lados de las hileras que forman los dientes incisivos de los mamíferos, entre el más lateral de aquéllos y la primera muela. || **2.** Cada uno de los dos dientes incisivos prolongados en forma de cuerno, que tienen los elefantes en la mandíbula superior. || **Enseñar uno los colmillos.** fr. fig. y fam. Manifestar fortaleza, hacerse temer o respetar. || **Escupir uno por el colmillo.** fr. fig. y fam. Echar fanfarronadas. || **2.** fig. y fam. Sobreponerse a todo respeto y consideración. || **Tener uno el colmillo retorcido. Tener uno colmillos, o colmillos retorcidos.** frs. figs. y fams. Ser astuto y sagaz por la edad o experiencia, y difícil de engañar.

Colmilludo, da. adj. Que tiene grandes colmillos. || **2.** fig. Sagaz, astuto, difícil de engañar.

Colmo. (Del lat. *cŭmŭlus,* montón.) m. Porción de materia pastosa o árida, o de cosas de poco volumen, que sobresale por encima de los bordes del vaso que las contiene. || **2.** fig. Complemento o término de alguna cosa. || **A colmo.** m. adv. **Colmadamente.** || **Llegar** una cosa **a colmo.** fr. fig. y fam. Llegar a lo sumo o a su última perfección. Ú. m. con negación.

Colmo. (Del lat. *culmus,* paja de centeno.) m. Paja, generalmente de centeno, que se usa para cubrir cabañas. || **2.** Techo de paja.

Colmo, ma. (De *colmar.*) adj. Suele decirse de lo que está colmado o tiene colmo, 1.er art. *Fanega* COLMA.

Colo. m. ant. **Colon,** 1.ª acep.

Colobo. m. *Amér.* Mono catirrino, de cuerpo delgado y cola muy larga, con espesa crin sobre el lomo y de color negro, excepto la cara, que es blanca.

Colocación. (Del lat. *collocatio, -ōnis.*) f. Acción y efecto de colocar o colocarse. || **2.** **Situación,** 2.ª acep. || **3.** Empleo o destino.

Colocar. (Del lat. *collocāre.*) tr. Poner a una persona o cosa en su debido lugar. Ú. t. c. r. || **2.** fig. Acomodar a uno, poniéndole en algún estado o empleo. Ú. t. c. r.

Colocasia. (Del lat. *colocasia,* y este del gr. κολοκασία.) f. Hierba de la familia de las aráceas, originaria de la India, con las hojas grandes, de figura aovada y ondeadas por su margen, y la flor de color de rosa. Tiene la raíz carnosa y muy acre cuando está fresca; pero si se cuece, pierde el mal gusto, y se usa como alimento, igualmente que las hojas.

Colocolo. (Voz mapuche.) m. *Chile.* Especie de gato montés.

Colocutor, ra. (Del lat. *collocutor.*) m. y f. Persona que habla con otra. || **2.** Cada una de las que toman parte en un coloquio o conversación.

Colocho. (Del azteca *cololt,* alacrán.) m. *C. Rica.* **Viruta.** || **2.** *C. Rica.* Rizo, tirabuzón.

Colodión. (Del gr. κολλώδης, pegajoso.) m. Disolución en éter de la celulosa nítrica. Se emplea como aglutinante en cirugía y para la preparación de placas fotográficas.

Colodra. f. Vasija de madera en forma de barreño, de que usan los pastores para ordeñar las cabras, ovejas y vacas. || **2.** Vaso de madera, como una herrada, en que se tiene el vino que se ha de ir midiendo y vendiendo por menor. || **3.** **Cuerna,** 1.ª acep. || **4.** *Pal.* y *Sant.* Estuche de madera con agua, que lleva el segador a la cintura sujeto con una correa, para colocar la pizarra con que a menudo afila el dalle. || **Ser** uno **una colodra.** fr. fig. y fam. Beber mucho vino, ser gran bebedor.

Colodrazgo. m. Derecho que se pagaba de la venta del vino, acaso porque se probaba para venderlo o se medía en la colodra.

Colodrillo. (De *colodra.*) m. Parte posterior de la cabeza.

Colodro. (Del m. or. que *colodra.*) m. ant. Especie de calzado de palo. || **2.** ant. *Ar.* Medida que servía para los líquidos.

Colofón. (Del lat. *colŏphon, -ōnis,* y este del gr. κολοφών, término, fin.) m. *Impr.* Anotación al final de los libros, que expresa el nombre del impresor y el lugar y fecha de la impresión, o alguna de estas circunstancias.

Colofonia. (Del lat. *colophonia,* y este del gr. κολοφωνία, supliendo *resina;* de Κολοφών, Colofón, ciudad de la Jonia asiática.) f. Resina sólida, translúcida, pardusca o amarillenta, e inflamable, residuo de la destilación de la trementina. Se emplea en farmacia y sirve también para frotar las cerdas de los arcos con que se tocan varios instrumentos de cuerda.

Colofonita. (De *colofonia*.) f. Granate de color verde claro o amarillento rojizo.

Cologüina. f. *Guat.* Una variedad de gallina.

Coloidal. adj. *Quím.* Perteneciente o relativo a los coloides.

Coloide. (Del gr. κόλλα, cola, y εἶδος, forma.) adj. *Quím.* Dícese del cuerpo que al disgregarse en un líquido aparece como disuelto por la extremada pequeñez de las partículas en que se divide; pero que se diferencia del verdaderamente disuelto en que no se difunde con su disolvente si tiene que atravesar ciertas láminas porosas. Ú. t. c. s.

Coloideo, a. adj. *Quím.* **Coloidal.**

Colombianismo. m. Vocablo, giro o modo de hablar propio de los colombianos.

Colombiano, na. adj. Natural de Colombia. Ú. t. c. s. || **2.** Perteneciente a esta república de América. || **3.** V. **Cepo colombiano.**

Colombino, na. (Del ital. *Colombo*.) adj. Perteneciente a Cristóbal Colón o a su familia. *Biblioteca* COLOMBINA.

Colombo. m. *Bot.* Planta de la familia de las menispermáceas, originaria de países tropicales, cuya raíz, amarga y de color amarillento, se emplea en medicina como astringente.

Colombófilo, la. (Del lat. *columba*, paloma.) m. y f. **Palomero, ra,** 3.ª acep.

Colombroño. (De *con* y *nombre*.) m. ant. **Tocayo.**

Colomín, na. adj. Natural de Santa Coloma de Queralt, en la provincia de Tarragona. Ú. t. c. s. || **2.** Perteneciente o relativo a esta villa.

Colon. (Del lat. *colon*, y éste del gr. κῶλον, miembro.) m. *Zool.* Porción del intestino grueso de los mamíferos, que principia donde concluye el ciego, cuando éste existe, y acaba donde comienza el recto. || **2.** ant. **Cólico.** || **3.** *Gram.* Parte o miembro principal del período. || **4.** *Gram.* Puntuación con que se distinguen estos miembros; en castellano y otras lenguas es el punto y coma o los dos puntos. || **imperfecto.** Aquel cuyo sentido pende de otro miembro del período. || **perfecto.** El que por sí hace sentido.

Colón. (Por llevar grabada una efigie de Cristóbal Colón.) m. Moneda de plata de Costa Rica y El Salvador, equivalente a 2,50 pesetas. La de oro vale dos **colones**, o sea cinco pesetas. || **2.** V. **Huevo de Colón.**

Colonato. m. Sistema de explotación de las tierras por medio de colonos.

Colonche. m. *Méj.* Bebida embriagadora que se hace con el zumo de la tuna cardona o colorada y azúcar.

Colonia. (Del lat. *colonia*, de *colōnus*, labrador.) f. Conjunto de personas que van de un país a otro para poblarlo y cultivarlo, o para establecerse en él. || **2.** País o lugar donde se establece esta gente. || **3.** Territorio fuera de la nación que lo hizo suyo, y ordinariamente regido por leyes especiales. || **4.** Gente que se establece en un territorio inculto de su mismo país para poblarlo y cultivarlo. || **5.** Este territorio. || **6.** Agrupación de células o de animales pequeños y aun microscópicos, que viven juntos en gran número. || **7.** Cinta de seda, lisa, de dos dedos de ancho poco más o menos. || **Media colonia.** Cinta de la misma especie, pero más angosta que la **colonia.**

Colonia. (De *Colonia*.) f. **Agua de Colonia.** || **2.** *Bot. Cuba.* Planta ornamental, de la familia de las cingiberáceas, que se cultiva en jardines para formar macizos, por la espesura de sus hojas. Alcanza hasta dos metros de altura; tiene hojas lanceoladas grandes; florece varias veces al año, y sus flores, de bello aspecto, despiden un olor agradable semejante al del agua de **Colonia,** de la que tomó el nombre.

Coloniaje. m. *Amér.* Nombre que algunas repúblicas dan al período histórico en que formaron parte de la nación española.

Colonial. adj. Perteneciente a la colonia. || **2.** *Com.* **Ultramarino,** 2.ª acep. *Frutos* COLONIALES.

Colonización. f. Acción y efecto de colonizar.

Colonizador, ra. adj. Que coloniza. Apl. a pers., ú. t. c. s.

Colonizar. tr. Formar o establecer colonia en un país. || **2.** Fijar en un terreno la morada de sus cultivadores.

Colono. (Del lat. *colōnus*, de *colĕre*, cultivar.) m. El que habita en una colonia. || **2.** Labrador que cultiva y labra una heredad por arrendamiento y suele vivir en ella.

Coloño. (Del lat. *colum*, cesto de la cebada.) m. *Burg.* **Cesto,** 1.er art., 1.ª acep.

Coloño. (Del lat. *columna*.) m. *Sant.* Haz de leña, de tallos secos o de puntas de maíz, de varas, etc., que puede ser llevado por una persona en la cabeza o a las espaldas.

Coloquial. adj. Perteneciente o relativo al coloquio. || **2.** *Filol.* Dícese del lenguaje propio de la conversación, a diferencia del escrito o literario.

Coloquíntida. (Del lat. *colocynthis, -ĭdis* [vulgar *coloquintis*], y éste del gr. κολοκυνθίς.) f. Planta de la familia de las cucurbitáceas, con tallos rastreros y pelosos de dos a tres metros de largo, hojas hendidas en cinco lóbulos dentados, ásperas, vellosas y blanquecinas por el envés, flores amarillas, axilares y solitarias, y frutos de corteza lisa, de la forma, color y tamaño de la naranja y muy amargos, que se emplean en medicina como purgantes. || **2.** Fruto de esta planta.

Coloquio. (Del lat. *colloquĭum*, de *collŏqui*, conversar, conferenciar.) m. Conferencia o plática entre dos o más personas. || **2.** Género de composición literaria, prosaica o poética, en forma de diálogo.

Color. (Del lat. *color*.) m. Impresión que los rayos de luz reflejados por un cuerpo producen en el sensorio común por medio de la retina del ojo. El **color** negro resulta de la ausencia de toda impresión luminosa. Algunos **colores** toman nombre de los objetos o substancias que los presentan naturalmente. COLOR *de rosa, de fuego, de aceituna.* Ú. t. c. f. || **2.** Substancia preparada para pintar o para dar a las cosas un tinte determinado. || **3.** El artificial con que suelen algunos, y especialmente las mujeres, pintarse las mejillas y los labios. || **4. Colorido,** 1.ª acep. || **5.** fig. Pretexto, motivo, razón aparente para hacer una cosa con poco o ningún derecho. || **6.** fig. Carácter peculiar de algunas cosas; y tratándose del estilo, cualidad especial que le distingue. *Pintó con* COLORES *trágicos o sombríos; tal actor dio a su papel un nuevo* COLOR; *fulano* (tratándose de matices de opinión o fracciones de partido) *pertenece a este o al otro* COLOR; *este periódico no tiene* COLOR. || **7.** *Blas.* Cualquiera de los cinco **colores** heráldicos. || **8.** *Pint.* V. **Degradación de color.** || **de cera. Color** amarillento. || **del espectro solar, del iris,** o **elemental.** *Fís.* Cada uno de los siete rayos en que se descompone la luz blanca del Sol, que son: rojo, anaranjado, amarillo, verde, azul, azul turquí o añil y violado. || **quebrado.** El que ha perdido la viveza. || **Colores complementarios.** *Fís.* Los **colores** puros que, reunidos por ciertos procedimientos, dan el **color** blanco. Así resulta de la fusión del verde con el rojo, del violeta con el amarillo y del azul con el anaranjado. || **litúrgicos.** Los seis de que, según la solemnidad, hace uso la Iglesia en los oficios divinos, y que son: el blanco, el rojo, el verde, el violado, el azul y el negro. || **nacionales.** Los que adopta por distintivo cada nación y usa en su pabellón, banderas y escarapelas. || **A color.** m. adv. ant. **So color.** || **Dar color,** o **colores.** fr. **Pintar,** 1.ª y 2.ª aceps. || **De color.** expr. Hablando de vestidos, dícese del que no es negro. || **2.** Aplícase a las personas que no pertenecen a la raza blanca, y más especialmente a los negros y mulatos. *Gente* DE COLOR, *hombres* DE COLOR. || **Distinguir** uno **de colores.** fr. fig. y fam. Tener discreción para no confundir cosas ni personas y darles su peculiar estimación. Ú. m. con negación. || **Jugar a los colores.** Cierto juego de sala en el siglo XVII cuyo premio era una cinta que daba la dama al galán. || **Meter en color.** fr. *Pint.* Sentar los **colores** y tintas de una pintura. || **Mudar** uno **de color.** fr. fam. **Mudar de semblante,** 1.ª acep. || **Pintar** una cosa **con negros colores.** fr. fig. Considerarla melancólicamente o bajo un aspecto odioso. || **Ponerse** uno **de mil colores.** fr. fig. y fam. Mudársele el **color** del rostro por vergüenza o cólera reprimida. || **Robar el color.** fr. fig. Hacer decaer el **color** natural, o deslucirlo. || **Sacarle a** uno **los colores,** o **sacarle los colores a la cara,** o **al rostro.** fr. fig. Sonrojarle, avergonzarle. || **Salirle** a uno **los colores,** o **salirle los colores a la cara,** o **al rostro.** fr. fig. Ponerse colorado de vergüenza, por alguna falta que se le descubre o reprende. || **So color.** m. adv. Con, o bajo, pretexto. || **Tomar color.** fr. Empezar a madurar los frutos, dando muestras de ello con el natural y propio que tienen en la madurez; y por traslación se dice de otras cosas. || **Tomar** una cosa **el color.** fr. Teñirse o impregnarse bien de él la que artificialmente se tiñe. || **Un color se le iba y otro se le venía.** loc. fam. de que se usa para denotar la turbación de ánimo que uno padece cuando se halla agitado de varios afectos. || **Ver** uno **de color de rosa** las cosas. fr. fig. y fam. Considerarlas de un modo halagüeño.

Coloración. (De *colorar*.) f. Acción y efecto de colorar. || **2.** ant. Salida del color al rostro. || **3.** ant. fig. Pretexto, motivo.

Coloradamente. adv. m. ant. Con color o pretexto.

Coloradilla. f. *C. Rica* y *Hond.* Garrapatilla de color rojizo.

Colorado, da. (Del lat. *colorātus*, de *colorāre*, colorar.) adj. Que tiene color. || **2.** Que por naturaleza o arte tiene color más o menos rojo; como la sangre arterial, la grana en el paño, etc. || **3.** V. **Cedro, tabaco colorado.** || **4.** V. **Tuna colorada.** || **5.** fig. **Verde,** 12.ª acep. || **6.** fig. Aplícase a lo que se funda en alguna apariencia de razón o de justicia. || **7.** *For.* V. **Título colorado.** || **Más vale ponerse una vez colorado, que ciento amarillo.** loc. fam. que aconseja arrostrar con resolución las situaciones difíciles para no tenerse que arrepentir después durante mucho tiempo.

Coloramiento. m. ant. Acción y efecto de colorarse.

Colorante. p. a. de **Colorar.** Que colora.

Colorar. (Del lat. *colorāre*.) tr. Dar color o teñir alguna cosa. || **2.** ant. fig. **Colorear,** 5.ª y 6.ª aceps. || **3.** r. ant. Encenderse, ponerse colorado.

Colorativo, va. adj. Dícese de lo que tiene virtud de dar color.

Colorear. tr. Dar color, teñir de color. || **2.** fig. Dar, pretextar algún motivo o razón aparente para hacer una cosa poco justa. || **3.** fig. Cohonestarla después de hecha. || **4.** intr. Mostrar una cosa el color colorado que en sí tiene. || **5.** Tirar a colorado. Ú. t. c. r. || **6.** Tomar algunos frutos, como la cereza, la guinda, el tomate, el pimiento, etc., el color encarnado de su madurez.

Colorete. (De *color.*) m. **Arrebol,** 2.ª acep.

Colorido. m. Disposición y grado de intensidad de los diversos colores de una pintura. || **2.** fig. **Color,** 1.ª y 5.ª aceps.

Coloridor, ra. (De *colorir.*) adj. p. us. *Pint.* **Colorista,** 1.ª acep. Ú. t. c. s.

Colorimetría. (De *colorímetro.*) f. *Quím.* Procedimiento de análisis químico fundado en la intensidad del color de las disoluciones.

Colorímetro. (De *color,* y el gr. μέτρον, medida.) m. Instrumento que sirve para la colorimetría.

Colorín. (De *color.*) m. **Jilguero.** || **2.** Color vivo y sobresaliente, principalmente cuando está contrapuesto a otros. Ú. m. en pl. *Este cuadro tiene muchos* COLORINES; *esta mujer gusta de* COLORINES. || **3.** vulg. **Sarampión.** || **Colorín colorado, este cuento se ha acabado.** fr. fam. tomada del estribillo final de los cuentos infantiles, y que se aplica también para indicar el término de alguna narración hablada o escrita.

Colorir. tr. Dar color. || **2.** fig. **Colorear,** 1.ª y 2.ª aceps. || **3.** intr. Tener o tomar color una cosa naturalmente.

Colorismo. m. En pintura, tendencia de algunos artistas a dar exagerada preferencia al color sobre el dibujo. || **2.** En literatura, propensión a recargar el estilo con calificativos vigorosos o redundantes y a veces muy impropios.

Colorista. adj. *Pint.* Que usa bien el color. Ú. t. c. s. || **2.** fig. *Lit.* Dícese del escritor que emplea con frecuencia calificativos vigorosos y otros medios de expresión para dar relieve, a veces excesivo, a su lenguaje y estilo.

Colosal. adj. Perteneciente o relativo al coloso. || **2.** fig. De estatura mayor que la natural. || **3.** fig. Bonísimo, extraordinario.

Colosense. (Del lat. *colossensis.*) adj. Natural de Colosas. Ú. t. c. s. || **2.** Perteneciente a esta ciudad de Frigia.

Coloso. (Del lat. *colossus,* y éste del gr. κολοσσός.) m. Estatua de una magnitud que excede mucho a la natural, como fue la del **coloso** de Rodas. || **2.** fig. Persona o cosa que por sus cualidades sobresale muchísimo.

Colote. (De *cololli,* troje.) m. *Méj.* **Canasto.**

Colpa. f. Colcótar que como magistral se emplea para beneficiar la plata en algunos procedimientos de amalgamación.

Colpar. (De *colpe.*) tr. ant. **Herir.**

Colpe. (Del lat. *colăphus,* y éste del gr. κόλαφος.) m. ant. **Golpe.**

Colquicáceo, a. (De *colchĭcum,* nombre de un género de plantas.) adj. *Bot.* Dícese de hierbas de la familia de las liliáceas, perennes, con raíz bulbosa, hojas radicales, enteras y envainadoras, flores radicales o axilares en bohordo o tallo, frutos casi siempre capsulares, y semillas en gran número con albumen carnoso o duro; como el cólquico y el eléboro blanco. Ú. t. c. s. f.

Cólquico. (Del lat. *colchĭcum,* y éste del gr. κολχικόν, de Κολχίς, Cólquida.) m. *Bot.* Hierba de la familia de las liliáceas, de 12 a 14 decímetros de altura, con tres o cuatro hojas planas, lanceoladas y derechas, sépalos y pétalos de igual figura y color, soldados por sus uñas en forma de tubo largo y delgado, y frutos capsulares de la forma y tamaño de la nuez. Su raíz, semejante a la del tulipán, está envuelta en una túnica negra, es amarga y se emplea en medicina contra la hidropesía y el reúma.

Colúbrido. (Del lat. *colubra,* culebra.) m. *Zool.* Individuo de la familia de reptiles ofidios, de que es tipo la culebra común. Carecen de aparato venenoso y tienen en el borde de la mandíbula superior dientes fijos y casi iguales. Ú. m. en pl.

Coludir. (Del lat. *colludĕre.*) intr. ant. Ludir. || **2.** *For.* Pactar en daño de tercero.

Coludo, da. adj. *Chile.* **Rabudo.**

Columbario. (Del lat. *columbarium.*) m. *Arqueol.* Conjunto de nichos, en los cementerios de los antiguos romanos, donde colocaban las urnas cinerarias.

Columbeta. (De **columbar,* voz onomatopéyica, como *columpio.*) f. Voltereta que sobre la cabeza dan los muchachos en sus juegos.

Columbino, na. (Del lat. *columbīnus,* de *columba,* paloma.) adj. Perteneciente a la paloma, o semejante a ella. Aplícase más comúnmente al candor y sencillez del ánimo. || **2.** V. **Pie columbino.** || **3.** Dícese del color amoratado de algunos granates.

Columbón. (De **columbar,* voz onomatopéyica, como *columpio.*) m. *León.* Columpio formado por un madero a cuyos extremos, que están al aire, cabalgan dos o más muchachos.

Columbrar. (Del lat. *collumināre;* de *cum,* con, y *lumen,* lumbre.) tr. Divisar, ver desde lejos una cosa, sin distinguirla bien. || **2.** fig. Rastrear o conjeturar por indicios una cosa.

Columbres. (De *columbrar.*) m. pl. *Germ.* Los ojos.

Columbrete. m. *Mar.* Mogote poco elevado que hay en medio del mar. Algunos ofrecen abrigo o fondeadero.

Columbrón. (De *columbrar.*) m. *Germ.* Lo que alcanza una mirada.

Columelar. (Del lat. *columellāris,* de *columella,* columnilla.) adj. V. **Diente columelar.** Ú. t. c. s.

Columna. (Del lat. *columna.*) f. Apoyo sensiblemente cilíndrico, de mucho mayor altura que diámetro, compuesto, por lo común, de basa, fuste y capitel, y que sirve para sostener techumbres u otras partes de la fábrica o adornar edificios o muebles. || **2.** Serie o pila de cosas colocadas ordenadamente unas sobre otras. || **3.** En impresos o manuscritos, cualquiera de las partes en que suelen dividirse las planas por medio de un blanco o línea que las separa de arriba abajo. || **4.** Forma más o menos cilíndrica que toman algunos fluidos, en su movimiento ascensional. COLUMNA *de fuego, de humo.* || **5.** fig. Persona o cosa que sirve de amparo, apoyo o protección. || **6.** *Fís.* Porción de fluido contenido en un cilindro vertical. || **7.** *Mar.* Cada una de las líneas o filas de buques en que se divide una escuadra numerosa para operar, y se denominan del centro, de barlovento y de sotavento. || **8.** *Mil.* Masa de tropas dispuesta en formación de poco frente y mucho fondo. || **Quinta columna.** Conjunto de los partidarios de una causa nacional o política, organizados o comprometidos para servirla activamente, y que, en ocasión de guerra, se hallan dentro del territorio enemigo. || **acanalada. Columna estriada.** || **adosada.** La que está pegada a un muro u otro cuerpo de la edificación. || **aislada.** *Arq.* La que está sin arrimar a los muros ni a otra parte del edificio. || **ática.** *Arq.* Pilar aislado de base cuadrada. || **barométrica.** Forma que en alguna clase de barómetros toma el líquido contenido en el tubo de vidrio para señalar la pesantez del aire. || **compósita.** ant. *Arq.* **Columna compuesta.** || **compuesta.** *Arq.* La perteneciente al orden compuesto. Sus proporciones son las de la corintia, y su capitel tiene las hojas de acanto del corintio con las volutas del jónico en lugar de caulículos. || **corintia.** *Arq.* La perteneciente al orden corintio. Su altura era antiguamente de nueve y media a diez veces su diámetro inferior; pero después se ha hecho en ocasiones algo más baja, y su capitel está adornado con hojas de acanto y caulículos. || **cuadrada.** *Arq.* **Columna ática.** || **de media caña. Columna embebida.** || **dórica.** *Arq.* La perteneciente al orden dórico. Su altura no pasaba primitivamente de seis veces el diámetro inferior; pero después se ha hecho llegar a siete veces y aun más. Su capitel se compone de un ábaco con un equino o un cuarto bocel, y las más antiguas no tenían basa. || **embebida.** *Arq.* La que parece que introduce en otro cuerpo parte de su fuste. || **entorchada.** *Arq.* **Columna salomónica.** || **entregada.** *Arq.* **Columna embebida.** || **estriada.** Aquella cuyo fuste está adornado con canales o estrías unidas una a otra o separadas por un filete, como las columnas de estilo dórico griego. || **exenta.** *Arq.* **Columna aislada.** || **fajada.** La que tiene el fuste formado por piedras o trozos labrados y rústicos alternativamente, y también la que presenta fajas o anillos salientes. || **fasciculada.** La que tiene el fuste formado por varias columnillas delgadas. || **gótica.** *Arq.* La perteneciente al estilo ojival. Consiste en un haz de columnillas, y tiene el capitel adornado con hojas muy recortadas, como las del cardo. || **jónica.** *Arq.* La perteneciente al orden jónico. Su altura es de ocho a ocho y media veces su diámetro inferior, y su capitel está adornado con volutas. || **ojival.** La perteneciente al estilo ojival. Es cilíndrica, delgada y de mucha altura; lleva capitel pequeño, y a veces ninguno, y descansa en basamento característico. Ofrécese fasciculada en torno de pilares y machones. || **románica.** La perteneciente al estilo románico. Es de poca altura, con capitel de ábaco grueso y tambor ricamente historiado, fuste liso y basa característica o imitada de las clásicas. Va generalmente adosada a los pilares y machones o pareada en arquerías. || **rostrada, o rostral.** *Arq.* La que tiene el fuste adornado con rostros o espolones de nave. || **salomónica.** *Arq.* La que tiene el fuste contorneado en espiral. || **suelta.** *Arq.* **Columna aislada.** || **termométrica.** Disposición que tiene el líquido encerrado en el tubo de vidrio del termómetro para marcar los grados de calor. || **toscana.** *Arq.* La perteneciente al orden toscano. Su altura es de 14 módulos, fuste liso con mucho éntasis, capitel de molduras y basa ática simplificada. || **vertebral. Espinazo,** 1.ª acep.

Columnario, ria. (Del lat. *columnarius,* de *columna,* columna.) adj. Dícese de la moneda de plata acuñada en América durante el siglo XVIII y cuyo reverso tiene la representación de dos mundos timbrados, de una corona entre dos columnas también coronadas y en el margen la inscripción *Plus ultra.* || **2.** V. **Peseta columnaria.** || **3.** V. **Realito columnario.** || **4.** m. ant. **Columnata.**

Columnata. (Del lat. *columnāta,* pl. de *-tum.*) f. Serie de columnas que sostienen o adornan un edificio.

Columpiar. (Como *columbón,* voz onomatopéyica.) tr. Impeler al que está puesto en un columpio. Ú. t. c. r. || **2.** r. fig. y fam. Mover el cuerpo de un lado a otro cuando se anda, o por afectación o por costumbre.

Columpio. m. Cuerda fuerte atada en alto por sus dos extremos, para que se siente alguna persona en el seno que forma en el medio, asiéndose con las manos a los dos ramales, y pueda mecerse por impulso propio o ajeno. También los hay compuestos de uno o varios asientos pendientes de una armazón de hierro o madera.

Coluna. f. p. us. **Columna.**

Coluro. (Del lat. *colūrus*, y éste del gr. κόλουρος, que tiene cortada la cola; de κόλος, truncado, y οὐρά, cola.) m. *Astron.* Cada uno de los dos círculos máximos de la esfera celeste, los cuales pasan por los polos del mundo y cortan a la Eclíptica, el uno en los puntos equinocciales, y se llama **coluro de los equinoccios**, y el otro en los solsticiales, y se llama **coluro de los solsticios.**

Colusión. (Del lat. *collusio, -ōnis.*) f. *For.* Acción y efecto de coludir, 2.ª acep.

Colusor. (Del lat. *collūsor, -ōris.*) m. *For.* El que comete colusión.

Colusorio, ria. adj. *For.* Que tiene carácter de colusión, o la produce.

Colutorio. (Del lat. *collūtum*, sup. de *colluĕre*, lavar.) m. *Farm.* Enjuagatorio medicinal.

Coluvie. (Del lat. *colluvies.*) f. Gavilla de pícaros o gente perdida. || **2.** fig. Sentina, lodazal.

Colza. (Del al. *kohlsaat.*) f. Especie de col, con las hojas inferiores algo ásperas, dentadas y liradas, y las superiores acorazonadas, y que se cultiva a fin de extraer de sus semillas un aceite muy empleado en el norte de Europa para la condimentación y el alumbrado.

Colla. (Del lat. *cŏllum*, cuello.) f. **Gorjal**, 2.ª acep.

Colla. (Del lat. *copŭla*, enlace.) f. Arte de pesca compuesto por determinado número de nasas colocadas en fila cuando se calan. || **2. Traílla**, 5.ª acep. || **3.** *And.* Cuadrilla de jornaleros de los puertos.

Colla. f. Temporal que en los mares de Filipinas sopla generalmente del SO. con fuerza varia, y alternativas de chubascos violentos, recalmones y fuertes lluvias. || **2.** *Mar.* Última estopa que se embute en las costuras.

Colla. adj. *Argent.* y *Bol.* Dícese del habitante de las mesetas andinas. Ú. t. c. s.

Collación. f. p. us. **Colación**, 5.ª acep.

Collada. f. **Collado**, 2.ª acep. || **2.** ant. **Cuello.** || **3.** *Mar.* Duración larga de un mismo viento.

Colladía. (De *collada.*) f. Conjunto de collados.

Colladiello. (d. de *collado.*) m. p. us. **Collado.**

Collado. (Del lat. *collis, -is*, colina, altura.) m. Tierra que se levanta como cerro, menos elevada que el monte. || **2.** Depresión suave por donde se puede pasar fácilmente de un lado a otro de una sierra.

Collalba. f. Mazo de madera con el cual los jardineros desmenuzan los terrones.

Collar. (Del lat. *collāre*, de *collum*, cuello.) m. Adorno femenil que ciñe o rodea el cuello, y a veces está guarnecido o formado de piedras preciosas. || **2.** Insignia de algunas magistraturas, dignidades y órdenes de caballería. || **3.** Aro de hierro u otro metal, puesto y asegurado al cuello de los malhechores, por castigo; de los esclavos, como signo de su servidumbre, y de algunos animales, para diferentes usos. || **4.** Aro, por lo común de cuero, que se ciñe al pescuezo de los animales domésticos para adorno, sujeción o defensa. || **5.** Faja de plumas que ciertas aves tienen alrededor del cuello, y que se distingue por su color. || **6.** ant. Parte de la vestidura, que ciñe el cuello. || **7.** *Blas.* Ornamento del escudo que lo circuye, llevando pendiente de la punta la condecoración correspondiente. || **8.** *Mec.* Anillo que abraza cualquiera pieza circular de una máquina para sujetarla sin impedirle girar.

Collareja. (De *collar.*) f. *Colomb.* Especie de paloma silvestre de color azul, muy estimada por su carne. || **2.** *C. Rica* y *Méj.* **Comadreja**, 1.ª acep.

Collarejo. m. d. de **Collar.**

Collarín. m. d. de **Collar.** || **2.** Alzacuello de los eclesiásticos. || **3.** Sobrecuello angosto que se pone en algunas casacas. || **4.** Reborde que rodea el orificio de la espoleta de las bombas, y sirve para facilitar su manejo. || **5.** *Arq.* **Collarino.**

Collarino. (Del ital. *collarino.*) m. *Arq.* Parte inferior del capitel, entre el astrágalo y el tambor, en los órdenes dórico y jónico romanos, toscano, árabe y grecorromano del Renacimiento.

Collazo, za. (Del lat. *collactĕus.*) m. y f. **Hermano de leche.** || **2.** Compañero o compañera de servicio en una casa, y criado o criada. || **3.** m. Palo con que se recogen las gavillas y se cargan en el carro. Ú. más en Andalucía.

Collazo. (De *cuello.*) m. **Pescozón.**

Colleja. (Del lat. *caulicŭlus*, de *caulis*, tallo.) f. Hierba de la familia de las cariofiláceas, de cuatro a ocho decímetros de altura, con hojas lanceoladas, blanquecinas y suaves, tallos ahorquillados y flores blancas en panoja colgante. Es muy común en los sembrados y parajes incultos, y se come en algunas partes como verdura.

Collejas. (De *cuello.*) f. pl. Nervios delgados que los carneros tienen en el pescuezo.

Collejo. m. ant. **Colegio.**

Coller. tr. ant. **Coger.**

Collera. (De *cuello.*) f. Collar de cuero o lona, relleno de borra o paja, que se pone al cuello a las caballerías o a los bueyes para que no les haga daño el horcate. || **2.** V. **Coche de colleras.** || **3.** Adorno del cuello del caballo, de que se usaba en funciones públicas. || **4.** fig. Cadena de presidiarios. || **5.** *And.* Pareja de ciertos animales. *Una* COLLERA *de pavos.* || **de yeguas. Cobra**, 1.ᵉʳ art., 2.ª acep.

Collerón. m. aum. de **Collera.** || **2.** Collera de lujo, fuerte y ligera, que se usa para los caballos de los coches.

Colleta. (Del lat. *caulis.*) f. *Rioja.* Berza pequeña.

Colliguay. (Voz araucana.) m. *Chile.* Arbusto euforbiáceo cuya leña, al quemarse, exhala un olor agradable. Tiene hojas alternas, lanceoladas, aserradas, coriáceas y pecioladas; su altura total es de un metro, y el jugo de su raíz tan venenoso, que los indios enherbolaban con él sus flechas.

Collón, na. (Del ital. *coglione*, tonto, majadero.) adj. fam. **Cobarde**, 1.ª acep. Ú. t. c. s.

Collonada. f. fam. Acción propia de collón.

Collonería. (De *collón.*) f. fam **Cobardía.**

Com. (De *con*, cuya *n* se muda en *m* delante de *b* o *p.*) prep. insep. **Con**, 5.ª acep. COM*batir*, COM*padre.*

Coma. (Del lat. *comma*, y éste del gr. κόμμα, corte, parte de un período.) f. Signo ortográfico (,) que sirve para indicar la división de las frases o miembros más cortos de la oración o del período, y que también se emplea en aritmética para separar los enteros de las fracciones decimales. || **2.** Ménsula que suelen tener por debajo los asientos movibles de las sillas de coro; levantados los cuales, sirve para que en ella se apoye y descanse la persona, cuando el rezo o la ceremonia exige que permanezca de pie. || **3.** *Mús.* Parte en que se considera dividido el tono, y que corresponde a la diferencia entre uno mayor y otro menor. || **Sin faltar una coma.** expr. adv. fig. y fam. que se usa para ponderar la puntualidad con que alguno ha dicho una relación estudiada, o dado algún recado de palabra.

Coma. (Del lat. *coma*, y éste del gr. κόμη, cabellera.) f. ant. **Crin.**

Coma. (Del gr. κῶμα, sopor.) m. *Med.* Sopor más o menos profundo, dependiente de ciertas enfermedades, como congestión o hemorragia cerebral, diabetes, uremia, intoxicación, etc.

Comadrazgo. (De *comadre.*) m. Parentesco espiritual que contraían la madre de una criatura y la madrina de ésta.

Comadre. (Del lat. *commater, -tris*; de *cum*, juntamente, y *mater*, madre.) f. **Partera.** || **2.** Llámanse así recíprocamente la mujer que ha sacado de pila a una criatura y la madre de ésta; y por extensión, el padre y el padrino del bautizado dan también el nombre de **comadre** a la madrina. || **3.** fam. **Alcahueta**, 1.ª acep. || **4.** fam. Vecina y amiga con quien tiene otra mujer más trato y confianza que con las demás. || **Ello va en la comadre.** loc. proverb. con que se censura la gracia o favor que ha obtenido alguno. || **Mal me quieren mis comadres porque digo las verdades.** ref. con que se denota que el decir verdad suele traer enemistades. || **Más va en la comadre que en la que lo pare.** ref. **Ello va en la comadre.** || **Mi comadre la andadora, si no es en su casa, en todas las otras mora.** ref. que reprende a las mujeres callejeras. || **Mi comadre la gargantona convidóme a su olla, y comiósela toda.** ref. que reprende y nota a los que ofrecen mucho y dan poco o nada, o a los que se precian de liberales para con otros y cuidan sólo de sí. || **Riñen las comadres, y dícense las verdades.** ref. que significa que muchas veces en el calor de la riña se suelen descubrir las faltas ocultas.

Comadrear. (De *comadre.*) intr. fam. Chismear, murmurar, en especial las mujeres.

Comadreja. (De *comadre.*) f. Mamífero carnicero nocturno, de unos 25 centímetros de largo, de cabeza pequeña, patas cortas y pelo de color pardo rojizo por el lomo y blanco por debajo, y parda la punta de la cola. Es muy vivo y ligero; mata los ratones, topos y otros animales pequeños, y es muy perjudicial, pues se come los huevos de las aves y les mata las crías. || **2.** *Germ.* Ladrón, comúnmente muchacho, de quien se valen otros para robar en alguna casa.

Comadreo. m. fam. Acción y efecto de comadrear.

Comadrería. f. fam. Chismes y cuentos propios de comadrero o comadrera.

Comadrero, ra. (De *comadre.*) adj. Dícese de la persona holgazana que anda buscando conversaciones por las casas. Ú. t. c. s.

Comadrón. (De *comadre.*) m. Cirujano que asiste a la mujer en el acto del parto.

Comadrona. f. **Comadre**, 1.ª acep.

Comal. (Del mejic. *comatli.*) m. Disco de barro muy delgado y con bordes, que se usa en Méjico para cocer las tortillas de maíz.

Comalecerse. r. ant. Marchitarse o dañarse.

Comalia. (De *comalecerse.*) f. *Veter.* Enfermedad que acomete a los animales, particularmente al ganado lanar, y consiste en una hidropesía general.

Comalido, da. (De *comalia.*) adj. **Enfermizo**, 1.ª acep.

Comanche. adj. Dícese del indio que vivía en tribus en Tejas y Nuevo Méjico. Ú. t. c. s. || **2.** Lo perteneciente a estas tribus. || **3.** m. Lengua usada por ellas.

Comandamiento. (De *comandar.*) m. ant. **Mando**, 1.ª y 2.ª aceps. || **2.** ant. Mandamiento o precepto.

Comandancia. f. Empleo de comandante. || **2.** Provincia o comarca que está sujeta en lo militar a un comandante. || **3.** Edificio, cuartel o departamento donde se hallan las oficinas de aquel cargo. || **de marina.** Subdivisión de un departamento marítimo.

Comandanta. f. fam. Mujer del comandante. || **2.** *Mar.* Nave en que iba el comandante o jefe de una escuadra o de parte de ella.

Comandante. (De *comandar.*) m. Jefe militar de categoría comprendida entre las de capitán y teniente coronel. || **2.** Militar que ejerce el mando en ocasiones determinadas, aunque no tenga el empleo jerárquico de **comandante.** || **de armas.** Militar a quien, por su mayor categoría, corresponde el mando superior sobre una colectividad constituida ocasionalmente por tropas de diversos cuerpos, armas e institutos. || **de provincia marítima.** Jefe de marina que tiene autoridad superior provincial. || **de un barco.** Jefe u oficial de la armada que manda un buque de guerra. || **de un fuerte, de un puesto,** etc. **Comandante de armas.** || **general.** Oficial general investido del mando sobre grandes colectividades orgánicas del ejército o la marina y cuanto se relaciona con el respectivo servicio. || **general de escuadra.** General de la armada, revestido del mando superior en una escuadra. || **mayor.** Jefe encargado de la oficina de contabilidad en los cuerpos y establecimientos militares, cometido que en algunos pertenece a un teniente coronel. || **militar.** El que ejerce el mando de tropas y de los servicios correspondientes a ellas, en determinada localidad.

Comandar. (Del ital. *comandare*, y éste del lat. *commendāre.*) tr. *Mil.* Mandar un ejército, una plaza, un destacamento, una flota, etc.

Comandita. (Del fr. *commandite*, y éste del ital. *accomandita*, del lat. *commendāre*, encomendar.) f. *Com.* **Sociedad en comandita.** || **En comandita.** m. adv. *Com.* En sociedad comanditaria.

Comanditar. tr. Aprontar los fondos necesarios para una empresa comercial o industrial, sin contraer obligación mercantil alguna.

Comanditario, ria. adj. Perteneciente a la comandita. Ú. t. c. s. || **2.** V. **Compañía, sociedad comanditaria.**

Comando. m. *Mil.* Mando militar.

Comarca. (De *con* y *marca*, provincia.) f. División de territorio que comprende varias poblaciones. || **En comarca.** m. adv. ant. **Cerca,** 2.° art., 1.ª acep.

Comarcal. adj. Perteneciente o relativo a la comarca.

Comarcano, na. (De *comarca.*) adj. Cercano, inmediato. Dícese de poblaciones, campos, tierras, etc.

Comarcante. p. a. ant. de **Comarcar.** Que comarca.

Comarcar. (De *comarca.*) intr. Confinar entre sí países, pueblos o heredades. || **2.** tr. Plantar los árboles en líneas rectas a distancias iguales, de modo que formen calles en todas direcciones.

Comatoso, sa. (Del gr. κῶμα, -ατος, coma, 3.er art.) adj. *Med.* Perteneciente o relativo al coma.

Comba. (Del lat. *cumba*, y éste del gr. κύμβη, cosa cóncava.) f. Inflexión que toman algunos cuerpos sólidos cuando se encorvan; como maderos, barras, etc. || **2.** Juego de niños que consiste en saltar por encima de una cuerda que se hace pasar por debajo de los pies y sobre la cabeza del que salta. || **3.** Esta misma cuerda. || **4.** *Germ.* **Tumba,** 1.er art., 1.ª acep. || **Hacer combas.** fr. fam. **Columpiar,** 2.ª acep.

Combada. (De *combar.*) f. *Germ.* **Teja,** 1.er art., 1.ª acep.

Combadura. f. Efecto de combarse. || **2.** ant. **Bóveda,** 1.ª acep.

Combar. (De *comba.*) tr. Torcer, encorvar una cosa; como madera, hierro, etc. Ú. t. c. r.

Combate. (De *combatir.*) m. Pelea, batalla entre personas o animales. || **2.** fig. Lucha o batalla interior del ánimo. COMBATE *de pensamientos, de pasiones.* || **3.** fig. Contradicción, pugna. || **Fuera de combate.** loc. que se aplica al que ha sido vencido de manera que le impide continuar la lucha. Ú. m. con los verbos *estar, quedar, dejar,* etc.

Combatible. adj. Que puede ser combatido o conquistado.

Combatidor. m. El que combate.

Combatiente. p. a. de **Combatir.** Que combate. || **2.** m. Cada uno de los soldados que componen un ejército.

Combatimiento. m. ant. **Combate.**

Combatir. (Del lat. *combattuĕre.*) intr. Pelear. Ú. t. c. r. || **2.** tr. Acometer, embestir. || **3.** fig. Tratándose de algunas cosas inanimadas, como las olas del mar, los vientos, etc., batir, acometer. || **4.** fig. Contradecir, impugnar. || **5.** fig. Dicho de los afectos y pasiones del ánimo, agitarlo.

Combatividad. f. Inclinación natural a la lucha.

Combeneficiado. m. Beneficiado a la vez que otro u otros en una misma iglesia.

Combés. (En cat. *combes*, y en port. *convés.*) m. Espacio descubierto, ámbito. || **2.** *Mar.* Espacio en la cubierta superior desde el palo mayor hasta el castillo de proa.

Combinable. adj. Que se puede combinar.

Combinación. (Del lat. *combinatio, -ōnis.*) f. Acción y efecto de combinar o combinarse. || **2.** Unión de dos cosas en un mismo sujeto. || **3.** En los diccionarios, conjunto o agregado de vocablos que empiezan con unas mismas letras y van colocados por orden alfabético; v. gr.: los que empiezan por *ab*, por *ba*, por *ca*, etc. || **4.** Prenda de vestir que usan las mujeres por encima de la ropa interior y debajo del vestido, que substituye el justillo y las enaguas. || **5.** *Álg.* Cada uno de los grupos que se pueden formar con letras en todo o en parte diferentes, pero en igual número; v. gr.: *abc, abd, efg.*

Combinado, da. p. p. de **Combinar.** || **2.** adj. V. **Garrucha, polea combinada.**

Combinar. (Del lat. *combināre; de cum*, con, y *bini*, de dos en dos.) tr. Unir cosas diversas, de manera que formen un compuesto o agregado. || **2.** Hablando de escuadras o ejércitos, unirlos o juntarlos. || **3.** fig. **Concertar,** 4.ª acep. || **4.** *Quím.* Unir dos o más cuerpos en proporciones atómicas determinadas, para formar un compuesto cuyas propiedades sean distintas de las de los componentes. Ú. t. c. r.

Combinatorio, ria. adj. Aplícase al arte de combinar.

Combleza. (De *comblezo.*) f. Manceba del hombre casado.

Comblezado. (De *combleza.*) adj. ant. Se decía del casado cuya mujer estaba amancebada con otro.

Comblezo. (Del lat. *cum*, con, y *pellex, -icis*, manceba.) m. El que estaba amancebado con mujer casada.

Combluezo. m. ant. Enemigo, contrario.

Combo, ba. (De *comba.*) adj. Dícese de lo que está combado. || **2.** m. Tronco o piedra grande sobre que se asientan las cubas, así para preservarlas de la humedad, como para usar con más comodidad de las canillas por donde se saca el vino. || **3.** *Amér.* Mazo, almadana. || **4.** *Chile.* **Puñetazo.**

Comboso, sa. adj. Combado.

Combretáceo, a. (Del lat. *combretum*, nombre genérico de varios árboles exóticos.) adj. *Bot.* Dícese de árboles o arbustos angiospermos dicotiledóneos, con hojas alternas u opuestas, sin estípulas, flores axilares o terminales en espiga, y por frutos drupas con semillas solitarias; como el mirobálano y el júcaro. Ú. t. c. s. f. || **2.** f. pl. *Bot.* Familia de estas plantas.

Combruezo. m. ant. **Comblezo.**

Comburente. (Del lat. *combūrens, -entis* p. a. de *combūrĕre*, quemar, abrasar.) adj. *Fís* Que hace entrar en combustión o la activa. Ú. t. c. s. m.

Combustibilidad. f. Calidad de combustible.

Combustible. (De *combusto.*) adj. Que puede arder. || **2.** Que arde con facilidad. || **3.** m. Leña, carbón, etc., que se usa en las cocinas, chimeneas, hornos, fraguas y máquinas cuyo agente es el fuego.

Combustión. (Del lat. *combustio, -ōnis.*) f. Acción y efecto de arder o quemar. || **2.** *Quím.* Combinación de un cuerpo combustible con otro comburente. || **espontánea.** *Fís.* La que se produce naturalmente en diversas substancias sin la aplicación previa de un cuerpo inflamado. || **2.** *Med.* La que se produce en las partes grasas del cuerpo humano por el uso continuado y excesivo de las bebidas alcohólicas.

Combusto, ta. (Del lat. *combustus*, p. p. de *combūrĕre*, quemar enteramente.) adj. Dícese de lo que está abrasado.

Comedero, ra. adj. Que se puede comer. || **2.** ant. **Comedor,** 1.ª acep. || **3.** m. Vasija o cajón donde se echa la comida a las aves y otros animales. || **4.** **Comedor,** 2.ª acep. || **Limpiarle a uno el comedero.** fr. fig. y fam. **Quitarle el empleo o cargo de que vive.**

Comedia. (Del lat. *comoedĭa*, y éste del gr. κωμῳδία, de κωμῳδός, comedo.) f. Poema dramático de enredo y desenlace festivos o placenteros. Tiene por objeto frecuentemente corregir las costumbres pintando los errores, vicios o extravagancias de los hombres. || **2.** Poema dramático de cualquier género que sea. || **3.** Género cómico. *Tal escritor, o actor, sobresale más en la* COMEDIA *que en el drama.* || **4.** **Teatro,** 1.ª acep. *Esta noche iré a la* COMEDIA. || **5.** fig. Suceso de la vida real, capaz de interesar y de mover a risa. || **6.** fig. Farsa o fingimiento. || **de capa y espada.** En el teatro español del siglo XVII, la de costumbres caballerescas de aquel tiempo. || **de carácter.** Aquella cuyo fin principal es la pintura del carácter de las personas. || **de costumbres.** La que tiene por asunto actos comunes de la vida social ordinaria. || **de enredo.** Aquella cuyo mérito consiste principalmente en lo ingenioso y complicado de la trama. || **de figurón.** En el teatro español del siglo XVII, aquella en cuyo protagonista se pinta algún carácter o vicio ridículo y extravagante. || **de magia.** Aquella en que se emplean muchas tramoyas para lograr efectos sorprendentes, como vuelos, transformaciones, aparición y desaparición repentina de personajes y cosas sobre la escena. || **heroica.** Aquella en que intervienen príncipes y altos personajes. || **togada.** Comedia latina de argumento romano, y también la de personajes de condición humilde. || **Hacer uno la comedia.** fr. fig. y fam. Aparentar para algún fin lo que en realidad no siente.

Comediante, ta. (De *comedia.*) m. y f. **Actor,** 1.er art., y **actriz.** || **2.** fig. y fam. Persona que para algún fin aparenta lo que no siente en realidad.

Comediar. (De *comedio.*) tr. **Promediar,** 1.ª acep. || **2.** ant. Arreglar, moderar o hacer comedido a alguno.

Comedición. (De *comedir.*) f. ant. Pensamiento, meditación.

Comédico, ca. (Del lat. *comoedĭcus*, y éste del gr. κωμῳδικός.) adj. ant. **Cómico.**

Comedidamente. adv. m. Con comedimiento.

Comedido, da. (De *comedir*, 2.ª acep.) adj. Cortés, prudente, moderado.

Comedimiento. (De *comedir.*) m. Cortesía, moderación, urbanidad.

Comedio. (De *co*, por *con*, y *medio.*) m. Centro o medio de un reino, sitio o paraje. || **2.** Intermedio o espacio de tiempo que media entre dos épocas o tiempos señalados.

Comediógrafo. m. Escritor de comedias.

Comedión. m. despect. aum. de **Comedia.**

Comedir. (Del lat. *commetīri;* de *cum*, con, y *metīri*, medir.) tr. ant. Pensar, premeditar o tomar las medidas para algunas cosas. || **2.** r. Arreglarse, moderarse, contenerse. || **3.** Ofrecerse o disponerse para alguna cosa.

Comedo. (Del lat. *comoedus*, y éste del gr. κωμῳδός: de κῶμος, festín, y ἀοιδός, cantor.) m. ant. **Comediante.**

Comedón. m. Grano sebáceo con un puntito negro que se forma en la piel del rostro y sale exprimiéndolo entre los dedos.

Comedor, ra. adj. Que come mucho. || **2.** m. Pieza destinada en las casas para comer. || **3.** Establecimiento destinado para servir comidas a personas determinadas y a veces al público.

Comején. m. *Zool.* Insecto del orden de los arquípteros, de color blanco, de cinco a seis milímetros de largo, que vive en parajes húmedos de los países cálidos formando colonias con individuos ápteros y estériles y otros alados y con órganos sexuales bien desarrollados. Hace sus nidos en los árboles y penetra, para roerlas, en toda clase de substancias, principalmente en la madera, cuero, lienzo y papel. En América se llaman hormigas blancas, y anay en Filipinas.

Comejenera. f. Lugar donde se cría comején. || **2.** fig. y fam. *Venez.* Paraje donde se reúnen gentes de mal vivir.

Comendable. (Del lat. *commendabĭlis.*) adj. ant. **Recomendable.**

Comendación. (Del lat. *commendatĭo, -ōnis.*) f. ant. Encargo o encomienda. || **2.** ant. Alabanza, encomio o recomendación.

Comendadero. (Del lat. *commendatarius.*) m. ant. **Comendero.**

Comendador. (Del lat. *commendātor*, de *commendāre*, recomendar, confiar.) m. Caballero que tiene encomienda en alguna de las órdenes militares o de caballeros. || **2.** El que en las órdenes de distinción tiene dignidad superior a la de caballero e inferior a la de gran cruz. || **3.** Prelado de algunas casas de religiosos; como de la Merced y de San Antonio Abad. || **de bola.** *Germ.* Ladrón que anda de feria en feria. || **mayor.** Dignidad en algunas órdenes militares, inmediatamente inferior a la de maestre. La orden de Santiago tenía dos: el **comendador mayor de Castilla** y el **de León.**

Comendadora. (De *comendador.*) f. Superiora o prelada de los conventos de las órdenes militares, o de religiosas de la Merced. || **2.** Religiosa de ciertos conventos de las antiguas órdenes militares. *Las* COMENDADORAS *de Santiago.*

Comendadoría. (De *comendador.*) f. ant. **Encomienda,** 2.ª y 3.ª aceps.

Comendamiento. (De *comendar.*) m. ant. **Encomienda,** 1.ª acep. || **2.** ant. Mandamiento o precepto.

Comendar. (Del lat. *commendāre;* de *cum*, con, y *mandāre*, mandar.) tr. ant. Recomendar, encomendar.

Comendatario. (Del lat. *commendatarius.*) m. Eclesiástico secular que goza en encomienda un beneficio regular.

Comendaticio, cia. (Del lat. *commendaticius.*) adj. Aplícase a la carta o despacho de recomendación que dan algunos prelados.

Comendatorio, ria. (Del lat. *commendatorius.*) adj. Dícese de los papeles y cartas de recomendación.

Comendero. (De *comienda.*) m. Persona a quien se daba en encomienda alguna villa o lugar, o tenía en ellos algún derecho concedido por los reyes, con obligación de prestar juramento de homenaje.

Comensal. (Del lat. *cum*, con, y *mensa*, mesa.) com. Persona que vive a la mesa y expensas de otra, en cuya casa habita como familiar o dependiente. || **2.** Cada una de las personas que comen en una misma mesa.

Comensalía. (De *comensal.*) f. Compañía de casa y mesa.

Comentación. (Del lat. *commentatĭo, -ōnis.*) f. ant. **Comento.**

Comentador, ra. (Del lat. *commentātor.*) m. y f. Persona que comenta. || **2.** Persona inventora de falsedades o ficciones.

Comentar. (Del lat. *commentāre.*) tr. Explanar, declarar el contenido de un escrito, para que se entienda con más facilidad. || **2.** fam. Hacer comentarios.

Comentario. (Del lat. *commentarium.*) m. Escrito que sirve de explicación y comento de una obra, para que se entienda más fácilmente. || **2.** pl. Título que se da a algunas historias escritas en estilo conciso. *Los* COMENTARIOS *de César.* || **3.** fam. Conversación detenida sobre personas o sucesos de la vida ordinaria, por lo común con algo de murmuración.

Comentarista. com. Persona que escribe comentarios.

Comento. (Del lat. *commentum.*) m. Acción y efecto de comentar. || **2. Comentario,** 1.ª acep. || **3. Embuste,** 1.ª acep.

Comenzadero, ra. adj. ant. Que ha de comenzar o dar principio.

Comenzador. m. ant. El que comienza o da principio a una cosa.

Comenzamiento. m. ant. **Comienzo.**

Comenzante. p. a. de **Comenzar.** Que comienza. Ú. t. c. s.

Comenzar. (Del lat. *cum*, con, e *initiāre*, empezar.) tr. Empezar, dar principio a una cosa. || **2.** intr. Empezar, tener una cosa principio. *Ahora* COMIENZA *la misa; aquí* COMIENZA *el tratado.* || **Comienza y no acaba.** expr. fig. y fam. con que se denota que uno se detiene o alarga demasiado en algún discurso, o que por mucho que se dilate, siempre le queda qué decir.

Comer. (De *comer*, 2.º art.) m. **Comida,** 1.ª acep. || **Quitárselo** uno **de** su **comer.** fr. fig. y fam. **Quitárselo de la boca.**

Comer. (Del lat. *comedĕre;* de *cum*, con, y *edĕre*, comer.) intr. Masticar y desmenuzar el alimento en la boca y pasarlo al estómago. COMER *de prisa o despacio.* Ú. t. c. tr. *Por la falta de la dentadura, no puede* COMER *sino cosas blandas.* || **2.** Tomar alimento. *No es posible vivir sin* COMER. || **3.** Tomar la comida principal del día. *Almuerza a las doce y* COME *a las siete; hoy no* COMO *en casa.* || **4.** tr. Tomar por alimento una u otra cosa. COMER *pollos, carne, pescado.* || **5.** fam. Disfrutar, gozar alguna renta. || **6.** fig. Gastar, consumir, desbaratar la hacienda, el caudal, etc. *Los administradores se lo* HAN COMIDO *todo.* || **7.** fig. Sentir comezón física o moral. || **8.** fig. Gastar, corroer, consumir. *El orín* COME *el hierro; el agua* COME *las piedras.* || **9.** fig. En el juego del ajedrez y en el de las damas, ganar una pieza al contrario. || **10.** fig. Hablando del color, ponerlo la luz desvaído. || **Al comer, gaudeamus; y al pagar, ad te suspiramus.** ref. que reprende a los que por darse placer gastan con exceso. || **Comerse** una cosa a otra. fr. fig. y fam. con que se denota que una cosa anula o hace desmerecer a otra. || **Comerse unos a otros.** fr. fig. con que se pondera la discordia que hay entre algunas personas. || **Comer vivo.** fr. fig. con que, agregando un pronombre personal, se explica el gran enojo que se tiene contra alguno, o el deseo de la venganza. || **2.** fig. Se usa para explicar la molestia que causan algunas cosas o animales que pican. || **Comer y callar.** expr. de que se usa para dar a entender que al que está a expensas de otro le conviene obedecer y no replicar. || **El comer y el rascar, todo es empezar.** ref. que se usa para animar a uno a que empiece a hacer alguna cosa que le repugna. || **Lo que no has de comer, déjalo cocer.** ref. que advierte que no es discreto inmiscuirse en asuntos ajenos. || **Perder uno el comer.** fr. ant. Perder el apetito o las ganas de **comer.** || **Ser de buen comer.** fr. que se dice del que **come** mucho. || **2.** Dícese también de algunos alimentos o frutos que son gratos al paladar cuando están en perfecta sazón. || **Sin comerlo ni beberlo.** loc. fig. y fam. Sin haber tenido parte en la causa o motivo del daño o provecho que se sigue. || **Tener** uno **qué comer.** fr. fig. y fam. Tener lo conveniente para su alimento y decencia.

Comerciable. adj. Aplícase a los géneros con que se puede comerciar. || **2.** fig. Dícese de la persona sociable, afable y dulce en su trato.

Comercial. adj. Perteneciente al comercio, 1.ª y 3.ª aceps. || **2.** V. **Agregado, balanza comercial.**

Comerciante. p. a. de **Comerciar.** Que comercia. Ú. t. c. s. || **2.** com. Persona a quien son aplicables las especiales leyes mercantiles.

Comerciar. (De *comercio.*) intr. Negociar comprando y vendiendo o permutando géneros. || **2.** fig. Tener trato y comunicación unas personas con otras.

Comercio. (Del lat. *commercium;* de *cum*, con, y *merx*, mercancía.) m. Negociación que se hace comprando, vendiendo o permutando géneros o mercancías. || **2.** V. **Artículo, balanza, banco, corredor, libertad de comercio.** || **3.** Comunicación y trato de unas gentes o pueblos con otros. || **4.** En algunas poblaciones, paraje en que, por abundar las tiendas, suele ser grande el concurso de gentes. || **5.** Tienda, almacén, establecimiento comercial. || **6.** Juego de naipes entre cuatro, cinco, seis o más personas, que ponen cada una de caudal cuatro o cinco monedas. Repártense a cada una tres cartas cubiertas; después se echan en la mesa cuatro descubiertas, que se sacan de la baraja. Gana el que junta tres cartas de un palo superiores a las de los demás. Dura el juego hasta que han perdido el caudal todos menos uno, que lo gana. || **7.** Cierto juego de naipes entre varias personas que se juega con dos barajas. || **8.** fig. Conjunto o la clase de comerciantes. || **9.** fig. Comunicación y trato secreto, por lo común ilícito, entre dos personas de distinto sexo. || **de cabotaje. Cabotaje,** 3.ª acep.

Comestible. (Del lat. *comestibĭlis.*) adj. Que se puede comer. || **2.** m. Todo género de mantenimiento. Ú. m. en pl.

Cometa. (Del lat. *comēta*, y éste del gr. κομήτης, de κόμη, cabellera.) m. *Astron.* Astro generalmente formado por un núcleo poco denso y una atmósfera luminosa que le precede, le envuelve o le sigue, según su posición respecto del Sol, y, que describe una órbita muy excéntrica. || **2.** f. Armazón plana y muy ligera, por lo común de cañas, sobre la cual se extiende y pega papel o tela: en la parte inferior se le pone una especie de cola formada con cintas o trozos de papel, y, sujeta hacia el medio a un hilo o bramante muy largo, se arroja al aire, que la va elevando, y sirve de diversión a los muchachos. || **3.** Juego de naipes en que el nueve de oros, que se llama **cometa**, es comodín y gana doble si él termina el juego. || **4.** *Germ.* **Saeta,** 1.ª acep. || **barbato.** *Astron.* Decíase de aquel cuya atmósfera luminosa precede al núcleo. || **caudato.** *Astron.* Decíase de aquel cuya zona luminosa va detrás del núcleo. || **corniforme.** *Astron.* Decíase de aquel cuya cola está encorvada. || **crinito.** *Astron.* Decíase de aquel cuya cola o cabellera está dividida en varios ramales divergentes. || **periódico.** *Astron.* El que pertenece al sistema solar, y cuyas apariciones o perihelios ocurren regularmente.

Cometario, ria. adj. *Astron.* Perteneciente o relativo a los cometas.

Cometedor, ra. adj. Que comete, y más comúnmente, que hace alguna traición, delito, pecado, etc. Ú. t. c. s. || **2.** ant. **Acometedor.** Usáb. t. c. s.

Cometer. (Del lat. *committĕre;* de *cum,* con, y *mittĕre,* enviar.) tr. Dar uno sus veces a otro, poniendo a su cargo y cuidado algún negocio. || **2.** Hablando de culpas, yerros, faltas, etc., caer, incurrir en ellas. || **3.** Hablando de figuras retóricas o gramaticales, usarlas. || **4.** ant. **Acometer,** 1.ª y 2.ª aceps. || **5.** *Com.* Dar comisión mercantil. || **6.** r. ant. Arriesgarse, exponerse. || **7.** ant. Entregarse a uno o fiarse de él.

Cometida. (De *cometer.*) f. ant. **Acometida,** 1.ª acep.

Cometido. (De *cometer,* 1.ª acep.) m. Comisión, encargo. || **2.** Por ext., incumbencia, obligación moral.

Cometiente. p. a. ant. de **Cometer.** Que comete.

Cometimiento. (De *cometer.*) m. ant. **Acometimiento,** 1.ª acep.

Comezón. (Del lat. **comestĭo, -ōnis,* de *comestus,* comido.) f. Picazón que se padece en alguna parte del cuerpo o en todo él. || **2.** fig. Desazón interior que ocasiona el deseo o apetito de alguna cosa mientras no se logra.

Comible. adj. fam. Aplícase a las cosas de comer que no son enteramente desagradables al paladar.

Cómicamente. adv. m. De una manera cómica, chistosamente, a estilo de cómicos.

Comicastro. m. Mal cómico.

Comicial. (Del lat. *comitiālis.*) adj. Perteneciente o relativo a los cómicos. || **2.** *Med.* V. **Morbo comicial.**

Comicidad. f. Calidad de cómico, 1.ª acep.

Comicios. (Del lat. *comitium.*) m. pl. Junta que tenían los romanos para tratar de los negocios públicos. || **2.** Reuniones y actos electorales.

Cómico, ca. (Del lat. *comĭcus,* y éste del gr. κωμικός.) adj. Perteneciente o relativo a la comedia. || **2.** Decíase del que escribía comedias. Hoy sólo se aplica al que las representa. Ú. t. c. s. || **3.** Aplícase al actor que representa papeles jocosos. || **4.** Capaz de divertir o de excitar la risa. || **5.** V. **Vis cómica.** || **6.** m. y f. **Comediante, ta.** || **de la legua.** El que anda representando en poblaciones pequeñas.

Comichear. tr. *Ar.* **Comiscar,** 1.ª acep.

Comida. (De *comer.*) f. **Alimento,** 1.ª acep. *Ganar uno la* COMIDA *con el sudor de su frente; tener horror a la* COMIDA. || **2.** Alimento que se toma habitualmente a una u otra hora del día o de la noche. *Hacer tres, dos, una sola* COMIDA *cada veinticuatro horas.* || **3.** Alimento principal que cada día toman las personas. *Almuerzo,* COMIDA *y cena.* || **4.** Acción de comer. *La* COMIDA *duró tres horas; tardar dos horas en cada* COMIDA. || **5.** V. **Casa de comidas.** || **de carne.** La que no es permitido tomar más que en día de carne. || **de pescado. Vigilia,** 10.ª acep. || **Cambiar la comida.** fr. **Vomitar,** 1.ª acep. || **Comida hecha, compañía deshecha.** ref. que reprende a los que se apartan del amigo cuyos dones disfrutaron, cuando cesa la utilidad. || **Comida y cama y capote, que sustente y abrigue al niño y no le sobre.** ref. que enseña la sobriedad y moderación con que se debe criar a los niños. || **Reposar uno la comida.** fr. Descansar después de haber comido.

Comidilla. (d. de *comida.*) f. fig. y fam. Gusto, complacencia especial que uno tiene en cosas de su genio o inclinación. *La lectura, el juego, la caza es su* COMIDILLA. || **2.** fig. y fam. Tema preferido en alguna murmuración o conversación de carácter satírico. *La conducta de fulana es la* COMIDILLA *de la vecindad.*

Comido, da. adj. Dícese del que ha comido. || **Comido por servido.** expr. de que se usa para dar a entender el corto producto de un oficio o empleo. || **Comido y bebido.** expr. fam. Mantenido.

Comienda. (De *comendar.*) f. ant. **Encomienda,** 1.ª acep.

Comiente. p. a. ant. de **Comer.** Que come.

Comienzo. (De *comenzar.*) m. Principio, origen y raíz de una cosa. || **A,** o **de, comienzo.** m. adv. ant. Desde el principio.

Comigo. pron. pers. ant. **Conmigo.**

Comilitón. m. **Conmilitón.**

Comilitona. (De *comilona.*) f. fam. **Comilona.**

Comilón, na. adj. fam. Que come mucho o desordenadamente. Ú. t. c. s. || **Hártate, comilón, con pasa y media.** expr. fig. y fam. con que se zahiere al que da con escasez y miseria.

Comilona. (De *comilón.*) f. fam. Comida, cena o merienda en que hay mucha abundancia y diversidad de manjares.

Comilla. f. d. de **Coma,** 1.er art., 1.ª acep. || **2.** pl. Signo ortográfico (« ») que se pone al principio y al fin de las frases incluidas como citas o ejemplos en impresos o manuscritos, y también, a veces, al principio de todos los renglones que estas frases ocupan. Suele emplearse con el mismo oficio que el guión en los diálogos, en los índices y en otros escritos semejantes.

Cominear. (De *comino.*) intr. Entremeterse el hombre en menudencias propias de mujeres.

Cominería. f. Minuciosidad exagerada. Ú. m. en pl.

Cominero. (De *cominear.*) adj. fam. Que cominea. Ú. t. c. s.

Cominillo. (d. de *comino.*) m. **Joyo.**

Comino. (Del lat. *comīnum,* y éste del gr. κύμινον.) m. Hierba de la familia de las umbelíferas, con tallo ramoso y acanalado, hojas divididas en lacinias filiformes y agudas, flores pequeñas blancas o rojizas, y semillas de figura aovada, unidas de dos en dos, convexas y estriadas por una parte, planas por la otra, de color pardo, olor aromático y sabor acre, las cuales se usan en medicina y para condimento. || **2.** Semilla de esta planta. || **rústico. Laserpicio.** || **No montar,** o **no valer,** una cosa **un comino.** fr. fig. y fam. de que se usa para despreciarla o ponderar su poco valor.

Comiquear. intr. Representar comedias caseras.

Comiquería. f. fam. Conjunto o reunión de cómicos.

Comisar. tr. Declarar que una cosa ha caído en comiso.

Comisaria. f. fam. Mujer del comisario.

Comisaría. f. Empleo del comisario. || **2.** Oficina del comisario. || **de Cruzada.** Tribunal que substituyó al Consejo de Cruzada.

Comisariato. m. **Comisaría.**

Comisario. (Del b. lat. *commissarĭus,* y éste del lat. *commissus,* p. p. de *committĕre,* cometer.) m. El que tiene poder y facultad de otro para ejecutar alguna orden o entender en algún negocio. || **2.** V. **Testamento por comisario.** || **3.** *Mil.* V. **Revista de comisario.** || **de entradas.** En algunos hospitales, empleado que toma razón de los enfermos que entran en ellos a curarse y de los que salen ya curados. || **de guerra.** *Mil.* Jefe de administración militar al cual se encomendaron diversas funciones de intendencia e intervención, antes de la separación de estos servicios, y cuya categoría equivale a la de teniente coronel del ejército, cuando es de primera clase, y a la de comandante si es de segunda. || **de la Inquisición,** o **del Santo Oficio.** Cualquiera de los ministros sacerdotes que este tribunal tenía en los pueblos principales del reino, para entender en los encargos que se les hiciesen. || **general.** *Mil.* Funcionario que desde el siglo XVI, y a las inmediatas órdenes del general y su lugarteniente, disponía y vigilaba todos los servicios de abastecimiento, pago y alojamiento de las tropas de infantería o de caballería, asumiendo a veces como tercer jefe la totalidad del mando militar. || **2.** En la orden de San Francisco, religioso que tiene el mando y gobierno de las provincias cismontanas. || **general de Cruzada.** Persona eclesiástica que, por facultad pontificia, tiene a su cargo los negocios pertenecientes a la bula de la Santa Cruzada. || **general de Indias.** En la orden de San Francisco, religioso a cuyo cargo estaba el gobierno de sus provincias en Indias. || **general de Jerusalén,** o **Tierra Santa.** Religioso condecorado de la orden de San Francisco, que residía en la corte, por nombramiento del rey, para lo tocante a caudales de los conventos y hospicios que la misma orden tiene en los Santos Lugares, y lo demás de esta obra pía. || **ordenador.** *Mil.* Funcionario que, a las inmediatas órdenes del intendente, substituyó en el siglo XVII al veedor y al contador, encargados de la administración militar. || **Alto comisario.** Delegado general del Gobierno cerca del Jalifa de Marruecos para ejercer el protectorado en la zona marroquí sometida al de España.

Comiscar. tr. Comer a menudo de varias cosas en cortas cantidades. || **2.** ant. Carcomer, cercenar.

Comisión. (Del lat. *commissĭo, -ōnis.*) f. Acción de cometer. || **2.** Orden y facultad que una persona da por escrito a otra para que ejecute algún encargo o entienda en algún negocio. || **3.** Encargo que una persona da a otra para que haga alguna cosa. || **4.** Conjunto de personas encargadas por una corporación o autoridad para entender en algún asunto. || **5.** V. **Pecado de comisión.** || **6.** *For.* V. **Carta de comisión.** || **mercantil.** *Com.* Mandato conferido al comisionista, sea o no dependiente del que le apodera. || **2.** *Com.* Retribución de esta clase de mandato. || **rogatoria.** *For.* Comunicación entre tribunales de distintos países para la práctica de diligencias judiciales.

Comisionado, da. (De *comisionar.*) adj. Encargado de una comisión. Ú. t. c. s. || **de apremio.** El encargado por la Hacienda de ejecutar los apremios.

Comisionar. (De *comisión.*) tr. Dar comisión a una o más personas para entender en algún negocio o encargo.

Comisionario. (De *comisionar.*) m. ant. **Comisionado.**

Comisionista. com. *Com.* Persona que se emplea en desempeñar comisiones mercantiles.

Comiso. (Del lat. *commissum,* confiscación.) m. *For.* Pena de perdimiento de la cosa, en que incurre el que comercia en géneros prohibidos. || **2.** *For.* Pérdida del que contraviene a algún contrato en que se estipuló esta pena. || **3.** *For.* Cosa decomisada o caída en comiso convencional. || **4.** *For.* Pena accesoria de privación o pérdida de los instrumentos o efectos del delito. || **5.** *For.* En la enfiteusis, derecho del dueño directo para recobrar la finca por falta reiterada de pago de la pensión u otros abusos graves del enfiteuta.

Comisorio, ria. (Del lat. *commissorius.*) adj. *For.* Obligatorio o válido por determinado tiempo, o aplazado para cierto día. Ú. m. en las expresiones *pacto* COMISORIO y *pacto de ley* COMISORIA.

Comistión. f. **Conmistión.**

Comistrajo. (De *conmisto.*) m. fam. Mezcla irregular y extravagante de manjares.

Comisura. (Del lat. *commissūra*, de *committĕre*, juntar, unir.) f. *Zool.* Punto de unión de ciertas partes similares del cuerpo; como los labios y los párpados. || **2.** *Zool.* Sutura de los huesos del cráneo por medio de dientecillos a manera de sierra.

Comital. (De *cómite.*) adj. **Condal.**

Cómite. (Del lat. *comes, -ĭtis;* de *cum*, con, e *ire*, ir.) m. ant. **Conde.**

Comité. (Del fr. *comité;* éste del ingl. *committee*, y éste del lat. *committĕre*, delegar.) m. **Comisión,** 4.ª acep.

Comitente. (Del lat. *committens, -entis* p. a. de *committĕre*, cometer.) p. a. de **Cometer,** 1.ª acep. Que comete. Ú. t. c. s.

Comitiva. (Del lat. *comitiva*, de *comes, -ĭtis*, el que acompaña.) f. **Acompañamiento,** 2.ª acep.

Cómitre. (Del lat. *comes, -ĭtis*, ministro subalterno.) m. *Mar.* Persona que en las galeras vigilaba y dirigía la boga y otras maniobras y a cuyo cargo estaba el castigo de remeros y forzados. || **2.** Capitán de mar bajo las órdenes del almirante y a cuyo mando estaba la gente de su navío.

Comiza. (Del lat. *coma*, y éste del gr. κόμη, barba.) f. Especie de barbo, mayor que el común, con el hocico más largo, la frente más angosta y el lomo más corvo.

Commelináceo, a. (De *commelina*, nombre de un género de plantas.) adj. *Bot.* Dícese de plantas angiospermas monocotiledóneas, herbáceas, con tallo nudoso de aspecto foliáceo, flores hermafroditas, trímeras, actinomorfas o cigomorfas, provistas de cáliz y corola, y fruto en cápsula; como el cañutillo. Ú. t. c. s. f. || **2.** f. pl. *Bot.* Familia de estas plantas.

Como. m. ant. Burla, chasco. *Dar* COMO. o *un* COMO.

Como. (De *cuomo.*) adv. m. De qué modo o manera; o del modo o la manera que. *No sé* CÓMO *agradacerle tantos favores; ¿*CÓMO *está el enfermo?; hazlo* COMO *te digo; sal del apuro* COMO *puedas.* || **2.** Denota a veces idea de encarecimiento en buen o mal sentido. ¡CÓMO *llueve!;* ¡CÓMO *está pintado el cuadro de las Lanzas!;* ¡CÓMO *huyó el cobarde!* || **3.** En sentido comparativo denota idea de equivalencia, semejanza o igualdad, y significa generalmente al modo o la manera que, o a modo o manera de. *Es rubio* COMO *el oro; se quedó* COMO *muerto; se encontró con dos* COMO *clérigos* o COMO *estudiantes.* En este sentido corresponde a menudo con **así, tal, tan** y **tanto.** || **4. Según,** 2.ª acep. *Esto fue lo que sucedió,* COMO *fácilmente puede probarse; la caridad,* COMO *dice fray Luis de Granada,* etc. || **5. En calidad de.** *Asiste a la boda* COMO *testigo.* || **6.** Por qué motivo, causa o razón; en fuerza o en virtud de qué. *¿*CÓMO *no fuiste ayer a paseo?; no sé* CÓMO *no le mato.* || **7. Así que.** COMO *llegamos a la posada, se dispuso la cena.* || **8.** A fin de que, o de modo que. *Mandamos a nuestros presidente y oidores que provean* COMO *por culpa de los letrados no se dilaten las causas.* || **9.** Empléase como conjunción copulativa, equivaliendo a **que.** *Sabrás* COMO *hemos llegado buenos.* || **10.** Hace también oficio de conjunción condicional, equivaliendo a **si.** COMO *no te enmiendes, dejaremos de ser amigos* || **11.** Toma también carácter de conjunción causal. COMO *recibí tarde el aviso, no pude llegar a tiempo.* En esta acepción suele preceder a la conjunción *que. Lo sé de fijo,* COMO QUE *el lance ocurrió delante de mí.* || **12.** En ciertas construcciones, esta palabra y un verbo en subjuntivo equivalen al gerundio del mismo verbo. COMO SEA *la vida del hombre milicia sobre la tierra, menester es vivir armados;* lo cual equivale a decir: SIENDO *la vida del hombre*, etc. || **13.** Úsase a veces con carácter de substantivo, precedido del artículo *el. El* CÓMO *y el cuándo.* || **¡Cómo!** interj. con que se denota extrañeza o enfado. || **¿Cómo así?** expr. de extrañeza o admiración que se emplea para pedir explicación de una cosa que no se esperaba o no parecía natural. || **¿Cómo no?** expr. que equivale a **¿cómo** podría ser de otro modo? *Mañana partiré; y ¿*CÓMO NO, *si lo he prometido?* || **Como quier que.** loc. adv. **Como quiera que.** || **En como.** m. adv. ant. **Como,** 2.ª art., 1.ª acep.

Cómoda. (Del fr. *commode* y éste del lat. *commŏdus*, cómodo.) f. Mueble con tablero de mesa y tres o cuatro cajones que ocupan todo el frente y sirven para guardar ropa.

Comodable. (Del lat. *commodāre*, prestar.) adj. *For.* Aplícase a las cosas que se pueden prestar.

Cómodamente. adv. m. Con comodidad. || **2.** Oportuna, conveniente, fácil, fructuosamente.

Comodante. (Del lat. *commŏdans, -antis.*) com. *For.* Persona que da una cosa en comodato.

Comodatario. (Del lat. *commodatarius.*) m. *For.* El que toma prestada una cosa mueble no fungible con la obligación de restituirla.

Comodato. (Del lat. *commodātum*, préstamo.) m. *For.* Contrato por el cual se da o recibe prestada una cosa de las que pueden usarse sin destruirse, para servirse de ella, con la obligación de restituirla.

Comodidad. (Del lat. *commodĭtas, -ātis.*) f. Calidad de cómodo. || **2.** Conveniencia, copia de las cosas necesarias para vivir a gusto y con descanso. || **3.** Buena disposición de las cosas para el uso que se ha de hacer con ellas. *La casa tiene muchas* COMODIDADES. || **4.** Ventaja, oportunidad. || **5.** Utilidad, interés.

Comodín. (De *comodo.*) m. En algunos juegos de naipes, carta que se puede aplicar a cualquiera suerte favorable. || **2.** fig. Por ext., lo que se hace servir para fines diversos, según conviene al que lo usa. || **3.** fig. Pretexto habitual y poco justificado.

Comodista. adj. **Comodón.**

Cómodo, da. (Del lat. *commŏdus;* de *cum* con, y *modus*, medida.) adj. Conveniente, oportuno, acomodado, fácil, proporcionado. || **2.** m. p. us. Utilidad, provecho, conveniencia.

Comodón, na. (De *cómodo.*) adj. fam. Dícese del que es amante de la comodidad y regalo.

Comodoro. (Del ingl. *commodore*, y éste del fr. *commandeur.*) m. *Mar.* Nombre que en Inglaterra y otras naciones se le da al capitán de navío cuando manda más de tres buques.

Comoquiera. adv. m. De cualquier manera. || **2.** V. **Como quiera que.**

Compacidad. f. **Compactibilidad.**

Compaciente. (Del lat. *compatiens, -entis*, el que padece con otro.) adj. ant. Que se compadece.

Compactar. tr. *Colomb.* y *Chile.* Hacer compacta una cosa.

Compactibilidad. f. Calidad de compacto.

Compacto, ta. (Del lat. *compactus*, p. p. de *compingĕre*, unir, juntar.) adj. Dícese de los cuerpos de textura apretada y poco porosa. *La caoba es más* COMPACTA *que el pino.* || **2.** *Impr.* Dícese de la impresión que en poco espacio tiene mucha lectura. || **3.** m. *Impr.* Tipo ordinario muy chupado.

Compadecer. (Del b. lat. *compatescere*, y éste del lat. *compati;* de *cum*, con, y *pati*, padecer.) tr. Compartir la desgracia ajena, sentirla, dolerse de ella. || **2.** Inspirar a una persona lástima o pena la desgracia de otra. Ú. t. c. r. || **3.** r. Venir bien una cosa con otra, componerse bien, convenir con ella. || **4.** Conformarse o unirse.

Compadradgo. (De *compadre.*) m. ant. **Compadrazgo.**

Compadrado. m. ant. **Compadrazgo.**

Compadraje. (De *compadre.*) m. Unión o concierto de varias personas para alabarse o ayudarse mutuamente. Tómase en mala parte.

Compadrar. intr. Contraer compadrazgo. || **2.** Hacerse compadre o amigo.

Compadrazgo. (De *compadradgo.*) m. Conexión o afinidad que contrae con los padres de una criatura el padrino que la saca de pila o asiste a la confirmación. || **2. Compadraje.**

Compadre. (Del lat. *compāter, -tris;* de *cum*, con, y *pater*, padre.) m. Llámanse así recíprocamente el que ha sacado de pila a una criatura y el padre de ella; y por extensión, también dan al padrino nombre de **compadre** la madre y la madrina del bautizado. || **2.** Con respecto a los padres del confirmado, el padrino en la confirmación. || **3.** En Andalucía y en algunas otras partes, se suele llamar así a los amigos y conocidos, y aun a los que por casualidad se juntan en posadas o caminos. || **4.** fig. y fam. V. **Juego, jueves de compadres.** || **5.** ant. Protector, bienhechor. || **Aclarádselo vos, compadre, que tenéis la boca a mano.** ref. que se dice contra los que son molestos en la conversación y, fingiendo o afectando no haber entendido lo que se está diciendo, hacen preguntas sin necesidad. || **Achicad, compadre, y llevaréis la galga.** ref. que se dice cuando se oye una exageración desmesurada. || **Arrepásate acá, compadre.** fr. **Las cuatro esquinas.** || **De compadre a compadre, sangre en el ojo.** ref. **De amigo a amigo, sangre en el ojo.** || **Sacar compadres.** fr. **Año,** 5.ª acep.

Compadrería. f. Lo que pasa o se contrata entre compadres, amigos o camaradas.

Compagamiento. m. ant. **Compage.**

Compage. (Del lat. *compāges.*) f. ant. Enlace o trabazón de una cosa con otra.

Compaginación. (Del lat. *compaginatio, -ōnis.*) f. Acción y efecto de compaginar o compaginarse.

Compaginador. m. El que compagina.

Compaginar. (Del lat. *compagināre*, de *compāges*, unión, trabazón.) tr. Poner en buen orden cosas que tienen alguna conexión o relación mutua. Ú. t. c. r. || **2.** *Impr.* **Ajustar,** 10.ª acep. || **3.** r. fig. Corresponder o conformarse bien una cosa con otra.

Companage. (De *con* y *pan*, en b. lat. *companagium.*) m. Comida fiambre que se toma con pan, y a veces se reduce a queso o cebolla.

Compango. (Del lat. **companicus*, de *cum* y *panis.*) m. **Companage.** || **Estar a compango.** fr. Recibir el criado de labor su manutención en dinero, y en trigo la ración de pan que le corresponde percibir según contrato.

Companiero, ra. m. y f. ant. **Compañero, ra.**
Compaña. (Del lat. *compania, de cum y panis.*) f. **Compañía.** *A Dios, Pedro y la* COMPAÑA. || **2.** ant. **Familia,** 2.ª acep. || **3.** ant. *Mil.* **Compañía,** 9.ª acep.
Compañería. (De *compañero.*) f. ant. **Burdel,** 2.ª y 3.ª aceps.
Compañerismo. m. Vínculo que existe entre compañeros. || **2.** Armonía y buena correspondencia entre ellos.
Compañero, ra. (De *compaña.*) m. y f. Persona que se acompaña con otra para algún fin. || **2.** En los cuerpos y comunidades, como cabildos, colegios, etc., cada uno de los individuos de que se componen. || **3.** En varios juegos, cualquiera de los jugadores que se unen y ayudan contra los otros. || **4.** Persona que tiene o corre una misma suerte o fortuna con otra. || **5.** fig. Hablando de cosas inanimadas, la que hace juego o tiene correspondencia con otra u otras.
Compañía. (De *compaño.*) f. Efecto de acompañar. || **2.** Persona o personas que acompañan a otra u otras. || **3.** Sociedad o junta de varias personas unidas para un mismo fin. || **4.** Cuerpo de actores formado para representar en un teatro. || **5.** ant. Alianza o confederación. || **6.** ant. **Compaña,** 2.ª acep. || **7.** *Arit.* V. **Regla de compañía.** || **8.** *Com.* **Sociedad,** 4.ª acep. || **9.** *Mil.* Cierta unidad orgánica de soldados a las inmediatas órdenes de un capitán. || **anónima.** *Com.* **Sociedad anónima.** || **comanditaria.** *Com.* **Sociedad comanditaria.** || **de Jesús.** Orden religiosa fundada por San Ignacio de Loyola. || **del ahorcado.** fig. y fam. Persona que saliendo con otra, la deja cuando le parece. || **de la legua.** La de cómicos de la legua. || **de verso.** En los teatros, **compañía** de declamación. || **en comandita.** *Com.* **Compañía comanditaria.** || **regular colectiva.** *Com.* **Sociedad regular colectiva.** || **Compañía de dos, compañía de Dios.** ref. que explica que se avienen más bien dos que muchos en un negocio. || **La compañía de la alpargata, que en el camino se desata.** *Ar.* ref. que se aplica al que deja y desampara a los demás cuando se necesita de su asistencia. || **La compañía del ahorcado: ir con él y dejarle colgado.** ref. que se aplica al que debiendo acompañar o auxiliar a otro, le deja cuando le parece. || **La compañía para honor, antes con tu igual que con tu mayor.** ref. que enseña que la mejor **compañía** es la de nuestros iguales.
Compaño. (Del lat. **companius, de cum y panis.*) m. ant. **Compañero.**
Compañón. (Del lat. **companio, -ōnis, de cum y panis.*) m. **Testículo.** || **2.** ant. Compaño o compañero. || **de perro.** *Bot.* Hierba vivaz de la familia de las orquidáceas, con tallo lampiño, de unos tres decímetros de altura, dos hojas radicales lanceoladas, las del tallo lineares y sentadas, flores en espiga, blanca y olorosas, y dos tubérculos pequeños y redondos.
Compañuela. f. d. ant. de **Compaña,** 2.ª acep. || **Éramos compañuela y parió nuestra suegra.** ref. que se aplica cuando habiendo exceso de una cosa no buena, todavía se aumenta en perjuicio de alguno.
Comparable. (Del lat. *comparabilis.*) adj. Que puede o merece compararse con otra persona o cosa.
Comparación. (Del lat. *comparatio, -ōnis.*) f. Acción y efecto de comparar. || **2.** *Ret.* **Símil,** 3.ª acep. || **Correr la comparación.** fr. Haber la igualdad y proporción correspondiente entre las cosas que se comparan.
Comparado, da. p. p. de **Comparar.** || **2.** adj. V. **Gramática comparada.**
Comparador. (De *comparar.*) m. *Fís.* Instrumento que sirve para señalar las más pequeñas diferencias entre las longitudes de dos reglas.
Comparanza. f. **Comparación,** 1.ª acep.
Comparar. (Del lat. *comparāre.*) tr. Fijar la atención en dos o más objetos para descubrir sus relaciones o estimar sus diferencias o semejanza. || **2. Cotejar.**
Comparativamente. adv. m. Con comparación.
Comparativo, va. (Del lat. *comparativus.*) adj. Dícese de lo que compara o sirve para hacer comparación de una cosa con otra. *Juicio* COMPARATIVO. || **2.** *Gram.* V. **Adjetivo comparativo.** || **3.** *Gram.* V. **Conjunción comparativa.**
Comparecencia. f. *For.* Acto de comparecer personalmente, por medio de representante o por escrito, ante el juez o un superior. || **2.** *For.* Acto y trámite que, en el juicio de menor cuantía y en algunos procedimientos especiales, equivale a la vista.
Comparecer. (De *con* y *parecer.*) intr. *For.* Parecer, presentarse uno ante otro personalmente o por poder para un acto formal, en virtud del llamamiento o intimación que se le ha hecho, o mostrándose parte en algún negocio.
Compareciente. com. *For.* Persona que comparece ante el juez.
Comparendo. (Del lat. *comparendus,* p. p. de fut. de *comparēre,* comparecer.) m. *For.* Despacho en que se manda a uno comparecer. || **2.** *For.* V. **Diligencia de comparendo.**
Comparición. f. *For.* **Comparecencia.** || **2.** *For.* Auto del juez o superior, mandando a alguno comparecer.
Comparsa. (Del ital. *comparsa,* der. de *comparire,* y éste del lat. *comparēre,* comparecer.) f. **Acompañamiento,** 3.ª acep. || **2.** Conjunto de personas que en los días de carnaval o en regocijos públicos van vestidas con trajes de una misma clase. COMPARSA *de estudiantes, de valencianos, de moros.* || **3.** com. Persona que forma parte del acompañamiento en las representaciones teatrales.
Comparsería. f. Conjunto de comparsas que participan en las representaciones teatrales.
Comparte. (Del lat. *compars, -artis.*) com. *For.* Persona que es parte con otra en algún negocio civil o criminal.
Compartidor, ra. m. y f. Persona que comparte en unión con otra u otras.
Compartimiento. m. Acción y efecto de compartir. || **2.** Cada una de las partes que resultan de compartir un todo. || **estanco.** *Mar.* Cada una de las secciones, absolutamente independientes, en que se divide el interior de un buque de hierro por medio de mamparos transversales, para conseguir que el vaso flote aun cuando por avería se haya anegado algunas de ellas.
Compartir. (Del lat. *compartīri.*) tr. Repartir, dividir, distribuir las cosas en partes. || **2.** Participar uno en alguna cosa.
Compás. (De *compasar.*) m. Instrumento formado por dos piernas agudas, unidas en su extremidad superior por un eje o clavillo para que puedan abrirse o cerrarse. Sirve para trazar curvas regulares y tomar distancias. || **2.** Territorio o distrito señalado a un monasterio y casa de religión, en contorno o alrededor de la misma casa y monasterio. || **3.** En algunas partes, atrio y lonja de los conventos e iglesias. || **4.** Resortes de metal que abriéndose o plegándose sirven para levantar o bajar la capota de los coches. || **5. Tamaño,** 3.ª acep. || **6.** fig. Regla o medida de algunas cosas; como de la vida, de las acciones, etcétera. *Es la medida y* COMPÁS *de todas las virtudes.* || **7.** *Astron.* Constelación situada al lado del Triángulo austral. || **8.** *Esgr.* Movimiento que hace el cuerpo cuando deja un lugar para ocupar otro. || **9.** *Mar.* y *Min.* **Brújula,** 2.ª acep. || **10.** *Mús.* Cada uno de los períodos de tiempo iguales en que se marca el ritmo de una fase musical. || **11.** *Mús.* Movimiento de la mano con que se marca cada uno de estos períodos. || **12.** *Mús.* Ritmo o cadencia de una pieza musical. || **13.** *Mús.* Espacio del pentágrama en que se escriben todas las notas correspondientes a un compás y se limita por cada lado con una raya vertical. || **binario.** *Mús.* El de un número par de tiempos. || **curvo.** *Esgr.* Movimiento o paso que se da a derecha o izquierda, siguiendo el círculo que comprenden los pies de los tiradores. || **de calibres.** El que tiene las piernas encorvadas con las puntas hacia afuera, para medir el diámetro interior de los tubos y otras piezas huecas. || **de cinco por ocho.** *Mús.* El que tiene la duración asignada a cinco corcheas, en vez de las ocho que corresponden al compasillo. || **de cuadrante.** El que tiene en una de las piernas un arco que pasa por un hueco de la otra, y que con un tornillo de presión puede mantenerse en la abertura que se quiera. || **de doce por ocho.** *Mús.* El que tiene la duración asignada a doce corcheas, en vez de las ocho que corresponden al compasillo. || **de dos por cuatro.** *Mús.* El que tiene la duración asignada a dos semínimas, en vez de las cuatro que corresponden al compasillo. || **de espera.** *Mús.* Silencio que dura todo el tiempo de un **compás.** || **2.** fig. Detención de un asunto por corto tiempo. || **de espesores, o de gruesos.** El de piernas encorvadas con las puntas hacia adentro, para medir espesores o gruesos. || **de nueve por ocho.** *Mús.* El que tiene la duración asignada a nueve corcheas, en vez de las ocho que corresponden al compasillo. || **de pinzas.** El que en una de sus puntas lleva lápiz o tiralíneas. || **de proporción.** El que tiene el eje o clavillo movible en una ranura abierta a lo largo de las piernas, que terminan en punta por sus dos extremidades; y de este modo resulta por un lado comprendida una dimensión proporcionada a la abertura que se ha tomado con el otro. || **de seis por ocho.** *Mús.* El que tiene la duración asignada a seis corcheas, en vez de las ocho que corresponden al compasillo. || **de trepidación.** *Esgr.* **Compás trepidante.** || **de tres por cuatro.** *Mús.* El que tiene la duración asignada a tres semínimas, en vez de las cuatro que corresponden al compasillo. || **de vara.** Regla con una punta fija en uno de sus extremos y otra movible a lo largo de ella, y sirve para trazar curvas de gran diámetro. || **extraño.** *Esgr.* Paso que se da y empieza con el pie izquierdo, retrocediendo, para aumentar el medio de proporción. || **mayor.** *Mús.* El que tiene doble duración que el menor o compasillo, y se señala con una C atravesada por una raya vertical al principio de la composición, después de la clave. || **menor.** *Mús.* El que tiene la duración asignada a cuatro semínimas, o sea la octava parte de una máxima, y se señala con una C al principio de la composición, después de la clave. || **mixto.** *Esgr.* El que se compone del recto y del curvo, o del extraño y del de trepidación. || **oblicuo.** *Esgr.* **Compás transversal.** || **recto.** *Esgr.* Paso que se da hacia adelante por la línea del diámetro, para acortar el medio de proporción, empezando con el pie derecho. || **ternario.** *Mús.* El que se compone de tres tiempos o de un múltiplo de tres. || **transversal.** *Esgr.* Paso que se da por cualquiera de los trazos del ángulo rectilíneo. || **trepidante.** *Esgr.* El que se da por las líneas que llaman infinitas. || **Ir uno con el compás en la mano.** fr. fig. Proceder con regla y medida. || Lle-

var uno **el compás.** fr. Gobernar una orquesta o capilla de música. || **Salir** uno **de compás.** fr. fig. Proceder sin arreglo a sus obligaciones.

Compasadamente. adv. m. Con arreglo o con medida.

Compasado, da. p. p. de **Compasar.** || **2.** adj. Arreglado, moderado, cuerdo.

Compasar. (Del lat. *cum*, con, y *passus*, paso.) tr. Medir con el compás. || **2.** fig. Arreglar, medir, proporcionar las cosas de modo que ni sobren ni falten. COMPASAR *el gasto, el tiempo.* || **3.** *Mús.* Dividir en tiempos iguales las composiciones, formando líneas perpendiculares que cortan el pentágrama.

Compasible. (Del lat. *compassibilis.*) adj. Digno de compasión. || **2. Compasivo.**

Compasillo. m. *Mús.* **Compás menor.**

Compasión. (Del lat. *compassio, -ōnis.*) f. Sentimiento de ternura y lástima que se tiene del trabajo, desgracia o mal que padece alguno.

Compasionado, da. (De *con* y *pasión.*) adj. **Apasionado,** 2.ª, 3.ª y 4.ª aceps.

Compasivamente. adv. m. Con compasión.

Compasivo, va. adj. Que tiene compasión. || **2.** Que fácilmente se mueve a compasión. || **3.** Por ext., se dice también de las pasiones y afectos del ánimo.

Compaternidad. (De *con* y *paternidad.*) f. **Compadrazgo,** 1.ª acep.

Compatía. (Del lat. *compăti*, sentir, padecer con otro, por analogía con *simpatía.*) f. ant. **Simpatía.**

Compatibilidad. f. Calidad de compatible.

Compatible. (Del b. lat. *compatibilis*, y este del lat. *compăti*, compadecerse.) adj. Que tiene aptitud o proporción para unirse o concurrir en un mismo lugar o sujeto.

Compatricio, cia. (De *con* y *patricio.*) m. y f. **Compatriota.**

Compatriota. (Del lat. *compatriōta*; de *cum*, con, y *patria*, patria.) com. Persona de la misma patria que otra.

Compatrioto. m. ant. **Compatriota.**

Compatrón. m. **Compatrono.**

Compatronato. m. Derecho y facultades de compatrono.

Compatrono, na. (Del lat. *compatrōnus.*) m. y f. Patrono juntamente con otro u otros.

Compeler. (Del lat. *compellĕre*; de *cum*, con, y *pellĕre*, arrojar.) tr. Obligar a uno, con fuerza o por autoridad, a que haga lo que no quiere.

Compelir. tr. ant. **Compeler.**

Compendiador, ra. adj. Que compendia. Ú. t. c. s.

Compendiar. (Del lat. *compendiāre.*) tr. Reducir a compendio.

Compendiariamente. adv. m. **Compendiosamente.**

Compendio. (Del lat. *compendium.*) m. Breve y sumaria exposición, oral o escrita, de lo más substancial de una materia ya expuesta latamente. || **En compendio.** m. adv. Con la precisión y brevedad propias del **compendio.**

Compendiosamente. adv. m. **En compendio.**

Compendioso, sa. (Del lat. *compendiōsus.*) adj. Que está, o se escribe, o dice en compendio.

Compendista. m. Autor de algún compendio. || **2. Compendiador.**

Compendizar. tr. **Compendiar.**

Compenetración. f. Acción y efecto de compenetrarse.

Compenetrarse. rec. Penetrar las partículas de una substancia entre las de otra, o recíprocamente. || **2.** fig. Identificarse las personas en ideas y sentimientos.

Compensable. adj. Que se puede compensar.

Compensación. (Del lat. *compensatio, -ōnis.*) f. Acción y efecto de compensar. || **2.** Indemnización pecuniaria o en especie que el causante de heridas o de muerte entregaba al propio herido o a los herederos del difunto. || **3.** *Com.* Entre banqueros, intercambio de cheques, letras u otros instrumentos de crédito que están en posesión de alguno de ellos y aparecen girados contra otro, con liquidación periódica, ordinariamente cotidiana de los créditos y débitos recíprocos. Entre naciones, liquidación análoga a la anterior aunque menos frecuente, de los créditos y débitos recíprocos, procedentes del comercio internacional, por intermedio de los bancos de emisión respectivos, o de organismos anejos. || **4.** *For.* Modo de extinguir obligaciones vencidas, cumplideras en dinero o en cosas fungibles, entre personas que son recíprocamente acreedoras y deudoras; y consiste en dar por pagada la deuda de cada uno en cuantía igual a la de su crédito, que se da por cobrado en otro tanto.

Compensador, ra. (De *compensar.*) adj. Que compensa. || m. Péndulo de reloj, cuya varilla está reemplazada por una armazón de barritas de metales diversamente dilatables, combinadas de modo que la longitud total no varíe cualquiera que sea la temperatura.

Compensar. (Del lat. *compensāre*; de *cum*, con, y *pensāre*, pesar.) tr. Igualar en opuesto sentido el efecto de una cosa con el de otra. COMPENSAR *la dilatación de un cuerpo con la contracción de otro; las pérdidas con las ganancias; los males con los bienes.* Ú. t. c. r. y c. intr. || **2.** Dar alguna cosa o hacer un beneficio en resarcimiento del daño, perjuicio o disgusto que se ha causado. Ú. t. c. r. || **Compensarse** uno **a sí mismo.** fr. Resarcirse por su mano del daño o perjuicio que otro le ha hecho.

Compensativo, va. adj. **Compensatorio.**

Compensatorio, ria. adj. Que compensa o iguala.

Competencia. (Del lat. *competentia.*) f. Disputa o contienda entre dos o más sujetos sobre alguna cosa. || **2. Rivalidad,** 1.ª acep. || **3. Incumbencia.** || **4.** Aptitud, idoneidad. || **5.** V. **Cuestión de competencia.** || **6.** V. **Juez de competencias.** || **7.** Atribución legítima a un juez u otra autoridad para el conocimiento o resolución de un asunto. || **A competencia.** m. adv. **A porfía.**

Competente. (Del lat. *compĕtens, -entis.*) adj. Bastante, debido, proporcionado, oportuno, adecuado. COMPETENTE *premio, satisfacción.* || **2.** Dícese de la persona a quien compete o incumbe alguna cosa. || **3.** Apto, idóneo. || **4.** m. En la primitiva Iglesia, catecúmeno ya instruido para su admisión al bautismo.

Competentemente. adv. m. Proporcionadamente, adecuadamente. || **2.** Con legítima facultad o aptitud.

Competer. (Del lat. *competĕre*, concordar, corresponder.) intr. Pertenecer, tocar o incumbir a uno alguna cosa. || **2.** ant. **Competir.**

Competición. (Del lat. *competitio, -ōnis.*) f. **Competencia.** || **2.** Acción y efecto de competir, y más propiamente en materia de deportes.

Competidor, ra. (Del lat. *competītor.*) adj. Que compite. Ú. t. c. s.

Competir. (Del lat. *competĕre*; de *cum*, con, y *petĕre*, demandar.) intr. Contender dos o más personas entre sí, aspirando unas y otras con empeño a una misma cosa. Ú. t. c. rec. || **2.** Igualar una cosa a otra análoga, en la perfección o en las propiedades.

Compiadarse. (De *con* y *piedad.*) r. ant. **Compadecerse, apiadarse.**

Compilación. (Del lat. *compilatio, -ōnis.*) f. Colección de varias noticias, leyes o materias.

Compilador, ra. (Del lat. *compilātor.*) adj. Que compila. Ú. t. c. s.

Compilar. (Del lat. *compilāre.*) tr. Allegar o reunir, en un solo cuerpo de obra, partes, extractos o materias de otros varios libros o documentos.

Compilatorio, ria. adj. Perteneciente o relativo a la compilación.

Compinche. (De *con* y *pinche.*) com. fam. Amigo, camarada.

Compitales. (Del lat. *compitāles* [*ludi*].) f. pl. Fiestas que los romanos hacían a sus lares **compitales,** o sea los protectores de las encrucijadas.

Complacedero, ra. (De *complacer.*) adj. **Complaciente,** 2.ª acep.

Complacedor, ra. adj. Que complace. Ú. t. c. s.

Complacencia. (De *complacer.*) f. Satisfacción, placer y contento que resulta de alguna cosa.

Complacer. (Del lat. *complacēre*: de *cum*, con, y *placēre*, agradar.) tr. Acceder uno a lo que otro desea y puede serle útil o agradable. || **2.** r. Alegrarse y tener satisfacción en alguna cosa.

Complaciente. p. a. de **Complacer.** Que complace o se complace. || **2.** adj. Propenso a complacer.

Complacimiento. m. **Complacencia.**

Complanar. (Del lat. *complanāre*, allanar perfectamente.) tr. ant. Aclarar o explicar con claridad.

Complañir. (De *con* y *plañir.*) intr. ant. Llorar, compadecerse. Usáb. t. c. r.

Complejidad. f. Calidad de complejo.

Complejo, ja. (Del lat. *complexus*, p. p. de *complecti*, enlazar.) adj. Dícese de lo que se compone de elementos diversos. || **2.** V. **Número complejo.** || **3.** m. Conjunto o unión de dos o más cosas. || **4.** *Psicol.* Combinación de ideas, tendencias y emociones que permanecen en la subconsciencia, pero que influyen en la personalidad del sujeto y a veces determinan su conducta.

Complementar. tr. Dar complemento a una cosa.

Complementario, ria. adj. Que sirve para completar o perfeccionar alguna cosa. || **2.** V. **Día complementario.** || **3.** V. **Colores complementarios.** || **4.** *Geom.* **Ángulo, arco complementario.**

Complemento. (Del lat. *complementum.*) m. Cosa, cualidad o circunstancia que se añade a otra cosa para hacerla íntegra o perfecta. || **2.** Integridad, plenitud a que llega alguna cosa. || **3.** Perfección, colmo de alguna cosa. || **4.** *Geom.* Ángulo que sumado con otro completa uno recto. || **5.** *Geom.* Arco que sumado con otro completa un cuadrante. || **6.** *Gram.* Palabra o frase en que recae o a que se aplica la acción del verbo. || **directo.** *Gram.* El que recibe la acción del verbo directamente, mediando o no preposición; v. gr.: *San Fernando conquistó* A SEVILLA; *Cervantes escribió* EL QUIJOTE. Se distingue por la circunstancia de poder trocarse en nominativo o sujeto de la oración pasiva, como se ve en los ejemplos siguientes: SEVILLA *fue conquistada por San Fernando;* EL QUIJOTE *fue escrito por Cervantes.* || **indirecto.** *Gram.* El que no puede experimentar el cambio en nominativo y expresa el objeto final de la acción del verbo, recibiéndola con preposición indirectamente; v. gr.: *Santiago vino* A ESPAÑA; *doña Beatriz Galindo enseñó* EL LATÍN (**complemento** directo) A LA REINA CATÓLICA (**complemento** indirecto).

Completamente. adv. m. Cumplidamente, sin que nada falte.

Completar. (De *completo.*) tr. Integrar, hacer cabal una cosa. ‖ **2.** Hacerla perfecta en su clase.

Completas. (De *completo.*) f. pl. Última parte del oficio divino, con que se terminan las horas canónicas del día.

Completivamente. adv. m. De un modo que completa.

Completivo, va. (Del lat. *completīvus.*) adj. Dícese de lo que completa y llena.

Completo, ta. (Del lat. *complētus*, p. p. de *complēre*, terminar, completar.) adj. Lleno, cabal. ‖ **2.** Acabado, perfecto. ‖ **3.** *Bot.* V. **Flor completa.**

Completorio, ria. (Del lat. *completorius.*) adj. ant. Perteneciente o relativo a la hora de completas. ‖ **2.** m. ant. **Completas.** ‖ **3.** ant. Galas, adornos.

Complexidad. f. **Complejidad.**

Complexión. (Del lat. *complexio, -ōnis.*) f. *Fisiol.* **Constitución,** 7.ª acep. ‖ **2.** *Ret.* Figura que consiste en empezar con un mismo vocablo y en acabar igualmente con uno mismo, diverso del otro, dos o más clásulas o miembros del período.

Complexionado, da. adj. Con los adverbios *bien* o *mal*, de buena, o mala, complexión.

Complexional. adj. Perteneciente a la complexión.

Complexo, xa. adj. **Complejo.** ‖ **2.** *Zool.* V. **Músculo complexo.**

Complicación. (Del lat. *complicatĭo, -ōnis*, plegadura.) f. Concurrencia y encuentro de cosas diversas.

Complicado, da. p. p. de **Complicar.** ‖ **2.** adj. Enmarañado, de difícil comprensión. ‖ **3.** Compuesto de gran número de piezas. ‖ **4.** Dícese de la persona cuyo carácter y conducta no son fáciles de entender.

Complicar. (Del lat. *complicāre;* de *cum*, con, y *plicāre*, plegar, doblar.) tr. Mezclar, unir cosas entre sí diversas. ‖ **2.** fig. Enredar, dificultar. Ú. t. c. r. ‖ **3.** r. Confundirse, embrollarse, enmarañarse.

Cómplice. (Del lat. *complex, -icis.*) com. *For.* Participante o asociado en crimen o culpa imputable a dos o más personas. ‖ **2.** *For.* Persona que sin ser autora de un delito coopera a su perpetración por actos anteriores o simultáneos que no sean indispensables.

Complicidad. f. Calidad de cómplice.

Complido, da. adj. ant. **Cumplido.** ‖ **2.** ant. fig. V. **Barba complida.**

Complidura. (De *complido.*) f. ant. Calidad o medida conveniente o correspondiente.

Complimiento. (Del lat. *complementum.*) m. ant. Fin, perfección. ‖ **2.** ant. Surtimiento, provisión.

Complixión. f. ant. **Complexión.**

Complot. (Del fr. *complot*, y éste del lat. *complicĭtus*, plegado, envuelto.) m. fam. Confabulación entre dos o más personas contra otra u otras. ‖ **2.** fam. Trama, intriga.

Complutense. (Del lat. *complutensis*, de *Complūtum*, Alcalá de Henares.) adj. Natural de Alcalá de Henares. Ú. t. c. s. ‖ **2.** Perteneciente a esta ciudad.

Compluvio. (Del lat. *compluvium.*) m. *Arqueol.* Abertura cuadrada o rectangular de la techumbre de la casa romana, para dar luz y recoger las aguas pluviales.

Compón. (Del fr. *compon*, de *compondre*, y éste del lat. *componĕre*, componer.) m. *Blas.* Cada uno de los cuadrados de esmalte alternado que cubren el fondo de cualquier figura o mueble del escudo.

Componado, da. adj. *Blas.* Dícese de toda figura o pieza formada por cuadraditos de esmaltes alternados. *Banda* COMPONADA *de oro y gules.*

Componedor, ra. m. y f. Persona que compone. ‖ **2.** *Chile.* **Algebrista,** 2.ª acep. ‖ **3.** m. *Impr.* Regla de madera o hierro con un borde a lo largo y un tope en uno de los extremos, en la cual se colocan una a una las letras y signos que han de componer un renglón. ‖ **Amigable componedor.** *For.* Persona cuya decisión o sentencia en asunto determinado, pronunciada en tiempo hábil, pero sin sujeción a trámites ni al rigor de las leyes, se han comprometido solemnemente a acatar y cumplir las partes interesadas en una divergencia o litigio. En cada compromiso se puede elegir a uno o a varios, pero siempre en número impar. ‖ **Muchos componedores, descomponen la novia.** ref. que denota que en las cosas de ingenio y gusto no conviene que intervengan muchas personas.

Componenda. (Del lat. *componenda*, t. f. del p. f. pasivo de *componĕre*, arreglar.) f. Cantidad que se paga en la datería por algunas bulas y licencias cuyos derechos no tienen tasa fija. ‖ **2.** Arreglo o transacción censurable o de carácter inmoral. ‖ **3.** fam. Acción de componer, 9.ª acep.

Componente. p. a. de **Componer.** Que compone o entra en la composición de un todo. Ú. t. c. s. m.

Componer. (Del lat. *componĕre;* de *cum*, con, y *ponĕre*, poner.) tr. Formar de varias cosas una, juntándolas y colocándolas con cierto modo y orden. ‖ **2.** Constituir, formar, dar ser a un cuerpo o agregado de varias cosas o personas. Ú. t. c. r. hablando de las partes de que consta un todo, respecto del mismo. ‖ **3.** Aderezar o preparar con varios ingredientes el vino u otras bebidas para mejorarlos real o aparentemente. ‖ **4.** Hablando de números, sumar o ascender a una determinada cantidad. ‖ **5.** Ordenar, concertar, reparar lo desordenado, descompuesto o roto. ‖ **6.** Adornar una cosa. COMPONER *la casa, el estrado.* ‖ **7.** Ataviar y engalanar a una persona. Ú. t. c. r. ‖ **8.** Ajustar y concordar; poner en paz a los enemistados, y concertar a los discordes. Ú. t. c. r. ‖ **9.** Cortar algún daño que se teme, acallando por cualquier medio al que puede perjudicar con sus quejas o de otro modo. ‖ **10.** Moderar, templar, corregir, arreglar. ‖ **11.** Tratándose de obras científicas o literarias y de algunas de las artísticas, hacerlas, producirlas. COMPONER *un tratado de matemáticas, un drama, una poesía, una ópera, un baile.* ‖ **12.** fam. Reforzar, restaurar, restablecer. *El vino me* HA COMPUESTO *el estómago.* ‖ **13.** *Impr.* Formar las palabras, líneas y planas, juntando las letras o caracteres. ‖ **14.** *Mat.* Reemplazar en una proporción cada antecedente por la suma del mismo con su consecuente. ‖ **15.** intr. Hacer versos. ‖ **16.** Producir obras musicales. ‖ **Componérselas.** fr. fam. Ingeniarse para salir de un apuro o lograr algún fin. COMPÓNTELAS *como puedas; no sé cómo* COMPONÉRMELAS.

Componible. (De *componer.*) adj. Dícese de cualquiera cosa que se puede conciliar o concordar con otra.

Componimiento. (De *componer.*) m. ant. Modo con que está ordenada o arreglada una cosa. ‖ **2.** ant. Composición, calidad o temple. ‖ **3.** ant. Compostura o adorno. ‖ **4.** ant. fig. Modestia, compostura.

Comporta. (De *comportar*, llevar.) f. Especie de canasta, más ancha por arriba que por abajo, de que en algunas partes usan para transportar las uvas en la vendimia. ‖ **2.** *Perú.* Molde para solidificar el azufre refinado.

Comportable. (De *comportar.*) adj. Soportable, tolerable, llevadero.

Comportamiento. (De *comportar*, 3.ª acep.) m. **Conducta,** 5.ª acep.

Comportante. p. a. ant. de **Comportar.** Que comporta.

Comportar. (Del lat. *comportāre;* de *cum*, con, y *portāre*, llevar.) tr. ant. Llevar juntamente con otro alguna cosa. ‖ **2.** fig. Sufrir, tolerar. ‖ **3.** r. Portarse, conducirse.

Comporte. (De *comportar.*) m. Proceder, modo de portarse. ‖ **2.** Aire o manejo del cuerpo. ‖ **3.** ant. **Sufrimiento.** ‖ **4.** *Germ.* **Mesonero,** 2.ª acep.

Comportería. f. Arte u oficio del comportero. ‖ **2.** Taller del comportero.

Comportero. m. El que hace o vende comportas.

Composible. (Del fr. *composer*, y éste cruce de *componere* y *pausare*, calmar.) adj. ant. **Componible.**

Composición. (Del lat. *compositĭo, -ōnis.*) f. Acción y efecto de componer. ‖ **2.** Ajuste, convenio entre dos o más personas. ‖ **3. Compostura,** 6.ª acep. ‖ **4.** Obra científica, literaria o musical. ‖ **5.** Oración que el maestro de gramática dicta en romance al discípulo para que la traduzca en la lengua que aprende. ‖ **6.** V. **Bula de composición.** ‖ **7.** *For.* Arreglo, generalmente con indemnización, que permitía el derecho antiguo sobre las consecuencias de un delito, entre el delincuente y la víctima o la familia de ésta. ‖ **8.** *Gram.* Procedimiento por el cual se forman vocablos agregando a uno simple una o más preposiciones o partículas u otro vocablo íntegro o modificado por eufonía; v. gr.: *anteponer, reconvenir, hincapié, cejijunto.* ‖ **9.** *Impr.* Conjunto de líneas, galeradas y páginas, antes de la imposición. ‖ **10.** *Mús.* Parte de la música que enseña las reglas para la formación del canto y del acompañamiento. ‖ **11.** *Pint.* y *Esc.* Arte de agrupar las figuras y accesorios para conseguir el mejor efecto, según lo que se haya de representar. ‖ **de aposento,** o **de casa.** Servicio que hacía al rey cualquier dueño de casa en Madrid para libertarla de huésped de aposento, ya pagando la cantidad que se ajustaba, ya cargando sobre ella alguna pensión anual. ‖ **Hacer** uno **composición de lugar.** fr. fig. Meditar todas las circunstancias de un negocio, y formar con este conocimiento el plan conducente a su más acertada dirección.

Compósita. (Del lat. *composĭta*, compuesta.) adj. ant. *Arq.* V. **Columna compósita.**

Compositivo, va. (Del lat. *compositīvus.*) adj. *Gram.* Aplícase a las preposiciones o partículas con que se forman voces compuestas. ANTE*ayer*, CON*discípulo*, DES*afortunado*, PER*seguir.*

Compositor, ra. (Del lat. *compositor.*) adj. Que compone. Ú. t. c. s. ‖ **2.** Que hace composiciones musicales. Ú. t. c. s.

Composta. (Del lat. *composta*, síncopa de *composita*, compuesta.) f. ant. **Composición.**

Compostela. n. p. V. **Jacinto de Compostela.**

Compostelano, na. adj. Natural de Compostela, hoy Santiago de Compostela. Ú. t. c. s. ‖ **2.** Perteneciente a esta ciudad.

Compostura. (Del lat. *compositūra.*) f. Construcción y hechura de un todo que consta de varias partes. ‖ **2.** Reparo de una cosa descompuesta, maltratada o rota. ‖ **3.** Aseo, adorno, aliño de una persona o cosa. ‖ **4.** Mezcla o preparación con que se adultera o falsifica un género o producto. *Este lienzo no es de hilo, aunque lo parece por la* COMPOSTURA; *este vino tiene* COMPOSTURA. ‖ **5.** Ajuste, convenio. ‖ **6.** Modestia, mesura y circunspección.

Compota. (Del fr. *compote*, y éste del lat. *composita*, compuesta.) f. Dulce de fruta cocida con agua y azúcar. También suele llevar vino y canela o vainilla.

Compotera. f. Vasija, comúnmente de cristal, con tapadera, en que se sirve compota o dulce de almíbar.

Compra. f. Acción y efecto de comprar. ‖ **2.** Conjunto de los comestibles que se compran para el gasto diario de las casas. ‖ **3.** Cualquier objeto comprado. || **Dar compra e véndida.** fr. ant. Permitir el comercio.

Comprable. adj. Que puede comprarse.

Comprachilla. f. *Guat.* Género de pájaro conirrostro, parecido al mirlo.

Comprada. f. ant. **Compra,** 1.ª acep.

Compradero, ra. adj. **Comprable.**

Compradillo. m. **Comprado.**

Compradizo, za. adj. **Comprable.**

Comprado. m. Juego entre cuatro con ocho naipes cada jugador, y en el cual los ocho naipes que restan, hasta cuarenta, se rematan en el que más da.

Comprador, ra. adj. Que compra. Ú. t. c. s. || **2.** m. desus. Criado o mozo destinado a comprar diariamente los comestibles necesarios para el sustento de una casa o familia.

Comprante. p. a. de **Comprar.** Que compra. Ú. t. c. s.

Comprar. (Del lat. *comparāre,* cotejar, adquirir.) tr. Adquirir algo por dinero. || **2. Sobornar.** || **3.** ant. **Pagar.**

Compraventa. (De *compra* y *venta.*) f. *For.* **Contrato de compraventa.**

Cómpreda. (De *compra,* ajustado a *véndida.*) f. ant. **Compra.** Hoy conserva algún uso en la Mancha y Andalucía.

Comprehender. (Del lat. *comprehendĕre;* de *cum,* con, y *prehendĕre,* coger.) tr. ant. **Comprender.**

Comprehensible. (Del lat. *comprehensibĭlis.*) adj. ant. **Comprensible.**

Comprehensión. (Del lat. *comprehensio, -ōnis.*) f. ant. **Comprensión.**

Comprehensivo, va. (Del lat. *comprehensīvus.*) adj. **Comprensivo.**

Comprehensor, ra. adj. ant. **Comprensor.**

Compremimiento. m. ant. **Compresión,** 1.ª acep.

Comprendedor, ra. adj. Que comprende.

Comprender. (De *comprehender.*) tr. Abrazar, ceñir, rodear por todas partes una cosa. || **2.** Contener, incluir en sí alguna cosa. Ú. t. c. r. || **3.** Entender, alcanzar, penetrar.

Comprendiente. p. a. de **Comprender.** Que comprende.

Comprensibilidad. f. Calidad de comprensible.

Comprensible. (De *comprehensible.*) adj. Que se puede comprender.

Comprensión. (De *comprehensión.*) f. Acción de comprender. || **2.** Facultad, capacidad o perspicacia para entender y penetrar las cosas. || **3.** *Lóg.* Conjunto de cualidades que integran una idea.

Comprensivo, va. (De *comprehensivo.*) adj. Que tiene facultad o capacidad de comprender o entender una cosa. || **2.** Que comprende, contiene o incluye.

Comprenso, sa. (Del lat. *comprehensus.*) p. p. irreg. de **Comprender.**

Comprensor, ra. (De *comprenso.*) adj. Que comprende, alcanza o abraza alguna cosa. Ú. t. c. s. || **2.** *Teol.* Dícese del que goza la eterna bienaventuranza. Ú. t. c. s.

Comprero, ra. adj. *Ar.* **Comprador.** Ú. t. c. s. m.

Compresa. (Del lat. *compressa,* comprimida.) f. Lienzo fino o gasa, que doblada varias veces y por lo común esterilizada, se emplea para cohibir hemorragias, cubrir heridas, aplicar calor, frío o ciertos medicamentos.

Compresamente. adv. m. ant. **En compendio.**

Compresbítero. (Del lat. *compresbȳter, -ĕri.*) m. Compañero de otro en el acto de recibir el orden del presbiterado.

Compresibilidad. f. Calidad de compresible.

Compresible. (De *compreso.*) adj. Que se puede comprimir o reducir a menor volumen.

Compresión. (Del lat. *compressio, -ōnis.*) f. Acción y efecto de comprimir. || **2.** *Gram.* **Sinéresis.**

Compresivo, va. (De *compreso.*) adj. Dícese de lo que comprime.

Compreso, sa. (Del lat. *compressus.*) p. p. irreg. de **Comprimir.**

Compresor, ra. (Del lat. *compressor, -ōris.*) adj. Que comprime. Ú. t. c. s. || **2.** V. **Cilindro compresor.**

Comprimario, ria. (De *con* y *primario.*) m. y f. *Mús.* Cantante de teatro que hace los segundos papeles.

Comprimente. p. a. de **Comprimir.** Que comprime.

Comprimible. (De *comprimir.*) adj. **Compresible.**

Comprimido, da. p. p. de **Comprimir.** || **2.** m. *Farm.* Pastilla pequeña que se obtiene por compresión de sus ingredientes previamente reducidos a polvo. || **3.** adj. *Med.* V. **Baño de aire comprimido.** || **4.** V. **Azúcar comprimido.**

Comprimir. (Del lat. *comprimĕre;* de *cum,* con, y *premĕre,* apretar.) tr. Oprimir, apretar, estrechar, reducir a menor volumen. Ú. t. c. r. || **2.** Reprimir y contener. Ú. t. c. r.

Comprobable. adj. Que se puede comprobar.

Comprobación. (Del lat. *comprobatio, -ōnis.*) f. Acción y efecto de comprobar.

Comprobante. p. a. de **Comprobar.** Que comprueba. Ú. t. c. s.

Comprobar. (Del lat. *comprobāre;* de *cum,* con, y *probāre,* aprobar.) tr. Verificar, confirmar una cosa, cotejándola con otra o repitiendo las demostraciones que la prueban y acreditan como cierta.

Comprobatorio, ria. adj. Que comprueba. *Documento* COMPROBATORIO.

Comprofesor, ra. (De *con* y *profesor.*) m. y f. Persona que ejerce la misma profesión que otra.

Comprometedor, ra. adj. Que compromete.

Comprometer. (Del lat. *compromittĕre;* de *cum,* con, y *promittĕre,* prometer.) tr. Poner de común acuerdo en manos de un tercero la determinación de la diferencia, pleito, etc., sobre que se contiende. Ú. t. c. r. || **2.** Exponer a alguno, ponerle a riesgo en una acción o caso aventurado. Ú. t. c. r. || **3.** Constituir a uno en una obligación; hacerle responsable de alguna cosa. Ú. m. c. r.

Comprometiente. p. a. ant. de **Comprometer.** Que compromete.

Comprometimiento. m. Acción y efecto de comprometer o comprometerse.

Compromisario. (Del lat. *compromissarius.*) adj. Aplícase a la persona en quien otras delegan para que concierte, resuelva o efectúe alguna cosa. Ú. t. c. s. || **2.** m. Representante de los electores primarios para votar en elecciones de segundo o ulterior grado.

Compromisión. (Del b. lat. *compromissio, -ōnis,* y éste del lat. *compromissum,* compromiso.) f. ant. **Comprometimiento.**

Compromiso. (Del lat. *compromissum.*) m. Delegación que para proveer ciertos cargos eclesiásticos o civiles hacen los electores en uno o más de ellos a fin de que designen el que haya de ser nombrado. || **2.** Convenio entre litigantes, por el cual comprometen su litigio en jueces árbitros o amigables componedores. || **3.** Escritura o instrumento en que las partes otorgan este convenio. || **4.** Obligación contraída, palabra dada, fe empeñada. || **5.** Dificultad, embarazo, empeño. || **Estar, o poner, en compromiso.** fr. Estar, o poner, en duda una cosa que antes era clara y segura.

Compromisorio, ria. adj. Perteneciente o relativo al compromiso.

Comprovincial. (Del lat. *comprovinciālis.*) adj. V. **Obispo comprovincial.**

Comprovinciano, na. m. y f. Persona de la misma provincia que otra.

Comprueba. f. *Impr.* Prueba ya corregida, que sirve para ver si en las nuevas pruebas se han hecho las correcciones indicadas.

Compto. (De *cómputo.*) m. ant. **Cuenta,** 1.ª art. *Ministros de* COMPTOS. || **2.** V. **Cámara de Comptos.**

Compuerta. (De *con* y *puerta.*) f. Media puerta, a manera de antepecho, que tienen algunas casas y habitaciones en la entrada principal, para resguardarla y no impedir la luz del día. || **2.** Plancha fuerte de madera o de hierro, que se desliza por carriles o correderas, y se coloca en los canales, diques, etc., para graduar o cortar el paso del agua. || **3.** Cortina o cortinón que se ponía en las entradas de los coches de viga que no tenían vidrios: solía ser de encerado, cordobán, vaqueta o cosa semejante, aforrada de lienzo o tela de seda o lana. || **4.** Pedazo de tela sobrepuesto, igual a la del vestido, en que los comendadores de las órdenes militares traían la cruz al pecho, a modo de escapulario.

Compuesta. (De *compuesto.*) f. *Germ.* Cautela de los ladrones cuando parecen con diferentes vestidos delante de la persona a quien han robado.

Compuestamente. adv. m. Con compostura. || **2.** Ordenadamente.

Compuesto, ta. (Del lat. *compositus,* p. p. de *componĕre,* componer.) p. p. irreg. de **Componer.** || **2.** adj. V. **Agua compuesta.** || **3.** V. **Interés, número, plato, quebrado compuesto.** || **4.** fig. Mesurado, circunspecto. || **5.** *Arq.* V. **Columna compuesta.** || **6.** *Arq.* V. **Capitel, orden compuesto.** || **7.** *Bot.* Aplícase a plantas angiospermas, dicotiledóneas, hierbas, arbustos y algunos árboles, que se distinguen por sus hojas simples o sencillas, y por sus flores reunidas en cabezuelas sobre un receptáculo común; como la dalia, la pataca, el ajenjo, el alazor, la alcachofa y el cardo. Ú. t. c. s. f. || **8.** *Bot.* V. **Flor, hoja compuesta.** || **9.** *Gram.* Aplícase al vocablo formado por composición de dos o más voces simples. *Cortaplumas, prototipo.* || **10.** *Gram.* V. **Cláusula, conjunción compuesta.** || **11.** *Gram.* V. **Tiempo compuesto.** || **12.** *Mec.* V. **Movimiento compuesto.** || **13.** *Quím.* V. **Cuerpo compuesto.** Ú. t. c. s. || **14.** m. Agregado de varias cosas que componen un todo. || **15.** f. pl. *Bot.* Familia de las plantas compuestas.

Compulsa. (De *compulsar.*) f. Acción y efecto de compulsar. || **2.** *For.* Copia o traslado de una escritura, instrumento o autos, sacado judicialmente y cotejado con su original.

Compulsación. f. Acción de compulsar.

Compulsar. (Del lat. *compulsāre;* de *cum,* con, y *pulsāre,* pulsar, tocar.) tr. Examinar dos o más documentos, cotejándolos o comparándolos entre sí. || **2.** ant. **Compeler.** || **3.** *For.* Sacar compulsas.

Compulsión. (Del lat. *compulsio, -ōnis.*) f. *For.* Apremio y fuerza que, por mandato de autoridad, se hace a uno, compeliéndole a que ejecute alguna cosa.

Compulsivo, va. (De *compulso.*) adj. Que tiene virtud de compeler.

Compulso, sa. (Del lat. *compulsus.*) p. p. irreg. de **Compeler.** || **2.** adj. V. **Beneficio compulso.**

Compulsorio, ria. adj. *For.* Aplícase al mandato o provisión que da el juez para compulsar un instrumento o proceso. Ú. t. c. s. m. y f.

Compunción. (Del lat. *compunctio, -ōnis.*) f. Sentimiento o dolor de haber cometido un pecado. || **2.** Sentimiento que causa el dolor ajeno.

Compungido, da. p. p. de **Compungir.** || **2.** adj. Atribulado, dolorido.

Compungimiento. (De *compungir.*) m. ant. **Compunción.**

Compungir. (Del lat. *compungĕre;* de *cum,* con, y *pungĕre,* punzar.) tr. Mover a compunción. || **2.** ant. **Punzar.** || **3.** ant. Remorderle a uno la conciencia. || **4.** r. Contristarse o dolerse uno de alguna culpa o pecado propio, o de la aflicción ajena.

Compungivo, va. (De *compungir.*) adj. Dícese de algunas cosas que punzan o pican.

Compurgación. (De *compurgar.*) f. *For.* **Purgación,** 4.ª acep. || **canónica.** *For.* **Purgación canónica.** || **vulgar.** ant. *For.* **Purgación vulgar.**

Compurgador. (De *compurgar.*) m. *For.* En la purgación canónica, cualquiera de los que en ella hacían juramento, diciendo que, según la buena opinión y fama en que tenían al acusado, creían que habría jurado con verdad no haber cometido el delito que se le imputaba y que no se había probado plenamente.

Compurgar. (Del lat. *compurgāre;* de *cum,* con, y *purgāre,* purificar.) tr. *For.* Pasar por la prueba de la compurgación el acusado, para acreditar por este medio su inocencia.

Computable. adj. Que se puede computar.

Computación. (Del lat. *computatĭo, -ōnis.*) f. **Cómputo.**

Computar. (Del lat. *computāre;* de *cum,* con, y *putāre,* pensar.) tr. Contar o calcular una cosa por números. Dícese principalmente de los años, tiempos y edades.

Computista. (Del lat. *computista.*) com. Persona que computa.

Cómputo. (Del lat. *compŭtus.*) m. Cuenta o cálculo. || **eclesiástico.** Conjunto de cálculos necesarios para determinar el día de la Pascua de Resurrección y demás fiestas movibles.

Comto, ta. (Del lat. *comptus.*) adj. p. us. Se dice del lenguaje, estilo o manera afectados por exceso de lima.

Comulación. (Del lat. *cumulatĭo, -ōnis.*) f. **Acumulación.**

Comulgante. p. a. de **Comulgar.** Que comulga. Ú. t. c. s.

Comulgar. (Del lat. *communicāre,* comunicar.) tr. Dar la sagrada comunión. || **2.** intr. Recibirla. Usáb. t. c. r. || **3.** fig. Coincidir en ideas o sentimientos con otra persona.

Comulgatorio. (Del lat. *communicatorĭus.*) m. Barandilla de las iglesias ante la que se arrodillan los fieles que comulgan; y en los conventos de religiosas, la ventanilla por donde se les da la comunión.

Común. (Del lat. *communis.*) adj. Dícese de lo que, no siendo privativamente de ninguno, pertenece o se extiende a varios. *Bienes, pastos* COMUNES. || **2.** Corriente, recibido y admitido de todos o de la mayor parte. *Precio, uso, opinión* COMÚN. || **3.** Ordinario, vulgar, frecuente y muy sabido. || **4.** Bajo, de inferior clase y despreciable. || **5.** V. **Año, codo, derecho, doctrina, estado, lugar, manzanilla, medida, pliego, retama, sensorio, sentido, tacamaca, trigo, voz común.** || **6.** ant. V. **Muermo común.** || **7.** V. **Lugares comunes.** || **8.** *Arit.* V. **Común divisor.** || **9.** *Cronol.* V. **Era común.** || **10.** *For.* V. **Delito, patria común.** || **11.** *Gram.* V. **Género, nombre común.** || **12.** m. Todo el pueblo de cualquier provincia, ciudad, villa o lugar. || **13.** Comunidad; generalidad de personas. || **14. Retrete,** 2.ª acep. || **de dos.** *Gram.* **Común,** 11.ª acep. || **de tres.** En la gramática latina, adjetivo de una terminación, que se puede juntar con substantivos de los tres géneros. || **El común de las gentes.** expr. La mayor parte de las gentes. || **En común.** m. adv. que denota que se goza o posee una cosa por muchos sin que pertenezca a ninguno en particular. U. con los verbos *gozar, tener, poseer,* etc. || **2.** Juntos todos los individuos de un cuerpo; para todos generalmente. || **Por lo común.** m. adv. **Comúnmente.** || **Quien sirve al común, sirve a ningún.** ref. que manifiesta que los servicios hechos a corporaciones o pueblos suelen ser por lo regular poco agradecidos.

Comuna. (De *común.*) f. *Amér.* **Municipio,** 2.ª acep. || **2.** *Murc.* Acequia principal de donde se sacan los brazales.

Comunal. (Del lat. *communālis.*) adj. **Común,** 1.ª acep. || **2.** V. **Bienes comunales.** || **3.** ant. V. **Derecho comunal.** || **4.** ant. Mediano, regular, ni grande ni pequeño. || **5.** *Amér.* Perteneciente o relativo a la comuna, 1.ª acep. || **6.** m. **Común,** 12.ª acep.

Comunaleza. (De *comunal.*) f. ant. Medianía y regularidad entre los extremos de lo mucho y lo poco. || **2.** ant. **Comunicación,** 2.ª acep. || **3.** ant. Comunidad de pastos y aprovechamientos.

Comunalía. (De *comunal.*) f. ant. **Medianía.**

Comunalmente. adv. m. **En común.** || **2.** ant. **Comúnmente.**

Comunamente. adv. m. ant. **Comúnmente.**

Comunero, ra. adj. Popular, agradable para con todos. || **2.** Perteneciente a las comunidades de Castilla. || **3.** m. El que tiene parte indivisa con otro u otros en un inmueble, un derecho u otra cosa. || **4.** El que seguía el partido de las comunidades de Castilla. || **5.** *For.* V. **Retracto de comuneros.** || **6.** pl. Pueblos que tienen comunidad de pastos.

Comunicabilidad. f. Calidad de comunicable.

Comunicable. (Del lat. *communicabĭlis.*) adj. Que se puede comunicar o es digno de comunicarse. || **2.** Sociable, tratable, humano.

Comunicación. (Del lat. *communicatĭo, -ōnis.*) f. Acción y efecto de comunicar o comunicarse. || **2.** Trato, correspondencia entre dos o más personas. || **3.** Unión que se establece entre ciertas cosas, tales como mares, pueblos, casas o habitaciones, mediante pasos, crujías, escaleras, vías, canales, cables y otros recursos. || **4.** Cada uno de estos medios de unión entre dichas cosas. || **5.** Papel escrito en que se comunica alguna cosa oficialmente. || **6.** V. **Vía de comunicación.** || **7.** *Ret.* Figura que consiste en consultar la persona que habla el parecer de aquella o aquellas a quienes se dirige, amigas o contrarias, manifestándose convencida de que no puede ser distinto del suyo propio. || **8.** pl. Correos, telégrafos, teléfonos, etc.

Comunicado, da. p. p. de **Comunicar.** || **2.** m. Escrito que, en causa propia y firmado por una o más personas, se dirige a uno o a más periódicos para que lo publiquen.

Comunicante. p. a. de **Comunicar.** Que comunica. Ú. t. c. s.

Comunicar. (Del lat. *communicāre.*) tr. Hacer a otro partícipe de lo que uno tiene. || **2.** Descubrir, manifestar o hacer saber a uno alguna cosa. || **3.** Conversar, tratar con alguno de palabra o por escrito. Ú. t. c. r. || **4.** Consultar, conferir con otros un asunto, tomando su parecer. || **5.** ant. **Comulgar.** || **6.** r. Tratándose de cosas inanimadas, tener correspondencia o paso con otras.

Comunicativo, va. (Del lat. *communicativus.*) adj. Que tiene aptitud o inclinación y propensión natural a comunicar a otro lo que posee. || **2.** Dícese también de ciertas cualidades. *Virtud* COMUNICATIVA. || **3.** Fácil y accesible al trato de los demás.

Comunicatorias. (Del lat. *communicatorĭus.*) adj. pl. V. **Letras comunicatorias.**

Comunidad. (Del lat. *communĭtas, -ātis.*) f. Calidad de común, 1.ª acep. || **2.** Común de algún pueblo, provincia o reino. || **3.** Junta o congregación de personas que viven unidas bajo ciertas constituciones y reglas; como los conventos, colegios, etc. || **4.** Común de los vecinos de una ciudad o villa realengas de cualquiera de los antiguos reinos de España, dirigido y representado por su concejo. || **5.** pl. Levantamientos populares, principalmente los de Castilla en tiempos de Carlos I. || **De comunidad.** m. adv. **En común,** 2.ª acep.

Comunión. (Del lat. *communĭo, -ōnis.*) f. Participación en lo común. || **2.** Trato familiar, comunicación de unas personas con otras. || **3.** En la santa Iglesia católica, acto de recibir los fieles la Eucaristía. || **4.** Santísimo Sacramento del altar. *Recibió la* COMUNIÓN; *el sacerdote está dando la* COMUNIÓN. || **5.** Congregación de personas que profesan la misma fe religiosa. || **6.** Partido político. || **7.** V. **Cédula de comunión.** || **de la Iglesia, o de los Santos.** Participación que los fieles tienen y gozan de los bienes espirituales, mutuamente entre sí, como partes y miembros de un mismo cuerpo.

Comunismo. (De *común.*) m. Sistema por el cual se quiere abolir el derecho de propiedad privada y establecer la comunidad de bienes.

Comunista. adj. Perteneciente o relativo al comunismo. || **2.** Partidario de este sistema. Ú. t. c. s.

Comúnmente. adv. m. De uso, acuerdo o consentimiento común. || **2. Frecuentemente.**

Comuña. (Del lat. *communĭa,* pl. n. de *commūnis,* común.) f. Trigo mezclado con centeno. || **2.** *Ast.* Aparcería, principalmente de ganados.

Comuña. f. **Camuña.**

Con. (Del lat. *cŭm.*) prep. que significa el medio, modo o instrumento que sirve para hacer alguna cosa. || **2.** Antepuesta al infinitivo, equivale a gerundio. CON *declarar, se eximió del tormento.* || **3.** En ciertas locuciones, a pesar de. CON *ser tan antiguo, le han postergado.* || **4.** Juntamente y en compañía. || **5.** prep. insep. que expresa reunión, cooperación o agregación. CON*fluir,* CON*venir,* CON*socio.* || **Con que.** conj. condic. **Con tal que.**

Conacho. m. *Perú. Min.* Mortero de piedra que se usaba para triturar los minerales que tenían oro o plata nativos.

Conato. (Del lat. *conātus.*) m. Empeño y esfuerzo en la ejecución de una cosa. || **2.** Propensión, tendencia, propósito. || **3.** *For.* Acto y delito que se empezó y no llegó a consumarse. CONATO *de robo.*

Conca. (Del dialect. *conca,* y éste del lat. *cōncha,* concha.) f. Concha, caracol. || **2.** ant. **Cuenca,** 1.er art. || **3.** *Germ.* **Escudilla,** 1.ª acep.

Concadenar. (Del lat. *concatenāre.*) tr. fig. Unir o enlazar unas especies con otras.

Concambio. m. **Canje.**

Concanónigo. m. Canónigo al mismo tiempo que otro en una misma iglesia.

Concatedralidad. (De *con* y *catedralidad.*) f. Calidad que constituye a una iglesia en dignidad de catedral, pero unida con otra y con un solo capítulo para las dos; como la Seo y el Pilar de Zaragoza. || **2.** Hermandad entre dos catedrales, cuyos canónigos, como sucede en Zaragoza y Santiago de Compostela, tienen asiento en el coro de la catedral a que, en realidad, no pertenecen.

Concatenación. (Del lat. *concatenatĭo, -ōnis.*) f. Acción y efecto de concatenar. || **2.** *Ret.* Figura que se comete empleando al principio de dos o más cláusulas o miembros del período la última voz del miembro o cláusula inmediatamente anterior.

Concatenamiento. (De *concatenar.*) m. ant. **Concatenación,** 1.ª acep.

Concatenar. tr. fig. **Concadenar.**

Concausa. f. Cosa que, juntamente con otra, es causa de algún efecto.

Cóncava. (Del lat. *concăva.*) f. **Concavidad,** 2.ª acep.

Concavado, da. (Del lat. *concavātus.*) adj. ant. **Cóncavo.**

Concavidad. (Del lat. *concavĭtas, -ātis.*) f. Calidad de cóncavo. || **2.** Parte o sitio cóncavo.

Cóncavo, va. (Del lat. *concăvus;* de *cum,* con, y *cavus,* hueco.) adj. Que tiene, respecto del que mira, la superficie más deprimida en el centro que por las orillas. || **2.** m. **Concavidad,** 2.ª acep. || **3.** *Min.* Ensanche alrededor del brocal de los pozos interiores de las minas, para colocar y manejar desembarazadamente los tornos.

Concebible. adj. Que puede concebirse, 2.ª acep.

Concebimiento. (De *concebir.*) m. **Concepción,** 1.ª acep.

Concebir. (Del lat. *concipĕre.*) intr. Quedar preñada la hembra. Ú. t. c. tr. || **2.** fig. Formar idea, hacer concepto de una cosa, comprenderla. Ú. t. c. tr. || **3.** tr. fig. Comenzar a sentir alguna pasión o afecto.

Concedente. p. a. de **Conceder.** Que concede.

Conceder. (Del lat. *concedĕre.*) tr. Dar, otorgar, hacer merced y gracia de una cosa. || **2.** Asentir, convenir en lo que uno dice o afirma.

Concejal. m. Individuo de un concejo o ayuntamiento.

Concejala. f. Mujer del concejal. || **2.** Mujer que desempeña el cargo de concejal de un ayuntamiento.

Concejalía. f. Oficio o cargo de concejal.

Concejeramente. adv. m. Públicamente, sin recato. || **2.** ant. Judicialmente, ante el juez.

Concejero, ra. adj. **Público.**

Concejil. adj. Perteneciente al concejo. || **2.** Común a los vecinos de un pueblo. || **3.** V. **Bienes concejiles.** || **4.** V. **Carga, cargo concejil.** || **5.** Aplícase a la gente que era enviada a la guerra por un concejo. Ú. t. c. s. || **6.** En algunas partes, **expósito.** Ú. t. c. s. || **7.** m. ant. **Concejal.**

Concejo. (Del lat. *concilium.*) m. **Ayuntamiento,** 3.ª y 4.ª aceps. || **2.** Uno de los nombres que se dan al municipio. || **3.** Sesión celebrada por los individuos de un **concejo.** || **4.** En algunas partes, **concejil,** 6.ª acep. || **abierto.** El que se tiene en público, convocando a él a todos los vecinos del pueblo. || **de la Mesta.** Junta que los pastores y dueños de ganados tenían anualmente para tratar de los negocios concernientes a sus ganados y gobierno económico de ellos, y para distinguir y separar los mostrencos que se hubiesen mezclado con los suyos. Usaba el título de *Honrado.* || **A concejo malo, campana de palo.** ref. que indica que cuando una cosa es mala, lo son también sus anejas. || **Pon lo tuyo en el concejo, y unos dirán que es blanco, y otros dirán que es negro.** ref. que enseña la diversidad de pareceres y opiniones en los hombres. || **Trasquílenme en concejo, y no lo sepan en mi casa.** ref. que se dice de los que están infamados en toda la república, y quieren encubrirlo en su casa y parentela.

Conceller. (Del cat. *conseller,* y éste del lat. *consiliarius,* consejero.) m. Miembro o vocal del concejo municipal en Cataluña.

Concello. m. ant. **Concejo.**

Concento. (Del lat. *concentus.*) m. Canto acordado y armonioso de diversas voces.

Concentrabilidad. f. Calidad de concentrable.

Concentrable. adj. Que puede concentrarse o ser concentrado.

Concentración. f. Acción y efecto de concentrar o concentrarse.

Concentrado, da. p. p. de **Concentrar.** || **2.** adj. Internado en el centro de una cosa.

Concentrador, ra. adj. Que concentra. Ú. t. c. s.

Concentrar. (De *con* y *centro.*) tr. fig. Reunir en un centro o punto lo que estaba separado. Ú. t. c. r. || **2.** *Quím.* Aumentar la proporción entre la materia disuelta y el líquido de una disolución. Ú. t. c. r. || **3.** r. **Reconcentrarse.**

Concéntrico, ca. adj. *Geom.* Dícese de las figuras y de los sólidos que tienen un mismo centro.

Concentuoso, sa. adj. **Armonioso.**

Concepción. (Del lat. *conceptĭo, -ōnis.*) f. Acción y efecto de concebir. || **2.** Por excelencia, la de la Virgen Madre de Dios. || **3.** Fiesta con que anualmente celebra la Iglesia el dogma de la Inmaculada **Concepción** de la Virgen, el día 8 de diciembre.

Concepcionista. adj. Dícese de la religiosa que pertenece a la tercera orden franciscana, llamada de la Inmaculada Concepción. Ú. m. c. s. f.

Conceptear. intr. Usar o decir frecuentemente conceptos agudos o ingeniosos.

Conceptible. (De *concepto.*) adj. Que se puede concebir o imaginar. || **2. Conceptuoso.**

Conceptismo. m. Secta, doctrina literaria o estilo de los conceptistas.

Conceptista. (De *concepto.*) adj. Aplícase a la persona que abusa del estilo conceptuoso, o emplea conceptos alambicados. Ú. m. c. s.

Conceptivo, va. adj. Que puede concebir.

Concepto, ta. (Del lat. *conceptus.*) adj. ant. **Conceptuoso.** || **2.** m. Idea que concibe o forma el entendimiento. || **3.** Pensamiento expresado con palabras. || **4.** Sentencia, agudeza, dicho ingenioso. || **5.** Opinión, juicio. || **6.** Crédito en que se tiene a una persona o cosa. || **7.** Aspecto, calidad, título. Ú. m. en las locuciones, *en* CONCEPTO *de, por todos* CONCEPTOS y otras semejantes. || **8.** ant. **Feto.** || **Formar uno concepto.** fr. Determinar una cosa en la mente después de examinadas las circunstancias.

Conceptual. (Del lat. *conceptus.*) adj. Perteneciente o relativo al concepto.

Conceptualismo. (De *conceptual.*) m. Sistema filosófico que defiende la realidad y legítimo valor de las nociones universales y abstractas, en cuanto son conceptos de la mente, aunque no les conceda existencia positiva y separada fuera de ella. Es un medio entre el realismo y el nominalismo.

Conceptualista. adj. Perteneciente al conceptualismo. || **2.** Partidario de este sistema. Ú. t. c. s.

Conceptuar. (Del lat. *conceptus.*) tr. Formar concepto de una cosa.

Conceptuosamente. adv. m. Sentenciosa, aguda, ingeniosamente; de manera conceptuosa.

Conceptuosidad. f. Calidad de conceptuoso.

Conceptuoso, sa. (Del lat. *conceptus.*) adj. Sentencioso, agudo, lleno de conceptos. Dícese de las personas y de las cosas. *Escritor, estilo* CONCEPTUOSO.

Concercano, na. adj. Próximo, limitante alrededor.

Concernencia. (De *concernir.*) f. Respecto o relación.

Concerniente. p. a. de **Concernir.** Que concierne.

Concernir. (Del lat. *concernĕre.*) intr. **Atañer,** 1.ª acep.

Concertación. (Del lat. *concertatĭo, -ōnis.*) f. ant. Contienda, disputa.

Concertadamente. adv. m. Con orden y concierto.

Concertado, da. p. p. de **Concertar.** || **2.** adj. V. **Mampostería concertada.** || **3.** ant. Compuesto, arreglado.

Concertador, ra. (Del lat. *concertātor.*) adj. Que concierta. Ú. t. c. s. || **2.** V. **Maestro concertador.** || **de privilegios.** El que tenía a su cargo la expedición de las confirmaciones de los privilegios reales.

Concertante. p. a. de **Concertar.** Que concierta.

Concertante. (Del ital. *concertante.*) adj. *Mús.* Dícese de la pieza compuesta de varias voces entre las cuales se distribuye el canto. Ú. t. c. s. m.

Concertar. (Del lat. *concertāre.*) tr. Componer, ordenar, arreglar las partes de una cosa, o varias cosas. || **2.** Ajustar, tratar del precio de una cosa. || **3.** Pactar, ajustar, tratar, acordar un negocio. Ú. t. c. r. || **4.** Traer a identidad de fines o propósitos cosas diversas o intenciones diferentes. Ú. t. c. r. || **5.** Acordar entre sí voces o instrumentos músicos. || **6.** Cotejar, concordar una cosa con otra. || **7.** *Mont.* Ir los monteros con los sabuesos al monte divididos por diversas partes; visitar el monte y los lugares fragosos de él, y por la huella y pista, saber la caza que en él hay, el lugar donde está y la parte donde ha de ser corrida. || **8.** intr. Concordar, convenir entre sí una cosa con otra. || **9.** *Gram.* Concordar en los accidentes gramaticales dos o más palabras variables. Ú. t. c. tr. || **10.** r. ant. Componerse y asearse.

Concertina. f. *Mús.* Acordeón de figura hexagonal u octagonal; de fuelle muy largo y teclados cantantes en ambas caras o cubiertas.

Concertino. (Del ital. *concertino,* de *concerto,* concierto.) m. *Mús.* Violinista primero de una orquesta, encargado de la ejecución de los solos.

Concertista. com. Músico que toma parte en la ejecución de un concierto en calidad de solista.

Concesible. adj. Que puede ser concedido.

Concesión. (Del lat. *concessĭo, -ōnis.*) f. Acción y efecto de conceder. || **2.** Otorgamiento gubernativo a favor de particulares o de empresas, bien sea para apropiaciones, disfrutes o aprovechamientos privados en el dominio público, según acontece en minas, aguas o montes, bien para construir o explotar obras públicas, o bien para ordenar, sustentar o aprovechar servicios de la administración general o local. || **3.** *Ret.* Figura que se comete cuando la persona que habla conviene o aparenta convenir en algo que se le objeta o pudiera objetársele, dando a entender que aun así podrá sustentar victoriosamente su opinión.

Concesionario. m. *For.* Persona a quien se hace o transfiere una concesión.

Concesivo, va. adj. Que se concede o puede concederse.

Conceso, sa. (Del lat. *concessus.*) p. p. ant. de **Conceder.**

Conceto. m. ant. **Concepto.**

Conceyo. m. ant. **Concilio.** || **2.** ant. **Concejo.**

Concia. (Del lat. *conscia,* t. f. de *-ius,* sabido.) f. Parte vedada de un monte.

Concibimiento. m. ant. **Concebimiento.**

Conciencia. (Del lat. *conscientĭa.*) f. Propiedad del espíritu humano de reconocerse en sus atributos esenciales y en todas las modificaciones que en sí mismo experimenta. || **2.** Conocimiento interior del bien que debemos hacer y del mal que debemos evitar. || **3.** Conocimiento exacto y reflexivo de las cosas. || **4.** V. **Cargo, caso, examen, libertad, matrimonio, serenidad de con-**

ciencia. || **5.** V. **Fuero, tribunal de la conciencia.** || **6.** fig. V. **Gusano de la conciencia.** || **errónea.** *Teol.* La que con ignorancia juzga lo verdadero por falso, teniendo lo bueno por malo o lo malo por bueno. || **A conciencia.** m. adv. Según **conciencia.** Dícese de las obras hechas con solidez y sin fraude ni engaño. || **Acusar la conciencia** a uno. fr. Remorderle alguna mala acción. || **Ajustarse** uno **con su conciencia.** fr. fig. Seguir en el modo de obrar lo que le dicta su propia **conciencia.** Dícese más comúnmente cuando es sobre cosas en que hay duda de si se pueden ejecutar o no lícitamente. || **Ancho de conciencia.** loc. fig. Dícese del que a sabiendas obra o aconseja contra el rigor de la ley o la moral. || **Argüir la conciencia** a uno. fr. **Acusarle la conciencia.** || **Cargar** uno **la conciencia.** fr. fig. Gravarla con pecados. || **Descargar** uno **la conciencia.** fr. fig. Satisfacer las obligaciones de justicia. || **2.** fig. **Confesar,** 3.ª acep. || **Encargar la conciencia.** fr. Ponerla en cargo, gravarla. || **En conciencia.** m. adv. Según **conciencia,** de conformidad con ella. || **Escarabajear,** o **escarbar, la conciencia.** fr. fig. que se usa cuando uno anda receloso y poco seguro de lo que ha hecho, para expresar que la **conciencia** le trae desasosegado. || **Estrecho de conciencia.** loc. fig. Dícese del que es muy ajustado al rigor de la ley o la moral. || **Formar** uno **conciencia.** fr. ant. **Escrupulizar.** || **Manchar** uno **la conciencia.** fr. fig. **Manchar el alma.**

Concienzudamente. adv. m. A conciencia, de modo concienzudo.

Concienzudo, da. adj. Dícese del que es de estrecha y recta conciencia. || **2.** Aplícase a lo que se hace según ella. || **3.** Dícese de la persona que estudia o hace las cosas con mucha atención o detenimiento.

Concierto. (De *concertar.*) m. Buen orden y disposición de las cosas. || **2.** Ajuste o convenio entre dos o más personas o entidades sobre alguna cosa. || **3.** Función de música, en que se ejecutan composiciones sueltas. || **4.** Composición de música de varios instrumentos, en que uno desempeña la parte principal. CONCIERTO *de violín, de flauta.* || **5.** *Mont.* Acción de concertar. || **económico.** Convenio entre la Hacienda y los contribuyentes, gremios o corporaciones, que reemplaza las normas generales de tributación con otros medios de cobranza o con un tanto alzado de ingreso. || **De concierto.** m. adv. De común acuerdo. || **Más vale mal concierto que buen pleito.** ref. que recomienda la transigencia y la concordia.

Conciliable. adj. Que puede conciliarse, componerse o ser compatible con alguna cosa.

Conciliábulo. (Del lat. *conciliabŭlum.*) m. Concilio no convocado por autoridad legítima. || **2.** fig. Junta para tratar de cosa que es o se presume ilícita.

Conciliación. (Del lat. *conciliatĭo, -ōnis.*) f. Acción y efecto de conciliar. || **2.** Conveniencia o semejanza de una cosa con otra. || **3.** Favor o protección que uno se granjea. || **4.** V. **Acto de conciliación.**

Conciliador, ra. (Del lat. *conciliātor.*) adj. Que concilia o es propenso a conciliar o conciliarse.

Conciliar. adj. Perteneciente a los concilios. *Decisión, decreto* CONCILIAR. || **2.** V. **Seminario conciliar.** || **3.** m. Persona que asiste a un concilio.

Conciliar. (Del lat. *conciliāre.*) tr. Componer y ajustar los ánimos de los que estaban opuestos entre sí. || **2.** Conformar dos o más proposiciones o doctrinas al parecer contrarias. || **3.** Granjear o ganar los ánimos y la benevolencia. Alguna vez se dice también del odio y aborrecimiento. Ú. m. c. r.

Conciliativo, va. adj. Dícese de lo que concilia. Ú. t. c. s. m.

Conciliatorio, ria. adj. Lo que puede conciliar o se dirige a este fin.

Concilio. (Del lat. *concilĭum.*) m. Junta o congreso para tratar alguna cosa. || **2.** Colección de los decretos de un **concilio.** || **3.** Junta o congreso de los obispos y otros eclesiásticos de la Iglesia católica, o de parte de ella, para deliberar y decidir sobre las materias de dogmas y de disciplina. || **4.** fig. V. **Padre de concilio.** || **ecuménico,** o **general.** Junta de los obispos de todos los estados y reinos de la cristiandad, convocados legítimamente. || **nacional.** La de los arzobispos y obispos de una nación. || **provincial.** La del metropolitano y sus sufragáneos.

Concinidad. (Del lat. *concinnĭtas, -ātis.*) f. p. us. Calidad de concino.

Concino, na. (Del lat. *concinnus.*) adj. p. us. Bien ordenado y compuesto, armonioso, numeroso, elegante. Aplícase al lenguaje.

Conción. (Del lat. *contio, -ōnis,* discurso.) f. p. us. **Sermón,** 1.ª acep.

Concionador, ra. (Del lat. *contionator, -ōris,* discursante.) m. y f. Persona que predica o razona en público.

Concionante. (Del lat. *contionans, -antis,* discursante.) m. p. us. **Predicador.**

Concionar. (Del lat. *contionari,* discursear.) intr. desus. Hablar en público, predicar.

Concisamente. adv. m. De modo conciso, con brevedad.

Concisión. (Del lat. *concisĭo, -ōnis.*) f. Brevedad en el modo de expresar los conceptos, o sea efecto de expresarlos atinada y exactamente con las menos palabras posibles.

Conciso, sa. (Del lat. *concīsus.*) adj. Que tiene concisión.

Concitación. (Del lat. *concitatĭo, -ōnis.*) f. Acción y efecto de concitar.

Concitador, ra. (Del lat. *concitātor.*) adj. Que concita. Ú. t. c. s.

Concitar. (Del lat. *concitāre,* intens. de *concĭēre,* mover, excitar.) tr. Conmover, instigar a uno contra otro, o excitar inquietudes y sediciones.

Concitativo, va. adj. Dícese de lo que concita.

Conciudadano, na. m. y f. Cada uno de los ciudadanos de una misma ciudad, respecto de los demás. || **2.** Por ext., cada uno de los naturales de una misma nación, respecto de los demás.

Conclave [Cónclave]. (Del lat. *conclāve,* lo que se cierra con llave; de *cum,* con, y *clavis,* llave.) m. Lugar en donde los cardenales se juntan y se encierran para elegir sumo pontífice. || **2.** La misma junta de los cardenales. || **3.** fig. Junta o congreso de gentes que se reúnen para tratar algún asunto.

Conclavista. m. Familiar o criado que entra en el conclave para asistir o servir a los cardenales.

Concluir. (Del lat. *conclūdĕre;* de *cum,* con, y *claudĕre,* cerrar.) tr. Acabar o finalizar una cosa. Ú. t. c. r. || **2.** Determinar y resolver sobre lo que se ha tratado. || **3.** Inferir, deducir una verdad de otras que se admiten, demuestran o presuponen. || **4.** Convencer a uno con la razón, de modo que no tenga que responder ni replicar. Ú. t. c. intr. || **5.** Rematar minuciosamente una obra. Ú. especialmente en las Bellas Artes. || **6.** *Esgr.* Ganarle la espada al contrario por el puño o guarnición, de suerte que no pueda usar de ella. || **7.** *For.* Poner fin a los alegatos en defensa del derecho de una parte, después de haber respondido a los de la contraria, por no tener más que decir ni alegar.

Conclusión. (Del lat. *conclusĭo -ōnis.*) f. Acción y efecto de concluir o concluirse. || **2.** Fin y terminación de una cosa. || **3.** Resolución que se ha tomado sobre una materia después de haberla ventilado. || **4.** Aserto o proposición que se defiende en las escuelas. Ú. m. en pl. || **5.** *Dial.* Proposición que se pretende probar y que se deduce de las premisas. || **6.** *For.* Cada una de las afirmaciones numeradas contenidas en el escrito de calificación penal. Ú. m. en pl. || **7.** *For.* V. **Escrito de conclusión,** o **de conclusiones.** || **alternativa.** *For.* En el escrito de calificación, la que se ofrece como subsidiaria de otra principal. || **definitiva.** *For.* La que, modificada o ratificada, sostienen las partes después de la prueba en el juicio oral. Ú. m. en pl. || **provisional.** *For.* La que precede a la práctica de la prueba en el juicio oral. || **En conclusión.** m. adv. En suma, por último, finalmente. || **Sentarse** uno **en la conclusión.** fr. fig. Mantenerse porfiadamente en su opinión, volviendo a instar en ella, aun contra las razones que le persuaden de la contraria, sin dar otras nuevas.

Conclusivo, va. (Del lat. *conclusīvus.*) adj. Dícese de lo que concluye o finaliza una cosa, o sirve para terminarla y concluirla.

Concluso, sa. (Del lat. *conclūsus.*) p. p. irreg. de **Concluir.** || **2.** adj. ant. Incluido o contenido. || **3.** *For.* Se dice del juicio que está para sentencia.

Concluyente. p. a. de **Concluir.** Que concluye o convence.

Concluyentemente. adv. m. De un modo concluyente.

Concofrade. m. Cofrade juntamente con otro.

Concoide. adj. **Concoideo.** || **2.** f. *Geom.* Curva que en su prolongación se aproxima constantemente a una recta sin tocarla nunca.

Concoideo, a. (Del gr. κογχοειδής; de κόγχη, concha, y εἶδος, forma.) adj. Semejante a la concha. Aplícase a la fractura de los cuerpos sólidos que resulta en formas curvas, a manera de conchas, como sucede en el pedernal y en el lacre.

Concolega. (De *con* y *colega.*) m. El que es del mismo colegio que otro.

Concomerse. (De *con* y *comer.*) r. fam. Mover los hombros y espaldas como quien se estrega por causa de alguna comezón, lo que se suele hacer también sin ella por burla y jocosidad. || **2.** fig. Sentir comezón interior; consumirse de impaciencia, pesar u otro sentimiento.

Concomimiento. m. fam. Acción de concomerse.

Concomio. m. fam. **Concomimiento.**

Concomitancia. (Del b. lat. *concomitantia,* y éste del lat. *concomitans, -antis.*) f. Acción y efecto de concomitar.

Concomitante. p. a. de **Concomitar.** Que acompaña a otra cosa u obra con ella.

Concomitar. (Del lat. *concomitāre.*) tr. Acompañar una cosa a otra, u obrar juntamente con ella.

Concón. (Voz mapuche.) m. *Chile.* **Autillo,** 2.° art. || **2.** *Chile.* Viento terral en la costa sudamericana del Pacífico.

Concordable. (Del lat. *concordabĭlis.*) adj. Que se puede concordar con otra cosa.

Concordablemente. adv. m. Con arreglo a otra cosa, de conformidad con ella.

Concordación. (Del lat. *concordatĭo, -ōnis.*) f. Coordinación, combinación o conciliación de algunas cosas.

Concordador, ra. adj. Que concuerda, apacigua y modera. Ú. t. c. s.

Concordancia. (Del b. lat. *concordantia,* y éste del lat. *concordans, -antis,* concordante.) f. Correspondencia o conformidad de una cosa con otra. || **2.** *Gram.* Conformidad de accidentes entre dos o más palabras variables. Todas éstas, menos el verbo, concuerdan en género y número; y el verbo con su nominativo, en número y persona. || **3.** *Mús.* Justa proporción que guardan entre sí las voces que suenan juntas. || **4.** pl. Índice alfabético de todas las palabras de un libro, con todas las citas de los lugares en que se hallan. || **Concordancia vizcaína.** La que cambia los géneros de los sustantivos, aplicando el femenino al que debe ser masculino, y viceversa. También se dice **a la vizcaína.**

Concordante. (Del lat. *concordans, -antis.*) p. a. de **Concordar.** Que concuerda.

Concordanza. f. ant. **Concordancia.** || **2.** ant. **Concordia.**

Concordar. (Del lat. *concordāre.*) tr. Poner de acuerdo lo que no lo está. || **2.** intr. Convenir una cosa con otra. *La copia de la escritura* CONCUERDA *con su original.* || **3.** *Gram.* Formar concordancia. Ú. t. c. tr.

Concordata. f. **Concordato.**

Concordatario, ria. adj. Perteneciente o relativo al concordato.

Concordativo, va. adj. Que pone de acuerdo.

Concordato. (Del lat. *concordātum,* de *concordāre,* convenirse.) m. Tratado o convenio sobre asuntos eclesiásticos, que el gobierno de un Estado hace con la Santa Sede.

Concorde. (Del lat. *concors, -ordis.*) adj. Conforme, uniforme, de un mismo sentir y parecer.

Concordemente. adv. m. Conformemente, de común acuerdo.

Concordia. (Del lat. *concordia.*) f. Conformidad, unión. || **2.** Ajuste o convenio entre personas que contienden o litigan. || **3.** Instrumento jurídico, autorizado en debida forma, en el cual se contiene lo tratado y convenido entre las partes. || **4. Unión,** 11.ª acep. || **De concordia.** m. adv. De común acuerdo y consentimiento.

Concorpóreo, a. (De *con* y *corpóreo.*) adj. *Teol.* Dícese del que, comulgando dignamente, se hace un mismo cuerpo con Cristo.

Concorvado, da. adj. desus. **Corcovado,** 2.ª acep.

Concovado, da. adj. ant. **Encovado.**

Concreado, da. adj. *Teol.* Dícese de las cualidades que existen en el hombre desde su creación.

Concreción. (Del lat. *concretio, -ōnis.*) f. Acumulación de varias partículas que se unen para formar masas, generalmente arriñonadas.

Concrecionar. tr. Formar concreciones. Ú. t. c. r.

Concrescencia. f. *Bot.* Crecimiento simultáneo de varios órganos de un vegetal, tan cercanos que se confunden en una sola masa.

Concretamente. adv. m. De un modo concreto.

Concretar. (De *concreto.*) tr. Combinar, concordar algunas especies o cosas. || **2.** Reducir a lo más esencial y seguro la materia sobre que se habla o escribe. || **3.** r. Reducirse a tratar o hablar de una cosa sola, con exclusión de otros asuntos.

Concreto, ta. (Del lat. *concrētus.*) adj. Dícese de cualquier objeto considerado en sí mismo, con exclusión de cuanto pueda serle extraño o accesorio. || **2.** Dícese de las cosas que sufren **concreción.** || **3.** *Arit.* V. **Número concreto.** || **4.** m. **Concreción.** || **5.** *Amér.* **Hormigón armado.** || **En concreto.** m. adv. En resumen, en conclusión.

Concuasar. (Del lat. *conquasāre.*) tr. ant. Quebrantar, estrellar, hacer pedazos. || **2.** ant. *For.* **Casar,** anular.

Concubina. (Del lat. *concubina.*) f. Manceba o mujer que vive y cohabita con un hombre como si éste fuera su marido.

Concubinario. m. El que tiene concubina.

Concubinato. (Del lat. *concubinātus.*) m. Comunicación o trato de un hombre con su concubina.

Concubio. (Del lat. *concubium.*) m. ant. Hora de la noche en que suelen recogerse las gentes a dormir.

Concúbito. (Del lat. *concubitus.*) m. **Ayuntamiento,** 5.ª acep.

Concuerda (Por). (De *concordar.*) m. adv. con que se significa que la copia de un escrito está conforme al original.

Concuerde. adj. ant. **Concorde.**

Conculcación. (Del lat. *conculcatio, -ōnis.*) f. Acción y efecto de conculcar.

Conculcador, ra. adj. Que conculca.

Conculcar. (Del lat. *conculcāre.*) tr. **Hollar,** 1.ª acep. || **2. Infringir.** || **3.** p. us. **Oprimir.**

Concuna. f. *Colomb.* Especie de paloma torcaz.

Concuñado, da. (De *con* y *cuñado.*) m. y f. Cónyuge de una persona respecto del cónyuge de otra persona hermana de aquélla. || **2.** Hermano o hermana de una de dos personas unidas en matrimonio respecto de las hermanas o hermanos de la otra.

Concupiscencia. (Del lat. *concupiscentia.*) f. Apetito y deseo de los bienes terrenos. Tómase, por lo común, en mala parte. || **2.** Apetito desordenado de placeres deshonestos.

Concupiscente. (Del lat. *concupiscens, -entis.*) adj. Dominado por la concupiscencia.

Concupiscible. (Del lat. *concupiscibĭlis.*) adj. **Deseable.** || **2.** Dícese de la tendencia de la voluntad hacia el bien sensible. || **3.** V. **Apetito concupiscible.**

Concurrencia. (Del b. lat. *concurrentia,* y éste del lat. *concurrens, -entis,* concurrente.) f. Junta de varias personas en un lugar. || **2.** Acaecimiento o concurso de varios sucesos o cosas en un mismo tiempo. || **3.** Asistencia, ayuda, influjo.

Concurrente. (Del lat. *concurrens, -entis.*) p. a. de **Concurrir.** Que concurre. Ú. t. c. s. || **2.** adj. V. **Cantidad concurrente.** || **3.** f. **Epacta.**

Concurriente. p. a. ant. **Concurrente.**

Concurrir. (Del lat. *concurrĕre;* de *cum,* con, y *currĕre,* correr.) intr. Juntarse en un mismo lugar o tiempo diferentes personas, sucesos o cosas. || **2.** Contribuir con una cantidad para determinado fin. *Antonio y Manuel* CONCURRIERON *con veinte pesetas.* || **3.** Convenir con otro en el parecer o dictamen. || **4.** Tomar parte en un concurso.

Concursado, da. p. p. de **Concursar.** || **2.** m. Deudor declarado legalmente en concurso de acreedores.

Concursar. (De *concurso.*) tr. *For.* Declarar el estado de insolvencia, transitoria o definitiva, de una persona que tiene diversos acreedores.

Concurso. (Del lat. *concursus.*) m. Copia grande de gente junta en un mismo lugar. || **2.** Reunión simultánea de sucesos, circunstancias o cosas diferentes. || **3.** Asistencia o ayuda para una cosa. || **4.** Oposición que por medio de ejercicios científicos, artísticos o literarios, o alegando méritos, se hace a prebendas, cátedra, premios, etc. || **5.** Llamamiento a los que quieran encargarse de ejecutar una obra o prestar un servicio bajo determinadas condiciones, a fin de elegir la propuesta que ofrezca mayores ventajas. || **de acreedores.** *For.* Juicio universal para aplicar los haberes de un deudor no comerciante al pago de sus acreedores.

Concusión. (Del lat. *concussio, -ōnis.*) f. Conmoción violenta, sacudimiento. || **2.** Exacción arbitraria hecha por un funcionario público en provecho propio.

Concusionario, ria. adj. Que comete concusión. Ú. t. c. s.

Concha. (Del lat. *conchyla.*) f. *Zool.* Cubierta, formada en su mayor parte por carbonato cálcico, que protege el cuerpo de los moluscos y que puede constar de una sola pieza o valva, como en los caracoles, de dos, como en las almejas, o de ocho, como en los quitones. Por ext., se aplica este nombre al caparazón de las tortugas y al de los cladóceros y otros pequeños crustáceos. || **2. Ostra,** 2.ª acep. || **3. Carey,** 2.ª acep. || **4.** Mueble en forma de un cuarto de superficie esférica, u otra parecida, que se coloca en el medio del proscenio de los teatros para ocultar al apuntador y reflejar la voz de éste hacia los actores. || **5.** Seno, a veces poco profundo, pero muy cerrado, en la costa del mar. || **6.** Moneda antigua de cobre, que valía dos cuartos, o sea ocho maravedís. || **7. Solera,** 4.ª acep. || **8. fig.** Cualquier cosa que tiene la figura de la **concha** de los animales. || **9.** *Germ.* **Rodela.** || **10.** *Blas.* **Venera,** 1.er art., 2.ª acep. || **de peregrino.** *Zool.* **Venera,** 1.ª acep. || **de perla. Madreperla.** || **Meterse uno en su concha.** fr. fig. Retraerse, negarse a tratar con la gente o a tomar parte en negocios o esparcimientos. || **Tener uno más conchas que un galápago,** o **muchas conchas.** fr. fig. y fam. Ser muy reservado, disimulado y astuto.

Conchabamiento. m. **Conchabanza.**

Conchabanza. f. Acomodación conveniente de una personas en alguna parte. || **2.** fam. Acción y efecto de conchabarse.

Conchabar. tr. Unir, juntar, asociar. || **2.** Mezclar la clase inferior de la lana con la superior o mediana, después de esquilada. || **3.** *Amér. Merid.* Asalariar, contratar a alguno para un servicio de orden inferior, generalmente doméstico. Ú. t. c. r. || **4.** r. fam. Unirse dos o más personas entre sí para algún fin. Tómase, por lo común, en mala parte.

Conchabo. (De *conchabar.*) m. *Amér. Merid.* Contrato de servicio menudo, generalmente doméstico.

Conchado, da. adj. Dícese del animal que tiene conchas.

Conchal. adj. V. **Seda conchal.** || **2.** V. **Seda medio conchal.**

Conchero. m. Depósito prehistórico de conchas y otros restos de moluscos y peces que servían de alimento a los hombres de aquellas edades. Generalmente se hallan a orillas del mar o de los ríos y cerca de las cuevas o cavernas.

Conchesta. (Del lat. *congesta.*) f. *Ar.* Nieve amontonada en los ventisqueros.

Conchífero, ra. (De *concha* y el lat. *fero,* llevar.) adj. *Geol.* Se aplica al terreno secundario que se caracteriza por la abundancia de conchas de moluscos.

Conchil. (De *concha.*) adj. ant. **Conchado.** || **2.** m. Molusco marino gasterópodo, de gran tamaño, y cuya concha, áspera y rugosa, no tiene púas ni tubérculos. Segrega un licor que, como el de la púrpura y el múrice, fué muy usado antiguamente en tintorería. La concha, el opérculo y la carne se han empleado también en medicina.

Concho, cha. adj. *Ecuad.* Del color de las heces de la chicha o de la cerveza. *Una mula* CONCHA. || **2.** m. *Ecuad.* Túnica de la espiga de maíz.

Concho. m. *Ast.* y *León.* Corteza exterior de la nuez verde. || **2.** *Amér.* Poso, sedimento. || **3.** *Amér.* Restos de una comida.

Conchoso, sa. adj. ant. **Conchudo.**

Conchudo, da. adj. Dícese del animal cubierto de conchas. || **2.** fig. y fam. Astuto, cauteloso, sagaz.

Conchuela. f. d. de **Concha.** || **2.** Fondo del mar cubierto de conchas rotas.

Condado. (Del lat. *comitātus*, cortejo, acompañamiento.) m. Dignidad honorífica de conde. || **2.** Territorio o lugar a que se refiere el título nobiliario de conde y sobre el cual éste ejercía antiguamente señorío.

Condadura. f. fam. **Condado,** 1.ª acep. Ú. sólo en el ref. **conde y condadura, y cebada para la mula.**

Condal. adj. Perteneciente al conde o a su dignidad.

Conde. (Del lat. *cŏmes, -ĭtis*, en posición proclítica.) m. Uno de los títulos nobiliarios de que los soberanos hacen merced a ciertas personas. || **2.** El que en Andalucía manda y gobierna, después del manijero, las cuadrillas de gente rústica que trabajan a destajo. || **3.** Caudillo, capitán o superior que elegían los gitanos para que los gobernase. || **4.** Entre los godos españoles, dignidad con cargo y funciones muy diversos, pues había **condes** de los Tesoros, de las Escuelas, Palatinos y otros semejantes. En lo militar, su categoría era inferior a la de duque. || **5.** Gobernador de una comarca o territorio en los primeros siglos de la Edad Media. CONDE *de Monzón.* || **de Barcelona.** Título del rey de España, en recuerdo de los antiguos soberanos de Cataluña, de quienes desciende. || **de Castilla.** En la Edad Media, hasta el rey don Fernando I, soberano independiente en gran parte de Castilla la Vieja. || **Conde y condadura, y cebada para la mula.** ref. con que se zahiere al que, no contento con lo razonable, quiere cosas excesivas.

Condecabo. (De *con* y *de cabo.*) adv. m. ant. **Otra vez.**

Condecente. (Del lat. *condĕcens, -entis*, p. a. de *condecēre*, convenir, estar bien.) adj. Conveniente o correspondiente.

Condecir. intr. Convenir, concertar o guardar armonía una cosa con otra.

Condecoración. f. Acción y efecto de condecorar. || **2.** Cruz, venera u otra insignia semejante de honor y distinción.

Condecorar. (Del lat. *condecorāre*; de *cum*, con, y *decorāre*, adornar, realzar.) tr. Ilustrar a uno; darle honores o condecoraciones.

Condena. (De *condenar.*) f. Testimonio que da de la sentencia el escribano del juzgado, para que conste el destino que lleva el reo sentenciado. || **2.** Extensión y grado de la pena. || **3. Sentencia,** 3.ª acep. *El penado cumple su* CONDENA. || **condicional.** *For.* Beneficio concedido a los que delinquen por primera vez, supeditando el cumplimiento de penas menos graves a la nueva delincuencia dentro de cierto plazo.

Condenable. (Del lat. *condemnabĭlis.*) adj. Digno de ser condenado.

Condenación. (Del lat. *condemnatĭo, -ōnis.*) f. Acción y efecto de condenar o condenarse. || **2.** Por antonom., la eterna.

Condenado, da. p. p. de **Condenar.** || **2.** adj. **Réprobo.** Ú. t. c. s. || **3.** fig. Endemoniado, perverso, nocivo.

Condenador, ra. (Del lat. *condemnātor.*) adj. Que condena o censura. Ú. t. c. s.

Condenar. (Del lat. *condemnāre*; de *cum*, con, y *damnāre*, dañar.) tr. Pronunciar el juez sentencia, imponiendo al reo la pena correspondiente o dictando en juicio civil fallo que no se limite a absolver de la demanda. || **2.** Reprobar una doctrina u opinión, declarándola perniciosa y mala. || **3.** Sentir mal de una cosa, desaprobarla. || **4.** Tabicar una habitación o incomunicarla con las demás, teniéndola siempre cerrada. || **5.** Tratándose de puertas, ventanas, pasadizos, etc., cerrarlos permanentemente o tapiarlos. || **6.** r. Culparse a sí mismo, confesarse culpado. || **7.** Incurrir en la pena eterna.

Condenatorio, ria. (Del b. lat. *condemnatorius*, y éste del lat. *condemnātor*, condenador.) adj. Que contiene condena o puede motivarla. || **2.** *For.* Dícese del pronunciamiento judicial que castiga al reo o que manda al litigante entregar cosa o cumplir obligaciones.

Condensa. (Del lat. *condensa*, t. f. de *-sus*, denso, espeso, apretado.) f. ant. Lugar o cámara donde se guarda alguna cosa; como la despensa, el guardarropa, etc.

Condensabilidad. f. Propiedad de condensarse que tienen algunos cuerpos.

Condensable. adj. Que puede condensarse.

Condensación. (Del lat. *condensatĭo, -ōnis.*) f. Acción y efecto de condensar o condensarse.

Condensador, ra. adj. Que condensa. || **2.** m. *Fís.* Aparato para reducir los gases a menor volumen. || **3.** *Mec.* Recipiente que tienen algunas máquinas de vapor para que éste se liquide en él por la acción del agua fría. || **de fuerzas.** *Mec.* **Acumulador,** 2.ª acep. || **eléctrico.** *Fís.* Aparato para acumular electricidad.

Condensante. p. a. de **Condensar.** Que condensa.

Condensar. (Del lat. *condensāre*; de *cum*, con, y *densus*, denso.) tr. Reducir una cosa a menor volumen, y darle más consistencia si es líquida. Ú. t. c. r. || **2.** ant. **Condesar,** 2.ª acep. || **3.** fig. Reducir a menor extensión un escrito o discurso sin quitarle nada de lo esencial.

Condensativo, va. adj. Dícese de lo que tiene virtud de condensar.

Condenso, sa. p. p. irreg. de **Condensar.** Condensado.

Condesa. (Del lat. **comitĭssa*, de *comes, -ĭtis*, conde.) f. Mujer del conde, o la que por sí heredó u obtuvo un condado. || **2.** Título que se daba a la mujer destinada para asistir y acompañar a una gran señora.

Condesa. (De *condesar.*) f. ant. Junta, muchedumbre.

Condesado. (De *condesa*, 1.er art.) m. ant. **Condado.**

Condesar. (Del lat. *condēnsāre*, condensar.) tr. Ahorrar, economizar. || **2.** ant. Reservar, poner en custodia y depósito una cosa.

Condescendencia. f. Acción y efecto de condescender.

Condescender. (Del lat. *condescendĕre.*) intr. Acomodarse por bondad al gusto y voluntad de otro.

Condescendiente. p. a. de **Condescender.** Que condesciende. || **2.** adj. Pronto, dispuesto a condescender.

Condesijo. (De *condesar.*) m. ant. **Depósito.**

Condesil. (De *condesa.*) adj. fest. **Condal.**

Condestable. (Del lat. *comes stabŭli*, conde de la caballeriza.) m. El que en lo antiguo obtenía y ejercía la primera dignidad de la milicia. || **2.** *Mar.* El que hace veces de sargento en las brigadas de artillería de marina. || **de Castilla.** El que ejercía ese cargo hasta que pasó a ser título honorífico vinculado, como en Aragón, Navarra y Nápoles.

Condestablesa. f. Mujer del condestable.

Condestablía. f. Dignidad de condestable.

Condexar. tr. ant. **Condesar.**

Condición. (Del lat. *conditĭo, -ōnis.*) f. Índole, naturaleza o propiedad de las cosas. || **2.** Natural, carácter o genio de los hombres. || **3.** Estado, situación especial en que se halla una persona. || **4.** Calidad del nacimiento o estado de los hombres; como de noble, plebeyo, libre, siervo, etc. || **5.** Suele usarse por sólo la calidad de noble. *Es hombre de* CONDICIÓN. || **6.** Constitución primitiva y fundamental de un pueblo. || **7.** Calidad o circunstancia con que se hace o promete una cosa. || **8.** V. **Pliego de condiciones.** || **9.** *For.* Acontecimiento incierto o ignorado que influye en la perfección o resolución de ciertos actos jurídicos o de sus consecuencias. || **10.** pl. Aptitud o disposición. || **Condición callada. Condición tácita.** || **casual.** *For.* La que no pende del arbitrio de los hombres; como si dijese el testador: *Instituyo por mi heredero a Pedro, si mañana lloviere, o si hiciere sol.* || **convenible.** *For.* La que conviene al acto que se celebra y sobre que se pone. || **desconvenible.** *For.* La que se opone a la naturaleza del contrato, acto o derecho o a sus fines. || **deshonesta.** *For.* **Condición torpe.** || **imposible de derecho.** *For.* La que se opone a la honestidad o a la ley. || **imposible de hecho.** *For.* La que consiste en un hecho irrealizable. || **mixta.** *For.* La que en parte pende del arbitrio de los hombres, y en parte del acaso; como si el testador dijere: *Instituyo a Juan heredero, con* CONDICIÓN *de que venga a España desde América, en donde está;* pues aunque él se embarque, puede no arribar, por los riesgos de la navegación. || **necesaria.** *For.* La que es preciso que intervenga para la validación de un contrato, acto o derecho. || **potestativa.** *For.* Aquella cuyo cumplimiento depende de la voluntad del interesado, que es lícita en las sucesiones y que anula la obligación contractual que de ella dependa. || **resolutoria.** *For.* **Cláusula resolutoria.** || **sine qua non.** Aquella sin la cual no se hará una cosa o se tendrá por no hecha. || **suspensiva.** *For.* Aquella cuyo cumplimiento es necesario para la eficacia del acto o derecho a que afecta. || **tácita.** *For.* La que, aunque expresamente no se ponga, virtualmente se entiende puesta. || **torpe.** *For.* La que es inmoral. || **Condición de buen amigo, condición de buen vino.** ref. que indica que así uno como otro son mejores siendo viejos. || **De condición.** m. adv. De suerte, de manera. || **Mudar de condición es a par de muerte.** fr. fig. Que es casi imposible cambiar uno su carácter y hábitos. || **Poner en condición.** fr. ant. Poner en peligro, arriesgar, exponer. || **Quebrarle a uno la condición.** fr. fig. Abatirle el orgullo o corregirle de sus defectos, contrariándole. || **Tener uno condición.** fr. Ser de genio áspero y fuerte. || **Tener en condición.** fr. ant. **Poner en condición.**

Condicionado, da. (De *condicionar.*) adj. **Acondicionado,** 2.ª y 3.ª aceps. || **2. Condicional,** 1.ª acep.

Condicional. (Del lat. *condicionālis.*) adj. Que incluye y lleva consigo una condición o requisito. || **2.** *Gram.* V. **Conjunción condicional.** || **3.** *For.* V. **Libertad condicional**

Condicionalmente. adv. m. Con condición.

Condicionamiento. m. Acción y efecto de **condicionar,** 3.ª acep.

Condicionar. (De *condición.*) intr. Convenir una cosa con otra. || **2.** tr. Hacer depender una cosa de alguna condición. || **3.** En la industria textil, determinar para fines comerciales las condiciones de ciertas fibras.

Condido. m. ant. **Cundido.**

Condidor. (Del lat. *condĭtor.*) m. ant. **Fundador.**

Condidura. (De *condir*, 2.° art.) f. ant. Aderezo de la comida. || **Donde no entra condidura, entra pan sin mesura.** ref. que expresa cómo en donde no hay aliño para comer se suple con la abundancia de pan.

Condignamente. adv. m. De manera condigna.

Condigno, na. (Del lat. *condignus.*) adj. Dícese de lo que corresponde a otra cosa o se sigue naturalmente de ella; como el premio a la virtud, y la pena al delito. ‖ **2.** *Teol.* V. **Mérito de condigno.**

Cóndilo. (Del lat. *condȳlus,* y éste del gr. κόνδυλος.) m. *Zool.* Eminencia redondeada, en la extremidad de un hueso, que forma articulación encajando en el hueco correspondiente de otro hueso.

Condimentación. f. Acción y efecto de condimentar.

Condimentar. (De *condimento.*) tr. Sazonar los manjares.

Condimento. (Del lat. *condimentum.*) m. Lo que sirve para sazonar la comida y darle buen sabor.

Condir. (Del lat. *condĕre.*) tr. ant. Establecer, fundar.

Condir. (Del lat. *condīre.*) tr. ant. **Condimentar.**

Condiscípulo, la. (Del lat. *condiscipŭlus.*) m. y f. Persona que estudia o ha estudiado con otra u otras bajo la dirección de un mismo maestro o maestra.

Condistinguir. tr. ant. **Distinguir,** 1.ª acep.

Condolecerse. (Del lat. *condolescĕre.*) r. **Condolerse.**

Condolencia. (De *condolerse.*) f. Participación en el pesar ajeno. ‖ **2. Pésame.**

Condoler. (Del lat. *condolēre.*) tr. ant. **Compadecer.** ‖ **2.** r. Compadecerse, lastimarse de lo que otro siente o padece.

Condominio. m. *For.* Dominio de una cosa que pertenece en común a dos o más personas.

Condómino. (Del lat. *cum,* con, y *domĭnus,* señor.) com. *For.* **Condueño.**

Condonación. (Del lat. *condonatio, -ōnis.*) f. Acción y efecto de condonar.

Condonante. p. a. de **Condonar.** Que condona. Ú. t. c. s.

Condonar. (Del lat. *condonāre.*) tr. Perdonar o remitir una pena de muerte o una deuda.

Cóndor. (Del quichua *cúntur.*) m. Ave rapaz diurna, de la misma familia que el buitre, de poco más de un metro de largo y tres de envergadura, con la cabeza y el cuello desnudos, y en aquélla carúnculas en forma de cresta y barbas; plumaje fuerte de color negro azulado, collar blanco, y blancas también la espalda y la parte superior de las alas; cola pequeña y pies negros. Habita en los Andes y es la mayor de las aves que vuelan. ‖ **2.** Moneda de oro de Chile y del Ecuador, que equivale a 50 pesetas. ‖ **3.** Moneda de oro chilena que vale aproximadamente 38 pesetas.

Condotiero. (Del ital. *condottiere,* y éste de *condotta,* ajuste, del lat. *condūctus,* conducido.) m. Nombre del general o cabeza de soldados mercenarios italianos y luego aplicado a los de otros países. ‖ **2.** Soldado mercenario.

Condrila. (Del lat. *chondrilla,* y éste del gr. χονδρίλη.) f. Hierba de la familia de las compuestas, con tallo de cuatro a seis decímetros de largo, velloso y mimbreño; hojas inferiores lobuladas, y lineales las superiores, y flores amarillas en cabezuelas pequeñas. Es comestible y de su raíz se saca liga.

Condrín. m. Peso para metales preciosos que se usa en Filipinas, décima parte del mas, y equivalente a 37 centigramos y 6 miligramos.

Condritis. (Del gr. χόνδρος, cartílago.) f. Inflamación del tejido cartilaginoso.

Condrografía. (Del gr. χόνδρος, cartílago, y γράφω, describir.) f. *Zool.* Parte de la anatomía, que trata de la descripción de los cartílagos.

Condrográfico, ca. adj. *Zool.* Perteneciente o relativo a la condrografía.

Condrología. (Del gr. χόνδρος, cartílago, y λόγος, tratado.) f. *Zool.* Parte de la organología, que trata de los cartílagos en todos sus aspectos.

Condroma. (Del gr. χόνδρος, cartílago.) m. Tumor producido a expensas del tejido cartilaginoso.

Conducción. (Del lat. *conductio, -ōnis.*) f. Acción y efecto de conducir, llevar o guiar alguna cosa. ‖ **2.** Ajuste y concierto hecho por precio y salario. ‖ **3.** Conjunto de conductos dispuestos para el paso de algún fluido.

Conducencia. f. **Conducción.**

Conducente. (Del lat. *conducens, -entis.*) p. a. de **Conducir.** Que conduce.

Conducidor, ra. (De *conducir.*) adj. ant. **Conductor.** Usáb. t. c. s.

Conduciente. p. a. ant. de **Conducir.** Que conduce.

Conducir. (Del lat. *conducĕre;* de *cum,* con, y *ducĕre,* llevar.) tr. Llevar, transportar de una parte a otra. ‖ **2.** Guiar o dirigir hacia un paraje o sitio. ‖ **3.** Guiar un vehículo automóvil. ‖ **4.** Guiar o dirigir un negocio. ‖ **5.** Ajustar, concertar por precio o salario. ‖ **6.** intr. Convenir, ser a propósito para algún fin. ‖ **7.** r. Manejarse, portarse, comportarse, proceder de esta o la otra manera, bien o mal.

Conducta. (Del lat. *conducta,* conducida, guiada.) f. **Conducción.** ‖ **2.** Recua o carros que llevaban la moneda que se transportaba de una parte a otra, y con especialidad la que se conducía a la corte. ‖ **3.** Moneda cargada sobre recua o carros. ‖ **4.** Gobierno, mando, guía, dirección. ‖ **5.** Porte o manera con que los hombres gobiernan su vida y dirigen sus acciones. ‖ **6.** Iguala que se hace con el médico para que asista a los enfermos de una casa, pueblo o territorio. ‖ **7.** Remuneración que se le da. ‖ **8.** Comisión para reclutar y conducir gente de guerra. *Obtener una* CONDUCTA. ‖ **9.** ant. Capitulación o contrato. ‖ **10.** *For.* V. **Caución de conducta.** ‖ **11.** *Mil.* Gente nueva reclutada que los oficiales llevaban a los regimientos.

Conductero. m. El que tiene a su cargo llevar una conducta. ‖ **2.** ant. **Conductor,** 1.ª acep.

Conductibilidad. (De *conductible*). f. *Fís.* Propiedad natural de los cuerpos, que consiste en transmitir el calor o la electricidad.

Conductible. (Del lat. *conductus,* conducido.) adj. Que puede ser conducido.

Conducticio. (Del lat. *conductus,* conducido.) adj. *For.* Perteneciente o relativo al canon, 12.ª acep.

Conductividad. f. Calidad de conductivo.

Conductivo, va. (De *conducto.*) adj. Dícese de lo que tiene virtud de conducir.

Conducto. (Del lat. *conductus,* conducido.) m. Canal, comúnmente cubierto, que sirve para dar paso y salida a las aguas y otras cosas. ‖ **2.** Cada uno de los tubos o canales que, en gran número, se hallan en los cuerpos organizados para la vida y sirven a las funciones fisiológicas. ‖ **3.** fig. Persona por quien se dirige un negocio o pretensión o por quien se tiene noticia de alguna cosa. ‖ **arterioso.** Arteria que en el feto une la arteria pulmonar a la aorta; desaparece normalmente después del nacimiento. ‖ **auditivo externo.** *Zool.* Tubo que forma parte del órgano de audición de los mamíferos y se extiende desde la base de la oreja hasta el oído medio. ‖ **deferente.** *Anat.* **Conducto** excretor y eyaculador en cada uno de los testículos. ‖ **hepático. Conducto** excretor de la bilis que, desde el final de los más gruesos canalillos biliares que salen del hígado, va a unirse al **conducto** cístico.

Conductor, ra. (Del lat. *conductor.*) adj. Que conduce. Ú. t. c. s. ‖ **2.** *Fís.* Aplícase a los cuerpos según que conducen bien o mal el calor y la electricidad. Son buenos **conductores** los metales para uno y otro fluido; y malos, para la electricidad las resinas, el vidrio, la seda; y para el calor el carbón, la madera, la lana, el aire, etc. Ú. t. c. s. ‖ **de embajadores.** ant. **Introductor de embajadores.** ‖ **eléctrico.** *Fís.* Alambre o cordón compuesto de varios alambres, destinado a transmitir la electricidad; como los **conductores** telegráficos, etc.

Conducho. (Del lat. *conductus,* p. p. de *conducĕre,* conducir.) m. Comestibles que podían pedir los señores a sus vasallos. ‖ **2.** Comida, bastimento.

Condueño. (De *con* y *dueño.*) com. Compañero de otro en el dominio o señorío de alguna cosa.

Conduerma. f. *Venez.* Modorra, sueño muy pesado.

Condumio. (De *condir,* 2.° art.) m. fam. Manjar que se come con pan; como cualquier cosa guisada. ‖ **Haber,** o **hacer, mucho condumio.** fr. fam. que se dice cuando hay preparada mucha comida; algunas veces se dice de la mucha abundancia de frutas y comestibles.

Conduplicación. (Del lat. *conduplicatio, -ōnis.*) f. *Ret.* Figura que se comete repitiendo al principio de una cláusula o miembro del período la última palabra del miembro o cláusula inmediatamente anterior.

Condurango. m. *Bot.* Planta sarmentosa de la familia de las asclepiadáceas, que vive en el Ecuador y en Colombia. Se emplea en medicina.

Condurar. tr. *Extr.* Hacer durar una cosa o economizarla.

Conduta. f. ant. **Conducta.** ‖ **2.** ant. Instrucción que se daba por escrito a los que iban provistos en algún gobierno.

Condutal. m. *Albañ.* Canal o conducto por donde se vacían de las casas las aguas pluviales.

Condutero. m. ant. **Conductero.**

Conectador. m. Aparato o medio que se emplea para conectar.

Conectar. (Del lat. *connectĕre;* de *cum,* con, y *nectĕre,* unir, enlazar.) tr. *Mec.* Combinar con el movimiento de una máquina el de un aparato dependiente de ella. ‖ **2.** Poner en contacto, unir.

Conectivo, va. adj. Que une, ligando partes de un mismo aparato o sistema.

Coneja. f. Hembra del conejo. ‖ **Ser una coneja.** fr. fig. y fam. Parir a menudo.

Conejal. m. **Conejar.**

Conejar. (Del lat. *cunicŭlāris,* de *cunicŭlus,* conejo.) m. Vivar o sitio destinado para criar conejos.

Conejera. f. Madriguera donde se crían conejos. ‖ **2. Conejar.** ‖ **3.** fig. Cueva estrecha y larga, semejante a las que hacen los conejos para sus madrigueras. ‖ **4.** fig. y fam. Casa donde se suele juntar mucha gente de mal vivir. ‖ **5.** fig. y fam. Sótano, cueva o lugar estrecho donde se recogen muchas personas.

Conejero, ra. (Del lat. *cunicularius,* de *cunicŭlus,* conejo.) adj. Que caza conejos. Aplícase comúnmente al perro que sirve para este fin. ‖ **2.** m. y f. Persona que cría o vende conejos.

Conejillo. m. d. de **Conejo.** ‖ **de Indias.** Mamífero del orden de los roedores, parecido al conejo, pero más pequeño, con orejas cortas, cola casi nula, tres dedos en las patas posteriores y cuatro en las anteriores. Se usa mucho en experimentos de medicina y bacteriología.

Conejo. (Del lat. *cunicŭlus.*) m. Mamífero del orden de los roedores, de unos cuatro decímetros de largo, comprendida la cola; pelo espeso de color ordinariamente gris, orejas tan largas como la cabeza, patas posteriores más largas que las anteriores, aquéllas con cuatro dedos y éstas con cinco, y cola muy corta. Vive en madrigueras, se domestica fácilmente, su carne es comestible y su pelo se emplea para fieltros y otras manufacturas. || **2.** V. **Alambre conejo.** || **3.** V. **Hilo de conejo.** || **4.** fam. V. **La risa del conejo.** || **albar. Conejo** blanco. || **Dite el conejo, y quitásteme el pellejo.** ref. encaminado a censurar la ingratitud de los que pagan con maldecir los beneficios que reciben. || **El conejo ido, el consejo venido.** ref. **Al asno muerto, la cebada al rabo.**

Conejuelo. m. d. de **Conejo.**

Conejuno, na. adj. Perteneciente al conejo. || **2.** Semejante a él. || **3.** f. Pelo de conejo.

Conexidad. (De *conexo.*) f. ant. **Conexión.** || **2.** pl. Derechos y cosas anejas a otra principal. Ú. con la voz *anexidades*, como fórmula en los instrumentos públicos.

Conexión. (Del lat. *connexĭo, -ōnis.*) f. Enlace, atadura, trabazón, concatenación de una cosa con otra. || **2.** pl. Amistades, mancomunidad de ideas o de intereses.

Conexionarse. r. Contraer conexiones.

Conexivo, va. (Del lat. *connexīvus.*) adj. Dícese de lo que que puede unir o juntar una cosa con otra.

Conexo, xa. (Del lat. *connexus*, p. p. de *connectĕre*, unir.) adj. Aplícase a la cosa que está enlazada o relacionada con otra. || **2.** *For.* Dícese de los delitos que por su relación deben ser objeto de un mismo proceso.

Confabulación. (Del lat. *confabulatĭo, -ōnis.*) f. Acción y efecto de confabular o confabularse. Tómase, por lo común, en mala parte.

Confabulador, ra. (Del lat. *confabulātor.*) m. y f. Cada una de las personas que tratan entre sí algún asunto, principalmente de los que requieren cautela. || **2.** ant. Decidor de cuentos o fábulas.

Confabular. (Del lat. *confabulāri*; de *cum*, con, y *fabulāri*, hablar.) intr. Conferir, tratar una cosa entre dos o más personas. || **2.** ant. Decir, referir fábulas. || **3.** r. Ponerse de acuerdo dos o más personas sobre un negocio en que no son ellas solas las interesadas. Tómase, por lo común, en mala parte.

Confacción. f. ant. **Confección.**

Confaccionar. tr. ant. **Confeccionar.**

Confalón. (De *gonfalón.*) m. Bandera, estandarte, pendón.

Confalonier. (Del ital. *gonfaloniere*, de *gonfalone*, confalón.) m. **Confaloniero.**

Confaloniero. (De *confalonier.*) m. El que lleva el confalón.

Confarración. f. ant. **Confarreación.**

Confarreación. (Del lat. *confarreatĭo, -ōnis.*) f. Uno de los tres modos, reservado a los patricios, que tenían los antiguos romanos de contraer matrimonio, mediante el cual la mujer entraba en comunidad de bienes con el marido, y los hijos gozaban de ciertos privilegios. Era ceremonia a la vez civil y religiosa, en la cual se ofrecía un sacrificio, esparciendo farro sobre la víctima, y los contrayentes comían una torta hecha también de farro.

Confección. (Del lat. *confectĭo, -ōnis.*) f. Acción y efecto de confeccionar. || **2.** *Farm.* Medicamento de consistencia blanda, compuesto de varias substancias pulverizadas, casi siempre de naturaleza vegetal, con cierta cantidad de jarabe o miel.

Confeccionador, ra. adj. Que confecciona. Ú. t. c. s.

Confeccionar. (De *confección.*) tr. Hacer, preparar, componer, acabar, tratándose de obras materiales. || **2.** *Farm.* Hacer confecciones, preparar según arte los medicamentos.

Confector. (Del lat. *confector*, de *conficĕre*, hacer, acabar, matar.) m. **Gladiador.**

Confederación. (Del lat. *confoederatĭo, -ōnis.*) f. Alianza, liga, unión o pacto entre algunas personas, y más comúnmente entre naciones o estados. || **2.** Conjunto de personas o de estados confederados. CONFEDERACIÓN *helvética.*

Confederado, da. p. p. de **Confederar.** || **2.** adj. Que entra o está en una confederación. Ú. t. c. s.

Confederanza. (De *confederar.*) f. ant. **Confederación.**

Confederar. (Del lat. *confoederāre.*) tr. Hacer alianza, liga o unión o pacto entre varios. Ú. m. c. r.

Confederativo, va. adj. **Federativo.**

Conferecer. tr. ant. Conferir o dar una cosa.

Conferencia. (Del lat. *conferentĭa*, de *conferre*, juntar, comunicar.) f. Plática entre dos o más personas para tratar de algún punto o negocio. || **2.** En algunas universidades o estudios, lección que llevan los estudiantes cada día. || **3.** Disertación en público sobre algún punto doctrinal. || **4.** Junta que celebra cada una de las agrupaciones de socios de la Sociedad de San Vicente de Paúl, para tratar de las necesidades de los pobres a quienes visitan. || **5.** Reunión de representantes de gobiernos o estados para tratar asuntos internacionales. || **6.** Comunicación telefónica interurbana. || **7.** ant. **Cotejo.**

Conferenciante. (De *conferenciar.*) com. Persona que diserta en público sobre algún punto doctrinal.

Conferenciar. (De *conferencia.*) intr. Platicar una o varias personas con otra u otras para tratar de algún punto o negocio.

Conferencista. com. **Conferenciante.**

Conferir. (Del lat. *conferre*; de *cum*, con, y *ferre*, llevar.) tr. Conceder, asignar a uno dignidad, empleo, facultades o derechos. || **2.** Tratar y examinar entre varias personas algún punto o negocio. || **3.** Cotejar y comparar una cosa con otra. || **4.** intr. **Conferenciar.**

Confesa. (De *confeso.*) f. Viuda que entraba a ser monja.

Confesable. adj. Que puede confesarse.

Confesado, da. (De *confesar.*) m. y f. fam. **Hijo,** o **hija, de confesión.**

Confesante. p. a. de **Confesar.** Que confiesa. || **2.** *For.* Que confiesa en juicio. Ú. t. c. s. || **3.** m. ant. Penitente que confiesa sacramentalmente sus pecados.

Confesar. (De *confeso.*) tr. Manifestar o aseverar uno sus hechos, ideas o sentimientos. || **2.** Reconocer y declarar uno, obligado por la fuerza de la razón o por otro motivo, lo que sin ello no reconocería ni declararía. || **3.** Declarar el penitente al confesor en el sacramento de la penitencia los pecados que ha cometido. Ú. t. c. r. || **4.** Oir el confesor al penitente en el sacramento de la penitencia. || **5.** *For.* Declarar el reo o el litigante ante el juez. || **Confesar uno de plano.** fr. Declarar lisa y llanamente una cosa, sin ocultar nada. || **El que la confiese, o quien la confesare, que la pague.** expr. fig. y fam. con que defendemos nuestro silencio en las cosas que son de perjuicio.

Confesión. (Del lat. *confessĭo, -ōnis.*) f. Declaración que uno hace de lo que sabe, espontáneamente o preguntado por otro. || **2.** Declaración al confesor de los pecados que uno ha cometido. || **3.** *For.* Declaración del litigante o del reo en el juicio. || **4.** Credo religioso y conjunto de personas que lo profesan. || **auricular.** La sacramental. || **general.** La que se hace de los pecados de toda la vida pasada, o de una gran parte de ella. || **2.** Fórmula y oración que tiene dispuesta la Iglesia para prepararse los fieles a recibir algunos sacramentos, de que se usa también en el oficio divino y otras ocasiones. || **Demediar,** o **dimidiar,** uno **la confesión.** fr. En el lenguaje de los moralistas se dice así cuando, por impotencia física o moral, y con las condiciones que señalan los autores, el penitente no manifiesta todos sus pecados al confesor, pudiendo, sin embargo, ser válida aquélla, y éste lícitamente absuelto. || **Oir de confesión.** fr. Ejercer el ministerio de confesor.

Confesional. adj. Perteneciente a una confesión religiosa. Ú. t. c. s. || m. ant. **Confesionario,** 2.ª acep.

Confesionalidad. f. Calidad de confesional.

Confesionario. (De *confesión.*) m. **Confesonario.** || **2.** Tratado o discurso en que se dan reglas para saber confesar y confesarse.

Confesionista. adj. Que profesa la confesión de Augsburgo, declaración luterana de fe, propuesta al emperador Carlos V. Apl. a pers., ú. t. c. s.

Confeso, sa. (Del lat. *confessus*, p. p. de *confitēri*, confesar.) adj. Dícese del que ha confesado su delito o culpa. || **2.** Aplícase al judío convertido. Ú. t. c. s. || **3.** m. Monje lego, donado. || **Tener por confeso** a uno. fr. *For.* Hacer el juez la declaración de haber tácitamente confesado un litigante en vista de su resistencia invencible a absolver posiciones o a reconocer un documento.

Confesonario. (De *confesionario.*) m. Mueble dentro del cual se coloca el sacerdote para oir las confesiones sacramentales en las iglesias, y consiste en un asiento encerrado entre dos tableros laterales con celosías, y por delante una compuerta.

Confesor. (Del lat. *confessor.*) m. Cristiano que profesa públicamente la fe de Jesucristo, y por ella está pronto a dar la vida. En este sentido llama la Iglesia **confesores** a ciertos santos. || **2.** Sacerdote que, con licencia del ordinario, confiesa a los penitentes. || **de manga ancha.** fig. y fam. El que es fácil en dar la absolución a los penitentes.

Confesorio. (De *confesor.*) m. **Confesonario.**

Confesuría. f. Cargo de confesor.

Confeti. (Del ital. *confetti*, pl. de *confetto*, y éste del lat. *confectus*, elaborado.) m. Pedacitos de papel de varios colores, recortados en varias formas, que se arrojan las personas unas a otras en los días de carnaval.

Confiable. adj. Aplícase a la persona en quien se puede confiar.

Confiadamente. adv. m. Con seguridad y confianza.

Confiado, da. (De *confiar.*) adj. Crédulo, imprevisor. || **2.** Presumido, satisfecho de sí mismo.

Confiador. m. *For.* **Cofiador.**

Confiador, ra. adj. ant. **Confiado,** 1.ª acep.

Confiante. p. a. ant. de **Confiar.** Que confía o tiene confianza.

Confianza. (De *confiar.*) f. Esperanza firme que se tiene de una persona o cosa. || **2.** Ánimo, aliento y vigor para obrar. || **3.** Presunción y vana opinión de sí mismo. || **4.** Pacto o convenio hecho oculta y reservadamente entre dos o más personas, particularmente si son tratantes o del comercio. || **5.** Familiaridad en el trato. || **6.** V. **Abuso de confianza.** || **De confianza.** loc. Dícese de la persona con quien se tiene trato íntimo o familiar. || **2.** Dícese de la persona en quien se puede confiar. || **3.** Dícese de las cosas que poseen las cualidades recomendables para el fin a que se destinan. || **En confianza.** m. adv. **Confiadamente.**

Confianzudo, da. adj. **Confiado,** 1.ª acep. || **2.** Propenso a usar de familiaridad en el trato.

Confiar. (Del lat. **confidāre*, por *confidĕre*.) intr. Esperar con firmeza y seguridad. || **2.** tr. Encargar o poner al cuidado de uno algún negocio u otra cosa. || **3.** Depositar en uno, sin más seguridad que la buena fe y la opinión que de él se tiene, la hacienda, el secreto u otra cualquier cosa. Ú. t. c. r. || **4.** Dar esperanza a uno de que conseguirá lo que desea.

Conficiente. (Del lat. *conficiens, -entis*, p. a. de *conficĕre*, hacer.) adj. ant. Que obra o hace.

Confición. f. ant. **Confección.**

Conficionar. tr. ant. **Confeccionar.**

Confidencia. (Del lat. *confidentĭa*.) f. **Confianza.** || **2.** Revelación secreta, noticia reservada.

Confidencial. (De *confidencia*.) adj. Que se hace o se dice en confianza o con seguridad recíproca entre dos o más personas. *Carta* CONFIDENCIAL.

Confidencialmente. adv. m. De manera confidencial.

Confidente, ta. (Del lat. *confidens, -entis*, p. a. de *confidĕre*, confiar.) adj. Fiel, seguro, de confianza. || **2.** m. Canapé de dos asientos. || **3.** m. y f. Persona a quien otro fía sus secretos o le encarga la ejecución de cosas reservadas. || **4.** Persona que sirve de espía, y trae noticias de lo que pasa en el campo enemigo o entre gentes sospechosas.

Confidentemente. adv. m. **Confidencialmente.** || **2.** Con fidelidad.

Confiesa. (De *confesar*.) f. ant. **Confesión.** || **Caer, o incurrir, en confiesa.** fr. ant. *For.* Ser reputado por reo, o condenado en juicio, el que llamado por el juez no comparecía dentro de cierto tiempo.

Confieso, sa. adj. ant. *For.* **Confeso,** 1.ª acep.

Configuración. (Del lat. *configuratĭo, -ōnis*.) f. Disposición de las partes que componen un cuerpo y le dan su peculiar figura. || **2.** ant. Conformidad, semejanza de una cosa con otra.

Configurar. (Del lat. *configurāre*.) tr. Dar determinada figura a una cosa. Ú. t. c. r.

Confín. (Del lat. *confinis*.) adj. **Confinante.** || **2.** m. Término o raya que divide las poblaciones, provincias o reinos, y señala los límites de cada uno. || **3.** Último término a que alcanza la vista.

Confinación. f. **Confinamiento.**

Confinado, da. p. p. de **Confinar.** || **2.** adj. **Desterrado.** || **3.** m. *For.* El que sufre la pena de confinamiento.

Confinamiento. m. Acción y efecto de confinar. || **2.** *For.* Pena aflictiva consistente en relegar al condenado a cierto lugar seguro para que viva en libertad, pero bajo la vigilancia de las autoridades.

Confinante. p. a. de **Confinar.** Que confina, 1.ª acep.

Confinar. (De *confín*.) intr. Lindar, estar contiguo o inmediato a otro territorio, mar, río, etc. || **2.** tr. Desterrar a uno, señalándole un paraje determinado de donde no puede salir en cierto tiempo.

Confingir. (Del lat. *confingĕre*; de *cum*, con, y *fingĕre*, formar, componer.) tr. Incorporar o mezclar una o más cosas con un líquido, hasta formar una masa; como cuando los boticarios, que son los que comúnmente usan de este verbo, hacen las confecciones, opiatas, píldoras, etc.

Confinidad. f. Proximidad, inmediación, contigüidad.

Confirmación. (Del lat. *confirmatĭo, -ōnis*.) f. Acción y efecto de confirmar. || **2.** Nueva prueba de la verdad y certeza de un suceso, dictamen u otra cosa. || **3.** Uno de los siete sacramentos de la Iglesia; por el cual el que ha recibido la fe del santo bautismo se confirma y corrobora en ella. || **4.** *Ret.* Parte principal del discurso, o sea aquella en que se aducen los argumentos o razones para demostrar la proposición.

Confirmadamente. adv. m. Con firmeza, seguridad y aprobación.

Confirmador, ra. (Del lat. *confirmātor*.) adj. Que confirma. Ú. t. c. s.

Confirmamiento. m. ant. **Confirmación,** 1.ª acep.

Confirmando, da. m. y f. Persona que va a recibir el sacramento de la confirmación.

Confirmante. p. a. de **Confirmar.** Que confirma. Ú. t. c. s.

Confirmar. (Del lat. *confirmāre*.) tr. Corroborar la verdad, certeza o probabilidad de una cosa. || **2.** Revalidar lo ya aprobado. || **3.** Asegurar, dar a una persona o cosa mayor firmeza o seguridad. Ú. t. c. r. || **4.** Administrar el santo sacramento de la confirmación. || **5.** *For.* En los contratos o actos jurídicos con vicio subsanable de nulidad, remediar este defecto expresa o tácitamente.

Confirmativo, va. (Del lat. *confirmatīvus*.) adj. **Confirmatorio.**

Confirmatorio, ria. adj. Aplícase al auto o sentencia por el que se confirma otro auto o sentencia dado anteriormente.

Confiscable. adj. Que se puede confiscar.

Confiscación. (Del lat. *confiscatĭo, -ōnis*.) f. Acción y efecto de confiscar.

Confiscado, da. adj. fam. *And.* y *Venez.* Maldito, condenado, travieso.

Confiscar. (Del lat. *confiscāre*; de *cum*, con, y *fiscus*, el fisco.) tr. Privar a uno de sus bienes y aplicarlos al fisco.

Confitado, da. p. p. de **Confitar.** || **2.** adj. Confiado, esperanzado.

Confitar. (De *confite*.) tr. Cubrir con baño de azúcar las frutas o semillas preparadas para este fin. || **2.** Cocer las frutas en almíbar. || **3.** fig. Endulzar, suavizar.

Confite. (Del fr. *confit*, y éste del lat. *confectus*, elaborado.) m. Pasta hecha de azúcar y algún otro ingrediente, ordinariamente en forma de bolillas de varios tamaños. Ú. m. en pl. || **Morder en un confite.** fr. fig. y fam. **Comer en un mismo plato.**

Confitente. (Del lat. *confitens, -entis*, que confiesa.) adj. **Confeso,** 1.ª acep.

Confíteor. m. Palabra latina con que empieza la oración que se dice en la misa y en la confesión. || **2.** fig. Confesión paladina de alguna falta o error.

Confitera. f. Vasija o caja donde se ponen los confites.

Confitería. f. Casa u oficina donde los confiteros hacen los dulces. || **2.** Tienda donde los venden.

Confitero, ra. (De *confite*.) adj. V. **Calabaza confitera.** || **2.** m. y f. Persona que tiene por oficio hacer o vender todo género de dulces y confituras. || **3.** m. Vaso donde se servían antiguamente los dulces.

Confitico, llo, to. (d. de *confite*.) m. Labor menuda que tienen algunas colchas, parecida a los confites pequeños.

Confitura. (Del lat. *confectūra*, hechura, preparación.) f. Fruta u otra cosa confitada.

Confiturería. f. ant. **Confitería.**

Confiturero, ra. m. y f. ant. **Confitero, ra.**

Conflación. (Del lat. *conflactĭo, -ōnis*.) f. **Fundición,** 1.ª acep.

Conflagración. (Del lat. *conflagratĭo, -ōnis*.) f. **Incendio,** 1.ª acep. || **2.** fig. Perturbación repentina y violenta de pueblos o naciones.

Conflagrar. (Del lat. *conflagrāre*, inflamar.) tr. Inflamar, incendiar, quemar alguna cosa.

Conflátil. (Del lat. *conflatĭlis*.) adj. Que se puede fundir.

Conflicto. (Del lat. *conflictus*.) m. Lo más recio de un combate. || **2.** Punto en que aparece incierto el resultado de la pelea. || **3.** fig. Combate y angustia del ánimo. || **4.** fig. Apuro, situación desgraciada y de difícil salida.

Confluencia. (Del lat. *confluentĭa*.) f. Acción de confluir. || **2.** Paraje donde confluyen los ríos o los caminos.

Confluente. (Del lat. *conflŭens, -entis*.) p. a. de **Confluir.** Que confluye. || **2.** adj. *Med.* V. **Viruelas confluentes.** || **3.** m. **Confluencia,** 2.ª acep.

Confluir. (Del lat. *conflŭĕre*; de *cum*, con, y *fluĕre*, fluir.) intr. Juntarse dos o más ríos u otras corrientes de agua en un mismo paraje. || **2.** fig. Juntarse en un punto dos o más caminos. || **3.** fig. Concurrir en un sitio mucha gente que viene de diversas partes.

Conformación. (Del lat. *conformatĭo, -ōnis*.) f. Colocación, distribución de las partes que forman una cosa.

Conformador. (De *conformar*.) m. Aparato con que los sombrereros toman la medida y configuración de la cabeza.

Conformar. (Del lat. *conformāre*.) tr. Ajustar, concordar una cosa con otra. Ú. t. c. intr. y c. r. || **2.** intr. Convenir una persona con otra; ser de su misma opinión y dictamen. Ú. m. c. r. || **3.** r. Reducirse, sujetarse uno voluntariamente a hacer o sufrir una cosa por la cual siente alguna repugnancia.

Conforme. (Del lat. *conformis*.) adj. Igual, proporcionado, correspondiente. || **2.** Acorde con otro en un mismo dictamen, o unido con él para alguna acción o empresa. || **3.** Resignado y paciente en las adversidades. || **4.** m. Asentimiento que se pone al pie de un escrito. *El ministro puso el* CONFORME. || **5.** adv. m. que denota relaciones de conformidad, correspondencia o modo, y equivale más comúnmente a con arreglo a, al tenor de, en proporción o correspondencia a, o de la misma suerte o manera que. CONFORME *a derecho, a lo prescrito, a lo que anoche determinamos; se te pagará* CONFORME *a lo que trabajes; todo queda* CONFORME *estaba.* || **6. Según y conforme.**

Conformemente. adv. m. Con unión y conformidad.

Conformidad. (Del lat. *conformitas, -ātis*.) f. Semejanza entre dos personas. || **2.** Igualdad, correspondencia de una cosa con otra. || **3.** Unión, concordia y buena correspondencia entre dos o más personas. || **4.** Simetría y debida proporción entre las partes que componen un todo. || **5.** Adhesión íntima y total de una persona a otra. || **6.** Tolerancia y sufrimiento en las adversidades. || **De conformidad.** m. adv. **Conformemente.** || **En conformidad.** m. adv. **Conforme,** 5.ª acep. || **En esta, o en tal, conformidad.** expr. adv. En este supuesto, bajo esta condición.

Conformista. adj. Dícese del que en Inglaterra está conforme con la religión oficial del Estado. Ú. t. c. s.

Confortable. adj. Que conforta, alienta o consuela. || **2.** Se aplica a lo que produce comodidad.

Confortablemente. adv. m. De modo confortable.

Confortación. f. Acción y efecto de confortar o confortarse.

Confortador, ra. adj. Que conforta. Ú. t. c. s.

Confortamiento. m. **Confortación.**

Confortante. p. a. de **Confortar.** Que conforta. Ú. t. c. s. || **2.** m. **Mitón.**

Confortar. (Del lat. *confortāre*; de *cum*, con, y *fortis*, fuerte.) tr. Dar vigor, espíritu y fuerza. Ú. t. c r || **2.** Animar, alentar, consolar al afligido Ú. t. c. r.

Confortativo, va. adj. Dícese de lo que tiene virtud de confortar. Ú. t. c. s. m.

Conforte. (De *confortar.*) m. **Confortación.** || **2. Confortativo.**

Conforto. m. ant. **Conforte.**

Confracción. (Del lat. *confractĭo, -ōnis.*) f. Rompimiento, acción de quebrar.

Confrade. m. p. us. **Cofrade.**

Confradía. f. ant. **Cofradía.**

Confragoso, sa. (Del lat. *confragōsus.*) adj. ant. **Fragoso.**

Confraternar. (Del lat. *cum,* con, y *fraternus,* fraterno.) intr. Hermanarse una persona con otra.

Confraternidad. (De *con* y *fraternidad.*) f. **Hermandad,** 1.ª y 2.ª aceps.

Confricación. (Del lat. *confricatĭo, -ōnis.*) f. Acción y efecto de confricar.

Confricar. (Del lat. *confricāre;* de *cum,* con, y *fricāre,* frotar.) tr. **Estregar.**

Confrontación. (De *confrontar.*) f. Careo entre dos o más personas. || **2.** Cotejo de una cosa con otra. || **3.** Simpatía, conformidad natural entre personas o cosas. || **4.** Acción de confrontar, 2.ª y 4.ª aceps.

Confrontante. p. a. de **Confrontar.** Que confronta.

Confrontar. (Del lat. *cum,* con, y *frons, frontis,* la frente.) tr. Carear una persona con otra. || **2.** Cotejar una cosa con otra, y especialmente escritos. || **3.** intr. Confinar, alindar. || **4.** Estar o ponerse una persona o cosa frente a otra. Ú. t. c. r. || **5.** ant. Parecerse una cosa a otra, convenir con ella. Usáb. t. c. r. || **6.** fig. Congeniar una persona con otra. Ú. t. c. r.

Confucianismo. (De *Confucio.*) m. Secta moral y política de los confucianos, profesada por chinos y japoneses.

Confuciano, na. adj. Perteneciente o relativo a la doctrina del filósofo chino Confucio. Ú. t. c. s.

Confucionismo. m. **Confucianismo.**

Confucionista. adj. **Confuciano.** Ú. t. c. s.

Confuerzo. (Del lat. **confōrtium,* de *confortāre,* confortar.) m. ant. **Confortación.** || **2.** ant. Banquete fúnebre.

Confugio. (Del lat. *confugĭum.*) m. ant. **Refugio,** 1.ª acep.

Confuir. (Del lat. *confugĕre.*) intr. ant. Huir con otro u otros. || **2.** ant. **Recurrir.**

Confulgencia. f. Brillo simultáneo. CONFULGENCIA *de muchas estrellas.*

Confundible. adj. Dícese de lo que puede confundirse o ser confundido.

Confundiente. p. a. ant. de **Confundir.** Que confunde.

Confundimiento. m. Acción y efecto de confundirse o perturbarse una persona.

Confundir. (Del lat. *confundĕre.*) tr. Mezclar dos o más cosas diversas de modo que las partes de las unas se incorporen con las de las otras. Ú. t. c. r. || **2.** Barajar confusamente diferentes cosas que estaban ordenadas. || **3.** Equivocar, perturbar, desordenar una cosa. Ú. t. c. r. || **4.** fig. Convencer o concluir a uno en la disputa. || **5.** fig. Humillar, abatir, avergonzar. Ú. t. c. r. || **6.** fig. Turbar a uno de manera que no acierte a explicarse. Ú. t. c. r.

Confusamente. adv. m. Con desorden, con confusión.

Confusión. (Del lat. *confusĭo, -ōnis.*) f. Acción y efecto de **confundir,** 1.ª y 2.ª aceps. || **2.** Falta de orden, de concierto y de claridad. || **3.** fig. Perplejidad, desasosiego, turbación de ánimo. || **4.** fig. Abatimiento, humillación. || **5.** fig. Afrenta, ignominia. || **6.** *Germ.* Calabozo o cárcel. || **7.** *Germ.* **Venta,** 3.ª acep. || **8.** *For.* Modo de extinguirse las obligaciones por reunirse en un mismo sujeto el crédito y la deuda. || **Echar la confusión** a uno. fr. ant. *For.* Imprecarle o maldecirle.

Confusionismo. m. Confusión y obscuridad en las ideas o en el lenguaje, producida por lo común deliberadamente.

Confusionista. adj. Perteneciente o relativo al confusionismo. || **2.** com. Persona que lo practica.

Confuso, sa. (Del lat. *confūsus.*) p. p. irreg. de **Confundir.** || **2.** adj. Mezclado, revuelto, desconcertado. || **3.** Obscuro, dudoso. || **4.** Poco perceptible, difícil de distinguir. || **5.** fig. Turbado, temeroso. || **En confuso.** m. adv. **Confusamente.**

Confutación. (Del lat. *confutatĭo, -ōnis.*) f. Acción y efecto de confutar.

Confutador, ra. adj. **Confutatorio.** Ú. t. c. s.

Confutar. (Del lat. *confutāre;* de *cum,* con, y *futāre,* argüir.) tr. Impugnar de modo convincente la opinión contraria.

Confutatorio, ria. adj. Que confuta.

Conga. f. *Cuba.* Hutía mayor que la rata, pues tiene media vara de largo, y color ceniciento o rojizo.

Conga. f. Danza popular de Cuba, de origen africano, que se ejecuta por grupos colocados en fila doble y al compás de un tambor. Consta de tres pasos seguidos de un sacudimiento de todo el cuerpo. || **2.** Música con que se acompaña este baile.

Congelable. adj. Que se puede congelar.

Congelación. (Del lat. *congelatĭo, -ōnis.*) f. Acción y efecto de congelar o congelarse.

Congelador. m. Vasija para congelar.

Congelamiento. m. **Congelación.**

Congelante. p. a. de **Congelar.** Que congela.

Congelar. (Del lat. *congelāre.*) tr. Helar un líquido. Ú. m. c. r. || **2.** fig. *Econ.* Inmovilizar un gobierno fondos o créditos particulares prohibiendo toda clase de operaciones con ellos.

Congelativo, va. adj. Que tiene virtud de congelar.

Congénere. (Del lat. *congĕner, -ĕris.*) adj. Del mismo género, de un mismo origen o de la propia derivación. Ú. t. c. s.

Congenial. adj. De igual genio.

Congeniar. (De *con* y *genio.*) intr. Tener dos o más personas genio, carácter o inclinaciones que concuerdan fácilmente.

Congénito, ta. (Del lat. *congenĭtus;* de *cum,* con, y *genĭtus,* engendrado.) adj. Que se engendra juntamente con otra cosa. || **2.** Connatural y como nacido con uno.

Congerie. (Del lat. *congerĭes.*) f. Cúmulo o montón de cosas.

Congestión. (Del lat. *congestĭo, -ōnis.*) f. Acumulación excesiva de sangre en alguna parte del cuerpo. || **2.** fig. Aglomeración anormal de mercancías, vehículos u otras cosas, que producen perturbación.

Congestionar. tr. Producir congestión en una parte del cuerpo. || **2.** r. Acumularse más o menos rápidamente la sangre en una parte del cuerpo.

Congestivo, va. adj. *Med.* Perteneciente a la congestión.

Congiario. (Del lat. *congiarĭum.*) m. Don que en algunas ocasiones solían distribuir al pueblo los emperadores romanos.

Congio. (Del lat. *congĭus.*) m. Medida antigua para líquidos, octava parte del ánfora romana, y equivalente a unos tres litros.

Conglobación. (Del lat. *conglobatĭo, -ōnis.*) f. Acción y efecto de conglobar o conglobarse. || **2.** fig. Unión y mezcla de cosas no materiales; como de afectos, palabras, etc.

Conglobar. (Del lat. *conglobāre.*) tr. Unir, juntar cosas o partes, de modo que formen globo o montón. Ú. t. c. r.

Conglomeración. (Del lat. *conglomeratĭo, -ōnis.*) f. Acción y efecto de conglomerar o conglomerarse.

Conglomerado, da. (Del lat. *conglomerātus.*) p. p. de **Conglomerar.** || **2.** adj. *Bot.* V. **Flores conglomeradas.** || **3.** m. Efecto de conglomerarse.

Conglomerar. (Del lat. *conglomerāre.*) tr. **Aglomerar.** || **2.** r. Unirse o agruparse fragmentos o corpúsculos de una misma o de diversas substancias con tal coherencia, que resulte una masa compacta.

Congloriar. tr. ant. Llenar de gloria.

Conglutinación. (Del lat. *conglutinatĭo, -ōnis.*) f. Acción y efecto de conglutinar o conglutinarse.

Conglutinante. p. a. de **Conglutinar.** Que conglutina. Ú. t. c. s. m.

Conglutinar. (Del lat. *conglutināre.*) tr. Unir, pegar una cosa con otra. || **2.** r. Reunirse y ligarse entre sí fragmentos, glóbulos o corpúsculos, de igual o de diversa naturaleza, por medio de substancias viscosas, bituminosas u otras, de modo que resulte un cuerpo compacto.

Conglutinativo, va. adj. Que tiene virtud de conglutinar. Ú. t. c. s. m.

Conglutinoso, sa. (Del lat. *conglutinōsus.*) adj. Que tiene virtud para pegar.

Congo, ga. adj. **Congoleño.** Apl. a pers., ú. t. c. s.

Congo. m. *Cuba* y *Méj.* Cada uno de los huesos mayores de las piernas posteriores del cerdo. || **2.** *Cuba.* Antiguo baile popular en parejas. || **3.** *Hond.* Pez acantopterigio. || **4.** *C. Rica* y *El Salv.* Mono aullador.

Congoja. (dialect. del lat. **coangŭstia,* angustia.) f. Desmayo, fatiga, angustia y aflicción del ánimo.

Congojar. (De *congoja.*) tr. **Acongojar.** Ú. t. c. r.

Congojo. (De *congojar.*) m. ant. **Ansia, anhelo.**

Congojosamente. adv. m. Con angustia y congoja.

Congojoso, sa. adj. Que causa u ocasiona congoja. || **2.** Angustiado, afligido.

Congola. f. *Colomb.* Pipa de fumar.

Congoleño, ña. adj. Natural del Congo. Ú. t. c. s. || **2.** Perteneciente a esta región de África.

Congolona. f. *C. Rica.* Gallina silvestre, algo mayor que la perdiz y de carne muy estimada.

Congona. (Del quichua *concona.*) f. *Chile.* Hierba glabra, de la familia de las piperáceas y originaria del Perú; con hojas verticiladas, pecioladas, enteras y algo pestañosas en la punta, y flores en espigas terminales.

Congorocho. m. *Venez.* Especie de ciempiés que se halla en terrenos húmedos.

Congosto. (Del lat. **coangustus,* angosto.) m. Desfiladero entre montañas.

Congraciador, ra. adj. Que procura congraciarse.

Congraciamiento. m. Acción y efecto de congraciar o congraciarse.

Congraciar. (De *con* y *gracia.*) tr. Conseguir la benevolencia o el afecto de uno. Ú. m. c. r.

Congratulación. (Del lat. *congratulatĭo, -ōnis.*) f. Acción y efecto de congratular o congratularse.

Congratular. (Del lat. *congratulāri.*) tr. Manifestar alegría y satisfacción a la persona a quien ha acaecido un suceso feliz. Ú. t. c. r.

Congratulatorio, ria. adj. Que denota o supone congratulación.

Congregación. (Del lat. *congregatĭo, -ōnis.*) f. Junta para tratar de uno o más negocios. || **2.** Nombre que se daba antiguamente a ciertas parcialidades. || **3.** En algunas órdenes religiosas, reunión de muchos monasterios de una misma orden bajo la dirección de un superior general. || **4. Cofradía,** 1.ª acep. || **5.** Cuerpo o comunidad de sacerdotes seculares, dedicados al ejercicio de los ministerios eclesiásticos, bajo ciertas constituciones. Las hay con varias denominaciones: del Salvador, de San Felipe Neri, etc. || **6.** En la corte romana, cualquiera de las juntas compuestas de cardenales, prelados y otras personas, para el despacho de varios asuntos. CONGREGACIÓN *del Concilio, de Propaganda, de Ritos.* || **7.** En algunas órdenes regulares, **capítulo,** 1.ª acep. || **de los fieles.** Iglesia católica universal.

Congregante, ta. (Del lat. *congrĕgans, -antis,* p. a. de *congregāre,* congregar.) m. y f. Individuo de una congregación.

Congregar. (Del lat. *congregāre.*) tr. Juntar, reunir. Ú. t. c. r.

Congresista. com. Miembro de un congreso científico, económico, etc.

Congreso. (Del lat. *congressus;* de *congrĕdi,* caminar juntamente, reunirse.) m. Junta de varias personas para deliberar sobre algún negocio, y más comúnmente la que se hace para tratar asuntos de gobierno y ajustar las paces entre naciones. || **Ayuntamiento,** 5.ª acep. || **3.** Edificio donde los diputados a Cortes celebran sus sesiones. || **4.** En algunos países, asamblea nacional. || **de los diputados.** Con arreglo a la Constitución española y a las de algunas repúblicas americanas, cuerpo legislativo compuesto de personas nombradas directamente por los electores y que forman las Cortes.

Congreve. n. p. *Art.* V. **Cohete a la Congreve.**

Congrio. (Del lat. *conger, -gri.*) m. Pez teleósteo, del suborden de los fisóstomos, de uno a dos metros de largo, con el cuerpo gris obscuro, casi cilíndrico, bordes negros en las aletas dorsal y anal, y carne blanca y comestible, pero con muchas espinas.

Congrua. (Del lat. *congrŭa,* t. f. de *congrŭus,* congruo.) f. Renta que debe tener, con arreglo a las sinodales de cada diócesis, el que se ha de ordenar *in sacris.*

Congruamente. adv. m. Congruentemente.

Congruencia. (Del lat. *congruentia,* de *congrŭens,* congruente.) f. Conveniencia, oportunidad. || **2.** *For.* Conformidad de extensión, concepto y alcance entre el fallo y las pretensiones de las partes formuladas en el juicio. || **3.** *Mat.* Expresión algébrica que manifiesta la igualdad de los restos de las divisiones de dos números congruentes por su módulo y que suele representarse con tres rayas horizontales ≡ puestas entre dichos números.

Congruente. (Del lat. *congrŭens, -entis,* p. a. de *congruĕre,* convenir.) adj. Conveniente, oportuno. || **2.** *Álg.* Cantidad que dividida por otra da un residuo determinado que se llama módulo. || **3.** *Mat.* V. **Números congruentes.**

Congruentemente. adv. m. De manera congruente.

Congruidad. (Del lat. *congruitas, -ātis.*) f. **Congruencia,** 1.ª acep.

Congruismo. m. *Teol.* Doctrina de los congruistas.

Congruista. m. *Teol.* El que sostiene la opinión de que la gracia es eficaz por su congruencia.

Congruo, grua. (Del lat. *congrŭus.*) adj. **Congruente,** 1.ª acep. || **2.** V. **Porción congrua.** || **3.** *Teol.* V. **Mérito de congruo.**

Conguito. m. *Amér.* Ají.

Conhortamiento. m. ant. Conhorte.

Conhortar. (Del lat. *confortāre,* confortar.) tr. ant. **Confortar,** 2.ª acep. Usáb. t. c. r. || **2. Consolar.**

Conhorte. m. Acción y efecto de conhortar.

Conicidad. f. *Geom.* Calidad de cónico. || **2.** Forma o figura cónica.

Cónico, ca. (Del gr. κωνικός, de κῶνος, cono.) adj. *Geom.* Perteneciente al cono. || **2.** *Geom.* V. **Pirámide, proyección, sección, superficie cónica.** || **3.** De forma de cono. *Techo* CÓNICO, *bala* CÓNICA.

Coniecha. (Del lat. *coniĕcta,* echada.) f. ant. Recolección o recaudación.

Conífero, ra. (Del lat. *conifer, -ĕri;* de *conus,* cono, y *ferre,* llevar.) adj. *Bot.* Dícese de árboles y arbustos gimnospermos, de hojas persistentes, aciculares o en forma de escamas, fruto en cono, y ramas que presentan un contorno cónico; como el ciprés, el pino y la sabina. Ú. t. c. s. f. || **2.** f. pl. *Bot.* Clase de estas plantas.

Coniforme. (Del lat. *conus,* cono, y *forma,* figura.) adj. *Geom.* **Cónico,** 3.ª acep.

Conimbricense. (Del lat. *conimbricensis,* de *Conimbrĭca,* Coimbra.) adj. Natural de Coimbra. Ú. t. c. s. || **2.** Perteneciente a esta ciudad de Portugal.

Conirrostro. (Del lat. *conus,* cono, y *rostrum,* pico.) adj. *Zool.* Dícese del pájaro granívoro que tiene el pico grueso, fuerte y cónico, como el gorrión y la alondra. Ú. t. c. s. || **2.** m. pl. *Zool.* Suborden de estos pájaros.

Conivalvo, va. (Del lat. *conus,* cono, y *valva,* hoja de puerta.) adj. *Zool.* De concha cónica.

Coniza. (Del lat. *conyza,* y éste del gr. κόνυζα.) f. Hierba medicinal de la familia de las compuestas, con tallo de ocho a nueve decímetros de altura, muy ramoso en la parte superior, hojas lanceoladas agudas y flores en umbela, amarillas y con cáliz de escamas desiguales. || **2. Zaragatona.**

Conjetura. (Del lat. *coniectūra.*) f. Juicio probable que se forma de las cosas o acaecimientos por las señales que se ven u observan.

Conjeturable. adj. Que se puede conjeturar.

Conjeturador, ra. adj. Que conjetura.

Conjetural. (Del lat. *coniecturālis.*) adj. Fundado en conjeturas.

Conjeturalmente. adv. m. Con o por conjeturas.

Conjeturar. (Del lat. *coniecturāre.*) tr. Formar juicio probable de una cosa por indicios y observaciones.

Conjuez. (Del lat. *coniŭdex, -icis.*) m. Juez juntamente con otro en un mismo negocio.

Conjugable. adj. Que puede conjugarse.

Conjugación. (Del lat. *coniugatĭo, -ōnis.*) f. ant. Cotejo, comparación de una cosa con otra. || **2.** *Biol.* Fusión en uno de los núcleos de las células reproductoras de los seres vivos. || **3.** *Gram.* Acción y efecto de conjugar. || **4.** *Gram.* Serie ordenada de todas las voces de varia inflexión con que el verbo expresa sus diferentes modos, tiempos, números y personas. En castellano hay tres distintas clases de **conjugaciones,** y pertenecen respectivamente a la primera, la segunda y la tercera los verbos cuyos infinitivos acaban en *ar, er* o *ir.*

Conjugado, da. p. p. de **Conjugar.** || **2.** adj. ant. **Conyugado.** || **3.** *Mat.* Aplícase a las líneas o a las cantidades que están enlazadas por alguna ley o relación determinada. *Valores* CONJUGADOS *de una función.* || **4.** *Geom.* V. **Diámetro conjugado.** || **5.** *Geom.* V. **Hipérbolas conjugadas.**

Conjugal. adj. ant. **Conyugal.**

Conjugalmente. adv. m. ant. **Conyugalmente.**

Conjugar. (Del lat. *coniugāre.*) tr. ant. Cotejar, comparar una cosa con otra. || **2.** *Gram.* Poner o decir en serie ordenada las palabras de varia inflexión con que en el verbo se denotan sus diferentes modos, tiempos, números y personas.

Conjunción. (Del lat. *coniunctĭo, -ōnis.*) f. Junta, unión. || **2.** *Astrol.* Aspecto de dos astros que ocupan una misma casa celeste. || **3.** *Astron.* Situación relativa de dos o más planetas u otros cuerpos celestes, cuando tienen la misma longitud. || **4.** *Gram.* Parte invariable de la oración, que denota la relación que existe entre dos oraciones o entre miembros o vocablos de una de ellas, juntándolos o enlazándolos siempre gramaticalmente, aunque a veces signifique contrariedad o separación de sentido entre unos y otros. || **adversativa.** *Gram.* La que, como *pero,* denota oposición o diferencia entre la frase que precede y la que sigue. || **causal.** *Gram.* La que, como *porque,* precede a la oración en que se motiva lo manifestado anteriormente. || **comparativa.** *Gram.* La que denota idea de comparación; p. ej.: *como.* || **compuesta.** *Gram.* **Modo conjuntivo.** || **condicional.** *Gram.* La que, como *con tal que,* denota condición o necesidad de que se verifique alguna circunstancia. || **continuativa.** *Gram.* La que implica o denota idea de continuación; v. gr.: *Digo,* PUES, *que te engañas;* ASÍ QUE *ésta, y no otra, fue la causa del alboroto.* || **copulativa.** *Gram.* La que, como *y, que,* etc., junta y enlaza simplemente una cosa con otra. || **distributiva.** *Gram.* La disyuntiva cuando se reitera aplicada a términos diversos: *Tomando* ORA *la espada,* ORA *la pluma;* YA *de una manera,* YA *de otra.* || **disyuntiva.** *Gram.* La que, como *o,* denota separación, diferencia o alternativa entre dos o más personas, cosas o ideas. || **dubitativa.** *Gram.* La que, como *si,* implica o denota duda. || **final.** *Gram.* La que, como *a fin de que,* denota el fin u objeto de lo manifestado anteriormente. || **ilativa.** *Gram.* La que, como *conque,* enuncia una ilación o consecuencia de lo que anteriormente se ha manifestado. || **magna.** *Astrol.* La de Júpiter y Saturno, que sucede regularmente cada diecinueve años, con poca diferencia. || **máxima.** *Astrol.* La de Júpiter y Saturno cuando se juntan en signo del trígono ígneo, después de haber salido del trígono ácueo, que regularmente sucede cada ochocientos o cerca de novecientos años; y a ésta se atribuyen las grandes mutaciones de las cosas sublunares.

Conjuntamente. adv. m. **Juntamente,** 1.ª acep.

Conjuntar. (Del lat. *coniunctāre.*) tr. ant. **Juntar.** Usáb. t. c. r.

Conjuntiva. (Del lat. *coniunctiva,* t. f. de *-vus,* conjuntivo.) f. Membrana mucosa muy fina que tapiza interiormente los párpados de los vertebrados y se extiende a la parte anterior del globo del ojo, reduciéndose al pasar sobre la córnea a una tenue capa epitelial.

Conjuntival. adj. Perteneciente o relativo a la conjuntiva.

Conjuntivitis. f. *Med.* Inflamación de la conjuntiva.

Conjuntivo, va. (Del lat. *coniunctivus,* de *coniunctus,* conjunto.) adj. Que junta y une una cosa con otra. || **2.** *Gram.* Perteneciente o relativo a la conjunción. || **3.** *Gram.* V. **Modo conjuntivo.** || **4.** ant. *Gram.* **Subjuntivo.** || **5.** *Zool.* V. **Tejido conjuntivo.**

Conjunto, ta. (Del lat. *coniunctus,* de *coniungĕre,* unir, juntar.) adj. Unido o contiguo a otra cosa. || **2.** Mezclado, incorporado con otra cosa diversa. || **3.** fig. Aliado, unido a otro por el vínculo de parentesco o de amistad. || **4.** m. Agregado de varias cosas.

Coniuntura. (De *con* y *juntura.*) f. ant. **Conjunción,** 1.ª acep. || **2.** ant. **Coyuntura,** 2.ª acep.

Conjura. (De *conjurar.*) f. **Conjuración,** 1.ª acep.

Conjuración. (Del lat. *coniuratio, -ōnis.*) f. Concierto o acuerdo hecho contra el Estado, el príncipe u otra autoridad. || **2.** ant. **Conjuro.**

Conjurado, da. (Del lat. *coniurātus.*) adj. Que entra en una conjuración. Ú. t. c. s.

Conjurador. m. El que conjura. || **2.** ant. **Conjurado.**

Conjuramentar. (De *con* y *juramentar.*) tr. Tomar juramento a uno. || **2.** ant. Convenirse con juramento para ejecutar una cosa. || **3.** r. **Juramentarse.**

Conjurante. p. a. de **Conjurar.** Que conjura. Ú. t. c. s.

Conjurar. (Del lat. *coniurāre.*) intr. Ligarse con otro, mediante juramento, para algún fin. Ú. t. c. r. || **2.** fig. Conspirar, uniéndose muchas personas o cosas contra uno, para hacerle daño o perderle. || **3.** tr. **Juramentar,** 1.ª acep. || **4.** Decir el que tiene potestad para ello los exorcismos dispuestos por la Iglesia. || **5.** Rogar encarecidamente, pedir con instancia y con alguna especie de autoridad una cosa. || **6.** fig. Impedir, evitar, alejar un daño o peligro.

Conjuro. m. Acción y efecto de conjurar, 4.ª acep. || **2.** Imprecación hecha con palabras e invocaciones supersticiosas, con la cual cree el vulgo que hacen sus falsos prodigios los que se dicen mágicos y hechiceros. || **3.** Ruego encarecido.

Conloar. tr. ant. Loar con otro u otros.

Conllevador, ra. adj. Que conlleva. Ú. t. c. s.

Conllevar. tr. Ayudar a uno a llevar los trabajos. || **2.** Sufrirle el genio y las impertinencias. || **3.** Ejercitar la paciencia en los casos adversos.

Conmemorable. adj. Digno de conmemoración.

Conmemoración. (Del lat. *commemoratio, -ōnis.*) f. Memoria o recuerdo que se hace de una persona o cosa. || **2.** En el oficio eclesiástico, memoria que se hace de un santo, feria, vigilia o infraoctava en las vísperas, laudes y misa, cuando el rezo del día es de otro santo o festividad mayor. || **de los difuntos.** Sufragio que anualmente celebra la Iglesia el día 2 de noviembre por las ánimas de los fieles difuntos que están en el purgatorio.

Conmemorar. (Del lat. *commemorāre.*) tr. Hacer memoria o conmemoración.

Conmemorativo, va. (De *conmemorar.*) adj. Que recuerda a una persona o cosa, o hace conmemoración de ella. *Monumento* CONMEMORATIVO; *fundación, estatua, inscripción* CONMEMORATIVA.

Conmemoratorio, ria. adj. **Conmemorativo.**

Conmensal. com. p. us. **Comensal.**

Conmensalía. f. p. us. **Comensalía.**

Conmensurabilidad. f. Calidad de conmensurable.

Conmensurable. (Del lat. *commensurabĭlis.*) adj. Sujeto a medida o valuación. || **2.** *Mat.* Aplícase a cualquier cantidad que tenga con otra una medida común.

Conmensuración. (Del lat. *commensuratio, -ōnis.*) f. Medida, igualdad o proporción que tiene una cosa con otra.

Conmensurar. (Del lat. *commensurāre.*) tr. Medir con igualdad o debida proporción.

Conmensurativo, va. adj. Que sirve para medir o conmensurar.

Conmigo. (Del lat. *cum*, con, y *mecum*, conmigo.) ablat. de sing. del pron. pers. de 1.ª pers. en gén. m. y f.

Conmilitón. (Del lat. *commilito, -ōnis;* de *cum*, con, y *militāre*, militar.) m. Soldado compañero de otro en la guerra.

Conminación. (Del lat. *comminatio, -ōnis.*) f. Acción y efecto de conminar. || **2.** *Ret.* Figura que consiste en amenazar con males terribles a personas o a cosas personificadas.

Conminador, ra. adj. Que conmina o amenaza.

Conminar. (Del lat. *comminārī;* de *cum*, con, y *minārī*, amenazar.) tr. **Amenazar,** 1.ª acep. || **2.** Amenazar, el que tiene potestad, a quien está obligado a obedecer, con penas o castigos temporales o espirituales. || **3.** *For.* Intimar la autoridad un mandato, bajo apercibimiento de corrección o pena determinada.

Conminativo, va. adj. Que conmina o tiene la calidad de conminar.

Conminatorio, ria. adj. Aplícase al mandamiento que incluye amenaza de alguna pena, y al juramento con que se conmina a una persona. Ú. t. c. s.

Conminuta. (Del lat. *comminūta*, rota en pequeños pedazos.) adj. *Cir.* V. **Fractura conminuta.**

Conmiseración. (Del lat. *commiseratio, -ōnis.*) f. Compasión que uno tiene del mal de otro.

Conmistión. (Del lat. *commistio, -ōnis.*) f. Mezcla de cosas diversas.

Conmisto, ta. (Del lat. *commistus*, p. p. de *commiscĕre*, mezclar cosas diversas.) adj. Mezclado o unido con otra persona o cosa.

Conmistura. (Del lat. *commistūra.*) f. **Conmistión.**

Conmixtión. (Del lat. *commixtio, -ōnis.*) f. **Conmistión.**

Conmixto, ta. (Del lat. *commixtus.*) adj. **Conmisto.**

Conmoción. (Del lat. *commotio, -ōnis.*) f. Movimiento o perturbación violenta del ánimo o del cuerpo. || **2.** Tumulto, levantamiento, alteración de un reino, provincia o pueblo. || **3.** Movimiento sísmico muy perceptible. || **cerebral.** Estado de aturdimiento o de pérdida del conocimiento, producido por un golpe en la cabeza, por una descarga eléctrica o por los efectos de una violenta explosión.

Conmonitorio. (Del lat. *commonitorium.*) m. Memoria o relación por escrito de algunas cosas o noticias. || **2.** *For.* Carta acordada en que se avisaba su obligación a un juez subalterno.

Conmoración. (Del lat. *commoratio, -ōnis.*) f. *Ret.* **Expolición.**

Conmovedor, ra. adj. Que conmueve.

Conmover. (Del lat. *commovēre.*) tr. Perturbar, inquietar, alterar, mover fuertemente o con eficacia. Ú. t. c. r. || **2. Enternecer,** 2.ª acep.

Conmovimiento. (De *conmover.*) m. ant. **Conmoción.**

Conmutabilidad. f. Calidad de conmutable.

Conmutable. (Del lat. *commutabĭlis.*) adj. Que se puede conmutar.

Conmutación. (Del lat. *commutatio, -ōnis.*) f. Trueque, cambio o permuta que se hace de una cosa por otra. || **2.** *Ret.* **Retruécano,** 3.ª acep. || **de pena.** *For.* Indulto parcial que altera la naturaleza del castigo en favor del reo.

Conmutador, ra. adj. Que conmuta. || **2.** m. *Fís.* Pieza de los aparatos eléctricos que sirve para que una corriente cambie de conductor.

Conmutar. (Del lat. *commutāre.*) tr. Trocar, cambiar, permutar una cosa por otra.

Conmutativo, va. adj. V. **Justicia conmutativa.**

Conmutatriz. f. *Electr.* Aparato que sirve para convertir la corriente alterna en continua, o viceversa.

Connatural. (Del lat. *connaturālis.*) adj. Propio o conforme a la naturaleza del ser viviente.

Connaturalización. f. Acción y efecto de connaturalizarse.

Connaturalizar. tr. Hacer connatural.

Connaturalizarse. (De *connatural.*) r. Acostumbrarse uno a aquellas cosas a que antes no estaba acostumbrado; como al trabajo, al clima, a los alimentos, etc.

Connaturalmente. adv. m. Naturalmente; del modo propio a la naturaleza de la cosa de que se habla.

Connivencia. (Del lat. *conniventia.*) f. Disimulo o tolerancia en el superior acerca de las transgresiones que cometen sus súbditos contra las reglas o las leyes bajo las cuales viven. || **2.** Acción de confabularse.

Connivente. adj. *Bot.* Dícese de las hojas u otras partes de una planta que tienden a aproximarse. || **2.** Que forma connivencia.

Connombrar. tr. ant. **Nombrar,** 1.ª acep.

Connombre. m. ant. **Cognombre.**

Connosco. (Del lat. *cūm nōscūm*, por *nobiscūm.*) ablat. ant. de pl. del pron. pers. de 1.ª pers. en gén. m. y f.

Connotación. f. Acción y efecto de connotar. || **2.** Parentesco en grado remoto.

Connotado, da. p. p. de **Connotar.** || **2.** m. **Connotación,** 2.ª acep.

Connotante. p. a. de **Connotar.** Que connota.

Connotar. (De *con* y *notar.*) tr. Hacer relación. || **2.** *Gram.* Significar la palabra dos ideas: una accesoria y otra principal.

Connotativo, va. adj. *Gram.* Dícese de lo que connota.

Connovicio, cia. m. y f. Novicio o novicia a un mismo tiempo con otro u otra en un instituto religioso.

Connubial. (Del lat. *connubiālis.*) adj. p. us. Perteneciente o relativo al connubio.

Connubio. (Del lat. *connubium.*) m. poét. **Matrimonio,** 1.ª y 2.ª aceps.

Connumerar. (Del lat. *connumerāre.*) tr. Contar una cosa o hacer mención de ella entre otras.

Connusco. (De *connosco.*) pron. pers. ant. **Connosco.**

Cono. (Del lat. *conus*, y éste del gr. κῶνος.) m. *Bot.* Fruto de las coníferas. || **2.** *Geom.* Volumen limitado por una superficie cónica, cuya directriz es una circunferencia, y por un plano que forma su base. || **3.** *Geom.* Superficie cónica. || **4.** Montaña o agrupación de lavas, cenizas y otras materias, de forma cónica. || **5.** *Zool.* Prolongación conoidea, de figura semejante a la de una botella, de cada una de ciertas células de la retina de los vertebrados, que está situada en la llamada capa de los **conos** y bastoncillos y recibe las impresiones luminosas de color. || **circular.** *Geom.* El de base circular. || **de luz.** *Fís.* Haz de rayos luminosos limitado por una superficie cónica, generalmente circular. || **de sombra.** *Fís.* Espacio ocupado por la sombra que proyecta un cuerpo, generalmente esférico. || **oblicuo.** *Geom.* El de base oblicua a su eje. || **recto.** *Geom.* El de base perpendicular a su eje. || **truncado.** *Geom.* Parte de **cono** comprendida entre la base y otro plano que corta la superficie cónica.

Conocedor, ra. (De *conocer.*) adj. Avezado por práctica o estudio a penetrar y discernir la naturaleza y propiedades de una cosa. Ú. t. c. s. || **2.** m. *And.* Mayoral de las vacadas o toradas.

Conocencia. (Del lat. *cognoscentia.*) f. ant. **Conocimiento.** Hoy conserva uso entre la gente vulgar. || **2.** *For.* Llamábase así la confesión que en juicio hacía el reo o el demandado.

Conocer. (Del lat. *cognoscĕre.*) tr. Averiguar por el ejercicio de las facultades intelectuales la naturaleza, cualidades y relaciones de las cosas. || **2.** Entender, advertir, saber, echar de ver. || **3.** Percibir el objeto como distinto de todo lo que no es él. || **4.** Tener trato y comunicación con alguno. Ú. t. c. r. || **5.** Presumir o conjetural lo que puede suceder. CONOCER *que ha de llover presto por la disposición del aire.* || **6.** Entender en un asunto con facultad legítima para ello. || **7.** Reconocer, confesar. || **8.** fig. Tener el hombre acto carnal con la mujer. || **9.** r. Juzgar justamente de sí propio. || **Antes que conozcas, ni alabes ni cohondas.** ref. que advierte que antes de tratar y **conocer** a una persona o cosa, es imprudencia el alabarla o vituperarla. || **No conocer** a uno **sino para servirle.** fr. fam. de cortesía, que suele usarse al referirse a una persona desconocida. || **Quien no te conoce,** o **conozca, ése te compre,** o **que te compre,** o **te compre.** ref. que denota haberse **conocido** el engaño o malicia de alguno.

Conocible. (Del lat. *cognoscibĭlis.*) adj. Que se puede conocer, o es capaz de ser conocido.

Conocidamente. adv. m. Claramente, de modo que se conoce y echa de ver.

Conocido, da. (De *conocer.*) adj. Distinguido, acreditado, ilustre. || **2.** fig. V. **Pan mal conocido.** || **3.** m. y f. Persona con quien se tiene trato o comunicación, pero no amistad.

Conociente. p. a. de **Conocer.** Que conoce.

Conocimiento. m. Acción y efecto de conocer. || **2.** Entendimiento, inteligencia, razón natural. || **3. Conocido, da,** 3.ª acep. || **4. Sentido,** 3.ª acep. || **5.** desus. Papel firmado en que uno confiesa haber recibido de otro alguna cosa, y se obliga a pagarla o volverla. || **6.** ant. **Agradecimiento.** || **7.** *Com.* Documento que da el capitán de un buque mercante, en que declara tener embarcadas en él ciertas mercaderías que entregará a la persona y en el puerto designados por el remitente. || **8.** *Com.* Documento o firma que se exige o se da para identificar la persona del que pretende cobrar una letra de cambio, cheque, etc., cuando el pagador no le conoce. || **9.** pl. Noción, ciencia, sabiduría. || **Venir** uno **en conocimiento de** una cosa. fr. Llegar a enterarse de ella.

Conoidal. adj. *Geom.* Perteneciente al conoide.

Conoide. (Del gr. κωνοειδής; de κῶνος, cono, y εἶδος, forma.) m. *Geom.* Sólido limitado por una superficie curva con punta o vértice a semejanza del cono. || **2.** *Geom.* Superficie engendrada por una recta que se mueve apoyándose en una curva y en otra recta y conservándose paralela a un plano. || **3.** *Geom.* Cualquiera de las superficies curvas que están cerradas por una parte y se prolongan indefinidamente por la opuesta; como el paraboloide de revolución.

Conoideo, a. adj. Que tiene figura cónica. Se aplica comúnmente a cierta especie de conchas.

Conopeo. (Del gr. κωνωπεῖον, colgadura de cama.) m. Velo en forma de pabellón para cubrir por fuera el sagrario en que se reserva la Eucaristía.

Conopial. (Del lat. *conopēum*, y éste del gr. κωνωπεῖον, mosquitero, colgadura de cama.) adj. *Arq.* V. **Arco conopial.**

Conoscencia. (Del lat. *cognoscentĭa.*) f. ant. Agradecimiento, reconocimiento. || **2.** ant. *For.* **Conocencia,** 2.ª acep.

Conoto. (Voz caribe.) m. *Venez.* Especie de gorrión, pero de mayor tamaño que el europeo, y que imita el canto de otras aves.

Conque. (De *con* y *que.*) conj. ilat. con la cual se enuncia una consecuencia natural de lo que acaba de decirse. || **2.** Ú. después de punto final, ya refiriéndose a lo que se tiene sabido o antes se ha expresado, ya sólo para apoyar la frase o cláusula que sigue. CONQUE *¿está usted de enhorabuena?;* CONQUE *¿nos vamos, o nos quedamos?* || **3.** m. fam. **Condición,** 7.ª acep.

Conquense. adj. Natural de Cuenca. Ú. t. c. s. || **2.** Perteneciente o relativo a esta ciudad.

Conqueridor, ra. (De *conquerir.*) adj. ant. **Conquistador.** Usáb. t. c. s.

Conquerir. (Del lat. *conquirĕre*, buscar con diligencia, reunir.) tr. ant. **Conquistar.**

Conquesta. f. ant. **Conquista.**

Conquiforme. (Del lat. *concha*, concha, y *forma*, figura.) adj. De figura de concha.

Conquiliología. (Del gr. κογχύλιον, conchita, y λόγος, tratado.) f. Parte de la zoología, que trata del estudio de los moluscos, y principalmente de las conchas que cubren a muchos de ellos.

Conquiliólogo, ga. m. y f. Naturalista perito en conquiliología.

Conquiso, sa. (Del lat. **conquīsus*, por *conquīsĭtus*, buscado.) p. p. irreg. ant. de **Conquerir.**

Conquista. (De *conquistar.*) f. Acción y efecto de conquistar. || **2.** V. **Caballero de conquista.** || **3.** Cosa conquistada. || **4.** ant. Ganancia o adquisición de bienes. || **5.** *For.* En el derecho civil de Navarra, gananciales diferentes de los castellanos en la distribución y susceptibles de continuarse entre el cónyuge sobreviviente y los herederos del premuerto. Ú. m. en pl.

Conquistable. adj. Que se puede conquistar o ganar. || **2.** fig. Fácil de obtener, asequible.

Conquistador, ra. adj. Que conquista. Ú. t. c. s.

Conquistar. (Del lat. **conquīsĭtāre*, de *conquīsĭtum*, ganado.) tr. Adquirir o ganar a fuerza de armas un Estado, una plaza, ciudad, provincia o reino. || **2.** fig. Ganar la voluntad de una persona, o traerla a su partido.

Conrear. (Del lat. **conredare*, y éste del germ. *ratan*, *redan*, proveer, arreglar.) tr. Preparar o adobar una cosa mediante cierta manipulación apropiada para perfeccionarla; como en el obraje de los paños, echarles el aceite; en el cultivo de las tierras, dar una segunda reja, etc.

Conregnante. adj. ant. Que conreina.

Conreinar. intr. Reinar con otro en un mismo reino.

Conreo. m. Acción y efecto de conrear.

Consabido, da. (De *con* y *sabido*, p. p. de *saber.*) adj. Aplícase a la persona o cosa de que ya se ha tratado anteriormente, y así no es menester nombrarla.

Consabidor, ra. (De *con* y *sabedor.*) adj. Que juntamente con otro sabe alguna cosa. Ú. t. c. s.

Consaburense. adj. Natural de Consuegra. Ú. t. c. s. || **2.** Perteneciente a esta villa de la provincia de Toledo.

Consacrar. tr. ant. **Consagrar.**

Consagrable. adj. Que puede consagrarse.

Consagración. (Del lat. *consecratĭo*, *-ōnis.*) f. Acción y efecto de consagrar o consagrarse.

Consagramiento. (De *consagrar.*) m. ant. **Consagración.**

Consagrante. p. a. de **Consagrar.** Que consagra. Ú. t. c. s.

Consagrar. (Del lat. **consăcrāre*, de *consĕcrāre*, infl. por *sacrare.*) tr. Hacer sagrada a una persona o cosa. || **2.** Pronunciar con intención el sacerdote las palabras de la consagración sobre la debida materia. || **3.** Deificar los romanos a sus emperadores o concederles la apoteosis. || **4.** Dedicar, ofrecer a Dios por cu to o voto una persona o cosa. Ú. t. c. r. || **5.** fig. Erigir un monumento, como estatua, sepulcro, etc., para perpetuar la memoria de una persona o suceso. || **6.** fig. Dedicar con suma eficacia y ardor una cosa a determinado fin. CONSAGRAR *la vida a la defensa de la verdad.* Ú. t. c. r. CONSAGRARSE *al estudio.* || **7.** fig. Destinar una expresión o palabra para una particular y determinada significación; como las palabras *consubstancial* y *transubstancial.*

Consanguíneo, a. (Del lat. *consanguinĕus.*) adj. Dícese de la persona que tiene parentesco de consanguinidad con otra. Ú. t. c. s. || **2.** Referido a hermanos, se dice de los que no lo son de doble vínculo, sino de padre solamente.

Consanguinidad. (Del lat. *consanguinĭtas, -ātis.*) f. Unión, por parentesco natural, de varias personas que descienden de una misma raíz o tronco.

Consciente. (Del lat. *consciens, -entis*, p. a. de *conscire*, saber perfectamente.) adj. Que siente, piensa, quiere y obra con cabal conocimiento y plena posesión de sí mismo.

Conscientemente. adv. m. De manera consciente.

Conscripto. (Del lat. *conscriptus.*) adj. V. **Padre conscripto.**

Consecración. (Del lat. *consecratĭo, -ōnis.*) f. ant. **Consagración.**

Consecrante. p. a. ant. de **Consecrar.**

Consecrar. (Del lat. *consecrāre.*) tr. ant. **Consagrar.**

Consectario, ria. (Del lat. *consectarius*, consiguiente.) adj. Consiguiente y anejo a otra cosa. || **2.** m. **Corolario.**

Consecución. (Del lat. *consecutĭo, -ōnis.*) f. Acción y efecto de conseguir.

Consecuencia. (Del lat. *consequentĭa.*) f. Proposición que se deduce de otra o de otras, con enlace tan riguroso, que, admitidas o negadas las premisas, es ineludible el admitirla o negarla. || **2.** Hecho o acontecimiento que se sigue o resulta de otro. || **3.** Correspondencia lógica entre la conducta de un individuo y los principios que profesa. || **4.** *Lóg.* **Ilación,** 3.ª acep. || **A consecuencia.** loc. Por efecto, como resultado de. || **En consecuencia.** expr. adv. que se usa para denotar que alguna cosa que se hace o ha de hacer es conforme a lo dicho, mandado o acordado anteriormente. || **Guardar consecuencia.** fr. Proceder con orden y conformidad en los dichos o hechos. || **Por consecuencia. m. adv.** con que se da a entender que una cosa se sigue o infiere de otra. || **Ser de consecuencia** una cosa. fr. Ser de importancia, consideración o monta. || **Tener consecuencias** una cosa. fr. Tener o traer resultas un hecho o suceso, o producir necesariamente otros. || **Traer a consecuencia** una cosa. fr. Ponerla en consideración para que aumente o disminuya la estimación o valor de lo que se trata. || **Traer consecuencias** una cosa. fr. **Tener consecuencias.** || **Traer en consecuencia** una cosa. fr. Traerla o alegarla por ejemplar de otra.

Consecuente. (Del lat. *consĕquens, -entis*, p. a. de *consĕqui*, seguir.) adj. Que sigue en orden respecto de una cosa, o está situado o colocado a su continuación. || **2.** Dícese de la persona cuya conducta guarda correspondencia lógica con los principios que profesa. || **3.** m. Proposición que se deduce de otra que se llama antecedente. || **4.** *Álg.* y *Arit.* Segundo término de una razón, ya sea por diferencia, ya por cociente, a distinción del primero, que se llama antecedente. || **5.** *Gram.* Segundo de los términos de la relación gramatical.

Consecuentemente. adv. m. **Consiguientemente.**

Consecutivamente. adv. m. Inmediatamente después, luego, por su orden. || **2.** Uno después de otro.

Consecutivo, va. (Del lat. *consecutus*, p. p. de *consĕqui*, ir detrás de uno.) adj. Que se sigue a otra cosa inmediatamente.

Consegrar. (De *consecrar.*) tr. ant. **Consagrar.**

Conseguimiento. (De *conseguir.*) m. Consecución.

Conseguir. (Del lat. *consĕqui.*) tr. Alcanzar, obtener, lograr lo que se pretende o desea.

Conseja. (Del lat. *consilĭa,* pl. de *consilĭum,* consejo.) f. Cuento, fábula, patraña, ridículos y de sabor antiguo. || **2. Conciliábulo,** 2.ª acep. || **En consejas, las paredes han orejas.** ref. **Las paredes oyen.** || **Todos eran en la conseja, y más la vieja.** ref. que muestra cómo ninguno de los que se confabulan queda exento de la responsabilidad.

Consejable. adj. ant. Capaz de recibir consejo.

Consejador. (Del lat. *consiliātor.*) m. ant. **Aconsejador.**

Consejadriz. (Del lat. *consiliātrix.*) f. ant. **Consejera.**

Consejar. (Del lat. **consiliāre,* de *consilĭum,* consejo.) tr. ant. **Aconsejar.** Usáb. t. c. r. || **2.** intr. ant. **Conferenciar.**

Consejera. f. fam. Mujer del consejero.

Consejeramente. adv. m. ant. Con destreza y maña.

Consejero, ra. (Del lat. *consiliārius.*) m. y f. Persona que aconseja o sirve para aconsejar. || **2.** Persona que tiene plaza en algún Consejo. || **3.** m. Magistrado o ministro que tenía plaza en alguno de los antiguos Consejos. || **4.** Individuo de alguno de los actuales Consejos. || **5.** fig. Lo que sirve de advertencia para la conducta de la vida; como los desengaños, etc. || **de capa y espada. Ministro de capa y espada.**

Consejo. (Del lat. *consilĭum.*) m. Parecer o dictamen que se da o toma para hacer o no hacer una cosa. || **2.** Tribunal supremo que se componía de diferentes ministros, con un presidente o gobernador, para los negocios de gobierno y la administración de la justicia. Tomaba nombre según el territorio o los asuntos de su jurisdicción. CONSEJO *de Castilla, de Aragón, de Hacienda.* || **3.** Corporación consultiva encargada de informar al gobierno sobre determinada materia o ramo de la administración pública. CONSEJO *de Agricultura, de Instrucción pública.* || **4.** Cuerpo administrativo y consultivo en las sociedades o compañías particulares. Suele llamarse **Consejo** de administración. CONSEJO *del Banco de España, de los Ferrocarriles del Norte.* || **5.** Casa o sitio donde se juntan los **Consejos.** *Vamos al* CONSEJO; *ya salen las gentes del* CONSEJO. || **6.** V. **Fiesta de consejo.** || **7.** V. **Tabla del Consejo.** || **8. Acuerdo,** 2.ª acep. || **9.** ant. Modo, camino o medio de conseguir una cosa. || **10.** *Germ.* Rufián astuto. || **colateral.** Tribunal supremo de Nápoles, cuyos ministros se sentaban al lado del virrey. En Flandes, desde los tiempos de Carlos V, hubo también otro. || **de Aragón.** El que entendía en todo lo relativo a la antigua corona de Aragón, incluyendo Cataluña, Valencia y Baleares. || **de Castilla.** Tribunal supremo en asuntos contenciosos, a la vez que cuerpo consultivo de los reyes en negocios de administración y política. Estaba dividido en varias secciones o salas, según la índole de los negocios en que intervenía. || **de Ciento.** Corporación municipal antigua de la ciudad de Barcelona. || **de Cruzada.** El que juzgaba de las rentas y asuntos pertenecientes a la bula de la Santa Cruzada. || **de disciplina.** El que se constituye en los centros docentes oficiales y en ciertas carreras, para proponer las sanciones reglamentarias. || **de Estado.** Alto cuerpo consultivo que entiende en los negocios más graves e importantes del Estado. Ha existido en varias épocas y con diversas atribuciones. || **de familia.** *For.* Reunión de personas que intervienen por la ley en la tutela de un menor o un incapacitado. || **de Flandes.** El que aconsejaba al rey sobre los asuntos relativos a los estados llamados Países Bajos, cuando pertenecían a España. || **de guerra.** Tribunal compuesto de generales, jefes u oficiales, que, con asistencia de un asesor del cuerpo jurídico, entiende en las causas de la jurisdicción militar. || **2.** El que antiguamente ejercía jurisdicción sobre los cuerpos armados españoles, de mar y tierra, y sobre el material de los mismos. || **de Hacienda.** El que, ya como cuerpo consultivo o ya como tribunal, entendía en lo relativo a las rentas públicas. || **de Indias.** El que intervenía en los negocios provenientes de las posesiones españolas de Ultramar. || **de Instrucción pública.** El que entiende en lo relativo a la enseñanza. || **de Italia.** El que consultaba el rey en lo relativo al gobierno y administración de las provincias que España poseía en Italia, principalmente Milán, Nápoles y Sicilia. || **de la Inquisición.** Tribunal supremo en las causas sobre delitos contra la fe y sus conexos. || **de las Órdenes militares.** El que ejercía jurisdicción sobre los caballeros de las órdenes militares españolas y sobre sus bienes. || **de Ministros. Ministerio,** 4.ª acep. || **2.** Reunión de los ministros para tratar de los negocios de Estado. Lo preside el jefe del poder ejecutivo o el ministro designado por él para ser jefe del gabinete, con el nombre de presidente del **Consejo** de Ministros. || **de Portugal.** El que entendía en los asuntos de este Estado mientras fue provincia española en los siglos XVI y XVII. || **Real.** Por antonom., **Consejo de Castilla.** || **Real de España y Ultramar.** El que por espacio de algunos años substituyó al de Estado, suprimido entonces y restablecido después. || **Dar el consejo y el vencejo.** ref. que previene que al **consejo** se ha de añadir el socorro material. || **El consejo de la mujer es poco, y el que no lo toma, un loco.** ref. con que se da a entender que las mujeres, en lo que alcanzan, suelen acertar cuando aconsejan. || **Entrar en consejo.** fr. Consultar, conferir y determinar lo que se debe hacer. || **Quien da el consejo, da el tostón.** ref. **Dar el consejo y el vencejo.** || **Quien no oye consejo, no llega a viejo.** ref. que recomienda oir el parecer de personas prudentes. || **Tomar consejo de** uno. fr. Consultar con él lo que se debe ejecutar o seguir en algún caso dudoso.

Consejuela. f. ant. d. de **Conseja.**

Consenciente. (Del lat. *consentĭens, -entis.*) p. a. ant. de **Consentir.** Que consiente alguna cosa mala.

Consenso. (Del lat. *consensus.*) m. Asenso, consentimiento, y más particularmente el de todas las personas que componen una corporación. *Mutuo* CONSENSO.

Consensual. (De *consenso.*) adj. *For.* V. **Contrato consensual.**

Consentido, da. p. p. de **Consentir.** || **2.** adj. Dícese del marido que sufre la infidelidad de su mujer. || **3.** Aplícase a la persona mimada con exceso.

Consentidor, ra. adj. Que consiente que se haga una cosa, debiendo y pudiendo estorbarla. Ú. t. c. s.

Consentimiento. m. Acción y efecto de consentir. || **2.** *For.* Conformidad de voluntades entre los contratantes, o sea entre la oferta y su aceptación, que es el principal requisito de los contratos. || **Por consentimiento.** m. adv. *Med.* Por la correspondencia y conexión que en el cuerpo humano tienen unas partes con otras.

Consentir. (Del lat. *consentīre;* de *cum,* con, y *sentīre,* sentir.) tr. Permitir una cosa o condescender en que se haga. Ú. t. c. intr. || **2.** Creer, tener por cierta una cosa. || **3.** Ser compatible, sufrir, admitir. || **4.** Mimar a los hijos, ser sobrado indulgente con los niños o con los inferiores. || **5.** Hacer sentimiento, resentirse, ceder, aflojarse las piezas que componen un mueble u otra construcción. || **6.** *For.* Otorgar, obligarse. || **7.** r. Cascarse, rajarse o principiar a romperse una cosa. *El buque* SE CONSINTIÓ *al varar.*

Conserje. (Del fr. *concierge,* y éste del lat. **consĕrviens,* de *servīre.*) m. El que tiene a su cuidado la custodia, limpieza y llaves de un palacio, alcázar o establecimiento público.

Conserjería. f. Oficio y empleo de conserje. || **2.** Habitación que el conserje ocupa en el edificio que está a su cuidado.

Conserva. f. Fruta hervida en agua con almíbar o miel, hasta el punto necesario para que se conserve. También se prepara de otras maneras. || **2.** Pimientos, pepinos y otras cosas parecidas comestibles que se preparan con vinagre. || **3.** *Mar.* Compañía que se hacen varias embarcaciones navegando juntas para auxiliarse o defenderse, y más comúnmente cuando alguna o algunas de guerra van escoltando a las mercantes. De las de guerra se dice que dan **conserva** o llevan en su **conserva** a las otras; de las mercantes, que van o navegan en **conserva** o en la **conserva.** || **trojezada.** La que se hace en pedazos muy menudos, como la de calabaza. || **Conservas alimenticias.** Carnes, pescados, legumbres, etc., que, en virtud de cierta preparación, y a veces envasadas herméticamente, se conservan comestibles durante mucho tiempo.

Conservación. (Del lat. *conservatĭo, -ōnis.*) f. Acción y efecto de conservar o conservarse.

Conservador, ra. (Del lat. *conservātor.*) adj. Que conserva. Ú. t. c. s. || **2.** V. **Juez conservador.** Ú. t. c. s. || **3.** Que profesa las doctrinas políticas que toman en gran consideración la continuidad del espíritu nacional. Apl. a pers., ú. t. c. s. || **4.** m. En algunas dependencias, el que cuida de sus efectos e intereses con mayor representación que los conserjes en otras.

Conservaduría. f. Empleo y oficio de juez conservador, que en la orden de San Juan era dignidad. || **2.** Cargo de conservador en algunas dependencias públicas. || **3.** Oficina del mismo.

Conservadurismo. m. Doctrina política del partido conservador español.

Conservante. p. a. de **Conservar.** Que conserva.

Conservar. (Del lat. *conservāre;* de *cum,* con, y *servāre,* guardar.) tr. Mantener una cosa o cuidar de su permanencia. Ú. t. c. r. || **2.** Hablando de costumbres, virtudes y cosas semejantes, continuar la práctica de ellas. || **3.** Guardar con cuidado una cosa. || **4.** Hacer conservas.

Conservativo, va. (Del lat. *conservativus.*) adj. Dícese de lo que conserva una cosa.

Conservatoría. f. Jurisdicción y conocimiento privativo que tenía un juez conservador sobre los que gozaban determinado fuero. || **2.** Indulto o letras apostólicas que se concedían a algunas comunidades, en cuya virtud nombraban jueces conservadores. || **3.** pl. Letras o despachos que libraban los jueces conservadores a favor de los que gozaban de su fuero.

Conservatorio, ria. (Del lat. *conservatorius.*) adj. Que contiene y conserva alguna o algunas cosas. || **2.** m. Establecimiento, oficial por lo común, en el que se dan enseñanzas de música, declamación y otras artes conexas.

Conservería. (De *conservero.*) f. Arte de hacer conservas.

Conservero, ra. adj. Dícese de lo perteneciente o relativo a la conservería. *Industria* CONSERVERA. || **2.** m. y f. Persona que tiene por oficio hacer conservas o que sabe hacerlas.

Conseyo. m. ant. **Consejo.**

Considerabilísimo, ma. adj. sup. de **Considerable.**

Considerable. (De *considerar.*) adj. Digno de consideración. || **2.** Grande, cuantioso.

Considerablemente. adv. m. Con notable abundancia o cuantía.

Consideración. (Del lat. *consideratio, -ōnis.*) f. Acción y efecto de considerar. || **2.** En los libros espirituales, asunto o materia sobre que se ha de considerar y meditar. || **3.** Urbanidad, respeto. || **Cargar** uno **la consideración** en alguna cosa. fr. fig. **Fijar la consideración en** ella. || **En consideración.** m. adv. **En atención.** || **Fijar** uno **la consideración en** alguna cosa. fr. fig. Reflexionarla con atención y madurez. || **Parar** uno **la consideración en** alguna cosa. fr. Aplicarla particular y determinadamente a alguna especie. || **Ser de consideración** una cosa. fr. Ser de importancia, monta o consecuencia. || **Tomar en consideración** una cosa. fr. Considerarla digna de atención. || **2.** Declarar una asamblea que una proposición merece ser discutida.

Consideradamente. adv. m. Con consideración.

Considerado, da. p. p. de **Considerar.** || **2.** adj. Que tiene por costumbre obrar con meditación y reflexión. || **3.** Que recibe de los demás muestras repetidas de atención y respeto.

Considerador, ra. (Del lat. *considerator.*) adj. Que considera. Ú. t. c. s.

Considerando. (ger. de *considerar.*) m. Cada una de las razones esenciales que preceden y sirven de apoyo a un fallo o dictamen y empiezan con dicha palabra.

Considerante. p. a. de **Considerar.** Que considera.

Considerar. (Del lat. *considerāre.*) tr. Pensar, meditar, reflexionar una cosa con atención y cuidado. || **2.** Tratar a una persona con urbanidad o respeto. || **3.** Juzgar, estimar. Ú. t. c. r.

Considerativo, va. adj. Dícese de lo que considera.

Consiervo. (Del lat. *conservus.*) m. Siervo o esclavo, juntamente con otro u otros, de un mismo señor.

Consigna. (De *consignar.*) f. *Mil.* Órdenes que se dan al que manda un puesto, y las que éste manda observar al centinela.

Consignación. (Del lat. *consignatio, -ōnis.*) f. Acción y efecto de consignar.

Consignador. m. *Com.* El que consigna sus mercancías o naves a la disposición de un corresponsal suyo.

Consignar. (Del lat. *consignāre;* de *cum,* con, y *signāre,* señalar.) tr. Señalar y destinar el rédito de una finca o efecto para el pago de una cantidad o renta que se debe o se constituye. || **2.** Designar la tesorería o pagaduría que ha de cubrir obligaciones determinadas. || **3.** Destinar un paraje o sitio para poner o colocar en él una cosa. || **4.** Entregar por vía de depósito, poner en depósito una cosa. || **5.** Tratándose de opiniones, votos, doctrinas, hechos, etc., asentar por escrito cualquiera de estas cosas. || **6.** ant. Hablando de dinero, **entregar,** 1.ª acep. || **7.** ant. Signar o señalar a uno con la señal de la cruz. || **8.** *Com.* Enviar las mercaderías a manos de un corresponsal. || **9.** *For.* Depositar judicialmente la cantidad reclamada para evitar el embargo, aun con reserva de negar o discutir la deuda.

Consignatario. m. El que recibe en depósito, por auto judicial, el dinero que otro consigna. || **2.** Acreedor que administra, por convenio con su deudor, la finca que éste le ha consignado, hasta que se extinga la deuda. || **3.** *Com.* Aquel para quien va destinado un buque, un cargamento o una partida de mercaderías. || **4.** *Com.* Persona que en los puertos de mar representa al armador de un buque para entender en los asuntos administrativos que se relacionan con su carga y pasaje.

Consignativo. (De *consignar.*) adj. V. **Censo consignativo.**

Consigo. (Del lat. *cum,* con, y *secum,* consigo.) ablat. de sing. y pl. de la forma reflexiva *se, si,* del pron. pers. de 3.ª pers. en gén. m. y f.

Consiguiente. (Del lat. *consĕquens, entis,* p. a. de *consĕqui,* seguir.) adj. Que depende y se deduce de otra cosa. || **2.** m. *Dial.* **Consecuencia,** 1.ª acep. || **Ir** uno **consiguiente.** fr. **Proceder consiguiente.** || **Por consiguiente,** o **por el consiguiente.** m. conjunt. ilat. Por consecuencia, en fuerza o virtud de lo antecedente. || **Proceder** uno **consiguiente.** fr. Obrar según las ideas o principios adoptados de antemano.

Consiguientemente. adv. m. **Por consecuencia.**

Consiliario, ria. (Del lat. *consiliarius.*) m. y f. **Consejero, ra,** 1.ª acep. || **2.** En varias corporaciones y sociedades, persona elegida para asistir con su consejo al superior que las gobierna, o tomar parte con él en ciertas decisiones. || **3.** ant. Persona que se aconseja con otra.

Consiliativo, va. (Del lat. *consiliātus,* p. p. de *consiliāri,* aconsejar.) adj. ant. Dícese de lo que aconseja o sirve de consejo.

Consintiente. p. a. de **Consentir.** Que consiente.

Consistencia. (Del lat. *consistens, -entis,* consistente.) f. Duración, estabilidad, solidez. || **2.** Trabazón, coherencia entre las partículas de una masa.

Consistente. (Del lat. *consistens, -entis.*) p. a. de **Consistir.** Que consiste. || **2.** adj. Que tiene consistencia.

Consistir. (Del lat. *consistĕre;* de *cum,* con, y *sistĕre,* detenerse.) intr. Estribar, estar fundada una cosa en otra. || **2.** Ser efecto de una causa. || **3.** Estar y criarse una cosa encerrada en otra.

Consistorial. adj. Perteneciente al consistorio. Ú. t. c. s. || **2.** Aplícase a la dignidad que se proclama en el consistorio del papa; como los obispados y abadías en que el abad, a presentación del rey, sacaba bulas por cancelaría apostólica para obtenerla. De esta clase eran las abadías claustrales benedictinas de Cataluña y Aragón y otras en España. || **3.** V. **Beneficio, capa, casa, prelado consistorial.**

Consistorialmente. adv. m. En consistorio, o por el consistorio del papa y cardenales de la Santa Iglesia Romana.

Consistorio. (Del lat. *consistorium.*) m. Consejo que tenían los emperadores romanos para tratar los negocios más importantes. || **2.** Junta o consejo que celebra el papa con asistencia de los cardenales de la Santa Iglesia Romana. || **3.** En algunas ciudades y villas principales de España, ayuntamiento o cabildo secular. || **4.** Casa o sitio en donde se juntan los consistoriales o capitulares para celebrar **consistorio.** || **divino.** fig. Tribunal o trono de Dios. || **público.** El que celebraba el papa, revestido de los ornamentos pontificales y ocupando el solio, para recibir a los príncipes, o en otros actos de gran solemnidad. || **secreto.** El que celebra el papa en su palacio para consultar los asuntos del gobierno de la Iglesia y para proclamar los obispos y otros prelados.

Consocio, cia. (Del lat. *consocius.*) m. y f. Socio con respecto a otro u otros.

Consograr. intr. ant. **Consuegrar.**

Consola. (Del fr. *console.*) f. Mesa hecha para estar arrimada a la pared, comúnmente sin cajones y con un segundo tablero inmediato al suelo, la cual suele colocarse en la sala u otra pieza principal de la casa, y se destina de ordinario a sostener reloj, candelabros y otros adornos.

Consolable. (Del lat. *consolabilis.*) adj. Capaz de consuelo y alivio.

Consolablemente. adv. m. Con consuelo.

Consolación. (Del lat. *consolatio, -ōnis.*) f. Acción y efecto de consolar o consolarse. || **2.** ant. **Limosna.** || **3.** En algunos juegos carteados, como el cuatrillo, tanto que paga a los demás jugadores el que entra solo y pierde.

Consolador, ra. (Del lat. *consolātor.*) adj. Que consuela. Ú. t. c. s.

Consolante. p. a. de **Consolar.** Que consuela.

Consolar. (Del lat. *consolāre.*) tr. Aliviar la pena o aflicción de uno. Ú. t. c. r.

Consolativo, va. (Del lat. *consolativus.*) adj. **Consolador.**

Consolatorio, ria. (Del lat. *consolatorius.*) adj. **Consolador.**

Consoldamiento. (De *consoldar.*) m. ant. **Consolidación.**

Consoldar. (Del lat. *consŏlidāre,* dar fuerza.) tr. ant. **Consolidar.**

Consólida. (Del lat. *consolida.*) f. **Consuelda.** || **real. Espuela de caballero.**

Consolidación. (Del lat. *consolidatio, -ōnis.*) f. Acción y efecto de consolidar o consolidarse.

Consolidado, da. p. p. de **Consolidar.** || **2.** adj. V. **Deuda consolidada.**

Consolidar. (Del lat. *consolidāre.*) tr. Dar firmeza y solidez a una cosa. || **2.** Liquidar una deuda flotante para convertirla en fija o perpetua. || **3.** fig. Reunir, volver a juntar lo que antes se había quebrado o roto, de modo que quede firme. || **4.** fig. Asegurar del todo, afianzar más y más una cosa; como la amistad, la alianza, etc. || **5.** r. *For.* Reunirse en un sujeto atributos de un dominio antes disgregado.

Consolidativo, va. adj. Dícese de lo que tiene virtud de consolidar.

Consonamiento. (De *consonar.*) m. ant. Sonido de una voz.

Consonancia. (Del lat. *consonantia.*) f. *Mús.* Cualidad de aquellos sonidos que, oídos simultáneamente, producen efecto agradable. || **2.** Identidad de sonido en la terminación de dos palabras, desde la vocal que lleva el acento, aunque las demás letras no sean exactamente iguales en su figura. Constituye esta **consonancia** la rima perfecta. || **3.** Uso inmotivado, o no requerido por la rima, de voces consonantes muy próximas unas de otras. || **4.** fig. Relación de igualdad o conformidad que tienen algunas cosas entre sí.

Consonante. (Del lat. *consŏnans, -antis,* p. a. de *consonāre,* estar en armonía.) adj. Dícese de cualquiera voz con respecto a otra de la misma consonancia. Ú. t. c. s. m. || **2.** V. **Letra consonante.** Ú. t. c. s. f. || **3.** V. **U consonante.** || **4.** fig. Que tiene relación de igualdad o conformidad con otra cosa, de la cual es correspondiente y correlativa. || **5.** *Mús.* Que forma consonancia. Ú. t. c. s.

Consonantemente. adv. m. Con consonancia.

Consonántico, ca. adj. Perteneciente o relativo a las consonantes. || **2.** Perteneciente o relativo a la consonancia.

Consonantismo. m. Sistema consonántico de una lengua.

Consonar. (Del lat. *consonāre;* de *cum,* con, y *sonāre,* sonar.) tr. ant. **Salomar.** || **2.** intr. *Mús.* Formar consonancia. || **3. Aconsonantar,** 1.ª acep. || **4.** fig. Tener algunas cosas igualdad, conformidad o relación entre sí.

Cónsone. adj. fig. **Cónsono,** 1.ª acep. || **2.** *Mús.* **Cónsono,** 2.ª acep. || **3.** *Mús.* Acorde, 3.ª acep.

Cónsono, na. (Del lat. *consŏnus.*) adj. fig. **Consonante,** 4.ª acep. || **2.** *Mús.* Consonante, 5.ª acep.

Consorcio. (Del lat. *consortĭum.*) m. Participación y comunión de una misma suerte con uno o varios. || **2.** Unión o compañía de los que viven juntos. Se aplica principalmente a la sociedad conyugal. || **foral.** *Ar.* Condominio entre hermanos, tal que atribuye a los comuneros cierto derecho de acrecer.

Consorte. (Del lat. *consors, -ortis;* de *cum,* con, y *sors,* suerte.) com. Persona que es partícipe y compañera con otra u otras en la misma suerte. || **2.** Marido respecto de la mujer, y mujer respecto del marido. || **3.** pl. *For.* Los que litigan unidos, formando una sola parte en el pleito. || **4.** *For.* Los que juntamente son responsables de un delito.

Conspicuo, cua. (Del lat. *conspicŭus.*) adj. Ilustre, visible, sobresaliente.

Conspiración. (Del lat. *conspiratĭo, -ōnis.*) f. Acción de conspirar, 2.ª y 3.ª aceps.

Conspirado. (Del lat. *conspirātus.*) m. Conspirador.

Conspirador, ra. m. y f. Persona que conspira.

Conspirar. (Del lat. *conspirāre.*) tr. ant. Convocar, llamar uno en su favor. || **2.** intr. Unirse algunos contra su superior o soberano. || **3.** Unirse contra un particular para hacerle daño. || **4.** fig. Concurrir varias cosas a un mismo fin.

Constable. (Del lat. *constabĭlis.*) adj. ant. **Constante,** 2.ª acep.

Constancia. (Del lat. *constantĭa.*) f. Firmeza y perseverancia del ánimo en las resoluciones y en los propósitos. || **2.** Certeza, exactitud de algún hecho o dicho.

Constancia. (De *constar.*) f. Acción y efecto de hacer constar alguna cosa de manera fehaciente.

Constanciense. adj. Natural de Constanza. Ú. t. c. s. || **2.** Perteneciente a esta ciudad alemana.

Constante. (Del lat. *constans, -antis.*) p. a. de **Constar.** Que consta, 1.ª y 2.ª aceps. || **2.** adj. Que tiene constancia. || **3.** Dicho de las cosas, persistente, durable. || **4.** *Mat.* V. **Cantidad constante.** Ú. t. c. s.

Constantemente. adv. m. Con constancia. || **2.** Con notoria certeza; cierta e indudablemente.

Constantinopla. n. p. V. **Ramillete de Constantinopla.**

Constantinopolitano, na. (Del lat. *constantinopolitānus,* de *Constantinopŏlis,* Constantinopla.) adj. Natural de Constantinopla. Ú. t. c. s. || **2.** Perteneciente a esta ciudad de la Turquía europea.

Constar. (Del lat. *constāre;* de *cum,* con, y *stāre,* estar en pie.) intr. Ser cierta y manifiesta una cosa. || **2.** Tener un todo determinadas partes. || **3.** Tratándose de versos, tener la medida y acentuación correspondientes a los de su clase. || **4.** ant. **Consistir.**

Constelación. (Del lat. *constellatĭo, -ōnis.*) f. Conjunto de varias estrellas fijas contenidas en una figura cuyo nombre se le ha dado para distinguirlo de otros. || **2.** Clima o temple. || **3.** *Astrol.* Aspecto de los astros al tiempo de levantar el horóscopo. || **Correr una constelación.** fr. que se decía cuando reinaba alguna enfermedad epidémica.

Consternación. (Del lat. *consternatĭo, -ōnis.*) f. Acción y efecto de consternar o consternarse.

Consternar. (Del lat. *consternāre.*) tr. Conturbar mucho y abatir el ánimo. Ú. m. c. r.

Constipación. (Del lat. *constipatĭo, -ōnis.*) f. **Constipado.** || **de vientre.** *Med.* **Estreñimiento.**

Constipado, da. p. p. de **Constipar.** || **2.** m. **Catarro.** || **3.** **Resfriado,** 1.ª acep.

Constipar. (Del lat. *constipāre,* constreñir.) tr. Cerrar y apretar los poros, impidiendo la transpiración. || **2.** r. Acatarrarse, resfriarse.

Constipativo, va. adj. ant. Que produce constipación.

Constitución. (Del lat. *constitutĭo, -ōnis.*) f. Acción y efecto de constituir. || **2.** Esencia y calidades de una cosa que la constituyen tal y la diferencian de las demás. || **3.** Forma o sistema de gobierno que tiene cada Estado. || **4.** Ley fundamental de la organización de un Estado. || **5.** Estado actual y circunstancias en que se hallan algunos reinos, cuerpos o familias. *Según la* CONSTITUCIÓN *actual de Europa, se puede temer una guerra.* || **6.** Cada una de las ordenanzas o estatutos con que se gobierna una corporación. || **7.** *Fisiol.* Naturaleza y relación de los sistemas y aparatos orgánicos, cuyas funciones determinan el grado de fuerzas y vitalidad de cada individuo. || **8.** *For.* En el derecho romano, ley que establecía el príncipe, ya fuese por carta, ya por edicto, decreto, rescripto u orden. || **apostólica.** Decisión o mandato solemne del sumo pontífice, cuya observancia comprende a toda la Iglesia católica o a varias órdenes, cuerpos o clases de los fieles. Las hay en forma de bula y en forma de rescripto o breve. || **atmosférica.** Condición de la atmósfera, considerada con relación a su influjo en los seres vivos. || **del mundo.** Su creación. || **2.** Conjunto de leyes por que se rige. || **pontificia.** **Bula,** 3.ª acep. || **Constituciones apostólicas.** Cierta colección de reglas eclesiásticas atribuidas a los apóstoles, pero cuyo verdadero autor se ignora.

Constitucional. adj. Perteneciente a la Constitución de un Estado. || **2.** Adicto a ella. Ú. t. c. s. || **3.** Propio de la constitución de un individuo o perteneciente a ella.

Constitucionalidad. f. Calidad de constitucional, 1.ª acep.

Constitucionalmente. adv. m. Conforme o con arreglo a lo dispuesto por la Constitución.

Constituidor, ra. adj. Que establece o constituye. Ú. t. c. s.

Constituir. (Del lat. *constituĕre;* de *cum,* con, y *statuĕre,* establecer.) tr. Formar, componer. || **2.** Con la prep. *en* y los nombres *apuro, obligación* y otros análogos, **poner,** 6.ª acep. || **3.** Hacer que una cosa sea de cierta calidad o condición. || **4.** Establecer, ordenar. Ú. t. c. r. || **5.** r. Seguido de una de las preposiciones *en* o *por,* asumir obligación, cargo o cuidado. SE CONSTITUYÓ *en fiador;* SE CONSTITUYÓ *por su guardador.*

Constitutivo, va. (Del lat. *constitutīvus.*) adj. Dícese de lo que constituye una cosa en el ser de tal y la distingue de otras. Ú. t. c. s. m.

Constituto, ta. (Del lat. *constitūtus.*) p. p. irreg. ant. de **Constituir.**

Constituyente. p. a. de **Constituir.** Que constituye, 4.ª acep. || **2.** adj. Dícese de las Cortes convocadas para reformar la Constitución del Estado. Ú. t. c. s. y más en pl.

Constreñidamente. adv. m. Con constreñimiento.

Constreñimiento. (De *constreñir.*) m. Apremio y compulsión que hace uno a otro para que ejecute alguna cosa.

Constreñir. (Del lat. *constringĕre.*) tr. Obligar, precisar, compeler por fuerza a uno a que haga y ejecute alguna cosa. || **2.** *Med.* Apretar y cerrar, como oprimiendo.

Constricción. (Del lat. *constrictĭo, -ōnis.*) f. **Encogimiento,** 1.ª acep.

Constrictivo, va. (Del lat. *constrictīvus.*) adj. Que tiene virtud de constreñir.

Constrictor, ra. adj. Que produce constricción. || **2.** *Med.* Dícese del medicamento que se emplea para constreñir. Ú. t. c. s. m.

Constrictura. (Del lat. *constrictūra.*) f. ant. Cerramiento o estrechura.

Constringente. adj. Que constriñe o aprieta.

Constringir. (Del lat. *constringĕre.*) tr. ant. **Constreñir.**

Constriñimiento. m. ant. **Constreñimiento.**

Constriñir. tr. ant. **Constreñir.**

Construcción. (Del lat. *constructĭo, -ōnis.*) f. Acción y efecto de construir. || **2.** Arte de construir. || **3.** Tratándose de edificios, obra construida. || **4.** *Gram.* Ordenamiento y disposición a que se han de someter las palabras, ya relacionadas por la concordancia y el régimen, para expresar con ellas todo linaje de conceptos. || **5.** *Gram.* V. **Figura de construcción.**

Constructivo, va. adj. Dícese de lo que construye o sirve para construir, por oposición a lo que destruye.

Constructor, ra. (Del lat. *constructor.*) adj. Que construye. Ú. t. c. s.

Construir. (Del lat. *construĕre;* de *cum,* con, y *struere,* acumular, amontonar.) tr. Fabricar, erigir, edificar y hacer de nuevo una cosa; como palacio, iglesia, casa, puente, navío, máquina, etc. || **2.** En las antiguas escuelas de gramática, traducir del latín o del griego al castellano. || **3.** *Gram.* Ordenar las palabras, o unirlas entre sí con arreglo a las leyes de la construcción gramatical.

Constuprador. (Del lat. *constuprātor.*) adj. ant. **Estuprador.** Ú. t. c. s.

Constuprar. (Del lat. *constuprāre;* de *cum,* con, y *stuprāre,* estuprar.) tr. ant. **Estuprar.**

Consubstanciación. f. Presencia de Jesucristo en la Eucaristía, en sentido luterano; es decir, conservando el pan y el vino su propia substancia y no una mera apariencia.

Consubstancial. (Del lat. *consubstantiālis.*) adj. Que es de la misma substancia, individua naturaleza y esencia con otro.

Consubstancialidad. (Del lat. *consubstantialĭtas, -ātis.*) f. Calidad de consubstancial.

Consuegrar. intr. Hacerse un padre o una madre consuegro o consuegra de otro padre o madre.

Consuegro, gra. (Del lat. *consocer, -ĕri.*) m. y f. Padre o madre de una de dos personas unidas en matrimonio, respecto del padre o madre de la otra.

Consuelda. (Del lat. *consŏlĭda.*) f. Hierba de la familia de las borragináceas, vellosa, con tallo de seis a ocho decímetros de altura, grueso y erguido, hojas ovales y pecioladas las inferiores, lanceoladas y envainadoras las superiores, flores de forma de embudo, en racimos colgantes, blancas, amarillentas o rojizas, y rizoma mucilaginoso que se emplea en medicina. || **menor.** Hierba de la familia de las labiadas, con tallos de dos a tres decímetros de altura, hojas pecioladas y enteras, y flores azules en espiga apretada. Se ha empleado en medicina como vulneraria. || **real.** **Espuela de caballero.** || **roja.** **Tormentilla.**

Consuelo. (De *consolar.*) m. Descanso y alivio de la pena, molestia o fatiga que aflige y oprime el ánimo. || **2.** Gozo, alegría. || **Sin consuelo.** expr. adv. fig. y fam. Sin medida ni tasa. *Gasta* SIN CONSUELO.

Consueta. (Del lat. *consuēta,* t. f. de *-tus,* consueto.) m. En algunas partes, **apuntador,** 2.ª acep. || **2.** f. *Ar.* **Añalejo.** || **3.** pl. Conmemoraciones comunes que se dicen ciertos días en el oficio divino al fin de las laudes y vísperas. || **4.** Reglas consuetudinarias por que se rige un cabildo o capítulo eclesiástico. Ú. t. en **sing.,** hablando de cada una de dichas reglas y del conjunto de ellas.

Consueto, ta. (Del lat. *consuētus*, p. p. de *consuescĕre*, acostumbrar.) adj. ant. Decíase de lo acostumbrado.

Consuetud. (Del lat. *consuetūdo*.) f. ant. **Costumbre.**

Consuetudinario, ria. (Del lat. *consuetudinarĭus*.) adj. Dícese de lo que es de costumbre. || **2.** V. **Derecho consuetudinario.** || **3.** *Teol.* Aplícase a la persona que tiene costumbre de cometer alguna culpa.

Cónsul. (Del lat. *consul*.) m. Cada uno de los dos magistrados que tenían en la República romana la suprema autoridad, la cual duraba solamente un año. || **2.** Cada uno de los jueces que componían el consulado, 3.ª acep. || **3.** Persona autorizada en puerto u otra población de un Estado extranjero para proteger las personas e intereses de los individuos de la nación que lo nombra, y arreglar en ciertos casos las diferencias que hubiere entre ellos. || **4.** Magistrado de algunas repúblicas o municipios. Por ejemplo, Lupo, hijo de Muza, en Toledo, y Bonaparte en Francia. || **general.** Jefe del servicio consular de su nación en el país en que reside. || **2.** ant. **Caudillo.**

Cónsula. f. Mujer del cónsul.

Consulado. (Del lat. *consulātus*.) m. Dignidad de cónsul romano. || **2.** Tiempo que duraba esta dignidad. || **3.** Tribunal compuesto de prior y cónsules, que conocía y juzgaba de los negocios y causas de los comerciantes por lo relativo a su comercio. || **4.** Cargo de cónsul de una potencia. || **5.** Territorio o distrito en que un cónsul ejerce su autoridad. || **6.** Casa u oficina en que despacha el cónsul.

Consulaje. m. ant. **Consulado,** 1.ª acep.

Consular. (Del lat. *consulāris*.) adj. Perteneciente a la dignidad de cónsul romano. *Provincia, familia* CONSULAR. || **2.** Dícese de la jurisdicción que ejerce el cónsul establecido en un puerto o plaza de comercio.

Consulazgo. m. ant. **Consulado,** 1.ª y 2.ª aceps.

Consulesa. f. fam. Mujer del cónsul.

Consulta. f. Acción y efecto de consultar. || **2.** Parecer o dictamen que por escrito o de palabra se pide o se da acerca de una cosa. || **3.** Conferencia entre abogados, médicos u otras personas para resolver alguna cosa. || **4.** Dictamen que los consejos, tribunales u otros cuerpos daban por escrito al rey, sobre un asunto que requería su real resolución, o proponiendo sujetos para un empleo. || **5.** V. **Caja de consulta.** || **Subir la consulta.** fr. Llevarla los ministros o secretarios para el despacho.

Consultable. adj. Digno de consultarse o preguntarse.

Consultación. (Del lat. *consultatĭo, -ōnis*.) f. **Consulta,** 3.ª acep.

Consultante. p. a. de **Consultar.** Que consulta. Ú. t. c. s. || **2.** adj. V. **Ministro consultante.**

Consultar. (Del lat. *consultāre*, intens. de *consulĕre*, considerar, deliberar.) tr. Conferir, tratar y discurrir con uno o varias personas sobre lo que se debe hacer en un negocio. || **2.** Pedir parecer, dictamen o consejo. || **3.** Dar los consejos, tribunales u otros cuerpos, al rey o a otra autoridad, dictamen por escrito sobre un asunto, o proponerle sujetos para un empleo. || **4.** Someter una duda, caso o asunto a la consideración de otra persona.

Consultivo, va. adj. Aplícase a las materias que los consejos o tribunales deben consultar con el jefe del Estado. || **2.** Se dice de las juntas o corporaciones establecidas para ser oídas y consultadas por los que gobiernan. || **3.** V. **Voto consultivo.**

Consulto, ta. (Del lat. *consultus*.) adj. ant. Sabio, docto.

Consultor, ra. (Del lat. *consultor*.) adj. Que da su parecer, consultado sobre algún asunto. Ú. t. c. s. || **2. Consultante.** Ú. t. c. s. || **3.** Cada uno de los individuos no investidos con la dignidad cardenalicia que con voz y voto forman parte de algunas de las congregaciones de la curia romana, ya por razón de sus cargos, ya elegidos por el sumo pontífice. || **del Santo Oficio.** Ministro del tribunal de la Inquisición, que en lo antiguo asistía a las vistas y daba su parecer antes que el ordinario, y últimamente sólo servía de suplente, en ausencias y enfermedades, a los abogados de los presos pobres.

Consultorio. (Del lat. *consultorĭus*.) m. Establecimiento privado donde se despachan informes o consultas sobre materias técnicas. || **2.** Establecimiento particular fundado por uno o varios profesores de medicina, generalmente especialistas, para que las personas poco pudientes acudan a él a consultar acerca de sus dolencias.

Consumación. (Del lat. *consummatĭo, -ōnis*.) f. Acción y efecto de consumar. || **2.** Extinción, acabamiento total. || **La consumación de los siglos.** El fin del mundo.

Consumadamente. adv. m. Entera o perfectamente.

Consumado, da. (Del lat. *consummātus*.) p. p. de **Consumar.** || **2.** adj. Perfecto en su línea. || **3.** m. Caldo que se hace de ternera, pollo y otras carnes, sacando toda la substancia de ellas, para lo cual ordinariamente se cuecen en baño de María.

Consumador, ra. (Del lat. *consummātor*.) adj. Que consuma. Ú. t. c. s.

Consumar. (Del lat. *consummāre*; de *cum*, con, y *summa*, suma, total.) tr. Llevar a cabo de todo en todo una cosa. CONSUMAR *la redención del género humano;* CONSUMAR *un sacrificio, un crimen.* || **2.** *For.* Dar cumplimiento a un contrato o a otro acto jurídico que ya era perfecto.

Consumativo, va. adj. Que consuma o perfecciona. Ú. hablando del sacramento de la Eucaristía, el cual es perfección y complemento de los demás.

Consumero. (De *consumo*, 3.ª acep.) m. despect. Encargado de vigilar y perseguir a los matuteros.

Consumible. adj. Que puede consumirse.

Consumicion. (De *consumir*.) f. **Consunción,** 1.ª acep. || **2. Consumo,** 1.ª acep.

Consumido, da. p. p. de **Consumir.** || **2.** adj. fig. y fam. Muy flaco, extenuado y macilento. || **3.** fig. y fam. Que suele afligirse y apurarse con poco motivo.

Consumidor, ra. adj. Que consume. Ú. t. c. s.

Consumiente. p. a. ant. de **Consumir.** Que consume.

Consumimiento. m. **Consunción,** 1.ª acep.

Consumir. (Del lat. *consumĕre*.) tr. Destruir, extinguir. Ú. t. c. r. || **2.** Gastar comestibles u otros géneros. || **3.** Recibir o tomar el sacerdote en la misa el cuerpo y sangre de Nuestro Señor Jesucristo, bajo las especies de pan y vino. Ú. t. c. intr. || **4.** ant. Sumir o beber el vino de la ablución en la misa. || **5.** fig. y fam. Desazonar, apurar, afligir. Ú. t. c. r.

Consumitivo, va. adj. ant. **Consuntivo.**

Consumo. (De *consumir*.) m. Gasto de aquellas cosas que con el uso se extinguen o destruyen. || **2.** ant. Hablando de caudales, de juros, libranzas o créditos contra la real hacienda, **extinción.** || **3.** pl. Impuesto municipal sobre los comestibles y otros géneros que se introducen en una población para venderlos o consumirlos en la misma.

Consuna (De). m. adv. ant. **De consuno.**

Consunción. (Del lat. *consumptĭo, -ōnis*.) f. Acción y efecto de consumir o consumirse. || **2.** Extenuación, enflaquecimiento.

Consuno (De). (De *con*, *so*, 3.er art., y *uno*.) m. adv. Juntamente, en unión, de común acuerdo.

Consuntivo, va. (De *consunto*.) adj. Que tiene virtud de consumir.

Consunto, ta. (Del lat. *consumptus*.) p. p. irreg. de **Consumir.**

Consustancial. adj. *Teol.* **Consubstancial.**

Consustancialidad. f. *Teol.* **Consubstancialidad.**

Conta. (Del port. *conta*, cuenta.) f. ant. **Cuenta,** 1.ª acep.

Contabilidad. (De *contable*.) f. Aptitud de las cosas para poder reducirlas a cuenta o cálculo. || **2.** Sistema adoptado para llevar la cuenta y razón en las oficinas públicas y particulares.

Contabilizar. tr. Apuntar una partida o cantidad en los libros de cuentas.

Contable. (Del lat. *computabĭlis*.) adj. Que puede ser contado.

Contacto. (Del lat. *contactus*.) m. Acción y efecto de tocarse dos o más cosas.

Contadero, ra. adj. Que se puede o se ha de contar; como los días, meses y años. || **2.** m. Pasadizo estrecho dispuesto de manera que puedan entrar o salir personas o animales tan sólo de uno en uno. || **Entrar,** o **salir, por contadero.** fr. fig. y fam. Entrar, o salir, por paraje tan estrecho, que solamente se puede pasar por él uno a uno.

Contado, da. p. p. de **Contar.** || **2.** adj. **Raro,** 3.ª acep. || **3.** Determinado, señalado. || **Al contado.** m. adv. Con dinero contante. || **De contado.** m. adv. Al instante, inmediatamente, luego, al punto. || **Por de contado.** m. adv. Por supuesto, de seguro.

Contador, ra. (De *contar*.) adj. Que cuenta. Ú. t. c. s. || **2.** V. **Tablero contador.** || **3.** ant. Novelero, hablador. Usáb. t. c. s. || **4.** m. El que tiene por empleo, oficio o profesión llevar la cuenta y razón de la entrada y salida de caudales, haciendo el cargo a las personas que los perciben, y recibiéndoles en data lo que pagan, con los recados de justificación correspondientes. || **5.** Persona nombrada por juez competente, o por las mismas partes, para liquidar una cuenta. || **6.** Mesa de madera que suelen tener los cambistas y mercaderes para contar en sus casas el dinero. || **7.** Especie de escritorio o papelera, con varias gavetas, sin puertecillas ni adornos de remates. || **8.** Cada uno de los tantos, del tamaño de las monedas de 10 céntimos, que tenían en la oficina del bureo para contar con ellos al uso de la casa de Borgoña. || **9.** Aparato que sirve para llevar cuenta del número de revoluciones de una rueda o de movimientos de otra pieza de una máquina. || **10.** Aparato destinado a medir el volumen de agua o de gas que pasa por una cañería, o la cantidad de electricidad que recorre un circuito en un tiempo determinado. || **11.** ant. **Contaduría,** 3.ª acep.

Contaduría. (De *contador*.) f. Oficio de contador. || **2.** Oficina del contador. || **3.** Casa o pieza en donde se halla establecida. || **4.** Administración de un espectáculo público, en donde se expenden los billetes con anticipación y sobreprecio. || **de ejército.** Oficina donde se lleva la cuenta y razón de todo lo que cuesta el personal del ejército y de los demás gastos del ramo de la guerra, en cada una de las provincias en donde se halla establecida. || **de hipotecas.** desus. **Registro de la propiedad.** || **de provincia.** Oficina donde se lleva la cuenta y razón de las contribuciones de cada pueblo y de los productos de las rentas públicas, en la provincia en donde se halla establecida. || **general.** Oficina subordinada a un tribunal, además de las que había en el Consejo de Hacienda, para reconocer y calificar todas las cuentas de los caudales de S. M. y del fisco, relativos al ramo particular para que estaba establecida, y del cual tomó su denominación; como la **Contaduría** general de las Órdenes, etc. Actualmente están muchas reformadas o suprimidas. || **general de la Distribución.** Oficina donde se llevaba la cuenta y razón de la distribución de la hacienda pública. || **general del Reino,** o **de Millones.** Oficina cuya ocupación era la misma que la de Valores y la de la Distribución juntas, con la distinción de que servía para la cuenta y razón de todo lo que producían las concesiones hechas por el reino, cuyo manejo corría por la Sala de Millones, compuesta de los diputados de los reinos. || **general de Valores.** Oficina en que se llevaba la cuenta y razón de todo el producto de las rentas públicas. || **mayor de Cuentas.** Antigua oficina central de contabilidad del Estado, a la cual ha substituído el Tribunal de Cuentas. || **principal de Marina.** Oficina que en cada uno de los departamentos de marina llevaba la cuenta y razón de todo lo que se gastaba en este ramo por lo respectivo al departamento en que se hallaba establecida.

Contagiar. (De *contagio.*) tr. Comunicar o pegar a otro u otros una enfermedad contagiosa. Ú. t. c. r. || **2.** fig. Pervertir con el mal ejemplo. Ú. t. c. r.

Contagio. (Del lat. *contagĭum.*) m. Transmisión, por contacto inmediato o mediato, de una enfermedad específica. || **2.** Germen, conocido o supuesto, de la enfermedad contagiosa. || **3.** La misma enfermedad contagiosa. || **4.** fig. Perversión que resulta del mal ejemplo o de la mala doctrina.

Contagión. (Del lat. *contagĭo, -ōnis.*) f. p. us. **Contagio.**

Contagiosidad. f. Calidad de contagioso.

Contagioso, sa. (Del lat. *contagiōsus.*) adj. Aplícase a las enfermedades que se pegan y comunican por contagio. || **2.** Que tiene mal que se pega. || **3.** fig. Dícese de los vicios y costumbres que se pegan o comunican con el trato.

Contal. m. Sartal de piedras o cuentas para contar.

Contaminación. (Del lat. *contaminatĭo, -ōnis.*) f. Acción y efecto de contaminar o contaminarse.

Contaminador, ra. (Del lat. *contaminātor.*) adj. Que contamina.

Contaminar. (Del lat. *contamināre.*) tr. Penetrar la inmundicia un cuerpo, causando en él manchas y mal olor. Ú. t. c. r. || **2.** Contagiar, inficionar. Ú. t. c. r. || **3.** fig. Corromper, viciar o alterar un texto. || **4.** fig. Pervertir, corromper, mancillar la pureza de la fe o de las costumbres. Ú. t. c. r. || **5.** fig. Hablando de la ley de Dios, profanarla, quebrantarla.

Contante. (De *contar.*) p. a. ant. de **Contar.** Que cuenta.

Contante. (Del fr. *comptant,* y éste del ant. *content,* del lat. *contente,* infl. el primero por *compter.*) adj. Aplícase al dinero efectivo. Dícese también **contante y sonante.** || **2.** m. ant. Tanto o cuenta para contar.

Contar. (Del lat. *compŭtāre.*) tr. Numerar o computar las cosas considerándolas como unidades homogéneas. || **2.** Referir un suceso, sea verdadero o fabuloso. || **3.** Poner o meter en cuenta. || **4.** Poner a uno en el número, clase u opinión que le corresponde. || **5.** intr. Hacer, formar cuentas según reglas de aritmética. || **Antes de contar, escribe; y antes de firmar, recibe.** ref. que aconseja las precauciones usuales al dar y recibir dinero. || **Contar con** uno. fr. Hacer memoria de él. CONTÓ CON *ellos para el convite.* || **Contar** uno **con** una persona o cosa **para** algún fin. fr. Confiar o tener por cierto que servirá para el logro de lo que se desea. || **Contar** uno **por hecha** una cosa. fr. fam. Estimar, dar tanto valor al deseo o promesa de hacerla, como si realmente se hubiera ejecutado. || **Contarse** a uno una cosa. fr. ant. Atribuírsela. || **No ser bien contada,** o **ser mal contada,** a uno una cosa. fr. Tener malas resultas para él. || **2.** Ser le censurada o afeada.

Contario. (De *cuenta.*) m. **Contero.**

Contecer. (Del lat. *contingĕre;* en vulgar *contingescĕre.*) intr. ant. **Acontecer.**

Contejido, da. (De *con* y *tejido.*) adj. ant. Decíase de lo que estaba tejido.

Contemperante. p. a. de **Contemperar.** Que contempera.

Contemperar. (Del lat. *contemperāre.*) tr. **Atemperar.**

Contemplación. (Del lat. *contemplatĭo, -ōnis.*) f. Acción de contemplar.

Contemplador, ra. (Del lat. *contemplātor.*) adj. Que contempla. Ú. t. c. s. || **2. Contemplativo.**

Contemplar. (Del lat. *contemplāre.*) tr. Examinar y considerar con atención y aplicación una cosa, ya espiritual, ya visible y material. || **2.** Considerar, juzgar. || **3.** Complacer a una persona, ser condescendiente con ella, por afecto, por respeto, por interés o por lisonja. || **4.** *Teol.* Ocuparse el alma con intensión en pensar en Dios y considerar sus divinos atributos o los misterios de la religión.

Contemplativamente. adv. m. Con contemplación.

Contemplativo, va. (Del lat. *contemplatīvus.*) adj. Perteneciente a la contemplación. || **2.** Que contempla. || **3.** Que acostumbra meditar intensamente. || **4.** Que acostumbra complacer a otros por bondad o por cálculo. || **5.** *Teol.* Muy dado a la contemplación de las cosas divinas.

Contemplatorio, ria. (Del lat. *contemplatorĭus.*) adj. ant. Decíase del sitio o paraje a propósito para contemplar o mirar con atención.

Contemporaneidad. (De *contemporáneo.*) f. Calidad de contemporáneo.

Contemporáneo, a. (Del lat. *contemporanĕus.*) adj. Existente al mismo tiempo que otra persona o cosa. Ú. t. c. s.

Contemporización. f. Acción y efecto de contemporizar.

Contemporizador, ra. adj. Que contemporiza. Ú. t. c. s.

Contemporizar. (De *con* y *temporizar.*) intr. Acomodarse uno al gusto o dictamen ajeno por algún respeto o fin particular.

Contemptible. (Del lat. *contemptibĭlis.*) adj. ant. **Contentible.**

Contención. (De *contener.*) f. Acción y efecto de contener, 2.ª acep. *Un muro de* CONTENCIÓN.

Contención. (Del lat. *contentĭo,* de *contendĕre,* disputar.) f. Contienda, emulación. || **2.** ant. Intensión, esfuerzo, conato. || **3.** *For.* Litigio trabado entre partes.

Contencioso, sa. (Del lat. *contentiōsus.*) adj. Dícese del que por costumbre disputa o contradice todo lo que otros afirman. || **2.** V. **Administración, vía contenciosa.** || **3.** *For.* Aplícase a las materias sobre que se contiende en juicio, o a la forma en que se litiga. || **4.** *For.* Dícese de los asuntos sometidos al fallo de los tribunales en forma de litigio, en contraposición a los actos gubernativos y a los de jurisdicción voluntaria. || **5.** *For.* V. **Juicio contencioso.** || **6.** *For.* V. **Recurso contencioso administrativo.**

Contendedor. (De *contender.*) m. El que contiende.

Contender. (Del lat. *contendĕre.*) intr. Lidiar, pelear, batallar. || **2.** fig. **Disputar,** 1.ª y 2.ª aceps.

Contendiente. p. a. de **Contender.** Que contiende. Ú. t. c. s.

Contendor. (De *contender.*) m. **Contendedor.**

Contenedor, ra. adj. Que contiene.

Contenencia. (De *contener.*) f. Parada o suspensión que hacen a veces en el aire algunas aves, especialmente las de rapiña. || **2.** ant. **Contenido,** 3.ª acep. || **3.** ant. **Continente,** 4.ª acep. || **4.** *Danza.* Paso de lado, en el cual parece que se contiene o detiene el que danza. || **a la demanda.** *For.* desus. Escrito de oposición que hacía el reo a la demanda del actor.

Contenencia. (De *contender.*) f. ant. **Contienda.**

Contenente. m. ant. **Continente,** 4.ª acep.

Contener. (Del lat. *continēre.*) tr. Llevar o encerrar dentro de sí una cosa a otra. Ú. t. c. r. || **2.** Reprimir o suspender el movimiento o impulso de un cuerpo. Ú. t. c. r. || **3.** fig. Reprimir o moderar una pasión. Ú. t. c. r. || **Como en ello se contiene.** expr. fig. y fam. con que se afirma que una cosa es puntualmente como se dice.

Contenido, da. p. p. de **Contener.** || **2.** adj. fig. Que se conduce con moderación o templanza. || **3.** m. Lo que se contiene dentro de una cosa.

Conteniente. p. a. de **Contener.** Que contiene.

Contenta. (De *contentar.*) f. Agasajo o regalo con que se satisfacen los deseos de uno. || **2.** Certificación que daba el alcalde de cada lugar por donde hacía tránsito la tropa, al comandante de ella, expresando que ningún soldado había hecho violencia en aquel lugar ni dejado de pagar lo que le correspondía. || **3.** Certificación que, en iguales casos y a petición del alcalde, daba el comandante, manifestando haber estado bien asistida la tropa en el lugar. || **4.** En algunas universidades de América, calificación laudatoria de fin de estudios que a veces iba acompañada de la exención del pago de derechos para la expedición del título correspondiente. || **5.** *Com.* **Endoso.** || **6.** *Mar.* Certificado de solvencia que se da a los oficiales de cargo de los buques, al cesar en su cometido.

Contentación. (De *contentar.*) f. ant. **Contento,** 3.ª acep.

Contentadizo, za. adj. Se dice de la persona que fácilmente se allana a admitir lo que se le da, dice o propone. || **2.** Junto con los adverbios *bien* o *mal,* aplícase a la persona que es fácil, o difícil, de contentar. Más frecuentemente se dice **mal contentadizo.**

Contentamiento. (De *contentar.*) m. **Contento,** 3.ª acep.

Contentar. (Del lat. *contentāre.*) tr. Satisfacer el gusto o las aspiraciones de uno; darle contento. || **2.** *Com.* **Endosar,** 1.er art., 1.ª acep. || **3.** r. Darse por contento, quedar contento. || **Ser uno de buen,** o **mal, contentar.** fr. fam. Tener facilidad o dificultad en contentarse.

Contenteza. f. ant. **Contento,** 3.ª acep.

Contentible. (De *contemptible.*) adj. Despreciable, de ninguna estimación.

Contentivo, va. (De *contento,* contenido.) adj. Dícese de lo que contiene. || **2.** *Cir.* Dícese de la pieza de apósito que sirve para contener otras.

Contento, ta. (Del lat. *contentus,* p. p. de *continēre,* contener, reprimir.) adj. Alegre, satisfecho. || **2.** ant. Contenido o moderado. || **3.** m. Alegría, satisfacción. || **4.** *For.* Carta de pago que sacaba el deudor ejecutado de su acreedor en el término de las veinticuatro horas desde que se le hizo la traba y ejecución, para libertarse de pagar la décima. || **5.** pl. *Germ.* Dinero o moneda corriente. || **A contento.** m. adv. **A satisfacción.** || **No caber uno de contento.** fr. fig. y fam. Sentirse muy satisfecho. || **Ser uno de buen,** o **mal, contento.** fr. fam. **Ser uno de buen,** o **mal, contentar.**

Contentor. (Del lat. *contentus,* p. p. de *contendĕre,* contender.) m. ant. Contendedor o contendor.

Contera. (De *cuento,* regatón.) f. Pieza comúnmente de metal que se pone en el extremo opuesto al puño del bastón, paraguas, sombrilla, vaina de la espada y aun de otros objetos. || **2. Cascabel,** 2.ª acep. || **3. Estribillo,** 1.ª acep. || **4.** Conjunto de los tres versos con que se da remate a la sextina, 1.ª acep. || **Echar la contera.** fr. fig. y fam. **Echar la clave.** || **Por contera.** m. adv. fig. y fam. Por remate, por final. Dícese de algunas cosas que se hacen o dicen en último lugar. || **Temblarle** a uno **la contera.** fr. fig. y fam. Sentir gran temor.

Contérmino, na. (Del lat. *contermĭnus.*) adj. Aplícase al pueblo o territorio confinante con otro.

Contero. (De *cuenta.*) m. *Arq.* Moldura en forma de cuentas como de rosario, puestas en una misma dirección.

Conterráneo, a. (Del lat. *conterranĕus.*) adj. Natural de la misma tierra que otro. Ú. t. c. s.

Contertuliano, na. m. y f. **Contertulio, lia.**

Contertulio, lia. m. y f. fam. Persona que concurre con otras a una tertulia.

Contestable. (De *contestar.*) adj. Que se puede impugnar, o a que se puede dar respuesta.

Contestación. (Del lat. *contestatĭo, -ōnis.*) f. Acción y efecto de contestar. || **2.** Altercación o disputa. || **a la demanda.** *For.* Escrito en que el demandado opone excepciones o defensas a la acción del demandante.

Contestano, na. adj. Natural de la Contestania. Ú. t. c. s. || **2.** Perteneciente a esta región de la España Tarraconense, que comprendía el sur de la provincia de Valencia, toda la de Alicante y parte de la de Murcia.

Contestar. (Del lat. *contestāri;* de *cum,* con, y *testāri,* atestiguar.) tr. Responder a lo que se pregunta, se habla o se escribe. || **2.** Declarar y atestiguar uno lo mismo que otros han dicho, conformándose en todo con ellos en su deposición o declaración. || **3.** Comprobar o confirmar. || **4.** intr. Convenir o conformarse una cosa con otra.

Conteste. (Del lat. *cum,* con, y *testis,* testigo.) adj. Dícese del testigo que declara lo mismo que ha declarado otro, sin discrepar en nada.

Contexto. (Del lat. *contextus.*) m. Orden de composición o tejido de ciertas obras. || **2.** Por ext., enredo, maraña o unión de cosas que se enlazan y entretejen. || **3.** fig. Serie del discurso, tejido de la narración, hilo de la historia.

Contextuar. tr. Acreditar con textos.

Contextura. (De *contexto.*) f. Compaginación, disposición y unión respectiva de las partes que juntas componen un todo. || **2. Contexto.** || **3.** fig. Configuración corporal del hombre, que indica su complexión y algunas calidades interiores.

Contezuelo. m. Cuentecillo.

Contía. f. ant. **Cuantía.** || **2.** V. **Caballero de contía.**

Conticinio. (Del lat. *conticinium.*) m. Hora de la noche, en que todo está en silencio.

Contienda. (De *contender.*) f. Pelea, disputa, altercación con armas o con razones. || **En contienda, ponte rienda.** ref. que recomienda la moderación y serenidad en toda discusión o disputa.

Contignación. (Del lat. *contignatĭo, -ōnis.*) f. *Arq.* Disposición y trabazón de vigas y cuartones con que se forman los pisos y techos de cada cuarto o alto de la casa.

Contigo. (Del lat. *cum,* con, y *tecum,* contigo.) ablat. de sing. del pron. pers. de 2.ª pers. en gén. m. y f.

Contiguamente. adv. m. Con contigüidad, con inmediación de tiempo o lugar.

Contigüidad. (Del lat. *contiguĭtas, -ātis.*) f. Inmediación de una cosa a otra.

Contiguo, gua. (Del lat. *contigŭus.*) adj. Que está tocando a otra cosa.

Continamente. adv. m. ant. **Continuamente.**

Continencia. (Del lat. *continentĭa.*) f. Virtud que modera y refrena las pasiones y afectos del ánimo, y hace que viva el hombre con sobriedad y templanza. || **2.** Abstinencia de los deleites carnales. || **3.** Acción de contener. || **4.** Especie de graciosa cortesía en el arte del danzado. || **5.** ant. **Continente,** 4.ª acep. || **de la causa.** *For.* Unidad que debe haber en todo juicio; esto es, que sea una la acción principal, uno el juez y unas las personas que lo sigan hasta la sentencia.

Continental. adj. Perteneciente a los países de un continente. || **2.** m. Escritorio público con servicio de mensajerías. || **3.** Carta o aviso emanado de él y conducido por uno de sus empleados.

Continente. (Del lat. *contĭnens, -entis.*) p. a. de **Contener.** Que contiene. || **2.** adj. Dícese de la persona que posee y practica la virtud de la continencia. || **3.** m. Cosa que contiene en sí a otra. || **4.** Aire del semblante y actitud y compostura del cuerpo. || **5.** *Geogr.* Grande extensión de tierra que, si bien rodeada de mar, no puede llamarse isla ni península, nombres limitados a territorios menos extensos. || **En continente.** m. adv. ant. **Incontinenti.**

Continentemente. adv. m. Con continencia.

Contingencia. (Del lat. *contingentĭa.*) f. Posibilidad de que una cosa suceda o no suceda. || **2.** Cosa que puede suceder o no suceder. || **3. Riesgo.**

Contingente. (Del lat. *contĭngens, -entis,* p. a. de *contingĕre,* tocar, suceder.) adj. Que puede suceder o no suceder. || **2.** m. **Contingencia,** 2.ª acep. || **3.** Parte que cada uno paga o pone cuando son muchos los que contribuyen para un mismo fin. || **4.** Cuota que se señala a un país o a un industrial para la importación, exportación o producción de determinadas mercancías. || **provincial.** Cantidad que anualmente consignan los ayuntamientos en sus presupuestos, a favor de las diputaciones provinciales.

Contingentemente. adv. m. Casualmente, por acaso.

Contingible. (Del lat. *contingĕre,* acontecer, suceder.) adj. Posible, que puede suceder.

Contingiblemente. adv. m. ant. **Contingentemente.**

Contino, na. adj. ant. **Continuo.** || **2.** m. ant. **Continuo.** || **3.** adv. m. ant. **Continuo.** || **A la contina.** m. adv. ant. **A la continua.** || **De contino.** m. adv. ant. **De continuo.**

Continuación. (Del lat. *continuatĭo, -ōnis.*) f. Acción y efecto de continuar.

Continuadamente. adv. m. **Continuamente.**

Continuado, da. p. p. de **Continuar.** || **2.** adj. *Ret.* V. **Metáfora continuada.**

Continuador, ra. adj. Dícese de la persona que prosigue y continúa una cosa empezada por otra. Ú. t. c. s.

Continuamente. adv. m. Sin intermisión.

Continuamiento. (De *continuar.*) m. ant. **Continuación.**

Continuar. (Del lat. *continuāre.*) tr. Proseguir uno lo comenzado. || **2.** intr. Durar, permanecer. || **3.** r. Seguir, extenderse.

Continuativo, va. (Del lat. *continuatīvus.*) adj. Que implica o denota idea de continuación. || **2.** *Gram.* V. **Conjunción continuativa.**

Continuidad. (Del lat. *continuĭtas, -ātis.*) f. Unión natural que tienen entre sí las partes del continuo. || **2.** V. **Solución de continuidad.** || **3.** ant. **Continuación.**

Continuo, nua. (Del lat. *continŭus.*) adj. Que dura, obra, se hace o se extiende sin interrupción. || **2.** Aplícase a las cosas que tienen unión entre sí. || **3.** Ordinario y perseverante en ejercer algún acto. || **4.** V. **Movimiento, papel continuo.** || **5.** V. **Corriente, fiebre continua.** || **6.** *Álg.* V. **Fracción continua.** || **7.** *Mat.* V. **Cantidad, proporción continua.** || **8.** *Mús.* V. **Bajo continuo.** || **9.** m. Todo compuesto de partes unidas entre sí. || **10.** El allegado a un señor y muy favorecido de él, y a quien éste mantenía. Estaba obligado a seguirle, obedecerle y, en tiempos más antiguos, aun a vengarle cuando no podía más. || **11.** Cada uno de los que componían el cuerpo de los cien **continuos,** que antiguamente servía en la casa del rey para la guardia de su persona y custodia del palacio. || **12.** adv. m. **De continuo.** *No es posible que esté* CONTINUO *el arco armado.* || **A la continua.** m. adv. Continuadamente, con continuación. || **De continuo.** m. adv. **Continuamente.**

Contioso, sa. (De *contía.*) adj. ant. **Cuantioso.**

Contonearse. r. Hacer al andar movimientos afectados con los hombros y caderas.

Contoneo. m. Acción de contonearse.

Contorcerse. (Del lat. *contorquēre,* revolver, estremecer.) r. Sufrir o afectar contorsiones.

Contorción. (Del lat. *contortĭo, -ōnis.*) f. **Retorcimiento.** || **2. Contorsión.**

Contornado, da. p. p. de **Contornar.** || **2.** adj. *Blas.* Dícese de los animales o de las cabezas de ellos vueltas a la siniestra del escudo.

Contornar. tr. **Contornear.** || **2.** ant. fig. Tornar, regresar.

Contornear. tr. Dar vueltas alrededor o en contorno de un paraje o sitio. || **2.** *Pint.* Perfilar, hacer los contornos o perfiles de una figura.

Contorneo. m. Acción y efecto de contornear.

Contorno. (De *con* y *torno.*) m. Territorio o conjunto de parajes de que está rodeado un lugar o una población. Ú. m. en pl. || **2.** Conjunto de las líneas que limitan una figura o composición. || **3.** *Numism.* Canto de la moneda o medalla. || **En contorno.** m. adv. **Alrededor,** 1.ª acep.

Contorsión. (Del lat. *contorsĭo, -ōnis.*) f. Actitud forzada, movimiento irregular y convulsivo que procede, ya de un dolor repentino, ya de otra causa física o moral. || **2.** Ademán grotesco, gesticulación ridícula, propia de histriones o juglares.

Contorsionista. com. Persona que ejecuta contorsiones difíciles en los circos.

Contra. (Del lat. *contra.*) prep. con que se denota la oposición y contrariedad de una cosa con otra. Tiene uso como prefijo en voces compuestas. CONTRA*bando*, CONTRA*poner*, CONTRA*veneno*. || **2.** **Enfrente.** *En el amojonamiento se puso un mojón* CONTRA *oriente*. || **3. Hacia,** 1.ª acep. || **4.** m. Concepto opuesto o contrario a otro. Ú. precedido del artículo *el* y en contraposición a *pro*. *Tomás es incapaz de defender el pro y el* CONTRA. || **5.** *Mús.* Pedal del órgano. || **6.** pl. *Mús* Bajos más profundos en algunos órganos. || **7.** f. fam. Dificultad, inconveniente. || **8.** *Esgr.* Parada que consiste en un movimiento circular rapidísimo de la espada, que así recorre todas las líneas de una parada general. || **En contra.** m. adv. En oposición de una cosa. || **Engañar la contra.** *Esgr.* Engañar dicha parada siguiendo el mismo movimiento de la espada y concluyendo con un pase. || **Hacer** a uno **la contra.** fr. fam. Oponerse a lo que quiere o le importa. || **Hacer la contra. Ir a la contra.** frs. En ciertos juegos, como el tresillo, ser principal contrario del hombre. || **Llevar** a uno **la contra.** fr. fam. Oponerse a lo que dice o intenta.

Contraalmirante. m. Oficial general de la armada, inmediatamente inferior al vicealmirante.

Contraamura. f. *Mar.* Aparejo o cabo grueso que, en malos tiempos, se da en ayuda de la amura de las velas mayores.

Contraaproches. (De *contra* y *aproches*.) m. pl. *Fort.* Trinchera que los sitiados hacen desde el camino cubierto, para descubrir y deshacer los trabajos de los sitiadores.

Contraarmadura. f. *Arq.* Segunda vertiente que se da a un tejado cuando los pares están demasiado empinados, poniendo contrapares que vuelen más. Se llama también falsaarmadura.

Contraarmiños. m. pl. *Blas.* Figura del escudo en que los armiños tienen cambiados los esmaltes, siendo sable el campo y de plata las motitas.

Contraatacar. tr. Efectuar un contraataque. Ú. t. c. intr.

Contraataguía. f. Segunda ataguía que se pone detrás de la principal para reforzarla e impedir mejor las filtraciones.

Contraataque. m. *Mil.* Reacción ofensiva contra el avance del enemigo. || **2.** pl. *Fort.* Líneas fortificadas que oponen los sitiados a los ataques de los sitiadores.

Contraaviso. m. Aviso contrario a otro anterior.

Contrabajete. m. Composición musical para voz de bajo profundo.

Contrabajo. (Del ital. *contrabasso*.) m. Instrumento de cuerda y de arco de forma parecida a la del violín, pero de tamaño mucho mayor. Actualmente tiene cuatro cuerdas y es el más grave de los instrumentos de esta clase. || **2.** Persona que ejerce o profesa el arte de tocar este instrumento. || **3.** *Mús.* Voz más grave y profunda que la del bajo ordinario. || **4.** *Mús.* Persona que tiene esta voz.

Contrabajón. m. *Mús.* Instrumento de viento que suena una octava más grave que el bajón.

Contrabajonista. m. *Mús.* Instrumentista que toca el contrabajón.

Contrabalancear. (De *contra* y *balancear*.) tr. Operar con la balanza hasta lograr el equilibrio de los dos platillos. || **2.** fig Compensar, contrapesar.

Contrabalanza. (De *contra* y *balanza*.) f. **Contrapeso,** 1.ª acep. || **2.** fig. **Contraposición.**

Contrabandado. adj. *Blas.* Se dice del escudo bandado y partido, cortado, tronchado o tajado, en que las bandas de cada parte llevan opuestos los esmaltes para indicar las referidas divisiones.

Contrabandear. intr. Ejercitar el contrabando.

Contrabandista. adj. Que practica el contrabando. Apl. a pers., ú. t. c. s. || **2.** m. El que se dedica a la defraudación de la renta de aduanas.

Contrabando. (De *contra* y *bando*, edicto, ley.) m. Comercio o producción de géneros prohibidos por las leyes a los productores y mercaderes particulares. || **2.** Mercaderías o géneros prohibidos. || **3.** Acción o intento de fabricar o introducir fraudulentamente dichos géneros o de exportarlos, estando prohibido. || **4.** ant. Cosa hecha contra un bando o pregón público. || **5.** fig. Lo que es o tiene apariencia de ilícito, aunque no lo sea. *Venir de* CONTRABANDO; *llevar algún* CONTRABANDO. || **6.** fig. Cosa que se hace contra el uso ordinario. || **de guerra.** Armas, municiones, víveres y otras cosas cuyo tráfico prohiben los beligerantes.

Contrabarrera. f. Segunda fila de asientos en los tendidos de las plazas de toros.

Contrabasa. (De *contra* y *basa*.) f. *Arq.* **Pedestal,** 1.ª acep.

Contrabatería. f. *Mil.* Batería que se pone en contra de otra del enemigo.

Contrabatir. (De *contra* y *batir*.) tr. *Mil.* Tirar contra las baterías.

Contrabloqueo. m. *Mar.* En la guerra moderna, conjunto de operaciones destinadas a restar eficacia al bloqueo enemigo o a destruir las armas que para mantenerlo se emplean.

Contrabolina. f. *Mar.* Segunda bolina que se da en ayuda de la primera.

Contrabranque. (De *contra* y *branque*.) m. *Mar.* **Contrarroda.**

Contrabraza. f. *Mar.* Cabo que se emplea en ayuda de la braza.

Contracaja. f. *Impr.* **Caja perdida.**

Contracambio. m. Trueque o compensación. Ú. m. en el m. adv. **en contracambio.** || **2.** *Com.* Importe del segundo cambio que se origina al recambiar una letra.

Contracanal. m. Canal que se deriva de otro principal para desagüe o para otros fines.

Contracandela. (De *contra* y *candela*.) f. *Cuba.* Fuego que se da de intento en un cañaveral o cuartón de potrero, en caso de incendio, para que cuando llegue éste allí no se propague a otros cañaverales o cuartones, por falta de combustible.

Contracarril. m. Carril auxiliar puesto al lado del ordinario para facilitar el cambio o cruce de vías.

Contracarta. (De *contra* y *carta*.) f. **Contraescritura.**

Contracción. (Del lat. *contractio*, *-ōnis*.) f. Acción y efecto de contraer o contraerse. || **2.** *Gram.* Metaplasmo que consiste en hacer una sola palabra de dos, de las cuales la primera acaba y la segunda empieza en vocal, suprimiendo una de estas vocales; v. gr.: AL por *a el;* DEL por *de el;* ESOTRO por *ese otro*. || **3.** *Gram.* **Sinéresis.** || **de la vena fluida.** *Fís.* Disminución de diámetro que experimenta un chorro de líquido o de gas al salir por un orificio del recipiente que lo contenía.

Contracebadera. f. *Mar.* Sobrecebadera.

Contracédula. f. Cédula con que se revoca otra anterior.

Contracifra. (De *contra* y *cifra*.) f. **Clave,** 2.ª acep.

Contraclave. f. *Arq.* Cada una de las dovelas inmediatas a la clave de un arco o bóveda.

Contracodaste. m. *Mar.* Pieza de igual figura que el codaste y empernada a él por su parte interior para reforzarlo.

Contracorriente. f. *Meteor.* Revesa o corriente derivada y de dirección opuesta a la de la principal de que procede

Contracosta. f. Costa de una isla o península, opuesta a la que encuentran primero los que navegan a ellas por los rumbos acostumbrados. Úsase más de esta voz hablando de las islas y penínsulas del mar de la India.

Contractación. f. ant. **Contratación.**

Contractar. tr. ant. **Contratar.**

Contractibilidad. f. **Contractilidad,** 2.ª acep.

Contráctil. (De *contracto*.) adj. Capaz de contraerse con facilidad.

Contractilidad. f. Calidad de contráctil. || **2.** Facultad de contraerse que poseen ciertas partes de cuerpos organizados.

Contractivo, va. adj. Que contrae.

Contracto, ta. (Del lat. *contractus*.) p. p. irreg. de **Contraer.** || **2.** m. ant. **Contrato.**

Contractual. (Del lat. *contractus*, contrato.) adj. Procedente del contrato o derivado de él.

Contracuartelado, da. adj. *Blas.* Que tiene cuarteles contrapuestos en metal o color.

Contrada. (Del b. lat. *contrata*, región que se extiende delante de uno, y éste del lat. *contra*, enfrente.) f. ant. Paraje, sitio, lugar.

Contradanza. (De *contra* y *danza*.) f. Baile de figuras, que ejecutan muchas parejas a un tiempo.

Contradecidor, ra. (De *contradecir*.) adj. ant. **Contradictor.** Usáb. t. c. s.

Contradecimiento. (De *contradecir*.) m. ant **Contradicción.**

Contradecir. (Del lat. *contradicĕre*.) tr. Decir uno lo contrario de lo que otro afirma, o negar lo que da por cierto. Ú. t. c. r.

Contradicción. (Del lat. *contradictio*, *-ōnis*.) f. Acción y efecto de contradecir o contradecirse. || **2.** Afirmación y negación que se oponen una a otra y recíprocamente se destruyen. || **3.** Oposición, contrariedad. || **4.** V. **Espíritu de contradicción.** || **5.** *Fil* V. **Principio de contradicción.** || **Envolver, o implicar, contradicción.** fr Contener una proposición o aserción cosas contradictorias.

Contradicente. (Del lat. *contradicens*, *-entis*.) p. a. ant. de **Contradecir.** Que contradice.

Contradictor, ra. (Del lat. *contradictor*.) adj. Que contradice. Ú. t. c. s.

Contradictoria. (Del lat. *contradictoria*, t. f. de *-rius*, contradictorio.) f. *Lóg* Cualquiera de dos proposiciones, de las cuales una afirma lo que la otra niega, y no pueden ser a un mismo tiempo verdaderas ni a un mismo tiempo falsas.

Contradictoriamente. adv. m. Con contradicción.

Contradictorio, ria. (Del lat. *contradictorius*.) adj. Que tiene contradicción con otra cosa. || **2.** *For.* V. **Procedimiento contradictorio.**

Contradicho, cha. (Del lat. *contradictus*.) p. p. irreg. de **Contradecir.** || **2.** m. ant. **Contradicción.**

Contradique. m. Segundo dique, construido cerca del primero para detener las aguas e impedir las inundaciones.

Contradizo, za. adj. ant. **Encontradizo.**

Contradriza. f. *Mar.* Segunda driza que se da en ayuda de la principal.

Contradurmente. m. *Mar.* **Contradurmiente.**

Contradurmiente. m. *Mar.* Tablón unido al durmiente y que lo refuerza por la parte inferior.

Contraemboscada. f. Emboscada que se hace contra otra

Contraembozo. m. Cada una de las dos tiras de color diferente o de distinta tela que el embozo, y que cosidas a éste se colocan en la parte interior de la capa.

Contraenvite. m. En algunos juegos, envite en falso.

Contraer. (Del lat. *contrahĕre; de cum*, con, y *trahĕre*, traer.) tr. Estrechar, juntar una cosa con otra. || **2.** Aplicar a un caso o a una proposición particular proposiciones o máximas generales. || **3.** Tratándose de costumbres, vicios, resabios, deudas, obligaciones, etc., adquirirlos, caer en ellos. || **4.** fig. Reducir el discurso a una idea, a un solo punto. Ú. t. c. r. || **5.** r. Encogerse un nervio, un músculo u otra cosa.

Contraescarpa. f. *Fort.* Pared en talud del foso enfrente de la escarpa, o sea del lado de la campaña.

Contraescota. f. *Mar.* Cabo que se da en ayuda de la escota.

Contraescotín. m. *Mar.* Cabo que se da en ayuda del escotín.

Contraescritura. f. Instrumento otorgado para protestar o anular otro anterior.

Contraestay. m. *Mar.* Cabo grueso que ayuda al estay a sostener el palo, llamándolo hacia proa.

Contrafacción. (Del lat. *contrafactĭo, -ōnis;* de *contra*, contra, y *facĕre*, hacer.) f. ant. Infracción, quebrantamiento.

Contrafacer. (Del lat. *contra*, enfrente, contra, y *facĕre*, hacer.) tr. ant. **Contrahacer.** || **2.** ant. fig. **Contravenir.**

Contrafajado, da. (De *contra* y *fajado.*) adj. *Blas.* Que tiene fajas contrapuestas en los metales y colores; esto es, siendo la mitad de la faja de distinto metal o color que la otra mitad.

Contrafallar. tr. En algunos juegos de naipes, poner un triunfo superior al que había jugado el que falló antes.

Contrafallo. m. Acción y efecto de contrafallar.

Contrafecho, cha. p. p. irreg. ant. de **Contrafacer.**

Contrafigura. (De *contra* y *figura.*) f. Persona o maniquí con aspecto muy parecido al de uno de los personajes de la obra dramática u otro espectáculo teatral, que a los ojos del público aparenta ser este mismo personaje.

Contrafilo. m. Filo que se suele sacar algunas veces a las armas blancas de un solo corte, por la parte opuesta a éste y en el extremo inmediato a la punta.

Contrafirma. f. *For. Ar.* Recurso que oponía a la firma la parte contra quien se había dado ésta. || **2.** *For. Ar.* Despacho que expedía el tribunal al que se valía de este recurso.

Contrafirmante. p. a. de **Contrafirmar.** Que contrafirma. || **2.** com. *For. Ar.* Parte que tiene contrafirma.

Contrafirmar. tr. *For. Ar.* Ganar contrafirma.

Contraflorado, da. adj. *Blas.* Que tiene flores contrapuestas en el color y metal, estando opuestas las bases.

Contrafoque. m. *Mar.* Foque, más pequeño y de lona más gruesa que el principal, que se enverga y orienta más adentro que él, o sea por su cara de popa.

Contrafoso. m. En los teatros, segundo foso, practicado debajo del primero. || **2.** *Fort.* Foso que se suele hacer alrededor de la explanada de una plaza, paralelo a la contraescarpa.

Contrafuero. m. Quebrantamiento, infracción de fuero.

Contrafuerte. m. Correa clavada a los fustes de la silla y donde se afianza la cincha. || **2.** Pieza de cuero con que se refuerza el calzado, por la parte del talón. || **3.** *Arq.* Machón saliente en el paramento de un muro, para fortalecerlo. || **4.** *Fort.* Fuerte que se hace enfrente de otro.

Contrafuga. f. *Mús.* Especie de fuga, en la cual la imitación del tema se ejecuta en sentido inverso.

Contragolpe. m. *Med.* Efecto producido por un golpe en sitio distinto del que sufre la contusión.

Contraguardia. (De *contra* y *guardia.*) f. *Fort.* Obra exterior compuesta de dos caras que forman ángulo, edificada delante de los baluartes para cubrir sus frentes.

Contraguerrilla. f. Tropa ligera organizada para operar contra las guerrillas.

Contraguía. (De *contra* y *guia.*) f. En el tiro par, mula que va delante y a la izquierda.

Contrahacedor, ra. adj. Que contrahace. Ú. t. c. s.

Contrahacer. (De *contrafacer.*) tr. Hacer una cosa tan parecida a otra, que con dificultad se distingan. Tómase generalmente en mala parte, y entonces equivale a falsificar las cosas con propósito interesado. || **2.** fig. Imitar, remedar. || **2.** r. Fingirse.

Contrahacimiento. m. ant. Acción y efecto de contrahacer.

Contrahaz. f. Revés o parte opuesta a la haz en las ropas o cosas semejantes.

Contrahecho, cha. p. p. irreg. de **Contrahacer.** || **2.** adj. Que tiene torcido o corcovado el cuerpo. Ú. t. c. s.

Contrahechura. f. Imitación fraudulenta de alguna cosa.

Contrahierba. (De *contra* y *hierba*, en la acep. de veneno.) f. *Bot.* Planta de la América Meridional, de la familia de las moráceas, con tallo nudoso, de cinco a seis decímetros de altura, hojas contrapuestas de dos en dos, ensiformes y dentadas, flores axilares, pequeñas y amarillas, y raíz fusiforme, blanca, amarga y de olor aromático, que se ha usado en medicina como contraveneno. || **2.** Cualquiera de las composiciones medicinales que llevan la raíz de la **contrahierba,** y que antiguamente se consideraban como antídotos. || **3.** fig. **Contraveneno,** 2.ª acep.

Contrahilera. f. *Arq.* Hilera que sirve de resguardo y defensa de otra u otras hileras.

Contrahílo (A). m. adv. Hablando de las telas, en dirección opuesta al hilo.

Contrahorte. (Del lat. *contra*, contra, y *ortis*, fuerte.) m. ant. **Contrafuerte,** 2.ª acep.

Contrahuella. (De *contra* y *huella.*) f. Plano vertical del escalón o peldaño.

Contraindicación. f. *Med.* Acción y efecto de contraindicar.

Contraindicante. (De *contraindicar.*) m. *Med.* Síntoma que contradice la indicación del remedio que parecía conveniente.

Contraindicar. (De *contra* e *indicar.*) tr. *Med.* Disuadir de la utilidad de un remedio que por otra parte parece conveniente.

Contrair. (Del lat. *contraīre;* de *contra*, al contrario, e *ire*, ir.) tr. ant. Oponerse, ir en contra.

Contrajudía. f. En el juego del monte, naipe contrario al llamado judía.

Contralar. tr. ant. **Contrallar.**

Contralecho (A). (De *contra* y *lecho.*) m. adv. *Arq.* Con las capas de estratificación perpendiculares al plano de hilada. Aplícase a los sillares así sentados en obra.

Contralidad. f. ant. **Contralla.**

Contralizo. m. Cada una de las varillas del telar que sirven para mover los lizos.

Contralmirante. m. **Contraalmirante.**

Contralor. (Del fr. *contrôleur*, de *contrôle*, y éste de *contre*, del lat. *contra*, y *rôle*, del lat. *rotŭlus*, lista.) m. Oficio honorífico de la casa real, según la etiqueta de la de Borgoña, equivalente a lo que, según la de Castilla, llamaban veedor. Intervenía las cuentas, los gastos, las libranzas, los cargos de alhajas y muebles, y ejercía otras funciones importantes. || **2.** En el cuerpo de artillería y en los hospitales del ejército, el que interviene en la cuenta y razón de los caudales y efectos. || **3.** En algunos países de América, funcionario encargado de examinar la contabilidad oficial.

Contralorear. tr. Poner el contralor su aprobación, o refrendar los despachos de su oficio.

Contralto. (Del ital. *contralto*, de *contra* y *alto.*) m. *Mús.* Voz media entre la de tiple y la de tenor. || **2.** com. *Mús.* Persona que tiene esta voz.

Contraluz. f. Vista o aspecto de las cosas desde el lado opuesto a la luz.

Contralla. (Del lat. *contraria*, t. f. de *-rĭus*, contrario.) f. ant. Contradicción, oposición.

Contrallación. (De *contrallar.*) f. ant. **Contralla.**

Contrallador, ra. (De *contrallar.*) adj. ant. **Contrariador.** Usáb. t. c. s.

Contrallar. (Del lat. *contrariāre.*) tr. ant. Contrariar, contradecir.

Contrallo, lla. (Del lat. *contrarius.*) adj. ant. Contrario, opuesto. || **2.** m. ant. **Contralla.** || **Por el contrallo.** m. adv. ant. **Por el contrario.**

Contramaestre. (De *contra* y *maestre.*) m. En algunas fábricas, veedor o vigilante de los demás oficiales y obreros. || **2.** Jefe de uno o más talleres o tajos de obra. || **3.** *Mar.* Oficial de mar que dirige la marinería, bajo las órdenes del oficial de guerra. || **de muralla.** *Mar.* Censor injusto e indocto de la gente y faenas marineras, abundante en los muelles y murallas que dan al mar.

Contramalla. (De *contra* y *malla.*) f. Claro de media tercia o más que abraza la red estrecha para que pueda formarse la bolsa donde se detiene el pescado. || **2.** Red para pescar hecha de mallas anchas y fuertes, la cual, puesta detrás de otra red de mallas más estrechas y cordel más delgado, sirve para recibir y detener el pescado que entra por sus mallas enredado en la red pequeña.

Contramalladura. (De *contramallar.*) f. **Contramalla.**

Contramallar. tr. Hacer contramallas.

Contramandar. tr. Ordenar lo contrario de lo mandado anteriormente.

Contramandato. m. Mandato contrario a otro ya dado. || **2. Contraorden.**

Contramangas. f. pl. Adorno antiguo de tafetán o cambray para cubrir las mangas de la camisa, que usaban hombres y mujeres.

Contramano (A). m. adv. En dirección contraria a la corriente o a la prescrita por la autoridad.

Contramarca. f. Segunda marca que se pone en fardos, animales, armas y otras cosas para distinguirlos de los que no llevan más que la primera, o para otros fines. || **2.** Derecho de cobrar un impuesto, poniendo su señal en las mercaderías que ya lo pagaron. || **3.** Este mismo impuesto. || **4.** Marca con que se resella una moneda o medalla anteriormente acuñada. || **5.** V. **Carta, patente de contramarca.**

Contramarcar. tr. Poner contramarca.

Contramarco. m. *Carp.* Segundo marco que se clava en el cerco o marco que está fijo en la pared, para poner en él las puertas vidrieras.

Contramarcha. (De *contra* y *marcha.*) f. Retroceso que se hace del camino que se lleva. || **2.** *Mar.* Cambio sucesivo de rumbo, en un mismo punto, de todos los buques de una línea. || **3.** *Mil.* Evolución con que una tropa vuelve el frente a donde tenía la espalda.

Contramarchar. (De *contra* y *marchar.*) intr. *Mil.* Hacer contramarcha.

Contramarea. f. Marea contraria a otra.

Contramesana. f. *Mar.* Árbol pequeño que en algunos buques está entre la popa y el palo mesana.

Contramina. f. *Mil.* Mina que se hace debajo de la de los contrarios, para volarla o para salirles al encuentro en sus trabajos subterráneos. || **2.** *Min.* Comunicación de dos o más minas, por donde se logra limpiarlas, extraer los desmontes y sacar los minerales.

Contraminar. (De *contra* y *minar.*) tr. *Mil.* Hacer minas para encontrar las de los enemigos e inutilizarlas. || **2.** fig. Penetrar o averiguar lo que uno quiere hacer, para que no consiga su intento.

Contramuelle. m. Muelle, generalmente opuesto a otro principal.

Contramuralla. (De *contra* y *muralla.*) f. *Fort.* **Falsabraga.**

Contramuro. (De *contra* y *muro.*) m. *Fort.* **Contramuralla.**

Contranatural. (De *contra* y *natural.*) adj. Contrario al orden de la naturaleza.

Contranota. f. *For.* Resolución o propuesta razonada de autoridad administrativa, separándose del informe del inferior.

Contraofensiva. f. *Mil.* Ofensiva que se emprende para contrarrestar la del enemigo, haciéndole pasar a la defensiva.

Contraorden. f. Orden con que se revoca otra que antes se ha dado.

Contrapalado, da. (De *contra* y *palado.*) adj. *Blas.* Que tiene palos contrapuestos en color y metal con oposición de bases.

Contrapalanquín. m. *Mar.* Segundo palanquín que se da en ayuda del principal.

Contrapar. (De *contra* y *par.*) m. *Arq.* **Cabrio,** 1.ª acep.

Contrapartida. (De *contra* y *partida.*) f. Asiento que se hace para corregir algún error o equivocación cometido en la contabilidad por partida doble. || **2.** Asiento que figura en el haber y tiene su compensación en el debe, o viceversa.

Contrapás. (De *contra* y *paso.*) m. *Danza.* Cierta figura o paseo en la contradanza.

Contrapasamiento. m. Acción y efecto de contrapasar.

Contrapasar. intr. Pasarse al bando contrario. || **2.** *Blas.* Estar dos figuras de animales en actitud de pasar encontradas.

Contrapaso. m. Paso que se da a la parte opuesta del que se ha dado antes. || **2.** ant. Permuta o cambio de una cosa por otra. || **3.** *Mús.* Segundo paso que cantan unas voces cuando otras cantan el primero.

Contrapear. tr. *Carp.* Aplicar unas piezas de madera contra otras, de manera que sus fibras estén cruzadas.

Contrapechar. tr. En los torneos y justas, hacer un jinete que su caballo dé con los pechos en los del que monta su contrario.

Contrapelear. (De *contra* y *pelear.*) intr. ant. Defenderse peleando.

Contrapelo (A). m. adv. Contra la inclinación o dirección natural del pelo. || **2.** fig. y fam. Contra el curso o modo natural de una cosa cualquiera; violentamente.

Contrapesar. (De *contra* y *pesar.*) tr. Servir de contrapeso. || **2.** fig. Igualar, compensar, subsanar una cosa con otra.

Contrapeso. m. Peso que se pone a la parte contraria de otro para que queden iguales o en equilibrio. || **2.** Añadidura que se echa para completar el peso de carne, pescado, etc. || **3. Balancín,** 4.ª acep. || **4.** fig. Lo que se considera y estima suficiente para equilibrar o moderar una cosa que prepondera y excede. || **5.** *Metal.* Moneda o cizalla que en las fábricas de moneda se refundía, pesaba y acuñaba de nuevo.

Contrapeste. m. Remedio oportuno contra la peste.

Contrapilastra. f. *Arq.* Resalto que se hace en el paramento de un muro a uno y otro lado de una pilastra o media columna unida a él. || **2.** *Carp.* Mediacaña de madera que se pone al borde de la hoja de una puerta o ventana, y sirve para impedir el paso del aire.

Contraponedor, ra. adj. Que contrapone. U. t. c. s.

Contraponer. (Del lat. *contraponĕre.*) tr. Comparar o cotejar una cosa con otra contraria o diversa. || **2. Oponer.** Ú. t. c. s.

Contraposición. (Del lat. *contrapositĭo, -ōnis.*) f. Acción y efecto de contraponer o contraponerse.

Contrapotenzado, da. adj. *Blas.* Que tiene potenzas encontradas en los metales o en el color.

Contrapozo. (De *contra* y *pozo.*) m. *Fort.* Hornillo o fogata que el minador establece contra la galería del enemigo.

Contraprincipio. m. Aserción contraria a un principio reconocido por tal.

Contraproducente. (Del lat. *contra,* al contrario, y *producentem,* acus. de *prodūcens,* producente.) adj. Dícese del dicho o acto cuyos efectos son opuestos a la intención con que se profiere o ejecuta.

Contraproducéntem. loc. lat. desus. **Contraproducente.**

Contraproposición. f. Proposición con que se contesta o se impugna otra ya formulada sobre determinada materia.

Contraproyecto. m. Proyecto diferente de otro determinado.

Contraprueba. f. *Impr.* Segunda prueba que sacan los impresores o estampadores.

Contrapuerta. f. **Portón,** 2.ª acep. || **2.** Puerta situada inmediatamente detrás de otra. || **3.** *Fort.* **Antepuerta,** 2.ª acep.

Contrapuesto, ta. (Del lat. *contraposĭtus.*) p. p. irreg. de **Contraponer.**

Contrapugnar. (De *contra* y *pugnar.*) tr. ant. Lidiar, combatir una cosa con otra.

Contrapunta. f. *Mec.* Pieza del torno opuesta al cabezal, al que puede acercarse más o menos según el largo de la pieza que se tornea.

Contrapuntante. m. *Mús.* El que canta de contrapunto.

Contrapuntarse. r. Contrapuntearse, 4.ª acep. de **Contrapuntear.**

Contrapuntear. tr. *Mús.* Cantar de contrapunto. || **2.** fig. Decir una persona a otra palabras picantes. Ú. m. c. r. || **3.** ant. Cotejar, comparar una cosa con otra. || **4.** r. fig. Picarse o resentirse entre sí dos o más personas.

Contrapuntista. m. *Mús.* Compositor que practica el contrapunto con cierta preferencia o con mucha pericia.

Contrapunto. (Del b. lat. *[cantus] contrapunctus.*) m. *Mús.* Concordancia armoniosa de voces contrapuestas.

Contrapunzar. tr. Remachar con el contrapunzón.

Contrapunzón. m. Botador de que se sirven algunos artesanos para remachar la pieza en paraje donde no puede entrar el martillo. || **2.** Instrumento como hembra o matriz de punzón, que sirve a los abridores y grabadores para hacer los punzones mismos de que se usa en el grabado de sellos y monedas. || **3.** Figura que como señal ponían los arcabuceros entre la marca y la cruz en la recámara de los cañones de las armas de fuego que construían, para que otros no los contrahiciesen.

Contraquilla. f. *Mar.* Pieza que cubre toda la quilla por la parte interior de la nave, de popa a proa, para su resguardo y el de todas las demás piezas que van clavadas a la quilla.

Contrarea. f. ant. **Contradicción.**

Contraría. (De *contrariar.*) f. ant. **Contrarea.**

Contrariador, ra. adj. ant. Que contraría. Ú. t. c. s.

Contrariamente. adv. m. **En contrario.**

Contrariar. (De *contrario.*) tr. Contradecir, resistir las intenciones y propósitos de los demás; procurar que no se cumplan. Dícese también de las cosas inanimadas.

Contraridad. f. ant. **Contrariedad.**

Contrariedad. (Del lat. *contrarĭĕtas, -ātis.*) f. Oposición que tiene una cosa con otra. || **2.** Accidente que impide o retarda el logro de un deseo.

Contrario, ria. (Del lat. *contrarĭus.*) adj. Opuesto o repugnante a una cosa. Ú. t. c. s. f. || **2.** fig. Que daña o perjudica. || **3.** m. y f. Persona que tiene enemistad con otra. || **4.** Persona que sigue pleito o pretensión con otra. || **5.** Persona que lucha, contiende o está en oposición con otra. || **6.** m. Impedimento, embarazo, contradicción. || **Los contrarios.** Teoría de la filosofía antigua, y principalmente de la peripatética, en la que descansaba la clasificación de las ideas. || **Al contrario.** m. adv. Al revés, de un modo opuesto. || **De lo contrario.** fr. En caso contrario. || **En contrario.** m. adv. **En contra.** || **Llevar** a uno **la contraria.** fr. fam. **Llevar la contra.** || **Por el,** o **lo, contrario.** m. adv. **Al contrario.**

Contrarioso, sa. adj. ant. **Contrario,** 1.ª acep.

Contrarraya. f. *Grab.* Cada una de las rayas que cruzan a otras.

Contrarreforma. f. Movimiento religioso, intelectual y político destinado a combatir los efectos de la reforma luterana.

Contrarregistro. m. Revisión y comprobación de los adeudos hechos en una primera línea fiscal.

Contrarreguera. (De *contra* y *reguera.*) f. Regadera o canal oblicuo hecho en las tierras de regadío para que las aguas no arrastren la labor y se distribuyan por igual en los surcos o eras.

Contrarréplica. f. Contestación dada a una réplica. || **2. Dúplica.**

Contrarrestar. (Del lat. *contra,* contra, y *restāre,* resistir.) tr. Resistir, hacer frente y oposición. || **2.** Volver la pelota desde la parte del saque.

Contrarresto. m. Acción y efecto de contrarrestar. || **2.** Persona que se destina, en el juego de la pelota, para volverla al saque.

Contrarrevolución. f. Revolución en sentido contrario de otra próximamente anterior.

Contrarroda. f. *Mar.* Pieza de igual figura que la roda y empernada a ella por su parte interior.

Contrarronda. f. *Mil.* Segunda ronda que se hace para asegurarse más de la vigilancia de los puestos.

Contrarrotura. f. *Veter.* Emplasto o parche confortativo que se pega sobre la piel para curar la rotura, luxación o relajación de alguna parte blanda del organismo.

Contrasalva. f. Descarga de artillería en contestación al saludo hecho de igual modo.

Contraseguro. (De *contra* y *seguro.*) m. Contrato en que el asegurador se obliga, si le cumplen determinadas condiciones, a reintegrar al contratante la primas o cuotas satisfechas y por aquél cobradas.

Contrasellar. tr. Poner un contra sello.

Contrasello. m. Sello más pequeño con que se marcaba el principal para dificultar las falsificaciones. || **2.** El grabado o señal que dejaba el mismo sello.

Contrasentido. m. Inteligencia contraria al sentido natural de las palabras o expresiones. || **2.** Deducción opuesta a lo que arrojan de sí los antecedentes.

Contraseña. f. Seña reservada que se dan unas personas a otras para entenderse entre sí. || **2. Contramarca,** 1.ª acep. || **3.** *Mil.* Señal o palabra que se da para conocerse unos a otros y no tenerse por enemigos en la confusión o en la obscuridad. También se da a las centinelas para que no dejen pasar al que no la diere. || **4.** *Mil.* Palabra reservada que, además del santo y seña, se da en la orden del día, y sirve para el recibo de las rondas y para su reconocimiento. || **de salida.** En los teatros, circos, etc., tarjeta o papelito que se da a los espectadores que quieren salir durante la función para que vuelvan a entrar.

Contraseño. m. ant. **Contraseña.**

Contrasta. (De *contrastar.*) f. ant. Contraste u oposición.

Contrastable. adj. Que se puede contrastar.

Contrastante. p. a. de **Contrastar.** Que contrasta, 4.ª acep. || **2.** ant. Que contrasta, 1.ª acep.

Contrastar. (Del lat. *contrastāre;* de *contra,* enfrente, y *stāre,* mantenerse.) tr. Resistir, hacer frente. || **2.** Ensayar o comprobar y fijar la ley, peso y valor de las monedas o de otros objetos de oro o plata, y sellar éstos últimos con la marca del contraste cuando ejecuta la operación el perito oficial. || **3.** Tratándose de pesas y medidas, comprobar su exactitud por ministerio público, para que estén ajustadas a la ley, y acreditarlo sellándolas. || **4.** intr. Mostrar notable diferencia, o condiciones opuestas, dos cosas, cuando se comparan una con otra.

Contraste. m. Acción y efecto de contrastar. || **2.** Oposición, contraposición o diferencia notable que existe entre personas o cosas. || **3.** El que ejerce el oficio público de contrastar. || **4.** Oficina donde se contrasta. || **5. Almotacén,** 1.ª y 2.ª aceps. || **6.** Peso público de la seda cruda. || **7.** fig. Contienda o combate entre personas o cosas. || **8.** *Germ.* **Perseguidor.** || **9.** *Mar.* Cambio repentino de un viento en otro contrario. || **de Castilla. Marcador mayor.**

Contrasto. (De *contrastar.*) m. ant. Opositor, contrario.

Contrata. (De *contratar.*) f. Instrumento, escritura o simple obligación firmada con que las partes aseguran los contratos que han hecho. || **2.** El mismo contrato, ajuste o convenio. || **3.** Contrato que se hace con el gobierno, con una corporación o con un particular para ejecutar una obra material o prestar un servicio por precio o precios determinados. || **4.** Entre actores y cantantes, ajuste, ocupación. || **5.** ant. **Contrada.**

Contratación. (De *contratar.*) f. Acción y efecto de contratar. || **2.** Comercio y trato de géneros vendibles. || **3.** V. **Casa de contratación de las Indias.** || **4.** ant. Trato familiar. || **5.** ant. **Contrata,** 1.ª acep. || **6.** ant. Remuneración, paga.

Contratamiento. m. ant. Acción y efecto de contratar.

Contratante. p. a. de **Contratar.** Que contrata.

Contratar. (Del lat. *contractāre.*) tr. Pactar, convenir, comerciar, hacer contratos o contratas. || **2. Ajustar,** 9.ª acep.

Contratela. f. *Mont.* Cerca de lienzos u otra manera de valla con que se estrechaba el espacio cerrado por la tela ya para la caza o para fiestas y lides.

Contratiempo. m. Accidente perjudicial y por lo común inesperado. || **2.** pl. *Equit.* Movimientos desordenados que hace el caballo. || **A contratiempo.** m. adv. *Mús.* Empléase cuando la duración de una nota se extiende a dos tiempos del compás, no comprendiendo sino una parte del primero.

Contratista. com. Persona que por contrata ejecuta una obra material o está encargada de un servicio para el gobierno, para una corporación o para un particular.

Contrato. (Del lat. *contractus.*) m. Pacto o convenio entre partes que se obligan sobre materia o cosa determinada, y a cuyo cumplimiento pueden ser compelidas. || **2.** *Germ.* **Carnicería,** 1.ª acep. || **a la gruesa.** *Com.* **Contrato** por el que una persona presta a otra cierta cantidad sobre objetos expuestos a riesgos marítimos, con la condición de perderla si éstos se pierden y de que, llegando a buen puerto, se le devuelva la suma con un premio convenido. || **aleatorio.** *For.* **Contrato** cuya materia es un hecho fortuito o eventual. || **2.** *For.* El que se hace a riesgo y ventura renunciando los contratantes a las consecuencias legales del caso fortuito. || **a riesgo marítimo.** *Com.* **Contrato a la gruesa.** || **bilateral.** *For.* Aquel en que se conmutan prestaciones recíprocas entre los otorgantes, y éstos quedan mutuamente obligados. || **consensual.** *For.* El que se perfecciona por el solo consentimiento. || **de arrendamiento.** *For.* **Contrato de locación y conducción.** || **2.** *For.* Aquel por el cual una persona se obliga a ejecutar una obra o prestar un servicio a otro mediante cierto precio. || **de cambio.** *Com.* Aquel en cuya virtud se recibe de uno cierta cantidad de dinero para ponerlo a disposición o a la orden del que lo entrega, en pueblo distinto, a cuyo efecto se le da letra o libranza. || **de compraventa,** o **de compra y venta.** *For.* Convención mutua en virtud de la cual se obliga el vendedor a entregar la cosa que vende, y el comprador el precio convenido por ella. || **de locación y conducción.** *For.* Convención mutua en virtud de la cual se obliga el dueño de una cosa, mueble o inmueble, a conceder a otro el uso y disfrute de ella por tiempo determinado, mediante cierto precio o servicio que ha de satisfacer el que lo recibe. || **de retrovendendo.** *For.* Convención accesoria al **contrato** de compra y venta, por la cual se obliga el comprador a devolver al vendedor la cosa vendida, mediante recobro, dentro de cierto tiempo o sin plazo señalado, del precio que dió por ella. || **enfitéutico.** *For.* El conmutativo, por el cual el dueño de un inmueble cede el dominio útil, reservándose el directo, en reconocimiento del cual se estipulan el pago de un canon periódico, el de laudemio por cada enajenación de aquel dominio, y a veces otras prestaciones. || **innominado.** *For.* El que sin adaptarse a los que tienen nombre en la ley, celebran las partes usando la libertad de pactar. || **perfecto.** Aquel que tiene todos los requisitos para su plena eficacia jurídica. || **real.** *For.* Aquel que para el nacimiento de las obligaciones requiere, además del consentimiento, la entrega de cosas, como el simple préstamo, el comodato, la prenda y el depósito. || **sinalagmático.** *For.* **Contrato bilateral.** || **trino.** *For.* Combinación antigua y simulada de los **contratos** de compañía, cesión o compraventa y seguro, que envolvía un préstamo y se celebraba para burlar las leyes sobre usura y tasa del interés. || **unilateral.** *For.* En el antiguo derecho llamaban así a ciertos **contratos** en que uno de los contrayentes parecía más obligado que el otro; como el mutuo y el depósito. || **Casi contrato.** *For.* **Cuasicontrato.**

Contratorpedero. m. **Cazatorpedero.**

Contratreta. f. Ardid de que se usa para desbaratar e inutilizar una treta o engaño.

Contratrinchera. (De *contra* y *trinchera.*) f. *Fort.* **Contraaproches**

Contravalación. f. *Fort.* Acción y efecto de contravalar.

Contravalar. (Del lat. *contra,* enfrente, y *vallāre,* fortificar.) tr. *Fort.* Construir por el frente del ejército que sitia una plaza una línea fortificada, que llaman de contravalación, y es semejante a la que se construye por la retaguardia, que se llama línea de circunvalación.

Contravapor. m. *Fís.* Corriente de vapor que obra en sentido opuesto a la que de ordinario mueve una máquina, y sirve para que se detenga o retroceda si es locomóvil. Se usa con el verbo *dar.*

Contravención. f. Acción y efecto de contravenir.

Contraveneno. m. Medicamento para contrarrestar los efectos del veneno. || **2.** fig. Precaución tomada para evitar un perjuicio.

Contravenidor, ra. (De *contravenir.*) adj. ant. **Contraventor.** Usáb. t. c. s.

Contraveniente. p. a. ant. de **Contravenir.** Que contraviene.

Contravenimiento. (De *contravenir.* m. ant. **Contravención.**

Contravenir. (Del lat. *contravenīre.*) tr. Obrar en contra de lo que está mandado.

Contraventa. f. ant. **Retroventa.**

Contraventana. f. Puerta que interiormente cierra sobre la vidriera. || **2.** Puerta de madera que en los países fríos se pone en la parte de afuera para mayor resguardo de las ventanas y vidrieras.

Contraventor, ra. (Del lat. *contraventum,* supino de *contravenīre,* contravenir.) adj. Que contraviene. Ú. t. c. s.

Contraventura. f. Desdicha, infortunio.

Contraverado, da. adj. *Blas.* Que tiene contraveros.

Contraveros. m. pl. *Blas.* Veros dispuestos de modo que estén unidos dos a dos por su base y no alternados como en la forma natural.

Contravidriera. f. Segunda vidriera, que sirve para mayor abrigo.

Contravoluta. f. *Arq.* Voluta que duplica la principal.

Contray. m. Especie de paño fino que se labraba en Courtrai de Flandes.

Contrayente. p. a. de **Contraer.** Que contrae. Se aplica casi únicamente a la persona que contrae matrimonio. Ú. t. c. s.

Contrecto, ta. adj. ant. **Contrecho,** 1.ª acep.

Contrecho, cha. (Del lat. *contractus,* p. p. de *contrahĕre,* contraer, encoger.) adj. Baldado, tullido. || **2.** m. ant. Pasmo interior que padecen las caballerías.

Contremecer. (Del lat. *contremiscĕre.*) intr. ant. **Temblar.** Usáb. t. c. r.

Contribución. (Del lat. *contributĭo, -ōnis.*) f. Acción y efecto de contribuir. || **2.** Cuota o cantidad que se paga para algún fin, y principalmente la que se impone para las cargas del Estado. || **de guerra.** Exacción extraordinaria que los ejércitos beligerantes imponen a las poblaciones que toman u ocupan. || **de sangre. Servicio militar.** || **directa.** La que pesa sobre personas, bienes o usos determinados. || **indirecta.** La que grava determinados actos de producción, comercio o consumo. || **territorial.** La que ha de tributar la riqueza rústica. || **urbana.** La que se impone a la propiedad inmueble en centros de población. || **Poner a contribución.** loc. fig. Recurrir a cualesquiera medios que pueden cooperar en la consecución de un fin.

Contribuidor, ra. adj. Que contribuye. Ú. t. c. s. || **2.** m. *Germ.* El que da algo.

Contribuir. (Del lat. *contribuĕre;* de *cum,* con, y *tribuĕre,* dar.) tr. Dar o pagar cada uno la cuota que le cabe por un impuesto o repartimiento. Ú. m. c. intr. || **2.** Concurrir voluntariamente con una cantidad para determinado fin. || **3.** fig. Ayudar y concurrir con otros al logro de algún fin. || **4.** ant. **Atribuir,** 1.ª acep.

Contribulado, da. (Del lat. *contribulātus.*) adj. Que padece tribulación.

Contributario, ria. m. y f. Tributario o contribuyente con otras personas a la paga de un tributo.

Contributivo, va. adj. Perteneciente o relativo a las contribuciones y otros impuestos.

Contribuyente. p. a. de **Contribuir.** Que contribuye. Ú. t. c. s. y más para designar al que paga contribución al Estado.

Contrición. (Del lat. *contritĭo, -ōnis.*) f. Dolor y pesar de haber ofendido a Dios por ser quien es y porque se le debe amar sobre todas las cosas. || **2.** V. **Acto de contrición.**

Contrín. m. Peso usado en Filipinas, equivalente a 39 centigramos.

Contrincante. (De *con* y *trinca.*) m. Cada uno de los que forman parte de una misma trinca en las oposiciones. || **2.** El que pretende una cosa en competencia con otro u otros.

Contristar. (Del lat. *contristāre.*) tr. Afligir, entristecer. Ú. t. c. r.

Contrito, ta. (Del lat. *contrītus.*) adj. Que siente contrición.

Controversia. (Del lat. *controversĭa.*) f. Discusión larga y reiterada entre dos o más personas. Especialmente se aplica a las cuestiones de religión. || **Sin controversia.** loc. adv. **Sin duda.**

Controversista. m. El que escribe o trata sobre puntos de controversia.

Controverso, sa. (Del lat. *controversus.*) p. p. irreg. ant. de **Controvertir.**

Controvertible. adj. Que se puede controvertir.

Controvertir. (Del lat. inus. *controvertĕre;* de *contra,* contra, y *vertĕre,* volver.) intr. Discutir extensa y detenidamente sobre una materia. Ú. t. c. tr.

Contubernal. (Del lat. *contubernālis.*) m. ant. El que vive con otro en un mismo alojamiento.

Contubernio. (Del lat. *contubernĭum.*) m. Habitación con otra persona. || **2.** Cohabitación ilícita. || **3.** fig. Alianza o liga vituperable.

Contumace. (Del lat. *contŭmax, -ācis.*) adj. ant. **Contumaz.**

Contumacia. (Del lat. *contumacĭa.*) f. Tenacidad y dureza en mantener un error. || **2.** *For.* **Rebeldía,** 3.ª acep.

Contumaz. (De *contumace.*) adj. Rebelde, porfiado y tenaz en mantener un error. || **2.** Aplícase a aquellas materias o substancias que se estiman propias para retener y propagar los gérmenes de un contagio. || **3.** *For.* **Rebelde,** 4.ª acep. Ú. t. c. s.

Contumazmente. adv. m. Tenazmente, con porfía y contumacia.

Contumelia. (Del lat. *contumelĭa.*) f. Oprobio, injuria u ofensa dicha a una persona en su cara.

Contumelioso, sa. (Del lat. *contumeliōsus.*) adj. Afrentoso, injurioso, ofensivo. || **2.** Que dice contumelias.

Contundencia. f. Calidad de contundente, 2.ª acep.

Contundente. (Del lat. *contundens, -entis,* p. a. de *contundĕre,* contundir.) adj. Aplícase al instrumento y al acto que producen contusión. || **2.** fig. Que produce grande impresión en el ánimo, convenciéndolo. *Argumento, razón, prueba* CONTUNDENTE.

Contundir. (Del lat. *contundĕre.*) tr. Magullar, golpear. Ú. t. c. r.

Conturbación. (Del lat. *conturbatĭo, -ōnis.*) f. Inquietud, turbación.

Conturbado, da. p. p. de **Conturbar.** || **2.** adj. Revuelto, intranquilo.

Conturbador, ra. (Del lat. *conturbātor.*) adj. Que conturba. Ú. t. c. s.

Conturbamiento. (De *conturbar.*) m. ant. Conturbación.

Conturbar. (Del lat. *conturbāre.*) tr. Alterar, turbar, inquietar. Ú. t. c. r. || **2.** fig. Intranquilizar, alterar el ánimo. Ú. t. c. r.

Conturbativo, va. adj. Dícese de lo que conturba.

Contusión. (Del lat. *contusĭo, -ōnis.*) f. Daño que recibe alguna parte del cuerpo por golpe que no causa herida exterior.

Contuso, sa. (Del lat. *contūsus.*) adj. Que ha recibido contusión. Ú. t. c. s.

Contutor. (De *con* y *tutor.*) m. El que ejercía la tutela juntamente con otro.

Conuco. (Voz americana.) m. Parcela de tierra que concedían en Cuba los dueños a sus esclavos para que éstos la cultivasen por su cuenta. Hoy se da este nombre a una estancia pequeña.

Conusco. (Del lat. *cŭm* y *noscum,* por *nobiscum.*) pron. pers. ant. **Connusco.**

Convalecencia. (Del lat. *convalescentĭa.*) f. Acción y efecto de convalecer. || **2.** Estado del convaleciente. || **3.** Casa u hospital destinado para convalecer los enfermos.

Convalecer. (Del lat. *convalescĕre.*) intr. Recobrar las fuerzas perdidas por enfermedad. || **2.** fig. Salir una persona o una colectividad del estado de postración o peligro en que se encuentran.

Convaleciente. (Del lat. *convalescens, -entis.*) p. a. de **Convalecer.** Que convalece. Ú. t. c. s.

Convalecimiento. (De *convalecer.*) m. ant. **Convalecencia.**

Convalidación. (De *convalidar.*) f. Acción y efecto de convalidar.

Convalidad. (De *con* y *validad.*) f. ant. **Convalidación.**

Convalidar. (Del lat. *convalidāre.*) tr. **Confirmar,** 2.ª acep.

Convecino, na. adj. Cercano, próximo, inmediato. || **2.** Que tiene vecindad con otro en un mismo pueblo. Ú. t. c. s.

Convelerse. (Del lat. *convellĕre;* de *cum,* con, y *vellĕre,* arrancar.) r. *Med.* Moverse y agitarse preternatural y alternadamente con contracción y estiramiento de uno o varios miembros o músculos del cuerpo.

Convencedor, ra. adj. Que convence. Ú. t. c. s.

Convencer. (Del lat. *convincĕre.*) tr. Precisar a uno con razones eficaces a que mude de dictamen o abandone el que seguía. Ú. t. c. r. || **2.** Probarle una cosa de manera que racionalmente no la pueda negar. Ú. t. c. r.

Convencimiento. m. Acción y efecto de convencer o convencerse.

Convención. (Del lat. *conventĭo, -ōnis.*) f. Ajuste y concierto entre dos o más personas o entidades. || **2.** Conveniencia, conformidad. || **3.** Asamblea de los representantes de un país, que asume todos los poderes.

Convencional. (Del lat. *conventionālis.*) adj. Perteneciente al convenio o pacto. || **2.** V. **Privilegio convencional.** || **3.** Que resulta o se establece en virtud de precedentes o de costumbre. || **4.** *For.* V. **Retracto convencional.** || **5.** m. Individuo de una convención.

Convencionalismo. m. Conjunto de opiniones o procedimientos basados en ideas falsas que, por comodidad o conveniencia social, se tienen como verdaderas.

Convencionalmente. adv. m. Por convención.

Convenencia. f. ant. Conveniencia, 1.ª y 3.ª aceps.

Convenialmente. adv. m. ant. Convencionalmente.

Convenible. (De *convenir.*) adj. Dócil o que se conviene fácilmente con los demás. || **2.** Tratándose del precio, razonable, moderado. || **3.** V. **Condición convenible.** || **4.** Conveniente.

Convenido, da. p. p. de **Convenir.** || **2.** adv. m. Que expresa conformidad o consentimiento.

Conveniencia. (Del lat. *convenientĭa.*) f. Correlación y conformidad entre dos cosas distintas. || **2.** Utilidad, provecho. || **3.** Ajuste, concierto y convenio. || **4.** Acomodo de una persona para servir en una casa. *He hallado* CONVENIENCIA. || **5.** **Comodidad** || **6.** pl. Utilidades que, además del salario, se daban por ajuste en algunas casas a ciertos criados; como dejarles guisar su comida, darles las verduras y otras menudencias. || **7.** Haberes, rentas, bienes.

Conveniente. (Del lat. *conveniens, -entis.*) adj. Útil, oportuno, provechoso. || **2.** Conforme, concorde. || **3.** Decente, proporcionado.

Convenientemente. adv. m. Útil, adecuada y oportunamente.

Convenio. (De *convenir.*) m. Ajuste, convención.

Convenir. (Del lat. *convenīre.*) intr. Ser de un mismo parecer y dictamen. || **2.** Acudir o juntarse varias personas en un mismo lugar. || **3.** Corresponder, pertenecer. || **4.** Importar, ser a propósito, ser conveniente. || **5.** ant. Cohabitar, tener comercio carnal con una mujer. || **6.** r. Ajustarse, componerse, concordarse. || **7.** *For.* Coincidir dos o más voluntades causando obligación. || **Conviene a saber.** expr. **Es a saber.**

Conventico. m. **Conventillo.**

Conventícula. f. **Conventículo.**

Conventículo. (Del lat. *conventicŭlum.*) m. Junta ilícita y clandestina de algunas personas.

Conventillo. m. **Casa de vecindad.** || **2.** desus. Casa de mujeres públicas.

Convento. (Del lat. *conventus,* congregación.) m. Casa o monasterio en que viven los religiosos o religiosas bajo las reglas de su instituto. || **2.** Comunidad de religiosos o religiosas que habitan en una misma casa. || **3.** ant. Concurso, concurrencia, junta de muchas personas. || **jurídico.** Cualquiera de los tribunales adonde, en tiempo de los romanos, acudían los pueblos de la provincia con sus pleitos, como ahora concurren a las audiencias.

Conventual. (Del lat. *conventuālis.*) adj. Perteneciente al convento. || **2.** V. **Iglesia, misa conventual.** || **3.** m. Religioso que reside en un convento, o es individuo de una comunidad. || **4.** Religioso franciscano cuya orden posee rentas. Los hubo en España, y hoy se conservan en otros países. || **5.** En algunas religiones, predicador de la casa.

Conventualidad. (De *conventual.*) f. Habitación o morada de las personas religiosas que viven en un mismo convento. || **2.** Asignación de un religioso a un convento determinado.

Conventualmente. adv. m. En comunidad.

Convergencia. (Del lat. *convergens, -entis,* convergente.) f. Acción y efecto de convergir.

Convergente. (Del lat. *convergens, -entis.*) p. a. de **Convergir.** Que converge.

Converger. (Del lat. *convergĕre.*) intr. **Convergir.**

Convergir. (Del lat. *convergĕre.*) intr. Dirigirse dos o más líneas a unirse en un punto. || **2.** fig. Concurrir al mismo fin los dictámenes, opiniones o ideas de dos o más personas.

Conversa. (De *conversar.*) f. fam. Conversación, palique.

Conversable. (De *conversar.*) adj. Tratable, sociable, comunicable.

Conversación. (Del lat. *conversatio, -ōnis.*) f. Acción y efecto de hablar familiarmente una o varias personas con otra u otras. || **2.** Concurrencia o compañía. || **3.** Comunicación y trato carnal; amancebamiento. || **4.** V. **Casa de conversación.** || **5.** ant. Habitación o morada. || **Dar conversación.** loc. Entretener a una persona hablando con ella. || **Dejar caer** una cosa **en la conversación.** fr. fig. y fam. Decirla afectando descuido. || **Dirigir la conversación** a uno. fr. Hablar singular y determinadamente con él. || **La mucha conversación es causa de menosprecio.** fr. proverb. con que se da a entender que no conviene familiarizarse demasiado con las gentes, si ha de conservar cada uno el respeto que se le debe. || **Sacar** uno **la conversación.** fr. Tocar algún punto para que se hable de él. SAQUE *usted* LA CONVERSACIÓN, *que entonces diré yo mi dictamen.* || **Trabar conversación.** fr. Empezar o dar principio a la plática.

Conversador, ra. adj. Dícese de la persona que sabe hacer amena e interesante la conversación. Ú. t. c. s.

Conversamiento. (De *conversar.*) m. ant. **Conversación.**

Conversante. p. a. ant. de **Conversar.** Que conversa.

Conversar. (Del lat. *conversāre;* de *cum,* con, y *versāre,* dar vueltas.) intr. Hablar una o varias personas con otra u otras. || **2.** Vivir, habitar en compañía de otros. || **3.** Tratar, comunicar y tener amistad unas personas con otras. || **4.** *Mil.* Hacer conversión.

Conversativo, va. adj. ant. **Conversable.**

Conversión. (Del lat. *conversio, -ōnis.*) f. Acción y efecto de convertir o convertirse. || **2.** Mutación de una cosa en otra. || **3.** Mudanza de mala vida a buena. || **4.** *Esgr.* y *Mil.* V. **Cuarto de conversión.** || **5.** *Mil.* Mutación del frente, de una fila, girando sobre uno de sus extremos. || **6.** *Ret.* Figura que se comete empleando una misma palabra al fin de dos o más cláusulas o miembros del período.

Conversivo, va. (Del lat. *conversīvus.*) adj. Que tiene virtud de convertir una cosa en otra.

Converso, sa. (Del lat. *conversus.*) p. p. irreg. de **Convertir.** || **2.** adj. Dícese de los moros y judíos convertidos al cristianismo. Ú. t. c. s. m. || **3.** m. En algunas órdenes religiosas, **lego,** 4.ª acep.

Convertibilidad. f. Calidad de convertible.

Convertible. (Del lat. *convertibilis.*) adj. Que puede convertirse.

Convertidor. m. Aparato ideado en 1859 por el ingeniero inglés Bessemer, para convertir la fundición de hierro en acero. Es una gran caldera de palastro revestida interiormente de arcilla refractaria, que se llena con el metal fundido que sale de un horno alto, y soplando dentro de esta masa se logra quemar parte del carbono que hay en ella, y así el hierro colado se convierte en acero.

Convertiente. p. a. ant. de **Convertir.** Que convierte.

Convertimiento. (De *convertir.*) m. ant. **Conversión.**

Convertir. (Del lat. *convertĕre.*) tr. Mudar o volver una cosa en otra. Ú. t. c. r. || **2.** Reducir a la verdadera religión al que va errado, o traerle a la práctica de las buenas costumbres. Ú. t. c. r. || **3.** r. *Dial.* Substituirse una palabra o proposición por otra de igual significación.

Convexidad. (Del lat. *convexĭtas, -ātis.*) f. Calidad de convexo. || **2.** Parte o sitio convexo.

Convexo, xa. (Del lat. *convēxus.*) adj. Que tiene, respecto del que mira, la superficie más prominente en el medio y que decrece hacia los bordes o extremos.

Convicción. (Del lat. *convictio, -ōnis.*) f. **Convencimiento.**

Convicio. (Del lat. *convicium.*) m. ant. Injuria, afrenta, improperio.

Convicto, ta. (Del lat. *convictus,* de *convincĕre,* convencer.) p. p. irreg. de **Convencer.** || **2.** adj. *For.* Dícese del reo a quien legalmente se ha probado su delito, aunque no lo haya confesado.

Convictor. (Del lat. *convictor.*) m. En algunas partes, el que vive en un seminario o colegio sin ser del número de la comunidad.

Convictorio. (De *convictor.*) m. En los colegios de jesuitas, departamento donde viven los educandos.

Convidada. (De *convidar.*) f. fam. Convite que se hace generalmente entre la gente del pueblo, y en el que por lo regular sólo se invita a beber. *Pagar la* CONVIDADA.

Convidado, da. p. p. de **Convidar.** || **2.** m. y f. Persona que recibe un convite. || **Como el convidado de piedra.** loc. adv. fig. Como una estatua, mudo, quieto y grave, aludiendo a la del comendador de Calatrava don Gonzalo de Ulloa, en *El burlador de Sevilla y* CONVIDADO *de piedra,* comedia de Tirso de Molina.

Convidador, ra. adj. Que convida. Ú. t. c. s.

Convidante. p. a. de **Convidar.** Que convida.

Convidar. (Del b. lat. *convitare,* por *invitāre,* cambiada la prep. *in* en *con* por influencia de *convivium,* convite.) tr. Rogar una persona a otra que la acompañe a comer o a una función. || **2.** fig. Mover, incitar. || **3.** r. Ofrecerse voluntariamente para alguna cosa. || **Convidar** a uno **con** alguna cosa. fr. Ofrecérsela.

Convincente. (Del lat. *convincens, -entis.*) adj. Que convence.

Convincentemente. adv. m. De manera convincente.

Convite. (Del prov. y cat. *convit,* y éste del lat. *convictus.*) m. Acción y efecto de convidar. || **2.** Función y especialmente comida o banquete a que es uno convidado. || **El convite del cordobés; vuesa merced ya habrá comido y no querrá comer. El convite del toledano; bebiérades si oviérades almorzado.** refs. que reprenden a los que buscan subterfugios para mostrarse generosos sin serlo.

Convival. (Del lat. *convivālis.*) adj. Perteneciente o relativo al convite.

Convivencia. f. Acción de convivir.

Conviviente. (Del lat. *convīvens, -entis.*) p. a. de **Convivir.** Que convive. || **2.** com. Cada uno de aquellos con quienes comúnmente se vive.

Convivio. (Del lat. *convivium.*) m. ant. **Convite.**

Convivir. intr. Vivir en compañía de otro u otros, cohabitar.

Convocación. (Del lat. *convocatio, -ōnis.*) f. Acción de convocar.

Convocadero, ra. adj. ant. Que se ha de convocar.

Convocador, ra. adj. Que convoca. Ú. t. c. s.

Convocar. (Del lat. *convocāre.*) tr. Citar, llamar a varias personas para que concurran a lugar o acto determinado. || **2. Aclamar,** 1.ª acep.

Convocatoria. f. Anuncio o escrito con que se convoca.

Convocatorio, ria. adj. Dícese de lo que convoca.

Convolar. (Del lat. *convolāre.*) intr. ant. **Volar,** 3.ª acep.

Convolvuláceo, a. (Del lat. *convolvŭlus,* nombre genérico de la enredadera.) adj. *Bot.* Dícese de árboles, matas y hierbas angiospermos dicotiledóneos, que tienen hojas alternas, corola en forma de tubo o campana, con cinco pliegues, y semillas con albumen mucilaginoso; como la batata, la maravilla y la cuscuta. Ú. t. c. s. f. || **2.** f. pl. *Bot.* Familia de estas plantas.

Convólvulo. (Del lat. *convolvŭlus,* de *convolvĕre,* arrollar.) m. Oruga muy dañina, de unos dos centímetros de largo, color verde amarillento en el cuerpo y cabeza parda brillante; vive a expensas de los frutos y hojas de la vid, que roe, arrolla y seca. || **2. Enredadera,** 2.ª acep.

Convoy. (Del fr. *convoi,* de *convoyer,* y éste del lat. **conviāre,* de *via.*) m. Escolta o guardia que se destina para llevar con seguridad y resguardo alguna cosa por mar o por tierra. || **2.** Conjunto de los buques o carruajes, efectos o pertrechos escoltados. || **3. Taller,** 2.° art. || **4.** fig. y fam. Séquito o acompañamiento.

Convoyante. p. a. de **Convoyar.** Que convoya.

Convoyar. (Del fr. *convoyer,* y éste del lat. **conviāre,* de *via.*) tr. Escoltar lo que se conduce de una parte a otra, para que vaya resguardado.

Convulsión. (Del lat. *convulsio, -ōnis.*) f. Movimiento y agitación preternatural y alternada de contracción y estiramiento de uno o más miembros o músculos del cuerpo. || **2.** fig. Agitación violenta de agrupaciones políticas o sociales, que trastorna la normalidad de la vida colectiva. || **3.** *Geol.* Sacudida de la tierra o del mar por efecto de los terremotos.

Convulsionante. p. a. de **Convulsionar.** Que convulsiona. || **2.** Dícese de la terapéutica que se propone la curación o alivio de determinadas enfermedades, principalmente mentales, mediante el empleo de drogas o métodos físicos que producen convulsiones en el enfermo.

Convulsionar. tr. *Med.* Producir convulsiones.

Convulsionario, ria. (De *convulsión.*) adj. Que padece convulsiones. || **2.** m. pl. Supersticiosos franceses del siglo XVIII que sufrían o aparentaban sufrir convulsiones al congregarse ante el sepulcro del diácono París, en el cementerio de San Medardo, para recobrar la salud.

Convulsivo, va. adj. Perteneciente a la convulsión. *Movimientos* CONVULSIVOS. || **2.** V. **Tos convulsiva.**

Convulso, sa. (Del lat. *convulsus.*) adj. Atacado de convulsiones. || **2.** fig. Dícese del que se halla muy excitado.

Convusco. (Del lat. *cŭm vōscŭm,* por *vōbiscŭm.*) ablat. ant. de pl. del pron. pers. de 2.ª pers. en gén. m. y f. Con vos o con vosotros.

Coyector. (Del lat. *coniector.*) m. ant. El que conjetura.

Conyectura. f. ant. **Conjetura.**

Conyúdice. (Del lat. *coniŭdex, -dĭcis.*) m. **Conjuez.**

Conyugado, da. (Del lat. *coniugātus,* unido, ligado.) adj. ant. **Casado,** 1.ª acep.

Conyugal. (Del lat. *coniugālis.*) adj. Perteneciente a los cónyuges. || **2.** V. **Castidad, débito, sociedad conyugal.**

Conyugalmente. adv. m. Con unión conyugal.

Cónyuge. (Del lat. *conius, -ŭgis.*) com. **Consorte,** 2.ª acep. Ú. m. en pl.

Conyugicida. com. Cónyuge que mata al otro cónyuge.

Conyugicidio. m. Muerte causada por uno de los cónyuges al otro.

Conyunto, ta. adj. ant. **Conjunto.**

Coñac. m. Aguardiente de graduación alcohólica muy elevada, obtenido por la destilación de vinos flojos y añejado en toneles de roble, imitando el procedimiento usado en Cognac, pueblo francés, de donde tomó el nombre.

Coñete. adj. *Chile.* Tacaño, cicatero, mezquino.

Coona. f. Planta venenosa con cuyo jugo enherbolaban sus flechas los indios. || **2.** Hoja de dicha planta.

Cooperación. (Del lat. *cooperatĭo, -ōnis.*) f. Acción y efecto de cooperar.

Cooperador, ra. (Del lat. *cooperātor.*) adj. Que coopera. Ú. t. c. s.

Cooperante. p. a. de **Cooperar.** Que coopera.

Cooperar. (Del lat. *cooperāri;* de *cum,* con, y *operāri,* trabajar.) intr. Obrar juntamente con otro u otros para un mismo fin.

Cooperario. (Del lat. *cooperarĭus.*) m. El que coopera.

Cooperativismo. m. Tendencia o doctrina favorable a la cooperación en el orden económico y social.

Cooperativista. adj. Perteneciente o relativo a la cooperación. || **2.** Partidario del cooperativismo. Ú. t. c. s.

Cooperativo, va. (Del lat. *cooperatīvus.*) adj. Dícese de lo que coopera o puede cooperar a alguna cosa. || **2.** f. **Sociedad cooperativa.**

Coopositor, ra. (De *co* y *opositor.*) m. y f. Persona que con otra u otras concurre a las oposiciones a una prebenda, cátedra, etc.

Coordenado, da. (De *co* y *ordenado.*) adj. *Geom.* Aplícase a las líneas que sirven para determinar la posición de un punto, y a los ejes o planos a que se refieren aquellas líneas. Ú. m. c. s. f. || **2.** *Geom.* V. **Eje, plano coordenado.** || **Coordenada cartesiana.** *Geom.* Cada una de las rectas que son paralelas a cada uno de los dos ejes de referencia, trazados sobre un plano, o a alguna de las intersecciones de tres planos, con respecto a los cuales se determina la posición de un punto del espacio por las longitudes de dichas rectas, contadas desde los ejes o planos no paralelos a ellas. || **polar.** *Geom.* Cada una de las que determinan la posición de un punto cualquiera sobre un plano, y son: la longitud del radio vector comprendida entre el punto y el polo, y el ángulo formado por dicho radio con la línea recta llamada eje polar.

Coordinación. (Del lat. *coordinatĭo, -ōnis.*) f. Acción y efecto de coordinar.

Coordinariamente. adv. m. Con método y coordinación.

Coordinado, da. p. p. de **Coordinar.** || **2.** adj. *Geom.* **Coordenado.**

Coordinador, ra. adj. Que coordina. Ú. t. c. s.

Coordinamiento. (De *coordinar.*) m. **Coordinación.**

Coordinante. p. a. de **Coordinar.** Que coordina.

Coordinar. (Del lat. *co,* por *cum,* con, y *ordināre,* ordenar.) tr. Disponer cosas metódicamente.

Coordinativo, va. adj. Que puede coordinar.

Copa. (Del lat. *cūppa.*) f. Vaso con pie para beber. Se hace de varios tamaños, materias y figuras. || **2.** Todo el líquido que cabe en una **copa.** COPA *de vino.* || **3.** Conjunto de ramas y hojas que forma la parte superior de un árbol. || **4.** Parte hueca del sombrero, en que entra la cabeza. || **5.** Medida de líquidos, que es la cuarta parte de un cuartillo y equivale a 126 mililitros. || **6.** Brasero que tiene la figura de **copa,** y se hace de azófar, cobre, barro o plata, con sus dos asas para llevarlo de una parte a otra; algunos tienen dentro una bacía para echar la lumbre. || **7.** Cada una de las cartas del palo de **copas** en los naipes. || **8.** Premio que se concede en algunos certámenes deportivos. || **9.** *Astron.* Pequeña constelación austral cerca y un poco al norte de la Hidra. || **10.** pl. Uno de los cuatro palos de la baraja española, en cuyos naipes se representan una o varias figuras de **copas.** || **11.** Cabezas del bocado del freno. || **Copa del horno.** Bóveda que lo cubre. || **graduada.** La que tiene ciertas señales para medir la cantidad del líquido que contiene. || **Apurar** uno **la copa del dolor, de la desgracia,** etc. fr. fig. Llegar al extremo del dolor y pena, de la calamidad e infortunio. || **Haber la copa.** fr. ant. **Tener la copa.** || **Irse** uno **de copas.** fr. fig. y fam. **Ventosear.** || **Tener la copa.** fr. ant. Ser copero del rey.

Copada. (De *copo,* 1.er art.) f. **Cogujada.**

Copado, da. adj. Que tiene copa. Dícese comúnmente de los árboles.

Copador. m. Mazo de madera o martillo de boca redondeada, que sirve para encorvar las chapas de hierro, cobre, latón, etc.

Copaiba. (Del guaraní *copauba.*) f. **Copayero.** || **2. Bálsamo de copaiba.**

Copaína. f. *Quím.* Principio que se obtiene de la copaiba.

Copal. (Voz mejicana que designaba todas las resinas que se quemaban en los templos.) adj. Aplícase a una resina casi incolora, muy dura y sin olor ni sabor, que se emplea en barnices duros de buena calidad. Ú. t. c. s. m.

Copalillo. m. *Bot. Cuba.* Árbol silvestre de la familia de las sapindáceas, que da muy buena madera, amarillenta con vetas rojizas, dura y compacta. || **2.** *Hond.* **Curbaril.**

Copanete. m. ant. d. de **Cópano.**

Cópano. (Del lat. *caupŭlus,* barquichuelo.) m. Especie de barco pequeño usado antiguamente.

Copaquira. f. *Chile* y *Perú.* Caparrosa o vitriolo azul.

Copar. (Del fr. *couper,* de *coup,* golpe.) tr. Hacer en los juegos de azar una puesta equivalente a todo el dinero con que responde la banca. || **2.** fig. Conseguir en una elección todos los puestos. || **3.** *Mil.* Sorprender o cortar la retirada a una fuerza militar, haciéndola prisionera.

Coparticipación. f. Acción de participar a la vez con otro en alguna cosa.

Copartícipe. com. Persona que tiene participación con otra en alguna cosa.

Copayero. m. Árbol de la familia de las papilionáceas, propio de la América Meridional, de 15 a 20 metros de altura, copa poco poblada, hojas alternas compuestas de un número par de hojuelas ovaladas, enteras y lustrosas, y flores blancas de cuatro pétalos, en espigas axilares. Su tronco da el bálsamo de copaiba.

Cope. (De *copo,* 2.º art.) m. Parte más espesa de la red de pescar.

Copé. m. Especie de nafta o betún natural de algunas regiones americanas, que se mezclaba con alquitrán.

Copear. intr. Vender por copas las bebidas. || **2.** Tomar copas.

Copeisillo. (De *copey.*) m. *Amér.* Árbol de la familia de las gutíferas, del mismo género que el copey, pero más pequeño que él. Se cultiva como planta de adorno por la hermosura de sus hojas.

Copela. (Del lat. *cupella,* d. de *cupa,* cuba, copa.) f. Vaso de figura de cono truncado, hecho con cenizas de huesos calcinados, y donde se ensayan y purifican los minerales de oro o plata. || **2.** Plaza hecha en los hornos de **copela** con arcilla apisonada. || **3.** V. **Horno, oro de copela.**

Copelación. f. Acción y efecto de copelar.

Copelar. tr. Fundir minerales o metales en copela para ensayos, o en hornos de copela para operaciones metalúrgicas.

Copellán. m. ant. **Copela.**

Copeo. m. Acción y efecto de copear.

Copera. f. Sitio donde se guardan o ponen las copas. || **2.** Mueble que se usa para contener las copas en que se sirven licores. || **mayor de la reina,** o **del rey.** Dignatario que en las cortes de los antiguos reyes servía a éstos la copa en las comidas solemnes.

Copernicano, na. adj. Perteneciente o relativo a Copérnico. *Sistema* COPERNICANO. || **2.** Conforme al sistema de Copérnico. || **3.** Partidario de este sistema. Ú. t. c. s.

Copero. m. El que tenía por oficio traer la copa y dar de beber a su señor.

Copeta. f. d. de **Copa.** || **2.** *Ar.* El as de copas.

Copete. m. d. de **Copo,** 1.er art. || **2.** Pelo que se trae levantado sobre la frente. || **3.** Moño o penacho de plumas que tienen algunas aves en lo alto de la cabeza; como la abubilla, la cogujada y el pavo real. || **4.** Mechón de crin que cae al caballo sobre la frente. || **5.** Adorno que suele ponerse en la parte superior de los espejos, sillones y otros muebles. || **6.** Parte superior de la pala del zapato, que sale por encima de la hebilla: comúnmente está cosido a la misma pala. || **7.** En los sorbetes y bebidas heladas, colmo que tienen los vasos. || **8. Cima,** 1.ª acep. || **9.** V. **Hombre, paují de copete.** || **10.** fig. Atrevimiento, altanería, presuntuosidad. || **De alto copete.** loc. Dícese de la gente noble o linajuda, principalmente de las damas.

Copetón. (De *copete.*) m. *Colomb.* Gorrión moñudo.

Copetuda. (De *copete.*) f. **Alondra.** || **2.** *Cuba.* **Flor de la maravilla.**

Copetudo, da. adj. Que tiene copete. || **2.** fig. y fam. Dícese del que hace vanidad de su nacimiento o de otras circunstancias que le distinguen.

Copey. (Voz taína.) m. *Amér. Central.* Árbol de la familia de las gutíferas, de mucha altura y hermoso ramaje, hojas dobles y carnosas, flores inodoras amarillas y rojas de apariencia de cera, y fruto esférico, pequeño y venenoso.

Copia. (Del lat. *copĭa.*) f. Muchedumbre o abundancia de una cosa. || **2.** Traslado o reproducción de un escrito. || **3.** En los tratados de sintaxis, lista de nombres y verbos, con los casos que rigen. || **4.** Escrito o papel de música, en que puntualmente se pone el contenido de otro escrito o papel, impreso o manuscrito. || **5.** Texto musical tomado puntualmente de un impreso o manuscrito. || **6.** Obra de pintura, de escultura o de otro género, que se ejecuta procurando reproducir la obra original con entera igualdad. || **7.** Imitación servil del estilo o de las obras de escritores o artistas. || **8.** Imitación o remedo de una persona. *Pedro es una* COPIA *de Juan.* || **9. Retrato,** 1.ª acep.

Copiador, ra. adj. Que copia. Ú. t. c. s. || **2.** V. **Libro copiador.** Ú. t. c. s.

Copiante. p. a. de **Copiar.** Que copia. || **2.** com. Persona que se dedica a copiar escritos ajenos.

Copiar. (De *copia.*) tr. Escribir en una parte lo que está escrito en otra. || **2.** Escribir lo que dice otro en un discurso seguido. || **3.** Sacar copia de una obra de pintura o escultura. || **4.** Imitar la naturaleza en las obras de pintura y escultura. || **5.** Imitar servilmente el estilo o las obras de escritores o artistas. || **6.** Imitar o remedar a una persona. || **7.** fig. poét. Hacer descripción o pintura de una cosa.

Copiba. f. ant. **Copaiba.**

Copihue. (Del mapuche *copiu.*) m. *Bot.* Planta de tallo voluble, de la familia de las liliáceas, que da una flor roja y hermosa, a veces blanca, y una baya parecida al ají antes de madurar. Es planta de adorno.

Copilación. f. ant. **Compilación.**

Copilador, ra. adj. **Compilador.** Ú. t. c. s.

Copilar. tr. **Compilar.**

Copilla. (d. de *copa.*) f. **Chofeta.**

Copín. m. *Ast.* Medida de capacidad para áridos, que varía según las regiones.

Copina. f. *Méj.* Piel copinada o sacada entera.

Copinar. tr. *Méj.* Desollar animales sacando entera la piel.

Copino. m. ant. Copa o vaso pequeño. ‖ **2. Copín.**

Copinol. m. *Guat.* Curbaril o anime.

Copión. m. aum. despect. de **Copia.** ‖ **2.** Copia mala de un cuadro, o de una estatua.

Copiosamente. adv. m. De manera copiosa.

Copiosidad. (Del lat. *copiosĭtas, -ātis.*) f. Abundancia, copia excesiva de una cosa.

Copioso, sa. (Del lat. *copiōsus.*) adj. Abundante, numeroso, cuantioso.

Copista. com. **Copiante,** 2.ª acep.

Copla. (Del lat. *copŭla,* unión, enlace.) f. Combinación métrica de estrofa. ‖ **2.** Composición poética que consta sólo de una cuarteta de romance, de una seguidilla, de una redondilla o de otras combinaciones breves, y por lo común sirve de letra en las canciones populares. ‖ **3. Pareja,** 1.ª acep. ‖ **4.** pl. fam. Versos. ‖ **Copla de arte mayor.** La que se compone de ocho versos de 12 sílabas cada uno, de los cuales riman entre sí el primero, cuarto, quinto y octavo; el segundo y tercero, y el sexto y séptimo. ‖ **de pie quebrado.** Combinación métrica en que alterna el verso corto de este nombre con otros más largos. **Coplas de Calaínos.** fig. y fam. Especies remotas e inoportunas. ‖ **de ciego.** fig. y fam. Malas **coplas,** como las que ordinariamente venden y cantan los ciegos. ‖ **de repente.** Dicho expresado o parecer emitido sin reflexión suficiente. ‖ **Andar en coplas.** fr. fig. y fam. con que se denota que es ya muy pública y notoria una cosa; y comúnmente se entiende de las que son contra la estimación y fama de alguno. ‖ **Dársele** a uno **de** una cosa **lo mismo que de las coplas de Calaínos,** o **de don Gaiferos,** o **de la Zarabanda.** fr. fam. Hacer de ella poco caso y aprecio. ‖ **Echar coplas** a uno. fr. fig. y fam. Zaherirle, hablar mal de él. ‖ **El que te dice la copla, ése te la nota,** o **te la sopla.** ref. con que se denota que se suele atribuir la injuria al que la dice, aunque sea en nombre de otro.

Copleador. (De *coplear.*) m. ant. **Coplero,** 2.ª acep.

Coplear. intr. Hacer, decir o cantar coplas.

Coplería. (De *coplero.*) f. Conjunto de coplas.

Coplero, ra. m. y f. Persona que vende coplas, jácaras, romances y otras poesías. ‖ **2.** fig. Mal poeta.

Coplista. com. **Coplero, ra,** 2.ª acep

Coplón, na. m. aum. de **Copla.** ‖ **2.** despect. Mala composición poética. Ú. m. en pl.

Copo. (De *copa.*) m. Mechón o porción de cáñamo, lana, lino, algodón u otra materia que está en disposición de hilarse. ‖ **2.** Cada una de las porciones de nieve trabada que caen cuando nieva. ‖ **3.** Grumo o coágulo. ‖ **Huélgome un poco, mas hilo mi copo.** ref. que da a entender que se debe aliviar el trabajo buscando el descanso a su tiempo.

Copo. m. Acción de copar. ‖ **2.** Bolsa o saco de red con que terminan varios artes de pesca. ‖ **3.** Pesca hecha con uno de estos artes.

Copón. m. aum. de **Copa.** ‖ **2.** Por antonom., copa grande de metal con baño de oro por dentro, en la que, puesta en el sagrario, se guarda el Santísimo Sacramento.

Coposesión. f. Posesión con otro u otros.

Coposesor, ra. m. y f. Persona que posee con otra u otras.

Coposo, sa. (De *copa.*) adj. **Copado.**

Copra. f. Medula del coco de la palma.

Copròfago, ga. (Del gr. κόπρος, excremento, y φαγεῖν, comer.) adj. Dícese de algunos animales que se nutren de excrementos u otras inmundicias, como el escarabajo. Ú. t. c. s.

Coprolito. (Del gr. κόπρος, excremento, y λίθος, piedra.) m. Excremento fósil. ‖ **2.** Cálculos intestinales formados de materia excrementicia endurecida.

Copropietario, ria. adj. Que tiene dominio en una cosa juntamente con otro u otros. Ú. t. c. s.

Cóptico, ca. adj. **Copto,** 2.ª acep.

Copto, ta. (Del gr. Αἰγύπτος, Egipto.) adj. Cristiano de Egipto. En su mayoría son eutiquianos, pero los hay católicos con su rito especial. Ú. t. c. s. ‖ **2.** Perteneciente o relativo a los **coptos.** ‖ **3.** m. Idioma antiguo de los egipcios, que se conserva en la liturgia propia del rito **copto.**

Copucha. f. *Chile.* Vejiga que sirve para varios usos domésticos. ‖ **Hacer copuchas.** fr. *Chile.* Inflar los carrillos.

Copudo, da. adj. Que tiene mucha copa.

Cópula. (Del lat. *copŭla.*) f. Atadura, ligamiento de una cosa con otra. ‖ **2.** Acción de copularse. ‖ **3.** *Lóg.* Término que une el predicado con el sujeto.

Cópula. f. *Arq.* **Cúpula,** 1.ª acep.

Copular. (Del lat. *copulāre.*) tr. ant. Juntar o unir una cosa con otra. ‖ **2.** r. Unirse o juntarse carnalmente.

Copulativamente. adv. m. **Juntamente,** 1.ª acep.

Copulativo, va. (Del lat. *copulatīvus.*) adj. Que ata, liga y junta una cosa con otra. ‖ **2.** *Gram.* V. **Conjunción copulativa.**

Coque. (Del ingl. *coke.*) m. Substancia carbonosa sólida, ligera, gris y lustrosa, que resulta de la calcinación de la hulla en vasos cerrados o en montones cubiertos de tierra, y produce, al quemarse, gran cantidad de calor.

Coquera. (De *coca,* 4.° art.) f. Cabeza del trompo.

Coquera. f. Oquedad de corta extensión en la masa de una piedra.

Coquera. f. Especie de cajón o mueblecillo de hierro o madera para tener el coque cerca de la chimenea.

Coqueta. (Del fr. *coquette,* de *coq,* gallo.) adj. Dícese de la mujer que por vanidad procura agradar a muchos hombres. Ú. t. c. s.

Coqueta. (De *coca,* 4.° art.) f. *Ar.* **Palmetazo.** ‖ **2.** *Ar.* Panecillo de cierta hechura.

Coquetear. (De *coqueta,* 1.er art.) intr. Tratar de agradar por mera vanidad con medios estudiados. ‖ **2.** Procurar agradar a muchos a un tiempo.

Coqueteo. m. **Coquetería.**

Coquetería. f. Acción y efecto de coquetear. ‖ **2.** Estudiada afectación en los modales y adornos.

Coquetismo. m. **Coquetería.**

Coqueto. adj. **Coquetón.**

Coquetón, na. (De *coqueta,* 1.er art.) adj. fam. Gracioso, atractivo, agradable. ‖ **2.** Dícese del hombre que procura agradar a muchas mujeres. Ú. t. c. s.

Coquí. m. *Cuba.* Insecto de lugares pantanosos que produce un monótono y continuo chirrido.

Coquillo. m. *Cuba.* Tela de algodón blanco y fino que se usó para vestidos antes de introducirse el uso del dril.

Coquina. (d. del lat. *concha,* concha.) f. Molusco acéfalo, cuyas valvas, de tres a cuatro centímetros de largo, son finas, ovales, muy aplastadas, y de color gris blanquecino con manchas rojizas. Abunda en las costas gaditanas y su carne es comestible.

Coquinario, ria. (Del lat. *coquinarĭus.*) adj. ant. Perteneciente a la cocina. ‖ **2.** m. ant. **Cocinero.** ‖ **del rey.** Dignatario que en las cortes de los antiguos reyes cuidaba de lo que éstos habían de comer.

Coquinero, ra. m. y f. *And.* Persona que coge o vende coquinas.

Coquino. m. *Bot.* Árbol de madera laborable y fruto comestible del cual suele hacerse compota.

Coquito. (d. de *coco,* 4.° art.) m. Ademán o gesto que se hace al niño para que ría.

Coquito. (Del mejic. *cuculi,* tórtola.) m. *Zool.* Ave mejicana, parecida a la tórtola, con alas y cola largas, plumaje de color pardo con diversos visos, garganta rojiza, una faja negra en el borde del ala, pico negro y pies rojos. Su arrullo asemeja al canto del cuclillo.

Coquito. m. *Chile.* y *Ecuad.* Fruto de una especie de palma, del tamaño de una ciruela. También se le llama coco de Chile.

Cor. (Del lat. *cor.*) m. ant. **Corazón.** ‖ **De cor.** m. adv. ant. **De corazón,** 2.ª acep.

Cor. m. ant. **Coro,** 1.er art.

Cora. (Del ár. *kūra,* y éste del gr. χώρα, territorio.) f. División territorial poco extensa entre los árabes.

Cora. f. *Perú.* Hierbecilla perjudicial que crece en los plantíos y hay que extirpar con frecuencia.

Coracán. m. Planta anua tropical de la familia de las gramíneas, con el tallo erguido y comprimido, hojas planas, flores en espigas que se encorvan hacia dentro, y semillas con cubierta membranosa, que sirven de alimento en tiempos de escasez.

Coráceo, a. adj. **Coriáceo.**

Coracero. m. Soldado de caballería armado de coraza. ‖ **2.** fig. y fam. Cigarro puro de tabaco muy fuerte y de mala calidad.

Coracina. f. Coraza pequeña y ligera formada por launas superpuestas a modo de escamas y sujetas a una tela fuerte.

Coracoides. (Del gr. κορακοειδής; de κόραξ, -ακος, cuervo, y εἶδος, forma.) adj. *Zool.* Dícese de la apófisis del omóplato, encorvada en forma de pico de cuervo en la parte más prominente del hombro y que contribuye a formar la cavidad de su articulación. Ú. t. c. s.

Coracha. (Del lat. *coriacĕa,* de cuero.) f. Saco de cuero que sirve para conducir tabaco, cacao y otros géneros de América.

Corachín. m. d. de **Coracha.**

Corada. (Del lat. *coratum,* de *cor,* corazón.) f. **Corazonada,** 3.ª acep. ‖ **2.** *Ast.* **Asadura,** 2.ª acep.

Coradela. f. ant. **Corada,** 1.ª acep.

Coraje. (Del prov. *coratge,* y éste del lat. *coratĭcum,* de *cor,* corazón.) m. Impetuosa decisión y esfuerzo del ánimo; valor. ‖ **2.** Irritación, ira.

Corajina. f. fam. Arrebato de ira.

Corajosamente. adv. m. ant. Con coraje, valerosamente.

Corajoso, sa. (De *coraje.*) adj. Enojado, irritado. ‖ **2.** ant. Animoso, esforzado, valeroso.

Corajudo, da. (De *coraje.*) adj. **Colérico,** 4.ª acep.

Coral. (Del fr. y prov. *coral,* y éste del lat. *corallĭum,* del gr. κοράλλιον.) m. *Zool.* Celentéreo antozoo, del orden de los octocoralarios, que vive en colonias cuyos individuos están unidos entre sí por un polipero calcáreo y ramificado de color rojo o rosado. ‖ **2.** *Zool.* Polipero del coral, que, después de pulimentado, se emplea en joyería. ‖ **3.** f. **Coralillo.** ‖ **4.** m. *Cuba.* Arbusto leguminoso de hojuelas alternas, ovales y obtusas, y flores pequeñas en espiga. Se cultiva por su semilla, de que se hacen sartas para collares. ‖ **5.** pl. Sartas de cuentas de **coral,** de que usan las mujeres por adorno. ‖ **6.** Carúnculas rojas del cuello y cabeza del pavo. ‖ **Fino como un coral,** o **más fino que un coral.** expr. fig. Astuto, sagaz.

Coral. adj. Perteneciente el coro. || 2. V. **Curva coral.** || 3. V. **Maese, maestre Coral.** || 4. *Mús.* Composición vocal armonizada a cuatro voces, de ritmo lento y solemne, ajustada a un texto de carácter religioso, y que se ejecuta principalmente en las iglesias protestantes. || 5. Composición instrumental análoga a este canto. || 6. f. **Masa coral.**

Coral. (De *cor,* 1.er art.) adj. V. **Gota coral.**

Coralario. m. *Zool.* **Antozoo.**

Coralero, ra. m. y f. Persona que trabaja en corales o trafica con ellos.

Coralífero, ra. adj. Que tiene corales. Se aplica al fondo del mar, a las rocas, islas, etc.

Coralígeno, na. adj. Que produce coral.

Coralillo. (d. de *coral.*) m. Serpiente de unos siete decímetros de largo, muy delgada y con anillos rojos, amarillos y negros alternativamente. Es propia de la América Meridional y muy venenosa.

Coralina. (De *coral,* 1.er art.) f. *Zool.* Coral, 1.er art., 1.ª acep. || 2. *Bot.* Alga ramosa, articulada, compuesta de tallos parecidos a los de ciertos musgos, de color rojizo, gelatinosa y cubierta por lo común con una costra de caliza blanca. Vive adherida a las rocas submarinas, fué considerada antiguamente como una variedad de coral y se emplea en medicina como vermífugo. || 3. Toda producción marina parecida al coral.

Coralino, na. adj. De coral o parecido a él.

Coralito. m. *Colomb.* Planta así llamada por el color rojo de su fruto.

Corambre. (Del lat. **coriamen, -ĭnis,* de *corium,* cuero.) f. Conjunto de cueros o pellejos, curtidos o sin curtir, de algunos animales, y con particularidad de toro, vaca, buey o macho cabrío. || 2. **Cuero,** 3.ª acep. || **Alzar corambre.** fr. Sacarla de las tinas los curtidores y ponerla a enjugar.

Corambrero. m. El que trata y comercia en corambre.

Córam pópulo. loc. lat. **En público.**

Corán. m. **Alcorán.**

Corana. f. Hoz que usan algunos indios de América.

Coránico, ca. adj. **Alcoránico.**

Coranvobis. (Del lat. *coram,* delante, cara a cara, y *vobis,* de vosotros.) m. fam. Aspecto de la persona, en especial la gruesa y corpulenta, que afecta gravedad.

Corar. tr. *Amér.* Labrar chacras de indios.

Coras. m. Cuadrumano, especie de cinocéfalo.

Corasí. m. *Cuba.* Mosquito de cabeza rojiza, cuya picadura es dañina.

Coraza. (Del lat. *coriacĕa,* t. f. de *-ĕus,* coriáceo.) f. Armadura de hierro o acero, compuesta de peto y espaldar: hízose primero de placas metálicas sujetas a un coleto de cuero, y más tarde se adornó cubriéndola con brocado y otras telas finas. || 2. ant. Parte de la montura que cubría el fuste o casco de la silla. Era de piel con labores. || 3. ant. **Caballo coraza.** || 4. *Mar.* **Blindaje,** 2.ª acep. || 5. *Zool.* Cubierta dura que protege el cuerpo de los reptiles quelonios, con aberturas para la cabeza, las patas y la cola. Está formada por la yuxtaposición de placas dérmicas, algunas de ellas soldadas a ciertos huesos.

Coraznada. (De *corazonada,* 3.ª acep.) f. Interior o corazón del pino. || 2. Guisado o fritada de corazones.

Corazón. (Del lat. *cor.*) m. *Zool.* Órgano de naturaleza muscular, impulsor de la circulación de la sangre, que existe, aunque con caracteres morfológicos muy variados, en el cuerpo de los vertebrados, procordados, moluscos, artrópodos y algunos gusanos. El del hombre está situado en la cavidad del pecho hacia su parte media y algo a la izquierda. Tiene, a corta diferencia, el volumen de un puño, y en su interior hay cuatro cavidades: dos superiores, llamadas aurículas, y dos inferiores, llamadas ventrículos. De estos últimos parten los grandes troncos arteriales que distribuyen la sangre por todo el cuerpo, y en las aurículas van a desembocar los dos grandes troncos venosos. || 2. V. **Hombre, mal de corazón.** || 3. V. **Dedo del corazón.** || 4. fig. Ánimo, valor, espíritu. || 5. fig. Voluntad, amor, benevolencia. || 6. fig. Medio o centro de una cosa. || 7. fig. Pedazo de lienzo, piedra u otra cosa que se corta o hace en figura de **corazón.** || 8. fig. Interior de una cosa inanimada. *El* CORAZÓN *de un árbol, de una fruta.* || 9. *Blas.* Punto central del escudo. || **de Carlos.** *Astron.* Estrella principal de la constelación de los Lebreles. || **del León.** *Astron.* **Régulo,** 4.ª acep. || **Abrir el corazón** a uno. fr. fig. Ensancharle el ánimo, quitarle el temor. || **Abrir** uno **su corazón.** fr. fig. **Abrir su pecho.** || **A donde el corazón se inclina, el pie camina.** ref. que indica el anhelo e insistencia con que instintivamente frecuentamos los lugares en que está nuestro afecto o placer, o la esperanza de lograr una cosa más o menos interesable. || **Anunciarle** a uno **el corazón** una cosa. fr. Hacérsela presentir. || **Arrancársele** a uno **el corazón.** fr. fig. **Arrancársele el alma.** || **Atravesar el corazón.** fr. fig. Mover a lástima o compasión; penetrar de dolor a uno. || **Blando de corazón.** expr. fig. Que de todo se lastima y compadece. || **Buen corazón quebranta mala ventura.** ref. que exhorta a no descaecer en los infortunios, porque con el ánimo se hacen más tolerables, y aun suele enmendarse o evitarse la desgracia. || **Clavarle, o clavársele,** a uno **en el corazón** alguna cosa. fr. Causarle, o sufrir, grande aflicción o sentimiento. || **Con el corazón en la mano.** loc. adv. fig. Con toda franqueza y sinceridad. || **Corazón apasionado no quiere ser aconsejado.** ref. que muestra lo difícil que es admitir consejo el que está poseído de algún afecto vehemente. || **Crecer corazón.** fr. ant. fig. Cobrar ánimo. || **Cubrírsele** a uno **el corazón.** fr. fig. Entristecerse mucho. || **Darle, o decirle,** a uno **el corazón** una cosa. fr. fig. **Anunciársela el corazón.** || **Declarar** uno **su corazón.** fr. Manifestar reservadamente la intención que tiene, o el dolor o afán que padece. || **De corazón.** m. adv. Con verdad, seguridad y afecto. || 2. ant. **De coro.** || **Dilatar el corazón.** fr. fig. **Dilatar el ánimo.** || **El corazón no es traidor.** expr. que denota el presentimiento que se suele tener de los sucesos futuros. || **Encogérsele** a uno **el corazón.** fr. fig. **Estrecharse de ánimo.** || **Ensanchar el corazón.** fr. fig. **Dilatar el corazón.** || **Haber a corazón.** fr. ant. fig. Tener propósito o firme resolución de una cosa. || **Helársele** a uno **el corazón.** fr. fig. Quedarse atónito, suspenso o pasmado, a causa de un susto o mala noticia. || **Herir el corazón sin romper el jubón.** fr. fig. Ofender con astucia y disimulo. || **Llevar** uno **el corazón en la mano, o en las manos.** fr. fig. y fam. Ser franco y sincero. || **Meterse** uno **en el corazón** a otro. fr. fig. y fam. Manifestarle con alguna ponderación el cariño y amor que le tiene. || **No caberle** a uno **el corazón en el pecho.** fr. fig. Estar muy sobresaltado e inquieto por algún motivo de pesar o de ira. || 2. fig. Ser magnánimo, alentado, denodado. || **No tener** uno **corazón.** fr. fig. Ser insensible. || 2. fig. **No tener alma.** || No tener uno **corazón para** decir, hacer, presenciar, etc., una cosa. tr. No tener ánimo o valor bastante para ello. || **Partir** una cosa **el corazón.** fr. fig. **Partir el alma.** || **Partírsele** a uno **el corazón.** fr. fig. **Partir el alma.** || **Poner** una cosa **en el corazón de** uno. fr. fig. Inspirarle, moverle a ella. || **Quebrar** una cosa **el corazón.** fr. fig. **Partir el corazón.** || **Sacar** uno **el corazón** a otro. fr. fig. y fam. **Sacarle el alma.** || **Salirle** a uno **del corazón** una cosa. fr. fig. Hacerla o decirla con toda verdad, sin ficción ni disimulo. || **Si el corazón fuera de acero, no le venciera el dinero.** ref. que da a entender la dificultad que hay de resistir a las tentaciones de la codicia. || **Tener a corazón.** fr. ant. **Haber a corazón.** || **Tener** uno **el corazón bien puesto.** fr. fig. y fam. **Tener el alma bien puesta.** || **Tener** uno **el corazón en la mano, o en las manos.** fr. fig. y fam. **Llevar el corazón en la mano, o en las manos.** || **Tener** uno **mucho corazón.** fr. fig. Tener nobleza y ardor en los sentimientos. || 2. fig. Tener mucho valor. || **Tener** uno **un corazón de bronce.** fr. fig. **Ser de bronce,** 1.ª acep. || **Tocarle** a uno **en el corazón.** fr. fig. Mover su ánimo para el bien. || **Venir en corazón.** fr. ant. fig. **Desear.**

Corazonada. (De *corazón.*) f. Impulso espontáneo con que uno se mueve a ejecutar alguna cosa arriesgada y difícil. || 2. **Presentimiento.** || 3. fam. Asadura de una res.

Corazoncillo. (d. de *corazón.*) m. Hierba medicinal de la familia de las gutíferas, con tallo de seis a ocho decímetros de altura, ramoso en la parte superior, hojas pequeñas, elípticas, llenas de glandulitas translúcidas y puntos negros, flores amarillas en manojos y frutos capsulares acorazonados y resinosos. || 2. V. **Ciruela de corazoncillo.**

Corazonista. adj. Relativo al corazón. *Apostolado* CORAZONISTA.

Corbachada. f. Golpe o azote dado con el corbacho.

Corbacho. (Del ár. *qurbāŷ* o *kurbāŷ,* y éste a través del turco, de una palabra de probable origen eslavo, que significa azote hecho de piel de hipopótamo.) m. Vergajo con que el cómitre castigaba a los forzados.

Corbata. (Del fr. *cravate,* nombre que se dió a un cuerpo de croatas que en 1636 estuvo al servicio de Francia, donde se introdujo por ellos dicha parte del traje y su nombre.) f. Trozo de seda, de lienzo fino u otra materia adecuada, generalmente en forma de tira, que como adorno o como abrigo se pone alrededor del cuello, dejando caer las puntas hasta el pecho, o haciendo con ellas lazos de varias formas. || 2. Banda o cinta guarnecida con bordadura o fleco de oro o plata, que con breve lazo o nudo, y caídas a lo largo las puntas, se ata en las banderas y estandartes al acabar el asta y antes de la moharra. En esta forma se usa como insignia de honor la cinta de una orden que por cualquier hecho de armas glorioso se concede a un cuerpo militar. || 3. Insignia propia de las encomiendas de ciertas órdenes civiles. || 4. En el juego de carambolas, lance que consiste en que la bola del que juega pase como ciñendo la contraria, sin tocarla, entre ella y dos bandas que forman ángulo. || 5. En el teatro, parte del proscenio comprendida entre la batería y la línea en que está la concha del apuntador. || 6. m. **Ministro de capa y espada.** || 7. El que no sigue la carrera eclesiástica ni la de la toga.

Corbatería. f. Tienda donde se venden corbatas.

Corbatero, ra. m. y f. Persona que hace o vende corbatas.

Corbatín. m. Corbata corta que sólo da una vuelta al cuello y se ajusta por detrás con un broche, o por delante con un lazo sin caídas. || **2.** Corbata de suela, con una sola vuelta al cuello y ajustada por detrás con hebillas, que se ha usado, principalmente por los soldados, durante algún tiempo. || **Irse,** o **salirse, por el corbatín.** fr. fig. y fam. Se dice de la persona muy flaca y de cuello largo.

Corbato. (De *corvo.*) m. Baño frío en que está sumergido el serpentín del alambique.

Corbe. (Del lat. *corbis*, canasto.) m. Medida antigua por cestas o canastos.

Corbeta. (Del fr. *corvette.*) f. Embarcación de guerra, con tres palos y vela cuadrada, semejante a la fragata, aunque más pequeña.

Corbillo. (Del lat. *corbĕlla*, cestillo.) m. *Ar.* Espuerta de mimbres.

Corbona. (De *corbe.*) f. Cesta o canasto.

Corca. f. *Ar.* y *Murc.* **Carcoma.**

Corcarse. r. *Ar.* y *Murc.* **Carcomerse.**

Corcel. (Del b. lat. *corserius*, y éste del lat. *cursus*, carrera.) m. Caballo ligero, de mucha alzada, que servía para los torneos y batallas.

Corcés, sa. adj. ant. **Corso,** 2.° art. Apl. a pers., usáb. t. c. s.

Corcesca. (De *Córcega*, de donde se trajo esta arma.) f. Partesana de hierro largo, con dos orejetas puntiagudas a semejanza de los arpones.

Corcino. m. Corzo pequeño.

Corcelén. m. *Bot. Chile.* Arbusto siempre verde, de la familia de las bixáceas, parecido al aromo por sus flores, aunque menos oloroso.

Corconera. f. Ánade de color negruzco que abunda en las costas del mar Cantábrico.

Corcova. (De *concovar.*) f. Corvadura anómala de la columna vertebral, o del pecho, o de ambos a la vez. || **2.** ant. Corvadura de cualquier cosa, o bulto que altera su forma normal exterior.

Corcovado, da. p. p. de **Corcovar.** || **2.** adj. Que tiene una o más corcovas. Ú. t. c. s.

Corcovar. (Del lat. *concurvāre.*) tr. Encorvar o hacer que una cosa tenga corcova.

Corcovear. intr. Dar corcovos.

Corcoveta. f. d. de **Corcova.** || **2.** com. fig. y fam. Persona corcovada.

Corcovo. (De *corcovar.*) m. Salto que dan algunos animales encorvando el lomo. || **2.** fig. y fam. Desigualdad, torcimiento o falta de rectitud.

Corcusido, da. p. p. de **Corcusir.** || **2.** m. fam. Costura de puntadas mal hechas. || **3.** fam. Zurcido mal formado en los agujeros de la ropa.

Corcusir. (De *con* y *cusir.*) tr. fam. Tapar a fuerza de puntadas mal hechas los agujeros de la ropa.

Corcha. f. Corcho arrancado del alcornoque y en disposición de labrarse. || **2. Corcho,** 2.ª y 3.ª aceps. || **3.** ant. **Corcho,** 1.ª acep.

Corcha. f. *Mar.* Acción y efecto de corchar.

Corchapín. m. **Escorchapín.**

Corchar. (De *colchar.*) tr. *Mar.* Unir las filásticas de un cordón o los cordones de un cabo, torciéndolos uno sobre otro.

Corche. (Del lat. *cortex, -ĭcis.*) m. **Alcorque,** 1.er art., 1.ª acep.

Corchea. (Del fr. *croche*, torcido, porque así está el rabillo de la nota.) f. *Mús.* Figura o nota musical cuyo valor es la octava parte del compasillo.

Corchera. f. Cubeta hecha de corcho empegado o de madera, en que se pone la garrafa con nieve para enfriar la bebida. || **2.** V. **Garrafa corchera.**

Corchero, ra. adj. Perteneciente o relativo al corcho y sus aplicaciones. *Industria* CORCHERA.

Corchero. m. El obrero que se emplea en descorchar los alcornoques.

Corcheta. f. Hembra en que entra el macho de un corchete.

Corchetada. f. *Germ.* Cuadrilla de corchetes, 6.ª acep.

Corchete. (Del fr. *crochet*, ganchillo, y éste del ant. nórd. *krokr*, gancho.) m. Especie de broche, compuesto de macho y hembra, que se hace de alambre, de plata u otro metal, y sirve para abrochar alguna cosa. || **2.** Macho del **corchete.** || **3.** Pieza de madera, con unos dientes de hierro, con la que los carpinteros sujetan el madero que han de labrar. || **4.** Signo de estas figuras ({ [) que puesto, ya vertical, ya horizontalmente, abraza dos o más guarismos, palabras o renglones en lo manuscrito o impreso, o dos o más pentágramas en la música. || **5.** Parte final de una dicción o período que, por no caber en el renglón, se pone encima o debajo de él, y suele ir precedida de un **corchete.** || **6.** fig. Ministro inferior de justicia encargado de prender a los delincuentes.

Corchetesca. f. *Germ.* **Corchetada.**

Corcho. (Del lat. *cortex, -ĭcis*, corteza, y también corcho.) m. *Bot.* Tejido vegetal constituido por células en las que la celulosa de su membrana ha sufrido una transformación química y ha quedado convertido en suberina. Se encuentra en la zona periférica del tronco, de las ramas y de las raíces, generalmente en forma de láminas delgadas, pero puede alcanzar un desarrollo extraordinario, hasta formar capas de varios centímetros de espesor, como en la corteza del alcornoque. || **2. Corchera,** 1.ª acep. || **3. Colmena,** 1.ª acep. || **4.** Tapón que se hace de **corcho** para las botellas, cántaros, etc. || **5.** Caja de **corcho,** que en algunas partes sirve para conducir ciertos géneros comestibles, como castañas, chorizos, etc. || **6.** Tabla de **corcho,** cuadrada o cuadrilonga, que se pone delante de las camas o mesas para abrigo, o de las chimeneas para impedir que prendan las chispas. || **7. Corche.** || **bornizo.** El que se obtiene de la primera pela de los alcornoques. || **segundero.** El que se obtiene de la segunda pela. || **virgen. Corcho bornizo.** || **Andar** uno **como el corcho sobre el agua.** fr. fig. y fam. Estar siempre dispuesto a dejarse llevar de la voluntad ajena. || **Flotar,** o **sobrenadar, como el corcho en el agua.** fr. fig. y fam. Prevalecer y salir bien parado en los cambios o reveses de fortuna.

¡Córcholis! interj. **¡Caramba!**

Corchoso, sa. adj. Semejante al corcho en la apariencia o condición.

Corchotaponero, ra. adj. Relativo a la industria de los tapones de corcho.

Corda (Estar a la). (Del cat. *corda*, cuerda.) fr. *Mar.* **Estar a la capa.**

Cordado. adj. *Blas.* Dícese del instrumento músico o del arco cuyas cuerdas son de distinto esmalte. || **2.** *Zool.* Dícese de los metazoos que tienen notocordio, bien constituido o rudimentario, durante toda su vida o, por lo menos, en determinadas fases de su desarrollo. || **3.** m. pl. *Zool.* Tipo de estos animales, que comprende los vertebrados y otros seres afines.

Cordaje. (De *cuerda.*) m. *Mar.* Jarcia de una embarcación.

Cordal. m. Pieza colocada en la parte inferior de la tapa de los instrumentos de cuerda, y que sirve para atar éstas por el cabo opuesto al que se sujeta en las clavijas. || **2.** *Ast.* Cordillera pequeña.

Cordal. (De *cuerdo.*) adj. V. **Muela cordal.** Ú. t. c. s.

Cordato, ta. (Del lat. *cordātus.*) adj. Juicioso, prudente.

Cordel. (Del cat. *cordell*, y éste del lat. *chorda*, cuerda.) m. Cuerda delgada. || **2.** V. **Literatura, mozo, pliegos de cordel.** || **3.** Distancia de cinco pasos. || **4.** Vía pastoril para los ganados trashumantes, que, según la legislación de la Mesta, es de 45 varas de ancho. || **5.** Medida agraria usada en la isla de Cuba, equivalente a 414 centiáreas. Es también medida lineal equivalente a 20 metros 352 milímetros. || **de látigo.** Especie de **cordel** más grueso que el bramante. || **de merinas.** Servidumbre establecida en algunas fincas para el paso del ganado trashumante, de menor anchura que la cañada. || **A cordel.** m. adv. Tratándose de edificios, arboledas, caminos, etc., en línea recta. || **A hurta cordel.** m. adv. En el juego del peón, retirando con violencia la mano hacia atrás para que el **cordel** se desenvuelva estando el peón en el aire y pueda el jugador cogerlo en la palma de la mano. || **2.** fig. y fam. Repentinamente y sin ser visto ni esperado. || **3.** fig. y fam. **A traición.** || **Apretar los cordeles** a uno. fr. fig. y fam. Estrecharle con violencia para que haga o diga lo que no quiere. || **Dar cordel.** fr. fig. *Ar.* Agravar la contrariedad de uno insistiendo en aquello mismo que la causa.

Cordelado, da. adj. Dícese de cierta cinta o liga de seda que imita al cordel.

Cordelar. tr. **Acordelar.**

Cordelazo. m. Golpe dado con cordel.

Cordelejo. m. d. de **Cordel.** || **2.** fig. Chasco, zumba o cantaleta. Ú. m. en la fr. **dar cordelejo.**

Cordelería. f. Oficio de cordelero. || **2.** Sitio donde se hacen cordeles y otras obras de cáñamo. || **3.** Tienda donde se venden. || **4. Cordería.** || **5.** *Mar.* **Cordaje.**

Cordelero, ra. m. y f. Persona que tiene por oficio hacer o vender cordeles y otras obras de cáñamo.

Cordellate. (De *cordel.*) m. Tejido basto de lana, cuya trama forma cordoncillo.

Cordera. (De *cordero.*) f. Hija de la oveja, que no pasa de un año. || **2.** fig. Mujer mansa, dócil y humilde.

Corderaje. m. *Chile.* **Borregada.**

Cordería. f. Conjunto de cuerdas.

Corderilla. f. d. de **Cordera.** || **Corderilla mega mama a su madre y a la ajena.** ref. que enseña que con apacibilidad y agrado se vencen las dificultades y se logra lo que se desea.

Corderillo. (d. de *cordero.*) m. Piel de cordero adobada con su lana.

Corderina. f. Piel de cordero.

Corderino, na. adj. Perteneciente al cordero.

Cordero. (Del lat. *chordus*, tardío en nacer.) m. Hijo de la oveja, que no pasa de un año. || **2.** Piel de este animal adobada. || **3.** fig. Hombre manso, dócil y humilde. || **4.** fig. Nuestro Señor Jesucristo. || **de Dios.** fig. **Cordero,** 4.ª acep. || **de so cesto.** El lechal, así llamado porque lo meten debajo de un cesto para que no salga a pacer. || **endoblado.** El que se cría mamando de dos ovejas. || **mueso.** El que nace con las orejas muy pequeñas. || **pascual.** El que con determinado ritual comían los hebreos en la fiesta instituida para celebrar su pascua, o sea la salida de Egipto. || **recental.** El que no ha pastado todavía. || **rencoso.** El que tiene una criadilla dentro y otra fuera. || **Divino Cordero.** fig. **Cordero de Dios.** || **El cordero manso mama a su madre y a cualquiera; el bravo, ni a la suya ni a la ajena.** ref. en que se da a entender que los que son de condición apacible se hacen lugar en todas partes; y, al contrario, los que son de genio áspero y fuerte, aun de los suyos son aborrecidos. **Tan presto se va el cordero como el carnero.** ref. que enseña que no hay que fiarse en la mocedad, porque tan presto suele morir el mozo como el viejo.

Corderuela. f. d. de **Cordera.**

Corderuelo. m. d. de **Cordero.**

Corderuna. f. **Corderina.**

Cordeta. (Del lat. *chorda*, cuerda.) f. *Murc.* Trenza de esparto para atar los zarzos que se usan en la cría de la seda y para otros fines.

Cordezuela. f. d. de **Cuerda.**

Cordiaco, ca [~ **díaco, ca**]. (Del lat. *cordiăcus.*) adj. **Cardiaco.**

Cordial. (Del lat. *cor, cordis*, corazón, esfuerzo, ánimo.) adj. Que tiene virtud para fortalecer el corazón. || **2.** Afectuoso, de corazón. || **3.** V. **Dedo cordial.** || **4.** V. **Flores cordiales.** || **5.** m. Bebida que se da a los enfermos, compuesta de varios ingredientes propios para confortarlos.

Cordialidad. (De *cordial.*) f. Calidad de cordial, 2.ª acep. || **2.** Franqueza, sinceridad.

Cordialmente. adv. m. Afectuosamente, de corazón.

Cordiforme. (Del lat. *cor, cordis*, corazón, y *forma*, figura.) adj. **Acorazonado.**

Cordila. (Del lat. *cordy̆la*, y éste del gr. κορδύλη.) f. Atún recién nacido.

Cordilo. (Del gr. κορδύλος.) m. Reptil africano del orden de los saurios, de unos dos decímetros de largo, de color lívido negruzco, con la cola corta y el cuerpo cubierto de escamas aquilladas, excepto en la cabeza, que son dentadas. || **2.** *Zool.* Animal conocido por los antiguos y que parece ser la larva o renacuajo de una salamandra.

Cordilla. (De *cuerda.*) f. Trenza de tripas de carnero, que se suele dar a comer a los gatos.

Cordillera. (De *cordel.*) f. Serie de montañas enlazadas entre sí. || **2.** ant. Lomo que hace una tierra seguida e igual, que parece ir a cordel.

Cordillerano, na. adj. Perteneciente o relativo a la cordillera y especialmente a la de los Andes. Ú. m. en *Amér.* || **2.** V. **Perdiz cordillerana.**

Cordita. (De *cuerda.*) f. Pólvora sin humo compuesta de nitroglicerina y algodón pólvora que se mezclan con acetona, y forma una pasta que se prensa en forma de cuerda.

Córdoba. m. *Nicar.* Unidad monetaria equivalente al peso.

Cordobán. (De *Córdoba*, ciudad de fama en la preparación de estas pieles.) m. Piel curtida de macho cabrío o de cabra. || **2.** *Bot. Cuba.* Árbol silvestre de la familia de las melastomatáceas, de unos cuatro metros de altura, que produce una semilla que sirve de alimento a las aves y a ciertos animales domésticos.

Cordobana (Andar a la). (De *cordobán.*) fr. fam. Andar en cueros.

Cordobanero. m. Fabricante de cordobanes.

Cordobés, sa. adj. Natural de Córdoba. Ú. t. c. s. || **2.** Perteneciente a esta ciudad.

Cordojo. (Del lat. *cordolĭum*, dolor de corazón.) ant. Congoja, aflicción grande.

Cordojoso, sa. (De *cordojo.*) adj. ant. Muy afligido, acongojado.

Cordométrica. (Del gr. χορδή, cuerda, y μέτρον, medida.) adj. *Geom.* V. **Línea cordométrica.**

Cordón. m. Cuerda, por lo común redonda, de seda, lino, lana u otra materia filiforme. || **2.** Cuerda con que se ciñen el hábito los religiosos de algunas órdenes. || **3.** Conjunto de puestos de tropa o gente colocados de distancia en distancia para cortar la comunicación de un territorio con otros e impedir el paso. || **4.** *Arq.* **Bocel,** 1.ª acep. || **5.** *Veter.* Raya o faja blanca que algunos caballos tienen en la cara, desde la frente hasta la nariz. || **6.** pl. Divisa que los militares de cierto empleo y destino llevan colgando del hombro derecho, y es un **cordón** de plata u oro, cuyas puntas cuelgan iguales y rematan en dos herretes o borlas. || **7.** *Mar.* Los que se forman de filástica, según el grueso que ha de tener la beta o cabo que se ha de fabricar. || **Cordón umbilical.** *Zool.* Conjunto de vasos que unen la placenta de la madre con el vientre del feto, para que éste se nutra hasta la época del nacimiento.

Cordonazo. m. Golpe dado con un cordón. || **de San Francisco.** Entre marineros, temporal o borrascas que suelen experimentarse hacia el equinoccio de otoño.

Cordoncillo. (d. de *cordón.*) m. Cada una de las listas o rayas angostas y algo abultadas que forma el tejido en algunas telas; como el rizo, la tercianela, etc. || **2.** Cierta labor que se hace en el canto de las monedas para que no las falsifiquen fácilmente ni las cercenen. || **3.** Resalto pequeño y continuado, a manera de cordón, que señala la juntura de las partes de algunos frutos, como la nuez, y de otras cosas.

Cordonería. f. Conjunto de objetos que fabrica el cordonero. || **2.** Oficio de cordonero. || **3.** Obrador donde se hacen cordones. || **4.** Tienda donde se venden.

Cordonero, ra. m. y f. Persona que tiene por oficio hacer o vender cordones, flecos, etc. || **2.** m. *Mar.* El que hace jarcia.

Cordubense. (Del ant. *Cordŭba.*) adj. **Cordobés.**

Cordula. f. **Cordilo.**

Cordura. (De *cuerdo.*) f. Prudencia, buen seso, juicio. || **Hacer cordura.** fr. ant. Hacer reflexión. || **No templa cordura lo que destempla ventura.** ref. que expresa no ser bastante el buen seso para ordenar lo que la varia fortuna desordena.

Corea. (Del lat. *chorēa*, y éste del gr. χορεία.) f. Danza que por lo común se acompaña con canto. || **2.** m. Enfermedad crónica o aguda del sistema nervioso central, que ataca principalmente a los niños y se manifiesta por movimientos desordenados, involuntarios, bruscos, de amplitud desmesurada, que afectan a los miembros y a la cabeza y en los casos graves a todo el cuerpo.

Coreano, na. adj. Perteneciente o relativo a Corea. || **2.** Natural de este país de Asia. Ú. t. c. s.

Corear. tr. Componer música para ser cantada con acompañamiento de coros. || **2.** Acompañar o embellecer con coros una composición musical. || **3.** fig. Asentir varias personas sumisamente al parecer ajeno.

Corecico, llo. m. **Corezuelo.**

Corega. (Del gr. χορηγός, jefe del coro.) m. Ciudadano que costeaba la enseñanza y vestido de los coros de música y baile en los concursos dramáticos de Grecia.

Corego. m. **Corega.**

Coreo. (Del lat. *chorēus*, y éste del gr. χορεῖος, de χορός, coro.) m. Pie de la poesía griega y latina, compuesto de dos sílabas, la primera larga y la otra breve.

Coreo. (De *corear.*) m. Juego o enlace de los coros en la música.

Coreografía. (De *coreógrafo.*) f. Arte de componer bailes. || **2.** Arte de representar en el papel un baile por medio de signos, como se representa un canto por medio de notas. || **3.** En general, arte de la danza.

Coreográfico, ca. adj. Perteneciente o relativo a la coreografía.

Coreógrafo. (Del gr. χορεία, baile, y γράφω, trazar.) m. Compositor de baile.

Corepíscopo. (Del lat. *chorepiscŏpus*, y éste del gr. χωρεπίσκοπος; de χώρα, campo, y ἐπίσκοπος, obispo.) m. Prelado a quien se investía alguna vez del carácter episcopal, pero que no ejercía más jurisdicción que la delegada del prelado propio.

Corete. m. Círculo de cuero que los guarnicioneros ponen debajo de las cabezas de los clavos, o para tapar los remaches de los mismos. || **2.** *Pint.* Muñequilla de cabritilla con que se frota la encarnación de las esculturas para darle pulimento.

Corezuelo. m. d. de **Cuero.** || **2. Cochinillo.** || **3.** Pellejo del cochinillo asado.

Cori. (Del lat. *coris*, y éste del gr. κόρις.) m. **Corazoncillo.**

Corí. (Voz americana.) m. **Curiel.**

Coria. n. p. V. **Bobo de Coria.**

Coriáceo, a. (Del lat. *coriacĕus*, de *corĭum*, cuero.) adj. Perteneciente al cuero. || **2.** Parecido a él.

Coriáceo, a. (De *coriaria*, nombre de un género de plantas.) adj. *Bot.* Dícese de plantas angiospermas dicotiledóneas, leñosas o herbáceas, con hojas opuestas o verticiladas, enteras y sin estípulas, flores pentámeras, regulares, hermafroditas, solitarias o en racimos, fruto indehiscente, y semillas con albumen córneo; como la emborrachacabras. Ú. t. c. s. f. || **2.** f. pl. *Bot.* Familia de estas plantas.

Coriámbico, ca. (Del lat. *choriambĭcus.*) adj. V. **Verso coriámbico.** Ú. t. c. s. || **2.** Aplícase a la composición poética escrita en estos versos.

Coriambo. (Del lat. *choriambus*, y éste del gr. χορίαμβος.) m. Pie de la poesía griega y latina, compuesto de un coreo y un yambo, o sea de dos sílabas breves entre dos largas.

Coriana. f. *Colomb.* Cobertor o manta.

Coriandro. (Del lat. *coriandrum*, y éste del gr. κορίαννον.) m. ant. **Culantro.**

Coriano, na. adj. Natural de Coria. Ú. t. c. s. || **2.** Perteneciente a la ciudad o a la villa de este nombre.

Coribante. (Del lat. *corybantes, -tum*, y éste del gr. κορύβας.) m. Sacerdote de Cibeles, que en las fiestas de esta diosa danzaba, con movimientos descompuestos y extraordinarios, al son de ciertos instrumentos.

Corifeo. (Del lat. *coryphaeus*, y éste del gr. κορυφαῖος, jefe.) m. El que guiaba el coro en las tragedias antiguas griegas y romanas. || **2.** fig. El que es seguido de otros en una opinión, secta o partido.

Coriláceo, a. (Del lat. *corȳlus*, avellana.) adj. *Bot.* Dícese de árboles y arbustos de la familia de las betuláceas, de hojas sencillas, alternas y con estípulas, flores en amentos, cúpula foliácea, y fruto indehiscente con semilla sin albumen; como el avellano y el carpe. Ú. t. c. s. f. || **2.** f. pl. *Bot.* Familia de estas plantas.

Corimbo. (Del lat. *corymbus*, y éste del gr. κόρυμβος, cima, extremidad.) m. *Bot.* Inflorescencia en la que los pedúnculos florales nacen en distintos puntos del eje de aquélla y terminan aproximadamente a la misma altura; como el peral.

Corindón. (Del sánscr. *kuruvinda.*) m. Piedra preciosa, la más dura después del diamante. Es alúmina cristalizada, y hay variedades de diversos colores y formas.

Coríntico, ca. adj. **Corintio,** 2.ª acep.

Corintio, tia. (Del lat. *corinthĭus.*) adj. Natural de Corinto. Ú. t. c. s. || **2.** Perteneciente a esta ciudad de Grecia. || **3.** *Arq.* V. **Columna corintia.** || **4.** *Arq.* V. **Orden corintio.**

Corinto. n. p. V. **Parra, pasa de Corinto.**

Corion. (Del lat. *corĭum*, y éste del gr. χόριον.) m. *Zool.* Envoltura del embrión de los reptiles, aves y mamíferos, situada por fuera del amnios y separada de éste por una cavidad.

Corisanto. m. *Chile.* Planta orquídea.

Corista. m. Religioso que asiste con frecuencia al coro, y más propiamente, el destinado al coro desde que profesa hasta que se ordena de sacerdote. || **2.** com. Persona que en óperas u otras funciones musicales canta formando parte del coro.

Corito, ta. (Del lat. *corium*, piel.) adj. Desnudo o en cueros. ‖ **2.** fig. Encogido y pusilánime. ‖ **3.** m. Nombre que se ha dado a los montañeses y asturianos. ‖ **4.** Obrero que lleva en hombros los pellejos de mosto o vino desde el lagar a las cubas.

Coriza. (De *cuero*.) f. En Asturias y otras partes, **abarca.**

Coriza. (Del lat. *coryza*, y éste del gr. κόρυζα.) f. **Romadizo.**

Corla. f. *Pint.* **Transflor.**

Corlador, ra. m. y f. Persona que tiene por oficio corlar.

Corladura. (De *corlar*.) f. Cierto barniz que, dado sobre una pieza plateada y bruñida, la hace parecer dorada.

Corlar. (Del lat. *colorāre*.) tr. Dar corladura.

Corleador, ra. m. y f. **Corlador, ra.**

Corlear. tr. **Corlar.**

Corma. (Del gr. κορμός, tronco.) f. Especie de prisión compuesta de dos pedazos de madera, que se adaptan al pie del hombre o del animal para impedir que ande libremente. ‖ **2.** fig. Molestia o gravamen que embaraza para obrar con libertad.

Cormano, na. m. y f. ant. **Cohermano, na.** ‖ **2.** ant. V. **Primo cormano.**

Cormiera. m. *Bot.* Arbolillo pomáceo silvestre, muy abundante en España.

Cormorán. (Del fr. *cormorán*, del ant. fr. *corp marene*, cuervo marino.) m. *Zool.* **Cuervo marino.**

Cornac. m. **Cornaca.**

Cornaca. (Del sánscr. *karnikin*, elefante.) m. Hombre que en la India y otras regiones de Asia doma, guía y cuida un elefante.

Cornáceo, a. (De *cornus*, nombre de un género de plantas.) adj. *Bot.* Dícese de árboles y arbustos, rara vez hierbas perennes, angiospermos dicotiledóneos, con hojas sencillas y opuestas, flores generalmente tetrámeras actinomorfas, hermafroditas o unisexuales, reunidas en cabezuela, umbela o corimbo, y fruto en forma de drupa abayada con una a cuatro semillas; como el cornejo. Ú. t. c. s. f. ‖ **2.** f. pl. *Bot.* Familia de estas plantas.

Cornada. f. Golpe dado por un animal con la punta del cuerno. ‖ **2.** *Esgr.* Treta de la esgrima vulgar; cierta estocada que se tira poniéndose en el plano inferior para herir hacia arriba elevando algo la punta de la espada. ‖ **Cornada de ansarón, uñarada de león.** ref. que se aplica a los escribanos para denotar cuán perjudicial es cualquier yerro o falta de legalidad en su oficio. Dícese con alusión a la pluma de escribir, que solía ser de ánsar. ‖ **No morir uno de cornada de burro.** fr. fig. y fam. Rehuir cualquier peligro, por leve o imaginario que sea. Ú. por lo común el verbo en tiempo futuro.

Cornadillo. m. d. de **Cornado.** ‖ **Emplear, o poner, uno su cornadillo.** fr. fig. y fam. Contribuir con medios o diligencias para el logro de un fin.

Cornado. (De *coronado*.) m. Moneda antigua de cobre con una cuarta parte de plata, que tenía grabada una corona, y corrió en tiempo del rey don Sancho IV de Castilla y de sus sucesores hasta los Reyes Católicos. Los más antiguos equivalían a un cuarto y un maravedí, y a menos de la mitad los más modernos. ‖ **No valer un cornado.** fr. fig. y fam. Ser inútil, o de poco precio y valor.

Cornadura. f. **Cornamenta.**

Cornal. (De *cuerno*.) m. **Coyunda,** 1.ª acep.

Cornalina. (Del fr. *cornaline*, del lat. *cornus* el árbol cornejo.) f. Ágata de color de sangre o rojiza.

Cornalón. adj. Dícese del toro que tiene muy grandes los cuernos.

Cornamenta. f. Cuernos de algunos cuadrúpedos como el toro, vaca, venado y otros.

Cornamusa. (Del lat. *cornu musae*.) f. Trompeta larga de metal, que en el medio de su longitud hace una rosca muy grande, y tiene muy ancho el pabellón. ‖ **2.** Instrumento rústico, compuesto de un odre y varios cañutos donde se produce el sonido. ‖ **3.** *Mar.* Pieza de metal o madera que, encorvada en sus extremos y fija por su punto medio, sirve para amarrar los cabos. ‖ **4.** *Metal.* Retorta de barro o vidrio que se usó para sublimar ciertos metales.

Cornatillo. m. Variedad de aceituna de más de dos centímetros de largo y encorvada a manera de cuerno.

Córnea. (Del lat. *cornĕa*, dura como el cuerno.) f. *Zool.* Membrana dura y transparente, situada en la parte anterior del globo del ojo de los vertebrados y cefalópodos decápodos, engastada en la abertura anterior de la esclerótica y un poco más abombada que ésta. A través de ella se ve el iris. ‖ **opaca.** *Zool.* **Esclerótica.** ‖ **transparente.** *Zool.* **Córnea.**

Corneado, da. p. p. de **Cornear.** ‖ **2.** adj. ant. Que tiene puntas.

Corneador, ra. (De *cornear*.) adj. **Acorneador.**

Cornear. (De *cuerno*.) tr. **Acornear.**

Cornecico, llo, to. m. d. de **Cuerno.**

Corneja. (Del lat. **cornicŭla*, de *cornix, -icis*.) f. *Zool.* Especie de cuervo de 45 a 50 centímetros de longitud y un metro o algo más de envergadura, con plumaje completamente negro y de brillo metálico en el cuello y dorso; el pico está un poco encorvado en la mandíbula superior, y las alas plegadas no alcanzan el extremo de la cola. Vive en el oeste y sur de Europa y en algunas regiones de Asia. En España se encuentra aunque muy rara vez, una especie semejante a la anterior, pero con el cuerpo de color gris ceniciento, a la que también se aplica este nombre. ‖ **2.** Ave rapaz nocturna semejante al búho, pero mucho más pequeña que éste, con plumaje en que domina el color castaño ceniciento y en la cabeza dos plumas en forma de cuernecillos. Abunda en España, especialmente en Andalucía, y emigra al África en invierno. ‖ **Dijo la corneja al cuervo: quítate allá, negro; y el cuervo a la corneja: quitaos vos allá, negra.** ref. que da a entender que muchos echan en cara a otros las mismas faltas que ellos tienen.

Cornejal. (De *cornejo*, del lat. *corniculus*, de *cornus*.) m. Terreno o sitio poblado de cornejos.

Cornejal. (De **cornejo*, del lat. *corniculum*, de *cornu*.) m. **Cornijal.**

Cornejo. (Del lat. **corniculus*, d. de *cornus*, el árbol cornejo.) m. Arbusto muy ramoso, de la familia de las cornáceas, de tres a cuatro metros de altura, con ramas de corteza roja en invierno, hojas opuestas, enteras y aovadas, flores blancas en cima, y por fruto drupas redondas, carnosas y de color negro con pintas encarnadas. Se cría entre los matorrales del norte de España y tiene la madera muy dura.

Cornelina. (Del ant. fr. *corneline*, del lat. *cornus* el árbol cornejo.) f. **Cornalina.**

Córneo, a. (Del lat. *cornĕus*, de *cornu*.) adj. De cuerno, o de consistencia parecida a él. ‖ **2.** V. **Plata córnea.**

Córneo, a. (Del lat. *cornĕus*, de *cornus*.) adj. *Bot.* **Cornáceo.**

Cornerina. (De *cornelina*.) f. **Cornalina.**

Cornero. (De *cuerno*.) m. ant. Cada una de las dos entradas que tienen las personas en la cabeza sobre las sienes. ‖ **de pan.** En algunas partes, cantero de pan.

Corneta. (d. de *cuerno*.) f. Instrumento músico de viento, semejante al clarín, aunque mayor y de sonidos más graves. ‖ **2.** Cuerno de que usan los porqueros para llamar al ganado de cerda. ‖ **3.** Bandera pequeña terminada en dos farpas y con una escotadura angular en medio de ellas, que usaban en el ejército los regimientos de dragones y en la marina sirve de insignia, cuya significación ha variado según los tiempos. ‖ **4.** Antigua compañía de soldados de a caballo. ‖ **5.** *Mil.* Especie de clarín usado para dar los toques reglamentarios a las tropas de infantería del ejército. ‖ **6.** m. El que ejerce o profesa el arte de tocar la **corneta.** ‖ **7.** Oficial que llevaba la **corneta** o estandarte de los dragones. ‖ **acústica. Trompetilla,** 2.ª acep. ‖ **de llaves.** Instrumento músico de viento, para banda y orquesta, parecido a la **corneta,** y con diversos orificios en el tubo, que se abren y cierran por medio de llaves. ‖ **de monte.** Trompa de caza. ‖ **de órdenes.** Soldado que sigue al jefe para dar los toques de mando. ‖ **de posta.** Trompa pequeña que tocan los postillones en algunas partes para avisar.

Cornete. m. d. de **Cuerno.** ‖ **2.** *Zool.* Cada una de las pequeñas láminas óseas y de figura abarquillada situadas en el interior de las fosas nasales.

Cornetilla. (d. de *corneta*.) f. **Pimiento de cornetilla.**

Cornetín. m. d. de **Corneta.** ‖ **2.** Instrumento músico de metal, que tiene casi la misma extensión que el clarín. Los hay simples, de cilindro y de pistones, y estos últimos son los que se usan más generalmente, tanto en las bandas y charangas como en las orquestas. ‖ **3.** El que ejerce o profesa el arte de tocar este instrumento.

Cornezuelo. m. d. de **Cuerno.** ‖ **2. Cornatillo.** ‖ **3.** *Bot.* Hongo pequeño que vive parásito en los ovarios de las flores del centeno y los destruye, transformándose después su micelio en un cuerpo alargado y algo encorvado, a manera de cuerno, que cae al suelo en otoño y germina en la primavera siguiente, diseminándose entonces las esporas que en él se han formado. Si llega a mezclarse con la harina, es muy perjudicial a la salud de quien lo come. Se usa como medicamento. ‖ **4.** Instrumento hecho con una punta de cuerno de ciervo, y usado por los albéitares para separar los vasos y tejidos en las operaciones quirúrgicas. ‖ **5. Cornicabra,** 2.ª acep.

Corniabierto, ta. adj. Aplícase al toro o la vaca que tiene los cuernos muy abiertos o separados entre sí.

Cornial. (Del lat. *cornu*, cuerno.) adj. Dispuesto o fabricado en figura de cuerno.

Corniapretado, da. (De *cuerno* y *apretado*.) adj. Aplícase al toro o la vaca que tiene los cuernos muy juntos o recogidos.

Cornicabra. (De *cuerno* y *cabra*.) f. **Terebinto.** ‖ **2.** Variedad de aceituna larga y puntiaguda. ‖ **3.** Higuera silvestre. ‖ **4.** Mata de la familia de las asclepiadáceas, derecha, ramosa, de hojas oblongas y opuestas, flores blanquecinas, y fruto de 8 a 10 centímetros de largo, puntiagudo y algo encorvado. Florece en verano y se encuentra en Canarias, en África y en nuestras costas de Levante.

Corniforme. (Del lat. *cornu*, cuerno, y *forma*, figura.) adj. De figura de cuerno. ‖ **2.** *Astron.* V. **Cometa corniforme.**

Cornigacho, cha. (De *cuerno* y *gacho*.) adj. Aplícase al toro o la vaca que tiene los cuernos ligeramente inclinados hacia abajo.

Cornígero, ra. (Del lat. *corniger, -ĕri*; de *cornu*, cuerno, y *gerĕre*, llevar.) adj. poét. Que tiene cuernos.

Cornija. f. *Arq.* Cornisa. || **2.** *Arq.* Parte superior del cornijón.

Cornijal. (Del lat. *cornu,* punta.) m. Punta, ángulo o esquina de colchón, heredad, edificio, etc. || **2.** Lienzo con que se enjuga los dedos el sacerdote al tiempo del lavatorio en la misa.

Cornijamento. m. *Arq.* Cornisamento.

Cornijamiento. m. *Arq.* Cornijamento.

Cornijón. (De *cornija.*) m. Cornijamento.

Cornijón. (Del lat. *cornicŭlum,* cuerno y esquina.) m. Esquinazo que forma la casa en la calle.

Cornil. m. Cornal.

Corniola. (Del lat. **corneŏla,* de *cornus,* el árbol cornejo.) f. **Cornalina.**

Cornisa. (Del ital. *cornice,* y éste del lat. *coronis, -idis,* coronamiento.) f. *Arq.* Coronamiento compuesto de molduras, o cuerpo voladizo con molduras, que sirve de remate a otro. || **2.** *Arq.* Parte superior del cornisamento de un pedestal, edificio o habitación.

Cornisamento. m. *Arq.* Conjunto de molduras que coronan un edificio o un orden de arquitectura. Ordinariamente se compone de arquitrabe, friso y cornisa.

Cornisamiento. m. *Arq.* Cornisamento.

Cornisón. m. Cornijón, 1.er art.

Corniveleto, ta. adj. Dícese del toro o la vaca cuyos cuernos, por ser poco curvos, quedan altos y derechos.

Cornizo. (Del lat. **corniceus,* de *cornus,* el árbol cornejo.) m. **Cornejo.**

Corno. (Del lat. *cornus.*) m. **Cornejo.**

Cornucopia. (Del lat. *cornucopĭa;* de *cornu,* cuerno, y *copĭa,* abundancia.) f. Cierto vaso de hechura o figura de cuerno, rebosando frutas y flores, con que los gentiles significaban la abundancia. Úsab. en lo antiguo c. m. || **2.** Espejo de marco tallado y dorado, que suele tener en la parte inferior uno o más brazos para poner bujías cuya luz reverbere en el mismo espejo.

Cornudilla. (Del lat. *cornūta,* pez; de *cornu,* cuerno.) f. **Pez martillo.**

Cornudo, da. (Del lat. *cornūtus.*) adj. Que tiene cuernos. || **2.** fig. Dícese del marido cuya mujer le ha faltado a la fidelidad conyugal. Ú. t. c. s. || **El cornudo es el postrero, o el último, que lo sabe.** ref. de que se usa cuando una persona ignora lo que le importa saber antes que nadie. || **Tras cornudo, apaleado, y mándanle bailar.** ref. con que se reprende la injusticia de los que quieren que quien recibe un mal tratamiento quede sin disgusto. || **Tras de cornudo, apaleado.** expr. fig. y fam. **Sobre cuernos, penitencia.**

Cornúpeta. (Del lat. *cornupĕta;* de *cornu,* cuerno, y *petĕre,* acometer.) adj. poét. y *Numism.* Dícese del animal que está en actitud de acometer con los cuernos. Ú. t. c. s.

Cornuto. (Del lat. *cornūtus,* cornudo.) adj. *Log.* V. **Argumento, silogismo cornuto.**

Coro. (Del lat. *chorus,* y éste del gr. χορός.) m. Conjunto de personas reunidas para cantar, regocijarse, alabar o celebrar alguna cosa. || **2.** Conjunto de actores o actrices que, mientras se representaba la principal acción de la tragedia griega o romana, estaban en silencio, como meros espectadores; pero en los intervalos de los actos explicaban con el canto su admiración, su temor, su deseo u otros afectos, nacidos de lo que se había representado. Algunas veces hablaba también el **coro** en las mismas escenas, por boca del corifeo. También hubo **coro** en las comedias, el cual daba reglas de moral acomodadas al lance representado. || **3.** Cada una de las partes de la tragedia antigua o moderna puestas en boca del conjunto de personas a que se da este mismo nombre. || **4.** Unión o conjunto de tres o cuatro voces, que son ordinariamente un primero y un segundo tiple, un contralto y un tenor, o bien un tiple, un contralto, un tenor y un bajo. *Esta composición es a dos* CORO*s; tiple de primer* CORO*; tenor de segundo* CORO. || **5.** Conjunto de personas que en una ópera u otra función musical cantan simultáneamente una pieza concertada. || **6.** Esta misma pieza musical. || **7.** Composición poética que le sirve o puede servirle de letra. || **8.** Conjunto de eclesiásticos, religiosos o religiosas congregados en el templo para cantar o rezar los divinos oficios. *El* CORO *de Toledo es muy numeroso.* || **9.** Rezo y canto de las horas canónicas, asistencia a ellas y tiempo que duran. *El* CORO *de los monjes jerónimos es muy pesado.* || **10.** Cada una de las dos bandas, derecha e izquierda, en que se divide el **coro** para cantar alternadamente. *Tal dignidad es del* CORO *derecho.* || **11.** Paraje del templo, donde se junta el clero para cantar los oficios divinos. || **12.** Sitio o lugar de los conventos de monjas en que se reúnen para asistir a los oficios y demás prácticas devotas. || **13.** V. **Capa, capellán, infante, libro, niño, vicario de coro.** || **14.** Cierto número de espíritus angélicos que componen un orden: los **coros** son nueve. || **15.** ant. **Danza,** 2.ª acep. || **A coro.** m. adv. Cantando o diciendo varias personas simultáneamente una misma cosa. || **Hablar a coros.** fr. fig. y fam. Hablar alternativamente, sin interrumpirse unos a otros. || **Hacer coro.** fr. fig. Unirse, acompañar a otro en sus opiniones. || **Rezar a coros.** fr. fig. y fam. Rezar alternativamente, empezando unos y respondiendo otros.

Coro. (Del lat. *caurus.*) m. **Cauro,** viento noroeste. Es voz que sólo se usa en poesía.

Coro. (Del lat. *corus,* y éste del hebr. *kōr.*) m. Medida de áridos entre los hebreos, que aproximadamente equivale a seis fanegas o 33 decalitros.

Coro (De). (Del lat. *cor,* ánimo.) m. adv. De memoria. Úsase regularmente con los verbos *decir, saber* o *tomar.*

Corocha. f. Vestidura antigua a manera de casaca, pero larga y hueca.

Corocha. f. *Zool.* Larva del escarabajuelo, de menos de un centímetro de largo, de color negro verdoso, que vive sobre la vid y devora los pámpanos.

Corografía. (Del lat. *chorographĭa,* y éste del gr. χωρογραφία.) f. Descripción de un país, de una región o de una provincia.

Corográficamente. adv. m. Según las reglas de la corografía.

Corográfico, ca. (Del gr. χωρογραφικός.) adj. Perteneciente a la corografía.

Corógrafo. (Del gr. χωρογράφος; de χώρα, comarca, país, y γράφω, describir.) m. El que entiende o escribe de corografía.

Coroideo, a. (De *coroides.*) adj. *Zool.* Aplícase a ciertas membranas muy vasculares y a lo perteneciente a ellas. *Membrana* COROIDEA *del ojo; humor* COROIDEO; *venas* COROIDEAS.

Coroides. (Del gr. χοριοειδής; de χόριον, cuero, y εἶδος, forma.) f. *Zool.* Membrana delgada, de color pardo más o menos obscuro, situada en la esclerótica y la retina de los ojos de los vertebrados. Tiene una abertura posterior que da paso al nervio óptico, y otra más grande, en su parte anterior, cuyos bordes se continúan con unos repliegues que rodean la cara interna del iris.

Corojo. m. Árbol americano de la familia de las palmas, cuyos frutos son del tamaño de un huevo de paloma, y de ellos se saca, cociéndolos, una substancia grasa que emplean los negros como manteca en sus condimentos.

Corola. (Del lat. *corolla,* coronilla.) f. *Bot.* Segundo verticilo de las flores completas, situado entre el cáliz y los órganos sexuales, y que tiene por lo común bellos colores. || **actinomorfa. Corola regular.** || **cigomorfa. Corola irregular.** || **irregular.** La que no queda dividida en dos partes simétricas por todos los planos que pasan por el eje de la flor y por la línea media de un pétalo. || **regular.** La que queda dividida en dos partes simétricas por cualquier plano que pase por el eje de la flor y por la línea media de un pétalo.

Corolario. (Del lat. *corollarium,* de *corolla,* coronilla.) m. Proposición que no necesita prueba particular, sino que se deduce fácilmente de lo demostrado antes.

Coroliflora. (De *corola* y *flor.*) adj. *Bot.* Dícese de la planta que tiene los estambres soldados con la corola, de modo que parecen insertos en ésta. Ú. t. c. s.

Corolla. (Del lat. *corolla.*) f. ant. Corona pequeña.

Corona. (Del lat. *corōna.*) f. Cerco de ramas o flores naturales o imitadas, o de metal precioso, con que se ciñe la cabeza; y es, ya simple adorno, ya insignia honorífica, ya símbolo de dignidad. || **2. Aureola,** 1.ª acep. || **3. Coronilla,** 1.er art., 1.ª acep. || **4.** Tonsura de figura redonda que se hace a los eclesiásticos en la cabeza, rapándoles el pelo, en señal de estar dedicados a la Iglesia. Es de distintos tamaños, según la diferencia de las órdenes. || **5.** Moneda antigua de oro, que tenía grabada una **corona** y corrió desde el reinado de don Juan II de Castilla hasta fines del siglo XVII. Tuvo diversos valores, y en tiempo de los Reyes Católicos equivalía a unos 11 reales de plata. || **6.** Moneda de plata de muy baja ley, que mandó labrar don Enrique II de Castilla. || **7.** Moneda inglesa de plata, cuarta parte de la libra esterlina y equivalente, a la par, a 6 pesetas y 25 céntimos. || **8.** Moneda portuguesa de oro, equivalente a 10.000 reis. || **9.** Moneda alemana de oro, que valía 10 marcos. || **10.** Moneda de plata, de Suecia, Noruega y Dinamarca, que vale, a la par, una peseta y 33 céntimos. || **11.** Moneda de plata de Austria y Hungría equivalente, a la par, a una peseta. || **12.** Rosario de siete dieces que se reza a la Virgen. || **13.** Sarta de cuentas por las cuales se reza. || **14. Halo.** || **15.** V. **Mensaje de la corona.** || **16.** fig. Dignidad real. || **17.** fig. Reino o monarquía. *La* CORONA *de Italia, la de Inglaterra.* || **18.** fig. Honor, esplendor. || **19.** fig. Señal de premio, galardón o recompensa. || **20.** fig. **Coronamiento,** 2.ª acep. || **21.** fig. La cima de una colina o de otra altura aislada. || **22. Arandela,** 1.er art., 2.ª acep. || **23.** *Arq.* Una de las partes de que se compone la cornisa, la cual está debajo del cimacio. || **24.** *Automov.* En algunos vehículos, rueda dentada que engrana en ángulo recto con un piñón colocado en el extremo del árbol de transmisión y comunica el movimiento a las ruedas. || **25.** *Fort.* Obra avanzada o destacada, generalmente abierta por la gola, cuya traza consta de un baluarte en el centro y de dos cortinas y dos medios baluartes a los lados. || **26.** *Geom.* Porción de plano comprendida entre dos circunferencias concéntricas. || **27.** *Mar.* Cabo grueso, fijo por el seno, esto es, por el medio de su largo, en la garganta o extremidad superior del palo, y que en sus chicotes o extremidades tiene unos grandes motones, por los que se guarnen aparejos reales para reforzar la obencadura. || **28.** *Zool.* Parte de los dientes de los vertebrados que sobresale de la encía. || **austral.** *Astron.* Constelación del hemisferio meridional en la Vía Láctea y debajo del Sagitario. || **boreal.** *Astron.* Pequeña pero notable constelación septentrional entre Hércules y Bootes. || **castrense.** La de oro, que se concedía al que primero entraba en el campo enemigo, venciendo los embarazos de fosos, trincheras y estacadas. || **cívica,** o **civil.** La de ramas de encina, con que se recompensaba al ciudadano romano que había salvado la vida a otro en una acción de guerra. || **de barón.** *Blas.* La de oro esmaltada y ceñida por un brazalete doble o por un hilo de perlas. || **de conde.** *Blas.* La de oro, que remata en 18 perlas. || **de duque.** *Blas.* **Corona ducal.** || **de hierro.** La que usaban los emperadores de Alemania cuando se coronaban como reyes de los longobardos. || **de infante.** *Blas.* La que es como la real, salvo que no tiene diademas y por lo cual queda abierta. || **del casco.** *Veter.* En las cabalgaduras, extremo de la piel del pie o mano que circunda el nacimiento del casco, o la parte de él más inmediata a la piel. || **del príncipe de Asturias.** *Blas.* La que es como la real, a excepción de tener cuatro diademas en vez de ocho. || **de marqués.** *Blas.* La de oro, con cuatro florones y cuatro ramos, compuesto cada uno de tres perlas, de suerte que entre cada dos florones haya tres perlas, dos apareadas y otra encima de ellas. || **de ovación. Corona oval.** || **de rayos. Corona radial.** || **de rey.** Hierba medicinal de la familia de las globulariáceas, con hojas lanceoladas, algunas de ellas con tres dientes y otras enteras, el tallo casi leñoso, y flores amarillas, irregulares, dispuestas en cabezuelas en forma de **corona.** || **2.** *Blas.* **Corona real,** 2.ª acep. || **de vizconde.** *Blas.* La de oro, guarnecida sólo de cuatro perlas gruesas sostenidas por puntas del mismo metal. || **ducal.** *Blas.* La de oro, sin diademas y con el círculo engastado de pedrería y perlas, y realzado con ocho florones semejantes a las hojas de apio. || **gramínea. Corona obsidional.** || **imperial.** Planta de adorno, de la familia de las liliáceas, con hojas enteras y estrechas, y flores azafranadas dispuestas en círculo en la extremidad del tallo, que termina en una **corona** de hojas. || **2.** *Blas.* La de oro, con muchas perlas, ocho florones y un bonete de escarlata en forma de mitra, achatada, con dos listas franjeadas al cabo, pendientes a una y otra parte, abierta por en medio y mantenida a cada lado por dos diademas de oro cargadas de perlas, a un lado y otro de la abertura; y de en medio de esta abertura sale otra diadema, que mantiene un globo centrado y terminado en una cruz de oro. Así fue la primitiva de los emperadores de Alemania; después la usaron de varias formas, pero siempre cerrada con diademas. || **mural.** La que se daba al soldado que escalaba primero el muro y entraba donde estaban los enemigos. || **2.** La que remata el escudo de muchas poblaciones. || **3.** La que figura la parte superior de una torre almenada. || **naval.** La que se daba al soldado que saltaba primero armado en la nave enemiga. Tenía por adorno el rostro o proa de una nave, o bien popas y velas alternadas. || **obsidional.** La que se daba al que hacía levantar el sitio de una ciudad o plaza cercada por los enemigos. Era de grama cogida en el mismo campo donde habían estado los reales. || **olímpica.** La de ramas de olivo, que se daba a los vencedores en los juegos olímpicos. || **oval.** La de arrayán, que llevaba puesta el general en el acto de la ovación. || **radiada, radial,** o **radiata.** La que se ponía en la cabeza de los dioses, y en la de las efigies de los príncipes cuando los divinizaban. || **real. Corona de rey,** 1.ª acep. || **2.** *Blas.* La de oro y pedrería, con ocho florones cuya forma ha variado según los tiempos y países, pero siendo generalmente cuatro más altos que los otros cuatro. En la Edad Media era abierta; pero después se hizo cerrada con ocho diademas y cruz encima, a imitación de la **corona** imperial. || **rostrada, rostral,** o **rostrata. Corona naval.** || **solar.** *Astron.* Aureola que se observa alrededor del Sol durante los eclipses totales. || **triunfal.** La que se daba al general cuando entraba triunfante en Roma. Al principio fué de laurel y después de oro. || **valar,** o **vallar. Corona castrense.** || **Abrir la corona.** fr. Cortar a raíz el pelo del medio de la cabeza, formando **corona,** 4.ª acep. || **Ceñir,** o **ceñirse,** uno **la corona.** fr. Empezar a reinar. || **Llamarse** uno **a la corona.** fr. *For.* Declinar la jurisdicción del juez secular, por haber reasumido el que la declina la **corona** y hábito clerical. || **Reasumir** uno **la corona.** fr. *For.* Volver a presentarse con la **corona** y hábitos clericales que había dejado.

Coronación. (Del lat. *coronatĭo, -ōnis.*) f. Acto de coronar o coronarse un soberano. || **2. Coronamiento,** 2.ª y 3.ª aceps.

Coronado, da. p. p. de **Coronar.** || **2.** adj. V. **Clavel, halcón coronado.** || **3.** V. **Obra, testa coronada.** || **4.** m. Clérigo tonsurado u ordenado de menores, que goza el fuero de la Iglesia. || **5.** ant. **Cornado.**

Coronador, ra. adj. Que corona. Ú. t. c. s.

Coronal. (Del lat. *coronālis.*) adj. *Zool.* V. **Hueso coronal.** Ú. t. c. s. || **2.** *Zool.* Perteneciente a este hueso.

Coronamento. m. **Coronamiento.**

Coronamiento. (De *coronar.*) m. ant. **Coronación,** 1.ª acep. || **2.** fig. Fin de una obra. || **3.** *Arq.* Adorno que se pone en la parte superior del edificio y le sirve como de corona. || **4.** *Mar.* La parte de borda que corresponde a la popa del buque.

Coronar. (Del lat. *coronāre.*) tr. Poner la corona en la cabeza, ceremonia que regularmente se hace con los emperadores y reyes cuando entran a reinar. Ú. t. c. r. || **2.** En el juego de damas, poner un peón sobre otro cuando éste llega a ser dama, para que se distinga de aquéllos. || **3.** fig. Perfeccionar, completar una obra. || **4.** fig. Poner o ponerse personas o cosas en la parte superior de una fortaleza, eminencia, etc. || **5.** r. Dejar ver el feto la cabeza en el momento del parto.

Coronaria. (De *coronario.*) f. Rueda de los relojes que manda la aguja de los segundos.

Coronario, ria. (Del lat. *coronarĭus,* en forma de corona.) adj. Perteneciente a la corona. || **2.** V. **Arteria, betónica, vena coronaria.** || **3.** V. **Oro coronario.** || **4.** *Bot.* De figura de corona.

Coronda. adj. Se dijo del indio perteneciente a ciertas tribus que habitaban las orillas e islas del Paraná. Usáb. t. c. s.

Coronda. m. *R. de la Plata.* Árbol de hoja menuda y fruto en forma de espigas, con semillas semejantes a las habas. La cáscara que las contiene, si se raspa y aspira, hace estornudar con más fuerza que el rapé.

Corondel. (Del cat. y prov. *corondell,* y éste del lat. *cylindros,* del gr. κύλινδρος, cilindro.) m. *Impr.* Regleta o listón, de madera o metal, que ponen los impresores en el molde, de alto a bajo, para dividir la plana en columnas. || **2.** pl. Rayas verticales transparentes en el papel de tina.

Coroneja. f. *Murc.* **Coxcojilla.**

Coronel. (Del fr. *colonel,* coronel, y éste del ital. *colonnello,* de *colonna,* columna.) m. Jefe militar que manda un regimiento. || **2.** V. **Teniente coronel.**

Coronel. (Del ant. fr. *coroner,* de corona.) m. Cimacio o moldura que termina un miembro arquitectónico. || **2.** *Blas.* Corona heráldica.

Coronela. adj. Aplicábase a la compañía, bandera y otras cosas que pertenecían al coronel. || **2.** f. fam. Mujer del coronel.

Coronelía. f. Empleo de coronel. || **2.** desus. *Mil.* **Regimiento,** 4.ª acep.

Corónica. f. ant. **Crónica.**

Corónide. f. Fin, coronamiento de una cosa.

Coronilla. (d. de *corona.*) f. Parte más eminente de la cabeza. || **2.** V. **Injerto de coronilla.** || **real. Corona real,** 1.ª acep. || **Andar,** o **bailar, de coronilla.** fr. fig. y fam. Hacer una cosa con sumo afán y diligencia. || **Dar de coronilla.** fr. fam. Dar con la cabeza en el suelo. || **Estar** uno **hasta la coronilla.** fr. fig. y fam. Estar uno cansado y harto de sufrir alguna pretensión o exigencia.

Coronilla. f. *Urug.* Árbol de la familia de las ramnáceas, que por lo común se cría a orillas de los arroyos. Su madera, que es muy dura, se aprecia como combustible por la duración de sus brasas. || **2.** *Argent.* **Coronillo.**

Coronillo. m. *Argent.* Árbol de la familia de las ramnáceas, de unos cinco metros de altura, de copa redondeada y follaje denso, inflorescencia axilar; fruto trilocular, casi negro, provisto de numerosas espinas de tres a cinco centímetros. Su madera se utiliza para carbón, y de la corteza y del fruto se obtiene un tinte rojo vivo.

Coronio. m. Substancia revelada por el espectroscopio en la corona solar y desconocida hasta el presente en la Tierra.

Coronista. m. ant. **Cronista.**

Coronizar. tr. ant. **Coronar.**

Coronta. (Del quichua *ccoronta.*) f. *Amér. Merid.* Zuro o carozo.

Corosol. m. Nombre de una variedad de anona.

Corota. f. *Bol.* **Cresta de gallo.**

Corotos. m. pl. *Amér.* Trastos, trebejos.

Coroza. (Del m. or. que *caperuza.*) f. Capirote de papel engrudado y de figura cónica, de menos de un metro, que como señal afrentosa se ponía por castigo en la cabeza de ciertos delincuentes, y llevaba pintadas diversas figuras alusivas al delito. || **2.** Capa de junco o de paja que usan los labradores en Galicia como defensa contra la lluvia, y que suele tener caperuza o capirote.

Corozo. m. **Corojo.**

Corpa. f. *Min.* Trozo de mineral en bruto.

Corpachón. m. fam. **Corpanchón.**

Corpanchón. m. fam. aum. de **Cuerpo.** || **2.** Cuerpo de ave despojado de las pechugas y piernas.

Corpazo. m. fam. aum. de **Cuerpo.**

Corpecico, llo, to. m. d. de **Cuerpo.** || **2.** Almilla o jubón sin mangas ni faldillas.

Corpezuelo. m. d. de **Cuerpo.**

Corpiñejo. m. d. de **Corpiño.**

Corpiño. m. d. de **Cuerpo.** || **2.** Almilla o jubón sin mangas.

Corporación. (Del lat. *corporatĭo, -ōnis.*) f. Cuerpo, comunidad, generalmente de interés público, y a veces reconocida por la autoridad.

Corporal. (Del lat. *corporālis.*) adj. Perteneciente al cuerpo. || **2.** V. **Institución corporal.** || **3.** m. Lienzo que se extiende en el altar, encima del ara, para poner sobre él la hostia y el cáliz; suelen ser dos. Ú. m. en pl. || **4.** V. **Bolsa de corporales.**

Corporalidad. (Del lat. *corporalĭtas, -ātis.*) f. Calidad de corporal. || **2.** Cosa corporal.

Corporalmente. adv. m. Con el cuerpo.

Corporativamente. adv. m. En corporación o formando cuerpo.

Corporativo, va. (Del lat. *corporativus.*) adj. Perteneciente o relativo a una corporación. *Informe* CORPORATIVO.

Corporeidad. f. Calidad de corpóreo.

Corpóreo, a. (Del lat. *corporĕus.*) adj. Que tiene cuerpo. || **2. Corporal,** 1.ª acep.

Corporiento, ta. (Del lat. *corpulentus.*) adj. ant. **Corpulento.**

Corporificar. tr. Dar cuerpo a una idea u otra cosa no material. Ú. t. c. r.

Corps. (Del fr. *corps,* cuerpo.) m. Voz que se introdujo en España sólo para nombrar algunos empleos, destinados principalmente al servicio de la persona del rey. || **2.** V. **Capitán de guardias, sumiller de corps.**

Corpudo, da. adj. **Corpulento.**

Corpulencia. (Del lat. *corpulentĭa.*) f. Grandeza y magnitud de un cuerpo natural o artificial.

Corpulento, ta. (Del lat. *corpulentus.*) adj. Que tiene mucho cuerpo.

Corpus. (Del lat. *corpus,* cuerpo.) m. Jueves, sexagésimo día después del domingo de Pascua de Resurrección, en el cual celebra la Iglesia la festividad de la institución de la Eucaristía.

Corpuscular. adj. Que tiene corpúsculos. || **2.** Aplícase al sistema filosófico que admite por materia elemental los corpúsculos.

Corpusculista. m. Filósofo que sigue el sistema corpuscular.

Corpúsculo. (Del lat. *corpuscŭlum,* d. de *corpus,* cuerpo.) m. Cuerpo muy pequeño, célula, molécula, partícula, elemento.

Corra. f. *León.* Aro o anillo de metal.

Corral. (De *corro.*) m. Sitio cerrado y descubierto, en las casas o en el campo. || **2.** Atajadizo o cercado que se hace en los ríos o en la costa del mar, para encerrar la pesca y cogerla. || **3.** Casa, patio o teatro donde se representaban las comedias: diósele este nombre porque antiguamente estaba descubierto. || **4.** En la cordillera penibética, circo o anfiteatro de montañas que contiene nieves perpetuas. || **5.** ant. Patio principal. || **6.** *And.* **Corral de vecindad.** || **7.** ant. *Mil.* **Cerca,** 1.er art., 3.ª acep. || **de madera.** Almacén donde se guarda y vende la madera. || **de vacas.** fig. y fam. Paraje destartalado, desordenado y sucio. || **de vecindad.** *And.* **Casa de vecindad.** || **En corral.** m. adv. *Germ.* Acorralado, cercado. || **Hacer corrales.** fr. fig. y fam. Faltar el estudiante ciertos días a las aulas o a los actos a que debía concurrir. || **Oir cantar, sin saber en qué corral.** fr. fig. **Oir campanas y no saber dónde.**

Corralera. (De *corral.*) f. Canción andaluza que ordinariamente se baila en los corrales de vecindad. || **2.** *And.* Mujer desvergonzada o desenvuelta.

Corralero, ra. adj. Perteneciente o relativo al corral. || **2.** m. y f. Persona que tiene corral donde seca y amontona el estiércol que acarrea de las caballerizas, para venderlo después. Por lo común cría también gallinas, pavos y aun cerdos.

Corraliza. f. **Corral,** 1.ª acep.

Correa. (Del lat. *corrigĭa.*) f. Tira de cuero. || **2.** Flexibilidad y extensión de que es capaz una cosa correosa; como la miel o una rama verde. || **3.** *Arq.* Cada uno de los maderos que se colocan horizontalmente sobre los pares de los cuchillos de una armadura para asegurar en ellos los contrapares. || **4.** pl. Tiras delgadas de cuero sujetas a un mango, que sirven para sacudir el polvo. || **Besar uno correa.** fr. fig. y fam. Humillarse a aquel a quien por voluntad no quería sujetarse. || **Tener uno correa.** fr. fig. y fam. Sufrir chanzas o zumbas sin mostrar enojo. || **2.** fig. y fam. Tener fuerza y resistencia para el trabajo corporal.

Correaje. m. Conjunto de correas que hay en una cosa.

Correal. (De *correa.*) m. Piel de venado, macho, etc., curtida y de color encendido, como el del tabaco, de que se usa para vestidos. || **Coser de correal,** o **labrar de correal.** fr. Coser el guarnicionero con correas delgadas en lugar de hilo.

Correar. (De *conrear.*) tr. Conrear las telas, lanas, etc.

Correazo. m. Golpe dado con una correa.

Corrección. (Del lat. *correctĭo, -ōnis.*) f. Acción y efecto de corregir o de enmendar lo errado o defectuoso. || **2.** Calidad de correcto. || **3.** Represión o censura de un delito, falta o defecto. || **4.** Alteración o cambio que se hace en las obras escritas o de otro género, para quitarles defectos o errores, o para darles mayor perfección. || **5.** *Ret.* Figura que se comete cuando, después de dicha una palabra o cláusula, se dice otra para corregir lo precedente y explicar mejor el concepto. || **disciplinaria.** Castigo leve que el superior impone por faltas de algún subordinado. || **fraterna,** o **fraternal.** Reconvención con que privadamente se advierte y corrige al prójimo un defecto. || **gregoriana.** La decretada en el calendario en 1582 por el papa Gregorio XIII.

Correccional. adj. Dícese de lo que conduce a la corrección. || **2.** V. **Pena correccional.** || **3.** m. Establecimiento penitenciario destinado al cumplimiento de las penas de prisión y de presidio correccional.

Correccionalismo. m. Sistema penal que tiende a modificar por la educación, en establecimientos adecuados, la propensión a la delincuencia.

Correccionalista. adj. Dícese del partidario o secuaz del correccionalismo.

Correccionalmente. adv. m. Con pena o procedimiento correccional.

Correctamente. adv. m. De un modo correcto.

Correctivo, va. (De *correcto.*) adj. Dícese del medicamento que tiene virtud de corregir. Ú. t. c. s. m. || **2.** Por ext., se aplica a todo lo que corrige, atenúa o subsana. Ú. t. c. s. m.

Correcto, ta. (Del lat. *correctus.*) p. p. irreg. de **Corregir.** || **2.** adj. Libre de errores o defectos, conforme a las reglas. Dícese del lenguaje, del estilo, del dibujo, etc.

Corrector, ra. (Del lat. *corrector.*) adj. Que corrige. Ú. t. c. s. || **2.** m. El encargado por el gobierno de cotejar los libros que se imprimían, para ver si estaban conformes con su original y sacar las erratas. || **3.** Superior o prelado, en los conventos de religiosos de San Francisco de Paula. || **4.** *Impr.* El encargado de corregir las pruebas.

Correchamente. adv. m. ant. **Correctamente.**

Correcho, cha. (Del lat. *correctus.*) adj. *León.* Recto, firme, correcto, derecho.

Corredentor, ra. adj. Redentor juntamente con otro u otros. Ú. t. c. s.

Corredera. f. Ranura o carril por donde resbala otra pieza que se le adapta en ciertas máquinas o artefactos. || **2.** Sitio o lugar destinado para correr caballos. || **3.** Tabla o postiguillo de celosía que corre de una parte a otra para abrir o cerrar. || **4.** Muela superior del molino o aceña, que es la que se mueve para moler el grano. || **5. Cucaracha,** 2.ª acep. || **6.** Nombre que suele darse a algunas calles que fueron antes **correderas** de caballos; como en Madrid la CORREDERA *de San Pablo.* || **7.** ant. **Carrera.** || **8.** fig. y fam. **Alcahueta,** 1.ª acep. || **9.** *Art.* Explanada constituida por dos o tres largueros paralelos y enlazados por las cabezas, sobre la que se montan y juegan las cureñas de algunas piezas de artillería. || **10.** *Mar.* Cordel dividido en partes iguales, sujeto y arrollado por uno de sus extremos a un carretel, y atado por el otro a la barquilla, con la cual forma un aparato destinado a medir lo que anda la nave. || **11.** *Mar.* Este mismo aparato o cualquier otro de los destinados al propio objeto. || **12.** *Mec.* Pieza que en las máquinas abre y cierra alternativamente los agujeros por donde entra y sale el vapor en los cilindros. || **De corredera.** loc. Dícese de las puertas y ventanas que en lugar de abrirse girando sobre goznes lo hacen deslizándose vertical o lateralmente por carriles o ranuras.

Corredero, ra. adj. ant. **Corredor,** 1.ª acep. || **2.** m. Paraje apropiado para el acoso y derribo de las reses vacunas.

Corredizo, za. adj. Que se desata o se corre con facilidad; como lazada o nudo.

Corredor, ra. adj. Que corre mucho. Ú. t. c. s. || **2.** V. **Cardo corredor y cardo estelado corredor.** || **3.** *Zool.* Aplícase a las aves de gran tamaño, de mandíbulas cortas y robustas, esternón de figura de escudo y sin quilla, y alas muy cortas que no les sirven para volar; como el avestruz y el casuario. Ú. t. c. s. || **4.** m. El que por oficio interviene en almonedas, ajustes, compras y ventas de cualquier género de cosas. || **5.** Soldado que se enviaba para descubrir y observar al enemigo, y para descubrir el campo. || **6.** Soldado que salía con otros a hacer correrías en tierra de enemigos. || **7. Pasillo,** 1.ª acep. || **8.** Cada una de las galerías que corren alrededor del patio de algunas casas, al cual tienen balcones o ventanas, si son **corredores** cerrados; o una balaustrada continua de piedra, hierro o madera, o meramente un pretil de cal y canto, si son **corredores** altos y descubiertos. || **9.** *Germ.* Ladrón que concierta un hurto. || **10.** *Germ.* **Corchete,** 6.ª acep. || **11.** *Fort.* **Camino cubierto.** || **12.** f. pl. *Zool.* Orden de las aves **corredoras.** || **Corredor de baratos.** Persona que en lo antiguo tenía por granjería ajustar por libranzas, réditos de juros y otros efectos. || **de cambios.** El que solicita letras para otras partes o dinero prestado, y ajusta los cambios de interés que se han de dar y las seguridades o resguardos. || **de comercio.** Funcionario cuyo oficio es intervenir, con carácter de notario, si está colegiado, en la negociación de letras u otros valores endosables, en los contratos de compraventa de efectos comerciales y en los de seguros. || **de lonja. Corredor de mercaderías.** || **del peso.** El que asiste al peso público para solicitar la venta de los géneros comestibles. || **de mercaderías.** El que asiste a los mercaderes para despacharles sus géneros, solicitando personas que los compren. || **de oreja. Corredor de cambios.** || **2.** fig. y fam. El chismoso que lleva y trae cuentos de una parte a otra. || **3.** fig. y fam. **Alcahuete,** 1.ª acep. || **intérprete de buques.** *For.* Agente colegiado y con fe pública, que interviene en los actos del comercio marítimo, especialmente tratándose de buques extranjeros.

Corredoría. f. ant. **Correduría.**

Corredura. (De *correr.*) f. Lo que rebosa en la medida de los líquidos. || **2.** ant. **Correduría,** 3.ª acep.

Correduría. f. Oficio o ejercicio de corredor || **2. Corretaje,** 1.ª acep. || **3.** ant. **Correría,** 1.ª acep. || **4.** *For.* **Achaque,** 2.° art., 4.ª acep.

Correería. (De *correero.*) f. Oficio de hacer correas. || **2.** Sitio donde se hacen o se venden.

Correero, ra. m. y f. Persona que tiene por oficio hacer o vender correas.

Corregencia. f. Empleo de corregente.

Corregente. adj. Que tiene o ejerce la regencia juntamente con otro. Ú. t. c. s.

Corregibilidad. (De *corregible.*) f. Docilidad con que una persona se presta a la corrección.

Corregible. (De *corregir.*) adj. Capaz de corrección.

Corregidor, ra. adj. Que corrige. || **2.** m. Magistrado que en su territorio ejercía la jurisdicción real con mero y mixto imperio, y conocía de las causas contenciosas y gubernativas, y del castigo de los delitos. || **3.** Alcalde que, con arreglo a cierta legislación municipal, nombraba libremente el rey en algunas poblaciones importantes para presidir el ayuntamiento y ejercer varias funciones gubernativas.

Corregidora. f. Mujer del corregidor.

Corregimiento. (De *corregir.*) m. Empleo u oficio de corregidor. || **2.** Territorio de su jurisdicción. || **3.** Oficina del corregidor.

Corregir. (Del lat. *corrigĕre.*) tr. Enmendar lo errado. || **2.** Advertir, amonestar, reprender. || **3.** fig. Disminuir, templar, moderar la actividad de una cosa. || **4.** ant. fig. **Afeitar.**

Corregüela. f. **Correhuela.** || **Corregüela de buen cuero, de ruin mozo hace bueno.** ref. que recomienda el castigo como medio educativo.

Correhuela. f. d. de **Correa.** || **2. Centinodia,** 1.ª acep. || **3.** Mata de la familia de las convolvuláceas, de tallos largos y rastreros que se enroscan en los objetos que encuentran; hojas alternas, acorazonadas y con peciolos cortos; flores acampanadas, blancas o rosadas, y raíz con jugo lechoso. Abunda en nuestros campos y se emplea como vulneraria. || **4.** Juego que se hace con una correa con las dos puntas cosidas. El que tiene la correa la presenta doblada con varios pliegues, y otro mete en uno de ellos un palito: si al soltar la correa resulta el palito dentro de ella, gana el que lo puso, y si cae fuera, gana el otro.

Correinado. (De *con* y *reinado.*) m. Gobierno simultáneo de dos reyes en una nación.

Correinante. adj. Que reina juntamente con otro.

Correjel. (De *correa.*) adj. V. **Suela correjel.** || **2.** m. Cuero grueso, consistente y flexible, a propósito para hacer correones y suelas.

Correlación. f. Analogía o relación recíproca entre dos o más cosas.

Correlativamente. adv. m. Con relación a otra cosa.

Correlativo, va. adj. Aplícase a personas o cosas que tienen entre sí correlación o sucesión inmediata.

Correlato, ta. (Del lat. *cum,* con, y *relātus,* p. p. de *referre,* referir.) adj. ant. **Correlativo.**

Correligionario, ria. adj. Que profesa la misma religión que otro. Ú. t. c. s. || **2.** Por ext., dícese del que tiene la misma opinión política que otro. Ú. t. c. s.

Correncia. (De *correr.*) f. fam. Desconcierto, diarrea, flujo de vientre. || **2.** fig. y fam. Vergüenza, empacho.

Correndilla. f. fam. Acción de ir o pasar corriendo un corto trecho.

Correntía. f. fam. **Correncia,** 1.ª acep. || **2.** *Ar.* Inundación artificial que se hace después de haber segado, para que, pudriéndose el rastrojo y las raíces que han quedado, sirvan de abono a la tierra.

Correntiar. tr. *Ar.* Hacer correntías, 2.ª acep.

Correntino, na. adj. Natural de la provincia de Corrientes en la Argentina. Ú. t. c. s.

Correntío. adj. **Corriente,** 1.ª acep. Se dice de las cosas líquidas. || **2.** fig. y fam. Ligero, suelto, desembarazado.

Correntón, na. adj. Amigo de corretear, o de andar de calle en calle, o de casa en casa. || **2.** Muy introducido, festivo y chancero.

Correntoso, sa. adj. *Amér.* Dícese del río o curso de agua de corriente muy rápida.

Correo. (Del prov. *corrieu,* y éste del lat. *currĕre,* correr.) m. El que tiene por oficio llevar y traer la correspondencia de un lugar a otro. || **2.** Servicio público que tiene por objeto el transporte de la correspondencia oficial y privada. Ú. t. en pl. || **3.** Casa, sitio o lugar donde se recibe y se da la correspondencia. || **4.** Conjunto de cartas o pliegos de cualquier clase que se despachan o reciben. *Martín está leyendo el* CORREO. || **5. Tren correo.** || **6.** V. **Lista de correos.** || **7.** *Germ.* Ladrón que va a dar aviso de alguna cosa. || **a las diez,** o **a las quince,** o **a las veinte.** El de a pie que había de caminar diez, quince o veinte leguas en veinticuatro horas. || **de gabinete.** El que lleva rápidamente correspondencia oficial al extranjero. || **de malas nuevas.** fig. y fam. Persona que se complace en anticipar malas noticias. || **mayor.** Empleo que antes ejercía o tenía persona calificada, y a cuyo cargo estaba todo el servicio postal de España.

Correo. (De *co* y *reo.*) m. *For.* Responsable con otro u otros en un delito.

Correón. m. aum. de **Correa.** || **2. Sopanda,** 2.ª acep.

Correoso, sa. (De *correa.*) adj. Que fácilmente se doblega y extiende sin romperse. || **2.** fig. Dícese del pan y otros alimentos cuando se mastican con dificultad.

Correr. (Del lat. *currĕre.*) intr. Caminar con velocidad. || **2.** Moverse progresivamente de una parte a otra los fluidos y líquidos; como el aire, el agua, el aceite, etc. || **3.** Tratándose de los vientos, soplar o dominar. || **4.** Hablando de los ríos, caminar o ir por tales partes, dilatarse y extenderse tantas leguas. || **5.** Ir, pasar, extenderse de una parte a otra. *El camino, la cordillera* CORRE *de Norte a Sur.* || **6.** Tratándose del tiempo, transcurrir, tener curso. CORRE *el mes, el año, las horas, los días, el tiempo, el plazo.* || **7.** Dicho de pagas, sueldos o salarios, ir devengándose. || **8.** No haber detención ni dificultad en su pago. || **9.** Partir de ligero a poner en ejecución alguna cosa. || **10. Recurrir,** 2.ª acep. || **11.** Pasar un negocio por la oficina correspondiente. || **12.** Estar admitida o recibida una cosa. || **13.** Pasar, valer una cosa durante el año o tiempo de que se trata. || **14.** Seguido de una expresión que indique precio, **valer,** 4.ª acep. || **15.** *Mar.* Navegar en popa o a un largo, con poca o ninguna vela, a causa de la mucha fuerza del viento. || **16.** tr. Tratándose de la balanza, hacer que se incline y caiga uno de los platillos por haberle puesto más peso que al otro. || **17.** Sacar a carrera abierta, por diversión, apuesta o experimento, el bruto en que se cabalga. CORRER *un caballo.* || **18.** Perseguir, acosar. || **19. Lidiar,** 5.ª acep. || **20.** Hacer que una cosa pase o se deslice de un lado a otro. CORRE *esa silla.* Ú. t. c. r. || **21.** Tratándose de cerrojos, llaves, etc., **echar,** 11.ª acep. || **22.** Hablando de velos, cortinas, etc., echarlos o tenderlos, cuando están levantados o recogidos; y levantarlos o recogerlos cuando están tendidos o echados. || **23.** Desatar el nudo o lazada de una cinta, cordón u otra cosa que hace lazo y con que está cerrado o asegurado un talego, bolsa, etc. || **24.** Estar expuesto a contingencias determinadas o indeterminadas; arrostrarlas, pasar por ellas. CORRER *peligro, aventuras, la suerte de soldado.* || **25. Recorrer,** 1.ª acep. *Adolfo* HA CORRIDO *medio mundo.* || **26.** Recorrer en son de guerra territorio enemigo. || **27.** Arrendar, sacar a pública subasta. || **28.** fam. Arrebatar, saltear y llevarse alguna cosa. || **29.** fig. Avergonzar y confundir. Ú. t. c. r. || **30.** r. Hacerse a derecha o izquierda los que están en línea. || **31.** Pasarse, deslizarse una cosa con suma o demasiada facilidad. || **32.** Tratándose de velas, bujías, hachas, etc., derretirse con exceso, haciendo canal la cera o el sebo. || **33.** fam. Excederse, espontanearse demasiado. || **34.** fam. Ofrecer por una cosa más de lo debido. *No* TE CORRAS. || **A más correr,** o **a todo correr.** m. adv. Yendo con la velocidad, violencia o ligereza posible. || **A todo turbio,** o **a turbio, correr.** m. adv. fig. Por mal que vayan las cosas, o por desgraciadamente que sucedan. || **Correr a uno alguna cosa.** fr. Corresponder, incumbir, tocar. *A Manuel le* CORRE *la obligación de leer.* || **Correr uno con alguna cosa.** fr. Entender en alguna cosa, encargarse de ella. || **Correr con uno.** fr. fig. Tener trato y buena correspondencia con él. || **Correrla.** expr. fam. Andar en diversiones o en lances peligrosos o ilícitos, especialmente si es a deshora de la noche. || **Correr por uno alguna cosa.** fr. **Correr uno con alguna cosa.** || **El que menos corre, vuela.** fr. proverb. que da a entender el disimulo con que obra alguno, afectando descuido o indiferencia al mismo tiempo que solicita las cosas con más eficacia.

Correría. (De *correr.*) f. Hostilidad que hace la gente de guerra, talando y saqueando el país. || **2.** Viaje, por lo común corto, a varios puntos, volviendo a aquel en que se tiene la residencia.

Correspondencia. f. Acción y efecto de corresponder o corresponderse. || **2.** Trato que tienen entre sí los comerciantes sobre sus negocios. || **3. Correo,** 1.er art., 4.ª acep. || **4.** fig. Significado que una palabra o frase tiene en otro idioma distinto.

Corresponder. (De *con* y *responder.*) intr. Pagar con igualdad, relativa o proporcionalmente, afectos, beneficios o agasajos. Ú. t. c. tr. || **2.** Tocar o pertenecer. || **3.** Tener proporción una cosa con otra. Ú. t. c. r. || **4.** r. Comunicarse por escrito una persona con otra. || **5.** Atenderse y amarse recíprocamente.

Correspondiente. (De *corresponder.*) adj. Proporcionado, conveniente, oportuno. || **2.** Que tiene correspondencia con una persona o corporación. *Académico* CORRESPONDIENTE. Ú. t. c. s. || **3.** *Geom.* V. **Ángulos correspondientes.**

Correspondientemente. adv. m. Con correspondencia.

Corresponsal. adj. **Correspondiente,** 2.ª acep. Ú. más entre comerciantes y periodistas, y muy frecuentemente c. s.

Corresponsalía. f. Cargo de corresponsal de un periódico.

Corresponsión. (De *con* y *reponsión.*) f. ant. Correspondencia o proporción de una cosa con otra.

Corretaje. m. Diligencia y trabajo que pone el corredor en los ajustes y ventas. || **2.** Premio y estipendio que logra el corredor por su servicio.

Correteada. f. *Chile.* Acción y efecto de correr, 18.ª acep.

Corretear. (frec. de *correr.*) intr. fam. Andar de calle en calle o de casa en casa. || **2.** fam. Correr en varias direcciones dentro del limitado espacio y sin más fin que el de entretenerse. Se aplica por lo común a los juegos de los niños.

Correteo. m. Acción y efecto de corretear.

Corretero. adj. fam. Que corretea. Ú. t. c. s.

Corretora. (De *correctora.*) f. En algunas comunidades, religiosa que tiene por oficio regir y gobernar el coro en orden al canto.

Correvedile. (De *correveidile.*) m. **Correveidile.**

Correveidile. (De la frase *corre, ve y dile.*) com. fig. y fam. Persona que lleva y trae cuentos y chismes. || **2.** fig. y fam. **Alcahuete,** 1.ª acep.

Correverás. (De la frase *corre y verás.*) m. Juguete para niños, que se mueve por un resorte oculto.

Correyuela. f. ant. **Correhuela.**

Corrida. (De *correr.*) f. **Carrera,** 1.ª acep. || **2.** Canto popular andaluz llamado también playeras. Ú. m. en pl. || **3.** ant. Fluxión o movimiento de un líquido. || **4.** ant. **Correría.** || **del tiempo.** fam. Celeridad con que pasa el tiempo. || **de toros.** Fiesta que consiste en lidiar cierto número de toros en una plaza cerrada. || **Corrida de caballo, y parada de borrico.** ref. con que se zahiere al que empieza una cosa con garbo y luego desfallece. || **De corrida.** m. adv. Con presteza y sin entorpecimientos.

Corridamente. adv. m. **Corrientemente.**

Corrido, da. p. p. de **Correr.** || **2.** adj. Que excede un poco del peso o de la medida que se trata. || **3.** V. **Letra, secansa corrida.** || **4.** V. **Peso corrido.** || **5.** fig. Avergonzado, confundido. || **6.** fam. Aplícase a la persona de mundo, experimentada y astuta. || **7.** fig. y fam. V. **Toro corrido.** || **8.** *Arq.* V. **Alero corrido.** || **9.** *Arq.* V. **Mesilla corrida.** || **10.** m. Tinado o cobertizo hecho a lo largo de las paredes de los corrales. || **11.** Romance cantado, propio de Andalucía. También se da este nombre en América a cualquier romance o a una composición octosilábica con variedad de asonancias. || **12. Corrido de la costa.** || **13.** Hablando de algunas partes de un edificio, continuo, seguido. || **14.** pl. Caídos, 4.ª acep. de **Caído.** || **Corrido de la costa.** Romance o jácara que se suele acompañar con la guitarra al son del fandango. || **De corrido.** m. adv. **De corrida.**

Corriente. p. a. de **Correr.** Que corre. || **2.** adj. Dícese de la semana, del mes, del año o del siglo actual o que va transcurriendo. || **3.** V. **Cuenta, moneda corriente.** || **4.** Cierto, sabido, admitido comúnmente. || **5.** Que no tiene impedimento ni embarazo para su uso y efecto. || **6.** Admitido o autorizado por el uso común o por la costumbre. || **7.** V. **Chazas corrientes.** || **8.** Aplicado al estilo, **fluido,** 2.ª acep. || **9.** f. Movimiento de traslación continuado y permanente o accidental de las aguas de un río o del mar, en dirección determinada. || **10.** Estas mismas aguas en movimiento. || **11.** fig. Curso que llevan algunas cosas. || **12.** adv. m. con que se muestra aquiescencia o conformidad. || **alterna.** *Fís.* Aquella cuya intensidad es variable y cambia de sentido al pasar la intensidad por cero. || **astática.** *Fís.* La producida por agujas imantadas de modo que no pueda ser influida por la acción magnética de la Tierra. || **continua.** *Fís.* La que fluye siempre en la misma dirección con intensidad generalmente variable. || **eléctrica.** *Fís.* Movimiento de la electricidad a lo largo de un conductor. || **Al corriente.** m. adv. Sin atraso, con exactitud. *Cobro mi paga* AL CORRIENTE; *lleva* AL CORRIENTE *su negociado.* || **Andar corriente.** fr. **Estar corriente.** || **Corriente y moliente.** expr. fig. y fam. que se aplica a las cosas llanas y usuales y cumplidas. || **Dejarse llevar de la, o del, corriente.** fr. fig. Conformarse con la opinión de los más, aunque se conozca que no es la más acertada. || **Estar al corriente de** una cosa. fr. Estar enterado de ella. || **Estar corriente.** fr. fam. Tener despeño. || **Ir contra la corriente.** fr. fig. **Navegar contra la corriente.** || **Irse con,** o **tras, la corriente.** fr. fig. Seguir la opinión de los más sin examinarla. || **Navegar contra corriente,** o **contra la corriente.** fr. fig. Pugnar contra el común sentir o la costumbre, o esforzarse por lograr una cosa, luchando con graves dificultades o inconvenientes. || **Poner** a uno **al corriente de** una cosa. fr. Enterarle de ella. || **Tomar la corriente desde la fuente.** ref. que aconseja buscar el origen de las cosas para su mejor utilidad.

Corrientemente. adv. m. De manera corriente, ordinaria o común. || **2.** Llanamente, sin dificultad ni contradicción.

Corrigendo, da. (Del lat. *corrigendus,* que ha de corregirse.) adj. Que sufre pena o corrección en algún establecimiento o punto destinado al efecto. Ú. t. c. s.

Corrillero, ra. adj. Dícese del aficionado a andar de corrillo en corrillo.

Corrillo. m. Corro donde se juntan algunos a discurrir y hablar, separados de lo restante del concurso. En pl., tómase por lo común en mala parte.

Corrimiento. m. Acción y efecto de correr o correrse. || **2.** Fluxión de humores que carga a alguna parte del cuerpo; como a los ojos, la boca, los pechos de las mujeres, etc. || **3.** ant. **Correría.** 1.ª acep. || **4.** fig. Vergüenza, empacho, rubor. || **5.** *Agr.* Accidente que padece la vid en la época de la florescencia cuando, por efecto del frío, del viento o de la lluvia, se imposibilita o entorpece la fecundación y resultan los racimos desmedrados o sin fruto.

Corrincho. (De *corro.*) m. Junta de gente ruin. || **2.** *Germ.* **Corral,** 1.ª acep.

Corrivación. (Del lat. *corrivatio, -ōnis.*) f. Obra de conducir los arroyuelos y juntarlos en alguna parte para hacer caudal de agua.

Corriverás. m. *Ast.* **Correverás.**

Corro. (De *correr.*) m. Cerco que forma la gente para hablar, para solazarse, etc. || **2.** Espacio que incluye. || **3.** Espacio circular o casi circular. || **4.** Juego de niñas que forman un círculo, cogidas de las manos, y cantan dando vueltas en derredor. || **Bailo bien, y echáisme del corro.** ref. que advierte que, por lo regular, los que deben ser más atendidos son despreciados del vulgo. || **Echar en corro,** o **en el corro.** fr. fig. y fam. Decir en público una cosa para ver el efecto que hace. || **Escupir en corro.** fr. fig. Introducirse en la conversación. || **Hacer corro.** fr. Hacer lugar, apartando o apartándose la gente que está apiñada o reunida sin orden. || **Hacer corro aparte.** fr. fig. y fam. Formar o seguir otro partido.

Corroboración. (Del lat. *corroboratio, -ōnis.*) f. Acción y efecto de corroborar o corroborarse.

Corroborante. p. a. de **Corroborar.** Que corrobora. || **2.** adj. Dícese del medicamento que tiene virtud de corroborar. Ú. t. c. s. m.

Corroborar. (Del lat. *corroborāre;* de *cum,* con, y *roborāre,* fortificar.) tr. Vivificar y dar mayores fuerzas al débil, desmayado o enflaquecido. Ú. t. c. r. || **2.** fig. Dar mayor fuerza a la razón, al argumento o a la opinión, con nuevos raciocinios o datos. Ú. t. c. r.

Corroborativo, va. adj. Que corrobora o confirma.

Corrobra. (De *corroborar.*) f. **Robra,** 1.ª acep.

Corroer. (Del lat. *corrodĕre.*) tr. Desgastar lentamente una cosa como royéndola. Ú. t. c. r. || **2.** fig. Sentir los efectos de una gran pena o del remordimiento en términos de hacerse visibles en el semblante o de arruinar la salud.

Corrompedor, ra. adj. **Corruptor.** Ú. t. c. s.

Corromper. (Del lat. *corrŭmpĕre.*) tr. Alterar y trastrocar la forma de alguna cosa. Ú. t. c. r. || **2.** Echar a perder, depravar, dañar, podrir. Ú. t. c. r. || **3.** Sobornar o cohechar al juez, o a cualquiera persona, con dádivas o de otra manera. || **4.** fig. Pervertir o seducir a una mujer. || **5.** fig. Estragar, viciar, pervertir. CORROMPER *las costumbres, el habla, la literatura.* Ú. t. c. r. || **6.** fig. y fam. Incomodar, fastidiar, irritar. || **7.** intr. Oler mal.

Corrompible. (De *corromper.*) adj. ant. **Corruptible.**

Corrompidamente. adv. m. Errada y viciadamente.

Corrompiente. p. a. ant. de **Corromper.** Que corrompe.

Corrompimiento. (De *corromper.*) m. ant. **Corrupción.**

Corroncho. m. *Colomb.* Cierto pez pequeño de río.

Corrosal. (Voz de los criollos de las Antillas, que parece sea corrupción de *Curasao,* nombre de una de dichas islas; en fr. *corossol.*) m. **Anona,** 2.° art.

Corrosca. f. *Colomb.* Sombrero de paja gruesa, tejida a mano, de alas anchas, usado por los campesinos de ambos sexos, especialmente en los climas cálidos, para protegerse del sol.

Corrosible. (Del lat. *corrōsum,* sup. de *corrodĕre,* corroer.) adj. Que puede ser corroído.

Corrosión. (Del lat. *corrōsum,* sup. de *corrodĕre,* corroer.) f. Acción y efecto de corroer o corroerse.

Corrosivo, va. (Del lat. *corrosīvus.*) adj. Dícese de lo que corroe o tiene virtud de corroer. || **2.** *Quím.* V. **Sublimado corrosivo.**

Corroyente. p. a. de **Corroer.** Que corroe.

Corruco. m. *Mál.* Pasta de harina y almendras tostada al horno.

Corrugación. (Del lat. *corrugātum,* sup. de *corrugāre,* arrugarse.) f. Contracción o encogimiento.

Corrugar. (Del lat. *corrugāre.*) tr. ant. **Arrugar.**

Corrugo. (Del lat. *corrŭgus.*) m. ant. Acequia hecha para tomar agua de un río.

Corrulla. f. *Mar.* **Corulla,** 1.ª acep.

Corrumpente. (Del lat. *corrumpens, -entis,* p. a. de *corrumpĕre,* corromper.) adj. Que corrompe. || **2.** fig. y fam. Fastidioso, molesto, díscolo.

Corrupción. (Del lat. *corruptĭo, -ōnis.*) f. Acción y efecto de corromper o corromperse. || **2.** Alteración o vicio en un libro o escrito. || **3.** ant. **Diarrea.** || **4.** fig. Vicio o abuso introducido en las cosas no materiales. CORRUPCIÓN *de costumbres, de voces.*

Corruptamente. adv. m. **Corrompidamente.**

Corruptela. (Del lat. *corruptēla.*) f. **Corrupción.** || **2.** Mala costumbre o abuso, especialmente los introducidos contra la ley.

Corruptibilidad. (Del lat. *corruptibilĭtas, -ātis.*) f. Calidad de corruptible.

Corruptible. (Del lat. *corruptibĭlis.*) adj. Que puede corromperse.

Corruptivo, va. (Del lat. *corruptivus.*) adj. Dícese de lo que corrompe o tiene virtud para corromper.
Corrupto, ta. (Del lat. *corruptus.*) p. p. irreg. de **Corromper.** || **2.** adj. ant. Dañado, perverso, torcido.
Corruptor, ra. (Del lat. *corruptor.*) adj. Que corrompe. Ú. t. c. s.
Corrusco. m. fam. **Mendrugo,** 1.ª acep.
Corsa. (De *corso.*) f. ant. *Mar.* Viaje de cierto número de leguas de mar, que se puede hacer en un día. || **2.** *Can.* Narria, rastra.
Corsariamente. adv. m. A lo corsario, a modo de corsario.
Corsario, ria. (De *corso,* 1.er art.) adj. Dícese del que manda una embarcación armada en corso con patente de su gobierno. Ú. m. c. s. || **2.** Aplícase a la embarcación armada en corso. || **3.** m. **Pirata.**
Corsé. (Del fr. *corset,* d. de *corps,* y éste del lat. *corpus, -ŏris,* cuerpo.) m. Cotilla interior de que usan las mujeres para ajustarse el cuerpo.
Corsear. intr. *Mar.* Ir a corso.
Corsetería. (De *corsetero.*) f. Fábrica de corsés. || **2.** Tienda donde se venden.
Corsetero, ra. m. y f. Persona que tiene por oficio hacer corsés, o venderlos.
Corso. (Del lat. *cŭrsus,* carrera.) m. *Mar.* Campaña que hacen por el mar los buques mercantes con patente de su gobierno para perseguir a los piratas o a las embarcaciones enemigas. Ú. m. en las frases **ir,** o **salir, a corso; venir de corso,** etc. || **2.** V. **Patente de corso.** || **A corso.** m. adv. que, junto con los verbos *llevar, traer* y otros, significa transportar cargas a lomo con toda la rapidez posible, remudando las bestias oportunamente a fin de no perder tiempo en pensarlas y darles descanso.
Corso, sa. (Del lat. *corsus.*) adj. Natural de Córcega. Ú. t. c. s. || **2.** Perteneciente a esta isla del Mediterráneo.
Corta. f. Acción de cortar árboles, arbustos y otras plantas en los bosques. Dícese también de los cañaverales.
Cortabolsas. (De *cortar* y *bolsa.*) com. fam. Ladrón ratero.
Cortacallos. m. Cuchillo especial que usan los callistas para su oficio.
Cortacigarros. m. **Cortapuros.**
Cortacircuitos. m. *Electr.* Aparato que automáticamente interrumpe la corriente eléctrica cuando es excesiva o peligrosa.
Cortacorriente. m. **Interruptor,** 2.ª acep.
Cortada. (De *cortar.*) f. ant. **Cortamiento.**
Cortadera. (De *cortar.*) f. Cuña de acero sujeta a un mango, que sirve para cortar a golpe de macho o martillo las barras de hierro candente. || **2.** Instrumento de colmeneros, que sirve para cortar los panales. || **3.** *Amér.* Planta ciperácea de hojas alternas, largas, angostas y aplanadas, cuyos bordes cortan como una navaja; flores rojizas y baya amarilla. Se cría en lugares pantanosos y se usa el tallo para tejer cuerdas y sombreros. || **4.** *Argent.* Mata gramínea, propia de terrenos llanos y húmedos, de hojas angostas de color verde azulado, y flores en panícula fusiforme, grisácea con reflejos plateados. Se usa como planta de adorno.
Cortadillo, lla. adj. Dícese de la moneda cortada y que no tiene figura circular. || **2.** m. Vaso pequeño para beber, tan ancho de arriba como de abajo. || **3.** Medida casera para líquidos, que equivale a una copa poco más o menos. || **4.** V. **Azúcar de cortadillo.** || **5.** *Germ.* Cierta flor o trampa de que usan en el juego de naipes los fulleros. || **Echar cortadillo.** fr. fig. y fam. Hablar con afectación. || **2.** fig. y fam. Beber vasos de vino.
Cortado, da. p. p. de **Cortar.** || **2.** adj. Ajustado, acomodado, proporcionado. || **3.** Aplícase al estilo del escritor que por regla general no expresa los conceptos encadenándolos unos con otros en períodos largos, sino separadamente, en cláusulas breves y sueltas. || **4.** V. **Moneda cortada.** || **5.** ant. Decíase de lo que estaba esculpido. || **6.** *Blas.* V. **Escudo cortado.** || **7.** *Blas.* Aplícase a las piezas o muebles, a los animales y a los miembros de ellos cuya mitad superior es de un esmalte y la inferior de otro. || **8.** m. Taza o vaso de café con algo de leche. || **9.** *Mál.* Copa pequeña de aguardiente. || **10.** *Danza.* Cabriola que se hace en la danza o baile con salto violento.
Cortador, ra. adj. Que corta. || **2.** m. **Carnicero,** 6.ª acep. || **3.** El que tenía por oficio trinchar las viandas en la mesa del rey. || **4. Diente incisivo.** || **5.** El que en las sastrerías, zapaterías, talleres de costura y otros semejantes corta los trajes o las piezas de cada objeto que en ellos se fabrica.
Cortadura. (De *cortar.*) f. Separación o división hecha en un cuerpo continuo por instrumento o cosa cortante. || **2.** Abertura o paso entre dos montañas. || **3. Recortado,** 3.ª acep. || **4.** *Fort.* Parapeto de tierra o ladrillo con cañoneras y merlones y algunas veces con foso, que, para impedir que el enemigo se aloje en la brecha, se hace en los baluartes grandes desde un ángulo de la espalda al otro, y en las golas de los pequeños. || **5.** *Fort.* Obra que se hace en los pasos estrechos, para defenderlos con más ventaja. Comúnmente consta de un foso, y su parapeto de tierra y fajinas, con dientes de sierra cuando es dilatado el frente. || **6.** *Min.* Ensanche en el encuentro de las galerías con el pozo principal. || **7.** pl. **Recorte,** 3.ª acep.
Cortafrío. m. Cincel fuerte para cortar hierro frío a golpes de martillo.
Cortafuego. (De *cortar* y *fuego.*) m. *Agr.* Vereda ancha que se deja en los sembrados y montes para que no se propaguen los incendios. || **2.** *Arq.* Pared toda de fábrica, sin madera alguna, y de un grueso competente, que se eleva desde la parte inferior del edificio hasta más arriba del caballete, con el fin de que si hay fuego en un lado, no se pueda comunicar al otro.
Cortalápices. m. Instrumento que sirve para aguzar los lápices.
Cortamente. adv. m. Escasa, limitadamente; con cortedad.
Cortamiento. (De *cortar.*) m. ant. **Corte,** 1.er art., 2.ª acep.
Cortante. p. a. de **Cortar.** Que corta. || **2.** m. **Cortador,** 2.ª acep.
Cortao. (En fr. *corteau.*) m. Cierta antigua máquina de guerra.
Cortapapeles. m. **Plegadera.**
Cortapicos. (De *cortar* y *pico.*) m. *Zool.* Insecto ortóptero de dos centímetros de largo próximamente, cuerpo estrecho, de color negro, cabeza rojiza, antenas filiformes, élitros cortos, y a veces sin alas ni élitros, y abdomen terminado por dos piezas córneas, móviles, que forman una especie de alicates. Es muy dañoso para las plantas. Todas sus especies son fitófagas.
Cortapicos y callares. (De *cortar, pico* y *callar.*) loc. fam. de que se usa para avisar a los niños que no sean parleros, ni pregunten lo que no les conviene saber.
Cortapiés. m. fam. Tajo o cuchillada que se tira a las piernas.
Cortapisa. f. Guarnición de diferente tela que se ponía en ciertas prendas de vestir. || **2.** fig. Adorno y gracia con que se dice una cosa. || **3.** fig. Condición o restricción con que se concede o se posee una cosa.
Cortaplumas. m. Navaja pequeña con que se cortaban las plumas de ave, y que modernamente tiene otros usos.
Cortapuros. m. Utensilio que sirve para cortar la punta de los cigarros puros.
Cortar. (Del lat. *cŭrtare.*) tr. Dividir una cosa o separar sus partes con algún instrumento, como cuchillo, tijeras, espada, etc. || **2.** Tratándose de la pluma de ave para escribir, darle en la extremidad del cañón los tajos convenientes y abrirle puntos. || **3.** Dar con las tijeras u otro instrumento la forma conveniente y apropiada a las diferentes piezas de tela o de cuero de que se ha de componer una prenda de vestir o calzar. || **4.** Hender un fluido o líquido. *Una flecha* CORTA *el aire; un buque, el agua.* || **5.** Separar o dividir una cosa en dos porciones. *Las sierras* CORTAN *una provincia de otra; los ríos, un territorio.* || **6.** En el juego de naipes, alzar parte de ellos dividiendo la baraja. || **7.** Tratándose de un idioma o lengua, y con los adverbios *bien* o *mal,* pronunciarla con exactitud, limpieza y claridad, o al contrario. || **8.** Tratándose del verso, y con los adverbios *bien* o *mal,* recitarlo como lo pide su puntuación y sentido, o al contrario. || **9.** Refiriéndose al aire o al frío, ser éstos tan penetrantes y sutiles, que parece que **cortan** y traspasan la piel. Ú. t. c. r. || **10.** Atajar, detener, embarazar, impedir el curso o paso a las cosas. || **11.** Dejar de decir algo, o señalar lo que no ha de decirse, en un discurso, un sermón, una comedia, etc. || **12. Castrar,** 4.ª acep. || **13. Recortar.** || **14.** fig. Suspender, interrumpir. Dícese principalmente de una conversación o plática. || **15.** fig. Decidir o ser árbitro en un negocio. || **16. Grabar,** 1.ª acep. || **17.** *Mil.* Dividir una parte del ejército enemigo para quitarle la comunicación con una plaza. || **18.** r. Turbarse, faltar a uno palabras por causa de la turbación. || **19.** Tratándose de la leche, separarse la parte mantecosa de la serosa, perdiendo su continuidad e incorporación natural. Ú. t. c. tr. || **20.** Tratándose de salsas, natillas u otras preparaciones culinarias, separarse los ingredientes que debían quedar trabados. || **21.** Abrirse una tela o un vestido por los dobleces o las arrugas. || **22.** ant. **Redimirse.** || **Cortar de vestir.** fr. Hacer vestidos. || **2.** fig. y fam. **Murmurar,** 4.ª acep.
Cortaviento. m. Aparato delantero de un vehículo, que sirve para cortar el viento.
Corte. (De *cortar.*) m. Filo del instrumento con que se corta y taja. || **2.** Acción y efecto de cortar. || **3.** Tratándose de la pluma de ave para escribir, acción y efecto de cortarla. || **4.** Arte y acción de cortar las diferentes piezas que requiere la hechura de un vestido, de un calzado u otras cosas. || **5.** Cantidad de tela o cuero necesaria y bastante para hacer un vestido, un pantalón, un calzado, etc. || **6.** Oficina en que se cortan prendas de vestuario para la tropa. || **7. Corta.** || **8.** fig. Medio que se toma para cortar diferencias y poner de acuerdo a los que están discordes. || **9.** *Arq.* **Sección,** 4.ª acep. || **10.** *Encuad.* Superficie que forma cada uno de los bordes o cantos de un libro. || **de cuentas.** Terminación que, sin anuencia del acreedor, da a las cuentas el que resulta alcanzado.
Corte. (Del lat. *cors, cŏrtis,* o *cohors, cohŏrtis,* cohorte.) f. Población donde habitualmente reside el soberano en las monarquías. || **2.** Conjunto de todas las personas que componen la familia y comitiva del rey. || **3.** Por ext., séquito, comitiva o acom-

pañamiento. || **4.** Conjunto de personas que concurrían a los besamanos de palacio los días de gala. || **5.** Con el calificativo *celestial* u otras palabras de análoga significación, **cielo,** 4.ª acep. || **6.** Chancillería o sus estrados. || **7. Corral,** 1.ª acep. || **8.** Establo donde se recoge de noche el ganado. || **9.** Aprisco donde se encierran las ovejas. || **10.** V. **Alcalde, aposento, ballestero, caso, paños, vestido de corte.** || **11.** V. **Adelantado, guardia, rastro de la corte.** || **12.** V. **Alcalde, aposentador de casa y corte.** || **13.** V. **Paseante en corte.** || **14.** ant. Distrito de cinco leguas en derredor de la corte. || **15.** ant. **Cortes.** || **16.** *Ast.* Piso bajo de las casas de ganado, donde éste se alberga. || **17.** *Amér.* Tribunal de justicia. || **18.** pl. Junta general que en los antiguos reinos de Castilla, Aragón, Valencia, Navarra y Cataluña celebraban las personas autorizadas para intervenir en los negocios graves del Estado, ya por derecho propio, ya en representación de clases o cuerpos, ya en la de las ciudades y villas que tenían voto en **Cortes,** con arreglo, en cada uno de los reinos, a sus leyes, fueros, costumbres y privilegios. En época moderna se ha dado este nombre a las Cámaras legislativas, ya se trate de una sola, como en las Constituciones de 1812 y 1931, ya de dos con arreglo a las otras que han regido en España. || **19.** V. **Asistente, diputado, procurador a Cortes.** || **20.** V. **Cuaderno, procurador de Cortes.** || **21.** V. **Procurador en Cortes.** || **constituyentes.** Las que tienen poder y mandato para dictar o reformar la constitución. || **ordinarias.** Las que no tienen poder constituyente o ya lo agotaron. || **Corte, o cortijo.** fr. fam. que significa la conveniencia de vivir en población muy grande o en casa aislada en el campo. || **Hacer la corte.** fr. Concurrir a palacio, o a la casa de un superior o magnate, en muestra de obsequioso respeto. || **2. Cortejar,** 2.ª acep.

Cortedad. (De *corto.*) f. Pequeñez y poca extensión de una cosa. || **2.** fig. Falta o escasez de talento, de valor, de instrucción, etc. || **3.** fig. Encogimiento, poquedad de ánimo.

Cortega. f. **Ortega.**

Cortejador, ra. adj. **Cortejante.** Ú. t. c. s.

Cortejante. p. a. de **Cortejar.** Que corteja.

Cortejar. (De *cortejo.*) tr. Asistir, acompañar a uno, contribuyendo a lo que sea de su agrado. || **2. Galantear,** 2.ª acep.

Cortejo. (Del ital. *corteggio,* y éste del lat. *cohors, cohŏrtis,* cohorte.) m. Acción de cortejar. || **2.** Personas que forman el acompañamiento en una ceremonia. || **3.** Fineza, agasajo, regalo. || **4.** fam. Persona que tiene relaciones amorosas con otra, y especialmente si éstas son ilícitas.

Cortés. (De *corte,* 2.° art.) adj. Atento, comedido, afable, urbano. || **No quita lo cortés a lo valiente.** expr. fam. con que se da a entender lo compatibles que son la educación y el respeto a las personas, con la energía para sostener y defender cada cual sus convicciones o derechos.

Cortesanamente. adv. m. Con cortesanía.

Cortesanazo, za. (aum. de *cortesano,* 4.ª acep.) adj. Afectadamente cortés.

Cortesanía. (De *cortesano.*) f. Atención, agrado, urbanidad, comedimiento.

Cortesano, na. (Del ital. *cortigiano,* y éste del lat. *cohors, cohŏrtis,* cohorte.) adj. Perteneciente a la corte. || **2.** V. **Dama cortesana.** Ú. t. c. s. || **3.** V. **Letra cortesana.** || **4. Cortés.** || **5.** m. Palaciego que servía al rey en la corte.

Cortesía. (De *cortés.*) f. Demostración o acto con que se manifiesta la atención, respeto o afecto que tiene una persona a otra. || **2.** En las cartas, expresiones de obsequio y urbanidad que se ponen antes de la firma. || **3. Cortesanía.** || **4. Regalo,** 1.ª acep. || **5.** En el giro, días que se concedían al que había de pagar una letra, después del vencimiento. || **6.** Gracia o merced. || **7. Tratamiento,** 2.ª acep. || **8.** *Impr.* Hoja, página o parte de ella que se deja en blanco en algunos impresos, entre dos capítulos o al principio de ellos. || **Estragar la cortesía.** fr. que se dice del que, no contento con los beneficios que ha recibido de una persona, le hace repetidas instancias para nuevos aumentos y gracias, y a todas horas la molesta.

Cortésmente. adv. m. Con atención, con cortesanía.

Corteza. (Del lat. *cortĭcea,* t. f. de *-ĕus.*) f. *Bot.* Parte externa de las raíces y tallos de las plantas fanerógamas, que está formada por varias capas de células y rodea al cilindro central. || **2.** Parte exterior y dura de algunas frutas y otras cosas; como la de la cidra, el limón, el pan, el queso, etc. || **3.** fig. Exterioridad de una cosa no material. || **4.** fig. Rusticidad, falta de política y crianza en una persona. || **5.** pl. *Germ.* Guantes. || **Corteza peruviana. Quina,** 2.° art., 1.ª acep. || **Injertar de corteza.** fr. Unir al pie una cortecilla de la planta que se quiere injertar, con tal que lleve una o más yemas verdes.

Corteza. f. **Ortega.**

Cortezón. m. aum. de **Corteza,** 1.er art.

Cortezudo, da. adj. Que tiene mucha corteza. || **2.** fig. Dícese de la persona rústica, inculta.

Cortezuela. f. d. de **Corteza,** 1.er art.

Cortical. adj. Relativo o perteneciente a la corteza.

Cortijada. f. Conjunto de habitaciones fijas, levantadas por los labradores o dueños de un cortijo. || **2.** Conjunto de varios cortijos.

Cortijero, ra. m. y f. Persona que cuida de un cortijo y vive en él. || **2.** m. Capataz de un cortijo.

Cortijo. (De *corte.*) m. Posesión de tierra y casa de labor. || **2.** *Germ.* **Mancebía,** 1.ª acep. || **Alborotar el cortijo.** fr. fig. y fam. Alterar, turbar con palabras o acciones una compañía o concurrencia de gente. || **2.** fig. y fam. Animar a la gente para que concurra a una función o festejo.

Cortil. (Del lat. *cortile,* de *cors,* corral.) m. **Corral,** 1.ª acep.

Cortina. (Del lat. *cortīna.*) f. Paño grande, hecho de tejidos de seda, lana, lino u otro género con que se cubren y adornan las puertas, ventanas, camas y otras cosas. || **2.** En la etiqueta y ceremonial de la real capilla, dosel en que estaba la silla o sitial del rey. || **3.** fig. Lo que encubre y oculta algo. || **4.** fig. y fam. En las tabernas, residuo de vino que dejan en las copas o vasos los bebedores. || **5.** *Fort.* Lienzo de muralla que está entre dos baluartes. || **de humo.** *Mar* y *Mil.* Masa densa de humo, que se produce artificialmente para ocultarse del enemigo. || **de muelle.** Muro de sostenimiento a orillas de un río o del mar, sobre todo en los puertos, para facilitar las operaciones de embarque y desembarque. || **Correr la cortina.** fr. fig. Descubrir lo oculto y difícil de entenderse. || **2.** fig. Pasar en silencio u ocultar alguna cosa. || **Dormir a cortinas verdes.** fr. fig. y fam. Dormir en el campo. Dícese así por el verdor de las hierbas y de los árboles.

Cortinado, da. adj. ant. Que tiene cortinas. || **2.** *Blas.* V. **Escudo cortinado.**

Cortinaje. m. Conjunto o juego de cortinas.

Cortinal. (De *cortina.*) m. Pedazo de tierra cercado, inmediato a pueblo o casas de campo, que ordinariamente se siembra todos los años.

Cortinilla. (d. de *cortina.*) f. Cortina pequeña que se coloca en la parte interior de los cristales de balcones, ventanas, puertas vidrieras, portezuelas de coches, etc., para resguardarse del sol o impedir la vista desde fuera.

Cortinón. m. aum. de **Cortina.**

Corto, ta. (Del lat. *cŭrtus.*) adj. Dícese de las cosas que no tienen la extensión que les corresponde, y de las que son pequeñas en comparación con otras de su misma especie. || **2.** De poca duración, estimación o entidad. || **3.** Escaso o defectuoso. || **4.** V. **Manga, vista corta.** || **5.** V. **Plomo, romance corto.** || **6.** Que no alcanza al punto de su destino. *Bola,* o *bala,* CORTA. || **7.** V. **Corto circuito.** || **8.** fig. Tímido, encogido. || **9.** fig. De escaso talento o poca instrucción. || **10.** fig. Falto de palabras y expresiones para explicarse. || **11.** fig. y fam. V. **Corto sastre.** || **12.** *Mil.* V. **Paso corto.** || **A la corta o a la larga.** m. adv. Más tarde o más temprano; al fin y al cabo.

Cortón. (De *cortar.*) m. Insecto ortóptero semejante al grillo, pero bastante mayor, de color pardo leonado por encima, amarillo rojizo por debajo, y con las dos patas delanteras parecidas a las manos del topo. Vive en los jardines y huertas, y es muy dañino a las plantas, por las raíces que corta al hacer las galerías subterráneas en que habita y se reproduce. También se le llama **grillo real** y **alacrán cebollero.**

Corúa. (Voz cubana.) f. *Cuba.* Ave palmípeda, especie de cuervo marino, que se alimenta de peces y mariscos. Tiene el pico recto y comprimido en la punta; color negro verdoso con algunas rayas blancas sobre el cuello; el contorno de los ojos amarillo y éstos verdes, y patas negras. Su tamaño es de unos 60 centímetros del pico a la cola. Hay otra especie menor.

Coruja. f. **Curuja.** || **Coruja de secano, agua en la mano.** ref. que indica que la lechuza, aun en tiempo seco, anuncia con su voz el agua. || **Primero ha de salir la coruja al soto.** fr. fig. y fam. que indica cosa imposible o muy difícil, porque la lechuza no vive en los árboles.

Corulla. f. *Mar.* Pañol de las jarcias en las galeras. || **2.** ant. *Mar.* **Crujía,** 5.ª acep.

Corundo. m. **Corindón.**

Coruña. f. Lienzo que tomó su nombre de la ciudad en que se fabrica.

Coruñés, sa. adj. Natural de La Coruña. Ú. t. c. s. || **2.** Perteneciente a esta ciudad.

Corupán. m. *Bot.* Una especie de árbol leguminoso.

Coruscante. p. a. poét. de **Coruscar.** Que corusca.

Coruscar. (Del lat. *coruscāre.*) intr. poét. **Brillar.**

Corusco, ca. (Del lat. *coruscus,* resplandeciente.) adj. poét. **Coruscante.**

Corva. (Del lat. *cŭrva,* t. f. de *-vus.*) f. Parte de la pierna, opuesta a la rodilla, por donde se dobla y encorva. || **2.** *Germ.* **Ballesta,** 2.ª acep. || **3.** *Cetr.* **Aguadera,** 1.ª acep. || **4.** *Veter.* Tumor que se forma en la parte superior y algo anterior de la cara interna del corvejón en las caballerías.

Corvado, da. p. p. de **Corvar.** || **2.** adj. *Germ.* **Muerto,** 3.ª acep.

Corvadura. (Del lat. *curvatūra.*) f. Parte por donde se tuerce, dobla o encorva una cosa. || **2. Curvatura.** || **3.** *Arq.* Parte curva o arqueada del arco o de la bóveda.

Corval. (De *corva.*) m. *León.* Correa con que se sujetan las abarcas a las piernas.

Corvar. (Del lat. *curvāre.*) tr. ant. **Encorvar.**

Corvato. m. Pollo del cuervo.

Corvaza. (De *corva.*) f. *Veter.* Tumor que se forma en la parte lateral externa e inferior del corvejón en las caballerías.

Corvecito. m. d. de **Cuervo.**

Corvedad. (Del lat. *curvĭtas, -ātis.*) f. ant. **Curvidad.**

Corvejón. (De *corvo.*) m. *Veter.* Articulación situada entre la parte inferior de la pierna y superior de la caña, y a la cual se deben los principales movimientos de flexión y extensión de las extremidades posteriores en los cuadrúpedos.

Corvejón. (Del lat. *corvus,* cuervo.) m. **Cuervo marino.**

Corvejos. (De *corvo.*) m. pl. *Veter.* **Corvejón,** 1.er art.

Corveño, ña. adj. Natural de Cuerva, villa de la provincia de Toledo. Ú. t. c. s. || **2.** Perteneciente o relativo a dicha villa.

Corveta. (De *corva.*) f. Movimiento que se enseña al caballo, obligándole a ir sobre las patas traseras con los brazos en el aire.

Corvetear. intr. Hacer corvetas el caballo.

Córvido. (Del lat. *corvus, -vi,* cuervo.) adj. *Zool.* Dícese de pájaros del suborden de los dentirrostros, que tienen un tamaño bastante grande, pico largo y fuerte, y son necrófagos; como el cuervo. || **2.** m. pl. *Zool.* Familia de estos animales.

Corvillo. adj. fam. V. **Miércoles corvillo.**

Corvina. (De *corvino,* por el color.) f. *Zool.* Pez teleósteo marino, del suborden de los acantopterigios, de unos cinco decímetros de largo, color pardo con manchas negras en el lomo y plateado por el vientre, cabeza obtusa, boca con muchos dientes, dos aletas dorsales, aleta caudal con sus radios centrales más largos que los laterales, y aleta anal con espinas muy fuertes. Abunda en el Mediterráneo y es comestible apreciado.

Corvinera. f. Red para pescar corvinas.

Corvino, na. (Del lat. *corvīnus.*) adj. Perteneciente al cuervo o parecido a él.

Corvo, va. (Del lat. *cŭrvus.*) adj. Arqueado o combado. || **2.** m. **Garfio.**

Corvo. (Del gall. port. *corvo,* cuervo, y éste del lat. *cŏrvus.*) m. **Corvina.**

Corza. f. Hembra del corzo.

Corzo. (Del lat. vulgar *curtius,* y éste del lat. *curtus,* corto.) m. *Zool.* Mamífero rumiante de la familia de los cérvidos, algo mayor que la cabra, rabón y de color gris rojizo; tiene las cuernas pequeñas, verrugosas y ahorquilladas hacia la punta.

Corzuelo. (Del lat. **corticeŏlus,* de *cortĭcĕus,* de corteza.) m. Porción de granos de trigo que, por no haber despedido la cascarilla al tiempo de trillarse, se separa de los demás cuando se ahecha.

Cosa. (Del lat. *causa.*) f. Todo lo que tiene entidad, ya sea corporal o espiritual, natural o artificial, real o abstracta. || **2.** En oraciones negativas, **nada.** *No valer* COSA. || **3.** *For.* En contraposición a persona o sujeto, el objeto de las relaciones jurídicas. En el régimen de esclavitud el esclavo era una **cosa.** || **4.** *For.* El objeto material, en oposición a los derechos creados sobre él y a las prestaciones personales. || **5.** *For.* **Bien.** || **de entidad. Cosa** de substancia, de consideración, de valor. || **del otro jueves.** fig. y fam. Hecho extravagante. || **2.** fig. y fam. Lo que ha mucho tiempo que pasó. || **de oir.** expr. **Cosa** digna de ser oída, o capaz de llamar la atención. || **de ver.** expr. **Cosa** digna de ser vista, o capaz de llamar la atención. || **dura.** fig. **Cosa** rigurosa o intolerable. || **fuerte. Fuerte cosa.** || **juzgada.** Se dice de cualquier **cosa** que se da por resuelta e indiscutible y de que es ocioso tratar. || **2.** *For.* Excepción que se alega cuando en un nuevo pleito se reproduce la cuestión ya resuelta anteriormente. || **no vista, o nunca vista.** fig. y fam. **Cosa** muy extraña y sorprendente. || **perdida.** loc. con que se da a entender que una persona es muy descuidada en sus obligaciones o incorregible en sus vicios y costumbres. || **rara.** expr. con que suele manifestarse la admiración, extrañeza o novedad que causa alguna **cosa.** || **y cosa. Quisicosa.** || **Brava cosa.** irón. **Cosa** necia o fuera de razón. || **Fuerte cosa.** fam. **Cosa** molesta, difícil y trabajosa. || **Poquita cosa.** fam. Dícese de la persona débil en las fuerzas del cuerpo o del ánimo. || **Cosas de alguno.** expr. fam. para explicar o disimular las rarezas o extravagancias de alguna persona, que ya no causan extrañeza por ser frecuentes en ella. || **Cosas del mundo.** loc. en que se alude a las alternativas y vicisitudes que ofrece la vida. || **Cosas de viento.** fig. y fam. Las inútiles, vanas, de poca entidad y substancia. || **A cosa hecha.** m. adv. Con éxito seguro. || **Ante todas cosas.** m. adv. **Ante todo.** || **Cada cosa para su cosa.** expr. fam. con que se da a entender que las **cosas** se deben aplicar solamente a sus destinos naturales. || **Como quien hace otra cosa,** o **tal cosa no hace.** loc. adv. fam. con que se denota que uno ejecuta algo con disimulo, de forma que no lo comprendan los demás. || **Como quien no quiere la cosa.** loc. adv. fig. y fam. Con disimulo, suavemente, como si no se quisiera conseguir aquello mismo que se apetece. || **Como si tal cosa.** fr. fig. y fam. Como si no hubiera pasado nada. || **Corran las cosas como corrieren.** expr. fam. con que se da a entender que no causa inquietud ni importa lo que sucede. || **Cosa con cosa.** loc. que precedida de ciertos verbos con negación, denota desarreglo, falta de orden o incoherencia. *En aquella casa no hay* COSA CON COSA; *no dejó* COSA CON COSA; *no dirá* COSA CON COSA. || **Cosa cumplida, sólo en la otra vida.** ref. con que se explica lo mucho que dejan que desear las mayores felicidades mundanas. || **Cosa de.** m. adv. fam. Cerca de, o poco más o menos. COSA DE *media legua falta para llegar al lugar;* COSA DE *ocho días tardará en concluirse la obra.* || **Cosa hallada no es hurtada.** ref. que además de su significación recta, tiende a disculpar al que se prevale de la ocasión para sus fines. || **Cosa mala nunca muere.** ref. con que se da a entender el sentimiento que se tiene de ver perecer las **cosas** buenas y permanecer las malas. Aplícase comúnmente a personas y animales. || **Cosas que van y vienen.** expr. fam. que se usa para consolar a uno en lo que padece o le sucede, aludiendo a la alternada sucesión o instabilidad de las **cosas.** || **Dejando una cosa por otra.** loc. adv. Mudando de conversación, variando sin propósito de sujeto o materia. || **Dejarlo como cosa perdida.** fr. fam. No hacer caso de la persona o **cosa** a que no se puede poner enmienda o remedio. || **Disponer** uno sus **cosas.** fr. **Disponerse.** || **El que no duda, no sabe cosa alguna.** ref. que enseña cuánto perjudican a la averiguación de la verdad la facilidad en creer y la precipitación y falta de examen. || **Las cosas de palacio van despacio.** fr. fig. y fam. con que se alude a la lentitud con que se lleva un asunto. || **Manda y descuida: no se hará cosa ninguna.** ref. que advierte cuán necesaria es la vigilancia en los que mandan, para que se cumpla lo mandado. || **Ni cosa que lo valga.** loc. que se emplea para incluir en una negación no solamente lo expresado, sino también todo lo análogo o equivalente. || **No haber tal cosa.** fr. No ser así; ser falso lo que se dice. || **No hacer cosa a derechas.** fr. No hacer nada con acierto. || **No hay cosa más barata que la que se compra.** fr. proverb. con que se significa que no pocas veces los regalos y agasajos resultan más costosos que lo que se adquiere por dinero. || **No ponérsele** a uno **cosa por delante.** fr. fig. Atropellar por todos los inconvenientes y miramientos que se ofrecen. || **No quedarle** a uno **otra cosa.** fr. fam. con que se asegura que lo que se dice es cierto y no fingido. || **No sea cosa que.** fr. fig. que indica prevención o cautela. || **No ser cosa.** fr. fam. No valer **cosa.** || **No ser cosa de.** fr. No ser conveniente u oportuno aquello a que se hace referencia. || **No ser** una **cosa del otro jueves.** fr. fig. y fam. Hecho o dicho insignificante y vulgar. || **No ser cosa del otro mundo.** fr. fig. con que se afirma que la **cosa** de que se trata no es nada extraña ni sale de la esfera de lo usual y sabido. || **No tener** uno **cosa suya.** fr. fig. Ser muy desprendido y liberal. || **Oir, ver y callar, recias cosas son de obrar.** ref. que enseña el cuidado que se debe poner en estas tres **cosas,** pues cuesta gran dificultad y repugnancia el observarlas. || **Otra cosa es con guitarra.** expr. fam. con que se reprende al que se gloría de hacer una **cosa** que se cree prudentemente no la haría si llegase lance u ocasión de ejecutarla. || **Pasado en cosa juzgada.** loc. *For.* **Pasado en autoridad de cosa juzgada.** || **2.** V. **Sentencia pasada en cosa juzgada.** || **¿Qué cosa?** loc. fam. ¿Qué dice? o ¿qué hay? || **Quedarle** a uno **otra cosa en el cuerpo,** o **en el estómago.** fr. fig. y fam. Decir con disimulación lo contrario de lo que se siente. || **¿Qué es cosa y cosa?** loc. de que suele usarse cuando se proponen enigmas; como si se dijera: ¿Qué significa la **cosa** propuesta? || **Quien desalaba la cosa, ése la compra.** ref. **Quien dice mal de la pera, ése la lleva.** || **Quien las cosas mucho apura, no tiene vida segura.** ref. que enseña que se ha de evitar la demasiada curiosidad en averiguar las **cosas** ajenas, por las malas consecuencias que tiene. || **Rodearse las cosas.** fr. Venir a parar a buen o mal término por caminos no esperados. || **Ser algo cosa** de uno. fr. Ser de su aprecio, estimación, interés, etc. || **Tres cosas demando si Dios me las diere: la tela, el telar y la que la teje.** ref. que reprende a los ambiciosos que con nada se contentan. || **Tres cosas echan al hombre de casa fuera: el humo, la gotera y la mujer vocinglera.** ref. que explica lo incómodas que son estas tres **cosas.** || **Tres cosas hacen al hombre medrar: Iglesia, mar y casa real.** ref. **Iglesia, o mar, o casa real.**

Cosaco, ca. (Del kirghís *kasak,* caballero.) adj. Dícese del habitante de varios distritos de Rusia. Ú. t. c. s. || **2.** m. Soldado ruso de tropa ligera.

Cosario, ria. (De *corsario.*) adj. Perteneciente al **cosario.** || **2.** Cursado, frecuentado. || **3.** m. Ordinario, trajinero. || **4.** Cazador de oficio. || **5.** ant. **Corsario,** 3.ª acep. || **De cosario a cosario no se pierden sino los barriles.** fr. proverb. **Entre sastres no se pagan hechuras.**

Coscacho. m. *Arg.* y *Chile.* **Cocacho,** 2.ª acep.

Coscarana. (De *cuscurro.*) f. *Ar.* Torta muy delgada y seca que cruje al mascarla.

Coscarrón. m. *P. Rico.* Árbol de madera muy compacta y dura.

Coscarse. (Del lat. **coxicare,* de *coxa,* cadera.) r. fam. **Concomerse.**

Coscoja. (De *coscojo.*) f. Árbol achaparrado semejante a la encina, en el que con preferencia vive el quermes que produce el coscojo. || **2.** Hoja seca de la carrasca o encina. || **3.** Chapa de hierro arrollada en forma de cañuto, que se coloca en los travesaños de bocados y de hebillas, para que pueda correr con facilidad el correaje.

Coscojal. m. Sitio poblado de coscojas, 1.ª acep.

Coscojar. m. **Coscojal.**

Coscojero, ra. adj. *R. de la Plata.* Dícese de la caballería que agita mucho los coscojos del freno.

Coscojita. f. **Coxcojita.**

Coscojo. (Del lat. *cusculium.*) m. Agalla producida por el quermes en la coscoja. || **2.** pl. Piezas de hierro, a modo de cuentas, que, ensartadas en unos alambres eslabonados y asidos por los extremos al bocado de los frenos a la brida, forman con la salivera los sabores.

Coscolina. f. *Méj.* Mujer de malas costumbres.

Coscomate. (Del azteca *cuezcomtl.*) m. *Méj.* Troje cerrado hecho con barro y zacate, para conservar el maíz.

Coscón, na. adj. fam. Socarrón, hábil para lograr lo que le acomoda o evitar lo que le disgusta. Ú. t. c. s.

Coscoroba. (Voz onomatopéyica.) f. *Argent.* y *Chile.* Ave, especie de cisne, de cuello corto, toda blanca y más pequeña que el común.

Coscorrón. (De *cosque.*) m. Golpe en la cabeza, que no saca sangre y duele.

Coscorronera. f. **Chichonera.**

Cosecante. f. *Trig.* Secante del complemento de un ángulo o de un arco.

Cosecha. (Del ant. *cogecha*, y éste del lat. *collecta*, p. p. de *colligĕre*, recoger.) f. Conjunto de frutos que se recogen de la tierra; como trigo, cebada, vino, aceite, etc. || **2.** Temporada en que se recogen los frutos. *Pagaré a la* COSECHA. || **3.** Ocupación de recoger los frutos de la tierra. || **4.** ant. **Colecta,** 1.ª acep. || **5.** fig. Conjunto de cosas no materiales; como virtudes, vicios, etc. || **Ser** una cosa **de la cosecha** de uno. fr. fig. y fam. Ser de su propio ingenio o invención. || **Tras poca cosecha, ruin trigo.** fr fig. y fam. Que un daño suele producir otros.

Cosechar. intr. Hacer la cosecha. Ú. t. c. tr.

Cosechero, ra. m. y f. Persona que tiene cosecha.

Cosedizo, za. adj. ant. Que se puede coser.

Cosedura. (De *coser.*) f. **Costura.**

Coselete. (Del fr. *corselet*, del lat. *corpus*, cuerpo.) m. Coraza ligera, generalmente de cuero, que se usó por ciertos soldados de infantería. || **2.** Soldado que llevaba **coselete,** y, como arma ofensiva, pica o alabarda, y formaba parte de las compañías de arcabuceros. || **3.** *Zool.* Nombre que se da al tórax de los insectos cuando las tres piezas o segmentos que lo componen están fuertemente unidas entre sí; como en las mariposas.

Coseno. m. *Trig.* Seno del complemento de un ángulo o de un arco. || **verso.** *Trig.* Seno verso del complemento de un ángulo o de un arco.

Coser. (Del lat. *consuĕre.*) tr. Unir con hilo de cualquier clase, generalmente enhebrado en la aguja, dos o más pedazos de tela, cuero u otra materia. || **2.** Hacer dobladillos, pespuntes y otras labores de aguja. || **3.** fig. Unir una cosa con otra, de suerte que queden muy juntas o pegadas. || **Coserse** uno **con,** o **contra,** alguna cosa. fr. fig. y fam. Unirse estrechamente con ella. || **Coser y cantar.** fr. fig. y fam. con que se denota que aquello que se ha de hacer no ofrece dificultad ninguna.

Cosera. f. *Rioja.* Suerte o porción de tierra que se riega con el agua de una tanda. || **2.** *Sor.* Surco que se hace con el arado al comienzo de cada año para marcar la separación de dos fincas rústicas.

Cosetada. (De *coso.*) f. Paso acelerado o carrera.

Cosetano, na. (Del lat. *cosetānus.*) adj. Natural de la Cosetania. Ú. t. c. s. || **2.** Perteneciente a esta región de la España Tarraconense, que comprendía próximamente el territorio de la actual provincia de Tarragona.

Cosetear. (De *coso.*) intr. ant. Justar, lidiar.

Cosible. adj. Que puede coserse.

Cósico. (De *cosa*, raíz o número que se ha de elevar a una potencia.) adj. *Arit.* V. **Número cósico.**

Cosicosa. (De la loc. *cosa y cosa.*) f. **Quisicosa.**

Cosido, da. p. p. de **Coser.** || **2.** m. Acción y efecto de coser. *Juana es primorosa en el* COSIDO. || **3.** Calidad de la costura. *El corte no tiene gracia, pero el* COSIDO *es excelente.* || **de la cama.** Sábana de encima, mantas y colcha, que algunas veces se hilvanan juntas para que no se separen.

Cosidura. (De *coser.*) f. *Mar.* Tratándose de cabos, especie de ligada.

Cosmético, ca. (Del gr. κοσμητικός, de κοσμέω, adornar, componer.) adj. Dícese de lo que pertenece a la preparación y uso de los cosméticos. || **2.** Dícese de las confecciones hechas para hermosear la tez o el pelo. Ú. t. c. s.

Cósmico, ca. (Del lat. *cosmĭcus*, y éste del gr. κοσμικός, de κόσμος, mundo.) adj. Perteneciente al cosmos. || **2.** *Astron.* Aplícase al orto u ocaso de un astro, que coincide con la salida del Sol.

Cosmogonía. (Del gr. κοσμογονία; de κόσμος, mundo, y γίγνομαι, ser, producirse.) f. Ciencia o sistema de la formación del universo.

Cosmogónico, ca. adj. Perteneciente o relativo a la cosmogonía.

Cosmografía. (Del lat. *cosmographĭa*, y éste del gr. κοσμογραφία; de κόσμος, mundo, y γράφω, describir.) f. Descripción astronómica del mundo, o astronomía descriptiva.

Cosmográfico, ca. adj. Perteneciente o relativo a la cosmografía.

Cosmógrafo. (Del lat. *cosmogrăphus*, y éste del gr. κοσμογράφος.) m. El que profesa la cosmografía o tiene en ella especiales conocimientos.

Cosmología. (Del gr. κόσμος, mundo, y λόγος, teoría.) f. Conocimiento filosófico de las leyes generales que rigen el mundo físico.

Cosmológico, ca. (Del gr. κοσμολογικός.) adj. Perteneciente o relativo a la cosmología.

Cosmólogo. m. El que profesa la cosmología o tiene en ella especiales conocimientos.

Cosmopolita. (Del gr. κοσμοπολίτης; de κόσμος, mundo, y πολίτης, ciudadano.) adj. Dícese de la persona que considera a todo el mundo como patria suya. Ú. t. c. s. || **2.** Dícese de lo que es común a todos los países o a los más de ellos. || **3.** Aplícase a los seres o especies animales y vegetales aclimatados a todos los países o que pueden vivir en todos los climas. *El hombre es* COSMOPOLITA.

Cosmopolitismo. m. Doctrina y género de vida de los cosmopolitas.

Cosmorama. (Del gr. κόσμος, mundo, y ὅραμα, vista.) m. Artificio óptico que sirve para ver aumentados los objetos mediante una cámara obscura. || **2.** Sitio donde por recreo se ven representados de este modo pueblos, edificios, etc.

Cosmos. (Del lat. *cosmos*, y éste del gr. κόσμος.) m. **Mundo,** 1.ª acep.

Coso. (Del lat. *cŭrsus*, carrera.) m. Plaza, sitio o lugar cercado, donde se corren y lidian toros y se ejecutan otras fiestas públicas. || **2.** Calle principal en algunas poblaciones. *El* coso *de Zaragoza.* || **3.** ant. Curso, carrera, corriente.

Coso. (Del lat. *cossus.*) m. **Carcoma,** 1.ª acep.

Cospe. m. Cada uno de los cortes de hacha o azuela que se hacen a trechos en una pieza gruesa de madera, para facilitar el desbaste de ella.

Cospel. (Del ant. fr. *cospel, coispel*, y éste del lat. **cuspellus*, de *cuspis, -ĭdis*, cúspide.) m. Disco de metal dispuesto para recibir la acuñación en la fabricación de las monedas.

Cospillo. m. *Ar.* Orujo de la aceituna después de molida y prensada.

Cosque. (De *cascar.*) m. fam. **Coscorrón.**

Cosquillar. tr. **Cosquillear.**

Cosquillas. f. pl. Sensación que se experimenta en algunas partes del cuerpo cuando son ligeramente tocadas por otra persona, y consiste en cierta conmoción desagradable que provoca involuntariamente a risa. || **2.** ant. fig. Desavenencia, rencilla, inquietud. || **Buscarle** a uno **las cosquillas.** fr. fig. y fam. Emplear, para impacientarle, los medios que al efecto se consideren más a propósito. || **Hacerle** a uno **cosquillas** una cosa. fr. fig. y fam. Excitarle el deseo o la curiosidad. || **2.** fig y fam. Hacerle temer o recelar un mal o daño. || **No sufrir,** o **tener malas, cosquillas.** fr. fig. y fam. Ser poco sufrido, o delicado de genio.

Cosquillear. tr. Hacer cosquillas.

Cosquillejas. f. pl. d. de **Cosquillas.**

Cosquilleo. m. Sensación que producen las cosquillas, u otra semejante a ella.

Cosquilloso, sa. adj. Que siente mucho las cosquillas. || **2.** fig. Muy delicado de genio y que se ofende con poco motivo.

Costa. (De *costar.*) f. Cantidad que se da o se paga por una cosa. || **2.** V. **Ayuda de costa.** || **3.** Gasto de manutención del trabajador cuando se añade al salario. || **4.** pl. Gastos judiciales. || **A costa de.** m. adv. con que se explica el trabajo, fatiga y dispendio que cuesta alguna cosa. || **A toda costa.** m. adv. Sin limitación en el gasto o en el trabajo. || **Condenar** a uno **en costas.** fr. *For.* En lo civil, hacerle pagar los gastos que ha ocasionado a sus contrarios en el juicio; y en lo criminal, agravar accesoriamente el castigo con el pago total o parcial de los gastos. || **Meter a costa.** fr. ant. Poner o emplear mucho trabajo o coste en una cosa. || **Salir,** o **ser,** uno **condenado en costas.** fr. fig. Cargar con todo lo perjudicial de un negocio.

Costa. (Del gall. o cat. *costa*, y éste del lat. *cōsta.*) f. Orilla del mar y tierra que está cerca de ella. || **2.** V. **Corrido de la costa.** || **3.** Instrumento de madera dura, de dos decímetros de largo y tres o cuatro centímetros de grueso, con muescas en los extremos, que usan los zapateros para alisar y bruñir los cantos de la suela. || **4.** ant. **Costilla.** || **Andar costa a costa.** fr. *Mar.* **Ir,** o **navegar, costa a costa.** || **Barajar la costa.** fr. *Mar.* Navegar cerca de la **costa** y paralelamente a ella, siguiendo sus sinuosidades y huyendo de sus peligros. || **Dar a la costa.** fr. *Mar.* Ser impelida del viento una embarcación y arrojada contra la costa. || **De costa.** m. adv. ant. De costado o de lado. || **Ir,** o **navegar, costa a costa.** fr. *Mar.* **Costear,** 2.° art.

Costado. (Del lat. *costātus*, que tiene costillas.) m. Cada una de las dos partes laterales del cuerpo humano que están entre pecho, espalda, sobacos y vacíos. || **2.** Lado derecho o izquierdo de un ejército. || **3. Lado.** || **4.** V. **Dolor, punto de costado.** || **5.** ant. Espalda o revés. || **6.** *Mar.* Cada uno de los dos lados del casco de un buque, y muy especialmente la parte que corresponde a la obra muerta, y se denominan el derecho, mirando a proa, estribor, y el izquierdo, babor. ‖ **7.** pl. En la genealogía, líneas de los abuelos paternos y maternos de una persona. *Noble de todos cuatro* COSTADOS; *villano de cuatro* COSTADOS. ‖ **8.** V. **Árbol de costados.** ‖ **9.** V. **Hidalgo de cuatro costados.** ‖ **Dar el costado.** fr. *Mar.* Presentar el buque en el combate todo el lado para la descarga de la artillería. ‖ **2.** *Mar.* Descubrir el buque uno de los lados hasta la quilla, para carenarlo y limpiarlo.

Costal. (Del lat. *costa*, costilla.) adj. Perteneciente a las costillas. ‖ **2.** V. **Pleura costal.** ‖ **3.** m. Saco grande de tela ordinaria, en que comúnmente se transportan granos, semillas u otras cosas. ‖ **4.** Cada uno de los listones de madera, gruesos y aguzados por la parte inferior, que atravesados por las agujas sirven para mantener las fronteras de los tapiales en posición vertical. ‖ **El costal de los pecados.** fig. y fam. El cuerpo humano. ‖ **De costal vacío, nunca buen bodigo.** ref. que enseña que del pobre nunca se puede esperar dádiva grande. ‖ **Estar uno hecho un costal de huesos.** fr. fig. y fam. Estar muy flaco. ‖ **No parecer costal de paja.** fr. fig. y fam. Parecer bien a una persona otra de diferente sexo. ‖ **No ser uno costal.** fr. fig. y fam. No poder decirlo todo de una vez. ‖ **Vaciar uno el costal.** fr. fig. y fam. Explicar algún sentimiento, diciendo todo lo que tenía callado. ‖ **2.** fig. y fam. Manifestar abiertamente lo que se tenía secreto.

Costalada. (De *costal.*) f. Golpe que uno da al caer de espaldas o de costado.

Costalazo. m. **Costalada.**

Costalejo. m. d. de **Costal.**

Costalero. (De *costal.*) m. *And.* Esportillero o mozo de cordel. Hoy se aplica a los que llevan a hombros los pasos de las procesiones, especialmente en Andalucía.

Costana. f. Calle en cuesta o pendiente. ‖ **2. Costilla,** 7.ª acep. ‖ **3.** *León.* **Adral.**

Costanera. (De *costa*, 2.° art.) f. **Cuesta,** 1.er art., 1.ª acep. ‖ **2.** ant. Costado o lado. ‖ **3.** pl. Maderos largos como vigas menores o cuartones, que cargan sobre la viga principal que forma el caballete de un cubierto o de un edificio.

Costanero, ra. adj. Que está en cuesta. ‖ **2.** Perteneciente o relativo a la costa. *Pueblo* COSTANERO; *embarcación, navegación* COSTANERA.

Costanilla. f. d. de **Costana.** ‖ **2.** En algunas poblaciones, calle corta de mayor declive que las cercanas.

Costar. (Del lat. *constāre.*) intr. Ser comprada o adquirida una cosa por determinado precio. ‖ **2.** fig. Causar u ocasionar una cosa cuidado, desvelo, perjuicio, etc. ‖ **Costarle a uno caro,** o **cara,** una cosa. fr. fig. y fam. Resultarle de su ejecución mucho perjuicio o daño.

Costarricense. adj. **Costarriqueño.** Apl. a pers., ú. t. c. s.

Costarriqueñismo. m. Vocablo, giro o locución propios de los costarriqueños.

Costarriqueño, ña. adj. Natural de Costa Rica. Ú. t. c. s. ‖ **2.** Perteneciente a esta república de América.

Coste. m. **Costa,** 1.er art. ‖ **A coste y costas.** m. adv. Por el precio y gastos que tiene una cosa; sin ganancia ninguna.

Costear. tr. Hacer el gasto o la costa. Ú. t. c. r. ‖ **2.** r. Producir una cosa lo suficiente para cubrir los gastos que ocasiona.

Costear. tr. Ir navegando sin perder de vista la costa.

Costecilla. f. ant. d. de **Cuesta.**

Costelación. f. ant. **Constelación.**

Costeño, ña. adj. **Costanero.**

Costera. (De *costa*, 2.° art.) f. Lado o costado de un fardo u otra cosa semejante. ‖ **2.** Cada una de las dos manos de papel quebrado que completan por encima y debajo las resmas de papel de tina. ‖ **3. Cuesta,** 1.er art., 1.ª acep. ‖ **4. Costa,** 2.° art., 1.ª acep. ‖ **5.** ant. Costado o cuerno del ejército. ‖ **6.** *Mar.* Tiempo que dura la pesca de los salmones y la de otros peces.

Costero, ra. (De *costa*, 2.° art.) adj. **Costanero,** 2.ª acep. ‖ **2.** V. **Papel costero.** ‖ **3.** ant. **Costanero,** 1.ª acep. ‖ **4.** m. Cada una de las dos piezas más inmediatas a la corteza, que salen al aserrar un tronco, en el sentido de su longitud. ‖ **5.** *And.* Obrero encargado de ir a buscar al pueblo los comestibles cuando los trabajadores se ajustan a seco, o sea comiendo por su cuenta. ‖ **6.** *Min.* Cada uno de los muros que forman los costados de un horno alto. ‖ **7.** *Min.* Hastial de un criadero.

Costezuela. f. d. de **Cuesta.**

Costil. (Del lat. *cŏsta*, costilla.). adj. Se dice de lo que pertenece a las costillas. *Lomo* COSTIL.

Costilla. (Del lat. *cŏsta.*) f. Cada uno de los huesos largos y encorvados que nacen del espinazo y vienen hacia el pecho. ‖ **2.** fig. Cosa de figura de **costilla.** *Las* COSTILLAS *de las ruecas; las de las sillas.* ‖ **3.** fig. y fam. **Caudal,** 1.er art., 4.ª acep. ‖ **4.** fig. y fam. Mujer propia. ‖ **5.** *Arq.* Cada uno de los listones que se colocan horizontalmente sobre los cuchillos de una cimbra para enlazarlos y recibir las dovelas. ‖ **6.** *Bot.* Línea o pliegue saliente en la superficie de frutos y hojas. ‖ **7.** *Mar.* **Cuaderna,** 4.ª acep. ‖ **8.** pl. fam. **Espalda,** 1.ª acep. ‖ **Costilla falsa.** La que no está apoyada en el esternón. ‖ **flotante.** La que, situada entre los músculos del abdomen, tiene su extremo libre sin alcanzar al cartílago que une las falsas al esternón. ‖ **fornacina.** ant. **Costilla falsa.** ‖ **verdadera.** La que está apoyada en el esternón. ‖ **Medirle a uno las costillas.** fr. fig. y fam. Darle de palos. ‖ **Pasearle a uno las costillas.** fr. Pisotearle.

Costillaje. m. fam. **Costillar.**

Costillar. m. Conjunto de costillas. ‖ **2.** Parte del cuerpo en la cual están.

Costiller. m. Oficial palatino que acompañaba al rey cuando iba a su capilla, visitaba alguna iglesia o salía de viaje.

Costilludo, da. (De *costilla.*) adj. fam. Fornido y ancho de espaldas.

Costino, na. adj. Perteneciente al costo, 2.° art.

Costino, na. (De *costa.*) adj. Chile. **Costanero,** 2.ª acep. Dícese especialmente de animales y personas.

Costo. m. **Costa,** 1.er art. ‖ **2.** *And.* Ración de trigo, aceite, sal y vinagre que mensualmente se da en los cortijos a guardas, vaqueros, yegüerizos y porqueros. ‖ **A costo y costas.** m. adv. **A coste y costas.**

Costo. (Del lat. *costus*, y éste del gr. κόστος.) m. Hierba vivaz, propia de la zona tropical, y correspondiente a la familia de las compuestas. El tallo es ramoso, las hojas alternas y divididas en gajos festoneados, las flores amarillas, y la raíz casi cilíndrica, de dos centímetros de diámetro próximamente, porosa, cenicienta, con corteza parda y sabor amargo; pasa por tónica, diurética y carminativa. ‖ **2.** Esta misma raíz. ‖ **hortense. Hierba de Santa María.**

Costomate. m. *Méj.* **Capulí.**

Costón. (De *cuesta.*) m. *Murc.* Malecón a orillas de un río.

Costosamente. adv. m. Muy caro, a mucho precio y costa.

Costoso, sa. adj. Que cuesta mucho o es de gran precio. ‖ **2.** fig. Que acarrea daño o sentimiento.

Costra. (Del lat *crŭsta.*) f. Cubierta o corteza exterior que se endurece o seca sobre una cosa húmeda o blanda. ‖ **2. Postilla,** 1.er art. ‖ **3.** Rebanada o pedazo de bizcocho que se daba en las galeras para el mantenimiento de la gente. ‖ **4. Moco,** 3.ª acep. ‖ **de azúcar.** En los ingenios de azúcar, cierta porción que sale más dura o queda pegada en la caldera cuando se cuece. ‖ **láctea.** *Med.* **Usagre,** 1.ª acep.

Costrada. f. Especie de empanada cubierta con una costra de azúcar, huevos y pan. ‖ **2.** *Murc.* Tapia jaharrada con lechadas de cal.

Costreñimiento. m. ant. **Constreñimiento.**

Costreñir. (Del lat. *constringĕre*, apretar.) tr. ant. **Constreñir.**

Costribación. f. ant. Acción y efecto de costribar.

Costribar. (De *con* y *estribar.*) tr. ant. Constipar, estreñir. ‖ **2.** intr. ant. Hacer fuerza, trabajar con vigor.

Costribo. (De *costribar.*) m. ant. Apoyo, arrimo.

Costringimiento. m. ant. Acción y efecto de costringir.

Costringir. tr. ant. **Constringir.**

Costriñiente. p. a. ant. de **Costriñir.** Que costriñe.

Costriñir. tr. ant. **Constriñir.**

Costroso, sa. adj. Que tiene costras.

Costruimiento. (De *costruir.*) m. ant. **Construcción,** 1.ª acep.

Costruir. tr. ant. **Construir.**

Costumado, da. (De *costumnado*, p. p. de *costumnar.*) adj. ant. Acostumbrado a alguna cosa.

Costumbrar. (De *costumnar.*) tr. ant. **Acostumbrar.** Usáb. t. c. r.

Costumbre. (De *costumne.*) f. Hábito adquirido por la repetición de actos de la misma especie. ‖ **2.** Práctica muy usada y recibida que ha adquirido fuerza de precepto. ‖ **3.** V. **Signo por costumbre.** ‖ **4.** Lo que por genio o propensión se hace más comúnmente. ‖ **5.** Menstruo o regla de las mujeres. ‖ **6.** pl. Conjunto de cualidades o inclinaciones y usos que forman el carácter distintivo de una nación o persona. ‖ **7.** V. **Comedia de costumbres.** ‖ **Costumbre contra ley.** *For.* La que se opone a ella, y, sin embargo, en algunas épocas y legislaciones se ha considerado eficaz. ‖ **fuera de ley.** *For.* La que se establece en materia no regulada o sobre aspectos no previstos por las leyes. ‖ **holgazana.** *For.* Práctica que duró en Córdoba hasta principios del siglo XIX, según la cual, la mujer casada no participaba de los bienes gananciales; costumbre derogada por la Novísima Recopilación. ‖ **según ley.** *For.* La que corrobora y desenvuelve los preceptos de ella. ‖ **A la mala costumbre, quebrarle la pierna.** fr. proverb. que enseña que no se debe seguir un abuso con pretexto de que es costumbre. ‖ **Costumbre buena o costumbre mala, el villano quiere que vala.** ref. que denota lo poderosas que son en el pueblo las **costumbres** muy arraigadas. ‖ **Costumbres de mal maestro, sacan hijo siniestro.** ref. que advierte los daños que se siguen de dar un padre mal maestro a sus hijos. ‖ **Costumbres y dineros, hacen los hijos caballeros.** ref. que da a entender que los buenos procederes y modales, juntos con las riquezas, granjean la atención y aprecio de las gentes. ‖ **De costumbre.** loc. Dícese de lo usual y ordinario. ‖ **La costumbre es otra,** o **segunda, naturaleza.** fr. proverb. con que se pondera la fuerza de la **costumbre,** y se advierte que si no se vence al principio, se hace tan difícil de vencer como las inclinaciones naturales. || **La costumbre hace ley.** fr. proverb. que da a entender la fuerza que tienen los usos y estilos.

Costumbrismo. m. En las obras literarias, atención especial que se presta a la pintura de las costumbres típicas de un país o región.

Costumbrista. adj. Perteneciente o relativo al costumbrismo. || **2.** com. Autor que cultiva el costumbrismo.

Costumnar. (De *costumne.*) tr. ant. **Costumbrar.**

Costumne. (Del lat. *consuetūdo, -ĭnis,* cambiado por el vulgo en *consuetumen, -ĭnis.*) f. ant. **Costumbre.**

Costura. (Del lat. *consutūra,* el arte de coser.) f. Acción y efecto de coser. || **2.** Toda labor que está cosiéndose y se halla sin acabar, especialmente si es de ropa blanca. || **3.** V. **Cuarto de costura.** || **4.** Serie de puntadas que une dos piezas cosidas, y, por extensión, unión hecha con clavos o roblones. || **5.** *Mar.* Línea de separación entre dos tablones puestos en contacto y que se calafatea para impedir que entre el agua. || **Meter** a uno **en costura.** fr. fig. y fam. **Meterle en cintura.** || **Saber de toda costura.** fr. fig. y fam. Tener conocimiento del mundo y obrar con toda sagacidad, y aun con bellaquería. || **Sentar las costuras.** fr. Entre sastres, aplanchar con fuerza las **costuras** de un vestido para dejarlas muy planas, lisas y estiradas. || **Sentar** a uno **las costuras.** fr. fig. y fam. **Sentarle la mano.**

Costurera. (De *costura.*) f. Mujer que tiene por oficio coser, o cortar y coser, ropa blanca. || **2.** La que cose de sastrería.

Costurero. m. Mesita, con cajón y almohadilla, de que se sirven las mujeres para la costura. || **2. Cuarto de costura.** || **3.** ant. **Sastre,** 1.ª acep.

Costurón. m. aum. de **Costura.** || **2.** despect. Costura grosera. || **3.** fig. Cicatriz o señal muy visible de una herida o llaga.

Cota. (Del germ. *kotta;* en ant. alto al. *chozza,* cubierta, manto.) f. Arma defensiva del cuerpo, que se usaba antiguamente. Primero se hacían de cuero y guarnecidas de cabezas de clavos o anillos de hierro, y después de mallas de hierro entrelazadas. || **2.** Vestidura que llevaban los reyes de armas en las funciones públicas, sobre la cual están bordados los escudos reales. || **3.** ant. **Jubón.** || **4.** *Mil.* Fortaleza de los indígenas filipinos, formada por troncos de árboles revestidos de tierra y piedras menudas. || **5.** *Mont.* Piel callosa que cubre la espaldilla y costillares del jabalí. || **jacerina. Jacerina.**

Cota. (Del lat. *quota,* t. f. de *quotus,* cuantos: véase *coto,* 2.° art.) f. **Cuota,** 1.ª acep. || **2.** ant. Acotación, anotación o cita. || **3.** *Topogr.* Número que en los planos topográficos indica la altura de un punto, ya sobre el nivel del mar, ya sobre otro plano de nivel. || **4.** *Topogr.* Esta misma altura.

Cotana. f. Agujero cuadrado que se hace con el escoplo en la madera para encajar allí otro madero o la punta de él. || **2.** Escoplo o formón con que se abre dicho agujero.

Cotangente. f. *Trig.* Tangente del complemento de un ángulo o de un arco.

Cotanza. (De *Coutances,* ciudad de Francia, de donde procede esta tela.) f. Cierta clase de lienzo entrefino.

Cotar. (De *cota,* 2.° art.) tr. p. us. **Acotar** 2.° art.

Cotardía. (Del fr. *cotte hardie,* del germ. **kotta,* manto, y **hardjan,* endurecer.) f. Especie de jubón forrado, común a los dos sexos, usado en España durante la Edad Media.

Cotarra. f. **Cotarro,** 2.ª acep.

Cotarrera. f. fig. y fam. Mujer que anda de cotarro en cotarro. || **2.** *Germ.* Mujer baja y común.

Cotarrero. (De *cotarro.*) m. *Germ.* **Hospitalero,** 1.ª acep.

Cotarro. (despect. de *coto,* 1.er art.) m. Recinto en que se da albergue por la noche a pobres y vagabundos que no tienen posada. || **2.** Ladera de un barranco. || **Alborotar el cotarro.** fr. fig. y fam. **Alborotar el cortijo.** || **Andar de cotarro en cotarro.** fr. fig. y fam. Gastar el tiempo en visitas inútiles.

Cotear. (De *coto,* 1.er art.) tr. ant. **Acotar,** 1.er art., 1.ª acep.

Cotejable. adj. Que se puede cotejar.

Cotejamiento. m. ant. **Cotejo.**

Cotejar. (De *cota,* 2.° art.) tr. Confrontar una cosa con otra u otras; compararlas teniéndolas a la vista.

Cotejo. m. Acción y efecto de cotejar. || **de letras.** *For.* Prueba pericial que se practica cuando no se reconoce o niega la autenticidad de un documento privado presentado en juicio.

Cotera. f. **Cotero.**

Cotero. (De *cota,* 2.° art.) m. *Sant.* Cerro bajo, pero de pendiente rápida.

Coterráneo, a. adj. **Conterráneo.**

Cotí. (Del fr. *coutil;* en ant. fr. *colte,* y éste del lat. *culcĭta,* colchón.) m. **Cutí.**

Cotidianamente. adv. t. **Diariamente.**

Cotidiano, na. (Del lat. *quotidiānus,* de *quotidĭe,* diariamente.) adj. **Diario,** 1.ª acep.

Cotila. f. Cavidad de un hueso en que entra la cabeza de otro.

Cotiledón. (Del lat. *cotylēdon,* y éste del gr. κοτυληδών, de κοτύλη, cavidad en forma de vaso.) m. *Bot.* Forma con que aparece la primera hoja en el embrión de las plantas fanerógamas; en muchos de estos vegetales el embrión posee dos o más cotiledones.

Cotiledóneo, a. adj. *Bot.* Perteneciente o relativo al cotiledón. *Cuerpo* COTILEDÓNEO. || **2.** *Bot.* Dícese de las plantas cuyo embrión contiene uno o más cotiledones. Ú. t. c. s. f. || **3.** f. pl. *Bot.* Grupo de la antigua clasificación botánica, que comprendía las plantas fanerógamas.

Cotilla. (d. de *cota,* 1.er art.) f. Ajustador de que usaban las mujeres, formado de lienzo o seda y de ballenas. || **2.** fig. Mujer chismosa y parlanchina.

Cotillear. intr. fam. **Chismorrear.**

Cotillero, ra. m. y f. Persona que hacía o vendía cotillas. || **2.** fig. Persona amiga de chismes y cuentos.

Cotillo. (De *cutir,* golpear.) m. Parte del martillo y otras herramientas, que sirve para golpear.

Cotillón. (Del fr. *cotillon,* aum. de *cotte,* y éste del germ. **kotta,* túnica.) m. Danza con figuras, y generalmente en compás de vals, que suele ejecutarse al fin de los bailes de sociedad.

Cotín. (De *cutir.*) m. Golpe que el jugador que resta da a la pelota al volverla de revés alto al que saca.

Cotinga. m. *Amér.* Género de pájaros dentirrostros, de buen tamaño y de plumaje muy variado y vistoso.

Cotiza. (Del fr. *cotice.*) f. *Blas.* Banda disminuida a la tercera parte de su anchura ordinaria.

Cotiza. f. Especie de sandalia que usa la gente rústica en Venezuela. || **Ponerse uno las cotizas.** fr. fig. y fam. *Venez.* **Ponerse en cobro.**

Cotizable. adj. Que puede cotizarse.

Cotización. f. Acción y efecto de cotizar.

Cotizado, da. (De *cotiza,* 1.er art.) adj. *Blas.* Dícese del campo o del escudo lleno de cotizas estrechas de colores alternados, las cuales se entiende que son diez si no se expresa su número.

Cotizar. (Del fr. *cotiser,* y éste del lat. *quota,* cota, 2.° art.) tr. *Com.* Publicar en alta voz en la bolsa el precio de los títulos de la deuda del Estado, o el de las acciones mercantiles, u otros valores que tienen curso público.

Coto. (Del lat. *cautus,* defendido.) m. Terreno acotado. || **2.** Mojón que se pone para señalar la división de los términos o de las heredades, y más propiamente el de piedra sin labrar. || **3.** En algunas partes, población de una o más parroquias sitas en territorio de señorío. || **4.** Término, límite. || **5.** ant. Mandato, precepto. || **6.** ant. Pena pecuniaria señalada por la ley. Úsase hoy en la Rioja. || **7.** *Germ.* Hospital y también el cementerio de la iglesia. || **redondo.** Conjunto de las fincas rústicas unidas o muy próximas, comprendidas dentro de un perímetro y pertenecientes a un mismo dueño.

Coto. (Del lat. *quotus.*) m. Postura, tasa. || **2.** Convención que suelen hacer entre sí los mercaderes, de no vender sino a determinado precio algunas cosas. || **3.** Partida de billar en que uno de dos jugadores, o uno de dos partidos, ha de ganar tres mesas antes que el otro.

Coto. (Del lat. *cŭbitus.*) m. Medida lineal de medio palmo. Es aproximadamente la formada por los cuatro dedos de la mano cerrada, sin contar el pulgar. || **2.** V. **Tabla de coto.** || **toledano.** Unidad de medida lineal equivalente a cuatro pulgadas y media.

Coto. (Del lat. mod. *cottus,* y éste del gr. κόττος.) m. Pez teleósteo, del suborden de los acantopterigios, que apenas alcanza seis centímetros de largo, de cabeza aplastada, boca y ojos grandes, aletas espinosas, de las cuales la dorsal llega hasta la cola, y cuerpo prolongado, de color fusco. Vive en los ríos, anida entre las piedras y es comestible.

Coto. m. *Amér. Merid.* Bocio o papera.

Cotó. m. *Ar.* **Cotón,** 1.er art.

Cotobelo. (De *coto,* del lat. *cŭbitus,* codo, y el lat. *tūbĕllus,* tobillo.) m. Abertura en la vuelta de la cama del freno.

Cotofle. m. ant. **Cotofre.**

Cotofre. m. ant. Medida de capacidad para líquidos que hacía próximamente medio litro.

Cotomono. m. *Zool. Perú.* Mono aullador, de cola prensil, que vive en América del Sur.

Cotón. (Del ár. *quṭun,* algodón.) m. Tela de algodón estampada de varios colores.

Cotón. (De *cota,* 1.er art.) m. *Germ.* **Jubón.** || **colorado.** *Germ.* Castigo de azotes. || **doble.** *Germ.* Jubón fuerte con malla.

Cotona. f. *Amér.* Camiseta fuerte de algodón, u otra materia, según los países. || **2.** *Méj.* Chaqueta de gamuza.

Cotonada. (De *cotón,* 1.er art.) f. Tela de algodón, con fondo liso y flores como de realce, aunque tejidas, o con fondo listado y flores de varios colores. Las hay también de lino, casi con la misma diversidad de clases.

Cotoncillo. (d. de *cotón,* 1.er art.) m. Pelotilla o botoncillo de badana y borra, con que remata por arriba el tiento de que usan los pintores.

Cotonía. (Del ár. *quṭuniyya,* tela de algodón.) f. Tela blanca de algodón labrada comúnmente de cordoncillo.

Cotorra. f. Papagayo pequeño. || **2. Urraca,** 1.ª acep. || **3.** *Zool.* Ave americana del orden de las prensoras, parecida al papagayo, con las mejillas cubiertas de pluma, alas y cola largas y puntiagudas, y colores varios, en que domina el verde. || **4.** fig. y fam. Persona habladora.

Cotorrear. intr. Hablar con exceso.

Cotorreo. (De *cotorra.*) m. fig. y fam. Conversación bulliciosa de mujeres habladoras.

Cotorrera. f. Hembra del papagayo. || **2.** fig. y fam. **Cotorra,** 4.ª acep.

Cotorrón, na. (De *cotorra.*) adj. Dícese del hombre o de la mujer viejos que presumen de jóvenes.

Cotral. adj. **Cutral.** Ú. t. c. s.

Cotrofe. m. ant. Vaso para beber.

Cotúa. f. *Venez.* **Mergo.**

Cotudo, da. adj. Peludo, algodonado. || **2.** *Amér.* Que tiene coto o bocio.

Cotufa. f. Tubérculo de la raíz de la aguaturma, de unos tres centímetros de largo y que se come cocido. || **2.** Golosina, gollería. || **3. Chufa,** 1.ª acep. || **Pedir cotufas en el golfo.** fr. fig. y fam. Pedir cosas imposibles.

Coturno. (Del lat. *cothurnus*, y éste del gr. κόθορνος.) m. Calzado que cubría el pie y la pierna hasta la pantorrilla, sujetándose por el frente con un cordón pasado por ojetes. Inventado por los griegos y adoptado por los romanos, se consideraba como un calzado de lujo. || **2.** Calzado de suela de corcho sumamente gruesa, que, con objeto de aparecer más altos, usaban en las tragedias los actores antiguos, y para disimularlo hacían que el traje llegase hasta el suelo tapando los pies. || **Calzar el coturno.** fr. fig. Usar de estilo alto y sublime, especialmente en la poesía. || **De alto coturno.** loc. fig. De categoría elevada.

Cotuza. f. *El Salv.* y *Guat.* **Agutí.**

Coulomb. (Del físico francés Carlos A. de Coulomb.) m. *Fís.* Nombre del culombio, en la nomenclatura internacional.

Covacha. f. Cueva pequeña.

Covachuela. f. d. de **Covacha.** || **2.** fam. Cualquiera de las secretarías del despacho universal, que hoy se llaman ministerios. Dióseles este nombre porque estaban situadas en los sótanos del antiguo real palacio. || **3.** fam. También se denominaban así otras oficinas públicas. || **4.** Tiendecillas que había en los sótanos de algunas iglesias y otros edificios antiguos.

Covachuelista. m. fam. Oficial de una de las covachuelas, 2.ª y 3.ª aceps.

Covachuelo. m. fam. **Covachuelista.**

Covadera. f. *Chile* y *Perú.* Espacio de tierra de donde se extrae guano.

Covalonga. f. Planta de la familia de las lauráceas, que crece silvestre en los montes de Venezuela. Sus semillas, muy amargas, se emplean como sucedáneo de la quinina.

Covanilla. f. **Covanillo.**

Covanillo. m. d. de **Cuévano.**

Covezuela. f. d. de **Cueva.**

Coxa. (Del lat. *coxa.*) f. *Zool.* **Cadera,** 5.ª acep.

Coxal. (Del lat. *coxa*, cadera.) adj. Perteneciente o relativo a la cadera.

Coxalgia. (Del lat. *coxa*, cadera, y del gr. ἄλγος, dolor, sufrimiento.) f. Artritis muy dolorosa causada por infección en la cadera, generalmente de origen tuberculoso.

Coxálgico. adj. Perteneciente a la coxalgia. || **2.** Que padece coxalgia.

Coxcojilla, ta. (De *coxcox.*) f. Juego de muchachos, que consiste en andar a la pata coja y dar con el pie a una piedrecita para sacarla de ciertas rayas que a este efecto se forman en el suelo. || **A coxcojita.** m. adv. **A coxcox.**

Coxcox (A). (Del lat. *coxus coxus*, cojo, cojo.) m. adv. ant. **A la pata coja.**

Coxis. m. *Zool.* **Cóccix.**

Coxquear. (De *coxcox.*) intr. ant **Cojear.**

Coy. (Del neerlandés *kooi*, cama a bordo.) m. *Mar.* Trozo de lona en forma de rectángulo que, colgado de sus cabezas, sirve de cama a bordo.

Coya. f. Mujer del emperador, señora soberana o princesa, entre los antiguos peruanos.

Coyán. m. *Chile.* Especie de haya.

Coyocho. m. *Chile.* **Nabo,** 1.ª y 2.ª aceps.

Coyol. (Del azteca *coyolli.*) m. *Amér. Central* y *Méj.* Palmera de mediana altura, de cuyo tronco, provisto de espinas largas y fuertes, se extrae una bebida agradable que fermenta rápidamente. Produce en grandes racimos una fruta de pulpa amarillenta y cuesco durísimo y negro del que se hacen dijes y cuentas de rosario, botones, sortijas y otros adornos. || **2.** Fruto de este árbol.

Coyolar. m. *Guat.* y *Méj.* **Coyol.**

Coyoleo. m. *Amér.* Especie de codorniz.

Coyote. (Del mejic. *coyotl*, adive.) m. Especie de lobo que se cría en Méjico y otros países de América, de color gris amarillento y del tamaño de un perro mastín.

Coyotero, ra. adj. *Amér.* Dícese del perro amaestrado para perseguir a los coyotes. Ú. t. c. s. || **2.** m. *Amér.* Trampa de coyotes.

Coyunda. (Del lat. *coiungŭla.*) f. Correa fuerte y ancha, o soga de cáñamo, con que se uncen los bueyes al yugo. || **2.** Correa para atar las abarcas. || **3.** fig. Unión conyugal. || **4.** fig. Sujeción o dominio.

Coyundado, da. adj. ant. Atado con coyunda.

Coyuntero. m. **Acoyuntero.**

Coyuntura. (Del lat. *cum*, con, y *iunctūra*, unión.) f. Articulación o trabazón movible de un hueso con otro. || **2.** fig. Sazón, oportunidad para alguna cosa. || **3.** V. **Hierba de las coyunturas.** || **Hablar** uno **por las coyunturas.** fr. fig. y fam. **Hablar por los codos.**

Coyuyo. m. *Argent.* Cigarra grande.

Coz. (Del lat. *calx, calcis*, talón.) f. Sacudimiento violento que hacen las bestias con alguna de las patas. || **2.** Golpe que dan con este movimiento. || **3.** Golpe que da una persona moviendo el pie con violencia hacia atrás. || **4.** Retroceso que hace, o golpe que da, cualquier arma de fuego al dispararla. || **5.** Retroceso del agua cuando, por encontrar impedimento en su curso, vuelve atrás. || **6. Culata,** 2.ª acep. || **7.** fig. y fam. Acción o palabra injuriosa o grosera. || **8.** fig. Parte inferior o más gruesa de un madero. || **9.** *Mar.* Extremo inferior de los masteleros. || **Andar a coz y bocado.** fr. fig. y fam. Retozar dándose golpes o puñadas. || **Coz que le dio Periquillo al jarro.** Juego de muchachos que cantan en rueda el estribillo: COZ QUE LE DIO PERIQUILLO AL JARRO; COZ *que le dio que lo derribó*, quedando alternativamente uno de ellos fuera del corro. || **Dar coces contra el aguijón.** fr. fig. y fam. Obstinarse en resistirse a fuerza superior. || **Disparar coces.** fr. fig. y fam. **Tirar coces.** || **La coz de la yegua no hace mal al potro.** ref. que significa que las reprensiones o castigos de quien los da por amor, no hacen mal, sino bien. || **Mandar a coces.** fr. fig. y fam. Mandar con aspereza y mal modo. || **Soltar** uno **una coz.** fr. fig. y fam. Contestar inoportuna o desabridamente a lo que se le pregunta o advierte. || **Tirar coces.** fr. fig. y fam. Rebelarse, no quererse sujetar. || **Tirar coces contra el aguijón.** fr. fig. y fam. **Dar coces contra el aguijón.** || **Tirar** uno **una coz.** fr. fig. y fam. **Soltar una coz.**

Cozcucho. (Del ár. *kuskus*, sémola.) m. ant. **Alcuzcuz.**

Cozolmeca. f. *Bot. Méj.* Planta de la familia de las liliáceas, del mismo género que la zarzaparrilla.

Crabrón. (Del lat. *crabro, -ōnis*, tábano.) m. **Avispón,** 2.ª acep.

Cracoviano, na. adj. Natural de Cracovia. Ú. t. c. s. || **2.** Perteneciente a esta ciudad de Polonia. || **3.** f. Baile originario de dicho país, muy usado en España a mediados del siglo XIX.

Cramponado, da. (Del fr. *cramponné*, de *cramponner*, enganchar, y éste de *crampon*, de *crampe*, grapa, del neerl. *crampe.*) adj. *Blas.* Aplícase a aquellas piezas que en sus extremidades tienen una media potenza, y a veces un gancho.

Cran. (Del fr. *cran*, y éste del lat. *crena*, muesca.) m. *Impr.* Muesca que tiene cada letra de imprenta para que, al colocarla en el componedor, pueda el cajista conocer si ha quedado en la posición conveniente.

Craneal. adj. Perteneciente o relativo al cráneo. || **2.** V. **Bóveda craneal.**

Craneano, na. (De *cráneo.*) adj. **Craneal.**

Cráneo. (Del b. lat. *cranium*, y éste del gr. κρανίον.) m. *Zool.* Caja ósea en que está contenido el encéfalo. || **Secársele** a uno, o **tener** uno **seco, el cráneo.** fr. fig. y fam. Volverse, o estar, loco.

Craneología. (Del gr. κρανίον, cráneo, y λόγος, teoría.) f. Estudio del cráneo.

Craneopatía. f. *Med.* Enfermedad del cráneo.

Craneoscopia. (Del gr. κρανίον, cráneo, y σκοπέω, mirar.) f. Arte que, por la inspección de la superficie exterior del cráneo, presume conocer las facultades intelectuales y afectivas.

Craniano, na. adj. **Craneal.**

Crápula. (Del lat. *crapŭla*, y éste del gr. κραιπάλη.) f. Embriaguez o borrachera. || **2.** fig. Disipación, libertinaje.

Crapuloso, sa. (Del lat. *crapulōsus.*) adj. Dado a la crápula. Ú. t. c. s.

Craquelenque. (Del fr. *craquelin*, y éste del neerl. *krakeline*, galleta.) m. ant. Especie de panecillo.

Cras. (Del lat. *cras.*) adv. t. ant. **Mañana.**

Crasamente. adv. m. fig. Con suma ignorancia.

Crascitar. (De *croscitar.*) intr. Graznar el cuervo.

Crasedad. (Del lat. *crassitas, -ātis.*) f. ant. **Crasitud.**

Craseza. f. ant. **Crasicia.**

Crasicia. f. ant. **Crasicie.**

Crasicie. (Del lat. *crassities.*) f. ant. Grosura, 1.ª acep. || **2.** ant. **Crasitud.**

Crasiento, ta. (De *craso.*) adj. **Grasiento.**

Crasitud. (Del lat. *crassitūdo.*) f. **Gordura,** 1.ª acep.

Craso, sa. (Del lat. *crassus.*) adj. Grueso, gordo o espeso. || **2.** V. **Brea crasa.** || **3.** fig. Unido con los substantivos *error, ignorancia, engaño, disparate* y otros semejantes, **indisculpable.** || **4.** m. **Crasitud.**

Crasuláceo, a. (Del lat. *crassus*, craso.) adj. *Bot.* Dícese de hierbas y arbustos angiospermos dicotiledóneos, con hojas carnosas sin estípulas, flores en cima y por frutos folículos dehiscentes con semillas de albumen carnoso; como el ombligo de Venus y la uva de gato. Ú. t. c. s. f. || **2.** f. pl. *Bot.* Familia de estas plantas.

Cráter. (Del lat. *crater*, y éste del gr. κρατήρ.) m. Boca por donde los volcanes arrojan humo, ceniza, lava, fango u otras materias, según los casos. || **2.** *Astron.* **Copa,** 9.ª acep.

Crátera. (Del lat. *crātēra*, y éste del gr. κρατήρ.) f. *Arqueol.* Vasija grande y ancha donde se mezclaba el vino con agua antes de servirlo en copas durante las comidas en Grecia y Roma.

Crateriforme. adj. Que tiene forma de cráter.

Craticula. (Del lat. *craticŭla*, reja pequeña.) f. Ventanita por donde se da la comunión a las monjas. || **2.** *Fís.* Aparato o medio dispersor de la luz, consistente en una superficie pulida con numerosas y finísimas rayas equidistantes. Úsase en espectroscopia.

Craza. f. Crisol en que se funden el oro y la plata para amonedarlos.

Crazada. f. Plata cendrada y dispuesta para ligarla.

Crea. (Del fr. *crée.*) f. Cierto lienzo entrefino de que se hacía mucho uso para sábanas, camisas, forros, etc.

Creable. (Del lat. *creabĭlis.*) adj. Que puede ser creado.

Creación. (Del lat. *creatio, -ōnis.*) f. Acto de criar o sacar Dios una cosa de la nada. ‖ **2. Mundo,** 1.ª acep. ‖ **3.** Acción de instituir nuevos cargos o dignidades. ‖ **4.** Acción de crear, 3.ª acep. ‖ **5.** ant. **Crianza,** 1.ª acep.

Creacionismo. m. Doctrina poética que proclama la total autonomía del poema, el cual no ha de imitar o reflejar a la naturaleza en sus apariencias, sino en sus leyes biológicas y constitución orgánica.

Creador, ra. (Del lat. *creātor.*) adj. Dícese propiamente de Dios, que sacó todas las cosas de la nada. Ú. m. c. s. ‖ **2.** fig. Que crea, 4.ª acep. *Poeta, artista, ingeniero* CREADOR; *facultades* CREADORAS; *mente* CREADORA.

Creamiento. (De *crear.*) m. ant. Reparación o renovación.

Crear. (Del lat. *creāre.*) tr. Criar, 1.ª acep. ‖ **2.** fig. Instituir un nuevo empleo o dignidad. CREAR *el oficio de condestable.* ‖ **3.** fig. Tratándose de dignidades muy elevadas, por lo común eclesiásticas y vitalicias, hacer, por elección o nombramiento, a una persona lo que antes no era. FUE CREADO *papa;* SERÁ CREADO *cardenal.* ‖ **4.** fig. Establecer, fundar, introducir por vez primera una cosa; hacerla nacer o darle vida, en sentido figurado. CREAR *una industria, un género literario, un sistema filosófico, un orden político, necesidades, derechos, abusos.* ‖ **5.** ant. **Criar,** 3.ª y 4.ª aceps.

Creativo, va. adj. ant. Capaz de crear alguna cosa.

Creatura. f. ant. **Criatura.**

Crébol. (Del cat. *crebol,* y éste del lat. **acrifŏlon,* del gr. χριφύλλον, acebo.) m. *Ar.* Acebo.

Crecal. (Del fr. *créquier,* ciruelo, de *crèque,* ciruela, y éste del neerl. *kriek.*) m. *Blas.* Pieza heráldica en forma de candelabro de siete y a veces de más brazos.

Crecedero, ra. adj. Que está en aptitud de crecer. ‖ **2.** Aplícase al vestido que se hace a un niño de modo que le pueda servir aunque crezca.

Crecencia. (Del lat. *crescentĭa.*) f. ant. **Aumento.**

Crecentar. (Del lat. *crescens, -entis,* p. a. de *crescĕre,* aumentar.) tr. ant. **Acrecentar.**

Crecer. (Del lat. *crescĕre.*) intr. Tomar aumento natural los seres orgánicos. Aplicado a personas, se dice principalmente de la estatura. ‖ **2.** Recibir aumento una cosa por añadírsele nueva materia. CRECER *el río, el montón.* ‖ **3.** Adquirir aumento algunas cosas. CRECER *el tumulto.* ‖ **4.** Hablando de la Luna, aumentar la parte iluminada del astro visible desde la Tierra. ‖ **5.** Hablando de la moneda, aumentar su valor. ‖ **6.** tr. ant. **Aventajar.** ‖ **7.** r. Tomar uno mayor autoridad, importancia o atrevimiento.

Creces. (De *crecer.*) f. pl. Aumento aparente de volumen que adquiere el trigo en la troje traspalándolo de una parte a otra. También se dice de la sal y de otras cosas. ‖ **2.** Tanto más por fanega que obligan al labrador a volver al pósito por el trigo que se le prestó de él. ‖ **3.** Señales que indican disposición de crecer. *Muchacho de* CRECES. ‖ **4.** fig. Aumento, ventaja, exceso en algunas cosas. ‖ **Con creces.** m. adv. Amplia, colmadamente.

Crecida. (De *crecer.*) f. Aumento de agua que toman los ríos y arroyos por las muchas lluvias o por derretirse la nieve.

Crecidamente. adv. m. Con aumento o ventaja.

Crecido, da. p. p. de **Crecer.** ‖ **2.** adj. ant. Grave, importante. ‖ **3.** fig. Grande o numeroso. ‖ **4.** m. pl. Puntos que se aumentan en algunas partes de la media, la calceta y otras labores análogas.

Creciente. p. a. de **Crecer.** Que crece. ‖ **2.** adj. *Astron.* V. **Cuarto, luna creciente.** ‖ **3.** m. *Blas.* Figura heráldica que representa una luna en su primer cuarto, y con las puntas hacia arriba. ‖ **4.** *Mar.* V. **Aguas de creciente.** ‖ **5.** f. **Crecida.** ‖ **6.** En algunas partes, **levadura,** 1.ª acep. ‖ **de la Luna.** Intervalo que media entre el novilunio y el plenilunio, durante el cual va siempre aumentando la parte iluminada visible desde la Tierra. ‖ **del mar.** Subida del agua del mar por efecto de la marea.

Crecimiento. m. Acción y efecto de crecer alguna cosa; como la calentura, las rentas, etc. ‖ **2.** Aumento del valor intrínseco de la moneda.

Credencia. (Del b. lat. *credentĭa,* y éste del lat. *credens, -entis,* creyente.) f. Mesa o repisa que se pone inmediata al altar, a fin de tener a mano lo necesario para la celebración de los divinos oficios. ‖ **2.** Aparador en que se ponían los frascos de vino y de agua de que, previa la salva, había de beber el rey o alguna persona principal. ‖ **3.** ant. **Credencial,** 2.ª acep.

Credencial. (De *credencia.*) adj. Que acredita. ‖ **2.** f. **Carta credencial.** Ú. m. en pl. ‖ **3.** Real orden u otro documento que sirve para que a un empleado se dé posesión de su plaza, sin perjucio de obtener luego el título correspondiente.

Credenciero. m. El que tenía a su cuidado la credencia, y solía hacer la salva antes de que bebiera su señor.

Credibilidad. (Del lat. *credibĭlis,* creíble.) f. Calidad de creíble.

Crediticio, cia. adj. Perteneciente o relativo al crédito público o privado.

Crédito. (Del lat. *credĭtum.*) m. **Asenso.** ‖ **2.** Derecho que uno tiene a recibir de otro alguna cosa, por lo común dinero. ‖ **3.** Apoyo, abono, comprobación. ‖ **4.** Reputación, fama, autoridad. Tómase por lo común en buena parte. ‖ **5. Carta de crédito.** ‖ **6.** *Com.* Opinión que goza una persona de que satisfará puntualmente los compromisos que contraiga. ‖ **abierto. Letra abierta.** ‖ **público.** Concepto que merece cualquier Estado en orden a su legalidad en el cumplimiento de sus contratos y obligaciones. ‖ **Abrir un crédito** a uno. fr. *Com.* Autorizarle por medio de documento para que pueda recibir de otro la cantidad que necesite o hasta cierta suma. ‖ **Dar a crédito.** fr. Prestar dinero sin otra seguridad que la del **crédito** de aquel que lo recibe. ‖ **Dar crédito.** fr. **Creer.** ‖ **Sentar,** o **tener sentado,** uno **el crédito.** fr. Afirmarse y establecerse en la buena fama y reputación del público por medio de sus virtudes, de sus letras o de sus loables acciones.

Credo. (Del lat. *credo,* creo, primera palabra del símbolo.) m. Símbolo de la fe, ordenado por los apóstoles, en el cual se contienen los principales artículos de ella. ‖ **2.** fig. Conjunto de doctrinas comunes a una colectividad. ‖ **Cada credo.** expr. fig. y fam. Cada instante o con mucha frecuencia. ‖ **Con el credo en la boca.** expr. fig. y fam. de que se usa para dar a entender el peligro que se teme o el riesgo en que se está. ‖ **En un credo.** m. adv. fig. y fam. En breve espacio de tiempo. ‖ **Que canta el credo.** expr. fam. con que se pondera lo extraordinario de una cosa en frases como las siguientes: *Dice cada mentira,* QUE CANTA EL CREDO; *da cada sablazo,* QUE CANTA EL CREDO.

Crédulamente. adv. m. Con credulidad.

Credulidad. (Del lat. *credulĭtas, -ātis.*) f. Calidad de crédulo. ‖ **2.** ant. **Creencia,** 1.ª acep.

Crédulo, la. (Del lat. *credŭlus.*) adj. Que cree ligera o fácilmente.

Creederas. (De *creedero.*) f. pl. fam. Demasiada facilidad en creer. Úsase más con calificativo. *Buenas, grandes, bravas* CREEDERAS.

Creedero, ra. (Del lat. *creditarĭus,* de *credĕre,* confiar.) adj. Creíble, verosímil. ‖ **2.** ant. Digno de crédito.

Creedor, ra. (Del lat. *creditor.*) adj. **Crédulo.** ‖ **2.** ant. **Acreedor,** 1.ª acep.

Creencia. (Del b. lat. *credentĭa,* y éste del lat. *credens, -entis,* p. a. de *credĕre,* creer.) f. Firme asentimiento y conformidad con alguna cosa. ‖ **2.** Completo crédito que se presta a un hecho o noticia como seguros o ciertos. ‖ **3.** V. **Carta de creencia.** ‖ **4.** Religión, secta. *Los moros son de diversa* CREENCIA *que nosotros.* ‖ **5.** ant. Mensaje o embajada. ‖ **6.** ant. **Salva,** 1.ª acep.

Creendero. (Del lat. *credendus,* p. p. de futuro de *credĕre,* acreditar, dar crédito.) adj. ant. Recomendado, favorecido.

Creer. (Del lat. *credĕre.*) tr. Tener por cierta una cosa que el entendimiento no alcanza o que no está comprobada o demostrada. ‖ **2.** Dar firme asenso a las verdades reveladas por Dios y propuestas por la Iglesia. ‖ **3.** Pensar, juzgar, sospechar una cosa o estar persuadido de ella. ‖ **4.** Tener una cosa por verosímil o probable. Ú. t. c. r. ‖ **Creer,** o **creerse,** uno **de** ligero. fr. Dar crédito o asenso a las cosas, sin suficiente fundamento. ‖ **Creerse de uno.** fr. Darle crédito. ‖ **No creo más de lo que veo.** fr. **Ver y creer.** ‖ **¡Ya, o yo, lo creo!** expr. fam. Es evidente, no cabe duda.

Crehuela. f. Crea ordinaria y floja que se usaba para forros.

Creíble. (Del lat. *credibĭlis.*) adj. Que puede o merece ser creído.

Creíblemente. adv. m. Probablemente, verosímilmente, según se cree.

Crema. (Del lat. *cramum,* nata.) f. Substancia crasa contenida en la leche. ‖ **2.** Nata de la leche. ‖ **3.** Natillas espesas tostadas por encima con plancha de hierro candente. Suele echársele café, vainilla, etc., y a veces no se tuesta.

Crema. (Del fr. *chrême,* ant. *cresme,* pomada, cosmético, del lat. *chrisma.*) f. Confección cosmética para suavizar el cutis.

Crema. (Del gr. τρῆμα.) f. *Gram.* **Diéresis,** 3.ª acep.

Cremación. (Del lat. *crematĭo, -ōnis.*) f. Acción de quemar.

Cremallera. (Del fr. *crémaillère,* y éste del neerl. *kram,* garfio.) f. Barra metálica con dientes en uno de sus cantos, para engranar con un piñón y convertir un movimiento circular en rectilíneo o viceversa. ‖ **2.** Cierre que se aplica a una abertura longitudinal en prendas de vestir, bolsos y cosas semejantes. Consiste en dos tiras flexibles guarnecidas de dientes que, merced a su forma especial, se traban o se destraban según el sentido en que se desliza una abrazadera que sujeta ambas tiras.

Crematística. (Del gr. χρηματιστική, t. f. de -κός, de χρηματίζομαι, negociar, traficar, enriquecerse.) f. **Economía política.**

Crematístico, ca. adj. Perteneciente o relativo a la crematística.

Crematorio, ria. (Del lat. *crematus,* quemado.) adj. Relativo a la cremación de los cadáveres y materias deletéreas. *Horno* CREMATORIO.

Cremento. (Del lat. *crementum.*) m. **Incremento,** 1.ª acep.

Cremesín. adj. ant. **Cremesino.**

Cremesino, na. adj. ant. **Carmesí,** 1.ª acep.

Cremómetro. (De *crema,* y el gr. μέτρον, medida.) m. Instrumento que sirve para medir la cantidad de manteca contenida en la leche.

Cremonés, sa. adj. Natural de Cremona. Ú. t. c. s. || **2.** Perteneciente a esta ciudad de Italia.

Crémor. (Del lat. *cremor*, nata.) m. *Quím.* Tartrato ácido de potasa, que se usa como purgante en medicina y como mordente en tintorería. Se halla en la uva, el tamarindo y otros frutos. || **tártaro.** *Quím.* **Crémor.**

Cremoso, sa. adj. De la naturaleza o aspecto de la crema. || **2.** Que tiene mucha crema.

Crencha. (De un d. del lat. *crenae*, rajas, hendeduras.) f. Raya que divide el cabello en dos partes, echando una a un lado y otra a otro. || **2.** Cada una de estas dos partes.

Crenche. f. ant. **Crencha.**

Creosota. (Del gr. κρέας, carne, y σῴζω, conservar, preservar.) f. *Quím.* Substancia líquida, oleaginosa, incolora, de sabor urente y cáustico. Se extrae del alquitrán, y se emplea en medicina para detener las hemorragias, para combatir la caries de la dentadura y para otros usos; y en economía doméstica para preservar de putrefacción las carnes.

Creosotado, da. p. p. de **Creosotar.** || **2.** adj. Que contiene creosota.

Creosotar. tr. Impregnar de creosota las maderas para que no se pudran.

Crepitación. (Del lat. *crepitatĭo, -ōnis.*) f. Acción y efecto de crepitar. || **2.** *Med.* Ruido que produce el roce mutuo de los extremos de un hueso fracturado, y a veces el aire al penetrar en los pulmones.

Crepitante. (Del lat. *crepitans, -antis.*) p. a. de **Crepitar.** Que crepita.

Crepitar. (Del lat. *crepitāre.*) intr. Hacer ruido semejante a los chasquidos de la leña que arde.

Crepón. m. *Ar.* Rabadilla de las aves.

Crepuscular. adj. Perteneciente al crepúsculo. || **2.** Dícese del estado de ánimo, intermedio entre la conciencia y la inconsciencia, que se produce inmediatamente antes o después del sueño natural, o bien a consecuencia de accidentes patológicos, o de la anestesia general. || **3.** *Zool.* Dícese de los animales que, como muchos murciélagos, buscan su alimento principalmente durante el crepúsculo.

Crepusculino, na. adj. **Crepuscular.**

Crepúsculo. (Del lat. *crepuscŭlum.*) m. Claridad que hay desde que raya el día hasta que sale el Sol, y desde que éste se pone hasta que es de noche. || **2.** Tiempo que dura esta claridad.

Crequeté. m. *Cuba.* **Caracatey.**

Cresa. (De *queresa.*) f. En algunas partes, los huevos que pone la reina de las abejas. || **2.** Larva de ciertos dípteros, que se alimenta principalmente de materias orgánicas en descomposición. || **3.** Montones de huevecillos que ponen las moscas sobre las carnes.

Creso. (Por alusión a *Creso*, rey de Lidia, célebre por sus riquezas.) m. fig. El que posee grandes riquezas.

Crespa. (De *crespar.*) f. ant. Melena o cabellera. || **de luz.** ant. Conjunto de rayos de luz.

Crespar. (Del lat. *crispāre.*) tr. ant. Encrespar o rizar. Ú. t. c. r. || **2.** r. ant. Irritarse o alterarse.

Crespilla. f. **Cagarria.**

Crespillo. m. *Hond.* **Clemátide.**

Crespín. (De *crespo.*) m. Cierto adorno mujeril usado antiguamente.

Crespina. (De *crespa*, melena.) f. Cofia o redecilla que usaban las mujeres para recoger el pelo y adornar la cabeza.

Crespo, pa. (Del lat. *crispus.*) adj. Ensortijado o rizado. Se dice del cabello que naturalmente forma rizos o sortijillas. || **2.** Dícese de las hojas de algunas plantas, cuando están retorcidas o encarrujadas. || **3.** V. **Uva crespa.** || **4.** fig. Aplícase al estilo artificioso, obscuro y difícil de entender. || **5.** fig. Irritado o alterado. || **6.** m. **Rizo,** 3.ª acep.

Crespón. (De *crespo.*) m. Gasa en que la urdimbre está más retorcida que la trama.

Cresta. (Del lat. *crista.*) f. Carnosidad roja que tienen sobre la cabeza el gallo y algunas otras aves. || **2. Copete,** 3.ª acep. || **3.** Protuberancia de poca extensión y altura que ofrecen algunos animales, aunque no sea carnosa, ni de pluma. || **4.** fig. Cumbre peñascosa de una montaña. || **5.** Cima de una ola, generalmente coronada de espuma. || **6.** ant. **Crestón,** 2.ª acep. || **de gallo. Gallocresta,** 2.ª acep. || **de la explanada.** *Fort.* Extremidad más alta de la explanada, que viene a ser el parapeto del camino cubierto. También se suele llamar alguna vez **cresta** del camino cubierto, y es el paraje donde se coloca la estacada. || **Alzar,** o **levantar,** uno **la cresta.** fr. fig. Mostrar soberbia. || **Dar en la cresta** a uno. fr. fig. y fam. Chafarle, ajarle, mortificarle.

Crestado, da. (Del lat. *cristātus.*) adj. Que tiene cresta.

Crestería. (De *cresta.*) f. *Arq.* Adorno de labores caladas que se usó mucho en el estilo ojival, y se colocaba en los caballetes y otras partes altas de los edificios. || **2.** *Fort.* Conjunto de las obras de defensa superiores. || **3.** *Fort.* Almenaje o coronamiento de las antiguas fortificaciones.

Crestomatía. (Del gr. χρηστομάθεια, de χρηστομαθής; de χρηστός, útil, bueno, y μανθάνω, aprender.) f. Colección de escritos selectos para la enseñanza.

Crestón. m. aum. de **Cresta.** || **2.** Parte de la celada, que en figura de cresta se levanta sobre la cabeza y en la cual se ponen las plumas. || **3.** *Min.* Parte superior de un filón o de una masa de rocas, cuando sobresale en la superficie del terreno.

Crestudo, da. adj. Que tiene mucha cresta.

Creta. (Del lat. *creta*, greda.) f. Carbonato de cal terroso.

Cretáceo, a. (Del lat. *cretacĕus*, gredoso.) adj. *Geol.* Dícese del terreno inmediatamente posterior al jurásico. || **2.** *Geol.* Perteneciente a este terreno.

Cretense. (Del lat. *cretensis.*) adj. Natural de Creta. Ú. t. c. s. || **2.** Perteneciente a esta isla del Mediterráneo.

Crético, ca. (Del lat. *cretĭcus.*) adj. **Cretense.** || **2.** V. **Díctamo crético.** || **3.** m. **Anfímacro.**

Cretinismo. (De *cretino.*) m. Enfermedad caracterizada por un peculiar retraso de la inteligencia acompañado, por lo común, de defectos del desarrollo orgánico. Se presenta en forma endémica en las regiones montañosas donde existe el bocio, y a veces en forma esporádica.

Cretino, na. (Del fr. *crétin*, y éste del lat. *christiānus*, cristiano.) adj. Que padece cretinismo. Ú. t. c. s. || **2.** fig. Estúpido, necio. Ú. t. c. s.

Cretona. (Del fr. *cretonne*, de *Creton*, el primer fabricante de esta tela.) f. Tela comúnmente de algodón, blanca o estampada.

Creyente. p. a. de **Creer.** Que cree. Ú. t. c. s.

Creyer. tr. ant. **Creer.**

Crezneja. f. **Crizneja.**

Cría. (De *criar.*) f. Acción y efecto de criar a los hombres, o a las aves, peces y otros animales. || **2.** V. **Ama de cría.** || **3.** Niño o animal, mientras se está criando. || **4.** Conjunto de hijos que tienen de un parto, o en un nido, los animales.

Criación. (Del lat. *creatĭo, -ōnis.*) f. ant. Cría de los animales. || **2.** ant. **Crianza.** || **3.** ant. **Creación.**

Criada. (De *criado*, 2.ª acep.) f. fig. **Moza,** 3.ª acep.

Criadero, ra. adj. Fecundo en criar. || **2.** m. Lugar adonde se trasplantan, para que se críen, los árboles silvestres o los sembrados en almáciga. || **3.** Lugar destinado para la cría de los animales. || **4.** *Min.* Agregado de substancias inorgánicas de útil explotación, que naturalmente se halla entre la masa de un terreno.

Criadilla. f. **Testículo.** || **2.** Panecillo que pesaba un cuarterón y tenía la hechura de las **criadillas** del carnero. || **3. Patata,** 2.ª acep. || **de mar.** Pólipo de figura globosa, hueco y pegado por un solo punto a las rocas, de las que se desprende fácilmente. || **de tierra.** Hongo carnoso, de buen olor, figura redondeada, de tres a cuatro centímetros de diámetro, negruzco por fuera y blanquecino o pardo rojizo por dentro. Se cría bajo tierra, y guisado es muy sabroso. Ú. m. en pl.

Criado, da. (De *criar.*) adj. Con los adverbios *bien* o *mal*, se aplica a la persona de buena o mala crianza. || **2.** m. y f. Persona que sirve por un salario, y especialmente la que se emplea en el servicio doméstico. || **3.** ant. Persona que ha recibido de otra la primera crianza, alimento y educación. || **4.** ant. **Cliente,** 1.ª acep. || **Criados, enemigos pagados.** fr. proverb. que expresa la no infrecuente antipatía entre **criados** y señores. || **Salirle** a uno **la criada respondona.** fr. fig. y fam. Verse increpado y confundido por la misma persona a quien creía tener vencida y supeditada.

Criador, ra. (Del lat. *creātor*, de *creāre*, criar.) adj. Que nutre y alimenta. || **2.** Atributo que se da sólo a Dios, como hacedor de todas las cosas, que sacó de la nada. Ú. t. c. s. || **3.** fig. Se dice de una tierra o provincia respecto de las cosas de que abunda. || **4.** m. y f. Persona que tiene a su cargo, o por oficio, criar animales; como caballos, perros, gallinas, etc. || **5. Vinicultor, ra.** || **6.** f. **Nodriza.**

Criaduelo, la. m. y f. d. de **Criado, da.**

Criamiento. (De *criar.*) m. ant. **Creación.** || **2.** Renovación y conservación de alguna cosa.

Criandera. (De *criar.*) f. *Amér.* **Nodriza.**

Criante. p. a. ant. de **Criar.** Que cría.

Crianza. f. Acción y efecto de criar. Con particularidad se llama así la que se recibe de las madres o nodrizas mientras dura la lactancia. || **2.** Época de la lactancia. || **3.** Urbanidad, atención, cortesía: suele usarse con los adjetivos *buena* o *mala.* || **4.** V. **Palabras de buena crianza.** || **5.** *Chile.* Conjunto de animales nacidos en una hacienda y destinados a ella. || **6.** ant. **Criamiento.** || **Dar crianza** a uno. fr. Criarle, cuidar de su **crianza.**

Criar. (Del lat. *creāre.*) tr. Producir algo de nada; dar ser a lo que antes no lo tenía, lo cual sólo es propio de Dios. || **2. Producir,** 1.ª acep. Ú. t. c. r. || **3.** Nutrir y alimentar la madre o la nodriza al niño con la leche de sus pechos, o con biberón. || **4.** Alimentar, cuidar y cebar aves u otros animales. || **5.** Instruir, educar y dirigir. || **6. Crear,** 2.ª y 3.ª aceps. || **7.** Producir, cuidar y alimentar un animal a sus hijuelos. || **8.** Someter un vino, después de la fermentación tumultuosa, a ciertas operaciones y cuidados. || **9.** Hablando de un expediente o negocio, formarlo, entender en él desde sus principios. || **10.** fig. Dar ocasión y motivo para alguna cosa. || **11.** *Germ.* **Tener,** 1.ª acep. || **El criar, arruga; y el parir, alucia.** ref. que denota que la mujer que **cría** suele desmejorarse, y la que pare se pone de mejor semblante. || **Estar** uno **criado.** fr. fig. y fam. Poder bandearse o cuidarse, sin otro que lo dirija o le ayude.

Criatura. (Del lat. *creatūra.*) f. Toda cosa criada. || **2.** Niño recién nacido o de poco tiempo. || **3.** Feto antes de nacer. || **4.** fig. **Hechura,** 7.ª acep. || **abortiva.** *For.* La que no tiene la condición legal de nacida. || **Criatura de un año, saca la leche del calcaño.** ref. que se aplica a los niños de esa edad, que por lo común maman mucho y con fuerza. || **Cuando la criatura dienta, la muerte la tienta.** ref. que indica ser peligrosa en los niños la dentición. || **Ser uno una criatura.** fr. fig. y fam. Ser de muy poca edad. || **2.** fig. y fam. Tener propiedades de niño.

Criazón. (Del lat. *creatĭo, -ōnis.*) f. ant. **Familia,** 1.ª y 2.ª aceps.

Criba. (De *cribo.*) f. Cuero ordenadamente agujereado y fijo en un aro de madera, que sirve para cribar. También se hacen de plancha metálica con agujeros, o con red de malla de alambre. || **2.** Cualquiera de los aparatos mecánicos que se emplean en agricultura para cribar semillas, o en minería para lavar y limpiar los minerales. || **3.** *Bot.* Cualquiera de los tabiques membranosos, transversales u oblicuos, situados en el interior de los vasos cribosos de las plantas y que tienen pequeños orificios por los que pasa la savia descendente. || **Estar** una cosa **como una criba,** o **hecha una criba.** fr. fig. y fam. Estar muy rota y llena de agujeros.

Cribado, da. p. p. de **Cribar.** || **2.** adj. Dícese del carbón mineral escogido cuyos trozos han de tener un tamaño reglamentario superior a 45 milímetros. || **3.** m. Acción y efecto de cribar.

Cribador, ra. adj. Que criba. Ú. t. c. s.

Cribar. (Del lat. *crībrāre.*) tr. Limpiar el trigo u otra semilla, por medio de la criba, del polvo, tierra, neguilla y demás impurezas. || **2.** Pasar una semilla, un mineral u otra materia por la criba para separar las partes menudas de las gruesas.

Cribas! (¡Voto a). expr. **¡Voto a Cristo!**

Cribelo. (Del lat. *crībĕllum,* d. de *crībrum,* cribo.) m. *Zool.* Órgano que tienen muchas arañas en el abdomen, y que también produce seda por estar provisto de glándulas adecuadas para ello.

Cribete. m. Especie de camastro.

Cribo. (Del lat. *crībrum.*) m. **Criba.**

Criboso. (De *criba.*) adj. *Bot.* Aplícase a los vasos que tienen cribas y sirven para conducir la savia descendente de los vegetales.

Cric. (Del fr. *cric,* onomatopeya del ruido que produce la máquina así llamada en francés.) m. **Gato,** 5.ª y 6.ª aceps.

Crica. f. Partes pudendas de la mujer.

Cricoides. adj. *Med.* Dícese del cartílago anular inferior de la laringe de los mamíferos. Ú. t. c. s. m.

Cricquet. (Del ingl. *cricket.*) m. Juego de pelota que se juega con paletas de madera.

Crida. (De *cridar.*) f. ant. **Pregón,** 1.ª acep.

Cridar. (Del lat. *quiritāre,* gritar.) intr. ant. Gritar o dar voces.

Crimen. (Del lat. *crimen.*) m. Delito grave. || **2.** V. **Alcalde, sala del crimen.** || **de lesa majestad. Delito de lesa majestad.**

Criminación. (Del lat. *criminatĭo, -ōnis.*) f. Acción y efecto de criminar.

Criminal. (Del lat. *crimināls.*) adj. Perteneciente al crimen o que de él toma origen. || **2.** Dícese de las leyes, institutos o acciones destinadas a perseguir y castigar los crímenes o delitos. || **3.** V. **Derecho, fiscal, pleito criminal.** || **4.** Que ha cometido o procurado cometer un crimen. Ú. t. c. s.

Criminalidad. (De *criminal.*) f. Calidad o circunstancia que hace que una acción sea criminosa. || **2.** Cómputo de los crímenes cometidos en un territorio y tiempo determinados. *Este año ha habido, respecto del anterior, algún aumento en la* CRIMINALIDAD.

Criminalista. adj. Dícese del abogado que preferentemente ejerce su profesión en asuntos relacionados con el derecho penal. Ú. t. c. s. || **2.** Dícese del escribano que actúa en el enjuiciamiento criminal.

Criminalmente. adv. m. Por la vía criminal. || **2.** Con criminalidad.

Criminar. (Del lat. *crimināre.*) tr. **Acriminar.** || **2.** fig. **Censurar.**

Criminología. (Del lat. *crimen, -ĭnis,* crimen, y el gr. λόγος, tratado.) f. Tratado acerca del delito, sus causas y su represión.

Criminológico, ca. adj. Perteneciente o relativo a la criminología. *Instituto español* CRIMINOLÓGICO.

Criminosamente. adv. m. ant. **Criminalmente.**

Criminoso, sa. (Del lat. *criminōsus.*) adj. **Criminal.** || **2.** m. y f. Delincuente o reo.

Crimno. (Del gr. κρῖμνον.) m. Harina gruesa de espelta y de trigo, de que se hacen comúnmente las gachas o puches.

Crin. (Del lat. *crinis.*) f. Conjunto de cerdas que tienen algunos animales en la parte superior del cuello. Ú. m. en pl. || **vegetal.** Filamentos flexibles y elásticos que se obtienen de las hojas del esparto cocido o enriado, y de las frondas de ciertas algas y musgos, y se emplean en tapicería substituyendo al pelote. || **Hacer las crines.** fr. Recortar a los caballos las **crines** cortas que están junto a la cabeza y no se pueden sujetar con el trenzado, y las últimas que están sobre la cruz. || **Tenerse** uno **a las crines.** fr. fig. y fam. Ayudarse lo posible para no decaer de su estado.

Crinado, da. (Del lat. *crinātus.*) adj. poét. Que tiene largo el cabello.

Crinar. (De *crin.*) tr. **Peinar,** 1.er art., 1.ª y 2.ª aceps.

Crinera. f. Parte superior del cuello de las caballerías donde nace la crin.

Crinito, ta. (Del lat. *crinītus.*) adj. p. us. **Crinado.** || **2.** *Astron.* V. **Cometa crinito.**

Crío. (De *criar.*) m. fam. Niño o niña que se está criando.

Crioja. (De *criar.*) f. *Germ.* **Carne,** 1.er art., 1.ª acep.

Criojero. (De *crioja.*) m. *Germ.* **Carnicero,** 1.ª acep.

Criollo, lla. (De *criar.*) adj. Dícese del hijo de padres europeos, nacido en cualquiera otra parte del mundo. Ú. t. c. s. || **2.** Aplícase al negro nacido en América, por oposición al que ha sido traído de África. Ú. t. c. s. || **3.** Dícese de los americanos descendientes de europeos. Ú. t. c. s. || **4.** V. **Cambur criollo.** || **5.** Aplícase a la cosa o costumbre propia de los países americanos. *Manjar* CRIOLLO.

Cripta. (Del lat. *crypta,* y éste del gr. κρύπτη, de κρύπτω, esconder, cubrir.) f. Lugar subterráneo en que se acostumbraba enterrar a los muertos. || **2.** Piso subterráneo destinado al culto en una iglesia. || **3.** *Bot.* Oquedad más o menos profunda en un parénquima.

Criptoanálisis. (Del gr. κρυπτός, oculto, y *análisis.*) m. Arte de descifrar criptogramas.

Criptógamo, ma. (Del gr. κρυπτός, oculto, y γάμος, casamiento.) adj. *Bot.* Dícese del vegetal o planta que carece de flores. Ú. t. c. s. f. || **2.** *Bot.* **Acotiledóneo.** || **3.** f. pl. *Bot.* Grupo taxonómico constituido por las plantas desprovistas de flores.

Criptografía. (Del gr. κρυπτός, oculto, y γράφω, escribir.) f. Arte de escribir con clave secreta o de un modo enigmático.

Criptográfico, ca. adj. Perteneciente o relativo a la criptografía.

Criptograma. m. Documento cifrado.

Criptón. m. *Quím.* Uno de los gases del aire, descubierto a fines del siglo pasado.

Cris. m. Arma blanca, de uso en Filipinas, de menor tamaño que el campilán y que suele tener la hoja de forma serpenteada.

Crisálida. (Del lat. *chrysallis, -ĭdis,* y éste del gr. χρυσαλλίς, de χρυσός, oro.) f. *Zool.* Ninfa de los insectos lepidópteros. Muchas se quedan al descubierto sin hacer capullo y presentan las manchas doradas y plateadas que han originado su nombre.

Crisantema. f. **Crisantemo.**

Crisantemo. (Del lat. *chrysanthĕmum,* y éste del gr. χρυσάνθεμον; de χρυσός, oro, y ἄνθεμον, flor; flor de oro.) m. Planta perenne de la familia de las compuestas, con tallos anuales, casi leñosos, de seis a ocho decímetros de alto, hojas alternas, aovadas, con senos y hendeduras muy profundas, verdes por encima y blanquecinas por el envés, y flores abundantes, pedunculadas, solitarias, axilares y terminales, de colores variados, pero frecuentemente moradas. Procede de la China y se cultiva en los jardines, donde florece durante el otoño. || **2.** Flor de esta planta.

Crisis. (Del lat. *crisis,* y éste del gr. κρίσις.) f. Mutación considerable que acaece en una enfermedad, ya sea para mejorarse, ya para agravarse el enfermo. || **2.** Por ext., momento decisivo de un negocio grave y de consecuencias importantes. || **3.** Juicio que se hace de una cosa después de haberla examinado cuidadosamente. || **ministerial.** Situación en que se encuentra un ministerio desde el momento en que uno o varios de sus individuos han presentado la dimisión de sus cargos, hasta aquel en que se nombran las personas que han de substituirlos.

Crisma. (Del lat. *chrisma,* y éste del gr. χρῖσμα; de χρίω, ungir.) amb. Aceite y bálsamo mezclados que consagran los obispos el Jueves Santo para ungir a los que se bautizan y se confirman, y también a los obispos y sacerdotes cuando se consagran o se ordenan. En lenguaje fam. ú. m. c. f. || **No valer uno fuera de la crisma.** fr. fam. No tener partida buena. || **Romper la crisma** a uno. fr. fig. y fam. **Descalabrar,** 1.ª acep.

Crismar. (De *crisma.*) m. ant. Administrar el sacramento del bautismo o el de la confirmación.

Crismera. f. Vaso o ampolla, generalmente de plata, en que se guarda el crisma.

Crismón. (Del gr. χρίω, ungir.) m. **Lábaro,** 2.ª acep.

Crisneja. f. **Crizneja.**

Crisobalanáceo, a. (De *chrysobalanus,* nombre de un género de plantas.) adj. *Bot.* Dícese de plantas leñosas angiospermas, dicotiledóneas, siempre verdes, que viven en los países tropicales, especialmente en la América Meridional. Dan frutos en drupa, comestibles, y son muy parecidas a las rosáceas, de las que difieren por tener flores cigomorfas, con los filamentos de los estambres más o menos soldados, y por otros caracteres anatómicos; como el hicaco. Ú. t. c. s. f. || **2.** f. pl. *Bot.* Familia de estas plantas.

Crisoberilo. (Del lat. *chrysoberyllus,* y éste del gr. χρυσοβήρυλλος; de χρυσός, oro, y βήρυλλος, berilo.) m. Piedra preciosa de color verde amarillento, con visos opalinos, compuesta de alúmina, glucina y algo de óxido de hierro.

Crisocola. (Del gr. χρυσός, oro, y κόλλα, cola.) f. *Arqueol.* Substancia que los antiguos empleaban para soldar el oro. Era un hidrosilicato de cobre, con algo de sílice y agua.

Crisol. (Del b. lat. *crucibolus*, vaso de cuatro picos que vienen a formar una cruz.) m. Vaso más ancho de arriba que de abajo, a veces con tres o cuatro picos en la boca, que se hace de barro refractario, porcelana, grafito, hierro, plata o platino, y se emplea para fundir alguna materia a temperatura muy elevada. || **2.** Cavidad que en la parte inferior de los hornos sirve para recibir el metal fundido.

Crisolada. f. Porción de metal derretido que cabe dentro del crisol.

Crisolar. (De *crisol.*) tr. **Acrisolar,** 1.ª acep.

Crisólito. (Del lat. *chrysolĭthus*, y éste del gr. χρυσόλιθος; de χρυσός, oro, y λίθος, piedra.) m. Nombre dado a dos piedras distintas, que son las siguientes. || **de los volcanes.** Silicato de magnesia, de color aceitunado, que pasa al pardo rojo y hasta al negro. || **oriental.** El *topacius* de los antiguos: se cuenta entre las piedras preciosas, y es un silicato de alúmina, de color amarillo verdoso.

Crisomélido. adj. *Zool.* Dícese de insectos coleópteros, tetrámeros, con el cuerpo ovalado, la cabeza recibida en el tórax hasta los ojos; antenas cortas, alas y élitros. A veces tienen colores brillantes y de aspecto metálico. Se nutren de vegetales, por lo cual muchos son perjudiciales. || **2.** m. pl. *Zool.* Familia de estos insectos.

Crisopacio. m. **Crisoprasa.**

Crisopeya. (Del gr. χρυσός, oro, y ποιέω, hacer.) f. Arte con que se pretendía transmutar los metales en oro.

Crisoprasa. (Del lat. *chrysoprăsus*, y éste del gr. χρυσόπρασος; de χρυσός, oro, y πράσον, puerro.) f. Ágata de color verde manzana.

Crispadura. f. **Crispatura.**

Crispamiento. m. **Crispatura.**

Crispar. (Del lat. *crispāre.*) tr. Causar contracción repentina y pasajera en el tejido muscular o en cualquiera otro de naturaleza contráctil. Ú. t. c. r.

Crispatura. (Del lat. *crispātus*, encrespado, erizado.) f. Efecto de crispar o crisparse.

Crispir. tr. Salpicar de pintura la obra con una brocha dura para imitar el pórfido u otra piedra de grano.

Crista. (Del lat. *crista*, cresta.) f. *Blas.* **Crestón,** 2.ª acep.

Cristal. (Del lat. *crystăllus*, y éste del gr. κρύσταλλος.) m. *Mineral.* Cualquier cuerpo sólido que naturalmente tiene forma poliédrica más o menos regular; como sales, piedras, metales y otros. || **2.** Vidrio incoloro y muy transparente que resulta de la mezcla y fusión de arena silícea con potasa y minio, y que recibe colores permanentes lo mismo que el vidrio común. || **3.** Tela de lana muy delgada y con algo de lustre. || **4.** fig. **Espejo,** 1.ª acep. || **5.** fig. poét. **Agua,** 1.ª acep. *El* CRISTAL *de la fuente; los* CRISTALES *del Tajo.* || **6.** *And.* V. **Cierro de cristales.** || **de roca.** Cuarzo cristalizado, incoloro y transparente. || **hilado.** Cristal o vidrio fundido y estirado en forma de hilos. || **tártaro.** Tártaro purificado y cristalizado.

Cristalera. f. Armario con cristales. || **2. Aparador,** 2.ª acep. || **3.** Cierre o puerta de cristales.

Cristalería. f. Establecimiento donde se fabrican o venden objetos de cristal. || **2.** Conjunto de estos mismos objetos.

Cristalino, na. (Del lat. *crystallīnus.*) adj. De cristal. || **2.** Parecido al cristal. || **3.** m. *Zool.* Cuerpo de forma esférica lenticular, situado detrás de la pupila del ojo de los vertebrados y de los cefalópodos.

Cristalizable. adj. Que se puede cristalizar.

Cristalización. f. Acción y efecto de cristalizar o cristalizarse. || **2.** Cosa cristalizada.

Cristalizar. (De *cristal.*) intr. Tomar ciertas substancias la forma cristalina. Ú. t. c. r. || **2.** fig. Tomar forma clara y precisa, perdiendo su indeterminación, las ideas, sentimientos o deseos de una persona o colectividad. || **3.** tr. Hacer tomar la forma cristalina, mediante operaciones adecuadas, a ciertas substancias.

Cristalografía. (Del gr. κρύσταλλος, cristal, y γράφω, describir.) f. *Mineral.* Descripción de las formas que toman los cuerpos al cristalizar.

Cristalográfico, ca. adj. Perteneciente o relativo a la cristalografía.

Cristaloide. (Del gr. κρύσταλλος, cristal, y εἶδος, forma.) m. Substancia que, en disolución, atraviesa las láminas porosas que no dan paso a los coloides.

Cristaloideo, a. adj. Perteneciente o relativo a los cristaloides.

Cristel. m. **Clister**

Cristianamente. adv. m. Con cristiandad.

Cristianar. (De *cristiano.*) tr. fam. **Bautizar,** 1.ª acep.

Cristiandad. (Del lat. *christianĭtas, -ātis.*) f. Gremio de los fieles que profesan la religión cristiana. || **2.** Observancia de la ley de Cristo. || **3.** En la China y otros países de gentiles, porción de fieles de que cuida cada misionero, como su párroco.

Cristianego, ga. adj. ant. Perteneciente al cristiano.

Cristianesco, ca. adj. Suele hallarse aplicado por algunos autores a cosas moriscas, cuando imitan a las que usan los cristianos. || **2.** desus. **Cristiano.**

Cristianiego, ga. adj. ant. **Cristianego.**

Cristianísimo, ma. (sup. de *cristiano.*) adj. que se aplicaba como renombre a los reyes de Francia.

Cristianismo. (Del lat. *christianismus*, y éste del gr. χριστιανισμός.) m. Religión cristiana. || **2.** Gremio de los fieles cristianos. || **3. Bautizo.**

Cristianización. m. Acción y efecto de cristianizar.

Cristianizar. (Del lat. *christianizāre*, y éste del gr. χριστιανίζω.) tr. Conformar una cosa con el dogma o con el rito cristiano. Ú. t. c. r.

Cristiano, na. (Del lat. *christiānus*, y éste del gr. χριστιανός.) adj. Perteneciente a la religión de Cristo y arreglado a ella. || **2.** Que profesa la fe de Cristo, que recibió en el bautismo. Ú. t. c. s. || **3.** V. **Doctrina cristiana.** || **4.** fig. y fam. Aplícase al vino aguado. || **5.** *Cronol.* V. **Era cristiana.** || **6.** m. Hermano o prójimo. || **7.** fam. Persona o alma viviente. *Por la calle no pasa un* CRISTIANO, *o ni un* CRISTIANO. || **nuevo.** El que se convierte a la religión **cristiana** y se bautiza siendo adulto. || **viejo.** El que desciende de **cristianos**, sin mezcla conocida de moro, judío o gentil. || **Hablar uno en cristiano.** fr. fig. y fam. Expresarse en términos llanos y fácilmente comprensibles. Ú. t. con el verbo *decir.*

Cristino, na. adj. Partidario de doña Isabel II, bajo la regencia de su madre doña María Cristina de Borbón, contra el pretendiente don Carlos. Ú. t. c. s.

Cristo. (Del lat. *Christus*, y éste del gr. χριστός, ungido.) m. El Hijo de Dios, hecho hombre. || **2. Crucifijo.** || **3.** V. **Túnica de Cristo.** || **4.** *Cronol.* V. **Era de Cristo.** || **A mal cristo, mucha sangre.** fr. proverb. Aplícase a la obra artística o literaria falta de mérito, y en que, para llamar la atención, se emplea abusivamente alguno de aquellos medios que están más al alcance del vulgo. || **Como a un santo cristo un par de pistolas.** expr. adv. fam. con que se pondera lo inadecuado o impropio de una cosa respecto de otra. || **Cristo con todos.** fr. Salutación equivalente a la latina *Pax Christi*, y que solía usarse al fin de las cédulas de cambio. || **Donde Cristo dio las tres voces.** expr. adv. fig. y fam. En lugar muy distante o extraviado. || **Ni por un cristo.** loc. fam. con que se denota la gran repugnancia que se tiene en condescender con alguna cosa, o la gran dificultad de conseguirla. || **Poner** a uno **como un cristo.** fr. fig. y fam. Maltratarlo, herirlo o azotarlo con mucho rigor y crueldad. || **Sacar el cristo.** fr. fig. y fam. Acudir a algún medio de persuasión extremo y decisivo. || **¡Voto a Cristo!** expr. de ira, juramento o amenaza.

Cristofué. (Porque al cantar parece que dice las palabras *Cristo fue.*) m. Pájaro algo mayor que la alondra, de color entre amarillo y verde, que abunda mucho en los valles de Venezuela.

Cristología. (Del gr. χριστός, ungido, y λόγος, tratado.) f. Tratado de lo referente a Cristo.

Cristus. (Del lat. *Christus*, Cristo.) m. Cruz que precede al abecedario o alfabeto en la cartilla. || **2. Abecedario,** 1.ª y 2.ª aceps. || **Estar uno en el cristus.** fr. fig. Estar muy a los principios de un arte o ciencia. || **No saber uno el cristus.** fr. fig. Ser muy ignorante.

Crisuela. (De *crisuelo.*) f. Cazoleta del candil, que está debajo de la candileja para recibir el aceite que cae.

Crisuelo. (De *crisol.*) m. ant. **Candil,** 1.ª acep.

Criterio. (Del gr. κριτήριον, de κρίνω, juzgar.) m. Norma para conocer la verdad. || **2.** Juicio o discernimiento.

Crítica. (Del gr. κριτική, t. f. de -κός, crítico.) f. Arte de juzgar de la bondad, verdad y belleza de las cosas. || **2.** Cualquier juicio formado sobre una obra de literatura o arte. || **3.** Censura de las acciones o la conducta de alguno. || **4.** Conjunto de opiniones expuestas sobre cualquier asunto. || **5. Murmuración.**

Criticable. adj. Que se puede criticar.

Criticador, ra. adj. Que critica, censura o es propenso a ello. Ú. t. c. s.

Críticamente. adv. m. Con sentido crítico. *Depurar* CRÍTICAMENTE.

Criticar. (De *crítica.*) tr. Juzgar de las cosas, fundándose en los principios de la ciencia o en las reglas del arte. || **2.** Censurar, notar, vituperar las acciones o conducta de alguno.

Criticastro. (De *crítico.*) m. despect. El que sin apoyo ni fundamento ni doctrina censura y satiriza las obras de ingenio.

Criticismo. (De *crítica.*) m. Método de investigación según el cual a todo trabajo científico debe preceder el examen de la posibilidad del conocimiento de que se trata y de las fuentes y límites de éste. || **2.** Sistema filosófico de Kant.

Crítico, ca. (Del lat. *critĭcus*, y éste del gr. κριτικός.) adj. Perteneciente a la crítica. || **2.** V. **Día crítico.** || **3.** Hablando del tiempo, punto, ocasión, etc., el más oportuno, o que debe aprovecharse o atenderse. || **4.** *Med.* Perteneciente a la crisis. *Evacuación* CRÍTICA. || **5.** m. El que juzga según las reglas de la crítica. || **6.** fam. El que habla culto, con afectación.

Criticón, na. (De *crítico.*) adj. fam. Que todo lo censura y moteja, sin perdonar ni aun las más ligeras faltas. Ú. t. c. s.

Critiquizar. (De *criticar.*) tr. fam. Abusar de la crítica, traspasando sus justos límites.

Crizneja. (Del lat. *crinis*, crin.) f. Trenza de cabellos. || **2.** Soga o pleita de esparto u otra materia semejante.

Croajar. (Del lat. *crocīre*; en fr. *croasser*.) intr. ant. **Crascitar.**

Croar. (Voz imitativa.) intr. Cantar la rana.

Croata. adj. Natural de Croacia. Ú. t. c. s. || **2.** Perteneciente a esta región europea.

Crocante. (Del fr. *croquant*, piñonate.) m. **Guirlache.**

Crocino, na. (Del lat. *crocĭnus*.) adj. De croco o azafrán.

Crocitar. (Del lat. *crocitāre*, frec. de *crocīre*, croajar.) intr. **Crascitar.**

Croco. (Del lat. *crocus*, y éste del gr. κρόκος.) m. **Azafrán**, 1.ª y 2.ª aceps.

Crocodilo. (Del lat. *crocodīlus*, y éste del gr. κροκόδειλος.) m. **Cocodrilo**, 1.ª acep.

Crochel. (Del fr. *clocher*, y éste de *cloche*, campana.) m. ant. Torre de un edificio.

Cromar. tr. Dar un baño de cromo a los objetos metálicos para hacerlos inoxidables.

Cromático, ca. (Del lat. *chromatĭcus*, y éste del gr. χρωματικός.) adj. *Mús.* Aplícase a uno de los tres géneros del sistema músico, y es el que procede por semitonos. || **2.** V. **Aberración cromática.** || **3.** *Mús.* V. **Diatónico cromático.** || **4.** *Mús.* V. **Diatónico cromático enarmónico.** || **5.** *Mús.* V. **Semitono cromático.** || **6.** *Ópt.* Dícese del cristal o del instrumento óptico que presenta al ojo del observador los objetos contorneados con los visos y colores del arco iris.

Cromatina. (Del gr. χρῶμα, color.) f. *Biol.* Substancia albuminoidea fosforada que, en forma de gránulos, filamentos, etc., se encuentra en el núcleo de las células y se tiñe intensamente por el carmín y los colorantes básicos de anilina.

Cromatismo. (Del gr. χρωματισμός, de χρωματίζω, colorar.) m. *Mús.* y *Ópt.* Calidad de cromático.

Cromo. (Del gr. χρῶμα, color.) m. Metal blanco gris, quebradizo, bastante duro para rayar el vidrio, capaz de hermoso pulimento e infusible al fuego de forja. Sus combinaciones, que son de varios colores, se usan en la pintura. A una de ellas debe el suyo la esmeralda. || **2. Cromolitografía**, 2.ª acep.

Cromógeno, na. (Del gr. χρῶμα, color, y γεννάω, engendrar.) adj. Dícese de las bacterias que producen materias colorantes u originan coloraciones. *Bacterias* CROMÓGENAS.

Cromolitografía. (Del gr. χρῶμα, color, y de *litografía*.) f. Arte de litografiar con varios colores, los cuales se obtienen por impresiones sucesivas. || **2.** Estampa obtenida por medio de este arte.

Cromolitografiar. tr. Ejercer el arte de la cromolitografía.

Cromolitográfico, ca. adj. Perteneciente a la cromolitografía.

Cromolitógrafo. m. El que ejerce el arte de la cromolitografía.

Cromosfera. (Del gr. χρῶμα, color, y *esfera*.) f. *Astron.* Zona superior de la envoltura gaseosa del Sol, de color rojo y constituida principalmente por hidrógeno inflamado.

Cromosoma. (Del gr. χρῶμα, color, y σῶμα, cuerpo.) m. *Biol.* Cada uno de ciertos corpúsculos, casi siempre en forma de filamentos, que existen en el núcleo de las células y solamente son visibles durante la mitosis. Débese su formación a una especie de condensación de la cromatina, y su número es constante para las células de cada especie animal o vegetal.

Cromotipia. f. Impresión en colores. || **2. Cromotipografía**, 2.ª acep.

Cromotipografía. f. Arte de imprimir en colores. || **2.** Obra hecha por este procedimiento.

Cromotipográfico, ca. adj. Relativo a la cromotipografía.

Crónica. (Del lat. *chronĭca*, y éste del gr. χρονικά [βιβλία], libros en que se refieren los sucesos por orden del tiempo.) f. Historia en que se observa el orden de los tiempos. || **2.** Artículo periodístico sobre temas de actualidad.

Crónicamente. adv. m. De un modo crónico.

Cronicidad. (De *crónica*.) f. Calidad de crónico.

Cronicismo. m. *Med.* Larga duración de una dolencia. || **2.** *Med.* Estado crónico de un enfermo.

Crónico, ca. (Del lat. *chronĭcus*, y éste del gr. χρονικός, de χρόνος, tiempo.) adj. Aplícase a las enfermedades largas o dolencias habituales. || **2.** Dícese también de ciertos vicios cuando son inveterados. || **3.** Que viene de tiempo atrás. || **4.** m. **Crónica.**

Cronicón. (De *crónica*.) m. Breve narración histórica por el orden de los tiempos.

Cronista. com. Autor de una crónica, o el que tiene por oficio escribirlas. || **2.** Empleo de **cronista.**

Cronístico, ca. adj. Perteneciente o relativo a la crónica o al cronista.

Crónlech. (Del fr. *cromlech*, y éste del b. bret. *kroumlech*, de *kroumn*, corona, y *lech*, piedra sagrada.) m. Monumento megalítico consistente en una serie de piedras o menhires que cercan un corto espacio de terreno llano, y de figura elíptica o circular.

Cronografía. (Del lat. *chronographĭa*, y éste del gr. χρονογραφία, de χρονογράφος, cronógrafo.) f. **Cronología.**

Cronógrafo. (Del lat. *chronogrăphus*, y éste del gr. χρονογράφος; de χρόνος, tiempo, y γράφω, escribir.) m. El que profesa la cronografía o tiene en ella especiales conocimientos. || **2.** Aparato que sirve para medir con exactitud tiempos sumamente pequeños, por medio de la electricidad. Aplícase principalmente para determinar la velocidad de la luz y de los proyectiles, y a las observaciones astronómicas.

Cronología. (Del gr. χρονολογία, de χρονολόγος, cronólogo.) f. Ciencia que tiene por objeto determinar el orden y fechas de los sucesos históricos. || **2.** Serie de personas o sucesos históricos por orden de fechas. || **3.** Manera de computar los tiempos.

Cronológicamente. adv. m. Por el orden de los tiempos.

Cronológico, ca. (Del gr. χρονολογικός.) adj. Perteneciente a la cronología.

Cronologista. m. **Cronólogo.**

Cronólogo. (Del gr. χρονολόγος; de χρόνος, tiempo, y λόγος, tratado.) m. El que profesa la cronología o tiene en ella especiales conocimientos.

Cronometrar. tr. Medir con el cronómetro.

Cronometría. f. Medida exacta del tiempo.

Cronométrico, ca. adj. Perteneciente o relativo a la cronometría o al cronómetro.

Cronómetro. (Del gr. χρόνος, tiempo, y μέτρον, medida.) m. Reloj de muelle y volante especiales y de fabricación muy esmerada, para conseguir la mayor regularidad en el movimiento de su máquina.

Croqueta. (Del fr. *croquette*, der. de *croquer*, y éste de la onomat. *croc*.) f. Fritura que se hace en pequeños trozos, y de forma ovalada por lo regular, con carne muy picada de ternera, gallina o jamón, o de todo esto mezclado con leche y algún otro ingrediente, y rebozada con huevo y harina o pan rallado. Se hacen también de pescado, de arroz con leche y de crema.

Croquis. (Del fr. *croquis*, y éste del germ. *krok*, ganchillo.) m. Diseño ligero de un terreno, paisaje o posición militar, que se hace a ojo y sin valerse de instrumentos geométricos. || **2.** *Pint.* Dibujo ligero, tanteo.

Croscitar. (De *crocitar*.) intr. **Crascitar.**

Crótalo. (Del lat. *crotălum*, y éste del gr. κρόταλον.) m. Instrumento músico de percusión usado en lo antiguo y semejante a la castañuela. || **2.** Serpiente venenosa de América, que tiene en el extremo de la cola unos anillos óseos, con los cuales hace al moverse cierto ruido particular; por lo cual se denomina también serpiente de cascabel. || **3.** poét. **Castañuela**, 1.ª acep.

Crotón. (Del gr. κρότων, ricino.) m. *Bot.* **Ricino.**

Crotoniata. (Del lat. *crotoniăta*.) adj. Natural de Crotona. Ú. t. c. s. || **2.** Perteneciente a esta antigua ciudad de Italia.

Crotorar. (De *crótalo*.) intr. Producir la cigüeña el ruido peculiar de su pico.

Croza. (Del germ. *krukkia*, cayado.) f. ant. Báculo pastoral o episcopal.

Crúamente. adv. m. ant. **Cruelmente.**

Cruce. m. Acción de cruzar o de cruzarse, 1.ª, 2.ª y 7.ª aceps. || **2.** Punto donde se cortan mutuamente dos líneas. *El* CRUCE *de dos caminos.*

Cruceño, ña. adj. Natural de alguno de los pueblos que, así en España como en América, llevan el nombre de Cruz o Cruces. Ú. t. c. s. || **2.** Perteneciente o relativo a dichos pueblos.

Crucera. (De *cruz*.) f. Nacimiento de las agujas de las caballerías.

Crucería. (De *crucero*.) f. Sistema constructivo propio del estilo gótico, en el cual la forma de bóveda se logra mediante el cruce de arcos diagonales, llamados también ojivas o nervios.

Crucero. (De *cruz*.) adj. *Arq.* V. **Arco crucero.** || **2.** m. El que tiene el oficio de llevar la cruz delante de los arzobispos en las procesiones y otras funciones sagradas. || **3.** Sacristán encargado de llevar la cruz en entierros y procesiones. || **4. Encrucijada**, 1.ª acep. || **5.** Espacio en que se cruzan la nave mayor de una iglesia y la que la atraviesa. || **6.** *Astron.* **Cruz**, 13.ª acep. || **7.** *Carp.* Vigueta, madero de sierra. || **8.** *Impr.* Línea por donde se ha doblado el pliego de papel al ponerlo en resmas. || **9.** *Impr.* Listón de hierro que en la imposición sirve para dividir la forma en dos partes. || **10.** *Mar.* Determinada extensión de mar en que cruzan uno o más buques. || **11.** *Mar.* Buque o conjunto de buques destinados a **cruzar.** || **12.** *Mar.* Maniobra o acto de cruzar. || **13.** *Mar.* Buque de guerra de gran velocidad y radio de acción, compatibles con fuerte armamento. Según el grado de protección o coraza, denomínase: *ligero, protegido, acorazado* o *de combate.* || **14.** *Mineral.* Dirección de los planos paralelos, por donde los minerales y las rocas suelen tener división más fácil.

Cruceta. f. Cada una de las cruces o de las aspas que resultan de la intersección de dos series de líneas paralelas. Ú. comúnmente tratándose de enrejados o de labores y adornos femeninos. || **2.** *Mar.* Meseta que en la cabeza de los masteleros sirve para los mismos fines que la cofa en los palos mayores, de la cual se diferencia en ser más pequeña y no estar entablada.

Crucial. (Del lat. *crux, crucis*.) adj. En forma de cruz. *Incisión* CRUCIAL. || **2.** fig. Dícese del momento o trance crítico en que se decide una cosa que podía tener resultados opuestos.

Cruciata. (De *cruz*.) f. Especie de genciana con flores azules y hojas dispuestas en cruz.

Cruciferario. (De *crucífero*.) m. **Crucero**, 2.ª y 3.ª aceps.

Crucífero, ra. (Del lat. *crucifer;* de *crux, crucis,* cruz, y *ferre,* llevar.) adj. poét. Que lleva o tiene la insignia de la cruz. || **2.** *Bot.* Aplícase a las plantas angiospermas dicotiledóneas que tienen hojas alternas, cuatro sépalos en dos filas, corola cruciforme, estambres de glándulas verdosas en su base y semillas sin albumen; como el alhelí, el berro, la col, el nabo y la mostaza. Ú. t. c. s. || **3.** m. **Cruciferario.** || **4.** Religioso de la extinguida orden de Santa Cruz. || **5.** f. pl. *Bot.* Familia de las plantas **crucíferas.**

Crucificado, da. p. p. de **Crucificar.** || **El Crucificado.** Por antonom., Jesucristo.

Crucificar. (Del lat. *crucificāre;* de *crux, crucis,* cruz, y *figĕre,* fijar.) tr. Fijar o clavar en una cruz a una persona. Es género de suplicio de muerte. || **2.** fig. y fam. Sacrificar, 3.ª acep. *Esto me* CRUCIFICA.

Crucifijo. (Del lat. *crucifixus,* crucificado.) m. Efigie o imagen de Cristo crucificado.

Crucifixión. (Del lat. *crucifixio, -ōnis.*) f. Acción y efecto de crucificar.

Crucifixor. (Del lat. *crucifixor.*) m. El que crucifica.

Cruciforme. (Del lat. *crux, crucis,* cruz, y *forma,* figura.) adj. De forma de cruz.

Crucígero, ra. (Del lat. *crux, crucis,* cruz, y *gerĕre,* llevar.) adj. poét. **Crucífero,** 1.ª acep.

Crucigrama. (De *crux,* y el gr. γράμμα, texto, letra.) m. Enigma que se propone como pasatiempo, y que consiste en llenar los huecos de un dibujo con letras, de manera que, leídas éstas en sentido horizontal y vertical, formen determinadas palabras cuyo significado se sugiere. || **2.** Este mismo dibujo.

Crucijada. f. ant. **Encrucijada,** 1.ª acep.

Crucillo. (De *cruz.*) m. Juego de los alfileres.

Crudamente. adv. m. Con aspereza, dureza y rigor.

Crudelísimo, ma. (Del lat. *crudelissimus.*) adj. Muy cruel.

Crudeza. (De *crudo.*) f. Calidad o estado de algunas cosas que no tienen la suavidad o sazón necesaria. || **2.** fig. Rigor o aspereza. || **3.** fig. y fam. Valentía y guapeza afectadas. || **4.** pl. Alimentos que se detienen en el estómago, por no estar bien digeridos.

Crudillo. m. Tela áspera y dura, semejante al lienzo crudo, usada para entretelas y bolsillos.

Crudio, dia. (De *crudo.*) adj. ant. fig. Bronco o áspero.

Crudo, da. (Del lat. *crūdus.*) adj. Dícese de los comestibles que no están preparados por medio de la acción del fuego, y también de los que no lo están hasta el punto conveniente. || **2.** Se aplica a la fruta que no está en sazón. || **3.** Dícese de algunos alimentos que son de difícil digestión. || **4.** V. **Agua cruda.** || **5.** Aplícase a algunas cosas cuando no están preparadas o curadas; como la seda, el lienzo, el cuero, etc. || **6.** Dícese del color parecido al de la seda cruda. || **7.** fig. Cruel, áspero, desapiadado. || **8.** fig. Se aplica al tiempo muy frío y destemplado. || **9.** fig. y fam. V. **Punto crudo.** || **10.** fig. y fam. Dícese del que afecta guapeza y valentía. || **11.** *Cir.* Dícese vulgarmente de los tumores o apostemas que no dan señales de supurar. || **En crudo.** loc. adv. fig. Crudamente, sin miramientos. || **No comas crudo, ni andes el pie desnudo.** ref. de elemental higiene.

Cruel. (Del lat. *crudēlis.*) adj. Que se deleita en hacer mal a un ser viviente. || **2.** Que se complace en los padecimientos ajenos. || **3.** fig. Insufrible, excesivo. *Hace un frío* CRUEL; *tuvo unos dolores* CRUELES. || **4.** fig. Sangriento, duro, violento. *Batalla, golpe* CRUEL.

Crueldad. (Del lat. *crudelitas, -ātis.*) f. Inhumanidad, fiereza de ánimo, impiedad. || **2.** Acción cruel e inhumana.

Crueleza. (De *cruel.*) f. ant. **Crueldad.**

Cruelmente. adv. m. Con crueldad.

Cruentación. (Del lat. *cruentatio, -ōnis.*) f. ant. Acción y efecto de cruentar.

Cruentamente. adv. m. Con derramamiento de sangre.

Cruentar. (Del lat. *cruentāre.*) tr. ant. **Ensangrentar.** Usáb. t. c. r. || **2.** r. ant. fig. **Encruelecerse.**

Cruentidad. (De *cruento.*) f. ant. **Crueldad.**

Cruento, ta. (Del lat. *cruentus,* de *cruor,* sangre.) adj. **Sangriento.**

Crueza. (De *crúo.*) f. ant. **Crueldad.**

Crujía. (Del ital. *corsía,* de *corsiva,* t. f. de *-vo,* y éste del lat. *cursus,* curso.) f. Tránsito largo de algunos edificios que da acceso a las piezas que hay a los lados. || **2.** En los hospitales, sala larga en que hay camas a uno y otro costado y a veces en el medio de ella. || **3.** En algunas catedrales, paso cerrado con verjas o barandillas, desde el coro al presbiterio. || **4.** *Arq.* Espacio comprendido entre dos muros de carga. || **5.** *Mar.* Espacio de popa a proa en medio de la cubierta del buque. || **6.** *Mar.* **Pasamano,** 3.ª acep. || **de piezas.** Fila de piezas seguidas o puestas a continuación. || **Pasar crujía.** fr. En las galeras, hacer pasar al delincuente por la **crujía** entre dos filas, recibiendo golpes con cordeles o varas. || **Pasar crujía, o sufrir una crujía.** fr. fig. y fam. Padecer trabajos, miserias o males de alguna duración.

Crujidero, ra. adj. Que cruje.

Crujido. m. Acción y efecto de crujir. || **2.** Pelo que tienen las hojas de espada en el sentido de su longitud. || **Dar crujido** una cosa. fr. fig. y fam. **Dar un estallido.**

Crujiente. p. a. de **Crujir.** Que cruje.

Crujir. (Del germ. *krostjan.*) intr. Hacer cierto ruido algunos cuerpos cuando luden unos con otros o se rompen; como las telas de seda, las maderas, los dientes, etc.

Crúo, a. (Del lat. *crūdus.*) adj. ant. **Crudo,** 5.ª acep.

Crúor. (Del lat. *cruor.*) m. En la medicina antigua se daba este nombre al principio colorante de la sangre, que hoy se llama hemoglobina, y a los glóbulos sanguíneos, que hoy tienen distintos nombres. || **2.** Coágulo sanguíneo. || **3.** poét. **Sangre,** 1.ª acep.

Cruórico, ca. adj. Perteneciente o relativo al crúor.

Crup. (Del fr. *croup,* por el sonido de la tos.) m. **Garrotillo,** 1.ª acep.

Crupal. adj. Perteneciente o relativo al crup. *Voz, respiración, tos* GRUPAL.

Crural. (Del lat. *crurālis.*) adj. Perteneciente o relativo al muslo.

Crustáceo, a. (Del lat. *crusta,* costra, corteza.) adj. Que tiene costra. || **2.** *Zool.* Aplícase a los animales artrópodos de respiración branquial, con dos pares de antenas, cubiertos generalmente de un caparazón duro o flexible, y que tienen cierto número de patas dispuestas simétricamente. Ú. t. c. s. || **3.** m. pl. *Zool.* Clase de estos animales.

Crustoso, sa. (Del lat. *crustōsus.*) adj. ant. **Costroso.**

Crústula. (Del lat. *crustŭla,* d. de *crusta,* corteza.) f. **Cortezuela.**

Cruz. (Del lat. *crux, crucis.*) f. Figura formada de dos líneas que se atraviesan o cortan perpendicularmente. || **2.** Patíbulo formado por un madero hincado verticalmente y atravesado en su parte superior por otro más corto, en los cuales se clavaban o sujetaban las manos y pies de los condenados a este suplicio. || **3.** Imagen o figura de este antiguo suplicio. || **4.** Insignia y señal de cristiano, en memoria de haber padecido en ella nuestro divino Redentor Jesucristo. || **5.** Distintivo de muchas órdenes religiosas, militares y civiles, más o menos parecido a una **cruz.** || **6.** Reverso de las monedas, las cuales, desde la Edad Media, suelen tener en este lado los escudos de armas, generalmente divididos en **cruz.** || **7.** Hablando de algunos animales, la parte más alta del lomo, donde se cruzan los huesos de las extremidades anteriores con el espinazo. || **8.** Parte del árbol en que termina el tronco y empiezan las ramas. || **9.** **Trenca,** 1.ª acep. || **10.** En los libros y otros escritos, puesta antes de un nombre de persona, indica que ha muerto. En los diccionarios latinos, antes de una voz, indica que pertenece al bajo latín. || **11.** fig. Peso, carga o trabajo. || **12.** *Germ.* **Camino.** || **13.** *Astron.* Constelación próxima al círculo polar antártico, compuesta de varias estrellas que forman una **cruz.** || **14.** *Blas.* Pieza de honor que se forma con el palo y la faja. || **15.** *Mar.* Punto medio de la verga de figura simétrica. || **16.** *Mar.* Unión de la caña del ancla con los brazos. || **17.** *Min.* Pared que divide la plaza de los hornos de reverbero españoles. || **18.** pl. En las tahonas, los cuatro palos que en dos direcciones perpendiculares entre sí abrazan el eje y afirman la corona de la rueda principal. || **Cruz ancorada.** *Blas.* Aquella cuyos extremos terminan a modo de áncora. || **de Alcántara.** La de Calatrava, sin otra diferencia que tener en el escudete del crucero un peral de color verde y carecer de trabas. || **de Borgoña. Aspa de San Andrés,** 1.ª acep. || **de Calatrava.** La de color rojo, brazos iguales, terminados en flores de lis muy abiertas y dos trabas al pie del trozo vertical. || **de Caravaca. Cruz patriarcal.** || **decusata.** La que tiene figura de aspa, 1.ª acep. || **de Jerusalén.** La griega, ensanchada por sus cuatro extremidades a manera de puntas de flecha. || **2.** *Bot.* Planta perenne de la familia de las cariofiláceas, con tallos herbáceos, cilíndricos, nudosos, de seis a ocho decímetros de altura, hojas lanceoladas, vellosas y dentadas, y flores de color escarlata en ramilletes terminales. || **del matrimonio.** Carga de los deberes matrimoniales. || **de Malta.** Trozo cuadrado de lienzo con un corte diagonal en cada uno de sus ángulos, que se usa como pieza de apósito. || **de Montesa. Cruz** sencilla, de color rojo y brazos iguales. || **de San Andrés. Aspa,** 1.ª acep. || **2.** *Carp.* Figura formada por dos palos o maderos que se cruzan en ángulos agudos y obtusos, resultando una aspa. || **de San Antonio.** La que sólo consta de tres brazos, con una asa o anilla en lugar del brazo superior. || **de Santiago.** La de color rojo, en forma de espada, que es lo que simboliza. || **flordelisada.** *Blas.* Aquella cuyos brazos terminan en flores de lis. || **gamada.** La que tiene cuatro brazos acodados como la letra gamma mayúscula del alfabeto griego. || **geométrica. Ballestilla,** 3.ª acep. || **griega.** La que se compone de un palo y un travesaño iguales, que se cortan en los puntos medios. || **latina.** La de figura ordinaria, cuyo travesaño divide al palo en partes desiguales. || **patriarcal.** La compuesta de un pie y dos travesaños paralelos y desiguales que forman cuatro brazos. De esta misma figura son las de Caravaca, las de los canónigos del Santo Sepulcro y las que usan actualmente por guión los patriarcas, primados y arzobispos. || **potenzada.** La que tiene pequeños travesaños en sus cuatro extremidades. || **recruceta-da.** *Blas.* Aquella cuyos brazos forman otras tantas cruces. || **sencilla.** La de categoría inferior a la encomienda y gran cruz en las condecoraciones que, como la de Carlos III, suelen tener los tres grados. || **Gran cruz.** La de mayor categoría en ciertas órdenes de distinción; como la de Carlos III, San Fernando, etc. || **2.** Dignidad superior que en las referidas órdenes representa la gran **cruz.** *Caballero* GRAN CRUZ *de Isabel la Católica.* || **Media cruz.** Persona adscrita, sin ser profesa, a la orden de San Juan de Jerusalén y que podía usar ese distintivo. || **A cruz y escuadra.** m. adv. *Carp.* Sistema de ensamblaje de maderas formando casetones y lacerías. || **Adelante con la cruz.** loc. fig. y fam. **Adelante con los faroles.** || **Andar con las cruces a cuestas.** fr. Hacer rogativas para que Dios nos conceda alguna gracia o nos saque de alguna aflicción o peligro. || **¡Cata la cruz!** exclam. de asombro y miedo supersticiosos. || **Cruz y raya.** expr. fig. y fam. con que se suele expresar el firme propósito de no volver a entender en un asunto o de no tratar más con alguna persona. || **De la cruz a la fecha.** m. adv. fig. Desde el principio hasta el fin. Dícese así porque las cartas se encabezaban con una **cruz** y se fechaban al final. || **Detrás de la cruz está el diablo.** ref. que advierte el peligro que hay de que las obras se vicien por la vanidad del que las hace. || **2.** Aplícase también a los hipócritas, que con la apariencia de virtud intentan encubrir sus vicios. || **En cruz.** m. adv. Con los brazos extendidos horizontalmente. || **2.** *Blas.* Dícese de la división del escudo con dos líneas, la una vertical y la otra horizontal. || **Entre la cruz y el agua bendita.** m. adv. fig. y fam. En peligro inminente. || **Estar** uno **por esta cruz de Dios.** fr. fam. No haber comido. Díjose así porque esto se suele denotar haciéndose una **cruz** en la boca. || **2.** fig. No haber conseguido lo que quiere. || **3.** fig. No haber podido entender alguna cosa. || **Hacerle** a uno **la cruz.** fr. fig. y fam. con que damos a entender que nos queremos librar o guardar de él. || **Hacerse** uno **cruces.** fr. fig. y fam. Demostrar la admiración o extrañeza que causa alguna cosa. || **2.** fig. y fam. **Estar por esta cruz de Dios.** || **Hacerse** uno **la cruz.** fr. fig. y fam. **Hacerse cruces,** 1.ª acep. || **La cruz en los pechos, y el diablo en los hechos.** ref. con que se reprende a los hipócritas. || **Llevar** uno **la cruz en los pechos.** fr. Ser caballero de alguna orden militar o civil. || **Por ésta,** o **por éstas, que son cruces.** Especie de juramento que se profiere en son de amenaza al mismo tiempo que se hace una o dos **cruces** con los dedos pulgar e índice. || **Quedarse** uno **en cruz y en cuadro.** fr. fig. y fam. Venir a ser muy pobre por haber perdido cuanto tenía. || **Quitar cruces de un pajar.** fr. fig. y fam. con que se significa la dificultad de un negocio, cuando son muchos los inconvenientes. || **Tener** uno **la cruz en los pechos.** fr. **Llevar la cruz en los pechos.** || **Tomar cruz.** fr. *Mar.* Cruzarse dos cables cuando el buque que está amarrado a ellos toma diferente posición que la que tenía al fondear. || **Traer** uno **la cruz en los pechos.** fr. **Llevar la cruz en los pechos.** || **Trasquilar a cruces** a uno. fr. Cortarle el pelo desigual y groseramente.

Cruza. f. *Chile.* **Bina.**

Cruzada. (De *cruz,* por la insignia de ella que llevaban los soldados en el pecho.) f. Expedición militar contra los infieles, que publicaba el sumo pontífice, concediendo indulgencias a los que a ella concurriesen; por lo cual se alistaban voluntariamente soldados de toda la cristiandad. || **2.** Tropa que iba a esta expedición. || **3.** Concesión de indulgencias otorgadas por el papa a los reyes que mantenían tropas para hacer guerra contra los musulmanes, y a los que contribuían para mantenerla. || **4. Consejo de Cruzada.** || **5.** V. **Comisaría, comisario general de Cruzada.** || **6. Encrucijada,** 1.ª acep. || **7.** fig. **Campaña,** 2.ª acep.

Cruzado, da. p. p. de **Cruzar.** || **2.** adj. Dícese del que tomaba la insignia de la cruz, alistándose para alguna cruzada. Ú. t. c. s. || **3.** Dícese del caballero que trae la cruz de una orden militar. Ú. t. c. s. || **4.** Dícese del animal nacido de padres de distintas castas. || **5.** *Blas.* Se dice de las piezas que llevan cruz sobrepuesta. || **6.** m. Moneda antigua de Castilla, con una cruz en el anverso, que con plata de baja ley mandó acuñar don Enrique II, dándole el valor de un maravedí de plata, pero que pronto se rebajó a la tercera parte, conforme a su valor verdadero. || **7.** Antigua moneda de Castilla, de vellón, que mandó acuñar don Enrique II, dándole el valor de un séptimo de real de plata, pero que pronto se rebajó a la tercera parte, de acuerdo con su valor verdadero. Aunque en la estampa de la moneda no había ninguna cruz, tomó el nombre a imitación de las de plata acuñadas en la misma época. || **8. Excelente de la granada.** Llevaba una cruz en el anverso. || **9.** Moneda de plata, de Portugal, cuyo valor corresponde, con poca diferencia, a dos pesetas y media. || **10.** Postura en la guitarra, que se hace pisando las cuerdas primera y tercera en el segundo traste, y la segunda en el tercero. || **11.** *Germ.* **Camino.** || **12.** *Danza.* Mudanza que hacen los que bailan, formando una cruz y volviendo a ocupar el lugar que antes tenían.

Cruzador, ra. adj. ant. Que cruza o atraviesa de una parte a otra.

Cruzamiento. m. Acción y efecto de cruzar, 3.ª y 5.ª aceps. || **2. Cruce.**

Cruzar. (De *cruz.*) tr. Atravesar una cosa sobre otra en forma de cruz. || **2.** Atravesar un camino, campo, calle, etc., pasando de una parte a otra. || **3.** Investir a una persona con la cruz y el hábito de una de las cuatro órdenes militares o de otro instituto semejante, con las solemnidades establecidas. Ú. t. c. r., recibir esta investidura. || **4.** Arar segunda vez la tierra, trazando surcos perpendiculares a los primeros. || **5.** Dar machos de distinta procedencia a las hembras de los animales de la misma especie para mejorar las castas. || **6.** *Mar.* Navegar en todas direcciones dentro de un espacio determinado de mar, para proteger el comercio, esperar a su paso a los enemigos, dar convoy a los amigos, o bloquear un puerto o una costa. || **7.** r. Tomar la cruz, o sea alistarse en una cruzada. || **8.** Pasar por un punto o camino dos personas o cosas en dirección opuesta. || **9.** Hablando de negocios, expedientes, etc., aglomerarse, estorbándose unos a otros. || **10. Atravesar,** 12.ª acep. || **11.** *Geom.* Pasar una línea a cierta distancia de otra sin cortarla ni serle paralela. || **12.** *Veter.* Caminar el animal **cruzando** los brazos o las piernas.

Cu. f. Nombre de la letra *q.*

Cu. m. Templo de los antiguos mejicanos.

Cuaba. (Voz cubana.) f. *Bot. Cuba.* Árbol silvestre de la familia de las rutáceas, de unos cinco metros de altura, ramoso, hojuelas de tres en tres, brillantes por encima y flores de cuatro pétalos oblongos. Su madera se utiliza para antorchas, por la viva luz que despide.

Cuaco. m. Harina de la raíz de la yuca. || **2.** *And.* Persona ruda, ignorante, grosera.

Cuaderna. (Del lat. *quaterna,* de *quatuor,* cuatro.) f. Doble pareja en el juego de tablas. || **2.** Moneda de ocho maravedís. || **3.** *Ar.* Cuarta parte de alguna cosa, especialmente de pan o de dinero. || **4.** *Mar.* Cada una de las piezas curvas cuya base o parte inferior encaja en la quilla del buque y desde allí arrancan a derecha e izquierda, en dos ramas simétricas, formando como las costillas del casco. || **5.** *Mar.* Conjunto de estas piezas. || **6.** *Mar.* V. **Agua cuaderna,** o **sobre cuaderna.** || **7.** V. **Cuaderna vía.** || **de armar.** *Mar.* Cada una de las principales que se arbolan convenientemente espaciadas para definir las formas generales del costado del buque. || **maestra.** *Mar.* La que se coloca en el punto de mayor anchura del casco.

Cuadernal. (De *cuaderno.*) m. *Mar.* Conjunto de dos o tres poleas paralelamente colocadas dentro de una misma armadura.

Cuadernario, ria. adj. ant. **Cuaternario.**

Cuadernillo. (d. de *cuaderno.*) m. Conjunto de cinco pliegos de papel, que es la quinta parte de una mano. || **2. Añalejo.**

Cuaderno. (Del lat. *quaterni,* de *quatuor,* cuatro.) m. Conjunto o agregado de algunos pliegos de papel, doblados y cosidos en forma de libro. || **2.** Libro pequeño o conjunto de papel en que se lleva la cuenta y razón, o en que se escriben algunas noticias, ordenanzas o instrucciones. *El* CUADERNO *de millones, de la Mesta.* || **3.** Pieza de madera de hilo del marco de Valencia, de 30 palmos de largo, y con una escuadría de 17 dedos de tabla por 16 de canto. || **4.** Castigo que se imponía a los colegiales por faltas leves. || **5.** fam. Baraja de naipes. || **6.** *Impr.* Compuesto de cuatro pliegos metidos uno dentro de otro. || **de bitácora.** *Mar.* Libro en que se apunta el rumbo, velocidad, maniobras y demás accidentes de la navegación. || **de Cortes.** Extracto y relato oficial de los acuerdos tomados en cada reunión de ellas, y que se imprimía y publicaba desde el siglo XVI.

Cuado, da. adj. Dícese de un pueblo, suevo de origen, que habitó al sudeste de la antigua Germania, entre la selva Gabreta, el Danubio y las cordilleras de Sarmacia, vecino de los marcomanos por occidente y norte. Ú. t. c. s. || **2.** Perteneciente a este pueblo.

Cuadra. (Del lat. *quadra,* cuadro, figura cuadrada.) f. Sala o pieza espaciosa. || **2. Caballeriza,** 1.ª acep. || **3.** Conjunto de caballos, generalmente de carreras, que suele llevar el nombre del dueño. || **4.** Sala de un cuartel, hospital o prisión, en que duermen muchos. || **5.** Cuarta parte de una milla. || **6. Grupa.** || **7.** V. **Alcalde de la cuadra.** || **8.** V. **Cabezón de cuadra.** || **9.** *Amér.* Manzana de casas. || **10.** *Amér.* Distancia entre los ángulos de un mismo lado de dicha manzana. || **11.** ant. *Astron.* **Cuadratura,** 2.ª acep. || **12.** *Mar.* Anchura del buque en la cuarta parte de su longitud, contada desde popa o desde proa. || **13.** *Mar.* V. **Viento a la cuadra.** || **Navegar a la cuadra.** fr. *Mar.* Navegar con viento a la **cuadra.**

Cuadrada. f. *Mús.* **Breve,** figura o nota musical que vale dos compases mayores.

Cuadradamente. adv. m. Ajustada o cabalmente.

Cuadradillo. m. Cuadrado, 12.ª acep. || **2. Cuadrado,** 9.ª acep. || **3.** Azúcar de pilón, partido en piececitas cuadradas.

Cuadrado, da. (Del lat. *quadrātus.*) adj. Aplícase a la figura plana cerrada por cuatro líneas rectas iguales que forman otros tantos ángulos rectos. Ú. t. c. s. m. || **2.** Por ext., dícese del cuerpo prismático de sección **cuadrada.** || **3.** V. **Acto,**

centímetro, decímetro, estadal, hierro, hueso, kilómetro, metro, pie cuadrado. ‖ **4.** V. **Legua cuadrada.** ‖ **5.** fig. Perfecto, cabal. ‖ **6.** *Álg.* y *Arit.* V. **Raíz cuadrada.** ‖ **7.** *Arq.* V. **Columna cuadrada.** ‖ **8.** *Astrol.* V. **Aspecto cuadrado.** ‖ **9.** m. Regla prismática de sección **cuadrada** que sirve para rayar con igualdad el papel. ‖ **10. Troquel.** ‖ **11.** Adorno o labor que se pone en las medias y sube desde el tobillo hasta la pantorrilla y que suele ser bordado. ‖ **12.** Pieza **cuadrada** con que en las camisas se unían las mangas al cuerpo. ‖ **13.** *Germ.* **Bolsa,** 2.ª acep. ‖ **14.** *Germ.* **Puñal,** 1.er art., 2.ª acep. ‖ **15.** *Álg.* y *Arit.* Producto que resulta de multiplicar una cantidad por sí misma. ‖ **16.** *Astrol.* Posición o aspecto de un astro distante de otro la cuarta parte del círculo, o sea 90 grados. ‖ **17.** *Impr.* Pieza de metal del cuerpo de las letras, que se pone entre ellas para formar espacios, intervalos o blancos, o para afirmar y sostener las letras. ‖ **de las refracciones.** *Gnom.* Instrumento que sirve para delinear los relojes solares, y contiene el valor o grados de los ángulos de la refracción, correspondientes a los ángulos de la incidencia. ‖ **geométrico.** *Geom.* Instrumento para medir alturas y distancias. Hácese regularmente de un **cuadrado** de latón o de madera; en uno de sus ángulos se pone una alidada o regla movible con dos pínulas; la regla y dos de los lados del **cuadrado** que forman el ángulo opuesto se dividen en cierto número de partes iguales, según el arbitrio de cada uno; y en uno de los otros dos lados se ponen otras dos pínulas. ‖ **mágico.** Disposición aritmética de ciertos números colocados en cuadro de tal modo que por cualquiera fila salga una misma suma. ‖ **De cuadrado.** m. adv. fig. Perfectamente, muy bien. ‖ **2.** *Esgr.* Expresa cierta postura o planta que se reduce a estar de frente al contrario, con los pies iguales a los dos lados. ‖ **3.** *Pint.* Se usa para denotar que una cabeza o figura pintada se mira frente a frente. ‖ **Dejar** a uno **de cuadrado.** fr. fig. Descubrir puntualmente su intención; herirle claramente y por donde más lo siente. ‖ **Mover de cuadrado.** fr. *Arq.* Dícese del arco o de la bóveda cuya primera dovela o hilada de dovelas va asentada sobre una superficie horizontal. ‖ **Poner** a uno **de cuadrado.** fr. fig. Dejarle de cuadrado.

Cuadradura. f. ant. **Cuadratura.**

Cuadragenario, ria. (Del lat. *quadragenarius.*) adj. De cuarenta años. Ú. t. c. s.

Cuadragésima. (Del lat. *quadragesima dies.*) f. **Cuaresma.**

Cuadragesimal. (Del lat. *quadragesimālis.*) adj. Perteneciente a la **cuaresma.** ‖ **2.** V. **Voto cuadragesimal.**

Cuadragésimo, ma. (Del lat. *quadragesĭmus.*) adj. Que sigue inmediatamente en orden al o a lo trigésimo nono. ‖ **2.** Dícese de cada una de las 40 partes iguales en que se divide un todo. Ú. t. c. s.

Cuadral. (De *cuadro.*) m. *Arq.* Madero que atraviesa oblicuamente de una carrera a otra en los ángulos entrantes.

Cuadrangulado, da. (Del lat. *quadrangulātus.*) adj. ant. **Cuadrangular.**

Cuadrangular. (De *cuadrángulo.*) adj. Que tiene o forma cuatro ángulos.

Cuadrángulo, la. (Del lat. *quadrangŭlus.*) adj. Que tiene cuatro ángulos. Ú. m. c. s. m.

Cuadrantal. (Del lat. *quadrantālis.*) adj. *Trigon.* V. **Triángulo cuadrantal.** ‖ **2.** m. Medida de líquidos que usaban los romanos, de figura cúbica y de cabida de 48 sextarios. Es el ánfora de los griegos.

Cuadrante. (Del lat. *quadrans, -antis.*) p. a. de **Cuadrar.** Que cuadra. ‖ **2.** m. Moneda romana de cobre, equivalente a la cuarta parte de un as. ‖ **3.** Tabla que se pone en las parroquias para señalar el orden de las misas que se han de decir aquel día. ‖ **4. Cuadral.** ‖ **5.** V. **Compás de cuadrante.** ‖ **6.** *Astrol.* Cada una de las cuatro porciones en que la media esfera del cielo superior al horizonte queda dividida por el meridiano y el primer vertical, y se numeraban de Oriente a Mediodía, Poniente y Norte, para formar la figura celeste. ‖ **7.** *Astron.* Instrumento compuesto de un cuarto de círculo graduado, con pínulas o anteojos, para medir ángulos. ‖ **8.** *For.* Cuarta parte del as o del todo de una herencia. ‖ **9.** *Geom.* Cuarta parte del círculo comprendido por dos radios perpendiculares entre sí. ‖ **10.** *Gnom.* Reloj solar trazado en un plano. Según la posición de este plano y la región del cielo hacia donde mira, así se llama el **cuadrante** horizontal, vertical o inclinado; meridional, ecuatorial, declinante, etc. ‖ **11.** *Mar.* Cada una de las cuatro partes en que se consideran divididos el horizonte y la rosa náutica, denominadas primero, segundo, tercero y cuarto, contando desde el Norte hacia el Este. ‖ **de reducción.** *Mar.* Figura geométrica trazada en un cartón, que sirve para resolver gráficamente los problemas relativos a la línea del rumbo. ‖ **de reflexión.** Instrumento muy parecido al sextante, del cual se diferencia en que su sector abraza la cuarta parte de la circunferencia. ‖ **hiemal.** *Astrol.* El cuarto del tema celeste. ‖ **melancólico.** *Astrol.* **Cuadrante occidental.** ‖ **meridiano.** *Astrol.* El segundo del tema celeste. ‖ **occidental.** *Astrol.* El tercero del tema celeste. ‖ **oriental.** *Astrol.* El primero del tema celeste desde el Oriente hasta el Mediodía. ‖ **pueril.** *Astrol.* **Cuadrante vernal.** ‖ **senil.** *Astrol.* **Cuadrante hiemal.** ‖ **vernal.** *Astrol.* **Cuadrante oriental.** ‖ **viril.** *Astrol.* **Cuadrante occidental.** ‖ **Hasta el último cuadrante.** m. adv. que explica la exactitud y rigor con que se obliga a uno a pagar **lo que debe,** sin perdonarle nada.

Cuadranura. (En fr. *cadranure,* de *cadran,* y éste del lat. *quadrans, -antis,* cuadrante.) f. **Pata de gallina.**

Cuadrar. (Del lat. *quadrāre.*) tr. Dar a una cosa figura de cuadro, y más propiamente de cuadrado. ‖ **2.** *Álg.* y *Arit.* Elevar un monomio, un polinomio o un número a la segunda potencia, o sea multiplicarlo una vez por sí mismo. ‖ **3.** *Carp.* Trabajar o formar los maderos en cuadro. ‖ **4.** *Geom.* Determinar o encontrar un cuadrado equivalente en superficie a una figura dada. ‖ **5.** *Pint.* **Cuadricular,** 2.° art. ‖ **6.** intr. Conformarse o ajustarse una cosa con otra. ‖ **7.** Agradar o convenir una cosa con el intento o deseo. ‖ **8.** r. Quedarse parada una persona con los pies en escuadra; posición que para ciertos actos exigen las instrucciones militares, el arte del manejo de las armas y las reglas del toreo. ‖ **9.** *Equit.* Pararse el caballo, quedando con los cuatro remos en firme. ‖ **10.** fig. y fam. Mostrar de pronto una persona, al tratar con otra, inusitada gravedad o firme resistencia. ‖ **11.** *Chile.* Subscribirse con una importante cantidad de dinero, o dar de hecho esa cantidad o valor.

Cuadratín. m. *Impr.* **Cuadrado,** 17.ª acep.

Cuadratura. (Del lat. *quadratūra.*) f. Acción y efecto de cuadrar una figura. ‖ **2.** *Astron.* Situación relativa de dos cuerpos celestes, que en longitud o en ascensión recta distan entre sí respectivamente uno o tres cuartos de círculo. ‖ **La cuadratura del círculo.** expr. fam. con que se indica la imposibilidad de **una cosa.**

Cuadrete. m. d. de **Cuadro.**

Cuadri. Voz que sólo tiene uso como prefijo de vocablos compuestos, con la significación de cuatro. CUADRIenio.

Cuadricenal. (Del lat. *quăter,* cuatro veces, y *decennālis,* decenal.) adj. Que se hace cada cuarenta años.

Cuadrícula. (De *cuadro.*) f. Conjunto de los cuadrados que resultan de cortarse perpendicularmente dos series de rectas paralelas.

Cuadricular. adj. Perteneciente a la cuadrícula.

Cuadricular. tr. Trazar líneas que formen una cuadrícula.

Cuadrienal. (Del lat. *quadriennālis.*) adj. Que sucede o se repite cada cuadrienio. ‖ **2.** Que dura un cuadrienio.

Cuadrienio. (Del lat. *quadriennium.*) m. Tiempo y espacio de cuatro años. ‖ **legal.** *For.* El que sigue inmediatamente a la mayor edad del menor o a la cesación de la incapacidad del que la ha sufrido o a la ausencia; período en que pueden ejercitarse varios derechos.

Cuadrifolio, lia. adj. Que tiene cuatro hojas.

Cuadriforme. (Del lat. *quadriformis.*) adj. Que tiene cuatro formas o cuatro caras. ‖ **2.** De figura de cuadro.

Cuadriga. (Del lat. *quadriga.*) f. Tiro de cuatro caballos enganchados de frente. ‖ **2.** Carro tirado por cuatro caballos de frente, y especialmente el usado en la antigüedad para las carreras del circo y en los triunfos.

Cuadrigato. (Del lat. *cuadrigātus.*) m. Moneda antigua romana de plata, que representa en el reverso una cuadriga.

Cuadriguero. m. El que conduce una cuadriga.

Cuadril. (Por **cadril,* de *cadera.*) m. Hueso que sale de la cía, de entre las dos últimas costillas, y sirve para formar el anca. ‖ **2. Anca,** 1.ª acep. ‖ **3. Cadera,** 1.ª acep.

Cuadrilátero, ra. (Del lat. *quadrilatĕrus.*) adj. *Geom.* Que tiene cuatro lados. ‖ **2.** m. *Geom.* Polígono de cuatro lados.

Cuadriliteral. (Del lat. *quatŭor,* cuatro, y *littĕra,* letra.) adj. **Cuadrilítero.**

Cuadrilítero, ra. adj. De cuatro letras.

Cuadrilón, na. adj. **Anquiseco.**

Cuadrilongo, ga. (Del lat. *quadrum* cuadro, y *longus,* largo.) adj. **Rectangular,** 4.ª acep. ‖ **2.** m. **Rectángulo,** 2.ª acep. ‖ **3.** *Mil.* Formación de un cuerpo de infantería en figura de **cuadrilongo.**

Cuadrilla. (De *cuadro.*) f. Reunión de personas para el desempeño de algunos oficios o para ciertos fines. CUADRILLA *de albañiles,* CUADRILLA *de toreros,* CUADRILLA *de malhechores.* ‖ **2.** Cada una de las compañías, distinguida de las demás por sus colores y divisas en ciertas fiestas públicas; como cañas, torneos, etc. ‖ **3.** Cualquiera de las cuatro partes de que se componía el Consejo de la Mesta, que eran las de Cuenca, Soria, Segovia y León. ‖ **4.** Grupo armado de la Santa Hermandad, para perseguir a los malhechores en despoblado. ‖ **5.** V. **Alcalde de cuadrilla.** ‖ **En cuadrilla.** m. adv. *For.* Concurriendo más de tres malhechores armados a la comisión de un delito. Es generalmente circunstancia agravante.

Cuadrillazo. m. *Chile.* Asalto, ataque de varias personas contra una.

Cuadrillero. m. Cabo de una cuadrilla. ‖ **2.** Individuo de una cuadrilla, 4.ª acep. ‖ **3.** Guardia de policía rural en Filipinas.

Cuadrillo. (d. de *cuadro.*) m. Arma arrojadiza, que era una especie de saeta de madera tostada y cuadrangular.

Cuadrimestre. adj. **Cuatrimestre.** Ú. t. c. s.

Cuadringentésimo, ma. (Del lat. *quadringentesimus.*) adj. Que sigue inmediatamente en orden al o a lo tricentésimo nonagésimo nono. || **2.** Dícese de cada una de las cuatrocientas partes iguales en que se divide un todo. Ú. t. c. s.

Cuadrinieto, ta. m. y f. Cuarto nieto o cuarta nieta.

Cuadrinomio. m. Expresión algebraica que consta de cuatro términos.

Cuádriple. (De *cuádruple*, infl. por *triple*.) adj. ant. **Cuádruple.**

Cuadriplicado, da. Forma con que suele usarse el p. p. de **Cuadruplicar.**

Cuadriplicar. (De *cuadruplicar*, infl. por *triplicar*.) tr. **Cuadruplicar.**

Cuadrisílabo, ba. adj. **Cuatrisílabo.** Ú. t. c. s.

Cuadrivio. (Del lat. *quadrivium*.) m. Lugar, sitio o paraje donde concurren cuatro sendas o caminos. || **2.** En lo antiguo, conjunto de las cuatro artes matemáticas: aritmética, música, geometría y astrología o astronomía.

Cuadrivista. m. En lo antiguo, el versado en las cuatro artes del cuadrivio.

Cuadriyugo. (Del lat. *quadriiŭgus*.) m. Carro de cuatro caballos.

Cuadro, dra. (Del lat. *quadrus*.) adj. **Cuadrado,** 1.ª acep. Ú. t. c. s. m. || **2.** *Mar.* V. **Vela cuadra.** || **3.** m. **Rectángulo,** 2.ª acep. || **4.** Lienzo, lámina, etc., de pintura. || **5. Marco,** 5.ª acep. || **6.** En los jardines, parte de tierra labrada regularmente en **cuadro** y adornada con varias labores de flores y hierbas. || **7.** Cada una de las partes en que se dividen los actos de ciertos poemas dramáticos modernos, las cuales son a manera de actos breves. Cada una de estas partes pide cambio de escena, que en la representación teatral suele hacerse a vista del público para que de una a otra no haya intervalo. || **8.** En el poema dramático y otros espectáculos teatrales, agrupación de personajes que durante algunos momentos permanecen en determinada actitud a vista del público. || **9.** Descripción, por escrito o de palabra, de un espectáculo o suceso, tan viva y animada, que el lector o el oyente pueda representarse en la imaginación la cosa descrita. || **10.** Conjunto de nombres, cifras u otros datos presentados gráficamente, de manera que se advierta la relación existente entre ellos. || **11.** fig. Espectáculo de la naturaleza, o agrupación de personas o cosas, que se ofrece a la vista y es capaz de mover el ánimo. || **12.** *Germ.* **Puñal,** 1.er art., 2.ª acep. || **13.** *Astrol.* **Cuadrado,** 16.ª acep. || **14.** *Impr.* Tabla de madera, o plancha de bronce o de hierro, del tamaño y figura de medio o de un pliego de papel, la cual, pendiente del husillo de la prensa, bajaba al tiempo que éste se mueve, y servía para apretar el pliego, a fin de que recibiera la tinta que estaba en la superficie del molde. || **15.** *Mil.* Formación de la infantería en figura de cuadrilátero, dando frente por sus cuatro caras al enemigo. Sirve para resistirse en las llanuras a la caballería. || **16.** *Mil.* Conjunto de los jefes, oficiales, sargentos y cabos de un batallón o regimiento. || **17.** pl. *Germ.* Los dados. || **Cuadro de distribución.** Conjunto de aparatos de una central eléctrica para establecer comunicaciones entre los generadores y los receptores. Lleva generalmente aparatos para medir y regular las corrientes eléctricas que se ponen en juego. || **2.** En telefonía, conjunto de aparatos de una central para establecer o interrumpir, cuando sea necesario, las comunicaciones de unos abonados con otros. || **vivo.** Representación de una obra de arte o una escena por personas que permanecen inmóviles. Ú. m. en pl. || **En cuadro.** m. adv. En forma o a modo de cuadrado. || **Estar,** o **quedarse, en cuadro.** fr. fig. Haber perdido uno su familia o sus bienes de fortuna, quedándose aislado, pobre o con nada más que lo puesto. || **2.** fig. *Mil.* Estar, o quedarse, un cuerpo sin tropa, conservando sus jefes, oficiales, sargentos y cabos. || **Tocar a uno el cuadro.** fr. fig. y fam. **Tentarle,** o **tocarle, el bulto.**

Cuadropea. f. **Cuatropea.**

Cuadrumano, na [**Cuadrúmano, na**]. (Del lat. *quadrumănus*.) adj. *Zool.* Dícese de los animales mamíferos en cuyas extremidades, tanto torácicas como abdominales, el dedo pulgar es oponible a los otros dedos. Ú. t. c. s.

Cuadrupedal. (De *cuadrúpedo*.) adj. De cuatro pies, o perteneciente a ellos.

Cuadrupedante. (Del lat. *quadrupĕdans, -antis*.) adj. poét. **Cuadrúpedo.**

Cuadrúpede. (Del lat. *quadrŭpes, -ĕdis*.) adj. **Cuadrúpedo.**

Cuadrúpedo. (Del lat. *quadrupĕdus*.) adj. Aplícase al animal de cuatro pies. Ú. t. c. s. || **2.** *Astron.* Se dice de los signos Aries, Tauro, Leo, Sagitario y Capricornio.

Cuádruple. (Del lat. *quadrŭplex*.) adj. Que contiene un número cuatro veces exactamente. || **2.** Dícese de la serie de cuatro cosas iguales o semejantes.

Cuadruplicación. (Del lat. *quadruplicatio, -ōnis*.) f. Multiplicación por cuatro.

Cuadruplicar. (Del lat. *quadruplicāre*.) tr. Hacer cuádruple una cosa; multiplicar por cuatro una cantidad.

Cuádruplo, pla. (Del lat. *quadrŭplux*.) adj. **Cuádruple.** Ú. t. c. s. m.

Cuaima. (Voz chaima.) f. Serpiente muy ágil y venenosa, negra por el lomo y blanquecina por el vientre, la cual abunda en la región oriental de Venezuela. || **2.** fig. y fam. *Venez.* Persona muy lista, peligrosa y cruel.

Cuairón. (Del lat. **quadro, -ōnis*, de *quadrum*, cuadro.) m. *Huesca* y *Zar.* **Coairón.**

Cuajada. (De *cuajar*.) f. Parte caseosa y crasa de la leche, que por la acción del calor o de un cuajo se separa, formando una masa propia para hacer queso o requesón, y deja el suero en su estado líquido. || **2. Requesón,** 2.ª acep. || **en len.** *And.* Cierta trabazón que se hace con la leche, que por su delicadeza y suavidad se llama así.

Cuajadera. f. Mujer que antiguamente vendía cuajada por las calles.

Cuajadillo. (De *cuajado*, p. p. de *cuajar*.) m. Labor espesa y menuda que se hace en los tejidos de seda.

Cuajado, da. p. p. de **Cuajar.** || **2.** adj. fig. y fam. Inmóvil y como paralizado por el asombro que produce alguna cosa. || **3.** fig. y fam. Dícese del que está o se ha quedado dormido. || **4.** m. Vianda que se hace de carne picada, hierbas o frutas, etc., con huevos y azúcar.

Cuajadura. f. Acción y efecto de cuajar o cuajarse.

Cuajaleche. (De *cuajar*, 2.º art., y *leche*.) m. **Amor de hortelano,** 1.ª acep.

Cuajamiento. (De *cuajar*, 2.º art.) m. **Coagulación.**

Cuajaní. (Voz cubana.) m. *Cuba.* Árbol de la familia de las rosáceas, de unos 12 metros de altura, que tiene una madera muy resistente. Produce semillas venenosas y, por incisión, se extrae de él una especie de goma parecida a la arábiga.

Cuajanicillo. m. *Cuba.* Especie menor del cuajaní.

Cuajar. (De *cuajo*.) m. Última de las cuatro cavidades en que se divide el estómago de los rumiantes.

Cuajar. (Del lat. *coagulāre*.) tr. Unir y trabar las partes de un líquido, para convertirlo en sólido. Ú. t. c. r. || **2.** fig. Recargar de adornos una cosa. || **3.** intr. fig. y fam. Lograrse, tener efecto una cosa. CUAJÓ *la pretensión.* Ú. t. c. r. || **4.** fig. y fam. Gustar, agradar, cuadrar *Fulano no me* CUAJA. || **5.** r. fig. y fam. Llenarse, poblarse. SE CUAJÓ *de gente la plaza.*

Cuajará. m. *Cuba.* Árbol silvestre que da madera de construcción.

Cuajarón. m. Porción de sangre o de otro líquido que se ha cuajado.

Cuajicote. m. *Méj.* Especie de abejón que forma su vivienda en el tronco de los árboles.

Cuajilote. m. *Méj.* Especie de bignoniácea, cuyo fruto es comestible.

Cuajiote. m. *Amér. Central.* Planta que produce una goma que se usa en medicina.

Cuajo. (Del lat. *coagŭlum*.) m. *Quím.* Fermento que existe principalmente en la mucosa del estómago de los mamíferos en el período de la lactancia y sirve para coagular la caseína de la leche. || **2.** Efecto de cuajar. || **3.** Substancia con que se cuaja un líquido. || **4. Cuajar,** 1.er art. || **5.** V. **Hierba de cuajo.** || **6.** fig. y fam. Calma, pachorra. || **De cuajo.** m. adv. De raíz, sacando enteramente una cosa del lugar en que estaba arraigada. Úsase comúnmente con el verbo *arrancar.* || **Ensanchar el cuajo.** fr. fig. y fam. con que se exhorta a llevar con paciencia las adversidades. || **Tener uno buen cuajo,** o **cuajo,** o **mucho cuajo.** fr. fig. y fam. Ser muy pacienzudo o pesado. || **Volverse el cuajo.** fr. Arrojar por la boca el niño la leche que ha mamado.

Cuakerismo. m. **Cuaquerismo.**

Cuákero, ra. (Del ingl. *quaker*, tembloroso.) m. y f. **Cuáquero, ra.**

Cual. (Del lat. *qualis*.) pron. relat. que con esta sola forma conviene en sing. a los géneros m., f. y n. y que en pl. hace **cuales.** || **2.** Constrúyese con el artículo determinado en todas sus formas; v. gr.: *el, la, lo* CUAL; *los, las* CUALES, y entonces equivale al pronombre de su misma clase **que.** Así, indistintamente puede decirse: *Antonio,* QUE *salió ayer de Madrid,* y *Antonio, el* CUAL *salió,* etc. || **3.** Se emplea con acento en frases de sentido interrogativo o dubitativo. *¿*CUÁL *de las comedias de Lope te parece mejor?; ignoro aún* CUÁL *será el resultado de tantos afanes.* || **4.** Denota a veces idea de semejanza. *Contrastaron su buena intención casos imprevistos* CUALES *ocurren a menudo.* || **5.** Contrapónese a *tal,* denotando esta misma idea. CUAL *es Pedro, tal es Juan.* || **6.** Empléase como pronombre indeterminado cuando, repetido de una manera disyuntiva, designa personas o cosas sin nombrarlas ni determinarlas. *Todos contribuyeron,* CUÁL *más,* CUÁL *menos, al buen resultado; tengo muchos libros,* CUÁLES *de historia,* CUÁLES *de poesía.* En tal caso toma también esta voz acentuación prosódica y ortográfica. || **7.** adv. m. **Así como,** 2.ª acep. || **8.** En sentido ponderativo o de encarecimiento, **de qué modo.** *¡*CUÁL *se verían los infelices en aquellas inhospitalarias regiones!* || **Cual o cual.** expr. **Tal cual,** 2.ª acep.

Cualesquier. pron. indet. pl. de **Cualquier.**

Cualesquiera. pron. indet. pl. de **Cualquiera.**

Cualidad. (Del lat. *qualĭtas, -ātis*.) f. Cada una de las circunstancias o caracteres, naturales o adquiridos, que distinguen a las personas o cosas. || **2. Calidad,** 1.er art., 1.ª acep.

Cualificar. tr. Atribuir o apreciar cualidades.

Cualitativo, va. (Del lat. *qualitatīvus*.) adj. Que denota cualidad. || **2.** *Quím.* V. **Análisis cualitativo.**

Cualque. (Del lat. *qualis quid*.) pron. indet. p. us. Alguno, cualquier, cualquiera.

Cualquier. pron. indet. **Cualquiera.** No se emplea sino antepuesto al nombre.

Cualquiera. (De *cual* y *quiera*, 3.ª pers. de sing. del pres. de subj. de *querer*.) pron. indet. Una persona indeterminada, alguno, sea el que fuere. Antepónese y pospónese al nombre y al verbo. || **Ser uno un cualquiera.** fr. Ser persona vulgar y poco importante.

Cuamaño, ña. (Del lat. *quam magnus*, cuan grande.) adj. ant. que, como correlativo de *tamaño*, demuestra comparativamente el grandor o dimensiones de las cosas.

Cuan. (Del lat. *quam.*) adv. c. que se usa para encarecer la significación del adjetivo, el participio y otras partes de la oración, excepto el verbo, precediéndolas siempre. *No puedes imaginarte* CUÁN *desgraciado soy;* ¡CUÁN *rápidamente caminan las malas nuevas!* || **2.** Como correlativo de *tan*, empléase en sentido comparativo, denotando idea de equivalencia o igualdad. *El castigo será tan grande* CUAN *grande fue la culpa.*

Cuando. (Del lat. *quando.*) adv. t. En el tiempo, en el punto, en la ocasión en que. *España estaba en poder de los árabes* CUANDO *Pelayo se arrojó a defenderla; me compadecerás* CUANDO *sepas mis desventuras; ven a buscarme* CUANDO *sean las diez.* || **2.** En sentido interrogativo y también refiriéndose al verbo anteriormente expresado, equivale a **en qué tiempo.** *Vendrás, pero, ¿*CUÁNDO*?; acabaré de fijo la expresada obra, pero aún no sé* CUÁNDO. || **3.** En caso de que, o si. CUANDO *es irrealizable un intento, ¿a qué porfiar en vano?;* CUANDO *no tuviera que hacerlo por obligación, lo haría por gusto.* || **4.** Se usa como conj. advers. con la significación de **aunque.** *No faltaría a la verdad,* CUANDO *le fuera en ello la vida.* || **5.** Toma asimismo carácter de conj. continuativa, equivaliendo a **puesto que.** CUANDO *tú lo dices, verdad será.* || **6.** Empléase también como conj. distrib., equivaliendo a unas veces y otras veces. *Siempre está riñendo,* CUÁNDO *con motivo,* CUÁNDO *sin él.* || **7.** Úsase a veces con carácter de substantivo, precedido del artículo *él. El cómo y el* CUÁNDO. || **Cuando más.** m. adv. **A lo más.** || **Cuando menos.** m. adv. **A lo menos.** || **Cuando mucho.** m. adv. **Cuando más.** || **Cuando no.** expr. De otra suerte, en caso contrario. || **Cuando quier.** m. adv. **Cuando quiera.** || **¿De cuándo acá?** expr. de extrañeza con que se significa que alguna cosa está o sucede fuera de lo regular y acostumbrado. || **De cuando en cuando.** m. adv. Algunas veces, de tiempo en tiempo.

Cuanlote. m. *Méj.* **Caulote.**

Cuantía. (De *cuanto.*) f. **Cantidad,** 1.ª y 2.ª aceps. || **2.** Suma de cualidades o circunstancias que enaltecen a una persona o la distinguen de las demás. || **3.** V. **Caballero de cuantía.** || **4.** *For.* Valor de la materia litigiosa. || **De mayor cuantía.** fr. fig. Dícese de persona o cosa de importancia. || **2.** *For.* V. **Juicio de mayor cuantía.** || **De menor cuantía.** fr. fig. Dícese de persona o cosa de poca importancia. || **2.** *For.* V. **Juicio de menor cuantía.**

Cuantiar. (De *cuantía.*) tr. Apreciar las haciendas, tasar.

Cuántico, ca. adj. *Fís.* Perteneciente o relativo a los cuantos, 4.ª acep. || **2.** Dícese de la teoría formulada por el físico alemán M. K. M. L. Planck, según la cual la emisión y absorción de energía no se efectúan en procesos continuos, sino por etapas, a cada una de las cuales corresponde la emisión o absorción de una unidad elemental de energía.

Cuantidad. (Del lat. *quantĭtas, -ātis*, cantidad.) f. **Cantidad.** Úsase mucho de esta voz hablando facultativamente, en especial entre los matemáticos.

Cuantimás. adv. m. vulg. Contracc. de Cuanto y más.

Cuantiosamente. adv. m. En grande cantidad.

Cuantioso, sa. (De *cuantía.*) adj. Grande en cantidad o número. || **2.** V. **Caballero cuantioso.** || **3.** ant. **Hacendado,** 2.ª acep.

Cuantitativo, va. (Del lat. *quantĭtas*, cantidad.) adj. Perteneciente o relativo a la cantidad. || **2.** *Quím.* V. **Análisis cuantitativo.**

Cuanto, ta. (Del lat. *quantus.*) adj. Que incluye cantidad indeterminada. Es correlativo de *tanto.* || **2.** expr. enfática con que se pondera la grandeza, número, etc., de una cosa. ¡CUÁNTA *majestad!;* ¡CUÁNTOS *infelices!* || **3.** Todo lo que. *Le dio* CUANTO *tenía; vengan* CUANTOS *quieran.* || **4.** m. *Fís.* Con arreglo a la teoría cuántica, unidad elemental de energía. || **5.** adv. t. **En cuanto.** || **6.** adv. c. En qué grado o manera, hasta qué punto, qué cantidad. *Dile* CUÁNTO *me alegro de que esté mejor; ¿*CUÁNTO *vale este libro?* || **7.** Antepuesto a otros adverbios o correspondiéndose con *tanto*, empléase en sentido comparativo y denota idea de equivalencia o igualdad. CUANTO *mayor sea el merecimiento, mayor debe ser la recompensa; tanto vales* CUANTO *tienes.* || **8.** Empleado con verbos expresivos de tiempo, denota duración indeterminada o larga duración. *¿*CUÁNTO *duró la plática?;* ¡CUÁNTO *ha que murió!* || **Cuanto a.** m. adv. **En cuanto a.** || **Cuanto antes.** m. adv. Con diligencia, con premura, lo más pronto posible. || **Cuanto más.** m. adv. y conjunt. con que se contrapone a lo que ya se ha dicho lo que se va a decir, denotando en este segundo miembro de la frase idea de encarecimiento o ponderación. *Se rompen las amistades antiguas,* CUANTO MÁS *las recientes; yo te sacaré de las manos de los caldeos,* CUANTO MÁS *de las de la Hermandad.* || **Cuanto más antes.** m. adv. **Cuanto antes.** || **Cuanto más que.** m. adv. y conjunt. con que se denota haber para una cosa otra mayor causa o razón que la que ya se ha indicado. *Y pues no hay quien nos vea, menos habrá quien nos note de cobardes;* CUANTO MÁS QUE *yo he oído muchas veces predicar al cura de nuestro lugar, que vuestra merced muy bien conoce, que quien busca el peligro perece en él.* || **Cuanto quier.** m. adv. p. us. **Aun cuando.** || **Cuanto y más.** m. adv. **Cuanto más.** || **Cuanto y más que.** m. adv. y conjunt. **Cuanto más que.** || **En cuanto.** m. adv. **Mientras.** EN CUANTO *los pastores cantaban, estaba la pastora Diana con el hermoso rostro sobre la mano.* || **2.** Al punto que, tan luego como EN CUANTO *anochezca, iré a buscarte.* || **En cuanto a.** m. adv. Por lo que toca o corresponde a. || **Por cuanto.** m. adv. que se usa como causal para notar la razón que se va a dar de alguna cosa. || **Por cuánto.** expr. con que se da a entender que lo que uno ejecuta o dice es consiguiente a su genio o modo de obrar. ¡POR CUÁNTO *dejaría Rafael de ir a la comedia!*

Cuaquerismo. m. Secta de los cuáqueros.

Cuáquero, ra. (De *cuákero.*) m. y f. Individuo de una secta religiosa unitaria, nacida en Inglaterra a mediados del siglo XVII, sin culto externo ni jerarquía eclesiástica. Distínguese por lo llano de sus costumbres, y en un principio manifestaba su entusiasmo religioso con temblores y contorsiones.

Cuarango. (Voz quichua.) m. Árbol del Perú, de la familia de las rubiáceas, de cinco a seis metros de altura, con tronco liso y corteza de color pardo amarillento, hojas casi redondas y dentadas, flores grandes y rojizas, y fruto seco y capsular. Es una de las especies de quino más apreciadas por su corteza.

Cuarcita. (De *cuarzo.*) f. Roca formada por cuarzo; de color blanco lechoso, gris o rojiza si está teñida por el óxido de hierro, de estructura granulosa o compacta. Forma depósitos considerables y contiene accidentalmente muchos minerales, entre ellos el oro.

Cuarenta. (Del lat. *quadraginta.*) adj. Cuatro veces diez. || **2.** V. **Cuarenta horas.** || **3. Cuadragésimo,** 1.ª acep. *Número* CUARENTA; *año* CUARENTA. || **4.** m. Conjunto de signos con que se representa el número **cuarenta.** || **Las cuarenta.** Número de puntos que gana en el tute el que reúne el caballo y el rey del palo que es triunfo. || **Acusar** o **cantar** a uno **las cuarenta.** fr. fig. y fam. Decirle con resolución y desenfado lo que se piensa aun cuando le moleste.

Cuarentavo, va. (De *cuarenta* y *avo.*) adj. **Cuadragésimo,** 2.ª acep. Ú. t. c. s. m.

Cuarentén. adj. Aplícase a la pieza de madera de hilo de 40 palmos de longitud, con una escuadría de tres palmos de tabla por dos de canto. Ú. m. c. s. Es marco usado en Cataluña y Huesca.

Cuarentena. f. Conjunto de 40 unidades. || **2.** Tiempo de cuarenta días, meses o años. || **3. Cuaresma,** 1.ª acep. || **4.** Espacio de tiempo que están en el lazareto, o privados de comunicación, los que vienen de lugares infectos o sospechosos de algún mal contagioso. || **5.** fig. y fam. Suspensión del asenso a una noticia o hecho, por algún espacio de tiempo, para asegurarse de su certidumbre. Ú. con los verbos *poner, pasar,* etc. || **6.** p. us. Cada una de las 40 partes iguales en que se divide un todo.

Cuarentenal. (De *cuarentena.*) adj. Perteneciente al número 40.

Cuarenteno, na. (De *cuarenta.*) adj. ant. **Cuadragésimo,** 1.ª acep. || **2.** m. Peine del telar que tiene cuatro mil hilos.

Cuarentón, na. adj. Dícese de la persona que tiene cuarenta años cumplidos. Ú. t. c. s.

Cuaresma. (Del lat. *quadragesĭma.*) f. Tiempo de cuarenta y seis días que, desde el miércoles de ceniza inclusive, precede a la festividad de la Resurrección de Nuestro Señor Jesucristo, y en el cual la Iglesia preceptúa que se ayune ciertos días en memoria de los cuarenta que ayunó el Señor en el desierto. || **2.** Conjunto de sermones para las domínicas y ferias de **cuaresma.** || **3.** Libro que contiene los de un autor sobre este mismo asunto.

Cuaresmal. (Del lat. *quadragesimālis.*) adj. Perteneciente o relativo a la cuaresma.

Cuaresmar. intr. ant. Hacer u observar cuaresma.

Cuaresmario. m. **Cuaresma,** 2.ª acep.

Cuarta. (Del lat. *quarta.*) f. Cada una de las cuatro partes iguales en que se divide un todo || **2. Palmo,** 1.ª acep. || **3. Cuarta funeral.** || **4.** En el juego de los cientos, las cuatro cartas que se siguen en orden de un mismo palo: cuando empieza desde el as se llama mayor; la del rey se llama **cuarta** real, y las demás se denominan por la carta primera en orden; como **cuarta** al caballo, a la sota, etc. || **5.** Pieza de madera de hilo, de 11 a 25 pies de longitud, con una escuadría igual de nueve pulgadas en cada una de sus dimensiones. Es marco usado en Burgos y Valladolid. || **6. Cuartera,** 3.ª acep. || **7.** *Ast.* y *Gal.* Medida de capacidad para áridos, cuarta parte de un ferrado. || **8.** *And.* Mula de guía en los coches. || **9.** *Méj.* Látigo corto para las caballerías. || **10.** *Méj.* **Disciplina,** 4.ª acep. || **11.** *Astron.* **Cuadrante,** 7.ª acep., especialmente en el Zodiaco y la Eclíptica, para la división de los signos de tres en tres. || **12.** *Mar.* Cada una de las 32 partes en que está dividida la rosa náutica. || **13.** *Mil.* Sección formada por la cuarta parte de una compañía de infantería a las órdenes de un oficial o de un sargento; y así, se mandaba formar en columna, por compañías, por mitades o por **cuartas.** || **14.** *Mús.* Intervalo entre una nota y la cuarta anterior o posterior de la escala, compuesto de dos tonos y un semitono mayor. || **falcidia.** *For.* Derecho que tenía el heredero instituido de deducir para sí la cuarta parte de los bienes de la herencia gravada desmedidamente con mandas o legados. || **funeral.** Derecho que tiene la parroquia a una parte de todas las obvenciones y emolumentos del funeral y misas de un feligrés suyo, celebrados en iglesia extraña. || **marital.** Porción de bienes que el derecho foral catalán reconoce a la viuda honesta y pobre, al tiempo de la muerte de su marido, en la herencia de éste, y que consiste en la cuarta parte de los bienes hereditarios, en plena propiedad si no quedan hijos o quedan menos de cuatro, y en una cantidad igual a la percibida por cada uno de los hijos, y sólo en usufructo, si quedan más de tres. || **trebelánica,** o **trebeliánica.** *For.* Derecho que tenía el heredero fiduciario, o rogado por el testador para que restituyese la herencia a otro, de deducir para sí la cuarta parte de los bienes de ésta. || **De cuartas.** expr. Dícese de las caballerías enganchadas inmediatamente delante de las de tronco, cuando llevan en el tiro otra u otro par delante. || **De sobre cuartas.** expr. Dícese de las caballerías que preceden inmediatamente a las de **cuartas,** cuando el tiro se compone de siete u ocho. || **En cuartas.** expr. **De cuartas.**

Cuartago. (De *cuarto.*) m. Caballo de mediano cuerpo. || **2. Jaca,** 1.ª acep.

Cuartal. (De *cuarto.*) m. Pan que regularmente tiene la cuarta parte de una hogaza o de otro pan. || **2.** Medida agraria, usada en la provincia de Zaragoza, equivalente a 2 áreas y 384 miliáreas. || **3.** Medida de capacidad para áridos, cuarta parte de la fanega de Aragón, que equivale a cinco litros y seis decilitros. || **4.** Duodécima parte de la cuartera, que se divide en cuatro picotines.

Cuartamente. adv. m. ant. En cuarto lugar.

Cuartán. (De *cuarto.*) m. Medida de capacidad para áridos, usada en la provincia de Gerona, equivalente a 18 litros y 8 centilitros. || **2.** Medida para aceite, usada en la provincia de Barcelona, equivalente a 4 litros y 15 centilitros.

Cuartana. (Del lat. *quartāna.*) f. Calentura, casi siempre de origen palúdico, que entra con frío, de cuatro en cuatro días. || **doble.** La que repite dos días con uno de intervalo.

Cuartanal. adj. Perteneciente a la cuartana.

Cuartanario, ria. (Del lat. *quartanarius.*) adj. Que padece cuartanas. Ú. t. c. s. || **2. Cuartanal.**

Cuartar. tr. *Agr.* Dar la cuarta vuelta de arado a las tierras que se han de sembrar de cereales.

Cuartazo. m. *Méj.* Golpe dado con la cuarta, 9.ª y 10.ª aceps.

Cuartazos. (aum. de *cuartos,* 22.ª acep.) m. fig. y fam. Hombre demasiadamente corpulento, flojo o desaliñado.

Cuarteador, ra. adj. Que cuartea. Ú. t. c. s. || **2.** m. *Argent.* Encuarte, 1.ª acep.

Cuartear. tr. Partir o dividir una cosa en cuartas partes. || **2.** Por ext., dividir en más o menos partes. || **3. Descuartizar.** || **4.** Echar la puja del cuarto en las rentas ya rematadas; lo cual se podía hacer dentro de los noventa días primeros de cada año de los del arrendamiento, y no después. || **5.** Entrar a cumplir el número de cuatro para jugar algún juego. || **6.** En las cuestas y malos pasos de los caminos, dirigir los carruajes de derecha a izquierda, y viceversa, en vez de seguir la línea recta. || **7.** *Méj.* Azotar repetidas veces con la cuarta. || **8.** *Mar.* V. **Cuartear la aguja.** || **9.** intr. *Taurom.* Hacer el torero un movimiento en curva, al ir a poner banderillas, a fin de evitar el derrote. Ú. t. c. r. || **10.** r. Henderse, rajarse, agrietarse una pared, un techo, etc.

Cuartel. (Del fr. *quartier,* der. de *quart,* y éste del lat. *quartus.*) m. **Cuarta,** 1.ª acep. || **2.** Distrito o término en que se suelen dividir las ciudades o villas grandes para el mejor gobierno económico y civil del pueblo. || **3. Cuadro,** 6.ª acep. || **4. Cuarteto,** 1.ª acep. || **5.** Porción de un terreno acotada para objeto determinado. || **6.** fig. y fam. Casa o habitación de cualquiera. || **7.** *Blas.* Cada una de las cuatro partes de un escudo dividido en cruz. || **8.** *Blas.* Cualquiera de las divisiones o subdivisiones de un escudo. || **9.** *Mar.* Compuesto o armazón de tablas con que se cierran las bocas de las escotillas, escotillones, cañoneras, etc. || **10.** *Mil.* Cada uno de los puestos o sitios en que se reparte y acuartela el ejército cuando está en campaña o en el sitio de una plaza, y se distribuye por regimientos. || **11.** *Mil.* Alojamiento que se señala en los lugares a las tropas al retirarse de campaña. || **12.** *Mil.* Edificio destinado para alojamiento de la tropa. || **13.** *Mil.* Buen trato que los vencedores ofrecen a los vencidos, cuando éstos se entregan rindiendo las armas. Extiéndese también fuera de la milicia a la piedad o partido a que se admite al que se rinde o cede en cualquier materia. Ú. m. con el verbo *dar. Dar,* o *no dar,* CUARTEL. || **14.** *Mil.* Tributo que pagaban los pueblos por el alojamiento de los soldados. || **de la salud.** fam. Paraje defendido del riesgo, donde se refugian y acogen los soldados que no quieren pelear ni arriesgarse. || **2.** fig. y fam. Paraje donde se pone en salvo el que quiere evitar un lance que le puede ser molesto o perjudicial. || **general.** Población o campamento donde se establece con su estado mayor el jefe de un ejército o de una división. || **maestre,** o **maestre general.** *Mil.* Oficial general encargado de prevenir y arreglar los mapas, posiciones y noticias instructivas de las circunstancias, calidad y situaciones del país en que se ha de hacer la guerra, y de formar el plan de batalla y el de la marcha y campamentos del ejército. Actualmente está suprimido este empleo y desempeña sus funciones el estado mayor. || **real.** *Mil.* El **cuartel** general cuando se hallaba en él el rey. || **Franco cuartel.** *Blas.* Primer **cuartel** del escudo, o cantón diestro del jefe, un poco menor que el verdadero **cuartel,** para diferenciarlo de éste, que es siempre la cuarta parte del escudo. || **Estar de cuartel.** fr. *Mil.* Se dice de los oficiales de graduación, cuando no están empleados y disfrutan menos sueldo, que también se llama de **cuartel.**

Cuartelada. f. Comisión de jefes y oficiales de ejército en el cuartel para impedir un pronunciamiento, vigilándose unos a otros. || **2.** Pronunciamiento militar.

Cuartelado, da. p. p. de **Cuartelar.** || **2.** m. Escudo acuartelado.

Cuartelar. tr. *Blas.* Dividir o partir el escudo en los cuarteles que ha de tener.

Cuartelazo. m. *Amér.* **Cuartelada,** 2.ª acep.

Cuartelero, ra. (De *cuartel.*) adj. Perteneciente o relativo al cuartel. Ú. t. c. s. || **2.** m. *Mar.* Marinero especialmente destinado a cuidar de los equipajes. || **3.** *Mil.* Soldado especialmente destinado a cuidar del aseo y seguridad del dormitorio de su compañía.

Cuartelillo. m. Lugar o edificio en que se aloja una sección de tropa.

Cuarteo. m. Acción de cuartear o de cuartearse. || **2.** Esguince o rápido movimiento del cuerpo hacia uno u otro lado, para evitar un golpe o un atropello. || **Al cuarteo.** m. adv. *Taurom.* Cuarteando.

Cuartera. (Del lat. *quartarius.*) f. Medida para áridos, usada en Cataluña, que se divide en 12 cuartales y equivale a unos 70 litros, más o menos, según las localidades. || **2.** Medida agraria de Cataluña, equivalente a algo más de 36 áreas en la mayor parte del país. || **3.** Madero de dimensiones varias, que por lo común mide 15 pies de longitud y ocho pulgadas en cuadro, de sección.

Cuarterada. (De *cuartera.*) f. Medida agraria, usada en las islas Baleares, equivalente a 7.103 metros cuadrados.

Cuartero, ra. m. y f. *And.* Persona a quien se encarga la fieldad y cobranza de las rentas de granos de los cortijos. Dícese así porque suele ser la cuarta parte la que se paga al dueño de la tierra.

Cuarterola. f. Barril que hace la cuarta parte de un tonel. || **2.** Medida para líquidos, que hace la cuarta parte de la bota. || **3.** *Chile.* Arma de fuego menor que la tercerola, usada por los soldados de caballería.

Cuarterón, na. (Del fr. *quarteron,* der. de *quart,* y éste del lat. *quartus.*) adj. Nacido en América de mestizo y española, o de español y mestiza. Díjose así por tener un cuarto de indio y tres de español. Ú. t. c. s. || **2.** m. **Cuarta,** 1.ª acep. || **3.** Cuarta parte de una libra. || **4. Postigo,** 4.ª acep. || **5.** Cada uno de los cuadros que hay entre los peinazos de las puertas y ventanas. || **6.** *Ar.* y *Val.* Cuarta parte de una arroba. || **7.** ant. *Blas.* **Cuartel,** 7.ª y 8.ª aceps.

Cuarteta. (Del ital. *quartetta,* der. de *quarto,* y éste del lat. *quartus.*) f. **Redondilla.** || **2.** Combinación métrica que consta de cuatro versos octosílabos, de los cuales asonantan el segundo y el último. || **3.** Cualquier otra estrofa de cuatro versos.

Cuartete. (Del fr. *quartette,* y éste del ital. *quartetto.*) m. **Cuarteto.**

Cuarteto. (Del ital. *quartetto,* der. de *quarto,* y éste del lat. *quartus.*) m. Combinación métrica de cuatro versos endecasílabos o de arte mayor, que conciertan en consonantes o asonantes. Cuando son aconsonantados pueden rimar el primero con el tercero y el segundo con el cuarto, o el primero con el último y el segundo con el tercero. || **2.** *Mús.* Composición para cantarse a cuatro voces diferentes, o para tocarse por cuatro instrumentos distintos entre sí. || **3.** *Mús.* El conjunto de estas cuatro voces o instrumentos.

Cuartilla. (d. de *cuarta.*) f. Medida de capacidad para áridos, cuarta parte de una fanega, equivalente a 1.387 centilitros. || **2.** Medida de capacidad para líquidos, cuarta parte de la cántara. || **3.** Cuarta parte de una arroba. || **4.** Cuarta parte de un pliego de papel. || **5.** Antigua moneda mejicana de plata, que valía la cuarta parte de un real fuerte, o sea tres centavos de peso y un octavo. || **6.** En las caballerías, parte que media entre los menudillos y la corona del casco. || **7.** ant. **Cuarteta.**

Cuartillo. (d. de *cuarto.*) m. Medida de capacidad para áridos, cuarta parte de un celemín, equivalente a 1.156 mililitros. || **2.** Medida de líquidos, cuarta parte de una azumbre, equivalente a 504 mililitros. || **3.** Cuarta parte de un real. || **4.** Moneda de vellón ligada con plata, que mandó labrar el rey Enrique IV de Castilla, y valía la cuarta parte de un real, o sea ocho maravedís y medio. || **Andar a tres menos cuartillo.** fr. fig. y fam. Estar alcanzado de medios. || **2.** fig. y fam. Reñir o contender. || **Ir de cuartillo.** fr. Ir en un negocio a pérdidas y ganancias con otros.

Cuartilludo, da. adj. Aplícase a la caballería larga de cuartillas.

Cuartizo. m. **Cuartón, 1.ª** acep.

Cuarto, ta. (Del lat. *quartus.*) adj. Que sigue inmediatamente en orden al o a lo tercero. || **2.** Dícese de cada una de las cuatro partes iguales en que se divide un todo. Ú. t. c. s. m. || **3.** *Arq.* V. **Cuarto bocel.** || **4.** *Zool.* V. **Cuarto ventrículo.** || **5.** m. Parte de una casa, destinada para una familia. || **6. Habitación,** 2.ª acep. || **7.** Moneda de cobre española, del antiguo sistema, cuyo valor era el de cuatro maravedís de vellón, o sea unos tres céntimos de peseta. || **8.** Cada una de las cuatro líneas de los abuelos paternos y maternos. || **9.** Por ext., cada una de las líneas de los antepasados más distantes, cuando se conservan las armas o memoria particular de ellas. || **10.** Cada una de las cuatro hojas o partes de que se compone un vestido: llámanse **cuartos** delanteros los del pecho, y traseros los de la espalda. || **11.** Cada una de las cuatro partes en que, después de cortada la cabeza, se dividía el cuerpo de los facinerosos y malhechores, para ponerlo en los caminos u otros sitios públicos. || **12.** Cada una de las cuatro partes en que se divide la hora. || **13.** Cada una de las cuatro partes en que antiguamente dividían la noche las centinelas. || **14.** Cada una de las cuatro partes en que se considera dividido el cuerpo de los cuadrúpedos y aves. || **15.** V. **Carnero de cinco cuartos.** || **16.** Abertura longitudinal, más o menos larga y profunda, que se hace a las caballerías en las partes laterales de los cascos. || **17.** Cada una de las suertes, aunque no sean cuatro, en que se divide una grande extensión de terreno para vender los pastos. || **18.** Servidumbre de un rey o de una reina. CUARTO *militar de S. M.* || **19.** V. **Clavo de a cuarto.** || **20.** *Mil.* Cada uno de los cuatro grupos o secciones en que suelde dividirse la fuerza de las guardias o piquetes para repartir el servicio con igualdad, de modo que un **cuarto** esté de centinela; el segundo, que ha de relevarlo, vigilante con las armas en la mano, y los otros dos, descansando hasta que les llegue el turno. || **21.** *Mil.* Tiempo que está de centinela o vigilante cada uno de los de tropa. || **22.** pl. Miembros del cuerpo del animal robusto y fornido; y entre los pintores y escultores y los conocedores de caballos, miembros bien proporcionados. || **23.** fig. y fam. **Dinero,** 1.ª y 3.ª aceps. || **Cuarto de banderas.** *Mar.* Local del barco, con encasillados, donde se guardan las banderas nacionales y extranjeras y las de los códigos de señales. || **2.** *Mil.* Sala o pieza de los cuarteles, en que se custodian las banderas. || **de conversión.** *Esgr.* y *Mil.* Movimiento que se hace girando hasta una **cuarta** parte del círculo. || **de costura.** Pieza de la casa, destinada a hacer labores de aguja. || **de culebrina. Sacre,** 2.ª acep. || **de derrota.** *Mar.* Local del buque donde se guardan y consultan las cartas marinas, derroteros, cuadernos de faros, etc., así como el instrumental náutico para hallar la situación en la mar. || **de estandartes.** Sala en los cuarteles de las armas a caballo, o motorizadas, donde se guardan los estandartes, como en los de Infantería las banderas. || **de estar.** Pieza de la casa en que habitualmente se reúnen las personas de la familia y donde éstas reciben a las de su confianza. || **de final.** Cada una de las cuatro antepenúltimas competiciones del campeonato o concurso que se gana por eliminación del contrario y no por puntos. Ú. m. en pl. || **delantero.** Parte anterior del cuerpo de algunos animales. || **de Luna.** *Astron.* **Cuarta** parte del tiempo que tarda desde una conjunción a otra con el Sol; y con más precisión se llaman así la segunda y **cuarta** de las dichas cuatro partes, añadiendo **creciente** y **menguante** para distinguirlas. || **trasero.** Parte posterior de algunos animales. || **vigilante.** *Mil.* Fuerza que en cada guardia está sobre las armas, o pronta a tomarlas, además de la distribuida en centinelas. || **Caérsele** a uno **cada cuarto por su lado.** fr. fig. y fam. **Irsele** a uno **cada cuarto por su lado.** || **Cuarto a cuarto.** m. adv. con que se denota la repugnancia en dar o pagar. || **2.** fr. En **cuartos** o en pedazos. || **Cuatro cuartos.** fig. y fam. Poco dinero. || **Dar un cuarto al pregonero.** fr. fig. y fam. Divulgar, hacer pública una cosa que debía callarse. *Lo mismo es decírselo a Petra, que* DAR UN CUARTO AL PREGONERO. || **De tres al cuarto.** expr. con que se denota y pondera la poca estimación, aprecio y valor de una cosa. || **Echar** uno **su cuarto a espadas.** fr. fig. y fam. Tomar parte oficiosamente en la conversación de otros. || **El cuarto falso, de noche pasa.** ref. que explica que las cosas malas se procuran hacer ocultamente para que no se puedan descubrir. || **En cuarto.** expr. Dícese del libro, folleto, etc., cuyo tamaño es igual a la **cuarta** parte de un pliego de papel sellado. || **En cuarto mayor.** expr. Dícese de libro, folleto, etc., cuyo tamaño es igual a la **cuarta** parte de un pliego de papel de marca superior a la ordinaria en España. || **En cuarto menor.** expr. En **cuarto** inferior a la marca ordinaria. || **En cuarto prolongado.** expr. **En cuarto mayor.** || **Estar** uno **sin un cuarto.** fr. fig. y fam. **No tener un cuarto.** || **Hacer** a uno **cuartos.** fr. Descuartizarle. || **Irsele** a uno **cada cuarto por su lado.** fr. fig. y fam. Ser muy desairado, desmadejado, sin garbo, compostura ni aliño. || **No tener** uno **un cuarto.** fr. fig. y fam. Estar muy falto de dinero. || **Poner cuarto.** fr. Separar habitación a uno y señalarle la familia que le ha de servir. || **2.** Alhajar y disponer vivienda para sí o para otro. || **Tener** uno **buenos cuartos.** fr. fam. Ser membrudo y fornido. || **Tener** uno **cuartos,** o **cuatro cuartos.** fr. fig. y fam. Tener dinero.

Cuartodecimano, na. (Del lat. *quartodecimānus*: de *quartus*, cuarto, y *decimānus*, décimo.) adj. Aplícase al hereje que fijaba la pascua en la luna de marzo, aunque no cayese en domingo. Ú. t. c. s.

Cuartogénito, ta. (Del lat. *quartus*, cuarto, y *genitus*, engendrado.) adj. Nacido en cuarto lugar. Ú. t. c. s.

Cuartón. (De *cuarto*.) m. Madero que resulta de aserrar longitudinalmente en cruz una pieza enteriza; en Madrid suele tener 16 pies de largo, 9 dedos de tabla y 7 de canto. || **2. Madero,** 2.ª acep. || **3.** Pieza de tierra de labor, por lo común de figura cuadrangular. || **4.** Cierta medida de líquidos. || **de pertigueño.** *Huelva.* Madero serradizo, con escuadría de la cuarta parte de un pertigueño.

Cuartucho. m. despect. Vivienda o cuarto malo y pequeño.

Cuarzo. (Del al. *quarz.*) m. Mineral formado por la sílice, de fractura concoidea, brillo vítreo, incoloro, cuando puro, y de color que varía según las substancias con que está mezclado, y tan duro, que raya el acero. || **ahumado.** El de color negruzco, como si estuviese manchado de humo. || **hialino.** Cristal de roca.

Cuarzoso, sa. adj. Que tiene cuarzo.

Cuasi. adv. c. **Casi.**

Cuasia. f. *Bot.* Planta de la familia de las simarubáceas, notable por el amargo sabor de su corteza y raíz, que se emplean en medicina.

Cuasicontrato. (De *cuasi* y *contrato*.) m. *For.* Hecho lícito del cual, por equidad, derivan nexos jurídicos.

Cuasidelito. m. *For.* Acción dañosa para otro, que uno ejecuta sin ánimo de hacer mal, o de la que, siendo ajena, debe uno responder por algún motivo.

Cuasimodo. (De las palabras latinas *Quasi modo*, con que empieza el introito de la misa de este domingo.) m. **Domingo de Cuasimodo.**

Cuasiusufructo. m. El derecho usufructuario que recae sobre cosa fungible.

Cuate, ta. (De *coate*.) adj. *Méj.* **Gemelo,** 1.ª acep. Ú. t. c. s. || **2.** *Méj.* Igual o semejante.

Cuatequil. m. *Méj.* **Maíz.**

Cuaterna. (Del lat. *quaterna*, t. f. de *-nus*, cuaterno.) f. Suerte en el juego de la lotería cuando se han sacado cuatro números de una de las combinaciones que lleva el jugador.

Cuaternario, ria. (Del lat. *quaternarius*.) adj. Que consta de cuatro unidades, números o elementos. Ú. t. c. s. m. || **2.** *Geol.* Dícese del terreno sedimentario más moderno, en el que aparecen los primeros vestigios de la especie humana. Ú. t. c. s. || **3.** *Geol.* Perteneciente a este terreno.

Cuaternidad. (Del lat. *quaternitas, -ātis.*) f. Conjunto de cuatro personas o cosas.

Cuaterno, na. (Del lat. *quaternus*.) adj. Que consta de cuatro números.

Cuatezón, na. (Del mejic. *cuatezón*, motilón.) adj. *Méj.* Dícese del animal que debiendo tener cuernos por su especie, carece de ellos.

Cuati. (Voz guaraní.) m. *Argent., Colom.* y *R. de la Plata.* Mamífero carnicero plantígrado, de cabeza alargada y hocico estrecho con nariz muy saliente y puntiaguda, orejas cortas y redondeadas y pelaje largo y tupido. Tiene uñas fuertes y encorvadas que le sirven para trepar a los árboles.

Cuatorceno, na. adj. ant. **Catorceno.**

Cuatorvirato. (Del lat. *quattuorviratus*.) m. Dignidad de cuatorviro.

Cuatorviro. (Del lat. *quattuorvir, -iri.*) m. Cada uno de los cuatro magistrados romanos que en municipios o en colonias presidían el gobierno de la ciudad, elegidos de entre los decuriones.

Cuatralbo, ba. (De *cuatro* y *albo*.) adj. Que tiene blancos los cuatro pies. || **2.** m. Jefe o cabo de cuatro galeras.

Cuatrañal. (De *cuatro* y *añal*.) adj. ant. **Cuadrienal.**

Cuatratuo, tua. adj. **Cuarterón,** 1.ª acep.

Cuatrega. f. ant. **Cuadriga.**

Cuatreño, ña. adj. Dícese del novillo o novilla que tiene cuatro hierbas o años y no ha cumplido cinco.

Cuatrero. (De *cuatro*, aludiendo a los pies de las bestias.) adj. V. **Ladrón cuatrero.** Ú. t. c. s.

Cuatri. Voz que sólo tiene uso como prefijo de vocablos compuestos, con la significación de cuatro. CUATRI*motor*.

Cuatridial. (De *cuatro* y *día*.) adj. ant. **Cuatriduano.**

Cuatriduano, na. (Del lat. *quatriduānus*, de *quatriduum*, espacio de cuatro días.) adj. De cuatro días.

Cuatrienal. adj. **Cuadrienal.**

Cuatrienio. m. **Cuadrienio.**

Cuatrillo. m. Juego de naipes semejante al tresillo, que se juega entre cuatro personas.

Cuatrillón. m. Un millón de trillones, que se expresa por la unidad seguida de 24 ceros.

Cuatrimestral. adj. Que sucede o se repite cada cuatrimestre. || **2.** Que dura un cuatrimestre.

Cuatrimestre. (Del lat. *quadrimestris.*) adj. Que dura cuatro meses. || **2.** m. Espacio de cuatro meses.

Cuatrimotor. m. Avión provisto de cuatro motores.

Cuatrín. (De *cuatro.*) m. Moneda de pequeño valor, que corría antiguamente en España. || **Cuatrín a cuatrín se hace el florín.** ref. que aconseja el ahorro.

Cuatrinca. (De *cuatro,* sobre el modelo de *trinca.*) f. Junta de cuatro personas o cosas. Ú. m. hablando de oposiciones a prebendas, cátedras, etc. || **2.** En el juego de la báciga, junta de cuatro cartas semejantes; como cuatro doses, cuatro treses, etc.

Cuatrisílabo, ba. (De *cuatro* y *sílaba.*) adj. De cuatro sílabas. Ú. t. c. s.

Cuatro. (Del lat. *quattŭor.*) adj. Tres y uno. || **2. Cuarto,** 1.ª acep. *Número* CUATRO; *año* CUATRO. Apl. a los días del mes, ú. t. c. s. *El* CUATRO *de agosto.* || **3.** V. **Las cuatro esquinas.** || **4.** fig. y fam. V. **Cuatro letras, cuatro ojos, cuatro orejas.** || **5.** V. **Doblón, real de a cuatro.** || **6.** m. Signo o cifra con que se representa el número **cuatro.** || **7.** Naipe que tiene **cuatro** señales. *El* CUATRO *de oros.* || **8.** En el juego de la chirinola, bolillo que se pone separado de los otros nueve. || **9.** En el de la rayuela, cuadro que se forma en medio. || **10.** El que tiene la voz o voto de **cuatro** personas, que se comprometen en él. || **11.** Composición que se canta a **cuatro** voces. || **12.** Guitarrilla venezolana de **cuatro** cuerdas. || **13.** *Germ.* Caballo, 1.ª acep. || **de menor.** *Germ.* Asno, 1.ª acep. || **Más de cuatro.** expr. fig. y fam. Muchos, o número considerable de personas.

Cuatrocentista. adj. Dícese de lo que se refiere o pertenece al siglo XV. *Pintura* CUATROCENTISTA.

Cuatrocientos, tas. adj. Cuatro veces ciento. || **2. Cuadringentésimo,** 1.ª acep. *Número* CUATROCIENTOS; *año* CUATROCIENTOS. || **3.** m. Conjunto de signos con que se representa el número **cuatrocientos.**

Cuatrodial. adj. ant. **Cuatridial.**

Cuatrodoblar. (De *cuatro* y *doblar.*) tr. Aumentar una cosa hasta el cuádruplo.

Cuatropea. (Del lat. *quattŭor* **pedĭa.*) f. Derecho de alcabala por la venta de caballerías en los mercados. || **2.** Bestia de cuatro pies. || **3.** Lugar de una feria, donde se vende el ganado.

Cuatropeado. (De *cuatro* y *pie.*) m. *Danza.* Movimiento en la danza, que se hace levantando la pierna izquierda y dejándola caer, y cruzando la otra encima con aceleración, sacando la que primero se sentó y dando con ella un paso adelante.

Cuatropeo. (De *cuatropea.*) m. *Germ.* **Cuartago.**

Cuatrotanto. (De *cuatro* y *tanto.*) m. Cuádruplo, o una cantidad cuadruplicada.

Cuba. (Del lat. *cūpa.*) f. Recipiente de madera, que sirve para contener agua, vino, aceite u otros líquidos. Se compone de duelas unidas y aseguradas con aros de hierro, madera, etc., y los extremos se cierran con tablas. También se hace modernamente de chapa metálica. || **2.** V. **Horno de cuba.** || **3.** fig. Todo el líquido que cabe en un **cuba.** CUBA *de agua.* || **4.** fig. y fam. Persona que tiene gran vientre. || **5.** fig. y fam. V. **Tapón de cuba.** || **6.** fig. y fam. Persona que bebe mucho vino. || **7.** *Metal.* Parte del hueco interior de un horno alto comprendida entre el vientre y el tragante. || **de atiestos.** *Sal.* **Cuba** que contiene el mosto para rellenar las otras **cubas,** luego que ha cesado la fermentación. || **Cada cuba huele al vino que tiene.** ref. que explica que por las acciones exteriores se suelen conocer las cualidades internas de las personas. || **Calar las cubas.** fr. Medirlas con una vara o regla, para saber la cantidad que contienen y pagar los derechos. || **Estar uno hecho una cuba.** fr. fig. y fam. **Estar hecho un cuero.**

Cubanicú. m. *Bot. Cuba.* Planta eritroxilácea silvestre, cuyas hojas secas y pulverizadas se emplean para curar llagas y heridas.

Cubano, na. adj. Natural de Cuba. Ú. t. c. s. || **2.** Perteneciente a esta república.

Cubeba. (Del ár. *kubāba,* especie de pimienta de la India.) f. Arbusto trepador originario de Java, de la familia de las piperáceas, de hojas lisas, ovaladas y brillantes, y fruto a modo de pimienta, liso, de color pardo obscuro y con un cabillo en cada baya más largo que ésta. || **2.** Fruto de este arbusto.

Cubera. f. *Zool. Cuba.* Pez de la misma familia que la perca, de un metro escaso de largo, de color blanquecino por el vientre y aceitunado por el lomo; cola ahorquillada; aletas dorsal y anal tirando a moradas con líneas negras, y ojos con cerco amarillo.

Cubería. f. Arte u oficio del cubero. || **2.** Taller o tienda del cubero.

Cubero. m. El que hace o vende cubas.

Cubertura. f. **Cobertura,** 2.ª acep.

Cubeta. f. d. de **Cuba.** || **2.** Herrada con asa hecha de tablas endebles. || **3.** Cuba manual que usan los aguadores. || **4.** *Fís.* Depósito de mercurio, en la parte inferior del barómetro, que recibe directamente la presión atmosférica, la cual se marca en un tubo por medio de grados. || **5.** Parte inferior del arpa, donde están colocados los resortes de los pedales. || **6.** Recipiente, por lo común rectangular, de porcelana, vidrio, gutapercha u otras materias, muy usado en operaciones químicas, y especialmente en las fotográficas.

Cubeto. m. d. de **Cubo,** 1.er art. || **2.** Vasija de madera, más pequeña que la cubeta. || **Todo saldrá del cubeto.** fr. fig. y fam. con que se suele consolar el que ha tenido pérdida en un negocio, esperando, con la continuación de él, lograr el resarcimiento.

Cúbica. f. Tela de lana, más fina que la estameña y más gruesa que el alepín.

Cubicación. f. Acción y efecto de cubicar.

Cubicar. (De *cúbico.*) tr. *Álg.* y *Arit.* Elevar un monomio, un polinomio o un número a la tercera potencia, o sea multiplicarlo dos veces por sí mismo. || **2.** *Geom.* Medir el volumen de un cuerpo o la capacidad de un hueco, para apreciarlos en unidades cúbicas.

Cúbico, ca. (Del lat. *cubĭcus,* y éste del gr. κυβικός.) adj. *Álg.* y *Arit.* V. **Raíz cúbica.** || **2.** *Geom.* Perteneciente al cubo. || **3.** De figura de cubo geométrico, o parecido a él. || **4.** V. **Centímetro, codo de ribera, codo geométrico, decímetro, metro, nitro, pie cúbico.**

Cubiculario. (Del lat. *cubicularius.*) m. El que servía en la cámara o a las inmediatas órdenes de príncipes o grandes señores.

Cubículo. (Del lat. *cubicŭlum.*) m. Aposento, alcoba.

Cubichete. m. *Art.* Pieza de metal y de forma adecuada, con que se cubrían el oído y la llave de las piezas de artillería. || **2.** *Mar.* Tablado en forma de caballete con que se impide la entrada del agua en el combés, cuando el buque da de quilla.

Cubierta. (De *cubierto.*) f. Lo que se pone encima de una cosa para taparla o resguardarla. CUBIERTA *de cama, de mesa.* || **2. Sobre,** 14.ª acep. || **3.** Forro de papel del libro en rústica. || **4.** Banda que protege exteriormente la cámara de los neumáticos y es la que sufre el roce con el suelo. Es de caucho vulcanizado reforzado con cuerdas o montado sobre un tejido muy resistente. || **5.** fig. Pretexto, simulación. || **6.** *Germ.* **Saya,** 1.ª acep. || **7.** *Arq.* Parte exterior de la techumbre de un edificio. || **8.** *Mar.* Cada uno de los suelos que dividen las estancias del navío o embarcación, y en especial el primero, que está a la intemperie.

Cubiertamente. adv. m. **A escondidas.**

Cubierto, ta. (Del lat. *coopertus.*) p. p. irreg. de **Cubrir.** || **2.** adj. V. **Caballero, camino, vino cubierto.** || **3.** V. **Carreta, torre cubierta.** || **4.** m. Servicio de mesa que se pone a cada uno de los que han de comer, compuesto de plato, cuchillo, tenedor y cuchara, pan y servilleta. || **5.** Juego compuesto de cuchara, tenedor y cuchillo. || **6.** Plato o bandeja con una servilleta encima. en que se sirve el pan, los bizcochos, etc., en los refrescos. || **7.** Conjunto de viandas que se ponen a un mismo tiempo en la mesa. || **8.** Comida que se da en las fondas a una persona, por precio determinado. CUBIERTO *de veinte pesetas.* || **9.** Techumbre de una casa u otro paraje, que cubre y defiende de las inclemencias del tiempo. || **10.** ant. **Cobertor,** 1.ª acep.

Cubijadera. (De *cubijar.*) f. ant. **Cobejera.**

Cubijar. tr. **Cobijar.** Ú. t. c. r.

Cubil. (Del lat. *cubīle.*) m. Sitio donde los animales, principalmente las fieras, se recogen para dormir. || **2.** Cauce de las aguas corrientes.

Cubilar. m. **Cubil,** 1.ª acep. || **2. Majada,** 1.ª acep.

Cubilar. (De *cubil.*) intr. **Majadear,** 1.ª acep.

Cubilete. (De *gubilete,* infl. por *cuba.*) m. Vaso de cobre u hojalata, redondo o abarquillado y más ancho por la boca que por el suelo, de que usan como molde los cocineros y pasteleros para varios usos de sus oficios. || **2.** Vaso de igual figura y materia, del cual se valen los que hacen juegos de manos. || **3.** Vaso de vidrio, plata u otra materia, más ancho por la boca que por el suelo, que en lo antiguo servía para beber. || **4.** Vianda de carne picada, que se guisa dentro del **cubilete** de cocina. || **5.** Pastel de figura de **cubilete,** lleno de carne picada, manjar blanco y otras cosas. || **6.** Vaso angosto y hondo, algo más ancho por la boca que por el suelo, y que ordinariamente se hace de cuerno o de cuero, y sirve para menear los dados y evitar las trampas en el juego del chaquete y otros. || **7.** fig. y fam. V. **Juego de cubiletes.**

Cubiletear. intr. Manejar los cubiletes. || **2.** fig. Valerse de artificios para lograr un propósito.

Cubileteo. m. Acción de cubiletear.

Cubiletero. m. Jugador de cubiletes, 2.ª acep. || **2. Cubilete,** 1.ª acep.

Cubilote. (En fr. *cubilot.*) m. Horno cilíndrico, de chapa de hierro revestida interiormente con ladrillos refractarios, en el que se refunde el hierro colado para echarlo en los moldes.

Cubilla. f. **Cubillo,** 1.ª acep.

Cubillo. (d. de *cubo,* 1.er art.) m. **Carraleja,** 1.er art. || **2.** Pieza de vajilla para mantener fría el agua. || **3.** Aposento pequeño que había a cada lado de la embocadura en los teatros de Madrid, debajo de los palcos principales.

Cubismo. (De *cubo,* 1.er art.) m. Escuela y teoría estética aplicable a las artes plásticas y del diseño, que se caracteriza por la imitación, empleo o predominio de figuras geométricas; como triángulos, rectángulos, cubos (y de ahí su nombre) y otros sólidos.

Cubista. adj. Se dice del que practica el cubismo. Ú. t. c. s.

Cubital. (Del lat. *cubitālis.*) adj. Perteneciente o relativo al codo. ‖ **2.** Que tiene un codo de longitud.

Cúbito. (Del lat. *cubĭtus.*) m. *Zool.* Hueso el más grueso y largo de los dos que forman el antebrazo.

Cubo. (De *cuba.*) m. Vaso de madera, metal u otra materia, por lo común de figura de cono truncado, con asa en la circunferencia mayor, que es la de encima, y fondo en la menor. Cuando es de madera, las duelas que lo forman se aseguran con flejes de hierro. ‖ **2.** Pieza central en que se encajan los rayos de las ruedas de los carruajes. ‖ **3.** Cilindro hueco en que remata por abajo la bayoneta, y que sirve para adaptarla al fusil. ‖ **4.** Cilindro hueco en que remata por abajo la moharra de la lanza y en el cual se introduce y asegura el asta. ‖ **5.** **Mechero,** 2.ª acep. ‖ **6.** Estanque que se hace en los molinos para recoger el agua cuando es poca, a fin de que, reunida mayor cantidad, pueda mover la muela. ‖ **7.** Pieza que tienen algunos relojes de bolsillo, en la cual se arrolla la cuerda. ‖ **8.** *Fort.* Torreón circular de las fortalezas antiguas.

Cubo. (Del lat. *cubus,* y éste del gr. κύβος.) m. *Álg.* y *Arit.* Tercera potencia de un monomio, polinomio o número, que se obtiene multiplicando estas cantidades dos veces por sí mismas, o tomándolas tres veces por factores. ‖ **2.** *Arq.* Adorno saliente de figura cúbica en los techos artesonados. ‖ **3.** *Geom.* Sólido regular limitado por seis cuadrados iguales y que, por tanto, tienen también iguales sus tres dimensiones.

Cuboides. (Del gr. κύβος, cubo, y εἶδος, forma.) adj. *Zool.* V. **Hueso cuboides.** Ú. t. c. s.

Cubrecadena. m. Envoltura que resguarda la cadena de las bicicletas.

Cubrecama. m. **Sobrecama.**

Cubrecorsé. m. Prenda de vestir que usaban las mujeres inmediatamente encima del corsé.

Cubrenuca. f. *Mil.* **Cogotera,** 1.ª acep. ‖ **2.** *Mil.* Parte inferior del casco, que cubría y resguardaba la nuca.

Cubreobjeto. m. Lámina delgada de cristal, cuadrada, rectangular o circular, con que se cubren las preparaciones microscópicas para su conservación y examen.

Cubrepán. (De *cubrir* y *pan.*) m. Hierro en forma de escuadra y con un palo largo por mango, de que se sirven los pastores para cubrir con fuego la torta y para descubrirla.

Cubrición. f. Acción y efecto de cubrir el animal macho a la hembra.

Cubriente. p. a. de **Cubrir.** Que cubre.

Cubrimiento. m. Acción y efecto de cubrir. ‖ **2.** Lo que sirve para cubrir.

Cubrir. (Del lat. *cooperire.*) tr. Ocultar y tapar una cosa con otra. Ú. t. c. r. ‖ **2.** Tapar completa o incompletamente la superficie de una cosa. *El polvo* CUBRÍA *los vestidos de los viajeros.* Ú. t. c. r. ‖ **3.** fig. Ocultar o disimular una cosa con arte, de modo que aparente ser otra. ‖ **4.** fig. Juntarse el macho con la hembra para fecundarla. ‖ **5.** *Arq.* Poner el techo a la fábrica, o techarla. ‖ **6.** *Mil.* Defender un puesto; impedir que sea atacado impunemente por el enemigo. ‖ **7.** intr. ant. **Vestir,** 1.ª acep. ‖ **8.** r. Ponerse el sombrero, la gorra, etc. ‖ **9.** fig. Pagar o satisfacer una deuda o alcance, gastos, etc. ‖ **10.** fig. Cautelarse de cualquiera responsabilidad, riesgo o perjuicio. ‖ **11.** *Fort.* Defenderse con reparos los sitiados de los ataques del sitiador. ‖ **12.** *Veter.* Se dice de las caballerías que al tiempo de andar cruzan algo las manos o los pies. ‖ **Quien te cubre, te descubre.** ref. que explica que los mismos atavíos y riquezas que tiene el que no los merece, son causa de que se averigüe su falta de mérito.

Cuca. f. **Chufa,** 1.ª acep. ‖ **2.** **Cuco,** 2.° art., 3.ª acep. ‖ **3.** fam. Mujer enviciada en el juego. ‖ **4.** *Chile.* Ave zancuda semejante a la garza europea, en color y figura, pero más grande, y caracterizada por su grito desapacible y su vuelo torpe y desgarbado. ‖ **5.** pl. Nueces, avellanas y otros frutos y golosinas análogos. ‖ **Cuca y matacán.** Juego de naipes en que la **cuca** es el dos de espadas, y el matacán el dos de bastos. ‖ **Mala cuca.** fig. y fam. Persona maliciosa y de mal natural.

Cucamonas. (De *cucar* y *mona.*) f. pl. fam. **Carantoñas.**

Cucaña. (Del ital. *cuccagna,* y éste del lat. *coquĕre,* cocer, por los comestibles cocidos que se ponían en ellas.) f. Palo largo, untado de jabón o de grasa, por el cual se ha de trepar, si se hinca verticalmente en el suelo, o andar, si se coloca horizontalmente a cierta distancia de la superficie del agua, para coger como premio un objeto atado a su extremidad. ‖ **2.** Diversión de ver trepar o avanzar por dicho palo. ‖ **3.** fig. y fam. Lo que se consigue con poco trabajo o a costa ajena.

Cucañero, ra. (De *cucaña,* 3.ª acep.) adj. fig. y fam. Que tiene maña para lograr las cosas con poco trabajo o a costa ajena. Ú. t. c. s.

Cucar. (De *cuco,* 1.er art.) tr. **Guiñar,** 1.ª acep. ‖ **2.** Hacer burla, mofar. ‖ **3.** Entre cazadores, avisarse unos a otros de la proximidad de una pieza. ‖ **4.** intr. Salir corriendo el ganado cuando le pica el tábano.

Cucaracha. (De *cuco,* insecto.) f. **Cochinilla de humedad.** ‖ **2.** Insecto ortóptero, nocturno y corredor, de unos tres centímetros de largo, cuerpo deprimido, aplanado, de color negro por encima y rojizo por debajo, alas y élitros rudimentarios en la hembra, antenas filiformes, las seis patas casi iguales y el abdomen terminado por dos puntas articuladas. Se esconde en los sitios húmedos y obscuros, devora toda clase de comestibles y los inficiona con su mal olor. Hay varias especies. ‖ **3.** Insecto del mismo género que el anterior, con el cuerpo rojizo, élitros un poco más largos que el cuerpo y alas plegadas en abanico. Es propio de América y abunda en los barcos transatlánticos poco cuidados. ‖ **4.** **Tabaco de cucaracha.** ‖ **martín.** ant. fig. Mujer morena.

Cucarachera. f. Aparato para coger cucarachas.

Cucarachero. (De *cucaracha.*) adj. V. **Tabaco cucarachero.**

Cucarda. (Del fr. *cocarde,* der. de *coq,* gallo.) f. **Escarapela,** 1.ª acep. ‖ **2.** Cada una de las dos piezas de adorno que van a los dos lados de las frontaleras de la brida. ‖ **3.** Martillo de boca ancha y cubierta de puntas de diamante, con que los canteros rematan ciertas obras de sillería.

Cucarro. adj. Apodo que daban los muchachos a los que iban vestidos de fraile ‖ **2.** Decíase del fraile aseglarado.

Cucayo. m. *Bol.* y *Ecuad.* Provisiones de boca que se llevan en viaje.

Cucioso, sa. adj. ant. **Acucioso.**

Cuclillas (En). (De *clueco.*) m. adv. con que se explica la postura o acción de doblar el cuerpo de suerte que las asentaderas se acerquen al suelo o descansen en los calcañares.

Cuclillo. (d. del lat. **cŭcŭlĕllus,* d. de *cŭcŭlus.*) m. Ave del orden de las trepadoras, poco menor que una tórtola, con plumaje de color de ceniza, azulado por encima, más claro y con rayas pardas por el pecho y abdomen, cola negra con pintas blancas, y alas pardas. La hembra pone sus huevos en los nidos de otras aves. ‖ **2.** fig. Marido de la adúltera. ‖ **Por vos cantó el cuclillo.** ref. que se aplica al tercero que saca provecho de la riña de otros dos.

Cuco. m. **Coco,** 4.° art., 1.ª acep.

Cuco, ca. (Del lat. *cucus.*) adj. fig. y fam. Pulido, mono. ‖ **2.** fig. y fam Taimado y astuto, que ante todo mira por su medro o comodidad. Ú. t. c. s. ‖ **3.** m. Oruga o larva de cierta mariposa nocturna: tiene de tres a cuatro centímetros de largo, los costados vellosos y con pintas blancas, tres articulaciones amarillentas junto a la cabeza, y las demás pardas, con una faja más clara y rojiza en el lomo. ‖ **4.** **Cuclillo,** 1.ª acep. ‖ **5.** **Malcontento,** 3.ª acep. ‖ **6.** fam. **Tahúr.** ‖ **¡Cuco!** expr. de que usa en el juego del **cuco** o malcontento el que tiene el rey, para no trocar. ‖ **moñón. Cuco real.** ‖ **real.** Ave trepadora semejante al cuclillo, que suele poner sus huevos en los nidos de las urracas. Es frecuente en el centro de España.

Cucú. (Voz onomatopéyica.) m. Canto del cuclillo.

Cucubá. m. *Cuba.* Ave nocturna parecida a la lechuza, que vive en el hueco de los árboles y cuyo grito semeja al ladrido del perro.

Cucuiza. f. *Amér.* Hilo obtenido de la pita.

Cuculí. (Voz onomatopéyica.) m. *Chile* y *Perú.* Especie de paloma silvestre del tamaño de la doméstica, pero de forma más esbelta; de color ceniza y con una faja de azul muy vivo alrededor de cada ojo. Es también notable por su canto, semejante al de la codorniz, y se cría en jaula con facilidad.

Cuculla. (Del lat. *cucŭlla,* capuz.) f. Prenda de vestir antigua que se ponía sobre la cabeza. ‖ **2.** **Cogulla.**

Cucúrbita. (Del lat. *cucurbĭta,* calabaza.) f. **Retorta,** 1.ª acep.

Cucurbitáceo, a. (Del lat. *cucurbĭta,* calabaza.) adj. *Bot.* Aplícase a plantas angiospermas dicotiledóneas de tallo sarmentoso, por lo común con pelo áspero, hojas sencillas y alternas, flores regularmente unisexuales de cinco sépalos y cinco estambres, fruto carnoso y semilla sin albumen; como la calabaza, el melón, el pepino y la balsamina. Ú. t. c. s. ‖ **2.** f. pl. *Bot.* Familia de estas plantas.

Cucurucho. (Del ital. dialect. *cucuruccio,* del lat. *cucūllus.*) m. Papel o cartón arrollado en forma cónica. Sirve para contener confites u otras cosas menudas, o para capirotes como los que se ponían los disciplinantes y penitentes.

Cucuy. m. **Cucuyo.**

Cucuyo. m. **Cocuyo.**

Cuchar. f. **Cuchara.** ‖ **2.** V. **Ave de cuchar.** ‖ **3.** Medida antigua de granos, equivalente a la tercera parte de un cuartillo. ‖ **4.** Cantidad de grano que cabía en esta medida. ‖ **5.** Cierto tributo o derecho que se pagaba sobre los granos. ‖ **6.** ant. Broca o tenedor. ‖ **herrera.** Cuchara de hierro.

Cuchar. (Del lat. *cultāre,* abonar, cultivar.) tr. *Ast.* Abonar las tierras con cucho.

Cuchara. (Del lat. *cochleāre.*) f. Instrumento que se compone de una palita cóncava y un mango, y que sirve para llevar a la boca las cosas líquidas, blandas o menudas. ‖ **2.** V. **Ave de cuchara.** ‖ **3.** Vasija redonda de hierro o cobre, que por un lado tiene un pico y por otro un mango largo que sube perpendicularmente desde el suelo del vaso, y remata en un garabato. Sirve para sacar de las tinajas el agua o aceite sin tener que meter el brazo en ellas, y por el garabato se cuelga en el borde de la tinaja. ‖ **4.** Cualquiera de los utensilios que se emplean en diversas artes y tienen forma semejante a la de la

cuchara común. || **5.** *Art.* Plancha de hierro abarquillada, con una asta o mango largo de madera, que servía para introducir la pólvora en los cañones cuando se cargaban a granel. || **6.** *Mar.* **Achicador,** 2.ª acep. || **Media cuchara.** fig. y fam. Persona de mediano entendimiento o habilidad en cualquier arte, oficio, etc. || **Dure lo que durare, como cuchara de pan.** expr. con que se exhorta a lograr de presente alguna cosa que por su poca consistencia se teme que ha de acabarse presto. || **Meter** a uno **con cuchara,** o **con cuchara de palo,** una cosa. fr. fig. y fam. Explicársela minuciosa y prolijamente cuando no la comprende. || **Meter uno su cuchara.** fr. fig. Introducirse inoportunamente en la conversación de otros o en asuntos ajenos.

Cucharada. f. Porción que cabe en una cuchara. || **Meter uno su cucharada.** fr. fig. y fam. **Meter uno su cuchara.** || **2.** fig. y fam. **Cucharetear,** 2.ª acep.

Cucharal. m. Bolsa hecha de una piel de cabrito, en que los pastores guardan las cucharas.

Cucharear. tr. Sacar con cuchara. || **2.** intr. **Cucharetear.**

Cucharero, ra. m. y f. Persona que hace o vende cucharas. || **2.** m. **Cucharetero,** 2.ª acep.

Cuchareta. f. d. de **Cuchara.** || **2.** Especie de trigo, propia de Andalucía, con las espigas algo vellosas, casi tan anchas como largas, y aristas laterales. Ú. t. c. adj. || **3.** Inflamación del hígado, en el ganado lanar. || **4.** *Ar.* **Renacuajo,** 1.ª acep. || **5.** *Zool.* Ave zancuda de hermoso plumaje, blanco en el animal joven y rosado en el adulto, con pico en forma de espátula y pies amarillentos. Conócense varias especies, difundidas por el Antiguo y Nuevo Mundo, una de las cuales vive en el sur de Europa y en gran parte de África.

Cucharetear. (De *cuchareta.*) intr. fam. Meter y sacar la cuchara en la olla para revolver lo que hay en ella. || **2.** fig. y fam. Meterse o mezclarse sin necesidad en los negocios ajenos.

Cucharetero, ra. m. y f. Persona que hace o vende cucharas de palo. || **2.** m. Listón de tela fuerte o de madera, con agujeros, para colocar las cucharas en la cocina. || **3.** fam. Fleco que se ponía en la parte inferior de las enaguas.

Cucharilla. f. d. de **Cuchara.** || **2.** Enfermedad del hígado en los cerdos. || **3.** Varilla de hierro con una de las puntas aplanada y doblada en ángulo recto, con la que se saca el polvo del fondo de los barrenos.

Cucharón. m. aum. de **Cuchara.** || **2.** Cacillo de metal o de loza, con mango, o cuchara grande, que sirve para repartir ciertos manjares en la mesa. || **Despacharse** uno **con el cucharón.** fr. fig. y fam. Adjudicarse a sí propio la mayor o mejor parte en cualquiera distribución. || **Tener** uno **el cucharón por el mango.** fr. fig. y fam. **Tener la sartén por el mango.**

Cucharrena. f. *Seg.* y *Sor.* **Rasera,** 2.ª acep.

Cucharro. m. *Mar.* Pedazo de tablón cortado irregularmente, que sirve para entablar algunos sitios, como en la popa y proa u otros parajes de la embarcación.

Cuché. (Del fr. *couché,* de *coucher,* y éste del lat. *collocāre,* colocar.) adj. V. **Papel cuché.**

Cuchí. m. *Perú.* **Cochino,** 1.ª acep.

Cuchichear. (De *cuchichiar.*) intr. Hablar en voz baja o al oído a uno, de modo que otros no se enteren.

Cuchicheo. (De *cuchichear.*) m. Acción y efecto de cuchichear.

Cuchichiar. (De la voz de la perdiz, *cuchichí.*) intr. Cantar la perdiz de modo que parece repetir las sílabas de *cuchichí.*

Cuchilla. (De *cuchillo.*) f. Instrumento compuesto de una hoja muy ancha de hierro acerado, de un solo corte, con su mango para manejarlo. || **2. Archa.** || **3.** Instrumento de hierro acerado, de varias formas, que se usa en diversas partes para cortar. || **4.** Hoja de cualquier arma blanca de corte. || **5. Hoja de afeitar.** || **6.** fig. Montaña escarpada en forma de **cuchilla.** || **7.** fig. poét. **Espada,** 1.ª acep.

Cuchillada. f. Golpe de cuchillo, espada u otra arma de corte. || **2.** Herida que de este golpe resulta. || **3.** pl. Aberturas que se hacían en los vestidos para que por ellas se viese otra tela de distinto color u otra prenda lujosa. || **4.** fig. Pendencia o riña. || **Cuchillada de cien reales.** fig. **Cuchillada** grande. Parece haber dado origen a esta locución el uso bárbaro de concertar con los malhechores ciertas clases de heridas que habían de dar. || **Dar cuchillada.** fr. fig. y fam. En competencias de teatros o de sus artistas, obtener alguno de ellos la preferencia del público. || **Sanan cuchilladas, y no malas palabras.** ref. que enseña que a veces es menor mal el de herir que el de desacreditar o afrentar, porque éste es irreparable y aquél puede tener cura.

Cuchillar. adj. Perteneciente al cuchillo o parecido a él.

Cuchillar. (Del lat. *cultellāre,* de *cultellus,* cuchillo.) tr. ant. **Acuchillar.**

Cuchilleja. f. d. de **Cuchilla.**

Cuchillejo. m. d. de **Cuchillo.**

Cuchillería. f. Oficio de cuchillero. || **2.** Taller en donde se hacen cuchillos. || **3.** Tienda en donde se venden. || **4.** Sitio, barrio o calle donde estaban las tiendas de los cuchilleros.

Cuchillero. (Del lat. *cultellārius.*) adj. V. **Hierro cuchillero.** || **2.** m. El que hace o vende cuchillos. || **3. Abrazadera,** 2.ª acep. || **4.** *Arq.* Abrazadera de hierro que en el extremo inferior del pendolón sujeta la viga tirante o traversa de las armaduras.

Cuchillo. (Del lat. *cultellus.*) m. Instrumento formado por una hoja de hierro acerado y de un corte solo, con mango de metal, madera u otra cosa. Hácese de varios tamaños, según los usos a que se destina. || **2.** Cada uno de los colmillos inferiores del jabalí. || **3.** fig. Añadidura o remiendo, ordinariamente triangular, que se suele echar en los vestidos para darles más vuelo que el que permite lo ancho de la tela, o para otros fines. Ú. m. en pl. || **4.** fig. Cada una de las dos piezas triangulares que a uno y otro lado de la media empalman la caña con el pie. || **5.** fig. Derecho o jurisdicción que uno tiene para gobernar, castigar y poner en ejecución las leyes. || **6.** fig. Cualquiera cosa cortada o terminada en ángulo agudo; como una tabla cortada al sesgo, una habitación con paredes oblicuas, una pieza de tierra de figura triangular, etc. || **7.** *Arq.* Conjunto de piezas de madera o hierro que, colocado verticalmente sobre apoyos, sostiene la cubierta de un edificio o el piso de un puente o una cimbra. || **8.** *Cetr.* Cada una de las seis plumas del ala del halcón inmediatas a la principal, llamada tijera: la primera de aquéllas se llama **cuchillo maestro.** || **9.** *Mar.* V. **Vela de cuchillo.** || **bayoneta.** El que reemplaza, en algunas armas portátiles de fuego, a la antigua bayoneta. || **de armadura.** *Arq.* El triángulo que forman dos pares y un tirante con sus demás piezas. || **de monte.** El grande de que se sirven los cazadores, ajustándolo a veces por el mango en el cañón de la escopeta, para rematar las reses ya heridas. || **mangorrero.** El tosco y mal forjado. || **Haber el cuchillo.** fr. ant. **Servir el cuchillo.** || **Llevar a cuchillo.** fr. ant. **Pasar a cuchillo.** || **Matar** a uno **con cuchillo de palo.** fr. fig. Mortificarle lenta y porfiadamente. || **Meter a cuchillo.** fr. ant. **Pasar a cuchillo.** || **Pasar a cuchillo.** fr. Dar la muerte. Se usa ordinariamente de esta frase cuando se habla de una plaza tomada por asalto. || **Ser** uno **cuchillo** de otro. fr. fig. y fam Serle muy perjudicial o molesto. || **Servir el cuchillo.** fr. ant. Trinchar a la mesa del rey o de otra persona real. || **Tú eres el cuchillo y yo la carne.** expr. fig. **Yo soy la carne y usted el cuchillo.**

Cuchillón. m. aum. de **Cuchillo.** Usado en la fr. **ser el dueño del cuchillón.** || **2.** *Chile.* **Doladera.**

Cuchipanda. f. fam. Comida que toman juntas y regocijadamente varias personas.

Cuchitril. m. **Cochitril.**

Cucho. (Del lat. *cŭltus,* abono.) m. *Ast.* Abono hecho con estiércol y materias vegetales en estado de descomposición.

Cucho. m. *Chile.* Nombre familiar del gato, especialmente para llamarlo.

Cucho (A). (Del lat. *coxa,* cadera, como *cuja.*) m. adv. *Sant.* Manera de llevar a los niños, sentados sobre los hombros de una persona, cuyo cuello ciñen ellos para no caer.

Cuchuco. m. *Colomb.* Sopa de cebada con carne de cerdo.

Cuchuchear. intr. **Cuchichear.** || **2.** fig. y fam. Decir o llevar chismes.

Cuchufleta. (De *chufleta.*) f. fam. Dicho o palabras de zumba o chanza.

Cuchufletero, ra. adj. Dícese de la persona aficionada a decir cuchufletas.

Cuchugo. m. *Amér.* Cada una de las dos cajas de cuero que suelen llevarse en el arzón de la silla de montar. Ú. m. en pl.

Cudicia. f. ant. **Codicia.**

Cudria. (Del lat. *chorda,* cuerda.) f. Soguilla de esparto crudo en forma de trenza, de un dedo de grueso, con que se ensogan los serones y espuertas.

Cueca. f. *Chile.* **Zamacueca.** || **2.** *Chile.* Baile popular que hoy goza de gran predicamento entre las gentes distinguidas.

Cueita. (De *coitar.*) f. ant. **Cuita.**

Cuélebre. (Del lat. *colŭber,* culebra.) m. *Ast.* **Dragón,** 1.ª acep.

Cuelga. f. Conjunto de los hilos de uvas o de las panojas de peras, manzanas u otras frutas que se cuelgan en las casas para conservarlas durante el invierno. || **2.** fam. Regalo o fineza que se da a uno en el día de su cumpleaños.

Cuelgacapas. m. Mueble para colgar la capa y otras prendas de vestir.

Cuelmo. (Del lat. *cŭlmus,* caña.) m. **Tea,** 1.ª acep.

Cuelmo. m. *León.* **Colmo,** 2.° art.

Cuellicorto, ta. adj. Que tiene corto el cuello.

Cuellidegollado, da. adj. ant. Que llevaba el vestido muy escotado. || **2.** ant. Decíase de este mismo vestido.

Cuellierguido, da. adj. Tieso y levantado de cuello.

Cuellilargo, ga. adj. Largo de cuello.

Cuello. (Del lat. *cŏllum.*) m. *Zool.* Parte del cuerpo de las aves y vertebrados cuadrúpedos, que une la cabeza con el tronco. || **2.** Pezón o tallo que arroja cada cabeza de ajos, cebolla, etc. || **3.** Parte superior y más angosta de una vasija. || **4.** Tira de una tela unida a la parte superior de los vestidos, para cubrir más o menos el pescuezo. || **5. Alzacuello,** 1.ª acep. || **6.** Adorno suelto o abrigo de tela, encaje, piel, etc., que se pone alrededor del pescuezo. || **7.** La parte más estrecha y delgada de un cuerpo, especialmente si es redondo; como el palo de un buque, la raíz de una planta, etc. || **8.** En los molinos de aceite, parte de la viga más inmediata a la tenaza. || **9.** ant. Garganta del pie. || **acanalado, alechugado, apanalado.** Adorno antiguo de lienzo, sobrepuesto al cabezón de la camisa y encañonado con molde. || **blando.** El de camisa no almidonado. || **de foque.** Foque, 2.ª acep. || **de pajarita.** El de camisa, postizo y almidonado, con las puntas dobladas hacia afuera. || **duro.** El de camisa almidonado. || **escarolado.** Cuello acanalado. || **Levantar uno el cuello.** fr. fig. y fam. **Levantar cabeza.**

Cuemo. (De *cuomo.*) adv. m. ant. Como, 2.° art.

Cuenca. (Del lat. *cŏncha.*) f. Hortera o escudilla de madera, que suelen traer algunos peregrinos, los mendigos y otras personas. || **2.** Cavidad en que está cada uno de los ojos. || **3.** Territorio rodeado de alturas. || **4.** Territorio cuyas aguas afluyen todas a un mismo río, lago o mar. || **5.** ant. **Pila,** 2.° art., 1.ª acep.

Cuenca. n. p. V. **Pino de Cuenca.**

Cuencano, na. adj. Natural de Cuenca (Ecuador). Ú. t. c. s. || **2.** Perteneciente a esta ciudad de la república del Ecuador.

Cuenco. (De *cuenca,* 1.er art.) m. Vaso de barro, hondo y ancho, y sin borde o labio. || **2.** Concavidad, 2.ª acep. || **3.** *Ar.* Cuezo para colar. || **4.** *Ar.* Canasta de colar.

Cuenda. f. Cierto cordoncillo de hilos que recoge y divide la madeja para que no se enmarañe. || **Por la cuenda se devana la madeja.** ref. que muestra que las cosas deben hacerse del modo más fácil y mejor.

Cuende. (Del lat. *cŏmes, -ĭtis* en posición tónica.) m. ant. **Conde.**

Cuenta. f. Acción y efecto de contar. || **2.** Cálculo u operación aritmética. CUENTA *de multiplicar, de partir.* || **3.** Pliego o papel en que está escrita alguna razón compuesta de varias partidas, que al fin se suman o restan. || **4.** Cierto número de hilos que deben tener los tejidos según sus calidades; como en el paño el ser dieciocheno, treintaidoseno, etc. || **5.** Razón, satisfacción de alguna cosa. *No tengo que dar* CUENTA *de mis acciones.* || **6.** Cada una de las bolitas ensartadas que componen el rosario y sirven para llevar la **cuenta** de las oraciones que se rezan; y por semejanza, cualquiera bolilla ensartada o taladrada para serlo. || **7.** V. **Caña de cuentas.** || **8.** Cuidado, incumbencia, cargo, obligación, deber. *Correr por* CUENTA *de uno; ser de su* CUENTA; *quedar por su* CUENTA; *tener* CUENTA. || **9.** **Cálculo,** 1.ª acep. || **10.** V. **Libro de cuentas ajustadas.** || **11.** ant. Número, porción, cantidad. || **corriente.** *Com.* Cada una de las que, para ir asentando las partidas de debe y haber, se llevan a las personas o entidades a cuyo nombre están abiertas y permite al titular de la **cuenta** retirar a la vista o a plazo, los saldos a su favor. || **de crédito.** *Com.* **Cuenta** corriente en la que el banco o banquero autoriza al titular para disponer, sobre su saldo favorable, de mayor cantidad que suele fijarse, con exigencia de garantía o sin ella. || **de leche.** Bolita de calcedonia que suelen ponerse al cuello las mujeres que crían, creyendo que sirve para atraer leche a los pechos. || **de perdón.** **Cuenta** más gruesa que las del rosario, a la que se decía estar concedidas algunas indulgencias en sufragio de las almas del purgatorio. || **jurada** *For.* La que por privilegio procesal pueden presentar a los clientes los procuradores y a éstos los abogados y auxiliares de la Justicia. || **La cuenta de la vieja.** fig. y fam. La que se hace por los dedos, por las **cuentas** del rosario u otro procedimiento vulgar. || **Cuentas alegres.** fam. **Cuentas galanas.** || **Cuentas en participación.** *Com.* Sociedad accidental. || **Cuentas galanas.** fam. Cálculos lisonjeros y poco fundados. || **Las cuentas del Gran Capitán.** fig. y fam. Las exorbitantes, formadas arbitrariamente y sin debida justificación. || **Abrir cuenta.** fr. *Com.* Iniciarla, formarla para asentar en ella las partidas concernientes a persona o cosa determinada. || **A buena cuenta.** m. adv. Dícese de la cantidad que se da o recibe sin finalizar la **cuenta.** || **2.** Seguramente, con toda razón, indudablemente. || **A cuenta.** m. adv. Sobre la fe y autoridad de otro. || **2.** **A buena cuenta.** || **3.** Contando, haciendo **cuenta,** fijándose en alguna cosa. || **A cuentas viejas, barajas nuevas.** ref. que aconseja no retrasar el ajuste de **cuentas,** para evitar disputas. || **Ajustar cuentas.** fr. fam. que se usa por amenaza. *Yo* AJUSTARÉ CUENTAS *contigo, ya* AJUSTAREMOS CUENTAS. || **Ajustar** uno sus **cuentas.** fr. fig. Examinar en cualquier negocio o dependencia lo que hay en pro o en contra, para ver las medidas que le conviene tomar. || **A la cuenta.** m. adv. **Por la cuenta.** || **Al dar la cuenta me lo diréis.** ref. con que se nota a los que disipan las cosas de que deben responder. || **Armar la cuenta.** fr. **Abrir cuenta.** || **Caer** uno **en la cuenta.** fr. fig. y fam. Venir en conocimiento de una cosa que no lograba comprender o en que no había parado la atención. || **Cerrar la cuenta.** fr. Saldarla, concluirla. || **Con cuenta y razón.** m. adv. Con puntualidad. || **2.** fig. Con precaución y advertencia. || **Con su cuenta y razón.** fr. fam. con que se da a entender que uno hace algo porque así le conviene. || **Correr por la misma cuenta.** fr. Estar una cosa dedicada a lo mismo que otra, o hallarse en iguales circunstancias. || **Cubrir la cuenta.** fr. En las contadurías, ir añadiendo partidas a la data, hasta que salga igual con el cargo. || **¡Cuenta!** interj. **¡Cuidado!** || **Cuenta con la cuenta.** expr. con que se advierte que se tenga cuidado en algún asunto, amenazando con un castigo o mal suceso. || **Cuenta con pago.** expr. que denota que alguno, al tiempo de dar las **cuentas** de lo que ha tenido a su cargo, paga o pone de manifiesto lo que importa el alcance que se le hace en ellas. || **Cuenta errada, que no valga.** expr. fam. Dícese para salvar la equivocación que puede ocurrir en cualquiera hecho. || **Cuentas de beato, y uñas de gato.** ref. **Cara de beato, y uñas de gato.** || **Cuenta y razón conserva, o sustenta, amistad.** ref. que enseña que aun entre los mayores amigos debe haber formalidad en las **cuentas.** || **Danzar de cuenta.** fr. Danzar ciertos bailes de figuras, como las folías, el villano y otros, que en muchas partes se llaman aún bailes de **cuenta.** || **Dar** uno **buena,** o **mala, cuenta de su persona.** fr. Corresponder bien, o mal, a la confianza que de él han hecho o al encargo que le han dado. || **Dar cuenta de** una cosa. fr. fig. y fam. Dar fin de ella, destruyéndola o malgastándola. || **Dar** uno **en la cuenta.** fr. fig. y fam. **Caer en la cuenta.** || **Darse cuenta de** una cosa. fr. fig. Venir en conocimiento de ella. || **De cuenta.** loc. De importancia. Empléase como calificativo de personas. *Hombre* DE CUENTA. || **De cuenta y riesgo de uno.** m. adv. Bajo su responsabilidad. || **Echar cuentas.** fr. **Echar la cuenta,** 2.ª acep. || **Echar la cuenta.** fr. Ajustarla. || **2.** Hacer cómputo, sobre poco más o menos, del importe, gasto o utilidad de una cosa. || **Echar** uno **la cuenta sin la huéspeda.** fr. fig. y fam. Lisonjearse del buen éxito de un negocio, encareciendo sus ventajas, antes de meditar los inconvenientes o gravámenes que trae consigo. || **Echar** uno **una cuenta** a otro. fr. Proponerle alguna de las operaciones aritméticas, que comúnmente se llaman **cuentas,** para que calcule y averigüe la cantidad que de ellas resulta. || **En cuenta.** m. adv. **A buena cuenta,** 1.ª acep. || **2.** ant. **En lugar de.** || **En resumidas cuentas.** m. adv. fig. y fam. En conclusión o con brevedad. || **Entrar** una cosa **en cuenta.** fr. Ser tenida presente y en consideración en lo que se intenta o trata. || **Entrar** uno **en cuentas consigo.** fr. fig. Recapacitar lo que ha pasado por él, y reflexionar para en adelante lo que importa; examinar seria e interiormente lo que conviene practicar en algún asunto. || **Estar fuera de cuenta.** fr. Haber cumplido ya los nueve meses la mujer preñada. || **Estemos a cuentas.** expr. fig. y fam. **Vamos a cuentas.** || **Girar la cuenta.** fr. Hacerla y enviarla al deudor. || **Hacer,** o **hacerse,** uno **cuenta,** o **la cuenta.** fr. Figurarse o dar por supuesto. || **Hacer** uno **la cuenta sin la huéspeda.** fr. fig. y fam. **Echar la cuenta sin la huéspeda.** || **Haya buena cuenta, y blanca no parezca.** ref. que enseña que se deben siempre llevar con mucha formalidad las **cuentas,** aunque no se trate de pagar por entonces. || **La cuenta del trillo, en cada agujero su guijo.** ref. que recomienda hacer las cosas con método y oportunidad. || **La cuenta es cuenta.** expr. con que se denota que en negocios de intereses se debe usar la más puntual formalidad. || **Llevar la cuenta.** fr. Tener el cuidado de asentar y anotar las partidas que la han de componer. || **Meter en cuenta.** fr. **Poner en cuenta.** || **No hacer cuenta de** una cosa. fr. No estimarla, no apreciarla. || **No querer** uno **cuentas con** otro. fr. No querer tratar con él de negocios o intereses. || **No salirle a** uno **la cuenta.** fr. fig. Fallar sus cálculos y esperanzas, volviéndose en su daño lo que reputaba provechoso. || **No tener cuenta con** una cosa. fr. No querer mezclarse en ella. || **Pasar la cuenta.** fr. Enviar a un cliente o deudor la nota de lo que ha de pagar. || **2.** fig. y fam. Reclamar recompensa o reciprocidad el que aparentó servir con desinterés. || **Pedir cuenta.** fr. Pedir la razón o el motivo de lo que se ejecuta o dice. || **Perder la cuenta.** fr. con que se explica ser muy difícil acordarse de las cosas o reducirlas a fácil número, a causa de su antigüedad o muchedumbre. || **Poner en cuenta.** fr. Añadir o juntar algunas razones a las ya conocidas. || **Por cuenta de** uno. fr. fig. En su nombre o a su costo. || **Por la cuenta.** m. adv. Al parecer, o según lo que se puede juzgar. || **Por mi cuenta.** m. adv. A mi juicio, en mi concepto. || **Reniego de cuentas con deudos y deudas.** ref. que pondera lo penoso de hacerlas entre parientes o cuando excede lo que se debe a lo que hay que cobrar. || **Tener cuenta** una cosa. fr. Ser útil, conveniente o provechosa. || **Tener en cuenta.** fr. Tener presente, considerar. || **Tomar cuentas.** fr. Examinar y comprobar las que uno presenta o le piden a este efecto. || **2.** fig. Examinar minuciosamente los actos de una persona. || **Tomar en cuenta.** fr. Admitir alguna partida o cosa en parte de pago de lo que se debe. || **2.** fig. Apreciar, recordar un favor, una circunstancia notable o recomendable. || **Tomar** uno **por su cuenta** una cosa. fr. fig. Asumir un cuidado o una responsabilidad. || **Vamos a cuentas.** expr. fig. y fam. con que se llama la atención en un asunto para esclarecerlo. || **Vivir** uno **a cuenta** de otro. fr. Estar dependiente de él enteramente, en especial para su manutención.

Cuenta. f. ant. **Cuento,** 2.° art., 2.ª acep.

Cuentacacao. f. *Hond.* Araña común, algo venenosa, que deja, al pasar por la piel de las personas, un salpullido.

Cuentacorrentista. com. Persona que tiene cuenta corriente en un establecimiento bancario .

Cuentadante. adj. Dícese de la persona que da o ha dado cuenta de fondos que ha manejado, a quien puede exigírsela y censurarla. Ú. t. c. s.

Cuentagotas. m. Utensilio, generalmente de cristal y goma, dispuesto para verter un líquido gota a gota.

Cuentahílos. m. Especie de microscopio que sirve para contar el número de hilos que entran en parte determinada de un tejido.

Cuentakilómetros. m. *Mec.* Aparato que registra los kilómetros recorridos por un vehículo automóvil mediante un mecanismo conectado con las ruedas. Suele llevar un indicador que va marcando la velocidad a que marcha el vehículo.

Cuentapasos. m. **Podómetro.**

Cuentero, ra. adj. **Cuentista,** 1.ª acep. Ú. t. c. s.

Cuentezuela. f. d. de **Cuenta.**

Cuentista. adj. fam. Que tiene la mala costumbre de llevar cuentos o chismes de una parte a otra. Ú. t. c. s. || **2.** com. Persona que suele narrar o escribir cuentos.

Cuento. (Del lat. *compŭtus*, cuenta.) m. Relación de un suceso. || **2.** Relación, de palabra o por escrito, de un suceso falso o de pura invención. || **3.** Fábula o conseja que se cuenta a los muchachos para divertirlos. || **4. Cómputo.** *El* CUENTO *de los años.* || **5.** fam. Chisme o enredo que se cuenta a una persona para ponerla mal con otra. || **6.** fam. Quimera, desazón. *Ana tiene* CUENTOS *con María.* || **7.** *Arit.* **Millón.** || **de cuentos.** *Arit.* Un millón de millones, billón. || **2.** fig. Relación o noticia difícil de explicar, por hallarse enredada con otras. || **de horno. Cuento** o hablilla vulgar de que se hace conversación entre la gente común. || **de viejas.** fig. Noticia o relación que se cree falsa o fabulosa. Dícese aludiendo a las consejas que las mujeres ancianas cuentan a los muchachos. || **largo.** fig. Asunto de que hay mucho que decir. || **El cuento de nunca acabar.** fig. y fam. Asunto o negocio que se dilata y embrolla de modo que nunca se le ve el fin. || **Acabados son cuentos.** expr. fam. de que suele usarse para cortar una disputa y finalizar la conversación. || **A cuento.** m. adv. Al caso, al propósito. || **2.** ant. **A trueque** || **Como digo, o iba diciendo, de mi cuento.** expr. fam. que suele emplearse al ir a contar un suceso festivo o a proseguir su narración. || **Cuento de socarro, parece bueno y es malo.** ref. que censura al que por modo indirecto suele ofender en todo lo que habla. || **Degollar el cuento.** fr. fig. y fam. Cortar el hilo del discurso, interrumpiéndolo con otra narración o pregunta impertinente. || **Dejarse de cuentos.** fr. fig. y fam. Omitir los rodeos e ir a lo substancial de una cosa. || **Despachurrar,** o **destripar,** a uno **el cuento.** fr. fig. y fam. Interrumpirlo adelantando el desenlace. || **2.** fig. y fam. Frustrarle un intento. || **En cuento de.** m. adv. En número de, en lugar de. || **En todo cuento.** m. adv. **En todo caso.** || **Ése es el cuento.** fr. fam. En eso consiste la dificultad o la substancia de lo que se trata. || **Estar uno en el cuento.** fr. Estar bien informado. || **Hablar en el cuento.** fr. Hablar de lo que se trata. || **No querer** uno **cuentos con serranos.** fr. fig. y fam. No querer ponerse en ocasión de reñir con gentes de malas cualidades. || **Poner en cuentos.** fr. Exponer a un riesgo o peligro. || **Quitarse de cuentos.** fr. Atender sólo a lo esencial y más importante de una cosa. || **Saber** uno su **cuento.** fr. fig. y fam. Obrar con reflexión, o por motivos que no quiere o no puede manifestar. || **Ser mucho cuento.** fr. fam. de que se usa para ponderar mucho una cosa. || **Sin cuento.** loc. fig. Sin cuenta, o sin número. || **Traer a cuento.** fr. Injerir en un discurso o conversación especies, acaso remotas, con oportunidad o sin ella, o con particular interés. || **Va de cuento.** expr. fam. que sirve para dar principio a la narración de una conseja, historia o anécdota. || **Venir a cuento** una cosa. fr. fam. **Venir al caso.** || **2.** fam. Ser útil o conveniente por algún concepto. || **Venirle** a uno **con cuentos.** fr. fam. Contarle cosas que no le importan o que no quiere saber.

Cuento. (Del lat. *contus*, y éste del gr. κοντός.) m. Regatón o contera de la pica, la lanza, el bastón, etc. || **2.** Pie derecho o puntal que se pone para sostener alguna cosa. || **3.** *Cetr.* Parte exterior por donde se dobla el ala de las aves.

Cuentón, na. adj. fam. **Cuentista,** 1.ª acep. Ú. t. c. s.

Cuer. (Del lat. *cor.*) m. ant. **Cor,** 1.er art.

Cuera. (De *cuero.*) f. Especie de jaquetilla de piel, que se usaba en lo antiguo sobre el jubón. || **de ámbar.** La que, perfumada con ámbar, solía usarse en lo antiguo. || **de armar.** La que se ponía debajo del arnés.

Cuerazo. m. *Ecuad.* **Latigazo.**

Cuerda. (Del lat. *chorda*, y éste del gr. χορδή.) f. Conjunto de hilos de lino, cáñamo, cerda u otra materia semejante, que torcidos forman un solo cuerpo más o menos grueso, largo y flexible. Sirve para atar, suspender pesos, etc. || **2.** Hilo hecho con una tira retorcida de tripa de carnero, con seda envuelta por alambre en hélice o con un alambre sencillo, que se emplea en muchos instrumentos músicos para producir los sonidos por su vibración. || **3. Mecha,** 3.ª acep. || **4.** Medida de ocho varas y media. || **5.** Medida agraria de algunas provincias equivalente a una fanega, o algo más, de sembradura. || **6.** Talla normal del ganado caballar, y que equivale a siete cuartas, o sea 1,47 metros. || **7.** En la isla de Puerto Rico, medida superficial equivalente a 3.929 centiáreas. || **8.** Cadenita que en los relojes de bolsillo o de sobremesa, de antiguo sistema, se fija y arrolla por un extremo en el cubo, y por el otro en el tambor que contiene el muelle, para comunicar el movimiento de éste a toda la máquina. || **9.** Cada una de las **cuerdas** o cadenas que sostienen las pesas en los relojes de este nombre, y arrolladas en poleas o cilindros imprimen el movimiento a toda la máquina. || **10.** Conjunto de penados que van atados a cumplir en los presidios su condena. || **11.** Cima aparente de las montañas. || **12.** ant. **Cordón.** || **13. Cordel.** || **14.** En la cantería, línea de arranque de una bóveda o arco. || **15.** *Geom.* Línea recta tirada de un punto a otro de un arco, 1.ª acep. || **16.** *Mús.* Cada una de las cuatro voces fundamentales de bajo, tenor, contralto y tiple. || **17.** *Mús.* Extensión de la voz, o sea número de notas que alcanza. || **18.** *Topogr.* **Cuerda** que como medida se usa en las operaciones. || **19.** pl. Tendones del cuerpo humano. || **20.** *Mar.* Maderos derechos que van endentados con los baos y latas de popa a proa por su medio, y en ellos estriban los puntales de las cubiertas. || **Cuerda dorsal. Notocordio.** || **falsa.** *Mús.* La que es disonante y no se puede ajustar ni templar con las demás del instrumento. || **floja.** Alambre con poca tensión sobre el cual hacen sus ejercicios los volatineros. || **sin fin.** Maroma cuyos extremos están empalmados. || **Cuerdas vocales.** *Zool.* Ligamentos que van de delante atrás en la laringe, capaces de adquirir más o menos tensión y de producir vibraciones. || **Aflojar la cuerda, o aflojar la cuerda al arco.** fr. fig. Descansar de un trabajo o tarea, tomando algún alivio o recreación. || **2.** fig. Disminuir el rigor de la ley, de la disciplina, etc. || **Andar en la cuerda floja.** fr. fig. y fam. Proceder o discurrir con vacilación entre dificultades. || **Apretar hasta que salte la cuerda.** fr. fig. Estrechar tanto a uno, que llegue a perder la paciencia. || **Apretar la cuerda.** fr. fig. Aumentar el rigor de la ley, de la disciplina, etc. || **Bailar en la cuerda floja.** fr. fig. y fam. **Andar en la cuerda floja.** || **Calar la cuerda.** fr. fig. Aplicar la mecha al mosquete para dispararlo. || **Dar a la cuerda, o dar cuerda.** fr. fig. Ir dando largas a un negocio. || **Dar cuerda** a uno. fr. fig. Halagar la pasión que le domina, o hacer que la conversación recaiga sobre el asunto de que es más propenso a hablar. || **Dar cuerda al reloj.** fr. Dar tensión al muelle con una llave u otro medio, o subir las pesas, para que marche la máquina. || **Echar una cuerda.** fr. *Topogr.* Medir un terreno a la ligera y con la **cuerda** sola. || **En cuerda floja.** m. adv. *For.* Uniendo, sin coserla a otra, una pieza de actuaciones, por medio de una **cuerda** floja que permita el cómodo examen de cada una, y conservando ambas su numeración e independencia. || **Estar la cuerda tirante.** fr. fig. **Tener la cuerda tirante.** || **Estirar** uno **las cuerdas.** fr. fig. y fam. Pasearse, o ponerse en pie. || **Llevar la cuerda.** fr. En las carreras de caballos, correr por la curva más inmediata al centro de la pista. || **No ser** una cosa **de la cuerda de** uno. fr. fig. No convenir a sus facultades o especial aptitud; como el papel de dama joven a una actriz entrada en años, o uno heroico al gracioso de la compañía. || **No ser** uno **de la cuerda de** otro. fr. fig. No ser de su opinión o carácter. || **Por debajo de cuerda.** m. adv. fig. Reservadamente, por medios ocultos. || **Tener** uno **cuerda para rato.** loc. fam. Ser propenso a hablar con demasiada extensión. || **Tener la cuerda tirante.** fr. fig. Llevar las cosas con rigor. || **Tirar de la cuerda, o la cuerda,** a uno. fr. fig. y fam. Irle a la mano, contenerle. || **Tirar de la cuerda para todos o para ninguno.** fr. fam. con que se reclama la igualdad de trato. || **Traer la cuerda tirante.** fr. fig. **Tener la cuerda tirante.**

Cuerdamente. adv. m. Con cordura; prudente, sabiamente.

Cuerdezuela. f. **Cordezuela.**

Cuerdo, da. (Del lat. *cor*, *cordis*, corazón, ánimo.) adj. Que está en su juicio. Ú. t. c. s. || **2.** Prudente, que reflexiona antes de determinar. Ú. t. c. s. || **El cuerdo no ata el saber a estaca.** ref. que enseña que el hombre sabio y prudente no se deja llevar a ciegas de la opinión ajena. || **Mátenme cuerdos, y no me den vida necios.** ref. que pondera cuán enfadoso es tratar con necios.

Cuereada. (De *cuero.*) f. *Amér. Merid.* Temporada en que se obtienen los cueros secos, principalmente vacunos, desde matar y desollar las reses y secar las pieles al sol y al aire, hasta entregarlas al comercio.

Cuerear. tr. *Amér. Merid.* Ocuparse en las faenas de la cuereada. || **2.** *Ecuad.* **Azotar.**

Cuerezuelo. m. **Corezuelo.**

Cuerna. f. Vaso rústico hecho con un cuerno de res vacuna, quitada la parte maciza y tapado en el fondo con un taco de madera. || **2.** Cuerno macizo, que algunos animales, como el ciervo, mudan todos los años. || **3. Cornamen-**

ta. || **4.** Trompa de hechura semejante al cuerno bovino, usada por guardas y otra gentes campesinas para comunicarse.

Cuérnago. (De *cuérrago*, infl. por *cuerno*.) m. **Cuérrago.**

Cuernezuelo. m. d. de **Cuerno.** || **2.** *Albeit.* **Cornezuelo,** 4.ª acep.

Cuerno. (Del lat. *cŏrnu*.) m. Prolongación ósea cubierta por una capa epidérmica o por una vaina dura y consistente, que tienen algunos animales en la región frontal. || **2.** Protuberancia dura y puntiaguda que el rinoceronte tiene sobre la mandíbula superior. || **3. Antena,** 3.ª acep. || **4.** Instrumento músico de viento, de forma corva, generalmente de **cuerno,** que tiene el sonido como de trompa. || **5.** Materia que forma la capa exterior de las astas de las reses vacunas y que se emplea en la industria para hacer diversos objetos. || **6.** En algunas cosas, **lado,** 2.ª acep. || **7.** Ala de un ejército o de una escuadra. || **8.** ant. Cada uno de los botoncillos que ponían al remate de la varilla en que se arrollaba el libro o volumen de los antiguos. || **9.** fig. Cada una de las dos puntas que se ven en la Luna antes de la primera cuadratura y después de la segunda. || **10.** ant. *Mar.* Varal largo y delgado que se solía añadir al palo de la entena. || **11.** pl. fig. Extremidades de algunas cosas que rematan en punta y tienen alguna semejanza con los **cuernos.** || **Cuerno de Amón. Amonita,** 1.er art. || **de caza. Cuerna,** 4.ª acep. || **de la abundancia. Cornucopia,** 1.ª acep. || **de orinar. Orinal.** || **¡Cuerno!** interj. generalmente festiva, de sorpresa o de asombro. || **En los cuernos del toro.** m. adv. fig. y fam. En un inminente peligro. Ú. con los verbos *andar, dejar, verse,* etc. || **Estar de cuerno con** uno. fr. fig. y fam. **Estar de punta con él.** || **Levantar** a uno **hasta,** o **sobre, el cuerno,** o **los cuernos, de la Luna.** fr. fig. y fam. Alabarle, encarecerle desmedidamente. || **Mandar** a uno **al cuerno.** fr. fig. **Echar** a uno **a paseo.** || **No valer un cuerno.** fr. fig. y fam. Valer poco o nada. || **Poner** a uno **en,** o **sobre, el cuerno,** o **los cuernos, de la Luna.** fr. fig. y fam. **Levantar** a uno, etc. || **Poner los cuernos.** fr. fig. Faltar la mujer a la fidelidad conyugal. || **Ponerse de cuerno con** uno. fr. fig. **Estar de cuerno con** uno. || **Saber a cuerno quemado.** fr. fig. y fam. Hacer desagradable impresión en el ánimo una nueva, una reprensión, una injuria, etc. || **Sobre cuernos, penitencia.** expr. fig. y fam. de que se usa cuando a uno, después de haberle hecho algún agravio o perjuicio, se le trata mal o se le culpa. || **Subir** a uno **en, hasta,** o **sobre, el cuerno,** o **los cuernos de la Luna.** fr. fig. y fam. **Levantar** a uno, etc.

Cuero. (Del lat. *cŏrium*.) m. Pellejo que cubre la carne de los animales. || **2.** Este mismo pellejo después de curtido y preparado para los diferentes usos a que se aplica en la industria. || **3. Odre,** 1.ª acep. || **4.** pl. ant. Colgaduras de guadameciles. Llamáronse así por ser de **cuero** labrado y dorado. || **Cuero cabelludo.** Piel en donde nace el cabello. || **en verde.** El que no ha recibido preparación alguna. || **exterior.** *Zool.* **Cutícula,** 2.ª acep. || **interior.** *Zool.* **Cutis.** || **Acudid al cuero con el albayalde, que los años no se van en balde.** ref. que satiriza a las mujeres que procuran disimular su edad, encubriendo con afeites las arrugas y otros defectos de la cara. || **Con cuero y carne.** m. adv. ant. En flagrante, o con el hurto en las manos. || **De cuero ajeno, correas largas.** ref. **Del pan de mi compadre, gran zatico a mi ahijado.** || **Dejar** a uno **en cueros.** fr. **Dejar** a uno **sin camisa.** || **Del cuero salen las correas.** fr. fig. y fam. que denota que de lo principal sale lo accesorio. || **En cueros,** o **en cueros vivos.** m. adv. En carnes, sin vestido alguno. || **Entre cuero y carne.** m. adv. Debajo de la piel. || **2.** fig. Íntima, connaturalmente. || **Estar** uno **hecho un cuero.** fr. fig. y fam. Estar borracho. || **Poner** uno **cuero y correas en** una cosa. fr. fig. y fam. Hacer algún oficio por otra persona, y pagar además el costo que tiene.

Cuerpo. (Del lat. *corpus*.) m. Lo que tiene extensión limitada y produce impresión en nuestros sentidos por calidades que le son propias. || **2.** En el hombre y en los animales, materia orgánica que constituye sus diferentes partes. || **3.** Tronco del **cuerpo,** a diferencia de los brazos, piernas y cabeza, que suelen llamarse extremidades. || **4.** Talle y disposición personal. *José tiene buen* CUERPO. || **5.** Parte del vestido, que cubre desde el cuello o los hombros hasta la cintura. || **6.** Hablando de libros, **volumen,** 2.ª acep. *La librería tiene dos mil* CUERPOS. || **7.** Conjunto de lo que se dice en la obra escrita o el libro, con excepción de los índices y preliminares. || **8.** Hablando de leyes civiles o canónicas, colección auténtica de ellas. || **9.** Grueso de los tejidos, papel, chapas y otras cosas semejantes. || **10.** Grandor o tamaño. || **11.** En los líquidos, crasitud o espesura de ellos. || **12. Cadáver.** || **13.** Agregado de personas que forman un pueblo, república, comunidad o asociación. || **14.** En la empresa o emblema, figura que sirve para significar alguna cosa. || **15.** Cada una de las partes, que pueden ser independientes, cuando se las considera unidas a otra principal. *Un armario de dos* CUERPOS. || **16.** *Arq.* Agregado de partes que compone una fábrica u obra de arquitectura hasta una cornisa o imposta; y así, cuando sobre la primera cornisa se levanta otra parte de la obra, se llama ésta segundo **cuerpo,** y si aún sobre éste hay otra, se llama tercero. || **17.** *Geom.* Objeto material en que pueden apreciarse las tres dimensiones principales, longitud, latitud y profundidad. || **18.** *Impr.* Tamaño de los caracteres de cada fundición. *El libro está impreso en letra del* CUERPO *diez.* || **19.** *Mil.* Cierto número de soldados con sus respectivos oficiales. || **amarillo.** *Anal.* Masa de células amarillas, que se produce mensualmente en el ovario, y en la cual se forma una de las hormonas de esa glándula femenina. || **calloso.** *Zool.* Lámina de substancia blanca que sirve de comisura a los dos hemisferios cerebrales. || **compuesto.** *Quím.* El que puede descomponerse en otros de naturaleza diferente. || **de baile.** El coreográfico, o sea el conjunto de bailarines y bailarinas de un teatro. || **de bomba.** Tubo dentro del cual juega el émbolo de la bomba hidráulica. || **de caballo.** *Mil.* Terreno que ocupa lo largo de un caballo. *En algunas formaciones de la caballería, la primera fila ha de estar apartada de la segunda un* CUERPO DE CABALLO. || **de delito.** *For.* **Cuerpo del delito.** || **de ejército.** *Mil.* Conjunto de tropas formado por dos o más divisiones a las órdenes, por lo común, de un teniente general. || **de escritura.** *For.* Escrito que, como base de cotejo pericial, en presencia del juez y a su dictado debe formar la parte que no reconociere su letra o firma en el documento que se le aduce como suyo. || **de guardia.** *Mil.* Cierto número de soldados destinado a hacer la guardia en algún paraje. || **2.** *Mil.* El mismo paraje. || **de hombre.** Medida tomada del grueso regular del **cuerpo** de un hombre. || **de iglesia.** Espacio de ella, sin incluir el crucero, la capilla mayor ni las colaterales. || **de la batalla.** *Mil.* **Centro de la batalla.** || **del delito.** *For.* Cosa en que, o con que, se ha cometido un delito, o en la cual existen las señales de él. || **del ejército.** *Mil.* **Cuerpo de la batalla.** || **facultativo.** Conjunto de los individuos que poseen determinados conocimientos técnicos y sirven al Estado en diferentes ramos, así militares como civiles. CUERPO *de artillería;* CUERPO *de ingenieros de caminos;* CUERPO *de archiveros bibliotecarios.* || **glorioso.** *Teol.* El de los bienaventurados, después de la resurrección. || **2.** fig. y fam. El que pasa largo tiempo sin experimentar necesidades materiales. || **legal.** *For.* Cualquiera compilación de leyes que ofrezca cierta extensión. || **lúteo.** *Anat.* **Cuerpo amarillo.** || **muerto.** *Mar.* Boya fondeada con gran seguridad con un argollón para que a él se amarren los buques en vez de fondear. || **negro.** *Fís.* El que absorbe completamente las radiaciones que inciden sobre él, cualquiera que sea la índole y dirección de las mismas. || **simple.** *Quím.* El que sometido a todos los procedimientos de descomposición hoy conocidos, no ha podido descomponerse en otros de distinta naturaleza. || **sin alma.** fig. Persona que no tiene viveza ni actividad. || **tiroides.** *Zool.* Glándula situada en la parte superior de la tráquea, y delante de ella, que segrega un líquido albuminoso. || **volante.** *Mil.* **Cuerpo** de tropas de infantería y caballería, que se separa del ejército para los fines que tiene por conveniente el que manda. || **A cuerpo.** m. adv. **En cuerpo,** 1.ª acep. || **A cuerpo de rey.** loc. adv. Con todo regalo y comodidad. Ú. con los verbos *estar, vivir,* etc. || **A cuerpo descubierto.** m. adv. Sin resguardo. || **2.** fig. Descubierta y patentemente. || **A cuerpo limpio.** fr. fig. y fam. *Taurom.* Sin el auxilio de ningún engaño. || **2.** Sin valerse de ayuda ni artificio alguno. || **A qué quieres, cuerpo.** loc. adv. **A cuerpo de rey. Cerner** uno **el cuerpo.** fr. **Contonearse.** || **Como cuerpo de rey.** loc. adv. **A cuerpo de rey.** || **Cuerpo a cuerpo.** m. adv. Se dice de los que riñen apretadamente. || **2.** fig. En las discusiones, cuando el enardecimiento de los contradictores atropella por los respetos personales. || **Cuerpo, cuerpo, que Dios dará paño.** ref. que se aplica a los que quieren conseguir el fin sin poner los medios. || **¡Cuerpo de Cristo,** o **de Dios,** o **de mí,** o **de tal!** interjs. que denotan ira o enfado. || **Dar** uno **con el cuerpo en tierra.** fr. fam. Caer al suelo. || **Dar cuerpo.** fr. Espesar lo que está claro o demasiado líquido. || **De cuerpo presente.** m. adv. Tratándose de un cadáver, dispuesto para ser conducido al enterramiento. || **De medio cuerpo.** loc. Dícese del retrato en que sólo se reproduce la mitad superior del cuerpo. || **Descubrir** uno **el cuerpo.** fr. Dejar descubierta o indefensa una parte del **cuerpo,** por donde el contrario pueda herirle. || **2.** fig. Favorecer un negocio peligroso, quedando expuesto a sus malas resultas. || **Echar** uno **el cuerpo fuera.** fr. fig. Evitar el entrar en una dificultad o empeño. || **En cuerpo.** m. adv. Sin capa, gabán ni otro abrigo exterior. || **2.** En comunidad, presidida por el que hace cabeza. Ú. para denotar que los individuos de un **cuerpo** concurren a una función unidos y representándolo. || **En cuerpo de camisa.** m. adv. **En mangas de camisa.** || **En cuerpo y en alma.** m. adv. fig. y fam. Totalmente, sin dejar nada. || **Falsear el cuerpo.** fr. Hacer movimiento, torciendo o encorvando el **cuerpo,** para guardarse de un tiro o golpe. || **Ganar** una **con** su **cuerpo.** fr. Ser prostituta. || **Hacer del cuerpo.** fr. fam. **Exonerar el vientre.** || **Huir** uno **el cuerpo.** fr. Moverse con prontitud y ligereza, para evitar el golpe que va dirigido contra él. || **2.** fig. **Echar el cuerpo fuera.** || **3.** fig. Evitar el trato y concurrencia de una persona. || **Hurtar uno el cuerpo.** fr. Huir el cuerpo, 1.ª y 2.ª aceps. || **No quedarse uno con nada en el cuerpo.** fr. fig. y fam. No omitir nada de lo que quería decir, sin atender a ninguna consideración. || **Pedirle** a uno **el cuerpo** alguna cosa. fr. fig. y fam. Apetecerla, desearla. || **Por cuerpo de hombre.** m. adv. ant. Por mano de hombre. || **Quedarse** uno **con** una cosa **en el cuerpo.** fr. fig. y fam. Omitir lo que quería decir, conteniéndose por algún motivo. || **Tomar cuerpo** una cosa. fr. Aumentarse de poco a mucho. || **Traer** uno **bien gobernado el cuerpo.** fr. Traer bien regido el vientre. || **Volverla al cuerpo.** fr. fig. Responder a una injuria con otra.

Cuérrago. (Del lat. *cŏrrŭgus*, cauce.) m. Cauce.

Cuerria. (De *corro*.) f. *Ast.* Cercado pequeño y circular, de piedra seca, de un metro de alto, donde se echan las castañas recién cogidas para que acaben de madurar y puedan separarse más fácilmente del erizo.

Cuerva. (De *cuervo*.) f. **Graja.**

Cuervo. (Del lat. *cŏrvus*.) m. Pájaro carnívoro, mayor que la paloma, de plumaje negro con visos pavonados, pico cónico, grueso y más largo que la cabeza, tarsos fuertes, alas de un metro de envergadura, con las mayores remeras en medio, y cola de contorno redondeado. || **2.** *Astron.* Pequeña constelación austral, muy cerca y al oriente del Cráter. || **marino.** Ave palmípeda del tamaño de un ganso, con plumaje de color gris obscuro, collar blanco, cabeza, moño, cuello y alas negros, piernas muy cortas y pico largo, aplastado y con punta doblada. Nada y vuela muy bien, habita en las costas y alguna vez se le halla tierra adentro. || **merendero.** Grajo, 1.ª acep. || **Cría cuervos, y te sacarán los ojos.** ref. que explica que los beneficios hechos a ingratos les sirven de armas para pagar el bien con el mal. || **Cual el cuervo, tal su huevo.** ref. que denota que de ordinario los hijos suelen ser como sus padres. || **No poder ser el cuervo más negro que las alas.** fr. fig. y fam. No haber que temer mayor mal, por haber sucedido lo peor que podía acontecer. || **Venir el cuervo.** fr. fig. y fam. Recibir uno algún socorro, particularmente si es repetido. Alude al que alimentaba a San Pablo el Ermitaño.

Cuesa. f. ant. **Cueza.**

Cuesco. m. Hueso de la fruta; como el de la guinda, el durazno, etc. || **2.** En los molinos de aceite, piedra redonda en que la viga aprieta los capachos. || **3.** fam. Pedo ruidoso. || **4.** *Germ.* Azote, golpe. || **5.** *Méj.* Masa redondeada de mineral de gran tamaño. || **6.** *Min.* En Riotinto, escoria procedente de los hornos de manga.

Cueslo. (Del ant. *coslar*, y éste del lat. *consolāri*, consolar.) m. ant. **Consuelo.**

Cuesta. (Del lat. *cŏsta*, costilla, costado.) f. Terreno en pendiente. || **2.** ant. **Costilla,** 1.ª acep. Ú. aún en el m. adv. **a cuestas.** || **A cuestas.** m. adv. Sobre los hombros o las espaldas. || **2.** fig. A su cargo, sobre sí. || **Arribaos, torgado, que tras la cuesta está lo llano.** ref. que exhorta a sufrir la fatiga y trabajo con la esperanza del descanso. || **Echarse de cuesta.** fr. ant. **Acostarse.** || **Hacérsele** a uno **cuesta arriba** una cosa. fr. fig. Sentirla mucho, hacerla con repugnancia y trabajo grande. || **Ir cuesta abajo.** fr. fig. Decaer, declinar una cosa o persona hacia su fin o a la miseria. || **Lo mismo es a cuestas que al hombro.** ref. que da a entender que, como se haga la cosa, importa poco que se haga de un modo o de otro. || **Llevar** a uno **a cuestas.** fr. fig. y fam. Cargarse con las obligaciones o necesidades de otro. || **Llover a cuestas.** fr. fig. con que se da a entender que una cosa resultará en daño propio. || **Tener** a uno **a cuestas.** fr. fig. y fam. Tener enteramente a su cuidado y costa la manutención o adelantamiento de otro. || **Tener** uno **la cuesta y las piedras.** fr. fig. y fam. Tener todas las ventajas de su parte. || **Tomar** uno **a cuestas** una cosa. fr. fig. y fam. Encargarse de ella para su gobierno y dirección. || **Tú, que no puedes, llévame a cuestas.** fr. fig. y fam. de que suele usarse cuando se pide auxilio a una persona que tiene tanta o más necesidad de él.

Cuesta. (Del lat. *quaestus*, negociación cuestación.) f. **Cuestación.**

Cuestación. (Del lat. *quaestus*, p. p. de *quaerĕre*, buscar, pedir.) f. Petición o demanda de limosnas para un objeto piadoso o benéfico.

Cuestas. (De *costar*.) f. pl. ant. **Coste.**

Cuestezuela. f. d. de **Cuesta**, 1.er art.

Cuestión. (Del lat. *quaestio, -ōnis*.) f. Pregunta que se hace o propone para averiguar la verdad de una cosa controvertiéndola. || **2.** **Gresca,** 2.ª acep. || **3.** Punto o materia dudosos o discutibles. || **4.** Oposición de términos lógicos o de razones respecto a un mismo tema, que exigen detenido estudio para resolver con acierto. || **5.** *For.* **Cuestión de tormento.** || **6.** *Mat.* **Problema,** 3.ª acep. || **batallona.** fam. La muy reñida y a que se da mucha importancia. || **candente.** fig. Aquella que acalora los ánimos. || **de competencia.** *For.* Desacuerdo y contienda entre jueces y otras autoridades acerca de la facultad para entender en un asunto. || **de confianza.** La **cuestión** que para comprobarla plantean los gobiernos al jefe del Estado y con más frecuencia al Parlamento, haciendo depender su continuación en el poder de un acuerdo determinado del primero o de la votación de la cámara. || **de gabinete.** La que afecta o puede afectar a la existencia o continuación de un ministerio. || **2.** fig. La de mucha importancia para cualquiera. || **de nombre.** La que se suscita o mantiene sobre lo accidental o accesorio, o sobre la designación de las cosas, a pesar de convenir en la substancia y en lo principal. || **determinada.** *Mat.* Aquella que tiene una solución solamente, o un cierto y determinado número de soluciones. || **de tormento.** *For.* Averiguación, inquisición o pesquisa de la verdad, que se practicaba dando tormento al presunto culpable inconfeso. || **diminuta, o indeterminada.** *Mat.* La que puede tener infinitas soluciones. || **prejudicial.** *For.* Dícese de la que, siendo supuesto de un fallo, corresponde a jurisdicción distinta que la que ha de dictarlo. Se aplica más en lo penal. || **previa.** La que corresponde a competencia administrativa y debe influir necesariamente en un fallo penal. || **Agitarse una cuestión.** fr. Tratarse con valor o viveza. || **Cuestión de por San Juan, paz para todo el año.** ref. **Riña de por San Juan,** etc. || **Desatar la cuestión.** fr. **Desatar el argumento.**

Cuestionable. (De *cuestionar*.) adj. Dudoso, problemático y que se puede disputar o controvertir.

Cuestionar. (Del lat. *quaestionāre*.) tr. Controvertir un punto dudoso, proponiendo las razones, pruebas y fundamentos de una y otra parte.

Cuestionario. (Del lat. *quaestionarius*.) m. Libro que trata de cuestiones o que sólo tiene cuestiones. || **2.** Lista de cuestiones que se proponen con cualquier fin.

Cuesto. m. **Cerro,** 3.ª acep.

Cuestor. (Del lat. *quaestor*.) m. Magistrado romano que en la ciudad y en los ejércitos tenía funciones de carácter fiscal principalmente. || **2.** El que demanda o pide limosna para el prójimo o para llevar a cabo una obra benéfica.

Cuestuario, ria. (Del lat. *quaestuarius*.) adj. **Cuestuoso.**

Cuestuoso, sa. (Del lat. *quaestuōsus*.) adj. Dícese de lo que trae o adquiere ganancia, interés o logro.

Cuestura. (Del lat. *quaestūra*.) f. Dignidad o empleo de cuestor romano.

Cuétano. m. *El Salv.* Oruga de cierta clase de mariposas.

Cuete. m. *Méj.* Lonja de carne que se saca del muslo de la res.

Cueto. (De *coto*, 1.er art.) m. Sitio alto y defendido. || **2.** Colina de forma cónica, aislada, y por lo común peñascosa.

Cueva. (Del lat. **cova*.) f. Cavidad subterránea más o menos extensa, ya natural, ya construida artificialmente. || **2.** **Sótano.** || **de ladrones.** fig. Casa donde se acoge gente de mal vivir. || **Cae en la cueva el que a otro lleva a ella.** ref. que indica que a veces el engañador es víctima de su malicia.

Cuévano. (Del lat. *cophĭnus*, y éste del gr. κόφινος.) m. Cesto grande y hondo, poco más ancho de arriba que de abajo, tejido de mimbres, que sirve para llevar la uva en el tiempo de la vendimia, y para algunos otros usos. || **2.** Cesto más pequeño que llevan las pasiegas a la espalda, a manera de mochila, para lo cual tiene dos asas con que se afianza en los hombros. Úsanlo tanto para transportar géneros como para llevar a sus hijos pequeñuelos.

Cuevero. m. El que tiene por oficio hacer cuevas.

Cuexca. f. *Germ.* **Casa,** 1.ª acep.

Cueza. f. **Cuezo.** || **2.** ant. Cierta medida de granos.

Cuezo. m. Artesilla de madera, en que amasan el yeso los albañiles. || **2.** ant. Cuévano pequeño. || **Meter** uno **el cuezo.** fr. fig. y fam. Introducirse indiscreta e imprudentemente en alguna conversación o negocio.

Cúfico, ca. (Del ár. *Kūfa*, n. p. de una ciudad sobre el brazo occidental del Éufrates.) adj. Aplícase a ciertos caracteres empleados antiguamente en la escritura arábiga.

Cugujada. f. **Cogujada.**

Cugujón. m. ant. **Cogujón.**

Cugulla. f. **Cogulla.**

Cuicacoche. f. Ave canora de Méjico, algo menor que el tordo, con las plumas del pecho y del vientre amarillas, y las demás grises o negras.

Cuico, ca. adj. Voz con que en diversos puntos de América se designa a los naturales de otras regiones.

Cuida. f. En los colegios, colegiala encargada de cuidar de otra de tierna edad. || **2.** ant. **Cuidado.**

Cuidado. (Del lat. *cogitatus*, el pensamiento.) m. Solicitud y atención para hacer bien alguna cosa. || **2.** Dependencia o negocio que está a cargo de uno. || **3.** Recelo, sobresalto, temor. || **4.** Seguido de la prep. *con* y un nombre significativo de persona, denota enfado contra ella. ¡CUIDADO *con el hombre!* Suele ir esta expresión acompañada de otra que complete o aclare el concepto. ¡CUIDADO *con el niño, que no se le puede aguantar!* ¡CUIDADO *con Antonio, y qué terco es!* || **Correr** una cosa **al cuidado de** uno. fr. Estar obligado a responder de ella. || **¡Cuidado!** interj. que se emplea en son de amenaza o para advertir la proximidad de un peligro o la contingencia de caer en error. || **Cuidado ajeno cuelga de pelo.** ref. que denota la indiferencia con que se suele mirar lo ajeno. || **¡Cuidado conmigo!** expr. fam. con que se amenaza a uno. || **Cuidado me llamo.** expr. fam. de que se usa para amenazar a uno, particularmente a los muchachos, con el castigo, si no hacen bien alguna cosa. || **Cuidados ajenos matan al asno.** ref. que censura a los entremetidos. || **De cuidado.** m. adv. Cauteloso, peligroso. || **Estar** uno **de cuidado.** fr. fam. Estar gravemente enfermo o en peligro de muerte. || **Salir de su cuidado** una mujer. fr. fig. **Parir,** 1.ª acep.

Cuidador, ra. adj. Que cuida. Ú. t. c. s. || **2.** Nimiamente solícito y cuidadoso. || **3.** ant. Muy pensativo, metido en sí.

Cuidadosamente. adv. m. Con cuidado, solicitud o diligencia.

Cuidadoso, sa. (De *cuidado.*) adj. Solícito y diligente en ejecutar con exactitud alguna cosa. || **2.** Atento, vigilante.

Cuidante. p. a. de **Cuidar.** Que cuida.

Cuidar. (Del ant. *coidar,* y éste del lat. *cogitāre,* pensar.) tr. Poner diligencia, atención y solicitud en la ejecución de una cosa. || **2.** Asistir, guardar, conservar. CUIDAR *a un enfermo, la casa, la ropa.* || **3.** Seguido de la prep. *de,* ú. t. c. intr. CUIDAR *de la hacienda, de los niños.* || **4.** Discurrir, pensar. || **5.** r. Mirar uno por su salud, darse buena vida. || **6.** Seguido de la prep. *de,* vivir con advertencia respecto de una cosa. *No* SE CUIDA *del qué dirán.*

Cuido. m. Acción de cuidar. Aplícase principalmente a cosas materiales. *El* CUIDO *de la huerta, del ganado.*

Cuidosamente. adv. m. ant. **Cuidadosamente.**

Cuidoso, sa. adj. **Cuidadoso.** || **2.** ant. Angustioso, fatigoso, congojoso.

Cuija. f. *Méj.* Lagartija pequeña y muy delgada. || **2.** fig. *Méj.* Mujer flaca y fea.

Cuin, na. m. y f. *And.* **Conejillo de Indias.**

Cuino. (De *cochino.*) m. **Cerdo.**

Cuita. (De *cuitar.*) f. Trabajo, aflicción, desventura. || **2.** ant. Ansia, anhelo, deseo vehemente. || **Cuita hace mercado, que no rico abastado.** ref. que muestra cómo al vendedor aprovecha más la parroquia de necesitados que la de ricos.

Cuitadamente. adv. m. Con cuita.

Cuitadez. (De *cuitado.*) f. ant. Propensión a tener muchas cuitas.

Cuitado, da. (De *cuitar.*) adj. Afligido, desventurado. || **2.** fig. Apocado, de poca resolución y ánimo.

Cuitamiento. (De *cuitar.*) m. Apocamiento, cortedad de ánimo.

Cuitar. (Del lat. *cogitāre.*) tr. ant. **Acuitar.** Usáb. t. c. intr. y c. r. || **2.** r. ant. Darse mucha prisa, anhelar por alcanzar algo.

Cuitoso, sa. (De *cuita.*) adj. ant. Urgente, apresurado.

Cuja. (Del lat. *coxa,* cadera.) f. Bolsa de cuero asida a la silla del caballo, para meter el cuento de la lanza o bandera y llevarla más cómodamente. || **2.** Anillo de hierro sujeto al estribo derecho, en el que los soldados lanceros colocan el cuento de su arma para llevarla con más facilidad. || **3.** Armadura de la cama. || **4.** ant. **Muslo.**

Cujara. f. ant. **Cuchara.**

Cuje. (Voz cubana.) m. Vara horizontal que se coloca sobre otras dos verticales, en la que se cuelgan las mancuernas en la recolección del tabaco.

Cují. m. *Venez.* **Aromo.**

Cujisal. m. *Venez.* Terreno o sitio poblado de cujíes.

Cujón. m. **Cogujón.**

Culada. f. Golpe dado con las asentaderas.

Culantrillo. (d. de *culantro.*) m. *Bot.* Hierba de la clase de las filicíneas, con hojas de uno a dos decímetros, divididas en lóbulos a manera de hojuelas redondeadas, con pedúnculos delgados, negruzcos y lustrosos. Se cría en las paredes de los pozos y otros sitios húmedos, y suele usarse su infusión como medicamento pectoral y emenagogo.

Culantro. (Del m. or. que *coriandro.*) m. **Cilantro.** || **Bueno es el culantro, pero no tanto.** ref. que recomienda no insistir o repetir mucho las cosas o alargar demasiado un discurso.

Culas. f. pl. fam. En el juego de la argolla, **bocas.**

Culata. f. **Anca,** 2.ª acep. || **2.** Parte posterior de la caja de la escopeta, pistola o fusil, que sirve para asir y afianzar estas armas cuando se hace la puntería y se disparan. || **3.** Parte de una arma de fuego que cierra el cañón por el extremo opuesto a la boca. || **4.** fig. Parte posterior o más retirada de una cosa; como la trasera del coche. || **5.** *Mec.* Pieza metálica que se ajusta al bloque de los motores de explosión y cierra el cuerpo de los cilindros. || **Dar de culata.** fr. Apartar un poco el coche, levantando a mano el juego trasero sin mover el delantero.

Culatazo. m. Golpe dado con la culata de una arma. || **2.** Coz que da el fusil, la escopeta, etc., al tiempo de disparar.

Culcusido. m. fam. **Corcusido.**

Culebra. (Del lat. *colŭbra.*) f. Reptil ofidio sin pies, de cuerpo próximamente cilíndrico y muy largo respecto de su grueso; cabeza aplanada, boca grande y piel pintada simétricamente con colores diversos, escamosa, y cuya parte externa o epidermis muda por completo el animal de tiempo en tiempo. Hay muchas especies, diversas en tamaño, coloración y costumbres. || **2. Serpentín,** 3.ª acep. || **3.** Canal muy tortuosa que hace en el corcho la larva de un insecto coleóptero de poco más de un centímetro de largo y color verde bronceado, que vive en los alcornocales. || **4.** fig. y fam. Chasco que se da a uno; como los golpes que los presos de la cárcel daban por la noche al que entraba de nuevo y no pagaba la patente. || **5.** fig. y fam. Desorden, alboroto promovido de repente por unos pocos en medio de una reunión pacífica. || **6.** *Germ.* Talequillo largo y angosto en que suelen llevar el dinero los caminantes, atándoselo a la cintura para tenerlo más guardado. || **7.** *Germ.* **Lima,** 2.° art., 1.ª acep. || **8.** *Astron.* Constelación celeste hacia el polo antártico. || **9.** *Mar.* Cabo delgado con que se aferran las velas menudas y se amadrinan cabo o palos, dándole vueltas en espiral. || **ciega. Anfisbena,** 2.ª acep. || **de cascabel. Crótalo,** 2.ª acep. || **Hacer culebra.** fr. **Culebrear.** || **Liársele** a uno **la culebra.** fr. fig. y fam. Verse en grave conflicto por causa imprevistas e inesperadas. || **Saber** uno **más que las culebras.** fr. fig. y fam. Ser muy sagaz para su provecho.

Culebrazo. m. **Culebra,** 4.ª acep.

Culebrear. (De *culebra.*) intr. Andar formando eses y pasándose de un lado a otro.

Culebreo. m. Acción y efecto de culebrear.

Culebrera. (De *culebra.*) f. **Águila culebrera.**

Culebrilla. (d. de *culebra.*) f. Enfermedad cutánea, a modo de herpe, que se extiende formando líneas onduladas y suele padecerse en los países tropicales. || **2. Dragontea.** || **3.** Cierta hendidura que queda en los cañones de los fusiles y otras armas de fuego cuando el hierro no está bien trabajado. || **4. Anfisbena,** 2.ª acep. || **5.** V. **Papel de culebrilla.** || **de agua.** *Zool.* Especie de culebra de pequeño tamaño. Vive en sitios húmedos y puede nadar merced a las rápidas ondulaciones de su cuerpo.

Culebrina. (De *culebra.*) f. Pieza de artillería, larga y de poco calibre, la de mayor alcance de su tiempo. Las había de cuatro especies, que se distinguían por el calibre; es a saber: **culebrina,** media **culebrina,** cuarto de **culebrina** o sacre, y octava de **culebrina** o falconete. Todas estas especies, cuando tenían de largo 30 ó 32 diámetros de su boca, se llamaban legítimas, y si tenían menos, bastardas. || **2.** V. **Cuarto de culebrina.** || **3.** Meteoro eléctrico y luminoso con apariencia de línea ondulada.

Culebro. m. ant. **Culebra,** 1.ª acep.

Culebrón. m. aum. de **Culebra.** || **2.** fig. y fam. Hombre muy astuto y solapado. || **3.** fig. y fam. Mujer intrigante y de mala reputación.

Culén. (Voz mapuche.) m. **Albahaquilla de Chile.**

Culera. (De *culo.*) f. Señal que en las mantillas de los niños dejan las manchas excrementicias. || **2.** Remiendo en los calzones o pantalones sobre la parte que cubre las asentaderas.

Culero, ra. (De *culo.*) adj. Perezoso, que hace las cosas después que todos. || **2.** m. Especie de bolsa de lienzo que se pone a los niños en la parte posterior, para su limpieza. || **3. Granillo,** 2.ª acep.

Culi. (Del inglés *coolie,* y éste de *qūli,* voz indostánica.) m. En la India, China y otros países de Oriente, trabajador o criado indígena.

Culícido. (Del lat. *culex,* mosquito.) adj. *Zool.* Dícese de insectos dípteros del suborden de los nematóceros, provistos de una probóscide que contiene cuatro o más cerdas fuertes, las cuales utilizan las hembras para perforar la piel del hombre y los animales y chupar la sangre de que se alimentan. Los machos viven de jugos vegetales. Se desarrollan en el agua, en cuya superficie depositan sus huevos las hembras. || **2.** m. pl. *Zool.* Familia de estos animales.

Culinario, ria. (Del lat. *culinarĭus,* de *culīna,* cocina.) adj. Perteneciente o relativo a la cocina.

Culinegro, gra. adj. fam. De culo negro.

Culito. m. d. de **Culo.** || **Quien no castiga culito no castiga culazo.** ref. que enseña que los padres que no cuidan de corregir las faltas de sus hijos cuando pequeños, tampoco enmiendan sus defectos cuando son mayores.

Culminación. f. Acción y efecto de culminar. || **2.** *Astron.* Momento en que un astro ocupa el punto más alto a que puede llegar sobre el horizonte.

Culminante. (Del lat. *culmĭnans, -antis,* p. a. de *culmināre,* levantar, elevar.) adj. Aplícase a lo más elevado de un monte, edificio, etc. || **2.** fig. Superior, sobresaliente, principal. || **3.** *Astron.* Dícese del punto más alto en que puede hallarse un astro sobre el horizonte.

Culminar. (Del lat. *culmināre,* levantar, elevar.) intr. Llegar una cosa a la posición más elevada que puede tener. || **2.** *Astron.* Pasar un astro por el meridiano superior del observador.

Culo. (Del lat. *cūlus.*) m. Parte posterior o asentaderas de los racionales; esto es, carne mollar que ocupa todo el espacio intermedio entre el fin del espinazo y el nacimiento de los muslos. || **2.** Ancas del animal. || **3. Ano.** || **4.** fig. Extremidad interior o posterior de una cosa. CULO *del pepino, del vaso.* || **5.** En el juego de la taba, parte más plana, opuesta a la carne, de suerte que si la carne cae hacia arriba, se gana, y si cae el **culo,** se pierde. || **6.** fig. y fam. Escasa porción de líquido que queda en el fondo de un vaso. || **de mal asiento.** fig. y fam. Persona inquieta que no está a gusto en ninguna parte. || **de pollo.** fig. Punto mal cosido en la media o tela, de modo que sobresale y abulta. || **de vaso.** fig. y fam. Piedra falsa que imita alguna de las preciosas. || **A culo pajarero.** m. adv. Con las nalgas desnudas. Ú. principalmente con los verbos *azotar* y *pegar.* || **Dar** uno con el culo, o de culo, en las goteras. fr. fig. y fam. Quedarse pobre por haber disipado en poco tiempo todo el caudal. || **Que lo pague el culo del fraile.** fr. fig. y fam. con que se da a entender que a uno le echan cargas que debían repartirse entre otros, o que de ordinario le achacan culpas ajenas. || **Quien mucho se baja, el culo enseña.** ref. que advierte que la sumisión y humildad no han de degenerar en bajeza. || **Quitósele el culo al cesto, y acabóse el parentesco.** ref. que enseña que, faltando el motivo del interés, suele cesar la amistad, correspondencia o cariño. || **Ser uno el culo del fraile.** fr. fig. y fam. **Que lo pague el culo del fraile.**

Culombio. (De *coulomb.*) m. Cantidad de electricidad que, pasando por una disolución de plata, es capaz de separar de ella 1 miligramo y 118 milésimas de este metal.

Culón, na. (De *culo.*) adj. Que tiene muy abultadas las posaderas. || **2.** m. fig. y fam. Soldado inválido.

Culote. (De *culo.*) m. *Art.* Macizo de hierro que algunos proyectiles tienen en el sitio opuesto a la boca de la espoleta, con diversos fines. || **2.** Restos de fundición que quedan en el fondo del crisol.

Culpa. (Del lat. *culpa.*) f. Falta más o menos grave, cometida a sabiendas y voluntariamente. || **2.** V. **Capítulo de culpas.** || **jurídica.** La que da motivo para exigir legalmente alguna responsabilidad. || **lata.** La del que no previno ni aun lo que hubiera prevenido un hombre descuidado y negligente. || **leve.** La del que no empleó aquellos medios y diligencias que emplearía un hombre cuidadoso y exacto. || **levísima.** Aquella en que suele incurrir cualquiera, aunque cuidadoso, en sus mismos negocios. || **teológica.** Pecado o transgresión voluntaria de la ley de Dios. || **Absolver a culpa y pena.** fr. Absolver plenariamente, como en los jubileos || **Culpa no tiene quien hace lo que debe.** ref. que enseña que el que cumple con su obligación no es responsable de las resultas. || **Echar la culpa a uno.** fr. Atribuirle la falta o delito que se presume ha cometido. || **Echar uno la culpa a otro.** fr. Disculparse de la falta o delito de que le acusan, imputándolo a otro. || **La culpa del asno echarla a la albarda.** ref. que se aplica a las personas que para disculpar sus yerros y defectos los atribuyen a otros que no han tenido parte en ellos. || **Por culpa de la bestia mataron al obispo.** ref. que advierte que a veces paga uno **culpas** ajenas. || **Tener uno la culpa** de una cosa. fr. Haber sido causa de que suceda.

Culpabilidad. (De *culpable.*) f. Calidad de culpable.

Culpabilísimo, ma. adj. sup. de **Culpable.**

Culpable. (Del lat. *culpabĭlis.*) adj. Aplícase a aquel a quien se puede echar o echa la culpa. Ú. t. c. s. || **2.** Dícese también de las acciones y de las cosas inanimadas. || **3.** *For.* Delincuente responsable de un delito.

Culpablemente. adv. m. Con culpa; de modo que deba imputarse a culpa.

Culpación. (Del lat. *culpatio, -ōnis.*) f. Acción de culpar o culparse.

Culpadamente. adv. m. Con culpa.

Culpado, da. p. p. de **Culpar.** || **2.** adj. Que ha cometido culpa. Ú. t. c. s.

Culpante. adj. ant. **Culpable.**

Culpar. (Del lat. *culpāre.*) tr. Atribuir la culpa. Ú. t. c. r.

Culpeo. (Del mapuche *culpeu.*) m. *Chile.* Especie de zorra más grande que la común europea, de color más obscuro y cola menos pelosa.

Culposo, sa. (De *culpa.*) adj. Dícese del acto u omisión imprudente o negligente que origina responsabilidades. || **2.** ant. **Culpado,** 2.ª acep.

Cultalatiniparla. (De las palabras *culto, latín* y *parlar,* burlescamente latinizadas.) f. fest. Lenguaje afectado y laborioso de los cultiparlistas.

Cultamente. adv. m. Con cultura. || **2.** fig. Con afectación.

Cultedad. f. fest. Calidad de culterano o culto.

Culteranismo. m. Sistema de los culteranos o cultos, que consiste en no expresar con naturalidad y sencillez los conceptos, sino falsa y amaneradamente, por medio de voces peregrinas, giros rebuscados y violentos y estilo obscuro y afectado.

Culterano, na. (De *cultero.*) adj. Dícese de lo que adolece de los vicios del culteranismo, y del que incurre en ellos. Apl. a pers., ú. m. c. s.

Cultería. (De *cultero.*) f. fest. **Cultedad.**

Cultero, ra. (De *culto.*) adj. fest. **Culterano.** Ú. m. c. s.

Cultiello. (Del arag. *cultiello,* y éste del lat. *cultellus,* cuchillo.) m. ant. **Cuchillo.**

Cultiparlar. (De *culto* y *parlar.*) intr. Hablar como los culteranos o cultos.

Cultiparlista. (De *cultiparlar.*) adj. Que habla incurriendo en los vicios del culteranismo. Ú. m. c. s.

Cultipicaño, ña. adj. fest. Culto, en el mal sentido de esta palabra, y picarescо conjuntamente.

Cultismo. m. **Culteranismo.** || **2.** Palabra culta o erudita.

Cultivable. adj. Que se puede cultivar.

Cultivación. (De *cultivar.*) f. **Cultivo** o cultura.

Cultivador, ra. adj. Que cultiva. Ú. t. c. s.

Cultivar. (De *cultivo.*) tr. Dar a la tierra y a las plantas las labores necesarias para que fructifiquen. || **2.** fig. Hablando del conocimiento, del trato o de la amistad, poner todos los medios necesarios para mantenerlos y estrecharlos. || **3.** fig. Con las palabras *talento, ingenio, memoria,* etc., desenvolver, ejercitar estas facultades y potencias. || **4.** fig. Con las voces *artes, ciencias, lenguas,* etc., ejercitarse en ellas. || **5.** *Med.* Sembrar y hacer producir, en materiales apropiados, microbios o sus gérmenes.

Cultivo. (De *culto.*) m. Acción y efecto de cultivar. || **2.** V. **Capataz de cultivo.** || **intensivo.** El que prescinde de los barbechos y, mediante abonos y riegos, hace que la tierra, sin descansar, produzca las cosechas.

Culto, ta. (Del lat. *cultus.*) adj. Dícese de las tierras y plantas cultivadas. || **2.** fig. Dotado de las calidades que provienen de la cultura, 3.ª acep. *Persona* CULTA; *pueblo, lenguaje* CULTO. || **3.** fig. **Culterano.** || **4.** m. Reverente y amoroso homenaje que el hombre tributa a Dios o a los bienaventurados. || **5.** Conjunto de actos y ceremonias con que el hombre tributa este homenaje. || **6.** Honor que se tributa en las falsas religiones a ciertas cosas tenidas como divinas y sagradas. || **7.** Por ext., admiración afectuosa de que son objeto algunas cosas. *Rendir* CULTO *a la belleza.* || **8. Cultivo.** || **9.** adv. m. Con cultura de estilo. || **de dulía.** El que se da a los ángeles y santos por las excelencias de gracias con que Dios los ha dotado. || **de hiperdulía.** El que se da a la Santísima Virgen por su eminente dignidad de Madre de Dios, superior al que se da a los santos y a los ángeles. || **de latría.** El que se da a Dios en reconocimiento de su grandeza. || **externo.** El que consiste en demostraciones exteriores, como sacrificios, procesiones, cantos sagrados, adoraciones, súplicas, ofrendas y dones. || **indebido.** El que es supersticioso o contrario a los preceptos de la Iglesia. || **interno.** El que tributamos en lo interior de nuestros corazones, con actos de fe, esperanza y caridad. || **superfluo.** El que se da por medio de cosas vanas e inútiles o dirigiéndolo a otros fines que los que tiene aprobados la Iglesia. || **supersticioso.** El que se da a quien no se debe dar o se le tributa indebidamente aunque lo merezca.

Cultor, ra. (Del lat. *cultor.*) adj. ant. **Cultivador.** Ú. t. c. s. || **2.** Que adora o venera alguna cosa. Ú. t. c. s.

Cultoso, sa. adj. ant. **Culto.**

Cultual. adj. **Cultural.**

Cultura. (Del lat. *cultūra.*) f. **Cultivo.** || **2.** ant. **Culto,** 4.ª acep. || **3.** fig. Resultado o efecto de cultivar los conocimientos humanos y de afinarse por medio del ejercicio las facultades intelectuales del hombre.

Cultural. adj. Perteneciente o relativo a la cultura.

Culturar. (De *cultura.*) tr. **Cultivar,** 1.ª acep.

Culle. m. *Chile* y *Perú.* Hierba oxalídea, cuyo zumo se usa como bebida refrescante.

Cullidor. (Del dialect. *cullir,* y éste del lat. *collĭgĕre,* coger.) m. ant. Cobrador, recaudador.

Cumanagoto, ta. adj. Natural de Cumaná. Ú. t. c. s. || **2.** Perteneciente a esta antigua provincia de Venezuela. || **3.** m. Dialecto caribe de los **cumanagotos.**

Cumanés, sa. adj. *Venez.* Natural de Cumaná, Venezuela. Ú. t. c. s.

Cumano, na. (Del lat. *cumanus.*) adj. Natural de Cumas. Ú. t. c. s. || **2.** Perteneciente a esta ciudad de la Italia antigua.

Cumarú. (Voz guaraní.) m. *Bot. Amér. Central.* Árbol gigantesco de la familia de las papilionáceas, de madera laborable, pero más conocido por su fruto, que es una almendra grande que se utiliza en perfumería y de la que se hace también una bebida embriagadora.

Cumba. f. *Hond.* Jícara grande o calabaza de boca ancha.

Cumbarí. adj. *Argent.* Dícese de un ají o pimiento muy rojo y picante.

Cumbé. m. Cierto baile de negros. || **2.** Son de este baile.

Cumbo. m. *Hond.* Calabaza de boca angosta o calabaza vinatera. || **2.** *El Salv.* Calabaza de boca cuadrada.

Cumbre. (Del lat. *culmen, -ĭnis.*) f. Cima o parte superior de un monte. || **2.** fig. La mayor elevación de una cosa o último grado a que puede llegar.

Cumbrera. (De *cumbre.*) f. **Hilera,** 6.ª acep. || **2.** Pieza de madera de veinticuatro o más pies de longitud y con una escuadría de diez pulgadas de tabla por nueve de canto. Es marco usado en Cádiz y en Canarias. || **3. Dintel.** || **4.** Caballete del tejado. || **5. Cumbre,** 1.ª acep.

Cúmel. m. Bebida alcohólica alemana y rusa, muy dulce, que tiene por base el comino.

Cumiche. m. *Amér. Central.* El más joven de los hijos de una familia.

Cumínico. adj. Dícese del ácido que se obtiene del comino.

Cuminol. m. *Quím.* Aceite esencial que se extrae del comino.

Cúmplase. (3.ª pers. de sing. del imper. de *cumplir.*) m. Decreto que se ponía en el título de los funcionarios públicos para que pudiesen tomar posesión del cargo o destino que se les había conferido. || **2.** Fórmula que ponen los presidentes de algunas repúblicas americanas al pie de las leyes cuando se publican.

Cumpleaños. m. Aniversario del nacimiento de una persona.

Cumplidamente. adv. m. Entera, cabalmente.

Cumplidero, ra. (De *cumplido.*) adj. Dícese de los plazos que se han de cumplir a cierto tiempo. || **2.** Que conviene o importa para alguna cosa.

Cumplido, da. p. p. de **Cumplir.** || **2.** adj. **Completo,** 1.ª y 2.ª aceps. CUMPLIDO *caballero; victoria* CUMPLIDA. || **3.** Hablando de ciertas cosas, largo o abundante. *Vestido* CUMPLIDO. || **4.** Exacto en todos los cumplimientos, atenciones y muestras de urbanidad para con los otros. || **5.** V. **Soldado cumplido.** || **6.** m. Acción obsequiosa o muestra de urbanidad. *Es hacer un* CUMPLIDO *dar un parabién o un pésame: esta alhaja es para un* CUMPLIDO.

Cumplidor, ra. adj. Que cumple o da cumplimiento. Ú. t. c. s.

Cumplimentar. (De *cumplimiento.*) tr. Dar parabién o hacer visita de cumplimiento a uno con motivo de algún acaecimiento próspero o adverso. || **2.** *For.* Poner en ejecución los despachos u órdenes superiores.

Cumplimentero, ra. adj. fam. Que hace demasiados cumplimientos. Ú. t. c. s.

Cumplimiento. (De *cumplir.*) m. Acción y efecto de cumplir o cumplirse. || **2. Cumplido,** 6.ª acep. || **3.** Oferta que se hace por pura urbanidad o ceremonia. || **4.** Perfección en el modo de obrar o de hacer alguna cosa. || **5. Complemento,** 3.ª acep. || **6.** ant. Abasto o provisión de alguna cosa. || **7.** ant. **Sufragio,** 2.ª acep. || **De, o por, cumplimiento.** m. adv. De, o por, pura ceremonia o urbanidad.

Cumplir. (Del lat. *complēre.*) tr. Ejecutar, llevar a efecto. CUMPLIR *un deber, una orden, un encargo, un deseo, una promesa.* || **2.** Remediar a uno y proveerle de lo que le falta. || **3.** Dicho de la edad, llegar a tener aquella que se indica o un número cabal de años o meses. *Hoy* CUMPLE *Juan catorce años.* || **4.** intr. Hacer uno aquello que debe o a que está obligado. CUMPLIR *con Dios, con un amigo;* CUMPLIÓ *como debía.* || **5.** Terminar uno en la milicia el tiempo de servicio a que está obligado. || **6.** Ser el tiempo o día en que termina una obligación, empeño o plazo. Ú. t. c. r. || **7.** Convenir, importar. || **8.** ant. Bastar, ser suficiente. || **9.** r. Verificarse, realizarse. || **Cumpla yo y tiren ellos.** fr. proverb. que significa que cada uno debe **cumplir** con su obligación, sin reparar en respetos ajenos. || **2.** También denota que uno hace alguna cosa por **cumplir.** || **Cumple con todos y fía de pocos.** ref. que aconseja que, sin ofender a nadie, se atienda a la propia conveniencia. || **Cumplir** con uno. fr. Satisfacer la obligación de cortesía que se tiene para con él. || **Cumplir con todos.** fr. Hacer a cada uno el obsequio que le corresponde. || **Cumplir** uno **por** otro. fr. Hacer una expresión o cumplido en nombre de otro. CUMPLA *usted* POR *mí.* || **Por cumplir.** loc. adv. Por mera cortesía o solamente por no caer en falta. *Le hizo una visita* POR CUMPLIR.

Cumquibus. (Del lat. *cum quibus* con los cuales.) f. ant. **Dinero,** 1.ª y 3.ª aceps.

Cumulación. (Del lat. *cumulatio, -ōnis.*) f. ant. Acción y efecto de cumular.

Cumulador, ra. (De *cumular.*) adj. **Acumulador,** 1.ª acep.

Cumular. (Del lat. *cumulāre.*) tr. **Acumular.**

Cumulativamente. adv. m. *For.* **Acumulativamente.**

Cúmulo. (Del lat. *cumŭlus.*) m. Montón, junta de muchas cosas puestas unas sobre otras. || **2.** fig. Junta, unión o suma de muchas cosas, aunque no sean materiales, como de negocios, de trabajos, de razones, etc. || **3.** *Meteor.* Conjunto de nubes propias del verano, que tiene apariencia de montañas nevadas con bordes brillantes. || **estelar.** *Astron.* Agrupación, muy espesa a la vista, de estrellas de magnitud aparentemente pequeñísima; como la Vía Láctea.

Cumunalmente. adv. m. ant. En común, sin partición ni división.

Cuna. (Del lat. *cūna.*) f. Camita para niños, con bordes altos y dispuesta para poderla mecer. || **2.** En algunas partes, **inclusa,** 1.er art. || **3.** Puente rústico formado por dos maromas paralelas y listones de madera atravesados sobre ellas. || **4.** fig. Patria o lugar del nacimiento de alguno. || **5.** fig. Estirpe, familia o linaje. *De humilde, de ilustre* CUNA. || **6.** fig. Origen o principio de una cosa. || **7.** fig. Espacio comprendido entre los cuernos de una res bovina. || **8.** *Mar.* **Basada.** || **Conocer** a uno **desde** su **cuna.** tr. fig. Conocerle desde muy niño. || **Lo que se aprende en la cuna, siempre dura.** ref. **Lo que en el capillo se toma y pega, con la mortaja se deja.**

Cunaguaro. m. *Venez.* Animal carnicero muy feroz, de cerca de un metro de largo y piel roja con manchas sobre el lomo y los costados.

Cunar. (De *cuna.*) tr. **Cunear.**

Cuncuna. f. *Colomb.* Paloma silvestre. || **2.** *Chile.* **Oruga.**

Cundeamor. m. **Cundiamor.**

Cundiamor. m. *Cuba* y *Venez.* Planta trepadora, de la familia de las cucurbitáceas, de flores en forma de jazmines y frutos amarillos, que contienen semillas muy rojas.

Cundido, da. p. p. de **Cundir.** || **2.** m. Aceite, vinagre y sal que se da a los pastores, y en algunas partes lo que se da a los muchachos para que coman el pan: como miel, queso, aceite, etc.

Cundiente. p. a. ant. de **Cundir.** Que cunde.

Cundir. (Del got. **kundjan* de *kunds,* generación.) tr. ant. Ocupar, llenar. || **2.** intr. Extenderse hacia todas partes una cosa. Dícese comúnmente de los líquidos, y en especial del aceite. || **3.** Propagarse o multiplicarse una cosa. || **4.** Dar mucho de sí una cosa; aumentarse su volumen. *El buen lino* CUNDE *porque da mucha hilaza; el arroz y el garbanzo* CUNDEN *al cocerse.* || **5.** fig. Hablando de cosas inmateriales, extenderse, propagarse. || **6.** fig. Hablando de trabajos materiales o intelectuales, adelantar, progresar.

Cundir. (Del lat. *condīre.*) tr. *Sal.* **Condir,** 2.º art.

Cunear. tr. **Acunar.** || **2.** r. fig. y fam. Moverse a derecha e izquierda, como la cuna cuando la mecen.

Cuneiforme. (Del lat. *cunĕus,* cuña, y *forma,* figura.) adj. De figura de cuña. Aplícase con más frecuencia a ciertos caracteres de forma de cuña o de clavo, que algunos pueblos de Asia usaron antiguamente en la escritura. || **2.** *Bot.* Dícese de ciertas partes de la planta que tienen esta figura. *Hojas, pétalos* CUNEIFORMES. || **3.** *Zool.* V. **Hueso cuneiforme.** Ú. t. c. s.

Cúneo. (Del lat. *cunĕus.*) m. Cada uno de los espacios comprendidos entre los vomitorios de los teatros o anfiteatros antiguos. || **2.** *Mil.* Formación triangular de un cuerpo de tropa que iba a chocar con otro por el vértice para romperlo o dividirlo.

Cuneo. m. Acción y efecto de cunear o cunearse.

Cunera. f. Mujer que en palacio tenía por oficio mecer la cuna de los infantes.

Cunero, ra. (De *cuna,* 2.ª acep.) adj. En algunas partes, **expósito.** Ú. t. c. s. || **2.** fig. Dícese del toro que se corre o lidia en la plaza, sin saberse o designarse la ganadería a que pertenece. || **3.** fig. Aplícase al candidato o diputado a Cortes extraño al distrito y patrocinado por el gobierno.

Cuneta. (De *cuna.*) f. Zanja de desagüe que se hace en medio de los fosos secos de las fortificaciones. || **2.** Zanja en cada uno de los lados de un camino, para recibir las aguas llovedizas.

Cunicultor, ra. adj. Persona que practica la cunicultura. Ú. t. c. s.

Cunicultura. (Del lat. *cunicŭlus,* conejo, y *cultūra,* cultivo, cría.) f. Arte de criar conejos para aprovechar su carne y sus productos.

Cuntir. (Del lat. **contigĕre,* por *contingĕre,* suceder.) intr. ant. Acontecer, suceder, ocurrir.

Cuña. (De *cuño.*) f. Pieza de madera o metal terminada en ángulo diedro muy agudo. Sirve para hender o dividir cuerpos sólidos, para ajustar, o apretar uno con otro, para calzarlos o para llenar alguna raja o hueco. || **2.** Cualquier objeto que se emplea para estos mismos fines. || **3.** Piedra de empedrar labrada en forma de pirámide truncada. || **4.** fig. **Palanca,** 3.ª acep. || **5.** *Zool.* Cada uno de los huesos cuneiformes que forman parte del tarso de los mamíferos. || **Donde no valen cuñas, aprovechan uñas.** ref. con que se nota que las cosas que no se pueden conseguir con la fuerza se logran con maña e industria. || **No hay peor cuña que la de la misma madera,** o **del mismo palo.** ref. que expresa que, de ordinario, ninguno es peor para enemigo que el que ha sido amigo, compañero, etc., o del mismo oficio o familia. || **Ser buena cuña.** fr. fig. y fam. Dícese en sentido irónico de la persona gruesa que se mete en lugar estrecho, incomodando a las demás.

Cuñadadgo. m. ant. **Cuñadío.**

Cuñadería. (De *cuñado.*) f. ant. **Compadrazgo,** 1.ª acep.

Cuñaderío. m. ant. **Cuñadío.**

Cuñadez. f. ant. **Cuñadía.**

Cuñadía. (De *cuñado,* 2.ª acep.) f. **Afinidad,** 2.ª acep.

Cuñadío. m. ant. **Cuñadía.**

Cuñado, da. (Del lat. *cognātus.*) m. y f. Hermano o hermana del marido respecto de la mujer, y hermano o hermana de la mujer respecto del marido. || **2.** ant. Pariente o parienta por afinidad, en cualquier grado.

Cuñal. adj. ant. Sellado con cuño.

Cuñar. (Del lat. *cuneāre,* de *cunĕus,* cuño.) tr. **Acuñar,** 1.er art., 1.ª acep.

Cuñete. m. Cubeto o barril pequeño para líquido. || **2.** Barril pequeño y basto que se emplea para envasar aceitunas y otras cosas preparadas, a fin de que se conserven largo tiempo.

Cuño. (Del lat. *cunĕus,* cuña.) m. Troquel, ordinariamente de acero, con que se sellan la moneda, las medallas y otras cosas análogas. || **2.** Impresión o señal que deja este sello. || **3.** ant. **Cuña.** || **4.** ant. Montón o pelotón. || **5.** *Mil.* **Cúneo,** 2.ª acep.

Cuociente. (Del lat. *quotiens, -entis,* de *quot,* cuantos.) m. *Álg.* y *Arit.* **Cociente.**

Cuodlibetal. adj. **Cuodlibético.**

Cuodlibético, ca. adj. Perteneciente al cuodlibeto, o que participa de su índole.

Cuodlibeto. (Del b. lat. *quodlibetum,* y éste del lat. *quodlĭbet,* lo que agrada, lo que se quiere.) m. Discusión sobre un punto científico elegido al arbitrio del autor. || **2.** Uno de los ejercicios en las antiguas universidades, en que disertaba el graduando sobre materia elegida a su gusto. || **3.** Dicho mordaz, agudo a veces, trivial e insulso las más, no dirigido a ningún fin útil, sino a entretener.

Cuomo. (Del lat. *quōmŏdo.*) adv. m. ant. **Como,** 2.º art.

Cuota. (Del lat. *quota,* t. f. de *-tus,* cuanto.) f. Parte o porción fija y determinada o para determinarse. || **2.** Cantidad asignada a cada contribuyente en el repartimiento o lista cobratoria. || **3.** Pago en metálico mediante el cual se permite a los reclutas gozar de ciertas ventajas y reducción de plazo en el servicio militar. || **vidual**, o **viudal.** *For.* Nombre de la legítima usufructuaria del cónyuge superviviente.

Cuotalitis. f. Pacto de cuotalitis.

Cuotidiano, na. (Del lat. *quottidiānus*, diario.) adj. **Cotidiano.**

Cupana. f. *Venez.* Árbol pequeño, frondoso, de la familia de las sapindáceas, con cuyo fruto hacen los indios tortas alimenticias y una bebida estomacal.

Cupé. (Del fr. *coupé*, y éste del lat. *cūppa*, copa.) m. **Berlina,** 1.er art., 1.ª acep. || **2.** En las antiguas diligencias, compartimiento situado delante de la baca.

Cupido. (Por alusión al fabuloso dios del amor, hijo de Venus.) m. fig. Hombre enamoradizo y galanteador.

Cupilca. f. *Chile.* Mazamorra suelta, preparada con harina tostada de trigo, mezclada con chacolí o chicha de uvas o de manzanas.

Cupitel (Tirar de). fr. En el juego de bochas, arrojar por alto la bola para que, al caer, dé a otra contraria y la aparte.

Cupo. (De *caber.*) m. Cuota, parte asignada o repartida a un pueblo en cualquiera impuesto, empréstito o servicio.

Cupón. (Del fr. *coupon*, corte, y éste der. de *coup*, golpe, del lat. *colăphus*, golpe.) m. *Com.* Cada una de las partes de un documento de la deuda pública o de una sociedad de crédito, que periódicamente se van cortando para presentarlas al cobro de los intereses vencidos. || **Cupones en rama.** Los que están ya cortados de los títulos respectivos, y se negocian o agencian por separado de éstos.

Cupresáceo, a. adj. *Bot.* Dícese de plantas fanerógamas del subtipo de las gimnospermas, arbustivas o arbóreas y muy ramificadas, con hojas persistentes durante varios años, lineales o escamosas y siempre sentadas; flores unisexuales, monoicas o dioicas; fruto en gálbula, y semillas con dos o más cotiledones que en muchos casos tienen dos aletas laterales; como el ciprés. Ú. t. c. s. f. || **2.** f. pl. *Bot.* Familia de estas plantas.

Cupresino, na. (Del lat. *cupressinus.*) adj. poét. Perteneciente al ciprés. || **2.** De madera de ciprés.

Cúprico, ca. (Del lat. *cuprum*, cobre.) adj. *Quím.* Aplícase al óxido de cobre que tiene doble proporción de oxígeno, respecto del cuproso y a las sales que con él se forman. *Óxido* CÚPRICO; *sulfato* CÚPRICO.

Cuprífero, ra. (Del lat. *cuprum*, cobre, y *ferre*, llevar.) adj. Que tiene venas de cobre, o que lleva o contiene cobre. *Mineral* CUPRÍFERO.

Cuproníquel. (Del lat. *cuprum*, cobre, y el al. *nickel*, metal de este nombre.) m. Moneda española que valía 25 céntimos de peseta.

Cuproso, sa. (Del lat. *cuprum*, cobre.) adj. *Quím.* Aplícase al óxido de cobre que tiene menos oxígeno, y a las sales que con él se forman. *Óxido* CUPROSO; *carbonato* CUPROSO.

Cúpula. (Del lat. *cupŭla*, d. de *cupa*, cuba.) f. *Arq.* Bóveda en forma de una media esfera u otra aproximada, con que suele cubrirse todo un edificio o parte de él. || **2.** *Bot.* Involucro a manera de copa, foliáceo, escamoso o leñoso, que cubre más o menos el fruto en la encina, el avellano, el castaño y otras plantas. || **3.** *Mar.* Torre de hierro, redonda, cubierta y giratoria, que tienen algunos buques blindados, dentro de la cual llevan uno o más cañones de grueso calibre.

Cupulífero, ra. (Del lat. *cupŭla*, d. de *cupa*, copa, y *ferre*, llevar.) adj. *Bot.* **Fagáceo.**

Cupulino. m. *Arq.* Cuerpo superior, a veces a modo de linterna, que se añade a la cúpula o media naranja.

Cuquear. tr. *Cuba.* **Azuzar.**

Cuquera. (De *cuco*, 2.° art., 3.ª acep.) f. *Ar.* Gusanera, 1.ª acep.

Cuquería. (De *cuco*, 2.° art.) f. Calidad de cuco. || **2. Taimería.**

Cuquero. m. Pícaro, astuto.

Cuquillo. (d. de *cuco*, 2.° art.) m. **Cuclillo,** 1.ª acep. || **Cantó el cuquillo, y descubrió su nido.** ref. que muestra cómo las indiscreciones perjudican al que incurre en ellas.

Cura. (Del lat. *cura*, cuidado, solicitud.) m. Sacerdote encargado, en virtud del oficio que tiene, del cuidado, instrucción y pasto espiritual de una feligresía. || **2.** fam. Sacerdote católico. || **3.** f. **Curación.** || **4. Curativa.** || **5.** ant. **Cuidado.** || **6.** ant. **Curaduría.** || **7.** fam. *Chile.* Borrachera, embriaguez. || **Este cura.** fig. y fam. Yo, la persona que habla. || **de almas.** Cargo que tiene el párroco de cuidar, instruir y administrar los sacramentos a sus feligreses. || **2. Cura,** 1.ª acep. || **ecónomo.** Sacerdote destinado en una parroquia por el prelado para que haga las funciones de párroco, por vacante, enfermedad o ausencia del propietario. || **párroco. Cura,** 1.ª acep. || **propio.** Párroco en propiedad de una feligresía. || **Alargar la cura.** fr. fig. Prolongar sin necesidad un negocio, cuando al que lo alarga se le sigue de esto alguna utilidad. || **Encarecer uno la cura.** fr. Exagerar lo que hace por otro para que éste se lo agradezca o recompense más. || **Entrar,** o **meterse,** uno **en cura.** fr. **Ponerse** uno **en cura.** || **No se acuerda el cura de cuando fue sacristán.** ref. que reprende al que, habiendo sido elevado a un empleo, o se engríe, o castiga y reprende con rigor los defectos que él cometía y debe disimular. || **No tener cura.** fr. fig. y fam. Ser incorregible. || **Ponerse** uno **en cura.** fr. Emprender o empezar la **cura** de un achaque o enfermedad crónica. || **Tener cura.** fr. Poder curarse. Dícese de los enfermos y de las enfermedades. *Este paralítico aún* TIENE CURA.

Curable. (Del lat. *curabĭlis.*) adj. Que se puede curar.

Curaca. (Voz quichua.) m. *Amér. Merid.* Cacique, potentado o gobernador.

Curación. (Del lat. *curatĭo, -ōnis.*) f. Acción y efecto de curar o curarse.

Curadgo. m. ant. Curato.

Curadillo. (De *curado.*) m. **Bacalao.**

Curado, da. p. p. de **Curar.** || **2.** adj. V. **Beneficio curado.** || **3.** fig. Endurecido, seco, fortalecido o curtido.

Curador, ra. (Del lat. *curātor.*) adj. Que tiene cuidado de alguna cosa. Ú. t. c. s. || **2.** Que cura. Ú. t. c. s. || **3.** m. y f. Persona elegida o nombrada para cuidar de los bienes y negocios del menor, o del que no estaba en estado de administrarlos por sí. || **4.** Persona que cura alguna cosa; como lienzos, pescados, carnes, etc. || **ad bona.** *For.* Persona que se nombraba para cuidar y administrar los bienes de un incapacitado. || **ad lítem.** *For.* Persona nombrada por el juez para seguir los pleitos y defender los derechos de un menor, representándole.

Curadoría. (De *curador.*) f. ant. **Curaduría.**

Curaduría. f. Cargo de curador de un menor. || **ejemplar.** La que se daba para los incapacitados por causa de demencia.

Curagua. f. *Amér. Merid.* Maíz de grano muy duro y hojas dentadas.

Curalle. (De *curar.*) m. *Cetr.* Pelotilla de plumas blandas, de lienzo usado o de algodón, que los cazadores dan a sus halcones, mojada en confecciones medicinales y purgativas, para que limpien el papo.

Curamagüey. m. *Bot. Cuba.* Planta de tallo voluble, de la familia de las asclepiadáceas, de tallo y pedúnculos peludos y de flores grandes. Sus partes leñosas reducidas a polvo son muy venenosas; pero las hojas las come sin peligro el ganado vacuno.

Curamiento. (De *curar.*) m. ant. Curación.

Curandería. f. Arte y práctica de los curanderos.

Curanderil. adj. fam. Perteneciente o relativo al curandero y a sus procedimientos.

Curanderismo. m. Intrusión de los curanderos en el ejercicio de la medicina.

Curandero, ra. (Del lat. *curandus*, p. p. de fut. de *curāre*, cuidar, curar.) m. y f. Persona que hace de médico sin serlo.

Curanto. m. *Chile.* Guiso hecho con mariscos, carnes y legumbres, y cocido todo ello sobre piedras muy calientes en un hoyo.

Curar. (Del lat. *curāre*, cuidar.) intr. **Sanar,** 2.ª acep. Ú. t. c. r. || **2.** Con la prep. *de*, cuidar de, poner cuidado. Ú. t. c. r. || **3.** tr. Aplicar al enfermo los remedios correspondientes a su enfermedad. Ú. t. c. r. || **4.** Disponer o costear lo necesario para la curación de un enfermo. || **5.** Hablando de las carnes y pescados, prepararlos por medio de la sal, el humo, etc., para que, perdiendo la humedad, se conserven por mucho tiempo. || **6.** Curtir y preparar las pieles para usos industriales. || **7.** Dicho de las maderas, tenerlas cortadas mucho tiempo antes de usar de ellas, conservándolas o entre cieno y agua o al aire libre, según el uso para que estén destinadas. || **8.** Hablando de hilos y lienzos, beneficiarlos para que se blanqueen. || **9.** Secar o preparar convenientemente una cosa para su conservación. || **10.** fig. Sanar las dolencias o pasiones del alma. || **11.** fig. Remediar un mal. || **12.** r. fam. *Chile.* Embriagarse, emborracharse. || **Como te curas, duras.** ref. con que se da a entender cuánto vale el cuidarse y tratarse bien, para prolongar la vida.

Curare. (Voz americana.) m. Substancia negra, resinosa y amarga, que los indios de la América Meridional extraen de la raíz del maracure, añadiéndole jugos mucilaginosos, y de ella se sirven para emponzoñar sus armas de caza y de guerra. Es veneno muy activo, pero no inficiona la economía animal sino cuando se inocula en la sangre; el cloro y el bromo son sus contravenenos.

Curasao. (De *Curazao*, una de las Antillas menores.) m. Licor fabricado con corteza de naranja y otros ingredientes.

Curatela. (Del lat. *curatoria*, con cambio de sufijo por analogía con *tutela.*) f. **Curaduría.**

Curativa. f. Método curativo.

Curativo, va. adj. Dícese de lo que sirve para curar.

Curato. (Del lat. *curātus*, de *curāre*, cuidar.) m. Cargo espiritual del cura de almas. || **2. Parroquia,** 3.ª acep. *Este* CURATO *tiene mucha extensión.*

Curazao. m. **Curasao.**

Curazgo. m. ant. **Curato.**

Cúrbana. (Voz cubana.) f. *Bot. Cuba.* Arbusto silvestre de la familia de las caneláceas, que se cría en terrenos pedregosos y del cual se obtiene una especie de canela de inferior calidad. Tiene muchas ramas, con hojas oblongas, lucientes por encima, flores rosadas, y por fruto una baya oval que come el ganado. Toda la planta exhala un olor delicioso.

Curbaril. (Voz americana.) m. *Bot.* Árbol de la familia de las papilionáceas, propio de la América tropical, de unos siete metros de alto, con copa espesa, tronco rugoso, hojas divididas en hojuelas ovales, lisas y coriáceas, flores en ramillete, de color amarillo claro, fruto en vaina pardusca con varias semillas, y madera dura y rojiza, apreciada para la ebanistería. Con incisiones en el tronco y las ramas se obtiene de este árbol la resina anime, que es amarillenta, plástica, fragante, y se usa en medicina contra las enfermedades reumáticas.

Cúrcuma. (Del ár. *kurkum*, azafrán de la India.) f. *Bot.* Planta vivaz monocotiledónea, procedente de la India, cuya raíz se parece al jengibre, huele como él y es algo amarga. || **2.** Substancia resinosa y amarilla que se extrae de esta raíz. Toma color rojo sanguíneo por la acción de los álcalis, y sirve de reactivo en química, y en tintorería para teñir de amarillo. || **3.** V. **Papel de cúrcuma.**

Curcusí. m. *Bol.* Especie de cocuyo menos luminoso.

Curcusilla. (De *corcusir*.) f. **Rabadilla.**

Curda. f. fam. **Borrachera,** 1.ª acep. || **2.** m. fam. **Borracho,** 2.ª acep.

Curdo, da. (Del ár. *kurd*, nombre gentilicio de un pueblo de Asia.) adj. Natural del Curdistán. Ú. t. c. s. || **2.** Perteneciente a esta región de la Turquía asiática.

Cureña. (De *coureña*.) f. Armazón compuesta de dos gualderas fuertemente unidas por medio de teleras y pasadores, colocadas sobre ruedas o sobre correderas, y en la cual se monta el cañón de artillería. || **2.** En las fábricas de fusiles, pieza de nogal en basto, trazada para hacer la caja de un fusil. || **3.** Palo de la ballesta. || **A cureña rasa.** m. adv. *Fort.* Sin parapeto o defensa que cubra la batería. || **2.** fig. y fam. Sin defensa, cubierta o abrigo. *Aguantar la lluvia, dormir,* A CUREÑA RASA.

Cureñaje. m. Conjunto de cureñas de un parque o de un ejército.

Curesca. f. Borra inútil que se queda en los palmares después de cardado el paño.

Curetuí. m. *R. de la Plata.* Pajarillo común, de color blanco y negro y de figura agraciada.

Curí. (Del guaraní *curii*.) m. *Bot. Amér. Merid.* Árbol gimnospermo de la clase de las coníferas, resinoso, de tronco recto y elevado, con ramas que salen horizontalmente y luego se encorvan hacia arriba; de hojas cortas, recias y punzantes. Da una piña grande, con piñones como castañas, y cocidos son tan buenos como ellas.

Curia. (Del lat. *curia*.) f. Tribunal donde se tratan los negocios contenciosos. || **2.** Conjunto de abogados, escribanos, procuradores y empleados en la administración de justicia. || **3.** Cuidado, esmero. || **4.** Una de las divisiones del antiguo pueblo romano. || **5.** ant. **Corte,** 2.° art., 2.ª acep. || **romana.** Conjunto de las congregaciones y tribunales que existen en la corte del pontífice romano para el gobierno de la Iglesia católica.

Curial. (Del lat. *curiālis*.) adj. Perteneciente a la curia, y especialmente a la romana. || **2.** ant. **Cortesano,** 1.ª acep. || **3.** ant. Práctico o experto. || **4.** m. El que tiene correspondencia en Roma para hacer traer las bulas y rescriptos pontificios. || **5.** El que tiene empleo u oficio en la curia romana. || **6.** Empleado subalterno de los tribunales de justicia, o que se ocupa en activar en ellos el despacho de los negocios ajenos.

Curialesco, ca. (De *curial*.) adj. Propio o peculiar de la curia. Suele tomarse en mal sentido. *Estilo* CURIALESCO; *sutileza* CURIALESCA.

Curialidad. (De *curial*, cortesano.) f. ant. Cortesanía o buena crianza.

Curiana. f. **Cucaracha,** 2.ª acep.

Curiar. (Del lat. *curare*.) tr. ant. **Cuidar,** guardar, pastorear.

Curiara. (Del caribe *culiala*.) f. Embarcación de vela y remo, que usan los indios de la América Meridional, menor que la canoa, y más ligera aunque más larga.

Curibay. m. *R. de la Plata.* Cierta especie de pino, de fruto muy purgante, pero cuyos efectos se neutralizan bebiendo vino o agua caliente.

Curiche. m. *Bol.* Pantano o laguna. || **2.** *Chile.* Persona de color obscuro o negro.

Curiel. m. *Zool. Cuba.* **Conejillo de Indias.**

Curiosamente. adv. m. Con curiosidad. || **2.** Con aseo o limpieza. || **3. Cuidadosamente.**

Curiosear. (De *curioso*.) intr. Ocuparse en averiguar lo que otros hacen o dicen. || **2.** Procurar, sin necesidad y a veces con impertinencia, enterarse de alguna cosa. || **3. Fisgonear.** Ú. t. c. tr.

Curiosidad. (Del lat. *curiosĭtas, -ātis*.) f. Deseo de saber y averiguar alguna cosa. || **2.** Vicio que nos lleva a inquirir lo que no debiera importarnos. || **3.** Aseo, limpieza. || **4.** Cuidado de hacer una cosa con primor. || **5.** Cosa curiosa o primorosa.

Curioso, sa. (Del lat. *curiōsus*.) adj. Que tiene curiosidad. Ú. t. c. s. || **2.** Que excita curiosidad. || **3.** Limpio y aseado. || **4.** Que trata una cosa con particular cuidado o diligencia. || **5.** *Amér.* **Curandero.**

Curiquingue. m. *Ecuad.* Ave que se asemeja al buitre por su rostro desnudo. Era el ave sagrada de los incas.

Curiyú. m. desus. *R. de la Plata.* Canacuate que tiene hasta siete metros de largo, del grueso de una persona y de color negro con pintas rojas.

Curlandés, sa. adj. Natural de Curlandia. Ú. t. c. s. || **2.** Perteneciente a este territorio que forma hoy parte de la república de Letonia.

Curricán. m. Aparejo de pesca de un solo anzuelo, que suele largarse por la popa de los buques cuando navegan.

Currinche. m. Entre periodistas, principiante, gacetillero.

Curro, rra. adj. fam. **Majo,** 1.ª acep. || **2.** m. *Ast.* y *León.* **Pato.**

Curruca. (Del lat. *currūca*.) f. Pájaro canoro de 10 a 12 centímetros de largo, con plumaje pardo por encima y blanco por debajo, cabeza negruzca y pico recto y delgado. Es insectívoro y el que con preferencia escoge el cuco para que empolle sus huevos.

Curruca. f. *Ar.* **Jauría.**

Currutaco, ca. (De *curro*.) adj. fam. Muy afectado en el uso riguroso de las modas. Ú. t. c. s.

Cursado, da. p. p. de **Cursar.** || **2.** adj. Acostumbrado, versado en alguna cosa.

Cursante. p. a. de **Cursar.** Que cursa. Ú. t. c. s.

Cursar. (Del lat. *cursāre*, correr, andar con frecuencia.) tr. Frecuentar un paraje o hacer con frecuencia alguna cosa. || **2.** Estudiar una materia, asistiendo a las explicaciones del profesor, en una universidad o en cualquier otro establecimiento de enseñanza. || **3.** Dar curso a una solicitud, instancia, expediente, etc., o enviarlos al tribunal o autoridad a que deben ir.

Cursario, ria. (Del lat. *cursus*, carrera.) adj. ant. **Corsario.** Apl. a pers., usáb. t. c. s.

Cursería. f. Acto o cosa cursi. || **2.** fam. Conjunto o reunión de cursis.

Cursi. adj. fam. Dícese de la persona que presume de fina y elegante sin serlo. Ú. t. c. s. || **2.** fam. Aplícase a lo que, con apariencia de elegancia o riqueza, es ridículo y de mal gusto.

Cursilería. f. **Cursería.**

Cursilón, na. adj. fam. aum. de **Cursi.** Ú. t. c. s.

Cursillista. com. Persona que interviene en un cursillo.

Cursillo. (d. de *corso*.) m. En las universidades, curso de poca duración a que se solía asistir después de acabado el regular. || **2.** Curso breve para completar la preparación y probar la aptitud de los alumnos que se van a dedicar a la enseñanza primaria o secundaria. || **3.** Breve serie de conferencias acerca de una materia dada.

Cursivo, va. (De *curso*.) adj. V. **Letra cursiva.** Ú. t. c. s. m. y f.

Curso. (Del lat. *cursus*.) m. Dirección o carrera. || **2.** En las universidades y escuelas públicas, tiempo señalado en cada año para asistir a oír las lecciones. || **3.** Tiempo que se empleaba en leer y en estudiar una facultad en las universidades y escuelas públicas. || **4.** Colección de los tratados principales por donde se enseñaba una facultad en las universidades y escuelas públicas. || **5.** Serie de informes, consultas, etc., que precede a la resolución de un expediente. *Dar* CURSO *a una solicitud; seguir su* CURSO *el negocio, el proceso.* || **6. Despeño,** 2.ª acep. Ú. m. en pl. || **7.** ant. **Corso,** 1.er art. || **8.** Serie o continuación. *El* CURSO *del tiempo; el* CURSO *de los sucesos.* || **9.** Circulación, difusión entre las gentes. || **forzoso.** Obligación impuesta por el gobierno de aceptar con fuerza liberatoria de pago monedas sin valor intrínseco apreciable, títulos del Estado o billetes de banco.

Cursómetro. m. Aparato que se aplica a medir la velocidad de los trenes de ferrocarril.

Cursor. (Del lat. *cursor*, corredor.) m. ant. **Correo,** 1.er art., 1.ª acep. || **2.** ant. Escribano de diligencias. || **3.** *Mec.* Pieza pequeña que se desliza a lo largo de otra mayor en algunos aparatos. || **de procesiones.** Uno de los oficiales eclesiásticos destinado a cuidar del orden que ha de observarse en las procesiones.

Curtación. (Del lat. *curtātum*, supino de *curtāre*, acortar.) f. *Astron.* **Acortamiento,** 2.ª acep.

Curtido, da. p. p. de **Curtir.** || **2.** m. Cuero curtido. Ú. m. en pl. || **3. Casca,** 2.ª acep.

Curtidor. m. El que tiene por oficio curtir pieles.

Curtidura. f. ant. **Curtimiento.**

Curtiduría. (De *curtidor*.) f. Sitio o taller donde se curten y trabajan las pieles.

Curtiente. adj. Aplícase a la substancia que sirve para curtir. Ú. t. c. s. m.

Curtimiento. m. Acción y efecto de curtir o curtirse.

Curtir. (Del lat. *conterĕre*, machacar.) tr. Adobar, aderezar las pieles. || **2.** fig. Endurecer o tostar el sol o el aire el cutis de las personas que andan a la intemperie. Ú. m. c. r. || **3.** fig. Acostumbrar a uno a la vida dura y a sufrir las inclemencias del tiempo. Ú. t. c. r. || **Estar uno curtido en una cosa.** fr. fig. y fam. Estar acostumbrado a ella o diestro en hacerla.

Curto, ta. (Del lat. *curtus*.) adj. *Ar.* **Corto,** 1.ª acep. || **2.** *Ar.* **Rabón.**

Curú. m. *Zool. Perú.* Larva de la polilla.

Curubo. m. *Colomb.* Especie de enredadera.

Curuca. f. **Curuja.**

Curucú. m. *Amér. Central.* Ave trepadora que se distingue por el hermoso color de su plumaje sedoso y por lo largo de su cola.

Curueña. (Del lat. *currus*, carro.) f. ant. **Cureña.**

Curuguá. (Voz guaraní.) m. *Amér. Meria.* Enredadera que da un fruto amarillo y negro semejante a la calabaza de unos 30 centímetros de largo, y de agradable olor, que comunica a los objetos que en ella se ponen, pues su cáscara sirve de vasija.

Curuja. f. Lechuza, 1.ª acep.

Curujey. m. *Bot. Cuba.* Planta de la familia de las bromeliáceas, epífita, que vive principalmente sobre las ceibas; tiene hojas cortantes o punzantes, a manera de espada.

Curul. (Del lat. *curūlis.*) adj. V. **Edil, silla curul.**

Curupay. m. *Bot. R. de la Plata.* Árbol de la familia de las mimosáceas, de buena madera, cuya corteza se utiliza como curtiente porque contiene mucho tanino.

Cururo. m. *Chile.* Especie de rata campestre, de color negro y muy dañina.

Cururú. m. *Zool.* Batracio del orden de los anuros, propio de América tropical, que tiene los dedos libres en las extremidades torácicas y palmeadas las abdominales. La hembra de este animal lleva los huevos sobre el dorso, donde permanecen, en alveolos formados por hipertrofia de la piel, hasta alcanzar su completo desarrollo.

Curva. (Del lat. *curva,* t. f. de *-vus,* curvo.) f. *Geom.* **Línea curva.** || **2.** Representación esquemática de las fases sucesivas de un fenómeno por medio de una línea cuyos puntos van indicando valores variables. CURVA *de temperatura, de mortalidad.* || **3.** *Mar.* Pieza fuerte de madera, que se aparta de la figura recta y sirve para asegurar dos maderos ligados en ángulo. || **4.** *Mat.* V. **Grado de una curva.** || **coral.** *Mar.* La que se emperna interiormente a la quilla y al codaste para consolidar su unión. || **de nivel.** *Topogr.* Línea que resulta de la intersección del terreno con un plano horizontal. Empléase en los dibujos para figurar el relieve del terreno.

Curvado, da. p. p. de **Curvar.** || **2.** adj. Que tiene forma curva.

Curvar. tr. **Encorvar,** 1.ª acep. Ú. t. c. r.

Curvatón. m. *Mar.* Curva pequeña.

Curvatura. (Del lat. *curvatūra.*) f. Desvío de la dirección recta. *La* CURVATURA *del círculo es uniforme, y la de la elipse no.*

Curvidad. (Del lat. *curvĭtas, -ātis.*) f. **Curvatura.**

Curvilíneo, a. (Del lat. *curvilinĕus.*) adj. *Geom.* Que se compone de líneas curvas. || **2.** *Geom.* Que se dirige en línea curva. || **3.** V. **Ángulo curvilíneo.**

Curvímetro. (Del lat. *curvus,* corvo, y el gr. μέτρον, medida.) m. Instrumento para medir con facilidad las líneas de un plano.

Curvo, va. (Del lat. *curvus.*) adj. Que constantemente se va apartando de la dirección recta sin formar ángulos. Ú. t. c. s. || **2.** *Esgr.* V. **Compás curvo.** || **3.** *Geom.* V. **Línea, superficie curva.**

Cusco. (De la voz *cus,* repetida, con que se llama al perro.) m. *Amér.* **Cuzco.**

Cuscungo. m. *Ecuad.* Especie de búho.

Cuscurro. (De *corrusco.*) m. Cantero de pan, pequeño y muy cocido.

Cuscuta. (Del ár. *kušūṯā,* especie de planta parásita.) f. Planta parásita de la familia de las convolvuláceas, de tallos filiformes, rojizos o amarillentos, sin hojas, con flores sonrosadas y simiente redonda. Vive con preferencia sobre el cáñamo, la alfalfa y otras plantas que necesitan mucha agua, y se usó en medicina contra la hidropesía.

Cusir. (Del lat. *consuĕre,* coser, infl. por *sarcire,* zurcir.) tr. fam. **Corcusir.**

Cusita. adj. Descendiente de Cus, hijo de Cam y nieto de Noé. || **2.** Aplícase a las naciones que, procedentes de la Bactriana, ocuparon varias regiones de Asia y África y dominaron en Susiana y Caldea.

Cusma. f. *Perú.* Camisa que usan los indios que viven en las selvas.

Cuspa. f. *Venez.* Arbusto semejante a la palmera y cuya corteza se emplea como la quina.

Cúspide. (Del lat. *cuspis, -ĭdis,* punta, extremo.) f. Cumbre puntiaguda de los montes. || **2.** Remate superior de alguna cosa, que tiende a formar punta. || **3.** *Geom.* Punto donde concurren los vértices de todos los triángulos que forman las caras de la pirámide, o las generatrices del cono.

Custodia. (Del lat. *custodĭa.*) f. Acción y efecto de custodiar. || **2.** Persona o escolta encargada de custodiar a un preso. || **3.** Pieza de oro, plata u otro metal, en que se expone el Santísimo Sacramento a la pública veneración. || **4.** En la orden de San Francisco, agregado de algunos conventos que no bastan para formar provincia.

Custodiar. (Del lat. *custodiāre.*) tr. Guardar con cuidado y vigilancia.

Custodio. (Del lat. *custos, ōdis.*) adj. V. **Ángel custodio.** || **2.** m. El que custodia. || **3.** En la orden de San Francisco, superior de una custodia.

Cusubé. (Voz taina.) m. *Cuba.* Dulce seco, hecho del almidón de yuca, con agua, azúcar y a veces huevos, de que forman bollitos.

Cusumbe. m. *Ecuad.* **Coatí.**

Cusumbo. m. *Colomb.* **Coatí.**

Cususa. f. *Amér. Central.* **Aguardiente de caña.**

Cutacha. f. *Hond.* Cuchillo largo y recto.

Cutama. f. *Chile.* Saco o costal lleno de cosas menudas. || **2.** *Chile.* Persona torpe y pesada.

Cutáneo, a. adj. Perteneciente al cutis. *Erupción* CUTÁNEA.

Cutarra. f. *Hond.* Zapato alto hasta la caña de la pierna y con orejuelas.

Cúter. (Del ingl. *cutter.*) m. Embarcación con velas al tercio, una cangreja o mesana en un palo chico colocado hacia popa, y varios foques.

Cutete. m. *Guat.* Nombre común a cierto género de reptiles iguánidos.

Cutí. (Del fr. *coutil,* der. de *coute,* y éste del lat. *cŭlcita,* colcha.) m. Tela de lienzo rayado o con otros dibujos que se usa comúnmente para cubiertas de colchones.

Cutiano, na. (Del lat. *quottidiānus.*) adj. ant. Diario, continuo. Ú. en *Ar.* || adv. t. Diariamente, continuadamente. || **De cutiano.** loc. adv. De diario, de continuo. || **En cutiano.** loc. adv. **De cutiano.**

Cutícula. (Del lat. *cutĭcŭla.*) f. **Película,** 1.ª acep. || **2.** *Zool.* **Epidermis.** || **3.** *Zool.* Membrana formada por ciertas substancias que segrega el protoplasma, las cuales, acumulándose en la periferia de la célula, constituyen una cubierta protectora de ésta; como en muchos protozoos. || **4.** *Zool.* Capa externa de las tres que forman la concha de los moluscos y que da a aquélla su coloración característica en las diversas especies.

Cuticular. (Del lat. *cuticulāris.*) adj. Perteneciente o relativo a la cutícula.

Cutidero. (De *cutir.*) m. **Batidero,** 1.ª acep. || **2.** ant. Choque o golpe.

Cutio. (Del lat. *quotidĭo.*) adv. t. Continuamente, seguidamente. || **De cutio.** loc. adv. De continuo, de asiento. || **2.** V. **Día de cutio.**

Cutir. (Del lat. **cuttĕre,* por análisis de los compuestos *percutĕre,* etc., con la *tt* de *battuĕre.*) tr. Golpear una cosa con otra. || **2.** ant. Poner en competencia. || **3.** intr. ant. fig. Combatir, competir.

Cutis. (Del lat. *cutis.*) m. Cuero o pellejo que cubre el cuerpo humano. Se dice principalmente hablando del rostro. Ú. t. c. f. || **2.** *Zool.* **Dermis.**

Cuto, ta. adj. *El Salv.* Manco, o falto de un miembro.

Cutral. (Del lat. *culter, -tri,* cuchillo.) adj. Dícese del buey cansado y viejo, y de la vaca que ha dejado de parir, que se destinan ordinariamente a la carnicería. Ú. t. c. s.

Cutre. adj. **Tacaño,** 2.ª acep. Ú. t. c. s.

Cutusa. f. *Colomb.* Especie de tórtola.

Cuy. (Del quichua *cui.*) m. *Amér. Merid.* **Conejillo de Indias.**

Cuyá. (Voz cubana.) m. *Bot. Cuba.* Árbol de la familia de las sapotáceas, de unos nueve metros de altura, de madera dura, elástica y casi incorruptible. Produce unas flores menudas y olorosas que chupan las abejas y elaboran con ellas excelente miel.

Cuyamel. m. *Hond.* Pez acantopterigio que vive en los ríos, y de carne muy estimada.

Cuyano, na. adj. Natural de la provincia de Cuyo, en la República Argentina. Ú. t. c. s. || **2.** Perteneciente o relativo a esta provincia. || **3.** fam. *Chile.* Dícese de los naturales de la República Argentina. Ú. t. c. s.

Cuyo, ya. (Del lat. *cuius.*) pron. relat. con terminaciones distintas para los géneros masculino y femenino, y con ambos números singular y plural. De quien. Este pronombre, además del carácter de relativo, tiene el de posesivo y concierta, no con el poseedor, sino con la persona o cosa poseída. *Mi hermano,* CUYA *mujer está enferma; la patria,* CUYOS *infortunios deploro.* Precede inmediatamente al nombre, como se ve por estos ejemplos, y sólo puede anteponerse al verbo *ser.* ¿CÚYO *es este libro?* No puede construirse con el artículo. || **2.** m. fam. Galán o amante de una mujer.

Cuyují. m. *Cuba.* Especie de pedernal.

¡Cuz! interj. con que se llama a los perros. Ú. generalmente repetida.

Cuza. (De *cuz.*) f. *Ast.* y *León.* Perra pequeña.

Cuzco. (De *cuz.*) m. Perro pequeño, gozque.

Cuzcuz. m. **Alcuzcuz.**

Cuzma. (Voz quichua.) f. Sayo de lana, sin cuello ni mangas, que cubre hasta los muslos, usado en algunas partes de América por los indios de las serranías.

Cuzo. (De *cuz.*) m. *Ast.* y *León.* Perro pequeño.

Czar. m. **Zar.**

Czarevitz. m. **Zarevitz.**

Czariano, na. adj. **Zariano.**

Czarina. f. **Zarina.**

CH

Ch. f. Cuarta letra del abecedario español, y tercera de las consonantes. Su nombre es **che.** Por su figura es doble, pero sencilla por su sonido, y en la escritura, indivisible. Su pronunciación se hace con articulación predorsal, prepalatal, fricativa sorda: *mucho, noche.*

Cha. m. Nombre genérico que dan los chinos al té, por lo cual se le ha conservado esta denominación en Filipinas y en algunos países hispanoamericanos.

Chabacanada. f. **Chabacanería.**

Chabacanamente. adv. m. Con chabacanería.

Chabacanería. (De *chabacano.*) f. Falta de arte, gusto y mérito estimable. || **2.** Dicho bajo o insubstancial.

Chabacano, na. adj. Sin arte o grosero y de mal gusto.

Chabela. f. *Bol.* Bebida hecha con mezcla de vino y chicha.

Chabisque. m. *Ar.* Lodo, fango.

Chabola. (Del vasc. *chabola,* y éste del fr. *geôle,* del lat. *caveŏla,* jaula.) f. Choza o caseta, generalmente la construida en el campo.

Chaca. f. *Chile.* Una variedad de marisco comestible.

Chacal. (Del ár.-persa-turco *ŷaqál.*) m. *Zool* Mamífero carnívoro de la familia de los cánidos, de un tamaño medio entre el lobo y la zorra, parecido al primero en la forma y el color, y a la segunda en la disposición de la cola. Vive en las regiones templadas de Asia y África; se alimenta preferentemente de carne muerta, y se reúne con otros animales de su especie para asaltos y correrías.

Chacalín. m. **Camarón,** 1.ª acep.

Chacana. f. *Ecuad.* Camilla, parihuela.

Chacanear. tr. *Chile.* Espolear con fuerza a la cabalgadura.

Chácara. f. *Amér.* **Chacra.**

Chacarero, ra. (De *chácara.*) adj. *Amér.* Dícese del hombre o mujer que trabaja en el campo. Ú. t. c. s.

Chacarona. f. *Zool.* Pez teleósteo, acantopterigio, de la misma familia que el dentón, pero de tamaño algo menor que éste y con los ojos relativamente mayores. Vive en los mares del sur de España y se extiende hasta las costas del Sahara. || **2.** *Can.* Pescado curado.

Chacarrachaca. (Voz onomatopéyica.) f. fam. Ruido molesto de disputa o algazara.

Chacate. m *Bot. Méj.* Especie de planta poligalácea.

Chacina. f. **Cecina,** 1.ª acep. || **2.** Carne de puerco adobada de la que se suelen hacer chorizos y otros embutidos.

Chacinería. f. Tienda en que se vende chacina.

Chacinero, ra. m. y f. Persona que hace o vende chacina.

Chaco. m. Montería con ojeo, que hacían antiguamente los indios de la América del Sur estrechando en círculo la caza para cogerla.

Chacó. (Del húngaro *csako.*) m. Morrión propio de la caballería ligera, y aplicado después a tropas de otras armas.

Chacolí. (Del vasc. *chacolin.*) m. Vino ligero y algo agrio que se hace en las provincias vascongadas y en la de Santander con la uva poco azucarada que se da en aquella región. También se hace en Chile.

Chacolotear. (Voz onomatopéyica.) intr. Hacer ruido la herradura por estar floja o faltarle clavos.

Chacoloteo. m. Acción y efecto de chacolotear.

Chacón. (Voz imitativa del grito del animal.) m. Reptil de más de 30 centímetros de largo, parecido a la salamanquesa, que se cría en Filipinas y se guarece por lo común en las grietas de los muros.

Chacona. f. Baile de los siglos XVI y XVII, que se ejecutaba con acompañamiento de castañuelas y de coplas. || **2.** Música de este baile. || **3.** Composición poética escrita para dicho baile.

Chaconada. (Del fr. *jaconas.*) f. Tela de algodón muy fina y de vivos colores con que solían vestirse las mujeres desde mediados del siglo XIX.

Chaconero, ra. adj. Que escribía chaconas. Ú. t. c. s. || **2.** Que las bailaba. Ú. t. c. s.

Chacota. f. Bulla y alegría mezclada de chanzas y carcajadas, con que se celebra alguna cosa. || **Echar,** o **tomar. a chacota** una persona o cosa. fr. fam. Burlarse de ella, no darle importancia. || **Hacer** uno **chacota de** una persona o cosa. fr. fam. Hacerla objeto de una burla.

Chacotear. (De *chacota.*) intr. Burlarse, chancearse, divertirse con bulla, voces y risa.

Chacoteo. m. Acción y efecto de chacotear.

Chacotero, ra. adj. fam. Que usa de chacota. Ú. t. c. s.

Chacra. (Voz quichua.) f. *Amér.* Alquería o granja.

Chacuaco. (Voz americana.) m. *Min.* Horno de manga para fundir minerales de plata.

Chacha. (Aféresis de *muchacha.*) f. fam. Niñera.

Chacha. (Voz mejicana.) f. *Guat.* Chachalaca.

Chachacoma. f. *Chile.* Planta de la cordillera andina, de flores amarillas y de uso en la medicina casera.

Chachal. m. *Perú.* Lápiz plomo.

Chachalaca. (Voz mejicana.) f. *Méj.* Especie de gallina de color pardo por el lomo y alas, blanco el vientre y las patas, cola larga y de plumas amarillentas, sin cresta ni barbas, ojos rojos y sin pluma cerca de ellos. Es muy vocinglera y de carne delicada y sabrosa. || **2.** fig. *Méj.* Persona locuaz. Ú. t. c. adj.

Cháchara. (Voz imitativa.) f. fam. Abundancia de palabras inútiles. || **2.** Conversación frívola. || **3.** pl. Baratijas, cachivaches.

Chacharear. (De *cháchara.*) intr. fam. **Parlar,** 2.ª acep.

Chacharero, ra. (De *cháchara.*) adj. fam. **Charlatán.** Ú. t. c. s.

Chacharón, na. adj. fam. Muy chacharero. Ú. t. c. s.

Chacho, cha. (Aféresis de *muchacho.*) m. y f. fam. **Muchacho, cha.** Es voz de cariño. || **2.** m. Puesta que se hace en el juego del hombre.

Chafaldete. (Del ant. fr. *[es]chadefaut, chafaud* y éste del lat. **catafalĭcum,* tablado.) m. *Mar.* Cabo que sirve para cargar los puños de gavias y juanetes llevándolos al centro de sus respectivas vergas.

Chafaldita. f. fam. Pulla ligera e inofensiva.

Chafalditero, ra. adj. fam. Propenso a decir chafalditas. Ú. t. c. s.

Chafalmejas. (De *chafar* y *almeja.*) com. fam. **Pintamonas.**

Chafalonía. f. Objetos inservibles de plata u oro, para fundir.

Chafallada. f. fam *And.* Escuela de párvulos.

Chafallar. (De *chafallo.*) tr. fam. Hacer o remendar una cosa sin arte ni aseo.

Chafallo. m. fam. Remiendo mal echado.

Chafallón, na. adj. fam. Que chafalla. Ú. t. c. s. || **2. Chapucero,** 2.ª acep. Ú. t. c. s.

Chafandín. m. Persona vanidosa y de poco seso.

Chafar. (De la onomat. *chaf.*) tr. Aplastar lo que está erguido o levantado; como las hierbas o plantas, el pelo de ciertos tejidos, etc. Ú. t. c. r. || **2.** Arrugar y deslucir la ropa, maltratándola. || **3.** fig. y fam. Deslucir a uno en una conversación o concurrencia, cortándole y dejándole sin tener qué responder.

Chafariz. (Del ár. *ṣahārīŷ*, cisternas, estanques.) m. En las fuentes monumentales, parte elevada donde están puestos los caños por donde sale el agua.

Chafarotazo. m. Golpe dado con chafarote.

Chafarote. (aum. del ár. *šafra* o *šifra*, cuchillo, navaja.) m. Alfanje corto y ancho, que suele ser corvo hacia la punta. || **2.** fig. y fam. Sable o espada ancha o muy larga.

Chafarraño. m. *Can.* Galleta de maíz.

Chafarrinada. (De *chafarrinar.*) f. Borrón o mancha que desluce una cosa.

Chafarrinar. (Tal vez de *chafar.*) tr. Deslucir una cosa con manchas o borrones.

Chafarrinón. m. **Chafarrinada.** || **Echar uno un chafarrinón.** fr. fig. y fam. Hacer una cosa indigna o chabacana. || **2.** fig. y fam. Poner nota en el linaje ajeno.

Chaflán. (Del fr. *chanfrein*, y éste de *chanfraindre*, del lat. *canthus*, esquina, y *frangere*, romper.) m. Cara, por lo común larga y estrecha, que resulta en un sólido, de cortar por un plano una esquina o ángulo diedro. || **2.** Plano largo y estrecho que, en lugar de esquina, une dos paramentos o superficies planas, que forman ángulo.

Chaflanar. tr. **Achaflanar.**

Chagolla. f. *Méj.* Moneda falsa o muy gastada.

Chagorra. f. *Méj.* Mujer de clase baja.

Chagra. m. Campesino de la república del Ecuador.

Chagual. (Del quichua *chahuar*, estopa.) m. *Argent.*, *Chile* y *Perú.* Planta bromeliácea, de tronco escamoso y flores verdosas. La medula del tallo nuevo es comestible; las fibras sirven para cordeles, y la madera seca para suavizadores de navajas de afeitar. || **2.** *Chile.* Fruto del cardón, 3.ª acep.

Chaguala. f. Nombre que se daba al pendiente que los indios llevaban en la nariz. || **2.** *Colomb.* Zapato viejo. || **3.** *Colomb.* **Chirlo.** || **4.** *Méj.* **Chancleta.**

Chagualón. m. *Colomb.* Árbol del incienso.

Cháguar. m. *Amér.* **Caraguatá.**

Chaguarama. m. *Amér. Central.* Árbol, especie de palma gigantesca, de 20 a 25 metros de altura, hojas como plumas, delgadas y ondeadas en la punta, a veces en forma de abanico, y fruto farináceo, dulce y nutritivo. Se usa principalmente este árbol como adorno en jardines y alamedas.

Chaguaramo. m. **Chaguarama.**

Chaguarzo. m. *Sal.* Mata pequeña, parecida al tomillo, de color violáceo e inodora.

Chagüí. m. *Ecuad.* Pajarito que abunda en el litoral y es algo así como el gorrión en España.

Cháhuar. adj. *Ecuad.* Se dice de la caballería de color bayo. Ú. t. c. s. || **2.** m. *Amér.* **Cháguar.**

Chahuistle. (Voz mejicana.) f. *Bot.* **Roya**, 1.ª acep.

Chai. f. *Germ.* **Niña.** || **2.** *Germ.* **Ramera.**

Chaima. adj. Se aplica al indio perteneciente a una tribu que habita al noroeste de Venezuela. Ú. t. c. s. || **2.** m. Dialecto caribe de los **chaimas.**

Chaira. (Del ár. *šafra*, cuchilla de zapatero.) f. Cuchilla que usan los zapateros para cortar la suela. || **2.** Cilindro de acero que usan los carniceros y otros oficiales para avivar el filo de sus cuchillas. || **3.** Cilindro de acero, ordinariamente con mango, que usan los carpinteros para sacar rebaba a las cuchillas de raspar.

Chajá. (Voz onomatopéyica.) m. *Argent.* y *R. de la Plata.* Ave zancuda de más de medio metro de longitud, de color gris claro, cuello largo, plumas altas en la cabeza y dos púas en la parte anterior de sus grandes alas. Anda erguida y con lentitud, y lanza un fuerte grito, que sirvió para darle nombre. Se domestica con facilidad.

Chajal. m. *Ecuad.* Indio que estaba al servicio del cura en las parroquias. || **2.** *Ecuad.* **Criado**, 2.ª acep.

Chajuán. m. *Colomb.* Bochorno, calor.

Chal. (Del ár. *šāl*, velo.) m. Paño de seda o lana, mucho más largo que ancho, y que, puesto en los hombros, sirve a las mujeres como abrigo o adorno.

Chala. (Voz quichua.) f. *Perú.* Espata del maíz cuando está verde.

Chalaco, ca. adj. *Perú.* Natural del Callao. Ú. t. c. s.

Chalado, da. p. p. de **Chalar.** || **2.** adj. fam. *And.* Alelado, falto de seso o juicio. Ú. generalmente con el verbo *estar.* || **3.** fam. Muy enamorado.

Chalala. f. *Chile.* Sandalia muy grosera que usan los indios.

Chalán, na. (Del ár. *ŷallāb*, mercader de esclavos.) adj. Que trata en compras y ventas, especialmente de caballos u otras bestias, y tiene para ello maña y persuasiva. Ú. t. c. s. || **2.** m. *Perú.* **Picador**, 1.ª acep.

Chalana. (Del ár. *šalandī*, y éste del gr. χελάνδιον, barco para transportar mercancías.) f. Embarcación menor, de fondo plano, proa aguda y popa cuadrada, que sirve para transportes en parajes de poco fondo.

Chalanear. tr. Tratar los negocios con maña y destreza propias de chalanes. || **2.** *Perú.* Adiestrar caballos.

Chalaneo. m. Acción y efecto de chalanear, 1.ª acep.

Chalanería. f. Artificio y astucia de que se valen los chalanes para vender y comprar.

Chalanesco, ca. adj. despect. Propio de chalanes, 1.ª acep.

Chalar. tr. Enloquecer, alelar. Ú. t. c. r. || **2.** **Enamorar.** Ú. t. c. r.

Chalate. m. *Méj.* Caballejo matalón.

Chalaza. f. Cada uno de los dos filamentos que sostienen la yema del huevo en medio de la clara.

Chalchal. m. *Bot. R. de la Plata.* Árbol de la familia de las abietáceas, cuyas piñas contienen unos piñones menudos.

Chalchihuite. m. *Méj.* Especie de esmeralda basta. || **2.** *El Salv.* y *Guat.* Cachivache, baratija.

Chalé. (De *chalet.*) m. Casa de madera y tabique a estilo suizo || **2.** Casa de recreo de no grandes dimensiones.

Chaleco. (Del ár. *ŷalīka*, alteración del turco *yalak*, nombre de un vestido.) m Prenda de vestir, por lo común sin mangas, que se abotona al cuerpo, llega hasta la cintura cubriendo el pecho y la espalda y se pone encima de la camisa. || **2.** **Jaleco.**

Chalequero, ra. m. y f. Persona que tiene por oficio hacer chalecos.

Chalet. (Del fr. de Suiza, *chalet*, y éste d. de la voz prelatina *cala*, cabaña.) m. **Chalé.**

Chalina. (De *chal.*) f. Corbata de caídas largas y de varias formas, que usan los hombres y las mujeres.

Chalón. m. *Urug.* Manto o mantón negro.

Chalona. f. *Bol.* Carne de oveja, salada y seca al sol. || **2.** *Perú.* Carne de carnero acecinada.

Chalote. (Del fr. *échalote*, y éste del lat. *ascalonia* [*caepa*]; de *Ascalón*, ciudad de Fenicia, de donde procede esta planta.) m. Planta perenne de la familia de las liliáceas, con tallo de tres a cinco decímetros de altura; hojas finas, alesnadas y tan largas como el tallo; flores moradas y muchos bulbos, agregados como en el ajo común, blancos por dentro y rojizos por fuera. Es planta originaria del Asia, se cultiva en las huertas y se emplea como condimento lo mismo que la cebolla. Ú. t. c. adj. *Ajo* CHALOTE.

Chalupa. (Del fr. *chaloupe*, y éste del neerl. *sloep.*) f. Embarcación pequeña, que suele tener cubierta y dos palos para velas. || **2.** **Lancha**, 3.ª acep. || **3.** Canoa en que apenas caben dos personas y sirve para navegar entre las chinampas de Méjico. || **4.** *Méj.* Torta de maíz, pequeña y ovalada, con algún condimento por encima.

Challulla. f. *Perú.* Cierto pez fluvial sin escamas.

Chama. (De *chamar.*) f. Entre chamarileros y gente vulgar, **cambio**, 1.ª acep.

Chámaco. m. *Amér. Central* y *Méj.* Niño, muchacho.

Chamada. (Del lat. *flammāta*, encendida.) f. **Chamarasca.** || **2.** *And.* Sucesión de acontecimientos adversos. *Pasar una* CHAMADA.

Chamagoso, sa. (Del mejic. *chamahuac*, cosa basta, burda.) adj. *Méj.* Mugriento, astroso. || **2.** *Méj.* Mal pergeñado. || **3.** *Méj.* Aplicado a cosas, bajo, vulgar y deslucido.

Chamagua. f. *Méj.* **Camagua**, 1.ª acep.

Chamal. m. *Argent.* y *Chile.* Paño que usan los indios araucanos para cubrirse de la cintura abajo envolviéndolo en forma de pantalones. || **2.** *Chile.* Manta de las indias en la misma región.

Chamanto. m. *Chile.* Manto de lana fina con muchas listas de colores, que usan los campesinos.

Chamar. (Del ant. fr. *chambier*, y éste del lat. *cambiare.*) tr. Entre chamarileros y gente vulgar, **cambiar**, 1.ª acep.

Chámara. f. **Chamarasca.**

Chamarasca. (Del lat. *flamma*, llama.) f. Leña menuda, hojas y palillos delgados que, dándoles fuego, levantan mucha llama sin consistencia ni duración. || **2.** Esta misma llama.

Chamarilear. tr. **Chamar.**

Chamarileo. m. Acción y efecto de chamarilear.

Chamarilero, ra. (De *chamar.*) m. y f. Persona que se dedica a comprar y vender objetos de lance y trastos viejos.

Chamarillero, ra. m. y f. **Chamarilero, ra.** || **2.** m **Tahúr.**

Chamarillón, na. adj. Que juega mal a los naipes. Ú. t. c. s.

Chamariz. (Del ár. *sāmariz* o *samris*, pajarillo.) m. Pajarillo poco más pequeño que el jilguero, de plumaje verdoso por encima, amarillento por el pecho y abdomen, y con algunas manchas pardas en la cabeza, las alas y la cola. Se acomoda fácilmente a la cautividad.

Chamarón. (aum. de *chamariz.*) m. Pájaro pequeño, de pico cónico, negro por la parte alta, blanco por el pecho y el vientre, y de cola muy larga.

Chamarra. (De *zamarra.*) f. Vestidura de jerga o paño burdo, parecida a la zamarra.

Chamarreta. (De *chamarra.*) f. Casaquilla que no ajusta al cuerpo, larga hasta poco más abajo de la cintura, abierta por delante, redonda y con mangas.

Chamarro. m. *Hond.* y *Méj.* **Zamarro**, prenda rústica de vestir.

Chamba. f. fam. **Chiripa.**

Chambado. m. *Argent.* Cuerna, vaso rústico.

Chambaril. (Del ant. fr. *chambo*, mod. *jambe*, y éste del gr. καμπή, curvo.) m. *Sal.* Zancajo, 1.ª acep.

Chambelán. (Del fr. *chambellan*, y éste del germ. *kamerlinc*, camarero.) m. Camarlengo, gentilhombre de cámara.

Chamberga. f. *And.* Género de cinta de seda muy angosta.

Chambergo, ga. (De *Schomberg*, el mariscal, que introdujo la moda en el uniforme.) adj. Aplícase a cierto regimiento creado en Madrid durante la menor edad de Carlos II para su guardia. ‖ **2.** Dícese del individuo de dicho cuerpo. Ú. t. c. s. ‖ **3.** Se aplica también a ciertas prendas del uniforme de este cuerpo. *Casaca* CHAMBERGA. Ú. t. c. s. ‖ **4.** V. **Seguidilla chamberga.** Ú. t. c. s. ‖ **5.** V. **Sombrero chambergo.** Ú. t. c. s. ‖ **6.** m. Moneda de plata que corrió en Cataluña en el siglo XVIII, y valía algo menos que un real de Castilla. ‖ **A la chamberga.** m. adv. Según la forma de las prendas del citado uniforme. ‖ **2.** V. **Pintura a la chamberga.**

Chamberguilla. f. *And.* Chamberga.

Chambilla. f. *Arq.* Cerco de piedra en que se afirma una reja de hierro.

Chambo. (Del gall. *chambar*, y éste del fr. ant. *chambier*, del lat. *cambiare*.) m. *Méj.* Cambio de granos y semillas por otros artículos.

Chambón, na. adj. fam. De escasa habilidad en el juego. Ú. t. c. s. ‖ **2.** Por ext., poco hábil en cualquier arte o facultad. Ú. t. c. s. ‖ **3.** fam. Que consigue por chiripa alguna cosa.

Chambonada. f. fam. Desacierto propio del chambón. ‖ **2.** fam. Ventaja obtenida por chiripa.

Chamborote. adj. *Ecuad.* Aplícase al pimiento blanco. ‖ **2.** fig. *Ecuad.* Se dice de la persona de nariz larga.

Chambra. (Del fr. *chambre*, y éste del lat. *camăra*, cámara, habitación, por ser prenda de uso doméstico.) f. Vestidura corta, a modo de blusa con poco o ningún adorno, que usan las mujeres sobre la camisa.

Chambrana. (Del ant. fr. *chambrande*, y éste del lat. *camĕra* cámara.) f. *Arq.* Labor o adorno de piedra o madera, que se pone alrededor de las puertas, ventanas, chimeneas, etc.

Chambre. m. *Mál.* **Pillastre.**

Chamburo. m. *Bot.* Árbol de la América Meridional, de la familia de las caricáceas, con grandes hojas, agrupadas en la parte superior, y que produce una baya comestible en dulce y en sorbete.

Chamelote. (Del ant. fr. *chamelot*, del gr. καμηλωτή, de camello.) m. **Camelote,** 1.er art.

Chamelotón. m. Chamelote ordinario y grosero.

Chamerluco. m. Vestido de que usaban las mujeres, ajustado al cuerpo, bastante cerrado por el pecho y con una especie de collarín.

Chamicado, da. adj. *Chile* y *Perú.* Dícese de la persona taciturna, y también de la que está perturbada por la embriaguez.

Chamicera. (De *chamizo*.) f. Pedazo de monte que, habiéndose quemado, tiene la leña sin hojas ni corteza y muy negra del fuego.

Chamicero, ra. adj. Perteneciente al chamizo o parecido a él.

Chamico. m. *Bot. Amér. Merid.* y *Cuba.* Arbusto silvestre de la familia de las solanáceas, de follaje sombrío, hojas grandes dentadas, blancas o moradas, y fruto como un huevo verdoso, erizado de púas, de olor nauseabundo y sabor amargo. Es narcótico y venenoso; pero lo emplean como medicina en las afecciones del pecho.

Chamiza. (De *chamizo*.) f. Hierba silvestre y medicinal, de la familia de las gramíneas, que nace en tierras frescas y aguanosas. Su vástago, de uno a dos metros de alto y cinco o seis milímetros de grueso, es fofo y de mucha hebra; y sus hojas, anchas, cortas y de color ceniciento. Sirve para techumbre de chozas y casas rústicas. ‖ **2.** Leña menuda que sirve para los hornos.

Chamizo. m. Árbol medio quemado o chamuscado. ‖ **2.** Leño medio quemado. ‖ **3.** Choza cubierta de chamiza, 1.ª acep. ‖ **4.** fig. y fam. Tugurio sórdido de gente de mal vivir.

Chamorra. f. fam. Cabeza trasquilada.

Chamorrar. (De *chamorro*.) tr. ant. Esquilar o trasquilar.

Chamorro, rra. adj. Que tiene la cabeza esquilada. Ú. t. c. s. ‖ **2.** V. **Trigo chamorro.**

Champa. f. *Chile.* Raigambre, tepe, cepellón.

Champán. (Voz malaya, del chino *san pan*, tres tablas.) m. Embarcación grande, de fondo plano, que se emplea en China, Japón y alguna parte de la América del Sur para navegar por los ríos.

Champán. m. fam. **Champaña.**

Champaña. (Del fr. *Champagne*, comarca francesa.) m. Vino blanco espumoso, originario de Francia.

Champar. tr. fam. Decir a uno en su cara una cosa desagradable o recordarle un beneficio.

Champear. tr. *Chile* y *Ecuad.* Tapar o cerrar con césped o tepes una presa o un portillo.

Champola. f. *Cuba.* Refresco hecho con pulpa de guanábana, azúcar y agua o hielo.

Champú. (Del ingl. *shampoo*.) m. Jugo de la corteza interna del quillay, árbol chileno, machacada y disuelta en agua, que se usa para lavar la cabeza.

Champudo, da. (De *champa*.) adj. *Chile.* Chascón.

Champurrar. tr. fam. Chapurrar, 2.ª acep.

Champuz. m. *Ecuad.* y *Perú.* Gachas de harina de maíz o de maíz cocido, azúcar y zumo de naranjilla.

Chamuchina. f. Cosa de poco valor. ‖ **2.** *Amér.* **Populacho.**

Chamuscado, da. p. p. de **Chamuscar.** ‖ **2.** adj. fig. y fam. Algo indiciado o tocado de un vicio o pasión.

Chamuscar. (Del lat. **semiusticāre*, de *semiustus*, medio quemado.) tr. Quemar una cosa por la parte exterior. Ú. t. c. r.

Chamusco. (De *chamuscar*.) m. Chamusquina, 1.ª acep.

Chamusquina. f. Acción y efecto de chamuscar o chamuscarse. ‖ **2.** fig. y fam. **Camorra,** 1.ª acep. ‖ **Oler a chamusquina.** fr. fig. y fam. con que se da a entender el recelo que se tiene de que una disputa venga a parar en riña o pendencia. ‖ **2.** fig. y fam. Se decía de las palabras o discursos peligrosos en materia de fe.

Chan. m. *El Salv.* y *Guat.* Chía, 2.° art.

Chanada. f. fam. Chasco, superchería.

Chanca. (Del ár. *ŷanka* chinela, pantufla.) f. **Chancla.** ‖ **2.** *Sal.* **Zueco,** 1.er art.

Chanca. f. *And.* Depósito a manera de troje destinado a curar boquerones, caballas y otros peces para ponerlos en conserva. ‖ **2.** Pequeña industria de salazón de pescado.

Chancaca. (Del mejic. *chancaco*, blanquizco.) f. *Amér.* Azúcar mascabado en panes prismáticos. ‖ **2.** *Ecuad.* Pasta de maíz o trigo tostado y molido con miel.

Chancadora. f. *Chile.* **Trituradora.**

Chancaquita. f. *Amér.* Pastilla de chancaca mezclada con nueces, coco, etc.

Chancar. tr. *Chile.* **Triturar,** 1.ª acep.

Chancear. intr. Usar de chanzas. Ú. m. c. r.

Chanceler. m. ant. Chanceller.

Chancellar. tr. ant. Cancelar.

Chanceller. (Del fr. *chancelier*, y éste del lat. *cancellarius*, secretario.) m. ant. **Canciller.**

Chancero, ra. adj. Que acostumbra usar chanzas. ‖ **2.** m. *Germ.* Ladrón que usa de chanzas o sutilezas para hurtar.

Chanciller. (De *chanceller*.) m. **Canciller.**

Chancillería. (De *chanciller*.) f. Tribunal superior de justicia donde, además de los pleitos que en él se introducían, se conocía por apelación, de todas las causas de los jueces de las provincias que estaban dentro de su territorio, y privativamente de las de hidalguía y propiedades de mayorazgos. De sus ejecutorias no había apelación, y sólo se admitía el recurso por agravio e injusticia notoria, y la súplica al rey en grado de mil y quinientas. Había dos **chancillerías** en España: una en Valladolid y otra en Granada. ‖ **2.** Importe de los derechos que se pagaban al canciller por su oficio. ‖ **3.** ant. **Cancillería,** 1.ª acep.

Chancla. (De *chanca*, 1.er art.) f. Zapato viejo cuyo talón está ya caído y aplastado por el mucho uso. ‖ **2.** **Chancleta.** ‖ **En chancla.** m. adv. **En chancleta.**

Chancleta. (d. de *chancla*.) f. Chinela sin talón, o chinela o zapato con el talón doblado, que suele usarse dentro de casa. ‖ **2.** com. fig. y fam. Persona inepta. ‖ **En chancleta.** m. adv. Sin llevar calzado el talón del zapato.

Chancletear. intr. Andar en chancletas.

Chancleteo. m. Ruido o golpeteo de las chancletas cuando se anda con ellas.

Chanclo. (De *chanca*, 1.er art.) m. Especie de sandalia de madera o suela gruesa, que se pone debajo del calzado y se sujeta por encima del pie con una o dos tiras de cuero, y sirve para preservarse de la humedad y del lodo. ‖ **2.** Zapato grande de goma u otra materia elástica, en que entra el pie calzado. ‖ **3.** Parte inferior de algunos calzados, en forma de chanclo. *Botas de* CHANCLO.

Chanco. (De *chanca*, 1.er art.) m. ant. **Chapín,** 1.ª acep.

Chancro. (Del fr. *chancre*, y éste del lat. *cancer, -cri* cancro.) m. Úlcera contagiosa de origen venéreo o sifilítico.

Chancuco. m. *Colomb.* El tabaco de contrabando.

Chancha. (De *chanza*.) f. ant. Embuste, mentira, engaño.

Chancha f. *Amér.* Hembra del chancho, 2.ª acep.

Cháncharras máncharras. f. pl. fam. Rodeos o pretextos para dejar de hacer una cosa. *No andemos en* CHÁNCHARRAS MÁNCHARRAS.

Chanchería. f. *Amér.* Tienda donde se vende carne de chancho y embuchados.

Chancho, cha. adj. *Amér.* Puerco, sucio, desaseado. ‖ **2.** m. *Amér.* **Cerdo.**

Chanchullero, ra. adj. Que gusta de andar en chanchullos. Ú. t. c. s.

Chanchullo. (De *chancha*, 1.er art.) m. fam. Manejo ilícito para conseguir un fin, y especialmente para lucrarse.

Chanela. (Del port. *chinela*, y éste, como el ital. *pianella*, del lat. *planella*, plana.) f. ant. **Chinela.**

Chanelar. tr. *Germ.* **Entender.**

Chanfaina. f. Guisado hecho de bofes o livianos picados. ‖ **2.** *And.* Guiso de carne, morcilla o asadura de cerdo, en una salsa espesa hecha con aceite, vinagre, miga de pan almendras, ajo, pimentón, orégano y tomillo. ‖ **3.** *And.* Esta salsa. ‖ **4.** *Germ.* **Rufianesca.**

Chanfla. f. *Arag.* Chapucería, 2.ª acep.

Chanflón, na. adj. Tosco, grosero, basto, mal formado. || **2.** V. **Clavo chanflón.** || **3.** m. Moneda antigua de dos cuartos.

Changa. f. fam. Trato, trueque o negocio de poca importancia. Ú. m. con el verbo *hacer.* || **2.** *Amér. Merid.* Ocupación y servicio que presta el changador.

Changador. m. *Amér. Merid.* Mozo de cordel.

Changallo, lla. adj. *Can.* Perezoso, 1.ª acep.

Changarra. f. *Sal.* Cencerro.

Changle. m. *Chile.* Planta parásita, especie de hongo que crece en algunos árboles: es comestible.

Changüí. m. fam. Chasco, engaño, vaya. Ú. m. con el verbo *dar.* || **2.** *Cuba.* Cierto baile de gente baja usado antiguamente.

Chano, chano. m. adv. fam. Lentamente, paso a paso.

Chanquear. intr. ant. Andar en chancos.

Chanquete. m. Pez pequeño comestible, que por su tamaño y aspecto es semejante a la cría del boquerón.

Chantado. (De *chantar.*) m. *Gal.* Cerca o vallado de chantos colocados en fila y verticalmente.

Chantaje. (Del fr. *chantage*, de *chanter*, y éste del lat. *cantāre*, cantar.) m. Amenaza de pública difamación o daño semejante que se hace contra alguno, a fin de obtener de él dinero u otro provecho.

Chantajista. com. Persona que ejercita habitualmente el chantaje.

Chantar. (Del gall. *chantar*, y éste del lat. *plantāre*, plantar.) tr. Vestir o poner. || **2.** Clavar, hincar. || **3.** fam. Decir a uno una cosa cara a cara sin reparo ni miramiento. *Se la* CHANTÓ. || **4.** *Gal.* Poner chantos en una heredad.

Chantillón. (Del fr. *échantillon*, del ant. *eschandillon*, de *eschandiller*, y éste del lat. *scandere*, escalar.) m. **Escantillón.**

Chanto. (De *chantar.*) m. En el noroeste de España, tronco, rama o piedra larga que se hinca de punta en el suelo. || **2.** *Gal.* Piedra plana que se extrae de las canteras en grandes hojas y sirve para formar vallados y para pavimento de eras, casas y calles.

Chantre. (Del fr. *chantre*, y éste del lat. *cantor*, cantor.) m. Dignidad de las iglesias catedrales, a cuyo cargo estaba en lo antiguo el gobierno del canto en el coro.

Chantría. f. Dignidad de chantre.

Chanza. (Del ital. *ciancia.*) f. Dicho festivo y gracioso. || **2.** Hecho burlesco para recrear el ánimo o ejercitar el ingenio. || **3.** *Germ.* **Chanzaina.** || **Hablar uno de chanza.** fr. **Hablar de burlas.**

Chanzaina. (De *chanza.*) f. *Germ.* Sutileza o astucia.

Chanzoneta. (Del fr. *chansonnette*, y éste del lat. *cantio*, *-ōnis*, canción.) f. Nombre que antes se daba a coplas o composiciones en verso ligeras y festivas, hechas por lo común para que se cantasen en Navidad o en otras festividades religiosas.

Chanzoneta. f. fam. **Chanza.**

Chanzonetero. m. El que componía chanzonetas, 1.er art.

Chañar. (Voz quichua.) m. *Bot. Amér. Merid.* Árbol de la familia de las papilionáceas, espinoso, de corteza amarilla. Sus legumbres son dulces y comestibles. || **2.** Fruto de este árbol.

Chaño. m. *Chile.* Frazada de lana burda, con fleco y listas de color rojo: sirve de manta, colchón y sudadero.

Chaola. (Del fr. *geôle*, y éste del lat. *caveŏla*, jaula.) f. **Chabola.**

Chapa. (Del m. or. que *placa*, o sea de la raíz indoeuropea *clap-*, en gr. πλακ-, por metátesis.) f. Hoja o lámina de metal, madera u otra materia. || **2.** Mancha de color rojo que se ponían artificialmente las mujeres en el rostro. || **3.** Entre zapateros, pedazo de piel, comúnmente baldés, con que se aseguran las últimas puntadas en los extremos de las cortaduras o uniones de unas piezas con otras. || **4. Chapeta,** 2.ª acep. || **5.** Caracol terrestre de gran tamaño, común en Valencia, con la concha deprimida a manera de **chapa** en su parte superior, aquillada, muy áspera y de color de tierra. || **6.** fig. y fam. Seso, formalidad. *Hombre de* CHAPA. || **7.** *Chile.* **Cerradura,** 2.ª acep. || **8.** pl. Juego entre dos o más personas, que consiste en tirar por alto dos monedas iguales: si al caer al suelo quedan ambas con la cara hacia arriba, el que las ha tirado gana a todos y sigue tirando; en caso contrario paga todas las puestas y deja de tirar; y si resulta cara y cruz, ni pierde ni gana, y tira de nuevo.

Chapadamente. adv. m. ant. **Perfectamente.**

Chapado, da. p. p. de **Chapar.** || **2.** adj. **Chapeado.** || **3.** ant. Decíase de la persona de chapa, 6.ª acep. || **4.** fig. Hermoso, gentil, gallardo. || **5.** V. **Trigo chapado.** || **a la antigua.** expr. fig. Se dice de la persona muy apegada a los hábitos y costumbres de sus mayores.

Chapalear. (Voz onomatopéyica.) intr. **Chapotear,** 2.ª acep. || **2. Chacolotear.**

Chapaleo. m. Acción y efecto de chapalear.

Chapaleta. (De *chapa.*) f. Válvula de la bomba de sacar agua.

Chapaleteo. (De *chapalear.*) m. Rumor de las aguas al chocar con la orilla. || **2.** Ruido que al caer produce la lluvia.

Chapapote. (Voz caribe.) m. Asfalto más o menos espeso que se halla en las Antillas.

Chapar. (De *chapa.*) tr. **Chapear,** 1.ª acep. || **2.** ant. Poner o sentar la herradura a modo de chapa en el casco de la caballería. || **3.** fig. **Asentar, encajar.** *Le* CHAPÓ *un no como una casa.*

Chaparra. (Del vasc. *txapar̄ra*, mata.) f. **Coscoja,** 1.ª acep. || **2. Chaparro,** 1.ª y 2.ª aceps. || **3.** Coche de caja ancha y poco elevada, usado antiguamente.

Chaparrada. f. **Chaparrón.**

Chaparral. m. Sitio poblado de chaparros.

Chaparrazo. (Como *chaparrón.*) m. *Hond.* **Chaparrón.**

Chaparrear. intr. Llover reciamente.

Chaparreras. f. pl. Especie de zahones de piel adobada que se usan en Méjico.

Chaparrete. m. *And.* **Chaparro,** 3.ª acep.

Chaparro. (Del vasc. *txaparro.*) m. Mata de encina o roble, de muchas ramas y poca altura. || **2.** Arbusto de la América Central, de la familia de las malpigiáceas, con hojas opuestas, muy enteras y pecioladas, flores en racimos terminales, y fruto redondo. Crece en lugares llanos y secos, y de las ramas, que son nudosas, flexibles y resistentes, se hacen bastones. || **3.** fig. Persona rechoncha. Ú. t. c. adj.

Chaparrón. (De la onomat. *chap*, del golpe.) m. Lluvia recia de corta duración.

Chaparrudo, da. adj. *León.* **Achaparrado,** 3.ª acep.

Chapatal. (De la onomat. *chap.*) m. Lodazal o ciénaga.

Chape. m. *Colomb.* y *Chile.* Trenza de pelo. || **2.** *Chile.* Ciertas clases de moluscos, alguno comestible.

Chapeado, da. p. p. de **Chapear.** || **2.** adj. Dícese de lo que está cubierto o guarnecido con chapas.

Chapear. tr. Cubrir, adornar o guarnecer con chapas. || **2.** *Cuba.* Limpiar la tierra de malezas y hierbas con el machete. || **3.** intr. **Chacolotear.** || **4.** r. *Chile.* Medrar, mejorar de situación económica.

Chapecar. tr. *Chile.* **Trenzar.**

Chapel. m. ant. Chapín pequeño.

Chapelete. (De *chapelo.*) m. ant. *Ar.* Cobertura de la cabeza, a modo de sombrero o bonete.

Chapelo. (Del fr. *chapeau*, ant. *chapel*, y éste del lat. **cappellus*, capillo.) m. ant. **Sombrero,** 1.ª acep.

Chapeo. (Del fr. *chapeau*, y éste del lat. **cappellus*, capillo.) m. **Sombrero,** 1.ª acep.

Chapera. (De *chapa.*) f. *Albañ.* Plano inclinado hecho con maderos unidos por medio de travesaños sobrepuestos y clavados, que se usa en las obras en substitución de escaleras.

Chapería. f. Adorno hecho de muchas chapas.

Chaperón. (Del fr. *chaperon*, y éste de *chappe*, del lat. *cappa*, capa.) m. **Chapirón.** || **2.** *Arq.* Alero de madera que se suele poner en los patios para apoyar en él los canalones. || **3.** *Arq.* V. **Alero de chaperón.**

Chaperonado, da. (De *chaperón.*) adj. *Blas.* **Capirotado.**

Chapescar. intr. *Germ.* **Huir,** 1.ª acep.

Chapeta. f. d. de **Chapa.** || **2.** Mancha de color encendido que suele salir en las mejillas.

Chapetón. (aum. de *chapeta.*) m. *Méj.* Rodaja de plata con que se adornan los arneses de montar.

Chapetón. m. Chaparrón, aguacero. || **2. Chapetonada.** || **Pasar el chapetón.** fr. fig. y fam. Pasar el peligro o el contratiempo.

Chapetón, na. adj. En algunos países de América, se dice del europeo recién llegado. Ú. t. c. s.

Chapetonada. (De *chapetón*, 2.º art.) f. Primera enfermedad que padecían los españoles al llegar a América. || **2.** fig. *Ecuad.* Novatada, noviciado.

Chapico. m. *Chile.* Arbusto solanáceo, siempre verde, con hojas espinosas que se usan para teñir de amarillo.

Chapín. (De la onomat. *chap.*) m. Chanclo de corcho, forrado de cordobán, muy usado en algún tiempo por las mujeres. || **2.** Pez parecido al cofre, que vive en los mares tropicales. || **de la reina.** Servicio pecuniario que hacía el reino de Castilla en ocasión de casamiento de los reyes.

Chapinazo. m. Golpe dado con un chapín.

Chapinería. f. Oficio de chapinero. || **2.** Sitio donde se hacían chapines. || **3.** Sitio o tienda donde se vendían.

Chapinero. m. El que por oficio hacía o vendía chapines.

Chapinete. m. Madero que formaba parte de los entramados en ciertas obras de albañilería.

Chápiro. m. fam. que se emplea únicamente en las expresiones de enojo **¡por vida del chápiro!, ¡por vida del chápiro verde!** y **¡voto al chápiro!**

Chapirón. m. ant. **Capirote,** 1.ª acep.

Chapirote. (Del fr. ant. *chaperot*, y éste del lat. **cappellus*, capillo.) m. ant. **Capirote,** 1.ª acep.

Chapisca. f. En algunos países de América, **tapisca.**

Chapitel. (Del ant. fr. *chapitel*, y éste del lat. **capitellum*, de *caput*, *-ĭtis*, cabeza.) m. Remate de las torres que se levanta en figura piramidal. || **2. Capitel,** 1.ª acep. || **3.** Cono hueco de ágata u otra substancia dura, que, encajado en el centro de la aguja imanada, sirve para que ésta se apoye y gire sobre el extremo del estilete. || **4.** *Germ.* **Cabeza,** 1.ª acep.

Chaple. (Del fr. *chaple*, de *chapler*, tallar, cortar.) adj. V. **Buril chaple.**

Chapó. (Del fr. *chapeau*, y éste del lat. **cappellus*, capillo.) m. Partida de billar en mesa grande o de troneras, que ordinariamente se juega entre cuatro, y en que, por medio de bolas sacadas de un bombo, designa la suerte los jugadores que han de ir de compañeros. || **Hacer chapó.** fr. Derribar con una o más bolas los cinco palos del centro de la mesa: el que lo hace gana la partida.

Chapodar. (Del lat. *sŭbpŭtāre*, podar ligeramente.) tr. Cortar ramas de los árboles, aclarándolos, a fin de que no se envicien. || **2.** fig. **Cercenar.**

Chapodo. m. Trozo de la rama que se chapoda.

Chapola. f. *Colomb.* **Mariposa,** 1.ª acep.

Chapón. m. Borrón grande de tinta.

Chapona. (Tal vez de *capona*, por lo corto de su falda.) f. **Chambra.** || **2.** *Urug.* Americana, chaqueta.

Chapopote. m. *Méj.* **Chapapote.**

Chapote. m. Especie de cera negra que mascan los americanos para limpiar los dientes.

Chapotear. (Voz onomatopéyica.) tr. Humedecer repetidas veces una cosa con esponja o paño empapado en agua o en otro líquido, sin estregarla. || **2.** intr. Sonar el agua batida por los pies o las manos.

Chapoteo. m. Acción y efecto de chapotear.

Chapucear. (De *chapuz*, 2.° art.) tr. **Frangollar,** 2.ª acep. || **2.** fam. **Chafallar.**

Chapuceramente. adv. m. Con chapucería.

Chapucería. (De *chapucero*) f. Tosquedad, imperfección en cualquiera artefacto. || **2.** Obra hecha sin arte ni pulidez. || **3.** En algunas partes, **embuste,** 1.ª acep.

Chapucero, ra. (De *chapuz*, 2.° art.) adj. Hecho tosca y groseramente. || **2.** Dícese de la persona que trabaja de este modo. Ú. t. c. s. || **3.** En algunas partes, **embustero.** Ú. t. c. s. || **4.** m. Herrero que fabrica clavos, trébedes, badiles y otras cosas bastas de hierro. || **5.** Vendedor de hierro viejo.

Chapul. m. *Colomb.* **Libélula.**

Chapulín. m. *Amér.* Langosta, cigarrón.

Chapurrado. (De *chapurrar*.) m. *Cuba.* Bebida compuesta de ciruelas cocidas con agua, azúcar y clavo. Hoy se da este nombre a otras mezclas de licores con agua.

Chapurrar. (Voz imitativa.) tr. Hablar con dificultad un idioma, pronunciándolo mal y usando en él vocablos y giros exóticos. || **2.** fam. Mezclar un licor con otro.

Chapurrear. tr. **Chapurrar,** 1.ª acep. Ú. t. c. intr.

Chapuz. (De *chapuzar*.) m. Acción de chapuzar. || **Dar chapuz.** fr. **Chapuzar.**

Chapuz. (Del ant. fr. *chapuis*, armazón de la silla y carpintero, del verbo *chapuisser*, carpintear, y éste del lat. **capputiare*, de *cappa*.) m. Obra o labor de poca importancia. || **2. Chapucería.** 2.ª acep. || **3.** *Mar.* Cualquiera de las piezas que se agregan exteriormente a las principales que forman un palo, para completar su redondez.

Chapuza. (Del ant. fr. *chapuis*.) f. **Chapuz,** 2.° art., 1.ª y 2.ª aceps.

Chapuzar. (Del lat. **sŭbpŭteāre*, sumergir, de *pŭtĕus*, pozo.) tr. Meter a uno de cabeza en el agua. Ú. t. c. intr. y c. r.

Chapuzón. m. Acción y efecto de chapuzar o chapuzarse.

Chaqué. (Del fr. *jaquette*, y éste del ant. *jaque*, del cast. *jaque*, del ár. *šakka*, malla.) m. Prenda exterior de hombre a modo de chaqueta, que a partir de la cintura se abre hacia atrás formando dos faldones.

Chaqueta. (De *jaqueta*.) f. Prenda exterior de vestir, con mangas y sin faldones, que se ajusta al cuerpo y pasa poco de la cintura.

Chaquete. (Del fr. *jacquet*.) m. Juego parecido al de damas, en que se empieza poniendo peones en todas las casillas, y se gana haciéndolos pasar, con arreglo a ciertas condiciones, por delante del lado contrario.

Chaquetilla. f. Chaqueta, en general más corta que la ordinaria, de forma diferente y casi siempre con adornos. || **torera.** La que usan los toreros en el traje de lidia y, por ext., prenda de corte semejante en otros trajes de hombre o de mujer.

Chaquetón. m. aum. de **Chaqueta.** || **2.** Prenda exterior de más abrigo y algo más larga que la chaqueta.

Chaquira. f. Grano de aljófar, abalorio o vidrio muy menudo, que llevaban los españoles para vender a los indios del Perú.

Charabán. (Del fr. *char-à-bancs*; de *char*, carro, y *banc*, banco.) m. Coche descubierto, con dos o más filas de asientos.

Charada. (Del fr. *charade*.) f. Enigma que resulta de formar con las sílabas divididas o trastrocadas de una voz a propósito para ello, otras dos o más voces, y de dar ingeniosa y vagamente algún indicio acerca del sentido de cada una de éstas y de la principal, que se llama todo.

Charada. (De la onomat. *char*.) f. *Ar.* **Llamarada.**

Charal. (Voz americana.) m. *Zool.* Pez teleósteo, del suborden de los fisóstomos, muy comprimido, de unos cinco centímetros de largo, lleno de espinas, y de color plateado, que se cría con abundancia en las lagunas del estado de Michoacán, en Méjico, y, curado al sol, es artículo de comercio bastante importante. || **Estar uno hecho un charal.** fr. fig. y fam. *Méj.* Estar muy flaco.

Charambita. f. *Burg.*, *Pal.* y *Vallad.* **Dulzaina,** 1.er art.

Charamita. f. **Charambita.**

Charamusca. f. *Gal.* Chispa que salta del fuego de leña. || **2.** pl. *Can.* y *Amér.* Leña menuda con que se hace el fuego en el campo.

Charamusca. f. *Méj.* Confitura en forma de tirabuzón, hecha de azúcar ordinario, mezclada con otras substancias y acaramelada.

Charanga. f. Música militar que consta sólo de instrumentos de metal.

Charango. m. Especie de bandurria pequeña, de cinco cuerdas y sonidos muy agudos, que usan los indios del Perú.

Charanguero, ra. adj. **Chapucero,** 1.ª y 2.ª aceps. Ú. t. c. s. || **2.** m. En los puertos de Andalucía, **buhonero.** || **3.** Barco que se usa en Andalucía para el tráfico de unos puertos con otros.

Charapa. f. *Perú.* Especie de tortuga pequeña y comestible.

Charape. (Variante de *jarabe* y *jarope*.) m. *Méj.* Bebida fermentada hecha con pulque, panocha, miel, clavo y canela.

Charata. f. *Argent.* Ave gallinácea, especie de pavo salvaje.

Charca. (Del ár. *ṭaraqa*, lugar de agua estancada.) f. Depósito algo considerable de agua, detenida en el terreno, natural o artificialmente, y que suele aprovecharse para recoger hielo y para otros usos.

Charcal. m. Sitio en que abundan los charcos.

Charcas. m. pl. *Etnogr.* Indios de la América Meridional sujetos al imperio de los Incas.

Charco. (De *charca*.) m. Agua detenida en un hoyo o cavidad de la tierra o del piso. || **Pasar uno el charco.** fr. fig. y fam. Pasar el mar.

Charcón, na. adj. *Argent.* y *Bol.* Dícese de la persona de complexión enjuta. Aplícase también a ciertos animales.

Charla. (De *charlar*.) f. fam. Acción de charlar. || **2. Cagaaceite.**

Charlador, ra. (De *charlar*.) adj. fam. Charlatán, 1.ª y 2.ª aceps. Ú. t. c. s.

Charladuría. f. Charla indiscreta.

Charlante. p. a. fam. de **Charlar.** Que charla.

Charlar. (De la onomat. *char*, infl. por *parlar*.) intr. fam. Hablar mucho, sin substancia o fuera de propósito. || **2.** fam. Conversar, platicar sin objeto determinado y sólo por mero pasatiempo.

Charlatán, na. (En ital. *ciarlatano*.) adj. Que habla mucho y sin substancia. Ú. t. c. s. || **2.** Hablador indiscreto. Ú. t. c. s. || **3. Embaidor.** Aplícase especialmente a curanderos y proyectistas. Ú. t. c. s.

Charlatanear. (De *charlatán*.) intr. **Charlar.**

Charlatanería. f. **Locuacidad.** || **2.** Calidad de charlatán.

Charlatanismo. (De *charlatán*.) m. Charlatanería, especialmente cuando es habitual en una persona o común a varias.

Charlear. (De *charlar*.) intr. **Croar.**

Charlón, na. (De *charlar*.) adj. *Ecuad.* Charlatán, hablador. Ú. t. c. s.

Charlotear. intr **Charlar.**

Charloteo. m **Charla.**

Charneca. f. **Lentisco.**

Charnecal. m. Sitio poblado de charnecas.

Charnel. m. *Germ.* Moneda de dos maravedís.

Charnela. (Del fr. *charnière*, y éste del lat. **cardinaria*, de *cardo*, *-inis*, el quicio.) f. **Bisagra,** 1.ª acep. || **2. Gozne,** 1.ª acep. || **3.** *Zool.* Articulación de las dos piezas componentes de una concha bivalva.

Charneta. (De *charnela*, con cambio de sufijo.) f. fam. **Charnela.**

Charniegos. m. pl. *Germ.* **Grillos,** 1.ª acep.

Charo. (Del ital. *chiaro*, y éste del lat. *clarus*, claro.) m. *Germ.* **Cielo.**

Charol. (Del chino *zat liao*.) m. Barniz muy lustroso y permanente, que conserva su brillo sin agrietarse y se adhiere perfectamente a la superficie del cuerpo a que se aplica. || **2.** Cuero con este barniz. *Botas de* CHAROL. || **Darse charol.** fr. fam. Alabarse, darse importancia.

Charolado, da. p. p. de **Charolar.** || **2** adj. **Lustroso.**

Charolar. tr. Barnizar con charol o con otro líquido que lo imite.

Charolista. m. El que tiene por oficio dorar o charolar.

Charpa. (Del fr. *écharpe*, y éste del germ. *scharpe*, banda.) f. Tahalí que hacia la cintura lleva unido un pedazo de cuero con ganchos para colgar armas de fuego. || **2.** *Med.* **Cabestrillo,** 1.ª acep.

Charque. m *Argent.* y *Méj.* **Charqui.**

Charquear. tr. *Amér.* Hacer charqui

Charquecillo. m. *Perú.* Congrio salado y seco.

Charquetal. m. **Charcal.**

Charqui. m. *Amér. Merid.* **Tasajo.**

Charquicán. m. *Amér.* Guiso hecho con charqui, ají, patatas, judías y otros ingredientes.

Charra. f. *Hond.* Sombrero común, ancho de falda y bajo de copa.

Charrada. f. Dicho o hecho propio de un charro. || **2.** Baile propio de los charros. || **3.** fig. y fam. Obra o adorno impropio, sobrecargado o de mal gusto.

Charramente. adv. m Con charrada.

Charrán. (Del ár. *šarrānī*, malvado.) adj. Pillo, tunante. Díjose en un principio de los esportilleros malagueños vendedores de pescado. Ú. t. c. s.

Charranada. f. Acción propia del charrán.

Charranear. intr. Hacer vida de charrán o conducirse como tal.

Charranería. f. Condición de charrán.

Charrasca. (Voz imitativa.) f. fam. y fest. Arma arrastradiza, por lo común sable. || **2.** fam. Navaja de muelles.

Charrasco. m. fam. y fest. **Charrasca,** 1.ª acep.

Charrería. f. **Charrada,** 3.ª acep.

Charrete. (Del fr. *charrette,* d. de *char,* y éste del lat. *carrus,* carro.) f. Coche de dos ruedas y dos o cuatro asientos.

Charretera. (Del fr. *jarretière,* liga, y éste del célt. *garra,* pierna.) f. Divisa militar de oro, plata, seda u otra materia, en forma de pala, que se sujeta al hombro por una presilla y de la cual pende un fleco como de un decímetro de largo. || **2. Jarretera,** 1.ª acep. || **3.** Hebilla de jarretera. || **4.** fig. y fam. **Albardilla,** 4.ª acep.

Charriote. (Del fr. *chariot, charriot,* de *char,* y éste del lat. *carrus,* carro.) m. ant. **Carro,** 1.er art., 1.ª acep.

Charro. m. *Méj.* Jinete o caballista que viste traje especial compuesto de chaqueta con bordados, pantalón ajustado, camisa blanca y sombrero de ala ancha y alta copa cónica. Ú. t. c. adj. *Vestido* CHARRO.

Charro, rra. adj. Aldeano de tierra de Salamanca. Ú. t. c. s. || **2.** fig. Basto y rústico. Ú. t. c. s. || **3.** fig. y fam. Aplícase a algunas cosas demasiadamente cargadas de adorno, y de mal gusto.

Charrúa. m. Dícese de cualquiera de los individuos pertenecientes a las tribus que habitaban la costa septentrional del Río de la Plata.

Charrúa. (Del fr. *charrue,* arado.) f. *And.* Arado compuesto. || **2.** *Mar.* ant. **Urca,** 1.er art. || **3.** *Mar.* Embarcación pequeña que servía para remolcar otras mayores.

Chartreuse. (Voz francesa.) m. Licor fabricado por los padres cartujos de Tarragona.

Chasca. f. Leña menuda que procede de la limpia de los árboles o arbustos. || **2.** Ramaje que se coloca sobre la leña dispuesta para hacer carbón. || **3.** *Amér. Merid.* Cabello enmarañado.

Chascar. (De la onomat. *chasc.*) intr. Separar súbitamente del paladar la lengua produciendo una especie de chasquido. || **2.** Triturar, ronzar algún manjar quebradizo. || **3. Engullir.** Ú. t. c. tr. || **4.** Dar chasquidos.

Chascarrillo. (De *chasco.*) m. fam. Anécdota ligera y picante, cuentecillo agudo o frase de sentido equívoco y gracioso.

Chascarro. m. **Chascarrillo.**

Chascás. (Del polaco *czapcka.*) m. Morrión con cimera plana y cuadrada, usado primero por los polacos y después en los regimientos de lanceros en toda Europa.

Chasco. m. Burla o engaño que se hace a alguno. || **2.** fig. Decepción que causa a veces un suceso contrario a lo que se esperaba. *Bravo* CHASCO *se ha llevado Mariano.*

Chascón, na. adj. *Chile.* Enmarañado, enredado, greñudo.

Chasconear. tr. *Chile.* Enredar, enmarañar. || **2.** *Chile.* **Repelar.**

Chasis. (En fr. *châssis,* y éste del lat. *capsa,* caja.) m. **Armazón,** caja del coche. CHASIS *de automóvil.* || **2.** *Fotogr.* **Bastidor,** 3.ª acep.

Chasponazo. m. Señal que deja la bala al pasar rozando con un cuerpo duro.

Chasqueador, ra. adj. Que chasquea. Ú. t. c. s.

Chasquear. tr. Dar chasco o zumba. || **2.** Faltar a lo prometido. || **3.** intr. Frustrar un hecho adverso las esperanzas de alguno. || **4.** Dar chasquidos.

Chasqui. (Voz quichua.) m. *Perú.* Indio que sirve de correo.

Chasquido. (De *chascar.*) m. Sonido o estallido que se hace con el látigo o la honda cuando se sacuden en el aire con violencia. || **2.** Ruido seco y súbito que produce el romperse, rajarse o desgajarse alguna cosa, como la madera cuando se abre por sequedad o mutación de tiempo.

Chata. (De *chato.*) f. Bacín plano, con borde entrante y mango hueco, por donde se vacía. Ú. como orinal de cama para los enfermos que no pueden incorporarse. || **2. Chalana.**

Chatarra. f. Escoria que deja el mineral de hierro. || **2.** Hierro viejo.

Chatarrero, ra. m. y f. Persona que se dedica a coger o a vender hierro viejo.

Chatasca. f. *R. de la Plata.* **Charquicán.**

Chatear. tr. *And.* Hacer con la azada en los terrenos llanos una pileta mayor que la serpia, a fin de extirpar las hierbas y recoger las aguas.

Chatedad. f. Calidad de chato.

Chato, ta. (Del b. lat. *platus,* aplanado, y éste del gr. πλατύς.) adj. Que tiene la nariz poco prominente y como aplastada. Ú. t. c. s. || **2.** Dícese también de la nariz que tiene esta figura. || **3.** Aplícase a algunas cosas que de propósito se hacen sin relieve o con menos elevación que la que suelen tener las de la misma especie. *Clavo* CHATO; *embarcación* CHATA. || **4.** m. fig. y fam. En las tabernas y entre sus habituales parroquianos, vaso bajo y ancho de vino o de otra bebida.

Chatón. (Del fr. *chaton,* y éste del germ. *kaston,* caja.) m. Piedra preciosa gruesa, engastada en una sortija u otra alhaja.

Chatón. m. ant. **Tachón,** 2.° art.

Chatonado. (De *chatón,* 2.° art.) m. *Germ.* **Tachonado.**

Chatre. adj. *Ecuad.* Ricamente acicalado.

Chatria. m. En la India, individuo perteneciente a la segunda casta, o sea noble, guerrero.

Chaucha. f. *Chile.* Moneda chica de plata o níquel. || **2.** *Argent.* Judía verde. || **3.** *Chile.* Moneda de plata de baja ley. || **4.** *Chile.* Patata temprana o menuda que se deja para simiente.

Chauche. (De **enchauchar,* y éste del ant. fr. dialect. *enchauser,* del lat. **encaustiare,* de *encaustum.*) m. Pintura encarnada hecha con minio que en Castilla se emplea para teñir el pavimento de las habitaciones. Suele añadirse litargirio a la mezcla para darle un matiz amarillo.

Chauchera. f. *Chile.* **Portamonedas.**

Chaúl. (Del ingl. *shawl,* pañuelo grande.) m. Tela de seda de la China, comúnmente azul, semejante al gro en el tejido.

Chauz. (Del turco *ŷāwiš,* macero.) m. Portero de estrados, alguacil o ministro del juez, entre los árabes.

Chaval, la. adj. Entre la gente del pueblo, **joven.** Ú. m. c. s.

Chavarí. m. ant. Especie de lienzo.

Chavasca. f. **Chasca,** 1.ª acep.

Chavea. m. fam. Rapazuelo, muchacho.

Chaveta. (Del ital. *chiavetta,* y éste de *chiave,* del lat. *clavis,* llave.) f. Clavo hendido en casi toda su longitud que, introducido por el agujero de un hierro o madero, se remacha separando las dos mitades de su punta. || **2.** Clavija o pasador que se pone en el agujero de una barra e impide que se salgan las piezas que la barra sujeta. || **Perder** uno **la chaveta.** fr. fig. y fam. Perder el juicio, volverse loco.

Chavó. m. *Germ.* **Chaval.**

Chavola. f. **Chabola.**

Chaya. f. *Chile.* Burlas y juegos de los días de carnaval.

Chayo. (Voz cubana.) m. *Bot. Cuba.* Arbusto de la familia de las euforbiáceas, de un metro de altura, tallo recto, ramoso; hojas alternas, dentadas, verdes por la haz y más claras por el envés; florecillas de cinco pétalos blanquecinos, y fruto como el cardo espinoso. Segrega una especie de resina.

Chayote. (Del mejic. *chaiotl.*) m. Fruto de la chayotera: es de forma de pera, de 10 a 12 centímetros de largo, de corteza rugosa o asurcada, blanquecina o verdosa, según las variedades; carne parecida a la del pepino y con una sola pepita muy grande por semilla. Es comestible bastante apreciado, no sólo en América, sino en Canarias y Valencia, donde está aclimatada la planta que lo produce. || **2. Chayotera.**

Chayotera. f. Planta trepadora americana, de la familia de las cucurbitáceas. Las hojas son verdes por encima y pálidas por debajo, y las flores tienen cinco pétalos amarillos y el cáliz acampanado. Su fruto es el chayote.

Chaza. f. En el juego de la pelota, suerte en que ésta vuelve contrarrestada y se para o la detienen antes de llegar al saque. || **2.** Señal que se pone donde paró la pelota. || **3.** *Mar.* Espacio que media entre dos portas de una batería. || **Chazas corrientes.** Condición que se suele poner por ventaja en el juego de la pelota, por la cual el que da la condición debe dejar correr la pelota que el contrario le vuelve, y si pasare de la **chaza,** gana 15 el que lleva esta ventaja, y si no pasa lo pierde. || **Hacer chazas.** fr. *Equit.* Mantenerse el caballo sobre el cuarto trasero, adelantando terreno a saltitos, con las manos siempre levantadas. || **Rehacer la chaza.** fr. Volver a hacer la **chaza,** por duda que hubo en ella.

Chazador. (De *chazar.*) m. El jugador que detiene las pelotas o está dedicado a este fin, el cual regularmente se pone en medio del juego. || **2.** El que no juega, pero cuida de señalar el sitio de la chaza.

Chazar. (Del fr. *chasser,* y éste del lat. **captiare,* cazar.) tr. Detener la pelota antes que llegue a la raya señalada para ganar. || **2.** Señalar el sitio o paraje donde está la chaza.

Chazo. m. *Can.* Pedazo, remiendo.

Che. f. Nombre de la letra *ch.*

Checa. (De *che* y *ka,* nombre de las letras iniciales de la denominación rusa.) f. Comité de policía secreta en la Rusia soviética. || **2.** Organismo semejante que ha funcionado en otros países y que sometía a los detenidos a crueles torturas. || **3.** Local en que actuaban estos organismos.

Checo, ca. adj. Bohemio de raza eslava. Ú. t. c. s. || **2.** Propio o perteneciente a él. || **3.** m. Lengua de los **checos.**

Checoslovaco, ca. adj. Natural de Checoslovaquia. || **2.** Perteneciente o relativo a esta nación europea.

Cheira. f. **Chaira.**

Cheje. m. *El Salv.* y *Hond.* Eslabón de una cadena.

Chelín. (Del ingl. *shilling.*) m. Moneda inglesa de plata, equivalente a la vigésima parte de la libra esterlina.

Chencha. adj. *Méj.* Se aplica al holgazán.

Chepa. (Del arag. *chep,* y éste del lat. *gibbus,* jorobado.) f. fam. Corcova, joroba.

Chepica. f. *Chile.* **Grama.**

Chepo. m. *Germ.* **Pecho,** 1.er art.

Cheque. (Del ingl. *check,* y éste del ár. *šakk.*) m. Documento en forma de mandato de pago, por medio del cual una persona puede retirar, por sí o por un tercero, todos o parte de los fondos que tiene disponibles en poder de otra. || **cruzado.** El expedido al portador, y en el anverso del cual escribe cruzado, quien lo libra o lo posee, el nombre de un banquero o una sociedad, que será el único perceptor legítimo del importe.

Chequén. (Del arauc. *chequeñ.*) m. *Chile.* Especie de arrayán, de hojas elípticas, de igual color por ambas caras y con puntitos en la interna.

Chercán. (Del mapuche *chedcañ.*) m. *Chile.* Pajarillo semejante al ruiseñor en la figura y el color, pero de canto mucho menos dulce. Es insectívoro y muy doméstico.

Chercha. f. *Hond.* **Chacota.** ‖ **2.** *Venez.* Burla, zumba.

Cherchar. intr. Burlar, bromear.

Chericles. m. *Ecuad.* Ave trepadora, especie de loro de la América tropical.

Cherinol. m. *Germ.* Caporal de la rufianesca o ladronesca.

Cherinola. (De *cherinol.*) f. *Germ.* Junta de ladrones o rufianes.

Cherna. (Del mozár. *cherna*, y éste del lat. *acĕrna, acĕrnia.*) f. **Mero,** 1.er art.

Cherriado. m ant. **Chirriado.**

Cherriador, ra. adj. ant. **Chirriador.**

Cherriar. (Voz onomatopéyica.) intr. ant. **Chirriar.**

Cherrido. m. ant. **Chirrido.**

Cherrión. m. ant. **Chirrión,** 1.ª acep.

Cherva. (Del ár. *jirwa'*, ricino.) f. **Ricino.**

Cheso, sa. adj. Natural de Hecho. Ú. t. c. s. ‖ **2.** Perteneciente a este valle de la provincia de Huesca.

Chéster. (Del condado de *Chéster.*) m. Queso inglés muy estimado y semejante al manchego.

Cheurón. (Del fr. *chevron*, de *chèvre*, cabra.) m *Blas.* **Cabrío,** 3.ª acep.

Cheuto, ta. adj. *Chile.* Se aplica a la persona que tiene el labio partido o deformado.

Cheviot. (Voz inglesa.) m. Lana del cordero de Escocia.

Chía. f. Manto negro y corto, regularmente de bayeta, que se ponía sobre el capuz y cubría hasta la mano, usado en los lutos antiguos. ‖ **2.** Parte de una vestidura llamada beca, hecha de paño fino, con una rosca que se ponía en la cabeza, de la cual bajaban dos faldones, que caían uno hasta el pescuezo, y el otro, que propiamente era la **chía,** hasta la mitad de las espaldas. Era este adorno insignia de nobleza y autoridad.

Chía. (Del mejic. *chia.*) f. Semilla de una especie de salvia. Remojada en agua, suelta gran cantidad de mucílago, que, con azúcar y zumo de limón, es un refresco muy usado en Méjico. Molida, produce un aceite secante.

Chiapa. n. p. V. **Pimienta de Chiapa.**

Chiar. (Voz onomatopéyica.) intr. ant. **Piar,** 1.ª acep.

Chibalete. (Del fr. *chevalet*, d. de *cheval*, caballo.) m. *Impr.* Armazón de madera donde se colocan las cajas para componer.

Chibcha. adj. Dícese del individuo de un pueblo que habitó el elevado territorio de Bogotá. Ú. t. c. s. ‖ **2.** Perteneciente a este pueblo. ‖ **3.** m. Idioma de los **chibchas.**

Chibera. f. *Méj.* Látigo que usan los cocheros.

Chibolo, la, m. y f. *Ecuad.* Cuerpo redondo y pequeño; chichón

Chiborra. f. Botarga que con una vejiga hinchada colgada de un palo pega con ella a los muchachos y en ciertas fiestas acompaña y va delante de los danzantes.

Chibuquí. (Del turco *ĉibūq.*) m. Pipa que usan los turcos para fumar, cuyo tubo suele ser largo y recto.

Chica. f. Cierto baile de negros. ‖ **2.** Botella pequeña. ‖ **3.** *Méj.* Moneda de plata de tres centavos.

Chicada. (De *chico.*) f. Rebaño de corderos enfermizos y tardíos que, por necesitar de más regalo, apartan los pastores del resto del ganado para que se restablezcan andando más despacio y pastando la mejor hierba. ‖ **2.** **Niñada.**

Chicalé. m. *Amér. Central.* Pájaro muy lindo por los colores de su plumaje.

Chicalote. (Del mejic. *chicalotl.*) m **Argemone.**

Chicarrero, ra. m. y f. ant. **Zapatillero, ra.**

Chicarrón, na. adj. fam. Dícese de la persona de corta edad muy crecida o desarrollada. Ú. t. c. s.

Chiclán. adj. *And.* **Ciclán,** 1.ª acep.

Chiclanero, ra. adj. Natural de Chiclana. Ú. t. c. s. ‖ **2.** Perteneciente a esta villa.

Chicle. (Del mejic. *tzictli.*) m. *Méj.* Gomorresina que fluye del tronco del chicozapote haciéndole incisiones al empezar la estación lluviosa. Es masticatorio, usado por el pueblo y se vende en panes.

Chiclear. intr. *Méj.* Mascar chicle.

Chico, ca. (Del lat. *ciccum*, cosa de poquísimo valor.) adj. Pequeño o de poco tamaño. ‖ **2.** **Niño.** Ú. t. c. s. ‖ **3.** **Muchacho.** Ú. t c. s. ‖ **4.** V. **Dios chico.** ‖ **5.** fig. y fam. V. **Evangelios chicos.** ‖ **6.** ant. V. **Merino chico.** ‖ **7.** m. y f. En el trato de confianza, llámase así a personas de corta edad, y empléase también familiarmente con calificativos encomiásticos para significar que el hombre o mujer de que se trata tiene prendas recomendables. *Es un buen* CHICO; *es una* CHICA *muy hacendosa.* ‖ **8.** m. En lenguaje vulgar, medida de capacidad para el vino, igual a un tercio de cuartillo, o sea 168 mililitros. ‖ **Chico con grande.** expr. de que se usa cuando se trata de ajustar, vender o despachar cosas desiguales en tamaño o calidad. ‖ **2.** fig. Sin excluir ni exceptuar cosa alguna.

Chicolear. intr. fam. Decir chicoleos.

Chicoleo. (Del lat. **iocallus*, festivo, de *iocus*, juego.) m. fam. Dicho o donaire de que se usa con las mujeres por galantería.

Chicoria. (Del lat. *cichorium*, y éste del gr. κιχόρεια.) f. **Achicoria.**

Chicoriáceo, a. adj. *Bot.* Perteneciente a la achicoria.

Chicorro. m. fam. **Chicote,** 1.ª acep.

Chicorrotico, ca, llo, lla, to, ta. adj. fam. d. de **Chico.**

Chicorrotín, na. adj. fam. d. de **Chico.** ‖ **2.** fam. **Chiquirritín.** Ú. t. c. s.

Chicotazo. m. Golpe dado con el chicote, 3.ª acep.

Chicote, ta. (De *chico.*) m. y f. fam. Persona de poca edad, pero robusta y bien hecha. Ú. para denotar cariño ‖ **2.** m. fig y fam **Cigarro puro.** ‖ **3.** *Amér.* **Látigo,** 1.ª acep. ‖ **4.** *Mar.* Extremo, remate o punta de cuerda, o pedazo pequeño separado de ella.

Chicotear. tr. *Amér.* Dar chicotazos.

Chicozapote. (De *chico* y el mejic. *tzapotl.*) m. **Zapote.**

Chicuelo, la. adj. d. de **Chico.** Ú. t. c. s.

Chicura. f. *Bot. Méj.* **Guaco,** 1.ª acep.

Chicha. (Voz caribe.) f. fam. Hablando con los niños, carne comestible. ‖ **Tener pocas chichas.** fr. fig. y fam. Tener pocas carnes o pocas fuerzas.

Chicha. f. Bebida alcohólica que resulta de la fermentación del maíz en agua azucarada, y que se usa en algunos países de América. ‖ **2.** *Chile.* La que se obtiene de la fermentación del zumo de la uva o de la manzana. ‖ **De chicha y nabo.** loc. fig. y fam. De poca importancia, despreciable. ‖ **No ser uno o una cosa ni chicha ni limonada.** fr. fig. y fam. No valer para nada, ser baladí.

Chicha. adj. V. **Calma chicha.**

Chícharo. (Del lat. *cicĕra*, tito.) m. *Bot.* Guisante, garbanzo, judía.

Chicharra. f. **Cigarra,** 1.ª acep. ‖ **2.** Juguete que usan los niños por Navidad, y consiste generalmente en un cañuto corto, tapado por uno de sus extremos con un pergamino estirado, en cuyo centro se coloca una cerda o una hebra de seda encerada. Pasando por ella los dedos, hace un ruido tan desapacible como el canto de la cigarra. ‖ **3.** fig. y fam. Persona muy habladora. ‖ **Cantar la chicharra.** fr. fig. y fam. Hacer gran calor. Dícese porque entonces es cuando canta más este insecto. ‖ **Hablar uno como una chicharra.** fr. fig. y fam. Ser muy hablador.

Chicharrar. (Voz onomatopéyica.) tr. **Achicharrar.**

Chicharrero, ra. m. y f. Persona que hace o vende chicharras, 2.ª acep. ‖ **2.** m. fig. y fam. Sitio o paraje muy caluroso.

Chicharro. m. **Chicharrón,** 1.er art. 1.ª acep. ‖ **2.** **Jurel.** ‖ **3.** ant. **Chicharra,** 1.ª acep.

Chicharrón. (De *chicharrar.*) m. Residuo de las pellas del cerdo, después de derretida la manteca. Dícese también del residuo del sebo de la manteca de otros animales. ‖ **2.** fig. Carne u otra vianda requemada. ‖ **3.** fig. y fam. Persona muy tostada por el sol.

Chicharrón. m. *Bot. Cuba.* Árbol silvestre de la familia de las combretáceas, de madera dura, que se utiliza para carros, trapiches, ruedas de molino de café y otros usos. Su altura es de unos 11 metros y el grueso del tronco de unos 60 centímetros. Tiene hojas alternas, ovaladas, de color gríseo; flores pequeñas en espigas de diez estambres, sin corola, y fruto comprimido.

Chichear. intr. **Sisear.** Ú. t. c. tr.

Chicheo. m. Acción y efecto de chichear. Ú. m. en pl.

Chichería. f. Casa o tienda donde en América se vende chicha, 2.° art.

Chichicaste. (Del azteca *tzitzicastli.*) m. *Amér. Central.* Arbusto silvestre, especie de ortiga, espinoso, de tallo fibroso que se utiliza para cordelería. Tiene hojas grandes, alternas, dentadas, verdes, peludas por encima y más pálidas en la parte inferior; flores amarillas agrupadas y por fruto una baya blanca.

Chichicuilote. m. *Méj.* Ave zancuda, semejante al zarapito, pero más pequeña; de color gris, pico largo y delgado. Es comestible y se domestica con facilidad.

Chichilasa. f. *Méj.* Hormiga de color rojo, pequeña, pero muy maligna. ‖ **2.** fig. *Méj.* Mujer hermosa, pero arisca.

Chichilo. m. *Bol.* Especie de tití, mono de color amarillento.

Chichimeca. (Del mejic. *chichimecatl*, pl. *chichimeca.*) adj. Dícese del individuo de una tribu que se estableció en Tezcuco y, mezclada con otras que habitaban el territorio mejicano, fundó el reino de Acolhuacán. Ú. m. c. s. y en pl. ‖ **2.** Dícese de los indios que habitaban al poniente y norte de Méjico. Ú. m. c. s. y en pl. ‖ **3.** Perteneciente a los **chichimecas.**

Chichimeco, ca. adj. **Chichimeca.** Apl. a pers., ú. t. c. s.

Chichirimoche. m. Voz de capricho usada como equivalente a *mucho* en el ref. **a la noche, chichirimoche, y a la mañana, chichirinada.**

Chichirinada. f. Voz de capricho, equivalente a *nada.* V. **Chichirimoche.**

Chichisbeo. (Del ital. *cicisbeo.*) m. Obsequio continuado de un hombre a una mujer. ‖ **2.** Este mismo hombre.

Chichito. m. d. de **Chicho.** Ú. m. en pl.

Chichito. m. fam. Niño pequeño. ‖ **2.** fam. despect. **Criollo, hispanoamericano.**

Chicho. m. fam. Rizo pequeño de cabello que cae sobre la frente. Es propio del peinado de mujeres y niños.

Chicholo. m. *R. de la Plata.* Dulce envuelto en chala.

Chichón. (Del lat. *abscessio, -ōnis,* de *abscessus,* tumor.) m. Bulto que de resultas de un golpe se hace en el cuero de la cabeza.

Chichonera. (De *chichón.*) f. Gorro con armadura adecuada para preservar a los niños de golpes en la cabeza.

Chichota. f. **Pizca,** parte mínima de una cosa. Ú. en algunas partes sólo en la fr. **sin faltar chichota;** sin faltar la más mínima circunstancia.

Chichurro. m. Caldo que resulta de cocer las morcillas, al hacerlas.

Chifla. f. Acción y efecto de chiflar. || **2.** Especie de silbato.

Chifla. (Del ár. *šifra,* cuchilla.) f. Cuchilla ancha y casi cuadrada, de acero, de corte curvo y mango de madera colocado en el dorso, con que los encuadernadores y guanteros raspan y adelgazan las pieles. || **2.** ant. **Espadilla,** 5.ª acep.

Chifladera. f. **Chifla,** 1.er art., 2.ª acep.

Chiflado, da. p. p. de **Chiflar.** || **2.** adj. fam. Dícese de la persona que tiene algo perturbada la razón. Ú. t. c. s.

Chifladura. f. Acción y efecto de chiflar o chiflarse.

Chiflar. (Del lat. *sifilāre.*) intr. Silbar con la chifla, 1.er art., 2.ª acep., o imitar su sonido con la boca. || **2.** tr. Mofar, hacer burla o escarnio en público. Ú. t. c. r. || **3.** fam. Beber mucho y con presteza vino o licores. || **4.** r. fam. Perder uno la energía de las facultades mentales. || **5.** fam. Tener sorbido el seso por una persona o cosa.

Chiflar. tr. Adelgazar y raspar con la chifla, 2.° art., 1.ª acep., las badanas y pieles finas.

Chiflato. (Del lat. *sifilātus,* por *sibilātus,* silbo.) m **Silbato,** 1.ª acep.

Chifle. (De *chiflar,* 1.er art.) m. **Chiflo.** || **2.** Silbato o reclamo para cazar aves. || **3.** Frasco de cuerno, cerrado con una boquilla, en el cual solía guardarse la pólvora fina para cebar las piezas de artillería.

Chiflete. m. **Chiflo.**

Chiflido. m. Sonido del chiflo. || **2.** Silbo que lo imita.

Chiflo. (Del lat. *sifilum,* silbo.) m. **Chifla,** 1.er art., 2.ª acep.

Chiflón. (De *chiflar,* 1.er art.) m. *Amér.* Viento colado o corriente muy sutil de aire. || **2.** *Méj.* Canal por donde sale el agua con fuerza. || **3.** *Méj.* Derrumbe de piedra suelta en lo interior de las minas.

Chigre. m. *Ast.* Tienda donde se vende sidra por menor.

Chigrero. m. *Ast.* Dueño de un chigre. || **2.** *Ecuad.* Comerciante que lleva géneros de la sierra al litoral de la República.

Chigua. f. *Chile.* Especie de serón o cesto hecho con cuerdas o corteza de árboles, de forma oval y boca de madera. Sirve para muchos usos domésticos y hasta de cuna.

Chigüil. m. *Ecuad.* Masa de maíz, manteca y huevos con queso, envuelta en chala y cocida al vapor.

Chigüiro. m. *Venez.* **Carpincho.**

Chihuahua. m. *Ecuad.* Artificio de fuego que consiste en una armazón de cañas y papelón en figura humana y llena de pólvora, que se quema en algunas fiestas.

Chilaba. (Del ár. *ŷallāba,* esclavina.) f. Pieza de vestir, con capucha, de que usan los moros.

Chilacayote. m. **Cidra cayote.**

Chilacoa. f. *Colomb.* Especie de chocha**perdiz muy común y abundante.**

Chilanco. m. **Cilanco.**

Chilaquil. m. *Méj.* Guiso compuesto de tortillas de maíz, despedazadas y cocidas en caldo y salsa de chile.

Chilaquila. f. *Guat.* Tortillas de maíz con relleno de queso, hierbas y chile.

Chilar. m. Sitio poblado de chiles.

Chilate. m. *Amér. Central.* Bebida común hecha con chile, maíz tostado y cacao.

Chilatole. m. *Méj.* Guiso de maíz entero, chile y carne de cerdo.

Chilca. (Voz quichua.) f. *Amér. Merid.* Arbolillo muy frondoso y balsámico, de hoja verde clara, estrecha, dentada y blanda, y flor amarilla. Se usa en veterinaria y de ella se extrae una resina semejante a la pez. || **2.** *Guat.* **Chirca.**

Chilco. (Del mapuche *chilico.*) m. *Chile.* Fucsia silvestre.

Chilchote. m. *Méj.* Una especie de ají o chile muy picante.

Chile. (Del mejic. *chilli,* pimienta.) m. **Ají,** 1.ª acep.

Chilenismo. m. Vocablo, giro o modo de hablar propio de los chilenos.

Chileno, na. adj. Natural de Chile. Ú. t. c. s. || **2.** Perteneciente a este país de América.

Chileño, ña. adj. **Chileno.** Apl. a pers., ú. t. c. s.

Chilero. m. *Méj.* Nombre despectivo del tendero de comestibles.

Chilindrina. f. fam. Cosa de poca importancia. || **2.** fam. Anécdota ligera, equívoco picante, chiste para amenizar la conversación. || **3.** fam. **Chafaldita.**

Chilindrinero, ra. adj. fam. Que cuenta o gasta chilindrinas. Ú. t. c. s.

Chilindrón. m. Juego de naipes entre dos o cuatro personas, especie de pechigonga, sin envites, y también parecido al juego de la cometa. La sota, el caballo y el rey forman **chilindrón.** || **2.** *Hond.* **Chirca.**

Chilmote. m. *Méj.* Salsa o guisado de chile con tomate u otra legumbre.

Chilostra. f. *And.* Cabeza, cerebro.

Chilote. m. *Méj.* Bebida que se hace con pulque y chile.

Chilote, ta. adj. Natural de la isla de Chiloé. Ú. t. c. s. || **2.** Perteneciente o relativo a esta isla.

Chilpe. m. *Ecuad.* Tira de hoja del agave o cabuya. || **2.** *Ecuad.* Hoja seca de maíz. || **3.** *Chile.* **Andrajo,** 1.ª acep.

Chiltipiquín. (Del mejic. *chilli,* pimiento, y *tecpin,* pulga.) m. **Ají,** 1.ª acep.

Chiltote. m. *Guat.* Cierto pájaro dentirrostro, emigrante y originario de la América del Sur.

Chiltuca. f. *El Salv.* **Casampulga.**

Chilla. (De *chillar.*) f. Instrumento que sirve a los cazadores para imitar el chillido de la zorra, la liebre, el conejo, etc.

Chilla. (Aféresis de *cuchilla.*) f. Tabla delgada de ínfima calidad, cuyo ancho varía entre 12 y 14 centímetros y dos metros y medio de largo. || **2.** V. **Clavo de chilla, y de media chilla.** || **3.** *Encuad.* Cada una de las dos planchas lisas o bruñidas, del tamaño del libro, hechas de madera, hoja de lata o cartón, entre las cuales se pone el libro ya dorado en la prensa. Ú. m. en pl.

Chilla. (Voz mapuche.) f. *Chile.* Especie de zorra de menor tamaño que la europea común.

Chillado. m. Techo compuesto de alfajías o listones de madera y de tablas de chilla. || **2.** *Extr.* Cielo raso hecho con tablas, cañizo u otra materia semejante y guarnecido con yeso o cal.

Chillador, ra. adj. Que chilla. Ú. t. c. s.

Chillar. (Del lat. *sibilāre.*) intr. Dar chillidos. || **2.** Imitar con la chilla el chillido de los animales de caza. || **3.** Chirriar. || **4.** fig. *Pint.* Hablando de colores, destacarse con demasiada viveza o estar mal combinados.

Chillera. f. *Mar.* Barra de hierro doblada en ángulo recto por ambos extremos, los cuales encajan en la amurada o en las brazolas, dejando el hueco necesario para poder estibar de modo que no se muevan con los balances del buque ciertas municiones de la artillería, como balas, saquetes de metralla, etc.

Chillería. f. Conjunto de chillidos o voces descompasadas. || **2.** Reprensión áspera y prolija. *Echar una* CHILLERÍA.

Chillido. (De *chillar.*) m. Sonido inarticulado de la voz, agudo y desapacible.

Chillo. m. **Chilla,** 2.° art., 2.ª acep.

Chillón. m. Clavo que sirve para tablas de chilla. || **real.** Clavo mayor que el **chillón** ordinario y que sirve para tablas más gruesas que las de chilla.

Chillón, na. adj. fam. Que chilla mucho. Ú. t. c. s. || **2.** Dícese de todo sonido agudo y desagradable. *Voz* CHILLONA. || **3.** V. **Picaza chillona.** || **4.** fig. Aplícase a los colores demasiado vivos o mal combinados.

Chimachima. m. *Argent.* **Chimango.**

Chimango. (Voz onomatopéyica.) m. *Argent.* y *R. de la Plata.* Ave de rapiña, de unos 30 centímetros de largo, de color obscuro en parte y en otras acanelado y blancuzco. Abunda mucho en la región del Plata.

Chimbador. m. *Perú.* Indígena perito en atravesar ríos.

Chimbo, ba. adj. *Amér.* Dícese de una especie de dulce hecho con huevos, almendras y almíbar. Ú. t. c. s.

Chimenea. (Del fr. *cheminée,* der. del lat. *caminus,* y éste del gr. κάμινος, horno, de καίω, quemar.) f. Conducto para dar salida al humo que resulta de la combustión. || **2.** Hogar o fogón para guisar o calentarse, con su cañón o conducto por donde salga el humo. || **3.** V. **Cañón, lengüeta de chimenea.** || **4.** **Chimenea francesa.** || **5.** En las armas de fuego llamadas de pistón, cañoncito colocado en la recámara, donde se encaja la cápsula para que al choque del gatillo se comunique el fuego a la carga. || **6.** Conducto vertical de madera por donde en los teatros suben y bajan los contrapesos necesarios para las maniobras de la maquinaria. || **7.** *Min.* Excavación estrecha que se abre en el cielo de una labor de mina, o hueco que resulta a causa de un hundimiento. || **francesa.** La que se hace sólo para calentarse y se guarnece con un marco y una repisa en su parte superior, en donde suelen ponerse relojes u objetos de adorno. || **Caerle** a uno una cosa **por la chimenea.** tr. fig. y fam. Lograrla inesperadamente y sin trabajo alguno.

Chiminango. m. *Colomb.* Cierta clase de árbol de gran altura y corpulencia.

Chimó. m. Pasta de extracto de tabaco cocido y sal de urao, que saborean los habitantes de la cordillera occidental de Venezuela llevándola en la boca.

Chimojo. (Voz taina.) m. *Cuba.* Medicamento antiespasmódico hecho de tabaco, cáscara de plátano, salvia y otros ingredientes.

Chimpancé. (Voz del Congo.) m. Mono antropomorfo, poco más bajo que el hombre, de brazos largos, pues las manos le llegan a las rodillas cuando el animal está en posición vertical; cabeza grande, barba y cejas prominentes, nariz aplastada y todo el cuerpo cubierto de pelo de color pardo negruzco. Habita en el centro de África; forma agrupaciones poco numerosas y construye en las cimas de los árboles barracas en que habita. Se domestica fácilmente.

China. f. Piedra pequeña y a veces redondeada. || **2.** Suerte que echan los muchachos metiendo en el puño una piedrecita u otra cosa semejante, y, presentando las dos manos cerradas, pierde aquel que señala la mano en que está la piedra. || **3.** fig. y fam. **Dinero.** || **Echar china.** fig. y fam. Contar las veces que uno bebe en la taberna, aludiendo a la costumbre de que cada vez que uno bebía echaba una **china** en la capilla de la capa, y después, al tiempo de la paga, las contaba el tabernero y las cobraba. || **Poner chinas** a uno. fr. fig. y fam. Suscitarle dificultades. || **Tocarle** a uno **la china.** fr. fig. **Tocarle la suerte.** || **Tropezar** uno **en una china.** fr. fig. y fam. Detenerse en cosas de poca importancia.

China. f. Raíz medicinal de una hierba del mismo nombre, especie de zarzaparrilla que se cría en América y en la China. Es del tamaño de las batatas de Málaga, con algunas protuberancias, muy dura, sin olor, y de color pardo rojizo. || **2.** V. **Clavel, papel de China.** || **3.** V. **Anís, melón de la China.** || **4. Porcelana,** 1.ª acep. || **5.** Tejido de seda o lienzo que viene de la China, o labrado a su imitación. || **Media china.** Tejido de seda o lienzo más ordinario que la **china.**

China. com. **Chino,** 1.er art.

China. (Voz quichua.) f. *Amér. Central.* y *Merid.* India o mestiza que se dedica al servicio doméstico.

Chinaca. f. *Méj.* Pobretería, gente desharrapada y miserable.

Chinama. f. *Guat.* Choza, cobertizo de cañas y ramas.

Chinampa. (Del mejic. *chinamitl,* seto o cerca de cañas.) f. Terreno de corta extensión en las lagunas vecinas a la ciudad de Méjico, donde se cultivan flores y verduras. Antiguamente estos huertos eran flotantes.

Chinampero, ra. adj. Cultivador de chinampas. Ú. t. c. s. || **2.** Que se cultiva en ellas. *Clavel* CHINAMPERO.

Chinanta. f. Peso común que se usa en Filipinas, décima parte del pico, igual a 13 libras y 12 onzas, o a 6 kilogramos y 326 gramos.

Chinapo. m. *Mej.* **Obsidiana.**

Chinar. intr. ant. **Rechinar.** || **2.** tr. Embutir con chinas los revoques de mampostería.

Chinarro. m. Piedra algo mayor que una china.

Chinata. f. *Cuba.* **Cantillo,** 1.ª acep.

Chinateado. (De *china,* 1.er art.) m. *Metal.* Capa de piedras menudas que se echa sobre el mineral grueso para hacer la carga de los hornos de destilación del azogue en Almadén.

Chinazo. m. aum. de **China,** 1.er art., 1.ª acep. || **2.** Golpe dado con una china.

Chincol. m. *Amér. Merid.* Pajarillo común muy semejante al gorrión europeo, pero de canto agradable.

Chincual. m. *Mej.* **Sarampión.**

Chinchar. tr. fam. Molestar, fastidiar. || **2.** Matar.

Chincharrazo. m. fam. **Cintarazo.**

Chincharrero. m. Sitio o lugar donde hay muchas chinches. || **2.** Barco pequeño que usan en América para pescar.

Chinche. (Del lat. *cimex, -icis.*) f. Insecto hemíptero, de color rojo obscuro, cuerpo muy aplastado, casi elíptico, de cuatro a cinco milímetros de largo, antenas cortas y cabeza inclinada hacia abajo. Es nocturno, fétido y sumamente incómodo, pues chupa la sangre humana taladrando la piel con picaduras irritantes. Abunda en las casas viejas y desaseadas, con especialidad en las camas durante el verano. || **2.** Clavito metálico de cabeza circular y chata y punta acerada, que sirve para asegurar el papel al tablero en que se dibuja o calca, o para otros fines parecidos. || **3.** com. fig. y fam. Persona chinchosa. Ú. t. c. adj. || **Caer,** o **morir, como chinches.** fr. fig. y fam. Haber gran mortandad. || **No haber más chinches que la manta llena.** fr. fig. y fam. Haber grande abundancia de cosas molestas y perjudiciales. || **Tener** uno **de chinches la sangre.** fr. fig. y fam. Ser sumamente pesado y molesto.

Chinchel. m. *Chile.* **Caramanchel,** 3.ª acep.

Chinchemolle. m. *Chile.* Insecto sin alas, que habita bajo las piedras y se distingue por su olor nauseabundo.

Chinchero. m. Tejido de mimbres o listones de madera con varios agujerillos, que se ponía alrededor de las camas para recoger las chinches, y sacudirlas después.

Chinchilla. f. Mamífero roedor, propio de la América Meridional, poco mayor que la ardilla y parecido a ésta, pero con pelaje gris, más claro por el vientre que por el lomo, y de una finura y suavidad extraordinarias. Vive este animal en madrigueras subterráneas, y su piel es muy estimada para forros y guarniciones de vestidos de abrigo. || **2.** Piel de este animal.

Chinchimén. m. *Chile.* Especie de nutria de mar, de unos 30 centímetros de largo sin la cola.

Chinchín. m. *Bot. Chile.* Arbusto siempre verde, de la familia de las poligaláceas, de hojas mellizas y de dos bayas, flores en espigas de color amarillo, a veces olorosas. Hay varias especies.

Chinchintor. m. *Hond.* Víbora muy venenosa, cuya mordedura suele curarse con la raíz del espino blanco.

Chinchón. m. ant. **Chichón.**

Chinchona. (De *Chinchón,* n. p.) f. *Quím.* **Quina,** 1.er art.

Chinchorrería. (De *chinchorrero.*) f. fig. y fam. Impertinencia, pesadez. || **2.** fig. y fam. Chisme, cuento. || **3.** ant. Patraña, mentira, burla.

Chinchorrero, ra. (De *chinche.*) adj. fig. y fam. Que se emplea en chismes y cuentos con impertinencia y pesadez.

Chinchorro. m. Red a modo de barredera y semejante a la jábega, aunque menor. || **2.** Embarcación de remos, muy chica y la menor de a bordo. || **3.** Hamaca ligera tejida de cordeles, como el esparavel. Es el lecho usual de los indios de Venezuela.

Chinchoso, sa. (De *chinche.*) adj. fig. y fam. Dícese de la persona molesta y pesada.

Chinda. com. Persona que vende despojos de reses.

Chiné. adj. Se dice de cierta clase de telas rameadas o de varios colores combinados.

Chinear. (De *china,* 4.° art.) tr. *Amér. Central.* Llevar en brazos o a cuestas.

Chinela. (De *chanela.*) f. Calzado a modo de zapato, sin talón, de suela ligera, y que por lo común sólo se usa dentro de casa. || **2.** Especie de chapín de que usaban las mujeres sobre el calzado en tiempo de lodos.

Chinelazo. m. Golpe dado con una chinela.

Chinelón. m. aum. de **Chinela.** || **2.** Especie de zapato que se usa en Venezuela, con orejas, sin botones, hebillas ni lazos, y más alto que la chinela.

Chinero. m. Armario o alacena en que se guardan piezas de china o de porcelana, cristal, etc.

Chinesco, ca. adj. **Chino.** 1.er art., 2.ª acep. || **2.** Parecido a las cosas de la China. || **3.** V. **Sombras chinescas.** || **4.** m. Instrumento músico, propio de bandas militares, compuesto de una armadura metálica, de la que penden campanillas y cascabeles, y todo enastado en un mango de madera para hacerlo sonar sacudiéndolo a compás. Ú. m. en pl. || **A la chinesca.** m. adv. Al uso de la China o según el gusto de aquel país.

Chinga. f. *Amér.* **Mofeta,** mamífero. || **2.** *C. Rica.* **Colilla,** 1.ª acep. || **3.** *C. Rica.* **Barato,** 5.ª acep. || **4.** *Hond.* **Chunga.** || **5.** *Venez.* **Chispa,** borrachera.

Chingana. f. *Amér.* Taberna en que suele haber canto y baile.

Chingar. tr. fam. Beber con frecuencia vino o licores. || **2.** *C. Rica.* Cortar el rabo a un animal. || **3.** *El Salv.* Importunar, molestar. || **4.** r. Embriagarse. || **5.** *Chile.* Fracasar, frustrarse alguna cosa.

Chingo, ga. adj. Vulgarismo por pequeño, diminuto. || **2.** *C. Rica.* Se dice del animal rabón. || **3.** *Venez.* **Chato,** 1.ª acep. Ú. t. c. s.

Chingolo. m. *R. de la Plata.* **Chincol.**

Chingue. m. *Chile.* **Mofeta,** mamífero.

Chinguear. intr. *Hond.* **Bromear.** || **2.** *C. Rica.* **Cobrar el barato.**

Chinguero. m. *C. Rica.* **Garitero,** 1.ª acep.

Chinguirito. m. *Cuba* y *Méj.* Aguardiente de caña, de calidad inferior.

Chino, na. adj. Natural de la China. Ú. t. c. s. || **2.** Perteneciente a este país de Asia. || **3.** V. **Cochino, melón, perro chino.** || **4.** V. **Naranja china.** || **5.** m. Idioma de los **chinos.** || **Engañar** a uno **como a un chino.** expr. fam. de que se usa hablando de persona muy crédula, aludiendo a la opinión, infundada, de que los **chinos** son simples.

Chino, na. (Del mejic. *chinoa,* tostado, por alusión al color de la piel.) adj. *Amér.* Dícese del descendiente de india y zambo o de indio y zamba. Ú. t. c. s. || **2.** *Cuba.* Dícese del descendiente de negro y mulata o de mulato y negra. Ú. t. c. s. || **3.** m. *Amér. Merid.* **Criado,** 3.ª acep. || **4.** *Amér. Merid.* Hombre plebeyo. || **5.** fam. *Amér. Merid.* Calificativo cariñoso.

Chipa. f. *Colomb.* Rodillo o cesto de paja, que se emplea para recoger frutas y legumbres.

Chipá. m. *R. de la Plata.* Torta de maíz o mandioca.

Chipaco. m. *Argent.* Torta de acemite.

Chipé. f. *Caló.* Verdad, bondad. || **De chipé.** loc. fam. **De órdago.**

Chipén. f. *Caló.* **Chipé.**

Chipichape. m. fam. **Zipizape.** || **2. Golpe,** 1.ª acep.

Chipichipi. (Voz imitativa.) m. *Méj.* **Llovizna.**

Chipile. m. *Bot. Méj.* Planta herbácea, vivaz, con hojas que son comestibles después de cocidas.

Chipilo. m. *Bol.* Rodajas de plátano fritas que se llevan como provisión de viaje.

Chipirón. (d. del lat. *sepia,* jibia.) m. En las costas de Cantabria, **calamar.**

Chipojo. m. *Cuba.* **Camaleón,** 4.ª acep.

Chipolo. m. *Colomb., Ecuad.* y *Perú.* Juego de naipes semejante al tresillo.

Chipote. m. *Amér. Central.* **Manotada.**

Chipriota. adj. Natural de Chipre. Ú. t. c. s. || **2.** Perteneciente a esta isla del Mediterráneo.

Chipriote. adj. **Chipriota.** Apl. a pers., ú. t. c. s.

Chiqueadores. m. pl. Rodajas de carey que se usaron antiguamente en Méjico como adorno mujeril. || **2.** *Méj.* Rodajas de papel, como de una pulgada de diámetro, que, untadas de sebo u otra substancia, se pegan en las sienes como remedio casero para los dolores de cabeza.

Chiquear. tr. *Cuba* y *Méj.* Mimar, acariciar con exceso, especialmente de palabra o por escrito.

Chiqueo. m. *Cuba* y *Méj.* Mimo, halago.

Chiquero. (De *cochiquera.*) m. Zahúrda donde se recogen de noche los puercos. ‖ **2.** **Toril.** ‖ **3.** *Extr.* Choza pequeña en que se recogen de noche los cabritos.

Chiquichanca. m. *And.* Zagal o hatero.

Chiquichaque. (Voz imitativa.) m. El que tenía por oficio aserrar piezas gruesas de madera. ‖ **2.** El ruido que se hace con las quijadas cuando se masca fuertemente.

Chiquiguite. m. *Guat.* y *Méj.* Cesto o canasta de mimbres, bejuco o carrizo sin asas.

Chiquilicuatro. m. fam. **Chisgarabís.**

Chiquillada. f. Acción propia de chiquillos.

Chiquillería. f. fam. Multitud, concurrencia de chiquillos.

Chiquillo, lla. (d. de *chico.*) adj. **Chico,** 2.ª y 3.ª aceps. Ú. t. c. s.

Chiquirín. m. *Guat.* Insecto semejante a la cigarra, pero de canto más agudo y fuerte.

Chiquirritico, ca, llo, lla, to, ta. adj. fam d. de **Chico.**

Chiquirritín, na. adj. fam. d. de **Chiquitín.** ‖ **2.** fam. Dícese del niño o niña que no ha salido de la infancia. Ú. t. c. s.

Chiquitín, na. adj. fam. d. de **Chiquito.** ‖ **2.** fam. **Chiquirritín.** Ú. t. c. s.

Chiquito, ta. adj. d. de **Chico.** Apl. a pers., ú. t. c. s. ‖ **2.** fig. y fam. V. **Muerte chiquita.** ‖ **Andarse** uno **en chiquitas.** fr. fam. Usar de contemplaciones, pretextos, subterfugios o rodeos para esquivar o diferir, ya una medida, ya una obligación. Ú. por lo común con negación. ‖ **Hacerse** uno **el chiquito.** fr. fig. y fam. Disimular lo que sabe o puede.

Chira. f. *C. Rica.* Espata del plátano. ‖ **2.** *Colomb.* **Jirón,** 2.ª acep. ‖ **3.** *El Salv* **Llaga,** 1.ª acep.

Chirapa. f. *Bol.* **Andrajo,** 1.ª acep. ‖ **2.** *Perú.* Lluvia con sol.

Chirca. (Voz americana.) f. *Amér. Central y Merid.* Árbol de la familia de las euforbiáceas, de regular tamaño, de madera dura, hoja áspera, flores amarillas, acampanadas y fruto como almendra, que destruye las muelas, aun sin hacer presión con ellas.

Chircal. m. Terreno poblado de chircas.

Chircate. m. *Colomb.* Saya de tela tosca.

Chiribico. m. *Cuba.* Pez pequeño, de figura elíptica, color morado, boca y ojos muy chicos.

Chiribita. f. **Chispa,** 1.ª acep. Ú. m. en pl. ‖ **2.** *Cuba.* Pez acantopterigio, propio de los mares de las Antillas, con dientes en el borde de las mandíbulas, y cuyas aletas dorsal y anal están cubiertas de escamas. Hay varias especies. ‖ **3.** pl. fam. Partículas que, vagando en el interior de los ojos, ofuscan la vista. ‖ **4.** **Margarita,** 4.ª acep. ‖ **Echar** uno **chiribitas.** fr. fig. y fam. **Echar chispas.** ‖ **Hacer chiribitas los ojos.** fr. fig. y fam. Ver, durante un tiempo generalmente muy corto, multitud de chispas movibles delante de los ojos.

Chiribital. m. *Colomb.* **Erial.**

Chiribitil. (De *chivitil.*) m. Desván, rincón o escondrijo bajo y estrecho. ‖ **2.** fam. Pieza o cuarto muy pequeño.

Chiricatana. f. *Ecuad.* Poncho de tela basta.

Chiricaya. f. *Hond.* Dulce de leche y huevos.

Chirigaita. f. *Murc.* Cidra cayote.

Chirigota. f. fam. **Cuchufleta.**

Chirigotero, ra. adj. Que dice chirigotas.

Chiriguare. m. *Venez.* Ave de rapiña muy voraz.

Chirigüe. (Voz araucana.) m. *Chile.* Avecilla común, de color de aceituna por encima, alas negras, garganta, pecho y abdomen amarillos y el pico y las patas brunos.

Chirimbolo. m. fam. Utensilio, vasija o cosa análoga. Ú. m. en pl.

Chirimía. (Del ant. fr. *chalemie,* y éste del lat. *calamellus,* caramillo.) f. Instrumento músico de viento, hecho de madera, a modo de clarinete, de unos siete decímetros de largo, con diez agujeros y boquilla con lengüeta de caña. ‖ **2.** m. El que ejerce o profesa el arte de tocar este instrumento.

Chirimoya. f. Fruto del chirimoyo. Es una baya verdosa con pepitas negras y pulpa blanca de sabor muy agradable. Su tamaño varía desde el de una manzana al de un melón.

Chirimoyo. (Voz americana.) m. Árbol de la familia de las anonáceas, originario de la América Central, de unos ocho metros de altura, con tronco ramoso, copa poblada, hojas elípticas y puntiagudas, y flores fragantes, solitarias, de pétalos verdosos y casi triangulares. Su fruto es la chirimoya.

Chiringo. m. *Méj.* Fragmento o pedazo menudo de una cosa.

Chirinola. f. Juego de muchachos que se parece al de los bolos. Se ponen nueve bolillos y otro que llaman el cuatro, y se tira a quién derribe más. ‖ **2** fig. Cosa de poco momento, friolera. *Eso es una* CHIRINOLA. ‖ **3.** fam. *And.* **Cabeza,** 1.ª acep. ‖ **Estar de chirinola.** fr. fig. y fam. Estar de fiesta o de buen humor.

Chiripa. f. En el juego de billar, suerte favorable que se gana por casualidad. ‖ **2.** fig. y fam. Casualidad favorable.

Chiripá. m. *Argent.* Prenda semejante al chamal, usada por los gauchos criollos. En ciertas provincias del noroeste argentino, ú. c. f.

Chiripear. tr. Ganar tantos por chiripa en el juego de billar.

Chiripero. (De *chiripa.*) m. El que en el juego de billar gana más por acaso que por buenas jugadas o destreza. ‖ **2.** El que una o muchas veces obtiene algo por casualidad favorable.

Chirivía. (Del ár. *ŷiriwiyyā,* biznaga.) f. Planta de la familia de las umbelíferas, con tallo acanalado de 9 a 12 centímetros de alto, hojas parecidas a las del apio, flores pequeñas y amarillas, semillas de dos en dos, y raíz fusiforme blanca o rojiza, carnosa y comestible. ‖ **2.** **Aguzanieves.**

Chirivín. m. *Extr.* Pájaro pequeño.

Chirivisco. m. *Guat.* Zarzal seco.

Chirla. f. Molusco de la familia de las almejas, pero de menor tamaño.

Chirlada. f. *Germ.* **Garrotazo.**

Chirlador, ra. adj. fam. Que chirla o vocea recia y desentonadamente.

Chirlar. (Del lat. *zinzilāre,* voz onomatopéyica.) intr. fam. Hablar atropelladamente y metiendo ruido. ‖ **2.** *Germ.* **Hablar.**

Chirlata. f. *Mar.* Trozo de madera que completa otro pedazo que está corto o defectuoso. ‖ **2.** Timba de ínfima especie, donde sólo se juega calderilla y plata menuda.

Chirlatar. tr. *Mar.* Poner chirlatas.

Chirlazo. m. **Chirlo.**

Chirle. adj. fam. Insípido, insubstancial. ‖ **2.** m. **Sirle.**

Chirlear. intr. *Ecuad.* Cantar los pájaros al amanecer.

Chirlería. f. **Charla, habladuría.**

Chirlerín. m. *Germ.* **Ladronzuelo.**

Chirlido. m. *Sal.* **Chillido.**

Chirlo. m. Herida prolongada en la cara, como la que hace la cuchillada. ‖ **2.** Señal o cicatriz que deja después de curada. ‖ **3.** *Germ.* **Golpe,** 1.ª acep.

Chirlomirlo. m. Cosa de poco alimento. ‖ **2.** Estribillo de cierto juego infantil. ‖ **3.** *Sal.* **Tordo.**

Chirlón. (De *chirlar.*) m. *Germ.* **Charlatán,** 1.ª acep.

Chirmol. m. *Ecuad.* Plato de chile o pimiento, tomate, cebolla y otros condimentos.

Chirola. f. *Argent.* Peseta boliviana o chilena. ‖ **2.** *Chile.* Moneda chaucha o de veinte centavos.

Chirona. f. fam. **Cárcel,** 1.ª acep. Ú. con la prep. *en* y sin artículo en las frs. **meter,** o **estar, en chirona.**

Chirote. m. *Ecuad.* y *Perú.* Especie de pardillo, de canto dulce, pero menos arisco que el europeo, pues se domestica pronto. ‖ **2.** fig. *Perú.* Persona ruda o de cortos alcances. ‖ **3.** fig. *C. Rica.* Grande, hermoso.

Chirpia. (Del lat. *scirpea,* de juncos.) f. *Ál.* Plantío de árboles, antes del trasplante. ‖ **2.** fig. *Ál.* Conjunto de muchachos de la calle.

Chirpial. m. *Ál.* **Chirpia.**

Chirraca. f. *C. Rica.* Árbol que produce una resina que se usa como incienso. ‖ **2.** *C. Rica.* Esta resina.

Chirrear. intr. *And.* **Chirriar.**

Chirriadero, ra. adj. **Chirriador.**

Chirriado, da. p. p. de **Chirriar.** ‖ **2.** m. ant. **Chirrido.**

Chirriador, ra. adj. Que chirría.

Chirriar. (Voz imitativa.) intr. Dar sonido agudo una substancia al penetrarla un calor intenso; como cuando se fríe tocino o se echa pan en el aceite hirviendo. ‖ **2.** Ludir con ruido el cubo de las ruedas del carro contra los topes del eje por no haber grasa de por medio. ‖ **3.** Chillar los pájaros que no cantan con armonía. ‖ **4.** fig. y fam. Cantar desentonadamente.

Chirrichote. adj. *Mancha.* Necio, presumido. Ú. t. c. s.

Chirrido. (De *chirriar.*) m. Voz o sonido agudo y desagradable de algunas aves u otros animales; como el grillo, la chicharra, etc. ‖ **2.** Cualquier otro sonido agudo, continuado y desagradable.

Chirrión. m. Carro fuerte de dos ruedas y eje móvil, que chirría mucho cuando anda. ‖ **2.** *Amér.* Látigo o rebenque fuerte hecho de cuero.

Chirrionero. m. El que conduce el chirrión.

Chirrisquear. (Voz onomatopéyica.) intr. *Pal.* **Carrasquear.**

Chirula. (Del vasc. *txirula,* flauta.) f. Flautilla que se usa en las Provincias Vascongadas.

Chirulí. m. *Venez.* Avecilla de canto dulce en que repite o poco menos las sílabas de su nombre.

Chirulio. m. *Hond.* Guiso hecho con huevos batidos y cocidos con maíz, chile, achiote y sal.

Chirumba. f. *Sal.* y *Vallad.* **Tala,** 2.° art.

Chirumbela. f. **Churumbela.**

Chirumen. m. fam. **Caletre.**

Chirusa [**Chiruza**]. f. *Amér.* Moza del pueblo, de poca instrucción.

Chis. m. En lenguaje infantil, **orina.** Ú. m. en la frase *hacer* CHIS.

¡Chis! (De *¡chist!*) interj. **¡Chitón!** Suele ir acompañada con algún ademán, cual el de poner el dedo índice en los labios.

Chisa. f. *Colomb.* Larva de un género de escarabajos.

Chiscarra. f. *Min.* Roca caliza de tan poca coherencia que se divide fácilmente en fragmentos pequeños.

Chiscón. m. **Tabuco.**

Chischás. m. Ruido de las espadas al chocar unas con otras en la lucha.

¡**Chis, chis!** interj. ¡Ce!

Chisgarabís. m. fam. Zascandil, mequetrefe.

Chisguete. (Voz imitativa.) m. fam. Trago o corta cantidad de vino que se bebe. Ú. comúnmente en la fr. **echar un chisguete.** ‖ **2.** fam. Chorrillo de un líquido cualquiera que sale violentamente.

Chislama. f. En caló, muchacha.

Chisma. (Del lat. *schisma.*) f. Chisme, 1.er art.

Chismar. (De *chisma.*) tr. Chismear. Usáb. t. c. intr.

Chisme. (De *chismar.*) m. Noticia verdadera o falsa con que se pretende indisponer a unas personas con otras o se murmura de alguna. ‖ **de vecindad.** fig. y fam. El que versa sobre cosas de poca importancia.

Chisme. (Del ár. *ŷizm*, parte de un todo que se ha roto o rajado.) m. fam. Baratija o trasto pequeño.

Chismear. intr. Traer y llevar chismes, 1.er art.

Chismería. (De *chismero.*) f. Chisme, 1.er art.

Chismero, ra. adj. Chismoso. Ú. t. c. s.

Chismografía. (De *chisme*, 1.er art., y el gr. γράφω, describir.) f. fam. Ocupación de chismear. ‖ **2.** fam. Relación de los chismes y cuentos que corren.

Chismorrear. intr. fam. Chismear.

Chismorreo. m. fam. Acción y efecto de chismorrear.

Chismoso, sa. adj. Que chismea o es dado a chismear. Ú. t. c. s.

Chismoteo. m. Acción y hábito de chismear.

Chispa. f. Partícula pequeña encendida que salta de la lumbre, del hierro herido por el pedernal, etc. ‖ **2.** V. **Arma, fusil, llave, piedra de chispa.** ‖ **3.** Diamante muy pequeño. ‖ **4.** Gota de lluvia menuda y escasa. ‖ **5.** Partícula pequeña de cualquier cosa. *No le dieron ni una* CHISPA *de pan; saltó de la sartén una* CHISPA *de aceite.* ‖ **6.** fig. Penetración, viveza de ingenio. *Miguel tiene* CHISPA, *mucha* CHISPA. ‖ **7.** fam. Borrachera, 1.a acep. ‖ **8.** pl. *Germ.* Chismes. ‖ **Chispa eléctrica.** Luz viva producida por la descarga eléctrica entre dos cuerpos. ‖ ¡**Chispas!** interj. ¡Fuego!, 1.a acep. ‖ **Echar uno chispas.** fr. fig. y fam. Dar muestras de enojo y furor; prorrumpir en amenazas. ‖ **Ser uno una chispa.** fr. fig. y fam. Ser muy vivo y despierto.

Chispar. (De *chispa.*) tr. *Germ.* Chismear.

Chispazo. m. Acción de saltar la chispa del fuego. ‖ **2.** Daño que hace. ‖ **3.** fig. Suceso aislado y de poca entidad que, como señal o muestra, precede o sigue al conjunto de otros de mayor importancia. Ú. m. en pl. ‖ **4.** fig. y fam. Cuento o chisme que uno lleva a otro. *Ir con el* CHISPAZO; *dar el* CHISPAZO.

Chispeante. p. a. de **Chispear.** Que chispea. ‖ **2.** adj. fig. Dícese del escrito o discurso en que abundan los destellos de ingenio y agudeza.

Chispear. intr. Echar chispas. ‖ **2.** Relucir o brillar mucho. ‖ **3.** Llover muy poco, cayendo sólo algunas gotas pequeñas.

Chispero. (De *chispa.*) adj. V. **Cohete chispero.** ‖ **2.** m. Chapucero, 4.a acep. ‖ **3.** Herrero de grueso. ‖ **4.** fig. y fam. Hombre del barrio de Maravillas de Madrid, cuyos vecinos se llamaron así antiguamente por los muchos herreros que en él había. *El* CHISPERO *Malasaña.*

Chispo, pa. (De *chispa.*) adj. fam. Achispado, bebido. ‖ **2.** m. fam. Chisguete, 1.a acep.

Chispoleto, ta. adj. Que es listo, vivaracho.

Chisporrotear. intr. fam. Despedir chispas reiteradamente. como sucede con las luces cuando el aceite, el sebo o la cera tienen algo de agua.

Chisporroteo. m. fam. Acción de chisporrotear.

Chisposo, sa. adj. Aplícase a la materia combustible que arroja muchas chispas cuando se quema.

Chisque. m. Apócope de **Chisquero.**

Chisquero. m. **Esquero.** ‖ **2.** m. Encendedor de bolsillo.

¡**Chist!** (Del lat. *st*, que significa lo mismo.) m. ¡Chis!

Chistar. (De *¡chist!*) intr. Prorrumpir en alguna voz o hacer ademán de hablar. Ú. m. con neg. ‖ **Sin chistar ni mistar.** expr. adv. fam. Sin paular ni maular.

Chiste. (Del lat. *scitum*, dicho agudo; de *scire*, saber.) m. Dicho agudo y gracioso. ‖ **2.** Suceso gracioso y festivo. *Me pasó un buen* CHISTE. ‖ **3.** Burla o chanza. *Hacer* CHISTE *de una cosa.* ‖ **Caer uno en el chiste.** fr. fig. y fam. Advertir el fin disimulado con que se dice o hace una cosa. ‖ **Dar uno en el chiste.** fr. fig. y fam. Dar en el punto de la dificultad; acertar una cosa.

Chistera. (Del lat. *cista*, cesta.) f. Cestilla angosta por la boca y ancha por abajo, que llevan los pescadores para echar los peces. ‖ **2.** **Cesta,** 2.° art. ‖ **3.** fig. y fam. **Sombrero de copa alta.**

Chistosamente. adv. m. Con chiste, de manera chistosa.

Chistoso, sa. adj. Que usa de chistes. ‖ **2.** Dícese también de cualquier lance o suceso que tiene chiste.

Chita. (De *chito.*) f. **Astrágalo,** 4.a acep. ‖ **2.** Juego que consiste en poner derecha una **chita** o taba en sitio determinado, y tirar a ella con tejos o piedras: el que la derriba gana dos tantos, y el que da más cerca, uno. ‖ **3.** *Méj.* **Redecilla,** 2.a acep. ‖ **A la chita callando.** m. adv. fam. **A la chiticallando.** ‖ **Dar en la chita.** fr. fig. y fam. **Dar en el hito.** ‖ **No dársele a uno dos chitas de una cosa.** fr. fig. y fam. **No dársele un bledo de ella.** ‖ **No importar, o no valer, una chita.** fr. fig. y fam. **No importar, o no valer, un bledo.** ‖ **Tirar uno a dos chitas.** fr. fig. y fam. Hacer a dos partes, poner la mira o pretensión a dos cosas.

Chitar. (De la onomat. *chit.*) intr. **Chistar.**

Chite. m. *Colomb.* Arbusto de cuya madera se obtiene carboncillo para dibujar.

¡**Chite!** (Del m. or. que *¡chist!*) interj. ant. ¡Chito!

Chiticalla. (De *chito*, interj., y *callar.*) com. fam. Persona que calla y no descubre ni revela lo que ve. ‖ **2.** Cosa o suceso que se procura tener callado.

Chiticallando. (De *chito*, interj., y *callando.*) adv. m. fam. Con mucho silencio, sin meter ruido o de modo que no se oigan las pisadas. ‖ **2.** fig. y fam. Sin escándalo ni ruido para dar en el hito o conseguir lo que se desea. ‖ **A la chiticallando.** m. adv. fam. **Chiticallando.**

Chito. m. Pieza de madera o de otra cosa, sobre que se pone el dinero en el juego del **chito.** ‖ **2.** **Chita,** 2.a acep. ‖ **Irse uno a chitos.** fr. fig. y fam. Andarse vagando, divertido en juegos y pasatiempos.

¡**Chito!** (De la onomat. *chit.*) interj. fam. que se usa para imponer silencio.

Chitón. m. **Quitón.**

¡**Chitón!** interj. fam. ¡**Chito!** Empléase a veces denotando ser necesario o conveniente guardar silencio para precaverse de un peligro.

Chiva. f. *Amér. Central.* Manta, colcha. ‖ **2.** *Venez.* Red para llevar legumbres y verduras. ‖ **3.** *Amér.* **Perilla, barba.**

Chival. m. ant. Hato de chivos.

Chivar. (De *gibar.*) tr. *León* y *Amér.* Fastidiar, molestar, engañar. Ú. t. c. r.

Chivarras. f. pl. *Méj.* Calzones de cuero peludo de chivo.

Chivarro, rra. m. y f. El chivo o chiva desde uno a los dos años de su edad.

Chivarse. r. *And.* Irse de la lengua; decir algo que perjudica a otro.

Chivata. f. *And.* Porra que traen los pastores.

Chivatear. intr. *Chile.* Gritar imitando la algarabía de los araucanos cuando acometían.

Chivato. m. Chivo que pasa de seis meses y no llega al año.

Chivato, ta. m. y f. *Caló.* **Soplón.**

Chivaza. f. *Colomb.* Junco de cortas dimensiones que produce un bulbo que se usa como perfume por el pueblo.

Chivetero. m. Corral o aprisco donde se encierran los chivos.

Chivicoyo. m. *Méj.* Ave gallinácea de caza y de carne estimada.

Chivillo. m. *Perú.* Especie de estornino, de color negro con visos de azul, aterciopelado, de cuerpo muy airoso, canto agradable, y que vive bien en la jaula.

Chivital. m. **Chivitil.**

Chivitil. m. ant. Chivetero.

Chivo. (Del á. *ŷibb*, pozo, como aljibe, de *al-ŷibb.*) m. Poza o estanque donde se recogen las heces del aceite.

Chivo, va. (Del al. *sibbe*, cordero.) m. y f. Cría de la cabra, desde que no mama hasta que llega a la edad de procrear. ‖ **2.** V. **Barbas de chivo.**

Chiza. f. *Colomb.* Cierto gusano que ataca la patata.

¡**Cho!** interj. ¡**So!**

Choba. f. *Sant.* Bola, embuste.

Choca. f. *Cetr.* Cebadura que se daba al azor, dejándole pasar la noche con la perdiz que voló.

Chocador, ra. adj. Que choca. Ú. t. c. s.

Chocallero, ra. (Del port. *chocalho*, cencerro, y éste de la onomat. **clocca*, campana.) adj. *Can.* Hablador, chismoso.

Chocallo. (Del lat. **iocullius*, testivo, de *iocus*, juego.) m. ant. **Zarcillo,** 1.er art., 1.a acep.

Chocante. (De *chocar.*) p. a. de **Chocar.** Que choca.

Chocante. (Del lat. *iocari*, bromear.) adj. Gracioso, chocarrero. ‖ **2.** *Méj.* Fastidioso, empalagoso.

Chocar. (De la onomat. *choc.*) intr. Encontrarse violentamente una cosa con otra; como una bala contra la muralla, un buque con otro, etc. ‖ **2.** fig. Pelear, combatir. ‖ **3.** fig. Provocar, enojar, a uno por genio o por costumbre. ‖ **4.** Causar extrañeza o enfado. *Esto me* CHOCA.

Chocarrear. intr. Decir chocarrerías. Ú. t. c. r.

Chocarrería. (De *chocarrero.*) f. Chiste grosero. ‖ **2.** ant. Fullería, 1.a acep.

Chocarrero, ra. (Del lat. **iocarius*, iocoso, de *iocus*, juego.) adj. Que tiene chocarrería. *Palabras* CHOCARRERAS. ‖ **2.** Que tiene por costumbre decir chocarrerías. Ú. t. c. s. ‖ **3.** ant. **Fullero.** Usab. t. c. s.

Chocarresco, ca. adj. ant. Chocarrero.

Choclar. (De *choclo.*) intr. En el juego de la argolla, introducir de golpe la bola por las barras. ‖ **2.** ant. fig. Entrarse en una parte de golpe o con prisa.

Choclo. (Del lat. *soccŭlus.*) m. Chanclo, 1.a acep.

Choclo. (Del quichua *chocclo.*) m. *Amér. Merid.* Mazorca tierna de maíz. ‖ **2.** *Amér. Merid.* **Humita.**

Choclón, na. adj. Entremetido. ‖ **2.** m. Acción de choclar, 1.a acep. ‖ **3.** *Chile.* Lugar en que celebran sus reuniones políticas los partidarios de un candidato, durante el período electoral.

Choco. m. Jibia pequeña.
Choco. adj. *Bol.* De color rojo obscuro. || **2.** *Colomb.* Se aplica a la persona de tez muy morena. || **3.** *Chile.* **Rabón.** || **4.** Se dice del que le falta una pierna o una oreja. || **5.** *Guat.* y *Hond.* **Tuerto,** 1.ª acep. || **6.** m. *Bol.* **Sombrero de copa.** || **7.** *Chile.* **Tueco.** || **8.** *Perú.* **Caparro.** || **9.** *Amér. Merid.* **Perro de aguas.**
Chocolate. (Del mejic. *chocolatl,* de *choco,* cacao, y *latl,* agua.) m. Pasta hecha con cacao y azúcar molidos, a la que generalmente se añade canela o vainilla. || **2.** Bebida que se hace de esta pasta desleída y cocida en agua o en leche. || **3.** V. **Ladrillo, pasta, tarea de chocolate.** || **El chocolate del loro.** loc. fam. Ahorro insignificante en relación con la economía que se busca.
Chocolatera. f. Vasija que sirve para hacer chocolate, 2.ª acep.
Chocolatería. f. Casa donde se fabrica y se vende chocolate. || **2.** Casa donde se sirve al público chocolate, 2.ª acep.
Chocolatero, ra. adj. Muy aficionado a tomar chocolate. Ú. t. c. s. || **2.** m. y f. Persona que tiene por oficio labrar o vender chocolate. || **3.** m. *And.* **Chocolatera.**
Chócolo. m. *Colomb.* **Choclo,** 2.º art., 1.ª acep. || **2. Hoyuelo,** juego de muchachos.
Chocoyo. m. *Guat.* **Herreruelo,** pájaro. || **2.** *Hond.* **Chócolo,** 2.ª acep.
Chocha. (De la onomat. *choch.*) f. Ave del orden de las zancudas, poco menor que la perdiz, común en España durante el invierno, de pico largo, recto y delgado, cabeza comprimida y plumaje de color gris rojizo con manchas negras, más obscuro en las partes superiores que en las inferiores. Vive con preferencia en terrenos sombríos, se alimenta de orugas y lombrices, y su carne es muy sabrosa. || **de mar. Centrisco.**
Chochaperdiz. f. **Chocha.**
Chochear. (De *chocho,* 2.º art.) intr. Tener debilitadas las facultades mentales por efecto de la edad. || **2.** fig. y fam. Extremar el cariño y afición a personas o cosas, a punto de conducirse como quien chochea.
Chochera. f. **Chochez.**
Chochez. f. Calidad de chocho. || **2.** Dicho o hecho de persona que chochea.
Chocho. m. **Altramuz,** 2.ª acep. || **2. Canelón,** 4.ª acep. || **3.** pl. Cualquiera cosa de dulce, que se ofrece o da a los niños por que callen o para que hagan lo que no quieren.
Chocho, cha. (Tal vez del lat. *stultus,* tonto.) adj. Que chochea. || **2.** fig. y fam. Lelo de puro cariño.
Chochocol. m. *Méj.* **Tinaja,** 1.ª acep.
Chofe. m. **Bofe.** Ú. m. en pl.
Chófer [Chofer]. (Del fr. *chauffeur,* del verbo *chauffer,* del lat. *calefacĕre,* calentar.) m. Mecánico que conduce un carruaje automóvil.
Chofeta. (Del fr. *chauffete,* de *chauffer,* calentar.) f. Braserillo manual de metal o de barro, que servía generalmente para encender el cigarro.
Chofista. m. Nombre que se daba a los estudiantes pobres que se mantenían con chofes, por ser alimento barato.
Chola. f. fam. **Cholla**
Cholgua. f. *Chile.* **Mejillón.**
Cholo, la. (De *Chololllán,* hoy Cholula, distrito de Méjico.) adj. *Amér.* Dícese del indio civilizado. Ú. t. c. s. || **2.** *Amér.* Mestizo de europeo e india. Ú. t. c. s.
Choloque. m. *Bot.* Árbol de la familia de las sapindáceas, que vive en los países cálidos de América y cuyos frutos se emplean a manera de jabón. || **2.** *Amér.* Fruto de este árbol.
Cholla. f. fam. **Cabeza,** 2.ª y 9.ª aceps.
Chongo. m. *Méj.* Moño de pelo. || **2.** *Guat.* Rizo de pelo. || **3.** *Méj.* Chanza, broma.
Chonguearse. r. *Méj.* Vulgarismo por **chunguearse**
Chonta. (Del quichua *chunta.*) f. *Amér. Central* y *Perú.* Árbol, variedad de la palma espinosa, cuya madera, fuerte y dura, se emplea en bastones y otros objetos de adorno por su hermoso color obscuro y jaspeado.
Chontaduro. m. *Ecuad.* Especie de palma, cuyo fruto es comestible.
Chontal. adj. *Amér.* Dícese de una tribu indígena de la América Central, de costumbres muy groseras. Ú. t. c. s. || **2.** *Amér.* Aplícase a la persona rústica e inculta. Ú. t. c. s.
Chopa. (Del gall. *choupa,* y éste del lat. *clupĕa.*) f. *Zool.* Pez teleósteo marino, del suborden de los acantopterigios, de unos 20 centímetros de largo, semejante a la dorada, de color gris metálico con numerosas manchas obscuras longitudinales.
Chopa. f. *Mar.* Cobertizo que se colocaba en la popa, junto al asta de bandera.
Chopal. m. **Chopera.**
Chopalera. f. **Chopera.**
Chope. m. *Chile.* Palo con un extremo plano para sacar de la tierra los bulbos, raíces y para otros usos del campo. || **2.** *Chile.* **Raño,** garfio de hierro.
Chopear. intr. *Chile.* Trabajar con el chope.
Chopera. f. Sitio poblado de chopos.
Chopo. (Del lat. *popŭlus,* álamo.) m. Nombre con el que se designan varias especies de álamos. || **balsámico. Álamo balsámico.** || **bastardo. Álamo blanco.** || **blanco. Álamo blanco.** || **de la Carolina. Álamo de la Carolina.** || **lombardo. Álamo de Lombardía.** || **negro. Álamo negro.** || **temblón. Álamo temblón.**
Chopo. (Del ital. *schioppo,* y éste del lat. *stloppus,* bufido.) m. fam. **Fusil.** *Cargar con el* CHOPO.
Choque. (De *chocar.*) m. Encuentro violento de una cosa con otra. || **2.** fig. Contienda, disputa, riña o desazón con una o más personas. || **3.** *Mil.* Reencuentro, combate o pelea que, por el corto número de tropas o por su corta duración, no se puede llamar batalla.
Choque. (Del ingl. *shock.*) m. *Med.* Estado de profunda depresión nerviosa y circulatoria, sin pérdida de la conciencia, que se produce después de intensas conmociones, principalmente catástrofes y operaciones quirúrgicas.
Choquezuela. (d. de *chueca.*) f. **Rótula,** 2.ª acep.
Chorato. m. *Sal.* Cría de la vaca.
Chorcha. (Del lat. *scolopax,* y éste del gr. σκολόπαξ.) f. **Chocha.**
Chordón. m. **Churdón.**
Choricera. f. Máquina para hacer chorizos.
Choricería. (De *choricero.*) f. Tienda de chorizos.
Choricero, ra. m. y f. Persona que hace o vende chorizos. || **2.** fig. y fest. **Extremeño,** 1.ª acep.
Chorizo. (Del lat. *salsicĭum.*) m. Pedazo corto de tripa lleno de carne, regularmente de puerco, picada y adobada, el cual se cura al humo. || **2. Contrapeso,** 3.ª acep. || **de sábado. Sabadeño.**
Chorla. (Voz onomatopéyica.) f. *Zool.* Ave parecida a la ganga, 1.er art., 1.ª acep., pero de mayor tamaño.
Chorlito. (De *chorla.*) m. Ave del orden de las zancudas, de unos 25 centímetros de longitud, pico recto, largo y delgado, patas finas y negruzcas, plumaje de color verde muy obscuro salpicado de manchas doradas por el dorso y pecho y blanquecinas por el vientre, y cola con bandas pardas y amarillentas. Vive en España durante el invierno, anida a orillas de los ríos, y su carne es muy apreciada. || **2.** Ave del orden de las zancudas, de unos 30 centímetros de longitud, con patas y pico largos, de color pardo, plumaje gris con rayas pardas por encima y blanco con manchas leonadas en las partes inferiores. Es propia de las regiones frías de España y en invierno se extiende hasta las costas. || **3.** Ave del orden de las zancudas, poco menor que la especie anterior, con pico y patas de color negro rojizo, plumaje leonado, con rayas y manchas negras en la cabeza, cuello y espalda, y blanquecino con pintas pardas en el pecho y vientre. || **4.** fig. y fam. **Cabeza de chorlito.**
Chorlo. (Del al. *schörl.*) m. *Mineral.* **Turmalina.** || **2.** Silicato natural de alúmina, de color azul celeste, que se encuentra en algunas rocas gneísicas y micáceas.
Choro. m. *And.* Ratero, ladronzuelo.
Choro. m. *Chile.* **Mejillón.**
Chorote. m. *Colomb.* Chocolatera de loza sin vidriar. || **2.** *Cuba.* Toda bebida espesa. || **3.** *Venez.* Especie de chocolate con el cacao cocido en agua y endulzado con papelón.
Choroy. m. *Chile.* Especie de papagayo, término medio entre el loro y la catita. Anda en bandadas y perjudica mucho los sembrados.
Chorra. f. *Sal.* Trozo de tierra que queda sin arar por haber un peñasco u otro obstáculo. || **2.** *Sal.* Este mismo obstáculo.
Chorrada. (De *chorrar.*) f. Porción de líquido que se suele echar de gracia después de dar la medida.
Chorrar. (De la onomat. *chorr.*) intr. ant. **Chorrear.**
Chorreado, da. p. p. de **Chorrear.** || **2.** adj. Dícese de la res vacuna que tiene el pelo con rayas verticales, de color más obscuro que el general de la capa. || **3.** V. **Raso chorreado.** || **4.** *Amér.* Sucio, manchado.
Chorreadura. f. **Chorreo.** || || **2.** Mancha que deja en alguna cosa un líquido que ha caído sobre ella chorreando.
Chorrear. (De *chorro.*) intr. Caer un líquido formando chorro. || **2.** Salir el líquido lentamente y goteando. || **3.** fig. y fam. Dícese de algunas cosas que van viniendo o concurriendo poco a poco o con breve intermisión.
Chorrel. m. *Germ.* Hijo, chiquillo.
Chorreo. m. Acción y efecto de chorrear.
Chorrera. (De *chorro.*) f. Paraje por donde cae una corta porción de agua o de otro líquido. || **2.** Señal que el agua deja por donde ha corrido. || **3.** Trecho corto de río en que el agua, por causa de un gran declive, corre con mucha velocidad. || **4.** Guarnición de encaje que se pone en la abertura de la camisola por la parte del pecho. || **5.** En el traje de golilla, adorno de que pendía la venera que se ponían los caballeros del hábito en días de gala. Bajaba desde el cuello de la golilla hasta más abajo del pecho, en lugar de cinta; y se componía de un lazo grande arriba, y sucesivamente de otros más pequeños, hasta unirse con la venera. Así ésta como la **chorrera** se guarnecían de varias piedras preciosas.
Chorretada. (De *chorro.*) f. fam. Golpe o chorro de un líquido que sale improvisadamente. || **2. Chorrada.** || **Hablar a chorretadas.** fr. fig. y fam. Hablar mucho y atropelladamente.
Chorrillo. (d. de *chorro.*) m. fig. y fam. Acción continua de recibir o gastar una cosa. || **Irse uno por el chorrillo.** fr. fig. y fam. Seguir la corriente o costumbre. || **Sembrar a chorrillo.** fr. *Agr.* Echar seguido el grano en el surco abierto por el arado. Generalmente se hace por medio de una vasija que tiene un cañuto en la boca. || **Tomar uno el**

chorrillo **de** hacer una cosa. fr. fig. y fam. Acostumbrarse a ella.

Chorro. (Voz onomatopéyica.) m. Golpe de agua o de otro líquido que sale por una parte estrecha con alguna fuerza. || **2.** Por ext., caída sucesiva de cosas iguales y menudas. *Un* CHORRO *de trigo; un* CHORRO *de pesetas.* || **de voz.** fig. Plenitud de la voz. || **A chorros.** m. adv. fig. En algunas cosas, copiosamente, con abundancia. || **Estar,** o **ser,** una cosa **limpia como los chorros del oro.** fr. fig. y fam. Estar muy limpia, brillante y reluciente. || **Hablar a chorros.** fr. fig. y fam. **Hablar a chorretadas.** || **Soltar el chorro.** fr. fig. y fam. Reír a carcajadas.

Chorroborro. m. fig. y despect. **Aluvión.**

Chorrón. m. Cáñamo que se saca limpio al repasar las estopas de la primera rastrillada.

Chortal. (De *chorro.*) m. Lagunilla formada por un manantial poco abundante que brota en el fondo de ella.

Chospar. intr. *Burg.* **Chozpar.**

Chotacabras. (De *chotar* y *cabra.*) f. *Zool.* Pájaro del suborden de los fisirrostros, de unos 25 centímetros de largo, pico pequeño, fino y algo corvo en la punta, plumaje gris con manchas y rayas negras en la cabeza, cuello y espalda, y algo rojizo por el vientre; collar incompleto blanquecino, varias cerdillas alrededor de la boca, ojos grandes, alas largas y cola cuadrada. Es crepuscular y gusta mucho de los insectos que se crían en los rediles, adonde acude en su busca, por lo cual se ha supuesto que mamaba de las cabras y ovejas. || **2.** Ave semejante a la anterior, de la que principalmente se distingue por tener un collar rojizo bien señalado.

Chotar. (Del lat. *suctāre,* mamar.) tr. ant. Mamar el choto.

Chote. m. *Cuba.* Chayote.

Chotear. (De *choto.*) intr. *Ar.* Retozar, dar muestras de alegría. || **2.** r. vulg. **Pitorrearse.**

Choteo. m. vulg. Burla, pitorreo.

Chotis. (Del húng. *schottisch.*) m. Baile por parejas, como la mazurca, pero más lento. Tuvo diversos nombres, entre ellos el de *polca alemana,* y se ejecutó de distintas maneras: la más común es dar tres pasos seguidos a la izquierda, tres a la derecha y vueltas.

Choto, ta. (De *chotar.*) m. y f. Cría de la cabra mientras mama. || **2.** En algunas partes, **ternero, ra.**

Chotuno, na. (De *choto.*) adj. Aplícase al ganado cabrío mientras está mamando. || **2.** Dícese de los corderos flacos y enfermizos. || **Oler a chotuno.** fr. Despedir cierto mal olor, semejante al del ganado cabrío.

Chova. (Del ant. fr. *choue,* y éste del galo **cawa.*) f. Especie de cuervo de plumaje negro y visos verdosos o encarnados, pico amarillo o rojizo y pies de este último color. || **2. Corneja,** 1.ª acep.

Choz. (Voz onomatopéyica.) f. Golpe, novedad, extrañeza. Ú. con los verbos *dar* o *hacer.* || **De choz.** m. adv. ant. De golpe, de repente.

Choza. (Del ár. *juṣṣa,* cabaña de cañas.) f. Cabaña formada de estacas y cubierta de ramas o paja, en la cual se recogen los pastores y gente del campo. || **2. Cabaña,** 1.ª acep.

Chozno, na. m. y f. Cuarto nieto, o sea hijo del tataranieto.

Chozo. m. Choza pequeña.

Chozpar. intr. Saltar o brincar con alegría los corderos, cabritos y otros animales.

Chozpo. m. Salto o brinco que da un animal cuando chozpa.

Chozpón, na. adj. Que chozpa mucho.

Chozuela. f. d. de **Choza.**

Chubasco. (Del gall. port. *chuvia,* y éste del lat. *pluvia,* lluvia.) m. Chaparrón o aguacero con mucho viento. || **2.** fig. Adversidad o contratiempo transitorios, pero que entorpecen o malogran algún designio. || **3.** *Mar.* Nubarrón obscuro y cargado de humedad que suele presentarse en el horizonte repentinamente, empujado por un viento fuerte, y que no siempre se resuelve en agua, por lo cual se denomina unas veces **chubasco** de agua y otras **chubasco** de viento.

Chubasquería. f. *Mar.* Aglomeración de chubascos en el horizonte.

Chubasquero. m. Impermeable, 2.ª acep.

Chubazo. (Del gall. port. *chuvia,* y éste del lat. *pluvia,* lluvia.) m. ant. **Chubasco.**

Chuca. (Del ár. *šuqqa,* hendidura.) f. Uno de los cuatro lados de la taba, que tiene un hoyo o concavidad.

Chucallo. m. ant. **Chocallo.**

Chucán, na. adj. *Guat.* Bufón, chocarrero.

Chucanear. intr. *Guat.* Bufonear, bromear.

Chucao. (Voz mapuche.) m. *Chile.* Pájaro del tamaño del zorzal, de plumaje pardo, y que habita en lo más espeso de los bosques.

Chúcaro, ra. (Del quichua *chucru,* duro.) adj. *Amér.* Arisco, bravío. Dícese principalmente del ganado vacuno y del caballar y mular aún no desbravado.

Chucero. m. Soldado armado de chuzo. || **2.** *Germ.* **Ladrón,** 1.ª acep.

Chucua. f. *Colomb.* Lodazal, pantano.

Chucuru. m. *Ecuad.* Animal parecido a la comadreja.

Chucuto, ta. adj. *Venez.* **Rabón.**

Chucha. (De *chucho.*) f. fam. **Perra,** 1.ª acep. || **¡Chucha!** interj. para contener o espantar a este animal.

Chuchango. m. *Can.* Caracol de tierra.

Chuchazo. m. *Cuba* y *Venez.* Latigazo dado con el chucho, 1.er art., 4.ª acep.

Chuche. m. *Germ.* **Cara,** 1.ª acep.

Chuchear. (Voz imitativa.) intr. **Cuchichear.** || **2.** Coger caza menor valiéndose de señuelos, lazos, redes u otros aparejos.

Chuchería. (De *chocho,* 1.er art.) f. Cosa de poca importancia, pero pulida y delicada. || **2.** Alimento corto y ligero, generalmente apetitoso.

Chuchería. (De *chuchero.*) f. Acción de chuchear, 2.ª acep.

Chuchero, ra. (De *chuchear.*) adj. Que chuchea, 2.ª acep.

Chucho. (De la onomat. *chuch.*) m. fam. **Perro,** 1.ª acep. || **2.** *Argent.* **Escalofrío.** || **3.** *Argent.* Fiebre palúdica intermitente. || **4.** *Cuba* y *Venez.* **Látigo.** || **¡Chucho!** interj. para contener o espantar al perro.

Chucho. (Del mapuche *chuchu.*) m. *Chile.* Ave de rapiña, diurna y nocturna, de poco tamaño y cuyo graznido se toma vulgarmente como de mal agüero para la casa en que lo lanza.

Chucho. m. *Amér. Merid.* Pez pequeño como el arenque y de carne muy estimada. || **2.** *Cuba.* Aguja, pincho. || **3.** *Cuba.* Obispo, pez.

Chuchoca. f. *Amér. Merid.* Especie de frangollo o maíz cocido y seco, que se usa como condimento.

Chuchumeco. m. despect. Apodo con que se zahiere al hombre ruin. || **2.** *Méj.* **Chichimeco.**

Chueca. (Del lat. *sŏccus,* zueco.) f. **Tocón,** 1.ª acep. || **2.** Hueso redondeado o parte de él que encaja en el hueco de otro en una coyuntura, como la rótula en la rodilla, la cabeza del húmero en el hombro y la del fémur en la cadera. || **3.** Bolita pequeña con que los labradores suelen jugar al juego de la **chueca.** || **4.** Juego que se hace poniéndose los jugadores unos enfrente de otros en dos bandas iguales, procurando cada uno que la **chueca,** impelida con palos por los contrarios, no pase la raya que señala su término. || **5.** fig. y fam. Burla o chasco. *Le han jugado una buena* CHUECA. || **6.** *Germ.* **Hombro,** 1.ª acep.

Chueco, ca. adj. *Amér.* Estevado, patituerto.

Chuela. (Por *achuela,* del lat. **asciola,* azuela.) f. *Chile.* **Destral.**

Chueta. (d. del mallorquín *jueu,* judío.) com. Nombre que se da en las islas Baleares a los que se supone ser descendientes de judíos conversos.

Chufa. (Del lat. *cyphi,* perfume de juncia.) f. Cada uno de los tubérculos que a modo de nudos, de un centímetro de largo, tienen las raíces de una especie de juncia, de cañas triangulares y hojas aquilladas. Son amarillentos por fuera, blancos por dentro, de sabor dulce y agradable, y con ellos se hace una horchata refrescante. || **2.** ant. Burla, mofa o escarnio. || **Echar chufas.** fr. fam. Echar plantas o bravatas.

Chufar. (De *chufa,* burla.) intr. Hacer escarnio de una cosa.

Chufear. intr. ant. **Chufar.**

Chufería. (De *chufero.*) f. Casa donde hacen o venden horchata de chufas.

Chufero, ra. m. y f. Persona que vende chufas.

Chufeta. f. **Chofeta.**

Chufeta. (De *chufa.*) f. fam. **Chufleta.**

Chufla. f. **Cuchufleta.**

Chuflar. intr. *Ar.* **Silbar.**

Chufleta. (De *chufeta.*) f. fam. **Cuchufleta.**

Chufletear. intr. fam. Decir chufletas.

Chufletero, ra. adj. fam. Que chufletea. Ú. t. c. s.

Chuflido. m. *Ar.* **Silbido.**

Chula. f. Fruto **del candelabro,** 2.ª acep.

Chulada. (De *chulo.*) f. Acción indecorosa, propia de gente de mala crianza o ruin condición. || **2.** Dicho o hecho gracioso con cierta soltura y desenfado.

Chulamo, ma. (De *chulo.*) m. y f. *Germ.* **Muchacho, cha.**

Chulapo, pa. m. y f. **Chulo, la,** 3.ª acep.

Chulé. m. En caló, **peso duro,** 2.ª acep.

Chulear. (De *chulo.*) tr. Zumbar o burlar a uno con gracia y chiste. Ú. t. c. r.

Chulería. (De *chulo.*) f. Cierto aire o gracia en las palabras o ademanes. || **2.** Conjunto o reunión de chulos.

Chulesco, ca. adj. Perteneciente o relativo a los chulos. *Gesto* CHULESCO.

Chuleta. (Del valenciano *chulleta,* d. de *chulla,* costilla.) f. Costilla con carne de ternera, carnero o puerco. || **2.** fig. Pieza irregular que se añade a alguna obra de manos para rellenar un hueco. || **3.** fig. y fam. **Bofetada.** || **4.** Entre estudiantes, papelito con fórmulas u otros apuntes que se lleva oculto para usarlo disimuladamente en los exámenes. || **5.** Pieza delgada de madera de que usan los carpinteros para tapar grietas o hendeduras en los muebles. || **6.** pl. fig. **Patillas.**

Chulo, la. (Del ár. *šūl,* ágil, dispuesto, criado ladino.) adj. Que hace y dice las cosas con chulada. Ú. t. c. s. || **2. Chulesco.** || **3.** m. y f. Individuo del pueblo bajo de Madrid, que se distingue por cierta afectación y guapeza en el traje y en el modo de producirse. || **4.** *Germ.* **Chulamo.** || **5.** m. El que ayuda en el matadero al encierro de las reses mayores. || **6.** El que en las fiestas de toros asiste a los lidiadores y les da garrochones, banderillas, etc. || **7. Rufián.**

Chulla. (Del lat. [*caro*] *sŭilla,* carne de cerdo.) f. *Ar.* Lonja de carne.

Chullo, lla. adj. *Ecuad.* Dícese del objeto que usándose en número par, se queda solo. *Un guante* CHULLO, *una media* CHULLA.

Chumacera. (Del port. *chumaceira*, de *chumazo*, y éste del lat. *plumaceum, de *pluma*.) f. Pieza de metal o madera, con una muesca en que descansa y gira cualquier eje de maquinaria. || **2.** *Mar.* Tablita que se pone sobre el borde de la lancha u otra embarcación de remo, y en cuyo medio está el tolete. Sirve para que no se gaste el borde con el continuo roce del remo. || **3.** *Mar.* Rebajo semicircular practicado en la falca de los botes, generalmente forrado de hierro o bronce, que sirve para que en él juegue el remo. Substituye al tolete.

Chumbe. (Voz quichua.) m. *Colomb.* y *Perú.* Faja con que se ciñe a la cintura el tipoy.

Chumbera. (De *chumbo*.) f. **Higuera chumba.**

Chumbo, ba. adj. V. **Higo chumbo.** || **2.** V. **Higuera chumba.**

Chumpipe. m. *Guat.* **Pavo,** 1.ª acep.

Chuna. f. *Zool.* **Chuña.**

Chuncho. m. *Perú.* Individuo de una tribu de indios bárbaros. Ú. m. en pl. || **2.** *Perú.* **Caléndula.**

Chunga. (De *zumba*.) f. fam. Burla festiva. Ú. m. en la fr. **estar de chunga.** || **Tomar a,** o **en, chunga** una cosa. fr. fam. **Echar,** o **tomar, a chacota.**

Chunguearse. (De *chunga*.) r. fam. Burlarse festivamente.

Chuña. f. *Zool.* Ave sudamericana, del mismo orden que las grullas, con cola larga y plumaje grisáceo; en el arranque de su pico lleva una serie de plumas finas, dispuestas en abanico. Anida en las ramas bajas de los árboles. || **2.** *Chile.* **Arrebatiña.**

Chuño. (Del quichua *ch'uñu*, patata helada y secada al sol.) m. *Amér. Merid.* Fécula de la patata.

Chupa. (Del m. or. que *aljuba*.) f. Parte del vestido que cubría el tronco del cuerpo, con cuatro faldillas de la cintura abajo y con mangas ajustadas; en el traje militar antiguo se ponía debajo de la casaca. || **Poner a uno como chupa de dómine.** fr. fig. y fam. **Ponerle como un trapo.**

Chupa. f. Medida de capacidad para líquidos que se usa en Filipinas, octava parte de la ganta, igual a 3 copas o a 37 centilitros y 5 mililitros. || **2.** Medida de capacidad para áridos que se usa en Filipinas, octava parte de la ganta, igual a un tercio de cuartillo, o sea a 37 centilitros.

Chupacirios. m. despect. **Beato,** 6.ª acep.

Chupada. f. Acción de chupar.

Chupaderito. m. d. de **Chupadero.** || **Andarse con,** o **en, chupaderitos.** fr. fig. y fam. para denotar que en las cosas arduas no se deben usar medios leves, sino eficaces.

Chupadero, ra. adj. Dícese de lo que chupa. || **2.** m. **Chupador,** 2.ª acep.

Chupado, da. p. p. de **Chupar.** || **2.** adj. fig. y fam. Muy flaco y extenuado.

Chupador, ra. adj. Que chupa. Ú. t. c. s. || **2.** m. Pieza redondeada de marfil, pasta, caucho, etc., que se da a los niños en la época de la primera dentición para que chupen y refresquen la boca.

Chupadorcito. m. d. de **Chupador.** || **Andarse con,** o **en, chupadorcitos.** fr. fig. y fam. **Andarse con,** o **en, chupaderitos.**

Chupadura. f. Acción y efecto de chupar.

Chupaflor. m. Especie de colibrí propio de Venezuela.

Chupalandero. (De *chupar*.) adj. *Murc.* V. **Caracol chupalandero.**

Chupalla. f. *Chile.* Planta bromeliácea que tiene las hojas en forma de roseta y cuyo jugo se emplea en la medicina casera. || **2.** *Chile.* Sombrero de paja hecho con tirillas de las hojas de esta planta.

Chupamirto. m. *Méj.* **Colibrí.**

Chupar. (De la onomat. *chup*.) tr. Sacar o atraer con los labios el jugo o la substancia de una cosa. Ú. t. c. intr. || **2.** Embeber en sí los vegetales el agua o la humedad. || **3.** fig. y fam. **Absorber.** 1.ª y 2.ª aceps. || **4.** fig. y fam. Ir quitando o consumiendo la hacienda o bienes de uno con pretextos y engaños. || **5.** r. Irse enflaqueciendo o desmedrando.

Chupatintas. m. despect. Oficinista de poca categoría.

Chupativo, va. adj. Dícese de lo que tiene virtud de chupar.

Chupe. (De *chupar*.) m. *Chile* y *Perú.* Guisado muy común, semejante a la cazuela chilena. Se hace con papas en caldo, a que se añade carne o pescado, mariscos, leche, queso, huevos, ají, tomate y a veces algo más.

Chupeta. f. d. de **Chupa,** 1.er art.

Chupeta. (d. de *chopa*.) f. *Mar.* Pequeña cámara que hay a popa en la cubierta principal de algunos buques.

Chupete. (De *chupar*.) m. Pieza de goma elástica en forma de pezón que se pone en el biberón. || **2. Chupador,** 2.ª acep. || **De chupete.** loc. fam. **De rechupete.**

Chupetear. tr. Chupar poco y con frecuencia. Ú. t. c. intr.

Chupeteo. m. Acción de chupetear.

Chupetín. (d. de *chupeta*, 1.er art.) m. Especie de justillo o ajustador con faldillas pequeñas.

Chupetón. m. Acción y efecto de chupar con fuerza.

Chupín. m. Chupa corta.

Chupinazo. m. Disparo hecho con una especie de mortero en los fuegos artificiales, cuya carga son candelillas.

Chupón, na. (De *chupar*.) adj. fig. y fam. Que chupa. || **2.** Que saca dinero con astucia y engaño. Ú. t. c. s. || **3.** m. Vástago que brota en las ramas principales, en el tronco y aun en las raíces de los árboles y les chupa la savia y amengua el fruto. || **4.** Cada una de las plumas con cañón no consolidado que suelen tener sangre si se arrancan al ave. || **5.** ant. **Chupetón.** || **6.** *Fís.* Émbolo de las bombas de desagüe.

Chupóptero. m. fam. Persona que, sin prestar servicios efectivos, disfruta uno o más sueldos.

Chuquiragua. f. *Amér.* Planta compuesta que se cría en los Andes y se usa como febrífugo.

Chuquisa. f. *Chile* y *Perú.* Mujer de vida alegre.

Churana. f. *Amér. Merid.* Aljaba que usan los indios.

Churco. m. *Chile.* Planta oxalídea gigantesca, propia de este país.

Churcha. f. Nombre que los indígenas de Tierra Firme daban a la zarigüeya.

Churdón. m. **Frambueso.** || **2. Frambuesa.** || **3.** Jarabe o pasta de frambuesa y azúcar que, desleídos en agua, se usan como refrescante.

Churla. f. **Churlo.**

Churlo. m. Saco de lienzo de pita cubierto con uno de cuero para transportar canela u otras cosas sin que pierdan su virtud.

Churo. m. *Ecuad.* Rizo de pelo. || **2.** *Ecuad.* **Caracol,** 1.ª acep.

Churra. f. **Ortega.**

Churrasco. m. *Amér.* Carne asada a la brasa.

Churre. m. fam. Pringue gruesa y sucia que corre de una cosa grasa. || **2.** fig. y fam. Lo que se parece a ella.

Churrería. f. Lugar en donde se hacen y venden churros, 1.er art.

Churrero, ra. m. y f. Persona que hace o vende churros, 1.er art.

Churretada. f. Churrete grande. || **2.** Cantidad de churretes.

Churrete. (De *churre*.) m. Mancha que ensucia la cara, las manos u otra parte visible del cuerpo.

Churretoso, sa. adj. Lleno de churretes.

Churriana. f. vulg. **Ramera.**

Churriburri. m. fam. **Zurriburri.**

Churriento, ta. adj. Que tiene churre.

Churrigueresco, ca. adj. *Arq.* Dícese del gusto introducido en la arquitectura española por Churriguera, Ribera y sus secuaces, en los primeros años del siglo XVIII. || **2.** fig. **Charro,** 2.° art., 3.ª acep.

Churriguerismo. (De *Churriguera*; véase *churrigueresco*.) m. Sistema de sobrecargar de adornos las obras de arquitectura. || **2.** Exceso de ornamentación empleado en las obras de arquitectura española del siglo XVIII.

Churriguerista. m. Arquitecto que adopta en sus obras la extravagancia del churriguerismo.

Churrillero, ra. adj. ant. **Churrullero.** Usáb. t. c. s.

Churro. m. Fruta de sartén, de la misma masa que se emplea para los buñuelos, y que después de frita se corta en trozos.

Churro, rra. adj. Dícese del carnero o de la oveja que tiene las patas y la cabeza cubiertas de pelo grueso, corto y rígido, y cuya lana es más basta y larga que la de la raza merina. Ú. t. c. s. || **2.** Dícese de esta lana. || **3.** fam. **Chapuza,** cosa mal hecha. || **4.** m. y f. *Sal.* **Añojo, ja.** || **5.** f. *Sal.* **Cárcel,** 1.ª acep.

Churrullero, ra. adj. **Charlatán,** 1.ª acep. Ú. t. c. s.

Churrupear. (De *chupar*.) intr. ant. Beber vino en poca cantidad y a menudo, saboreándose.

Churruscante. p. a. de **Churruscar.**

Churruscar. (De *churrusco*.) tr. Asar o tostar demasiado una cosa; como el pan, el guisado, etc. Ú. m. c. r.

Churrusco. m. Pedazo de pan demasiado tostado o que se empieza a quemar.

Churumbel. m. *Caló.* **Niño,** 1.ª y 2.ª aceps.

Churumbela. (Del m. or. que *caramillo*.) Instrumento de viento, semejante a la chirimía. || **2.** Bombilla que se usa en América para tomar el mate.

Churumen. m. fam. **Chirumen.**

Churumo. (De *chirumen*.) m. fam. Jugo o substancia. || **Poco churumo.** expr. fam. de que se usa para dar a entender que hay poca substancia, poco entendimiento, poco dinero, etc.

¡Chus! (Voz con que se llama al perro.) interj. V. **¡Tus!**

Chuscada. f. Dicho o hecho del chusco.

Chuscamente. adv. m. Con gracia, donaire y picardía.

Chusco, ca. adj. Que tiene gracia, donaire y picardía. Ú. t. c. s. || **2.** m. Pedazo de pan, mendrugo o panecillo.

Chusma. (Del ital. *ciurma*, canalla.) f. Conjunto de galeotes que servían en las galeras reales. || **2.** Conjunto de gente soez. || **3.** *Amér.* Tratándose de indios salvajes que viven en comunidad, todos los que no son de guerra, o sean mujeres, niños y viejos considerados en conjunto. || **4.** *Germ.* Muchedumbre de gente.

Chusmaje. m. *Amér.* **Chusma,** 2.ª acep.

Chuspa. (Del quichua *chchuspa*.) f. *Amér. Merid.* Bolsa, morral.

Chusque. m. *Colomb.* Planta gramínea de mucha altura: es una especie de bambú.

Chusquel. m. *Germ.* **Perro,** 2.° art., 1.ª acep.

Chuva. f. *Perú.* Cierta especie de mono propio de la América Meridional.

Chuza. f. *Méj.* Lance en el juego del boliche y en el de billar, que consiste en derribar todos los palos de una vez y con sólo una bola. ‖ **2.** p. us. Chuzo, 1.ª acep.

Chuzar. tr. *Colomb.* Punzar, pinchar, herir.

Chuzazo. m. Golpe dado con el chuzo.

Chuznieto, ta. m. y f. *Ecuad.* Chozno, na.

Chuzo. (De *suizo.*) m. Palo armado con un pincho de hierro, que se usa para defenderse y ofender. ‖ **2.** *Cuba.* Látigo hecho de vergajo o cuero retorcido que va adelgazándose hacia la punta. ‖ **Caer, llover, o nevar, chuzos.** fr. fig. y fam. Caer granizo, llover o nevar con mucha fuerza o ímpetu. ‖ **Echar chuzos.** fr. fig. y fam. Echar bravatas o enfadarse demasiado.

Chuzón. (De *chusco.*) m. Zuizón.

Chuzón, na. (De *chuzo.*) adj. Astuto, recatado, difícil de engañar. Ú. t. c. s. ‖ **2.** Que tiene gracia para burlarse de otros en la conversación. Ú. t. c. s. ‖ **3.** m. desus. Botarga o moharracho en las antiguas comedias.

Chuzonada. f. Bufonada.

Chuzonería. (De *chuzón,* 2.º art.) f. Burleta.

D

D. f. Quinta letra del abecedario español, y cuarta de sus consonantes. Su nombre es **de.** ‖ **2.** Sexta letra de la numeración romana, que tiene el valor de quinientos. Los latinos escribían una I con una C vuelta al revés, las cuales, con el tiempo, se juntaron y formaron la **D.**

Dabitis. m. *Fil.* Voz mnemotécnica que expresa el modo silogístico en el cual la premisa mayor es universal afirmativa, y la menor y las conclusiones particulares también afirmativas.

Dable. (De *dar.*) adj. Hacedero, posible.

Daca. (Contracc. de *da*, imper. de *dar*, y el adv. *acá.*) Da, o dame, acá. ‖ **Andar al daca y toma.** fr. Andar en dares y tomares.

Dacá. (Contracc. de *de acá.*) adv. l. ant. De acá, o del lado de acá.

Da capo. (Loc. ital., *desde la cabeza.*) loc. adv. *Mús.* Indica que debe volverse al principio cuando se llega a cierta parte del trozo que se ejecuta.

Dacio. (Del lat. *datio*, acto de dar.) m. desus. Tributo o imposición sobre alguna cosa.

Dacio, cia. (Del lat. *dacius.*) adj. Natural de Dacia. Ú. t. c. s. ‖ **2.** Perteneciente a este país de la Europa antigua.

Dación. (Del lat. *datio, ōnis.*) f. *For.* Acción y efecto de dar. ‖ **en pago.** *For.* Transmisión, al acreedor o a los acreedores, del dominio de los bienes, por precio que se compensa con la deuda o con parte de ella.

Dactilado, da. (Del lat. *dactўlus.*) adj. Que tiene figura semejante a la de un dedo.

Dactilar. adj. **Digital.**

Dactílico, ca. (Del lat. *dactylicus*, y éste del gr. δακτυλικός, de δάκτυλος, dedo.) adj. V. **Verso dactílico.** ‖ **2.** Aplícase a la composición escrita en versos de esta clase.

Dactiliología. (Del gr. δακτύλιος, anillo, y λόγος, tratado.) f. Parte de la arqueología, que estudia los anillos y piedras preciosas grabados.

Dactilión. m. desus. *Mús.* Aparato que se colocaba en el teclado de los pianos para dar agilidad y seguridad a los dedos del principiante.

Dáctilo. (Del lat. *dactўlus*, y éste del gr. δάκτυλος, dedo.) m. Pie de la poesía griega y latina, compuesto de tres sílabas: la primera, larga, y las otras dos, breves.

Dactilografía. (Del gr. δάκτυλος, dedo, y γράφω, escribir.) f. **Mecanografía.**

Dactilográfico, ca. adj. **Mecanográfico.**

Dactilógrafo, fa. m. y f. **Mecanógrafo, fa.**

Dactilología. (Del gr. δάκτυλος, dedo, y λόγος, discurso.) f. Arte de hablar con los dedos o con el abecedario manual.

Dactiloscopia. (Del gr. δάκτυλος, dedo, y σκοπέω, observar.) f. Estudio de las impresiones digitales, utilizadas para la identificación de las personas.

Dactiloscópico, ca. adj. Perteneciente o relativo a la dactiloscopia.

Dadero, ra. (Del lat. *datarius.*) adj. ant. Que es de dar, o se ha de dar. ‖ **2.** ant. **Dadivoso.**

Dádiva. (Del lat. *dativa*, t. f. de *-vus*, dativo.) f. Cosa que se da graciosamente. ‖ **Acometer con dádiva.** fr. fig. **Acometer con dinero.** ‖ **Dádiva ruineja, a su dueño semeja.** ref. que da a entender que según el carácter de la persona son sus hechos. ‖ **Dádivas quebrantan peñas.** ref. con que se da a entender que con los dones o presentes se suelen vencer las mayores repugnancias.

Dadivado, da. (De *dadivar.*) adj. p. us. Sobornado, cohechado.

Dadivar. tr. Regalar, hacer dádivas.

Dadivosamente. adv. m. Liberalmente; con generosidad en el modo de dar.

Dadivosidad. f. Calidad de dadivoso.

Dadivoso, sa. adj. Liberal, generoso, propenso a hacer dádivas. **Ú. t. c. s.**

Dado. (Del lat. *datum*, don, pieza de juego.) m. Pieza cúbica de hueso, marfil u otra materia, en cuyas caras hay señalados puntos desde uno hasta seis, y que sirve para varios juegos de fortuna o de azar. ‖ **2.** Pieza cúbica de metal u otra materia dura, que se usa en las máquinas para servir de apoyo a los tornillos, ejes, etc., y mantenerlos en equilibrio. ‖ **3.** En las banderas, paralelogramo de distinto color que su fondo. ‖ **4.** ant. **Donación.** ‖ **5.** *Arq.* **Neto,** 3.ª acep. ‖ **6.** *Art.* Pedacito prismático de hierro que se introducía en la antigua carga de metralla. ‖ **7.** *Mar.* Travesaño de hierro que refuerza cada uno de los eslabones de las cadenas. ‖ **falso.** El que está dispuesto con tal arte, que queda con más peso por un lado que por el otro, y así cae repetidas veces del mismo modo, con lo cual ganan los fulleros a los inadvertidos. ‖ **Cargar los dados.** fr. Hacerlos falsos introduciendo un poco de plomo en un lado de ellos. ‖ **Conforme diere el dado.** expr. fig. y fam. con que se explica que en algunas cosas deben esperarse los sucesos para arreglar por ellos nuestra conducta. ‖ **Correr el dado.** fr. fig. y fam. Tener suerte favorable. ‖ **Cuando te dieren el buen dado, échale la mano.** ref. **Cuando te dieren la vaquilla, acude con la soguilla.** ‖ **Dar, o echar, dado falso.** fr. fig. y fam. **Engañar.** ‖ **Estar** una cosa **como un dado.** fr. fig. Estar bien ajustada y arreglada. ‖ **Lo mejor de los dados es no jugarlos.** ref. que enseña que lo más prudente es evitar las ocasiones y los riesgos.

Dado, da. (Del lat. *datus.*) p. p. de **Dar.** ‖ **Dado que.** m. conj. Siempre que, en la inteligencia de que. DADO QUE *sea verdad lo que dices, cuenta con mi aprobación y mi ayuda.* ‖ **Dado y no concedido.** loc. usada para denotar que se permite o deja pasar una proposición, sea verdadera o falsa, porque no obsta a la cuestión de que se trata.

Dador, ra. (Del lat. *dator.*) adj. Que da. Ú. t. c. s. ‖ **2.** m. Portador de una carta de un sujeto a otro. ‖ **3.** *Com.* El que libra la letra de cambio.

Daga. (Del lat. *daca*, t. f. de *dacus*, de *Dacia.*) f. Arma blanca antigua, de hoja corta y, a semejanza de la espada, con guarnición para cubrir el puño, y gavilanes para los quites. Solía tener dos cortes; pero también la había de uno, tres o cuatro filos. ‖ **Llegar a las dagas.** fr. fig. y fam. Llegar un negocio al lance de mayor aprieto.

Daga. (Del ár. *ṭāqa*, hilada, capa.) f. Cada una de las tongas o hileras horizontales de ladrillos que se forman en el horno para cocerlos.

Dagame. m. *Bot. Cuba.* Árbol silvestre de la familia de las rubiáceas, con tronco elevado y liso, copa pequeña de hojas menudas y flores blancas. Su madera, dura y elástica, se emplea en herramientas. El fruto lo come el ganado.

Dagón. m. aum. de **Daga,** 1.er art.

Daguerrotipar. tr. Fijar las imágenes por medio del daguerrotipo.

Daguerrotipia. f. **Daguerrotipo,** 1.ª acep.

Daguerrotipo. (De *Daguerre*, nombre de su inventor, y de *tipo.*) m. Arte de fijar en chapas metálicas, convenientemente preparadas, las imágenes recogidas con la cámara obscura. ‖ **2.** Aparato que se empleaba en este arte. ‖ **3.** Retrato o vista que se obtenía por los procedimientos de dicho arte.

Daguilla. (d. de *daga*, 1.er art.) f. *And.* Palillo, 1.ª acep.

Daguilla. m. *Bot. Cuba.* Árbol silvestre, de la familia de las timeleáceas, de unos nueve metros de altura, que crece entre peñascos. Se utiliza su corteza, por ser fibrosa, en cordelería y tejidos.

Dahir. (Del ár. *ẓahīr*, proclama.) m. En Marruecos, carta abierta con órdenes del sultán. || **2.** En la zona del protectorado español, decreto del Jalifa promulgado por el alto comisario.

Daifa. (Del ár. *ḍaifa*, huéspeda, señora, manceba.) f. **Manceba.** || **2.** ant. Huéspeda a quien se trata con regalo y cariño.

Daimiel. n. p. V. **Panizo de Daimiel.**

Daimio. (Voz japonesa.) m. Señor feudal en el antiguo régimen japonés.

Dajao. (Voz cubana.) m. *Cuba.* Pez de río, muy común y de buen comer. Tiene unos 30 centímetros de largo, el lomo obscuro y el vientre plateado, escamas comunes y cola ahorquillada.

Dala. (Del fr. *dalle*, y éste del neerl. *daal*, tubo.) f. *Mar.* Canal de tablas por donde salía a la mar el agua que achicaba la bomba.

Dalaga. f. *Filip.* Mujer soltera, doncella y joven.

Dalgo (Hacer mucho). (Contracc. de *de algo*.) fr. ant. Hacer bien, tratar con agasajo y regalo.

Dalia. (Por haber sido dedicada a *Dahl*, botánico sueco que de Méjico la trajo a Europa en 1789.) f. Planta anua de la familia de las compuestas, con tallo herbáceo, ramoso, de 12 a 15 decímetros de altura; hojas opuestas divididas en cinco o siete hojuelas ovaladas y con dientes en el margen; flores terminales o axilares de botón central amarillo y corola grande, circular, de muchos pétalos, dispuestos con suma regularidad y muy variada coloración; semillas cuadrangulares negras y raíz tuberculosa. || **2.** Flor de esta planta.

Dalind. (Del lat. *de ad ille inde*.) adv. l. ant. De allá.

Dálmata. (Del lat. *dalmăta*.) adj. Natural de Dalmacia. Ú. t. c. s. || **2.** Perteneciente a esta región adriática.

Dalmática. (Del lat. *dalmatĭca*.) f. Túnica blanca con mangas anchas y cortas y adornada de púrpura, que tomaron de los dálmatas los antiguos romanos. || **2.** Vestidura sagrada que se pone encima del alba, cubre el cuerpo por delante y detrás, y lleva para tapar los brazos una especie de mangas anchas y abiertas. || **3.** Túnica abierta por los lados, usada en lo antiguo por la gente de guerra y ahora por los reyes de armas y los maceros.

Dalmático, ca. (Del lat. *dalmatĭcus*.) adj. **Dálmata,** 2.ª acep. || **2.** m. Lengua muerta que se habló en las costas de Dalmacia.

Daltoniano, na. adj. Dícese del que padece de daltonismo. Ú. t. c. s. || **2.** Perteneciente o relativo a esta enfermedad.

Daltonismo. (De *Dalton*, físico inglés del siglo XVIII, que padecía esta enfermedad.) m. Defecto de la vista, que consiste en no percibir determinados colores o en confundir algunos de los que se perciben.

Dalla. f. En algunas comarcas, **dalle.**

Dallá. (Contracc. de *de allá*.) adv. l. ant. De allá, o del otro lado de allá, o al otro lado.

Dallador. m. El que dalla.

Dallar. tr. Segar la hierba con el dalle.

Dalle. (Del prov. y cat. *dall*, y este del lat. **daculus* [*culter*], de *dacus*, de la *Dacia*.) m. **Guadaña.**

Dallén. (Contracc. de *de allén*.) adv. l. ant. Del otro lado de allá, o del lado de allá, o del otro lado.

Dama. (Del fr. *dame*, y éste del lat. *domĭna*.) f. Mujer noble o de calidad distinguida. || **2.** Mujer galanteada o pretendida de un hombre. || **3.** En palacio, cada una de las señoras que acompañaban y servían a la reina, a la princesa o a las infantas. || **4.** Criada primera que en las casas de las grandes señoras servía inmediatamente a su ama. || **5.** Por antonom., actriz que hace los papeles principales; y las demás, excepto la graciosa y la característica, se distinguen por sus números de segunda, tercera, cuarta **dama.** || **6. Manceba.** || **7.** En el juego de damas, pieza que, por haber llegado a la primera línea del contrario, se corona con otra pieza y puede correr toda la línea. || **8. Reina,** 3.ª acep. || **9.** Baile antiguo español. || **10. Testigo,** 4.ª acep. || **11.** V. **Ciruela de dama.** || **12.** V. **Portería, portero de damas.** || **13.** pl. Juego que se ejecuta en un tablero de 64 escaques, con 24 piezas, si es a la española, y en uno de cien escaques y con 40 piezas si es a la polonesa, de las cuales tiene 12 ó 20 cada jugador, que gana el juego en logrando comer todas al contrario, que es jugar al gana gana, y al revés, si se juega al gana pierde. || **Dama cortesana. Ramera.** || **de honor. Señora de honor.** || **de noche.** Planta de la familia de las solanáceas, de flores blancas, muy olorosas durante la noche. || **joven.** Actriz que hace los papeles de soltera o de casada muy joven. || **secreta.** En el juego de **damas,** la que se da por partido al que juega menos, quedando a su arbitrio elegir la que quisiere cuando guste, y usar de ella cuando le conviniere. || **Echar damas y galanes.** fr. Divertirse en las casas en día señalado, como la víspera de Reyes o la última noche del año, sorteando, para formar parejas, las **damas** y galanes con quienes se tiene amistad y correspondencia. || **Las damas al desdén, parecen bien.** ref. que reprende el demasiado esmero en el adorno de las mujeres. || **Ser una mujer muy dama.** fr. Ser muy fina en el aspecto exterior o en los modales. || **Soplar uno la dama a otro.** fr. En el juego de **damas,** levantar y suprimir la del contrario en pena de su omisión, cuando, teniendo pieza que comer con ella, no lo hizo. || **2.** fig. y fam. Casarse u obtener la correspondencia amorosa de la mujer pretendida de otro u ofrecida a él.

Dama. (Del al. *damm*, dique.) f. *Metal.* Losa o murete que cierra el crisol de un horno por la parte delantera.

Dama. (Del lat. *dama*.) f. **Gamo.**

Damaceno, na. adj. **Damasceno.**

Damajagua. m. *Ecuad.* Árbol corpulento de cuya corteza interior los indios cayapas hacen mucho uso, porque bien preparada se parece a un paño tupido y sirve para vestido o para esteras de cama.

Damajuana. (Del ár. *damaŷāna*, bombona.) f. **Bombona.**

Damascado, da. (De *damasco*, 1.ª acep.) adj. **Adamascado.**

Damasceno, na. (Del lat. *damascēnus*.) adj. Natural de Damasco. Ú. t. c. s. || **2.** Perteneciente a esta ciudad de Asia. || **3.** V. **Ciruela damascena.** Ú. t. c. s.

Damasco. (De *Damasco*, ciudad de Siria, de donde procede.) m. Tela fuerte de seda o lana y con dibujos formados con el tejido. || **2.** Árbol, variedad del albaricoquero. || **3.** Fruto de este árbol.

Damasina. (Del fr. *damassin*, de *Damas*, Damasco.) f. **Damasquillo,** 1.ª acep.

Damasonio. (Del lat. *damasonium*, y éste del gr. δαμασώνιον.) m. **Azúmbar,** 1.ª acep.

Damasquillo. (d. de *damasco*.) m. Cierto tejido de lana o seda parecido al damasco en la labor, pero no tan doble. || **2.** *And.* **Albaricoque,** 1.ª acep.

Damasquina. f. Planta anua, originaria de Méjico, de la familia de las compuestas, con tallos ramosos de seis a siete decímetros de altura, hojas divididas en hojuelas lanceoladas y dentadas, flores solitarias, axilares o terminales, de mal olor, con pétalos de color purpúreo mezclado de amarillo y semillas largas, angulosas y con vilano pajizo.

Damasquinado. (De *damasquino*.) m. Ataujía o embutido de metales finos sobre hierro o acero.

Damasquinar. tr. Hacer labores de ataujía en armas y otros objetos de hierro y acero.

Damasquino, na. (De *Damasco*, ciudad de Siria.) adj. **Damasceno,** 2.ª acep. Aplícase comúnmente a las armas blancas de muy fino temple y hermosas aguas. || **2.** Dícese de la ropa u otro objeto hecho con la tela llamada damasco. *Un palio* DAMASQUINO. || **A la damasquina.** m. adv. A estilo o moda de Damasco.

Damería. (De *dama*.) f. Melindre, delicadeza, aire desdeñoso. || **2.** fig. Reparo, escrupulosidad.

Damiento. (De *dar*.) m. ant. **Dádiva.**

Damil. adj. ant. Perteneciente a las damas o propio de ellas.

Damisela. (Del fr. *demoiselle*, y éste del lat. **dominicella*, d. de *domina*, señora.) f. Moza bonita, alegre y que presume de dama. || **2. Dama cortesana.**

Damnable. (Del lat. *damnabĭlis*.) adj. ant. Digno de condenarse.

Damnación. (Del lat. *damnatĭo, -ōnis*.) f. **Condenación.**

Damnado, da. (Del lat. *damnātus*.) adj. ant. **Condenado,** 2.ª acep. Usáb. t. c. s.

Damnar. (Del lat. *damnāre*.) tr. ant. Condenar, perjudicar. Usáb. t. c. r.

Damnificador, ra. adj. Que damnifica. Ú. t. c. s.

Damnificar. (Del lat. *damnificāre*; de *damnum*, daño, y *facĕre*, hacer.) tr. Causar daño.

Dancaire. m. *Germ.* El que juega por otro y con dinero de él.

Dance. (De *danzar*.) m. *Ar.* **Danza de espadas.** || **2.** *Ar.* Composición poética que se recita en este baile.

Danchado, da. (Del fr. *denché*, *danché*, del lat. **denticatus*, der. de *dens*, *dentis*, diente.) adj. *Blas.* **Dentado,** 2.ª acep.

Danés, sa. (Del lat. *Dania*, Dinamarca.) adj. **Dinamarqués.** Apl. a pers., ú. t. c. s. || **2.** V. **Perro danés.** || **3.** m. Lengua que se habla en Dinamarca.

Dango. m. **Planco.**

Dánico, ca. adj. **Dinamarqués,** 2.ª acep.

Danta. f. **Anta,** 1.er art. || **2. Tapir.** || **3.** V. **Caña danta.**

Dante. (Del ár. *lamṭ*.) m. **Ante,** 1.er art., 1.ª y 2.ª aceps.

Dante. (Del lat. *dans, dantis*.) p. a. de **Dar.** Que da.

Dantellado, da. (Del fr. *dentelé*, de *dentelle*, d. de *dent*, del lat. *dens, dentis*, diente.) adj. *Blas.* **Dentellado,** 5.ª acep.

Dantesco, ca. adj. Propio y característico de Dante. || **2.** Parecido a cualquiera de las dotes o calidades por que se distingue este insigne poeta.

Dantismo. m. Inclinación o preferencia que se concede a las obras de Dante. || **2.** Influjo que este autor ejerce sobre algún otro.

Dantista. adj. Dícese del que con especialidad se dedica al estudio de Dante y de sus obras.

Danto. m. *Amér. Central.* Pájaro de unos tres decímetros de largo, de plumaje negro azulado y pecho rojizo y sin plumas, pero con un cordoncillo carnoso. Tiene un copete o penacho que se prolonga hasta la extremidad del pico y cuyo contorno semeja la trompa del tapir o danta. Vive en las selvas obscuras y su voz parece un mugido débil.

Danubiano, na. adj. Dícese de los territorios situados a orillas del Danubio, río de la Europa Central. || **2.** Perteneciente o relativo a estos territorios, o al río Danubio.

Danza. (De *danzar.*) f. **Baile,** 1.er art., 1.a y 2.a aceps. || **2.** Cierto número de danzantes que se juntan para bailar en una función al son de uno o varios instrumentos. || **3. Habanera.** || **4.** fig. y fam. Negocio o manejo desacertado o de mala ley, en frases como las siguientes: *Andar,* o *estar, en la* DANZA; *guiar la* DANZA; *meterle a uno en la* DANZA; *¿por dónde va la* DANZA?; *¡siga la* DANZA! || **de arcos. Arcada,** 1.a acep. || **de cintas.** Aquella en que los danzantes hacen diversas figuras, cruzando y descruzando las cintas que penden de un palo. || **de espadas.** La que se hace con espadas en la mano, golpeando con ellas a compás de la música. También se hace con palos y llevando escudos. || **2.** fig. y fam. Pendencia o riña. || **hablada. Danza** con palabras. || **prima.** Baile muy antiguo, que conservan todavía asturianos y gallegos, y se hace formando una rueda entre muchos, enlazadas las manos unos con otros y dando vueltas alrededor. Uno entona cierta canción y todos los demás le corresponden con el estribillo. || **Baja danza. Alemanda.** Llamóse así por ser procedente de la Baja Alemania. || **Buena va la danza, y da el granizo en la albarda.** ref. que se dice cuando uno se está divirtiendo sin advertir ni reparar el daño que se le sigue. || **Meterse en danza de espadas.** fr. fig. y fam. Mezclarse en pendencias.

Danzado, da. p. p. de **Danzar.** || **2.** m. Danza, 1.a y 2.a aceps.

Danzador, ra. adj. Que danza. Ú. t. c. s.

Danzante, ta. m. y f. Persona que danza en procesiones y bailes públicos. || **2.** fig. y fam. Persona que no se descuida en su negocio y obra con agilidad, actividad y maña. || **3.** fig. y fam. Persona ligera de juicio, petulante y entremetida.

Danzar. (Del ant. alto al. *danson,* extender.) tr. **Bailar,** 1.a acep. || **2.** intr. Moverse una cosa con aceleración bullendo y saltando. || **3.** fig. y fam. Mezclarse o introducirse en un negocio. Ú. m. para zaherir al que interviene en lo que no le toca.

Danzarín, na. m. y f. Persona que danza con destreza. || **2.** fig. y fam. **Danzante,** 3.a acep. Ú. t. c. adj.

Danzón. (aum. de *danza.*) m. Baile cubano, semejante a la habanera, 1.a acep. || **2.** Música de este baile.

Dañable. (Del lat. *damnabĭlis.*) adj. Perjudicial, gravoso. || **2.** Digno de ser condenado. || **3.** ant. **Culpable.**

Dañación. (Del lat. *damnatĭo, -ōnis.*) f. ant. Acción y efecto de dañar.

Dañado, da. (Del lat. *damnātus.*) adj. Malo, perverso. || **2. Condenado,** 2.a acep. Ú. t. c. s. || **3.** Dícese de la fruta y algún otro comestible cuando están corroídos por un insecto. || **4.** *Can.* **Leproso.**

Dañador, ra. (Del lat. *damnātor.*) adj. Que daña. Ú. t. c. s.

Dañamiento. (De *dañar.*) m. ant. Daño.

Dañar. (Del lat. *damnāre,* condenar.) tr. Causar detrimento, perjuicio, menoscabo, dolor o molestia. Ú. t. c. r. || **2.** Maltratar o echar a perder una cosa. Ú. t. c. r. || **3.** ant. Condenar a uno, dar sentencia contra él.

Dañino, na. adj. Que daña o hace perjuicio. Dícese comúnmente de algunos animales.

Daño. (Del lat. *damnum.*) m. Efecto de dañar o dañarse. || **2. V. Pena de daño.** || **emergente.** *For.* Detrimento o destrucción de los bienes, a diferencia del lucro cesante. || **A daño** de uno. m. adv. A su cuenta y riesgo. || **En daño de** una persona o cosa. m. adv. En perjuicio suyo. || **Poco daño espanta, y mucho amansa.** ref. que enseña que los contratiempos, cuando son ligeros, causan alguna irritación, pero cuando son grandes, enseñan y corrigen. || **Sin daño de barras.** loc. adv. fig. Sin **daño** o peligro propio o ajeno.

Dañosamente. adv. m. Con daño o peligro.

Dañoso, sa. (Del lat. *damnōsus.*) adj. Que daña.

Daquén. (Contracc. de *de aquén.*) adv. l. ant. De aquende, de la parte de acá.

Daquí. (Contracc. de *de aquí.*) adv. l. ant. De aquí.

Dar. (Del lat. *dare.*) tr. **Donar.** || **2. Entregar.** || **3.** Proponer, indicar. DAR *asunto para una composición;* DAR *pie para hacer una copla.* || **4.** Conferir, proveer en alguno un empleo u oficio. *Se le* DIO *el oficio de canciller.* || **5.** Ordenar, aplicar. DAR *remedio, consuelo, un consejo.* || **6.** Conceder, otorgar. DAR *licencia.* || **7.** Convenir en una proposición. || **8.** Suponer, considerar. *Lo* DOY *por visto.* || **9. Producir,** 2.a, 3.a y 4.a aceps. *La higuera* DA *brevas e higos; un olivar* DA *buena renta.* || **10.** Sujetar, someter uno alguna cosa a la obediencia de otro. || **11.** Declarar, tener o tratar. DAR *por libre, por inocente.* || **12.** En el juego de naipes, repartir las cartas a los jugadores. || **13.** Untar o bañar alguna cosa. DAR *de barniz, de manteca, de azúcar derretido.* || **14.** Soltar una cosa, desprenderse de ella. DAR *el hueso;* DAR *el ombligo.* || **15.** Tratándose de enhorabuenas, pésames, etc., comunicarlos o hacerlos saber. || **16.** Junto con algunos substantivos, hacer, practicar, ejecutar la acción que éstos significan. DAR *un abrazo,* por *abrazar;* DAR *saltos,* por *saltar;* DAR *barreno,* por *barrenar.* || **17.** Con voces expresivas de golpes o de daño causado en alguna parte del cuerpo o con instrumentos o armas de cualquiera clase, ejecutar la acción significada por estas voces. DAR *un bofetón, un tiro.* En esta acep. constrúyese frecuentemente con la prep. *de.* DAR *de bofetones, de palos.* || **18.** Con algunos substantivos, causar, ocasionar, mover. DAR *gusto, gana.* || **19.** Sonar en el reloj sucesivamente las campanadas correspondientes a la hora que sea. *El reloj* DIO *las cinco.* Ú. t. c. intr. *Acaba de* DAR *el reloj;* HAN DADO *las cinco.* || **20.** Se junta con varias partículas que explican el modo como se transfiere el dominio. DAR *de balde, de presente, a censo.* || **21.** Declarar, descubrir. DAR *conocimiento;* DAR *el texto.* || **22.** En el juego de pelota y otros, declarar los espectadores inteligentes por buena o mala una jugada. || **23.** Tratándose de bailes, banquetes, etc., obsequiar con ellos una o varias personas a otras. || **24.** intr. Importar, valer. *Lo mismo* DA. || **25.** Junto con algunos nombres y verbos, regidos de la prep. *en,* empeñarse en ejecutar una cosa. DIO *en esta tema, locura, manía.* || **26.** Sobrevenir una cosa y empezar a sentirla física o moralmente; como enfermedad, pasión súbita del ánimo, etc. DAR *un síncope, un dolor, frío; a mí me va a* DAR *algo; ¿qué te ha* DADO? || **27.** Junto con algunas voces, acertar, atinar. DAR *en el punto, en el hito, en el chiste.* || **28.** Junto con la partícula *de* y algunos substantivos, caer del modo que éstos indican. DAR *de cogote, de espaldas, de costillas.* || **29.** Con la misma partícula *de* y los verbos *almorzar, comer,* etc., servir o costear a uno el almuerzo, la comida, etc. || **30.** Estar situada una cosa, mirar, hacia esta o la otra parte. *La puerta* DA *a la calle; la ventana* DA *al Norte.* || **31.** fig. Caer, incurrir. DAR *en un error.* || **32.** fig. Presagiar, anunciar. *Me* DA *el corazón que fulano sanará.* || **33.** r. Entregarse, ceder en la resistencia que se hacía. *No hay miedo de que se* DÉ *ése a quien van a prender; ya se* HA DADO *el que disputaba.* || **34.** Suceder, existir, determinar alguna cosa. *Se* DA *el caso. En circunstancias* DADAS. || **35.** Tratándose de frutos de la tierra, producirlos. *Se* DAN *bien las patatas.* || **36.** Seguido de la prep. *a* y de un nombre o un verbo en infinitivo, entregarse con ahinco o por vicio a lo que este nombre o verbo signifique, o ejecutar viva o reiteradamente la acción del verbo. DARSE *al estudio,* o *a estudiar;* DARSE *al vino,* o *a beber.* || **37.** Con los infinitivos de los verbos *creer, imaginar* y otros análogos, ejecutar simplemente la acción significada por ellos. DARSE *a creer,* por *creer;* DARSE *a imaginar,* por *imaginar.* || **38.** Seguido de la prep. *por,* juzgarse o considerarse en algún estado, o en peligro o con inmediación a él. *Se* DIO *por perdido, por muerto.* || **39.** Entre cazadores, pararse de cansadas las aves que van volando, o caer la caza en algún sitio o lugar. || **A dar, que van dando.** fr. fam. **Dar, que van dando.** || **Ahí me las den todas.** expr. fam. con que denotamos no importarnos nada las desgracias que caen sobre cosas o personas que no nos tocan. || **A mal dar.** loc. Por malo que sea el éxito o resultado de una cosa; por contraria que se muestre la fortuna. || **A quien dan en qué escoger, le dan en qué entender.** ref. que nota la dificultad que se halla en atinar con lo más conveniente, cuando se ha de elegir por el propio conocimiento. || **A quien dan no escoge.** ref. que advierte que el que recibe un beneficio debe mostrarse satisfecho, sin poner faltas a lo que recibe. || **¡Dale!** interj. fam. que se emplea para reprobar con enfado la obstinación o terquedad. Ú. t. repetida. || **¡Dale que dale,** o **que le das,** o **que le darás!** exprs. fams. que tienen la misma significación, aunque más esforzada, que la sola interj. **¡dale!** || **Dale que te pego.** loc. fam. **¡Dale, dalle!; peor es urgalle.** fr. fig. y fam. Que en ciertas cosas no se debe insistir. || **¡Dalle que dalle!** expr. ant. **¡Dale que dale!** || **Dame donde me siente, que yo haré donde me acueste.** ref. que se dice de los entremetidos, que con poco motivo que se les dé se toman más licencia que la que corresponde. || **Dar abajo.** fr. Precipitarse, dejarse caer. || **Dar a conocer** una cosa. fr. Manifestarla con hechos o dichos. || **Dar a entender** una cosa. fr. Explicarla de modo que la comprenda bien el que no la percibía. || **2.** Insinuarla o apuntarla sin decirla con claridad. || **Dar algo.** fr. Maleficiar, **dar** hechizos en comida o bebida. || **Dar** uno **algo bueno por** alguna cosa. fr. fam. **Dar una mano** por ella. || **Dar bien.** fr. En el juego, tener buena suerte, tener mucho juego. || **Dar cinco de corto.** fr. En el juego de los bolos y en el de la argolla, **dar** cierto partido al que juega menos. || **Dar cinco de largo.** fr. En el juego de bolos, pasar de la raya hasta donde puede llegar la bola. || **Dar con** una persona o cosa. fr. Encontrarla. || **Dar** uno **consigo,** o **con** otro, **en** una parte. fr. Ir, o hacer ir, a parar, o caer, o hacer caer, en ella. DI CONMIGO EN *París;* DI CONMIGO EN *el suelo;* DI CON *él* EN *tierra;* DIERON CON *don Quijote* EN *la cama.* || **Dar** una cosa **de comer a uno.** fr. Proporcionarle el necesario sustento un empleo, oficio o industria. || **Dar de sí.** fr. Extenderse, ensancharse. Dícese con más propiedad de las telas y pieles. || **2.** fig. Producir inconvenientes o utilidades las personas o las cosas. || **Dar** uno **en blando.** fr. fig. No hallar resistencia para conseguir lo que solicita o pretende. || **Dar** uno **en duro.** fr. fig. Hallar dificultad o repugnancia para la consecución o el logro de lo que intenta o pretende. || **Dar en ello.** fr. Caer en la cuenta. ‖ **Dar** a uno **en qué entender.** fr. Darle molestia o embarazo, o ponerle en cuidado o apuro. ‖ **Dar** a uno **en qué merecer.** fr. Darle pesadumbre y desazones. ‖ **Dar** a uno **en qué pensar.** fr. Darle ocasión o motivo para sospechar que hay en una cosa algo más de lo que se manifiesta. ‖ **Dar en vacío, o en vago.** fr. fig. No lograr el fin que se pretendía con una acción o un dicho. ‖ **Darla de.** fr. fam. **Echarla de.** ‖ **Dar mal.** fr. En el juego, tener mala suerte o poco juego. ‖ **Dar** a uno **mascada** una cosa. fr. fig. y fam. Dársela explicada o casi concluida, de suerte que le cueste poco trabajo hacerla o entenderla. ‖ **Dar** uno algo **por bien empleado.** fr. Conformarse gustosamente con una cosa desagradable, por la ventaja que de ella se le sigue. ‖ **Dar por concluida** una cosa. fr. Considerarla o tenerla por acabada, aunque no lo esté. ‖ **Dar por concluso.** fr. *For.* **Dar la causa por conclusa.** ‖ **Dar** a uno **por donde peca.** fr. fig. Redargüirle o zaherirle sobre un defecto en que frecuentemente incurre. ‖ **Dar por hecha** una cosa. fr. Darla por concluida. ‖ **Dar** a uno **por quito.** fr. Darle por libre de una obligación. ‖ **Dar que decir.** fr. Ofrecer ocasión a murmuración y a censura. ‖ **Dar que hablar.** fr. Ocupar la atención pública por algún tiempo. ‖ **2. Dar que decir.** ‖ **Dar que hacer.** fr. Causar molestia o perjuicios. ‖ **Dar que pensar** una cosa. fr. **Dar en qué pensar.** ‖ **Dar que sentir.** fr. Causar pesadumbre o perjuicio. ‖ **Dar, que van dando.** fr. fam. con que se **da** a entender que se vuelve golpe por golpe, ofensa por ofensa, palabra mala por mala palabra, etc. ‖ **Darse** uno **a buenas.** fr. Cesar en la oposición o resistencia que hacía a una cosa. ‖ **Darse** uno **a conocer.** fr. Hacer saber quién es. ‖ **2.** Descubrir su carácter y calidades. ‖ **Darse** uno **a entender.** fr. Explicarse por señas o en lengua extraña, en términos de ser comprendido. ‖ **Dársela** a uno. fr. fam. **Pegársela.** ‖ **Dársele** a uno **algo, mucho, poco,** etc., de una cosa. fr. fam. Importarle algo, mucho, poco, etc. ‖ **Dársele** a uno **tanto por lo que va como por lo que viene.** fr. fam. No importarle nada lo que sucede o pueda suceder. ‖ **Darse por buenos.** fr. Hacer las paces los que habían disputado o reñido sobre una cosa. ‖ **Darse** uno **por entendido.** fr. Manifestar con señales o palabras que está en el hecho de alguna cosa. ‖ **2.** Corresponder a una atención o fineza con las gracias o recompensas que se acostumbran. ‖ **3.** Responder al caso, satisfaciendo a lo que se pregunta o habla. ‖ **Darse** uno **por sentido.** fr. Sentirse o formar queja contra otro por un desaire o agravio. ‖ **Darse** uno **por vencido.** fr. Ceder de su dictamen, conocer que erraba en alguna cosa. ‖ **2.** fam. Dícese cuando uno no atina ni responde a la pregunta obscura que se le ha hecho, y particularmente cuando no acierta una quisicosa. ‖ **Dar sobre** uno. fr. Acometerle con furia. ‖ **Dar tras** uno. fr. fam. Perseguirle, acosarle con furia o gritería. ‖ **Dar y tomar.** fr. fig. Discurrir, altercar. *En esto hay mucho que* DAR Y TOMAR; *estuvieron un buen rato* DANDO Y TOMANDO *sobre lo que convenía hacer*. ‖ **2.** *Equit.* Aflojar y tirar alternativamente de las riendas para refrescar la boca del caballo. ‖ **Da y ten, y harás bien.** ref. **El dar y tener, seso ha menester.** ‖ **Dé donde diere.** expr. fig. y fam. usada para denotar que se obra o habla a bulto, sin reflexión ni reparo. ‖ **Donde las dan, las toman.** ref. que enseña que al que hace daño o habla mal, se le suele pagar en la misma moneda. ‖ **El dar quebranta las peñas.** ref. **Dádivas quebrantan peñas.** ‖ **El dar y tener, seso ha menester.** ref. con que se **da** a entender cuánta prudencia se necesita para que el liberal no toque en pródigo ni el económico en avaro. ‖ **En «dame» de tus parientes, a tu bolsa para mientes.** ref. que aconseja no condescender con todo lo que pidan los parientes; que si hallan acogida, nos dejarán sin nada. ‖ **No dársele** a uno **nada.** fr. fig. y fam. No importarle una cosa. ‖ **Quien da, bien vende, si no es ruin el que prende.** ref. que enseña que el que sabe usar de la liberalidad, granjea con lo que **da.** ‖ **2. El que regala, bien vende, si el que recibe lo entiende.**

Darapti. *Fil.* Voz mnemotécnica que designa el silogismo en que las premisas son universales afirmativas, y la conclusión particular afirmativa.

Dardabasí. m. Ave de rapiña diurna, que no se domestica y se sustenta de carne y de las sabandijas del campo.

Dardada. f. ant. Golpe dado con el dardo.

Dardanio, nia. (Del lat. *dardanius.*) adj. Perteneciente a Dardania o Troya.

Dárdano, na. (Del lat. *dardănus.*) adj. Troyano. Apl. a pers., ú. t. c. s.

Dardo. (Del germ. *darod.*) m. Arma arrojadiza, semejante a una lanza pequeña y delgada, que se tira con la mano. ‖ **2. Albur,** 1.er art. ‖ **3.** fig. Dicho satírico o agresivo y molesto. ‖ **Ese tira dardo, que se precia del arado.** ref. con que se denota que el buen labrador, como acostumbrado a trabajar, sale por lo común buen soldado.

Dares y tomares. (De *dar* y *tomar,* substantivos en pl.) loc. fam. Cantidades dadas y recibidas. ‖ **2.** fig. y fam. Contestaciones, debates, altercaciones y réplicas entre dos o más personas. Ú. generalmente con los verbos *andar, haber* y *tener.*

Darga. f. ant. **Adarga.**

Darico. m. Moneda persa de oro, que hizo acuñar Darío.

Dársena. (Del ár. *dār al-ṣinā'a,* casa de fabricación, taller.) f. Parte resguardada artificialmente, en aguas navegables, para surgidero o para la cómoda carga y descarga de embarcaciones.

Darviniano, na. adj. Perteneciente o relativo al darvinismo.

Darvinismo. m. Teoría biológica expuesta por el naturalista inglés Carlos Darwin, según la cual la transformación de las especies animales y vegetales se produce en virtud de una selección natural de individuos, debida a la lucha por la existencia y perpetuada por la herencia.

Darvinista. adj. **Darviniano.** ‖ **2.** com. Partidario del darvinismo.

Dasocracia. (Del gr. δάσος, bosque, y κράτος, fuerza, poder.) f. Parte de la dasonomía, que trata de la ordenación de los montes, a fin de obtener la mayor renta anual y constante, dentro de la especie, método y turno de beneficio que se hayan adoptado.

Dasocrático, ca. adj. Perteneciente o relativo a la dasocracia.

Dasonomía. (Del gr. δάσος, bosque, y νόμος, ley.) f. Ciencia que trata de la cría, conservación, cultivo y aprovechamiento de los montes.

Dasonómico, ca. adj. Perteneciente o relativo a la dasonomía.

Data. (Del lat. *data,* dada.) f. Nota o indicación del lugar y tiempo en que se hace o sucede una cosa, y especialmente la que se pone al principio o al fin de una carta o de cualquier otro documento. ‖ **2.** Partida o partidas que en una cuenta componen el descargo de lo recibido. ‖ **3.** Abertura u orificio que se hace en los depósitos de agua, para dar salida a una cantidad determinada de ella; como un real, una paja, etc. ‖ **4.** ant. Permiso por escrito para hacer alguna cosa. ‖ **Larga data.** Tiempo antiguo o remoto. *Eso es de* LARGA DATA. ‖ **De buena, o mala, data.** m. adv. Con los verbos *estar, ir, quedar* y otros, irse mejorando, o arruinando, una cosa. ‖ **Estar** uno **de mala data.** fr. fig. y fam. Estar de mal humor.

Data. (Del fr. *datte,* dátil, y éste del prov. *datil,* del lat. *dactўlus,* dátil.) f. V. **Ciruela de data.**

Datar. tr. Poner la data. ‖ **2.** Poner en las cuentas lo correspondiente a la data. Ú. m. c. r. ‖ **3.** intr. Haber tenido principio una cosa en el tiempo que se determina. *Nuestra amistad* DATA *del año pasado.*

Dataría. (De *datario.*) f. Tribunal de la curia romana por donde se despachan las provisiones de beneficios que no son consistoriales, las reservas de pensiones sobre ellos, las dispensas matrimoniales, de edad y otras, las facultades para enajenación de bienes eclesiásticos y las provisiones de oficios vendibles de la misma curia.

Datario. (De *data,* permiso.) m. Prelado que preside y gobierna la dataría.

Dátil. (Del prov. y cat. *datil,* y éste del lat. *dactўlus,* del gr. δάκτυλος.) m. Fruto de la palmera: es de figura elipsoidal prolongada, de unos cuatro centímetros de largo por dos de grueso, cubierto con una película amarilla, carne blanquecina comestible y hueso casi cilíndrico, muy duro y con un surco a lo largo. ‖ **2.** pl. fam. En algunas comarcas, los dedos. ‖ **Dátil de mar.** *Zool.* Molusco lamelibranquio cuya concha, algo más larga que el fruto de la palmera, se asemeja a éste por el color y por la forma. Es comestible y se aloja en cavidades que él mismo hace perforando las rocas.

Datilado, da. adj. De color de dátil maduro, o parecido a él.

Datilera. (De *dátil.*) adj. Aplícase a la palmera que da fruto. Ú. t. c. s.

Datismo. (Del gr. δατισμός; de Δᾶτις, nombre propio.) m. *Ret.* Empleo inmotivado de vocablos sinónimos, o con los cuales no se viene a decir sino una misma cosa.

Dativo, va. (Del lat. *dativus.*) adj. *For.* V. **Tutela dativa.** ‖ **2.** *For.* V. **Albacea, tutor dativo.** ‖ **3.** m. *Gram.* Uno de los casos de la declinación. Hace en la oración oficio de complemento indirecto, indicando la persona o cosa a la cual afecta o se aplica la significación del verbo, sin ser objeto directo de ella; puede también ir regido de otras partes de la oración, y en castellano va precedido generalmente de las preposiciones *a* o *para.*

Dato. (Del lat. *datum,* lo que se da.) m. Antecedente necesario para llegar al conocimiento exacto de una cosa o para deducir las consecuencias legítimas de un hecho. ‖ **2.** Documento, testimonio, fundamento.

Dato. m. Título de alta dignidad en algunos países de Oriente.

Datura. (Del lat. mod. *datura,* nombre del estramonio.) f. *Bot.* Nombre botánico de un género de plantas al que pertenece el estramonio.

Daturina. f. Alcaloide extraído del estramonio, y que constituye el principio activo de esta planta.

Dauco. (Del lat. *daucus,* y éste del gr. δαῦκος.) m. **Biznaga,** 1.a acep. ‖ **2.** Zanahoria silvestre.

Daudá. (Del arauc. *daldal.*) f. *Chile.* **Contrahierba,** 1.a acep.

Davalar. intr. *Mar.* **Devalar.**

David. n. p. V. **Lágrimas de David.**

Davídico, ca. (Del lat. *davidĭcus.*) adj. Perteneciente a David o a su poesía y estilo.

Daza. (Del ár. *daqsa,* especie de mijo.) f. **Zahína,** 1.a acep.

De. f. Nombre de la letra *d.*

De. (Del lat. *de.*) prep. Denota posesión o pertenencia. *La casa* DE *mi padre; la paciencia* DE *Job.* || **2.** Explica el modo de hacer varias cosas, de suceder otras, etc. *Almorzó* DE *pie; le dieron* DE *puñaladas; se viste* DE *prestado; dibujo* DE *pluma.* || **3.** Manifiesta de dónde son, vienen o salen las cosas o las personas. *La piedra es* DE *Colmenar; vengo* DE *Aranjuez; no sale* DE *casa.* || **4.** Sirve para denotar la materia de que está hecha una cosa. *El vaso* DE *plata; el vestido* DE *seda.* || **5.** Demuestra lo contenido en una cosa. *Un vaso* DE *agua, un plato* DE *asado.* || **6.** Indica también el asunto o materia de que se trata: *¿Habla usted* DE *mi pleito?; un libro* DE *matemáticas; arte* DE *cocina.* || **7.** Expresa la naturaleza, condición o cualidad de personas o cosas. *Hombre* DE *valor; entrañas* DE *fiera.* || **8.** Sirve para determinar o fijar con mayor viveza la aplicación de un nombre apelativo. *El mes* DE *noviembre; la ciudad* DE *Sevilla.* || **9.** **Desde,** 1.ª acep. *Vamos* DE *Madrid a Toledo.* || **10.** Algunas veces se usa para regir infinitivos. *Es hora* DE *caminar; no tengo* DE *venir.* || **11.** Con ciertos nombres sirve para determinar el tiempo en que sucede una cosa. DE *madrugada;* DE *mañana;* DE *noche.* || **12.** Se emplea también para esforzar un calificativo. *El bueno* DE *Pedro; el pícaro* DEL *mozo; la taimada* DE *la patrona.* || **13.** Algunas veces es nota de ilación. DE *esto se sigue;* DE *aquello se infiere.* || **14.** Precediendo al numeral *uno, una,* denota la rápida ejecución de algunas cosas. DE *un trago se bebió la tisana;* DE *un salto se puso en la calle; acabemos* DE *una vez.* || **15.** Colócase entre distintas partes de la oración con expresiones de lástima, queja o amenaza. *¡Pobre* DE *mi hermano!; ¡ay* DE *los vencidos!* || **16.** **Con,** 1.ª acep. *Lo hizo* DE *intento.* || **17.** **Para.** *Recado* DE *afeitar.* || **18.** **Por,** 1.ª acep. *Lo hice* DE *miedo.* || **19.** ant. **A,** 2.° art., 1.ª acep. || **20.** Tiene uso como prefijo de vocablos compuestos. DE*cantar,* DE*clamación,* DE*mérito,* DE*mostrar.* || **De ti a mí, de usted a mí,** etc. locs. advs. fams. Entre los dos, o para entre los dos.

Dea. (Del lat. *dea.*) f. poét. **Diosa.**

Deal. (De *dea.*) adj. ant. Perteneciente a los dioses.

Deambular. (Del lat. *deambulāre.*) intr. Andar, caminar sin dirección determinada; pasear.

Deambulatorio. (Del lat. *deambulatorium,* galería.) m. *Arq.* Espacio transitable que hay en las catedrales y otras iglesias detrás de la capilla o del altar mayor y da ingreso a otras capillas situadas en el ábside.

Deán. (Del fr. *doyen,* y éste del lat. *decānus,* decano.) m. El que hace de cabeza del cabildo después del prelado, y lo preside en las iglesias catedrales. || **2.** En la antigua universidad de Alcalá, graduado más antiguo de cada facultad. || **3.** ant. **Decurión,** 1.ª acep.

Deanato. m. Dignidad de deán.

Deanazgo. m. **Deanato.**

Debajero. m. *Ecuad.* **Refajo.**

Debajo. (De *de* y *bajo.*) adv. l. En lugar o puesto inferior, respecto de otro superior. Pide la prep. *de* cuando antecede a un nombre y tiene conexión con él. DEBAJO *de techado.* || **2.** fig. Con sumisión o sujeción a personas o cosas. Pide también la prep. *de* precediendo a un nombre. DEBAJO *de tutela;* DEBAJO *de palabra.* En estas locuciones se emplea hoy más frecuentemente el adverbio **bajo** con omisión de la preposición *de.*

Debandar. (De *de* y *bando,* 2.° art.) tr. ant. Desunir, esparcir, separar.

Debate. (De *debatir.*) m. Controversia sobre una cosa entre dos o más personas. || **2.** Contienda, lucha, combate.

Debatir. (De *de* y *batir.*) tr. Altercar, contender, discutir, disputar sobre una cosa. || **2.** Combatir, guerrear.

Debda. (Del lat. *dēbita,* pl. de *dēbitum,* débito.) f. ant. **Deuda.**

Debdo. (Del lat. *dēbitum,* débito.) m. ant. **Debda.**

Debe. (3.ª pers. de sing. del pres. de indic. del verbo *deber.*) m. *Com.* Una de las dos partes en que se dividen las cuentas corrientes. En las columnas que están bajo este epígrafe se comprenden todas las cantidades que se cargan al individuo o a la entidad a quien se abre la cuenta.

Debelación. (Del lat. *debellatio, -ōnis.*) f. Acción y efecto de debelar.

Debelador, ra. (Del lat. *debellātor.*) adj. Que debela. Ú. t. c. s.

Debelar. (Del lat. *debellāre.*) tr. Rendir a fuerza de armas al enemigo.

Deber. (infinit. del verbo *deber.*) m. Aquello a que está obligado el hombre por los preceptos religiosos o por las leyes naturales o positivas. *El* DEBER *del cristiano, del hombre, del ciudadano.* || **2.** **Deuda.** || **Hacer uno su deber.** fr. Cumplir con su obligación. || **2.** Desempeñar el oficio o ministerio de que está encargado.

Deber. (Del lat. *debēre.*) tr. Estar obligado a algo por ley divina, natural o positiva. Ú. t. c. r. DEBERSE *a la patria.* || **2.** Por ext., cumplir obligaciones nacidas de respeto, gratitud u otros motivos. || **3.** Tener obligación de satisfacer una cantidad. || **4.** Tener por causa, ser consecuencia de. Ú. t. c. r. *La escasez de los pastos* SE DEBE *a la sequía.* || **5.** Se usa con la partícula *de* para denotar que quizá ha sucedido, sucede o sucederá una cosa. DEBE *de hacer frío;* DEBIERON *de salir a pelear.* || **Debo no rompe panza.** expr. fig. y fam. con que se zahiere a aquel a quien no se le da nada de tener deudas. || **No deber nada** una cosa a otra. fr. fig. y fam. No ser la una inferior a la otra. || **Quien debe y paga, no debe nada.** ref. que suele usarse cuando se paga una deuda o se cumple una obligación.

Debidamente. adv. m. Justamente, cumplidamente.

Debido, da. p. p. de **Deber.** || **Como es debido.** fr. Como corresponde o es lícito.

Debidor. (Del lat. *dēbitor.*) m. ant. **Deudor,** 1.ª acep.

Debiente. p. a. de **Deber.** Que debe.

Débil. (Del lat. *debĭlis.*) adj. De poco vigor o de poca fuerza o resistencia. Ú. t. c. s. || **2.** fig. Que por flaqueza de ánimo cede indebidamente ante la resistencia o el afecto. Ú. t. c. s. || **3.** fig. Escaso o deficiente, en lo físico o en lo moral.

Debilidad. (Del lat. *debilĭtas, -ātis.*) f. Falta de vigor o fuerza física. || **2.** fig. Carencia de energía o vigor en las cualidades o resoluciones del ánimo.

Debilitación. (Del lat. *debilitatio, -ōnis.*) f. Acción y efecto de debilitar o debilitarse. || **2.** **Debilidad.**

Debilitadamente. adv. m. **Débilmente.**

Debilitante. p. a. de **Debilitar.** Que debilita. Ú. t. c. s.

Debilitar. (Del lat. *debilitāre.*) tr. Disminuir la fuerza, el vigor o el poder de una persona o cosa. Ú. t. c. r.

Débilmente. adv. m. Con debilidad.

Débito. (Del lat. *debĭtum.* p. p. de *debēre,* deber.) m. **Deuda.** || **2.** **Débito conyugal.** || **conyugal.** Recíproca obligación de los cónyuges para la propagación de la especie.

Debla. f. Cante popular andaluz, ya en desuso, de carácter melancólico y con copla de cuatro versos.

Deble. (Del lat. *debĭlis,* débil.) adj. ant. **Endeble.**

Debó. m. Instrumento que usan los pellejeros para adobar las pieles.

Debrocar. intr. ant. **Enfermar.** || **2.** tr. *León* y *Sal.* Inclinar o ladear una vasija u otra cosa.

Deca. (Del gr. δέκα, diez.) Voz que sólo tiene uso como prefijo de vocablos compuestos, con la significación de diez. DE-CÁ*metro.*

Década. (Del lat. *decăda,* y éste del gr. δεκάς, decena.) f. Serie de diez. || **2.** Conjunto de diez hombres en el ejército griego. || **3.** Período de diez días. *La primera* DÉCADA *de febrero.* || **4.** Período de diez años. *La segunda* DÉCADA *de este siglo.* || **5.** División compuesta de diez libros o diez capítulos en una obra histórica. *Las* DÉCADAS *de Tito Livio; las de Juan de Barros.* || **6.** Historia de diez personajes. *La* DÉCADA *de Césares, de don Antonio de Guevara.*

Decadencia. (De *decadente.*) f. Declinación, menoscabo, principio de debilidad o de ruina.

Decadente. p. a. de **Decaer.** Que decae. || **2.** adj. **Decaído.**

Decadentismo. m. Estilo literario de los que propenden a un refinamiento exagerado en el empleo de las palabras.

Decadentista. adj. Se dice del partidario del decadentismo. Ú. t. c. s.

Decaedro. m. *Geom.* Sólido que tiene diez caras.

Decaemento. m. ant. **Decaimiento.**

Decaer. (Del lat. **decadĕre,* por *decidĕre,* caer.) intr. Ir a menos; perder alguna persona o cosa alguna parte de las condiciones o propiedades que constituían su fuerza, bondad, importancia o valor. || **2.** *Mar.* Separarse la embarcación del rumbo que pretende seguir, arrastrada por la marejada, el viento o la corriente.

Decágono, na. (Del lat. *decagōnus,* y éste del gr. δεκάγωνος; de δέκα, diez, y γῶνος, ángulo.) adj. *Geom.* Aplícase al polígono de diez lados. Ú. m. c. s. m.

Decagramo. (De *deca* y *gramo.*) m. Peso de diez gramos.

Decaíble. (De *decaer.*) adj. ant. Perecedero, caduco.

Decaído, da. p. p. de **Decaer.** || **2.** adj. Que se halla en decadencia.

Decaimento. (De *decaer.*) m. ant. **Descaecimiento.**

Decaimiento. (De *decaer.*) m. **Decadencia.** || **2.** Abatimiento, desaliento.

Decalitro. (De *deca* y *litro.*) m. Medida de capacidad, que tiene diez litros.

Decálogo. (Del lat. *decalŏgus,* y éste del gr. δεκάλογος; de δέκα, diez, y λόγος, palabra.) m. Los diez mandamientos de la ley de Dios.

Decalvación. (Del lat. *decalvatio, -ōnis.*) f. Acción y efecto de decalvar.

Decalvar. (Del lat. *decalvāre.*) tr. Rasurar a una persona todo el cabello, generalmente en pena de un delito; la cual se tenía por ignominiosa según las leyes y costumbres de los visigodos.

Decámetro. (De *deca* y *metro.*) m. Medida de longitud, que tiene diez metros.

Decampar. (De *de,* priv., y *campo.*) intr. Levantar el campo un ejército.

Decanato. m. Dignidad de decano. || **2.** **Deanato.** || **3.** Despacho o habitación destinada oficialmente al decano para el desempeño de su cargo.

Decania. (Del lat. *decānia,* de *decānus,* decano.) f. Finca o iglesia rural propiedad, de un monasterio.

Decano. (Del lat. *decānus.*) m. y f. El más antiguo de una comunidad, cuerpo, junta, etc. || **2.** El que con título de tal es nombrado para presidir una corporación o una facultad universitaria, sin embargo de no ser el más antiguo.

Decantación. f. Acción y efecto de decantar, 2.° art., 1.ª acep.

Decantar. (Del lat. *decantāre;* de *de,* intens., y *cantāre,* cantar.) tr. Propalar, ponderar, engrandecer.

Decantar. (De *de* y *canto*, ángulo, esquina.) tr. Inclinar suavemente una vasija sobre otra para que caiga el líquido contenido en la primera, sin que salga el poso. ‖ **2.** intr. ant. Desviarse, apartarse de la línea por donde se va.

Decapitación. (Del lat. *decapitatĭo, -ōnis.*) f. Acción y efecto de decapitar.

Decapitar. (Del lat. *decapitāre;* de *de*, priv., y *caput, -ĭtis*, cabeza.) tr. Cortar la cabeza.

Decápodo. (Del gr. δέκα, diez, y πούς, ποδός, pie.) adj. *Zool.* Dícese de los crustáceos que, como el cangrejo de río y la langosta, tienen diez patas. Ú. t. c. s. ‖ **2.** m. pl. *Zool.* Orden de estos animales. ‖ **3.** adj. *Zool.* Dícese de los cefalópodos dibranquiales que, como el calamar, tienen diez tentáculos provistos de ventosas, dos de los cuales son más largos que los demás. Ú. t. c. s. ‖ **4.** m. pl. *Zool.* Orden de estos animales.

Decárea. (De *deca* y *área.*) f. Medida de superficie que tiene diez áreas.

Decasílabo, ba. (Del lat. *decasyllăbus*, y éste del gr. δεκασύλλαβος; de δέκα, diez, y συλλαβή, sílaba.) adj. De diez sílabas. *Verso* DECASÍLABO. Ú. t. c. s.

Decebimiento. m. ant. Acción y efecto de decebir.

Decebir. (Del lat. *decipĕre.*) tr. ant. **Engañar.**

Decembrio. m. ant. **Diciembre.**

Decemnovenal. (Del lat. *decemnovenālis;* de *decem*, diez; *novem*, nueve, y *annus*, año.) adj. *Cronol.* V. **Ciclo decemnovenal.**

Decemnovenario. adj. **Decemnovenal.**

Decena. (Del lat. *decēna*, neutro de *decēni*, de diez en diez.) f. Conjunto de diez unidades. ‖ **2.** *Mús.* Octava de la tercera.

Decenal. (Del lat. *decennālis;* de *decem*, diez. y *annus*, año.) adj. Que sucede o se repite cada decenio. ‖ **2.** Que dura un decenio.

Decenar. (De *decena.*) m. Cuadrilla de diez.

Decenario, ria. (De *decena.*) adj. Perteneciente o relativo al número diez. ‖ **2.** m. **Decenio.** ‖ **3.** Sarta de diez cuentas pequeñas y una más gruesa, con una cruz por remate y una sortija que sirve para cogerla en el dedo y llevar la cuenta de lo que se reza. ‖ **4.** ant. *Mil.* **Decenar.**

Decencia. (Del lat. *decentĭa.*) f. Aseo, compostura y adorno correspondiente a cada persona o cosa. ‖ **2.** Recato, honestidad, modestia. ‖ **3.** fig. Dignidad en los actos y en las palabras, conforme al estado o calidad de las personas.

Decendencia. f. ant. **Descendencia.**

Decender. (Del lat. *descendĕre*, descender.) intr. ant **Descender.**

Decendida. (De *decender.*) f. ant. **Descenso** o caída. ‖ **2.** ant. **Bajada.**

Decendiente. p. a. ant. **Descendiente.**

Decendimiento. m. ant. **Descendimiento.**

Decenio. (Del lat. *decennium.*) m. Período de diez años.

Deceno, na. (Del lat. *decēnus.*) adj. **Décimo,** 1.ª acep.

Decenso. (Del lat. *descensus.*) m. ant. Catarro o reúma.

Decentar. (De *de* y *encentar.*) tr. Empezar a cortar o gastar de una cosa; como del pan, del queso, del tocino, etc. ‖ **2.** fig. Empezar a hacer perder lo que se había conservado sano. DECENTAR *la salud;* DECENTAR *el cuerpo por una cuchillada.* ‖ **3.** r. Ulcerarse una parte del cuerpo del enfermo o del anciano, por estar echado mucho tiempo de un mismo lado en la cama.

Decente. (Del lat. *decens, -entis*, p. a. de *decēre*, parecer bien, ser decoroso.) adj. Honesto, justo, debido. ‖ **2.** Correspondiente, conforme al estado o calidad de la persona. ‖ **3.** Adornado, aunque sin lujo, con limpieza y aseo. *Tiene una casa* DECENTE. ‖ **4.** Digno, que obra dignamente. ‖ **5.** Bien portado. ‖ **6.** De buena calidad o en cantidad suficiente.

Decentemente. adv. m. Con honestidad, modestia y moderación. ‖ **2.** Con la compostura y dignidad correspondientes a la calidad o estado de la persona o cosa. ‖ **3.** irón. Con algún exceso. *Cristóbal come, o gasta,* DECENTEMENTE.

Decenvir. m. **Decenviro.**

Decenviral. (Del lat. *decemvirālis.*) adj. Perteneciente o relativo a los decenviros.

Decenvirato. (Del lat. *decemvirātus.*) m. Empleo y dignidad de decenviro. ‖ **2.** Tiempo que duraba este empleo.

Decenviro. (Del lat. *decemvir, -ĭri.*) m. Cualquiera de los diez magistrados superiores a quienes los antiguos romanos dieron el encargo de componer las leyes de las Doce Tablas, y que también gobernaron durante algún tiempo la república en lugar de los cónsules. ‖ **2.** Cualquiera de los magistrados menores que entre los antiguos romanos servían de consejeros a los pretores.

Decepar. tr. ant. **Descepar,** 1.er art.

Decepción. (Del lat. *deceptĭo, -ōnis.*) f. **Engaño,** 1.ª acep. ‖ **2.** Pesar causado por un desengaño.

Deceptorio, ria. (Del lat. *deceptorius.*) adj. ant. **Engañoso.**

Decercar. tr. ant. **Descercar.**

Decernir. (Del lat. *decernĕre.*) tr. ant. **Discernir.**

Decerrumbar. tr. ant. **Derrumbar.**

Decesión. (Del lat. *decessĭo, -ōnis.*) f. ant. Precedencia en tiempo.

Deceso. (Del lat. *decessus.*) m. ant. Muerte natural o civil.

Decesor, ra. (Del lat. *decessor.*) m. y f. ant. **Predecesor, ra.**

Deci. (Apócope de *décimo.*) Voz que sólo tiene uso como prefijo de vocablos compuestos, con la significación de décima parte. DECÍ*metro.*

Deciárea. f. Medida de surperficie que tiene la décima parte de una área.

Decibel. m. *Fís.* Nombre del decibelio en la nomenclatura internacional.

Decibelio. m. *Fís.* Unidad práctica de medida, submúltiplo del belio, que sirve, entre otros usos, para expresar la relativa intensidad de los sonidos, y equivale aproximadamente a la mínima diferencia perceptible. En sentido más general, representa el logaritmo decimal del número que expresa la relación por cociente de dos potencias o intensidades que se comparan.

Decible. (Del lat. *decibĭlis.*) adj. Que se puede decir o explicar.

Decidero, ra. adj. Que se puede decir sin reparo ni inconveniente.

Decididamente. adv. m. Con decisión, resueltamente.

Decidir. (Del lat. *decidĕre*, cortar, resolver.) tr. Cortar la dificultad, formar juicio definitivo sobre algo dudoso o contestable. DECIDIR *una cuestión.* ‖ **2.** **Resolver,** 1.ª acep. Ú. t. c. r. ‖ **3.** Mover a uno la voluntad, a fin de que tome cierta determinación.

Decidor, ra. (De *decir*, 2.º art.) adj. Que dice. ‖ **2.** Que habla con facilidad y gracia. Ú. t. c. s. ‖ **3.** m. ant. **Trovador,** poeta.

Deciembre. (Del lat. *december, -bris*, de *decem*, diez.) m. ant. **Diciembre.**

Deciente. p. a. ant. **Diciente.**

Deciente. (Del lat. *decidens, -entis*, p. a. de *decidĕre*, caer.) adj. ant. Que cae o muere. Usáb. t. c. s.

Decigramo. (De *deci* y *gramo.*) m. Peso que es la décima parte de un gramo.

Decilitro. (De *deci* y *litro.*) m. Medida de capacidad, que tiene la décima parte de un litro.

Décima. (Del lat. *decĭma.*) f. Cada una de las diez partes iguales en que se divide un todo. ‖ **2.** **Diezmo.** ‖ **3.** Combinación métrica de diez versos octosílabos, de los cuales, por regla general, rima el primero con el cuarto y el quinto; el segundo, con el tercero; el sexto, con el séptimo y el último, y el octavo, con el noveno. Admite punto final o dos puntos después del cuarto verso, y no los admite después del quinto. ‖ **4.** Moneda de cobre, fuera de uso, equivalente a la décima parte de un real de vellón. ‖ **5.** Aludiendo a fiebres, décima parte de un grado del termómetro clínico.

Decimacuarta. adj. **Decimocuarta.**

Decimal. (Del lat. *decimālis.*) adj. Aplícase a cada una de las diez partes iguales en que se divide una cantidad. ‖ **2.** Perteneciente al diezmo. ‖ **3.** Dícese del sistema métrico de pesas y medidas, cuyas unidades son múltiplos o divisores de diez con respecto a la principal de cada clase. ‖ **4.** *Arit.* Aplícase al sistema de numeración cuya base es diez. ‖ **5.** *Arit.* V. **Fracción, numeración, quebrado decimal.**

Decimanona. adj. **Decimonona.**

Decimanovena. (De *décimo* y *noveno.*) f. Uno de los registros de trompetería del órgano.

Decimaoctava. adj. **Decimoctava.**

Decimaquinta. adj. **Decimoquinta.**

Decimar. (Del lat. *decimāre.*) tr. ant. **Diezmar.**

Decimaséptima. adj. **Decimoséptima.**

Decimasexta. adj. **Decimosexta.**

Decimatercera. adj. **Decimotercera.**

Decimatercia. adj. **Decimotercia.**

Decímetro. (De *deci* y *metro.*) m. Medida de longitud, que tiene la décima parte de un metro. ‖ **cuadrado.** Medida de superficie de un decímetro de lado. ‖ **cúbico.** Medida de volumen representada por un cubo cuya arista es de un decímetro.

Décimo, ma. (Del lat. *decĭmus.*) adj. Que sigue inmediatamente en orden al o a lo noveno. ‖ **2.** Dícese de cada una de las diez partes iguales en que se divide un todo. Ú. t. c. s. m. ‖ **3.** m. Décima parte del billete de lotería. ‖ **4.** Moneda de plata de Colombia, Méjico y el Ecuador, equivalente a media peseta. ‖ **5.** ant. **Diezmo.**

Decimoctavo, va. (De *décimo* y *octavo.*) adj. Que sigue inmediatamente en orden al o a lo decimoséptimo.

Decimocuarto, ta. (De *décimo* y *cuarto.*) adj. Que sigue inmediatamente en orden al o a lo decimotercio.

Decimonono, na. (De *décimo* y *nono.*) adj. Que sigue inmediatamente en orden al o a lo decimoctavo.

Decimonoveno, na. (De *décimo* y *noveno.*) adj. **Decimonono.**

Decimoquinto, ta. (De *décimo* y *quinto.*) adj. Que sigue inmediatamente en orden al o a lo decimocuarto.

Decimoséptimo, ma. (De *décimo* y *séptimo.*) adj. Que sigue inmediatamente en orden al o a lo decimosexto.

Decimosexto, ta. (De *décimo* y *sexto.*) adj. Que sigue inmediatamente en orden al o a lo decimoquinto.

Decimotercero, ra. (De *décimo* y *tercero.*) adj. **Decimotercio.**

Decimotercio, cia. (De *décimo* y *tercio.*) adj. Que sigue inmediatamente en orden al o a lo duodécimo.

Deciocheno, na. adj. **Dieciocheno.** Ú. t. c. s.

Decir. (infinit. del verbo *decir.*) m. **Dicho,** 2.ª acep. ‖ **2.** Dicho notable por la sentencia, por la oportunidad o por otro motivo. Ú. m. en pl. ‖ **3.** ant. Composición poética de poca extensión. ‖ de las gentes. Dicho de las gentes. || Es un decir, o vamos al decir, o voy al decir. exprs. fams. Como si dijéramos.

Decir. (Del lat. *dicĕre.*) tr. Manifestar con palabras el pensamiento. Ú. t. c. r. || **2.** Asegurar, sostener, opinar. || **3.** Nombrar o llamar. || **4.** fig. Denotar una cosa o dar muestras de ello. *El semblante de Juan* DICE *su mal genio; su vestido* DICE *su pobreza.* || **5.** fig. Aplícase a los libros, por las especies que en ellos se contienen. *La Escritura* DICE; *la Historia de Mariana* DICE. || **6.** fig. Con los advs. *bien, mal* u otros semejantes, ser o no favorable la suerte. Ú. hablando del juego, del año, de la cosecha y de otras cosas. || **7.** fig. Con los advs. *bien* o *mal*, convenir, armonizar una cosa con otra, o al contrario. *El verde* DICE *mal a una morena; este traje me* DICE *bien.* || **8.** ant. Pedir, rogar. || **9.** ant. Trovar, versificar. || **10.** ant. *Mont.* Latir el perro. || **Como dijo el otro.** fr. fig. y fam. con que se apoya, con autoridad del vulgo, una cosa que se da como evidente. || **Como quien dice.** expr. fam. **Como si dijéramos.** || **Como quien no dice nada.** expr. con que se denota que es cosa de consideración lo que se **ha dicho** o va a **decirse.** || **2.** También indica no ser cosa fácil o baladí aquello de que se trata, sino muy difícil o importante. || **Como si dijéramos.** expr. fam. que se usa para explicar, y también para suavizar, lo que se ha afirmado. || **Decir bien.** fr. Hablar con verdad, o explicarse con gracia y facilidad. || **Decir a uno cuántas son cinco.** fr. fig. y fam. Amenazarle con alguna reprensión o castigo. || **2.** fig. y fam. Tratarle mal. || **3.** fig. y fam. **Decirle** su sentir o algunas claridades. || **Decir de repente.** fr. Improvisar una cosa. || **Decir de sí.** fr. Afirmar una cosa. || **Decir de una hasta ciento.** fr. fig. y fam. Decir muchas claridades o desvergüenzas. || **Decir** uno **entre sí.** fr. **Decir para sí.** || **Decir** uno **para sí.** fr. Razonar consigo mismo. || **Decir por decir.** fr. Hablar sin fundamento. || **Decirse.** loc. fam. que se usa en varios juegos de naipes, y significa que los jugadores descubren el punto que tienen. || **Decírselo** a uno **deletreado.** fr. fig. y fam. con que se explica la necesidad de **decir** con la mayor claridad una cosa al que se desentiende de ella. || **Decir y hacer.** fr. fig. Ejecutar una cosa con mucha ligereza y prontitud. || **¡Digo!** exclam. de sorpresa, asombro, etc. || **¿Digo algo?** expr. fam. con que se llama la atención de los oyentes y se pondera la importancia de lo que se habla. || **¡Digo, digo!** Voces que se usan para llamar la atención de una persona o parar al que va a hacer una cosa. || **Dime con quién andas, te diré quién eres.** ref. que advierte lo mucho que influyen en las costumbres las buenas o malas compañías. || **Dizque.** expr. fam. **Dicen que.** || **El qué dirán.** expr. El respeto a la opinión pública. || **Ello dirá.** expr. fam. que se emplea para dar a entender que más adelante se conocerá el resultado de una cosa o lo que haya de cierto en ella. || **Es decir.** expr. **Esto es.** || **¿Lo he de decir cantado o rezado?** expr. fam. con que se suele reprender al que no se da por entendido de lo que se le **dice.** || **Ni que decir tiene.** loc. con que se da a entender que algo es evidente o sabido de todos. || **No decir** uno **malo ni bueno.** fr. No contestar. || **2.** No **decir** su sentir; no **decir** nada sobre un asunto. || **3.** Usar de culpable silencio y tolerancia. || **No digamos.** expr. fam. con que se da a entender que no es completamente exacto o seguro lo que se afirma, pero le falta poco para serlo. || **No digo nada.** expr. con que enfáticamente se permite o concede una proposición, como que no hace al caso en el principal asunto, para pasar a otra cosa; o se omite voluntariamente lo que se pudiera **decir,** por deberse suponer; lo que suele usarse comparando dos sujetos o dos cosas, y, habiendo ponderado la una, se omite con esta frase lo que se pudiera **decir** de la otra. || **Por mejor decir.** expr. que sirve para corregir lo que se **ha dicho,** ampliando, restringiendo o aclarando la enunciación. || **Presto es dicho lo que es bien dicho.** ref. que muestra cómo lo que acertadamente se expresa no molesta aunque no sea muy breve. || **Que digamos.** expr. con que se afirma y pondera aquello mismo que se **dice** con negación en el primer elemento de las frases de que forma parte. *No es ambicioso,* QUE DIGAMOS; *no llueve,* QUE DIGAMOS. || **Quien dice de mí, mírese a sí.** ref. que aconseja no arrojarse a murmurar, porque todos tenemos faltas. || **Quien dice lo que no debe,** o **quiere, oye lo que no quiere.** ref. que reprende la libertad en el hablar sin reflexión, y enseña que las palabras han de ser medidas, para que no originen respuesta que sea sensible o injuriosa al que la motiva. || **Quien mal dice, peor oye.** ref. **Quien dice lo que no debe, oye lo que no quiere.** || **¡Tú, que tal dijiste!** expr. fam. con que se significa la pronta conmoción que ocasiona una cosa **dicha** por otro.

Deciseceno, na. adj. ant. **Dieciseiseno.**

Decisión. (Del lat. *decisio, -ōnis.*) f. Determinación, resolución que se toma o se da en una cosa dudosa. || **2.** Firmeza de carácter. || **de Rota.** Sentencia que da **en** Roma el tribunal de la Sacra Rota.

Decisivamente. adv. m. Determinadamente, por decisión.

Decisivo, va. (Del lat. *decīsus,* decidido.) adj. Dícese de lo que decide o resuelve. *Razón* DECISIVA; *decreto* DECISIVO. || **2.** V. **Voto decisivo.**

Decisorio. (Del lat. *decīsus,* p. p. de *decidĕre,* decidir.) adj. *For.* V. **Juramento decisorio.**

Declamación. (Del lat. *declamatĭo, -ōnis.*) f. Acción de declamar. || **2.** Oración escrita o dicha con el fin de ejercitarse en las reglas de la retórica, y casi siempre sobre asunto fingido o supuesto. || **3.** Por ext., oración o discurso. || **4.** Discurso pronunciado con demasiado calor y vehemencia, y particularmente invectiva áspera contra personas o cosas. || **5.** Arte de representar en el teatro.

Declamador, ra. (Del lat. *declamātor.*) adj. Que declama. Ú. t. c. s.

Declamar. (Del lat. *declamāre.*) intr. Hablar en público. || **2.** Hablar con el fin de ejercitarse en las reglas de la retórica, casi siempre sobre asunto fingido o supuesto. || **3.** Hablar con demasiado calor y vehemencia, y particularmente hacer alguna invectiva con aspereza. || **4.** Recitar la prosa o el verso con la entonación, los ademanes y el gesto convenientes. Ú. t. c. tr.

Declamatorio, ria. (Del lat. *declamatorĭus.*) adj. Aplícase al estilo o tono empleado para suplir con lo enfático y exagerado de la expresión la falta de afectos o ideas capaces de acalorar verdaderamente el ánimo.

Declarable. adj. Que puede ser declarado.

Declaración. (Del lat. *declaratĭo, -ōnis.*) f. Acción y efecto de declarar o declararse. || **2.** Manifestación o explicación de lo que otro u otros dudan o ignoran. || **3.** Manifestación del ánimo o de la intención. || **4.** *For.* Deposición que bajo juramento hace el testigo o perito en causas criminales o en pleitos civiles, y la que hace el reo sin llenar aquel requisito.

Declaradamente. adv. m. Manifiestamente, con claridad.

Declarado, da. p. p. de **Declarar.** || **2.** adj. ant. Aplicábase a la persona que hablaba con demasiada claridad.

Declarador, ra. (Del lat. *declarātor.*) adj. Que declara o expone. Ú. t. c. s.

Declaramiento. (De *declarar.*) m. ant. Declaración.

Declarante. p. a. de **Declarar.** Que declara. || **2.** m. y f. *For.* Persona que declara ante el juez.

Declarar. (Del lat. *declarāre.*) tr. Manifestar o explicar lo que está oculto o no se entiende bien. || **2.** *For.* Determinar, decidir los juzgadores. || **3.** intr. *For.* Manifestar los testigos ante el juez, con juramento o promesa de decir verdad, o el reo sin tal requisito, lo que saben acerca de los hechos sobre que versa la contienda en causas criminales o pleitos civiles. || **4.** r. Manifestar el ánimo, la intención o el afecto. || **5.** Manifestarse una cosa o empezar a advertirse su acción. *Se* DECLARÓ *una epidemia; un incendio,* etc. || **6.** *Mar.* Hablando del viento, fijarse en dirección, carácter e intensidad. SE DECLARÓ *un levante; por la noche* SE DECLARAN *ventolinas.* || **Declararse** uno **a otro.** fr. Hacer confianza de él; descubrirle una cosa oculta y reservada.

Declarativo, va. (Del lat. *declaratīvus.*) adj. Dícese de lo que declara o explica de una manera perceptible una cosa que de suyo no es o no está clara. || **2.** V. **Juicio declarativo.**

Declaratorio, ria. adj. Dícese de lo que declara o explica lo que no se sabía o estaba dudoso. || **2.** *For.* Se dice del pronunciamiento que define una calidad o un derecho sin contener mandamiento ejecutivo.

Declaro. (De *declarar.*) m. ant. **Declaración.**

Declinable. (Del lat. *declinabĭlis.*) adj. *Gram.* Aplícase a cada una de las partes de la oración que se declinan, las cuales son el artículo, el nombre, el adjetivo, el pronombre, y el participio cuando se usa como adjetivo.

Declinación. (Del lat. *declinatĭo, -ōnis.*) f. Caída, descenso o declivio. || **2.** fig. Decadencia o menoscabo. || **3.** *Astron.* Distancia de un astro al Ecuador; equivale en la esfera celeste a lo que en nuestro globo se llama latitud. || **4.** *Gram.* Acción y efecto de declinar. || **5.** *Gram.* Serie ordenada de los casos gramaticales. || **6.** *Gram.* Modelo de **declinación** incluido en una gramática. || **7.** *Gnom.* y *Topogr.* Ángulo que forma un plano vertical, o una alineación, con el meridiano del lugar que se considere. || **de la aguja,** o **magnética.** Ángulo variable que forma la dirección de la brújula con la línea meridiana de cada lugar. || **No saber uno las declinaciones.** fr. fig. y fam. Ser sumamente ignorante.

Declinante. p. a. de **Declinar.** Que declina. || **2.** adj. *Gnom.* Aplícase al plano o pared que tiene declinación.

Declinar. (Del lat. *declināre.*) intr. Inclinarse hacia abajo o hacia un lado u otro. || **2.** ant. **Reclinar.** || **3.** fig. Decaer, menguar, ir perdiendo en salud, inteligencia, riqueza, lozanía, etc. || **4.** fig. Caminar o aproximarse una cosa a su fin y término. DECLINAR *el Sol, el día.* || **5.** fig. Ir cambiando de naturaleza o de costumbres hasta tocar en extremo contrario. DECLINAR *de la virtud en el vicio; del rigor en la debilidad.* || **6.** tr. Rehusar, no admitir o renunciar. || **7.** *Gram.* Poner las palabras declinables en los casos gramaticales.

Declinatoria. f. *For.* Petición en que se declina el fuero, o no se reconoce por competente al juez ante quien se actúa.

Declinatorio. (De *declinar.*) m. Brújula con caja rectangular, cuyos lados mayores son paralelos al diámetro que va desde 0° a 180° en el círculo que recorre la flechilla. Aplicando uno de aquellos lados a cualquier línea horizontal, la aguja señala su declinación.

Declive. (Del lat. *declivis.*) m. Pendiente, cuesta o inclinación del terreno o de la superficie de otra cosa.

Declividad. (Del lat. *declivitas, -ātis.*) f. Declive.

Declivio. m. Declive.

Decocción. (Del lat. *decoctio, -ōnis.*) f. Acción y efecto de cocer en agua substancias vegetales o animales. || **2.** Producto líquido que se obtiene por medio de esta **decocción.** || **3.** *Med.* Amputación de un miembro o de cierta parte del cuerpo.

Decolación. (Del lat. *decollatio, -ōnis.*) f. ant. **Degollación.**

Decolgar. intr. ant. **Colgar.**

Decoloración. (Del lat. *decoloratio, -ōnis.*) f. Acción y efecto de decolorar o decolorarse.

Decolorar. tr. Descolorar. Ú. t. c. r.

Decomisar. tr. **Comisar.**

Decomiso. m. **Comiso.**

Decor. (Del lat. *decor.*) m. ant. Adorno, decencia.

Decoración. (Del lat. *decoratio, -ōnis.*) f. Acción y efecto de decorar, 1.er art. || **2.** Cosa que decora. || **3.** Conjunto de telones, bambalinas y trastos con que se figura un lugar o sitio cualquiera en la representación del poema dramático o de otro espectáculo teatral.

Decoración. f. Acción y efecto de decorar, 2.° art.

Decorado, da. p. p. de **Decorar.** || **2.** m. Decoración, 1.er art.

Decorado. m. Decoración, 2.° art.

Decorador. m. El que decora, 1.er art., 1.ª acep.

Decorar. (Del lat. *decorāre.*) tr. Adornar, hermosear una cosa o un sitio. || **2.** Condecorar. Ú. m. en poesía.

Decorar. tr. Aprender de coro o de memoria una lección, una oración u otra cosa. || **2.** Recitar de memoria. || **3.** Silabear.

Decorativo, va. (Del lat. *decoratus,* decorado.) adj. Perteneciente o relativo a la decoración, 1.er art. *Figuras* DECORATIVAS.

Decoro. (Del lat. *decōrum.*) m. Honor, respeto, reverencia que se debe a una persona por su nacimiento o dignidad. || **2.** Circunspección, gravedad. || **3.** Pureza, honestidad, recato. || **4.** Honra, punto, estimación. || **5.** *Arq.* Parte de la arquitectura, que enseña a dar a los edificios el aspecto y propiedad que les corresponde según sus destinos respectivos. || **Guardar el decoro.** fr. Comportarse uno con arreglo a su condición social. || **Guardar el decoro** a uno o a una cosa. fr. Corresponder con actos o palabras a su estimación o a su merecimiento.

Decoro, ra. (Del lat. *decōrus.*) adj. ant. Decoroso.

Decorosamente. adv. m. Con decoro.

Decoroso, sa. (Del lat. *decorōsus.*) adj. Dícese de la persona que tiene decoro y pundonor. || **2.** Aplícase también a las cosas en que hay o se manifiesta decoro. *Conducta* DECOROSA.

Decorrerse. (Del lat. *decurrĕre,* descender, bajar corriendo.) r. ant. Escurrirse, deslizarse.

Decorrimiento. (De *decorrerse.*) m. ant. Corriente o curso de las aguas.

Decrecer. (Del lat. *decrescĕre.*) intr. Menguar, disminuir.

Decreciente. p. a. de **Decrecer.** Que decrece.

Decrecimiento. m. Disminución, 1.ª acep.

Decremento. (Del lat. *decrementum.*) m. Disminución, 1.ª acep.

Decrepitación. f. Acción y efecto de decrepitar.

Decrepitante. p. a. de **Decrepitar.** Que decrepita.

Decrepitar. intr. Crepitar por la acción del fuego.

Decrépito, ta. (Del lat. *decrepĭtus.*) adj. Aplícase a la edad muy avanzada y a la persona que por su vejez suele tener muy amenguadas las potencias. Ú. t. c. s. || **2.** fig. Dícese de las cosas que han llegado a su última decadencia.

Decrepitud. (De *decrépito.*) f. Suma vejez. || **2.** Chochez, 1.ª acep. || **3.** fig. Decadencia extrema de las cosas.

Decrescendo. (Del ital.) adv. m. *Mús.* Disminuyendo gradualmente la intensidad del sonido. || **2.** m. *Mús.* Pasaje de una composición musical que se ejecuta de esta manera.

Decretación. (De *decretar.*) f. ant. Determinación o establecimiento.

Decretal. (Del lat. *decretālis.*) adj. Perteneciente a las **decretales** o decisiones pontificias. || **2.** f. Epístola en la cual el sumo pontífice declara alguna duda por sí solo o con parecer de los cardenales. || **3.** pl. Libro en que están recopiladas las epístolas o decisiones pontificias.

Decretalista. m. Expositor o intérprete de las decretales.

Decretar. (De *decreto.*) tr. Resolver, deliberar, decidir la persona que tiene autoridad o facultades para ello. || **2.** Anotar marginalmente de manera sucinta el curso o respuesta que se ha de dar a un escrito. || **3.** *For.* Determinar el juez acerca de las peticiones de las partes, concediendo, negando o dando curso.

Decretero. m. Nómina o lista de reos que se solía dar en los tribunales a los jueces para que se fuera apuntando lo que se decretaba acerca de cada reo. || **2.** Lista o colección de decretos.

Decretista. m. Expositor del Decreto de Graciano.

Decreto. (Del lat. *decrētum.*) m. Resolución, decisión o determinación del jefe del Estado, de su gobierno o de un tribunal o juez sobre cualquier materia o negocio. Aplícase hoy más especialmente a los de carácter político o gubernativo. || **2.** Constitución o establecimiento que ordena o forma el Papa consultando a los cardenales. || **3. Decreto de Graciano.** || **4.** Acción y efecto de decretar, 2.ª acep. || **5.** ant. Dictamen, parecer. || **de abono.** El que se expedía a los tesoreros generales para que se admitiesen en data en sus cuentas las partidas satisfechas en virtud de orden del rey. || **de Graciano.** Libro del derecho canónico que recopiló Graciano. || **de urgencia.** Decreto con fuerza de ley en los casos en que por aquel motivo lo autoriza la Constitución. || **ley.** Disposición de carácter legislativo que, sin ser sometida al órgano adecuado, se promulga por el poder ejecutivo, en virtud de alguna excepción circunstancial o permanente, previamente determinada. || **marginal.** Resolución que se pone al margen de un memorial u oficio por el jefe competente.

Decretorio. (Del lat. *decretorius.*) adj. *Med.* V. **Día decretorio.**

Decúbito. (Del lat. *decubĭtus,* p. p. de *decumbĕre,* acostarse.) m. Posición que toman las personas o los animales cuando se echan en el suelo o en la cama, etc. || **2.** ant. *Med.* Asiento que hace un humor, pasando de una parte a otra del cuerpo. || **lateral.** Aquel en que el cuerpo está echado de costado: puede ser **izquierdo** o **derecho,** según los casos. || **prono.** Aquel en que el cuerpo yace sobre el pecho y vientre. || **supino.** Aquel en que el cuerpo descansa sobre la espalda.

Decumbente. (Del lat. *decumbens, -entis,* recostado.) adj. Se dice del que yace en la cama o la guarda por enfermedad.

Decuplar. (Del lat. *decuplāre.*) tr. **Decuplicar.**

Decuplicar. tr. Hacer décupla una cosa. || **2.** Multiplicar por diez una cantidad.

Décuplo, pla. (Del lat. *decŭplus.*) adj. Que contiene un número diez veces exactamente. Ú. t. c. s. m.

Decuria. (Del lat. *decuria.*) f. Cada una de las diez porciones en que se dividía la antigua curia romana. || **2.** En la antigua milicia romana, escuadra de diez soldados gobernada por un cabo. || **3.** En los estudios de gramática, junta de diez estudiantes, y a veces menos, que estaba señalada para dar sus lecciones al decurión. || **4.** ant. **Colmena,** 1.ª acep.

Decuriato. (Del lat. *decuriātus.*) m. Estudiante que en las clases de gramática estaba asignado a una decuria o a un decurión para que le tomase la lección.

Decurión. (Del lat. *decurio, -ōnis.*) m. Jefe de una decuria. || **2.** En las colonias o municipios romanos, individuo de la corporación que los gobernaba, a modo de los senadores de Roma. || **3.** En los estudios de gramática, estudiante a quien, por más hábil, se daba el encargo de tomar las lecciones a otros, hasta el número de diez. || **de decuriones.** Estudiante destinado a tomar la lección a los **decuriones.**

Decurionato. m. Dignidad de decurión. || **2.** Cuerpo de los decuriones.

Decurrente. adj. Se dice de las hojas cuyo limbo se extiende a lo largo del tallo como si estuvieran adheridas a él.

Decursas. (Del lat. *decursas,* acus. pl. femenino del p. p. de *decurrĕre,* correr.) f. pl. *For.* Réditos caídos de los censos.

Decurso. (Del lat. *decursus,* corrida, corriente.) m. Sucesión o continuación del tiempo.

Decusado, da. adj. *Bot.* **Decuso.**

Decusata. adj. V. **Cruz decusata.**

Decuso, sa. adj. *Bot.* Se dice de las hojas dispuestas en forma de cruz.

Dechado. (Del lat. *dictātum,* precepto, enseñanza.) m. Ejemplar, muestra que se tiene presente para imitar. || **2.** Labor que las niñas ejecutan en lienzo para aprender, imitando la muestra. || **3.** fig. Ejemplo y modelo de virtudes y perfecciones, o de vicios y maldades.

Dedada. f. Porción que con el dedo se puede tomar de una cosa que no es del todo líquida, como miel, almíbar, etc. || **de miel.** fig. y fam. Lo que se hace en beneficio de uno para entretenerle en su esperanza o para consolarle de lo que le es adverso.

Dedal. (Del lat. *digitāle,* de *digitus,* dedo.) m. Utensilio pequeño, ligeramente cónico y hueco, con la superficie llena de hoyuelos y cerrado a veces por un casquete esférico. Hácese de metal, hueso, marfil, etc., y puesto en la extremidad de un dedo, sirve para empujar la aguja sin riesgo de herirse cuando se cose. || **2. Dedil,** 1.ª acep. || **Cuando segares, no vayas sin dedales.** ref. que aconseja tomar las precauciones adecuadas en cualquier empresa.

Dedalera. (De *dedal,* por la forma de la corola, que lo imita.) f. **Digital.**

Dédalo. (Por alusión a *Dédalo,* personaje mitológico a quien se atribuye la construcción del laberinto de Creta.) m. fig. **Laberinto,** 1.ª y 2.ª aceps.

Dedeo. m. *Mús.* Agilidad y destreza de los dedos al tocar un instrumento. || **2.** *Mús.* Indicación de los dedos que han de usarse para ejecutar un pasaje.

Dedicación. (Del lat. *dedicatio, ōnis.*) f. Acción y efecto de dedicar, 1.ª acep. || **2.** Celebridad del día en que se hace memoria de haberse consagrado o dedicado un templo, un altar, etc. || **3.** Inscripción de la **dedicación** de un templo o edificio, grabada en una piedra que se coloca en la pared o fachada del mismo para conservar la memoria del que lo erigió y de su destino.

Dedicante. p. a. de Dedicar. Que dedica.

Dedicar. (Del lat. *dedicāre.*) tr. Consagrar, destinar una cosa al culto de Dios, de la Virgen o de los santos, o también a un fin o uso profano. || **2.** Dirigir a una persona, por modo de obsequio, un objeto cualquiera, y principalmente una obra de entendimiento. || **3.** Emplear, destinar, aplicar. Ú. t. c. r.

Dedicativo, va. adj. Dedicatorio.

Dedicatoria. (De *dedicatorio.*) f. Carta o nota dirigida a la persona a quien se dedica una obra. Los escritos la llevan al principio, impresa o de mano.

Dedicatorio, ria. (De *dedicar.*) adj. Que tiene o supone dedicación.

Dedición. (Del lat. *deditio, -ōnis.*) f. Acción y efecto de rendirse un pueblo o ciudad a la fe y poder de la antigua Roma, a discreción y sin condiciones.

Dedignar. (Del lat. *dedignāri.*) tr. Desdeñar, despreciar, desestimar. Ú. t. c. r.

Dedil. (De *dedo.*) m. Cada una de las fundas de cuero o de otra materia, que se ponen en los dedos para que no se lastimen o manchen en ciertos trabajos, o para otros fines. || **2.** ant. **Dedal,** 1.ª acep. || **3.** *Germ.* **Anillo,** 2.ª acep.

Dedillo. m. d. de **Dedo.** || **Al dedillo.** m. adv. fig. y fam. **Perfectamente.** Ú. m. con los verbos *saber, conocer* y *tener.*

Dedo. (Del lat. *digĭtus.*) m. Cada una de las cinco partes prolongadas en que terminan la mano y el pie del hombre y, en el mismo o menor número, en muchos animales. || **2.** Medida de longitud, duodécima parte del palmo, que escasamente equivale a 18 milímetros. || **3.** Medida de diez nudillos, que se usa para llevar con cuenta la labor de la media o calceta. || **4.** Porción de una cosa, del ancho de un **dedo.** || **anular.** El cuarto de la mano, menor que el de en medio y mayor que los otros tres. Llamóse así porque en él se ponían los anillos, y aun hoy los llevan en él los prelados. || **auricular.** El quinto y más pequeño de la mano. Llámase así porque algunos se limpiaban con él los oídos. || **cordial, de en medio,** o **del corazón.** El tercero de la mano y más largo de los cinco. || **gordo. Dedo pulgar.** || **índice.** El segundo de la mano, que regularmente sirve para señalar, extendiéndolo hacia la parte que se quiere indicar, de lo cual tomó nombre. || **médico. Dedo anular.** || **meñique. Dedo auricular.** || **mostrador. Dedo índice.** || **pulgar.** El primero y más gordo de la mano y, por extensión, también el primero del pie. || **saludador. Dedo índice.** || **El dedo de Dios.** fig. La omnipotencia divina, manifestada en algún suceso extraordinario. || **A dos dedos de.** loc. fig. y fam. Muy cerca de, o a punto de. || **Alzar uno el dedo.** fr. fig. y fam. Levantarlo en señal de dar palabra o asegurar el cumplimiento de alguna cosa. En los juramentos de los servidores de la casa real, era una de las ceremonias levantar el **dedo índice** y el de en medio, cruzando el pulgar y el cuarto. || **Antojársele** a uno **los dedos huéspedes.** fr. fig. y fam. Ser excesivamente receloso o suspicaz. || **Atar** uno **bien su dedo.** fr. fig. y fam. Saber tomar las precauciones convenientes para sus intereses o beneficio; asegurarse en cualquier negocio. || **Atátela,** o **que se la ate, al dedo.** expr. fig. y fam. que se usa para burlarse del que tiene alguna esperanza sin fundamento. || **Comerse** uno **los dedos por** alguna cosa. fr. **Comerse las manos tras** ella. || **Contar por los dedos.** fr. Hacer una cuenta señalando la numeración por los **dedos.** || **Chuparse** uno **los dedos.** fr. fig. y fam. Comer, decir, hacer u oir una cosa con mucho gusto. || **Dar** uno **un dedo de la mano por** alguna cosa. fr. fig. y fam. **Dar una mano por ella.** || **Derribar con un dedo.** fr. fig. y fam. con que se denota la endeblez de alguna cosa. || **Dos dedos de.** loc. fig. y fam. **A dos dedos de.** || **Dos dedos del oído.** expr. fig. con que se explica la claridad y eficacia con que uno dice a otro su sentir y queja. || **Ganar** uno **a dedos** una cosa. fr. fig. con que se da a entender el trabajo y la dificultad que le cuesta el conseguirla y también lo mucho que tarda en adquirirla, aun trabajando siempre. || **Ir al dedo malo.** fr. fig. y fam. con que se da a entender que todo viene a tropezar en la parte enferma o llagada, y que no hay desdicha que no venga a dar en el hombre perseguido de la fortuna. || **Levantar** uno **el dedo.** fr. fig. y fam. **Alzar el dedo.** || **Los dedos de la mano no son iguales.** fr. proverb. con que se da a entender que hay diferencia en los estados y personas. || **Mamarse** uno **el dedo.** fr. fig. y fam. Hacerse el simple; fingirse falto de capacidad para comprender una cosa. || **Medir a dedos.** fr. fig. Reconocer, examinar una cosa o un terreno o pueblo con mucha menudencia y detención. || **Meter** a uno **el dedo en la boca.** fr. fig. y fam. con que se asegura que una persona no es tonta, como se presumía. || **Meter** a uno **los dedos.** fr. fig. Inquirir con sagacidad y destreza lo que sabe o intenta y hacer que lo cuente sin advertir la astucia con que se le pregunta. || **Meter** a uno **los dedos por los ojos.** fr. fig. y fam. Pretender que crea lo contrario de lo que sabe con certeza. || **Morderse** uno **los dedos.** fr. fig. y fam. Encolerizarse, irritarse por no poder tomar venganza o satisfacción de algún agravio. || **Ni un dedo hace mano, ni una golondrina verano.** ref. **Una golondrina no hace verano.** || **No mamarse** uno **el dedo.** fr. fig. y fam. Ser despierto y no dejarse engañar. || **No tener** uno **dos dedos de frente.** fr. Ser de poco entendimiento. || **Poner** uno **bien los dedos.** fr. Tocar un instrumento con destreza y habilidad. || **Poner** uno **el dedo en la llaga.** fr. fig. Conocer y señalar el verdadero origen de un mal, el punto difícil de una cuestión, aquello que más afecta a la persona de quien se habla. || **Poner** a uno **los cinco dedos en la cara.** fr. fig. y fam. Darle una bofetada. || **Ponerse** uno **el dedo en la boca.** fr. fig. Callar, guardar silencio, porque así convenga o deba ser. || **Señalar** a uno **con el dedo.** fr. fig. Notarle por alguna circunstancia o motivo particular. Ú. por lo común en mala parte. || **Ser** uno **el dedo malo.** fr. fig. y fam. Achacarle todo lo malo que acontece. || **Tener** uno **sus cinco dedos en la mano.** fr. fig. y fam. No ceder a otro en valor o fuerzas. || **Tener** uno **malos dedos para organista.** fr. fig. y fam. No ser a propósito para el destino a que quiere dedicarse o en que está empleado.

Dedolar. tr. *Cir.* Cortar oblicuamente alguna parte del cuerpo.

Deducción. (Del lat. *deductio, -ōnis.*) f. Acción y efecto de deducir. || **2. Derivación,** 2.ª acep. || **3.** *Fil.* Método por el cual se procede lógicamente de lo universal a lo particular. || **4.** *Mús.* Serie de notas que ascienden o descienden diatónicamente o de tono en tono sucesivos.

Deduciente. p. a. de Deducir. Que deduce.

Deducir. (Del lat. *deducĕre.*) tr. Sacar consecuencias de un principio, proposición o supuesto. || **2. Inferir,** 1.ª acep. || **3.** Rebajar, restar, descontar alguna partida de una cantidad. || **4.** *For.* Alegar, presentar las partes sus defensas o derechos.

Deductivo, va. (Del lat. *deductīvus.*) adj. Que obra o procede por deducción.

Deesa. (De *dea.*) f. ant. **Diosa.**

Defácile. (De *de* y el lat. *facĭle,* fácilmente.) adv. m. ant. **Fácilmente.**

Defacto. (De *de* y el lat. *factus,* hecho.) adv. m. De hecho.

Defalcar. tr. **Desfalcar.**

Defalicido, da. adj. ant. **Defallicido.**

Defallecido, da. (De *de* y *fallecido,* p. p. de *fallecer.*) adj. ant. **Falto, necesitado, arruinado.**

Defallecimiento. m. ant. **Desfallecimiento.** || **2.** ant. **Falta,** 1.er art., 1.ª acep.

Defallicido, da. adj. ant. **Defallecido.**

Defamar. (Del lat. *defamāre.*) tr. ant. **Infamar.**

Defecación. (Del lat. *defaecatio, -ōnis.*) f. Acción y efecto de defecar.

Defecador, ra. adj. Que sirve para defecar, 1.ª acep.

Defecar. (Del lat. *defaecāre;* de *de,* priv., y *faex, faecis,* hez.) tr. Quitar las heces o impurezas. || **2.** Expeler los excrementos. Ú. m. c. intr.

Defección. (Del lat. *defectio, -ōnis.*) f. Acción de separarse con deslealtad uno o más individuos de la causa o de la parcialidad a que pertenecían.

Defectibilidad. f. Calidad de defectible.

Defectible. (De *defecto.*) adj. Dícese de lo que puede faltar.

Defectivo, va. (Del lat. *defectīvus.*) adj. **Defectuoso.** || **2.** *Gram.* V. **Verbo defectivo.** Ú. t. c. s.

Defecto. (Del lat. *defectus.*) m. Carencia o falta de las cualidades propias y naturales de una cosa. || **2.** Imperfección natural o moral. || **3.** pl. *Impr.* Pliegos que sobran o faltan en el número completo de la tirada.

Defectuosamente. adv. m. Con defecto.

Defectuoso, sa. (Del lat. *defectus,* defecto.) adj. Imperfecto, falto.

Defedación. (Del lat. *de,* de, y *foedatio, -ōnis,* la acción de afear.) f. ant. **Fealdad.**

Defeminado, da. (Del lat. *de* y *feminātus,* de *femina,* hembra.) adj. ant. **Afeminado,** 2.ª y 3.ª aceps.

Defendedero, ra. adj. **Defendible.**

Defendedor, ra. (De *defender.*) adj. **Defensor.** Ú. t. c. s. || **2.** m. ant. **Abogado.**

Defender. (Del lat. *defendĕre.*) tr. Amparar, librar, proteger. Ú. t. c. r. || **2.** Mantener, conservar, sostener una cosa contra el dictamen ajeno. || **3.** Vedar, prohibir. || **4. Embarazar.** || **5.** Abogar, alegar en favor de uno.

Defendible. adj. Dícese de lo que se puede defender.

Defendido, da. p. p. de **Defender.** || **2.** adj. Dícese de la persona a quien defiende un abogado. Ú. t. c. s.

Defendiente. p. a. ant. de **Defender.** Que defiende.

Defendimiento. (De *defender.*) m. ant. **Defensa,** 1.ª acep. || **2.** ant. Acción y efecto de defender, 3.ª acep.

Defenecer. (De *de* y *fenecer.*) tr. *Ar.* Dar el finiquito a una cuenta.

Defenecimiento. (De *defenecer.*) m. *Ar.* Ajuste o finiquito de cuentas.

Defensa. (Del lat. *defensa.*) f. Acción y efecto de defender o defenderse. || **2.** Arma, instrumento u otra cosa con que uno se defiende en un peligro. || **3.** Amparo, protección, socorro. || **4.** Obra de fortificación que sirve para defender una plaza, un campamento, etc. Ú. m. en pl. || **5.** *For.* Razón o motivo que se alega en juicio para contradecir o desvirtuar la acción del demandante. || **6.** *For.* Abogado defensor del litigante o del reo. || **7.** pl. *Mar.* Pedazos de cable viejo, rollo de esparto, zoquete de madera o cosa semejante, que se cuelga del costado de la embarcación para que éste no se lastime durante las faenas de meter efectos a bordo o sacarlos, o en las atracadas a muelles, escolleras, embarcaciones, etc. || **Legítima defensa.** *For.* Circunstancia eximente de culpabilidad en ciertos delitos.

Defensable. (Del lat. *defensabĭlis.*) adj. ant. **Defendible.**

Defensar. (Del lat. *defensāre,* intens. de *defendĕre.*) tr. ant. **Defender.**

Defensatriz. (Del lat. *defensātrix.*) adj. ant. **Defensora.** Ú. t. c. s.

Defensible. (Del lat. *defensibĭlis.*) adj. ant. **Defendible.**

Defensión. (Del lat. *defensĭo, -ōnis.*) f. Resguardo, defensa. || **2.** ant. Amparo, protección. || **3.** ant. Prohibición, estorbo o impedimento. || **4.** ant. *For.* **Descargo,** 3.ª acep.

Defensiva. (De *defensivo.*) f. Situación o estado del que sólo trata de defenderse. || **Estar, o ponerse, a la defensiva.** fr. Ponerse en estado de defenderse, sin querer acometer ni ofender al enemigo.

Defensivo, va. (De *defensa.*) adj. Que sirve para defender, reparar o resguardar. || **2.** V. **Arma, polémica defensiva.** || **3.** m. Defensa, reparo, preservativo, resguardo. || **4.** Paño que, empapado en un líquido, se aplica a alguna parte enferma del cuerpo.

Defensor, ra. (Del lat. *defensor, -ōris.*) adj. Que defiende o protege. Ú. t. c. s. || **2.** m. *For.* Persona que en juicio está encargada de una defensa, y más especialmente la que nombra el juez para defender los bienes de un concurso, a fin de que sostenga el derecho de los ausentes. || **de menores.** *For.* Persona designada por el juez para representar y amparar a los sometidos a patria potestad cuando éstos tienen intereses incompatibles con los de sus padres.

Defensoría. f. *For.* Ministerio o ejercicio de defensor.

Defensorio. (Del lat. *defensorĭus.*) m. Manifiesto, escrito apologético en defensa o satisfacción de una persona o cosa.

Deferencia. (Del lat. *defĕrens, -entis,* deferente.) f. Adhesión al dictamen o proceder ajeno, por respeto o por excesiva moderación. || **2.** fig. Muestra de respeto o de cortesía.

Deferente. (Del lat. *defĕrens, -entis,* p. a. de *deferre,* conceder.) adj. Que defiere al dictamen ajeno, sin querer sostener el suyo. || **2.** fig. Respetuoso, cortés. || **3.** ant. *Astron.* Aplicábase al círculo que se suponía descrito alrededor de la Tierra por el centro del epiciclo de un planeta. || **4.** *Anat.* V. **Conducto deferente.**

Deferido, da. p. p. de **Deferir.** || **2.** adj. *For.* V. **Juramento deferido.**

Deferir. (Del lat. *deferre,* conceder, dar noticia.) intr. Adherirse al dictamen de uno, por respeto, modestia o cortesía. || **2.** tr. Comunicar, dar parte de la jurisdicción o poder.

Defesa. (Del lat. *defensa,* defendida, protegida.) f. ant. **Dehesa.**

Defesar. (Del lat. *defensāre.*) tr. ant. **Dehesar.**

Defeso, sa. (Del lat. *defensus,* defendido.) adj. ant. Vedado o prohibido.

Defianza. (De *de,* priv., y *fianza.*) f. ant. **Desconfianza.**

Defiar. (De *de* y *fiar.*) intr. ant. **Desconfiar.**

Deficiencia. (Del lat. *deficientĭa.*) f. Defecto o imperfección.

Deficiente. (Del lat. *deficĭens, -entis,* p. a. de *deficĕre,* faltar.) adj. Falto o incompleto. || **2.** *Arit.* V. **Número deficiente.**

Déficit. (Del lat. *defĭcit,* 3.ª pers. de sing. del pres. de indic. de *deficĕre,* faltar.) m. En el comercio, descubierto que resulta comparando el haber o caudal existente con el fondo o capital puesto en la empresa; y en la administración pública, parte que falta para levantar las cargas del Estado, reunidas todas las cantidades destinadas a cubrirlas. No admite terminación de plural.

Definible. adj. Que se puede definir.

Definición. (Del lat. *definitĭo, -ōnis.*) f. Acción y efecto de definir. || **2.** Proposición que expone con claridad y exactitud los caracteres genéricos y diferenciales de una cosa material o inmaterial. || **3.** Decisión o determinación de una duda, pleito o contienda, por autoridad legítima. *Las* DEFINICIONES *del Concilio, del Papa.* || **4.** Declaración de cada uno de los vocablos, modos y frases que contiene un diccionario. || **5.** *Astron.* Poder resolutivo o separador de un telescopio que determina la nitidez y bondad de sus imágenes. || **6.** pl. En las órdenes militares, excepto la de Santiago, conjunto de estatutos y ordenanzas que sirven para su gobierno.

Definido, da. p. p. de **Definir.** || **2.** m. La cosa sobre que versa toda definición.

Definidor, ra. (Del lat. *definītor.*) adj. Que define o determina. Ú. t. c. s. || **2.** m. En algunas órdenes religiosas, cada uno de los religiosos que, con el prelado principal, forman el definitorio, para gobernar la religión y resolver los casos más graves. || **general.** El que concurre con el general de la orden para el gobierno de toda ella. || **provincial.** El que sólo asiste en una provincia.

Definir. (Del lat. *definire.*) tr. Fijar con claridad, exactitud y precisión la significación de una palabra o la naturaleza de una cosa. || **2.** Decidir, determinar, resolver una cosa dudosa. || **3.** *Pint.* Concluir una obra, trabajando con perfección todas sus partes, aunque sean de las menos principales.

Definitivamente. adv. m. Decisivamente, resolutivamente.

Definitivo, va. (Del lat. *definitīvus.*) adj. Dícese de lo que decide, resuelve o concluye. || **2.** *For.* V. **Auto definitivo.** || **3.** *For.* V. **Sentencia definitiva.** Ú. t. c. s. || **En definitiva.** m. adv. **Definitivamente.**

Definitorio. (De *definir.*) m. Cuerpo que, con el general o provincial de una orden, componen para regirla los religiosos definidores generales o provinciales. || **2.** Junta o congregación que celebran los definidores. || **3.** Pieza destinada para estas juntas.

Deflación. f. Reducción de la circulación fiduciaria cuando ha adquirido excesivo volumen por efecto de una inflación.

Deflagración. (Del lat. *deflagratĭo, -ōnis.*) f. Acción y efecto de deflagrar.

Deflagrador, ra. adj. Que deflagra. || **2.** m. *Fís.* Aparato eléctrico que sirve para dar fuego a los barrenos.

Deflagrar. (Del lat. *deflagrāre.*) intr. Arder una substancia súbitamente con llama y sin explosión.

Deflaquecimiento. m. ant. **Enflaquecimiento.**

Deflegmar. (De *de* y *flegma.*) tr. *Quím.* Separar de un cuerpo su parte acuosa.

Deflujo. (Del lat. *defluxus.*) m. ant. Fluxión abundante.

Defoir. tr. ant. **Defuir.**

Defoliación. (De *de* y *foliación.*) f. Caída prematura de las hojas de los árboles y plantas, producida por enfermedad o influjo atmosférico.

Defondonar. (De *de* y *fondón.*) tr. ant. Desfondar.

Deformación. (Del lat. *deformatĭo, -ōnis.*) f. Acción y efecto de deformar o deformarse.

Deformador, ra. adj. Que deforma. Ú. t. c. s.

Deformar. (Del lat. *deformāre.*) tr. Hacer deforme una cosa. Ú. t. c. r.

Deformatorio, ria. adj. Dícese de lo que deforma o sirve para deformar.

Deforme. (Del lat. *deformis;* de *de,* priv., y *forma,* forma.) adj. Desproporcionado o irregular en la forma.

Deformemente. adv. m. De manera deforme.

Deformidad. (Del lat. *deformĭtas, -ātis.*) f. Calidad de deforme. || **2.** Cosa deforme. || **3.** fig. Error grosero.

Defraudación. (Del lat. *defraudatĭo, -ōnis.*) f. Acción y efecto de defraudar.

Defraudador, ra. (Del lat. *defraudātor.*) adj. Que defrauda. Ú. t. c. s.

Defraudar. (Del lat. *defraudāre.*) tr. Privar a uno, con abuso de su confianza o con infidelidad a las obligaciones propias, de lo que le toca de derecho. || **2.** Eludir o burlar el pago de los impuestos o contribuciones. || **3.** fig. Frustrar, hacer inútil o dejar sin efecto una cosa en que se confiaba. || **4.** fig. Turbar, quitar, embarazar. DEFRAUDAR *la claridad del día, el sueño.*

Defuera. (Del lat. *de,* intens., y *fŏras,* fuera.) adv. l. Exteriormente o por la parte exterior. || **Por defuera.** m. adv. **Defuera.**

Defuir. (Del lat. *defugĕre.*) tr. ant. Huir, evitar.

Defunción. (Del lat. *defunctĭo, -ōnis.*) f. **Muerte,** 2.ª acep. || **2.** ant. Funeral, exequias.

Defunto, ta. (Del lat. *defunctus.*) adj. ant. **Difunto.** Usáb. t. c. s.

Degano. (Del lat *decānus,* jefe.) m. ant. Quintero o administrador de una hacienda de campo.

Degaña. (Del lat. **decania,* de *decanus,* decano.) f. ant. **Decania.**

Degañero. (De *degaña.*) m. ant. **Granjero,** 1.ª acep.

Degastar. tr. ant. **Devastar.**

Degeneración. (Del lat. *degeneratĭo, -ōnis.*) f. Descaecimiento o declinación. || **2.** *Med.* Alteración grave de la estructura de una parte del cuerpo.

Degenerado, da. p. p. de **Degenerar.** || **2.** adj. Que muestra degeneración, 1.ª acep. Apl. a pers., ú. t. c. s.

Degenerante. p. a. de **Degenerar.** Que degenera. || **2.** adj. *Arq.* V. **Arco degenerante.**

Degenerar. (Del lat. *degenerāre.*) intr. Decaer, desdecir, declinar, no corresponder una persona o cosa a su primera calidad o a su primitivo valor o estado. || **2.** fig. Decaer uno de la antigua nobleza de sus antepasados; no corresponder a las virtudes de sus mayores o a las que él tuvo en otro tiempo. || **3.** *Pint.* Desfigurarse una cosa hasta el punto de parecer otra.

Degenerativo, va. adj. Que causa o produce degeneración. || **2.** V. **Atrofia degenerativa.**

Degestir. (Del lat. *digestum,* supino de *digerĕre,* digerir.) tr. ant. **Digerir.**

Deglución. (Del lat. *deglutĭo, -ōnis.*) f. Acción y efecto de deglutir.

Deglutir. (Del lat. *deglutīre.*) intr. Tragar los alimentos. Ú. t. c. tr.

Degollación. (Del lat. *decollatĭo, -ōnis.*) f. Acción y efecto de degollar.

Degolladero. m. Parte del cuello, unida al gaznate, por donde se degüella al animal. || **2.** Sitio destinado para degollar las reses. || **3.** Tablado o cadalso que se hacía para degollar a un delincuente. || **4.** Tablón o viga robusta que separaba en los teatros la luneta del patio, dejando un espacio vacío para los que estaban de pie. || **5.** Degollado. || **Llevar a uno al degolladero.** fr. fig. y fam. Ponerle en gravísimo riesgo.

Degollado. (De *degollar.*) m. **Degolladura,** 2.ª acep.

Degollador, ra. adj. Que degüella. Ú. t. c. s. || **2.** m. **Alcaudón.**

Degolladura. (De *degollar.*) f. Herida o cortadura que se hace en la garganta o el cuello. || **2.** Escote o sesgo que se hace en las cotillas, jubones y otros vestidos de las mujeres. || **3. Garganta,** 11.ª acep. || **4.** *Albañ.* Llaga, 3.ª acep.

Degollamiento. (De *degollar.*) m. ant. Degollación.

Degollante. p. a. de **Degollar.** Que degüella. || **2.** adj. fig. y fam. Presumido o necio; que aburre y enoja a quien le trata. Ú. t. c. s.

Degollar. (Del lat. *decollāre;* de *de,* priv., y *collum,* cuello.) tr. Cortar la garganta o el cuello a una persona o a un animal. || **2.** Escotar o sesgar el cuello de las vestiduras. || **3.** fig. Destruir, arruinar. || **4.** fig. Representar los actores mal o con impropiedad una obra dramática. || **5.** fig. Matar el espada al toro con una o más estocadas mal dirigidas, de suerte que a veces el animal echa sangre por la boca. || **6.** fig. y fam. Ser o hacerse en extremo antipática y desagradable una persona a otra. *Juan me* DEGÜELLA. || **7.** *Mar.* Dicho de una vela, rasgarla con un cuchillo cuando las circunstancias no dan lugar a cargarla para salvar el buque.

Degollina. (De *degollar.*) f. fam. **Matanza,** 2.ª acep.

Degradación. (Del lat. *degradatĭo, -ōnis.*) f. Acción y efecto de degradar o degradarse. || **2.** Humillación, bajeza. || **3.** *Pint.* Disminución de tamaño que, con arreglo a la distancia y según las leyes de la perspectiva, se da a los objetos que figuran en un cuadro. || **actual.** *For.* **Degradación real.** || **canónica.** Pena que consiste en privar al clérigo de todos los títulos, privilegios y bienes eclesiásticos, despojándole además de las señales exteriores de su carácter. || **de color.** *Pint.* Declinación o moderación de tinta que se observa en los términos que se consideran más o menos remotos. || **de luz.** *Pint.* Templanza de los claros en aquellas cosas que están más distantes. || **real.** *For.* La que se ejecuta con las solemnidades prevenidas por derecho o por ceremonia introducida. || **verbal.** *For.* La que se declara por juez competente, sin llegar a ejecutarse.

Degradado, da. p. p. de **Degradar.** || **2.** adj. *Geom.* V. **Ortografía degradada.**

Degradante. adj. Dícese de lo que degrada o rebaja.

Degradar. (Del lat. *degradāre;* de *de,* priv., y *gradus,* grado.) tr. Privar a una persona de las dignidades, honores, empleos y privilegios que tiene. || **2.** Humillar, rebajar, envilecer. Ú. t. c. r. || **3.** *Pint.* Disminuir el tamaño y viveza del color de las figuras de un cuadro, según la distancia a que se suponen colocadas.

Degredo. m. ant. **Decreto.**

Degüella. (De *degollar.*) f. ant. **Degollación.** || **2.** Pena que se imponía por entrar el ganado en cotos vedados.

Degüello. m. Acción de degollar. || **2.** Parte más delgada del dardo o de otra arma o instrumento semejante. || **Entrar a degüello.** fr. *Mil.* Asaltar una población sin dar cuartel. || **Llevar** a uno **al degüello.** fr. fig. y fam. **Llevarle al degolladero.** || **Pasar a degüello.** fr. **Degollar,** 1.ª acep. || **Tirar a degüello.** fr. fig. y fam. Procurar con el mayor ahinco perder o perjudicar a alguno. || **Tocar a degüello.** fr. *Mil.* Dar la señal de ataque en el arma de caballería.

Deguno, na. adj. ant. **Ninguno.**

Degustación. (Del lat. *degustatĭo, -ōnis.*) f. Acción de gustar o catar los alimentos y algunos líquidos.

Dehender. (Del lat. *defindĕre.*) tr. ant. **Hender.**

Dehendimiento. m. ant. Acción y efecto de dehender.

Dehesa. (Del lat. *defensa,* acotada.) f. Tierra generalmente acotada y por lo común destinada a pastos. || **carneril.** Aquella en que pastan carneros. || **carnicera.** La destinada para pasto de los ganados pertenecientes al abasto de un pueblo. || **potril.** Aquella en que se crían los potros después de separados de las madres, que es a los dos años de nacidos. || **Quien a los treinta no asesa, no comprará dehesa.** ref. que advierte que el que no tiene juicio cumplidos los treinta años, con dificultad lo tendrá después para adelantar sus intereses.

Dehesar. (De *dehesa.*) tr. **Adehesar.**

Dehesero. m. Guarda de una dehesa.

Dehiscencia. (Del lat. *dehiscens, -entis,* dehiscente.) f. *Bot.* Acción de abrirse naturalmente las anteras de una flor o el pericarpio de un fruto, para dar salida al polen o a la semilla.

Dehiscente. (Del lat. *dehiscens, -entis,* p. a. de *dehiscĕre,* abrirse.) adj. *Bot.* Dícese del fruto cuyo pericarpio se abre naturalmente para que salga la semilla.

Dehortar. (Del lat. *dehortāri.*) tr. ant. Disuadir o desaconsejar.

Deicida. (Del lat. *deicīda;* de *Deus,* Dios, y *caedĕre,* matar.) adj. Dícese de los que dieron la muerte a Jesucristo o contribuyeron a ella de algún modo. Ú. t. c. s.

Deicidio. (De *deicida.*) m. Crimen del deicida.

Deidad. (Del lat. *deĭtas, -ātis.*) f. Ser divino o esencia divina. || **2.** Cada uno de los falsos dioses de los gentiles o idólatras.

Deificación. (Del lat. *deificatĭo, -ōnis.*) f. Acción y efecto de deificar o deificarse.

Deificar. (Del lat. *deificāre;* de *Deus,* Dios, y *facĕre,* hacer.) tr. **Divinizar,** 1.ª acep. || **2.** Divinizar una cosa por medio de la participación de la gracia. || **3.** fig. Ensalzar excesivamente a una persona. || **4.** r. En la teología mística, unirse el alma íntimamente con Dios en el éxtasis, y transformarse en él por participación, no de esencia, sino de gracia.

Deífico, ca. (Del lat. *deificus.*) adj. Perteneciente a Dios.

Deiforme. (Del lat. *Deus,* Dios, y *forma,* forma.) adj. poét. Que se parece en la forma a las deidades.

Deípara. (Del lat. *Deipăra;* de *Deus,* Dios, y *parĕre,* dar a luz.) adj. Título que se da exclusivamente a la Santísima Virgen, por ser madre de Dios.

Deísmo. (Del lat. *Deus, Dei,* Dios.) m. Doctrina que reconoce un Dios como autor de la naturaleza, pero sin admitir revelación ni culto externo.

Deísta. (Del lat. *Deus, Dei,* Dios.) adj. Que profesa el deísmo. Apl. a pers., ú. t. c. s.

Deitano, na. adj. Natural de Deitania. Ú. t. c. s. || **2.** Perteneciente a esta región de la España Tarraconense, comprendida en su mayor parte en la actual provincia de Murcia.

Deja. (De *dejar.*) f. Parte que queda y sobresale entre dos muescas o cortaduras.

Dejación. f. Acción y efecto de dejar. || **2.** *For.* Cesión, desistimiento, abandono de bienes, acciones, etc.

Dejada. f. **Dejación,** 1.ª acep.

Dejadero, ra. adj. Que se ha de dejar. *Los bienes terrenales son* DEJADEROS.

Dejadez. (De *dejado.*) f. Pereza, negligencia, abandono de sí mismo o de sus cosas propias.

Dejado, da. p. p. de **Dejar.** || **2.** adj. Flojo y negligente, que no cuida de su conveniencia o aseo. || **3.** Caído de ánimo, por melancolía o enfermedad. || **4. Alumbrado,** 1.er art., 3.ª acep. || **5.** m. ant. Dejo, final.

Dejador. m. El que deja.

Dejamiento. (De *dejar.*) m. **Dejación.** || **2.** Flojedad, descuido. || **3.** Descaecimiento de fuerzas o flojedad de ánimo. || **4.** Desasimiento, desapego de una cosa.

Dejar. (De *lejar,* infl. por *dar.*) tr. Soltar una cosa; retirarse o apartarse de ella. || **2. Omitir.** DEJÓ *de hacer lo prometido.* || **3.** Consentir, permitir, no impedir. || **4.** Valer, producir ganancia. *Aquel negocio le* DEJÓ *mil pesetas.* || **5.** Desamparar, abandonar. || **6.** Encargar, encomendar. DEJÓ *la casa al cuidado de su hijo.* || **7.** Faltar, ausentarse. *La calentura* DEJÓ *al enfermo;* DEJÉ *la corte.* || **8.** Disponer u ordenar uno alguna cosa al ausentarse o partirse, para que sea utilizada después o para que otro la sirva en su ausencia. || **9.** Como verbo auxiliar, unido a algunos participios pasivos, explica una prevención acerca de lo que el participio significa. DEJAR *dicho, escrito.* || **10.** Como verbo auxiliar, unido a algunos infinitivos, indica el modo especial de suceder o ejecutarse lo que significa el verbo que se le une, y entonces se usa regularmente c. r. DEJARSE *querer, sentir, beber.* || **11.** No inquietar, perturbar ni molestar. DÉJAME *en paz.* || **12.** Nombrar, designar. || **13.** Dar una cosa a otro el que se ausenta o hace testamento. || **14.** Faltar al cariño y estimación de una persona. || **15.** Cesar, no proseguir lo empezado. Ú. t. c. r. || **16.** ant. **Perdonar.** || **17.** r. Descuidarse de sí mismo; olvidar sus conveniencias o aseo. || **18.** Entregarse, darse a una cosa. || **19.** Abandonarse, caer de ánimo por flojedad, abatimiento o pereza. || **20.** Abandonarse, entregarse. DEJARSE *al arbitrio de la fortuna, de los vientos.* || **Dejadle, o déjale, correr, que él parará.** expr. fig. y fam. con que se da a entender que conviene abandonar a uno y **dejarle** que siga su empeño hasta que le desengañe la experiencia. || **Dejar a escuras** a uno. fr. ant. fig. Burlarle. || **Dejar airoso** a uno. fr. Hacer que salga o quede airoso. || **Dejar aparte.** fr. Omitir parte de un discurso por pasar a otro más urgente. || **Dejar a todos iguales.** fr. Hacer que todos pierdan por igual lo que disputaban o pretendían. || **Dejar atrás** a uno. fr. fig. Adelantársele, aventajársele. || **Dejar caer.** fr. Soltar de repente lo que se tenía asido. || **2.** ant. **Abandonar.** || **Dejar correr** una cosa. fr. fig. Permitirla, tolerarla o disimularla. || **Dejar feo** a uno. fr. fig. y fam. Desairarle, abochornarle. || **Dejar fresco** a uno. fr. fig. y fam. Dejarle burlado. || **Dejarlo caer.** fr. fig. y fam. con que se explica la felicidad que tienen algunas mujeres en sus partos. || **Dejar molido** a uno. fr. fig. y fam. Haberle fatigado excesivamente. || **Dejar** a uno **para quien es.** fr. con que se explica que debe mirarse con desprecio el mal proceder de quien no tiene crianza ni obligaciones. || **Dejarse** uno **caer.** fr. fig. Soltar una especie con intención, pero con disimulo. || **2.** fig. y fam. Insinuar una cosa como al descuido. || **3.** fig. y fam. Presentarse inesperadamente. || **4.** fig. y fam. Ceder a la fuerza de la calamidad o contratiempo; aflojar en un empeño o pretensión por las dificultades que se encuentran. || **Dejarse caer.** fr. fig. y fam. Hablando del sol, del calor, etc., obrar estas cosas con mucha eficacia. || **Dejar** a uno **seco.** fr. fig. y fam. Dejarle muerto en el acto. || **Dejarse** uno **correr.** fr. Bajar, escurriéndose por una cuerda, madero o árbol. || **Dejarse** uno **decir.** fr. Soltársele en la conversación alguna especie que no le convenía manifestar. || **2. Dejarse** uno **caer,** 1.ª acep. || **3.** Decir cosa que ofrezca duda o que no pueda decirse sin algún inconveniente. SE DEJÓ DECIR *que mataría a su enemigo.* || **Dejarse** uno **llevar** de una cosa. fr. Deponer el dictamen propio por seguir el ajeno. || **Dejarse** uno **rogar.** fr. Dilatar la concesión de lo que se le pide para que parezca mayor la gracia y se haga más estimable. || **Dejarse** uno **vencer.** fr. Ceder y conformarse con el dictamen de otro, aunque sea con repugnancia. || **Dejarse ver.** fr. Descubrirse, aparecer lo que estaba oculto o retirado. || **2.** Concurrir a una casa o a una reunión; y así, al que no la frecuenta se le suele decir amistosamente: DÉJESE *usted* VER. || **Dejar uno temblando** alguna cosa. fr. fig. y fam. Comerse o beberse la mayor parte de lo que contenía un plato o una vasija. || **No dejarse** uno **ensillar.** fr. fig. y fam. No **dejarse** dominar; no querer estar sujeto a otro. || **No dejar verde ni seco.** fr. fig. Destruirlo todo, sin excepción alguna. || **No me dejará mentir.** expr. fam. con que se afirma una cosa, atestiguando con persona que la sabe ciertamente o con otra cosa que la prueba.

Dejarretadera. (De *dejarretar.*) f. ant. **Desjarretadera.**

Dejarretar. (De *de* y *jarrete.*) tr. ant. **Desjarretar.**

Dejativo, va. (De *dejar.*) adj. Perezoso, flojo y desmayado.

Dejemplar. (De *de*, priv., y *ejemplo.*) tr. ant. Difamar, deshonrar.

Dejillo. (d. de *dejo.*) m. **Dejo,** 3.ª y 4.ª aceps.

Dejo. (De *dejar.*) m. **Dejación,** 1.ª acep. || **2.** Fin de una cosa, término o paradero de ella. || **3.** Modo particular de acentuar los finales de las palabras algunas personas, y especialmente los naturales de ciertas regiones o provincias. || **4.** Acento peculiar del habla de determinada región. || **5.** Inflexión descendente con que termina cada período de emisión de voz en el habla o en el canto. || **6.** Gusto o sabor que queda de la comida o bebida. || **7.** Dejamiento, flojedad. || **8.** fig. Placer o disgusto que queda después de una acción.

Dejugar. (De *de*, priv., y *jugo.*) tr. ant. Quitar el jugo.

De jure. loc. adv. lat. **De derecho.**

Del. Contracc. de la prep. **de** y el art. **el.** *La naturaleza* DEL *hombre,* por *la naturaleza* DE EL *hombre;* DEL *águila,* por DE EL *águila.*

Dél. Contracc. ant. de la prep. **de** y el pron. **él.** De él.

Delación. (Del lat. *delatio, -ōnis.*) f. Acusación, denuncia.

Delado. (Del lat. *delātus,* acusado.) m. ant. Bandido, forajido.

Delant. adv. l. ant. **Delante.**

Delantal. (De *delante.*) m. Prenda de vestir de varias formas que, atada a la cintura, usan las mujeres para cubrir la delantera de la falda, y por analogía, el que usan algunos artesanos, los criados, camareros y niños. || **2. Mandil,** 1.ª acep.

Delante. (De *denante.*) adv. l. Con prioridad de lugar, en la parte anterior o en sitio detrás del cual está una persona o cosa. || **2. Enfrente.** || **3.** adv. m. A la vista, en presencia. *Cubrirse* DELANTE *del rey; decir algo* DELANTE *de testigos.* || **4.** ant. De **delante, o delante** de. *Aquel sol de la milicia que ayer nos quitó el cielo* DELANTE *de los ojos; como quien tenía* DELANTE *los ojos los caminos y fatigas de Cristo.*

Delantealtar. (De *delante* y *altar.*) m. ant. **Frontal,** 2.ª acep.

Delantera. (De *delantero.*) f. Parte anterior de una cosa. *La* DELANTERA *de la casa, del coche, de la cama.* || **2.** En las plazas de toros, en los teatros y otros locales de espectáculos públicos, primera fila de cierta clase de asientos. || **3.** Cuarto delantero de una prenda de vestir, así de hombre como de mujer. || **4.** Frontera de una ciudad, villa, lugar, casa, huerta, etc. || **5.** Espacio o distancia con que uno se adelanta o anticipa a otro en el camino. || **6. Canal,** 15.ª acep. || **7.** ant. **Vanguardia,** 1.ª acep. || **8.** pl. Zahones. || **Coger,** o **tomar,** a uno **la delantera.** fr. fam. Adelantársele. || **2.** fig. y fam. Aventajársele. || **3.** fig. y fam. Anticipársele en una solicitud, empresa o negocio.

Delantero, ra. (De *delante.*) adj. Que está o va delante. || **2. V. Cuarto delantero.** || **3.** m. Postillón que gobierna las caballerías **delanteras** o de guías, generalmente cabalgando en una de ellas. || **4.** En algunos deportes, el que juega en primera fila.

Delasolré. (De la letra *d* y de las notas musicales *la, sol, re.*) m. En la música antigua, indicación del tono que principia en el segundo grado de la escala diatónica de *do* y se desarrolla según los preceptos del canto llano y del canto figurado.

Delatable. adj. Digno de ser delatado.

Delatante. p. a. de **Delatar.** Que delata.

Delatar. (Del lat. *delātus,* acusado, denunciado.) tr. Revelar a la autoridad un delito, designando al autor para que sea castigado, y sin ser parte obligada del juicio el denunciador, sino por su voluntad. || **2.** Descubrir, poner de manifiesto alguna cosa oculta y por lo común reprochable.

Delate. (De *delatar.*) m. ant. **Delado.**

Delator, ra. (Del lat. *delātor.*) adj. Denunciador, acusador. Ú. t. c. s.

Delaxar. (Del lat. *delassāre.*) tr. ant. Cansar o fatigar.

Dele. (Del lat. *dele,* 2.ª pers. de sing. del imper. de *delēre,* borrar, destruir.) m. *Impr.* Signo con que el corrector indica al margen de las pruebas que ha de quitarse una palabra, letra o nota.

Deleble. adj. Que puede borrarse o se borra fácilmente.

Delectable. (Del lat. *delectabĭlis.*) adj. ant. **Deleitable.**

Delectablemente. adv. m. ant. **Deleitablemente.**

Delectación. (Del lat. *delectatio, -ōnis.*) f. **Deleitación.** || **morosa.** Complacencia deliberada en un objeto o pensamiento prohibido, sin ánimo de ponerlo por obra.

Delectamiento. (De *delectar.*) m. ant. **Deleitamiento**

Delectar. (Del lat. *delectāre.*) tr. ant. **Deleitar.** Usáb. t. c. r.

Delecto. (Del lat. *delectus.*) m. ant. Orden, elección, discernimiento.

Delegación. (Del lat. *delegatio, -ōnis.*) f. Acción y efecto de delegar. || **2.** Cargo de delegado. || **3.** Oficina del delegado. || **4.** Conjunto o reunión de delegados.

Delegado, da. (Del lat. *delegātus.*) adj. Dícese de la persona en quien se delega una facultad o jurisdicción. Ú. t. c. s. || **2. V. Juez delegado.** || **3. V. Jurisdicción delegada.**

Delegante. p. a. de **Delegar.** Que delega.

Delegar. (Del lat. *delegāre.*) tr. Dar una persona a otra la jurisdicción que tiene por su dignidad u oficio, para que haga sus veces o conferirle su representación.

Delegatorio, ria. adj. Que delega, o encierra alguna delegación.

Deleitabilísimo, ma. adj. sup. de **Deleitable.**

Deleitable. (De *delectable.*) adj. Deleitoso.

Deleitablemente. adv. m. Deleitosamente.

Deleitación. (De *delectación.*) f. Deleite.

Deleitamiento. (De *deleitar.*) m. Delectación.

Deleitante. p. a. de **Deleitar.** Que deleita.

Deleitar. (Del prov. *deleitar,* y éste del lat. *delectāri.*) tr. Producir deleite. Ú. t. c. r.

Deleite. (De *deleitar.*) m. Placer del ánimo. || **2.** Placer sensual.

Deleitosamente. adv. m. Con deleite o de modo que cause deleite.

Deleitoso, sa. adj. Que causa deleite.

Delejar. (De *de* y *lejar.*) tr. ant. Renunciar o donar.

Deletéreo, a. (Del gr. δηλητήριος, de δηλητήρ, destructor.) adj. Mortífero, venenoso.

Deleto, ta. (Del lat. *delētus,* p. p. de *delēre,* borrar, destruir.) adj. ant. Quitado o borrado.

Deletreado, da. (De *deletrear.*) adj. ant. Publicado o divulgado.

Deletreador, ra. adj. Que deletrea. Ú. t. c. s.

Deletrear. (De *de* y *letra.*) intr. Pronunciar separadamente las letras de cada sílaba, las sílabas de cada palabra y luego la palabra entera; v. gr.: *b, o, bo; c, a, ca; boca.* || **2.** fig. Adivinar, interpretar lo obscuro y dificultoso de entender.

Deletreo. m. Acción de deletrear. || **2.** Procedimiento para enseñar a leer deletreando.

Deleznable. (De *deleznarse.*) adj. Que se rompe, disgrega o deshace fácilmente. || **2.** Que se desliza y resbala con mucha facilidad. || **3.** fig. Poco durable, inconsistente, de poca resistencia.

Deleznadero, ra. adj. ant. **Deleznable.**

Deleznadizo, za. (De *deleznarse.*) adj. ant. Resbaladizo, escurridizo.

Deleznamiento. m. ant. Acción y efecto de deleznarse.

Deleznante. p. a. ant. de **Deleznarse.** Que se delezna.

Deleznarse. (De *de* y *lezne.*) r. Deslizarse, resbalarse.

Délfico, ca. (Del lat. *delphĭcus.*) adj. Perteneciente a Delfos o al oráculo de Apolo en Delfos.

Delfín. (Del lat. *delphin,* y éste del gr. δελφίν.) m. *Zool.* Cetáceo piscívoro, de dos y medio a tres metros de largo, negro por encima, blanquecino por debajo, de cabeza voluminosa, ojos pequeños y pestañosos, boca muy grande, dientes cónicos en ambas mandíbulas, hocico delgado y agudo, y una sola abertura nasal. Vive en los mares templados y tropicales. || **2.** *Astron.* Pequeña constelación boreal situada cerca y al oriente del Águila. || **pasmado.** *Blas.* El que tiene la boca abierta y sin lengua.

Delfín. (Del fr. *dauphin.*) m. Título que se daba al primogénito del rey de Francia.

Delfina. f. Mujer del delfín de Francia.

Delga. f. *Electr.* Cada una de las laminillas de cobre que forman el colector de una máquina de corriente continua.

Delgacero, ra. (De *delgazar.*) adj. ant. **Delgado.**

Delgadamente. adv. m. Delicadamente. || **2.** fig. Aguda, ingeniosa, discretamente.

Delgadez. f. Calidad de delgado.

Delgadeza. f. ant. **Delgadez.**

Delgado, da. (Del lat. *delicātus.*) adj. Flaco, cenceño, de pocas carnes. || **2.** Tenue, de poco espesor. || **3. V. Intestino delgado.** || **4.** Delicado, suave. || **5. V. Agua delgada.** || **6.** ant. Poco, corto, escaso. || **7.** fig. Aplicado a terreno o tierra, endeble, de poca substancia o jugo. || **8.** fig. Agudo, sutil, ingenioso. || **9.** m. *Mar.* Cada una de las partes de los extremos de popa y de proa, en las cuales se estrecha el pantoque. || **10.** pl. En los cuadrúpedos, partes inferiores del vientre, hacia las ijadas. || **11.** Falda de las canales o reses muertas.

Delgaducho, cha. adj. Algo delgado.

Delgazamiento. (De *delgazar.*) m. ant. Adelgazamiento.

Delgazar. (Del lat. **delicatiare,* de *delicātus,* delgado.) tr. ant. **Adelgazar.**

Deliberación. (Del lat. *deliberatio, -ōnis.*) f. Acción y efecto de deliberar, 1.er art.

Deliberación. f. ant. **Liberación.** 1.ª y 2.ª aceps.

Deliberadamente. adv. m. Con deliberación o premeditación.

Deliberado, da. p. p. de **Deliberar.** || **2.** adj. Voluntario, intencionado, hecho de propósito.

Deliberador, ra. (De *deliberar,* 2.° art.) adj. ant. **Liberador.** Usáb. t. c. s.
Deliberamiento. (De *deliberar,* 2.° art.) m. ant. **Deliberación,** 2.° art.
Deliberante. p. a. de **Deliberar.** Que delibera, 1.er art.
Deliberar. (Del lat. *deliberāre.*) intr. Considerar atenta y detenidamente el pro y el contra de nuestras decisiones, antes de cumplirlar o realizarlas. ‖ **2.** tr. Resolver una cosa con premeditación.
Deliberar. (De *de* y *liberar.*) tr. ant. **Liberar.**
Deliberativo, va. adj. Perteneciente a la deliberación, 1.er art.
Delibración. f. ant. **Deliberación,** 2.° art.
Delibramiento. m. ant. **Deliberamiento.**
Delibranza. f. ant. **Delibración.**
Delibrar. tr. ant. **Deliberar,** 2.° art.
Delibrar. (Del lat. *deliberāre,* resolver, decidir.) tr. ant. Acabar, concluir. ‖ **2.** ant. Romper a hablar. ‖ **3.** ant. Despachar, matar. ‖ **4.** ant. *For.* **Despachar,** 2.ª acep.
Delicadamente. adv. m. Con delicadeza.
Delicadez. (De *delicado.*) f. Debilidad, flaqueza, falta de vigor o robustez. ‖ **2.** Nimiedad, escrupulosidad de genio, que se ofende o altera de poco. ‖ **3.** Flojedad, condescendencia, indolencia. ‖ **4. Delicadeza.**
Delicadeza. (De *delicadez.*) f. **Finura.** ‖ **2.** Atención y exquisito miramiento con las personas o las cosas, en las obras o en las palabras. ‖ **3.** Ternura, suavidad. ‖ **4. Escrupulosidad.**
Delicado, da. (Del lat. *delicātus.*) adj. Fino, atento, suave, tierno. ‖ **2.** Débil, flaco, delgado, enfermizo. ‖ **3.** Quebradizo, fácil de deteriorarse. *Vaso, color* DELICADO. ‖ **4.** Sabroso, regalado, gustoso. ‖ **5.** Difícil, expuesto a contingencias. *Punto* DELICADO, *materia* DELICADA. ‖ **6.** Primoroso, fino, exquisito. ‖ **7.** Bien parecido, agraciado. *Rostro* DELICADO, *facciones* DELICADAS. ‖ **8.** Sutil, agudo, ingenioso. ‖ **9.** Suspicaz, fácil de resentirse o enojarse. ‖ **10.** Difícil de contentar. ‖ **11.** Que procede con escrupulosidad o miramiento. ‖ **Al delicado, poco mal y bien atado.** ref. que da a entender que el que está acostumbrado a felicidades se abate con cualquiera contratiempo, como al que se ha criado siempre sano le hace impresión la más ligera enfermedad.
Delicaducho, cha. (De *delicado.*) adj. Dícese de la persona que se halla débil y enfermiza.
Delicadura. (De *delicado.*) f. ant. **Delicadeza.**
Delicamiento. m. ant. Delicadeza, regalo, delicia.
Delicia. (Del lat. *delicia.*) f. Placer muy intenso del ánimo. ‖ **2.** Placer sensual muy vivo. ‖ **3.** Aquello que causa **delicia.** *Ciudad llena de* DELICIAS; *este niño es la* DELICIA *de sus padres.*
Deliciarse. (Del lat. *deliciāri.*) r. ant. Deleitarse.
Delicio. (Del lat. *delicĭum.*) m. ant. Delicia, diversión.
Deliciosamente. adv. m. Con delicia, de modo delicioso.
Delicioso, sa. (Del lat. *deliciōsus.*) adj. Capaz de causar delicia; muy agradable o ameno.
Delictivo, va. (Del lat. *delictum,* delito.) adj. Perteneciente o relativo al delito. ‖ **2.** Que implica delito.
Delicto. (Del lat. *delictum.*) m. ant. **Delito.**
Delictuoso, sa. adj. **Delictivo.**
Delicuescencia. (Del lat. *deliquiscens entis,* delicuescente.) f. Calidad de delicuescente.
Delicuescente. (Del lat. *deliquescens, entis,* p. a. de *deliquescĕre,* liquidarse.) adj. Que tiene la propiedad de atraer la humedad del aire y liquidarse lentamente.
Delincuencia. (Del lat. *delinquentia.*) f. Calidad de delincuente. ‖ **2.** Comisión de un delito. ‖ **3.** Conjunto de delitos, ya en general o ya referidos a un país, época o especialidad en ellos.
Delincuente. (Del lat. *delinquens, -entis.*) p. a. de **Delinquir.** Que delinque. Ú. t. c. s.
Delineación. (Del lat. *delineatio, -ōnis.*) f. Acción y efecto de delinear.
Delineador, ra. adj. Que se ejercita en delinear. Ú. t. c. s.
Delineamento. m. **Delineamiento.**
Delineamiento. (De *delinear.*) m. **Delineación.**
Delineante. p. a. de **Delinear.** Que delinea. ‖ **2.** m. El que tiene por oficio trazar planos.
Delinear. (Del lat. *delineāre.*) tr. Trazar las líneas de una figura.
Delinquimiento. m. Acción y efecto de delinquir.
Delinquir. (Del lat. *delinquĕre.*) intr. Cometer delito.
Delintar. tr. ant. Ceder o traspasar.
Delinterar. tr. ant. **Delintar.**
Deliñar. (Del lat. *delineāre;* de *de* y *linĕa,* línea.) tr. ant. Aliñar, componer, aderezar.
Delio, lia. (Del lat. *delius.*) adj. Natural de Delos. Ú. t. c. s. ‖ **2.** Perteneciente a esta isla del Archipiélago.
Deliquio. (Del lat. *deliquium.*) m. Desmayo, desfallecimiento.
Deliramento. (Del lat. *deliramentum.*) m. ant. **Delirio.**
Delirante. p. a. de **Delirar.** Que delira.
Delirar. (Del lat. *delirāre.*) intr. Desvariar, tener perturbada la razón por una enfermedad o una pasión violenta. ‖ **2.** fig. Decir o hacer despropósitos o disparates.
Delirio. (Del lat. *delirĭum.*) m. Acción y efecto de delirar. ‖ **2.** Desorden o perturbación de la razón o de la fantasía, originado de una enfermedad o una pasión violenta. ‖ **3.** fig. Despropósito, disparate.
Delirium tremens. (Del lat. *delirĭum,* delirio, y *tremens,* temblón.) m. Delirio con grande agitación y temblor de miembros, ocasionado por el uso habitual y excesivo de bebidas alcohólicas.
Delitescencia. (Del lat. *delitescĕre,* ocultarse.) f. *Med.* Desaparición de alguna afección local. ‖ **2.** *Quím.* Pérdida o eliminación del agua en partículas menudas que experimenta un cuerpo al cristalizarse.
Delito. (De *delicto.*) m. Culpa, crimen, quebrantamiento de la ley. ‖ **2.** *For.* V. **Cuerpo, figura de, o del, delito.** ‖ **3.** *For.* Acción u omisión voluntaria, castigada por la ley con pena grave. ‖ **común.** *For.* El que, sin ser político, está penado en el código ordinario. ‖ **consumado.** *For.* El que con plena ejecución produce un resultado punible. ‖ **de lesa majestad.** El que, en régimen monárquico, se comete contra la vida del monarca, del inmediato sucesor a la corona o del regente o regentes del reino. Antiguamente se llamaba así cualquier acto contrario al respeto debido a la persona del monarca o atentado a la seguridad del Estado. ‖ **especial.** *For.* El que está castigado por leyes distintas del código penal común. ‖ **flagrante.** *For.* Aquel en cuya comisión se sorprende al reo o se le persigue y aprehende en inmediata persecución o bien acompañado de objetos que infundan vehementes sospechas. ‖ **frustrado.** *For.* Aquel en que, realizados todos los actos necesarios, no se logra el fin contra la voluntad del culpable. ‖ **in fraganti.** *For.* **Delito flagrante.** ‖ **notorio.** El que se comete ante el juez, o en presencia de todo el pueblo, o en otra forma que conste públicamente. ‖ **político.** *For.* El que va contra la seguridad o el orden del Estado o los poderes y autoridades del mismo.
Delongar. (De *de* y el lat. *longus,* largo.) tr. ant. Alargar, prolongar.
Delta. (Del gr. δέλτα, Δ.) f. Cuarta letra del alfabeto griego, que corresponde a nuestra *d.* ‖ **2.** m. Isla triangular comprendida entre dos de los brazos con que algunos ríos desembocan en el mar, llamada así por la semejanza con la figura de aquella letra.
Deltoides. (Del gr. δέλτα, Δ, y εἶδος, forma.) adj. De figura de delta mayúscula. ‖ **2.** *Zool.* Músculo propio de los mamíferos, de forma triangular, que en el hombre va desde la clavícula al omóplato y cubre la articulación de éste con el húmero. Ú. t. c. s. m.
Deludir. (Del lat. *dēlūdĕre,* engañar.) tr. Engañar, burlar.
Delusivo, va. (Del lat. *dēlūsum,* de *dēlūdĕre,* engañar.) adj. **Delusorio.**
Delusor, ra. (Del lat. *dēlūsŏr, -ōris,* burlador.) adj. **Engañador.** Ú. t. c. s.
Delusoriamente. adv. m. Con engaño o artificio.
Delusorio, ria. (Del lat. *dēlūsōrius.*) adj. **Engañoso.**
Della, llo. Contracc. de **de ella** y de **de ello.** ‖ **Dello con dello.** expr. fam. con que se significa la mezcla de cosas opuestas entre sí. ‖ **2.** ant. Usáb. para explicar que es preciso mezclar la dulzura con la severidad, sufrir los males con los bienes y usar de templanza en todo lo que se hace.
Demacración. (De *demacrarse.*) f. Pérdida de carnes que el hombre y los irracionales experimentan por falta de nutrición, por enfermedades y por otras causas.
Demacrado, da. adj. Que muestra demacración.
Demacrarse. (De *de* y el lat. *macrāre,* enflaquecer.) r. Perder carnes, enflaquecer por causa física o moral. Ú. t. c. tr.
Demagogia. (Del gr. δημαγωγία, de δημαγωγός, demagogo.) f. Dominación tiránica de la plebe.
Demagógico, ca. (Del gr. δημαγωγικός.) adj. Perteneciente a la demagogia o al demagogo.
Demagogo, ga. (Del gr. δημαγωγός; de δῆμος, pueblo, y ἄγω, conducir.) m. y f. Cabeza o caudillo de una facción popular. ‖ **2.** Sectario de la demagogia. ‖ **3.** Orador extremadamente revolucionario. Ú. t. c. adj. *Orador* DEMAGOGO.
Demanda. (De *demandar.*) f. Súplica, petición, solicitud. ‖ **2.** Limosna que se pide para una iglesia, imagen u obra pía. ‖ **3.** Tablilla o imagen con que se pide esta limosna. ‖ **4.** Persona que la pide. ‖ **5. Pregunta.** ‖ **6. Busca,** 1.ª acep. ‖ **7.** Empresa o intento. ‖ **8.** Empeño o defensa. ‖ **9.** *Com.* Pedido o encargo de mercancías. ‖ **10.** *For.* Petición que un litigante sustenta en el juicio. ‖ **11.** *For.* Escrito en que se ejercitan en juicio una o varias acciones civiles o se desenvuelve un recurso contencioso administrativo. ‖ **12.** *For.* V. **Absolución de la demanda.** ‖ **13.** *For.* V. **Contenencia, contestación a la demanda.** ‖ **Demandas y respuestas.** Altercaciones y disputas que ocurren en un asunto. ‖ **Contestar** uno **la demanda.** fr. *For.* Trabar el juicio impugnando las peticiones del actor. ‖ **Ir en demanda de** una persona o cosa. fr. Ir en busca de ella. ‖ **Salir** uno **a la demanda.** fr. *For.* Mostrarse parte en un pleito, oponiéndose al que es contrario en él. ‖ **2.** fig. Hacer oposición a otro o defender alguna cosa.
Demandable. (De *demandar.*) adj. ant. Apetecible, digno de ser buscado.
Demandadero, ra. (De *demandar.*) m. y f. Persona destinada para hacer los mandados de las monjas fuera del convento, o de los presos fuera de la cárcel.

|| **2.** Persona que hace los mandados de una casa y no vive en ella.

Demandado, da. (De *demandar.*) m. y f. *For.* Persona a quien se pide una cosa en juicio.

Demandador, ra. adj. Que demanda o pide. Ú. t. c. s. || **2.** m. y f. Persona que pide limosna con una demanda. || **3.** *For.* **Demandante,** 2.ª acep.

Demandante. p. a. de **Demandar.** Que demanda. Ú. t. c. s. || **2.** com. *For.* Persona que demanda o pide una cosa en juicio.

Demandanza. (De *demandar.*) f. ant. Demanda, acción o derecho.

Demandar. (Del lat. *demandāre,* confiar, encomendar.) tr. Pedir, rogar. || **2.** Apetecer, desear. || **3. Preguntar.** || **4.** ant. Intentar, pretender. || **5.** ant. Hacer cargo de una cosa. || **6.** *For.* Entablar demanda. || **Bien demanda quien bien sirve.** ref. que enseña la conveniencia de agradar con servicios a la persona de quien se desea algún favor.

Demanial. (Del lat. *demanāre,* manar, brotar.) adj. ant. Que dimana o se deriva de una cosa, o corresponde a ella.

Demarcación. (De *demarcar.*) f. Acción y efecto de demarcar. || **2.** Terreno demarcado. || **3.** En las divisiones territoriales, parte comprendida en cada jurisdicción.

Demarcador, ra. adj. Que demarca. Ú. t. c. s.

Demarcar. (De *de* y *marcar.*) tr. Delinear, señalar los límites o confines de un país o terreno. Aplícase especialmente a las concesiones mineras. || **2.** *Mar.* **Marcar,** 6.ª acep.

Demarrarse. (De *de* y *marrar.*) r. ant. Extraviarse, descarriarse.

Demás. (Del lat. *de magis.*) adj. Precedido de los artículos *lo, la, los, las,* lo otro, la otra, los otros o los restantes, las otras. En plural se usa muchas veces sin artículo. *Juan y* DEMÁS *compañeros.* También se dice solamente **y demás,** significando: *y otras personas o cosas;* y en este caso equivale al *et cétera* latino, de frecuente uso en castellano. || **2.** adv. c. **Además.** || **Por demás.** m. adv. En vano, inútilmente. || **2. En demasía.** || **Por lo demás.** m. adv. Por lo que hace relación a otras consideraciones. *He querido probarle que no se conduce como debe;* POR LO DEMÁS, *yo no estoy enojado con él.*

Demasía. (De *demás,* demasiado.) f. **Exceso.** || **2. Atrevimiento.** || **3.** Insolencia, descortesía, desafuero. || **4.** Maldad, delito. || **5.** *Min.* Terreno franco, pero no adecuado para concesión independiente y libre, por su insignificancia o irregularidad, comprendido entre dos o más minas, a las cuales se debe adjudicar como complemento, por derecho preferente. || **En demasía.** m. adv. **Excesivamente.**

Demasiadamente. adv. c. **Demasiado.**

Demasiado, da. (De *demasía.*) adj. Que es en demasía, o tiene demasía. || **2.** ant. Que habla o dice con libertad lo que siente. || **3.** adv. c. **En demasía.**

Demasiarse. (De *demasía.*) r. Excederse, desmandarse.

Demediar. (De *de* y *mediar.*) tr. Partir, dividir en mitades. Ú. t. c. intr. || **2.** Cumplir la mitad del tiempo, edad o carrera que se ha de vivir o andar. || **3.** Usar o gastar una cosa, haciéndole perder la mitad de su valor.

Demencia. (Del lat. *dementĭa.*) f. Locura, trastorno de la razón. || **2.** *Med.* Estado de debilidad, generalmente progresivo y fatal, de las facultades mentales.

Demencial. adj. Perteneciente o relativo a la demencia.

Dementar. (Del lat. *dementāre.*) tr. Hacer perder el juicio. Ú. m. c. r.

Dementar. (De *de* y *mente.*) tr. ant. Mencionar, recordar.

Demente. (Del lat. *demens, -entis;* de *de,* priv., y *mens,* entendimiento, juicio.) adj. Loco, falto de juicio. Ú. t. c. s. || **2.** *Med.* Que padece demencia, 2.ª acep.

Demergido, da. (Del lat. *demergĕre,* sumergir, sepultar.) adj. Abatido, hundido.

Demérito. (De *de,* priv., y *mérito.*) m. Falta de mérito. || **2.** Acción, circunstancia o cualidad por la cual se desmerece.

Demeritorio, ria. (De *demérito.*) adj. Que desmerece.

Demias. (Metát. de *medias.*) f. pl. *Germ.* Medias.

Demientra. (De *demientre.*) adv. t. ant. **Mientras.**

Demientre. (Del lat. *dŭm,* mientras, e *intĕrim,* entretanto, por medio del ant. *domientre.*) adv. t. ant. **Demientra.**

Demientres. (De *demientre.*) adv. t. ant. **Demientra.**

Demigar. (De *de* y *miga.*) tr. ant. Disipar, esparcir.

Demisión. (Del lat. *demissĭo, -ōnis.*) f. Sumisión, abatimiento.

Demitir. (Del lat. *demittĕre.*) tr. ant. **Dimitir.**

Demiurgo. (Del gr. δημιουργός, creador.) m. *Fil.* Dios creador, en la filosofía de los platónicos y alejandrinos. || **2.** *Fil.* Alma universal, principio activo del mundo, según los gnósticos.

Democracia. (Del gr. δημοκρατία; de δῆμος, pueblo, y κράτος, autoridad.) f. Doctrina política favorable a la intervención del pueblo en el gobierno. || **2.** Predominio del pueblo en el gobierno político de un Estado.

Demócrata. adj. Partidario de la democracia. Ú. t. c. s.

Democráticamente. adv. m. De modo democrático.

Democrático, ca. (Del gr. δημοκρατικός.) adj. Perteneciente o relativo a la democracia.

Democratización. f. Acción y efecto de democratizar.

Democratizar. (Del gr. δημοκρατίζω.) tr. Hacer demócratas a las personas, o democráticas las cosas. Ú. t. c. r.

Demografía. (Del gr. δῆμος, pueblo, y γράφω, describir.) f. Parte de la estadística, que trata de los habitantes de un país, según sus profesiones, edades, etc.

Demográfico, ca. adj. Perteneciente o relativo a la demografía.

Demoledor, ra. adj. Que demuele. Ú. t. c. s.

Demoler. (Del lat. *demolīre.*) tr. Deshacer, derribar, arruinar.

Demolición. (Del lat. *demolitĭo, -ōnis.*) f. Acción y efecto de demoler.

Demonche. m. fam. **Demonio,** 1.ª acep.

Demoniaco, ca [~ **níaco, ca**]. (Del lat. *daemoniăcus,* y éste del gr. δαιμονιακός.) adj. Perteneciente o relativo al demonio. || **2. Endemoniado,** 2.ª acep. Ú. t. c. s.

Demoniado, da. (De *demonio.*) adj. ant. **Endemoniado,** 2.ª acep. Usáb. t. c. s.

Demonial. (De *demonio.*) adj. ant. **Demoniaco,** 1.ª acep.

Demonio. (Del lat. *daemonium,* y éste del gr. δαιμόνιον.) m. **Diablo.** || **2.** Genio o ser sobrenatural, entre los gentiles. *El* DEMONIO *de Sócrates.* || **¡Cómo demonios!** loc. **¡Qué diablos!** || **¡Demonio!,** o **¡Demonios!** interj. fam. **¡Diablo!** || **Estudiar uno con el demonio.** fr. fig. y fam. Dar muestras de gran ingenio y agudeza para lo malo, o de gran travesura. || **Llevarse** a uno **el demonio,** o **los demonios,** o **todos los demonios. Ponerse uno como un demonio,** o **hecho un demonio. Revestírsele** a uno **el demonio,** o **los demonios,** o **todos los demonios.** frs. figs. Encolerizarse o irritarse demasiado. || **¡Qué demonios!** loc. **¡Qué diablos!** || **Ser uno el demonio,** o **el mismísimo,** o **el mismo, demonio,** o **un demonio.** fr. fig. y fam. Ser demasiado perverso, travieso o hábil. || **Tener uno el demonio,** o **los demonios, en el cuerpo.** fr. fig. y fam. Ser excesivamente inquieto o travieso.

Demoniomanía. (De *demonio* y *manía.*) f. **Demonomanía.**

Demonólatra. com. Persona que practica la demonolatría.

Demonolatría. (Del gr. δαίμων, demonio, y λατρεία, adoración.) f. Culto supersticioso que se rinde al diablo.

Demonología. (Del gr. δαίμων, y λόγος, tratado.) f. Estudio sobre la naturaleza y cualidades de los demonios.

Demonomancia [~ **mancía**]. (Del gr. δαίμων, y μαντεία, adivinación.) f. Arte supersticiosa de adivinar lo por venir mediante la inspiración de los demonios.

Demonomanía. (Del gr. δαιμονομανία.) f. Manía que padece el que se cree poseído del demonio.

Demonstrable. adj. ant. **Demostrable.**

Demonstración. f. ant. **Demostración.**

Demonstrador, ra. adj. ant. Que demuestra. Usáb. t. c. s.

Demonstramiento. m. ant. **Demostramiento.**

Demonstrar. tr. ant. **Demostrar.**

Demontre. m. fam. **Demonio,** 1.ª acep. || **¡Demontre!** interj. fam. **¡Demonio!**

Demoñejo. m. d. de **Demonio.**

Demoñuelo. m. d. de **Demonio.**

Demora. (De *demorar.*) f. Tardanza, dilación. || **2.** Temporada de ocho meses que en América debían trabajar los indios en las minas. || **3.** *For.* Tardanza en el cumplimiento de una obligación desde que es exigible. || **4.** *Mar.* Dirección o rumbo en que se halla u observa un objeto, con relación a la de otro dado o conocido.

Demoranza. f. ant. **Demora,** 1.ª acep.

Demorar. (Del lat. *demorāri.*) tr. **Retardar.** || **2.** intr. Detenerse o hacer mansión en una parte. || **3.** *Mar.* Corresponder un objeto a un rumbo o dirección determinada, respecto a otro lugar o al paraje desde donde se observa.

Demoroso, sa. adj. *Chile.* Moroso, lento, tardío. Apl. a pers., ú. t. c. s.

Demosofía. (Del gr. δῆμος, pueblo, y σοφία, sabiduría.) f. **Folklore.**

Demóstenes. (Por alusión al orador, príncipe de la elocuencia griega.) m. fig. Hombre muy elocuente.

Demostino, na. adj. Propio y característico de Demóstenes como orador, o que tiene semejanza con cualquiera de las dotes o calidades por que se distinguen sus discursos.

Demostrable. (Del lat. *demonstrabĭlis.*) adj. Que se puede demostrar.

Demostrablemente. adv. m. De un modo demostrable.

Demostración. (Del lat. *demonstratĭo, -ōnis.*) f. Acción y efecto de demostrar. || **2.** Señalamiento, manifestación. || **3.** Prueba de una cosa, partiendo de verdades universales y evidentes. || **4.** Comprobación, por hechos ciertos o experimentos repetidos, de un principio o de una teoría. || **5.** Fin y término del procedimiento deductivo.

Demostrador, ra. (Del lat. *demonstrātor.*) adj. Que demuestra. Ú. t. c. s.

Demostramiento. (De *demostrar.*) m. ant. **Demostración,** 2.ª acep.

Demostranza. (De *demostrar.*) f. ant. Muestra, alarde o revista.

Demostrar. (Del lat. *demonstrāre.*) tr. Manifestar, declarar. || **2.** Probar, sirviéndose de cualquier género de demostración. || **3. Enseñar.** || **4.** *Lóg.* Mostrar, hacer ver que una verdad particular está comprendida en otra universal, de la que se tiene entera certeza.

Demostrativamente. adv. m. Clara, ciertamente.

Demostrativo, va. (Del lat. *demonstrativus.*) adj. Dícese de lo que demuestra. ‖ **2.** *Gram.* V. **Pronombre demostrativo.** Ú. t. c. s.

Demótico, ca. (Del gr. δημοτικός, popular; de δῆμος, pueblo.) adj. Aplícase a un género de escritura cursiva empleado por los antiguos egipcios para diversos actos privados.

Demudación. (Del lat. *demutatĭo, -ōnis.*) f. Acción y efecto de demudar o demudarse.

Demudamiento. (De *demudar.*) m. **Demudación.**

Demudar. (Del lat. *demutāre.*) tr. Mudar, variar. ‖ **2.** Alterar, disfrazar, desfigurar. ‖ **3.** r. Cambiarse repentinamente el color, el gesto o la expresión del semblante. ‖ **4.** Alterarse, inmutarse.

Demuesa. f. ant. **Demuestra.**

Demuestra. (De *demostrar.*) f. ant. Señal, demostración o ademán.

Demulcente. (Del lat. *demulcens, -entis,* p. a. de *demulcēre,* halagar, acariciar.) adj. *Med.* **Emoliente.** Ú. t. c. s. m.

Demulciente. adj. ant. *Med.* **Demulcente.**

Demulcir. (Del lat. *demulcēre.*) tr. ant. Halagar, recrear.

Denante. (Del lat. *de in ante.*) adv. t. ant. **Denantes.**

Denantes. (De *denante,* con la *s* de *detrás.*) adv. t. **Antes.**

Denario, ria. (Del lat. *denarĭus,* de *deni,* diez.) adj. Que se refiere al número 10 ó lo contiene. Ú. m. c. s. m. ‖ **2.** m. Moneda romana de plata, equivalente a 10 ases ó 4 sestercios. ‖ **3.** Moneda romana de oro, que valía cien sestercios.

Dende. (Del lat. *deinde,* después.) adv. t. y l. de uso antiguo y hoy vulg. Desde; de allí; de él o de ella; desde allí.

Dendriforme. adj. De figura de árbol.

Dendrita. (Del gr. δενδρίτης, de δένδρον, árbol.) f. Concreción mineral que en forma de ramas de árbol suele presentarse en las fisuras y juntas de las rocas. ‖ **2.** Árbol fósil.

Dendrítico, ca. adj. De figura de dendrita.

Dendrografía. (Del gr. δένδρον, árbol, y γράφω, describir.) f. Tratado de los árboles.

Dendrográfico, ca. adj. Perteneciente o relativo a la dendrografía.

Dendroide. adj. **Dendroideo.**

Dendroideo, a. adj. **Arborescente.**

Dendrómetro. (Del gr. δένδρον, árbol, y μέτρον, medida.) m. Instrumento que sirve para medir las dimensiones de los árboles en pie.

Dendrotráquea. (Del gr. δένδρον, árbol, y *tráquea.*) m. *Zool.* Cada uno de los conductos ramificados por los que penetra en el cuerpo de los insectos miriápodos y algunos arácnidos el aire que el animal utiliza para su respiración.

Deneb. (Del ár. *ḏanab* [*al-daŷāŷa*], cola [de la gallina].) f. *Astron.* Estrella de primera magnitud en la constelación del Cisne.

Denébola. f. *Astron.* Estrella importante de la constelación del León. Es de segunda magnitud.

Denegación. (Del lat. *denegatĭo, -ōnis.*) f. Acción y efecto de denegar. ‖ **de auxilio.** Delito que se comete desobedeciendo de manera injustificada un requerimiento de la autoridad o eludiendo sin excusa legal una función o un cargo públicos.

Denegamiento. (De *denegar.*) m. ant. **Denegación.**

Denegar. (Del lat. *denegāre.*) tr. No conceder lo que se pide o solicita.

Denegatorio, ria. adj. Que incluye denegación.

Denegrecer. (De *de* y *negrecer.*) tr. **Ennegrecer.** Ú. t. c. r. ‖ **2.** ant. fig. **Denigrar.**

Denegrido, da. p. p. de **Denegrir.** ‖ **2.** adj. De color que tira a negro.

Denegrir. (Del lat. *de,* de, y *nigrēre,* ponerse negro.) tr. **Denegrecer,** 1.ª acep. Ú. t. c. r.

Dengoso, sa. (De *dengue,* 1.er art.) adj. **Melindroso.**

Dengue. m. Melindre mujeril que consiste en afectar delicadezas, males, y, a veces, disgusto de lo que más se quiere o desea. ‖ **2.** Esclavina de paño, que llega hasta la mitad de la espalda, se cruza por el pecho, y las puntas se sujetan detrás del talle. Es prenda de mujer. ‖ **3.** *Med.* Enfermedad febril, epidémica y contagiosa, que se manifiesta por dolores de los miembros y un exantema semejante al de la escarlatina.

Dengue. m. *Chile.* Planta herbácea, ramosa, de hojas opuestas, ovaladas y carnosas, y flores inodoras, rojas, amarillas o blancas, pedunculadas en hacecillos terminales que se marchitan al menor contacto. ‖ **2.** *Chile.* Flor de esta planta.

Denguear. intr. Hacer dengues, 1.er art., 1.ª acep.

Denguero, ra. (De *dengue,* 1.er art.) adj. **Dengoso.**

Denigración. (Del lat. *denigratĭo, -ōnis,* acción de ennegrecer.) f. Acción y efecto de denigrar.

Denigrante. p. a. de **Denigrar.** Que denigra. Ú. t. c. s.

Denigrar. (Del lat. *denigrāre,* poner negro, manchar.) tr. Deslustrar, ofender la opinión o fama de una persona. ‖ **2. Injuriar,** 1.ª acep.

Denigrativamente. adv. m. De un modo denigrativo.

Denigrativo, va. adj. Dícese de lo que denigra. *Escrito* DENIGRATIVO; *palabra* DENIGRATIVA.

Denodadamente. adv. m. Con denuedo.

Denodado, da. (Del lat. *denotātus,* famoso.) adj. Intrépido, esforzado, atrevido.

Denodarse. (Del lat. *denotāre,* señalar.) r. ant. Atreverse, esforzarse, mostrarse osado y feroz.

Denominación. (Del lat. *denominatĭo, -ōnis.*) f. Nombre, título o renombre con que se distinguen las personas y las cosas.

Denominadamente. adv. m. Distintamente, señaladamente.

Denominado. (De *denominar.*) adj. *Arit.* V. **Número denominado.**

Denominador, ra. (Del lat. *denominātor.*) adj. Que denomina. Ú. t. c. s. ‖ **2.** m. *Arit.* Número que en los quebrados o fracciones expresa las partes iguales en que la unidad se considera dividida, y que, en consecuencia, les da nombre. Escríbese debajo del numerador y separado de éste por una raya horizontal. En las fracciones decimales no se escribe, por innecesario, puesto que se sobrentiende.

Denominar. (Del lat. *denomināre.*) tr. Nombrar, señalar o distinguir con un título particular a algunas personas o cosas. Ú. t. c. r.

Denominativo, va. (Del lat. *denominatīvus.*) adj. Que implica o denota denominación. ‖ **2.** *Gram.* Dícese de la palabra y en especial del verbo, derivados de un nombre, como *torear* de *toro,* y *martillar* de *martillo.*

Denostable. (De *denostar.*) adj. ant. **Vituperable.**

Denostada. (De *denostar.*) f. ant. Injuria o afrenta.

Denostadamente. adv. m. Con denuesto.

Denostador, ra. (De *denostar.*) adj. Que injuria o agravia de palabra. Ú. t. c. s.

Denostamiento. (De *denostar.*) m. ant. **Denuesto.**

Denostar. (Del lat. *dehonestāre,* deshonrar.) tr. Injuriar gravemente, infamar de palabra.

Denostosamente. adv. m. **Denostadamente.**

Denostoso, sa. adj. Que implica injuria o afrenta.

Denotación. (Del lat. *denotatĭo, -ōnis.*) f. Acción y efecto de denotar.

Denotar. (Del lat. *denotāre.*) tr. Indicar, anunciar, significar.

Denotativo, va. adj. Dícese de lo que denota.

Densamente. adv. m. Con densidad.

Densar. (Del lat. *densāre,* de *densus,* espeso.) tr. ant. Coagular, espesar, encrasar, engrosar lo líquido. ‖ **2.** ant. Espesar, unir.

Densidad. (Del lat. *densĭtas, -ātis.*) f. Calidad de denso. ‖ **2.** *Fís.* Relación entre la masa y el volumen de un cuerpo. ‖ **de población.** Número de habitantes por unidad de superficie, como hectárea, kilómetro cuadrado, etc.

Densificar. tr. Hacer densa una cosa. Ú. t. c. r.

Densímetro. (De *denso* y el gr. μέτρον medida.) m. *Fís.* **Areómetro.**

Denso, sa. (Del lat. *densus.*) adj. Compacto, apretado, en contraposición a ralo o flojo. ‖ **2.** Craso, espeso, engrosado. ‖ **3.** fig. Apiñado, apretado, unido, cerrado. ‖ **4.** fig. Obscuro, confuso.

Densuno. adv. m. ant. **De consuno.**

Dentado, da. (Del lat. *dentātus.*) adj. Que tiene dientes, o puntas parecidas a ellos. ‖ **2.** *Blas.* Se dice del escudo cuyas particiones o piezas están guarnecidas de puntas como dientes de sierra, y también del animal que muestra sus dientes de esmalte distinto que el cuerpo. ‖ **3.** *Bot.* V. **Hoja dentada.**

Dentadura. f. Conjunto de dientes, muelas y colmillos que tiene en la boca una persona o un animal.

Dental. (Del lat. *dentāle.*) m. Palo donde se encaja la reja del arado. ‖ **2.** Cada una de las piedras o hierros del trillo, que sirven para cortar la paja.

Dental. (Del lat. *dentālis.*) adj. Perteneciente o relativo a los dientes. ‖ **2.** *Fon.* Dícese de la consonante cuya articulación requiere que la lengua toque en los dientes, y más propiamente de la que se pronuncia aplicando o acercando la lengua a la cara interior de los incisivos superiores, como la *t.* ‖ **3.** Dícese de la letra que representa este sonido. Ú. t. c. s. f.

Dentar. tr. Formar dientes a una cosa; como a la hoz, la sierra, etc. ‖ **2.** intr. **Endentecer.**

Dentario, ria. (Del lat. *dentarĭus.*) adj. **Dental,** 2.° art., 1.ª acep.

Dentecer. (Del lat. *dens, dentis,* diente.) intr. ant. **Endentecer.**

Dentecillo. m. d. de **Diente.**

Dentejón. (De *diente.*) m. Yugo con que se uncen los bueyes a la carreta.

Dentellada. (De *dentellar.*) f. Acción de mover la quijada con alguna fuerza sin mascar cosa alguna. ‖ **2.** Herida que dejan los dientes en la parte donde muerden. ‖ **A dentelladas.** m. adv. Con los dientes. Ú. con los verbos *morder, herir, romper,* etc. ‖ **Dar,** o **sacudir,** uno **dentelladas** a otro. fr. fig. y fam. Darle malas razones o respuestas agrias.

Dentellado, da. p. p. de **Dentellar.** ‖ **2.** adj. Que tiene dientes. ‖ **3.** Parecido a ellos. ‖ **4.** Herido a dentelladas. ‖ **5.** *Blas.* Se dice de la pieza que lleva en su contorno muchos dientes menudos que la diferencian de la dentada, así como el que los espacios entre cada diente son de figura circular y no angulosa.

Dentellar. (Del dialect. *dentellar,* y éste del lat. *dentĭcŭlus,* d. de *dens, dentis.*) intr. Dar diente con diente; batir los dientes unos contra otros con celeridad, como cuando se padece un gran temblor o una convulsión.

Dentellear. (De *dentellar.*) tr. Mordiscar, clavar los dientes.

Dentellón. (De *dentellar.*) m. Pieza, a modo de un diente grande, que se suele echar en las cerraduras maestras. ‖ **2.** *Arq.* **Dentículo.** ‖ **3.** *Arq.* Parte de la adaraja que está entre dos vacíos.

Dentera. f. Sensación desagradable que se experimenta en los dientes y encías al comer substancias agrias o acerbas, oir ciertos ruidos desapacibles, tocar determinados cuerpos y aun con sólo el recuerdo de estas cosas. ‖ **2.** fig. y fam. **Envidia,** 1.ª acep. ‖ **3.** fig. y fam. Ansia o deseo vehemente.

Dentezuelo. m. d. de **Diente.**

Denticina. f. Medicamento destinado a facilitar la dentición en los niños.

Dentición. (Del lat. *dentitĭo, -ōnis.*) f. Acción y efecto de endentecer. ‖ **2.** Tiempo en que se echa la dentadura. ‖ **3.** *Zool.* Clase y número de dientes que caracteriza a un animal mamífero, según la especie a que pertenece. ‖ **completa.** *Zool.* La del animal que tiene las tres clases de dientes, incisivos, caninos y molares. Es **incompleta** si le falta alguna de ellas.

Denticonejuno, na. adj. Dícese de la caballería con dientes pequeños, blancos e iguales que, por desgastarse poco, no permiten apreciar la edad del animal.

Denticulación. f. *Zool.* Conjunto de los dientecillos que ofrecen algunos órganos de ciertos animales, y cuya disposición puede ser característica de la especie.

Denticulado, da. adj. Que tiene dentículos.

Denticular. (De *dentículo.*) adj. De figura de dientes.

Dentículo. (Del lat. *denticŭlus,* dientecillo.) m. *Arq.* Cada uno de los adornos de figura de paralelepípedo rectángulo que, formando fila, se colocan en la parte superior del friso del orden jónico y en algunos otros miembros arquitectónicos.

Dentífrico, ca. (Del lat. *dens, dentis,* diente, y *fricāre,* frotar.) adj. Dícese de los polvos, pastas, aguas, etc., que se usan para limpiar y mantener sana la dentadura. Ú. t. c. s. m.

Dentina. f. Marfil de los dientes.

Dentirrostro. (Del lat. *dens, dentis,* diente, y *rostrum,* pico.) adj. *Zool.* Dícese de los pájaros cuyo pico tiene un diente más o menos visible en el extremo de la mandíbula superior, como el cuervo y el tordo. ‖ **2.** m. pl. *Zool.* Suborden de estos animales.

Dentista. adj. Dícese del profesor o profesora dedicados a conservar la dentadura, curar sus enfermedades y reponer artificialmente sus faltas. *Cirujano* DENTISTA. Ú. m. c. s.

Dentivano, na. (De *diente* y *vano.*) adj. Dícese de la caballería que tiene los dientes muy largos, anchos y ralos.

Dentón, na. adj. fam. **Dentudo.** Ú. t. c. s. ‖ **2.** m. *Zool.* Pez teleósteo marino, del suborden de los acantopterigios, de unos ocho decímetros de largo; cabeza, ojos y boca grandes; dientes cónicos en ambas mandíbulas y dos o tres de los centrales muy salientes; cuerpo comprimido, de color azulado por el lomo, argentado por los costados y vientre; aletas rojizas y cola ahorquillada. Es de carne blanca y comestible y abunda en el Mediterráneo. ‖ **3.** pl. *Germ.* Las tenazas.

Dentorno. (Contracc. de *de en torno.*) adv. m. ant. Del rededor.

Dentrambos, bas. Contracc. de **de entrambos** y **de entrambas.**

Dentro. (Del lat. *deintro.*) adv. l. y t. A o en la parte interior de un espacio o término real o imaginario. DENTRO *de un cajón, de una ciudad, de un año, del corazón, del alma.* Constrúyese con las preps. *de, por* y *hacia,* y suele anteponerse a *en* significando **dentro** de. DENTRO *en su pecho.* ‖ **A dentro.** m. adv. **Adentro.** ‖ **De dentro.** m. adv. ant. **A dentro.** ‖ **Dentro o fuera.** expr. fig. y fam. con que se excita a uno a tomar una resolución. ‖ **Por de dentro.** m. adv. **Por dentro.**

Dentrotraer. (De *dentro* y *traer.*) tr. ant. Meter, introducir.

Dentudo, da. adj. Que tiene dientes desproporcionados. Ú. t. c. s.

Denudación. (Del lat. *denudatĭo, -ōnis.*) f. *Hist. Nat.* Acción y efecto de denudar o denudarse.

Denudar. (Del lat. *denudāre.*) tr. *Hist. Nat.* Desnudar, despojar. Ú. t. c. r.

Denuedo. (De *denodarse.*) m. Brío, esfuerzo, valor, intrepidez.

Denuesto. (De *denostar.*) m. Injuria grave de palabra o por escrito. ‖ **2.** ant. Tacha, reparo, objeción.

Denuncia. f. Acción y efecto de denunciar. ‖ **2.** *For.* Noticia que de palabra o por escrito se da a la autoridad competente de haberse cometido algún delito o falta. ‖ **3.** *For.* Documento en que consta dicha noticia. ‖ **falsa.** *For.* Imputación falsa de un delito punible de oficio, hecha ante funcionario que tenga obligación de perseguirlo.

Denunciable. adj. Que se puede denunciar.

Denunciación. (Del lat. *denuntiatĭo, -ōnis.*) f. **Denuncia,** 1.ª acep.

Denunciador, ra. (Del lat. *denuntiātor.*) adj. Que denuncia. Ú. t. c. s. ‖ **2.** m. y f. **Denunciante,** 2.ª acep.

Denunciante. p. a. de **Denunciar.** Que denuncia. ‖ **2.** com. *For.* El que hace una denuncia, 2.ª y 3.ª aceps.

Denunciar. (Del lat. *denuntiāre.*) tr. Noticiar, avisar. ‖ **2. Pronosticar.** ‖ **3.** Promulgar, publicar solemnemente. ‖ **4.** Participar o declarar oficialmente el estado ilegal, irregular o inconveniente de una cosa. ‖ **5.** V. **Denunciar una mina.** ‖ **6.** fig. **Delatar.** ‖ **7.** *For.* Dar a la autoridad parte o noticia de un daño hecho, con designación del culpable o sin ella.

Denunciatorio, ria. adj. Perteneciente a la denuncia. *Alegación* DENUNCIATORIA.

Denuncio. m. *Min.* Acción de solicitar la concesión de una mina. ‖ **2.** Concesión minera solicitada y aún no obtenida.

Deñar. (Del lat. *dignāre.*) tr. ant. Tener por digno. ‖ **2.** r. **Dignarse.**

Deodara. (Del indostánico *deodar.*) adj. V. **Cedro deodara.**

Deo gracias. (Del lat. *Deo gratias,* gracias a Dios.) expr. de que suele usarse para saludar al entrar en una casa. ‖ **2.** m. fig. y fam. Semblante y ademán devoto y sumiso con que uno se presenta para ganar la estimación y confianza del que le puede favorecer.

Deontología. (Del gr. δέον, -οντος, el deber, y λόγος, tratado.) f. Ciencia o tratado de los deberes.

Deo volente. (Lit., *queriendo Dios.*) expr. lat. fam. **Dios mediante.**

Deparador, ra. adj. Que depara. Ú. t. c. s.

Deparar. (Del lat. *de,* de, *parāre,* aprestar, preparar.) tr. Suministrar, proporcionar, conceder. ‖ **2.** Poner delante, presentar.

Departamento. (Del fr. *département,* der. de *départir,* de *de* y *partir.*) m. Cada una de las partes en que se divide un territorio cualquiera, un edificio, un vehículo, una caja, etc. ‖ **2.** Ministerio o ramo de la administración pública. ‖ **3.** Distrito a que se extiende la jurisdicción o mando de un capitán general de marina.

Departidamente. adv. m. ant. Distintamente, separadamente y a cada uno en particular.

Departidor, ra. adj. Que departe. Ú. t. c. s.

Departimiento. (De *departir.*) m. ant. División, separación. ‖ **2.** ant. **Diferencia,** 1.ª acep. ‖ **3.** ant. Ajuste, convenio. ‖ **4.** ant. Porfía, disputa, pleito. ‖ **5.** ant. **Demarcación,** 1.ª acep. ‖ **6.** *For.* ant. **Divorcio.**

Departir. (Del lat. **departīre,* de *de* y *partīre.*) intr. Hablar, conversar. ‖ **2.** ant. **Altercar** ‖ **3.** tr. ant. Separar, repartir, dividir en partes. ‖ **4.** ant. Enseñar, explicar. ‖ **5.** ant. Diferenciar, distinguir. ‖ **6.** ant. Discurrir, juzgar. ‖ **7.** ant. **Demarcar,** 1.ª acep. ‖ **8.** ant. Impedir, estorbar. ‖ **9.** *For.* ant. Disolver un matrimonio.

Depauperación. (De *depauperar.*) f. Acción y efecto de depauperar. ‖ **2.** *Med.* Debilitación del organismo, enflaquecimiento, extenuación.

Depauperar. (Del lat. *depauperāre.*) tr. **Empobrecer.** ‖ **2.** *Med.* Debilitar, extenuar. Ú. m. c. r.

Dependencia. (Del lat. *dependens, -entis,* dependiente.) f. Subordinación, reconocimiento de mayor poder o autoridad. ‖ **2.** Oficina pública o privada, dependiente de otra superior. ‖ **3.** Relación de parentesco o amistad. ‖ **4.** Negocio, encargo, agencia. ‖ **5.** Conjunto de dependientes. ‖ **6.** pl. Cosas accesorias de otra principal.

Dependente. (Del lat. *dependens, -entis.*) p. a. ant. **Dependiente.**

Depender. (Del lat. *dependēre.*) intr. Estar subordinado a una persona o cosa; venir de ella como de su principio, o estar conexa una cosa con otra, o seguirse a ella. ‖ **2.** Necesitar una persona del auxilio o protección de otra.

Dependiente. p. a. de **Depender.** Que depende. ‖ **2.** m. El que sirve a uno o es subalterno de una autoridad. ‖ **3.** Empleado de comercio encargado de atender a los clientes en las tiendas.

Depilación. f. *Med.* Acción y efecto de depilar o depilarse.

Depilar. (Del lat. *depilāre;* de *de,* priv., y *pilus,* pelo.) tr. *Med.* Arrancar el pelo o producir su caída por medio de substancias, medicamentos depilatorios o por otros procedimientos. Ú. t. c. r.

Depilatorio, ria. (Del lat. *depilātus,* p. p. de *depilāre,* pelar.) adj. Dícese de la untura u otro medio que se emplea para hacer caer el pelo o el vello. Ú. t. c. s. m.

Deplorable. (Del lat. *deplorabĭlis.*) adj. Lamentable, infeliz; casi sin remedio.

Deplorablemente. adv. m. Lastimosa, miserablemente.

Deplorar. (Del lat. *deplorāre.*) tr. Sentir viva y profundamente un suceso.

Deponente. (Del lat. *depōnens, -entis.*) p. a. de **Deponer.** Que depone. ‖ **2.** adj. *Gram.* V. **Verbo deponente.** Ú. t. c. s.

Deponer. (Del lat. *deponĕre.*) tr. Dejar, separar, apartar, de sí. ‖ **2.** Privar a una persona de su empleo, o degradarla de los honores o dignidad que tenía. ‖ **3.** Afirmar, atestiguar, aseverar. *Pedro* DEPONE *que ha visto lo ocurrido.* ‖ **4.** Bajar o quitar una cosa del lugar en que está. ‖ **5.** ant. Poner o depositar. ‖ **6.** *For.* Declarar ante una autoridad judicial. ‖ **7.** intr. **Evacuar el vientre.**

Depopulación. (Del lat. *depopulatĭo, -ōnis.*) f. ant. **Despoblación.** ‖ **2.** ant. fig. Desolación, tala y destrucción de campos y poblados.

Depopulador, ra. (Del lat. *depopulātor.*) adj. Que hace estragos en campos y poblados. Ú. t. c. s.

Deportación. (Del lat. *deportatĭo, -ōnis.*) f. Acción y efecto de deportar.

Deportar. (Del lat. *deportāre.*) tr. Desterrar a uno a un punto determinado y, por lo regular, ultramarino. ‖ **2.** r.

ant. Descansar, reposar, hacer mansión. || **3.** ant. Divertirse, recrearse.

Deporte. (De *deportar*, 3.ª acep.) m. Recreación, pasatiempo, placer, diversión, o ejercicio físico, por lo común al aire libre.

Deportismo. m. Afición a los deportes o ejercicio de ellos.

Deportista. com. Persona aficionada a los deportes o entendida en ellos. Ú. t. c. adj.

Deportivo, va. adj. Perteneciente o relativo al deporte.

Deportoso, sa. (De *deporte.*) adj. **Divertido,** 2.ª acep.

Depós. (De la prep. lat. *de* y el adv. *post,* después.) adv. t. ant. **Después.**

Deposante. p. a. ant. de **Deposar.** Que deposa.

Deposar. (De *de,* priv., y *posar.*) tr. ant. **Deponer,** 6.ª ant.

Deposición. (Del lat. *depositio, -ōnis.*) f. Exposición o declaración que se hace de una cosa. || **2.** Privación o degradación de empleo o dignidad. || **3.** Evacuación de vientre. || **4.** *For.* Declaración hecha verbalmente ante un juez o tribunal. || **eclesiástica.** Privación de oficio y beneficio para siempre, con retención del canon y fuero; castigo medio entre la suspensión y la degradación.

Depositador, ra. adj. Que deposita. Ú. t. c. s.

Depositante. p. a. de **Depositar.** Que deposita.

Depositar. (De *depósito.*) tr. Poner bienes o cosas de valor bajo la custodia o guarda de persona abonada que quede en la obligación de responder de ellos cuando se le pidan. || **2.** Entregar, confiar a uno una cosa amigablemente y sobre su palabra. || **3.** Poner a una persona en lugar donde libremente pueda manifestar su voluntad, habiéndola sacado el juez competente de la parte donde se teme que le hagan violencia. || **4.** Encerrar, contener. || **5.** Hablando de un cadáver, colocarlo interinamente en lugar apropiado hasta que se le dé sepultura. || **6.** Colocar algo en sitio determinado y por tiempo indefinido. || **7. Sedimentar,** 1.ª acep. || **8.** fig. Encomendar, confiar a uno alguna cosa, como la fama, la opinión, etc. || **9.** r. Separarse de un líquido una materia que esté en suspensión, cayendo al fondo.

Depositaría. (De *depositar.*) f. Sitio o paraje donde se hacen los depósitos. || **2.** Tesorería u oficina del depositario, 4.ª acep. || **3.** Destino o cargo de depositario. || **general.** Oficio o empleo público que había en algunas ciudades y villas para custodiar caudales de menores, redenciones de censos, etc., que se depositaban en arcas.

Depositario, ria. (Del lat. *depositarius.*) adj. Perteneciente al depósito. || **2.** fig. Que contiene o encierra una cosa. || **3.** m. y f. Persona en quien se deposita una cosa. || **4.** m. El que tiene a su cargo los caudales de una depositaría. || **5.** El que anualmente se nombra en todos los lugares donde hay pósito para que reciba y custodie los granos y caudales de él, llevando cuenta y razón de su entrada y salida. || **general.** El que tenía a su cargo la depositaría general.

Depósito. (Del lat. *depositum.*) m. Acción y efecto de depositar. || **2.** Cosa depositada. || **3.** Lugar o paraje donde se deposita. || **4.** *Mil.* Organismo adscrito a una zona de reclutamiento, en el cual quedan concentrados los reclutas que por diversas causas no pueden ir inmediatamente al servicio activo. || **de reserva territorial.** *Mil.* Aquel del cual dependen las clases e individuos de tropa que han prestado servicio activo y se hallan todavía sujetos a nuevo llamamiento. || **franco.** Conjunto de mercancías importadas, que pueden permanecer libres de derechos de Aduana en puerto habilitado al efecto, hasta su reexportación, o ser introducidas en el país, previo abono de esos derechos. || **indistinto.** *Com.* El que se constituye a nombre de dos o más personas o entidades. || **irregular.** *For.* Aquel en que se autoriza al depositario para utilizar la cosa depositada. || **miserable,** o **necesario.** *For.* El hecho por obligación legal o a causa de apuro o desgracia.

Depravación. (Del lat. *depravatio, -ōnis.*) f. Acción y efecto de depravar o depravarse.

Depravadamente. adv. m. Malvadamente, con malicia suma.

Depravado, da. (Del lat. *depravātus,* malo.) p. p. de **Depravar.** || **2.** adj. Demasiadamente viciado en las costumbres. Ú. t. c. s.

Depravador, ra. (Del lat. *depravātor.*) adj. Que deprava. Ú. t. c. s.

Depravar. (Del lat. *depravāre.*) tr. Viciar, adulterar, corromper. Se dice principalmente de las cosas inmateriales. Ú. t. c. r.

Deprecación. (Del lat. *deprecatio, -ōnis.*) f. Ruego, súplica, petición. || **2.** *Ret.* Figura que consiste en dirigir un ruego o súplica ferviente.

Deprecante. p. a. de **Deprecar.** Que depreca. Ú. t. c. s.

Deprecar. (Del lat. *deprecāri,* rogar.) tr. Rogar, pedir, suplicar con eficacia o instancia.

Deprecativo, va. (Del lat. *deprecatīvus.*) adj. Perteneciente a la deprecación. || **2.** *Gram.* V. **Modo deprecativo.** Ú. t. c. s.

Deprecatorio, ria. (Del lat. *deprecatorius.*) adj. **Deprecativo.**

Depreces. (De *de* y *preces,* pl. de *prez.*) m. pl. ant. Derechos pagados por una cosa.

Depreciación. (De *depreciar.*) f. Disminución del valor o precio de una cosa, ya con relación al que antes tenía, ya comparándola con otras de su clase.

Depreciar. (Del lat. *depretiāre,* menospreciar.) tr. Disminuir o rebajar el valor o precio de una cosa.

Depredación. (Del lat. *depraedatio, -ōnis.*) f. Pillaje, robo con violencia, devastación. || **2.** Malversación o exacción injusta por abuso de autoridad o de confianza.

Depredador. (Del lat. *depraedātor.*) adj. El que depreda. Ú. t. c. s.

Depredar. (Del lat. *depraedāre.*) tr. Robar, saquear con violencia y destrozo.

Deprehender. (Del lat. *deprehendĕre.*) tr. ant. **Aprender.**

Deprehenso, sa. (Del lat. *deprehensus.*) p. p. irreg. ant. de **Deprehender.**

Deprendador, ra. (Del lat. *deprendĕre,* apoderarse de.) adj. ant. **Ladrón,** 1.ª acep. Usáb. t. c. s.

Deprender. tr. p. us. **Deprehender.**

Depresión. (Del lat. *depressio, -ōnis.*) f. Acción y efecto de deprimir o deprimirse. || **2.** Concavidad de alguna extensión en un terreno u otra superficie. || **3.** Decaimiento de ánimo o de la voluntad. || **barométrica.** Descenso de la columna indicadora de la pesantez del aire en el barómetro. || **de horizonte.** *Mar.* Ángulo formado en el ojo del observador por las líneas horizontal y tangente a la superficie del mar.

Depresivo, va. (Del lat. *depressum,* supino de *deprimĕre,* deprimir.) adj. Dícese de lo que deprime el ánimo.

Depresor, ra. (Del lat. *depressor.*) adj. Que deprime o humilla. Ú. t. c. s. || **2.** m. *Med.* Instrumento para deprimir o apartar, como el que se aplica a la base de la lengua para dejar libre la cavidad faríngea.

Depretericición. f. ant. *For.* **Preterición,** 3.ª acep.

Deprimente. p. a. de Deprimir. Que deprime. || **2.** adj. **Depresivo.**

Deprimir. (Del lat. *deprimĕre.*) tr. Disminuir el volumen de un cuerpo por medio de la presión. || **2.** Hundir alguna parte de un cuerpo. || **3.** fig. Humillar, rebajar, negar las prendas y cualidades de una persona o cosa. Ú. t. c. r. || **4.** r. Disminuir el volumen de un cuerpo o cambiar de forma por virtud de algún hundimiento parcial. || **5.** Aparecer baja una superficie o una línea con referencia a las inmediatas.

Deprisa. adv. m. **De prisa.**

De profundis. m. Salmo penitencial que empieza con dichas palabras latinas. || **2.** Acto de cantarlo o rezarlo.

Depuesto, ta. (Del lat. *depositus.*) p. p. irreg. de **Deponer.**

Depuración. f. Acción y efecto de depurar o depurarse.

Depurador, ra. adj. Que depura. Ú. t. c. s.

Depurar. (Del lat. *depurāre;* de *de,* de, y *purus,* puro.) tr. Limpiar, purificar. Ú. t. c. r. || **2.** Rehabilitar en el ejercicio de su cargo al que por causas políticas estaba separado o en suspenso.

Depurativo, va. (De *depurar.*) adj. *Med.* Dícese del medicamento que purifica los humores y principalmente la sangre. Ú. t. c. s. m.

Depuratorio, ria. adj. Que sirve para depurar o purificar.

Deputador, ra. adj. ant. **Diputador.** Usáb. t. c. s.

Deputar. (Del lat. *deputāre.*) tr. **Diputar.**

Deque. (De *de* y *que.*) adv. t. fam. Después que, luego que.

Derecera. (De *derezar.*) f. **Derechera.**

Derecha. (Del lat. *directa,* t. f. de *directus,* directo.) f. **Mano derecha.** || **2.** Hablando de colectividades políticas, la parte más moderada o que en su doctrina guarda más respeto a las tradiciones. || **3.** ant. Conjunto de perros de caza que se sueltan, según determinadas reglas, para seguir la res. || **4.** ant. Camino que llevan los mismos perros cuando siguen la caza. || **A la derecha.** m. adv. *Mil.* Usáb. para mandar al soldado volverse hacia la mano derecha. Hoy se dice sólo: *¡Derecha!* || **Ésa es la derecha, y dábale con la zurda. Ésa es la derecha, y la torcida la del candil.** refs. con que se moteja a los que hacen un disparate, o toman una cosa por lo contrario de lo que es.

Derechamente. adv. m. **En derechura.** || **2.** fig. Con prudencia, discreción, destreza y justicia. || **3.** fig. Directamente, a las claras.

Derechera. f. Vía o senda derecha, a distinción de la que toma rodeo.

Derechero, ra. (De *derecho.*) adj. Justo, recto, arreglado. || **2.** m. Oficial destinado en los tribunales y otras oficinas públicas a cobrar los derechos.

Derechez. f. ant. **Derecheza.**

Derecheza. (De *derecho.*) f. ant. **Derechura,** 1.ª y 2.ª aceps.

Derechista. com. Persona amiga de la tradición y de las costumbres establecidas, sobre todo en política y otras instituciones sociales. El individuo de ideas opuestas se suele llamar izquierdista.

Derechito. adv. m. fam. **Derecho,** 12.ª acep.

Derecho, cha. (Del lat. *directus,* directo.) p. p. irreg. ant. de **Dirigir.** || **2.** adj. Recto, igual, seguido, sin torcerse a un lado ni a otro. || **3.** V. **Fil derecho.** || **4.** V. **Mano derecha.** || **5.** Que cae o mira hacia la mano **derecha,** o está al lado de ella. || **6.** Aplícase a lo que desde el eje de la vaguada de un río cae a mano **derecha** de quien se coloca mirando hacia donde corren las aguas. || **7.** Justo, fundado, razonable, legítimo. || **8.** ant. **Cierto,** 1.ª acep. || **9.** ant. **Legítimo.** || **10.** fig. V. **Camino derecho.** || **11.** *Arq.* V. **Pie derecho.** || **12.** adv. m. **Derechamente,** 1.ª acep.

|| **13.** m. Facultad natural del hombre para hacer legítimamente lo que conduce a los fines de su vida. || **14.** Facultad de hacer o exigir todo aquello que la ley o la autoridad establece en nuestro favor, o que el dueño de una cosa nos permite en ella. || **15.** Consecuencias naturales del estado de una persona, o sus relaciones con respecto a otras. *El* DERECHO *del padre, los* DERECHOS *de la amistad.* || **16.** Acción que se tiene sobre una persona o cosa. || **17.** Justicia, razón. || **18.** Conjunto de principios, preceptos y reglas a que están sometidas las relaciones humanas en toda sociedad civil, y a cuya observancia pueden ser compelidos los individuos por la fuerza. || **19.** Exención, franquicia, privilegio. || **20.** Facultad que abraza el estudio del **derecho** en sus diferentes órdenes. || **21.** Sendero, camino. || **22.** Lado de una tela, papel, tabla, etc., en el cual, por ser el que ha de verse, aparecen la labor y el color con la perfección conveniente. || **23.** *For.* V. **Condición imposible, ficción, información de derecho.** || **24.** *For.* V. **Información, papel en derecho.** || **25.** *For.* V. **Presunción de solo derecho.** || **26.** pl. Tanto que se paga, con arreglo a arancel, por la introducción de una mercancía o por otro hecho designado por la ley. DERECHOS *aduaneros, notariales*, etc. || **27.** Cantidades que se cobran en ciertas profesiones; como los del escribano, del arquitecto, etc. || **Derecho administrativo.** Conjunto de normas doctrinales y de disposiciones positivas concernientes a los órganos e institutos de la administración pública, a la ordenación de los servicios que legamente le están encomendados, y a sus relaciones con las colectividades o los individuos a quienes tales servicios atañen. || **adquirido.** El creado al amparo de una legislación y que merece respeto de las posteriores. Ú. m. en pl. || **canónico.** Conjunto de normas doctrinales y de disposiciones estatuidas por las autoridades de la Iglesia, que atañen al orden jerárquico de estas autoridades y a sus relaciones con los fieles católicos en cuanto corresponde al fuero externo. || **cesáreo. Derecho civil.** || **civil.** El que regula las relaciones privadas de los ciudadanos entre sí. || **2.** Por antonom., **derecho** romano. || **común. Derecho civil.** || **comunal.** ant. **Derecho de gentes.** || **consuetudinario.** El introducido por la costumbre. || **criminal. Derecho penal.** || **de acrecer. Derecho** de uno o varios coherederos o colegatarios a la porción o parte de la herencia que otro u otros renuncian o no pueden adquirir. || **2.** En los cabildos de las iglesias donde se gana y distribuye la renta según las asistencias personales de sus prebendados o ministros, acción que los que asisten a las horas canónicas u oficios divinos tienen a la parte de renta que pierden los que no asisten. || **de asilo.** Privilegio de asilo, 1.er art., 1.ª acep. || **de autor.** El que la ley reconoce al autor de una obra para participar en los beneficios que produzca la publicación, ejecución o reproducción de la misma. Por ext., gozan de este **derecho,** en algunos casos, los ejecutantes e intérpretes. || **2.** pl. Cantidad que se cobra por este concepto. || **de avería.** En el comercio de varios países ultramarinos, cierto repartimiento o gabela impuesto sobre los mercaderes o las mercaderías, y el ramo de renta compuesto de este repartimiento y **derecho.** || **de balanza.** Impuesto creado en 1824, que consistía en el uno por ciento del importe total de los **derechos** a que estaban sujetos los géneros que entraban y salían por las aduanas. || **de bandera.** Impuesto que pagan las mercaderías por ser transportadas en los buques. || **de braceaje.** Exceso del valor nominal de la moneda sobre el intrínseco, en que se beneficiaba el Estado para indemnizarse de los gastos de acuñación. || **de deliberar. Beneficio de deliberar.** || **de ejecución. Derecho** de autor que corresponde a los ejecutantes o intérpretes de obras musicales o literarias. || **de entrada.** El que se paga por ciertos géneros cuando se introducen en un puerto o aduana. Ú. m. en pl. || **de espada.** Cantidad que pagaban los oficiales nuevos de la Guardia Real al tiempo de su ingreso. || **de estola. Pie de altar.** || **de fábrica.** Cantidad que se satisface al erario o fábrica de una parroquia, colegiata, catedral, etc. || **de gentes. Derecho** natural que los romanos admitían entre todos los hombres, a diferencia del que era peculiar de sus ciudadanos. || **2. Derecho internacional.** || **de internación.** El que se pagaba por introducir tierra adentro las mercancías. Ú. m. en pl. || **de pataleo.** fig. y fam. Desahogos o quejas inútiles del que ha sido contrariado en sus **derechos** o aspiraciones. || **de patronato.** Privilegios y facultades del patrono, según el estatuto de fundación, y principalmente el poder o facultad de presentar personas hábiles para los beneficios y capellanías vacantes. || **de pernada.** Ceremonia de algunos feudos, que consistía en poner el señor o su delegado una pierna sobre el lecho de los vasallos el día en que se casaban. || **de regalía.** El que paga el tabaco elaborado al ser introducido en España. || **de respuesta.** *For.* El que concede o reconoce la ley de imprenta a la persona aludida expresamente en un periódico para contestar desde el mismo a las alusiones que se le hayan dirigido. || **diferencial de bandera.** Diferencia de **derechos** que se pagan porteando las mercancías en buques de unas u otras naciones. || **divino.** El que procede directamente de Dios, o por ley natural, o por medio de la revelación. || **eclesiástico. Derecho canónico.** || **escrito.** Ley escrita y promulgada, a diferencia de la establecida por tradición y costumbre. || **internacional.** El que siguen los pueblos civilizados en sus relaciones recíprocas de nación a nación o de hombre a hombre; y así se distingue en **internacional público** e **internacional privado.** || **mercantil.** El que especialmente regula las relaciones que conciernen a las personas, los lugares, los contratos y los actos del comercio terrestre y marítimo. || **municipal.** El que regula el régimen de los concejos o municipios, como corporaciones y en relación con los vecindarios respectivos. || **natural.** Primeros principios de lo justo y de lo injusto, inspirados por la naturaleza y que como ideal trata de realizar el **derecho** positivo. || **no escrito. Derecho consuetudinario.** || **parroquial.** Jurisdicción que corresponde al párroco en las cosas espirituales de sus feligreses. || **penal.** El que establece y regula la represión o castigo de los crímenes o delitos, por medio de la imposición de las penas. || **personal.** El que relaciona entre sí los sujetos y no está atribuido a las personas sobre las cosas. || **político.** El que regula el orden y funcionamiento de los poderes del Estado y sus relaciones con los ciudadanos. || **pontificio. Derecho canónico.** || **positivo.** El establecido por leyes, bien sean divinas, bien humanas. Se usa en contraposición al **derecho natural.** || **pretorio.** El establecido por los pretores, que, atendiendo más a la equidad natural que al rigor de la letra, explica o modifica las leyes civiles. || **procesal.** El relativo a los procedimientos civiles y criminales. || **público.** El que tiene por objeto regular el orden general del Estado y sus relaciones, ya con los súbditos, ya con los demás Estados. || **real.** *For.* El que tienen las personas sobre las cosas. || **Derechos de fábrica.** Rentas o **derechos** que se cobran en las iglesias por ciertos actos, como bautizos, entierros y otros, y sirven para repararlas o para costear los gastos del culto. || **parroquiales.** Retribuciones sujetas a arancel que corresponden a cada iglesia parroquial o a los que en ella sirven. || **reales.** Se da este nombre a un impuesto que grava las transmisiones de bienes y otros actos civiles. || **A derechas.** m. adv. con que se explica que una cosa se hace bien o como se debe. || **A las derechas.** m. adv. con que se explica que una persona procede bien y rectamente. || **Al derecho.** m. adv. **A derechas.** || **Cada uno alega en derecho de su dedo.** ref. que denota la inclinación que todos tenemos a defender lo que nos pertenece o acomoda. || **Conforme a derecho.** m. adv. *For.* Con rectitud y justicia. || **Dar derecho.** fr. ant. Hacer justicia, desagraviar. || **Dar derecho de** uno. fr. ant. Obligarle por justicia a que haga lo que debe. || **De derecho.** m. adv. Con arreglo a **derecho.** || **2.** También se contrapone a *de hecho*, para indicar lo que es legítimo en comparación con lo que existe meramente, pero con abstracción de esta cualidad. *Poder de hecho, juez* DE DERECHO. || **De derecho en derecho.** m. adv. ant. Derechamente, en derechura. || **Derecho apurado, tuerto ha tornado.** ref. que condena el rigor y enseña que la justicia se debe templar con la prudencia. || **En derecho de** su **dedo,** o **de** sus **narices.** m. adv. **En derechura de** sus **narices.** || **Estar** uno **a derecho.** fr. *For.* Comparecer por sí o por su procurador en juicio, con obligación de pasar por lo que sentencie el juez. || **Facer derecho** a uno. fr. ant. **Hacerle justicia.** || **Hacer derecho.** fr. ant. Estar **a derecho** u obrar con justicia. || **Ir por derecho.** fr. fig. Proceder rectamente, en derechura. || **No pierdas derecho, ni tomes cohecho.** ref. **Ni hagas cohecho, ni pierdas derecho.** || **Perder** uno **de** su **derecho.** fr. Ceder, transigir, por bien de paz. || **Según derecho.** m. adv. *For.* **Conforme a derecho.** || **Tirar por derecho.** fr. fig. **Ir por derecho.** || **Usar** uno **de** su **derecho.** fr. *For.* Valerse de la acción que le compete para el efecto que le convenga. || **2.** Por ext., ejercer su libertad lícitamente en cualquier línea.

Derechora. f. ant. **Derechura.**

Derechorero, ra. adj. ant. **Derechurero.**

Derechuelo. (De *derecho*, recto.) m. Una de las primeras costuras que las maestras de coser enseñaban a las niñas.

Derechura. (De *derecho.*) f. Calidad de derecho. || **2.** ant. Rectitud, integridad, justificación. || **3.** ant. Sueldo o salario que se da a los criados. || **4.** ant. **Derecho,** 13.ª acep. || **5.** ant. **Destreza,** 1.ª acep. || **En derechura.** m. adv. Por el camino recto. || **2.** Sin detenerse ni pararse. || **En derechura de sus narices.** m. adv. fig. Examinando o juzgando uno las cosas sólo por su utilidad o conveniencia, u obrando según su antojo o capricho.

Derechureramente. adv. m. ant. Recta o derechamente.

Derechurero, ra. (De *derechura.*) adj. ant. Exacto, justificado, recto. || **2.** ant. Legítimo o según derecho.

Derechuría. (De *derechuro.*) f. ant. Derecho, justicia.

Derechuro, ra. (De *derecho.*) adj. ant. Justo, legítimo.

Derezar. (Del lat. **directiāre*, de *directus*, derecho.) tr. ant. **Encaminar.**

Deriva. (De *derivar.*) f. *Mar.* Abatimiento o desvío de la nave de su verdadero rumbo por efecto del viento, del mar o de la corriente. **Ir la deriva.** fr. *Mar.* Se dice del buque sin gobierno o de otro objeto abandonado en el mar a merced de las olas o del viento.

Derivación. (Del lat. *derivatĭo, -ōnis.*) f. Descendencia, deducción. || **2.** Acción de sacar o separar una parte del todo, o de su origen y principio; como el agua que se saca de un río para una acequia. || **3.** *Electr.* Pérdida de fluido que se produce en una línea eléctrica por varias causas y principalmente por la acción de la humedad ambiente. || **4.** *Gram.* Procedimiento por el cual se forman vocablos ampliando o alterando la estructura o significación de otros que se llaman primitivos; v. gr.: *cuchillada,* de *cuchillo; marina,* de *mar.* || **5.** *Ret.* Figura que se comete empleando en una cláusula dos o más voces de un mismo radical. Ésta, como otras figuras retóricas, usada inoportunamente, se convierte en grave defecto. || **regresiva.** *Gram.* La inversa, con acortamiento de la palabra, para formar un supuesto primitivo; como *legislar* de *legislador.*

Derivada. f. *Mat.* Hablando de funciones matemáticas, límite hacia el cual tiende la razón entre el incremento de la función y el correspondiente a la variable cuando este último tiende a cero.

Derivado, da. (Del lat. *derivātus.*) adj. *Gram.* Aplícase al vocablo formado por derivación. Ú. t. c. s. m. || **2.** *Quím.* Dícese del producto que se obtiene de otro. Ú. t. c. s. m.

Derivar. (Del lat. *derivāre.*) intr. Traer su origen de alguna cosa. Ú. t. c. r. || **2.** *Mar.* **Abatir,** 7.ª acep. || **3.** tr. Encaminar, conducir una cosa de una parte a otra. || **4.** Traer una palabra de cierta raíz.

Derivativo, va. (Del lat. *derivatīvus.*) adj. *Gram.* Que implica o denota derivación. Aplícase a la palabra que se origina de otra. || **2.** *Med.* Dícese del medicamento que tiene la virtud de llamar a un punto los humores acumulados en otro más o menos distante. Ú. t. c. s. m.

Derivo. (De *derivar.*) m. Origen, procedencia.

Dermalgia. (Del gr. δέρμα, -ατος, piel, y ἄλγος, dolor.) f. Dolor nervioso de la piel.

Dermatitis. (Del gr. δέρμα, -ατος, piel.) f. *Med.* Inflamación de la piel.

Dermatoesqueleto. (Del gr. δέρμα, -ατος, piel y *esqueleto.*) m. *Zool.* Piel o parte de ella engrosada y muy endurecida, ya por la acumulación de materias quitinosas o calcáreas sobre la epidermis, frecuentemente en forma de conchas o caparazones, como en los celentéreos, moluscos y artrópodos, ya por haberse producido en la dermis piezas calcificadas u osificadas, como son las escamas de los peces y las placas óseas cutáneas de muchos equinodermos, reptiles y mamíferos.

Dermatología. (Del gr. δέρμα, -ατος, piel, y λόγος, tratado.) f. Tratado de las enfermedades de la piel.

Dermatológico, ca. adj. Perteneciente o relativo a la dermatología.

Dermatólogo. (De *dermatología.*) m. Médico especialista en las enfermedades de la piel.

Dermatosis. (Del gr. δέρμα, -ατος, piel.) f. Enfermedad de la piel, que se manifiesta por costras, manchas, granos u otra especie de erupción.

Dermesto. m. *Zool.* Insecto coleóptero que se cría en las despensas y en donde hay restos de animales. Es particularmente dañino para las pieles.

Dérmico, ca. adj. *Zool.* Perteneciente o relativo a la dermis y, en general, a la piel o cubierta exterior del animal.

Dermis. (De *epidermis.*) f. Capa conjuntiva que forma parte de la piel de los vertebrados, más gruesa que la epidermis y situada debajo de ésta.

Dermitis. f. *Med.* **Dermatitis.**

Derogación. (Del lat. *derogatĭo, -ōnis.*) f. Abolición, anulación. || **2.** Disminución, deterioración.

Derogador, ra. adj. Que deroga. Ú. t. c. s.

Derogar. (Del lat. *derogāre.*) tr. Abolir, anular una cosa establecida como ley o costumbre. || **2.** Destruir, reformar.

Derogatorio, ria. (Del lat. *derogatorĭus.*) adj. *For.* Que deroga. *Cláusula* DEROGATORIA.

Derrabadura. (De *derrabar.*) f. Herida que se hace al animal al cortarle o arrancarle la cola.

Derrabar. (De *de,* priv., y *rabo.*) tr. Cortar, arrancar, quitar la cola a un animal.

Derraigamiento. m. ant. Acción y efecto de derraigar.

Derraigar. (De *de,* priv., y *raigar.*) tr. ant. **Desarraigar.**

Derrama. (De *derramar.*) f. Repartimiento de un gasto eventual, y más señaladamente de una contribución. || **2.** Contribución temporal o extraordinaria.

Derramadamente. adv. m. fig. Profusamente, con liberalidad y magnificencia. || **2.** fig. Con desarreglo, estragadamente.

Derramadero. (De *derramar.*) m. **Vertedero.**

Derramado, da. (De *derramar.*) adj. fig. Pródigo, derrochador.

Derramador, ra. adj. Que derrama. Ú. t. c. s.

Derramadura. (De *derramar.*) f. ant. **Derramamiento.**

Derramamiento. m. Acción y efecto de derramar o derramarse. || **2.** Dispersión, esparcimiento de un pueblo o de una familia. || **3.** ant. Acción de desmandarse o apartarse con desorden los que estaban juntos en un sitio.

Derramaplaceres. m. **Derramasolaces.**

Derramar. (Del lat. *derramāre, de *ramus,* ramo.) tr. Verter, esparcir cosas líquidas o menudas. Ú. t. c. r. || **2.** Repartir, distribuir entre los vecinos de un pueblo los tributos y demás pechos con que deben contribuir al Estado o a quien tenga privilegio para exigirlos. || **3.** ant. Separar, apartar. || **4.** fig. Publicar, extender, divulgar una noticia. || **5.** intr. ant. **Desmandarse.** || **6.** r. Esparcirse, desmandarse por varias partes con desorden y confusión. || **7.** Desaguar, desembocar un arroyo o corriente de agua.

Derramasolaces. (De *derramar* y *solaz.*) com. **Aguafiestas.**

Derrame. (De *derramar.*) m. **Derramamiento.** || **2.** Porción de líquido o semilla que se desperdicia al tiempo de medirlos. || **3.** Lo que se sale y pierde de las especies líquidas por defecto o rotura de los vasos que las contienen. || **4.** Sesgo o corte oblicuo que se forma en los muros para que las puertas y ventanas abran más sus hojas o para que entre más luz. || **5.** Declive de la tierra por el cual corre o puede correr el agua. || **6.** Subdivisión de una cañada o valle en salidas más angostas. || **7.** *Fort.* Plano inferior de las cañoneras, aspilleras y troneras. || **8.** *Mar.* Corriente de aire que se escapa por las relingas de una vela hinchada por el viento. || **9.** *Med.* Acumulación anormal de un líquido en una cavidad o salida del mismo fuera del cuerpo. || **10.** *Chile.* pl. Aguas sobrantes de un predio, que por inclinación natural del terreno vierten en otro inferior.

Derramo. m. **Derrame,** 4.ª acep.

Derrancadamente. adv. m. ant. Arrebatadamente, con precipitación.

Derrancar. (De *de* y *rancar.*) intr. ant. Acometer, pelear repentinamente con ímpetu y arranque.

Derranchadamente. adv. m. ant. **Desordenadamente.**

Derranchado, da. (De *derranchar.*) adj. ant. Descompuesto, desordenado, desmandado.

Derranchar. (Del fr. *déranger,* de *ranger,* y éste del germ. *hring,* círculo.) intr. ant. Descomponerse, desordenarse, desmandarse.

Derraspado. (De *de,* priv., y *raspa.*) adj. **Desraspado.**

Derredor. (De *de* y *redor.*) m. Circuito o contorno de una cosa. || **Al,** o **en, derredor.** m. adv. En circuito, en contorno.

Derrelicto, ta. (Del lat. *derelictus.*) p. p. irreg. de **Derrelinquir.** || **2.** m. *Mar.* Buque u objeto abandonado en el mar.

Derrelinquir. (Del lat. *derelinquĕre.*) tr. Abandonar, desamparar.

Derrenegar. (De *de* y *renegar.*) intr. fam. Aborrecer, detestar, abominar de una persona o cosa.

Derrengada. f. *Mancha.* Cierta mudanza que se hace en el baile.

Derrengadura. f. Lesión que queda en el cuerpo derrengado.

Derrengar. (De *de,* priv., y el lat. *renes,* los riñones, los lomos.) tr. Descaderar, lastimar gravemente el espinazo o los lomos de una persona o de un animal. Ú. t. c. r. || **2.** Torcer, inclinar a un lado más que a otro. Ú. t. c. r. || **3.** *Ast.* Derribar la fruta del árbol tirando un palo.

Derrengo. (De *derrengar.*) m. *Ast.* Palo con que se derriba la fruta, tirándolo a los árboles que la tienen.

Derreniego. m. fam. **Reniego.**

Derrería (A la). (Del cat. *darrería,* de *darrer,* postrero, y éste del lat. *de* y *retro,* atrás.) m. adv. ant. A la postre, al fin o al cabo.

Derretido, da. p. p. de **Derretir.** || **2.** adj. fig. Amartelado, enamorado. || **3.** m. **Hormigón,** 1.er art.

Derretimiento. m. Acción y efecto de derretir o derretirse. || **2.** fig. Afecto vehemente, amor intenso que consume y como que derrite al que lo tiene.

Derretir. (Del lat. *deterĕre,* gastar, usar.) tr. Liquidar, disolver por medio del calor una cosa sólida, congelada o pastosa. Ú. t. c. r. || **2.** fig. Consumir, gastar, disipar la hacienda, el dinero, los muebles. || **3.** fam. Trocar la moneda. Ú. m. en el juego cuando se obliga a un jugador a que cambie para pagar. || **4.** r. fig. Enardecerse en el amor divino o profano. || **5.** fig. y fam. Enamorarse con prontitud y facilidad. || **6.** fig. y fam. Deshacerse, estar lleno de impaciencia o de inquietud.

Derribado, da. p. p. de **Derribar.** || **2.** adj. Dícese de las ancas de una caballería cuando por el extremo son algo más bajas de lo regular. || **3.** ant. Abatido, humilde.

Derribador. m. El que derriba reses vacunas.

Derribamiento. m. ant. **Derribo.**

Derribante. p. a. ant. de **Derribar.** Que derriba.

Derribar. (Del lat. *deripāre, de *ripa,* orilla.) tr. Arruinar, demoler, echar a tierra casas, muros o cualesquiera edificios. || **2.** Tirar contra la tierra; hacer dar en el suelo a una persona, animal o cosa. || **3.** Trastornar, echar a rodar lo que está levantado o puesto en alto. || **4.** Tratándose de toros o vacas, hacerlos caer en tierra, corriendo tras ellos a caballo y empujándolos con la garrocha. || **5.** **Postrar,** 2.ª acep. || **6.** fig. Malquistar a una persona; hacerle perder la privanza, poder, cargo, estimación o dignidad adquirida. || **7.** fig. Sujetar, humillar, abatir los afectos desordenados del ánimo. || **8.** ant. fig. Inducir, incitar, compeler. || **9.** ant. *Cetr.* Perder el halcón la fuerza y virtud, o soltar las plumas por estar mudando o por otra causa. Ú. t. c. intr. || **10.** *Equit.* Hacer que el caballo meta o ponga los pies lo más cerca posible de las manos, para que baje o encoja las ancas o caderas. || **11.** r. Tirarse a tierra, echarse al suelo por impulso propio o por accidente involuntario.

Derribo. m. Acción y efecto de derribar, 1.ª acep. || **2.** Conjunto de materiales que se sacan de la demolición. || **3.** Paraje donde se derriba.

Derriscar. (De *de*, priv., y *risco*.) tr. ant. Limpiar, desmontar, desembarazar.

Derrisión. (Del lat. *derisio, -ōnis*.) f. ant. Irrisión, escarnio.

Derrocadero. (De *derrocar*.) m. Sitio peñascoso y de muchas rocas, de donde hay peligro de caer y precipitarse.

Derrocamiento. m. Acción y efecto de derrocar.

Derrocar. tr. Despeñar, precipitar desde una peña o roca. || **2.** ant. Derribar uno a otro luchando. || **3.** fig. Echar por tierra, deshacer, arruinar un edificio. || **4.** fig. Derribar, arrojar a uno del estado o fortuna que tiene. || **5.** fig. Enervar, distraer, precipitar una cosa espiritual o intelectual. || **6.** intr. ant. Caer, venir al suelo una cosa. Usáb. t. c. r.

Derrochador, ra. adj. Que derrocha o malbarata el caudal. Ú. t. c. s.

Derrochar. (Del fr. *derrocher*, der. de *roche*, y éste del prelat. **rocca*, roca.) tr. Malgastar, destruir, destrozar los bienes. || **2.** ant. Derrocar, 2.ª acep.

Derroche. m. Acción y efecto de derrochar, 1.ª acep.

Derromper. (Del lat. *dirumpĕre*.) tr. ant. Romper, quebrantar, violentar.

Derronchar. tr. ant. Combatir, pelear.

Derrostrarse. (De *de*, priv., y *rostro*.) r. fig. Deshacerse el rostro, maltratarse la cara.

Derrota. (Del lat. *dirupta*, t. f. de *diruptus*, roto.) f. Camino, vereda o senda de tierra. || **2.** Alzamiento del coto; permiso que se da para que entren los ganados a pastar en las heredades después de cogidos los frutos. || **3.** *Mar.* Rumbo o dirección que llevan en su navegación las embarcaciones. || **4.** *Mil.* Vencimiento completo de tropas enemigas, seguido por lo común de fuga desordenada. || **Seguir la derrota.** fr. *Mil.* **Seguir el alcance.**

Derrotado, da. p. p. de **Derrotar.** || **2.** adj. Que anda con vestidos deteriorados o raídos.

Derrotar. (De *derrota*.) tr. Disipar, romper, destrozar hacienda, muebles o vestidos. || **2.** Destruir, arruinar a uno en la salud o en los bienes. || **3.** *Mil.* Vencer y hacer huir con desorden al ejército contrario.

Derrote. (De *derrotar*.) m. *Taurom.* Cornada que da el toro levantando la cabeza.

Derrotero. (De *derrota*, camino, rumbo.) m. *Mar.* Línea señalada en la carta de marear para el gobierno de los pilotos en los viajes. || **2.** *Mar.* Dirección que se da por escrito para un viaje de mar. || **3.** *Mar.* Libro que contiene estos caminos o derrotas. || **4.** *Mar.* **Derrota,** 3.ª acep. || **5.** fig. Camino, rumbo, medio que uno toma para llegar al fin que se ha propuesto.

Derrotismo. m. Tendencia a propagar el desaliento en el propio país con noticias o ideas pesimistas acerca del resultado de una guerra o, por ext., acerca de cualquiera otra empresa.

Derrotista. adj. Dícese de la persona que practica el derrotismo. Ú. t. c. s.

Derrubiar. (Del lat. **derupāre*, de *rupes*, roca.) tr. Robar lentamente el río, arroyo o cualquiera humedad la tierra de las riberas o tapias. Ú. t. c. r.

Derrubio. (De *derrubiar*.) m. Acción y efecto de derrubiar. || **2.** Tierra que se cae o desmorona por esta causa.

Derruir. (Del lat. *deruĕre*.) tr. Derribar, destruir, arruinar un edificio.

Derrumbadero. (De *derrumbar*.) m. Despeñadero, precipicio. || **2.** fig. **Despeñadero,** 3.ª acep.

Derrumbamiento. m. Acción y efecto de derrumbar o derrumbarse.

Derrumbar. (Del lat. **derupāre*, de *rupes*, roca.) tr. Precipitar, despeñar. Ú. t. c. r.

Derrumbe. (De *derrumbar*.) m. **Derrumbadero,** 1.ª acep. || **2.** *Min.* **Derrumbamiento.**

Derrumbiadero. (De *derrumbiar*.) m. ant. **Derrumbadero.**

Derrumbiar. tr. ant. **Derrumbar.** Usáb. t. c. r.

Derrumbo. m. **Derrumbadero,** 1.ª acep.

Derviche. (Del ár. *darwīš*, religioso mendicante.) m. Especie de monje entre los mahometanos.

Des. (Del lat. *dis*.) prep. insep. que denota negación o inversión del significado del simple, como en DES*confiar;* DES*hacer;* privación, como en DES*abejar;* exceso o demasía, como en DES*lenguado;* fuera de, como en DES*camino,* DES*hora.* A veces no implica negación, sino afirmación, como en DES*pavorir,* DES*lánguido.*

Des. Contracc. ant. de **de ese.**

Des. (De las preposiciones latinas *de* y *ex*.) prep. ant. Apócope de **Desde.**

Desabarrancar. (De *des*, 1.er art., y *abarrancar*.) tr. Sacar de un barranco, barrizal o pantano lo que está atascado. || **2.** fig. Sacar a uno de la dificultad o negocio en que está detenido por no poder salir de él.

Desabastecer. tr. Desproveer, dejar de surtir a una persona o a un pueblo de los bastimentos necesarios o impedir que lleguen donde los esperan o necesitan.

Desabatir. tr. ant. Descontar, rebajar, rebatir.

Desabejar. tr. Quitar o sacar las abejas del vaso o colmena en que se hallan.

Desabido, da. (De *des*, 1.er art., y *sabido*.) adj. ant. **Ignorante.** || **2.** ant. Excesivo, extraordinario.

Desabollador. m. Instrumento que emplean los hojalateros para quitar las abolladuras de las placas metálicas.

Desabollar. tr. Quitar a las piezas y vasijas de metal las abolladuras o bollos hechos por golpes que han recibido.

Desabonarse. r. Retirar uno su abono de un teatro, una fonda, una casa de baños, etc.

Desabono. m. Acción y efecto de desabonarse. || **2.** Perjuicio que se hace a uno hablando contra su crédito y reputación.

Desabor. (De *des*, 1.er art., y *sabor*.) m. Insipidez, desabrimiento en el paladar o en la cosa que se come o bebe. || **2.** ant. fig. Sinsabor, pena, disgusto.

Desaborado, da. (De *desaborar*.) adj. ant. Desabrido, áspero al gusto.

Desaborar. (De *desabor*.) tr. ant. Quitar el sabor a una cosa; ponerla desabrida o de mal gusto. || **2.** ant. fig. Desazonar, desabrir, quitar a uno el gusto que tiene de alguna cosa.

Desabordarse. r. *Mar.* Separarse una embarcación de otra después de haberla abordado.

Desaborido, da. (De *desabor*.) adj. Sin sabor. || **2.** Sin substancia. || **3.** fig. y fam. Aplícase a la persona de carácter indiferente o sosa. Ú. t. c. s.

Desabotonar. tr. Sacar los botones de los ojales. Ú. t. c. r. || **2.** intr. fig. Abrirse las flores, saliendo sus hojas de los botones o capullos.

Desabridamente. adv. m. Con desabrimiento.

Desabrido, da. (De *desaborido*.) p. p. de **Desabrir.** || **2.** adj. Dícese de la fruta u otro manjar que carece de gusto, o apenas lo tiene, o lo tiene malo. || **3.** Dícese de la ballesta y armas de fuego, como la escopeta, etc., que son fuertes y duras al disparar, de manera que dan coz o golpe al tirador. || **4.** Tratándose del tiempo, destemplado, desigual. || **5.** fig. Áspero y desapacible en el trato.

Desabrigadamente. adv. m. Sin abrigo.

Desabrigado, da. p. p. de **Desabrigar.** || **2.** adj. fig. Desamparado, sin favor ni apoyo.

Desabrigar. tr. Descubrir, desarropar, quitar el abrigo. Ú. t. c. r.

Desabrigo. m. Acción y efecto de desabrigar o desabrigarse. || **2.** fig. Desamparo, abandono.

Desabrimiento. (De *desabrir*.) m. Falta de sabor, sazón o buen gusto en la fruta u otro manjar. || **2.** En la ballesta y armas de fuego, como la escopeta, etc., dureza de su empuje al dispararse, dando coz y ofendiendo al tirador. || **3.** fig. Dureza de genio, aspereza en el trato. || **4.** fig. Disgusto, desazón interior.

Desabrir. (Por *desaborir*, de *sabor*.) tr. Dar mal gusto a la comida. || **2.** fig. Disgustar, desazonar el ánimo de uno. Ú. t. c. r.

Desabrochar. tr. Desasir los broches, corchetes, botones u otra cosa con que se ajusta la ropa. Ú. t. c. r. || **2.** fig. Abrir, descoger. || **3.** r. fig. y fam. Manifestar en confianza un secreto, suceso o sentimiento.

Desacalorarse. r. Aliviarse uno del calor que padece.

Desacatadamente. adv. m. Con desacato.

Desacatador, ra. adj. Que desacata o se desacata. Ú. t. c. r.

Desacatamiento. (De *desacatar*.) m. **Desacato.**

Desacatar. (De *des*, 1.er art., y *acatar*.) tr. Faltar a la reverencia o respeto que se debe a uno. Ú. t. c. r.

Desacato. (De *desacatar*.) m. Irreverencia para con las cosas sagradas. || **2.** Falta del debido respeto a los superiores. || **3.** *For.* Delito que se comete calumniando, injuriando, insultando o amenazando a una autoridad en el ejercicio de sus funciones o con ocasión de ellas, ya de hecho o de palabra, o ya en escrito que se le dirija.

Desacedar. tr. Quitar la acedía.

Desaceitado, da. p. p. de **Desaceitar.** || **2.** adj. Dícese de lo que está sin aceite debiendo tenerlo, o no tiene el que necesita.

Desaceitar. tr. Quitar el aceite a los tejidos y otras obras de lana.

Desacerar. tr. Quitar o gastar la parte de acero que tiene una herramienta. Ú. t. c. r.

Desacerbar. (De *des*, 1.er art., y *acerbo*.) tr. Templar, endulzar, quitar lo áspero y agrio a una cosa.

Desacertadamente. adv. m. Con desacierto.

Desacertado, da. p. p. de **Desacertar.** || **2.** adj. Que yerra u obra sin acierto.

Desacertar. (De *des*, 1.er art., y *acertar*.) intr. No tener acierto, errar.

Desacierto. m. Acción y efecto de desacertar. || **2.** Dicho o hecho desacertado.

Desacobardar. tr. Alentar, quitar la cobardía o el miedo.

Desacollar. (De *des*, 1.er art., y *acollar*.) tr. *Rioja.* Cavar las cepas alrededor, dejándoles un hoyo en que se detenga el agua.

Desacomodadamente. adv. m. Sin comodidad.

Desacomodado, da. p. p. de **Desacomodar.** || **2.** adj. Aplícase a la persona que no tiene los medios y conveniencias competentes para mantener su estado. || **3.** Dícese del criado que está sin acomodo. || **4.** Que causa incomodidad o desconveniencia.

Desacomodamiento. (De *desacomodar.*) m. Incomodidad, desconveniencia.
Desacomodar. (De *des,* 1.er art., y *acomodar.*) tr. Privar de la comodidad. || **2.** Quitar la conveniencia, empleo u ocupación. Ú. t. c. r.
Desacomodo. m. Acción y efecto de desacomodar o desacomodarse.
Desacompañamiento. m. Acción y efecto de desacompañar.
Desacompañar. tr. Excusar, dejar la compañía de uno.
Desaconsejadamente. adv. m. Sin consejo o cordura.
Desaconsejado, da. (De *desaconsejar.*) adj. Que obra sin consejo ni prudencia y sólo por capricho. Ú. t. c. s.
Desaconsejar. (De *des,* 1.er art., y *aconsejar.*) tr. Disuadir, persuadir a uno lo contrario de lo que tiene meditado o resuelto.
Desacoplamiento. m. Acción y efecto de desacoplar.
Desacoplar. tr. Separar lo que estaba acoplado.
Desacordadamente. adv. m. Sin acuerdo.
Desacordado, da. p. p. de **Desacordar.** || **2.** adj. *Pint.* Aplícase a la obra cuyas partes desentonan por razón de la composición o del colorido.
Desacordamiento. (De *desacordar.*) m. ant. **Desacuerdo.**
Desacordante. p. a. de **Desacordar.** Que desacuerda.
Desacordanza. f. ant. Desacuerdo o discordancia.
Desacordar. tr. Destemplar un instrumento músico o templarlo de modo que esté más alto o más bajo que el que da el tono. Puédese aplicar también a las voces cuando se desentonan. Ú. t. c. r. || **2.** intr. ant. Discordar, no convenirse uno con lo dicho o ejecutado por otro. Usáb. t. c. r. || **3.** r. Olvidarse, perder la memoria y acuerdo de las cosas. || **4.** ant. Perder el acuerdo, quedar fuera de sentido.
Desacorde. (De *desacordar.*) adj. Dícese de lo que no iguala, conforma o concuerda con otra cosa. Aplícase con propiedad a los instrumentos músicos destemplados o templados en distinto tono.
Desacorralar. tr. Sacar el ganado de los corrales o cercados. || **2.** *Taurom.* Sacar al toro a campo raso o en medio de la plaza, haciéndole dejar el sitio donde se resguarda.
Desacostumbradamente. adv. m. Sin costumbre, fuera de lo regular.
Desacostumbrado, da. p. p. de **Desacostumbrar.** || **2.** adj. Fuera del uso y orden común.
Desacostumbrar. (De *des,* 1.er art., y *acostumbrar.*) tr. Hacer perder o dejar el uso y costumbre que uno tiene. Ú. t. c. r.
Desacotado, da. p. p. de **Desacotar,** 1.er art. || **2.** m. ant. **Desacoto.**
Desacotar. (De *des,* 1.er art., y *acotar,* 1.er art.) tr. Levantar, quitar el coto, 1.er art.
Desacotar. (De *des,* 1.er art., y *acotar,* 2.° art.) tr. Apartarse del concierto o cosa que se está tratando. || **2.** Entre muchachos, levantar o suspender las leyes y condiciones que ponen en sus juegos. || **3.** Rechazar, no admitir, no querer una cosa.
Desacoto. m. Acción y efecto de desacotar, 1.er art.
Desacreditado, da. p. p. de **Desacreditar.** || **2.** adj. Que ha perdido la buena opinión de que gozaba.
Desacreditador, ra. adj. Que desacredita. Ú. t. c. s.
Desacreditar. (De *des,* 1.er art., y *acreditar.*) tr. Disminuir o quitar la reputación de una persona, o el valor y la estimación de una cosa.
Desacuerdo. m. Discordia o disconformidad en los dictámenes o acciones. || **2.** Error, desacierto. || **3.** Olvido de una cosa. || **4.** Enajenamiento, privación del sentido por un accidente o aturdimiento.
Desaderezar. tr. **Desaliñar.** Ú. t. c. r.
Desadeudar. tr. Desempeñar a uno, libertarle de sus deudas. Ú. t. c. r.
Desadorar. tr. Dejar de adorar, negar la adoración.
Desadormecer. tr. Despertar a uno. Ú. t. c. r. || **2.** fig. Desentorpecer el sentido; desentumecer un miembro dormido o entorpecido. Ú. t. c. r.
Desadornar. tr. Quitar el adorno o compostura.
Desadorno. m. Falta de adorno o compostura.
Desadvertidamente. adv. m. **Inadvertidamente.**
Desadvertido, da. p. p. de **Desadvertir.** || **2.** adj. **Inadvertido.**
Desadvertimiento. (De *desadvertir.*) m. **Inadvertencia.**
Desadvertir. tr. No reparar, no advertir una cosa.
Desafamación. (De *desafamar.*) f. ant. **Disfamación.**
Desafamar. tr. ant. **Disfamar.**
Desafear. tr. Quitar o disminuir la fealdad. || **2.** ant. **Afear.**
Desafección. f. **Desafecto,** 3.ª acep.
Desafecto, ta. adj. Que no siente estima por una cosa o muestra hacia ella desvío o indiferencia. || **2.** Opuesto, contrario. || **3.** m. **Malquerencia.**
Desafeitar. tr. ant. Desadornar, afear, desasear. || **2.** ant. fig. Manchar, afear, 2.ª acep.
Desaferrar. tr. Desasir, soltar lo que está aferrado. Ú. t. c. r. || **2.** fig. Sacar, apartar a uno del dictamen o capricho que tenazmente defiende. Ú. t. c. r. || **3.** *Mar.* Levantar las áncoras para que pueda navegar la embarcación.
Desafiación. (De *desafiar.*) f. ant. **Desafío.**
Desafiadero. m. Sitio retirado donde, en algunos lugares, se tenían los desafíos.
Desafiador, ra. adj. Que desafía. Ú. t. c. s.
Desafiamiento. (De *desafiar.*) m. ant. **Desafío.**
Desafianza. (De *desafiar.*) f. ant. **Desafío.**
Desafiar. (De *des,* 1.er art., y *afiar.*) tr. Retar, provocar a singular combate, batalla o pelea. || **2.** Contender, competir con uno en cosas que requieren fuerzas, agilidad o destreza. || **3.** fig. Competir, oponerse una cosa a otra. || **4.** ant. Romper la fe y amistad que se tiene con uno. || **5.** ant. Deshacer, descomponer. || **6.** ant. *Ar.* **Desnaturalizar,** 1.ª acep.
Desafición. f. Falta de afición, desafecto.
Desaficionar. tr. Quitar, hacer perder el amor o afición a una cosa. Ú. t. c. r.
Desafijación. f. ant. Acción y efecto de desafijar, 2.° art.
Desafijar. (De *des,* 1.er art., *a* y *fijo,* 1.er art.) tr. ant. Negar el padre la filiación a un hijo.
Desafijar. (De *des,* 1.er art., y *afijar.*) tr. ant. **Desfijar.**
Desafilar. tr. Embotar el filo de una arma o herramienta. Ú. t. c. r.
Desafinación. f. Acción y efecto de desafinar o desafinarse.
Desafinadamente. adv. m. Desviándose de la perfecta entonación.
Desafinar. intr. *Mús.* Desviarse algo la voz o el instrumento del punto de la perfecta entonación, desacordándose y causando desagrado al oído. Ú. t. c. r. || **2.** fig. y fam. Decir en una conversación cosa indiscreta o inoportuna.
Desafío. m. Acción y efecto de desafiar. || **2.** Rivalidad, competencia. || **3.** ant. Carta o recado verbal en que los reyes de Aragón manifestaban la razón o motivo que tenían para desafiar a un ricohombre o caballero. || **Reñir un desafío.** fr. ant. Reñir en un **desafío.**
Desafiuciar. (De *des,* 1.er art., y *afiuciar.*) tr. ant. **Desahuciar.**
Desafiuzar. tr. ant. **Desafiuciar.**
Desaforadamente. adv. m. Desordenadamente, con exceso, con atropellamiento. || **2.** Con desafuero, con atrevimiento y osadía.
Desaforado, da. p. p. de **Desaforar.** || **2.** adj. Que obra sin ley ni fuero, atropellando por todo. || **3.** Que es o se expide contra fuero o privilegio. || **4.** V. **Carta desaforada.** || **5.** fig. Grande con exceso, desmedido, fuera de lo común.
Desaforar. (De *des,* 1.er art., y *aforar.*) tr. Quebrantar los fueros y privilegios que corresponden a uno. || **2.** Privar a uno del fuero o exención que goza, por haber cometido algún delito de los señalados para este caso. || **3.** r. Descomponerse, atreverse, descomedirse.
Desaforrar. (De *des,* 1.er art., y *aforrar,* 1.er art.) tr. Quitar el forro.
Desafortunado, da. adj. Sin fortuna.
Desafuciamiento. m. ant. Acción y efecto de desafuciar.
Desafuciar. (De *des,* 1.er art., y *afuciar.*) tr. ant. **Desahuciar.**
Desafuero. m. Acto violento contra la ley. || **2.** Por ext., acción contraria a las buenas costumbres o a los consejos de la sana razón. || **3.** *For.* Hecho que priva de fuero al que lo tenía.
Desagarrar. tr. fam. Soltar, dejar libre lo que está preso o agarrado.
Desagotar. tr. ant. Desaguar o agotar.
Desagraciado, da. p. p. de **Desagraciar.** || **2.** adj. Sin gracia.
Desagraciar. tr. Quitar la gracia, afear.
Desagradable. adj. Que desagrada o disgusta.
Desagradablemente. adv. m. Con desagrado.
Desagradar. (De *des,* 1.er art., y *agradar.*) intr. Disgustar, fastidiar, causar desagrado. Ú. t. c. r.
Desagradecer. tr. No corresponder debidamente al beneficio recibido. || **2.** Desconocer el beneficio que se recibe.
Desagradecidamente. adv. m. Con desagradecimiento.
Desagradecido, da. p. p. de **Desagradecer.** || **2.** adj. Que desagradece. Ú. t. c. s. || **De desagradecidos está el infierno lleno.** ref. con que se vitupera la ingratitud y se nota que es muy frecuente.
Desagradecimiento. m. Acción y efecto de desagradecer.
Desagrado. (De *desagradar.*) m. Disgusto, descontento. || **2.** Expresión, en el trato o en el semblante, del disgusto que nos causa una persona o cosa.
Desagraviamiento. m. ant. **Desagravio.**
Desagraviar. tr. Borrar o reparar el agravio hecho, dando al ofendido satisfacción cumplida. Ú. t. c. r. || **2.** Resarcir o compensar el perjuicio causado. Ú. t. c. r.
Desagravio. m. Acción y efecto de desagraviar o desagraviarse.
Desagregación. f. Acción y efecto de desagregar o desagregarse.
Desagregar. tr. Separar, apartar una cosa de otra. Ú. m. c. r.
Desaguadero. (De *desaguar.*) m. Conducto o canal por donde se da salida a las aguas. || **2.** fig. Motivo continuo de gastar, que consume el caudal o endeuda y empobrece al que lo sufre.
Desaguador. (De *desaguar.*) m. **Desaguadero,** 1.ª acep.
Desaguar. tr. Extraer, echar el agua de un sitio o lugar. || **2.** fig. Disipar,

consumir. || **3.** intr. Entrar los ríos en el mar, desembocar en él. || **4.** r. fig. Exonerarse por vómito o cámara, o por ambas vías.

Desaguazar. (De *des*, 1.er art., y *aguazar*.) tr. Quitar el agua de alguna parte.

Desagüe. m. Acción y efecto de desaguar o desaguarse. || **2. Desaguadero,** 1.ª acep.

Desaguisadamente. adv. m. ant. De manera inconveniente, sin razón ni justicia.

Desaguisado, da. (De *des*, 1.er art., y *aguisado*.) adj. Hecho contra la ley o la razón. || **2.** ant. Inconveniente, injusto, contrario a razón. || **3.** ant. Intrépido, osado, insolente. || **4.** m. Agravio, denuesto, acción descomedida.

Desaherrojar. tr. Quitar los hierros al que está aherrojado. Ú. t. c. r.

Desahijar. tr. Apartar en el ganado las crías de las madres. || **2.** r. Enjambrar, jabardear mucho las abejas, empobreciendo a la madre, o dejando la colmena sin maestra.

Desahitarse. r. Quitarse el ahíto, curarse una indigestión o embarazo de estómago.

Desahogadamente. adv. m. Con desahogo. || **2.** Con descoco, con demasiada libertad o desenvoltura.

Desahogado, da. p. p. de **Desahogar.** || **2.** adj. Descarado, descocado. || **3.** Aplícase al sitio desembarazado en que no hay demasiada reunión de cosas o mucha apretura y confusión de personas. || **4.** Dícese del que vive con desahogo. Ú. por lo común con el verbo *estar*. || **5.** *Mar.* Aplícase al barco que navega con desembarazo, a un rumbo tal que el viento y la mar no le atormentan ni le producen escora.

Desahogamiento. m. ant. **Desahogo.**

Desahogar. (De *des*, 1.er art., y *ahogar*.) tr. Dilatar el ánimo a uno; aliviarle en sus trabajos, aflicciones o necesidades. || **2.** Aliviar el ánimo de la pasión, fatiga o cuidado que le oprime. Ú. t. c. r. || **3.** r. Repararse, recobrarse del calor y fatiga, valiéndose de los medios proporcionados para ello. || **4.** Desempeñarse, salir del ahogo de las deudas contraídas. || **5.** Decir una persona a otra el sentimiento o queja que tiene de ella. || **6.** Hacer uno confianza de otro, refiriéndole lo que le da pena o fatiga.

Desahogo. (De *desahogar*.) m. Alivio de la pena, trabajo o aflicción. || **2.** Ensanche, dilatación, esparcimiento. || **3.** Desembarazo, libertad, desenvoltura. || **Vivir uno con desahogo.** fr. fig. y fam. Tener bastantes recursos para pasarlo con comodidad y sin empeños.

Desahuciadamente. adv. m. Sin esperanza.

Desahuciar. (De *desafuciar*.) tr. Quitar a uno toda esperanza de conseguir lo que desea. Ú. t. c. r. || **2.** Desesperar los médicos de la salud de un enfermo. || **3.** Despedir al inquilino o arrendatario porque ha cumplido su arrendamiento o por otra razón.

Desahucio. m. Acción y efecto de desahuciar, 3.ª acep.

Desahumado, da. p. p. de **Desahumar.** || **2.** adj. fig. Aplícase al licor que ha perdido fuerza por haberse evaporado parte de su substancia.

Desahumar. (De *des*, 1.er art., y *ahumar*.) tr. Apartar, quitar el humo de una cosa o lugar.

Desainadura. (De *desainar*.) f. *Veter.* Enfermedad que padecen las mulas y caballos, especialmente cuando están muy gordos, y consiste en derretírseles el saín dentro del cuerpo por el demasiado trabajo, mayormente en tiempo de calores.

Desainar. (De *saín*.) tr. Quitar el saín a un animal, o la crasitud y substancia a una cosa. Ú. t. c. r. || **2.** *Cetr.* Debilitar al azor cuando está en muda, cercenándole la comida y purgándole hasta que pase la enfermedad.

Desairadamente. adv. m. Sin aire ni garbo.

Desairado, da. p. p. de **Desairar.** || **2.** adj. Que carece de gala, garbo y donaire. || **3.** fig. Dícese del que no queda airoso en lo que pretende o en lo que tiene a su cargo.

Desairar. (De *des*, 1.er art., y *aire*.) tr. Deslucir, desatender a una persona. || **2.** Desestimar una cosa.

Desaire. m. Falta de garbo o de gentileza. || **2.** Acción y efecto de desairar.

Desaislarse. r. Dejar de estar aislado; salir del aislamiento.

Desajacarse. (De *des*, 1.er art., y el ant. *asacar*, imputar.) r. ant. Excusarse, eximirse, libertarse.

Desajuntar. (De *des*, 1.er art., y *ajuntar*.) tr. ant. Apartar, desunir, desdoblar.

Desajustar. (De *des*, 1.er art., y *ajustar*.) tr. Desigualar, desconcertar una cosa de otra. || **2.** r. Desconvenirse, apartarse del ajuste o concierto hecho o próximo a hacerse.

Desajuste. m. Acción y efecto de desajustar o desajustarse.

Desalabanza. f. Acción y efecto de desalabar. || **2.** Vituperio, menosprecio.

Desalabar. (De *des*, 1.er art., y *alabar*.) tr. Vituperar, poner faltas o tachas.

Desalabear. (De *des*, 1.er art., y *alabear*.) tr. *Carp.* Quitar el alabeo a una pieza de madera. || **2.** *Carp.* Labrar una cara de una pieza de madera de modo que quede perfectamente plana.

Desalabeo. m. Acción y efecto de desalabear.

Desaladamente. adv. m. fig. Con suma aceleración. || **2.** fig. Con vehemente anhelo.

Desalado, da. p. p. de **Desalar,** 3.er art. || **2.** adj. Ansioso, acelerado.

Desalagar. (De *des*, 1.er art., y *alagar*, y ésta de *lago*.) tr. Desecar, desencharcar.

Desalar. tr. Quitar la sal a una cosa; como a la cecina, al pescado salado, etc.

Desalar. (De *ala*.) tr. Quitar las alas. || **2.** r. ant. Estar o andar con las alas abiertas.

Desalar. (De *exhalare*, anhelar.) intr. fig. Andar o correr con suma aceleración. || **2.** fig. Sentir vehemente anhelo por conseguir alguna cosa.

Desalbardar. tr. **Desenalbardar.**

Desalentadamente. adv. m. Con desaliento.

Desalentador, ra. adj. Que causa desaliento.

Desalentar. tr. Embarazar el aliento, hacerlo dificultoso por la fatiga o cansancio. || **2.** fig. Quitar el ánimo, acobardar. Ú. t. c. r.

Desalfombrar. tr. Quitar o levantar las alfombras.

Desalforjar. tr. Sacar de las alforjas alguna cosa. || **2.** ant. Quitar las alforjas a una caballería. || **3.** r. fig. y fam. Desabrocharse, aflojar la ropa, para desahogarse del calor o cansancio.

Desalhajar. tr. Quitar de una habitación las alhajas o muebles.

Desaliento. (De *desalentar*.) m. Descaecimiento del ánimo, falta de vigor o de esfuerzo.

Desalineación. f. Acción y efecto de desalinear o desalinearse.

Desalinear. (De *des*, 1.er art., y *alinear*.) tr. Hacer perder la línea recta. Ú. t. c. r.

Desaliñadamente. adv. m. Con desaliño.

Desaliñado, da. p. p. de **Desaliñar.** || **2.** adj. Que adolece de desaliño.

Desaliñar. tr. Descomponer, ajar el adorno, atavío o compostura. Ú. t. c. r.

Desaliño. m. Desaseo, descompostura, desatavío, falta de aliño. || **2.** fig. Negligencia, omisión, descuido. || **3.** pl. Adorno de que usaban las mujeres, a manera de arracadas o perendengues, guarnecido de piedras preciosas, que desde las orejas llegaba hasta el pecho.

Desalivar. intr. Arrojar saliva con abundancia. Ú. t. c. r.

Desalmadamente. adv. m. Sin conciencia. || **2.** Sin humanidad.

Desalmado, da. p. p. de **Desalmar.** || **2.** adj. Falto de conciencia. || **3.** Cruel, inhumano. || **4.** ant. Privado o falto de espíritu.

Desalmamiento. (De *desalmar*, 3.ª acep.) m. Abandono de la conciencia. || **2.** Inhumanidad, perversidad.

Desalmar. (De *des*, 1.er art., y *alma*.) tr. fig. Quitar la fuerza y virtud a una cosa. Ú. t. c. r. || **2. Desasosegar.** Ú. t. c. r. || **3.** r. fig. **Desalar,** 3.er art.

Desalmenado, da. p. p. de **Desalmenar.** || **2.** adj. Falto de almenas. || **3.** ant. fig. Falto de adorno, remate o coronación.

Desalmenar. tr. Quitar o destruir las almenas.

Desalmidonar. tr. Quitar a la ropa el almidón que se le había dado.

Desalojamiento. m. Acción y efecto de desalojar.

Desalojar. (De *des*, 1.er art., y *alojar*.) tr. Sacar o hacer salir de un lugar a una persona o cosa. || **2.** Abandonar un puesto o un lugar. || **3. Desplazar.** || **4.** intr. Dejar el hospedaje, sitio o morada voluntariamente.

Desalojo. m. **Desalojamiento.**

Desalquilar. tr. Dejar o hacer dejar una habitación o cosa que se tenía alquilada. || **2.** r. Quedar sin inquilinos una vivienda u otro local.

Desalterar. (De *des*, 1.er art., y *alterar*.) tr. Quitar la alteración, sosegar, apaciguar.

Desalumbradamente. adv. m. Erradamente, con ofuscamiento.

Desalumbrado, da. adj. Deslumbrado, ofuscado, por la demasiada luz. || **2.** fig. Que ha perdido el tino y procede sin acierto.

Desalumbramiento. m. Ceguedad, falta de tino o acierto en las cosas.

Desamable. (De *des*, 1.er art., y *amable*.) adj. Indigno de ser amado.

Desamador, ra. adj. Que desama. Ú. t. c. s.

Desamar. tr. Dejar de amar, abandonar el cariño o afición que se tenía. || **2.** Aborrecer, querer mal.

Desamarrar. tr. Quitar las amarras. Ú. t. c. r. || **2.** fig. Desasir, desviar, apartar. || **3.** *Mar.* Dejar a un buque sobre una sola ancla o amarra.

Desamartelar. tr. **Desenamorar.** Ú. t. c. r.

Desamasado, da. adj. Deshecho, desunido.

Desamigado, da. (De *desamigo*.) adj. Separado de la amistad de uno.

Desamigo. m. ant. **Enemigo.**

Desamistad. f. ant. **Enemistad.**

Desamistarse. (De *des*, 1.er art., y *amistar*.) r. Enemistarse, perder o dejar la amistad de uno.

Desamoblar. tr. **Desamueblar.**

Desamoldar. (De *des*, 1.er art., y *amoldar*.) tr. Hacer perder a una cosa la figura que tomó del molde. || **2.** fig. Descomponer la proporción de una cosa, desfigurarla.

Desamor. m. Falta de amor o amistad. || **2.** Falta del sentimiento y afecto que inspiran por lo general ciertas cosas. || **3.** Enemistad, aborrecimiento.

Desamoradamente. adv. m. Sin amor ni cariño; con esquivez.

Desamorado, da. p. p. de **Desamorar.** || **2.** adj. Que no tiene amor o no lo manifiesta.

Desamorar. tr. Hacer perder el amor. Ú. t. c. r.

Desamoroso, sa. adj. Que no tiene amor o agrado.

Desamorrar. (De *des*, 1.er art., y *amorrar*.) tr. fam. Hacer que uno levante la cabeza o que, dejando el silencio en que estaba, responda y converse con los que están presentes.

Desamortizable. adj. Que puede o debe desamortizarse.

Desamortización. f. Acción y efecto de desamortizar.

Desamortizador, ra. adj. Que desamortiza. Ú. t. c. s.

Desamortizar. tr. Dejar libres los bienes amortizados. || **2.** Poner en estado de venta los bienes de manos muertas, mediante disposiciones legales.

Desamotinarse. (De *des*, 1.er art., y *amotinar*.) r. Apartarse del motín principiado, reduciéndose a quietud y obediencia.

Desamparadamente. adv. m. Sin amparo.

Desamparado, da. p. p. de **Desamparar.** || **2.** adj. ant. Separado o dislocado.

Desamparador, ra. adj. Que desampara. Ú. t. c. s.

Desamparamiento. m. ant. **Desamparo.**

Desamparar. tr. Abandonar, dejar sin amparo ni favor a la persona o cosa que lo pide o necesita. || **2.** Ausentarse, abandonar un lugar o sitio. || **3.** *For.* Dejar o abandonar una cosa, con renuncia de todo derecho a ella.

Desamparo. m. Acción y efecto de desamparar.

Desamueblar. tr. Dejar sin muebles un edificio o parte de él.

Desamurar. tr. Levantar o soltar las amuras de las velas.

Desanclar. (De *des*, 1.er art., y *anclar*.) tr. *Mar.* **Desancorar.**

Desancorar. (De *des*, 1.er art., y *ancorar*.) tr. *Mar.* Levantar las áncoras con que está aferrada una embarcación.

Desandar. tr. Retroceder, volver atrás en el camino ya andado.

Desandrajado, da. (De *des*, 1.er art., y *andrajo*.) adj. Andrajoso, desastrado.

Desangramiento. m. Acción y efecto de desangrar o desangrarse.

Desangrar. tr. Sacar la sangre a una persona o a un animal en gran copia o con mucho exceso. || **2.** fig. Agotar o desaguar un lago, estanque, etc. || **3.** fig. Empobrecer a uno, gastándole y disipándole la hacienda insensiblemente. || **4.** r. Perder mucha sangre; Perderla toda.

Desanidar. intr. Dejar las aves el nido, por lo común cuando acaban de criar. || **2.** tr. fig. Sacar o echar de un sitio o lugar a los que tienen costumbre de ocultarse o guarecerse en él.

Desanimadamente. adv. m. Sin ánimo, sin aliento.

Desanimar. tr. Desalentar, acobardar. Ú. t. c. r.

Desánimo. (De *desanimar*.) m. Desaliento, falta de ánimo.

Desanublar. tr. fig. Despejar, aclarar. Ú. t. c. r.

Desanudadura. f. Acción y efecto de desanudar.

Desanudar. tr. Deshacer o desatar el nudo. || **2.** fig. Aclarar, disolver lo que está enredado y enmarañado.

Desañudadura. f. **Desanudadura.**

Desañudar. (De *des*, 1.er art., y *añudar*.) tr. **Desanudar.**

Desaojadera. (De *desaojar*.) f. Mujer a quien supersticiosamente se atribuía gracia para curar el aojo.

Desaojar. (De *des*, 1.er art., y *aojar*, 1.er art.) tr. Curar el aojo.

Desapacibilidad. f. Calidad de desapacible.

Desapacible. adj. Que causa disgusto o enfado o es desagradable a los sentidos.

Desapaciblemente. adv. m. **Desagradablemente.**

Desapadrinar. tr. fig. **Desaprobar.**

Desapañar. tr. Descomponer, desataviar.

Desaparear. tr. Separar una de dos cosas que hacían par.

Desaparecer. tr. Ocultar, quitar de delante con presteza una cosa. Ú. t. c. r. || **2.** intr. Ocultarse, quitarse de la vista una persona o cosa, por lo común con rapidez.

Desaparecimiento. (De *desaparecer*.) m. **Desaparición.**

Desaparejar. tr. Quitar el aparejo a una caballería. Ú. t. c. r. || **2.** *Mar.* Quitar, descomponer, maltratar el aparejo de una embarcación.

Desaparición. f. Acción y efecto de desaparecer o desaparecerse.

Desaparroquiar. (De *des*, 1.er art., y *aparroquiar*.) tr. Separar a uno de su parroquia. Ú. m. c. r. || **2.** Apartar, quitar los parroquianos a las tiendas. Ú. m. c. r.

Desapasionadamente. adv. m. Sin pasión, sin interés ni otro respeto.

Desapasionado, da. p. p. de **Desapasionar.** || **2.** adj. Falto de pasión, imparcial.

Desapasionar. tr. Quitar, desarraigar la pasión que se tiene a una persona o cosa. Ú. m. c. r.

Desapegar. tr. **Despegar,** 1.a acep. Ú. t. c. r. || **2.** r. fig. Apartarse, desprenderse del afecto o afición a una persona o cosa.

Desapego. (De *desapegar*.) m. fig. Falta de afición o interés, alejamiento, desvío.

Desapercebidamente. adv. m. ant. **Desapercibidamente.**

Desapercebido, da. adj. ant. **Desapercibido.**

Desapercebimiento. m. ant. **Desapercibimiento.**

Desapercibidamente. adv. m. Sin prevención ni apercibimiento.

Desapercibido, da. adj. Desprevenido, desprovisto de lo necesario.

Desapercibimiento. m. Desprevención, falta de apresto de lo necesario.

Desapercibo. (De *des*, 1.er art., y *apercibo*.) m. ant. **Desapercibimiento.**

Desapestar. tr. Desinfectar a una persona o cosa contaminada de la peste.

Desapiadadamente. adv. m. **Despiadadamente.**

Desapiadado, da. adj. **Despiadado.**

Desapiolar. (De *des*, 1.er art., y *apiolar*.) tr. Quitar el lazo o atadura con que los cazadores ligan las piernas de la caza menor y los picos de las aves para colgarlas después de muertas.

Desaplacible. (De *des*, 1.er art., y *aplacible*.) adj. **Desagradable.**

Desaplicación. f. Falta de aplicación, ociosidad.

Desaplicadamente. adv. m. Sin aplicación.

Desaplicado, da. adj. Que no se aplica. Ú. t. c. s.

Desaplicar. tr. Quitar o hacer perder la aplicación, 2.a acep. Ú. t. c. r.

Desaplomar. tr. *Albañ.* **Desplomar,** 1.a acep. Ú. m. c. r.

Desapoderadamente. adv. m. Precipitadamente, con vehemencia y sin poderse contener.

Desapoderado, da. p. p. de **Desapoderar.** || **2.** adj. Precipitado, que no puede contenerse. *Todos corrían* DESAPODERADOS. || **3.** fig. Furioso, violento, desenfrenado. *Tempestad, ambición,* DESAPODERADA.

Desapoderamiento. m. Acción y efecto de desapoderar o desapoderarse. || **2.** Desenfreno, libertad excesiva.

Desapoderar. tr. Desposeer, despojar a uno de lo que tenía o de aquello de que se había apoderado. Ú. t. c. r. || **2.** Quitar a uno el poder que para el desempeño de un encargo o una administración se le había dado.

Desapolillar. tr. Quitar la polilla a la ropa o a otra cosa. || **2.** r. fig. y fam. Salir de casa cuando hace aire fuerte, o bien cuando, por enfermedad u otra causa, ha mediado, sin salir de ella, más tiempo del regular.

Desaporcar. tr. Quitar la tierra con que están aporcadas las plantas.

Desaposentar. tr. Echar de la habitación, privar del aposentamiento al que lo tenía. || **2.** fig. Apartar, echar de sí.

Desaposesionar. (De *des*, 1.er art., y *aposesionar*.) tr. Desposeer, privar de la posesión.

Desapostura. f. ant. Falta de garbo, de disposición o gentileza en una persona o cosa. || **2.** ant. Desaliño, o desaseo. || **3.** ant. **Indecencia.**

Desapoyar. tr. Quitar el apoyo con que se sostiene una cosa.

Desapreciar. tr. Desestimar, no hacer de una cosa el aprecio que merece.

Desaprender. tr. Olvidar lo que se había aprendido.

Desaprensar. tr. Quitar el lustre, aguas o asiento que las telas y otras cosas adquieren en la prensa. || **2.** fig. Sacar, librar el cuerpo, un miembro u otra cosa de la apretura en que se hallaba.

Desaprensión. f. Falta de aprensión, 4.a acep.

Desaprensivo, va. adj. Que tiene desaprensión.

Desapretar. tr. Aflojar lo que está apretado. Ú. t. c. r. || **2.** ant. fig. Sacar a uno del aprieto en que se halla.

Desaprir. intr. ant. Apartarse, separarse.

Desaprisionar. tr. Quitar las prisiones a uno o sacarle de la prisión.

Desaprobación. f. Acción y efecto de desaprobar.

Desaprobar. tr. Reprobar, no asentir a una cosa.

Desapropiación. f. **Desapropiamiento.**

Desapropiamiento. m. Acción y efecto de desapropiarse.

Desapropiarse. (De *des*, 1.er art., y *apropiar*.) r. Desposeerse uno del dominio sobre lo propio.

Desapropio. m. **Desapropiamiento.**

Desaprovechadamente. adv. m. Con desaprovechamiento.

Desaprovechado, da. p. p. de **Desaprovechar.** || **2.** adj. Dícese del que pudiendo adelantar en virtud, letras o conveniencias, no lo ha hecho. Ú. t. c. s. || **3.** Aplícase a lo que no produce el fruto, provecho o utilidad que puede.

Desaprovechamiento. (De *desaprovechar*.) m. Atraso en lo bueno; desperdicio o desmedro de las conveniencias.

Desaprovechar. tr. Desperdiciar o emplear mal una cosa. || **2.** intr. Perder lo que se había adelantado.

Desaprovechoso, sa. (De *desaprovechar*.) adj. ant. Perjudicial, dañoso.

Desapteza. (De *des*, 1.er art., y *apteza*.) f. ant. Insuficiencia, falta de aptitud.

Desapto, ta. adj. ant. Que no es apto o a propósito para una cosa.

Desapuesto, ta. (De *des*, 1.er art., y *apuesto*.) adj. ant. Desataviado, de mala disposición y presencia. || **2.** adv. m. ant. Descompuesta, feamente.

Desapuntalar. (De *des*, 1.er art., y *apuntalar*.) tr. Quitar a un edificio los puntales que lo sostenían.

Desapuntar. tr. Cortar las puntadas a lo que está afianzado o cosido con ellas. || **2.** Quitar o hacer perder la puntería que se tenía hecha. || **3.** En las iglesias catedrales, colegiales y otras, borrar los apuntes hechos por las faltas de asistencia de sus individuos al coro.

Desaquellarse. r. fam. Descorazonarse, desalentarse, abatirse, ponerse fuera de sí.

Desarbolar. tr. *Mar.* Destruir, tronchar o derribar los árboles o palos de la embarcación.

Desarbolo. m. *Mar.* Acción y efecto de desarbolar.

Desarenar. tr. Quitar la arena de una parte.

Desareno. m. Acción y efecto de desarenar.

Desarmado, da. adj. Desprovisto de armas.

Desarmador. (De *desarmar.*) m. **Disparador,** 2.ª acep.

Desarmadura. (De *desarmar.*) f. **Desarme.**

Desarmamiento. (De *desarmar.*) m. **Desarme.**

Desarmar. tr. Quitar o hacer entregar a una persona, a un cuerpo o a una plaza las armas que tiene. || **2.** Desnudar o desceñir a una persona las armas que lleva. Ú. t. c. r. || **3.** Desunir, separar las piezas de que se compone una cosa; como reloj, escopeta, máquina, artificio, etc. || **4.** Reformar o licenciar fuerzas de tierra o mar. || **5.** Hacer dar un golpe en vago a un animal de asta, de modo que no pueda repetirlo sin repararse y mudar de situación. || **6.** Quitar la ballesta del punto o gancho en que se ponía para dispararla. || **7.** fig. Templar, minorar, desvanecer. *Ella* DESARMÓ *la cólera, el enojo, la malicia.* || **8.** *Esgr.* Quitar o arrancar el arma del adversario por un movimiento rápido y fuerte de la suya propia. || **9.** *Mar.* Quitar al buque la artillería y el aparejo y amarrar de firme el casco en la dársena.

Desarme. m. Acción y efecto de desarmar o desarmarse.

Desarraigamiento. (De *desarraigar.*) m. ant. **Desarraigo.**

Desarraigar. tr. Arrancar de raíz un árbol o una planta. Ú. t. c. r. || **2.** fig. Extinguir, extirpar enteramente una pasión, una costumbre o un vicio. Ú. t. c. r. || **3.** fig. Apartar del todo a uno de su opinión. || **4.** fig. Echar, desterrar a uno de donde vive o tiene su domicilio. Ú. t. c. r.

Desarraigo. m. Acción y efecto de desarraigar o desarraigarse.

Desarrancarse. (De *des,* 1.er art., y *arrancar.*) r. Desertar, separarse de un cuerpo o asociación los individuos que lo componen.

Desarrapado, da. adj. **Desharrapado.**

Desarrebozadamente. adv. m. Sin rebozo; clara y abiertamente.

Desarrebozar. tr. Quitar el rebozo. Ú. t. c. r. || **2.** fig. Descubrir, poner patente. Ú. t. c. r.

Desarrebujar. (De *des,* 1.er art., y *arrebujar.*) tr. Desenvolver, desenmarañar lo que está revuelto. || **2.** Desarropar, desenvolver la ropa en que está uno arrebujado. Ú. t. c. r. || **3.** fig. Explicar, dar a entender, poner en claro lo que está confuso.

Desarregladamente. adv. m. Con desarreglo.

Desarreglado, da. p. p. de **Desarreglar.** || **2.** adj. Que se excede en el uso de la comida, bebida u otras cosas.

Desarreglar. tr. Trastornar, desordenar, sacar de regla. Ú. t. c. r.

Desarreglo. (De *desarreglar.*) m. Falta de regla, desorden.

Desarrendar. (De *des,* 1.er art., y *arrendar,* 2.º art.) tr. Quitar la rienda al caballo. Ú. t. c. r.

Desarrendar. tr. Dejar o hacer dejar una finca que se tenía arrendada.

Desarrevolver. tr. Desenvolver, desembarazar. Ú. t. c. r.

Desarrimar. tr. Separar, quitar lo que está arrimado. || **2.** fig. Disuadir, apartar a uno de su opinión.

Desarrimo. (De *desarrimar.*) m. Falta de apoyo o de arrimo.

Desarrollable. adj. Que puede desarrollarse. || **2.** *Geom.* V. **Superficie desarrollable.**

Desarrollar. tr. Descoger lo que está arrollado, deshacer un rollo. Ú. t. c. r. || **2.** fig. Acrecentar, dar incremento a una cosa del orden físico, intelectual o moral. Ú. t. c. r. || **3.** fig. Explicar una teoría y llevarla hasta sus últimas consecuencias. || **4.** *Mat.* Efectuar las necesarias operaciones de cálculo para cambiar la forma de una expresión analítica.

Desarrollo. m. Acción y efecto de desarrollar o desarrollarse.

Desarropar. tr. Quitar o apartar la ropa. Ú. t. c. r.

Desarrugadura. f. Acción y efecto de desarrugar o desarrugarse.

Desarrugar. tr. Estirar, quitar las arrugas. Ú. t. c. r.

Desarrumar. (De *des,* 1.er art., y *arrumar.*) tr. *Mar.* Deshacer la estiba o remover y desocupar la carga ya estibada o colocada como convenía.

Desarticulación. f. Acción y efecto de desarticular o desarticularse.

Desarticular. tr. Separar dos o más huesos articulados entre sí. Ú. t. c. r. || **2.** fig. Separar las piezas de una máquina o artefacto.

Desartillar. tr. Quitar la artillería a un buque o a una fortaleza.

Desarzonar. tr. Hacer violentamente que el jinete salga de la silla o, lo que es lo mismo, de entre sus dos arzones.

Desasado, da. adj. Que tiene rotas o quitadas las asas. || **2.** *Germ.* Sin orejas.

Desaseadamente. adv. m. Sin aseo.

Desaseado, da. p. p. de **Desasear.** || **2.** adj. Falto de aseo.

Desasear. tr. Quitar el aseo, limpieza o compostura.

Desasegurar. tr. Quitar o hacer perder la seguridad. || **2.** Extinguir un contrato de seguro.

Desasentar. tr. Remover, quitar una cosa de su lugar. || **2.** intr. fig. Desagradar, desazonar, no sentar bien una cosa. || **3.** r. Levantarse del asiento.

Desaseo. m. Falta de aseo.

Desasimiento. m. Acción y efecto de desasir o desasirse. || **2.** fig. Desprendimiento, desinterés.

Desasimilación. (De *des,* 1.er art., y *asimilación.*) f. *Biol.* **Catabolismo.**

Desasir. tr. Soltar, desprender lo asido. Ú. t. c. r. || **2.** r. fig. Desprenderse, desapropiarse de una cosa.

Desasistencia. f. Falta de asistencia.

Desasistir. (De *des,* 1.er art., y *asistir.*) tr. Desacompañar, desamparar.

Desasnar. (De *des,* 1.er art., y *asno.*) tr. fig. y fam. Hacer perder a uno la rudeza, o quitarle la rusticidad por medio de la enseñanza. Ú. t. c. r.

Desasociable. adj. **Insociable.**

Desasociar. tr. Disolver una asociación.

Desasosegadamente. adv. m. Con desasosiego.

Desasosegar. tr. Privar de sosiego. Ú. t. c. r.

Desasosiego. (De *desasosegar.*) m. Falta de sosiego.

Desastradamente. adv. m. Desgraciadamente, con desastre, con desaliño.

Desastrado, da. (De *desastre.*) adj. Infausto, infeliz. || **2.** Dícese de la persona rota y desaseada. Ú. t. c. s.

Desastre. (De lat. *dis* y *astrum,* astro, hado.) m. Desgracia grande, suceso infeliz y lamentable.

Desastrosamente. m. adv. De modo desastroso.

Desastroso, sa. adj. **Desastrado,** 1.ª acep.

Desatacar. tr. Desatar o soltar las agujetas, botones o corchetes con que está ajustada o atacada una cosa. Ú. t. c. r. || **2.** Tratándose de armas de fuego o de barrenos, sacar de ellos los tacos. || **3.** r. Desabrocharse los calzones o pantalones.

Desatadamente. adv. m. Libremente, sin orden ni sujeción.

Desatador, ra. adj. Que desata. Ú. t. c. s.

Desatadura. f. Acción y efecto de desatar o desatarse.

Desatalentado, da. (De *des,* 1.er art., *a* y *talento.*) adj. Desconcertado, fuera de tino.

Desatamiento. m. ant. **Desatadura.**

Desatancar. tr. Limpiar, desembarazar un conducto obstruido. || **2.** r. Desatascarse.

Desatapadura. (De *desatapar.*) f. ant. **Destapadura.**

Desatapar. (De *des,* 1.er art., y *atapar.*) tr. ant. **Destapar.**

Desatar. tr. Desenlazar una cosa de otra; soltar lo que está atado. Ú. t. c. r. || **2.** fig. Desleir, liquidar, derretir. || **3.** fig. Deshacer, aclarar. || **4.** ant. fig. Disolver, anular. || **5.** r. fig. Excederse en hablar. || **6.** fig. Proceder desordenadamente. || **7.** fig. Perder el encogimiento, temor o extrañeza. || **8.** fig. **Desencadenar,** 3.ª acep.

Desatascar. tr. Sacar del atascadero. Ú. t. c. r. || **2. Desatancar,** 1.ª acep. || **3.** fig. Sacar a uno de la dificultad en que se halla y de que no puede salir por sí mismo.

Desataviar. tr. Quitar los atavíos.

Desatavío. (De *desataviar.*) m. Desaliño, descompostura de la persona.

Desate. m. Acción y efecto de desatar, 5.ª y 6.ª aceps. || **de vientre.** Flujo, soltura de vientre.

Desatemplarse. r. ant. Destemplarse, desarreglarse.

Desatención. f. Falta de atención, distracción. || **2.** Descortesía, falta de urbanidad o respeto.

Desatender. tr. No prestar atención a lo que se dice o hace. || **2.** No hacer caso o aprecio de una persona o cosa. || **3.** No corresponder, no asistir con lo que es debido.

Desatentadamente. adv. m. Con desatiento, sin tino.

Desatentado, da. p. p. de **Desatentar.** || **2.** adj. Que habla u obra fuera de razón y sin tino ni concierto. Ú. t. c. s. || **3.** Excesivo, riguroso, desordenado.

Desatentamente. adv. m. Con desatención, descortésmente.

Desatentamiento. (De *desatentar.*) m. ant. **Desatiento.**

Desatentar. tr. Turbar el sentido o hacer perder el tiento. Ú. t. c. r.

Desatento, ta. adj. Dícese de la persona que aparta o divierte la atención que debía poner en una cosa. || **2.** Descortés, falto de atención y urbanidad. Ú. t. c. s.

Desaterrar. tr. *Amér.* **Escombrar,** 1.ª acep.

Desatesado, da. (De *des,* 1.er art., y *atesar.*) adj. ant. **Flojo,** 1.ª acep.

Desatesorar. tr. Sacar o gastar lo atesorado.

Desatibar. (De *des,* 1.er art., y *atibar.*) tr. *Min.* **Desatorar,** 2.ª acep.

Desatiento. (De *desatentar.*) m. Falta de tiento o de tacto; como la siente el enfermo de gravedad cuando agita las manos y los brazos sin asir ninguna cosa. || **2.** Desasosiego, inquietud, perturbación del ánimo.

Desatierre. (De *des*, 1.er art., y *aterrar*, 5.a acep.) m. *Amér.* **Escombrera.**
Desatinadamente. adv. m. Inconsideradamente, con desatino. || **2.** Desmedidamente, excesivamente.
Desatinado, da. p. p. de **Desatinar.** || **2.** adj. Desarreglado, sin tino. || **3.** Dícese del que habla o procede sin juicio ni razón. Ú. t. c. s.
Desatinar. tr. Hacer perder el tino, desatentar. || **2.** intr. Decir o hacer desatinos. || **3.** Perder el tino en un sitio o lugar.
Desatino. (De *desatinar.*) m. Falta de tino, tiento o acierto. || **2.** Locura, despropósito o error.
Desatolondrar. tr. Hacer volver en sí al que está atolondrado o privado de sentido. Ú. t. c. r.
Desatollar. tr. Sacar o librar del atolladero. Ú. t. c. r.
Desatontarse. (De *des*, 1.er art., y *atontar.*) r. Salir uno del atontamiento en que estaba.
Desatorar. tr. *Mar.* **Desarrumar.** || **2.** *Min.* Quitar los escombros que atoran u obstruyen una excavación.
Desatornillador. m. **Destornillador.** Ú. m. en *Amér.*
Desatornillar. tr. **Destornillar,** 1.a acep.
Desatracar. tr. *Mar.* Desasir, separar una embarcación de otra o de la parte en que se atracó. Ú. t. c. r. || **2.** intr. *Mar.* Separarse la nave de la costa cuando su proximidad ofrece algún peligro.
Desatraer. (De *des*, 1.er art., y *atraer.*) tr. Apartar, separar una cosa de otra.
Desatraillar. (De *des*, 1.er art., y *atraillar.*) tr. Quitar la traílla. Dícese comúnmente de los perros.
Desatrampar. (De *des*, 1.er art., y *atrampar.*) tr. Limpiar o desembarazar de cualquier impedimento un caño o conducto.
Desatrancar. tr. Quitar a la puerta la tranca u otra cosa que impide abrirla. || **2. Desatrampar.**
Desatravesar. tr. ant. Quitar lo que estaba atravesado.
Desatufarse. (De *des*, 1.er art., y *atufar.*) r. Libertarse del tufo subido a la cabeza o encerrado en una habitación. || **2.** fig. Perder o deponer el enojo o enfado.
Desaturdir. (De *des*, 1.er art., y *aturdir.*) tr. Quitar a uno el aturdimiento. Ú. t. c. r.
Desautoridad. f. Falta de autoridad, de respeto o de representación.
Desautorización. f. Acción y efecto de desautorizar.
Desautorizadamente. adv. m. Sin autoridad o crédito.
Desautorizado, da. p. p. de **Desautorizar.** || **2.** adj. Falto de autoridad, de crédito o de importancia.
Desautorizar. tr. Quitar a personas o cosas autoridad, poder, crédito o estimación. Ú. t. c. r.
Desavahado, da. (De *desavahar.*) adj. Aplícase al lugar descubierto, libre de nieblas, vahos y vapores.
Desavahamiento. m. Acción y efecto de desavahar o desavaharse.
Desavahar. (De *des*, 1.er art., y *avahar.*) tr. Desarropar, para que exhale el vaho y se temple, lo que está muy caliente por el demasiado abrigo. || **2.** Dejar enfriar una cosa hasta que no eche vaho. || **3. Orear.** || **4.** r. fig. Desahogarse, esparcirse.
Desavecindado, da. p. p. de **Desavecindarse.** || **2.** adj. Aplícase a la casa o lugar desierto o desamparado de los vecinos.
Desavecindarse. r. Ausentarse de un lugar, mudando a otro el domicilio.
Desavenencia. (De *des*, 1.er art., y *avenencia.*) f. Oposición, discordia, contrariedad.
Desavenido, da. p. p. de **Desavenir.** || **2.** adj. Dícese del que está discorde o no se conforma con otro.
Desavenimiento. (De *desavenir.*) m. ant. **Desavenencia.**
Desavenir. tr. Desconcertar, desconvenir. Ú. t. c. r.
Desaventajadamente. adv. m. Sin ventaja.
Desaventajado, da. adj. Inferior y poco ventajoso.
Desaventura. (De *des*, 1.er art., y *aventura.*) f. **Desventura.**
Desaventuradamente. adv. m. ant. **Desventuradamente.**
Desaventurado, da. (De *desaventura.*) adj. ant. **Desventurado.**
Desavezar. (De *des*, 1.er art., y *avezar.*) tr. ant. **Desacostumbrar.** Usáb. t. c. r.
Desaviar. tr. Apartar a uno, hacerle dejar, o errar, el camino o senda que debe seguir. Ú. t. c. r. || **2.** Quitar o no dar el avío o prevención que se necesita para una cosa. Ú. t. c. r.
Desavío. m. Acción y efecto de desaviar o desaviarse.
Desavisado, da. (De *desavisar.*) adj. Inadvertido, ignorante. Ú. t. c. s.
Desavisar. tr. Dar aviso o noticia contraria a la que se había dado.
Desayudar. tr. Impedir o embarazar lo que puede servir a uno de ayuda o auxilio. Ú. m. c. r.
Desayunarse. (De *des*, 1.er art., y *ayunar.*) r. Tomar el desayuno. || **2.** fig. Hablando de un suceso o especie, tener la primera noticia de aquello que se ignoraba. Usáb. t. c. tr.
Desayuno. m. Alimento ligero que se toma por la mañana antes que otro alguno. || **2.** Acción de desayunarse.
Desayuntamiento. m. ant. Acción y efecto de desayuntar.
Desayuntar. tr. ant. Desunir, separar, apartar.
Desazogar. tr. Quitar el azogue a una cosa.
Desazón. f. Desabrimiento, insipidez, falta de sabor y gusto. || **2.** Falta de sazón y tempero en las tierras que se cultivan. || **3. Picazón,** 1.a acep. || **4.** fig. Disgusto, pesadumbre. || **5.** fig. Molestia o inquietud interior, mala disposición en la salud.
Desazonado, da. p. p. de **Desazonar.** || **2.** adj. Dícese de la tierra que está en mala disposición para algún fin. || **3.** fig. Indispuesto, disgustado.
Desazonar. tr. Quitar la sazón, el sabor o el gusto a un manjar. || **2.** fig. Disgustar, enfadar, desabrir el ánimo. Ú. t. c. r. || **3.** r. fig. Sentirse indispuesto en la salud.
Desbabar. intr. Purgar, expeler las babas. Ú. t. c. r. || **2.** tr. Hacer que el caracol suelte su baba.
Desbagar. tr. Sacar de la baga la linaza. Ú. t. c. r.
Desballestar. tr. ant. Desarmar la ballesta.
Desbancar. tr. Despejar, desembarazar un sitio de los bancos que lo ocupan. Decíase con más propiedad hablando de las galeras. || **2.** En el juego de la banca y otros de apunte, ganar al banquero, los que paran o apuntan, todo el fondo de dinero que puso de contado para jugar con ellos. || **3.** fig. Hacer perder a uno la amistad, estimación o cariño de otra persona, ganándola para sí.
Desbandada. f. Acción y efecto de desbandarse. || **A la desbandada.** m. adv. Confusamente y sin orden; en dispersión.
Desbandarse. (De *des*, 1.er art., y *bando*, 2.o art.) r. Desparramarse, huir en desorden. || **2.** Apartarse de la compañía de otros. || **3. Desertar.**
Desbañado. (De *des*, 1.er art., y *bañado.*) adj. *Cetr.* V. **Azor desbañado.**
Desbarahustar. tr. **Desbarajustar.**
Desbarahuste. m. **Desbarajuste.**
Desbarajustar. (De *des*, 1.er art., y *barajustar.*) tr. **Desordenar,** 1.a acep.
Desbarajuste. (De *desbarajustar.*) m. **Desorden,** 1.a acep.
Desbaratadamente. adv. m. Con desbarate.
Desbaratado, da. p. p. de **Desbaratar.** || **2.** adj. fig. y fam. De mala vida, conducta o gobierno. Ú. t. c. s.
Desbaratador, ra. adj. Que desbarata. Ú. t. c. s.
Desbaratamiento. (De *desbaratar.*) m. Descomposición, desconcierto. || **2.** ant. **Desbarato.**
Desbaratante. p. a. de **Desbaratar.** Que desbarata.
Desbaratar. (De *des*, 1.er art., y *baratar.*) tr. Deshacer o arruinar una cosa. || **2.** Disipar, malgastar los bienes. || **3.** fig. Hablando de las cosas inmateriales, cortar, impedir, estorbar. || **4.** *Mil.* Desordenar, desconcertar, poner en confusión a los contrarios. || **5.** intr. **Disparatar.** || **6.** r. fig. Descomponerse, hablar u obrar fuera de razón.
Desbarate. m. Acción y efecto de desbaratar. || **2.** Repetición muy frecuente de cámaras o cursos. || **de vientre. Desbarate,** 2.a acep. || **Al desbarate.** m. adv. Casi de balde.
Desbarato. m. **Desbarate,** 1.a acep.
Desbaraustar. (De *des*, 1.er art., y *baraustar.*) tr. ant. **Desbarajustar.**
Desbarbado, da. adj. Que carece de barba. Ú. a veces en sent. despect.
Desbarbar. tr. Cortar o quitar de una cosa las hilachas o pelos, que por semejanza se llaman barbas, y especialmente las raíces muy delgadas de las plantas, los filamentos del borde del papel, etc. || **2.** fam. Afeitar la barba. Ú. t. c. r.
Desbarbillar. (De *des*, 1.er art., y *barbilla*, d. de *barba.*) tr. *Agr.* Desbarbar, cortar las raíces que arrojan los troncos de las vides nuevas, para darles más vigor.
Desbardar. tr. Quitar la barda a una tapia.
Desbarrada. (De *desbarrar.*) f. ant. Desorden con alboroto.
Desbarrar. (Del ant. *desbarar*, disparatar, y éste del lat. *divarāre*, resbalar.) intr. Deslizarse; escurrirse. || **2.** Tirar con la barra a cuanto alcance la fuerza, sin cuidarse de hacer tiro. || **3.** fig. Discurrir fuera de razón; errar en lo que se dice o hace.
Desbarretar. tr. Quitar las barretas a lo que está fortificado con ellas.
Desbarrigado, da. p. p. de **Desbarrigar.** || **2.** adj. Que tiene poca barriga.
Desbarrigar. tr. fam. Romper o herir el vientre o barriga.
Desbarro. m. Acción y efecto de desbarrar.
Desbastador. m. Herramienta que sirve para desbastar.
Desbastadura. f. Efecto de desbastar.
Desbastar. tr. Quitar las partes más bastas a una cosa que se haya de labrar. || **2.** Gastar, disminuir, debilitar. || **3.** fig. Quitar lo basto, encogido y grosero que por falta de educación tienen las personas rústicas. Ú. t. c. r.
Desbaste. m. Acción y efecto de desbastar. || **2.** Estado de cualquiera materia que se destina a labrarse, después que se la ha despojado de las partes más bastas. *Estar en* DESBASTE *una piedra.*
Desbastecido, da. (De *des*, 1.er art., y *bastecido.*) adj. Sin bastimentos.
Desbautizarse. (De *des*, 1.er art., y *bautizar.*) r. fig. y fam. Deshacerse, irritarse, impacientarse mucho.
Desbazadero. m. Sitio o paraje húmedo y, por tanto, resbaladizo.
Desbeber. intr. fam. **Orinar,** 1.a acep.

Desbecerrar. tr. Destetar los becerros o separarlos de sus madres.

Desbinzar. tr. *Murc.* Quitarle al pimiento seco la binza para molerlo.

Desblanquecido, da. (De *des,* 1.er art., y *blanquecer.*) adj. **Blanquecino.**

Desblanquiñado, da. adj. **Desblanquecido.**

Desbloquear. tr. *Com.* Levantar el bloqueo de una cantidad o crédito.

Desbloqueo. m. *Com.* Acción y efecto de desbloquear.

Desbocadamente. adv. m. Desenfrenadamente, desvergonzadamente.

Desbocado, da. p. p. de **Desbocar.** || **2.** adj. Dícese del cañón o pieza de artillería que tiene la boca más ancha que lo restante del ánima. || **3.** Aplícase a cualquier instrumento, como martillo, gubia, etc., que tiene gastada o mellada la boca. || **4.** fig. y fam. Acostumbrado a decir palabras indecentes, ofensivas y desvergonzadas. Ú. t. c. s.

Desbocamiento. m. Acción y efecto de desbocarse.

Desbocar. tr. Quitar o romper la boca a una cosa. DESBOCAR *el jarro, el cántaro.* || **2.** intr. **Desembocar.** || **3.** r. Hacerse una caballería insensible a la acción del freno y dispararse. || **4.** fig. Desvergonzarse, prorrumpir en denuestos.

Desbonetarse. r. fam. Quitarse el bonete de la cabeza.

Desboquillar. tr. Quitar o romper la boquilla.

Desbordamiento. m. Acción y efecto de desbordar o desbordarse.

Desbordante. p. a. de **Desbordar.** Que desborda o se desborda. || **2.** adj. Que sale de sus límites o de la medida. *Caridad* DESBORDANTE.

Desbordar. intr. Salir de los bordes, derramarse. Ú. m. c. r. || **2.** r. Exaltarse, desmandarse las pasiones o los vicios.

Desbornizar. tr. Arrancar el corcho virgen o bornizo de los alcornoques.

Desboronar. tr. **Desmoronar.** Ú. t. c. r.

Desborradora. f. Obrera que en algunas fábricas de paños quita la borra o los nudos que quedan después de tejida la lana. La operación la hacen con tijeras.

Desborrar. tr. Quitar la borra o los nudos a los paños. || **2.** *Murc.* **Deschuponar.**

Desbotonar. tr. *Cuba.* Quitar los botones y la guía a la planta del tabaco, para impedir su crecimiento y para que ganen en tamaño las hojas.

Desbragado, da. adj. fam. Sin bragas. || **2.** fig. y despect. **Descamisado,** 2.ª acep. Ú. t. c. s.

Desbragar. tr. *And.* Cavar alrededor de la cepa una pileta de unos veinte centímetros de profundidad, para quitar las raíces superficiales y recoger los brotes para injertos.

Desbraguetado. adj. fam. Que trae desabotonada o mal ajustada la bragueta.

Desbravador. m. El que tiene por oficio desbravar potros cerriles.

Desbravar. (De *des,* 1.er art., y *bravo.*) tr. Amansar el ganado cerril, caballar o mular. || **2.** intr. Perder o deponer parte de la braveza. Ú. t. c. r. || **3.** fig. Romperse, desahogarse el ímpetu de la cólera o de la corriente. Ú. t. c. r. || **4.** Dícese también de los licores que han perdido su fuerza. Ú. t. c. r.

Desbravecer. (De *des,* 1.er art., y *bravo.*) intr. **Desbravar,** 2.ª, 3.ª y 4.ª aceps. Ú. t. c. r.

Desbrazarse. r. Extender mucho y violentamente los brazos; hacer con ellos fuerza o movimientos violentos.

Desbrevarse. (De *desbravar.*) r. Perder alguna cosa la fuerza y actividad que tenía. Dícese regularmente del vino cuando se va echando a perder.

Desbridamiento. m. *Cir.* Acción y efecto de desbridar.

Desbridar. (De *des,* 1.er art., y brida.) tr. *Cir.* Dividir con instrumento cortante tejidos fibrosos que, produciendo estrangulación, pueden originar la gangrena. || **2.** *Cir.* Separar las bridas o filamentos que atraviesan una llaga y estorban la libre salida del pus.

Desbriznar. tr. Reducir a briznas, desmenuzar una cosa; como carne, palo, etc. || **2.** Sacar los estigmas a la flor del azafrán. || **3.** Quitar la brizna a las legumbres.

Desbroce. m. **Desbrozo.**

Desbrozar. tr. Quitar la broza, desembarazar, limpiar.

Desbrozo. m. Acción y efecto de desbrozar. || **2.** Cantidad de broza o ramaje que produce la monda de los árboles y la limpieza de las tierras o de las acequias.

Desbruar. tr. En el obraje de paños, quitar al tejido la grasa para meterlo en el batán.

Desbrujar. tr. **Desmoronar.**

Desbuchar. (De *des,* 1.er art., y *buche,* 1.er art.) tr. **Desembuchar.** || **2. Desainar.** || **3.** *Cetr.* Bajar y aliviar el buche de las aves de rapiña.

Desbulla. f. Despojo que queda de la ostra desbullada.

Desbullador. m. Tenedor para ostras.

Desbullar. (Del lat. *defollāre,* de *follis,* fuelle, envoltura.) tr. Quitar la cáscara o envoltura de algunas cosas. || **2.** Abrir las ostras para sacar su contenido.

Descabal. adj. No cabal.

Descabalamiento. m. Acción y efecto de descabalar o descabalarse.

Descabalar. tr. Quitar o perder algunas de las partes precisas para constituir una cosa completa o cabal. Ú. t. c. r.

Descabalgadura. f. Acción de descabalgar, 1.ª acep.

Descabalgar. intr. Desmontar, bajar de una caballería el que va montado en ella. || **2.** tr. *Art.* Desmontar de la cureña el cañón, sacarlo de ella, o imposibilitar el uso del cañón con la violencia de los tiros del enemigo, destruyendo la cureña. Dícese también de otras máquinas de guerra. Ú. t. c. r.

Descabelladamente. adv. m. fig. Sin orden ni concierto.

Descabellado, da. p. p. de **Descabellar.** || **2.** adj. fig. Dícese de lo que va fuera de orden, concierto o razón.

Descabelladura. f. ant. Acción y efecto de descabellar, 1.ª acep.

Descabellamiento. (De *descabellar.*) m. fig. **Despropósito.**

Descabellar. (De *des,* 1.er art., y *cabello.*) tr. Despeinar, desgreñar. Ú. m. c. r. || **2.** *Taurom.* Matar instantáneamente al toro, hiriéndolo en la cerviz con la punta de la espada.

Descabello. m. Acción y efecto de descabellar, 2.ª acep.

Descabeñarse. r. ant. **Descabellarse.**

Descabestrar. tr. **Desencabestrar.**

Descabezadamente. adv. m. fig. **Descabelladamente.**

Descabezado, da. p. p. de **Descabezar.** || **2.** adj. fig. Que va fuera de razón. Ú. t. c. s.

Descabezamiento. m. Acción y efecto de descabezar o descabezarse.

Descabezar. tr. Quitar o cortar la cabeza. || **2.** Deshacer el encabezamiento que han hecho los pueblos. || **3.** fig. Cortar la parte superior o las puntas a algunas cosas; como a los árboles, maderos, vástagos de las plantas, etc. || **4.** fig. y fam. Empezar a vencer la dificultad o embarazo que se encuentra en una cosa. || **5.** *Mil.* Poner las primeras hileras, al preparar una marcha de flanco, en la nueva dirección a vanguardia o retaguardia. || **6.** *Mil.* Vencer o salvar un obstáculo, rebasándolo la cabeza de la columna. || **7.** intr. Terminar una tierra o haza en otra; ir a parar o unirse a ella. || **8.** r. fig. y fam. **Descalabazarse.** || **9.** *Agr.* Desgranarse las espigas de las mieses.

Descabildadamente. adv. m. ant. **Descabezadamente.** || **2.** ant. Sin guía ni dirección.

Descabritar. tr. Destetar los cabritos.

Descabullirse. r. **Escabullirse.** || **2.** fig. Huir de una dificultad con sutileza. || **3.** fig. Eludir la fuerza de las razones contrarias.

Descacilar. tr. *Ant.* **Descafilar.**

Descachazar. tr. *Amér.* Quitar la cachaza al guarapo.

Descaderar. tr. Hacer a uno daño grave en las caderas. Ú. t. c. r.

Descadillador, ra. m. y f. Persona que descadilla.

Descadillar. tr. Quitar a la lana los cadillos, pajillas y motas.

Descaecer. (De *des,* 1.er art., y *caecer.*) intr. Ir a menos, perder poco a poco la salud, la autoridad, el crédito, el caudal, etc.

Descaecimiento. (De *descaecer.*) m. Flaqueza, debilidad, falta de fuerzas y vigor en el cuerpo o en el ánimo.

Descaer. intr. **Decaer.**

Descafilar. tr. Quitar las desigualdades de los cantos de los ladrillos o baldosas para que ajusten bien, o limpiarlos del mortero viejo cuando proceden de una obra deshecha.

Descaimiento. m. **Decaimiento.**

Descalabazarse. (De *des,* 1.er art., y *calabaza.*) r. fig. y fam. Calentarse la cabeza en averiguar una cosa sin lograrlo.

Descalabrado, da. p. p. de **Descalabrar.** Ú. t. c. s. || **2.** adj. ant. Imprudente, arrojado. || **3.** fig. Que ha salido mal de una pendencia, o perdiendo en una partida de juego o en un negocio de intereses. Ú. t. c. s. || **Al descalabrado nunca le falta un trapo, que roto, que sano.** ref. con que se da a entender que no hay necesidad o trabajo que no tenga algún remedio o alivio. || **Ser uno el descalabrado y ponerse otro la venda.** fr. fig. y fam. que se emplea para motejar o zaherir a quien se queja o lamenta, no siendo él, sino otro, el ofendido o lastimado.

Descalabradura. (De *descalabrar.*) f. Herida recibida en la cabeza. || **2.** Cicatriz que queda de esta herida.

Descalabrar. (De *des,* 1.er art., y *calavera.*) tr. Herir a uno en la cabeza. Ú. t. c. r. || **2.** Por ext., herir o maltratar, aunque no sea en la cabeza. || **3.** fig. Causar daño o perjuicio. || **Descalábrame con eso.** expr. con que irónicamente se da a entender a uno que no hará lo que ofrece o no dará lo que promete.

Descalabro. (De *descalabrar.*) m. Contratiempo, infortunio, daño o pérdida.

Descalandrajar. (De *des,* 1.er art., y *calandrajo.*) tr. Romper o desgarrar un vestido u otra cosa de tela, haciéndola andrajos.

Descalcador. m. *Mar.* Instrumento de calafate para descalcar.

Descalcar. tr. *Mar.* Sacar las estopas viejas de las costuras de un buque.

Descalce. (De *descalzar.*) m. **Socava.**

Descalcez. f. Calidad de descalzo. || **2.** Religión en que, por su instituto, deben llevar los religiosos los pies desnudos.

Descalcificación. f. *Med.* Desaparición o disminución anormal de la substancia calcárea contenida en los huesos u otros tejidos orgánicos.

Descalicharse. (De *caliche,* 2.ª acep.) r. *And.* Desconcharse y deteriorarse las paredes por desprendimiento de las capas de cal del enlucido.

Descalificar. tr. Desacreditar, desautorizar o incapacitar.

Descalimar. intr. ant. *Mar.* Levantarse o disiparse la calima.

Descalostrado, da. adj. Dícese del niño que ha pasado ya los días del calostro.

Descalzadero. m. *And.* Puertecilla del palomar, por donde se cogen las palomas en la red puesta para cazarlas.

Descalzar. (Del lat. *discalceāre.*) tr. Quitar el cazado. Ú. t. c. r. ‖ **2.** Quitar uno o más calzos. ‖ **3. Socavar.** ‖ **4.** r. Perder las caballerías una o más herraduras. ‖ **5.** fig. Pasar un fraile calzado a descalzo.

Descalzo, za. p. p. irreg. de **Descalzar.** ‖ **2.** adj. Que trae desnudas las piernas o los pies, o aquéllas y éstos. ‖ **3.** Dícese del fraile o de la monja que profesa descalcez. Ú. t. c. s. ‖ **4.** fig. **Desnudo,** 4.ª acep.

Descallador. (De *des,* 1.er art., y *callo.*) m. ant. **Herrador.**

Descamación. (De *des,* 1.er art., y *escama.*) f. *Med.* Renovación y desprendimiento de la epidermis seca en forma de escamillas, más activa a consecuencia de los exantemas o erupciones cutáneas.

Descamar. (Del lat. *desquamare.*) tr. **Escamar,** 1.ª acep. ‖ **2.** r. Caerse la piel en forma de escamillas.

Descambiar. tr. **Destrocar.**

Descaminadamente. adv. m. Fuera de camino, sin acierto.

Descaminado, da. p. p. de **Descaminar.** ‖ **2.** m. ant. **Descamino,** 3.ª acep.

Descaminar. tr. Sacar o apartar a uno del camino que debe seguir, o hacer de modo que yerre. Ú. t. c. r. ‖ **2.** fig. Apartar a uno de un buen propósito; aconsejarle o inducirle a que haga lo que no es justo ni le conviene. Ú. t. c. r. ‖ **3.** fig. p. us. **Decomisar.**

Descamino. m. Acción y efecto de descaminar o descaminarse. ‖ **2.** Cosa que se quiere introducir de contrabando. *Coger un* DESCAMINO. ‖ **3.** ant. Derecho impuesto sobre las cosas descaminadas. ‖ **4.** fig. **Desatino,** 2.ª acep.

Descamisado, da. adj. fam. Sin camisa. ‖ **2.** fig. y despect. Muy pobre, desharrapado. Ú. t. c. s.

Descampado, da. (De *descampar.*) adj. Dícese del terreno o paraje desembarazado, descubierto, libre y limpio de tropiezos, malezas y espesuras. Ú. t. c. s. m. ‖ **En descampado.** m. adv. A campo raso, a cielo descubierto, en sitio o paraje libre de embarazos.

Descampar. tr. **Escampar.**

Descansadamente. adv. m. Sin trabajo, sin fatiga, quieta y reposadamente.

Descansadero. m. Sitio o lugar donde se descansa o se puede descansar.

Descansado, da. p. p. de **Descansar.** ‖ **2.** adj. Dícese de lo que trae en sí una satisfacción que equivale al descanso.

Descansar. (De *des,* 1.er art., y *cansar.*) intr. Cesar en el trabajo, reposar, reparar las fuerzas con la quietud. ‖ **2.** fig. Tener algún alivio en los cuidados; dar los males alguna tregua. ‖ **3.** Desahogarse, tener alivio o consuelo comunicando a un amigo o a una persona de confianza los males o trabajos. ‖ **4.** Reposar, dormir. *El enfermo* HA DESCANSADO *dos horas.* ‖ **5.** Estar uno tranquilo y sin cuidado en la confianza de los oficios o el favor de otro. ‖ **6.** Estar una cosa asentada o apoyada sobre otra. ‖ **7.** Estar sin cultivo uno o más años la tierra de labor. ‖ **8.** Estar enterrado, reposar en el sepulcro. ‖ **9.** tr. Aliviar a uno en el trabajo, ayudarle en él. ‖ **10.** Asentar o apoyar una cosa sobre otra. DESCANSE *usted el brazo sobre la almohada.* ‖ **Descansar, y tornar a beber.** ref. con que se nota al que con tenacidad sostiene una opinión y, aunque alguna vez cese o calle, vuelve a la porfía.

Descansillo. (d. de *descanso.*) m. Meseta en que terminan los tramos de una escalera.

Descanso. (De *descansar.*) m. Quietud, reposo o pausa en el trabajo o fatiga. ‖ **2.** Causa de alivio en la fatiga y en los cuidados físicos o morales. ‖ **3.** V. **Día de descanso.** ‖ **4. Descansillo.** ‖ **5.** Asiento sobre que se apoya, asegura o afirma una cosa.

Descantar. tr. Limpiar de cantos o piedras.

Descantear. tr. Quitar los cantos, ángulos o esquinas.

Descanterar. tr. Quitar el cantero o canteros. Dícese más comúnmente del pan.

Descantillar. (De *des,* 1.er art., y *cantillo,* d. de *canto,* 2.º art.) tr. Romper o quebrar las aristas o cantos de alguna cosa. Ú. t. c. r. ‖ **2.** fig. Desfalcar o rebajar algo de una cantidad.

Descantillón. m. **Escatillón.**

Descantonar. (De *des,* 1.er art., y *cantón.*) tr. **Descantillar.**

Descañar. tr. Romper la caña a las mieses u otras plantas. ‖ **2.** ant. Romper la caña del brazo o de la pierna.

Descañonar. tr. Quitar los cañones a las aves. ‖ **2.** Pasar el barbero la navaja pelo arriba, para cortar más de raíz las barbas, después del primer rape. ‖ **3.** fig. y fam. **Pelar,** 5.ª y 6.ª aceps.

Descaperuzar. tr. Quitar de la cabeza la caperuza. Ú. t. c. r.

Descaperuzo. m. Acción de descaperuzar o descaperuzarse.

Descapillar. tr. Quitar la capilla. Ú. t. c. r.

Descapirotar. tr. Quitar el capirote. Ú. t. c. r.

Descapotar. tr. En los coches que tienen capota, plegarla o bajarla.

Descaradamente. adv. m. Con descaro, con osadía.

Descarado, da. (De *descararse.*) adj. Que habla u obra con desvergüenza, sin pudor ni respeto humano. Ú. t. c. s.

Descaramiento. (De *descararse.*) m. **Descaro.**

Descararse. (De *des,* 1.er art., y *cara.*) r. Hablar u obrar con desvergüenza, descortés y atrevidamente o sin pudor.

Descarbonatar. tr. Quitar el ácido carbónico.

Descarburación. m. Acción de separar parcial o totalmente de los carburos de hierro el carbono que entra en su composición.

Descarburar. tr. Sacar el carbono que se contiene en algún cuerpo.

Descarcañalar. tr. Arrollar la parte del zapato que cubre el carcañal. Ú. t. c. r.

Descarga. f. Acción y efecto de descargar. ‖ **2.** *Arq.* Aligeramiento de un cuerpo de construcción cuando se teme que su excesivo peso la arruine. ‖ **cerrada.** *Mil.* Fuego que se hace de una vez por uno o más batallones, compañías, cuartas, etc.

Descargada. f. En el juego del monte, la carta que no está cargada.

Descargadas. adj. pl. *Blas.* Se dice de las armas infamadas.

Descargadero. m. Sitio destinado para descargar mercancías u otras cosas.

Descargador. m. El que tiene por oficio descargar mercancías en los puertos, ferrocarriles, etc. ‖ **2. Sacatrapos,** 1.ª y 2.ª aceps.

Descargadura. (De *descargar.*) f. Parte de hueso que, cuando se corta para vender, se separa de la carne mollar en beneficio del que la lleva, y con especialidad, porción de hueso que se saca del lomo.

Descargamiento. (De *descargar.*) m. ant. Descarga, 1.ª acep. ‖ **2.** ant. **Descargo.**

Descargar. tr. Quitar o aliviar la carga. ‖ **2.** Quitar a la carne, y especialmente a la del lomo, la falda y parte del hueso. ‖ **3.** Disparar las armas de fuego. ‖ **4.** Extraer la carga a una arma de fuego o a un barreno. ‖ **5.** Anular la tensión eléctrica de un cuerpo haciendo saltar la chispa o por otro medio. ‖ **6.** Dicho de golpes, darlos con violencia. Ú. t. c. intr. ‖ **7.** fig. Exonerar a uno de un cargo u obligación. ‖ **8.** intr. Desembocar los ríos, desaguar, entrar en el mar o en un lago, donde pierden su nombre o acaban su curso. ‖ **9.** Deshacerse una nube y caer en lluvia o granizo. ‖ **10.** r. Dejar el cargo, empleo o puesto. ‖ **11.** Eximirse uno de las obligaciones de su cargo, empleo o ministerio, cometiendo a otro lo que debía ejecutar por sí. ‖ **12.** *For.* Dar satisfacción a los cargos que se hacen a los reos y purgarse de ellos.

Descargo. m. Acción de descargar, 1.ª acep. ‖ **2.** Data o salida que en las cuentas se contrapone al cargo o entrada. ‖ **3.** Satisfacción, respuesta o excusa del cargo que se hace a uno. ‖ **4.** Satisfacción de las obligaciones de justicia y desembarazo de las que gravan la conciencia. ‖ **5.** V. **Junta de descargos.** ‖ **En descargo.** m. adv. En satisfacción de las obligaciones de conciencia.

Descargue. (De *descargar.*) m. Descarga de un peso o transporte.

Descariñarse. r. Perder el cariño y afición a una persona o cosa.

Descariño. m. Tibieza en la voluntad o desapego en el cariño.

Descarnada. f. Por antonom., la muerte como símbolo.

Descarnadamente. adv. m. fig. Con franqueza, sin ambages ni atenuaciones.

Descarnador. (De *descarnar.*) m. Instrumento de acero, largo, con una punta en uno de sus extremos, vuelta y aguda, y una lancilla en el otro, que sirve para despegar la encía de la muela o diente que se quiere sacar.

Descarnadura. f. Acción y efecto de descarnar o descarnarse.

Descarnar. (De *escarnar.*) tr. Quitar al hueso la carne. Ú. t. c. r. ‖ **2.** fig. Quitar parte de una cosa o desmoronarla. Ú. t. c. r. ‖ **3.** fig. Apartar o desviar a uno de las cosas terrenas. Ú. t. c. r. ‖ **Descarnarse uno por otro.** fr. fig. y fam. Gastar o consumir el dinero o la hacienda en beneficio ajeno.

Descaro. (De *descararse.*) m. Desvergüenza, atrevimiento, insolencia, falta de respeto.

Descarozar. tr. *Amér.* Quitar el hueso o carozo a las frutas.

Descarriamiento. (De *descarriar.*) m. **Descarrío.**

Descarriar. (De *des,* 1.er art., y *carrera.*) tr. Apartar a uno del carril, echarlo fuera de él. ‖ **2.** Apartar del rebaño cierto número de reses. Ú. t. c. r. ‖ **3.** r. Separarse, apartarse o perderse una persona de las demás con quienes iba en compañía o de las que la cuidaban y amparaban. ‖ **4.** fig. Apartarse de lo justo y razonable.

Descarriladura. f. **Descarrilamiento.**

Descarrilamiento. m. Acción y efecto de descarrilar. ‖ **2.** fig. Desviación, descarrío. ‖ **3.** fig. y fam. **Aborto,** 1.ª acep.

Descarrilar. intr. Salir fuera del carril. Se dice de los trenes de los ferrocarriles, tranvías, etc.

Descarrilladura. f. Acción de descarrillar.

Descarrillar. tr. Quitar o desbaratar los carrillos.

Descarrío. m. Acción y efecto de descarriar o descarriarse.

Descartar. (De *des,* 1.er art., y *carta.*) tr. fig. Desechar una cosa o apartarla de sí.

|| **2.** r. Dejar las cartas que se tienen en la mano y se consideran inútiles, substituyéndolas en ciertos juegos con otras tantas de las que no se han repartido. || **3.** fig. Excusarse una persona de hacer alguna cosa.

Descarte. (De *descartar.*) m. Cartas que se desechan en varios juegos de naipes o que quedan sin repartir. || **2.** Acción de descartarse. || **3.** fig. Excusa, escape o salida.

Descartes. n. p. *Geom.* V. **Folio de Descartes.**

Descasamiento. (De *descasar.*) m. Declaración de nulidad de un matrimonio. || **2.** Divorcio o repudio.

Descasar. tr. Separar, apartar a los que no estando legítimamente casados, viven como tales de buena o mala fe. Ú. t. c. r. || **2.** Declarar por nulo el matrimonio. || **3.** fig. Turbar o descomponer la disposición de cosas que casaban bien. Ú. t. c. r. || **4.** *Impr.* Alterar la colocación de las planas que componen una forma o pliego para ordenarlas debidamente.

Descascar. (De *des,* 1.er art., y *casca.*) tr. **Descascarar.** || **2.** r. Romperse o hacerse cascos una cosa. || **3.** fig. Hablar mucho y sin comedimiento, murmurando, echando fanfarronadas.

Descascarar. tr. Quitar la cáscara. || **2.** r. fig. Levantarse y caerse la superficie o cáscara de algunas cosas.

Descascarillado. m. Acción y efecto de descascarillar.

Descascarillar. tr. Quitar la cascarilla. Ú. t. c. r.

Descaspar. tr. Quitar o limpiar la caspa.

Descasque. m. Acción de descascar o descortezar los árboles, particularmente los alcornoques.

Descastado, da. p. p. de **Descastar.** || **2.** adj. Que manifiesta poco cariño a los parientes. Ú. t. c. s. || **3.** Por ext., dícese del que no corresponde al cariño que le han demostrado.

Descastar. tr. Acabar con una casta de animales, por lo común dañinos.

Descatolización. f. Acción y efecto de descatolizar.

Descatolizar. tr. Apartar de la religión católica a una persona o pueblo. Ú. t. c. r.

Descaudalado, da. adj. Dícese de la persona que ha perdido su caudal.

Descaudilladamente. adv. m. ant. Sin concierto ni orden por falta de caudillo.

Descaudillar. intr. ant. No guardar orden ni concierto por falta de caudillo; desordenarse, desconcertarse por esta causa.

Descebar. tr. Quitar el cebo a las armas de fuego.

Descendencia. (Del lat. *descendens, -entis,* descendiente.) f. Conjunto de hijos, nietos y demás generaciones sucesivas por línea recta descendente. || **2.** Casta, linaje, estirpe.

Descendente. p. a. de **Descender.** Que desciende. || **2.** adj. V. **Nodo, progresión, tren descendente.**

Descender. (Del lat. *descendĕre.*) intr. Bajar, pasando de un lugar alto a otro bajo. || **2.** Caer, fluir, correr una cosa líquida. || **3.** Proceder, por natural propagación, de un mismo principio o persona común, que es la cabeza de la familia. || **4.** Derivarse, proceder una cosa de otra. || **5.** tr. **Bajar,** 4.ª acep.

Descendida. (De *descender.*) f. **Bajada.** || **2.** ant. Expedición marítima con desembarco.

Descendiente. p. a. de **Descender.** Que desciende. || **2.** com. Hijo, nieto o cualquiera persona que desciende de otra. || **3.** f. ant. Bajada, falda o vertiente.

Descendimiento. m. Acción de descender uno, o de bajarle. || **2.** Por antonomasia, el que se hizo del sagrado cuerpo de Cristo, bajándole de la cruz, y el que, en representación de este paso, se hace en algunas iglesias el Viernes Santo con un crucifijo. || **3.** ant. Fluxión o destilación que cae de la cabeza al pecho o a otras partes. || **4.** *Esc.* y *Pint.* Composición en que se representa el descendimiento, 2.ª acep.

Descendir. intr. p. us. **Descender,** 1.ª acep.

Descensión. (Del lat. *descensĭo, -ōnis.*) f. **Descenso,** 1.ª acep. || **2.** ant. **Descendencia.**

Descenso. (Del lat. *descensus.*) m. Acción y efecto de descender. || **2.** **Bajada.** || **3.** fig. Caída de una dignidad o estado a otro inferior.

Descentrado, da. adj. Dícese del instrumento matemático o de la pieza de una máquina cuyo centro se halla fuera de la posición que debe ocupar.

Descentralización. f. Acción y efecto de descentralizar. || **2.** Sistema político que propende a descentralizar.

Descentralizador, ra. adj. Que descentraliza.

Descentralizar. tr. Transferir a diversas corporaciones u oficios parte de la autoridad que antes ejercía el gobierno supremo del Estado.

Descentrar. tr. Sacar una cosa de su centro. Ú. t. c. r.

Desceñidura. f. Acción y efecto de desceñir o desceñirse.

Desceñir. (De *des,* 1.er art., y *ceñir.*) tr. Desatar, quitar el ceñidor, faja u otra cosa que se trae alrededor del cuerpo. Ú. t. c. r.

Descepar. tr. Arrancar de raíz los árboles o plantas que tienen cepa. || **2.** fig. Extirpar, exterminar.

Descepar. tr. *Mar.* Quitar los cepos a las anclas y anclotes.

Descerar. tr. Despuntar las colmenas; sacar de ellas las ceras vanas.

Descercado, da. p. p. de **Descercar.** || **2.** adj. Dícese del lugar abierto, que no tiene cerca.

Descercador. (De *descercar.*) m. El que obliga y fuerza al enemigo a levantar el sitio o cerco de una plaza o fortaleza.

Descercar. tr. Derribar o arruinar la muralla de un pueblo o la cerca de una viña, huerta, heredad, etc. || **2.** Levantar o hacer levantar, de grado o por fuerza, el sitio puesto a una plaza o fortaleza.

Descerco. m. Acción y efecto de descercar, 2.ª acep.

Descerebrar. tr. ant. **Descalabrar,** 1.ª acep.

Descerezar. tr. Quitar a la semilla del café la carne de la baya o cereza en que está contenida.

Descerrajado, da. p. p. de **Descerrajar.** || **2.** adj. fig. y fam. De perversa vida y mala índole.

Descerrajadura. f. Acción de descerrajar.

Descerrajar. (De *des,* 1.er art., y *cerraja.*) tr. Arrancar o violentar la cerradura de una puerta, cofre, escritorio, etc. || **2.** fig. y fam. Diparar uno o más tiros con arma de fuego.

Descerrar. tr. **Abrir,** 1.ª acep.

Descerrumarse. r. *Veter.* Desconcertarse una caballería la articulación del menudillo con la cerruma.

Descervigamiento. m. Acción y efecto de descervigar.

Descervigar. (Del lat. *decervicāre,* degollar.) tr. Torcer la cerviz.

Descifrable. adj. Que se puede descifrar.

Descifrador. m. El que descifra.

Descifrar. tr. Declarar lo que está escrito en cifra o en caracteres desconocidos, sirviéndose de clave dispuesta para ello, o sin clave, por conjeturas y reglas críticas. || **2.** fig. Penetrar y declarar lo obscuro, intrincado y de difícil inteligencia.

Descifre. m. Acción y efecto de descifrar.

Descimbramiento. m. *Arq.* Acción y efecto de descimbrar.

Descimbrar. tr. *Arq.* Quitar la cimbra después de fabricado un arco o bóveda.

Descimentar. tr. Deshacer los cimientos.

Descinchar. tr. Quitar o soltar las cinchas a una caballería.

Descingir. (Del lat. *discingĕre.*) tr. ant. **Desceñir.**

Descinto, ta. (Del lat. *discinctus.*) p. p. irreg. de **Desceñir.**

Desclavador. m. Cincel de boca ancha, recta y poco afilada, que se usa para desclavar.

Desclavar. tr. Arrancar o quitar los clavos. || **2.** Quitar o desprender una cosa del clavo o clavos con que está asegurada. || **3.** fig. Desengastar las piedras preciosas de la guarnición de metal en que están como clavadas.

Descoagulante. p. a. de **Descoagular.** Que descoagula.

Descoagular. tr. Liquidar lo coagulado. Ú. t. c. r.

Descobajar. tr. Quitar el escobajo de la uva.

Descobertura. f. ant. **Descubrimiento,** 1.ª acep.

Descobijadamente. adv. m. ant. **Desabrigadamente.**

Descobijar. tr. Descubrir, destapar. || **2.** **Desabrigar.** Ú. t. c. r.

Descocadamente. adv. m. Con descoco.

Descocado, da. p. p. de **Descocar.** || **2.** adj. fam. Que muestra demasiada libertar y desenvoltura. Ú. t. c. s.

Descocar. (De *des,* 1.er art., y *coco,* gusano.) tr. Quitar a los árboles los cocos o insectos que los dañan.

Descocarse. (De *des,* 1.er art., y *coco,* 4.° art.) r. fam. Manifestar demasiada libertad y desenvoltura.

Descocedura. f. Efecto de descocer.

Descocer. (Del lat. *discoquĕre.*) tr. p. us. Digerir la comida.

Descoco. (De *descocarse.*) m. fam. Demasiada libertad y osadía en palabras y acciones.

Descocho, cha. (Del lat. *discoctus,* p. p. de *discoquĕre,* descocer.) adj. ant. Muy cocido.

Descodar. tr. *Ar.* Desapuntar o deshilvanar las piezas de paño.

Descoger. (Del lat. *dis,* des, y *colligĕre,* coger.) tr. Desplegar, extender o soltar lo que está plegado, arrollado o recogido.

Descoger. tr. ant. **Escoger.**

Descogollar. tr. Quitar los cogollos.

Descogotado, da. p. p. de **Descogotar.** || **2.** adj. fam. Que lleva pelado y descubierto el cogote.

Descogotar. tr. ant. **Acogotar.** || **2.** *Mont.* Quitar o cortar de raíz las astas al venado.

Descolar. tr. Quitar o cortar la cola. || **2.** Quitar a la pieza de paño la punta o el extremo opuesto a aquel en que está el sello o la marca del fabricante o de la fábrica.

Descolchar. tr. *Mar.* Desunir los cordones de los cabos. Ú. t. c. r.

Descolgar. tr. Bajar lo que está colgado. || **2.** Bajar o dejar caer poco a poco una cosa pendiente de cuerda, cadena o cinta. || **3.** Hablando de un aposento, una casa, una iglesia, etc., quitar los adornos que tiene, especialmente las colgaduras. || **4.** r. Echarse de alto abajo, escurriéndose por una cuerda u otra cosa. || **5.** fig. Ir bajando de un sitio alto o por una pendiente una persona o cosa. *Las tropas, los ganados,* SE DESCUELGAN *de las montañas.* || **6.** fig. y fam. **Salir,** 14.ª acep. || **7.** fig. y fam. Aparecer inesperadamente una persona.

Descoligado, da. adj. Apartado de la liga o confederación.

Descolmar. tr. Quitar el colmo a la medida, pasando el rasero. || **2.** fig. **Disminuir.**

Descolmillar. tr. Quitar o quebrantar los colmillos.

Descolocado, da. adj. Sin colocación o desacomodado.

Descoloramiento. m. Acción y efecto de descolorar o descolorarse.

Descolorante. p. a. de **Descolorar.** Que descolora.

Descolorar. (Del lat. *discolorāre.*) tr. Quitar o amortiguar el color. Ú. t. c. r.

Descolorido, da. p. p. de **Descolorir.** || **2.** adj. De color pálido o bajo en su línea.

Descolorimiento. m. Acción y efecto de descolorir o descolorirse.

Descolorir. tr. **Descolorar.** Ú. t. c. r.

Descolladamente. adv. m. Con desembarazo, con superioridad, con altanería.

Descollado, da. adj. Elevado, eminente.

Descollamiento. (De *descollar.*) m. **Descuello.**

Descollar. (De *des,* 1.er art., y *cuello.*) intr. **Sobresalir.** Ú. t. c. r.

Descombrar. (De *des,* 1.er art., y *escombro.*) tr. Desembarazar un paraje de cosas o materiales que estorban. || **2.** fig. Despejar, desembarazar un lugar u otra cosa.

Descombro. m. Acción y efecto de descombrar.

Descomedidamente. adv. m. Con descomedimiento. || **2.** Con exceso, sin medida.

Descomedido, da. p. p. de **Descomedirse.** || **2.** adj. Excesivo, desproporcionado, fuera de lo regular. || **3. Descortés.** Ú. t. c. s.

Descomedimiento. (De *descomedirse.*) m. Falta de respeto, desatención, descortesía.

Descomedirse. r. Faltar al respeto de obra o de palabra.

Descomer. intr. fam. **Descargar el vientre.**

Descomimiento. (De *des,* 1.er art., y *comer.*) m. ant. **Desgana,** 1.ª acep.

Descomodidad. f. **Incomodidad,** 1.ª y 2.ª aceps. || **2.** Falta de comodidad.

Descómodo, da. adj. ant. **Incómodo,** 2.ª acep.

Descompadrar. (De *des,* 1.er art., y *compadre.*) tr. fam. Descomponer la amistad de dos o más personas. || **2.** intr. fam. Desavenirse los que eran amigos; cesar en la amistad y buena correspondencia.

Descompaginar. tr. Descomponer, desordenar.

Descompañar. (De *des,* 1.er art., y *compaña.*) tr. ant. **Desacompañar.**

Descompás. (De *descompasarse.*) m. Exceso, falta de medida o proporción.

Descompasadamente. adv. m. **Descomedidamente.**

Descompasado, da. p. p. de **Descompasarse.** || **2.** adj. **Descomedido,** 2.ª acep.

Descompasarse. r. **Descomedirse.**

Descomponer. tr. Desordenar y desbaratar. Ú. t. c. r. || **2.** Separar las diversas partes que forman un compuesto. || **3.** fig. Indisponer los ánimos; hacer que se pierda la amistad, confianza o buena correspondencia. || **4.** r. Corromperse, entrar o hallarse un cuerpo en estado de putrefacción. || **5.** Desazonarse el cuerpo, perder la buena disposición del estado de sanidad. || **6.** fig. Perder uno, en las palabras o en las obras, la serenidad o la circunspección habitual.

Descomposición. f. Acción y efecto de descomponer o descomponerse.

Descompostura. f. **Descomposición.** || **2.** Desaseo, desaliño en el adorno de las personas o cosas. || **3.** fig. Descaro, falta de respeto, de moderación, de modestia, de cortesía.

Descompuestamente. adv. m. Con descompostura.

Descompuesto, ta. p. p. irreg. de **Descomponer.** || **2.** adj. fig. Inmodesto, atrevido, descortés.

Descomulgación. (De *descomulgar.*) f. ant. **Excomulgación.**

Descomulgadero, ra. (De *descomulgar.*) adj. ant. **Descomulgado.**

Descomulgado, da. p. p. de **Descomulgar.** || **2.** adj. Malvado, perverso Ú. t. c. s.

Descomulgador. m. El que descomulga.

Descomulgamiento. (De *descomulgar.*) m. ant. **Excomulgamiento.**

Descomulgar. (De *excomulgar.*) tr. **Excomulgar.**

Descomunal. adj. Extraordinario, monstruoso, enorme, muy distante de lo común en su línea.

Descomunaleza. f. ant. **Excomunión.**

Descomunalmente. adv. m. De modo muy distinto de lo común.

Descomunión. f. **Excomunión.**

Desconceptuar. tr. **Desacreditar.** Ú. t. c. r.

Desconcertadamente. adv. m. Sin concierto.

Desconcertado, da. p. p. de **Desconcertar.** || **2.** adj. fig. Desbaratado, de mala conducta, sin gobierno. || **3.** fig. V. **Reloj desconcertado.**

Desconcertador, ra. adj. Que desconcierta. Ú. t. c. s.

Desconcertadura. f. Acción y efecto de desconcertar o desconcertarse.

Desconcertante. p. a. de **Desconcertar.** Que desconcierta.

Desconcertar. tr. Pervertir, turbar, descomponer el orden, concierto y composición de una cosa. Ú. t. c. r. || **2.** Tratándose de huesos del cuerpo, **dislocar.** Ú. t. c. s. || **3.** fig. Sorprender, suspender el ánimo. || **4.** r. Desavenirse las personas o cosas que estaban acordes. || **5.** fig. Hacer o decir las cosas sin la serenidad, el miramiento y orden que corresponde.

Desconcierto. (De *desconcertar.*) m. Descomposición de las partes de un cuerpo o de una máquina. *El* DESCONCIERTO *del brazo, del reloj.* || **2.** fig. Desorden, desavenencia, descomposición. || **3.** fig. Falta de modo y medida en las acciones o palabras. || **4.** fig. Falta de gobierno y economía. || **5.** fig. Flujo de vientre, cámaras.

Desconcorde. adj. ant. **Desacorde.**

Desconcordia. f. Desunión, oposición entre las cosas que debían estar concordes.

Desconchado, da. p. p. de **Desconchar.** || **2.** m. Parte en que una pared o muro ha perdido su enlucido o revestimiento. || **3.** Parte en que una pieza de loza o porcelana ha perdido el vidriado.

Desconchadura. f. **Desconchado,** 2.ª y 3.ª aceps.

Desconchar. (De *des,* 1.er art., y *concha,* costra.) tr. Quitar a una pared o muro parte de su enlucido o revestimiento. Ú. t. c. r.

Desconchón. m. Caída de un trozo pequeño del enlucido o de la pintura de una superficie.

Desconectar. tr. *Mar.* Dejar independiente el propulsor, de los demás órganos de una máquina marina de vapor. || **2.** Interrumpir o suprimir el enlace o comunicación eléctrica entre dos aparatos o con la línea general.

Desconfiadamente. adv. m. Con desconfianza.

Desconfiado, da. p. p. de **Desconfiar.** || **2.** adj. Que desconfía. Ú. t. c. s.

Desconfiante. p. a. ant. de **Desconfiar.** Que desconfía.

Desconfianza. f. Falta de confianza.

Desconfiar. intr. No confiar, tener poca seguridad o esperanza.

Desconformar. intr. Disentir, ser de parecer opuesto o diferente, no convenir en una cosa. || **2.** r. Discordar, no convenir una cosa con otra.

Desconforme. adj. **Disconforme.** || **2.** adv. m. ant. Sin conformidad con una cosa.

Desconformidad. (De *desconforme.*) adj. **Disconformidad.**

Descongestión. f. Acción y efecto de descongestionar.

Descongestionar. tr. Disminuir o quitar la congestión.

Descongojar. tr. Quitar las congojas, desahogar, consolar.

Desconhortamiento. (De *desconhortar.*) m. ant. **Desconhorte.**

Desconhortar. tr. ant. Desanimar, desalentar. Usáb. t. c. r.

Desconhorte. (De *desconhortar.*) m. ant. Desaliento, caimiento de ánimo.

Desconocedor, ra. adj. Que desconoce.

Desconocencia. f. ant. *For.* **Ingratitud.**

Desconocer. tr. No recordar la idea que se tuvo de una cosa; haberla olvidado. || **2.** No conocer. || **3.** Negar uno ser suya alguna cosa. DESCONOCER *una obra.* || **4.** Darse por desentendido de una cosa, o afectar que se ignora. || **5.** fig. No advertir la debida correspondencia entre un acto y la idea que se tiene formada de una persona o cosa. DESCONOZCO *a Juan en esta ocasión; a Velázquez, en este cuadro.* || **6.** fig. Reconocer la notable mudanza que se halla en una persona o cosa. Ú. t. c. r.

Desconocidamente. adv. m. Con desconocimiento.

Desconocido, da. p. p. de **Desconocer.** || **2.** adj. Ingrato, falto de reconocimiento o gratitud. Ú. t. c. s. || **3.** Ignorado, no conocido de antes. Ú. t. c. s.

Desconocimiento. m. Acción y efecto de desconocer. || **2.** Falta de correspondencia, ingratitud.

Desconsejar. tr. ant. **Desaconsejar.**

Desconsentir. tr. No consentir, dejar de consentir.

Desconsideración. f. Acción y efecto de desconsiderar.

Desconsideradamente. adv. m. Sin consideración.

Desconsiderado, da. p. p. de **Desconsiderar.** || **2.** adj. Falto de consideración, de advertencia o de consejo. Ú. t. c. s.

Desconsiderar. tr. No guardar la consideración debida.

Desconsolación. (De *des,* 1.er art., y *consolación.*) f. Desconsuelo, aflicción.

Desconsoladamente. adv. m. Con desconsuelo.

Desconsolado, da. p. p. de **Desconsolar.** || **2.** adj. Que carece de consuelo. || **3.** fig. Que en su aspecto y en sus discursos muestra un genio melancólico, triste y afligido. || **4.** fig. Dícese del estómago que padece desfallecimientos o debilidad.

Desconsolador, ra. adj. Que desconsuela.

Desconsolante. p. a. de **Desconsolar.** Que desconsuela.

Desconsolar. tr. Privar de consuelo, afligir. Ú. t. c. r.

Desconsuelo. m. Angustia y aflicción profunda por falta de consuelo. || **2.** Tratándose del estómago, desfallecimiento, debilidad.

Descontagiar. tr. Quitar el contagio, purificando una cosa que está apestada.

Descontamiento. (De *descontar.*) m. ant. Descuento.

Descontar. tr. Rebajar una cantidad al tiempo de pagar una cuenta, una factura, un pagaré, etc. || **2.** fig. Rebajar algo del mérito o virtudes que se atribuyen a una persona. || **3.** fig. Dar por cierto o por acaecido. || **4.** *Com.* Abonar al contado una letra u otro documento no vencido, rebajando de su valor la cantidad que se estipule, como intereses del dinero que se anticipa.

Descontentadizo, za. adj. Que con facilidad se descontenta. Ú. t. c. s. || **2.** Difícil de contentar. Ú. t. c. s.

Descontentamiento. (De *descontentar.*) m. Falta de contento, disgusto. || **2.** Desavenencia, falta de amistad.

Descontentar. tr. Disgustar, desagradar. Ú. t. c. r.

Descontento, ta. p. p. irreg. de **Descontentar.** || **2.** m. Disgusto o desagrado.

Descontinuación. f. Acción y efecto de descontinuar.

Descontinuar. tr. **Discontinuar.**

Descontinuo, nua. adj. **Discontinuo,** 2.ª acep.

Desconvenible. adj. Dícese de lo que no se ajusta, no se acomoda o no tiene proporción con otra cosa. || **2.** ant. No conveniente. || **3.** *For.* V. **Condición desconvenible.**

Desconveniblemente. adv. m. ant. Fuera de propósito o de razón.

Desconveniencia. f. Incomodidad, perjuicio, desacomodo.

Desconveniente. p. a. de **Desconvenir.** Que desconviene. || **2.** adj. No conveniente o conforme.

Desconvenir. intr. No convenir en las opiniones; no concordar entre sí dos personas o dos cosas. Ú. t. c. r. || **2.** No convenir entre sí dos objetos visibles; no ser a propósito uno de ellos, o ser desemejantes y desproporcionados.

Desconversable. (De *des,* 1.er art., y *conversable.*) adj. De genio áspero y desabrido; que huye de la conversación y trato de las gentes, o que ama el retiro y la soledad.

Desconversar. tr. ant. Huir del trato y conversación.

Desconvidar. tr. Anular un convite. || **2.** Revocar, anular lo ofrecido o prometido.

Descoraznadamente. adv. m. ant. **Descorazonadamente.**

Descoraznamiento. m. ant. **Descorazonamiento.**

Descorazonadamente. adv. m. fig. Con descorazonamiento.

Descorazonamiento. (De *descorazonar.*) m. fig. Caimiento de ánimo.

Descorazonar. tr. Arrancar, quitar, sacar el corazón. || **2.** fig. Desanimar, acobardar, amilanar. Ú. t. c. r. || **3.** intr. ant. fig. Desmayar, perder el ánimo.

Descorchador. m. El que descorcha. || **2. Sacacorchos.**

Descorchar. tr. Quitar o arrancar el corcho al alcornoque. || **2.** Romper el corcho de la colmena para sacar la miel. || **3.** Sacar el corcho que cierra una botella u otra vasija. || **4.** fig. Romper, forzar un cepo, caja u otra cosa semejante, para robar lo que hay dentro.

Descorche. m. Acción y efecto de descorchar, 1.ª acep.

Descordar. tr. **Desencordar.**

Descordar. intr. ant. **Discordar.**

Descordar. (De *cuerda,* 18.ª acep.) tr. *Taurom.* Herir al toro en la medula espinal sin matarlo, pero causándole parálisis que lo deja inútil para la lidia.

Descorderar. tr. Entre ganaderos, separar los corderos de las madres con el fin de formar nuevos rebaños.

Descordojo. (De *des,* 1.er art., y *cordojo.*) m. ant. Gusto, placer.

Descoritar. tr. Desnudar, dejar en cueros. Ú. t. c. r.

Descornar. tr. Quitar, arrancar los cuernos a un animal. Ú. t. c. r. || **2.** *Germ.* **Descubrir,** 1.ª acep. || **3.** r. fig. y fam. **Descalabazarse.**

Descoronar. tr. Quitar la corona. || **2.** En las grandes bodegas, bajar las botas ya vacías, de la andana.

Descorrear. (De *des,* 1.er art., y *correa.*) intr. Soltar el ciervo y otros cuadrúpedos la piel que cubre los pitones de sus astas, cuando éstas van creciendo. Ú. t. c. r.

Descorregido, da. (De *des,* 1.er art., y *corregir.*) adj. Desarreglado, incorrecto.

Descorrer. tr. Volver uno a correr el espacio que antes había corrido. || **2.** Plegar o reunir lo que estaba antes estirado; como las cortinas, el lienzo, etc. || **3.** intr. Correr o escurrir una cosa líquida. Ú. t. c. r.

Descorrimiento. (De *descorrer.*) m. Efecto de desprenderse y correr un líquido.

Descortés. adj. Falto de cortesía. Ú. t. c. s.

Descortesía. f. Falta de cortesía.

Descortésmente. adv. m. Sin cortesía.

Descortezador, ra. adj. Que descorteza. Ú. t. c. s.

Descortezadura. f. Parte de corteza que se quita a una cosa. || **2.** Parte descortezada.

Descortezamiento. m. Acción de descortezar o descortezarse.

Descortezar. tr. Quitar la corteza al árbol, al pan o a otra cosa. Ú. t. c. r. || **2.** fig. y fam. **Desbastar,** 3.ª acep. Ú. t. c. r.

Descortezo. m. Acción y efecto de descortezar los árboles.

Descortinar. tr. Destruir la cortina o muralla batiéndola a cañonazos, o de otro modo.

Descosedura. f. **Descosido,** 4.ª acep.

Descoser. tr. Soltar, cortar, desprender las puntadas de las cosas que estaban cosidas. Ú. t. c. r. || **2.** r. fig. Descubrir indiscretamente lo que convenía callar. || **3.** fig. y fam. **Ventosear.**

Descosidamente. adv. m. fig. Con mucho exceso. || **2.** Con incoherencia o desorden.

Descosido, da. p. p. de **Descoser.** || **2.** adj. fig. Dícese del que fácil e indiscretamente habla lo que convenía tener oculto. || **3.** fig. Desordenado, falto del orden y trabazón convenientes. || **4.** m. Parte **descosida** en una prenda de vestir o de cualquier otro uso. || **Como un descosido.** expr. fig. y fam. que significa el ahínco o exceso con que se hace una cosa.

Descostarse. (De *des,* 1.er art., y *costa,* 2.° art.) r. Apartarse, separarse.

Descostillar. tr. Dar muchos golpes a uno en las costillas. || **2.** r. Caerse violentamente de espaldas, con riesgo de romperse o desconcertarse las costillas.

Descostrar. tr. Quitar la costra.

Descostreñimiento. (De *des,* 1.er art., y *costreñimiento.*) m. ant. **Desenfreno.**

Descostumbre. f. ant. Olvido de una costumbre.

Descotar. tr. **Escotar,** 1.er art. Ú. t. c. r.

Descotar. tr. ant. Levantar o quitar el coto o prohibición del uso de un camino, término, heredad, etc.

Descote. m. **Escote,** 1.er art.

Descoyuntamiento. m. Acción y efecto de descoyuntar o descoyuntarse. || **2.** fig. Desazón grande que se siente en el cuerpo, como si estuvieran descoyuntados los huesos.

Descoyuntar. (Del lat. *dis,* des, y *coninnctāre,* unir.) tr. Desencajar los huesos de su lugar. Ú. t. c. r. || **2.** fig. Molestar uno a otro con pesadeces.

Descoyunto. (De *descoyuntar.*) m. **Descoyuntamiento.**

Descrecencia. f. Acción y efecto de descrecer.

Descrecer. intr. **Decrecer.**

Descrecimiento. (De *descrecer.*) m. **Decremento.**

Descrédito. (De *des,* 1.er art., y *crédito.*) m. Disminución o pérdida de la reputación de las personas, o del valor y estima de las cosas.

Descreencia. f. **Descreimiento.**

Descreer. (Del lat. *discredĕre.*) tr. Faltar a la fe, dejar de creer. || **2.** Negar el crédito debido a una persona.

Descreídamente. adv. m. Con descreimiento.

Descreído, da. p. p. de **Descreer.** || **2.** adj. Incrédulo, falto de fe; sin creencia, porque ha dejado de tenerla.

Descreimiento. (De *descreer.*) m. Falta, abandono de fe, de creencia, especialmente en punto a religión.

Descrestar. tr. Quitar o cortar la cresta.

Descriarse. r. Desmejorarse. || **2.** Estropearse.

Describir. (Del lat. *describĕre.*) tr. Delinear, dibujar, figurar una cosa, representándola de modo que dé cabal idea de ella. || **2.** Representar a personas o cosas por medio del lenguaje, refiriendo o explicando sus distintas partes, cualidades o circunstancias. || **3.** Definir imperfectamente una cosa, no por sus predicados esenciales, sino dando una idea general de sus partes o propiedades.

Descrinar. (De *des,* 1.er art., y el lat. *crinis,* cabellera.) tr. ant. **Desgreñar.**

Descripción. (Del lat. *descriptĭo, -ōnis.*) f. Acción y efecto de describir. || **2.** *For.* **Inventario.**

Descriptible. adj. Que se puede describir.

Descriptivo, va. (Del lat. *descriptivus.*) adj. Dícese de lo que describe. *Narración* DESCRIPTIVA. || **2.** *Mat.* V. **Geometría descriptiva.**

Descripto, ta. (Del lat. *descriptus.*) p. p. irreg. **Descrito.**

Descriptor, ra. (Del lat. *descriptor.*) adj. Que describe. Ú. t. c. s.

Descriptorio, ria. (De *descriptor.*) adj. ant. **Descriptivo.**

Descrismar. tr. Quitar el crisma. || **2.** fig. y fam. Dar a uno un gran golpe en la cabeza. Dícese por alusión a la parte en que se pone el crisma. Ú. t. c. r. || **3.** r. fig. y fam. Enfadarse con grande y reiterado motivo; perder la paciencia y el tino. || **4.** fig. y fam. **Descalabazarse.**

Descristianar. tr. **Descrismar,** 1.ª y 2.ª aceps. Ú. t. c. r.

Descristianizar. tr. Apartar de la fe cristiana a un pueblo o a un individuo.

Descrito, ta. (De *descripto.*) p. p. irreg. de **Describir.**

Descrucificar. tr. ant. Desenclavar, quitar de la cruz al que estaba en ella.

Descruzar. tr. Deshacer la forma de cruz que presentan algunas cosas.

Descuadernar. (De *des,* 1.er art., y *cuaderno.*) tr. **Desencuadernar.** Ú. t. c. r. || **2.** fig. Desbaratar, descomponer. DESCUADERNAR *el juicio.*

Descuadrillado, da. p. p. de **Descuadrillarse.** || **2.** adj. Que sale de la cuadrilla o va fuera de ella. || **3.** m. *Veter.* Enfermedad que suelen padecer las bestias en el hueso de la cadera o del cuadril.

Descuadrillarse. r. Derrengarse la bestia por el cuadril.

Descuajar. tr. Liquidar, descoagular, desunir las partes de un líquido que estaban condensadas o cuajadas. Ú. t. c. r. || **2.** fig. y fam. Hacer a uno desesperanzar o caer de ánimo. || **3.** *Agr.*

Arrancar de raíz o de cuajo plantas o malezas.

Descuajaringar. (De *descuajar.*) tr. Desvencijar, desunir, desconcertar alguna cosa. Ú. t. c. r. || **2.** r. fam. Relajarse las partes del cuerpo por efecto de cansancio. Ú. sólo hiperbólicamente.

Descuaje. m. *Agr.* **Descuajo.**

Descuajo. m. *Agr.* Acción de descuajar, 3.ª acep.

Descuartizamiento. m. Acción y efecto de descuartizar.

Descuartizar. (De *des,* 1.er art., y *cuarto.*) tr. Dividir un cuerpo haciéndolo cuartos. || **2.** fam. Hacer pedazos alguna cosa para repartirla.

Descubierta. f. Especie de pastel, sin el hojaldre o la cubierta que regularmente se les pone encima. || **2.** ant. Descubrimiento o revelación de una cosa que se ignoraba. || **3.** *Mar.* Reconocimiento del horizonte, que, al salir y al ponerse el Sol, se practica en una escuadra por medio de los buques ligeros, y en un buque de guerra sólo se hace desde lo alto de los palos. || **4.** *Mar.* Inspección del estado del aparejo del buque, que por mañana y tarde ejecutan los gavieros y juaneteros en sus palos respectivos. || **5.** *Mil.* Reconocimiento que a ciertas horas hace la tropa para observar si en las inmediaciones hay enemigos y para inquirir su situación.

Descubiertamente. adv. m. Claramente, patentemente, sin rebozo ni disfraz.

Descubierto, ta. (Del lat. *discoopertus,* p. p. de *discooperīre,* descubrir.) p. p. irreg. de **Descubrir.** || **2.** Con los verbos *andar, estar* y otros semejantes, llevar la cabeza destocada. || **3.** Con los verbos *estar, quedar* y otros semejantes, expuesto uno a grandes y motivados cargos o reconvenciones. || **4.** m. Acto de exponer el Santísimo a la adoración de los fieles. || **5. Déficit.** || **A la descubierta,** o **al descubierto.** m. adv. **Descubiertamente.** || **2.** Al raso o a la inclemencia del tiempo, sin albergue ni resguardo. || **Al descubierto.** m. adv. *Com.* Dícese de la operación mercantil en la cual los contratantes no tienen disponible lo que es objeto de la misma. || **En descubierto.** m. adv. En los ajustes de cuentas, sin dar salida a algunas partidas del cargo, o faltando alguna cantidad para satisfacerlo. || **2.** fig. Sin poder dar salida a un cargo o reconvención. || **En todo lo descubierto.** m. adv. En todo el mundo conocido.

Descubrición. (De *descubrir.*) f. ant. Registro que una casa tiene sobre otra.

Descubridero. m. Lugar eminente desde donde se descubre mucho terreno o campaña.

Descubridor, ra. adj. Que descubre o halla una cosa oculta o no conocida. Ú. t. c. s. || **2.** Que indaga y averigua. Ú. t. c. s. || **3.** Por antonom., dícese del que ha descubierto tierras y provincias ignoradas o desconocidas. Ú. m. c. s. || **4.** Dícese de cualquiera de las embarcaciones que se emplean para hacer la descubierta. || **5.** m. *Mil.* Explorador, batidor del campo.

Descubrimiento. (De *descubrir.*) m. Hallazgo, encuentro, manifestación de lo que estaba oculto o secreto o era desconocido. || **2.** Por antonom., encuentro, invención o hallazgo de una tierra o un mar no descubierto o ignorado. || **3.** Territorio, provincia o cosa que se ha reconocido o descubierto.

Descubrir. (Del lat. *discooperīre.*) tr. Manifestar, hacer patente. || **2.** Destapar lo que está tapado o cubierto. || **3.** Hallar lo que estaba ignorado o escondido. Dícese principalmente de las tierras o mares desconocidos. || **4.** Registrar o alcanzar a ver. || **5.** Venir en conocimiento de una cosa que se ignoraba. || **6.** r. Quitarse de la cabeza el sombrero, gorra, etc.

Descuello. (De *descollar.*) m. Exceso en la estatura, elevación o altura con que sobresalen mucho entre todos sus semejantes un hombre, una montaña o un edificio. || **2.** fig. Elevación, superioridad, eminencia en virtud, en talento o en ciencia. || **3.** fig. Altanería, altivez, avilantez.

Descuento. m. Acción y efecto de descontar. || **2.** Rebaja, compensación de una parte de la deuda. || **3.** *Com.* Operación de adquirir antes del vencimiento valores generalmente endosables. || **4.** *Com.* Cantidad que se rebaja del importe de los valores para retribuir esta operación.

Descuerar. tr. Desollar, despellejar. Ú. m. en *Amér.* || **2.** fig. **Desollar,** 2.ª acep.

Descuernacabras. (De *descornar* y *cabra.*) m. Viento frío y recio que sopla de la parte del Norte.

Descuernapadrastros. (De *descornar* y *padrastro.*) m. *Germ.* Machete o terciado.

Descuerno. (De *descornar.*) m. fam. Desaire o afrenta. || **2.** *Germ.* Lo que se descubre.

Descuidadamente. adv. m. Con descuido.

Descuidado, da. p. p. de **Descuidar.** || **2.** adj. Omiso, negligente o que falta al cuidado que debe poner en las cosas. Ú. t. c. s. || **3.** Desaliñado, que cuida poco de la compostura en el traje. Ú. t. c. s. || **4. Desprevenido.**

Descuidamiento. m. ant. **Descuido.**

Descuidar. (De *des,* 1.er art., y *cuidar.*) tr. Descargar a uno del cuidado u obligación que debía tener. Ú. t. c. intr. || **2.** Poner los medios para que uno **descuide** de lo que le importa; engañarle, distraer su atención, para cogerle desprevenido. || **3.** intr. No cuidar de las cosas o no poner en ellas la atención o la diligencia necesaria o debida. Ú. t. c. r.

Descuidero, ra. adj. Se aplica al ratero que suele hurtar aprovechándose del descuido ajeno. Ú. t. c. s.

Descuido. (De *descuidar.*) m. Omisión, negligencia, falta de cuidado. || **2.** Olvido, inadvertencia. || **3.** Acción reparable o desatención que desdice de aquel que la ejecuta, o de aquel a quien ofende o perjudica. || **4.** Desliz, tropiezo vergonzoso. || **Al descuido,** o **al descuido y con cuidado.** m. adv. Con **descuido** afectado.

Descuitado, da. (De *des,* 1.er art., y *cuita.*) adj. Que vive sin pesadumbres ni cuidados.

Descular. tr. **Desfondar,** 1.ª acep.

Descumbrado, da. adj. Llano y sin cumbre.

Descura. (De *des,* 1.er art., y *cura.*) f. ant. **Descuido.**

Deschanzado, da. (De *des,* 1.er art., y *chanza.*) adj. *Germ.* Perdido o descubierto.

Deschavetado, da. adj. *Amér.* Chiflado, que ha perdido la chaveta.

Deschuponar. tr. Quitar al árbol los chupones.

Desdar. tr. Dar vueltas, en sentido inverso, a un manubrio, carrete o cuerda para deshacer otras vueltas anteriores.

Desde. (Contracc. de las preps. lats. *de, ex, de.*) prep. que denota el punto, en tiempo o lugar, de que procede, se origina o ha de empezar a contarse una cosa, un hecho o una distancia. DESDE *la Creación;* DESDE *Madrid;* DESDE *ahora;* DESDE *que nací;* DESDE *mi casa.* Por esta razón es parte de muchos modos adverbiales. DESDE *entonces;* DESDE *luego;* DESDE *aquí;* DESDE *allí.* || **2.** Después de.

Desdecir. tr. ant. **Desmentir.** || **2.** ant. Negar la autenticidad de una cosa. || **3.** intr. fig. Degenerar una cosa o persona de su origen, educación o clase. || **4.** fig. No convenir, no conformarse una cosa con otra. || **5.** Descaecer, venir a menos. || **6. Desmentir,** 5.ª acep. || **7.** r. Retractarse de lo dicho.

Desdel. Contrac. ant. de **desde el.**

Desdén. (De *desdeño.*) m. Indiferencia y despego que denotan menosprecio. || **Al desdén.** m. adv. **Al descuido.** || **2.** Con desaliño afectado.

Desdende. (De *desde* y *ende.*) adv. l. y t. ant. Desde allí o desde entonces.

Desdentado, da. adj. Que ha perdido los dientes. || **2.** *Zool.* Dícese de los animales mamíferos que carecen de dientes incisivos, y a veces también de caninos y molares; como el perico ligero, el armadillo y el oso hormiguero. Ú. t. c. s. || **3.** m. pl. *Zool.* Orden de estos animales.

Desdentar. tr. Quitar o sacar los dientes.

Desdeñable. adj. Que merece ser desdeñado.

Desdeñadamente. adv. m. **Desdeñosamente.**

Desdeñado, da. (De *desdeñarse.*) adj. ant. **Desdeñoso.**

Desdeñador, ra. adj. Que desdeña, desestima o desprecia. Ú. t. c. s.

Desdeñanza. (De *desdeñar.*) f. ant. **Desprecio.**

Desdeñar. (Del lat. *dedignāre.*) tr. Tratar con desdén a una persona o cosa. || **2.** r. Tener a menos el hacer o decir una cosa, juzgándola por indecorosa.

Desdeño. (De *desdeñar.*) m. ant. **Desdén.**

Desdeñosamente. adv. m. Con desdén.

Desdeñoso, sa. (De *desdeño.*) adj. Que manifiesta desdén. Ú. t. c. s.

Desdevanar. tr. Deshacer el ovillo en que se había devanado o recogido el hilo de la madeja. Ú. t. c. r.

Desdibujado, da. adj. Dícese del dibujo defectuoso o de la cosa mal conformada.

Desdibujarse. r. fig. Perder una cosa la claridad y precisión de sus perfiles o contornos.

Desdicha. (De *des,* 1.er art., y *dicha.*) f. **Desgracia,** 1.ª, 2.ª y 3.ª aceps. || **2.** Pobreza suma, miseria, necesidad. || **Desdichas y caminos hacen amigos.** ref. que denota que el correr la misma suerte en las adversidades y en las fatigas suele ocasionar la amistad, así como el caminar juntos. || **Poner a uno,** o **ponerse uno, hecho una desdicha.** fr. fam. Ensuciarle o ensuciarse mucho la ropa.

Desdichadamente. adv. m. Con desdicha.

Desdichado, da. (De *desdicha.*) adj. **Desgraciado,** 2.ª y 3.ª aceps. Ú. t. c. s. || **2.** fig. y fam. Cuitado, sin malicia, pusilánime y para poco. || **Al desdichado, poco le vale ser esforzado.** ref. que enseña que ni el valor, ni el mérito, ni la prudencia humana bastan para contrastar la fortuna adversa.

Desdicho, cha. p. p. irreg. de **Desdecir.**

Desdinerar. tr. Empobrecer un país despojándolo de moneda.

Desdoblamiento. m. Acción y efecto de desdoblar o desdoblarse. || **2.** Fraccionamiento por evolución natural o artificial de un compuesto en sus componentes o elementos. || **3.** fig. **Explanación,** 3.ª acep.

Desdoblar. tr. Extender una cosa que estaba doblada; descogerla. Ú. t. c. r. || **2.** fig. Formar dos o más cosas por separación de los elementos que suelen estar juntos en otra. Ú. t. c. r.

Desdón. (De *des,* 1.er art., y *don,* gracia.) m. ant. Insulsez, falta de gracia.

Desdonadamente. adv. m. ant. Rústicamente, groseramente.

Desdonado, da. (De *desdón.*) adj. Que carece de gracia o de tino en hacer o decir una cosa.

Desdonar. tr. ant. Quitar lo que se había dado o donado.

Desdorar. tr. Quitar el oro con que estaba dorada una cosa. Ú. t. c. r. || **2.** fig. Deslustrar, deslucir, mancillar la virtud, reputación o fama. Ú. t. c. r.

Desdormido, da. (De *des*, 1.er art., y *dormido*, p. p. de *dormir*.) adj. ant. Despavorido y mal despierto.

Desdoro. (De *desdorar*.) m. Deslustre, mancilla en la virtud, reputación o fama.

Desdoroso, sa. adj. Que desdora o deslustra.

Dese, sa, so. Contracc. ant. de **de ese, de esa** y **de eso.**

Deseable. adj. Digno de ser deseado.

Deseablemente. adv. m. Que se hace desear.

Deseadero, ra. (De *desear*.) adj. ant. **Deseable.**

Deseador, ra. adj. Que desea o apetece. Ú. t. c. s.

Deseante. p. a. ant. de **Desear.** Que desea.

Desear. (De *deseo*.) tr. Aspirar con vehemencia al conocimiento, posesión o disfrute de una cosa. || **2.** Anhelar que acontezca o deje de acontecer algún suceso.

Desecación. f. Acción y efecto de desecar o desecarse.

Desecador, ra. adj. **Desecante.**

Desecamiento. m. **Desecación.**

Desecante. p. a. de **Desecar.** Que deseca. Ú. t. c. s.

Desecar. (Del lat. *desiccāre*.) tr. Secar, extraer la humedad. Ú. t. c. r.

Desecativo, va. (Del lat. *desiccativus*.) adj. Dícese de lo que tiene la virtud o propiedad de desecar.

Desechadamente. adv. m. Vilmente, despreciablemente.

Desechar. tr. Excluir, reprobar. || **2.** Menospreciar, desestimar, hacer poco caso y aprecio. || **3.** Renunciar, no admitir una cosa. || **4.** Expeler, arrojar. || **5.** Deponer, apartar de sí un pesar, temor, sospecha o mal pensamiento. || **6.** Hablando del vestido y otra cosa de uso, dejarla para no volver a servirse de ella. || **7.** Tratándose de llaves, cerrojos, etc., darles el movimiento necesario para abrir. || **Lo que uno desecha, otro lo ruega.** ref. que enseña que lo que para uno es inútil y despreciable, es útil para otros.

Desecho. (De *desechar*.) m. Lo que queda después de haber escogido lo mejor y más útil de una cosa. || **2.** Cosa que, por usada o por cualquiera otra razón, no sirve a la persona para quien se hizo. || **3.** fig. Desprecio, vilipendio.

Desedificación. (De *desedificar*.) f. fig. Mal ejemplo.

Desedificar. (De *des*, 1.er art., y *edificar*.) tr. fig. Dar mal ejemplo.

Deseguir. (De *de* y *seguir*.) tr. ant. Seguir la parcialidad de una persona.

Deselectrización. f. Acción y efecto de deselectrizar.

Deselectrizar. tr. Descargar de electricidad un cuerpo.

Deselladura. f. Acción y efecto de desellar.

Desellar. tr. Quitar el sello a las cartas, fardos u otras cosas.

Desembalaje. m. Acción de desembalar.

Desembalar. tr. Desenfardar, deshacer los fardos; quitar el forro o cubierta a las mercaderías o a otros efectos.

Desembaldosar. tr. Quitar o arrancar las baldosas al suelo.

Desemballestar. intr. *Vol.* Disponerse a bajar el halcón cuando está remontado.

Desembanastar. tr. Sacar de la banasta lo que estaba en ella. || **2.** fig. Hablar mucho, sin reparo ni concierto. || **3.** fig. y fam. Desnudar o desenvainar la espada u otra arma. || **4.** r. fig. y fam. Salirse o soltarse el animal que estaba sujeto o encerrado. || **5.** fig. y fam. **Desembarcar,** 4.ª acep.

Desembarazadamente. adv. m. Sin embarazo.

Desembarazado, da. adj. Despejado, libre; que no se embaraza fácilmente.

Desembarazar. tr. Quitar el impedimento que se opone a una cosa; dejarla libre y expedita. Ú. t. c. r. || **2.** Evacuar, desocupar. || **3.** r. fig. Apartar o separar uno de sí lo que le estorba o incomoda para conseguir un fin.

Desembarazo. (De *desembarazar*.) m. Despejo, desenfado.

Desembarcación. f. ant. **Desembarco,** 1.ª acep.

Desembarcadero. m. Lugar destinado o que se elige para desembarcar.

Desembarcar. tr. Sacar de la nave y poner en tierra lo embarcado. || **2.** intr. Salir de una embarcación. Ú. t. c. r. || **3.** Terminar la escalera en la meseta en donde está la entrada de una habitación. || **4.** fig. y fam. Salir de un carruaje. || **5.** *Mar.* Dejar de pertenecer una persona a la dotación de un buque.

Desembarco. m. Acción de desembarcar, 2.ª acep. || **2.** Meseta o descanso en donde termina la escalera y está la entrada de una habitación. || **3.** *Mar.* Operación militar que realiza en tierra la dotación de un buque o de una escuadra, o las tropas que llevan.

Desembargadamente. adv. m. Libremente, sin impedimento.

Desembargador. (De *desembargar*.) m. Magistrado supremo y del Consejo del Rey, que había en Portugal.

Desembargar. tr. Quitar el impedimento o embarazo. || **2.** ant. **Evacuar el vientre.** || **3.** *For.* Alzar el embargo o secuestro.

Desembargo. m. En el Consejo de Hacienda, carta de libramiento que se solía dar por cierto número de años para que se pagasen los réditos de un juro, entretanto que se despachaba privilegio en forma. || **2.** *For.* Acción y efecto de desembargar, 3.ª acep.

Desembarque. m. Acción y efecto de desembarcar.

Desembarrancar. tr. Sacar a flote la nave que está varada. Ú. t. c. intr.

Desembarrar. tr. Limpiar, quitar el barro.

Desembaular. tr. Sacar lo que está en un baúl. || **2.** fig. Sacar lo que está guardado en caja, talego u otra cosa. || **3.** fig. y fam. Desahogarse uno comunicando a otro lo que le causa pena.

Desembebecerse. r. Recobrarse de la suspensión y embargo de los sentidos.

Desembelesarse. (De *des*, 1.er art., y *embelesar*.) r. Salir del embelesamiento.

Desemblantado, da. (De *desemblante*.) adj. Que tiene demudado el semblante.

Desemblantarse. r. **Demudarse.**

Desemblante. (De *des*, 1.er art., y *semblante*.) adj. ant. **Desemejante.**

Desemblanza. (De *des*, 1.er art., y *semblanza*.) f. ant. **Desemejanza.**

Desembocadero. (De *desembocar*.) m. Abertura o estrecho por donde se sale de un punto a otro, como calle, camino, etc. || **2. Desembocadura,** 1.ª acep.

Desembocadura. f. Paraje por donde un río, un canal, etc., desemboca en otro, en el mar o en un lago. Dícese también de la salida de las calles. || **2. Desembocadero,** 1.ª acep.

Desembocar. intr. Salir como por una boca o estrecho. || **2.** Entrar, desaguar un río o canal, etc., en otro, en el mar o en un lago. || **3.** Tener una calle salida a otra, a un plaza o a otro lugar.

Desembojadera. f. Mujer dedicada a desembojar.

Desembojar. (De *des*, 1.er art., y *embojar*.) tr. Quitar de las bojas los capullos de seda.

Desembolsar. tr. Sacar lo que está en la bolsa. || **2.** fig. Pagar o entregar una cantidad de dinero.

Desembolso. (De *desembolsar*.) m. fig. Entrega de una porción de dinero efectivo y de contado. || **2.** Dispendio, gasto, coste.

Desemboque. (De *desembocar*.) m. **Desembocadero.**

Desemborrachar. tr. **Desembriagar.** Ú. t. c. r.

Desemboscarse. r. Salir del bosque, espesura o emboscada.

Desembotar. tr. fig. Hacer que lo que estaba embotado deje de estarlo. DESEMBOTAR *el entendimiento.* Ú. t. c. r.

Desembozar. tr. Quitar a uno el embozo. Ú. t. c. r.

Desembozo. m. Acción de desembozar o desembozarse.

Desembragar. tr. *Mec.* Desconectar del eje motor un mecanismo.

Desembrague. m. Acción y efecto de desembragar.

Desembrar. (Del lat. *dissemināre*.) tr. ant. **Diseminar.** Usáb. t. c. r.

Desembravecer. tr. Amansar, domesticar, quitar la braveza. Ú. t. c. r.

Desembravecimiento. m. Acción y efecto de desembravecer o desembravecerse.

Desembrazar. tr. Quitar o sacar del brazo una cosa. || **2.** Arrojar o despedir una arma u otra cosa con la mayor violencia y fuerza del brazo.

Desembriagar. tr. Quitar la embriaguez. Ú. t. c. r.

Desembridar. tr. Quitar a una cabalgadura las bridas.

Desembrollar. tr. fam. Desenredar, aclarar.

Desembrozar. (De *des*, 1.er art., *en* y *broza*.) tr. **Desbrozar.**

Desembrujar. tr. Deshacer el embrujamiento o hechizo de que uno se supone víctima.

Desembuchar. tr. Echar o expeler las aves lo que tienen en el buche. || **2.** fig. y fam. Decir uno todo cuanto sabe y tenía callado.

Desemejable. adj. desus. Fuerte, grande, terrible. || **2.** ant. **Desemejante.**

Desemejablemente. adv. m. Con desemejanza.

Desemejado, da. adj. ant. **Desemejable.**

Desemejante. adj. Diferente no semejante.

Desemejantemente. adv. m. Con desemejanza.

Desemejanza. f. Diferencia, diversidad.

Desemejar. (De *des*, 1.er art., y *semejar*.) intr. No parecerse una cosa a otra de su especie; diferenciarse de ella. || **2.** tr. Desfigurar, mudar de figura. || **3.** ant. **Disfrazar.**

Desempacar. (De *des*, 1.er art., y *empacar*.) tr. Sacar las mercaderías de las pacas en que van.

Desempacarse. (De *des*, 1.er art., y *empacarse*.) r. Aplacarse, mitigarse, desenojarse.

Desempachar. tr. Quitar el empacho o asiento del estómago. Ú. m. c. r. || **2.** ant. **Despachar,** 1.ª y 2.ª aceps. || **3.** r. fig. Desembarazarse, perder el empacho o encogimiento.

Desempacho. (De *desempachar*.) m. fig. Desahogo, desenfado.

Desempalagar. tr. Quitar el hastío que se ha tenido a la comida o bebida. Ú. t. c. r. || **2.** Desembarazar el molino del agua estancada y detenida que impide el movimiento del rodezno.

Desempañar. tr. Limpiar el cristal o cualquiera otra cosa lustrosa que estaba empañada. || **2.** Quitar las envolturas o pañales con que están vestidos los niños. Ú. t. c. r.

Desempapelar. tr. Quitar a una cosa el papel en que estaba envuelta o a una habitación el que revestía y adornaba sus paredes.
Desempaque. m. Acción y efecto de desempacar.
Desempaquetar. tr. Desenvolver lo que estaba en uno o más paquetes.
Desemparejar. tr. Desigualar lo que estaba o iba igual y parejo. Ú. t. c. r.
Desemparentado, da. adj. Sin parientes.
Desemparvar. (De *des*, 1.er art., y *emparvar*.) tr. Recoger la parva, formando montón.
Desempatar. tr. Deshacer el empate que había entre ciertas cosas. DESEMPATAR *los votos*.
Desempavonar. tr. **Despavonar.**
Desempedrador. m. El que desempiedra.
Desempedrar. tr. Desencajar y arrancar las piedras de un empedrado. ‖ **2.** fig. Correr desenfrenadamente. ‖ **3.** fig. Pasear con mucha frecuencia una calle u otro lugar empedrado.
Desempegar. tr. Quitar el baño de pez a una tinaja, pellejo u otra cosa.
Desempeñamiento. m. ant. **Desempeño.**
Desempeñar. tr. Sacar lo que estaba en poder de otro en prenda y por seguridad de una deuda o préstamo, pagando la cantidad en que estaba empeñado. ‖ **2.** Libertar a uno de los empeños o deudas que tenía contraídos. Ú. t. c. r. ‖ **3.** Cumplir, hacer aquello a que uno está obligado. ‖ **4.** Sacar a uno airoso del empeño o lance en que se hallaba. Ú. t. c. r. ‖ **5.** Ejecutar lo ideado para una obra literaria o artística. ‖ **6.** r. En las fiestas de toros con caballeros en plaza, apearse el lidiador para herir al animal con la espada si no puede hacer uso del rejón en la forma ordinaria.
Desempeño. m. Acción y efecto de desempeñar o desempeñarse.
Desempeorarse. r. Fortalecerse, recuperarse.
Desemperezar. intr. Desechar o sacudir la pereza. Ú. t. c. r.
Desempernar. tr. *Mar.* Sacar o echar fuera los pernos con que están sujetas las piezas de construcción.
Desempolvadura. f. Acción y efecto de desempolvar o desempolvarse.
Desempolvar. tr. Quitar el polvo. Ú. t. c. r. ‖ **2.** Traer a la memoria o a la consideración, algo que estuvo mucho tiempo olvidado.
Desempolvoradura. f. Acción y efecto de desempolvorar o desempolvorarse.
Desempolvorar. tr. **Desempolvar.** Ú. t. c. r.
Desemponzoñar. tr. Libertar a uno del daño causado por la ponzoña, o quitar a una cosa sus cualidades ponzoñosas.
Desempotrar. tr. Sacar una cosa de donde estaba empotrada.
Desempozar. tr. Sacar lo que está empozado.
Desempulgadura. f. Acción de desempulgar.
Desempulgar. tr. ant. Quitar de las empulgaderas la cuerda de la ballesta.
Desempuñar. tr. Dejar de empuñar.
Desenalbardar. tr. Quitar la albarda; desaparejar las bestias.
Desenamorar. tr. Hacer perder el amor que se tiene a una persona o cosa, o deponer el afecto que se le tenía. Ú. m. c. r.
Desenastar. (De *des*, 1.er art., y *enastar*.) tr. Quitar el asta o mango a una arma o a una herramienta.
Desencabalgado, da. (De *desencabalgar*.) adj. ant. Decíase del que estaba desmontado.
Desencabalgar. tr. Desmontar una pieza de artillería.
Desencabestrar. (De *des*, 1.er art., y *encabestrar*.) tr. Sacar la mano o el pie de la bestia que se ha enredado en el cabestro.
Desencadenamiento. m. Acción y efecto de desencadenar o desencadenarse.
Desencadenar. tr. Quitar la cadena al que está con ella amarrado. ‖ **2.** fig. Romper o desunir el vínculo de las cosas inmateriales. ‖ **3.** r. fig. Dícese de algunas cosas que, por el ímpetu y violencia con que obran, rompen o estallan, parece como que han quedado libres de todo freno que las pudiera contener. DESENCADENARSE *las pasiones, el viento, una tempestad*. Ú. t. c. tr.
Desencajadura. (De *desencajar*.) f. Parte o sitio que queda sin unión cuando se quita la trabazón o encaje.
Desencajamiento. m. Acción y efecto de desencajar o desencajarse.
Desencajar. tr. Sacar de su lugar una cosa, desunirla del encaje o trabazón que tenía con otra. Ú. t. c. r. ‖ **2.** r. Desfigurarse, descomponerse el semblante por enfermedad o por pasión del ánimo.
Desencaje. m. **Desencajamiento.**
Desencajonar. tr. Sacar lo que está dentro de un cajón.
Desencalabrinar. (De *des*, 1.er art., y *encalabrinar*.) tr. Quitar a uno el aturdimiento y encalabrinamiento de cabeza. Ú. t. c. r.
Desencalcar. (De *des*, 1.er art., *en* y *calco*.) tr. Aflojar lo que estaba recalcado o apretado.
Desencallar. tr. Poner a flote una embarcación encallada. Ú. t. c. intr.
Desencaminar. tr. **Descaminar,** 1.ª y 2.ª aceps.
Desencantamiento. m. **Desencanto.**
Desencantar. tr. Deshacer el encanto. Ú. t. c. r.
Desencantaración. f. Acción y efecto de desencantarar.
Desencantarar. tr. Sacar del cántaro el nombre o nombres metidos en él para una elección por insaculación o por suerte. ‖ **2.** Excluir de esta elección o sorteo, por algún motivo legítimo, determinados nombres.
Desencanto. m. Acción y efecto de desencantar o desencantarse.
Desencapar. tr. *Ar.* Romper la costra de la tierra, formada después de las lluvias y que impide el nacimiento de algunas plantas.
Desencapillar. tr. *Mar.* Zafar o desprender lo que está encapillado. Ú. t. c. r.
Desencapotadura. f. Acción y efecto de desencapotar o desencapotarse.
Desencapotar. tr. Quitar el capote. Ú. t. c. r. ‖ **2.** fig. y fam. Descubrir, manifestar. ‖ **3.** *Equit.* Hacer que levante la cabeza el caballo que tiene por costumbre traerla baja. ‖ **4.** r. fig. Tratándose del cielo, del horizonte, etc., despejarse, aclararse. ‖ **5.** fig. Desenojarse, deponer el ceño.
Desencaprichar. (De *des*, 1.er art., y *encapricharse*.) tr. Desimpresionar, disuadir a uno de un error, tema o capricho. Ú. m. c. r.
Desencarcelar. tr. **Excarcelar.**
Desencarecer. tr. **Abaratar.** Ú. t. c. intr. y c. r.
Desencargar. tr. Revocar un encargo. ‖ **2.** ant. **Descargar,** 1.ª acep.
Desencarnar. tr. *Mont.* Quitar a los perros el cebo de las reses muertas, para que no se encarnicen. ‖ **2.** fig. Perder la afición a una cosa, desprenderse de ella.
Desencasadura. (De *desencasar*.) f. ant. **Desencajadura.**
Desencasar. tr. ant. **Desencajar.**
Desencastillar. (De *des*, 1.er art., y *encastillarse*.) tr. Echar de un castillo o lugar fuerte la gente que lo defendía. ‖ **2.** fig. Franquear, manifestar, aclarar lo oculto. Ú. t. c. r.
Desencentrar. (De *des*, 1.er art., *en* y *centro*.) tr. ant. **Descentrar.**
Desencerrar. tr. Sacar del encierro; franquear la salida a lo que estaba encerrado. ‖ **2.** Abrir lo que estaba cerrado. ‖ **3.** fig. Descubrir, manifestar lo que estaba escondido, oculto o ignorado.
Desencintar. tr. Quitar las cintas con que estaba atada o adornada una cosa. ‖ **2.** Quitar el encintado a un pavimento.
Desenclavar. tr. **Desclavar.** ‖ **2.** fig. Sacar a uno con violencia del sitio en que está.
Desenclavijar. (De *des*, 1.er art., y *enclavijar*.) tr. Quitar las clavijas. DESENCLAVIJAR *el arpa*. ‖ **2.** fig. Desasir, desencajar, apartar.
Desencoger. tr. Extender, estirar y dilatar lo que estaba doblado, arrollado o encogido. ‖ **2.** r. fig. Esparcirse, perder el encogimiento.
Desencogimiento. (De *desencoger*.) m. Acción de desencoger. ‖ **2.** fig. Desembarazo, desenfado, despejo.
Desencoladura. f. Acción y efecto de desencolar o desencolarse.
Desencolar. tr. Despegar lo que estaba pegado con cola. Ú. t. c. r.
Desencolerizar. tr. Apaciguar al que está encolerizado. Ú. t. c. r.
Desenconamiento. m. Acción y efecto de desenconar o desenconarse.
Desenconar. tr. Mitigar, templar, quitar la inflamación o encendimiento. Ú. t. c. r. ‖ **2.** fig. Desahogar el ánimo enconado. Ú. t. c. r. ‖ **3.** fig. Moderar, corregir el encono o enojo. Ú. t. c. r. ‖ **4.** r. Hacerse suave una cosa, perdiendo la aspereza.
Desencono. m. Acción y efecto de desenconar o desenconarse, 2.ª y 3.ª aceps.
Desencordar. tr. Quitar las cuerdas a un instrumento. Dícese comúnmente de los de música.
Desencordelar. tr. Quitar los cordeles a una cosa atada o sujeta con ellos.
Desencorvar. tr. Enderezar lo que está encorvado o torcido.
Desencovar. tr. Sacar una cosa o hacer salir un animal de una cueva.
Desencrespar. tr. Abatir o deshacer lo enrizado o encrespado. Ú. t. c. r.
Desencuadernado. m. fig. **Baraja,** 1.ª acep.
Desencuadernar. tr. Deshacer lo encuadernado; como un cuaderno o un libro. Ú. t. c. r.
Desenchufar. tr. Separar o extender lo que está enchufado.
Desend. adv. l. y t. ant. **Desende,** ‖ **2.** ant. **Luego.**
Desende. (De las preps. lats. *de* y *ex* y el adv. *inde*.) adv. l. y t. ant. **Desdende.**
Desendemoniar. tr. Lanzar los demonios.
Desendiablar. tr. **Desendemoniar.**
Desendiosar. tr. fig. Abatir y ajar la vanidad y altanería del que, por ser o creerse superior a los demás, se hace intratable o inaccesible.
Desenfadadamente. adv. m. Con desenfado.
Desenfadaderas. (De *desenfadar*.) f. pl. fam. Recurso para salir de algunas dificultades o libertarse de alguna opresión. Ú. comúnmente con el verbo *tener*.
Desenfadado, da. p. p. de **Desenfadar.** ‖ **2.** adj. Desembarazado, libre. ‖ **3.** Tratándose de un sitio o lugar, ancho, espacioso, capaz.
Desenfadar. tr. Desenojar, quitar el enfado. Ú. t. c. r.
Desenfado. (De *desenfadar*.) m. Desahogo, despejo y desembarazo. ‖ **2.** Diversión o desahogo del ánimo.
Desenfaldar. tr. Bajar el enfaldo. Ú. m. c. r.

Desenfardar. tr. Abrir y desatar los fardos.

Desenfardelar. tr. **Desenfardar.**

Desenfilar. tr. *Mar.* y *Mil.* Poner las tropas, fuertes y buques a cubierto de los tiros directos del enemigo. Ú. t. c. r.

Desenfoque. m. Falta de enfoque o enfoque defectuoso.

Desenfrailar. intr. Dejar de ser fraile; secularizarse. || **2.** fig. y fam. Salir una persona de la opresión y sujeción en que estaba. || **3.** fig. y fam. Vacar de ocupaciones y negocios por algún tiempo.

Desenfrenación. f. ant. **Desenfreno.**

Desenfrenadamente. adv. m. Con desenfreno.

Desenfrenamiento. m. **Desenfreno.**

Desenfrenar. tr. Quitar el freno a las caballerías. || **2.** r. fig. Desmandarse, entregarse desordenadamente a los vicios y maldades. || **3.** fig. **Desencadenar,** 3.ª acep.

Desenfreno. m. fig. Acción y efecto de desenfrenarse. || **de vientre.** Flujo precipitado del vientre.

Desenfundar. tr. Quitar la funda a una cosa.

Desenfurecer. tr. Hacer deponer el furor. Ú. t. c. r.

Desenfurruñar. tr. Desenfadar, desenojar, quitar el enfurruñamiento. Ú. t. c. r.

Desenganchar. tr. Soltar; desprender una cosa que está enganchada. Ú. t. c. r. || **2.** Quitar de un carruaje las caballerías de tiro.

Desengañadamente. adv. m. Claramente, sin recelo ni engaño. || **2.** fig. y fam. Malamente, con desaliño y poco acierto. *Bien* DESENGAÑADAMENTE *lo ha hecho.*

Desengañado, da. p. p. de **Desengañar.** || **2.** adj. ant. fig. y fam. Despreciable y malo.

Desengañador, ra. adj. Que desengaña. Ú. t. c. s.

Desengañamiento. m. ant. **Desengaño.**

Desengañar. tr. Hacer conocer el engaño o el error. Ú. t. c. r. || **2.** Quitar esperanzas o ilusiones.

Desengañilar. (De *des,* 1.er art., *en* y *gañiles.*) tr. Desasir, apartar al que tiene agarrado a otro de los gañiles.

Desengaño. m. Conocimiento de la verdad, con que se sale del engaño o error en que se estaba. || **2.** Efecto de ese conocimiento en el ánimo. || **3.** Claridad que se dice a uno echándole en cara alguna falta. || **4.** pl. Lecciones recibidas por una amarga experiencia.

Desengarrafar. (De *des,* 1.er art., y *engarrafar.*) tr. Desprender y soltar lo que se tiene asido con los dedos encorvados en figura de garra.

Desengarzar. tr. Deshacer el engarce; desprender lo que está engarzado y unido. Ú. t. c. r.

Desengastar. tr. Sacar una cosa de su engaste.

Desengomar. tr. **Desgomar.**

Desengoznar. tr. **Desgoznar.** Ú. t. c. r.

Desengranar. tr. Quitar o soltar el engranaje de alguna cosa con otra.

Desengrasar. tr. Quitar la grasa. || **2.** intr. fam. **Enflaquecer,** 3.ª acep. || **3.** fig. **Desensebar,** 3.ª acep.

Desengrase. m. Acción y efecto de desengrasar.

Desengrilletar. tr. *Mar.* Zafar un grillete a una cadena.

Desengrosar. tr. Adelgazar, enflaquecer. Ú. t. c. intr.

Desengrudamiento. m. Acción y efecto de desengrudar.

Desengrudar. tr. Quitar el engrudo.

Desenguantarse. r. Quitarse los guantes.

Desenhadamiento. (De *desenhadar.*) m. ant. **Desenfado.**

Desenhadar. (De *des,* 1.er art., y *enhadar.*) tr. ant. **Desenfadar.** Usáb. t. c. r.

Desenhastiar. (De *des,* 1.er art., y *enhastiar.*) tr. ant. Quitar el hastío.

Desenhebrar. tr. Sacar la hebra de la aguja.

Desenhechizar. (De *des,* 1.er art., y *enhechizar.*) tr. ant. **Deshechizar.**

Desenhetrable. (De *desenhetrar.*) adj. ant. Aplicábase al cabello que se podía desenredar o desenmarañar.

Desenhetramiento. (De *desenhetrar.*) m. Acción de desenhetrar.

Desenhetrar. (De *des,* 1.er art., y *enhetrar.*) tr. Desenredar o desenmarañar el cabello.

Desenhornar. (De *des,* 1.er art., y *enhornar.*) tr. Sacar del horno una cosa que se había introducido en él para cocerla.

Desenjaezar. tr. Quitar los jaeces al caballo.

Desenjalmar. tr. Quitar la enjalma a una bestia.

Desenjaular. tr. Sacar de la jaula.

Desenlabonar. tr. **Deseslabonar.**

Desenlace. m. Acción y efecto de desenlazar o desenlazarse, 3.ª acep.

Desenladrillado. m. Acción y efecto de desenladrillar.

Desenladrillar. tr. Quitar o arrancar los ladrillos del suelo.

Desenlazar. tr. Desatar los lazos; desasir y soltar lo que está atado con ellos. Ú. t. c. r. || **2.** fig. Dar solución a un asunto o a una dificultad. || **3.** fig. Desatar el nudo o enredo del poema dramático o del narrativo. Ú. t. c. r.

Desenlodar. tr. Quitar el lodo a una cosa.

Desenlosar. tr. Deshacer el enlosado, levantando las losas.

Desenlustrar. tr. ant. **Deslustrar.**

Desenlutar. tr. Quitar el luto. Ú. t. c. r.

Desenmallar. (De *des,* 1.er art., y *enmallarse.*) tr. Sacar de la malla el pescado.

Desenmarañar. tr. Desenredar, deshacer el enredo o maraña. || **2.** fig. Poner en claro una cosa que estaba obscura y enredada.

Desenmascaradamente. adv. m. Públicamente y con descaro.

Desenmascarar. tr. Quitar la máscara. Ú. t. c. r. || **2.** fig. Dar a conocer a una persona tal como es moralmente, descubriendo los propósitos, sentimientos, etc., que procura ocultar.

Desenmohecer. (De *des,* 1.er art., y *enmohecer.*) tr. Limpiar, quitar el moho.

Desenmudecer. (De *des,* 1.er art., y *enmudecer.*) intr. Libertarse del impedimento natural que tenía uno para hablar. Ú. t. c. tr. || **2.** fig. Romper el silencio que se había guardado mucho tiempo.

Desenojar. tr. Aplacar, sosegar, hacer perder el enojo. Ú. t. c. r. || **2.** r. fig. Esparcir el ánimo.

Desenojo. m. Deposición del enojo.

Desenojoso, sa. (De *desenojar.*) adj. Bastante para quitar cualquier enojo o fastidio.

Desenquietar. (De *des,* 1.er art., *en* y *quieto.*) tr. ant. **Inquietar,** 1.ª acep.

Desenrazonado, da. (De *des, en* y *razonado.*) adj. ant. Que carece de razón.

Desenredar. tr. Deshacer el enredo. || **2.** fig. Poner en orden y sin confusión cosas que estaban desordenadas. || **3.** r. fig. Salir de una dificultad, empeño o lance.

Desenredo. m. Acción y efecto de desenredar o desenredarse. || **2. Desenlace.**

Desenrizar. tr. **Desrizar.**

Desenrollar. tr. **Desarrollar,** 1.ª acep. Ú. t. c. r.

Desenronar. tr. *Ar.* Quitar la enrona.

Desenroscar. tr. Descoger, extender lo que está enroscado. Ú. t. c. r. || **2.** Sacar de su asiento lo que está introducido a vuelta de rosca.

Desenrudecer. tr. Quitar la rudeza; mejorar, pulir, afinar. Ú. t. c. r.

Desensamblar. tr. Separar o desunir las piezas de madera ensambladas. Ú. t. c. r.

Desensañar. (De *des,* 1.er art., y *ensañar.*) tr. Hacer deponer la saña. Ú. t. c. r.

Desensartar. tr. Deshacer la sarta; desprender y soltar lo ensartado.

Desensebar. tr. Quitar el seso. Se usa principalmente entre los que comercian en machos de cabrío, cuando se les quita en vivo. || **2.** intr. fig. Variar de ocupación o ejercicio para hacer más llevadero el trabajo. || **3.** fig. Quitar el sabor de la grosura que se acaba de comer, tomando aceitunas, fruta u otra cosa semejante.

Desenseñamiento. (De *desenseñar.*) m. ant. Falta de enseñanza, ignorancia.

Desenseñar. tr. Corregir una enseñanza viciosa por medio de otra propia y acertada.

Desensillar. tr. Quitar la silla a una caballería.

Desensoberbecer. tr. Hacer deponer la soberbia. Ú. t. c. r.

Desensortijado, da. adj. Dícese de los rizos del pelo cuando se deshacen. || **2.** Aplícase al hueso que está fuera de su lugar.

Desentablar. tr. Arrancar las tablas del lugar donde están clavadas, o deshacer el tablado. || **2.** fig. Descomponer, alterar el orden o composición de una cosa. || **3.** Deshacer, desconcertar un negocio, trato o amistad.

Desentalingar. (De *des,* 1.er art., y *entalingar.*) tr. *Mar.* Zafar el cable o cadena del arganeo del ancla.

Desentarimar. tr. Quitar el entarimado.

Desentenderse. r. Fingir que no se entiende una cosa; afectar ignorancia. || **2.** Prescindir de un asunto o negocio; no tomar parte en él.

Desentendido, da. p. p. de **Desentenderse.** || **2.** adj. ant. **Ignorante.**

Desentendimiento. m. ant. Desacierto, despropósito, ignorancia.

Desenterrador. m. El que desentierra.

Desenterramiento. m. Acción y efecto de desenterrar.

Desenterrar. tr. Exhumar, descubrir, sacar lo que está debajo de tierra. || **2.** fig. Traer a la memoria lo olvidado y como sepultado en el silencio.

Desentido, da. (De *des,* 1.er art., y *sentido.*) adj. ant. Loco o necio.

Desentierramuertos. (De *desenterrar* y *muerto.*) com. fig. y fam. Persona que tiene el vicio de infamar la memoria de los muertos.

Desentoldar. tr. Quitar los toldos. || **2.** fig. Despojar de su adorno y compostura una cosa.

Desentollecer. (De *des,* 1.er art., y *entullecer.*) tr. ant. Restituir a los nervios el uso perdido por algún accidente. Usáb. t. c. r. || **2.** ant. fig. Librar de embarazos, impedimentos o daños.

Desentonación. f. **Desentono.**

Desentonadamente. adv. m. Con desentono, fuera del tono natural.

Desentonamiento. m. **Desentono.**

Desentonar. tr. Abatir el entono de uno o humillar su orgullo. || **2.** intr. Salir del tono y punto que compete. Ú. m. c. r. || **3.** *Mús.* Subir o bajar la entonación de la voz o de un instrumento fuera de oportunidad. || **4.** r. fig. Levantar la voz, descomponerse, faltando al respeto.

Desentono. (De *desentonar.*) m. Desproporción en el tono de la voz. || **2.** fig.

Descompostura y descomedimiento en el tono de la voz.

Desentornillar. tr. **Destornillar.**

Desentorpecer. tr. Sacudir la torpeza o el pasmo. DESENTORPECER *el pie, el brazo.* Ú. t. c. r. || **2.** Hacer capaz al que antes era torpe o rudo. Ú. t. c. r.

Desentrampar. tr. fam. **Desempeñar,** 2.ª acep. Ú. m. c. r.

Desentrañamiento. m. Acción de desentrañarse.

Desentrañar. tr. Sacar, arrancar las entrañas. || **2.** fig. Averiguar, penetrar lo más dificultoso y recóndito de una materia. || **3.** r. fig. Desapropiarse uno de cuanto tiene, dándoselo a otro en prueba de amor y cariño.

Desentronizar. tr. **Destronar.** || **2.** fig. Deponer a uno de la autoridad que tenía.

Desentropezar. (De *des,* 1.er art., y *entropezar.*) tr. ant. Desembarazar, quitar tropiezos.

Desentumecer. tr. Hacer que un miembro entorpecido recobre su agilidad y soltura. Ú. t. c. r.

Desentumecimiento. m. Acción y efecto de desentumecer o desentumecerse.

Desentumir. (De *des,* 1.er art., y *entumirse.*) tr. **Desentumecer.** Ú. t. c. r.

Desenvainar. tr. Sacar de la vaina la espada u otra arma blanca. || **2.** fig. Sacar las uñas el animal que tiene garras. || **3.** fig. y fam. Sacar lo que está oculto o encubierto con alguna cosa.

Desenvelejar. (De *des,* 1.er art., *en* y *velaje.*) tr. *Mar.* Quitar el velaje o velamen al navío.

Desenvendar. (De *des,* 1.er art., *en* y *venda.*) tr. **Desvendar.**

Desenvergar. tr. *Mar.* Desatar las velas que están envergadas.

Desenvergonzadamente. adv. m. ant. **Desvergonzadamente.**

Desenviolar. (De *des,* 1.er art., *en* y *violar.*) tr. Purificar la iglesia o lugar sagrado que se violó o profanó.

Desenvoltura. (De *desenvuelto.*) f. fig. Desembarazo, despejo, desenfado. || **2.** fig. Desvergüenza, deshonestidad, principalmente en las mujeres. || **3.** fig. Despejo, facilidad y expedición en el decir.

Desenvolvedor, ra. adj. Que desenvuelve, averigua o escudriña. Ú. t. c. s.

Desenvolver. tr. Desarrollar, descoger lo envuelto o arrodillado. Ú. t. c. r. || **2.** fig. Descifrar, descubrir o aclarar una cosa que estaba obscura o enredada. DESENVOLVER *una cuenta, un negocio.* || **3.** fig. **Desarrollar,** 2.ª y 3.ª aceps. Ú. t. c. r. || **4.** ant. **Agilitar.** || **5.** r. fig. Desempachar, 3.ª acep. || **6.** fig. **Desenredar,** 3.ª acep.

Desenvolvimiento. m. Acción y efecto de desenvolver o desenvolverse.

Desenvueltamente. adv. m. fig. Con desenvoltura. || **2.** fig. Con claridad y expedición.

Desenvuelto, ta. p. p. irreg. de **Desenvolver.** || **2.** adj. fig. Que tiene desenvoltura.

Desenzarzar. tr. Sacar de las zarzas una cosa que está enredada en ellas. Ú. t. c. r. || **2.** fig. y fam. Separar o aplacar a los que riñen o disputan. Ú. t. c. r.

Deseñamiento. m. ant. Falta de enseñanza e instrucción.

Deseñar. (Del lat. *designāre,* señalar.) tr. ant. Hacer señas para dar noticia de algo.

Deseño. m. ant. Desiño o designio.

Deseo. (Del lat. **desidium,* por *desiderium.*) m. Movimiento enérgico de la voluntad hacia el conocimiento, posesión o disfrute de una cosa. || **2.** Acción y efecto de desear, 2.ª acep. || **Coger a deseo** una cosa. fr. Lograr lo que se apetecía con vehemencia. || **Date a deseo, y olerás a poleo.** ref. **Vienes a deseo, huélesme a poleo.** || **El deseo hace hermoso lo feo.** ref. que muestra cómo el ansia o afán de poseer una cosa ofusca el entendimiento. || **Venir** uno **en deseo de** una cosa. fr. Desearla. || **Vienes a deseo, huélesme a poleo.** ref. que explica el gusto con que se recibe a quien ha tardado y se deseaba, y aconseja no familiarizarse uno mucho, para hacerse más estimable.

Deseoso, sa. adj. Que desea o apetece.

Desequido, da. (De *des,* 1.er art., y *seco.*) adj. **Reseco,** 1.ª acep.

Desequilibrado, da. p. p. de **Desequilibrar.** || **2.** adj. Falto de la sensatez y cordura que suele ser normal en la generalidad de los hombres, llegando a veces a parecer loco.

Desequilibrar. tr. Hacer perder el equilibrio. Ú. t. c. r.

Desequilibrio. m. Falta de equilibrio.

Deserción. (Del lat. *desertio, -ōnis.*) f. Acción de desertar. || **2.** *For.* Desamparo o abandono que uno hace de la apelación que tenía interpuesta.

Deserrado, da. (De *des,* 1.er art., y *errado.*) adj. Libre de error.

Desertar. (Del lat. *desertāre,* frec. de *deserĕre,* abandonar.) tr. Desamparar, abandonar el soldado sus banderas. Ú. t. c. r. || **2.** fig. y fam. Abandonar las concurrencias que se solían frecuentar. || **3.** *For.* Separarse o abandonar la causa o apelación.

Desértico, ca. (Del lat. *dēsertus,* desierto.) adj. **Desierto,** 1.ª acep. || **2.** Dícese de lo que es propio, perteneciente o relativo al desierto.

Desertor. (Del lat. *desertor.*) m. Soldado que desampara su bandera. || **2.** fig. y fam. El que se retira de una opinión o causa que servía o de una concurrencia que solía frecuentar.

Deservicio. m. Culpa que se comete contra uno a quien hay obligación de servir.

Deservidor. (De *deservir.*) m. El que falta a la obligación que tiene de servir a otro.

Deservir. tr. Faltar a la obligación que se tiene de obedecer a uno y servirle.

Desescombrar. tr. **Escombrar.**

Deseslabonar. tr. **Deslabonar.**

Desespaldar. tr. Herir la espalda, rompiéndola o desconcertándola. Ú. t. c. r.

Desespañolizar. tr. Quitar a las personas o a las cosas la condición o el carácter de lo que es español.

Desesperación. (De *desesperar.*) f. Pérdida total de la esperanza. || **2.** fig. Alteración extrema del ánimo causada por cólera, despecho o enojo. || **Ser** una cosa **una desesperación.** fr. fig. y fam. Ser sumamente molesta e intolerable.

Desesperadamente. adv. m. Con desesperación.

Desesperado, da. p. p. de **Desesperar.** || **2.** adj. Poseído de desesperación. Ú. t. c. s. || **A la desesperada.** m. adv. Acudiendo a remedios extremos para lograr lo que no parece posible de otro modo.

Desesperamiento. (De *desesperar.*) m. ant. **Desesperación.**

Desesperante. p. a. de **Desesperar.** Que desespera o impacienta.

Desesperanza. f. Falta de esperanza. || **2.** ant. **Desesperación,** 2.ª acep.

Desesperanzar. tr. Quitar la esperanza. || **2.** r. Quedarse sin esperanza.

Desesperar. tr. **Desesperanzar.** Ú. t. c. intr. y c. r. || **2.** fam. Impacientar, exasperar. Ú. t. c. r. || **3.** r. Despecharse, intentando quitarse la vida, o quitándosela en efecto.

Desespero. m. *Ar.* **Desesperanza.**

Desestancar. tr. Dejar libre lo que está estancado.

Desestanco. m. Acción y efecto de desestancar.

Desestañar. tr. Quitar a una cosa el estaño con que está soldada o bañada. Ú. t. c. r.

Desesterar. tr. Levantar o quitar las esteras.

Desestero. m. Acción y efecto de desesterar. || **2.** Días en que se desestera.

Desestima. (De *desestimar.*) f. **Desestimación.**

Desestimación. f. Acción y efecto de desestimar.

Desestimador, ra. adj. Que desestima o hace poco aprecio. Ú. t. c. s.

Desestimar. tr. Tener en poco. || **2.** Denegar, desechar.

Desfacción. (Del lat. *dis,* des, y *factio, -ōnis;* de *facĕre,* hacer.) f. ant. Acción y efecto de deshacer o deshacerse.

Desfacedor, ra. (De *desfacer.*) adj. ant. **Deshacedor.** Usáb. t. c. s. || **de entuertos.** fam. **Deshacedor de agravios.**

Desfacer. (De *des,* 1.er art., y *facer.*) tr. ant. **Deshacer.** Usáb. t. c. r.

Desfacimiento. (De *desfacer.*) m. ant. Daño, detrimento, menoscabo, ruina o destrucción.

Desfachatadamente. adv. m. Con desfachatez.

Desfachatado, da. (Del ital. *sfacciato,* y éste de *faccia,* del lat. *facies,* cara.) adj. fam. Descarado, desvergonzado.

Desfachatez. (Del ital. *sfacciato,* y éste de *faccia,* del lat. *facies,* cara.) f. fam. Descaro, desvergüenza.

Desfajar. tr. Quitar a una persona o cosa la faja con que estaba ceñida o atada. Ú. t. c. r.

Desfalcación. f. ant. **Desfalco.**

Desfalcador, ra. adj. Que desfalca. Ú. t. c. s.

Desfalcar. (De *des,* 1.er art., y *falca.*) tr. Quitar parte de una cosa, descabalarla. || **2.** Tomar para sí un caudal que se tenía bajo obligación de custodia. || **3.** Derribar a uno del favor, privanza o amistad que gozaba. || **4.** ant. fig. Apartar, desviar a uno del ánimo e intención en que estaba.

Desfalco. m. Acción y efecto de desfalcar.

Desfallecer. tr. Causar desfallecimiento o disminuir las fuerzas. || **2.** intr. Decaer perdiendo el aliento, vigor y fuerzas; padecer deliquio. || **3.** ant. **Faltar,** 1.ª acep.

Desfalleciente. p. a. de **Desfallecer.** Que desfallece.

Desfallecimiento. (De *desfallecer.*) m. Disminución de ánimo, descaecimiento de vigor y fuerza, deliquio, desmayo. || **2.** ant. Extinción, fenecimiento.

Desfamamiento. (De *desfamar.*) m. ant. Infamia, infamación.

Desfamar. tr. ant. Declarar a uno por infame. || **2.** **Difamar,** 1.ª acep.

Desfavor. m. ant. **Disfavor.**

Desfavorable. adj. Poco favorable, perjudicial, contrario, adverso.

Desfavorablemente. adv. m. Con disfavor, denegación o perjuicio.

Desfavorecedor, ra. adj. Que desfavorece. Ú. t. c. s.

Desfavorecer. tr. Dejar de favorecer a uno, desairarle. || **2.** Contradecir, hacer oposición a una cosa, favoreciendo la contraria.

Desfazado, da. (De *des,* 1.er art., y *faz,* cara.) adj. ant. **Desfachatado.**

Desfear. (De *des,* 1.er art., y *feo.*) tr. ant. **Desfigurar,** 1.ª acep. Usáb. t. c. r.

Desfechar. tr. ant. Tirar con el arco.

Desfecho, cha. p. p. irreg. ant. de **Desfacer.**

Desferra. (De *des,* 1.er art., y *ferro;* véase *aferrar.*) f. ant. Discordia, disensión, oposición de dictámenes o de voluntades.

Desferrar. (De *des,* 1.er art., y *ferrar.*) tr. ant. Quitar los fierros.

Desfianza. (De *des*, 1.er art., y *fianza*.) f. ant. **Desconfianza.**

Desfibrado. m. Acción de desfibrar.

Desfibrar. tr. Quitar las fibras a las materias que las contienen: como las plantas textiles, maderas, etc.

Desfibrinación. f. Destrucción o separación de la fibrina de la sangre.

Desfiguración. f. Acción y efecto de desfigurar o desfigurarse.

Desfiguramiento. m. **Desfiguración.**

Desfigurar. tr. Desemejar, afear, ajar la composición, orden y hermosura del semblante y de las facciones. Ú. t. c. r. || **2.** Disfrazar y encubrir con apariencia diferente el propio semblante, la intención u otra cosa. || **3.** Obscurecer e impedir que se perciban las formas y figuras de las cosas. || **4.** fig. Referir una cosa alterando sus verdaderas circunstancias. || **5.** r. Inmutarse por un accidente o por alguna pasión de ánimo.

Desfijar. tr. Arrancar, quitar una cosa del sitio donde está fijada.

Desfilachar. tr. **Deshilachar.**

Desfiladero. m. Paso estrecho por donde la tropa tiene que marchar desfilando. || **2.** Paso estrecho entre montañas.

Desfiladiz. m. ant. **Filadiz.**

Desfilar. (De *des*, 1.er art. y *filo*, hilo.) tr. ant. **Deshilar.**

Desfilar. (De *des*, 1.er art., y *fila*.) intr. Marchar gente en fila. || **2.** fam. Salir varios, uno tras otro, de alguna parte. || **3.** *Mil.* Marchar en orden y formación más reducida que la que hasta allí se traía. || **4.** *Mil.* En ciertas funciones militares, como revistas, simulacros, etc., pasar las tropas por compañías, mitades o en otra forma, ante el jefe del Estado, ante el general que las manda, ante otro elevado personaje, ante un monumento memorable, etc.

Desfile. m. Acción de desfilar, 2.° art.

Desfiuciado, da. (De *des*, 1.er art., y *fiuciado*, p. p. de *fiuciar*.) adj. ant. Desconfiado o desahuciado.

Desfiuza. (De *des*, 1.er art., y *fiucia*.) f. ant. **Desconfianza.**

Desfiuzar. (De *des*, 1.er art., y *fiuciar*.) tr. ant. Desahuciar, quitar la esperanza. || **2.** intr. ant. **Desconfiar.**

Desflaquecer. tr. p. us. **Enflaquecer.** Usáb. t. c. r.

Desflaquecimiento. m. p. us. **Enflaquecimiento.**

Desflecar. tr. Sacar flecos, destejiendo las orillas o extremos de una tela, cinta o cosa semejante.

Desflemar. intr. Echar, expeler las flemas. || **2.** tr. *Quím.* Quitar o separar la flema de un líquido espiritoso.

Desflocar. (De *des*, 1.er art., y el lat. *floccus*, fleco.) tr. **Desflecar.**

Desfloración. f. Acción y efecto de desflorar.

Desfloramiento. m. Acción y efecto de desflorar, 2.ª acep.

Desflorar. tr. Ajar, quitar la flor o el lustre. || **2. Desvirgar.** || **3.** fig. Hablando de un asunto o materia, tratarlo superficialmente. || **4.** *Germ.* **Descubrir.**

Desflorecer. intr. Perder la flor. Ú. t. c. r.

Desflorecimiento. m. Acción y efecto de desflorecer.

Desfogar. tr. Dar salida al fuego. || **2.** Hablando de la cal, apagarla. || **3.** fig. Manifestar con vehemencia una pasión. Ú. t. c. r. || **4.** intr. *Mar.* Resolverse una tempestad, un chubasco, etc., en viento, en agua o en ambas cosas a la vez.

Desfogonar. tr. Quitar o romper el fogón a las piezas de artillería o a otras armas de fuego. Ú. m. c. r.

Desfogue. m. Acción y efecto de desfogar o desfogarse, 1.ª y 2.ª aceps.

Desfolar. tr. ant. **Desfollar.**

Desfollar. (De *des*, 1.er art., y el lat. *follis*.) tr. ant. **Desollar.**

Desfollonar. (De *des*, 1.er art., y *follón*.) tr. Quitar a las plantas las hojas o vástagos inútiles.

Desfondar. tr. Quitar o romper el fondo a un vaso o caja. Ú. t. c. r. || **2.** *Agr.* Dar a la tierra labores profundas, que a veces exceden de 30 ó 40 centímetros, a fin de hacerla más permeable, destruir las raíces perjudiciales y airear las capas inferiores. || **3.** *Mar.* Romper, penetrar, agujerear el fondo de una nave. Ú. t. c. r.

Desfonde. m. Acción y efecto de desfondar.

Desformar. tr. **Deformar.**

Desfortalecer. tr. Demoler una fortaleza, o quitarle la guarnición.

Desforzarse. (De *des*, 1.er art., y *forzar*.) r. p. us. Vengarse, desagraviarse, tomar satisfacción de un daño o injuria.

Desfrenadamente. adv. m. ant. **Desenfrenadamente.**

Desfrenamiento. m. fig. **Desenfreno.**

Desfrenar. tr. **Desenfrenar.** Ú. t. c. r.

Desfrez. m. ant. **Desprez.**

Desfrezar. tr. ant. **Disfrazar.** Usáb. t. c. r.

Desfruncir. tr. **Desplegar,** 1.ª acep.

Desfrutar. tr. Privar de fruto a una planta antes de que llegue a sazón. Ú. t. c. intr. || **2.** p. us. **Disfrutar.**

Desfrute. m. p. us. **Disfrute.**

Desfuir. tr. ant. **Defuir.**

Desfundar. (De *des*, 1.er art., y *funda*.) tr. ant. **Desenfundar.**

Desga. (De **desgar*, y éste del lat. **depsĭcāre*, de *depsĕre*, amasar.) f. En las Encartaciones, artesa grande labrada en una sola pieza de madera.

Desgaire. (De *des*, 1.er art., y *aire*.) m. Desaliño, desaire en el manejo del cuerpo y en las acciones, que regularmente suele ser afectado. || **2.** Ademán con que se desprecia y desestima a una persona o cosa. || **Al desgaire.** m. adv. Con descuido afectado o simplemente con descuido.

Desgajadura. (De *desgajar*.) f. Rotura de la rama cuando lleva consigo parte de la corteza y aun del tronco a que está asida.

Desgajar. (De *des*, 1.er art., y *gajo*.) tr. Desgarrar, arrancar, separar con violencia la rama del tronco de donde nace. Ú. t. c. r. || **2.** Despedazar, romper, deshacer una cosa unida y trabada. || **3.** r. fig. Apartarse, desprenderse una cosa inmoble de otra a que está unida por alguna parte. || **4.** ant. fig. Hablando de la amistad de uno, dejarla, abandonarla.

Desgaje. m. Acción y efecto de desgajar o desgajarse.

Desgalgadero. (De *desgalgar*.) m. Pedregal en pendiente. || **2. Despeñadero,** 2.ª acep.

Desgalgar. (De *des*, 1.er art., y *galga*, piedra.) tr. **Despeñar,** 1.ª acep. Ú. t. c. r.

Desgalichado, da. adj. fam. Desaliñado, desgarbado.

Desgana. f. Inapetencia, falta de gana de comer. || **2.** fig. Falta de aplicación; tedio, disgusto o repugnancia a una cosa. || **3.** *Ar.* Congoja, desmayo.

Desganar. tr. Quitar el deseo, gusto o gana de hacer una cosa. || **2.** r. Perder el apetito a la comida. || **3.** fig. Disgustarse, cansarse, desviarse de lo que antes se hacía con gusto y por propia elección.

Desganchar. tr. Quitar o arrancar las ramas o ganchos de lo árboles. Ú. t. c. r.

Desgano. m. **Desgana.**

Desgañifarse. r. **Desgañitarse.**

Desgañirse. (Del lat. *dis*, des, y *gannīre*, gruñir.) r. ant. **Desgañitarse.**

Desgañitarse. (De *des*, 1.er art., y el lat. *gannītus*, grito, aullido.) r. fam. Esforzarse uno violentamente gritando o voceando. || **2. Enronquecerse.**

Desgarbado, da. adj. Falto de garbo.

Desgarbilado, da. adj. *And.* **Desgarbado.**

Desgarbo. m. Falta de garbo.

Desgargantarse. (De *des*, 1.er art., y *garganta*.) r. fam. **Desgañitarse,** 1.ª acep.

Desgargolar. (De *des*, 1.er art., y *gárgola*, linaza.) tr. Sacudir el lino o el cáñamo después de arrancados y secos, para que despidan la linaza o el cañamón.

Desgargolar. tr. Sacar de los gárgoles una pieza de madera.

Desgaritar. (De *des*, 1.er art., y *garete*.) intr. Perder el rumbo. Ú. m. c. r. || **2.** r. Separarse la res de la madrina o del sitio donde está recogida. Ú. t. c. tr. || **3.** fig. No seguir la idea e intento que se había empezado.

Desgarradamente. adv. m. Con desgarro o desvergüenza.

Desgarrado, da. p. p. de **Desgarrar.** || **2.** adj. Que procede licenciosamente y con escándalo. Ú. t. c. s.

Desgarrador, ra. adj. Que desgarra o tiene fuerza para desgarrar.

Desgarradura. f. **Desgarrón.**

Desgarramiento. m. Acción y efecto de desgarrar o desgarrarse.

Desgarrar. (De *des*, 1.er art., y *garra*.) tr. **Rasgar,** 1.er art., 1.ª acep. Ú. t. c. r. || **2.** fig. **Esgarrar.** || **3.** r. fig. Apartarse, separarse, huir uno de la compañía de otro u otros.

Desgarro. (De *desgarrar*.) m. Rotura o rompimiento. || **2.** fig. Arrojo, desvergüenza, descaro. || **3.** fig. Afectación de valentía, fanfarronada. || **4.** *Amér.* Acción y efecto de desgarrar, 2.ª acep.

Desgarrón. (aum. de *desgarro*.) m. Rasgón o rotura grande del vestido o de otra cosa semejante. || **2.** Jirón o tira del vestido al desgarrarse la tela.

Desgastador, ra. adj. ant. Que desgasta, 2.ª acep. Usáb. t. c. s.

Desgastamiento. (De *desgastar*.) m. Prodigalidad, profusión o gran desperdicio.

Desgastar. tr. Quitar o consumir poco a poco por el uso o el roce parte de una cosa. Ú. t. c. r. || **2.** ant. Desperdiciar o malgastar. || **3.** fig. Pervertir, viciar. || **4.** r. fig. Perder fuerza, vigor o poder.

Desgaste. m. Acción y efecto de desgastar o desgastarse.

Desgatar. tr. Quitar o arrancar el labrador las hierbas llamadas gatas.

Desgavillado, da. (De *des*, 1.er art., y *gavilla*.) adj. *And.* Decaído del vigor físico, desmadejado.

Desgay. m. *Ar.* **Retal.**

Desgaznatarse. (De *des*, 1.er art., y *gaznate*.) r. fam. **Desgargantarse.**

Desglosar. tr. Quitar la glosa o nota a un escrito. || **2.** Quitar algunas fojas de una pieza de autos o algún documento, dejando copia o, al menos, nota de su contenido. || **3.** Separar un impreso de otros con los cuales está encuadernado.

Desglose. m. Acción y efecto de desglosar.

Desgobernado, da. adj. Aplícase a la persona que se gobierna mal.

Desgobernadura. f. *Veter.* Operación de desgobernar.

Desgobernar. (De *des*, 1.er art., y *gobernar*.) tr. Deshacer, perturbar y confundir el buen orden del gobierno. || **2.** Desencajar, dislocar, descoyuntar los huesos. || **3.** *Mar.* Descuidarse el timonero en el gobierno del timón. || **4.** *Veter.* Hacer a las caballerías una operación, hoy en desuso, que consistía en ligar las venas cubital y radial en dos puntos, cortando la porción comprendida entre ellos. || **5.** r. fig. Afectar movimientos de miembros desconcertados, como en bailes y mudanzas.

Desgobierno. (De *desgobernar.*) m. Desorden, desbarate, falta de gobierno. || **2.** *Veter.* **Desgobernadura.**

Desgolletar. tr. Quitar el gollete o cuello a una vasija. || **2.** Aflojar o quitar la ropa que cubre el cuello.

Desgomar. tr. Quitar la goma a los tejidos, especialmente a los de seda, para que tomen mejor el tinte.

Desgonzar. (De *des,* 1.er art., y *gonce.*) tr. **Desgoznar.** || **2.** fig. Desencajar, desquiciar. Ú. t. c. r.

Desgorrarse. r. Quitarse la gorra, el sombrero o la montera.

Desgotar. (De *des,* 1.er art., y *gota.*) tr. ant. Agotar el agua en que está empapada una cosa, exprimiéndola.

Desgoznar. tr. Quitar o arrancar los goznes. || **2.** r. fig. **Desgobernarse.**

Desgracia. (De *des,* 1.er art., y *gracia.*) f. Suerte adversa. *Mi amigo tiene* DESGRACIA *en cuanto emprende.* || **2.** Caso o acontecimiento adverso o funesto. || **3.** Motivo de aflicción originado de caso o acontecimiento contrario a lo que convenía o se deseaba. || **4.** Pérdida de gracia, favor o valimiento. || **5.** Desagrado, desabrimiento y aspereza en la condición o en el trato. || **6.** Falta de gracia o de maña. || **7.** ant. Menoscabo en la salud. || **Caer uno en desgracia.** fr. fig. y fam. Perder el cariño y la consideración con que otro le trataba. || **Correr uno con desgracia.** fr. No tener fortuna en lo que intenta. || **Hacerse sin desgracia** una cosa. fr. Concluirse como se deseaba, sin embarazo, contradicción ni mal suceso.

Desgraciadamente. adv. m. Con desgracia.

Desgraciado, da. p. p. de **Desgraciar.** || **2.** adj. Que padece desgracias o una desgracia. Ú. t. c. s. || **3. Desafortunado.** Ú. t. c. s. || **4.** Falto de gracia y atractivo. || **5. Desagradable.** || **Estar** uno **desgraciado.** fr. Estar desacertado. || **2.** ant. Padecer menoscabo en la salud. || **Para los desgraciados se hizo la horca.** ref. con que irónicamente se condena la injusticia de la suerte.

Desgraciar. (De *desgracia.*) tr. Desazonar, disgustar, desagradar. || **2.** Echar a perder a una persona o cosa o impedir su desarrollo o perfeccionamiento. Ú. t. c. r. || **3.** r. Desavenirse, desviarse, descomponerse uno del amigo o persona con quien tenía amistad y unión; perder la gracia o favor de alguno. || **4.** ant. No estar bueno. || **5. Malograrse.**

Desgradar. (De *des,* 1.er art., y *grado,* 1.er art.) tr. ant. **Degradar.**

Desgradar. (De *des,* 1.er art., y *grado,* 2.° art.) intr. ant. **Desagradar.**

Desgradecido, da. (De *des,* 1.er art., y *gradecido,* p. p. de *gradecer.*) adj. ant. **Desagradecido.**

Desgrado. (De *desgradar,* 2.° art.) m. ant. **Desagrado.** || **A desgrado.** m. adv. ant. **A disgusto.**

Desgraduar. (De *des,* 1.er art., y *graduar.*) tr. ant. **Degradar.**

Desgramar. tr. Arrancar o quitar la grama.

Desgranado, da. p. p. de **Desgranar.** || **2.** adj. Se dice de la rueda o piñón dentados que han perdido alguno de sus dientes.

Desgranador, ra. adj. Que desgrana. Ú. t. c. s.

Desgranamiento. (De *desgranar.*) m. *Art.* Estrías que la fuerza expansiva de la pólvora forma en el ánima y en el oído del cañón cuando la recámara es esférica.

Desgranar. tr. Sacar el grano de una cosa. Ú. t. c. r. || **2.** *Art.* Pasar la pólvora por uno o más tamices, para clasificar sus granos, según el uso a que haya de aplicarse. || **3.** r. Echarse a perder o desgastarse el oído o el grano en las armas de fuego. || **4.** Soltarse las piezas ensartadas, como las cuentas de un collar, rosario, etc.

Desgrane. m. Acción y efecto de desgranar o desgranarse.

Desgranzar. tr. Quitar o separar las granzas. || **2.** *Pint.* Hacer la primera trituración de los colores.

Desgrasar. tr. Quitar la grasa a las lanas o a los tejidos que se hacen con ellas.

Desgrase. m. Acción y efecto de desgrasar.

Desgravación. f. Acción y efecto de desgravar.

Desgravar. tr. Rebajar los derechos arancelarios o los impuestos sobre determinados objetos.

Desgreñado, da. p. p. de **Desgreñar.** || **2.** adj. Despeinado, con el cabello en desorden.

Desgreñar. (De *des,* 1.er art., y *greña.*) tr. Descomponer, desordenar los cabellos. Ú. t. c. r. || **2.** r. **Andar a la greña.**

Desguace. m. *Mar.* Acción y efecto de desguazar, 2.ª acep.

Desguarnecer. tr. Quitar la guarnición que servía de adorno. || **2.** Quitar la fuerza o la fortaleza a una cosa; como a una plaza, a un castillo, etc. || **3.** Quitar todo aquello que es necesario para el uso de un instrumento mecánico; como el mango al martillo, etc. || **4.** Quitar a golpe de hacha, espada u otra arma semejante, una o varias piezas de la armadura del contrario. || **5.** Quitar las guarniciones a los animales de tiro.

Desguarnir. tr. ant. Despojar de los adornos y preseas. || **2.** *Mar.* Zafar del cabrestante las vueltas del virador, la cadena de una ancla, etc., o despasar la beta de una aparejo que laborea por motón, cuadernal o guindaste.

Desguazar. tr. *Carp.* Desbastar con el hacha un madero, o parte de él. || **2.** *Mar.* Desbaratar o deshacer un buque total o parcialmente.

Desguince. m. Cuchillo con que se corta el trapo en el molino de papel. || **2. Esguince.**

Desguindar. tr. *Mar.* Bajar lo que está guindado. || **2.** r. Descolgarse de lo alto.

Desguinzar. tr. Cortar el trapo con el desguince.

Desguisado, da. adj. ant. **Desaguisado.**

Deshabido, da. (De *des,* 1.er art., y *habido,* p. p. de *haber.*) adj. ant. Desventurado, infeliz e infame.

Deshabitado, da. p. p. de **Deshabitar.** || **2.** adj. Dícese del edificio, lugar o paraje que estuvo habitado y ya no lo está.

Deshabitar. tr. Dejar o abandonar la habitación. || **2.** Dejar sin habitantes una población o un territorio.

Deshabituación. f. Acción y efecto de deshabituar o deshabituarse.

Deshabituar. tr. Hacer a uno perder el hábito o la costumbre que tenía. Ú. t. c. r.

Deshacedor, ra. adj. Que deshace. Ú. t. c. s. || **de agravios.** El que los venga.

Deshacer. (De *des,* 1.er art., y *hacer.*) tr. Quitar la forma o figura a una cosa, descomponiéndola. Ú. t. c. r. || **2.** Desgastar, atenuar. Ú. t. c. r. || **3.** Derrotar, romper, poner en fuga un ejército o tropa. || **4.** Derretir, liquidar. Ú. t. c. r. || **5.** Dividir, partir, despedazar. DESHACER *una res.* || **6.** Desleír en cosa líquida la que no lo es. || **7.** fig. Alterar, descomponer un tratado o negocio. || **8.** r. Desbaratarse o destruirse una cosa. || **9.** fig. Afligirse mucho, consumirse, estar sumamente impaciente o inquieto. || **10.** fig. Desaparecerse o desvanecerse de la vista. || **11.** fig. Trabajar con mucho ahínco y vehemencia. || **12.** fig. Estropearse, maltratarse gravemente. DESHACERSE *las narices, los hocicos.* || **13.** fig. Enflaquecerse, extenuarse. || **Deshacerse de** una cosa. fr. Desapropiarse de ella.

Deshacimiento. m. ant. Acción y efecto de deshacer o deshacerse. || **2.** ant. fig. Desasosiego, inquietud.

Deshaldo. (De *des,* 1.er art., y *halda.*) m. **Marceo.**

Deshambrido, da. (De *des* y *hambre.*) adj. Muy hambriento.

Desharrapado, da. (De *des,* 1.er art., y el ant. y dialect. *harrapo,* harapo.) adj. Andrajoso, roto y lleno de harapos. Ú. t. c. s.

Desharrapamiento. m. Miseria, mezquindad.

Deshebillar. tr. Soltar o desprender la hebilla o lo que estaba sujeto con ella.

Deshebrar. tr. Sacar las hebras o hilos, destejiendo una tela. || **2.** fig. Deshacer una cosa en partes muy delgadas, semejantes a hebras.

Deshecha. (De *deshecho.*) f. Disimulo con que se pretende ocultar una cosa o desvanecer una sospecha. || **2.** Despedida cortés. || **3.** Cierto género de canción-cita final de una composición poética. || **4.** En la danza española, mudanza que se hace con el pie contrario, deshaciendo la misma que se había hecho. || **5.** Salida precisa de un camino, sitio o paraje. || **Hacer** uno **la deshecha.** fr. fig. **Disimular,** 1.ª acep.

Deshechizar. tr. Deshacer el hechizo o maleficio.

Deshecho, cha. p. p. irreg. de **Deshacer.** || **2.** adj. Hablando de lluvias, temporales, borrascas, etc., impetuoso, fuerte, violento. || **3.** m. *Colomb.* **Deshecha,** 5.ª acep.

Deshechura. (De *deshecho.*) f. ant. **Deshacimiento,** 1.ª acep.

Desheladura. (De *deshelar.*) f. ant. **Deshielo.**

Deshelar. tr. Liquidar lo que está helado. Ú. t. c. r.

Desherbar. tr. Quitar o arrancar las hierbas perjudiciales.

Desheredación. f. Acción y efecto de desheredar.

Desheredamiento. m. **Desheredación.**

Desheredar. tr. Excluir a uno de la herencia forzosa, expresamente y por causa legal. || **2.** ant. Privar a uno de un heredamiento. || **3.** r. fig. Apartarse y diferenciarse uno de su familia, obrando indigna y bajamente.

Desherencia. f. ant. **Desheredamiento.**

Deshermanar. tr. fig. Quitar la conformidad, igualdad o semejanza de dos cosas conformes e iguales. || **2.** r. Faltar a la unión fraternal que un hermano debe profesar a otro.

Desherradura. f. *Veter.* Daño que padece en la palma una caballería, por haberla traído desherrada.

Desherrar. tr. Quitar los hierros o prisiones al que está aprisionado. Ú. t. c. r. || **2.** Quitar las herraduras a una caballería. Ú. t. c. r.

Desherrumbramiento. m. Acción y efecto de desherrumbrar.

Desherrumbrar. tr. Quitar la herrumbre.

Deshidratación. f. Acción y efecto de deshidratar.

Deshidratar. tr. Privar a un cuerpo o a un organismo del agua que contiene. Ú. t. c. r.

Deshielo. m. Acción y efecto de deshelar o deshelarse.

Deshierba. f. **Desyerba.**

Deshijado, da. adj. ant. Aplicábase a la persona a quien habían faltado los hijos.

Deshijar. (De *des,* 1.er art., e *hijo.*) tr. *Cuba.* Quitar los chupones a las plantas.

Deshilachar. tr. Sacar hilachas de una tela. Ú. t. c. r.

Deshiladiz. m. *Ar.* **Filadiz.**

Deshilado, da. p. p. de **Deshilar.** || **2.** adj. Aplícase a los que van desfilando unos después de otros. || **3.** m. Cierta labor que se hace en las telas blancas de lienzo, sacando de ellas varios hilos y formando huecos o calados, que se labran después con la aguja, según el gusto de quien los trabaja. Ú. m. en pl. || **A la deshilada.** m. adv. con que se denota la marcha de alguna tropa, cuando van los soldados uno tras otro. || **2.** fig. Con disimulo.

Deshiladura. f. Acción y efecto de deshilar, 1.ª acep.

Deshilar. tr. Sacar hilos de un tejido; destejer una tela por la orilla, dejando pendientes los hilos en forma de flecos. || **2.** Cortar la fila de las abejas, mudando la colmena de un lugar a otro, para sacar un enjambre y pasarlo a vaso nuevo, lo que se hace poniendo éste donde estaba el primero, a fin de que la fila de abejas que venía a él entre engañada en el que encuentra en su lugar. || **3.** fig. Reducir a hilos una cosa; como la pechuga de gallina para hacer manjar blanco. || **4.** intr. **Ahilar,** 4.ª acep.

Deshilo. m. Acción y efecto de deshilar, 2.ª acep.

Deshilvanado, da. p. p. de **Deshilvanar.** || **2.** adj. fig. Sin enlace ni trabazón. Dícese de discursos, pensamientos, etc.

Deshilvanar. tr. Quitar los hilvanes. Ú. t. c. r.

Deshincadura. f. Acción y efecto de deshincar o deshincarse.

Deshincar. tr. Sacar lo que está hincado. Ú. t. c. r.

Deshinchadura. f. Acción y efecto de deshinchar o deshincharse.

Deshinchar. tr. Quitar la hinchazón. || **2.** fig. Desahogar la cólera o el enojo. || **3.** r. Deshacerse la hinchazón, bajarse el tumor, reduciéndose la parte a la debida y natural proporción que antes tenía. || **4.** fig. y fam. Deponer la presunción.

Deshipotecar. tr. Cancelar o suspender la hipoteca.

Deshoja. (De *deshojar.*) f. *Sant.* **Deshojadura.**

Deshojador, ra. (De *deshojar.*) adj. Que quita las hojas de los árboles. Ú. t. c. s.

Deshojadura. f. Acción de deshojar.

Deshojar. tr. Quitar las hojas a una planta o los pétalos a una flor. Ú. t. c. r.

Deshoje. (De *deshojar.*) m. Caída de las hojas de las plantas.

Deshollejar. tr. Quitar el hollejo.

Deshollinadera. f. **Deshollinador,** 4.ª acep.

Deshollinador, ra. adj. Que deshollina. Ú. t. c. s. || **2.** fig. y fam. Que repara y mira con curiosidad. Ú. t. c. s. || **3.** m. Utensilio para deshollinar chimeneas. || **4.** Escoba de palo muy largo, que suele cubrirse con un paño, para deshollinar techos y paredes.

Deshollinar. tr. Limpiar las chimeneas, quitándoles el hollín. || **2.** Por ext., limpiar con el deshollinador techos y paredes. || **3.** fig. y fam. Mirar con atención y curiosidad, registrando todo lo que se alcanza a ver.

Deshonestad. f. ant. **Deshonestidad.**

Deshonestamente. adv. m. De un modo deshonesto.

Deshonestar. tr. ant. **Deformar.** || **2.** ant. Deshonrar, infamar, desacreditar. || **3.** r. Perder en las acciones la gravedad y el decoro que corresponde.

Deshonestidad. f. Calidad de deshonesto. || **2.** Dicho o hecho deshonesto.

Deshonesto, ta. adj. Impúdico, falto de honestidad. || **2.** No conforme a razón ni a las ideas recibidas por buenas. || **3.** ant. Grosero, descortés, indecoroso. || **4.** *For.* V. **Condición deshonesta.**

Deshonor. m. Pérdida del honor. || **2.** Afrenta, deshonra.

Deshonrar. tr. Quitar el honor. Ú. t. c. r. || **2.** Quitar a uno su empleo, oficio, categoría o dignidad.

Deshonra. f. Pérdida de la honra. || **2.** Cosa deshonrosa. || **3.** ant. Desacato, falta de respeto. || **Tener uno a deshonra** una cosa. fr. Juzgarla por indecente y ajena de su calidad y estado.

Deshonrabuenos. com. fam. Persona que murmura de otros, desacreditándolos y poniéndolos en mala opinión sin razón ni verdad. || **2.** fam. Persona que degenera de sus mayores.

Deshonradamente. adv. m. **Deshonrosamente.**

Deshonrador, ra. adj. Que deshonra. Ú. t. c. s.

Deshonrar. tr. Quitar la honra. Ú. t. c. r. || **2.** **Injuriar.** || **3.** Escarnecer y despreciar a uno con ademanes y actos ofensivos e indecentes. || **4.** Desflorar, forzar o conocer torpemente a una mujer de buena opinión.

Deshonrible. (De *des,* 1.er art., y *honra.*) adj. fam. Sin vergüenza y despreciable. Ú. t. c. s.

Deshonrosamente. adv. m. Con deshonra.

Deshonroso, sa. adj. Afrentoso, indecoroso, poco decente.

Deshora. f. Tiempo inoportuno, no conveniente. || **A deshora,** o **deshoras.** m. adv. Fuera de hora o de tiempo. || **2.** De repente, intempestivamente.

Deshornar. (De *des,* 1.er art., y *horno.*) tr. **Desenhornar.**

Deshospedado, da. adj. ant. Que carece de hospedaje o alojamiento.

Deshospedamiento. m. Acción y efecto de quitar o negar el hospedaje.

Deshuesadora. f. Máquina o instrumento para quitar el hueso a la aceituna u otros frutos.

Deshuesar. tr. Quitar los huesos a un animal o a la fruta.

Deshumano, na. adj. **Inhumano.**

Deshumedecer. tr. Desecar, quitar la humedad. Ú. t. c. r.

Déside. (Del lat. *deses, -ĭdis.*) adj. ant. **Desidioso.**

Desiderable. (Del lat. *desiderabĭlis.*) adj. Digno de ser apetecido y deseado.

Desiderativo, va. (Del lat. *desideratīvus.*) adj. Que expresa o indica deseo.

Desiderátum. (Del lat. *desiderātum,* lo deseado.) m. Objeto y fin de un vivo o constante deseo. || **2.** Lo más digno de ser apetecido en su línea.

Desidia. (Del lat. *desidia.*) f. Negligencia, inercia.

Desidiosamente. adv. m. Con desidia.

Desidioso, sa. (Del lat. *desidiōsus.*) adj. Que tiene desidia. Ú. t. c. s.

Desierto, ta. (Del lat. *desertus,* p. p. de *deserĕre,* abandonar.) adj. Despoblado, solo, inhabitado. || **2.** Aplícase a la subasta, concurso o certamen en que nadie toma parte. || **3.** m. Lugar, paraje, sitio despoblado de edificios y gentes. || **Predicar en desierto.** fr. fig. y fam. Intentar infructuosamente, con palabras o actos, persuadir a personas no dispuestas a admitir la doctrina o los ejemplos que se les dan.

Designación. (Del lat. *designatĭo, -ōnis.*) f. Acción y efecto de designar, 2.ª acep.

Designar. (Del lat. *designāre.*) tr. Formar designio o propósito. || **2.** Señalar o destinar una persona o cosa para determinado fin. || **3.** Denominar, indicar.

Designativo, va. (Del lat. *designativus.*) adj. **Denominativo.** Ú. t. c. s.

Designio. (De *designar.*) m. Pensamiento, o propósito del entendimiento, aceptado por la voluntad.

Desigual. adj. Que no es igual. || **2.** Barrancoso, que tiene quiebras y cuestas. || **3.** Cubierto de asperezas. || **4.** ant. Excesivo, extremado. || **5.** fig. Arduo, grande, dificultoso. || **6.** fig. Inconstante, vario. Dícese del tiempo, del ingenio, etc. || **Salir desigual** una cosa. fr. fig. y fam. Torcerse, desgraciarse.

Desigualado, da. p. p. de **Desigualar.** || **2.** adj. ant. **Desigual.**

Desigualar. tr. Hacer a una persona o cosa desigual a otra. || **2.** r. Preferirse, adelantarse, aventajarse.

Desigualdad. f. Calidad de desigual. || **2.** Cada una de las eminencias o depresiones de un terreno o de la superficie de un cuerpo. || **3.** *Mat.* Expresión de la falta de igualdad que existe o se supone existir entre dos cantidades, la cual se indica con el signo $>$, colocando la cantidad mayor frente a la abertura del ángulo, y la menor inmediata a su vértice; v. gr.: $a > b$, que se lee *a* mayor que *b;* o bien: $c < d$, leyéndose entonces *c* menor que *d.*

Desigualeza. (De *des,* 1.er art., e *igualeza.*) f. ant. **Desigualdad,** 1.ª acep.

Desigualmente. adv. m. Con desigualdad.

Desilusión. f. Carencia o pérdida de las ilusiones. || **2.** **Desengaño,** 1.ª acep.

Desilusionar. tr. Hacer perder a uno las ilusiones. || **2.** r. Perder las ilusiones. || **3.** **Desengañarse.**

Desimaginar. tr. Borrar una cosa de la imaginación o de la memoria.

Desimanación. f. Acción y efecto de desimanar o desimanarse.

Desimanar. (De *des,* 1.er art., e *imán.*) tr. **Desimantar.** Ú. t. c. r.

Desimantación. f. Acción y efecto de desimantar o desimantarse.

Desimantar. tr. Hacer perder la imantación a un imán. Ú. t. c. r.

Desimponer. tr. *Impr.* Quitar la imposición de una forma.

Desimpresionar. tr. Desengañar, sacar a uno del error en que estaba. Ú. t. c. r.

Desinclinar. tr. Apartar a uno de la inclinación que tenía. Ú. t. c. r.

Desincorporar. tr. Separar lo que estaba incorporado. Ú. t. c. r.

Desincrustante. adj. Dícese de las substancias que se emplean para evitar o eliminar el depósito de sales que se forma en las paredes interiores de las calderas de vapor, radiadores, tuberías, etc. Ú. t. c. s. m.

Desincrustar. tr. Quitar las incrustaciones que se forman en las calderas de las máquinas de vapor.

Desinencia. (Del lat. *desinens, -entis,* p. a. de *desinĕre,* acabar, finalizar.) f. *Gram.* **Terminación,** 3.ª acep. || **2.** *Gram.* Manera de terminar las cláusulas.

Desinencial. adj. Perteneciente o relativo a la desinencia.

Desinfartar. tr. *Med.* Resolver un infarto. Ú. t. c. r.

Desinfección. f. Acción y efecto de desinfectar.

Desinfectante. p. a. de **Desinfectar.** Que desinfecta o sirve para desinfectar. Ú. t. c. s. m.

Desinfectar. tr. Quitar a una cosa la infección o la propiedad de causarla, destruyendo los gérmenes nocivos o evitando su desarrollo. Ú. t. c. r.

Desinfectorio. m. *Chile.* Establecimiento público en que se desinfecta la ropa y objetos personales de los enfermos.

Desinficionar. tr. **Desinfectar.** Ú. t. c. r.

Desinflamar. tr. Quitar la inflamación; hacer que se resuelva lo que está hinchado o inflamado. Ú. t. c. r.

Desinflar. tr. Sacar el aire u otra substancia aeriforme al cuerpo flexible que lo contenía. Ú. t. c. r.

Desinsaculación. f. Acción y efecto de desinsacular.

Desinsacular. tr. Sacar del saco o bolsa las bolillas o cédulas en que se ha-

llan los nombres de las personas insaculadas para ejercer un oficio de justicia. || **2.** *Ar.* **Desencantarar,** 2.ª acep.
Desinsectación. f. Acción y efecto de desinsectar.
Desinsectar. tr. Limpiar de insectos. Ú. especialmente hablando de los parásitos del hombre y de los que son nocivos a la salud o a la economía.
Desintegración. f. Acción y efecto de desintegrar.
Desintegrar. tr. Separar los diversos elementos que forman el todo de una cosa.
Desinterés. m. Desapego y desprendimiento de todo provecho personal, próximo o remoto.
Desinteresadamente. adv. m. Con desinterés.
Desinteresado, da. (De *desinterés.*) adj. Desprendido, apartado del interés.
Desinteresal. adj. ant. **Desinteresado.**
Desinteresamiento. m. ant. **Desinterés.**
Desinteresarse. r. Perder uno el interés que tenía en alguna cosa.
Desintestinar. tr. Sacar o quitar los intestinos.
Desintoxicar. tr. Combatir la intoxicación o sus efectos. Ú. t. c. r.
Desinvernar. intr. Salir las tropas de los cuarteles de invierno. Ú. t. c. tr.
Desiñar. (Del lat. *desīgnāre,* señalar.) tr. ant. **Designar,** 1.ª acep.
Desiño. (De *desiñar.*) m. ant. **Designio.**
Desipiencia. (Del lat. *desipientia.*) f. ant. **Insipiencia.**
Desipiente. (Del lat. *desipiens, -entis,* p. a. de *desipĕre,* quitar el gusto.) adj. ant. **Insipiente.**
Desistencia. f. **Desistimiento.**
Desistimiento. m. Acción y efecto de desistir.
Desistir. (Del lat. *desistĕre.*) intr. Apartarse de una empresa o intento empezado a ejecutar. || **2.** *For.* Hablando de un derecho, abdicarlo o abandonarlo.
Desjarretadera. f. Instrumento que sirve para desjarretar toros o vacas. Compónese de una media luna de acero, muy cortante, puesta en el extremo de una vara del grueso y longitud de una pica.
Desjarretar. tr. Cortar las piernas por el jarrete. || **2.** fig. y fam. Debilitar y dejar sin fuerzas a uno, como al enfermo sangrándole con exceso.
Desjarrete. m. Acción y efecto de desjarretar. || **Tocar a desjarrete.** fr. ant. Tocar a matar el toro.
Desjugar. tr. Sacar el jugo. Ú. t. c. r.
Desjuiciado, da. adj. Falto de juicio.
Desjuntamiento. m. Acción y efecto de desjuntar o desjuntarse.
Desjuntar. tr. Dividir, separar, apartar. Ú. t. c. r.
Deslabonar. tr. Soltar y desunir un eslabón de otro. Ú. t. c. r. || **2.** fig. Desunir y deshacer una cosa. Ú. t. c. r. || **3.** r. fig. Apartarse de la compañía o trato de una persona.
Desladrillar. (De *des,* 1.er art., y *ladrillo.*) tr. **Desenladrillar.**
Deslaidar. (De *des,* 1.er art., y *laido,* feo.) tr. ant. Afear, desfigurar.
Deslamar. tr. Quitar la lama.
Deslánguido, da. adj. ant. Flaco, débil y extenuado.
Deslardarse. (De *des,* 1.er art., y *lardo.*) r. ant. Enflaquecer, perder carnes.
Deslastrar. tr. Quitar el lastre.
Deslatar. tr. Quitar las latas a una casa, a una embarcación, etc.
Deslatar. (Del lat. *dis,* des, y *latum,* supino de *ferre,* llevar.) tr. ant. Disparar, arrojar. || **2.** intr. ant. **Disparatar.**
Deslate. (De *deslatar,* 2.° art.) m. ant. Disparo, estallido. || **2.** ant. **Dislate.**
Deslavado, da. p. p. de **Deslavar.** || **2.** adj. fig. **Descarado.** Ú. t. c. s.
Deslavadura. f. Acción y efecto de deslavar.
Deslavamiento. (De *deslavar.*) m. ant. **Descaro.**
Deslavar. tr. Limpiar y lavar una cosa muy por encima sin aclararla bien. || **2.** Desubstanciar, quitar fuerza, color y vigor.
Deslavazar. tr. **Deslavar.**
Deslave. m. *Amér.* **Derrubio.**
Deslayo (En). m. adv. ant. **A la deshilada.**
Deslazamiento. m. Acción y efecto de deslazar.
Deslazar. (De *des,* 1.er art., y *lazo.*) tr. **Desenlazar.**
Desleal. adj. Que obra sin lealtad. Ú. t. c. s.
Deslealmente. adv. m. Con deslealtad.
Deslealtad. f. Falta de lealtad.
Deslechar. (De *des,* 1.er art., y *lecho.*) tr. *Murc.* Quitar a los gusanos de seda la hoja que desperdician en las frezas, y asimismo otras inmundicias, a fin de que no les dañen.
Deslecho. m. *Murc.* Acción de deslechar.
Deslechugador, ra. adj. Que deslechuga. Ú. t. c. s.
Deslechugar. (De *des,* 1.er art., y *lechuga.*) tr. *Agr.* Limpiar las viñas de lechuguillas y otras hierbas. || **2.** *Agr.* **Desfollonar.** || **3.** *Agr.* Chapodar las puntas de los sarmientos que llevan fruto, cuando se acerca su madurez.
Deslechuguillar. (De *des,* 1.er art., y *lechuguilla.*) tr. *Agr.* **Deslechugar.**
Desleidura. f. **Desleimiento.**
Desleimiento. m. Acción y efecto de desleir o desleirse.
Desleir. tr. Disolver y desunir las partes de algunos cuerpos por medio de un líquido. Ú. t. c. r. || **2.** fig. Tratándose de ideas, pensamientos, conceptos, etc., expresarlos con sobreabundancia de palabras, de modo que resulten desmayados y fríos.
Deslendrar. tr. Quitar las liendres.
Deslenguado, da. (De *deslenguarse.*) adj. fig. Desvergonzado, desbocado, mal hablado.
Deslenguamiento. m. fig. y fam. Acción y efecto de deslenguarse.
Deslenguar. tr. Quitar o cortar la lengua. || **2.** r. fig. y fam. Desbocarse, desvergonzarse.
Desliar. tr. Deshacer el lío, desatar lo liado. Ú. t. c. r.
Desliar. (De *des,* 1.er art., y *lía,* 2.° art.) tr. Separar las lías del mosto.
Desligadura. f. Acción y efecto de desligar o desligarse.
Desligar. tr. Desatar, soltar las ligaduras. Ú. t. c. r. || **2.** fig. Desenmarañar y desenredar una cosa no material. Ú. t. c. r. || **3.** fig. Absolver de las censuras eclesiásticas. || **4.** fig. Dispensar de la obligación contraída. || **5.** *Mús.* **Picar,** 25.ª acep.
Deslinajar. (De *des,* 1.er art., y *linaje.*) tr. ant. Envilecer, menospreciar. Usáb. t. c. r.
Deslinar. tr. ant. Despojar o desarmar.
Deslindador. m. El que deslinda.
Deslindadura. f. ant. **Deslinde.**
Deslindamiento. m. **Deslinde.**
Deslindar. (De *des,* 1.er art., y *linde.*) tr. Señalar y distinguir los términos de un lugar, provincia o heredad. || **2.** fig. Apurar y aclarar una cosa, poniéndola en sus propios términos, para que no haya confusión ni equivocación en ella.
Deslinde. m. Acción y efecto de deslindar.
Desliñar. (De *des,* 1.er art., y *lino.*) tr. Quitar al paño, después de tundido, cualquiera hilacha o cosa extraña, antes de llevarlo a la prensa.
Deslío. (De *desliar,* 2.° art.) m. Operación que consiste en separar el mosto de las lías que se han depositado en el fondo de la vasija durante la fermentación.
Desliz. m. Acción y efecto de deslizar o deslizarse. || **2.** Entre los beneficiadores de metales, porción de azogue que se desliza y escapa al tiempo de la operación y limpia de la plata.
Deslizable. adj. Que se puede deslizar.
Deslizadero, ra. adj. **Deslizadizo.** || **2.** m. Lugar o sitio resbaladizo.
Deslizadizo, za. adj. Que hace deslizar o se desliza fácilmente.
Deslizamiento. m. **Desliz,** 1.ª acep.
Deslizante. p. a. de **Deslizar.** Que desliza o se desliza.
Deslizar. intr. Irse los pies por encima de una superficie lisa o mojada; correrse con celeridad un cuerpo sobre otro liso o mojado. Ú. t. c. r. || **2.** fig. Decir o hacer una cosa con descuido e indeliberadamente. Ú. m. c. r || **3.** r. fig. Escaparse, evadirse. || **4.** fig. Caer en una flaqueza.
Desloar. (De *des,* 1.er art., y *loar.*) tr. Vituperar, reprender, denostar.
Deslomadura. f. Acción y efecto de deslomar o deslomarse.
Deslomar. tr. Quebrantar, romper o maltratar los lomos. Ú. m. c. r.
Desloor. m. ant. **Vituperio.**
Deslucidamente. adv. m. Sin lucimiento.
Deslucido, da. p. p. de **Deslucir.** || **2.** adj. fig. Dícese del que no tiene acierto para gastar su hacienda de manera que le luzca. || **3.** Aplícase al que perora o hace otra cosa en público sin lucimiento ni gracia.
Deslucimiento. m. Falta de despejo y lucimiento
Deslucir. tr. Quitar la gracia, atractivo o lustre a una cosa. Ú. t. c. r. || **2.** fig. **Desacreditar.** Ú. t. c. r.
Deslumbrador, ra. adj. Que deslumbra.
Deslumbramiento. (De *deslumbrar.*) m. Turbación de la vista por luz demasiada o repentina. || **2.** fig. Preocupación del entendimiento, falta de conocimiento por efecto de una pasión.
Deslumbrante. p. a. de **Deslumbrar.** Que deslumbra.
Deslumbrar. (De *des,* 1.er art., y *lumbre.*) tr. Ofuscar la vista o confundirla con la demasiada luz. Ú. t. c. r. || **2.** fig. Dejar a uno dudoso, incierto y confuso, de suerte que no conozca el verdadero designio o intento de otro. Ú. t. c. r. || **3.** fig. Producir impresión con estudiado exceso de lujo.
Deslumbre. (De *deslumbrar.*) m. ant. **Deslumbramiento.** || **2.** ant. **Vislumbre,** 1.ª acep.
Deslustrador, ra. adj. Que deslustra. Ú. t. c. s.
Deslustrar. tr. Quitar el lustre. || **2.** fig. **Deslucir,** 2.ª acep. || **3.** Hablando del cristal o del vidrio, quitarle la transparencia frotándolo con esmeril o de otro modo.
Deslustre. (De *deslustrar.*) m. Deslucimiento, falta de lustre y brillantez. || **2.** Acción de quitar el lustre al paño o a otra cosa. || **3.** fig. Descrédito y nota que causa una acción indecorosa.
Deslustroso, sa. adj. Deslucido, feo, indecoroso.
Desmadejado, da. p. p. de **Desmadejar.** || **2.** adj. fig. Dícese de la persona que se siente con flojedad o quebrantamiento en el cuerpo.
Desmadejamiento. (De *desmadejar.*) m. fig. Flojedad, descaecimiento, desaire del cuerpo.
Desmadejar. (De *des,* 1.er art., y *madeja.*) tr. fig. Causar flojedad en el cuerpo. Ú. t. c. r.

Desmadrado, da. (De *des*, 1.er art., y *madre*.) adj. Dícese del animal abandonado por la madre.

Desmadrar. tr. Separar de la madre las crías del ganado para que no mamen.

Desmajolar. tr. Arrancar o descepar los majuelos.

Desmajolar. tr. Aflojar y soltar las majuelas con que está ajustado el zapato.

Desmalazado, da. (Del lat. *dis*, des, y *malaxatus*, p. p. de *malaxāre*, ablandar.) adj. Flojo, caído, dejado. || **2.** fig. Flojo y caído de espíritu o ánimo.

Desmalezar. tr. *Amér.* Desyerbar, desbrozar, quitar la maleza.

Desmalingrar. intr. ant. Murmurar, hablar o decir mal.

Desmallador, ra. (De *desmallar*.) adj. Que rompe o desguarnece las mallas. || **2.** m. *Germ.* **Puñal,** 1.er art., 2.a acep.

Desmalladura. f. Acción y efecto de desmallar.

Desmallar. tr. Deshacer, cortar los puntos de una malla, de una red, de una media, etc. || **2. Desenmallar.**

Desmamar. (De *des* y *mama*.) tr. **Destetar.**

Desmamonar. tr. Quitar los mamones a las vides y a otras plantas y árboles.

Desmamparar. tr. **Desamparar.** || **2. Mamparar.**

Desmán. (De *desmandar*.) m. Exceso, desorden, demasía en obras o palabras; tropelía. || **2.** Desgracia o suceso infausto.

Desmán. (En fr. *desman*.) m. Mamífero insectívoro parecido al musgaño, de unos 25 centímetros de largo, contando la cola; hocico prolongado en figura de trompa, pies palmeados, pelaje espeso y pardusco, y cola escamosa, comprimida lateralmente. Hace su madriguera a orillas de los arroyos, nada muy bien, se alimenta de insectos acuáticos y despide fuerte olor a almizcle.

Desmanar. tr. ant. Deshacer la manada del ganado. || **2.** ant. Apartar o excusar. || **3.** r. Apartarse o salirse el ganado de la manada o rebaño.

Desmanchar. (Del lat. *dis*, des, y *macŭla*, mancha y malla.) tr. ant. **Deshonrar.** || **2.** ant. **Desmallar.**

Desmancho. (De *desmanchar*.) m. ant. Deshonra, infamia.

Desmandado, da. p. p. de **Desmandar.** || **2.** adj. **Desobediente,** 2.a acep.

Desmandamiento. m. Acción y efecto de desmandar o desmandarse.

Desmandar. r. Revocar la orden o mandato. || **2.** Revocar la manda. || **3.** r. Descomedirse, propasarse. || **4.** Desordenarse, apartarse de la compañía con que se va. || **5. Desmanarse.**

Desmanear. tr. Quitar a las bestias las maneas, maniotas o trabas. Ú. t. c. r.

Desmangar. tr. Quitar el mango a una herramienta. Ú. t. c. r.

Desmangorrear. tr. ant. **Desmangar.**

Desmano (A). m. adv. **A trasmano,** 2.a acep.

Desmanotado, da. (De *des*, 1.er art., y *manota*.) adj. fig. y fam. Atado, encogido y para poco; que parece que no tiene manos. Ú. t. c. s.

Desmantecar. tr. Quitar la manteca.

Desmantelado, da. p. p. de **Desmantelar.** || **2.** adj. Dícese de la casa o del palacio mal cuidado o despojado de muebles.

Desmantelamiento. m. Acción y efecto de desmantelar.

Desmantelar. (Del lat. *dis*, des, y *mantellum*, velo, mantel.) tr. Echar por tierra y arruinar los muros y fortificaciones de una plaza. || **2.** fig. Desamparar, abandonar o desabrigar una casa. || **3.** *Mar.* Desarbolar. || **4.** *Mar.* Desarmar y desaparejar una embarcación.

Desmaña. f. Falta de maña y habilidad.

Desmañadamente. adv. m. Con desmaña.

Desmañado, da. p. p. de **Desmañar.** || **2.** adj. Falto de industria, destreza y habilidad. Ú. t. c. s.

Desmañar. (De *des*, 1.er art., y *maña*.) tr. ant. Estorbar, impedir.

Desmaño. m. Desaliño, descuido, desgaire.

Desmarañar. (De *des*, 1.er art., y *maraña*.) tr. **Desenmarañar.**

Desmaridar. tr. ant. Separar de su marido a la mujer.

Desmarojador, ra. m. y f. Persona que desmaroja.

Desmarojar. tr. Quitar el marojo u hoja inútil.

Desmarrido, da. adj. Desfallecido, mustio, triste y sin fuerzas.

Desmatar. tr. Descuajar las matas.

Desmayadamente. adv. m. Con desmayo.

Desmayado, da. p. p. de **Desmayar.** || **2.** adj. Aplícase al color bajo y apagado.

Desmayamiento. (De *desmayar*.) m. ant. **Desmayo,** 1.a acep.

Desmayar. tr. Causar desmayo. || **2.** intr. fig. Perder el valor, desfallecer de ánimo, acobardarse. || **3.** r. Perder el sentido y el conocimiento.

Desmayo. m. Desaliento, desfallecimiento de las fuerzas, privación de sentido. || **2. Sauce de Babilonia.**

Desmazalado, da. (De *desmalazado*.) adj. **Desmalazado.**

Desmedidamente. adv. m. Desproporcionadamente; sin término ni medida; excesiva y descomedidamente.

Desmedido, da. p. p. de **Desmedirse.** || **2.** adj. Desproporcionado, falto de medida, que no tiene término.

Desmedirse. r. Desmandarse, descomedirse o excederse.

Desmedrado, da. p. p. de **Desmedrar.** || **2.** adj. Dícese de personas o cosas que no muestran el desarrollo normal.

Desmedrar. (De *des*, 1.er art., y *medro*.) tr. **Deteriorar.** Ú. t. c. r. || **2.** intr. Descaecer, ir a menos.

Desmedro. m. Acción y efecto de desmedrar o desmedrarse.

Desmejora. f. Deterioro, menoscabo.

Desmejoramiento. m. Acción y efecto de desmejorar o desmejorarse.

Desmejorar. tr. Hacer perder el lustre y perfección. Ú. t. c. r. || **2.** intr. Ir perdiendo la salud. Ú. t. c. r.

Desmelancolizar. tr. Quitar la melancolía. Ú. t. c. r.

Desmelar. tr. Quitar la miel a la colmena.

Desmelenado, da. p. p. de **Desmelenar.** || **2.** adj. Por ext., dícese de la persona o cosa que se presenta sin la compostura debida. Ú. t. c. s.

Desmelenar. (De *des*, 1.er art., y *melena*.) tr. Descomponer y desordenar el cabello. Ú. t. c. r.

Desmembración. f. Acción y efecto de desmembrar o desmembrarse.

Desmembrador, ra. adj. Que desmiembra. Ú. t. c. s.

Desmembradura. (De *desmembrar*.) f. ant. **Desmembración.**

Desmembramiento. (De *desmembrar*.) m. ant. **Desmembración.**

Desmembrar. tr. Dividir y apartar los miembros del cuerpo. || **2.** fig. Separar, dividir una cosa de otra. Ú. t. c. r.

Desmemorado, da. (De *des*, 1.er art., y *memorado*, p. p. de *memorar*.) adj. ant. **Desmemoriado.** Usáb. t. c. s.

Desmemoria. f. Falta de memoria.

Desmemoriado, da. p. p. de **Desmemoriarse.** || **2.** adj. Torpe de memoria. Ú. t. c. s. || **3.** Que la conserva sólo a intervalos. Ú. t. c. s. || **4.** Falto completamente de ella. Ú. t. c. s. || **5.** *For.* Dícese de la persona que cae en imbecilidad y pierde totalmente, o en gran parte, la conciencia y la memoria de sus propios actos. Ú. t. c. s.

Desmemoriarse. r. Olvidarse, no acordarse; faltar a uno la memoria.

Desmenguar. tr. **Amenguar,** 1.a acep. || **2.** fig. Desfalcar y disminuir una cosa no material.

Desmentida. f. Acción de desmentir.

Desmentidor, ra. adj. Que desmiente. Ú. t. c. s.

Desmentir. tr. Decir a uno que miente. || **2.** Sostener o demostrar la falsedad de un dicho o hecho. || **3.** fig. Desvanecer o disimular una cosa para que no se conozca. DESMENTIR *las sospechas, los indicios.* || **4.** fig. Proceder uno distintamente de lo que se podía esperar de su nacimiento, educación y estado. || **5.** intr. fig. Perder una cosa la línea, nivel o dirección que le corresponde respecto de otra.

Desmenuzable. adj. Que se puede desmenuzar.

Desmenuzador, ra. adj. Que desmenuza y apura. Ú. t. c. s.

Desmenuzamiento. m. Acción y efecto de desmenuzar o desmenuzarse.

Desmenuzar. (De *des*, 1.er art., y *menuzar*.) tr. Deshacer una cosa dividiéndola en partes menudas. Ú. t. c. r. || **2.** fig. Examinar menudamente una cosa.

Desmeollamiento. m. Acción y efecto de desmeollar.

Desmeollar. tr. Sacar el meollo o tuétano.

Desmerecedor, ra. adj. Que desmerece una cosa o es indigno de ella.

Desmerecer. tr. Hacerse indigno de premio, favor o alabanza. || **2.** intr. Perder una cosa parte de su mérito o valor. || **3.** Ser una cosa inferior a otra con la cual se compara.

Desmerecimiento. (De *desmerecer*.) m. **Demérito.**

Desmesura. f. Descomedimiento, falta de mesura.

Desmesuradamente. adv. m. Descomedidamente, con exceso.

Desmesurado, da. p. p. de **Desmesurar.** || **2.** adj. Excesivo, mayor de lo común. || **3.** Descortés, insolente y atrevido. Ú. t. c. s.

Desmesurar. tr. Desarreglar, desordenar o descomponer. || **2.** r. Descomedirse, perder la modestia, excederse.

Desmicador. (De *desmicar*.) m. *Germ.* El que mira.

Desmicar. tr. *Germ.* **Mirar,** 1.a acep.

Desmigajar. tr. Hacer migajas una cosa, dividirla y desmenuzarla en partes pequeñas. Ú. t. c. r.

Desmigar. tr. Desmigajar o deshacer el pan para hacer migas.

Desmineralización. (De *des*, 1.er art., y *mineral*.) f. *Med.* Disminución o pérdida de una cantidad anormal de principios minerales, como fósforo, potasa, cal, etc.

Desmiramiento. m. ant. Falta de miramiento o advertencia.

Desmirlado, da. (De *des*, 1.er art., y *mirla*.) adj. *Germ.* **Desorejado,** 2.a acep.

Desmirriado, da. (De *desmarrido*.) adj. fam. Flaco, extenuado, consumido.

Desmocadero. (De *desmocar*.) m. ant. **Despabiladeras.**

Desmocar. intr. ant. Sonarse o quitarse los mocos.

Desmocha. f. **Desmoche.**

Desmochadura. f. **Desmoche.**

Desmochar. tr. Quitar, cortar, arrancar o desgajar la parte superior de una cosa, dejándola mocha. DESMOCHÓ *la res, cortándole las astas;* DESMOCHÓ *el* *árbol, desnudándolo de las ramas.* || **2.** fig. Eliminar, cortar parte de una obra artística o literaria.

Desmoche. m. Acción y efecto de desmochar. || **2.** fig. y fam. Serie simultánea y numerosa de cesantías, separaciones, notas de suspenso o determinaciones análogas.

Desmocho. (De *desmochar.*) m. Conjunto de las partes que se quitan o cortan de lo que se desmocha.

Desmoderadamente. adv. m. ant. **Inmoderadamente.**

Desmogar. intr. Mudar los cuernos el venado y otros animales.

Desmogue. m. Acción y efecto de desmogar.

Desmolado, da. adj. Que ha perdido las muelas.

Desmoledura. (De *desmoler.*) f. ant. Acción y efecto de desmoler.

Desmoler. tr. Desgastar, corromper, digerir.

Desmonetización. f. Acción y efecto de desmonetizar.

Desmonetizar. (De *des,* 1.er art., y *monetizar,* 2.a acep.) tr. Abolir el empleo de un metal para la acuñación de moneda.

Desmontable. adj. Que se puede desmontar, 2.° art., 1.a acep. || **2.** m. *Mec.* Instrumento de hierro, a modo de palanca, para desmontar las cubiertas de los neumáticos.

Desmontado, da. p. p. de **Desmontar.** || **2.** adj. V. **Soldado desmontado.**

Desmontadura. f. Acción y efecto de desmontar.

Desmontaje. m. Acción y efecto de desmontar, 2.° art., 4.a acep.

Desmontar. (De *des,* 1.er art., y *monte.*) tr. Cortar en un monte o en parte de él los árboles o matas. || **2.** Deshacer un montón de tierra, broza u otra cosa. || **3.** Rebajar un terreno.

Desmontar. (De *des,* 1.er art., y *montar.*) tr. **Desarmar,** 3.a acep. || **2.** Deshacer un edificio o parte de él. || **3.** Quitar, o no dar, la cabalgadura al que le corresponde tenerla. || **4.** En algunas armas de fuego, poner el mecanismo de disparar en posición de que no funcione. || **5.** Bajar a uno de una caballería o de otra cosa. Ú. t. c. intr. y c. r. || **6.** Inutilizar al enemigo los montajes de las piezas de artillería.

Desmonte. m. Acción y efecto de desmontar, 1.er art. || **2.** Fragmentos o despojos de lo desmontado. || **3.** Paraje de terreno desmontado. Ú. m. en pl.

Desmoñar. tr. fam. Quitar o descomponer el moño. Ú. t. c. r.

Desmoralización. f. Acción y efecto de desmoralizar o desmoralizarse.

Desmoralizador, ra. adj. Que desmoraliza. Ú. t. c. s.

Desmoralizar. tr. Corromper las costumbres con malos ejemplos o doctrinas perniciosas. Ú. t. c. r.

Desmorecerse. (Del lat. *emŏri,* morir.) r. Perecerse, sentir con violencia una pasión o afecto. || **2.** Perturbarse la respiración por el llanto o la risa excesivos.

Desmoronadizo, za. adj. Que tiene facilidad de desmoronarse.

Desmoronamiento. m. Acción y efecto de desmoronar o desmoronarse.

Desmoronar. (De *des,* 1.er art., y *morón.*) tr. Deshacer y arruinar poco a poco los edificios, y también las aglomeraciones de substancias de más o menos cohesión. Ú. m. c. r. || **2.** r. fig. Venir a menos, irse destruyendo los imperios, los caudales, el crédito, etc.

Desmostarse. r. Perder mosto la uva.

Desmotadera. f. **Desmotadora.** || **2.** Instrumento con que se desmota.

Desmotador, ra. m. y f. Persona que tiene por oficio quitar las motas a la lana o al paño. || **2.** Máquina que sirve para estos fines. || **3.** m. *Germ.* Ladrón que desnuda por fuerza a una persona.

Desmotar. tr. Quitar las motas a la lana o al paño. || **2.** *Germ.* Desnudar por fuerza a alguno.

Desmote. m. Acción y efecto de desmotar, ya sea a mano o por máquina.

Desmovilización. f. Acción y efecto de desmovilizar.

Desmovilizar. tr. Licenciar a las personas o a las tropas movilizadas.

Desmugrar. (De *des,* 1.er art., y *mugre.*) tr. En los batanes, quitar la grasa a los paños.

Desmullir. tr. Descomponer lo mullido.

Desmurador. (De *desmurar,* 2.° art.) m. *Ast.* Gato cazador.

Desmurar. tr. ant. Demoler los muros o murallas de una ciudad, fortaleza o castillo.

Desmurar. (Del lat. *dis,* des, y *mus, muris,* ratón.) tr. *Ast.* Exterminar o ahuyentar los ratones.

Desnacionalizar. tr. Quitar el carácter de nacional. Ú. t. c. r.

Desnarigado, da. p. p. de **Desnarigar.** || **2.** adj. Que no tiene narices o las tiene muy pequeñas. Ú. t. c. s.

Desnarigar. (De *des,* 1.er art., y el lat. vulgar *narix, -icis,* nariz; compárese *narigudo.*) tr. Quitar a uno las narices.

Desnatadora. f. Utensilio que sirve para desnatar, 1.a acep.

Desnatar. tr. Quitar la nata a la leche o a otros líquidos. || **2.** fig. Escoger lo mejor de una cosa. || **3.** *Min.* Quitar la escoria que sobrenada en el metal fundido cuando sale del horno.

Desnaturación. (De *desnaturar.*) f. ant. **Desnaturalización.**

Desnatural. adj. ant. Extraño, violento, no natural.

Desnaturalización. f. Acción y efecto de desnaturalizar o desnaturalizarse.

Desnaturalizado, da. p. p. de **Desnaturalizar.** || **2.** adj. Que falta a los deberes que la naturaleza impone a padres, hijos, hermanos, etc. Ú. t. c. s. || **3.** V. **Alcohol desnaturalizado.**

Desnaturalizar. tr. Privar a uno del derecho de naturaleza y patria; extrañarle de ella. Ú. t. c. r. || **2.** Variar la forma, propiedades o condiciones de una cosa; desfigurarla, pervertirla.

Desnaturamiento. (De *desnaturar.*) m. ant. **Desnaturación.**

Desnaturar. tr. ant. **Desnaturalizar,** 1.a acep. Usáb. t. c. r. || **2.** r. ant. Romper el vasallo los vínculos que le ligaban con su señor natural.

Desnecesario, ria. adj. **Innecesario.**

Desnegamiento. m. Acción y efecto de desnegar o desnegarse.

Desnegar. tr. p. us. Contradecir a uno en lo que dice o propone. || **2.** r. p. us. Desdecirse, retractarse de lo dicho.

Desnervar. (Del lat. *dis,* des, y *nervus,* nervio.) tr. **Enervar.**

Desnerviar. (De *des,* 1.er art., y *nervio.*) tr. ant. **Desnervar.**

Desnevado, da. p. p. de **Desnevar.** || **2.** adj. Dícese del paraje en que suele haber nieve y no la hay.

Desnevar. intr. Deshacerse o derretirse la nieve.

Desnieve. m. Acción y efecto de desnevar.

Desnivel. m. Falta de nivel. || **2.** Diferencia de alturas entre dos o más puntos.

Desnivelación. f. Acción y efecto de desnivelar o desnivelarse.

Desnivelar. tr. Sacar de nivel. Ú. t. c. r.

Desnoblecer. tr. ant. Envilecer, hacer perder la nobleza.

Desnucar. tr. Sacar de su lugar los huesos de la nuca. Ú. t. c. r. || **2.** Causar la muerte a una persona o animal por un golpe en la nuca. Ú. t. c. r.

Desnudador, ra. adj. Que desnuda. Ú. t. c. s.

Desnudamente. adv. m. fig. Claramente, sin velo ni rebozo.

Desnudamiento. m. Acción y efecto de desnudar o desnudarse.

Desnudar. (Del lat. *denudāre.*) tr. Quitar todo el vestido o parte de él. Ú. t. c. r. || **2.** fig. Despojar una cosa de lo que la cubre o adorna. DESNUDAR *los altares, los árboles.* || **3.** r. fig. Desprenderse y apartarse de una cosa. DESNUDARSE *de las pasiones.*

Desnudez. f. Calidad de desnudo.

Desnudismo. m. Práctica de los que andan desnudos, para exponer el cuerpo a los agentes naturales.

Desnudo, da. (De *des,* 1.er art., intens., y el lat. *nudus,* desnudo.) adj. Sin vestido. || **2.** fig. Muy mal vestido e indecente. || **3.** fig. Falto o despojado de lo que cubre o adorna. || **4.** fig. Falto de recursos, sin bienes de fortuna. || **5.** fig. Falto de una cosa no material. DESNUDO *de méritos, de favor.* || **6.** fig. Patente, claro, sin rebozo ni doblez. || **7.** *Bot.* V. **Flor desnuda.** || **8.** m. *Esc.* y *Pint.* Figura humana **desnuda** o cuyas formas se perciben aunque esté vestida. || **Al desnudo.** m. adv. fig. Descubiertamente, a la vista de todos.

Desnutrición. f. *Med.* Depauperación del organismo ocasionada por trastorno de la nutrición y falta de proporción entre lo que asimila y lo que elimina por desasimilación.

Desnutrirse. r. Depauperarse el organismo por trastorno de la nutrición.

Desobedecer. tr. No hacer uno lo que le ordenan las leyes o los superiores.

Desobedecimiento. m. ant. **Desobediencia.**

Desobediencia. f. Acción y efecto de desobedecer.

Desobediente. p. a. de **Desobedecer.** Que desobedece. || **2.** adj. Propenso a desobedecer.

Desobligar. tr. Sacar de la obligación a uno; libertarle de ella. Ú. t. c. r. || **2.** fig. Enajenar el ánimo de uno.

Desobstrucción. f. Acción y efecto de desobstruir.

Desobstruir. tr. Quitar las obstrucciones. || **2.** **Desembarazar,** 1.a y 2.a aceps.

Desocasionado, da. adj. Que está fuera o apartado de la ocasión.

Desocupación. f. Falta de ocupación; ociosidad.

Desocupadamente. adv. m. Libremente, sin embarazo.

Desocupado, da. p. p. de **Desocupar.** || **2.** adj. Sin ocupación, ocioso. Ú. t. c. s.

Desocupar. tr. Desembarazar un lugar, dejarlo libre y sin impedimento. || **2.** Sacar lo que hay dentro de alguna cosa. || **3.** r. Desembarazarse de un negocio u ocupación.

Desodorante. adj. Que destruye los olores molestos o nocivos. Ú. t. c. s.

Desoir. tr. Desatender, dejar de oir.

Desojar. tr. Quebrar o romper el ojo de un instrumento; como de la aguja, la azada, etc. Ú. t. c. r. || **2.** r. fig. Mirar con mucho ahínco para ver o hallar una cosa.

Desolación. (Del lat. *desolatĭo, -ōnis.*) f. Acción y efecto de desolar o desolarse.

Desolador, ra. (De *desolar,* 1.er art.) adj. **Asolador.** || **2.** Que desuela.

Desolar. (Del lat. *desolāre.*) tr. **Asolar,** 1.er art., 1.a acep. || **2.** r. fig. Afligirse, angustiarse con extremo.

Desolazar. tr Quitar el solaz; quitar inquietud o aflicción.

Desoldar. (De *des*, 1.er art., y *soldar*.) tr. Quitar la soldadura. Ú. t. c. r.

Desolladamente. adv. m. Desvergonzadamente, con insolencia y descaro.

Desolladero. m. Sitio destinado para desollar las reses.

Desollado, da. p. p. de **Desollar.** || **2.** adj. fam. Descarado, sin vergüenza. Ú. t. c. s.

Desollador, ra. adj. Que desuella. Ú. t. c. s. || **2.** fig. Que lleva inmoderados derechos o precio exorbitante por una cosa. Ú. t. c. s. || **3.** m. **Alcaudón.**

Desolladura. f. Acción y efecto de desollar o desollarse.

Desollamiento. m. ant. **Desolladura.**

Desollar. (De *desfollar*.) tr. Quitar la piel del cuerpo de un animal o de alguno de sus miembros. Ú. t. c. r. || **2.** fig. Causar a uno grave daño en su persona, honra o hacienda. || **Desollarla.** expr. fig. y fam. **Desollar la zorra.** || **Desollarle a uno vivo.** fr. fig. y fam. Hacerle pagar mucho más de lo justo y razonable por una cosa. || **2.** fig. y fam. Murmurar de él acerbamente.

Desollón. m. fam. **Desolladura.**

Desonce. m. Acción y efecto de desonzar, 1.ª acep.

Desondra. f. ant. **Deshonra.**

Desondrar. (Del lat. *deshonorāre*, deshonrar.) tr. ant. **Deshonrar.**

Desonzar. tr. Descontar una o más onzas en cada libra. || **2.** fig. Injuriar, infamar.

Desopilación. f. Acción y efecto de desopilar o desopilarse.

Desopilar. tr. Curar la opilación. Ú. t. c. r.

Desopilativo, va. adj. *Med.* Dícese del medicamento que tiene la virtud de desopilar. Ú. t. c. s. m.

Desopinado, da. p. p. de **Desopinar.** || **2.** adj. Que ha perdido la buena opinión por culpa propia o malevolencia ajena.

Desopinar. tr. Quitar la buena opinión, desacreditar.

Desopresión. f. Acción y efecto de desoprimir.

Desoprimir. tr. Librar de la opresión y sujeción.

Desorbitar. tr. Hacer que una cosa se salga de su órbita. Ú. t. c. r.

Desorden. m. usado antes también c. f. Confusión y alteración del concierto propio de una cosa. || **2.** Demasía; exceso. || **Una desorden no lleva al hospital, mas dos llevarán.** ref. que indica que un pequeño abuso conduce a otro mayor.

Desordenación. f. **Desorden.**

Desordenadamente. adv. m. Con desorden o confusión; sin regla.

Desordenado, da. p. p. de **Desordenar.** || **2.** adj. Que no tiene orden; que procede sin él. || **3.** Dícese particularmente de lo que sale del orden o ley moral: *pasión, vida* DESORDENADA.

Desordenamiento. m. **Desorden.**

Desordenanza. f. ant. **Desorden.**

Desordenar. tr. Turbar, confundir y alterar el buen concierto de una cosa Ú. t. c. r. || **2.** ant. Degradar a una persona eclesiástica. || **3.** r. Salir de regla, excederse.

Desorejado, da. p. p. de **Desorejar.** || **2.** adj. fig. y fam. Prostituido, infame, abyecto. Aplícase principalmente a las mujeres de mal vivir. Ú. t. c. s.

Desorejamiento. m. Acción y efecto de desorejar.

Desorejar. tr. Cortar las orejas.

Desorganización. f. Acción y efecto de desorganizar o desorganizarse.

Desorganizadamente. adv. m. Sin organización.

Desorganizador, ra. adj. Que desorganiza. Ú. t. c. s.

Desorganizar. tr. Desordenar en sumo grado, cortando o rompiendo las relaciones existentes entre las diferentes partes de un todo. Ú. t. c. r.

Desorientación. f. Acción y efecto de desorientar o desorientarse.

Desorientador, ra. adj. Que desorienta. Ú. t. c. s.

Desorientar. tr. Hacer que una persona pierda la orientación o el conocimiento de la posición que ocupa geográfica o topográficamente. Ú. t. c. r. || **2.** fig. Confundir, ofuscar, extraviar. Ú. t. c. r.

Desorillar. tr. Quitar las orillas al paño o a otro tejido, a un papel, etc.

Desornamentado, da. adj. Privado o carente de adornos u ornamentos.

Desortijado, da. p. p. de **Desortijar.** || **2.** adj. *Veter.* Relajado, dislocado.

Desortijar. tr. *Agr.* Dar los hortelanos con el escardillo la primera labor a las plantas, después de nacidas o trasplantadas.

Desosada. (De *desosar*.) f. *Germ.* **Lengua,** 1.ª acep.

Desosar. (De *des*, 1.er art., y el lat. *os*, hueso.) tr. **Deshuesar.**

Desosegar. tr. desus. **Desasosegar.** Ú. en *Sal.*

Desoterrado, da. p. p. de **Desoterrar.** || **2.** adj. ant. **Insepulto.**

Desoterrar. (De *des*, 1.er art., y *soterrar*.) tr. ant. **Desenterrar,** 1.ª acep.

Desovar. (De *des*, 1.er art., y el lat. *ovum*, huevo.) intr. Soltar las hembras de los peces y las de los anfibios sus huevos o huevas.

Desove. m. Acción y efecto de desovar. || **2.** Época en que desovan las hembras de los peces y anfibios.

Desovillar. tr. Deshacer los ovillos. || **2.** fig. Desenredar y aclarar una cosa que estaba muy obscura y enmarañada. Ú. t. c. r. || **3.** fig. Dar ánimo, quitando el encogimiento y turbación.

Desoxidable. adj. Que puede ser desoxidado.

Desoxidación. f. Acción y efecto de desoxidar o desoxidarse.

Desoxidante. p. a. de **Desoxidar.** Que desoxida o sirve para desoxidar. Ú. t. c. s. m.

Desoxidar. tr. Quitar el oxígeno a una substancia con la cual estaba combinado. Ú. t. c. r. || **2.** Limpiar un metal del óxido que lo mancha.

Desoxigenación. f. Acción y efecto de desoxigenar.

Desoxigenante. p. a de **Desoxigenar.** Que desoxigena. Ú. t. c. s. m.

Desoxigenar. tr. **Desoxidar,** 1.ª acep. Ú. t. c. r.

Despabiladeras. f. pl. Tijeras con que se despabila la luz artificial.

Despabilado, da. p. p. de **Despabilar.** || **2.** adj. Dícese del que está libre de sueño, en especial del que está desvelado en la hora que debía dormir. || **3.** fig. Vivo y despejado.

Despabilador, ra. adj. Que despabila. || **2.** m. El que en los antiguos teatros tenía el oficio de quitar el pabilo a las velas o candiles. || **3.** **Despabiladeras.**

Despabiladura. f. Extremidad del pabilo que se quita de una luz artificial cuando se despabila.

Despabilar. tr. Quitar la pavesa o la parte ya quemada del pabilo o mecha a la luz artificial. || **2.** fig. desus. Cercenar, quitar de una cosa algo que en ella estorba o constituye una imperfección. || **3.** fig. Despachar brevemente, o acabar con presteza. DESPABILAR *la hacienda, la comida.* || **4.** fig. Robar, quitar ocultamente. || **5.** fig. Avivar y ejercitar el entendimiento o el ingenio. Ú. t. c. r. || **6.** fig. y fam. **Matar,** 1.ª acep. || **7.** r. fig. Sacudir el sueño.

Despabilo. (De *despabilar*.) m. ant. **Despabiladura.**

Despacio. (De *de* y *espacio*.) adv. m. Poco a poco, lentamente. || **2.** adv. t. Por tiempo dilatado. || **Con despacio.** m. adv. Con lentitud y detenimiento. Úsase más en Andalucía y algunas partes de América. || **¡Despacio!** interj. que sirve para prevenir a uno que se modere en lo que va hablando, o en lo que va a hacer con audacia, con viveza demasiada o fuera de razón.

Despaciosamente. adv. m. Lentamente, con detenimiento.

Despacioso, sa. adj. **Espacioso,** 2.ª acep.

Despacito. d. de **Despacio.** || **2.** adv. m. fam. Muy poco a poco. || **¡Despacito!** interj. fam. **¡Despacio!**

Despachada. f. desus. En las contadurías de relaciones, el empleo ejercido por una segunda clase de oficiales que no podían rubricar los despachos que ejecutaban y sólo ponían al pie de ellos **despachada.** || **2.** desus. El oficial que servía este empleo.

Despachadamente. adv. m. ant. Con mucha brevedad y ligereza.

Despachaderas. (De *despachar*.) f. pl. fam. Modo sacudido y áspero de responder. || **2.** Facilidad, expedición en el despacho de los negocios, o en salir de dificultades.

Despachado, da. p. p. de **Despachar.** || **2.** adj. fam. **Desfachatado.** || **3.** Dícese del que tiene buen despacho para desempeñar un cometido.

Despachador, ra. adj. Que despacha mucho y brevemente. Ú. t. c. s. || **2.** m. En las minas de América, el operario que llena las vasijas de extracción en las cortaduras.

Despachamiento. (De *despachar*.) m. ant. **Destierro.**

Despachar. tr. Abreviar y concluir un negocio u otra cosa. || **2.** Resolver y determinar las causas y negocios. || **3.** **Enviar,** 1.ª y 2.ª aceps. DESPACHAR *un correo, un propio.* || **4.** Vender los géneros o mercaderías. || **5.** **Despedir,** 3.ª y 7.ª aceps. || **6.** fam. Servir una tienda, acudiendo a presentar a los compradores los géneros que piden. || **7.** fig. y fam. **Matar,** 1.ª acep. || **8.** intr. Darse prisa. Ú. t. c. r. || **9.** fam. Parir la mujer. Ú. t. c. r. || **10.** r. Desembarazarse de una cosa. || **11.** fam. Decir uno cuanto le viene en gana. Ú. m. en la fr. DESPACHARSE uno *a su gusto.*

Despachero, ra. m. y f. *Chile.* Persona que tiene un despacho, 3.ª acep.

Despacho. m. Acción y efecto de despachar. || **2.** Aposento o conjunto de aposentos de una casa destinados para despachar los negocios o para el estudio. || **3.** Tienda o parte del establecimiento donde se venden determinados efectos. || **4.** Cualquiera de las comunicaciones escritas entre el gobierno de una nación y sus representantes en las potencias extranjeras. || **5.** Expediente, resolución, determinación. || **6.** Cédula, título o comisión que se da a uno para algún empleo o negocio. || **7.** Comunicación transmitida por telégrafo o por teléfono. || **8.** En las minas de América, el ensanche contiguo a las cortaduras. || **9.** V. **Secretario del Despacho.** || **universal.** El de los negocios correspondientes al Ministerio de Estado. || **Correr los despachos.** fr. Darles curso sin retardarlos. || **Tener uno buen despacho.** fr. Ser hábil y expedito para desempeñar los asuntos de que se encarga.

Despachurrado, da. p. p. de **Despachurrar.** || **2.** adj. desus. Decíase de la persona ridícula y despreciable.

Despachurramiento. m. Acción y efecto de despachurrar.

Despachurrar. (De *despanchurrar*.) tr. fam. Aplastar una cosa despedazándola, estrujándola o apretándola con fuerza. Ú. t. c. r. || **2.** fig. y fam. Desconcertar o embrollar uno lo que va hablando, por su mala explicación. || **3.** fig. y fam. Dejar a uno cortado sin tener que replicar.

Despachurro. m. Acción de despachurrar.

Despagado, da. p. p. de **Despagar.** || **2.** adj. desus. Enemigo, adversario. Usáb. t. c. s.

Despagamiento. (De *despagar.*) m. desus. Descontento, disgusto.

Despagar. tr. desus. Descontentar, disgustar. Usáb. m. c. r.

Despajador, ra. adj. Aplícase a la persona que despaja. Ú. m. c. s.

Despajadura. f. Acción y efecto de despajar.

Despajar. tr. Apartar la paja del grano. || **2.** *Min.* fig. Cribar a mano tierras y desechos para obtener las partes de mineral que hay en ellas.

Despajo. m. **Despajadura.**

Despaladinar. (De *des,* intens., y *palatino.*) tr. ant. Declarar o explicar.

Despaldar. (De *de* y *espalda.*) tr. **Desespaldar.** Ú. t. c. r.

Despaldilladura. f. Acción y efecto de despaldillar o despaldillarse.

Despaldillar. tr. Desconcertar o romper la espaldilla a un animal. Ú. t. c. r.

Despaletillar. tr. **Despaldillar.** Ú. t. c. r. || **2.** fig. y fam. Magullar a golpes las espaldas. Ú. t. c. r.

Despalillado, da. p. p. de **Despalillar.** || **2.** m. Acción y efecto de despalillar.

Despalillador, ra. m. y f. Persona que despalilla.

Despalillar. tr. Quitar los palillos o venas gruesas de la hoja del tabaco antes de torcerlo o picarlo. || **2.** Quitar los palillos a las pasas o el escobajo a la uva.

Despalmador. m. Sitio donde se despalman las embarcaciones. || **2.** *Veter.* Cuchillo corvo, de forma parecida al pujavante, de que usan los herradores para despalmar.

Despalmadura. f. Acción y efecto de despalmar, 3.ª acep. || **2.** Desperdicio de los cascos de los animales cuadrúpedos. Ú. m. en pl.

Despalmante. p. a. de **Despalmar.** Que despalma. || **2.** m. *Germ.* El que quita por fuerza alguna cosa.

Despalmar. tr. Limpiar y dar sebo a los fondos de las embarcaciones que no están forradas en cobre. || **2.** p. us. En carpintería, **achaflanar.** || **3.** Separar los herradores la palma córnea de la carnosa de los animales. || **4.** Arrancar el césped o grama. || **5.** *Germ.* Quitar por fuerza.

Despalme. m. Acción de despalmar, 3.ª acep. || **2.** Corte dado en el tronco de un árbol para derribarlo.

Despampanador, ra. m. y f. *Agr.* Persona que despampana.

Despampanadura. f. *Agr.* Acción y efecto de despampanar.

Despampanante. p. a. de **Despampanar,** 3.ª acep. Que despampana.

Despampanar. tr. *Agr.* Quitar los pámpanos a las vides para atajar el mucho vicio. || **2.** *Agr.* **Despimpollar.** || **3.** fig. y fam. Desconcertar, dejar atónita a una persona. || **4.** intr. fig. y fam. Desahogarse uno diciendo con libertad lo que siente. || **5.** r. fam. Lastimarse gravemente de resultas de un golpe o caída.

Despampanillar. tr. *Agr.* Despampanar las vides.

Despámpano. m. *Agr.* **Despampanadura.**

Despamplonar. (De *des,* 1.er art., y *pámpano.*) tr. *Agr.* Esparcir o apartar los vástagos de la vid o de otra planta cuando están muy juntos. || **2.** r. fig. Dislocarse o desgobernarse la mano.

Despanar. (De *des,* 1.er art., y *pan,* trigo.) tr. *Extr.* Levantar y sacar las mieses de las hazas después de segadas.

Despancar. tr. *Amér.* Separar la panca de la mazorca del maíz.

Despancijar. (De *des,* 1.er art., y *panza.*) r. fam. **Despanzurrar.** Ú. t. c. r.

Despanchurrar. (De *des,* 1.er art., y *pancho,* 2.º art.) tr. **Despachurrar.**

Despanzurrar. tr. fam. Romper a uno la panza. Ú. t. c. r.

Despapar. (De *des,* 1.er art., y *papo.*) intr. *Equit.* Llevar el caballo la cabeza demasiadamente levantada. Ú. t. c. tr.

Despapucho. m. *Perú.* Disparate, sandez.

Desparado, da. (Del lat. *disparātus.*) adj. ant. Diferente, diverso.

Desparar. (Del lat. *disparāre,* separar.) tr. ant. Descomponer o desconcertar lo que estaba dispuesto. || **2.** ant. **Prorrumpir.**

Desparcimiento. m. ant. **Esparcimiento.**

Desparcir. tr. ant. **Esparcir.** Usáb. t. c. r.

Desparear. tr. ant. Separar, apartar o desigualar.

Desparecer. intr. **Desaparecer.** Ú. t. c. r. || **2.** tr. p. us. Hacer desaparecer, ocultar, esconder. || **3.** r. ant. No parecerse, ser desemejante una cosa de otra.

Desparedar. tr. Quitar las paredes o tapias.

Desparejar. tr. Deshacer una pareja. Ú. t. c. r.

Desparejo, ja. adj. **Dispar.**

Desparpajado, da. p. p. de **Desparpajar.** || **2.** adj. Dícese de la persona despachada y desenvuelta.

Desparpajar. (Del lat. *disparpaliāre,* destrozar.) tr. Deshacer y desbaratar una cosa con desaliño y poco aseo. || **2.** intr. fam. Hablar mucho y sin concierto. Ú. t. c. r.

Desparpajo. m. fam. Suma facilidad y desembarazo en el hablar o en las acciones. || **2.** fam. *Amér. Central.* Desorden, desbarajuste.

Desparramado, da. p. p. de **Desparramar.** || **2.** adj. Ancho, abierto.

Desparramador, ra. adj. Que desparrama. Ú. t. c. s.

Desparramamiento. m. Acción y efecto de desparramar o desparramarse.

Desparramar. (En cat. *esparramar.*) tr. Esparcir, extender por muchas partes lo que estaba junto. || **2.** fig. Disipar la hacienda, malbaratarla, malgastarla. || **3.** r. Distraerse, divertirse desordenadamente.

Desparramo. m. *Argent., Cuba* y *Chile.* Acción y efecto de desparramar. || **2.** fig. *Chile.* Desbarajuste, desconcierto.

Desparrancado, da. adj. desus. **Esparrancado.**

Desparrancarse. r. **Esparrancarse.**

Despartidero. m. *Ar.* Sitio donde se bifurca un camino.

Despartidor, ra. adj. Que desparte. Ú. t. c. s.

Despartimiento. m. Acción y efecto de despartir.

Despartir. (Del lat. *dispartīre.*) tr. Separar, apartar, dividir. || **2.** Poner paz entre los que riñen.

Desparvar. tr. Levantar la parva, amontonando la mies trillada, para aventarla.

Despasar. tr. Retirar una cinta, cordón, etc., que se había pasado o corrido por un ojal, jareta, etc. || **2.** *Mar.* **Desguarnir,** 2.ª acep.

Despasmarse. r. ant. Recobrarse, volver sobre sí de la suspensión o del susto o pasmo.

Despatarrada. f. fam. Cierta mudanza en algunos bailes, como el villano, la gallegada, etc., que se ejecuta abriendo las piernas desmesuradamente y como despatarrándose. || **Hacer uno la despatarrada.** fr. fig. y fam. Afectar una enfermedad, dolor o accidente, tendiéndose en el suelo.

Despatarrar. tr. fam. Abrir excesivamente las piernas a uno. Ú. t. c. r. || **2.** fam. Llenar de miedo, asombro o espanto. Ú. principalmente en las frases *Dejar* a uno, o *quedarse,* DESPATARRADO. || **3.** r. Caerse al suelo, abierto de piernas.

Despatillado, da. p. p. de **Despatillar.** || **2.** m. Corte o rebajo que se hace en el extremo de una pieza de madera.

Despatillar. tr. Cortar en los maderos los rebajos necesarios para que puedan entrar en las muescas. || **2.** Cortar o afeitar las patillas. || **3.** Quitar las patas o patillas a las rejas, balcones y otras construcciones de hierro. || **4.** *Mar.* p. us. Refiriéndose al ancla de los barcos, arrancarle un brazo a fuerza de cabrestante, o al virar o tirar del cable por estar enganchada una uña.

Despavesaderas. f. pl. **Despabiladeras.**

Despavesadura. f. Acción y efecto de despavesar.

Despavesar. tr. **Despabilar,** 1.ª acep. || **2.** Quitar, soplando, la ceniza de la superficie de las brasas.

Despavonar. tr. Quitar el pavón con que se ha cubierto una superficie de hierro o acero.

Despavoridamente. adv. m. Con pavor.

Despavorido, da. p. p. de **Despavorir.** || **2.** adj. Lleno de pavor.

Despavorir. (Del lat. **expavorīre,* de *pavor, -ōris.*) intr. Sentir pavor. Ú. t. c. r.

Despeadura. f. Acción y efecto de despearse.

Despeamiento. m. **Despeadura.**

Despearse. (Del lat. *dis,* des, y *pes, pedis,* pie.) r. Maltratarse los pies el hombre o el animal, por haber caminado mucho.

Despecio. m. ant. **Dispendio.**

Despectivamente. adv. m. Con desprecio.

Despectivo, va. (Del lat. *despectus,* desprecio.) adj. **Despreciativo.** || **2.** *Gram.* Aplícase a la palabra que echa a mala parte la significación del positivo de que procede; v. gr.: *libraco, villorrio, poetastro, calducho.*

Despechadamente. adv. m. Con despecho.

Despechador. (De *despechar,* 3.er art.) m. desus. El que carga demasiados pechos o tributos.

Despechamiento. (De *despechar,* 1.er art.) m. desus. **Despecho.**

Despechar. (De *despecho,* 1.er art.) tr. Dar pesar, causar indignación, furor o desesperación.

Despechar. (De *des,* 1.er art., y *pecho,* 1.er art.) tr. fam. Destetar a los niños.

Despechar. (De *des,* intens., y *pecho,* 2.º art.) tr. desus. Imponer tributos excesivos.

Despecho. (Del lat. *despectus,* menosprecio.) m. Malquerencia nacida en el ánimo por desengaños sufridos en la consecución de nuestros deseos o en los empeños de nuestra vanidad. || **2. Desesperación.** || **3.** desus. Disgusto o sentimiento vehemente. || **4.** desus. Rigor, aspereza. *Las inclemencias y* DESPECHO *de la noche.* || **A despecho.** m. adv. A pesar de alguno; contra su gusto y voluntad.

Despecho. m. fam. **Destete.**

Despechoso, sa. (De *despecho,* 1.er art.) adj. ant. Despechado, indignado, furioso.

Despechugadura. f. Acción y efecto de despechugar o despechugarse.

Despechugar. tr. Quitar la pechuga a una ave. || **2.** r. fig. y fam. Mostrar o manifestar el pecho, traerlo descubierto.

Despedazador, ra. adj. Que despedaza. Ú. t. c. s.

Despedazadura. f. ant. **Despedazamiento.**

Despedazamiento. m. Acción y efecto de despedazar o despedazarse.

Despedazar. tr. Hacer pedazos un cuerpo, dividiéndolo en partes sin orden ni concierto. Ú. t. c. r. || **2.** fig. Maltratar y destruir algunas cosas no materiales. DESPEDAZAR *el alma, la honra.*

Despedida. f. Acción y efecto de despedir a uno o despedirsse. || **2.** En ciertos cantos populares, la copla final en que el cantor se despide.

Despediente. m. ant. **Expediente,** 4.ª acep.

Despedimiento. m. **Despedida.**

Despedir. (De *de* y *espedir.*) tr. Soltar, desprender, arrojar una cosa. DESPEDIR *el dardo, la lanza, la piedra.* || **2.** Hablando de costas, cabos y puntas, extender éstos hacia el mar algún arrecife, placer, etc. || **3.** Alejar de sí a uno, prescindiendo de sus servicios. DESPEDIR *al criado, las tropas.* || **4.** Acompañar durante algún rato por obsequio al que sale de una casa o un pueblo, o emprende un viaje. || **5.** fig. Apartar o arrojar de sí una cosa no material. || **6.** fig. Difundir o esparcir. DESPEDIR *olor, rayos de luz.* || **7.** Apartar uno de sí a la persona que le es gravosa o molesta. || **8.** r. Hacer o decir alguna expresión de afecto o cortesanía para separarse una persona de otra u otras.

Despedrar. tr. **Despedregar.** || **2.** vulg. **Desempedrar.**

Despedregar. tr. Limpiar de piedras la tierra.

Despegable. adj. Que se puede despegar.

Despegadamente. adv. m. Con despego.

Despegado, da. p. p. de **Despegar.** || **2.** adj. fig. y fam. Áspero o desabrido en el trato.

Despegador, ra. adj. Que despega. Ú. t. c. s.

Despegadura. f. Acción y efecto de despegar o despegarse.

Despegamiento. (De *despegar.*) m. **Desapego.**

Despegar. tr. Apartar, desasir y desprender una cosa de otra a que estaba pegada o junta. || **2.** intr. Separarse del suelo o del agua el avión al iniciar el vuelo. || **3.** r. fig. **Desapegar,** 2.ª acep. || **4.** fig. Caer mal, desdecir, no corresponder una cosa con otra.

Despego. (De *despegar.*) m. **Desapego.**

Despegue. m. Acción y efecto de despegar, 2.ª acep.

Despeinar. tr. Deshacer el peinado. Ú. t. c. r. || **2.** Descomponer, enmarañar el pelo.

Despejadamente. adv. m. Con despejo.

Despejado, da. p. p. de **Despejar.** || **2.** adj. Que tiene desembarazo y soltura en su trato. || **3.** Aplícase al entendimiento o ingenio claro y desembarazado, y a la persona que lo tiene. || **4.** Espacioso, dilatado, ancho. *Frente* DESPEJADA, *plaza* DESPEJADA.

Despejar. (De *de* y *espejar.*) tr. Desembarazar o desocupar un sitio o espacio. || **2.** fig. **Aclarar,** 8.ª acep. DESPEJAR *la situación.* || **3.** *Álg.* Separar por medio del cálculo una incógnita, de las otras cantidades que la acompañan en una ecuación. || **4.** r. Adquirir o mostrar soltura y esparcimiento en el trato. || **5.** desus. Divertirse, esparcirse. || **6.** Hablando del día, del cielo, del tiempo, etc., aclararse, serenarse. || **7.** Limpiarse de calentura un enfermo.

Despejo. m. Acción y efecto de despejar o despejarse. || **2.** Acto de despejar de gente la arena antes de comenzar la corrida de toros. || **3.** Desembarazo, soltura en el trato o en las acciones. || **4.** Claro entendimiento, talento.

Despelotar. (De *des,* 1.er art., y *pelote.*) tr. desus. Desgreñar, enmarañar y descomponer el pelo. || **2.** ant. Desplumar una ave a otra.

Despelotar. tr. *Gran.* Hacer que una persona se desarrolle favorablemente. Dícese más hablando de los niños. || **2.** r. Desarrollarse, crecer, engordar los niños.

Despeluzamiento. m. Acción y efecto de despeluzar o despeluzarse.

Despeluzar. tr. Descomponer, desordenar el pelo de la cabeza, de la felpa, etc. || **2.** Erizar el cabello, generalmente por horror o miedo. Ú. m. c. r.

Despeluznante. p. a. de **Despeluznar.** Que despeluzna. || **2.** adj. Pavoroso, horrible.

Despeluznar. tr. **Despeluzar.**

Despeluzo. m. ant. **Despeluzamiento.**

Despellejadura. f. **Desolladura.**

Despellejar. tr. Quitar el pellejo, desollar. || **2.** fig. Murmurar muy malamente de uno.

Despenador, ra. (De *despenar.*) adj. Que quita las penas. Ú. t. c. s.

Despenar. tr. Sacar a uno de pena. || **2.** fig. y fam. **Matar,** 1.ª acep.

Despendedor, ra. (De *despender.*) adj. Que gasta con exceso, malbaratando y disipando la hacienda. Ú. t. c. s.

Despender. (Del lat. *dispendĕre.*) tr. Gastar la hacienda, el dinero u otra cosa. || **2.** fig. Emplear, gastar una cosa; como el tiempo, la vida, etc.

Despenolar. tr. *Mar.* Romper a la verga alguno de sus penoles.

Despensa. (Del lat. *dispensus,* administrado, aprovisionado.) f. Lugar o sitio de la casa, de la nave, etc., en el cual se guardan las cosas comestibles. || **2.** Provisión de comestibles. || **3.** Oficio de despensero o administrador de la **despensa.** || **4.** Ajuste de cebada y paja, que se hace para todo el año, por no poderlas o no quererlas tener en casa. || **5.** desus. Conjunto de cosas que el despensero o comprador trae para el gasto diario de la comida. || **6.** ant. Acción y efecto de despender, distribuir o repartir. || **7.** *Méj.* Lugar bien asegurado que se destina en las minas para guardar los minerales ricos. || **8.** pl. ant. **Expensas.**

Despensería. f. Oficio u ocupación de despensero.

Despensero, ra. m. y f. Persona que tiene el cargo de la despensa. || **2.** Persona dispensadora o distribuidora de los bienes que se han entregado para este fin. || **3.** m. ant. **Despensero mayor.** || **mayor. Veedor de vianda.**

Despenseta. f. ant. d. de **Despensa.**

Despeñadamente. adv. m. Precipitada y arrojadamente.

Despeñadero, ra. adj. Dícese de lo que es a propósito para despeñar a uno o despeñarse. || **2.** m. Precipicio, lugar o sitio alto, peñascoso y escarpado. || **3.** fig. Riesgo o peligro a que uno se expone.

Despeñadizo, za. adj. Dícese del lugar que es a propósito para despeñarse.

Despeñadura. f. ant. **Despeño.**

Despeñamiento. m. **Despeño.**

Despeñar. (De *des,* 1.er art., y *peña.*) tr. Precipitar y arrojar a una persona o cosa desde un lugar alto y peñascoso, o desde una eminencia aunque no tenga peñascos. Ú. t. c. r. || **2.** r. fig. Precipitarse, desenfrenarse y entregarse ciegamente a pasiones, vicios o maldades.

Despeño. m. Acción y efecto de despeñar o despeñarse. || **2.** Desconcierto, flujo de vientre o diarrea. || **3.** fig. Caída precipitada. || **4.** fig. Ruina y perdición.

Despeo. m. **Despeadura.**

Despepitado, da. p. p. de **Despepitar** o **despepitarse.** || **2.** m. desus. Arcabucero de a caballo, empleado en el servicio de corredor o explorador.

Despepitador. m. desus. **Despepitado,** 2.ª acep.

Despepitar. (De *des,* 1.er art., y *pepita,* 2.° art.) tr. Quitar las pepitas o semillas de algún fruto; como del algodón, del melón, etc.

Despepitarse. (De *des,* 1.er art., y *pepita,* 1.er art.) r. Hablar o gritar con vehemencia o con enojo. || **2.** fig. Arrojarse sin consideración, hablando u obrando descomedidamente. || **Despepitarse** uno **por** una cosa. fr. fig. y fam. Mostrar vehemente afición a ella.

Desperación. (Del lat. *desperatio, -ōnis.*) f. ant. **Desesperación.**

Desperanza. (De *desperar.*) f. ant. Falta de esperanza.

Desperar. (Del lat. *desperāre.*) intr. ant. **Desesperar.** Usáb. t. c. r.

Despercudir. tr. Limpiar o lavar lo que está percudido.

Desperdiciadamente. adv. m. Con desperdicio.

Desperdiciado, da. p. p. de **Desperdiciar.** || **2.** adj. **Desperdiciador.** Ú. t. c. s.

Desperdiciador, ra. adj. Que desperdicia. Ú. t. c. s.

Desperdiciadura. f. ant. **Desperdicio.**

Desperdiciamiento. (De *desperdiciar.*) m. desus. **Desperdicio.**

Desperdiciar. (Del lat. *disperditio,* de *disperdĕre,* consumir, derrochar.) tr. Malbaratar, gastar o emplear mal una cosa; como el dinero, la comida, etc. || **2.** No aprovechar debidamente una cosa. DESPERDICIAR *la ocasión, el tiempo.*

Desperdicio. (De *desperdiciar.*) m. Derroche de la hacienda o de otra cosa. || **2.** Residuo de lo que no se puede o no es fácil aprovechar o se deja de utilizar por descuido. || **No tener desperdicio** una cosa, o persona. fr. Ser muy útil, de mucho provecho.

Desperdigamiento. m. Acción y efecto de desperdigar o desperdigarse.

Desperdigar. (Del lat. *disperdĕre.*) tr. Separar, desunir, esparcir. Ú. t. c. r.

Desperecer. intr. ant. **Perecer,** 1.ª acep. || **2.** r. Consumirse, deshacerse por el logro de una cosa.

Desperezarse. (De *de* y *esperezarse.*) r. Extender y estirar los miembros, para sacudir la pereza o librarse del entumecimiento.

Desperezo. m. Acción de desperezarse.

Desperfecto. m. Leve deterioro. || **2.** Falta que desvirtúa algún tanto el valor y utilidad de las cosas o deslustra su buena apariencia.

Desperfilar. tr. p. us. *Pint.* Suavizar los contornos de los objetos de un cuadro, uniéndolos con el ambiente del mismo, para que no aparezcan a la vista con sequedad y dureza. || **2.** *Mil.* Alterar y disimular los perfiles de las obras de fortificación, para que a distancia no pueda el enemigo formar juicio exacto de su estructura. || **3.** r. Perder una cosa la postura de perfil.

Desperfollar. (De *des,* 1.er art., y *perfolla.*) tr. *Murc.* Deshojar las panochas de maíz.

Despernada. f. Cierta mudanza en el baile del villano y otros, que se hacía con salto elevado y cayendo con las piernas abiertas.

Despernado, da. p. p. de **Despernar.** || **2.** adj. fig. Cansado, fatigado y harto de andar.

Despernancado, da. adj. desus. **Esparrancado.**

Despernancarse. r. desus. Esparrancarse, despatarrarse. Ú. en *Gal., Sal.* y *Amér.*

Despernar. tr. Cortar o estropear las piernas.

Despertador, ra. adj. Que despierta. || **2.** m. y f. Persona que tiene el cuidado de despertar a otras. || **3.** m. Reloj que, a la hora en que previamente se le dispuso, hace sonar una campana o timbre, para despertar al que duerme o dar otro aviso. || **4.** Aparato que en las lámparas de los faros previene a los torreros que no sube el aceite a los mecheros. || **5.** Aviso, estímulo; aquello que hace despertar, en sentido figurado.

Despertamiento. m. Acción y efecto de despertar o despertarse.

Despertante. p. a. de **Despertar.** Que despierta.

Despertar. (De *despierto.*) tr. Cortar, interrumpir el sueño al que está durmiendo. Ú. t. c. r. || **2.** fig. Renovar o traer a la memoria una cosa ya olvidada. || **3.** fig. Hacer que uno vuelva sobre sí o recapacite. || **4.** fig. Mover, excitar. DESPERTAR *el apetito.* || **5.** intr. Recordar del sueño, dejar de dormir. || **6.** fig. Hacerse más advertido, avisado y entendido el que antes era rudo, abobado o simple. || **Despertar a quien duerme.** fr. fig. Suscitar especies con que uno se mueva a hacer o decir lo que no pensaba.

Desperteza. (De *de* y *esperteza.*) f. ant. Previsión, conocimiento.

Despesa. (De *despesar,* 2.° art.) f. ant. Dispendio, gasto.

Despesar. m. Disgusto, pesar.

Despesar. (Del lat. *dispensāre,* administrar.) tr. ant. **Expender.**

Despestañar. tr. Quitar o arrancar las pestañas. || **2.** r. fig. **Desojar,** 2.ª acep. || **3.** fig. desus. Quemarse uno las cejas, estudiar con ahínco. Ú. en la *Argent.* || **4.** fig. desus. Desvelarse, poner gran cuidado y aplicación en alguna cosa.

Despezar. (De *des,* 1.er art., y *pieza.*) tr. Adelgazar por un extremo un tubo de fontanería o de otra clase, haciendo rebajo para que cómodamente se pueda enchufar en otro. || **2.** *Arq.* Dividir los muros, arcos o bóvedas de sillería que componen un edificio, en las diferentes piezas que entran en su ejecución.

Despezo. (De *despezar.*) m. En fontanería y otras artes mecánicas, rebajo que se hace al extremo de un tubo para enchufarlo en otro. || **2.** *Arq.* **Despiezo.** || **3.** *Cant.* Corte por donde las piedras se unen unas con otras. || **4.** *Carp.* **Zoquete,** 1.ª acep.

Despezonar. tr. Quitar el pezón a algunas cosas; como a los limones, limas, etc. || **2.** fig. Separar, arrancar una cosa de otra violentamente. || **3.** r. Quebrarse el pezón o pezonera a algunas cosas; como a la fruta, al coche, etc.

Despezuñarse. r. Inutilizarse a un animal la pezuña. || **2.** fig. *Colomb., Chile, Hond.* y *P. Rico.* Caminar muy de prisa. || **3.** fig. *Colomb., Chile, Hond.* y *P. Rico.* Desvivirse, poner mucho empeño en algo.

Despiadadamente. adv. m. Inhumanamente, sin piedad.

Despiadado, da. adj. Impío, inhumano.

Despicar. (De *des,* 1.er art., y *picar.*) tr. Desahogar, satisfacer. || **2.** r. Satisfacerse, vengarse de la ofensa o pique.

Despicarazar. tr. *Extr.* Empezar los pájaros a picar los higos.

Despicarse. (De *des,* 1.er art., y *pico.*) r. *Argent.* Perder el gallo de pelea la parte más aguda del pico.

Despichar. (De *de* y *espichar.*) tr. Despedir de sí el humor o humedad. || **2.** *And.* **Descobajar.** || **3.** intr. fam. Espichar, morir.

Despidida. (De *despedir.*) f. *Ar.* Salida, desaguadero.

Despidiente. p. a. desus. de **Despedir.** || **2.** m. *Albañ.* Palo que ponen los revocadores en sus andamios colgados para mantenerlos separados de la pared. || **de agua.** Todo aquello que separa o despide el agua llovediza lejos de algún cuerpo, o impide que se introduzca en alguna parte. || **2. Vierteaguas.**

Despido. m. **Despedida,** 1.ª acep.

Despiertamente. adv. m. Con ingenio y viveza.

Despierto, ta. (Del lat. **experctus,* por *experrectus.*) p. p. irreg. de **Despertar.** || **2.** adj. fig. Avisado, advertido, vivo.

Despiezar. tr. *Arq.* **Despezar,** 2.ª acep.

Despiezo. m. *Arq.* Acción y efecto de despiezar.

Despilaramiento. m. *Amér. Min.* Acción y efecto de despilarar.

Despilarar. tr. *Amér. Min.* Derribar los pilares de una mina.

Despilfarradamente. adv. m. Con despilfarro.

Despilfarrado, da. p. p. de **Despilfarrar.** || **2.** adj. Desharrapado, roto, andrajoso. Ú. t. c. s. || **3.** Pródigo, derrochador. Ú. t. c. s.

Despilfarrador, ra. adj. Que despilfarra. Ú. t. c. s.

Despilfarrar. (En cat. *espilfarrar.*) tr. Consumir el caudal en gastos desarreglados; malgastar, malbaratar. || **2.** r. fam. Gastar profusamente en alguna ocasión.

Despilfarro. (De *despilfarrar.*) m. Destrozo de la ropa u otras cosas, por desidia o desaseo. || **2.** Gasto excesivo y superfluo; derroche.

Despimpollar. (De *des,* 1.er art., y *pimpollo.*) tr. *Agr.* Quitar a la vid los brotes viciosos o excesivos, dejando a la planta la carga que buenamente pueda llevar.

Despinces. m. pl. **Despinzas.**

Despinochar. tr. Quitar las hojas a las mazorcas de maíz.

Despintar. tr. Borrar o raer lo pintado. Ú. t. c. r. || **2.** fig. Desfigurar y desvanecer un asunto o cosa, haciendo que resulte al contrario de lo que se esperaba. || **3.** intr. fig. Desdecir, degenerar. *Froilán no* DESPINTA *de su casta.* || **4.** r. Borrarse fácilmente los colores de que están teñidas las cosas. || **No despintársele** a uno una persona o cosa. fr. fig. y fam. Conservar con viveza el recuerdo de su figura o aspecto.

Despinte. m. *Chile. Min.* Porción de mineral de ley inferior a la que se espera o le corresponde.

Despinzadera. f. Mujer que quita las motas al paño. || **2.** Instrumento de hierro que se usa para despinzar los paños.

Despinzado, da. p. p. de **Despinzar.** || **2.** m. Acción y efecto de despinzar.

Despinzador, ra. adj. Dícese de la persona que despinza.

Despinzar. tr. Quitar con pinzas las motas y pelos a los paños, pieles y otras cosas semejantes.

Despinzas. f. pl. Pinzas para despinzar los paños.

Despiojador. m. Aparato o procedimiento empleado para limpiar de parásitos a las aves y otros animales domésticos.

Despiojar. tr. Quitar los piojos. Ú. t. c. r. || **2.** fig. y fam. Sacar a uno de miseria. Ú. t. c. r.

Despioje. m. Acción y efecto de despiojar o despiojarse.

Despique. (De *despicar.*) m. Satisfacción que se toma de una ofensa o desprecio que se ha recibido y cuya memoria se conservaba con rencor.

Despiritado, da. adj. ant. Que carece de espíritu.

Despistar. tr. Hacer perder la pista. Ú. t. c. r.

Despitorrado. (De *des,* 1.er art., y *pitorro.*) adj. Dícese del toro de lidia que tiene rota una o las dos astas, siempre que quede en ellas punta.

Despizcar. tr. Hacer pizcas una cosa. Ú. t. c. r. || **2.** r. fig. Deshacerse, poniendo mucho cuidado y conato en una cosa.

Desplacer. (De *des,* 1.er art., y *placer.*) m. Pena, desazón, disgusto.

Desplacer. (Del lat. *dis,* des, y *placēre,* agradar.) tr. Disgustar, desazonar, desagradar.

Desplacible. (De *des,* 1.er art., y *placible.*) adj. ant. **Desapacible.**

Displaciente. p. a. de **Desplacer.** Que desplace.

Desplanar. (Del lat. *displanāre.*) tr. ant. **Explicar,** 1.ª y 2.ª aceps.

Desplanchar. tr. Arrugar lo planchado. Ú. t. c. r.

Desplantación. (De *desplantar.*) f. **Desarraigo.**

Desplantador, ra. adj. Que desplanta. Ú. t. c. s. || **2.** m. *Agr.* Instrumento que sirve para arrancar plantas con su cepellón para trasplantarlas.

Desplantar. tr. ant. **Desarraigar,** 1.ª acep. || **2.** Desviar una cosa de la línea de la plomada. Ú. t. c. r. || **3.** r. *Danza* y *Esgr.* Perder la planta o postura recta.

Desplante. (De *desplantar.*) m. *Danza* y *Esgr.* Postura irregular. || **2.** fig. Dicho o acto lleno de arrogancia, descaro o desabrimiento.

Desplatación. f. **Despiate.**

Desplatar. tr. Separar la plata que se halla mezclada con otro metal.

Desplate. m. Acción y efecto de desplatar.

Desplayar. (De *des,* 1.er art., y *playa.*) tr. ant. **Explayar.** || **2.** intr. Retirarse el mar de la playa, como acontece en las mareas.

Desplazamiento. m. Acción y efecto de desplazar, 1.ª acep. || **2.** *Mar.* Espacio que ocupa en el agua el casco de un buque hasta su línea de flotación; volumen y peso del agua que desaloja.

Desplazar. (De *des,* 1.er art., y *plaza.*) tr. Quitar a una persona o cosa de un lugar para ponerla en otro. || **2.** *Mar.* Desalojar el buque un volumen de agua igual al de la parte de su casco sumergida, y cuyo peso es igual al peso total del buque. Dícese también de cualquier otro cuerpo sumergido en un líquido.

Desplegadamente. adv. m. ant. Abierta y expresamente.

Desplegadura. f. Acción y efecto de desplegar o desplegarse.

Desplegar. (Del lat. *explicāre,* desplegar.) tr. Desdoblar, extender lo que está plegado. Ú. t. c. r. || **2.** fig. Aclarar y hacer patente lo que estaba obscuro o poco inteligible. || **3.** fig. Ejercitar, poner en práctica una actividad o manifestar una cualidad. DESPLEGÓ *tino e imparcialidad.* || **4.** *Mil.* Hacer pasar las tropas del orden cerrado al abierto y extendido; como del de columna al de batalla, del de batalla al de guerrilla, etc. Ú. t. c. r.

Desplego. (De *desplegar.*) m. desus. Claridad, ingenuidad sin rebozo, en la expresión o declaración de algo.

Despleguetear. tr. *Agr.* Quitar los pleguetes a los sarmientos, para que el fruto abunde.

Despliegue. m. Acción y efecto de desplegar. Ú. principalmente en la táctica militar.

Desplomar. (De *des,* 1.er art., y *plomo.*) tr. Hacer que una pared, un edificio u otra cosa, pierda la posición vertical. || **2.** r. Perder la posición vertical una cosa, especialmente un edificio. || **3.** Caerse una pared por pérdida de su posición vertical o por vicio de su cimiento. || **4.** fig. Caer a plomo una cosa de gran peso. || **5.** fig. Caerse sin vida o sin conocimiento una persona. || **6.** fig. Arruinarse, perderse. *Su trono se* DESPLOMA.

Desplome. m. Acción y efecto de desplomar o desplomarse. || **2.** *Arq.* Lo que sobresale de la línea de aplomo. || **3.** *Perú.* Sistema antiguo de explotar minas, que consiste en socavar parte del filón hasta que se cae por su propio peso.

Desplomo. (De *desplomar.*) m. Desviación de la posición vertical en un edificio, una pared, etc.
Desplumadura. f. Acción de desplumar o desplumarse.
Desplumar. tr. Quitar las plumas al ave. Ú. t. c. r. || **2.** fig. **Pelar,** 5.ª y 6.ª aceps.
Desplume. m. **Desplumadura.**
Despoblación. (De *despoblar.*) f. Falta total o parcial de la gente que poblaba un lugar.
Despoblada. (De *despoblar.*) f. ant. **Despoblación.**
Despoblado. m. Desierto, yermo o sitio no poblado, y especialmente el que en otro tiempo ha tenido población. || **2.** *For.* Circunstancia agravante, de apreciación potestativa, más indicada cuando la soledad se busca o aprovecha de propósito. || **Cuando fueres por despoblado, non fagas desaguisado; porque cuando fueres por poblado, irás a lo vezado.** ref. que enseña que ni aun en lo oculto se deben hacer acciones malas, porque la costumbre suele arrastrar a ejecutarlas en público o con descaro.
Despoblador, ra. adj. Que despuebla. Ú. t. c. s.
Despoblamiento. m. ant. **Despoblación.**
Despoblar. tr. Reducir a yermo y desierto lo que estaba habitado, o hacer que disminuya considerablemente la población de un lugar. Ú. t. c. r. || **2.** fig. Despojar un sitio de lo que hay en él. DESPOBLAR *un campo de árboles, de hierbas.* || **3.** *Min.* Dejar una mina sin el número de trabajadores que exigían las leyes. || **4.** r. Dicho de un lugar, salirse de él gran parte del vecindario con ocasión de alguna diversión u otra novedad cualquiera.
Despoderado, da. (De *des,* 1.er art., y *poder,* 1.er art.) adj. ant. Desposeído, despojado.
Despoetizar. tr. Quitar a una cosa su carácter poético.
Despojador, ra. adj. Que despoja. Ú. t. c. s.
Despojamiento. (De *despojar.*) m. ant. **Despojo.**
Despojar. (Del lat. *despoliāre.*) tr. Privar a uno de lo que goza y tiene; desposeerle de ello con violencia. || **2.** *For.* Quitar jurídicamente la posesión de los bienes o habitación que uno tenía, para dársela a su legítimo dueño, precediendo sentencia para ello. || **3.** r. Desnudarse o quitarse las vestiduras. || **4.** Desposeerse de una cosa voluntariamente.
Despojo. (De *despojar.*) m. Acción y efecto de despojar o despojarse. || **2.** Presa, botín del vencedor. || **3.** Vientre, asadura, cabeza y manos de las reses muertas. Ú. m. en pl. || **4.** Alones, molleja, patas, pescuezo y cabeza de las aves muertas. Ú. m. en pl. || **5.** fig. Lo que se ha perdido por el tiempo, por la muerte u otros accidentes. *La vida es* DESPOJO *de la muerte; la hermosura es* DESPOJO *del tiempo.* || **6.** ant. **Espolio.** || **7.** *Colomb.* Extracción de los minerales de una vena o filón. || **8.** pl. Sobras o residuos. DESPOJOS *de la mesa, de la comida.* || **9.** Minerales demasiado pobres para ser molidos, que se venden a los lavaderos o propietarios de polveros, los cuales aprovechan el poco metal que contienen. || **10.** Materiales que se pueden aprovechar de un edificio que se derriba. || **11.** Restos mortales, cadáver.
Despolarización. f. *Fís.* Acción y efecto de despolarizar.
Despolarizador, ra. adj. *Fís.* Que tiene la propiedad de despolarizar. Ú. t. c. s. m.
Despolarizar. tr. *Fís.* Destruir o interrumpir el estado de polarización.
Despolvar. (De *des,* 1.er art., y *polvo.*) tr. **Desempolvar,** 1.ª acep. Ú. t. c. r.
Despolvorear. tr. Quitar o sacudir el polvo. || **2.** fig. Arrojar de sí o desvanecer una cosa.
Despolvoreo. m. Acción de despolvorear.
Despolvorizar. tr. ant. **Despolvorear.**
Desponer. tr. ant. **Deponer.**
Despopularización. f. Pérdida de la popularidad que tenía una persona, una doctrina o un partido.
Despopularizar. tr. Privar a una persona o cosa de la popularidad. Ú. t. c. r.
Desportilladura. f. Fragmento o astilla que por accidente se separa del borde o canto de una cosa. || **2.** Mella o defecto que queda en el borde de una cosa después de saltar de él un fragmento.
Desportillar. tr. Deteriorar o maltratar una cosa, quitándole parte del canto o boca y haciendo portillo o abertura. Ú. t. c. r.
Desposación. (Del lat. *desposatio, -ōnis.*) f. ant. **Desposorio.**
Desposado, da. p. p. de **Desposar.** || **2.** adj. Recién casado. Ú. t. c. s. || **3.** Esposado, aprisionado con esposas. || **Desposado de hogaño, caro vale el paño.** ref. que se dice de los recién casados, por los muchos gastos de la boda.
Desposajas. (Del lat. *sponsalia.*) f. pl. ant. **Esponsales.**
Desposamiento. (De *desposar.*) m. ant. **Desposorio.**
Desposando, da. (De *desposar.*) m. y f. Persona que se desposa o que está a punto de desposarse.
Desposar. (Del lat. *desponsāre,* prometer.) tr. Autorizar el párroco el matrimonio. || **2.** r. Contraer esponsales. || **3. Contraer matrimonio.**
Desposeer. tr. Privar a uno de lo que posee. || **2.** r. Renunciar alguno lo que posee. || **3. Desapropiarse.**
Desposeimiento. m. Acción y efecto de desposeer o desposeerse.
Desposorio. (De *desposar.*) m. Promesa mutua que el hombre y la mujer se hacen de contraer matrimonio, y en especial, casamiento por palabras de presente. Ú. m. en pl.
Despostar. (De *des,* 1.er art., y *posta,* 4.ª acep.) tr. *Argent., Bol., Chile* y *Ecuad.* Destazar, descuartizar una res o una ave.
Desposte. m. *Chile.* Acción y efecto de despostar.
Déspota. (Del ital. *despota,* y éste del gr. δεσπότης, tirano.) m. El que ejercía mando supremo en algunos pueblos antiguos. || **2.** Soberano que gobierna sin sujeción a ley alguna. || **3.** fig. Persona que trata con dureza a sus subordinados y abusa de su poder o autoridad.
Despóticamente. adv. m. Con despotismo.
Despótico, ca. (Del gr. δεσποτικός.) adj. Absoluto, sin ley, tiránico.
Despotiquez. f. p. us. **Despotismo.**
Despotismo. (De *déspota.*) m. Autoridad absoluta no limitada por las leyes. || **2.** Abuso de superioridad, poder o fuerza en el trato con las demás personas.
Despotizar. (De *déspota.*) tr. *Argent., Chile* y *Perú.* Gobernar o tratar despóticamente, tiranizar.
Déspoto. m. ant. **Déspota.**
Despotricar. (De *des,* 1.er art., y *potro.*) intr. fam. Hablar sin consideración ni reparo todo lo que a uno se le ocurre. Ú. t. c. r.
Despotrique. m. Acción de despotricar.
Despreciable. adj. Digno de desprecio.
Despreciador, ra. adj. Que desprecia.
Despreciamiento. (De *despreciar.*) m. ant. **Desprecio.**
Despreciar. (Del lat. *depretiāre.*) tr. Desestimar y tener en poco. || **2.** Desairar o desdeñar. || **3.** r. **Desdeñar,** 2.ª acep.
Despreciativamente. adv. m. Con desprecio.
Despreciativo, va. adj. Que indica desprecio. *Tono* DESPRECIATIVO.
Desprecio. (De *despreciar.*) m. Desestimación, falta de aprecio. || **2.** Desaire, desdén. || **del ofendido.** *For.* Circunstancia que puede ser agravante, motivada por la dignidad, edad o sexo de la víctima.
Desprender. tr. Desunir, desatar lo que estaba fijo o unido. || **2.** Echar de sí alguna cosa. Ú. t. c. r. DESPRENDERSE *chispas de una brasa, rayos de una nube.* || **3.** r. fig. Apartarse o desapropiarse de una cosa. || **4.** fig. Deducirse, inferirse.
Desprendido, da. p. p. de **Desprender.** || **2.** adj. Desinteresado, generoso.
Desprendimiento. (De *desprender.*) m. Acción de desprenderse trozos de una cosa: tierras, rocas, de un monte; gases de un cuerpo, etc. || **2.** Desapego, desasimiento de las cosas. || **3.** fig. Largueza, desinterés. || **4.** *Metal.* Bajada rápida de la carga de un horno que por cualquier motivo se había obstruido en lo alto de la cuba. || **5.** *Pint.* y *Esc.* Representación del descendimiento del cuerpo de Cristo.
Despreocupación. f. Estado del ánimo cuando nada hay en él que le impida juzgar recta o imparcialmente de las cosas.
Despreocupado, da. p. p. de **Despreocuparse.** || **2.** adj. Que no sigue o hace alarde de no seguir las creencias, opiniones o usos generales.
Despreocuparse. r. Salir o librarse de una preocupación. || **2.** Desentenderse, apartar de una persona o cosa la atención o el cuidado.
Despresar. tr. *Chile.* Descuartizar, hacer presas un animal.
Desprestigiar. tr. Quitar el prestigio. Ú. t. c. r.
Desprestigio. m. Acción y efecto de desprestigiar o desprestigiarse.
Desprevención. f. Falta de prevención o de lo necesario.
Desprevenidamente. adv. m. Sin prevención.
Desprevenido, da. adj. Desapercibido, desproveído, falto de lo necesario.
Desprez. m. ant. **Desprecio.** || **2.** ant. *For.* Rebeldía del delincuente que no se presentaba. || **3.** ant. *For.* Multa en que incurría.
Desprivanza. f. desus. Caída y pérdida de la privanza.
Desprivar. tr. desus. Hacer caer de la privanza. || **2.** intr. desus. Caer de la privanza.
Despropiar. tr. ant. Expropiar o despojar a uno de una cosa.
Desproporción. f. Falta de la proporción debida.
Desproporcionadamente. adv. m. Con desproporción.
Desproporcionado, da. p. p. de **Desproporcionar.** || **2.** adj. Que no tiene la proporción conveniente o necesaria.
Desproporcionar. tr. Quitar la proporción a una cosa; sacarla de regla y medida.
Despropositado, da. adj. Dícese de lo que es fuera de propósito.
Despropósito. m. Dicho o hecho fuera de sazón, de sentido o de conveniencia.
Desproveer. tr. Despojar a uno de sus provisiones o de lo necesario para su conservación.
Desproveídamente. adv. m. **Desprevenidamente.** || **2.** ant. **Inopinadamente.**

Desproveimiento. (De *desproveer.*) m. ant. Desprevención.
Desprovisto, ta. p. p. irreg. de **Desproveer.** || **2.** adj. Falto de lo necesario.
Despueble. m. Acción y efecto de despoblar o despoblarse.
Despueblo. m. Despueble.
Despuente. (De *despuntar,* 2.ª acep.) m. En algunas partes, **marceo.**
Después. (De las preps. lats. *de* y *ex* y el adv. *post.*) adv. t. y l. que denota posterioridad de tiempo, lugar o situación. Antepónese con frecuencia a las partículas *de* y *que.* DESPUÉS *de amanecer;* DESPUÉS *que llegue.* || **2.** Denota asimismo posterioridad en el orden, jerarquía o preferencia. *Esquines fue el mejor orador de Grecia* DESPUÉS *de Demóstenes.* DESPUÉS *de Dios, os debo la vida.* || **3.** Hablando del tiempo o sus divisiones, se suele usar como adjetivo por lo mismo que **siguiente** o **posterior:** *el año* DESPUÉS. || **4.** Seguido de *que* solía equivaler a **desde.**
Despuesto, ta. p. p. irreg. del ant. Desponer.
Despulpado, da. p. p. de **Despulpar.** || **2.** m. Operación de extraer la pulpa de las frutas.
Despulpador. m. Aparato que sirve para extraer la pulpa de las frutas.
Despulpar. tr. Extraer la pulpa de algunos frutos.
Despulsamiento. m. Acción y efecto de despulsarse.
Despulsar. (De *des,* 1.er art., y *pulso.*) tr. Dejar sin pulso ni fuerzas por algún accidente repentino. Ú. m. c. r. || **2.** r. desus. Agitarse demasiado por una pasión de ánimo. || **3.** fig. **Desvivirse.**
Despullar. (Del lat. *despoliāre.*) tr. ant. **Desnudar.**
Despumación. f. Acción y efecto de despumar.
Despumar. tr. **Espumar.**
Despuntador. m. *Méj.* Aparato para separar minerales. || **2.** *Méj.* Martillo que se usa para romper minerales al separarlos.
Despuntadura. f. Acción y efecto de despuntar o despuntarse.
Despuntar. tr. Quitar o gastar la punta. Ú. t. c. r. || **2.** Cortar las ceras vanas de la colmena hasta llegar a las celdillas donde está el pollo. || **3.** ant. **Desapuntar,** 1.ª acep. || **4.** ant. *Mat.* Montar o doblar una punta o un cabo || **5.** intr. Empezar a brotar y entallecer las plantas y los árboles. || **6.** fig. Manifestar agudeza e ingenio. || **7.** fig. Adelantarse, descollar. || **8.** Hablando de la aurora, del alba o del día, empezar a amanecer.
Despunte. m. **Despuntadura.** || **2.** *Argent.* y *Chile.* Leña de rama delgada, desmocho, escamondo.
Desque. (Contracc. de *desde que.*) adv. t. ant. Desde que, luego que, así que. Ú. aún en poesía y también por el vulgo.
Desquejar. (De *de* y *esqueje.*) tr. *Agr.* Formar esquejes de los retoños o hijuelos que se desgajan del tronco de las plantas, para que prendan por trasplante.
Desqueje. m. *Agr.* Acción y efecto de desquejar.
Desquerer. tr. Dejar de querer.
Desquiciador, ra. adj. Que desquicia. Ú. t. c. s.
Desquiciamiento. m. Acción y efecto de desquiciar o desquiciarse.
Desquiciar. tr. Desencajar o sacar de quicio una cosa; como puerta, ventana, etc. Ú. t. c. r. || **2.** fig. Descomponer una cosa quitándole la firmeza con que se mantenía. Ú. t. c. r. || **3.** fig. Quitar a una persona la seguridad y apoyo que en sus actos o negocios debía tener. Ú. t. c. r. || **4.** fig. Derribar a uno de la privanza, o hacerle perder la amistad o valimiento con otro.
Desquijaramiento. m. Acción y efecto de desquijarar o desquijararse.
Desquijarar. (De *des,* 1.er art., y *quijar.*) tr. Rasgar la boca dislocando las quijadas. Ú. t. c. r.
Desquijerar. (De *des,* 1.er art., y *quijera.*) tr. *Carp.* Serrar por los dos lados un palo o madero hasta el paraje señalado, donde se ha de sacar la espiga.
Desquilar. tr. ant. Esquilar, 2.° art.
Desquilatar. tr. Bajar de quilates el oro. || **2.** fig. Hacer perder y disminuir su intrínseco valor a una cosa.
Desquilo. (De *desquilar.*) m. ant. **Esquileo,** 1.ª acep.
Desquitamiento. m. ant. **Desquite.**
Desquitar. tr. Restaurar la pérdida; reintegrarse de lo perdido, particularmente en el juego. Ú. t. c. r. || **2.** fig. Tomar satisfacción o despique, o vengarse de un pesar, disgusto o mala obra que se ha recibido de otro. Ú. t. c. r.
Desquite. m. Acción y efecto de desquitar o desquitarse.
Desquito, ta. p. p. irreg. ant. de **Desquitar.**
Desrabar. tr. **Desrabotar.**
Desrabotar. tr. Cortar el rabo o cola, especialmente a las crías de las ovejas.
Desraigar. (Del lat. *de-ex* y *eradicāre.*) tr. ant. **Desarraigar.** || **2.** ant. fig. Extinguir, extirpar.
Desramar. tr. Quitar las ramas del tronco de un árbol.
Desrancharse. r. Desalojar, dejar el rancho. || **2.** *Mil.* Separarse los que están arranchados.
Desraspado. (De *des,* 1.er art., y *raspa.*) adj. V. **Trigo desraspado.**
Desraspar. tr. ant. Raspar o raer. || **2.** *Agr.* Quitar las raspas o escobajo de la uva pisada antes de ponerla a fermentar.
Desratización. f. Acción y efecto de desratizar.
Desratizar. tr. Exterminar las ratas y ratones en barcos, almacenes, viviendas, etc.
Desrazonable. adj. fam. Fuera de razón.
Desregladamente. adv. m. **Desarregladamente.**
Desreglado, da. p. p. de **Desreglar.** || **2.** adj. **Desarreglado.**
Desreglar. (De *des,* 1.er art., y *reglar,* 2.° art.) tr. **Desarreglar.** Ú. t. c. r.
Desrelingar. tr. *Mar.* Quitar las relingas a las velas.
Desreputación. f. fam. Deshonor, descrédito, falta de reputación.
Desreverencia. f. ant. Irreverencia.
Desriñonar. (De *des,* 1.er art., y *riñón.*) tr. **Derrengar,** 1.ª acep.
Desriscar. tr. Precipitar algo desde un risco o peña. Ú. t. c. r.
Desrizar. tr. Deshacer los rizos; descomponer lo rizado. Ú. t. c. r. || **2.** *Mar.* Soltar los rizos de las velas.
Desroblar. tr. Quitar la robladura de la punta de un clavo, perno o cosa semejante.
Desroñar. (De *des,* 1.er art., y *roña.*) tr. *Murc.* Quitar a los árboles las ramitas ruines, para que tomen más vigor las otras. || **2.** *Seg.* Entre madereros, quitar con el hacha, a un lado y a otro del tronco del árbol derribado, una faja de corteza para trazar la línea que han de seguir las aristas de las piezas de madera que ha de producir la labra.
Desrostrar. tr. ant. Herir en el rostro, afeándolo o descomponiéndolo. Usáb. t. c. r.
Destablar. (De *des,* 1.er art., y *tabla.*) tr. ant. **Desentablar.**
Destacamento. (De *destacar.*) m. *Mil.* Porción de tropa destacada.
Destacar. (Del ital. *staccare,* der. del gót. *stakka,* estaca.) tr. *Mil.* Separar del cuerpo principal una porción de tropa, para una acción, expedición, escolta, guardia u otro fin. Ú. t. c. r. || **2.** fig. Poner de relieve los méritos o cualidades de una persona o cosa. Ú. t. c. intr. y r. || **3.** *Pint.* Hacer resaltar los objetos de un cuadro por la fuerza y vigor del claroscuro, o de otra manera. Ú. t. c. r.
Destaconar. tr. Gastar los tacones del calzado.
Destachonar. tr. Desclavar los tachones.
Destajador. m. Especie de martillo de que se sirven los herreros para forjar, ya en redondo, ya en cuadrado, el hierro caldeado.
Destajamiento. (De *destajar.*) m. ant. Rebaja, disminución. || **2.** ant. Extravío de un raudal que toma nuevo curso.
Destajar. tr. Ajustar y expresar las condiciones con que se ha de hacer una cosa. || **2.** Cortar la baraja en el juego de naipes. || **3.** ant. Atajar, precaver. || **4.** ant. **Interrumpir,** 1.ª acep. || **5.** ant. Extraviar, descarriar. || **Quien destaja, no baraja.** ref. que advierte que dos cosas distintas no pueden hacerse al mismo tiempo por una misma persona. || **2.** También da a entender que, para evitar pleitos y daños, conviene prevenir todos los lances al principio de un negocio; en este sentido se dijo también **Quien primero destaja, después no baraja.**
Destajero, ra. m. y f. **Destajista.**
Destajista. com. Persona que por cuenta de otra hace una cosa a destajo.
Destajo. (De *destajar.*) m. Obra u ocupación que se ajusta por un tanto alzado, a diferencia de la que se hace a jornal. || **2.** ant. División o atajadizo. || **3.** fig. Obra o empresa que uno toma por su cuenta. || **A destajo.** m. adv. Por un tanto. Dícese cuando se toma o se da una obra ajustada en cierta cantidad. || **2.** fig. Con empeño, sin descanso y aprisa para concluir pronto. || **Hablar uno a destajo.** fr. fig. y fam. Hablar con exceso. || **¿Por qué lo diste a destajo? Por quitarme de trabajo.** ref. para indicar que el **destajo** evita la preocupación de velar por el buen cumplimiento del jornalero.
Destalonar. tr. Quitar, destruir o descomponer el talón al calzado. Ú. t. c. r. || **2.** Cortar las libranzas, recibos, cédulas, billetes y demás documentos contenidos en los cuadernos y libros talonarios. || **3.** Quitar el talón a los documentos que lo tienen unido. || **4.** *Veter.* Rebajar el casco de una caballería, desde el medio de la palma hacia atrás.
Destallar. tr. Quitar los tallos inútiles y viciosos a las plantas.
Destapada. (De *destapar.*) f. **Descubierta,** 1.ª acep.
Destapadura. f. Acción y efecto de destapar o destaparse.
Destapar. tr. Quitar la tapa. || **2.** fig. Descubrir lo tapado, quitando la cubierta. Ú. t. c. r.
Destapiado, da. p. p. de **Destapiar.** || **2.** m. El sitio que queda después de quitar las tapias.
Destapiar. tr. Derribar, deshacer, arruinar las tapias.
Destaponar. tr. Quitar el tapón.
Destarar. tr. Rebajar la tara de lo que se ha pesado con ella.
Destartalado, da. adj. Descompuesto, desproporcionado y sin orden. Ú. t. c. s.
Destartalo. m. Falta de orden, desarreglo.
Destazador. (De *destazar.*) m. El que tiene por oficio hacer trozos las reses muertas.
Destazar. (De *des,* 1.er art., y *tazar;* compárese *retazar.*) tr. Hacer piezas o pedazos.
Deste, ta, to. Contracc. ant. de **de este, de esta** y **de esto.**

Destebrechador. (De *destebrechar.*) m. *Germ.* Declarador o intérprete.

Destebrechar. tr. *Germ.* **Declarar.**

Destechadura. f. Acción y efecto de destechar.

Destechar. tr. Quitar el techo a un edificio.

Destejar. tr. Quitar las tejas a los tejados de los edificios o a las albardillas de las tapias. ‖ **2.** fig. Dejar sin reparo o defensa una cosa.

Destejer. tr. Deshacer lo tejido. ‖ **2.** fig. Desbaratar lo que estaba dispuesto o tramado.

Destelladura. (De *destellar,* 2.° art.) f. ant. **Destilación.**

Destellar. (De *des,* intens., y el lat. *stellāre,* brillar.) tr. Despedir destellos o emitir rayos, chispazos o ráfagas de luz, generalmente intensos y de breve duración.

Destellar. (Del lat. *destillāre.*) tr. ant. Destilar, gotear.

Destello. m. Acción de destellar, 1.er art. ‖ **2.** Resplandor vivo y efímero; ráfaga de luz, que se enciende y amengua o apaga casi instantáneamente.

Destello. (De *destellar,* 2.° art.) m. ant. **Destilación.**

Destemperado, da. adj. ant. Desleído o disuelto.

Destemperamiento. (Del lat. *dis,* des, y *temperamentum.*) m. ant. **Destemplanza.**

Destempladamente. adv. m. Con destemplanza.

Destemplado, da. p. p. de **Destemplar.** ‖ **2.** adj. Falto de temple o de mesura. ‖ **3.** *Pint.* Dícese del cuadro o de la pintura en que hay disconformidad de tonos.

Destemplador, ra. adj. Que destempla. ‖ **2.** m. Oficial que destempla el acero.

Destemplamiento. m. ant. **Destemplanza.**

Destemplanza. f. Intemperie, desigualdad del tiempo; exceso de calor, frío o humedad. ‖ **2.** Exceso en los afectos o en el uso de algunas cosas. ‖ **3.** Sensación general de malestar, acompañada a veces de escalofríos, con alguna alteración en el pulso, sin que llegue a notarse fiebre. ‖ **4.** fig. Desorden, alteración en las palabras o acciones; falta de moderación.

Destemplar. (De *des,* 1.er art., y *temple.*) tr. Alterar, desconcertar la armonía, el buen orden o concierto de una cosa. ‖ **2.** Poner en infusión. ‖ **3.** Destruir la concordancia o armonía con que están templados los instrumentos músicos. Ú. t. c. r. ‖ **4.** r. Sentir malestar, acompañado de ligera alteración del pulso. ‖ **5.** Perder el temple el acero u otros metales. Ú. t. c. tr. DESTEMPLAR *el acero.* ‖ **6.** fig. Descomponerse, alterarse, perder la moderación en acciones o palabras. ‖ **7.** *Chile, Ecuad., Guat.* y *Méj.* Sentir dentera.

Destemple. (De *destemplar.*) m. Disonancia de las cuerdas de un instrumento. ‖ **2. Destemplanza,** 3.a acep. ‖ **3.** fig. Alteración, desconcierto de algunas cosas; como acciones, palabras, humores, condición, tiempo, etc. ‖ **4.** Acción y efecto de destemplar o destemplarse el acero u otros metales.

Destentadamente. adv. m. ant. **Desatentadamente.**

Destentar. tr. Quitar la tentación a uno, proponiéndole razones que le persuadan a vencerla.

Desteñir. (De *des* y *teñir.*) tr. Quitar el tinte; borrar o apagar los colores. Ú. t. c. r.

Desteridad. (Del lat. *dexterĭtas, -ātis.*) f. ant. **Destreza,** 1.a acep.

Desternerar. tr. *Argent., Chile* y *P. Rico.* **Desbecerrar.**

Desternillarse. r. Romperse las ternillas.

Desterradero. (De *desterrar.*) m. fig. **Destierro,** 4.a acep.

Desterrado, da. p. p. de **Desterrar.** ‖ **2.** adj. Que sufre pena de destierro.

Desterramiento. (De *desterrar.*) m. ant. **Destierro.**

Desterrante. p. a. ant. de **Desterrar.** Que destierra.

Desterrar. tr. Echar a uno por justicia de un territorio o lugar. ‖ **2.** Quitar la tierra a las raíces de las plantas o a otras cosas. ‖ **3.** fig. Deponer o apartar de sí. DESTERRAR *la tristeza, la enfermedad.* ‖ **4.** ant. **Desenterrar,** 1.a acep. ‖ **5.** r. **Expatriarse.**

Desterronamiento. m. Acción y efecto de desterronar.

Desterronar. tr. Quebrantar o deshacer los terrones. Ú. t. c. r.

Destetadera. f. Instrumento con púas, que se pone en las tetas de algunos animales, especialmente de las vacas, para destetar a las crías.

Destetar. (De *des,* 1.er art., y *teta.*) tr. Hacer que deje de mamar el niño o las crías de los animales y que se mantengan comiendo. Ú. t. c. r. ‖ **2.** fig. Apartar a los hijos del regalo de su casa cuando se los pone en carrera. Ú. t. c. r. ‖ **Destetarse** uno con una cosa. fr. fig. Haber tenido desde la niñez noticia o uso de ella.

Destete. m. Acción y efecto de destetar o destetarse.

Desteto. m. Conjunto de cabezas de ganado destetadas. ‖ **2.** Lugar o caballeriza en que se recogen los machos y mulas lechuzas recién destetadas.

Destez. (De *destricia.*) m. ant. Contratiempo, penalidad, infortunio.

Destiempo (A). m. adv. Fuera de tiempo, sin oportunidad.

Destiento. (De *des,* 1.er art., y *tiento.*) m. Sobresalto, alteración.

Destierre. m. Acción de quitar la tierra de los minerales.

Destierro. (De *desterrar.*) m. Pena que consiste en expulsar a una persona de lugar o territorio determinado, para que temporal o perpetuamente resida fuera de él. ‖ **2.** Efecto de estar desterrada una persona. ‖ **3.** Pueblo o lugar en que vive el desterrado. ‖ **4.** fig. Lugar muy distante de lo más céntrico y concurrido de una población, o de otro lugar que por algún motivo o razón se prefiere.

Destilable. adj. Que puede destilarse.

Destilación. (Del lat. *destillatĭo, -ōnis.*) f. Acción y efecto de destilar. ‖ **2.** Flujo de humores serosos o mucosos.

Destiladera. f. Instrumento para destilar. ‖ **2.** fig. Medio sutil e ingenioso de que se vale uno para dirigir y enderezar alguna pretensión o negocio que le conviene. ‖ **3.** *Can.* y *Amér.* **Filtro,** 1.er art., 1.a acep.

Destilador, ra. (Del lat. *destillātor.*) adj. Que tiene por oficio destilar agua o licores. Ú. t. c. s. ‖ **2.** Dícese de lo que se destila. ‖ **3.** m. **Filtro,** 1.er art., 1.a acep. ‖ **4. Alambique.**

Destilar. (Del lat. *destillāre.*) tr. Separar por medio del calor, en alambiques u otros vasos, una substancia volátil de otras más fijas, enfriando luego su vapor para reducirla nuevamente a líquido. ‖ **2. Filtrar,** 1.a acep. Ú. t. c. r. ‖ **3.** intr. Correr lo líquido gota a gota. Ú. t. c. tr. *La llaga* DESTILABA *sangre.*

Destilatorio, ria. adj. Que sirve para la destilación. ‖ **2.** m. Local en que se hacen las destilaciones. ‖ **3. Alambique.**

Destilería. f. **Destilatorio,** 2.a acep.

Destín. (De *destinar,* 1.er art.) m. ant. Testamento o última voluntad. ‖ **2.** ant. **Destino,** 1.a acep.

Destinación. (Del lat. *destinatĭo, -ōnis.*) f. Acción y efecto de destinar. ‖ **2.** ant. **Destino.**

Destinado, da. p. p. de **Destinar,** 1.er art. ‖ **2.** adj. ant. **Desatinado.**

Destinar. (Del lat. *destināre.*) tr. Ordenar, señalar o determinar una cosa para algún fin o efecto. ‖ **2.** Designar el punto o establecimiento en que un individuo ha de servir el empleo, cargo o comisión que se le ha conferido. ‖ **3.** Designar la ocupación o empleo en que ha de servir una persona.

Destinar. (De *des,* 1.er art., y *tino.*) intr. ant. **Desatinar,** 3.a acep. Ú. en *Sal.*

Destinatario, ria. m. y f. Persona a quien va dirigida o destinada alguna cosa.

Destino. (De *destinar,* 1.er art.) m. **Hado,** 4.a acep. ‖ **2.** Encadenamiento de los sucesos considerado como necesario y fatal. ‖ **3.** Circunstancia de serles favorable o adversa esta supuesta manera de ocurrir los sucesos a personas o cosas. ‖ **4.** Consignación, señalamiento o aplicación de una cosa o de un paraje para determinado fin. ‖ **5.** Empleo, ocupación. ‖ **6.** Lugar o establecimiento en que un individuo sirve su empleo.

Destiñar. (De *des,* 1.er art., y *tiña,* 1.a acep.) tr. ant. Limpiar las colmenas de los destiños o escarzos.

Destiño. (De *destiñar.*) m. Pedazo o parte del panal de las abejas, algo negro o verdoso, que carece de miel.

Destiranizado, da. adj. Libre de tiranía.

Destirpar. tr. ant. **Extirpar.**

Destitución. (Del lat. *destitutĭo, -ōnis.*) f. Acción y efecto de destituir.

Destituible. adj. Que puede ser destituido.

Destituidor, ra. adj. Que destituye. Ú. t. c. s.

Destituir. (Del lat. *destituĕre.*) tr. Privar a uno de alguna cosa. ‖ **2.** Separar a uno de su cargo como corrección o castigo.

Destitulado, da. adj. Sin título o privado de él.

Destocar. (De *des,* 1.er art., y *toca.*) tr. Quitar o deshacer el tocado. Ú. t. c. r. ‖ **2.** r. Descubrirse la cabeza, quitarse el sombrero, montera, gorra, etc.

Destorcedura. f. Acción y efecto de destorcer o destorcerse.

Destorcer. (Del lat. *distorquēre,* torcer.) tr. Deshacer lo retorcido aflojando las vueltas o dándolas hacia la parte contraria. Ú. t. c. r. ‖ **2.** fig. Enderezar y arreglar lo que estaba sin la debida rectitud. ‖ **3.** r. *Mar.* Perder la embarcación el rumbo que llevaba; descaminarse.

Destorgar. tr. Romper o arrancar el torgo.

Destormar. tr. *Murc.* Desterronar, deshacer los tormos con el mazo después que la tierra se ha soleado bien.

Destornillado, da. p. p. de **Destornillar.** ‖ **2.** adj. fig. Inconsiderado, precipitado, sin seso. Ú. t. c. s.

Destornillador. m. Instrumento de hierro u otra materia, que sirve para destornillar.

Destornillamiento. m. Acción y efecto de destornillar.

Destornillar. tr. Sacar un tornillo dándole vueltas. ‖ **2.** r. fig. Desconcertarse obrando o hablando sin juicio ni seso.

Destorpadura. (De *destorpar.*) f. desus. Acción y efecto de afear, manchar o estropear.

Destorpar. (Del lat. *detŭrpāre,* estropear.) tr. desus. **Deturpar.**

Destoserse. r. Toser sin necesidad, o fingir la tos, ya previniéndose para hablar, ya para que sirva de seña.

Destotro, tra. Contracc. ant. de **de este otro, de esta otro** y **de esta otra.**

Destrabar. tr. Quitar las trabas. Ú. t. c. r. ‖ **2.** Desasir, desprender o apartar una cosa de otra. Ú. t. c. r. ‖ **3.** ant. Romper y deshacer las vallas o trincheras.

Destrabazón. f. Acción y efecto de destrabar.

Destral. (Del lat. *dextrālis.*) m. Hacha pequeña que se maneja por lo general con sólo una mano.

Destraleja. f. Destral pequeño.

Destralero. m. Dícese del que hace o vende destrales.

Destramar. tr. Sacar la trama de la tela. || **2.** fig. ant. Romper, deshacer la trama, conjuración o engaño que se había hecho.

Destre. (Del mallorquín *destre*, estadal.) m. Medida de longitud, que se usa en Mallorca, equivalente a cuatro metros y 21 centímetros. || **superficial.** Medida cuadrada de un **destre** de lado.

Destrejar. intr. Obrar o proceder diestramente.

Destrenzar. tr. Deshacer la trenza. Ú. t. c. r.

Destrero, ra. (Del lat. *dextra*, la mano derecha.) adj. ant. Diestro, experto, ejercitado en las armas.

Destrez. (De *diestro.*) f. ant. **Destreza.**

Destreza. (De *diestro.*) f. Habilidad, arte, primor o propiedad con que se hace una cosa. || **2.** desus. **Esgrima.**

Destributar. tr. ant. Eximir del pago del tributo.

Destricia. (Del b. lat. *districtia*, por *districtio*, apremio, angustia.) f. ant. Escasez, necesidad, aprieto.

Destrincar. tr. *Mar.* Desamarrar cualquier cosa o deshacer la trinca que se le tenía dada. Ú. t. c. r.

Destripacuentos. com. fam. Persona que interrumpe inoportunamente la relación del que habla.

Destripador, ra. adj. Que destripa. Ú. t. c. s.

Destripamiento. m. Acción y efecto de destripar.

Destripar. tr. Quitar o sacar las tripas. || **2.** fig. Sacar lo interior de una cosa. || **3.** fig. **Despachurrar,** 1.ª acep. || **4.** fig. y fam. Interrumpir el relato que está haciendo otro de algún suceso, chascarrillo, enigma, etc., anticipando el desenlace o la solución.

Destripaterrones. (De *destripar* y *terrón.*) m. fig., fam. y despect. Gañán o jornalero que cava o ara la tierra.

Destrísimo, ma. adj. sup. de **Diestro.**

Destriunfar. tr. En algunos juegos de naipes, sacar los triunfos un jugador a los otros, obligándoles a echarlos.

Destrizar. (De *des*, 1.er art., y *trizar.*) tr. Hacer trizas o pedazos. || **2.** r. fig. Consumirse, deshacerse por un enfado.

Destrocar. tr. Deshacer el trueque o cambio.

Destrón. (De *diestro.*) m. Lazarillo o mozo de ciego. || **Destrón, el consejo; la lengua, el ciego.** ref. que enseña que el juicio y la prudencia deben consultar y pensar las palabras antes que las pronuncie la lengua.

Destronamiento. m. Acción y efecto de destronar.

Destronar. tr. Deponer y privar del reino a uno; echarle del trono. || **2.** fig. Quitar a uno su preponderancia.

Destroncamiento. m. Acción y efecto de destroncar.

Destroncar. (Del lat. *detrŭncāre.*) tr. Cortar, tronchar un árbol por el tronco. || **2.** fig. Cortar o descoyuntar el cuerpo o parte de él. || **3.** fig. Arruinar a uno, destruirle, embarazarle sus negocios o pretensiones, privándole de los medios de conseguir su intención. || **4.** fig. Rendir de fatiga, agotar por el trabajo o el insomnio. Ú. m. c. r. || **5.** fig. Truncar, cortar, interrumpir cosas no materiales. DESTRONCAR *un discurso.* || **6.** *Chile* y *Méj.* Descuajar, arrancar plantas o quebrarlas por el pie.

Destronchar. (De *des*, 1.er art., y *troncho.*) tr. ant. Tratar de una materia sin profundizarla.

Destronque. m. *Chile* y *Méj.* Descuaje.

Destropar. (De *des*, 1.er art., y *tropa.*) tr. ant. Separar o dividir el ganado o la gente, de suerte que cada uno vaya solo o por un lado. Ú. t. c. r.

Destrozador, ra. adj. Que destroza. Ú. t. c. s.

Destrozar. tr. Despedazar, destruir, hacer trozos una cosa. Ú. t. c. r. || **2.** fig. Estropear, maltratar, deteriorar. || **3.** fig. Aniquilar, causar gran quebranto moral. || **4.** *Mil.* Desbaratar a los enemigos, derrotarlos con mucha pérdida.

Destrozo. m. Acción y efecto de destrozar o destrozarse.

Destrozón, na. adj. fig. Que destroza demasiado la ropa, los zapatos, etc. Ú. t. c. s.

Destrucción. (Del lat. *destructĭo, -ōnis.*) f. Acción y efecto de destruir. || **2.** Ruina, asolamiento, pérdida grande y casi irreparable.

Destructibilidad. f. Calidad de destructible.

Destructible. adj. **Destruible.**

Destructivamente. adv. m. Con destrucción.

Destructivo, va. (Del lat. *destructīvus.*) adj. Dícese de lo que destruye o tiene poder o facultad para destruir.

Destructo, ta. (Del lat. *destructus.*) p. p. irreg. ant. de **Destruir.**

Destructor, ra. (Del lat. *destructor.*) adj. Que destruye. Ú. t. c. s. || **2.** m. Torpedero de alta mar cuyo desplazamiento puede llegar a las dos mil toneladas, armado con artillería de mediano calibre. Se emplea principalmente contra los submarinos en la protección de escuadras y convoyes.

Destructorio, ria. (De *destructor.*) adj. **Destructivo.**

Destrueco. m. **Destrueque.**

Destrueque. m. Acción y efecto de destrocar.

Destruible. adj. Que puede destruirse.

Destruición. (De *destruir.*) f. desus. **Destrucción.**

Destruidor, ra. (De *destruir.*) adj. **Destructor,** 1.ª acep. Ú. t. c. s.

Destruimiento. (De *destruir.*) m. ant. **Destrucción.**

Destruir. (Del lat. *destruĕre.*) tr. Deshacer, arruinar o asolar una cosa material. Ú. t. c. r. || **2.** fig. Deshacer, inutilizar una cosa no material, como un argumento, un proyecto. || **3.** fig. Quitar a uno los medios con que se mantenía, o estorbarle que los adquiera. || **4.** fig. Malgastar, malbaratar la hacienda. || **5.** r. *Álg.* Anularse mutuamente dos cantidades iguales y de signo contrario.

Destruyente. p. a. de **Destruir.** Que destruye.

Destullecer. tr. **Desentollecer,** 1.ª acep.

Desturbar. (Del b. lat. *disturbāre*, y éste del lat. *dis*, des, y *turba*, tumulto.) tr. ant. Echar, expeler, arrojar.

Destusar. tr. *Amér. Central.* Despinochar, quitar al maíz la hoja o tusa.

Desubstanciar. tr. **Desustanciar.**

Desucación. (De *de* y *suco.*) f. Acción y efecto de desucar.

Desucar. (Del lat. *desucāre*, quitar el jugo.) tr. *Quím.* **Desjugar.**

Desudación. f. Acción y efecto de desudar.

Desudar. tr. Quitar el sudor. Ú. t. c. r.

Desuellacaras. (De *desollar* y *cara.*) m. fig. y fam. Barbero que afeita mal. || **2.** com. fig. y fam. Persona desvergonzada, descarada, de mala vida y costumbres.

Desuello. m. Acción y efecto de desollar o desollarse. || **2.** fig. Desvergüenza, descaro, osadía. || **Ser un desuello.** fr. fig. y fam. con que se nota el excesivo precio que se pide o se lleva por una cosa.

Desuncir. tr. Quitar del yugo las bestias sujetas a él.

Desunidamente. adv. m. Sin unión.

Desunión. f. Separación de las partes que componen un todo, o de las cosas que estaban juntas y unidas. || **2.** fig. Discordia, desavenencia.

Desunir. (Del lat. *disunīre;* de *dis*, des, y *unīre*, unir.) tr. Apartar, separar una cosa de otra. Ú. t. c. r. || **2.** fig. Introducir discordia entre los que estaban en buena correspondencia. Ú. t. c. r.

Desuno. (Contracc. de las preps. *de* y *so* con el pron. *uno.*) adv. m. ant. De consuno, de conformidad, con unión, juntamente.

Desuñar. tr. Quitar o arrancar las uñas. || **2.** *Agr.* Arrancar las raíces viejas de las plantas. || **3.** r. fig. y fam. Ocuparse con afán en un trabajo de manos difícil o minucioso. || **4.** fig. y fam. Emplearse con eficacia y continuación en un vicio; como en robar, jugar, etc.

Desuñir. (Del lat. *disiungĕre*, desunir.) tr. ant. **Desuncir.** Ú. en *Argent.*, *Extr.*, *León*, *Sal.*, *Vallad.* y *Zam.*

Desurcar. tr. Deshacer los surcos.

Desurdir. (De *des* y *urdir.*) tr. Deshacer una tela; quitar la urdimbre. || **2.** fig. Desbaratar una trama, una intriga.

Desús (Al). (Del lat. *de* y *sursum.*) m. adv. ant. **Por encima de.**

Desusadamente. adv. m. Fuera de uso.

Desusar. tr. Desacostumbrar, perder o dejar el uso. Ú. m. c. r.

Desuso. m. Falta de uso o de ejercicio de una cosa. || **2.** *For.* Falta de aplicación o inobservancia de una ley, que, sin embargo, no implica su derogación.

Desustanciar. tr. Quitar la fuerza y vigor a una cosa sacándole la substancia o desvirtuándola por cualquier otro medio. Ú. t. c. r.

Desvahar. tr. *Agr.* Quitar lo marchito o seco de una planta.

Desvaído, da. (Del port. *esvahido*, y éste del lat. *evanĕre*, desvanecer.) adj. Aplícase a la persona alta y desairada. || **2.** Dícese del color bajo y como disipado. || **3.** ant. Vaciado, adelgazado, disminuido.

Desvaidura. (De *desvaído.*) f. ant. Adelgazamiento, disminución.

Desvainadura. f. Acción y efecto de desvainar.

Desvainar. tr. Sacar los granos de habas, guisantes y otras semillas, de las vainas en que se crían. || **2.** ant. **Desenvainar.**

Desvalía. f. ant. **Desvalimiento.**

Desvalido, da. adj. Desamparado, destituido de ayuda y socorro. Ú. t. c. s. || **2.** ant. Acelerado, presuroso, desalado.

Desvalijador. m. El que desvalija, 2.ª acep.

Desvalijamiento. m. Acción y efecto de desvalijar.

Desvalijar. tr. Quitar o robar el contenido de una maleta o valija. || **2.** fig. Despojar a uno de todo o de la mayor parte del dinero o bienes mediante robo, engaño, juego, etc.

Desvalijo. m. **Desvalijamiento.**

Desvalimiento. m. Desamparo, abandono, falta de ayuda o favor.

Desvalor. (De *des*, 1.er art., y *valor.*) m. ant. Cobardía, miedo. || **2.** ant. Falta de mérito o de estimación.

Desvalorar. tr. Depreciar, quitar valor o estimación a una cosa. || **2.** desus. Acobardar, amedrentar.

Desvalorización. f. Acción y efecto de desvalorizar.

Desvalorizar. tr. Hacer perder de su valor a una cosa.

Desván. m. Parte más alta de la casa, inmediata al tejado. || **gatero.** El que no es habitable. || **perdido.** En algunas partes, como Alcalá de Henares, **desván gatero.**

Desvanecedor, ra. adj. Que desvanece. || **2.** m. Aparato usado para desvanecer parte de una fotografía al sacar la positiva.

Desvanecer. (Del lat. *evanescĕre.*) tr. Disgregar o difundir las partículas de un cuerpo en otro. Dícese principalmente de los colores que se atenúan gradualmente. Ú. t. c. r. *El humo se* DESVANECE *en el aire.* || **2.** Inducir a presunción y vanidad. Ú. m. c. r. || **3.** fig. Deshacer o anular. DESVANECER *la duda, la sospecha, el intento.* Ú. t. c. r. || **4.** Quitar de la mente una idea, un recuerdo, etc. || **5.** r. Evaporarse, exhalarse, perderse la parte espiritosa de una cosa. DESVANECERSE *el vino.* || **6.** Turbarse la cabeza por un vahído; perder el sentido. Ú. t. c. tr.

Desvanecidamente. adv. m. Con desvanecimiento, presunción o vanidad.

Desvanecido, da. p. p. de **Desvanecer.** || **2.** adj. Soberbio, vanidoso, presumido.

Desvanecimiento. (De *desvanecer.*) m. Acción y efecto de desvanecerse. || **2.** Presunción, vanidad, altanería o soberbia. || **3.** Debilidad, flaqueza, perturbación de la cabeza o del sentido.

Desvaporizadero. m. Lugar por donde se evapora o respira una cosa.

Desvarar. (Como *resbalar,* del lat. *divarāre,* de *varus,* patizambo.) tr. Resbalar, deslizarse. Ú. t. c. r. || **2.** *Mar.* Poner a flote la nave que estaba varada.

Desvaretar. tr. *And.* Quitar los chupones a los árboles, y especialmente a los olivos.

Desvariable. (De *desvariar.*) adj. ant. Que puede variar o mudarse.

Desvariadamente. adv. m. Con desvarío, fuera de propósito. || **2.** ant. Diferentemente, con diversidad o desemejanza.

Desvariado, da. p. p. de **Desvariar.** || **2.** adj. Que delira o dice o hace despropósitos. || **3.** Fuera de regla, orden o concierto; sin tino. || **4.** Aplícase a las ramas largas y locas de los árboles. || **5.** ant. Diverso, diferente, desemejante.

Desvariamiento. (De *desvariar.*) m. ant. Diversidad, diferencia.

Desvariar. tr. ant. Diferenciar, variar, desunir o desviar. || **2.** intr. Delirar, decir locuras o despropósitos. || **3.** r. ant. Apartarse del orden regular.

Desvarío. (De *desvariar.*) m. Dicho o hecho fuera de concierto. || **2.** Accidente que sobreviene a algunos enfermos, de perder la razón y delirar. || **3.** ant. Desunión, división, disensión. || **4.** fig. Monstruosidad, cosa que sale del orden regular y común de la naturaleza. || **5.** fig. Desigualdad, inconstancia y capricho.

Desvastigar. (De *des,* 1.er art., y *vástiga.*) tr. **Chapodar,** 1.ª acep.

Desvedar. (De *des,* 1.er art., y *vedar.*) tr. Alzar o revocar la prohibición que una cosa tenía.

Desveladamente. adv. m. Con desvelo.

Desvelamiento. m. **Desvelo.**

Desvelar. (Del lat. *dis* y *evigilāre,* despertar.) tr. Quitar, impedir el sueño, no dejar dormir. Ú. t. c. r. || **2.** r. fig. Poner gran cuidado y atención en lo que uno tiene a su cargo o desea hacer o conseguir.

Desvelo. m. Acción y efecto de desvelar o desvelarse.

Desvenar. tr. Quitar las venas a la carne. || **2.** Sacar de la vena o filón el mineral. || **3.** Quitar las fibras a las hojas de las plantas; como se hace con la del tabaco antes de labrarla. || **4.** *Equit.* Levantar los cañones del freno por el nudo, arqueándolos para que hagan montada.

Desvencijar. (De *des,* 1.er art., y **vencija,* del lat. **vincĭlia,* de *vincīre,* atar.) tr. Aflojar, desunir, desconcertar las partes de una cosa que estaban y debían estar unidas. Ú. t. c. r. || **2.** r. desus. **Quebrar,** 11.ª acep.

Desvendar. tr. Quitar o desatar la venda con que estaba atada una cosa. DESVENDAR *los ojos.* Ú. t. c. r.

Desveno. (De *desvenar.*) m. Arco que en el centro de la embocadura del freno forma el hueco necesario para que se aloje en él la lengua del caballo.

Desventaja. f. Mengua o perjuicio que se nota por comparación de dos cosas, personas o situaciones.

Desventajosamente. adv. m. Con desventaja.

Desventajoso, sa. adj. Que acarrea desventaja.

Desventar. (De *des,* 1.er art., y *viento.*) tr. Sacar el aire de una parte donde está encerrado.

Desventura. f. **Desgracia,** 1.ª, 2.ª y 3.ª aceps.

Desventuradamente. adv. m. Con desventura.

Desventurado, da. (De *desventura.*) adj. **Desgraciado,** 2.ª y 3.ª aceps. || **2.** Cuitado, pobrete, sin espíritu. Ú. t. c. s. || **3.** Avariento, miserable. Ú. t. c. s.

Desvergonzadamente. adv. m. Con desvergüenza.

Desvergonzado, da. p. p. de **Desvergonzarse.** || **2.** adj. Que habla u obra con desvergüenza.

Desvergonzamiento. (De *desvergonzarse.*) m. ant. **Desvergüenza.**

Desvergonzarse. (De *des,* 1.er art., y *vergüenza.*) r. Descomedirse, insolentarse faltando al respeto y hablando con demasiada libertad y descortesía.

Desvergoñadamente. adv. m. ant. **Desvergonzadamente.**

Desvergüenza. f. Falta de vergüenza, insolencia; descarada ostentación de faltas y vicios. || **2.** Dicho o hecho impúdico o insolente.

Desvergüenzamiento. m. ant. **Desvergonzamiento.**

Desvestir. tr. **Desnudar.** Ú. t. c. r.

Desvezar. tr. **Desavezar.** Ú. t. c. r. || **2.** *Ar.* Cortar los mugrones de las viñas, aislándolos de la cepa madre, cuando ya tienen bastantes raíces propias.

Desviación. f. Acción y efecto de desviar o desviarse. || **2.** Separación lateral de un cuerpo de su posición media. DESVIACIÓN *del péndulo, del distribuidor de una máquina de vapor.* || **3.** Separación de la aguja imantada del plano del meridiano magnético, ocasionada por la atracción de una masa de hierro o de otro imán. || **4.** *Med.* Paso de los humores por fuera de sus conductos naturales. || **5.** *Med.* Cambio de la posición natural de los órganos, y en especial de los huesos. || **6.** *Min.* Vena que al cruzar otra sigue la dirección de ésta en cierta longitud.

Desviador, ra. adj. Que desvía o aparta.

Desviamiento. (De *desviar.*) m. ant. **Desvío,** 1.ª y 2.ª aceps.

Desviar. (Del lat. *deviāre,* substituido el prefijo *de* por *dis,* des.) tr. Apartar, alejar, separar de su lugar o camino una cosa. Ú. t. c. r. || **2.** fig. Disuadir o apartar a uno de la intención, determinación, propósito o dictamen en que estaba. Ú. t. c. r. || **3.** *Esgr.* Separar la espada del contrario, formando otro ángulo, para que no hiera en el punto en que estaba. || **4.** intr. ant. Apartarse, separarse.

Desviejar. tr. Entre ganaderos, separar o apartar del rebaño las ovejas o carneros viejos.

Desvinculación. f. Acción y efecto de desvincular.

Desvincular. tr. Anular un vínculo, liberando lo que estaba sujeto a él. Ú. m. hablando de los bienes.

Desvío. (De *desviar.*) m. **Desviación,** 1.ª y 6.ª aceps. || **2.** fig. Despego, desagrado. || **3.** *Argent., Chile* y *P. Rico.* Apartadero de una línea férrea. || **4.** *Albañ.* Cada uno de los listones de madera que se sujetan horizontalmente en los tablones de los andamios suspendidos, y se apoyan en la fábrica para evitar el movimiento de vaivén.

Desvirar. (De *des,* 1.er art., y *vira,* 2.ª acep.) tr. Recortar con el tranchete lo superfluo de la suela del zapato después de cosido. || **2.** Recortar el libro el encuadernador.

Desvirar. tr. Dar vueltas al cilindro de los tornos y cabrestantes en sentido contrario a las que se dieron para virar el cable o el cabo de que se tira.

Desvirgar. (De *des,* 1.er art., y *virgo.*) tr. Quitar la virginidad a una doncella.

Desvirtuar. tr. Quitar la virtud, substancia o vigor. Ú. t. c. r.

Desvitrificar. tr. Hacer que el vidrio pierda su transparencia por la acción prolongada del calor.

Desvivirse. r. Mostrar incesante y vivo interés, solicitud o amor por una persona o cosa.

Desvolvedor. (De *des,* 1.er art., y *volver.*) m. Instrumento que usan los herreros y cerrajeros para apretar o aflojar las tuercas.

Desvolver. (De *des,* 1.er art., y *volver.*) tr. Alterar una cosa, darle otra figura. Ú. t. c. r. || **2.** Arar la tierra, mullirla y trabajarla.

Desvuelto, ta. p. p. irreg. de **Desvolver.**

Desyemar. tr. Quitar las yemas a las plantas.

Desyerba. (De *desyerbar.*) f. **Escarda,** 1.ª acep.

Desyerbador, ra. adj. Que desyerba. Ú. t. c. s.

Desyerbar. (De *des,* 1.er art., y *yerba.*) tr. **Desherbar.**

Desyugar. tr. **Desuncir.**

Desyuncir. (Del lat. *disiungĕre,* desunir.) tr. ant. **Desuncir.**

Desyunto, ta. (Del lat. *disiunctus.*) p. p. irreg. ant. de **Desyuncir.** || **2.** desus. **Disyunto.**

Deszocar. (De *des,* 1.er art., y *zoco.*) tr. Herir, maltratar el pie, de modo que quede impedido su uso. Ú. t. c. r. || **2.** *Arq.* Quitar el zócalo de alguna columna, o el zoquete en que se afirma algún pie derecho.

Deszulacar. tr. Quitar el zulaque.

Deszumar. tr. Sacar o quitar el zumo. Ú. t. c. r.

Detalladamente. adv. m. En detalle, por menor.

Detallado, da. p. p. de **Detallar.** || **2.** adj. En los pinares de Soria, dícese de la madera de piezas escogidas, de excelentes condiciones para la construcción y para la exportación.

Detallar. (De *detalle.*) tr. Tratar, referir una cosa por menor, por partes, circunstanciadamente.

Detalle. (Del fr. *détail,* de *détailler,* y éste del lat. *de-taliāre,* cortar.) m. Pormenor o relación, cuenta o lista circunstanciada.

Detallista. com. Persona que se cuida mucho de los detalles; dícese especialmente de los pintores. || **2.** Comerciante que vende por menor.

Detardamiento. (De *detardar.*) m. ant. **Tardanza.**

Detardar. (Del lat. *detardāre.*) tr. ant. Tardar o retardar. || **2.** intr. ant. Detenerse, hacer mansión.

Detasa. (Del fr. *détaxe,* de *de* y *taxe,* de *taxer,* y éste del lat. *taxāre,* tasar.) f. Rectificación de portes pagados en los ferrocarriles, cuando ha lugar a hacer rebaja en ellos, para devolver el exceso de lo cobrado.

Detector. (Del lat. *detector*, que descubre o manifiesta.) m. *Fís.* Aparato fundamental de la telegrafía sin hilos, que revela la presencia de las ondas hertzianas.

Detención. (Del lat. *detentĭo, -ōnis.*) f. Acción y efecto de detener o detenerse. || **2.** Dilación, tardanza, prolijidad. || **3.** Privación de la libertad; arresto provisional.

Detenedor, ra. adj. Que detiene. Ú. t. c. s.

Detenencia. (De *detener.*) f. ant. **Detención.**

Detener. (Del lat. *detinēre.*) tr. Suspender una cosa, impedir, estorbar que pase adelante. Ú. t. c. r. || **2.** Arrestar, poner en prisión. || **3.** Retener, conservar o guardar. || **4.** r. Retardarse o irse despacio. || **5.** fig. Suspenderse, pararse a considerar una cosa.

Detenidamente. adv. m. Con detención.

Detenido, da. p. p. de **Detener.** || **2.** adj. **Minucioso.** || **3.** Embarazado, de poca resolución. Ú. t. c. s. || **4.** Escaso, miserable. Ú. t. c. s.

Detenimiento. (De *detener.*) m. **Detención,** 1.ª y 2.ª aceps.

Detentación. (Del lat. *detentatĭo, -ōnis.*) f. *For.* Acción y efecto de detentar.

Detentador. (Del lat. *detentātor.*) m. *For.* El que retiene la posesión de lo que no es suyo, sin título ni buena fe que pueda cohonestarlo.

Detentar. (Del lat. *detentāre*, retener.) tr. *For.* Retener uno sin derecho lo que manifiestamente no le pertenece.

Detente. (Imperativo de *detener.*) m. Recorte de tela con la imagen del Corazón de Jesús y la leyenda: «Deténte, bala». Se usó cuando la guerra carlista, prendido en la ropa sobre el pecho.

Detentor. (Del lat. *detentor.*) m. desus. *For.* **Detentador.**

Detergente. p. a. de **Deterger.** Que deterge. || **2.** adj. *Med.* **Detersorio.** Ú. t. c. s. m.

Deterger. (Del lat. *detergĕre*, limpiar.) tr. *Med.* Limpiar una úlcera o herida.

Deterior. (Del lat. *deterĭor.*) adj. p. us. Dícese de lo que es de calidad inferior a la de otra cosa de su especie.

Deterioración. (Del lat. *deterioratĭo, -ōnis.*) f. Acción y efecto de deteriorar o deteriorarse.

Deteriorar. (Del lat. *deteriorāre.*) tr. Estropear, menoscabar, poner en inferior condición una cosa. Ú. t. c. r.

Deterioro. (De *deteriorar.*) m. **Deterioración.**

Determinable. adj. Que se puede determinar.

Determinación. (Del lat. *determinatĭo, -ōnis.*) f. Acción y efecto de determinar o determinarse. || **2.** Osadía, valor.

Determinadamente. adv. m. Con determinación.

Determinado, da. p. p. de **Determinar.** || **2.** adj. Osado, valeroso. Ú. t. c. s. || **3.** *Álg.* V. **Ecuación determinada.** || **4.** *Gram.* V. **Artículo determinado.** || **5.** *Mat.* V. **Cuestión determinada.** || **6.** *Mat.* V. **Problema determinado.**

Determinamiento. (De *determinar.*) m. ant. **Determinación.**

Determinante. p. a. de **Determinar.** Que determina. || **2.** adj. *Gram.* V. **Verbo determinante.**

Determinar. (Del lat. *determināre.*) tr. Fijar los términos de una cosa. || **2.** Distinguir, discernir. || **3.** Señalar, fijar una cosa para algún efecto. DETERMINAR *día, hora.* || **4.** Tomar resolución. Ú. t. c. r. || **5.** Hacer tomar una resolución. *Esto me* DETERMINÓ *a ayudarle.* || **6.** *For.* Sentenciar, definir. DETERMINAR *el pleito, la causa.*

Determinativo, va. adj. Dícese de lo que determina o resuelve. || **2.** *Gram.* V. **Adjetivo determinativo.**

Determinismo. (De *determinar.*) m. *Fil.* Sistema filosófico que subordina las determinaciones de la voluntad humana a la voluntad divina. || **2.** *Fil.* Sistema que admite la influencia irresistible de los motivos.

Determinista. adj. Perteneciente o relativo al determinismo. *Escuela, doctrina* DETERMINISTA. || **2.** com. Persona partidaria del determinismo.

Detersión. (Del lat. *detersus*, p. p. de *detergĕre*, limpiar.) f. Acción y efecto de limpiar o purificar.

Detersivo, va. adj. **Detersorio.** Ú. t. c. s. m.

Detersorio, ria. (Del lat. *detersus*, p. p. de *detergĕre*, limpiar.) adj. Dícese de lo que tiene virtud de limpiar o purificar. Ú. t. c. s. m.

Detestable. (Del lat. *detestabĭlis.*) adj. Abominable, execrable, aborrecible, pésimo.

Detestablemente. adv. m. De un modo destestable.

Detestación. (Del lat. *detestatĭo, -ōnis.*) f. Acción y efecto de detestar.

Detestar. (Del lat. *detestāri.*) tr. Condenar y maldecir a personas o cosas, tomando el cielo por testigo. || **2.** Aborrecer, 1.ª acep.

Detienebuey. m. **Gatuña.**

Detinencia. (Del lat. *detĭnens, -entis*, que detiene.) f. p. us. **Detención.**

Detonación. f. Acción y efecto de detonar.

Detonador. m. Artificio con fulminante que sirve para hacer estallar una carga explosiva.

Detonante. p. a. de **Detonar.** Que detona. || **2.** m. Substancia o mezcla que puede producir detonación. || **3.** adj. V. **Pólvora detonante.**

Detonar. (Del lat. *detonāre.*) intr. Dar estampido o trueno.

Detornar. (De *de*, intens., y *tornar.*) tr. ant. Volver segunda vez.

Detorsión. (Del lat. *detorsus*, p. p. de *detorquēre*, torcer.) f. Extensión violenta; torcedura de un músculo, nervio o ligamento.

Detracción. (Del lat. *detractĭo, -ōnis.*) f. Acción y efecto de detraer.

Detractar. (Del lat. *detractāre.*) tr. **Detraer,** 2.ª acep.

Detractor, ra. (Del lat. *detractor.*) adj. Maldiciente o infamador. Ú. t. c. s.

Detraedor. (De *detraer.*) m. desus. **Detractor.**

Detraer. (Del lat. *detrahĕre.*) tr. Restar, substraer, apartar o desviar. Ú. t. c. r. || **2.** fig. Infamar, denigrar la honra ajena en la conversación o por escrito.

Detraimiento. (De *detraer*, 2.ª acep.) m. ant. Infamia, deshonor.

Detrás. (De la prep. lat. *de* y el adv. *trans.*) adv. l. En la parte posterior, o con posterioridad de lugar, o en sitio delante del cual está una persona o cosa. || **2.** fig. En ausencia. || **Por detrás.** m. adv. fig. **Detrás,** 2.ª acep.

Detrimento. (Del lat. *detrimentum.*) m. Destrucción leve o parcial. || **2.** Pérdida, quebranto de la salud o de los intereses. || **3.** fig. Daño moral.

Detrítico, ca. adj. *Geol.* Compuesto de detritos. *Capa* DETRÍTICA.

Detrito. (Del lat. *detrītus*, desgastado.) m. Resultado de la descomposición de una masa sólida en partículas. Ú. m. en *Geol.* y en *Med.*

Deturpar. (Del lat. *deturpāre.*) tr. ant. Afear, manchar, estropear.

Deuda. (Del lat. *debĭta*, pl. n. de *debĭtus*, débito.) f. Obligación que uno tiene de pagar, satisfacer o reintegrar a otro una cosa, por lo común dinero. || **2.** Pecado, culpa u ofensa; y así, en la oración del Padrenuestro se dice: *y perdónanos nuestras* DEUDAS. || **consolidada.** La pública de carácter perpetuo, cuyas inscripciones o títulos producían una renta fija. || **exterior.** La pública que se paga en el extranjero y con moneda extranjera. || **flotante.** La pública que no está consolidada, y que, como se compone de vencimientos a término fijo y de otros documentos aún no definitivamente arreglados, puede aumentar o disminuir todos los días. || **interior.** La pública que se paga en el propio país con moneda nacional. || **pública.** La que el Estado tiene reconocida por medio de títulos que devengan interés y a veces se amortizan. || **Acostarse sin deuda y amanecer con ella.** fr. que se dice por las obligaciones diarias que, como la del rezado de los sacerdotes, hay que cumplirlas de nuevo cada día. || **Contraer** uno **deudas.** fr. fam. Hacerse deudor. || **Más vale deuda vieja que culpa, o que pecado nuevo.** ref. que enseña que es preferible que nos deban a desmandarnos contra el deudor. || **Quien fía o promete, en deuda se mete.** ref. que explica la fuerza que tiene la promesa, pues por ella queda obligado el que la hace a cumplir lo que prometió.

Deudo, da. (Del lat. *debĭtus*, p. p. de *debēre*, ser deudor.) m. y f. **Pariente,** 1.ª acep. || **2.** m. **Parentesco.** || **3.** ant. **Deuda.** || **Tomar** uno **en** su **deudo** a otro. fr. ant. Emparentar con él.

Deudor, ra. (Del lat. *debĭtor, -ōris.*) adj. Que debe, o está obligado a satisfacer una deuda. Ú. t. c. s. || **2.** Dícese de la cuenta en que se ha de anotar una cantidad en el debe. || **El deudor no muera, que la deuda en pie se queda, o si el deudor no se muere, la deuda no se pierde.** refs. que manifiestan la esperanza que queda de cobrar mientras vive el deudor.

Deudoso, sa. adj. ant. Que tiene deudo o parentesco con uno.

Deuterio. (Del gr. δεύτερος, segundo.) m. *Quím.* Isótopo de hidrógeno, cuyo peso atómico es doble que el del hidrógeno normal.

Deuteronomio. (Del lat. *deuteronomium*, y éste del gr. δευτερονόμιον; de δεύτερος, segundo, y νόμος, ley.) m. Quinto libro del Pentateuco de Moisés, en el cual se repiten las leyes contenidas en los primeros.

Deuto. (Del gr. δεύτερος, segundo.) Prefijo que se emplea en la nomenclatura científica con el significado de segundo.

Deutóxido. (Del pref. *deuto*, y *óxido.*) m. *Quím.* Combinación del oxígeno con un cuerpo en su segundo grado de oxidación.

Devalar. (Del gall. port. *devalar*, o del fr. *devaler*, descender, y éstos del lat. *de* y *vallis*, valle.) intr. *Mar.* Derivar, separarse del rumbo.

Deván. adv. t. ant. **Devant.**

Devanadera. f. Armazón de cañas o de listones de madera cruzados, que gira alrededor de un eje vertical y fijo en un pie, para que, colocadas en aquél las madejas del hilado, puedan devanarse con facilidad. || **2.** Instrumento sobre que se mueve un bastidor pintado por los dos lados para hacer mutaciones rápidas en los teatros.

Devanado. m. *Electr.* Hilo de cobre con revestimiento aislador, que se arrolla en la forma conveniente, y forma parte del circuito de algunos aparatos o máquinas eléctricas.

Devanador, ra. adj. Que devana. Ú. t. c. s. || **2.** m. Alma de cartón, madera, etc., sobre la que se devana el hilo.

Devanagari. m. Escritura moderna del sánscrito.

Devanar. (Del lat. **depanare*, de *panus*, ovillo.) tr. Arrollar hilo en ovillo o carrete.

Devandicho, cha. (De *deván* y *dicho.*) adj. ant. **Sobredicho.**

Devaneador, ra. adj. Que devanea.
Devanear. (De *de* y *vanear.*) intr. Decir o hacer desconciertos o devaneos; disparatar, delirar. || **2.** ant. **Vaguear.**
Devaneo. (De *devanear.*) m. Delirio, desatino, desconcierto. || **2.** Distracción o pasatiempo vano o reprensible. || **3.** Amorío pasajero.
Devant. (De *de* y *avante.*) adv. t. ant. Antes, anteriormente.
Devantal. (De *devant.*) m. p. us. **Delantal.**
Devastación. (Del lat. *devastatĭo, -ōnis.*) f. Acción y efecto de devastar.
Devastador, ra. (Del lat. *devastātor.*) adj. Que devasta. Ú. t. c. s.
Devastar. (Del lat. *devastāre.*) tr. Destruir un territorio, arrasando sus edificios o asolando sus campos. || **2.** fig. **Destruir,** 1.ª acep.
Devedar. (Del lat. *devetāre.*) tr. ant. **Vedar.**
Devengar. (De *de* y el lat. *vindicāre,* atribuirse, apropiarse.) tr. Adquirir derecho a alguna percepción o retribución por razón de trabajo, servicio u otro título. DEVENGAR *salarios, costas, intereses.*
Devengo. m. Cantidad devengada.
Devenir. (Del lat. *devenīre.*) intr. Sobrevenir, suceder, acaecer. || **2.** *Fil.* Llegar a ser.
Deverbal. (De *verbo.*) adj. *Gram.* Dícese de la palabra, y en especial del nombre, derivados de un verbo, como *empuje,* de *empujar; salvamento,* de *salvar.* Ú. t. c. s.
Deverbativo, va. (De *verbo.*) adj. *Gram.* **Deverbal.** Ú. t. c. s.
De verbo ad vérbum. expr. adv. lat. Palabra por palabra, a la letra, sin faltar una coma.
Devesa. (De *defesa.*) f. ant. **Dehesa.**
Deviación. (Del lat. *deviatĭo, -ōnis.*) f. **Desviación.**
Deviedo. (De *devedar.*) m. ant. **Veda,** 1.er art., 1.ª acep. || **2.** ant. **Vedado.** || **3.** ant. **Entredicho,** 3.ª acep. || **4.** ant. *For.* Deuda contraída por delito o rebeldía.
Devieso. m. ant. **Divieso.**
Devino, na. (Del lat. *divīnus.*) m. y f. ant. **Adivino, na.**
Devinto, ta. (Del lat. *devinctus,* p. p. de *devincīre,* atar.) adj. ant. **Vencido.**
Devisa. (Del lat. *divīsa,* repartida.) f. Señorío solariego que se dividía entre hermanos coherederos. || **2.** Tierra sujeta a este señorío.
Devisar. (Del lat. *divisus,* repartido.) tr. ant. Pactar, concertar, convenir. || **2.** ant. Señalar, declarar la suerte o género de armas para el combate en los duelos y desafíos. || **3.** ant. Dividir o hacer particiones. || **4.** ant. Contar, referir. || **5.** ant. **Disfrazar,** 1.ª acep.
Devisero. m. Hidalgo poseedor de devisa.
De vita et móribus. expr. lat. V. **Información de vita et móribus.**
Devoción. (Del lat. *devotĭo, -ōnis.*) f. Amor, veneración y fervor religiosos. || **2.** Manifestación externa de estos sentimientos. || **3.** fig. Inclinación, afición especial. || **4.** fig. Costumbre devota, y en general, costumbre buena. || **5.** *Teol.* Prontitud con que uno está dispuesto a hacer la santa voluntad de Dios. || **6.** V. **Casa de devoción.** || **de monjas.** Asistencia a sus locutorios y frecuente conversación con ellas. || **Estar a la devoción de** uno. fr. Estar una persona, o una reunión de ellas, como nación, ciudad, ejército, etc., voluntariamente sujeta a la obediencia de otra.
Devocionario. m. Libro que contiene varias oraciones para uso de los fieles.
Devodar. (Del lat. *devotāre,* intens. de *devovēre,* ofrecer, votar.) intr. ant. Votar o jurar.
Devolución. (Del lat. *devolūtus,* p. p. de *devolvĕre,* rodar.) f. Acción y efecto de devolver.
Devolutivo, va. (Del lat. *devolūtus.*) adj. *For.* Dícese de lo que devuelve. || **2.** *For.* V. **Efecto devolutivo.**
Devolver. (Del lat. *devolvĕre.*) tr. Volver una cosa al estado que tenía. || **2.** Restituirla a la persona que la poseía. || **3.** Corresponder a un favor o a un agravio. || **4.** fam. **Vomitar,** 1.ª acep.
Devoniano, na. (Del condado de *Devon,* en Inglaterra.) adj. *Geol.* Dícese del terreno inmediatamente posterior al siluriano. Ú. t. c. s. || **2.** *Geol.* Perteneciente a este terreno.
Devónico, ca. adj. **Devoniano.**
Devorador, ra. (Del lat. *devorātor.*) adj. Que devora. Ú. t. c. s.
Devorante. p. a. de **Devorar. Devorador.**
Devorar. (Del lat. *devorāre.*) tr. Tragar con ansia y apresuradamente. || **2.** fig. Consumir, destruir. || **3.** fig. Consagrar atención ávida a una cosa. DEVORAR *un libro, una carta.* DEVORARLE *a uno con los ojos.*
Devoraz. adj. ant. **Voraz.**
Devotamente. adv. m. Con devoción.
Devotería. f. Beatería, acto de falsa devoción.
Devoto, ta. (Del lat. *devōtus,* consagrado, dedicado.) adj. Dedicado con fervor a obras de piedad y religión. Ú. t. c. s. || **2.** Aplícase a la imagen, templo o lugar que mueve a devoción. || **3.** Afecto, aficionado a una persona. Ú. t. c. s. || **4.** m. Objeto de la devoción de uno. *Ese santo quiero tomar por* DEVOTO.
Devover. (Del lat. *devovēre.*) tr. ant. Dedicar, ofrecer, entregar. Usáb. t. c. r.
Devuelto, ta. (Del b. lat. *devolvitus,* por *devolūtus.*) p. p. irreg. de **Devolver.**
Dexiocardia. (Del gr. δεξιά, derecha, y καρδία, corazón.) f. *Med.* Desviación del corazón hacia la derecha.
Dexmero. m. ant. **Dezmero.**
Dextrina. (Del lat. *dextra,* la mano derecha.) f. *Quím.* Cualquiera de las substancias sólidas, amorfas, de color blanco amarillento, que se forman calentando el almidón con ácidos diluidos a la temperatura de la ebullición, y que se convierten en glucosa si la operación se prolonga mucho. Sus disoluciones son dextrógiras.
Dextro. (Del lat. *dextrum.*) m. Espacio de terreno alrededor de una iglesia, dentro del cual se gozaba del derecho de asilo y de algunos otros privilegios.
Dextrógiro, ra. (Del lat. *dexter,* que está a la derecha, y de *girar.*) adj. *Quím.* Dícese del cuerpo o substancia que desvía a la derecha la luz polarizada. Ú. t. c. s. m.
Dextrorso, sa. (Del lat. *dextrorsum,* hacia la derecha.) adj. *Fís.* Que se mueve hacia la derecha.
Dextrórsum. (Voz latina.) adv. l. Hacia la derecha.
Dextrosa. f. Variedad de glucosa.
Dey. (Del ár. *ḍāy,* y éste del turco *dāy,* tío materno.) m. Título del jefe o príncipe musulmán que gobernaba la regencia de Argel.
Deyección. (Del lat. *deiectĭo, -ōnis.*) f. *Geol.* Conjunto de materias arrojadas por un volcán o desprendidas de una montaña. || **2.** *Med.* Defecación de los excrementos. || **3.** Los excrementos mismos. Ú. m. en pl.
Deyecto, ta. (Del lat. *deiectus.*) adj. ant. Vil, despreciable.
Dezmable. (De *dezmar.*) adj. Que estaba o podía estar sujeto al diezmo.
Dezmar. (Del lat. *decimāre.*) tr. **Diezmar.**
Dezmatorio. (De *dezmar.*) m. Sitio o lugar donde se recogía el diezmo. || **2.** Lugar o distrito que correspondía a cada iglesia o parroquia para pagar el diezmo. || **3.** ant. Persona que pagaba el diezmo.
Dezmeño, ña. adj. **Demero.**
Dezmera. (Del lat. *decimaria,* t. f. de *-ius,* dezmero.) f. ant. **Dezmería.**
Dezmería. (De *dezmero.*) f. Territorio de que se cobraba el diezmo para una iglesia o persona determinada.
Dezmero, ra. (Del lat. *decimarius,* de *decima,* decima parte.) adj. Perteneciente al diezmo. || **2.** V. **Casa dezmera.** || **3.** m. y f. **Diezmero, ra.**
Dezmía. f. ant. **Dezmería.**
Di. (Del lat. *dis* y *di.*) pref. que denota oposición o contrariedad, como en DI*sentir;* origen o procedencia, como en DI*manar;* extensión o dilatación, como en DI*fundir.*
Di (Del gr. δίς, dos.) pref. que conserva su significado *dos* en la composición de varios términos científicos; como DI*morfo,* DI*sílabo,* DI*tono,* DI*teísmo.*
Dí. (Contracc. de *de y,* 3.er art.) adv. l. ant. De allí.
Día. (Del gr. διά.) pref. que significa separación, como en DIA*crítico,* DIÁ*tesis;* a través de, como en DIÁ*metro;* entre, como en DIA*tónico.*
Día. (Del lat. *dies.*) m. Tiempo que el Sol emplea en dar aparentemente una vuelta alrededor de la Tierra. || **2.** Tiempo que dura la claridad del Sol sobre el horizonte. || **3.** Tiempo que hace durante el **día** o gran parte de él. DÍA *lluvioso, cubierto, despejado.* || **4.** Aquel en que la Iglesia celebra al santo, el sagrado misterio, etc., de que una persona toma nombre, con respecto a esta misma persona. Ú. m. en pl. *Hoy son los* DÍAS *de Eugenio.* || **5. Cumpleaños.** Ú. m. en pl. || **6.** Momento, ocasión. *El* DÍA *que le pierdan el respeto, se acabó todo.* || **7.** pl. fig. **Vida,** 4.ª acep., en frases como las siguientes: *Al fin de sus* DÍAS; *después de sus* DÍAS. || **Día adiado. Día diado.** || **artificial.** Tiempo que media desde que sale el Sol hasta que se pone. || **astronómico.** *Astron.* Tiempo comprendido entre dos pasos consecutivos del Sol por el meridiano superior. || **civil.** Tiempo comprendido entre dos medias noches consecutivas. || **colendo. Día festivo.** || **complementario.** Cada uno de los cinco o seis **días** que se contaban al fin del año en el calendario republicano francés, para completar el número de 365 ó de 366. Ú. m. en pl. || **crítico.** Aquel de que pende la decisión de una enfermedad o negocio. || **de año nuevo.** El primero del año. || **de años. Cumpleaños.** || **de ayuno.** Aquel en que la Iglesia manda ayunar. || **de bueyes.** Medida agraria, usada en Asturias, equivalente a 1.800 varas cuadradas o a 1.257 centiáreas. || **de campo.** El destinado para divertirse en el campo. || **de carne.** Aquel en que la Iglesia permite comer carne. || **de ceniza. Miércoles de ceniza.** || **decretorio.** *Med.* **Día crítico.** || **de cutio. Día de trabajo.** || **de descanso.** El que se paga al alquilador de carruajes o bestias, además de los que se emplean en el camino. || **de Dios. Corpus.** || **2. Día del juicio,** 1.ª acep. || **de fiesta. Fiesta,** 3.ª y 4.ª aceps. || **de fiesta entera. Fiesta,** 3.ª acep. || **de fortuna.** Entre cazadores, aquel en que abunda la caza, por nevada, por quema en el campo o por otro accidente semejante, y en el cual se prohibe cazar. Ú. m. en pl. || **de gala.** Aquel en que, por celebrarse algún aniversario, o suceso notable, la milicia, la corte o una familia particular se viste de gala. || **de grosura.** Se llamaba así el sábado en los reinos de Castilla, porque en él se permitía comer los intestinos y extremidades de las reses y toda la grosura de ellas. || **de guardar. Día de precepto.** || **de hacienda. Día de trabajo.** || **de huelga.** Aquel en que los artesanos no trabajan, aunque no sea festibo. || **2.** Aquel o aquellos que median entre una y otra calentura del que pade-

ce tercianas o cuartanas. || **de iglesia.** El destinado para confesar y comulgar, para ganar un jubileo o asistir a una función de iglesia. || **de indulto.** Aquel en que los reyes y soberanos acostumbran indultar de la pena capital y conceder otros indultos. || **de joya.** En palacio, aquel en que había besamanos. || **de juicio.** fig. y fam. **Día del juicio.** || **de la joya.** Aquel en que el caballero que estaba para casarse presentaba a la que había de ser su mujer una joya de valor. || **del dicho.** Aquel en que el juez eclesiástico explora la voluntad de los que han de contraer matrimonio. || **del juicio.** Último **día** de los tiempos, en que Dios juzgará a los vivos y a los muertos. || **2.** fig. y fam. Aquel en que hay gran confusión, algazara o gritería, o multitud de gente reunida. || **3.** fig. Muy tarde o nunca. A veces se dice más familiarmente **el día del juicio por la tarde.** || **de los difuntos,** o **finados.** El de la conmemoración de los fieles difuntos, el 2 de noviembre. || **de los inocentes.** El 28 de diciembre. || **del primer móvil.** *Astron.* **Día astronómico.** || **del Señor. Corpus.** || **de mano,** o **de media fiesta. Día de misa.** Se solía señalar en los almanaques con una manecita indicadora. || **de media gala.** El que se celebra con cierta solemnidad, inferior a la de los de gala. || **de misa.** Aquel en que mandaba la Iglesia que se oyese misa, y permitía trabajar. || **de moda.** En teatros, circos, exposiciones, etc., el **día** de la semana en que el precio de entrada es mayor, para reservarlo a la gente más acomodada. || **de pescado.** Aquel en que la Iglesia prohibe comer carne. || **de precepto.** Aquel en que manda la iglesia que se oiga misa y que no se trabaje. || **de Ramos. Domingo de Ramos.** || **de Reyes.** El 6 de enero, la Epifanía. || **de trabajo.** El ordinario, por contraposición al de fiesta. || **de tribunales.** Aquel en que se daba audiencia judicial, para lo cual se franqueaban los tribunales y se presentaban en ellos los jueces y ministros a cuyo cargo estaba la administración de justicia. || **de viernes,** o **de vigilia. Día de pescado.** || **diado. Día** preciso y señalado para ejecutar una cosa. || **eclesiástico.** El que, para el culto eclesiástico en el rezo y oficio divino, empieza la Iglesia desde la hora de vísperas hasta el siguiente **día** a la misma hora. || **feriado.** Aquel en que están cerrados los tribunales, y se suspende el curso de los negocios de justicia. || **festivo. Fiesta,** 3.ª y 4.ª aceps. || **hábil.** *For.* El utilizable para las actuaciones judiciales, que es normalmente el no feriado, salvo en los sumarios de lo criminal y en casos extraordinarios de lo civil. || **intercalar.** El que se añade al mes de febrero en cada año bisiesto. || **interciso.** Aquel en que por la mañana era fiesta y por la tarde se podía trabajar. || **jurídico.** ant. **Día de tribunales.** || **laborable. Día de trabajo.** || **lectivo.** Aquel en que se da clase en los establecimientos de enseñanza. || **marítimo.** Tiempo transcurrido desde que un barco que va navegando tiene el Sol en su cenit, hasta que sucede lo mismo al siguiente **día.** La diferencia con el **día** solar es tanto más grande cuanto mayores son las singladuras y latitudes. || **medio.** Espacio de tiempo que resulta de dividir la duración del año solar en 365 partes iguales. || **natural.** *Astron.* **Día,** 2.ª acep. || **nefasto.** Aquel en que no era lícito en la antigua Roma tratar los negocios públicos ni administrar justicia. || **2.** El de luto y tristeza, considerado como funesto en memoria de una desgracia insigne del pueblo romano. || **3.** Por ext., aquel en que cualquier pueblo, familia o persona conmemora o padece una gran desgracia. || **pardo.** Aquel en que el cielo está cubierto de nubes ligeras o poco densas. || **pesado.** Aquel en que está muy cargada la atmósfera. || **puente.** El laborable comprendido entre dos festivos y que por esta circunstancia se amplía a él la vacación. || **quebrado.** Aquel en que no se comercia o trabaja, por ser festivo o por otra causa cualquiera. || **sidéreo.** *Astron.* Tiempo siempre igual que tarda la Tierra en dar una vuelta entera alrededor de su eje polar y durante la cual se efectúa una revolución aparente completa de las estrellas fijas. Cuéntase desde la culminación del punto equinoccial de primavera, y es 3′ 56″ más corto que el **día** solar medio. || **solar.** *Astron.* **Día,** 1.ª acep. || **Días geniales.** Los que se celebran con gran fiesta y regocijo; como los de natalicio, desposorio o boda. || **Abrir el día.** fr fig. **Romper el día.** || **2.** fig. **Despejarse el día.** || **A días.** loc. adv. Unos **días** sí, y otros no; de vez en cuando; no siempre. || **A días claros, obscuros nublados.** loc. que indica que tras el placer viene la tristeza y el pesar. || **A dos días buenos, ciento de duelo.** expr. que advierte que más son los **días** de pesar que los de placer. || **Al buen día, ábrele la puerta, y para el malo te apareja.** ref. que aconseja se aprovechen las ocasiones favorables y se prepare el ánimo para las adversidades que puedan sobrevenir. || **Al buen día, métele en casa.** ref. que aconseja aprovechar las ocasiones favorables. || **Alcanzar** a uno **en días.** fr. fam. Sobrevivir una persona a otra. || **Al día.** m. adv. **Al corriente.** || **Algún día en mi peral tendrás peras. Algun día será fiesta,** o **será la fiesta de nuestra aldea. Algun día será la nuestra. Algun día será pascua.** exprs. fams. que se emplean para indicar que tiempo vendrá en que mejoraremos de suerte o seremos vengados. || **Al otro día.** loc. adv. Al **día** siguiente. || **Antes del día.** loc. adv. **Al amanecer.** || **Aquel día perdí mi honor, que hablé mal y oí peor.** ref. que advierte cuánto daña la intemperancia de la lengua, pues si uno injuria a otro, será a su vez injuriado. || **Aquel es buen día, cuando la sartén chilla.** ref. que expresa que hay contento en estando abundante la comida. || **A tantos días fecha,** o **vista.** loc. adv. *Com.* Ú. en letras y pagarés para dar a entender que serán abonados al cumplirse los **días** que se expresan, a contar desde la fecha o desde la aceptación. || **A tres días buenos, cabo de mala estrena.** ref. que enseña lo poco estables y duraderas que son las dichas de este mundo. || **Buenos días.** expr. que se emplea como salutación familiar durante la mañana. || **Cada día gallina, amarga la cocina. Cada día olla, amarga el caldo.** refs. con que se da a entender que por buena que sea una cosa, se hace fastidiosa cuando es muy repetida. || **Cada tercer día.** loc. adv. **Un día sí y otro no.** || **Ceder el día.** fr. *For.* En el tecnicismo antiguo, nacer o empezar a deberse un derecho u obligación. || **Cerrarse el día.** fr. fig. **Obscurecerse el día.** || **Coger** a uno **el día en** una parte. fr. Amanecerle en ella. || **Como del día a la noche.** fr. con que expresamos la mucha diferencia que existe entre dos términos comparados. || **Cualquier día.** expr. que se usa irónicamente para indicar que no está uno dispuesto a aquello de que se habla. || **¿Cuándo nos has de dar un buen día?** fr. fam. que se dice al que deseamos ver casado. || **Dar** a uno **el día.** fr. irón. Causarle un gran pesar. || **Dar los buenos días.** fr. Saludar por la mañana deseando feliz **día.** || **Dar** uno **los días** a otro. fr. Manifestarle con expresiones de palabra o por escrito, que toma parte en la celebridad del **día** de su nombre o de su cumpleaños. || **De cada día.** m. adv. Sucesivamente, con continuación. || **De día a día.** m. adv. **De un día a otro.** || **De día en día.** m. adv. con que se manifiesta que una cosa se va dilatando un **día** y otro, más de lo que se pensaba. || **2.** También significa la continuación del tiempo en que se espera o va ejecutando una cosa. || **De días.** m. adv. Tiempo ha, o de algún tiempo. || **Del día.** m. adv. De moda o conforme al gusto o al uso predominante o corriente. || **2.** Fresco, reciente, hecho en el mismo **día.** *Pan* DEL DÍA. || **Descrecer el día.** fr. ant. Irse acabando; acercarse la noche. || **Despejarse el día.** fr. Despejarse el cielo. || **Despuntar el día.** fr. fig. **Romper el día.** || **De un día a otro.** m. adv. que explica la prontitud con que se espera un suceso. || **Día de bodorrio, ponte en completorio.** ref. que aconseja se anticipen en **días** ocupados las obligaciones indispensables, para no faltar a ellas. || **Día de mucho, víspera de nada.** ref. que advierte la instabilidad de los bienes terrenales. || **2.** También indica que tras de abundancia excesiva suele venir demasiada escasez. || **Día de San Miguel, quita el agua a tu vergel.** ref. que aconseja suspender el riego a partir del 29 de septiembre, porque basta con la lluvia. || **Día en día.** m. adv. ant. **De día en día.** || **Día por día.** m. adv. **Diariamente.** || **Día por medio.** loc. adv. *Amér.* **Un día sí y otro no.** || **Días y ollas.** expr. fam. con que se da a entender que con tiempo y paciencia se consigue todo. || **Día y noche.** loc. adv. Constantemente, a todas horas. || **Día y victo.** expr. con que se denota que uno gasta lo que gana en cada día, sin poder guardar nada para otro. || **El día de ayuno, víspera es de santo.** ref. que indica que al trabajo sigue la recompensa. || **El día de hoy.** loc. adv. **Hoy día.** || **El día de mañana.** loc. adv. Mañana, en el **día** siguiente a hoy. || **2.** En tiempo venidero. || **El día de mañana no lo vimos.** expr. que indica que el porvenir siempre es incierto. || **El día menos pensado.** loc. adv. fam. Cuando menos se piense. || **El día que cierno, mal día tengo. El día que cuelo, mal día llevo. El día que maso, mal día paso.** Dichos contra mujeres holgazanas. || **El día que no escobé, vino quien no pensé.** ref. que advierte que es muy conveniente el vivir prevenido para lo que pueda sobrevenir. || **El día que te casas, o te curas o te matas.** ref. que indica la prudencia y consejo de que se debe usar para tomar estado. || **El día y la noche.** expr. con que se pondera la extremada pobreza y desamparo de una persona. *Llegó a Madrid con* EL DÍA Y LA NOCHE *por todo caudal.* || **El mejor día.** loc. adv. irón. con la cual uno indica que teme para sí, o anuncia a otro, algún contratiempo. || **El otro día.** loc. adv. Uno de los **días** próximos pasados. || **El que en sí confía, yerra cada día.** ref. que advierte el peligro que corremos al obrar sin aconsejarnos de nadie. || **El santo día.** loc. adv. fam. **Todo el santo día.** || **En buen día, buenas obras.** expr. fam. que se dice irónicamente de los que en **días** señalados y notables se emplean en hacer cosas malas. || **En cuatro días.** m. adv. fig. y fam. En poco tiempo. || **En días.** expr. **Entrado en días.** || **En días de Dios,** o **del mundo,** o **en los días de la vida.** locs. advs. **Nunca jamás.** EN DÍAS DE DIOS *ha sucedido semejante cosa.* || **En su día.** loc. adv. A su tiempo; en tiempo oportuno. || **Entrado en días.** expr. Dícese del que se acerca a la vejez. || **Entre día.** m. adv. Durante el **día**; por algún espacio de él. || **Estar al día.** fr. Estar al corriente en el conocimiento de una materia o en el cumplimiento de una obligación. || **Estar** una mujer **en días de parir.** fr. Estar cercana al parto, o fuera de cuenta. || **Habilitar días,** o **el día.** fr. *For.* Decretar el juez que en ellos puedan hacerse o recibirse actuaciones. || **Hoy día,** u **hoy en día.** m. adv. Hoy, en el tiempo presente. || **Hoy es día de «echad aquí, tía».** ref. que denota ocasión en que se debe gastar con esplendidez. || **La que hila cada día bulto de un huevo de gallina, no irá a pedir camisa a su vecina.** ref. que encarece cuánto vale la constancia en el trabajo. || **Llevarse** uno **el día en** una cosa. fr. Emplearlo todo en ella. || **Mañana será otro día.** expr. con que se consuela o amenaza, recordando la instabilidad de las cosas humanas. || **2.** Empléase también para diferir a otro **día** la ejecución de una cosa. || **Más días hay que longanizas.** expr. fig. y fam. con que se denota que no urge decir o hacer una cosa. || **2.** fig. y fam. Reprende a los que se apresuran demasiado en los negocios poco urgentes. || **No en mis días.** expr. con que uno se excusa de hacer o conceder lo que otro pide. || **No es cada día agosto ni vendimia. No es cada día pascua ni Santa María.** exprs. que dan a entender que no todos los **días** son de provecho o de regocijo. || **No hay día tan lueñe que presto no esté presente.** ref. que advierte cuán presuroso corre el tiempo. || **No pasar día por** uno. fr. fam. No envejecer, mantenerse de aspecto joven a pesar de los años. || **No se van los días en balde.** expr. con que se explica el efecto que causa en los hombres la edad, descaeciendo la robustez, el brío y la salud. || **No tener más que el día y la noche.** fr. fig. y fam. Carecer de todo recurso y amparo. || **Obscurecerse el día.** fr. Nublarse el cielo durante el **día.** || **Otro día.** loc. adv. **Al otro día.** || **Parecer al tercer día, como ahogado.** expr. fam. Aplícase al que llega pasada la oportunidad. || **Quien tarde se levanta, todo el día trota.** expr. que declara que cuando se empieza por perder el tiempo, luego ya no se recobra. || **Romper el día.** fr. fig. **Amanecer,** 1.er art., 1.a acep. || **Salir** uno **del día.** fr. fig. y fam. Libertarse por de pronto de un apuro, ahogo o dificultad en algún asunto o negocio, quedando éste pendiente. || **Santificar los días.** fr. **Santificar las fiestas.** || **Tal día hará, o hizo, un año.** expr. fam. de que se usa para explicar el poco o ningún cuidado que causa un suceso. || **Tener** uno **días.** fr. Tener mucha edad. || **2.** fam. Ser desigual y mudable en el trato, en el semblante, en el humor, etc. || **Tener** uno **los días contados.** fr. fig. Hallarse al fin de la vida. || **Tener** uno **sus días contados.** fr. fig. **Tener horas contadas.** || **Todo el santo día.** loc. adv. fam. que se emplea para expresar con exageración todo el tiempo de un **día.** || **Todos los días olla, amarga el caldo.** ref. **Cada día olla,** etc. || **Tomar** a uno **el día en** una parte. fr. **Coger** a uno **el día,** etc. || **Tras diez días de ayunque de herrero, duerme al son el perro.** ref. con que se demuestra la fuerza de la costumbre. || **Un día de vida es vida.** expr. usada cuando se retrasa en un asunto el desenlace que se teme sea malo. || **Un día es un día.** loc. fam. con que se indica que uno se aparta de sus costumbres por algún motivo especial. || **Un día sí y otro no.** loc. adv. En **días** alternos. || **Venir el día.** fr. *For.* En el tecnicismo antiguo, llegar a ser exigibles los derechos u obligaciones. || **Vivir al día.** loc. Gastar en el diario todo aquello de que se dispone, sin ahorrar nada. || **Yendo días y viniendo días.** expr. fam. con que se da a entender que ha transcurrido tiempo largo indeterminado entre un suceso y otro.

Diabasa. (Del gr. διάβασις, pasaje.) f. **Diorita.**

Diabetes. (Del lat. *diabētes,* y éste del gr. διαβήτης, de διαβαίνω, atravesar.) f. *Med.* Enfermedad causada por un desorden de nutrición, y que se caracteriza por eliminación excesiva de orina, que frecuentemente contiene azúcar. También suele producir enflaquecimiento, sed intensa y otros trastornos generales. || **2. Diabetes sacarina.** || **3.** *Mec.* **Diabeto.** || **insípida.** *Med.* La que no produce eliminación de azúcar en la orina, se debe a la lesión de la hipófisis o de ciertos centros nerviosos, y se caracteriza por poliuria y sed muy intensa. || **renal.** *Med.* La que no se manifiesta por síntomas generales ni por aumento de azúcar en la sangre, y se debe a una alteración del riñón. || **sacarina.** *Med.* La que se caracteriza por un exceso de azúcar en la sangre con eliminación de este exceso por la orina. Es la variedad más frecuente de **diabetes.**

Diabético, ca. adj. *Med.* Perteneciente o relativo a la diabetes. || **2.** *Med.* Que padece diabetes. Ú. t. c. s.

Diabeto. m. Aparato hidráulico, dispuesto de modo que cuando se llena enteramente, vuelve a vaciarse del todo. Es un sifón intermitente.

Diabla. f. fam. y fest. Diablo hembra. || **2.** Máquina para cardar la lana o el algodón. || **3.** Vehículo de dos ruedas, con toldo, para tiro de sangre. || **4.** En los teatros, batería de luces que cuelga del peine, entre bambalinas, en los escenarios. || **A la diabla.** m. adv. fam. con que se expresa lo mal que se ha hecho o se hace una cosa por falta de esmero.

Diablado, da. (De *diablo.*) adj. ant. **Endiablado.**

Diablear. (De *diablo.*) intr. fam. Hacer diabluras.

Diablejo. m. d. de **Diablo.**

Diablesa. f. fam. **Diabla,** 1.a acep.

Diablesco, ca. adj. **Diabólico.**

Diablillo. m. d. de **Diablo.** || **2.** El que se viste de diablo en las procesiones o en carnaval. || **3.** fig. y fam. Persona aguda y enredadora.

Diablito. m. d. de **Diablo.** || **2.** *Cuba.* El negro vestido de moharracho, que el día de Reyes andaba por las calles haciendo piruetas.

Diablo. (Del lat. *diabŏlus,* y éste del gr. διάβολος.) m. Nombre general de los ángeles arrojados al abismo, y de cada uno de ellos. || **2.** V. **Abogado, árbol, caballito, caballo, hijo, pepino del diablo.** || **3.** V. **Pájaro, peje diablo.** || **4.** fig. Persona que tiene mal genio, o es muy traviesa, temeraria y atrevida. || **5.** fig. Persona muy fea. || **6.** fig. Persona astuta, sagaz, que tiene sutileza y maña aun en las cosas buenas. || **7.** Instrumento de madera con varias muescas, en que el jugador de billar apoya el taco cuando no puede hacerlo en la mano por estar la bola muy distante. || **8.** Diabla, máquina de cardar la lana. || **cojuelo.** fam. **Diablo** enredador y travieso. || **2.** fig. y fam. Persona enredadora y traviesa. || **encarnado.** fig. Persona perversa y maligna. || **marino. Escorpina.** || **predicador.** fig. Persona que siendo de costumbres escandalosas, se mete a dar buenos consejos. || **Pobre diablo.** fig. y fam. Hombre bonachón y de poca valía. || **Ahí será el diablo.** expr. fam. con que se explica el mayor riesgo o peligro que se teme o se sospecha en lo que puede suceder. || **Andar,** o **estar, el diablo en Cantillana.** fr. fig. y fam. Haber turbaciones o inquietudes en alguna parte. || **Andar el diablo suelto.** fr. fig. y fam. Haber grandes disturbios o inquietudes en un pueblo o comunidad, o entre varias personas. || **Aquí hay mucho diablo.** expr. fig. y fam. con que se explica que un negocio tiene mucha dificultad, malicia o enredo oculto. || **Así paga el diablo a quien bien le sirve.** expr. que se usa para quejarse de una ingratitud. || **¡Como diablos!** loc. **¡Qué diablos!** || **Como el diablo,** o **como un diablo.** loc. adv. fig. y fam. Excesivamente, demasiado. *Esto amarga* COMO EL DIABLO; *aquello pesa* COMO UN DIABLO. || **¡Con mil diablos!** expr. fam. de impaciencia y enojo. || **Cuando el diablo no tiene que hacer, con el rabo mata moscas.** ref. que se aplica a los que gastan el tiempo en cosas inútiles. || **Cuando el diablo reza, engañarte quiere.** ref. que reprende a los hipócritas, y generalmente a todos los que con buenas apariencias encubren dañada intención. || **Cuando el diablo viniere a tu puerta y pidiere mangas, córtalas y dáselas.** ref. que muestra la inutilidad de resistir a la violencia cuando no hay fuerzas para vencer. || **Dar al diablo** una persona o cosa. fr. fig. y fam. con que se manifiesta desprecio o indignación hacia ella. || **Dar al diablo el hato y el garabato.** fr. fig. y fam. que se emplea para manifestar grande enojo o desesperación. || **Dar de comer al diablo.** fr. fig. y fam. Murmurar, hablar mal. || **2.** fig. y fam. Armar rencillas o provocar con malas palabras. || **Darle a uno el diablo ruido.** fr. Hacer un disparate. || **Dar que hacer al diablo.** fr. Ejecutar una mala acción. || **Darse** uno **al diablo.** fr. fig. y fam. Irritarse, enfurecerse, desesperarse. || **Del diablo,** o **de los diablos,** o **de mil diablos,** o **de todos los diablos.** exprs. con que se exagera una cosa por mala o incómoda. || **¡Diablo!** interj. fam. con que se denota extrañeza, sorpresa, admiración o disgusto. || **Diablos son bolos.** fr. proverb. con que se denota la poca seguridad que se debe tener en las cosas contingentes. || **Donde el diablo perdió el poncho.** loc. adv. *Argent.* y *Chile.* En lugar distante o extraviado. || **El diablo, harto de carne, se metió fraile.** ref. con que se moteja al que reforma sus costumbres relajadas cuando ya no tiene vigor para continuarlas. || **El diablo las carga.** fr. proverb. con que se da a entender la posibilidad de que se origine daño o disturbio de aquello que, al parecer, no podía producir tales efectos. || **El diablo que...** fr. fam. equivalente a no hay quien... EL DIABLO QUE *lo entienda;* EL DIABLO QUE *te alcance.* || **El diablo sea sordo.** expr. fam. con que explicamos la extrañeza de una palabra indigna de decirse, o el deseo de que no suceda una cosa que se teme. || **Ése es el diablo.** expr. fam. que se usa para explicar la dificultad que se halla en dar salida a una cosa. || **Estar uno dado al diablo.** fr. fig. y fam. Estar irritado, enfurecido. || **Guárdate del diablo.** expr. fam. con que se amenaza a uno, o se le previene de un riesgo o castigo. || **Haber una de todos los diablos.** fr. fig. y fam. Haber un gran alboroto, quimera o pendencia, difícil de apaciguar. || **Hablar uno con el diablo.** fr. fig. y fam. Ser muy astuto y averiguar cosas difíciles de saber. || **Hay muchos diablos que se parecen unos a otros. Hay un diablo que se parece a otro.** frs. figs. y fams. con que se quiere excusar a una persona de la culpa que se le atribuye. || **Lo bien ganado se lo lleva el diablo, y lo malo, a ello y su amo.** ref. que advierte la facilidad con que se suelen disipar los caudales, especialmente los mal adquiridos. || **Llevarse el diablo** una cosa. fr. fig. y fam. Suceder mal, o al contrario de lo que se esperaba. || **Más que el diablo.** expr. con que se manifiesta gran repugnancia a hacer una cosa. || **Más sabe el diablo por ser viejo que por ser diablo.** ref. que encarece lo mucho que vale la larga experiencia. || **No es tan feo el diablo como le pintan.** fr. fig. y fam. con que se denota que una cosa no es tan mala como parecía. || **No sea el diablo que...** expr. con que se explica el temor, peligro o contingencia de una cosa. || **No ser uno gran, o muy, diablo.** fr. fig. y fam. No ser muy advertido o sobresaliente en una línea. || **Nos por lo ajeno, y el diablo por lo nuestro.** ref. que enseña que lo que se adquiere por malos medios, no sólo se malogra, sino que regularmente es causa de que se pierda aun lo que se posee con derecho. || **No tener el diablo por donde desechar** a uno. fr. fam. Ser muy vicioso y sin ninguna cualidad buena. || **No valer un diablo** una persona o cosa. fr. fig. y fam. Ser muy despreciable y de ningún valor. || **Parece que tiene el diablo en el cuerpo.** fr. fig. y fam. que se aplica a una persona inquieta o traviesa. || **¡Qué diablos!** loc. que se junta frecuentemente a las expresiones de impaciencia o de admiración. || **Revestírsele** a uno **el diablo, o los diablos,** o **todos los diablos.** fr. fig. y fam. **Revestírsele** a uno **el demonio,** etc. || **Ríese el diablo cuando el hambriento da al harto.** ref. que reprende al que invierte el orden de las cosas, aunque sea con pretextos honestos. || **Tanto quiso el diablo a sus hijos, que les sacó los ojos.** ref. que reprende a los que indiscretamente dan gusto a sus hijos en perjuicio de su buena educación. || **Tener uno diablo.** fr. fig. y fam. Ejecutar cosas extraordinarias; prevenir o anunciar lo que nadie sospecha ni teme. || **Tener uno el diablo, o los diablos, en el cuerpo.** fr. fig. y fam. Ser muy astuto o muy revoltoso. || **Tirar el diablo de la manta.** fr. fam. Descubrirse lo que había interés en mantener oculto. La frase completa es: **Tiró el diablo de la manta y se descubrió el pastel.** || **¡Un diablo!** expr. fam. con que se manifiesta la repugnancia que tenemos a ejecutar una cosa que se nos propone. || **Vaya el diablo para malo.** expr. fig. y fam. con que se exhorta a ejecutar una cosa prontamente, para evitar inconvenientes o malas consecuencias. || **Vaya el diablo por ruin.** expr. fam. que suele usarse para sosegar una pendencia o discordia y volver a conciliar la amistad. || **Ya que le lleve** a uno **el diablo, que sea en coche.** expr. fig. y fam. Ya que cometa uno alguna mala acción, que sea para sacar mucho provecho material || **Yo como tú, y tú como yo, el diablo nos juntó, o el diablo te me dio.** ref. con que se explica que la conformidad en las costumbres, cuando son malas, es principio de muchos daños; y por eso parece que es obra del **diablo,** o disposición suya, el que se junten dos personas, especialmente en casamiento, que es a lo que alude el refrán.

Diablura. (De *diablo.*) f. Travesura extraordinaria; acción temeraria, expuesta a peligro y fuera de razón o tiempo.

Diabólicamente. adv. m. Con diablura, de manera diabólica.

Diabólico, ca. (Del lat. *diabolĭcus,* y éste del gr. διαβολικός.) adj. Perteneciente o relativo al diablo. || **2.** fig. y fam. Excesivamente malo. *Ruido, tiempo* DIABÓLICO. || **3.** fig. Enrevesado, muy difícil.

Diabolín. m. Pastilla de chocolate cubierta de azúcar y envuelta en un papel con un mote.

Diábolo. (Del ital. *diavolo,* y éste del lat. *diabŏlus,* diablo.) m. Juguete que consiste en una especie de carrete formado por dos conos unidos por el vértice, al cual se imprime un movimiento de rotación por medio de una cuerda atada al extremo de dos varillas, que se manejan haciéndolas subir y bajar alternativamente.

Diacatolicón. (Del gr. διά, intens., y καθολικόν, universal.) m. *Farm.* Electuario purgante que se hacía principalmente con hojas de sen, raíz de ruibarbo y pulpa de tamarindo.

Diacitrón. m. **Acitrón,** 1.ª acep.

Diacodión. (Del gr. διακώδιον; de διά, intens., y κωδύα, cabeza de adormidera.) m. *Farm.* Jarabe de adormidera.

Diaconado. m. **Diaconato.**

Diaconal. (Del lat. *diaconālis.*) adj. Perteneciente al diácono.

Diaconar. intr. Hacer las funciones de diácono.

Diaconato. (Del lat. *diaconātus.*) m. Orden sacra inmediata al sacerdocio.

Diaconía. (Del b. lat. *diaconia,* y éste del gr. διακονία.) f. Distrito y término en que antiguamente estaban divididas las iglesias para el socorro de los pobres, al cuidado de un diácono. || **2.** Casa en que vivía el diácono.

Diaconisa. (Del lat. *diaconissa.*) f. Mujer dedicada al servicio de la Iglesia.

Diácono. (Del lat. *diacŏnus,* y éste del gr. διάκονος, servidor, ministro.) m. Ministro eclesiástico y de grado segundo en dignidad, inmediato al sacerdocio.

Diacrítico, ca. (Del gr. διακριτικός, que distingue; de διακρίνω, distinguir.) adj. *Gram.* Aplícase a los signos ortográficos que sirven para dar a una letra algún valor especial. Son, por ejemplo, puntos **diacríticos** los que lleva la *u* de la palabra *vergüenza* y que también se llaman crema o diéresis. || **2.** *Med.* Dícese de los síntomas o señales con que una enfermedad se distingue exactamente de otra.

Diacústica. (Del gr. διά, a través, y de *acústica.*) f. Parte de la acústica que tiene por objeto el estudio de la refracción de los sonidos.

Diadelfos. (Del gr. δις, dos, y ἀδελφός, hermano.) adj. *Bot.* Dícese de los estambres de una flor cuando están soldados entre sí por sus filamentos, formando dos haces distintos. Ú. sólo en pl.

Diadema. (Del lat. *diadēma,* y éste del gr. διάδημα, de διαδέω, rodear, ceñir.) f. Faja o cinta blanca que antiguamente ceñía la cabeza de los reyes como insignia de su dignidad y remataba por detrás en un nudo del cual pendían los cabos por encima de los hombros. Usáb. t. c. m. || **2.** Cada uno de los arcos que cierran por la parte superior algunas coronas. || **3. Corona,** 1.ª y 2.ª aceps. || **4.** Adorno femenino de cabeza, en forma de media corona abierta por detrás.

Diademado, da. adj. Que tiene diadema.

Diado. (De *día.*) adj. V. **Día diado.**

Diadoco. m. Título del príncipe heredero en la Grecia moderna.

Diafanidad. f. Calidad de diáfano.

Diafanizar. tr. Hacer diáfana una cosa.

Diáfano, na. (Del gr. διαφανής, de διαφαίνω, aparecer a través.) adj. Dícese del cuerpo a través del cual pasa la luz casi en su totalidad. || **2.** fig. Claro, limpio.

Diáfisis. (Del gr. διάφισις, intersticio.) f. *Zool.* Cuerpo o parte media de los huesos largos, que en los individuos que no han terminado su crecimiento está separado de la epífisis por sendos cartílagos.

Diaforesis. (Del lat. *diaphorēsis,* y éste del gr. διαφόρησις, secreción de humores.) f. *Med.* **Sudor,** 1.ª acep.

Diaforético, ca. (Del lat. *diaphoretĭcus,* y éste del gr. διαφορητικός.) adj. *Med.* **Sudorífico.** Ú. t. c. s. m. || **2.** *Med.* V. **Sudor diaforético.**

Diafragma. (Del lat. *diaphragma,* y éste del gr. διάφραγμα, de διαφράσσω, interceptar.) m. *Zool.* Membrana formada en su mayor parte por fibras musculares, que en el cuerpo de los mamíferos separa la cavidad torácica de la abdominal. Tiene varios orificios, de los que los tres mayores sirven para dar paso, respectivamente, al esófago, a la aorta y a la vena cava inferior. En algunos animales, como el topo, está constituido principalmente por tejido conjuntivo al que acompañan pocos elementos musculares. || **2.** Separación, generalmente movible, que intercepta la comunicación entre dos partes de un aparato o de una máquina. || **3.** En los aparatos fonográficos, lámina flexible que recibe las vibraciones de la aguja al recorrer ésta los surcos impresos en el disco. || **4.** *Bot.* Membrana que establece separaciones interiores en algunos frutos, como las silicuas y silículas. || **5.** *Fotogr.* Disco pequeño horadado que sirve para regular la cantidad de luz que se ha de dejar pasar. || **iris.** *Fotogr.* El que consta de una serie de placas articuladas cuyo conjunto forma una circunferencia que se estrecha o ensancha para graduar la abertura del objetivo.

Diafragmar. tr. *Fotogr.* Cerrar más o menos el diafragma.

Diafragmático, ca. adj. Perteneciente o relativo al diafragma.

Diagnosis. (Del gr. διάγνωσις, de διαγιγνώσκω, distinguir, conocer.) f. *Med.* Conocimiento de los signos de las enfermedades.

Diagnosticar. (De *diagnóstico.*) tr. *Med.* Determinar el carácter de una enfermedad mediante el examen de sus signos.

Diagnóstico, ca. (Del gr. διαγνωστικός.) adj. *Med.* Perteneciente o relativo a la diagnosis. || **2.** m. *Med.* Conjunto de signos que sirven para fijar el carácter peculiar de una enfermedad. || **3.** *Med.* Calificación que da el médico a la enfermedad según los signos que advierte.

Diagonal. (Del lat. *diagonālis.*) adj. *Esgr.* V. **Tajo diagonal.** || **2.** *Geom.* Dícese de la línea recta que en un polígono va de un vértice a otro no inmediato, y en un poliedro une dos vértices cualesquiera no situados en la misma cara. Ú. t. c. s. f. || **3.** Aplícase a los tejidos en que los hilos no se cruzan en ángulo recto, sino oblicuamente. Ú. t. c. s. para designar los tejidos de esa clase.

Diagonalmente. adv. m. De modo diagonal.

Diágrafo. (Del gr. διά, a través, y γράφω, dibujar.) m. Instrumento para seguir los contornos de un objeto o de un dibujo y transmitirlos al mismo tiempo sobre el papel separado.

Diagrama. (Del lat. *diagramma,* y éste del gr. διάγραμμα, diseño.) m. Dibujo geométrico que sirve para demostrar una proposición, resolver un problema o figurar de una manera gráfica la ley de variación de un fenómeno.

Dial. (Del lat. *dialis,* de un día.) adj. Referente o relativo a un día. || **2.** pl. **Efemérides,** 1.ª acep.

Dial. (Del lat. *diālis,* perteneciente a Júpiter.) adj. V. **Flamen dial.**

Diálaga. (Del gr. διαλλαγή, cambio.) f. Mineral pétreo constituido por un silicato de magnesia, con cal, óxido de hierro y algo de alúmina, duro como el vidrio, de textura algo hojosa, y color que cambia del verde claro al bronceado, según la posición en que recibe la luz. Suele acompañar a las serpentinas.

Dialectal. adj. Perteneciente a un dialecto.

Dialectalismo. m. Voz o giro dialectal. || **2.** Carácter dialectal.

Dialéctica. (Del lat. *dialectĭca,* y éste del gr. διαλεκτική, t. f. de -κός, dialéctico.) f. Ciencia filosófica que trata del raciocinio y de sus leyes, formas y modos de expresión. || **2.** Impulso natural del ánimo, que lo sostiene y guía en la investigación de la verdad. || **3.** Ordenada serie de verdades o teoremas que se desarrolla en la ciencia o en la sucesión y encadenamiento de los hechos.

Dialéctico, ca. (Del lat. *dialectĭcus*, y éste del gr. διαλεκτικός.) adj. Perteneciente a la dialéctica. || **2.** m. El que profesa la dialéctica.

Dialecto. (Del lat. *dialectus*, y éste del gr. διάλεκτος, de διαλέγω, hablar.) m. Cada una de las variedades de un idioma, que tiene cierto número de accidentes propios, y más comúnmente las que se usan en determinados territorios de una nación, a diferencia de la lengua general y literaria. || **2.** En lingüística, cualquier lengua en cuanto se la considera con relación al grupo de las varias derivadas de un tronco común. *El español es uno de los* DIALECTOS *nacidos del latín.*

Dialectología. f. Tratado o estudio de los dialectos.

Dialectólogo. adj. Aplícase a la persona versada en dialectología, y a quien la profesa o cultiva. Ú. t. c. s.

Dialipétala. (Del gr. διαλύω, separar, y πέταλον, hoja.) adj. *Bot.* Dícese de la corola cuyos pétalos están libres, no soldados entre sí, y de la flor que tiene corola de esta clase.

Dialisépalo, la. (Del gr. διαλύω, separar, y *sépalo.*) adj. *Bot.* Dícese de los cálices cuyos sépalos están libres, no soldados entre sí, y de las flores que tienen cálices de esta clase.

Diálisis. (Del gr. διάλυσις, disolución.) f. *Quím.* Separación de los coloides y cristaloides cuando están juntamente disueltos.

Dialítico, ca. adj. Relativo a la diálisis.

Dializador. m. Aparato para dializar.

Dializar. tr. Analizar por medio de la diálisis.

Dialogal. (De *diálogo.*) adj. **Dialogístico.**

Dialogar. intr. Hablar en diálogo. || **2.** tr. Escribir una cosa en forma de diálogo.

Dialogismo. (Del lat. *dialogismus*, y éste del gr. διαλογισμός.) m. *Ret.* Figura que se comete cuando la persona que habla lo hace como si platicara consigo misma, o cuando refiere textualmente sus propios dichos o discursos o los de otras personas, o los de cosas personificadas.

Dialogístico, ca. (Del gr. διαλογιστικός.) adj. Perteneciente o relativo al diálogo. || **2.** Escrito en diálogo.

Dialogizar. intr. **Dialogar.**

Diálogo. (Del lat. *dialŏgus*, y éste del gr. διάλογος.) m. Plática entre dos o más personas, que alternativamente manifiestan sus ideas o afectos. || **2.** Género de obra literaria, prosaica o poética, en que se finge una plática o controversia entre dos o más personajes.

Dialoguista. com. Persona que escribe o compone diálogos.

Dialtea. (Del gr. διά, con, y *altea.*) f. *Farm.* Ungüento compuesto principalmente de la raíz de altea.

Diamantado, da. p. p. de **Diamantar.** || **2.** adj. **Adiamantado.**

Diamantar. tr. Dar a una cosa el brillo del diamante.

Diamante. (Del lat. *adămas, -antis*, del gr. ἀδάμας.) m. Piedra preciosa, la más estimada, formada de carbono cristalizado, diáfana y de gran brillo, generalmente incolora y tan dura que raya todos los demás cuerpos, por lo cual no puede labrarse sino con su propio polvo. || **2.** V. **Bodas, punta de diamante.** || **3.** Género de pieza de artillería. || **4.** Lámpara minera de petróleo, dotada de un reflector. || **brillante.** El que tiene labor completa por la haz y por el envés. || **bruto.** o **en bruto.** El que está aún sin labrar. || **2.** fig. Cualquier cosa animada y sensible, como el entendimiento, la voluntad, etc., cuando no tiene el lucimiento que dan la educación y la experiencia. || **rebolludo.** Diamante en bruto de figura redondeada. || **rosa.** El que está labrado por la haz y queda plano por el envés. || **tabla.** El que está labrado por la haz con una superficie plana, y alrededor con cuatro biseles.

Diamantífero. adj. Dícese del lugar o terreno en que existen diamantes.

Diamantino, na. adj. Perteneciente o relativo al diamante. || **2.** fig. y poét. Duro, persistente, inquebrantable.

Diamantista. com. Persona que labra o engasta diamantes y otras piedras preciosas. || **2.** Persona que los vende.

Diamela. (De *Du Hamel*, sabio agricultor francés.) f. **Gemela.**

Diametral. adj. Perteneciente al diámetro.

Diametralmente. adv. m. De un extremo hasta el opuesto. || **2.** fig. **Enteramente.**

Diamétrico, ca. adj. ant. **Diametral.**

Diámetro. (Del lat. *diamĕtrus*, y éste del gr. διάμετρος; de διά, a través, y μέτρον, medida.) m. *Geom.* Línea recta que pasa por el centro del círculo y termina por ambos extremos en la circunferencia. || **2.** *Geom.* En otras curvas, línea recta o curva que pasa por el centro, cuando aquéllas lo tienen, y divide en dos partes iguales un sistema de cuerdas paralelas. || **3.** *Geom.* Eje de la esfera. || **4.** *Esgr.* V. **Línea del diámetro.** || **aparente.** *Astron.* Arco del ángulo formado por las dos visuales dirigidas a los extremos del **diámetro** de un astro. || **conjugado.** *Geom.* Cada uno de los dos **diámetros** de los cuales el uno divide en dos partes iguales todas las cuerdas paralelas al otro.

Diana. (De *día.*) f. *Mil.* Toque militar al romper el día, para que la tropa se levante. || **2.** *Mil.* Punto central de un blanco de tiro. || **No me vengas con dianas.** fr. fig. y fam. con que se rechazan las excusas o zalamerías de una persona.

Diana. n. p. *Quím.* V. **Árbol de Diana.**

Dianche. m. fam. **Diantre.** Ú. t. c. interj. fam.

Diandro, dra. (Del gr. δίς, dos, y ἀνήρ, ανδρός, varón.) adj. *Bot.* Dícese de la flor que tiene dos estambres.

Dianense. adj. Natural de Denia. Ú. t. c. s. || **2.** Perteneciente a esta ciudad de la provincia de Alicante.

Diantre. m. fam. Eufemismo por **Diablo.** || **¡Diantre!** interj. fam. **¡Diablo!**

Diaño. m. fam. En algunas partes, eufemismo por **Diablo.**

Diapalma. (Del gr. διά, con, y el lat. *palma*, palma o palmera.) f. Emplasto desecativo compuesto de litargirio, aceite de palma y otros ingredientes.

Diapasón. (Del lat. *diapāson*, y éste del gr. διαπασῶν; de διά, a través, y πασῶν, de todas [las cuerdas o notas].) m. *Mús.* Intervalo que consta de cinco tonos, tres mayores y dos menores, y de dos semitonos mayores: diapente y diatesarón. || **2.** *Mús.* Regla en que están determinadas las medidas convenientes, en la cual se ordena con debida proporción el **diapasón** de los instrumentos, y es la dirección para cortar los cañones de los órganos, las cuerdas de los clavicordios, etc. || **3.** *Mús.* Trozo de madera que cubre el mástil y sobre el cual se pisan con los dedos las cuerdas del violín y de otros instrumentos análogos. || **normal.** *Mús.* Regulador de voces e instrumentos, que consiste en una lámina de acero doblada en forma de horquilla con pie, y que cuando se hace sonar da un *la* fijado en 435 vibraciones por segundo. || **Bajar, o subir, el diapasón.** fr. fig. y fam. Bajar o alzar la voz o el tono del razonamiento.

Diapédesis. (Del gr. διά, a través, y πήδησις, salto.) f. *Zool.* Paso de los leucocitos a través de las paredes de los vasos.

Diapente. (Del lat. *diapente*, y éste del gr. διά, a través, y πέντε, de cinco [cuerdas o notas].) m. *Mús.* Intervalo de quinta.

Diapositiva. f. Fotografía positiva sacada en cristal.

Diaprea. (Del fr. *diaprée*, y éste de *diaprer*, del lat. *de* y *iaspis, -ĭdis*, jaspe.) f. Ciruela redonda, pequeña, muy gustosa, y cuyo hollejo no se quita con facilidad; suelta bien el hueso, aunque no totalmente limpio, y cerca de él es un poco agria.

Diapreado, da. (De *diaprea.*) adj. *Blas.* Aplícase a los palos, a las fajas y a otras piezas, abigarrados o matizados de diferentes colores, cuando con los matices se forma follaje.

Diaquenio. m. *Bot.* Fruto compuesto de dos aquenios unidos.

Diaquilón. (Del lat. *diachȳlon*, y éste del gr. διά, con, y χυλῶν, genit. pl. de χυλός, jugo, porque en su confección entra el jugo de varias plantas.) m. Ungüento con que se hacen emplastos para ablandar los tumores.

Diariamente. adv. t. Cada día.

Diario, ria. (Del lat. *diarĭum.*) adj. Correspondiente a todos los días. *Salario* DIARIO; *comida* DIARIA. || **2.** *Com.* V. **Libro diario.** ¡Ú. t. c. s. || **3.** m. Relación histórica de lo que ha ido sucediendo por días, o día por día. || **4.** Periódico que se publica todos los días. || **5.** Valor o gasto correspondiente a lo que es menester para mantener la casa en un día, y lo que se gasta y come cada día. || **A diario.** m. adv. Todos los días, cada día. || **De diario.** m. adv. **A diario.** || **2.** expr. que se aplica al vestido que se usa ordinariamente, por oposición al de gala.

Diarismo. m. *Amér.* **Periodismo.**

Diarista. com. Persona que compone o publica un diario.

Diarrea. (Del lat. *diarrhoea*, y éste del gr. διάρροια, de διαρρέω, fluir a través.) f. Síntoma o fenómeno morboso que consiste en evacuaciones de vientre líquidas y frecuentes.

Diarreico, ca. (Del gr. διαρροϊκός.) adj. *Med.* Perteneciente o relativo a la diarrea.

Diarría. f. ant. **Diarrea.**

Diárrico, ca. adj. ant. *Med.* **Diarreico.**

Diartrosis. (Del gr. διάρθρωσις.) f. *Zool.* Articulación movible.

Diascordio. (Del gr. διά, con, y σκόρδιον, escordio.) m. Confección medicinal tónica y astringente cuyo principal ingrediente es el escordio.

Diasen. (Del gr. διά, con, y de *sen.*) m. Electuario purgante cuyo principal ingrediente son las hojas de sen.

Diáspero. (Del lat. *iaspis, -ĭdis.*) m. **Diaspro.**

Diásporo. (De *diáspero.*) m. Piedra fina, alúmina hidratada, de color gris de perla o pardo amarillento y textura laminar, que se convierte en polvo a la llama fuerte del soplete.

Diaspro. (De *diáspero.*) m. Nombre de algunas variedades de jaspe. || **sanguino. Heliotropo,** 2.ª acep.

Diastasa. (Del gr. διάστασις, separación.) f. *Biol.* Fermento contenido en la saliva y en muchas semillas, tubérculos, etc., que actúa sobre el almidón de los alimentos de los animales y, durante la germinación de la nueva planta, sobre el de las células vegetales, transformándolo en azúcar. Por ext., suelen denominarse **diastasas** todos los fermentos.

Diástilo. (Del lat. *diastȳlos*, y éste del gr. διάστυλος; de διά, a distancia, y στῦλος, columna.) adj. *Arq.* Dícese del monumento o edificio cuyos intercolumnios tienen de claro seis módulos.

Diástole. (Del lat. *diastŏle*, y éste del gr. διαστολή, dilatación.) f. Licencia poética que consiste en usar como larga una sílaba breve. || **2.** *Zool.* Movimiento de dilatación del corazón y de las arterias, cuando la sangre penetra en su cavidad. || **3.** *Zool.* Movimiento de dilatación de la duramáter y de los senos del cerebro.

Diastólico, ca. adj. *Fisiol.* Perteneciente o relativo a la diástole.

Diastrofia. (Del gr. διαστροφή, torsión.) f. *Med.* Dislocación de un hueso, músculo, tendón o nervio.

Diatérmano, na. (Del gr. διά, a través, y θέρμη, calor.) adj. *Fís.* Dícese del cuerpo que da paso fácilmente al calor.

Diatermia. f. Empleo de corrientes eléctricas especiales para elevar la temperatura en partes profundas del cuerpo humano, con fines terapéuticos.

Diatesarón. (Del lat. *diatessăron*, y éste del gr. διά, a través, y τεσσάρων, de cuatro [cuerdas o notas].) m. *Mús.* Intervalo de cuarta.

Diatésico, ca. adj. *Med.* Perteneciente o relativo a la diátesis.

Diátesis. (Del lat. *diathĕsis*, y éste del gr. διάθεσις, disposición.) f. *Med.* Predisposición orgánica a contraer una determinada enfermedad.

Diatomea. (Del gr. διατομή, corte.) f. *Bot.* Cualquiera de las algas unicelulares, vivientes en el mar, en el agua dulce o en la tierra húmeda, que tienen un caparazón silíceo formado por dos valvas de tamaño desigual, de modo que la más pequeña encaja en la mayor. La acumulación de estos caparazones en cantidades enormes constituye el trípoli.

Diatónicamente. adv. m. En orden diatónico.

Diatónico, ca. (Del lat. *diatonĭcus*, y éste del gr. διατονικός, de διάτονος; de διά, por, y τόνος, tono.) adj. *Mús.* Aplícase a uno de los tres géneros del sistema músico, que procede por dos tonos y un semitono. || **2.** *Mús.* V. **Semitono diatónico.** || **cromático.** *Mús.* Dícese del género mixto de **diatónico** y cromático. || **cromático enarmónico.** *Mús.* Aplícase al género mixto de los tres del sistema músico.

Diatriba. (Del lat. *diatriba*, y éste del gr. διατριβή.) f. Discurso o escrito violento e injurioso contra personas o cosas.

Dibranquial. (Del gr. δίς, dos, y βράγχια, branquia.) adj. *Zool.* Dícese del molusco cefalópodo que tiene dos branquias y ocho o diez tentáculos; como el pulpo y el calamar. Ú. t. c. s. || **2.** m. pl. *Zool.* Subclase de estos cefalópodos.

Dibujador, ra. adj. p. us. **Dibujante.** Ú. t. c. s.

Dibujante. p. a. de **Dibujar.** Que dibuja. Ú. t. c. s.

Dibujar. (De *dibujo*.) tr. Delinear en una superficie, y sombrear imitando la figura de un cuerpo. Ú. t. c. r. || **2.** fig. Describir con propiedad una pasión del ánimo o una cosa inanimada. || **3.** r. Indicarse o revelarse lo que estaba callado u oculto.

Dibujo. (Del ár. *dībāŷ*, tela de seda bordada con figuras en oro.) m. Arte que enseña a dibujar. || **2.** Proporción que debe tener en sus partes y medidas la figura del objeto que se dibuja o pinta. || **3.** Delineación, figura o imagen ejecutada en claro y obscuro, que toma nombre del material con que se hace. DIBUJO *de carbón, de lápiz.* || **4.** En los encajes, bordados, tejidos, etc., la figura y disposición de las labores que los adornan. || **del natural.** *Pint.* El que se hace copiando directamente del modelo. || **Es un dibujo.** fr. que se usa para encarecer la perfección de un rostro. || **No meterse** uno **en dibujos.** fr. fig. y fam. Abstenerse de hacer o decir impertinentemente más que aquello que corresponde. || **Picar** uno **el dibujo.** fr. Agujerear los contornos y perfiles de un **dibujo** hecho en papel, para reproducirlo por medio del estarcido.

Dicacidad. (Del lat. *dicacĭtas, -ātis.*) f. Agudeza y gracia en zaherir con palabras; mordacidad ingeniosa.

Dicaz. (Del lat. *dicax, -ācis.*) adj. Decidor, aguda y chistosamente mordaz.

Dicción. (Del lat. *dictĭo, -ōnis.*) f. **Palabra,** 1.ª acep. || **2.** Manera de hablar o escribir, considerada como buena o mala únicamente por el acertado o desacertado empleo de las palabras y construcciones. || **3.** Manera de pronunciar. DICCIÓN *clara y limpia.* || **4.** *Gram.* V. **Figura de dicción.**

Diccionario. (De *dicción*.) m. Libro en que por orden comúnmente alfabético se contienen y explican todas las dicciones de uno o más idiomas, o las de una ciencia, facultad o materia determinada. || **2.** Catálogo numeroso de noticias importantes de un mismo género, ordenado alfabéticamente. DICCIONARIO *bibliográfico, biográfico, geográfico.*

Diccionarista. com. **Lexicógrafo.**

Dicente. p. a. de **Decir. Diciente.** Ú. t. c. s.

Diciembre. (Del lat. *december, -bris*, de *decem*, diez.) m. Décimo mes del año, según la cuenta de los antiguos romanos, y duodécimo del calendario que actualmente usan la Iglesia y casi todas las naciones de Europa y América. Tiene treinta y un días.

Diciente. (Del lat. *dicens, -entis.*) p. a. de **Decir.** Que dice.

Diciplina. f. ant. **Disciplina.**

Diciplinante. m. ant. **Disciplinante.**

Diciplinar. tr. ant. **Disciplinar,** 2.° art.

Diclino, na. (Del gr. δίς, dos, y κλινή, lecho.) adj. *Bot.* Dícese de las flores unisexuales producidas por individuos diferentes.

Dicoreo. (Del lat. *dichorēus*, y éste del gr. διχόρειος.) m. Pie de la poesía griega y latina, compuesto de dos coreos, o sea de cuatro sílabas: la primera y la tercera, largas, y las otras dos, breves.

Dicotiledón. (Del gr. δίς, dos, y κοτυληδών, cavidad.) adj. *Bot.* **Dicotiledóneo.**

Dicotiledóneo, a. (De *dicotiledón*.) adj. *Bot.* Dícese del vegetal cuyo embrión tiene dos cotiledones. Ú. t. c. s. || **2.** f. pl. *Bot.* Clase del subtipo de las angiospermas, constituida por plantas que tienen dos cotiledones en su embrión; como la judía y la malva. || **3.** *Bot.* Una de las dos clases en que, en la antigua clasificación, se dividían las plantas cotiledóneas.

Dicotomía. (Del gr. διχοτομία.) f. *Bot.* Bifurcación de un tallo o de una rama. || **2.** *Lóg.* Método de clasificación en que las divisiones y subdivisiones sólo tienen dos partes. || **3.** Práctica condenada por la recta deontología, que consiste en el pago de una comisión por el médico consultante, operador o especialista, al médico de cabecera que le ha recomendado un cliente.

Dicotómico, ca. adj. Perteneciente o relativo a la dicotomía, 2.ª acep.

Dicótomo, ma. (Del gr. διχότομος.) adj. Que se divide en dos.

Dicroico, ca. adj. *Fís.* Que tiene dicroísmo.

Dicroísmo. (Del gr. δίχροος, de dos colores.) m. *Fís.* Propiedad que tienen algunos cuerpos de presentar dos coloraciones diferentes según la dirección en que se los mire.

Dicromático, ca. (Del gr. διχρωματικός.) adj. Que tiene dos colores.

Dictado. (Del lat. *dictātus*, p. p. de *dictāre*, dictar.) m. Título de dignidad, honor o señorío; como duque, conde, marqués, consejero, etc.; y también cualquier calificativo aplicado a persona. || **2.** Acción de dictar, 1.ª acep. || **3.** ant. Composición en verso. || **4.** ant. Materia de que se trata en cualquier escrito. || **5.** pl. fig. Inspiraciones o preceptos de la razón o la conciencia. || **Escribir** uno **al dictado.** fr. Escribir lo que otro dicta.

Dictador. (Del lat. *dictātor*.) m. Magistrado supremo entre los antiguos romanos, que los cónsules nombraban por acuerdo del Senado, en los tiempos peligrosos de la república, para que mandase como soberano. || **2.** En los Estados modernos, magistrado supremo con facultades extraordinarias como las del dictador romano.

Dictadura. (Del lat. *dictatūra*.) f. Dignidad y cargo de dictador. || **2.** Tiempo que dura. || **3.** Gobierno que, invocando el interés público, se ejerce fuera de las leyes constitutivas de un país.

Dictaduría. f. ant. **Dictadura.**

Dictamen. (Del lat. *dictāmen*.) m. Opinión y juicio que se forma o emite sobre una cosa. || **Casarse** uno **con su dictamen.** fr. fig. **Casarse con su opinión.** || **Tomar dictamen de** uno. fr. **Tomar consejo de** uno.

Dictaminador, ra. adj. Que dictamina.

Dictaminar. intr. Dar dictamen.

Díctamo. (Del lat. *dictamnus*, y éste del gr. δίκταμνον.) m. Arbusto de la familia de las labiadas, de unos cinco decímetros de altura, con ramas vellosas, hojas blandas, gruesas y también vellosas, y flores en espiga, de color morado. Es planta de adorno y se usó en medicina como vulneraria. || **2.** *Cuba.* Especie de euforbio, de tallo quebradizo, hojas gruesas, alternas, opuestas; flores que parecen vejiguillas, de color rojo y amarillo y que contienen un zumo almibarado que liban las abejas. Destila un jugo lechoso y purgante. || **blanco.** Planta de la familia de las rutáceas, de unos seis decímetros de altura, con tallos derechos y vellosos, hojas sencillas, ovaladas y brillantes, flores en racimos terminales, blancas o disciplinadas de color de rosa, y fruto capsular. Da un aceite volátil de olor fragante, que se usa en perfumería y medicina. || **crético. Díctamo,** 1.ª acep. || **real.** *Cuba.* **Díctamo,** 2.ª acep.

Dictante. p. a. ant. de **Dictar.** Que dicta. Usáb. t. c. s.

Dictar. (Del lat. *dictāre*.) tr. Decir uno algo con las pausas necesarias o convenientes para que otro lo vaya escribiendo. || **2.** Tratándose de leyes, fallos, preceptos, etc., darlos expedirlos, pronunciarlos. || **3.** fig. Inspirar, sugerir.

Dictatorial. adj. **Dictatorio.** || **2.** fig. Dicho de poder, facultad, etc., absoluto, arbitrario, no sujeto a las leyes.

Dictatorialmente. adv. m. De manera dictatorial.

Dictatorio, ria. (Del lat. *dictatorĭus*.) adj. Perteneciente a la dignidad y al cargo de dictador.

Dictatura. f. ant. **Dictadura.**

Dicterio. (Del lat. *dicterĭum*.) m. Dicho denigrativo que insulta y provoca.

Dicha. (Del lat. *dicta*, t. f. de *dictus*, dicho.) f. **Felicidad.** || **2.** Suerte feliz. *Felipe es hombre de* DICHA. || **A,** o **por, dicha.** m. adv. Por suerte, por ventura, por casualidad. || **La dicha de la fea, la hermosa la desea.** ref. que responde a la idea que tiene el vulgo de que la mujer fea suele casarse mejor que la hermosa. || **Nunca es tarde si la dicha es buena.** ref. que alude a un bien que se ha hecho esperar mucho.

Dicha. (Del arauc. *dichon*, dar estocada.) f. Nombre vulgar de varias hierbas con hojas o frutos punzantes, que se crían en Chile.

Dicharachero, ra. adj. fam. Propenso a prodigar dicharachos. Ú. t. c. s. ‖ **2.** Que prodiga dichos agudos y oportunos.

Dicharacho. m. fam. Dicho bajo, demasiado vulgar, o poco decente.

Dichero, ra. adj. fam. *And.* Que ameniza la conversación con dichos oportunos. Ú. t. c. s.

Dicheya. f. *Chile.* Nombre vulgar de cierta planta herbácea medicinal.

Dicho, cha. (Del lat. *dictus, dicta.*) p. p. irreg. de **Decir.** ‖ **2.** m. Palabra o conjunto de palabras con que se expresa oralmente un concepto cabal. Aplícansele varios calificativos, según la cualidad por que se distingue. DICHO *agudo, oportuno, intempestivo, malicioso.* ‖ **3.** Ocurrencia chistosa y oportuna. ‖ **4.** Declaración de la voluntad de los contrayentes, cuando el juez eclesiástico los examina para contraer matrimonio. Ú. m. en pl. ‖ **5.** fam. Expresión insultante o desvergonzada. ‖ **6.** *For.* Deposición del testigo. ‖ **de las gentes.** Murmuración o censura pública. ‖ **De dicho en dicho.** m. adv. ant. **De boca en boca.** ‖ **Del dicho al hecho hay gran trecho.** ref. que enseña la distancia que hay entre lo que se dice y lo que se ejecuta, y que no se debe confiar enteramente en las promesas, pues suele ser mucho menos lo que se cumple que lo que se ofrece. ‖ **Dicho y hecho.** expr. con que se explica la prontitud con que se hace o se hizo una cosa. ‖ **Lo dicho, dicho.** expr. con que uno da a entender que se ratifica en lo que una vez dijo, manteniéndose en ello. ‖ **Tener** una cosa **por dicha.** fr. Tenerla por **dicha,** no con ligereza o de broma, sino formalmente y con deliberada intención. ‖ **Tomarse los dichos.** fr. Manifestar los novios ante la autoridad competente su voluntad de contraer matrimonio.

Dichosamente. adv. m. Con dicha.

Dichoso, sa. (De *dicha.*) adj. **Feliz.** ‖ **2.** Dícese de lo que incluye o trae consigo dicha. DICHOSA *virtud; soledad* DICHOSA. ‖ **3.** fam. Enfadoso, molesto. ‖ **4.** En sentido irónico, desventurado, malhadado. ‖ **5.** m. pl. *Germ.* Botines o borceguíes de mujer.

Didáctica. (Del gr. διδακτική, t. f. de -κός, didáctico.) f. Arte de enseñar.

Didácticamente. adv. m. De manera didáctica o propia para enseñar.

Didáctico, ca. (Del gr. διδακτικός, de διδάσκω, enseñar.) adj. Perteneciente o relativo a la enseñanza; propio, adecuado para enseñar o instruir. *Método, género* DIDÁCTICO; *obra* DIDÁCTICA. ‖ **2.** Perteneciente o relativo a la didáctica. Apl. a pers., ú. t. c. s.

Didáctilo, la. adj. Que tiene dos dedos.

Didascálico, ca. (Del lat. *didascalĭcus,* y éste del gr. διδασκαλικός, de διδάσκω, enseñar.) adj. **Didáctico.**

Didelfo. (Del gr. δίς, dos, y δελφύς, matriz.) adj. *Zool.* Dícese de los mamíferos caracterizados principalmente por tener las hembras en el abdomen una bolsa donde están contenidas las mamas y donde permanecen encerradas las crías durante el primer tiempo de su desarrollo; como la zarigüeya y el canguro. Ú. t. c. s. ‖ **2.** m. pl. *Zool.* Orden de estos animales.

Didímeo, a. adj. poét. Perteneciente a Apolo.

Didimio. (Del gr. δίδυμος, gemelo.) m. Metal muy raro, terroso y de color de acero, que se halla algunas veces unido al cerio.

Dídimo, ma. (Del gr. δίδυμος, gemelo.) adj. *Bot.* Aplícase a todo órgano formado por dos lóbulos iguales y simétricamente colocados. ‖ **2.** m. *Zool.* **Testículo.**

Didracma. (Del lat. *didrachma,* y éste del gr. δίδραχμον; de δίς, dos, y δραχμή, dracma.) m. Moneda hebrea que valía medio siclo.

Diecinueve. adj. Diez y nueve.

Diecinueveavo, va. adj. Dícese de cada una de las diecinueve partes iguales en que se divide un todo. Ú. t. c. s. m.

Dieciochavo, va. adj. Dícese de cada una de las dieciocho partes iguales en que se divide un todo. Ú. t. c. s. m.

Dieciocheno, na. adj. **Decimoctavo.** ‖ **2.** V. **Paño dieciocheno.** Ú. t. c. s. m. ‖ **3.** m. Moneda que se acuñó en Valencia en tiempo de la dinastía austriaca, y que lleva en el anverso la cara del rey y en el reverso las armas de aquel reino; valió dieciocho dinerillos.

Dieciochesco, ca. adj. Perteneciente o relativo al siglo XVIII.

Dieciochismo. m. Carácter, modos, estilo, etc., propios del siglo XVIII.

Dieciochista. adj. **Dieciochesco.**

Dieciocho. adj. Diez y ocho.

Dieciséis. adj. Diez y seis.

Dieciseisavo, va. adj. Dícese de cada una de las dieciséis partes iguales en que se divide un todo. Ú. t. c. s. m. ‖ **En dieciseisavo.** expr. Dícese del libro, folleto, etc., cuyo tamaño iguala a la **dieciseisava** parte de un pliego de papel sellado.

Dieciseiseno, na. adj. **Decimosexto.** ‖ **2.** V. **Paño dieciseiseno.**

Diecisiete. adj. Diez y siete.

Diecisieteavo, va. adj. Dícese de cada una de las diecisiete partes iguales en que se divide un todo. Ú. t. c. s. m.

Diedro. (Del gr. δίεδρος; de δίς, dos, y ἕδρα, plano.) adj. *Geom.* V. **Ángulo diedro.**

Diego. m. **Dondiego.** ‖ **Donde digo «digo», no digo «digo», sino digo «Diego».** loc. fam. que se aplica al que incurre en confusión o contradicción y al que se ve obligado a rectificarse.

Dieléctrico, ca. (Del gr. διά, a través, y *eléctrico.*) adj. *Fís.* Aplícase al cuerpo mal conductor a través del cual se ejerce la inducción eléctrica.

Diente. (Del lat. *dens, dentis.*) m. Cada uno de los cuerpos duros que, engastados en las mandíbulas del hombre y de muchos animales, quedan descubiertos en parte, para servir como órganos de masticación o de defensa. ‖ **2.** En el hombre y muchos mamíferos, cada una de las piezas duras que en forma de cuña se hallan en la parte más saliente de las mandíbulas. ‖ **3.** Cada una de las puntas que a los lados de un escotadura tienen en el pico ciertos pájaros. ‖ **4.** Cada una de las partes que se dejan sobresalientes en un edificio para que, al continuar la obra, quede todo bien enlazado. ‖ **5.** Cada una de las puntas o resaltos que presentan algunas cosas y en especial los que tienen ciertos instrumentos o herramientas. DIENTE *de sierra, de rueda, de peine.* ‖ **6.** V. **Grada de dientes.** ‖ **7.** V. **Carnero de dos dientes.** ‖ **8.** *Impr.* Huella que se advierte cuando, por no estar bien apuntado el pliego, no se corresponden las planas del blanco con las de la retiración. ‖ **acolmillado.** En las sierras, el excesivamente grande y muy triscado que al serrar deja mucha huella y corte estoposo. ‖ **canino,** o **columelar. Colmillo,** 1.ª acep. ‖ **de ajo.** Cada una de las partes en que se divide la cabeza del ajo, separadas por su tela y cáscara particular. ‖ **de caballo.** *Sal.* **Feldespato.** ‖ **de leche.** Cada uno de los de primera dentición, en el hombre y en los animales que, como el mono, el caballo, etc., mudan con la edad toda la dentadura o parte de ella. ‖ **2.** Cada uno de los que les salen el primer año, porque son pequeños y muy blancos. ‖ **de león.** Hierba de la familia de las compuestas, con hojas radicales, lampiñas, de lóbulos lanceolados y triangulares, y jugo lechoso; flores amarillas de largo pedúnculo hueco, y semilla menuda con vilano abundante y blanquecino. ‖ **de lobo.** Bruñidor de ágata que usan los doradores. ‖ **2.** Especie de clavo grande. ‖ **de muerto. Almorta.** ‖ **de perro.** Formón o escoplo hendido o dividido en dos puntas, de que usan los escultores. ‖ **2.** Labor que enseñan las maestras a las niñas en los dechados, y forma una lista, dejando algunos huecos alternados a un lado y a otro, figurando como unos **dientes** desunidos, a modo de los del perro. ‖ **3.** fig. y fam. Costura de puntadas desiguales y mal hechas. ‖ **4.** *Murc.* Granada muy agria, cuyos granos son largos como **dientes.** ‖ **5.** *Cuba.* Piedra porosa, coronada de puntas muy salientes. ‖ **6.** *Arq.* Adorno formado por una serie de prismas triangulares o cuñas con una de sus aristas al exterior, y que se usó antiguamente en los muros de los edificios. ‖ **extremo.** En los solípedos, cada uno de los más apartados del medio de la quijada. ‖ **incisivo. Diente,** 2.ª acep. ‖ **mamón. Diente de leche.** ‖ **molar. Muela,** 3.ª acep. ‖ **premolar. Premolar.** ‖ **remolón. Remolón,** 2.ª acep. ‖ **Dientes de ajo.** fig. y fam. Los muy grandes y mal configurados. ‖ **2.** fig. y fam. Persona que los tiene así. ‖ **de embustero.** Los muy separados unos de otros. ‖ **de sierra.** *Fort.* Defensa con ángulos entrantes y salientes repetidos alternativamente. ‖ **Aguzar** uno **los dientes.** fr. fig. y fam. Prevenirse o disponerse para comer, cuando está pronta e inmediata la comida. ‖ **Alargarle** a uno una cosa **los dientes.** fr. Causarle tal alteración lo agrio, acedo o áspero de un manjar, que parece que se le alargan los **dientes.** ‖ **Alargársele** a uno **los dientes.** fr. fig. y fam. Sentir dentera por lo agrio. ‖ **2.** fig. y fam. Desear con vehemencia alguna cosa. ‖ **Antes son mis dientes que mis parientes.** ref. **Primero son mis dientes que mis parientes.** ‖ **A regaña dientes.** m. adv. fig. Con repugnancia, mostrando disgusto. ‖ **Armado hasta los dientes.** fr. fig. y fam. con que se encarece lo bien provisto de armas que va uno. ‖ **Arrendar a diente.** fr. Arrendar a uno los pastos de una dehesa comunal o señorial, con la condición de que ha de permitir entrar a pacer en ella los ganados del pueblo o del señor. ‖ **Coser a diente de perro.** fr. fig. Coser los encuadernadores dos o más hojas o pliegos juntos, atravesándolos con el hilo por el borde del margen. ‖ **Crujirle** a uno **los dientes.** fr. fig. y fam. Padecer con mucha rabia, impaciencia y desesperación una pena o un tormento. **Cuando pienses meter el diente en seguro, toparás en duro.** ref. que explica el engaño del que, cuando juzga fácil conseguir un negocio, encuentra grandes dificultades. ‖ **Dar** uno **diente con diente.** fr. fig. y fam. Padecer demasiado frío. ‖ **2.** fig. y fam. Tener excesivo miedo. ‖ **Decir** uno alguna cosa **entre dientes.** fr. fig. **Hablar entre dientes.** ‖ **De dientes afuera.** loc. adv. fig. y fam. Con falta de sinceridad en ofertas o cumplimientos. ‖ **Enseñar,** o **mostrar,** uno **dientes,** o **los dientes,** a otro. fr. fig. y fam. Hacerle rostro, resistirle, amenazarle. ‖ **Estar a diente.** fr. fam. No haber comido, teniendo gana. ‖ **Estar** uno **a diente, como haca de atabalero, de bulero,** o **de cominero.** fr. fig. y fam. Tener mucha hambre. ‖ **Haberle nacido,** o **salido,** a uno **los dientes en** una **parte,** o haciendo una cosa. fr. fig. y fam. Haber nacido, o residido en una población, o frecuentado un sitio, o haberse dedicado a una cosa, desde edad muy temprana. ‖ **Hablar** uno **entre dientes.** fr. fig. Hablar de modo que no se le entienda lo que dice. ‖ **2.** fig. y fam. Refunfuñar, gruñir, murmurar. || **Hincar uno el diente.** fr. fig. y fam. Apropiarse algo de la hacienda ajena que maneja. || **2.** fig. y fam. Murmurar de otro, desacreditarlo. || **3.** Dicho de un asunto, significa acometer sus dificultades. || **Más cerca están mis dientes que mis parientes.** ref. **Primero son mis dientes que mis parientes.** || **Nacerle a uno los dientes** en una parte, o haciendo una cosa. fr. fig. y fam. **Haberle nacido a uno los dientes,** etc. || **No entrarle a uno de los dientes adentro** una persona o cosa. fr. fig. y fam. Tenerle repugnancia. || **No haber para untar un diente.** fr. fig. y fam. Haber muy poca comida, o ser gran comedor el que la ha de comer. || **No llegar a un diente, o no tener para un diente.** fr. fig. y fam. **No haber para untar un diente.** || **Pasar los dientes.** fr. fam. Producir en ellos una sensación dolorosa los alimentos fríos. || **Pelar el diente.** fr. fig. y fam. *Méj., P. Rico* y *Venez.* Sonreír mucho por coquetería. || **2.** *Méj., P. Rico* y *Venez.* Halagar y adular a uno. || **Ponerle a uno una cosa los dientes largos.** fr. **Alargarle los dientes.** || **Primero son mis dientes que mis parientes.** ref. que explica que cada uno debe mirar primero por sí que por los otros, por muy allegados que sean. || **Quitar a uno los dientes.** fr. fig. y fam. **Quitarle la cara.** || **Rechinarle a uno los dientes.** fr. fig. y fam. **Crujirle los dientes.** || **Tener uno buen diente.** fr. fig. y fam. Ser muy comedor. || **Tener diente.** fr. Decíase de la ballesta cuando, por estar lo ancho de la verga mal sentado en el tablero, cargando más hacia atrás o adelante, el arma daba mucha coz al dispararla. || **Tomar, o traer,** a uno **entre dientes.** fr. fig. y fam. Tenerle ojeriza. || **2.** fig. y fam. Hablar mal de él. || **Valiente, por el diente.** expr. fig. y fam. con que se zahiere al que se jacta de valentías, dándole a entender que sólo para comer es animoso.

Dientimellado, da. adj. Que tiene mella en los dientes.

Dientudo, da. adj. **Dentudo.**

Diéresis. (Del lat. *diaerĕsis,* y éste del gr. διαίρεσις, división; de διαιρέω, dividir.) f. *Gram.* Pronunciación en sílabas distintas de dos vocales que normalmente forman diptongo, como *ru-i-na* por *rui-na, vi-o-le-ta* por *vio-le-ta.* La **diéresis** en el verso es considerada como licencia poética por la preceptiva tradicional. || **2.** *Cir.* Procedimiento quirúrgico, o conjunto de operaciones, cuyo carácter principal consiste en la división de los tejidos orgánicos. || **3.** *Gram.* Signo ortográfico (¨) que se pone sobre la *u* de las sílabas *gue, gui,* para indicar que esta letra debe pronunciarse; como en *vergüenza, argüir;* y también sobre la primera vocal del diptongo cuyas vocales han de pronunciarse separadamente en virtud de la figura del mismo nombre; v. g.: *vïuda, rüido.* Empléase a veces sobre vocal débil, para deshacer un diptongo en voces de igual estructura y de distinta prosodia; v. g.: *pïé.*

Diesi. (Del lat. *diĕsis,* y éste del gr. δίεσις, medio tono.) f. *Mús.* Cada uno de los tres tonos que los griegos intercalaban en el intervalo de un tono mayor. || **2.** *Mús.* **Sostenido,** 3.ª acep.

Dies irae. m. Prosa o secuencia que se recita en las misas de difuntos y que comienza con esas palabras.

Diestra. (Del lat. *dextĕra.*) f. **Derecha,** 1.ª acep. || **Juntar diestra con diestra.** fr. fig. Hacer amistad y confederación.

Diestramente. adv. m. Con destreza.

Diestro, tra. (Del lat. *dexter, dextra.*) adj. **Derecho,** 5.ª y 6.ª aceps. || **2.** Hábil, experto en un arte u oficio. || **3.** Sagaz, prevenido y avisado para manejar los negocios, sin detenerse por las dificultades. || **4.** Favorable, benigno, venturoso. || **5.** V. **Mano diestra.** || **6.** m. El que sabe jugar la espada o las armas. || **7.** Torero de a pie. || **8.** Matador de toros. || **9.** Ronzal, cabestro o rienda que se ponen a las bestias. || **A diestro y siniestro.** m. adv. fig. Sin tino, sin orden; sin discreción ni miramiento. || **A un diestro, un presto.** ref. que enseña que hay ocasiones en que aprovecha y sirve más la prontitud y celeridad en ejecutar una cosa, que la habilidad y destreza. || **De diestro a diestro, el más presto.** ref. que da a entender que, entre dos igualmente hábiles, astutos y sagaces, el más pronto en resolver o emprender el intento lleva la ventaja. || **Esto va de diestro a diestro.** expr. fig. con que se explica la igualdad de dos sujetos en habilidad, destreza o astucia; dando a entender que cada uno percibe o penetra bien la intención del otro, o se le anticipa en lo que va a ejecutar.

Dieta. (Del lat. *diaeta,* y éste del gr. δίαιτα, régimen de vida.) f. Régimen que se manda observar a los enfermos o convalecientes en el comer y beber; y por extensión, esta comida y bebida. || **2.** fam. Privación completa de comer. || **Más cura la dieta que la lanceta.** ref. que significa que el buen régimen contribuye más que la medicina a conservar o restablecer la salud.

Dieta. (Del b. lat. *dieta,* de *dies,* día.) f. Junta o congreso en que ciertos Estados que forman confederación deliberan sobre negocios que les son comunes. || **2.** Honorario que un juez u otro funcionario devenga cada día mientras dura la comisión que se le confía fuera de su residencia oficial. Ú. m. en pl. || **3.** desus. Estipendio que gana el médico diariamente por visitar a un enfermo. || **4.** *For.* Jornada, regularmente de diez leguas. || **5.** pl. Estipendio que se da a los que ejecutan algunas comisiones o encargos por cada día que se ocupan en ellos, o por el tiempo que emplean en realizarlos. || **6.** Retribución o indemnización fijada para los representantes en Cortes o Cámaras legislativas.

Dietar. (De *dieta,* 1.er art.) tr. **Adietar.**

Dietario. (De *dieta,* 2.° art.) m. Libro en que los cronistas de Aragón escribían los sucesos más notables. || **2.** Libro en que se anotan los ingresos y gastos diarios de una casa.

Dietética. (Del lat. *diaetetĭca.*) f. Parte de la terapéutica, que trata del empleo de los medios higiénicos en las enfermedades.

Dietético, ca. (Del lat. *diaetetĭcus,* y éste del gr. διαιτητικός.) adj. Perteneciente a la dieta, 1.er art.

Diez (Del lat. *dĕcem.*) adj. Nueve y uno. || **2. Décimo,** 1.ª acep. *León* DIEZ; *número* DIEZ; *año* DIEZ. Apl. a los días del mes, ú. t. c. s. *El* DIEZ *de septiembre.* || **3.** m. Signo o conjunto de signos con que se representa el número **diez.** En números romanos se cifra con una X, y los contadores en los manuscritos lo han solido cifrar con una especie de *e* minúscula en esta forma *e*‾, que es corrupción de una *x* minúscula. || **4.** Cada una de las partes en que se divide el rosario, compuesta de **diez** avemarías y un paternóster. || **5.** Cuenta más gruesa o señalada que se pone en el rosario para dividir las decenas. || **6.** Carta o naipe de la baraja francesa e inglesa que tiene **diez** señales. || **de bolos.** El que, en el juego de bolos, se pone enfrente y fuera del orden de los otros nueve. || **de últimas.** En ciertos juegos de naipes, **diez** tantos que gana el que hace la última baza. || **A las diez.** loc. V. **Correo a las diez.** || **A las diez, en la cama estés; y si ser puede, a las nueve.** ref. que denota la conveniencia de acostarse temprano.

Diezma. (Del lat. *decĭma,* t. f. de *-mus,* diezmo.) f. ant. **Décima.** || **2.** *Ar.* **Diezmo.**

Diezmador. (De *diezmar.*) m. *Ar.* **Diezmero,** 2.ª acep.

Diezmal. (De *diezma.*) adj. **Decimal,** 2.ª acep.

Diezmar. (De *dezmar,* por influencia de *diezmo.*) tr. Sacar de diez uno. || **2.** Pagar el diezmo a la Iglesia. || **3.** Castigar de cada diez uno cuando son muchos los delincuentes, o cuando son desconocidos entre muchos. || **4.** fig. Causar gran mortandad en un país las enfermedades, la guerra, el hambre o cualquier otra calamidad; también por extensión se dice de los animales.

Diezmero, ra. m. y f. Persona que pagaba el diezmo. || **2.** Persona que lo percibía.

Diezmesino, na. adj. Que es de diez meses. || **2.** Perteneciente a este tiempo.

Diezmilésimo, ma. adj. Dícese de cada una de las diez mil partes iguales en que se divide un todo. Ú. t. c. s.

Diezmilímetro. m. Décima parte de un milímetro.

Diezmilmillonésimo, ma. adj. Dícese de cada una de las partes iguales de un todo dividido en diez mil millones de ellas. Ú. t. c. s.

Diezmillonésimo, ma. adj. Dícese de cada una de las partes iguales de un todo dividido en diez millones de ellas. Ú. t. c. s.

Diezmo, ma. (Del lat. *decĭmus,* de *decem,* diez.) adj. ant. **Décimo.** || **2.** m. Derecho de diez por ciento que se pagaba al rey, del valor de las mercaderías que se traficaban y llegaban a los puertos, o entraban y pasaban de un reino a otro donde no estaba establecido el almojarifazgo. Llamábanse **diezmos de la mar** o **diezmos** de puertos secos, conforme al paraje donde estaban las aduanas. || **3.** Parte de los frutos, regularmente la décima, que pagaban los fieles a la Iglesia.

Difamación. (Del lat. *diffamatĭo, -ōnis.*) f. Acción y efecto de difamar.

Difamador, ra. (Del lat. *diffamātor.*) adj. Que difama. Ú. t. c. s.

Difamante. p. a. de **Difamar.** Que difama.

Difamar. (Del lat. *diffamāre;* de *dis,* priv. e intens., y *fama,* fama.) tr. Desacreditar a uno, publicando cosas contra su buena opinión y fama. || **2.** Poner una cosa en bajo concepto y estima. || **3.** ant. **Divulgar.**

Difamatoria. (De *difamatorio.*) f. ant. **Difamación.**

Difamatorio, ria. adj. Dícese de lo que difama.

Difamia. (Del lat. *diffamĭa.*) f. ant. Difamación o deshonra.

Difarreación. (Del lat. *diffarreatĭo, -ōnis.*) f. Ceremonia entre los antiguos romanos, por la cual se disolvía un matrimonio contraído por confarreación.

Diferecer. intr. ant. **Diferir,** 2.ª acep.

Diferencia. (Del lat. *differentĭa.*) f. Cualidad o accidente por el cual una cosa se distingue de otra. || **2.** Variedad entre cosas de una misma especie. || **3.** Controversia, disensión u oposición de dos o más personas entre sí. || **4.** *Álg.* y *Arit.* **Residuo,** 3.ª acep. || **5.** *Mat.* V. **Razón por diferencia.** || **6.** *Mús.* y *Danza.* Diversa modulación, o movimiento, que se hace en el instrumento, o con el cuerpo, bajo un mismo compás. || **A diferencia.** m. adv. que sirve para denotar la discrepancia que hay entre dos cosas semejantes, o comparadas entre sí. || **Hay diferencia en lo vano, darle de codo o de mano, o darle de la mano.** ref. que explica la **diferencia** que hay entre el cariño y el desprecio. || **Partir la diferencia.** fr. Ceder cada uno de su parte en una controversia o ajuste para conformarse, acercándose al medio proporcionado.

Diferenciación. f. Acción y efecto de diferenciar. || **2.** *Mat.* Operación por la cual se determina la diferencia de una función.

Diferencial. adj. Perteneciente a la diferencia de las cosas. || **2.** V. **Derecho diferencial de bandera.** || **3.** V. **Termómetro diferencial.** || **4.** *Mat.* Aplícase a la cantidad infinitamente pequeña. || **5.** *Mat.* V. **Cálculo diferencial.** || **6.** f. *Mat.* Diferencia infinitamente pequeña de una variable. || **7.** *Mec.* Mecanismo que enlaza tres móviles, imponiendo entre sus velocidades simultáneas la condición de que cada una de ellas sea proporcional a la suma o a la diferencia de las otras dos. || **8.** *Mec.* Engranaje basado en este mecanismo, que se emplea en los vehículos automóviles .

Diferencialmente. adv. m. ant. **Diferentemente.**

Diferenciar. (De *diferencia.*) tr. Hacer distinción, conocer la diversidad de las cosas; dar a cada una su correspondiente y legítimo valor. || **2.** Variar, mudar el uso que se hace de las cosas. || **3.** *Mat.* Hallar la diferencial de una cantidad variable. || **4.** intr. Discordar, no convenir en un mismo parecer u opinión. || **5.** r. Diferir, distinguirse una cosa de otra. || **6.** Hacerse notable un sujeto por sus acciones o cualidades.

Diferente. (Del lat. *diffĕrens, -entis.*) adj. Diverso, distinto. || **2.** adv. m. **Diferentemente.**

Diferentemente. adv. m. Diversamente, de otra manera, de modo distinto.

Diferir. (Del lat. *differre.*) tr. Dilatar, retardar o suspender la ejecución de una cosa. || **2.** intr. Distinguirse una cosa de otra o ser diferente y de distintas o contrarias cualidades.

Difícil. (Del lat. *difficĭlis.*) adj. Que no se logra, ejecuta o entiende sin mucho trabajo. || **2.** Dícese de la persona descontentadiza o poco tratable.

Dificilidad. (De *difícil.*) f. ant. **Dificultad.**

Dificílimo, ma. (Del lat. *difficillĭmus.*) adj. sup. ant. de **Difícil.**

Difícilmente. adv. m. Con dificultad.

Dificultad. (Del lat. *difficultas, -ātis.*) f. Embarazo, inconveniente, oposición o contrariedad que impide conseguir, ejecutar o entender bien y pronto una cosa. || **2.** Duda, argumento y réplica propuesta contra una opinión. || **Apretar la dificultad.** fr. fam. **Apretar el argumento.** || **Estar** uno **en,** o **sobre, la dificultad.** fr. **Ponerse de pies en la dificultad.** || **Herir en la,** o **la, dificultad.** fr. fig. Dar con ella, descubrirla. || **No hay mayor dificultad que la poca voluntad.** ref. que declara cómo aunque no haya obstáculos para una cosa, los crea el poco deseo de hacerla.

Dificultador, ra. (De *dificultar.*) adj. Que pone o imagina dificultades. Ú. t. c. s.

Dificultar. (Del lat. *difficultāre.*) tr. Poner dificultades a las pretensiones de alguno, exponiendo los embarazos que a su logro se oponen. || **2.** Hacer difícil una cosa, introduciendo embarazos o inconvenientes que antes no tenía. || **3.** Tener o estimar una cosa por difícil. Ú. m. c. intr.

Dificultosamente. adv. m. Con dificultad.

Dificultoso, sa. (De *dificultar.*) adj. Difícil, lleno de embarazos. || **2.** fig. y fam. Dicho del semblante, la cara, la figura, etc., extraño y defectuoso. || **3.** **Dificultador.**

Difidación. (Del b. lat. *diffidatĭo, -ōnis.*) f. Manifiesto con que se justifica la declaración de guerra. || **2.** La misma declaración.

Difidencia. (Del lat. *diffidentĭa.*) f. **Desconfianza.** || **2.** Falta de fe.

Difidente. (Del lat. *diffīdens, -entis,* p. a. de *diffidĕre,* desconfiar.) adj. Que desconfía.

Dífilo, la. (Del gr. δίς, dos, y φύλλον, hoja.) adj. *Bot.* Que tiene dos hojas.

Difinecer. tr. ant. **Definir.**

Difinición. f. desus. **Definición.**

Difinidura. (De *difinir.*) f. ant. Solución de un argumento.

Difinir. (Del lat. *diffinīre.*) tr. desus. **Definir.**

Difinitorio. m. **Definitorio.**

Difiuciar. (De *di* y *fiucia.*) tr. ant. **Desahuciar.**

Difluencia. f. Estado o calidad de lo que es difluente.

Difluente. adj. Que se esparce o derrama por todas partes.

Difluir. (Del lat. *diffluĕre,* extenderse.) intr. Difundirse, derramarse por todas partes.

Difracción. (Derivado de *diffractus,* roto, quebrado.) f. *Fís.* Desviación del rayo luminoso al rozar el borde de un cuerpo opaco.

Difractar. tr. *Fís.* Hacer sufrir difracción. Ú. t. c. r.

Difrangente. adj. Que produce la difracción.

Difteria. (Del gr. διφθέρα, membrana.) f. *Med.* Enfermedad específica, infecciosa y contagiosa, caracterizada por la formación de falsas membranas en las mucosas, comúnmente de la garganta, en la piel desnuda de epidermis y en toda suerte de heridas al descubierto, con síntomas generales de fiebre y postración.

Diftérico, ca. adj. *Med.* Perteneciente o relativo a la difteria.

Difteritis. (Del gr. διφθέρα, membrana, y el sufijo *itis,* inflamación.) f. *Med.* Inflamación diftérica.

Difugio. (Del lat. *diffugĭum.*) m. ant. **Efugio.**

Difumar. tr. **Esfumar.**

Difuminar. tr. **Esfuminar.**

Difumino. m. **Esfumino.**

Difundidor, ra. adj. Que difunde.

Difundir. (Del lat. *diffundĕre.*) tr. Extender, derramar. Dícese propiamente de los fluidos. Ú. t. c. r. || **2.** fig. Divulgar, propagar. Ú. t. c. r.

Difunto, ta. (Del lat. *defunctus.*) adj. Dícese de la persona muerta. Ú. t. c. s. || **2.** V. **Bienes, bula, misa, oficio de difuntos.** || **3.** V. **Conmemoración, día de los difuntos.** || **4.** *Germ.* Dícese del que está dormido. || **5.** m. **Cadáver.** || **de taberna.** fig. y fam. Borracho privado de sentido. || **El difunto era mayor,** o **era más pequeño.** fr. fig. y fam. que se aplica al que lleva una prenda de vestir mayor o menor de lo que requiere su cuerpo.

Difusamente. adv. m. Con difusión.

Difusión. (Del lat. *difusĭo, -ōnis.*) f. Acción y efecto de difundir o difundirse. || **2.** Extensión, dilatación viciosa en lo hablado o escrito.

Difusivo, va. (De *difuso.*) adj. Que tiene la propiedad de difundir o difundirse.

Difuso, sa. (Del lat. *diffūsus.*) p. p. irreg. de **Difundir.** || **2.** adj. Ancho, dilatado. || **3.** Excesivamente dilatado, superabundante en palabras. *Lenguaje, estilo, escritor, orador* DIFUSO.

Difusor, ra. adj. Que difunde. || **2.** m. Aparato para extraer el jugo sacarino de la remolacha.

Digamma. (Del lat. *digamma,* y éste del gr. δίγαμμα.) f. Letra del primitivo alfabeto griego en forma de F, que tenía el sonido de *f* o *v.*

Digerecer. tr. ant. **Digerir.**

Digerible. adj. Que se puede digerir.

Digerir. (Del lat. *digerĕre.*) tr. Convertir en el aparato digestivo los alimentos en substancia propia para la nutrición. || **2.** fig. Sufrir o llevar con paciencia una desgracia o una ofensa. Ú. m. con neg. || **3.** fig. Meditar cuidadosamente una cosa, para entenderla o ejecutarla. || **4.** *Quím.* Cocer algunos zumos u otras materias por medio de un calor lento.

Digestibilidad. f. Calidad de digestible.

Digestible. (Del lat. *digestibĭlis.*) adj. Que puede ser digerido.

Digestión. (Del lat. *digestĭo, -ōnis.*) f. Acción y efecto de digerir. || **2.** *Quím.* Infusión prolongada, en un líquido apropiado, de aquel cuerpo de que se quiere extraer alguna substancia.

Digestir. (De *digesto,* 2.° art.) tr. ant. **Digerir.**

Digestivo, va. (Del lat. *digestīvus.*) adj. Dícese de las operaciones y de las partes del organismo que atañen a la digestión. *Tubo* DIGESTIVO, *funciones* DIGESTIVAS. || **2.** Dícese de lo que es a propósito para ayudar a la digestión. Ú. t. c. s. m. || **3.** m. *Cir.* Medicamento que se aplica para promover y sostener la supuración de las úlceras y heridas.

Digesto. (Del lat. *digestum,* de *digerĕre,* distribuir, ordenar.) m. Colección de las decisiones del derecho romano.

Digesto, ta. (Del lat. *digestus.*) p. p. irreg. ant. de **Digerir.**

Digestor. (Del lat. *digestorĭus,* que sirve para resolver.) m. Vasija fuerte de loza o metal, cerrada a tornillo, para separar en el baño de María la gelatina de los huesos y el jugo de la carne o de otra substancia.

Digitado, da. (Del lat. *digitātus,* de *digĭtus,* dedo.) adj. *Bot.* V. **Hoja digitada.** || **2.** *Zool.* Aplícase a los animales mamíferos que tienen sueltos los dedos de los cuatro pies.

Digital. (Del lat. *digitālis.*) adj. Perteneciente o relativo a los dedos. || **2.** V. **Impresión digital.** || **3.** f. Planta herbácea de la familia de las escrofulariáceas, de tallo sencillo o poco ramoso, de 8 a 12 decímetros de altura; hojas alternas, vellosas por encima y tomentosas por abajo, pecioladas las inferiores y sentadas las de lo alto; flores pendientes en racimo terminal, con corola purpúrea en forma de dedal, y semilla capsular bastante vellosa. El cocimiento y extracto de las hojas se usa mucho en medicina para disminuir el movimiento circulatorio de la sangre. Hay otras especies, de flores amarillas y rojas, que se utilizan como sucedáneas de la primera.

Digitalina. (De *digital.*) f. *Quím.* Glucósido contenido en las hojas de la digital, de las cuales se extrae en forma pulverulenta, de color amarillo y de sabor muy amargo. Es muy venenoso, pero en dosis inferiores a un miligramo se emplea como medicamento cardiaco.

Digitiforme. adj. Que tiene la forma de un dedo.

Digitígrado, da. (Del lat. *digĭtus,* dedo, y *gradior,* caminar.) adj. *Zool.* Dícese del animal que al andar apoya sólo los dedos; como el gato.

Dígito. (Del lat. *digĭtus,* dedo.) adj. *Arit.* V. **Número dígito.** Ú. t. c. s. || **2.** m. *Astron.* Cada una de las doce partes iguales en que se dividen el diámetro aparente del Sol y de la Luna en los cómputos de los eclipses.

Digladiar. (Del lat. *digladiāri;* de *di,* di, 1.er art., y *gladĭus,* espada.) intr. ant. Batallar o pelear con espada cuerpo a cuerpo.

Dignación. (Del lat. *dignatĭo, -ōnis.*) f. Condescendencia con lo que desea o pretende el inferior.

Dignamente. adv. m. De una manera digna. || **2.** Merecidamente, con justicia, con razón.

Dignarse. (Del lat. *dignāre.*) r. Servirse o tener la dignación de hacer una cosa.

Dignatario. m. Persona investida de una dignidad.

Dignidad. (Del lat. *dignĭtas, -ātis.*) f. Calidad de digno. || **2.** Excelencia, realce. || **3.** Gravedad y decoro de las personas en la manera de comportarse. || **4.** Cargo o empleo honorífico y de autoridad. || **5.** En las catedrales y colegiatas, cualquiera de las prebendas de que es propio un oficio honorífico y preeminente; como el deanato, el arcedianato, etc. || **6.** Persona que posee una de estas prebendas. Ú. t. c. m. || **7.** Por antonom., la del arzobispo u obispo. *Las rentas de la* DIGNIDAD. || **8.** En las órdenes militares de caballería, los cargos de maestre, trece, comendador mayor, clavero, etc.

Dignificable. ad. Que puede dignificarse.

Dignificación. f. Acción y efecto de dignificar o dignificarse.

Dignificante. p. a. de **Dignificar.** || **2.** *Teol.* Que dignifica. Aplícase más comúnmente a la gracia.

Dignificar. (Del lat. *dignificāre.*) tr. Hacer digna o presentar como tal a una persona o cosa. Ú. t. c. r.

Digno, na. (Del lat. *dignus.*) adj. Que merece algo, en sentido favorable o adverso. Cuando se usa de una manera absoluta, se toma siempre en buena parte y en contraposición de indigno. || **2.** Correspondiente, proporcionado al mérito y condición de una persona o cosa.

Digresión. (Del lat. *digressĭo, -ōnis.*) f. Efecto de romper el hilo del discurso y de hablar en él de cosas que no tengan conexión o íntimo enlace con aquello de que se está tratando. La **digresión,** para no ser viciosa, ha de ser motivada.

Dihueñe [Dihueñi]. (Del arauc. *dihueñ.*) m. *Chile.* Nombre vulgar de varios hongos comestibles que crecen en algunos robles, y de los cuales, haciéndolos fermentar, obtienen los indios una especie de chicha.

Dij. m. **Dije.**

Dije. m. Cualquier adorno de los que se ponían a los niños al cuello o pendientes de la cintura; y eran diferentes, así en su forma como en la materia de que estaban construidos. || **2.** Cada una de las joyas, relicarios y otras alhajas pequeñas que suelen llevar por adorno las mujeres y aun los hombres. || **3.** fig. y fam. Persona de relevantes cualidades físicas o morales. || **4.** fig. y fam. Persona muy compuesta. || **5.** fig. y fam. Persona apta para hacer muchas cosas.

Dijes. (Del verbo *decir.*) m. pl. Bravatas.

Dilaceración. (Del lat. *dilaceratĭo, -ōnis.*) f. Acción y efecto de dilacerar o dilacerarse.

Dilacerar. (Del lat. *dilacerāre.*) tr. Desgarrar, despedazar las carnes de personas o animales. Ú. t. c. r. || **2.** fig. Lastimar, destrozar la honra, el orgullo, etc.

Dilación. (Del lat. *dilatĭo, -ōnis.*) f. Retardación o detención de una cosa por algún tiempo. || **2.** ant. Dilatación, extensión, propagación.

Dilapidación. (Del lat. *dilapidatĭo, -ōnis.*) f. Acción y efecto de dilapidar.

Dilapidador, ra. adj. Que dilapida. Ú. t. c. s.

Dilapidar. (Del lat. *dilapidāre.*) tr. Malgastar los bienes propios, o los que uno tiene a su cargo.

Dilatabilidad. f. Calidad de dilatable.

Dilatable. adj. Que puede dilatarse.

Dilatación. (Del lat. *dilatatĭo, -ōnis.*) f. Acción y efecto de dilatar o dilatarse. || **2.** fig. Desahogo y serenidad en una pena o sentimiento grave. || **3.** *Cir.* Procedimiento empleado para aumentar o restablecer el calibre de un conducto, de una cavidad o de un orificio, o mantener libre un trayecto fistuloso. || **4.** *Fís.* Aumento de volumen de un cuerpo por apartamiento de sus moléculas y disminución de su densidad.

Dilatadamente. adv. m. Con dilatación.

Dilatado, da. p. p. **Dilatar.** || **2.** adj. Extenso, vasto, numeroso.

Dilatador, ra. (Del lat. *dilatātor.*) adj. Que dilata o extiende. Ú. t. c. s.

Dilatar. (Del lat. *dilatāre.*) tr. Extender, alargar y hacer mayor una cosa, o que ocupe más lugar o tiempo. Ú. t. c. r. || **2.** Diferir, retardar. Ú. t. c. r. || **3.** fig. Propagar, extender. DILATAR *la fama, el nombre.* Ú. t. c. r. || **4.** r. Extenderse mucho en un discurso o escrito.

Dilatativo, va. adj. Dícese de lo que tiene virtud de dilatar.

Dilatoria. (Del lat. *dilatorĭus,* en su t. f. substantivada.) f. **Dilación,** 1.ª acep. Ú. m. en pl. *Traer a uno en* DILATORIAS; *andar con* DILATORIAS.

Dilatorio, ria. (Del lat. *dilatorĭus.*) adj. *For.* Que sirve para prorrogar y extender un término judicial o la tramitación de un asunto. || **2.** *For.* V. **Excepción dilatoria.**

Dilección. (Del lat. *dilectĭo, -ōnis.*) f. Voluntad honesta, amor reflexivo.

Dilecto, ta. (Del lat. *dilectus,* p. p. de *diligĕre,* amar.) adj. Amado con dilección.

Dilema. (Del lat. *dilemma,* y éste del gr. δίλημμα; de δίς, dos, y λῆμμα, premisa.) m. Argumento formado de dos proposiciones contrarias disyuntivamente, con tal artificio, que negada o concedida cualquiera de las dos, queda demostrado lo que se intenta probar.

Dilemático, ca. adj. Perteneciente o relativo al dilema.

Dileniáceo, a. (De *dillenia,* nombre de un género de plantas.) adj. *Bot.* Dícese de plantas angiospermas dicotiledóneas, leñosas, rara vez herbáceas, con hojas generalmente esparcidas; flores actinomorfas o cigomorfas, con cáliz de tres o más sépalos, corola pentámera y diez o más estambres; fruto en cápsula o baya, y semillas con arilo; como el vacabuey. Ú. t. c. s. f. || **2.** f. pl. *Bot.* Familia de estas plantas.

Diligencia. (Del lat. *diligentĭa.*) f. Cuidado y actividad en ejecutar una cosa. || **2.** Prontitud, agilidad, prisa. Ú. más con verbos de movimiento. || **3.** Coche grande dividido en dos o tres departamentos, arrastrado por caballerías, y destinado al transporte de viajeros. || **4.** V. **Cédula, notario de diligencias.** || **5.** ant. Amor, dilección. || **6.** fam. Negocio, dependencia, solicitud. || **7.** *For.* Actuación del secretario judicial en un procedimiento criminal o civil. || **de comparendo.** *For.* Acta que el escribano extiende para acreditar la comparecencia de una persona. || **En diligencia.** loc. adv. con que se denotaba la circunstancia de haber de caminar un correo de a caballo 30 leguas en veinticuatro horas. || **Evacuar una diligencia.** fr. Finalizarla, salir de ella, concluirla. || **Hacer uno sus diligencias.** fr. Poner todos los medios para conseguir un fin. || **Hacer uno las diligencias de cristiano.** fr. Cumplir con la Iglesia, confesando y comulgando en Pascua, o cuando se dispone para morir. || **Hacer las diligencias del jubileo.** fr. Ejecutar lo que se previene para ganarlo. || **Hacer uno una diligencia.** fr. **Exonerar el vientre.** || **La diligencia es madre de la buena ventura.** fr. proverb. que enseña cuánto influye el cuidado y actividad en el logro de las solicitudes.

Diligenciar. (De *diligencia.*) tr. Poner los medios necesarios para el logro de una solicitud. || **2.** *For.* Despachar o tramitar un asunto mediante las oportunas diligencias.

Diligenciero. (De *diligencia.*) m. El que toma a su cargo la solicitud de los negocios de otro. || **2.** ant. *For.* Encargado por los fiscales para evacuar algunas diligencias de oficio; como pruebas de hidalguía, etc.

Diligente. (Del lat. *diligens, -entis.*) adj. Cuidadoso, exacto y activo. || **2.** Pronto, presto, ligero en el obrar.

Diligentemente. adv. m. Con diligencia.

Dilogía. (Del lat. *dilogĭa,* y éste del gr. διλογία.) f. Ambigüedad, doble sentido, equívoco.

Dilucidación. (Del lat. *dilucidatĭo, -ōnis.*) f. Acción y efecto de dilucidar.

Dilucidador, ra. adj. Que dilucida. Ú. t. c. s.

Dilucidar. (Del lat. *dilucidāre.*) tr. Declarar y explicar un asunto, una proposición o una obra de ingenio.

Dilucidario. m. Escrito con que se dilucida o ilustra una obra.

Dilución. f. Acción y efecto de diluir o diluirse, 1.er art.

Dilúculo. (Del lat. *dilucŭlum,* crepúsculo matutino.) m. Última de las seis partes en que se dividía la noche.

Diluente. (Del lat. *dilŭens, -entis.*) p. a. de **Diluir,** 1.er art. Que diluye.

Diluir. (Del lat. *dilŭere.*) tr. **Desleir.** Ú. t. c. r. || **2.** *Quím.* Añadir líquido en las disoluciones.

Diluir. (Del lat. *deludĕre.*) tr. ant. **Engañar.**

Dilusivo, va. (Del lat. *delūsus,* burlado.) adj. ant. Que tiene facultad de diluir, 2.° art.

Diluvial. (De *diluvio.*) adj. Perteneciente al diluvio. || **2.** *Geol.* Dícese del terreno constituido por enormes depósitos de materias sabulosas que fueron arrastradas por grandes corrientes de agua. Ú. t. c. s. || **3.** *Geol.* Perteneciente a este terreno.

Diluviano, na. adj. Que tiene relación con el diluvio universal, o que hiperbólicamente se compara con él.

Diluviar. (Del lat. *diluviāre.*) intr. Llover a manera de diluvio.

Diluvio. (Del lat. *diluvĭum.*) m. Inundación de la tierra o de una parte de ella, precedida de copiosas lluvias. || **2.** Por antonom., el universal con que Dios castigó a los hombres en tiempo de Noé. || **3.** fig. y fam. Lluvia muy copiosa. || **4.** fig. y fam. Excesiva abundancia de una cosa. *Un* DILUVIO *de palabras, de injurias.*

Diluyente. p. a. de **Diluir. Diluente.**

Dimanación. (Del lat. *dimanatĭo, -ōnis.*) f. Acción de dimanar.

Dimanante. p. a. de **Dimanar.** Que dimana.

Dimanar. (Del lat. *dimanāre.*) intr. Proceder o venir el agua de sus manantiales. || **2.** fig. Provenir, proceder y tener origen una cosa de otra.

Dimensión. (Del lat. *dimensĭo, -ōnis.*) f. *Geom.* Longitud, extensión o volumen, de una línea, una superficie o un cuerpo respectivamente. || **2.** *Geom.* Extensión de un objeto en dirección determinada. || **3.** *Mús.* Medida de los compases.

Dimensional. adj. Perteneciente a una dimensión.

Dímero. (Del gr. δίς, dos, y μέρος, parte.) adj. *Zool.* Dícese del insecto que sólo tiene dos artejos en todos los tarsos.

Dimes y diretes. (De *di,* imper. de *decir,* y el pron. *me,* y *diré,* fut. del mismo verbo, y el pron. *te.*) loc. fam. Contestaciones, debates, altercaciones, réplicas entre dos o más personas. *Andar en* DIMES Y DIRETES.

Dímetro. m. En la poesía clásica, verso que consta de dos metros o pies.

Dimiario. adj. Dícese de los moluscos bivalvos que tienen dos músculos aductores para cerrar las valvas de la concha, como las almejas de mar.

Dimidiar. (Del lat. *dimidiāre,* de *dimidĭus,* medio.) tr. p. us. **Demediar.**

Dimidor. m. *Ast.* El que se emplea en dimir.

Diminución. (Del lat. *diminutĭo, -ōnis.*) f. desus. **Disminución.**

Diminuecer. (Del lat. *di,* di, 1.er art., y *minuiscĕre.*) intr. ant. Menguar, mermar.

Diminuir. (Del lat. *diminuĕre.*) tr. desus. **Disminuir.** Ú. t. c. r.

Diminutamente. adv. m. **Escasamente,** 1.ª acep. ‖ **2.** Menudamente, por menor.

Diminutivamente. adv. m. En forma diminuta.

Diminutivo, va. (Del lat. *diminutīvus.*) adj. Que tiene cualidad de disminuir o reducir a menos una cosa. ‖ **2.** *Gram.* Aplícase a los vocablos que disminuyen o menguan la significación de los positivos de que proceden.

Diminuto, ta. (Del lat. *diminūtus.*) adj. Defectuoso, falto de lo que sirve para complemento o perfección. ‖ **2.** Excesivamente pequeño. ‖ **3.** V. **Cuestión diminuta.** ‖ **4.** *Mús.* V. **Séptima, sexta diminuta.**

Dimir. (Del lat. *demĕre,* quitar.) tr. *Ast.* Echar al suelo con largas varas o pértigas el fruto ya maduro de los nogales, castaños, manzanos y otros árboles.

Dimisión. (Del lat. *dimissĭo, -ōnis,* de *dimittĕre,* abandonar, dejar.) f. Renuncia, desapropio de un cosa que se posee. Dícese de los empleos y comisiones.

Dimisionario, ria. adj. Que hace o ha hecho dimisión. Ú. t. c. s.

Dimisorias. (Del lat. *dimissorĭae littĕrae.*) f. pl. Letras o cartas que dan los prelados a sus súbditos para que puedan ir a recibir de un obispo extraño las sagradas órdenes. ‖ **Dar dimisorias** a uno. fr. fig. y fam. Despedirle, ahuyentándole con desagrado. ‖ **Llevar** uno **dimisorias.** fr. fig. y fam. Ser despedido con desagrado.

Dimitente. p. a. de **Dimitir.** Que dimite. Ú. t. c. s.

Dimitir. (Del lat. *dimittĕre.*) tr. Renunciar, hacer dejación de una cosa; como empleo, comisión, etc.

Dimorfismo. m. *Mineral.* Calidad de dimorfo.

Dimorfo, fa. (Del gr. δίμορφος; de δίς, dos, y μορφή, forma.) adj. *Mineral.* Aplícase a la substancia que puede cristalizar según dos sistemas diferentes; como el carbonato de cal, que da las especies aragonito y espato calizo.

Din. (Apócope de *dinero,* por semejanza con *don.*) m. fam. **Dinero,** 1.ª y 3.ª aceps., en frases como las siguientes: *El* DIN *y el don; el don sin el* DIN; esto es, dinero y calidad; nobleza sin bienes de fortuna.

Dina. (Del gr. δύναμις, fuerza.) f. *Fís.* Unidad de fuerza en el sistema cegesimal, que equivale a la fuerza necesaria para comunicar a la masa de un gramo la aceleración de un centímetro por segundo.

Dinacho. (Voz araucana.) m. *Chile.* Hierba de la familia de las araliáceas, cuyos tallos enterrados en la arena se ablandan y son de gusto delicado.

Dinamarqués, sa. adj. Natural u oriundo de Dinamarca. Ú. t. c. s. ‖ **2.** Perteneciente a este país de Europa. ‖ **3.** m. Lengua **dinamarquesa,** uno de los dialectos del nórdico.

Dinamia. (Del gr. δύναμις, fuerza.) f. *Mec.* Unidad de medida, expresiva de la fuerza capaz de elevar un kilogramo de peso a la altura de un metro en tiempo determinado.

Dinámica. (Del gr. δυναμική, t. f. de -ικός, dinámico.) f. Parte de la mecánica, que trata de las leyes del movimiento en relación con las fuerzas que lo producen.

Dinámico, ca. (Del gr. δυναμικός, de δύναμις, fuerza.) adj. Perteneciente o relativo a la fuerza cuando produce movimiento. ‖ **2.** Perteneciente o relativo a la dinámica. ‖ **3.** fig. y fam. Dícese de la persona notable por su energía y actividad.

Dinamismo. (Del gr. δύναμις, fuerza.) m. Energía activa y propulsora. ‖ **2.** *Fil.* Sistema que considera el mundo corpóreo como formado por agrupaciones de elementos simples, realmente inextensos, y cuyo fondo esencial es la fuerza; de suerte que los fenómenos corpóreos resultan del choque de fuerzas elementales, y se reducen en definitiva a modos del movimiento.

Dinamista. adj. Dícese del que es partidario del dinamismo. Ú. t. c. s.

Dinamita. (Del gr. δύναμις, fuerza.) f. Mezcla explosiva de nitroglicerina con un cuerpo muy poroso, que la absorbe, para que sin perder la fuerza dinámica de aquélla, se eviten los riesgos de su manejo y transporte. ‖ **de base activa.** Aquella en que se usa como absorbente un cuerpo combustible o explosivo, como carbón, serrín, nitrato de sodio, etc. ‖ **de base inerte.** Aquella en que se emplea como absorbente una substancia inerte, como sílice, yeso, ceniza, etc.

Dinamitazo. m. Explosión o tiro de dinamita.

Dinamitero, ra. adj. Dícese de quien sistemáticamente destruye o trata de destruir personas o cosas por medio de la dinamita. Ú. t. c. s.

Dinamo [Dínamo]. (Del gr. δύναμις, fuerza.) f. *Fís.* Máquina destinada a transformar la energía mecánica (movimiento) en energía eléctrica (corriente), o viceversa, por inducción electromagnética, debida generalmente a la rotación de cuerpos conductores en un campo magnético.

Dinamoeléctrico, ca. adj. Aplícase a la máquina llamada dinamo.

Dinamometría. f. Arte de medir las fuerzas motrices.

Dinamométrico, ca. adj. Perteneciente o relativo al dinamómetro.

Dinamómetro. (Del gr. δύναμις, fuerza, y μέτρον, medida.) m. *Mec.* Instrumento que sirve para apreciar la resistencia de las máquinas y evaluar las fuerzas motrices.

Dinar. (Del ár. *dīnār,* y éste del lat. *denarĭus.*) m. Moneda árabe de oro, que se acuñó desde fines del siglo VII, y cuyo peso era de poco más de cuatro gramos. ‖ **2.** Moneda de plata, de Servia, equivalente a una peseta. Era la unidad monetaria. ‖ **3.** Moneda imaginaria persa.

Dinarada. f. ant. **Dinerada.** ‖ **2.** ant. Cantidad de comestible que se compra con un dinero.

Dinasta. (Del lat. *dynasta,* y éste del gr. δυνάστης, príncipe, señor.) m. Príncipe o señor que reinaba con el consentimiento o bajo la dependencia de otro soberano.

Dinastía. (Del gr. δυναστεία, de δυνάστης, dinasta.) f. Serie de príncipes soberanos en un determinado país, pertenecientes a una familia. ‖ **2.** Familia en cuyos individuos se perpetúa el poder o la influencia política, económica, cultural, etc.

Dinástico, ca. adj. Perteneciente o relativo a la dinastía. ‖ Partidario de una dinastía.

Dinastismo. m. Fidelidad y adhesión a una dinastía.

Dinerada. f. Cantidad grande de dinero. ‖ **2.** Moneda antigua que equivalía a un maravedí de plata.

Dineral. adj. V. **Pesa dineral.** ‖ **2.** m. Cantidad grande de dinero. ‖ **3.** Juego de pesas que se usaba para comprobar en la balanza el peso de las monedas. Lo había para el oro y para la plata. ‖ **4.** *Ar.* Cierta medida pequeña con que en las tabernas se medía el vino correspondiente a un dinero. Usáb. t. para el aceite. ‖ **de oro.** Pesa de un castellano, o sean ocho tomines, dividida en 24 quilates, y cada quilate en cuatro granos. ‖ **de plata.** Pesa de un marco, dividida en 12 dineros, y cada dinero en 24 granos. ‖ **de quilates.** Juego de pesas que usaban los joyeros para valorar las perlas y piedras preciosas.

Dineralada. f. Dinerada, dineral.

Dinerario, ria. adj. Perteneciente o relativo al dinero como instrumento para facilitar los cambios.

Dinerillo. (d. de *dinero.*) m. Moneda antigua de vellón que independientemente se acuñó en Aragón y Valencia. El de Aragón era algo menor que un ochavo, y algo mayor el de Valencia. ‖ **2.** fam. Pequeña cantidad de dinero.

Dinero. (Del lat. *denarĭus.*) m. **Moneda corriente.** ‖ **2.** Moneda de plata y cobre usada en Castilla en el siglo XIV y que equivalía a dos cornados. ‖ **3.** fig. y fam. **Caudal,** 1.er art., 4.ª acep. *José es hombre de* DINERO, *pero no tiene tanto como se cree.* ‖ **4.** Moneda de plata del Perú, que equivale a media peseta. ‖ **5.** Peso de 24 granos, equivalente a 11 gramos y 52 centigramos, que se usaba para las monedas y objetos de plata. ‖ **6. Penique.** ‖ **7.** *Ar.* **Ochavo,** 2.ª acep. ‖ **a daño,** o **a interés.** El que se da o recibe a préstamo con interés. ‖ **al contado. Dinero contante.** ‖ **burgalés.** Moneda de oro de muy baja ley, mandada labrar en Burgos por el rey don Alfonso X: valía dos pepiones. ‖ **contante,** o **contante y sonante,** o **en tabla. Dinero** pronto, efectivo, corriente. ‖ **trocado. Dinero** cambiado en monedas menudas. ‖ **Buen dinero.** Cantidad de efectiva cobranza. ‖ **Acometer con dinero.** fr. fig. y fam. Intentar o pretender cohecho o soborno. ‖ **A dinero. A dinero contante. A dinero seco. Al dinero.** ms. advs. En **dinero** y moneda efectiva. ‖ **A dineros dados, brazos quebrados. A dineros pagados, brazos cansados.** exprs. que advierten que no se debe hacer el pago adelantado, porque quien lo recibe pierde el estímulo para continuar la obra. ‖ **Alzarse** uno **con el dinero.** fr. Entre jugadores, ganarlo. ‖ **A pagar de mi dinero.** loc. adv. fig. y fam. que se usa para afirmar, asegurar y ponderar que una cosa es cierta, como afianzándola uno con su caudal. ‖ **Bien te quiero, bien te quiero; mas no te doy mi dinero.** ref. que reprende a los que hacen muchos agasajos y faltan en el tiempo de la necesidad. ‖ **De dineros y bondad, quita siempre la mitad.** ref. que da a entender que en caudales y en virtudes suele exagerar mucho la opinión general. ‖ **De dinero y calidad, la mitad de la mitad.** ref. que advierte la frecuencia con que se exageran las condiciones de riqueza o de linaje de las personas. ‖ **Dinero llama dinero.** ref. que enseña que con el **dinero** se hace o logra más **dinero,** por la facilidad, en el que lo tiene, de emprender negocios lucrativos. ‖ **Dinero olvidado, ni hace merced ni grado.** ref. que enseña que las cosas útiles dejan de serlo cuando no se hace uso de ellas. ‖ **Dineros de avaro, dos veces van al mercado.** ref. que reprende al que de mezquino compra géneros malos que le duran poco. ‖ **Dineros haya en el bolsón, que no faltará quien haga el son.** ref. que expresa que todos procuran dar gusto al rico. ‖ **Dineros son calidad.** fr. proverb. con que se expresa que la riqueza da consideración y honores, o que suele suplir y aun sobreponerse al linaje. ‖ **Dineros y amores, diablos y locura, mal se disimulan.** ref. que declara cuán difícilmente se ocultan riquezas, pasiones y carácter. ‖ **Dinero, y no consejos.** expr. con que se reprende a quien da consejos cuando no se le piden, y mucho más si los da a quien tiene necesidad de **dinero.** ‖ **Echar di-**

nero en una cosa. fr. Echar caudal en ella. || **El dinero en la bolsa, hasta que se gasta no se goza.** ref. contra avarientos. || **El dinero hace al hombre entero.** ref. que da a entender que el no depender de otro, por tener lo que se necesita, es un gran principio para obrar con justicia y con entereza. || **El dinero y el amor traen los hombres al derredor.** ref. que indica que son el amor y el interés los dos móviles principales de las acciones humanas. || **El dinero y el amor y el cuidado no puede estar disimulado.** ref. **Dineros y amores,** etc. || **Estar uno mal con su dinero.** fr. fig. y fam. Malgastarlo o aventurarlo en empresas descabelladas. || **Estrujar uno el dinero.** fr. fig. y fam. Ser miserable o poco dadivoso. || **Hacer dinero.** fr. fig. y fam. Juntar caudal, hacerse rico. || **Levantarse uno con el dinero.** fr. **Alzarse con el dinero.** || **Los dineros del sacristán, cantando se vienen y cantando se van.** ref. que indica la facilidad con que suele gastarse el **dinero** que se gana con poco trabajo. || **Más ablanda el dinero que palabras de caballero.** ref. que da a entender que más fuerza tiene el interés que el halago. || **Pasar uno el dinero.** fr. Volverlo a contar, para satisfacerse enteramente de que está cabal la cantidad que entrega o recibe. || **Por dinero baila el perro, y por pan, se si lo dan.** ref. que explica la fuerza del **dinero,** que influye aun en aquellos a quienes no sirve ni aprovecha. || **Por mi dinero, papa le quiero.** ref. que indica el derecho que cada uno tiene a que se le dé de la mejor condición y calidad aquello que le cuesta su **dinero.** || **Quien tiene dineros pinta panderos.** ref. que manifiesta la facilidad con que logra el rico lo que se le antoja. || **Si no tienes dinero en la bolsa, ten miel en la boca.** ref. que aconseja al pobre que sea halagüeño en sus palabras para hacerse bienquisto. || **Si quieres tener dinero, tenlo.** ref. que aconseja el ahorro como medio eficaz para reunir un capital.

Dineroso, sa. (De *dinero.*) adj. Rico, adinerado.

Dineruelo. m. d. de **Dinero.**

Dingolondango. m. fam. Expresión cariñosa, mimo, halago, arrumaco. Ú. m. en pl.

Dino, na. adj. ant. **Digno.** Hoy es vulg.

Dinornis. (Del gr. δεινός, terrible, y ὄρνις, pájaro.) m. Especie de avestruz antediluviano de tamaño gigantesco.

Dinosaurio. (Del gr. δεινός, terrible, y σαῦρος, lagarto.) adj. *Paleont.* Dícese de ciertos reptiles fósiles que son los animales terrestres más grandes que han existido, con cabeza pequeña, cuello largo, cola robusta y larga, y extremidades posteriores más largas que las anteriores, y otros con las cuatro extremidades casi iguales, como el diplodoco. Ú. t. c. s.

Dinoterio. (Del gr. δεινός, terrible, y θηρίον, bestia.) m. *Paleont.* Proboscidio fósil semejante a un elefante, que vivió en el período mioceno y tenía unos cinco metros de largo.

Dintel. (De *dintel.*) m. *Arq.* Parte superior de las puertas, ventanas y otros huecos que carga sobre las jambas. || **de hierro.** *Arq.* Barra de hierro que se embebe en la mocheta de un arco para apear las dovelas.

Dintelar. tr. Hacer dinteles o construir una cosa en forma de dintel.

Dintorno. (Voz italiana.) m. *Arq.* y *Pint.* Delineación de las partes de una figura, contenidas dentro de su contorno, o de las contenidas en el interior de la planta o de la sección de un edificio.

Diocesal. adj. ant. **Diocesano.**

Diocesano, na. (Del lat. *dioecesanus.*) adj. Perteneciente a la diócesis. || **2.** Dícese del obispo o arzobispo que tiene diócesis. Ú. t. c. s. || **3.** V. **Administración diocesana.** || **4.** V. **Sínodo diocesano.**

Diócesi. f. **Diócesis.**

Diócesis. (Del lat. *dioecēsis,* y éste del gr. διοίκησις, de διοικέω, administrar.) f. Distrito o territorio en que tiene y ejerce jurisdicción espiritual un prelado; como arzobispo, obispo, etc.

Dioico, ca. (Del gr. δίς, dos, y οἶκος, casa, morada.) adj. *Bot.* Aplícase a las plantas que tienen las flores de cada sexo en pie separado, y también a estas mismas flores.

Dionea. f. *Bot.* **Atrapamoscas.**

Dionisia. (Del lat. *dionysĭas,* de *Dionȳsus,* el dios Baco.) f. Piedra que, según los antiguos, era negra, salpicada de manchas rojas, podía dar sabor de vino al agua y ser un remedio contra la embriaguez.

Dionisiaco, ca [~ **síaco, ca**]. (Del lat. *dionysiăcus.*) adj. Perteneciente o relativo a Baco, llamado también Dioniso.

Dioptra. (Del lat. *dioptra,* y éste del gr. διόπτρα, instrumento para hacer mediciones a distancia.) f. **Pínula.** || **2. Alidada.**

Dioptría. (Del gr. διά, a través de, y la raíz ὀπ, ver.) f. *Ópt.* Unidad de medida usada por los oculistas y que equivale al poder de una lente cuya distancia focal es de un metro.

Dióptrica. (Del gr. διοπτρική, t. f. de -κός, dióptrico.) f. Parte de la óptica, que trata de los fenómenos de la refracción de la luz.

Dióptrico, ca. (Del gr. διοπτρικός.) adj. Perteneciente o relativo a la dióptrica.

Diorama. (Del gr. διά, a través, y ὅραμα, vista.) m. Panorama en que los lienzos que mira el espectador son transparentes y pintados por las dos caras: haciendo que la luz ilumine unas veces sólo por delante y otras por detrás, se consigue ver en el mismo sitio dos cosas distintas. || **2.** Sitio destinado a este recreo.

Diorita. (Del gr. διορίζω, distinguir.) f. Roca eruptiva, granosa, formada por feldespato y un elemento obscuro, que puede ser piroxeno, anfíbol o mica negra.

Dios. (Del lat. *Dĕus.*) m. Nombre sagrado del Supremo Ser, Criador del universo, que lo conserva y rige por su providencia. || **2.** Cualquiera de las falsas deidades veneradas por los idólatras; como *el* DIOS *Apolo* o *el* DIOS *Marte,* de los latinos; *el* DIOS *Brahma,* de los indios; *el* DIOS *Niord,* de los escandinavos; *el* DIOS *Tlaloc,* de los mejicanos, etc. || **Dios chico.** Ceremonia subsiguiente a la procesión del **Dios** grande para llevar sin solemnidad la comunión a los enfermos que no pudieron recibirla entonces. || **Dios grande.** fam. En Madrid, procesión solemne que en las domínicas después de Pascua de Resurrección sale de cada parroquia para administrar la comunión a los enfermos. || **Hombre.** *Teol.* **Jesucristo,** Nuestro Señor. || **Padre.** *Teol.* **Padre,** 2.ª acep. || **¡A Dios!** expr. que se emplea para despedirse. || **2.** También sirve para denotar no ser ya posible evitar un daño. || **A Dios con la colorada.** expr. fam. de que se usa para despedirse. || **2.** Exclamación de asombro, principalmente usada cuando se pierde alguna esperanza. || **A Dios, Madrid, que te quedas sin gente.** expr. fig. y fam. que se emplea cuando se despide una persona de poca importancia. || **¡A Dios mi dinero!** expr. fig. y fam. que se emplea cuando se pierde o malogra una cosa. || **A Dios, que esquilan.** expr. fig. y fam. con que se despide el que está de prisa. || **A Dios rogando, y con el mazo dando.** ref. que aconseja hacer de nuestra parte cuanto es posible para el logro de nuestros deseos, sin esperar que **Dios** haga milagros. || **A Dios y a dicha, o a ventura.** loc. adv. Inciertamente, sin esperanza ni seguridad de feliz éxito en lo que se emprende. || **A Dios, y veámonos.** expr. que se usa para despedirse, citándose para otra ocasión. || **Alabado sea Dios.** expr. de salutación de que se usa al entrar en alguna parte. || **2. ¡Bendito sea Dios!** || **A la buena de Dios.** expr. fam. Sin artificio ni malicia. || **A la, o a lo de Dios, o a la de Dios es Cristo.** loc. adv. fam. con que se da a entender la inconsideración con que uno obra o emprende un asunto. || **Amanecerá Dios, y medraremos.** expr. fig. y fam. que se emplea para diferir a otro día la resolución o ejecución de una cosa. || **2.** fig. y fam. También indica que el tiempo puede cambiar favorablemente las cosas. || **Amanecer Dios.** fr. fam. **Amanecer,** 1.er art., 1.ª acep. || **Anda con Dios.** expr. de que se usa para despedir a uno. || **2. ¡Vaya por Dios!** || **Aquel es rico, que está bien con Dios.** ref. que enseña que la verdadera riqueza es la virtud. || **¡Aquí de Dios!** exclam. en que se prorrumpe como para pedir a **Dios** ayuda, o como poniéndole por testigo. || **A quien Dios no le dio hijos, el diablo le dio sobrinos.** ref. para expresar que por causa ajena sobrevienen cuidados al que no los tiene por su propia situación. || **A quien Dios quiere bien, la perra le pare lechones,** o **puercos.** ref. que enseña que todo le sale bien a quien tiene buena suerte. || **A quien Dios quiere, la casa le sabe.** ref. con que se da a entender que al que es afortunado se le vienen las conveniencias a la mano sin que se fatigue en solicitarlas. || **A quien Dios se la diere, San Antón,** o **San Pedro, se la bendiga.** ref. que explica la disposición que tiene uno a conformarse con la Providencia en el buen o mal éxito de sus pretensiones o deseos. || **A quien madruga, Dios le ayuda.** ref. con que se advierte que la buena diligencia suele tener feliz éxito en las pretensiones. || **A quien no habla, no le oye Dios.** ref. que reprende la cortedad de aquellos que, por no atreverse a explicar sus solicitudes, las malogran. || **Así Dios me salve.** expr. que se emplea como juramento. || **Así Dios te dé la gloria,** o **te guarde.** expr. que como deprecación suele juntarse a la petición o súplica de una cosa. ASÍ DIOS TE DÉ LA GLORIA, *que me socorras con una limosna;* ASÍ DIOS TE GUARDE, *que me favorezcas en esto.* || **¡Ay Dios!** interj. de dolor, de susto, de lástima, etc. || **Bendecir Dios** a uno. fr. fig. Prosperarle, hacerle feliz. DIOS *te* BENDIGA. || **¡Bendito sea Dios!** expr. con que se denota enfado, y también conformidad en un contratiempo. || **Cada uno es como Dios le ha hecho.** expr. fig. y fam. que se usa para explicar y disculpar las genialidades de carácter de cada uno. || **Cada uno estornuda como Dios le ayuda.** ref. con que se significa que cada uno hace las cosas del mejor modo que sabe o puede. || **Clamar a Dios.** fr. Afligirse, desesperarse. || **2.** fig. Resultar una cosa mal hecha o contra ley y justicia. *Eso* CLAMA A DIOS. || **Como Dios es mi Padre.** Fórmula de juramento. **Como hay Dios.** || **Como Dios es servido.** expr. adv. con que se explica que una cosa sucede con poca satisfacción nuestra. || **Como Dios está en los cielos.** Fórmula de juramento. **Como hay Dios.** || **Como Dios le da** a uno **a entender.** fr. adv. fig. y fam. Como buenamente se puede, venciendo de cualquier modo las dificultades que para hacer algo se presentan. || **Como Dios sea servido.** expr. adv. Si **Dios** quiere y lo permite.

|| **Como hay Dios.** Fórmula de juramento para afirmar o negar una cosa. || **Con Dios.** expr. de salutación; elipsis de **quedad,** o **queden ustedes, con Dios.** || **Creer en Dios a macha martillo,** o **a puño cerrado.** fr. fig. y fam. de que usan los que, preciándose de buenos católicos, no quieren entrar en disputas de religión. || **Cuando Dios amanece, para todos amanece.** ref. que enseña que debemos comunicar nuestros bienes y felicidades a los demás. || **Cuando Dios no quiere, los santos no pueden.** ref. que avisa que cuando no se tiene ganada la voluntad del que ha de conceder una gracia, no hay que fiar en mediaciones de amigos o intercesores. || **Cuando Dios quería, allén la barba escupía; ahora que no puedo, escúpome aquí luego.** ref. que explica lo que se ve precisado a tolerar el que de rico pasa a ser pobre, y de superior estado baja al humilde y abatido. || **Cuando Dios quiere, con todos aires,** o **con todos los aires,** o **con todos los vientos, llueve.** ref. que enseña que todo obedece a la voluntad de **Dios,** disponiendo que los medios que se creen más contrarios al logro de una cosa sirvan para su consecución. || **Da Dios alas a la hormiga para morir más aína.** ref. que enseña, con el ejemplo de este insecto, que la mucha elevación de algunos suele ser causa de su ruina. || **Da Dios almendras al que no tiene muelas. Da Dios habas a quien no tiene quijadas. Da Dios mocos al que no tiene pañuelo. Da Dios pañuelo al que no tiene narices.** refs. que se suelen decir cuando las riquezas o conveniencias recaen en sujeto que no puede o no sabe disfrutarlas. || **Dais por Dios al que tiene más que vos.** ref. que reprende la necedad de muchos, que sin elección ni discernimiento reparten, aun lo que a ellos mismos hará falta, entre los que no lo han menester. || **Dar a Dios** a uno. fr. Administrarle el Viático. || **Dar a Dios lo que es de Dios, y al césar lo que es del césar.** fr. proverb. Dar a cada uno lo que de justicia le pertenece. || **Darse** uno **a Dios y a los santos.** fr. fam. Incomodarse, afligirse con exceso. || **De Dios.** m. adv. fam. Copiosamente, con gran abundancia. *Llueve* DE DIOS; *se ha cogido trigo* DE DIOS. || **De Dios, el medio.** expr. con que se exagera la propensión que uno tiene a hurtar. *Hurtar* DE DIOS, EL MEDIO. || **De Dios en ayuso.** m. adv. ant. De **Dios** abajo. || **De Dios venga el remedio.** fr. con que se significa la imposibilidad humana de remediar un daño. || **De Dios viene el bien, y de las abejas, la miel.** ref. que enseña que **Dios** es el único autor del bien, por cualquiera medio que nos venga. || **Dejar Dios de su mano** a uno. fr. Proceder uno tan desarregladamente que parezca que **Dios** le ha abandonado. || **Dejarlo a Dios.** fr. Fiar a la divina Providencia el éxito de un negocio o el desagravio de una injuria. || **Delante de Dios y de todo el mundo.** expr. fam. Con la mayor publicidad. || **De menos nos hizo Dios.** expr. que explica la esperanza que se tiene de conseguir lo que se intenta, aunque parezca desproporcionado. || **Descreer de Dios.** fr. Renegar del Señor. || **Después de Dios, la olla.** expr. fam. que explica que en lo temporal no hay cosa mejor que tener qué comer. || **Digan, que de Dios dijeron.** expr. fam. con que se desprecia la murmuración o los dichos ajenos. || **¡Dios!** interj. de admiración, asombro u horror. || **Dios amanezca** a usted **con bien.** expr. fam. de que se usa para manifestar a uno el deseo que se tiene de que llegue con felicidad al día siguiente. || **Dios aprieta, pero no ahoga.** expr. fig. con que se aconseja la conformidad en las tribulaciones, esperando en **Dios.** || **Dios castiga sin palo ni piedra. Dios castiga, y no a palos.** refs. que advierten que **Dios** muchas veces castiga al malo de modo inesperado e incomprensible. || **Dios consiente, y no para siempre.** ref. que recuerda la justicia y castigo de **Dios** al que obra mal, confiado en su espera y misericordia. || **Dios da ciento por uno.** fr. fig. que indica que los actos de caridad siempre alcanzan gran recompensa para el que los practica. || **Dios da el frío conforme la ropa.** ref. que advierte que **Dios** da el socorro según la necesidad. || **Dios dará.** expr. con que animamos nuestra confianza para socorrer liberalmente las necesidades del prójimo. || **Dios dé el remedio.** fr. **De Dios venga el remedio.** || **Dios delante.** expr. fam. Con la ayuda de **Dios.** || **2.** Sea lo que **Dios** quisiere. || **Dios desavenga a quien nos mantenga.** ref. que advierte que de las desavenencias de unos suele resultar provecho a otros. || **Dios dijo lo que será.** expr. con que se explica la duda del cumplimiento o certeza de lo que se promete o asevera. || **Dios dirá.** expr. con que remitimos a la voluntad de **Dios** el éxito de lo que nos prometemos. || **Dios es Dios.** expr. que, unida a otras, explica que uno se mantiene con terquedad en su opinión sin ceder a la razón. DIOS ES DIOS, *que ha de ser esto.* || **Dios es grande.** expr. de que se usa para consolarse en una desdicha recurriendo al gran poder de **Dios,** de quien se espera que la remedie. || **Dios lo oiga, y el pecado sea sordo.** expr. fam. con que se expresa el deseo de que suceda bien lo que se intenta. || **Dios los cría y ellos se juntan.** expr. fig. y fam. con que se da a entender que los que son semejantes en las inclinaciones y en el genio se buscan unos a otros. Tómase, por lo común, en mala parte. || **Dios mantenga.** expr. Saludo rústico y considerado como descortés cuando era dirigido a superiores. || **Dios me dé contienda con quien me entienda.** ref. que advierte que no conviene tratar o disputar sino con personas de entendimiento. || **Dios me depare mesón que la huéspeda me haya algo, el huésped non.** ref. que da a entender lo mucho que la mujer puede con su maña y arte en el manejo de las cosas de la casa. || **Dios mediante.** expr. Queriendo **Dios.** || **Dios me entiende.** expr. con que se denota que lo que se dice no va fuera de razón, aunque no se pueda explicar por algún motivo o respeto, y por eso parezca despropósito. || **Dios me haga bien con** esto o aquello. expr. con que uno da a entender que está contento con lo que tiene, y que no quiere o apetece otra cosa. || **Dios mejorará sus horas.** fr. para dar esperanza en la adversidad. || **Dios me perdone, pero...** expr. fam. que suele usarse al ir a emitir un juicio desfavorable o temerario. || **¡Dios mío!** expr. que, usada como interjección, sirve para significar admiración, extrañeza, dolor o sobresalto. || **Dios no come ni bebe, mas juzga lo que ve.** ref. que recuerda la presencia de **Dios** en todo lugar, para que nosotros procedamos rectamente, como que hemos de ser juzgados por quien ve nuestras obras. || **Dios nos asista,** o **nos la depare buena,** o **nos coja confesados,** o **nos tenga de su mano.** exprs. con que se indica el deseo de la intervención divina para evitar un mal inminente y, al parecer, inevitable. || **Dios, que da la llaga, da la medicina.** ref. que enseña que debemos esperar el remedio de nuestros males, de la misma mano de **Dios,** que nos los envía. || **Dios sabe.** fr. que se usa para indicar que una cosa cae fuera de nuestro saber, sea para encarecerla, sea para darla como dudosa. DIOS SABE *lo que me cuesta;* DIOS SABE *dónde estará.* || **Dios sobre todo.** expr. de que se usa cuando se duda del suceso de una cosa. || **Dios te ayude.** expr. con que se saluda a uno cuando estornuda. || **Dios te dé ovejas, e hijos para ellas.** ref. que enseña cuánto importa que el mismo dueño sea quien cuide de su hacienda. || **Dios te la depare buena.** expr. fam. con que se da a entender la duda o recelo que se tiene de que no salga bien lo que se intenta. || **2.** fam. Denota la contingencia que tiene una cosa cuando se emprende sin probabilidad de lograrla, o a salga lo que saliere. || **Dios ve las trampas.** expr. fam. con que se explica la esperanza de que **Dios** castigará al que se presume ha obrado con engaño, haciendo que éste se vuelva contra él. || **Dios y ayuda.** expr. fam. Sumo esfuerzo que es necesario para lograr algún propósito. Ú. m. con los verbos *costar* y *necesitar.* || **Dios y vida componen villa.** ref. que advierte que es necesario el trabajo y diligencia personal para conseguir las cosas con el auxilio de **Dios,** y que es una temeridad dejarlo todo a su providencia. || **Donde Dios es servido.** expr. con que se significa lugar o sitio indefinido o indeterminado. || **Dormir en Dios.** fr. fig. **Dormir en el Señor.** || **En Dios y en conciencia,** o **en Dios y mi alma,** o **mi ánima.** Fórmula o especie de juramento o aseveración de una cosa. || **Eso se hace, lo que a Dios place.** ref. que nos advierte que interviene **Dios** en todos los sucesos, disponiéndolos o permitiéndolos. || **Estar** uno **con Dios.** fr. **Gozar de Dios.** || **Estar de Dios** una cosa. fr. con que se significa creerla dispuesta por la Providencia, y por consiguiente ser inevitable. || **Estar** uno **fuera de Dios.** fr. fig. Obrar disparatadamente. || **Fuera sea de Dios.** expr. de que se usa cuando uno maldice una cosa con inmediato respeto a **Dios.** *Maldita sea tu alma,* FUERA SEA DE DIOS. || **Gloriarse en Dios.** fr. **Gloriarse en el Señor.** || **Gozar** uno **de Dios.** fr. Haber muerto y conseguido la bienaventuranza. || **Hablar** uno **con Dios.** fr. **Orar,** 2.ª acep. || **2.** fig. y fam. Volar a gran altura. || **Hablar Dios** a uno. fr. Inspirarle. || **Herir Dios** a uno. fr. fig. Castigarle, afligirle con trabajos y penalidades. || **Irse** uno **bendito de Dios.** fr. fig. **Irse mucho con Dios.** || **Irse** uno **con Dios.** fr. Marcharse o despedirse. || **2. Irse mucho con Dios.** || **Irse** uno **mucho con Dios.** fr. Marcharse con enfado, voluntariamente o despedido. || **¡Juro a Dios!** expr. **¡Voto a Dios!** || **La de Dios es Cristo.** fr. fig. y fam. que precedida de los verbos *haber, armarse,* etc., denota gran disputa, riña o quimera. || **2.** fig. y fam. Bulla, algazara. || **Líbrenos Dios de «hecho es».** expr. que da a entender que lo hecho no tiene remedio. || **Lo que Dios da, llevarse ha.** ref. que exhorta a la conformidad en los trabajos, considerándolos como enviados por **Dios,** que siempre busca nuestro mayor provecho. || **Lo que es,** o **está, de Dios, a la mano se viene.** ref. con que manifiesta su confianza el que pretende o litiga con justicia. || **Llamar a Dios de tú.** fr. fig. y fam. Ser uno demasiado franco; usar de excesiva confianza en el trato con los demás. || **2.** fig. y fam. Ser de gran mérito una persona o cosa. || **Llamar Dios** a uno. fr. **Morir,** 1.ª acep. || **2.** fig. Inspirarle deseo o propósito de mejorar de vida. || **Llamar Dios** a uno **a juicio,** o **para sí.** fr. **Llamar Dios** a uno, 1.ª acep. || **Llamar Dios** a uno **por un camino.** expr. fig. y fam. Tener aptitud para determina-

da cosa. Ú. m. en forma negativa. || **Lléveme Dios a ese mesón do manda el marido, y la mujer non.** ref. que aconseja que sea el hombre el que mande para que la casa esté bien regida. || **Maldita de Dios la cosa.** loc. fam. Nada absolutamente. || **Más puede Dios que el diablo.** fr. proverb. con que nos animamos a proseguir en un buen propósito, aunque se encuentren estorbos maliciosos. || **Más vale a quien Dios ayuda, que quien mucho madruga.** ref. contra los que confían más en sus diligencias que en la ayuda de **Dios.** || **Mejor te ayude Dios.** expr. con que se replica y da a entender a uno que lo que ha dicho y sentado es incierto, o que lleva dañada intención. || **Miente más que da por Dios.** expr. fam. que se usa para ponderar el exceso con que uno miente. || **No dé Dios a nuestros amigos tanto bien que nos desconozcan.** ref. que denota cuánto mudan a los hombres las prosperidades y la fortuna, que les hacen desconocer a sus antiguos amigos. || **No es Dios viejo.** expr. fig. y fam. con que se explica la esperanza de lograr en adelante lo que una vez no se ha logrado. || **No haber para** uno **más Dios ni Santa María que** una cosa. fr. fig. y fam. Tenerle excesivo amor, pasión o cariño. PARA *él* NO HAY MÁS DIOS NI SANTA MARÍA QUE *el juego.* || **No hiere Dios con dos manos.** ref. que enseña que los castigos de **Dios** siempre nos vienen templados por su misericordia, pues nunca son iguales a nuestras faltas. Complétase diciendo: **que a la mar hizo puertos y a los ríos vados.** || **No se ha muerto Dios de viejo.** expr. fig. y fam. **No es Dios viejo.** || **No servir a Dios ni al diablo** una persona o cosa. fr. fig. y fam. Ser inútil o inepta. || **No tener** uno **sobre qué Dios le llueva.** fr. fig. y fam. Ser sumamente pobre. || **Obrar bien, que Dios es Dios.** ref. que explica que el que cumple con su obligación, no tiene que hacer caso de murmuraciones, pues **Dios** le sacará bien. || **Ofender** uno **a Dios.** fr. Pecar, 1.ª acep. || **¡Oh Dios!** interj. de asombro y de horror. || **Para aquí y para delante de Dios.** expr. fam. con que se encarece la firmeza de una resolución o la sinceridad de una promesa. || **¡Par Dios!** Fórmula de juramento. || **¡Por Dios!** || **Permita Dios.** fr. con que se manifiesta el deseo de que suceda una cosa. La mayoría de las veces forma parte de una imprecación. || **Plega,** o **plegue, a Dios.** expr. con que se manifiesta el deseo de que suceda una cosa o el recelo de que no suceda como se desea. || **Plegue a Dios que orégano sea, y que no se vuelva alcaravea.** ref. **Orégano sea,** etc. || **Poner** uno **a Dios delante de los ojos.** fr. fig. Proceder y obrar con rectitud de conciencia, sin tener respeto a los intereses mundanos. || **Poner** uno **a Dios por testigo.** fr. fig. Invocar su santo nombre para aseverar lo que se dice. || **Ponerse** uno **bien con Dios.** fr. Limpiar la conciencia de culpas para volver a su gracia. || **Por Dios.** expr. usada para pedir limosna, o esforzar una súplica cualquiera. || **¡Por Dios!** Fórmula común de juramento. || **Que de Dios goce,** o **que Dios haya.** frs. que piadosamente se añaden al nombrar a un difunto. || **Quien se muda, Dios le ayuda.** ref. que aconseja mudar de medios cuando los primeros no salen bien. || **Quien yerra y se enmienda, a Dios se encomienda.** ref. que da a entender que no debe culparse a uno de las faltas que él mismo ha corregido. || **Quiera Dios.** expr. con que se explica la desconfianza de que una cosa salga tan bien como uno se la promete. || **Quiera Dios que orégano sea, y que no se vuelva alcaravea.** ref. **Orégano sea.** || **Recibir** uno **a Dios.** fr. **Comulgar,** 2.ª acep. || **Rogar a Dios por santos, mas no por tantos.** ref. con que se expresa que la demasiada abundancia, aunque sea de cosas buenas y que se deseaban, muchas veces es molesta y perjudicial. || **¡Sabe Dios!** expr. con que se manifiesta la inseguridad o ignorancia de lo que se trata. || **Ser** una cosa **para alabar a Dios.** fr. fam. Ser admirable por su perfección, abundancia, etc. || **Ser** una cosa **un contra Dios.** fr. fam. **Clamar a Dios,** 2.ª acep. || **Si Dios de ésta me escapa, nunca me cubrirá tal capa.** ref. **Si de ésta escapo y no muero, nunca más bodas al cielo.** || **Si Dios es servido,** o **siendo Dios servido.** exprs. advs. **Como Dios sea servido.** || **Sin encomendarse** uno **a Dios ni al diablo.** loc. adv. fig. y fam. con que se manifiesta la intrepidez y falta de reflexión con que se arroja a ejecutar una cosa. || **¡Si no mirara a Dios!** expr. que se usa como interj. para expresar que se contiene el enojo o la venganza por el respeto debido a **Dios,** que lo prohibe. || **Si no quisiera Dios.** expr. con que se denota vivo deseo de que no suceda una cosa. || **Si quisiera Dios.** expr. con que se denota vivo deseo de que suceda una cosa. || **Sírvase Dios con todo.** expr. que se usa para conformarse con la voluntad divina en los trabajos y adversidades. || **Tener Dios** a uno **de su mano.** fr. fig. Ampararle, asistirle, detenerle cuando va a precipitarse en un vicio o exceso. || **2.** fig. Contenerle, infundirle moderación y templanza. || **Tentar** uno **a Dios.** fr. Ejecutar o decir cosas muy arduas o peligrosas, como queriendo hacer experiencia de su poder. || **Tomar a Dios los puertos.** fr. fig. y fam. Hacer buenas obras para obligarle. || **Tomarse** uno **con Dios.** fr. fig. Obstinarse en proseguir obrando mal, sin hacer caso de los avisos y castigos de **Dios.** || **Tratar** uno **con Dios.** fr. Meditar y orar a solas y en el retiro de su corazón. || **Un Dios os salve.** fr. fam. desus. Cuchillada en la cara. || **¡Vale Dios!** expr. fam. Por fortuna, por dicha; así que así, así como así. || **¡Válgame,** o **válgate, Dios!** expr. usada como interj. para manifestar con cierta moderación el disgusto o sorpresa que nos causa una cosa. || **Vaya bendito de Dios.** expr. fam. con que se manifiesta haber perdonado a uno algún agravio, o que no se quiere más trato con él. || **Vaya con Dios.** expr. con que se despide a uno, cortándole la conversación o el discurso. || **¡Vaya con Dios!** expr. con que se manifiesta la conformidad en la divina voluntad. || **¡Vaya por Dios!** expr. con que uno manifiesta conformidad y paciencia al sufrir un contratiempo. || **Vaya usted con Dios,** o **mucho con Dios.** expr. fam. con que se rechaza lo que uno propone. || **Venga Dios y véalo.** expr. con que se invoca a **Dios** como testigo de una injusticia. || **Venir Dios a ver** a uno. fr. fig. Sucederle impensadamente un caso favorable, especialmente hallándose en grande apuro o necesidad. || **Vete con Dios.** expr. **Vaya con Dios.** || **¡Vive Dios!** Juramento de ira o enojo. || **Vivir bien, que Dios es Dios.** ref. **Obrar bien, que Dios es Dios.** || **¡Voto a Dios!** expr. de juramento. || **¡Voto a los ajenos de Dios!** expr. vulgar, a modo de juramento, que se suele usar para evitar los que realmente lo son.

Diosa. (De *dios.*) f. Falsa deidad de sexo femenino.

Dioscoreáceo, a. (De *Dioscórides,* célebre médico griego a quien se ha dedicado un género de estas plantas.) adj. *Bot.* Dícese de plantas herbáceas angiospermas, monocotiledóneas, con tallos volubles, frecuentemente con raíces tuberosas o rizomas; hojas opuestas o alternas, acorazonadas, flores actinomorfas, comúnmente unisexuales, en racimo o espiga, y frutos en cápsulas o baya; como el ñame. Ú. t. c. s. f. || **2.** f. pl. *Bot.* Familia de estas plantas.

Dioscóreo, a. adj. *Bot.* **Dioscoreáceo.**

Diosesa. (De *dios.*) f. ant. **Diosa.**

Diosma. f. Planta de la familia de las rutáceas, de hojas diminutas lanceoladas, alternas, y flores blancas. Es muy fragante y se cultiva en los jardines en la Argentina.

Dioso, sa. (De *día.*) adj. ant. De muchos años.

Diostedé. (Porque, al cantar, parece que dice las palabras *Dios te dé.*) m. *Zool.* Nombre con que en Venezuela se designa al tucán.

Dipétala. adj. *Bot.* Dícese de la corola que tiene dos pétalos, y de la flor que tiene esta clase de corola.

Diplococo. (Del gr. διπλόος, doble, y κόκκος, grano.) m. Bacterias de forma redondeada que se agrupan de dos en dos.

Diplodoco. (Del gr. διπλόος, doble, y δοκός, estilete.) m. Reptil fósil, dinosaurio, de gran tamaño, con la cabeza pequeña, el cuello y la cola muy largos, y las vértebras de ésta con dos estiletes longitudinales.

Diploma. (Del lat. *diplōma,* y éste del gr. δίπλωμα, de διπλόω, doblar.) m. Despacho, bula, privilegio u otro instrumento autorizado con sello y armas de un soberano, cuyo original queda archivado. Por ext., se da este nombre a otros documentos importantes. || **2.** Título o credencial que expide una corporación, una facultad, una sociedad literaria, etc., para acreditar un grado académico, una prerrogativa, un premio, etc. || **rodado.** El que se expedía con el signo rodado.

Diplomacia. (De *diploma.*) f. Ciencia o conocimiento de los intereses y relaciones de unas naciones con otras. || **2.** Servicio de los Estados en sus relaciones internacionales. || **3.** fig. y fam. Cortesanía aparente e interesada.

Diplomática. f. Arte que enseña las reglas para conocer y distinguir los diplomas y otros documentos solemnes. || **2. Diplomacia,** 1.ª acep.

Diplomáticamente. adv. m. Según la diplomacia. || **2.** fam. Con circunspección, disimulo y sagacidad.

Diplomático, ca. adj. Perteneciente al diploma. || **2.** Perteneciente a la diplomacia. || **3.** Aplícase a los negocios de Estado que se tratan entre dos o más naciones y a las personas que intervienen en ellos. Apl. a pers., ú. t. c. s. *Un* DIPLOMÁTICO. || **4.** fig. y fam. Circunspecto, sagaz, disimulado. || **5.** V. **Agregado diplomático.**

Diplopía. (Del gr. διπλόος, doble, y ὄψ, ὀπός, vista.) f. *Med.* Fenómeno morboso que consiste en ver dobles los objetos.

Dipneo, a. (Del gr. δίς, dos, y πνοή, respiración.) adj. *Zool.* Que está dotado de respiración branquial y pulmonar. Ú. t. c. s.

Dipodia. (Del gr. διποδία, dos pies.) f. En la métrica clásica, conjunto de dos pies.

Dipsacáceo, a. (Del lat. *dipsăcos,* y éste del gr. δίψακος, cardencha.) adj. *Bot.* Dícese de plantas angiospermas dicotiledóneas, herbáceas, con hojas opuestas y sin estípulas; flores cigomorfas en espiga o cabezuela con involucros bien desarrollados; fruto en aquenio con semillas de albumen carnoso; como la escabiosa y la cardencha. Ú. t. c. s. f. || **2.** f. pl. *Bot.* Familia de estas plantas.

Dipsáceo, a. adj. *Bot.* **Dipsacáceo.**

Dipsomanía. (Del gr. δίψα, sed, y μανία.) f. Tendencia irresistible al abuso de la bebida.

Dipsomaniaco, ca [~ **níaco, ca**]. adj. Dícese del que padece dipsomanía. Ú. t. c. s.

Dipsómano, na. adj. Dipsomaníaco.

Díptero. (Del lat. *dipteros*, y éste del gr. δίπτερος; de δίς, dos, y πτερόν, ala.) adj. *Arq.* y *Esc.* Dícese del edificio que tiene dos costados salientes, y también de la estatua que tiene dos alas. || **2.** *Zool.* Dícese del insecto que sólo tiene dos alas membranosas, que son las anteriores, con las posteriores transformadas en balancines, o que carecen de alas por adaptación a la vida parasitaria, y con aparato bucal dispuesto para chupar, como la mosca. Ú. t. c. s. || **3.** m. pl. *Zool.* Orden de estos insectos.

Dicterocarpáceo, a. (Del gr. δίπτερος, de dos alas, y καρπός, fruto.) adj. *Bot.* Dícese de plantas leñosas angiospermas, dicotiledóneas, exóticas, corpulentas, resinosas, de hojas esparcidas y con estípulas; flores pentámeras, en racimo y rara vez en panoja; fruto capsular con una semilla; como el mangachapuy. Ú. t. c. s. f. || **2.** f. pl. *Bot.* Familia de estas plantas.

Dipterocárpeo, a. adj. *Bot.* Dipterocarpáceo.

Díptica. (Del lat. *diptycha*, y éste del pl. gr. δίπτυχα.) f. Tablas plegables, con forma de libro, en las que acostumbraba la primitiva Iglesia anotar en dos listas pareadas los nombres de los vivos y los muertos por quienes se había de orar. || **2.** Catálogo o serie de nombres de personas, generalmente de los obispos de una diócesis. Ú. m. en pl.

Díptico. (Del lat. *diptychus*, y éste del gr. δίπτυχος, plegado en dos; de δίς, dos veces, y πτυχή, plegadura, pliegue.) m. **Díptica**, 1.ª acep. || **2.** Cuadro o bajo relieve formado con dos tableros que se cierran por un costado, como las tapas de un libro.

Diptongación. f. *Gram.* Acción y efecto de diptongar.

Diptongar. (De *diptongo*.) tr. *Gram.* Unir dos vocales, formando en la pronunciación una sola sílaba. || **2.** intr. *Fon.* Convertirse en diptongo una vocal, como la *o* de «poder» en «puedo».

Diptongo (Del lat. *diphthongus*, y éste del gr. δίφθογγος; de δίς, dos, y φθόγγος, sonido.) m. *Gram.* Conjunto de dos vocales diferentes que se pronuncian en una sola sílaba, y en especial la combinación monosilábica formada dentro de la misma palabra por alguna de las vocales abiertas *a, e, o,* con una de las cerradas *i,u,* articulándose éstas como semivocales o semiconsonantes; v. gr.: *aire, puerta.*

Diputación. (Del lat. *deputatio, -ōnis.*) f. Acción y efecto de diputar. || **2.** Conjunto de los diputados. || **3.** Ejercicio del cargo de diputado. || **4.** Duración de este cargo. || **5.** Negocio que se comete al diputado. || **general de los Reinos.** Cuerpo de diputados de las ciudades de voto en Cortes. || **permanente.** Comisión representativa para ciertos fines, de la autoridad de las Cortes, mientras no se hallan reunidas o están disueltas. Restablecida por la Constitución de 1931, existió ya, conforme a la de 1812 y durante siglos, con varias vicisitudes en las antiguas Cortes de Aragón. || **provincial.** Corporación elegida para dirigir y administrar los intereses de una provincia. || **2.** Edificio o local donde los diputados provinciales celebran sus sesiones.

Diputado, da. p. p. del verbo **diputar.** || **2.** m. y f. Persona nombrada por un cuerpo para representarlo. || **a Cortes.** Con arreglo a algunas constituciones, cada una de las personas nombradas directamente por los electores para componer la Cámara única, o la de origen más popular cuando hay Senado. || **del Reino.** Regidor o persona de una ciudad de voto en Cortes, que servía en la Diputación general de los Reinos. || **provincial.** El elegido por un distrito para que lo represente en la Diputación provincial.

Diputador, ra. adj. Que diputa. Ú. t. c. s.

Diputar. (Del lat. *deputāre.*) tr. Destinar, señalar o elegir una persona o cosa para algún uso o ministerio. || **2.** Destinar y elegir un cuerpo a uno o más de sus individuos para que lo representen en algún acto o solicitud. || **3.** Conceptuar, reputar, tener por.

Dique. (Del neerl. *dijk.*) m. Muro o reparo artificial hecho para contener las aguas. || **2.** Cavidad revestida de fábrica, situada en la orilla de una dársena u otro sitio abrigado, y en la cual entran los buques para limpiar o carenar en seco, a cuyo efecto se cierra con una especie de barco de hierro de dos proas, en vez de las grandes puertas con que antes se cerraba, y se achica después el agua por medio de bombas. || **3.** fig. Cosa con que otra es contenida o reprimida. || **4.** *Min.* Filón estéril que asoma a la superficie del terreno, formando a manera de muro. || **flotante.** El construido con cajones que se inundan y bajan para que el buque pueda entrar en él, y que se desaguan en seguida por medio de bombas, a fin de que al flotar quede en seco la embarcación.

Dirceo, a. (Del lat. *dircaeus.*) adj. **Tebano.** *El cisne* DIRCEO *(Píndaro); el héroe* DIRCEO *(Polinices).*

Dirección. (Del lat. *directio, -ōnis.*) f. Acción y efecto de dirigir o dirigirse. || **2.** Camino o rumbo que un cuerpo sigue en su movimiento. || **3.** Consejo, enseñanza y preceptos con que se encamina a uno. || **4.** Conjunto de personas encargadas de dirigir una sociedad, establecimiento, explotación, etc. || **5.** Cargo de director. || **6.** Oficina o casa en que despacha el director o la **dirección,** 4.ª acep. || **7.** Señas escritas sobre una carta, fardo, caja o cualquier otro bulto, para indicar dónde y a quién se envía. || **8.** *Geol.* Arrumbamiento de la intersección de las caras de una capa o filón con un plano horizontal. || **9.** *Mec.* Mecanismo que sirve para guiar los vehículos automóviles. || **general.** Cualquiera de las oficinas superiores que dirigen los diferentes ramos en que se divide la pública administración. DIRECCIÓN GENERAL *de Contribuciones, de Enseñanza.*

Directamente. adv. m. De un modo directo.

Directe ni indirecte. advs. m. lats. que se usan juntos casi siempre, y significan: directa ni indirectamente.

Directivo, va. (De *directo.*) adj. Dícese de lo que tiene facultad y virtud de dirigir. || **2.** f. Mesa o junta de gobierno de una corporación, sociedad, etc.

Directo, ta. (Del lat. *directus*, p. p. de *dirigĕre*, dirigir.) adj. Derecho o en línea recta. || **2.** Dícese de lo que va de una parte a otra sin detenerse en los puntos intermedios. || **3.** Aplícase a lo que se encamina derechamente a una mira u objeto. || **4.** V. **Dominio, tren directo.** || **5.** *Astron.* V. **Anteojo, movimiento directo.** || **6.** *Gram.* V. **Complemento directo.** || **7.** *Ópt.* V. **Rayo directo.**

Director, ra. (Del lat. *director.*) adj. Que dirige. Ú. t. c. s. || **2.** *Geom.* Dícese de la línea, figura o superficie que determina las condiciones de generación de otra línea, figura o superficie. En esta acepción, la forma femenina es **Directriz.** || **3.** m. y f. Persona a cuyo cargo está el régimen o dirección de un negocio, cuerpo o establecimiento especial. || **4.** m. Sujeto que, solo o acompañado de otros, está encargado de la dirección de los negocios de una compañía. || **artístico.** El que acepta o rechaza las obras teatrales cuya representación se pretende, y señala la orientación artística de la temporada. || **de escena.** El que dispone todo lo relativo a la representación de las obras teatrales, propiedad de la escena, caracterización y movimiento de los actores, etc. || **espiritual.** Sacerdote que aconseja en asuntos de conciencia a una persona. || **general.** El que tiene la dirección superior de un cuerpo o de un ramo.

Directoral. adj. Perteneciente o relativo al director o a la directora. *Silla* DIRECTORAL; *atribuciones* DIRECTORALES.

Directorio, ria. (Del lat. *directorius.*) adj. Dícese de lo que es a propósito para dirigir. || **2.** m. Lo que sirve para dirigir en alguna ciencia o negocio. DIRECTORIO *espiritual, de navegación.* || **3.** Instrucción para gobernarse en un negocio. || **4.** Junta directiva de ciertas asociaciones, partidos, etc.

Directriz. adj. *Geom.* Terminación femenina de **Director,** 2.ª acep. Ú. t. c. s.

Dirhem (Del ár. *dirham*, y éste del gr. δραχμή.) m. Moneda de plata usada por los árabes en la Edad Media.

Dirigente. p. a. de **Dirigir.** Que dirige. Ú. t. c. s.

Dirigible. adj. Que puede ser dirigido. || **2.** m. **Globo dirigible.**

Dirigir. (Del lat. *dirigĕre.*) tr. Enderezar, llevar rectamente una cosa hacia un término o lugar señalado. Ú. t. c. r. || **2.** Guiar, mostrando o dando las señas de un camino. || **3.** Poner a una carta, fardo, caja o cualquier otro bulto las señas que indiquen a dónde y a quién se ha de enviar. || **4.** fig. Encaminar la intención y las operaciones a determinado fin. || **5.** Gobernar, regir, dar reglas para el manejo de una dependencia, empresa o pretensión. || **6.** Aconsejar y gobernar la conciencia de una persona. || **7.** Dedicar una obra de ingenio. || **8.** Aplicar a determinada persona un dicho o un hecho.

Dirimente. p. a. de **Dirimir.** Que dirime. || **2.** adj. V. **Impedimento dirimente.**

Dirimible. adj. Que se puede dirimir.

Dirimir. (Del lat. *dirimĕre.*) tr. Deshacer, disolver, desunir. Dícese ordinariamente de las cosas inmateriales. DIRIMIR *el matrimonio.* || **2.** Ajustar, fenecer, componer una controversia.

Dirruir. (Del lat. *diruĕre.*) tr. ant. **Derruir.**

Dis. (Del lat. *dis.*) pref. que denota negación o contrariedad, como en DIS*conforme*, DIS*gustar*, DIS*favor*, o separación, como en DIS*traer.*

Disantero, ra. (De *disanto.*) adj. ant. **Dominguero.**

Disanto. (De *día santo.*) m. Día de fiesta religiosa.

Disartria. (Del gr. δύς, mal, y ἄρθρον, articulación.) f. *Med.* Dificultad para la articulación de las palabras que se observa en algunas enfermedades nerviosas.

Discantado, da. p. p. de **Discantar.** || **2.** adj. *Perú.* Dícese de la misa rezada con acompañamiento de música.

Discantar. (Del b. lat. *discantare*, y éste del lat. *dis*, intens., y *cantāre.*) tr. **Cantar,** generalmente en la 3.ª acep. || **2.** fig. Glosar cualquiera materia; hablar mucho sobre ella, comentándola acaso con impertinencia. || **3.** *Mús.* Echar el contrapunto sobre un paso.

Discante. (De *discantar.*) m. **Tiple,** 2.ª acep. || **2.** desus. Concierto de música, especialmente de instrumentos de cuerda.

Disceptación. (Del lat. *disceptatio, -ōnis.*) f. p. us. Acción y efecto de disceptar.

Disceptar. (Del lat. *disceptāre.*) intr. p. us. Argüir sobre un punto o materia, discurriendo o disertando sobre ella.

Discernedor, ra. adj. ant. **Discernidor.** Usáb. t. c. s.

Discerner. tr. ant. **Discernir.**

Discernidor, ra. adj. Que discierne. Ú. t. c. s.

Discerniente. p. a. de **Discernir.** Que discierne.

Discernimiento. (De *discernir.*) m. Juicio por cuyo medio percibimos y declaramos la diferencia que existe entre varias cosas. || **2.** *For.* Apoderamiento judicial que habilita a una persona para ejercer un cargo.

Discernir. (Del lat. *discernĕre.*) tr. Distinguir una cosa de otra, señalando la diferencia que hay entre ellas. Comúnmente se refiere a operaciones del ánimo. || **2.** *For.* Encargar de oficio el juez a uno la tutela de un menor, u otro cargo.

Disciplina. (Del lat. *disciplīna.*) f. Doctrina, instrucción de una persona, especialmente en lo moral. || **2.** Arte, facultad o ciencia. || **3.** Observancia de las leyes y ordenamientos de una profesión o instituto. Tiene mayor uso hablando de la milicia y de los estados eclesiásticos secular y regular. || **4.** Instrumento, hecho ordinariamente de cáñamo, con varios ramales, cuyos extremos o canelones son más gruesos, y sirve para azotar. Ú. m. en pl. || **5.** Acción y efecto de disciplinar o disciplinarse. || **eclesiástica.** Conjunto de las disposiciones morales y canónicas de la Iglesia.

Disciplinable. (Del lat. *disciplinabĭlis.*) adj. Capaz de disciplina, 1.ª y 3.ª aceps.

Disciplinadamente. adv. m. Con disciplina e instrucción.

Disciplinado, da. p. p. de **Disciplinar.** || **2.** adj. Que observa la disciplina, 3.ª acep. || **3.** fig. **Jaspeado,** 2.ª acep. Dícese de las flores, especialmente del clavel, cuando son matizadas de varios colores.

Disciplinal. (Del lat. *disciplinālis.*) adj. Concerniente a la disciplina y buen régimen.

Disciplinante. p. a. de **Disciplinar.** Que se disciplina. Ú. t. c. s. || **2.** m. Por antonom., el que iba en los días de Semana Santa disciplinándose por varios parajes del pueblo y rezando las estaciones. || **de luz.** Los que en las procesiones iban alumbrando con hachas y cirios a los que se disciplinaban. || **2.** *Germ.* El que sacan a la vergüenza. || **de penca.** *Germ.* El que sacaban a azotar públicamente por haber cometido algún delito. || **de sangre. Disciplinante,** 2.ª acep. Díjose a distinción de los **disciplinantes** de luz.

Disciplinar. adj. Perteneciente o relativo a la disciplina eclesiástica.

Disciplinar. (Del lat. *disciplināre.*) tr. Instruir, enseñar a uno su profesión, dándole lecciones. || **2.** Azotar, dar disciplinazos por mortificación o por castigo. Ú. t. c. r. || **3.** Imponer, hacer guardar la disciplina, 3.ª acep.

Disciplinario, ria. (De *disciplina.*) adj. Relativo o perteneciente a la disciplina. || **2.** Aplícase al régimen que establece subordinación y arreglo, así como a cualquiera de las penas que se imponen por vía de corrección. || **3.** Dícese de los cuerpos militares formados con soldados condenados a alguna pena. *Batallón* DISCIPLINARIO.

Disciplinazo. m. Golpe dado con las disciplinas.

Discipulado. (Del lat. *discipulātus.*) m. Ejercicio y calidad del discípulo de una escuela. || **2.** Doctrina, enseñanza, educación. || **3.** Conjunto de discípulos de una escuela o maestro.

Discipular. adj. Perteneciente a los discípulos.

Discípulo, la. (Del lat. *disciplusŭ.*) m. y f. Persona que aprende una doctrina lee, maestro a cuya enseñanzas a entregodo. que cursa en una escuela || **2.** Persona que sigue la opinión de una escuela, aun cuando viva en tiempos muy posteriores a los maestros que la establecieron. DISCÍPULO *de Aristóteles, de Platón, de Epicuro.* || **3.** adj. *Mús.* V. **Modo discípulo.**

Disco. (Del lat. *discus,* y éste del gr. δίσκος.) m. Tejo de metal o piedra, de un pie de diámetro, que en los juegos gimnásticos sirve para ejercitar los jóvenes sus fuerzas y destreza arrojándolo. || **2.** Cuerpo cilíndrico cuya base es muy grande respecto de su altura. || **3.** Lámina circular de gutapercha, ebonita, aluminio o de otra materia en la que están inscritas las vibraciones de la voz o de otro sonido cualquiera, que pueden reproducirse por medio del gramófono. || **4.** *Astron.* Figura circular y plana con que se presentan a nuestra vista el Sol, la Luna y los planetas. || **5.** *Bot.* Parte de la hoja comprendida dentro de sus bordes. || **de señales.** El de palastro, que se usa en los ferrocarriles colocado en lo alto de un poste, de manera que pueda girar y ponerse ya paralelo, ya perpendicular a la vía, para indicar si ésta se halla o no libre.

Discóbolo. (Del lat. *discobŏlos,* y éste del gr. δισκοβόλος.) m. Atleta que arroja el disco.

Discoidal adj. A manera de disco.

Díscolo, la. (Del lat. *dyscŏlus,* y éste del gr. δύσκολος.) adj. Avieso, indócil, perturbador. Ú. t. c. s.

Discolor. (Del lat. *discŏlor.*) adj. ant. De varios colores.

Discoloro, ra. (De *discolor.*) adj. *Bot.* V. **Hoja discolora.**

Disconforme. adj. No conforme.

Disconformidad. f. Diferencia de unas cosas con otras en cuanto a su esencia, forma o fin. || **2.** Oposición, desunión, contrariedad en los dictámenes o en las voluntades.

Discontinuación. f. Acción y efecto de discontinuar.

Discontinuar. tr. Romper o interrumpir la continuación de una cosa.

Discontinuidad. f. Calidad de discontinuo.

Discontinuo, nua. adj. Interrumpido, intermitente o no continuo. || **2.** *Mat.* No continuo.

Disconveniencia. f. **Desconveniencia.**

Disconveniente. p. a. de **Disconvenir.** Que disconviene. || **2.** adj. **Desconveniente.**

Disconvenir. intr. **Desconvenir.**

Discordancia. (Del lat. *discordans, -antis,* p. a. de *discordāre,* discordar.) f. Contrariedad, diversidad, desconformidad.

Discordante. p. a. de **Discordar.** Que discuerda.

Discordanza. f. ant. **Discordancia.**

Discordar. (Del lat. *discordāre.*) intr. Ser opuestas, desavenidas o diferentes entre sí dos o más cosas. || **2.** No convenir uno en opiniones con otro. || **3.** *Mús.* No estar acordes las voces o los instrumentos.

Discorde. (Del lat. *discors, -ordis.*) adj. Disconforme, desavenido, opuesto. || **2.** *Mús.* Disonante, falto de consonancia.

Discordia. (Del lat. *discordĭa.*) f. Oposición, desavenencia de voluntades. || **2.** Diversidad y contrariedad de opiniones. || **3.** V. **Tercero en discordia.** || **4.** fig. V. **Manzana de la discordia.** || **5.** *For.* Falta de mayoría para votar sentencia por división de pareceres en un tribunal colegiado, que obliga a repetir la vista o el fallo con mayor número de jueces.

Discoteca. (Del gr. δίσκος, disco, y θήκη, caja.) f. Colección de discos impresionados formada con un fin especial. || **2.** Local o mueble en que se alojan esos discos debidamente ordenados.

Discrasia. (Del lat. *dyscrasĭa,* y éste del gr δυσκρασία; de δύς, mal, y κρᾶσις, mezcla.) f. *Med.* **Cacoquimia,** 2.ª acep.

Discreción. (Del lat. *discretĭo, -ōnis.*) f. Sensatez para formar juicio y tacto para hablar u obrar. || **2.** Don de expresarse con agudeza, ingenio y oportunidad. || **3.** Expresión o dicho discretos. || **A discreción.** m. adv. Al arbitrio o buen juicio de uno. || **2.** Al antojo o voluntad de uno, sin tasa ni limitación. || **Darse, o entregarse, a discreción.** fr. *Mil.* Entregarse sin capitulación al arbitrio del vencedor. || **Jugar discreciones.** fr. fam. **Jugar los años.** || **Rendirse a discreción.** fr. *Mil.* **Darse a discreción.**

Discrecional. De *discreción.*) adj. Que se hace libre y prudencialmente. || **2.** Se dice de la potestad gubernativa en las funciones de su competencia que no están regladas. || **3.** V. **Tren discrecional.**

Discrecionalmente. adv. m. De manera discrecional.

Discrepancia. (Del lat. *discrepantĭa.*) f. Diferencia, desigualdad que resulta de la comparación de las cosas entre sí. || **2.** Disentimiento personal en opiniones o en conducta.

Discrepante. p. a. de **Discrepar.** Que discrepa.

Discrepar. (Del lat. *discrepāre.*) intr. Desdecir una cosa de otra, diferenciarse, ser desigual. || **2.** Disentir una persona del parecer o de la conducta de otra.

Discretamente. adv. m. Con discreción.

Discretear. intr. Ostentar discreción, hacer del discreto. Ú. c. despect.

Discreteo. m. Acción y efecto de discretear.

Discreto, ta. (Del lat. *discrētus,* p. p. de *discernĕre,* discernir.) adj. Dotado de discreción. Ú. t. c. s. || **2.** Que incluye o denota discreción. *Conducta* DISCRETA; *dicho* DISCRETO. || **3.** *For.* Tratamiento curial de algunos magistrados y oficiales. *El* DISCRETO *Provisor.* || **4.** *Mat.* V. **Cantidad discreta.** || **5.** *Med.* Aplícase a ciertas erupciones, principalmente a las viruelas, cuando los granos o pústulas están muy separados entre sí. || **6.** m. y f. En algunas comunidades, persona elegida para asistir al superior como consiliario en el gobierno de la comunidad. || **A lo discreto.** m. adv. **A discreción.** || **2. Discretamente.** || **Mientras el discreto piensa, el necio hace la ciencia.** ref. que atribuye mayor eficacia a la diligencia que a la discreción.

Discretorio. m. En algunas comunidades religiosas, el cuerpo que forman los discretos o las discretas. || **2.** Lugar donde se reúnen.

Discrimen. (Del lat. *discrimen.*) m. Riesgo o peligro inmediato o contingente. || **2.** Diferencia, diversidad.

Discriminación. f. Acción y efecto de discriminar.

Discriminar. (Del lat. *discrimināre.*) tr. Separar, distinguir, diferenciar una cosa de otra.

Discuento. m. desus. Noticia, cuenta, razón. Ú. en *Sal.*

Disculpa. f. Razón que se da o causa que se alega para excusarse y purgarse de una culpa.

Disculpable. adj. Que merece disculpa. || **2.** Que tiene razones en su abono.

Disculpablemente. adv. m. Con disculpa.

Disculpación. (De *disculpar.*) f. ant. **Disculpa.**

Disculpadamente. adv. m. Con razón que disculpe.

Disculpar. (De *disculpa.*) tr. Dar razones o pruebas que descarguen de una culpa o delito. Ú. t. c. r. || **2.** fam. No tomar en cuenta o perdonar las faltas y omisiones que otro comete.

Discurriente. p. a. ant. de **Discurrir.** Que discurre.

Discurrimiento. (De *discurrir.*) m. ant. Discurso, razonamiento.

Discurrir. (Del lat. *discurrĕre.*) intr. Andar, caminar, correr por diversas partes y lugares. || **2. Correr,** 2.ª y 6.ª aceps. || **3.** fig. Reflexionar, pensar acerca de una cosa, platicar de ella. || **4.** tr. Inventar una cosa. DISCURRIR *un arbitrio, un medio.* || **5.** Inferir, conjeturar.

Discursante. p. a. de **Discursar.** Que discursa.

Discursar. (De *discurso.*) tr. p. us. Discurrir sobre una materia.

Discursear. intr. fam. Pronunciar discursos.

Discursible. adj. Capaz de discurso o de discurrir.

Discursista. com. Persona que forma discursos por cavilosidad y ocio, o pretendiendo lucirse con ellos.

Discursivo, va. adj. Dado a discurrir, reflexivo, meditabundo.

Discurso. (Del lat. *discursus.*) m. Facultad racional con que se infieren unas cosas de otras, sacándolas por consecuencia de sus principios o conociéndolas por indicios y señales. || **2.** Acto de la facultad discursiva. || **3. Uso de razón.** || **4.** Reflexión, raciocinio sobre algunos antecedentes o principios. || **5.** Serie de las palabras y frases empleadas para manifestar lo que se piensa o siente. || **6.** Razonamiento de alguna extensión dirigido por una persona a otra u otras. || **7. Oración,** 1.ª acep. || **8.** Escrito de no mucha extensión, o tratado, en que se discurre sobre una materia para enseñar o persuadir. || **9.** Espacio, duración de tiempo. || **10.** ant. Carrera, curso, camino que se hace por varias partes.

Discusión. (Del lat. *discussĭo, -ōnis.*) f. Acción y efecto de discutir.

Discusivo, va. adj. *Med.* Que disuelve, que resuelve.

Discutible. adj. Que se puede o se debe discutir.

Discutidor, ra. (De *discutir.*) adj. Práctico en disputas y discusiones, o aficionado a ellas. Ú. t. c. s.

Discutir. (Del lat. *discutĕre,* disipar, resolver.) tr. Examinar y ventilar atenta y particularmente una materia, haciendo investigaciones muy menudas sobre sus circunstancias. || **2.** Contender y alegar razones contra el parecer de otro. Ú. m. c. intr. DISCUTIR *con el contratista el precio de la obra* o *sobre el precio de la obra.*

Disecable. adj. Que se puede disecar.

Disecación. (De *disecar.*) f. **Disección.**

Disecador. (De *disecar.*) m. Que diseca.

Disecar. (Del lat. *dissecāre.*) tr. Dividir en partes un vegetal o el cadáver de un animal para el examen de su estructura normal o de las alteraciones orgánicas. || **2.** Preparar los animales muertos para que conserven la apariencia de cuando estaban vivos. || **3.** Preparar una planta para que, después de seca, se conserve a fin de ser estudiada.

Disección. (Del lat. *dissectĭo, -ōnis.*) f. Acción y efecto de disecar.

Disecea. (Del gr. δυσηκοΐα, de δυσήκοος; de δύς, mal, y ἀκούω, oír.) f. *Med.* Torpeza del oído.

Disector. (Del lat. *dissectum,* supino de *dissecāre,* cortar, hacer pedazos.) m. El que diseca y ejecuta las operaciones anatómicas.

Diseminación. (Del lat. *disseminatĭo, -ōnis.*) f. Acción y efecto de diseminar o diseminarse.

Diseminador, ra. adj. Que disemina.

Diseminar. (Del lat. *dissemināre.*) tr. **Sembrar,** 2.ª acep. Ú. t. c. r.

Disensión. (Del lat. *dissensĭo, -ōnis.*) f. Oposición o contrariedad de varios sujetos en los pareceres o en los propósitos. || **2.** fig. Contienda, riña, altercación.

Disenso. (Del lat. *dissensus.*) m. **Disentimiento.** || **Mutuo disenso.** *For.* Conformidad de las partes en disolver o dejar sin efecto el contrato u obligación entre ellas existente.

Disentería. (Del lat. *dysenterĭa,* y éste del gr. δυσεντερία; de δύς, mal, y ἔντερον, intestino.) f. Enfermedad infecciosa y específica que tiene por síntomas característicos la diarrea con pujos y alguna mezcla de sangre.

Disentérico, ca. (Del lat. *dysenterĭcus,* y éste del gr. δυσεντερικός.) adj. Perteneciente o relativo a la disentería.

Disentimiento. m. Acción y efecto de disentir.

Disentir. (Del lat. *dissentīre.*) intr. No ajustarse al sentir o parecer de otro; opinar de modo distinto.

Diseñador. m. El que diseña o dibuja.

Diseñar. tr. Hacer un diseño.

Diseño. (Del ital. *disegno.*) m. Traza, delineación de un edificio o de una figura. || **2.** Descripción o bosquejo de alguna cosa, hecho por palabras.

Disépalo, la. adj. *Bot.* Dícese del cáliz o de la flor que tiene dos sépalos.

Disertación. (Del lat. *dissertatĭo, -ōnis.*) f. Acción y efecto de disertar. || **2.** Escrito en que se diserta.

Disertador, ra. adj. Aficionado a disertar.

Disertante. p. a. de **Disertar.** Que diserta. Ú. t. c. s.

Disertar. (Del lat. *dissertāre.*) intr. Razonar, discurrir detenida y metódicamente sobre alguna materia, bien para exponerla, bien para refutar opiniones ajenas.

Diserto, ta. (Del lat. *dissertus.*) adj. Que habla con facilidad y con abundancia de argumentos.

Disestesia. (Del gr. δύς, mal, y αἴσθησις, sentido.) f. *Med.* Peversión de la sensibilidad que se observa especialmente en el histerismo.

Disfagia. (Del gr. δύς, mal, y φαγεῖν, comer.) f. *Med.* Dificultad o imposibilidad de tragar.

Disfama. (De *disfamar.*) f. ant. **Difamación.**

Disfamación. (De *disfamar.*) f. **Difamación.**

Disfamador, ra. (De *disfamar.*) adj. **Difamador.** Ú. t. c. s.

Disfamamiento. (De *disfamar.*) m. ant. **Difamación.**

Disfamar. tr. **Difamar.**

Disfamatorio, ria. adj. **Difamatorio.**

Disfamia. f. **Difamia.**

Disfasia. (Del gr. δύς, mal, y φάσις, palabra.) f. *Med.* Anomalía en el lenguaje causada por una lesión cerebral.

Disfavor. m. Desaire o desatención usada con alguno. || **2.** Suspensión del favor. || **3.** Acción o dicho no favorable que ocasiona alguna contrariedad o daño.

Disformar. tr. **Deformar.** Ú. t. c. r.

Disforme. adj. Que carece de forma regular, proporción y medida en sus partes. || **2.** Feo, horroroso. || **3.** Extraordinariamente grande y desproporcionado en su especie. Dícese también de las cosas del ánimo. *Error* DISFORME.

Disformidad. f. **Deformidad.** || **2.** Calidad de disforme.

Disformoso, sa. adj. ant. **Disforme,** 2.ª acep.

Disfraz. (De *disfrazar.*) m. Artificio de que se usa para desfigurar una cosa con el fin de que no sea conocida. || **2.** Por antonom., vestido de máscara que sirve para las fiestas y saraos, especialmente en carnaval. || **3.** fig. Simulación para dar a entender cosa distinta de lo que se siente.

Disfrazar. (Tal vez de *dis* y *farsa.*) tr. Desfigurar la forma natural de las personas o de las cosas, para que no sean conocidas. Ú. t. c. r. || **2.** fig. Disimular, desfigurar con palabras y expresiones lo que se siente.

Disfrez. m. ant. **Desfrez.**

Disfrezarse. r. ant. **Disfrazarse.**

Disfrutar. (De *dis* y *fruto.*) tr. Percibir o gozar los productos y utilidades de una cosa. || **2.** Gozar de salud, comodidad, regalo o conveniencia. || **3.** Aprovecharse del favor, protección o amistad de uno. || **4.** intr. **Gozar,** 4.ª acep.

Disfrute. m. Acción y efecto de disfrutar.

Disfumar. tr. **Esfumar.**

Disfumino. m. **Esfumino.**

Disgerible. (De *digerir.*) adj. ant. **Digestible.**

Disgregación. (Del lat. *disgregatĭo, -ōnis.*) f. Acción y efecto de disgregar o disgregarse.

Disgregador, ra. adj. Que disgrega.

Disgregante. p. a. de **Disgregar.** Que disgrega. Ú. t. c. s.

Disgregar. (Del lat. *disgregāre;* de *dis,* dis, y *grex, gregis,* rebaño.) tr. Separar, desunir, apartar lo que estaba unido. Ú. t. c. r.

Disgregativo, va. (Del lat. *disgregatīvus.*) adj. Dícese de lo que tiene virtud o facultad de disgregar.

Disgustadamente. adv. m. Con disgusto.

Disgustado, da. p. p. de **Disgustar.** || **2.** adj. Desazonado, desabrido, incomodado. || **3.** Apesadumbrado, pesaroso.

Disgustar. tr. Causar disgusto y desabrimiento al paladar. || **2.** fig. Causar enfado, pesadumbre o desazón. Ú. t. c. r. || **3.** r. Desazonarse uno con otro, o perder la amistad por desazones o contiendas.

Disgusto. (De *disgustar.*) m. Desazón, desabrimiento causado en el paladar por una comida o bebida. || **2.** fig. Encuentro enfadoso con uno; contienda o diferencia. || **3.** fig. Sentimiento, pesadumbre e inquietud causados por un accidente o una contrariedad. || **4.** fig. Fastidio, tedio o enfado que causa una persona o cosa. || **A disgusto.** m. adv. Contra la voluntad y gusto de uno.

Disgustoso, sa. adj. Desabrido, desagradable al paladar o falto de sazón. || **2.** fig. Desagradable enfadoso, que causa disgusto.

Disidencia. (Del lat. *dissidentĭa.*) f. Acción y efecto de disidir. || **2.** Grave desacuerdo de opiniones.

Disidente. (Del lat. *dissidens, -entis.*) p. a. de **Disidir.** Que diside. Ú. t. c. s.

Disidir. (Del lat. *dissidēre.*) intr. Separarse de la común doctrina, creencia o conducta.

Disílabo, ba. (Del lat. *disyllăbus,* y éste del gr. δισύλλαβος; de δίς, dos, y συλλαβή, sílaba.) adj. **Bisílabo.** Ú. t. c. s. m.

Disímbolo, la. (Del gr. δύς, mal, y σύμβολος, que se junta con otra cosa.) adj. desus. Disímil, diferente, disconforme. Ú. en *Méj.*

Disimetría. (Del gr. δύς, mal, y συμμετρία, simetría.) f. Defecto de simetría.

Disimétrico, ca. adj. Que tiene disimetría.

Disímil. (Del lat. *dissimĭlis.*) adj. Desemejante, diferente.

Disimilación. f. *Ling.* Acción y efecto de disimilar o disimilarse.

Disimilar. (De *disímil.*) tr. *Ling.* Alterar un sonido para diferenciarlo de otro igual o semejante que influye sobre aquél. Ú. m. c. r.

Disimilitud. (Del lat. *dissimilitūdo.*) f. **Desemejanza.**

Disimulable. adj. Que se puede disimular o disculpar.

Disimulación. (Del lat. *dissimulatĭo, -ōnis.*) f. Acción y efecto de disimular. || **2. Disimulo,** 1.ª acep. || **3.** Tolerancia afectada de una incomodidad o de un disgusto.

Disimuladamente. adv. m. Con disimulo.

Disimulado, da. (Del lat. *dissimulātus.*) p. p. de **Disimular.** || **2.** adj. Que por hábito o carácter disimula o no da a entender lo que siente. Ú. t. c. s. || **A lo disimulado,** o **a la disimulada.** m. adv. Con disimulo. || **Hacer uno la disimulada.** fr. fam. Afectar y manifestar ignorancia de una cosa, o no darse por entendido de una expresión o de un acto.

Disimulador, ra. (Del lat. *dissimulātor.*) adj. Que disimula, fingiendo o tolerando. Ú. t. c. s.

Disimular. (Del lat. *dissimulāre.*) tr. Encubrir con astucia la intención. || **2.** Desentenderse del conocimiento de una cosa. || **3.** Ocultar, encubrir algo que uno siente y padece; como el miedo, la pena, la pobreza, el frío, etc. || **4.** Tolerar un desorden, afectando ignorarlo o no dándole importancia. || **5.** Disfrazar, desfigurar las cosas, representándolas con artificio distintas de lo que son. || **6.** Ocultar una cosa, mezclándola con otra para que no se conozca. || **7.** Dispensar, permitir, perdonar.

Disimulo. (De *disimular.*) m. Arte con que se oculta lo que se siente, se sospecha o se sabe. || **2.** Indulgencia, tolerancia. || **3.** *Germ.* Portero de la cárcel.

Disipable. (Del lat. *dissipabĭlis.*) adj. Capaz o fácil de disiparse.

Disipación. (Del lat. *dissipatĭo, -ōnis.*) f. Acción y efecto de disipar o disiparse. || **2.** Conducta de una persona entregada enteramente a las diversiones.

Disipadamente. adv. m. Con disipación.

Disipado, da. p. p. de **Disipar.** || **2.** adj. **Disipador.** Ú. t. c. s. || **3.** Distraído, entregado a diversiones. Ú. t. c. s.

Disipador, ra. (Del lat. *dissipātor.*) adj. Que destruye y malgasta la hacienda o caudal. Ú. t. c. s.

Disipante. p. a. de **Disipar.** Que disipa.

Disipar. (Del lat. *dissipāre.*) tr. Esparcir y desvanecer las partes que forman por aglomeración un cuerpo. *El sol* DISIPA *las nieblas; el viento, las nubes.* Ú. t. c. r. || **2.** Desperdiciar, malgastar la hacienda u otra cosa. || **3.** r. Evaporarse, resolverse en vapores. || **4.** fig. Desvanecerse, quedar en nada una cosa; como un sueño, una sospecha, etc.

Disípula. f. ant. **Erisipela.**

Disipular. tr. ant. **Erisipelar.** Usáb. m. c. r.

Dislalia. (Del gr. δύς, mal, y λαλεῖν, hablar.) f. *Med.* Dificultad de articular las palabras.

Dislate. (De *deslate.*) m. **Disparate.**

Dislocación. f. Acción y efecto de dislocar o dislocarse. Dícese, por lo común, de los huesos.

Dislocadura. (De *dislocar.*) f. **Dislocación.**

Dislocar. (Del lat. *dis,* negat., y *locāre,* colocar.) tr. Sacar una cosa de su lugar. Ú. m. c. r., hablando de huesos y articulaciones.

Disloque. m. fam. El colmo, cosa excelente.

Dismembración. f. **Desmembración.**

Dismenorrea. (Del gr. δύς, mal; μήν, menstruo, y ῥέω, fluir.) f. *Med.* Menstruación dolorosa o difícil.

Disminución. (De *disminuir.*) f. Merma o menoscabo de una cosa, tanto en lo físico como en lo moral. || **2.** *Arq.* Cantidad en que el grueso de un muro es menor que su zarpa. || **3.** *Veter.* Cierta enfermedad que padecen las bestias en los cascos. || **Ir** una cosa **en disminución.** fr. Irse perdiendo; como la salud, el crédito, etc. || **2.** Irse estrechando o adelgazando en alguna de sus partes.

Disminuido, da. p. p. de **Disminuir.** || **2.** adj. *Blas.* V. **Pieza honorable disminuida.**

Disminuir. (Del lat *disminuĕre.*) tr. Hacer menor la extensión, intensidad o número de alguna cosa. Ú. t. c. intr. y c. r.

Dismnesia. (Del gr. δύς, mal, y μνεία, memoria.) f. *Med.* Debilidad de la memoria.

Disnea. (Del lat. *dyspnoea,* y éste del gr. δύσπνοια, de δύσπνοος; de δύς, mal, y πνέω, respirar.) f. *Med.* Dificultad de respirar.

Disneico, ca. adj. *Med.* Que padece disnea. Ú. t. c. s. || **2.** *Med.* Perteneciente a la disnea.

Disociable. adj. Que puede disociarse.

Disociación. (Del lat. *dissociatĭo, -ōnis.*) f. Acción y efecto de disociar o disociarse. || **2.** *Quím.* Descomposición química limitada por la tendencia a combinarse de los cuerpos separados.

Disociador, ra. adj. Que disocia.

Disociar. (Del lat. *dissociāre.*) tr. Separar una cosa de otra a que estaba unida, o los distintos componentes de una substancia. Ú. t. c. r.

Disolubilidad. f. Calidad de disoluble.

Disoluble. (Del lat. *dissolubĭlis.*) adj. **Soluble,** 1.ª acep.

Disolución. (Del lat. *dissolutĭo, -ōnis.*) f. Acción y efecto de disolver o disolverse. || **2.** Compuesto que resulta de disolver cualquier substancia en un líquido. || **3.** fig. Relajación de vida y costumbres. || **4.** fig. Relajación y rompimiento de los lazos o vínculos existentes entre varias personas. DISOLUCIÓN *de la sociedad, de la familia.* || **acuosa.** Aquella cuyo disolvente es el agua. || **coloidal. Suspensión coloidal.**

Disolutamente. adv. m. Con disolución.

Disolutivo, va. (Del lat. *dissolutīvus.*) adj. Dícese de lo que tiene virtud de disolver.

Disoluto, ta. (Del lat. *dissolūtus,* p. p. de *dissolvĕre,* disolver, disipar.) adj. Licencioso, entregado a los vicios. Ú. t. c. s.

Disolvente. (Del lat. *dissolvens, -entis.*) p. a. de **Disolver.** Que disuelve. Ú. t. c. s. m.

Disolver. (Del lat. *dissolvĕre.*) tr. Desunir, separar las partículas o meléculas de un cuerpo sólido o espeso, por medio de un líquido con el cual se incorporan. Ú. t. c. r. || **2.** Separar, desunir las cosas que estaban unidas de cualquier modo. Ú. t. c. r. DISOLVER *el matrimonio, las Cortes;* DISOLVERSE *una sociedad.* || **3.** Deshacer, destruir, aniquilar. Ú. t. c. r. || **4.** desus. **Resolver,** 3.ª acep. DISOLVER *una duda, un argumento.*

Disón. (De *di,* 1.er art., y *son,* 1.er art.) m. *Mús.* **Disonancia,** 1.ª acep.

Disonancia. (Del lat. *dissonantĭa.*) f. Sonido desagradable. || **2.** fig. Falta de la conformidad o proporción que naturalmente deben tener algunas cosas. || **3.** *Mús.* Acorde no consonante. || **Hacer disonancia** una cosa. fr. fig. Parecer extraña y fuera de razón.

Disonante. p. a. de **Disonar.** Que disuena. || **2.** adj. fig. Que no es regular o discrepa de aquello con que debiera ser conforme. || **3.** *Mús.* V. **Tono disonante.**

Disonar. (Del lat. *dissonāre.*) intr. Sonar desapaciblemente; faltar a la consonancia y armonía. || **2.** fig. Discrepar, carecer de conformidad y correspondencia algunas cosas o las partes de ellas entre sí cuando debieran tenerla. || **3.** fig. Ser repugnante, parecer mal y extraña una cosa.

Dísono, na. (Del lat. *dissŏnus.*) adj. **Disonante.**

Disosmia. (Del gr. δύς, mal, y ὀσμή, olfato.) f. *Med.* Dificultad en la percepción de los olores.

Dispar. (Del lat. *dispar.*) adj. Desigual, diferente.

Disparada. f. *Argent.* y *Méj.* Acción de echar a correr de repente o de partir con precipitación; fuga. || **A la disparada.** m. adv. *Argent.* A todo correr. || **2.** fig. *Argent.* Precipitada y atolondradamente. || **De una disparada.** fr. *Argent.* Con gran prontitud, al momento. || **Tomar la disparada.** fr. *Argent.* Echar a correr huyendo.

Disparadamente. adv. m. Con gran precipitación y violencia. || **2. Disparatadamente.**

Disparadero. (De *disparar.*) m. **Disparador,** 2.ª acep. || **Poner a uno en el disparadero.** fr. fig. y fam. **Ponerle en el disparador.**

Disparador. m. El que dispara. || **2.** Pieza donde se sujeta la llave de las armas portátiles de fuego, al montarlas, y que, movida a su tiempo, sirve para dispararlas. || **3.** Pieza que sirve para hacer funcionar el obturador automático de una cámara fotográfica. || **4.** Escape de un reloj. || **5.** Nuez de la ballesta. || **6.** *Mar.* Aparato que sirve para desprender el ancla de la serviola en el momento de dar fondo. || **Poner a uno en el disparador.** fr. fig. y fam. Provocarle, apurando su paciencia o su reserva, a que diga o haga lo que de suyo no diría o no haría.

Disparar. (Del lat. *disparāre.*) tr. Hacer que una máquina despida el cuerpo arrojadizo. Ú. t. c. r. || **2.** Arrojar o despedir con violencia una cosa. || **3.** intr. p. us. fig. Decir o hacer disparates. || **4.** r. Partir o correr sin dirección y precipitadamente lo que tiene movimiento natural o artificial. DISPARARSE *un caballo, un reloj.* Usáb. t. c. intr. y sigue usándose en *Amér.* || **5.** fig. Dirigirse precipitadamente hacia un objeto. || **6.** Hablar u obrar con extraordinaria violencia y, por lo común, sin razón.

Disparatadamente. adv. m. Fuera de razón y de regla.

Disparatado, da. p. p. de **Disparatar.** || **2.** adj. Dícese del que disparata. || **3.** Contrario a la razón. || **4.** fam. **Atroz,** 3.ª acep.

Disparatador, ra. adj. Que disparata. Ú. t. c. s.

Disparatar. (Del lat. *disparātus,* p. p. de *disparare,* separar.) intr. Decir o hacer una cosa fuera de razón y regla.

Disparate. (De *disparatar.*) m. Hecho o dicho disparatado. || **2.** fam. **Atrocidad,** 2.ª acep.

Disparatero, ra. adj. Persona que disparata con frecuencia. Ú. m. en América.

Disparato, ta. adj. desus. **Disparatado.**

Disparatorio. m. Conversación, discurso o escrito lleno de disparates.

Disparcialidad. f. ant. Desunión en los ánimos, desavenencia entre aquellos que forman parcialidad o grupo.

Disparejo, ja. adj. **Dispar.**

Disparidad. (De *dispar.*) f. Desemejanza, desigualdad y diferencia de unas cosas respecto de otras. || **de cultos.** *For.* Impedimento para el matrimonio canónico derivado de la diferencia de religión entre los contrayentes. Es dirimente entre el no bautizado y el que lo está en la Iglesia católica o a ella se convierte desde las heréticas o cismáticas; es impediente en los casos de menor diferencia.

Disparo. m. Acción y efecto de disparar o dispararse. || **2.** fig. **Disparate.**

Dispendio. (Del lat. *dispendĭum.*) m. Gasto excesivo, por lo general innecesario. || **2.** fig. Uso o empleo excesivo de hacienda, tiempo o cualquier caudal.

Dispendiosamente. adv. m. Con dispendio.
Dispendioso, sa. (Del lat. *dispendiōsus.*) adj. Costoso, de gasto considerable.
Dispensa. (De *dispensar.*) f. Privilegio, excepción graciosa de lo ordenado por las leyes generales; y más comúnmente el concedido por el Papa o por un obispo. || **2.** Instrumento o escrito que contiene la **dispensa.** || **3.** pl. ant. **Expensas.**
Dispensable. adj. Que se puede dispensar.
Dispensación. (Del lat. *dispensatĭo, -ōnis.*) f. Acción y efecto de dispensar o dispensarse. || **2. Dispensa.**
Dispensador, ra. (Del lat. *dispensātor.*) adj. Que dispensa. Ú. t. c. s. || **2.** Que franquea o distribuye. Ú. t. c. s.
Dispensar. (Del lat. *dispensāre.*) tr. Dar, conceder, otorgar, distribuir. DISPENSAR *mercedes, elogios.* || **2.** Eximir de una obligación, o de lo que se quiere considerar como tal. Ú. t. c. r. || **3.** Absolver de falta leve ya cometida, o de lo que se quiere considerar como tal.
Dispensario. m. Establecimiento benéfico destinado a prestar asistencia médica y farmacéutica a enfermos que no se alojan en él.
Dispensativo, va. (Del lat. *dispensatīvus.*) adj. ant. Dícese de lo que dispensa o tiene facultad de dispensar.
Dispepsia. (Del lat. *dyspepsĭa,* y éste del gr. δυσπεψία, de δύσπεπτος; de δύς, mal, y πέπτω, cocer, digerir.) f. *Med.* Enfermedad crónica caracterizada por la digestión laboriosa e imperfecta.
Dispéptico, ca. (Del gr. δύσπεπτος, que digiere mal.) adj. *Med.* Perteneciente o relativo a la dispepsia. || **2.** *Med.* Enfermo de dispepsia. Ú. t. c. s.
Dispersar. (De *disperso.*) tr. Separar y diseminar lo que estaba o debía estar reunido. Ú. t. c. r. || **2.** *Mil.* Romper, desbaratar al enemigo haciéndole huir y diseminarse en completo desorden. Ú. t. c. r. || **3.** *Mil.* Desplegar en orden abierto de guerrilla una fuerza. Ú. m. c. r.
Dispersión. (Del lat. *dispersĭo, -ōnis.*) f. Acción y efecto de dispersar o dispersarse. || **2.** *Fís.* Separación de los diversos colores espectrales de un rayo de luz, por medio de un prisma u otro medio adecuado.
Disperso, sa. (Del lat. *dispersus,* p. p. de *dispergĕre,* esparcir, desparramar.) adj. Que está dispersado. Apl. a pers., ú. t. c. s. || **2.** *Mil.* Dícese del militar que por fuerza mayor o voluntariamente se encuentra incomunicado o disgregado del cuerpo a que pertenece. || **3.** *Mil.* Decíase del militar que no está agregado a ningún cuerpo y reside en el pueblo que elige. Ú. t. c. s.
Dispersor, ra. adj. Que dispersa.
Dispertador, ra. (De *dispertar.*) adj. ant. **Despertador.** Usáb. t. c. s.
Dispertar. tr. ant. **Despertar.** Usáb. t. c. r.
Dispierto, ta. p. p. irreg. ant. de **Dispertar.** || **2.** adj. fig. **Despierto,** 2.ª acep.
Displacer. tr. **Desplacer.**
Displicencia. (Del lat. *displicentĭa.*) f. Desagrado e indiferencia en el trato. || **2.** Desaliento en la ejecución de un hecho, por dudar de su bondad o desconfiar de su éxito.
Displicente. (Del lat. *displĭcens, -entis,* p. a. de *displicēre,* desagradar.) adj. Dícese de lo que desplace, desagrada y disgusta. || **2.** Descontentadizo, desabrido o de mal humor. Ú. t. c. s.
Dispondeo. (Del lat. *dispondēus,* y éste del gr. δισπόνδειος; de δίς, dos, y σπονδεῖος, espondeo.) m. Pie de la poesía griega y latina, que consta de dos espondeos, o sea de cuatro sílabas largas.
Disponedor, ra. adj. Que dispone, coloca y ordena las cosas. Ú. t. c. s. || **2.** m. ant. **Testamentario.**
Disponente. p. a. de **Disponer.** Que dispone.
Disponer. (Del lat. *disponĕre.*) tr. Colocar, poner las cosas en orden y situación conveniente. Ú. t. c. r. || **2.** Deliberar, determinar, mandar lo que ha de hacerse. || **3.** Preparar, prevenir. Ú. t. c. r. || **4.** intr. Ejercitar en las cosas facultades de dominio, enajenarlas o gravarlas, en vez de atenerse a la posesión y disfrute. Testar acerca de ellas. || **5.** Valerse de una persona o cosa, tenerla o utilizarla por suya. DISPONGA *usted de mí a su gusto.* DISPONEMOS *de poco tiempo.* || **6.** r. Prepararse a morir, arreglando para ello los negocios temporales y espirituales. Ú. t. en expresión más completa: **disponerse a bien morir.**
Disponible. (De *disponer.*) adj. Dícese de todo aquello de que se puede disponer libremente o de lo que está pronto para usarse o utilizarse. || **2.** V. **Recluta disponible.** || **3.** Aplícase a la situación del militar o funcionario en servicio activo sin destino, pero que puede ser destinado inmediatamente.
Disponiente. p. a. ant. de **Disponer. Disponente.**
Disposición. (Del lat. *dispositĭo, -ōnis.*) f. Acción y efecto de disponer o disponerse. || **2.** Aptitud, proporción para algún fin. || **3.** Estado de la salud. || **4.** Gallardía y gentileza en la persona. || **5.** Desembarazo, soltura en preparar y despachar las cosas que uno tiene a su cargo. *Es hombre de* DISPOSICIÓN. || **6.** Precepto legal o reglamentario, deliberación, orden y mandato del superior. || **7.** Cualquiera de los medios que se emplean para ejecutar un propósito, o para evitar o atenuar un mal. || **8.** *Arq.* Distribución de todas las partes del edificio. || **9.** *Ret.* Ordenada colocación o distribución de las diferentes partes de una composición literaria. || **Última disposición. Testamento,** 1.ª acep. || **A la disposición de.** expr. de cortesía con que uno se ofrece a otro. *Estoy* A LA DISPOSICIÓN DE *usted.* || **Estar,** o **hallarse, en disposición** una persona o cosa. fr. Hallarse apto y pronto para algún fin.
Dispositiva. (De *dispositivo.*) f. ant. Disposición, expedición y aptitud.
Dispositivamente. adv. m. Con carácter dispositivo o preceptivo.
Dispositivo, va. (Del lat. *disposĭtus,* dispuesto.) adj. Dícese de lo que dispone. || **2.** m. Mecanismo o artificio dispuesto para obtener un resultado automático.
Dispositorio, ria. adj. ant. **Dispositivo.**
Dispuesto, ta. (Del lat. *disposĭtus.*) p. p. irreg. de **Disponer.** || **2.** adj. Apuesto, gallardo, bien proporcionado. || **3.** Hábil, despejado. || **Bien,** o **mal, dispuesto.** Con entera salud o sin ella. || **2.** Con ánimo favorable o adverso.
Disputa. f. Acción y efecto de disputar. || **Sin disputa.** loc. adv. **Indudablemente.**
Disputable. (Del lat. *disputabĭlis.*) adj. Que se puede disputar, o es problemático.
Disputación. (Del lat. *disputatĭo, -ōnis.*) f. ant. **Disputa.**
Disputador, ra. (Del lat. *disputātor.*) adj. Que disputa. Ú. t. c. s. || **2.** Que tiene el vicio de disputar. Ú. t. c. s.
Disputante. p. a. de **Disputar.** Que disputa.
Disputar. (Del lat. *disputāre.*) tr. **Debatir.** || **2.** Porfiar y altercar con calor y vehemencia. Ú. c. intr. con las partículas *de, sobre, acerca de,* etc. || **3.** Ejercitarse los estudiantes discutiendo. Ú. m. c. intr. || **4.** Contender, emular con otro para alcanzar o defender alguna cosa.
Disputativamente. adv. m. Por vía de disputa.
Disquisición. (Del lat. *disquisitĭo, -ōnis.*) f. Examen riguroso que se hace de alguna cosa, considerando cada una de sus partes.
Distal. adj. *Anat.* Dícese de lo que está más distante del eje o línea media del organismo, o del arranque de un miembro u otro órgano, por oposición a proximal.
Distancia. (Del lat. *distantĭa.*) f. Espacio o intervalo de lugar o de tiempo que media entre dos cosas o sucesos. || **2.** fig. Diferencia, desemejanza notable entre unas cosas y otras. || **3.** fig. Alejamiento, desvío, desafecto entre personas. || **A distancia.** m. adv. Lejos, apartadamente. || **A respetable,** o **a respetuosa, distancia.** fr. fig. Dicho de personas, alejada una de otra por el respeto o por la antipatía y el desvío.
Distanciar. tr. Separar, apartar, poner a distancia. Ú. t. c. r.
Distante. (Del lat. *distans, -antis.*) p. a. de **Distar.** Que dista. || **2.** adj. Apartado, remoto, lejano.
Distantemente. adv. m. Con distancia o intervalo de lugar o de tiempo.
Distar. (Del lat. *distāre.*) intr. Estar apartada una cosa de otra cierto espacio de lugar o de tiempo. || **2.** fig. Diferenciarse notablemente una cosa de otra.
Distender. (Del lat. *distendĕre.*) tr. *Med.* Causar una tensión violenta en los tejidos, membranas, etc. Ú. t. c. r.
Distensible. adj. *Med.* Que se puede distender.
Distensión. (Del lat. *distensĭo, -ōnis.*) f. *Med.* Acción y efecto de distender o distenderse.
Disterminar. (Del lat. *distermināre,* separar, aislar.) tr. ant. **Deslindar,** 1.ª acep.
Dístico. (Del lat. *distichon,* y éste del gr. δίστιχον; de δίς, dos, y στίχος, verso.) m. Composición poética que sólo consta de dos versos, con los cuales se expresa un concepto cabal. En la poesía griega y latina era, por lo común, hexámetro el primero de estos versos y pentámetro el segundo, y el **dístico** se usaba también repetido en composiciones más o menos largas.
Dístico, ca. (Del lat. *distĭchus,* y éste del gr. δίστιχος, de dos órdenes; de δίς, dos, y στίχος, hilera.) adj. *Bot.* Dícese de las hojas, flores, espigas y demás partes de las plantas cuando están situadas en un mismo plano y miran alternativamente a uno y otro lado de un eje.
Distilación. (Del lat. *distillatĭo, -ōnis.*) f. ant. **Destilación.**
Distilante. p. a. ant. de **Distilar.** Que destila.
Distilar. (Del lat. *distillāre.*) tr. ant. **Destilar.**
Distilatorio. m. ant. **Destilatorio.**
Distinción. (Del lat. *distinctĭo, -ōnis.*) f. Acción y efecto de distinguir o distinguirse. || **2.** Diferencia en virtud de la cual una cosa no es otra, o no es semejante a otra. || **3.** Prerrogativa, excepción y honor concedido a uno, en cuya virtud se diferencia de otros sujetos. || **4.** Buen orden, claridad y precisión en las cosas. || **5.** Elevación sobre lo vulgar, especialmente en elegancia y buenas maneras. || **6.** Miramiento y consideración hacia una persona. *Tratar a uno con* DISTINCIÓN. *Ser persona de* DISTINCIÓN. || **7.** En las escuelas, declaración de una proposición que tiene dos sentidos. || **A distinción.** m. adv. con que se explica la diferencia entre dos cosas que pueden confundirse. *Aranda de Duero llámase así* A DISTINCIÓN *de otra Aranda que hay en Aragón.* || **Hacer** uno **distinción.** fr. Hacer juicio recto de las cosas; estimarlas en lo que merecen.
Distingo. (Primera pers. de *distinguir.*) m. Distinción lógica en una proposición de dos sentidos, uno de los cuales se concede y otro se niega. || **2.** Reparo, restricción, limitación que se pone con cierta sutileza, meticulosidad o malicia.

Distinguible. adj. Dícese de lo que puede distinguirse.

Distinguido, da. (De *distinguir.*) p. p. de **Distinguir.** || **2.** adj. Ilustre, noble, esclarecido. || **3.** V. **Soldado distinguido.** Ú. t. c. s.

Distinguir. (Del lat. *distinguĕre.*) tr. Conocer la diferencia que hay de unas cosas a otras. || **2.** Hacer que una cosa se diferencie de otra por medio de alguna particularidad, señal, divisa, etc. Ú. t. c. r. || **3.** Manifestar, declarar la diferencia que hay entre una cosa y otra con la cual se puede confundir. || **4.** Ver un objeto, diferenciándolo de los demás, a pesar de alguna dificultad que haya para ello, como lejanía, falta de diafanidad en el aire, debilidad de la vista, etc. || **5.** En las escuelas, declarar una proposición por medio de una distinción. || **6.** fig. Hacer particular estimación de unas personas prefiriéndolas a otras. || **7.** Otorgar a uno alguna dignidad, prerrogativa, etc. || **8.** r. Descollar, sobresalir entre otros. || **No distinguir** uno **lo blanco de lo negro.** fr. fig. y fam. Ser tan ignorante que no conoce las cosas, por claras que sean.

Distintamente. adv. m. Con distinción. || **2.** Diversamente, de modo distinto, claro.

Distintivo, va. (De *distinto.*) adj. Que tiene facultad de distinguir. || **2.** Dícese de la cualidad que distingue o caracteriza esencialmente una cosa. Ú. t. c. s. || **3.** m. Insignia, señal, marca.

Distinto, ta. (Del lat. *distinctus,* p. p. de *distinguĕre,* distinguir.) adj. Que no es lo mismo; que tiene realidad o existencia diferente de aquello otro de que se trata. || **2.** Que no es parecido; que tiene diferentes cualidades. || **3.** Inteligible, claro, sin confusión.

Distinto. m. ant. **Instinto.**

Distocia. (Del gr. δυστοκία, de δύστοκος; de δύς, mal, y τόκος, parto.) f. *Cir.* Parto laborioso o difícil.

Distócico, ca. adj. *Cir.* Perteneciente o relativo a la distocia.

Dístomo. (Del gr. δίς, dos, y στόμα, boca, aludiendo a las dos ventosas.) m. *Zool.* **Duela,** 2.ª acep.

Distorsión. f. Torsión de una parte del cuerpo. || **2.** *Fís.* Deformación de una onda durante su propagación, y cuyo resultado puede apreciarse, por ejemplo, en las imágenes ópticas y en las transmisiones telefónicas. || **3.** *Med.* **Esguince,** 3.ª acep.

Distracción. (Del lat. *distractĭo, -ōnis,* separación.) f. Acción y efecto de distraer o distraerse. || **2.** Cosa que atrae la atención apartándola de aquello a que está aplicada; especialmente, espectáculo o juego que sirve para el descanso. || **3.** Libertad excesiva en la vida y costumbres. || **4.** ant. Distancia, separación.

Distracto. (Del lat. *distractus.*) m. ant. *For.* Disolución del contrato.

Distraer. (Del lat. *distrahĕre.*) tr. **Divertir,** 1.ª y 2.ª aceps. Ú. t. c. r. || **2.** Apartar la atención de una persona del objeto a que la aplicaba o a que debía aplicarla. Ú. t. c. r. || **3.** Apartar a uno de la vida virtuosa y honesta. Ú. t. c. r. || **4.** Tratándose de fondos, malversarlos, defraudarlos.

Distraídamente. adv. m. Con distracción.

Distraído, da. p. p. de **Distraer** o **distraerse.** || **2.** adj. Dícese de la persona que, por distraerse con facilidad, habla u obra sin darse cuenta cabal de sus palabras o de lo que pasa a su alrededor. Ú. t. c. s. || **3.** Entregado a la vida licenciosa y desordenada. Ú. t. c. s. || **4.** *Chile* y *Méj.* Roto, mal vestido, desaseado.

Distraimiento. (De *distraer.*) m. **Distracción.**

Distribución. (Del lat. *distributĭo, -ōnis.*) f. Acción y efecto de distribuir o distribuirse. || **2.** Aquello que se reparte entre los asistentes a algún acto que tiene pensión señalada, especialmente en las iglesias. Ú. m. en pl. || **3.** *Ret.* Figura, especie de enumeración, en que ordenadamente se afirma o niega algo acerca de cada una de las cosas enumeradas. || **Tomar** uno alguna cosa **por distribución.** fr. Tener el defecto de repetir y continuar una acción impertinente.

Distribuidor, ra. adj. Que distribuye. Ú. t. c. s. || **2.** f. Máquina agrícola para esparcir abonos.

Distribuir. (Del lat. *distribuĕre.*) tr. Dividir una cosa entre varios, designando lo que a cada uno corresponde, según voluntad, conveniencia, regla o derecho. || **2.** Dar a cada cosa su oportuna colocación o el destino conveniente. Ú. t. c. r. || **3.** *Impr.* Deshacer los moldes, repartiendo las letras en los cajetines respectivos.

Distributivo, va. (Del lat. *distributīvus.*) adj. Que toca o atañe a distribución. || **2.** V. **Justicia distributiva.** || **3.** *Gram.* V. **Conjunción distributiva.**

Distributor, ra. (Del lat. *distribūtor.*) adj. **Distribuidor.** Ú. t. c. s.

Distribuyente. p. a. de **Distribuir.** Que distribuye.

Distrito. (Del lat. *destrictus,* contenido.) m. Cada una de las demarcaciones en que se subdivide un territorio o una población para distribuir y ordenar el ejercicio de los derechos civiles y políticos, o de las funciones públicas, o de los servicios administrativos.

Distrofia. (Del gr. δύς, mal, y τροφή, alimentación.) f. *Med.* Estado patológico que afecta a la nutrición y al crecimiento. DISTROFIA *muscular, adiposa,* etc.

Disturbar. (Del lat. *disturbāre.*) tr. Perturbar, causar disturbio.

Disturbio. (De *disturbar.*) m. Alteración, turbación de la paz y concordia.

Disuadir. (Del lat. *dissuadēre.*) tr. Inducir, mover a uno con razones a mudar de dictamen o a desistir de un propósito.

Disuasión. (Del lat. *dissuasĭo, -ōnis.*) f. Acción y efecto de disuadir.

Disuasivo, va. (Del lat. *dissuāsum,* supino de *dissuadēre,* disuadir.) adj. Que disuade o puede disuadir.

Disuelto, ta. (Del lat. *dissolūtus.*) p. p. irreg. de **Disolver.**

Disuria. (Del lat. *dysurĭa,* y éste del gr. δυσουρία; de δύς, mal, y οὖρον, orina.) f. *Med.* Expulsión difícil, dolorosa e incompleta de la orina.

Disúrico, ca. adj. Perteneciente o relativo a la disuria.

Disyunción. (Del lat. *disiunctĭo, -ōnis,* desunión.) f. Acción y efecto de separar y desunir. || **2.** *Ret.* Figura que consiste en que cada oración lleve todas sus partes necesarias, sin que necesite valerse para su perfecto sentido de ninguna de las otras oraciones que preceden o siguen.

Disyunta. (Del lat. *disiuncta,* t. f. de *-tus,* disyunto.) f. desus. *Mús.* Mutación de voz con que se pasa de una propiedad a otra por deducción a otra.

Disyuntiva. (Del lat. *disiunctīva,* t. f. de *-vus,* disyuntivo.) f. Alternativa entre dos cosas por una de las cuales hay que optar.

Disyuntivamente. adv. m. Con disyuntiva. || **2.** Separadamente; cada cosa de por sí.

Disyuntivo, va. (Del lat. *disiunctīvus.*) adj. Dícese de lo que tiene la cualidad de desunir o separar. || **2.** *Dial.* V. **Proposición disyuntiva.** || **3.** *Gram.* V. **Conjunción disyuntiva.** || **4.** *Lóg.* V. **Argumento disyuntivo.**

Disyunto, ta. (Del lat. *disiunctus.*) adj. ant. Apartado, separado, distante.

Disyuntor. m. Aparato eléctrico que tiene por objeto abrir automáticamente el paso de la corriente eléctrica desde la dinamo a la batería, e interrumpir la conexión si la corriente va en sentido contrario.

Dita. (Del lat. *dicta,* t. f. de *-tus,* dicho.) f. Persona o efecto que se señala como garantía de un pago. || **2.** *Albac., Chile* y *Guat.* **Deuda,** 1.ª acep. || **3.** *And.* Préstamo a elevado interés, pagadero por días con el capital.

Ditá. m. Árbol de Filipinas, de la familia de las apocináceas, de flores blancas en panojas terminales. De su corteza se extrae la ditaína.

Ditado. m. ant. **Dictado.**

Ditaína. f. Alcaloide que se extrae de la corteza del ditá y se emplea en medicina como febrífugo.

Diteísmo. (Del gr. δίς, dos, y de *teísmo.*) m. Sistema de religión que admite dos dioses.

Diteísta. adj. Dícese del partidario del diteísmo. Ú. t. c. s.

Ditero, ra. m. y f. *And.* Persona que presta a dita.

Ditirámbica. (Del lat. *dithyrambĭca,* t. f. de *-cus,* ditirámbico.) f. ant. **Ditirambo.**

Ditirámbico, ca. (Del lat. *dithyrambĭcus,* y éste del gr. διθυραμβικός.) adj. Perteneciente o relativo al ditirambo.

Ditirambo. (Del lat. *dithyrambus,* y éste del gr. διθύραμβος, sobrenombre de Baco.) m. Composición poética de los gentiles en loor de Baco. || **2.** Composición poética inspirada en un arrebatado entusiasmo y escrita generalmente en variedad de metros. || **3.** fig. Alabanza exagerada, encomio excesivo.

Dito, ta. (Del lat. *dictus.*) p. p. irreg. ant. **Dicho.**

Dítono. (Del lat. *ditŏnus,* y éste del gr. δίτονος; de δίς, dos, y τόνος, tono.) m. *Mús.* Intervalo que consta de dos tonos.

Diuca. (Voz araucana.) f. Ave de Chile y la República Argentina, de color gris apizarrado, con una lista blanca en el vientre. Es poco mayor que un jilguero y canta al amanecer. || **2.** m. fig. y fam. *Argent.* Alumno preferido y mimado por el profesor.

Diucón. (Aum. de *diuca.*) m. *Chile.* Pájaro mayor que la diuda y muy parecido a ella.

Diuresis. (Del gr. διουρέω, orinar.) f. *Med.* Secreción de la orina.

Diurético, ca. (Del lat. *diuretĭcus,* y éste del gr. διουρητικός, de διουρέω, orinar.) adj. *Med.* Dícese de lo que tiene virtud para aumentar la secreción y excreción de la orina. Ú. t. c. s. m.

Diurnal. (Del lat. *diurnālis.*) m. ant. **Diurno.**

Diurnario. (Del lat. *diurnarĭus,* de *diurnus,* diurno.) m. ant. **Diurno.**

Diurno, na. (Del lat. *diurnus.*) adj. Perteneciente al día. || **2.** *Astron.* V. **Movimiento diurno.** || **3.** *Bot.* y *Zool.* Aplícase a los animales que buscan el alimento durante el día, y a las plantas que sólo de día tienen abiertas sus flores. || **4.** m. Libro de rezo eclesiástico, que contiene las horas menores desde laudes hasta completas.

Diuturnidad. (Del lat. *diuturnĭtas, -ātis.*) f. Espacio dilatado de tiempo.

Diuturno, na. (Del lat. *diuturnus.*) adj. Que dura o subsiste mucho tiempo.

Diva. (Del lat. *diva.*) f. poét. **Diosa.**

Divagación. f. Acción y efecto de divagar.

Divagador, ra. adj. Que divaga. Ú. t. c. s.

Divagar. (Del lat. *divagāri.*) intr. **Vagar,** 3.er art. || **2.** Separarse del asunto de que se trata; hablar o escribir sin concierto ni propósito fijo y determinado.

Diván. (Del ár. *dīwān,* libro, o registro público, y por ext., sala de consejos o cancillería.) m. Supremo consejo que entre los turcos determinaba los negocios de Estado y de justicia. || **2.** Sala en que se reunía este consejo. || **3.** Banco con brazos o sin ellos, por lo común sin respaldo, y con almohadones sueltos. || **4.** Colección de poesías de uno o de varios autores, en alguna de las lenguas orientales, especialmente en árabe, persa o turco.

Divergencia. (Del lat. *divergens, -entis*, divergente.) f. Acción y efecto de divergir. || **2.** fig. Diversidad de opiniones o pareceres.

Divergente. (Del lat. *divergens, -entis*, p. a. de *divergĕre*, divergir.) p. a. de **Divergir.** Que diverge.

Divergir. (Del lat. *divergĕre.*) intr. Irse apartando sucesivamente unas de otras, dos o más líneas o superficies. || **2.** fig. Discordar, discrepar.

Diversamente. adv. m. Con diversidad.

Diversidad. (Del lat. *diversĭtas, -ātis.*) f. Variedad, desemejanza, diferencia. || **2.** Abundancia, copia, concurso de varias cosas distintas.

Diversificación. f. Acción y efecto de diversificar.

Diversificar. (Del lat. *diversificāre;* de *diversus*, diverso, y *facĕre*, hacer.) tr. Hacer diversa una cosa de otra. Ú. t. c. r.

Diversiforme. (Del lat. *diversus*, diverso, y *forma*, figura.) adj. Que presenta diversidad de formas.

Diversión. (De *diverso.*) f. Acción y efecto de divertir o divertirse. || **2.** Recreo, pasatiempo, solaz. || **3.** *Mil.* Acción de divertir al enemigo.

Diversivo, va. (Del lat. *divĕrsus*, p. p. de *divertĕre*, divertir.) adj. *Med.* Aplícase al medicamento que se da para divertir o apartar los humores del paraje en que ofenden. Ú. t. c. s. m.

Diverso, sa. (Del lat. *divĕrsus.*) adj. De distinta naturaleza, especie, número, figura, etc. || **2. Desemejante.** || **3.** pl. Varios, muchos.

Diversorio. (Del lat. *diversorĭum.*) m. desus. Posada, mesón común o particular.

Divertículo. (Del lat. *diverticŭlum*, desviación de un camino.) m. *Anat.* Apéndice hueco y terminado en fondo de saco, que aparece en el trayecto del esófago o del intestino, por malformación congénita o por otros motivos patológicos.

Divertido, da. p. p. de **Divertir** o **divertirse.** || **2.** adj. Alegre, festivo y de buen humor. || **3.** Que divierte.

Divertimiento. (De *divertir.*) m. **Diversión,** 1.ª y 2.ª aceps. || **2.** Distracción momentánea de la atención.

Divertir. (Del lat. *divĕrtĕre*, llevar por varios lados.) tr. Apartar, desviar, alejar. Ú. t. c. r. || **2.** Entretener, recrear. Ú. t. c. r. || **3.** *Med.* Llamar hacia otra parte el humor. || **4.** *Mil.* Llamar la atención del enemigo a varias partes, para dividir y enflaquecer sus fuerzas. || **Andar** uno **divertido.** fr. Seguir alguna afición que le distrae de sus ocupaciones ordinarias. || **Andar,** o **estar,** uno **mal divertido.** fr. Vivir distraído entregado a los vicios.

Dividendo. (Del lat. *dividendus*, p. de fut. p. de *dividĕre*, dividir.) m. *Álg.* y *Arit.* Cantidad que ha de dividirse por otra. || **activo.** Cuota que, al distribuir ganancias una compañía mercantil, corresponde a cada acción. || **pasivo.** Cuota que, para allegar fondos, se toma del capital que cada acción representa.

Divididero, ra. adj. Dícese de lo que ha de dividirse.

Dividir. (Del lat. *dĭvidĕre.*) tr. Partir, separar en partes. || **2.** Distribuir, repartir entre varios. || **3.** fig. Desunir los ánimos y voluntades introduciendo discordia. || **4.** *Álg.* y *Arit.* Averiguar cuántas veces una cantidad, que se llama divisor, está contenida en otra, que se llama dividendo; o, lo que es equivalente, partir el último en tantas partes iguales entre sí como unidades tiene el primero. El dividendo y el divisor son los factores de la división, y su resultado es el cociente. || **5.** *Álg.* y *Arit.* Reemplazar en una proporción cada antecedente por la diferencia entre el mismo y su consecuente. || **6.** r. Separarse uno de la compañía, amistad o confianza de otro.

Dividivi. m. *Bot.* Árbol de la América Central y de Venezuela, de la familia de las papilionáceas, cuyo fruto, que contiene mucho tanino, se usa para curtir pieles. Su madera es muy pesada.

Dividuo, dua. (Del lat. *dividŭus.*) adj. *For.* **Divisible,** 1.ª acep.

Divieso. (Del lat. *divĕrsus*, separado, dicho del pus.) m. Tumor inflamatorio, pequeño, puntiagudo y doloroso, que se forma en el espesor de la dermis y termina por supuración seguida del desprendimiento de una pequeña masa blanda a manera de raíz, llamada vulgarmente clavo.

Divinación. (Del lat. *divinatĭo, -ōnis.*) f. ant. **Adivinación.**

Divinadero. (De *divinar.*) m. ant. **Adivinador.**

Divinador, ra. (Del lat. *divinātor.*) m. y f. ant. **Adivinador, ra.**

Divinal. (Del lat. *divinālis.*) adj. **Divino.** Ú. más en poesía.

Divinalmente. adv. m. ant. **Divinamente.**

Divinamente. adv. m. Con divinidad, por medios divinos. || **2.** fig. Admirablemente, con gran perfección y propiedad.

Divinanza. (Del lat. *divinantĭa.*) f. ant. **Adivinanza.**

Divinar. (Del lat. *divināre.*) tr. ant. **Adivinar.**

Divinativo, va. (De *divinar.*) adj. **Divinatorio.**

Divinatorio, ria. (De *divinar.*) adj. Perteneciente al arte de adivinar.

Divinidad. (Del lat. *divinĭtas, -ātis.*) f. Naturaleza divina y esencia del ser de Dios en cuanto Dios. || **2.** En el gentilismo, ser divino que los idólatras atribuían a sus falsos dioses. || **3.** fig. Persona o cosa dotada de gran beldad, hermosura, preciosidad. || **Decir,** o **hacer,** uno **divinidades.** fr. fig. y fam. Decir, o hacer, cosas con oportunidad y primor extraordinario.

Divinización. f. Acción y efecto de divinizar.

Divinizar. tr. Hacer o suponer divina a una persona o cosa, o tributarle culto y honores divinos. || **2.** fig. Santificar, hacer sagrada una cosa. || **3.** fig. Ensalzar desmedidamente.

Divino, na. (Del lat. *divīnus.*) adj. Perteneciente a Dios. || **2.** Perteneciente a los falsos dioses. || **3.** fig. Muy excelente, extraordinariamente primoroso. || **4.** V. **Derecho divino.** || **5.** V. **Letras divinas.** || **6.** V. **Su Divina Majestad.** || **7.** V. **El Divino Nazareno.** || **8.** V. **Palabra divina.** || **9.** fig. V. **Consistorio divino.** || **10.** fig. V. **Divino Cordero.** || **11.** *Farm.* V. **Piedra divina.** || **12.** m. y f. ant. **Adivino, na.**

Divisa. (De *divisar.*) f. Señal exterior para distinguir personas, grados u otras cosas. || **2.** Lazo de cintas de colores con que se distinguen en la lidia los toros de cada ganadero. || **3.** Moneda extranjera referida a la unidad del país de que se trata. || **4.** *Seg.* **Mojonera,** 2.ª acep. || **5.** *Blas.* Faja que tiene la tercera parte de su anchura normal. || **6.** *Blas.* Lema o mote que se expresa unas veces en términos sucintos, otras por algunas figuras, y otras por ambos modos.

Divisa. (Del lat. *divisa*, dividida.) f. *For.* Se llamaba así a la parte de herencia paterna transmitida a descendientes de grado ulterior.

Divisar. (Del lat. *divīsus*, p. p. de *dividĕre*, dividir, distinguir.) tr. Ver, percibir, aunque confusamente, un objeto. || **2.** *Blas.* Diferenciar, distinguir las armas de familia, añadiéndoles blasones o timbres.

Divisibilidad. f. Calidad de divisible. || **2.** *Fís.* Una de las propiedades generales de los cuerpos, en virtud de la cual pueden fraccionarse.

Divisible. (Del lat. *divisibĭlis.*) adj. Que puede dividirse. || **2.** *Álg.* y *Arit.* Aplícase a la cantidad entera que, dividida por otra entera, da por cociente una cantidad también entera.

División. (Del lat. *divisĭo, -ōnis.*) f. Acción y efecto de dividir, separar o repartir. || **2.** fig. Discordia, desunión de los ánimos y opiniones. || **3.** *Álg.* y *Arit.* Operación de dividir. || **4.** *Lóg.* Uno de los modos de conocer las cosas, y que sirve para dar clara idea de ellas. || **5.** *Mil.* Parte de un cuerpo de ejército, compuesta de brigadas de varias armas, con servicios auxiliares que la facultan para actuar independientemente o en operaciones de conjunto. || **6.** *Ortogr.* **Guión,** 10.ª acep. || **7.** *Ret.* Ordenada distribución de los varios puntos que puede abrazar la proposición del discurso oratorio. || **celular.** La que se verifica en la célula, en cuya virtud ésta queda dividida en dos corpúsculos o células hijas, casi siempre iguales entre sí. Es el modo de reproducción de las células. || **La división y la destrucción, de un parto son.** ref. que advierte los daños que ocasiona la discordia.

Divisional. adj. Perteneciente a la división.

Divisionario, ria. adj. **Divisional.** || **2.** V. **Moneda divisionaria.**

Divisivo, va. (Del lat. *divisīvus.*) adj. Dícese de lo que sirve para dividir.

Diviso, sa. (Del lat. *divīsus.*) p. p. irreg. p. us. de **Dividir.**

Divisor, ra. (Del lat. *divīsor.*) adj. *Álg.* y *Arit.* **Submultiplo.** Ú. t. c. s. || **2.** m. *Álg.* y *Arit.* Cantidad por la cual ha de dividirse otra. || **Común divisor.** *Arit.* Aquel por el cual dos o más cantidades son exactamente divisibles; v. gr.: *El número 3 es* COMÚN DIVISOR *de 9, de 15 y de 18.* || **Máximo común divisor.** *Arit.* El mayor de los comunes **divisores** de dos o más cantidades.

Divisorio, ria. (De *divisor.*) adj. Dícese de lo que sirve para dividir o separar. || **2.** *Geod.* y *Geogr.* Aplícase a la línea que puede considerarse en un terreno, desde la cual las aguas corrientes fluyen en direcciones opuestas. Ú. m. c. s. f. || **3.** *Geod.* y *Geogr.* Dícese de la línea que señala los límites entre partes, grandes o pequeñas, de la superficie del globo terrestre. Ú. t. c. s. f. || **4.** m. *Impr.* Tabla en que se colocaba el original, asegurado con el mordante, y que se afirmaba y fijaba en la caja para ir componiendo.

Divo, va. (Del lat. *divus.*) adj. poét. **Divino.** Aplícase a deidades gentílicas y a los emperadores romanos a quienes se condecían honores divinos después de su muerte. Luego se ha aplicado a otros personajes ilustres, siempre en lenguaje poético. DIVO *Luperco;* DIVO *Augusto; el joven de Austria* DIVO. || **2.** Cantante de ópera o de zarzuela, de sobresaliente mérito. Ú. t. c. s. m. y f. || **3.** m. poét. **Dios,** 2.ª acep.

Divorciar. (De *divorcio.*) tr. Separar el juez competente por su sentencia a dos casados, en cuanto a cohabitación y lecho. Ú. t. c. r. || **2.** Disolver el matrimonio la autoridad pública. Ú. t. c. r. || **3.** fig. Separar, apartar personas que vivían en estrecha relación, o cosas que estaban o debían estar juntas. Ú. t. c. r.

Divorcio. (Del lat. *divortĭum.*) m. Acción y efecto de divorciar o divorciarse.

Divulgable. adj. Que se puede divulgar.

Divulgación. (Del lat. *divulgatĭo, -ōnis.*) f. Acción y efecto de divulgar o divulgarse.

Divulgador, ra. (Del lat. *divulgātor.*) adj. Que divulga. Ú. t. c. s.

Divulgar. (Del lat. *divulgāre.*) tr. Publicar, extender, poner al alcance del público una cosa. Ú. t. c. r.

Dix. m. ant. **Dije,** 1.er art., 1.a y 2.a aceps.

Diyámbico, ca. adj. Perteneciente o relativo al diyambo.

Diyambo. (Del lat. *diiambus*, y éste del gr. διίαμβος; de δίς, dos, y ἴαμβος, yambo.) m. Pie de la poesía griega y latina, compuesto de dos yambos, o sea de cuatro sílabas: la primera y la tercera, breves, y las otras dos, largas.

Diz. Apócope de **dice,** o de **dícese.**

Dizque. (De *dice que.*) m. Dicho, murmuración, reparo. Ú. m. en pl.

Do. (Del ital. *do.*) m. *Mús.* Primera voz de la escala música, que el sistema moderno ha substituído al *ut.* || **de pecho.** Una de las notas más agudas a que alcanza la voz de tenor. || **2.** fig. y fam. El mayor esfuerzo, tesón o arrogancia que se puede poner para realizar un fin.

Do. (Contracc. de la prep. *de* y el adv. *o.*) adv. l. **Donde.** Hoy generalmente no se usa más que en poesía. Antes usábase también interrogativamente con pronombres enclíticos de tercera persona, en frases elípticas como *¿dolos?*, por ¿dónde están ellos? || **2.** ant. De donde. *La clara y generosa estirpe* DO *desciende.*

Dobla. (Del lat. *dŭpla*, t. f. de *-us*, doble.) f. Moneda castellana de oro, acuñada en la Edad Media, de ley, peso y valor variables, que, como término medio, pueden valuarse en 980 milésimas la primera, 450 centigramos el segundo y 10 pesetas el tercero. || **2.** fam. Acción de doblar. Ú. solamente en la frase **jugar a la dobla,** que significa jugar doblando sucesivamente la puesta. || **3.** En los campos de regadío de Tudela, la pena que, según las antiguas ordenanzas, se imponía a los morosos en la limpia de las acequias, y que consistía en el doble de los gastos de la referida limpia. || **4.** *Chile. Min.* Beneficio que el dueño de una mina concede a alguno para que saque durante un día todo el mineral que pueda. || **de la Banda.** Moneda de oro acuñada en tiempo de Juan II y Enrique IV, con el escudo de la Orden de la Banda en el anverso.

Doblada. f. *Mur.* Pez semejante a la dorada, herbívoro, que abunda en las escolleras de los puertos y al pie de los acantilados. || **2.** pl. *Cuba.* Toque de ánimas.

Dobladamente. adv. m. **Al doble.** || **2.** fig. Con doblez, malicia y engaño.

Dobladilla. (d. de *doblada.*) f. Juego antiguo de naipes que principalmente consistía en ir doblando la parada a cada suerte. || **A la dobladilla.** m. adv. Al doble o repetidamente, haciendo alusión al juego de este nombre.

Dobladillar. tr. Hacer dobladillos en la ropa.

Dobladillo. (d. de *doblado.*) m. Pliegue que como remate se hace a la ropa en los bordes, doblándola un poco hacia adentro dos veces para coserla. || **2.** Hilo fuerte de que ordinariamente se usa para hacer calcetas.

Doblado, da. p. p. de **Doblar.** || **2.** adj. De pequeña o mediana estatura y recio y fuerte de miembros. || **3.** Aplicado a terreno, tierra, etc., desigual o quebrado. || **4.** V. **Cámara doblada.** || **5.** fig. Que demuestra cosa distinta o contraria de lo que siente y piensa. || **6.** ant. **Gemelo,** 1.a acep. || **7.** m. Medida de la marca del paño; y así se cuenta por **doblados.** || **8.** Accidente que acomete a los limpiadores de letrinas, cuando el tufo que se levanta de éstas los deja sin sentido. || **9.** *And.* **Desván.**

Doblador. m. El que dobla. || **2.** *Guat.* Chala, espata del maíz.

Dobladura. (De *doblar.*) f. Parte por donde se ha doblado o plegado una cosa. || **2.** Señal que queda por donde se dobló. || **3.** Caballo menos principal de los dos que debía llevar todo hombre de armas a la guerra, el cual servía a falta o por cansancio del otro. || **4.** Cierto guisado de carnero, ya en desuso. || **5.** ant. Duplicación de una cosa. || **6.** desus. fig. **Doblez,** 3.a acep.

Doblamiento. m. Acción y efecto de doblar o doblarse.

Doblar. (Del lat. *duplāre*, de *duplus*, doble.) tr. Aumentar una cosa, haciéndola otro tanto más de lo que era. || **2. Endoblar.** || **3.** Aplicar una sobre otra dos partes de una cosa flexible. || **4.** Volver una cosa sobre otra. Ú. t. c. intr. y c. r. || **5.** Torcer una cosa encorvándola. Ú. t. c. r. || **6.** En el juego de trucos y billar, hacer que la bola herida por otra se traslade al extremo contrario de donde se hallaba. || **7.** fig. Inclinar, inducir a uno a que piense o haga lo contrario a su primer intento u opinión. || **8.** Entre los regantes de las faldas del Moncayo, regar dos veces una tierra o campo en el período de un dula. || **9.** En términos de bolsa, prorrogar una operación a plazo. || **10.** Tratándose de un cabo, promontorio, punta, etc., pasar la embarcación por delante y ponerse al otro lado. || **11.** Pasar a otro lado de una esquina, cerro, etc., cambiando de dirección en el camino. DOBLAR *la esquina, la calle.* Ú. t. c. intr. DOBLARON *a la otra calle;* DOBLÉ *a la derecha.* || **12.** En el cine sonoro, substituir las palabras del actor que aparece en la pantalla, por las de otra persona que no se ve y que, acompasando su dicción a los gestos de dicho actor, habla en la misma lengua que éste o en otra diferente. || **13.** *Taurom.* Caer el toro agonizante al final de la lidia. || **14.** intr. Tocar a muerto. || **15. Binar,** 3.a acep. || **16.** Hacer un actor dos papeles en una misma obra. || **17.** r. fig. Ceder a la persuación, a la fuerza o al interés. Ú. t. c. intr. || **18.** Hacerse el terreno más desigual y quebrado. || **19.** *Germ.* Entregarse uno a la justicia debajo de amistad. || **Antes doblar que quebrar.** expr. que advierte que es más ventajoso ser blando y ceder algo de su derecho, que ser inflexible y duro, dando ocasión a perder la amistad. || **Doblar por él,** especialmente en la fr. **Bien pueden doblar por él.** loc. con que se amenaza de muerte o se desconfía de la vida de uno.

Doble. (Del lat. *dŭple*, adv. de *dŭplus.*) adj. **Duplo.** Ú. t. c. s. m. || **2.** Dícese de la cosa que va acompañada de otra semejante y que juntas sirven para el mismo fin. DOBLE *vidriera;* DOBLE *fila de dientes.* || **3.** En los tejidos y otras cosas, de más cuerpo que lo sencillo. || **4.** En las flores, de más hojas que las sencillas. *Clavel* DOBLE. || **5.** En el juego del dominó, dícese de la ficha que en los cuadrados de su anverso lleva igual número de puntos o no lleva ninguno, quedando en blanco. *El seis* DOBLE; *el blanco* DOBLE. || **6.** V. **Águila, cerveza, cuartana, escalera, espía, fiesta, letra, llave, partida, real, de plata, rito, trato doble.** || **7.** V. **Doble vista.** || **8.** Fornido y rehecho de miembros. || **9.** fig. Simulado, artificioso, nada sincero. Ú. t. c. s. || **10.** *Bot.* V. **Doble albura.** || **11.** *Dióptr.* V. **Doble refracción.** || **12.** *Geom.* V. **Línea de doble curvatura.** || **13.** *Mús.* V. **Doble bemol, sostenido.** || **14.** *Mús.* V. **Paso doble.** || **15.** m. **Doblez,** 1.a y 2.a aceps. || **16.** Toque de campanas por los difuntos. || **17.** Mudanza en la danza española, que constaba de tres pasos graves y un quiebro. Llamábase así porque se hacía dos, cuatro y seis veces continuadas. || **18.** Operación de Bolsa que consiste en comprar o vender al contado un valor, y revenderlo o volverlo a comprar al fin de mes siguiente mediante una diferencia por interés. || **19.** Diferencia que se cobra o paga, según su caso, en la operación bursátil de este nombre. || **20.** *Albañ.* La segunda carrera de tejas que se echa al hacer un alero corrido con tejas cuadradas. || **21.** *Com.* En términos de bolsa, la suma que se paga por la prórroga de una operación a plazo, y también la operación misma. || **22.** *Germ.* El condenado a muerte por justicia. || **23.** *Germ.* El que ayuda a engañar a uno. || **24.** adv. m. **Doblemente.** || **25.** pl. *Rioja.* Callos que se comen guisados. || **pequeña.** *Ferr.* **Doble pequeña velocidad.** || **Al doble.** m. adv. En cantidad dupla. || **Echar uno la doble.** fr. fig. Asegurar un negocio o tratado para que se observe y no se pueda quebrantar fácilmente. || **Estar a tres dobles y un repique.** *Chile, Perú* y *P. Rico.* fr. fig. y fam. No tener un cuarto, estar muy pobre.

Doblegable. (De *doblegar.*) adj. Fácil de torcer, doblar o manejar.

Doblegadizo, za. adj. Que fácilmente se doblega.

Doblegadura. (De *doblegar.*) f. ant. **Dobladura,** 1.a acep.

Doblegamiento. m. ant. Acción y efecto de doblegar o doblegarse, 1.a acep.

Doblegar. (Del lat. *dŭplicāre*, doblar.) tr. Doblar o torcer encorvando. Ú. t. c. r. || **2. Blandear,** 2.° art. Ú. t. c. r. || **3.** fig. Hacer a uno que desista de un propósito y se preste a otro. Ú. t. c. r.

Doblemente. adv. m. Con duplicación. || **2.** Con doblez y malicia.

Doblería. f. ant. Calidad de doble en algunas cosas; como las horas canónicas, o las distribuciones que se dan por ellas. || **2.** ant. Derecho que en algunas partes había para que el de más autoridad llevase doble emolumento que los demás.

Doblero. (De *doble.*) m. *Ar.* Panecillo pequeño en figura de rosca. || **2.** *Ar. Cuen., Gran., Guad.* y *Val.* Pieza de madera de hilo, que según sus calificativos tiene varias dimensiones. || **3.** *Numism.* Moneda mallorquina del siglo XVIII, cuyo valor era poco menos de cuatro maravedís castellanos. || **de a catorce. Madero de a diez.** || **de a dieciocho. Madero de a seis.** || **de a dieciséis. Madero de a ocho.** || **Medio doblero. Medio madero.**

Doblescudo. (De *doble* y *escudo*, por la forma del fruto.) m. Hierba áspera y vellosa, de la familia de las crucíferas, con tallos de dos a cuatro decímetros de altura, las hojas radicales estrechas y dentadas, y lanceoladas las superiores; flores amarillas en racimo apretado, y por frutos vainillas redondas, aplastadas, unidas de dos en dos a manera de anteojos y con una semilla cada una.

Doblete. adj. Entre doble y sencillo. *Tafetán* DOBLETE. || **2.** m. Piedra falsa que ordinariamente se hace con dos pedazos de cristal delgados, y remeda al diamante, y también, con ciertas tintas, a la esmeralda, al rubí y a otras. || **3.** Suerte del juego de billar, que consiste en hacer que la bola sobre que se juega, después de tocar en una sola banda, vaya al lado opuesto de aquel en que se hallaba. || **4.** *Filol.* Cada una de dos palabras con un mismo origen etimológico; como *colocar* y *colgar*, del lat. *collocare.*

Doblez. m. Parte que se dobla o pliega en una cosa. || **2.** Señal que queda en la parte por donde se dobló. || **3.** amb. fig. Astucia con que uno obra, dando a entender lo contrario de lo que siente.

Doblilla. (d. de *dobla.*) f. Moneda de oro que valía 20 reales, ó 21 y cuartillo, según la fecha de su acuñación.

Doblo. (Del lat. *dŭplus*, doble.) m. ant. **Duplo.** Tiene uso aún en el foro.

Doblón. (aum. de *dobla.*) m. Moneda antigua de oro, con diferente valor, según las épocas, hasta que a mediados del siglo XVII vino a fijarse en cuatro duros. El vulgo llamó así, desde el tiempo de los Reyes Católicos, al excelente mayor, que tenía el peso de dos castellanos o doblas. ‖ **2.** Moneda de oro de Chile, equivalente a 20 pesetas. ‖ **calesero.** fam. **Doblón sencillo.** ‖ **de a ciento.** Moneda antigua de oro, del peso de 50 **doblones,** que valía 100 doblas de oro. ‖ **de a cuatro.** Moneda antigua de oro, que valía cuatro doblas de oro. ‖ **de a ocho.** Moneda antigua de oro, que valía ocho escudos o una onza de oro. ‖ **de oro. Doblón,** 1.ª acep. ‖ **de vaca.** Callos de vaca. ‖ **sencillo.** Moneda imaginaria, de valor de 60 reales. ‖ **Escupir** uno **doblones.** fr. fig. y fam. Hacer ostentación y jactarse de rico, poderoso y hacendado.

Doblonada. (De *doblón.*) f. **Dinerada,** 1.ª acep. ‖ **Echar** uno **doblonadas.** fr. fig. y fam. Ponderar y exagerar sus rentas.

Doblura. f. ant. **Doblez,** 3.ª acep.

Doca. (Voz araucana.) f. *Bot.* Planta rastrera de Chile, de la familia de las aizoáceas, hojas carnosas, triangulares, prismáticas, opuestas; flores grandes rosadas; fruto comestible, un tanto purgante; crece en arenales y peñascos cerca del mar.

Doce. (Del lat. *duodĕcim.*) adj. Diez y dos. ‖ **2. Duodécimo,** 1.ª acep. *Carlos* DOCE; *número* DOCE; *año* DOCE. Apl. a los días del mes, ú. t. c. s. *El* DOCE *de septiembre.* ‖ **3.** m. Conjunto de signos con que se representa el número **doce.**

Doceañista. (De *doce* y *año.*) adj. Partidario de la Constitución española de 1812. Ú. t. c. s. ‖ **2.** Dícese especialmente de los que contribuyeron a formarla. Ú. t. c. s.

Docemesino. adj. Aplícase al año de doce meses a diferencia del de otros cómputos.

Docén. adj. *Zar.* Dícese del madero de 12 medias varas. Ú. m. c. s. ‖ **escuadrado.** *Zar.* Madero labrado con hacha, que tiene el mismo largo que el **docén,** con 20 dedos de tabla y canto. ‖ **recio.** *Zar.* Cada una de las piezas de madero en rollo y enterizo, procedentes de los pinares del Pirineo navarroaragonés, que tienen seis varas de largo y nueve dedos de diámetro.

Docena. f. Conjunto de 12 cosas. ‖ **2.** Peso de 12 libras, que se usó en Navarra. ‖ **alfarjía.** En los pinares madereros de la sierra de Guadarrama, la unidad de medida equivalente al número de piezas cuya longitud en conjunto llega a 108 pies. ‖ **tablera.** En los pinares del Guadarrama, la unidad que forman varias tablas, cuya longitud en conjunto alcanza a 84 pies. ‖ **La docena del fraile.** loc. proverb. Conjunto de 13 cosas. ‖ **Meterse** uno **en docena.** fr. fig. y fam. Entremeterse en la conversación, siendo desigual a las personas que hablan. ‖ **No entrar** uno **en docena** con otros. fr. fig. y fam. No ser igual o parecido a ellos.

Docenal. adj. Que se vende por docenas.

Docenario, ria. (De *docena.*) adj. Que consta de 12 unidades o elementos constitutivos.

Doceno, na. (De *doce.*) adj. **Duodécimo,** 1.ª acep. ‖ **2.** Aplícase al paño o a otro tejido de lana, cuya urdimbre consta de 12 centenares de hilos. Ú. t. c. s. m. para designar este género de paño.

Docente. (Del lat. *docens, -entis,* p. a. de *docēre,* enseñar.) adj. Que enseña, 1.ª acep. ‖ **2.** Perteneciente o relativo a la enseñanza.

Doceñal. adj. ant. De doce años.

Doceta. adj. Que profesa el docetismo. Ú. t. c. s.

Docético. adj. Perteneciente al docetismo.

Docetismo. (Del gr. δόκησις, apariencia.) m. Herejía de los primeros siglos cristianos, común a ciertos gnósticos y maniqueos, según la cual el cuerpo humano de Cristo no era real, sino aparente e ilusivo.

Docible. (Del lat. *docibĭlis.*) adj. **Dócil.**

Docientos, tas. (Del lat. *dūcēnti,* doscientos.) adj. pl. desus. **Doscientos.**

Dócil. (Del lat. *docĭlis.*) adj. Suave, apacible, que recibe fácilmente la enseñanza. ‖ **2. Obediente.** ‖ **3.** Dícese del metal, piedra u otra cosa que se deja labrar con facilidad.

Docilidad. (Del lat. *docilĭtas, -ātis.*) f. Calidad de dócil.

Docilitar. tr. Reducir a uno a la docilidad, o hacer tratable o flexible alguna cosa.

Dócilmente. adv. m. Con docilidad.

Docimasia. (Del gr. δοκιμασία, de δοκιμάζω, probar, ensayar.) f. Arte de ensayar los minerales para determinar los metales que contienen y en qué proporción. ‖ **2.** *Med.* Serie de pruebas a que se somete el pulmón del feto muerto para saber si ha respirado antes de morir.

Docimástica. (Del gr. δοκιμαστική, t. f. de -κός, docimástico.) f. **Docimasia.**

Docimástico, ca. (Del gr. δοκιμαστικός, de δοκιμάζω, ensayar.) adj. Perteneciente o relativo a la docimasia.

Doctamente. adv. m. Con erudición y doctrina.

Doctitud. f. desus. Calidad de docto.

Docto, ta. (Del lat. *doctus,* p. p. de *docēre,* enseñar.) adj. Que a fuerza de estudios ha adquirido más conocimientos que los comunes u ordinarios. Ú. t. c. s.

Doctor, ra. (Del lat. *doctor.*) m. y f. Persona que ha recibido el último y preeminente grado académico que confiere una universidad u otro establecimiento autorizado para ello. ‖ **2.** Persona que enseña una ciencia o arte. ‖ **3.** Título que da la Iglesia con particularidad a algunos santos que con mayor profundidad de doctrina defendieron la religión o enseñaron lo perteneciente a ella. ‖ **4. Médico,** 1.er art., 4.ª acep. ‖ **5.** f. fam. Mujer del **doctor.** ‖ **6.** fam. Mujer del médico. ‖ **7.** fig. y fam. La que blasona de sabia y entendida. ‖ **graduado.** El que ha recibido el grado académico de **doctor,** pero que no ha pagado y sacado el título correspondiente. ‖ **honoris causa.** Título honorífico que conceden las universidades a una persona eminente. ‖ **titulado.** El que ha pagado y obtenido el título de **doctor.**

Doctorado, da. p. p. de **Doctorar.** ‖ **2.** m. Grado de doctor. ‖ **3.** Estudios necesarios para obtener este grado. ‖ **4.** fig. Conocimiento acabado y pleno en alguna materia.

Doctoral. adj. Perteneciente o relativo al doctor o al doctorado. ‖ **2.** V. **Canónigo doctoral.** Ú. t. c. s. ‖ **3.** V. **Canonjía doctoral.** Ú. t. c. s.

Doctoramiento. m. Acción y efecto de doctorar o doctorarse.

Doctorando, da. m. y f. Persona que está próxima a recibir la borla y grado de doctor.

Doctorar. tr. Graduar de doctor a uno en una universidad. Ú. t. c. r.

Doctrina. (Del lat. *doctrīna.*) f. Enseñanza que se da para instrucción de alguno. ‖ **2.** Ciencia o sabiduría. ‖ **3.** Opinión de uno o varios autores en cualquiera materia. ‖ **4.** Plática que se hace al pueblo, explicándole la **doctrina** cristiana. ‖ **5.** Concurso de gente que con los predicadores sale en procesión por las calles hasta el paraje en que se ha de hacer la plática. *Por esta calle pasa la* DOCTRINA. ‖ **6.** En América, curato colativo servido por regulares. ‖ **7.** En América, pueblo de indios recién convertidos, cuando todavía no se había establecido en él parroquialidad o curato. ‖ **común.** Opinión que comúnmente profesan los más de los autores que han escrito sobre una misma materia. ‖ **cristiana.** La que debe saber el cristiano por razón de su profesión. ‖ **2.** Congregación religiosa fundada en Francia en el siglo XVII por San Juan Bautista de la Salle. ‖ **legal. Jurisprudencia,** 2.ª acep. ‖ **Gaya doctrina. Gaya ciencia.** ‖ **Beber** uno **la doctrina** a otro. fr. fig. Aprender su **doctrina** con tal perfección y seguir con tal propiedad sus costumbres y estilo, que los dos parezcan uno mismo. ‖ **Derramar** uno **doctrina.** fr. fig. Enseñarla, extenderla, predicarla a muchas gentes y en diversas partes.

Doctrinable. adj. Capaz de ser doctrinado.

Doctrinador, ra. adj. Que doctrina y enseña. Ú. t. c. s.

Doctrinal. (Del lat. *doctrinālis.*) adj. Perteneciente a la doctrina. ‖ **2.** *For.* V. **Interpretación doctrinal.** ‖ **3.** m. Libro que contiene reglas y preceptos.

Doctrinante. p. a. de **Doctrinar.** Que doctrina.

Doctrinanza. (De *doctrinar.*) f. ant. Literatura o ciencia.

Doctrinar. (De *doctrina.*) tr. Enseñar, dar instrucción.

Doctrinario, ria. adj. Dícese del que, siguiendo la doctrina de los filósofos eclécticos y de los publicistas franceses de principios del siglo XIX, hace radicar en la inteligencia humana el principio de la soberanía, y aplica fórmulas abstractas y a priori a la gobernación de los pueblos. Ú. t. c. s. ‖ **2.** Consagrado o relativo a una doctrina determinada, especialmente la de un partido político o una institución. *Luchas* DOCTRINARIAS. ‖ **3.** Dícese del sistema político, y también de sus adeptos, ecléctico o transaccional en cuanto a la soberanía mediante pacto entre la del pueblo y la del rey.

Doctrinarismo. m. Cualidad de doctrinario. ‖ **2.** Sistema de los doctrinarios.

Doctrinero. m. El que explica la doctrina cristiana. Llámase así comúnmente el que va con los misioneros para hacer las doctrinas. ‖ **2.** Párroco regular que en América tenía a su cargo un curato o doctrina de indios.

Doctrino. (De *doctrina.*) m. Niño huérfano que se recoge en un colegio con el fin de criarlo y educarlo hasta que esté en edad de aprender un oficio. ‖ **Parecer** uno **un doctrino.** fr. fig. y fam. Tener aspecto y modales tímidos y apocados.

Documentación. f. Acción y efecto de documentar. ‖ **2.** Conjunto de documentos que sirven para este fin.

Documentado, da. p. p. de **Documentar.** ‖ **2.** adj. Dícese del memorial, pedimento, etc., acompañado de los documentos necesarios. ‖ **3.** Dícese de la persona que posee noticias o pruebas acerca de un asunto.

Documental. adj. Que se funda en documentos, o se refiere a ellos. ‖ **2.** Dícese de las películas cinematográficas que representan, con propósito meramente informativo, hechos, escenas, experimentos, etc., tomados de la realidad.

Documentalmente. adv. m. Con documentos.

Documentar. tr. Probar, justificar la verdad de una cosa con documentos. ‖ **2.** Instruir o informar a uno acerca de las noticias y pruebas que atañen a un asunto. Ú. t. c. r.

Documento. (Del lat. *documentum.*) m. desus. Instrucción que se da a uno en cualquiera materia, y particularmente aviso y consejo para apartarle de obrar mal. || **2.** Diploma, carta, relación u otro escrito que ilustra acerca de algún hecho, principalmente de los históricos. || **3.** fig. Cualquier otra cosa que sirve para ilustrar o comprobar algo. || **privado.** *For.* El que autorizado por las partes interesadas, pero no por funcionario competente, prueba contra quien lo escribe o sus herederos. || **público.** *For.* El que autorizado por funcionario para ello competente, acredita los hechos que refiere y su fecha.

Dodecaedro. (Del gr. δωδεκάεδρος; de δώδεκα, doce, y ἕδρα, cara.) m. *Geom.* Sólido de 12 caras. || **regular.** *Geom.* Aquel cuyas caras son pentágonos regulares.

Dodecágono, na. (Del gr. δωδεκάγωνος; de δώδεκα, doce, y γωνία, ángulo.) adj. *Geom.* Aplícase al polígono de 12 ángulos y 12 lados. Ú. t. c. s. m.

Dodecasílabo, ba. (Del gr. δώδεκα, doce, y συλλαβή, sílaba.) adj. De 12 sílabas. || **2.** Verso **dodecasílabo.**

Dodrante. (Del lat. *dodrans, -antis.*) m. Conjunto de nueve partes u onzas de las 12 de que constaba el as romano. || **2.** Conjunto de tres cuartas partes de las 12 de que constaba toda herencia entre los romanos.

Doga. (Del lat. *doga,* y éste del gr. δοχή, recipiente.) f. *Mancha.* **Duela,** 1.ª acep.

Dogal. (Del lat. *iugāle,* lo que sujeta el cuello a manera de yugo.) m. Cuerda o soga de la cual con un nudo se forma un lazo para atar las caballerías por el cuello. || **2.** Cuerda para ahorcar a un reo o para algún otro suplicio. || **3.** Lazada escurridiza con que se comienza la atadura de dos maderos. || **Estar** uno **con el dogal a la garganta,** o **al cuello.** fr. fig. Hallarse en un grande apuro, sin saber cómo salir de él.

Dogaresa. (Voz italiana.) f. Mujer del dux.

Dogma. (Del lat. *dogma,* y éste del gr. δόγμα.) m. Proposición que se asienta por firme y cierta y como principio innegable de una ciencia. || **2.** Verdad revelada por Dios, y declarada y propuesta por la Iglesia para nuestra creencia. || **3.** Fundamento o puntos capitales de todo sistema, ciencia, doctrina o religión.

Dogmáticamente. adv. m. Conforme al dogma o a los dogmas. || **2.** Afectando magisterio, atribuyendo a lo que se dice la calidad de principio innegable.

Dogmático, ca. (Del lat. *dogmatĭcus,* y éste del gr. δογματικός.) adj. Perteneciente a los dogmas de la religión. || **2.** Dícese del autor que trata de los dogmas. || **3.** Aplícase al filósofo que profesa el dogmatismo. Ú. t. c. s. || **4.** V. **Teología dogmática.** || **5.** *For.* Dícese, en contraposición al exegético, del método expositivo que en las obras jurídicas se atiene a principios doctrinales y no al orden y estructura de los códigos.

Dogmatismo. (Del lat. *dogmatismus.*) m. Conjunto de todo lo que es dogmático en religión. || **2.** Conjunto de las proposiciones que se tienen por principios innegables en una ciencia. || **3.** Presunción de los que quieren que su doctrina o sus aseveraciones sean tenidas por verdades inconcusas. || **4.** Escuela filosófica opuesta al escepticismo, la cual, considerando a la razón humana capaz del conocimiento de la verdad, siempre que se sujete a método y orden en la investigación, afirma principios que estima como evidentes y ciertos.

Dogmatista. (Del lat. *dogmatistes,* y éste del gr. δογματιστής.) m. El que sustenta o introduce nuevas opiniones, enseñándolas como dogmas, contra la verdad de la religión católica.

Dogmatizador. (De *dogmatizar.*) m. **Dogmatizante.**

Dogmatizante. p. a. de **Dogmatizar.** Que dogmatiza. Ú. t. c. s.

Dogmatizar. (Del lat. *dogmatizāre,* y éste del gr. δογματίζω.) tr. Enseñar los dogmas, dicho más comúnmente de los falsos y opuestos a la religión católica. || **2.** Afirmar con presunción, como innegables, principios sujetos a examen y contradicción.

Dogo, ga. (Del ingl. *dog,* perro.) adj. **Perro dogo.** Ú. t. c. s.

Dogre. (Del neerl. *dogger,* especie de navío.) m. Embarcación parecida al queche y destinada a la pesca en el mar del Norte.

Doladera. (De *dolar.*) adj. Aplícase a la segur que usan los toneleros. Ú. t. c. s.

Dolado, da. p. p. de **Dolar.** || **2.** adj. fig. desus. Acabado, perfecto.

Dolador. (Del lat. *dolātor.*) m. El que aplana o cepilla alguna tabla o piedra.

Doladura. (De *dolar.*) f. Ripio o astilla que se saca con la doladera o el dolobre.

Dolaje. (De *duela.*) m. Vino absorbido por la madera de las cubas en que se guarda.

Dolama. f. **Dolame.** || **2.** Alifafe, achaque que aqueja a una persona.

Dolame. (Del lat. **dolamen,* dolencia, de *dolēre,* doler.) m. Aje o enfermedad oculta que suelen tener las caballerías.

Dolar. (Del lat. *dolāre.*) tr. Desbastar, labrar madera o piedra con la doladera o el dolobre.

Dólar. (Del ingl. *dollar,* y éste del al. *thaler.*) m. Moneda de plata de los Estados Unidos, Canadá y Liberia, que vale a la par cinco pesetas y 42 céntimos.

Dolencia. (Del lat. *dolentia.*) f. Indisposición, achaque, enfermedad. || **2.** ant. Infamia o deshonra. || **Dolencia larga y muerte encima,** o **muerte al cabo.** ref. que explica que cuando un mal se prolonga suele tener funesto desenlace.

Dolencia. f. ant. **Dolo.** || **Poner dolencia en** una cosa. fr. ant. **Poner dolo en** ella.

Doler. (Del lat. *dolēre.*) intr. Padecer una parte del cuerpo, mediante causa interior o exterior. DOLER *la cabeza, los ojos, las manos.* || **2.** Causar repugnancia o sentimiento el hacer una cosa o pasar por ella. || **3.** r. Arrepentirse de haber hecho una cosa y tomar pesar de ello. || **4.** Pesarle a uno de no poder hacer lo que quisiera, o de un defecto natural, aunque no sea por culpa suya ni esté en su mano remediarlo. || **5.** Compadecerse del mal que otro padece. || **6.** Quejarse y explicar el dolor. || **Ahí duele,** o **le duele.** fr. fig. y fam. usada para indicar que se ha acertado con el motivo de disgusto o preocupación de una persona, o con el quid del asunto. || **A quien le duele, le duele.** expr. fig. y fam. para denotar que por mucha parte que uno tome en los males o cuidados de otro, nunca es tanta como la de aquel que los tiene o padece.

Dolicocefalia. f. Cualidad de dolicocéfalo.

Dolicocéfalo, la. (Del gr. δολιχός, largo, y κεφαλή, cabeza.) adj. Dícese de la persona cuyo cráneo es de figura muy oval, porque su diámetro mayor excede en más de un cuarto al menor.

Dolido, da. p. p. de **Doler.** || **2.** m. ant. Dolor, lástima, compasión.

Doliente. (Del lat. *dolens, -entis.*) p. a. de **Doler.** Que duele o se duele. || **2.** adj. **Enfermo,** 1.ª acep. Ú. t. c. s. || **3. Dolorido,** 2.ª acep. || **4.** ant. fig. Aplicábase al tiempo, estación o lugar en que se padecen enfermedades. || **5.** m. **Dolorido,** 4.ª acep.

Doliosamente. adv. m. ant. **Dolorosamente.**

Dolioso, sa. (De *doler.*) adj. ant. **Dolorido,** 1.ª acep.

Dolmen. (Del gaél. *tolmen;* de *tol,* tablero, y *men,* piedra.) m. Monumento megalítico en forma de mesa, compuesto de una o más lajas colocadas de plano sobre dos o más piedras verticales.

Dolménico, ca. adj. Perteneciente o relativo a los dólmenes.

Dolo. (Del lat. *dolus.*) m. Engaño, fraude, simulación. || **2.** *For.* En los delitos, voluntad intencional, propósito de cometerlos; en los contratos o actos jurídicos, engaño que influye sobre la voluntad de otro para la celebración de aquéllos, y también la infracción maliciosa en el cumplimiento de las obligaciones contraídas. || **bueno.** *For.* Aquella sagaz precaución con que cada uno debe defender su derecho. || **malo.** *For.* El que se dirige contra el justo derecho de un tercero. || **Poner dolo en** una cosa. fr. Interpretar maliciosamente una acción.

Dolobre. (Del lat. *dolabra.*) m. Pico para labrar piedras.

Dolomía. (De *Dolomieu,* naturalista francés.) f. Roca semejante a la caliza y formada por el carbonato doble de cal y magnesia; es más común que la verdadera caliza.

Dolomita. f. **Dolomía.**

Dolomítico, ca. (De *dolomía.*) adj. *Geol.* Semejante a la dolomía, o que contiene esta substancia. *Roca, formación* DOLOMÍTICA.

Dólope. (Del lat. *dolops, -ŏpis.*) adj. Dícese del individuo de un pueblo antiguo de Tesalia. Ú. m. c. s. y en pl.

Dolor. (Del lat. *dolor.*) m. Sensación molesta y aflictiva de una parte del cuerpo por causa interior o exterior. || **2.** Sentimiento, pena y congoja que se padece en el ánimo. || **3.** Pesar y arrepentimiento de haber hecho u omitido una cosa. || **de corazón.** fig. Sentimiento, pena, aflicción de haber ofendido a Dios. || **de costado.** Enfermedad aguda, que causa **dolor** vehemente en alguno de los costados, acompañado de calentura. || **de viuda,** o **de viudo.** fig. y fam. El muy fuerte y pasajero, como el que producen los golpes recibidos en ciertas partes del cuerpo poco defendidas por los músculos. || **latente. Dolor sordo.** || **nefrítico.** El causado por la piedra o arenas en los riñones. || **sordo.** El que no es agudo, pero molesta sin interrupción. || **Dolor de mujer muerta dura hasta la puerta.** ref. que explica lo poco que algunos siente el enviudar. || **Dolor de viudo, corto y agudo.** ref. con que se denota que, aunque muy profundo, suele ser de escasa duración el pesar que causa la viudez. || **Estar** una mujer **con dolores.** fr. fig. Estar con los del parto.

Dolora. (Nombre inventado por el poeta Campoamor, hacia 1846.) f. Breve composición poética de espíritu dramático, que envuelve un pensamiento filosófico sugerido generalmente por los contrastes de la vida o las ironías del destino, etc.

Dolorido, da. (De *dolor.*) adj. Que padece o siente dolor. || **2.** Apenado, afligido, desconsolado, lleno de dolor y de angustia. || **3.** ant. **Doloroso.** || **4.** m. desus. Pariente del difunto, que preside el duelo en el entierro o recibe los pésames en la casa mortuoria.

Dolorío. m. ant. **Dolor.**

Dolorioso, sa. adj. ant. **Doloroso.**

Dolorosa. (De *doloroso.*) f. Imagen de María Santísima en la acción de dolerse por la muerte de Cristo.

Dolorosamente. adv. m. Con dolor. || **2.** Lamentablemente, lastimosamente.

Doloroso, sa. (Del lat. *dolorōsus.*) adj. Lamentable, lastimoso y que mueve a compasión. || **2.** Dícese de lo que causa dolor.

Dolosamente. adv. m. Con dolo.

Doloso, sa. (Del lat. *dolōsus.*) adj. Engañoso, fraudulento.

Dolzor. m. ant. **Dulzor.**

Dóllimo. (Voz araucana.) m. Molusco pequeño de agua dulce, de concha bivalva, que se cría en Chile.

Dom. (Del lat. *domĭnus.*) m. Título honorífico que se da a algunos religiosos cartujos, benedictinos y salesianos. Se usa antepuesto al apellido.

Doma. (De *domar.*) f. Domadura de potros u otras bestias. || **2.** fig. Represión de las pasiones e inclinaciones viciosas.

Domable. (Del lat. *domabĭlis.*) adj. Que puede domarse. Dícese, por lo común, de los aninales.

Domador, ra. (Del lat. *domātor.*) m. y f. Que doma. || **2.** Que exhibe y maneja fieras domadas.

Domadura. f. Acción y efecto de domar.

Domanio. (Del b. lat. *domanium,* y éste del lat. *domĭnium,* dominio, propiedad.) m. ant. Patrimonio privado y particular de un príncipe.

Domar. (Del lat. *domāre.*) tr. Sujetar, amansar y hacer dócil al animal a fuerza de ejercicio y enseñanza. || **2.** fig. Sujetar, reprimir.

Dombenitense. adj. Natural de Don Benito. Ú. t. c. s. || **2.** Perteneciente o relativo a esta población extremeña.

Dombo. m. *Arq.* **Domo.**

Domeñable. adj. Que puede domeñarse.

Domeñar. (Del lat. **dominiāre,* de *dominium,* en vez de *domināre,* dominar.) tr. Someter, sujetar y rendir.

Domesticable. adj. Que puede domesticarse.

Domesticación. f. Acción y efecto de domesticar.

Domesticado, da. p. p. de **Domesticar.** || **2.** adj. *For.* V. **Animal domesticado.**

Domésticamente. adv. m. Caseramente, familiarmente.

Domesticar. (De *doméstico.*) tr. Reducir, acostumbrar a la vista y compañía del hombre al animal fiero y salvaje. || **2.** fig. Hacer tratable a una persona que no lo es; moderar la aspereza de carácter. Ú. t. c. r.

Domesticidad. (De *doméstico.*) f. Calidad de doméstico.

Doméstico, ca. (Del lat. *domestĭcus,* de *domus,* casa.) adj. Perteneciente o relativo a la casa u hogar. || **2.** Aplícase al animal que se cría en la compañía del hombre, a diferencia del que se cría salvaje. || **3.** Dícese del criado que sirve en una casa. Ú. m. c. s. || **4.** V. **Ácaro, prelado doméstico.** || **5.** *For.* V. **Animal doméstico.**

Domestiquez. (De *doméstico.*) f. p. us. Mansedumbre de un animal, natural o adquirida.

Domestiqueza. f. p. us. **Domestiquez.**

Domiciliar. tr. Dar domicilio. || **2.** r. Establecer, fijar su domicilio en un lugar.

Domiciliario, ria. adj. Perteneciente al domicilio. || **2.** Que se ejecuta o se cumple en el domicilio del interesado. ASISTENCIA *domiciliaria.* || **3.** V. **Visita domiciliaria.** || **4.** m. y f. El que tiene domicilio o está avecindado en un lugar.

Domicilio. (Del lat. *domicĭlium,* de *domus,* casa.) m. Morada fija y permanente. || **2.** Lugar en que legalmente se considera establecida una persona para el cumplimiento de sus obligaciones y el ejercicio de sus derechos. || **3.** Casa en que uno habita o se hospeda. || **A domicilio.** m. adv. **Domiciliario,** 2.ª acep. Ú. m. comúnmente tratando de suministros o de servicios personales, etc. || **Adquirir,** o **contraer, domicilio.** fr. Domiciliarse o avecindarse.

Dómida. f. p. us. *And.* Tanda, tonga, capa.

Dominación. (Del lat. *dominatĭo, -ōnis.*) f. Acción y efecto de dominar. || **2.** Señorío o imperio que tiene sobre un territorio el que ejerce la soberanía. || **3.** *Mil.* Monte, colina o lugar alto que domina una plaza y desde el cual puede batirla o hacerle daño el enemigo. || **4.** pl. *Teol.* Espíritus bienaventurados que componen el cuarto coro.

Dominador, ra. (Del lat. *dominātor.*) adj. Que domina o propende a dominar Ú. t. c. s.

Dominante. (Del lat. *domĭnans, -antis.*) p. a. de **Dominar.** Que domina. || **2.** adj. Aplícase a la persona que quiere avasallar a otras, y a la que no sufre que se le opongan o la contradigan. Dícese también del genio o carácter de estas personas. || **3.** Que sobresale, prevalece o es superior entre otras cosas de su orden y clase. || **4.** *Astrol.* Dícese del astro a que vulgarmente se atribuía dominio más o menos duradero sobre la esfera terrestre. || **5.** *For.* V. **Predio dominante.** || **6.** f. *Mús.* Quinta nota de la escala de cualquier tono, porque es la que domina en el acorde perfecto del mismo.

Dominar. (Del lat. *domināre.*) tr. Tener dominio sobre cosas o personas. || **2.** Sujetar, contener, reprimir. || **3.** fig. Poseer a fondo una ciencia o arte. || **4.** intr. Sobresalir un monte, edificio, etc., entre otros; ser más alto que ellos. || **5.** r. Reprimirse, ejercer dominio sobre sí mismo.

Dominativo, va. adj. **Dominante.**

Dominatriz. (Del lat. *dominātrix.*) adj. p. us. **Dominadora.** Ú. t. c. s.

Dómine. (Vocat. del lat. *domĭnus,* señor.) m. fam. Maestro o preceptor de gramática latina. || **2.** despect. Persona que, sin mérito para ello, adopta el tono de maestro.

Domingada. f. Fiesta o diversión que se celebra el domingo.

Domingo. (Del lat. *domĭnĭcus* [*dies,* día] del Señor.) m. Primer día de la semana, que está dedicado especialmente al Señor y a su culto. || **de Adviento.** Cada uno de los cuatro que preceden a la fiesta de Navidad. || **de Cuasimodo.** El de la octava de la Pascua de Resurrección. || **de la Santísima Trinidad.** Fiesta movible que celebra la Iglesia el quincuagesimoséptimo día que sigue al de Pascua de Resurrección y oscila entre el 17 de mayo y el 30 de junio. || **de Lázaro,** o **de Pasión.** El quinto de cuaresma. || **de Pentecostés. Pentecostés.** || **de Piñata.** El primero de cuaresma. || **de Ramos.** El último de la cuaresma, que da principio a la Semana Santa. || **de Resurrección.** Aquel en que la Iglesia celebra la Pascua de Resurrección del Señor, que es el domingo inmediato al primer plenilunio después del 20 de marzo. || **Hacer domingo.** fr. **Hacer fiesta.** || **Salir con un domingo siete.** fr. alusiva a cierto cuentecillo de brujas. **Salir con una pata de gallo.**

Dominguejo. m. **Dominguillo.** || **2.** *Amér.* Persona insignificante, pobre diablo.

Dominguero, ra. adj. fam. Que se suele usar en domingo. *Sayo* DOMINGUERO. || **2.** Aplícase a la persona que acostumbra componerse y divertirse solamente los domingos o días de fiesta.

Dominguillo. m. d. de **Domingo.** || **2.** Muñeco de materia ligera, o hueco, que lleva un contrapeso en la base, y que, movido en cualquier dirección, vuelve siempre a quedar derecho. || **3.** desus. Pelele en figura de soldado que se ponía en la plaza para que el toro se cebase en él. || **Traer** a uno **como un dominguillo,** o **hecho un dominguillo.** fr. fig. y fam. Mandarle hacer muchas cosas en diferentes partes y con urgencia.

Domínica. (Del lat. *dominĭca.*) f. En lenguaje y estilo eclesiástico, **domingo.** || **2.** Textos y lecciones de la Escritura que en el oficio divino corresponden a cada domingo.

Dominical. (Del lat. *dominicālis.*) adj. Perteneciente a la domínica o al domingo. || **2.** Aplícase al derecho pagado al señor de un feudo por los feudatarios. || **3.** *For.* Perteneciente al derecho de dominio sobre las cosas. || **4.** V. **Letra, oración dominical.** || **5.** f. Cada uno de los actos académicos y ejercicios literarios que se hacían los domingos en las universidades.

Dominicano, na. (Del lat. *Dominĭcus,* Santo Domingo.) adj. **Dominico.** || **2.** Natural de Santo Domingo. Ú. t. c. s. || **3.** Perteneciente a la República Dominicana.

Dominicatura. (Del lat. *dominicātus,* administración, intendencia.) f. *Ar.* Cierto derecho de vasallaje que se pagaba al señor temporal de una tierra o población.

Dominico, ca. adj. Dícese del religioso de la Orden de Santo Domingo. Ú. t. c. s. || **2.** Perteneciente a esta orden. || **3.** *Cuba* y *Amér. Central.* Dícese de una especie de plátano de tamaño pequeño. Ú. t. c. s. || **4.** m. *Cuba.* Pajarillo de plumaje negruzco con manchas blancas; produce unos chillidos desagradables.

Domínico, ca. (Del lat. *domĭnĭcus,* de *domĭnus,* señor.) adj. ant. Perteneciente al dueño o señor.

Dominio. (Del lat. *domĭnĭum.*) m. Poder que uno tiene de usar y disponer libremente de lo suyo. || **2.** V. **Aguas de dominio privado, aguas de dominio público.** || **3.** Superioridad legítima sobre las personas. || **4.** Tierra o Estado que un soberano o una república tiene bajo su dominación. Ú. m. en pl. Aplícase especialmente a cada uno de los pueblos o colonias diferentes del Estado inglés propiamente dicho, que gozan de autonomía plena dentro del Imperio británico. || **5.** *For.* Plenitud de los atributos que las leyes reconocen al propietario de una cosa para disponer de ella. || **absoluto. Dominio,** 4.ª acep. || **directo.** Derecho que se reserva el propietario al ceder el **dominio** útil por título de enfiteusis, foro, censo u otro análogo. || **eminente.** Facultad inherente a la soberanía para guardar en su territorio la causa pública en relación con los derechos de propiedad privada. || **público.** El que, bajo la salvaguardia del Estado, tienen todos en las cosas útiles que no pueden ser objeto de apropiación (como el mar litoral o los caminos), o en las apropiables que no han sido concedidas o han prescrito (como yacimientos minerales, obras de propiedad intelectual no registradas), ni ganados por modo legítimo (como las aguas subálveas no alumbradas). || **2.** El que pertenece al Estado en bienes que, sin ser de uso común, están destinados a algún servicio público o al fomento de la riqueza nacional. || **útil.** El que compete al que toma casa o heredad a censo perpetuo o enfiteusis o foro. || **Ser del dominio público** una cosa. fr. fig. Ser sabida de todos.

Dómino. (Del lat. *domĭnus,* señor.) m. **Dominó,** 1.ª y 2.ª aceps.

Dominó. (Del fr. *domino,* y éste del m. or. que *dómino.*) m. Juego que se hace con 28 fichas rectangulares, generalmente blancas por la cara y negras por el envés, con aquélla dividida en dos cuadrados, cada uno de los cuales lleva marcados de uno a seis puntos, o no lleva ninguno. Cada jugador pone por turno ficha de número igual en uno de los cuadrados al de cualquiera de los dos que están en los extremos de la línea de las ya jugadas, o pasa si no la tiene, y gana el que primero coloca todas las suyas o el que se queda con menos puntos, si se cierra el juego. || **2.** Conjunto de las fichas que se emplean en este juego. || **3.** Traje talar con capucha, que ya sólo tiene uso en las funciones de máscara. || **Hacer uno dominó.** fr. Ser el primero que se queda sin fichas en el juego de este nombre, y ganar así la partida.

Domo. (Del lat. *domus.*) m. *Arq.* **Cúpula,** 1.ª acep.

Dompedro. (De *don,* 2.° art., y el n. p. *Pedro.*) m. **Dondiego.** || **2.** fam. **Bacín,** 1.ª acep.

Don. (Del lat. *dōnum.*) m. Dádiva, presente o regalo. || **2.** Cualquiera de los bienes naturales o sobrenaturales que tenemos, respecto a Dios, de quien los recibimos. || **3.** Gracia especial o habilidad para hacer una cosa. || **de acierto.** Tino particular que tiene uno en el pensar o ejecutar. || **de errar.** Falta habitual de acierto, tacto o maña. || **de gentes.** Conjunto de gracias y prendas con que una persona atrae las voluntades de las que trata. || **de mando.** Aptitud personal que para ejercer el mando tiene una persona por su firmeza, su prestigio o alguna otra cualidad.

Don. (Del lat. *dominus,* señor.) m. Título honorífico y de dignidad, que antepuesto solamente al nombre propio, no al apellido, se daba antiguamente a muy pocos, aun de la primera nobleza. Se hizo después distintivo de todos los nobles y ya no se niega a ninguna persona bien portada. || **2.** ant. Sin estar acompañado de otro nombre, y por sí solo, señor. || **Cómodo.** fam. Hombre regalón, amigo de sus comodidades. || **Diego. Dondiego.** || **Juan. Donjuán.** || **2. Tenorio.** || **Pedro. Dompedro.** || **Pereciendo.** fam. Sujeto que aparenta muchos caudales y ostenta grandezas, siendo un pobre miserable. || **Mal se aviene el don con el Turuleque.** expr. fam. con que se indica no decir bien en gente baja las dignidades y títulos honoríficos. || **Mal suena el don sin el din.** expr. fam. con que se denota que la hidalguía de la sangre y la nobleza de alma rara vez se aprecian en el pobre. || **2.** fam. Aplícase también a la persona pobre y engreída por su nobleza. || **Ni don Pedro, ni Periquillo.** expr. fig. y fam. que censura la desigualdad con que se trata a una persona, mostrándole alternativamente, o excesivo respeto y estimación, o menosprecio.

Dona. (Del lat. *dona,* pl. de *dōnum,* don.) f. desus. **Don,** 1.er art., 1.ª y 2.ª aceps. || **2.** pl. Regalos de boda que el novio hace a la novia.

Dona. (Del lat. *domina.*) f. ant. Mujer, dama. || **2.** ant. **Dueña.** || **3.** ant. *Mar.* V. **Mar de donas.**

Donación. (Del lat. *donatio, -ōnis.*) f. Acción y efecto de donar. || **2.** *For.* Liberalidad de una persona que transmite gratuitamente una cosa que le pertenece a favor de otra que la acepta. || **entre vivos,** o **inter vivos.** *For.* La que se hace en la cuantía y con las condiciones que exigen las leyes para que tenga efectos en vida del donante. || **esponsalicia.** *For.* La que se hace por razón de matrimonio, antes de celebrarlo, en favor de uno o de ambos esposos. || **mortis causa,** o **por causa de muerte.** *For.* La que se hace para después del fallecimiento del donante y se rige por las reglas de las disposiciones testamentarias. || **própter nuptias.** *For.* La que hacen los padres a sus hijos, por consideración al matrimonio que van a contraer.

Donadío. (Del lat. *donativum.*) m. ant. **Don,** 1.er art., 1.ª acep. || **2.** ant. **Donación.** || **3.** En algunas partes, heredamiento o hacienda que trae su origen de donaciones reales.

Donado, da. (Del lat. *donātus,* el que se daba a sí propio con sus bienes en posesión de algún monasterio.) p. p. de **Donar.** || **2.** m. y f. Persona que ha entrado por sirviente en una orden religiosa mendicante y asiste en ella con cierta especie de hábito religioso, pero sin hacer profesión. || **3.** En algunas comarcas aragonesas, persona que, mediante cierto contrato tradicional, queda incorporada a una familia.

Donador, ra. (Del lat. *donātor.*) adj. Que hace donación. Ú. t. c. s. || **2.** Que hace un don o presente. Ú. t. c. s.

Donaire. (Del lat. *donarium,* de *donāre,* dar.) m. Discreción y gracia en lo que se dice. || **2.** Chiste o dicho gracioso y agudo. || **3.** Gallardía, gentileza, soltura y agilidad airosa de cuerpo para andar, danzar, etc. || **Andaos a decir donaires.** expr. fam. de que usamos cuando a uno le ha salido mal un chiste y ha tenido que sentir por él. || **Hacer donaire de** una cosa. fr. Burlarse de ella con gracia.

Donairosamente. adv. m. Con donaire.

Donairoso, sa. adj. Que tiene en sí donaire.

Donante. p. a. de **Donar.** Que dona. Ú. t. c. s.

Donar. (Del lat. *donāre.*) tr. Traspasar uno graciosamente a otro alguna cosa o el derecho que sobre ella tiene.

Donatario. (Del lat. *donatarius.*) m. Persona a quien se hace la donación.

Donatismo. m. Doctrina de los donatistas.

Donatista. adj. Dícese del que profesaba las doctrinas de Donato, cismático del siglo IV de la Iglesia. Ú. t. c. s.

Donativo. (Del lat. *donativum.*) m. Dádiva, regalo, cesión.

Doncas. (Del lat. *dunc.*) adv. m. ant. **Pues.**

Doncel. (Del prov. *donsel,* del lat. *domnicellus,* d. de *dominus,* señor.) m. Joven noble que aún no estaba armado caballero. || **2.** Hombre que no ha conocido mujer. || **3.** El que habiendo en su niñez servido de paje a los reyes, pasaba a servir en la milicia, en la que formaban los **donceles** un cuerpo con ciertas prerrogativas. || **4.** V. **Alcaide de los donceles.** || **5.** ant. Hijo adolescente de padres nobles. || **6.** ant. **Paje,** y especialmente el del rey. || **7.** *Arag.* y *Murc.* **Ajenjo,** 1.ª acep. || **8.** Usado como adjetivo y dicho de ciertos frutos y productos, suave, dulce. *Vino* DONCEL; *pimienta* DONCEL. || **9.** V. **Pino doncel.**

Doncella. (Del prov. *donsela,* del lat. *dominicella,* d. de *domina,* señora.) f. Mujer que no ha conocido varón. || **2.** Criada que sirve cerca de la señora, o se ocupa en los menesteres domésticos ajenos a la cocina. || **3. Budión.** || **4.** V. **Hierba doncella.** || **5.** *And., Colomb.* y *Venez.* **Panadizo,** 1.ª acep. || **6.** *Perú.* **Sensitiva.** || **La doncella honesta, el hacer algo es su fiesta.** ref. que manifiesta la necesidad que hay de tener ocupadas a las jóvenes para preservarlas de los vicios que ocasiona la ociosidad. || **La doncella y el azor, las espaldas hacia el sol.** ref. que recomienda el recato en las jóvenes. || **Quien adama a la doncella, el alma trae en pena.** ref. que se dice porque las doncellas suelen estar guardadas con cuidado y no están a mano las ocasiones de hablarles.

Doncelleja. f. d. de **Doncella.**

Doncellería. f. fam. **Doncellez.**

Doncellez. f. Estado de doncel, 2.ª acep., o de doncella, 1.ª acep.

Doncellil. adj. fam. desus. Propio de las doncellas o a ellas referente.

Doncelluca. f. fam. Doncella entrada ya en edad.

Doncelluela. f. d. de **Doncella.**

Dond. (Del lat. *de,* de, y *unde,* de donde.) adv. l. ant. De donde.

Donde. (Del lat. *de unde.*) adv. l. En qué lugar, o en el lugar en que. *¿*DÓNDE *estamos?; hay que averiguar* DÓNDE *se oculta; búscame hoy* DONDE *ayer nos vimos.* Ú. con verbos de quietud y de movimiento y en sentido recto y figurado. Se construye con las preps. *en, de, por* o *hacia.* Con la primera no cambia de significación. Con las demás denota respectivamente el lugar de que se viene y el lugar por el cual o hacia el cual se va. || **2.** Toma a veces carácter de pronombre relativo, equivaliendo a *en que,* o *en el, la, lo que* o *cual; los, las que* o *cuales;* o bien estos pronombres sin preposición, cuando va precedido de *de* o *por. La casa* DONDE *(en que) nació; campos amenos,* DONDE *(en que, en los que,* o *en los cuales) todo es paz y alegría; esto me ha dicho, de* DONDE *(de lo cual) se infiere que no vendrá; claros indicios por* DONDE *(por los cuales) se puede conjeturar quién tuvo la culpa.* || **3. Adonde,** 1.ª acep. || **4.** ant. De **donde.** *Se acogió a las tinajas,* DONDE *había sacado su agradable espuma.* || **A donde.** m. adv. **Adonde.** || **Donde no.** m. adv. De lo contrario. || **¿Por dónde?** m. adv. ¿Por qué razón, causa o motivo? *¿*POR DÓNDE *tengo de creerlo?*

Dondequiera. (De *donde* y *querer.*) adv. l. En cualquiera parte.

Dondiego. (De *don,* 2.° art., y el n. p. *Diego.*) m. *Bot.* Planta exótica, de la familia de las nictagináceas, con tallos herbáceos, derechos, nudosos, de seis a ocho decímetros de altura, hojas opuestas, lanceoladas, de color verde obscuro; flores dispuestas en corimbos terminales, de corola en embudo, blancas, encarnadas, amarillas o jaspeadas de estos colores, y fruto elíptico y capsular, de color pardo obscuro y un centímetro de eje mayor. Es originaria del Perú y se cultiva en nuestros jardines por la abundancia de sus fragantes flores, que se abren al anochecer y se cierran al salir el Sol. || **de día.** Planta anual de la familia de las convolvuláceas, de tallos ramosos y rastreros, hojas alternas, lanceoladas, estrechas; flores axilares, pedunculadas, de corolas azules con garganta blanca y fondo amarillo, que se abren con el día y se cierran al ponerse el Sol, y fruto capsular y velloso. || **de noche. Dondiego.**

Doneador. (De *donear.*) adj. ant. **Galanteador.** Usáb. t. c. s.

Donear. (De *dona,* dueña.) tr. ant. **Galantear,** 1.ª acep.

Doneo. (De *donear.*) m. ant. **Galanteo.**

Donfrón. (Del fr. *Domfront,* ciudad de Francia.) m. Tela de lienzo crudo usada antiguamente.

Dongón. (Voz malaya.) m. *Bot.* Árbol de Filipinas, de la familia de las esterculiáceas, de 25 a 30 metros de altura, tronco recto, copa espaciosa, corteza fina, hojas grandes, verdes, coriáceas, elípticas, algo apuntadas, brillantes por encima y escamosas por el envés, flores pequeñas en panojas axilares y semillas parecidas a las del olmo. La madera es fuerte, correosa, rojiza y durable bajo el agua, por lo que se emplea con preferencia en construcciones navales.

Donguindo. m. Variedad de peral, cuyas peras son más crecidas que las ordinarias, de forma bastante irregular, de color verde amarillento, carne azucarada y relativamente porosa.

Donillero. (De *donillo,* d. de *don,* dádiva, regalo.) m. Fullero que agasaja y convida a aquellos a quienes quiere inducir a jugar.

Donjuán. (De *don,* 2.° art., y el n. p. *Juan.*) m. **Dondiego.**

Donjuanesco, ca. adj. Propio de un Tenorio o de un don Juan.

Donjuanismo. m. Conjunto de caracteres y cualidades propias de don Juan Tenorio.

Donosamente. adv. m. Con donosura.

Donosía. (De *donoso.*) f. ant. **Donosura.**

Donosidad. (De *donoso.*) f. Gracia, chiste, gracejo.

Donosilla. f. *Sal.* Comadreja, 1.ª acep.

Donoso, sa. (Del lat. **donōsus,* de *donum,* don.) adj. Que tiene donaire y gracia. Ú. en sent. irón., antepuesto al substantivo. DONOSA *ocurrencia, pregunta, humorada.*

Donostiarra. (Del vasc. *Donostia,* San Sebastián, y éste de *don,* señor, santo entre los vascos, y el n. p. *Sebastián.*) adj. Natural de San Sebastián. Ú. t. c. s. || **2.** Perteneciente a esta ciudad.

Donosura. (De *donoso.*) f. Donaire, gracia.

Doña. (De *dona,* don.) f. ant. Joya o alhaja. || **2.** ant. Don, dádiva o regalo, y particularmente las dádivas que se hacían recíprocamente con ocasión de matrimonio. || **3.** pl. ant. Ayudas de costa que, además del salario diario, se daban a principio de año a los oficiales de las herrerías que había en las minas de hierro.

Doña. (Del lat. *domina.*) f. Distintivo con que se nombra a las mujeres de calidad, el cual precede a su nombre propio. Actualmente se va circunscribiendo su aplicación a la mujer casada o viuda. || **2.** ant. **Dueña.** || **3.** ant. **Monja.**

Doñaguil. adj. *Sal.* Aplícase a una clase de aceituna más pequeña y esférica que las comunes.

Doñear. (De *doña,* 2.° art.) intr. fam. Andar entre mujeres y tener trato y conversación con ellas.

Doñegal. (Del lat. *dominicalis,* de señor.) adj. V. **Higo doñegal.**

Doñeguil. (De *doñigal.*) adj. ant. **Señoril.**

Doñigal. (De *doñegal.*) adj. V. **Higo doñigal.**

Doquier. adv. l. **Dondequiera.**

Doquiera. (De *do* y *querer.*) adv. l. **Dondequiera.**

Dorada. (Del lat. *deaurāta,* t. f. de *-tus,* dorado.) f. *Zool.* Pez teleósteo marino, del suborden de los acantopterigios, de unos ocho decímetros de largo, cuerpo comprimido, cabeza grande, tres filas de dientes, cónicos los centrales y de corona plana los interiores; el dorso es negro azulado, plateados los costados, blanco el vientre, y tiene una mancha dorada entre los ojos. Es comestible muy estimado y se pesca en las costas de España. || **2.** *Astron.* Constelación situada cerca del polo austral. || **3.** *Cuba.* Especie de mosca venenosa.

Doradilla. (d. de *dorada.*) f. **Dorada,** 1.ª acep. || **2.** Helecho de abundantes hojas de seis a ocho decímetros de largo, pecioladas, lampiñas y verdes por encima, cubiertas de escamillas doradas por el envés, divididas en lóbulos de cuatro a seis milímetros, alternos y obtusos, y raíces fibrosas casi negras. Se cría entre las peñas y se ha usado en medicina como vulnerario y diurético.

Doradillo, lla. (d. de *dorado.*) adj. *Argent.* y *C. Rica.* Aplícase a la caballería de color melado brillante. || **2.** m. Hilo delgado de latón, que sirve para engarces y otros usos. || **3.** f. **Aguzanieves.**

Dorado, da. p. p. de **Dorar.** || **2.** adj. De color de oro o semejante a él. || **3.** fig. Esplendoroso, feliz. *Edad* DORADA. || **4.** V. **Llave, sopa dorada.** || **5.** V. **Siglo dorado.** || **6.** V. **Sueño dorado.** || **7.** *Germ.* V. **Juan Dorado.** || **8.** *Cuba* y *Chile.* Aplícase a la caballería de color melado. || **9.** m. *Zool.* Pez teleósteo, del suborden de los acantopterigios, de unos seis decímetros de largo, con el cuerpo muy deprimido, acabado en punta, aleta dorsal del largo del mismo dorso, cola profundamente bifurcada y colores vivos con reflejos dorados. Es comestible, se cría en el Mediterráneo y sigue con frecuencia a los barcos. || **10.** **Doradura.** || **11.** pl. Conjunto de adornos metálicos o de objetos de latón. *Los* DORADOS *de un mueble. Pasta para limpiar* DORADOS.

Dorador. m. El que tiene por oficio dorar.

Doradura. f. Acción y efecto de dorar.

Doral. m. Pájaro, variedad de papamoscas, de color amarillo rojizo, con manchas negras en la cabeza, alas y cola.

Dorar. (Del lat. *deaurāre.*) tr. Cubrir con oro la superficie de una cosa. || **2.** Dar el color del oro a una cosa. || **3.** fig. Paliar, encubrir con apariencia agradable las acciones malas o las especies y noticias desagradables. || **4.** fig. Tostar ligeramente una cosa de comer. Ú. t. c. r. || **5.** r. Tomar color dorado. DORARSE *las cumbres.*

Dórico, ca. (Del lat. *doricus,* y éste del gr. δωριχός.) adj. **Dorio,** 2.ª acep. || **2.** *Arq.* V. **Columna dórica.** || **3.** *Arq.* V. **Orden dórico.** || **4.** m. Dialecto de los dorios, uno de los cuatro principales de la lengua griega.

Dorio, ria. (Del lat. *dorius.*) adj. Dícese del individuo de un pueblo de la antigua Grecia que habitó en la Dóride, en la mayor parte del Peloponeso y en otras regiones del Mediterráneo occidental. Ú. t. c. s. || **2.** Perteneciente o relativo a este pueblo.

Dormán. (Del turco *dülāmān,* especie de túnica, quizá a través de una lengua eslava.) m. Chaqueta de uniforme con adornos de alamares y vueltas de piel, usada por ciertos cuerpos de tropa, principalmente los húsares.

Dormición. (Del lat. *dormitio, -ōnis.*) f. ant. Acción de dormir.

Dormida. (De *dormir.*) f. Estado por que pasa cuatro veces el gusano de seda desde que nace hasta que se encierra en el capullo, y durante el cual cesa de comer y muda la piel. || **2.** Paraje donde las reses y las aves silvestres acostumbran pasar la noche. || **3.** Acción de dormir, especialmente pasando la noche. *Tenemos tres* DORMIDAS *antes de acabar nuestro viaje.* || **4.** *C. Rica* y *Chile.* Lugar donde se pernocta.

Dormidera. (De *dormir.*) f. **Adormidera.** || **2.** *Cuba.* **Sensitiva.** || **3.** pl. fam. Facilidad de dormirse. *Bartolo tiene buenas* DORMIDERAS.

Dormidero, ra. adj. Dícese de lo que hace dormir. || **2.** m. Sitio donde duerme el ganado.

Dormido, da. p. p. de **Dormir.** || **2.** adj. V. **Mineral dormido.**

Dormidor, ra. adj. Que duerme mucho. Ú. t. c. s.

Dormiente. (Del lat. *dormiens, -entis.*) p. a. p. us. **Durmiente.**

Dormijoso, sa. (De *dormir.*) adj. ant. **Soñoliento.**

Dormilón, na. adj. fam. Muy inclinado a dormir. Ú. t. c. s. || **2.** m. Pajarillo de unos 17 centímetros de largo, de color ceniciento obscuro y cola larga que mantiene en continuo movimiento; habita en la costa americana del Pacífico, desde Magallanes hasta el Perú.

Dormilona. f. Arete, pendiente con un brillante o una perla. Ú. m. en pl. || **2.** Butaca para dormir la siesta. || **3.** *Amér. Central* y *Cuba.* **Sensitiva.** || **4.** *Venez.* Camisa de dormir de mujer.

Dormiloso, sa. adj. ant. **Dormilón,** 1.ª acep.

Dormimiento. (De *dormir.*) m. ant. **Dormición.**

Dormir. (Del lat. *dŏrmīre.*) intr. Estar en aquel reposo que consiste en la inacción o suspensión de los sentidos y de todo movimiento voluntario. Ú. t. c. r. y alguna vez c. tr. DORMIR *al niño.* || **2.** **Pernoctar.** || **3.** fig. Descuidarse, obrar en un negocio con menos solicitud de la que se requiere. Ú. m. c. r. || **4.** fig. Sosegarse o apaciguarse lo que estaba inquieto o alterado. || **5.** fig. Bailar el peón o trompo con mucha rapidez, sin cabecear ni moverse de un sitio. || **6.** fig. En ciertos juegos de naipes, como el tresillo, quedar en la baceta alguna carta sin utilizar. || **7.** fig. Con la prep. *sobre* y tratándose de cosas que den en qué pensar, tomarse tiempo para meditar o discurrir sobre ellas. || **8.** r. fig. **Adormecer,** 6.ª acep. || **9.** *Mar.* Dicho de la aguja de marear, pararse y estar torpe en sus movimientos por debilidad de la imantación. || **10.** *Mar.* Dicho de un buque, quedarse muy escorado por efecto del mucho viento y muy expuesto a zozobrar al menor impulso. || **A duerme y vela.** m. adv. **Entre duerme y vela.** || **Cuanto se deja de dormir, tanto se acrecienta en vivir.** ref. que equiparando el sueño a la muerte aconseja no dormir demasiado. || **Duerme a quien duele, y no duerme quien algo debe.** ref. que denota que los hombres honrados más sienten deber y no poder pagar, que padecer un dolor. || **Durmiendo velando,** o **entre duerme y vela.** m. adv. Medio durmiendo, medio velando. || **Mucho dormir causa mal vestir.** ref. contra el perezoso, que por no acudir al trabajo se empobrece. || **No puede todo ser, dormir y guardar las eras.** ref. que advierte que la conservación de la hacienda requiere mucha vigilancia. || **Quien mucho duerme, poco aprende.** ref. en que se advierte que para saber es necesario mucho desvelo y aplicación.

Dormirlas. m. **Escondite,** 2.ª acep.

Dormitar. (Del lat. *dormitāre.*) intr. Estar medio dormido.

Dormitivo, va. (Del lat. *dormītum,* supino de *dormīre,* dormir.) adj. *Med.* Dícese del medicamento que sirve para conciliar el sueño. Ú. t. c. s. m.

Dormitor. m. ant. **Dormitorio.**

Dormitorio. (Del lat. *dormitorium.*) m. Pieza destinada para dormir en ella.

Dormivela. m. fam. **Duermevela.**

Dorna. f. *Gal.* Barco de pesca usado en las rías bajas.

Dornajo. (d. de *duerna.*) m. Especie de artesa, pequeña y redonda, que sirve para dar de comer a los cerdos, para fregar o para otros usos. || **2.** *Can.* Pesebre para toda clase de caballerías.

Dorniel. m. *Seg.* **Alcaraván.**

Dornillero. m. El que hace o vende dornillos. || **2.** *And.* El que en las cuadrillas de trabajadores del campo está encargado de hacer el gazpacho.

Dornillo. m. **Dornajo.** || **2.** **Hortera,** 1.ª acep. || **3.** Artesilla de madera que sirve de escupidera en las habitaciones.

Dorondón. m. *Ar.* Niebla espesa y fría.

Dorsal. (Del lat. *dorsuālis.*) adj. Perteneciente al dorso, espalda o lomo. || **2.** *Zool.* V. **Cuerda, espina dorsal.** || **3.** *Fon.* Dícese de la consonante en cuya articulación interviene principalmente el dorso de la lengua, en su parte anterior, media o posterior. || **2.** Dícese de la letra que representa este sonido, como la *ch,* la *ñ* o la *k.* Ú. t. c. s. f.

Dorso. (Del lat. *dorsum.*) m. Revés o espalda de una cosa.

Dos. (Del lat. *duos,* acus. de *duo.*) adj. Uno y uno. || **2.** **Segundo,** 1.ª acep. *Número* DOS; *año* DOS. Aplicado a los días del mes, ú. t. c. s. *El* DOS *de mayo.* || **3.** m. Signo o conjunto de signos con que se representa el número **dos.** || **4.** Carta o naipe que tiene **dos** señales. *El* DOS *de espadas; tengo tres* DOSES. || **5.** ant. **Ochavo,** 2.ª acep. || **A dos.** m. adv. En el juego de la pelota significa que ambos partidos están igualmente a treinta. || **A dos por tres.** m. adv. fig. y fam. Pronta y demostrativamente. || **Decir las cosas dos por tres.** fr. fam. Decirlas encareciendo su verdad y exactitud. || **De dos en dos.** m. adv. para expresar que algunas personas o cosas van apareadas. || **Dos a dos.** m. adv. Dícese especialmente en aquello juegos que se juegan entre cuatro cuando van **dos** de compañeros contra los otros **dos**, como antes en la flor, el truque y otros, y ahora en la brisca, etc. Antiguamente, también decíase de los que reñían con padrinos cuando iban **dos** contra **dos**. || **En un dos por tres.** m. adv. fig. y fam. En un momento, rápidamente.

Dosalbo, ba. (De *dos* y *albo*.) adj. Aplícase a la caballería que tiene blancos dos pies.

Dosañal. adj. De dos años. || **2.** Perteneciente a este tiempo.

Doscientos, tas. (De *docientos*, infl. por *dos*.) adj. pl. Dos veces ciento. || **2.** **Ducentésimo,** 1.ª acep. *Número* DOSCIENTOS; *año* DOSCIENTOS. || **3.** m. Conjunto de signos con que se representa el número **doscientos.**

Dosel. (Del fr. *dossier*, y éste del lat. *dorsum*, espalda.) m. Mueble de adorno, fijo o portátil, que a cierta altura cubre o resguarda el sitial o el altar, adelantándose en pabellón horizontal y que cae por detrás a modo de colgadura. || **2.** Antepuerta o tapiz.

Doselera. f. Cenefa del dosel.

Doselete. (d. de *dosel*.) m. Miembro arquitectónico voladizo, que a manera de dosel se coloca sobre las estatuas, se pulcros, etc.

Dosificable. adj. Que se puede dosificar.

Dosificación. (De *dosificar*.) f. *Farm.* y *Med.* Determinación de la dosis de un medicamento.

Dosificar. tr. *Farm.* y *Med.* Dividir o graduar las dosis de un medicamento.

Dosillo. m. Juego de naipes semejante al tresillo, que se juega entre dos personas.

Dosimetría. (Del gr. δόσις, dosis, y μέτρον, medida.) f. Sistema terapéutico que emplea exclusivamente los principios activos de las substancias medicamentosas en gránulos que contienen siempre la misma dosis para cada una de ellas.

Dosimétrico, ca. adj. Perteneciente o relativo a la dosimetría.

Dosis. (Del gr. δόσις, acción de dar; de διδόναι, dar.) f. Toma de medicina que se da al enfermo cada vez. || **2.** fig. Cantidad o porción de una cosa cualquiera, material o inmaterial. *Una buena* DOSIS *de paciencia, de ignorancia.*

Dotación. (De *dotar*.) f. Acción y efecto de dotar. || **2.** Aquello con que se dota. || **3.** Conjunto de personas que tripulan un buque de guerra, de capitán a paje. || **4.** Conjunto de individuos asignados al servicio de un establecimiento público, de una oficina, de una fábrica, de un taller, etc.

Dotador, ra. adj. Que dota. Ú. t. c. s.

Dotal. (Del lat. *dotālis*.) adj. Perteneciente al o a la dote, 1.ª acep. || **2.** *For.* V. **Bienes dotales.**

Dotamiento. (De *dotar*.) m. ant. **Dotación.**

Dotante. p. a. de **Dotar.** Que dota. Ú. t. c. s.

Dotar. (Del lat. *dotāre*.) tr. Constituir dote a la mujer que va a contraer matrimonio o a profesar en alguna orden religiosa. || **2.** Señalar bienes para una fundación o instituto benéfico, docente o de otra índole. || **3.** fig. Adornar la naturaleza a uno con particulares dones y prerrogativas. || **4.** Asignar a una oficina, a un buque, a un establecimiento público, etc., el número de empleados, de diferentes sueldos y categorías, que se considera conveniente para el buen servicio, y asimismo los enseres y otros objetos materiales que le son necesarios. || **5.** Asignar sueldo o haber a un empleo o cargo cualquiera. || **6.** Dar a una cosa alguna propiedad o cualidad ventajosa.

Dote. (Del lat. *dos, dotis*.) amb. Caudal que con este título lleva la mujer cuando se casa, o que adquiere después del matrimonio. || **2.** Congrua o patrimonio que se entrega al convento o a la orden en que va a tomar estado religioso una profesa. || **3.** m. En el juego de naipes, número de tantos que toma cada uno para saber después lo que pierde o gana. || **4.** f. Excelencia, prenda, calidad apreciable de una persona. Ú. comúnmente en plural. || **estimada.** *For.* Aquella que se tasa y cuya propiedad se transmite al marido con la obligación, en su día, de restituir el importe o precio. || **germana.** *For.* La constituida por el marido a favor de la mujer. || **inestimada.** *For.* Aquella cuya propiedad conserva la mujer, debiéndosele restituir a ella o a sus herederos los mismos bienes en que consiste. || **romana.** *For.* La que aporta la mujer para sostenimiento de las cargas conyugales. || **Constituir uno la dote.** fr. Hacer otorgamiento formal de ella. || **Dote, fiado; y suegra, de contado.** ref. que se aplica al que, movido con promesas halagüeñas de beneficios dudosos, acepta cargos que llevan fatiga y trabajo ciertos.

Dotor. m. ant. **Doctor.**

Dotrina. f. ant. **Doctrina.**

Dotrinar. tr. ant. **Doctrinar.**

Dotrinero. m. ant. **Doctrinero.**

Do ut des. loc. lat., expr. fig. y fam. que indica ser la esperanza de la reciprocidad el móvil interesado de una acción. || **2.** *For.* Fórmula latina con que se designa la primera variedad de los contratos innominados.

Dovela. (Del fr. *douvelle*, y éste del lat. *doga*, doga.) f. *Arq.* Piedra labrada en figura de cuña, para formar arcos o bóvedas, el borde del suelo del alfarje, etc. || **2.** *Cant.* Cada una de las superficies de intradós o de trasdós de las piedras de un arco o bóveda. || **de gatillo.** La que forma ligazón con las hiladas de sillares horizontales del muro donde está colocada. || **de horquilla.** La que está situada en un ángulo de bóveda por arista, formando ligazón en las dos caras contiguas.

Dovelaje. m. Conjunto, serie u orden de dovelas.

Dovelar. tr. *Cant.* Labrar la piedra dándole forma de dovela.

Doy. (Contracc. de *de hoy*.) adv. t. ant. De hoy, o desde hoy.

Dozavado, da. (De *dozavo*.) adj. Que tiene doce lados o partes.

Dozavo, va. (De *doce* y *avo*.) adj. **Duodécimo,** 2.ª acep. Ú. t. c. s. || **En dozavo.** expr. Dícese del libro, folleto, etc., cuyo tamaño iguala a la **dozava** parte de un pliego de papel sellado.

Draba. (Del lat. *drabe*, y éste del gr. δράβη.) f. Planta herbácea, de la familia de las crucíferas, de cuatro a cinco decímetros de altura, ramosa, con muchas hojas garzas, vellosas, lanceoladas, dentadas y pecioladas las radicales y más anchas y abrazadoras las demás; flores pequeñas blancas en corimbos, y semillas en vainillas puntiagudas. Abunda en los sitios húmedos y se ha empleado en medicina contra el escorbuto.

Dracma. (Del lat. *drachma*, y éste del gr. δραχμή.) f. Moneda griega de plata, que tuvo uso también entre los romanos, casi equivalente al denario, pues valía cuatro sestercios. || **2.** Moneda de plata, unidad monetaria de la Grecia actual. || **3.** *Farm.* Octava parte de una onza, equivalente a tres escrúpulos, o sea a 3.594 miligramos.

Draconiano, na. (De *Dracón*, legislador de Atenas, a quien se atribuye una legislación cruel en sus castigos.) adj. Perteneciente o relativo al legislador Dracón. || **2.** fig. Aplícase a las leyes o providencias sanguinarias o excesivamente severas.

Draga. (Del ingl. *to drag*, tirar arrastrando.) f. Máquina que se emplea para ahondar y limpiar los puertos de mar, los ríos, etc., extrayendo de ellos fango, piedras, arena, etc. || **2.** Barco que lleva esta máquina. || **3.** Aparato que se emplea para recoger productos marinos, arrastrándolo por el fondo del mar.

Dragado. m. Acción y efecto de dragar.

Dragaminas. m. Buque destinado a limpiar de minas los mares.

Dragante. m. *Blas.* Figura que representa una cabeza de dragón con la boca abierta, mordiendo o tragando alguna cosa.

Dragar. tr. Ahondar y limpiar con draga los puertos de mar, los ríos, etc.

Dragea. (Del fr. *dragée*, y éste del lat. *tragemăta*, cierto postre de la comida.) f. ant. **Gragea.**

Drago. (Del lat. *drăco*, dragón.) m. Árbol de la familia de las liliáceas, de tronco grueso, cilíndrico, lleno de cicatrices correspondientes a las hojas perdidas, de 12 a 14 metros de altura, copa recogida, siempre verde y formada por ramos espesos, lampiños en su arranque y luego vestidos de muchas hojas ensiformes, de 40 a 50 centímetros de largo y cuatro de ancho; flores en panoja terminal, pequeñas, de color blanco verdoso, con estrías encarnadas, y fruto en baya amarillenta del tamaño de una cereza y sabor agridulce. A la forma del tronco, semejante a una culebra, y terminado por la cresta erizada de la copa se atribuye el nombre de este árbol, originario de Canarias, del cual, mediante incisiones, se obtiene la resina llamada **sangre de drago** que se usa en medicina. || **2.** ant. **Dragón.**

Dragomán. (Del m. or. que *truchimán*.) m. **Intérprete,** 2.ª acep.

Dragón. (Del lat. *drăco, -ōnis*, y éste del gr. δράκων.) m. Animal fabuloso a que se atribuye figura de serpiente muy corpulenta, con pies y alas, y de extraña fiereza y voracidad. || **2.** *Zool.* Reptil del orden de los saurios, caracterizado por las expansiones de su piel, que forma a los lados del abdomen una especie de alas, o mejor paracaídas, que ayudan a los saltos del animal. Vive ordinariamente subido a los árboles de Filipinas y de la zona tropical del continente asiático, y no pasa de 20 centímetros de longitud total, de los que 12 corresponden a la cola, relativamente larga y delgada. || **3.** Planta perenne de la familia de las escrofulariáceas, con tallos erguidos de seis a ocho decímetros de altura, lampiños en la parte inferior y vellosos en la superior; hojas carnosas, lanceoladas, algo obtusas las inferiores; flores de hermosos colores, encarnados o amarillos, en espigas terminales, de corola formada por un tubo dividido en cinco lacinias irregulares y cerrado con una especie de tapadera de distinto color que el tubo; fruto capsular y semillas negruzcas, elipsoidales y algo arrugadas. Se cultiva en los jardines. || **4.** Mancha o tela blanca, opaca, que se forma a veces en las niñas de los ojos de los caballos y otros cuadrúpedos. || **5.** Soldado que hace el servicio alternativamente a pie o a caballo. || **6.** En los hornos de reverbero, la abertura y canal inclinado por donde se cargan y ceban aquéllos con más metal, mientras están encendidos. || **7.** *Murc.* Cometa o milocha grande. || **8.** *Astron.* Constelación boreal de figura muy irregular y extensa, que rodea o envuelve a la Osa Menor. || **9.** *Astron.* V. **Cabeza, cola del Dragón.** || **marino.** *Zool.* Pez teleósteo, del suborden de los acantopterigios, de unos cuatro decímetros de largo, rojizo por el lomo y blanco amarillento con manchas azuladas en los costados, cabeza comprimida, ojos poco distantes entre sí, y aletas muy espinosas. Se cría en las costas de España y es comestible.

Dragona. f. Hembra del dragón. ‖ **2.** *Mil.* Especie de charretera. ‖ **3.** *Chile* y *Méj.* Fiador de la espada. ‖ **4.** *Méj.* Capa de hombre, con esclavina y capucha.

Dragoncillo. m. d. de **Dragón.** ‖ **2.** Arma de fuego usada antiguamente. ‖ **3. Estragón.** ‖ **4.** pl. **Dragón,** 3.ª acep.

Dragonear. intr. *Amér.* Ejercer un cargo sin tener título para ello. DRAGONEA *de médico, de comisario.* ‖ **2.** *Amér.* Hacer alarde, echarla de.

Dragonete. m. *Blas.* **Dragante.**

Dragonites. (Del lat. *draconītes.*) f. Piedra fabulosa que dicen se halla en la cabeza de los dragones en las Indias.

Dragontea. (Del lat. *dracontēa.*) f. Planta herbácea vivaz, de la familia de las aráceas, de rizoma feculento y grueso, del cual arrancan hojas grandes divididas en cinco lóbulos lanceolados, con pecíolos anchos que abrazan el escapo, simulando un tallo de seis a ocho decímetros de altura, manchado de negro y verde como la piel de una culebra, espata grande, verdosa por fuera y purpúrea negruzca por dentro, y espádice largo y desnudo en su extremo. Se cultiva como adorno en los jardines, a pesar de su mal olor durante la floración, y es espontánea en varios puntos de España.

Dragontía. f. ant. **Dragontea.**

Dragontino, na. adj. Perteneciente o relativo al dragón.

Drama. (Del lat. *drama,* y éste del gr. δρᾶμα, de δράω, hacer.) m. Composición literaria en que se representa una acción de la vida con sólo el diálogo de los personajes que en ella intervienen y sin que el autor hable o aparezca. ‖ **2.** Poema dramático de asunto lastimoso, y en el cual puede libremente el poeta excitar afectos suaves, o el terror, como en la tragedia, poner junto a lo triste lo cómico, emplear todos los tonos, desde el más humilde hasta el más elevado, y dar a la fábula desenlace venturoso o funesto. ‖ **3.** Género dramático. *Este escritor y aquel actor sobresalen más en el* DRAMA *que en la comedia.* ‖ **4.** fig. Suceso de la vida real, capaz de interesar y conmover vivamente.

Dramática. f. Arte que enseña a componer obras dramáticas. ‖ **2.** Poesía dramática, uno de los tres principales géneros en que se divide la poesía. *La* DRAMÁTICA *española empezó a decaer a fines del siglo XVII.*

Dramáticamente. adv. m. De manera dramática o teatral; con las condiciones propias del drama.

Dramático, ca. (Del lat. *dramatĭcus,* y éste del gr. δραματικός.) adj. Perteneciente o relativo al drama. ‖ **2.** Propio, característico de la poesía **dramática,** o apto o conveniente para ella. *Lenguaje, talento* DRAMÁTICO. ‖ **3.** Dícese del autor de obras **dramáticas.** Ú. t. c. s. ‖ **4.** Aplícase igualmente al actor que representa papeles **dramáticos.** ‖ **5.** fig. Capaz de interesar y conmover vivamente.

Dramatismo. m. Cualidad de dramático, y especialmente el interés dramático.

Dramatizable. adj. Que puede dramatizarse.

Dramatización. f. Acción y efecto de dramatizar.

Dramatizar. (Del gr. δραματίζω.) tr. Dar forma y condiciones dramáticas.

Dramaturgia. (Del gr. δραματουργία.) f. **Dramática.**

Dramaturgo. (Del gr. δραματουργός; de δρᾶμα, -ατος, drama, y ἔργον, obra.) m. Autor de obras dramáticas.

Dramón. m. Drama terrorífico y malo.

Drapero. (Del lat. *drappus,* paño.) m. ant. **Pañero.**

Draque. m. *Amér.* Bebida confeccionada con agua, aguardiente y nuez moscada.

Drástico, ca. (Del gr. δραστικός, de δράω, obrar.) adj. *Med.* Dícese del medicamento que purga con grande eficacia o energía. Ú. t. c. s. m.

Drezar. (De *derezar.*) tr. ant. Aderezar o aparejar.

Dría. (Del lat. *Dryas.*) f. *Mit.* **Dríade.**

Dríada. f. *Mit.* **Dríade.**

Dríade. (Del lat. *dryas, -adis,* y éste del gr. δρυάς, de δρῦς, árbol.) f. *Mit.* Ninfa de los bosques, cuya vida duraba lo que la del árbol a que se suponía unida.

Dril. (Contracc. del ingl. *drilling.*) m. Tela fuerte de hilo o de algodón crudos.

Drino. (Del gr. δρυΐνας, culebra de los árboles; de δρῦς, árbol.) m. Culebra de color verde brillante, muy delgada, de un metro próximamente de longitud, hocico prolongado, y cubierta de escamas grandes bastante duras. Vive en los árboles de los grandes bosques y rara vez se encuentra en el suelo.

Driza. (Del ital. *drizza,* de *drizzare,* drizar.) f. *Mar.* Cuerda o cabo con que se izan y arrían las vergas, y también el que sirve para izar los picos cangrejos, las velas de cuchillo y las banderas o gallardetes.

Drizar. (Del ital. *drizzare.*) tr. desus. *Mar.* Arriar o izar las vergas.

Droga. (Del ár. *dawā',* medicina.) f. Nombre genérico de ciertas substancias minerales, vegetales o animales, que se emplean en la medicina, en la industria o en las bellas artes. ‖ **2.** fig. **Embuste,** 1.ª acep. ‖ **3.** fig. Trampa, ardid perjudicial. ‖ **4.** fig. Cosa que desagrada o molesta. Ú. generalmente con el verbo *ser. Es* DROGA, *una* DROGA, o *mucha* DROGA. ‖ **5.** *Méj.* y *Perú.* Deuda, trampa.

Drogmán. (Del m. or. que *truchimán.*) m. **Intérprete,** 2.ª acep.

Droguería. f. Trato y comercio en drogas. ‖ **2.** Tienda en que se venden drogas.

Droguero, ra. m. y f. Persona que trata en drogas, con tienda abierta o sin ella. ‖ **2.** *Méj.* y *Perú.* Tramposo; dícese del que contrae deudas y no las paga.

Droguete. (Del fr. *droguet.*) m. Cierto género de tela, comúnmente de lana, listada de varios colores y generalmente con flores entre las listas.

Droguista. com. **Droguero,** 1.ª acep. ‖ **2.** fig. Persona embustera, tramposa. Ú. t. c. adj.

Dromedal. m. ant. **Dromedario.**

Dromedario. (Del lat. *dromedarius,* y éste del gr. δρομάς, corredor.) m. *Zool.* Artiodáctilo rumiante, propio de la Arabia y del norte de África, muy semejante al camello, del cual se distingue principalmente por no tener más que una giba adiposa en el dorso.

Dropacismo. (Del lat. *dropacismus,* y éste del gr. δρωπακισμός, de δρῶπαξ, emplasto de pez.) m. Cierta untura depilatoria.

Drope. m. fam. Hombre despreciable.

Drosera. (Del gr. δροσερός, cubierto de rocío.) f. *Bot.* Planta de la familia de las droseráceas, con hojas circulares, en cuyo limbo hay numerosos pelos terminados en cabezuelas glandulosas, los cuales se encorvan sobre el cuerpo del insecto o de cualquiera otro animalillo que se haya posado sobre la hoja, sujetándolo; a continuación sus partes blandas son digeridas por el líquido viscoso que contiene un fermento parecido a la pepsina, segregado por las glándulas de dichas cabezuelas.

Droseráceo, a. (De *drosera,* nombre de una planta.) adj. *Bot.* Dícese de plantas angiospermas dicotiledóneas, herbáceas, de flores pentámeras con numerosos estambres, con hojas provistas de glándulas secretoras de un líquido viscoso, que contiene un fermento semejante a la pepsina y que les sirve para capturar y digerir insectos y otros animalillos. Son propias de las turberas. Ú. t. c. s. f. ‖ **2.** f. pl. *Bot.* Familia de estas plantas.

Drosómetro. m. *Fís.* Aparato para medir el rocío.

Druida. (Del lat. *druĭda,* y éste del celta *derv,* encina.) m. Sacerdote de los antiguos galos y britanos.

Druídico, ca. adj. Perteneciente o relativo a los druidas y a su religión.

Druidismo. m. Religión de los druidas.

Drupa. (Del lat. *drupa,* y éste del gr. δρύππα.) f. *Bot.* Fruto de mesocarpio carnoso y endocarpio leñoso y una sola semilla, como el melocotón y la ciruela.

Drupáceo, a. adj. De la naturaleza de la drupa, o parecido a ella.

Drusa. (Del lat. *druse.*) f. *Mineral.* Conjunto de cristales que cubren la superficie de una piedra.

Druso, sa. (De *Darazī,* nombre de uno de los fundadores de la secta.) adj. Habitante de las cercanías del Líbano, que profesa una religión derivada de la mahometana. Ú. t. c. s. ‖ **2.** Perteneciente o relativo a los **drusos.**

Dúa. f. desus. Prestación personal en las obras de fortificación. ‖ **2.** desus. Cuadrilla de operarios que se emplea en ciertos trabajos de minas. ‖ **3.** *Sal.* **Dula,** 1.ª acep.

Dual. (Del lat. *duālis.*) adj. *Gram.* V. **Número dual.** Ú. t. c. s.

Dualidad. (Del lat. *dualĭtas, -ātis.*) f. Condición de reunir dos caracteres distintos una misma persona o cosa. ‖ **2.** *Quím.* Facultad que tienen algunos cuerpos de cristalizar, según las circunstancias, en dos figuras geométricas diferentes.

Dualismo. (De *dual.*) m. Creencia religiosa de pueblos antiguos, que consistía en considerar el universo como formado y mantenido por el concurso de dos principios igualmente necesarios y eternos, y por consiguiente independientes uno de otro. ‖ **2.** Doctrina filosófica que explica el origen y naturaleza del universo por la acción de dos esencias o principios diversos y contrarios. ‖ **3. Dualidad,** 1.ª acep.

Dualista. adj. Partidario del dualismo. Ú. t. c. s.

Dualístico, ca. adj. Perteneciente o relativo al dualismo.

Duán. m. ant. **Diván,** 1.ª y 2.ª aceps.

Duba. (Del fr. *douve,* zanja, escarpa.) f. Muro o cerca de tierra.

Dubda. f. ant. **Duda.** ‖ **2.** ant. **Temor.**

Dubiedad. (Del lat. *dubiĕtas, -ātis.*) f. ant. **Duda.**

Dubio. (Del lat. *dubĭum,* duda.) m. *For.* Lo cuestionable. Ú. m. en los tribunales eclesiásticos.

Dubitable. (Del lat. *dubitabĭlis.*) adj. **Dudable.**

Dubitación. (Del lat. *dubitatĭo, -ōnis.*) f. **Duda.** ‖ **2.** *Ret.* Figura que consiste en manifestar, la persona que habla, duda o perplejidad acerca de lo que debe decir o hacer.

Dubitativo, va. (Del lat. *dubitatīvus.*) adj. Que implica o denota duda. ‖ **2.** *Gram.* V. **Conjunción dubitativa.**

Duc. m. ant. **Duque.**

Ducado. (Del lat. *ducātus.*) m. Título o dignidad de duque. ‖ **2.** Territorio o lugar sobre que recaía este título o en que ejercía jurisdicción un duque. ‖ **3.** Estado gobernado por un duque. ‖ **4.** Moneda de oro que se usó en España hasta fines del siglo XVI, cuyo valor, variable, llegó a ser de unas siete pesetas. || **5.** Moneda imaginaria equivalente a 11 reales de vellón, aumentada en una mitad más por la pragmática de febrero de 1680, y vuelta después a su valor primero. || **6.** Moneda de oro de Austria-Hungría, que valía a la par 12 pesetas próximamente. || **7.** ant. Gobierno, mando o dirección de gente de guerra. || **de la estampa.** El de oro, que se pagaba por la expedición de bulas en la dataría. Ú. m. en pl. || **de oro. Cruzado,** 8.ª acep. || **de plata. Ducado,** 5.ª acep. || **Si quieres saber lo que vale un ducado, pídelo prestado.** ref. sobre lo dificultoso que es siempre el préstamo.

Ducal. (Del lat. *ducālis.*) adj. Perteneciente al duque. || **2.** *Blas.* V. **Corona, manto ducal.**

Ducentésimo, ma. (Del lat. *ducentesĭmus.*) adj. Que sigue inmediatamente en orden al o a lo centésimo nonagésimo nono. || **2.** Dícese de cada una de las 200 partes iguales en que se divide un todo. Ú. t. c. s.

Ducientos, tas. (Del lat. *ducentos*, acus. pl. de *ducenti.*) adj. pl. ant. **Doscientos.**

Dúcil. (Del b. lat. *ducillus*, y éste del lat. *ducĕre*, conducir.) m. *Ast.* **Espita,** 1.ª acep.

Dúctil. (Del lat. *ductĭlis.*) adj. Aplícase a los metales que mecánicamente se pueden extender en alambres o hilos. || **2.** Por ext., **Maleable.** || **3.** fig. Acomodadizo, de blanda condición, condescendiente.

Ductilidad. f. Calidad de dúctil.

Ductivo, va. (Del lat. *ductus*, conducido.) adj. **Conducente.**

Ductor. (Del lat. *ductor.*) m. p. us. Guía o caudillo. || **2.** *Cir.* Cierto instrumento mayor que el exploratorio, utilizado para usar mejor de éste.

Ductriz. (De *ductor.*) f. p. us. La que guía.

Ducha. (Del fr. *douche.*) f. Chorro de agua que se hace caer sobre el cuerpo para limpieza o para refresco. || **2.** Chorro de agua o de otro líquido que con propósito medicinal se dirige a una parte enferma del cuerpo.

Ducha. (Del lat. *ducta*, conducida.) f. Lista que se forma en los tejidos. || **2.** *Mancha.* Banda de tierra que siega cada uno de los segadores caminando en línea recta hasta llegar al fin de la heredad.

Duchar. tr. Dar una ducha, 1.er art. Ú. t. c. r.

Ducho, cha. (Del lat. *doctus.*) adj. Experimentado, diestro.

Duda. (De *dudar.*) f. Suspensión o indeterminación del ánimo entre dos juicios o dos decisiones, o bien acerca de un hecho o una noticia. || **2.** Vacilación del ánimo respecto a las creencias religiosas. || **3.** Cuestión que se propone para ventilarla o resolverla. || **filosófica.** Suspensión voluntaria y transitoria del juicio para dar espacio y tiempo al espíritu a fin de que coordine todas sus ideas y todos sus conocimientos. || **Desatar la duda.** fr. *Lóg.* **Desatar el argumento.** || **Sin duda.** m. adv. **Ciertamente.**

Dudable. (Del lat. *dubitabĭlis.*) adj. Que se debe o se puede dudar.

Dudamiento. (De *dudar.*) m. ant. **Duda.**

Dudanza. (De *dudar.*) f. ant. **Duda.** || **2.** ant. **Temor.**

Dudar. (Del lat. *dubitāre.*) intr. Estar el ánimo perplejo y suspenso entre resoluciones y juicios contradictorios, sin decidirse por unos o por otros. || **2.** tr. Dar poco crédito a una especie que se oye. *Lo* DUDO. || **3.** ant. **Temer.**

Dudosamente. adv. m. Con duda. || **2.** Con poca probabilidad de que suceda. || **3.** Difícil o escasamente.

Dudoso, sa. adj. Que ofrece duda. || **2.** Que tiene duda. || **3.** Que es poco probable, que es inseguro o eventual.

Duecho, cha. (Del lat. *dŏctus*, docto.) adj. ant. **Ducho.**

Duela. (Del fr. ant. *douelle*, y éste d. del lat. *doga*, doga.) f. Cada una de las tablas que forman las paredes curvas de las pipas, cubas, barriles, etc. || **2.** *Zool.* Gusano platelminto del orden de los trematodos, aplanado y de forma casi ovalada, con una ventosa en el extremo anterior del cuerpo, en cuyo centro está la boca, y otra en la cara interior del animal, detrás de la primera. Vive parásito en los conductos biliares del carnero y del toro.

Duelaje. (De *duela.*) m. **Dolaje.**

Duelista. m. El que se precia de saber y observar las leyes del duelo. || **2.** El que fácilmente desafía a otros.

Duelo. (Del lat. *duellum*, guerra, combate.) m. Combate o pelea entre dos, precediendo desafío o reto. || **2.** desus. Pundonor o empeño de honor. || **3.** V. **Ley de duelo.**

Duelo. (Del lat. *dolus*, por *dolor.*) m. Dolor, lástima, aflicción o sentimiento. || **2.** Demostraciones que se hacen para manifestar el sentimiento que se tiene por la muerte de alguno. || **3.** Reunión de parientes, amigos o invitados que asisten a la casa mortuoria, a la conducción del cadáver al cementerio, o a los funerales. || **4.** Fatiga, trabajo. Ú. m. en pl. || **5.** fig. V. **Retablo de duelos.** || **Duelos y quebrantos.** Fritada hecha con huevos y grosura de animales, especialmente torreznos o sesos, manjares compatibles con la semiabstinencia que por precepto eclesiástico se guardaba los sábados en los reinos de Castilla. || **¿A dó vas, duelo? A do suelo.** ref. que explica que los males y trabajos no suelen venir solos, sino que se suceden unos a otros. || **Duelos me hicieron negra, que yo blanca me era.** ref. que da a entender lo mucho que acaban las penas. || **Los duelos con pan son buenos, o son menos.** ref. que da a entender que son más soportables los trabajos habiendo bienes y conveniencias. || **No lloraré yo sus duelos.** expr. con que se pronostica que uno ha de pasar muchos trabajos. || **Pápensele duelos.** fr. fam. con que se da a entender indiferencia para los males de alguno. || **Sin duelo.** m. adv. Sin tasa, sin escasez, abundantemente.

Duena. f. ant. **Dona,** 1.er art.

Duenario. m. Ejercicio devoto que se practica durante dos días.

Duende. (De *duendo.*) m. Espíritu que el vulgo cree que habita en algunas casas y que travesea, causando en ellas trastornos y estruendo. || **2. Restaño,** 1.er art. || **3.** *Germ.* **Ronda,** 2.ª acep. || **4.** pl. *And.* Cardos secos y espinosos que se sientan en las albardillas de las tapias para dificultar el escalo. || **5.** *And.* Encanto misterioso e inefable. *Los* DUENDES *del cante flamenco.* || **Andar** uno **como un duende. Parecer** uno **un duende.** frs. figs. y fams. Aparecerse en los parajes donde no se le esperaba. || **Tener** uno **duende.** fr. fig. y fam. Traer en la imaginación cosa que le inquieta.

Duendo, da. (Del lat. *domĭtus*, p. p. de *domāre*, domar.) adj. Manso, doméstico. || **2.** V. **Paloma duenda.**

Dueña. (Del lat. *domĭna.*) f. Mujer que tiene el dominio de una finca o de otra cosa. || **2.** Monja o beata que vivía antiguamente en comunidad y solía ser mujer principal. || **3.** Mujer viuda que para autoridad y respeto, y para guarda de las demás criadas, había en las casas principales. || **4.** ant. Mujer que no era doncella. || **5.** Nombre dado antiguamente a la señora o mujer principal casada. || **de honor. Señora de honor.** || **de medias tocas.** En las casas de los grandes y señores, la que por ser de inferior clase traía tocas más cortas que las principales. || **de retrete.** En palacio, **dueña** de inferior clase. || **Cual digan dueñas.** expr. fig. y fam. con que se explica que uno quedó mal, o fué maltratado, principalmente de palabra. || **Cuando os pedimos, dueña os decimos; cuando os tenemos, como queremos.** ref. que enseña a desconfiar de las palabras lisonjeras del que pide algo. || **Dueña culpada, mal castiga mallada.** ref. que da a entender que el que se halla culpado no puede reprender a otros. || **Dueña que de alto hila, de alto se remira.** ref. que denota la presunción y vanidad que tienen algunas mujeres de ser muy hacendosas. || **Dueña que en alto hila, abajo se humilla.** ref. que da a entender cuán expuesto y sujeto a inconvenientes es el levantarse uno a más alto lugar que el que le corresponde; como la mujer que quiere hilar sentada en alto y, por lo mismo, tiene que bajarse cada vez que se le cae el huso. || **Dueña que mucho mira, poco hila.** ref. que da a entender que la mujer ventanera nunca será muy hacendosa. || **Yo dueña y vos doncella, ¿quién barrerá la casa?** ref. que da a entender que cada uno debe cumplir con las obligaciones de su estado o ministerio, sin pretender cargarlas a otro.

Dueñesco, ca. adj. fam. Tocante o referente a las dueñas.

Dueño. (Del lat. *domĭnus.*) m. El que tiene dominio o señorío sobre persona o cosa. En este sentido solía llamarse así también a la mujer; uso que aún se conserva en los requiebros amorosos, diciendo DUEÑO *mío*, y no DUEÑA *mía*. || **2.** El amo de la casa, respecto de sus criados. || **3.** desus. Ayo, preceptor. || **del argamandijo.** fig. y fam. El que tiene el mando de una cosa. || **de sí mismo.** Dícese del que sabe dominarse y no se deja arrastrar por los primeros impulsos. || **Adonde no está el dueño, ahí está su duelo,** o **no está su duelo.** ref. **El ojo del amo engorda al caballo.** || **Cual el dueño, tal el perro.** expr. proverb. Según es el amo de la casa, así son los que están a su servicio. || **De lo ajeno, lo que quisiere su dueño.** ref. que explica la conformidad y gratitud que debe tener el que recibe con el que da, aunque el don sea corto. || **Dos dueños de una bolsa, el uno canta y el otro llora.** ref. que advierte que los bienes a medias acarrean muchos disgustos. || **Hacerse** uno **dueño de una cosa.** fr. Adquirir cabal conocimiento de un asunto, dominar alguna dificultad. || **2.** Apropiarse facultades y derechos que no le competen. || **Ser** uno **el dueño de la baila.** fr. fig. **Ser el amo de la baila.** || **Ser** uno el **dueño del cuchillón,** o **del hato,** o **de los cubos.** fr. fig. y fam. Tener mucho manejo en una casa o con algunas personas. || **Ser** uno **dueño,** o **muy dueño,** de hacer una cosa. fr. fam. Tener libertad para hacerla.

Duermevela. (De *dormir* y *velar.*) m. fam. Sueño ligero en que se halla el que está dormitando. || **2.** fam. Sueño fatigoso y frecuentemente interrumpido.

Duerna. (Del b. lat. *dorna*, ánfora, recipiente.) f. **Artesa.** || **2.** Tronco hueco en forma de canal, cerrado por sus dos extremos, que sirve para dar de comer a los animales y para otros usos.

Duerno. m. **Duerna.**

Duerno. (Del b. lat. *duernus*, y éste del lat. *duo*, dos.) m. *Impr.* Conjunto de dos pliegos impresos, metidos uno dentro de otro.

Dueto. (Del ital. *duetto.*) m. d. de **Dúo.**

Dúho. (Voz americana.) m. El banco o escaño que servía de asiento.

Dujo. (Del lat. *dōlium*, vasija.) m. *Sant.* **Colmena,** 1.ª acep.

Dula. (Del ár. *dalµa* o *dūla*, turno, vez, y también ganado.) f. Cada una de las porciones de tierra que por turno reciben riego de una misma acequia. || **2.** Cada una de las porciones del terreno comunal o en rastrojera, donde por turno pacen los ganados de los vecinos de un pueblo. || **3.** Sitio donde se echan a pastar los ganados de los vecinos de un pueblo. || **4.** Conjunto de las cabezas de ganado de los vecinos de un pueblo, que se envían a pastar juntos a un terreno comunal. Dícese especialmente del ganado caballar. || **Vete, o idos, a la dula.** expr. fam. **Vete, o idos, a paseo.**

Dular. adj. Perteneciente o relativo a la dula.

Dulcamara. (Del lat. *dulcamāra*, t. f. de *-rus;* de *dulcis*, dulce, y *amārus*, amargo.) f. Planta sarmentosa, de la familia de las solanáceas, con tallos ramosos que crecen hasta dos o tres metros, hojas pecioladas, enteras, acorazonadas, agudas y generalmente con dos orejetas en la base, flores pequeñas, violadas, en ramilletes, sobre pecíolos axilares, y por frutos bayas rojas del tamaño del guisante. Es común en los sitios frondosos, y el cocimiento de sus tallos, que es aromático, se usó en medicina como depurativo.

Dulce. (Del lat. *dulcis*.) adj. Que causa cierta sensación suave y agradable al paladar, como la miel, el azúcar, etc. || **2.** Que no es agrio o salobre, comparado con otras cosas de la misma especie. || **3.** Dícese del manjar que está insulso, falto de sal. || **4.** V. **Agua, almendra, asa, caña, hierro, mercurio, naranja, palo, plomo, talla, vino dulce.** || **5.** V. **Jamón en dulce.** || **6.** fig. Grato, gustoso y apacible. || **7.** fig. Naturalmente afable, complaciente, dócil. || **8.** *Pint.* Que tiene cierta suavidad y blandura en el dibujo. || **9.** *Pint.* Que tiene grato y hermoso colorido. || **10.** adv. m. **Dulcemente.** || **11.** m. Manjar compuesto con azúcar; como el arroz con leche, las natillas, los huevos moles, etc. || **12.** Fruta o cualquiera otra cosa cocida o compuesta con almíbar o azúcar y secada al sol o al aire. || **13.** pl. fam. En el juego del tresillo, tantos que cobra o paga el que entra a vuelta, según gana o pierde. || **Dulce de almíbar.** Fruta conservada en almíbar. || **de platillo, o seco. Dulce,** 11.ª acep. || **A nadie le amarga un dulce.** fr. fig. y fam. Denota que cualquier ventaja que se ofrece, por pequeña que sea, no es de desperdiciar.

Dulcedumbre. (Del lat. *dulcitūdo, -ĭnis*.) f. Dulzura, suavidad.

Dulcémele. (Del lat. *dulcis*, dulce, y el gr. μέλος, melodía.) m. Salterio, 5.ª acep.

Dulcemente. adv. m. Con dulzura, con suavidad.

Dulcera. (t. f. de *dulcero*.) f. Vaso, ordinariamente de cristal, en que se guarda y sirve el dulce de almíbar.

Dulcería. (De *dulcero*.) f. **Confitería.**

Dulcero, ra. (Del lat. *dulciarius*, de *dulcis*, dulce.) adj. fam. Aficionado al dulce. || **2.** m. y f. **Confitero, ra.**

Dulceza. f. ant. **Dulzura.**

Dulcificación. f. Acción y efecto de dulcificar.

Dulcificante. p. a. de **Dulcificar.** Que dulcifica.

Dulcificar. (Del lat. *dulcificāre;* de *dulcis*, dulce, y *facĕre*, hacer.) tr. Volver dulce una cosa. Ú. t. c. r. || **2.** fig. Mitigar la acerbidad, acrimonia, etc., de una cosa material o inmaterial.

Dulcinea. (Por alusión a la dama ideal de don Quijote.) f. fig. y fam. Mujer querida. || **2.** fig. Aspiración ideal de uno, fantástica comúnmente.

Dulcísono, na. (Del lat. *dulcisŏnus*.) adj. poét. Que suena dulcemente.

Dulero. m. Pastor o guarda de la dula.

Dulía. (Del gr. δουλεία, servidumbre; de δοῦλος, esclavo.) f. **Culto de dulía.**

Dulimán. (Del m. or. que *dormán*, quizá a través del francés.) m. Vestidura talar de que usan los turcos.

Dulzaina. (Del fr. ant. *doulçaine*.) f. Instrumento músico de viento, parecido a la chirimía, pero más corto y de tonos más altos.

Dulzaina. (De *dulce*.) f. despect. Cantidad abundante de dulce malo.

Dulzainero. m. El que toca la dulzaina.

Dulzaino, na. (De *dulce*.) adj. fam. Demasiado dulce, o que está dulce no debiendo estarlo.

Dulzamara. (De *dulce* y *amaro*, 1.er art.) f. **Dulcamara.**

Dulzarrón, na. adj. fam. De sabor dulce, pero desagradable y empalagoso.

Dulzón, na. adj. **Dulzarrón.**

Dulzor. (De *dulce*.) m. **Dulzura.**

Dulzorar. (De *dulzor*.) tr. p. us. Dulcificar, endulzar.

Dulzura. f. Calidad de dulce. || **2.** fig. Suavidad, deleite. || **3.** fig. Afabilidad, bondad, docilidad. || **4.** Palabra cariñosa, placentera. Ú. m. en pl.

Dulzurar. (De *dulzura*.) tr. ant. fig. Mitigar, apaciguar. || **2.** *Quím.* Hacer dulce un cuerpo quitándole la sal.

Duma. f. Asamblea legislativa de la Rusia zarista.

Duna. (Del fr. *dune*.) f. Colina de arena movediza que en los desiertos y en las playas forma y empuja el viento. Ú. m. en pl.

Dundo, da. (De *duendo*.) adj. *Amér. Central y Colomb.* **Tonto,** 1.ª acep.

Dúo. (Del ital. *duo*, y éste del lat. *duo*, dos.) m. *Mús.* Composición que se canta o toca entre dos.

Duodecimal. adj. **Duodécimo,** 2.ª acep. || **2.** *Arit.* Dícese de todo sistema aritmético cuya base es el número 12.

Duodécimo, ma. (Del lat. *duodecĭmus*.) adj. Que sigue inmediatamente en orden al o a lo undécimo. || **2.** Dícese de cada una de las 12 partes iguales en que se divide un todo. Ú. t. c. s.

Duodécuplo, pla. Del lat. *duo*, dos, y *decŭplus*, décuplo.) adj. Que contiene un número 12 veces exactamente. Ú. t. c. s. m.

Duodenal. adj. *Zool.* Perteneciente o relativo al duodeno.

Duodenario, ria. (Del lat. *duodenarĭus*.) adj. Que dura el espacio de doce días. Ú. hablando de ciertas devociones.

Duodenitis. f. *Med.* Inflamación del duodeno.

Duodeno, na. (Del lat. *duodēni*, doce.) adj. **Duodécimo.** || **2.** m. *Zool.* Primera porción del intestino delgado de los mamíferos. Debe su nombre a la circunstancia de que en el hombre tiene unos 12 dedos de largo. Comunica directamente con el estómago y remata en el yeyuno.

Duomesino, na. (Del lat. *duo*, dos, y de *mes*.) adj. De dos meses. || **2.** Perteneciente a este tiempo.

Dúos, as. (Del lat. *duos*.) adj. pl. ant. **Dos.**

Dupa. (Del fr. *dupe*.) m. *Germ.* El que se deja o se ha dejado engañar.

Dupla. (Del lat. *dupla*, t. f. de *duplus*, doble.) f. Extraordinario que solía darse en los refectorios de colegios en algunos días señalados.

Duplado, da. (Del lat. *duplātus*, p. p. de *duplāre*, doblar.) adj. ant. Duplicado, doble.

Dúplica. (De *duplicar*.) f. *For.* Escrito en que el demandado responde a la réplica del actor.

Duplicación. (Del lat. *duplicatio, -ōnis*.) f. Acción y efecto de duplicar o duplicarse.

Duplicadamente. adv. m. Con duplicación.

Duplicado, da. p. p. de **Duplicar.** || **2.** m. Segundo documento o escrito que se expide del mismo tenor que el primero, por si éste se pierde o si se necesitan dos. || **3.** Ejemplar doble o repetido de una obra.

Duplicar. (Del lat. *duplicāre*, doblar.) tr. Hacer doble una cosa. Ú. t. c. r. || **2.** Multiplicar por dos una cantidad. || **3.** *For.* Contestar el demandado a la réplica del actor.

Duplicativo, va. adj. Que duplica o dobla.

Duplicatura. (De *duplicar*.) f. p. us. **Dobladura.**

Dúplice. (Del lat. *duplex, -ĭcis*.) adj. **Doble.** || **2.** Dícese de los conventos y monasterios en que había una comunidad de religiosos y otra de religiosas.

Duplicidad. (Del lat. *duplicĭtas, -ātis*.) f. Doblez, falsedad. || **2.** Calidad de dúplice o doble.

Duplo, pla. (Del lat. *duplus*.) adj. Que contiene un número dos veces exactamente. Ú. t. c. s. m.

Duque. (Del fr. *duc*, y éste del gr. bizantino δούκα, acus. de δούξ.) m. Título de honor destinado en Europa para significar la nobleza más alta. || **2.** ant. General de un ejército. || **3.** ant. Comandante general militar y político de una provincia. || **4.** fam. Pliegue que las mujeres hacían en el manto, prendiéndolo en el pelo y echando después hacia atrás la parte que caía por delante. || **Duque de alba.** *Mar.* Conjunto de pilotes sujetos por un zuncho de hierro o de otra manera, que se clavan en el fondo del mar en puertos y ensenadas y sirven como norayes.

Duquesa. f. Mujer del duque. || **2.** La que por sí posee un estado que lleva anejo título ducal.

Dura. (De *durar*.) f. **Duración.**

Durabilidad. f. Calidad de durable.

Durable. (Del lat. *durabĭlis*.) adj. **Duradero.**

Duración. f. Acción y efecto de durar.

Durada. (De *durar*.) f. ant. **Duración.**

Duraderamente. adv. m. Con estabilidad y firmeza o larga duración.

Duradero, ra. adj. Dícese de lo que dura o puede durar mucho.

Durador, ra. adj. ant. Que dura o permanece.

Duradura. (De *durar*.) f. ant. **Duración.**

Duramadre. f. *Zool.* Meninge externa de las tres que tienen los batracios, reptiles, aves y mamíferos.

Duramen. (Del lat. *durāmen*.) m. *Bot.* Parte más seca, compacta, y de color más obscuro por lo general, del tronco y ramas gruesas de un árbol.

Duramente. adv. m. Con dureza.

Durando. m. Especie de paño que se usaba en Castilla en tiempo de Felipe II.

Durante. p. a. de **Durar.** Que dura. || **2.** Ú. con significación semejante a la del adv. *mientras*, precediendo a nombres con los cuales forma ablativos absolutos. DURANTE *la guerra;* esto es: *durando*, o *mientras dura*, o *duraba*, *la guerra*.

Duranza. (De *durar*.) f. ant. **Duración.**

Durar. (Del lat. *durāre*, de *dūrus*, duro.) intr. Continuar siendo, obrando, sirviendo, etc. || **2.** Subsistir, permanecer. || **3.** ant. Estarse, mantenerse en un lugar.

Durativo, va. adj. *Gram.* Que denota duración.

Duratón. m. *Germ.* **Duro.**

Duraznero. (De *durazno*.) m. Árbol, variedad de melocotón, cuyo fruto es algo más pequeño. || **2.** *Can.* **Durazno,** 3.ª acep.

Duraznilla. f. **Durazno,** 2.ª acep.

Duraznillo. (Porque las hojas de la planta se parecen a las del durazno.) m. Planta de la familia de las poligonáceas, con tallos ramosos de 6 a 12 decímetros de altura; hojas poco pecioladas, lanceoladas, por lo común con una mancha negra; flores róseas o blancas en espigas laterales, y fruto lenticular en vainillas envueltas por el perigonio. Es muy común en las orillas de los ríos y arroyos.

Durazno. (Del lat. *duracĭnus*.) m. **Duraznero.** || **2.** Fruto de este árbol. || **3.** *Argent.* y *Chile.* Nombre genérico de las varias especies de árboles melocotonero, pérsico y **durazno** propiamente dicho. || **4.** *Argent.* y *Chile.* Fruto de estos árboles.

Durez. (Del lat. *dūrĭtĭes*.) f. ant. **Dureza.**

Dureza. (Del lat. *dūrĭtĭa*.) f. Calidad de duro. || **2.** *Med.* Tumor o callosidad que se hace en algunas partes del cuerpo, a causa de algunos humores que se detienen o extravasan. || **3.** *Mineral.* Resistencia que opone un mineral a ser rayado por otro. || **de vientre.** *Med.* Dificultad o pereza para la evacuación fecal.

Durillo. adj. d. de **Duro.** || **2.** V. **Trigo durillo.** || **3.** m. Arbusto de la familia de las caprifoliáceas, de dos a tres metros de altura, ramoso, de corteza parduzca con verruguillas ásperas, hojas persistentes, aovadas, enteras, coriáceas, con hacecillos de pelos en el encuentro de las venas, y glandulosas por el envés, flores blancas en ramilletes terminales, y por frutos drupas de un centímetro de diámetro, azucaradas, coronadas por el cáliz, que es persistente. Es planta abundante en los matorrales de España, se cultiva en los jardines, y su madera, blanca rojiza, dura y muy compacta, tiene aplicación en obras de taracea. || **4. Doblilla.** || **5. Cornejo.**

Durina. f. *Veter.* Enfermedad contagiosa de las caballerías, que se caracteriza por tumefacción de los ganglios linfáticos, inflamación de los órganos genitales y parálisis.

Durindaina. (De *Durindana*, espada de Roldán, por referencia a la espada de la ley.) f. *Germ.* La justicia.

Durlines. m. pl. *Germ.* Criados de la justicia.

Durmiente. p. a. de **Dormir.** Que duerme. Ú. t. c. s. || **2.** m. Madero colocado horizontalmente y sobre el cual se apoyan otros, horizontales o verticales. || **3.** *Amér.* Traviesa de la vía férrea. || **Los siete durmientes.** fr. fam. que se aplica a la persona dormilona.

Duro, ra. (Del lat. *durus*.) adj. Dícese del cuerpo que se resiste a ser labrado, cortado, comprimido o desfigurado, que no se presta a recibir nueva forma o lo dificulta mucho. Se dice también de la cosa que no está todo lo blanda, mullida o tierna que debe estar. || **2.** V. **Huevo, jabón, trigo duro.** || **3.** V. **Piedra dura.** || **4.** fig. Fuerte, que resiste y soporta bien la fatiga. || **5.** fig. Áspero, falto de suavidad, excesivamente severo. *Voz* DURA. *Represión* DURA. || **6.** fig. Ofensivo y malo de tolerar. || **7.** fig. Violento, cruel, insensible. || **8.** fig. Terco y obstinado. || **9.** fig. Que no es liberal, o que no da sin gran dificultad y repugnancia. || **10.** fig. Mal acondicionado y bronco de natural. || **11.** fig. Tratándose del estilo, áspero, premioso, rígido, falto de suavidad, fluidez y armonía. || **12.** fig. V. **Cosa dura.** || **13.** V. **Peso duro.** || **14.** *Pint.* Dícese del dibujo cuyas líneas pecan de rígidas, de la pintura que presenta bruscas transiciones de claroscuro, y de la escultura cuando su modelado carece de morbidez y hermosura. || **15.** ant. *Zool.* V. **Dura madre.** || **16.** m. Moneda de plata que vale cinco pesetas. || **17.** pl. *Germ.* Los zapatos. || **18.** *Germ.* Los azotes. || **A duras.** m. adv. desus. **A duras penas.** || **A, o de, duro.** m. adv. desus. **Difícilmente.** || **Duro.** adv. m. Con fuerza, con violencia. *Dale* DURO. || **Duro y parejo.** loc. adv. fam. *Argent.* y *Chile.* Con fuerza y constancia. || **Estar a las duras y a las maduras, o ir las duras con, o por, las maduras.** frs. figs. y fams. **Tomar las duras,** etc. || **Más da el duro que el desnudo.** ref. con que se denota que aun del avaro debe esperarse más que del que nada tiene para sí. || **Tomar las duras con, o por, las maduras.** fr. fig. y fam. que se usa para significar que debe llevar las incomodidades de un empleo, cargo o negocio, el que tiene las utilidades y los provechos.

Duunvir. (Del lat. *duumvir*.) m. **Duunviro.**

Duunviral. (Del lat. *duumvirālis*.) adj. Perteneciente o relativo a los duunviros, o al duunvirato.

Duunvirato. (Del lat. *duumvirātus*.) m. Dignidad y cargo de duunviro. || **2.** Tiempo que duraba. || **3.** Régimen político en que el gobierno estaba encomendado a duunviros.

Duunviro. (Del lat. *duumvir*.) m. Nombre de diferentes magistrados en la antigua Roma. || **2.** Cada uno de los dos presidentes de los decuriones en las colonias y municipios romanos.

Dux. (Del ital. *dux*, y éste del lat. *dux*, guía, jefe.) m. Príncipe o magistrado supremo en las repúblicas de Venecia y Génova.

Duz. (Del lat. *dulcis*.) adj. *And.* **Dulce.** *Caña* DUZ.

E

E. f. Sexta letra del abecedario español, y segunda de las vocales; pronúnciase elevando un poco la lengua en su parte anterior. || **2.** *Dial.* Signo de la proposición universal negativa.

E. (Del lat. *et.*) conj. copul. Antiguamente se usó en vez de la *y*, a la cual substituye hoy, para evitar el hiato, antes de palabras que empiezan por *i* o *hi*. *Juan* E *Ignacio; padre* E *hijo.* Pero ni aun en este caso reemplaza a la *y* en principio de interrogación o admiración, ni cuando la palabra siguiente empieza por *y* o por la sílaba *hie*. *¿*Y *Ignacio?;* ¡Y *Isidoro también comprometido!; Ocaña* Y *Yepes; tigre* Y *hiena.*

E. (Del lat. *e.*) prep. insep. que denota origen o procedencia, como en Emanar; extensión o dilatación, como en Efundir.

¡Ea! (Del lat. *eia.*) interj. que se emplea para denotar alguna resolución de la voluntad, o para animar, estimular o excitar. Ú. t. repetida. || **Con otro ea, llegaremos a la aldea.** fr. con que se anima a continuar cualquier trabajo.

Easonense. (De *Oeason*, nombre latino de San Sebastián.) adj. **Donostiarra.** Ú. t. c. s.

Ebanista. m. El que tiene por oficio trabajar en ébano y otras maderas finas.

Ebanistería. f. Taller de ebanista. || **2.** Arte del ebanista. || **3.** Muebles y otras obras de ebanista que forman un conjunto; por ejemplo, en una casa.

Ébano. (Del lat. *ebĕnus*, y éste del gr. ἔβενος.) m. Árbol exótico, de la familia de las ebenáceas, de 10 a 12 metros de altura, de copa ancha, tronco grueso, madera maciza, pesada, lisa, muy negra por el centro y blanquecina hacia la corteza, que es gris; hojas alternas, enteras, lanceoladas, de color verde obscuro, flores verdosas y bayas redondas y amarillentas. || **2.** Madera de este árbol. || **vivo.** fr. Se llamó así a los negros en tiempo de la trata.

Ebenáceo, a. (Del lat. *ebĕnus*, ébano.) adj. *Bot.* Dícese de árboles o arbustos intertropicales, angiospermos dicotiledóneos, con hojas comúnmente alternas y enteras; flores casi siempre unisexuales, axilares, de cáliz persistente y corola regular, caediza, las más veces sedosa por fuera; fruto carnoso, globoso u ovoide en forma de baya, que puede ser comestible; semillas de albumen córneo, y madera generalmente negra en el centro, dura y pesada; como el ébano. Ú. t. c. s. || **2.** f. pl. *Bot.* Familia de estas plantas.

Ebionita. adj. Hereje de los primeros siglos de la era cristiana, que creía ser Nuestro Señor Jesucristo hombre nacido naturalmente de José y María, y adoptado por Dios. Ú. t. c. s.

Ebonita. (Del ingl. *ebony*, ébano.) f. Preparación de goma elástica, azufre y aceite de linaza, negra, muy dura, y que sirve para hacer cajas, peines, aisladores de aparatos eléctricos, etc.

Eborario, ria. (Del lat. *eborarĭus.*) adj. De marfil, o relativo al marfil.

Ebrancado, da. (Del fr. *ébranché;* de *es* y *branche*, rama.) adj. *Blas.* Dícese del árbol que tiene cortadas las ramas.

Ebriedad. (Del lat. *ebriĕtas, -ātis.*) f. **Embriaguez.**

Ebrio, bria. (Del lat. *ebrĭus.*) adj. Embriagado, borracho. Ú. t. c. s. || **2.** fig. **Ciego,** 6.ª acep. EBRIO *de coraje, de ira.*

Ebrioso, sa. (Del lat. *ebriōsus.*) adj. Muy dado al vino y que se embriaga fácilmente. Ú. t. c. s.

Ebulición. f. p. us. **Ebullición.**

Ebullición. (Del lat. *ebullitĭo, -ōnis.*) f. **Hervor,** 1.ª acep.

Ebullómetro. (Del lat. *ebullīre*, hervir.) m. *Fís.* Aparato para medir la temperatura a que hierve un cuerpo.

Eburnación. f. *Med.* Aumento morboso de la densidad de un cartílago o un hueso que toma aspecto semejante al marfil.

Ebúrneo, a. (Del lat. *eburnĕus.*) adj. De marfil, o parecido a él. Ú. m. en estilo poético.

Eburno. (Del lat. *eburnus.*) m. ant. **Marfil,** 1.ª acep.

Ecarté. (Del fr. *écarté*, descartado.) m. Juego de naipes entre dos, cada uno de los cuales toma cinco cartas, que de común acuerdo pueden cambiarse por otras. El jugador que en cada mano hace más bazas, se apunta un tanto; otro, el que saca un rey de muestra, y gana el que primero tiene cinco tantos.

Eccehomo. (Del lat. *ecce*, he aquí, y *homo*, el hombre.) m. Imagen de Jesucristo como le presentó Pilatos al pueblo. || **2.** fig. Persona lacerada, rota, de lastimoso aspecto.

Eccema. (Del gr. ἔκζεμα, de ἐκζέω, hervir.) f. Afección de la piel, caracterizada por vejiguillas muy espesas que forman manchan irregulares y rojizas, debidas a la acción de estímulos externos o internos sobre tegumentos irritables.

Eccematoso, sa. adj. Perteneciente o relativo al eccema.

Ecepto. adv. m. ant. **Excepto.**

Eceptuar. tr. ant. **Exceptuar.**

Ecijano, na. adj. Natural de Écija. Ú. t. c. s. || **2.** Perteneciente a esta ciudad.

Eclampsia. (Del gr. ἔκλαμψις, brillo o resplandor súbito; de ἐκ, de, y λάμπω, brillar.) f. *Med.* Enfermedad de carácter convulsivo, que suelen padecer los niños y las mujeres embarazadas o recién paridas. Acomete con accesos, y va acompañada o seguida ordinariamente de pérdida o abolición más o menos completa de las facultades sensitivas e intelectuales.

Eclecticismo. (De *ecléctico.*) m. Escuela filosófica que procura conciliar las doctrinas que parecen mejores o más verosímiles, aunque procedan de diversos sistemas. || **2.** fig. Modo de juzgar u obrar que adopta un temperamento intermedio, en vez de seguir soluciones extremas o bien definidas.

Ecléctico, ca. (Del gr. ἐκλεκτικός, de ἐκλέγω, escoger.) adj. Perteneciente o relativo al eclecticismo. || **2.** Dícese de la persona que profesa las doctrinas de esta escuela, o que adopta un temperamento ecléctico. Ú. t. c. s.

Eclesiastés. (Del lat. *ecclesiastes*, y éste del gr. ἐκκλησιαστής, el que dirige la palabra al pueblo reunido.) m. Libro canónico del Antiguo Testamento, escrito por Salomón. En él se habla contra la vanidad del mundo, haciendo comprender que no hay felicidad verdadera sino en la observancia rigurosa de los mandamientos de la ley de Dios.

Eclesiásticamente. adv. m. De modo propio de un eclesiástico. || **2.** Por ministerio o con autoridad de la Iglesia.

Eclesiástico, ca. (Del lat. *ecclesiastĭcus*, y éste del gr. ἐκκλησιαστικός.) adj. Perteneciente o relativo a la Iglesia. || **2.** V. **Año, brazo, derecho, día eclesiástico.** || **3.** V. **Audiencia, deposición, disciplina, mesada eclesiástica.** || **4.** ant. Docto, instruido. || **5.** m. **Clérigo,** 1.ª acep. || **6.** Libro canónico del Antiguo Testamento, llamado así porque enseña preceptos excelentes en todo linaje de virtudes.

Eclesiastizar. (De *eclesiástico.*) tr. Hablando de bienes temporales, **espiritualizar,** 3.ª acep.

Eclímetro. (Del gr. ἐκκλινής, inclinado, y μέτρον, medida.) m. *Topogr.* Instrumento con que se mide la inclinación de las pendientes.

Eclipsable. adj. Que se puede eclipsar y obscurecer.

Eclipsar. tr. *Astron.* Causar un astro el eclipse de otro. || **2.** fig. Obscurecer, deslucir. Ú. t. c. r. || **3.** r. *Astron.* Ocurrir el eclipse de un astro. || **4.** fig. Evadirse, ausentarse, desaparecer una persona o cosa.

Eclipse. (Del lat. *eclipsis,* y éste del gr. ἔκλειψις, de ἐκλείπω, faltar, desaparecer.) m. *Astron.* Ocultación transitoria y total o parcial de un astro, o pérdida de su luz prestada, por interposición de otro cuerpo celeste. || **2.** fig. Ausencia, evasión, desaparición transitoria de una persona o cosa. || **lunar.** *Astron.* El que ocurre por interposición de la Tierra entre la Luna y el Sol. || **solar.** *Astron.* El que ocurre por interposición de la Luna entre el Sol y la Tierra.

Eclipsi. m. desus. **Eclipse.**

Eclipsis. f. *Gram.* **Elipsis.**

Eclíptica. (Del lat. *ecliptĭca* [línea], y éste del gr. ἡ ἐκλειπτική, porque sólo en ella se verifican los eclipses solares y lunares.) f. *Astron.* Círculo máximo de la esfera celeste, que en la actualidad corta al Ecuador en ángulo de 23 grados y 27 minutos, y señala el curso aparente del Sol durante el año. || **2.** *Astron.* V. **Nonagésimo, oblicuidad de la Eclíptica.**

Eclíptico. (Del lat. *eclipticus,* y éste del gr. ἐκλειπτικός.) adj. *Astron.* V. **Término eclíptico.**

Écloga. f. ant. **Égloga.**

Eclógico, ca. adj. Perteneciente o relativo a la égloga.

Eco. (Del lat. *echo,* y éste del gr. ἠχώ.) m. Repetición de un sonido reflejado por un cuerpo duro. || **2.** Sonido que se percibe débil y confusamente. *Los* ECOS *del tambor, de la campana.* || **3.** Composición poética en que se repite dentro o fuera del verso parte de un vocablo, o un vocablo entero, especialmente si es monosílabo, para formar nueva palabra significativa y que sea como **eco** de la anterior. || **4.** Repetición de las últimas sílabas o palabras que se cantan a media voz por distinto coro de músicos, y en los órganos se hace por registro distinto hecho a propósito para este fin. || **5.** fig. El que, o lo que, imita o repite servilmente aquello que otro dice o que se dice en otra parte. || **6.** fig. Lo que está notablemente influido por un antecedente o procede de él. || **múltiple.** El que se repite varias veces, reflejado recíproca y alternativamente por dos cuerpos. || **Hacer eco** una cosa. fr. fig. Tener proporción o correspondencia con otra. || **2.** fig. Hacerse notable y digna de atención y reflexión. || **Tener eco** una cosa. fr. fig. Propagarse con aceptación.

Ecoico, ca. (Del lat. *echoicus.*) adj. Perteneciente o relativo al eco. || **2.** Dícese de la poesía castellana llamada eco. || **3.** V. **Verso ecoico.**

Ecolalia. (Del gr. ἠχώ, eco, y λαλιά, palabra.) f. *Med.* Perturbación del lenguaje, que consiste en repetir el enfermo involuntariamente una palabra o frase que acaba de pronunciar él mismo, u otra persona en su presencia.

Ecología. (Del gr. οἶκος, casa, y λόγος, tratado.) f. Parte de la biología, que estudia las relaciones existentes entre los organismos y el medio en que viven.

Ecológico, ca. adj. Perteneciente o relativo a la ecología.

Economato. m. Cargo de ecónomo. || **2.** Almacén de artículos de primera necesidad, establecido para que se surtan de él determinadas personas, o abierto al público en general, donde los consumidores pueden adquirir los géneros con más economía que en las tiendas. *El* ECONOMATO *de los empleados de ferrocarriles.*

Economía. (Del lat. *oeconomĭa,* y éste del gr. οἰκονομία, de οἰκονόμος, ecónomo.) f. Administración recta y prudente de los bienes. || **2.** Riqueza pública, conjunto de ejercicios y de intereses económicos. || **3.** Estructura o régimen de alguna organización o institución. || **4.** Escasez o miseria. || **5.** Buena distribución del tiempo y de otras cosas inmateriales. || **6.** Ahorro de trabajo, tiempo, dinero, etc. || **7.** *Pint.* p. us. Buena disposición y colocación de las figuras y demás objetos que entran en una composición. || **8.** pl. Ahorros, cantidad economizada. || **9.** Reducción de gastos en un presupuesto. || **Economía animal.** *Zool.* Conjunto armónico de los aparatos orgánicos y funciones fisiológicas de los cuerpos vivos. || **política.** Ciencia que trata de la producción y distribución de la riqueza.

Económicamente. adv. m. Con economía. || **2.** Con respecto o con relación a la economía. || **3.** Con baratura.

Económico, ca. (Del lat. *oeconomĭcus,* y éste del gr. οἰκονομικός, de οἰκονόμος, ecónomo.) adj. Perteneciente o relativo a la economía. || **2.** V. **Administración, cocina económica.** || **3.** V. **Año económico.** || **4.** Muy detenido en gastar. || **5. Miserable,** 3.ª acep. || **6.** Poco costoso, que exige poco gasto.

Economista. adj. Dícese del que suele escribir sobre materias de economía política y del instruido en esta ciencia. Ú. t. c. s. || **2.** Adepto a una doctrina que alcanzó gran auge en el siglo XIX, propagada principalmente por publicistas ingleses.

Economizar. (De *ecónomo.*) tr. **Ahorrar,** 2.ª y 3.ª aceps.

Ecónomo. (Del lat. *oeconŏmus,* y éste del gr. οἰκονόμος; de οἶκος, casa, y νέμω, administrar.) adj. V. **Cura ecónomo.** || **2.** m. El que se nombra para administrar y cobrar las rentas de las piezas eclesiásticas que están vacantes o en depósito. || **3.** El que administraba los bienes del demente o del pródigo. || **4.** El que sirve un oficio eclesiástico cuando está vacante, o cuando, por razones legales, no puede el propietario desempeñarlo.

Ecotado, da. (Del fr. *écot,* y éste del germ. *skot,* tallo.) adj. *Blas.* Aplícase a los troncos y ramas de árboles, que se figuran con los nudos correspondientes a los ramos menores.

Ectasia. (Del lat. *ectăsis,* dilatación.) f. *Med.* Estado de dilatación de un órgano hueco.

Éctasis. (Del lat. *ectăsis,* y éste del gr. ἔκτασις, extensión.) f. Licencia poética que consiste en alargar la sílaba breve para la cabal medida del verso.

Ectodérmico, ca. adj. *Zool.* Perteneciente o relativo al ectodermo.

Ectodermo (Del gr. ἐκτός, por fuera, y δέρμα, piel.) m. *Zool.* La capa u hoja externa de las tres en que se disponen las células del blastodermo después de haberse producido la segmentación.

Ectópago. (Del gr. ἐκτός, por fuera, y de la raíz παγ, estar fijo.) adj. *Med.* Dícese del monstruo compuesto de dos individuos que tienen un ombligo común y están reunidos lateralmente en toda la extensión del pecho. Ú. t. c. s.

Ectoparásito. (Del gr. ἐκτός, por fuera, y παράσιτος.) adj. *Biol.* Dícese del parásito que vive en la superficie de otro organismo, y del que sólo se pone en contacto con un animal o un vegetal en el momento de absorber del cuerpo del huésped los jugos de que se alimenta; como el piojo y la sanguijuela. Ú. t. c. s.

Ectopia. (Del gr. ἐκ, fuera, y τόπος, lugar.) f. Anomalía de situación de un órgano, y especialmente de las vísceras.

Ecuable. (Del lat. *aequabĭlis.*) adj. ant. Justo, igual y puesto en razón. || **2.** *Mec.* Dícese del movimiento con que los cuerpos recorren espacios iguales en tiempos iguales.

Ecuación. (Del lat. *aequatĭo, -ōnis.*) f. *Álg.* Igualdad que contiene una o más incógnitas. || **2.** *Astron.* Diferencia que hay entre el lugar o movimiento medio y el verdadero o aparente de un astro. || **del tiempo.** *Astron.* Tiempo que pasa entre el mediodía medio y el verdadero. || **determinada.** *Álg.* Aquella en que la incógnita tiene un número limitado de valores. || **indeterminada.** *Álg.* Aquella en que la incógnita puede tener un número ilimitado de valores. || **lineal.** *Mat.* La del primer grado con dos variables. || **personal.** *Astron.* Promedio de error en las observaciones o mediciones de precisión, que difiere de unos observadores a otros y se considera peculiar de cada uno.

Ecuador. (Del lat. *aequātor.*) m. *Astron.* Círculo máximo que se considera en la esfera celeste, perpendicular al eje de la Tierra. || **2.** *Astron.* V. **Altura del Ecuador.** || **3.** *Geom.* Paralelo de mayor radio en una superficie de revolución. || **galáctico.** Círculo máximo tomado en el medio de la Vía Láctea. || **terrestre.** *Geogr.* Círculo máximo que equidista de los polos de la Tierra.

Ecuamente. adv. m. ant. Con igualdad o equidad.

Ecuánime. (Del lat. *aequanĭmis.*) adj. Que tiene ecuanimidad.

Ecuanimidad. (Del lat. *aequanimĭtas, -ātis.*) f. Igualdad y constancia de ánimo. || **2.** Imparcialidad serena del juicio.

Ecuante. (Del lat. *aequans, -antis,* p. a. de *aequāre,* igualar.) adj. ant. **Igual,** 1.ª acep. || **2.** *Astron.* Aplicábase al círculo excéntrico que se añadía al deferente para explicar ciertas particularidades del movimiento del Sol y de algunos planetas.

Ecuator. m. ant. *Astron.* **Ecuador.**

Ecuatorial. (De *ecuator.*) adj. Perteneciente o relativo al Ecuador. || **2.** *Astron.* Dícese del dispositivo paraláctico con que pueden medirse coordenadas celestes. || **3.** m. *Astron.* Telescopio, refractor o reflector, dotado de montura **ecuatorial.**

Ecuatorianismo. m. Vocablo o giro propio y privativo del lenguaje de los ecuatorianos.

Ecuatoriano, na. (De *ecuator.*) adj. Natural del Ecuador. Ú. t. c. s. || **2.** Perteneciente a esta república de América.

Ecuestre. (Del lat. *equestris,* de *eques,* caballero.) adj. Perteneciente o relativo al caballero, o a la orden y ejercicio de la caballería. || **2.** Perteneciente o relativo al caballo. || **3.** *Esc.* y *Pint.* Dícese de la figura puesta a caballo.

Ecúleo. (Del lat. *equulĕus.*) m. ant. **Potro,** 2.ª acep.

Ecuménico, ca. (Del lat. *oecumenĭcus,* y éste del gr. οἰκουμενικός, de οἰκουμένη, la tierra habitada.) adj. Universal, que se extiende a todo el orbe. Aplícase a los concilios cuando son generales, y en ellos están representadas la Iglesia oriental y la occidental.

Ecuo, cua. (Del lat. *aequus.*) adj. ant. Recto, justo.

Ecuo, cua. (Del lat. *aequi, -ōrum,* de *aequus,* ecuo, 1.er art.) adj. Dícese del individuo de un antiguo pueblo del Lacio. Ú. m. c. s. y en pl. || **2.** Perteneciente a este pueblo.

Ecuóreo, a. (Del lat. *aequorĕus,* de *aequor,* llanura del mar.) adj. poét. Perteneciente al mar.

Echacantos. (De *echar* y *canto.*) m. fam. Hombre despreciable y que nada supone en el mundo.

Echacorvear. intr. fam. Hacer o tener el ejercicio de echacuervos.

Echacorvería. f. fam. Acción propia de echacuervos. || **2.** fam. Ejercicio y profesión de alcahuete.

Echacuervos. (De *echar* y *cuervo.*) m. fam. **Alcahuete,** 1.ª acep. || **2.** fam.

Hombre embustero y despreciable. || **3.** fam. Predicador o cuestor que iba por los lugares publicando la cruzada. || **4.** fam. En algunas partes, el que predica la bula.

Echada. f. Acción y efecto de echar o echarse. *La* ECHADA *de una piedra.* || **2.** Espacio que ocupa el cuerpo de un hombre tendido en el suelo. Úsase en las apuestas a correr, en las cuales el más ligero suele dar al otro una o dos **echadas** de ventaja. || **3.** *Argent.* y *Méj.* Fanfarronada, bola, mentira.

Echadera. f. *Sor.* Pala de madera para enhornar el pan.

Echadero. m. Sitio a propósito para echarse a dormir o descansar.

Echadillo, lla. (De *echado.*) adj. fam. **Echadizo,** 6.ª acep. Ú. t. c. s.

Echadizo, za. (De *echado.*) adj. Enviado con arte y disimulo para rastrear y averiguar alguna cosa, o para echar alguna especie. Ú. t. c. s. || **2.** Esparcido con disimulo y arte. || **3.** Que se desecha por inútil. || **4.** Dícese de los escombros, tierras o desperdicios que se echan y amontonan en lugar determinado. || **5.** ant. **Levadizo.** || **6.** fam. **Expósito.** Ú. t. c. s.

Echado, da. p. p. de **Echar.** || **2.** adj. ant. **Echadizo,** 6.ª acep. Usáb. t. c. s. || **3.** *C. Rica.* Indolente, perezoso. || m. *Min.* Buzamiento de un filón.

Echador, ra. adj. Que echa o arroja. Ú. t. c. s. || **2.** m. Mozo de café encargado de llevar las cafeteras y echar el café y la leche en las tazas o vasos servidos por el camarero al consumidor.

Echadura. f. Acción de echarse; pero no suele tener uso sino hablando de las gallinas cluecas cuando se les ponen los huevos para que los empollen. || **2. Ahechadura.** Ú. m. en pl. || **3.** ant. Tiro, o alcance del tiro de una cosa; como piedra, etc. || **de pollos.** Nidada de ellos.

Echamiento. m. Acción y efecto de echar o arrojar. || **2.** ant. Acción de echar un niño a la puerta de una iglesia o en la casa de expósitos.

Echapellas. (De *echar* y *pella.*) m. El que en los lavaderos de lanas las toma del tablero para echarlas en el pozo.

Echaperros. m. Perrero, 1.ª acep.

Echar. (Del lat. *iectāre, iactāre,* echar.) tr. Hacer que una cosa vaya a parar a alguna parte, dándole impulso con la mano, o de otra manera. ECHAR *mercancías al mar;* ECHAR *basura a la calle.* || **2.** Despedir de sí una cosa. ECHAR *olor, sangre, chispas.* || **3.** Hacer que una cosa caiga en sitio determinado. ECHAR *dinero en un saco.* ECHAR *una carta al buzón.* || **4.** Hacer salir a uno de algún lugar; apartarle con violencia, por desprecio, castigo, etc. || **5.** Deponer a uno de su empleo o dignidad, impidiéndole el ejercicio de ella. || **6.** Brotar y arrojar las plantas sus raíces, hojas, flores y frutos. Ú. t. c. intr. || **7.** Salirle a una persona o a un irracional, cualquier complemento natural de su cuerpo. ECHAR *los dientes; estar* ECHANDO *pelo, el bigote.* || **8.** Juntar los animales machos con las hembras para la generación. || **9.** fam. Con las palabras *un bocado, un trago* y alguna otra, comer o beber alguna cosa, tomar una refacción. Ú. t. c. r. || **10.** Poner, aplicar. ECHAR *a la puerta una llave, un cerrojo;* ECHAR *ventosas.* || **11.** Tratándose de llaves, cerrojos, pestillos, etc., darles el movimiento necesario para cerrar. || **12.** Imponer o cargar. ECHAR *tributos;* ECHAR *un censo.* || **13.** Atribuir una acción a cierto fin. ECHARLO *a juego;* ECHAR *a mala parte.* || **14.** Inclinar, reclinar o recostar. ECHAR *el cuerpo atrás, a un lado.* || **15.** Apostar, competir, con uno. ECHAR *a escribir, a saltar.* Ú. m. c. r. || **16.** Empezar a tener granjería o comercio. ECHAR *colmenas, muletada.* || **17.** Remitir una cosa a la suerte. ECHAR *el asunto a pares o nones.* || **18. Jugar,** 13.ª y 14.ª aceps. ECHAR *un solo;* ECHAR *una mano de tute.* || **19.** Jugar o aventurar dinero a alguna cosa. ECHAR *a la lotería, a una rifa.* || **20.** Dar, entregar, repartir, en frases como las siguientes: ECHAR *cartas;* ECHAR *de comer.* || **21.** Con las voces *cálculos, cuentas* y otras análogas, hacer o formar. || **22.** Suponer o conjeturar el precio, distancia, edad, etc., que nos son desconocidos. *¿Qué edad le* ECHAS? || **23.** Publicar, prevenir, dar aviso de lo que se ha de ejecutar. ECHAR *un bando, la comedia, las fiestas, la vendimia.* || **24.** Tratándose de comedias u otros espectáculos, representar o ejecutar. || **25.** Pronunciar, decir, proferir. ECHAR *un discurso, un sermón;* ECHAR *coplas, refranes, un terno, bravatas.* || **26.** Junto con la prep. *por* y algunos nombres que significan carrera o profesión, seguirla. ECHAR *por la Iglesia.* || **27.** Junto con la misma prep., ir por una u otra parte. ECHAR *por la izquierda, por el atajo, por el camino.* || **28.** Junto con algunos nombres, tiene la significación de los verbos que se forman de ellos o la de otros equivalentes. ECHAR *maldiciones,* maldecir; ECHAR *suertes,* sortear; ECHAR *un cigarro,* fumarlo. || **29.** Junto con ciertas voces, como *mal genio, carnes, barriga, pantorrillas,* etc., adquirir aumento notable en las cualidades o partes del cuerpo expresadas. || **30.** Junto con las voces *rayos, centellas, fuego* y otras semejantes, mostrar mucho enojo. || **31.** Junto con las voces *por mayor, por arrobas, por quintales,* etc., ponderar y exagerar una cosa. || **32.** Junto con las voces *abajo, en tierra,* o *por tierra, por el suelo,* etc., derribar, arruinar, asolar. || **33.** Junto con un nombre de pena, condenar a ella. ECHAR *a galeras, a presidio.* || **34.** Junto con el infinitivo de un verbo y la prep. *a,* unas veces significa dar principio a la acción de aquel verbo, como ECHAR *a reír,* ECHAR *a correr,* y otras, ser causa o motivo de ella, como ECHAR *a rodar,* ECHAR *a perder.* Ú. t. c. r. || **35.** Hablando de caballos, coche, librea, vestido, etc., empezar a gastarlos o usarlos. || **36.** *Argent., Perú* y *P. Rico.* Proponer o presentar una persona o animal como de superiores cualidades, en comparación de otro con quien se supone se **echa** a pelear. || **37.** r. **Arrojar,** 1.er art., 4.ª acep. ECHARSE *a un pozo.* || **38.** Arrojarse o precipitarse hacia una persona o cosa. SE ECHÓ *a mí.* || **39.** Tenderse a lo largo del cuerpo en un lecho o en otra parte. || **40.** Tenderse uno vestido por un rato más o menos largo. || **41.** Ponerse las aves sobre los huevos. || **42.** Tratándose del viento, calmarse, sosegarse. || **43.** Dedicarse, aplicarse uno a una cosa. || **A echa levanta.** m. adv. **Cayendo y levantando.** || **Echar al contrario.** fr. **Echar** un asno a una yegua, o un caballo a una burra, para la cría del ganado mular. || **Echar** a uno **a pasear.** fr. fam. **Echarle a paseo.** || **Echar a perder.** fr. Deteriorar una cosa material; inutilizarla. || **2.** Malograr un negocio por no manejarlo bien. Ú. t. c. r. || **3.** Pervertir a uno. || **Echar a volar** a una persona o cosa. fr. fig. Darla o sacarla al público. || **Echar de menos** a una persona o cosa. fr. Advertir, notar la falta de ella. || **2.** Tener sentimiento y pena por la falta de ella. || **Echar de ver.** fr. Notar, reparar, advertir. || **Echar falso.** fr. Envidar sin juego. || **Echarla,** o **echárselas de.** fr. fam. Presumir de. ECHARLA DE *valiente,* DE *gracioso,* DE *poeta,* DE *maestro.* || **Echarlo,** o **echarlo todo, a doce.** fr. fig. y fam. Meter a bulla una cosa para que se confunda y no se hable más de ella. || **Echarlo todo a rodar.** fr. fig. y fam. Desbaratar un negocio. || **2.** fig. y fam. Dejarse llevar de la cólera faltando a todo miramiento o consideración. || **Echar menos.** fr. **Echar de menos.** || **Echar** uno **por alto** una cosa. fr. fig. Menospreciarla. || **2.** Malgastarla, desperdiciarla. || **Echar** uno **por largo.** fr. fam. Calcular una cosa, suponiendo todo lo más a que puede llegar. || **Echarse** uno **a dormir.** fr. fig. Descuidar de una cosa; no pensar en ella. || **Echarse a morir.** fr. fig. y fam. Abandonar un asunto desesperando de poder conseguir lo que se desea. || **Echarse a perder.** fr. Perder su buen sabor y hacerse nociva una vianda, una bebida, etc.; como el vino cuando se tuerce, o la carne cuando se corrompe. || **2.** Decaer una persona de las prendas y virtudes que tenía. || **Echarse** uno **de recio.** fr. fig. y fam. Apretar, instar o precisar con empeño a otro para que haga o deje de hacer una cosa. || **Echar tan alto** a uno. fr. fig. y fam. Despedirle con términos ásperos y desabridos. || **Echar tras** uno. fr. Ir en su alcance. || **Échese y no se derrame.** expr. fig. y fam. con que se reprende la falta de economía de una persona o el gasto superfluo de una cosa.

Echazón. (De *echar.*) f. **Echada,** 1.ª acep. || **2.** *Mar.* Acción y efecto de arrojar al agua la carga, parte de ella u otros objetos pesados de un buque, cuando es necesario aligerarlo, principalmente por causa de un temporal.

Echona. (Del arauc. *ichuna.*) f. *Argent.* y *Chile.* Hoz para segar.

Echonería. f. *Venez.* Jactancia, fanfarronada.

Echura. (Del lat. *eiectūra.*) f. ant. Echada o tiro.

Edad. (Del lat. *aetas, -ātis.*) f. Tiempo que una persona ha vivido, a contar desde que nació. || **2.** Duración de las cosas materiales, a contar desde que empezaron a existir. || **3.** Cada uno de los períodos en que se considera dividida la vida humana. *No a todas las* EDADES *convienen los mismos ejercicios.* || **4.** Conjunto de algunos siglos; y así al mundo se le cuentan en la historia sagrada seis **edades,** divididas o denotadas por otras tantas épocas notables desde Adán hasta la consumación de los siglos. Los antiguos y los poetas fingieron unos tres y otros cuatro **edades,** que llamaron la **de oro,** la **de plata,** la **de bronce** y la **de hierro,** y en la historia profana se hace la división en **edad antigua, media** y **moderna.** || **5.** Espacio de años que han corrido de tanto a tanto tiempo. *En la* EDAD *de nuestros abuelos, de nuestros mayores; en nuestra* EDAD. || **6. Edad madura.** *Mateo es hombre de* EDAD. || **adulta.** Aquella en que el organismo humano alcanza su completo desarrollo. || **antigua.** Tiempo anterior a la **edad** media. || **avanzada. Ancianidad,** 1.ª acep. || **crítica.** Se llama en la mujer al período de la menopausia. || **de discreción.** Aquella en que la razón alumbra a los adultos. || **de los metales. Edad** prehistórica que siguió a la **edad** de piedra y durante la cual el hombre empezó a usar útiles y armas de metal. || **de piedra.** Largo período prehistórico de la humanidad, anterior al conocimiento del uso de los metales, y el cual se considera generalmente dividido en *paleolítico,* o de la piedra tallada, y *neolítico,* o de la piedra pulimentada. || **madura.** La viril cuando se acerca a la ancianidad. || **media.** Tiempo transcurrido desde el siglo V de la era vulgar hasta la mitad del siglo XV. || **moderna.** Tiempo posterior a la **edad** media. || **provecta. Edad madura.** || **temprana. Juventud,** 1.ª acep. || **tierna.** Niñez, período que se extiende hasta la juventud. || **viril.** Aquella en que el hombre ha adquirido ya todo el vigor de que es susceptible; comprende. en general, unos veinte años;

esto es, desde los treinta hasta los cincuenta, poco más o menos. || **Mayor edad.** Aquella que, según la ley, ha de tener una persona para poder disponer de sí, gobernar su hacienda, etc. || **Menor edad.** La del hijo de familia o del pupilo que no ha llegado a la mayor **edad.** || **Avanzado de edad.** loc. De **edad** avanzada. || **Conocer la edad por el diente.** fr. *Veter.* Determinar los años de un solípedo por la disposición distinta que con el tiempo van presentando sus dientes, hasta que cierra. || **De cierta edad.** loc. De edad madura. || **Entrar uno en edad.** fr. Ir pasando de una **edad** a otra; como de mozo a varón; de varón a viejo. || **Estar en edad** una bestia. fr. *Ar.* No haber cerrado. || **Mayor de edad.** loc. Dícese de la persona que ha llegado a la mayor **edad** legal. || **Menor de edad.** loc. Dícese de la persona que todavía se halla en la menor **edad.**

Edafología. (Del gr. ἔδαφος, suelo, y λόγος, tratado.) f. Ciencia que trata de la naturaleza y condiciones del suelo, en su relación con las plantas.

Edecán. (Del fr. *aide de camp.*) m. *Mil.* Ayudante de campo. || **2.** fig. fam. e irón. Auxiliar, acompañante, correveidile.

Edema. (Del gr. οἴδημα, hinchazón; de οἰδάω, inflar.) m. *Med.* Hinchazón blanda de una parte del cuerpo, que cede a la presión y es ocasionada por la serosidad infiltrada en el tejido celular.

Edematoso, sa. adj. *Med.* Perteneciente al edema.

Edén. (Del lat. *eden*, y éste del hebr. *'eden*, huerto delicioso.) m. Paraíso terrestre, morada del primer hombre antes de su desobediencia. || **2.** fig. Lugar muy ameno y delicioso.

Edénico, ca. adj. Perteneciente o relativo al edén.

Edetano, na. (Del lat. *edetānus.*) adj. Natural de Edetania. Ú. t. c. s. || **2.** Perteneciente a esta antigua región de la España Tarraconense, que comprendía el norte de la provincia de Valencia, las de Castilla y Teruel y el sudoeste de la de Zaragoza.

Edición. (Del lat. *editĭo, -ōnis.*) f. Impresión o estampación de una obra o escrito para su publicación. || **2.** Conjunto de ejemplares de una obra impresos de una sola vez sobre el mismo molde. EDICIÓN *del año de 1732; primera, segunda* EDICIÓN. || **diamante.** *Bibliogr.* Dícese de la hecha en tamaño pequeño y con caracteres muy menudos. || **príncipe.** *Bibliogr.* La primera, cuando se han hecho varias de una misma obra. || **Segunda edición de** una persona o cosa. loc. fig. Se dice de aquello que es muy semejante a éstas, o su imitación o remedo.

Edicto. (Del lat. *edictum.*) m. Mandato, decreto publicado con autoridad del príncipe o del magistrado. || **2.** Escritos que se fijan en los parajes públicos de las ciudades y poblados, y en los cuales se da noticia de alguna cosa para que sea notoria a todos. || **3.** *For.* Escrito que se hace ostensible en los estrados del juzgado o tribunal, y en ocasiones se publica además en los periódicos oficiales para conocimiento de las personas interesadas en los autos, que no están representadas en los mismos o cuyo domicilio se desconoce. || **pretorio.** El que publicaba cada pretor al principio del año que le duraba el oficio, y contenía las especies de negocios sobre que interponía su autoridad.

Edículo. (Del lat. *aedicŭlum.*) Edificio pequeño. || **2.** Templete que sirve de tabernáculo, relicario, etc.

Edificación. (Del lat. *aedificatĭo, -ōnis.*) f. Acción y efecto de edificar. || **2.** fig. Efecto de edificar, 2.ª acep.

Edificador, ra. (Del lat. *aedificātor.*) adj. Que edifica, fabrica o manda construir. Ú. t. c. s. || **2. Edificativo.**

Edificante. p. a. de **Edificar.** Que edifica, 2.ª acep.

Edificar. (Del lat. *aedificāre.*) tr. Fabricar, hacer un edificio o mandarlo construir. || **2.** fig. Infundir en otros sentimientos de piedad y virtud.

Edificativo, va. adj. fig. Dícese de lo que edifica, 2.ª acep.

Edificatorio, ria. (Del lat. *aedificatorĭus.*) adj. Perteneciente a edificar y fabricar.

Edificio. (Del lat. *aedificĭum.*) m. Obra o fábrica construida para habitación o para usos análogos; como casa, templo, teatro, etc.

Edil. (Del lat. *aedīlis.*) m. Entre los antiguos romanos, magistrado a cuyo cargo estaban las obras públicas, y que cuidaba del reparo, ornato y limpieza de los templos, casas y calles de la ciudad de Roma. || **2.** Concejal, miembro de un ayuntamiento. || **curul.** En Roma, el de clase patricia. || **plebeyo.** En Roma, el elegido entre la plebe.

Edila. f. **Concejala,** 2.ª acep.

Edilicio, cia. (Del lat. *aedilitĭus.*) adj. Perteneciente o relativo al empleo de edil.

Edilidad. (Del lat. *aedilĭtas -ātis.*) f. Dignidad y empleo de edil. || **2.** Tiempo de su duración.

Editar. (Del lat. *edĭtum*, supino de *edĕre*, sacar a luz.) tr. Publicar por medio de la imprenta o por cualquier medio de reproducción gráfica, una obra, periódico, folleto, mapa, etc.

Editor, ra. (Del lat. *edĭtor.*) adj. Que edita. || **2.** m. y f. Persona que saca a luz pública una obra, ajena por lo regular, valiéndose de la imprenta o de otro arte gráfico para multiplicar los ejemplares. || **responsable.** El que, con arreglo a las leyes, firmaba todos los números de los periódicos políticos y respondía de su contenido, aunque estuvieran redactados por otras personas, como ordinariamente sucedía. || **2.** fig. y fam. El que se da o pasa por autor de lo que otro u otros hacen.

Editorial. adj. Perteneciente o relativo a editores o ediciones. || **2.** m. Artículo de fondo no firmado. || **3.** f. Casa editora.

Edrar. (Del lat. *iterāre*, repetir.) tr. *Agr.* Binar, 2.ª acep.

Edredón. (Del fr. *édredon, éderdon*, y éste del germ. *eiderdum.*) m. Plumón de ciertas aves del Norte. || **2.** Almohadón, relleno ordinariamente de esta clase de plumón, que se emplea como cobertor.

Edrisí. (Del ár. *idrisī*, relativo o perteneciente a *Idrīs.*) adj. Dícese de los descendientes de Edrís o Idrís ben Abdala, fundador de un grande imperio en el África del Norte durante el siglo VIII. Ú. t. c. s.

Educable. adj. Capaz de educación.

Educación. (Del lat. *educatĭo, -ōnis.*) f. Acción y efecto de educar. || **2.** Crianza, enseñanza y doctrina que se da a los niños y a los jóvenes. || **3.** Cortesía, urbanidad.

Educador, ra. (Del lat. *educātor.*) adj. Que educa. Ú. t. c. s.

Educando, da. (Del lat. *educandus*, p. p. fut. de *educāre*, educar.) adj. Que está recibiendo educación, y especialmente dícese del que se educa en un colegio. Ú. m. c. s.

Educar. (Del lat. *educāre.*) tr. Dirigir, encaminar, doctrinar. || **2.** Desarrollar o perfeccionar las facultades intelectuales y morales del niño o del joven por medio de preceptos, ejercicios, ejemplos, etc. || **3.** Desarrollar las fuerzas físicas por medio del ejercicio, haciéndolas más aptas para su fin. || **4.** Perfeccionar, afinar los sentidos. EDUCAR *el gusto.* || **5.** Enseñar los buenos usos de urbanidad y cortesía.

Educativo, va. adj. Dícese de lo que educa o sirve para educar.

Educción. (Del lat. *eductĭo, -ōnis.*) f. Acción y efecto de educir.

Educir. (Del lat. *educĕre.*) tr. Sacar una cosa de otra, deducir.

Edulcoración. f. *Farm.* Acción y efecto de edulcorar.

Edulcorar. (Del lat. *edulcorāre;* de *e*, de, y *dulcis*, dulce.) tr. *Farm.* Endulzar con azúcar, miel o jarabe una substancia de sabor desagradable o insípida.

Efe. f. Nombre de la letra *f.*

Efebo. (Del gr. ἔφηβος.) m. Mancebo, adolescente.

Efectista. adj. Que busca ante todo producir efecto o impresión sobre el ánimo.

Efectivamente. adv. m. Con efecto; real y verdaderamente.

Efectividad. f. Calidad de efectivo. || **2.** *Mil.* Posesión de un empleo cuyo grado se tenía.

Efectivo, va. (Del lat. *effectīvus.*) adj. Real y verdadero, en oposición a lo quimérico, dudoso o nominal. || **2.** Dícese del empleo o cargo de plantilla, en contraposición al interino o supernumerario o al honorífico. || **3.** V. **Bloqueo efectivo.** || **4.** m. **Numerario,** 2.ª acep. || **Hacer efectivo.** fr. **Llevar a efecto.** || **2.** Tratándose de cantidades, créditos, o documentos que los representan, pagarlos o cobrarlos.

Efecto. (Del lat. *effectus.*) m. Lo que se sigue por virtud de una causa. || **2.** Impresión hecha en el ánimo. *Hizo en mi corazón* EFECTO *vuestra palabra.* || **3.** Fin para que se hace una cosa. *El* EFECTO *que se desea; lo destinado al* EFECTO. || **4.** Artículo de comercio. || **5.** Documento o valor mercantil, sea nominativo, endosable o al portador. || **6.** En el juego de billar, movimiento giratorio que se hace tomar a la bola picándola lateralmente. || **7.** pl. Bienes, muebles, enseres. || **Efecto devolutivo.** *For.* El que tiene un recurso cuando atribuye al tribunal superior el conocimiento del asunto de la resolución impugnada. || **suspensivo.** *For.* El que tiene un recurso cuando paraliza la ejecución de la resolución que con él se impugna. || **Efectos públicos.** Documentos de crédito emitidos por el Estado, las provincias, los municipios y otras entidades, que han sido reconocidos por el gobierno como negociables en Bolsa. || **Con, o en, efecto.** m. adv. Efectivamente, en realidad de verdad. || **2.** En conclusión, así que. || **Hacer efecto.** fr. **Surtir efecto.** || **2.** Parecer muy bien, deslumbrar con su aspecto o presentación. || **Llevar a efecto. Poner en efecto.** frs. Ejecutar, poner por obra un proyecto, un pensamiento, etc. || **Surtir efecto.** fr. Dar una medida, un remedio, un consejo, etc., el resultado que se deseaba.

Efectuación. f. Acción de efectuar o efectuarse.

Efectual. (Del lat. *effectuālis.*) adj. ant. **Efectivo.**

Efectualmente. adv. m. ant. **Efectivamente.**

Efectuar. (Del lat. *effectus*, efecto.) tr. Poner por obra, ejecutar una cosa. || **2.** r. Cumplirse, hacerse efectiva una cosa.

Efectuosamente. adv. m. ant. **Efectivamente.**

Efedráceo, a. (De *ephedra*, nombre de un género de plantas.) adj. *Bot.* Dícese de plantas gimnospermas leñosas, con tallo muy ramificado y nudoso, hojas pequeñas, flores unisexuales en amento, fruto del tipo de baya; como el belcho. Ú. t. c. s. || **2.** f. pl. *Bot.* Familia de estas plantas.

Efélide. (Del gr. ἐφηλίς.) f. **Peca.**

Efémera. (Del gr. ἐφήμερος, efímero.) adj. V. **Fiebre efémera.** Ú. t. c. s.

Efemérides. (Del lat. *ephemerides*, pl. de *-is, ĭdis*, y éste del gr. ἐφημερίς, de ἐφήμερος, de un día.) f. pl. Libro o comentario en que se refieren los hechos de cada día

|| **2.** Sucesos notables ocurridos en diferentes épocas, pero un número exacto de año antes de un día determinado. || **astronómicas.** Libro en que se anotan anualmente las coordenadas de los planetas y de las estrellas fijas, respecto a la eclíptica y al ecuador, así como los eclipses, distancias lunares, ecuaciones de tiempo y otros elementos necesarios para los cálculos puramente astronómicos y para los marinos de situación.

Efémero. (Del lat. *ephemĕron*, y éste del gr. ἐφήμερον, efímero.) m. **Lirio hediondo.**

Efeminación. (Del lat. *effeminatĭo, -ōnis.*) f. ant. **Afeminación.**

Efeminadamente. adv. m. ant. **Afeminadamente.**

Efeminado, da. (Del lat. *effeminātus.*) adj. ant. **Afeminado.**

Efeminamiento. (De *efeminar.*) m. ant. **Afeminamiento.**

Efeminar. (Del lat. *effemināre; de ex*, de, y *femina*, hembra.) tr. ant. **Afeminar.** Usáb. m. c. r.

Efendi. (Del turco otomano *efendi*, señor, dueño; éste del bizantino ἀφέντης, y éste del gr. αὐθέντης.) m. Título honorífico usado entre los turcos.

Eferente. (Del lat. *effĕrens, -entis*, p. a. de *efferre*, sacar.) adj. Que lleva. || **2.** *Anat.* Dícese del vaso conductor de la sangre que sale de un órgano determinado.

Éfero, ra. (Del lat. *effĕrus.*) adj. ant. Fiero.

Efervescencia. (Del lat. *effervescens, -entis*, efervescente.) f. Desprendimiento de burbujas gaseosas a través de un líquido. || **2. Hervor de la sangre.** || **3.** fig. Agitación, ardor, acaloramiento de los ánimos.

Efervescente. (Del lat. *effervescens, -entis*, p. a. de *effervescĕre*, empezar a hervir.) adj. Que está o puede estar en efervescencia.

Efesino, na. (Del lat. *ephesīnus.*) adj. Efesio. Apl. a pers., ú. t. c. s.

Efesio, sia. (Del lat. *ephesĭus.*) adj. Natural de Éfeso. Ú. t. c. s. || **2.** Perteneciente a esta antigua ciudad del Asia Menor.

Éfeta. (Del gr. ἐφέτης, de ἐφίημι, citar, mandar.) m. Cada uno de varios jueces que hubo antiguamente en Atenas.

Efetá. (Del hebr. *heffetah*, ábrete; voz de la liturgia, que la Iglesia emplea en el sacramento del bautismo.) Voz con que se califica la obstinación o renuncia de alguno.

Efeto. m. ant. **Efecto.**

Eficacia. (Del lat. *efficacĭa.*) f. Virtud, actividad, fuerza y poder para obrar.

Eficacidad. (Del lat. *efficacitas, -ātis.*) f. ant. **Eficacia.**

Eficaz. (Del lat. *efficax, -ācis.*) adj. Activo, fervoroso, poderoso para obrar. || **2.** Que logra hacer efectivo un intento o propósito.

Eficazmente. adv. m. Con eficacia.

Eficiencia. (Del lat. *efficientĭa.*) f. Virtud y facultad para lograr un efecto determinado. || **2.** Acción con que se logra este efecto.

Eficiente. (Del lat. *efficiens, -entis.*) adj. Que tiene eficiencia. || **2.** V. **Causa eficiente.**

Eficientemente. adv. m. Con eficiencia.

Efigiado, da. (Del lat. *effigiātus.*) adj. p. us. Hecho de bulto.

Efigie. (Del. lat. *effigĭes.*) f. Imagen, representación de una persona real y verdadera. Dícese más comúnmente de las imágenes de Jesucristo, de la Virgen y de los santos. || **2.** fig. Personificación, representación viva de cosa ideal. *La* EFIGIE *del dolor.*

Efímera. (De *efímero*, por la brevedad de la vida de este insecto.) f. **Cachipolla.**

Efimeral. adj. ant. **Efímero.**

Efímero, ra. (Del gr. ἐφήμερος, de un día; de ἐπί, sobre, y ἡμέρα, día.) adj. Que tiene la duración de un solo día. || **2.** Pasajero, de corta duración. || **3.** V. **Fiebre efímera.** Ú. t. c. s.

Eflorecerse. (Del lat. *efflorescĕre.*) r. *Quím.* Ponerse en eflorescencia un cuerpo.

Eflorescencia. (Del lat. *efflorescens, -entis*, eflorescente.) f. *Med.* Erupción aguda o crónica, de color rojo subido, con granitos o sin ellos, que se presenta en varias regiones del cuerpo y con particularidad en el rostro. || **2.** *Quím.* Conversión espontánea en polvo de diversas sales al perder el agua de cristalización.

Eflorescente. (Del lat. *efflorescens, -entis.*) adj. *Quím.* Aplícase a los cuerpos capaces de eflorecerse.

Eflujo. (Del lat. *effluxum*, p. p. de *effluĕre*, fluir.) m. ant. **Efluxión.**

Efluvio. (Del lat. *effluvĭum.*) m. Emisión de partículas sutilísimas. || **2.** Emanación, irradiación en lo inmaterial.

Efluxión. (Del lat. *effluxĭo, -ōnis.*) f. ant. Exhalación, evaporación de espíritus vitales o de vapores de algunos cuerpos. || **2.** ant. *Med.* Expulsión del producto de la concepción en los primeros días del embarazo.

Efod. (Del lat. *ēphod*, y éste del hebreo *'efōd*, vestidura.) m. Vestidura de lino fino, corta y sin mangas, que se ponían los sacerdotes israelitas sobre todas las otras y les cubría principalmente las espaldas. || **2.** Esta misma vestidura hecha de lino muy fino y muy bien torcido, y de oro, jacinto, púrpura y carmesí, usada únicamente por el pontífice o sumo sacerdote.

Éforo. (Del lat. *ephŏrus*, y éste del gr. ἔφορος, inspector; de ἐπί, sobre, y ὁράω, ver, examinar.) m. Cada uno de los cinco magistrados que elegía el pueblo todos los años en Esparta, con autoridad bastante para contrapesar el poder del Senado y de los reyes.

Efraimita. (De *Ephraim.*) com. Israelita de la tribu de Efraín.

Efrateo, a. adj. Natural de Efrata. Ú. t. c. s. || **2.** Perteneciente a esta ciudad antigua de Judea, llamada después Belén.

Efugio. (Del lat. *effugĭum.*) m. Evasión, salida, recurso para sortear una dificultad.

Efulgencia. (Del lat. *effulgentĭa.*) f. ant. **Refulgencia.**

Efundir. (Del lat. *effundĕre.*) tr. p. us. Derramar, verter un líquido. || **2.** ant. fig. Hablar, decir una cosa.

Efusión. (Del lat. *effusĭo, -ōnis.*) f. Derramamiento de un líquido, y más comúnmente de la sangre. || **2.** fig. Expansión e intensidad en los afectos generosos o alegres del ánimo.

Efusivo, va. adj. fig. Que siente o manifiesta efusión, 2.ª acep.

Efuso, sa. (Del lat. *effūsus.*) p. p. irreg. de **Efundir.**

Egabrense. adj. Natural de Cabra. Ú. t. c. s. || **2.** Perteneciente a esta ciudad de la provincia de Córdoba.

Egarense. adj. Natural de la antigua Egara, hoy Tarrasa. Ú. t. c. s. || **2.** Perteneciente a esta comarca. || **3. Tarrasense.**

Egeno, no. (Del lat. *egēnus.*) adj. ant. Pobre, escaso, miserable.

Egestad. (Del lat. *egestas, -ātis.*) f. ant. Necesidad, miseria, pobreza.

Egestión. (Del lat. *egestĭo, -ōnis.*) f. ant. **Excremento.**

Egetano, na. adj. Natural de Vélez Blanco o de Vélez Rubio. Ú. t. c. s. || **2.** Perteneciente a una de estas dos villas de la provincia de Almería.

Egiciano, na. adj. ant. **Egipciano.** Apl. a pers., usáb. t. c. s.

Égida [Egida]. (Del lat. *aegis, -ĭdis*, y éste del gr. αἰγίς, escudo o coraza de piel de cabra; de αἴξ, cabra.) f. Piel de la cabra Amaltea, adornada de la cabeza de Medusa, que, ya flotante como manto, ya ceñida al cuerpo como coraza, es atributo con que se representa a Júpiter y a Minerva. La **égida** solía servir a manera de escudo. || **2.** Por ext., **escudo,** 1.ª acep. || **3.** fig. Protección, defensa.

Egílope. (Del lat. *aegĭlops, -ōpis*, y éste del gr. αἰγίλωψ.) f. Especie de avena, muy parecida a la ballueca, más alta que ella y con mayor número de flores en cada espiguilla. || **2. Rompesacos.**

Egineta. adj. Natural de Egina. Ú. t. c. s. || **2.** Perteneciente a esa isla del mar Egeo.

Egipán. (Del gr. αἰγίπαν, voz compuesta de αἴξ, cabra, y ἄν.) m. Ser fabuloso, mitad cabra, mitad hombre.

Egipciaco, ca [~ cíaco, ca]. (Del lat. *aegyptiăcus.*) adj. **Egipcio.** Apl. a pers., ú. t. c. s. || **2.** Dícese de un medicamento compuesto de miel, cardenillo y vinagre mezclados y cocidos hasta tener la consistencia de ungüento, que se usaba para la curación de ciertas llagas.

Egipciano, na. adj. **Egipcio.** Apl. a pers., ú. t. c. s.

Egipcio, cia. (Del lat. *aegyptĭus.*) adj. Natural u oriundo de Egipto. Ú. t. c. s. || **2.** Perteneciente a este país de África. || **3.** m. Idioma **egipcio.**

Egiptano, na. (De *Egipto.*) adj. **Egipcio.** Apl. a pers., ú. t. c. s. || **2.** ant. **Gitano,** 1.ª y 2.ª aceps. Apl. a pers., usáb. t. c. s.

Egipto. n. p. V. **Haba, higuera de Egipto.** || **2.** fig. V. **Las ollas de Egipto.**

Egiptología. f. Estudio de las antigüedades de Egipto.

Egiptológico, ca. adj. Perteneciente o relativo a la egiptología.

Egiptólogo, ga. m. y f. Persona versada en egiptología.

Eglesia. f. ant. **Iglesia.**

Égloga. (Del lat. *eclŏga*, y este del gr. ἐκλογή, extracto, pieza escogida; de ἐκ, de, y λέγω, escoger.) f. Composición poética del género bucólico, que tiene generalmente por caracteres distintivos cierta deleitable serenidad y atractiva dulzura, y en la cual se introducen, por lo común, pastores que dialogan acerca de sus afectos y de las cosas de la vida campestre.

Egocentrismo. (Del lat. *ego*, yo, y *centro.*) m. Exagerada exaltación de la propia personalidad, hasta considerarla como centro de la atención y actividad generales.

Egofonía. (Del gr. αἴξ, αἰγός, cabra, y φωνή, voz.) f. *Med.* Resonancia de la voz que se percibe al auscultar el tórax de los enfermos con derrame de la pleura, y que recuerda el balido de la cabra.

Egoísmo. (Del lat. *ego*, yo.) m. Inmoderado y excesivo amor que uno tiene a sí mismo y que le hace atender desmedidamente a su propio interés, sin cuidarse del de los demás. || **2.** Acto sugerido por esta viciosa condición personal.

Egoísta. (De *egoísmo.*) adj. Que tiene egoísmo. Ú. t. c. s.

Ególatra. adj. Que profesa la egolatría.

Egolatría. (Del gr. εγω, yo, y λατρεία, adoración.) f. Culto, adoración, amor excesivo de sí mismo.

Egolátrico, ca. adj. Perteneciente o relativo a la egolatría.

Egotismo. m. Afán o manía de hablar de sí mismo, de afirmar la propia personalidad.

Egregiamente. adv. m. Ilustre o insignemente.

Egregio, gia. (Del lat. *egregĭus.*) adj. Insigne, ilustre.

Egresión. (Del lat. *egressĭo, -ōnis.*) f. ant. Salida de alguna parte. || **2.** *For.* Acto o título por el cual se traspasaba a una comunidad o a un particular alguna finca o derecho pertenecientes a la Corona.

Egreso. (Del lat. *egressus.*) m. Salida, partida de descargo.

Eguar. (Del lat. *aequāre.*) tr. ant. **Igualar.**

¡Eh! interj. que se emplea para preguntar, llamar, despreciar, reprender o advertir.

Eibarrés, sa. adj. Natural de Éibar. Ú. t. c. s. ‖ **2.** Perteneciente a esta villa de Guipúzcoa.

Eirá. m. *Arg.* y *Parag.* Especie de aguará.

Ejarbe. (Del vasc. *etx(e)arbe;* de *etxe,* casa, y *arba,* armazón del tejado.) m. *Nav.* Aumento de agua que reciben los ríos a causa de las grandes lluvias. ‖ **2.** *Nav.* **Teja,** 1.er art., 3.a acep.

Eje. (Del lat. *axis.*) m. Varilla que atraviesa un cuerpo giratorio y le sirve de sostén en el movimiento. ‖ **2.** Barra horizontal dispuesta perpendicularmente a la línea de tracción de un carruaje y que entra por sus extremos en los bujes de las ruedas. ‖ **3.** Línea que divide por mitad el ancho de una calle o camino, u otra cosa semejante. ‖ **4.** ant. **Torno,** 1.a acep. ‖ **5.** fig. Idea fundamental en un raciocinio; tema predominante en un escrito o discurso; sostén principal de una empresa: designio final de una conducta. ‖ **6.** *Geom.* Recta alrededor de la cual se considera que gira una línea para engendrar una superficie, o una superficie para engendrar un sólido. ‖ **7.** *Geom.* Diámetro principal de una curva. ‖ **coordenado.** *Geom.* **Eje de coordenadas.** ‖ **de abscisas.** *Geom.* El coordenado, paralelamente al cual se trazan las abscisas. ‖ **de coordenadas.** *Geom.* Cada una de las dos líneas indefinidas que se cortan en un punto de un plano, y se trazan en él para determinar la posición de los demás puntos del mismo plano por medio de las líneas coordenadas paralelas a ellos. ‖ **2.** *Geom.* Cada una de las tres líneas de intersección de los planos coordenados. ‖ **de la esfera terrestre,** o **del mundo.** *Astron.* y *Geogr.* Aquel alrededor del cual gira la Tierra, y que prolongado hasta la esfera celeste, determina en ella dos puntos que se llaman polos. ‖ **de ordenadas.** *Geom.* El coordenado, paralelamente al cual se trazan las ordenadas. ‖ **de simetría.** *Geom.* Línea que divide a una figura en dos partes simétricas. ‖ **Dividir,** o **partir,** a uno **por el eje.** fr. fig. y fam. Dejar a uno inutilizado para continuar lo que había empezado; causarle un perjuicio o contrariedad, especialmente si es irremediable.

Ejecución. (Del lat. *exsecutĭo, -ōnis.*) f. Acción y efecto de ejecutar. ‖ **2.** Manera de ejecutar o de hacer alguna cosa: *dícese especialmente de las obras musicales y pictóricas.* ‖ **3.** *For.* Procedimiento judicial con embargo y venta de bienes para pago de deudas. ‖ **Poner en ejecución.** fr. Ejecutar, llevar a la práctica, realizar. ‖ **Trabar ejecución.** fr. *For.* Hacer, en virtud de mandamiento judicial, las diligencias de embargo para asegurar el pago de una deuda, sus intereses y costas. ‖ **Traer aparejada ejecución.** fr. *For.* Tener un título de crédito los requisitos legales para sustentar el mandamiento de embargo de bienes, sin audiencia previa del poseedor de éstos.

Ejecutable. adj. Que se puede hacer o ejecutar. ‖ **2.** *For.* Dícese de un deudor que puede ser demandado por la vía ejecutiva o de un crédito que se puede reclamar en esta forma procesal.

Ejecutadero, ra. (De *ejecutar.*) adj. ant. **Exigible.**

Ejecutador. (De *ejecutar.*) m. ant. **Ejecutor.**

Ejecutante. p. a. de **Ejecutar.** Que ejecuta. Ú. t. c. s. ‖ **2.** *For.* Que ejecuta judicialmente a otro por la paga de un débito. Ú. t. c. s. ‖ **3.** com. Persona que ejecuta una obra musical.

Ejecutar. (Del lat. *exsecūtus,* p. p. de *exsĕqui,* consumar, cumplir.) tr. Poner por obra una cosa. ‖ **2. Ajusticiar.** ‖ **3.** p. us. Ir a los alcances a uno con prisa y muy de cerca. ‖ **4.** Desempeñar con arte y facilidad alguna cosa. ‖ **5.** *For.* Reclamar una deuda por vía o procedimiento ejecutivo.

Ejecutivamente. adv. m. Con mucha prontitud y eficacia.

Ejecutivo, va. (De *ejecutar.*) adj. Que no da espera ni permite que se difiera a otro tiempo la ejecución. ‖ **2.** Que ejecuta. ‖ **3.** V. **Poder ejecutivo.** ‖ **4.** *For.* **Juicio ejecutivo.** ‖ **5.** *For.* V. **Vía ejecutiva.** ‖ **6.** f. Junta directiva de una corporación o sociedad.

Ejecutor, ra. (Del lat. *exsecūtor.*) adj. Que ejecuta o hace una cosa. ‖ **2.** V. **Fiel ejecutor.** ‖ **3.** m. *For.* Persona o ministro que pasaba a hacer una ejecución y cobranza de orden de juez competente. ‖ **de la justicia. Verdugo,** 5.a acep.

Ejecutoria. (De *ejecutar.*) f. Título o diploma en que consta legalmente la nobleza de un persona o familia. ‖ **2.** fig. **Timbre,** 7.a acep. ‖ **3.** V. **Hidalgo de ejecutoria.** ‖ **4.** *For.* Sentencia que alcanzó la firmeza de cosa juzgada, y también el despacho que es trasunto o comprobante de ella.

Ejecutoría. f. Oficio de ejecutor. ‖ **Fiel ejecutoría.** Oficio y cargo de fiel ejecutor.

Ejecutorial. adj. *For.* Aplícase a los despachos o letras que comprenden la ejecutoria de una sentencia de tribunal eclesiástico.

Ejecutoriar. tr. Dar firmeza de cosa juzgada a un fallo o pronunciamiento judicial. Ú. t. c. r. ‖ **2.** fig. Comprobar hasta hacerla indudable la certeza de una cosa.

Ejecutorio, ria. (De *ejecutor.*) adj. V. **Carta ejecutoria.** ‖ **2.** *For.* Firme, invariable.

Ejemplar. (Del lat. *exemplar.*) adj. Que da buen ejemplo y, como tal, digno de ser propuesto por dechado. *Vida* EJEMPLAR. ‖ **2.** V. **Castigo ejemplar.** ‖ **3.** *For.* V. **Curaduría, substitución, tutela ejemplar.** ‖ **4.** m. Original, prototipo, norma representativa. ‖ **5.** Cada uno de los escritos, impresos, dibujos, grabados o cosa semejante sacados de un mismo original o modelo. *De este libro se han tirado mil* EJEMPLARES; *ayer compré dos* EJEMPLARES *de aquella estampa.* ‖ **6.** Cada uno de los individuos de una especie o de un género. ‖ **7.** Cada uno de los objetos de diverso género que forman una colección científica. ‖ **8.** Lo que se ha hecho en igual caso otras veces. ‖ **9.** Caso que sirve o debe servir de escarmiento. ‖ **Sin ejemplar.** m. adv. con que se denota que no se ha visto suceder otra vez una cosa, o que no tiene ejemplo. ‖ **2.** Ú. t. para denotar que un acto, comúnmente de gracia, forma excepción y no será reiterado, aunque se importune con nuevas peticiones.

Ejemplar. (De *ejemplo.*) tr. p. us. **Ejemplificar,** 2.a acep. ‖ **2.** ant. Copiar un instrumento.

Ejemplaridad. f. Calidad de ejemplar.

Ejemplario. (Del lat. *exemplarĭum.*) m. ant. Libro compuesto de casos prácticos o ejemplos doctrinales. ‖ **2.** ant. **Ejemplar,** 1.er art., 5.a acep.

Ejemplarmente. adv. m. Virtuosamente, de modo que edifique a todos. ‖ **2.** De manera que sirva una cosa de ejemplo y escarmiento.

Ejemplificación. f. Acción y efecto de ejemplificar.

Ejemplificar. (Del lat. *exemplum,* ejemplo, y *facĕre,* hacer.) tr. Demostrar, ilustrar o autorizar con ejemplos lo que se dice. ‖ **2.** ant. En lo moral, dar ejemplo.

Ejemplo. (Del lat. *exemplum.*) m. Caso o hecho sucedido en otro tiempo, que se propone y refiere, o para que se imite y siga, siendo bueno y honesto, o para que se huya y evite, siendo malo. ‖ **2.** Acción o conducta de uno, que puede mover o inclinar a otros a que la imiten. ‖ **3.** Hecho, texto o cláusula que se cita para comprobar, ilustrar o autorizar un aserto, doctrina u opinión. ‖ **4.** ant. **Ejemplar,** 1.er art., 5.a acep. ‖ **casero.** El que se toma de aquellas cosas que por ser muy comunes y frecuentes las entienden todos. ‖ **Dar ejemplo.** fr. Excitar con las propias obras la imitación de los demás. ‖ **Por ejemplo.** expr. de que se usa cuando se va a poner un **ejemplo** para comprobar, ilustrar o autorizar lo que antes se ha dicho. ‖ **Sin ejemplo.** m. adv. Sin precedente, como caso raro.

Ejercer. (Del lat. *exercēre.*) tr. Practicar los actos propios de un oficio, facultad, virtud, etc. Ú. t. c. intr. *Es abogado, pero no* EJERCE.

Ejercicio. (Del lat. *excercitĭum.*) m. Acción de ejercitarse u ocuparse en una cosa. ‖ **2.** Acción y efecto de ejercer. ‖ **3.** Paseo u otro esfuerzo corporal cualquiera, para conservar la salud o recobrarla. *Conviene hacer* EJERCICIO; *el* EJERCICIO *a caballo es muy saludable.* ‖ **4.** Tiempo durante el cual rige una ley de presupuestos. ‖ **5.** Cada una de las pruebas a que se somete el opositor a cátedras, beneficios, etc. ‖ **6.** *Mil.* Movimientos y evoluciones militares con que los soldados se ejercitan y adiestran. ‖ **7.** pl. **Ejercicios espirituales.** ‖ **Ejercicios espirituales.** Los que se practican por algunos días, retirándose de las ocupaciones del mundo, y dedicándose a la oración y penitencia, y también los que en días señalados practican los individuos de algunas congregaciones. ‖ **Dar ejercicios.** fr. Dirigir al que los hace espirituales, mientras se ocupa en ellos.

Ejercido, da. p. p. de **Ejercer.** ‖ **2.** adj. ant. Hollado, frecuentado.

Ejerciente. p. a. ant. de **Ejercer.** Que ejerce.

Ejercitación. (Del lat. *exercitatĭo, -ōnis.*) f. Acción de ejercitarse o de emplearse en hacer una cosa.

Ejercitador, ra. (Del lat. *exercitātor.*) adj. ant. Que ejerce o ejercita un ministerio u oficio. Ú. t. c. s.

Ejercitante. p. a. de **Ejercitar.** Que ejercita. ‖ **2.** com. Persona que hace alguno de los ejercicios de oposición, o los ejercicios espirituales.

Ejercitar. (Del lat. *exercitāre.*) tr. Dedicarse al ejercicio de un arte, oficio o profesión. ‖ **2.** Hacer que uno aprenda una cosa mediante la enseñanza, ejercicio y práctica de ella. ‖ **3.** r. Repetir muchos actos para adiestrarse en la ejecución de una cosa.

Ejercitativo, va. (Del lat. *exercitatīvus.*) adj. ant. Que se puede ejercitar.

Ejército. (Del lat. *exercĭtus.*) m. Gran copia de gente de guerra con los pertrechos correspondientes, unida en un cuerpo a las órdenes de un general. ‖ **2.** Conjunto de las fuerzas militares de una nación, y especialmente las terrestres. ‖ **3.** fig. Colectividad numerosa organizada para la realización de un fin. ‖ **4.** *Germ.* **Cárcel,** 1.a acep. ‖ **5.** V. **Cuerpo de,** o **del ejército.**

Ejido. (Del lat. *exĭtus,* salida.) m. Campo común de todos los vecinos de un pueblo, lindante con él, que no se labra, y donde suelen reunirse los ganados o establecerse las eras.

Ejión. (Del gr. ἐξιόν, saliente.) m. *Arq.* Zoquete de madera, por lo común en figura de cuña, que se asegura con clavos o ensamblajes a un par de armadura o a un alma de andamio para que sirva de apoyo a las piezas horizontales de la armazón.

Ejote. (Del mejic. *exotl*, fríjol o haba verde.) m. *Amér. Central* y *Méj.* Vaina del fríjol cuando está tierna y es comestible.

El. (Del lat. *ille.*) art. determ. en gén. m. y núm. sing.

Él. (Del lat. *ille.*) nominat. del pron. pers. de 3.ª pers. en gén. m. y núm. sing. Con preposición, empléase también en los casos oblicuos.

Elaborable. adj. Que se puede elaborar.

Elaboración. (Del lat. *elaboratio, -ōnis.*) f. Acción y efecto de elaborar.

Elaborador, ra. adj. Que elabora.

Elaborar. (Del lat. *elaborāre.*) tr. Preparar un producto por medio de un trabajo adecuado. Dícese especialmente hablando de los metales, de las funciones fisiológicas y de la actividad intelectual.

Elación. (Del lat. *elatio, -ōnis.*) f. p. us. Altivez, presunción, soberbia. || **2.** Elevación, grandeza. Dícese ordinariamente del espíritu y del ánimo. || **3.** Hinchazón de estilo y lenguaje.

Elamí. (De la letra *e* y de las notas musicales, *la, mi.*) m. En la música antigua, indicación de tono que principia en el tercer grado de la escala diatónica de *do* y se desarrolla según los preceptos del canto llano y del canto figurado.

Elamita. (Del lat. *aelamīta.*) adj. Natural de Elam. Ú. t. c. s. || **2.** Perteneciente a este país del Asia antigua.

Elástica. (De *elástico.*) f. Prenda interior de punto, con mangas o sin ellas, que se usa para abrigar el cuerpo.

Elasticidad. f. Calidad de elástico, 1.ª acep. || **2.** *Fís.* Una de las propiedades generales de los cuerpos en virtud de la cual recobran más o menos completamente su extensión y figura primitivas, tan pronto como cesa la acción de la fuerza que las alteraba.

Elástico, ca. (Del gr. ἐλαστικός, que empuja; de ἐλαύνω, empujar, impulsar.) adj. Dícese del cuerpo que puede recobrar más o menos completamente su figura y extensión luego que cesa la acción de la causa que se las alteró. || **2.** fig. Acomodaticio, que puede ajustarse a muy distintas circunstancias. || **3.** V. **Goma, pez elástica.** || **4.** *Fís.* V. **Fluidos elásticos.** || **5.** m. Tejido que tiene elasticidad por su estructura o por las materias que entran en su formación, y se pone en algunas prendas de vestir para que ajusten o den de sí. || **6.** Conjunto de roscas de alambre muy fino, cubierto de tela o cabritilla, que se ha empleado para el mismo fin. || **7.** Parte superior del calcetín hecha de punto más **elástico** que el resto, para que ajuste a la pierna. || **8.** Cinta o cordón **elástico.** || **9.** **Elástica.**

Elaterio. (Del lat. *elaterium.*) m. *Bot.* **Cohombrillo amargo.**

Elato, ta. (Del lat. *elātus*, p. p. de *efferre*, levantar, elevar.) adj. Altivo, presuntuoso, soberbio.

Elayómetro. (Del gr. ἔλαιον, aceite, y μέτρον, medida.) m. Instrumento para apreciar la cantidad de aceite que contiene una substancia oleaginosa.

Elche. (Del ár. *'ilŷ*, renegado o tornadizo.) m. Morisco o renegado de la religión cristiana.

Ele. f. Nombre de la letra *l*.

Eleagnáceo, a. (Del gr. ἐλαίαγνος, sauzgatillo.) adj. *Bot.* Dícese de árboles, arbolitos o arbustos angiospermos dicotiledóneos, con ramos a veces espinosos, hojas alternas u opuestas, enteras o dentadas, cubiertas de escamas a manera de escuditos; flores solitarias y a veces en espiga o en racimo, y frutos drupáceos con semilla de albumen carnoso; como el árbol del Paraíso. Ú. t. c. s. f. || **2.** f. pl. *Bot.* Familia de estas plantas.

Eleático, ca. (Del lat. *eleaticus.*) adj. Natural de Elea. Ú. t. c. s. || **2.** Perteneciente a esta ciudad de la Italia antigua. || **3.** Perteneciente o relativo a la escuela filosófica que floreció en Elea.

Elébor. m. ant. **Eléboro.**

Eléboro. (Del lat. *ellebŏrum*, y éste del gr. ἐλλέβορος.) m. Género de plantas de la familia de las ranunculáceas. || **blanco.** **Vedegambre.** || **negro.** Planta de la familia de las ranunculáceas, de hojas radicales, gruesas, con pecíolo de dos a tres decímetros de largo, y divididas en siete segmentos lanceolados; flores pareadas, sobre un bohordo central, con sépalos de color blanco rojizo, pétalos casi nulos y semillas en dos series. La raíz es fétida, acre, algo amarga y muy purgante.

Elección. (Del lat. *electio, -ōnis.*) f. Acción y efecto de elegir. || **2.** V. **Vaso de elección.** || **3.** Nombramiento de una persona, que regularmente se hace por votos, para algún cargo, comisión, etc. || **4.** Deliberación, libertad para obrar. || **canónica.** La que se hace según la forma establecida en el concilio general lateranense, celebrado en tiempo de Inocencio III, por uno de tres modos, que son: inspiración, compromiso o escrutinio.

Electivo, va. (Del lat. *electīvus.*) adj. Que se hace o se da por elección. || V. **Mayorazgo electivo.**

Electo, ta. (Del lat. *electus.*) p. p. irreg. de **Elegir.** || **2.** V. **Obispo electo.** || **3.** m. El elegido o nombrado para una dignidad, empleo, etc., mientras no toma posesión. || **4.** En algunos motines de los tercios españoles, se llamó así el nombrado por cabeza de ellos.

Elector, ra. (Del lat. *elector.*) adj. Que elige o tiene potestad o derecho de elegir. Ú. t. c. s. || **2.** m. Cada uno de los príncipes de Alemania a quienes correspondía la elección y nombramiento de emperador.

Electorado. (De *elector*, 2.ª acep.) m. Estado soberano de Alemania, cuyo príncipe tenía voto para elegir emperador.

Electorado. m. Conjunto de electores de un país o circunscripción.

Electoral. adj. Perteneciente a la dignidad o a la calidad de elector. || **2.** Relativo a electores o elecciones. *Derechos* ELECTORALES; *distrito* ELECTORAL. || **3.** V. **Colegio electoral.**

Electorero. m. Muñidor de elecciones.

Electricidad. (De *eléctrico.*) f. *Fís.* Agente muy poderoso, que se manifiesta por atracciones y repulsiones, por chispas y penachos luminosos, por las conmociones que ocasiona en el organismo animal y por las descomposiciones químicas que produce. Se desarrolla por frotamiento, presión, calor, acción química, etc. || **negativa.** *Fís.* La que adquiere la resina frotada con lana o piel. || **positiva.** *Fís.* La que adquiere el vidrio frotado con lana o piel. || **resinosa.** *Fís.* **Electricidad negativa.** || **vítrea.** *Fís.* **Electricidad positiva.**

Electricista. adj. Perito en aplicaciones científicas y mecánicas de la electricidad. Ú. t. c. s.

Eléctrico, ca. (Del lat. *electrum*, y éste del gr. ἤλεκτρον, ámbar, porque los antiguos observaron en él los fenómenos eléctricos.) adj. Que tiene o comunica electricidad. || **2.** Perteneciente a ella. || **3.** V. **Cable, telégrafo eléctrico.** || **4.** V. **Chispa, luz, máquina eléctrica.** || **5.** *Fís.* V. **Batería, corriente eléctrica.** || **6.** *Fís.* V. **Condensador, conductor, péndulo eléctrico.**

Electrificación. f. Acción y efecto de electrificar.

Electrificar. tr. Dicho de un ferrocarril o de una máquina, hacer que su sistema de tracción sea por medio de la electricidad.

Electriz. (Del lat. *electrix, -īcis.*) f. Mujer de un príncipe elector.

Electrizable. adj. Suceptible de adquirir las propiedades eléctricas.

Electrización. f. Acción y efecto de electrizar o electrizarse.

Electrizador, ra. adj. Que electriza. Apl. a pers., ú. t. c. s.

Electrizante. p. a. de **Electrizar.** Que electriza o sirve para electrizar.

Electrizar. tr. Comunicar o producir la electricidad en un cuerpo. Ú. t. c. r. || **2.** fig. Exaltar, avivar, inflamar el ánimo o los ánimos. Ú. t. c. r.

Electro. (Del lat. *electrum*, y éste del gr. ἤλεκτρον, succino.) m. **Ámbar.** || **2.** Aleación de cuatro partes de oro y una de plata, cuyo color es parecido al del ámbar.

Electroacústica. f. *Fís.* Rama de la electrotecnia, que trata de las corrientes eléctricas alternas, cuya frecuencia está comprendida dentro de la escala de las vibraciones audibles.

Electrocardiografía. f. Parte de la medicina, que estudia la obtención e interpretación de los electrocardiogramas.

Electrocardiógrafo. m. Aparato que registra las corrientes eléctricas emanadas del músculo cardiaco.

Electrocardiograma. m. Gráfico obtenido por el electrocardiógrafo.

Electrocución. f. Acción y efecto de electrocutar.

Electrocutar. tr. Matar por medio de una corriente o descarga eléctrica. Ú. t. c. r.

Electrodinámica. (Del gr. ἤλεκτρον [véase *eléctrico*] y de *dinámica.*) f. Parte de la física, que estudia los fenómenos y leyes de la electricidad en movimiento.

Electrodinámico, ca. adj. *Fís.* Perteneciente o relativo a la electrodinámica.

Electrodo. (Del gr. ἤλεκτρον [véase *eléctrico*], y ὁδός, camino.) m. *Electr.* Barra o lámina que forma cada uno de los polos en un electrólito, y por extensión, el elemento terminal de un circuito de variada forma, frecuentemente cerrado en un tubo o ampolla de vidrio purgados de aire.

Electroencefalografía. f. Parte de la medicina, que trata de la obtención e interpretación de los electroencefalogramas.

Electroencefalógrafo. m. Aparato que registra las corrientes eléctricas producidas por la actividad del encéfalo.

Electroencefalograma. m. Gráfico obtenido por el electroencefalógrafo.

Electróforo. (Del gr. ἤλεκτρον [véase *eléctrico*], y φορός, que lleva.) m. *Fís.* Aparato donde se produce y conserva electricidad en los gabinetes de física. Se compone de una torta resinosa que se electriza frotándola con una piel de gato.

Electrógeno, na. adj. Que engendra electricidad. || **2.** m. Generador eléctrico.

Electroimán. m. *Fís.* Barra de hierro dulce imantada artificialmente por la acción de una corriente eléctrica.

Electrólisis. (Del gr. ἤλεκτρον [véase *eléctrico*], y λύσις, disolución.) f. *Quím.* Descomposición de un cuerpo producida por la electricidad.

Electrolítico, ca. adj. Perteneciente o relativo a la electrólisis.

Electrólito. (Del gr. ἤλεκτρον [véase *eléctrico*], y λυτός, cosa disuelta o desatada.) m. *Quím.* Cuerpo que se somete a la descomposición por la electricidad.

Electrolización. f. Acción y efecto de electrolizar.

Electrolizador, ra. adj. Que electroliza. || **2.** m. *Fís.* Aparato en que se lleva a cabo la electrolización.

Electrolizar. (De *electrólisis.*) tr. *Fís.* Descomponer un cuerpo, haciendo pasar por su masa una corriente eléctrica.

Electromagnético, ca. (Del gr. ἤλεκτρον [véase *eléctrico*], y de *magnético.*) adj.

Que corresponde a los electroimanes o tiene relación con ellos. *Máquina* ELECTROMAGNÉTICA.

Electromagnetismo. (Del gr. ἤλεκτρον [véase *eléctrico*], y de *magnetismo*.) m. Parte de la física, que estudia las acciones y reacciones de las corrientes eléctricas sobre los imanes.

Electrometría. (De *electrómetro*.) f. Parte de la física, que estudia el modo de medir la intensidad eléctrica.

Electrométrico, ca. adj. Perteneciente o relativo a la electrometría.

Electrómetro. (Del gr. ἤλεκτρον [véase *eléctrico*], y μέτρον, medida.) m. *Fís.* Aparato que sirve para medir la cantidad de electricidad que tiene cualquier cuerpo, por la desviación de unos discos tenues de metal, o por la alteración que experimenta una columna capilar de mercurio.

Electromotor, ra. (Del gr. ἤλεκτρον véase *eléctrico*], y *motor*.) adj. *Fís.* Dícese de todo aparato o máquina en que se transforma la energía eléctrica en trabajo mecánico. Ú. t. c. s. m.

Electromotriz. (De *electromotor*.) adj. V. **Fuerza electromotriz.**

Electrón. (Del gr. ἤλεκτρον.) m. *Fís.* Corpúsculo electrizado con carga negativa, que forma parte del átomo.

Electronegativo, va. adj. Se dice de los cuerpos que, en la electrólisis, se dirigen al polo positivo.

Electrónica. f. Ciencia que estudia los fenómenos originados por el paso de partículas atómicas electrizadas a través de espacios vacíos o de gases más o menos enrarecidos, y técnica que aplica estos conocimientos a la industria.

Electrónico, ca. (De *electrón*.) adj. *Fís.* Perteneciente o relativo a los electrones, o a la electrónica.

Electropositivo, va. adj. Se dice de los cuerpos que, en la electrólisis, se dirigen al polo negativo.

Electroquímica. f. Parte de la física, que trata de las leyes referentes a la producción de la electricidad por combinaciones químicas, y de su influencia en la composición de los cuerpos.

Electroquímico, ca. adj. Perteneciente a la electroquímica.

Electroscopio. (Del gr. ἤλεκτρον [véase *eléctrico*], y σκοπέω, examinar.) m. *Fís.* Aparato para conocer si un cuerpo está electrizado. Consiste en dos laminillas de oro o dos bolitas de medula de saúco pendientes de unos hilos: si al aproximarse un cuerpo se separan las laminillas o bolitas, es señal de que el cuerpo está electrizado.

Electrostática. (Del gr. ἤλεκτρον, y στατικός, fijo.) f. Parte de la física, que estudia los sistemas de cuerpos electrizados en equilibrio.

Electrostático, ca. adj. Perteneciente o relativo a la electrostática.

Electrotecnia. f. Estudio de las aplicaciones técnicas de la electricidad.

Electrotécnico, ca. adj. Perteneciente o relativo a la electrotecnia.

Electroterapia. (Del gr. ἤλεκτρον [véase *eléctrico*], y θεραπεία curación.) f. *Med.* Empleo de la electricidad en el tratamiento de las enfermedades.

Electroterápico, ca. adj. Perteneciente o relativo a la electroterapia.

Electrotipia. (Del gr. ἤλεκτρον [véase *eléctrico*], y τύπος, molde, modelo.) f. Arte de reproducir los caracteres de imprenta por medio de la electricidad.

Electrotípico, ca. adj. Perteneciente o relativo a la electrotipia.

Electuario. (Del lat. *electuarium*.) m. Preparación farmacéutica, de consistencia de miel, hecha con polvos, pulpas o extractos y jarabes.

Elefancía. (Del lat. *elephantĭa*.) f. **Elefantiasis.**

Elefanciaco, ca [~ **cíaco, ca**]. adj. Perteneciente o relativo a la elefancía. || **2.** Que la padece. Ú. t. c. s.

Elefanta. f. Hembra del elefante.

Elefante. (Del lat. *elĕphas, -antis*, y éste del gr. ἐλέφας.) m. Mamífero del orden de los proboscidios, el mayor de los animales terrestres que viven ahora, pues llega a cuatro metros de alto y cinco de largo: tiene el cuerpo de color ceniciento obscuro, la cabeza pequeña, los ojos chicos, las orejas grandes y colgantes, la nariz muy prolongada en forma de trompa, que extiende y recoge a su arbitrio y le sirve como de mano; carece de caninos y tiene dos dientes incisivos, vulgarmente llamados colmillos, macizos y muy grandes Se cría en Asia y África, donde lo emplean como animal de carga. || **blanco.** fr. fig. *Argent.*, *Chile* y *Perú.* Cosa que cuesta mucho mantener y que no produce utilidad alguna. || **marino. Morsa.** || **2.** desus. **Bogavante,** 3.ª acep.

Elefantiásico, ca. adj. Perteneciente o relativo a la elefantiasis. || **2.** Que la padece.

Elefantiasis. (Del lat. *elephantiăsis*, y éste del gr. ἐλεφαντίασις.) f. Síndrome caracterizado por el aumento enorme de algunas partes del cuerpo, especialmente de las extremidades inferiores y de los órganos genitales externos. Puede producirse por diversas enfermedades inflamatorias, persistentes, y muy especialmente por los parásitos de los países cálidos del grupo de la filaria.

Elefantino, na. (Del lat. *elephantīnus*.) adj. Perteneciente o relativo al elefante.

Elegancia. (Del lat. *elegantĭa*.) f. Calidad de elegante. || **2.** Forma bella de expresar los pensamientos.

Elegante. (Del lat. *elĕgans, -antis*.) adj. Dotado de gracia, nobleza y sencillez; airoso, bien proporcionado, de buen gusto. *Animal, árbol, estatua, cuadro, estilo, melodía, movimiento* ELEGANTE. || **2.** En sentido restricto, se dice de la persona que viste con entera sujeción a la moda, y también de los trajes o cosas arregladas a ella. Ú. t. c. s. aplicado a persona.

Elegantemente. adv. m. Con elegancia. || **2.** fig. Con esmero y cuidado.

Elegantizar. tr. Dotar de elegancia. Ú. t. c. r.

Elegía. (Del lat. *elegīa*, y éste del gr. ἐλεγεία, de ἔλεγος, llanto.) f. Composición poética del género lírico, en que se lamenta la muerte de una persona o cualquiera otro caso o acontecimiento privado o público digno de ser llorado, y la cual en español se escribe más generalmente en tercetos o en verso libre. Entre los griegos y latinos, se componía de hexámetros y pentámetros y admitía también asuntos placenteros.

Elegiaco, ca [~ **gíaco, ca**]. (Del lat. *elegiăcus*, y éste del gr. ἐλεγιακός.) adj. Perteneciente o relativo a la elegía. || **2.** Por ext., lastimero, triste.

Elegiano, na. adj. ant. **Elegiaco.**

Elegibilidad. f. Calidad de elegible. Ú. principalmente para designar la capacidad legal para obtener un cargo por elección.

Elegible. (Del lat. *elegibĭlis*.) adj. Que se puede elegir, o tiene capacidad legal para ser elegido.

Elegido, da. p. p. de **Elegir.** || **2.** m. Por antonom., **predestinado,** 2.ª acep.

Elegidor. (De *elegir*.) m. ant. **Elector.**

Elegio, gia. (Del lat. *elegīus*.) adj. ant. **Elegiaco.** || **2.** ant. Afligido, acongojado.

Elegir. (Del lat. *eligĕre*.) tr. Escoger, preferir a una persona o cosa para un fin. || **2.** Nombrar por elección para un cargo o dignidad.

Élego, ga. (Del lat. *elĕgus*, y éste del gr. ἔλεγος.) adj. **Elegiaco.**

Elementado, da. adj. ant. *Fil.* Que se compone o consta de elementos. || **2.** *Colomb.* y *Chile.* Alelado, distraído.

Elemental. adj. Perteneciente o relativo al elemento. || **2.** fig. Fundamental, primordial. || **3.** Referente a los elementos o principios de una ciencia o arte. *Física* ELEMENTAL. || **4.** Obvio, de fácil comprensión, evidente. *No hablemos más de esto, que es* ELEMENTAL. || **5.** *Fís.* V. **Color elemental.**

Elementalmente. adv. m. De manera elemental.

Elementar. (De *elemento*.) adj. ant. **Elemental.**

Elemento. (Del lat. *elementum*.) m. Principio físico o químico que entra en la composición de los cuerpos. || **2. Cuerpo simple.** || **3.** En la filosofía natural antigua, cada uno de los cuatro principios inmediatos fundamentales que se consideraban en la constitución de los cuerpos y se simbolizaban en la tierra, el agua, el aire y el fuego. || **4.** Fundamento, móvil o parte integrante de una cosa. *La agricultura es el primer* ELEMENTO *de la riqueza de las naciones.* || **5.** *Fís.* **Par,** 9.ª acep. || **6.** *Chile, Perú* y *P. Rico.* fig. y fam. Persona de cortos alcances, babieca. || **7.** pl. Fundamentos y primeros principios de las ciencias y artes. ELEMENTOS *de retórica.* || **8.** fig. Medios, recursos. || **Estar uno en su elemento.** fr. Estar en la situación más cómoda y agradable, o en la que más se adapta a sus gustos e inclinaciones, como el ser vivo en el medio ambiente que le es propio.

Elemí. (Del ár. *al-lāmi*, especie de goma.) m. *Bot.* Resina sólida, amarillenta, de olor a hinojo, que se saca de ciertos árboles tropicales de la familia de las burseráceas y se usa en la composición de varios ungüentos y barnices.

Elemósina. (Del lat. *eleemosy̆na*, y éste del gr. ἐλεημοσύνη, compasión.) f. ant. **Limosna.**

Elenco. (Del lat. *elenchus*, y éste del gr. ἔλεγχος.) m. Catálogo, índice.

Eléquema. m. *Amér. Central.* **Coral,** 1.er art., 3.ª acep.

Eleto, ta. adj. ant. Pasmado, espantado.

Eleusino, na. (Del lat. *eleusīnus*.) adj. Perteneciente a Eleusis. Dícese más generalmente de los misterios de Ceres que se celebraban en aquella ciudad.

Elevación. (Del lat. *elevatĭo, -ōnis*.) f. Acción y efecto de elevar o elevarse. || **2.** Altura, encumbramiento en lo material o en lo moral. || **3.** fig. Suspensión, enajenamiento de los sentidos. || **4.** fig. Exaltación a un puesto, empleo o dignidad de consideración. || **5.** fig. p. us. Altivez, presunción, desvanecimiento. || **Tirar por elevación.** fr. *Arq.* Tirar de modo que, describiendo el proyectil una curva muy elevada, vaya a caer en el punto a que se dirige.

Elevadamente. adv. m. Con elevación.

Elevado, da. p. p. de **Elevar.** || **2.** adj. fig. **Sublime.** || **3.** fig. **Alto,** 1.er art., 1.ª acep. *Cumbres* ELEVADAS.

Elevador, ra. adj. Que eleva. || **2.** *Fís.* Dícese de la máquina eléctrica cuya fuerza electromotriz se suma a la tensión de otra fuente de energía eléctrica. Ú. t. c. s.

Elevamiento. (De *elevar*.) m. **Elevación.** Ú. m. en la 3.ª acep.

Elevar. (Del lat. *elevāre*.) tr. Alzar o levantar una cosa. Ú. t. c. r. || **2.** fig. Colocar a uno en un puesto o empleo honorífico, mejorar su condición social o política. || **3.** r. fig. Transportarse, enajenarse, quedar fuera de sí. || **4.** fig. Envanecerse, engreírse.

Elfo. m. En la mitología escandinava, genio, espíritu del aire.

Elidir. (Del lat. *elidĕre*, arrancar.) tr. Frustrar, debilitar, desvanecer una cosa. || **2.** *Gram.* Suprimir la vocal con que acaba una palabra cuando la que sigue empieza con otra vocal; como *del* por *de el, al* por *a el.*

Eligible. adj. ant. **Elegible.**

Eligiente. p. a. ant. de **Elegir.** Que elige.

Eligir. tr. ant. **Elegir.**

Elijable. adj. *Farm.* Que se puede elijar.

Elijación. f. *Farm.* Acción y efecto de elijar.

Elijan. (3.ª pers. de pl. del imperat. del verbo *elegir.*) m. Uno de los lances de los juegos del monte y de la banca.

Elijar. (Del lat. *elixāre*, cocer en agua.) tr. *Farm.* Cocer los simples en un líquido conveniente, para extraer su substancia, purificar sus zumos y separar las partes más gruesas, o para otros fines análogos.

Eliminación. (De *eliminar.*) f. Acción y efecto de eliminar.

Eliminador, ra. adj. Que elimina. Ú. t. c. s.

Eliminar. (Del lat. *elimināre*, echar fuera del umbral, fuera de casa; de *e*, fuera de, y *limen*, umbral.) tr. Quitar, separar una cosa; prescindir de ella. || **2.** Alejar, excluir a una o a muchas personas de una agrupación o de un asunto. || **3.** *Álg.* Hacer que, por medio del cálculo, desaparezca de un conjunto de ecuaciones con varias incógnitas una de éstas. || **4.** *Med.* Expeler el organismo una substancia nociva.

Eliminatorio, ria. adj. Que elimina, que sirve para eliminar. || **2.** f. En campeonatos o concursos, competición selectiva anterior a los cuartos de final.

Elipse. (Del lat. *ellipsis*, y éste del gr. ἔλλειψις.) f. *Geom.* Curva cerrada, simétrica respecto de dos ejes perpendiculares entre sí, con dos focos, y que resulta de cortar un cono circular por un plano que encuentra a todas las generatrices del mismo lado del vértice.

Elipsis. (Del lat. *ellipsis*, y éste del gr. ἔλλειψις, falta.) f. *Gram.* Figura de construcción, que consiste en omitir en la oración una o más palabras, necesarias para la recta construcción gramatical, pero no para que resulte claro el sentido. *¿Qué tal?*, por *¿Qué tal te parece?*

Elipsógrafo. m. Instrumento para trazar elipses.

Elipsoidal. adj. *Geom.* De figura de elipsoide o parecido a él.

Elipsoide. (De *elipse* y del gr. εἶδος, forma.) m. *Geom.* Sólido limitado en todos sentidos, cuyas secciones planas son todas elipses o círculos. || **de revolución.** *Geom.* Aquel en que todas las secciones perpendiculares a uno de sus ejes son círculos, y puede considerarse como engendrado por la rotación de una elipse alrededor de un diámetro principal.

Elípticamente. adv. m. Con elipsis o de manera elíptica.

Elíptico, ca. (Del gr. ἐλλειπτικός.) adj. Perteneciente a la elipse. || **2.** De figura de elipse o parecido a ella. || **3.** *Gram.* Perteneciente a la elipsis. *Proposición* ELÍPTICA; *modo* ELÍPTICO. || **4.** *Geom.* V. **Paraboloide elíptico.**

Elisano, na. (Del nombre ant. Elisana, de la ciudad llamada hoy Lucena.) adj. Natural de Lucena. Ú. t. c. s. || **2.** Perteneciente a esta ciudad de la provincia de Córdoba.

Elíseo, a. (Del lat. *elysĭus*, y éste del gr. ἠλύσιος.) adj. Perteneciente al Elíseo. || **2.** *Mit.* V. **Campos Elíseos.** Ú. t. c. s. m.

Elisio, sia. adj. **Elíseo.**

Elisión. (Del lat. *elisĭo, -ōnis.*) f. *Gram.* Acción y efecto de elidir.

Élitro. (Del gr. ἔλυτρον, estuche.) m. *Zool.* Cada una de las dos alas anteriores de los ortópteros y coleópteros, las cuales se han endurecido y en muchos casos han quedado convertidas en gruesas láminas córneas, que se yuxtaponen por su borde interno y protegen el par de alas posteriores, siendo sólo éstas las aptas para el vuelo.

Elixir [**Elíxir**]. (Del ár. *al-iksīr*, medicamento seco, polvo que transmuta los metales, piedra filosofal, y éste del gr. ξηρόν, ξηρίον.) m. **Piedra filosofal.** || **2.** Licor compuesto de diferentes substancias medicinales, disueltas por lo regular en alcohol. || **3.** fig. Medicamento o remedio maravilloso. || **4.** *Alq.* Substancia esencial de un cuerpo.

Elocución. (Del lat. *elocutĭo, -ōnis.*) f. Manera de hacer uso de la palabra para expresar los conceptos. || **2.** Modo de elegir y distribuir las palabras y los pensamientos en el discurso.

Elocuencia. (Del lat. *eloquentĭa.*) f. Facultad de hablar o escribir de modo eficaz para deleitar y conmover, y especialmente para persuadir a oyentes o lectores. || **2.** Fuerza de expresión, eficacia para persuadir y conmover que tienen las palabras, y también, por extensión y figuradamente, la que tienen los gestos o ademanes y cualquier otra acción o cosa capaz de dar a entender con viveza alguna idea y de ejercer así influencia en el ánimo. *La* ELOCUENCIA *de los hechos, de las cifras.*

Elocuente. (Del lat. *eloquens, -entis.*) adj. Dícese del que habla o escribe con elocuencia, o de aquello que la tiene.

Elocuentemente. adv. m. Con elocuencia.

Elogiable. adj. Digno de elogio.

Elogiador, ra. adj. Que elogia. Ú. t. c. s.

Elogiar. tr. Hacer elogios de una persona o cosa.

Elogio. (Del lat. *elogĭum.*) m. Alabanza, testimonio de las buenas prendas y mérito de una persona o cosa.

Elogioso, sa. adj. Laudatorio, encomiástico.

Elogista. m. ant. El que alaba y elogia.

Elongación. (Del lat. *elongatĭo, -ōnis.*) f. *Astron.* Diferencia de longitud entre un planeta y el Sol. || **2.** *Med.* Alargamiento accidental de un miembro o de un nervio.

Eloquio. (Del lat. *eloquĭum.*) m. ant. **Habla.**

Elote. (Del mejic. *elotl*, mazorca de maíz verde que tiene ya cuajados los granos.) m. Mazorca tierna de maíz que, cocida o asada, se consume como alimento en Méjico y otros países de la América Central. || **Pagar uno los elotes.** *C. Rica* y *Hond.* fr. fig. y fam. **Pagar uno el pato.**

Elucidación. (Del lat. *elucidatĭo, -ōnis.*) f. Declaración, explicación.

Elucidar. (Del lat. *elucidāre.*) tr. Poner en claro, dilucidar.

Elucidario. (Del b. lat. *elucidarium*, y éste del lat. *elucidāre*, hacer, dar luz.) m. Libro que esclarece o explica cosas obscuras o difíciles de entender.

Eluctable. (Del lat. *eluctabĭlis.*) adj. Que se puede vencer luchando.

Eludible. adj. Que se puede eludir.

Eludir. (Del lat. *eludĕre.*) tr. Huir la dificultad; esquivarla o salir de ella con algún artificio. || **2.** Hacer vana, o hacer que no tenga efecto, una cosa por medio de algún artificio.

Elzeviriano, na. adj. Perteneciente a los Elzevirios. Dícese, por lo común, de las ediciones hechas por estos célebres impresores, que vivieron en Leiden y Amsterdam desde 1583 hasta 1680. También se llaman así las impresiones modernas en que se emplean tipos semejantes a los usados en aquellas obras.

Elzevirio. m. Nombre dado a los libros elzevirianos de los siglos XVI y XVII.

Ella. (Del lat. *illa.*) nominat. del pron. pers. de 3.ª pers. en gén. f. y núm. sing. Con preposición, empléase también en los casos oblicuos. || **2.** Precedida esta voz del verbo *ser* con los adverbios temporales *aquí, allí, ahí*, u otra expresión de tiempo, alude indeterminadamente, pero con sentido ponderativo, al conflicto o lance grave o apurado que ocurrió o habrá de ocurrir en el tiempo indicado. *Aquí, ahí*, o *allí, fue*, o *será*, ELLA; *ahora* es ELLA; *después*, o *el lunes, será* ELLA.

Elle. f. Nombre de la letra *ll.*

Ello. (Del lat. *illŭd.*) nominat. del pron. pers. de 3.ª pers. en gén. n. Con preposición, empléase también en los casos oblicuos. || **2.** Precedido de algunas personas del verbo *ser* y de ciertos adverbios de tiempo o nombres que lo denoten, tiene la misma significación que **ella,** 2.ª acep. || **De ello con de ello.** fr. fam. De unas cosas y de otras, de todo. Úsase especialmente con el impersonal *haber.*

Ellos, ellas. (Del acus. lat. *illos, illas.*) nominats. m. y f. del pron. pers. de 3.ª pers. en núm. pl. Con preposición, se emplean también en los casos oblicuos. || **A ellas.** loc. empleada en el juego para indicar que tienen igual número de tantos los contrincantes. *Estamos* A ELLAS. || **¡A ellos!** fr. con que se incita a acometer.

Emaciación. (Del lat. *emaciāre*, debilitar.) f. *Med.* Adelgazamiento morboso.

Emanación. (Del lat. *emanatĭo, -ōnis.*) f. Acción y efecto de emanar. || **2.** **Efluvio.**

Emanadero. (De *emanar.*) m. ant. Manantial o lugar donde mana alguna cosa.

Emanante. p. a. de **Emanar.** Que emana.

Emanantismo. (De *emanante.*) m. Doctrina panteísta según la cual todas las cosas proceden de Dios por emanación.

Emanantista. adj. Perteneciente o relativo al emanantismo. || **2.** Partidario de esa doctrina panteísta. Ú. t. c. s.

Emanar. (Del lat. *emanāre.*) intr. Proceder, derivar, traer origen y principio de una cosa de cuya substancia se participa. || **2.** Desprenderse de los cuerpos las substancias volátiles.

Emancipación. (Del lat. *emancipatĭo, -ōnis.*) f. Acción y efecto de emancipar o emanciparse.

Emancipador, ra. adj. Que emancipa. Ú. t. c. s.

Emancipar. (Del lat. *emancipāre.*) tr. Libertar de la patria potestad, de la tutela o de la servidumbre. Ú. t. c. r. || **2.** r. fig. Salir de la sujeción en que se estaba.

Emasculación. (Del lat. *emasculāre.*) f. Castración, capadura.

Embabiamiento. (De la fr. *estar en Babia.*) m. fam. Embobamiento, distracción.

Embabucar. (De *en* y *baba;* en cat. *embabiecar*, en port. *embabacar.*) tr. **Embaucar.**

Embachar. tr. Meter el ganado lanar en el bache para esquilarlo.

Embadurnador, ra. adj. Que embadurna. Ú. t. c. s.

Embadurnar. tr. Untar, embarrar, manchar, pintarrajear. Ú. t. c. r.

Embaición. f. **Embaimiento.**

Embaidor, ra. (De *embair.*) adj. Embaucador, engañador. Ú. t. c. s.

Embaimiento. (De *embair.*) m. Acción y efecto de embair.

Embair. (Del lat. *invadĕre.*) tr. Ofuscar, embaucar, hacer creer lo que no es. || **2.** ant. Atropellar, maltratar. || **3.** ant. Avergonzar, confundir. || **4.** r. *Sal.* Entretenerse en alguna ocupación o diversión.

Embajada. (Del b. lat. *ambascia*, y éste del lat. *ambactus*, ministro.) f. Mensaje para tratar algún asunto de importancia. Dícese con preferencia de los que se envían recíprocamente los jefes de Estado por medio de sus embajadores. || **2.** Cargo de embajador. || **3.** Casa en que reside el embajador. || **4.** Conjunto de los empleados que tiene a sus órdenes, y otras personas de su comitiva oficial. || **5.** fam. Proposición o exigencia impertinente.

molesta o de ninguna importancia para aquel a quien se propone. Ú. con los verbos *salir* o *venir* seguidos de la prep. *con*, y en frases exclamativas: *¡Brava*, o *linda*, EMBAJADA! *¡Vaya una* EMBAJADA!

Embajador. (De *embajada.*) m. Agente diplomático con carácter de ministro público, perteneciente a la superior de las clases que hoy reconoce el derecho internacional. Se diferencia de los demás ministros en que goza de varias preeminencias, y especialmente en que se le considera como representante de la persona misma del jefe del Estado que le envía y acredita cerca del de otro Estado extranjero. ‖ **2.** V. **Introductor de embajadores.** ‖ **3.** fig. **Emisario,** 1.ª acep. ‖ **4.** ant. V. **Conductor de embajadores.**

Embajadora. f. Mujer que lleva una embajada. ‖ **2.** Mujer del embajador. ‖ **3.** Mujer que desempeña el cargo diplomático de embajada.

Embajatorio, ria. adj. ant. Perteneciente al embajador.

Embajatriz. f. ant. **Embajadora.**

Embajo. adv. l. ant. **Debajo.**

Embalador. m. El que tiene por oficio embalar.

Embalaje. m. Acción y efecto de embalar, 1.ª acep. ‖ **2.** Caja o cubierta con que se resguardan los objetos que han de transportarse a puntos distantes. ‖ **3.** Coste de esta caja o cubierta.

Embalar. (De *en* y *bala*, 4.ª acep.) tr. Hacer balas o colocar convenientemente dentro de cubiertas los objetos que han de transportarse a larga distancia. ‖ **2.** intr. Dar golpes en la superficie del mar con remos o piedras, a fin de que la pesca se asuste y se precipite en las redes.

Embaldosado, da. p. p. de **Embaldosar.** ‖ **2.** m. Pavimento solado con baldosas. ‖ **3.** Operación de embaldosar.

Embaldosadura. f. **Embaldosado,** 3.ª acep.

Embaldosar. tr. Solar con baldosas.

Embalsadero. (De *embalsar.*) m. Lugar hondo y pantanoso en donde se suelen recoger las aguas llovedizas, o las de los ríos cuando se salen de madre y se rebalsan.

Embalsamador, ra. adj. Que embalsama. Ú. t. c. s.

Embalsamamiento. m. Acción y efecto de embalsamar.

Embalsamar. (De *en* y *bálsamo.*) tr. Llenar de substancias balsámicas u olorosas las cavidades de los cadáveres, como se hacía antiguamente, o inyectar en los vasos ciertos líquidos cuya composición varía, o bien emplear otros diversos medios para preservar de la corrupción o putrefacción los cuerpos muertos. ‖ **2.** Perfumar, aromatizar. Ú. t. c. r.

Embalsar. tr. Meter una cosa en balsa. Ú. t. c. r. ‖ **2. Rebalsar.** Ú. m. c. r.

Embalsar. tr. *Mar.* Colocar en un balso a una persona o cosa para izarla a un sitio alto donde deba prestar servicio.

Embalse. m. Acción y efecto de embalsar o embalsarse, 1.er art. ‖ **2.** Balsa artificial donde se acopian las aguas de un río o arroyo. ‖ **3.** Cantidad de aguas así acopiadas.

Embalumar. (De *en* y *baluma.*) tr. Cargar u ocupar algo con cosas de mucho bulto y embarazosas. ‖ **2.** r. fig. Cargarse o llenarse de negocios y asuntos de gravedad, y hallarse embarazado para su despacho.

Emballenado, da. p. p. de **Emballenar.** ‖ **2.** m. Armazón compuesta de ballenas. ‖ **3.** desus. Corpiño de mujer armado con ballenas.

Emballenador, ra. m. y f. Persona que tiene por oficio emballenar.

Emballenar. (De *en* y *ballena*, 2.ª acep.) tr. Armar o fortalecer con barbas de ballena, principalmente los corsés, los vestidos de las mujeres u otras prendas de vestir.

Emballestado, da. p. p. de **Emballestarse.** ‖ **2.** adj. *Veter.* Dícese de la caballería que tiene encorvado hacia adelante el menudillo de las manos. ‖ **3.** m. *Veter.* Esta enfermedad.

Emballestarse. r. Ponerse uno a punto de disparar la ballesta.

Embanastar. tr. Meter una cosa en la banasta. ‖ **2.** fig. Meter en un espacio cerrado más gente de la que buenamente cabe. Ú. t. c. r.

Embancarse. r. *Méj.* Entre fundidores de metales, pegarse a las paredes del horno los materiales escoriados, con pérdida de toda la operación. ‖ **2.** *Chile* y *Ecuad.* Cegarse un río, lago, etc., por los terrenos de aluvión. ‖ **3.** *Mar.* Varar la embarcación en un banco.

Embanderar. tr. Adornar con banderas. Ú. t. c. r.

Embarazadamente. adv. m. Con embarazo.

Embarazado, da. p. p. de **Embarazar.** ‖ **2.** adj. Dícese de la mujer preñada. Ú. t. c. s. f.

Embarazador, ra. adj. Que embaraza.

Embarazar. (Del ár. *bāraza*, oponerse, salir al encuentro, cortar el paso, con el pref. *en*.) tr. Impedir, estorbar, retardar una cosa. ‖ **2.** Poner encinta a una mujer. Ú. m. c. r. ‖ **3.** r. Hallarse impedido con cualquier embarazo.

Embarazo. (De *embarazar.*) m. Impedimento, dificultad, obstáculo. ‖ **2.** Preñado de la mujer. ‖ **3.** Tiempo que dura éste. ‖ **4.** Encogimiento, falta de soltura en los modales o en la acción.

Embarazosamente. adv. m. Con embarazo, con dificultad.

Embarazoso, sa. adj. Que embaraza e incomoda.

Embarbascarse. (De *en* y *barbas*, por las de las raíces.) r. Enredarse el arado en las raíces fuertes de las plantas al tiempo de romper la tierra, o cualquier otra herramienta entre las fibras de los materiales o entre cuerdas muy trabadas. Ú. t. c. tr. ‖ **2.** fig. Confundirse, embarazarse, enredarse. Ú. t. c. tr.

Embarbecer. (Del lat. *inbarbescĕre.*) intr. Barbar el hombre, salirle la barba.

Embarbillado, da. p. p. de **Embarbillar.** ‖ **2.** *Carp.* m. Acción y efecto de embarbillar.

Embarbillar. tr. *Carp.* Ensamblar en un madero la extremidad de otro inclinado, haciendo respectivamente en ellos los cortes de muesca y barbilla. Ú. t. c. intr.

Embarcación. (De *embarcar.*) f. **Barco,** 1.ª acep. ‖ **2. Embarco.** ‖ **3.** Tiempo que dura la navegación de una parte a otra. ‖ **menor.** Cualquiera de las de pequeño porte en los puertos, o bote de los del servicio de a bordo.

Embarcadero. m. Lugar o artefacto fijo, destinado para embarcar gente, mercaderías y otras cosas.

Embarcador. m. El que embarca alguna cosa.

Embarcadura. (De *embarcar.*) f. ant. **Embarco.**

Embarcar. (De *en* y *barco.*) tr. Dar ingreso a personas, mercancías, etc., en una embarcación. Ú. t. c. r. ‖ **2.** fig. Incluir a uno en una dependencia o negocio. Ú. t. c. r.

Embarco. m. Acción de embarcar o embarcarse personas. ‖ **2.** *Mil.* Ingreso de tropas en un barco o tren, para ser transportadas.

Embardar. tr. **Bardar.**

Embarduñar. tr. ant. **Embadurnar.**

Embargable. adj. *For.* Que puede ser embargado.

Embargado, da. p. p. de **Embargar.** ‖ **2.** adj. ant. **Ahíto,** 1.ª acep. ‖ **3.** m. ant. **Embargo,** 2.ª acep.

Embargador, ra. adj. ant. Que estorba o embaraza. ‖ **2.** m. El que embarga o secuestra.

Embargamiento. (De *embargar.*) m. ant. **Embargo,** 2.ª acep.

Embargante. p. a. de **Embargar.** Que embaraza o impide. ‖ **No embargante.** m. adv. **Sin embargo.**

Embargar. tr. Embarazar, impedir, detener. ‖ **2.** fig. Suspender, paralizar. Dícese especialmente de los sentidos y potencias del alma. ‖ **3.** *For.* Retener una cosa en virtud de mandamiento de juez competente, sujetarla a las resultas de un procedimiento o juicio.

Embargo. (De *embargar.*) m. Indigestión, empacho del estómago. ‖ **2.** ant. Embarazo, impedimento, obstáculo. ‖ **3.** ant. Daño, incomodidad. ‖ **4.** *For.* Retención, traba o secuestro de bienes por mandamiento de juez o autoridad competente. ‖ **5.** Prohibición del comercio y transporte de armas u otros efectos útiles para la guerra, decretada por un gobierno. ‖ **Sin embargo.** m. adv. No obstante, sin que sirva de impedimento.

Embargoso, sa. (De *embargar.*) adj. ant. **Embarazoso.**

Embarnecer. (Del lat. *in* y *furcināre*, rellenar.) intr. **Engrosar,** 3.ª acep.

Embarnecimiento. m. Acción y efecto de embarnecer.

Embarnizadura. f. Acción y efecto de embarnizar.

Embarnizar. tr. **Barnizar.**

Embarque. m. Acción de depositar provisiones o mercancías en un barco o tren para ser transportadas.

Embarrada. f. *Argent.*, *Chile* y *P. Rico.* Desacierto, disparate, patochada.

Embarradilla. f. *Méj.* Especie de empanadilla de dulce.

Embarrado, da. p. p. de **Embarrar.** ‖ **2.** m. Revoco de barro o tierra en paredes, muros y tapiales.

Embarrador, ra. adj. Que embarra, 1.er art. Ú. t. c. s. ‖ **2.** fig. Enredador, embrollón, embustero. Ú. t. c. s.

Embarradura. f. Acción y efecto de embarrar o embarrarse, 1.er art.

Embarrancar. (De *en* y *barranco.*) intr. *Mar.* Varar con violencia, encallándose el buque en el fondo. Ú. t. c. tr. ‖ **2.** r. Atascarse en un barranco o atolladero. Ú. t. c. intr.

Embarrar. tr. Untar y cubrir con barro. ‖ **2.** Manchar con barro. Ú. t. c. r. ‖ **3. Embadurnar,** manchar con cualquier substancia viscosa. ‖ **4.** *Av.*, *Extr.*, *Sal.* y *Zam.* Enjalbegar las paredes.

Embarrar. tr. Introducir el extremo de una barra o espeque entre un objeto firme y otro que se quiere mover. ‖ **2.** ant. Acorralar o arrinconar al enemigo. ‖ **3.** r. Acogerse las perdices a los árboles, subiéndose a ellos cuando se ven muy perseguidas y hostigadas. Ú. t. c. tr.

Embarrilador. m. El que está encargado de embarrilar.

Embarrilar. tr. Meter y guardar algo en un barril o barriles.

Embarrotar. tr. **Abarrotar,** 1.er art.

Embarullador, ra. adj. Que embarulla. Ú. t. c. s.

Embarullar. (De *en* y *barullo.*) tr. fam. Confundir, mezclar desordenadamente unas cosas con otras. ‖ **2.** fam. Hacer las cosas atropelladamente, sin orden ni cuidado.

Embasamiento. m. *Arq.* Basa larga y continuada sobre que estriba todo el edificio o parte de él.

Embastar. (De *en* y *basta.*) tr. Coser y asegurar con puntadas de hilo fuerte la tela que se ha de bordar, pegándola por las orillas a las tiras de lienzo crudo que están clavadas en las barras del bastidor, para que la tela esté tirante. || **2.** Poner bastas a los colchones. || **3. Hilvanar,** 1.ª acep.

Embastar. (De *en* y *basto,* 1.ª acep.) tr. Poner bastos a las caballerías.

Embastardar. (De *en* y *bastardo.*) intr. ant. **Bastardear.**

Embaste. (De *embastar,* 1.er art.) m. Acción y efecto de embastar. || **2.** Costura a puntadas largas, hilván.

Embastecer. intr. **Engrosar,** 3.ª acep. || **2.** r. Ponerse basto o tosco.

Embate. (De *embatirse.*) m. Golpe impetuoso de mar. || **2.** Acometida impetuosa. Se dice también de lo inmaterial. || **3.** *Mar.* Viento fresco y suave que reina en el verano a la orilla del mar. || **4.** pl. *Mar.* Vientos periódicos del Mediterráneo después de la canícula.

Embatirse. (De *en* y *batir.*) r. ant. Embestirse, acometerse.

Embaucador, ra. adj. Que embauca. Ú. t. c. s.

Embaucamiento. (De *embaucar.*) m. Engaño, alucinamiento.

Embaucar. (De *embabucar.*) tr. Engañar, alucinar, prevaliéndose de la inexperiencia o candor del engañado.

Embauco. m. ant. **Embaucamiento.**

Embaulado, da. p. p. de **Embaular.** || **2.** adj. fig. Apretado, metido en un espacio estrecho y cerrado. EMBAULADO *en un departamento de tercera.*

Embaular. tr. Meter dentro de un baúl. || **2.** fig. y fam. Comer con ansia, engullir.

Embausamiento. (De *en* y *bausán.*) m. Abstracción, suspensión.

Embazador. m. El que embaza, 1.er art.

Embazadura. (De *embazar,* 1.er art.) f. Tintura y colorido de pardo o bazo.

Embazadura. (De *embazar,* 2.º art.) f. Asombro, pasmo, admiración.

Embazar. tr. Teñir de color pardo o bazo.

Embazar. tr. Detener, embarazar. || **2.** fig. Suspender, pasmar, dejar admirado a uno. || **3.** intr. fig. Suspender, quedar sin acción. || **4.** r. Fastidiarse, cansarse de una cosa. || **5. Empacharse.**

Embazarse. r. En los juegos de naipes, meterse en bazas.

Embebecer. (De *embeber.*) tr. Entretener, divertir, embelesar. || **2.** r. Quedarse embelesado o pasmado.

Embebecidamente. adv. m. Con embebecimiento o embelesamiento, sin advertencia.

Embebecimiento. (De *embebecer.*) m. Enajenamiento, embelesamiento.

Embebedor, ra. adj. Que embebe. Ú. t. c. s.

Embeber. (Del lat. *imbibĕre.*) tr. Absorber un cuerpo sólido otro en estado líquido. *La esponja* EMBEBE *el agua.* || **2.** Empapar, llenar de un licor una cosa porosa o esponjosa. EMBEBIERON *una esponja en vinagre.* || **3.** Contener, encerrar una cosa dentro de sí a otra. || **4.** fig. Incorporar, incluir una cosa inmaterial dentro de sí a otra. || **5.** Encajar, embutir, meter una cosa dentro de otra. || **6.** Recoger parte de una cosa en ella misma, reduciéndola a menos o acortándola; como cuando se estrecha un vestido o se mete una costura. || **7.** intr. Encogerse, apretarse, tupirse; como el tejido de lino o de lana cuando se moja. || **8.** r. fig. Embebecerse, quedarse absorto. || **9.** fig. Instruirse radicalmente y con fundamento en una materia o negocio.

Embebido, da. p. p. de **Embeber.** || **2.** adj. *Arq.* V. **Columna embebida.**

Embecadura. (Del lat. *in,* en, y *beccus,* pico.) f. *Arq.* **Enjuta,** 1.ª acep.

Embelecador, ra. adj. Que embeleca. Ú. t. c. s.

Embelecamiento. m. Acción y efecto de embelecar.

Embelecar. tr. Engañar con artificios y falsas apariencias.

Embeleco. (De *embelecar.*) m. Embuste, engaño. || **2.** fig. y fam. Persona o cosa fútil, molesta o enfadosa.

Embeleñar. (De *en* y *beleño.*) tr. Adormecer con beleño. || **2. Embelesar.**

Embelequero, ra. adj. Que usa de embelecos.

Embelesamiento. m. **Embeleso.**

Embelesar. (De *belesa.*) tr. Suspender, arrebatar, cautivar los sentidos. Ú. t. c. r.

Embeleso. m. Efecto de embelesar o embelesarse. || **2.** Cosa que embelesa. *Esta escena es un* EMBELESO. || **3.** *Cuba.* **Belesa.**

Embelga. f. *Ast.* y *León.* Bancal o era de siembra que se riega de una vez.

Embellaquecerse. r. Hacerse bellaco.

Embellecer. tr. Hacer o poner bella a una persona o cosa. Ú. t. c. r.

Embellecimiento. m. Acción y efecto de embellecer o embellecerse.

Embeodar. (De *en* y *beodo.*) tr. **Emborrachar.** Ú. t. c. r.

Embermejar. (De *en* y *bermejo.*) tr. **Embermejecer.**

Embermejecer. tr. Teñir o dar de color bermejo. || **2.** Poner colorado, avergonzar a uno. Ú. m. c. r. || **3.** intr. Ponerse una cosa de color bermejo o tirar a él.

Emberrenchinarse. (De *en* y *berrenchín.*) r. fam. **Emberrincharse.**

Emberrincharse. (De *en* y *berrinche.*) r. fam. Enfadarse con demasía; encolerizarse. Dícese comúnmente de los niños.

Embestida. f. Acción y efecto de embestir. || **2.** fig. y fam. Detención inoportuna que se hace a uno para hablar de cualquier negocio.

Embestidor, ra. adj. Que embiste. || **2.** m. fig. y fam. El que pide prestado o limosna fingiendo grandes ahogos y empeños.

Embestidura. (De *embestir.*) f. **Embestida,** 1.ª acep.

Embestir. (Del lat. *investīre.*) tr. Venir con ímpetu sobre una persona o cosa para apoderarse de ella o causarle daño. || **2.** fig. y fam. Acometer a uno pidiéndole limosna o prestado, o bien para inducirle a alguna cosa. || **3.** intr. fig. y fam. **Arremeter,** 3.ª acep.

Embetunar. tr. Cubrir una cosa con betún.

Embicadura. f. *Mar.* Acción y efecto de embicar.

Embicar. (Del port. *embicar.*) tr. *Cuba.* Embocar, acertar a introducir una cosa en un hoyo o cavidad.

Embicar. (De *en* y *pico;* en fr. *apiquer.*) tr. *Mar.* Poner una verga en dirección oblicua respecto a la horizontal. Ú. a bordo como señal de luto. || **2.** *Mar.* **Orzar.**

Embijado, da. p. p. de **Embijar.** || **2.** adj. *Méj.* Dispar, formado de piezas desiguales. *Baraja* EMBIJADA.

Embijar. tr. Pintar o teñir con bija o con bermellón. Ú. t. c. r. || **2.** *Hond.* y *Méj.* Ensuciar, manchar, embarrar.

Embije. m. Acción y efecto de embijar.

Embizcar. intr. Quedar uno bizco. Ú. t. c. r.

Emblandecer. (De *en* y *blando.*) tr. **Ablandar.** Ú. t. c. r. || **2.** r. fig. Moverse a condescendencia o enternecerse.

Emblanqueado, da. (De *emblanquear.*) adj. ant. Aplicábase a la moneda de cobre plateada.

Emblanquear. tr. ant. **Blanquear.**

Emblanquecer. (De *en* y *blanco.*) tr. **Blanquear,** 1.ª acep. || **2.** r. Ponerse o volverse blanco lo que antes era de otro color.

Emblanquecimiento. m. Acción y efecto de emblanquecer o emblanquecerse.

Emblanquición. (De *en* y *blanquición.*) f. ant. **Emblanquecimiento.**

Emblanquimiento. m. ant. **Blanquimiento.**

Emblema. (Del lat. *emblēma,* y éste del gr. ἔμβλημα, de ἐμβάλλω, colocar en o sobre.) m. Jeroglífico, símbolo o empresa en que se representa alguna figura, y al pie de la cual se escribe algún verso o lema que declara el concepto o moralidad que encierra. Ú. t. c. f. || **2.** Cualquiera cosa que es representación simbólica de otra.

Emblemáticamente. adv. m. De manera emblemática; por medio de emblemas.

Emblemático, ca. adj. Perteneciente o relativo al emblema, o que lo incluye.

Embobamiento. (De *embobar.*) m. Suspensión, embeleso.

Embobar. (De *en* y *bobo.*) tr. Entretener a uno; tenerle suspenso y admirado. || **2.** r. Quedarse uno suspenso, absorto y admirado.

Embobecer. tr. Volver bobo, entontecer a uno. Ú. t. c. r.

Embobecimiento. m. Acción y efecto de embobecer o embobecerse.

Embocadero. (De *embocar.*) m. Portillo o hueco hecho a manera de una boca o canal angosta. || **Estar uno al embocadero.** fr. fig. y fam. Estar próximo a conseguir lo que procura o pretende.

Embocado, da. (De *en* y *boca,* 7.ª acep.) adj. Dicho del vino, **abocado.**

Embocador. m. ant. **Embocadero.**

Embocadura. f. Acción y efecto de embocar una cosa por una parte estrecha. || **2. Boquilla,** 3.ª acep. || **3. Bocado,** 7.ª acep. || **4.** Hablando de vinos, **gusto,** 2.ª acep. *Este vino tiene buena* EMBOCADURA. || **5.** Paraje por donde los buques pueden penetrar en los ríos que desaguan en el mar. || **6.** Boca o abertura del escenario de un teatro. || **Tener buena embocadura.** fr. fig. Tocar uno con suavidad, sin que se perciba el soplido, cualquier instrumento de viento. || **2.** Tratándose del caballo, ser blando de boca. || **Tomar la embocadura.** fr. Comenzar a tocar con suavidad y afinación un instrumento de viento. || **2.** fig. y fam. Vencer las primeras dificultades en el aprendizaje o en la ejecución de una cosa.

Embocar. tr. Meter por la boca una cosa. *El perro* EMBOCA *el pan que se le arroja al aire.* || **2.** Entrar por una parte estrecha. Ú. t. c. r. || **3.** En los antiguos juegos de trucos, argolla, sortija, etc., meter la bola por las troneras o por el aro, o pasar la lanza por el aro de la sortija. || **4.** fig. Hacer creer a uno lo que no es cierto. *Le* EMBOCARON *la noticia.* || **5.** fam. Tragar y comer mucho y de prisa. || **6.** fam. Echar, dirigir a uno algo que no ha de recibir con gusto. *Le* EMBOCÓ *un jarro de agua. Verás la soflama que nos* EMBOCA. || **7.** Comenzar un empeño o negocio. || **8.** *Mús.* Aplicar los labios a la boquilla de un instrumento de viento.

Embocinado, da. adj. **Abocinado,** 2.ª acep.

Embochinchar. tr. *Amér.* Promover un bochinche, alborotar. Ú. t. c. r.

Embodegar. tr. Meter y guardar en la bodega una cosa; como vino, aceite, etc.

Embojar. tr. Colocar ramas, por lo general de boja, alrededor de los zarzos donde se crían los gusanos de seda, para que éstos, después de sus cuatro mudas, suban a aquéllas y hagan los capullos.

Embojo. m. Acción de embojar. || **2.** Conjunto de ramas, por lo general de boja, que se pone a los gusanos de seda para que hilen.

Embolada. f. Cada uno de los movimientos de vaivén que hace el émbolo cuando está funcionando dentro del cilindro.

Embolado, da. p. p. de **Embolar.** || **2.** m. fig. En el teatro, papel corto y desairado, y por extensión cualquier caso de deslucimiento. || **3.** Toro **embolado.** || **4.** fig. y fam. Artificio engañoso.

Embolar. tr. Poner bolas de madera en las puntas de los cuernos del toro para que no pueda herir con ellos.

Embolar. tr. Dar la postrera mano de bol a la pieza que se ha de dorar. || **2.** Dar bola o betún al calzado.

Embolia. (De *émbolo.*) f. *Med.* Obstrucción ocasionada por un coágulo que, formado en un vaso sanguíneo, impide la circulación de la sangre en otro vaso menor.

Embolicar. tr. *Ar.* y *Murc.* Embrollar, enredar.

Embolismador, ra. adj. Que embolisma. Ú. t. c. s.

Embolismal. (Del lat. *embolismālis.*) adj. V. **Año embolismal.**

Embolismar. (De *embolismo,* 4.ª acep.) tr. fig. y fam. Meter chismes y enredos para indisponer los ánimos.

Embolismático, ca. (De *embolismo.*) adj. Confuso, enredado, ininteligible. Se aplica principalmente al lenguaje.

Embolismo. (Del lat. *embolismus,* y éste del gr. ἐμβολισμός.) m. Añadidura de ciertos días para igualar el año de una especie con el de otra; como el lunar y el civil con los solares. || **2.** fig. Confusión, enredo, embarazo y dificultad en un negocio. || **3.** fig. Mezcla y confusión de muchas cosas. || **4.** fig. y fam. Embuste, chisme.

Émbolo. (Del lat. *embŏlus,* y éste del gr. ἔμβολος.) m. *Mec.* Disco que se ajusta y mueve alternativamente en lo interior de un cuerpo de bomba o del cilindro de una máquina para enrarecer o comprimir un fluido o para recibir de él movimiento.

Embolsar. tr. Guardar una cosa en la bolsa. Dícese, por lo común, del dinero. || **2. Cobrar,** 1.ª acep. || **3.** p. us. **Reembolsar.** Ú. t. c. r.

Embolso. m. Acción y efecto de embolsar.

Embonada. f. *Mar.* Acción y efecto de embonar un navío.

Embonar. (De *en* y *bueno.*) tr. Mejorar o hacer buena una cosa. || **2.** *Cuba* y *Méj.* Acomodar, ajustar, venir bien. || **3.** *Mar.* Forrar exteriormente con tablones el casco de un buque, para ensanchar su manga y darle más estabilidad.

Embono. m. desus. Refuerzo que se echa en la ropa. || **2.** *Mar.* Forro de tablones con que se embona un buque.

Emboñigar. tr. Untar o bañar con boñiga.

Emboque. (De *embocar.*) m. Paso de la bola por el aro, o de otra cosa por una parte estrecha. || **2.** *Sant.* En el juego de bolos, bolo menor que los otros nueve y que tiene un valor convencional, a semejanza del diez y del cuatro. || **3.** fig. y fam. **Engaño.** || **4.** *Chile.* **Boliche,** 1.er art., 5.ª acep.

Emboquera. f. *Sal.* Cubierta de paja, heno o ramón con que se tapan los sacos de cisco.

Emboquillar. tr. Poner boquillas a los cigarrillos de papel. || **2.** Labrar la boca de un barreno, o preparar la entrada de una galería o de un túnel.

Embornal. (Como el cat. *ambrunal* y el ast. *empruno,* pendiente, del lat. *in prono,* en pendiente.) m. *Mar.* **Imbornal,** 2.ª acep.

Emborrachacabras. f. *Bot.* Mata de la familia de las coriáceas, de hojas opuestas o verticiladas, lanceoladas, enteras, con tres nervios y pecíolo corto; flores verdosas en racimos sencillos, frutos pentagonales negros y lustrosos. Sus hojas, ricas en tanino, se utilizan para curtir.

Emborrachador, ra. adj. Que emborracha.

Emborrachamiento. (De *emborrachar.*) m. fam. **Embriaguez.**

Emborrachar. (De *en* y *borracho.*) tr. Causar embriaguez. || **2.** Atontar, perturbar, adormecer. Ú. t. c. r. Dícese de personas y de animales. || **3.** r. Beber vino u otro licor hasta perder el uso libre racional de las potencias. || **4.** Mezclarse y confundirse los varios colores de una tela por efecto del agua o de la humedad.

Emborrar. tr. Henchir o llenar de borra una cosa; como las sillas, albardas, etc. || **2.** Dar la segunda carda a la lana, extendiéndola para echarle aceite; y, después de echado, darle otra vuelta para emprimarla. || **3.** fig. y fam. **Embocar,** 4.ª acep.

Emborrascar. (De *en* y *borrasca.*) tr. Irritar, alterar. Ú. t. c. r. || **2.** r. Hacerse borrascoso, dicho del tiempo. || **3.** fig. Echarse a perder un negocio. || **4.** *Argent.,* *Hond.* y *Méj.* Tratándose de minas, empobrecerse o perderse la veta.

Emborrazamiento. m. Acción y efecto de emborrazar.

Emborrazar. tr. Poner albardilla al ave para asarla.

Emborricarse. (De *en* y *borrico.*) r. fam. Quedarse como aturdido, sin saber ir ni atrás ni adelante. || **2.** fam. Enamorarse perdidamente.

Emborrizar. (De *en* y *borra.*) tr. Dar la primera carda a la lana para hilarla. || **2.** *And.* Dar a los dulces un baño de almíbar o azúcar.

Emborronador, ra. adj. Que emborrona.

Emborronar. tr. Llenar de borrones o rasgos y garrapatos un papel. || **2.** fig. Escribir de prisa, desaliñadamente o con poca meditación.

Emborrullarse. r. fam. Disputar, reñir con vocería y alboroto.

Emboscada. (De *emboscar.*) f. Ocultación de una o varias personas en parte retirada para atacar por sorpresa a otra u otras. Dícese más comúnmente de la guerra. || **2.** fig. Asechanza, maquinación en daño de alguno.

Emboscadura. f. Acción de emboscar o emboscarse. || **2.** Lugar que sirve para esto.

Emboscar. (De *en* y *bosque.*) tr. *Mil.* Poner encubierta una partida de gente para una operación militar. Ú. t. c. r. || **2.** r. Entrarse u ocultarse entre el ramaje. || **3.** fig. Escudarse con una ocupación cómoda para mantenerse alejado del cumplimiento de otra.

Embosquecer. intr. Hacerse bosque; convertirse en bosque un terreno.

Embostar. tr. Abonar una tierra con bosta.

Embotador, ra. adj. Que embota. || **2.** m. p. us. El que embota los filos de las armas de corte.

Embotadura. f. Efecto de embotar las armas cortantes.

Embotamiento. m. Acción y efecto de embotar o embotarse.

Embotar. (De *en* y *boto.*) tr. Engrosar los filos y puntas de las armas y otros instrumentos cortantes. Ú. m. c. r. || **2.** fig. Enervar, debilitar, hacer menos activa y eficaz una cosa.

Embotar. tr. Poner una cosa dentro de un bote. Dícese más comúnmente del tabaco.

Embotarse. r. fam. Ponerse botas.

Embotellado, da. p. p. de embotellar. || **2.** adj. fig. Dícese del discurso, poesía, proposición, etc., que en vez de improvisarse, se lleva preparado en previsión del caso. || **3.** m. Acción de embotellar los vinos.

Embotellador, ra. m. y f. Persona que tiene por oficio embotellar, 1.ª acep. || **2.** f. Máquina que sirve para embotellar, 1.ª acep.

Embotellar. tr. Echar el vino u otro líquido en botellas. || **2.** fig. Detener en el surgidero naves enemigas, obstruyendo o impidiendo su salida al mar. || **3.** fig. Acorralar a una persona; inmovilizar un negocio, una mercancía, etc.

Emboticar. (De *en* y *botica.*) tr. ant. **Almacenar,** 1.ª acep. || **2.** *Cuen.* y *Chile.* Medicinar, jaropar. Ú. t. c. r.

Embotijar. tr. Echar y guardar algo en botijos o botijas. || **2.** Colocar en el suelo una tongada de botijas antes de embaldosar una habitación donde es de temer la humedad. || **3.** r. fig. y fam. Hincharse, inflarse. || **4.** fig. y fam. Enojarse, encolerizarse, indignarse.

Embovedar. tr. **Abovedar,** 1.ª acep. || **2.** Poner o encerrar alguna cosa en una bóveda.

Emboza. f. Entre toneleros y boteros de Andalucía, desigualdad con que se suelen viciar los fondos de los toneles y botas.

Embozadamente. adv. m. fig. Recatada y artificiosamente en el modo de decir o hacer una cosa.

Embozalar. (De *en* y *bozal,* 5.ª y 6.ª aceps.) tr. Poner el bozal a las caballerías o a los perros.

Embozar. (De *en* y *bozo.*) tr. Cubrir el rostro por la parte inferior hasta las narices o los ojos. Ú. m. c. r. || **2.** fig. Disfrazar, ocultar con palabras o con acciones una cosa para que no se entienda fácilmente. || **3.** ant. fig. Contener, refrenar. || **4.** *Ar.* Obstruir un conducto.

Embozo. (De *embozar.*) m. Parte de la capa, banda u otra cosa con que uno se cubre el rostro. || **2.** Cada una de las tiras de lana, seda u otra tela con que se guarnecen interiormente desde el cuello abajo los lados de la capa. Ú. m. en pl. || **3.** Doblez de la sábana de la cama por la parte que toca al rostro. || **4.** En algunas provincias, modo de taparse de medio ojo las mujeres. || **5.** fig. Recato artificioso con que se dice o hace alguna cosa. || **Quitarse** uno **el embozo.** fr. fig. y fam. Descubrir y manifestar la intención que antes ocultaba.

Embracilado, da. p. p. de **Embracilar.** || **2.** adj. fam. Aplícase a los niños cuyas madres u otras personas los traen continuamente en los brazos.

Embracilar. (De *brachile,* perteneciente al brazo, bracil.) tr. *And.* y *Sal.* Llevar en brazos. Ú. t. c. intr.

Embragar. tr. Abrazar un fardo, piedra, etc., con bragas o briagas. || **2.** Hacer que un eje participe del movimiento de otro por medio de un mecanismo adecuado.

Embrague. m. Acción de embragar. || **2.** Mecanismo dispuesto para que un eje participe o no, a voluntad, del movimiento de otro.

Embrasar. (De *en* y *brasa.*) tr. ant. **Abrasar.**

Embravar. (De *en* y *bravo.*) tr. ant. **Embravecer.** Usáb. t. c. r.

Embravecer. (De *en* y *bravo.*) tr. Irritar, enfurecer. Ú. t. c. r. || **2.** fig. Rehacerse y robustecerse las plantas.

Embravecimiento. (De *embravecer.*) m. Irritación, furor.

Embrazadura. f. Acción y efecto de embrazar. || **2.** Asa por donde se toma y embraza el escudo, pavés, etc.

Embrazar. tr. Meter el brazo izquierdo por la embrazadura del escudo, rodela, adarga, etc., para cubrir y defender el cuerpo. || **2.** ant. **Abrazar.**

Embreado, da. p. p. de **Embrear.** || **2.** adj. V. **Camisa embreada.**

Embreadura. f. Acción y efecto de embrear.

Embrear. tr. Untar con brea los costados de los buques, y también los cables, maromas, sogas, etc.

Embregarse. r. Meterse en bregas y cuestiones.

Embreñarse. r. Meterse entre breñas.

Embriagador, ra. adj. Que embriaga.

Embriagante. p. a. de **Embriagar.** Que embriaga.

Embriagar. (De *embriago.*) tr. **Emborrachar,** 1.ª, 2.ª y 3.ª aceps. Ú. t. c. r. ‖ **2.** fig. Enajenar, transportar. Ú. t. c. r.

Embriago, ga. (Del lat. *ebriacus*, ebrio.) adj. p. us. **Ebrio.**

Embriaguez. (De *embriagar.*) f. Turbación pasajera de las potencias, dimanada de la abundancia con que se ha bebido vino u otro licor. ‖ **2.** fig. Enajenamiento del ánimo.

Embribar. (De *en* y *briba.*) tr. *Sal.* Convidar a comer.

Embridar. tr. Poner la brida a las caballerías. ‖ **2.** Hacer que los caballos lleven y muevan bien la cabeza.

Embriogenia. (Del gr. ἔμβρυον, embrión, y γενεά, nacimiento.) f. *Zool.* Formación y desarrollo del embrión.

Embriogénico, ca. adj. Relativo a la embriogenia.

Embriología. (Del gr. ἔμβρυον, embrión, y λόγος, tratado.) f. Ciencia que estudia la formación y vida de los embriones.

Embriológico, ca. adj. *Fisiol.* Perteneciente o relativo a la embriología.

Embrión. (Del gr. ἔμβρυον; de ἐν, en, y βρύω, germinar, brotar.) m. *Biol.* Germen o rudimento de un ser vivo, desde que comienza el desarrollo del huevo o de la espora hasta que el organismo adquiere la forma característica de la larva o del individuo adulto y la capacidad para llevar vida libre. ‖ **2.** En la especie humana, producto de la concepción hasta fines del tercer mes del embarazo. ‖ **3.** fig. Principio, informe todavía, de una cosa.

Embrionario, ria. adj. Perteneciente o relativo al embrión. *Estado* EMBRIONARIO.

Embrisar. tr. *Mancha.* Echar al vino brisa u orujo de calidad distinta para darle sabor.

Embroca. (Del lat. *embrŏcha*, y éste del gr. ἐμβροχή, loción.) f. *Farm.* Cataplasma o puchada.

Embrocación. f. *Farm.* **Embroca.** ‖ **2.** *Med.* Acción de derramar lentamente, y como si se regara, un líquido cualquiera sobre una parte enferma.

Embrocar. (De *en* y *brocal.*) tr. Vaciar una vasija en otra, volviéndola boca abajo. ‖ **2.** *Hond., Méj.* y *Sal.* Poner boca abajo una vasija o un plato, y por extensión, cualquier otra cosa. Ú. t. c. r. ‖ **3.** *Sal.* Dejar caer alguna cosa.

Embrocar. tr. Devanar los bordadores en la broca los hilos y torzales con que han de bordar. ‖ **2.** Asegurar los zapateros con brocas las suelas para hacer zapatos. ‖ **3.** *Taurom.* Coger el toro al lidiador entre las astas.

Embrochado, da. adj. p. us. **Brochado.**

Embrochalar. tr. *Arq.* Sostener las vigas que no pueden cargar en la pared, por medio de un madero o brochal atravesado o por una barra de hierro.

Embrolla. f. fam. **Embrollo.**

Embrolladamente. adv. m. Con embrollo.

Embrollador, ra. adj. Que embrolla. Ú. t. c. s.

Embrollar. (De *embrollo.*) tr. Enredar, confundir las cosas. Ú. t. c. r.

Embrollo. (De *en* y el b. lat. *brolium*, bosque, matorral, y éste del b. gr. περιβόλιον, bosque cerrado.) m. Enredo, confusión, maraña. ‖ **2.** **Embuste,** 1.ª acep. ‖ **3.** fig. Situación embarazosa; conflicto del cual no se sabe cómo salir.

Embrollón, na. (De *embrollar.*) adj. fam. **Embrollador.** Ú. t. c. s.

Embrolloso, sa. adj. fam. Que implica o causa embrollo.

Embromador, ra. adj. Que embroma. Ú. t. c. s.

Embromar. tr. Meter broma y gresca. ‖ **2.** Engañar a uno con faramalla y trapacerías. ‖ **3.** Usar de chanzas y bromas con uno por vía de diversión. ‖ **4.** *Chile* y *Méj.* Detener, hacer perder el tiempo. Ú. t. c. r. ‖ **5.** *Argent., Cuba, Chile* y *P. Rico.* Fastidiar, molestar. ‖ **6.** *Argent., Chile* y *P. Rico.* Perjudicar, ocasionar un daño moral o material. Ú. t. c. r.

Embroquelarse. r. **Abroquelarse.**

Embroquetar. r. Sujetar con broquetas las piernas de las aves para asarlas.

Embrosquilar. (De *en* y *brosquil.*) tr. *Ar.* Meter el ganado en el redil.

Embrujador, ra. adj. Que embruja.

Embrujamiento. m. Acción y efecto de embrujar.

Embrujar. (De *en* y *bruja.*) tr. **Hechizar,** 1.ª acep.

Embrutecedor, ra. adj. Que embrutece.

Embrutecer. (Del lat. *in*, en, y *brutescĕre*, de *brutus*, bruto.) tr. Entorpecer y casi privar a uno del uso de la razón. Ú. t. c. r.

Embrutecimiento. m. Acción y efecto de embrutecer o embrutecerse.

Embuciar. tr. *Germ.* **Embuchar.**

Embuchado, da. p. p. de **Embuchar.** ‖ **2.** m. Tripa rellena con carne de puerco picada, y que, según su tamaño y el aderezo que lleva, recibe varios nombres que la particularizan; como morcilla, longaniza, salchicha, etc. ‖ **3.** Tripa con otra clase de relleno, y especialmente de lomo de cerdo. ‖ **4.** fig. y fam. Moneda o monedas que se ocultan entre otras de menos valor cuando se hacen posturas al juego. ‖ **5.** fig. Asunto o negocio revestido de una apariencia engañosa para ocultar algo de más gravedad e importancia que se quiere hacer pasar inadvertido. ‖ **6.** fig. y fam. Entripado o enojo disimulado. ‖ **7.** fig. Introducción fraudulenta de votos en una urna electoral, para favorecer determinada candidatura. ‖ **8.** fig. **Morcilla,** 3.ª acep. ‖ **9.** *Cuba.* Enfermedad de las aves producida por engullir demasiado o en malas condiciones.

Embuchar. tr. Embutir carne picada en un buche o tripa de animal. ‖ **2.** Introducir comida en el buche de una ave, para que se alimente. ‖ **3.** fam. Comer mucho, de prisa y casi sin mascar.

Embudador, ra. (De *embudar.*) m. y f. Persona que sostiene el embudo para llenar las vasijas.

Embudar. tr. Poner el embudo en la boca del pellejo u otro recipiente, para introducir con facilidad un líquido. ‖ **2.** fig. Hacer embudos, mohatras y enredos. ‖ **3.** *Mont.* Hacer entrar la caza en paraje cercado que se estrecha gradualmente, para que vaya al sitio de espera.

Embudista. adj. fig. Que hace embudos, 2.ª acep. Ú. t. c. s.

Embudo. (Del lat. *imbūtum.*) m. Instrumento hueco, ancho por arriba y estrecho por abajo, en figura de cono y rematado en un canuto, que sirve para transvasar líquidos. ‖ **2.** fig. Trampa, engaño, enredo. ‖ **3.** fig. V. **Flor, ley del embudo.** ‖ **4.** pl. *Germ.* **Zaragüelles,** 1.ª acep.

Embullador, ra. adj. Que embulla. Ú. t. c. s.

Embullar. tr. Animar a uno para que tome parte en una diversión bulliciosa. Ú. t. c. r. ‖ **2.** intr. *Colomb.* y *C. Rica.* Meter bulla, alborotar.

Embullo. m. *C. Rica, Cuba* y *P. Rico.* Bulla, broma, jarana.

Embuñegar. (En cat. *embunyegarse.*) tr. *Ar.* Enmarañar, enredar. Ú. t. c. r.

Emburriar. tr. *Ast., Burgos, León, Pal., Sant.* y *Zam.* **Empujar,** 1.ª acep.

Emburujar. (De *en* y *burujo.*) tr. fam. Aborujar, hacer que en una cosa se formen burujos, como en los hilos y bramantes cuando se enredan, o en el engrudo, cola, morteros y colores cuando están mal preparados. ‖ **2.** fig. Amontonar y mezclar confusamente unas cosas con otras. ‖ **3.** r. *Colomb., Méj., P. Rico* y *Venez.* Arrebujarse, cubrirse bien el cuerpo.

Embuste. (Del lat. *impositum.*) m. Mentira disfrazada con artificio. ‖ **2.** pl. Bujerías, dijes y otras alhajitas curiosas, pero de poco valor, de que suelen usar las mujeres.

Embustear. intr. Usar frecuentemente de embustes y engaños.

Embustería. (De *embustero.*) f. fam. Artificio para engañar. ‖ **2.** fam. **Engaño,** 1.ª acep.

Embustero, ra. adj. Que dice embustes. Ú. t. c. s.

Embusteruelo, la. adj. d. de **Embustero.**

Embustidor, ra. (De *embustir.*) adj. p. us. **Mentiroso.**

Embustir. intr. p. us. Decir embustes.

Embutidera. (De *embutir.*) f. Tejo de hierro con un hueco en una de sus caras, donde entran las cabezas de los clavos cuando los remachan los caldereros.

Embutido, da. p. p. de **Embutir.** ‖ **2.** adj. V. **Pintura embutida.** ‖ **3.** m. Acción y efecto de embutir. ‖ **4.** Obra de madera, marfil, piedra o metal, que se hace encajando y ajustando bien unas piezas en otras de la misma o diversa materia, pero de distinto color, de suerte que forman varias labores y figuras. ‖ **5.** **Embuchado,** 2.ª y 3.ª aceps. ‖ **6.** ant. Cierta especie de tafetán. ‖ **7.** *Amér.* Entredós de bordado o de encaje.

Embutir. tr. Hacer embutidos. ‖ **2.** Llenar, meter una cosa dentro de otra y apretarla. ‖ **3.** fig. Incluir, colocar una cosa dentro de otra. ‖ **4.** ant. fig. Injerir, mezclar unas cosas con otras. ‖ **5.** fig. Imbuir, instruir. ‖ **6.** fig. y fam. **Embocar,** 5.ª acep. Ú. t. c. r.

Eme. f. Nombre de la letra *m.* ‖ **Mandar,** o enviar, una persona o cosa **a la eme.** fr. fig. y fam. de desprecio, en que **eme** es un eufemismo de *mierda.*

Emelga. f. **Amelga.**

Emenagogo. (Del gr. ἔμμηνα, menstruos, y ἀγωγός, que conduce.) adj. *Med.* Dícese de todo remedio que provoca la regla o evacuación menstrual de las mujeres. Ú. t. c. s.

Emenda. (De *emendar.*) f. ant. **Enmienda.**

Emendable. (Del lat. *emendabĭlis.*) adj. ant. **Enmendable.**

Emendación. (Del lat. *emendatĭo, -ōnis.*) f. ant. Acción y efecto de emendar o emendarse.

Emendador. (Del lat. *emendātor.*) m. ant. El que enmienda.

Emendadura. (De *emendar.*) f. ant. **Enmienda.**

Emendamiento. m. ant. **Emendadura.**

Emendar. (Del lat. *emendāre.*) tr. ant. **Enmendar.** Ú. t. c. r.

Ementar. tr. ant. **Mentar.**

Emergencia. (Del lat. *emergens,- entis*, emergente.) f. Acción y efecto de emerger. ‖ **2.** Ocurrencia, accidente que sobreviene.

Emergente. p. a. de **Emerger.** Que emerge. ‖ **2.** adj. Que nace, sale y tiene principio de otra cosa. ‖ **3.** V. **Año emergente.** ‖ **4.** *For.* V. **Daño emergente.**

Emerger. (Del lat. *emergĕre.*) intr. Brotar, salir del agua u otro líquido.

Emeritense. (Del lat. *emeritensis*, de *Emerita*, Mérida.) adj. Natural de Mérida. Ú. t. c. s. || **2.** Perteneciente a esta ciudad.

Emérito, ta. (Del lat. *emerĭtus.*) adj. Aplícase a la persona que se ha retirado de un empleo o cargo cualquiera y disfruta algún premio por sus buenos servicios. || **2.** Dícese especialmente del soldado cumplido de la Roma antigua, que disfrutaba la recompensa debida a sus méritos.

Emersión. (Del lat. *emersĭo, -ōnis.*) f. *Astron.* Salida de un astro por detrás del cuerpo de otro que lo ocultaba, o de su sombra.

Emético, ca. (Del lat. *emetĭcus*, y éste del gr. ἐμετικός, de ἐμέω, vomitar.) adj. *Med.* **Vomitivo.** Ú. t. c. m. || **2.** m. Tartrato de potasa y de antimonio.

Emídido. (De *emys*, nombre de un género de quelonios.) adj. *Zool.* Dícese de reptiles quelonios que viven en las aguas dulces, buenos nadadores, con el espaldar deprimido, cabeza y extremidades retráctiles, dedos terminados en uña y unidos entre sí por una membrana; como el galápago. Ú. t. c. s. m. || **2.** m. pl. *Zool.* Familia de estos animales.

Emidosaurio. (Del gr. ἐμύς, -ύδος, tortuga, y σαῦρος, lagarto.) adj. *Zool.* Dícese de los reptiles que, como el caimán y el cocodrilo, se asemejan mucho por su aspecto a los saurios, de los cuales se distinguen por su mayor tamaño, por estar cubierto su dorso por grandes escamas óseas y por tener los dedos unidos entre sí mediante una membrana. Viven en los ríos de países cálidos o en las inmediaciones de aquéllos; son zoófagos, buenos nadadores y temibles por su fuerza y voracidad. Ú. t. c. s. || **2.** m. pl. *Zool.* Orden de estos animales.

Emienda. (De *emendar.*) f. ant. **Enmienda.** || **2.** m. ant. En la orden de Santiago, caballero que hacía las veces de un trece por ausencia de éste.

Emiente. f. ant. **Enmiente.**

Emigración. (Del lat. *emigratĭo, -ōnis.*) f. Acción de emigrar. || **2.** Conjunto de habitantes de un país que trasladan su domicilio a otro por tiempo ilimitado, o, en ocasiones, temporalmente. || **golondrina.** Aquella en que el emigrante va, no a establecerse en el país, sino a realizar en él ciertos trabajos, y después volverse a su patria.

Emigrado. (De *emigrar.*) m. El que reside fuera de su patria, obligado a ello por circunstancias políticas.

Emigrante. p. a. de **Emigrar.** Que emigra. Ú. t. c. s. || **2.** adj. El que por motivos no políticos abandona su propio país para residir en otro. Ú. t. c. s.

Emigrar. (Del lat. *emigrāre.*) intr. Dejar o abandonar una persona, familia o pueblo su propio país con ánimo de domiciliarse o establecerse en otro extranjero. || **2.** Ausentarse temporalmente del propio país para hacer en otro determinadas faenas. || **3.** Cambiar periódicamente de clima o localidad algunas especies animales, por exigencias de la alimentación o de la reproducción.

Emigratorio, ria. adj. Perteneciente o relativo a la emigración.

Eminencia. (Del lat. *eminentĭa.*) f. Altura o elevación del terreno. || **2.** fig. Excelencia o sublimidad de ingenio, virtud u otra dote del alma. || **3.** Título de honor que se da a los cardenales de la Santa Iglesia Romana y al gran maestre de la religión de San Juan de Jerusalén. || **4.** Persona eminente en su línea. || **Con eminencia.** m. adv. *Fil.* Virtual o potencialmente.

Eminencial. (De *eminencia.*) adj. *Fil.* Aplícase a la virtud o poder que puede producir un efecto, no por conexión formal con él, sino por una virtud superior que le abraza con excelencia.

Eminencialmente. adv. m. Con superioridad, con eminencia.

Eminente. (Del lat. *eminens, -entis.*) adj. Alto, elevado, que descuella entre los demás. || **2.** V. **Dominio eminente.** || **3.** fig. Que sobresale y se aventaja en mérito, precio, extensión u otra calidad.

Eminentemente. adv. m. Excelentemente, con mucha perfección. || **2.** *Fil.* **Con eminencia.**

Eminentísimo, ma. (sup. de *eminente.*) adj. Aplícase como dictado o título a los cardenales de la Santa Iglesia Romana y al gran maestre de la orden de San Juan.

Emir. (Del m. or. que *amir.*) m. Príncipe o caudillo árabe.

Emisario, ria. (Del lat. *emissarĭus.*) m. y f. Mensajero que se envía para indagar lo que se desea saber, para comunicar a alguien una cosa, o para concertarse en secreto con tercera o terceras personas. || **2.** m. desus. Desaguadero o conducto para dar salida a las aguas de un estanque o de un lago.

Emisión. (Del lat. *emissĭo, -ōnis.*) f. Acción y efecto de emitir. || **2.** Conjunto de títulos o valores, efectos públicos, de comercio o bancarios, que de una vez se crean para ponerlos en circulación. || **sanguínea. Sangría,** 1.ª acep.

Emisor, ra. (Del lat. *emissus*, emitido.) adj. Que emite. Ú. t. c. s. || **2.** m. *Electr.* Aparato productor de las ondas hertzianas en la estación de origen. || **3.** f. Esta misma estación.

Emitir. (Del lat. *emittĕre.*) tr. Arrojar, exhalar o echar hacia fuera una cosa. || **2.** Producir y poner en circulación papel moneda, títulos o valores, efectos públicos, etc. || **3.** Tratándose de juicios, dictámenes, opiniones, etc., darlos, manifestarlos por escrito o de viva voz. || **4.** Lanzar ondas hertzianas para hacer oír señales, noticias, música, etc.

Emoción. (Del lat. *emotĭo, -ōnis.*) f. Estado de ánimo caracterizado por una conmoción orgánica consiguiente a impresiones de los sentidos, ideas o recuerdos, la cual produce fenómenos viscerales que percibe el sujeto emocionado, y con frecuencia se traduce en gestos, actitudes u otras formas de expresión.

Emocional. adj. Perteneciente o relativo a la emoción.

Emocionante. p. a. de **Emocionar.** Que causa emoción.

Emocionar. tr. Conmover el ánimo, causar emoción. Ú. t. c. r.

Emoliente. (Del lat. *emolliens, -entis*, p. a. de *emollīre*, ablandar.) adj. *Med.* Dícese del medicamento que sirve para ablandar una dureza o tumor. Ú. t. c. s. m.

Emolir. (Del lat. *emollīre.*) tr. desus. *Med.* **Ablandar.**

Emolumento. (Del lat. *emolumentum.*) m. Gaje, utilidad o propina que corresponde a un cargo o empleo. Ú. m. en pl.

Emotividad. f. Calidad de emotivo.

Emotivo, va. adj. Relativo a la emoción. || **2.** Que produce emoción. || **3.** Sensible a las emociones.

Empacador, ra. adj. Que empaca. || **2.** f. Máquina para empacar.

Empacamiento. m. *Amér.* Acción y efecto de empacarse.

Empacar. (De *en* y *paca*, fardo.) tr. Empaquetar, encajonar.

Empacarse. (De *en* y *paco*, por la obstinación con que se planta este animal.) r. **Emperrarse.** || **2. Obstinarse.** || **3.** fig. Turbarse, cortarse, amostazarse, retrayéndose de seguir haciendo aquello que se estaba ejecutando. || **4.** *Amér.* Plantarse una bestia.

Empacón, na. adj. *Argent.* y *Perú.* Dícese de la bestia que se empaca.

Empachadamente. adv. m. Con estorbo, embarazo o impedimento.

Empachado, da. (De *empachar.*) adj. Desmañado y corto de genio.

Empachador, ra. adj. ant. Que embaraza o estorba. Usáb. t. c. s.

Empachamiento. (De *empachar.*) m. ant. **Empacho.**

Empachar. tr. Estorbar, embarazar. Ú. t. c. r. || **2.** Ahitar, causar indigestión. Ú. m. c. r. || **3.** Disfrazar, encubrir. || **4.** r. Avergonzarse, cortarse, turbarse.

Empacho. (De *empachar.*) m. Cortedad, vergüenza, turbación. || **2.** Embarazo, estorbo. || **3.** Indigestión o ahíto. || **de estómago. Empacho,** 3.ª acep.

Empachoso, sa. adj. Que causa empacho. || **2. Vergonzoso,** 1.ª y 2.ª aceps.

Empadrarse. r. Encariñarse con exceso el niño con su padre o sus padres.

Empadronador. m. El que forma los padrones o libros de asiento para los tributos y otros fines.

Empadronamiento. m. Acción y efecto de empadronar o empadronarse. || **2. Padrón,** 1.ª acep.

Empadronar. tr. Asentar o escribir a uno en el padrón o libro de los moradores de un pueblo, ya para la policía y gobierno del mismo, ya para el pago de tributos u otro fin análogo. Ú. t. c. r. || **2.** r. ant. Apoderarse, enseñorearse de una cosa.

Empajada. f. Pajada para las caballerías.

Empajar. tr. Cubrir o rellenar con paja. || **2.** *Colomb.* y *Chile.* Techar de paja. || **3.** *Chile.* Mezclar con paja. Dícese generalmente del barro que se prepara para hacer adobes. || **4.** r. *Chile.* Echar los cereales mucha paja y poco fruto. || **5.** *P. Rico.* Hartarse, llenarse de cosas sin substancia.

Empajolar. tr. Sahumar con una pajuela las botas y tinajas de vino después de lavadas.

Empalagamiento. m. **Empalago.**

Empalagar. tr. Fastidiar, causar hastío un manjar, principalmente si es dulce. Ú. t. c. r. || **2.** fig. Cansar, enfadar, fastidiar. Ú. t. c. r.

Empalago. m. Acción y efecto de empalagar o empalagarse.

Empalagoso, sa. adj. Dícese del manjar que empalaga. || **2.** fig. Dícese de la persona que causa fastidio por su zalamería y afectación. Ú. t. c. s.

Empalamiento. m. Acción y efecto de empalar, 1.er art., 1.ª acep.

Empalar. (De *palo.*) tr. Espetar a uno en un palo como se espeta una ave en el asador. || **2.** r. *Chile.* Obstinarse, encapricharse. || **3.** *Chile.* Envararse, arrecirse.

Empalar. (De *pala.*) tr. En el juego de pelota, dar a ésta acertadamente con la pala, y por ext., golpear de igual modo una bola o pelota en otros deportes.

Empaliada. (De *empaliar.*) f. *Val.* Colgadura de telas que se pone en una fiesta.

Empaliar. (Del lat. *in*, en, y *pallĭum*, paño, colgadura.) tr. ant. **Paliar.** || **2.** *Val.* Colgar la iglesia, claustro u otro lugar por donde ha de pasar una procesión.

Empalicar. (De *en* y *palique.*) tr. *Chile* y *Nav.* Engatusar, enlabiar.

Empalizada. (De *empalizar.*) f. **Estacada,** 1.ª y 5.ª aceps.

Empalizar. (De *en* y *palo.*) tr. Rodear de empalizadas.

Empalmadura. (De *empalmar.*) f. **Empalme.**

Empalmar. (De *en* y *palma*, por la de la mano.) tr. Juntar dos maderos, sogas, tubos u otras cosas, injiriéndolos o entrelazándolos de modo que queden en comunicación o a continuación uno de otro. || **2.** fig. Ligar o combinar planes, ideas, acciones, etc. || **3.** ant. **Herrar,** 1.ª acep. || **4.** intr. Unirse o combinarse un tren o ferrocarril con otro. También suele decirse de los caminos y de las diligencias y coches de transporte. || **5.** Seguir o suceder una cosa a continuación de otra sin interrupción, como una conversación o una diversión tras otra. || **6.** r. Llevar la navaja oculta en la manga y la palma de la mano, para acometer de improviso.

Empalme. m. Acción y efecto de empalmar. || **2.** Punto en que se empalma. || **3.** Cosa que empalma con otra. || **4.** Modo o forma de hacer el empalme.

Empalomado. m. Murallón de piedra sin labrar y sin mezcla, que se construye dentro de un río, a manera de presa, y sirve para que, represando el agua, pueda ésta penetrar por los ladrones y bocas de acequia, labradas en su parte superior.

Empalomadura. (De *empalomar.*) f. *Mar.* Ligada fuerte con que, a trechos proporcionados y en lugar de costura, se une la relinga a su vela en ciertos casos.

Empalomar. (De *en* y *palomar,* 2.° art.) tr. *Mar.* Coser la relinga a la vela por medio de empalomaduras.

Empalletado. (De *en* y *pallete.*) m. *Mar.* Especie de colchón que se formaba en el costado de las embarcaciones cuando iban a entrar en combate, poniendo juntos en una red los líos de la ropa de los marineros, y servía para defensa contra la fusilería enemiga.

Empamparse. r. *Amér. Merid.* Extraviarse en la pampa.

Empampirolado, da. (De *en* y *pampirolada.*) adj. fam. Presuntuoso, jactancioso.

Empanada. (De *empanar,* 1.ª acep.) f. Manjar encerrado y cubierto con pan o masa, y cocido después en el horno. || **2.** fig. Acción y efecto de ocultar o enredar fraudulentamente un negocio.

Empanadilla. f. d. de **Empanada.** || **2.** Pastel pequeño, aplastado, que se hace doblando la masa sobre sí misma para cubrir con ella el relleno de dulce, de carne picada o de otro manjar. || **3.** *And.* Banquillo de quita y pon que había en los estribos de los coches antiguos.

Empanado, da. p. p. de **Empanar.** || **2.** adj. Dícese del aposento de una casa rodeado de otras piezas y que no tiene luz ni ventilación directas. Ú. t. c. s. m.

Empanar. tr. Encerrar una cosa en masa o pan, para cocerla en el horno. || **2.** Rebozar con pan rallado un manjar para freírlo. || **3.** *Agr.* Sembrar de trigo las tierras. || **4.** r. *Agr.* Sofocarse los sembrados por haber echado en ellos demasiada simiente. || **5.** *Sal.* Granar las mieses. || **6.** *Rioja.* Granar las legumbres.

Empandar. tr. Torcer o doblar una cosa, especialmente hacia el medio, dejándola panda. Ú. t. c. r.

Empandillar. (De *en* y *pandilla.*) tr. fam. Poner uno o varios naipes juntos con otro u otros para hacer alguna trampa. || **2.** Obscurecer, ofuscar la vista o el entendimiento para hacer pasar algún engaño.

Empantanar. tr. Llenar de agua un terreno, dejándolo hecho un pantano. Ú. t. c. r. || **2.** Meter a uno en un pantano. Ú. t. c. r. || **3.** fig. Detener, embarazar o impedir el curso de una dependencia o negocio. Ú. t. c. r.

Empañado, da. p. p. de **Empañar.** || **2.** adj. V. **Voz empañada.**

Empañadura. (De *empañar.*) f. **Envoltura,** 1.ª acep.

Empañar. (De *en* y *paño.*) tr. Envolver a las criaturas en pañales. || **2.** Quitar la tersura, brillo o diafanidad. Ú. t. c. r. || **3.** fig. Obscurecer o manchar el honor o la fama, amenguar el mérito o gloria de una persona o de una acción. Ú. t. c. r.

Empañetar. (De *pañete,* enlucido.) tr. *Amér. Central* y *P. Rico.* Embarrar, cubrir una pared con una mezcla de barro, paja y boñiga.

Empañicar. (De *en* y *pañico,* d. de *paño.*) tr. *Mar.* Recoger en pliegues pequeños el paño de las velas, para aferrarlas.

Empapamiento. m. Acción y efecto de empapar o empaparse.

Empapar. tr. Humedecer una cosa en tanto grado que quede enteramente penetrada de un líquido. Ú. t. c. r. EMPAPAR *una sopa en vino; el pan* SE EMPAPA *en el vino.* || **2.** Absorber una cosa dentro de sus poros o huecos algún líquido. Ú. t. c. r. *La tierra* EMPAPA *el agua,* o SE EMPAPA *de agua.* || **3.** Absorber un líquido de un cuerpo esponjoso o poroso. EMPAPAR *en un trapo el agua vertida.* || **4.** Penetrar un líquido los poros o huecos de un cuerpo. Ú. t. c. r. *La lluvia* EMPAPA *los vestidos. La lluvia* SE EMPAPA *en la tierra.* || **5.** r. fig. Poseerse o imbuirse de un afecto, idea o doctrina, de modo que se penetre bien de ellos. || **6.** fam. Ahitarse, empacharse.

Empapelado, da. p. p. de **Empapelar.** || **2.** m. Acción y efecto de empapelar una habitación, baúl, etc. || **3.** Papel que recubre la superficie de una pared, baúl, etc.

Empapelador, ra. m. y f. Persona que empapela.

Empapelar. tr. Envolver en papel. || **2.** Recubrir de papel las paredes de una habitación, de un baúl, etc. || **3.** fig. y fam. Formar causa criminal a uno.

Empapirotar. (De *en* y *papirote.*) tr. fam. **Emperejilar.** Ú. t. c. r.

Empapuciar. tr. **Empapujar.**

Empapujar. (De *en* y *papo,* buche.) tr. fam. Hacer comer demasiado a uno. Ú. t. c. r.

Empapuzar. tr. *Ál., Ar.* y *Nav.* **Empapujar.**

Empaque. m. Acción y efecto de empacar. || **2.** Materiales que forman la envoltura y armazón de los paquetes; como papeles, telas, cuerdas, cintas, etc.

Empaque. (De *empacarse.*) m. fam. Catadura, aire de una persona. || **2.** Seriedad, gravedad, con algo de afectación o de tiesura. || **3.** *Chile, Perú* y *P. Rico.* Descaro, desfachatez. || **4.** *Amér.* Acción y efecto de empacarse un animal.

Empaquetador, ra. m. y f. Persona que tiene por oficio empaquetar.

Empaquetadura. f. Guarnición de cáñamo, amianto, goma u otros materiales que se coloca en determinados órganos de algunas máquinas para impedir el escape de un fluido.

Empaquetar. tr. Formar paquetes. || **2.** Colocar convenientemente los paquetes dentro de bultos mayores, como fardos, cajas, etc. || **3.** fig. Acomodar o acomodarse en un recinto un número excesivo de personas. NOS EMPAQUETARON *a los seis en una berlina.* || **4.** Emperejilar, acicalar una persona o cosa. Ú. t. c. r.

Empara. (De *emparar.*) f. *For. Ar.* **Emparamento.**

Emparamarse. r. *Amér.* Morirse de frío en los páramos.

Emparamentar. tr. Adornar con paramentos; como con jaeces los caballos, o con colgaduras las paredes.

Emparamento. m. *For. Ar.* Acción y efecto de emparar.

Emparamiento. m. *For. Ar.* **Emparamento.**

Emparar. (Del lat. *anteparāre,* preparar.) tr. *For. Ar.* Embargar o secuestrar.

Emparchar. tr. Poner parches; llenar de ellos una cosa. Ú. t. c. r. || **2.** ant. fig. Encubrir una cosa para que no se publique.

Empardar. tr. *Ar.* y *Argent.* Empatar, igualar.

Emparedado, da. p. p. de **Emparedar.** || **2.** adj. Recluso por castigo, penitencia o propia voluntad. Ú. t. c. s. || **3.** m. fig. Porción pequeña de jamón u otra vianda, entre dos rebanadas de pan.

Emparedamiento. m. Acción y efecto de emparedar. || **2.** Casa donde vivían recogidos los emparedados.

Emparedar. tr. Encerrar a una persona entre paredes, sin comunicación alguna. Ú. t. c. r. || **2.** Ocultar alguna cosa entre paredes.

Emparejado, da. p. p. de **Emparejar.** || **2.** adj. *Sal.* Aplícase a las ovejas acompañadas de sus crías.

Emparejador. m. El que empareja.

Emparejadura. (De *emparejar.*) f. Igualación o acomodación de dos cosas entre sí.

Emparejamiento. m. Acción y efecto de emparejar.

Emparejar. (De *en* y *pareja.*) tr. Formar una pareja, sea reuniendo dos cosas o personas iguales o semejantes, sea igualándolas o conformándolas entre sí. Ú. t. c. r. || **2.** Poner una cosa a nivel con otra. || **3.** Tratándose de puertas, ventanas, etc., juntarlas de modo que ajusten, pero sin cerrarlas. || **4.** *Sal.* Echar a la oveja artuña un cordero para que lo críe en vez del suyo. || **5.** *Agr.* Igualar la tierra, nivelándola. || **6.** intr. Llegar uno a ponerse al lado de otro que iba adelantado en la calle o camino. || **7.** fig. Ponerse al nivel de otro más avanzado en un estudio o tarea. || **8.** Ser igual o pareja una cosa con otra.

Emparejo. (De *emparejar.*) m. ant. Par o yunta de bueyes.

Emparentar. (De *en* y *pariente.*) intr. Contraer parentesco por vía de casamiento. || **Estar uno bien,** o **muy, emparentado.** fr. Tener parentesco y enlaces con casas ilustres y de calidad notoria.

Emparrado. (De *emparrar.*) m. Conjunto de los vástagos y hojas de una o más parras que, sostenidas con una armazón de madera, hierro u otra materia, forman cubierta. || **2.** Armazón que sostiene la parra u otra planta trepadora. || **3.** fig. y fam. Peinado de los hombres, hecho para encubrir, con el pelo de los lados de la cabeza, la calvicie de la parte superior.

Emparrar. (De *en* y *parra.*) tr. Hacer o formar emparrado.

Emparrillado. (De *en* y *parrilla.*) m. Conjunto de barras cruzadas y trabadas horizontalmente para dar base firme a los cimientos en terrenos flojos. || **2.** *Arq.* **Zampeado.**

Emparrillar. tr. Asar en parrillas. || **2.** *Arq.* **Zampear.**

Emparvar. tr. Poner en parva las mieses.

Empastador, ra. adj. Que empasta. || **2.** Dícese del pintor que da buena pasta de color a sus obras. Ú. m. c. s. || **3.** m. Pincel para empastar o meter tintas. || **4.** *Amér.* Encuadernador de libros.

Empastadura. f. *Chile.* Acción y efecto de empastar, 1.er art., 1.ª acep.

Empastar. tr. Cubrir de pasta una cosa. || **2.** Encuadernar en pasta los libros. || **3.** Dicho de un diente o muela, rellenar con pasta el hueco producido por la caries, después de raspar la parte atacada por la enfermedad. || **4.** *Pint.* Poner el color en bastante cantidad para que no deje ver la imprimación ni el primer dibujo.

Empastar. (De *en* y *pasto.*) tr. *Chile. Guat.* y *Méj.* Empradizar un terreno. Ú. t. c. r. || **2.** *Argent.* y *Chile.* Padecer meteorismo el animal por haber comido el pasto en malas condiciones. Ú. m. c. r. || **3.** r. *Chile.* Llenarse de maleza un sembrado.

Empaste. (De *empastar,* 1.er art.) m. Acción y efecto de empastar, 1.er art. || **2.** Pasta con que se llena el hueco hecho por la caries en un diente. || **3.** *Pint.* Unión perfecta y jugosa de los colores y tintas en las figuras pintadas.

Empaste. (De *empastar,* 2.° art.) m. *Argent.* Meteorismo del ganado ovino.

Empastelamiento. m. *Impr.* Acción y efecto de empastelar o empastelarse.

Empastelar. (De *en* y *pastel.*) tr. fig. y fam. Transigir un negocio o zanjar un agravio sin arreglo a justicia, para salir del paso. || **2.** *Impr.* Mezclar o barajar las letras de un molde de modo que no formen sentido; mezclar suertes o fundiciones distintas. Ú. t. c. r.

Empatadera. f. fam. Acción y efecto de empatar y suspender una resolución, o por embarazo sobrevenido, o por contrarresto hecho, como sucede en el juego de los naipes. *Salió Julián con la* EMPATADERA, *y cesó todo.*

Empatar. (De *pata,* 2.° art.) tr. Tratándose de una votación, hacer que en ella sean tantos los votos en pro como los votos en contra. Ú. m. c. r. || **2.** Obtener dos o más contrincantes el mismo número de votos o de puntos en un concurso u oposición. || **3.** Suspender y embarazar el curso de una resolución. Ordinariamente se decía de las pruebas de nobleza o limpieza de sangre, a que no se daba curso por no resultar suficientes. || **4.** *Colomb., C. Rica, Méj., P. Rico* y *Venez.* Empalmar, juntar una cosa a otra. EMPATAR *mentiras.* Dícese especialmente por añadir un cabo a otro o por atar el anzuelo a la cuerda. || **Empatársela** a uno. tr. fam. Igualarle en una acción sobresaliente o extraordinaria. Tómase también en mala parte.

Empate. m. Acción y efecto de empatar o empatarse.

Empavesada. f. Reparo y defensa que se hacía con los paveses o escudos para cubrirse la tropa en alguna embarcación o acción militar. || **2.** *Mar.* Faja de paño azul o encarnado, de anchura competente, con franjas blancas, que sirve para adornar las bordas y las cofas de los buques en días de gran solemnidad, y para cubrir los asientos de popa de las falúas o botes. Las hay de lona para el uso común y diario. || **3.** *Mar.* Encerado clavado por la parte exterior de la borda y que sirve para defender de la intemperie los coyes de la marinería, que van colocados en la batayola.

Empavesado, da. p. p. de **Empavesar.** || **2.** adj. Armado o provisto de pavés. || **3.** m. Soldado que llevaba arma defensiva. || **4.** *Mar.* Conjunto de banderas y gallardetes con que se empavesan los buques.

Empavesar. tr. Formar empavesadas. || **2.** Rodear las obras de algún monumento público en construcción con esteras, telas o grandes lienzos, para ocultarlo a la vista hasta que llegue el momento de su inauguración. || **3.** *Mar.* Engalanar una embarcación cubriendo las bordas con empavesadas, y adornando los palos y vergas con banderas y gallardetes, en señal de regocijo.

Empavonar. tr. **Pavonar.** || **2.** *Colomb.* y *P. Rico.* Untar, pringar.

Empavorecer. intr. ant. Llenarse de pavor, miedo, espanto o sobresalto.

Empecatado, da. (Del lat. *in,* en, y *peccātum,* pecado.) adj. De extremada travesura, de mala intención, incorregible. || **2.** Dícese de la persona a quien salen mal las cosas, como si estuviera dejada de la mano de Dios.

Empecedero, ra. adj. Que puede empecer.

Empecedor, ra. adj. ant. Que empece.

Empecer. (Del lat. **impediscĕre,* de *impedīre,* impedir.) tr. desus. Dañar, ofender, causar perjuicio. || **2.** intr. Impedir, obstar.

Empecible. (De *empecer.*) adj. **Empecedero.**

Empeciente. p. a. de **Empecer.** Que empece. || **No empeciente.** m. adv. ant. **No obstante.**

Empecimiento. m. Acción y efecto de empecer.

Empecinado, da. p. p. de **Empecinarse.** || **2.** adj. Obstinado, terco, pertinaz.

Empecinado, da. p. p. de **Empecinar.** || **2.** m. **Peguero.** || **3.** Apodo que los comarcanos dan a los vecinos de Castrillo de Duero (Valladolid).

Empecinamiento. m. Acción y efecto de empecinarse.

Empecinar. (De *en* y *pecina.*) tr. Untar de pecina o de pez alguna cosa.

Empecinarse. (Por alusión a la tenacidad del guerrillero Juan Martín Díaz, *el Empecinado.*) r. Obstinarse, aferrarse, encapricharse.

Empechar. (Del fr. ant. *empechier.*) tr. ant. Impedir, estorbar.

Empedecer. (Del lat. **impediscĕre,* incoat. de *impedīre.*) tr. ant. **Empecer.**

Empedernecer. tr. ant. **Empedernir.** Ú. t. c. r.

Empedernido, da. (De *empedernir,* 2.ª acep.) adj. fig. Insensible, duro de corazón.

Empedernir. (De *en* y el lat. *pĕtrīnus,* de piedra.) tr. Endurecer mucho. Ú. t. c. r. || **2.** r. fig. Hacerse insensible, duro de corazón.

Empedrado, da. p. p. de **Empedrar.** || **2.** adj. **Rodado,** 1.er art., 1.ª acep. || **3.** fig. y fam. V. **Cara empedrada.** || **4.** m. Acción de empedrar. || **5.** Pavimento formado artificialmente de piedras. || **6.** fig. Aplícase al cielo cuando se cubre de nubes pequeñas tocando unas con otras. *Cielo* EMPEDRADO, *suelo mojado.*

Empedrador. m. El que tiene por oficio empedrar.

Empedramiento. m. Acción y efecto de empedrar.

Empedrar. tr. Cubrir el suelo con piedras ajustadas unas con otras de modo que no puedan moverse. || **2.** fig. Llenar de desigualdades una superficie con objetos extraños a ella. || **3.** Por ext., se dice de otras cosas que se ponen en abundancia. EMPEDRAR *de citas, de errores, de galicismos un libro.*

Empega. f. Pega o materia dispuesta para empegar. || **2.** Señal o marca que se hace con pez al ganado lanar.

Empegado, da. p. p. de **Empegar.** || **2.** m. Tela o piel untada de pez o de otra materia semejante.

Empegadura. (De *empegar.*) f. Baño de pez o de otra materia semejante que se da interior o exteriormente a pellejos, barriles y otras vasijas.

Empegar. (Del lat. *impicāre.*) tr. Bañar o cubrir con pez derretida u otra cosa semejante lo interior o lo exterior de los pellejos, barriles y otras vasijas. || **2.** Marcar o señalar con pez el ganado lanar.

Empego. m. Acción y efecto de empegar, 2.ª acep.

Empeguntar. (De *en* y *pegunta.*) tr. **Empegar,** 2.ª acep.

Empeine. (Del lat. **antepedinum,* parte anterior del pie.) m. Parte inferior del vientre entre las ingles. || **2.** Parte superior del pie, que está entre la caña de la pierna y el principio de los dedos. || **3.** Parte de la bota desde la caña a la pala. || **4.** desus. Uña del caballo.

Empeine. (Del lat. *impetīgo, -īnis.*) m. Enfermedad del cutis, que lo pone áspero y encarnado, causando picazón. || **2.** *Bot.* **Hepática de las fuentes.** || **3.** *And.* Flor que cría la planta del algodón.

Empeinoso, sa. (Del lat. *impetiginōsus.*) adj. Que tiene empeines en el cutis.

Empelar. intr. Echar o criar pelo. || **2.** Igualar o asemejarse mucho en el pelo dos o más caballerías. || **3.** *Sal.* Talar y quemar un monte bajo para dejar la tierra en disposición de ser labrada.

Empelazgarse. r. fam. Meterse en pelazga o pendencia.

Empelechar. (Del ital. *impiallacciare,* chapear.) tr. Unir, juntar o aplicar chapas de mármol. || **2.** Chapear de mármol la superficie de una pared o de una columna.

Empelotarse. (Tal vez de *pelote,* de *pelo.*) r. fam. Enredarse, confundirse. Dícese más comúnmente cuando este enredo o confusión nace de riña o quimera. || **2.** *Extr., Colomb., Cuba, Chile* y *Méj.* Desnudarse, quedarse en pelota.

Empeltre. (Del cat. *empelt,* de *empeltar,* injertar, y éste del lat. *in,* en, y *pellis,* piel, corteza.) m. Injerto de escudete. || **2.** *Ar.* Olivo injerto, pequeño, muy fructífero, de aceituna negra, buena para adobar y para el molino.

Empella. (De *empeña.*) f. Pala o parte del zapato, que cubre el pie desde la punta hasta la mitad.

Empella. (De *pella.*) f. ant. **Pella,** 5.ª acep. Ú. en *Colomb., Chile* y *Méj.*

Empellada. (De *empellar.*) f. ant. **Empellón.**

Empellar. (De *empeller.*) tr. Empujar, dar empellones.

Empellejar. tr. Cubrir o forrar con pellejos una cosa.

Empeller. (Del lat. *impellĕre.*) tr. **Empellar.**

Empellicar. (De *en* y *pellica.*) tr. ant. Forrar una cosa con pieles.

Empellón. (De *empellar.*) m. Empujón recio que se da con el cuerpo para sacar de su lugar o asiento a una persona o cosa. || **A empellones.** m. adv. fig. y fam. Con violencia, bruscamente.

Empenachado, da. p. p. de **Empenachar.** adj. Que tiene penacho.

Empenachar. tr. Adornar con penachos.

Empendolar. (De *en* y *péndola.*) tr. ant. Poner plumas a las saetas o dardos.

Empenta. (Del b. lat. *impincta,* por *impacta,* de *impingĕre,* empujar.) f. Puntal o apoyo para sostener una cosa. || **2.** ant. Empuje, empellón. Ú. en *Ar.*

Empentar. (De *empenta.*) tr. *And., Ar.* y *Cuen.* Empujar, empellar. || **2.** *Min.* Unir las excavaciones o las obras de fortificación de modo que queden bien seguidas.

Empentón. (De *empentar.*) m. *Ar.* y *Nav.* **Empellón.**

Empeña. (Del lat. **antepedinum,* parte anterior del pie.) f. ant. **Empella,** 1.er art., 1.ª acep. || **2.** ant. Cada una de las alas del hígado.

Empeñadamente. adv. m. Con empeño.

Empeñado, da. p. p. de **Empeñar.** || **2.** adj. Dicho de disputas o reyertas, acalorado, reñido. *Entablaron una* EMPEÑADA *discusión.*

Empeñamiento. m. ant. **Empeño,** 1.ª acep.

Empeñar. (De *empeño.*) tr. Dar o dejar una cosa en prenda para seguridad de la satisfacción o pago. || **2.** Precisar, obligar Ú. t. c. r. || **3.** Poner a uno por empeño o medianero para conseguir alguna cosa. || **4.** r. **Endeudarse,** 1.ª acep. || **5.** Insistir con tesón en una cosa. || **6.** Interceder, hacer uno el oficio de mediador para que otro consiga lo que pretende. || **7.** Tratándose de acciones de guerra, contiendas, disputas, altercados, etc., empezarse, trabarse. Ú. t. c. tr. *La infantería* EMPEÑÓ *la batalla.* || **8.** *Mar.* Aventurarse o exponerse un buque a riesgos y averías sobre la costa en las proximidades de bajos, puntas, buques, etc. Ú. t. c. tr.

Empeño. (Del lat. *in pignus.*) m. Acción y efecto de empeñar o empeñarse. || **2.** Obligación de pagar en que se constituye el que empeña una cosa, o se empeña y adeuda. || **3.** Obligación en que uno se halla constituido por su honra, por su conciencia o por otro motivo. || **4.** Deseo vehemente de hacer o conseguir una cosa. || **5.** Objeto a que se dirige. || **6.** Tesón y constancia en seguir una cosa o un intento. || **7.** Protector, padrino o persona que se ha empeñado por alguno. || **8. Recomendación,** 2.ª acep. || **9.** Obligación que, según el antiguo arte de torear, tenía el caballero rejoneador de echar pie a tierra y estoquear al toro frente a frente, siempre que perdía alguna prenda o que la fiera maltrataba al chulo. || **10.** *Méj.* **Casa de empeños.** || **Con empeño.** m. adv. Con gran deseo, ahínco y constancia; sin omitir diligencia alguna. || **En empeño.** m. adv. En fianza.

Empeñoso, sa. (De *empeño.*) adj. *And.* y *Amér.* Dícese del que muestra tesón y constancia en conseguir un fin.

Empeoramiento. m. Acción y efecto de empeorar o empeorarse.

Empeorar. tr. Hacer que aquel o aquello que ya era o estaba malo, sea o se ponga peor. || **2.** intr. Irse haciendo o poniendo peor el que o lo que ya era o estaba malo. Ú. t. c. r.

Empequeñecer. tr. Minorar una cosa, hacerla más pequeña, o amenguar su importancia o estimación.

Empequeñecimiento. m. Acción y efecto de empequeñecer.

Emperador. (Del lat. *imperātor.*) m. Título de dignidad dado al jefe supremo del antiguo imperio romano, y que originariamente se confería por aclamación del ejército o decreto del Senado al que conseguía una importante victoria. || **2.** Título de mayor dignidad dado a ciertos soberanos, antiguamente a los que tenían por vasallos otros reyes o grandes príncipes. *El* EMPERADOR *Alfonso VII; el* EMPERADOR *de Alemania, de Austria, de Rusia.* || **3.** *Cuba.* **Pez espada.**

Emperadora. (De *emperador.*) f. ant. Emperatriz.

Emperatriz. (Del lat. *imperatrix.*) f. Mujer del emperador. || **2.** Soberana de un imperio.

Emperchado. (De *percha.*) m. Cerca formada por enrejados de maderas verdes, y que sirve para impedir la entrada en alguna parte.

Emperchar. tr. Colgar en la percha. || **2.** r. Prenderse la caza en la percha.

Emperdigar. tr. **Perdigar.**

Emperejilar. (De *en* y *perejiles,* adorno excesivo.) tr. fam. Adornar a una persona con profusión y esmero. Ú. m. c. r.

Emperezar. intr. Dejarse dominar de la pereza. Ú. m. c. r. || **2.** tr. fig. Retardar, dilatar, entorpecer la expedición o movimiento de una cosa.

Empergaminar. tr. Cubrir o forrar con pergamino. Dícese especialmente de los libros.

Empergar. (Del lat. *in* y *pĕrtica.*) tr. *Sal.* Prensar la aceituna en el empergue.

Empergue. m. *Sal.* Acción y efecto de empergar. || **2.** *Sal.* Barra o palanca que hace presión en la molienda de la aceituna. || **3.** *Sal.* Prensa de la aceituna.

Emperifollar. (De *en* y *perifollo.*) tr. Emperejilar. Ú. t. c. r.

Empernar. tr. Clavar o asegurar una cosa con pernos.

Empero. conj. advers. **Pero,** 3.er art., 1.ª acep. || **2. Sin embargo.**

Emperrada. f. **Tresillo,** 1.ª acep.

Emperramiento. m. fam. Acción y efecto de emperrarse.

Emperrarse. (De *en* y *perro.*) r. fam. Obstinarse, empeñarse en no ceder ni darse a partido.

Empersonar. (De *en* y *persona.*) tr. ant. Empadronar, 1.ª acep.

Empertigar. tr. *Chile.* Atar al yugo el pértigo de un carro.

Empesador. m. Manojo de raíces de juncos, de que se sirven los tejedores de lienzo para atusar la urdimbre.

Empestar. (De *en* y *peste.*) tr. ant. Apestar.

Empestiferar. (Del lat. *in,* en, y *pestiferāre.*) tr. ant. Apestar.

Empetatar. tr. *Guat., Méj.* y *Perú.* Esterar, cubrir un piso con petate.

Empetro. (Del lat. *empĕtros,* y éste del gr. ἔμπετρον; de ἐν, en, y πέτρα, roca.) m. **Hinojo marino.**

Empezamiento. (De *empezar.*) m. ant. **Comienzo.**

Empezar. (De *en* y *pieza.*) tr. Comenzar, dar principio a una cosa. || **2.** Iniciar el uso o consumo de ella. || **3.** intr. Tener principio una cosa. || **Lo que no se empieza, no se acaba.** ref. que aconseja sacudir la pereza, denotando que suele vencerse la dificultad de un negocio con sólo principiarlo. || **Si yo te empiezo...** expr. fam. ant. con que se amenazaba a uno de que se le había de castigar, y era como decir: Si te castigo por la primera vez...

Empiadar. tr. ant. **Apiadar.** Usáb. t. c. r.

Empicar. (De *en* y *pica.*) tr. ant. Ahorcar.

Empicarse. (De *en* y *picarse,* aficionarse.) r. Aficionarse demasiado.

Empicotadura. f. Acción de empicotar.

Empicotar. tr. Poner a uno en la picota.

Empiece. m. fam. **Comienzo.**

Empiema. (Del gr. ἐμπύημα.) m. *Med.* Acumulación de pus en la pleura. Antiguamente se designaban también así los derrames serosos o sanguíneos.

Empiezo. (De *empezar.*) m. ant. **Comienzo.** Ú. en la *Argent.*

Empiezo. (De *empecer.*) m. ant. Embarazo, impedimento, estorbo.

Empigüelar. tr. ant. **Apiolar,** 1.ª, 2.ª y 3.ª aceps.

Empilar. tr. **Apilar.**

Empilonar. (De *en* y *pilón.*) tr. *Cuba.* Hacer montones de tabaco seco poniendo las hojas extendidas unas sobre otras.

Empina. (De *empinar.*) f. *Sal.* Corro de hierba que, por estar más crecida, sobresale en un prado. || **2.** *Sal.* Mata de gatuñas o de cualquier hierba, que impide la acción del arado.

Empinada (Irse a la). fr. *Equit.* Encabritarse una bestia.

Empinado, da. p. p. de **Empinar.** || **2.** adj. Muy alto. || **3.** fig. Estirado, orgulloso.

Empinadura. f. **Empinamiento.**

Empinamiento. m. Acción y efecto de empinar o empinarse.

Empinante. p. a. de **Empinar.** Que empina.

Empinar. (De *en* y *pino,* derecho.) tr. Enderezar y levantar en alto. || **2.** Inclinar mucho el vaso, el jarro, la bota, etc., para beber, levantando en alto el fondo de la vasija. || **3.** fig. y fam. Beber mucho. || **4.** r. Ponerse uno sobre las puntas de los pies y erguirse para aparecer más alto o descubrir mejor las cosas. || **5.** Ponerse un cuadrúpedo sobre los dos pies levantando las manos. || **6.** fig. Dicho de las plantas, torres, montañas, etc., alcanzar gran altura.

Empingorotado, da. p. p. de **Empingorotar.** || **2.** adj. Dícese de la persona elevada a posición social ventajosa, y especialmente de la que se engríe por ello.

Empingorotar. (De *en* y *pingorote.*) tr. fam. Levantar una cosa poniéndola sobre otra. Ú. t. c. r.

Empino. (De *empinar.*) m. desus. Elevación, prominencia. || **2.** *Arq.* Parte de la bóveda por arista, que está más alta que el plano horizontal que pasa por las claves de los arcos en que se apoya.

Empiñonado. m. **Piñonate** 1.ª acep.

Empiolar. tr. ant. **Apiolar,** 1.ª, 2.ª y 3.ª aceps.

Empíreo, a. (Del lat. *empyrĭos,* y éste del gr. ἐμπύριος [de ἐν, en, y πῦρ, fuego], inflamado, ardiente, por ser el sitio del fuego puro, eterno, y de las estrellas fijas o astros incorruptibles según el sistema antiguo.) adj. Dícese del cielo, en que los ángeles, santos y bienaventurados gozan la presencia de Dios, fuego espiritual y eterno. Ú. t. c. s. || **2.** Perteneciente al cielo **empíreo.** || **3.** fig. Celestial, supremo, divino.

Empireuma. (Del lat. *empyreuma,* y éste del gr. ἐμπύρευμα; de ἐν, en, y πυρεύω; dar fuego, encender.) m. Olor y sabor particulares, generalmente ingratos, y a veces hasta nauseabundos, que toman las substancias animales y algunas vegetales sometidas a fuego violento.

Empireumático, ca. adj. Que tiene empireuma.

Empíricamente. adv. m. Por sola la práctica.

Empírico, ca. (Del lat. *empirĭcus,* y éste del gr. ἐμπειρικός, de ἔμπειρος, experto; de ἐν, en, y πεῖρα, experiencia.) adj. Perteneciente o relativo al empirismo. || **2.** Que procede empíricamente. Ú. t. c. s. || **3.** Partidario del empirismo filosófico. Ú. t. c. s.

Empirismo. (De *empírico.*) m. Sistema o procedimiento fundado en mera práctica o rutina. || **2.** Sistema filosófico que toma la experiencia como única base de los conocimientos humanos.

Empitonar. tr. *Taurom.* Alcanzar la res al lidiador cogiéndolo con los pitones.

Empizarrado, da. p. p. de **Empizarrar.** || **2.** m. Cubierta de un edificio formada con pizarras. *El* EMPIZARRADO *dura más que el tejado.*

Empizarrar. tr. Cubrir con pizarras el techo de un edificio.

Empizcar. (De *en* y *pizcar.*) tr. ant. Azuzar.

Emplantillar. tr. *Chile.* Macizar, rellenar con cascote las zanjas de cimentación. || **2.** *And.* Atrancar, atascar.

Emplastadura. f. Acción y efecto de emplastar.

Emplastamiento. m. **Emplastadura.**

Emplastar. tr. Poner emplastos. || **2.** fig. Componer con afeites y adornos postizos. Ú. t. c. r. || **3.** fam. Empantanar, embarazar el curso de un negocio. || **4.** r. Embadurnarse o ensuciarse con alguna porquería.

Emplastecer. (De *en* y *plastecer.*) tr. *Pint.* Igualar y llenar con el aparejo las desigualdades de una superficie para poder pintar sobre ella.

Emplástico, ca. adj. Pegajoso, glutinoso, como el emplasto. || **2.** *Med.* Supurativo, disolutivo.

Emplasto. (De *emplastro.*) m. Preparado farmacéutico sólido, plástico y adhesivo, cuya base es una mezcla de materias grasas y resinas o jabón de plomo. || **2.** fig. y fam. Componenda, arreglo desmañado y poco satisfactorio. || **3.** fig. y fam. *Argent.* **Parche,** 6.ª acep. || **Estar uno hecho un emplasto.** fr. fig. y fam. Estar cubierto de **emplastos** y medicinas. || **2.** fig. y fam. Estar muy delicado y falto de fuerzas.

Emplástrico, ca. (De *emplastro.*) adj. Emplástico.

Emplastro. (Del lat. *emplastrum,* y éste del gr. ἔμπλαστρον.) m. ant. **Emplasto.**

Emplazador. m. El que emplaza.

Emplazamiento. m. Situación, colocación, ubicación.

Emplazamiento. m. Acción y efecto de emplazar, 1.er art.

Emplazar. (De *en* y *plazo.*) tr. Citar a una persona en determinado tiempo y lugar y especialmente para que dé razón de algo. || **2.** *For.* Citar al demandado con señalamiento del plazo dentro del cual necesitará comparecer en el juicio para ejercitar en él sus defensas, excepciones o reconvenciones. || **3.** *Mont.* **Concertar,** 7.ª acep.

Emplazar. (De *en* y *plaza.*) tr. Poner una cosa en determinado lugar. Díjose primeramente de las piezas de artillería.

Emplazo. (De *emplazar.*) m. desus. *For.* **Emplazamiento,** 2.° art.

Emplea. f. ant. Mercaderías en que se emplea el dinero para comerciar.

Empleado, da. p. p. de **Emplear.** || **2.** m. y f. Persona destinada por el gobierno al servicio público, o por un particular o corporación al despacho de los negocios de su competencia o interés.

Empleador, ra. adj. Que emplea. || **2.** m. **Patrono,** 6.ª acep. Ú. m. en América.

Emplear. (Del fr. *employer*, y éste del lat. *implicāre*, ocupar.) tr. Ocupar a uno, encargándole un negocio, comisión o puesto. Ú. t. c. r. || **2.** Destinar a uno al servicio público. || **3.** Gastar el dinero en una compra, ya sea de cosa que ha de servir para el uso, o ya para comerciar con ella. || **4.** Gastar, consumir, ocupar. EMPLEA *bien sus rentas;* EMPLEÁIS *mal el tiempo.* || **5. Usar,** 1.ª acep. || **6.** r. desus. Tener trato amoroso, casarse. || **Emplearsele bien a uno alguna cosa.** fr. fam. **Estarle bien empleada.**

Empleita. (Del lat. *implicĭta*, t. f. de *-tus*, p. p. de *implicāre*, envolver, enredar.) f. **Pleita.**

Empleitero, ra. m. y f. Persona que hace o vende empleita.

Emplenta. (Del gr. ἔμπλεκτον.) f. Pedazo de tapia que se hace de una vez, según el tamaño del tapial con que se fabrica.

Emplenta. (De *empleita.*) f. ant. **Pleita.**

Empleo. m. Acción y efecto de emplear. || **2.** Destino, ocupación, oficio. || **3.** desus. Amor, amorío. || **4.** *Germ.* **Hurto,** 2.ª acep. || **Apear a uno de un empleo.** fr. fig. y fam. Deponerle de él, quitárselo. || **Jurar un empleo.** fr. Tomar posesión de él, haciendo el juramento previo, cuando se acostumbra. || **Suspender a uno del empleo.** fr. Interrumpirle temporalmente su ejercicio.

Empleomanía. (De *empleo* y *manía.*) f. Afán con que se codicia un empleo público retribuido.

Emplomado, da. p. p. de **Emplomar.** || **2.** m. Conjunto de planchas de plomo que recubre una techumbre, o de plomos que sujetan los cristales de una vidriera.

Emplomador. m. El que tiene por oficio emplomar.

Emplomadura. f. Acción y efecto de emplomar. || **2.** Porción de plomo con que está emplomado algo.

Emplomar. tr. Cubrir, asegurar o soldar una cosa con plomo. EMPLOMAR *los techos, las vidrieras, los botes de tabaco.* || **2.** Poner sellos de plomo a los fardos o cajones cuando se precintan.

Emplumajar. tr. ant. Adornar con plumajes. Usáb. t. c. r.

Emplumar. tr. Poner plumas, ya sea para adorno, como en los morriones y sombreros, ya para que vuele, como en la saeta y dardo, o ya para afrentar, como se hacía con las alcahuetas. || **2.** *Ecuad.* y *Venez.* Enviar a uno a algún sitio de castigo. || **3.** intr. **Emplumecer.** || **4.** *Colomb., Chile, Perú* y *P. Rico.* Fugarse, huir, alzar el vuelo. || **Emplumarlas.** loc. *Colomb.* **Tomar las de Villadiego.** || **Que me emplumen.** fr. fam. que suele ir seguida de la conjunción *si* para enunciar algo que se tiene por imposible.

Emplumecer. intr. Echar plumas las aves.

Empobrecedor, ra. adj. Que empobrece a uno.

Empobrecer. (De *en* y *pobre.*) tr. Hacer que uno venga al estado de pobreza. || **2.** intr. Venir a estado de pobreza una persona. Ú. t. c. r. || **3.** Decaer, venir a menos una cosa material o inmaterial. Ú. t. c. r.

Empobrecimiento. m. Acción y efecto de empobrecer o empobrecerse.

Empobrido, da. p. p. irreg. ant. de **Empobrecer.**

Empoderar. tr. desus. **Apoderar.** Usáb. t. c. r.

Empodrecer. (Del lat. *imputrescĕre.*) intr. **Pudrir,** 1.ª acep. Ú. m. c. r.

Empoltronecerse. (De *en* y *poltrón.*) r. p. us. **Apoltronarse.**

Empolvar. r. Echar polvo. || **2.** Echar polvos de tocador en los cabellos o en el rostro. Ú. t. c. r. || **3.** r. Cubrirse de polvo.

Empolvoramiento. m. Acción y efecto de empolvorar.

Empolvorar. (De *en* y *pólvora*, 6.ª acep.) tr. **Empolvar.**

Empolvorizar. (De *en* y *polvorizar.*) tr. **Empolvar.**

Empolladura. (De *empollar.*) f. Cría o pollo que producen las abejas.

Empollar. tr. Calentar el ave los huevos, poniéndose sobre ellos para sacar pollos. También se dice de algunos insectos cuando se avivan. Ú. t. c. r. || **2.** fig. y fam. Meditar o estudiar un asunto con mucha más detención de la necesaria. || **3.** intr. Producir las abejas pollo o cría.

Empollar. intr. ant. Criar ampolla. Ú. en *Amér.* y *Sal.*

Empollón, na. adj. Dícese, por lo común despectivamente, del estudiante que prepara mucho sus lecciones y que se distingue por la aplicación más que por el talento. Ú. t. c. s.

Emponchado, da. adj. *Argent.* y *Perú.* Dícese del que está cubierto con el poncho. || **2.** fig. *Argent.* y *Perú.* Sospechoso. Ú. t. c. s.

Emponzoñadera. f. ant. **Emponzoñadora.**

Emponzoñador, ra. adj. Que da o compone ponzoña. Ú. t. c. s. || **2.** fig. Que daña, inficiona o produce grave perjuicio.

Emponzoñamiento. m. Acción y efecto de emponzoñar o emponzoñarse.

Emponzoñar. tr. Dar ponzoña a uno, o inficionar una cosa con ponzoña. Ú. t. c. r. || **2.** fig. Inficionar, echar a perder, dañar. Ú. t. c. r.

Emponzoñoso, sa. adj. ant. **Ponzoñoso.**

Empopada. (De *en* y *popa.*) f. *Mar.* Navegación hecha con viento duro por la popa.

Empopar. intr. *Mar.* Calar mucho de popa un buque. || **2.** *Mar.* Volver la popa al viento, a la marea o a cualquier objeto. Ú. t. c. r.

Emporcar. (De *en* y *puerco.*) tr. Ensuciar, llenar de porquería. Ú. t. c. r.

Emporio. (Del lat. *emporium*, y éste del gr. ἐμπόριον.) m. Lugar donde concurren para el comercio gentes de diversas naciones. || **2.** fig. Ciudad o lugar notable por el florecimiento del comercio y, por ext., de las ciencias, las artes, etc.

Emporitano, na. (Del lat. *Emporiae*, hoy Ampurias.) adj. Natural de Ampurias. || **2.** Perteneciente a esta ciudad de la provincia de Gerona.

Empós. adv. t. y l. ant. **En pos.**

Empotramiento. m. Acción y efecto de empotrar.

Empotrar. tr. Meter una cosa en la pared o en el suelo, asegurándola con fábrica. || **2.** Entre colmeneros, poner en el potro las colmenas.

Empotrerar. tr. *Amér.* Herbajar, meter el ganado en el potrero para que paste.

Empotría. f. ant. **Alectoria.**

Empozar. tr. Meter o echar en un pozo. Ú. t. c. r. || **2.** Poner el cáñamo o el lino en pozas o charcas para su maceración. || **3.** intr. *Amér.* Quedar el agua detenida en el terreno formando pozas o charcos. || **4.** r. fig. y fam. Quedar sin curso un expediente.

Empradizar. tr. Convertir en prado un terreno. Ú. t. c. r.

Emprendedor, ra. adj. Que emprende con resolución acciones dificultosas o azarosas.

Emprender. (Del lat. *in-prehĕndĕre*, tomar, coger.) tr. Acometer y comenzar una obra, un negocio, un empeño. Dícese más comúnmente de los que encierran dificultad o peligro. || **2.** fam. Con nombres de personas regidos de las preps. *a* o *con*, acometer a uno para importunarle, reprenderle, suplicarle o reñir con él. || **3.** ant. Prender fuego. Usáb. t. c. r. || **Emprenderla para un sitio.** fr. fam. Tomar el camino con resolución de llegar a un punto. *Al amanecer* LA EMPRENDIMOS PARA *el monte.*

Emprensar. tr. ant. **Prensar.**

Emprenta. (Del fr. *empreinte*, de *empreindre*, y éste del lat. *imprimĕre*, imprimir.) f. ant. **Imprenta,** 1.ª y 2.ª aceps.

Emprentar. (De *emprenta.*) tr. ant. **Imprimir.**

Empreñación. f. ant. **Preñez.**

Empreñador. adj. Que empreña. Ú. t. c. s. m.

Empreñar. (Del lat. *impraegnāre.*) tr. Hacer concebir a la hembra. || **2.** ant. **Impregnar.** Usáb. t. c. r. || **3.** r. Hacerse preñada la hembra. || **4.** intr. desus. Concebir la hembra.

Empresa. (Del lat. *in-prĕhensa*, cogida, tomada.) f. Acción ardua y dificultosa que valerosamente se comienza. || **2.** Cierto símbolo o figura enigmática, que alude a lo que se intenta conseguir o denota alguna prenda de que se hace alarde, para cuya mayor inteligencia se añade comúnmente alguna letra o mote. || **3.** Intento o designio de hacer una cosa. || **4.** Casa o sociedad mercantil o industrial fundada para emprender o llevar a cabo construcciones, negocios o proyectos de importancia. || **5.** Obra o designio llevado a efecto, en especial cuando en él intervienen varias personas.

Empresario, ria. m. y f. Persona que por concesión o por contrata ejecuta una obra o explota un servicio público. || **2.** Persona que abre al público y explota un espectáculo o diversión.

Empresentar. tr. ant. **Presentar.**

Emprestado. (De *emprestar.*) m. ant. **Empréstito.**

Emprestador. m. ant. El que empresta.

Empréstamo. (De *emprestar.*) m. ant. **Empréstito.**

Emprestar. tr. ant. **Prestar.** De uso vulgar en España y América. || **2.** p. us. Pedir prestado.

Empréstido. (De *en* y *préstido.*) m. ant. **Préstamo.** || **2.** ant. Tributo, pecho, derrama.

Emprestillador, ra. (De *emprestillar.*) adj. ant. Que anda pidiendo prestado. Usáb. t. c. s. || **2.** desus. **Petardista.**

Emprestillar. (De *emprestar.*) tr. ant. Andar pidiendo prestado.

Emprestillón, na. (De *emprestillar.*) adj. ant. **Emprestillador.** Usáb. t. c. s.

Empréstito. (Del lat. *in*, en, y *praestitus*, p. p. de *praestāre*, prestar.) m. Préstamo que toma el Estado o una corporación o empresa, especialmente cuando está representado por títulos negociables o al portador. || **2.** Cantidad así prestada.

Empresto, ta. p. p. irreg. ant. de **Emprestar.**

Emprima. (De *emprimar.*) f. **Primicia.**

Emprimación. (De *emprimar.*) f. ant. **Imprimación.**

Emprimado, da. p. p. de **Emprimar.** || **2.** m. Acción y efecto de emprimar, 1.ª acep.

Emprimar. (De *en* y *primo.*) tr. Pasar la lana a una segunda carda de puntas más delgadas que las de la primera, o repasarla por ésta, después de efectuadas las mezclas, para hacer paño más fino. || **2.** ant. Preferir, dar el primer lugar. || **3.** ant. Ensayar, estrenar. || **4.** fig. y fam. Abusar del candor o inexperiencia de uno para que pague algo indebidamente, o para divertirse y regalarse a sus expensas. || **5.** *Pint.* **Imprimar.**

Emprimir. tr. ant. **Imprimir.**

Empringar. tr. **Pringar.** Ú. t. c. r.

Emprisionar. tr. ant. **Aprisionar.**

Empuchar. (De *en* y *puches.*) tr. Poner en lejía de agua y ceniza las madejas antes de sacarlas al sol para curarlas.

Empuesta (De). (Del lat. *in,* en, y *post,* después.) m. adv. *Cetr.* Por detrás o después de haber pasado el ave.

Empujada. (De *empujar.*) f. ant. **Empujón.** Ú. en *Venez.*

Empujador, ra. adj. Que empuja. Ú. t. c. s.

Empujamiento. (De *empujar.*) m. ant. **Empuje.**

Empujar. (Del lat. *impulsāre.*) tr. Hacer fuerza contra una cosa para moverla, sostenerla o rechazarla. || **2.** fig. Hacer que uno salga del puesto, empleo u oficio en que se halla. || **3.** fig. Hacer presión, influir, intrigar para conseguir o para dificultar o impedir alguna cosa.

Empuje. m. Acción y efecto de empujar. || **2.** Esfuerzo producido por el peso de una bóveda o por el de las tierras de un muelle o malecón, sobre las paredes que las sostienen. || **3.** fig. Brío, arranque, resolución con que se acomete una empresa. || **4.** fig. Fuerza o valimiento eficaces para empujar.

Empujo. (De *empujar.*) m. ant. **Empuje.**

Empujón. (Del lat. *impulsĭo, -ōnis.*) m. Impulso que se da con fuerza para apartar o mover a una persona o cosa. || **2.** Avance rápido que se da a una obra trabajando con ahínco en ella. || **A empujones.** m. adv. fig. y fam. **A empellones.** || **2.** Con intermitencias o con desigual intensidad en los impulsos o avances. *Por escasez de dinero, la casa se construye* A EMPUJONES.

Empulgadura. f. Acción y efecto de empulgar.

Empulgar. (De *en* y *pulgar;* en port. *empolgar.*) tr. Armar la ballesta.

Empulguera. (De *empulgar.*) f. Cada una de las extremidades de la verga de la ballesta, que tiene un hueco para que en él se afiance la cuerda. || **2.** pl. Instrumento que servía para dar tormento apretando los dedos pulgares. Era de diversas figuras y materias. || **Apretar las empulgueras** a uno. fr. fig. Ponerle en aprieto, estrecharle.

Empuntar. tr. *Colomb.* y *Sal.* Encarrilar, encaminar, dirigir. || **2.** *Sal.* Despedir, echar a uno por molesto. || **3.** intr. *Colomb.* Irse, marcharse. || **4.** r. *Venez.* **Obstinarse,** 1.ª acep. || **Empuntarlas.** fr. fam. *Colomb.* Afufar, tomar las de Villadiego.

Empuñador, ra. adj. Que empuña.

Empuñadura. (De *empuñar.*) f. Guarnición o puño de la espada. || **2.** fig. y fam. Principio de un discurso o cuento, compuesto de fórmulas consagradas por el uso, como *Érase que se era.* || **Hasta la empuñadura.** fr. fig. y fam. con que se denota que en una disputa o rivalidad una de las partes da un golpe muy acertado o decisivo.

Empuñar. tr. Asir por el puño una cosa; como la espada, el bastón, etc. || **2.** Asir una cosa abarcándola estrechamente con la mano. || **3.** fig. Lograr, alcanzar un empleo o puesto. || **4.** *Chile.* Cerrar la mano para formar o presentar el puño.

Empuñidura. f. *Mar.* Cada uno de los cabos firmes en los puños altos o de grátil de las velas y en los extremos de las fajas de rizos, que sirven para sujetar unos u otros a la verga, pasándolos por detrás de los tojinos que, según los casos, corresponden.

Empurpurado, da. adj. Vestido de púrpura.

Empurrarse. r. *C. Rica, Guat.* y *Hond.* Enfurruñarse, emberrincharse.

Emputecer. tr. **Prostituir,** 2.ª acep. Ú. t. c. r.

Empuyarse. (De *en* y *puya.*) r. ant. Herirse con púa.

Emulación. (Del lat. *aemulatĭo, -ōnis.*) f. Pasión del alma, que excita a imitar y aun a superar las acciones ajenas. Tómase por lo común en buena parte.

Emulador, ra. (Del lat. *aemulātor.*) adj. Que emula o compite con otro. Ú. t. c. s.

Emular. (Del lat. *aemulāre.*) tr. Imitar las acciones de otro procurando igualarle y aun excederle. Ú. t. c. r. Tómase por lo común en buena parte.

Emulgente. (Del lat. *emulgens, -entis,* p. a. de *emulgēre,* ordenar.) adj. *Zool.* V. **Arteria, vena emulgente.**

Émulo, la. (Del lat. *aemŭlus.*) adj. Competidor de una persona o cosa que procura excederla o aventajarla. Tómase por lo común en buena parte. Ú. frecuentemente c. s.

Emulsión. (Del lat. *emulsus,* p. p. de *emulgēre,* ordeñar.) f. *Farm.* Líquido de aspecto lácteo que tiene en suspensión pequeñísimas partículas de substancias insolubles en el agua, como grasas, resinas, bálsamos, etc.

Emulsionar. tr. Hacer que una substancia, por lo general grasa, adquiera el estado de emulsión.

Emulsivo, va. (Del lat. *emulsus,* p. p. de *emulgēre,* ordeñar.) adj. *Farm.* Aplícase a cualquier substancia que sirve para hacer emulsiones.

Emulsor. (Del lat. *emulsus,* ordeñado.) m. Aparato destinado a facilitar la mezcla de las grasas con otras substancias.

Emunción. (Del lat. *emunctus,* limpio.) f. *Med.* Evacuación de los humores y materias superfluas o nocivas.

Emundación. (Del lat. *emundatĭo, -ōnis.*) f. ant. Acción y efecto de limpiar.

Emuntorio. (Del lat. *emunctorĭum,* de *emungĕre,* limpiar, echar.) m. *Med.* Cualquier conducto, canal u órgano del cuerpo de los animales, que sirve para evacuar los humores superfluos. || **2.** pl. *Med.* Glandulas de los sobacos, ingles y de detrás de las orejas.

En. (Del lat. *in.*) prep. que indica en qué lugar, tiempo o modo se determinan las acciones de los verbos a que se refiere. *Pedro está* EN *Madrid; esto sucedió* EN *Pascua; Juan se disipa* EN *profusiones.* || **2.** Algunas veces, **sobre.** *El rey le ha dado una pensión* EN *la renta del tabaco.* || **3.** Seguida de un infinitivo, **por.** *Le conocí* EN *el andar.* || **4.** Junta con un gerundio, luego que, después que. EN *poniendo el general los pies en la playa, dispara la artillería.* || **5.** ant. **Con.** *Alegrarse* EN *una nueva.* || **6.** ant. Denota el término de un verbo de movimiento. *Ir* EN *Ultramar.* Ú. aún en algunas provincias. || **7.** prep. insep. **In,** 1.er art.

En. (Del gr. ἐν.) prep. insep. que significa dentro de. EN*céfalo.*

Enaceitar. (De *en* y *aceitar.*) tr. Untar con aceite. || **2.** r. Ponerse aceitosa o rancia una cosa.

Enacerar. tr. Hacer alguna cosa como de acero. || **2.** fig. Endurecer, vigorizar.

Enaciado, da. adj. ant. Tornadizo, elche, renegado. || **2.** m. Súbdito de los reyes cristianos españoles unido estrechamente a los sarracenos por vínculos de amistad o interés.

Enaciyar. (De *en* y *acije,* vitriolo.) tr. ant. Tratar las lanas con el aceche, acije o aceite de vitriolo.

Enagua. (De *nagua,* voz probablemente haitiana.) f. Prenda de vestir de la mujer, especie de saya, por lo general de tela blanca, que se usa debajo de la falda exterior. En algunos pueblos, saya de cualquier tela que usan las mujeres encima de la ropa interior. Ú. m. en pl. || **2.** Vestidura de bayeta negra, a modo de saya, de que usaban los hombres en los lutos mayores, como de reyes, padres, etc., y cubría desde la cintura hasta los pies. Las usaban también los trompeteros de las procesiones de Semana Santa.

Enaguachar. (De *en* y *aguachar.*) tr. Llenar de agua una cosa en que no conviene que haya tanta. || **2.** Causar en el estómago estorbo y pesadez el beber mucho o el comer mucha fruta. Ú. t. c. r.

Enaguar. (Del lat. *inaquare,* meter en agua.) tr. **Enaguachar,** 1.ª acep.

Enaguazar. (De *en* y *aguazar.*) tr. Encharcar, llenar de agua con exceso las tierras. Ú. t. c. r.

Enagüetas. (d. de *enaguas.*) f. pl. *Gran.* Especie de zaragüelles que usan los hombres del campo en las Alpujarras.

Enagüillas. f. pl. d. de Enaguas, 1.ª acep. de **Enagua.** || **2. Enagua,** 2.ª acep. || **3.** Especie de falda corta que ponen a algunas imágenes de Cristo crucificado, o que se usa en algunos trajes de hombre, como el escocés o el griego.

Enajenable. adj. Que se puede enajenar.

Enajenación. f. Acción y efecto de enajenar o enajenarse. || **2.** fig. Distracción, falta de atención, embelesamiento. || **mental. Locura,** 1.ª acep.

Enajenado, da. p. p. de **Enajenar.** || **2.** adj. V. **Oficio enajenado.**

Enajenador, ra. adj. Que enajena. Ú. t. c. s.

Enajenamiento. m. **Enajenación.**

Enajenante. p. a. de **Enajenar.** Que enajena.

Enajenar. (Del lat. *in,* en, y *alienāre.*) tr. Pasar o transmitir a otro el dominio de una cosa o algún otro derecho sobre ella. || **2.** fig. Sacar a uno fuera de sí; entorpecerle o turbarle el uso de la razón o de los sentidos. *El miedo le* ENAJENÓ. Ú. t. c. r. ENAJENARSE *por la cólera; se* ENAJENÓ *de sí.* || **3.** r. Desposeerse, privarse de algo. || **4.** Apartarse, retraerse del trato o comunicación que se tenía con alguna persona, por haberse entibiado las relaciones de amistad. Ú. t. c. tr.

Enálage. (Del lat. *enallăge,* y éste del gr. ἐναλλαγή, de ἐναλλάσσω, cambiar.) f. *Gram.* Figura que consiste en mudar las partes de la oración o sus accidentes; como cuando se pone un tiempo del verbo por otro, etc.

Enalbar. (Del lat. *inalbāre,* blanquear.) tr. Caldear y encender el hierro en la fragua tanto, que parezca blanco de puro resplandeciente.

Enalbardar. tr. Echar o poner la albarda. || **2.** fig. Rebozar con huevo, harina, pan rallado, etc., lo que se ha de freír. || **3.** fig. **Emborrazar.**

Enalmagrado, da. p. p. de **Enalmagrar.** || **2.** adj. fig. Señalado o tenido por ruin.

Enalmagrar. tr. **Almagrar,** 1.ª acep.

Enaltecedor, ra. adj. Que enaltece.

Enaltecer. (De *en* y *alto.*) tr. **Ensalzar.** Ú. t. c. r.

Enaltecimiento. m. Acción y efecto de enaltecer.

Enamarillecer. intr. **Amarillecer.** Ú. t. c. r.

Enamorada. (De *enamorar.*) f. desus. Ramera, mujer de mala vida.

Enamoradamente. adv. m. Con amor, con cariño, con pasión.

Enamoradizo, za. adj. Propenso a enamorarse.

Enamorado, da. p. p. de **Enamorar.** || **2.** adj. Que tiene amor. Ú. t. c. s. || **3.** **Enamoradizo.** || **El enamorado y el pez, frescos han de ser.** ref. que alude a lo agradable que es la novedad. || **Juzgan los enamorados que todos tienen los ojos vendados.** ref. que denota que el que está apasionado no repara en que los demás le observan.

Enamorador, ra. adj. Que enamora o dice amores. Ú. t. c. s.

Enamoramiento. m. Acción y efecto de enamorar o enamorarse.

Enamorante. p. a. de **Enamorar.** Que enamora. Ú. t. c. s.

Enamorar. tr. Excitar en uno la pasión del amor. || **2.** Decir amores o requiebros. || **3.** r. Prendarse de amor de una persona. || **4.** Aficionarse a una cosa.

Enamoricarse. (De *enamorar*, 3.ª acep.) r. fam. Prendarse de una persona levemente y sin grande empeño.

Enamoriscarse. r. **Enamoricarse.**

Enamorosamente. adv. m. ant. **Amorosamente.**

Enanarse. r. desus. Hacerse enano.

Enancarse. r. *Argent.*, *Méj.* y *Perú.* Montar a las ancas.

Enanchar. (De *en* y *ancho.*) tr. fam. **Ensanchar.**

Enangostar. tr. **Angostar,** 1.ª acep. Ú. t. c. r.

Enanismo. m. *Zool.* Trastorno del crecimiento caracterizado por una talla inferior a la media propia de los individuos de la misma edad, especie y raza.

Enano, na. (Del lat. *nanus*, y éste del gr. νᾶνος.) adj. fig. Dícese de lo que es diminuto en su especie. || **2.** m. y f. Persona de extraordinaria pequeñez. || **3.** m. *Germ.* **Puñal,** 1.er art., 2.ª acep.

Enante. (Del lat. *oenanthe*, y éste del gr. οἰνάνθη.) f. Hierba de la familia de las umbelíferas, con tallos angulosos, de dos a tres decímetros, hojas divididas en lóbulos alargados y cuneiformes, flores blancas, frutos aovados, con estrías y coronados por cinco dientecitos, y raíces cilíndricas terminadas por tubérculos globosos. Es planta venenosa común en los terrenos húmedos.

Enante. (De la prep. lat. *in* y el adv. *ante.*) adv. t. ant. **Enantes.**

Enantes. (De *enante*, 2.° art.) adv. t. ant. **Antes,** 1.ª acep. Ú. aún entre la gente del pueblo.

Enanzar. (Del lat. *in antea*, antes.) intr. *Nav.* Adelantar, avanzar.

Enaparejar. (De *en* y *aparejar.*) intr. ant. **Emparejar.**

Enarbolado, da. p. p. de **Enarbolar.** || **2.** m. Conjunto de piezas de madera ensambladas que constituyen la armadura de una linterna de torre o bóveda.

Enarbolar. (De *en* y *árbol.*) tr. Levantar en alto estandarte, bandera u otra cosa semejante. || **2.** r. **Encabritarse,** 1.ª acep. || **3.** Enfadarse, enfurecerse.

Enarcar. tr. **Arquear,** 1.er art., 1.ª acep. Ú. t. c. r. || **2.** Echar cercos o arcos a las cubas, toneles, etc. || **3.** r. Encogerse, achicarse. || **4.** fig. *Ar.* Cortarse, perder la serenidad al ir a hacer algo difícil. || **5.** *Méj.* Encabritarse el caballo.

Enardecedor, ra. adj. Que enardece.

Enardecer. (Del lat. *inardescĕre.*) tr. fig. Excitar o avivar una pasión del ánimo, una pugna o disputa, etc. Ú. t. c. r. || **2.** r. Encenderse, requemarse una parte del cuerpo del animal por congestión o inflamación.

Enardecimiento. m. Acción y efecto de enardecer o enardecerse.

Enarenación. (De *enarenar.*) f. Mezcla de cal y arena con que se preparan las paredes que se han de pintar.

Enarenar. tr. Echar arena; llenar o cubrir de ella. Ú. t. c. r. || **2.** *Min.* Mezclar cierta cantidad de arena fina con las lamas argentíferas para que éstas se esponjen y pueda el azogue trabajar más fácilmente sobre las partículas de plata. || **3.** r. Encallar o varar las embarcaciones.

Enarmonar. tr. Levantar o poner en pie una cosa. || **2.** r. **Empinar,** 5.ª acep.

Enarmónico, ca. (Del gr. ἐναρμονικός; de ἐν, en, y ἁρμονία, armonía.) adj. *Mús.* Aplícase a uno de los tres géneros del sistema músico que procede por dos diesis o semitonos menores y una tercera mayor o dítono. || **2.** *Mús.* V. **Diatónico cromático enarmónico.** || **3.** *Mús.* V. **Semitono enarmónico.**

Enarración. (Del lat. *enarratĭo, -ōnis.*) f. ant. Acción y efecto de enarrar.

Enarrar. (Del lat. *enarrāre.*) tr. ant. **Narrar.**

Enartamiento. (De *enartar.*) m. ant. Fraude, artificio engañoso.

Enartar. (De *en*, y de *arte*, engaño.) tr. ant. Engañar, encubrir con disimulación o engaño. || **2.** Encantar, hechizar por arte mágico.

Enartrosis. (Del gr. ἐνάρθρωσις, articulación.) f. *Med.* Articulación movible de una parte esférica de un hueso que encaja en una cavidad.

Enaspar. tr. ant. **Aspar.**

Enastado, da. p. p. de **Enastar.** || **2.** adj. Que tiene astas o cuernos.

Enastar. tr. Poner el mango o asta a una arma o instrumento.

Enastillar. tr. Poner astil a una herramienta.

Enatiamente. adv. m. ant. Con desaliño, con abandono, con descompostura.

Enatieza. (De *enatío.*) f. ant. Desaliño, descompostura, desaseo.

Enatío, a. (Del b. lat. *inactivus*, y éste del lat. *in* y *actīvus*, activo.) adj. ant. Ocioso, excusado, superfluo, fuera de propósito.

Encabalgamento. m. ant. **Encabalgamiento.**

Encabalgamiento. (De *encabalgar.*) m. Cureña, carro u otra cosa en que se montaba o aseguraba la artillería. || **2.** Armazón de maderos cruzados donde se apoya alguna cosa.

Encabalgante. p. a. de **Encabalgar.** Que encabalga.

Encabalgar. intr. ant. Cabalgar, montar. || **2.** Descansar, apoyarse una cosa sobre otra. || **3.** tr. Proveer de caballos.

Encaballado, da. p. p. de **Encaballar.** || **2.** m. *Impr.* Descomposición de un molde por mezclarse las líneas, letras y espacios.

Encaballar. (De *en* y *caballo.*) tr. Colocar una pieza de modo que en su unión con otra se sostenga sobre la extremidad de ésta como las tejas o las pizarras en un tejado. || **2.** intr. **Encabalgar,** 2.ª acep. || **3.** *Impr.* Desarreglar un molde de modo que las letras de unas líneas pasen a otras. Ú. t. c. r.

Encabar. tr. *Argent.*, *Colomb.* y *P. Rico.* Poner cabo o mango a una herramienta.

Encabelladura. (De *encabellar.*) f. ant. **Cabellera.**

Encabellar. intr. ant. Criar cabello o ponérselo postizo.

Encabellecerse. r. Criar cabello.

Encabestradura. f. *Veter.* Herida producida a una caballería en la parte posterior de la cuartilla por el frote del cabestro o ronzal.

Encabestrar. tr. Poner el cabestro a los animales. || **2.** Hacer que las reses bravas sigan a los cabestros para conducirlas donde se quiere. || **3.** fig. Atraer, seducir a alguno para que haga lo que otro desea. || **4.** r. Enredar la bestia una mano en el cabestro o ronzal con que está atada, y no poder sacarla.

Encabezamiento. m. Acción de encabezar o empadronar. || **2.** Registro, matrícula o padrón que se hace de las personas o vecinos para la imposición de los tributos. || **3.** Ajuste de la suma o cuota que deben pagar los vecinos por toda la contribución, ya sea en diferentes ramos o ya en uno solo. || **4.** Tanto alzado con que un grupo de contribuyentes satisface al tesoro público determinado impuesto. || **5.** Conjunto de las palabras con que, según fórmula, se empieza un testamento, un memorial, una ejecutoria, etc., y también lo que, como advertencia o en otro concepto, se dice al principio de un libro o escrito de cualquiera clase.

Encabezar. (De *en* y *cabeza.*) tr. Registrar, poner en matrícula a uno, y también formar la expresada matrícula para el cobro de los tributos. || **2.** Dar principio, iniciar una suscripción o lista. || **3.** Poner el encabezamiento de un libro o escrito, o decir al principio de ellos alguna cosa. || **4.** Acaudillar, hacer cabeza. Úsase principalmente en América. || **5.** Aumentar la parte espiritosa de un vino con otro más fuerte, con aguardiente o con alcohol. || **6.** *Carp.* Unir dos tablones o vigas por sus extremos, o remendar éstos, si se han podrido, con trozos de madera sana. || **7.** r. Convenirse y ajustarse en cierta cantidad por uno o por varios tributos, o para otro pago cualquiera. || **8.** Darse por contento de sufrir un daño por evitar otro mayor.

Encabezonamiento. (De *encabezonar.*) m. desus. **Encabezamiento.**

Encabezonar. (De *en* y *cabezón.*) tr. desus. **Encabezar.**

Encabrahigar. tr. **Cabrahigar,** 2.° art.

Encabriar. (De *en* y *cabrio.*) tr. *Arq.* Colocar los cabrios en la forma conveniente para formar la cubierta de un edificio.

Encabritarse. (De *en* y *cabrito.*) r. Empinarse el caballo, afirmándose sobre los pies y levantando las manos. || **2.** fig. Tratándose de embarcaciones, aeroplanos, automóviles, etc., levantarse la parte anterior o delantera súbitamente hacia arriba.

Encabruñar. tr. *Sal.* **Cabruñar.**

Encabullar. tr. **Encabuyar.**

Encabuyar. tr. *Cuba*, *P. Rico* y *Venez.* Liar, forrar una cosa con cabuya.

Encachado, da. p. p. de **Encachar.** || **2.** m. Revestimiento de piedra u hormigón con que se fortalece el cauce de una corriente de agua entre los estribos o las pilas de un puente o alcantarilla. || **3.** Empedrado de la entrevía por donde circulan tranvías de sangre para que las caballerías marchen más fácilmente. || **4.** *Sant.* Empedrado de morrillos.

Encachar. tr. Hacer un encachado. || **2.** ant. Encajar o empotrar. || **3.** Poner las cachas a un cuchillo, navaja, etc.

Encacharse. r. *Chile.* Agachar la cabeza.

Encadarse. r. *Ar.* y *Nav.* Meterse en el cado, agazaparse. || **2.** fig. Acoquinarse, acobardarse.

Encadenación. (De *encadenar.*) f. **Encadenamiento.**

Encadenado, da. p. p. de **Encadenar.** || **2.** adj. Dícese de la estrofa cuyo primer verso repite en todo o en parte las palabras del último verso de la estrofa precedente, y también se dice del verso que comienza con la última palabra del anterior. || **3.** m. *Arq.* **Cadena,** 8.ª y 10.ª aceps. || **4.** *Min.* Serie de estemples y tornapuntas ligados entre sí en una entibación.

Encadenadura. (De *encadenar.*) f. Encadenamiento.

Encadenamiento. m. Acción y efecto de encadenar. || **2.** Conexión y trabazón de las cosas unas con otras, tanto en lo físico como en lo moral.

Encadenar. tr. Ligar y atar con cadena. || **2.** fig. Trabar y unir unas cosas con otras; como los razonamientos, etc. || **3.** fig. Dejar a uno sin movimiento y sin acción.

Encaecer. intr. ant. **Parir,** 1.ª acep.

Encaecida. adj. ant. **Parida.**

Encajadas. (De *encajar.*) adj. pl. *Blas.* Aplícase a las piezas que forman encajes.

Encajador. m. El que encaja. || **2.** Instrumento que sirve para encajar una cosa en otra.

Encajadura. f. Acción de encajar una cosa en otra. || **2. Encaje,** 2.ª acep.

Encajar. (De *en* y *caja.*) tr. Meter una cosa dentro de otra ajustadamente. || **2.** Hacer entrar ajustada y con fuerza una cosa en otra, apretándola para que no se salga o caiga fácilmente. || **3.** Unir ajustadamente una cosa con otra; como la tapa con la caja, o una hoja de la puerta con la otra. Ú. t. c. intr. *La puerta* ENCAJA *bien,* o *no* ENCAJA. || **4.** Encerrar y meter en alguna parte una cosa. || **5.** fig. y fam. Decir una cosa, ya sea con oportunidad, ya extemporánea o inoportunamente. ENCAJAR *un cuento, un chiste, una indirecta del Padre Cobos.* || **6.** fig. y fam. Disparar, dar o arrojar, en frases como las siguientes: *Le* ENCAJÉ *un trabucazo, un palo; le* ENCAJÉ *un tintero en la cabeza.* || **7.** fig. y fam. Hacer oir a uno alguna cosa, causándole molestia o enfado. *Me* ENCAJÓ *una arenga, un comedión, cincuenta páginas de filosofía ininteligible.* || **8.** fig. y fam. Hacer tomar o recibir una cosa, engañando o causando molestia al que la toma o recibe. ENCAJAR *a uno una moneda falsa,* o *un mamotreto para que lo lleve a tal o cual parte.* || **9.** fig. y fam. **Venir al caso.** Ú. frecuentemente con el adv. *bien.* || **10.** r. Meterse uno en parte estrecha; como en un concurso grande de gente, en un hueco de pared, etc. || **11.** fig. y fam. Vestirse una prenda. *Se* ENCAJÓ *el gabán.* || **12.** fig. y fam. Introducirse uno en alguna parte extemporánea o inopinadamente; meterse donde no es llamado.

Encaje. m. Acción de encajar una cosa en otra. || **2.** Sitio o hueco en que se mete o encaja una cosa. || **3.** Ajuste de dos piezas que cierran o se adaptan entre sí. || **4.** Medida y corte que tiene una cosa para que venga justa con otra, y, así unidas, se asienten y enlacen. || **5.** Cierto tejido de mallas, lazadas o calados, con flores, figuras u otras labores, que se hace con bolillos, aguja de coser o de gancho, etc., o bien a máquina. || **6.** Labor que llaman de taracea o embutidos, ya sea en madera, ya en piedras. || **7.** En el juego de las pintas, concurrencia del número que se va contando con el de la carta. || **8.** fam. V. **Ley del encaje.** || pl. *Blas.* Particiones del escudo en formas triangulares alternantes, de color y metal, y encajadas unas en otras. || **Encajes de la cara.** Aspecto en conjunto de las diferentes facciones de ella.

Encajerarse. r. *Mar.* Detenerse un cabo de labor entre la cajera y la roldana de un motón.

Encajero, ra. m. y f. Persona que se dedica a hacer encajes, o que los compone o vende.

Encajetillar. tr. Formar con cigarrillos o picadura los paquetes llamados cajetillas.

Encajonado, da. p. p. de **Encajonar.** || **2.** m. **Ataguía.** || **3.** *Arq.* Obra de tapia que se hace encajonando tierra y apisonándola dentro de tapiales o tablas puestas en cuchillo, de modo que quede entre ellas un hueco igual al grueso de la pared.

Encajonamiento. m. Acción y efecto de encajonar.

Encajonar. tr. Meter y guardar una cosa dentro de uno o más cajones. || **2.** Meter en un sitio angosto. Ú. m. c. r. || **3.** *Albañ.* Construir cimientos en cajones o zanjas abiertas. || **4.** *Arq.* Reforzar un muro a trechos con machones, formando encajonados. || **5.** r. Ahocinarse, correr el río, o el arroyo, por una angostura.

Encalabozar. tr. fam. Poner o meter a uno en calabozo.

Encalabriar. tr. desus. **Encalabrinar.** Usáb. t. c. r.

Encalabrinamiento. m. Acción y efecto de encalabrinar o encalabrinarse.

Encalabrinar. (De *en* y el dialect. *calabrina,* hedor de cadáver.) tr. Llenar la cabeza de un vapor o hálito que la turbe. Ú. t. c. r. || **2.** Excitar, irritar. ENCALABRINAR *los nervios.* || **3.** r. fam. Tomar una tema; empeñarse en una cosa sin darse a razones.

Encalada. f. Pieza de metal en el jaez del caballo.

Encalador, ra. adj. Que encala o blanquea. Ú. t. c. s. || **2.** m. En las tenerías, cuba donde meten las pieles con cal, para pelarlas.

Encaladura. f. Acción y efecto de encalar, 1.er art.

Encalambrarse. (De *en* y *calambre.*) r. *Colomb., Chile, Méj.* y *P. Rico.* Entumirse, aterirse.

Encalamocar. tr. *Colomb.* y *Venez.* Alelar, poner a uno calamocano o chocho. Ú. t. c. r.

Encalar. tr. Dar de cal o blanquear una cosa. Dícese principalmente de las paredes. || **2.** Meter en cal o espolvorear con ella alguna cosa.

Encalar. tr. Poner o meter algo en una cala o cañón; como se hace con el carbón en los hornillos de atanor.

Encalcar. (De *en* y *calcar.*) tr. *León, Sal.* y *Zam.* Recalcar, apretar.

Encalmadura. (De *encalmarse.*) f. *Veter.* Enfermedad de las caballerías ocasionada por el mucho trabajo en tiempo de grandes calores.

Encalmarse. (De *en* y *calma,* calor.) r. Sofocarse las bestias por trabajar mucho cuando hace demasiado calor o están muy gordas. || **2.** Tratándose del tiempo o del viento, quedar en calma.

Encalo. m. *And.* Blanqueo hecho con cal.

Encalostrarse. r. Enfermar el niño que ha mamado los calostros.

Encalvar. (De *en* y *calvo.*) intr. desus. **Encalvecer.**

Encalvecer. (De *en* y *calvecer.*) intr. Perder el pelo, quedar calvo.

Encalzar. (Del lat. **incalceare,* de *calx, calcis,* talón.) tr. ant. Perseguir, alcanzar.

Encalladero. m. Paraje donde pueden encallar las naves.

Encalladura. f. Acción y efecto de encallar.

Encallar. (En port. *encalhar;* en ital. *incagliare.*) intr. Dar la embarcación en arena o piedra, quedando en ellas sin movimiento. || **2.** fig. No poder salir adelante en un negocio o empresa. || **3.** r. Endurecerse algunos alimentos por quedar interrumpida su cocción. || **4.** ant. **Encallecer.** Ú. en *And.*

Encallecer. intr. Criar callos o endurecerse la carne a manera de callo. Ú. t. c. r. || **2.** r. fig. Endurecerse con la costumbre en los trabajos o en los vicios.

Encallejonar. tr. Hacer entrar o meter una cosa por un callejón, o por cualquier parte estrecha y larga a modo de callejón. ENCALLEJONAR *los toros.* Ú. t. c. r.

Encalletrar. (De *en* y *calletre.*) tr. ant. Fijar una cosa en la cabeza; persuadirse muy firmemente de ella. Usáb. t. c. r.

Encamación. (De *encamar.*) f. *Min.* Entibación hecha con ademas delgadas, unas junto a otras, dispuestas a lo largo de las excavaciones y sostenidas por estemples bien afirmados.

Encamado, da. p. p. de **Encamar.** || **2.** m. Resultado de encamarse las mieses.

Encamar. (De *en* y *cama.*) tr. Tender o echar una cosa en el suelo. || **2.** *Min.* Cubrir camadas o rellenar huecos con ramaje. || **3.** r. Echarse o meterse en la cama. Dícese más comúnmente del que se mete en ella por enfermedad, y no para dormir. || **4.** Echarse las reses y piezas de caza en los sitios que buscan para su descanso. || **5.** Permanecer agazapadas las liebres y otras piezas de caza. || **6.** Echarse o abatirse las mieses.

Encamarar. tr. Poner y guardar en la cámara los granos y frutos.

Encambijar. tr. Acopiar agua y distribuirla por medio de arcas o cambijas.

Encambrar. tr. **Encamarar.**

Encambronar. tr. Cercar con cambrones una tierra o heredad. || **2.** Fortificar y guarnecer con hierros una cosa. || **3.** r. ant. Ponerse tieso y cuellierguido, sin volver ni bajar la cabeza a nadie.

Encaminadura. (De *encaminar.*) f. **Encaminamiento.**

Encaminamiento. m. Acción y efecto de encaminar o encaminarse.

Encaminar. tr. Enseñar a uno por donde ha de ir, ponerle en camino. Ú. t. c. r. || **2.** Dirigir una cosa hacia un punto determinado. || **3.** fig. Enderezar la intención a un fin determinado; poner los medios que conducen a él.

Encamisada. f. En la milicia antigua, sorpresa que se ejecutaba de noche, cubriéndose los soldados con una camisa blanca para no confundirse con los enemigos. || **2.** Especie de mojiganga que se ejecutaba de noche con hachas, para diversión o muestra de regocijo.

Encamisar. tr. Poner la camisa. Ú. t. c. r. || **2. Enfundar,** 1.ª acep. || **3.** fig. Encubrir, disfrazar. || **4.** r. En nuestra antigua milicia, disfrazarse los soldados para una sorpresa nocturna, cubriéndose con camisas a fin de no confundirse con los enemigos.

Encamonado, da. adj. *Arq.* Hecho con camones, 2.° art., 3.ª acep. *Bóveda* ENCAMONADA.

Encamotarse. r. fam. *Argent., C. Rica, Chile* y *Ecuad.* Enamorarse, amartelarse.

Encampanado, da. p. p. de **Encampanar.** || **2.** adj. **Acampanado,** 2.ª acep. || **3.** Dícese de las piezas de artillería cuya ánima se va estrechando hacia el fondo de la recámara. || **Dejar** a uno **encampanado.** fr. fam. *Méj.* y *P. Rico.* Dejarle en la estacada, abandonarle en un apuro después de haberle metido en él.

Encampanar. (De *en* y *campana.*) tr. *P. Rico* y *Venez.* Elevar, encumbrar. Ú. t. c. r. || **2.** r. *Germ.* Ensancharse o ponerse hueco, haciendo alarde de guapo o valentón. || **3.** *Taurom.* Levantar el toro parado la cabeza como desafiando.

Encanalar. tr. Conducir el agua u otro líquido por canales, o hacer que un río o arroyo entre por un canal. Ú. t. c. r.

Encanalizar. tr. **Encanalar.**

Encanallamiento. m. Acción y efecto de encanallar o encanallarse.

Encanallar. tr. Corromper, envilecer a uno haciéndole tomar costumbres ruines y abyectas, propias de la canalla. Ú. t. c. r.

Encanamento. m. ant. **Canal.** || **2.** ant. *Arq.* Adorno horizontal formado por canecillos o modillones.

Encanarse. (De *en* y *caña.*) r. Pasmarse o quedarse envarado por la fuerza del llanto o de la risa. || **2.** *And.* y *Ar.* Entretenerse demasiado hablando. || **3.** *Cuen.* Quedarse detenida alguna cosa en un sitio donde no puede alcanzarse fácilmente, encolarse.

Encanastar. tr. Poner algo en una o más canastas.

Encancerarse. r. **Cancerarse.**

Encandecer. (Del lat. *incandescĕre.*) tr. Hacer ascua una cosa hasta que quede como blanca de puro encendida.

Encandelar. (De *en* y *candela.*) intr. *Agr.* Echar algunos árboles flores en amento o candelillas.

Encandiladera. f. fam. **Encandiladora.**

Encandilado, da. p. p. de **Encandilar.** || **2.** adj. fam. Erguido, levantado. || **3.** V. **Sombrero encandilado.**

Encandilador, ra. (De *encandilar.*) adj. desus. **Deslumbrador.** || **2.** f. fam. **Alcahueta,** 1.ª acep.

Encandilar. tr. Deslumbrar acercando mucho a los ojos el candil o vela o presentando de golpe a la vista una cantidad excesiva de luz. || **2.** fig. Deslumbrar, alucinar con apariencias o falsas razones. || **3.** fam. Avivar la lumbre. || **4.** r. Encenderse, inflamarse los ojos del que ha bebido demasiado o está poseído de una pasión torpe.

Encanecer. (Del lat. *in,* en, y *canescĕre.*) intr. Ponerse cano. || **2.** fig. Ponerse mohoso. Ú. t. c. r. || **3.** fig. Envejecer una persona. || **4.** tr. Hacer encanecer.

Encanijamiento. m. Acción y efecto de encanijar o encanijarse.

Encanijar. (De *en* y *canijo.*) tr. Poner flaco y enfermizo. Dícese más comúnmente de los niños. Ú. t. c. r.

Encanillar. tr. Devanar el hilo en las canillas.

Encantación. (Del lat. *incantatio, -ōnis.*) f. **Encantamiento.**

Encantadera. f. ant. **Encantadora,** 1.ª acep.

Encantado, da. p. p. de **Encantar.** || **2.** adj. fig. y fam. Distraído o embobado constantemente. || **3.** fig. y fam. Hablando de un palacio, casa u otro cualquier edificio, dícese del que es muy grande y lo habitan pocos, de modo que es necesario andar mucho para encontrar gente.

Encantador, ra. (Del lat. *incantātor.*) adj. Que encanta o hace encantamientos. Ú. t. c. s. || **2.** fig. Que hace muy viva y grata impresión en el alma o en los sentidos. || **El mal encantador, con la mano ajena saca la culebra.** ref. con que se moteja al que, desconfiado de su habilidad, se vale del auxilio ajeno para ostentarla.

Encantamento. m. **Encantamiento.**

Encantamiento. (Del lat. *incantamentum.*) m. Acción y efecto de encantar, 1.er art.

Encantar. (Del lat. *incantāre.*) tr. Obrar maravillas por medio de fórmulas y palabras mágicas, y ejerciendo un poder preternatural sobre cosas y personas, según la creencia del vulgo. || **2.** fig. Cautivar toda la atención de uno por medio de la hermosura, la gracia o el talento. || **3.** *Germ.* Entretener con razones aparentes y engañosas.

Encantar. (De *encanto,* 2.° art.) tr. *Ar.* Vender en pública subasta.

Encantarar. tr. Poner una cosa dentro de un cántaro. Dícese ordinariamente cuando se meten las cédulas o bolas para un sorteo, aunque no sea en cántaro, sino en caja, bolsa u otra cosa.

Encante. (De *encantar,* 2.° art.) m. p. us. Venta en pública subasta. || **2.** Paraje o lugar en que se hacen estas ventas.

Encanto. (De *encantar,* 1.er art.) m. **Encantamiento.** || **2.** fig. Cosa que suspende o embelesa. || **3.** m. pl. Atractivos físicos, gracias femeniles.

Encanto. (Del lat. *in quantum,* en cuanto.) m. ant. **Encante.**

Encantorio. (De *encantar,* 1.er art.) m. fam. **Encantamiento.**

Encantusar. (De *encantar,* 1.er art., y *engatusar.*) tr. fam. **Engatusar.**

Encanutar. tr. Poner una cosa en figura de canuto. Ú. t. c. r. || **2.** Meter algo en un canuto. || **3.** Emboquillar los cigarrillos.

Encañada. f. Cañada, garganta, o paso entre dos montes.

Encañado, da. p. p. de **Encañar,** 1.er art. || **2.** m. Conducto hecho de caños, o de otro modo, para conducir el agua.

Encañado, da. p. p. de **Encañar,** 2.° art. || **2.** m. Enrejado o celosía de cañas que se pone en los jardines para enredar y defender las plantas o para hacer divisiones.

Encañador, ra. m. y f. Persona que encaña la seda; generalmente es oficio de mujeres.

Encañadura. f. ant. **Encañado,** 1.er art.

Encañadura. f. Caña del centeno entera, sin quebrantar, que sirve para henchir jergones y albardas.

Encañar. (De *en* y *caño.*) tr. Hacer pasar el agua por encañados o conductos. || **2.** Sanear de la humedad las tierras por medio de encañados.

Encañar. tr. Poner cañas para sostener las plantas; como se hace en los tiestos de claveles. || **2.** **Encanillar.** || **3.** Colocar unas encima de otras las rajas de leña o los palos que han de formar la pila para el carboneo. || **4.** intr. *Agr.* Empezar a formar caña los tallos tiernos de los cereales. Ú. t. c. r.

Encañizada. (De *en* y *cañizo.*) f. Atajadizo que se hace con cañas en las lagunas, en los ríos o en el mar, para mantener algunos pescados sin que puedan escaparse y poderlos coger fácilmente. || **2.** **Encañado,** 2.° art., 2.ª acep.

Encañizar. (De *en* y *cañizo.*) tr. Poner cañizos a los gusanos de seda. || **2.** Cubrir con cañizos una bovedilla u otra cosa cualquiera.

Encañonado, da. p. p. de **Encañonar.** || **2.** adj. Se dice del humo y del viento cuando corren con alguna fuerza por sitios estrechos y largos.

Encañonar. tr. Dirigir o encaminar una cosa para que entre por un cañón. || **2.** Hacer correr las aguas de un río por un cauce cerrado con bóveda o por una tubería. ENCAÑONAR *las aguas del río para dar movimiento a un molino.* || **3.** Entre tejedores, encañar o encanillar. || **4.** Entre cazadores, fijar, precisar la puntería a la pieza. || **5.** Componer o planchar una cosa formando cañones; como las vueltas almidonadas, etc. || **6.** Entre encuadernadores, encajar un pliego dentro de otro. || **7.** intr. Echar cañones las aves, ya sea la primera vez que crían pluma, o ya cuando la mudan.

Encañutar. tr. ant. **Encanutar.** || **2.** intr. desus. Encañar las mieses.

Encapacetado, da. adj. Que lleva o usa capacete o yelmo.

Encapachadura. (De *encapachar.*) f. Conjunto de capachos que llenos de aceituna se apilan para que, apretándolos, salga el aceite.

Encapachar. tr. Meter alguna cosa en un capacho. Dícese comúnmente de la aceituna, que, después de molida, se pone en capachos para exprimirla. || **2.** *And.* Recoger todos los sarmientos de una cepa, atándolos y formando con ellos una especie de capa o cubierta, poniendo lo más espeso de ella hacia donde da el sol, para resguardar de él los racimos.

Encapado, da. p. p. de **Encapar** o **encaparse.** || **2.** adj. *Min.* Aplícase a la mina cuando el criadero no asoma a la superficie.

Encapar. tr. Poner la capa. Ú. t. c. r. || **2.** r. *Ar.* No poder nacer alguna planta, por haberse formado una costra dura en la tierra a causa de la lluvia.

Encapazar. tr. **Encapachar.**

Encaperuzar. tr. Poner la caperuza. Ú. t. c. r.

Encapillado, da. p. p. de **Encapillar.** || **2.** adj. V. **Vela encapillada.**

Encapilladura. f. Acción y efecto de encapillar o encapillarse.

Encapillar. (De *en* y *capillo.*) tr. *Cetr.* **Encapirotar.** || **2.** *Mar.* Enganchar un cabo a un penol de verga, cuello de palo o mastelero, etc., por medio de una gaza hecha al intento en uno de sus extremos. || **3.** *Min.* Formar en una labor un ensanche para arrancar de él otra labor nueva. || **4.** r. fig. y fam. p. us. Ponerse alguna ropa, particularmente cuando se mete por la cabeza, como la camisa. || **5.** *Mar.* Montar, engancharse o ponerse una cosa por encima de otra. || **6.** *Mar.* Alcanzar un golpe de mar a una embarcación e inundar su cubierta. || **Lo encapillado.** expr. fam. La ropa que se lleva puesta.

Encapirotar. tr. Poner el capirote. Ú. t. c. r.

Encaponado, da. adj. ant. **Acaponado.**

Encapotadura. (De *encapotar.*) f. **Ceño,** 2.° art., 1.ª acep.

Encapotamiento. (De *encapotar.*) m. **Encapotadura.**

Encapotar. tr. Cubrir con el capote. Ú. t. c. r. || **2.** r. fig. Poner el rostro ceñudo y con sobrecejo. || **3.** Se dice del cielo, del aire, de la atmósfera, etc., cuando se cubre de nubes, en especial si son obscuras o tempestuosas. || **4.** Bajar el caballo la cabeza demasiado, arrimando al pecho la boca. || **5.** *Cuba* y *P. Rico.* Enmantarse el ave.

Encapricharse. r. Empeñarse uno en sostener o conseguir su capricho.

Encapuchar. tr. Cubrir o tapar una cosa con capucha. Ú. t. c. r.

Encapullado, da. adj. Encerrado como la flor en el capullo.

Encapuzar. tr. Cubrir con capuz. Ú. t. c. r.

Encara. (Del lat. *hanc horam.*) adv. m. y t. ant. *Ar.* Aún, con todo.

Encarado, da. p. p. de **Encarar.** || **2.** adj. Con los advs. *bien* o *mal,* de buena o mala cara, de bellas o feas facciones.

Encaramadura. f. ant. Acción y efecto de encaramar o encaramarse. || **2.** ant. Altura, elevación.

Encaramar. (Del ár. *karma,* cepa de vid, con el pref. *en.*) tr. Levantar o subir a una persona o cosa, por lo común de modo anormal, dificultoso o precipitado. Ú. t. c. r. || **2.** Alabar, encarecer con extremo. Ú. t. c. r. || **3.** fig. y fam. Elevar, colocar en puestos altos y honoríficos. Ú. t. c. r.

Encaramiento. m. Acción y efecto de encarar o encararse.

Encaramillotar. (De *en* y *caramillo.*) tr. ant. **Encaramar,** 2.ª acep.

Encarar. intr. Ponerse uno cara a cara, enfrente y cerca de otro. Ú. t. c. r. || **2.** tr. Con los nombres *saeta, arcabuz,* etc., apuntar, dirigir a alguna parte la puntería. || **3.** fig. *Amér.* Hacer frente a un problema, dificultad, etc. Ú. t. c. r.

Encaratularse. r. Cubrirse la cara con mascarilla o carátula.

Encarcajado, da. adj. ant. Que lleva carcaj.

Encarcavinar. tr. Meter o poner a uno en la carcavina. || **2.** Atafagar con algún mal olor, como el que sale de las cárcavas. || **3.** Sofocar, asfixiar.

Encarcelación. f. Acción y efecto de encarcelar.

Encarcelador, ra. adj. Que encarcela.

Encarcelamiento. m. Acción y efecto de encarcelar.

Encarcelar. tr. Poner a uno preso en la cárcel. || **2.** *Albañ.* Asegurar con yeso o cal una pieza de madera o hierro. ENCARCELAR *un marco, una reja.* || **3.** Sujetar dos piezas de madera recién encoladas, en la cárcel de carpintero, para que se peguen bien.

Encarcerar. (Del lat. *in,* en, y *carcerāre.*) tr. ant. **Encarcelar.**

Encarecedor, ra. adj. Que encarece o que exagera. Ú. t. c. s.

Encarecer. (Del lat. *incarescĕre.*) tr. Aumentar o subir el precio de una cosa; hacerla cara. Ú. t. c. intr. y c. r. || **2.** fig. Ponderar, exagerar, alabar mucho una cosa. || **3.** Recomendar con empeño.

Encarecidamente. adv. m. Con encarecimiento.

Encarecimiento. m. Acción y efecto de encarecer. || **Con encarecimiento.** m. adv. Con instancia y empeño.

Encargadamente. adv. m. ant. Encarecidamente, con encargo y empeño.

Encargado, da. p. p. de **Encargar.** || **2.** adj. Que ha recibido un encargo. || **3.** m. y f. Persona que tiene a su cargo una casa, un establecimiento, un negocio, etc., en representación del dueño o interesado. || **de negocios.** Agente diplomático, inferior en categoría al ministro residente.

Encargamiento. (De *encargar.*) m. ant. **Encargo,** 1.ª acep.

Encargar. (De *cargar.*) tr. Encomendar, poner una cosa al cuidado de uno. Ú. t. c. r. || **2.** Recomendar, aconsejar, prevenir. || **3.** Pedir que se traiga o envíe de otro lugar alguna cosa. || **4.** ant. **Cargar,** 1.ª y 7.ª aceps.

Encargo. m. Acción y efecto de encargar o encargarse. || **2.** Cosa encargada. || **3.** Cargo o empleo. || **Como de encargo,** o **como hecho de encargo.** m. adv. para indicar que algo reúne todas las condiciones apetecibles.

Encariñar. tr. Aficionar, despertar o excitar cariño. Ú. m. c. r.

Encarna. (De *encarnar.*) f. *Mont.* Acción de cebar los perros en las tripas del venado muerto.

Encarnación. (Del lat. *incarnatĭo, -ōnis.*) f. Acción de encarnar. Dícese especialmente del acto misterioso de haber tomado carne humana el Verbo Divino en las entrañas virginales de María Santísima. || **2.** fig. Personificación, representación o símbolo de una idea, doctrina, etc. || **3.** *Esc.* y *Pint.* Color de carne con que se pinta el desnudo de las figuras humanas. || **de paletilla.** *Esc.* y *Pint.* La no bruñida. || **de pulimento.** *Esc.* y *Pint.* La bruñida y lustrosa. || **mate.** *Esc.* y *Pint.* **Encarnación de paletilla.**

Encarnadino, na. adj. De color encarnado bajo.

Encarnado, da. p. p. de **Encarnar.** || **2.** adj. De color de carne. Ú. t. c. s. m. || **3. Colorado,** 2.ª acep. || **4.** V. **Lápiz encarnado.** || **5.** V. **Perpetua encarnada.** || **6.** fig. V. **Diablo encarnado.** || **7.** m. Color de carne que se da a las estatuas.

Encarnadura. (De *encarnar.*) f. Disposición atribuida a los tejidos del cuerpo vivo para cicatrizar o reparar sus lesiones. *Tener buena,* o *mala,* ENCARNADURA. || **2.** Efecto de encarnar, 3.ª acep. || **3.** *Mont.* Acción de encarnarse el perro en la caza.

Encarnamiento. m. Efecto de encarnar, 2.ª acep.

Encarnar. (Del lat. *incarnāre.*) intr. Revestir una substancia espiritual, una idea, etc., de un cuerpo de carne; dícese principalmente del acto de hacerse hombre el Verbo Divino. || **2.** Criar carne cuando se va mejorando y sanando una herida. || **3.** Introducirse por la carne la saeta, espada u otra arma. || **4.** fig. Hacer fuerte impresión en el ánimo una cosa o especie. || **5.** *Mont.* Cebarse el perro en la caza que coge, sin dejarla hasta que la mata. Ú. t. c. r. || **6.** tr. fig. Personificar, representar alguna idea, doctrina, etc. || **7.** Entre pescadores, colocar la carnada en el anzuelo. || **8.** *Mont.* Cebar al perro en una res muerta, para acostumbrarle a que se encarnice. || **9.** *Esc.* y *Pint.* Dar color de carne a las esculturas. || **10.** r. fig. Mezclarse, unirse, incorporarse una cosa con otra.

Encarnativo, va. (De *encarnar.*) adj. *Cir.* Aplícase al medicamento que facilita el encarnamiento de las heridas. Ú. t. c. s. m. y f.

Encarne. (De *encarnar.*) m. *Mont.* Primer cebo que se da a los perros, de la res muerta en montería, que regularmente suele ser de las entrañas y la sangre.

Encarnecer. intr. Tomar carnes; hacerse más corpulento y grueso.

Encarnizadamente. adv. m. Cruelmente, con encarnizamiento.

Encarnizado, da. p. p. de **Encarnizar.** || **2.** adj. Encendido, ensangrentado, de color de sangre o carne. Dícese más comúnmente de los ojos. || **3.** Dícese de la batalla, riña, etc., muy porfiada y sangrienta.

Encarnizamiento. m. Acción de encarnizarse. || **2.** fig. Crueldad con que uno se ceba en el daño o en la infamia de otro.

Encarnizar. (De *en* y *carniza.*) tr. Cebar un perro en la carne de otro animal para que se haga fiero. || **2.** fig. Encruelecer, irritar, enfurecer. Ú. t. c. r. || **3.** r. Cebarse con ansia en la carne los lobos y animales hambrientos cuando matan una res. También se dice de otros animales que, después que han probado y gustado la carne, se ceban en ella. || **4.** fig. Mostrarse cruel contra una persona, persiguiéndola o perjudicándola en su opinión o sus intereses. || **5.** *Mil.* Batirse con furor dos cuerpos de tropas enemigas.

Encaro. (De *encarar.*) m. Acción de mirar a uno con algún género de cuidado y atención. || **2.** Acción de encarar o apuntar una arma. || **3. Puntería.** || **4.** Escopeta corta, especie de trabuco. || **5.** Parte de la culata de la escopeta donde se apoya la mejilla al hacer la puntería.

Encarpetar. tr. Guardar papeles en carpetas. || **2.** *Argent., Chile, Ecuad.* y *Perú.* Dar carpetazo, dejar detenido un expediente.

Encarre. (De *acarrear.*) m. *Min. And.* Número de espuertas cargadas de mineral, que en cada entrada llevan los operarios de trecho a trecho.

Encarriladera. f. Aparato que se emplea en los ferrocarriles para encarrilar la locomotora y los vagones.

Encarrilar. (De *en* y *carril.*) tr. Encaminar, dirigir y enderezar una cosa, como carro, coche, etc., para que siga el camino o carril que debe. || **2.** Colocar sobre los carriles o rieles un vehículo descarrilado. || **3.** fig. Dirigir por el rumbo o por los trámites que conducen al acierto una pretensión o expediente que iba por un camino que estorbaba su logro y dilataba su conclusión. **4.** r. **Encarrillarse.**

Encarrillar. tr. **Encarrilar.** || **2.** r. Salirse la cuerda o soga del carrillo o garrucha, hacia las asas, de modo que se imposibilita el movimiento.

Encarroñar. (De *en* y *carroña.*) tr. Inficionar y ser causa de pudrirse una cosa Ú. t. c. r.

Encarrujado, da. p. p. de **Encarrujarse.** || **2.** adj. Rizado, ensortijado o plegado con arrugas menudas. || **3.** *Méj.* Aplícase al terreno quebrado. || **4.** m. Especie de labor de arrugas menudas que se usaba en algunos tejidos de seda; como terciopelos, etc. || **5.** *Germ.* Toca de mujer.

Encarrujarse. r. Retorcerse, ensortijarse; como sucede en el hilo cuando está muy torcido, en el cabello cuando es muy crespo, o en las hojas de algunas plantas y árboles que naturalmente se retuercen.

Encartación. (De *encartar.*) f. Empadronamiento en virtud de carta de privilegio. || **2.** Reconocimiento de sujeción o vasallaje que hacían al señor los pueblos y lugares, pagándole por su dominio la cantidad convenida. || **3.** Pueblo o lugar que tomaba a un señor por su dueño, y le pagaba cierto tributo por vía de vasallaje. || **4.** Territorio al cual, por virtud de cartas o privilegios reales, se hacen extensivos los fueros y exenciones de una comarca limítrofe.

Encartado, da. p. p. de **Encartar.** || **2.** Natural de las Encartaciones, de Vizcaya. Ú. t. c. s. || **3.** Perteneciente a ellas. || **4.** *For.* Sujeto a un proceso. Aplicábase en lo antiguo al que era llamado por pregón para responder a una querella o acusación criminal, y al cual, por no querer venir al emplazamiento, el juez mandaba que no entrase en el lugar o tierra donde moraba o de donde era natural. Usáb. t. c. s.

Encartamiento. m. Acción y efecto de encartar. || **2.** Despacho judicial en que se contenía la sentencia condenatoria del reo ausente. || **3. Encartación.**

Encartar. (De *en* y *carta.*) tr. Proscribir a un reo constituido en rebeldía, después de llamarle por bandos públicos. || **2.** En lo antiguo, llamar a juicio o emplazar a uno por edictos y pregones. || **3.** Incluir a uno en una dependencia, compañía o negociado. || **4.** Incluir y sentar a uno o varios en los padrones o matrículas para los repartimientos y cargas de gabelas, tributos y servicios. || **5.** En los juegos de naipes, jugar al contrario o al compañero carta a la cual pueda servir del palo, especialmente cuando puede matar y está obligado a ello. || **6.** r. En los juegos de naipes, tomar uno cartas, o quedarse con ellas, del mismo palo que otro, de modo que tenga que servir a él, sin poder descartarse de las que le perjudican.

Encarte. m. Acción y efecto de encartar o encartarse en los juegos de naipes. || **2.** En varios juegos de naipes, orden casual en que éstos quedan al fin de cada mano, el cual suele servir de guía a los jugadores para la siguiente.

Encartonador. m. El que encartona los libros para encuadernarlos.

Encartonar. tr. Poner cartones. || **2.** Resguardar con cartones una cosa. || **3.** Encuadernar sólo con cartones cubiertos de papel.

Encartuchar. tr. *Colomb., Chile, Ecuad.* y *P. Rico.* Enrollar en forma de cucurucho. Ú. t. c. r.

Encartujado. m. *Germ.* **Encarrujado,** 4.ª acep.

Encasamento. (De *encasar.*) m. ant. **Nicho,** 1.ª acep. || **2.** *Arq.* Adorno de fajas y molduras en una pared o bóveda.

Encasamiento. m. **Encasamento.** || **2.** ant. Reparo de las casas.

Encasar. (Del lat. *in,* en, y *capsa,* caja, véase *encajar.*) tr. *Cir.* Volver un hueso a su lugar, cuando se ha salido de él.

Encascabelar. tr. Poner cascabeles, o adornar con cascabeles. Ú. t. c. r. || **2.** r. desus. *Cetr.* Meter el azor el pico en el cascabel.

Encascotar. (De *en* y *cascote.*) tr. Rellenar con cascote una cavidad. || **2.** *Albañ.* Introducir cascotes en la mezcla después de tendida, para reforzarla.

Encasillable. adj. Que se puede encasillar.

Encasillado, da. p. p. de **Encasillar.** || **2.** m. Conjunto de casillas. || **3.** Lista de candidatos adeptos al gobierno, a quienes éste señalaba distrito para las elecciones de diputados.

Encasillar. (De *en* y *casilla*.) tr. Poner en casillas. || **2.** Clasificar personas o cosas distribuyéndolas en sus sitios correspondientes. || **3.** Señalar el gobierno a un candidato adepto el distrito en el cual le presentaba para las elecciones de diputados.

Encasquetar. (De *en* y *casquete*.) tr. Encajar bien en la cabeza el sombrero, gorra, boina, etc. Ú. t. c. r. || **2.** fig. Meter a uno algo en la cabeza, por lo común sin el debido fundamento. ENCASQUETARLE *a uno una opinión.* || **3.** fig. **Encajar,** 7.ª acep. *Nos* ENCASQUETÓ *la perorata que traía preparada.* || **4.** r. Metérsele a uno alguna especie en la cabeza, arraigada y obstinadamente. *Se le* ENCASQUETÓ *la idea de viajar.* || **5.** *And.* Encajarse, meterse de rondón.

Encasquillador. (De *encasquillar*.) m. *Amér.* **Herrador.**

Encasquillar. tr. Poner casquillos. || **2.** *Amér.* **Herrar,** 1.ª acep. || **3.** r. Atascarse una arma de fuego con el casquillo de la bala al disparar. || **4.** *Cuba.* fig. y fam. Acobardarse, acoquinarse.

Encastar. tr. Mejorar una raza o casta de animales, cruzándolos con otros de mejor calidad y propiedades. || **2.** intr. Procrear, hacer casta.

Encastillado, da. p. p. de **Encastillar.** || **2.** adj. fig. Altivo y soberbio.

Encastillador, ra. adj. Que encastilla.

Encastillamiento. m. Acción y efecto de encastillar o encastillarse.

Encastillar. tr. Fortificar con castillos un pueblo o paraje. || **2. Apilar.** || **3.** Armar un castillejo para la construcción de una obra. || **4.** En las colmenas, hacer las abejas los castillos o maestriles para sus reinas. || **5.** r. Encerrarse en un castillo y hacerse allí fuerte para defenderse. || **6.** fig. Acogerse a parajes altos, ásperos y fuertes, como riscos y sierras, para guarecerse. || **7.** fig. Perseverar uno con tesón, y a veces con obstinación, en su parecer y dictamen, sin dar oídos a razones y persuasiones en contrario.

Encastrar. (Del lat. **incastrāre*, encajar.) tr. *Mec.* Endentar dos piezas.

Encatalejar. tr. *Sal.* Ver de lejos, columbrar.

Encatarrado, da. (De *en* y *catarro*.) adj. desus. Que está acatarrado.

Encativar. (De *en* y *cativo*.) tr. ant. **Cautivar.**

Encatusar. tr. **Engatusar.**

Encauchado. p. p. de **Encauchar.** || **2.** m. *Amér.* Ruana con dos telas y una capa de caucho en medio.

Encauchar. tr. Cubrir con caucho.

Encausar. tr. Formar causa a uno; proceder contra él judicialmente.

Encauste. m. **Encausto.**

Encáustico, ca. (Del lat. *encaustĭcus*, y éste del gr. ἐγκαυστικός.) adj. *Pint.* Aplícase a la pintura hecha al encausto. || **2.** m. Preparado de cera para preservar de la humedad la piedra, la madera o las paredes, y darles brillo.

Encausto. (Del lat. *encaustum*, y éste del gr. ἔγκαυστον.) m. Tinta roja con que en lo antiguo escribían sólo los emperadores. || **2.** *Pint.* Adustión o combustión. || **Pintar al encausto.** fr. Pintar con adustión o por medio del fuego, ya con ceras coloridas y desleídas aplicadas por medio de un hierrecillo caliente, ya en marfil con punzón o buril encendido, o ya con esmalte sobre vidrio, barro o porcelana.

Encauzamiento. m. Acción y efecto de encauzar.

Encauzar. tr. Abrir cauce; encerrar o dar dirección por un cauce a una corriente. || **2.** fig. Encaminar, dirigir por buen camino un asunto, una discusión, etc.

Encavarse. (De *en* y *cava*, cueva.) r. Ocultarse el ave, conejo, etc., en una cueva o agujero.

Encebadamiento. (De *encebadar*.) m. *Veter.* Enfermedad que contraen las bestias caballares por beber mucha agua después de haber comido buenos piensos.

Encebadar. tr. Dar a las bestias tanta cebada, que les haga daño. || **2.** r. *Veter.* Enfermar una caballería de encebadamiento.

Encebollado, da. p. p. de **Encebollar.** || **2.** m. Guisado de carne, partida en trozos, mezclada con cebolla y sazonada con especias, rehogado todo ello con aceite.

Encebollar. tr. Echar cebolla en abundancia a un manjar.

Encebra. (De *encebro*.) f. ant. **Cebra,** 1.ª acep.

Encebro. (Del lat. **equifĕrus*, caballo salvaje.) m. ant. **Encebra.**

Encefálico, ca. adj. Perteneciente o relativo al encéfalo. *Masa* ENCEFÁLICA.

Encefalitis. f. *Med.* Inflamación del encéfalo. || **letárgica.** *Med.* Variedad infecciosa y generalmente epidémica de la **encefalitis,** caracterizada, entre otros síntomas, por la tendencia prolongada a la somnolencia.

Encéfalo. (Del gr. ἐγκέφαλον; de ἐν, en, y κεφαλή, cabeza.) m. *Zool.* Conjunto de órganos que forman parte del sistema nervioso de los vertebrados y están contenidos en la cavidad del cráneo. || **2.** *Zool.* V. **Istmo, ventrículo del encéfalo.**

Encelado, da. p. p. de **Encelar.** || **2.** adj. fam. *Ar.* Dícese de la persona que está muy enamorada.

Encelajarse. impers. Cubrirse de celajes.

Encelamiento. m. Acción y efecto de encelar o encelarse.

Encelar. (Del lat. *in*, en, y *celāre*, ocultar.) tr. ant. Encubrir, esconder, ocultar.

Encelar. tr. **Dar celos.** || **2.** r. Concebir celos de una persona. || **3.** Estar en celo un animal.

Enceldamiento. m. Acción y efecto de enceldar.

Enceldar. tr. Encerrar en una celda. Ú. t. c. r.

Encella. (Del lat. *fiscĭlla*, cestilla.) f. Modelo o forma que sirve para hacer quesos y requesones.

Encellar. tr. Dar forma al queso o al requesón en la encella.

Encenagado, da. p. p. de **Encenagarse.** || **2.** adj. Revuelto o mezclado con cieno.

Encenagamiento. m. Acción y efecto de encenagarse.

Encenagarse. (Del ant. *cenagar*, del lat. **coenicāre*, de *coenum*, cieno.) r. Meterse en el cieno. || **2.** Ensuciarse, mancharse con cieno. || **3.** fig. Entregarse a los vicios.

Encencerrado, da. adj. Que trae cencerro.

Encendaja. (Del lat. *incendĕre*, mediante un der. *incendacŭlum*.) f. Ramas, hierba seca o cualquier otra cosa propia para encender el fuego. Dícese más especialmente de las ramas secas que se emplean para dar fuego a los hornos. Ú. m. en pl.

Encendedor, ra. adj. Que enciende. Ú. t. c. s. || **2.** m. Aparato que sirve para encender por medio de una llama o de una chispa producida por la electricidad o por una piedra. || **de bolsillo.** Aparato que substituye a los fósforos; lleva una mecha que se prende al producirse en él una chispa.

Encender. (Del lat. *incendĕre*.) tr. Hacer que una cosa arda para que dé luz o calor. || **2.** Pegar fuego, incendiar. || **3.** Causar ardor y encendimiento. *La pimienta* ENCIENDE *la lengua.* Ú. t. c. r. || **4.** fig. Tratándose de guerras, suscitar, ocasionar. Ú. t. c. r. || **5.** fig. Incitar, inflamar, enardecer. Ú. t. c. r. *Sintió* ENCENDÉRSELE *la cólera.* || **6.** r. fig. Ponerse colorado, ruborizarse.

Encendidamente. adv. m. fig. Con ardor y viveza.

Encendido, da. p. p. de **Encender.** || **2.** adj. De color rojo muy subido. || **3.** m. En los motores de explosión, conjunto de la instalación eléctrica y aparatos destinados a producir la chispa.

Encendiente. p. a. de **Encender.** p. us. Que enciende.

Encendimiento. (De *encender*.) m. Acto de estar ardiendo y abrasándose una cosa. || **2.** fig. Ardor, inflamación y alteración vehemente de una cosa, como de la cólera, de la sangre, etc. || **3.** fig. Viveza y ardor de las pasiones humanas.

Encendrar. (Del lat. *incinĕrāre*, hacer cenizas.) tr. p. us. **Acendrar.**

Encenizar. tr. Echar ceniza sobre una cosa. Ú. t. c. r.

Encensar. (De *censo*.) tr. ant. **Encensuar.**

Encensario. m. ant. **Incensario.**

Encensuar. (Del b. lat. *censuare*.) tr. ant. **Acensuar.**

Encentador, ra. adj. Que encienta o empieza una cosa.

Encentadura. f. Acción y efecto de encentar.

Encentamiento. m. Efecto de encentar o encentarse.

Encentar. (De *encetar*.) tr. **Decentar,** 1.ª acep. || **2.** ant. Cortar o mutilar un miembro. || **3.** r. **Decentarse.**

Encentrar. tr. **Centrar.**

Encepador. m. El que tiene por oficio encepar los cañones de las armas de fuego.

Encepadura. f. *Carp.* Acción y efecto de encepar, 3.ª acep.

Encepar. tr. Meter a uno en el cepo. || **2.** Echar la caja al cañón de una arma de fuego. || **3.** *Carp.* Reunir o asegurar piezas de construcción por medio de cepos. || **4.** *Mar.* Poner los cepos a las anclas y anclotes. || **5.** intr. Echar las plantas raíces que penetren bien en la tierra. Ú. t. c. r. || **6.** r. *Mar.* Enredarse el cable o cadena en el cepo del ancla fondeada.

Encepe. m. Acción y efecto de encepar las plantas.

Encerado, da. p. p. de **Encerar.** || **2.** adj. De color de cera. || **3.** V. **Huevo encerado.** || **4.** m. Lienzo aderezado con cera o cualquiera materia bituminosa para hacerlo impermeable. || **5.** Lienzo o papel que se ponía en las ventanas para resguardarse del aire, aunque no estuviese aderezado con cera. || **6.** Emplasto compuesto de cera y otros ingredientes. || **7.** Cuadro de hule, lienzo barnizado, madera u otra substancia apropiada, que se usa en las escuelas para escribir o dibujar en él con clarión y poder borrar con facilidad. || **8.** Capa tenue de cera con que se cubren los entarimados y muebles.

Encerador, ra. m. y f. Persona que se dedica a encerar pavimentos. || **2.** f. Máquina eléctrica que hace girar uno o varios cepillos para dar cera y lustre a los pavimentos.

Enceramiento. m. Acción y efecto de encerar.

Encerar. (Del lat. *incerāre*.) tr. Aderezar con cera alguna cosa. || **2.** Manchar con cera, como cuando las hachas o velas gotean. || **3.** *Albañ.* Espesar la cal. || **4.** intr. Tomar color de cera o amarillear las mieses; madurar. Ú. t. c. r.

Encercar. tr. ant. **Cercar.**

Encerco. (De *encercar.*) m. ant. **Cerco.**

Encernadar. tr. Cubrir una cosa con cernada.

Encerotar. tr. Dar con cerote al hilo que usan los zapateros, boteros, etc.

Encerradero. (De *encerrar.*) m. Sitio donde se recogen los rebaños cuando llueve o se los va a esquilar o están recién esquilados. || **2. Encierro,** 6.ª acep.

Encerrado, da. p. p. de **Encerrar.** || **2.** adj. ant. Breve, sucinto.

Encerrador, ra. adj. Que encierra. Ú. t. c. s. || **2.** m. El que por oficio encierra el ganado mayor en los mataderos.

Encerradura. (De *encerrar.*) f. **Encerramiento.**

Encerramiento. m. **Encierro,** 1.ª, 3.ª y 4.ª aceps. || **2.** ant. Coto o término cerrado, para pastos, etc.

Encerrar. (De *en* y *cerrar.*) tr. Meter a una persona o cosa en parte de que no pueda salir. || **2.** fig. Incluir, contener. || **3.** En el juego del revesino, dejar a uno con las cartas mayores, de modo que precisamente ha de hacer todas las bazas que faltan. || **4.** En el juego de damas y en otros de tablero, poner al contrario en estado de que no pueda mover las piezas que le quedan o alguna de ellas. || **5.** *Méj.* Reservar al Santísimo Sacramento. || **6.** r. fig. Retirarse del mundo; recogerse en una clausura o religión.

Encerrizar. tr. *Ast.* Azuzar, irritar, estimular, encorajar. || **2.** r. Empeñarse tenaz y ciegamente en algo.

Encerrona. (De *encerrar.*) f. fam. Retiro o encierro voluntario de una o más personas para algún fin. || **2.** Situación, preparada de antemano, en que se coloca a una persona para obligarla a que haga algo mal de su grado. || **3.** En el juego del dominó, el cierre cuando los tantos que quedan en la mano son muchos. || **4.** *Taurom.* Lidia de toros en privado. || **Hacer la encerrona.** fr. fam. Retirarse del trato ordinario por poco tiempo con algún designio.

Encertar. (De *en* y *cierto.*) tr. ant. **Acertar.**

Encespedar. (De *en* y *césped.*) tr. Cubrir con césped.

Encestar. tr. Poner, recoger, guardar algo en una cesta. || **2.** Meter a uno en un cesto: especie de pena afrentosa que se usó antiguamente. || **3.** ant. Embaucar, engañar. || **4.** fam. desus. Dejar pegado a la pared al contrincante en una disputa.

Encetadura. f. **Encentadura.**

Encetar. (Del lat. *inceptāre,* frec. de *incipĕre,* comenzar.) tr. **Encentar.**

Encia. (De *hacia,* infl. por *en.*) prep. ant. **Hacia.**

Encía. (Del lat. *gĭngīva.*) f. Carne que cubre interiormente la quijada y guarnece la dentadura.

Encíclica. (Del lat. *encyclĭca,* t. f. de *-cus,* y éste del gr. ἐγκύκλιος, circular; de ἐν, en, y κύκλος, círculo.) f. Carta o misiva que dirige el sumo pontífice a todos los obispos del orbe católico.

Enciclopedia. (Del gr. ἐν, en; κύκλος, círculo, y παιδεία, instrucción.) f. Conjunto de todas las ciencias. || **2.** Obra en que se trata de muchas ciencias. || **3.** Conjunto de tratados pertenecientes a diversas ciencias o artes. || **4. Enciclopedismo.** || **5.** Diccionario enciclopédico.

Enciclopédico, ca. adj. Perteneciente a la enciclopedia.

Enciclopedismo. m. Conjunto de doctrinas profesadas por los autores de la Enciclopedia publicada en Francia a mediados del siglo XVIII, y por los escritores que siguieron sus enseñanzas en la misma centuria.

Enciclopedista. adj. Dícese del que profesa el enciclopedismo. Ú. t. c. s.

Encielar. tr. *Chile.* Poner a una cosa cielo, 9.ª acep.

Enciensо. (Del lat. *incēnsum,* quemado.) m. ant. **Incienso.**

Encienso. (Del lat. *absĭnthium,* ajenjo.) m. ant. **Ajenjo.**

Encierra. f. *Chile.* Acto de encerrar las reses en el matadero. || **2.** *Chile.* Invernadero, lugar reservado en un potrero para que pasten las reses en el invierno.

Encierro. m. Acción y efecto de encerrar o encerrarse. || **2.** Lugar donde se encierra. || **3.** Clausura, recogimiento. || **4.** Prisión muy estrecha, y en parte retirada y sola de la cárcel, para que el reo no tenga comunicación. || **5.** Acto de traer los toros a encerrar en el toril. || **6. Toril.**

Encima. (De *en* y *cima.*) adv. l. En lugar o puesto superior respecto de otro inferior. Ú. t. en sentido fig. || **2.** Descansando o apoyándose en la parte superior de una cosa. Ú. t. en sentido fig. *Echarse* ENCIMA *una responsabilidad.* || **3.** adv. c. Además, sobre otra cosa. *Dio seis pesetas, y otras dos* ENCIMA. *Le insultaron y* ENCIMA *le apalearon.* || **Por encima.** m. adv. Superficialmente, de pasada, a bulto. || **Por encima de** una persona o cosa. fr. adv. A pesar de ella. Contra su voluntad.

Encimar. (De *encima.*) tr. Poner en alto una cosa; ponerla sobre otra. Ú. t. c. intr. || **2.** En el juego del tresillo, añadir una puesta a la que ya había en el plato. || **3.** *Colomb.* y *Perú.* Dar encima de lo estipulado, añadir. || **4.** ant. Acabar, terminar, dar cima. || **5.** r. Elevarse, levantarse una cosa a mayor altura que otra del mismo género.

Encimero, ra. adj. Que está o se pone encima. || **2.** *Nav.* m. Mirón, el que mira a los que juegan a las cartas. || **3.** f. *Arg.* Pieza superior del pegual, con una argolla en sus extremos.

Encina. (Del adj. lat. *ilicīna,* por *ilex, -ĭcis.*) f. *Bot.* Árbol de la familia de las fagáceas, de 10 a 12 metros de altura, con tronco grueso, ramificado en varios brazos, de donde parten las ramas, formando una copa grande y redonda; hojas elípticas, algo apuntadas, a veces espinosas, duras, correosas, persistentes, verdinegras por la haz y más o menos blanquecinas por el envés; florecillas de color verde amarillento; por fruto, bellotas dulces o amargas, según las variedades, y madera muy dura y compacta. || **2.** Madera de este árbol.

Encinal. m. **Encinar.**

Encinar. m. Sitio poblado de encinas.

Encino. m. **Encina.**

Encinta. (Del lat. *incincta,* desceñida.) adj. **Embarazada.**

Encintado, da. p. p. de **Encintar.** || **2.** m. Acción y efecto de encintar. || **3.** Faja o cinta de piedra que forma el borde de una acera, de un andén, etc.

Encintar. tr. Adornar, engalanar con cintas. || **2.** Poner el cintero a los novillos. || **3.** Poner en una habitación las cintas de un solado, o en una vía la hilera de piedras que marca la línea y el resalto de las aceras. || **4.** *Mar.* Poner las cintas a un buque.

Encintar. (De *encinta.*) tr. desus. **Empreñar.** Ú. t. c. r.

Encismar. tr. Poner cisma o discordia entre los individuos de una familia, corporación o parcialidad.

Enciso. (Del lat. *incīsus,* cortado.) m. Terreno adonde salen a pacer las ovejas luego que paren.

Encitar. tr. ant. **Incitar.**

Enciva. (Del lat. *gĭngīva.*) ant. **Encía.**

Encizañador, ra. adj. **Cizañador.** Ú. t. c. s.

Encizañar. tr. **Cizañar.**

Enclarar. tr. ant. **Aclarar.**

Enclarescer. (Del lat. *inclarescĕre.*) tr. ant. **Esclarecer.**

Enclaustrar. tr. Encerrar en un claustro. Ú. t. c. r. || **2.** fig. Meter, esconder en un paraje oculto. Ú. t. c. r.

Enclavación. f. Acción de enclavar o fijar con clavos.

Enclavado, da. p. p. de **Enclavar.** || **2.** adj. Dícese del sitio encerrado dentro del área de otro. Ú. t. c. s. || **3.** Dícese del objeto encajado en otro. *Hueso* ENCLAVADO *en la base del cráneo.* || **4.** *Blas.* V. **Escudo enclavado.**

Enclavadura. (De *enclavar.*) f. **Clavadura.** || **2.** Muesca o hueco por donde se unen dos maderos o tablas.

Enclavar. tr. **Clavar,** 2.ª y 5.ª aceps. || **2.** fig. Traspasar, atravesar de parte a parte. || **3.** fig. y fam. **Engañar,** 2.ª acep.

Enclavazón. f. ant. **Clavazón.**

Enclavijar. tr. Trabar una cosa con otra uniéndolas entre sí y como enlazándolas. || **2.** Poner las clavijas a un instrumento. || **3.** *Germ.* Cerrar o apretar.

Enclenque. (Acaso del lat. *in* y *clinĭcus,* enfermo.) adj. Falto de salud, enfermizo. Ú. t. c. s.

Énclisis. f. *Gram.* Unión de una palabra enclítica a la que la precede.

Enclítico, ca. (Del lat. *enclitĭcus,* y éste del gr. ἐγκλιτικός, inclinado.) adj. *Gram.* Dícese de la partícula o parte de la oración que se liga con el vocablo precedente, formando con él una sola palabra. En la lengua española son partículas **enclíticas** los pronombres pospuestos al verbo. *Aconséja*ME, *sosiéga*TE, *dí-ce*SE. Ú. t. c. s. f.

Enclocar. intr. Ponerse clueca una ave; como gallina, ánade, etc. Ú. m. c. r.

Encloquecer. intr. **Enclocar.**

Encobador, ra. (De *encobar.*) adj. ant. **Encubridor.** Usáb. t. c. s.

Encobar. (Del lat. *incŭbāre,* echarse.) intr. Echarse las aves y animales ovíparos sobre los huevos para empollarlos. Ú. t. c. r.

Encobertado, da. adj. fam. Tapado con un cobertor.

Encobijar. tr. **Cobijar.**

Encobilarse. r. *Murc.* Encamarse la caza.

Encobrado, da. adj. Aplícase a los metales que tienen mezcla de cobre. || **2.** De color de cobre.

Encobrar. tr. desus. Poner en cobro, salvar. || **2.** *Chile.* Sujetar un extremo del lazo en un tronco, piedra, etc., para afianzar mejor al animal enlazado con el otro extremo.

Encobrar. tr. Cubrir con una capa de cobre.

Encoclar. intr. **Enclocar.** Ú. m. c. r.

Encocorar. (De *en* y *cócora.*) tr. fam. Fastidiar, molestar con exceso. Ú. t. c. r.

Encochado, da. adj. Dícese del que está o anda mucho en coche.

Encodillarse. (De *en* y *codillo,* d. de *codo.*) r. Encerrarse o detenerse el hurón o el conejo en un recodo de la madriguera.

Encofinar. tr. *Murc.* Meter los higos secos en cofines.

Encofrado. p. p. de **Encofrar.** || **2.** m. *Albañ.* Revestimiento de madera para hacer el vaciado de una cornisa. || **3.** *Fort.* Revestimiento de madera que se construye para contener las tierras en las galerías de las minas, y que se sostiene por bastidores que se colocan de trecho en trecho en dichas galerías. || **4.** *Min.* Galería **encofrada.**

Encofrar. (De *en* y *cofre.*) tr. *Fort.* Colocar bastidores para contener las tierras en las galerías de las minas. || **2.** *Albañ.* Preparar el revestimiento de madera para hacer el vaciado de una cornisa.

Encoger. (De *en* y *coger.*) tr. Retirar contrayendo. Dícese ordinariamente del cuerpo y de sus miembros. Ú. t. c. r. || **2.** fig. Apocar el ánimo. Ú. t. c. r. || **3.** intr. Disminuir lo largo y ancho de algunas telas o ropas, por apretarse su tejido cuando se mojan o lavan.

|| **4.** Disminuir de tamaño algunas cosas al secarse; como la madera, el cuero, etc. || **5.** r. fig. Tener cortedad, ser corto de genio.

Encogidamente. adv. m. fig. Apocadamente, tímidamente.

Encogido, da. p. p. de **Encoger.** || **2.** adj. fig. Corto de ánimo, apocado. Ú. t. c. s.

Encogimiento. m. Acción y efecto de encoger o encogerse. || **2.** fig. Cortedad de ánimo.

Encogollarse. r. Subirse la caza a las cimas o cogollos más altos de los árboles.

Encohetar. tr. Hostigar con cohetes a un animal, como se hace con los toros. || **2.** r. *C. Rica.* Enfurecerse, encolerizarse.

Encojar. tr. Poner cojo a uno. Ú. t. c. r. || **2.** r. fig. y fam. Caer enfermo; fingirse enfermo.

Encolado, da. p. p. de **Encolar.** || **2.** adj. fig. *Chile* y *Méj.* Gomoso, pisaverde, paquete. || **3.** m. Clarificación de los vinos turbios mediante una solución de gelatina.

Encoladura. (De *encolar.*) f. **Encolamiento.** || **2.** Aplicación de una o más capas de cola caliente a una superficie que ha de pintarse al temple.

Encolamiento. m. Acción y efecto de encolar.

Encolar. tr. Pegar con cola una cosa. || **2.** Tirar una pelota o cualquiera otra cosa a un sitio donde se queda detenida, sin que se pueda alcanzar fácilmente. Ú. t. c. r. *No tires mi gorra; a ver si la* ENCOLAS. || **3.** Clarificar vinos. || **4.** Dar la encoladura a las superficies que han de pintarse al temple.

Encolerizar. (De *en* y *cólera.*) tr. Hacer que uno se ponga colérico. Ú. t. c. r.

Encomendable. adj. Que se puede encomendar.

Encomendado, da. p. p. de **Encomendar.** || **2.** m. En las órdenes militares, dependiente del comendador.

Encomendamento. (De *encomendar.*) m. ant. **Mandamiento,** 1.ª acep.

Encomendamiento. (De *encomendar.*) m. **Encomienda,** 1.ª acep.

Encomendar. (De *en* y *comendar.*) tr. Encargar a uno que haga alguna cosa o que cuide de ella o de una persona. || **2.** Dar encomienda, hacer comendador a uno. || **3.** desus. Dar indios en encomienda. || **4.** ant. Recomendar, alabar. || **5.** intr. Llegar a tener encomienda de orden. || **6.** r. Entregarse en manos de uno y fiarse de su amparo. || **7.** Enviar recados y memorias.

Encomendero. m. El que lleva encargos de otro, y se obliga a dar cuenta y razón de lo que se le encarga y encomienda. || **2.** El que por concesión real tenía indios encomendados.

Encomenzamiento. (De *encomenzar.*) m. ant. **Comienzo.**

Encomenzar. (De *comenzar*, infl. por *empezar.*) tr. ant. **Comenzar.** Úsalo aún la gente del pueblo.

Encomiador, ra. (De *encomiar.*) adj. Que hace encomios. Ú. t. c. s.

Encomiar. (De *encomio.*) tr. Alabar con encarecimiento a una persona o cosa.

Encomiasta. (Del gr. ἐγκωμιαστής.) m. **Panegirista.**

Encomiástico, ca. (Del gr. ἐγκωμιαστικός.) adj. Que alaba o contiene alabanza.

Encomienda. (De *encomendar.*) f. **Encargo,** 1.ª y 2.ª aceps. || **2.** Dignidad dotada de renta competente, que en las órdenes militares se daba a algunos caballeros. || **3.** Lugar, territorio y rentas de esta dignidad. || **4.** Dignidad de comendador en las órdenes civiles. || **5.** Cruz bordada o sobrepuesta que llevan los caballeros de las órdenes militares en la capa o vestido. || **6.** Merced o renta vitalicia que se daba sobre un lugar, heredamiento o territorio. || **7.** Pueblo que en América se señalaba a un encomendero para que percibiera los tributos. || **8.** Recomendación, elogio. || **9.** Amparo, patrocinio, custodia. || **10.** V. **Carta de encomienda.** || **11.** *Argent.*, *Colomb.*, *Chile* y *Perú.* Paquete postal. || **12.** pl. Recados, memorias.

Encomio. (Del gr. ἐγκώμιον.) m. Alabanza encarecida.

Encompadrar. (De *en* y *compadre.*) intr. fam. Contraer compadrazgo, y por extensión, familiarizarse, hacerse muy amigas dos personas.

Encompasar. tr. ant. **Compasar.**

Encomunalmente. adv. m. ant. **Comúnmente.**

Enconado, da. p. p. de **Enconar.** || **2.** adj. ant. Teñido o manchado.

Enconadura. f. **Enconamiento,** 1.ª acep.

Enconamiento. (De *enconar.*) m. Inflamación de una parte del cuerpo que está lastimada por algún accidente de herida, araño, espina, etc. || **2.** fig. **Encono.** || **3.** ant. **Veneno.**

Enconar. (De *encono.*) tr. Inflamar, poner de peor calidad la llaga o parte lastimada del cuerpo. Ú. m. c. r. || **2.** fig. Irritar, exasperar el ánimo contra uno. Ú. t. c. r. || **3.** Cargar la conciencia con alguna mala acción. Ú. m. c. r. || **4.** r. Pringarse, 8.ª acep. de **Pringar.**

Enconcharse. r. Meterse uno en su concha, retraerse.

Enconfitar. tr. **Confitar.**

Enconía. (Falso análisis de *malenconía.*) f. ant. **Encono.**

Encono. (De *enconía.*) m. Animadversión, rencor arraigado en el ánimo.

Enconoso, sa. (De *encono.*) adj. fig. Que puede ocasionar enconamiento o encono. || **2.** Propenso a tener mala voluntad a los demás.

Enconrear. tr. **Conrear.**

Encontinente. adv. t. ant. **Incontinenti.**

Encontradamente. adv. m. **Opuestamente.**

Encontradizo, za. adj. Que se encuentra con otra cosa o persona. || **Hacerse uno encontradizo o el encontradizo.** fr. Buscar a otro para encontrarle sin que parezca que se hace de intento.

Encontrado, da. p. p. de **Encontrar.** || **2.** adj. Puesto enfrente. || **3.** Opuesto, contrario, antitético. *Climas* ENCONTRADOS.

Encontrar. (Del lat. *in contra.*) tr. Topar una persona con otra o con alguna cosa que busca. || **2. Hallar,** 1.ª acep. || **3.** intr. Tropezar uno con otro. || **4.** r. Oponerse, enemistarse uno con otro. || **5.** Hallarse y concurrir juntas a un mismo lugar dos o más personas. || **6. Hallar,** 9.ª acep. || **7.** Hablando de las opiniones, dictámenes, etc., opinar diferentemente, discordar unos de otros. || **8.** Hablando de los afectos, las voluntades, los genios, etc., además del sentido recto, puede tener el contrario, o sea conformar, convenir, coincidir. || **Encontrárselo uno todo hecho.** fr. fig. y fam. **Hallárselo todo hecho,** 1.ª acep.

Encontrón. m. Golpe que da una cosa con otra cuando una de ellas, o las dos, van impelidas y se encuentran.

Encontronazo. m. **Encontrón.**

Encopetado, da. p. p. de **Encopetar.** || **2.** adj. fig. Que presume demasiado de sí. || **3.** fig. De alto copete, linajudo. || **4.** m. *Arq.* El cateto vertical de cualquiera de los cartabones de las armaduras de un tejado.

Encopetar. tr. Elevar en alto o formar copete. Ú. t. c. r. || **2.** r. fig. Engreírse, presumir demasiado.

Encorachar. tr. Meter y acomodar en la coracha el género que se ha de conducir en ella.

Encorajar. tr. Dar valor, ánimo y coraje. || **2.** r. Encenderse en coraje o encolerizarse mucho.

Encorajinarse. r. fam. Tomar una corajina, encolerizarse.

Encorar. tr. Cubrir con cuero una cosa. || **2.** Encerrar y meter una cosa dentro de un cuero. || **3.** Hacer que las llagas críen cuero. || **4.** intr. Criar cuero las llagas. Ú. t. c. r.

Encorazado, da. adj. Cubierto y vestido de coraza. || **2.** Cubierto de cuero.

Encorchador, ra. adj. Que encorcha. Ú. t. c. s. || **2.** f. Máquina para poner tapones de corcho a las botellas.

Encorchar. (De *en* y *corcho.*) tr. Coger los enjambres de las abejas y cebarlas para que entren en las colmenas. || **2.** Poner tapones de corcho a las botellas.

Encorchetar. tr. Poner corchetes. || **2.** Sujetar con ellos la ropa u otra cosa. || **3.** *Arq.* Engrapar piedras.

Encordadura. (De *encordar,* 1.ª acep.) f. Conjunto de las cuerdas de los instrumentos de música.

Encordar. tr. Poner cuerdas a los instrumentos de música. || **2.** Apretar un cuerpo con una cuerda, haciendo que ésta dé muchas vueltas alrededor de aquél. || **3.** *León* y *Sal.* Doblar, tocar las campanas a muerto. Ú. t. c. intr.

Encordelar. tr. Poner cordeles a una cosa, proveer de cordeles. ENCORDELAR *las camas antiguas.* || **2.** Atar algo con cordeles. || **3.** Forrar con cordel en espiral alguna pieza de madera, metal, etc.

Encordonado, da. p. p. de **Encordonar.** || **2.** adj. Adornado con cordones.

Encordonar. tr. Poner o echar cordones a una cosa, bien para sujetarla, bien para adornarla con ellos.

Encorecer. tr. **Encorar,** 3.ª acep. || **2.** intr. **Encorar,** 4.ª acep.

Encoriación. f. Acción y efecto de encorar o encorarse una llaga.

Encornado, da. adj. Con los advs. *bien* o *mal*, que tiene buena, o mala, encornadura. Dícese de los toros y vacas.

Encornadura. f. Forma o disposición de los cuernos en el toro, ciervo, etc. || **2. Cornamenta.**

Encornudar. tr. fig. Hacer cornudo a uno. || **2.** intr. Echar o criar cuernos.

Encorozar. tr. Poner la coroza a uno por afrenta. || **2.** *Chile.* Emparejar una pared.

Encorralar. tr. Meter y guardar en el corral. Dícese especialmente de los ganados.

Encorrear. tr. Ceñir y sujetar una cosa con correas.

Encorselar. tr. *Amér.*, *And.* y *Can.* **Encorsetar.** Ú. t. c. r.

Encorsetar. tr. Poner corsé, especialmente cuando se ciñe mucho. Ú. m. c. r.

Encortamiento. m. ant. **Acortamiento.**

Encortar. tr. ant. **Acortar.**

Encortinar. tr. Colgar y adornar con cortinas un cuarto, un edificio, etc.

Encorvada. f. Acción de encorvar el cuerpo. || **2.** Danza descompuesta que se hace torciendo el cuerpo y los miembros. || **3.** *Bot.* Planta anual de la familia de las papilionáceas, de tallos rectos, con hojas acorazonadas y en grupos pareados; flores amarillas, sobre pedúnculos más largos que la hoja; fruto en legumbre de pico curvo, y semillas rojizas y prismáticas. || **Hacer uno la encorvada.** fr. fig. y fam. Fingir enfermedades para evadirse de una ocasión o lance a que no quiere concurrir.

Encorvadura. f. Acción y efecto de encorvar o encorvarse.

Encorvamiento. m. **Encorvadura.**

Encorvar. (Del lat. *incurvāre.*) tr. Doblar y torcer una cosa poniéndola corva.

Ú. t. c. r. || **2.** r. fig. Inclinarse, ladearse, aficionarse sin razón a una parte más que a otra. || **3.** *Arq.* p. us. Abovedar. || **4.** *Equit.* Bajar el caballo la cabeza, arqueando el cuello, lomo y espinazo, con objeto de lanzar al jinete.

Encosadura. (De *en* y *coser.*) f. Costura con que en la camisa de mujer, llamada a la gallega, se pegaba al resto la parte superior, hecha de lienzo más fino.

Encostalar. tr. Meter en costales.

Encostarse. r. *Mar.* Acercarse un buque en su derrota a la costa.

Encostillado. m. *Min.* Conjunto de las costillas que se colocan en los pozos y galerías para afianzar los lienzos y hastiales y dar más solidez a la entibación.

Encostradura. (De *encostrar.*) f. p. us. **Costra,** 1.ª acep. || **2.** *Arq.* Revestimiento o guarnecido de tablas delgadas de piedra, mármol, etc. || **3.** *Arq.* **Encaladura.**

Encostrar. tr. Cubrir con costra una cosa; como un pastelón, etc. || **2.** Echar una costra o capa a una cosa para su resguardo o conservación. Ú. t. c. r. || **3.** intr. Formar costra una cosa. Ú. t. c. r.

Encovado, da. p. p. de **Encovar.** || **2.** adj. Hundido, oculto.

Encovadura. f. Acción y efecto de encovar o encovarse.

Encovar. tr. Meter o encerrar una cosa en una cueva o hueco. Ú. t. c. r. || **2.** fig. Guardar, encerrar, contener. || **3.** fig. Encerrar, obligar a uno a ocultarse. Ú. t. c. r.

Encrasar. (Del lat. *incrassāre.*) tr. Poner craso o espeso un líquido. Ú. t. c. r. || **2.** Mejorar, fertilizar las tierras con abonos. Ú. t. c. r.

Encrespado, da. p. p. de **Encrespar.** || **2.** m. **Encrespadura.**

Encrespador, ra. adj. Que encrespa. || **2.** m. Instrumento que sirve para encrespar y rizar el cabello.

Encrespadura. f. Acción y efecto de encrespar o rizar el cabello.

Encrespamiento. (De *encrespar.*) m. Acción y efecto de encrespar o encresparse.

Encrespar. (Del lat. *incrispāre.*) tr. Ensortijar, rizar; dícese más especialmente del cabello. Ú. t. c. r. || **2.** Erizar el pelo, plumaje, etc., por alguna impresión fuerte, como el miedo. Ú. m. c. r. || **3.** Enfurecer, irritar y agitar, dicho de personas y animales. Ú. t. c. r. || **4.** Levantar y alborotar las ondas del agua. Ú. m. c. r. || **5.** r. fig. Enredarse y dificultarse el asunto o negocio que se trata.

Encrespo. (De *encrespar.*) m. ant. **Encrespadura.**

Encrestado, da. p. p. de **Encrestarse.** || **2.** adj. fig. Ensoberbecido, levantado, altivo.

Encrestarse. r. Poner las aves tiesa la cresta.

Encreyente. adj. ant. **Creyente.** || **Hacer encreyente** a uno. fr. Persuadirle de lo que no se puede creer.

Encrinado, da. (De *en* y *crinado.*) adj. ant. **Encrisnejado.**

Encrisnejado, da. (De *en* y *crisneja.*) adj. desus. Dícese del cabello u otra cosa que está hecha trenzas.

Encristalar. tr. Colocar cristales o vidrios en una ventana, puerta, galería, cubierta de patio, etc.

Encrucijada. f. Paraje en donde se cruzan dos o más calles o caminos. || **2.** fig. Ocasión que se aprovecha para hacer daño a uno; emboscada, asechanza.

Encrudecer. (Del lat. *incrudescĕre.*) tr. Hacer que una cosa tenga apariencia u otra condición de cruda. Ú. t. c. r. || **2.** fig. Exasperar, irritar. Ú. t. c. r.

Encrudelecer. (Del lat. *in,* en, y *crudēlis,* cruel.) tr. ant. **Encruelecer.** Usáb. t. c. r.

Encruelecer. (De *encrudelecer.*) tr. Instigar a uno a que piense y obre con crueldad. || **2.** r. Hacerse cruel, fiero, inhumano; airarse con exceso.

Encruzado. m. ant. Caballero cruzado.

Encuadernable. adj. Que puede encuadernarse.

Encuadernación. f. Acción y efecto de encuadernar. || **2.** Forro o cubierta de cartón, pergamino u otra cosa, que se pone a los libros para resguardo de sus hojas. || **3.** Taller donde se encuaderna. || **4.** V. **A la holandesa, a la inglesa, a la,** o **en, rústica.** || **en media pasta, en pasta, en pasta italiana.** Modo de forrar los libros con estos varios sistemas de pasta, 7.ª acep.

Encuadernador, ra. m. y f. Persona que tiene por oficio encuadernar. || **2.** m. Clavillo o pasador, pinza, o chapita de metal, que sirve para sujetar varios pliegos u hojas en forma de cuaderno. || **3.** ant. fig. El que une y concierta voluntades, afectos, etc.

Encuadernar. tr. Juntar, unir y coser varios pliegos o cuadernos y ponerles cubiertas. || **2.** ant. fig. Unir y ajustar algunas cosas; como voluntades, afectos, etc.

Encuadrar. tr. Encerrar en un marco o cuadro. || **2.** fig. Encajar, ajustar una cosa dentro de otra. || **3.** fig. Encerrar o incluir dentro de sí una cosa; bordearla, determinar sus límites.

Encuadrar. tr. *Sal.* Meter o tener el ganado en la cuadra.

Encuartar. tr. Calcular el encuarte o aumento de valor de las piezas de madera o piedra, cuando exceden de las dimensiones convenidas. || **2.** Enganchar el encuarte, 1.ª acep. || **3.** *Méj.* Encabestrarse una bestia. || **4.** *Sant.* Trabar las patas de las cabras para que no salten. || **5.** r. *Méj.* fig. Enredarse en un negocio; no saber encontrar salida.

Encuarte. (De *en* y *cuarto.*) m. Yunta o caballería de refuerzo que se añade a las que tiran de un vehículo para subir las cuestas o salir de los malos pasos. || **2.** Sobreprecio que en algunas partes es costumbre dar a la unidad de medida de la madera y la piedra, cuando las piezas exceden de ciertas dimensiones.

Encuartero. m. Mozo que va al cuidado de las bestias de encuarte.

Encubar. tr. Echar el vino u otro licor en las cubas para guardarlo en ellas. || **2.** Meter a los reos de ciertos delitos, como el parricida, en una cuba con un gallo, una mona, un perro y una víbora, y arrojarlos al agua; castigo que se usó en otro tiempo. || **3.** *Min.* Entibar en redondo con maderos el interior de un pozo minero.

Encubertar. (De *en* y *cubierta.*) tr. Cubrir con paños o con sedas una cosa. || **2.** Dícese particularmente de los caballos que se cubren de paño o bayeta negra en demostración de luto, y de los que se cubrían de cuero y hierro para la guerra. || **3.** ant. **Encubrir.** || **4.** r. Vestirse y armarse con alguna defensa que resguarde el cuerpo de los golpes del enemigo.

Encubierta. (De *encubierto.*) f. Fraude, ocultación dolosa.

Encubiertamente. adv. m. A escondidas, con secreto. || **2.** Con dolo, fraudulentamente. || **3. Recatadamente.**

Encubierto, ta. (De *en* y *cubierto.*) p. p. irreg. de **Encubrir.** || **2.** adj. *Fort.* V. **Estrada encubierta.**

Encubridizo, za. adj. Que se puede encubrir fácilmente.

Encubridor, ra. adj. Que encubre. Ú. t. c. s. || **2.** m. y f. Tapadera, alcahuete, ta.

Encubrimiento. m. Acción y efecto de encubrir. || **2.** ant. Cubierta con que se tapa una cosa para que no se vea. || **3.** *For.* Participación en las responsabilidades de un delito, con intervención posterior al mismo, por aprovechar los efectos de él, impedir que se descubra, favorecer la ocultación o la fuga de los delincuentes, etc.

Encubrir. (De *en* y *cubrir.*) tr. Ocultar una cosa o no manifestarla. Ú. t. c. r. || **2.** Impedir que llegue a saberse una cosa. || **3.** *For.* Hacerse responsable de encubrimiento de un delito.

Encucar. tr. *Ast.* Recoger y guardar los frutos llamados cucas, como nueces, avellanas, etc.

Encuentro. m. Acto de coincidir en un punto dos o más cosas, por lo común chocando una contra otra. || **2.** Acto de encontrarse o hallarse dos o más personas. || **3.** Oposición, contradicción. || **4.** Acción y efecto de topetar los carneros y otros animales. || **5.** En el juego de dados y algunos de naipes, concurrencia de dos cartas o puntos iguales; como cuando vienen dos reyes, dos doses, etc. || **6.** Ajuste de estampaciones de colores distintos. || **7.** Lance del juego del billar en que la carambola se produce por retruque. || **8.** Competición deportiva. || **9.** *Arq.* Macizo comprendido entre un ángulo de un edificio y el vano más inmediato. || **10.** *Arq.* Ángulo que forman dos carreras o soleras. || **11.** *Mil.* Choque, por lo general inesperado, de las tropas combatientes con sus enemigos. || **12.** *Zool.* **Axila,** 2.ª acep. || **13.** pl. En las aves, parte del ala, pegada a los pechos, desde donde empieza ésta. || **14.** En los cuadrúpedos mayores, puntas de las espaldillas que por delante se unen al cuello. || **15.** Ciertos maderos con que los tejedores de lienzos aseguran el telar para que no decline a una ni a otra parte. || **16.** *Impr.* Claros que se dejan al imprimir para después estampar allí letras con tinta de otro color. || **Al mal encuentro, darle de mano y mudar asiento.** ref. que aconseja esquivar los peligros. || **Al primer encuentro, azar.** expr. En cualquier negocio, encontrarse con un obstáculo inesperado a los primeros pasos. || **Ir al encuentro** de uno. fr. Ir en su busca concurriendo en un mismo sitio con él. || **Salirle a uno al encuentro.** fr. Salir a recibirle. || **2.** fig. Hacerle frente o cara; oponérsele. || **3.** fig. Prevenir, adelantarse a uno en lo que quiere decir o ejecutar.

Encuerar. tr. *And., Cuba, Extr.* y *Méj.* Desnudar, dejar en cueros a una persona. Ú. t. c. r.

Encuesta. (Del lat. vulg. *inquaesĭta,* por *inquisita,* buscada.) f. Averiguación o pesquisa. || **2.** V. **Juez de encuesta.**

Encuevar. tr. **Encovar.** Ú. t. c. r.

Encuitarse. (Del lat. *incogitāre.*) r. Afligirse, apesadumbrarse.

Enculatar. (De *en* y *culata.*) tr. Cubrir con sobrepuesto la colmena.

Enculpar. tr. ant. **Inculpar.**

Encumbradamente. adv. Con superioridad, altaneramente.

Encumbrado, da. p. p. de **Encumbrar.** || **2.** adj. Elevado, alto.

Encumbramiento. m. Acción y efecto de encumbrar o encumbrarse. || **2.** Altura, elevación. || **3.** fig. Ensalzamiento, exaltación.

Encumbrar. (De *en* y *cumbre.*) tr. Levantar en alto. Ú. t. c. r. || **2.** fig. Ensalzar, engrandecer a uno honrándolo y colocándolo en puestos o empleos honoríficos. Ú. t. c. r. || **3.** Subir la cumbre, pasarla. ENCUMBRAR *el monte.* || **4.** r. Envanecerse, ensoberbecerse. || **5.** Hablando de cosas inanimadas, ser muy elevadas, subir a mucha altura. *Las peñas se* ENCUMBRAN *hasta mostrarse inaccesibles.*

Encunar. tr. Poner al niño en la cuna. || **2.** *Taurom.* Alcanzar el toro al lidiador cogiéndolo entre las astas.

Encuñar. (De *en* y *cuño.*) tr. ant. **Acuñar,** 1.er art.

Encuño. (De *encuñar.*) m. ant. Acuñación.

Encureñar. tr. Poner en la cureña.

Encurtido, da. p. p. de **Encurtir.** || **2.** m. Fruto o legumbre que se ha encurtido. Ú. frecuentemente en pl.

Encurtir. (De *en* y *curtir.*) tr. Hacer que ciertos frutos o legumbres tomen el sabor del vinagre y se conserven mucho tiempo teniéndolos en este líquido.

Enchancletar. tr. Poner las chancletas, o traer los zapatos sin acabarlos de calzar, a modo de chancletas. Ú. t. c. r.

Enchapado, da. p. p. de **Enchapar.** || **2.** m. Trabajo hecho con chapas, chapería.

Enchapar. tr. Chapear, cubrir con chapas.

Enchapinado, da. (De *en* y *chapa.*) adj. *Albañ.* Levantado y fundado sobre bóveda.

Encharcada. (De *encharcar.*) f. Charco o charca.

Encharcamiento. m. Acción y efecto de encharcar o encharcarse.

Encharcar. tr. Cubrir de agua una parte de terreno que queda como si fuera un charco. Ú. t. c. r. || **2.** Enaguachar el estómago. Ú. t. c. r.

Enchavetar. tr. *Mar.* Asegurar un perno u otra cosa con chaveta.

Enchicar. tr. ant. **Achicar,** 1.ª y 3.ª aceps.

Enchilada. f. *Guat.* y *Méj.* Torta de maíz rellena de diversos manjares y aderezada con chile. || **2.** Puesta que hace en el tresillo cada uno de los jugadores, para que la perciba quien gane el solo u otro lance previamente determinado.

Enchilado, da. p. p. de **Enchilar.** || **2.** m. *Cuba.* Guiso de mariscos con salsa de chile.

Enchilar. tr. *C. Rica, Hond.* y *Méj.* Untar, aderezar con chile. || **2.** fig. *Méj.* Picar, molestar, irritar. Ú. t. c. r. || **3.** fig. *C. Rica.* Dar un chasco o recibirlo.

Enchinar. tr. Empedrar con chinas o guijarros. || **2.** *Méj.* Formar rizos con el cabello.

Enchinarrar. tr. Empedrar con chinarros.

Enchiqueramiento. m. Acción y efecto de enchiquerar.

Enchiquerar. tr. Meter o encerrar el toro en el chiquero. || **2.** fig. y fam. **Encarcelar,** 1.ª acep.

Enchironar. tr. fam. Meter a uno en chirona, encarcelar.

Enchivarse. r. *Colomb.* y *Ecuad.* Emberrincharse, encolerizarse.

Enchuecar. tr. fam. *Chile* y *Méj.* Torcer, encorvar. Ú. t. c. r.

Enchufar. (De *enchufe.*) tr. Ajustar la boca de un caño en la de otro. Ú. c. intr. || **2.** fig. Combinar, enlazar un negocio con otro. || **3.** *Albañ.* Acoplar las partes salientes de una pieza en otra. || **4.** *Electr.* Establecer una conexión eléctrica encajando una en otra las dos piezas del enchufe. || **5.** r. fam. despect. Obtener un **enchufe,** 4.ª acep.

Enchufe. (Del ár. *ŷawf,* hueco, cavidad, con el pref. *en.*) m. Acción y efecto de enchufar. || **2.** Parte de un caño o tubo que penetra en otro. || **3.** Sitio donde enchufan dos caños. || **4.** fig. y fam. Cargo o destino que se obtiene por influencia política. Dícese por lo común del que se acumula sobre el empleo profesional. || **5.** *Electr.* Aparato que consta de dos piezas esenciales que se encajan una en otra cuando se quiere establecer una conexión eléctrica.

Enchuletar. tr. *Carp.* Rellenar un hueco con chuletas.

Enchute. m. *Hond.* Juego del boliche.

Ende. (De lat. *inde.*) adv. l. ant. Allí, 1.ª acep. || **2.** ant. De allí, o de aquí. || **3.** ant. De esto. || **4.** ant. Más de, pasados de. || **Por ende.** m. adv. **Por tanto.**

Endeble. (De *en* y *deble.*) adj. Débil, de resistencia insuficiente.

Endeblez. f. Calidad de endeble.

Endeblucho, cha. adj. fam. con que se encarece o moteja lo endeble. Dícese más del que tiene quebrantada la salud.

Endécada. (Del gr. ἑνδεκάς, -άδος, de ἕνδεκα, once.) f. Período de once años.

Endecágono, na. (Del gr. ἕνδεκα, once, y γωνία, ángulo.) adj. *Geom.* Aplícase al polígono de 11 ángulos y 11 lados. Ú. m. c. s. m.

Endecasilábico, ca. (De *endecasílabo.*) adj. De once sílabas.

Endecasílabo, ba. (Del gr. ἑνδεκασύλλαβος; de ἕνδεκα, once, y συλλαβή, sílaba.) adj. de once sílabas. *Verso* ENDECASÍLABO. Ú. t. c. s. || **2.** Compuesto de **endecasílabos,** o que los tiene en la combinación métrica. || **3.** V. **Endecha endecasílaba.** || **anapéstico,** o **de gaita gallega.** Aquel que lleva los acentos en las sílabas cuarta y séptima. *Muerto le dejo a la orilla del vado.*

Endecha. (Del lat. *indicta,* t. f. de *-tus,* p. p. de *indicĕre,* anunciar, señalar.) f. Canción triste y lamentable. Ú. m. en pl. || **2.** Combinación métrica que se emplea repetida en composiciones de asunto luctuoso por lo común, y consta de cuatro versos de seis o siete sílabas, generalmente asonantados. || **endecasílaba,** o **real.** La que consta de tres versos, heptasílabos por lo común, y de otro además, que es endecasílabo y forma asonancia con el segundo.

Endechadera. (De *endechar.*) f. **Plañidera.**

Endechar. tr. Cantar endechas, y más especialmente en loor de los difuntos; honrar su memoria en los funerales. || **2.** r. Afligirse, entristecerse, lamentarse.

Endechera. (De *endecha.*) f. ant. **Plañidera.**

Endechoso, sa. (De *endecha.*) adj. ant. Triste y lamentable.

Endehesar. tr. Meter el ganado en la dehesa para que engorde.

Endeja. (Del lat. *indicŭla,* pl. n. de *-um,* señal.) f. *Albañ.* Adaraja, diente.

Endelgadecer. (De *en* y *delgadez.*) intr. ant. Adelgazar, ponerse delgado.

Endeliñar. tr. ant. **Adeliñar.** Usáb. t. c. r.

Endemás. (De *en* y *demás.*) adv. m. ant. Particularmente, con especialidad.

Endemia. (Del gr. ἐνδημία; de ἐν, en, y δῆμος, pueblo.) f. *Med.* Cualquiera enfermedad que reina habitualmente, o en épocas fijas, en un país o comarca.

Endémico, ca. adj. fig. Dícese, por comparación con las enfermedades habituales, de actos o sucesos que se repiten frecuentemente en un país, que están muy vulgarizados y extendidos. || **2.** *Med.* Perteneciente o relativo a la endemia.

Endemoniado, da. p. p. de **Endemoniar.** || **2.** adj. Poseído del demonio. Ú. t. c. s. || **3.** fig. y fam. Sumamente perverso, malo, nocivo.

Endemoniar. tr. Introducir los demonios en el cuerpo de una persona. || **2.** fig. y fam. Irritar, encolerizar a uno. Ú. t. c. r.

Endenantes. (De *en* y *denantes.*) adv. t. ant. **Antes,** 1.ª acep. De uso vulgar en varias regiones de España. || **2.** *Amér.* Hace poco. Ú. en el habla vulgar.

Endentado, da. p. p. de **Endentar.** || **2.** adj. *Blas.* Aplícase a las borduras, cruces, bandas y sotueres que tienen sus dientes muy menudos y triangulares.

Endentar. tr. Encajar una cosa en otra, como los dientes y los piñones de las ruedas. || **2.** Poner dientes a una rueda.

Endentecer. intr. Empezar los niños a echar los dientes. || **Quien presto endentece, presto hermanece.** ref. que indica que el niño que arroja temprano los dientes pronto tendrá un hermano, porque le destetan en seguida.

Endeñado, da. (Del lat. *indignātus.*) adj. *Murc.* Dañado, inflamado.

Enderecera. (De *enderezar.*) f. ant. **Derecera.**

Endereza. (De *enderezar.*) f. ant. **Dedicatoria.** || **2.** ant. Buen despacho.

Enderezadamente. adv. m. Con rectitud.

Enderezado, da. p. p. de **Enderezar.** || **2.** adj. Favorable, a propósito.

Enderezador, ra. adj. Que gobierna bien una casa, familia, comunidad, etc., o endereza lo que no va bien hecho. Ú. t. c. s.

Enderezamiento. m. Acción de enderezar y poner recto lo que está torcido. || **2.** ant. Dirección o gobierno.

Enderezar. (De *en* y *derezar.*) tr. Poner derecho lo que está torcido. Ú. t. c. r. || **2.** Poner derecho o vertical lo que está inclinado o tendido. Ú. t. c. r. || **3.** Remitir, dirigir, dedicar. || **4.** fig. Gobernar bien; poner en buen estado una cosa. Ú. t. c. r. || **5.** ant. Ayudar, favorecer. || **6.** Enmendar, corregir, castigar. || **7.** ant. Aderezar, preparar, adornar. || **8.** intr. Encaminarse en derechura a un paraje o a una persona. || **9.** r. Disponerse, encaminarse a lograr un intento.

Enderezo. (De *enderezar.*) m. ant. **Dirección,** 1.ª acep. || **2.** *Sal.* **Enderezamiento.**

Endeudarse. r. Llenarse de deudas. || **2.** Reconocerse obligado.

Endevotado, da. (De *en* y *devoto.*) adj. Muy dado a la devoción. || **2.** Muy prendado de una persona.

Endiablada. f. Festejo y función jocosa en que muchos se disfrazaban con máscaras y figuras ridículas de diablos, llevando diferentes instrumentos y sonajas, con que metían mucho y discorde ruido.

Endiabladamente. adv. m. Fea, horrible o abominablemente.

Endiablado, da. p. p. de **Endiablar.** || **2.** adj. fig. Muy feo, desproporcionado. || **3.** fig. y fam. **Endemoniado,** 3.ª acep.

Endiablar. tr. **Endemoniar,** 1.ª acep. || **2.** fig. y fam. Dañar, pervertir. Ú. t. c. r. || **3.** r. **Revestírsele a uno el demonio.**

Endíadis. (Del lat. *hendiădys,* y éste del gr. ἓν διὰ δυοῖν, uno por medio de dos.) f. *Ret.* Figura por la cual se expresa un solo concepto con dos nombres coordinados.

Endibia. (Del lat. **intybĕa,* de *intўbus.*) f. **Escarola,** 1.ª acep.

Endilgador, ra. adj. fam. Que endilga. Ú. t. c. s.

Endilgar. (Del lat. *in,* en, y *delicāre,* mostrar.) tr. fam. Encaminar, dirigir, acomodar, facilitar. || **2.** Encajar, endosar a otro algo desagradable o impertinente.

Endino, na. (Del lat. *indignus,* indigno.) adj. fam. Indigno, perverso.

Endiosamiento. (De *endiosar.*) m. fig. Erguimiento, desvanecimiento, altivez extremada. || **2.** fig. Suspensión o abstracción de los sentidos.

Endiosar. (De *en* y *Dios.*) tr. Elevar a uno a la divinidad. || **2.** r. fig. Erguirse, entonarse, ensoberbecerse. || **3.** fig. Suspenderse, embebecerse.

Enditarse. r. *Chile.* Entramparse, endeudarse.

Endoblado, da. p. p. de **Endoblar.** || **2.** adj. Dícese del cordero que se cría mamando de dos ovejas.

Endoblar. tr. Entre ganaderos, hacer que dos ovejas críen a la vez un cordero.

Endoble. m. *Min.* Entrada o jornada de doble tiempo que hacen los mineros y fundidores con el fin de cambiar cada semana las horas de trabajo de las cuadrillas.

Endocardio. (Del gr. ἔνδον, dentro, y καρδία, corazón.) m. *Zool.* Membrana serosa que tapiza las cavidades del corazón y está formada por dos capas: una exterior, de tejido conjuntivo, y otra interior, de endotelio.

Endocarditis. (De *endocardio* y el sufijo *itis,* inflamación.) f. *Med.* Inflamación aguda o crónica del endocardio.

Endocarpio. (Del gr. ἔνδον, dentro, y καρπός, fruto.) m. *Bot.* Capa interna de las tres que forman el pericarpio de los frutos, que puede ser de consistencia leñosa, como el hueso del melocotón.

Endocrino, na. (Del gr. ἔνδον, dentro, y κρίνω, separar.) adj. *Fisiol.* Perteneciente o relativo a las hormonas o a las secreciones internas. || **2.** *Fisiol.* Dícese de la glándula que carece de conducto excretor y vierte directamente en la sangre los productos que segrega.

Endocrinología. f. *Fisiol.* Estudio de las secreciones internas.

Endodérmico, ca. adj. *Zool.* Perteneciente o relativo al endodermo.

Endodermo. (Del gr. ἔνδον, dentro, y δέρμα, piel.) m. *Zool.* Capa u hoja interna de las tres en que se disponen las células del blastodermo después de haberse efectuado la segmentación.

Endoesqueleto. (Del gr. ἔνδον, dentro, y *esqueleto.*) m. *Zool.* **Neuroesqueleto.**

Endogénesis. (Del gr. ἔνδον, dentro, y γένεσις, generación.) f. *Biol.* División de una célula que está rodeada de una cubierta o envoltura resistente que impide la separación de las células hijas.

Endógeno, na. (Del gr. ἔνδον, dentro, y γεννάω, engendrar.) adj. Que se origina o nace en el interior, como la célula que se forma dentro de otra.

Endolencia. f. ant. **Indulgencia.** || **De endolencias.** Decíase de los días de Semana Santa.

Endolinfa. (Del gr. ἔνδον, dentro, y *linfa.*) f. *Zool.* Líquido acuoso que llena el laberinto del oído de los vertebrados.

Endomingado, da. p. p. de **Endomingarse.** || **2.** adj. **Dominguero.**

Endomingarse. r. Vestirse con la ropa de fiesta.

Endonar. tr. desus. **Donar.**

Endoparásito. (Del gr. ἔνδον, dentro, y παράσιτος.) adj. *Biol.* Dícese del parásito que vive dentro del cuerpo de un animal o planta; como la lombriz intestinal. Ú. t. c. s.

Endorsar. (Del lat. **indorsāre.*) tr. **Endosar,** 1.er art.

Endorso. (De *endosar.*) m. **Endoso.**

Endosable. adj. Que puede endosarse, 1.er art., 1.ª acep.

Endosante. p. a. de **Endosar,** 1.er art. Que endosa. Ú. t. c. s.

Endosar. (Del lat. **indorsāre;* de *in,* en, y *dorsum,* espalda, dorso.) tr. Ceder a favor de otro una letra de cambio u otro documento de crédito expedido a la orden, haciéndolo así constar al respaldo o dorso. || **2.** fig. Trasladar a uno una carga, trabajo o cosa no apetecible.

Endosar. (De *en* y *dos.*) tr. En el juego del tresillo, lograr el hombre que siente segunda baza el que no hace la contra. Ú. t. c. r.

Endosatario, ria. m. y f. Persona a cuyo favor se endosa o puede endosarse un documento de crédito.

Endoscopio. (Del gr. ἔνδον, dentro, y σκοπεῖν, mirar.) m. *Cir.* Aparato destinado al examen visual de la uretra y de la vejiga urinaria.

Endose. m. Acción y efecto de endosar o endosarse, 2.° art.

Endoselar. tr. Formar dosel.

Endosmómetro. m. *Fís.* Aparato para apreciar la endósmosis.

Endósmosis [Endosmosis]. (Del gr. ἔνδον, dentro, y ὠσμός, acción de empujar e impeler.) f. *Fís.* Corriente de fuera adentro, que se establece cuando los líquidos de distinta densidad están separados por una membrana.

Endoso. m. Acción y efecto de endosar, 1.er art. || **2.** Lo que para endosar una letra u otro documento a la orden se escribe en su respaldo o dorso.

Endotelio. (Del gr. ἔνδον, dentro, y θηλή, pezón del pecho.) m. *Zool.* Tejido formado por células aplanadas y dispuestas en una sola capa, que reviste interiormente las paredes de algunas cavidades orgánicas que no comunican con el exterior; como en la pleura y en los vasos sanguíneos.

Endrecera. f. ant. **Derechera.**

Endrezar. (De *en* y *drezar.*) tr. ant. Aderezar, preparar. || **2.** ant. Remediar, recompensar.

Endriago. (Del lat. *draco,* dragón.) m. Monstruo fabuloso, formado del conjunto de facciones humanas y de las de varias fieras.

Endrina. f. Fruto del endrino.

Endrinal. m. Sitio poblado de endrinos.

Endrino, na. adj. De color negro azulado, parecido al de la endrina. || **2.** m. Ciruelo silvestre con espinas en las ramas, las hojas lanceadas y lampiñas, y el fruto pequeño, negro azulado y áspero al gusto.

Endrogarse. r. *Méj.* y *Perú.* Entramparse, contraer deudas o drogas.

Endulcecer. (Del lat. *in,* en, y *dulcescĕre.*) tr. ant. **Endulzar.** Usáb. t. c. r.

Endulcir. (Del lat. *indulcēre.*) tr. ant. **Endulzar.**

Endulzadura. f. Acción y efecto de endulzar o endulzarse.

Endulzar. tr. Poner dulce una cosa. Ú. t. c. r. || **2.** fig. Suavizar, hacer llevadero un trabajo. Ú. t. c. r. || **3.** *Pint.* p. us. Suavizar las tintas y contornos.

Endulzorar. (De *en* y *dulzorar.*) tr. ant. **Endulzar.**

Endurador, ra. (De *endurar.*) adj. Que por carácter y condiciones es poco inclinado a gastar, y menos a dar. Ú. t. c. s.

Enduramiento. (De *endurar.*) m. ant. **Endurecimiento.**

Endurar. (Del lat. *indurāre.*) tr. **Endurecer.** Ú. t. c. r. || **2.** Sufrir, tolerar. || **3.** Diferir o dilatar una cosa. || **4.** Economizar, escasear el gasto.

Endurecer. (Del lat. *indurescĕre.*) tr. Poner dura una cosa. Ú. t. c. r. || **2.** fig. Robustecer los cuerpos; hacerlos más aptos para el trabajo y la fatiga. Ú. t. c. r. || **3.** fig. Hacer a uno áspero, severo, exigente. || **4.** intr. p. us. Ponerse duro. || **5.** r. Encruelecerse, negarse a la piedad, obstinarse en el rigor.

Endurecidamente. adv. m. Con dureza o pertinacia.

Endurecimiento. (De *endurecer.*) m. **Dureza,** 1.ª acep. || **2.** fig. Obstinación, tenacidad.

Ene. f. Nombre de la letra *n,* y del signo potencial indeterminado en álgebra. || **2.** adj. Denota cantidad indeterminada. *Eso costará* ENE *pesetas.* || **de palo.** fig. y fam. **Horca,** 1.ª acep. || **Ser de ene** una cosa. fr. fam. Ser consiguiente, forzosa o infalible.

Enea. f. **Anea.**

Eneágono, na. (Del gr. ἐννέα, nueve, y γωνία, ángulo.) adj. *Geom.* Aplícase al polígono de nueve ángulos y nueve lados. Ú. m. c. s. m.

Eneal. m. Sitio donde abunda la enea.

Eneasílabo, ba. (Del gr. ἐννέα, nueve, y συλλαβή, sílaba.) adj. De nueve sílabas. *Verso* ENEASÍLABO. Ú. t. c. s.

Enebral. m. Sitio poblado de enebros.

Enebrina. f. Fruto del enebro.

Enebro. (Del lat. *jinipĕrus,* por *junipĕrus.*) m. Arbusto de la familia de las cupresáceas, de tres a cuatro metros de altura, con tronco ramoso, copa espesa, hojas lineales de tres en tres, rígidas, punzantes, blanquecinas por la haz y verdes por el margen y el envés; flores en amentos axilares, escamosas, de color pardo rojizo, y por frutos bayas elipsoidales o esféricas de cinco a siete milímetros de diámetro, de color negro azulado, con tres semillas casi ovaladas, pero angulosas en sus extremos. La madera es rojiza, fuerte y olorosa. || **2.** Madera de esta planta. || **de la miera.** El de tronco recto, hojas con dos líneas blanquecinas en la haz y frutos rojizos.

Enechado, da. p. p. de **Enechar.** || **2.** adj. **Expósito.** Ú. t. c. s.

Enechar. tr. ant. Echar a un niño en la casa de expósitos.

Enejar. (De *en* y *eje.*) tr. Echar eje o ejes a un carro, coche, etc. || **2.** Poner una cosa en el eje.

Eneldo. (De *aneldo,* 1.er art.) m. Hierba de la familia de las umbelíferas, con tallo ramoso, de seis a ocho decímetros de altura; hojas divididas en lacinias filiformes, flores amarillas en círculo, con unos veinte radios, y semillas pareadas planas en su cara de contacto, elípticas y con nervios bien señalados. Se ha usado el cocimiento de los frutos como carminativo.

Enema. (Del gr. ἔναιμον; de ἐν, en, y αἷμα, sangre.) m. *Med.* Cualquiera de ciertos medicamentos que los antiguos aplicaban sobre las heridas sangrientas, y que se componían de substancias secantes y ligeramente astringentes.

Enema. (Del gr. ἔνεμα, inyección.) f. *Med.* **Ayuda,** 5.ª acep.

Enemicísimo. (Del lat. *inimicissimus.*) adj. sup. de **Enemigo.**

Enemiga. (De *enemigar.*) f. Enemistad, odio, oposición, mala voluntad. || **2.** ant. Maldad, vileza.

Enemigable. (De *enemigar.*) adj. ant. **Enemigo.**

Enemigablemente. adv. m. ant. Con enemiga.

Enemigadero, ra. (De *enemigar.*) adj. ant. Propenso a discordias y enemistades.

Enemigamente. adv. m. Con enemistad.

Enemigar. (Del lat. *inimicāre.*) tr. ant. **Enemistar.** Usáb. t. c. r. || **2.** ant. **Aborrecer,** 1.ª acep.

Enemigo, ga. (Del lat. *inimicus.*) adj. **Contrario,** 1.ª acep. || **2.** m. y f. El que tiene mala voluntad a otro y le desea o hace mal. || **3.** m. En el derecho antiguo, el que había muerto al padre, a la madre o a alguno de los parientes de otro dentro del cuarto grado, o le había acusado de un delito grave, etc. || **4.** El contrario en la guerra. || **5. Diablo,** 1.ª acep. || **jurado.** El que tiene hecho firme propósito de serlo de personas o cosas. || **malo. Enemigo,** 5.ª acep. || **Al enemigo que huye, la puente de plata.** ref. que enseña que en ciertas ocasiones conviene facilitar la huida al **enemigo,** o el desistimiento de quien nos estorba. || **De los enemigos, los menos.** ref. que se usa cuando se trata de deshacerse de los que causan perjuicio. || **El que es enemigo de la novia, no dice bien de la boda, o ¿cómo dirá bien de la boda?** ref. que enseña no deberse tomar el dictamen de personas apasionadas y quejosas, ni dar fe a sus dichos. || **Enemigos pagados.** fr. fam. Aplícase a los sirvientes, que con frecuencia procuran el daño de sus amos. || **Ése es tu enemigo, el que es de tu oficio.** ref. **¿Quién es tu enemigo? El que es de tu oficio.** || **Ganar** uno **enemigos.** fr. Adquirirlos, granjeárselos, procurárselos. || **No**

hay enemigo pequeño. prov. de sentido patente. || Quien a su enemigo popa, a sus manos muere. ref. que enseña que el que desprecia a su enemigo, suele ser víctima de su vana confianza. || ¿Quién es tu enemigo? El que es de tu oficio. ref. que advierte que la emulación suele enemistar a los hombres de una misma clase, ejercicio, etc. || Quien tiene enemigos, no duerma. ref., y completo: que hasta el escarabajo, del águila se venga. Advierte el cuidado, cautela y vigilancia que se ha de tener con los enemigos, para que no nos cojan desprevenidos sus asechanzas o agresiones. || Sea mi enemigo y vaya a mi molino. ref. Al que viene a darnos provecho le recibimos gustosos, aunque no sea amigo. || Ser uno enemigo de una cosa. fr. No gustar de ella. || Si quieres enemigos, haz de vestir a niños. ref. que nace de que la ropa de niños es para el sastre enfadosa de hacer y no la estiman bien los parroquianos.

Enemistad. (Del lat. *inimicitas, por inimicitia.) f. Aversión u odio entre dos o más personas.

Enemistanza. (De *enemistar.*) f. ant. Enemistad.

Enemistar. (De *enemistad.*) tr. Hacer a uno enemigo de otro, o hacer perder la amistad. Ú. t. c. r.

Éneo, a. (Del lat. *aenĕus.*) adj. poét. De cobre o bronce.

Energético, ca. adj. Perteneciente o relativo a la energía. || **2.** f. *Fís.* Ciencia que trata de la energía.

Energía. (Del lat. *energīa*, y éste del gr. ἐνέργεια.) f. Eficacia, poder, virtud para obrar. || **2.** Fuerza de voluntad, vigor y tesón en la actividad. || **3.** *Fís.* Causa capaz de transformarse en trabajo mecánico. || **atómica.** La que se obtiene mediante modificaciones en el núcleo del átomo, como en la fisión de un núcleo pesado o en la condensación de núcleos ligeros para formar otros de mayor peso con pérdida de masa.

Enérgicamente. adv. m. Con energía.

Enérgico, ca. adj. Que tiene energía, o relativo a ella.

Energúmeno, na. (Del lat. *energumĕnus*, y éste del gr. ἐνεργούμενος, poseído.) m. y f. Persona poseída del demonio. || **2.** fig. Persona furiosa, alborotada.

Enerizamiento. (De *enerizar.*) m. ant. Erizamiento.

Enerizar. tr. p. us. **Erizar.** Ú. t. c. r.

Enero. (Del lat. *ienuarius*, por *ianuarius.*) m. Mes primero de los doce de que consta el año civil. Tiene treinta y un días. || **De enero a enero, el dinero es del banquero.** ref. con que se da a entender que en el juego del monte y otros análogos, a la larga lleva ventaja el banquero. || **En enero, ni galgo lebrero ni halcón perdiguero.** ref. que enseña que en el mes de **enero** no conviene cazar con esos animales. También se dijo: **En enero no hay galgo lebrero, sino el cañamero,** aludiendo a las redes de cáñamo usadas para cazar. || **Enero y febrero comen más que Madrid y Toledo.** ref. que alude a las carnes que en esos meses pierde el ganado por la escasez de hierbas.

Enertarse. (De *yerto.*) r. ant. Quedarse yerto.

Enervación. (Del lat. *enervatio, -ōnis.*) f. Acción y efecto de enervar o enervarse. || **2. Afeminación.** || **3.** *Med.* Agotamiento de la energía nerviosa.

Enervador, ra. adj. Que enerva.

Enervamiento. m. Enervación, 1.ª acep.

Enervante. p. a. de **Enervar.** Que enerva.

Enervar. (Del lat. *enervāre.*) tr. Debilitar, quitar las fuerzas. Ú. t. c. r. || **2.** fig. Debilitar la fuerza de las razones o argumentos. Ú. t. c. r.

Enerve. (Del lat. *enervis.*) adj. desus. Débil, afeminado, sin fuerza.

Enescar. (Del lat. *inescāre*, cazar con cebo.) tr. ant. Poner cebo.

Enésimo, ma. adj. Dícese del número indeterminado de veces que se repite una cosa. || **2.** *Mat.* Dícese del lugar indeterminado en una serie.

Enfadadizo, za. adj. Fácil de enfadarse.

Enfadamiento. (De *enfadar.*) m. **Enfado.**

Enfadar. tr. Causar enfado. Ú. t. c. r.

Enfado. (Del lat. *in*, en, y *fatŭus*, necio.) m. Impresión desagradable y molesta que hacen en el ánimo algunas cosas, || **2.** Afán, trabajo. || **3. Enojo,** 1.ª acep. || **4.** pl. Composición satírica en que cada terceto o estrofa empezaba con *Enfádome* o forma semejante del verbo *enfadar.*

Enfadosamente. adv. m. Con enfado.

Enfadoso, sa. adj. Que de suyo causa enfado.

Enfaenado, da. adj. Metido en faena, entregado al trabajo con afán.

Enfalcado. m. *Colomb.* Aparato de madera colocado sobre los fondos de las hornillas de los trapiches.

Enfaldado. (De *enfaldo.*) adj. Dícese del varón, sobre todo del niño, que vive demasiado apegado a las mujeres de la casa.

Enfaldador. m. Alfiler grueso de que las mujeres usan en algunos países para tener sujeto el enfaldo.

Enfaldar. tr. Recoger las faldas o las sayas. Ú. t. c. r. || **2.** Hablando de los árboles, cortarles las ramas bajas para que crezcan y formen copa las superiores.

Enfaldo. m. Falda o cualquiera ropa talar recogida o enfaldada. || **2.** Sitio, seno o cavidad que hacen las ropas enfaldadas para llevar algunas cosas.

Enfangar. tr. Cubrir de fango una cosa o meterla en él. Ú. m. c. r. || **2.** r. fig. y fam. Mezclarse en negocios innobles y vergonzosos. || **3.** fig. Entregarse con excesivo afán a placeres sensuales.

Enfardador, ra. adj. Que enfarda. Ú. t. c. s.

Enfardar. tr. Hacer o arreglar fardos. || **2.** Empaquetar mercaderías.

Enfardelador, ra. (De *enfardelar.*) m. y f. Persona que enfardela o enfarda, y en particular el que lía o acomoda los fardos para cargarlos en los buques.

Enfardeladura. f. Acción de enfardelar las ropas y demás mercaderías para la carga.

Enfardelar. tr. Hacer fardeles. || **2. Enfardar.**

Énfasis. (Del gr. ἔμφασις, explicación; de ἐμφαίνω, mostrar, declarar.) amb. Fuerza de expresión o de entonación con que se quiere realzar la importancia de lo que se dice o se lee. Ú. m. c. m. || **2.** Afectación en la expresión, en el tono de la voz o en el gesto. || **3.** *Ret.* Figura que consiste en dar a entender más de lo que realmente se expresa con las palabras empleadas para decir alguna cosa.

Enfastiar. (De *en* y *fastio.*) tr. ant. Causar hastío. Ú. en *Sal.*

Enfastidiar. tr. ant. **Fastidiar.**

Enfáticamente. adv. m. Con énfasis.

Enfático, ca. (Del gr. ἐμφατικός.) adj. Aplícase a lo dicho con énfasis o que lo denota o implica, y a las personas que hablan o escriben enfáticamente.

Enfear. (De *en* y *feo.*) tr. ant. **Afear.**

Enfeminado, da. adj. ant. **Afeminado.**

Enfermamente. adv. m. ant. Flaca o débilmente.

Enfermante. p. a. ant. de **Enfermar.** Que enferma.

Enfermar. (Del lat. *infirmāre.*) intr. Contraer enfermedad el hombre o el animal. || **2.** fig. Contraer enfermedad los vegetales. || **3.** tr. Causar enfermedad. || **4.** fig. Debilitar, quitar firmeza, menoscabar, invalidar. || **5. Si quieres enfermar, cena mucho y vete a acostar.** prov. que advierte el peligro de acostarse con el estómago muy lleno.

Enfermedad. (Del lat. *infirmĭtas, -ātis.*) f. Alteración más o menos grave de la salud del cuerpo animal. || **2.** fig. Alteración más o menos grave en la fisiología del cuerpo vegetal. || **3.** fig. Pasión dañosa o alteración en lo moral o espiritual. *La ambición es* ENFERMEDAD *que difícilmente se cura; las* ENFERMEDADES *del alma* o *del espíritu.* || **4.** fig. Anormalidad dañosa en el funcionamiento de una institución, colectividad, etc. || **carencial.** La producida por carencia, 2.ª acep. || **específica.** La que únicamente puede ser producida siempre por la misma causa. || **2.** *Med.* La sifilítica.

Enfermería. (De *enfermero.*) f. Casa o sala destinada para los enfermos. || **2.** Conjunto de los enfermos de determinado lugar o tiempo, o de una misma enfermedad. || **3.** fam. desus. En Madrid se llamaba así a los coches tirados por dos mulas pesadas y viejas. || **4.** Dependencia aneja en las plazas de toros, destinada a curar a los toreros que reciban alguna herida durante la corrida. || **Estar en la enfermería.** fr. fig. y fam. Dícese de todo mueble o alhaja de uso común que está en casa del artífice a componerse. || **Tomar uno enfermería.** fr. Ser considerado en la clase de enfermo.

Enfermero, ra. m. y f. Persona destinada para la asistencia de los enfermos.

Enfermizar. tr. ant. Hacer enfermiza a una persona.

Enfermizo, za. adj. Que tiene poca salud; que enferma con frecuencia. || **2.** Capaz de ocasionar enfermedades; como algunos manjares por su mala calidad, algunos lugares por su mala situación, etc. || **3.** Propio de un enfermo. *Pasión* ENFERMIZA.

Enfermo, ma. (Del lat. *infirmus.*) adj. Que padece enfermedad. Ú. t. c. s. y en sent. fig. || **2. Enfermizo.** || **3.** V. **Puchero de enfermo.** || **Al enfermo que es de vida, el agua le es medicina.** ref. que encarece la robusta constitución o buena estrella de una persona, y todo lo que de suyo es sólido y hacedero. || **Apelar el enfermo.** fr. fig. y fam. Escaparse de la muerte que le tenían pronosticada. || **El enfermo ni lo bebe ni lo come, mas mala casa pone.** ref. alusivo a que las enfermedades consumen la hacienda.

Enfermosear. (De *en* y *fermoso.*) tr. ant. **Hermosear.**

Enfermoso, sa. adj. *Colomb., Ecuad., Hond.* y *Méj.* **Enfermizo.**

Enfermucho, cha. adj. Que tiene poca salud, propenso a enfermar.

Enferozar. (De *en* y *feroz.*) tr. ant. **Enfurecer,** 1.ª acep. Usáb. t. c. r.

Enfervorecer. tr. ant. **Enfervorizar.**

Enfervorizador, ra. adj. Que enfervoriza. Ú. t. c. s.

Enfervorizar. (De *en* y *fervor*). tr. Infundir buen ánimo, fervor, celo ardiente. Ú. t. c. r.

Enfestar. (Del lat. *infestāre*, hostilizar, levantar en contra.) tr. ant. Enhestar, enderezar, levantar. || **2.** r. ant. Levantarse, rebelarse, atreverse.

Enfeudación. f. Acción de enfeudar. || **2.** Título o diploma en que se contiene este acto.

Enfeudar. tr. Dar en feudo un reino, territorio, ciudad, etc.

Enfiar. tr. ant. Fiar a uno; salir por fiador suyo. || **2.** intr. ant. **Confiar,** 1.ª acep.

Enficionar. tr. ant. Inficionar.

Enfielar. tr. Poner en fiel.

Enfierecerse. r. p. us. Ponerse hecho una fiera.

Enfiestarse. r. *Colomb., Chile, Hond., Méj.* y *Venez.* Estar de fiesta, divertirse.

Enfiesto, ta. (Del lat. *infestus*, hostil, levantado.) adj. ant. Erguido, levantado.

Enfilado, da. (De *enfilar.*) p. p. de **Enfilar.** || **2.** adj. *Blas.* Dícese de las cosas huecas, como anillos, sortijas, coronas, etc., pasadas en la banda, palo, faja o lanza, que parecen ensartadas.

Enfilar. tr. Poner en fila varias cosas. || **2.** Dirigir una visual, bien a lo largo del canto de una regla, o ya por medio de miras y otros instrumentos. || **3.** Venir dirigida una cosa en la misma dirección de otra. *El viento* ENFILABA *la calle.* || **4. Ensartar,** 1.ª acep. || **5.** ant. Hilar, tejer. || **6.** *Mil.* Colocarse la artillería al flanco de un frente fortificado, de un puesto o de una tropa, para batirlos con fuego directo.

Enfingimiento. m. ant. **Fingimiento.**

Enfingir. tr. ant. **Fingir.** || **2.** ant. Presumir, hincharse y manifestar soberbia.

Enfinta. (De *en* y *finta*, 2.° art.) f. ant. Fraude, engaño.

Enfintoso, sa. (De *enfinta.*) adj. ant. Engañoso, fingido.

Enfisema. (Del lat. *emphysēma*, y éste del gr. ἐμφύσημα, de ἐμφυσάω; de ἐν, en, y φυσάω, soplar.) m. *Med.* Tumefacción producida por aire o gas en el tejido pulmonar, en el celular o en la piel.

Enfistolarse. r. Pasar una llaga al estado de fístula. Ú. t. c. tr.

Enfitéosis. f. ant. **Enfiteusis.**

Enfitéota. m. ant. **Enfiteuta.**

Enfitéoto, ta. adj. ant. **Enfitéutico.**

Enfiteusis. (Del lat. *emphyteusis*, y éste del gr. ἐμφύτευσις, de ἐμφυτεύω, implantar.) f. Cesión perpetua o por largo tiempo del dominio útil de un inmueble, mediante el pago anual de un canon y de laudemio por cada enajenación del dicho dominio. Ú. t. c. m. || **2. Contrato enfitéutico.**

Enfiteuta. (Del lat. *emphyteuta.*) com. Persona que tiene el dominio útil a censo enfitéutico.

Enfiteutecario, ria. (De *enfiteuticario.*) adj. ant. **Enfitéutico.**

Enfiteuticario, ria. (Del lat. *emphyteuticarius.*) adj. ant. **Enfiteutecario.**

Enfitéutico, ca. (Del lat. *emphyteuticus.*) adj. Dado en enfiteusis o perteneciente a ella. || **2.** V. **Censo enfitéutico.** || **3.** *For.* V. **Contrato enfitéutico.**

Enfiuzar. (Del lat. *infiduciāre.*) intr. ant. **Confiar.** Ú. t. c. r.

Enflacar. intr. **Enflaquecer,** 3.ª acep.

Enflaquecer. tr. Poner flaco a uno, minorando su corpulencia o fuerzas. || **2.** fig. Debilitar, enervar. || **3.** intr. Ponerse flaco. Ú. t. c. r. || **4.** ant. Sentir daño o menoscabo en la salud. || **5.** fig. Desmayar, perder ánimo.

Enflaquecimiento. m. Acción y efecto de enflaquecer o enflaquecerse.

Enflautado, da. p. p. de **Enflautar.** || **2.** adj. fam. Hinchado, retumbante. || **3.** f. *Hond.* y *Perú.* Patochada, disparate.

Enflautador, ra. adj. fam. Que enflauta. Ú. t. c. s. || **2.** m. y f. fam. **Alcahuete, ta,** 1.ª y 2.ª aceps.

Enflautar. (De *en* y *flauta.*) tr. Hinchar, soplar. || **2.** fam. **Alcahuetear.** || **3.** fam. Alucinar, engañar. || **4.** *Colomb.* y *Méj.* fam. **Encajar,** 5.ª y 7.ª aceps.

Enflechado, da. adj. Dícese del arco o ballesta en que se ha puesto la flecha para arrojarla.

Enflorar. tr. Florear, adornar con flores.

Enflorecer. tr. ant. **Enflorar.** Usáb. t. c. r. || **2.** intr. **Florecer.**

Enfocar. (De *en* y *foco.*) tr. Hacer que la imagen de un objeto producida en el foco de una lente se recoja con claridad sobre un plano u objeto determinado. || **2.** fig. Descubrir y comprender los puntos esenciales de un problema o negocio, para tratarlo o resolverlo acertadamente.

Enfogar. (De *en* y *fuego.*) tr. ant. Encender una cosa; como el hierro, haciéndolo ascua. || **2.** ant. **Ahogar,** 1.er art., 1.ª acep.

Enfoque. m. Acción y efecto de enfocar.

Enforcar. (Del lat. *infurcāre.*) tr. ant. **Ahorcar.**

Enforcia. (Del b. lat. *inforcia*, y éste del lat. *in*, en, y *fortis*, fuerte.) f. ant. Fuerza o violencia que se hace a una persona.

Enformar. tr. ant. **Informar.**

Enfornar. (Del lat. *in*, en, y *furnus*, horno.) tr. ant. **Enhornar.**

Enforradura. (De *enforrar.*) f. ant. **Forro,** 1.er art., 1.ª acep.

Enforrar. tr. ant. **Aforrar,** 1.er art., 1.ª acep.

Enforro. (De *enforrar.*) m. ant. **Forro,** 1.er art., 1.ª acep.

Enfortalecer. tr. ant. **Fortalecer.**

Enfortalecimiento. (De *enfortalecer.*) m. ant. **Fortalecimiento.** || **2.** ant. **Fortaleza.**

Enfortecer. (Del lat. *in*, en, y *fortescĕre.*) tr. ant. **Fortalecer.**

Enfortir. (Del lat. *in*, en, y *fortis*, fuerte.) tr. ant. **Enfurtir.**

Enfosado. m. *Veter.* **Encebadamiento.**

Enfoscadero. (De *enfoscar.*) m. *Sal.* Pasaje angosto y oculto.

Enfoscado, da. p. p. de **Enfoscar.** || **2.** m. *Albañ.* Operación de enfoscar un muro. || **3.** Capa de mortero con que está guarnecido un muro.

Enfoscar. (Del lat. *infŭscāre*, obscurecer.) tr. ant. **Obscurecer,** 1.ª acep. || **2.** *Albañ.* Tapar los mechinales y otros agujeros que quedan en una pared después de labrada. || **3.** *Albañ.* Guarnecer con mortero un muro. || **4.** r. Ponerse hosco y ceñudo. || **5.** Enfrascarse, engolfarse en un negocio. || **6.** Encapotarse, cubrirse el cielo de nubes. || **7.** *Sal.* Cubrirse, arroparse. || **8.** *Sal.* Esconderse, ocultarse.

Enfotarse. (De *en* y *foto.*) r. ant. *Ast.* Tener fe y confianza excesiva en sí mismo.

Enfrailar. tr. Hacer fraile a uno. || **2.** intr. Meterse fraile. Ú. t. c. r.

Enfranque. m. Parte más estrecha de la suela del calzado, entre la planta y el tacón.

Enfranquecer. tr. Hacer franco o libre.

Enfrascamiento. m. Acción y efecto de enfrascarse.

Enfrascar. tr. Echar en frascos agua, vino u otro licor.

Enfrascarse. (De *en* y *frasca.*) r. Enzarzarse, meterse en una espesura. || **2.** fig. Aplicarse con tanta intensidad a un negocio, disputa o cosa semejante, que no quede libertad para distraerse a otra.

Enfrenador, ra. adj. Que enfrena. Ú. t. c. s.

Enfrenamiento. m. Acción y efecto de enfrenar.

Enfrenar. (Del lat. *infrenāre.*) tr. Poner el freno al caballo. || **2.** Enseñarle a que obedezca. || **3.** Contenerlo y sujetarlo. || **4.** Con el adv. *bien*, hacerle llevar la cabeza derecha y bien puesta. || **5.** fig. **Refrenar,** 2.ª acep. Ú. t. c. r.

Enfrentar. tr. Afrontar, poner frente a frente. Ú. t. c. r. y c. intr. || **2.** Afrontar, hacer frente, oponer. Ú. t. c. r.

Enfrente. (De *en* y *frente.*) adv. l. A la parte opuesta, en punto que mira a otro, o que está delante de otro. || **2.** adv. m. En contra, en pugna.

Enfriadera. f. Vasija en que se enfría una bebida.

Enfriadero. m. Paraje o sitio para enfriar.

Enfriador, ra. adj. Que enfría. Ú. t. c. s. || **2.** m. **Enfriadero.**

Enfriamiento. m. Acción y efecto de enfriar o enfriarse. || **2.** Indisposición que se caracteriza por síntomas catarrales, resultado de la acción del frío atmosférico sobre el cuerpo.

Enfriar. (Del lat. *infrigidāre.*) tr. Poner o hacer que se ponga fría una cosa. Ú. t. c. intr. y c. r. || **2.** fig. Entibiar los afectos, templar la fuerza y el ardor de las pasiones; amortiguar la eficacia en las obras. Ú. t. c. r. || **3.** r. Quedarse fría una persona.

Enfrontar. tr. Llegar al frente de alguna cosa. Ú. t. c. intr. || **2.** Afrontar, hacer frente. Ú. t. c. intr. ENFRONTAR *con los enemigos.*

Enfrontilar. tr. *And.* Poner el frontil a los bueyes. || **2.** r. *And.* Ponerse el toro de frente a uno para acometerle.

Enfroscarse. r. **Enfrascarse.**

Enfuciar. intr. ant. **Enfiuzar.**

Enfullar. tr. fam. Hacer trampas o fullerías en el juego.

Enfundadura. f. Acción y efecto de enfundar.

Enfundar. tr. Poner una cosa dentro de su funda. || **2.** Llenar, henchir.

Enfurcio. m. ant. **Enfurción.**

Enfurción. (De *en* y *furción.*) f. **Infurción.**

Enfurecer. tr. Irritar a uno, o ponerle furioso. Ú. t. c. r. || **2. Ensoberbecer,** 1.ª acep. || **3.** r. fig. Alborotarse, alterarse. Se dice del viento, del mar, etc.

Enfurecimiento. m. Acción y efecto de enfurecer o enfurecerse.

Enfuriarse. (De *furia.*) r. ant. **Enfurecer,** 3.ª acep. Ú. en *Sal.*

Enfurruñamiento. m. Acción y efecto de enfurruñarse.

Enfurruñarse. r. fam. Ponerse enfadado. || **2.** fam. Enfoscarse, encapotarse el cielo.

Enfurruscarse. r. fam. *Ál., Ar.* y *Chile.* **Enfurruñarse.**

Enfurtido, da. p. p. de **Enfurtir.** || **2.** m. Acción y efecto de enfurtir.

Enfurtir. (De *enfortir.*) tr. Dar en el batán a los paños y otros tejidos de lana el cuerpo correspondiente. Ú. t. c. r. || **2.** Apelmazar el pelo. Ú. t. c. r.

Enfusar. (Del lat. *infūsus.*) tr. *Sal.* **Enfusir.** || **2.** *Sal.* Atollar, hundir. Ú. t. c. r.

Enfusir. (Del lat. *infercīre.*) tr. *Sal.* **Embutir,** 1.ª acep.

Engabanado, da. adj. Cubierto con gabán.

Engace. m. **Engarce.** || **2.** fig. Dependencia y conexión que tienen unas cosas con otras.

Engafar. tr. Armar la ballesta con la gafa, colocando la cuerda en la nuez para que pueda disparar el lance. || **2.** Poner la escopeta en el seguro. || **3.** Enganchar con gafas.

Engafecer. (De *en* y *gafo.*) intr. ant. Contraer la lepra.

Engafetar. (De *gafete.*) tr. *Ar.* **Encorchetar.**

Engaitador, ra. (De *engaitar.*) adj. fam. Que engaita.

Engaitar. tr. fam. Engañar con promesas y con palabras artificiosas y deslumbradoras.

Engalabernar. tr. ant. Embarbillar, acoplar. Ú. en *Colomb.*

Engalanar. tr. Poner galana una cosa, adornar. Ú. t. c. r.

Engalgar. tr. Hacer que la liebre o el conejo sean perseguidos por el galgo.

poniendo a éste sobre el rastro de la caza, o haciéndosela ver para que la siga sin perderla de vista.

Engalgar. tr. Apretar la galga contra el cubo de la rueda de un carruaje para impedir que gire. || **2.** Calzar las ruedas de los carruajes con la plancha para impedir que giren. || **3.** *Mar.* Afirmar a la cruz de una ancla el cable de un anclote para que, tendidos o fondeados ambos en la misma dirección, ofrezcan seguridad a la nave en casos de mal tiempo o en fondeaderos de mucha corriente.

Engallado, da. p. p. de **Engallarse.** || **2.** adj. fig. Erguido, derecho. || **3.** fig. Altanero, soberbio.

Engallador. m. Engalle.

Engalladura. f. Galladura.

Engallarse. (De *en* y *gallo.*) r. fig. Ponerse erguido y arrogante. Ú. t. c. tr. || **2.** *Equit.* Levantar la cabeza y recoger el cuello el caballo, obligado por el freno o engallador.

Engalle. (De *engallar.*) m. Parte del arnés de lujo, que consiste en dos correas que partiendo del bocado y pasando por unas argollas de la frontalera, se reúnen en una hebilla o gancho fijo en la parte alta del collerón. Sirve para mantener erguida la cabeza del caballo.

Enganchador, ra. adj. Que engancha.

Enganchamiento. m. **Enganche.**

Enganchar. tr. Agarrar una cosa con gancho o colgarla de él. Ú. t. c. r. y c. intr. || **2.** Poner las caballerías en los carruajes de manera que puedan tirar de ellos. Ú. t. c. intr. || **3.** fig. y fam. Atraer a uno con arte, captar su afecto o su voluntad. || **4.** *Mil.* Atraer a uno a que siente plaza de soldado, ofreciéndole dinero. || **5.** *Taurom.* Coger el toro al bulto y levantarlo con los pitones. || **6.** r. *Mil.* Sentar plaza de soldado.

Enganche. m. Acción y efecto de enganchar o engancharse. || **2.** Pieza o aparato dispuesto para enganchar.

Engandujo. m. Hilo retorcido que cuelga de cierta franja que tiene el mismo nombre.

Engañabobos. (De *engañar* y *bobo.*) com. fam. Persona engaitadora y embelecadora. || **2.** m. *And.* **Chotacabras.**

Engañadizo, za. adj. Fácil de ser engañado.

Engañador, ra. adj. Que engaña. || **2.** fig. Que atrae dulcemente el cariño. Ú. t. c. s.

Engañamiento. (De *engañar.*) m. ant. **Engaño.**

Engañamundo [Engañamundos]. m. **Engañador,** 1.ª acep.

Engañanecios. m. **Engañabobos,** 1.ª acep.

Engañante. p. a. de **Engañar.** Que engaña.

Engañanza. (De *engañar.*) f. ant. **Engaño.**

Engañapastores. (De *engañar* y *pastor.*) m. **Chotacabras.**

Engañar. (Del lat. *in-gannāre,* burlar.) tr. Dar a la mentira apariencia de verdad. || **2.** Inducir a otro a creer y tener por cierto lo que no es, valiéndose de palabras o de obras aparentes y fingidas. || **3.** Producir ilusión, como acontece con algunos fenómenos naturales; v. gr.: la calle o camino que parecen angostarse a su fin a los que los miran desde el otro extremo, etc. || **4.** Entretener, distraer. ENGAÑAR *el tiempo, el sueño, el hambre.* || **5.** Hacer más apetitoso un manjar. *Con el tomate voy* ENGAÑANDO *la carne.* || **6.** **Engatusar.** || **7.** r. Cerrar los ojos a la verdad, por ser más grato el error. || **8.** **Equivocarse.**

Engañifa. f. fam. Engaño artificioso con apariencia de utilidad.

Engañifla. f. ant. **Engañifa.** Ú. en *And.* y *Chile.*

Engaño. (De *engañar.*) m. Falta de verdad en lo que se dice, hace, cree, piensa o discurre. || **2.** Cualquier arte o armadijo para pescar. || **3.** *Taurom.* Muleta o capa de que se sirve el torero para engañar al toro. || **Deshacer un engaño.** fr. Satisfacer, desengañar, sacar del engaño y error aprehendido. || **Llamarse uno a engaño.** fr. fam. Retraerse de lo pactado, por haber reconocido engaño en el contrato, o pretender que se deshaga una cosa, alegando haber sido engañado.

Engañosamente. adv. m. Con engaño.

Engañoso, sa. adj. Falaz, que engaña o da ocasión a engañarse. || **2.** *Ar., Áv.* y *León.* Que dice mentiras.

Engarabatar. tr. fam. Agarrar con garabato. || **2.** Poner una cosa en forma de garabato. Ú. t. c. r.

Engarabitar. intr. Trepar, subir a lo alto. Ú. t. c. r. || **2.** tr. Engarabatar, dicho especialmente de los dedos que se encogen entumecidos por el frío. Ú. t. c. r.

Engaratusar. (De *en* y *garatusa.*) tr. *Guat., Hond.* y *Méj.* Hacer a uno garatusas, engatusar.

Engarbado, da. p. p. de **Engarbarse.** || **2.** adj. Dícese del árbol que al ser derribado queda sostenido por la copa de otro.

Engarbarse. r. Encaramarse las aves a lo más alto de un árbol o de otra cosa.

Engarberar. (De *en* y *garbera.*) tr. *And.* y *Murc.* Formar garberas.

Engarbullar. (De *en* y *garbullo.*) tr. fam. Confundir, enredar, mezclar una cosa con otras.

Engarce. m. Acción y efecto de engarzar. || **2.** Metal en que se engarza alguna cosa.

Engargantadura. f. **Engargante.**

Engargantar. tr. Meter una cosa por la garganta o tragadero, como se hace con las aves cuando se ceban a mano. || **2.** intr. **Engranar.** || **3.** Meter el pie en el estribo hasta la garganta. Ú. t. c. r.

Engargante. (De *engargantar.*) m. Encaje de los dientes de una rueda o barra dentada en los intersticios de otra.

Engargolado, da. p. p. de **Engargolar.** || **2.** m. Ranura por la cual se desliza una puerta de corredera. || **3.** *Carp.* Ensambladura, trabazón de lengüeta y ranura que une dos piezas de madera.

Engargolar. tr. Ajustar las piezas que tienen gárgoles.

Engaritar. tr. Fortificar o adornar con garitas una fábrica o fortaleza. || **2.** fam. Engañar con astucia.

Engarmarse. r. *Ast.* y *Sant.* Meterse el ganado en una garma.

Engarnio. m. fam. Plepa, persona o cosa que no vale para nada.

Engarrafador, ra. adj. Que engarrafa.

Engarrafar. (De *en* y *garfa.*) tr. fam. Agarrar fuertemente una cosa.

Engarrar. (De *en* y *garra.*) tr. desus. **Agarrar.**

Engarriar. intr. Trepar, encaramar. Ú. t. c. r.

Engarro. m. Acción y efecto de engarrar. || **2.** V. **Perro de engarro.**

Engarronar. (De *en* y *garrón.*) tr. *Murc.* **Apiolar,** 2.ª acep.

Engarrotar. (De *en* y *garrote.*) tr. **Agarrotar.** || **2.** *Argent.* y *Sal.* Entumecer los miembros el frío. Ú. t. c. r.

Engarzador, ra. adj. Que engarza. Ú. t. c. s.

Engarzadura. (De *engarzar.*) f. **Engarce.**

Engarzar. (Del ár. *jaraza,* cuenta o abalorio engarzado, con el pref. *en.*) tr. Trabar una cosa con otra u otras, formando cadena, por medio de hilo de metal. || **2.** **Rizar,** 1.ª acep. || **3.** **Engastar.**

Engasajar. (De *en* y *gasajo.*) tr. ant **Agasajar.**

Engastador, ra. adj. Que engasta. Ú. t. c. s.

Engastadura. (De *engastar.*) f. **Engaste.**

Engastar. (Del lat. *incastrāre.*) tr. Encajar y embutir una cosa en otra, como una piedra preciosa en un metal.

Engaste. m. Acción y efecto de engastar. || **2.** Cerco o guarnición de metal que abraza y asegura lo que se engasta. || **3.** Perla desigual que por un lado es llana o chata y por el otro redonda.

Engastonar. (Del ital. *incastonare.*) tr. ant. **Engastar.**

Engatado, da. p. p. de **Engatar.** || **2.** adj. Habituado a hurtar, como el gato; ratero.

Engatar. (Acaso de *gato.*) tr. fam. Engañar halagando.

Engatillado, da. p. p. de **Engatillar.** || **2.** adj. Aplícase al caballo y al toro que tienen el pescuezo grueso y levantado por la parte superior. || **3.** m. Procedimiento empleado para unir dos chapas de metal, y que consiste en doblar el borde de cada una, enlazarlos y machacarlos para que se unan. || **4.** *Arq.* Obra de madera, generalmente para techar los edificios, en la cual unas piezas están trabadas con otras por medio de gatillos de hierro.

Engatillar. (De *en* y *gatillo.*) tr. Unir dos chapas metálicas por el procedimiento del engatillado. || **2.** *Arq.* Sujetar con gatillo. || **3.** *Arq.* Encajar los extremos de los maderos de piso en las muescas de una viga. || **4.** *Pint.* Reforzar la tabla de una pintura con gatillo.

Engatusador, ra. adj. fam. Que engatusa. Ú. t. c. s.

Engatusamiento. m. fam. Acción y efecto de engatusar.

Engatusar. (De *engatar.*) tr. fam. Ganar la voluntad de uno con halagos para conseguir de él alguna cosa.

Engaviar. (De *en* y *gavia.*) tr. Subir a lo alto. Ú. t. c. r. || **2.** *Val.* **Enjaular,** 1.ª acep.

Engavillar. (De *en* y *gavilla.*) tr. **Agavillar.**

Engazador, ra. (De *engarzar,* 1.er art.) adj. **Engarzador.**

Engazamiento. (De *engarzar.*) m. **Engarce.**

Engazar. tr. **Engarzar.**

Engazar. tr. En el obraje de paños, teñirlos después de tejidos. || **2.** *Mar.* Ajustar y poner gazas de firme a los motones, cuadernales y vigotas.

Engazo. m. desus. **Engarce.**

Engendrable. adj. p. us. Que se puede engendrar.

Engendración. (De *engendrar.*) f. ant. **Generación,** 1.ª acep.

Engendrador, ra. adj. Que engendra, cría o produce. || **2.** m. ant. **Progenitor.**

Engendramiento. m. Acción y efecto de engendrar.

Engendrante. p. a. de **Engendrar.** Que engendra.

Engendrar. (Del lat. *ingenerāre.*) tr. Procrear, propagar la propia especie. || **2.** fig. Causar, ocasionar, formar.

Engendro. (De *engendrar.*) m. **Feto.** || **2.** Criatura informe que nace sin la proporción debida. || **3.** fig. Plan, designio u obra intelectual mal concebidos. || **Mal engendro.** fig. y fam. Muchacho avieso, mal inclinado y de índole perversa.

Engenerativo, va. adj. ant. **Generativo.**

Engenio. m. ant. **Ingenio.**

Engeñar. (De *engeño.*) tr. ant. Combatir con ingenios o máquinas, o disponerlos para combatir.

Engeñero. m. ant. **Ingeniero.**

Engeño. (Del lat. *ingenium.*) m. ant. **Ingenio.**

Engeñoso, sa. adj. ant. Ingenioso.
Engeridor. m. El que ingiere. || **2.** Abridor, 4.ª acep.
Engeridura. f. ant. Engerimiento.
Engerimiento. m. ant. Acción y efecto de engerir.
Engerir. (Del lat. *ingerĕre.*) tr. ant. Ingerir.
Engestado, da. adj. Agestado, encarado.
Engibacaire. m. *Germ.* Rufián, 1.ª acep.
Engibador. m. *Germ.* Rufián, 1.ª acep.
Engibar. (De *en* y *giba.*) tr. Hacer corcovado a uno. Ú. t. c. r. || **2.** *Germ.* Guardar y recibir.
Engina. f. desus. Angina.
Englandado, da. (De *en* y *glande,* bellota.) adj. *Blas.* Aplícase al roble o encina cargados de bellotas.
Englantado, da. adj. *Blas.* Englandado.
Englobar. (Del m. adv. *en globo.*) tr. Incluir o considerar reunidas varias partidas o cosas en una sola.
Englutativo, va. adj. ant. Glutinoso o aglutinante.
Englutir. (Del lat. *inglutīre.*) tr. ant. Engullir.
Engocetar. tr. Poner el gocete de la lanza en el ristre.
Engolado, da. adj. Que tiene gola.
Engolado, da. (Del fr. *engoulé,* de *engouler* tragar.) adj. *Blas.* Aplícase a las bandas, cruces, sotueres y demás piezas cuyos extremos entran en bocas de leones, serpientes, etc.
Engolfa. f. *Ar.* Algorfa.
Engolfar. (De *en* y *golfo.*) tr. Meter una embarcación en el golfo. || **2.** intr. Entrar una embarcación muy adentro del mar, de manera que ya no se divise desde tierra. Ú. m. c. r. || **3.** r. fig. Meterse mucho en un negocio, dejarse llevar, arrebatarse de un pensamiento o afecto. Ú. t. c. tr.
Engolillado, da. adj. fam. Que andaba siempre con la golilla puesta. || **2.** fig. y fam. Dícese de la persona que se precia de observar con rigor los estilos antiguos.
Engolondrinar. (De *en* y *golondro.*) tr. fam. Engreir, envanecer. Ú. t. c. r. || **2.** r. fam. Enamoricarse.
Engolosinador, ra. adj. Que engolosina.
Engolosinar. (De *en* y *golosina.*) tr. Excitar el deseo de uno con algún atractivo. || **2.** r. Aficionarse, tomar gusto a una cosa.
Engollamiento. m. fig. Presunción, envanecimiento.
Engolletado, da. p. p. de **Engolletarse.** || **2.** adj. fam. Erguido, presumido, vano.
Engolletarse. (De *en* y *gollete.*) r. fam. Engreírse, envanecerse.
Engolliparse. (De *engullir* e *hipar.*) r. Atragantarse.
Engomado, da. p. p. de **Engomar.** || **2.** adj. *Chile.* Peripuesto, acicalado.
Engomadura. f. Acción y efecto de engomar. || **2.** Primer baño que las abejas dan a las colmenas antes de fabricar la cera.
Engomar. tr. Dar goma desleída a las telas y otros géneros para que queden lustrosos. || **2.** Untar de goma los papeles y otros objetos para lograr su adherencia.
Engorar. tr. **Enhuerar.** Ú. t. c. intr. y c. r.
Engorda. f. *Chile.* Engorde, ceba. || **2.** *Chile* y *Méj.* Conjunto de animales vacunos o de cerda que se ceban para la matanza.
Engordadero. m. Sitio o paraje en que se tienen los cerdos para engordarlos. || **2.** Tiempo en que se engordan. || **3.** Alimento con que se engordan.
Engordador, ra. adj. Que hace engordar. Ú. t. c. s.
Engordar. tr. Cebar, dar mucho de comer para poner gordo. || **2.** intr. Ponerse gordo, crecer en gordura. || **3.** fig. y fam. Hacerse rico.
Engorde. m. Acción y efecto de engordar o cebar al ganado, especialmente al de cerda.
Engordecer. (De *en* y *gordo.*) tr. ant. **Engordar.** Usáb. t. c. intr.
Engorgoritar. tr. *Sal.* Engaritar, engañar con zalamerías. || **2.** *Sal.* Galantear, enamorar. Ú. t. c. r.
Engorra. (De *engorrar.*) f. desus. Asimiento, detención. || **2.** ant. Vuelta o gancho de hierro de algunas saetas, que sirve para que no se caigan ni puedan sacarse de la herida sin grande violencia y daño.
Engorrar. tr. ant. Tardar, detener. Ú. en *Ar.* y *Sal.* Ú. t. c. r. || **2.** *Venez.* Fastidiar, molestar. || **3.** r. Quedarse prendido o sujeto en un gancho. || **4.** Entrar una espina o púa en la carne de modo que no se pueda sacar fácilmente.
Engorro. (De *engorrar.*) m. Embarazo, impedimento, molestia.
Engorronarse. r. *Ar.* Vivir completamente retirado y casi como escondido.
Engorroso, sa. (De *engorro.*) adj. Embarazoso, dificultoso, molesto.
Engoznar. tr. Clavar o fijar goznes. || **2.** Encajar en un gozne.
Engraciar. intr. ant. Agradar, caer en gracia.
Engramear. tr. ant. Sacudir, menear.
Engranaje. m. *Mec.* Efecto de engranar. || **2.** *Mec.* Conjunto de las piezas que engranan. || **3.** *Mec.* Conjunto de los dientes de una máquina. || **4.** fig. Enlace, trabazón de ideas, circunstancias o hechos.
Engranar. (Del lat. *in,* en, y *crenae, -ārum,* muescas.) intr. *Mec.* **Endentar,** 1.ª acep. || **2.** fig. Enlazar, trabar.
Engrandar. (De *en* y *grande.*) tr. Agrandar.
Engrandecer. (Del lat. *ingrandescĕre.*) tr. Aumentar, hacer grande una cosa. || **2.** Alabar, exagerar. || **3.** fig. Exaltar, elevar a uno a grado o dignidad superior. Ú. t. c. r.
Engrandecimiento. (De *engrandecer.*) m. Dilatación, aumento. || **2.** Ponderación, exageración. || **3.** Acción de elevar o elevarse uno a grado o dignidad superior.
Engranerar. tr. Encerrar el grano; ponerlo en el granero o panera.
Engranujarse. (De *en* y *granujo.*) r. Llenarse de granos. || **2.** Hacerse granuja, apicararse.
Engrapar. tr. Asegurar, enlazar o unir con grapas las piedras u otras cosas.
Engrasación. f. **Engrase,** 1.ª acep.
Engrasador, ra. adj. Que engrasa. Ú. t. c. s.
Engrasar. tr. Dar substancia y crasitud a una cosa. || **2.** **Encrasar,** 2.ª acep. || **3.** Untar, manchar con pringue o grasa. Ú. t. c. r. || **4.** Adobar con algún aderezo las manufacturas o tejidos. || **5.** r. *Méj.* Contraer la enfermedad del saturnismo.
Engrase. m. Acción y efecto de engrasar o engrasarse. || **2.** Materia lubricante.
Engravecer. tr. Hacer grave o pesada alguna cosa. Ú. t. c. r.
Engredar. tr. Untar con greda.
Engreimiento. m. Acción y efecto de engreir o engreírse. || **2.** desus. Compostura y adornos con que las mujeres se visten y aderezan.
Engreir. (Del lat. *ingredīre,* por *ingrĕdi.*) tr. **Envanecer.** Ú. t. c. r. || **2.** *Amér.* y *And.* Encariñar, aficionar. Ú. m. c. r.
Engreñado, da. (De *en* y *greña.*) adj. **Desgreñado.**
Engrescar. (De *en* y *gresca.*) tr. Incitar a riña. Ú. t. c. r. || **2.** Meter a otros en broma, juego u otra diversión. Ú. t. c. r.
Engrifar. (De *en* y *grifo.*) tr. Encrespar, erizar. Ú. t. c. r. || **2.** r. Enamorarse, empinarse una caballería.
Engrillar. tr. Meter en grillos. || **2.** fig. Sujetar, aprisionar. || **3.** *P. Rico* y *Venez.* Encapotarse el caballo.
Engrillarse. r. Echar grillos o tallos las patatas.
Engrilletar. tr. *Mar.* Unir o asegurar por medio de grillete dos trozos de cadena, una cadena y una argolla, etc.
Engringarse. r. Seguir uno las costumbres o manera de ser de los gringos o extranjeros.
Engrosamiento. m. Acción y efecto de engrosar.
Engrosar. (Del lat. *in,* en, y *grossus,* grueso.) tr. Hacer gruesa y más corpulenta una cosa, o darle espesor o crasitud. Ú. t. c. r. || **2.** fig. Aumentar, hacer más numeroso un ejército, una multitud, etc. || **3.** intr. Tomar carnes y hacerse más grueso y corpulento.
Engrosecer. tr. ant. **Engrosar.**
Engrudador, ra. m. y f. Persona que engruda. || **2.** Utensilio que sirve para engrudar.
Engrudamiento. m. Acción y efecto de engrudar.
Engrudar. (Del lat. **inglutāre;* de *in,* en, y *glus, glutis,* engrudo.) tr. Untar o dar con engrudo a una cosa. || **2.** r. Tomar consistencia de engrudo.
Engrudo. (De *engrudar.*) m. Masa comúnmente hecha con harina o almidón que se cuece en agua, y sirve para pegar papeles y otras cosas ligeras.
Engruesar. (De *en* y *grueso.*) intr. **Engrosar.**
Engrumecerse. r. Hacerse grumos un líquido o una masa fluida.
Enguachinar. tr. Enaguachar, enaguazar. Ú. t. c. r.
Engualdrapar. tr. Poner la gualdrapa a una bestia.
Enguantar. tr. Cubrir la mano con el guante. Ú. m. c. r.
Enguatar. (De *en* y *guata.*) tr. Entretelar con manta de algodón en rama.
Enguedejado, da. adj. Aplícase al pelo que está hecho guedejas. || **2.** Dícese también de la persona que trae así la cabellera. || **3.** fam. Que cuida demasiado de componer y aliñar las guedejas.
Enguera. (Del lat. *angaria.*) f. ant. Alquiler que devengaba una bestia de carga o tiro. || **2.** ant. Importe de lo que una bestia dejaba de producir mientras estaba prendada.
Enguerar. tr. *Sal.* Detener o demorar en un trabajo pesado o engorroso. Ú. t. c. r. || **2.** *Sal.* Ahorrar, escatimar. || **3.** *Ar.* y *Nav.* **Estrenar,** 1.ª acep. || **4.** *Rioja.* Dar que hacer, molestar.
Enguichado, da. (Del fr. *enguiché.*) adj. *Blas.* Dícese de las trompetas, cornetas, etc., cuando van pendientes o liadas con cordones.
Enguijarrado, da. p. p. de **Enguijarrar.** || **2.** m. Empedrado de guijarros.
Enguijarrar. tr. Empedrar con guijarros.
Enguillotarse. (De *enquillotrarse.*) r. fam. Enfrascarse, tener absorbida la atención por algo.
Enguirlandar. tr. ant. **Enguirnaldar.**
Enguirnaldar. tr. Adornar con guirnalda.
Enguitarrarse. r. *Venez.* Vestirse de levita u otro traje de ceremonia.
Enguizgar. (De *en* y *guizgar.*) tr. Incitar, estimular.
Engullidor, ra. adj. Que engulle. Ú. t. c. s.

Engullir. (Del lat. *in*, en, y *gula*, garganta.) tr. Tragar la comida atropelladamente y sin mascarla. Ú. t. c. intr.

Engurria. (De *engurriar*.) f. ant. Arruga.

Engurriado, da. p. p. de **Engurriar.** || **2.** adj. ant. **Rugoso.**

Engurriamiento. (De *engurriar*.) m. ant. **Arrugamiento.**

Engurriar. (Del lat. *inrugāre*, arrugar.) tr. ant. **Arrugar.**

Engurrio. m. Tristeza, melancolía.

Engurruñar. (De *engurria*.) tr. Encoger, arrugar. Ú. t. c. r. || **2.** r. fam. **Enmantarse.**

Engurruñido, da. (De *engurruñar*.) adj. *And.* Arrugado, encogido.

Enhacinar. tr. **Hacinar.**

Enhadar. tr. ant. **Enfadar.**

Enhado. m. ant. **Enfado.**

Enhadoso, sa. adj. ant. **Enfadoso.**

Enharinar. tr. Manchar de harina; cubrir con ella la superficie de una cosa. Ú. t. c. r.

Enhastiar. tr. Causar hastío, fastidio, enfado. Ú. t. c. r.

Enhastillar. tr. Poner o colocar las saetas en el carcaj.

Enhastío. m. ant. **Hastío.**

Enhastioso, sa. (De *enhastío*.) adj. desus. **Enfadoso.**

Enhatijar. (De *en* y *hatijo*.) tr. Cubrir las bocas de las colmenas con unos harneros de esparto para llevarlas de un lugar a otro.

Enhebillar. tr. Sujetar las correas a las hebillas.

Enhebrar. tr. Pasar la hebra por el ojo de la aguja o por el agujero de las cuentas, perlas, etc. || **2.** fig. y fam. **Ensartar,** 2.ª acep.

Enhechizar. tr. ant. **Hechizar.** Ú. en *Sal.*

Enhelgado, da. adj. ant. **Helgado.**

Enhenar. tr. Cubrir o envolver con heno.

Enherbolar. (Del lat. *in*, en, y *herbŭla*, d. de *herba*, hierba, en el sentido de veneno.) tr. Inficionar, poner veneno en una cosa. Dícese más comúnmente de los hierros de las lanzas o saetas untadas con el zumo de hierbas ponzoñosas.

Enhestador. m. El que enhiesta.

Enhestadura. f. Acción y efecto de enhestar o enhestarse.

Enhestamiento. m. **Enhestadura.**

Enhestar. (De *enhiesto*.) tr. Levantar en alto, poner derecha y levantada una cosa. Ú. t. c. r. || **2.** ant. Levantar gente de guerra.

Enhetradura. (De *enhetrar*.) f. ant. Acción y efecto de enmarañar o enmarañarse el cabello.

Enhetramiento. m. ant. **Enhetradura.**

Enhetrar. (De *en* y *hetria*.) tr. ant. Enredar, enmarañar el cabello. Usáb. t. c. r.

Enhielar. tr. Mezclar una cosa con hiel.

Enhiesto, ta. (Del lat. *infĕstus*, levantado.) p. p. irreg. de **Enhestar.** || **2.** adj. Levantado, derecho.

Enhilar. (De *en* e *hilo*.) tr. **Enhebrar.** || **2.** fig. Ordenar, colocar en su debido lugar las ideas de un escrito o discurso. || **3.** fig. Dirigir, guiar o encaminar con orden una cosa. || **4. Enfilar.** || **5.** intr. Encaminarse, dirigirse a un fin.

Enhorabuena. (De *en*, *hora* y *buena*.) f. **Felicitación.** || **2.** adv. m. **En hora buena.**

Enhoramala. adv. m. **En hora mala.**

Enhorcar. (Del lat. *infurcāre*, poner en la horca.) tr. Formar horcos, de ajos o cebollas. || **2.** ant. **Ahorcar.** || **3.** *León.* Coger con la horca el heno o la gavilla.

Enhornar. tr. Meter una cosa en el horno para asarla o cocerla. || **Al enhornar se tuerce el pan. Al enhornar se hacen los panes tuertos.** refs. que advierten el cuidado que se debe tener cuando se comienzan las cosas, para que salgan bien hechas, y el cuidado que se ha de tener para dirigir bien a los niños.

Enhorquetar. tr. *Argent.*, *Cuba* y *P. Rico.* Poner a horcajadas. Ú. t. c. r.

Enhotado, da. (De *en* y *hoto*.) adj. ant. **Confiado.**

Enhotar. (Del lat. *in*, en, y *fautus*, ayudado.) tr. ant. Azuzar o incitar. Se decía ordinariamente de los perros.

Enhoto. m. ant. **Confianza.**

Enhuecar. (De *en* y *hueco*.) tr. **Ahuecar.**

Enhuerar. tr. Volver huero. || **2.** intr. Volverse huero. Ú. t. c. r.

Enhumedecer. tr. ant. **Humedecer.**

Enigma. (Del lat. *aenigma*, y éste del gr. αἴνιγμα.) m. Dicho o conjunto de palabras de sentido artificiosamente encubierto para que sea difícil entenderlo o interpretado. || **2.** Por ext., dicho o cosa que no se alcanza a comprender, o que difícilmente puede entenderse o interpretarse.

Enigmáticamente. adv. m. De manera enigmática.

Enigmático, ca. (Del lat. *aenigmatĭcus*.) adj. Que en sí encierra o incluye enigma; de significación obscura y misteriosa y muy difícil de penetrar.

Enigmatista. (Del lat. *aenigmatista*, y éste del gr. αἰνιγματιστής.) com. Persona que habla con enigmas.

Enjabonado, da. p. p. de **Enjabonar.** || **2.** adj. *Cuba.* Dícese de la caballería que tiene el pelo obscuro sobre fondo blanco. || **3.** m. **Jabonadura,** 1.ª acep.

Enjabonadura. f. **Jabonadura,** 1.ª acep.

Enjabonar. tr. **Jabonar.** || **2.** fig. y fam. Dar jabón, adular. || **3.** fig. Reprender a uno, increparle.

Enjaezado, da. p. p. de **Enjaezar.** || **2.** adj. *Germ.* **Galano,** 3.ª acep.

Enjaezar. tr. Poner los jaeces a las caballerías.

Enjaguadura. (De *enjaguar*.) f. **Enjuagadura.**

Enjaguar. (Del lat. *ex* y *aquāre*, de *aqua*, agua.) tr. **Enjuagar.**

Enjagüe. (De *enjaguar*.) m. Adjudicación que se hacía a los interesados en una nave, en satisfacción de los créditos respectivos. || **2.** ant. **Enjuague.** Ú. en *Amér.*

Enjalbegado, da. p. p. de **Enjalbegar.** || **2.** m. **Enjalbegadura.**

Enjalbegador, ra. adj. Que enjalbega. Ú. t. c. s.

Enjalbegadura. f. Acción y efecto de enjalbegar o enjalbegarse.

Enjalbegar. (Del lat. *ex* y *albicāre*, blanquear.) tr. Blanquear las paredes con cal, yeso o tierra blanca. || **2.** fig. Afeitar, componer el rostro con albayalde u otros afeites. Ú. t. c. r.

Enjalbiego. m. **Enjalbegadura.**

Enjalma. (De *en* y *jalma*.) f. Especie de aparejo de bestia de carga, como una albardilla ligera.

Enjalmar. tr. Poner la enjalma a una bestia. || **2.** Hacer enjalmas. || **3.** V. **Aguja de enjalmar.**

Enjalmero. m. El que hace o vende enjalmas.

Enjambradera. (De *enjambrar*.) f. **Casquilla.** || **2.** En algunas partes, **abeja maestra.** || **3.** Abeja que, por el zumbido que produce dentro de la colmena, denota estar en agitación para salir a enjambrar en otra parte o vaso.

Enjambradero. m. Sitio en que enjambran los colmeneros sus vasos o colmenas.

Enjambrar. (Del lat. *examināre*.) tr. Coger las abejas que andan esparcidas, o los enjambres que están fuera de las colmenas, para encerrarlos en ellas. || **2.** Sacar un enjambre de una colmena cuando está muy poblada de abejas y en disposición de salirse de ella. || **3.** intr. Criar una colmena tanto ganado que esté en disposición de separarse alguna porción de abejas con su reina y salirse de ella. || **4.** fig. Multiplicar o producir en abundancia.

Enjambrazón. f. Acción y efecto de enjambrar.

Enjambre. (Del lat. *exāmen*, *-inis*.) m. Muchedumbre de abejas con su maestra, que juntas salen de una colmena para formar otra colonia. || **2.** fig. Muchedumbre de personas o cosas juntas.

Enjaquimar. (De *jáquima*.) tr. Poner la jáquima a una bestia. || **2.** fam. *Sal.* Arreglar, componer.

Enjarciar. tr. Poner la jarcia a una embarcación.

Enjardinar. (De *en* y *jardín*.) tr. Poner y arreglar los árboles como están en los jardines. || **2.** *Cetr.* Poner al ave de rapiña en un prado o paraje verde.

Enjaretado, da. p. p. de **Enjaretar.** || **2.** m. Tablero formado de tabloncillos colocados de modo que formen enrejado.

Enjaretar. (De *jareta*.) tr. Hacer pasar por una jareta un cordón, cinta o cuerda. || **2.** fig. y fam. Hacer o decir algo sin intermisión y atropelladamente o de mala manera. || **3.** fig. y fam. Endilgar, encajar algo molesto o inoportuno. || **4.** fam. *Ar.*, *Méj.* y *Venez.* Intercalar, incluir.

Enjaular. tr. Encerrar o poner dentro de la jaula a una persona o animal. || **2.** fig. y fam. Meter en la cárcel a uno.

Enjebar. (De *jebe*.) tr. Meter y empapar los paños en cierta lejía hecha con alumbre y otras cosas, para dar después el color.

Enjebar. (Del lat. *exalbāre*.) tr. Blanquear un muro con lechada de yeso.

Enjebe. m. **Jebe,** 1.ª acep. || **2.** Acción y efecto de enjebar. || **3.** Lejía o colada en que se echan los paños antes de teñirlos.

Enjeco. (Del m. or. que *achaque*, 1.er art.) m. ant. Incomodidad, molestia. || **2.** ant. Perturbación, perjuicio.

Enjeco. (Del ár. *aš-šakk*, la duda.) m. ant. Duda, dificultad, enredo.

Enjergado, da. p. p. de **Enjergar.** || **2.** adj. ant. Enlutado o vestido de jerga, que era el luto antiguo.

Enjergar. (De *en* y *jerga*, 1.er art.) tr. fam. Principiar y dirigir un negocio o asunto.

Enjerir. (Del lat. *inserĕre*.) tr. ant. fig. Incluir, insertar una cosa en otra. || **2.** r. *Colomb.* Engurruñarse, enmantarse.

Enjero. (De *enjerir*.) m. *And.* Palo largo del arado, que se ata al yugo.

Enjertación. f. Acción y efecto de enjertar.

Enjertal. m. Sitio plantado de árboles frutales injertos.

Enjertar. (Del lat. *insĕrtāre*, injertar.) tr **Injertar.**

Enjerto, ta. (Del lat. *insĕrtus*, injerto.) p. p. irreg. de **Enjertar.** || **2.** m. **Injerto,** 4.ª acep. || **3.** fig. Mezcla de varias cosas diversas entre sí.

Enjicar. tr. *Cuba.* Poner los jicos a la hamaca.

Enjordanar. (De *en* y *Jordán*.) tr. p. us. Remozar, rejuvenecer.

Enjorguinarse. r. Hacerse jorguín o hechicero.

Enjoyado, da. p. p. de **Enjoyar.** || **2.** adj. ant. Que tiene o posee muchas joyas.

Enjoyar. tr. Adornar con joyas a una persona o cosa. || **2.** fig. Adornar, hermosear, enriquecer. || **3.** Entre plateros, poner o engastar piedras preciosas en una joya.

Enjoyelado, da. adj. Aplícase al oro o plata convertido en joyas o joyeles. || **2.** Adornado de joyeles.

Enjoyelador. (De *en* y *joyel.*) m. Engastador.

Enjuagadientes. m. Porción de agua o licor que se toma en la boca para enjuagar y limpiar la dentadura.

Enjuagadura. f. Acción de enjuagar o enjuagarse. || **2.** Agua o licor con que se ha enjuagado una cosa.

Enjuagar. (De *enjaguar.*) tr. Limpiar la boca y dentadura con agua u otro licor. Ú. m. c. r. || **2.** Aclarar y limpiar con agua clara lo que se ha jabonado o fregado, principalmente las vasijas. || **3.** *Mál.* Sacar del agua la bolsa de la red en el copo. Ú. t. c. intr.

Enjuagatorio. m. Enjuague, 1.ª, 2.ª y 3.ª aceps.

Enjuague. m. Acción de enjuagar. || **2.** Agua u otro licor que sirve para enjuagar o enjuagarse. || **3.** Vaso con su escupidera, destinado a enjuagarse. || **4.** fig. Negociación oculta y artificiosa para conseguir lo que no se espera lograr por los medios regulares. || **5.** desus. Complacencia y alarde con que uno se gloría de algo.

Enjugador, ra. adj. Que enjuga. || **2.** m. Utensilio que sirve para enjugar, como las cápsulas usadas en química para ese objeto, las cubetas de los cartoneros, etc. || **3.** Especie de camilla redonda hecha de aros y tablas delgadas de madera, con un enrejado de cordel en la parte superior, que sirve para enjugar y calentar la ropa.

Enjugar. (Del lat. *exsucāre;* de *ex,* priv., y *succus,* jugo.) tr. Quitar la humedad a una cosa, secarla. || **2.** Limpiar la humedad que echa de sí el cuerpo; como las lágrimas, el sudor, etc., o la que recibe mojándose las manos, el rostro, etc. Ú. t. c. r. || **3.** fig. Cancelar, extinguir una deuda o un déficit. Ú. t. c. r. || **4.** r. Enmagrecer, perder parte de la gordura que se tenía.

Enjuiciable. adj. Que merece ser enjuiciado.

Enjuiciamiento. m. Acción y efecto de enjuiciar. || **2.** *For.* Instrucción o substanciación legal de los asuntos en que entienden los jueces y tribunales.

Enjuiciar. (De *en* y *juicio.*) tr. fig. Someter una cuestión a examen, discusión y juicio. || **2.** *For.* Instruir un procedimiento con las diligencias y documentos necesarios para que se pueda determinar en juicio. || **3.** *For.* Juzgar, sentenciar o determinar una causa. || **4.** *For.* Sujetar a uno a juicio.

Enjulio. (De *enjullo.*) m. Madero, por lo común cilíndrico, colocado horizontalmente en los telares de paños y lienzos, en el cual se va arrollando el pie o urdimbre.

Enjullo. (De *ensullo.*) m. **Enjulio.**

Enjuncar. tr. Cubrir de juncos. Ú. t. c. r. || **2.** *Mar.* Atar con juncos una vela. || **3.** *Mar.* Zafar los tomadores, substituyéndolos con filásticas, para poder cazar el velamen sin subir a las vergas.

Enjunciar. tr. *Ar.* Cubrir de juncia las calles para alguna fiesta.

Enjundia. (Del lat. *axungia.*) f. Gordura que las aves tienen en la overa; como la de la gallina, la pava, etc. || **2.** Unto y gordura de cualquier animal. || **3.** fig. Lo más substancioso e importante de alguna cosa no material. || **4.** fig. Fuerza, vigor, arrestos. || **5.** fig. Constitución o cualidad connatural de una persona.

Enjundioso, sa. adj. Que tiene mucha enjundia. || **2.** fig. Substancioso, importante, sólido.

Enjunque. m. *Mar.* Lastre muy pesado que se pone en el fondo de la bodega, como galápagos de plomo, lingotes de hierro, etc. || **2.** *Mar.* Colocación de este lastre.

Enjuramiento. m. ant. Juramento legal.

Enjurar. (De *en* y *juro.*) tr. ant. Dar, traspasar o ceder un derecho.

Enjuta. f. *Arq.* Cada uno de los triángulos o espacios que deja en un cuadrado el círculo inscrito en él. || **2.** *Arq.* Pechina, 2.ª acep.

Enjutar. (De *enjuto.*) tr. *Arq.* Enjugar, secar la cal u otra cosa. Ú. t. c. r. Ú. en sentido general de enjugar en *Ar.* y *Chile.*

Enjutar. (De *enjuta.*) tr. *Arq.* Rellenar las enjutas de las bóvedas.

Enjutez. (De *enjuto.*) f. Sequedad o falta de humedad.

Enjuto, ta. (Del lat. *exsuctus,* p. p. de *exsugĕre,* chupar.) p. p. irreg. de **Enjugar.** || **2.** adj. Delgado, seco o de pocas carnes. || **3.** ant. fig. Parco y escaso, así en obras como en palabras. || **4.** m. pl. Tascos y palos secos, pequeños y delgados como sarmientos, que sirven de yesca para encender lumbre. Ú. más comúnmente entre pastores y labradores. || **5.** Bollitos u otros bocados ligeros que excitan la gana de beber.

Enlabiador, ra. Que enlabia. Ú. t. c. s.

Enlabiar. (De *en* y *labio.*) tr. Acercar, aplicar los labios.

Enlabiar. (De *en* y *labia.*) tr. Seducir, engañar, atraer con palabras dulces y promesas.

Enlabio. (De *enlabiar,* 2.º art.) m. Suspensión, engaño ocasionado por el artificio de las palabras.

Enlace. m. Acción de enlazar. || **2.** Unión, conexión de una cosa con otra. || **3.** Dicho de los trenes, **empalme.** || **4.** fig. Parentesco, casamiento.

Enlaciar. tr. Poner lacia una cosa. Ú. t. c. intr. y c. r.

Enladrillado, da. p. p. de **Enladrillar.** || **2.** m. Pavimento hecho de ladrillos.

Enladrillador. (De *enladrillar.*) m. **Solador.**

Enladrilladura. f. **Enladrillado,** 2.ª acep.

Enladrillar. tr. Solar, formar de ladrillos el pavimento.

Enlagunar. tr. Convertir un terreno en laguna, cubrirlo de agua. Ú. t. c. r.

Enlamar. tr. Cubrir de lama los campos y tierras. Ú. t. c. r.

Enlaminarse. (De *en* y *laminar,* 3.er art.) r. *Ar.* Engolosinarse, aficionarse a un manjar.

Enlanado, da. adj. Cubierto o lleno de lana.

Enlanchar. tr. *Sal.* **Enlosar.**

Enlardar. tr. Lardar o lardear.

Enlatar. (De *en* y *lata,* 1.er art.) tr. *And.* y *Hond.* Cubrir un techo o formar una cerca con latas de madera.

Enlatar. (De *en* y *lata,* 2.º art.) tr. Meter alguna cosa en cajas de hojalata.

Enlazable. adj. Que puede enlazarse.

Enlazador, ra. adj. Que enlaza. Ú. t. c. s.

Enlazadura. f. **Enlace.**

Enlazamiento. (De *enlazar.*) m. **Enlace.**

Enlazar. (Del lat. *inlaqueāre.*) tr. Coger o juntar una cosa con lazos. || **2.** Dar enlace a unas cosas con otras; como partes de un edificio, de una máquina, pensamientos, afectos, proposiciones, etc. Ú. t. c. r. || **3.** Aprisionar un animal arrojándole el lazo. || **4.** r. fig. **Casar,** 3.er art., 1.ª acep. || **5.** fig. Unirse las familias por medio de casamientos.

Enlechar. tr. Cubrir con una lechada.

Enlechuguillado, da. adj. Que usaba cuello de lechuguilla.

Enlegajar. tr. Reunir papeles formando legajo, o meterlos en el que les corresponde.

Enlegamar. (De *en* y *légamo.*) tr. **Entarquinar.**

Enlejiar. tr. Meter en lejía. || **2.** *Quím.* Disolver en agua una substancia alcalina.

Enlenzar. tr. Poner lienzos o tiras de lienzo en las obras de madera, particularmente en las de escultura, en las partes en que hay peligro de que se abran, y en las juntas.

Enlerdar. tr. Entorpecer, retardar.

Enligar. tr. Untar con liga, enviscar. || **2.** r. Enredarse, prenderse el pájaro en la liga.

Enlijar. (De *en* y *lijo,* inmundicia.) tr. ant. fig. Viciar, corromper, manchar, inficionar. || **2.** r. ant. Emporcarse, mancharse, ensuciarse.

Enlisar. (De *en* y *liso.*) tr. ant. **Alisar.**

Enlistonado. p. p. de **Enlistonar.** || **2.** m. *Carp.* Conjunto de listones y obra hecha con listones.

Enlistonar. tr. **Listonar.**

Enlizar. tr. Entre tejedores, añadir lizos al telar.

Enlobreguecer. tr. Obscurecer, poner lóbrego. Ú. t. c. r.

Enlodadura. f. Acción y efecto de enlodar o enlodarse.

Enlodamiento. m. **Enlodadura.**

Enlodar. tr. Manchar, ensuciar con lodo. Ú. t. c. r. || **2.** Dar con lodo a una tapia, embarrar. || **3.** fig. Manchar, infamar, envilecer. Ú. t. c. r. || **4.** *Min.* Tapar con arcilla las grietas de un barreno para impedir que filtre por ellas el agua.

Enlodazar. tr. **Enlodar.**

Enlomarse. r. Arquear el lomo el caballo preparándose para dar un bote.

Enloquecedor, ra. adj. Que hace enloquecer.

Enloquecer. (De *en* y *loco.*) tr. Hacer perder el juicio a uno. || **2.** intr. Volverse loco, perder el juicio. || **3.** *Agr.* Dejar los árboles de dar fruto o darlo con irregularidad, por falta de cultivo o por vicio del terreno.

Enloquecimiento. m. Acción y efecto de enloquecer.

Enlosado, da. p. p. de **Enlosar.** || **2.** m. Suelo cubierto de losas unidas y ordenadas.

Enlosador. m. El que enlosa.

Enlosar. tr. Cubrir el suelo con losas unidas y ordenadas.

Enlozanarse. (De *en* y *lozano.*) r. **Lozanear,** 1.ª acep.

Enlozanecer. intr. ant. **Lozanecer.**

Enlozar. tr. *Amér.* Cubrir con un baño de loza o de esmalte vítreo.

Enlucernar. (De *en* y *lucerna,* linterna.) tr. ant. **Deslumbrar.**

Enluciado, da. adj. ant. **Enlucido.**

Enlucido, da. p. p. de **Enlucir.** || **2.** adj. Blanqueado para que tenga buen aspecto. || **3.** m. Capa de yeso, estuco u otra mezcla, que se da a las paredes de una casa con objeto de obtener una superficie tersa.

Enlucidor. m. El que enluce.

Enlucimiento. m. Acción y efecto de enlucir.

Enlucir. (De *en* y *lucir.*) tr. Poner una capa de yeso o mezcla a las paredes, techos o fachadas de los edificios. || **2.** Limpiar, poner tersas y brillantes la plata, las armas, etc.

Enlustrecer. (De *en* y *lustre.*) tr. Poner limpia y lustrosa una cosa.

Enlutado, da. p. p. de **Enlutar,** 1.ª acep. Apl. a pers., ú. t. c. s.

Enlutar. tr. Cubrir de luto. Ú. t. c. r. || **2.** fig. **Obscurecer,** 1.ª acep. Ú. t. c. r. || **3.** fig. Entristecer, afligir.

Enllantar. tr. Guarnecer con llantas las ruedas de un vehículo.

Enllenar. tr. ant. **Llenar.** Ú. entre el vulgo de España y América.

Enllentecer. (Del lat. *illentescĕre,* ablandarse.) tr. Reblandecer o ablandar. Ú. t. c. r.

Enllocar. (De *llueca.*) intr. **Enclocar.** Ú. t. c. r.

Enmadejar. tr. *Chile.* Aspar, hacer madeja.

Enmaderación. f. Enmaderamiento. || **2.** Entibación.

Enmaderado, da. p. p. de **Enmaderar.** || **2.** m. Enmaderamiento. || **3.** Maderaje.

Enmaderamiento. (De *enmaderar.*) m. Obra hecha de madera o cubierta con ella; como los techos y artesonados antiguos.

Enmaderar. tr. Cubrir con madera los techos, las paredes y otras cosas. || **2.** Construir el maderamen de un edificio.

Enmadrarse. r. Encariñarse excesivamente el hijo con la madre.

Enmagrecer. (De *en* y *magrecer.*) tr. **Enflaquecer,** 1.ª acep. Ú. t. c. intr. y c. r.

Enmalecer. tr. **Malear,** 1.ª acep.

Enmalecerse. r. Cubrirse de maleza un campo.

Enmalezarse. r. *Amér.* Cubrirse de maleza un campo.

Enmallarse. r. Quedarse un pez sujeto por las agallas entre las mallas de la red.

Enmalle. m. Arte de pesca que consiste en redes que se colocan en posición vertical de tal modo que al pasar los peces quedan enmallados.

Enmangar. tr. Poner mango a un instrumento.

Enmaniguarse. r. *Cuba.* Convertirse un terreno en manigua. || **2.** *Cuba.* fig. Acostumbrarse a la vida del campo.

Enmantar. tr. Cubrir con manta. Ú. t. c. r. || **2.** r. fig. Estar triste y melancólico. Dícese más comúnmente de las aves.

Enmarañador, ra. adj. Dícese del que enmaraña. Ú. t. c. s.

Enmarañamiento. m. Acción y efecto de enmarañar o enmarañarse.

Enmarañar. (De *en* y *maraña.*) tr. Enredar, revolver una cosa; como el cabello, una madeja de seda, etc. Ú. t. c. r. || **2.** fig. Confundir, enredar un asunto haciendo más difícil su buen éxito. ENMARAÑAR *un pleito, un negocio.* Ú. t. c. r. || **3.** r. Dícese del cielo cuando se cubre de celajes.

Enmararse. r. *Mar.* Alejarse la nave de tierra entrando en alta mar.

Enmarcar. tr. **Encuadrar,** 1.er art., 1.ª acep.

Enmarchitable. adj. desus. **Marchitable.**

Enmarchitar. tr. desus. **Marchitar.**

Enmaridar. (De *en* y *maridar.*) intr. Casarse, contraer matrimonio la mujer. Ú. t. c. r.

Enmarillecerse. r. Ponerse descolorido y amarillo.

Enmaromar. tr. Atar o sujetar con maroma. Dícese más comúnmente de los toros y otros animales bravos.

Enmascarado, da. p. p. de **Enmascarar.** || **2.** m. y f. **Máscara,** 6.ª acep.

Enmascaramiento. m. Acción y efecto de enmascarar o encubrir, hablando de armas y artefactos de guerra.

Enmascarar. tr. Cubrir el rostro con máscara. Ú. t. c. r. || **2.** fig. Encubrir, disfrazar.

Enmasillar. tr. Cubrir con masilla los repelos o grietas de la madera. || **2.** Sujetar con masilla los cristales a los bastidores de las vidrieras.

Enmatarse. r. Ocultarse entre las matas; dícese especialmente de la caza. || **2.** *Ál.* y *Sal.* Enzarzarse, quedar aprisionado entre las matas.

Enmechar. tr. ant. **Mechar.**

Enmelar. tr. Untar con miel. || **2.** Hacer miel las abejas. || **3.** fig. Endulzar, hacer suave y agradable una cosa.

Enmendable. (De *emendable.*) adj. Que puede enmendarse.

Enmendación. (De *emendación.*) f. Acción y efecto de enmendar o corregir.

Enmendador, ra. (De *emendador.*) adj. Que enmienda o corrige.

Enmendadura. (De *emendadura.*) f. **Enmienda,** 1.ª acep.

Enmendamiento. m. ant. **Enmendadura.**

Enmendar. (De *emendar,* infl. por el pref. *en.*) tr. Corregir, quitar defectos. Ú. t. c. r. || **2.** Resarcir, subsanar los daños. || **3.** *For.* Rectificar un tribunal superior la sentencia dada por él mismo, y de que suplicó alguna de las partes. || **4.** *Mar.* Dicho del rumbo, o del fondeadero, variarlo según las necesidades.

Enmenzar. (Cruce de *empezar* y *comenzar.*) tr. ant. **Comenzar.**

Enmienda. (De *emienda.*) f. Expurgo o eliminación de un error o vicio. || **2.** Cargo conferido por el Trecenazgo de la Orden Militar de Santiago, al caballero que ha de substituir al trece en sus ausencias. || **3.** desus. Recompensa o premio. || **4.** Satisfacción y pago del daño hecho. || **5.** Propuesta de variante, adición o reemplazo de un proyecto, dictamen, informe o documento análogo. || **6.** *For.* En los escritos, rectificación perceptible de errores materiales, la cual debe salvarse al final. || **7.** pl. *Agr.* Substancias que se mezclan con las tierras para modificar favorablemente sus propiedades y hacerlas más productivas. || **Poner enmienda.** fr. **Corregir,** 1.ª acep. || **Tomar enmienda.** fr. **Castigar,** 1.ª acep. || **Va sin enmienda.** Fórmula que suelen contener los documentos públicos, como garantía de normalidad auténtica y evitación de fraude.

Enmiente. (De *en* y *miente.*) f. ant. Memoria o mención.

Enmocecer. (De *en* y *mozo.*) intr. ant. Recobrar el vigor de la mocedad.

Enmochiguar. (De *en* y *muchiguar.*) tr. ant. **Amochiguar.** Usáb. t. c. intr. y c. r.

Enmohecer. tr. Cubrir de moho una cosa. Ú. m. c. r. || **2.** r. fig. Inutilizarse, caer en desuso, como utensilio o máquina que se cubre de moho.

Enmohecimiento. m. Acción y efecto de enmohecer.

Enmoldado, da. adj. ant. Impreso o de molde.

Enmollecer. (Del lat. *emollescĕre.*) tr. **Ablandar.** Ú. t. c. r.

Enmonarse. r. *Chile* y *Perú.* Pillar una mona, emborracharse.

Enmondar. (Del lat. *emundāre,* limpiar, purificar.) tr. **Desliñar.**

Enmontadura. (De *enmontar.*) f. ant. Acción y efecto de subir o levantar en alto una cosa.

Enmontar. (De *en* y *montar.*) tr. ant. Remontar, elevar, encumbrar.

Enmontarse. r. *Amér. Central.* Cubrirse un campo de maleza.

Enmordazar. tr. **Amordazar,** 1.ª acep.

Enmostar. tr. Manchar o empapar con mosto. Ú. t. c. r.

Enmostrar. tr. ant. Mostrar, manifestar.

Enmotar. (De *en* y *mota,* 5.ª acep.) tr. *Mil.* Guarnecer de castillos.

Enmudecer. (Del lat. *immutescĕre.*) tr. Hacer callar, detener y atajar a uno para que no hable más. || **2.** intr. Quedar mudo, perder el habla. || **3.** fig. Guardar uno silencio cuando pudiera o debiera hablar.

Enmudecimiento. m. Acción y efecto de enmudecer.

Enmugrar. tr. *Colomb.* y *Chile.* **Enmugrecer.**

Enmugrecer. tr. Cubrir de mugre. Ú. t. c. r.

Enmustiar. tr. p. us. Poner mustio o marchito. Ú. t. c. r.

Enneciarse. r. Volverse necio.

Ennegrecer. (De *en* y *negrecer.*) tr. Teñir de negro, poner negro. Ú. t. c. r. || **2.** r. fig. Ponerse muy obscuro, nublarse.

Ennegrecimiento. m. Acción y efecto de ennegrecer o ennegrecerse.

Ennoblecedor, ra. adj. Que ennoblece.

Ennoblecer. (De *en* y *noblecer.*) tr. Hacer noble a uno. Ú. t. c. r. || **2.** fig. Adornar, enriquecer una ciudad, un templo, etc. || **3.** fig. Ilustrar, dignificar, realzar y dar esplendor.

Ennoblecimiento. m. Acción y efecto de ennoblecer.

Ennudecer. (De *en* y *nudo.*) intr. **Anudar,** 5.ª acep. Dícese propiamente de los árboles e injertos.

Enocar. tr. ant. **Ahuecar.**

Enodio. (Del lat. *enōdis,* sin nudos.) m. Ciervo de tres a cinco años de edad.

Enojadizo, za. adj. Que con facilidad se enoja.

Enojante. p. a. de **Enojar.** Que enoja.

Enojar. (Del lat. *inodiare,* enfadar.) tr. Causar enojo. Ú. m. c. r. || **2.** Molestar, desazonar. || **3.** r. fig. Alborotarse, enfurecerse. Dícese de los vientos, mares, etc.

Enojo. (De *enojar.*) m. Movimiento del ánimo, que suscita ira contra una persona. || **2.** Molestia, pesar, trabajo. Ú. m. en pl. || **3.** ant. Agravio, ofensa. || **Crecido de enojo.** loc. adv. Lleno de enojo. || **Ser en enojo con** uno. fr. ant. Estar enojado con él.

Enojosamente. adv. m. Con enojo.

Enojoso, sa. adj. Que causa enojo, molestia o enfado.

Enojuelo. m. d. de **Enojo.**

Enología. (Del gr. οἶνος, vino, y λόγος, tratado.) f. Conjunto de conocimientos relativos a la elaboración de los vinos.

Enológico, ca. adj. Perteneciente o relativo a la enología.

Enólogo. m. Persona entendida en enología.

Enorfanecido, da. adj. desus. **Huérfano,** 1.ª acep.

Enorgullecedor, ra. adj. Que enorgullece.

Enorgullecer. tr. Llenar de orgullo. Ú. m. c. r.

Enorgullecimiento. m. Acción y efecto de enorgullecer o enorgullecerse.

Enorme. (Del lat. *enormis.*) adj. Desmedido, excesivo. || **2.** Perverso, torpe. || **3.** *For.* V. **Lesión enorme.**

Enormedad. f. ant. **Enormidad.**

Enormemente. adv. m. Con enormidad.

Enormidad. (Del lat. *enormĭtas, -ātis.*) f. Exceso, tamaño irregular y desmedido. || **2.** fig. Exceso de maldad. || **3.** fig. Despropósito, desatino.

Enormísimo, ma. adj. sup. de **Enorme.** || **2.** *For.* V. **Lesión enormísima.**

Enotecnia. (Del gr. οἶνος, vino, y τέχνη, arte.) f. Arte de elaborar los vinos, y asesoramiento para la organización de su comercio.

Enotécnico, ca. adj. Perteneciente o relativo a la enotecnia.

Enquiciar. tr. Poner la puerta, ventana u otra cosa en su quicio. Ú. t. c. r. || **2.** fig. Poner en orden, afirmar.

Enquillotrar. (De *en* y *quillotrar.*) tr. Engreir, desvanecer. Ú. t. c. r. || **2.** r. fam. **Enamorarse.**

Enquiridión. (Del lat. *enchiridĭon,* y éste del gr. ἐγχειρίδιον, manual; de ἐν, en, y χείρ, mano.) m. Libro manual.

Enquistado, da. p. p. de **Enquistarse.** || **2.** adj. De forma de quiste o parecido a él. || **3.** fig. Embutido, encajado, metido dentro.

Enquistarse. (De *en* y *quiste.*) r. *Med.* Formarse un quiste.

Enrabar. tr. Arrimar un carro por la rabera para la carga o descarga. || **2.** Sujetar con cuerdas la carga que va en la trasera de un carro.

Enrabiar. (De *en* y *rabia.*) tr. **Encolerizar.** Ú. t. c. r.

Enracimarse. r. **Arracimarse.**

Enrafar. tr. *Murc.* Hacer una presa en un cauce.

Enraigonar. tr. *Murc.* Embojar con raigón o atocha.

Enraizar. intr. Arraigar, echar raíces.

Enralecer. intr. Ponerse ralo.

Enramada. f. Conjunto de ramas de árboles espesas y entrelazadas naturalmente. || **2.** Adorno formado de ramas de árboles con motivo de alguna fiesta. || **3.** Cobertizo hecho de ramas de árboles para sombra o abrigo.

Enramado, da. p. p. de **Enramar.** || **2.** adj. V. **Bala enramada.** || **3.** m. *Mar.* Conjunto de las cuadernas de un buque.

Enramar. tr. Enlazar y entretejer varios ramos, colocándolos en un sitio para adornarlo o para hacer sombra. || **2.** *Mar.* Arbolar y afirmar las cuadernas del buque en construcción. || **3.** intr. Echar ramas un árbol. || **4.** r. Ocultarse entre ramas.

Enramblar. tr. Poner los paños en la rambla para estirarlos.

Enrame. m. Acción y efecto de enramar.

Enranciar. tr. Poner o hacer rancia una cosa. Ú. m. c. r.

Enrarecer. (Del lat. *in*, en, y *rarescĕre*, de *rarus*, raro.) tr. Dilatar un cuerpo gaseoso haciéndolo menos denso. Ú. t. c. r. || **2.** Hacer que escasee, que sea rara una cosa. Ú. t. c. intr. y más c. r.

Enrarecimiento. m. Acción y efecto de enrarecer o enrarecerse.

Enrasado, da. p. p. de **Enrasar.** || **2.** *Albañ.* Fábrica con que se macizan las embecaduras de una bóveda hasta el nivel de su espinazo.

Enrasamiento. m. **Enrase.**

Enrasar. tr. ant. **Arrasar.** || **2.** *Albañ.* Igualar una obra con otra, de suerte que tengan una misma altura. Ú. t. c. intr. || **3.** *Arq.* Hacer que quede plana y lisa la superficie de una obra; como pared, piso o techo. || **4.** intr. *Fís.* Coincidir, alcanzar dos elementos de un aparato la misma altura o nivel.

Enrase. m. Acción y efecto de enrasar.

Enrasillar. tr. *Albañ.* Colocar la rasilla a tope entre las barras de hierro que forman la armazón de los pisos.

Enrastrar. (De *en* y *rastra*, sarta.) tr. *Murc.* Hacer sartas de los capullos de que se ha de sacar la simiente de la seda, enhilándolos por un lado y de manera que no penetre el hilo en lo interior del capullo.

Enratonarse. (De *en* y *ratón.*) r. fam. **Ratonarse.**

Enrayado, da. p. p. de **Enrayar.** || **2.** m. *Arq.* Maderamen horizontal para asegurar los cuchillos y medios cuchillos de una armadura.

Enrayar. (De *en* y *rayo.*) tr. Fijar los rayos en las ruedas de los carruajes. || **2.** Engalgar, sujetar la rueda de un carruaje por uno de sus rayos para disminuir su velocidad.

Enredadera. adj. Dícese de las plantas de tallo voluble o trepador que se enreda en las varas u otros objetos salientes. Ú. t. c. s. || **2.** f. *Bot.* Planta perenne, de la familia de las convolvuláceas, de tallos largos, sarmentosos y trepadores, hojas sagitales de orejuela aguda, brácteas lineales, flores en campanillas róseas, con cinco radios más obscuros, y fruto capsular con cuatro semillas pequeñas y negras. Abunda en los campos de España, y otras especies afines, pero exóticas, se cultivan en los jardines. || **de campanillas.** Planta trepadora, de la familia de las convolvuláceas, con tallo voluble de cuatro a seis metros de largo, hojas acorazonadas, anchas, y flores campanudas, moradas, azules o abigarradas. Suelen vestirse con esta planta paredes y enverjados.

Enredador, ra. adj. Que enreda. Ú. t. c. s. || **2.** fig. y fam. Chismoso o embustero de costumbre. Ú. t. c. s.

Enredamiento. m. desus. **Enredo.**

Enredar. tr. Prender con red. || **2.** Tender las redes o armarlas para cazar. || **3.** Enlazar, entretejer, enmarañar una cosa con otra. Ú. t. c. r. || **4.** fig. Meter discordia o cizaña. || **5.** fig. Meter a uno en empeño, ocasión o negocios comprometidos o peligrosos. || **6.** intr. Travesear, inquietar, revolver. Dícese comúnmente de los muchachos. || **7.** r. Sobrevenir dificultades y complicaciones en un negocio. || **8.** fam. **Amancebarse.**

Enredijo. m. fam. **Enredo,** 1.ª acep.

Enredo. (De *enredar.*) m. Complicación y maraña que resulta de trabarse entre sí desordenadamente los hilos u otras cosas flexibles. || **2.** V. **Comedia de enredo.** || **3.** fig. Travesura o inquietud, especialmente hablando de los muchachos. || **4.** fig. Engaño, mentira que ocasiona distubios, disensiones y pleitos. || **5.** fig. Complicación difícil de salvar o remediar en algún suceso o lance de la vida. || **6.** fig. En los poemas épico y dramático y la novela, conjunto de los sucesos, enlazados unos con otros, que preceden a la catástrofe o al desenlace. || **7.** pl. fam. Trebejos, trastos.

Enredoso, sa. adj. Lleno de enredos, embarazos y dificultades.

Enrehojar. (De *en*, *re* y *hoja.*) tr. Entre cereros, revolver en hojas la cera que está en los pilones, para que se blanquee.

Enrejado, da. p. p. de **Enrejar.** || **2.** m. Conjunto de rejas de un edificio y el de las que cercan, en todo o en parte, un sitio cualquiera, como parque, jardín, patio, etc. || **3.** Labor, en forma de celosía, hecha por lo común de cañas o varas entretejidas. || **4. Emparrillado.** || **5.** Labor de manos que se hace formando varios dibujos; como hilos o sedas entretejidos y atravesados. || **6.** *Germ.* Cofia o red grande de mujer. || **7.** *Germ.* El preso. || **8.** f. *Sal.* Aguijada, vara larga con un aguijón en un cabo para picar a la yunta, y en el otro cabo los gavilanes para limpiar el arado. || **9.** *Ar.* **Enrejadura.**

Enrejadura. f. *Veter.* Herida producida por la reja del arado en los pies de los bueyes o de las caballerías.

Enrejalar. (De *en* y *rejal.*) tr. **Enrejar,** 2.° art., 2.ª acep.

Enrejar. (De *en* y *reja*, 1.er art.) tr. Poner, fijar la reja en el arado. || **2.** Herir con la reja del arado los pies de los bueyes, caballerías, etc. || **3.** *Cuba* y *Hond.* Atar el ternero a una de las patas de la vaca para ordeñarla.

Enrejar. (De *en* y *reja*, 2.° art.) tr. Cercar con rejas, cañas o varas los huertos, jardines, etc.; poner rejas en los huecos de un edificio. || **2.** Colocar en pila ladrillos, tablas u otras piezas iguales, cruzándolas ordenadamente de modo que entre ellos queden varios espacios vacíos a modo se enrejado. *Conviene* ENREJAR *las tablas para que se oreen.* || **3.** *Méj.* Zurcir la ropa. || **4.** *Germ.* Prender, poner en la cárcel a uno.

Enrevesado, da. adj. **Revesado.**

Enriado, da. p. p. de **Enriar.** || **2.** m. **Enriamiento.**

Enriador, ra. m. y f. Persona que enría.

Enriamiento. m. Acción y efecto de enriar.

Enriar. (De *en* y *río.*) tr. Meter en el agua por algunos días el lino, cáñamo o esparto para su maceración.

Enridamiento. (De *enridar*, 1.er art.) m. ant. **Irritamiento.**

Enridante. p. a. ant. de **Enridar.** Que enrida.

Enridar. (Del lat. *irritāre.*) tr. ant. **Irritar,** 1.er art. Usáb. t. c. r. || **2.** ant. **Azuzar.**

Enridar. (Del ant. alto al. *ridam*, girar, torcer.) tr. ant. **Rizar.**

Enrielar. tr. Hacer rieles. || **2.** Echar los metales en la rielera. || **3.** *Chile* y *Méj.* Meter en el riel, encarrilar. Ú. t. c. r. || **4.** fig. *Chile.* Encarrilar, encauzar.

Enripiar. tr. *Albañ.* Echar o poner ripio en un hueco.

Enrique. m. Moneda de oro equivalente a la dobla, mandada acuñar por Enrique IV de Castilla.

Enriquecedor, ra. adj. Que enriquece.

Enriquecer. tr. Hacer rica a una persona, comarca, nación, fábrica, industria u otra cosa. Ú. m. c. r. || **2.** fig. Adornar, engrandecer. || **3.** intr. Hacerse uno rico. || **4.** Prosperar notablemente un país, una empresa, etc.

Enriquecimiento. m. Acción y efecto de enriquecer o enriquecerse. || **torticero.** *For.* El que obtenido con injusto origen en daño de otro, se considera ilícito e ineficaz en derecho.

Enriqueño, ña. adj. Perteneciente al rey don Enrique II de Castilla. Aplícase a las dádivas excesivas, recordando las de aquel rey.

Enriscado, da. p. p. de **Enriscar.** || **2.** adj. Lleno de riscos o peñascos.

Enriscamiento. m. Acción de enriscarse.

Enriscar. (De *en* y *risco.*) tr. fig. Levantar, elevar. || **2.** r. Guarecerse, meterse entre riscos y peñascos.

Enristrar. (Del lat. *arrĕstāre*, afianzar.) tr. Poner la lanza en el ristre. || **2.** Poner la lanza horizontal bajo el brazo derecho, bien afianzada para acometer. || **3.** fig. Ir derecho hacia una parte, o acertar finalmente con una cosa en que había dificultad.

Enristrar. (De *en* y *ristra.*) tr. Hacer ristras con ajos, cebollas, etc.

Enristre. m. Acción y efecto de enristrar.

Enrizado, da. p. p. de **Enrizar.** || **2.** m. desus. Rizado, bucle.

Enrizamiento. m. Acción y efecto de enrizar.

Enrizar. tr. **Rizar.** Ú. t. c. r.

Enrizar. tr. ant. **Enridar,** 1.er art.

Enrobinarse. r. *Albac.* y *Ar.* Cubrirse de robín, enmohecerse.

Enrobrescido, da. (De *roble*, roble.) adj. ant. Duro y fuerte como el roble.

Enrocar. (De *en* y *roque.*) tr. En el juego de ajedrez, mudar el rey, que ha permanecido en su lugar, al mismo tiempo que el roque o torre del lado hacia el cual se muda.

Enrocar. (De *en* y *rueca.*) tr. Revolver en la rueca el copo que ha de hilarse.

Enrocarse. (De *en* y *roca.*) r. Trabarse algo en las rocas del fondo del mar, principalmente anzuelos, artes de pesca, anclas, etc.

Enrodar. (Del lat. *inrotāre.*) tr. Imponer el suplicio, abolido tiempo ha, de despedazar al reo sujetándole a una rueda en movimiento.

Enrodelado, da. adj. Armado con rodela.

Enrodrigar. tr. **Rodrigar.**

Enrodrigonar. (De *en* y *rodrigón.*) tr. **Rodrigar.**

Enrojar. (De *en* y *rojo.*) tr. **Enrojecer.** Ú. t. c. r. || **2.** Calentar el horno.

Enrojecer. tr. Poner roja una cosa con el calor o el fuego. Ú. t. c. r. || **2.** Dar color rojo. || **3.** r. Encenderse el rostro. Ú. t. c. tr. || **4.** intr. **Ruborizarse.**

Enrojecimiento. m. Acción y efecto de enrojecer.

Enrolar. tr. *Mar.* Inscribir un individuo en el rol o lista de tripulantes de un barco mercante. Ú. t. c. r.

Enrollado, da. p. p. de **Enrollar.** || **2.** m. Roleo, voluta.

Enrollar. (De *en* y *rollo.*) tr. **Arrollar,** 1.er art., 1.ª acep. || **2.** Empedrar con rollos o cantos.

Enromar. tr. Poner roma una cosa. Ú. t. c. r.

Enrona. (De *enruna.*) f. *Ar.* Conjunto de escombros, cascotes y desperdicios que salen de las obras.

Enronar. tr. *Ar.* Echar enrona en algún sitio, o cubrir de enrona o de tierra una cosa. || **2.** *Nav.* Manchar con lodo, polvo, etc.

Enronquecer. tr. Poner ronco a uno. Ú. m. c. r.

Enronquecimiento. (De *enronquecer.*) m. **Ronquera.**

Enroñar. tr. Llenar de roña, pegarla. || **2.** Cubrir de orín un objeto de hierro. Ú. m. c. r.

Enroque. m. Acción y efecto de enrocar, 1.er art.

Enroscadamente. adv. m. En forma de rosca.

Enroscadura. f. Acción y efecto de enroscar o enroscarse.

Enroscamiento. m. Acción y efecto de enroscar.

Enroscar. tr. Torcer, doblar en redondo; poner en forma de rosca una cosa. Ú. t. c. r. || **2.** Introducir una cosa a vuelta de rosca. || **3.** *Germ.* Envolver, liar la ropa.

Enrostrar. tr. *Amér.* Dar en rostro, echar en cara, reprochar.

Enrubescer. (Del lat. *inrubescĕre,* enrojecer.) tr. ant. Poner o volver rojo o rubio. Usáb. t. c. r.

Enrubiador, ra. adj. Que tiene virtud de enrubiar.

Enrubiar. tr. Poner rubia una cosa. Dícese más comúnmente de los cabellos. Ú. t. c. r.

Enrubio. m. Acción y efecto de enrubiar o enrubiarse. || **2.** Ingrediente con que se enrubia. || **3.** *P. Rico.* Árbol de madera muy dura, de albura blanca y corazón rojizo.

Enrudecer. tr. Hacer rudo a uno; entorpecerle el entendimiento. Ú. t. c. r.

Enruinecer. intr. Hacerse ruin.

Enruna. (De *en* y *ruina.*) f. *Ar.* **Enrona.** || **2.** *Albac., Murc.* y *Val.* Cieno, tierras o malezas que se depositan en el fondo de las acequias, zanjas, aljibes, etc.

Enrunar. tr. *Ar.* **Enronar.** || **2.** *Murc.* Cegar o llenar de enruna una acequia, aljibe, etc. Ú. t. c. r. || **3.** *Albac.* Ensuciar con lodo u otra cosa análoga.

Ensabanada. f. **Encamisada.**

Ensabanado, da. p. p. de **Ensabanar.** || **2.** adj. *Taurom.* Aplícase al toro que tiene negras u obscuras la cabeza y las extremidades, y blanco el resto del cuerpo. || **3.** m. *Albañ.* Capa primera de yeso blanco con que se cubren las paredes antes de blanquearlas.

Ensabanar. tr. Cubrir, envolver con sábanas. Ú. t. c. r. || **2.** *Albañ.* Dar a una pared una mano de yeso blanco.

Ensacador, ra. adj. Que ensaca. Ú. t. c. s.

Ensacar. tr. Meter algo en un saco.

Ensaimada. (Voz mallorquina, derivada de *saim,* saín.) f. Bollo formado por una tira de pasta hojaldrada revuelta en espiral.

Ensalada. (De *en* y *sal.*) f. Hortaliza aderezada con sal, aceite, vinagre y otras cosas. || **2.** fig. Mezcla confusa de cosas sin conexión. || **3.** fig. Composición poética en la cual se incluyen esparcidos versos de otras poesías conocidas. || **4.** fig. Composición lírica en que se emplean ad líbitum metros diferentes. || **5.** *Cuba.* Refresco preparado con agua de limón, hierbabuena y piña. || **italiana.** La que se hace con diversas hierbas y a veces, además, con pechugas de aves, aceitunas, etc. || **repelada.** La que se hace con diferentes hierbas, como mastuerzo, pimpinela, hinojo, etc. || **rusa.** La compuesta de patata, zanahoria, remolacha, guisantes y lengua o jamón, con salsa parecida a la mayonesa. || **2.** fig. Mezcla poco armónica de colores.

Ensaladera. f. Fuente honda en que se sirve la ensalada.

Ensaladilla. f. d. de **Ensalada.** || **2.** Manjar frío semejante a la ensalada rusa. || **3.** Bocados de dulce de diferentes géneros. || **4.** fig. Conjunto de piedras preciosas de diferentes colores engastadas en una joya. || **5.** Conjunto de diversas cosas menudas.

Ensalivar. tr. Llenar o empapar de saliva. Ú. t. c. r.

Ensalma. (De *ensalmar,* 2.° art.) f. ant. **Enjalma.**

Ensalmadera. f. ant. **Ensalmadora.**

Ensalmador, ra. (De *ensalmar,* 1.er art.) m. y f. Persona que tenía por oficio componer los huesos dislocados o rotos. || **2.** Persona de quien se creía que curaba con ensalmos.

Ensalmar. (De *en* y *salmo.*) tr. Componer los huesos dislocados o rotos. || **2.** Curar con ensalmos. Ú. t. c. r. || **3.** ant. **Descalabrar,** 1.ª acep.

Ensalmar. (De *en* y *salma,* jalma.) tr. ant. **Enjalmar.** Ú. en *Burg., Logr., Sal.* y *Sor.* || **2.** ant. V. **Aguja, hilo de ensalmar.**

Ensalmo. (De *ensalmar,* 1.er art.) m. Modo supersticioso de curar con oraciones y aplicación empírica de varias medicinas. || **Por ensalmo.** m. adv. Con prontitud extraordinaria y de modo desconocido.

Ensalobrarse. r. Hacerse el agua amarga y salobre.

Ensalzador, ra. adj. Que ensalza.

Ensalzamiento. m. Acción y efecto de ensalzar.

Ensalzar. (De *exalzar.*) tr. Engrandecer, exaltar. || **2.** Alabar, elogiar. Ú. t. c. r.

Ensambenitar. tr. Poner a uno el sambenito por sentencia del tribunal de la Inquisición.

Ensamblado, da. p. p. de **Ensamblar.** || **2.** m. Obra de ensamblaje.

Ensamblador. m. El que ensambla.

Ensambladura. f. Acción y efecto de ensamblar.

Ensamblaje. m. **Ensambladura.** || **2.** *Nav.* Pieza de madera de hilo, de longitud variable, y con una escuadría de 12 centímetros de tabla por 5 de canto.

Ensamblar. (De *ensemble.*) tr. Unir, juntar. Dícese especialmente cuando se trata de ajustar piezas de madera.

Ensamble. (De *ensamblar.*) m. **Ensambladura.**

Ensancha. f. Ensanche, 1.ª acep. || **Dar ensanchas.** fr. fig. Dar un negocio treguas, o tener medios para ajustarse o componerse. || **2.** fig. y fam. Dar demasiada licencia o libertad para algunas acciones.

Ensanchador, ra. adj. Que ensancha. || **2.** m. Instrumento para ensanchar los guantes.

Ensanchamiento. m. Acción y efecto de ensanchar.

Ensanchar. (Del lat. *exampliāre.*) tr. Extender, dilatar, aumentar la anchura de una cosa. || **2.** r. fig. Desvanecerse, afectar gravedad y señorío. Ú. t. c. intr. || **3.** Hacerse de rogar.

Ensanche. (De *ensanchar.*) m. Dilatación, extensión. || **2.** Parte de tela que se remete en la costura del vestido para poderlo ensanchar en caso necesario. || **3.** Terreno dedicado a nuevas edificaciones en las afueras de una población y conjunto de los edificios que en ese terreno se han construido. || **4.** V. **Zona de ensanche.**

Ensandecer. intr. Volverse sandio, enloquecer. Ú. t. c. tr.

Ensangostar. (Del lat. *ex* y *angustāre,* estrechar.) tr. **Angostar.**

Ensangostido, da. adj. ant. **Angustiado.**

Ensangrentamiento. m. Acción y efecto de ensangrentar o ensangrentarse.

Ensangrentar. (De *en* y *sangrentar.*) tr. Manchar o teñir con sangre. Ú. t. c. r. || **2.** r. fig. Encenderse, irritarse demasiadamente en una disputa o contienda, ofendiéndose unos a otros. || **Ensangrentarse con, o contra,** uno. fr. fig. Encruelecerse con él, querer ocasionarle un grave daño.

Ensangustiar. tr. ant. **Angustiar.** Usáb. t. c. r.

Ensañado, da. p. p. de **Ensañar.** || **2.** adj. ant. **Valeroso.**

Ensañamiento. m. Acción y efecto de ensañarse. || **2.** *For.* Circunstancia agravante que consiste en aumentar deliberadamente el mal del delito.

Ensañar. (Del lat. *insania.*) tr. Irritar, enfurecer. || **2.** r. Deleitarse en causar el mayor daño y dolor posibles a quien ya no está en condiciones de defenderse.

Ensarmentar. tr. **Amugronar.**

Ensarnecer. intr. Llenarse de sarna.

Ensartar. (De *en* y *sarta.*) tr. Pasar por un hilo, cuerda, alambre, etc., varias cosas; como perlas, cuentas, anillos, etc. || **2. Enhebrar.** ENSARTAR *una aguja.* || **3.** Espetar, atravesar, introducir. || **4.** fig. Decir muchas cosas sin orden ni conexión. || **5.** fig. *Chile* y *Méj.* Hacer caer en un engaño o trampa. Ú. t. c. r.

Ensay. (Del fr. *essai.*) m. En las casas de moneda, **ensaye.**

Ensayado, da. p. p. de **Ensayar.** || **2.** adj. V. **Peso ensayado.**

Ensayador. m. El que ensaya. || **2.** El que tiene por oficio ensayar los metales preciosos.

Ensayalar. tr. ant. Cubrir con tapete u otra cosa un mueble. || **2.** r. Vestirse o cubrirse de sayal.

Ensayamiento. (De *ensayar.*) m. ant. **Ensayo.**

Ensayar. (De *ensayo.*) tr. Probar, reconocer una cosa antes de usar de ella. || **2.** Amaestrar, adiestrar. || **3.** Hacer la prueba de una comedia, baile u otro espectáculo antes de ejecutarlo en público. || **4.** Probar la calidad de los minerales o la ley de los metales preciosos. || **5.** desus. Sentar, caer bien alguna cosa. || **6.** ant. Intentar, procurar. || **7.** r. Probar a hacer una cosa para ejecutarla después más perfectamente o para no extrañarla.

Ensaye. (De *ensayar.*) m. Prueba o examen de la calidad y bondad de los metales. || **2.** desus. **Ensayo,** 1.ª y 3.ª aceps.

Ensayismo. m. Género literario constituido por el ensayo, 2.ª acep.

Ensayista. com. Escritor de ensayos.

Ensayo. (Del lat. *exagĭum,* peso.) m. Acción y efecto de ensayar. || **2.** Escrito, generalmente breve, sin el aparato ni la extensión que requiere un tratado completo sobre la misma materia. || **3.** Operación por la cual se averigua el metal o metales que contiene la mena, y la proporción en que cada uno está con el peso de ella. || **4.** Análisis de la moneda para descubrir su ley. || **5.** V. **Tubo de ensayo.** || **general.** Representación completa de una obra dramática, que se hace antes de presentarla al público.

Ensebar. tr. Untar con sebo.

Ensecar. (Del lat. *exsiccāre.*) tr. ant. Secar o enjugar.

Enseguida. m. En seguida.

Enselvado, da. p. p. de Enselvar. || **2.** adj. Lleno de selvas o árboles.

Enselvar. (De *en* y *selva*.) tr. Emboscar, 1.ª y 2.ª aceps. Ú. t. c. r.

Ensellar. tr. ant. Ensillar.

Ensembla. adv. m ant. Ensemble.

Ensemble. (Del lat. *insimul*.) adv. m. ant. Juntamente.

Ensemejante. adj. ant. Semejante.

Ensenada. (De *ensenar*.) f. Seno, 6.ª acep.

Ensenado, da. p. p. de Ensenar. || **2.** adj. Dispuesto a manera o en forma de seno.

Ensenar. (Del lat. *insinuāre*; de *sinus*, seno.) tr. Esconder, poner en el seno una cosa. || **2.** *Mar.* Meter en una ensenada una embarcación. Ú. m. c. r.

Enseña. (Del lat. *insignia*, pl. n. de *insignis*, que se distingue por alguna señal.) f. Insignia o estandarte.

Enseñable. adj. Que se puede fácilmente enseñar.

Enseñadamente. adv. m. ant. Con enseñanza.

Enseñadero, ra. adj. ant. Que puede ser enseñado.

Enseñado, da. p. p. de Enseñar. || **2.** adj. ant. Docto, instruido. || **3.** Educado, acostumbrado. Ú. más con los advs. *bien* o *mal*.

Enseñador, ra. adj. Que enseña. Ú. t. c. s.

Enseñalar. tr. ant. Señalar.

Enseñamiento. m. Enseñanza.

Enseñante. p. a. ant. de Enseñar. Que enseña.

Enseñanza. f. Acción y efecto de enseñar. || **2.** Sistema y método de dar instrucción. || **3.** Ejemplo, acción o suceso que nos sirve de experiencia, enseñándonos o advirtiéndonos cómo debemos obrar en casos análogos. || **mutua.** La que los alumnos más adelantados dan a sus condiscípulos bajo la dirección del maestro. || **primaria. Primera enseñanza.** || **superior.** La que comprende los estudios especiales que requiere cada profesión o carrera; como teología, jurisprudencia, etc. || **Primera enseñanza.** La de primeras letras, en sus diversos grados. || **Segunda enseñanza.** La intermedia entre la primera y la superior, y que comprende los estudios de cultura general.

Enseñar. (Del lat. *insignāre*, señalar.) tr. Instruir, doctrinar, amaestrar con reglas o preceptos. || **2.** Dar advertencia, ejemplo o escarmiento que sirve de experiencia y guía para obrar en lo sucesivo. || **3.** Indicar, dar señas de una cosa. || **4.** Mostrar o exponer una cosa, para que sea vista y apreciada. || **5.** Dejar aparecer, dejar ver una cosa involuntariamente. || **6.** r. Acostumbrarse, habituarse a una cosa.

Enseño. (De *enseñar*.) m. fam. p. us. Enseñanza.

Enseñoramiento. m. Acción y efecto de enseñorearse.

Enseñoreador, ra. m. ant. El que enseñorea o se enseñorea.

Enseñorearse. r. Hacerse señor y dueño de una cosa; dominarla. Ú. t. c. tr.

Enserar. tr. Cubrir o forrar con sera de esparto una cosa para su resguardo.

Enseres. (De *en* y *ser*.) m. pl. Utensilios, muebles, instrumentos necesarios o convenientes en una casa o para el ejercicio de una profesión.

Enseriarse. r. *Cuba, Perú, P. Rico* y *Venez.* Ponerse serio mostrando algún disgusto o desagrado.

Ensiemplo. m. ant. Ejemplo.

Ensiforme. (Del lat. *ensiformis*; de *ensis*, espada, y *forma*, figura.) adj. En forma de espada.

Ensilaje. m. Acción de ensilar.

Ensilar. tr. Poner, encerrar los granos, semillas y forraje en el silo. || **2.** ant. fig. Comer, tragar mucho.

Ensilvecerse. (Del lat. *in* y *silvescĕre*, de *silva*, selva.) r. Convertirse en selva un campo o sembrado; quedar sin cultivo.

Ensillada. f. Por alusión a la ensilladura del caballo, collado o depresión suave en el lomo de una montaña.

Ensillado, da. p. p. de Ensillar. || **2.** adj. Dícese del caballo o de la yegua que tiene el lomo hundido. Suele aplicarse por semejanza, en el estilo familiar, a las personas.

Ensilladura. (De *ensillar*.) f. Acción y efecto de ensillar. || **2.** Parte en que se pone la silla al caballo, mula, etc. || **3.** Encorvadura entrante que tiene la columna vertebral en la región lumbar.

Ensillar. tr. Poner la silla al caballo, mula, etc. || **2.** ant. Elevar, entronizar a uno. || **Aún no ensillamos, y ya cabalgamos.** ref. que reprende a los que quieren llegar al fin o término antes de tiempo, sin haber puesto los medios necesarios.

Ensimismamiento. m. Acción y efecto de ensimismarse.

Ensimismarse. (De *en sí mismo*.) r. Abstraerse. || **2.** *Colomb.* y *Chile.* Gozarse en sí mismo, envanecerse, engreírse.

Ensobear. tr. Atar con el sobeo el yugo al pértigo del carro.

Ensoberbecer. tr. Causar o excitar soberbia en alguno. Ú. t. c. r. || **2.** r. fig. Agitarse el mar; alterarse, encresparse las olas.

Ensoberbecimiento. m. Acción y efecto de ensoberbecer o ensoberbecerse.

Ensobinarse. (Del lat. *in*, en, y *supināre*, echar boca arriba.) r. *Ar.* Quedarse en posición supina una caballería o un cerdo, sin poderse levantar. || **2.** *Murc.* Acurrucarse.

Ensobrado. m. Acción y efecto de ensobrar.

Ensobrar. tr. En las habilitaciones y pagadurías de centros oficiales, distribuir en sobres los haberes mensuales correspondientes a funcionarios de alta categoría.

Ensogar. tr. Atar con soga. || **2.** Forrar una cosa con soga, como se hace con los frascos y redomas.

Ensolerar. tr. Echar o poner soleras a las colmenas.

Ensolvedera. (De *ensolver*.) f. desus. Brocha de pelo largo y suave con que se fundían las tintas al pintar.

Ensolvedor, ra. (De *ensolver*.) adj. ant. Que resuelve o declara una cosa o duda. Usáb. t. c. s.

Ensolver. (Del lat. *in*, en, y *solvĕre*, desatar.) tr. Incluir una cosa en otra. || **2.** Contraer, sincopar. || **3.** *Med.* Resolver, disipar.

Ensombrecer. tr. Obscurecer, cubrir de sombras. Ú. t. c. r. || **2.** r. fig. Entristecerse, ponerse melancólico.

Ensombrerado, da. adj. fam. Que lleva puesto sombrero.

Ensoñador, ra. adj. Que tiene ensueños o ilusiones. Ú. t. c. s.

Ensoñar. tr. Tener ensueños.

Ensopar. tr. Hacer sopa con el pan, empapándolo en vino u otro licor. || **2.** *Argent.*, *Hond.*, *P. Rico* y *Venez.* Empapar, poner hecho una sopa. Ú. t. c. r.

Ensordamiento. (De *ensordar*.) m. ant. Efecto de ensordecer o hacerse sordo.

Ensordar. (De *en* y *sordo*.) tr. ant. Ensordecer. Usáb. t. c. r. Ú. en *Ar.*

Ensordecedor, ra. adj. Que ensordece.

Ensordecer. (De *en* y *sordecer*.) tr. Ocasionar o causar sordera. || **2.** *Gram.* Convertir una consonante sonora en sorda. || **3.** intr. Contraer sordera, quedarse sordo. || **4.** Callar, no responder.

Ensordecimiento. m. Acción y efecto de ensordecer.

Ensortijamiento. m. Acción de ensortijar. || **2.** Sortijas formadas en el cabello.

Ensortijar. (De *en* y *sortija*.) tr. Torcer en redondo, rizar, encrespar el cabello, hilo, etc. Ú. t. c. r. || **2.** Poner un aro de hierro atravesando la nariz de un animal, ora para gobernarlo y guiarlo, ora para impedirle pacer en lugares donde no se quiere que lo haga.

Ensotarse. r. Meterse, ocultarse en un soto.

Ensuciador, ra. adj. Que ensucia.

Ensuciamiento. m. Acción y efecto de ensuciar o ensuciarse.

Ensuciar. tr. Manchar, poner sucia una cosa. Ú. t. c. r. || **2.** fig. Manchar el alma, la nobleza o la fama con vicios o con acciones indignas. || **3.** r. Hacer las necesidades corporales en la cama, camisa, calzones, etc. || **4.** fig. y fam. Dejarse sobornar con dádivas. || **Ensuciarla.** fam. Deslucir, echar a perder un asunto, meter la pata.

Ensueño. (Del lat. *insomnium*.) m. Sueño o representación fantástica del que duerme. || **2.** Ilusión, fantasía.

Ensullo. (Del lat. *insubŭlum*.) m. Enjullo.

Ensuyar. tr. ant. Emprender.

Enta. prep. ant. A, hacia.

Entabacarse. r. Abusar del tabaco

Entablación. f. Acción y efecto de entablar. || **2.** Anotación o registro de las memorias, fundaciones y capellanías, así como de las obligaciones de los ministros del templo, la cual suele escribirse en una o en varias tablas y fijarse en las paredes para que consten al público.

Entablado, da. p. p. de Entablar. || **2.** m. Conjunto de tablas dispuestas y arregladas en una armadura. || **3.** Suelo formado de tablas.

Entabladura. f. Efecto de entablar 1.ª acep.

Entablamento. (De *entablar*.) m. *Arq.* Cornisamento.

Entablamiento. m. ant. *Arq.* Entablamento.

Entablar. tr. Cubrir, cercar o asegurar con tablas una cosa. || **2.** Entablillar. || **3.** En el juego de ajedrez, damas y otros análogos, colocar las piezas en sus respectivos lugares para empezar el juego. || **4.** Disponer, preparar, emprender una pretensión, negocio o dependencia. || **5.** Notar, escribir en las tablas de las iglesias una memoria o fundación para que conste. || **6.** Trabar, 6.ª acep. || **7.** *Argent.* Acostumbrar al ganado mayor a que ande en manada o tropilla. Ú. t. c. r. || **8.** r. Resistirse el caballo a volverse a una u otra mano, a causa de un vicio contraído por enfermedad o resabio. || **9.** Fijarse el viento de una manera continuada en cierta dirección.

Entable. (De *entablar*.) m. Entabladura. || **2.** Varia disposición de los juegos de damas, ajedrez, etc.

Entablerarse. r. En las corridas de toros, aquerenciarse éstos a los tableros del redondel, aconchándose sobre ellos.

Entablillar. tr. *Cir.* Asegurar con tablillas y vendaje el hueso roto o quebrado.

Entado. (Del fr. *enté*, p. p. de *enter*, injerir.) adj. *Blas.* Aplícase a las piezas y partes del escudo que están enclavijadas unas en otras con entrantes y salientes. || **en punta.** *Blas.* Aplícase al triángulo curvilíneo que tiene su vértice en el centro del escudo y su base en la parte inferior, dentro del cual se coloca alguna empresa, como la granada en las armas de España.

Entalamadura. (De *entalamar*.) f. Zarzo de cañas forrado de tela de cáñamo o de hule, que para defenderse del sol o del agua se pone sobre los carros, su jeto a tres arcos de madera fijos en los varales.

Entalamar. (De *en* y *tálamo.*) tr. ant. Cubrir con paños o tapices. || **2.** Poner toldo a un carro.

Entalegado, da. p. p. de **Entalegar.** || **2.** m. *Ar.* El que metido en un saco hasta la cintura compite con otros a correr o saltar.

Entalegar. tr. Meter una cosa en talegos o talegas para guardarla o para otro fin. || **2.** Ahorrar dinero, atesorarlo.

Entalingar. (Del fr. *entalinguer.*) tr. *Mar.* Asegurar el chicote del cable o cadena al arganeo del ancla.

Entalonar. intr. Echar renuevos los árboles de hoja perenne como olivos, naranjos, algarrobos, etc.

Entallable. adj. Capaz de entallarse.

Entallador. m. El que entalla, 1.er art.

Entalladura. f. Acción y efecto de entallar, 1.er art. || **2.** Corte que se hace en los pinos para resinarlos, o en las maderas para ensamblarlas.

Entallamiento. (De *entallar,* 1.er art.) m. **Entalladura.**

Entallar. (De *en* y *talla.*) tr. Hacer figuras de relieve en madera, bronce, mármol, etc. || **2.** Grabar o abrir en lámina, piedra u otra materia. || **3.** Cortar la corteza, y a veces parte de la madera, de algunos árboles para extraer la resina. || **4.** Hacer cortes en una pieza de madera para ensamblarla con otra. || **5.** *Extr.* Quedar aprisionado un miembro en una grieta u otra abertura. *Me* ENTALLÉ *un dedo con la puerta.*

Entallar. tr. Hacer o formar el talle. Ú. t. c. intr. y c. r. || **2.** intr. Venir bien o mal el vestido al talle.

Entalle. (De *entallar,* 1.er art.) m. ant. Obra de entalladura.

Entallecer. intr. Echar tallos las plantas y árboles. Ú. t. c. r.

Entallo. m. **Entalle.**

Entamar. tr. Cubrir con tamo. Ú. t. c. r.

Entandar. (De *en* y *tanda.*) tr. *Murc.* Distribuir las horas de riego entre una comunidad de regantes.

Entapecer. tr. ant. **Tupir,** 1.a acep.

Entapetado, da. adj. desus. **Tapetado.** || **2.** Cubierto con tapete.

Entapizada. f. **Alfombra,** 1.er art., 2.a acep. *Las* ENTAPIZADAS *de rosas y mosquetas.*

Entapizar. tr. Cubrir con tapices. || **2.** Forrar con telas las paredes, sillas sillones, etc. || **3.** fig. Cubrir o revestir una superficie con alguna cosa como cubriéndola con un tapiz. Ú. t. c. r.

Entapujar. tr. fam. Tapar, cubrir. Ú. t. c. r. || **2.** fig. Andar con tapujos, ocultar la verdad.

Entarascar. (De *en* y *tarasca.*) tr. fam. Cargar de demasiados adornos a una persona. Ú. m. c. r.

Entarimado. (De *entarimar.*) m. **Entablado,** 3.a acep.

Entarimador. m. El que tiene por oficio entarimar.

Entarimar. (De *tarima.*) tr. Cubrir el suelo con tablas o tarima.

Entarquinamiento. m. Operación de entarquinar.

Entarquinar. tr. Abonar o engrasar las tierras con tarquín. || **2.** Manchar, ensuciar con tarquín. || **3.** Rellenar y sanear un terreno pantanoso o una laguna por la sedimentación del légamo o tarquín que lleva una corriente de agua.

Entarugado, da. p. p. de **Entarugar.** || **2.** m. Pavimento formado con tarugos de madera.

Entarugar. tr. Pavimentar con tarugos de madera.

Éntasis. (Del lat. *entăsis,* y éste del gr. ἔντασις.) f. Parte más abultada del fuste de algunas columnas.

Ente. (Del lat. *ens, entis,* p. a. de *esse,* ser.) m. Lo que es, existe o puede existir. || **2.** fam. Sujeto ridículo, o que en su modo y porte se hace reparable. || **de razón.** *Fil.* El que no tiene ser real y verdadero y sólo existe en el entendimiento.

Entecado, da. p. p. de **Entecarse.** || **2.** adj. **Enteco.**

Entecarse. (Del lat. *hectĭcus, a, um,* habitual, dicho de la fiebre.) r. ant. Enfermar, debilitarse. Ú. en *Burgos.*

Entecarse. (De *entercarse.*) r. *Chile* y *León.* Obstinarse, emperrarse.

Enteco, ca. (De *entecarse,* 1.er art.) adj. Enfermizo, débil, flaco.

Entejar. tr. *Amér.* Tejar, cubrir con tejas.

Entelar. tr. ant. Turbar, nublar la vista. || **2.** *León.* Meteorizar, causar meteorismo. Ú. t. c. r.

Entelequia. (Del lat. *entelechīa,* y éste del gr. ἐντελέχεια, de ἐντελεχής; de ἐν, en, τέλος, acabamiento, y ἔχω, tener.) f. *Fil.* Cosa real que lleva en sí el principio de su acción y que tiende por sí misma a su fin propio. Aristóteles introdujo la palabra y Leibniz la renovó en los estudios.

Entelerido, da. (Como *aterido,* de la onomat. *ter.*) adj. Sobrecogido de frío o de pavor. || **2.** *And., C. Rica, Hond.* y *Venez.* Enteco, flaco, enclenque.

Entena. (Del lat. *antenna.*) f. Vara o palo encorvado y muy largo al cual está asegurada la vela latina en las embarcaciones de esta clase. || **2.** Madero redondo o en rollo, de gran longitud y diámetro variable. En Huesca tiene de 116 a 121 palmos de largo.

Entenado, da. (De *antenado.*) m. y f. Alnado, da.

Ententiar. (Del lat. *intentĭo,* riña.) tr. ant. **Insultar.**

Entendederas. (De *entender.*) f. pl. fam. **Entendimiento,** 1.a acep. Lo común es denotar con este vocablo la escasez o torpeza de dicha facultad.

Entendedor, ra. adj. Que entiende. Ú. t. c. s. || **A buen entendedor, breve hablador. Al buen entendedor, pocas palabras.** refs. que advierten que el sujeto capaz y de buen entendimiento comprende fácilmente lo que se le quiere decir.

Entender. (Del lat. *intendĕre,* dirigir, aplicar.) tr. Tener idea clara de las cosas; comprenderlas. || **2.** Saber con perfección una cosa. || **3.** Conocer, penetrar. || **4.** Conocer el ánimo o la intención de uno. *Ya te* ENTIENDO. || **5.** Discurrir, inferir, deducir. || **6.** Tener intención o mostrar voluntad de hacer una cosa. || **7.** Creer, pensar, juzgar. *Yo* ENTIENDO *que sería mejor tal cosa.* || **8.** r. Conocerse, comprenderse a sí mismo. || **9.** Tener un motivo o razón oculta para obrar de cierto modo. || **10.** rec. Ir dos o más de conformidad en un negocio, especialmente cuando tienen entre sí motivos especiales de confianza, secreto y amistad. || **11.** Tener hombre y mujer alguna relación de carácter amoroso recatadamente, sin querer que aparezca en público. || **A mi entender.** m. adv. Según mi juicio o mi modo de pensar. || **Cada uno se entiende.** expr. con que satisface aquel a quien reconvienen por una cosa que aparentemente disuena. || **¿Cómo se entiende?** expr. que manifiesta el enojo que causa lo que se oye o se ve. || **Entender en** una cosa. fr. Ocuparse en ella. || **2.** Tener una autoridad facultad o jurisdicción para conocer de materia determinada. || **Entenderse** una cosa **con** uno o muchos. fr. Pertenecerles, tocarles, estar comprendidos en ella. Dícese más comúnmente hablando de leyes o mandatos. || **Entenderse con** una cosa. fr. Saberla manejar o disponer para algún fin. || **Entenderse con** uno. fr. Avenirse con él para tratar determinados negocios. || **No se entiende eso conmigo.** fr. con que se denota que no nos comprende una cosa en que nos quieren incluir. || **¿Qué se entiende?** expr. **¿Cómo se entiende?**

Entendible. (De *entender.*) adj. ant. **Inteligible.**

Entendidamente. adv. m. Con inteligencia, pericia o destreza.

Entendido, da. p. p. de **Entender.** || **2.** adj. Sabio, docto, perito, diestro. Ú. t. c. s. || **3.** V. **Valor entendido.** || **No darse por entendido.** fr. Hacerse el sordo, aparentar que no se ha **entendido** algo que a uno le atañe.

Entendiente. p. a. ant. de **Entender.** Que entiende.

Entendimiento. (De *entender.*) m. Potencia del alma, en virtud de la cual concibe las cosas, las compara, las juzga, e induce y deduce otras de las que ya conoce. || **2.** Alma, en cuanto discurre y raciocina. || **3.** Razón humana. || **4.** ant. Inteligencia o sentido que se da a lo que se dice o escribe. || **De entendimiento.** loc. Muy inteligente.

Entenebrar. tr. p. us. **Entenebrecer.** Ú. t. c. r.

Entenebrecer. (Del lat. *in,* en, y *tenebrescĕre,* obscurecer.) tr. Obscurecer, llenar de tinieblas. Ú. t. c. r.

Entenga. f. *Ál.* Clavo largo de hierro.

Entenzón. (Del lat. *intentĭo, -ōnis.*) f. ant. Contienda, discordia.

Enteo. m. *Sal.* Deseo, antojo.

Entera. (Por **lentera,* del lat. *limitarĭa,* de *limes, -ĭtis,* linde y dintel.) f. *León.* **Dintel.**

Enterado, da. adj. *Chile.* Orgulloso, entonado, estirado.

Enteralgia. (Del gr. ἔντερον, intestino, y ἄλγος, dolor.) f. *Med.* Dolor intestinal agudo.

Enteramente. adv. m. Cabal, plenamente, del todo.

Enteramiento. m. ant. Acción y efecto de enterar, 2.a acep.

Enterar. (Del lat. *integrāre.*) tr. Informar, instruir a uno de un negocio. Ú. t. c. r. || **2.** ant. Completar, dar integridad a una cosa. Ú. en *Argent.* y *Chile,* dicho especialmente de una cantidad. || **3.** *Colomb., C. Rica, Hond.* y *Méj.* Pagar, entregar dinero.

Entercarse. r. Obstinarse, emperrarse.

Enterciar. tr. *Cuba* y *Méj.* Empacar, formar tercios con una mercancía.

Enterez. f. ant. **Entereza.**

Entereza. (De *entero.*) f. Integridad, perfección, complemento. || **2.** fig. Integridad, rectitud en la administración de justicia. || **3.** fig. Fortaleza, constancia, firmeza de ánimo. || **4.** fig. Severa y perfecta observancia de la disciplina || **virginal. Virginidad.**

Entérico, ca. adj. *Med.* Perteneciente o relativo a los intestinos.

Enterísimo, ma. adj. sup. de **Entero.** || **2.** *Bot.* V. **Hoja enterísima.**

Enteritis. (Del gr. ἔντερον, intestino, y el sufijo *itis,* inflamación.) f. *Med.* Inflamación de la membrana mucosa de los intestinos.

Enterizo, za. adj. **Entero.** || **2.** De una sola pieza. *Columna* ENTERIZA. || **3.** V. **Madera enteriza.**

Enternecedor, ra. adj. Que enternece.

Enternecer. (Del lat. *in,* en, y *teneres-cĕre,* de *tener,* tierno.) tr. Ablandar, poner tierna y blanda una cosa. Ú. t. c. r. || **2.** fig. Mover a ternura, por compasión u otro motivo. Ú. t. c. r.

Enternecidamente. adv. m. Con ternura.

Enternecimiento. m. Acción y efecto de enternecer o enternecerse.

Entero, ra. (Del lat. *intĕger, -gri.*) adj. Cabal, cumplido sin falta alguna. || **2.** Aplícase al animal no castrado || **3.** V. **Tiro, viento entero.** || **4.** fig. Robusto, sano

|| **5.** fig. Recto, justo. || **6.** fig. Constante, firme. || **7.** fig. **Incorrupto,** 3.ª acep. || **8.** fam. Tupido, fuerte, recio. Dícese de las telas. || **9.** *Arit.* V. **Número entero.** Ú. t. c. s. || **10.** *Bot.* V. **Hoja entera.** || **11.** m. *Colomb., C. Rica, Chile* y *Méj.* Entrega de dinero, especialmente en una oficina pública. || **Partir por entero.** fr. *Arit.* Dividir una cantidad por un número compuesto de dos o más cifras. || **2.** fig. y fam. Llevarse uno todo lo que hay que repartir, dejando a los demás sin nada. || **Por entero.** m. adv. **Enteramente.**

Enterocolitis. (Del gr. ἔντερον, intestino; κῶλον, colon, y el sufijo *itis,* que denota inflamación.) f. *Med.* Inflamación del intestino delgado, del ciego y del colon.

Enterrador. (De *enterrar.*) m. **Sepulturero.** || **2.** *Zool.* Coleóptero pentámero que hace la puesta sobre los cadáveres de animales pequeños, como ratones, pájaros, etc., enterrándolos para que sus larvas encuentren el alimento necesario para su desarrollo. Tiene la cabeza cuadrada, las antenas terminadas en maza y los élitros más cortos que el abdomen. || **3.** *Germ.* Estafador que da el timo del entierro. || **4.** *Tauróm.* Torero que ayuda al espada a rematar el toro.

Enterramiento. (De *enterrar.*) m. **Entierro,** 1.ª acep. || **2. Sepulcro,** 1.ª acep. || **3. Sepultura,** 2.ª y 3.ª aceps.

Enterrar. tr. Poner debajo de tierra. || **2.** Dar sepultura a un cadáver. || **3.** fig. Sobrevivir a alguno. || **4.** fig. Hacer desaparecer una cosa debajo de otra, como si estuviese oculta bajo tierra. || **5.** fig. Arrinconar, relegar al olvido algún negocio, designio, etc., como si desapareciera de entre lo existente. ENTERRAR *las ilusiones, las antiguas costumbres.* || **6.** *Chile, Hond.* y *P. Rico.* Clavar, meter un instrumento punzante. || **7.** fig. r. Retirarse uno del trato de los demás, como si hubiera muerto. ENTERRARSE *en un monasterio, en una aldea.* || **Contigo,** o **con** tal o tales personas, **me entierren.** expr. fam. con que uno da a entender que es del mismo gusto, genio o dictamen de la persona o personas a quienes se dirige o alude. || **¿Dónde entierra usted?** expr. fig. y fam. con que se contiene y zumba al baladrón que echa muchos fieros.

Enterriar. tr. *Sal.* Odiar, tener tirria.

Entesadamente. adv. m. ant. Intensamente, fervorosamente.

Entesado, da. p. p. de **Entesar.** || **2.** adj. ant. Repleto, ahíto de comida.

Entesamiento. m. Acción y efecto de entesar.

Entesar. (Del lat. *intensus,* p. p. de *intendĕre,* extender.) tr. Dar mayor fuerza, vigor o intensión a una cosa. || **2.** Poner tirante y tesa una cosa, como cuerda o maroma.

Entestado, da. (De *en* y *testa.*) adj. **Testarudo** || **2.** ant. Encasquetado o encajado en la cabeza.

Entestecer. (De *en* y el lat. *testa,* escama, concha.) tr. Apretar o endurecer. Ú. t. c. r.

Entibación. f. *Min.* Acción y efecto de entibar.

Entibador. (De *entibar.*) m. *Min.* Operario dedicado a la entibación.

Entibar. (Del lat. *instipāre,* poner junto o apiñado.) intr. **Estribar.** || **2.** tr. *Min.* En las minas, apuntalar, fortalecer con maderas y tablas las excavaciones que ofrecen riesgo de hundimiento. || **3.** *Ar.* Represar las aguas en un río o canal para aumentar el salto o nivel de las mismas.

Entibiadero. m. Lugar o sitio destinado para entibiar una cosa.

Entibiar. tr. Poner tibio un líquido, darle un grado de calor moderado. Ú. t. c. r. || **2.** fig. Templar, moderar las pasiones, los afectos o el fervor con que se hace una cosa. Ú. t. c. r.

Entibiecer. (De *tibio.*) tr. ant. **Entibiar.** Usáb. t. c. r.

Entibo. (De *entibar.*) m. *Arq.* **Estribo,** 7.ª acep. || **2.** *Min.* Madero que en las minas sirve para apuntalar. || **3.** fig. Fundamento, apoyo. || **4.** *Ar.* Caudal de aguas represadas en un río o canal.

Entidad. (Del lat. *ens, entis,* ente.) f. *Fil.* Lo que constituye la esencia o la forma de una cosa. || **2.** Ente o ser. || **3.** Valor o importancia de una cosa. || **4.** Colectividad considerada como unidad. || **De entidad.** loc. De substancia, de consideración, de valor.

Entierro. m. Acción y efecto de enterrar los cadáveres. || **2.** Sepulcro o sitio en que se ponen los difuntos. || **3.** El cadáver que se lleva a enterrar y su acompañamiento. || **4.** Tesoro enterrado. || **5.** Estafa que se comete a pretexto de desenterrar un tesoro. || **de la sardina.** Fiesta carnavalesca que se celebraba el miércoles de ceniza. || **Santo Entierro.** Procesión del Viernes Santo, cuyo paso principal es el enterramiento de Cristo.

Entiesar. tr. **Atiesar.**

Entigrecerse. (De *en* y *tigre.*) r. fig. Enojarse, irritarse, enfurecerse.

Entilar. tr. *Hond.* **Tiznar.**

Entimema. (Del lat. *enthymēma,* y éste del gr. ἐνθύμημα, reflexión, pensamiento; de ἐνθυμέομαι, reflexionar.) m. *Fil.* Silogismo abreviado que, por sobrentenderse una de las premisas, sólo consta de dos proposiciones, que se llaman antecedente y consiguiente; v. gr.: *El Sol alumbra, luego es de día.*

Entimemático, ca. (Del lat. *enthymematicus,* y éste del gr. ἐνθυμηματικός.) adj. Perteneciente al entimema.

Entinar. tr. Poner en tina.

Entintar. tr. Manchar o teñir con tinta. || **2.** fig. **Teñir,** 1.ª acep.

Entirar. (De *en* y *tirar.*) tr. ant. **Estirar.**

Entisar. tr. *Cuba.* Forrar una vasija con una red.

Entitativo, va. adj. *Fil.* Exclusivamente propio de la entidad.

Entizar. tr. Dar de tiza al taco de billar.

Entiznar. tr. **Tiznar.**

Entoladora. f. La que entola.

Entolar. tr. Pasar de un tul a otro las flores o dibujos de un encaje.

Entoldado, da. p. p. de **Entoldar.** || **2.** m. Acción de entoldar. || **3.** Toldo o conjunto de toldos colocados y extendidos para dar sombra.

Entoldadura. (De *entoldar.*) f. ant. **Colgadura.**

Entoldamiento. m. Acción y efecto de entoldar o entoldarse.

Entoldar. (De *toldo.*) tr. Cubrir con toldos los patios, calles, etc., para evitar el calor. || **2.** Cubrir con tapices, sedas o paños las paredes de los templos, casas, etc. || **3.** Cubrir las nubes el cielo. || **4.** r. fig. Engreírse, desvanecerse. || **5.** fig. V. **Entoldarse el cielo.**

Entomecer. (Del lat. *intŭmescĕre,* aumentar.) tr. ant. **Entumecer.** Usáb. t. c. r.

Entomecimiento. m. ant. **Entumecimiento.**

Entomizar. tr. Cubrir, liar con tomizas las tablas y los maderos de los techos y paredes para que pegue el yeso.

Entomófilo, la. (Del gr. ἔντομον, insecto, y φίλος, amigo.) adj. Aficionado a los insectos. || **2.** *Bot.* Dícese de las plantas en las que la polinización se verifica por intermedio de los insectos.

Entomología. (Del gr. ἔντομον, insecto, y λόγος, tratado.) f. Parte de la zoología, que trata de los insectos.

Entomológico, ca. adj. Perteneciente o relativo a la entomología.

Entomólogo. m. El que sabe o profesa la entomología.

Entonación. f. Acción y efecto de entonar. || **2.** Inflexión de la voz según el sentido de lo que se dice, la emoción que se expresa y el estilo o acento en que se habla. || **3.** fig. **Entono,** 2.ª acep.

Entonadera. (De *entonar.*) f. Palanca con que se mueven los fuelles del órgano.

Entonador, ra. adj. Que entona. || **2.** m. y f. Persona que tira o mueve los fuelles del órgano para que pueda sonar.

Entonamiento. m. **Entonación.**

Entonar. tr. Cantar ajustado al tono; afinar la voz. Ú. t. c. intr. || **2.** Dar determinado tono a la voz. || **3.** Dar viento a los órganos levantando los fuelles. || **4.** Empezar uno a cantar una cosa para que los demás continúen en el mismo tono. || **5.** *Med.* Dar tensión y vigor al organismo. || **6.** *Pint.* Armonizar, graduar las tintas para que no desdigan unas de otras. || **7.** r. fig. Desvanecerse, engreírse.

Entonatorio. (De *entonar.*) adj. V. **Libro entonatorio.** Ú. t. c. s.

Entonce. (Del lat. *in* y *tuncce.*) adv. t. ant. **Entonces.**

Entonces. (De *entonce.*) adv. t. En aquel tiempo u ocasión. || **2.** adv. m. En tal caso, siendo así. || **En aquel entonces.** loc. adv. **Entonces,** 1.ª acep. || **¡Entonces...!** o **¡Pues entonces...!** interj. con que se da por confeso al interlocutor, como sacando de lo que dice lo que se tiene por obvia consecuencia.

Entonelar. tr. Introducir algo en toneles.

Entongar. tr. Apilar, formar tongadas.

Entono. (De *entonar.*) m. **Entonación,** 1.ª acep. || **2.** fig. Arrogancia, desvanecimiento, presunción.

Entontecer. tr. Poner a uno tonto. || **2.** intr. Volverse tonto. Ú. t. c. r.

Entontecimiento. m. Acción y efecto de entontecer o entontecerse.

Entoñar. (De *en* y *tolla,* 1.er art.) tr. *Sal., Vallad.* y *Zam.* Enterrar, hundir. Ú. t. c. r.

Entorcarse. (De *en* y *torca.*) r. *Burg.* Caerse el ganado en una sima de donde no puede salir. || **2.** *Ál.* **Atascarse** un carro o coche en un bache.

Entorchado. (De *entorchar.*) m. Cuerda o hilo de seda, cubierto con otro hilo de seda, o de metal, retorcido alrededor para darle consistencia. Se usa para las cuerdas de los instrumentos músicos y los bordados. || **2.** Bordado en oro o plata, que como distintivo llevan en las vueltas de las mangas del uniforme los ministros y otros altos funcionarios. En la milicia, un entorchado de plata es insignia de los generales de brigada; uno de oro, de los de división; dos, del teniente general, y tres, del capitán general. || **3.** V. **Columna entorchada.**

Entorchar. (Indirectamente, del lat. *intorquēre,* torcer.) tr. Retorcer varias velas y formar de ellas antorchas. || **2.** Cubrir un hilo o cuerda enroscándole otro de metal.

Entorilar. tr. Meter al toro en el toril.

Entormecimiento. m. ant. **Entumecimiento.**

Entornar. (De *en* y *tornar.*) tr. Volver la puerta o la ventana hacia donde se cierra. || **2.** Dícese también de los ojos cuando no se cierran por completo. || **3.** Inclinar, ladear, trastornar. Ú. t. c. r. *Se* ENTORNÓ *la olla y se vertió el caldo.* || **4.** *Ar.* **Dobladillar.** || **Tanto entornó, que trastornó.** ref. que enseña que se suelen echar a perder las cosas por querer perfeccionarlas y apurarlas más de lo que conviene.

Entornillar. tr. Hacer o disponer una cosa en forma de tornillo.

Entorno. (De *en* y *torno.*) m. ant. **Contorno.** || **2.** *Ar.* **Dobladillo,** 1.ª acep.

Entorpecedor, ra. adj. Que entorpece.

Entorpecer. (Del lat. *in*, en, y *torpescĕre*, torpecer.) tr. Poner torpe. Ú. t. c. r. || **2.** fig. Turbar, obscurecer el entendimiento, el espíritu, el ingenio. Ú. t. c. r. || **3.** fig. Retardar, dificultar. Ú. t. c. r.

Entorpecimiento. m. Acción y efecto de entorpecer o entorpecerse.

Entortadura. f. Acción y efecto de entortar.

Entortar. tr. Poner tuerto lo que estaba derecho. Ú. t. c. r. || **2.** Hacer tuerto a uno, sacándole o cegándole un ojo.

Entortijar. (Del lat. *tŏrtĭlis*, y éste de **intŏrtĭliāre*, retorcer.) tr. ant. **Ensortijar.**

Entosicar. (Del lat. *intoxicāre;* de *in*, en, y *toxĭcum*, veneno.) tr. ant. **Entosigar.**

Entosigar. (Del at. *intussicāre.*) tr. **Atosigar,** 1.er art.

Entozoario. (Del gr. ἐντός, dentro, y ζῳάριον, animalillo.) m. *Zool.* **Endoparásito.**

Entrabar. tr. *And.* y *Colomb.* Trabar, estorbar.

Entrada. f. Espacio por donde se entra a alguna parte. || **2.** Acción de entrar en alguna parte. || **3.** Acto de ser uno recibido en un consejo, comunidad, religión, etc., o de empezar a gozar de una dignidad, empleo, etc. || **4.** fig. Arbitrio, facultad para hacer alguna cosa. Ú. generalmente con los verbos *hallar, tener, dar. Quiso hablar a Juan del asunto, pero no me dio* ENTRADA. || **5.** En los teatros y otros lugares donde se dan espectáculos, concurso o personas que asisten. *Hubo una gran* ENTRADA. || **6.** Producto de cada función. || **7.** Billete que sirve para entrar en un teatro u otro sitio donde se dan espectáculos, sin perjuicio del que se requiere para ocupar asiento determinado. || **8.** Principio de una obra; como oración, libro, etc. || **9.** Amistad, favor o familiaridad en una casa o con una persona. || **10.** En el tresillo y otros juegos de naipes, acción de jugar una persona contra las demás, señalando el palo a que lo hace, antes de descartarse de los naipes que no le conviene conservar, y tomar otros. || **11.** Conjunto de los naipes que guarda. || **12.** Prerrogativa y facultad de entrar en piezas señaladas de palacio los que tienen ciertas dignidades o empleos. Ú. t. en pl. || **13.** Cada uno de los manjares que se sirven después de la sopa y antes del plato principal. || **14.** Cada uno de los ángulos entrantes que forma el pelo en la parte superior de la frente. || **15.** Caudal que entra en una caja o en poder de uno. || **16.** Invasión que hace el enemigo en un país, ciudad, etc. || **17.** Primeros días del año, del mes, de una estación, etc. || **18.** *Arq.* Extremo de un madero o sillar que está metido en un muro o sentado sobre una solera. || **19.** *Min.* Período de tiempo que en cada día dura el trabajo de una tanda de operarios. || **20.** *Mús.* Momento preciso en que cada voz o instrumento ha de entrar a tomar parte en la ejecución de una pieza musical. || **de pavana.** fig. y fam. Cosa fútil o impertinente, dicha o propuesta con misterio o ridícula gravedad. || **general.** Asientos de la galería alta de un teatro. || **por salida.** Partida que se anota a la vez en el debe y en el haber de una cuenta. || **2.** fig. Asunto o negocio en que el pro y el contra son equivalentes. || **3.** fam. Visita breve. || **De entrada.** loc. que se dice del grado de ingreso en ciertas carreras. || **De primera entrada.** m. adv. Al primer ímpetu. || **Entradas y salidas.** fig. Colusiones que suele haber entre varios para el manejo de sus intereses. || **Entradas y salidas** de una casa, heredad, etc. Derechos que tienen adquiridos para su beneficio y mejora tales fincas, los cuales se especifican en las escrituras del arrendamiento o de venta que de ellas se hacen, como parte de su estimación o precio. || **Irse entrada por salida.** fr. fam. Irse uno por otro.

Entradero. (De *entrar.*) m. desus. **Entrada,** 1.a acep.

Entrado, da. p. p. de **Entrar.** || **2.** V. **Entrado en años.**

Entrador, ra. adj. *C. Rica, Méj.* y *Venez.* Que acomete fácilmente empresas arriesgadas. || **2.** *Chile.* Entrometido, intruso.

Entramado, da. p. p. de **Entramar.** || **2.** m. *Arq.* Armazón de madera que sirve para hacer una pared, tabique o suelo rellenando los huecos con fábrica o tablazón.

Entramar. (De *en* y *trama.*) tr. *Arq.* Hacer un entramado. || **2.** *Ál., Logr.* y *Nav.* Armar pendencia o cuestión.

Entrambos, bas. (Del lat. *inter ambos.*) adj. pl. **Ambos.**

Entramiento. m. ant. Acción y efecto de entrar. || **de bienes.** ant. *For.* Embargo o secuestro.

Entramos, mas. adj. pl. ant. **Entrambos.**

Entrampar. tr. Hacer que un animal caiga en la trampa. Ú. t. c. r. || **2.** fig. Engañar artificiosamente. || **3.** fig. y fam. Enredar, confundir un negocio, de modo que no se pueda aclarar o resolver. || **4.** fig. y fam. Contraer muchas deudas; gravar con deudas la hacienda || **5.** r. Meterse en un trampal o atolladero. || **6.** fig. y fam. Empeñarse, endeudarse tomando empréstitos.

Entrante. p. a. de **Entrar.** Que entra. Ú. t. c. s. || **2.** adj. *Geom.* V. **Ángulo entrante.** || **Entrantes y salientes.** fam. Los que sin objeto serio, y tal vez con miras sospechosas, frecuentan demasiado una casa.

Entraña. (Del lat. *interanĕa.*) f. Cada uno de los órganos contenidos en las principales cavidades del cuerpo humano y de los animales. || **2.** Lo más íntimo o esencial de una cosa o asunto. || **3.** pl. fig. Lo más oculto y escondido. *Las* ENTRAÑAS *de la tierra, de los montes.* || **4.** fig. El centro, lo que está en medio. || **5.** fig. Voluntad, afecto del ánimo. || **6.** fig. Índole y genio de una persona. *Hombre de buenas* ENTRAÑAS. || **Arrancársele** a uno **las entrañas.** fr. fig. y fam. **Arrancársele el alma.** || **Dar** uno **hasta las entrañas,** o **las entrañas.** fr. fig. Ser extremada su liberalidad. || **Echar** uno **las entrañas.** fr. fig. y fam. Vomitar con violencia y muchas ansias. || **Entrañas y arquetas, a los amigos abiertas.** ref. que manifiesta la franqueza y confianza que se ha de tener con los amigos. || **Hacer las entrañas** a una criatura. fr. fig. y fam. Darle la primera leche. || **Hacer las entrañas** a uno. fr. fig. Disponerle, sugerirle o preocuparle en favor o en contra de otro. || **No tener entrañas.** fr. fig. y fam. Ser cruel, desalmado. || **Sacar las entrañas** a uno. fr. fig. y fam. **Sacarle el alma.**

Entrañable. (De *entrañar.*) adj. Íntimo, muy afectuoso.

Entrañablemente. adv. m. Con sumo cariño, con la mayor ternura.

Entrañal. (De *entraña.*) adj. desus. **Entrañable.**

Entrañalmente. adv. m. desus. **Entrañablemente.**

Entrañar. (De *entraña.*) tr. Introducir en lo más hondo. Ú. t. c. r. || **2.** Contener, llevar dentro de sí. || **3.** r. Unirse, estrecharse íntimamente, de todo corazón, con alguno.

Entrañizar. (De *entraña.*) tr. ant. Querer a uno con íntimo afecto.

Entraño, ña. (Del lat. *intranĕus*, de *inter*, entre.) adj. ant. Interior, interno.

Entrapada. (De *en* y *trapo.*) f. Paño carmesí, no tan fino como la grana, que servía comúnmente para cortinas, para vestir coches y para otros usos.

Entrapajar. (De *en* y *trapajo.*) tr. Envolver con trapos alguna parte del cuerpo herida o enferma. || **2.** r. Entraparse, 4.a acep. de **Entrapar.**

Entrapar. tr. desus. Echar muchos polvos en el cabello para desengrasarlo y limpiar la cabeza con el peine, y también llenarlo de manteca y polvos para que abulte. || **2.** desus. Empañar, enturbiar. || **3.** *Agr.* Echar en la raíz de cada cepa cierta cantidad de trapo viejo, volviéndola a cubrir con la tierra, con lo cual la cepa cobra fuerza y produce más fruto. || **4.** r. Llenarse de polvo y mugre un paño o tela de cualquiera clase, de modo que no se pueda limpiar. Dícese también del cabello. || **5.** Perder el corte, la agudeza y el relieve por acumulación de borra u otra suciedad; como las herramientas, la pluma de escribir, la forma de imprenta, etc.

Entrapazar. intr. **Trapacear.**

Entrar. (Del lat. *intrāre.*) intr. Ir o pasar de fuera adentro. Ú. t. en sent. fig. || **2.** Pasar por una parte para introducirse en otra. ENTRAR *por la puerta, por la ventana.* || **3.** Encajar o poderse meter una cosa en otra, o dentro de otra. *El sombrero* ENTRA, *o no* ENTRA, *en la cabeza; el libro no* ENTRA *en el cajón del estante; el lío de ropa* ENTRA *en el baúl.* || **4.** Desaguar, desembocar los ríos en otros o en el mar. || **5.** Penetrar o introducirse. *El clavo* ENTRA *en la pared.* || **6.** Acometer, arremeter. *El toro* ENTRA, *o no* ENTRA. || **7.** V. **Entrar la romana con.** || **8.** fig. Ser admitido o tener entrada en alguna parte. *Mi hermano* ENTRA *en palacio; yo, en casa del duque.* || **9.** fig. Empezar a formar parte de una corporación. ENTRAR *en una sociedad comercial, en una academia, en un regimiento.* || **10.** fig. Tratándose de carreras, profesiones, etc., abrazarlas, dedicarse a ellas. ENTRAR *en la milicia, en religión.* || **11.** fig. Tratándose de estaciones o de cualquiera otra parte del año, empezar o tener principio. *El verano* ENTRA *el 21 de junio; la cuaresma* ENTRA *este año el día tantos de tal mes.* || **12.** fig. Dicho de escritos o discursos, empezar o tener principio. *Tal libro* ENTRA *hablando de tal cosa.* || **13.** fig. Tratándose de usos o costumbres, seguirlos, adoptarlos. ENTRAR *en las modas.* ENTRAR *en los usos de un pueblo.* || **14.** fig. En el juego de naipes, tomar sobre sí el empeño de ganar la puesta, disputándola según las calidades o leyes de los juegos. || **15.** fig. Tratándose de afectos, estados del ánimo, enfermedades, etc., empezar a dejarse sentir o a ejercer su influencia. ENTRAR *la cólera, el mal humor, la pereza, la calentura, el recargo, la tentación, el sueño.* || **16.** fig. Ser contado con otros en alguna línea o clase. ENTRAR *en el número de los parciales, en la clase de los caballeros.* || **17.** fig. Emplearse o caber cierta porción o número de cosas para algún fin. ENTRAR *tanto paño en un vestido, tantos ladrillos en un solado.* || **18.** fig. Hallarse, tener parte en la composición de ciertas cosas. *Los cuerpos que* ENTRAN *en una mezcla.* || **19.** fig. Junto con la preposición *a* y el infinitivo de otros verbos, dar principio a la acción de ellos. ENTRAR *a reinar.* || **20.** fig. Seguido de la preposición *en* y de un nombre, empezar a sentir lo que este nombre signifique. ENTRAR *en cuidado, en recelo, en deseo, en calor.* || **21.** fig. Seguido de la preposición *en* y de un nombre, intervenir o tomar parte en lo que este nombre signifique. ENTRAR *en un negocio, en una conjuración, en un torneo, en disputas.* || **22.** fig. Seguido de la preposición *en* y de voces significativas de edad, empezar a estar en la que se mencione. *Fulano* HA ENTRADO *ya en la pubertad,* O HA ENTRADO *ya en los sesenta años.* || **23.** *Mús.* Empezar a cantar o tocar en el momento preciso. || **24.** tr. Introducir o hacer entrar. || **25.** Invadir u ocupar a fuerza de armas una cosa. ENTRAR *la tierra, la ciudad, un castillo.* || **26.** ant. Apoderarse de una cosa. || **27.** fig. Acometer, en sentido figurado, a una persona, o ejercer influencia en su ánimo. También en esta acepción se usa con alguno de los pronombres personales en dativo. *A Fulano no hay por donde* ENTRARLE. || **28.** *Mar.* Ir alcanzando una embarcación a otra en cuyo seguimiento va. || **29.** r. Meterse o introducirse en alguna parte. || **Ahora entro yo.** expr. de que usa el que ha estado oyendo lo que otro ha querido decir, sin interrumpirle, y luego habla para contradecirle. || **Entrar** uno **a servir.** fr. Ser admitido por criado de otro en una casa. || **Entrar bien** una cosa. fr. Venir al caso u oportunamente. || **Entrar** uno bien, o **mal, en** una cosa. fr. fig. Condescender o no convenir en lo que otro dice o propone. || **Entrar** uno **dentro de sí, o en sí mismo.** fr. fig. Reflexionar sobre su conducta para corregirla y ordenarla en lo sucesivo. || **Éntrome acá, que llueve, o que me mojo.** expr. fig. y fam. con que se denota la osadía y desenfado de los que se introducen en casa ajena sin otro título que su mismo descaro. || **No entrarle** a uno una cosa. fr. fig. y fam. No ser de su aprobación o dictamen; repugnarle, no creerla. || **2.** fig. y fam. No poder aprenderla o comprenderla. *A este muchacho no le* ENTRAN *las matemáticas.* || **No entrarle** a uno una persona o cosa. fr. fig. y fam. Desagradarle o serle antipática o repulsiva. || **No entrar ni salir** uno en una cosa. fr. fig. y fam. No intervenir o no tomar parte en ella. *Yo* NO ENTRO NI SALGO EN *ese negocio.*

Entrático. m. ant. *Ar., Nav.* y *Rioja.* Entrada de religioso o religiosa.

Entrazado, da. adj. *Argent.* y *Chile.* Trazado; con los advs. *bien* o *mal*, se aplica a la persona de buena o mala traza.

Entre. (Del lat. *inter.*) prep. que sirve para denotar la situación o estado entre medio de dos o más cosas o acciones. || **2.** Dentro de, en lo interior. *Tal pensaba yo* ENTRE *mí.* || **3.** Expresa estado intermedio. ENTRE *dulce y agrio.* || **4.** En el número de. *Le cuento* ENTRE *mis amigos;* ENTRE *sastres.* || **5.** Significa cooperación de dos o más personas o cosas. ENTRE *cuatro estudiantes se comieron un cabrito;* ENTRE *seis de ellos traían unas andas.* || **6.** En composición con otro vocablo, limita o atenúa su significación. ENTRE*ver*, ENTRE*fino.* || **7.** Expresa también situación o calidad intermedia. ENTRE*paño*, ENTRE*tela.* || **Entre que.** m. adv. **Mientras.**

Entreabierto, ta. p. p. irreg. de **Entreabrir.**

Entreabrir. tr. Abrir un poco o a medias una puerta, ventana, postigo, etc. Ú. t. c. r.

Entreacto. (De *entre* y *acto.*) m. **Intermedio,** 3.ª y 4.ª aceps. || **2.** Cigarro puro cilíndrico y pequeño.

Entreancho, cha. adj. Aplícase a aquello que ni es ancho ni angosto.

Entrebarrera. f. El espacio que media en las plazas de toros entre la barrera y la contrabarrera. Ú. m. en pl.

Entrecalle. (De *entre* y *calle.*) f. *Arq.* Separación o intervalo hueco entre dos molduras.

Entrecanal. f. *Arq.* Cualquiera de los espacios que hay entre las estrías o canales de una columna.

Entrecano, na. adj. Dícese del cabello o barba a medio encanecer. || **2.** Aplícase al sujeto que tiene así el cabello.

Entrecasco. (De *entre* y *casco.*) m. **Entrecorteza.**

Entrecava. (De *entrecavar.*) f. Cava ligera y no muy honda.

Entrecavar. (De *entre* y *cavar.*) tr. Cavar ligeramente, sin ahondar.

Entrecejo. (Del lat. *intercilium;* de *inter*, entre, y *cilium*, ceja.) m. Espacio que hay entre las cejas. || **2.** fig. Ceño, sobrecejo.

Entrecerca. f. Espacio que media entre una cerca y otra.

Entrecerrar. tr. *C. Rica, Méj.* y *Salv.* Entornar una puerta, ventana, postigo, etc. Ú. t. c. r.

Entrecielo. (De *entre* y *cielo.*) m. ant. **Toldo,** 1.ª acep.

Entrecinta. (De *entre* y *cinta.*) f. *Arq.* Madero que se coloca entre dos pares de una armadura de tejado paralelamente al tirante.

Entreclaro, ra. (De *entre* y *claro.*) adj. Que tiene alguna, aunque poca, claridad.

Entrecogedura. f. Acción y efecto de entrecoger.

Entrecoger. tr. Coger a una persona o cosa de manera que no se pueda escapar, o desprender, sin dificultad. || **2.** fig. Estrechar, apremiar a uno con argumentos, insidias o amenazas, en términos de dejarle sin acción o sin respuesta.

Entrecolunio. (Del lat. *intercolumnium.*) m. ant. *Arq.* **Intercolumnio.**

Extrecomar. tr. Poner entre comas, o entre comillas, una o varias palabras.

Entrecoro. m. Espacio que hay desde el coro a la capilla mayor en las iglesias catedrales y colegiales.

Entrecortado, da. p. p. de **Entrecortar.** || **2.** adj. Aplícase a la voz o al sonido que se emite con intermitencias.

Entrecortadura. (De *entrecortar.*) f. Corte hecho en una cosa sin dividirla enteramente.

Entrecortar. tr. Cortar una cosa sin acabar de dividirla.

Entrecorteza. f. Defecto de las maderas que consiste en tener en su interior un trozo de corteza.

Entrecriarse. r. Criarse unas plantas entre otras.

Entrecruzar. tr. Cruzar dos o más cosas entre sí, entrelazar. Ú. t. c. r.

Entrecubiertas. f. pl. *Mar.* Espacio que hay entre las cubiertas de una embarcación. Ú. t. en sing.

Entrecuesto. (Del lat. *inter*, entre, y *costa*, costilla.) m. **Espinazo,** 1.ª acep. || **2. Solomillo.** || **3.** *Sal.* **Estorbo.**

Entrechocar. tr. Chocar dos cosas una con otra. Ú. t. c. r.

Entredecir. (Del lat. *interdicĕre.*) tr. ant. Prohibir la comunicación y comercio con una persona o cosa. || **2.** Poner entredicho.

Entrederramar. tr. ant. Derramar, verter poco a poco una cosa.

Entredicto. (Del lat. *interdictum.*) m. ant. **Entredicho.**

Entredicho, cha. (Del lat. *interdictus.*) p. p. irreg. de **Entredecir.** || **2.** m. Prohibición, mandato para no hacer o decir alguna cosa. || **3.** Censura eclesiástica, por la cual se prohibe a ciertas personas o en determinados lugares el uso de los divinos oficios, la administración y recepción de algunos sacramentos y la sepultura eclesiástica. || **4.** ant. Contradicción, reparo, obstáculo. || **Poner en entredicho** una cosa. fr. Juzgarla indigna de crédito o de aceptación.

Entredoble. adj. Aplícase a los géneros que ni son tan dobles ni tan sencillos como otros de su clase.

Entredós. m. Tira bordada o de encaje que se cose entre dos telas. || **2.** Armario de madera fina y de poca altura, que suele colocarse en el lienzo de pared comprendido entre dos balcones de una sala. || **3.** *Impr.* Grado de letra mayor que el breviario y menor que el de lectura.

Entrefino, na. adj. De una calidad media entre lo fino y lo basto. || **2.** Dícese del vino de Jerez que tiene algunas de las cualidades del llamado fino.

Entreforro. m. **Entretela,** 1.ª acep.

Entrega. f. Acción y efecto de entregar. || **2.** Cada uno de los cuadernos impresos en que se suele dividir y expender un libro que se publica por partes. *Novela por* ENTREGAS. || **3.** ant. **Restitución.** || **4.** *Arq.* Parte de un sillar o madero que se introduce en la pared.

Entregadamente. adv. m. ant. Cabal y enteramente; con total entrega, posesión y dominio.

Entregado, da. p. p. de **Entregar.** || **2.** adj. *Arq.* V. **Columna entregada.**

Entregador, ra. adj. Que entrega. Ú. t. c. s. || **2.** V. **Alcalde, juez entregador.**

Entregamiento. m. **Entrega,** 1.ª acep.

Entregar. (Del lat. *integrāre*, restituir a su primer estado.) tr. Poner en manos o en poder de otro a una persona o cosa. || **2.** ant. Devolver, restituir. || **3.** *And.* Consumir, deshacer a uno a fuerza de disgustos. || **4.** Introducir el extremo de una pieza de construcción en el asiento donde ha de fijarse. || **5.** r. Ponerse en manos de uno, sometiéndose a su dirección o arbitrio; ceder a la opinión ajena. || **6.** Tomar, recibir uno realmente una cosa o encargarse de ella. || **7.** Tomar, aprehender a una persona o cosa; hacerse cargo, apoderarse de ella. || **8.** Dedicarse enteramente a una cosa; emplearse en ella. || **9.** fig. **Abandonar,** 3.ª acep. || **10.** Declararse vencido o sin fuerzas para continuar un empeño o trabajo. || **Entregarla.** fam. **Morir,** 1.ª acep.

Entregerir. (Del lat. *intergerĕre.*) tr. desus. Poner, ingerir, mezclar una cosa con otra.

Entrego, ga. p. p. irreg. ant. de **Entregar.** || **2.** m. **Entrega,** 1.ª acep.

Entregoteado, da. adj. ant. Goteado o salpicado.

Entrejuntar. tr. *Carp.* Juntar y enlazar los entrepaños o tableros de las puertas, ventanas, etc., con los paños o travesaños.

Entrelazamiento. m. Acción y efecto de entrelazar.

Entrelazar. (De *entre* y *lazar.*) tr. Enlazar, entretejer una cosa con otra.

Entrelínea. f. Lo escrito entre dos líneas.

Entrelinear. tr. Escribir algo que se intercala entre dos líneas.

Entreliño. m. Espacio de tierra que en las viñas u olivares se deja entre liño y liño.

Entrelistado, da. adj. Trabajado a listas de diferente color, o que tiene flores u otras cosas entre lista y lista.

Entrelubricán. (De *entre* y *lubricán.*) m. p. us. Crepúsculo vespertino.

Entrelucir. (Del lat. *interlucēre.*) intr. Divisarse, dejarse ver una cosa entremedias de otra.

Entrelunio. m. ant. *Astron.* **Interlunio.**

Entrellevar. tr. ant. Llevar a una persona o cosa entre otras.

Entremediano, na. (De *entre* y *mediano.*) adj. ant. **Intermedio,** 1.ª acep.

Entremediar. tr. Poner una cosa entremedias de otras.

Entremedias. (De *entre* y *medio.*) adv. t. y l. Entre uno y otro tiempo, espacio, lugar o cosa.

Entremés. (Del fr. *entremets.*) m. Cualquiera de los manjares, como encurtidos, aceitunas, etc., que ponen en las mesas para picar de ellos mientras se sirven los platos. || **2.** Pieza dramática jocosa y de un solo acto, que solía representarse entre una **y** otra jornada de la comedia, y primitivamente alguna vez

en medio de una jornada. || **3.** ant. Especie de máscara o mojiganga.
Entremesar. tr. ant. Entremesear.
Entremesear. tr. Hacer papel en un entremés. || **2.** fig. Mezclar cosas graciosas y festivas en una conversación o discurso, para amenizarlo.
Entremesil. adj. Perteneciente o relativo al entremés.
Entremesista. com. Persona que compone entremeses o los representa.
Entremetedor, ra. (De *entremeter.*) adj. ant. **Entremetido.**
Entremeter. (Del lat. *intermittĕre.*) tr. Meter una cosa entre otras. || **2.** Doblar los pañales que un niño tiene puestos, de modo que la parte enjuta y limpia quede en contacto con el cuerpo de la criatura. || **3.** r. Meterse uno donde no le llaman, o inmiscuirse en lo que no le toca. || **4.** Ponerse en medio o entre otros. || **Entremeterse** uno **en** una cosa. fr. ant. Intentarla, emprenderla.
Entremetido, da. p. p. de **Entremeter.** || **2.** adj. Aplícase al que tiene costumbre de meterse donde no le llaman. Ú. t. c. s.
Entremetimiento. m. Acción y efecto de entremeter o entremeterse.
Entremezcladura. f. Acción y efecto de entremezclar.
Entremezclar. tr. Mezclar una cosa con otra sin confundirlas.
Entremiche. (En fr. *entremise*, de *entremettre*, entremeter.) m. *Mar.* Hueco que queda entre el borde alto del durmiente y el bajo del trancanil. || **2.** *Mar.* Cada una de las piezas de madera que rellenan este hueco entre las extremidades de los baos, con los cuales endientan.
Entremiente. (De *entre* y *mientre.*) adv. t. ant. **Entretanto.**
Entremijo. m. *Sal.* **Expremijo.**
Entremiso. m. **Expremijo.**
Entremorir. intr. Estarse apagando o acabando una cosa; como sucede con la luz artificial cuando le falta alimento.
Entremostrar. tr. ant. Mostrar o manifestar escasa e imperfectamente una cosa.
Entrencar. tr. Poner las trencas en las colmenas.
Entrenudo. m. Parte del tallo de algunas plantas comprendida entre dos nudos.
Entrenzar. tr. **Trenzar,** 1.ª acep.
Entreoír. tr. Oír una cosa sin percibirla bien o sin entenderla del todo.
Entreordinario, ria. adj. Que no es del todo ordinario y basto.
Entreoscuro, ra. adj. Que tiene alguna obscuridad.
Entrepalmadura. (De *entre* y *palma.*) f. *Veter.* Enfermedad que padecen las caballerías en la cara palmar del casco, por contusión seguida de supuración.
Entrepanes. (De *entre* y *pan.*) m. pl. Tierras no sembradas, entre otras que lo están.
Entrepañado, da. adj. Hecho o labrado a entrepaños.
Entrepaño. (De *entre* y *paño.*) m. *Arq.* Parte de pared comprendida entre dos pilastras, dos columnas o dos huecos. || **2.** *Carp.* Anaquel del estante o de la alacena. || **3.** *Carp.* Cualquiera de las tablas pequeñas o cuarterones que se meten entre los peinazos de las puertas y ventanas.
Entreparecerse. (De *entre* y *parecer.*) r. Traslucirse, divisarse una cosa.
Entrepaso. (De *entre* y *paso.*) m. Modo de andar el caballo, parecido al portante.
Entrepechuga. f. Porcioncita de carne que tienen las aves entre la pechuga y el caballete.
Entrepeines. m. pl. Lana que queda en los peines después de haber sacado el estambre.
Entrepelado, da. p. p. de **Entrepelar.** || **2.** adj. *Veter.* Dícese del ganado caballar cuya capa tiene, sobre fondo obscuro, pelos blancos entremezclados. || **3.** *Argent.* Dícese del ganado caballar que tiene el pelo mezclado de tres colores: negro, blanco y bermejo.
Entrepelar. (De *entre* y *pelo.*) intr. Estar mezclado el pelo de un color con el de otro distinto; como blanco y negro. Dícese comúnmente de los caballos. Ú. t. c. r.
Entrepernar. intr. Meter uno sus piernas entre las de otro.
Entrepiernas. (De *entre* y *pierna.*) f. pl. Parte interior de los muslos. Ú. t. en sing. || **2.** Piezas cosidas entre las hojas de los calzones y pantalones, a la parte interior de los muslos, hacia la horcajadura. Ú. t. en sing. || **3.** *Chile.* Taparrabos, traje de baño.
Entrepiso. m. *Min.* Espacio entre los pisos o galerías generales de una mina.
Entreponer. (Del lat. *interponĕre.*) tr. desus. **Interponer.**
Entrepostura. (De *entre* y *postura.*) f. ant. Efecto de entreponer.
Entrepretado, da. (De *entre* y el lat. *pectus, -ŏris*, pecho.) adj. *Veter.* Dícese de la caballería lastimada de los pechos o brazuelos.
Entrepuentes. (De *entre* y *puente.*) m. pl. *Mar.* **Entrecubiertas.** Ú. t. en sing.
Entrepuerta. f. *Rioja.* Compuerta que se pone en un cauce.
Entrepuesto, ta. p. p. irreg. ant. de **Entreponer.**
Entrepunzadura. (De *entrepunzar.*) f. Latido y dolor que causa un tumor cuando no está bien maduro.
Entrepunzar. tr. Punzar una cosa, o doler con poca fuerza o con intermisión.
Entrerraído, da. adj. Raído por partes, o a medio raer.
Entrerrenglonadura. (De *entrerrenglonar.*) f. Lo escrito en el espacio que media de un renglón a otro.
Entrerrenglonar. tr. Escribir en el espacio que media de un renglón a otro.
Entrerriano, na. adj. Natural de la provincia argentina de Entre Ríos. Ú. t. c. s.
Entrerromper. (Del lat. *interrumpĕre.*) tr. ant. **Interrumpir,** 1.ª acep.
Entrerrompimiento. (De *entrerromper.*) m. ant. **Interrupción.**
Entrés. (De *en* y *tres.*) m. Lance del juego del monte, en que, habiéndose duplicado una de las cartas en el albur o el gallo, se apunta a la contraria, con la condición de que la suerte no sea válida en los tres primeros naipes que saque el banquero.
Entresaca. f. Acción y efecto de entresacar.
Entresacadura. f. **Entresaca.**
Entresacar. tr. Sacar unas cosas de entre otras. || **2.** Aclarar un monte, cortando algunos árboles, o espaciar las plantas que han nacido muy juntas en un sembrado. || **3.** Cortar parte del cabello cuando éste es demasiado espeso.
Entreseña. f. ant. **Enseña.**
Entresijo. (Del lat. **intrinsicŭlus*, de *intrinsĕcus*, adentro.) m. **Mesenterio.** || **2.** fig. Cosa oculta, interior, escondida. || **Tener muchos entresijos.** fr. fig. Tener una cosa muchas dificultades o enredos no fáciles de entender o desatar. || **2.** fig. Tener uno mucha reserva; proceder con cautela y disimulo en lo que hace o discurre.
Entresuelejo. m. d. de **Entresuelo.**
Entresuelo. (De *entre* y *suelo.*) m. Habitación entre el cuarto bajo y el principal de una casa. || **2.** Cuarto bajo levantado más de un metro sobre el nivel de la calle, y que debajo tiene sótanos o piezas abovedadas.
Entresurco. m. *Agr.* Espacio que queda entre surco y surco.
Entretalla. (De *entretallar.*) f. **Entretalladura.**
Entretalladura. (De *entretallar.*) f. Media talla o bajo relieve.
Entretallamiento. (De *entretallar.*) m. ant. Cortadura o recortado hecho en una tela.
Entretallar. (De *entre* y *tallar.*) tr. Trabajar una cosa a media talla o bajo relieve. || **2.** Grabar, esculpir. || **3.** Sacar y cortar varios pedazos en una tela, haciendo en ella calados o recortados; como en los encajes, sobrepuestos, etc. || **4.** fig. Coger y estrechar a una persona o cosa, deteniéndole el curso o estorbándole el paso. || **5.** r. Encajarse, trabarse unas cosas con otras. || **6.** *Sal.* Encajarse, meterse en un sitio estrecho de donde no se puede salir.
Entretanto. adv. t. **Entre tanto.** Ú. t. c. s. precedido del artículo *el.*
Entretecho. m. *Chile.* Desván, sobrado.
Entretejedor, ra. adj. Que entreteje.
Entretejedura. f. Enlace o labor que hace una cosa entretejida con otra.
Entretejer. tr. Meter o injerir en la tela que se teje hilos diferentes para que hagan distinta labor. || **2.** Trabar y enlazar una cosa con otra. || **3.** fig. Incluir, injerir palabras, períodos o versos en un libro o escrito.
Entretejimiento. m. Acción y efecto de entretejer.
Entretela. f. Lienzo, holandilla, algodón, etc., que se pone entre la tela y el forro de una prenda de vestir. || **2.** pl. fig. y fam. Lo íntimo del corazón, las entrañas.
Entretelar. tr. Poner entretela en un vestido, chaqueta, etc. || **2.** *Impr.* Satinar, hacer que desaparezca la huella en los pliegos impresos.
Entretención. f. *Amér.* Entretenimiento, diversión.
Entretenedor, ra. adj. Que entretiene. Ú. t. c. s.
Entretener. tr. Tener a uno detenido y en espera. Ú. t. c. r. || **2.** Hacer menos molesta y más llevadera una cosa. || **3.** Divertir, recrear el ánimo de uno. || **4.** Dar largas, con pretextos, al despacho de un negocio. || **5.** Mantener, conservar. || **6.** r. Divertirse jugando, leyendo, etc.
Entretenida (Dar a uno la, o con la). fr. Entretenerle con palabras o excusas para no hacer lo que solicita que se ejecute.
Entretenido, da. p. p. de **Entretener.** || **2.** adj. Chistoso, divertido, de genio y humor festivo y alegre. || **3.** *Blas.* Dícese de dos cosas que se tienen una a otra; como dos llaves enlazadas por sus anillos. || **4.** m. desus. Aspirante a oficio o cargo, que mientras lo alcanzaba tenía algunos gajes.
Entretenimiento. m. Acción y efecto de entretener o entretenerse. || **2.** Cosa que sirve para entretener o divertir. || **3.** Manutención, conservación de una persona. || **4.** ant. Ayuda de costa, pensión o gratificación pecuniaria que se daba a uno para su manutención.
Entretiempo. m. Tiempo de primavera y otoño que media entre las dos estaciones de invierno y estío.
Entretomar. (De *entre* y *tomar.*) tr. ant. Emprender, intentar. || **2.** ant. Entrecoger, detener una cosa entre otras.
Entreuntar. tr. Untar por encima; medio untar.
Entrevar. (Del prov. *entrevar*, y éste del lat. *interrogāre.*) tr. *Germ.* Entender, conocer.
Entrevenarse. r. Introducirse un humor o licor por las venas.
Entrevenimiento. (De *entrevenir.*) m. ant. **Intervención.**
Entrevenir. (Del lat. *intervenīre.*) intr. desus. **Intervenir.**

Entreventana. f. Espacio macizo de pared que hay entre dos ventanas.

Entrever. tr. Ver confusamente una cosa. || **2.** Conjeturarla, sospecharla, adivinarla.

Entreverado, da. p. p. de **Entreverar.** || **2.** adj. Que tiene interpoladas cosas varias y diferentes. || **3.** V. **Tocino entreverado.** || **4.** m. *Venez.* Asadura de cordero o de cabrito aderezada con sal y vinagre y asada al fuego en asador de madera.

Entreverar. (Del lat. *inter*, entre, y *variāre*, variar.) tr. Mezclar, introducir una cosa entre otras. || **2.** r. *Argent.* Mezclarse desordenadamente personas, animales o cosas. || **3.** *Argent.* Chocar dos masas de caballería y luchar cuerpo a cuerpo los jinetes.

Entrevero. m. *Argent., Chile* y *Urug.* Acción y efecto de entreverarse. || **2.** *Argent.* y *Chile.* Confusión, desorden.

Entrevía. (De *entre* y *vía.*) f. Espacio libre que queda entre los dos rieles de un camino de hierro.

Entrevista. f. Vista, concurrencia y conferencia de dos o más personas en lugar determinado, para tratar o resolver un negocio.

Entrevistarse. r. Tener una entrevista con una persona.

Entrevolver. tr. ant. Envolver entre otras cosas.

Entrevuelta. (De *entre* y *vuelta.*) f. *Agr.* Surco corto que el que ara da por un lado de la besana para enderezarla si va torcida.

Entreyacer. (Del lat. *interiacēre.*) intr. ant. Mediar o estar en medio.

Entricación. (De *entricar.*) f. ant. **Intricación.**

Entricadamente. adv. m. ant. **Intricadamente.**

Entricadura. f. ant. **Entricamiento.**

Entricamiento. (De *entricar.*) m. ant. **Intricamiento.**

Entricar. tr. ant. **Intricar.**

Entrico. (De *entricar.*) m. ant. **Entricamiento.**

Entriega. f. ant. **Entrega,** 4.ª acep.

Entriego. (De *entregar.*) m. ant. **Entrega,** 1.ª acep.

Entrillado, da. p. p. de **Entrillar.** || **2.** adj. *Extr.* Dícese del día que se hace puente; el de trabajo que se considera feriado por estar comprendido entre dos festivos.

Entrillar. tr. *Extr.* Coger, aprisionar oprimiendo. Ú. t. c. r.

Entripado, da. adj. Que está, toca o molesta en las tripas. *Dolor* ENTRIPADO; *tabardillo* ENTRIPADO. Ú. t. c. s. m. || **2.** Aplícase al animal muerto a quien no se han sacado las tripas. || **3.** m. fig. y fam. Enojo, encono o sentimiento que uno tiene y se ve precisado a disimular.

Entristar. (De *en* y *triste.*) tr. ant. **Entristecer.**

Entristecedor, ra. adj. Que entristece.

Entristecer. tr. Causar tristeza. || **2.** Poner de aspecto triste. || **3.** intr. ant. **Entristecerse.** || **4.** r. Ponerse triste y melancólico.

Entristecimiento. m. Acción y efecto de entristecer o entristecerse.

Entrizar. (Del lat. **strictiāre*, de *strictus*, apretado.) tr. *Sal.* y *Zam.* Apretar, estrechar, meter en un sitio estrecho.

Entro. (Del lat. *intro.*) adv. m. ant. **Hasta,** 1.ª acep.

Entrojar. tr. Guardar en la troje frutos, y especialmente cereales.

Entrometer. (Del lat. *intromittĕre.*) tr. **Entremeter.** Ú. t. c. r.

Entrometido, da. p. p. de **Entrometer.** || **2.** adj. **Entremetido.** Ú. t. c. s.

Entrometimiento. (De *entrometer.*) m. **Entremetimiento.**

Entronar. (De *en* y *trono.*) tr. **Entronizar.**

Entroncamiento. m. Acción y efecto de entroncar.

Entroncar. tr. Afirmar el parentesco de una persona con el tronco o linaje de otra. || **2.** *Méj.* Aparear dos caballos o yeguas del mismo pelo. || **3.** intr. Tener parentesco con un linaje o persona. || **4.** Contraer parentesco con un linaje o persona. || **5.** *Cuba, Méj.* y *P. Rico.* **Empalmar,** 4.ª acep. Ú. t. c. r.

Entronecer. tr. ant. Deteriorar, maltratar.

Entronerar. tr. Meter o encajar una bola en cualquiera de las troneras de la mesa en que se juega a los trucos. Ú. t. c. r.

Entronización. f. Acción y efecto de entronizar o entronizarse.

Entronizar. tr. Colocar en el trono. || **2.** fig. Ensalzar a uno; colocarle en alto estado. || **3.** r. fig. Engreírse, envanecerse.

Entronque. m. Relación de parentesco entre personas que tienen un tronco común. || **2.** *Cuba* y *P. Rico.* Acción y efecto de entroncar, 5.ª acep.

Entropezado, da. p. p. de **Entropezar.** || **2.** adj. ant. Enmarañado o enredado.

Entropezar. (Del lat. **interpediāre*, por *interpedīre*, tropezar.) intr. ant. **Tropezar.**

Entropiezo. (De *entropezar.*) m. ant. **Tropezón.**

Entropillar. tr. *Argent.* Acostumbrar a los caballos a vivir en tropilla.

Entruchada. (De *entruchar.*) f. fam. Cosa hecha por confabulación de algunos con engaño o malicia.

Entruchado, da. p. p. de **Entruchar.** || **2.** m. fam. **Entruchada.** || **3.** fam. *And.* **Entripado,** 3.ª acep.

Entruchar. tr. fam. Atraer a uno con disimulo y engaño, usando de artificios para meterle en un negocio. || **2.** *Germ.* **Entrevar.**

Entruchón, na. adj. fam. Que hace o practica entruchadas. Ú. t. c. s.

Entruejo. (Del lat. **introītŭlus*, d. de *introĭtus*, entrada de la cuaresma.) m. **Antruejo.**

Entrujar. (De *truja.*) tr. Guardar en la truja la aceituna.

Entrujar. (De *troje.*) tr. **Entrojar.** || **2.** fig. y fam. **Embolsar,** 1.ª acep.

Entubación. f. Acción y efecto de entubar.

Entubajar. intr. *Germ.* Deshacer engaños.

Entubar. tr. Poner tubos en alguna cosa.

Entuerto. m. Tuerto o agravio. || **2.** fam. V. **Desfacedor de entuertos.** || **3.** pl. Dolores de vientre que suelen sobrevenir a las mujeres poco después de haber parido.

Entullecer. (De *en* y *tullecer.*) tr. fig. Suspender, detener la acción o movimiento de una cosa. || **2.** intr. **Tullirse.** Ú. t. c. r.

Entumecer. (Del lat. *intumescĕre*, hincharse.) tr. Impedir, embarazar, entorpecer el movimiento o acción de un miembro o nervio. Ú. m. c. r. || **2.** r. fig. Alterarse, hincharse. Dícese más comúnmente del mar o de los ríos caudalosos.

Entumecimiento. m. Acción y efecto de entumecer o entumecerse.

Entumirse. (Del lat. *intumēre.*) r. Entorpecerse un miembro o músculo por haber estado encogido o sin movimiento, o por compresión de algún nervio.

Entunicar. (De *en* y *túnica.*) tr. Cubrir o vestir con una túnica. || **2.** Dar dos capas de cal y arena gruesa a la pared de ladrillo o piedra que se ha de pintar al fresco.

Entuñarse. r. *Sal.* Llenarse de fruto los árboles o las vides.

Entupir. (De *en* y *tupir.*) tr. Obstruir o cerrar un conducto. Ú. t. c. r. || **2.** Comprimir y apretar una cosa.

Enturar. tr. *Germ.* **Dar.** || **2.** *Germ.* **Mirar.**

Enturbiamiento. m. Acción y efecto de enturbiar.

Enturbiar. tr. Hacer o poner turbia una cosa. Ú. t. c. r. || **2.** fig. Turbar, alterar el orden; obscurecer lo que estaba claro y bien dispuesto. Ú. t. c. r.

Entusiasmar. tr. Infundir entusiasmo; causar ardiente y fervorosa admiración. Ú. t. c. r.

Entusiasmo. (Del lat. *enthusiasmos*, y éste del gr. ἐνθουσιασμός, de ἐνθουσιάζω, estar inspirado por los dioses.) m. Furor o arrobamiento de las sibilas al dar sus oráculos. || **2.** Inspiración divina de los profetas. || **3.** Inspiración fogosa y arrebatada del escritor o del artista, y especialmente del poeta o del orador. || **4.** Exaltación y fogosidad del ánimo, excitado por cosa que lo admire o cautive. || **5.** Adhesión fervorosa que mueve a favorecer una causa o empeño.

Entusiasta. (Del lat. *enthusiastes*, y éste del gr. ἐνθουσιαστής, inspirado.) adj. Que siente entusiasmo por una persona o cosa. Ú. t. c. s. || **2.** Propenso a entusiasmarse. Ú. t. c. s. || **3.** **Entusiástico.**

Entusiástico, ca. (Del gr. ἐνθουσιαστικός.) adj. Perteneciente o relativo al entusiasmo; que lo denota o expresa.

Enucleación. f. *Med.* Extirpación de un órgano, glándula, quiste, etc., a la manera como se saca el hueso de una fruta.

Énula campana. (Del lat. *inŭla.*) f. **Helenio.**

Enumeración. (Del lat. *enumeratio, -ōnis.*) f. Expresión sucesiva y ordenada de las partes de que consta un todo, de las especies que comprende un género, etc. || **2.** Cómputo o cuenta numeral de las cosas. || **3.** *Ret.* Parte del epílogo de algunos discursos en que, para acabar de persuadir al auditorio, se repiten juntas con brevedad las razones antes expuestas separada y extensamente. || **4.** *Ret.* Figura que consiste en enumerar o referir rápida y animadamente varias ideas o distintas partes de un concepto o pensamiento general.

Enumerar. (Del lat. *enumerāre.*) tr. Hacer enumeración de las cosas.

Enumerativo, va. adj. Que enumera o que contiene una enumeración.

Enunciación. (Del lat. *enuntiatio, -ōnis.*) f. Acción y efecto de enunciar.

Enunciado, da. p. p. de **Enunciar.** || **2.** m. **Enunciación.**

Enunciar. (Del lat. *enuntiāre.*) tr. Expresar uno breve y sencillamente una idea.

Enunciativo, va. (Del lat. *enuntiativus.*) adj. Dícese de lo que enuncia.

Envacar. tr. *Sal.* Traer la res a la vacada.

Envainador, ra. adj. Que envaina. || **2.** *Bot.* V. **Hoja envainadora.**

Envainar. (Del lat. **invagīnare*, de *vagīna*, vaina.) tr. Meter en la vaina la espada u otra arma blanca. || **2.** Envolver una cosa a otra ciñéndola a manera de vaina.

Envalentonamiento. m. Acción y efecto de envalentonar o envalentonarse.

Envalentonar. (De *en* y *valentón.*) tr. Infundir valentía o más bien arrogancia. || **2.** r. Cobrar valentía. Aplícase más bien al que de suyo no es valiente, y se jacta de serlo cuando lo puede hacer sin riesgo.

Envalijar. tr. Meter en la valija una cosa.

Envanecer. (Del lat. *in*, en, y *vanescĕre*, incoat. de *vanēre*, desvanecer.) tr. Causar o infundir soberbia o vanidad a uno. Ú. t. c. r. || **2.** r. p. us. Quedarse vano el fruto de una planta por haberse secado o podrido su meollo. Ú. t. c. tr. Ú. en *Chile. El trigo* SE *ha* ENVANECIDO *con estas heladas.*

Envanecimiento. m. Acción y efecto de envanecer o envanecerse.

Envaramiento. m. Acción y efecto de envarar o envararse.

Envarar. (De *varar*.) tr. Entorpecer, entumecer o impedir el movimiento de un miembro. Ú. m. c. r.

Envarbascar. (De *en* y *verbasco*.) tr. Inficionar el agua con verbasco u otra substancia análoga para atontar a los peces.

Envarescer. tr. ant. Pasmar, sorprender. || **2.** intr. ant. Pasmarse, sorprenderse.

Envaronar. intr. Crecer con robustez.

Envasador, ra. adj. Que envasa. Ú. t. c. s. || **2.** m. Embudo grande por el cual se echan los líquidos en pellejos y toneles.

Envasar. tr. Echar en vasos o vasijas un líquido; como vino, vinagre, aceite, etc. || **2.** Echar el trigo en los costales, o colocar cualquier otro género en su envase. || **3.** fig. Beber con exceso. || **4.** fig. Introducir en el cuerpo de uno la espada u otra arma punzante.

Envase. m. Acción y efecto de envasar. || **2.** Recipiente o vaso en que se conservan y transportan ciertos géneros. Dícese, por ejemplo, de los azogues, y generalmente de los líquidos. || **3.** Todo lo que envuelve o contiene artículos de comercio u otros efectos para conservarlos o transportarlos.

Envedijarse. r. Enredarse o hacerse vedijas el pelo, la lana, etc. || **2.** fig. y fam. Enzarzarse, enredarse unos con otros riñendo y pasando de las palabras a las manos.

Envegarse. (De *en* y *vega*.) r. *Chile.* Empantanarse, tener exceso de humedad un terreno.

Envejecer. tr. Hacer vieja a una persona o cosa; como los años y los trabajos a los hombres, y el mucho uso a las cosas. || **2.** intr. Hacerse vieja o antigua una persona o cosa. Ú. t. c. r. || **3.** Durar, permanecer por mucho tiempo.

Envejecido, da. p. p. de **Envejecer.** || **2.** adj. fig. Acostumbrado, experimentado; que viene de mucho tiempo atrás.

Envejecimiento. m. Acción y efecto de envejecer.

Envelar. tr. ant. Cubrir con velo una cosa.

Envenenador, ra. adj. Que envenena. Ú. t. c. s.

Envenenamiento. m. Acción y efecto de envenenar o envenenarse.

Envenenar. tr. Emponzoñar, inficionar con veneno. Ú. t. c. r. || **2.** fig. Acriminar; interpretar en mal sentido las palabras o acciones. || **3.** fig. **Emponzoñar,** 2.ª acep.

Enverar. (Del lat. *in*, en, y *variāre*, cambiar de color.) intr. Empezar las uvas y otras frutas a tomar color de maduras.

Enverdecer. (Del lat. *in*, en, y *viridescĕre*, de *viridis*, verde.) intr. Reverdecer el campo, las plantas, etc.

Enverdir. tr. ant. Dar o teñir de verde.

Envergadura. (De *envergar*.) f. *Mar.* Ancho de una vela contado en el grátil. || **2.** *Zool.* Distancia entre las puntas de las alas de las aves cuando aquéllas están completamente abiertas.

Envergar. tr. *Mar.* Sujetar, atar las velas a las vergas.

Envergonzado, da. p. p. de **Envergonzar.** || **2.** adj. ant. **Vergonzante.**

Envergonzamiento. (De *envergonzar*.) m. ant. Vergüenza, empacho.

Envergonzante. p. a. ant. de **Envergonzar.** Que envergüenza. || **2.** adj. ant. **Vergonzante.**

Envergonzar. tr. ant. **Avergonzar.** Usáb. t. c. r. || **2.** ant. Reverenciar o respetar.

Envergue. (De *envergar*.) m. *Mar.* Cada uno de los cabos delgados que pasan por los ollaos de la vela y sirven para afirmarla al nervio de la verga.

Enverjado. m. Enrejado, 2.ª acep.

Envernadero. m. ant. **Invernadero.**

Envernar. intr. ant. **Invernar.**

Enverniego, ga. adj. ant. **Invernizo.**

Envero. (De *enverar*.) m. Color que toman las uvas y otras frutas cuando empiezan a madurar. || **2.** Uva que tiene este color.

Enversado, da. adj. ant. Decíase de lo que estaba revocado en un edificio.

Envés. (Del lat. *inversum*.) m. **Revés,** 1.ª acep. || **2.** fam. **Espalda,** 1.ª acep.

Envesado, da. adj. Que manifiesta el envés. Dícese comúnmente del cordobán.

Envesar. (De *envés*.) tr. *Germ.* **Azotar,** 1.ª acep.

Envestidura. f. **Investidura.**

Envestir. (Del lat. *investīre*.) tr. **Investir.** || **2.** ant. Revestir, cubrir.

Enviada. f. Acción y efecto de enviar.

Enviadizo, za. adj. Que se envía o se acostumbra enviar.

Enviado, da. p. p. de **Enviar.** || **2.** m. El que va por mandado de otro con un mensaje, recado o comisión. || **extraordinario.** Agente diplomático cuya categoría es, como la de los ministros plenipotenciarios, la segunda de las reconocidas por el moderno derecho internacional. En España siempre se confieren estos dos títulos a una misma persona.

Enviajado, da. (De *viaje*, 2.° art.) adj. *Arq.* Oblicuo, sesgo.

Enviar. (Del lat. **inviāre*, de vía.) tr. Hacer que una persona vaya a alguna parte. || **2.** Hacer que una cosa se dirija o sea llevada a alguna parte. || **3.** ant. Dirigir, encaminar. || **4.** ant. Desterrar, extrañar. || **Enviar a uno a pasear.** fr. fig y fam. **Enviarle a paseo.** || **Enviar a uno noramala.** fr. Despedirle con enfado o disgusto, o darle a entender que lo que propone, dice o hace no merece crédito o aprobación.

Enviciamiento. m. Acción y efecto de enviciar.

Enviciar. tr. Corromper, inficionar con un vicio. || **2.** intr. Echar las plantas muchas hojas, haciéndose escasas de fruto. || **3.** r. Aficionarse demasiadamente a una cosa; darse con exceso a ella.

Enviciosarse. (De *en* y *vicioso*.) r. ant. Enviciarse, 3.ª acep. de **Enviciar.**

Envidada. f. Acción y efecto de envidar.

Envidador, ra. adj. Que envida en el juego. Ú. t. c. s.

Envidar. (Del lat. *invitāre*, invitar.) tr. Hacer envite a uno en el juego. || **Envidar de, o en, falso.** fr. **Envidar** con poco juego, con la esperanza de que no admitirá el contrario. || **2.** fig. Convidar a uno con una cosa, deseando que no la acepte.

Envidia. (Del lat. *invidĭa*.) f. Tristeza o pesar del bien ajeno. || **2.** Emulación, deseo honesto. || **Comerse uno de envidia.** fr. fig. y fam. Estar enteramente poseído de ella. || **Si la envidia tiña fuera, ¡qué de tiñosos hubiera!** ref. con que se nota al envidioso disimulado.

Envidiable. (De *envidiar*.) adj. Digno de ser deseado y apetecido.

Envidiador, ra. (De *envidiar*.) adj. ant. **Envidioso.** Usáb. t. c. s.

Envidiar. tr. Tener envidia, sentir el bien ajeno. || **2.** fig. Desear, apetecer lo lícito y honesto. || **No tener que envidiar, o tener poco que envidiar,** una cosa a otra. fr. fig. No ser inferior a ella.

Envidioso, sa. (Del lat. *invidiōsus*.) adj. Que tiene envidia. Ú. t. c. s.

Envido. (De *envidar*.) m. Envite de dos tantos en el juego del mus.

Enviejar. (De *en* y *viejo*.) tr. ant. **Envejecer.** Ú. en *Sal.*

Envigado, da. p. p. de **Envigar.** || **2.** m. Conjunto de las vigas de un edificio.

Envigar. tr. Asentar las vigas de un edificio. Ú. t. c. intr.

Envilecedor, ra. adj. Que envilece.

Envilecer. tr. Hacer vil, abatida y despreciable una cosa. || **2.** r. Abatirse, perder uno la estimación que tenía.

Envilecimiento. m. Acción y efecto de envilecer o envilecerse.

Envilortar. tr. *Sal.* Atar los haces con vilortos o vencejos.

Envinagrar. tr. Poner o echar vinagre en una cosa.

Envinar. tr. Echar vino en el agua.

Envío. m. Acción y efecto de enviar; remesa.

Envión. (De *enviar*.) m. **Empujón.**

Envirar. (De *en* y *vira*, 1.er art.) tr. Clavar o unir con estaquillas de madera los corchos de que se forman las colmenas.

Envirotado, da. (De *en* y *virote*, 7.ª acep.) adj. fig. Aplícase al sujeto entonado y tieso en demasía.

Enviscamiento. m. Acción y efecto de enviscar o enviscarse.

Enviscar. (Del lat. *inviscāre*; de *in*, en, y *viscum*, liga.) tr. Untar con liga las ramas de las plantas, los espartos, etc., para que se peguen y enreden los pájaros, a fin de cazarlos de este modo. || **2.** r. Pegarse los pájaros y los insectos con la liga.

Enviscar. (De *en* y *guizgar*.) tr. **Azuzar.** || **2.** fig. Irritar, enconar los ánimos.

Enviso, sa. (Del lat. *in*, en, y *visus*, vista.) adj. ant. Sagaz, advertido.

Envite. (De *invitar*.) m. Apuesta que se hace en algunos juegos de naipes y otros, parando, además de los tantos ordinarios, cierta cantidad a un lance o suerte. || **2.** fig. Ofrecimiento de una cosa. || **3.** Envión, empujón. || **Ahorrar,** o **acortar, envites.** fr. Abreviar, acortar razones. || **Al primer envite.** m. adv. De buenas a primeras, al principio.

Enviudar. intr. Quedar viudo o viuda.

Envolcarse. (Del lat. **involvicāre*, de *involvĕre*, envolver.) r. ant. **Envolverse.**

Envoltorio. (De *envuelto*.) m. Lío hecho de paños, lienzos u otras cosas. || **2.** Defecto en el paño, por haberse mezclado alguna especie de lana no correspondiente a la clase del tejido.

Envoltura. (De *envuelto*.) f. Conjunto de pañales, mantillas y otros paños con que se envuelve a los niños en su primera infancia. Ú. t. en pl. || **2.** Capa exterior que cubre natural o artificialmente una cosa.

Envolvedero. m. **Envolvedor.**

Envolvedor. m. Paño o cualquiera otra cosa que sirve para envolver. || **2.** Mesa o camilla en donde se envuelve a los niños.

Envolvente. p. a. de **Envolver.** Que envuelve o rodea. Ú. c. adj.

Envolver. (Del lat. *invŏlvĕre*.) tr. Cubrir un objeto parcial o totalmente, ciñéndolo de tela, papel u otra cosa análoga. || **2.** Vestir al niño con los pañales y mantillas. || **3.** Arrollar o devanar un hilo, cinta, etc., en alguna cosa. *El hilo* SE ENVUELVE *en el bolillo de hacer encaje.* || **4.** fig. Rodear a uno, en la disputa, de argumentos o sofismas, dejándolo cortado y sin salida. || **5.** *Mil.* Rebasar por uno de sus extremos la línea de combate del enemigo, colocando a su flanco y aun a su retaguardia fuerzas que le ataquen en combinación con las que le acometen de frente. || **6.** fig. Mezclar o complicar a uno en un asunto o negocio, haciéndole tomar parte en él. Ú. t. c. r. || **7.** r. fig. Enredarse con fin deshonesto dos personas; amancebarse. || **8.** fig. Mezclarse y meterse entre otros, como sucede en las acciones de guerra.

Envolvimiento. m. Acción y efecto de envolver o envolverse. || **2.** **Revolcadero.**

Envuelto, ta. (Del lat. **involvitus* o **involūtus*, por *involūtus*.) p. p. irreg. de **Envolver.** || **2.** m. *Méj.* Tortilla de maíz guisada. || **3.** f. pl. *Sal.* Envoltura del niño de pecho.

Enyerbarse. r. *Amér.* Cubrirse de yerba un terreno. || **2.** *Méj.* Envenenarse, 1.ª acep. de **Envenenar.**

Enyertar. tr. ant. Poner yerta una cosa. Usáb. t. c. r.

Enyesado, da. p. p. de **Enyesar.** || **2.** m. Operación de echar yeso a los vinos para aumentar su fuerza o favorecer su conservación.

Enyesadura. f. Acción y efecto de enyesar.

Enyesar. tr. Tapar o acomodar una cosa con yeso. || **2.** Igualar o allanar con yeso las paredes, los suelos, etc. || **3.** Agregar yeso a alguna cosa. || **4.** *Cir.* **Escayolar.**

Enyescarse. (De *en* y *yesca*.) r. ant. Encenderse, inflamarse.

Enyugamiento. (De *enyugar*.) m. ant. **Casamiento,** 1.ª acep.

Enyugar. tr. Uncir y poner el yugo a los bueyes o mulas de labranza. || **2.** Poner el yugo a una campana. || **3.** r. ant. fig. **Casar,** 3.er art., 1.ª acep.

Enyuntar. (De *en* y *yunta*.) tr. ant. Juntar o uncir.

Enza. f. *Murc.* Señuelo, cimbel. || **2.** *Murc.* fig. Señuelo, cualquier cosa que sirve para atraer. || **3.** *Murc.* fig. Inclinación, afición.

Enzainarse. r. Ponerse a mirar de zaino o a lo zaino. || **2.** fam. Hacerse traidor, falso o poco seguro en el trato.

Enzalamar. tr. fam. Azuzar, cizañar.

Enzamarrado, da. adj. Cubierto y abrigado con zamarra.

Enzarzada. (De *enzarzar*, 1.er art.) f. desus. *Mil.* Fortificación pasajera, consistente en un fuerte atrincheramiento en un bosque, en una garganta, en un paso importante, y que se procura esté oculta de la vista del enemigo.

Enzarzar. tr. Poner zarzas en una cosa o cubrirla de ellas. || **2.** fig. Enredar a algunos entre sí, sembrando discordias y disensiones. Ú. t. c. r. || **3.** r. Enredarse en las zarzas, matorrales o cualquiera otra cosa. || **4.** fig. Meterse en negocios arduos y de salida dificultosa. || **5.** fig. Reñir, pelearse.

Enzarzar. tr. Poner zarzos en los lugares donde se crían los gusanos de seda.

Enzima. (Del gr. ἐν, en, y ζύμη, fermento.) f. *Biol.* Substancia proteínica que producen las células vivas y que actúa como catalizador en los procesos de metabolismo. Es específica para cada reacción o grupo de reacciones.

Enzootia. (Del gr. ἐν, en, y ζῷον, animal.) f. *Veter.* Cualquiera enfermedad que acomete a una o más especies de animales en determinado territorio, por causa o influencia local.

Enzoquetar. tr. Poner zoquetes o tacos de madera en un entramado para evitar que se muevan los maderos o que haya pandeo.

Enzunchar. tr. Asegurar y reforzar cajones, fardos, etc., con zunchos o flejes.

Enzurdecer. intr. Hacerse o volverse zurdo.

Enzurizar. (De *en* y *zuriza*.) tr. Azuzar, enzarzar o sembrar la discordia entre varias personas.

Enzurronar. tr. Meter en zurrón, 1.ª y 2.ª aceps. || **2.** fig. y fam. Incluir o encerrar una cosa en otra.

Enzurronarse. (De *en* y *zurrón*, 3.ª acep.) r. *Ar.*, *Pal.* y *Sal.* No llegar a granar los cereales por exceso de calor y falta de humedad.

Eñe. f. Nombre de la letra *ñ*.

Eoceno. (Del gr. ἠώς, aurora, y καινός, reciente.) adj. *Geol.* Dícese del terreno que forma la base o comienzo del terreno terciario. Ú. t. c. s. || **2.** *Geol.* Perteneciente a este terreno.

Eólico, ca. (Del lat. *aeolĭcus*.) adj. **Eolio,** 2.ª acep. || **2.** m. Dialecto **eólico,** uno de los cuatro principales de la lengua griega.

Eolio, lia. (Del lat. *aeolius*.) adj. Natural de la Eólida. Ú. t. c. s. || **2.** Perteneciente a este país de Asia antigua. || **3.** Perteneciente o relativo a Eolo. || **4.** V. **Arpa eolia.**

Eolito. (Del gr. ἠώς, aurora, y λίθος, piedra.) m. Piedra de cuarzo usada en su forma natural como instrumento por el hombre primitivo.

Eón. (Del lat. *aeōn*, y éste del gr. αἰών, el tiempo, la eternidad.) m. En el gnosticismo, cada una de las inteligencias eternas o entidades divinas de uno u otro sexo, emanadas de la divinidad suprema.

¡Epa! interj. *Hond.*, *Méj.* y *Venez.* **¡Hola!** || **2.** *Chile.* interj. usada para animar. **¡Ea! ¡Upa!**

Epacta. (Del lat. *epactae, -ārum*, y éste del gr. ἐπακταί, añadidos, intercalados [días].) f. Número de días en que el año solar excede al lunar común de 12 lunaciones, o número de días que la luna de diciembre tiene el día primero de enero, contados desde el último novilunio. || **2.** **Añalejo.**

Epactilla. (d. de *epacta*.) f. **Epacta,** 2.ª acep.

Epanadiplosis. (Del lat. *epanadiplōsis*, y éste del gr. ἐπαναδίπλωσις, de ἐπαναδιπλόω, doblar, reiterar.) f. *Ret.* Figura que consiste en repetir al fin de una cláusula o frase el mismo vocablo con que empieza.

Epanáfora. (Del lat. *epanaphŏra*, y éste del gr. ἐπαναφορά, de ἐπαναφέρω, repetir.) f. *Ret.* **Anáfora.**

Epanalepsis. (Del lat. *epanalepsis*, y éste del gr. ἐπανάληψις, de ἐπαναλαμβάνω, volver a tomar.) f. *Ret.* **Epanadiplosis.**

Epanástrofe. (Del lat. *epanastrŏphe*, y éste del gr. ἐπαναστροφή, de ἐπαναστρέφω, tornar, invertir.) f. *Ret.* **Concatenación,** 2.ª acep. || **2.** *Ret.* **Conduplicación.**

Epanortosis. (Del lat. *epanorthōsis*, y éste del gr. ἐπανόρθωσις, de ἐπανορθόω, rectificar.) f. *Ret.* **Corrección,** 5.ª acep.

Epazote. (Del mejic. *epazotl*.) m. *Méj.* **Pazote.**

Epecha. m. *Nav.* **Reyezuelo,** 2.ª acep.

Epéntesis. (Del lat. *epenthĕsis*, y éste del gr. ἐπένθεσις, de ἐπεντίθημι, intercalar.) f. *Gram.* Adición de algún sonido dentro de un vocablo, como en *corónica* por *crónica* y en *tendré* por *tenré*. Era figura de dicción según la preceptiva tradicional.

Epentético, ca. adj. Que se añade por epéntesis.

Eperlano. (Del fr. *éperlan*, y éste del al. *spierling*.) m. *Zool.* Pez de la familia de los salmónidos, de unos 15 centímetros de largo, propio de las desembocaduras de los grandes ríos del norte de Europa, muy parecido a la trucha, de la que se diferencia en tener las aletas ventrales más adelante que la primera dorsal, y en el color plateado con viso verdoso de las escamas.

Epi. (Del gr. ἐπί.) prep. insep. que significa **sobre;** como en EPI*dermis*.

Épica. f. Poesía épica.

Épicamente. adv. m. De manera épica; con las calidades propias de la epopeya o de la poesía heroica.

Epicarpio. (Del gr. ἐπί, sobre, y καρπός, fruto.) m. *Bot.* La capa externa de las tres que forman el pericarpio de los frutos; como la piel del melocotón.

Epicedio. (Del lat. *epicedīon*, y éste del gr. ἐπικήδειον; de ἐπί, en, y κῆδος, exequias.) m. Composición poética que en lo antiguo se recitaba delante del cadáver de una persona. || **2.** Cualquiera composición poética en que se llora y alaba a una persona muerta.

Epiceno. (Del lat. *epicoenus*, y éste del gr. ἐπίκοινος; de ἐπί, en, y κοινός, común.) adj *Gram.* V. **Género epiceno.**

Epicentro. (Del gr. ἐπί, sobre, y *centro*.) m. Centro superficial del área de perturbación de un fenómeno sísmico que cae sobre el hipocentro.

Epiceyo. m. **Epicedio.**

Epicíclico, ca. adj. *Astron.* Perteneciente al epiciclo. *Movimiento* EPICÍCLICO.

Epiciclo. (Del lat. *epicyclus*, y éste del gr. ἐπίκυκλος; de ἐπί, sobre, y κύκλος, círculo.) m. *Astron.* Círculo que se suponía descrito por un planeta alrededor de un centro que se movía en el deferente.

Epicicloide. (Del gr. ἐπί, en, y *cicloide*.) *Geom.* Línea curva que describe un punto de una circunferencia que rueda sobre otra fija, siendo ambas tangentes exteriormente. || **esférica.** *Geom.* La descrita cuando los planos de las dos circunferencias forman un ángulo constante || **plana.** *Geom.* **Epicicloide.**

Épico, ca. (Del lat. *epĭcus*, y éste del gr. ἐπικός; de ἔπος, palabra, y en pl. τὰ ἔπη, la épica.) adj. Perteneciente o relativo a la epopeya o a la poesía heroica. || **2.** Dícese del poeta cultivador de este género de poesía. Ú. t. c. s. || **3.** Propio y característico de la poesía **épica;** apto o conveniente para ella. *Estilo, talento, personaje* ÉPICO.

Epicureísmo. (De *epicúreo*.) m. Sistema filosófico enseñado por Epicuro de Atenas, y seguido después por otros filósofos. || **2.** fig. Refinado egoísmo que busca el placer exento de todo dolor, según la doctrina de Epicuro.

Epicúreo, a. (Del lat. *epicurēus*.) adj. Que sigue la secta de Epicuro. Ú. t. c. s. || **2.** Perteneciente a este filósofo. || **3.** fig. Sensual, voluptuoso, entregado a los placeres.

Epidemia. (Del gr. ἐπιδημία, de ἐπίδημος; de ἐπί, sobre, y δῆμος, pueblo.) f. Enfermedad que por alguna temporada aflige a un pueblo o comarca, acometiendo simultáneamente a gran número de personas.

Epidemial. (De *epidemia*.) adj. **Epidémico.**

Epidemicidad. f. Calidad de epidémico.

Epidémico, ca. adj. Perteneciente a la epidemia.

Epidérmico, ca. adj. Perteneciente o relativo a la epidermis.

Epidermis. (Del lat. *epidermis*, y éste del gr. ἐπιδερμίς; de ἐπί, sobre, y δέρμα, piel.) f. *Zool.* Membrana epitelial que envuelve el cuerpo de los animales. Puede estar formada por una sola capa de células, como en los invertebrados, o por numerosas capas celulares superpuestas, que cubren la dermis, como en los vertebrados, y en este último caso las capas más externas constan exclusivamente de células muertas, que se desprenden por descamación, como en los mamíferos, o de una vez, como en los reptiles. || **2.** *Bot.* Membrana formada por una sola capa de células que cubre el tallo y las hojas de las pteridofitas y de las fanerógamas herbáceas. || **Tener la epidermis fina, o sensible.** fr. fig. y fam. Ser quisquilloso.

Epidiascopio. (Del gr. ἐπί, sobre; διά, a través, y σκοπέω, ver, examinar.) m. *Fís.* Aparato de proyecciones que sirve para hacer ver en una pantalla las imágenes de diapositivas y también de cuerpos opacos, como grabados, cuerpos sólidos y otros objetos materiales.

Epidiáscopo. m. *Fís.* Epidiascopio.

Epifanía. (Del lat. *epiphanīa*, y éste del gr. ἐπιφάνεια, manifestación.) f. Festividad que celebra la Iglesia anualmente el día 6 de enero, y que también se llama de la **Adoración de los Reyes.**

Epífisis. (Del lat. *epiphy̆sis*, y éste del gr. ἐπίφυσις, excrecencia.) f. *Anat.* Órgano nervioso pequeño y rudimentario situado en el encéfalo, entre los hemisferios cerebrales y el cerebelo. || **2.** *Anat.* Cada una de las dos partes terminales de los huesos largos, separada del cuerpo de éstos durante los años del crecimiento por un cartílago, merced al cual crece el hueso en longitud.

Epifito, ta. (Del gr. ἐπί, sobre, y φυτόν, vegetal.) adj. *Bot.* Dícese del vegetal que vive sobre otra planta, pero sin alimentarse a expensas de ésta, como los musgos y líquenes.

Epifonema. (Del lat. *epiphonēma*, y éste del gr. ἐπιφώνημα; de ἐπί, sobre, y φωνέω, gritar.) f. *Ret.* Exclamación o reflexión deducida de lo que anteriormente se ha dicho, y con la cual se cierra o concluye el concepto o pensamiento general a que pertenece.

Epífora. (Del gr. ἐπιφορά, aflujo.) f. *Med.* Lagrimeo copioso y persistente que aparece en algunas enfermedades de los ojos.

Epigástrico, ca. adj. *Anat.* Perteneciente o relativo al epigastrio.

Epigastrio. (Del gr. ἐπιγάστριον; de ἐπί, sobre, y γαστήρ, vientre.) m. *Anat.* Región del abdomen o vientre, que se extiende desde la punta del esternón hasta cerca del ombligo, y queda limitada en ambos lados por las costillas falsas.

Epiglosis. (Del lat. *epiglossis*, y éste del gr. ἐπιγλωσσίς; de ἐπί, sobre, y γλῶσσα, lengua.) f. *Zool.* Parte de la boca de los insectos himenópteros. || **2.** ant. *Zool.* **Epiglotis.**

Epiglotis. (Del lat. *epiglottis*, y éste del gr. ἐπιγλωττίς; de ἐπί, sobre, y γλωττίς, glotis.) f. *Zool.* Lámina cartilaginosa, sujeta a la parte posterior de la lengua de los mamíferos, que tapa la glotis al tiempo de la deglución.

Epígono. (Del gr. ἐπίγονος, nacido después.) m. El que sigue las huellas de otro; especialmente se dice del que sigue una escuela o un estilo de una generación anterior.

Epígrafe. (Del gr. ἐπιγραφή, de ἐπιγράφω, inscribir.) m. Resumen que suele preceder a cada uno de los capítulos u otras divisiones de una obra científica o literaria, o a un discurso o escrito que no tenga tales divisiones. || **2.** Cita o sentencia que suele ponerse a la cabeza de una obra científica o literaria o de cada uno de sus capítulos o divisiones de otra clase. || **3. Inscripción,** 2.ª acep. || **4.** Título, rótulo.

Epigrafía. (De *epígrafe*.) f. Ciencia cuyo objeto es conocer e interpretar las inscripciones.

Epigráfico, ca. adj. Perteneciente o relativo a la epigrafía. *Estilo* EPIGRÁFICO.

Epigrafista. com. Persona versada en epigrafía.

Epigrama. (Del lat. *epigramma*, y éste del gr. ἐπίγραμμα, de ἐπιγράφω, inscribir.) m. **Inscripción,** 2.ª acep. || **2.** Composición poética breve en que con precisión y agudeza se expresa un solo pensamiento principal, por lo común festivo o satírico. Usáb. t. c. f. || **3.** fig. Pensamiento de cualquier género, expresado con brevedad y agudeza, ya sea en verso, ya en prosa, ya en escritos, ya en la conversación, y especialmente si encierra burla o sátira ingeniosa.

Epigramatario, ria. (Del lat. *epigrammatarius*.) adj. **Epigramático.** || **2.** m. El que hace o compone epigramas. || **3.** Colección de epigramas.

Epigramáticamente. adv. m. De manera epigramática.

Epigramático, ca. (Del lat. *epigrammaticus*.) adj. Dícese de lo que pertenece al epigrama o lo contiene o participa de su índole o propiedades, y también del poeta que los compone y de la persona que los emplea. || **2.** m. **Epigramatario,** 2.ª acep.

Epigramatista. (Del lat. *epigrammatista*.) m. **Epigramatario,** 2.ª acep.

Epigramista. m. **Epigramatario,** 2.ª acep.

Epilencia. (De *epilepsia*, con la term. de dolencia.) f. ant. **Epilepsia.**

Epilense. adj. Natural de Épila. Ú. t. c. s. || **2.** Relativo a esta villa de la provincia de Zaragoza.

Epiléntico, ca. (De *epilencia*.) adj. ant. **Epiléptico.** Ú. t. c. s.

Epilepsia. (Del lat. *epilepsia*, y éste del gr. ἐπιληψία, intercepción.) f. *Med.* Enfermedad general, caracterizada principalmente por accesos repentinos con pérdida brusca del conocimiento y convulsiones.

Epiléptico, ca. (Del lat. *epilepticus*, y éste del gr. ἐπιληπτικός.) adj. *Med.* Que padece de epilepsia. Ú. t. c. s. || **2.** *Med.* Perteneciente a esta enfermedad. || **3.** *Med.* V. **Aura epiléptica.**

Epilogación. (De *epilogar*.) f. **Epílogo.**

Epilogal. (De *epílogo*.) adj. Resumido, compendiado.

Epilogar. (De *epílogo*.) tr. Resumir, compendiar una obra o escrito.

Epilogismo. (Del gr. ἐπιλογισμός, cálculo, razonamiento.) m. *Astron.* Cálculo o cómputo.

Epílogo. (Del lat. *epilŏgus*, y éste del gr. ἐπίλογος.) m. Recapitulación de todo lo dicho en un discurso u otra composición literaria. || **2.** fig. Conjunto o compendio. || **3.** Última parte de algunas obras dramáticas y novelas, desligada en cierto modo de las anteriores, y en la cual se representa una acción o se refieren sucesos que son consecuencia de la acción principal o están relacionados con ella, dando así al poema nuevo y definitivo remate. || **4.** *Ret.* **Peroración,** 2.ª acep. Algunos retóricos aplican especialmente este nombre a la sola **enumeración.**

Epímone. (Del lat. *epimone*, y éste del gr. ἐπιμονή, de ἐπιμένω, insistir.) f. *Ret.* Figura que consiste en repetir sin intervalo una misma palabra para dar énfasis a lo que se dice, o en intercalar varias veces en una composición poética un mismo verso o una misma expresión.

Epinicio. (Del lat. *epinicion*, y éste del gr. ἐπινίκιον; de ἐπί, sobre, y νίκη, victoria.) m. Canto de victoria; himno triunfal.

Epiparásito. adj. *Biol.* **Ectoparásito.**

Epiplón. (Del gr. ἐπίπλοος.) m. Redaño.

Epiquerema. (Del lat. *epicherēma*, y éste del gr. ἐπιχείρημα.) m. *Lóg.* Silogismo en que una o varias premisas van acompañadas de una prueba.

Epiqueya. (Del gr. ἐπιείκεια, equidad.) f. Interpretación moderada y prudente de la ley, según las circunstancias de tiempo, lugar y persona.

Epirota. (Del lat. *epirōta*.) adj. Natural de Epiro, país de la Grecia antigua. Ú. t. c. s.

Epirótico, ca. (Del lat. *epiroticus*.) adj. Perteneciente a Epiro.

Episcopado. (Del lat. *episcopātus*.) m. Dignidad de obispo. || **2.** Época y duración del gobierno de un obispo determinado. || **3.** Conjunto de obispos del orbe católico o de una nación.

Episcopal. (Del lat. *episcopālis*.) adj. Perteneciente o relativo al obispo. *Orden, jurisdicción* EPISCOPAL. || **2.** V. **Bendición episcopal.** || **3.** m. Libro en que se contienen las ceremonias y oficios propios de los obispos.

Episcopalismo. m. Sistema o doctrina de los canonistas favorables a la potestad episcopal y adversarios de la supremacía pontificia.

Episcopio. (Del gr. ἐπί, sobre, y σκοπέω, ver.) m. Aparato para la proyección de cuerpos opacos.

Episcopologio. (Del gr. ἐπίσκοπος, obispo, y λόγος, tratado, narración.) m. Catálogo y serie de los obispos de una iglesia.

Episódicamente. adv. m. A manera de episodio, incidentalmente.

Episódico, ca. adj. Perteneciente al episodio.

Episodio. (Del gr. ἐπεισόδιον, de ἐπείσοδος, entrada, intervención.) m. Parte no integrante o acción secundaria de la principal de un poema épico o dramático, de la novela o de cualquiera otra obra semejante, pero de algún modo enlazada con esta misma acción principal, y conveniente para hacerla más varia y deleitable. || **2.** Cada una de las acciones parciales o partes integrantes de la acción principal. || **3.** Digresión en obras de otro género o en el discurso. || **4.** Incidente, suceso enlazado con otros que forman un todo o conjunto. *Un* EPISODIO *de la vida del Cid; un* EPISODIO *de la guerra de la Independencia.*

Epispástico, ca. (Del gr. ἐπισπαστικός, de ἐπισπάω, atraer.) adj. *Med.* **Vesicante.** Ú. t. c. s. m.

Epistaxis. (Del gr. ἐπίσταξις; de ἐπί, sobre, y στάζω, fluir, correr gota a gota.) f. *Med.* Flujo de sangre por las narices.

Epistemología. (Del gr. ἐπιστήμη, conocimiento, y λόγος, tratado.) f. Doctrina de los fundamentos y métodos del conocimiento científico.

Epístola. (Del lat. *epistŏla*, y éste del gr. ἐπιστολή, de ἐπιστέλλω, enviar.) f. Carta misiva que se escribe a los ausentes. || **2.** Parte de la misa, que se lee por el sacerdote o se canta por el subdiácono después de las primeras oraciones y antes del gradual. Llamóse así porque comúnmente se suele tomar de algunas de las **epístolas** canónicas. || **3.** Orden sacro del subdiácono. Llámase así porque el principal ministerio del subdiácono es cantar la **epístola** en la misa. || **4.** Composición poética de alguna extensión, en que el autor se dirige o finge dirigirse a una persona real o imaginaria, y cuyo fin más ordinario es moralizar, instruir o satirizar. En castellano escríbese generalmente en tercetos o en verso libre. || **católica.** Cualquiera de las escritas por los apóstoles Santiago y San Judas, y aun por San Pedro y San Juan.

Epistolar. (Del lat. *epistolāris*.) adj. Perteneciente a la epístola o carta.

Epistolario. (Del lat. *epistolarius*.) m. Libro o cuaderno en que se hallan recogidas varias cartas o epístolas de un autor, escritas a diferentes personas sobre diversas materias. || **2.** Libro en que se contienen las epístolas que se cantan en las misas.

Epistolero. m. Clérigo o sacerdote que tiene en algunas iglesias la obligación de cantar la epístola en las misas solemnes. || **2.** ant. **Subdiácono.**

Epistólico, ca. (Del lat. *epistolicus*.) adj. ant. **Epistolar.**

Epistolio. (Del lat. *epistolium*, y éste del gr. ἐπιστόλιον.) m. **Epistolario.**

Epistológrafo, fa. m. y f. Persona que se ha distinguido en escribir epístolas.

Epístrofe. (Del lat. *epistrŏphe*, y éste del gr. ἐπιστροφή, de ἐπιστρέφω, volver.) f. *Ret.* **Conversión,** 6.ª acep.

Epitafio. (Del lat. *epitaphius*, y éste del gr. ἐπιτάφιος; de ἐπί, sobre, y τάφος, sepultura.) m. Inscripción que se pone, o se supone puesta, sobre un sepulcro o en la lápida o lámina colocada junto al enterramiento.

Epitalámico, ca. adj. Perteneciente o relativo al epitalamio. *Canto, himno* EPITALÁMICO.

Epitalamio. (Del lat. *epithalamĭum*, y éste del gr. ἐπιθαλάμιος; de ἐπί, sobre, y θάλαμος, tálamo.) m. Composición poética del género lírico, en celebridad de una boda.

Epítasis. (Del lat. *epităsis*, y éste del gr. ἐπίτασις, de ἐπιτείνω, dar intensidad o fuerza.) f. Parte del poema dramático, que sigue a la prótasis y precede a la catástrofe; enredo, nudo en el poema de este género.

Epitelial. adj. Referente al epitelio.

Epitelio. (Del gr. ἐπί, sobre, y θηλή, pezón del pecho.) m. *Zool.* Tejido formado por células en contacto mutuo, prismáticas, cúbicas, fusiformes o algo aplanadas, que constituye la epidermis, la capa externa de las mucosas y la porción secretora de las glándulas y forma parte de los órganos de los sentidos. || **de revestimiento.** El que forma la epidermis y la capa externa de las mucosas. || **glandular.** El que forma la porción secretora de las glándulas. || **pigmentario.** El que consta de células que contienen melanina. || **secretorio. Epitelio glandular.** || **sensorial.** El que forma parte de los órganos de los sentidos.

Epitelioma. m. *Med.* Cáncer formado por células epiteliales, derivadas de la piel o del revestimiento mucoso.

Epítema. (Del lat. *epithĕma*, y éste del gr. ἐπίθεμα, de ἐπιτίθημι, poner sobre.) f. *Med.* Medicamento tópico que se aplica en forma de fomento, de cataplasma o de polvo.

Epíteto. (Del lat. *epithĕton*, y éste del gr. ἐπίθετον, agregado.) m. Adjetivo o participio cuyo fin principal no es determinar o especificar el nombre, sino caracterizarlo.

Epítima. f. *Med.* **Epítema.** || **2.** fig. Consuelo, alivio.

Epitimar. tr. *Med.* Poner epítima o confortante en alguna parte del cuerpo.

Epítimo. (Del lat. *epithȳmon*, y éste del gr. ἐπίθυμον; de ἐπί, sobre, y θυμός, tomillo.) m. Planta parásita, del mismo género que la cuscuta, con tallos filiformes, encarnados y sin hojas; flores rojizas y simiente menuda y redonda. Vive comúnmente sobre el tomillo.

Epitomadamente. adv. m. Con la precisión y brevedad propias del epítome.

Epitomador, ra. adj. Que hace o compone epítomes. Ú. t. c. s.

Epitomar. (Del lat. *epitomāre.*) tr. Reducir a epítome una obra extensa.

Epítome. (Del lat. *epitŏme*, y éste del gr. ἐπιτομή, de ἐπιτέμνω, cortar, abreviar.) m. Resumen o compendio de una obra extensa, abreviando y resumiendo cuanto es posible la materia tratada en ella, y exponiendo únicamente lo más fundamental o preciso. || **2.** *Ret.* Figura que consiste, después de dichas muchas palabras, en repetir las primeras para mayor claridad.

Epítrito. (Del lat. *epitrĭtus*, y éste del gr. ἐπίτριτος; de ἐπί, sobre, y τρίτος, tercero.) m. Pie de la poesía griega y latina, que se compone de cuatro sílabas, cualquiera de ellas breve y las demás largas. Por los varios lugares que en él puede ocupar la sílaba breve, considéraseie dividido en cuatro diferentes clases.

Epítrope. (Del lat. *epitrŏpe*, y éste del gr. ἐπιτροπή, concesión.) f. *Ret.* **Concesión,** 3.ª acep. || **2.** *Ret.* **Permisión,** 3.ª acep.

Epizoario. (Del gr. ἐπί, sobre, y ζῷον, animal.) m. *Zool.* **Ectoparásito.**

Epizootia. (Del gr. ἐπί, sobre, y ζῷον, animal.) f. Enfermedad que acomete a una o varias especies de animales, por una causa general y transitoria. Es como la epidemia en el hombre. || **2.** *Chile.* Glosopeda o fiebre aftosa.

Epizoótico, ca. adj. Perteneciente o relativo a la epizootia.

Época. (Del lat. *epŏcha*, y éste del gr. ἐποχή, de ἐπέχω, continuar, persistir.) f. **Era,** 1.ª art., 1.ª acep. || **2.** Período de tiempo que se señala por los hechos históricos durante él acaecidos. || **3.** Por ext., cualquier espacio de tiempo. *En aquella* ÉPOCA *estaba yo ausente de Madrid; desde aquella* ÉPOCA *no nos hemos vuelto a ver.* || **4.** Punto fijo y determinado de tiempo, desde el cual se empiezan a numerar los años. || **5.** Temporada de considerable duración. || **Formar, o hacer, época.** fr. que se usa para denotar que un hecho o suceso dejará larga memoria, o que por su importancia será el principio de una **época.**

Epoda. (Del gr. ἐπῳδή.) f. **Epodo.**

Epodo. (Del lat. *epōdos*, y éste del gr. ἐπῳδός; de ἐπί, sobre, y ᾠδή, canto.) m. Último verso de la estancia, repetido muchas veces. || **2.** En la poesía griega, tercera parte del canto lírico compuesto de estrofa, antistrofa y **epodo;** división que alguna vez se ha usado también en la poesía castellana. || **3.** En la poesía griega y latina, combinación métrica compuesta de un verso largo y otro corto.

Epónimo, ma. (Del gr. ἐπώνυμος; de ἐπί, sobre, y ὄνομα, nombre.) adj. Aplícase al héroe o a la persona que da nombre a un pueblo, a una tribu, a una ciudad o a un período o época.

Epopeya. (Del gr. ἐποποιΐα, de ἐποποιός, poeta épico; de ἔπος, palabra, discurso, verso, y ποιέω, hacer.) f. Poema narrativo extenso, de elevado estilo, acción grande y pública, personajes heroicos o de suma importancia, y en el cual interviene lo sobrenatural o maravilloso. || **2.** fig. Conjunto de hechos gloriosos dignos de ser cantados épicamente.

Epoto, ta. (Del lat. *epōtus*, p. p. de *epotāre*, beber.) adj. ant. **Bebido,** 2.ª acep.

Épsilon. (Del gr. ἔ, e, y ψιλόν, breve.) f. Nombre de la *e* breve del alfabeto griego.

Epsomita. (De *Epsom*, población del condado de Surrey, en Inglaterra, que tiene aguas minerales en que abunda esta sal.) f. **Sal de la Higuera.**

Epulón. (Del lat. *epŭlo, -ōnis.*) m. El que come y se regala mucho.

Equi. (Del lat. *aequus*, igual.) part. insep. que denota igualdad; como en EQUI*distar*, EQUI*valer*.

Equiángulo, la. (Del lat. *aequus*, igual, y *angŭlus*, ángulo.) adj. *Geom.* Aplícase a las figuras y sólidos cuyos ángulos son todos iguales entre sí.

Equidad. (Del lat. *aequĭtas, -ātis*, de *aequus*, igual.) f. Igualdad de ánimo. || **2.** Bondadosa templanza habitual; propensión a dejarse guiar, o a fallar, por el sentimiento del deber o de la conciencia, más bien que por las prescripciones rigurosas de la justicia o por el texto terminante de la ley. || **3.** Justicia natural por oposición a la letra de la ley positiva. || **4.** Moderación en el precio de las cosas que se compran, o en las condiciones que se estipulan para los contratos.

Equidiferencia. (De *equi* y *diferencia.*) f. *Mat.* Igualdad de dos razones por diferencia.

Equidistancia. (De *equi* y *distancia.*) f. Igualdad de distancia entre varios puntos u objetos.

Equidistante. (Del lat. *aequidistans, -antis.*) p. a. de **Equidistar.** Que equidista.

Equidistar. (De *equi* y *distar.*) intr. *Geom.* Hallarse uno o más puntos, líneas, planos o sólidos a igual distancia de otro determinado, o entre sí.

Equidna. m. Mamífero monotrema, insectívoro, de cabeza pequeña, hocico afilado, lengua larga y muy extensible, con espinas; el cuello, la cola y las patas cortos; los dedos provistos de uñas fuertes para cavar; el cuerpo cubierto de pelo obscuro, entre el que salen unas púas en el dorso y los costados, semejantes a las del erizo.

Équido. (Del lat. *equus*, caballo, y del gr. εἶδος, forma.) adj. *Zool* Dícese de los mamíferos perisodáctilos que, como el caballo y el asno, tienen cada extremidad terminada en un solo dedo. Ú. t. c. s. || **2.** m. pl. *Zool.* Familia de estos animales.

Equilátero, ra. (Del lat. *aequilatĕrus.*) adj. *Geom.* Aplícase a las figuras cuyos lados son todos iguales entre sí.

Equilibrado, da. p. p. de **Equilibrar.** || **2.** adj. fig. Ecuánime, sensato, prudente.

Equilibrar. (Del lat. *aequilibrāre.*) tr. Hacer que una cosa se ponga o quede en equilibrio. Ú. t. c. r. || **2.** fig. Disponer y hacer que una cosa no exceda ni supere a otra, manteniéndolas proporcionalmente iguales.

Equilibre. (Del lat. *aequilibris.*) adj. Dícese de lo que está equilibrado.

Equilibrio. (Del lat. *aequilibrĭum.*) m. Estado de un cuerpo cuando encontradas fuerzas que obran en él se compensan destruyéndose mutuamente. || **2.** Peso que es igual a otro peso y lo contrarresta. || **3.** fig. Contrapeso, contrarresto, armonía entre cosas diversas. || **4.** fig. Ecuanimidad, mesura, sensatez en los actos y juicios. || **5.** pl. fig. Actos de contemporización, prudencia o astucia, encaminados a sostener una situación, actitud, opinión, etc., insegura o dificultosa.

Equilibrismo. m. Conjunto de ejercicios y juegos que practica el equilibrista.

Equilibrista. adj. Diestro en hacer juegos o ejercicios de equilibrio. Ú. m. c. s.

Equimosis. (Del gr. ἐκχύμωσις, de ἐκχυμόομαι, extravasarse la sangre.) f. *Med.* Mancha lívida, negruzca o amarillenta de la piel o de los órganos internos, que resulta de la sufusión de la sangre a consecuencia de un golpe, de una fuerte ligadura o de otras causas.

Equino. (Del lat. *echĭnus*, y éste del gr. ἐχῖνος, erizo.) m. **Erizo marino.** || **2.** *Arq.* Moldura convexa, característica del capitel dórico.

Equino, na. (Del lat. *equīnus*, de *equus*, caballo.) adj. poét. Perteneciente o relativo al caballo. || **2.** V. **Apio equino.**

Equinoccial. (Del lat. *aequinoctiālis.*) adj. Perteneciente al equinoccio. || **2.** *Astron.* y *Geog.* V. **Punto equinoccial.** || **3.** f. **Línea equinoccial.**

Equinoccio. (Del lat. *aequinoctĭum;* de *aequus*, igual, y *nox*, noche.) m. *Astron.* Época en que, por hallarse el Sol sobre el Ecuador, los días son iguales a las noches en toda la Tierra; y esto se verifica anualmente del 20 al 21 de marzo y del 22 al 23 de septiembre. || **2.** *Astron.* V. **Precesión de los equinoccios.**

Equinococo. (Del gr. ἐχῖνος, erizo, y κόκκος, gusanillo.) m. *Zool.* Larva de una tenia de tres a cinco milímetros de largo que vive en el intestino del perro y de otros mamíferos carnívoros; puede pasar al cuerpo de algunos rumiantes y al del hombre, alojándose de preferencia en el hígado y en los pulmones y creciendo considerablemente hasta adquirir a veces el tamaño de la cabeza de un niño.

Equinococosis. f. *Med.* Enfermedad producida por el cisticerco de la tenia equinococo.

Equinodermo. (Del gr. ἐχῖνος, erizo y δέρμα, piel.) adj. *Zool.* Dícese de animales metazoos marinos, de simetría radiada pentagonal, con un dermatoesqueleto que consta de gránulos calcáreos dispersos en el espesor de la piel o, más frecuentemente, de placas calcáreas yuxtapuestas y a veces provistas de espinas; se mueven mediante pequeños y numerosos apéndices tubuliformes y eréctiles que terminan en ventosa y están dispuestos en series radiales; como las holoturias y las estrellas de mar. Ú.

t. c. s. || **2.** m. pl. *Zool.* Tipo de esta clase de animales.

Equipaje. (De *equipar.*) m. Conjunto de cosas que se llevan en los viajes. || **2.** p. us. **Equipo,** 4.ª acep. EQUIPAJE *de soldado, de colegial.* || **3.** *Mar.* **Tripulación.**

Equipal. (Del mejic. *icpalli,* asiento.) m. *Méj.* Especie de silla hecha de varas entretejidas, con el asiento y el respaldo de cuero o de palma tejida.

Equipar. (Del fr. *équiper,* y éste del ant. *esquiper,* del anglosajón *skipian,* navegar.) tr. Proveer a uno de las cosas necesarias para su uso particular, y especialmente en punto a ropa. Ú. t. c. r. || **2.** Proveer a una nave de gente, víveres, municiones y todo lo necesario para su avío y defensa.

Equiparable. adj. Que se puede equiparar.

Equiparación. (Del lat. *aequiparatĭo, -ōnis.*) f. Comparación, cotejo de una persona o cosa con otra, considerándolas iguales o equivalentes entre sí.

Equiparar. (Del lat. *aequiparāre.*) tr. Comparar una cosa con otra, considerándolas iguales o equivalentes.

Equipo. m. Acción y efecto de equipar. || **2.** Grupo de operarios organizado para un fin o servicio determinado. || **3.** Cada uno de los grupos que se disputan el triunfo en ciertos deportes. || **4.** Conjunto de ropas y otras cosas para uso particular de una persona; en especial, ropas, muebles, alhajas, etc., que se dan a una mujer cuando se casa. EQUIPO *de novia, de colegial, de soldado,* etc. || **quirúrgico.** Colección de instrumentos y otros objetos empaquetados y dispuestos para operar.

Equipolado. (Del fr. *équipollé,* y éste del lat. *aequipollens, -entis,* equivalente.) adj. *Blas.* V. **Punto, tablero equipolado.**

Equipolencia. (Del lat. *aequipollens, -entis,* equipolente.) f. *Lóg.* **Equivalencia,** 1.ª acep.

Equipolente. (Del lat. *aequipollens, -entis.*) adj. *Lóg.* **Equivalente,** 1.ª acep.

Equiponderancia. f. Igualdad en el peso.

Equiponderante. p. a. de **Equiponderar.** Que equipondera.

Equiponderar. (Del lat. *aequus,* igual, y *ponderāre,* pesar.) intr. Ser una cosa de peso igual al de otra.

Equis. f. Nombre de la letra *x,* y del signo de la incógnita en los cálculos. || **2.** adj. Denota un número desconocido o indiferente. *Necesito una cantidad* EQUIS, o EQUIS *pesetas.* || **3.** *Colomb.* y *Perú.* Viborilla cuyo veneno es casi siempre mortal. A lo largo del espinazo tiene marcadas unas especies de equis, y de ahí su nombre. || **Estar uno hecho una equis.** fr. fig. y fam. que se dice del que está borracho y que, dando traspiés y cruzando las piernas, imita la figura de la **equis.**

Equisetáceo, a. (De *equisetum,* nombre de un género de plantas.) adj. *Bot.* Dícese de plantas, algunas de ellas fósiles, pertenecientes a la clase de las equisetíneas y cuyo tipo es la cola de caballo. Ú. t. c. s. || **2.** f. pl. *Bot.* Familia de estas plantas.

Equisetíneo, a. (Del lat. *equisĕtum,* cola de caballo.) adj. *Bot.* Dícese de plantas criptógamas pteridofitas, herbáceas, vivaces, con rizoma feculento, tallos rectos, articulados, huecos, sencillos o ramosos, con fructificación en ramillete terminal parecido a un penacho. Ú. t. c. s. || **2.** f. pl. *Bot.* Clase de estas plantas, la mayoría de las cuales son fósiles.

Equiseto. (Del lat. *equisĕtum,* cola de caballo.) m. *Bot.* Nombre genérico de las plantas pertenecientes a la familia de las equisetáceas.

Equísimo, ma. adj. sup. ant. de **Ecuo** 1.er art.

Equitación. (Del lat. *equitatĭo, -ōnis.*) f. Arte de montar y manejar bien el caballo. || **2.** Acción de montar a caballo.

Equitativamente. adv. m. De manera equitativa.

Equitativo, va. (Del lat. *aequĭtas, -ātis,* igualdad.) adj. Que tiene equidad.

Équite. (Del lat. *eques, equĭtis.*) m. Ciudadano romano perteneciente a una clase intermedia entre los patricios y los plebeyos, y que no servía en el ejército sino a caballo. || **2.** ant. Caballero o noble.

Equivalencia. (Del lat. *aequivalens, -entis,* equivalente.) f. Igualdad en el valor, estimación, potencia o eficacia de dos o más cosas. || **2.** *Geom.* Igualdad de áreas en figuras planas de distintas formas, o de áreas o volúmenes en sólidos diferentes.

Equivalente. (Del lat. *aequivalens, -entis.*) adj. Que equivale a otra cosa. Ú. t. c. s. || **2.** *Geom.* Aplícase a las figuras y sólidos que tienen igual área o volumen y distinta forma. || **3.** m. *Quím.* Mínimo peso necesario de un cuerpo para que, al unirse con otro, forme verdadera combinación. || **4.** *Quím.* Número que representa este peso, tomado con relación al de un cuerpo escogido como tipo.

Equivalentemente. adv. m. De una manera equivalente; guardando igualdad.

Equivaler. (Del lat. *aequivalēre.*) intr. Ser igual una cosa a otra en la estimación, valor, potencia o eficacia. || **2.** *Geom.* Ser iguales las áreas de dos figuras planas diferentes, o las áreas o volúmenes de dos sólidos también diversos.

Equivocación. (Del lat. *aequivocatĭo, -ōnis.*) f. Acción y efecto de equivocar o equivocarse. || **2.** Cosa hecha equivocadamente.

Equivocadamente. adv. m. Con equivocación.

Equívocamente. adv. m. Con equívoco; con dos sentidos.

Equivocar. (De *equívoco.*) tr. Tener o tomar una cosa por otra, juzgando u obrando desacertadamente. Ú. m. c. r. || **Equivocarse** una cosa **con** otra. fr. Semejarse mucho y parecer una misma.

Equívoco, ca. (Del lat. *aequivŏcus;* de *aequus,* igual, y *vocāre,* llamar.) adj. Que puede entenderse o interpretarse en varios sentidos, o dar ocasión a juicios diversos. || **2.** m. Palabra cuya significación conviene a diferentes cosas; como *Cáncer,* que significa uno de los signos del Zodíaco, y también una **enfermedad.** || **3.** *Ret.* Figura que consiste en emplear adrede en el discurso palabras homónimas o una **equívoca** en dos o más acepciones distintas. || **4.** desus. **Equivocación,** 1.ª acep. Ú. en *Amér.* y, con acento grave, ú. t. entre el vulgo en España.

Equivoquista. com. Persona que con frecuencia y sin discreción usa de equívocos.

Era. (Del lat. *aera.*) f. Punto fijo y fecha determinada de un suceso, desde el cual se empiezan a contar los años. Sirve para los cómputos cronológicos. || **2.** Temporada larga, duración de mucho tiempo. || **común, cristiana,** o **de Cristo.** *Cronol.* Cómputo de tiempo que empieza a contarse por años desde el nacimiento de Nuestro Señor Jesucristo, como época muy señalada. || **española.** *Cronol.* La que se llama también **era** de César, y tuvo principio treinta y ocho años antes de la **era** cristiana. || **vulgar.** *Cronol.* **Era cristiana.**

Era. (Del lat. *arĕa.*) f. Espacio de tierra limpia y firme, algunas veces empedrado, donde se trillan las mieses. || **2.** Cuadro pequeño de tierra destinado al cultivo de flores u hortalizas. || **3.** *Min.* Sitio llano cerca de las minas, donde se machacan y limpian los minerales. || **4.** *Albañ.* Suelo apisonado y preparado para majar el yeso, hacer las mezclas o arreglar sobre él los solados. || **Alzar,** o **levantar, de eras.** fr. Acabar de recoger en el agosto los granos que había en ellas. || **2.** fig. Mudarse de un lugar.

Eradicativo, va. (Del lat. *aeradicātus,* desarraigado.) adj. ant. Que tiene virtud de desarraigar.

Eraje. m. *Ar.* **Miel virgen.**

Eral, la. m. y f. Res vacuna de más de un año y que no pasa de dos años.

Erar. tr. Formar y disponer eras para poner plantas en ellas.

Erario, ria. (Del lat. *aerarius,* y *aerarium.*) adj. ant. Pechero, contribuyente, tributario. || **2.** m. Tesoro público de una nación, provincia o pueblo. || **3.** Lugar donde se guarda.

Erasmiano, na. adj. Que sigue la pronunciación griega atribuida erróneamente a Erasmo en las escuelas y fundada principalmente en la traslación fonética literal. Apl. a pers , ú. t. c. s.

Erasmismo. m. Doctrina filosófica de Erasmo, de Rotterdam.

Erasmista. adj. Partidario de las doctrinas de Erasmo. Ú. t. c. s. || **2.** Perteneciente o relativo al erasmismo.

Érbedo. (Del lat. *arbŭtus.*) m. *Ast.* **Madroño,** 1.ª acep.

Erbio. (Del m. or. que *terbio.*) m. Metal muy raro que unido al itrio y terbio se ha encontrado en algunos minerales de Suecia.

Ercavicense. adj. Natural de Ercávica, hoy Cabeza del Griego. Ú. t. c. s. || **2.** Perteneciente a esta población de la España Tarraconense.

Ercer. (Del lat. **ergĕre,* por *erĭgĕre,* levantar.) tr. ant. **Levantar.** Ú. en *Sant.*

Ere. f. Nombre de la letra *r* en su sonido suave; v. gr.: *ara, arena.*

Erebo. (Del gr. ἔρεβος.) m. Infierno, averno.

Erección. (Del lat. *erectĭo, -ōnis.*) f. Acción y efecto de levantar, levantarse, enderezarse o ponerse rígida una cosa. || **2.** Fundación o institución. || **3. Tensión,** 1.er art., 1.ª acep.

Eréctil. (Del lat. *erectus,* levantado, erguido.) adj. Que tiene la facultad o propiedad de levantarse, enderezarse o ponerse rígido.

Erectilidad. f. Calidad de eréctil.

Erecto, ta. (Del lat. *erectus,* levantado.) adj. Enderezado, levantado, rígido.

Erector, ra. (Del lat. *erector.*) adj. Que erige. Ú. t. c. s.

Erecha. (Del lat. *erecta,* erigida.) f. ant. Satisfacción, compensación o enmienda del daño recibido en la guerra.

Eremita. (Del lat. *eremīta,* y éste del gr. ἐρημίτης, de ἔρημος, desierto, yermo.) m. **Ermitaño.**

Eremítico, ca. (Del lat. *eremitĭcus.*) adj. Perteneciente al ermitaño.

Eremitorio. m. Paraje donde hay una o más ermitas.

Eretismo. (Del gr. ἐρεθισμός, de ἐρεθίζω estimular, irritar.) m. *Med.* Exaltación de las propiedades vitales de un órgano.

Erétrico, ca. (Del lat. *eretrĭcus.*) adj. Perteneciente o relativo a Eretria, ciudad de Grecia antigua.

Erg. m. Nombre del ergio en la nomenclatura internacional.

Ergástula. f. **Ergástulo.**

Ergástulo. (Del lat. *ergastŭlum.*) m. Cárcel destinada a esclavos.

Ergio. (Del gr. ἔργον, trabajo.) m. *Fís.* Unidad de energía representada por el trabajo de una dina cuyo punto de aplicación avanza un centímetro en la dirección de la fuerza.

Ergo. conj. lat. Por tanto, luego, pues. Ú. en la argumentación silogística, y también festivamente.

Ergotina. (Del fr. *ergot,* cornezuelo.) f. Principio activo del cornezuelo de centeno, empleado en medicina contra toda clase de hemorragias.

Ergotismo. (Del fr. *ergot,* cornezuelo.) m. *Med.* Conjunto de síntomas producidos por el abuso del cornezuelo de centeno, o por la ingestión de pan de centeno atizonado.

Ergotismo. m. Sistema de los ergotistas.

Ergotista. adj. Que ergotiza. Apl. a pers., ú. t. c. s.

Ergotizante. adj. Ergotista.

Ergotizar. (Del lat. *ergo*, pues, palabra que indica la conclusión de un argumento.) intr. Abusar del sistema de argumentación silogística.

Erguén. m. Árbol espinoso, de la familia de las sapotáceas, de poca altura y de copa muy extendida, hojas enteras y coriáceas, flores amarilloverdosas, y fruto drupáceo con semillas duras oleaginosas. La madera de este árbol es muy dura y se emplea en ebanistería; de las semillas se extrae aceite. Es planta oriunda de Marruecos y crece en Andalucía.

Erguimiento. m. Acción y efecto de erguir o erguirse.

Erguir. (Del lat. *erigĕre*.) tr. Levantar y poner derecha una cosa. Dícese más ordinariamente del cuello, de la cabeza, etc. || **2.** r. fig. Engreírse, ensoberbecerse.

Ergullir. intr. ant. Cobrar orgullo, envanecerse.

Ería. (Del lat. *arĕa*.) f. *Ast.* Terreno de grande extensión, todo o la mayor parte labrantío, cercado y dividido en muchas hazas correspondientes a varios dueños o llevadores.

Erial. (Del lat. **aridāle*, de *aridus*, árido.) adj. Aplícase a la tierra o campo sin cultivar ni labrar. Ú. m. c. s. m.

Eriazo, za. (De *erío*.) adj. **Erial.** Ú. t. c. s. m.

Ericáceo, a. (Del lat. *erīce*, jara, brezo.) adj. *Bot.* Dícese de plantas angiospermas dicotiledóneas, matas, arbustos o arbolitos, con hojas casi siempre alternas, flores más o menos vistosas, de cáliz persistente partido en tres, cuatro o cinco partes, y por frutos cajas dehiscentes de varias celdillas o bayas jugosas, con semillas de albumen carnoso; como el madroño, el brezo común y el arándano. Ú. t. c. s. f. || **2.** f. pl. *Bot.* Familia de estas plantas.

Erídano. (Del lat. *Eridănus*.) m. *Astron.* Constelación del hemisferio austral, que se extiende al occidente de la Liebre y al oriente de la Ballena.

Erigir. (Del lat. *erigĕre*.) tr. Fundar, instituir o levantar. ERIGIR *un templo, una estatua.* || **2.** Constituir a una persona o cosa con un carácter que antes no tenía. ERIGIR un territorio en provincia. Ú. t. c. r. ERIGIRSE *en juez.*

Eril. m. *Gran.* Alferecía, eclampsia.

Erina. (Del fr. *érine* y *érigne*, y éste del ant. *aragne*, araña.) f. *Cir.* Instrumento metálico de uno o dos ganchos, de que se sirven los anatómicos y los cirujanos para sujetar las partes sobre que operan, o apartarlas de la acción de los instrumentos, a fin de mantener separados los tejidos en una operación.

Eringe. (Del lat. *erygne*, y éste del gr. ἠρυγγος.) f. **Cardo corredor.**

Erío, a. adj. **Erial.** Ú. m. c. s. m.

Eriotecnia. (Del gr. ἔριον, lana, y τέχνη, arte.) f. Estudio de la lana, especialmente en lo tocante a sus aplicaciones industriales.

Erisipela. (Del lat. *erysipĕlas*, y éste del gr. ἐρυσίπελας.) f. Inflamación microbiana de la dermis de la piel, caracterizada por el color rojo y comúnmente acompañada de fiebre.

Erisipelar. tr. Causar erisipela. Ú. m. c. r.

Erisipelatoso, sa. adj. Que participa de la erisipela o de sus caracteres.

Erisípula. f. ant. **Erisipela.**

Erístico, ca. (Del gr. ἐριστικός, de ἐριστός, disputable.) adj. Dícese de la escuela socrática establecida en Megara. || **2.** Aplícase también a la escuela que abusa del procedimiento dialéctico hasta el punto de convertirlo en vana disputa.

Eritema. (Del gr. ἐρύθημα, rubicundez.) m. *Med.* Inflamación superficial de la piel, caracterizada por manchas rojas. || **solar.** El producido en la piel por haber estado expuesta al sol fuerte.

Eritreo, a. (Del lat. *erythraeus*, y éste del gr. ἐρυθραῖος, rojizo; de ἐρυθρός, rojo.) adj. Aplícase al mar en nuestra lengua llamado Rojo y a lo perteneciente a él. Se usa principalmente en poesía. Ú. t. c. s.

Eritrocito. m. *Zool.* **Hematíe.**

Eritroxiláceo, a. (Del gr. ἐρυθρός, rojo, y ξύλον, madera.) adj. *Bot.* Dícese de árboles y arbustos angiospermos dicotiledóneos, que tienen hojas sencillas, esparcidas y con estípulas, flores actinomorfas, blanquecinas o de color amarillo verdoso, apareadas o en panojas pequeñas, y fruto en drupa con una sola semilla; algunas especies tienen en sus partes leñosas una substancia tintórea roja; como el arabo y la coca del Perú. Ú. t. c. s. f. || **2.** f. pl. *Bot.* Familia de estas plantas.

Eritroxíleo, a. adj. *Bot.* **Eritroxiláceo.**

Erizado, da. p. p. de **Erizar.** || **2.** adj. Cubierto de púas o espinas; como el espín, etc.

Erizamiento. m. Acción y efecto de erizar o erizarse.

Erizar. tr. Levantar, poner rígida y tiesa una cosa, como las púas del erizo; dícese especialmente del pelo. Ú. m. c. r. || **2.** fig. Llenar o rodear una cosa de obstáculos, asperezas, inconvenientes, etc. || **3.** r. fig. Inquietarse, azorarse.

Erizo. (Del lat. **ericius*, por *ericius*.) m. Mamífero insectívoro de 22 centímetros de largo próximamente, con el dorso y los costados cubiertos de púas agudas de unos tres centímetros, brunas por en medio, blanquecinas por la punta, y lo demás del cuerpo blanco rojizo; la cabeza pequeña, el hocico afilado y algo parecido al del cerdo, las orejas chicas y casi redondas, los ojos muy pequeños, las patas y la cola muy cortas y cinco dedos en cada pie. Cuando se le persigue, se contrae de modo que forma una bola cubierta por completo de púas. Es animal nocturno y útil para la agricultura, por los muchos insectos que consume en su alimentación. || **2.** *Bot.* Mata de la familia de las papilionáceas, casi redonda, de tres a cuatro decímetros de diámetro, con ramas entrecruzadas y fuertemente espinosas, hojas sencillas, lineales, vellosas, muy escasas, y flores azules o violadas. Crece en terrenos pedregosos formando céspedes muy tupidos. || **3.** Zurrón o corteza áspera y espinosa en que se crían la castaña y algunos otros frutos. || **4.** *Zool.* Pez teleósteo del suborden de los plectognatos, que tiene el cuerpo erizado de púas; además de su vejiga natatoria dorsal, posee un saco ventral, que comunica con el estómago y puede llenarse de aire, lo que permite al animal flotar con el vientre hacia arriba. Es propio de los mares intertropicales. || **5.** fig. y fam. Persona de carácter áspero e intratable. || **6.** *Fort.* Conjunto de puntas de hierro, que sirve para coronar y defender lo alto de un parapeto, tapia o muralla. || **de mar,** o **marino.** Animal equinodermo, de cuerpo hemisférico protegido por un dermatoesqueleto calizo formado por placas poligonales y cubierto de espinas articuladas, con la boca en el centro de la cara ventral y el ano en el de la dorsal; de la boca al ano se extienden cinco series dobles de pies ambulacrales. || **Al erizo, Dios le hizo.** fr. proverb. que indica ser todas las criaturas obra de Dios, y cada una según su naturaleza.

Erizón (aum. de *erizo*.) m. **Asiento de pastor.** || **2.** *Pint.* fig. Peinado mujeril del siglo XVIII, con aspecto de erizo.

Ermador, ra. (De *ermar*.) adj. ant. **Asolador.** Usáb. t. c. s.

Ermadura. (De *ermar*.) f. ant. **Ermamiento.**

Ermamiento. (De *ermar*.) m. ant. **Asolamiento.**

Ermar. (Del lat. *erēmus*, yermo.) tr. ant. Destruir, asolar, dejar yerma una ciudad, tierra, etc.

Ermita. (De *eremita*.) f. Santuario o capilla situado por lo común en despoblado.

Ermitaño, ña. m. y f. Persona que vive en la ermita y cuida de ella. || **2.** m. El que vive en soledad; como el monje y el que profesa vida solitaria. || **3.** *Zool.* Crustáceo decápodo, del suborden de los anomuros, de seis a ocho centímetros de largo y muy común en las costas españolas, donde es fácil encontrarlo ocupando conchas de caracoles marinos. || **de camino.** *Germ.* **Salteador.**

Ermitorio. m. **Eremitorio.**

Ermunio. (Del b. lat. *ermunius*, y éste del lat. *immūnis*.) m. En lo antiguo, caballero que por su nobleza estaba libre de todo género de servicio o tributo ordinario, o cualquiera que sin ser caballero gozaba de este privilegio.

Ero. (Del lat. *ager, agri*, campo.) m. *Ar.* Tablar de huerta.

Erogación. (Del lat. *erogatĭo, -ōnis*.) f. Acción y efecto de erogar.

Erogar. (Del lat. *erogāre*.) tr. Distribuir, repartir bienes o caudales.

Erogatorio. (Del lat. *erogatorius*.) m. desus. Cañón por donde se distribuye el licor que está en algún vaso o depósito.

Eros. (Del gr. ἔρως, amor.) m. *Astron.* Nombre dado al esteroide 433, muy notable por acercarse más que Marte a la Tierra.

Erosión. (Del lat. *erosĭo, -ōnis*, roedura.) f. Depresión o rebajamiento producido en la superficie de un cuerpo por el roce de otro.

Erosivo, va. adj. Perteneciente o relativo a la erosión.

Erotema. (Del lat. *erotēma*, y éste del gr. ἐρώτημα, de ἐρωτάω, interrogar.) f. *Ret.* **Interrogación,** 3.ª acep.

Erótica. (Del gr. ἐρωτική, t. f. de -κός, erótico.) f. Poesía erótica.

Erótico, ca. (Del lat. *eroticus*, y éste del gr. ἐρωτικός, de ἔρως, amor.) adj. Amatorio. Aplícase con frecuencia a la poesía de este género y al poeta que la cultiva. || **2.** Perteneciente o relativo al amor sensual.

Erotismo. (Del gr. ἔρως, ἔρωτος, amor.) m. Pasión de amor. || **2.** Amor sensual exacerbado.

Erotomanía. (Del gr. ἔρως, ἔρωτος, amor, y μανία, locura.) f. *Med.* Enajenación mental causada por el amor y caracterizada por un delirio erótico.

Erotómano, na. adj. Que padece erotomanía. Ú. t. c. s.

Errabundo, da. (Del lat. *errabundus*.) adj. **Errante.**

Errada. f. ant. **Error.** || **2.** En el juego de billar, lance de no tocar el jugador a la bola que debe herir.

Erradamente. adv. m. Con error, engaño o equivocación.

Erradicación. (Del lat. *eradicatĭo, -ōnis*.) f. Acción de erradicar.

Erradicar. (Del lat. *eradicāre*.) tr. Arrancar de raíz.

Erradizo, za. adj. Que anda errante y vagando.

Errado, da. (De *errar*.) p. p. de **Errar.** || **2.** adj. Que yerra.

Erraj. (De *herraj*.) m. Cisco hecho con el hueso de la aceituna después de prensada en el molino.

Erráneo, a. (Del lat. *errāre*, vagar.) adj. ant. **Errante.**

Errante. (Del lat. *errans, -antis.*) p. a. de **Errar.** Que yerra. || **2.** adj. Que anda de una parte a otra sin tener asiento fijo. || **3.** V. **Estrella errante.**

Erranza. (Del lat. *errantia.*) f. ant. **Error.**

Errar. (Del lat. *errāre.*) tr. No acertar. ERRAR *el blanco, la vocación.* Ú. t. c. intr. ERRAR *en la respuesta.* || **2.** Faltar, no cumplir con lo que se debe. *Disculpáronse los vasallos, si en algo habían* ERRADO *a su señor.* || **3.** intr. Andar vagando de una parte a otra. || **4.** Divagar el pensamiento, la imaginación, la atención. || **5.** r. **Equivocarse.** || **Después que te erré, nunca bien te quise.** ref. que se usa para denotar que ordinariamente se desama a aquel a quien se ha ofendido. || **Errar y porfiar.** fr. prov. con que se reprende a los tercos.

Errata. (Del lat. *errāta,* t. f. de *errātus,* errado.) f. Equivocación material cometida en lo impreso o manuscrito.

Errático, ca. (Del lat. *erratĭcus.*) adj. Vagabundo, ambulante, sin domicilio cierto. || **2.** V. **Estrella errática.** || **3.** *Med.* **Errante,** 2.ª acep. Dícese de los dolores crónicos que se sienten ya en una, ya en otra parte del cuerpo, y también de ciertas calenturas que se reproducen sin período fijo.

Errátil. (Del lat. *errātĭlis.*) adj. Errante, incierto, variable.

Erre. f. Nombre de la letra *r* en su sonido fuerte; v. gr.: *Ramo, Enrique.* || **Erre, o erre, erre.** m. adv. desus. Asiduamente, con tenacidad. || **Erre que erre.** m. adv. fam. Porfiadamente, tercamente. || **Estar erre, o hacer erres, o tropezar uno en las erres.** fr. fig. Estar bebido. Dícese aludiendo a la dificultad con que los borrachos pronuncian esta letra.

Erreal. m. *Sal.* Especie de brezo de hoja morada o ligeramente purpúrea.

Erro. (De *errar.*) m. ant. Error, yerro. Ú. en *Amér.*

Errona. (De *errar.*) f. ant. Suerte en que no acierta el jugador. Ú. en *Chile.*

Erróneamente. adv. m. Con error.

Erróneo, a. (Del lat. *erronĕus.*) adj. Que contiene error. *Doctrina* ERRÓNEA; *discurso* ERRÓNEO. || **2.** *Teol.* V. **Conciencia errónea.**

Error. (Del lat. *error.*) m. Concepto equivocado o juicio falso. || **2.** Acción desacertada o equivocada. || **3.** Cosa hecha erradamente. || **4.** *For.* Vicio del consentimiento causado por equivocación de buena fe, que anula el acto jurídico si afecta a lo esencial del mismo o de su objeto.

Erubescencia. (Del lat. *erubescentĭa.*) f. Rubor, vergüenza.

Erubescente. (Del lat. *erubescens, -entis,* que se sonroja.) adj. Que se pone rojo o que se sonroja.

Eructación. (Del lat. *eructatĭo, -ōnis.*) f. **Eructo.**

Eructar. (Del lat. *eructāre.*) intr. Expeler con ruido por la boca los gases del estómago. || **2.** fig. y fam. Jactarse vanamente.

Eructo. (De *eructar.*) m. Acción y efecto de eructar.

Erudición. (Del lat. *eruditĭo, -ōnis.*) f. Instrucción en varias ciencias, artes y otras materias. || **2.** Lectura varia, docta y bien aprovechada.

Eruditamente. adv. m. Con erudición.

Erudito, ta. (Del lat. *erudītus.*) adj. Instruido en varias ciencias, artes y otras materias. Ú. t. c. s. || **a la violeta.** El que sólo tiene una tintura superficial de las ciencias y artes.

Eruela. f. d. de **Era,** 2.° art., 1.ª acep.

Eruga. (Del lat. *erūca.*) f. ant. **Oruga.**

Eruginoso, sa. (Del lat. *aeruginōsus.*) adj. **Ruginoso.**

Erumnoso, sa. (Del lat. *aerumnōsus.*) adj. ant. Trabajoso, penoso, miserable.

Erupción. (Del lat. *eruptĭo, -ōnis.*) f. Aparición y desarrollo en la piel, o las mucosas, de granos, manchas o vesículas. || **2.** Estos mismos granos o manchas. || **3.** *Geol.* Emisión de materias sólidas, líquidas o gaseosas por aberturas o grietas de la corteza terrestre; unas veces es repentina y violenta, como en los volcanes, y otras lenta y tranquila, como en las solfataras.

Eruptivo, va. (Del lat. *eruptum,* supino de *erumpĕre,* brotar.) adj. Perteneciente a la erupción o procedente de ella. *Enfermedad* ERUPTIVA; *rocas* ERUPTIVAS.

Erutación. f. **Eructación.**

Erutar. intr. **Eructar.**

Eruto. m. **Eructo.**

Ervato. m. **Servato.**

Ervilla. (Del lat. *ervilĭa,* arveja.) f. **Arveja.**

Es. (Del lat. *ex.*) prep. insep. que, lo mismo que *ex,* denota fuera o más allá, como en ES*coger,* ES*tirar;* privación, como en ES*perezarse;* atenuación del significado del simple, como en ES*cocer.* A veces no es más que partícula expletiva, como en ES*carmenar,* forma distinta de *carmenar.*

Esbarar. (Del lat. *divarāre,* de *varus,* patituerto.) intr. **Resbalar.**

Esbardo. m. *Ast.* **Osezno.**

Esbarizar. (Cruce de *esbarar* y *deslizar.*) intr. *Ar.* **Resbalar.**

¡Ésbate! interj. *Germ.* Está quedo.

Esbatimentante. p. a. de **Esbatimentar.** Que esbatimenta.

Esbatimentar. tr. *Pint.* Hacer o delinear un esbatimento. || **2.** intr. Causar sombra un cuerpo en otro.

Esbatimento. (Del ital. *sbattimento,* de *sbattire,* y éste del lat. *battuĕre,* batir.) m. *Pint.* Sombra que hace un cuerpo sobre otro porque le intercepta la luz.

Esbeltez. f. Estatura descollada, despejada y airosa de los cuerpos o figuras.

Esbelteza. (De *esbelto.*) f. **Esbeltez.**

Esbelto, ta. (Del ital. *svelto.*) adj. Gallardo, airoso, bien formado y de gentil y descollada altura.

Esbinzar. tr. *Cuen.* Quitar la binza del azafrán.

Esbirro. (Del ital. *sbirro.*) m. **Alguacil,** 1.ª acep. || **2.** El que tiene por oficio prender a las personas.

Esblandecer. (De *es* y *blando.*) tr. ant. **Esblandir.**

Esblandir. tr. ant. **Blandir,** 2.° art.

Esblencar. tr. *Cuen.* **Esbrencar.**

Esborregar. (Del lat. **divaricāre,* resbalar.) intr. *León* y *Sant.* Caer de un resbalón a causa de lo escurridizo del piso. Ú. m. c. r. || **2.** r. *Sant.* Desmoronarse un terreno.

Esbozar. (Del ital. *sbozzare,* der. de *bozza,* y éste del germ. **botja,* de *botan,* golpear.) tr. **Bosquejar.**

Esbozo. (Del ital. *sbozzo,* de *sbozzare.*) m. Bosquejo sin perfilar y no acabado. Se aplica especialmente a las artes plásticas, y por ext., a cualquiera obra del ingenio. || **2.** *Biol.* Cualquiera de los tejidos, órganos o aparatos embrionarios que todavía no ha adquirido su forma y su estructura definitivas. || **embrionario.** *Zool.* Embrión de los reptiles, aves y mamíferos, en una fase de su desarrollo en la que está formado por una masa celular mesodérmica y rodeado por el amnios y el corion.

Esbrencar. tr. Quitar la brenca del azafrán.

Esbronce. m. *Ar.* Movimiento violento.

Esca. (Del lat. *esca.*) f. ant. Cebo, comida.

Escaba. f. *Ar.* Desperdicio del lino. Ú. m. en pl.

Escabechado, da. p. p. de **Escabechar.** || **2.** adj. Dícese de la persona que se tiñe las canas o se pinta el rostro.

Escabechar. tr. Echar en escabeche. || **2.** fig. Teñir las canas. Ú. t. c. r. || **3.** fig. y fam. Matar a mano airada, y ordinariamente con arma blanca. || **4.** fig. y fam. Suspender o reprobar en un examen.

Escabeche. (Del ár. *sakbāŷ,* guiso de carne con vinagre.) m. Salsa o adobo con vino o vinagre, hojas de laurel y otros ingredientes, para conservar y hacer sabrosos los pescados y otros manjares. || **2.** Pescado escabechado. || **3.** fig. Líquido para teñir las canas.

Escabechina. f. fig. Riza, destrozo, estrago.

Escabel. (Del cat. *escabell,* y éste del lat. *scabĕllum,* escaño.) m. Tarima pequeña que se pone delante de la silla para que descansen los pies del que está sentado. || **2.** Asiento pequeño hecho de tablas, sin respaldo. || **3.** fig. Persona o circunstancia de que uno se aprovecha para medrar, por lo general ambiciosamente.

Escabelo. m. ant. **Escabel.**

Escabiosa. (Del lat. *scabiōsa,* áspera; de *scabĭes,* sarna.) f. Planta herbácea, vivaz, de la familia de las dipsacáceas, con tallo velloso, hueco, de cuatro a seis decímetros de altura, hojas inferiores ovaladas y enteras, y muy lobuladas las superiores; flores en cabezuela semiesférica, con corola azulada y semillas abundantes. El cocimiento de la raíz de esta planta se empleó antiguamente en medicina. || **2.** *Cuba.* Planta silvestre, escrofulariácea, con florecillas blancas.

Escabioso, sa. (Del lat. *scabiōsus.*) adj. Perteneciente o relativo a la sarna.

Escabro. (Del lat. *scabrum,* aspereza.) m. Roña que causa en la piel de las ovejas quiebras y costurones que la hacen áspera y echan a perder la lana. || **2.** Enfermedad parecida al **escabro** de las ovejas, que padecen en la corteza los árboles y las vides, y que daña mucho a estas últimas.

Escabrosamente. adv. m. Con escabrosidad.

Escabrosearse. (De *escabroso.*) r. Hacerse escabroso. || **2.** fig. ant. **Resentirse,** picarse o exasperarse.

Escabrosidad. (De *escabroso.*) f. Cualidad de escabroso.

Escabroso, sa. (Del lat. *scabrōsus.*) adj. Desigual, lleno de tropiezos y embarazos. Dícese especialmente del terreno. || **2.** fig. Áspero, duro, de mala condición. || **3.** fig. Peligroso, que está al borde de lo inconveniente o de lo inmoral.

Escabuchar. (Del lat. *ex,* y **caputium,* de *caput.*) tr. *Sal.* Pisar los erizos de las castañas para que suelten el fruto.

Escabuchar. (De *excavar.*) tr. *Pal.* y *Rioja.* Escardar y escavanar.

Escabuche. f. Azada pequeña que se usa principalmente para escardar.

Escabullar. tr. *Sal.* Quitar el cascabillo a la bellota.

Escabullimiento. m. Acción de escabullirse.

Escabullir. intr. p. us. **Escapar,** 3.ª acep. || **2.** r. Irse o escaparse de entre las manos una cosa. || **3.** fig. Salirse uno de la compañía en que estaba sin que lo echen de ver.

Escacado, da. adj. *Blas.* **Escaqueado.** Ú. t. c. s.

Escachar. (De *es* y *cachar.*) tr. Cascar, aplastar, despachurrar. || **2.** *Áv.,* **León** y *Sal.* Cachar, hacer cachos, romper.

Escacharrar. tr. Romper un cacharro. Ú. t. c. r. || **2.** fig. Malograr, estropear una cosa. Ú. t. c. r.

Escachifollar. tr. **Cachifollar.**

Escaecer. (Del lat. **excadiscĕre,* de *cadĕre,* caer.) intr. *Albac., Sal.* y *Seg.* Descaecer, desfallecer, enflaquecer.

Escaencia. (Del b. lat. *escadentia*, y éste del lat. *ex* y *cadens, -entis*, p. a. de *cadĕre*, caer.) f. ant. Obvención o derecho superveniente.

Escafandra. (Del gr. σκάφη, barco, y ἀνήρ, ἀνδρός, hombre.) f. Aparato compuesto de un vestidura impermeable y un casco de bronce perfectamente cerrado, con un cristal frente a la cara y orificios y tubos para renovar el aire. Sirve para permanecer y trabajar debajo del agua.

Escafandro. m. **Escafandra.**

Escafilar. tr. **Descafilar.**

Escafoides. (Del gr. σκάφη, esquife, y εἶδος, forma.) adj. *Zool.* V. **Hueso escafoides.** Ú. t. c. s.

Escajo. (Del b. lat. *squalĕus*, por *squalus*, descuidado.) m. **Escalio.** || **2.** *Sant.* **Aliaga.**

Escajocote. (Del azteca *ichcaxocotl.*) m. Árbol de la América Central, corpulento, de madera compacta, que produce una fruta agridulce menor que una ciruela.

Escala. (Del lat. *scala.*) f. Escalera de mano, hecha de madera, de cuerda o de ambas cosas. || **2.** Sucesión ordenada de cosas distintas, pero de la misma especie. ESCALA *de colores;* ESCALA *de los seres.* || **3.** Línea recta dividida en partes iguales que representan metros, kilómetros, leguas, etc., y sirve de medida para dibujar proporcionadamente en un mapa o plano las distancias y dimensiones de un terreno, edificio, máquina u otro objeto, y para averiguar con ayuda de ella sobre el plano las medidas reales de lo dibujado. || **4.** Tamaño de un mapa, plano, diseño, etc., según la **escala** a que se sujeta. || **5.** fig. Tamaño o proporción en que se desarrolla un plan o idea. || **6.** *Fís.* Graduación para medir los efectos de diversos instrumentos. || **7.** *Mar.* Paraje o puerto adonde tocan de ordinario las embarcaciones entre el puerto de origen y aquel donde van a rendir viaje. || **8.** *Mil.* **Escalafón.** || **9.** *Mús.* Sucesión diatónica o cromática de las notas musicales. || **cerrada.** Escalafón para ascensos por orden de rigurosa antigüedad. || **del modo.** *Mús.* Serie de sonidos del mismo, arreglados entre sí por el orden más inmediato, partiendo del sonido tónico. || **de mar y de tierra.** Escalafones que constituyen el cuerpo general de la armada y que están formados, el primero por los marinos navegantes, y por los que no lo son, el segundo. || **de reserva.** *Mil.* Escalafón de los militares pertenecientes a las reservas del ejército o de la armada. || **de viento.** *Mar.* La formada a bordo con dos cabos y palos o trozos de cuerda atravesados de uno a otro de aquéllos, para que sirvan de escalones. || **franca.** *Com.* Puerto libre y franco donde los buques de todas las naciones pueden llegar con seguridad para comerciar. || **gradual.** *For.* Cada una de las series de penas ordenadas en los Códigos, de mayor a menor gravedad, para adaptarlas a la índole, grados y circunstancias de los delitos y participación de los culpables. || **real.** *Mar.* La que se arma exteriormente en el portalón de estribor de los buques, para servicio de los generales, jefes, oficiales y otras personas de distinción. || **A escala vista.** m. adv. *Mil.* Haciendo la escalada de día y a vista de los enemigos. || **2.** fig. Descubiertamente, sin reserva. || **Hacer escala.** fr. *Mar.* Tocar una embarcación en algún puerto antes de llegar al término a que se dirige.

Escalable. adj. Que puede ser escalado.

Escalaborne. m. Trozo de madera ya desbastado para labrar la caja del arma de fuego.

Escalabrar. tr. **Descalabrar.** Ú. t. c. r.

Escalada. f. Acción y efecto de escalar, 1.ª y 2.ª aceps. || **2.** ant. Escala, escalera.

Escalado, da. adj. Dícese de los animales abiertos en canal para salar o curar su carne.

Escalador, ra. adj. Que escala. Ú. t. c. s. || **2.** *Germ.* Ladrón que hurta valiéndose de escala.

Escalafón. (De *escala.*) m. Lista de los individuos de una corporación, clasificados según su grado, antigüedad, méritos, etc.

Escalamiento. m. Acción y efecto de escalar.

Escálamo. (De *escalmo.*) m. *Mar.* Estaca pequeña y redonda, fijada y encajada en el borde de la galera u otra embarcación, a la cual se ata el remo.

Escalante. p. a. ant. de **Escalar.** Que escala.

Escalar. (Del lat. *scalaris.*) m. *Ar.* Paso angosto en una montaña con escalones naturales o hechos a mano.

Escalar. tr. Entrar en una plaza u otro lugar valiéndose de escalas. || **2.** Subir, trepar por una gran pendiente o a una gran altura. || **3.** Por ext., entrar subrepticia o violentamente en alguna parte, o salir de ella, rompiendo una pared, un tejado, etc. || **4.** Levantar la compuerta de la acequia para dar salida al agua. || **5.** *Ar.* Abrir escalones o surcos en el terreno. || **6.** fig. Subir, no siempre por buenas artes, a elevadas dignidades.

Escalar. adj. *Fís.* Dícese de cualquiera magnitud numéricamente definible y que puede, por tanto, referirse a una escala.

Escaldado, da. p. p. de **Escaldar.** || **2.** adj. fig. y fam. Escarmentado, receloso. || **3.** fig. y fam. Aplícase a la mujer muy ajada, libre y deshonesta en su trato. || **4.** f. *Zam.* Comida de patatas y berzas.

Escaldadura. f. Acción y efecto de escaldar.

Escaldar. (Del lat. *excaldāre.*) tr. Bañar con agua hirviendo una cosa. || **2.** Abrasar con fuego una cosa, poniéndola muy roja y encendida; como el hierro, etc. || **3.** r. **Escocer,** 4.ª acep.

Escaldo. (Del escandinavo *scald*, cantor.) m. Cada uno de los antiguos poetas escandinavos, autores de cantos heroicos y de sagas.

Escaldrido, da. adj. ant. Astuto, sagaz.

Escaldufar. (De *es* y *caldo.*) tr. *Murc.* Sacar porción de caldo de la olla que tiene más del que ha menester.

Escalecer. (Del lat. *ex-calescĕre*, calentar.) tr. *Sal.* **Calentar.**

Escaleno. (Del lat. *scalēnus*, y éste del gr. σκαληνός, oblicuo.) adj. *Geom.* V. **Triángulo escaleno.** || **2.** *Geom.* Se ha llamado también así el cono cuyo eje no es perpendicular a la base.

Escalentador. m. ant. **Calentador,** 2.ª acep.

Escalentamiento. m. ant. **Calentamiento.** || **2.** *Veter.* Enfermedad que sufren los animales en los pies y en las manos, por no limpiarles de las humedades e inmundicias que se les pegan.

Escalentar. tr. ant. **Calentar.** || **2.** ant. Calentar con exceso. || **3.** ant. fig. **Inflamar,** 2.ª acep. || **4.** intr. ant. Fomentar y conservar el calor natural.

Escalera. (Del lat. *scalaria*, escaleras, peldaños.) f. Serie de escalones que sirve para subir y bajar y para poner en comunicación los pisos de un edificio o dos terrenos de diferente nivel. || **2.** Pieza del carro, que componen los listones, las teleras y el pértigo, porque en la forma se parece a una **escalera** de mano. || **3.** Armazón de dos largueros y varios travesaños, semejantes a una **escalera** de mano, corta, con que se prolonga por su parte trasera la carreta o el carro. || **4.** Reunión de naipes de valor correlativo. || **5.** Instrumento de cirugía parecido a una **escalera,** con algunas garruchas, de que se usó antiguamente para concertar los huesos dislocados. || **6.** fig. Trasquilón recto o línea de desigual nivel que la tijera deja en el pelo mal cortado. || **7.** En algunas partes, peldaño, escalón. || **8.** V. **Ojo de la escalera.** || **de caracol.** La de forma espiral, seguida y sin ningún descanso. || **de desahogo. Escalera excusada.** || **de escapulario.** *Min.* La de mano que se cuelga pegada a la pared de los pozos. || **de espárrago. Espárrago,** 4.ª acep. || **de husillo. Escalera de caracol.** || **de mano.** Aparato portátil, por lo común de madera, compuesto de dos largueros en que están encajados transversalmente y a iguales distancias unos travesaños que sirven de escalones. || **de servicio. Escalera** accesoria que tienen algunas casas para dar paso por ella a la servidumbre y a los abastecedores. || **de tijera,** o **doble.** La compuesta de dos de mano unidas con bisagras por la parte superior. || **excusada,** o **falsa.** La que da paso a los sobrados y a las habitaciones interiores de la casa. || **De escalera abajo.** loc. Se dice de los sirvientes domésticos, y especialmente de los que se ocupan en las faenas más humildes, cuando hay otros.

Escalereja. f. d. de **Escalera.**

Escalerilla. (d. de *escalera.*) f. Escalera de corto número de escalones. || **2.** En los juegos de naipes, tres cartas en una mano, de números consecutivos; como tres, cuatro y cinco. || **3.** *Ar.* Especie de parihuelas que, atadas sobre una albarda, sirven para sujetar a ellas los haces de mies o leña que forman la carga. || **4.** *Veter.* Instrumento de hierro, semejante a una escalera de mano, que sirve para abrir y explorar la boca de las caballerías. || **En escalerilla.** m. adv. Aplícase a las cosas que están colocadas con desigualdad y como en gradas.

Escalerón. m. aum. de **Escalera.** || **2. Espárrago,** 4.ª acep. || **3.** *Ar.* y *Sant.* Escalón, peldaño.

Escaleta. (De *escala.*) f. Aparato compuesto de un tablón grueso sobre el que se levantan dos maderos con agujeros en correspondencia unos con otros, por los cuales se pasa un perno de hierro a la altura que se quiere, y de él se suspende el eje de cualquier vehículo para poder voltear las ruedas y limpiarlas, cambiarlas o componerlas.

Escalfado, da. p. p. de **Escalfar.** || **2.** adj. Aplícase a la pared que no está bien lisa y forma algunas vejigas, por no haber estado en punto la cal o el yeso cuando se dio de llana.

Escalfador. (De *escalfar.*) m. Jarro de estaño, cobre u otro metal, hecho a manera de chocolatera, con su tapa agujereada como un rallo, y en el cual calentaban y tenían los barberos el agua para afeitar. || **2.** Braserillo de hierro u otro metal, con tres pies, que se ponía sobre la mesa para calentar la comida. || **3.** Aparato que emplean los obreros pintores para quemar la pintura al óleo de puertas y ventanas que han de pintar de nuevo.

Escalfamiento. (De *escalfar*). m. ant. **Calentura,** 1.ª acep.

Escalfar. (Del lat. *excalefacĕre*, calentar.) tr. Cocer en agua hirviendo o en caldo los huevos sin la cáscara. || **2.** desus. Descontar, mermar, quitar algo de lo justo. Ú. en *Méj.* || **3.** ant. **Calentar.** || **4.** Cocer el pan con demasiado fuego de tal modo que resulte olivado. Ú. t. c. r.

Escalfarote. (De *escalfar*, calentar.) m. Bota con pala y caña dobles, para que pueda rellenarse con borra o heno y conserve calientes el pie y la pierna.

Escalfecerse. r. *Ar.* Florecer, enmohecerse las substancias alimenticias.

Escalfeta. (De *escalfar*, calentar.) f. **Chofeta.**

Escaliar. (De *escalio;* en b. lat., *escaliare.*) tr. *Ar.* Roturar, romper.

Escalibar. (De *calibo.*) tr. *Ar.* Escarbar el rescoldo para quitarle la ceniza y avivar el fuego. || **2.** fig. *Ar.* Echar leña al fuego, avivar una discusión.

Escalinata. (Del ital. *scalinata.*) f. Escalera exterior de un solo tramo y hecha de fábrica.

Escalio. (Del lat. *squalĭdus*, inculto.) m. Tierra yerma que se pone en cultivo.

Escalmo. (Del lat. *scalmus*, y éste del gr. σκαλμός.) m. **Escálamo.** || **2.** Cuña gruesa de madera, que sirve para calzar o apretar algunas piezas de una máquina.

Escalo. (De *escalar*, 2.° art.) m. Acción de escalar. || **2.** Trabajo de zapa o boquete practicado para salir de un lugar cerrado o penetrar en él.

Escalofriado, da. adj. Que padece escalofríos.

Escalofrío. m. Sensación de frío, por lo común repentina, violenta y acompañada de contracciones musculares, que suele preceder a un ataque de fiebre. Ú. m. en pl.

Escalón. (De *escala.*) m. **Peldaño.** || **2.** fig. Grado a que se asciende en dignidad. || **3.** fig. Paso o medio con que uno adelanta sus pretensiones o conveniencias. || **4.** *Germ.* **Mesón.** || **5.** *Mil.* Una de las fracciones en que se dividen las tropas de un frente de combate y que se colocan tácticamente con intervalos y a distancias regulares. || **En escalones.** m. adv. Aplícase a lo que está cortado o hecho con desigualdad.

Escalona. f. **Chalote.**

Escalona. m. *Germ.* Escalador de paredes.

Escalonamiento. m. Acción y efecto de escalonar.

Escalonar. (De *escalón.*) tr. Situar ordenadamente personas o cosas de trecho en trecho. Ú. especialmente en la milicia. || **2.** Distribuir en tiempos sucesivos las diversas partes de una serie.

Escalonia. (De *ascalonia.*) adj. V. **Cebolla escalonia.** Ú. t. c. s.

Escaloña. (De *escalonia.*) f. **Ascalonia.**

Escalpelo. (Del lat. *scalpellum.*) m. *Cir.* Instrumento en forma de cuchillo pequeño, de hoja fina, puntiaguda, de uno o dos cortes que se usa en las disecciones anatómicas, autopsias y vivisecciones.

Escalplo. (Del lat. *scalprum.*) m. Cuchilla de curtidores.

Escalla. (Del lat. *scandăla.*) m. **Carraón.**

Escama. (Del lat. *squāma.*) f. Membrana córnea, delgada y en forma de escudete, que, imbricada con otras muchas de su clase, suele cubrir total o parcialmente la piel de algunos animales, y principalmente la de los peces y reptiles. || **2.** fig. Lo que tiene figura de **escama.** || **3.** fig. Cada una de las launas de hierro o acero en figura de escama que forman la loriga. || **4.** fig. Recelos que uno tiene por el daño o molestia que otro le ha causado, o por el que teme. || **5.** *Bot.* Órgano escarioso o membranoso semejante a una hojita.

Escamada. (De *escamar.*) f. Bordado cuya labor está hecha en figura de escamas de hilo de plata o de oro.

Escamado, da. p. p. de **Escamar.** || **2.** m. Obra labrada en figura de escamas. || **3.** Conjunto de ellas.

Escamadura. f. Acción de escamar.

Escamar. (Del lat. *desquamāre.*) tr. Quitar las escamas a los peces. || **2.** Labrar en figura de escamas. || **3.** fig. y fam. Hacer que uno entre en cuidado, recelo o desconfianza. Ú. m. c. r.

Escambrón. m. ant. **Cambrón.**

Escambronal. m. ant. **Cambronal.**

Escamel. (Del prov. o cat. *escamell* y éste del lat. *scamellum*, banquillo.) m. Instrumento de espaderos, en el cual se tiende y sienta la espada para labrarla.

Escamochar. (De *es* y *camochar.*) tr. *And.* Quitar las hojas no comestibles a las palmitos, lechugas, alcachofas, etc. || **2.** fig. Desperdiciar, malbaratar.

Escamoche. (De *escamochar.*) m. *Sal.* Desmoche corta de leña.

Escamochear. (De *escamocho.*) intr. *Ar.* Pavordear o jabardear.

Escamocho. (De *escamochar.*) m. Sobras de la comida o bebida || **2.** En algunas partes, jabardo o enjambrillo. || **3.** fig. *Al.* y *Ar.* Persona enteca, desmirriada. || **4.** *Ar.* Excusa o pretexto injustificado. || **No arriendo tus, o sus, escamochos.** fr. fam. con que se moteja a uno de escaso de bienes.

Escamón, na. (De *escamar*, 2.ª acep.) adj. Receloso, desconfiado, que se escama.

Escamonda. f. **Escamondo.**

Escamondadura. (De *escamondar.*) f. Ramas inútiles y desperdicios que se han quitado de los árboles.

Escamondar. (Del lat. *ex* y *caput mŭndare*, podar lo somero.) tr. Limpiar los árboles quitándoles las ramas inútiles y las hojas secas. || **2.** fig. Limpiar una cosa quitándole lo superfluo y dañoso.

Escamondo. m. Acción y efecto de escamondar.

Escamonea. (Del lat. *scammonĕa*, y éste del gr. σκαμμωνία.) f. Gomorresina medicinal sólida y muy purgante, que se extrae de una hierba de la familia de las convolvuláceas, que se cría en los países mediterráneos orientales. Es ligera, quebradiza, de color gris subido, olor fuerte y sabor acre y amargo. || **2.** *Bot.* Planta que produce esta gomorresina.

Escamoneado, da. adj. Que participa de la cualidad de la escamonea.

Escamonearse. r. fam. **Escamar,** 3.ª acep.

Escamoso, sa. (Del lat. *squamōsus.*) adj. Que tiene escamas.

Escamotar. tr. **Escamotear.**

Escamoteador, ra. adj. Que escamotea. Ú. t. c. s.

Escamotear. tr. Hacer el jugador de manos que desaparezcan a ojos vistas las cosas que maneja. || **2.** fig. Robar o quitar una cosa con agilidad y astucia. || **3.** fig. Hacer desaparecer, quitar de en medio de un modo arbitrario o ilusorio algún asunto o dificultad.

Escamoteo. m. Acción y efecto de escamotear.

Escampada. f. fam. Clara, espacio corto de tiempo en que deja de llover un día lluvioso.

Escampado, da. adj. **Descampado.**

Escampamento. (De *escampar.*) m. ant. **Derramamiento.**

Escampar. (De *es* y *campo*, dejar el campo.) tr. Despejar, desembarazar un sitio. || **2.** intr. Cesar de llover. || **3.** fig. Cesar en una operación; suspender el empeño con que se intenta hacer una cosa || **¡Ya escampa!** loc. fam. **¡Ya escampa!, y llovían guijarros.**

Escampavía. (De *escampar*, despejar, y *vía.*) f. Barco pequeño y velero que acompaña a una embarcación más grande, sirviéndole de explorador. || **2.** Barco muy ligero y de poco calado, que emplea el resguardo marítimo para perseguir el contrabando.

Escampilla. f. *Alic.* y *Ar.* Toña, tala.

Escampo. m. Acción de escampar. || **2.** ant. **Escape.**

Escamudo, da. (De *escama.*) adj. **Escamoso.**

Escamujar. (Del lat. *ex* y *caput mŭtilare*, cortar lo somero.) tr. Cortar el ramón a un árbol, hacer una poda somera; dícese especialmente de los olivos cuando se entresacan varas o ramas para que no estén espesas y el fruto tenga mejor sazón.

Escamujo. (De *escamujar.*) m. Rama o vara de olivo quitada del árbol. || **2.** Tiempo en que se escamuja.

Escancia. f. Acción y efecto de escanciar.

Escanciador, ra. (De *escanciar.*) adj. Que ministra la bebida, especialmente los vinos y licores. Ú. t. c. s.

Escanciano. (De *escanciar.*) m. **Escanciador.**

Escanciar. (Del germ. *skankjan;* en *al.*, *schenken*, dar de beber.) tr. Echar el vino; servirlo en las mesas y convites. || **2.** intr. Beber vino.

Escanda. (Del lat. *scandăla.*) f. Especie de trigo, propia de países fríos y terrenos pobres, de paja dura y corta, y cuyo grano no se separa difícilmente del cascabillo.

Escandalar. (De *escandelar.*) m. *Mar.* Cámara donde estaba la brújula en la galera.

Escandalar. tr. *Cuen.* Quitar el ramaje a los pinos después de tumbados o apeados.

Escandalera. f. fam. Escándalo, alboroto grande.

Escandalizador, ra. adj. Que escandaliza. Ú. t. c. s.

Escandalizar. (Del lat. *scandalizāre*, y éste del gr. σκανδαλίζω.) tr. Causar escándalo. Ú. t. c. r. || **2.** ant. Conturbar, consternar. || **3.** r. Excandecerse, enojarse o irritarse.

Escandalizativo, va. adj. Dícese de lo que puede ocasionar escándalo.

Escándalo. (Del lat. *scandălum*, y éste del gr. σκάνδαλον.) m. Acción o palabra que es causa de que uno obre mal o piense mal de otro. || **2.** Alboroto, tumulto, inquietud, ruido. || **3.** Desenfreno, desvergüenza, mal ejemplo. || **4.** fig. Asombro, pasmo, admiración. || **5.** fig. V. **Piedra de,** o **del, escándalo.** || **activo.** Dicho o hecho reprensible que es ocasión de daño y ruina espiritual en el prójimo. || **farisaico.** El que se recibe o se aparenta recibir sin causa, mirando como reprensible lo que no lo es. || **pasivo.** Ruina espiritual o pecado en que cae el prójimo por ocasión del dicho o hecho de otro.

Escandalosa. f. *Mar.* Vela pequeña que, en buenos tiempos, se orienta sobre la cangreja. || **Echar la escandalosa.** fr. fig. y fam. Acudir en una disputa al empleo de frases duras.

Escandalosamente. adv. m. Con escándalo

Escandaloso, sa. (Del lat. *scandulōsus.*) adj. Que causa escándalo. Ú. t. c. s. || **2.** Ruidoso, revoltoso, inquieto. Ú. t. c. s.

Escandallar. tr. Sondear, medir el fondo del mar con el escandallo. || **2.** Aplicar a una mercancía el escandallo, 2.ª acep. || **3.** fig. *Com.* Aplicar a una mercancía el procedimiento del escandallo.

Escandallo. (Del prov. *escandall*, sonda, y éste del lat. **scandalium*, de *scandĕre*, subir.) m. Parte de la sonda que lleva en su base una cavidad rellena de sebo, y sirve para reconocer la calidad del fondo del agua, mediante las partículas u objetos que saca adheridos. || **2.** fig. Prueba o ensayo que se hace tomando al azar muestras de algunos entre muchos envases de una misma materia para conocer el contenido y calidad de todos. || **3.** *Com.* En el régimen de tasas, determinación del precio de coste o de venta de una mercancía con relación a los factores que lo integran.

Escandelar. (Del lat. *scandĕre*, medir, subir; en ant. fr., *escandole.*) m. *Mar.* **Escandalar,** 1.er art.

Escandelarete. m. d. de **Escandelar.**

Escandia. (Del lat. *scandăla.*) f. Especie de trigo muy parecida a la escanda, con dobles carreras de granos en la espiga.

Escandinavo, va. adj. Natural de la Escandinavia. Ú. t. c. s. ‖ **2.** Perteneciente a esta región del norte de Europa.

Escandir. (Del lat. *scandĕre.*) tr. Medir el verso; examinar el número de pies o de sílabas de que consta.

Escanilla. (Del lat. *scamnellum,* d. de *scamnum.*) f. *Burg.* **Cuna,** 1.ª acep.

Escansión. (Del lat. *scansĭo, -ōnis.*) f. Medida de los versos.

Escantador, ra. (De *escantar.*) adj. ant. **Encantador.** Usáb. t. c. s.

Escantar. (Del lat. *excantāre.*) tr. ant. **Encantar,** 1.er art.

Escantillar. (De *es* y *cantillo,* d. de *canto,* 2.° art.) tr. *Arq.* Tomar una medida o marcar una dimensión a contar desde una línea fija. ‖ **2.** *Ar.* y *Nav.* **Descantillar,** 1.ª acep.

Escantillón. (De *escantillar.*) m. Regla, plantilla o patrón que sirve para trazar las líneas y fijar las dimensiones según las cuales se han de labrar las piezas en diversos artes y oficios mecánicos. ‖ **2.** *Mar.* V. **Tabla de escantillones.** ‖ **3.** En las maderas de construcción, lo mismo que escuadría.

Escaña. f. **Escanda.**

Escañarse. r. *Ar.* Atragantarse, ahogarse.

Escañero. m. Criado que cuida de los asientos y escaños en los concejos o ayuntamientos.

Escañeto. m. *Sant.* **Osezno.**

Escañil. *León.* Escaño pequeño.

Escaño. (Del lat. *scamnum.*) m. Banco con respaldo y capaz para sentarse tres, cuatro o más personas. ‖ **Alguno está en el escaño, que a sí no aprovecha y a otro hace daño.** ref. que se aplica a los que ocupan un puesto o gozan de favor sin fruto propio y con daño de otros.

Escaño. m. ant. **Escaña.**

Escañuelo. (De *escaño,* 1.er art.) m. Banquillo para poner los pies.

Escapada. f. Acción de escapar, 4.ª acep. ‖ **En una escapada.** fr. adv. **A escape.**

Escapamiento. (De *escapar.*) m. **Escapada.**

Escapar. (Del lat. *ex,* fuera, y *cappa,* capa.) tr. Tratándose del caballo, hacerle correr con extraordinaria violencia. ‖ **2. Librar,** 1.ª acep. ‖ **3.** intr. Salir de un encierro o un peligro; como de una prisión, una enfermedad, etc. Ú. t. c. r. ‖ **4.** Salir uno de prisa y ocultamente. Ú. t. c. r. ‖ **5.** r. Salirse un líquido o un gas de un depósito, cañería, canal, etc., por algún resquicio. ‖ **Escapársele** a uno una cosa. fr. fig. No advertirla, no caer en ella. ‖ **Escapársele** a uno la mano, la lengua, la risa. fr. fig. Desmandársele, soltársele a uno involuntariamente y fuera de propósito.

Escaparate. (Del medio neerl. *scaprade,* armario.) m. Especie de alacena o armario, con puertas de vidrios o cristales y con andenes, para poner imágenes, barros finos, etc. ‖ **2.** Hueco que hay en la fachada de las tiendas, resguardado con cristales en la parte exterior, y que sirve para colocar en él muestras de los géneros que allí se venden, a fin de que llamen la atención del público.

Escapatoria. f. Acción y efecto de evadirse y escaparse. *Dar a uno* ESCAPATORIA. ‖ **2.** fam. Excusa, efugio y modo de evadirse uno del estrecho y aprieto en que se halla.

Escape. m. Acción de escapar. ‖ **2.** Fuga de un gas o de un líquido ‖ **3.** Fuga apresurada con que uno se libra de recibir el daño que le amenaza. ‖ **4.** En los motores de explosión, salida de los gases quemados, y tubo que los conduce al exterior. ‖ **5.** En algunas máquinas, como el reloj, la llave de la escopeta y otras, pieza que separándose deja obrar a un muelle, rueda u otra cosa que sujetaba. ‖ **A escape.** m. adv. A todo correr, a toda prisa.

Escapo. (Del lat. *scāpus.*) m. *Arq.* Fuste de la columna. ‖ **2.** *Bot.* **Bohordo,** 4.ª acep.

Escápula. (Del lat. *scapŭla.*) f. *Zool.* **Omóplato.**

Escapular. (Tal vez del lat. *scapŭla,* espalda.) tr. *Mar.* Doblar o montar un bajío, cabo, punta de costa u otro peligro.

Escapular. adj. Referente a la escápula.

Escapulario. (Del lat. *scapulāris,* de *scapŭlae,* las espaldas.) m. Tira o pedazo de tela con una abertura por donde se mete la cabeza, y que cuelga sobre el pecho y la espalda: sirve de distintivo a varias órdenes religiosas Hácese también de dos pedazos pequeños de tela unidos con dos cintas largas para echarlo al cuello, y lo usan por devoción los seglares. ‖ **3.** Práctica devota en honor de la Virgen del Carmen, que consiste en rezar siete veces el padrenuestro con el avemaría y el gloriapatri. ‖ **3.** *Min.* V. **Escalera de escapulario.**

Escaque. (Del ár. *as-sikak,* las filas de casas, las calles.) m. Cada una de las casillas cuadradas e iguales, blancas y negras alternadamente, y a veces de otros colores, en que se divide el tablero del ajedrez y el del juego de damas. ‖ **2.** *Blas.* Cuadrito o casilla que resulta de las divisiones del escudo, cortado y partido a lo menos dos veces. ‖ **3.** pl. **Ajedrez,** 1.ª acep.

Escaqueado, da. adj. Aplícase a la obra o labor repartida o formada en escaques, como el tablero del ajedrez.

Escara. (Del lat. *eschăra,* y éste del gr. ἐσχάρα.) f. *Cir.* Costra, ordinariamente de color obscuro, que resulta de la mortificación o desorganización de una parte viva afectada de gangrena, o profundamente quemada por la acción del fuego o de un cáustico.

Escarabaja. f. *Sal.* Palito menudo que se emplea para encender la lumbre. Ú. m. en pl.

Escarabajear. intr. Andar y bullir desordenadamente como si se trazaran escarabajos, 6.ª acep. ‖ **2.** fig. Escribir mal, haciendo escarabajos, 6.ª acep. ‖ **3.** fig. y fam. Punzar y molestar un cuidado, temor o disgusto.

Escarabajeo. m. fig. y fam. Acción y efecto de escarabajear, 3.ª acep.

Escarabajo. (Del lat. *scarabaius.*) m. Insecto coleóptero, de antenas con nueve articulaciones terminadas en maza, élitros lisos, cuerpo deprimido, con la cabeza rombal y dentada por delante, y patas anteriores desprovistas de tarsos. Busca el estiércol para alimentarse y hacer unas bolas, dentro de las cuales deposita los huevos. ‖ **2.** Por ext., se da este nombre a varios coleópteros de cuerpo ovalado, patas cortas y por lo general coprófagos. ‖ **3.** fig. En los tejidos, cierta imperfección, que consiste en no estar derechos los hilos de la trama. ‖ **4.** fig. y fam. Persona pequeña de cuerpo y de mala figura. ‖ **5.** *Art.* Huequecillo que, por defecto del molde o del metal, o por otro accidente, a veces queda en los cañones por la parte interior. ‖ **6.** pl. fig. y fam. Letras y rasgos mal formados, torcidos y confusos, parecidos en algún modo a los pies de un **escarabajo.** ‖ **Escarabajo bolero.** **Escarabajo,** 1.ª acep. ‖ **en leche.** fig. y fam. **Mosca en leche.** ‖ **pelotero.** **Escarabajo bolero.** ‖ **Dijo el escarabajo a sus hijos: ¡Venid acá, mis flores!** ref. que explica cuánto engaña el cariño en el juicio de las dotes y gracias de las personas a quienes queremos mucho. ‖ **Hasta los escarabajos tienen tos.** ref. **Hasta los gatos tienen tos.**

Escarabajuelo. m. d. de **Escarabajo.** ‖ **2.** *Zool.* Insecto coleóptero, de unos cinco milímetros de largo, color verde azulado brillante, élitros lisos y fémures de las patas posteriores muy desarrollados, que salta con facilidad y roe las hojas y otras partes tiernas de la vid.

Escaramucear. intr. **Escaramuzar.**

Escaramujo. m. Especie de rosal silvestre, con las hojas algo agudas y sin vello; el tallo liso, con dos aguijones alternos; las flores o rositas encarnadas y por fruto una baya aovada, carnosa, coronada de cortaduras, y de color rojo cuando está madura, que se usa en medicina. ‖ **2.** Fruto de este arbusto ‖ **3. Percebe.**

Escaramuza. (Del ital. *scaramuzza,* combate.) f Género de pelea entre los jinetes o soldados de a caballo, que van picando de rodeo, acometiendo a veces y a veces huyendo con grande ligereza ‖ **2.** Refriega de poca importancia sostenida especialmente por las avanzadas de los ejércitos. ‖ **3.** fig. Riña, pendencia, disputa, contienda de poca importancia.

Escaramuzador. m. El que escaramuza.

Escaramuzar. intr. Sostener una escaramuza. ‖ **2.** Revolver el caballo a un lado y otro como en la escaramuza.

Escarapela. (De *escarapelar.*) f. Divisa compuesta de cintas por lo general de varios colores, fruncidas o formando lazadas alrededor de un punto. Como distintivo, se coloca en el sombrero, morrión, etc. Se usa también como adorno. ‖ **2.** Riña o quimera, principalmente entre mujercillas, en que de las injurias y dicterios se suele pasar a repelones y arañazos; y entre hombres, la que acaba en golpearse con las manos. ‖ **3.** En el juego del tresillo, tres cartas falsas, cada cual de palo distinto de aquel a que se juega.

Escarapelar. (Del lat. *scarpināre,* arañar.) intr. Reñir, trabar cuestiones o disputas y contiendas unos con otros. Se dice principalmente de las riñas y quimeras que arman las mujeres. Ú. t. c. r. ‖ **2.** *Colomb., C. Rica* y *Venez.* Descascarar, desconchar, resquebrajar. Ú. t. c. r. ‖ **3.** *Colomb.* Ajar, manosear. ‖ **4.** r. *Méj.* y *Perú.* Ponérsele a uno carne de gallina.

Escarapulla. f. ant. **Escarapela,** 2.ª acep.

Escarbadero. m. Sitio donde escarban los jabalíes, lobos y otros animales

Escarbadientes. (De *escarbar* y *diente.*) m. **Mondadientes.**

Escarbador, ra. adj. Que escarba ‖ **2.** m. Instrumento para escarbar.

Escarbadura. f. Acción y efecto de escarbar.

Escarbaorejas. (De *escarbar* y *oreja.*) m Instrumento de metal o marfil, hecho en forma de cucharilla, que sirve para limpiar los oídos y sacar la cerilla que se cría en ellos.

Escarbar. (Del lat. **scabrāre,* de *scaber,* áspero, desigual.) tr. Rayar o remover repetidamente la superficie de la tierra ahondando algo en ella, según suelen hacerlo con las patas el toro, el caballo, la gallina, etc. ‖ **2.** Mondar, limpiar los dientes o los oídos sacando la suciedad introducida en ellos. ‖ **3.** Avivar la lumbre, moviéndola con la badila. ‖ **4.** fig. Inquirir curiosamente lo que está algo encubierto y oculto, hasta averiguarlo.

Escarbillos. (De *escarbar.*) m. pl. Trozos pequeños de carbón que salen de un hogar mezclados con la ceniza por combustión incompleta.

Escarbo. m. Acción y efecto de escarbar.

Escarcear. (Del lat. **excarptiāre*, de *carptus*, sacado.) intr. *Argent.* y *Venez.* Hacer escarceos el caballo.

Escarcela. (Del ital. *scarsella*, de *scarso*, avaro.) f Especie de bolsa que se llevaba pendiente de la cintura. || **2.** Mochila del cazador, a manera de red. || **3.** Adorno mujeril, especie de cofia. || **4.** Parte de la armadura, que caía desde la cintura y cubría el muslo.

Escarcelón. m. aum. de **Escarcela.**

Escarceo. m. Movimiento en la superficie del mar, con pequeñas olas ampolladas que se levantan en los parajes en que hay corrientes. || **2.** pl. Tornos y vueltas que dan los caballos cuando están fogosos o el jinete a ello los obliga. || **3.** fig. Rodeo, divagación.

Escarcina. f. Espada corta y corva, a manera de alfanje.

Escarcinazo. m. Golpe dado con la escarcina.

Escarcuñar. tr. *Murc.* **Escudriñar.**

Escarcha. (De *escarchar.*) f. Rocío de la noche congelado. || **Escarcha rebolluda, al segundo o tercero día suda.** ref. que denota que después de haber caído dos o tres **escarchas** grandes y seguidas, regularmente llueve.

Escarchada. (De *escarchar.*) f. Hierba crasa, originaria del cabo de Buena Esperanza, de la familia de las aizoáceas, con tallos cortos y tendidos, hojas anchas, ovales, cubiertas de vesículas transparentes, llenas de agua, flores de muchos pétalos y fruto en caja.

Escarchado, da. p. p. de **Escarchar.** || **2.** adj. Cubierto de escarcha. || **3.** m. Cierta labor de oro o plata, sobrepuesta en la tela.

Escarchar. (Del lat. **exquartiāre*, como el cat. *escarxar* y el ital. *squarciare*, partir.) tr. Preparar confituras de modo que el azúcar cristalice en lo exterior como si fuese escarcha. || **2.** Dícese del aguardiente cuando en la botella que lo contiene se hace cristalizar azúcar sobre un ramo de anís que en ella se introduce. || **3.** En la alfarería del barro blanco, desleír la arcilla en el agua. || **4.** Salpicar una superficie de partículas de talco o de otra substancia brillante que imite la escarcha. || **5.** ant. **Rizar, encrespar.** || **6.** intr. Congelarse el rocío que cae en las noches frías.

Escarche. m. **Escarchado,** 3.ª acep.

Escarcho. m. **Rubio,** 3.ª acep.

Escarda. f. Acción y efecto de escardar. || **2.** Época del año a propósito para esta labor. || **3.** Azada pequeña con que se arrancan los cardos, cardillos y otras hierbas que nacen entre los sembrados.

Escardadera. f. **Escardadora.** || **2. Almocafre.**

Escardador, ra. m. y f. Persona que escarda los panes y sembrados.

Escardadura. (De *escardar.*) f. **Escarda,** 1.ª acep.

Escardar. (De *es* y *cardo.*) tr. Entresacar y arrancar los cardos y otras hierbas nocivas de los sembrados. || **2.** fig. Separar y apartar lo malo de lo bueno para que no se confundan.

Escardilla. (d. de *escarda*, 2.ª acep.) f. **Almocafre.** || **2.** *And.* Azadilla de boca estrecha y mango corto. Es menor que el escardillo.

Escardillar. (De *escardilla.*) tr. **Escardar.**

Escardillo. (De *escardilla.*) m. **Almocafre.** || **2.** *And.* Azada pequeña. || **3.** En algunas partes, vilano del cardo. || **4.** Viso o reflejo del sol producido por un espejo u otro cuerpo brillante, que sirve por lo común de entretenimiento a los niños. || **Lo ha dicho el escardillo.** expr. con que se apremia a los niños a que confiesen lo que han hecho, suponiendo que ya se sabe.

Escarearse. (De *escara.*) r. *Sal.* Resquebrajarse la piel y llagarse por el frío.

Escariador. (De *escariar.*) m. Herramienta de acero en forma de clavo con las aristas agudas, que sirve para agrandar y alisar los agujeros hechos en las piezas de metal.

Escariar. tr. Agrandar o redondear un agujero abierto en metal, o el diámetro de un tubo, por medio del escariador.

Escarificación. (Del lat. *scarificatio, -ōnis.*) f. Producción de una escara, ya accidentalmente, ya como medio quirúrgico, por el empleo del hierro candente, las pastas cáusticas, etc. || **2.** *Cir.* Acción y efecto de escarificar.

Escarificado, da. p. p. de **Escarificar.** || **2.** adj. *Cir.* V. **Ventosa escarificada.**

Escarificador. (De *escarificar.*) m. *Agr.* Instrumento que consiste en un bastidor de madera o de hierro con travesaños armados por su parte inferior de cuchillos de acero, para cortar verticalmente la tierra y las raíces. Suele estar montado con dos ruedas laterales y una delantera. || **2.** *Cir.* Instrumento con varias puntas aceradas que se emplea para escarificar.

Escarificar. (Del lat. *scarificāre.*) tr. Labrar la tierra con el escarificador. || **2.** *Cir.* Hacer en alguna parte del cuerpo cortaduras o incisiones muy poco profundas, para facilitar la salida de ciertos líquidos o humores. || **3.** *Cir.* **Escarizar.**

Escarioso, sa. (De *escara.*) adj. *Bot.* Aplícase a los órganos de los vegetales que, del color de hojas secas, son delgados y semitransparentes, lo cual a veces les da aspecto de escamas.

Escarizar. tr. *Cir.* Quitar la escara que se cría alrededor de las llagas, para que queden limpias y encarnen bien.

Escarlador. m. Hierro a modo de navaja, de que usan los peineros para pulir las guardillas de los peines.

Escarlata. (En b. lat., *scarlatum*, uno de los muchos derivados del ár. *siqlāt* o *siqlatūn*, tela de seda brochada muy reputada y difundida.) f. Color carmesí fino menos subido que el de la grana. || **2.** Tela de este color. || **3.** Grana fina. || **4. Escarlatina,** 2.ª acep. || **5.** *Extr.* **Murajes.**

Escarlatín. m. ant. Tela, especie de escarlata, de color más bajo y menos fino.

Escarlatina. f. Tela de lana, parecida a la serafina, de color encarnado o carmesí. || **2.** Fiebre eruptiva, contagiosa y con frecuencia epidémica, caracterizada por un exantema difuso de la piel, de color rojo subido, por grandes elevaciones de temperatura y angina, algunas veces de carácter gravísimo.

Escarmenador. (De *escarmenar.*) m. **Carmenador.**

Escarmenar. (Del lat. *ex* y *carmināre*, cardar.) tr. **Carmenar.** || **2.** fig. Castigar a uno por travieso quitándole el dinero u otras cosas de que puede usar mal. || **3.** fig. Estafar poco a poco. || **4.** *Min.* Escoger y apartar el mineral de entre las tierras o escombros.

Escarmentado, da. p. p. de **Escarmentar.** || **2.** adj. Que escarmienta. Ú. t. c. s. || **De los escarmentados nacen los arteros. De los escarmentados se hacen los avisados. El escarmentado bien conoce el vado. El escarmentado busca el vado.** refs. que denotan cuánto valen las experiencias de los daños y trabajos sufridos, para enseñar el modo de evitar en adelante las ocasiones peligrosas.

Escarmentar. (De *escarmiento.*) tr. Corregir con rigor, de obra o de palabra, al que ha errado, para que se enmiende. || **2.** ant. fig. Avisar de un riesgo. || **3.** intr. Tomar enseñanza de lo que uno ha visto y experimentado en sí o en otros, para guardarse y evitar el caer en los mismos peligros.

Escarmiento. (De *escarmar* [usado en *Sant.*], y éste del lat. *carmināre*, cardar.) m. Desengaño, aviso y cautela, adquiridos con la advertencia, o la experiencia del daño, error o perjuicio que uno ha reconocido en sus acciones o en las ajenas. || **2.** Castigo, multa, pena.

Escarnar. tr. ant. **Descarnar.**

Escarnecedor, ra. adj. Que escarnece. Ú. t. c. s.

Escarnecer. (De *escarnir.*) tr. Hacer mofa y burla de otro zahiriéndole con acciones o palabras.

Escarnecidamente. adv. m. Con escarnio.

Escarnecimiento. (De *escarnecer.*) m. **Escarnio.**

Escarnidamente. adv. m. ant. **Escarnecidamente.**

Escarnidor, ra. (De *escarnir.*) adj. ant. **Escarnecedor.** Usáb. t. c. s. || **de agua.** ant. **Reloj de agua.** || **2.** ant. **Regadera,** 1.ª acep.

Escarnimiento. (De *escarnir.*) m. ant. **Escarnio.**

Escarnio. (De *escarnir.*) m. Befa tenaz que se hace con el propósito de afrentar. || **A, o en, escarnio.** m. adv. ant. **Por escarnio.**

Escarnir. (Del germ. *skernian*, mofarse.) tr. ant. **Escarnecer.**

Escaro. (Del lat. *scarus*, y éste del gr. σκάρος.) m. Pez del orden de los acantopterigios, de unos cuatro decímetros de largo, con cabeza pequeña, mandíbulas muy convexas, muchos dientes en filas concéntricas, labios prominentes, cuerpo ovalado, comprimido, cubierto de grandes escamas y de color más o menos rojo según la estación. Vive en las costas de Grecia entre los arrecifes de coral, que le sirven de alimento, y su carne era muy apreciada por los antiguos.

Escaro, ra. (Del lat. *scaurus.*) adj. Dícese de la persona que tiene los pies y tobillos torcidos y pisa mal. Ú. t. c. s.

Escarola. (Del cat. y prov. *escarola*, y éste del lat. **escariola*, de *escarius*, comestible.) f. Achicoria cultivada. || **2.** Cuello alechugado que se usó antiguamente.

Escarolado, da. p. p. de **Escarolar.** || **2.** adj. Rizado como la escarola || **3.** V. **Cuello escarolado.**

Escarolar. (De *escarola.*) tr. **Alechugar.**

Escarótico, ca. (Del lat. *escharoticus*, y éste del gr. ἐσχαρωτικός.) adj. *Cir.* **Caterético.**

Escarpa. (Del ital. *scarpa.*) f. Declive áspero de cualquier terreno. || **2.** *Fort.* Plano inclinado que forma la muralla del cuerpo principal de una plaza, desde el cordón hasta el foso y contraescarpa; o plano, también inclinado opuestamente, que forma el muro que sostiene las tierras del camino cubierto.

Escarpado, da. p. p. de **Escarpar.** || **2.** adj. Que tiene escarpa o gran pendiente. || **3.** Dícese de las alturas que no tienen subida ni bajada transitables o las tienen muy agrias y peligrosas.

Escarpadura. (De *escarpar*, 2.° art.) f. **Escarpa,** 1.ª acep.

Escarpar. (Del germ. *skrapan*, raer.) tr. Limpiar y raspar materias y labores de escultura o talla por medio del escarpelo o de la escofina.

Escarpar. (De *escarpa.*) tr. Cortar una montaña o terreno, poniéndolo en plano inclinado, como el que forma la muralla de una fortificación.

Escarpe. (De *escarpar*, 2.° art.) m. **Escarpa,** 1.ª acep.

Escarpe. (Del ital. *scarpa*, zapato.) m. Pieza de la armadura que cubría el pie.

Escarpelar. tr. ant. *Cir.* Abrir con el escalpelo una llaga o herida para curarla mejor.

Escarpelo. m. Escalpelo. || **2.** Instrumento de hierro, sembrado de menudos dientecillos, que usan los carpinteros, entalladores y escultores para limpiar, raer y raspar las piezas de labor.

Escarpia. (Del germ. *skarp*, agudo.) f. Clavo con cabeza acodillada, que sirve para sujetar bien lo que se cuelga. || **2.** pl. *Germ.* Las orejas.

Escarpiador. m. ant. **Escarpidor.** || **2.** Horquilla de hierro que sirve para afianzar a una pared las cañerías o canalones cerrados.

Escarpiar. tr. ant. Clavar con escarpias.

Escarpidor. (De *escarpar*, 1.er art.) m. Peine cuyas púas son más largas, gruesas y ralas que en los comunes, y que sirve para desenredar el cabello.

Escarpín. (Del ital. *scarpino*, y éste de *scarpa*, zapato.) m. Zapato de una suela y de una costura. || **2.** Calzado interior de estambre u otra materia, para abrigo del pie, y que se coloca encima de la media o del calcetín.

Escarpión (En). m. adv. En figura de escarpia.

Escarramán. m. Baile del siglo XVII en que se cantaba el romance de germanía alusivo a Escarramán.

Escarramanado, da. adj. Dícese del que tiene tipo o hechos propios de rufián bravucón, por alusión al Escarramán, protagonista de un famoso romance de germanía.

Escarramanchones (A). m. adv. fam. *Ar.* **A horcajadas.**

Escarrancharse. (En gall. y port., *escarranchar*.) r. *Cuba, Extr., Sal., Venez.* y *Zam.* Esparrancarse, despatarrarse.

Escarrio. (Del vasc. *askarr*, arce y quejigo.) m. *Burg.* Especie de arce.

Escartivana. f. **Cartivana.**

Escarza. f. *Veter.* Herida causada en los pies o manos de las caballerías por haber entrado en ellos y llegado a lo vivo de la carne una china o cosa semejante.

Escarzador. m. ant. Tirador, disparador.

Escarzano. (Del ital. *scarso*, corto, reducido.) adj. *Arq.* V. **Arco escarzano.**

Escarzar. tr. Doblar un palo por medio de cuerdas para que forme un arco.

Escarzar. (Del lat. **excarptiāre*, de *excarpĕre*.) tr. **Entresacar,** 1.ª acep. Se aplica principalmente a la operación de sacar las patatas más gordas, para que maduren las pequeñas, y de quitar a las colmenas los panales que son delgados o tienen suciedad. || **2.** *Ar.* Hurtar la miel de las colmenas o los huevos de un nido. || **3.** *Ar.* Arrancar a un árbol la corteza seca, etc.

Escarzo. m. Panal con borra o suciedad. || **2.** Operación o tiempo de escarzar o castrar las colmenas. || **3. Hongo yesquero.** || **4.** Borra o desperdicio de la seda. || **5.** *Ar., Rioja* y *Sal.* Materia fungosa que nace en el tronco de los chopos y otros árboles. || **6.** *Ar.* y *Sal.* Trozo de árbol seco y podrido, o trozo de madera podrida. || **7.** *Sal.* Polvillo de la madera podrida.

Escasamente. adv. m. Con escasez. || **2.** Con dificultad, apenas.

Escasear. (De *escaso*.) tr. Dar poco, de mala gana y haciendo desear lo que se da. || **2.** Ahorrar, excusar. || **3.** *Cant.* y *Carp.* Cortar un sillar o un madero por un plano oblicuo a sus caras. || **4.** intr. Faltar, ir a menos una cosa.

Escasero, ra. adj. fam. Que escasea una cosa. Ú. t. c. s.

Escasez. (De *escaso*.) f. Cortedad, mezquindad con que se hace una cosa. || **2.** Poquedad, mengua de una cosa. ESCASEZ *de trigo, de agua.* || **3.** Pobreza o falta de lo necesario para subsistir. *Vivir con* ESCASEZ.

Escaseza. f. ant. **Escasez.**

Escaso, sa. (Del b. lat. *excarpsus*, escogido, raro.) adj. Corto, poco, limitado. *Comida* ESCASA. || **2.** Falto, corto, no cabal ni entero. *Dos varas* ESCASAS *de paño; seis leguas* ESCASAS. || **3.** Mezquino, nada liberal ni dadivoso. Ú. t. c. s. || **4.** Demasiado económico. Ú. t. c. s. || **5.** V. **Viento escaso.** || **Más gasta el escaso que el franco.** proverb. que indica cómo a veces, por escatimar, se compran géneros de mala calidad que duran poco y exigen pronto nuevo gasto.

Escatima. (Tal vez del vasc. *escatima*, querella.) f. ant. Falta, defecto, disminución en una cosa. || **2.** ant. Agravio, injuria, insulto o denuesto.

Escatimar. (De *escatima*.) tr. Cercenar, disminuir, escasear lo que se ha de dar o hacer, acortándolo todo lo posible. || **2.** p. us. Viciar, adulterar y depravar el sentido de las palabras y de los escritos, torciéndolos e interpretándolos maliciosamente. || **3.** ant. Reconocer, rastrear y mirar con cuidado.

Escatimosamente. adv. m. Maliciosa, astutamente.

Escatimoso, sa. (De *escatimar*.) adj. p. us. Malicioso, astuto y mezquino.

Escatofagia. f. Hábito de comer excrementos.

Escatófago, ga. (Del gr. σκῶρ, σκατός, excremento, y φαγεῖν, comer.) adj. *Zool.* Dícese de los animales que comen excrementos.

Escatófilo. (Del gr. σκῶρ, σκατός, excremento, y φίλος, amigo.) adj. *Zool.* Dícese de los insectos cuyas larvas se desarrollan entre excrementos.

Escatología. (Del gr. ἔσχατος, último, y λόγος, tratado.) f. Conjunto de creencias y doctrinas referentes a la vida de ultratumba.

Escatología. (Del gr. σκῶρ, σκατός, excremento, y λόγος, tratado.) f. Tratado de cosas excrementicias. || **2.** Cualidad de escatológico, 2.° art.

Escatológico, ca. (De *escatología*, 1.er art.) adj. Relativo a las postrimerías de ultratumba.

Escatológico, ca. (De *escatología*, 2.° art.) adj. Referente a los excrementos y suciedades.

Escaupil. (De las voces mejicanas *ichcatl*, algodón, y *uipilli*, camisa.) m. Sayo de armas acolchado con algodón, que usaban los antiguos mejicanos para defenderse de las flechas.

Escavanar. (Por **escavonar*, de *excavón*.) tr. *Agr.* Entrecavar los sembrados, con escarda o azadilla, cuando ya tienen bastantes raíces, para que la tierra se ahueque y se meteorice mejor, y para quitar las malas hierbas.

Escavillo. (De *excavar*.) m. *Albac.* Azada pequeña.

Escayola. (Del ital. *scagliuola*.) f. Yeso espejuelo calcinado. || **2. Estuco.**

Escayolar. tr. Endurecer por medio del yeso o la escayola los apósitos y vendajes destinados a sostener en posición conveniente los huesos rotos o dislocados.

Escaza. f. *Ar.* Cazo grande que se emplea en los molinos de aceite para echar el agua hirviendo con que se escalda la pasta contenida en los capachos.

Escazarí. (Del ár. *al-qaṣarī*, reducido, corto.) adj. ant. **Escarzano.**

Escelerado, da. (Del lat. *scelerātus*.) adj. ant. **Malvado.**

Escena. (Del lat. *scena*, y éste del gr. σκηνή, cobertizo de ramas.) f. Sitio o parte del teatro, en que se representa o ejecuta la obra dramática o cualquiera otro espectáculo teatral. Comprende el espacio en que se figura el lugar de la acción, y el cual, descorrido o levantado el telón de boca, queda a vista del público. || **2.** Lo que la **escena** representa. *Mutación, o cambio, de* ESCENA. || **3.** Cada una de las partes en que se divide el acto de la obra dramática, o sea aquella en que hablan unos mismos personajes. Hoy se escribe la palabra **escena** a la cabeza de tales partes o divisiones, y todas las de cada uno de los actos van numeradas por su orden. || **4.** fig. Arte de la declamación. *Tu vocación es la* ESCENA. || **5.** fig. **Teatro,** 8.ª acep. *La* ESCENA *española empezó a decaer a fines del siglo XVII.* || **6.** fig. Suceso o manifestación de la vida real que se considera como espectáculo digno de atención. || **7.** fig. Acto o manifestación en que se descubre algo de aparatoso, teatral, y a veces fingido, para impresionar el ánimo. || **Estar en escena.** fr. fig. Estar en ella el actor tomando parte en el ensayo o representación de la obra dramática. || **2.** fig. Manifestarse el actor en la representación escénica poseído de su papel, especialmente mientras no habla. *Ese actor* ESTÁ *siempre, o no* ESTÁ *nunca,* EN ESCENA. || **Poner en escena** una obra. fr. Representarla, ejecutarla en el teatro. || **2.** Determinar y ordenar todo lo relativo a la manera en que debe ser representada.

Escenario. (Del lat. *scenarĭum*.) m. Parte del teatro construida y dispuesta convenientemente para que en ella se puedan colocar las decoraciones y representar o ejecutar las obras dramáticas o cualquiera otro espectáculo teatral. || **2.** fig. Conjunto de circunstancias que se consideran en torno de una persona o suceso.

Escénico, ca. (Del lat. *scenĭcus*.) adj. Perteneciente o relativo a la escena. || **2.** V. **Palco escénico.**

Escenificación. f. Acción y efecto de escenificar.

Escenificar. tr. Dar forma dramática a una obra literaria para ponerla en escena.

Escenografía. (Del gr. σκηνογραφία, de σκηνογράφος, escenógrafo.) f. Total y perfecta delineación en perspectiva de un objeto, en la cual, con sus claros y obscuros, se representan todas aquellas superficies que se pueden descubrir desde un punto determinado. || **2.** Arte de pintar decoraciones escénicas.

Escenográficamente. adv. m. Según las reglas de la escenografía.

Escenográfico, ca. adj. Perteneciente o relativo a la escenografía.

Escenógrafo. (Del gr. σκηνογράφος; de σκηνή, escena, y γράφω, dibujar.) adj. Dícese del que profesa o cultiva la escenografía. Ú. t. c. s.

Escepticismo. (De *escéptico*.) m. Doctrina de ciertos filósofos antiguos y modernos, que consiste en afirmar que la verdad no existe, o que el hombre es incapaz de conocerla, caso que exista. || **2.** Incredulidad o duda acerca de la verdad o eficacia de alguna cosa; úsase principalmente para la incredulidad exagerada o afectada.

Escéptico, ca. (Del lat. *sceptĭcus*, y éste del gr. σκεπτικός; de σκέπτομαι, considerar.) adj. Que profesa el escepticismo. *Filósofo* ESCÉPTICO; *hombre* ESCÉPTICO. Apl. a pers., ú. t. c. s. || **2.** fig. Que no cree o afecta no creer en determinadas cosas. Ú. t. c. s.

Esceptro. (Del lat. *sceptrum*, cetro.) m. ant. **Cetro.**

Escetar. tr. ant. **Exceptar.**

Escibar. (Del lat. *ex*, priv., y *cibus*, cebo.) tr. ant. **Descerar.** || **2.** ant. **Descebar.**

Escible. (Del lat. *scibĭlis*.) adj. ant. Que puede o merece saberse.

Esciencia. f. ant. **Ciencia.**

Esciente. (Del lat. *sciens, -entis*.) adj. Que sabe.

Escientemente. adv. m. ant. Con ciencia o noticia de la cosa.

Escientífico, ca. adj. ant. **Científico.**

Escila. (Del lat. *scilla.*) f. **Cebolla albarrana.**

Escila. (Del lat. *Scylla.*) n. p. **Entre Escila y Caribdis.** expr. fig. con que se explica la situación del que no puede evitar un peligro sin caer en otro. Dícese por alusión al escollo y al abismo o remolino que se encuentran próximos en la boca del estrecho de Mesina.

Escíncido. (De *scincus,* nombre de un género de animales.) adj. *Zool.* Dícese de reptiles del orden de los saurios que tienen la lengua corta y escotada y las patas poco desarrolladas; como el escinco. Ú. t. c. s. || **2.** m. pl. *Zool.* Familia de estos animales.

Escinco. (Del lat. *scincus,* y éste del gr. σκίγκος.) m. Saurio acuático, de más de un metro de longitud, con la cabeza parecida a la de la serpiente, cuerpo cubierto de escamas cóncavas, cola larga, comprimida, con una quilla aguda en la parte superior, y patas con dedos largos y uñas duras. Destruye los huevos de los cocodrilos y persigue sus crías. || **2. Estinco.**

Escindir. (Del lat. *scindĕre.*) tr. Cortar, dividir, separar.

Escirro. (Del lat. *scirrhos,* y éste del gr. σκίρρος.) m. *Med.* Especie de cáncer que consiste en un tumor duro de superficie desigual al tacto y que se produce principalmente en las glándulas, sobre todo en los pechos de las mujeres.

Escirroso, sa. adj. Perteneciente o relativo al escirro.

Escisión. (Del lat. *scissĭo, -ōnis,* cortadura.) f. Rompimiento, desavenencia.

Escismático, ca. adj. ant. **Cismático.**

Escita. (Del lat. *scȳtha.*) adj. Natural de la Escitia, región de Asia antigua. Ú. t. c. s.

Escítico, ca. (Del lat. *scythicus.*) adj. Perteneciente a la Escitia.

Esclafar. (Del catalán.) tr. *Ar., Cuen.* y *Murc.* Quebrantar, estrellar.

Esclarea. (En fr. *sclarée.*) f. **Amaro,** 1.er art.

Esclarecedor, ra. adj. Que esclarece. Ú. t. c. s.

Esclarecer. (Del lat. *ex* y *clarescĕre.*) tr. Iluminar, poner clara y luciente una cosa. || **2.** fig. Ennoblecer, ilustrar, hacer claro y famoso a uno. || **3.** fig. Iluminar, ilustrar el entendimiento. || **4.** fig. Poner en claro; dilucidar un asunto o doctrina. || **5.** intr. Apuntar la luz y claridad del día; empezar a amanecer.

Esclarecidamente. adv. m. Con grande lustre, honra y nobleza.

Esclarecido, da. (De *esclarecer.*) adj. Claro, ilustre, singular, insigne.

Esclarecimiento. m. Acción y efecto de esclarecer. || **2.** Cosa que esclarece o sirve para esclarecer.

Esclavatura. (Del port. *escravatura.*) f. desus. *Argent.* y *Perú.* Conjunto de esclavos que tenía cada hacienda.

Esclavina. (De *esclavo.*) f. Vestidura de cuero o tela, que se ponen al cuello y sobre los hombros los que van en romería; se han usado más largas, a manera de capas. || **2.** Cuello postizo y suelto, con una falda de tela de seis u ocho dedos de ancho pegada alrededor, del cual usan los eclesiásticos. || **3.** Pieza del vestido, que suelen llevar las mujeres al cuello y sobre los hombros para abrigo o por adorno. || **4.** Pieza sobrepuesta que suele llevar la capa unida al cuello y que cubre los hombros.

Esclavista. adj. Partidario de la esclavitud. Ú. t. c. s.

Esclavitud. f. Estado de esclavo. || **2.** fig. Hermandad o congregación en que se alistan y concurren varias personas a ejercitarse en ciertos actos de devoción. || **3.** fig. Sujeción rigurosa y fuerte a las pasiones y afectos del alma. || **4.** fig. Sujeción excesiva por la cual se ve sometida una persona a otra, o a un trabajo u obligación.

Esclavizar. tr. Hacer esclavo a uno; reducirle a esclavitud. || **2.** fig. Tener a uno muy sujeto e intensamente ocupado.

Esclavo, va. (Del b. lat. *sclavus,* esclavo, y éste del al. *slave,* eslavo, prisionero.) adj. Dícese del hombre o la mujer que por estar bajo el dominio de otro carece de libertad. Ú. t. c. s. || **2.** fig. Sometido rigurosa o fuertemente a deber, pasión, afecto, vicio, etc., que priva de libertad. *Hombre* ESCLAVO *de su palabra, de la ambición, de la amistad, de la envidia.* Ú. t. c. s. || **3.** fig. Rendido, obediente, enamorado. Ú. t. c. s. || **4.** m. y f. Persona alistada en alguna cofradía de esclavitud. || **5.** f. Pulsera sin adornos y que no se abre. || **Esclavo ladino.** El que llevaba más de un año de esclavitud. || **Ser uno un esclavo.** fr. fig. Trabajar mucho y estar siempre aplicado a cuidar de su casa y hacienda, o a cumplir con las obligaciones de su empleo.

Esclavón, na. (De *esclavo.*) adj. **Eslavo.** Apl. a pers., ú. t. c. s. || **2.** Natural de Esclavonia. Ú. t. c. s. || **3.** Perteneciente a esta región.

Esclavonía. (De *esclavón.*) f. ant. **Esclavitud.** || **2.** *Chile.* **Esclavitud,** 2.a acep.

Esclavonio, nia. adj. **Esclavón.** Apl. a pers., ú. t. c. s.

Esclerodermia. (Del gr. σκληρός, duro, y δέρμα, piel.) f. *Med.* Enfermedad crónica de la piel caracterizada por el abultamiento y dureza primero, y por la retracción después.

Esclerósico, ca. adj. **Escleroso.**

Esclerosis. (Del gr. σκλήρωσις.) f. *Med.* Transformación de los órganos del cuerpo humano en tejido fibroso.

Escleroso, sa. adj. Relativo a la esclerosis.

Esclerótica. (Del gr. σκληρός, duro.) f. *Zool.* Membrana dura, opaca, de color blanquecino, que cubre casi por completo el ojo de los vertebrados y cefalópodos decápodos, dejando sólo dos aberturas: una posterior, pequeña, que da paso al nervio óptico, y otra anterior, más grande, en la que está engastada la córnea.

Esclisiado, da. adj. *Germ.* Herido en el rostro.

Esclusa. (Del lat. *exclūsa,* cerrada.) f. Recinto de fábrica, con puertas de entrada y salida, que se construye en un canal de navegación para que los barcos puedan pasar de un tramo a otro de diferente nivel, llenando de agua o vaciando el espacio comprendido entre dichas puertas. || **de limpia.** Gran depósito del cual se suelta el agua repentinamente para que arrastre con su velocidad las arenas y fangos del fondo de un puerto o de un embalse.

Escoa. (En fr. *scoue,* en ital. *ascosa.*) f. *Mar.* Punto de mayor curvatura de cada cuaderna de un buque.

Escoba. (Del lat. *scōpa.*) f. Manojo de palmitos, de algarabía, de cabezuela o de otras ramas flexibles, juntas y atadas a veces al extremo de un palo, que sirve para barrer y limpiar. Las hay también de taray, retama y otras plantas fuertes, para barrer las calles y caballerizas. Los albañiles usan una **escoba** pequeña y de mango corto para remojar la obra y para dar lechadas. || **2.** *Bot.* Mata de la familia de las papilionáceas, que crece hasta dos metros de altura, con muchas ramas angulosas, asurcadas, verdes y lampiñas; hojas inferiores divididas y con pecíolo, sencillas y sentadas las superiores; flores amarillas, pedunculadas y que forman racimo, fruto de vaina ancha muy comprimida y semilla negruzca. Es planta muy a propósito para hacer **escobas.** || **3.** V. **Paje de escoba.** || **amargosa.** *Hond.* **Canchalagua.** || **babosa.** *Colomb.* y *Hond.* Malvácea, cuyas hojas, que contienen mucho mucílago, las aplican en cataplasmas, y disueltas en agua forman una especie de bandolina. || **de caballeriza.** La que se hace con ramas de tamujo. || **de cabezuela. Cabezuela,** 4.a acep. || **negra.** *Bot. C. Rica* y *Nicar.* Arbustillo de la familia de las borragináceas, del cual se hacen **escobas;** tiene corteza de color obscuro, flor pequeña y blanquecina, fruto rojo cuando maduro. || **Cuando nace la escoba, nace el asno que la roya.** ref. que denota que ninguno es tan feo ni tan pobre que no halle su igual con quien acomodarse. || **Escoba desatada, persona desalmada.** ref. que indica que no se puede sacar ningún partido bueno de una cosa o persona que está en desorden.

Escobada. f. Cada uno de los movimientos que se hacen con la escoba para barrer. || **2.** Barredura ligera.

Escobadera. f. Mujer que limpia y barre con la escoba.

Escobado. m. *Sal.* Marca que los ganaderos hacen a las reses, cortándoles la punta de la oreja con doble cortadura en ángulo.

Escobajo. (De *escoba.*) m. Escoba vieja y estropeada por lo mucho que ha servido.

Escobajo. (Del lat. *scopĭo.*) m. Raspa que queda del racimo después de quitarle las uvas.

Escobar. m. Sitio donde abunda la planta llamada escoba.

Escobar. (Del lat. *scopāre.*) tr. Barrer con escoba.

Escobazar. (De *escoba.*) tr. Rociar con escoba o ramas mojadas.

Escobazo. m. Golpe dado con una escoba. || **2.** *Argent.* y *Chile.* **Escobada.** || **Echar a uno a escobazos.** fr. fig. y fam. Despedirle de mala manera.

Escobén. (En port. *escovem,* en fr. *écubier.*) m. *Mar.* Cualquiera de los agujeros circulares o elípticos que se abren en los miembros de un buque, a uno y otro lado de la roda, para que pasen por ellos los cables o cadenas.

Escobera. f. Retama común. || **2.** Mujer que hace o vende escobas.

Escobero. m. El que hace escobas o las vende.

Escobeta. f. **Escobilla,** 2.° art., 1.a y 2.a aceps. || **2.** *Méj.* Escobilla de raíz de zacatón, corta y recia, para limpiar suelos, trastos, etc. || **3.** *Méj.* Mechón de cerda que sale en el papo a los pavos viejos.

Escobilla. (Del lat. *scopilla,* barreduras.) f. Tierra y polvo que se barre en los talleres donde se trabaja la plata y el oro, y que contiene algunas partículas de estos metales.

Escobilla. (d. de *escoba.*) f. **Cepillo,** 3.a acep. || **2.** Escobita formada de cerdas o de alambre de que se usa para limpiar. || **3.** Planta pequeña, especie de brezo, de que se hacen escobas. || **4. Cardencha,** 1.a acep. || **5.** Mazorca del cardo silvestre, que sirve para cardar la seda. || **6.** *Electr.* Haz de hilos de cobre destinado a mantener el contacto, por frotación, entre dos partes de una máquina eléctrica, una de las cuales está fija mientras la otra se mueve. Por ext., se da este nombre a otras piezas, de diferente forma o materia, que sirven para el mismo fin. || **amarga.** *C. Rica.* **Mastuerzo,** 1.a acep. || **de ámbar.** Hierba exótica anual, de la familia de las compuestas, con tallos erguidos, ramosos, de cuatro a seis decímetros, hojas sentadas con lóbulos oblongos y flores en cabezuelas terminales, amplias, de corola purpúrea, a veces rósea o blanca, con olor agradable parecido al del ámbar. || **Con escobilla, el paño; y la seda, con la mano.** ref. que enseña que a cada uno se ha de tratar conforme corresponde a su genio y educación.

Escobillado, da. p. p. de **Escobillar.** || **2.** m. *Argent.* Acción y efecto de escobillar en los bailes.

Escobillar. tr. Limpiar con la escobilla, cepillar. || **2.** En algunos bailes, batir el suelo con los pies con movimientos rápidos, semejantes a los que se hacen para lustrar los suelos.

Escobilleo. m. Acción y efecto de escobillar, 2.ª acep.

Escobillón. (aum. de *escobilla*, 2.° art.) m. Instrumento compuesto de un palo largo, que tiene en uno de sus extremos un cilindro con cerdas puestas alrededor, como cepillo o escobilla. Sirve para limpiar los cañones de las armas de fuego. || **2.** Cepillo unido al extremo de un astil, que se usa para barrer el suelo.

Escobina. (Del lat. *scobīna.*) f. Serrín que hace la barrena cuando se agujerea con ella alguna cosa. || **2.** Limadura de un metal cualquiera.

Escobino. m. *Sant.* Brusco, planta esmilácea.

Escobio. (Del lat. **scŏpus*, der. regres. de *scŏpŭlus*, peñasco.) m. *Ast.*, *León* y *Sant.* Angostura, hoz, garganta o paso estrecho en una montaña o en un río. || **2.** *Ast.* **Vericueto.**

Escobizo. (De *escoba.*) m. *Ar.* **Guardalobo.**

Escobo. (De *escoba*, mata.) m. Matorral espeso, como retamar y otros semejantes.

Escobón. m. aum. de **Escoba.** || **2.** Escoba que se pone en un palo largo para barrer y deshollinar. || **3.** Escoba de mango muy corto. || **4. Escoba,** 2.ª acep.

Escocar. tr. *Ál.* Desterronar, desmenuzar los terrones con el zarcillo.

Escocedura. f. Acción y efecto de escocerse.

Escocer. (Del lat. *excoquĕre.*) intr. Producirse una sensación muy desagradable, parecida a la quemadura. || **2.** fig. Producirse en el ánimo una impresión molesta o amarga. || **3.** r. Sentirse o dolerse. || **4.** Ponerse rubicundas y con mayor o menor inflamación cutánea algunas partes del cuerpo, especialmente las ingles, por efecto de la gordura, el sudor, etc.

Escocés, sa. adj. Natural de Escocia. Ú. t. c. s. || **2.** Perteneciente a este país de Europa. || **3.** Aplícase a telas de cuadros y de rayas que forman cuadros de varios colores. Ú. t. c. s. || **4.** m. Dialecto céltico hablado en Escocia.

Escocia. f. **Bacalao de Escocia.**

Escocia. (Del lat. *scotĭa*, y éste del gr. σκοτία, de σκότος, sombra.) f. Moldura cóncava cuya sección está formada por dos arcos de circunferencias distintas, y más ancha en su parte inferior.

Escociano, na. adj. ant. **Escocés.** Apl. a pers., usáb. t. c. s.

Escocimiento. (De *escocer.*) m. **Escozor.**

Escoda. (De *escodar*, 1.er art.) f. Instrumento de hierro, a manera de martillo, con corte en ambos lados, enastado en un mango, para labrar piedras y picar paredes.

Escodadero. (De *escodar*, 2.° art.) m. *Mont.* Sitio donde los venados y gamos dan con la cuerna para descorrearla.

Escodar. (Del lat. *ex*, de, y *cubĭtus*, codo.) tr. Labrar las piedras con la escoda.

Escodar. (Del lat. *excutĕre.*) tr. *Mont.* Sacudir la cuerna, los animales que la tienen, para descorrearla.

Escodar. (Del lat. *coda*, cola.) tr. *Ar.* **Desrabotar.** Ú. t. c. r.

Escofia. f. **Cofia.**

Escofiado, da. p. p. de **Escofiar.** || **2.** adj. ant Aplicábase al que traía cofia en la cabeza.

Escofiar. tr. Poner la cofia en la cabeza. Ú. t. c. r.

Escofieta. (De *escofia.*) f. Tocado de que usaron las mujeres, formado ordinariamente de gasas y otros géneros semejantes. || **2.** Cofia o redecilla. || **3.** *Cuba.* Gorro de niño pequeño.

Escofina. (Del osco *scoffina*, del lat. *scobīna.*) f. Herramienta a modo de lima, de dientes gruesos y triangulares, muy usada para desbastar. || **de ajustar.** Pieza de hierro o acero, de que usan los carpinteros para trabajar e igualar las piezas en el cepo de ajustar. Es por lo regular un cuadrilongo sin mango, recio y como de unos dos decímetros de largo.

Escofinar. tr. Limar con escofina.

Escofión. m. aum. de **Escofia.** || **2. Garvín.**

Escogedor, ra. adj. Que escoge. Ú. t. c. s.

Escoger. (Del lat. *ex* y *collĭgĕre*, coger.) tr. Tomar o elegir una o más cosas o personas entre otras.

Escogida. f. *Cuba.* Tarea de separar las distintas clases de tabaco. || **2.** *Cuba.* Local donde se realiza esa tarea y reunión de operarios a ella dedicados.

Escogidamente. adv. m. Con acierto y discernimiento. || **2.** Cabal y perfectamente; con excelencia.

Escogido, da. p. p. de **Escoger.** || **2.** adj. **Selecto.**

Escogiente. p. a. de **Escoger.** Que escoge.

Escogimiento. m. Acción y efecto de escoger.

Escolán. m. **Escolano.**

Escolanía. f. Conjunto o corporación de escolanos.

Escolano. (De *escuela.*) m. Cada uno de los niños que, en los monasterios de Aragón, Cataluña, Valencia y algunos otros, se educaban para el servicio del culto, y principalmente para el canto.

Escolapio, pia. adj. Perteneciente a la orden de las Escuelas Pías. || **2.** m. Clérigo regular de la orden de las Escuelas Pías, destinado a la enseñanza de la juventud. || **3.** f. Religiosa que, siguiendo la regla de las Escuelas Pías, se dedica a la enseñanza de niñas. || **4.** m. y f. Estudiante que recibe enseñanza en las Escuelas Pías.

Escolar. (Del lat. *scholāris.*) adj. Perteneciente al estudiante o a la escuela. || **2.** m. Estudiante que cursa y sigue las escuelas. || **3.** ant. **Nigromante.**

Escolar. (Del lat. *excolāre.*) intr. **Colar,** 2.° art., 3.ª acep. Ú. t. c. r.

Escolaridad. f. Conjunto de cursos que un estudiante sigue en un establecimiento docente.

Escolariego, ga. adj. Propio de escolares o estudiantes.

Escolarino, na. (De *escolar*, 1.er art.) adj. ant. **Escolástico.**

Escolástica. (Del lat. *scholastĭca.*) f. **Escolasticismo.**

Escolásticamente. adv. m. En términos escolásticos, a la manera y uso de las escuelas.

Escolasticismo. (De *escolástico.*) m. Filosofía de la Edad Media, cristiana, arábiga y judaica, en la que domina la enseñanza de los libros de Aristóteles, concertada con las respectivas doctrinas religiosas. || **2.** Espíritu exclusivo de escuela en las doctrinas, en los métodos o en el tecnicismo científico.

Escolástico, ca. (Del lat. *scholastĭcus.*) adj. Perteneciente a las escuelas o a los que estudian en ellas. || **2.** Perteneciente al escolasticismo, al maestro que lo enseña o al que lo profesa. Apl. a pers., ú. t. c. s. || **3.** V. **Teología escolástica.**

Escoldo. m. ant. **Rescoldo.**

Escólex. (Del gr. σκώληξ, lombriz.) m. *Zool.* Primero de los segmentos de que está formado el cuerpo de los gusanos cestodos; es más abultado que los que le siguen inmediatamente, y está provisto de ventosas, y a veces también de ganchos, con los que el animal se fija al cuerpo de su huésped. Se llama vulgarmente cabeza.

Escoliador. m. El que escolia.

Escoliar. tr. Poner escolios a una obra o escrito.

Escoliasta. (Del lat. *scholiastes*, y éste del gr. σχολιαστής.) m. **Escoliador.**

Escolimado, da. adj. fam. p. us. Muy delicado y endeble. Dícese de las personas.

Escolimoso, sa. (Del lat. *scolȳmus*, y éste del gr. σκόλυμος, cardo silvestre.) adj. fam. p. us. Descontentadizo, áspero, poco sufrido.

Escolio. (Del lat. *scholĭum*, y éste del gr. σχόλιον, comentario; de σχολή, escuela.) m. Nota que se pone a un texto para explicarlo.

Escoliosis. (Del gr. σκολιός, tortuoso.) f. *Med.* Desviación del raquis con convexidad lateral.

Escolopendra. (Del lat. *scolopendra*, y éste del gr. σκολόπενδρα.) f. **Cientopiés.** || **2. Lengua de ciervo.** || **de agua.** Anélido marino de unos tres decímetros de largo, vermiforme, con cabeza bien señalada, tentáculos cortos, cuerpo casi cilíndrico, de color verde irisado, y provisto en cada anillo de dos grupos simétricos de cerdillas que sirven al animal para nadar.

Escolta. (De *escoltar.*) f. Partida de soldados o embarcación destinada a escoltar. || **2.** Acompañamiento en señal de honra o reverencia.

Escoltar. (Del ital. *scoltare.*) tr. Resguardar, convoyar, conducir a una persona o cosa para que camine sin riesgo. || **2.** Acompañar a una persona, a modo de escolta, en señal de honra y reverencia.

Escollar. intr. *Argent.* Tropezar en un escollo la embarcación. || **2.** fig. *Argent.* y *Chile.* Fracasar, malograrse un propósito por haber tropezado con algún inconveniente.

Escollar. tr. **Descollar.** Ú. t. c. intr. y c. r.

Escollera. (De *escollo*; en ital. *scogliera*, de *scoglio*, escollo.) f. Obra hecha con piedras echadas al fondo del agua, bien para formar un dique de defensa contra el oleaje, bien para servir de cimiento a un muelle, o para resguardar el pie de otra obra de la acción de las corrientes.

Escollo. (Del lat. *scopŭlus.*) m. Peñasco que está a flor de agua o que no se descubre bien. || **2.** fig. Peligro, riesgo. || **3.** fig. Dificultad, obstáculo.

Escomar (Del lat. **excul māre*, de *cŭlmus*, paja.) tr. *Rioja.* Desgranar a golpes la paja de centeno destinada para vencejos, y el cáñamo, lino, etc.

Escombra. f. Acción y efecto de escombrar. || **2.** *Ar.* y *Nav.* Escombro, desecho, basura.

Escombrar. (En prov. *descombrar.*) tr. Desembarazar de escombros; quitar lo que impide el paso u ocasiona estorbo, para dejar un lugar llano, patente y despejado. || **2.** Quitar de los racimos de pasas las muy pequeñas y desmedradas. || **3.** fig. Desembarazar, limpiar. || **4.** *Murc.* Quitar el escombro del pimiento para moler la cáscara.

Escombrera. f. Conjunto de escombros o desechos. || **2.** Sitio donde se echan los escombros o desechos de una mina.

Escombro. (De *escombrar.*) m. Desecho, broza y cascote que queda de una obra de albañilería o de un edificio arruinado o derribado. || **2.** Desechos de la explotación de una mina, o ripio de la saca y labra de las piedras de una cantera. || **3.** Pasa menuda y desmedrada que se separa de la buena y se vende a menor precio, la cual suele usarse para hacer vino. || **4.** *Murc.* En el pimiento seco, parte que está junto al pedúnculo.

Escombro. (Del lat. *scomber, -bri,* el pez escombro.) m. **Caballa.**

Escomearse. (Del lat. *ex* y *commejĕre,* orinar.) r. ant. Padecer estangurria.

Escomendrijo. m. Criatura ruin y desmedrada.

Escomerse. (Del lat. *excomedĕre;* de *ex,* intens., y *comedĕre,* comer.) r. Irse gastando y comiendo, por el uso u otra causa, una cosa sólida; como los metales, las piedras, las maderas, etc.

Escomesa. (Del lat. *excommīsa,* term. f. de *-sus,* acontecido.) f. ant. **Acometimiento,** 1.ª acep.

Esconce. (De *esconzar.*) m. Ángulo entrante o saliente, rincón o punta que interrumpe la línea recta o la dirección que lleva una superficie cualquiera.

Escondecucas. (De *esconder,* 2.° art., y *cuca.*) m. *Ar.* **Escondite,** 2.ª acep.

Escondedero. m. Lugar o sitio apropiado para esconder o guardar algo.

Escondedrijo. m. ant. **Escondrijo.**

Esconder. (De *esconder,* 2.° art.) m. **Escondite,** 2.ª acep.

Esconder. (De *asconder.*) tr. Encubrir, ocultar, retirar de lo público una cosa a lugar o sitio secreto. Ú. t. c. r. ‖ **2.** fig. Encerrar, incluir y contener en sí una cosa que no es manifiesta a todos. Ú. t. c. r.

Escondidamente. adv. m. **A escondidas.**

Escondidas (A). (De *escondido,* p. p. de *esconder.*) m. adv. **Ocultamente.**

Escondidijo. m. ant. **Escondrijo.**

Escondidillas (A). (De *escondidas.*) m. adv. Ocultamente; con cuidado y reserva para no ser visto.

Escondido, da. p. p. de **Esconder.** ‖ **2.** m. desus. **Escondrijo.** ‖ **3.** m. pl. *Perú.* **Escondite,** 2.ª acep. ‖ **4.** f. pl. *Argent., Colomb., Chile* y *Ecuad.* **Escondite,** 2.ª acep. ‖ **En escondido.** m. adv. Escondidamente, ocultamente.

Escondimiento. (De *esconder,* 2.° art.) m. Ocultación y encubrimiento de una cosa.

Escondite. (De *esconder,* 2.° art.) m. **Escondrijo.** ‖ **2.** Juego de muchachos, en el que unos se esconden y otros buscan a los escondidos.

Escondrijo. m. Rincón o lugar oculto y retirado, propio para esconder y guardar en él alguna cosa.

Esconjuro. m. ant. **Conjuro.**

Escontra. prep. ant. **Contra,** 3.ª acep.

Esconzado, da. adj. Que tiene esconces.

Esconzar. (Del lat. **excomptiāre,* descomponer, de *comptus,* compuesto.) tr. Hacer a esconce una habitación u otra cosa cualquiera.

Escopecina. f. ant. **Escupitina.**

Escopeta. (Del ital. *schioppetto.*) f. Arma de fuego portátil, con uno o dos cañones de siete a ocho decímetros de largo y con los mecanismos necesarios para cargar y descargar montados en una caja de madera. ‖ **2.** V. **Piedra de escopeta.** ‖ **de pistón.** La que se ceba con pólvora fulminante encerrada en una cápsula o pistón. ‖ **de salón.** La pequeña y de poco alcance que se usa para tirar al blanco en aposentos, jardines, etc. ‖ **de viento.** La que dispara el proyectil por medio del aire comprimido artificialmente dentro de la culata. ‖ **negra.** Cazador de oficio. ‖ **Aquí te quiero, escopeta,** o **Aquí te quiero ver, escopeta.** exprs. figs. y fams. que dan a entender ser llegado el caso apurado de vencer una dificultad, o salir de un lance arduo.

Escopetar. (Indirectamente, del lat. *scopāre,* barrer.) tr. *Min.* Cavar y sacar la tierra de las minas de oro.

Escopetazo. m. Tiro que sale de la escopeta. ‖ **2.** Herida hecha con este tiro. ‖ **3.** fig. Noticia o hecho desagradable, súbito e inesperado.

Escopetear. tr. Hacer repetidos disparos de escopeta. ‖ **2.** rec. fig. y fam. Dirigirse dos o más personas alternativamente y a porfía cumplimientos y lisonjas, o, por el contrario, claridades e insultos.

Escopeteo. m. Acción de escopetear o escopetearse.

Escopetería. (De *escopetero.*) f. Gente armada de escopetas. ‖ **2.** Multitud de escopetazos.

Escopetero. m. Soldado armado de escopeta. ‖ **2.** El que sin ser soldado va armado con escopeta. ‖ **3.** El que fabrica escopetas o las vende. ‖ **4. Escopeta negra.** ‖ **5.** Coleóptero zoófago, de cuerpo rojizo y élitros azulados, que vive debajo de piedras, y que al ser molestado lanza por el ano una substancia que se volatiliza en contacto del aire y produce una pequeña detonación.

Escopetilla. f. d. de **Escopeta.** ‖ **2.** Cañón muy pequeño, cargado de pólvora y bala, con que se rellenaba una especie de bomba.

Escopetón. m. aum. de **Escopeta.** Ú. t. c. despect.

Escopladura. (De *escoplear.*) f. Corte o agujero hecho a fuerza de escoplo en la madera.

Escopleadura. f. **Escopladura.**

Escoplear. tr. Hacer corte o agujero con escoplo en la madera.

Escoplo. (Del lat. *scalprum.*) m. *Carp.* Herramienta de hierro acerado, con mango de madera, de unos tres decímetros de largo, sección de uno a tres centímetros en cuadro, y boca formada por un bisel. ‖ **de alfarjía entera.** *Carp.* Aquel con que los carpinteros trabajan esta clase de maderos. ‖ **de cantería.** El de mango de hierro que se usa para labrar la piedra. ‖ **de fijas.** *Carp.* Escoplo muy estrecho que sólo sirve para escoplear las cajas en que se meten las fijas. ‖ **de media alfarjía.** *Carp.* Aquel con que los carpinteros trabajan esta clase de maderos.

Escopo. (Del lat. *scŏpus,* y éste del gr. σκοπός.) m. ant. Objeto o blanco a que uno mira y atiende.

Escora. (Del ingl. *score,* hoy *shore,* ribera, puntal.) f. *Mar.* **Línea del fuerte.** ‖ **2.** *Mar.* Cada uno de los puntales que sostienen los costados del buque en construcción o en varadero. ‖ **3.** *Mar.* Inclinación que toma un buque al ceder al esfuerzo de sus velas, por ladeamiento de la carga, etc.

Escorar. tr. *Mar.* Apuntalar con escoras. ‖ **2.** intr. *Mar.* Inclinarse un buque por la fuerza del viento, o por otras causas, así interiores como exteriores. ‖ **3.** *Mar.* Hablando de la marea, llegar ésta a su nivel más bajo. ‖ **4.** *Cuba* y *León.* **Apuntalar.** ‖ **5.** *Cuba* y *Hond.* r. Arrimarse a un paraje que resguarde bien el cuerpo.

Escorbútico, ca. adj. Perteneciente al escorbuto.

Escorbuto. (Del lat. medieval *scorbutus,* y éste del ruso *scrobota.*) m. Enfermedad general, producida por la escasez o ausencia en la alimentación de determinados principios vitamínicos y caracterizada por hemorragias cutáneas y musculares, por una alteración especial de las encías y por fenómenos de debilidad general.

Escorchado. (De *escorchar.*) adj. *Blas.* V. **Lobo escorchado.**

Escorchapín. (Del ital. *scorciapino.*) m. Embarcación de vela que servía para transportar gente de guerra y bastimentos.

Escorchar. (Del cat. y arag. *escorchar,* y éste del lat. **excorticāre,* descortezar.) tr. **Desollar.**

Escorche. (Del ital. *scorciare,* y éste del lat. **excŭrtiāre,* de *cŭrtus,* corto.) m. ant. *Pint.* **Escorzo.**

Escordio. (Del lat. *scordĭum,* y éste del gr. σκόρδιον.) m. Hierba de la familia de las labiadas, con tallos que se doblan y arraigan fácilmente, muy ramosos, velludos y de uno a dos decímetros, hojas blandas, elípticas, dentadas y vellosas, y flores de corolas azules o purpúreas, en verticilos poco cuajados. Vive en terrenos húmedos y se emplea en medicina.

Escoria. (Del lat. *scorĭa.*) f. Substancia vítrea que sobrenada en el crisol de los hornos de fundir metales, y procede de la parte menos pura de éstos unida con las gangas y fundentes. ‖ **2.** Materia que a los martillazos suelta el hierro candente salido de la fragua. ‖ **3.** Lava esponjosa de los volcanes. ‖ **4.** fig. Cosa vil, desechada, y materia de ninguna estimación.

Escoriación. f. **Excoriación.**

Escorial. m. Sitio donde se han echado o se echan las escorias de las fábricas metalúrgicas. ‖ **2.** Montón de escorias.

Escoriar. (Del lat. *excoriāre,* desollar.) tr. **Excoriar.**

Escorir. tr. ant. *Sant.* **Escurrir,** 2.° art.

Escorpena. f. **Escorpina.**

Escorpera. f. **Escorpina.**

Escorpina. (Del lat. *scorpaena.*) f. *Zool.* Pez teleósteo, del suborden de los acantopterigios, de unos dos decímetros de largo, color fusco por el lomo y rojo en todo lo demás, cabeza gruesa, espinosa, con tubérculos y barbillas movibles, muchos dientes en las mandíbulas y el paladar, una sola aleta dorsal, pero casi dividida en dos partes, de las cuales la anterior está erizada de espinas fuertes y desiguales, que sirven al animal para defenderse produciendo picaduras muy dolorosas; vientre grande, ano muy delantero y cola redonda. Vive en las costas y su carne es poco apreciada.

Escorpio. (Del lat. *escorpĭus.*) m. *Astron.* **Escorpión,** 6.ª acep.

Escorpioide. (Del gr. σκορπιοειδής; de σκορπίος, escorpión, y εἶδος, forma.) f. **Alacranera.**

Escorpión. (Del lat. *scorpĭo, -ōnis.*) m. **Alacrán,** 1.ª acep. ‖ **2.** Pez muy parecido a la escorpina, de la que se distingue por tener mayor tamaño, ser todo rojo y vivir en alta mar. ‖ **3.** Máquina de guerra, de figura de ballesta, de que usaron los antiguos para arrojar piedras. Diósele este nombre por una especie de tenaza que tenía, a manera de las pinzas del **escorpión,** con que agarraba las piedras. ‖ **4.** Instrumento de que se sirvieron los tiranos para atormentar a los mártires. Era un azote formado de cadenas, en cuyos extremos había unas puntas o garfios retorcidos como la cola del **escorpión.** ‖ **5.** fig. V. **Boca, lengua de escorpión.** ‖ **6.** *Astron.* Octavo signo o parte del Zodiaco, de 30 grados de amplitud, que el Sol recorre aparentemente al mediar el otoño. ‖ **7.** *Astron.* Constelación zodiacal que en otro tiempo debió de coincidir con el signo de este nombre; pero que actualmente, por resultado del movimiento retrógrado de los puntos equinocciales, se halla delante del mismo signo y un poco hacia el oriente.

Escorredero. m. *Ar.* Canal de avenamiento.

Escorredor. m. *Murc.* **Escorredero.** ‖ **2.** *Murc.* Compuerta para detener o soltar las aguas de un canal o acequia.

Escorrozo. (Del lat. *cor ruptum,* angustia.) m. fam. **Regodeo,** 1.ª acep. ‖ **2.** ant. Disgusto, indignación. ‖ **3.** *Sal.* Melindre, remilgo. ‖ **¡Qué escorrozo, no tener qué comer y tomar mozo!** ref. que irónicamente reprende a los que gastan en lo superfluo sin tener para lo necesario.

Escorzado, da. p. p. de Escorzar. || **2.** m. *Pint.* Escorzo.

Escorzar. (Del lat. *excŭrtiāre*, de *cŭrtus*, corto.) tr. *Pint.* Representar, acortándolas, según las reglas de la perspectiva, las cosas que se extienden en sentido perpendicular u oblicuo al plano del papel o lienzo sobre que se pinta.

Escorzo. (De *escorzar.*) m. *Pint.* Acción y efecto de escorzar. || **2.** Figura o parte de figura escorzada.

Escorzón. m. Escuerzo.

Escorzonera. (Del ital. *scorzonera;* de *scorza*, corteza, y *nera*, negra.) f. Hierba de la familia de las compuestas, con tallo de seis a ocho decímetros, erguido, ramoso y terminado en pedúnculos desnudos; hojas abrazadoras, onduladas, algo vellosas en la base; flores amarillas, y raíz gruesa, carnosa, de corteza negra que cocida se usa en medicina y como alimento.

Escosa. (Del lat. *excursa*, agotada, seca, p. p. de *excurrĕre.*) adj. ant. Doncella, virgen. || **2.** *Ast.* Aplícase a la hembra de cualquier animal doméstico cuando deja de dar leche. || **3.** *Ast.* Desviación de las aguas de un río en un trecho corto, para dejar en seco el cauce y pescar en los charcos que quedan entre las peñas.

Escosar. (De *escosa.*) intr. *Ást.* Cesar de dar leche una vaca, oveja, cabra u otra hembra de animal doméstico.

Escoscar. tr. **Descaspar.** || **2. Descortezar;** dicho en Aragón especialmente de las nueces y almendras. || **3.** r. **Coscarse.**

Escota. f. ant. *Arq.* **Escocia,** 2.° art.

Escota. (Del neerl. *schoot.*) f. *Mar.* Cabo que sirve para cazar las velas.

Escota. f. *Nav.* **Escoda.**

Escotadizo, za. adj. ant. Decíase de lo que estaba escotado.

Escotado, da. (De *escotar*, 1.er art.) p. p. de **Escotar.** || **2.** adj. *Bot.* V. **Hoja escotada.** || **3.** m. **Escotadura.**

Escotadura. (De *escotar*, 1.er art.) f. Corte hecho en un cuerpo de vestido u otra ropa por la parte del cuello. || **2.** En los petos de armas, sisa o parte cortada debajo de los brazos para poderlos mover y jugar. || **3.** En los teatros, abertura grande que se hace en el tablado para las tramoyas, a diferencia del escotillón, que es abertura pequeña. || **4.** Entrante que resulta en una cosa cuando está cercenada, o cuando parece que lo está, como si le faltara allí algo para completar una forma más regular.

Escotar. (De *escote.*) tr. Cortar y cercenar una cosa para acomodarla, de manera que llegue a la medida que se necesita. ESCOTAR *el jubón, el corpiño.* || **2.** Extraer agua de un río, arroyo o laguna, sangrándolos o haciendo acequias. || **3.** ant. *Mar.* Sacar el agua que ha entrado dentro de una embarcación.

Escotar. (De *es* y *cota*, 2.° art.) tr. Pagar la parte o cuota que toca a cada uno de todo el coste hecho en común por varias personas.

Escote. (Del gót. *skaut*, orilla.) m. **Escotadura,** y con especialidad la hecha en los vestidos de mujer, que deja descubierta parte del pecho y de la espalda. || **2.** Parte del busto que queda descubierto por estar escotado el vestido. || **3.** Adorno de encajes pequeños cosidos en una tirilla de lienzo y pegada al cuello de la camisa de las mujeres por la parte superior, que ciñe los hombros y el pecho.

Escote. (Del germ. *skot*, tributo.) m. Parte o cuota que cabe a cada uno por razón del gasto hecho en común por varias personas. || **A escote.** m. adv. Pagando cada uno la parte que le corresponde en un gasto común.

Escotera. f. *Mar.* Abertura que hay en el costado de una embarcación, con una roldana por la cual pasa la escota mayor o de trinquete.

Escotero, ra. adj. Que camina a la ligera, sin llevar carga ni otra cosa que le embarace. Ú. t. c. s. || **2.** *Mar.* Aplícase al barco que navega solo.

Escotilla. (Del ingl. *scuttle.*) f. *Mar.* Cada una de las aberturas que hay en las diversas cubiertas, para el servicio del buque.

Escotillón. (De *escotilla.*) m. Puerta o trampa cerradiza en el suelo. || **2.** Trozo del piso del escenario, que puede bajarse y subirse para dejar aberturas por donde salgan a la escena o desaparezcan personas o cosas.

Escotín. (d. de *escota.*) m. *Mar.* Escota de cualquier vela de cruz de un buque, excepto la de las mayores.

Escotismo. m. Doctrina filosófica de Escoto y sus numerosos discípulos en los siglos XIII y XIV.

Escotista. adj. Que sigue la doctrina de Escoto. Apl. a pers., ú. t. c. s.

Escotoma. (Del gr. σκότωμα, obscuridad.) m. *Med.* Síntoma de varias lesiones oculares, caracterizado por una mancha obscura o centelleante que cubre parte del campo visual. || **negativo.** El que se manifiesta con la falta de visión de una zona de dicho campo, por insensibilidad de la parte correspondiente de la retina.

Escotorrar. tr. *Pal.* Alumbrar las vides.

Escoyo. (Del lat. *scopŭlus*, d. de *scopus*, escobajo.) m. *Sal.* Escobajo del racimo de uvas.

Escozarse. r. *Sal.* Coscarse, restregarse los animales contra algún objeto duro.

Escoznete. m. *Ar.* Instrumento con que se sacan los escueznos.

Escozor. (De *escocer.*) m. Sensación dolorosa, como la que produce una quemadura. || **2.** fig. Sentimiento causado en el ánimo por una pena o especie que duele y desazona.

Escriba. (Del lat. *scriba.*) m. Doctor e intérprete de la ley entre los hebreos.

Escribán. m. ant. **Escribano.**

Escribana. f. Mujer del escribano. || **2.** f. *Argent.* Mujer que ejerce la escribanía.

Escribanía. f. Oficio que ejercen los escribanos públicos. || **2.** Aposento donde el escribano tiene su despacho, y donde están los protocolos y demás papeles pertenecientes a su oficio. || **3.** Oficio u oficina del secretario judicial, a quien vulgarmente se sigue denominando como de antiguo en los juzgados de primera instancia e instrucción. || **4.** Papelera o escritorio. || **5.** Recado de escribir, generalmente compuesto de tintero, salvadera y otras piezas, y colocado en un pie o platillo. || **6.** Caja portátil que traían pendiente de una cinta los escribanos y los niños de la escuela, en que había un estuche para las plumas y un tintero con su tapa.

Escribanil. adj. Perteneciente al oficio o condición del escribano.

Escribanillo. m. d. de **Escribano.** || **del agua. Escribano del agua.**

Escribano. (Del b. lat. *scribānus*, y éste del lat. *scriba.*) m. El que por oficio público está autorizado para dar fe de las escrituras y demás actos que pasan ante él. Los hubo de diferentes clases; como **escribano** de cámara, del rey, de provincia, del número y ayuntamiento, etc. Más tarde, los encargados de redactar, autorizar y custodiar las escrituras han sido los notarios, quedando reservada la fe pública a los **escribanos** en las actuaciones judiciales, y últimamente se les denomina secretarios. || **2. Secretario.** || **3. Pendolista.** || **4.** desus. Maestro de escribir o maestro de escuela. Ú. por la gente del pueblo. || **5.** ant. **Escribiente.** || **acompañado.** *For.* El que nombraba el juez para acompañar al que había sido recusado. || **del agua.** Girino, insecto coleóptero. || **de molde.** ant. **Impresor.** || **de provincia.** Cada uno de los del antiguo juzgado de provincia, ante quienes se actuaban los pleitos. || **El mejor escribano echa un borrón.** ref. que se usa para disculpar un yerro o falta que se ha cometido una vez. || **Por bueno o por malo, el escribano de tu mano.** ref. que enseña cuánto contribuye para el buen éxito de un negocio tener de su parte al principal agente de él.

Escribido, da. p. p. reg. de **Escribir,** que sólo se usa, y con significación activa, en la locución familiar **leído y escribido,** con que se moteja al que tiene escasa cultura y la echa de entendido.

Escribidor. (De *escribir.*) m. ant. **Escritor.** || **2.** fam. Mal escritor.

Escribiente. (Del lat. *scribens, -entis.*) com. Persona que tiene por oficio copiar o poner en limpio escritos ajenos, o escribir lo que se le dicta. || **2.** m. ant. Escritor, 2.ª acep.

Escribimiento. m. ant. Acción de escribir.

Escribir. (Del lat. *scribĕre.*) tr. Representar las palabras o las ideas con letras u otros signos trazados en papel u otra superficie, por medio de pluma y tinta o de otro instrumento adecuado a este fin, o por medio de la mecanografía. || **2.** Trazar las notas y demás signos de la música. || **3.** Componer libros, discursos, etc. || **4.** Comunicar a uno por escrito alguna cosa. || **5.** r. **Inscribir,** 2.ª acep. || **6.** Alistarse en algún cuerpo; como en la milicia, en una comunidad, congregación, etc. || **Escribe antes que des, y recibe antes que escribas.** ref. que encarece las precauciones con que se ha de comerciar y tratar los negocios para no exponerse a las pérdidas que ocasiona el descuido o la demasiada confianza. || **Escribir muy tirado,** o **tirado.** fr. **Escribir** muy de prisa. || **No escribirse** una cosa. fr. de gran encarecimiento. NO SE ESCRIBE *lo rico que es.*

Escriño. (Del lat. *scrinium.*) m. Cesta o canasta fabricada de paja, cosida con mimbres o cáñamo, de que se usa para recoger el salvado y las granzas de los granos. Los carreteros y boyeros se sirven de unos pequeños para dar de comer a los bueyes cuando van de camino. || **2.** Cofrecito o caja para guardar joyas, papeles o algún otro objeto precioso. || **3.** *Sal.* y *Zam.* Cascabillo de la bellota.

Escripia. (Del lat. *scirpĕa*, infl. por *scrinium*, cesto.) f. Cesta de pescador de caña.

Escripto, ta. p. p. irreg. ant. **Escrito.** || **2.** m. ant. **Escrito.**

Escriptor, ra. m. y f. ant. **Escritor.**

Escriptura. f. ant. **Escritura.**

Escripturar. tr. ant. **Escriturar.**

Escripturario. m. ant. **Escriturario.**

Escrita. (De *escrito.*) f. Especie de raya, con el hocico muy puntiagudo, el vientre blanco y el lomo gris rojizo, sembrado de manchas blancas, pardas y negras.

Escritilla. f. Criadilla de carnero. Ú. m. en pl.

Escrito, ta. (Del lat. *scriptus.*) p. p. irreg. de **Escribir.** || **2.** V. **Derecho, testamento escrito.** || **3.** V. **Derecho no escrito.** || **4.** V. **Ley escrita.** || **5.** adj. fig. Dícese de lo que tiene manchas o rayas que semejan letras o rasgos de pluma. *Un cabrito todo manchado y* ESCRITO. Aplícase especialmente al melón. || **6.** m. Carta, documento o cualquiera papel manuscrito. || **7.** Obra o composición científica o literaria. || **8.** *For.* Pedimento o alegato en pleito o causa. || **de agravios.** *For.* Aquel en que el apelante exponía ante el tribunal superior los que creía haber recibido en la sentencia del inferior, y pedía que ésta se revocase o modificase. || **de ampliación.** *For.* El posterior a los de discusión normal en que una parte litigante excepcionalmente alega un hecho importante sobrevenido o antes ignorado. || **de calificación.** *For.* El dedicado en el juicio penal a fijar las afirmaciones de las partes sobre hechos, carácter delictivo de éstos, participación de los reos, circunstancias y responsabilidades, así como a proponer la prueba. || **de conclusión,** o **de conclusiones.** *For.* El que, al terminar la primera instancia del juicio declarativo de mayor cuantía, presenta cada litigante, en vez del informe oral de su defensor, para recopilar sus probanzas y hacer examen crítico de las de su contrario. || **Estaba escrito.** loc. Así lo tenía dispuesto la Providencia. || **No hay nada escrito sobre eso.** expr. fig. con que cortesanamente se niega lo que otro da por cierto o asentado. || **Por escrito.** m. adv. Por medio de la escritura. || **Tomar** una cosa **por escrito.** fr. Sentar en un papel o libro de memoria lo que se ha visto u oído, para que no se olvide.

Escritor, ra. (Del lat. *scriptor.*) m. y f. Persona que escribe. || **2.** Autor de obras escritas o impresas. || **3.** ant. Secretario, 3.ª y 4.ª aceps.

Escritorio. (Del lat. *scriptorĭum.*) m. Mueble cerrado, con divisiones en su parte interior para guardar papeles. Algunos tienen un tablero sobre el cual se escribe. || **2.** Aposento donde tienen su despacho los hombres de negocios; como banqueros, notarios, comerciantes, etc. || **3.** Mueble de madera, comúnmente con embutidos de marfil, concha u otros adornos de taracea, y con gavetas o cajoncillos para guardar joyas. || **4.** *Sant.* y *Tol.* Lonja cerrada donde se venden por mayor género y ropas.

Escritorista. m. ant. El que por oficio hacía escritorios.

Escritorzuelo, la. m. y f. d. despect. de **Escritor.**

Escritura. (Del lat. *scriptūra.*) f. Acción y efecto de escribir. || **2.** Arte de escribir. || **3. Escrito,** 6.ª acep. || **4.** Instrumento público, firmado a presencia de testigos por la persona o personas que lo otorgan, de todo lo cual da fe el notario. || **5.** Obra escrita. || **6.** Por antonom., la Sagrada **Escritura** o la Biblia. Ú. t. en pl.

Escriturar. tr. Contratar un artista, especialmente de teatro. || **2.** *For.* Hacer constar con escritura pública y en forma legal un otorgamiento o un hecho.

Escriturario, ria. adj. *For.* Que consta por escritura pública o que a ésta pertenece. || **2.** m. El que hace profesión de declarar y enseñar la Sagrada Escritura, y ha adquirido grande inteligencia de la Biblia.

Escrocón. m. ant. **Sobreveste.**

Escrófula. (Del lat. *scrofŭlae,* paperas.) f. *Med.* Tumefacción fría de los ganglios linfáticos, principalmente cervicales, generalmente acompañada de un estado de debilidad general que predispone a las enfermedades infecciosas y sobre todo a la tuberculosis.

Escrofularia. (De *escrófula,* por haberse usado esta planta como medicamento para las paperas.) f. Planta anual de la familia de las escrofulariáceas, que crece hasta un metro de altura, con tallo lampiño y nudoso, hojas opuestas, obtusas y acorazonadas, flores en panoja larga de corola pardusca y semillas menudas.

Escrofulariáceo, a. (De *scrophularia,* nombre de un género de plantas.) adj. *Bot.* Dícese de las plantas angiospermas dicotiledóneas que tienen hojas alternas u opuestas, flores en racimo o en espiga, y por frutos cápsulas dehiscentes con semillas de albumen carnoso o córneo; como la escrofularia, la algarabía y el gordolobo. Ú. t. c. s. || **2.** f. pl. *Bot.* Familia de estas plantas.

Escrofulismo. m. *Med.* Enfermedad que se caracteriza por la aparición de escrófulas.

Escrofuloso, sa. adj. *Med.* Perteneciente a la escrófula. || **2.** *Med.* Que la padece. Ú. t. c. s.

Escroto. (Del lat. *scrotum.*) m. *Zool.* Bolsa formada por la piel que cubre los testículos de los mamíferos, y las membranas que los envuelven.

Escrudiñar. (Del b. lat. *scrutiniāre,* de *scrutinĭum.*) tr. ant. **Escudriñar.**

Escrupulear. intr. ant. **Escrupulizar.**

Escrupulete. m. fam. d. de **Escrúpulo.**

Escrupulillo. (d. de *escrúpulo.*) m. Grano de metal u otra materia, que se pone dentro del cascabel para que suene.

Escrupulizar. intr. Formar escrúpulo o duda.

Escrúpulo. (Del lat. *scrupŭlum,* d. de *scrupus,* piedra.) m. Duda o recelo que punza la conciencia sobre si una cosa es o no cierta, si es buena o mala, si obliga o no obliga; lo que trae inquieto y desasosegado el ánimo. || **2. Escrupulosidad.** || **3.** China que se mete en el zapato y lastima el pie. || **4.** *Astron.* **Minuto,** 3.ª acep. || **5.** *Farm.* Peso antiguo, equivalente a 24 granos, o sea 1.198 miligramos. || **de Marigargajo,** o **del padre Gargajo.** fig. y fam. **Escrúpulo** ridículo, infundado, extravagante y ajeno de razón. || **de monja.** fig. y fam. **Escrúpulo** nimio y pueril.

Escrupulosamente. adv. m. Con escrúpulo y exactitud. || **2.** Esmerándose en la cumplida y perfecta ejecución de lo que se emprende o desempeña.

Escrupulosidad. (Del lat. *scrupulosĭtas, -ātis.*) f. Exactitud en el examen y averiguación de las cosas y en el estricto cumplimiento de lo que uno emprende o toma a su cargo.

Escrupuloso, sa. (Del lat. *scrupulōsus.*) adj. Que padece o tiene escrúpulos. Ú. t. c. s. || **2.** Dícese de lo que causa escrúpulos. || **3.** fig. **Exacto.**

Escrutador, ra. (Del lat. *scrutator.*) adj. Escudriñador o examinador cuidadoso, de una cosa. || **2.** Dícese del que en elecciones y otros actos análogos cuenta y computa los votos. Ú. t. c. s.

Escrutar. (Del lat. *scrutāre.*) tr. Indagar, examinar cuidadosamente, explorar. || **2.** Reconocer y computar los votos que para elecciones u otros actos análogos se han dado secretamente por medio de bolas, papeletas o en otra forma.

Escrutinio. (Del lat. *scrutinĭum.*) m. Examen y averiguación exacta y diligente que se hace de una cosa para saber lo que es y formar juicio de ella. || **2.** Reconocimiento y regulación de los votos en las elecciones o en otro acto análogo.

Escrutiñador, ra. (De *escrutinio.*) m. y f. Examinador, censor que reconoce una cosa haciendo escrutinio de ella.

Escuadra. (De *escuadrar.*) f. Instrumento por lo general de metal o madera, de figura de triángulo rectángulo, o compuesto solamente de dos reglas que forman ángulo recto. || **2.** Pieza de hierro u otro metal, con dos ramas en ángulo recto, con que se aseguran las ensambladuras de las maderas. || **3.** Cierto número de soldados en compañía y ordenanza con su cabo. || **4.** Plaza de cabo de este número de soldados. || **5.** Cada una de las cuadrillas que se forman de algún concurso de gente. || **6.** Conjunto de buques de guerra para determinado servicio. || **7. Escuadría,** 1.ª acep. || **8.** *Astron.* Constelación austral situada al sur del Ara o Altar. || **9.** *Mil.* V. **Cabo, jefe, mozo de escuadra.** || **de agrimensor.** Instrumento de topografía, origen del cartabón, que constaba de cuatro alidadas, con que se podían señalar en el terreno alineaciones en ángulos rectos y semirrectos. || **falsa,** o **falsa escuadra.** Instrumento que se compone de dos reglas movibles alrededor de un eje y con el cual se trazan ángulos de diferentes aberturas. || **sutil.** Conjunto de buques de guerra, generalmente pequeños, destinados a la vigilancia, policía y defensa de puertos y costas. || **A escuadra.** m. adv. En forma de **escuadra** o en ángulo recto. *Cortar una piedra, una plancha,* A ESCUADRA. || **A escuadra viva.** m. adv. Se dice del modo de labrar las vigas y maderos con sierra o hacha, dejándoles ángulos rectos y aristas bien rectas. || **Fuera de escuadra.** m. adv. En ángulo oblicuo.

Escuadrar. (Del lat. *exquadrāre,* de *quadrum.*) tr. Labrar o disponer un objeto de modo que sus caras planas formen entre sí ángulos rectos.

Escuadreo. (De *escuadrar.*) m. Acción y efecto de medir la extensión de un área en unidades cuadradas; como varas, leguas, metros o kilómetros.

Escuadría. f. Las dos dimensiones de la sección transversal de una pieza de madera que está o ha de ser labrada a escuadra. || **2.** ant. **Escuadra,** 1.ª acep. || **3.** *Mar.* V. **Punto de escuadría.**

Escuadrilla. f. Escuadra compuesta de buques de pequeño porte. || **2.** Determinado número de aviones que realizan un mismo vuelo dirigidos por un jefe.

Escuadro. m. Escrita. || **2.** ant. **Cuadro,** 5.ª acep.

Escuadrón. (aum. de *escuadra.*) m. *Mil.* Una de las partes en que se divide un regimiento de caballería, y cuya fuerza ha solido variar. || **2.** *Mil.* En lo antiguo, porción de tropa formada en filas con cierta disposición según las reglas de la táctica militar. || **3.** *Mil.* En lo antiguo, parte del ejército compuesta de infantería y caballería. || **volante.** ant. *Mil.* **Cuerpo volante.**

Escuadronar. tr. *Mil.* Formar la gente de guerra en escuadrón o escuadrones.

Escuadroncete. m. d. de **Escuadrón.**

Escuadronista. (De *escuadrón.*) m. desus. *Mil.* Oficial inteligente en la táctica y en las maniobras de la caballería.

Escualidez. f. Calidad de escuálido, 1.ª y 2.ª aceps.

Escuálido, da. (Del lat. *squalĭdus.*) adj. Sucio, asqueroso. || **2.** Flaco, macilento. || **3.** *Zool.* Dícese de peces selacios que tienen el cuerpo fusiforme, hendiduras branquiales a los lados de éste, detrás de la cabeza, y cola robusta; como el cazón y la fija. Ú. t. c. s. || **4.** m. pl. *Zool.* Suborden de estos peces.

Escualo. (Del lat. *squalus.*) m. *Zool.* Cualquiera de los peces selacios pertenecientes al suborden de los escuálidos.

Escualor. (Del lat. *squalor.*) m. **Escualidez.**

Escucha. (De *escuchar.*) f. Acción de escuchar. || **2.** Centinela que se adelanta de noche a la inmediación de los puntos enemigos para observar de cerca sus movimientos. || **3.** En los conventos de religiosas y colegios de niñas, la que tiene por oficio acompañar en el locutorio, para oir lo que se habla, a las que reciben visitas de personas de fuera. || **4.** Criada que duerme cerca de la alcoba de su ama para poder oir si la llama. || **5.** Ventana pequeña que estaba dispuesta en las salas de palacio, donde se tenían los consejos y tribunales superiores, para que pudiese el rey, cuando gustase, escuchar lo que en los consejos se votaba, sin ser visto. || **6.** pl. *Fort.*

Galerías pequeñas, radiales que se hacen al frente del glacis de las fortificaciones de una plaza, y que concurren a una galería mayor situada en un punto céntrico. Sirven para reconocer y detener a los minadores enemigos en sus trabajos.

Escuchadera. f. desus. **Escucha,** 3.ª acep.

Escuchador, ra. adj. Que escucha.

Escuchante. p. a. de **Escuchar.** Que escucha.

Escuchaño, ña. adj. ant. Decíase de la persona que se ponía en escucha.

Escuchar. (Del ant. y vulg. *ascuchar,* y éste del lat. *auscūltāre.*) intr. Aplicar el oído para oír. || **2.** tr. Prestar atención a lo que se oye. || **3.** Dar oídos, atender a un aviso, consejo o sugestión. || **4.** r. Hablar o recitar con pausas afectadas.

Escuchimizado, da. adj. Muy flaco y débil.

Escucho. (De *escuchar.*) m. *León* y *Sant.* Lo que se dice al oído en voz baja. || **A escucho,** o **al escucho.** m. adv. Al oído y con secreto.

Escudado. (Del lat. *scutātus.*) m. ant. Soldado armado de escudo.

Escudaño. m. *Ál.* Sitio resguardado del frío, generalmente expuesto al mediodía.

Escudar. tr. Amparar y resguardar con el escudo, oponiéndole al golpe del contrario. Ú. t. c. r. || **2.** fig. Resguardar y defender a una persona del peligro que le está amenazando. || **3.** r. fig. Valerse uno de algún medio, favor y amparo para justificarse, salir del riesgo o evitar el peligro de que está amenazado.

Escuderaje. m. Servicio y asistencia que hace el escudero como criado de una casa.

Escuderante. p. a. ant. de **Escuderear.** Que escuderea.

Escuderear. tr. Servir y acompañar a una persona principal como escudero y familiar de su casa.

Escuderete. m. d. de **Escudero.**

Escudería. f. Servicio y ministerio del escudero.

Escuderil. adj. Perteneciente al empleo de escudero y a su condición y costumbres.

Escuderilmente. adv. m. Con estilo y manera de escudero.

Escudero, ra. adj. **Escuderil.**

Escudero. (Del lat. *scutarĭus.*) m. Paje o sirviente que llevaba el escudo al caballero en tanto que no usaba de él. || **2. Hidalgo,** 1.ª acep. || **3.** El que en lo antiguo llevaba acostamiento de un señor o persona de distinción, y tenía la obligación de asistirle y acudirle en los tiempos y ocasiones que se le señalaban. || **4.** El que hacía escudos. || **5.** El que está emparentado con una familia o casa ilustre, y reconocido y tratado como tal. || **6.** Criado que servía a una señora, acompañándola cuando salía de casa y asistiendo en su antecámara. || **7.** *Mont.* Jabalí nuevo que el jabalí viejo trae consigo. || **de a pie.** En la casa real, mozo dedicado a llevar recados. || **A escudero pobre, carbón de cañuto.** ref. irónico, porque el carbón de canutillo es de poca duración y mucho gasto. || **El escudero de Guadalajara, de lo que promete a la noche, no hay nada a la mañana.** ref. **El hidalgo de Guadalajara,** etc. || **Escudero pobre, taza de plata y olla de cobre.** ref. que se aplica a aquellos que a costa de privaciones ostentan riqueza que no tienen.

Escuderón. (aum. de *escudero.*) m. despect. El que intenta hacer más figura de la que le corresponde.

Escudete. m. Objeto semejante a un escudo pequeño. || **2. Escudo,** 8.ª acep. || **3.** Pedacito de lienzo en forma de escudo o corazón, que sirve de fuerza en los cortes de la ropa blanca. En las sobrepellices suelen ser de encaje. || **4.** Mancha redonda que las gotas de lluvia suelen producir en las aceitunas verdes, por donde éstas se dañan y acorchan. || **5. Nenúfar.** || **6.** V. **Injerto de escudete.**

Escudilla. (Del lat. *scutella,* d. de *scutra,* olla.) f. Vasija ancha y de forma de una media esfera, que se usa comúnmente para servir en ella la sopa y el caldo. || **2.** desus. En Galicia, cierta medida mínima de granos.

Escudillador, ra. adj. Que escudilla. Ú. t. c. s.

Escudillar. tr. Echar en escudillas, fuentes o platos, caldo o manjares para distribuirlos. || **2.** Echar el caldo hirviendo sobre el pan con que se hace la sopa. || **3.** fig. Disponer y manejar uno las cosas a su arbitrio, como si fuera único dueño de ellas. || **4.** fig. *Ar.* y *Nav.* Contar lo que se sabe; no guardar secreto. || **En el escudillar verás quién te quiere bien y quién te quiere mal.** ref. que denota que el modo de hacer los beneficios y distribuir los empleos descubre la mayor o menor afición y particular inclinación del que los reparte.

Escudillo. m. d. de **Escudo.** || **2. Doblilla.**

Escudo. (Del lat. *scūtum.*) m. Arma defensiva para cubrirse y resguardarse de las ofensivas, que se llevaba en el brazo izquierdo. || **2.** Chapa de acero que, unida al montaje, llevan las piezas de artillería de montaña para que sirva de defensa a los sirvientes del cañón. || **3.** Moneda antigua de oro: entraban 68 en un marco, lo mismo que las coronas. || **4. Peso duro,** 1.ª acep. || **5.** Moneda de plata que valía 10 reales de vellón y que hace años sirvió de unidad monetaria. || **6.** Unidad monetaria portuguesa equivalente, a la par, a cinco pesetas. || **7.** Moneda chilena de oro, de cinco pesos. || **8. Escudo de armas.** || **9.** Planchuela de metal, a veces en forma de **escudo,** que para guiar la llave suele ponerse delante de la cerradura. || **10.** Cabezal de la sangría. || **11.** fig. Amparo, defensa, patrocinio. || **12.** *Blas.* V. **Flanco del escudo.** || **13.** *Fís.* **Bólido.** || **14.** *Mar.* **Espejo de popa.** || **15.** *Mar.* Tabla vertical que en los botes forma el respaldo del asiento de popa. || **16.** *Mont.* Espaldilla del jabalí, así llamada porque le sirve de defensa en los encuentros que tiene con otros. || **acuartelado.** *Blas.* El que está dividido en cuarteles. || **burelado.** *Blas.* El que tiene 10 fajas, 5 de metal y 5 de color. || **cortado.** *Blas.* El que está partido horizontalmente en dos partes iguales. || **cortinado.** *Blas.* El partido por dos líneas que, arrancando del punto medio de la parte superior o inferior del jefe, terminan en los cantones de la punta. || **de armas.** *Blas.* Campo, superficie o espacio de distinta figuras en que se pintan los blasones de un Estado, población, familia, corporación, etc. || **de Orión.** *Astron.* Fila curva de estrellas en el lado occidental de la constelación Orión. || **de Sovieski.** *Astron.* Constelación boreal al sur del Águila. || **enclavado.** *Blas.* **Escudo** partido o cortado, en que una de las partes monta sobre la otra y aparece como enclavada en ésta. || **fajado.** *Blas.* **Escudo** cubierto de seis fajas, tres de metal y tres de color. Si tiene cuatro u ocho, se ha de especificar su número. || **mantelado.** *Blas.* **Escudo cortinado.** || **partido en,** o **por, banda.** *Blas.* El dividido por una banda. || **raso.** *Blas.* El que no tiene adornos o timbres. || **tajado.** *Blas.* El que está dividido diagonalmente con una línea que pasa desde el ángulo siniestro del jefe al diestro de la punta. || **tronchado.** *Blas.* El que se divide con una línea diagonal tirada del ángulo diestro del jefe del escudo al siniestro de la punta. || **vergeteado.** *Blas.* El que se compone de diez o más palos.

Escudriñable. adj. Que puede escudriñarse.

Escudriñador, ra. (De *escudriñar.*) adj. Que tiene curiosidad por saber y apurar las cosas secretas. Ú. t. c. s.

Escudriñamiento. m. Acción y efecto de escudriñar.

Escudriñar. (De *escrudiñar.*) tr. Examinar, inquirir y averiguar cuidadosamente una cosa y sus circunstancias.

Escudriño. (Del lat. *scrutinĭum,* escrutinio.) m. ant. **Escudriñamiento.**

Escuela. (Del lat. *schŏla,* y éste del gr. σχολή.) f. Establecimiento público donde se da a los niños la instrucción primaria en todo o en parte. || **2.** Establecimiento público donde se da cualquier género de instrucción. || **3.** V. **Buque escuela.** || **4.** Enseñanza que se da o que se adquiere. || **5.** Conjunto de profesores y alumnos de una misma enseñanza. || **6.** Método, estilo o gusto peculiar de cada maestro para enseñar. || **7.** Doctrina, principios y sistema de un autor. || **8.** Conjunto de discípulos, secuaces o imitadores de una persona o de su doctrina, arte, etc. || **9.** Conjunto de caracteres comunes que en literatura y en arte distingue de las demás las obras de una época, región, etc. ESCUELA *clásica, romántica;* ESCUELA *holandesa, veneciana.* || **10.** fig. Lo que en algún modo alecciona o da ejemplo y experiencia. *La* ESCUELA *de la desgracia; la* ESCUELA *del mundo.* || **11.** pl. Sitio donde estaban los estudios generales. || **Escuela normal.** Aquella en que se hacen los estudios y la práctica necesarios para obtener el título de maestro de primera enseñanza. || **Escuelas Pías.** Orden religiosa de clérigos regulares fundada a fines del siglo XVI por San José de Calasanz para dedicarse a la educación y a la enseñanza de niños pobres. || **Saber uno toda la escuela.** fr. Saber todas las diferencias de un ejercicio gimnástico.

Escuerzo. (Del lat. *scortĕus,* de piel arrugada.) m. **Sapo,** 1.ª acep. || **2.** fig. y fam. Persona flaca y desmedrada.

Escuetamente. adv. De un modo escueto.

Escueto, ta. adj. Descubierto, libre, despejado, desembarazado. || **2.** Sin adornos o sin ambages, seco, estricto.

Escueznar. tr. *Ar.* Sacar los escueznos.

Escuezno. m. *Ar.* **Pierna de nuez.** Ú. m. en pl.

Esculca. (Del lat. *sculca.*) f. desus. Espía o explorador.

Esculcar. (De *esculca.*) tr. Espiar, inquirir, averiguar con diligencia y cuidado. || **2.** *And., Colomb., C. Rica, Méj.* y *P. Rico.* Registrar para buscar algo oculto. || **3.** *Extr.* **Espulgar.**

Esculpidor. (De *esculpir.*) m. El que se dedica a esculpir.

Esculpidura. (De *esculpir.*) f. ant. **Grabadura.**

Esculpir. (Del lat. *sculpĕre.*) tr. Labrar a mano una obra de escultura, especialmente en piedra, madera o metal. || **2. Grabar,** 1.ª acep.

Esculta. (Del lat. *sculta.*) f. ant. **Esculca.**

Esculto, ta. (Del lat. *sculptus.*) p. p. irreg. ant. de **Esculpir.**

Escultor, ra. (Del lat. *sculptor.*) m. y f. Persona que profesa el arte de la escultura.

Escultórico, ca. adj. **Escultural,** 1.ª acep.

Escultura. (Del lat. *sculptūra.*) f. Arte de modelar, tallar y esculpir en barro, piedra, madera, metal u otra materia conveniente, representando de bulto figuras de personas, animales u otros objetos de la naturaleza, o el asunto y composición que el ingenio concibe. || **2.** Obra hecha por el escultor. || **3.** Fundición o vaciado que se forma en los moldes de las **esculturas** hechas a mano.

Escultural. adj. Perteneciente o relativo a la escultura. || **2.** Que participa de alguno de los caracteres bellos de la estatua. *Formas* ESCULTURALES; *actitud* ESCULTURAL.

Escullador. (De *escullar*, 2.° art.) m. Vaso de lata con que en los molinos de aceite se saca éste del pozuelo cuando está hondo.

Escullar. tr. En varias regiones, vulg. por **escudillar,** 1.ª acep. || **2.** intr. *Burg.* Gotear o escurrir un líquido de una vasija u otra cosa.

Escullir. intr. *Murc.* Resbalar, caer. || **2.** r. **Escabullirse.**

Escullón. m. *Murc.* **Resbalón,** 1.ª acep.

Escuna. (Del port. *escuna*, y éste del hol. *schooner.*) f. *Mar.* **Goleta.**

Escupetina. f. **Escupitina.**

Escupidera. f. Pequeño recipiente de loza, metal, madera, etc., que se pone en las habitaciones para escupir en él. || **2.** *And., Argent., Chile* y *Ecuad.* Orinal, bacín.

Escupidero. m. Sitio o lugar donde se escupe. || **2.** fig. Situación en que está uno expuesto a ser ajado o despreciado.

Escupido, da. p. p. de **Escupir.** || **2.** adj. Dícese del sujeto que tiene mucho parecido con alguno de sus ascendientes directos. *Fulana es* ESCUPIDA *la madre.* || **3.** m. **Esputo.**

Escupidor, ra. adj. Que escupe con mucha frecuencia. Ú. t. c. s. || **2.** m. *And., Ecuad.* y *P. Rico.* **Escupidera,** 1.ª acep. || **3.** *Colomb.* Ruedo, baleo.

Escupidura. f. Saliva, sangre o flema escupida. || **2.** Excoriación que suele presentarse en los labios por consecuencia de una calentura.

Escupir. (Del lat. *ex* y *conspuĕre.*) intr. Arrojar saliva por la boca. ESCUPIR *en el suelo.* || **2.** tr. Arrojar con la boca algo como **escupiendo.** ESCUPIR *sangre.* || **3.** fig. Salir y brotar al cutis postillas u otras señales de humor ardiente que causó calentura. || **4.** fig. Echar de sí con desprecio una cosa, teniéndola por vil y sucia. || **5.** fig. Despedir un cuerpo a la superficie otra substancia que estaba mezclada o unida con él. || **6.** fig. Despedir o arrojar con violencia una cosa. *Los cañones* ESCUPÍAN *balas y metralla.* || **Escupir** a uno. fr. fig. Hacer escarnio de él. || **No escupir** uno una cosa. fr. fig. y fam. Ser aficionado a ella.

Escupitajo. (De *escupir.*) m. fam. **Escupidura,** 1.ª acep.

Escupitina. (De *escupir.*) f. fam. **Escupidura,** 1.ª acep.

Escupitinajo. (De *escupitina.*) m. fam. **Escupitajo.**

Escupo. m. Escupido, esputo.

Escurana. f. ant. **Obscuridad.** Ú. en *Colomb.* y *Chile.*

Escurar. (Del lat. **excūrāre*, de *curāre*, cuidar.) tr. En el obraje de paños, limpiarlos del aceite con greda o jabón antes de abatanarlos.

Escurar. (Del lat. *obscurāre.*) tr. ant. **Oscurecer.**

Escuras (A). m. adv. ant. **A oscuras.**

Escurecer. intr. ant. **Oscurecer.** Ú. aún por el vulgo.

Escurecimiento. m. ant. **Oscurecimiento.**

Escureta. (Del ant. fr. *escurette*, mod. *écurette*, de *escurer*, *écurer*, limpiar, y éste del lat. **excūrāre*, de *curāre*, cuidar.) f. *Pal.* Especie de peine de púas largas y dobladas en ángulo recto, que sirve para limpiar en los telares el pelo que queda en los palmares al cardar las mantas.

Escureza. f. ant. **Escuridad.**

Escurialense. adj. Perteneciente al pueblo y al monasterio de El Escorial.

Escuridad. f. ant. **Oscuridad.**

Escuro, ra. adj. ant. **Oscuro.**

Escurra. (Del lat. *scurra.*) m. **Truhán.**

Escurreplatos. m. Mueble usado junto a los fregaderos para poner a escurrir las vasijas fregadas.

Escurribanda. (De *escurrir*, 1.er art.) f. fam. **Escapatoria,** 1.ª acep. || **2.** fam. **Desconcierto,** 5.ª acep. || **3.** fam. Corrimiento o fluxión de un humor. || **4.** fam. **Zurribanda,** 1.ª acep.

Escurridero. m. Lugar a propósito para poner a escurrir alguna cosa.

Escurridizo, za. adj. Que se escurre o desliza fácilmente. || **2.** Propio para hacer deslizar o escurrirse. *Terreno* ESCURRIDIZO. || **Hacerse** uno **escurridizo.** fr. fig. y fam. Escaparse, retirarse, escabullirse.

Escurrido, da. p. p. de **Escurrir.** || **2.** adj. Dícese de la persona estrecha de caderas. || **3.** Aplícase a la mujer que trae muy ajustadas las sayas. || **4.** *Bot.* V. **Hoja escurrida.** || **5.** *Méj.* y *P. Rico.* Corrido, confuso, avergonzado.

Escurridor. m. Colador de agujeros grandes en donde se echan las viandas para que escurran el líquido en que están empapadas. || **2. Escurreplatos.**

Escurriduras. (De *escurrir*, 1.er art.) f. pl. Últimas reliquias o gotas de un licor que han quedado en el vaso, bota, etc. || **Llegar** uno **a las escurriduras.** fr. fig. y fam. Llehar a lo último o a lo ya inútil en alguna meteria.

Escurrilidad. (Del lat. *scurrilĭtas.*) f. Cosa propia del escurra, truhanería.

Escurrimbres. (De *escurrir*, 1.er art.) f. pl. fam. **Escurriduras.**

Escurrimiento. m. Acción y efecto de escurrir o escurrirse, 1.er art.

Escurrir. (Del lat. *excurrĕre.*) tr. Apurar las reliquias y últimas gotas de un licor que han quedado en un vaso, pellejo, etc. ESCURRIR *el vino, el aceite.* || **2.** Hacer que una cosa mojada o que tiene líquido despida la parte que quedaba detenida. Ú. t. c. r. || **3.** ant. Recorrer algunos parajes para reconocerlos. || **4.** intr. Destilar y caer gota a gota el licor que estaba en un vaso, etc. || **5.** Deslizar y correr una cosa por encima de otra. Ú. t. c. r. *Se* ESCURREN *los pies en el hielo.* || **6.** r. **Escapar,** 4.ª acep. || **7.** fam. Correrse, por lo común inadvertidamente, a ofrecer o dar por una cosa más de lo debido. || **8.** Correrse, deslizarse, decir más de lo que se debe o quiere decir.

Escurrir. (Del b. lat. *excorrigĕre*, gobernar, conducir.) tr. ant. Salir acompañando a una para despedirle. Ú en *Ast., Pal.* y *Sant.*

Escusa. (Del lat. *absconsus*, escondido.) f. **Escusabaraja.** || **2.** Cualquiera de los provechos y ventajas que por especial condición y pacto disfrutan algunas personas según los estilos de los lugares. || **3.** Derecho que el dueño de una finca o de una ganadería concede a sus guardas, pastores, etc., para que puedan apacentar, sin pagar renta, un corto número de cabezas de ganado de su propiedad, y esto como parte de la retribución convenida. || **4.** Conjunto de las cabezas de ganado a que se aplica este derecho. || **5.** Entre ganaderos, res o cabeza de ganado horra. || **6.** V. **Paños de escusa.** || **A escusa,** o **a escusas.** m. adv. Con disimulo o cautela.

Escusabaraja. (De *escusa* y *baraja.*) f. Cesta de mimbre, con tapa de lo mismo, que sirve para poner o llevar ciertas cosas de uso común. || **2.** ant. *Mar.* **Cuerpo muerto.**

Escusadas (A). (De *escusa.*) m. adv. ant. **A escondidas.**

Escusado, da. (De *escusa.*) adj. Reservado, preservado o separado del uso común.

Escusalí. m. **Excusalí.**

Escusano. (De *escusa.*) adj. ant. Encubierto, escondido.

Escusaña. (De *escusa.*) f. ant. Hombre de campo que en tiempo de guerra se ponía en un paso o vado para observar los movimientos del enemigo. || **A escusañas.** m. adv. ant. A escondidas o a hurto.

Escuso (A, o **en).** m. adv. ant. Ocultamente, a escondidas.

Escusón. m. Reverso de una moneda que tiene representado un escudo. || **2.** *Blas.* Escudo pequeño que carga a otro mayor.

Escutiforme. adj. De forma de escudo.

Escuyer de cocina. (Del ant. fr. *escuyer [tranchant]*, y éste del lat. *scutarĭus*, escudero.) m. Oficio de la casa real, según la etiqueta de la de Borgoña, equivalente al que en la de Castilla se llamaba veedor de vianda.

Esdras. n. p. V. **Libro de Esdras.**

Esdrujulizar. tr. Dar acentuación esdrújula a una voz.

Esdrújulo, la. (Del ital. *sdrucciolo.*) adj. Aplícase al vocablo cuya acentuación prosódica carga en la antepenúltima sílaba; v. gr.: *Máxima, oráculo.* Ú. t. c. s. m. || **2.** V. **Verso esdrújulo.**

Ese. f. Nombre de la letra *s.* || **2.** Eslabón de cadena que tiene la figura de una **ese.** || **Andar** uno **haciendo eses.** fr. fig. y fam. Andar o ir hacia uno y otro lado por estar bebido. || **Echar** a uno **una ese,** o **una ese y un clavo.** fr. fig. y fam. Cautivar con beneficios la voluntad de una persona. Dícese por alusión al jeroglífico de la **ese** atravesada por un clavo, que significa *esclavo.* || **Ir** uno **haciendo eses.** fr. fig. y fam. **Andar haciendo eses. Poner** a uno **una ese.** fr. fig. y fam. **Echarle una ese.**

Ese, esa, eso, esos, esas. (Del lat. *ipse, ipsa, ipsum.*) Formas del pron. dem. en los tres géneros m., f. y n., y en ambos nums. sing. y pl. Hacen oficio de adjetivos cuando van unidos al nombre; v. gr.: ESA *vida;* ESE *libro.* Cuando hacen oficio de substantivos, el m. y f. se escriben con acento: ÉSE *quiero; vendrán* ÉSAS. || **Esa** designa la ciudad en que está la persona a quien nos dirigimos por escrito. *Llegaré a* ÉSA *dentro de ocho días.* || **Eso** equivale a veces a **lo mismo.** ESO *se me da que me den ocho reales sencillos que una pieza de a ocho.* || **¡A ése!** interj. con que se incita a detener a uno que huye. || **Eso mismo.** m. adv. Asimismo, también o igualmente. || **Ni por ésas,** o **ni por ésas ni por esotras.** m. adv. De ninguna manera; de ningún modo.

Esecilla. (d. de *ese*, 1.er art.) f. **Alacrán,** 2.ª acep.

Eseíble. (De *eser.*) adj. ant. *Fil.* Lo que puede ser.

Esencia. (Del lat. *essentĭa.*) f. Naturaleza de las cosas. || **2.** Lo permanente e invariable en ellas; lo que el ser es. || **3.** *Quím.* Cualquiera de las substancias líquidas, formadas por mezclas de hidrocarburos, que se asemejan mucho por sus caracteres físicos a las grasas, pero se distinguen de éstas por ser muy volátiles; suelen tener un olor penetrante y son producidas por plantas de muy diversas familias, principalmente labiadas, rutáceas, umbelíferas y abietáceas. || **Quinta esencia.** Quinto elemento que consideraba la filosofía antigua en la composición del universo, especie de éter sutil y purísimo, cuyo movimiento propio era el circular y del cual estaban formados los cuerpos celestes.

|| **2.** Entre los alquimistas, principio fundamental de la composición de los cuerpos, por cuyo medio esperaban operar la transmutación de los metales. || **3.** fig. Lo más puro, más fino y acendrado de una cosa. || **Ser de esencia** una cosa. fr. Ser precisa, indispensable; ser condición inseparable de ella.

Esencial. (Del lat. *essentiālis.*) adj. Perteneciente a la esencia. *El alma es parte* ESENCIAL *del hombre.* || **2.** Substancial, principal, notable. || **3.** V. **Aceite, fiebre, parte esencial.**

Esencialidad. f. Calidad de esencial.

Esencialmente. adv. m. Por esencia, por naturaleza.

Esenciarse. r. desus. Unirse íntimamente con otro ser, como formando parte de su esencia.

Esenciero. m. Frasco para esencia.

Esenio, nia. (Del lat. *essēni, -ōrum.*) adj. Dícese del individuo de una secta de los antiguos judíos, que practicaba la comunidad de bienes y tenía gran sencillez y humildad en sus costumbres. Ú. t. c. s. || **2.** Perteneciente o relativo a esta secta.

Eser. (Del lat. **essere,* de *esse,* ser.) intr. ant. **Ser.**

Eseyente. (De *eser.*) adj. ant. Que es.

Esfacelarse. r. *Med.* Mortificarse o gangrenarse un tejido.

Esfacelo. (Del gr. σφάκελος, gangrena.) m. *Med.* Parte mortificada de la piel o de los tejidos profundos, que se forma en ciertas heridas o quemaduras.

Esfenoidal. adj. Perteneciente o relativo al esfenoides.

Esfenoides. (Del gr. σφηνοειδής; de σφήν, cuña, y εἶδος, forma.) adj. *Zool.* V. **Hueso esfenoides.** Ú. t. c. s.

Esfera. (Del lat. *sphaera,* y éste del gr. σφαῖρα.) f. *Geom.* Sólido terminado por una superficie curva cuyos puntos equidistan todos de otro interior llamado centro. La **esfera** se concibe como producto de la revolución de un semicírculo en torno del diámetro que sirve de eje. || **2.** Círculo en que giran las manecillas del reloj. || **3.** poét. **Cielo,** 1.ª acep. || **4.** fig. Clase o condición de una persona. *Fulano es hombre de alta* ESFERA; *salirse de su* ESFERA. || **5.** fig. Ámbito, espacio a que se extiende o alcanza la virtud de un agente, las facultades y cometido de una persona, etc. || **armilar.** Aparato compuesto de varios círculos de metal, cartón u otra materia a propósito, que representan los de la **esfera** celeste, y en cuyo centro se coloca un pequeño globo que figura la Tierra. || **celeste. Esfera** ideal, concéntrica con la terráquea, y en la cual se mueven aparentemente los astros. || **de acción. Esfera de actividad.** || **de actividad.** Espacio a que se extiende o alcanza la virtud de cualquier agente. || **oblicua.** La celeste, para los habitantes de la Tierra cuyo horizonte es oblicuo con respecto al Ecuador. || **paralela.** La celeste, para un observador colocado en cualquiera de los polos de la Tierra, porque entonces su horizonte sería paralelo al Ecuador. || **recta.** La celeste, para los que habitan en la línea equinoccial, cuyo horizonte corta perpendicularmente al Ecuador. || **terráquea,** o **terrestre. Globo terráqueo,** o **terrestre.** || **Quien espera en la esfera, muere en la rueda.** ref. que advierte que no debe el hombre poner su confianza en este mundo inconstante.

Esferal. (Del lat. *sphaerālis.*) adj. **Esférico.**

Esfericidad. f. *Geom.* Calidad de esférico. || **2.** *Ópt.* V. **Aberración de esfericidad.**

Esférico, ca. (Del lat. *sphaericus,* y éste del gr. σφαιρικός.) adj. *Geom.* Perteneciente a la esfera o que tiene su figura. || **2.** V. **Trigonometría esférica.** || **3.** *Geom.* V. **Ángulo, casquete, huso, sector, segmento, triángulo esférico.** || **4.** *Geom.* V. **Epicicloide, superficie esférica.**

Esferista. (De *esfera.*) m. ant. **Astrólogo,** 2.ª acep. || **2.** ant. **Astrónomo.**

Esferoidal. adj. *Geom.* Perteneciente al esferoide o que tiene su figura.

Esferoide. (Del lat. *sphaeroīdes,* y éste del gr. σφαιροειδής; de σφαῖρα, esfera, y εἶδος, forma.) m. *Geom.* Cuerpo de forma parecida a la esfera.

Esferómetro. (Del lat. *sphaera* y μέτρον, medida.) m. Aparato dispuesto para determinar la curvatura de una superficie esférica.

Esfigmógrafo. (Del gr. σφυγμός, pulso, y γράφω, describir.) m. *Med.* Instrumento destinado a registrar la forma de las pulsaciones arteriales.

Esfigmómetro. (Del gr. σφυγμός, pulso, y μέτρον, medida.) m. *Med.* Instrumento para medir el pulso en el número y frecuencia de sus movimientos.

Esfinge. (Del lat. *sphinx, -ingis,* y éste del gr. σφίγξ.) amb. Animal fabuloso, con cabeza, cuello y pecho de mujer y cuerpo y pies de león. Ú. m. c. f. || **2.** *Zool.* Mariposa de la familia de los esfíngidos, de gran tamaño y alas largas con dibujos de color obscuro. Hay varias especies. || **Ser,** o **parecer, una esfinge.** fr. fig. Adoptar una actitud reservada o enigmática.

Esfíngido. adj. *Zool.* Dícese de insectos lepidópteros crepusculares con antenas prismáticas y alas horizontales en el reposo; sus orugas llevan un apéndice caudal. Algunas especies son miméticas de otros insectos. Ú. t. c. s. || **2.** m. pl. *Zool.* Familia de estos animales.

Esfínter. (Del lat. *sphincter,* y éste del gr. σφιγκτήρ, de σφίγγω, cerrar.) m. *Zool.* Músculo en forma de anillo con que se abre y cierra el orificio de una cavidad del cuerpo para dar salida a algún excremento o secreción, o para retenerlos; como el de la vejiga de la orina o el del ano.

Esfogar. tr. ant. **Desfogar,** 1.ª y 2.ª aceps. Ú. como vulgar en España y América.

Esfolar. (Del lat. **defollāre,* de *follis,* fuelle y pellejo.) tr. *Ast.* y *Sal.* **Desollar.**

Esforrocinar. (De *forrocino.*) tr. Quitar los sarmientos bastardos.

Esforrocino. (De *esforrocinar.*) m. Sarmiento bastardo que se quita.

Esforzadamente. adv. m. Con esfuerzo.

Esforzado, da. p. p. de **Esforzar.** || **2.** adj. Valiente, animoso, alentado, de gran corazón y espíritu. || **3.** V. **Caldo esforzado.** || **Ser** uno **esforzado en** una cosa. fr. ant. Estar en disposición de poder hacerla.

Esforzador, ra. adj. Que esfuerza. Ú. t. c. s.

Esforzamiento. (De *esforzar.*) m. ant. **Esfuerzo.**

Esforzar. (Del b. lat. *exforciāre,* y éste del lat. *ex* y *fortis,* fuerte.) tr. Dar o comunicar fuerza o vigor. || **2.** Infundir ánimo o valor. || **3.** intr. Tomar ánimo. || **4.** r. Hacer esfuerzos física o moralmente con algún fin. || **5.** ant. Asegurarse y confirmarse en una opinión.

Esfoyaza. (Del lat. *exfoliāre,* deshojar.) f. *Ast.* Reunión de varias personas en una casa para deshojar y enristrar las panojas del maíz cosechado.

Esfriar. (Del lat. *ex* y *frigidāre,* de *frigĭdus,* frío.) tr. ant. **Resfriar.** Usáb. t. c. r.

Esfuerzo. (De *esforzar.*) m. Empleo enérgico de la fuerza física contra algún impulso o resistencia. || **2.** Empleo enérgico del vigor o actividad del ánimo para conseguir una cosa venciendo dificultades. || **3.** Ánimo, vigor, brío, valor. || **4.** Empleo de elementos costosos en la consecución de algún fin. || **5.** ant. Auxilio, ayuda, socorro.

Esfumación. f. Acción y efecto de esfumar o esfumarse.

Esfumar. (Del ital. *sfumare.*) tr. *Pint.* Extender los trazos de lápiz restregando el papel con el esfumino para dar empaste a las sombras de un dibujo. || **2.** *Pint.* Rebajar los tonos de una composición o parte de ella, y principalmente los contornos, logrando con la suavidad de la factura cierto aspecto de vaguedad y lejanía. || **3.** r. fig. Disiparse, desvanecerse.

Esfuminar. tr. **Esfumar,** 1.ª acep.

Esfumino. (Del ital. *sfumino.*) m. *Pint.* Rollito de papel estoposo o de piel suave, terminado en punta, que sirve para esfumar.

Esgambete. m. ant. **Gambeta.**

Esgarrar. (Por *desgarrar.*) tr. Hacer esfuerzo para arrancar la flema. Ú. t. c. intr.

Esgoardar. tr. ant. **Esguardar.**

Esgrafiado, da. p. p. de **Esgrafiar.** || **2.** m. Acción y efecto de esgrafiar. || **3.** Obra hecha con el grafio.

Esgrafiar. (Del ital. *sgraffiare.*) tr. Dibujar o hacer labores con el grafio sobre una superficie estofada o que tiene dos capas o colores sobrepuestos.

Esgrima. (De *esgrimir.*) f. Arte de jugar y manejar la espada, el sable y otras armas blancas. || **2.** V. **Espada, maestro de esgrima.**

Esgrimidor. m. El que sabe esgrimir.

Esgrimidura. f. Acción de esgrimir.

Esgrimir. (Del ant. alto al. *skirmyan,* proteger.) tr. Jugar la espada, el sable y otras armas blancas, reparando y deteniendo los golpes del contrario, o acometiéndole. || **2.** fig. Usar de una cosa o medio como arma para lograr algún intento.

Esgrimista. com. *Argent., Chile* y *Perú.* **Esgrimidor.**

Esguardamillar. tr. fam. Desbaratar, descomponer, descuadernar.

Esguardar. (Del lat. *ex,* de, y el ant. alto al. *warten,* guardar.) tr. ant. **Mirar.** || **2.** ant. Considerar una cosa o atender a ella. || **3.** ant. Tocar, pertenecer.

Esguarde. m. ant. Acción de esguardar.

Esguazable. adj. Que se puede esguazar.

Esguazar. (Del prov. *guasar,* y éste del lat. *vadāre,* vadear.) tr. Vadear, pasar de una parte a otra un río o brazo de mar bajo.

Esguazo. m. Acción de esguazar. || **2. Vado,** 1.ª acep.

Esgucio. (Del lat. *scotĭa.*) m. *Arq.* Moldura cóncava cuyo perfil es la cuarta parte de un círculo: por un extremo está sentada sobre la superficie del cuerpo que adorna, y por el otro hace la proyectura que le corresponde.

Esguila. (Del lat. *squilla.*) f. *Ast.* Quisquilla, camarón.

Esguila. (Del lat. *sciurus, *skiurus,* del gr. σκίουρος, ardilla.) f. *Ast.* **Ardilla.**

Esguilar. (De *esguila,* 2.° art.) intr. *Ast.* Trepar a un árbol.

Esguilero. (De *esguila,* 1.er art.) m. *Ast.* Red pequeña de forma cónica, y sujeta a un aro con mango, que se usa para pescar esguilas o quisquillas.

Esguín. (De **esoquīnus,* de *esox, -ōcis,* latinización del vasco *izoki, izokin,* salmón.) m. Cría del salmón cuando aún no ha salido de los ríos al mar.

Esguince. m. Ademán hecho con el cuerpo, hurtándolo y torciéndolo para evitar un golpe o una caída. || **2.** Movimiento del rostro o del cuerpo, o gesto con que se demuestra disgusto o desdén || **3.** Torcedura o distensión violenta de una coyuntura.

Esguízaro, ra. (Del al. *schweizer.*) adj. **Suizo.** Ú. t. c. s. || **Pobre esguízaro.** fam. Hombre muy pobre y desvalido

Eslabón. (Del lat. *sclavus*, esclavo.) m. Pieza en figura de anillo o de otra curva cerrada que enlazada con otras forma cadena. || **2.** Hierro acerado del que saltan chispas al chocar con un pedernal. || **3. Chaira**, 2.ª acep. || **4.** Alacrán negro, de unos 12 centímetros de largo, el cual, como todos los de su especie, para atacar recoge las pinzas, dobla la cola sobre el cuerpo y adelanta la punta con que pica, formando así a manera de un **eslabón.** || **5.** *Veter.* Tumor duro, particularmente huesoso, que sale a las caballerías debajo del corvejón y de la rodilla, y que se extiende a estas articulaciones.

Eslabonador, ra. adj. Que eslabona.

Eslabonamiento. m. Acción y efecto de eslabonar o eslabonarse.

Eslabonar. tr. Unir unos eslabones con otros formando cadena. || **2.** fig. Enlazar o encadenar las partes de un discurso o unas cosas con otras. Ú. t. c. r.

Eslamborado, da. adj. ant. **Alamborado.**

Eslavo, va. (Del lat. *slavus*.) adj. Aplícase a un pueblo antiguo que se extendió principalmente por el nordeste de Europa. || **2.** Perteneciente o relativo a este pueblo. || **3.** Dícese de los que de él proceden. Ú. t. c. s. || **4.** Aplícase a la lengua de los antiguos **eslavos** y a cada una de las que de ella se derivan, como la rusa y la polaca. || **5.** m. Lengua **eslava.**

Esleción. (De *esleer*.) f. ant. **Elección.**

Esledor. (De *esleer*.) m. ant. **Elector.** Hoy se usa esta voz en Vitoria, donde llaman **esledor de esledores** al procurador general, que se elige el día de San Miguel.

Esleer. (Del lat. *eligĕre*, elegir.) tr. ant. **Elegir.**

Esleíble. (De *esleir*.) adj. ant. Que se debe elegir y es digno de elegirse.

Esleidor. (De *esleir*.) m. ant. **Elector.**

Esleir. (Del lat. *eligĕre*, elegir.) tr. ant. **Elegir.**

Esleito, ta. (Del lat. *electus*, elegido.) p. p. irreg. ant. de **Esleir.**

Eslinga. (Del ingl. *slinge*.) f. Maroma provista de ganchos para levantar grandes pesos.

Eslizón. (De *deslizar*.) m. Reptil de la familia de los escíncidos, de cuerpo largo y pies muy cortos, de color gris, con cuatro rayas pardas en el lomo. Vive en los prados y da grandes saltos para huir de sus perseguidores.

Eslora. (Del neerl. *sloeren*.) f. *Mar.* Longitud que tiene la nave sobre la primera o principal cubierta desde el codaste a la roda por la parte de adentro. || **2.** pl. *Mar.* Maderos que se ponen endentados en los baos, barrotes o latas, y en el sentido de popa a proa, con el objeto principal de reforzar el asiento de las cubiertas.

Esloría. f. ant. *Mar.* **Eslora.** || **2.** pl. ant. *Mar.* Esloras.

Eslovaco, ca. adj. Aplícase a un pueblo eslavo que habita al este de Moravia y al norte de Hungría. Ú. t. c. s. || **2.** Perteneciente o relativo a este pueblo.

Esloveno, na. adj. Aplícase al pueblo eslavo que habita al sur de Austria, en Carniola, Carintia e Istria. Ú. t. c. s. || **2.** Perteneciente o relativo a este pueblo.

Esmaltador, ra. m. y f. Persona que esmalta. || **2.** V. **Lámpara de esmaltador.**

Esmaltar. (De *esmalte*.) tr. Cubrir con esmaltes de uno o varios colores el oro, plata, etc. || **2.** fig. Adornar de varios colores y matices una cosa; combinar flores o matices en ella. || **3.** fig. Adornar, hermosear, ilustrar.

Esmalte. (Del germ. *smalts*.) m. Barniz vítreo que por medio de la fusión se adhiere a la porcelana, loza, metales y otras substancias elaboradas. || **2.** Objeto cubierto o adornado de **esmalte.** || **3.** Labor que se hace con el **esmalte** sobre un metal. || **4.** Color azul que se hace fundiendo vidrio con óxido de cobalto y moliendo la pasta que resulta. || **5.** fig. Lustre, esplendor o adorno. || **6.** *Blas.* Cualquiera de los metales o colores conocidos en el arte heráldico. || **7.** *Zool.* Materia durísima que forma una capa protectora del marfil en la corona de los dientes de los vertebrados.

Esmaltín. m. Esmalte, 4.ª acep.

Esmaltina. (De *esmalte*.) f. Mineral de color gris de acero, combinación de cobalto y arsénico, que se emplea para la fabricación de esmaltes azules.

Esméctico, ca. (Del lat. *smectĭcus*, y éste del gr. σμηκτικός.) adj. *Mineral.* **Detersorio.**

Esmena. (Del lat. *ex* y *minus*.) f. ant. **Rebaja.**

Esmeradamente. adv. m. Con esmero.

Esmerado, da. p. p. de **Esmerar.** || **2.** Que se esmera.

Esmerador. m. Operario que pule piedras o metales.

Esmeralda. (Del lat. *smaragdus*, y éste del gr. σμάραγδος.) f. Piedra fina, silicato de alúmina y glucina, más dura que el cuarzo y teñida de verde por el óxido de cromo. || **oriental. Corindón.**

Esmeraldino, na. adj. Semejante a la esmeralda. Aplícase principalmente al color.

Esmeramiento. (De *esmerar*.) m. ant. **Esmero.**

Esmerar. (Del lat. **exmĕrāre*, de *mĕrus*, puro.) tr. Pulir, limpiar, ilustrar. || **2.** *Ar.* Reducir un líquido por la evaporación. Ú. t. c. r. || **3.** r. Extremarse, poner sumo cuidado en ser cabal y perfecto. || **4.** Obrar con acierto y lucimiento.

Esmerejón. (Del b. lat. *smerlionem*, y éste del ant. al. *smerl*.) m. *Zool.* Ave rapaz diurna del mismo género que el alcotán y el cernícalo, que en invierno es bastante común en Andalucía. || **2.** Pieza de artillería antigua de calibre pequeño.

Esmeril. (Del lat. *smyris*, y éste del gr. σμύρις.) m. Roca negruzca formada por el corindón granoso, al que ordinariamente acompañan la mica y el hierro oxidado. Es tan dura, que raya todos los cuerpos, excepto el diamante, por lo que se emplea en polvos para labrar las piedras preciosas, acoplar cristales, deslustrar el vidrio y pulimentar los metales.

Esmeril. (Del fr. ant. *esmeril*, esmerejón.) m. Pieza de artillería antigua pequeña, algo mayor que el falconete.

Esmerilar. tr. Pulir o deslustrar con esmeril, 1.er art.

Esmerilazo. m. Tiro de esmeril, 2.° art.

Esmero. (De *esmerar*.) m. Sumo cuidado y atención diligente en hacer las cosas con perfección.

Esmiláceo, a. (Del lat. *smilax*, la zarzaparrilla.) adj. *Bot.* Aplícase a hierbas o matas pertenecientes a la familia de las liliáceas, de hojas alternas, sentadas, pecioladas o envainadoras, pequeñas y reemplazadas a menudo por ramos filiformes espinosos, flores poco notables, fruto en baya, y raíz de rizoma rastrero; como el brusco, el espárrago y la zarzaparrilla. Ú. t. c. s.

Esmirnio. (Del lat. *smyrnium*.) m. **Apio caballar.**

Esmirriado, da. adj. **Desmirriado.**

Esmola. (Del port. *esmola*, limosna.) f. *Sal.* Trozo de pan que es costumbre dar de merienda a los obreros del campo.

Esmoladera. f. Instrumento preparado para amolar.

Esmorecer. (Del lat. *emŏri*, morir.) intr. desus. Desfallecer, perder el aliento. Usáb. t. c. r. Ú. en *And.*, *Can.*, *C. Rica*, *Cuba* y *Venez.*

Esmorecido, da. p. p. de **Esmorecer.** || **2.** adj. *Extr.* Aterido de frío.

Esmuciarse. (Del lat. *mūcĭdus*, mucoso.) r. *Sant.* Escurrirse una cosa de las manos o de otra parte.

Esmuir. tr. **Esmuñir.**

Esmuñir. (Del lat. *emulgēre*, ordeñar.) tr. *Ar.* y *Murc.* Ordeñar los ramos de los árboles.

Esofágico, ca. adj. *Zool.* Perteneciente o relativo al esófago.

Esófago. (Del gr. οἰσοφάγος.) m. *Zool.* Conducto que va desde la faringe al estómago, y por el cual pasan los alimentos. Existe en los gusanos, artrópodos, moluscos, procordados y vertebrados.

Esópico, ca. (Del lat. *aesopĭcus*.) adj. Perteneciente o relativo al fabulista Esopo.

Esotérico, ca. (Del gr. ἐσωτερικός, interior; de ἔσω, dentro.) adj. Oculto, reservado; lo contrario de exotérico. Dícese de la doctrina que los filósofos de la antigüedad no comunicaban sino a corto número de sus discípulos.

Esoterismo. m. Calidad de esotérico.

Esotro, tra. pron. dem. Ese otro, esa otra. Ú. también como adjetivo. ESOTRO *niño;* ESOTRA *mesa.*

Espabiladeras. f. pl. **Despabiladeras.**

Espabilar. tr. **Despabilar.**

Espaciador. m. En las máquinas de escribir, tecla que se pulsa para dejar espacios en blanco.

Espacial. adj. Perteneciente o relativo al espacio.

Espaciamiento. (De *espaciar*.) m. ant. Esparcimiento, dilatación.

Espaciar. (Del lat. *spatiāri*.) tr. Poner espacio entre las cosas, ora en el lugar, ora en el tiempo. || **2.** Esparcir, dilatar, difundir, divulgar. Ú. t. c. r. || **3.** *Impr.* Separar las dicciones, las letras o los renglones con espacios o con regletas. || **4.** r. fig. Dilatarse en el discurso o en lo que se escribe. || **5.** fig. Esparcirse.

Espácico, ca. adj. ant. **Aciago.**

Espacio. (Del lat. *spatium*.) m. Continente de todos los objetos sensibles que coexisten. || **2.** Parte de este continente que ocupa cada objeto sensible. || **3.** Capacidad de terreno, sitio o lugar. || **4.** Transcurso de tiempo. || **5.** Tardanza, lentitud. || **6.** ant. Recreo, diversión. || **7.** *Ast.* **Descampado.** || **8.** *Impr.* Pieza de metal que sirve para separar las dicciones o poner mayor distancia entre las letras. || **9.** *Mat.* V. **Geometría del espacio.** || **10.** *Mús.* Separación que hay entre las rayas del pentágrama. || **muerto.** *Fort.* En las fortificaciones, aquel que no siendo visto por los defensores, no puede ser batido por los fuegos de éstos, y, por tanto, queda indefenso. || **Espacios imaginarios.** Mundo irreal fingido por la fantasía.

Espaciosamente. adv. m. Con espacio y lentitud.

Espaciosidad. (Del lat. *spatiosĭtas, -ātis*.) f. Anchura, capacidad.

Espacioso, sa. (Del lat. *spatiōsus*.) adj. Ancho, dilatado, vasto. || **2.** Lento, pausado, flemático.

Espachurrar. tr. **Despachurrar.**

Espada. (Del lat. *spătha*, y éste del gr. σπάθη.) f. Arma blanca, larga, recta, aguda y cortante, con guarnición y empuñadura. || **2.** Torero que hace profesión de matar los toros con **espada.** Ú. más c. m. || **3.** Persona diestra en su manejo. *Buena, excelente* ESPADA. || **4.** En el juego de naipes, cualquiera de las cartas del palo de **espadas.** *En esta mano no he tenido ninguna* ESPADA; *juegue usted una* ESPADA. || **5.** As de **espadas.** || **6.** Pez **espada.** || **7.** V. **Danza de espadas.** || **8.** V. **Derecho de espada.**

|| **9.** *Geom.* Sagita. || **10.** *Esgr.* V. **Excéntrico de la espada.** || **11.** pl. Uno de los cuatro palos de la baraja española, en cuyos naipes se representan una o varias **espadas.** || **Espada blanca.** La ordinaria, de corte y punta. || **de Damocles.** fig. Amenaza persistente de un peligro. || **de dos filos.** fig. Dícese de un procedimiento, medio, argumento, etc., que al ser empleado puede dar un resultado contrario al que se persigue, o que produce a la vez dos efectos contrarios. || **de esgrima. Espada negra.** || **de marca.** Aquella cuya hoja tiene cinco cuartas. || **de Orión.** *Astron.* Línea vertical de estrellas en el interior de la constelación de Orión. Entre ellas se halla una célebre nebulosa, la más admirable de todo el cielo. || **negra.** La de hierro, sin lustre ni corte, con un botón en la punta, de la cual se usa en el juego de la esgrima. || **Media espada.** Torero que, sin ser el principal, sale también a matar toros. || **2.** Por ext., el que no es muy diestro en la profesión que ejerce. || **Primer,** o **primera, espada.** Entre toreros, el principal en esta clase. || **2.** fig. Persona sobresaliente en alguna disciplina, arte o destreza. || **Asentar la espada.** fr. *Esgr.* Dejar el juego y poner la **espada** en el suelo. || **Ceñir espada.** fr. Traerla en el cinto. || **2.** Profesar la milicia. || **Ceñir** a uno **la espada.** fr. Ponérsela por primera vez al armarle caballero. || **Con la espada desnuda.** fr. fig. Resueltamente, por todos los medios. || **Desceñirse la espada.** fr. Quitársela de la cinta. || **Desguarnecer la espada.** fr. *Esgr.* Quitar o hacer perder a uno la pieza que sirve de defensa a la mano, que comúnmente se llama guarnición. || **Desnudar la espada.** fr. Desenvainarla. || **Entrar con espada en mano.** fr. fig. Empezar con violencia y rigor una cosa. || **Entre la espada y la pared.** loc. fig. y fam. En trance de tener que decidirse por una cosa o por otra, sin escapatoria ni medio alguno de eludir el conflicto. Ú. m. con los verbos *poner, estar* o *hallarse.* || **Espada en cinta.** m. adv. Con la **espada** ceñida. || **La espada de Bernardo,** o **la espada de Bernardo, que ni pincha ni corta.** fr. con que se califica de inservible o de inútil alguna cosa o persona. || **Librar la espada.** fr. *Esgr.* No consentir el atajo del contrario, sino sacar la **espada** de debajo para tenerla libre. || **Llevar por la espada. Meter a espada.** frs. ants. **Pasar a espada.** || **Medir la espada** con uno. fr. Esgrimir con él la **espada** blanca o negra. || **Meter** a uno **la espada hasta la guarnición.** fr. fig. Apretarle, estrecharle con razones o causarle un vivo sentimiento. || **Pasar a espada.** fr. ant. **Pasar a cuchillo.** || **Presentar la espada.** fr. *Mil.* Hacer con esta arma el saludo militar al rey o a la bandera. || **2.** *Esgr.* Ponerla recta, oponiéndose al contrario. || **Quedarse** uno **a espadas.** fr. fig. y fam. Llegar a no tener nada, o perder al juego todo lo que tenía. || **2.** fig. y fam. Quedarse en blanco. || **Rendir la espada.** fr. *Mil.* Entregarse prisionero un oficial, dando en señal su **espada** al jefe de la tropa enemiga. || **Sacar la espada por** una persona o cosa. fr. fig. Salir a la defensa de una persona o interesarse en el buen éxito de un asunto. || **Salir** uno **con su media espada.** fr. fig. Entremeterse en la conversación, interrumpiéndola con cosas impertinentes o disparatadas. || **Ser** uno **buen espada.** fr. fig. Ser diestro en polémicas o lides literarias. || **Tender** uno **la espada.** fr. *Esgr.* Presentarla rectamente al combatiente. || **Tirar** uno **de la espada.** fr. Desenvainarla para reñir.

Espadachín. (Del ital. *spadaccino.*) m. El que sabe manejar bien la espada. || **2.** El que se precia de valiente y es amigo de pendencias. || **3.** *Germ.* Rufiancillo.

Espadada. f. ant. Tajo o golpe dado con espada.

Espadado, da. adj. ant. Que lleva o tiene ceñida la espada.

Espadador, ra. m. y f. Persona que espada.

Espadaña. (De *espada.*) f. Planta herbácea, de la familia de las tifáceas, de metro y medio a dos metros de altura, con las hojas en forma casi de espada, el tallo largo, a manera de junco, con una mazorca cilíndrica al extremo, que después de seca suelta una especie de pelusa o vello blanco, ligero y muy pegajoso. Sus hojas se emplean como las de la anea. || **2.** Campanario de una sola pared, en la que están abiertos los huecos para colocar las campanas.

Espadañada. f. Golpe de sangre, agua u otra cosa, que a manera de vómito sale repentinamente por la boca. || **2.** fig. Copia, abundancia, bocanada.

Espadañal. m. Sitio húmedo en que se crían con abundancia las espadañas.

Espadañar. (De *espadaña.*) tr. Abrir o separar el ave las plumas de la cola.

Espadar. (De *espada.*) tr. Macerar y quebrantar con la espadilla el lino o el cáñamo para sacarle el tamo y poderlo hilar.

Espadarte. m. Pez espada.

Espadería. (De *espadero.*) f. Taller donde se fabrican, guarnecen o componen espadas. || **2.** Tienda donde se venden.

Espadero. m. El que hace, guarnece o compone espadas, o el que las vende.

Espádice. (Del lat. *spadix, -icis.*) m. *Bot.* Inflorescencia en forma de espiga, con eje carnoso y casi siempre envuelta en una espata; como el aro y la cala.

Espadilla. f. d. de **Espada.** || **2.** Insignia roja, en figura de espada, que traen los caballeros de la orden de Santiago. || **3.** Instrumento de madera, a modo de machete, que se usa para espadar. || **4.** Pieza en figura de remo grande que hace oficio de timón en algunas embarcaciones menores. || **5.** As de espadas. || **6.** En el juego de los trucos, taco cuya boca forma un cuadrilongo estrecho y plano por los cortes que se le dan, el cual sirve para tirar ciertas bolas cuando no se pueden herir en el punto debido. || **7.** Aguja grande de marfil o metal, de que usaban las mujeres para tener recogido el cabello sobre la cabeza. || **8.** *Mar.* Timón provisional que se arma con las piezas de que se puede disponer a bordo, cuando se ha perdido el propio.

Espadillado, da. p. p. de **Espadillar.** || **2.** m. Acción y efecto de espadillar.

Espadillar. (De *espadilla.*) tr. **Espadar.**

Espadillazo. m. En algunos juegos de naipes, lance en que viene la espadilla con tan malas cartas, que, obligando a jugar la puesta, se pierde por fuerza.

Espadín. m. Espada de hoja muy estrecha o triangular, montada en una empuñadura más o menos adornada, y que se usa como prenda de ciertos uniformes.

Espadón. m. aum. de **Espada.** || **2.** fig. y fam. Personaje de elevada jerarquía en la milicia y, por extensión, en otras jerarquías sociales.

Espadón. (Del gr. σπάδων, eunuco.) m. Hombre castrado, que ha conservado el pene.

Espadrapo. (En b. lat. *spadrapor.*) m. **Esparadrapo.**

Espagírica. (Del gr. σπάω, extraer, y ἀγείρω, reunir.) f. Arte de depurar los metales.

Espagírico, ca. adj. Perteneciente a la espagírica. || **2.** Aplicábase a ciertos medicamentos preparados con substancias minerales. || **3.** Se decía de los defensores del uso y conocedores de la preparación de los medicamentos espagíricos. Usáb. t. c. s.

Espahí. (Del fr. *spahi*, y éste del m. or. que *cipayo.*) m. Soldado de caballería turca. || **2.** Soldado de caballería del ejército francés en Argelia.

Espaladinar. (De *es* y *paladino.*) tr. ant. Declarar, explicar con claridad.

Espalar. tr. Apartar con la pala la nieve que cubre el suelo. Ú. t. c. intr.

Espalda. (Del lat. *spathŭla*, omóplato.) f. Parte posterior del cuerpo humano, desde los hombros hasta la cintura. Ú. m. en pl. Dícese también de los animales, aunque no tan comúnmente. || **2.** Parte del vestido, o cuartos traseros de él, que corresponden a la **espalda.** || **3.** ant. **Espaldón,** 2.ª acep. || **4.** pl. Envés o parte posterior de una cosa; como templo, casa, etc. || **5.** V. **Sangre de espaldas.** || **6.** fig. Gente, y con particularidad cuerpo armado, que va detrás de otro conjunto de personas o de otro cuerpo para protegerlo o defenderlo en caso necesario, y así se lee en escritores clásicos: *Sin* ESPALDAS *de arcabucería; con* ESPALDAS *de borgoñones.* || **Espaldas de molinero,** o **de panadero.** fig. y fam. Las anchas, abultadas y fuertes. || **A espalda vuelta no hay respuesta.** ref. para indicar que no hay que responder al que huye, ni a lo que se murmura en nuestra ausencia. || **A espaldas,** o **a espaldas vueltas.** m. adv. A traición, por detrás, y no cara a cara. || **Cargado de espaldas.** loc. Dícese de la persona, y más frecuentemente del varón que, por conformación natural o a consecuencia de enfermedad, presenta una convexidad exagerada en la columna vertebral. || **Dar** uno **de espaldas.** fr. Caer boca arriba. || **Dar** uno **las espaldas.** fr. Volver las **espaldas** al enemigo; huir de él. || **Echarse** uno **a las espaldas** una cosa. fr. fig. Olvidar voluntariamente o abandonar un encargo, negocio o preocupación. || **Echarse** uno **sobre las espaldas** una cosa. fr. fig. Hacerse responsable de ella. || **Echar** una cosa **sobre las espaldas** de uno. fr. Ponerla a su cargo. || **Espaldas vueltas, memorias muertas.** ref. *C. Rica, Chile, Hond.* y *P. Rico.* Denota que la ausencia es causa de olvido. || **Guardar** uno **las espaldas.** fr. fig. y fam. Resguardarse o resguardar a otro, mirando por sí, o por él, para no ser ofendido. || **Hablar por las espaldas.** fr. fig. Decir contra uno en ausencia lo que no se le diría cara a cara. || **Hacer** uno **espaldas.** fr. fig. y fam. Sufrir, aguantar. || **2.** fig. Guardarlas, para evitar una sorpresa. || **Hacer espaldas** a uno. fr. fig. y fam. Resguardarle, encubrirle, protegerle para que salga bien de un empeño o peligro. || **Medirle** a uno **las espaldas.** fr. fig. y fam. **Medirle las costillas.** || **Mosquear las espaldas.** fr. fig. y fam. Dar azotes en ellas por castigo. || **Picar en las,** o **las, espaldas.** fr. fig. **Picar la retaguardia.** || **Relucir la espalda.** fr. fig. y fam. Ser rico un hombre, o tener mucha dote una mujer. || **Tener** uno **buenas espaldas.** fr. fig. y fam. Tener resistencia y aguante para soportar cualquier trabajo o molestia. || **Tener** uno **guardadas las espaldas.** fr. fig. y fam. Tener protección superior a la fuerza de los enemigos. || **Tener** uno **seguras las espaldas.** fr. fig. Vivir asegurado de que otro no le molestará. || **Tirarle** a uno **de espaldas** alguna cosa. fr. fig. y fam. Causarle mucha extrañeza por ser contraria a lo natural o razonable. || **Tornar,** o **volver, las espaldas.** fr. fig. Negarse a alguno; retirarse de su presencia con desprecio. || **2.** fig. Huir, volver pie atrás.

Espaldar. (De *espalda.*) adj. ant. **Postrero.** || **2.** m. Parte de la coraza, que sirve para cubrir y defender la espalda. || **3. Respaldo,** 1.ª acep. || **4. Espalda,** 1.ª acep. || **5.** Enrejado sobrepuesto a una pared para que por él trepen y se extiendan ciertas plantas, como jazmines, rosales, etc. || **6.** *Zool.* Parte dorsal de la coraza de los quelonios, formada por placas dérmicas soldadas con las vértebras dorsales y lumbares y con las costillas. || **7.** pl. Colgaduras de tapicería, largas y angostas, que se colocaban en las paredes, a manera de frisos, para arrimar a ellas las espaldas.

Espaldarazo. (De *espaldar.*) m. Golpe dado de plano con la espada, o con la mano, en las espaldas de uno, como ceremonia en el acto de armarse caballero. || **Dar a uno el espaldarazo.** fr. fig. Admitirle como igual.

Espaldarcete. (d. de *espaldar.*) m. Pieza de la armadura antigua, con que sólo se cubría la parte superior de la espalda.

Espaldarón. (De *espaldar.*) m. Pieza de la armadura antigua, que cubría y defendía las espaldas.

Espaldear. (De *espalda.*) tr. *Mar.* Romper las olas con demasiado ímpetu contra la popa de la embarcación.

Espaldear. tr. *Chile.* Hacer espaldas, proteger, defender a una persona.

Espalder. (Del fr. *espalier,* infl. por *espalda.*) m. Remero que iba de espaldas a la popa de la galera para mirar y gobernar a los demás, marcando con su remo el compás de la boga.

Espaldera. f. **Espaldar,** 5.ª acep. || **2.** Pared con que se resguardan y protegen las plantas arrimadas a ella. || **A espaldera.** m. adv. Dícese de los árboles que se podan y guían de manera que extiendan sus ramas al abrigo de una pared.

Espaldilla. f. d. de **Espalda.** || **2. Omóplato.** || **3.** Cuartos traseros del jubón o almilla, que cubren la espalda. || **4.** Cuarto delantero de algunas reses; como del cerdo, del cordero, etc.

Espalditendido, da. adj. fam. Tendido o echado de espaldas.

Espaldón. (De *espalda.*) m. Parte maciza y saliente que queda de un madero después de abierta una entalladura. || **2.** Barrera para resistir el empuje de las tierras o de las aguas. || **3.** *Fort.* Valla artificial, de altura y cuerpo correspondientes, para resistir y detener el impulso de un tiro o rechazo.

Espaldonarse. (De *espaldón.*) r. *Mil.* Ponerse a cubierto de los fuegos del enemigo, al abrigo de un obstáculo natural; como colina, bosque, pantano, río, etc.

Espaldudo, da. adj. Que tiene grandes espaldas.

Espalera. (Del ital. *spalliera,* de *spalla,* y éste del lat. *spatŭla,* espalda.) f. **Espaldar,** 5.ª acep.

Espalmador. (De *espalmar.*) m. **Despalmador.**

Espalmadura. (De *espalmar.*) f. Desperdicios de los cascos de los animales.

Espalmar. tr. **Despalmar.**

Espalto. (Del ital. *spalto.*) m. *Pint.* Color obscuro, transparente y dulce para veladuras.

Espalto. (Del lat. *spatŭla,* espalda.) m. ant. *Fort.* **Explanada.**

Espantable. (De *espantar.*) adj. **Espantoso.**

Espantablemente. adv. m. Con espanto.

Espantada. f. Huída repentina de un animal. || **2.** Desistimiento súbito, ocasionado por el miedo.

Espantadizo, za. adj. Que fácilmente se espanta.

Espantador, ra. adj. Que espanta.

Espantagustos. m. Persona de mal carácter que turba la alegría de los demás.

Espantajo. (despect. de *espanto.*) m. Lo que se pone en un paraje para espantar, y especialmente lo que se pone en los sembrados para espantar los pájaros. || **2.** fig. Cualquiera cosa que por su representación o figura infunde vano temor. || **3.** fig. y fam. Persona molesta y despreciable. || **Espantajo de higuera.** Cierto **espantajo** que se pone en las higueras para defender su fruto de los pájaros. || **2.** Apodo que se aplica al necio de gran apariencia y sin valor.

Espantalobos. (De *espantar* y *lobo.*) m. Arbusto de la familia de las papilionáceas, que crece hasta tres metros de altura, con ramas lampiñas, hojas divididas en un número impar de hojuelas acorazonadas, flores amarillas en grupos axilares, y fruto en vainas infladas, membranosas y traslucientes, que producen bastante ruido al chocar unas con otras a impulso del viento.

Espantamoscas. m. **Mosquero,** 1.ª acep.

Espantanublados. (De *espantar* y *nublado.*) m. fam. Apodo que se aplicaba al tunante que andaba con hábitos largos por los lugares, pidiendo de puerta en puerta y haciendo creer a la gente rústica que tenía poder sobre los nublados. || **2.** Persona inoportuna que interrumpe una conversación o descompone un proyecto.

Espantapájaros. m. Espantajo que se pone en los sembrados y en los árboles para ahuyentar los pájaros.

Espantar. (Del lat. **expavĕntāre,* de *expavens, -entis,* temeroso.) tr. Causar espanto, dar susto, infundir miedo. || **2.** Ojear, echar de un lugar a una persona o animal. || **3.** r. Admirarse, maravillarse. || **4.** Sentir espanto, asustarse. || **Al espantado, la sombra le espanta.** ref. que denota que el que ha padecido un trabajo o contratiempo, con cualquier motivo se recela. || **Lo poco espanta y lo mucho amansa.** ref. que enseña que nos aterramos con la imagen de un mal pequeño, y que después la Providencia nos da aliento para sufrir con resignación grandes calamidades.

Espantavillanos. (De *espantar* y *villano.*) m. fam. Alhaja o cosa de poco valor y mucho brillo, que a los rústicos y no inteligentes parece de mucho precio.

Espante. m. Confusión que se produce en el real de una feria cuando el ganado se desmanda y da en huir.

Espanto. (De *espantar.*) m. Terror, asombro, consternación. || **2.** Amenaza o demostración con que se infunde miedo. || **3.** Enfermedad causada por el espanto. || **4.** *Colomb., C. Rica, Hond., Méj.* y *Venez.* Fantasma, aparecido. Ú. m. en pl. || **Estar curado de espanto.** fr. fig. y fam. Ver con impasibilidad, a causa de experiencia o escándalo, desafueros, males o daños.

Espantosamente. adv. m. Con espanto.

Espantoso, sa. adj. Que causa espanto. || **2.** Maravilloso, asombroso, pasmoso.

España. n. p. V. **Grande, jazmín, mosca, salsifí, té de España.** || **¡Cierra, España!** expr. empleada en la antigua milicia para animar a los soldados y hacer que acometiesen con valor al enemigo.

Español, la. adj. Natural de España. Ú. t. c. s. || **2.** Perteneciente a esta nación. || **3.** V. **Era, pasta española.** || **4.** m. Lengua **española,** originada principalmente en Castilla, y hablada también en casi todas las repúblicas americanas, en Filipinas y en muchas comunidades judías de Oriente y del norte de África. || **A la española.** m. adv. Al uso de España.

Españolado, da. adj. Extranjero que en el aire, traje y costumbres parece español. || **2.** f. Acción, espectáculo u obra literaria que exagera y falsea el carácter español.

Españolar. (De *español.*) tr. **Españolizar.** Ú. t. c. r.

Españolería. f. **Españolada.**

Españoleta. f. Baile antiguo español.

Españolismo. m. Amor o apego a las cosas características o típicas de España. || **2. Hispanismo.** || **3.** Carácter genuinamente español.

Españolista. adj. Dado o afecto al españolismo.

Españolización. f. Acción y efecto de españolizar.

Españolizar. (De *español.*) tr. **Castellanizar.** || **2.** r. Tomar las costumbres españolas.

Esparadrapo. (En b. lat. *sparadrapum;* véase *espadrapo.*) m. Tiras de tela o de papel, una de cuyas caras está cubierta de un emplasto adherente, que se usan para sujetar los vendajes, y excepcionalmente como apósito directo o como revulsivo.

Esparajismo. (De *paroxismo.*) m. *Albac.* y *León.* **Aspaviento.**

Esparaván. (Del gót. *sparwa.*) m. **Gavilán,** 1.ª acep. || **2.** *Veter.* Tumor en la parte interna e inferior del corvejón de los solípedos, que llegando a endurecerse produce una cojera incurable. || **boyuno.** *Veter.* El que desarrollándose en la parte lateral interna del corvejón de los solípedos, hincha la articulación del tarso de modo que ésta llega a asemejarse a la del ganado vacuno. || **de garbanzuelo.** *Veter.* Enfermedad de los músculos flexores de las piernas de los solípedos, caracterizada por los movimientos que hace el animal al moverse, levantando las extremidades donde existe la dolencia como si súbitamente se quemara. Es frecuente que al mal acompañe un tumorcillo duro, externo al corvejón, de forma y tamaño de un garbanzo pequeño. || **huesoso.** *Veter.* El que llega a osificarse. || **seco.** *Veter.* **Esparaván de garbanzuelo.**

Esparavel. (Del m. or. que *esparver.*) m. Red redonda para pescar, que se arroja a fuerza de brazo en los ríos y parajes de poco fondo. || **2.** *Albañ.* Tabla de madera con un mango en uno de sus lados, que sirve para tener una porción de la mezcla que se ha de gastar con la llana o la paleta.

Esparceta. f. **Pipirigallo.**

Esparciata. (Del lat. *spartiātes.*) adj. **Espartano.** Apl. a pers., ú. t. c. s.

Esparcidamente. adv. m. Distintamente, separadamente.

Esparcido, da. p. p. de **Esparcir.** || **2.** adj. fig. Festivo, franco en el trato, alegre, divertido.

Esparcidor, ra. adj. Que esparce. Ú. t. c. s.

Esparcimiento. m. Acción y efecto de esparcir o esparcirse. || **2.** Despejo, desembarazo, franqueza en el trato, alegría.

Esparcir. (Del lat. *spargĕre.*) tr. Separar, extender lo que está junto o amontonado; derramar extendiendo. Ú. t. c. r. || **2.** fig. Divulgar, publicar, extender una noticia. Ú. t. c. r. || **3.** Divertir, desahogar, recrear. Ú. t. c. r.

Esparragado. m. Guisado hecho con espárragos.

Esparragador, ra. m. y f. Persona que cuida y coge espárragos.

Esparragal. m. **Esparraguera,** 2.ª acep.

Esparragamiento. m. Acción y efecto de esparragar.

Esparragar. tr. Cuidar o coger espárragos. || **Anda,** o **vete, a esparragar.** Expresión fig. y fam. con que se despide a uno con enfado.

Espárrago. (Del lat. *asparăgus,* y éste del gr. ἀσπάραγος.) m. Planta de la familia de las liliáceas, con tallo herbáceo, muy ramoso, hojas aciculares y en hacecillos, flores de color blanco verdoso, fruto en bayas rojas del tamaño de un guisante, y raíz en cepa rastrera, que en la primavera produce abundantes yemas de tallo recto y blanco, y cabezuelas comestibles de color verde morado. || **2.** Yema comestible que produce la raíz de la esparraguera. || **3.** Palo largo y derecho que sirve para asegurar con otros un entoldado. || **4.** Madero atravesado por estacas pequeñas a distancias iguales, para que sirva de escalera. || **5.** Barrita de hierro que sirve de tirador a las campanillas, y que va embebida en la pared. || **6.** *Bad.* Madero en rollo que se usa para andamiadas. || **7.** *Mec.* Vástago metálico roscado, que está fijo por un extremo, y que, pasando al través de una pieza, sirve para sujetar ésta por medio de una tuerca. || **amarguero.** *And.* El que se cría en los eriazos. || **perico.** Perico, 5.ª acep. || **triguero.** Espárrago silvestre, especialmente el que brota en los sembrados de trigo. || **Anda, o vete, a freir espárragos.** expr. fig. y fam. **Anda, o vete, a esparragar.** || **Echar, o mandar, a uno a freir espárragos.** fr. fig. y fam. Despedirle con aspereza, enojo o sin miramientos. || **Solo como el espárrago, o solo como espárrago en el yermo.** expr. fam. que se dice del que no tiene parientes, o del que vive y anda solo.

Esparragón. m. Tejido de seda que forma un cordoncillo más doble y fuerte que el de la tercianela.

Esparraguera. f. Espárrago, 1.ª acep. || **2.** Era o haza de tierra que no tiene otras plantas que espárragos y está destinada a criarlos. || **3.** Plato de forma adecuada en que se sirven los espárragos.

Esparraguero, ra. m. y f. Esparragador, ra. || **2.** Persona que vende espárragos, 2.ª acep.

Esparraguina. (De *espárrago*, por su color.) f. Fosfato de cal cristalizado y de color verdoso.

Esparrancado, da. p. p. de Esparrancarse. || **2.** adj. Que anda o está muy abierto de piernas. || **3.** Dícese también de las cosas que debiendo estar juntas, están muy separadas.

Esparrancarse. r. fam. Abrirse de piernas, separarlas.

Esparsión. (Del lat. *sparsio, -ōnis.*) f. ant. Esparcimiento, 1.ª acep.

Espartal. (De *esparto.*) m. Espartizal.

Espartano, na. (Del lat. *spartānus.*) adj. Natural de Esparta. Ú. t. c. s. || **2.** Perteneciente a esta ciudad de Grecia antigua.

Espartar. tr. *And.* y *Ar.* Cubrir con esparto las vasijas de vidrio o de barro.

Esparteína. f. *Med.* Alcaloide de la retama. Ú. como medicamento tónico del corazón.

Esparteña. (De *esparto.*) f. Alborga.

Espartería. f. Oficio de espartero. || **2.** Taller donde se trabajan las obras de esparto. || **3.** Barrio, paraje o tienda donde se venden.

Espartero, ra. (Del lat. *spartarius.*) adj. V. **Aguja espartera.** || **2.** m. y f. Persona que fabrica obras de esparto o que las vende.

Espartilla. f. Rollito manual de estera o esparto, que sirve como escobilla para limpiar las caballerías.

Espartillo. m. d. de Esparto. || **2.** *Albac.* Barbas que cría la cebolla del azafrán. || **Cazar, o coger, al espartillo.** fr. Cazar pájaros con espartos untados de liga. || **2.** fig. y fam. Encontrar a uno casualmente, y aprovecharse de la ocasión para conversar con él.

Espartizal. m. Campo donde se cría esparto.

Esparto. (Del lat. *spartum*, y éste del gr. σπάρτον.) m. Planta de la familia de las gramíneas, con las cañitas de unos siete decímetros de altura, hojas radicales de unos 60 centímetros de longitud, tan arrolladas sobre sí y a lo largo que aparecen como filiformes, duras y tenacísimas, hojas en el tallo más pequeñas; las flores en panoja espigada de tres decímetros de largo, y semillas muy menudas. || **2.** Hojas de esta planta, empleadas en la industria para hacer sogas, esteras, tripe, pasta para fabricar papel, etc. || **3.** V. **Mortaja de esparto.** || **basto. Albardín.**

Esparvar. tr. En algunas provincias, **emparvar.**

Esparvel. (De *esparver.*) m. *Ar.* Gavilán, 1.ª acep. || **2.** *Ál.* Esparavel, 1.ª acep. || **3.** fig. *Nav.* Persona, alta, flaca y desgarbada.

Esparver. (Del neerl. *sperwer.*) m. Esparaván, gavilán.

Espasmar. (De *espasmo.*) tr. ant. Pasmar.

Espasmo. (Del lat. *spasmus*, y éste del gr. σπασμός.) m. Pasmo, 1.ª acep. || **2.** Contracción involuntaria de los músculos, producida generalmente por mecanismo reflejo. || **cínico.** *Med.* Eretismo venéreo.

Espasmódico, ca. (Del gr. σπασμώδης; de σπασμός, pasmo.) adj. *Med.* Perteneciente al espasmo, o acompañado de este síntoma.

Espata. (Del lat. *spătha*, ramo de palma con sus dátiles.) f. *Bot.* Bráctea grande o conjunto de brácteas que envuelve ciertas inflorescencias; como en la cebolla y en el aro.

Espatarrada. f. fam. Despatarrada.

Espatarrarse. r. fam. Despatarrarse.

Espático, ca. adj. Dícese de los minerales que, como el espato, se dividen fácilmente en láminas. || **2.** V. **Hierro espático.**

Espato. (Del al. *spat.*) m. Cualquier mineral de estructura laminosa. || **calizo.** Caliza cristalizada en romboedros. || **de Islandia.** Espato calizo muy transparente. || **flúor.** Fluorina. || **pesado.** Baritina.

Espátula. (Del lat. *spathŭla.*) f. Paleta, generalmente pequeña, con bordes afilados y mango largo, de que se sirven los farmacéuticos y los pintores para hacer ciertas mezclas, usada también en otros oficios. || **2.** *Zool.* Cuchareta, 5.ª acep.

Espatulomancia [~ **mancía**]. (Del lat. *spathŭla* [y éste del gr. σπάθη, omóplato, costilla] y el gr. μαντεία, oráculo, predicción.) f. Arte vano y supersticioso con que se intentaba adivinar por los huesos de los animales, y principalmente por la espaldilla.

Espaviento. (Del ant. *espaventar*, y éste del lat. **expavĕntāre*, de *expavens, -entis*, temeroso.) m. Aspaviento.

Espavorecido, da. adj. ant. Despavorido.

Espavorido, da. (Del ant. *espavorir*, y éste del lat. **expavorīre*, de *pavor, -ōris.*) adj. Despavorido.

Espay. (Del m. or. que *cipayo.*) m. Espahí, 2.ª acep.

Especería. f. Especiería.

Especia. (Del lat. *species.*) f. Cualquiera de las drogas con que se sazonan los manjares y guisados; como son clavo, pimienta, azafrán, etc. || **2.** V. **Nuez de especia.** || **3.** ant. *Med.* Específico, 4.ª acep. || **4.** pl. Ciertos postres de la comida, que se servían antiguamente para beber vino, y se tomaban como ahora el café.

Especial. (Del lat. *speciālis.*) adj. Singular o particular; que se diferencia de lo común, ordinario o general. || **2.** Muy adecuado o propio para algún efecto. || **3.** V. **Tren especial.** || **4.** adv. m. desus. **Especialmente.** Ú. en *And.* y *Chile.* || **En especial.** m. adv. Especialmente.

Especialidad. (Del lat. *specialĭtas, -ātis.*) f. Particularidad, singularidad, caso particular. || **2.** Ramo de la ciencia o del arte a que se consagra una persona.

Especialista. adj. Dícese del que con especialidad cultiva un ramo de determinado arte o ciencia y sobresale en él. Ú. t. c. s.

Especialización. f. Acción y efecto de especializar o especializarse.

Especializar. intr. Cultivar con especialidad un ramo determinado de una ciencia o de un arte. Ú. t. c. r. || **2.** Limitar una cosa a uso o fin determinado.

Especialmente. adv. m. Con especialidad.

Especie. (Del lat. *species.*) f. Conjunto de cosas semejantes entre sí por tener uno o varios caracteres comunes. || **2.** Imagen o idea de un objeto, que se representa en el alma. || **3.** Caso, suceso, asunto, negocio. *Se trató de aquella* ESPECIE; *no me acuerdo de tal* ESPECIE. || **4.** Tema, noticia, proposición. || **5.** Pretexto, apariencia, color, sombra. || **6.** *Esgr.* Treta de tajo, revés o estocada. || **7.** *Bot.* y *Zool.* Cada uno de los grupos en que se dividen los géneros y que se componen de individuos que, además de los caracteres genéricos, tienen en común otros caracteres por los cuales se asemejan entre sí y se distinguen de los de las demás **especies.** La **especie** se subdivide a veces en variedades o razas. || **8.** *Mús.* Cada una de las voces en la composición. Divídense en consonantes y disonantes, y éstas en perfectas e imperfectas. || **9.** *Ópt.* V. **Rayo de especies.** || **remota.** Noticia remota. || **Especies sacramentales.** Accidentes de olor, color y sabor que quedan en el Sacramento después de convertida la substancia de pan y vino en cuerpo y sangre de Cristo. || **En especie.** m. adv. En frutos o géneros y no en dinero. || **Escapársele a uno una especie.** fr. Decir inadvertidamente lo que no era del caso o se debía callar. || **Soltar uno una especie.** fr. Decir alguna cosa para reconocer y explorar el ánimo de los que la oyen.

Especiería. (De *especiero.*) f. Tienda en que se venden especias. || **2.** Conjunto de especias. || **3.** Trato y comercio de especias. || **4.** ant. Droguería.

Especiero, ra. (Del lat. *speciarius*, de *species*, especia.) m. y f. Persona que comercia en especias. || **2.** m. ant. Boticario. || **3.** Armarito con varios cajones para guardar las especias.

Especificación. f. Acción y efecto de especificar. || **2.** *For.* Modo de adquirir uno la materia ajena que emplea de buena fe para formar obra de nueva especie, mediante indemnización del valor de aquélla a su dueño.

Especificadamente. adv. m. Con especificación.

Especificar. (De *específico.*) tr. Explicar, declarar con individualidad una cosa.

Especificativo, va. adj. Que tiene virtud o eficacia para especificar.

Específico, ca. (Del lat. *specifĭcus.*) adj. Que caracteriza y distingue una especie de otra. || **2.** *Fís.* V. **Calor, peso específico.** || **3.** *Med.* V. **Enfermedad específica.** || **4.** m. *Med.* Medicamento especialmente apropiado para tratar una enfermedad determinada. || **5.** Medicamento fabricado por mayor, en forma y con envase especial, y que lleva el nombre científico de las substancias medicamentosas que contiene, u otro nombre convencional patentado.

Espécimen. (Del lat. *specimen.*) m. Muestra, modelo, señal.

Especiosidad. (Del lat. *speciosĭtas, -ātis.*) f. ant. Perfección.

Especioso, sa. (Del lat. *speciōsus.*) adj. Hermoso, precioso, perfecto. ‖ **2.** fig. Aparente, engañoso.

Especiota. (aum. despect. de *especie*, caso, asunto.) f. fam. Proposición extravagante; paradoja ridícula; noticia falsa o exagerada.

Espectable. (Del lat. *spectabĭlis.*) adj. ant. Digno de la consideración o estimación pública; muy conspicuo o notable. ‖ **2.** Empleábase como tratamiento de personas ilustres.

Espectacular. adj. Que tiene caracteres propios de espectáculo público.

Espectáculo. (Del lat. *spectacŭlum.*) m. Función o diversión pública celebrada en un teatro, en un circo o en cualquier otro edificio o lugar en que se congrega la gente para presenciarla. ‖ **2.** Aquello que se ofrece a la vista o a la contemplación intelectual y es capaz de atraer la atención y mover el ánimo infundiéndole deleite, asombro, dolor u otros afectos más o menos vivos o nobles. ‖ **3.** Acción que causa escándalo o grande extrañeza. Ú. comúnmente con el verbo *dar*.

Espectador, ra. (Del lat. *spectātor.*) adj. Que mira con atención un objeto. ‖ **2.** Que asiste a un espectáculo público. Ú. m. c. s.

Espectral. adj. Perteneciente o relativo al espectro.

Espectro. (Del lat. *spectrum.*) m. Imagen, fantasma, por lo común horrible, que se representa a los ojos o en la fantasía. ‖ **2.** *Fís.* Resultado de las dispersión de un conjunto de radiaciones. ‖ **3.** *Fís.* **Espectro luminoso.** ‖ **continuo.** *Fís.* El luminoso que presenta gradualmente y sin interrupciones la banda coloreada. ‖ **de absorción.** *Fís.* El luminoso interrumpido o cortado por líneas negras paralelas. ‖ **de emisión.** *Fís.* El que presenta una o más líneas brillantes destacándose sobre los colores. ‖ **del Sol.** *Fís.* **Espectro solar.** ‖ **invertido.** *Fís.* **Espectro de absorción.** ‖ **luminoso.** *Fís.* Banda matizada de los colores del iris, que resulta de la descomposición de la luz blanca a través de un prisma o de otro cuerpo refractor. ‖ **solar.** *Fís.* El producido por la luz del Sol.

Espectrografía. (Del lat. *spectrum*, imagen, y del gr. γράφω, escribir.) f. *Fís.* **Espectroscopia.**

Espectrógrafo. m. *Fís.* Espectroscopio dispuesto para la obtención de espectrogramas.

Espectrograma. (Del lat. *spectrum*, imagen, y del gr. γραμμα, línea.) m. *Fís.* Fotografía o diagrama de un espectro luminoso. ‖ **2.** Imagen fotográfica de un espectro, 2.ª acep.

Espectroheliógrafo. m. *Fís.* Especie de espectroscopio que sirve para fotografiar las protuberancias solares o el disco del Sol a una luz monocroma.

Espectrohelioscopio. m. *Fís.* Aparato que consiste en un espectroheliógrafo modificado para la visión directa.

Espectroscopia. f. Conjunto de conocimientos referentes al análisis espectroscópico.

Espectroscópico, ca. adj. Perteneciente o relativo al espectroscopio.

Espectroscopio. (Del lat. *spectrum*, imagen, y del gr. σκοπέω, observar, mirar.) m. Instrumento que sirve para obtener y observar un espectro. ‖ **compuesto.** *Fís.* Aquel cuyo colimador forma ángulo con el anteojo analizador. ‖ **de visión directa.** *Fís.* Aquel cuyas tres partes principales están en la misma dirección.

Especulación. (Del lat. *speculatĭo, -ōnis.*) f. Acción y efecto de especular. ‖ **2.** *Com.* Operación comercial que se practica con mercaderías, valores o efectos públicos, con ánimo de obtener lucro.

Especulador, ra. (Del lat. *speculātor.*) adj. Que especula. Ú. m. c. s.

Especular. (Del lat. *speculāris*, de *specŭlum*, espejo.) adj. ant. Transparente, diáfano.

Especular. (Del lat. *speculāri.*) tr. Registrar, mirar con atención una cosa para reconocerla y examinarla. ‖ **2.** fig. Meditar, contemplar, considerar, reflexionar. ‖ **3.** intr. Comerciar, traficar. ‖ **4.** Procurar provecho o ganancia fuera del tráfico mercantil.

Especulario, ria. (Del lat. *specularius.*) adj. ant. Perteneciente al espejo.

Especulativa. (Del lat. *speculatīva.*) f. Facultad del alma para especular alguna cosa.

Especulativamente. adv. m. De manera especulativa.

Especulativo, va. (Del lat. *speculatīvus.*) adj. Perteneciente o relativo a la especulación. ‖ **2.** Que tiene aptitud para especular. ‖ **3.** Que procede de la mera especulación o discurso, sin haberse reducido a práctica. ‖ **4.** Muy pensativo y dado a la especulación.

Espéculo. (Del lat. *specŭlum*, espejo.) m. *Cir.* Instrumento que se emplea para examinar por la reflexión luminosa ciertas cavidades del cuerpo.

Espechar. tr. ant. **Espichar,** 1.ª acep.

Espedar. tr. ant. **Espetar.**

Espedazar. tr. ant. **Despedazar.** Ú. por el vulgo.

Espedimiento. (De *espedirse.*) m. ant. **Despedida.**

Espedirse. (Del lat. *expetĕre.*) r. ant. **Despedirse.**

Espedo. m. ant. **Espeto.** Ú. en *Ar.*

Espejado, da. p. p. de **Espejar.** ‖ **2.** adj. Claro o limpio como un espejo. ‖ **3.** Que refleja la luz como un espejo.

Espejar. (De *espejo.*) tr. **Despejar** ‖ **2.** ant. Limpiar, pulir, lustrar. ‖ **3.** r. ant. Mirarse al espejo ‖ **4.** fig. Reflejarse, reproducirse como la imagen en un espejo. ‖ **Espejarse** uno **en** otro. fr. ant. fig. **Mirarse en él.**

Espejear. intr. Relucir o resplandecer al modo que lo hace el espejo.

Espejeo. m. **Espejismo.**

Espejería. f. Tienda en que se venden espejos y otros muebles para adorno de casas.

Espejero. m. El que hace espejos o los vende.

Espejismo. (De *espejo.*) m. Ilusión óptica debida a la reflexión total de la luz cuando atraviesa capas de aire de densidad distinta, con lo cual los objetos lejanos dan una imagen invertida, ya por bajo del suelo como si se reflejasen en el agua, y esto sucede principalmente en las llanuras de los desiertos, ya en lo alto de la atmósfera sobre la superficie del mar. ‖ **2.** fig. **Ilusión,** 1.ª acep.

Espejo. (Del lat. *specŭlum.*) m. Tabla de cristal azogada por la parte posterior para que se reflejen y se representen en él los objetos que tenga delante. Los hay también de acero u otro metal bruñido. ‖ **2.** fig. Aquello en que se ve una cosa como retratada. *El teatro es* ESPEJO *de la vida o de las costumbres.* ‖ **3.** fig. Modelo o dechado digno de estudio e imitación. ESPEJO *de la andante caballería.* ‖ **4.** *Arq.* Adorno aovado que se entalla en las molduras huecas y que suele llevar floroncillos. ‖ **5.** *And.* Transparencia de los vinos dorados. ‖ **6.** pl. Remolino de pelos en la parte anterior del pecho del caballo. ‖ **Espejo de armar.** ant. **Espejo de cuerpo entero.** ‖ **de cuerpo entero. Espejo** grande en que se representa todo o casi todo el cuerpo del que se mira en él. ‖ **de los Incas. Obsidiana.** ‖ **de popa.** *Mar.* Fachada que presenta la popa desde la bovedilla hasta el coronamiento. ‖ **de vestir. Espejo de cuerpo entero.** ‖ **ustorio. Espejo** cóncavo que, puesto de frente al sol, refleja sus rayos y los reúne en el punto llamado foco, produciendo un calor capaz de quemar, fundir y hasta volatilizar los cuerpos allí colocados. ‖ **Mirarse en uno como en un espejo.** fr. fig. y fam. Tenerle mucho amor y complacerse en sus gracias o en sus acciones. ‖ **Mírate en ese espejo.** expr. fig. Sírvate de escarmiento ese ejemplo. ‖ **No te verás en ese espejo.** expr. fig. y fam. con que se previene a uno que no logrará lo que intenta o pretende. ‖ **¿Qué espejo hará la fuente do la vecera se mete?** ref. que advierte no poder dar buen ejemplo la persona de malas costumbres.

Espejuela. f. *Equit.* Arco que suelen tener algunos bocados en la parte interior, y une los extremos de los dos cañones. ‖ **abierta.** *Equit.* La que tiene un gozne en la parte superior para dar mayor juego al bocado. ‖ **cerrada.** *Equit.* La de una pieza.

Espejuelo. (d. de *espejo.*) m. Yeso cristalizado en láminas brillantes. ‖ **2.** Ventana, rosetón o claraboya por lo general con calados de cantería y cerrada con placas de yeso transparente. ‖ **3.** Hoja de talco. ‖ **4.** Trozo curvo de madera de unos dos centímetros de largo, con pedacitos de espejo y generalmente pintado de rojo, que se hace girar para que, a los reflejos de la luz, acudan las alondras y poderlas cazar fácilmente. ‖ **5.** Reflejo que se produce en ciertas maderas cuando se cortan a lo largo de los radios medulares. ‖ **6.** Conserva de tajadas de cidra o calabaza, que con el almíbar se hacen relucientes. ‖ **7.** Entre colmeneros, borra o suciedad que se cría en los panales durante el invierno. ‖ **8.** Callosidad que contrae el feto del animal en el vientre de la madre por la situación que tiene dentro de la matriz. ‖ **9.** Excrecencia córnea que tienen las caballerías en la parte inferior e interna del antebrazo y en la superior y algo posterior de las cañas en las patas traseras. ‖ **10.** pl. Cristales que se ponen en los anteojos. ‖ **11. Anteojo,** 4.ª acep.

Espeleología. (Del gr. σπήλαιον, caverna, y λόγος, tratado.) f. Ciencia que estudia la naturaleza, el origen y formación de las cavernas, y su fauna y flora.

Espeleólogo. m. El que se dedica a la espeleología.

Espelta. (Del lat. *spelta.*) f. Variedad de escanda.

Espélteo, a. adj. Perteneciente a la espelta.

Espelunca. (Del lat. *spelunca.*) f. Cueva, gruta, concavidad tenebrosa.

Espeluzar. tr. **Despeluzar.** Ú. t. c. r.

Espeluznamiento. m. **Despeluzamiento.**

Espeluznante. p. a. de **Espeluznar.** Que hace erizarse el cabello.

Espeluznar. tr. **Despeluzar.** Ú. t. c. r.

Espeluzno. m. fam. Escalofrío, estremecimiento.

Espeluzo. m. ant. **Despeluzo.**

Espenjador. (Del arag. *espenjar*, y éste del lat. **ex-pendicāre*, de *pendēre*, colgar.) m. *Ar.* Pértiga terminada en una horquilla de hierro, y que se usa para colgar y descolgar cualquier objeto.

Espeque. (Del neerl. *speek*, palanca.) m. Palanca de madera, redonda por una extremidad y cuadrada por la otra, de que se sirven los artilleros. ‖ **2.** Puntal para sostener una pared. ‖ **3.** Palanca recta de madera resistente.

Espera. f. Acción y efecto de esperar. ‖ **2.** Plazo o término señalado por el juez para ejecutar una cosa; como presentar documentos, etc. ‖ **3.** Calma, paciencia, facultad de saberse contener y de no proceder de ligero. *Tener* ESPERA; *ser hombre de* ESPERA. ‖ **4.** Puesto para cazar, esperando en él que la caza acuda espontáneamente o sin ojeo. || **5.** Especie de cañón de artillería usado antiguamente. || **6.** ant. Moneda de Levante. || **7.** *Carp.* Escopleadura que empieza desde una de las aristas de la cara del madero y no llega a la opuesta. || **8.** *For.* Aplazamiento que los acreedores acuerdan conceder al deudor en quiebra, concurso o suspensión de pagos. || **9.** *For.* V. **Carta de espera.** || **10.** *Mús.* V. **Compás de espera.** || **Cazar a espera.** fr. Cazar en puesto, esperando que la caza acuda sin ojeo. || **Estar en espera.** fr. Estar en observación esperando alguna cosa.

Espera. (Del lat. *spera*, por *sphaera*.) f. ant. **Esfera.**

Esperable. (Del lat. *sperabĭlis*.) adj. ant. Que se puede o debe esperar.

Esperación. (Del lat. *speratĭo, -ōnis*.) f. ant. **Esperanza.**

Esperadamente. adv. m. Precedido del adv. *no*, inesperadamente.

Esperador, ra. adj. Que espera. Ú. t. c. s.

Esperamiento. (De *esperar*.) m. ant. **Espera,** 1.er art., 1.ª acep.

Esperante. (Del lat. *sperans, -antis*.) p. a. ant. de **Esperar.** Que espera.

Esperantista. com. Persona que hace uso del esperanto y lo propaga.

Esperanto. m. Idioma creado en 1887 por el médico ruso Zamenhof, con idea de que pudiese servir como lengua universal.

Esperanza. (De *esperar*.) f. Estado del ánimo en el cual se nos presenta como posible lo que deseamos. || **2.** Virtud teologal por la que esperamos en Dios con firmeza que nos dará los bienes que nos ha prometido. || **3.** V. **Ancla de la esperanza.** || **Alimentarse** uno **de esperanzas.** fr. fig. Lisonjearse con poco fundamento de conseguir lo que desea o pretende. || **Dar esperanza,** o **esperanzas,** a uno. fr. Darle a entender que puede lograr lo que solicita o desea. || **Llenar** una cosa **la esperanza.** fr. Corresponder el efecto o suceso a lo que se esperaba.

Esperanzado, da. p. p. de **Esperanzar.** || **2.** adj. Que tiene esperanza de conseguir alguna cosa.

Esperanzar. tr. **Dar esperanza.**

Esperar. (Del lat. *sperāre*.) tr. Tener esperanza de conseguir lo que se desea. || **2.** Creer que ha de suceder alguna cosa, especialmente si es favorable. || **3.** Permanecer en sitio adonde se cree que ha de ir alguna persona o en donde se presume que ha de ocurrir alguna cosa. || **4.** Detenerse en el obrar hasta que suceda algo. ESPERÓ *a que sonase la hora para hablar.* || **5.** Ser inminente o estar inmediata alguna cosa. *Mala noche nos* ESPERA. || **Esperar en** uno. fr. Poner en él la confianza de que hará algún bien. || **sentado.** Dícese cuando parece que lo que se **espera** ha de cumplirse muy tarde o nunca. || **Quien espera, desespera.** ref. que explica la mortificación del que vive en una esperanza incierta de lograr el fin de sus deseos.

Esperdecir. tr. ant. **Despreciar.**

Esperecer. intr. ant. **Perecer.**

Esperezarse. (Del lat. *ex*, fuera de, y *pigritĭa*, pereza.) r. **Desperezarse.**

Esperezo. (De *esperezarse*.) m. **Desperezo.**

Espergurar. (Del arag. *esporgar*, del lat. *expurgāre*, limpiar.) tr. *Rioja.* Limpiar la vid de todos los tallos y vástagos que echa en el tronco y madera, que no sean del año anterior, para que no chupen la savia a los que salen de las yemas del sarmiento nuevo, que son los fructíferos.

Esperido, da. (De *esperecer*.) adj. ant. Extenuado, flaco, débil.

Esperiego, ga. adj. **Asperiego.** Ú. t. c. s. m. y f.

Esperma. (Del lat. *sperma*, y éste del gr. σπέρμα, simiente.) amb. **Semen,** 1.ª acep. || **de ballena.** Substancia grasa que se extrae de las cavidades del cráneo del cachalote. Se emplea para hacer velas y en algunos medicamentos.

Espermafito, ta. adj. *Bot.* **Fanerógamo.**

Espermático, ca. (Del lat. *spermatĭcus*, y éste del gr. σπερματικός.) adj. Perteneciente a la esperma.

Espermatorrea. (Del gr. σπέρμα y ῥέω, fluir.) f. *Med.* Derrame involuntario de la esperma fuera del acto sexual.

Espermatozoario. (Del gr. σπέρμα, semilla, y ζωάριον, animalillo.) m. **Espermatozoide.**

Espermatozoide. (Del gr. σπέρμα, semilla, y ζωΐδιον, animalillo.) m. *Zool.* Gameto masculino de los animales, destinado a la fecundación del óvulo y a la constitución, en unión de éste, de un nuevo ser. || **2.** *Bot.* Gameto masculino de las plantas criptógamas, que, por estar provisto de flagelos que le sirven para nadar en el agua, se asemeja a las células sexuales masculinas de la mayoría de los animales. || **3.** *Bot.* Cada uno de los dos gametos que resultan de la división de una de las células componentes del grano de polen.

Espermatozoo. (Del gr. σπέρμα, semilla, y ζῷον, animal.) m. **Zoospermo.**

Espernada. (De *es* y *pierna*.) f. Remate de la cadena, que suele tener el eslabón abierto con unas puntas, para meterlo en la argolla que está fijada en un poste o en la pared.

Espernancarse. r. *Amér.* y *León.* **Esparrancarse.**

Espernible. (Del lat. *spernĕre*, despreciar.) adj. *And.* y *Ar.* **Despreciable.**

Esperón. (Del ital. *sperone*.) m. *Mar.* **Espolón,** 5.ª acep.

Esperonte. (De *esperón*.) m. desus. *Fort.* Obra en ángulo saliente, que se hacía en las cortinas de las murallas y a veces en las riberas de los ríos.

Esperpento. m. fam. Persona o cosa notable por su fealdad, desaliño o mala traza. || **2.** Desatino, absurdo.

Esperriaca. (De *esperriar*.) f. *And.* Último mosto que se saca de la uva.

Esperriadero. m. ant. Acción y efecto de esperriar.

Esperriar. tr. ant. **Espurriar.**

Espertar. (Del lat. **expertus*, p. p. de *expergĕre*.) tr. ant. **Despertar.** Ú. aún por el vulgo.

Esperteza. (De *espertar*.) f. ant. Diligencia, actividad.

Espesamente. adv. m. ant. Con frecuencia, con continuación.

Espesar. (De *espeso*.) m. Parte de monte más poblada de matas o árboles que las demás.

Espesar. (Del lat. *spissāre*.) tr. Condensar lo líquido. || **2.** Unir, apretar una cosa con otra, haciéndola más cerrada y tupida; como se hace en los tejidos, medias, etc. || **3.** r. Juntarse, unirse, cerrarse y apretarse las cosas unas con otras; como hacen los árboles y plantas creciendo y echando ramas.

Espesativo, va. adj. Que tiene virtud de espesar.

Espesedumbre. (Del lat. *spissitūdo*.) f. ant. **Espesura,** 1.ª acep.

Espeseza. f. ant. **Espesura.**

Espeso, sa. (Del lat. *spissus*.) adj. Dícese de la masa o de la substancia fluida o gaseosa que tiene mucha densidad o condensación. || **2.** Dícese de las cosas que están muy juntas y apretadas; como suele suceder en los trigos, en las arboledas y en los montes. || **3.** p. us. Continuado, repetido, frecuente. || **4.** Grueso, corpulento, macizo. *Muros* ESPESOS. || **5.** fig. Sucio, desaseado y grasiento. || **6.** fig. *Ar.* y *Venez.* Pesado, impertinente, molesto.

Espesor. (De *espeso*.) m. Grueso de un sólido. || **2.** Densidad o condensación de un fluido, un gas o una masa.

Espesura. f. Calidad de espeso. || **2.** ant. Solidez, firmeza. || **3.** fig. Cabellera muy espesa. || **4.** fig. Paraje muy poblado de árboles y matorrales. || **5.** fig. Desaseo, inmundicia y suciedad.

Espetaperro (A). m. adv. **A espetaperros.**

Espetar. (De *espeto*.) tr. Atravesar con el asador, u otro instrumento puntiagudo, carne, aves, pescados, etc., para asarlos. || **2.** Atravesar, clavar, meter por un cuerpo un instrumento puntiagudo. || **3.** fig. y fam. Decir a uno de palabra o por escrito alguna cosa, causándole sorpresa o molestia. *Me* ESPETÓ *una arenga, un cuento, una carta.* || **4.** r. Ponerse tieso, afectando gravedad y majestad. || **5.** fig. y fam. Encajarse, asegurarse, afianzarse.

Espetera. (De *espeto*.) f. Tabla con garfios en que se cuelgan carnes, aves y utensilios de cocina; como cazos, sartenes, etc. || **2.** Conjunto de los utensilios de cocina que son de metal y se cuelgan en la **espetera.** || **3.** fig. fam. Pecho de la mujer cuando es muy abultado.

Espeto. (Del germ. *spit*.) m. ant. **Asador.**

Espetón. (aum. de *espeto*.) m. Hierro largo y delgado; como asador o estoque. || **2.** Hierro para remover las ascuas de los hornos, hurgonero. || **3.** Alfiler grande. || **4.** Golpe dado con el **espetón.** || **5.** **Aguja,** 22.ª acep.

Espía. (Del ital. *spia*.) m. y f. Persona que con disimulo y secreto observa o escucha lo que pasa, para comunicarlo al que tiene interés en saberlo. || **2.** *Germ.* Persona que atalaya. || **doble.** Persona que sirve a las dos partes contrarias por el interés que de ambas le resulta.

Espía. (Del port. *espia*.) f. *Mar.* Acción de espiar, 2.° art. || **2.** Cada una de las cuerdas o tiros con que se mantiene fijo y vertical un madero. || **3.** *Mar.* Cabo o calabrote que sirve para espiar.

Espiado, da. p. p. de **Espiar.** || **2.** adj. Dícese del madero afirmado al terreno por medio de espías. || **3.** adj. *Germ.* Acusado, delatado.

Espiador. (De *espiar*, 1.er art.) m. ant. **Espía,** 1.er art., 1.ª acep.

Espiar. (Del ital. *spiare*.) tr. Acechar; observar disimuladamente lo que se dice o hace.

Espiar. (Del port. *espiar*.) intr. *Mar.* Halar de un cabo firme en una ancla, noray u otro objeto fijo, para hacer caminar la nave en dirección al mismo.

Espibia. (De *estibia*.) f. *Veter.* Torcedura del cuello de una caballería en sentido lateral.

Espibio. m. *Veter.* **Espibia.**

Espibión. m. *Veter.* **Espibia.**

Espicanardi. (Del lat. *spica nardi*, espiga de nardo.) f. **Espicanardo.**

Espicanardo. (Del lat. *spica nardi*, espiga de nardo.) m. Hierba de la familia de las valerianáceas, que se cría en la India y tiene la raíz perenne y aromática, tallo sencillo y velloso, hojas pubescentes, las radicales muy largas y las del tallo sentadas, flores purpúreas en hacecillos opuestos, y fruto en caja. || **2.** Raíz de esta planta. || **3.** Planta de la India, de la familia de las gramíneas, con tallos en caña delgada, de cuatro a seis decímetros de altura; hojas envainadoras, lineales y puntiagudas; flores en espigas terminales; rizoma acompañado de numerosas raicillas fibrosas, de olor agradable, cuyo extracto da un perfume muy usado por los antiguos. || **4.** Raíz de esta planta.

Espiciforme. (Del lat. *spica*, espiga, y *forma*, forma.) adj. Que tiene forma de espiga.

Espichar. (De *espiche*.) tr. **Pinchar,** 1.ª acep. || **2.** intr. fam. **Morir,** 1.ª acep.

Espiche. (Del lat. *spicŭlum*, dardo, punta.) m. Arma o instrumento puntiagudo; como chuzo, azagaya o asador. || **2.** Estaquilla que sirve para cerrar un agujero, como las que se colocan en las cubas para que no se salga el líquido o en los botes para que no se aneguen.

Espichón. m. Herida causada con el espiche o con otra arma puntiaguda.

Espiedo. m. ant. **Espedo.**

Espiga. (Del lat. *spīca*.) f. *Bot.* Inflorescencia cuyas flores son hermafroditas y están sentadas a lo largo de un eje; como en el llantén. || **2.** Parte de una herramienta o de otro objeto, adelgazada para introducirla en el mango. || **3.** Parte superior de la espada, en donde se asegura la guarnición. || **4.** Extremo de un madero cuyo espesor se ha disminuido, ordinariamente en dos terceras partes, para que encaje en el hueco de otro madero, donde se ha de ensamblar. || **5.** Parte más estrecha de un escalón de caracol por la cual se une al alma o eje de la escalera. || **6.** Cada uno de los clavos de madera con que se aseguran las tablas o maderos. || **7. Púa,** 2.ª acep. || **8.** Clavo pequeño de hierro y sin cabeza. || **9. Badajo,** 1.ª acep. || **10. Espoleta,** 1.er art. || **11.** Estrella de primera magnitud, en la constelación de la Virgen. || **12.** *Mar.* Cabeza de los palos y masteleros. || **13.** *Mar.* Una de las velas de la galera. || **14.** *Sal.* Regalo que dan los convidados a la novia el día de la boda durante el baile o después de la comida. || **Quedarse** uno **a la espiga.** fr. fig. y fam. Quedarse a lo último para aprovecharse de los desperdicios.

Espigadera. (De *espigar*.) f. **Espigadora.**

Espigadilla. (De *espigado*.) f. **Cebadilla,** 1.ª acep.

Espigado, da. p. p. de **Espigar.** || **2.** adj. Aplícase a algunas plantas anuales cuando se las deja crecer hasta la completa madurez de la semilla. || **3.** Dícese del árbol nuevo de tronco muy elevado. || **4.** En forma de espiga. || **5.** fig. Alto, crecido de cuerpo. Dícese de los jóvenes.

Espigador, ra. m. y f. Persona que espiga, 1.ª acep.

Espigajo. m. *Ar.* Conjunto de espigas recogidas en los rastrojos.

Espigar. (Del lat. *spicāre*.) tr. Coger las espigas que los segadores han dejado de segar, o las que han quedado en el rastrojo. || **2.** Tomar de uno o más libros, rebuscando acá y allá, ciertos datos que a uno le conviene aprovechar. Ú. t. c. intr. || **3.** desus. Mover el caballo la cola, sacudiéndola de arriba abajo. Ú. en *Méj.* Ú. t. c. intr. || **4.** En algunas partes de Castilla la Vieja y Salamanca, hacer una ofrenda o dar una alhaja a la mujer que se casa, el día de los desposorios, por lo regular al tiempo del baile. || **5.** *Carp.* Hacer la espiga en las maderas que han de entrar en otras. || **6.** intr. Empezar los panes a echar espigas. || **7.** r. Crecer demasiado algunas hortalizas, como la lechuga y la alcachofa, y dejar de ser propias para la alimentación por haberse endurecido. || **8.** Crecer notablemente una persona.

Espigo. m. **Espiga,** 2.ª acep. || **2.** *León.* Púa o hierro del peón.

Espigón. (De *espiga*.) m. **Aguijón,** 1.ª acep. || **2.** Espiga o punta de un instrumento puntiagudo, o del clavo con que se asegura una cosa. || **3.** Espiga áspera y espinosa. || **4. Mazorca,** 2.ª acep. || **5.** Cerro alto, pelado y puntiagudo. || **6.** Macizo saliente que se construye a la orilla de un río o en la costa del mar, para defender las márgenes o modificar la corriente. || **de ajo. Diente de ajo.** || **Ir** uno **con espigón,** o **llevar** uno **espigón.** fr. fig. y fam. Retirarse picado o con resentimiento.

Espigoso, sa. adj. ant. Que tiene espigas o abunda de ellas.

Espigueo. m. Acción de espigar, 1.ª acep. || **2.** Tiempo o sazón de espigar, 1.ª acep.

Espiguilla. (d. de *espiga*.) f. Cinta angosta o fleco con picos, que sirve para guarniciones. || **2.** Cada una de las espigas pequeñas que forman la principal en algunas plantas; como la avena y el arroz. || **3.** Planta anua de la familia de las gramíneas, con el tallo comprimido, hojas lampiñas y flores en panoja sin aristas. || **4.** Flor del álamo.

Espilocho. (Del ital. *spilorcio*.) adj. ant. Pobre, desvalido. Decíase del que iba desharrapado y mal vestido. Usáb. t. c. s.

Espillador. (De *espillar*.) m. *Germ.* **Jugador.**

Espillantes. (De *espillar*.) m. pl. *Germ.* Los naipes.

Espillar. (De *espillo*.) tr. *Germ.* **Jugar.**

Espillo. (Del al. *spiel*, juego.) m. *Germ.* Lo que se juega.

Espín. (Del lat. *spīna*, espina.) m. **Puerco espín.** || **2.** *Mil.* Orden en que antiguamente formaba un escuadrón, presentando por todos lados al enemigo lanzas o picas.

Espina. (Del lat. *spīna*.) f. Púa que nace del tejido leñoso o vascular de algunas plantas. || **2.** Astilla pequeña y puntiaguda de la madera, esparto u otra cosa áspera. || **3.** *Zool.* Cada una de las piezas óseas largas, delgadas y puntiagudas que forman parte del esqueleto de muchos peces, como la apófisis de las vértebras y los radios duros y rígidos de las aletas. || **4. Espinazo,** 1.ª acep. || **5.** Muro bajo y aislado en medio del circo romano, coronado de obeliscos, estatuas y otros ornamentos semejantes, y alrededor del cual corrían los carros y caballos que se disputaban el premio. || **6.** V. **Caña, uva espina.** || **7.** fig. Escrúpulo, recelo, sospecha. || **8.** fig. Pesar íntimo y duradero. || **9.** *Anat.* Apófisis ósea larga y delgada. || **blanca. Cardo borriquero.** || **de cruz.** *Argent.* y *Perú.* Arbusto de la familia de las ramnáceas. La corteza de las raíces produce espuma en el agua y sirve para lavar tejidos de lana. || **de pescado.** Entre pasamaneros, labor de las ligas de toda seda, cordoncillo, que imita a la **espina** del pescado. || **2.** *Argent.* Planta de la familia de las verbenáceas. || **dorsal.** *Zool.* **Espinazo,** 1.ª acep. || **santa.** Arbusto de la familia de las ramnáceas, que crece hasta cuatro metros de altura, con ramos tortuosos y armados de grandes **espinas** pareadas, hojas alternas, con tres nervios, ovaladas y agudas, flores pequeñas, amarillas, en racimos axilares, y fruto en drupa con ala membranosa y estriada desde el centro a la circunferencia. || **Darle** a uno **mala espina** una cosa. fr. fig. y fam. Hacerle entrar en recelo o cuidado. || **Dejar** a uno **la espina en el dedo.** fr. fig. y fam. No remediar enteramente el daño que padece. || **Estar** uno **en espinas.** fr. fig. y fam. Estar con cuidado y zozobra. || **Estar** uno **en la espina.** fr. fig. y fam. Estar muy flaco y extenuado. || **La espina cuando nace, la punta lleva delante.** proverb. Desde luego muestra cada uno su inclinación. || **No saques espinas donde no hay espigas.** ref. que aconseja que no se trabaje sin esperanza de fruto. || **Quedarse** uno **en la espina,** o **en la espina de Santa Lucía.** fr. fig. y fam. **Estar en la espina.** || **Sacar la espina.** fr. fig. Desarraigar una cosa mala o perjudicial. || **Sacarse** uno **la espina.** fr. fig. y fam. Desquitarse de una pérdida, especialmente en el juego. || **Tener** a uno **en espinas.** fr. fig. y fam. Tenerle con cuidado o zozobra.

Espinablo. (Del lat. *spinus albus*.) m. *Ar.* **Majuelo,** 1.er art.

Espinaca. (Del ár. *isbanāj* o *isfināj*.) f. Planta hortense, anual, de la familia de las quenopodiáceas, con tallo ramoso, hojas radicales, estrechas, agudas y suaves, con pecíolos rojizos, flores dioicas, sin corola, y semillas redondas o con cuernecillos, según las variedades.

Espinadura. f. Acción y efecto de espinar.

Espinal. (Del lat. *spinālis*.) adj. Perteneciente a la espina o espinazo. || **2.** *Zool.* V. **Medula, tríceps espinal.**

Espinapez. (Del ital. *spina pesce*, y éste del lat. *spīna piscis*, espina de pez.) m. Labor que se hace en los solados y entarimados por formar la obra con rectángulos colocados oblicuamente a las cintas, con lo cual las juntas resultan escalonadas. || **2.** fig. **Espinar,** 1.er art., 2.ª acep.

Espinar. m. Sitio poblado de espinos. || **2.** fig. Dificultad, embarazo, enredo.

Espinar. tr. Punzar, herir con espina. Ú. t. c. intr. y c. r. || **2.** Poner espinos, cambroneras o zarzas atadas alrededor de los árboles recién plantados, para resguardarlos. || **3.** fig. Herir, lastimar y ofender con palabras picantes. Ú. t. c. r. || **4.** *Mil.* Dicho de escuadrón, formar el espín.

Espinazo. (De *espina*.) m. *Zool.* Eje del neuroesqueleto de los animales vertebrados, situado a lo largo de la línea media dorsal del cuerpo y formado por una serie de huesos cortos o vértebras, dispuestos en fila y articulados entre sí. || **2.** Clave de una bóveda o de un arco. || **Doblar el espinazo.** fr. fig. y fam. Humillarse para acatar servilmente.

Espinel. (Del cat. *espinell*.) m. Especie de palangre con los ramales más cortos y el cordel más grueso.

Espinela. (Del poeta Vicente *Espinel*, a quien se atribuye esta combinación métrica.) f. **Décima,** 3.ª acep.

Espinela. (Del ital. *spinella*.) f. Piedra fina, parecida por su color rojo al rubí, compuesta de alúmina y magnesia, teñida por óxido de hierro y cristalizada en octaedros. Se emplea en joyería.

Espíneo, a. (Del lat. *spinĕus*.) adj. Hecho de espinas, o perteneciente a ellas.

Espinera. f. **Espino,** 2.ª acep.

Espineta. (Del ital. *spinetta*, y éste del lat. *spīna*.) f. Clavicordio pequeño, de una sola cuerda en cada orden.

Espingarda. (Del fr. *espingard*, *espringale*, y éste del germ. *springen*, saltar.) f. desus. Cañón de artillería algo mayor que el falconete, y menor que la pieza de batir. || **2.** Escopeta de chispa muy larga que todavía usan algunos moros.

Espingardada. f. Herida hecha con el disparo de la espingarda.

Espingardería. f. Conjunto de espingardas. || **2.** Conjunto de la gente que las usaba en la guerra.

Espingardero. m. Soldado armado de espingarda.

Espinilla. f. d. de **Espina.** || **2.** Parte anterior de la canilla de la pierna. || **3.** Especie de barrillo que aparece en la piel y que proviene de la obstrucción del conducto secretor de las glándulas sebáceas.

Espinillera. f. Pieza de la armadura antigua, que cubría y defendía la espinilla. || **2.** Pieza que preserva la espinilla de los operarios en trabajos peligrosos. También la usan los jugadores de algunos deportes.

Espinillo. (De *espino*.) m. *Argent.* Árbol de la familia de las mimosáceas, con ramas cubiertas de espinas y hojas diminutas, florecillas esféricas de color amarillo, muy olorosas. El tronco es tortuoso, y sólo sirve para leña. || **2.** *Cuba.* Arbusto leguminoso, espinoso, de hojas pequeñas redondeadas, flores amarillas en racimo, madera dura. Crece en terrenos áridos.

Espino. (De *espina.*) adj. V. **Puerco espino.** || **2.** m. Arbolillo de la familia de las rosáceas, de cuatro a seis metros de altura, con ramas espinosas, hojas lampiñas y aserradas, flores blancas, olorosas y en corimbo, y fruto ovoide, revestido de piel tierna y rojiza que encierra una pulpa dulce y dos huesecillos casi esféricos. Su madera es dura, y la corteza se emplea en tintorería y como curtiente. || **3.** *Argent.* Arbusto leguminoso, que crece hasta una altura de cinco metros; las ramas y el tronco producen una especie de goma; la madera es apreciada para chapear por sus vetas jaspeadas; las flores son muy aromáticas. || **4.** *Cuba.* Arbusto silvestre, de la familia de las rubiáceas, de dos metros de altura, muy ramoso y espinoso, de madera muy dura, con vetas amarillas. || **albar,** o **blanco. Espino,** 2.ª acep. || **artificial.** Alambrada con pinchos que se usa para cercas. || **cerval.** Arbusto de la familia de las ramnáceas, con espinas terminales en las ramas, hojas elípticas y festoneadas, flores pequeñas y de color amarillo verdoso, y por frutos drupas negras, cuya semilla se emplea como purgante. || **majoleto. Majoleto.** || **majuelo. Majuelo,** 1.er art. || **negro.** Mata de la familia de las ramnáceas, muy espesa, con las ramillas terminadas en espina, hojas persistentes, obtusas, casi lineales, flores pequeñas, solitarias, sin corola, y fruto en drupa, amarillenta o negra, según los casos, y de unos cuatro milímetros de diámetro. || **Pasar por los espinos de Santa Lucía.** fr. proverb. para indicar que se halla uno en gran trabajo y aflicción.

Espinochar. (De *panocha.*) tr. Quitar las hojas que cubren la panoja del maíz.

Espinosa. n. p. V. **Montero de Espinosa.**

Espinosismo. m. Doctrina filosófica profesada por Benito Espinosa, que consiste en afirmar la unidad de substancia, considerando los seres como modos y formas de la substancia única.

Espinosista. adj. Partidario del espinosismo. Ú. t. c. s.

Espinoso, sa. adj. Que tiene espinas. || **2.** V. **Níspero espinoso.** || **3.** fig. Arduo, difícil, intrincado.

Espinudo, da. adj. *Chile.* **Espinoso.**

Espinzar. (De *binza.*) tr. *Cuen.* Quitar de la flor o rosa del azafrán los estigmas que constituyen la especia.

Espiocha. (Del fr. *pioche.*) f. Especie de zapapico.

Espión. (Del ital. *spione.*) m. **Espía,** 1.er art.

Espionaje. (De *espión.*) m. Acción de espiar, 1.er art.

Espiote. m. ant. **Espiche.**

Espira. (Del lat. *spira.*) f. *Arq.* Parte de la basa de la columna, que está encima del plinto. || **2.** *Geom.* **Espiral,** 2.ª acep. || **3.** *Geom.* Cada una de las vueltas de una hélice o de una espiral. || **4.** *Zool.* Espiral que forman arrollándose alrededor de un eje, la concha de muchos moluscos gasterópodos y algunos cefalópodos y el caparazón de ciertos foraminíferos.

Espiración. (Del lat. *spiratio, -ōnis.*) f. Acción y efecto de espirar.

Espirador, ra. adj. Que espira. || **2.** ant. **Inspirador.** || **3.** *Zool.* Aplícase a los músculos que sirven para la espiración.

Espiral. adj. Perteneciente a la espira. *Línea, escalera* ESPIRAL. || **2.** f. Línea curva que da indefinidamente vueltas alrededor de un punto, alejándose de él más en cada una de ellas. || **3.** Muelle espiral del volante de un reloj.

Espiramiento. (Del lat. *spiramentum.*) m. ant. **Espiración.** || **2.** ant. *Teol.* Hablando de la Santísima Trinidad, **Espíritu Santo.**

Espirante. (Del lat. *spirans, -antis.*) p. a. de **Espirar.** Que espira.

Espirar. (Del lat. *spirāre.*) tr. Exhalar, echar de sí un cuerpo buen o mal olor. || **2.** Infundir espíritu, animar, mover, excitar. Dícese propiamente de la inspiración del Espíritu Santo. || **3.** ant. **Aspirar,** 1.ª acep. || **4.** *Teol.* Producir el Padre y el Hijo, por medio de su amor recíproco, al Espíritu Santo. || **5.** intr. Tomar aliento, alentar. || **6.** Expeler el aire aspirado. Ú. t. c. tr. || **7.** poét. Soplar el viento blandamente.

Espirativo, va. adj. *Teol.* Que puede espirar o que tiene esta propiedad.

Espiratorio, ria. adj. Perteneciente o relativo a la espiración.

Espirilo. m. Bacteria flexuosa en forma de espiral.

Espiritado, da. p. p. de **Espiritar.** || **2.** adj. fam. Dícese de la persona que, por lo flaca y extenuada, parece no tener sino espíritu.

Espirital. (Del lat. *spiritālis.*) adj. ant. Perteneciente a la respiración.

Espiritar. (De *espíritu*, entendiéndose por el demonio.) tr. **Endemoniar,** 1.ª acep. Ú. t. c. r. || **2.** fig. y fam. Agitar, conmover, irritar. Ú. m. c. r.

Espiritillo. m. d. de **Espíritu.**

Espiritismo. m. Doctrina de los que suponen que por medio del magnetismo animal, o de otros modos, pueden ser evocados los espíritus de los muertos para conversar con ellos.

Espiritista. adj. Perteneciente al espiritismo. || **2.** Que profesa esta doctrina. Ú. t. c. s.

Espiritosamente. adv. m. Con espíritu.

Espiritoso, sa. adj. Vivo, animoso, eficaz; que tiene mucho espíritu. || **2.** Dícese de lo que contiene mucho espíritu y es fácil de exhalarse; como algunos licores.

Espiritrompa. f. *Zool.* Aparato bucal de las mariposas. Es un largo tubo que el animal utiliza para chupar el néctar de las flores y que recoge después, arrollándolo en espiral.

Espíritu. (Del lat. *spiritus.*) m. Ser inmaterial y dotado de razón. || **2.** Alma racional. || **3.** Don sobrenatural y gracia particular que Dios suele dar a algunas criaturas. ESPÍRITU *de profecía.* || **4.** Virtud, ciencia mística. || **5.** Vigor natural y virtud que alienta y fortifica el cuerpo para obrar. *Los* ESPÍRITUS *vitales.* || **6.** Ánimo, valor, aliento, brío, esfuerzo. || **7.** Vivacidad; ingenio. || **8. Demonio,** 1.ª acep. Ú. m. en pl. || **9.** Cada uno de los dos signos ortográficos, llamados el uno **espíritu suave** y el otro **áspero** o **rudo,** con que en la lengua griega se indica la aspiración de una u otra clase. || **10.** Vapor sutilísimo que exhalan el vino y los licores. || **11.** Parte o porción más pura y sutil que se extrae de algunos cuerpos sólidos o fluidos por medio de operaciones químicas. || **12.** fig. Principio generador, tendencia general, carácter íntimo, esencia o substancia de una cosa. *El* ESPÍRITU *de una ley, de una corporación, de un siglo, de la literatura de una época.* || **de contradicción.** Genio inclinado a contradecir siempre. || **de la golosina.** fam. Persona falta de nutrición o muy flaca y extenuada. || **de sal. Ácido clorhídrico.** || **de vino.** Alcohol mezclado con menos de la mitad de su peso de agua. || **inmundo.** En la Escritura Sagrada, el demonio. || **maligno.** El demonio. || **Santo.** *Teol.* Tercera persona de la Santísima Trinidad, que procede igualmente del Padre y del Hijo. || **vital.** Cierta substancia sutil y ligerísima que se consideraba necesaria para la vida del animal. || **Espíritus animales.** Fluidos muy tenues y sutiles que se suponía que servían para determinar los movimientos de nuestros miembros. || **Beber** uno **el espíritu** a otro. fr. fig. **Beberle la doctrina.** || **Dar, despedir,** o **exhalar, el espíritu.** fr. fig. Expirar, morir. || **Levantar el espíritu.** fr. fig. Cobrar ánimo y vigor para ejecutar alguna cosa. || **Pobre de espíritu.** loc. Dícese del que mira con menosprecio los bienes y honores mundanos. || **2.** Apocado, tímido.

Espiritual. (Del lat. *spirituālis.*) adj. Perteneciente o relativo al espíritu. || **2.** V. **Director, hijo, hombre, médico, padre, parentesco, pasto, vida espiritual.** || **3.** V. **Ejercicios espirituales.** || **4.** *Teol.* V. **Necesidad grave espiritual.**

Espiritualidad. f. Naturaleza y condición de espiritual. || **2.** Calidad de las cosas espiritualizadas, 3.ª acep. || **3.** Obra o cosa espiritual.

Espiritualismo. (De *espiritual.*) m. Doctrina filosófica que reconoce la existencia de otros seres, además de los materiales. || **2.** Sistema filosófico que defiende la esencia espiritual y la inmortalidad del alma, y se contrapone al materialismo.

Espiritualista. (De *espiritual.*) adj. Que trata de los espíritus vitales, o tiene alguna opinión particular sobre ellos. Ú. t. c. s. || **2.** Que profesa la doctrina del espiritualismo. Ú. t. c. s.

Espiritualización. f. Acción y efecto de espiritualizar.

Espiritualizar. tr. Hacer espiritual a una persona por medio de la gracia y espíritu de piedad. || **2.** Figurarse o considerar como espiritual lo que de suyo es corpóreo, para reconocerlo y entenderlo. || **3.** Reducir algunos bienes por autoridad legítima a la condición de eclesiásticos, de suerte que el que los posee pueda ordenarse a título de ellos, sirviéndole de congrua sustentación, de modo que sus rentas puedan ser empleadas en fines canónicos; pero los bienes mismos no pueden ser enajenados ni gravados mientras se hallen afectos a aquella obligación eclesiástica. || **4.** fig. Sutilizar, adelgazar, atenuar y reducir a lo que los médicos llaman espíritus.

Espiritualmente. adv. m. Con el espíritu.

Espirituano, na. adj. Natural de Sancti Spíritus, en la isla de Cuba. Ú. t. c. s. || **2.** Perteneciente a esta ciudad.

Espirituoso, sa. adj. **Espiritoso.**

Espiritusanto. m. *C. Rica.* y *Nicar.* Flor de una especie de cacto, blanca y de gran tamaño.

Espirómetro. (Del lat. *spirāre*, espirar, y el gr. μέτρον, medida.) m. *Med.* Aparato para medir la capacidad respiratoria del pulmón.

Espiroqueta. (Del gr. σπεῖρα, espiral, y χαίτη, pelo.) f. *Zool.* Flagelado del grupo de los espiroquetos, provisto de una membrana ondulante a lo largo del cuerpo. Una de sus especies produce en el hombre la fiebre recurrente.

Espiroqueto, ta. adj. *Zool.* Dícese de seres unicelulares que por sus caracteres morfológicos se asemejan a los flagelados y tienen forma espiral, parecida a la de un tirabuzón, con órganos de natación que consisten en una fina membrana ondulante dispuesta a lo largo del cuerpo o en flagelos que arrancan de los extremos del mismo. Viven en las aguas estancadas o son parásitos, contándose entre estos últimos los causantes de algunas enfermedades del hombre, como la sífilis, la fiebre recurrente y la fiebre amarilla. Ú. t. c. s. || **2.** m. pl. *Zool.* Grupo de estos microorganismos.

Espita. (Del lat. *spithăma*, y éste del gr. σπιθαμή, palmo.) f. Medida lineal de un palmo. || **2.** Canuto que se mete en el agujero de la cuba u otra vasija, para que por él salga el licor que ésta contiene. || **3.** fig. y fam. Persona borracha o que bebe mucho vino.

Espitar. tr. Poner espita a una cuba, tinaja u otra vasija.

Espito. (De *espita*.) m. Palo largo, a cuya extremidad se atraviesa una tabla que sirve para colgar y descolgar el papel que se pone a secar en las fábricas o en las imprentas.

Esplendente. (Del lat. *splendens, -entis*.) p. a. de **Esplender.** Que esplende. Ú. m. en poesía.

Esplender. (Del lat. *splendēre*.) intr. **Resplandecer.** Ú. m. en poesía.

Espléndidamente. adv. m. Con esplendidez.

Esplendidez. (De *espléndido*.) f. Abundancia, magnificencia, ostentación, largueza.

Espléndido, da. (Del lat. *splendĭdus*.) adj. Magnífico, liberal, ostentoso. || **2. Resplandeciente.** Ú. m. en poesía.

Esplendor. (Del lat. *splendor*.) m. **Resplandor.** || **2.** fig. Lustre, nobleza. || **3.** ant. *Pint.* Color blanco, hecho de cáscaras de huevos, que servía para iluminaciones y miniaturas.

Esplendorosamente. adv. m. Con esplendor.

Esplendoroso, sa. (De *esplendor*.) adj. Que esplende o resplandece.

Esplenético, ca. (Del lat. *splenetĭcus*.) adj. ant. **Esplénico.**

Esplénico, ca. (Del lat. *splenĭcus*, y éste del gr. σπληνικός.) adj. Perteneciente o relativo al bazo. || **2.** m. *Zool.* **Esplenio.**

Esplenio. (Del lat. *splenĭum*, y éste del gr. σπλήνιον, venda.) m. *Zool.* Músculo largo y plano que une las vértebras cervicales con la cabeza y contribuye a los movimientos de ésta.

Esplenitis. (Del lat. *splen*, el bazo, y el sufijo, *itis*, inflamación.) f. *Med.* Inflamación del bazo.

Espliego. (Del lat. *spicŭlum*, d. de *spīca*, espiga.) m. Mata de la familia de las labiadas, de cuatro a seis decímetros de altura, con tallos leñosos, hojas elípticas, casi lineales, enteras y algo vellosas, flores azules en espiga, de pedúnculo muy largo y delgado, y semilla elipsoidal de color gris. Toda la planta es muy aromática, y principalmente de las flores se extrae un aceite esencial de mucha aplicación en perfumería. || **2.** Semilla de esta planta, que se emplea como sahumerio.

Esplín. (Del ingl. *spleen*, y éste del gr. σπλήν, hipocondría.) m. Humor tétrico que produce tedio de la vida.

Esplique. (¿Del ant. alto al. *springâ*, pihuela, brete?) m. Armadijo para cazar pájaros, formado de una varita a cuyo extremo se coloca una hormiga para cebo, y a los lados otras dos varetas con liga, para que sobre ellas pare el pájaro.

Espolada. f. Golpe o aguijonazo dado con la espuela a la caballería para que ande. || **de vino.** fig. y fam. Trago de vino.

Espolazo. (De *espuela*.) m. **Espolada.**

Espoleadura. (De *espolear*.) f. Herida o llaga que la espuela hace en la caballería.

Espolear. tr. Picar con la espuela a la cabalgadura para que ande, o castigarla para que obedezca. || **2.** fig. Avivar, incitar estimular a uno para que haga alguna cosa.

Espoleta. (Del ital. *spoletta*, y éste del m. or. que *espolín*, 2.° art.) f. Aparato que se coloca en la boquilla o en el culote de las bombas, granadas y torpedos, y sirve para dar fuego a su carga.

Espoleta. (De *espuela*, por la forma.) f. Horquilla que forman las clavículas del ave.

Espolín. m. d. de **Espuela.** || **2.** Espuela fija en el tacón de la bota. || **3.** Planta de la familia de las gramíneas, con cañas de más de tres decímetros, hojas parecidas a las del esparto, y las flores en panoja con aristas de cerca de tres decímetros, llenas de pelo largo y blanco, por lo cual sirven en algunas partes para hacer objetos de adorno.

Espolín. (Del germ. *spōla*.) m. Lanzadera pequeña con que se tejen aparte las flores que se mezclan y entretejen en las telas de seda, oro o plata. || **2.** Tela de seda con flores esparcidas, como las del brocado de oro o de seda.

Espolinar. tr. Tejer en forma de espolín, 2.° art., 2.ª acep. || **2.** Tejer sólo con espolín, y no con lanzadera grande.

Espolio. (Del lat. *spolĭum*, despojo.) m. Conjunto de bienes que, por haber sido adquiridos con rentas eclesiásticas, quedan de propiedad de la Iglesia al morir ab intestato el clérigo que los poseía.

Espolique. (De *espuela*.) m. Mozo que camina a pie delante de la caballería en que va su amo. || **2.** Talonazo que en el juego del fil derecho da el que salta al muchacho que está encorvado.

Espolista. m. El que arrienda los espolios en sede vacante.

Espolista. (De *espuela*.) m. **Espolique,** 1.ª acep.

Espolón. (De *esporón*.) m. Apófisis ósea en forma de cornezuelo, que tienen en el tarso varias aves gallináceas. || **2. Tajamar,** 2.ª acep. || **3.** Malecón que suele hacerse a orillas de los ríos o del mar para contener las aguas, y también al borde de los barrancos y precipicios para seguridad del terreno y de los transeúntes. Se utiliza en algunas poblaciones como sitio de paseo. *El* ESPOLÓN *de Burgos, el de Valladolid.* || **4.** Punta en que remata la proa de la nave. || **5.** Pieza de hierro aguda, afilada y saliente en la proa de las antiguas galeras y de algunos modernos acorazados, para embestir y echar a pique al buque enemigo. || **6.** Ramal corto y escarpado que parte de una sierra, en dirección próximamente perpendicular a ella. || **7.** ant. **Espuela,** 1.ª acep. || **8.** fig. Sabañón que sale en el calcañar. || **9.** *Arq.* **Contrafuerte,** 3.ª acep. || **10.** *Veter.* Prominencia córnea que tienen las caballerías en la parte posterior de los menudillos de sus remos, cubierta por las cernejas. || **11.** *Bot.* Prolongación tubulosa situada en la base de algunas flores, que unas veces es de la corola, como en la linaria, y otras del cáliz, como en la capuchina. || **Tener más espolones que un gallo.** fr. fig. y fam. que se usa para motejar a uno de viejo.

Espolonada. (De *espolón*.) f. Arremetida impetuosa de gente a caballo.

Espolonazo. m. Golpe dado con el espolón.

Espolonear. (De *espolón*.) tr. desus. **Espolear.**

Espolvorar. (De *es* y *pólvora*.) tr. ant. Sacudir, quitar el polvo.

Espolvorear. tr. **Despolvorear.** Ú. t. c. r. || **2.** Esparcir sobre una cosa otra hecha polvo.

Espolvorizar. tr. **Espolvorear,** 2.ª acep.

Espondaico, ca. (Del lat. *spondaĭcus*.) adj. Perteneciente o relativo al espondeo. || **2.** V. **Verso espondaico.** Ú. t. c. s.

Espondalario. m. En el país foral de Aragón, testigo del testamento común abierto y verbal.

Espondeo. (Del lat. *spondēus*, y éste del gr. σπονδεῖος.) m. Pie de la poesía griega y latina, compuesto de dos sílabas largas.

Espóndil. (De *espóndilo*.) m. **Vértebra.**

Espóndilo. (Del lat. *spondy̆lus*, y éste del gr. σπόνδυλος.) m. **Vértebra.**

Espondilosis. (De *espóndilo*.) f. *Med.* Grupo de enfermedades caracterizadas por la inflamación y fusión de las vértebras, con rigidez consecutiva de la columna vertebral.

Espongiario. (Del lat. *spongia*, esponja.) adj. *Zool.* Dícese de animales invertebrados acuáticos, casi todos marinos, en forma de saco o tubo con una sola abertura, que viven reunidos en colonias fijas sobre los objetos sumergidos. La pared de su cuerpo está reforzada por diminutas piezas esqueléticas, calcáreas o silíceas, o por fibras entrecruzadas y resistentes, y atravesada por numerosos conductos que comunican el exterior con la cavidad interna y por los cuales circula el agua cargada de las partículas orgánicas de que el animal se alimenta. Ú. t. c. s. || **2.** m. pl. *Zool.* Tipo de estos animales.

Espongiosidad. (De *espongioso*.) f. ant. **Esponjosidad.**

Espongioso, sa. (Del lat. *spongiōsus*.) adj. ant. **Esponjoso.**

Esponja. (Del lat. *spongia*, y éste del gr. σπογγιά.) f. *Zool.* **Espongiario.** || **2.** *Zool.* Esqueleto de ciertos espongiarios, formado por fibras córneas entrecruzadas en todas direcciones, que constituyen en conjunto una masa elástica llena de huecos y agujeros que, por capilaridad, absorbe fácilmente los líquidos. || **3.** Substancia esponjosa. || **4.** fig. El que con maña atrae y chupa la substancia o bienes de otro.

Esponjado. (De *esponjar*.) m. **Azucarillo.** || **del cazo.** *Ast.* Azucarillo tostado.

Esponjadura. f. Acción y efecto de esponjar o esponjarse. || **2.** En la fundición de metales y artillería, defecto que se halla dentro del alma del cañón por estar mal fundido.

Esponjamiento. m. *Argent.* **Esponjadura,** 1.ª acep.

Esponjar. (De *esponja*.) tr. Ahuecar o hacer más poroso un cuerpo. || **2.** r. fig. Engreírse, hincharse, envanecerse. || **3.** fam. Adquirir una persona cierta lozanía, que indica salud y bienestar.

Esponjera. f. Receptáculo para colocar la esponja que se usa para el aseo personal.

Esponjosidad. f. Calidad de esponjoso.

Esponjoso, sa. (De *esponja*.) adj. Aplícase al cuerpo muy poroso, hueco y más ligero de lo que corresponde a su volumen.

Esponsales. (Del lat. *sponsāles*, acus. pl. de *-lis*, de *sponsus*, esposo.) m. pl. Mutua promesa de casarse que se hacen y aceptan el varón y la mujer. || **2.** *For.* Esta misma promesa cuando está hecha en alguna de las formas que la ley requiere para que surta algún efecto civil de mera indemnización en casos excepcionales de incumplimiento no motivado.

Esponsalias. (Del lat. *sponsalĭa*.) f. pl. ant. **Esponsales.**

Esponsalicio, cia. (Del lat. *sponsalicĭus*.) adj. Perteneciente a los esponsales. || **2.** *For.* V. **Donación esponsalicia.**

Espontáneamente. adv. m. De modo espontáneo.

Espontanearse. (De *espontáneo*.) r. Descubrir uno a las autoridades voluntariamente cualquier hecho propio, secreto o ignorado, con el objeto, las más veces, de alcanzar perdón como en premio de su franqueza. || **2.** Por ext., descubrir uno a otro voluntariamente lo íntimo de sus pensamientos, opiniones o afectos.

Espontaneidad. f. Calidad de espontáneo. || **2.** Expansión natural y fácil del pensamiento.

Espontáneo, a. (Del lat. *spontanĕus*.) adj. Voluntario y de propio movimiento. || **2.** Que se produce sin cultivo o sin cuidados del hombre. || **3.** *Fís.* y *Med.* V. **Combustión espontánea.**

Espontil. (Del lat. *spons, spontis*, voluntad, gusto.) adj. ant. **Espontáneo,** 1.ª acep.

Espontón. (Del lat. *spontone*.) m. Especie de lanza de poco más de dos varas de largo, con el hierro en forma de corazón, de que usaban los oficiales de infantería.

Espontonada. f. Saludo hecho con el espontón. || **2.** Golpe dado con él.

Espora. (Del gr. σπορά, semilla.) f. *Bot.* Cualquiera de las células de vegetales criptógamos, que, sin tener forma ni estructura de gametos y sin necesidad de unirse con otro elemento análogo para formar un cigoto, se separan de la planta y se dividen reiteradamente hasta constituir un nuevo individuo. || **2.** *Bot.* Corpúsculo que se produce en una bacteria, cuando las condiciones del medio se han hecho desfavorables para la vida de este microorganismo. || **3.** *Zool.* Cualquiera de las células que en un momento dado de la vida de los protozoos esporozoos se forman por división de éstos, producen una membrana resistente que las rodea y, dividiéndose dentro de este quiste, dan origen a los gérmenes que luego se transforman en individuos adultos.

Esporádico, ca. (Del gr. σποραδικός, de σποράς, disperso.) adj. Dícese de las enfermedades que atacan a uno o varios individuos en cualquiera tiempo o lugar y que no tienen carácter epidémico ni endémico. || **2.** fig. Dícese de lo que es ocasional, sin ostensible enlace con antecedentes ni consiguientes.

Esporangio. (Del gr. σπόρος, semilla, y ἄγγος, vaso.) m. *Bot.* Cavidad donde se originan y están contenidas las esporas en muchas plantas criptógamas.

Esporidio. m. Espora de segunda generación.

Esporo. (Del gr. σπόρος, semilla.) m. *Bot.* **Espora,** 1.ª y 2.ª aceps.

Esporocarpio. (Del gr. σπόρος, semilla, y καρπός, fruto.) m. *Bot.* Cada uno de los órganos, propios de las hidropteríneas, que contienen los esporangios.

Esporofita. (Del gr. σπόρος, semilla, y φυτόν, vegetal.) adj. *Bot.* Dícese de las plantas que se reproducen por esporas.

Esporón. (Del germ. *sporo.*) m. ant. **Espuela,** 1.ª acep.

Esporonada. (De *esporón.*) f. ant. **Espolonada.**

Esporozoario. (Del gr. σπόρος, semilla, y ζῳάριον, animalillo.) m. *Zool.* **Esporozoo.**

Esporozoo. (Del gr. σπόρος, semilla, y ζῷον, animal.) adj. *Zool.* Dícese de los protozoos parásitos que en determinado momento de su vida se reproducen por medio de esporas. Ú. t. c. s. || **2.** m. pl. *Zool.* Clase de estos animales.

Esportada. f. Lo que cabe en una espuerta.

Esportear. tr. Echar, llevar, mudar con espuertas una cosa de un paraje a otro.

Esportilla. (Del lat. *sportella.*) f. d. de **Espuerta.** || **2.** *Mál.* Soplillo, aventador.

Esportillero. (De *esportilla.*) m. En Madrid y otras partes, mozo que estaba ordinariamente en las plazas y otros parajes públicos para llevar en su espuerta lo que se le mandaba. || **2.** Operario que acarrea con espuerta los materiales.

Esportillo. (De *esportilla.*) m. Capacho de esparto o de palma que sirve para llevar a las casas las provisiones.

Esportizo. (De *espuerta.*) m. *Nav.* Aguaderas de mimbre que se abren por el fondo para dejar caer la carga.

Esportón. m. aum. de **Espuerta.** || **2.** *Mancha.* Esportillo en que llevan la carne de la carnicería.

Esportonada. f. Cantidad que cabe en un esportón.

Espórtula. (Del lat. *sportŭla,* regalo, de *sporta,* espuerta.) f. *For. Ast.* Derechos pecuniarios que se daban a algunos jueces y ministros de justicia.

Esposado, da. p. p. de **Esposar.** || **2.** adj. **Desposado.** Ú. t. c. s.

Esposajas. (Del lat. *sponsalĭa,* pl. n. de *sponsale,* esponsales.) f. pl. ant. **Esponsalias.**

Esposar. tr. Sujetar a uno con esposas.

Esposas. (De *esposa.*) f. pl. Manillas de hierro con que se sujeta a los presos por las muñecas.

Esposo, sa. (Del lat. *sponsus,* de *spondēre,* prometer solemnemente.) m. y f. Persona que ha contraído esponsales. || **2.** Persona casada. || **3.** f. *Argent., Chile, Ecuad.* y *Hond.* Anillo episcopal.

Espuela. (De *espuera.*) f. Espiga de metal terminada comúnmente en una rodajita o en una estrella con puntas y unida por el otro extremo a unas ramas en semicírculo que se ajustan al talón del calzado, y se sujetan al pie con correas, para picar a la cabalgadura. || **2.** V. **Mozo de espuela, o de espuelas.** || **3.** fig. Aviso, estímulo, incitativo. || **4.** *Amér.* y *Can.* Garrón o espolón de las aves. || **5.** *Argent.* y *Chile.* Espoleta de las aves. || **de caballero.** Planta herbácea de la familia de las ranunculáceas, con tallo erguido, ramoso, de cuatro a seis decímetros de altura; hojas largas, estrechas y hendidas al través; flores en espiga de corolas azules, róseas o blancas, y cáliz prolongado en una punta cual si fuera una **espuela.** || **2.** Flor de esta planta. || **Calzar espuela.** fr. fig. Ser caballero. || **Calzar, o calzarse, la espuela.** fr. fig. Ser armado caballero. || **Calzar la espuela, o las espuelas,** a uno. fr. fig. **Armarle caballero.** || **Correr la espuela.** fr. Rodarla el jinete desde la cincha a los ijares. || **2.** fig. Mortificar, reprender duramente. || **Dar de espuela, o de espuelas, o de la espuela, o de las espuelas.** fr. Picar a la caballería para que camine. || **Echar, o tomar, la espuela.** fr. fig. y fam. Echar el último trago los que han bebido antes juntos en venta, colmado o taberna. || **Estar con las espuelas calzadas.** fr. fig. Estar para emprender un viaje. || **2.** fig. Estar pronto para emprender un negocio. || **Poner espuelas** a uno. fr. fig. Estimularle, incitarle para que emprenda o prosiga con más calor un negocio. || **Sentir la espuela.** fr. fig. Sentir el aviso, la reprensión, el trabajo o apremio. || **Tener las espuelas calzadas.** fr. fig. **Estar con las espuelas calzadas.**

Espuenda. (Del lat. *sponda,* borde de la cama.) f. *Ar.* y *Nav.* Borde de un canal o de un campo.

Espuera. (Del gót. *spora.*) f. ant. **Espuela,** 1.ª acep.

Espuerta. (Del lat. *sporta.*) f. Receptáculo de forma cóncava, con dos asas pequeñas, hecho de tejido de esparto, palma u otra materia, que sirve para llevar de una parte a otra escombros, tierra u otras cosas semejantes. || **A espuertas.** m. adv. A montones, en abundancia. || **Estar para que le saquen en una espuerta al sol.** fr. fig. y fam. Dícese del que está muy achacoso.

Espulgadero. m. Lugar o paraje donde se espulgan los mendigos.

Espulgador, ra. adj. Que espulga. Ú. t. c. s.

Espulgar. tr. Limpiar la cabeza, el cuerpo o el vestido, de pulgas o piojos. Ú. t. c. r. || **2.** fig. Examinar, reconocer una cosa con cuidado y por menor.

Espulgo. m. Acción y efecto de espulgar o espulgarse.

Espuma. (Del lat. *spūma.*) f. Conjunto de burbujas que se forman en la superficie de los líquidos, y se adhieren entre sí con más o menos consistencia. || **2.** Tratándose de líquidos en los que se cuecen substancias alimenticias, cuando están en ebullición, parte del jugo y de las impurezas de aquéllas que sobrenadan y que es preciso quitarles. *La* ESPUMA *de la olla, del almíbar.* || **3.** fig. y fam. **Nata,** 1.er art., 3.ª acep. || **4.** *And.* **Espumilla,** 2.ª acep. || **de la sal.** Substancia blanda y salada que deja el agua del mar pegada a las piedras. || **de mar.** Silicato de magnesia hidratado, de color blanco amarillento, blando, ligero, suave al tacto y que se pega fuertemente a la lengua. Se emplea para hacer pipas de fumar, hornillos y estufas. || **de nitro.** Costra que se forma de esta sal en la superficie de la tierra de donde se extrae, y también cuando se cristaliza. || **Crecer como espuma, o como la espuma.** fr. fig. y fam. Medrar rápidamente una persona. || **2.** fig. y fam. **Crecer a palmos.**

Espumadera. (De *espumar.*) f. Paleta circular y algo cóncava, llena de agujeros, con que se saca la espuma del caldo o de cualquier otro licor para purificarlo.

Espumador, ra. m. y f. Persona que espuma.

Espumaje. m. Abundancia de espuma.

Espumajear. intr. Arrojar o echar espumajos.

Espumajo. (De *espuma.*) m. **Espumarajo.**

Espumajoso, sa. (De *espumajo.*) adj. Lleno de espuma.

Espumante. (Del lat. *spumans, -antis.*) p. a. de **Espumar.** Que hace espuma.

Espumar. (Del lat. *spumāre.*) tr. Quitar la espuma de un licor, como del caldo, del almíbar, etc. || **2.** intr. Hacer espuma; como la que hace la olla, el vino, etc. || **3.** fig. Crecer, aumentar rápidamente.

Espumarajo. (d. despect. de *espuma.*) m. Saliva arrojada en grande abundancia por la boca. || **Echar** uno **espumarajos por la boca.** fr. fig. y fam. Estar muy descompuesto y colérico.

Espúmeo, a. (Del lat. *spumĕus.*) adj. **Espumoso.**

Espumero. (De *espuma.*) m. Sitio o lugar donde se junta agua salada para que cristalice o cuaje la sal.

Espumilla. f. d. de **Espuma.** || **2.** Tejido muy ligero y delicado, semejante al crespón. || **3.** *Ecuad.* y *Hond.* **Merengue,** 1.ª acep.

Espumillón. (De *espumilla.*) m. Tela de seda, muy doble, a manera de tercianela.

Espumoso, sa. (Del lat. *spumōsus.*) adj. Que tiene o hace mucha espuma. || **2.** Que se convierte en ella, como el jabón.

Espumuy. f. *Guat.* Paloma silvestre.

Espundia. (Del lat. *spongĭa,* esponja.) f. *Veter.* Úlcera en las caballerías, con excrecencia de carne, que forma una o más raíces que suelen penetrar hasta el hueso.

Espurcísimo, ma. (Del lat. *spurcissimus.*) adj. ant. Inmundísimo, impurísimo.

Espurio, ria. (Del lat. *spurius.*) adj. **Bastardo,** 1.ª acep. || **2.** fig. Falso, contrahecho o adulterado y que degenera de su origen verdadero.

Espurrear. (De la onomat. *purr.*) tr. Rociar una cosa con agua u otro líquido expelido por la boca.

Espurriar. tr. **Espurrear.**

Espurrir. (Del lat. *exporrigĕre.*) tr. *Ast., León, Pal.* y *Sant.* Estirar, extender, dicho especialmente de las piernas y los brazos. || **2.** **Espurrear.** || **3.** r. *Ast., León* y *Sant.* **Desperezarse.**

Esputar. (Del lat. *sputāre.*) tr. **Expectorar.**

Esputo. (Del lat. *spūtum.*) m. Lo que se arroja de una vez en cada expectoración.

Esquebrajar. tr. **Resquebrajar.**

Esquejar. (De *esqueje.*) tr. *Agr.* Plantar esquejes.

Esqueje. (Del lat. *schidiae,* y éste del gr. σχίδια, astillas.) m. Tallo o cogollo que se introduce en tierra para multiplicar la planta.

Esquela. (Del lat. *schedŭla,* d. de *schĕda,* hoja de papel.) f. Carta breve que antes solía cerrarse en figura casi triangular.

|| **2.** Papel en que se dan citas, se hacen invitaciones o se comunican ciertas noticias a varias personas, y que por lo común va impreso o litografiado || **3.** Aviso de la muerte de una persona que se publica en los periódicos con recuadro de luto. Suele incluir la invitación para el entierro, funeral, etc. || **mortuoria. Esquela,** 3.ª acep.

Esqueletado, da. adj. Muy flaco, exhausto.

Esquelético, ca. adj. **Esqueletado.** || **2.** *Zool.* Perteneciente o relativo al esqueleto.

Esqueleto. (Del gr. σκελετός, de σκέλλω, secar, desecar.) m. *Zool.* Conjunto de piezas duras y resistentes, por lo regular trabadas o articuladas entre sí, que da consistencia al cuerpo de los animales, sosteniendo o protegiendo sus partes blandas. || **2. Dermatoesqueleto.** || **3. Neuroesqueleto.** || **4.** fig. y fam. Sujeto muy flaco. || **5.** fig. **Armadura,** 2.ª acep. || **6.** fig. *Colomb., C. Rica, Guat.* y *Méj.* Modelo o patrón impreso en que se dejan blancos que se rellenan a mano. || **7.** fig. *Chile.* Bosquejo, plan de una obra literaria, como discurso, sermón, drama, etc. || **8.** *Bot.* Planta disecada.

Esquema. (Del lat. *schēma,* y éste del gr. σχῆμα, forma, hábito; de ἔχω, haber, tener.) m. Representación gráfica y simbólica de cosas inmateriales. || **2.** Representación de una cosa atendiendo sólo a sus líneas o caracteres más significativos. || **3.** Cada uno de los temas o puntos diversos, o de las series de cuestiones referentes a un mismo tema, que sobre materia dogmática o disciplinaria se ponen a la deliberación de un concilio.

Esquemáticamente. adv. m. Por medio de esquemas.

Esquemático, ca. (Del lat. *schematicus,* y éste del gr. σχηματικός.) adj. Perteneciente al esquema.

Esquematismo. (Del lat. *schematismus,* y éste del gr. σχηματισμός.) m. Procedimiento esquemático para la exposición de doctrinas. || **2.** Serie o conjunto de esquemas empleados por un autor para hacer más perceptibles sus ideas.

Esquematizar. tr. Representar una cosa en forma esquemática.

Esquena. (Del ant. alto al. *skena* y *skina,* espina.) f. **Espinazo,** 1.ª acep.

Esquenanto. (Del lat. *schoenantus,* y éste del gr. σχοίνανθον; de σχοῖνος, junco, y ἄνθος, flor.) m. Planta perenne de la familia de las gramíneas, indígena de la India y la Arabia, con tallos duros y llenos, con muchas hojas lineares, estriadas y algo ásperas en los bordes, flores pequeñas, rojizas, en panojas unilaterales y lineares. La raíz es blanca, aromática y medicinal, y la emplean en Oriente para dar a las muselinas el olor particular que las distingue.

Esquero. (De *yesca.*) m. Bolsa de cuero que solía traerse asida al cinto, y servía comúnmente para llevar la yesca y el pedernal, el dinero u otras cosas.

Esquerro, rra. (Del vasc. *ezquerra,* análoga al lat. *scaevus,* y al gr. σκαιός.) adj. ant. **Izquierdo.**

Esquí. m. Especie de patín muy largo, de madera, que se usa para deslizarse sobre la nieve.

Esquiador, ra. m. y f. Patinador que usa esquís.

Esquiar. intr. Patinar con esquís.

Esquiciar. (De *esquicio.*) tr. p. us. *Pint.* Empezar a dibujar o delinear.

Esquicio. (Del ital. *schizzo,* y éste del lat. *schedium,* del gr. σχέδιον, apunte.) m. Apunte de dibujo.

Esquienta. f. *Sant.* Cima o cresta de una montaña.

Esquifada. (De *esquife.*) adj. *Arq.* V. **Bóveda esquifada.** || **2.** f. Carga que suele llevar un esquife. || **3.** *Germ.* Junta de ladrones o rufianes.

Esquifar. (De *esquife.*) tr. *Mar.* Proveer de pertrechos y marineros una embarcación.

Esquifazón. (De *esquifar.*) m. *Mar.* Conjunto de remos y remeros con que se armaban las embarcaciones.

Esquife. (Del ant. alto al. *skif;* en lat. *scaphe,* del gr. σκάφη, barco, lancha.) m. Barco pequeño que se lleva en el navío para saltar a tierra y para otros usos. || **2.** *Arq.* Cañón de bóveda en figura cilíndrica.

Esquila. (Del gót. *skilla.*) f. Cencerro pequeño fundido y en forma de campana. || **2.** Campana pequeña para convocar a los actos de comunidad en los conventos y otras casas.

Esquila. (De *esquilar,* 2.° art.) f. **Esquileo,** 1.ª acep.

Esquila. (Del lat. *squilla,* y éste del gr. σκίλλα.) f. **Camarón,** 1.ª acep. || **2.** Girino o escribano del agua. || **3. Cebolla albarrana.** || **de agua. Esquila,** 3.er art., 1.ª acep.

Esquilada. (De *esquila,* 1.er art.) f. *Ar.* **Cencerrada.**

Esquilador, ra. adj. Que esquila, 2.° art. Ú. t. c. s. || **2.** f. Máquina esquiladora.

Esquilar. (De *esquila,* 1.er art.) intr. *Áv.* y *Sal.* Tocar la esquila, 1.er art.

Esquilar. (En cat. *esquilar.*) tr. Cortar con la tijera el pelo, vellón o lana de los ganados, perros y otros animales.

Esquilar. (De *esquilo,* 2.° art.) intr. *Burg., Pal., Sant.* y *Viz.* Trepar a los árboles, cucañas, etc.

Esquileo. m. Acción y efecto de esquilar, 2.° art. || **2.** Casa destinada para esquilar el ganado lanar. || **3.** Tiempo en que se esquila.

Esquilero. m. Red en forma de saco con un aro de madera, que se emplea para pescar esquilas o camarones.

Esquileta. f. d. de **Esquila,** 1.er art., 1.ª acep.

Esquilfada. adj. ant. **Esquifada,** 1.ª acep.

Esquilfe. m. ant. **Esquife,** 1.ª acep.

Esquilimoso, sa. (De *escolimoso.*) adj. fam. Nimiamente delicado y que hace ascos de todo.

Esquilmar. tr. Coger el fruto de las haciendas, heredades y ganados. || **2.** Chupar con exceso las plantas el jugo de la tierra. || **3.** fig. Menoscabar, agotar una fuente de riqueza sacando de ella mayor provecho que el debido.

Esquilmeño, ña. (De *esquilmo.*) adj. *And.* Dícese del árbol o planta que produce abundante fruto.

Esquilmo. (De *esquilmar.*) m. Frutos y provechos que se sacan de las haciendas y ganados. || **2.** *And.* Muestra de fruto que presentan los olivos. || **3.** En Galicia, broza o matas cortadas con que se cubre el suelo de los establos, con el doble objeto de procurar más comodidad al ganado y de formar abono para las tierras. || **4.** *Chile.* Escobajo de la uva. || **5.** *Méj.* Provechos accesorios de menor cuantía que se obtienen del cultivo o de la ganadería.

Esquilo. (De *esquilar.*) m. ant. **Esquileo,** 1.ª acep. Ú. en *Ar.* y *Rioja.*

Esquilo. (Del gr. σκίουρος, que se hace sombra con la cola.) m. ant. *Sant.* **Ardilla.**

Esquilón. m. Esquila grande. || **Tañe el esquilón y duermen los tordos al son.** ref. que se dice de los que han perdido el miedo a las reprensiones.

Esquimal. adj. Natural del país situado junto a las bahías de Hudson y de Baffin. Ú. t. c. s. || **2.** Perteneciente o relativo a este país.

Esquimo. m. ant. **Esquilmo,** 1.ª acep.

Esquina. (De *esquena.*) f. Arista, principalmente la que resulta del encuentro de las paredes de un edificio. || **2.** V. **Mozo de esquina.** || **3.** ant. Piedra grande que se arrojaba a los enemigos desde lugares altos. || **Las cuatro esquinas.** Juego de muchachos que se hace poniéndose cuatro o más en los postes, rincones u otros lugares señalados, de suerte que se ocupen todos, quedando un muchacho sin puesto; todos los que lo tienen se cambian unos con otros, y el que no tiene puesto trata de llegar a uno antes del que va a tomarlo, y si lo consigue se queda el otro en medio hasta que logra ocupar otro puesto. || **Darse uno contra,** o **por, las esquinas.** fr. fig. y fam. **Darse contra,** o **por, las paredes.** || **De esquina.** Dícese de la habitación que da a dos fachadas en ángulo de un edificio. || **Estar en esquina** dos o más personas. fr. fig. y fam. Estar opuestas o desavenidas entre sí. || **Hacer esquina.** Dicho de un edificio, estar situado en la esquina de la manzana o del grupo de que forma parte.

Esquinado, da. p. p. de **Esquinar.** || **2.** adj. Dícese de la persona de trato difícil.

Esquinadura. f. Calidad de esquinado.

Esquinal. m. *Ál., Burg., Sant.* y *Viz.* Ángulo de un edificio, y especialmente el formado por sillares.

Esquinancia. (Del lat. *cynanche,* y éste del gr. κυνάγχη.) f. desus. **Esquinencia.**

Esquinante. m. **Esquinanto.**

Esquinanto. m. **Esquenanto.**

Esquinar. tr. Hacer o formar esquina. Ú. t. c. intr. || **2.** Poner en esquina alguna cosa. || **3.** Escuadrar un madero. || **4.** fig. Poner a mal, indisponer. Ú. m. c. r.

Esquinazo. m. fam. **Esquina.** || **2.** *Chile.* **Serenata,** 1.ª acep. || **Dar esquinazo.** fr. fam. Rehuir en la calle el encuentro de uno, doblando una esquina o variando la dirección que se llevaba. || **2.** fr. fig. y fam. Dejar a uno plantado, abandonarle.

Esquinco. (Del gr. σκίγκος, en lat. *scincus;* véase *escinco.*) m. **Estinco.**

Esquinela. (De *esquina,* por la arista que llevaba en medio.) f. **Espinillera,** 1.ª acep.

Esquinencia. (De *esquinancia.*) f. **Angina.**

Esquinzador. m. Cuarto grande destinado en los molinos de papel a esquinzar el trapo.

Esquinzar. (Del lat. *exquintiāre,* descuartizar.) tr. **Desguinzar.**

Esquipar. (Del anglosajón *skipian,* navegar.) tr. ant. *Mar.* **Esquifar.**

Esquiparte. m. *Ar.* Pala pequeña, cortante y fuerte, empleada para limpiar las acequias.

Esquipazón. m. ant. *Mar.* **Esquifazón.**

Esquiraza. (Como el ant. *esquirazo,* del ital. *schirazzo, schierazo,* voz veneciana de origen turco.) f. Antigua nave de transporte con velas cuadras.

Esquirla. (De un d. *skyrŭla,* del gr. σκῦρος, raja de piedra.) f. Astilla de hueso desprendida de éste por caries o por fractura. Se dice también de las que se desprenden de la piedra, cristal, etc.

Esquirol. (d. catalán; del gr. σκίουρος, esquilo.) m. *Ar.* **Ardilla.** || **2.** despect. Obrero que substituye a un huelguista.

Esquisar. (Del lat. **exquīsus,* por *exquisitus,* de *exquirĕre,* buscar.) tr. ant. Buscar o investigar.

Esquisto. (Del lat. *schistos* [*lapis*], y éste del gr. σχιστός, dividido.) m. **Pizarra,** 1.ª acep.

Esquistoso, sa. adj. **Laminar,** 1.er art., 2.ª acep.

Esquitar. tr. ant. Desquitar, descontar o compensar. || **2.** Remitir, perdonar una deuda.

Esquite. ant. **Desquite.** De uso hoy vulgar.

Esquite. (Del mejic. *izquitl.*) m. *C. Rica, Hond.* y *Méj.* Rosetas, granos de maíz tostados.

Esquivar. (Del germ. *skiuhan*, tener miedo.) tr. Evitar, rehusar. || **2.** r. Retraerse, retirarse, excusarse.

Esquivez. (De *esquivo*.) f. Despego, aspereza, desagrado.

Esquiveza. f. desus. **Esquivez.**

Esquividad. (De *esquivo*.) f. desus. **Esquivez.**

Esquivo, va. (De *esquivar*.) adj. Desdeñoso, áspero, huraño.

Esquizado, da. (Del ital. *schizzato*, de *schizzo*, y este del lat. *schedium*, del gr. σχέδιον, esbozo, mancha.) adj. Dícese del mármol salpicado de pintas.

Esquizofrenia. (Del gr. σχίζω, disociar, φρήν, inteligencia.) f. *Med.* Grupo de enfermedades mentales correspondientes a la antigua demencia precoz, que se declaran hacia la pubertad y se caracterizan por una disociación específica de las funciones psíquicas, que conduce, en los casos graves, a una demencia incurable.

Estabilidad. (Del lat. *stabilĭtas, -ātis*.) f. Permanencia, duración en el tiempo; firmeza, seguridad en el espacio.

Estabilir. (Del lat. *stabilīre*, asegurar, afirmar.) tr. ant. **Establecer.**

Estabilísimo, ma. adj. sup. de **Estable.**

Estabilización. f. Acción y efecto de estabilizar.

Estabilizador, ra. adj. Que estabiliza. Ú. t. c. s. || **2.** m. Mecanismo que se añade a un aeroplano, nave, etc., para aumentar su estabilidad.

Estabilizar. tr. Dar a alguna cosa estabilidad. || **2.** Fijar y garantizar oficialmente el valor de una moneda circulante en relación con el patrón oro o con otra moneda canjeable por el mismo metal, a fin de evitar las oscilaciones del cambio.

Estable. (Del lat. *stabĭlis*.) adj. Constante, durable, firme, permanente.

Establear. tr. Acostumbrar una res al establo. Ú. t. c. r.

Establecedor, ra. adj. Que establece. Ú. t. c. s.

Establecer. (Del lat. **stabiliscĕre*, de *stabilīre*.) tr. Fundar, instituir, hacer de nuevo. ESTABLECER *una monarquía, una orden.* || **2.** Ordenar, mandar, decretar. || **3.** r. Avecindarse uno o fijar su residencia en alguna parte. || **4.** Abrir por su cuenta un establecimiento mercantil o industrial.

Estableciente. p. a. de **Establecer.** Que establece.

Establecimiento. (De *establecer*.) m. Ley, ordenanza, estatuto. || **2.** Fundación, institución o erección; como la de un colegio, universidad, etc. || **3.** Cosa fundada o establecida. || **4.** Colocación o suerte estable de una persona. || **5.** Lugar donde habitualmente se ejerce una industria o profesión. || **de las mareas.** *Mar.* Hora en que sucede la pleamar, el día de la conjunción u oposición de la Luna respecto de cada paraje. || **de puerto.** *Mar.* Diferencia entre la hora a que se verifica la pleamar de sicigias en un puerto y la del paso de la Luna por el meridiano superior.

Establemente. adv. m. Con estabilidad.

Establería. (De *establero*.) f. ant. Establo o caballeriza.

Establerizo. m. ant. **Establero.**

Establero. m. El que cuida del establo.

Establía. f. ant. **Establo.**

Establimiento. (De *establir*.) m. ant. **Establecimiento.**

Establir. (De *estabilir*.) tr. ant. **Establecer.**

Establo. (Del lat. *stabŭlum*.) m. Lugar cubierto en que se encierra ganado para su descanso y alimentación. || **2.** *Astron.* **Pesebre,** 3.ª acep.

Estabón. (Del lat. *stīpa*, tronco o caña.) m. *Albac.* Tallo o caña de algunas plantas, despojadas de la hoja o del fruto.

Estabulación. (Del lat. *stabulatio, -ōnis*.) f. Cría y mantenimiento de los ganados en establo.

Estabular. (Del lat. *stabulāre*.) tr. Criar y mantener los ganados en establos.

Estaca. (Del gót. **stakka*, palo.) f. Palo con punta en un extremo para fijarlo en tierra, pared u otra parte. || **2.** Rama o palo verde sin raíces que se planta para que se haga árbol. || **3. Garrote,** 1.ª acep. || **4.** Clavo de hierro de tres a cuatro decímetros de largo, que sirve para clavar vigas y maderos. || **5.** *Germ.* **Daga,** 1.er art. || **6.** *Chile.* Pertenencia de una mina que se concede a los peticionarios mediante ciertos trámites. || **A estaca,** o **a la estaca.** m. adv. Con sujeción; sin poder separarse de un lugar. || **Estar uno a la estaca.** fr. fig. y fam. Estar reducido a escasas facultades, a cortos medios o a poca libertad. || **No dejar estaca en pared.** fr. fig. y fam. Arrasarlo o destruirlo todo. || **Plantar,** o **cavar, estacas.** fr. *Mar.* Cabecear mucho un buque por efecto de la mar de proa, adelantando poco en su derrota.

Estacada. (De *estacar*.) f. Cualquiera obra hecha de estacas clavadas en la tierra para reparo o defensa, o para atajar un paso. || **2.** Palenque o campo de batalla. || **3.** Lugar señalado para un desafío. || **4.** *And.* Olivar nuevo o plantío de estacas. || **5.** *Fort.* Hilera de estacas clavadas en tierra verticalmente como a medio decímetro de distancia una de otra, aseguradas con listones horizontales. Se colocaba sobre la banqueta del camino cubierto, en los atrincheramientos o en otros sitios. || **Dejar** a uno **en la estacada.** fr. fig. Abandonarlo, dejándolo comprometido en un peligro o mal negocio. || **Quedar,** o **quedarse,** uno **en la estacada.** fr. Morir, perecer en el campo de batalla, en el desafío, etc. || **2.** fig. Salir mal de una empresa y sin esperanza de remedio. || **3.** fig. Ser vencido en una disputa.

Estacado, da. p. p. de **Estacar.** || **2.** m. Estacada, palenque.

Estacadura. f. Conjunto de estacas que sujetan la caja y los varales de un carro.

Estacar. tr. Fijar en la tierra una estaca y atar a ella una bestia. || **2.** Señalar en el terreno con estacas una línea; como el perímetro de una mina, el eje de un camino, etc. || **3.** *Colomb.*, *Chile*, *Hond.* y *Venez.* Sujetar, clavar con estacas. Dícese especialmente cuando se extienden los cueros en el suelo para que se sequen y se sujetan con estacas para que se mantengan estirados. || **4.** r. fig. Quedarse inmóvil y tieso a manera de estaca. || **5.** *Colomb.* y *C. Rica.* Punzarse, clavarse una astilla.

Estacazo. m. Golpe dado con estaca o garrote. || **2.** fig. **Varapalo,** 3.ª acep.

Estación. (Del lat. *statio, -ōnis*.) f. Estado actual de una cosa. || **2.** Cada una de las cuatro partes o tiempos en que se divide el año, que son: invierno, primavera, verano y otoño. || **3.** Tiempo, temporada. *En la* ESTACIÓN *presente.* || **4.** Visita que se hace por devoción a las iglesias o altares, deteniéndose allí algún tiempo a orar delante del Santísimo Sacramento, principalmente en los días de Jueves y Viernes Santo. || **5.** Cierto número de padrenuestros y avemarías que se rezan visitando al Santísimo Sacramento. || **6.** Cada uno de los parajes en que se hace alto durante un viaje, correría o paseo. || **7.** Estancia, morada, asiento. || **8.** En los ferrocarriles, sitio donde habitualmente hacen parada los trenes y se admiten viajeros o mercancías. || **9.** Edificio o edificios en que están las oficinas y dependencias de una **estación** del ferrocarril. || **10.** Edificio donde las empresas de tranvías tienen sus cocheras y oficinas. || **11.** Punto y oficina donde se expiden y reciben despachos de telecomunicación. || **12.** ant. Sitio o tienda pública donde se ponían los libros para venderlos, copiarlos o estudiar en ellos. || **13.** fig. Partida de gente apostada. || **14.** *Astron.* Detención aparente de los planetas en sus órbitas, por el cambio de sus movimientos directos en retrógrados, o viceversa. La **estación** es resultado de la combinación de los movimientos propios de los demás planetas con el de la Tierra. || **15.** *Biol.* Sitio o localidad de condiciones apropiadas para que viva una especie animal o vegetal. || **16.** *Geod.* y *Topogr.* Cada uno de los puntos en que se observan o se miden ángulos de una red trigonométrica. || **Andar estaciones,** o **las estaciones.** fr. Visitar iglesias y rezar las oraciones prevenidas para ganar indulgencias. || **2.** fr. fig. y fam. Dar los pasos convenientes y hacer las diligencias que conducen a los negocios que uno tiene a su cargo. || **Vestir con la estación.** fr. Vestir según requiere la temperatura de la **estación** del año en que uno se encuentra.

Estacional. (Del lat. *stationālis*.) adj. Propio y peculiar de cualquiera de las estaciones del año. *Calenturas* ESTACIONALES. || **2.** *Astron.* **Estacionario,** 2.ª acep.

Estacionamiento. m. Acción y efecto de estacionarse. Dícese especialmente de los vehículos.

Estacionar. (De *estación*.) tr. Situar en un lugar, colocar, asentar. Ú. t. c. r. || **2.** r. Quedarse estacionario, estancarse.

Estacionario, ria. (Del lat. *stationarius*.) adj. fig. Dícese de la persona o cosa que permanece en el mismo estado o situación, sin adelanto ni retroceso. || **2.** *Astron.* Aplícase al planeta que está como parado o detenido en su órbita aparente durante cierto tiempo. || **3.** m. Librero que tenía puesto o tienda de libros para venderlos o dejarlos copiar o para estudiar en ellos. || **4.** El que, según los estatutos de la universidad de Salamanca, daba los libros en la biblioteca.

Estacionero, ra. (Del lat. *stationarius*.) adj. El que anda con frecuencia las estaciones. Ú. t. c. s. || **2.** m. ant. **Librero.**

Estacón. m. aum. de **Estaca.**

Estacte. (Del lat. *stacte*, y éste del gr. στακτή, de στάζω, destilar, caer gota a gota.) f. Aceite esencial oloroso, sacado de la mirra fresca, molida y bañada en agua.

Estacha. f. Cuerda o cable atado al arpón que se clava a las ballenas para matarlas. || **2.** *Mar.* Cabo que desde un buque se da a otro fondeado o a cualquier objeto fijo para practicar varias faenas. || **Dar estacha.** fr. Largar cuerda para que la ballena se vaya desangrando y muera.

Estache. m. *Caló.* Sombrero de fieltro flexible de alas muy reducidas.

Estada. (De *estar*.) f. Mansión, detención, demora que se hace en un lugar o paraje.

Estadal. (De *estado*.) m. Medida de longitud que tiene cuatro varas, equivalente a tres metros y 334 milímetros. || **2.** Cinta bendita en algún santuario, que se suele poner al cuello. || **3. Estado,** 8.ª acep. || **4.** Cerilla que suele tener de largo un estado de hombre. Llámase comúnmente así aunque tenga más o menos de esta longitud. || **5.** ant. Cirio o hacha de cera. || **cuadrado.** Medida superficial o agraria que tiene 16 varas cuadradas y equivale a 11 metros, 17 decímetros y 56 centímetros cuadrados.

Estadero. (De *estado*.) m. Sujeto que el rey nombraba para demarcar las tierras de repartimiento. || **2.** ant. **Bodegonero.**

Estadía. (Del lat. *stativa*.) f. Detención, estancia. || **2.** Tiempo que permanece el modelo ante el pintor o escultor. ||

3. *Com.* Cada uno de los días que transcurren después del plazo estipulado para la carga o descarga de un buque mercante, por los cuales se ha de pagar un tanto, por vía de indemnización. Ú. m. en pl. ‖ **4.** *Com.* Por ext., la misma indemnización.

Estadio. (Del lat. *stadĭum*, y éste del gr. στάδιον.) m. Recinto con graderías para los espectadores, destinado a competiciones deportivas. ‖ **2.** Lugar público de 125 pasos geométricos, que servía para ejercitar los caballos en la carrera; también sirvió en lo antiguo para ejercitarse los hombres en la carrera y en la lucha. ‖ **3.** Distancia o longitud de 125 pasos geométricos, que viene a ser la octava parte de una milla, que se regula por mil pasos. ‖ **4.** Fase, período relativamente corto. ‖ **5.** *Med.* Período, dicho especialmente de los tres que se observan en cada acceso de fiebre intermitente.

Estadista. (De *estado.*) m. Descriptor de la población, riqueza y civilización de un pueblo, provincia o nación. ‖ **2.** Persona versada en los negocios concernientes a la dirección de los Estados, o instruida en materias de política.

Estadística. (De *estadista.*) f. Censo o recuento de la población, de los recursos naturales e industriales, del tráfico o de cualquier otra manifestación de un Estado, provincia, pueblo, clase, etc. ‖ **2.** Estudio de los hechos morales o físicos del mundo que se prestan a numeración o recuento y a comparación de las cifras a ellos referentes.

Estadístico, ca. adj. Perteneciente a la estadística.

Estadizo, za. (De *estar.*) adj. Que está mucho tiempo sin moverse, orearse o renovarse. *Aire* ESTADIZO *y malsano; aguas corrientes y* ESTADIZAS.

Estado. (Del lat. *stătus.*) m. Situación en que está una persona o cosa, y en especial cada uno de los sucesivos modos de ser de una persona o cosa sujeta a cambios que influyen en su condición. ‖ **2.** Orden, clase, jerarquía y calidad de las personas que componen un reino, una república o un pueblo; como el eclesiástico, el de nobles, el de plebeyos, etc. ‖ **3.** Clase o condición a la cual está sujeta la vida de cada uno. ESTADO *de soltería, de matrimonio, de religión, de miseria, de prosperidad.* ‖ **4.** Cuerpo político de una nación. ‖ **5.** País o dominio de un príncipe o señor de vasallos. ‖ **6.** En el régimen federativo, porción de territorio cuyos habitantes se rigen por leyes propias, aunque sometidos en ciertos asuntos a las decisiones del gobierno general. ‖ **7.** V. **Casa, consejo, golpe, hombre, inquisidor, materia, mayordomo, mesa, prisión, razón, reo, secreto de Estado.** ‖ **8.** Medida longitudinal tomada de la estatura regular del hombre, que se ha usado para apreciar alturas o profundidades, y solía regularse en siete pies. ‖ **9.** Medida superficial de 49 pies cuadrados. ‖ **10.** Resumen por partidas generales que resulta de las relaciones hechas por menor, y que ordinariamente se figura en una hoja de papel. ESTADO *de las rentas del vecindario, del ejército.* ‖ **11.** Manutención que acostumbraba dar el rey en ciertos lugares y ocasiones a su comitiva. ‖ **12.** Sitio en que se la servía. ‖ **13.** desus. Casa de comidas que era algo menos plebeya que el bodegón. ‖ **14. Ministerio de Estado.** ‖ **15.** ant. Séquito, corte, acompañamiento. ‖ **16.** *Esgr.* Disposición y figura en que queda el cuerpo después de haber herido, reparado o desviado la espada del contrario. ‖ **absoluto.** En los cronómetros o relojes marinos, atraso o adelanto respecto de la hora en el meridiano de comparación. ‖ **celeste.** *Astrol.* El que compete al planeta, según el signo en que se halla, y sus aspectos y configuraciones. ‖ **civil.** Condición de cada persona en relación con los derechos y obligaciones civiles. ‖ **común. Estado general.** ‖ **de alarma.** Situación oficialmente declarada de grave inquietud para el orden público, que implica la suspensión de garantías constitucionales. ‖ **de guerra.** El de una población en tiempo de guerra, cuando la autoridad civil resigna sus funciones en la autoridad militar. ‖ **2.** El que según ley se equipara al anterior por motivos de orden público, aun sin guerra exterior ni civil. ‖ **de la inocencia.** Aquel en que Dios crió a nuestros primeros padres en la gracia y justicia original. ‖ **del reino.** Cualquiera de las clases o brazos de él, que solían tener voto en Cortes. ‖ **de necesidad.** *For.* Situación de grave peligro o extrema necesidad, en cuyo urgente remedio se excusa o disculpa la infracción de la ley y la lesión económica del derecho ajeno. ‖ **de prevención.** La primera y menos grave de las situaciones anormales reguladas por la legislación de orden público. ‖ **de sitio. Estado de guerra.** ‖ **federal.** El compuesto por **estados** particulares, cuyos poderes regionales gozan de autonomía y aun de soberanía para su vida interior. ‖ **general. Estado llano.** ‖ **honesto.** El de soltera. ‖ **interesante.** loc. fam. El de la mujer embarazada. ‖ **llano.** fig. El común de los vecinos de que se compone un pueblo, a excepción de los nobles, los eclesiásticos y los militares. ‖ **mayor.** *Mil.* Cuerpo de oficiales encargados en los ejércitos de informar técnicamente a los jefes superiores del ejército, distribuir las órdenes y procurar y vigilar su cumplimiento. ‖ **2.** *Mil.* Generales y jefes de todos los ramos que componen una división, y punto central donde deben determinarse y vigilarse todas las operaciones de la misma, según las órdenes comunicadas por el **estado** mayor general y el general comandante de ella. ‖ **3.** *Mil.* General o gobernador que manda una plaza, teniente de rey, sargento mayor, ayudantes y demás individuos agregados a él. ‖ **mayor central.** *Mil.* Organismo superior en el ejército y en la marina. ‖ **mayor general.** *Mil.* Conjunto de jefes y oficiales del **estado** mayor y de los demás cuerpos y servicios auxiliares, que constituyen el cuartel general y la secretaría de campaña del general que ejerce el mando superior sobre las tropas en operaciones. ‖ **Caer uno de su estado.** fr. fig. Perder total o parcialmente el valimiento y conveniencia que tenía. ‖ **2.** fig. y fam. Caer en tierra sin impulso ajeno. ‖ **Causar estado.** fr. Ser definitiva una sentencia, resolución, etc. ‖ **2.** Por ext., tener un hecho efecto decisivo en lo venidero. ‖ **Dar estado.** fr. Colocar el padre de familia, o el que hace sus veces, a los hijos en el **estado** eclesiástico o en el de matrimonio. ‖ **En estado de merecer.** fr. fam. Dícese de la persona que puede aspirar al noviazgo y al casamiento. ‖ **Estar una cosa en el estado de la inocencia.** fr. fig. y fam. No haberse adelantado nada en ella; hallarse en el mismo ser y **estado** que al principio. ‖ **Hacer estado.** fr. ant. Dar el rey de comer en mesa común y de balde, o hacer los gastos el tiempo que duraba la jornada en algunos de los sitios reales, a los que eran llamados a ella. ‖ **Mudar estado.** fr. Pasar de un **estado** a otro; como de secular a eclesiástico, de soltero a casado, etc. ‖ **No estar,** o **no venir, en estado** un pleito. fr. *For.* Faltarle algunos requisitos necesarios para determinada resolución o pretensión. ‖ **Poner a uno en estado.** fr. **Darle estado.** ‖ **Siete estados debajo de tierra.** expr. fig. de que se usa para denotar que una cosa está muy oculta o es difícil de sacar a luz. ‖ **2.** Con los verbos *meter, sepultar*, etc., es una expresión exagerativa con que se intenta amedrentar. ‖ **Tomar estado.** fr. **Mudar estado.**

Estadojo. m. *Ast.* y *Sant.* **Estandorio.**

Estadoño. m. *Ast.* **Estandorio.**

Estadounidense. adj. Perteneciente o relativo a los Estados Unidos de América del Norte. ‖ **2.** Natural de este país. Ú. t. c. s.

Estafa. f. Acción y efecto de estafar. ‖ **2.** *Germ.* Lo que el ladrón da al rufián.

Estafa. (Del ital. *staffa*, y éste del ant. alto al. *stapho*, pedal.) f. **Estribo,** 1.ª acep.

Estafador, ra. m. y f. Persona que estafa. ‖ **2.** *Germ.* Rufián que estafa o quita algo al ladrón.

Estafar. tr. Pedir o sacar dineros o cosas de valor con artificios y engaños, y con ánimo de no pagar. ‖ **2.** *For.* Cometer alguno de los delitos que se caracterizan por el lucro como fin y el engaño o abuso de confianza como medio.

Estafermo. (Del ital. *stà fermo*, está firme, sin moverse.) m. Figura giratoria de un hombre armado, con un escudo en la mano izquierda, y en la derecha una correa con unas bolas pendientes, o unos saquillos de arena. Colócase en una carrera y corriendo los jugadores, e hiriendo con una lancilla en el escudo, se vuelve la figura y les da con los saquillos o bolas en las espaldas si no lo hacen con destreza. ‖ **2.** fig. Persona que está parada y como embobada y sin acción.

Estafero. (De *estafa*, 2.° art.) m. ant. Criado de a pie o mozo de espuelas.

Estafeta. (Del ital. *staffetta.*) f. Correo ordinario que iba a caballo de un lugar a otro. ‖ **2.** Postillón que en cada una de las casas de postas aguardaba que llegase otro con el fardillo de despachos, para salir con ellos en seguida y entregarlos al postillón de la casa inmediata. ‖ **3.** Casa u oficina del correo, donde se entregan las cartas que se envían y se recogen las que vienen de otros pueblos o países. ‖ **4.** Oficina donde se reciben cartas para llevarlas al correo general. ‖ **5.** Correo especial para el servicio diplomático.

Estafetero. m. El que cuida la estafeta y recoge y hace la distribución de las cartas del correo.

Estafetil. adj. Perteneciente a la estafeta.

Estafilococia. f. *Med.* Infección producida por estafilococos.

Estafilococo. (Del gr. σταφυλή, racimo, y κόκκος, grano.) m. *Bot.* Cualquiera de las bacterias de forma redondeada, que se agrupan como en racimo.

Estafiloma. (Del gr. σταφύλωμα.) m. *Med.* Tumor prominente del globo del ojo.

Estafisagria. (Del lat. *staphisagrĭa*, y éste del gr. σταφίς ἀγρία, uva silvestre.) f. Planta herbácea de la familia de las ranunculáceas, con tallo erguido, velloso y de 8 a 12 decímetros, hojas grandes divididas en lóbulos enteros o trífidos; flores azules de cuatro hojas, pedunculadas, en espiga terminal poco densa, y fruto capsular con semilla negra, rugosa y amarga. Es hierba venenosa, cuyas semillas contienen un alcaloide, y reducidas a polvo sirven para matar los insectos parásitos.

Estagirita. (Del lat. *stagirītes.*) adj. Natural de Estagira. Ú. t. c. s. ‖ **2.** Perteneciente a esta antigua ciudad de Macedonia, patria de Aristóteles.

Estajero. m. **Destajero.**

Estajista. m. **Destajista.**

Estajo. m. **Destajo.** ‖ **2.** ant. **Atajo,** 1.ª acep.

Estala. (Del lat. *stabŭla*, pl. de *stabŭlum*, de *stāre*, estar.) f. Establo o caballeriza. ‖ **2. Escala,** 7.ª acep.

Estalación. (De *estalo.*) f. Clase que distingue y diferencia unos de otros a los individuos de una comunidad o cuerpo. Ú. de esta voz con especialidad en las iglesias catedrales, cuyas comunidades se componen de dignidades, canónigos y racioneros, y cada clase de éstos se llama **estalación.**

Estalactita. (Del gr. σταλακτίς, -ίδος, que cae gota a gota; de σταλάζω, filtrar, destilar.) f. Concreción calcárea que, por lo general en forma de cono irregular, suele hallarse pendiente del techo de las cavernas, donde se filtran lentamente aguas con carbonato de cal en disolución.

Estalagmita. (Del gr. στάλαγμα, -ατος, líquido filtrado gota a gota.) f. Estalactita invertida que se forma en el suelo con la punta hacia arriba.

Estalo. (Del ital. *stallo,* asiento, y éste del germ. *stall.*) m. ant. Asiento en el coro.

Estallante. p. a. de **Estallar.** Que estalla.

Estallar. (En port. *estalar.*) intr. Henderse o reventar de golpe una cosa, con chasquido o estruendo. || **2. Restallar.** || **3.** fig. Sobrevenir, ocurrir violentamente alguna cosa. ESTALLAR *un incendio, una revolución.* || **4.** fig. Sentir y manifestar repentina y violentamente ira, alegría u otra pasión o afecto del ánimo.

Estallido. (De *estallar.*) m. Acción y efecto de estallar. || **Dar un estallido.** fr. Causar ruido extraordinario. Dícese, por lo común, de las cosas que se rompen con estrépito. || **Estar para dar un estallido.** fr. fig. con que se explica que se teme algún daño inminente y grave.

Estallo. (De *estallar.*) m. **Estallido.**

Estambrado, da. p. p. de **Estambrar.** || **2.** m. *Mancha.* Especie de tejido de estambre.

Estambrar. tr. Torcer la lana y hacerla estambre. || **2.** ant. Tramar o entretejer.

Estambre. (Del lat. *stāmen, -ĭnis.*) amb. Ú. m. c. m. Parte del vellón de lana que se compone de hebras largas. || **2.** Hilo formado de estas hebras. || **3. Urdimbre,** 1.ª acep. || **4.** *Bot.* Órgano sexual masculino de las plantas fanerógamas, que se halla hacia el centro de las flores, y además de la antera suele tener un filamento para sostenerla. || **de la vida.** fig. Curso del vivir; la misma vida; ser vital del hombre.

Estamental. adj. Perteneciente o relativo al estamento.

Estamento. (Del b. lat. *stamentum,* y éste del lat. *stāre,* estar.) m. En la corona de Aragón, cada uno de los estados que concurrían a las Cortes; y eran el eclesiástico, el de la nobleza, el de los caballeros y el de las universidades. || **2.** Cada uno de los dos cuerpos colegisladores establecidos por el Estatuto Real, que eran el de los próceres y el de los procuradores del reino.

Estameña. (Del lat. *staminĕa,* de estambre.) f. Tejido de lana, sencillo y ordinario, que tiene la urdimbre y la trama de estambre.

Estameñete. m. Especie de estameña ligera.

Estamiento. (De *estamento.*) m. ant. Estado en que uno se halla y permanece.

Estamíneo, a. (Del lat. *staminĕus.*) adj. Que es de estambre. || **2.** Perteneciente o relativo al estambre.

Estaminífero, ra. (Del lat. *stāmen,* estambre, y *ferre,* llevar.) adj. *Bot.* Dícese de las flores que tienen estambres, y de las plantas que llevan estas flores.

Estampa. (De *estampar.*) f. Cualquiera efigie o figura trasladada al papel u otra materia, por medio del tórculo o prensa, de la lámina de metal o madera en que está grabada, o de la piedra litográfica, en que está dibujada. || **2.** V. **Ducado de la estampa.** || **3.** V. **Grabado de estampas.** || **4.** fig. Figura total de una persona o animal. || **5.** fig. Imprenta o impresión. *Dar una obra a la* ESTAMPA. || **6. Huella,** 1.ª acep. || **Parecer uno la estampa de la herejía.** fr. fig. y fam. Ser muy feo, o ir vestido con muy mal gusto.

Estampación. f. Acción y efecto de estampar.

Estampado, da. p. p. de **Estampar.** || **2.** adj. Aplícase a varios tejidos en que se forman y estampan a fuego o en frío, con colores o sin ellos, diferentes labores o dibujos. Ú. t. c. s. || **3.** Dícese del objeto que por presión o percusión se fabrica con matriz o molde apropiado. Ú. t. c. s. || **4.** m. **Estampación.** *No me gusta el* ESTAMPADO *de esta lámina.*

Estampador. m. El que estampa. || **2.** ant. **Impresor.**

Estampar. (Del germ. *stampôn,* majar.) tr. Imprimir, sacar en estampas una cosa; como las letras, las imágenes o dibujos contenidos en un molde. || **2.** Prensar una chapa metálica sobre un molde de acero, grabado en hueco de manera que en ella se forme relieve por un lado, quedando hundido por el opuesto. || **3.** Señalar o imprimir una cosa en otra; como el pie en la arena. || **4.** fam. Arrojar a una persona o cosa o hacerla chocar contra algo. ESTAMPÓ *una botella contra la pared.* || **5.** fig. **Imprimir,** 4.ª acep.

Estampería. f. Oficina en que se estampa láminas. || **2.** Tienda donde se venden estampas.

Estampero. m. El que hace o vende estampas.

Estampía. (De *estampida.*) f. Ú. sólo en la frase **embestir, partir,** o **salir, de estampía,** que significa hacerlo de repente, sin preparación ni anuncio alguno.

Estampida. (Del prov. *estampida,* de *estampir,* y éste del germ. *stampjan.*) f. **Estampido.** || **2.** *Colomb., Guat., Méj.* y *Venez.* Carrera rápida e impetuosa. || **3.** *Ar.* **Estampidor.** || **Dar estampida.** fr. fig. **Dar un estallido.**

Estampido. (De *estampida.*) m. Ruido fuerte y seco como el producido por el disparo de un cañón. || **Dar un estampido.** fr. fig. **Dar un estadillo.**

Estampidor. m. *Ar.* **Puntal,** 1.ª acep.

Estampilla. (d. de *estampa.*) f. Sello que contiene en facsímil la firma y rúbrica de una persona. Ú. para envitar trabajo al firmante cuando son muchas las firmas que tiene que echar. || **2.** Especie de sello con un letrero para estampar en ciertos documentos. || **3.** *Amér.* Sello de correos o fiscal.

Estampillado, da. p. p. de **Estampillar.** || **2.** m. Acción y efecto de estampillar.

Estampillar. tr. Marcar con estampilla. || **2.** Señalar con cajetín o sello ciertos títulos de Deuda pública, para distinguirlos entre congéneres y aplicarles trato especial.

Estancación. f. Acción y efecto de estancar o estancarse.

Estancado, da. p. p. de **Estancar.** || **2.** adj. V. **Renta estancada.**

Estancamiento. (De *estancar.*) m. **Estancación.**

Estancar. (Del lat. **stagnĭcāre,* frec. de *stagnāre.*) tr. Detener y parar el curso y corriente de una cosa, y hacer que no pase adelante. Ú. t. c. r. || **2.** Prohibir el curso libre de determinada mercancía, concediendo su venta a determinadas personas o entidades. || **3.** fig. Suspender, detener el curso de una dependencia, asunto, negocio, etc., por haber sobrevenido algún embarazo y reparo en su prosecución. Ú. t. c. r.

Estancia. (De *estar.*) f. Mansión, habitación y asiento en un lugar, casa o paraje. || **2.** Aposento, sala o cuarto donde se habita ordinariamente. || **3.** Cada uno de los días que está el enfermo en el hospital. || **4.** Cantidad que por cada día devenga el mismo hospital. || **5. Estrofa,** 1.ª y 2.ª aceps. || **6.** *Argent.* y *Chile.* Hacienda de campo destinada al cultivo, y más especialmente a la ganadería. || **7.** *Cuba* y *Venez.* Casa de campo con huerta y próxima a la ciudad; quinta. || **8.** ant. *Mil.* **Campamento,** 2.ª acep.

Estanciero. m. El dueño de una estancia, 6.ª acep., o el que cuida de ella. || **2.** desus. Especie de mayoral encargado de velar el trabajo de los indios en las estancias.

Estanco, ca. (De *estancar.*) adj. *Mar.* Aplícase a los navíos y otros vasos que se hallan bien dispuestos y reparados para no hacer agua por sus costuras. || **2.** m. Embargo o prohibición del curso y venta libre de algunas cosas, o asiento que se hace para reservar exclusivamente las ventas de mercancías, o géneros, poniendo los precios a que fijamente se hayan de vender. || **3.** Sitio, paraje o casa donde se venden géneros estancados, y especialmente sellos, tabaco y cerillas. || **4.** desus. Parada, detención, demora. || **5.** ant. **Estanque,** 1.ª acep. || **6.** fig. Depósito, archivo. || **7.** *Ecuad.* **Aguardentería.**

Estandarol. m. ant. *Mar.* **Estanterol.**

Estandarte. (Del fr. ant. *estandart,* y éste de *estaindre,* del lat. *extendĕre.*) m. Insignia que usan los cuerpo montados, y consiste en un pedazo de tela cuadrado pendiente de una asta, en el cual se bordan o sobreponen el escudo nacional y las armas del cuerpo a que pertenece. En lo antiguo se usó indiferentemente en la infantería y caballería. || **2.** Insignia que usan las corporaciones civiles y religiosas: consiste en un pedazo de tela generalmente cuadrilongo, donde figura la divisa de aquéllas, y lleva su borde superior fijo en una vara que pende horizontal de un astil con el cual forma cruz. || **real.** Bandera que se izaba al tope mayor del buque en que se embarcaba una persona real, o a una asta en el edificio en que se alojaba. || **Alzar,** o **levantar, estandarte,** o **estandartes.** fr. fig. **Alzar,** o **levantar, bandera,** o **banderas.**

Estandorio. (Del lat. *statōrium,* que está derecho.) m. *Ast.* Cada una de las estacas que de trecho en trecho se fijan a los lados del carro para sostener los adrales o la carga.

Estangurria. (De *estrangurria.*) f. **Estranguria.** || **2.** Cañoncito o vejiga que suele ponerse para recoger las gotas de la orina el que padece esta enfermedad.

Estannífero, ra. (Del lat. *stannum,* estaño, y *ferre,* llevar.) adj. Que contiene estaño.

Estanque. (De *estancar.*) m. Receptáculo de agua construido para proveer al riego, criar peces, etc. || **2.** pl. *Germ.* Silla del caballo.

Estanquero. m. El que tiene por oficio cuidar de los estanques.

Estanquero, ra. (De *estanco.*) m. y f. Persona que tiene a su cargo la venta pública del tabaco y otros géneros estancados.

Estanquidad. f. Calidad de estanco, 1.ª acep.

Estanquillero, ra. m. y f. **Estanquero, ra.**

Estanquillo. m. d. de **Estanco.** || **2.** Estanco, 3.ª acep. || **3.** *Méj.* **Tenducho.** || **4.** *Ecuad.* **Taberna,** 1.ª acep.

Estantal. (De *estante.*) m. *Albañ.* Estribo de pared.

Estantalar. tr. Apuntalar, sostener con estantales.

Estante. (Del lat. *stans, -antis.*) p. a. de **Estar.** Que está presente o permanente en un lugar. *Pedro,* ESTANTE *en la corte romana.* || **2.** adj. Aplícase al ganado, en especial lanar, que pasta constantemente dentro del término jurisdiccional en que está amillarado. || **3.** Dícese del ganadero o dueño de este ganado. || **4.** Parado, fijo y permanente en un lugar. || **5.** m. Mueble con anaqueles o entrepaños, y generalmente sin sin puertas, que sirve para colocar libros, papeles u otras cosas. || **6.** Cada uno de los cuatro pies derechos que sostienen la armadura del batán, en que juegan los mazos. || **7.** Cada uno de los dos pies derechos sobre que se apoya y gira el eje horizontal de un torno. || **8.** *Murc.* El que en compañía de otros lleva los pasos en las procesiones de Semana Santa. || **9.** *Amér.* Madero incorruptible que hincado en el suelo sirve de sostén al armazón de las casas en las ciudades tropicales. || **10.** *Mar.* Palo o madero que se ponía sobre las mesas de guarnición para atar en él los aparejos de la nave. Ú. m. en pl.

Estantería. f. Juego de estantes o de anaqueles.

Estanterol. (Del m. or. que *estantal.*) m. *Mar.* desus. Madero, a modo de columna, que en las galeras se colocaba a popa en la crujía y sobre el cual se afirmaba el tendal.

Estantigua. (Contracc. de las voces *hueste antigua.*) f. Procesión de fantasmas, o fantasma que se ofrece a la vista por la noche, causando pavor y espanto. || **2.** fig. y fam. Persona muy alta y seca, mal vestida.

Estantío, a. (De *estante.*) adj. Que no tiene curso; parado, detenido o estancado. || **2.** fig. Pausado, tibio, flojo y sin espíritu.

Estanza. f. ant. **Estancia,** 1.ª acep. || **2.** ant. Estado, conservación y permanencia de una cosa en el ser que tiene.

Estañador. m. El que tiene por oficio estañar.

Estañadura. f. Acción y efecto de estañar.

Estañar. (Del lat. *stagnāre,* de *stagnum,* estaño.) tr. Cubrir o bañar con estaño las piezas y vasos formados y hechos de otros metales, para el uso inofensivo de ellos. || **2.** Asegurar o soldar una cosa con estaño.

Estañero. m. El que trabaja en obras de estaño, o trata en ellas y las vende.

Estaño. (Del lat. *stannum* y *stagnum,* estaño.) m. Metal más duro, dúctil y brillante que el plomo, de color semejante al de la plata, pero más obscuro, que cruje cuando se dobla, y si se restriega con los dedos, despide un olor particular.

Estaño. (Del lat. *stagnum.*) m. ant. **Laguna,** 1.ª acep.

Estaquero. m. Cada uno de los agujeros que se hacen en la escalera y varales de los carros y galeras para meter las estacas. || **2.** *Mont.* Gamo o ciervo de un año.

Estaquilla. (d. de *estaca.*) f. Espiga de madera o caña que sirve para clavar. Ú. para envirar, para asegurar los tacones del calzado, etc. || **2.** Clavo pequeño de hierro, de figura piramidal y sin cabeza. || **3. Estaca,** 4.ª acep.

Estaquillador. (De *estaquillar.*) m. Lezna gruesa y corta de que se sirven los zapateros para hacer taladros en los tacones y poner en ellos las estaquillas.

Estaquillar. tr. Asegurar con estaquillas una cosa, como hacen los zapateros en los tacones de los zapatos. || **2.** Hacer una plantación por estacas.

Estar. (Del lat. *stāre.*) intr. Existir, hallarse una persona o cosa con cierta permanencia y estabilidad en este o aquel lugar, situación, condición o modo actual de ser. Ú. t. c. r. || **2.** Con ciertos verbos reflexivos toma esta forma quitándosela a ellos, y denota grande aproximación a lo que los tales verbos significan. ESTARSE *muriendo,* O ESTAR *muriéndose,* hallarse en artículo de muerte. || **3.** Tocar o atañer. || **4.** Tratándose de prendas de vestir, y generalmente seguido de dativo de persona, sentar o caer bien o mal. *Esa chaqueta le* ESTÁ *ancha a fulano.* || **5.** ant. **Ser.** || **6.** Junto con algunos adjetivos, sentir o tener actualmente la calidad que ellos significan. ESTAR *triste, alegre, rico, sordo.* || **7.** Junto con la partícula *a* y algunos nombres, obligarse o **estar** dispuesto a ejecutar lo que el nombre significa. ESTAR *a cuentas, a examen.* || **8.** Seguido de la prep. *a* y del número de un día del mes, indica que corre ese día; se usa principalmente en primeras personas del plural. ESTÁBAMOS *a 5 de enero,* ESTAMOS *a 24.* Al numeral puede substituir el interrogarivo *¿a cuántos* ESTAMOS?, lo cual equivale a decir: ¿Qué día es el que corre? || **9.** Junto con la prep. *a* y una indicación de valor o precio, tener ese precio en el mercado la cosa de que se trata. *Las patatas* ESTÁN *a tres pesetas.* || **10.** Junto con la prep. *con* seguida de un nombre de persona, vivir en compañía de esta persona. || **11.** Con la misma prep., avistarse con otro, generalmente para tratar de un negocio. || **12.** Con la prep. *con,* tener acceso carnal. || **13.** Junto con la prep. *de,* **estar** ejecutando una cosa o entendiendo en ella, de cualquier modo que sea. ESTAR *de matanza, de mudanza, de desestero, de obra.* || **14.** Junto con la prep. *de* y algunos nombres substantivos, ejecutar lo que ellos significan, o hallarse en disposición próxima para ello. ESTAR *de prisa;* ESTAR *de casa, de viaje.* || **15.** Junto con la prep. *en* y algunos substantivos, consistir, ser causa o motivo de una cosa. Ú. sólo en terceras personas de singular. *En eso* ESTÁ. || **16.** Hablando del coste de alguna cosa y junto con la prep. *en,* haber costado tanto. *Este vestido me* ESTÁ *en cuarenta duros.* || **17.** Junto con la prep. *para* y el infinitivo de algunos verbos, o seguida de algunos substantivos, denota la disposición próxima o determinada de hacer lo que significa el verbo o el substantivo. ESTAR *para testar, para morir. No* ESTÁ *para bromas.* || **18.** Junto con la prep. *por* y el infinitivo de algunos verbos, no haberse ejecutado aún, o haberse dejado de ejecutar, lo que los verbos significan. ESTAR *por escribir, por sazonar.* || **19.** Junto con la prep. *por* y el infinitivo de algunos verbos, hallarse uno casi determinado a hacer alguna cosa. ESTOY *por irme a pasear;* ESTOY *por romperle la cabeza.* || **20.** Junto con la prep. *por,* **estar** a favor de una persona o cosa. ESTOY *por Antonio;* ESTOY *por el color blanco.* || **21.** r. Detenerse o tardarse en alguna cosa o en alguna parte. || **Bien está.** expr. **Está bien.** || **¿Donde estamos?** loc., a manera de interjección, de que se usa para significar la admiración, disgusto o extrañeza que causa lo que se oye o se ve. || **Está bien.** expr. con que se denota ya aprobación, ya descontento o enojo. || **Están verdes.** loc. tomada de la fábula de la zorra y las uvas, y con la cual se zahiere y moteja al que aparenta desdeñar lo que no puede obtener. || **Está que bota.** fr. fam. que se aplica al que **está** presa de gran indignación. || **Estar a juzgado y sentenciado.** fr. *For.* Quedar obligado a oir y consentir la sentencia que se diere. || **Estar a la que salta.** fr. fam. **Estar** siempre dispuesto a aprovechar las ocasiones. || **Estar al caer.** fr. fam. Tratándose de horas, estar a punto de sonar aquella que se indique. ESTÁN AL CAER *las cinco.* Tratándose de sucesos, estar a punto de sobrevenir o suceder. ESTÁ AL CAER *tu ascenso.* || **Estar a matar.** fr. fam. **Estar** muy enemistadas o aborrecerse vivamente dos o más personas. || **Estar a obscuras.** fr. fig. y fam. **Estar** completamente ignorante. || **Estar uno a todo.** fr. Tomar sobre sí el cuidado y las resultas de un negocio. || **Estar uno bien.** fr. Disfrutar salud, conveniencias o comodidades. || **Estar bien.** fr. ant. Cumplir fielmente. || **Estar bien una cosa a uno.** fr. Convenir, ser útil, cuadrar, ser acomodada una cosa a las circunstancias de una persona. *Aquel empleo le* ESTARÁ BIEN *a Cayetano.* || **Estar bien con uno.** fr. **Estar** bien conceptuado con él; tener buen concepto de él; **estar** concorde con él. || **Estar con uno.** fr. **Estar** de acuerdo con él. || **Estar de más.** fr. fam. **Estar** de sobra; ser inútil. *Aquí* ESTOY DE MÁS; *lo que ayer dijiste en casa de don Severo* ESTUVO DE MÁS. || **2.** fr. fam. **Estar** sin hacer nada, sin trabajo u ocupación. || **Estar de ver.** fr. con que se significa el adorno, compostura o curiosidad de una persona o cosa. || **Estar una cosa diciendo comedme.** fr. fig. y fam. con que se pondera la buena apariencia de un manjar. || **Estar uno en una cosa.** fr. Entenderla o **estar** enterado de ella. ESTOY EN *lo que usted dice.* || **2.** Creerla, **estar** persuadido de ella. ESTOY EN *que vendrá Miguel.* || **Estar uno en grande.** fr. Vivir con mucha holgura o gozar mucho predicamento. || **2.** Salirle a uno las cosas a su gusto y conveniencia. || **Estar en mí, en ti, en sí.** fr. **Estar** uno con plena advertencia en lo que dice o hace. *Juliana* ESTÁ *muy* EN SÍ. || **Estar uno en todo.** fr. Atender a un tiempo a muchas cosas, sin embarazarse con la muchedumbre de ellas. || **Estarle a uno bien empleada** alguna cosa. fr. fam. Merecer la desgracia o infortunio que le sucede. || **Estar uno mal.** fr. No disfrutar conveniencias o comodidades. || **Estar mal con** uno. fr. **Estar** mal conceptuado con él; tener mal concepto de él; **estar** desavenido con él. || **Estar, o no estar,** uno **para** una cosa. fr. fam. **Estar** en buena o mala disposición para ejecutarla u ocuparse en ella. || **Estar uno para ello.** fr. fam. **Estar** en disposición de ejecutar bien una cosa que acostumbra hacer. *Rodrigo* ESTÁ *hoy* PARA ELLO. || **Estar por uno.** fr. **Estar** a su favor, de su parte. ESTÁ POR *nosotros la voluntad del Profeta.* || **Estar** una cosa **por ver.** fr. con que se pone en duda su certeza o su ejecución. || **Estarse de más.** fr. fam. **Estar** mano sobre mano, ocioso. || **Estar sobre uno, o sobre un negocio.** fr. Instar a uno con frecuencia, o promover un negocio con eficacia. || **Estar uno sobre mí, sobre ti, sobre sí.** fr. **Estar** con serenidad y precaución. || **2.** Tener orgullo y soberbia. || **Estar viendo** una cosa. fr. fig. Prever que sucederá, ser evidente. Ú. generalmente en las frs.: ESTÁ, O ESTABA, *visto; ¡Lo* ESTABA *viendo!* || **¿Estás? ¿Estáis? ¿Está usted? ¿Están ustedes?** exprs. que equivalen a **¿Estás, estáis,** etc., enterado, o enterados? ¿Has, o habéis, comprendido bien? Suele asimismo decirse: **¿Estamos?,** en vez de cualquiera de estas formas. || **No están maduras.** fr. fam. **Están verdes.**

Estarcido. (De *estarcir.*) m. Dibujo que resulta en el papel, tela, tabla, etc., del picado y pasado por medio del cisquero o brocha.

Estarcir. (Del lat. *extergĕre,* limpiar frotando.) tr. Estampar dibujos, letras o números pasando una brocha por una chapa en que están previamente recortados.

Estarna. (Del ital. *starna,* perdiz.) f. **Perdiz pardilla.**

Estasis. (Del gr. στάσις, detención.) f. *Med.* Estancamiento de sangre o de otro líquido en alguna parte del cuerpo.

Estatal. (Del lat. *status*, estado.) adj. Perteneciente o relativo al Estado.

Estatera. (Del lat. *statēra*.) f. ant. Peso, balanza.

Estática. (Del gr. στατική, sobrentendiéndose ἐπιστήμη, ciencia.) f. Parte de la mecánica, que estudia las leyes del equilibrio. || **2.** Conjunto de estas leyes.

Estático, ca. (Del gr. στατικός, de ἵστημι, dejar fijo.) adj. Perteneciente o relativo a la estática. || **2.** Que permanece en un mismo estado, sin mudanza en él. || **3.** fig. Dícese del que se queda parado de asombro o de emoción.

Estatismo. m. Inmovilidad de lo estático, 2.ª acep.

Estatismo. m. Tendencia que exalta la plenitud del poder y la preeminencia del Estado sobre los diferentes órdenes y entidades.

Estatocisto. m. *Zool.* Cualquiera de los órganos que están al servicio del sentido del equilibrio en muchos celentéreos, gusanos, crustáceos, moluscos y tunicados, y que consiste en pequeñas vesículas, situadas comúnmente debajo de la piel, que contienen una o varias concreciones calcáreas.

Estatua. (Del lat. *statŭa*.) f. Figura de bulto labrada a imitación del natural. || **ecuestre.** La que representa una persona a caballo. || **A gran estatua, gran basa.** fr. fig. y fam. con que se indica que a cada cosa se ha de conceder la importancia que le corresponde. || **Merecer uno una estatua.** fr. con que se ponderan y engrandecen sus acciones. || **Quedarse hecho una estatua.** fr. fig. Quedarse paralizado por el espanto o la sorpresa.

Estatuar. tr. Adornar con estatuas.

Estatuaria. (Del lat. *statuarĭa*.) f. Arte de hacer estatuas.

Estatuario, ria. (Del lat. *statuarĭus*.) adj. Perteneciente a la estatuaria. || **2.** Adecuado para una estatua. || **3.** V. **Mármol estatuario.** || **4.** m. El que hace estatuas.

Estatuario, ria. (De *estatuir*.) adj. ant. Estatutario.

Estatúder. (Del neerl. *stadhouder;* de *stad*, lugar, y *houder*, teniente.) m. Jefe o magistrado supremo de la antigua república de los Países Bajos. En un principio fueron lugartenientes del rey de España.

Estatuderato. m. Cargo y dignidad de estatúder.

Estatuir. (Del lat. *statuĕre*.) tr. Establecer, ordenar, determinar. || **2.** Demostrar, asentar como verdad una doctrina o un hecho.

Estatura. (Del lat. *statūra*.) f. Altura, medida de una persona desde los pies a la cabeza.

Estatutario, ria. adj. Estipulado en los estatutos, referente a ellos.

Estatuto. (Del lat. *statūtum*.) m. Establecimiento, regla que tiene fuerza de ley para el gobierno de un cuerpo. || **2.** Por ext., cualquier ordenamiento eficaz para obligar: contrato, disposición testamentaria, etc. || **3.** Ley especial básica para el régimen autónomo de una región dictada por el Estado de que forma parte. || **4.** V. **Iglesia de estatuto.** || **5.** *For.* Régimen jurídico al cual están sometidas las personas o las cosas, en relación con la nacionalidad o el territorio. || **formal.** *For.* Régimen concerniente a las solemnidades de los actos y contratos. || **personal.** *For.* Régimen jurídico que se determina en consideración a la nacionalidad o condición personal del sujeto. || **real.** Ley fundamental del Estado, que se promulgó en España en 1834 y rigió hasta 1836. || **2.** *For.* Régimen legal que se determina en consideración a la naturaleza de las cosas o al territorio en que radican.

Estay. (Del germ. *stag*, tendido.) m. *Mar.* Cabo que sujeta la cabeza de un mástil al pie del más inmediato, para impedir que caiga hacia popa. || **de galope.** *Mar.* El más alto de todos, que sirve para sujetar la cabeza de los mastelerillos.

Este. (Del anglosajón *east*.) m. **Oriente,** 2.ª acep. Úsase generalmente en *Geogr.* y *Mar.* || **2.** Viento que viene de la parte de oriente.

Este, esta, esto, estos, estas. (Del lat. *iste, ista, istud*.) Formas de pron. dem. en los tres géneros m., f. y n., y en ambos núms. sing. y pl. Hacen oficios de adjetivos cuando van unidos al nombre; v. gr.: ESTA *vida;* ESTE *libro.* Cuando hacen oficio de substantivo, el m. y el f. se escriben con acento. *Conozco mucho a* ÉSTOS. || **Ésta** designa la población en que está la persona que se dirige a otra por escrito. *Permaneceré en* ÉSTA *dos semanas.* || **En éstas y en estotras,** o **En éstas y éstas,** o **En éstas y las otras.** ms. advs. fams. Entretanto que algo sucede; en el ínterin, mientras **esto** pasa. || **En esto.** m. adv. Estando en **esto,** durante **esto,** en **este** tiempo. || **Ésta y nunca más,** o **no más.** fr. fam. con que se manifiesta que ha quedado uno escarmentado. || **Por ésta,** o **por éstas, que son cruces.** Especie de juramento que se profiere en son de amenaza al mismo tiempo que se hace una o dos cruces con los dedos pulgar e índice. || **Por éstas.** expr. ant. de amenaza de que usaban los hombres, tomándose las barbas.

Esteárico, ca. (Del gr. στέαρ, sebo.) adj. De estearina.

Estearina. (Del gr. στέαρ, sebo.) f. *Quím.* Substancia blanca, insípida, de escaso olor, fusible a 64,2 grados, insoluble en el agua, soluble en el alcohol hirviendo y en el éter. Es el principio inmediato que da a los cuerpos grasos mayor consistencia, y está compuesta de ácido esteárico y de glicerina. || **2.** Acido esteárico que sirve para la fabricación de velas.

Esteatita. (Del lat. *steatītis*, y éste del gr. στέαρ, στέατος, sebo, grasa sólida.) f. Mineral de color blanco o verdoso, suave, y tan blanco que se raya con la uña. Es un silicato de magnesia, se emplea como substancia lubricativa, y, con el nombre de jabón de sastre, sirve para hacer señales en las telas.

Esteba. (Del lat. *stoebe*, y éste del gr. στοιβή.) f. Planta herbácea de la familia de las gramíneas, con cañas delgadas y nudosas, hojas ensiformes, muy ásperas por los bordes, glumas troncadas, flores verdosas en espigas cilíndricas, y semilla negra. Crece en sitios húmedos y pantanosos, hasta cuatro o cinco decímetros de altura, y es pasto muy apetecido por las caballerías.

Esteba. (Del lat. *stīpa*, caña.) f. Pértiga gruesa con que en las embarcaciones se aprietan las sacas de lana unas sobre otras.

Estebar. m. Sitio donde se cría mucha esteba, 1.er art.

Estebar. (De *estibar*.) tr. Entre tintoreros, acomodar en la caldera y apretar en ella el paño para teñirlo.

Estefanote. (De *stephanotis floribunda*.) m. *Bot. Venez.* Planta de la familia de las asclepiadáceas, que se cultiva en los jardines por sus hermosas flores, de color blanco mate.

Estegomía. (Del gr. στέγω, cubrir, y μυῖα, mosca.) f. Mosquito transmisor del espiroqueto que produce en el hombre la fiebre amarilla. Pertenece a la familia de los culícidos y se distingue por su color obscuro, casi negro, con manchas y líneas pardas por todo el cuerpo, y por tener las patas negras, con anillos blancos en la base de los artejos.

Estela. (Del ital. *stella*, de *stellare*, adornar de estrellas.) f. Señal o rastro de espuma y agua removida que deja tras sí en la superficie del agua una embarcación u otro cuerpo en movimiento. Dícese también por el rastro que deja en el aire un cuerpo luminoso en movimiento. || **2.** Estelaria.

Estela. (Del lat. *stela*, y éste del gr. στήλη.) f. Monumento conmemorativo que se erige sobre el suelo en forma de lápida, pedestal o cipo.

Estelado. (Del lat. *stellātus*, estrellado.) adj. V. **Cardo estelado corredor.**

Estelar. (Del lat. *stellāris*). adj. **Sidéreo.** || **2.** V. **Cúmulo estelar.**

Estelaria. (Del ital. *stellaria*, de *stella*, estrella, por la forma de sus flores.) f. **Pie de león.**

Estelífero, ra. (Del lat. *stellĭfĕrus;* de *stella*, estrella, y *ferre*, llevar.) adj. poét. Estrellado o lleno de estrellas.

Esteliforme. adj. De forma de estela.

Estelión. (Del lat. *stellio, -ōnis*.) m. *Zool.* Reptil saurio, perteneciente a la misma familia que el dragón, que vive en Egipto, en Asia Menor y en algunas islas griegas. || **2.** Piedra que decían se hallaba en la cabeza de los sapos viejos, y que tenía virtud contra el veneno.

Estelionato. (Del lat. *stellionātus*.) m. *For.* Fraude que comete el que encubre en el contrato la obligación que sobre la hacienda, alhaja u otra cosa tiene hecha anteriormente.

Estelo. (Del lat. *stilus*.) m. Columna, poste.

Estelón. m. **Estelión,** 2.ª acep.

Estellés, sa. adj. Natural de Estella. || **2.** Perteneciente a esta ciudad de Navarra.

Estema. (Del lat. *stigma*.) m. ant. *Ar.* Pena de mutilación.

Estemar. tr. ant. *Ar.* Imponer la pena de mutilación.

Estemple. (Del al. *stempel*.) m. *Min.* **Ademe.**

Estendijarse. r. ant. Extenderse, estirarse.

Estenocardia. (Del gr. στενός, estrecho, y καρδία, corazón.) f. *Med.* **Angina de pecho.**

Estenografía. (Del gr. στενός, estrecho, y γράφω, escribir.) f. **Taquigrafía.**

Estenografiar. tr. Escribir en estenografía.

Estenográficamente. adv. m. Por medio de la estenografía.

Estenográfico, ca. adj. Perteneciente o relativo a la estenografía.

Estenógrafo, fa. m. y f. Persona que sabe o profesa la estenografía.

Estenordeste. m. Punto del horizonte entre el Este y el Nordeste, a igual distancia de ambos. || **2.** Viento que sopla de esta parte.

Estenosis. (Del gr. στενόω, estrechar.) f. *Med.* Estrechez, estrechamiento.

Estentóreo, a. (Del lat. *stentorĕus*, de *Esténtor*, heraldo del ejército griego en el sitio de Troya, célebre por su voz.) adj. Muy fuerte, ruidoso o retumbante, aplicado al acento o a la voz.

Estepa. (Del ruso *step*.) f. Erial llano y muy extenso.

Estepa. (Del lat. *stipes*, ramo.) f. Mata resinosa de la familia de las cistáceas, de 12 a 15 decímetros de altura, con ramas leñosas y erguidas, hojas pecioladas, elípticas, agudas, de color verde obscuro por la haz y blanquecinas por el envés; flores de corola grande y blanca, en ramos pedunculados y terminales, con brácteas coriáceas, sépalos ovalados y vellosos, y fruto capsular, aovado, sedoso, con cinco ventallas. || **2.** V. **Jara estepa.** || **blanca. Estepilla.** || **negra. Jaguarzo.**

Estepar. m. Lugar o sitio poblado de estepas, 2.° art.

Estepario, ria. adj. Propio de las estepas, 1.er art. *Región, planta* ESTEPARIA.

Estepero, ra. adj. Que produce estepas. || **2.** m. Sitio en donde se amontonan las estepas en las casas. || **3.** m. y f. Persona que vende estepas.

Estepilla. (De *estepa,* 2.° art.) f. Mata de la familia de las cistáceas, de un metro de altura próximamente, con ramas leñosas y blanquecinas, hojas sentadas, elípticas, algo revueltas por el margen, flores grandes y róseas, y fruto capsular ovoide y velloso.

Ester. n. p. V. **Libro de Ester.**

Éster. m. *Quím.* Cualquiera de los compuestos químicos que resultan de substituir átomos de hidrógeno de un ácido inorgánico u orgánico por radicales alcohólicos; pueden ser considerados como sales en las que los átomos metálicos están reemplazados por radicales orgánicos.

Estera. (Del ant. *estuera,* del lat. *storĕa.*) f. Tejido grueso de esparto, juncos, palma, etc., o formado por varias pleitas cosidas, que sirve para cubrir el suelo de las habitaciones y otros usos. || **Cargado de esteras.** loc. fig. y fam. Harto, cansado de aguantar o sufrir.

Esteral. m. p. us. *Argent.* **Estero,** 2.° art., 2.ª acep.

Esterar. tr. Poner tendidas las esteras en el suelo para reparo contra el frío. || **2.** intr. fig. y fam. Vestirse de invierno. Dícese en son de burla aplicándolo al que lo hace antes de tiempo.

Estercar. tr. ant. **Estercolar.**

Estercoladura. f. Acción y efecto de estercolar.

Estercolamiento. m. **Estercoladura.**

Estercolar. (De *estiércol.*) m. **Estercolero,** 2.ª acep.

Estercolar. (Del lat. *stercorāre.*) tr. Echar estiércol en las tierras para engrasarlas y beneficiarlas. || **2.** intr. Echar de sí la bestia el excremento o estiércol.

Estercolero. m. Mozo que recoge y saca el estiércol. || **2.** Lugar donde se recoge el estiércol.

Estercolizo, za. adj. Semejante al estiércol o que participa de sus cualidades.

Estercóreo, a. (Del lat. *stercorĕus.*) adj. Perteneciente a los excrementos.

Estercuelo. (De *estercolar.*) m. Operación de echar estiércol en las tierras.

Esterculiáceo, a. (De *sterculia,* nombre de un genero de plantas.) adj. *Bot.* Dícese de matas, arbustos y árboles angiospermos dicotiledóneos, con hojas alternas y vellosas, flores axilares y fruto casi siempre en cápsula, rara vez indehiscente; como el abroma y el cacao. Ú. t. c. s. f. || **2.** f. pl. *Bot.* Familia de estas plantas.

Estéreo. (Del lat. *sterĕon,* y éste del gr. στερεός, sólido.) m. Unidad de medida para leñas, equivalente a la leña que puede colocarse, apilada, en el espacio de un metro cúbico.

Estereocomparador. m. Aparato para determinar el desplazamiento relativo de los cuerpos valiéndose de la sensación estereoscópica.

Estereografía. (Del gr. στερεός, sólido, y γράφω, dibujar.) f. Arte de representar los sólidos en un plano.

Estereográfico, ca. adj. Perteneciente a la estereografía. || **2.** *Geom.* Aplícase a la proyección en un plano de los círculos de la esfera por medio de rectas concurrentes en un punto de la misma esfera. || **3.** V. **Línea estereográfica.**

Estereógrafo. m. El que profesa o sabe la estereografía.

Estereometría. (Del lat. *stereometrĭa,* y éste del gr. στερεομετρία.) f. Parte de la geometría, que trata de la medida de los sólidos.

Estereométrico, ca. adj. Perteneciente a la estereometría. || **2.** *Geom.* V. **Línea estereométrica.**

Estereoscópico, ca. adj. Referente al estereoscopio.

Estereoscopio. (Del gr. στερεός, sólido, y σκοπέω, mirar, ver.) m. Instrumento óptico en el cual un dibujo hecho por duplicado con ciertas variantes en su perspectiva y mirando con cada ojo por distinto conducto, produce la ilusión de presentar de bulto una sola imagen.

Estereotipa. f. desus. **Estereotipia.**

Estereotipador. m. El que estereotipa.

Estereotipar. (De *estereotipia.*) tr. Fundir en una plancha por medio del vaciado la composición de un molde formado con caracteres movibles. || **2.** Imprimir con esas planchas.

Estereotipia. (Del gr. στερεός, sólido, y τύπος, molde, modelo.) f. Arte de imprimir que, en vez de moldes compuestos de letras sueltas, usa planchas donde cada página está fundida en una pieza. || **2.** Oficina donde se estereotipa. || **3.** Máquina de estereotipar. || **4.** Repetición involuntaria e intempestiva de un gesto, acción o palabra. Ocurre principalmente en ciertos dementes.

Estereotípico, ca. adj. Perteneciente a la estereotipia. *Establecimiento* ESTEREOTÍPICO; *impresión* ESTEREOTÍPICA.

Estereotomía. (Del gr. στερεός, duro, sólido, y τομή, talla, sección.) f. Arte de cortar piedras y maderas.

Esterería. f. Lugar donde se hacen esteras. || **2.** Tienda donde se venden.

Esterero, ra. m. y f. Persona que hace esteras. || **2.** Persona que las vende y las cose y acomoda en las habitaciones.

Estéril. (Del lat. *sterĭlis.*) adj. Que no da fruto, o no produce nada, en sentido recto o figurado. *Mujer, tierra, ingenio, trabajo* ESTÉRIL. || **2.** fig. Dícese del año en que la cosecha es muy escasa, y de los tiempos y épocas de miseria. || **3.** m. *Min.* Parte inútil del subsuelo que se halla interpuesto en el criadero.

Esterilidad. (Del lat. *sterilĭtas, -ātis.*) f. Calidad de estéril. || **2.** Falta de cosecha; carestía de frutos. || **3.** *Med.* Enfermedad caracterizada por falta de la aptitud de fecundar en el macho y de concebir en la hembra.

Esterilización. f. Acción y efecto de esterilizar.

Esterilizador, ra. adj. Que esteriliza.

Esterilizar. (Del lat. *sterĭlis,* estéril.) tr. Hacer infecundo y estéril lo que antes no lo era. || **2.** *Med.* Destruir los gérmenes patógenos que hay o puede haber en los instrumentos, objetos de curación, agua, etc., y aun también los del organismo.

Esterilla. f. d. de **Estera.** || **2.** Galón o trencilla de hilo de oro o plata, ordinariamente muy angosta. || **3.** Pleita estrecha de paja. || **4.** Tejido de paja. || **5.** *C. Rica, Chile* y *Ecuad.* **Cañamazo,** 3.ª acep. || **6.** *Argent.* **Rejilla,** 3.ª acep. || **7.** *Sal.* Encella de pleita.

Esterlín. m. **Bocací.**

Esterlina. (Del ingl. *sterling.*) adj. V. **Libra esterlina.**

Esternón. (Del gr. στέρνον, de στόρνυμι, extender.) m. *Zool.* Hueso plano situado en la parte anterior del pecho, con el cual se articulan por delante las costillas verdaderas. || **2.** *Zool.* Cada una de las piezas del dermatoesqueleto de los insectos, correspondiente a la región ventral de cada uno de los segmentos del tórax.

Estero. m. Acto de esterar. || **2.** Temporada en que se estera.

Estero. (Del lat. *aestuarĭum.*) m. Terreno inmediato a la orilla de una ría, por el cual se extienden las aguas de las mareas. || **2.** *Argent.* Terreno bajo pantanoso, intransitable, que suele llenarse de agua por la lluvia o por la filtración de un río o laguna cercana, y que abunda en plantas acuáticas. || **3.** *Chile.* Arroyo, riachuelo. || **4.** *Venez.* Aguazal, charca.

Esterquero. m. **Estercolero,** 2.ª acep.

Esterquilinio. (Del lat. *sterquilinĭum.*) m. Muladar o sitio donde se juntan inmundicias o estiércol.

Estertor. (Del lat. *stertĕre,* roncar.) m. Respiración anhelosa que produce un sonido involuntario, las más veces ronco, y otras a manera de silbido. Suele presentarse en los moribundos. || **2.** *Med.* Ruido de burbuja que se produce en ciertas enfermedades del aparato respiratorio y que se percibe por la auscultación.

Estertoroso, sa. adj. Que tiene estertor.

Estesudeste. m. Punto del horizonte entre el Este y el Sudeste, a igual distancia de ambos. || **2.** Viento que sopla de esta parte.

Estética. (Del gr. αἰσθητική, term. f. de -κός, estético.) f. Ciencia que trata de la belleza y de la teoría fundamental y filosófica del arte.

Estéticamente. adv. m. De manera estética.

Estético, ca. (Del gr. αἰσθητικός, de αἰσθάνομαι, sentir.) adj. Perteneciente o relativo a la estética. || **2.** Perteneciente o relativo a la percepción o apreciación de la belleza. *Placer* ESTÉTICO. || **3.** Artístico, de bello aspecto. || **4.** m. Persona que se dedica al estudio de la **estética**

Estetoscopia. f. *Med.* Exploración de los órganos contenidos en la cavidad del pecho, por medio del estetoscopio.

Estetoscopio. (Del gr. στῆθος, pecho, y σκοπέω, examinar.) m. *Med.* Instrumento a modo de trompetilla acústica que sirve para auscultar.

Esteva. (Del osco *steva,* gemelo del lat. *stīva.*) f. Pieza corva y trasera del arado, sobre la cual lleva la mano el que ara, para dirigir la reja y apretarla contra la tierra. || **2.** Madero curvo que en los carruajes antiguos sostenía a sus extremos las varas, y se apoyaba por el medio sobre la tijera. || **3.** V. **Palo de esteva.**

Estevado, da. adj. Que tiene las piernas torcidas en arco, a semejanza de la esteva, de tal modo que con los pies juntos quedan separadas las rodillas. Ú. t. c. s.

Estevón. m. **Esteva.**

Estezado, da. p. p. de **Estezar.** || **2.** m. **Correal.**

Estezar. (De *tez.*) tr. Curtir las pieles en seco. || **2.** *And.* Poner a uno encendido; curtirle la piel a golpes. || **3.** fig. *And.* Abusar de uno en punto a dinero.

Estiaje. (Del fr. *étiage,* y éste del lat. *aestivaticus.*) m. Nivel más bajo o caudal mínimo que en ciertas épocas del año tienen las aguas de un río, estero, laguna, etc., por causa de la sequía. || **2.** Período que dura este nivel bajo.

Estiba. (De *estibar.*) f. **Atacador,** 2.ª acep. || **2.** Lugar en donde se aprieta la lana en los sacos. || **3.** *Germ.* **Castigo,** 1.ª acep. || **4.** *Mar.* Colocación conveniente de los pesos de un buque, con relación a sus condiciones marineras.

Estibador. (De *estibar.*) m. El que estiba, 1.ª y 3.ª aceps.

Estibar. (Del lat. *stipāre.*) tr. Apretar, recalcar materiales o cosas sueltas para que ocupen el menor espacio posible; como se hace con la lana cuando se ensaca. || **2.** *Germ.* **Castigar,** 1.ª acep. || **3.** *Mar.* Colocar o distribuir ordenada y convenientemente todos los pesos del buque.

Estibia. (Del lat. *stīva,* esteva.) f. *Veter.* **Espibia.**

Estibina. (De *estibio.*) f. Mineral de color gris de plomo y brillo metálico intenso, formado por la combinación del azufre con el antimonio.

Estibio. (Del lat. *stibium.*) m. Antimonio.

Estiércol. (Del vulg. *estierco*, con la *l* de *estercolar*, del lat. *stĕrcus, -ŏris.*) m. Excremento de cualquier animal. || **2.** Materias orgánicas, comúnmente vegetales, podridas, que se destinan al abono de las tierras.

Estigio, gia. (Del lat. *stygĭus*, y éste del gr. Στύξ, Στυγός.) adj. Aplícase a la Estige, laguna del infierno mitológico, y a lo perteneciente a ella. || **2.** fig. y poét. **Infernal,** 1.ª acep.

Estigma. (Del lat. *stigma*, y éste del gr. στίγμα, picadura; de στίζω, picar, punzar.) m. Marca o señal en el cuerpo. || **2.** *Teol.* Huella impresa sobrenaturalmente en el cuerpo de algunos santos extáticos, como símbolo de la participación que sus almas toman en la pasión de Cristo. || **3.** Marca impuesta con hierro candente, bien como pena infamante, bien como signo de esclavitud. || **4.** fig. Desdoro, afrenta, mala fama. || **5.** *Bot.* Cuerpo glanduloso, colocado en la parte superior del pistilo y que recibe el polen en el acto de la fecundación de las plantas. || **6.** *Med.* Lesión orgánica o trastorno funcional que indica enfermedad constitucional y hereditaria. || **7.** *Zool.* Cada uno de los pequeños orificios que tiene el tegumento de los insectos, arácnidos y miriápodos, por los que penetra el aire en su aparato respiratorio, que es traqueal.

Estigmatizador, ra. adj. Que estigmatiza. Ú. t. c. s.

Estigmatizar. (Del gr. στιγματίζω.) tr. Marcar a uno con hierro candente. || **2.** *Teol.* Imprimir milagrosamente a una persona las llagas de Cristo. || **3.** fig. Afrentar, infamar.

Estil. (Del lat. *stĕrilis.*) adj. ant. Estéril, seco. Ú. c. vulgar en *Sal.*

Estilar. (De *estilo.*) intr. Usar, acostumbrar, practicar. Ú. t. c. tr. || **2.** tr. Ordenar, extender, formar y arreglar una escritura, despacho, establecimiento y otras cosas conforme al estilo y formulario que corresponde.

Estilar. (Del lat. *stillāre.*) tr. ant. Destilar, gotear. Ú. t. c. intr. Se usa en *Amér., And.* y *Sal.*

Estilbón. m. *Germ.* **Borracho,** 1.ª y 2.ª aceps.

Estilete. (d. de *estilo.*) m. Estilo pequeño, 1.ª y 2.ª aceps. || **2.** Púa o punzón. || **3.** Puñal de hoja muy estrecha y aguda. || **4.** *Med.* Tienta metálica, delgada y flexible, generalmente de plata, terminada en una bolita, que sirve para reconocer ciertas heridas.

Estilicidio. (Del lat. *stillicidĭum.*) m. Acto de estar manando o cayendo y destilando gota a gota un licor. || **2.** Destilación que así mana.

Estilista. com. Escritor que se distingue por lo esmerado y elegante de su estilo.

Estilística. f. Estudio del estilo o de la expresión lingüística en general.

Estilístico, ca. adj. Perteneciente o relativo al estilo, 5.ª y 6.ª aceps.

Estilita. (Del gr. στυλίτης.) adj. Dícese del anacoreta que por mayor austeridad vivía sobre una columna. Ú. t. c. s.

Estilización. f. Acción y efecto de estilizar.

Estilizar. tr. Interpretar convencionalmente la forma de un objeto haciendo resaltar tan sólo sus rasgos más característicos.

Estilo. (Del lat. *stĭlus*, y éste del gr. στῦλος.) m. Punzón con el cual escribían los antiguos en tablas enceradas. || **2. Gnomon,** 2.ª acep. || **3.** Modo, manera, forma. || **4.** Uso, práctica, costumbre, moda. || **5.** Manera de escribir o de hablar, no por lo que respecta a las cualidades esenciales y permanentes del lenguaje, sino en cuanto a lo accidental, variable y característico del modo de formar, combinar y enlazar los giros, frases y cláusulas o períodos para expresar los conceptos. Según los antiguos retóricos, divídese en tenue o sencillo, medio o templado, y grave o sublime; y aplícansele otros muchos calificativos tomados de los distintos géneros, tonos o cualidades a que puede pertenecer o acomodarse, o por que se puede distinguir; como didáctico, epistolar, oratorio, festivo, irónico, patético, amanerado, elegante, florido, etc. Califícasele también por el nombre de algunos países en que predominó con cierto carácter especial, y así se le llama asiático, ático, lacónico o rodio. || **6.** Manera de escribir o de hablar peculiar y privativa de un escritor o de un orador, o sea carácter especial que, en cuanto al modo de expresar los conceptos, da un autor a sus obras, y es como sello de su personalidad literaria. *El* ESTILO *de Cervantes, de fray Luis de Granada, de Moratín.* || **7.** Carácter propio que da a sus obras el artista, por virtud de sus facultades. *El* ESTILO *de Miguel Ángel, de Murillo, de Rossini.* || **8.** *Bot.* Columnita hueca o esponjosa, existente en la mayoría de las flores, que arranca del ovario y sostiene el estigma. || **9.** *For.* Fórmula de proceder jurídicamente, y orden y método de actuar. || **10.** *Mar.* Púa sobre la cual está montada la aguja magnética. || **antiguo.** *Cronol.* El que se usaba en la computación de los años hasta la corrección gregoriana. || **nuevo.** *Cronol.* Modo de computar los años según la corrección gregoriana. || **recitativo.** *Mús.* El que consiste en cantar recitando.

Estilóbato. (Del lat. *stylobăta*, y éste del gr. στυλοβάτης.) m. *Arq.* Macizo corrido sobre el cual se apoya una columnata.

Estilográfico, ca. (Del lat. *stilus*, del gr. στῦλος, punzón, y γράφω, escribir.) adj. Dícese de la pluma cuyo mango hueco va lleno de tinta, la cual, al escribir, baja automáticamente a los puntos en la cantidad necesaria. También se aplica a lo escrito con tal pluma. || **2.** f. **Pluma estilográfica.**

Estima. (De *estimar.*) f. Consideración y aprecio que se hace de una persona o cosa por su calidad y circunstancias. || **2.** *Mar.* Concepto aproximado que se forma de la situación del buque por los rumbos y las distancias corridas en cada uno de ellos. || **3.** *Mar.* V. **Punto de estima.**

Estimabilidad. f. Calidad de estimable.

Estimabilísimo, ma. adj. sup. de **Estimable.**

Estimable. (Del lat. *aestimabĭlis.*) adj. Que admite estimación o aprecio. || **2.** Digno de aprecio y estima.

Estimación. (Del lat. *aestimatĭo, -ōnis.*) f. Aprecio y valor que se da y en que se tasa o considera una cosa. || **2.** Aprecio, consideración, afecto. *Ha merecido la* ESTIMACIÓN *del público; es el objeto de mi* ESTIMACIÓN. || **3.** ant. **Instinto,** 1.ª acep. || **propia. Amor propio.**

Estimado, da. p. p. de **Estimar.** || **2.** adj. *For.* V. **Dote estimada.**

Estimador, ra. (Del lat. *aestimātor.*) adj. Que estima. Ú. t. c. s. m.

Estimar. (Del lat. *aestimāre.*) tr. Apreciar, poner precio, evaluar las cosas. || **2. Juzgar,** 2.ª acep. || **3.** Hacer aprecio y estimación de una persona o cosa. Ú. t. c. r.

Estimativa. (De *estimar.*) f. Facultad del alma racional con que hace juicio del aprecio que merecen las cosas. || **2. Instinto,** 1.ª acep.

Estimatorio, ria. adj. Relativo a la estimación. || **2.** *For.* Que pone o fija el precio de una cosa.

Estimulación. (Del lat. *stimulatĭo, -ōnis.*) f. ant. Acción y efecto de estimular.

Estimulador, ra. adj. Que estimula.

Estimulante. p. a. de **Estimular.** Que estimula. Ú. t. c. s.

Estimular. (Del lat. *stimulāre.*) tr. Aguijonear, picar, punzar. || **2.** fig. Incitar, excitar con viveza a la ejecución de una cosa, o avivar una actividad, operación o función.

Estímulo. (Del lat. *stimŭlus.*) m. ant. **Aguijada,** 1.ª acep. || **2.** fig. Incitamiento para obrar o funcionar.

Estimuloso, sa. (Del lat. *stimulōsus.*) adj. ant. Dícese de lo que estimula.

Estinco. (De *esquinco.*) m. Lagarto de color amarillento plateado, con siete bandas negras transversas, unos dos decímetros de longitud total, sin separación bien determinada entre la cabeza, cuerpo y cola, todo cubierto de escamas planas semejantes a las de los peces, patas cortas, con cinco dedos casi iguales, y cola cónica. Vive en los arenales del norte de África, y su carne se considera como afrodisíaco.

Estío. (Del lat. *aestīvum tempus.*) m. Estación del año que astronómicamente principia en el solsticio de verano y termina en el equinoccio de otoño.

Estiomenar. (De *estiómeno.*) tr. *Med.* Corroer una parte carnosa del cuerpo los humores que fluyen a ella.

Estiómeno. (Del gr. ἐσθιόμενος, comido.) m. *Med.* Corrosión de una parte carnosa del cuerpo por los humores que fluyen a ella.

Estipe. (Del lat. *stipes.*) m. ant. *Arq.* **Estípite,** 1.ª acep.

Estipendial. adj. Perteneciente o relativo al estipendio.

Estipendiar. (Del lat. *stipendiāri.*) tr. Dar estipendio.

Estipendiario. (Del lat. *stipendiarĭus.*) m. El que lleva estipendio o sueldo de otro. || **2.** ant. Tributario, pechero.

Estipendio. (Del lat. *stipendĭum.*) m. Paga o remuneración que se da a una persona por su trabajo y servicio.

Estípite. (Del lat. *stipes, -ĭtis*, estaca, tronco.) m. *Arq.* Pilastra en forma de pirámide truncada, con la base menor hacia abajo. || **2.** *Bot.* Tallo largo y no ramificado de las plantas arbóreas. Dícese principalmente del tallo de las palmeras.

Estipticar. (De *estíptico.*) tr. *Med.* **Astringir,** 1.ª acep.

Estipticidad. f. *Med.* Calidad de estíptico.

Estíptico, ca. (Del lat. *styptĭcus*, y éste del gr. στυπτικός, de στύφω, apretar.) adj. Que tiene sabor metálico astringente. || **2.** Que padece estreñimiento de vientre. || **3.** fig. Estreñido, avaro, mezquino. || **4.** *Med.* Que tiene virtud de estipticar.

Estiptiquez. f. *Amér.* Estipticidad, estreñimiento.

Estípula. (Del lat. *stipŭla*, d. de *stipa.*) f. *Bot.* Apéndice foliáceo colocado en los lados del pecíolo o en el ángulo que éste forma con el tallo.

Estipulación. (Del lat. *stipulatĭo, -ōnis.*) f. Convenio verbal. || **2.** *For.* **Cláusula,** 1.ª acep. || **3.** *For.* Promesa que se hacía y aceptaba verbalmente, según las solemnidades y fórmulas prevenidas por el derecho romano. La legislación moderna ha abolido esas fórmulas, declarando eficaces, por regla general, todos los pactos lícitos una vez consentidos; exceptuados aquellos para cuya validez se requiere expresamente forma o solemnidad determinada.

Estipulante. p. a. de **Estipular.** Que estipula.

Estipular. (Del lat. *stipulāre.*) tr. *For.* Hacer contrato verbal; contratar por medio de estipulación. || **2.** Convenir, concertar, acordar.

Estique. m. Palillo de escultor, de boca dentellada, para modelar barro.

Estiquirín. m. *Hond.* **Búho,** 1.ª acep.

Estira. (De *estirar.*) f. Instrumento de cobre, en forma de cuchilla, con que los zurradores quitan la flor, aguas y manchas al cordobán de colores, rayéndolo.

Estiracáceo, a. (Del lat. *styrăca,* y éste del gr. στύραξ, estoraque.) adj. *Bot.* Dícese de árboles y arbustos angiospermos dicotiledóneos, que tienen hojas alternas, simples y sin estípulas, flores solitarias o en racimo, axilares y con brácteas, y frutos por lo común abayados, con semillas de albumen carnoso; como el estoraque y el aceitunillo. Ú. t. c. s. f. || **2.** f. pl. *Bot.* Familia de estas plantas.

Estiradamente. adv. m. fig. Escasamente, apenas. *Mariano* ESTIRADAMENTE *tiene para comer.* || **2.** fig. Con fuerza, con violencia y forzadamente.

Estirado, da. p. p. de **Estirar.** || **2.** adj. fig. Que afecta gravedad o esmero en su traje. || **3.** fig. Entonado y orgulloso en su trato con los demás. || **4.** fig. Nimiamente económico.

Estirajar. tr. fam. **Estirar.**

Estirajón. m. fam. **Estirón.**

Estiramiento. m. Acción y efecto de estirar o estirarse.

Estirar. (De *es* y *tirar.*) tr. Alargar, dilatar una cosa, extendiéndola con fuerza para que dé de sí. Ú. t. c. r. || **2.** Planchar ligeramente la ropa blanca para quitarle las arrugas. || **3.** fig. Hablando del dinero, gastarlo con parsimonia para atender con él al mayor número posible de necesidades. || **4.** fig. Alargar, ensanchar el dictamen, la opinión, la jurisdicción más de lo que se debe. || **5.** r. **Desperezarse.** || **Mucho estirar, hace hender o quebrar.** ref. que aconseja no tener mucho rigor o no ser muy exigente.

Estirazar. tr. fam. **Estirar.**

Estirazo. m. *Ar.* Especie de narria que se usa en el Pirineo aragonés para arrastrar pesos. Está formada por un tronco horquillado con una asa de hierro en el punto de convergencia de los brazos y una barra de madera que une los extremos de los mismos.

Estirón. m. Acción con que uno estira o arranca con fuerza una cosa. || **2.** Crecimiento en altura. || **Dar uno un estirón.** fr. fig. y fam. Crecer mucho en poco tiempo.

Estirpe. (Del lat. *stirps, stirpis.*) f. Raíz y tronco de una familia o linaje. || **2.** *For.* En una sucesión hereditaria, conjunto formado por la descendencia de un sujeto a quien ella representa y cuyo lugar toma.

Estirpia. f. *Sant.* **Adral.**

Estítico, ca. adj. **Estíptico.**

Estitiquez. f. *Amér.* Estiptiquez, estreñimiento.

Estivada. f. Monte o terreno inculto cuya broza se cava y quema para meterlo en cultivo.

Estival. (Del ital. *stivale,* bota, y éste del al. *stiefel.*) m. desus. Botín o borceguí de mujer.

Estival. (Del lat. *aestivālis.*) adj. Perteneciente al estío. *Solsticio* ESTIVAL.

Estivo. (Del ital. *stivale,* bota.) m. *Germ.* **Zapato.**

Estivo, va. (Del lat. *aestivus.*) adj. **Estival,** 2.° art.

Estivón. (De *estivo,* 1.er art.) m. *Germ.* **Carrera,** 1.ª acep.

Estocada. f. Golpe que se tira de punta con la espada o estoque. || **2.** Herida que resulta de él. || **de puño.** *Esgr.* La que se da cuando es muy corto el medio de proporción, sin mover el cuerpo, con sólo recoger y extender el brazo. || **Estocada por cornada.** expr. fig. y fam. con que se denota el daño que uno recibe en el mismo acto de hacérselo a otro.

Estocador. (De *estocar.*) m. ant. **Estoqueador.**

Estocafís. (Del ingl. *stock fish,* bacalao seco sin sal.) m. **Pejepalo.**

Estocar. (De *estoque.*) tr. ant. **Estoquear.**

Estofa. (Del germ. *stopfa,* y éste del lat. *stŭppa,* estopa.) f. Tela o tejido de labores, por lo común de seda. || **2.** fig. Calidad, clase. *De mi* ESTOFA; *de buena* ESTOFA.

Estofado. p. p. de **Estofar,** 2.° art. || **2.** m. Guiso que consiste en condimentar un manjar con aceite, vino o vinagre, ajo, cebolla y varias especias, y ponerlo todo en crudo en una vasija bien tapada para que cueza a fuego lento sin que pierda vapor ni aroma.

Estofado, da. p. p. de **Estofar,** 1.er art. || **2.** Aliñado, engalanado, bien dispuesto. || **3.** m. Acción de estofar, 1.er art. || **4.** Adorno que resulta de estofar un dorado.

Estofador, ra. m. y f. Persona que tiene por oficio estofar, 1.er art.

Estofar. (De *estofa.*) tr. Labrar a manera de bordado, rellenando de algodón o estopa el hueco o medio entre dos telas, formando encima algunas labores y pespunteándolas y perfilándolas para que sobresalgan y hagan relieve. || **2.** Entre doradores, raer con la punta del grafio el color dado sobre el dorado de la madera, formando diferentes rayas o líneas para que se descubra el oro y haga visos entre los colores con que se pintó. || **3.** Pintar sobre el oro bruñido algunos relieves al temple, y también colorir sobre el dorado algunas hojas de talla. || **4.** Dar de blanco a las esculturas en madera para dorarlas y bruñirlas después.

Estofar. (Del lat. **extufāre,* del gr. τῦφος, vapor.) tr. Hacer el guiso llamado estofado.

Estofo. m. Acción y efecto de estofar, 1.er art.

Estoicamente. adv. m. Con estoicismo.

Estoicismo. m. Escuela fundada por Zenón y que se reunía en un pórtico de Atenas. || **2.** Doctrina o secta de los estoicos. || **3.** fig. Fortaleza o dominio sobre la propia sensibilidad.

Estoico, ca. (Del lat. *stoicus,* y éste del gr. στωϊκός.) adj. Perteneciente al estoicismo. || **2.** Dícese del filósofo que sigue la doctrina del estoicismo. Ú. t. c. s. || **3.** fig. Fuerte, ecuánime ante la desgracia.

Estol. (Del lat. *stolus,* y éste del gr. στόλος.) m. ant. Acompañamiento o comitiva.

Estola. (Del lat. *stola,* y éste del gr. στολή, vestido.) f. Vestidura amplia y larga que los griegos y romanos llevaban sobre la camisa; y se diferenciaba de la túnica por ir adornada con una franja que ceñía la cintura y caía por detrás hasta el suelo. || **2.** Ornamento sagrado que consiste en una banda de tela de dos metros próximamente de largo y unos siete centímetros de ancho, con tres cruces, una en el medio y otra en cada extremo, los cuales se ensanchan gradualmente hasta medir en los bordes 12 centímetros. || **3.** Banda larga de piel que usan las mujeres para abrigarse el cuello.

Estolidez. (De *estólido.*) f. Falta total de razón y discurso.

Estólido, da. (Del lat. *stolĭdus.*) adj. Falto de razón y discurso. Ú. t. c. s.

Estolón. m. aum. de **Estola.** || **2.** Estola muy grande que usa el diácono en las misas de los días feriados de cuaresma, y la viste sólo cuando se desnuda de la dalmática y se queda con el alba.

Estolón. (Del lat. *stolo, -ōnis.*) m. *Bot.* Vástago rastrero que nace de la base del tallo y echa a trechos raíces que producen nuevas plantas, como en la fresa.

Estoma. (Del gr. στόμα, boca.) m. *Bot.* Cada una de las aberturas microscópicas que hay en la epidermis para facilitar los cambios de gases entre la planta y el exterior y cuyo borde está limitado por dos células especiales.

Estomacal. (Del lat. *stomăchus,* estómago.) adj. Perteneciente al estómago. || **2.** Que aprovecha al estómago. Ú. t. c. s. m.

Estomagante. p. a. de **Estomagar.** Que estomaga.

Estomagar. (Del lat. *stomachāri.*) tr. **Empachar,** 2.ª acep. || **2.** fig. y fam. Causar fastidio o enfado. *Su presunción me* ESTOMAGA.

Estómago. (Del lat. *stomăchus,* y éste del gr. στόμαχος, orificio del estómago.) m. *Zool.* Porción ensanchada del tubo digestivo, situada entre el esófago y el intestino y en cuyas paredes están las glándulas que segregan el jugo gástrico; los alimentos llegan a él por el esófago y pasan al intestino después de haber actuado sobre ellos los fermentos digestivos contenidos en el jugo gástrico. Existe en los gusanos artrópodos, moluscos, procordados y vertebrados. || **2.** V. **Boca del estómago.** || **3.** V. **Empacho de estómago.** || **4.** fig. V. **Sello del estómago.** || **aventurero.** fig. y fam. Persona que come ordinariamente en mesa ajena. || **Abrazar el estómago** una cosa. fr. Recibirla y conservarla bien. || **Asentarse en el estómago** una cosa. fr. No digerirse bien. || **De estómago.** loc. fig. y fam. Dícese de la persona constante y de espera. || **2.** fig. Dícese de la persona poco delicada. || **Desconcertarse el estómago.** fr. Perturbarse la digestión. || **Escarbar el estómago.** fr. Padecer cierta desazón o inquietud el **estómago** con algún ardor que incomoda. || **Hacer buen,** o **mal, estómago** una cosa. fr. fig. Causar gusto o desagrado. || **Hacer** uno **estómago a** una cosa. fr. fig. Resolverse a sufrir lo que pueda sobrevenir. || **Ladrar el estómago.** fr. fig. y fam. Tener hambre. || **Llevar el estómago** una cosa. fr. Sentar bien algunos manjares al **estómago.** || **No retener** uno **nada en el estómago.** fr. fig. y fam. Ser fácil en revelar y decir lo que se le ha comunicado y confiado. || **Quedar** a uno **algo en el estómago.** fr. fig. y fam. No decir todo lo que sabe o siente sobre una materia. || **Relajarse el estómago.** fr. Estragarse o perder sus fuerzas. || **Revolver el estómago.** fr. Removerlo, alterarlo, conmoverlo. || **2.** fig. Causar una cosa aversión, repugnancia o antipatía por innoble, inmoral, etc. || **Tener** uno **buen,** o **mucho, estómago.** fr. fig. y fam. Sufrir los desaires e injurias que se le hacen sin darse por sentido. || **2.** fr. fig. Ser poco escrupuloso en punto a moralidad. || **Tener** a uno **sentado en el estómago.** fr. fig. y fam. **Tener a uno sentado en la boca del estómago.**

Estomaguero. m. Pedazo de bayeta que se pone a los niños sobre el vientre o boca del estómago para abrigo y reparo, cuando se les envuelve y faja.

Estomatical. (De *estomático.*) adj. **Estomacal.**

Estomático, ca. (Del lat. *stomachĭcus,* y éste del gr. στομαχικός.) adj. ant. Perteneciente al estómago.

Estomático, ca. (Del gr. στόμα, boca.) adj. Perteneciente a la boca, 1.ª acep.

Estomaticón. (De *estomático.*) m. Emplasto compuesto de varios ingredientes aromáticos, que se pone sobre la boca del estómago para confortarlo.

Estomatitis. (Del gr. στόμα, -ατος, boca, y el sufijo *-itis.*) f. *Med.* Inflamación de la mucosa bucal.

Estomatología. (Del gr. στόμα, -ατος, boca, y λόγος, tratado.) f. *Med.* Tratado de las enfermedades de la boca.

Estomatópodo. (Del gr. στόμα, -ατος, boca, y πούς, ποδός, pie.) adj. *Zool.* Dícese de crustáceos marinos, zoófagos, cuyo caparazón, que es aplanado, deja sin cubrir los tres últimos segmentos torácicos a los cuales sigue el abdomen, ancho y bien desarrollado. Las extremidades del segundo par están dispuestas para la prensión y se asemejan a las patas anteriores de las santateresas. Abundan en el Mediterráneo y son menos frecuentes en los mares del Norte; como la galera. Ú. t. c. s. m. || **2.** m. pl. *Zool.* Orden de estos animales.

Estonce. (De la prep. lat. *ex* y el adv. *tuncce.*) adv. t. ant. **Entonces.**

Estonces. (De *estonce.*) adv. t. ant. **Entonces,** 1.ª acep.

Estoniano, na. adj. **Estonio.**

Estonio, nia. adj. Natural de Estonia. Ú. t. c. s. || **2.** Perteneciente a esta república, que se extiende al sur del golfo de Finlandia y antes era provincia del imperio ruso. || **3.** m. Lengua finesa hablada por este pueblo.

Estopa. (Del lat. *stŭppa.*) f. Parte basta o gruesa del lino o del cáñamo, que queda en el rastrillo cuando se peina y rastrilla. También se dice de la parte basta que queda de la seda. || **2.** Tela gruesa que se teje y fabrica con la hilaza de la **estopa.** || **3.** La rebaba, pelo o filamento que parece en algunas maderas al trabajarlas. || **4.** *Mar.* Jarcia vieja, deshilada y deshecha, que sirve para calafatear. || **La estopa, de junto al fuego, quítala luego.** ref. que aconseja apartar las ocasiones de pecar. Aplícase especialmente al trato de la mujer moza con el varón. || **No bastan estopas para tapar tantas bocas.** ref. que advierte lo dificultoso que es impedir la murmuración casi general.

Estopada. f. Porción de estopa para hilar o para otros usos; como emplastos, etc. || **Si no fui avisada, tomé la estopada.** ref. que da a entender que los que no tienen habilidad para los ejercicios delicados, se aplican por necesidad a los groseros.

Estopeño, ña. adj. Perteneciente a la estopa. || **2.** Hecho o fabricado de estopa.

Estoperol. (En ital. *stoparuolo.*) m. *Mar.* Clavo corto, de cabeza grande y redonda, que sirve para clavar capas y otras cosas. || **2.** *Amér.* Tachón, tachuela grande dorada o plateada.

Estoperol. (De *estopa.*) m. *Mar.* Especie de mecha formada de filástica vieja y otras materias semejantes.

Estopilla. (d. de *estopa.*) f. Parte más fina que la estopa, que queda en el rastrillo al pasar por él segunda vez el lino o el cáñamo. || **2.** Hilado que se hace con esa **estopilla.** || **3.** Tela que se fabrica con ese hilado. || **4.** Lienzo o tela muy sutil y delgada, como el cambray, pero muy rala y clara, y semejante en lo transparente a la gasa. || **5.** Tela ordinaria de algodón. || **de Suiza.** f. Cambray ordinario.

Estopín. (De *estopa.*) m. *Art.* Artificio destinado a inflamar la carga de las armas de fuego.

Estopón. m. Lo más grueso y áspero de la estopa, que, hilándose, sirve para harpilleras y otros usos. || **2.** Tejido que se fabrica de este hilado.

Estopor. (Del ingl. *stopper,* que detiene.) m. *Mar.* Aparato de hierro que sirve para morder y detener a voluntad la cadena del ancla, que va corriendo por el escobén.

Estoposo, sa. adj. Perteneciente a la estopa, 1.ª acep. || **2.** fig. Parecido a la estopa, 1.ª acep.

Estoque. (Del al. *stock,* bastón.) m. Espada angosta, que por lo regular suele ser de más de marca, y con la cual sólo se puede herir de punta. || **2.** Arma blanca a modo de espada angosta, o formada por una varilla de acero de sección cuadrangular y aguzada por la punta, que suele llevarse metida en un bastón, y con la cual sólo se puede herir de punta. || **3.** *Ál.* Rejón que se fija en la punta de la aguijada. || **4.** *Bot.* Planta de la familia de las iridáceas, de cuatro a seis decímetros de altura, con hojas radicales, enterísimas, en figura de **estoque,** y flores en espiga terminal, rojas, de corola partida por el borde en seis lacinias desiguales. Es espontánea en terrenos húmedos y se cultiva en los jardines. || **real.** Una de las insignias de los reyes, que en algunas solemnidades se llevaba desnuda delante del monarca, significando potestad y justicia.

Estoqueador. m. El que estoquea. Dícese principalmente de los toreros que matan los toros con estoque.

Estoquear. tr. Herir de punta con espada o estoque.

Estoqueo. (De *estoquear.*) m. Acto de tirar estocadas.

Estoquillo. m. *Chile.* Planta de la familia de las ciperáceas, con el tallo en forma triangular y cortante, que crece en terrenos húmedos.

Estora. f. **Álabe,** 2.ª acep.

Estoraque. (Del lat. *styrăca* y *storax,* y éste del gr. στύραξ.) m. Árbol de la familia de las estiracáceas, de cuatro a seis metros de altura, con tronco torcido, hojas alternas, blandas, ovaladas, blanquecinas y vellosas por el envés, flores blancas en grupos axilares, y fruto algo carnoso, elipsoidal, con dos huesos o semillas. Con incisiones en el tronco se obtiene un bálsamo muy oloroso, usado en perfumería y medicina. || **2.** Este bálsamo. || **líquido.** Bálsamo americano, de consistencia pastosa, parecido al liquidámbar, y del cual suele extraerse el ácido cinámico.

Estorbador, ra. (Del lat. *exturbātor.*) adj. Que estorba.

Estorbar. (Del lat. *extŭrbāre.*) tr. Poner embarazo u obstáculo a la ejecución de una cosa. || **2.** fig. Molestar, incomodar. || **Estorbarle** a uno **lo negro.** fr. fig. y fam. No saber leer, o ser poco aficionado a la lectura.

Estorbo. m. Persona o cosa que estorba.

Estorboso, sa. adj. Que estorba. || **2.** *Ar.* y *Logr.* Dícese del tiempo malo, especialmente del lluvioso, cuando dificulta las labores del campo.

Estorcer. (Del lat. *extorquēre.*) tr. ant. Libertar a uno de un peligro o aprieto. Usáb. t. c. intr.

Estorcijón. (De *estorcer.*) m. ant. **Retortijón.**

Estorcimiento. (De *estorcer.*) m. ant. **Evasión.**

Estordecido, da. adj. ant. **Estordido.**

Estordido, da. adj. ant. Aturdido, fuera de sí.

Estórdiga. f. *Sal.* Túrdiga, tira de piel que se saca de la pata de una res vacuna para hacer abarcas. || **2.** *Sal.* Faja de tierra, larga y angosta.

Estornija. (De *es* y *torno.*) f. Anillo de hierro que se pone en el pezón del eje de los carruajes, entre la rueda y el clavo o clavijas que la detiene, para que no se salga. || **2. Tala,** 2.° art., 1.ª acep.

Estornino. (Del lat. *stornus.*) m. Pájaro de cabeza pequeña, pico cónico, amarillo, cuerpo esbelto con plumaje negro de reflejos verdes y morados y pintas blancas, alas y cola largas, y pies rojizos. Mide unos 22 centímetros desde el pico a la extremidad de la cola, y 35 de envergadura; es bastante común en España. Se domestica y aprende a cantar bien y fácilmente.

Estornudar. (Del lat. *sternutāre,* frec. de *sternuĕre.*) intr. Despedir o arrojar con estrépito y violencia el aire de los pulmones, por la espiración involuntaria y repentina promovida por un estímulo que actúa sobre la membrana pituitaria.

Estornudo. m. Acción y efecto de estornudar.

Estornutatorio, ria. adj. Que provoca a estornudar. Ú. t. c. s. m.

Estotro, tra. pron. dem., contracc. de **este, esta,** o **esto,** y **otro** u **otra.**

Estovar. (Del b. lat. *stupha* y *stuba,* hipocausto.) tr. **Rehogar.**

Estozar. (Del cat. *tos,* testa.) tr. *Ar.* Desnucar, romper la cerviz. Ú. m. c. r.

Estozolar. (De *tozuelo.*) tr. *Ar.* y *Nav.* **Estozar.** Ú. m. c. r.

Estrabismo. (Del gr. στραβισμός.) m. *Med.* Disposición viciosa de los ojos por la cual los dos ejes visuales no se dirigen a la vez al mismo objeto.

Estrabón. (Del lat. *strabo, -ōnis,* y éste del gr. στράβων, de στρέφω, volver, torcer.) adj. ant. **Bisojo.** Usáb. t. c. s.

Estrabosidad. f. ant. *Med.* **Estrabismo.**

Estracilla. (d. de *estraza.*) f. Pedazo pequeño y tosco de algún género de ropa o tejido de lana o lino. || **2.** Papel algo más fino y consistente que el de estraza.

Estrada. (Del lat. *strāta.*) f. **Camino,** 1.ª y 2.ª aceps. || **2.** *Viz.* Camino entre dos tapias, cercas o setos. || **3.** *Sal.* Tabla sostenida en el aire por medio de unas cuerdas, que sirve a modo de anaquel para poner en él viandas y otras cosas. || **4.** *Germ.* Lugar y sitio donde se sientan las mujeres. || **encubierta.** *Fort.* **Camino cubierto.** || **Batir la estrada.** fr. *Mil.* Reconocer, registrar la campaña.

Estradiota. f. Lanza de unos tres metros de longitud, con hierro en ambos extremos, que usaban los estradiotes. || **A la estradiota.** m. adv. Manera de andar a caballo con estribos largos, tendidas las piernas, las sillas con borrenes, donde encajan los muslos, y los frenos de los caballos con las camas largas.

Estradiote. (Del gr. στρατιώτης, soldado.) m. Soldado mercenario de a caballo, procedente de Albania.

Estrado. (Del lat. *strātum.*) m. Conjunto de muebles que servía para adornar el lugar o pieza en que las señoras recibían las visitas, y se componía de alfombra o tapete, almohadas y taburetes o sillas. || **2.** Lugar o sala de ceremonia donde se sentaban las mujeres y recibían las visitas. || **3.** Tarima cubierta con alfombra sobre la cual se pone el trono real o la mesa presidencial en actos solemnes. || **4.** Entre panaderos, entablado o sitio que está junto al horno, en que se ponen los panes amasados, mientras no están en sazón para echarlos a cocer. || **5.** pl. Salas de tribunales, donde los jueces oyen y sentencian los pleitos. || **6.** *For.* Paraje del edificio en que se administra la justicia, donde en ocasiones se fijan, para conocimiento público, los edictos de notificación, citación o emplazamiento a interesados que no tienen representación en los autos. || **7.** V. **Portero de estrados.** || **Abájanse los estrados, y álzanse los establos.** ref. **Abájanse los adarves, y álzanse los muladares.** || **Citar** a uno **para estrados.** fr. *For.* Emplazarle, comúnmente por estar constituido en rebeldía, mediante edictos, para que comparezca ante el tribunal dentro del término que se le señala y alegue su derecho. || **Hacer estrados.** fr. *For.* Dar audiencia los jueces en los tribunales, oir a los litigantes.

Estrafalariamente. adv. m. fam. De manera estrafalaria.

Estrafalario, ria. adj. fam. Desaliñado en el vestido o en el porte. Ú. t. c. s. || **2.** fig. y fam. Extravagante en el modo de pensar o en las acciones. Ú. t. c. s.

Estragadamente. adv. m. Con desorden y desarreglo.

Estragador, ra. adj. Que estraga.

Estragal. m. *Sant.* Portal, vestíbulo de una casa.

Estragamiento. (De *estragar.*) m. ant. **Estrago.** || **2.** Desarreglo y corrupción.

Estragar. tr. Viciar, corromper. Ú. t. c. r. || **2.** Causar estrago.

Estrago. (Del lat. *strages.*) m. Daño hecho en guerra; matanza de gente; destrucción de la campaña, del país o del ejército. || **2.** Ruina, daño, asolamiento.

Estragón. (Del ár. persa *aṭ ṭarjūn*, y éste del gr. δράκων, dragón; véase *dragoncillo.*) m. Hierba de la familia de las compuestas, con tallos delgados y ramosos de seis a ocho decímetros, hojas enteras, lanceoladas, muy estrechas y lampiñas, y flores en cabezuelas pequeñas, amarillentas, en el extremo superior de los ramos. Se usa como condimento.

Estrambote. (Del ital. *strambotto.*) m. Conjunto de versos que por gracejo o bizarría suele añadirse al fin de una combinación métrica, y especialmente del soneto.

Estrambóticamente. adv. m. fam. De manera estrambótica.

Estrambótico, ca. adj. fam. Extravagante, irregular y sin orden.

Estramonio. (Del lat. *stramonium.*) m. Planta herbácea de la familia de las solanáceas, con tallos ramosos de cuatro a seis decímetros, hojas grandes, anchas y dentadas; flores grandes, blancas y de un solo pétalo a manera de embudo, y fruto como una nuez, espinoso, y llenas sus celdillas de simientes del tamaño de un cañamón. Toda la planta exhala un olor fuerte, y sus hojas secas se usan como medicamento para las afecciones asmáticas, fumándolas mezcladas con tabaco.

Estrangol. (De *estrangular.*) m. *Veter.* Compresión que impide en la lengua de una caballería la libre circulación de los fluidos, causada por el bocado o el ramal que se le mete en la boca.

Estranguadera. f. *León.* Cajón que llevan los carros en el arranque de la vara.

Estrangul. m. Pipa de caña o metal que se pone en algunos instrumentos de viento para meterla en la boca y tocar.

Estrangulación. (Del lat. *strangulatĭo, -ōnis.*) f. Acción y efecto de estrangular o estrangularse.

Estrangulador, ra. (Del lat. *strangulātor.*) adj. Que estrangula. Ú. t. c. s.

Estrangular. (Del lat. *strangulāre.*) tr. Ahogar a una persona o a un animal oprimiéndole el cuello hasta impedir la respiración. Ú. t. c. r. || **2.** *Cir.* Interceptar la comunicación de los vasos de una parte del cuerpo por medio de presión o ligadura. Ú. t. c. r.

Estranguria. (Del lat. *stranguria*, y éste del gr. στραγγουρία; de στράγξ, gota, y οὐρέω, orinar.) f. *Med.* Micción dolorosa gota a gota con tenesmo de la vejiga.

Estrangurria. f. *Med.* ant. **Estranguria.**

Estrapada. (Del ital. *strappata*, y éste del germ. *strap*, tirar.) f. ant. Vuelta de cuerda en el tormento o trampazo.

Estrapajar. tr. ant. **Entrapajar.**

Estrapalucio. m. fam. **Estropicio.**

Estratagema. (Del lat. *strategēma*, y éste del gr. στρατήγημα, de στρατηγέω, mandar un ejército.) f. Ardid de guerra; engaño hecho con astucia y destreza. || **2.** fig. Astucia, fingimiento y engaño artificioso.

Estratega. m. **Estratego.**

Estrategia. (Del lat. *strategĭa*, y éste del gr. στρατηγία, de στρατηγός, general, jefe.) f. Arte de dirigir las operaciones militares. || **2.** fig. Arte, traza para dirigir un asunto.

Estratégicamente. adv. m. Con estrategia.

Estratégico, ca. (Del lat. *strategĭcus*, y éste del gr. στρατηγικός.) adj. Perteneciente a la estrategia. || **2.** Que posee el arte de la estrategia. Ú. t. c. s.

Estratego. (Del lat. *stratēgus*, y éste del gr. στρατηγός.) m. Persona versada en estrategia.

Estratificación. (De *estratificar.*) f. *Geol.* Acción y efecto de estratificar o estratificarse. || **2.** *Geol.* Disposición de las capas o estratos de un terreno.

Estratificar. (Del lat. *strātus*, extendido, y *facĕre*, hacer.) tr. *Geol.* Formar estratos. Ú. m. c. r.

Estratigrafía. (Del lat. *strātus*, lecho, y del gr. γράφω, describir.) f. *Geol.* Parte de la geología, que estudia la disposición y caracteres de las rocas estratificadas.

Estratigráfico, ca. adj. *Geol.* Perteneciente o relativo a la estratigrafía.

Estrato. (Del lat. *strātus*, manta.) m. *Geol.* Masa mineral en forma de capa de espesor próximamente uniforme, que constituye los terrenos sedimentarios. || **2.** *Meteor.* Nube que se presenta en forma de faja en el horizonte. || **cristalino.** *Geol.* Terreno que constituye la base de los sedimentarios, y que está formado por rocas pizarreñas de elementos cristalinos.

Estratosfera. (Del lat. *strātus*, extendido, y *sphaera.*) f. *Meteor.* Zona superior de la atmósfera, desde los 12 a los 100 kilómetros de altura.

Estrave. (En fr. *étrave;* en neerl. *steven.*) m. *Mar.* Remate de la quilla del navío, que va en línea curva hacia la proa.

Estraza. (De *estrazar.*) f. Trapo, pedazo o desecho de ropa basta. || **2.** V. **Papel de estraza.**

Estrazar. (En ital. *straziare.*) tr. ant. Despedazar, romper, hacer pedazos.

Estrazo. (De *estrazar.*) m. ant. Andrajo, pedazo arrancado de un vestido, ropa u otra cosa.

Estrechadura. (De *estrechar.*) f. ant. **Estrechamiento.**

Estrechamente. adv. m. Con estrechez. || **2.** fig. Exacta y puntualmente. || **3.** fig. Fuertemente, rigurosamente, con toda eficacia. || **4.** Con cercano parentesco, con íntima relación.

Estrechamiento. m. Acción y efecto de estrechar o estrecharse.

Estrechar. (De *estrecho.*) tr. Reducir a menor ancho o espacio una cosa. || **2.** ant. Contener o detener a uno; impedirle o embarazarle para que no prosiga ni pase adelante en su intento. || **3.** fig. Apretar, reducir a estrechez. ESTRECHAR *la plaza;* ESTRECHAR *al enemigo.* || **4.** fig. Precisar a uno, contra su voluntad, a que haga alguna cosa. || **5.** r. Ceñirse, recogerse, apretarse. || **6.** fig. Cercenar uno el gasto, la habitación. || **7.** fig. Unirse y enlazarse una persona a otra con mayor estrechez; como en amistad o en parentesco. || **Estrecharse** uno **con** otro. fr. fig. Hablarle con amistad y empeño, y persuadirle a que haga lo que le pide.

Estrechez. (De *estrecho.*) f. Escasez de anchura de alguna cosa. || **2.** Escasez o limitación apremiante de tiempo. || **3.** Unión o enlace estrecho de una cosa con otra. || **4.** fig. Amistad íntima entre dos o más personas. || **5.** fig. Aprieto, lance apretado. *Pedro se halla en grande* ESTRECHEZ. || **6.** fig. Recogimiento, retiro y austeridad de vida. || **7.** fig. Escasez notable; falta de lo necesario para subsistir. || **8.** *Med.* Disminución anormal del calibre de un conducto natural o de una abertura.

Estrecheza. f. ant. **Estrechez.**

Estrechía. (De *estrecho.*) f. ant. **Estrechez.**

Estrecho, cha. (Del lat. *strictus.*) adj. Que tiene poca anchura. || **2.** Ajustado, apretado. *Vestido, zapato* ESTRECHO. || **3.** fig. Se dice del parentesco cercano y de la amistad íntima. || **4.** fig. Rígido, austero, exacto. || **5.** fig. Apocado, miserable, tacaño. || **6.** m. El caballero respecto de la dama, o viceversa, cuando salen juntos al echar damas y galanes en los sorteos que por diversión era costumbre hacer por lo general la víspera de Reyes. Ú. en pl., para designar esta diversión. || **7.** fig. **Estrechez,** 5.ª acep. || **8.** *Geogr.* Paso angosto comprendido entre dos tierras y por el cual se comunica un mar con otro. *El* ESTRECHO *de Gibraltar, el de Magallanes.* || **A la estrecha.** m. adv. ant. **Estrechamente.** || **2.** ant. Con amistad. || **3.** ant. **Rigurosamente.** || **Al estrecho.** m. adv. **A la fuerza.** || **Poner** a uno **en estrecho de hacer** una cosa. fr. Traerle a ocasión forzosa para que la haga.

Estrechón. m. *Mar.* **Socollada.**

Estrechura. (De *estrecho.*) f. Estrechez o angostura de un terreno o paso. || **2. Estrechez,** 4.ª, 5.ª y 6.ª aceps.

Estregadera. (De *estregar.*) f. Cepillo o limpiadera de cerdas cortas y espesas.

Estregadero. m. Sitio o lugar donde los animales se suelen estregar; como peñas, árboles y partes ásperas. || **2.** Paraje donde estriegan y lavan la ropa.

Estregadura. f. Acción y efecto de estregar o estregarse.

Estregamiento. m. **Estregadura.**

Estregar. (Del lat. *striga*, de *stringĕre*, rozar.) tr. Frotar, pasar con fuerza una cosa sobre otra para dar a ésta calor, limpieza, tersura, etc. Ú. t. c. r.

Estregón. (De *estregar.*) m. Roce fuerte, refregón.

Estrella. (Del lat. *stella.*) f. Cada uno de los innumerables cuerpos que brillan en la bóveda celeste, a excepción del Sol y la Luna. || **2.** Especie de lienzo. || **3.** En el torno de la seda, cualquiera rueda, grande o pequeña, cuya figura es de rayos o puntas, y que sirve para hacer andar a otra o para ser movida por otra. || **4.** Lunar de pelos blancos, más o menos redondo y de la magnitud de un peso duro, que tienen algunos caballos o yeguas en medio de la frente. Se diferencia del lucero en ser de menor tamaño. || **5.** Objeto de figura de **estrella,** ya con rayos que parten de un centro común, ya con un círculo rodeado de puntas. || **6.** V. **Hierba estrella.** || **7.** fig. Signo, hado o destino. || **8.** fig. Persona que sobresale en su profesión por sus dotes excepcionales. || **9.** *Astron.* **Estrella fija.** || **10.** V. **Anteojo de estrella.** || **11.** *Fort.* Fuerte de campaña que, por sus ángulos entrantes y salientes, imita en su figura a la **estrella** pintada. Hácese con cuatro, cinco o seis puntas o ángulos salientes, según la capacidad del terreno. || **12.** *Germ.* **Iglesia.** || **13.** pl. Especie de pasta, en figura de **estrellas,** que sirve para sopa. || **Estrella binaria.** *Astron.* **Estrella doble.** || **del Norte.** *Astron.* **Estrella polar.** || **de mar. Estrellamar,** 1.ª acep. || **de rabo. Cometa,** 1.ª acep. || **de Venus. Venus,** 1.ª acep. || **doble.** *Astron.* Sistema de dos **estrellas** enlazadas por la gravitación universal. || **errante,** o **errática. Planeta,** 3.ª acep. || **fija.** *Astron.* Cada una de las que brillan con luz propia y guardan siempre entre sí la misma distancia sensible, por lo cual se las ha considerado como inmóviles. || **fugaz.** Cuerpo luminoso que suele verse repentinamente en la atmósfera y se mueve con gran velocidad, apagándose pronto. || **múltiple.** *Astron.* Sistema de más de tres **estrellas** enlazadas por la gravitación universal. || **nova.** *Astron.* **Estrella temporaria.** || **polar.** *Astron.* La que está en el extremo de la lanza de la Osa Menor. || **temporaria.** *Astron.* La que repentinamente adquiere un brillo superior al ordinario y lo mantiene durante cierto tiempo. || **triple.** *Astron.* Sistema de tres **estrellas** enlazadas por la gravitación universal. || **variable.** *Astron.* La que aumenta y disminuye de claridad en períodos más o menos largos. || **Campar** uno **con** su **estrella.** fr. fig. Ser feliz y afortunado. || **Con estrellas.** m. adv. Poco después de anochecer, o antes de amanecer. || **Levantarse** uno **a las estrellas.** fr. fig. Ensoberbecerse, irritarse. || **Levantarse** uno **con estrellas,** o **con las estrellas.** fr. fam. Levantarse muy temprano; madrugar mucho. || **Nacer** uno **con estrella.** fr. fig. **Tener estrella.** || **Poner sobre,** o **por las estrellas** a una persona o cosa. fr. fig. Exagerarla, ponderarla con exceso de alabanza. || **Querer** uno **contar las estrellas.** fr. fig. y fam. Querer hacer una cosa muy difícil. || **Tener** uno **estrella.** fr. fig. Ser dichoso y atraerse naturalmente la aceptación de las gentes. || **Tomar la estrella.** fr. *Mar.* Tomar la altura del polo. || **Unos nacen con estrella, y otros nacen estrellados.** fr. proverb. con que se da a entender la distinta suerte de las personas. || **Ver** uno **las estrellas.** fr. fig. y fam. Sentir un dolor muy fuerte y vivo. Dícese por la especie de lucecillas que parece que uno ve cuando recibe un gran golpe.

Estrellada. (De *estrella.*) f. **Amelo.**

Estrelladera. f. p. us. Utensilio culinario de hierro, a modo de cuchara, pero con la pala plana y agujereada, como la espumadera, que se emplea para coger de la sartén los huevos estrellados y para otros usos análogos.

Estrelladero. (De *estrellar.*) m. Instrumento de hierro o de cobre, a manera de una sartén llana, con varias divisiones en las que pueden caber dos yemas, que usan los reposteros para hacer los huevos dobles quemados.

Estrellado, da. p. p. de **Estrellar.** || **2.** adj. De forma de estrella. || **3.** Dícese del caballo o yegua que tiene una estrella en la frente. || **4.** V. **Anís estrellado de las Indias.** || **5.** V. **Cardo, huevo estrellado.**

Estrellamar. (De *estrella de mar.*) f. Animal equinodermo, de cuerpo comprimido, en forma de una estrella de cinco puntas y con dermatoesqueleto formado por numerosas placas calcáreas, casi siempre provistas de púas. De la boca parten cinco surcos radiales. Vive en el mar a profundidades muy distintas, según las especies, y entre éstas hay diferencias notables en tamaño, coloración, longitud y grosor de las púas del caparazón, etc. || **2.** Hierba de la familia de las plantagináceas, especie de llantén, del que se diferencia por ser las hojas más estrechas, muy dentadas y extenderse circularmente sobre la tierra a manera de estrella.

Estrellamiento. m. ant. Conjunto de estrellas o porción de cielo que corresponde a un punto o región del globo.

Estrellar. (Del lat. *stellāris.*) adj. Perteneciente a las estrellas.

Estrellar. (De *estrella.*) tr. Sembrar o llenar de estrellas. Ú. m. c. r. || **2.** fam. Arrojar con violencia una cosa contra otra, haciéndola pedazos. Ú. t. c. r. || **3.** Dicho de los huevos, freírlos. || **4.** r. Quedar malparado o matarse por efecto de un choque violento contra una superficie dura. || **5.** fig. Fracasar en una pretensión por tropezar contra un obstáculo insuperable. || **Estrellarse** uno **con** otro. fr. fig. Contradecirle oponiéndosele abiertamente y con descomedimiento.

Estrellera. f. *Mar.* **Aparejo real.**

Estrellería. (De *estrellero.*) f. **Astrología.**

Estrellero, ra. (De *estrella.*) adj. Dícese del caballo o yegua que despapa o levanta mucho la cabeza. || **2.** m. ant. **Astrólogo.**

Estrellón. m. aum. de **Estrella.** || **2.** Fuego artificial que al tiempo de quemarse forma la figura de una estrella grande. || **3.** Figura o hechura de estrella, muy grande, que se pinta o forma para colocarla en lo alto de un altar o perspectiva. || **4.** *Chile* y *Hond.* Choque, encontrón.

Estrelluela. f. d. de **Estrella.** || **2.** Rodajita con puntas en que rematan las espuelas y espolines.

Estremecedor, ra. adj. Que estremece.

Estremecer. (Del lat. *ex* y *tremiscĕre,* incoat. de *tremĕre,* temblar.) tr. Conmover, hacer temblar. *El ruido del cañonazo* ESTREMECIÓ *las casas.* || **2.** fig. Ocasionar alteración o sobresalto en el ánimo una causa extraordinaria o imprevista. || **3.** r. Temblar con movimiento agitado y repentino. || **4.** Sentir una repentina sacudida nerviosa o sobresalto en el ánimo.

Estremecimiento. m. Acción y efecto de estremecer o estremecerse.

Estremezo. (De *estremecer.*) m. *Ar.* **Estremecimiento.**

Estremezón. m. *Colomb.* **Estremecimiento.** || **2.** *Bad.* **Escalofrío.**

Estremuloso, sa. (De *es* y *tremuloso.*) adj. ant. Trémulo, temeroso, asombrado y propiamente tembloroso.

Estrena. (Del lat. *strena.*) f. Dádiva, alhaja o presente que se da en señal y demostración de gusto, felicidad o beneficio recibido. Ú. t. en pl. || **2.** desus. Principio o primer acto con que se comienza a usar o hacer una cosa. *La* ESTRENA *del vestido, la de una carroza.* || **Hacer** uno **la estrena.** fr. fam. Ser el primero en hacer o comprar una cosa.

Estrenar. (De *estrena.*) tr. Hacer uso por primera vez de una cosa. ESTRENAR *un traje, una escopeta, un edificio.* || **2.** Tratándose de ciertos espectáculos públicos, representarlos o ejecutarlos por primera vez. ESTRENAR *una comedia, una ópera.* || **3.** ant. Regalar, galardonar, dar estrenas. || **4.** r. Empezar uno a desempeñar un empleo, oficio, encargo, etc., o darse a conocer por vez primera en el ejercicio de un arte, facultad o profesión. || **5.** Hacer un vendedor o negociante la primera transacción de cada día.

Estreno. m. Acción y efecto de estrenar o estrenarse.

Estrenque. (De *estrinque.*) m. Maroma gruesa hecha de esparto. || **2.** *Ar.* Cadena de hierro que enganchan los carreteros a las ruedas para que tiren de ella las caballerías cuando el carro está atascado.

Estrenuidad. (Del lat. *strenuĭtas, -ātis.*) f. Calidad de estrenuo.

Estrenuo, nua. (Del lat. *strenŭus.*) adj. Fuerte, ágil, valeroso, esforzado.

Estreñido, da. p. p. de **Estreñir.** || **2.** adj. Que padece estreñimiento. || **3.** fig. Miserable, avaro, mezquino.

Estreñimiento. m. Acción y efecto de estreñir o estreñirse.

Estreñir. (Del lat. *stringĕre,* apretar, comprimir.) tr. Retrasar el curso del contenido intestinal y dificultar su evacuación. Ú. t. c. r. || **2.** r. ant. fig. Apocarse, encogerse.

Estrepada. (Del prov. *estrepar,* y éste de la raíz germ. *strap,* tirar.) f. Esfuerzo que se hace de cada vez para tirar de un cabo, cadena, etc., y en especial, el esfuerzo reunido de diversos operarios, etc. || **2.** *Mar.* Esfuerzo que para bogar hace un remero, y en general el esfuerzo de todos los remeros a la vez. || **3.** *Mar.* **Arrancada,** 4.ª acep.

Estrépito. (Del lat. *strepĭtus.*) m. Ruido considerable, estruendo. || **2.** fig. Ostentación, aparato en la realización de algo. || **Sin estrépito ni figura de juicio.** loc. *For.* Sin observar las solemnidades de derecho, sino de plano, breve y sumariamente.

Estrepitosamente. adv. m. Con estrépito.

Estrepitoso, sa. adj. Que causa estrépito.

Estreptococia. f. *Med.* Infección producida por los estreptococos.

Estreptocócico, ca. adj. *Med.* Perteneciente o relativo a la estreptococia.

Estreptococo. (Del gr. στρεπτός, trenzado, y κόκκος, grano.) m. *Bot.* Nombre dado a bacterias de forma redondeada que se agrupan en forma de cadenita.

Estreptomicina. (Del gr. στρεπτός, trenzado, y μύκης, hongo.) f. Substancia elaborada por determinados organismos del tipo de las bacterias o de los mohos del género *streptomyces,* que posee acción antibiótica para el bacilo de la tuberculosis y otros.

Estría. (Del lat. *stria.*) f. *Arq.* Mediacaña en hueco, que se suele labrar en algunas columnas o pilastras de arriba abajo. || **2.** Por ext., cada una de las rayas en hueco que suelen tener algunos cuerpos.

Estriación. f. *Zool.* Conjunto de rayas o estrías transversales que tienen todas las fibras musculares de los artrópodos, y las que forman parte del miocardio y de los músculos de contracción voluntaria de los vertebrados.

Estriar. (Del lat. *striāre.*) tr. Formar estrías, acanalar. || **2.** r. Formar una cosa en sí surcos o canales o salir acanalada.

Estribación. (De *estribar.*) f. *Geogr.* **Estribo,** 10.ª acep.

Estribadero. m. Parte donde estriba o se asegura una cosa.

Estribador, ra. adj. ant. Que estriba y se afirma en una cosa.

Estribadura. f. ant. Acción de estribar.

Estribar. (De *estribo.*) intr. Descansar el peso de una cosa en otra sólida y firme. || **2.** fig. Fundarse, apoyarse.

Estribera. (De *estribar.*) f. **Estribo,** 1.ª y 3.ª aceps. || **2.** *Ar.* y *Sal.* Trabilla del peal que se sujeta al pie. || **3.** *Ar.* y *Sal.* Peal, media sin pie sujeta con una trabilla. || **4.** *Argent.* **Ación.**

Estribería. f. Taller donde se hacen estribos. || **2.** Lugar o paraje donde se guardan.

Estriberón. m. aum. de **Estribera.** || **2.** Resalto colocado a trechos sobre el suelo en un paso difícil, para que sirva de apoyo a los pies de los transeúntes. || **3.** *Mil.* Paso firme hecho con piedras, zarzas o armazón de madera, para que puedan transitar por terrenos pantanosos o muy desiguales las tropas y sus trenes.

Estribillo. (d. de *estribo.*) m. Expresión o cláusula en verso, que se repite después de cada estrofa en algunas composiciones líricas, que a veces también empiezan con ella. || **2. Bordón,** 3.ª acep.

Estribo. (Del alto al. *streban,* apoyarse.) m. Pieza de metal, madera o cuero en que el jinete apoya el pie, la cual está pendiente de la ación. || **2.** Especie de escalón que sirve para subir o bajar de los coches y otros carruajes. || **3.** Hierro pequeño, en figura de sortija, que se fija en la cabeza de la ballesta. || **4.** Chapa de hierro doblada en ángulo recto por sus dos extremos, que se emplea para asegurar la unión de ciertas piezas; como las llantas a las ruedas de los carruajes y cureñas, los pendolones a los tirantes de las armaduras, etc. || **5.** fig. Apoyo, fundamento. || **6.** *Germ.* **Criado,** 2.ª acep. || **7.** *Arq.* Macizo de fábrica, que sirve para sostener una bóveda y contrarrestar su empuje. || **8.** *Arq.* **Contrafuerte,** 3.ª acep. || **9.** *Carp.* Madero que algunas veces se coloca horizontalmente sobre los tirantes, y en el que se embarbillan y apoyan los pares de una armadura. || **10.** *Geogr.* Ramal corto de montañas que se desprende a uno u otro lado de una cordillera. || **11.** *Anat.* Uno de los tres huesecillos que se encuentran en la parte media del oído de los mamíferos y que está articulado con la apófisis lenticular del yunque. || **vaquero.** El de madera y hierro, a veces revestido de cuero, que cubre todo el pie. || **Andar,** o **estar, uno sobre los estribos.** fr. fig. Obrar con advertencia y precaución. || **Perder uno los estribos.** fr. Salírsele los pies de los **estribos** involuntariamente cuando va a caballo. || **2.** fig. Desbarrar; hablar u obrar fuera de razón. || **3.** fig. Impacientarse mucho. || **Perder uno los estribos de la paciencia.** fr. fig. **Perder los estribos,** 3.ª acep.

Estribor. (Del danés *styrbord.*) m. *Mar.* Costado derecho del navío mirando de popa a proa.

Estribote. m. Composición poética antigua en estrofas con estribillo. La forma primitiva de cada estrofa consiste en tres versos monorrimos seguidos de otro verso en que se repite el consonante del estribillo.

Estricarse. (Del lat. *extricāre.*) r. ant. **Desenvolverse.**

Estricia. (De un der. del lat. *strictus,* apretado, estrecho.) f. ant. Extremo, estrecho, conflicto.

Estricnina. (Del gr. στρύχνος, nombre de diversas plantas, casi todas venenosas.) f. *Quím.* Alcaloide que se extrae de determinados órganos de algunos vegetales, como la nuez vómica y el haba de San Ignacio, y es un veneno muy activo.

Estricote (Al). m. adv. Al retortero o a mal traer.

Estrictamente. adv. m. Precisamente; en todo rigor de derecho.

Estrictez. f. *Argent., Chile* y *Perú.* Calidad de estricto, rigurosidad.

Estricto, ta. (Del lat. *strictus,* p. p. de *stringĕre,* apretar, comprimir.) adj. Estrecho, ajustado enteramente a la necesidad o a la ley y que no admite interpretación. || **2.** V. **Legítima estricta.**

Estridencia. f. **Estridor.**

Estridente. (Del lat. *stridens, -entis.*) adj. Aplícase al sonido agudo, desapacible y chirriante. || **2.** poét. Que causa o mete ruido y estruendo.

Estridor. (Del lat. *stridor.*) m. Sonido agudo, desapacible y chirriante.

Estridular. intr. Producir estridor, rechinar, chirriar.

Estriga. (Del lat. *striga.*) f. En Galicia, copo o porción de lino que se pone de cada vez en la rueca para hilarlo.

Estrige. (Del lat. *striges,* y éste del gr. στρίγξ.) f. **Lechuza,** 1.ª acep.

Estrígil. (Del lat. *strigilis.*) m. ant. **Riel,** 1.ª acep.

Estrillar. (Del lat. **strigilāre,* raspar, rascar.) tr. ant. Restregar, rascar o limpiar con la almohaza los caballos, mulas y otras bestias.

Estringa. (Del lat. *stringĕre,* apretar.) f. ant. **Agujeta,** 1.ª acep.

Estrinque. (Del ingl. *string,* cuerda.) m. *Mar.* **Estrenque,** 1.ª acep. || **2.** *Albac.* y *Ar.* **Estrenque,** 2.ª acep. || **3.** *Pal.* Cada una de las argollas de hierro que llevan las varas del carro para enganchar la caballería.

Estro. (Del lat. *oestrus,* y éste del gr. οἶστρος, tábano, aguijón.) m. Ardoroso y eficaz estímulo con que se inflaman, al componer sus obras, los poetas y artistas capaces de sentirlo. || **2.** *Veter.* Período de celo o ardor sexual de los mamíferos. || **3.** *Zool.* **Moscardón,** 1.ª acep.

Estróbilo. (Del lat. *strobilus,* y éste del gr. στρόβιλος, piña.) m. *Bot.* **Piña,** 1.ª acep. || **2.** *Hist. Nat.* Conjunto de órganos o de segmentos dispuestos ordenadamente de mayor a menor con relación a un eje, por lo que afectan forma cónica; o en serie lineal, aumentando de tamaño hacia el extremo terminal.

Estrobo. (Del lat. *strŏphus,* y éste del gr. στρόφος, lazo de cuerda.) m. *Mar.* Pedazo de cabo unido por sus chicotes, que sirve para suspender cosas pesadas, sujetar el remo al tolete y otros usos semejantes.

Estrofa. (Del lat. *strŏpha,* y éste del gr. στροφή, vuelta, conversión; de στρέφω, volver.) f. Cualquiera de las partes compuestas del mismo número de versos y ordenadas de modo igual, de que constan algunas composiciones poéticas. || **2.** Cualquiera de estas mismas partes, aunque no estén ajustadas a exacta simetría. || **3.** En la poesía griega, primera parte del canto lírico compuesto de **estrofa** y antistrofa, o de estas dos partes y de otra además llamada epodo.

Estrofanto. (Del gr. στροφή, vuelta, y ἄνθος, flor.) m. Planta apocinácea de cuyas semillas se extrae una substancia del mismo nombre, que posee acción tónica sobre el corazón.

Estrófico, ca. adj. Perteneciente a la estrofa. || **2.** Que está dividido en estrofas.

Estroma. (Del gr. στρῶμα, tapiz.) f. ant. Alfombra, tapiz. || **2.** *Zool.* Nombre dado en histología a la trama o armazón de un tejido, que sirve para el sostenimiento entre sus mallas de los elementos celulares.

Estronciana. (De *Strontian,* localidad de Escocia, donde se encontró este mineral.) f. Óxido de estroncio, que en forma de polvo gris se obtiene artificialmente y se halla en la naturaleza combinado con los ácidos carbónico y sulfúrico.

Estroncianita. (De *estronciana.*) f. Mineral formado por un carbonato de estronciana: es incoloro o verde, de brillo cristalino, y se emplea en pirotecnia por el color rojo que comunica a la llama.

Estroncio. (De *estronciana.*) m. Metal amarillo, poco brillante, de la densidad del mármol, y capaz de descomponer el agua a la temperatura ordinaria, oxidándose rápidamente. Se obtiene descomponiendo la estronciana por electrólisis.

Estropajear. tr. *Albañ.* Limpiar en seco las paredes enlucidas, o con estropajo mojado cuando están tomadas de polvo, para que queden tersas y blancas.

Estropajeo. m. Acción y efecto de estropajear.

Estropajo. (De un der. del lat. *stuppa,* estopa.) m. Planta de la familia de las cucurbitáceas, cuyo fruto desecado se usa como cepillo de aseo para fricciones. || **2.** Porción de esparto machacado, que sirve principalmente para fregar. || **3.** fig. Desecho, persona o cosa inútil o despreciable. || **4.** fig. y fam. V. **Lengua de estropajo.** || **Servir de estropajo.** fr. fig. y fam. Servir en los oficios más bajos, y también ser tratado sin miramiento.

Estropajosamente. adv. m. fig. y fam. Con lengua estropajosa.

Estropajoso, sa. (De *estropajo.*) adj. fig. y fam. Aplícase a la lengua o persona que pronuncia las palabras de manera confusa o indistinta por enfermedad o defecto natural. || **2.** fig. y fam. Dícese de la persona muy desaseada y andrajosa. || **3.** fig. y fam. Aplícase a la carne y otros comestibles que son fibrosos y ásperos y no se pueden mascar fácilmente.

Estropear. (En ital. *stroppiare.*) tr. Maltratar a uno, dejándole lisiado. Ú. t. c. r. || **2.** Maltratar o deteriorar una cosa. Ú. t. c. r. || **3.** Echar a perder, malograr cualquier asunto o proyecto. || **4.** *Albañ.* Volver a batir el mortero o mezcla de cal.

Estropeo. m. Acción y efecto de estropear o estropearse.

Estropezadura. (De *estropezar.*) f. ant. **Tropiezo.**

Estropezar. intr. ant. **Tropezar.**

Estropezón. m. ant. **Tropezón.**

Estropicio. (De *estropear.*) m. fam. Destrozo, rotura estrepitosa, por lo común impremeditada, de enseres de uso doméstico u otras cosas por lo general frágiles. || **2.** Por ext., trastorno ruidoso de escasas consecuencias.

Estropiezo. m. ant. **Tropiezo.**

Estructura. (Del lat. *structūra.*) f. Distribución y orden de las partes de un edificio. || **2.** Distribución de las partes del cuerpo o de otra cosa. || **3.** fig. Distribución y orden con que está compuesta una obra de ingenio; como poema, historia, etc.

Estructuración. f. Acción y efecto de estructurar.

Estructural. adj. Perteneciente o relativo a la estructura.

Estructurar. tr. Distribuir, ordenar las partes de una obra o de un cuerpo.

Estruendo. (Del lat. *ex* y *tonĭtrus,* trueno.) m. Ruido grande. || **2.** fig. Confusión, bullicio. || **3.** fig. Aparato, pompa.

Estruendosamente. adv. m. Con estruendo.

Estruendoso, sa. (De *estruendo.*) adj. Ruidoso, estrepitoso.

Estrujador, ra. adj. Que estruja. Ú. t. c. s. || **2.** f. **Exprimidera.**

Estrujadura. f. Acción y efecto de estrujar.

Estrujamiento. m. **Estrujadura.**

Estrujar. (Del lat. *ex* y *torcŭla,* prensa; de *torquēre,* torcer.) tr. Apretar una cosa para sacarle el zumo. || **2.** Apretar a uno y comprimirle tan fuerte y violentamente, que se le llegue a lastimar y maltratar. || **3.** fig. y fam. Agotar una cosa; sacar de ella todo el partido posible.

Estrujón. (De *estrujar.*) m. Acción y efecto de estrujar. || **2.** Vuelta dada con la briaga o soga de esparto al pie de la uva ya exprimida y reducida a orujo, echándole porción de agua y apretándolo bien para sacar el aguapié. || **3.** *And.* Acto de prensar la primera vez la aceituna.

Estrumpido. *Sal.* p. p. de **Estrumpir.** || **2.** m. *Sal.* Estallido, estampido, ruido.

Estrumpir. intr. *Sal.* Hacer explosión, estallar, meter ruido.

Estrupador. m. ant. **Estuprador.**

Estrupar. tr. ant. **Estuprar.**

Estrupo. m. ant. **Estupro.**

Estruz. (Del lat. *struthĭus,* y éste del gr. στρουθίων.) m. ant. **Avestruz.**

Estuación. (Del lat. *aestuatĭo, -ōnis,* agitación, ardor.) f. Flujo o creciente del mar.

Estuante. (Del lat. *aestŭans, -antis.*) adj. Demasiadamente caliente y encendido.

Estuario. (Del lat. *aestuarium.*) m. **Estero,** 2.º art., 1.ª acep.

Estucado. m. Acción y efecto de estucar.

Estucador. (De *estucar.*) m. **Estuquista.**

Estucar. tr. Dar a una cosa con estuco o blanquearla con él. || **2.** Colocar sobre un muro, columna, etc., las piezas de estuco previamente moldeadas y desecadas.

Estuco. (De *estuque.*) m. Masa de yeso blanco y agua de cola, con la cual se hacen y preparan muchos objetos que después se doran o pintan. || **2.** Pasta de cal apagada y mármol pulverizado, con que se da de llana a las alcobas y otras habitaciones, barnizándolas después con aguarrás y cera. || **Ser,** o **parecer, un estuco,** o **de estuco.** fr. fig. y fam. Mostrarse impasible, no conmoverse por nada.

Estucurú. m. *C. Rica.* Búho grande de las comarcas cálidas.

Estuchado. adj. V. **Azúcar estuchado.**

Estuche. (Del cat. y prov. *estug,* y éste del lat. *stūdium.*) m. Caja o envoltura para guardar ordenadamente un objeto o varios; como joyas, instrumentos de cirugía, etc. || **2.** Por ext., cualquiera envoltura que reviste y protege una cosa. || **3.** Conjunto de utensilios que se guardan en el **estuche.** || **4.** Entre peineros, peine menor que el mediano y mayor que el tallar. || **5.** En algunos juegos de naipes, como el del hombre, cascarela y tresillo, espadilla, malilla y basto, cuando están reunidos en una mano; en el tresillo se llaman también **estuche** los naipes del palo que se juega, subsiguientes en valor a los tres antedichos, cuando se juntan con ellos en una mano. || **6.** Cada una de las tres cartas de que se compone el **estuche** de la acepción anterior. || **del rey.** Cirujano real que tenía el **estuche** destinado para curar a las personas reales. || **mayor.** En el tresillo, si el juego es a bastos o a espadas, conjunto de espada, mala, basto y rey; y si el juego es a oros o copas, se añade a estos cuatro triunfos, el punto. || **menor.** En el tresillo se diferencia del mayor en que falta la espada. || **Ser uno un estuche.** fr. fig. y fam. Tener habilidad para diversas cosas.

Estuchista. m. Fabricante o constructor de estuches, 1.ª y 2.ª aceps.

Estudiador, ra. adj. fam. Que estudia mucho.

Estudiante. p. a. de **Estudiar.** Que estudia. Ú. t. c. m. || **2.** m. y f. Persona que actualmente está cursando en una universidad o estudio. || **3.** m. El que tenía por ejercicio estudiar los papeles a los actores dramáticos. || **de la tuna.** El que forma parte de una estudiantina. || **pascuero,** o **torreznero.** Decíase del que iba del estudio a su casa muchas veces, con ocasión de las pascuas y otras fiestas.

Estudiantil. adj. fam. Perteneciente a los estudiantes.

Estudiantina. f. Cuadrilla de estudiantes que salen tocando varios instrumentos por las calles del pueblo en que estudian, o de lugar en lugar, para divertirse o para socorrerse con el dinero que recogen. || **2.** Comparsa de carnaval que imita en sus trajes el de los antiguos estudiantes.

Estudiantino, na. adj. fam. Perteneciente a los estudiantes. || **2.** V. **Hambre estudiantina.** || **A la estudiantina.** m. adv. fam. Al uso de los estudiantes.

Estudiantón. m. despect. Estudiante aplicado, pero de escasas luces.

Estudiantuelo, la. m. y f. d. despect. de **Estudiante.**

Estudiar. (De *estudio.*) tr. Ejercitar el entendimiento para alcanzar o comprender una cosa. || **2.** Cursar en las universidades u otros estudios. || **3.** Aprender o tomar de memoria. || **4.** Leer a otra persona lo que ha de aprender, ayudándola a estudiarlo. *Cuando yo era pequeño, mi hermana me* ESTUDIABA *las lecciones.* Dícese principalmente con relación al actor dramático. || **5.** ant. Cuidar con vigilancia. || **6.** *Pint.* Dibujar de modelo o del natural.

Estudio. (Del lat. *stŭdĭum.*) m. Esfuerzo que pone el entendimiento aplicándose a conocer alguna cosa; y en especial trabajo empleado en aprender y cultivar una ciencia o arte. || **2.** Obra en que un autor estudia y dilucida una cuestión. || **3.** V. **Juez del estudio.** || **4.** Lugar donde se enseñaba la gramática. || **5.** Pieza donde el abogado o el hombre de letras tiene su librería y estudia. || **6.** Pieza donde los pintores, escultores y arquitectos trabajan, en la cual tienen los modelos, estampas, dibujos y otras cosas necesarias para ejercitar su arte. || **7.** fig. Aplicación, maña, habilidad con que se hace una cosa. || **8.** *Pint.* Figura o pormenor dibujados, coloridos o modelados, preparatorios para una obra pictórica, o escultórica. || **general.** **Universidad,** 2.ª y 3.ª aceps. || **Estudios mayores.** En las universidades, los que se hacían en las facultades mayores. || **Dar estudios** a uno. fr. Mantenerle dándole lo necesario para que estudie. || **Hacer** uno **estudio** de una cosa. fr. fig. Poner especial cuidado o empeño en ella. || **Tener estudios.** fr. Ser persona que ha recibido instrucción, o que tiene una carrera.

Estudiosamente. adv. m. Con estudio.

Estudiosidad. (De *estudioso.*) f. Inclinación y aplicación al estudio.

Estudioso, sa. (Del lat. *studiōsus.*) adj. Dado al estudio. || **2.** ant. fig. Propenso, aficionado a una cosa.

Estufa. (Del lat. **extufāre,* escaldar; véase *estovar.*) f. Hogar encerrado en una caja de metal o porcelana, que se coloca en las habitaciones para calentarlas. || **2.** Aposento recogido y abrigado, al cual se le da calor artificialmente. || **3. Invernáculo.** || **4.** Armazón de que se usa para secar una cosa o mantenerla caliente poniendo fuego por debajo. || **5.** Aposento destinado en los baños termales a producir en los enfermos un sudor copioso. || **6.** Especie de enjugador alto hecho de aros de cedazo, con unos listones delgados de madera, dentro del cual entra la persona que ha de tomar sudores. || **7.** Especie de carroza grande, cerrada y con cristales. || **8. Estufilla,** 2.ª acep. || **Criar en estufa.** fr. fig. y fam. Cuidar a uno con exceso, privándole de vigor.

Estufador. m. Olla o vasija en que se estofa la carne.

Estufar. (Del lat. **extufāre,* escaldar.) tr. ant. Calentar una pieza.

Estufero. (De *estufa.*) m. **Estufista.**

Estufido. m. *Albac.* y *Murc.* **Bufido,** 1.ª y 2.ª aceps.

Estufilla. (d. de *estufa.*) f. Manguito pequeño hecho de pieles finas, para traer abrigadas las manos en el invierno. || **2.** Rejuela o braserillo para calentar los pies. || **3. Chofeta.**

Estufista. m. El que hace estufas, chimeneas y otros aparatos de calefacción, o tiene por oficio ponerlos y repararlos. || **2.** com. Persona que vende estos aparatos.

Estultamente. adv. m. Con estulticia.

Estulticia. (Del lat. *stultitĭa.*) f. Necedad, tontería.

Estulto, ta. (Del lat. *stultus.*) adj. Necio, tonto.

Estuosidad. (De *estuoso.*) f. Demasiado calor y enardecimiento; como el de la calentura, insolación, etc.

Estuoso, sa. (Del lat. *aestuōsus,* de *aestus,* calor, ardor.) adj. p. us. Caluroso, ardiente, como encendido o abrasado. Ú. m. en poesía.

Estupefacción. (Del lat. *stupefactĭo, -ōnis.*) f. Pasmo o estupor.

Estupefaciente. adj. Que produce estupefacción. || **2.** m. Substancia narcótica que hace perder la sensibilidad, como la morfina, la cocaína, etc.

Estupefactivo, va. (De *estupefacto.*) adj. Que causa estupor o pasmo.

Estupefacto, ta. (Del lat. *stupefactus.*) adj. Atónito, pasmado.

Estupendamente. adv. m. De modo asombroso o admirable.

Estupendo, da. (Del lat. *stupendus.*) adj. Admirable, asombroso, pasmoso.

Estúpidamente. adv. m. Con estupidez.

Estupidez. (De *estúpido.*) f. Torpeza notable en comprender las cosas. || **2.** Dicho o hecho propio de un estúpido.

Estúpido, da. (Del lat. *stupĭdus.*) adj. Notablemente torpe para comprender las cosas. Ú. t. c. s. || **2.** Dícese de los dichos o hechos propios de un **estúpido.**

Estupor. (Del lat. *stupor.*) m. *Med.* Disminución de la actividad de las funciones intelectuales, acompañada de cierto aire o aspecto de asombro o de indiferencia. || **2.** fig. Asombro, pasmo.

Estuprador. (Del lat. *stuprātor.*) m. El que estupra.

Estuprar. (Del lat. *stuprāre.*) tr. Cometer estupro.

Estupro. (Del lat. *stuprum.*) m. *For.* Acceso carnal del hombre con una doncella logrado con abuso de confianza o engaño. El límite de edad de la doncella, que en España es entre 12 y 23 años, varía según los Códigos. Aplícase también por equiparación legal a algunos casos de incesto. || **2.** Por ext., se decía también del coito con soltera núbil o con viuda, logrado sin su libre consentimiento.

Estuque. (Del ant. alto al. *stucchi,* costra, corteza.) m. **Estuco.**

Estuquería. f. El arte de hacer labores de estuco. || **2.** Obra hecha de estuco.

Estuquista. m. El que hace obras de estuco.

Esturado, da. p. p. de **Esturar.** || **2.** adj. fig. *Sal.* Quemado, amostazado.

Esturar. (Del lat. *extorrēre,* infl. por *abu-rar.*) tr. Asurar, socarrar. Ú. t. c. r.

Esturgar. tr. Alisar y perfeccionar el alfarero las piezas de barro por medio de la alaria.

Esturión. (Del lat. *sturĭo, -ōnis.*) m. *Zool.* Pez marino del orden de los ganoideos, que remonta los ríos para desovar; llega a tener, en algunas especies, hasta cinco metros de longitud, de color gris con pintas negras por el lomo, y blanco por el vientre, con cinco filas de escamas a lo largo del cuerpo, grandes, duras y puntiagudas en el centro; cabeza pequeña, la mandíbula superior muy prominente, y delante de la boca cuatro apéndices vermiformes, cola ahorquillada y esqueleto cartilaginoso. La carne es comestible, con sus huevas se prepara el caviar, y de la vejiga natatoria seca se obtiene la gelatina llamada cola de pescado.

Ésula. (Del lat. mod. *esŭla,* de *esus,* comido.) f. **Lechetrezna.**

Esvarar. (Del lat. *divarāre,* de *varus,* zambo.) intr. Desvarar, resbalar. Ú. t. c. r.

Esvarón. m. Acción y efecto de esvararse; resbalón.

Esvástica. (De *svástica.*) f. **Cruz gamada.**

Esviaje. (De *viaje,* 2.° art.) m. *Arq.* Oblicuidad de la superficie de un muro o del eje de una bóveda respecto al frente de la obra de que forman parte.

Et. (Del lat. *et.*) conj. ant. **Y** o **e.**

Eta. (Del gr. ἦτα.) f. Nombre de la *e* larga del alfabeto griego.

Etalaje. (Del fr. *étalage.*) m. Parte de la cavidad de la cuba en los hornos altos, inferior al vientre y encima de la obra, donde se completa la reducción de la mena por los gases del combustible.

Etano. (De *éter.*) m. *Quím.* Hidrocarburo formado por dos átomos de carbono y seis de hidrógeno.

Etapa. (Del fr. *étape,* y éste del germ. *stapel,* emporio.) f. *Mil.* Ración de menestra u otras cosas que se da a la tropa en campaña o marcha. || **2.** *Mil.* Cada uno de los lugares en que ordinariamente hace noche la tropa cuando marcha. || **3.** fig. Época o avance parcial en el desarrollo de una acción u obra.

Etcétera. (Del lat. *et,* y *cetĕra,* pl. de *cete-rum,* lo demás, lo que falta.) m. Voz que se emplea para interrumpir el discurso indicando que en él se omite lo que quedaba por decir. Se representa con esta cifra: &, que tiene el mismo nombre, o con la siguiente abreviatura: *etc.*

Éter. (Del lat. *aether,* y éste del gr. αἰθήρ.) m. poét. **Cielo,** 1.ª acep. || **2.** *Fís.* Fluido sutil, invisible, imponderable y elástico que, según cierta hipótesis, llena todo el espacio, y por su movimiento vibratorio transmite la luz, el calor y otras formas de energía. || **3.** *Quím.* Cualquiera de los compuestos químicos, gaseosos, líquidos o sólidos, que resultan de la substitución del átomo de hidrógeno de un hidroxilo por un radical alcohólico, o de la unión de dos moléculas de un alcohol con pérdida de una molécula de agua. || **4. Éter etílico.** || **compuesto. Éster.** || **etílico.** Líquido transparente, inflamable y volátil, de olor fuerte y sabor picante, que resulta de la reacción entre el alcohol etílico y el sulfato de etilo y que se produce cuando se calienta a elevada temperatura una mezcla de alcohol etílico y ácido sulfúrico. Se emplea en medicina como antiespasmódico y anestésico. || **sulfúrico. Éter etílico.**

Etéreo, a. (Del lat. *aetherius.*) adj. Perteneciente o relativo al éter. || **2.** poét. Perteneciente al cielo. || **3.** *Fís.* V. **Onda etérea.**

Eterismo. m. Pérdida de toda sensibilidad por la acción del éter.

Eterización. f. *Med.* Acción y efecto de eterizar.

Eterizar. tr. *Med.* Administrar éter por las vías respiratorias, a fin de suspender momentáneamente la sensibilidad y poder practicar las operaciones quirúrgicas sin que el paciente sienta dolor. || **2.** *Quím.* Combinar con éter una substancia.

Eternal. (Del lat. *aeternālis.*) adj. **Eterno.**

Eternalmente. adv. m. **Eternamente.**

Eternamente. adv. m. Sin fin, siempre, perpetuamente. || **2.** p. us. **Nunca.** || **3.** fig. Por mucho o dilatado tiempo.

Eternidad. (Del lat. *aeternĭtas, -ātis.*) f. Perpetuidad que no tiene principio ni tendrá fin, y en este sentido es propio atributo de Dios. || **2.** Perpetuidad, duración sin fin. || **3.** fig. Duración dilatada de siglos y edades. || **4.** Vida del alma humana, después de la muerte.

Eternizable. adj. Digno de eternizarse.

Eternizar. (De *eterno.*) tr. Hacer durar o prolongar una cosa demasiadamente. Ú. t. c. r. || **2.** Perpetuar la duración de una cosa.

Eterno, na. (Del lat. *aeternus.*) adj. que sólo es aplicable propiamente al Ser divino, que no tuvo principio ni tendrá fin. || **2.** Que no tiene fin. || **3.** V. **Sabiduría eterna.** || **4.** m. *Teol.* **Padre Eterno.**

Eteromanía. f. *Med.* Hábito morboso de aspirar vapores de éter.

Etesio. (Del lat. *etesius,* y éste del gr. ἐτήσιος, anual; de ἔτος, año.) adj. V. **Viento etesio.** Ú. t. c. s.

Ética. (Del lat. *aethĭca,* y éste del gr. ἠθική, t. f. de -κός, etico.) f. Parte de la filosofía, que trata de la moral y de las obligaciones del hombre.

Ético, ca. (Del lat. *aethĭcus,* y éste del gr. ἠθικός, de ἦθος, costumbre.) adj. Perteneciente a la ética. || **2.** m. **Moralista,** 1.ª y 2.ª aceps.

Ético, ca. adj. **Hético.** Ú. t. c. s.

Etílico. adj. V. **Alcohol etílico.**

Etilo. (De *etano.*) m. *Quím.* Radical del etano, formado por dos átomos de carbono y cinco de hidrógeno.

Étimo. (Del lat. *etymon,* y éste del gr. ἔτυμος, verdadero.) m. Raíz o vocablo de que procede otro u otros.

Etimología. (Del lat. *etymología,* y éste del gr. ἐτυμολογία; de ἔτυμος, verdadero, y λόγος, dicción, palabra, razón.) f. Origen de las palabras, razón de su existencia, de su significación y de su forma. || **2.** Parte de la gramática, que estudia aisladamente las palabras consideradas en dichos aspectos.

Etimológicamente. adv. m. Según la etimología; conforme a sus reglas.

Etimológico, ca. (Del lat. *etymologĭcus,* y éste del gr. ἐτυμολογικός.) adj. Perteneciente o relativo a la etimología.

Etimologista. com. Persona que se dedica a investigar la etimología de las palabras; persona entendida en esta materia.

Etimologizante. p. a. de **Etimologizar.** Que etimologiza.

Etimologizar. tr. Sacar o averiguar etimologías; discurrir o trabajar en esta materia.

Etimólogo. (Del gr. ἐτυμολόγος.) m. **Etimologista.**

Etiología. (Del gr. αἰτιολογία, de αἰτιολογέω; de αἰτία, causa, y λόγος, tratado.) f. *Fil.* Estudio sobre las causas de las cosas. || **2.** *Med.* Parte de la medicina, que tiene por objeto el estudio de las causas de las enfermedades.

Etiológico, ca. adj. Perteneciente o relativo a la etiología.

Etíope [Etiope]. (Del lat. *aethĭops, -ŏpis,* y éste del gr. αἰθίοψ; de αἴθω, tostar, y ὄψ, aspecto.) adj. Natural de Etiopía, región de África. Ú. t. c. s. || **2. Etiópico.** || **3.** m. Combinación artificial de azufre y azogue, que sirve para fabricar bermellón.

Etiopía. n. p. V. **Aro de Etiopía.**

Etiopiano, na. adj. ant. **Etíope,** 1.ª y 2.ª aceps. Apl. a pers., usáb. t. c. s.

Etiópico, ca. (Del lat. *aethiopĭcus,* y éste del gr. αἰθιοπικός.) adj. Perteneciente a Etiopía.

Etiopio, pia. (Del lat. *aethiopĭus,* y éste del gr. αἰθιόπιος.) adj. **Etíope,** 1.ª y 2.ª aceps. Apl. a pers., ú. t. c. s.

Etiqueta. (Del fr. *étiquette,* y éste de la raíz germ. *stik-,* fijar, clavar.) f. Ceremonial de los estilos, usos y costumbres que se deben observar y guardar en las casas reales y en actos públicos solemnes. || **2.** Por ext., ceremonia en la manera de tratarse las personas particulares o en actos de la vida privada, a diferencia de los usos de confianza o familiaridad. || **3.** V. **Clases, traje, vestido de etiqueta.** || **4. Marbete,** 1.ª y 2.ª aceps. || **Estar de etiqueta.** fr. Haberse enfriado las relaciones de familiaridad que existían entre dos personas.

Etiquetero, ra. (De *etiqueta.*) adj. Que gasta muchos cumplimientos.

Etiquez. f. *Med.* **Hetiquez.**

Etites. (Del lat. *aetites,* y éste del gr. ἀετίτης, de ἀετός, águila.) f. Concreción de óxido de hierro en bolas informes, compuesta de varias capas concéntricas de color amarillo y pardo rojizo, generalmente con un nódulo de la misma substancia suelto en lo interior de la bola. Los antiguos creían que las águilas llevaban esta piedra a sus nidos para facilitar la postura.

Etmoidal. adj. Perteneciente al hueso etmoides.

Etmoides. (Del gr. ἠθμοειδές [ὀστέον, hueso]; de ἠθμός, criba, y εἶδος, forma.) adj. *Zool.* V. **Hueso etmoides.** Ú. t. c. s.

Etneo, a. (Del lat. *aetnaeus.*) adj. Perteneciente al Etna.

Étnico, ca. (Del lat. *ethnĭcus,* y éste del gr. ἐθνικός, de ἔθνος, pueblo.) adj. **Gentil,** 1.ª acep. || **2.** Perteneciente a una nación o raza. *Carácter* ÉTNICO || **3.** *Gram.* **Gentilicio,** 4.ª acep.

Etnografía. (Del gr. ἔθνος, pueblo, y γράφω, describir.) f. Ciencia que tiene por objeto el estudio y descripción de las razas o pueblos.

Etnográfico, ca. adj. Referente a la etnografía.

Etnógrafo. m. El que profesa o cultiva la etnografía.

Etnología. (Del gr. ἔθνος, pueblo, raza, y λόγος, tratado.) f. Ciencia que estudia las razas y los pueblos en todos sus aspectos y relaciones.

Etnológico, ca. adj. Perteneciente o relativo a la etnología.

Etnólogo. m. El que profesa o cultiva la etnología.

Etolio, lia. (Del lat. *aetolius.*) adj. Natural de Etolia, país de Grecia antigua. Ú. t. c. s.

Etolo, la. (Del lat. *aetōlus.*) adj. **Etolio.** Ú. t. c. s.

Etopeya. (Del lat. *ethopoeia,* y éste del gr. ἠθοποιΐα.) f. *Ret.* Descripción del carácter, acciones y costumbres de una persona.

Etrusco, ca. (Del lat. *etruscus.*) adj. Natural de Etruria. Ú. t. c. s. || **2.** Perteneciente a este país de Italia antigua. || **3.** m. Lengua que hablaron los **etruscos,** y de la cual se conservan inscripciones que todavía no ha sido posible traducir.

Etusa. (Del gr. αἴθουσα, participio femenino de αἴθω, quemar.) f. **Cicuta menor.**

Eubeo, a. (Del lat. *euboeus.*) adj. Natural de Eubea, isla del mar Egeo. Ú. t. c. s. || **2. Euboico.**

Euboico, ca. (Del lat. *euboĭcus.*) adj. Perteneciente a la isla de Eubea.

Eubolia. (Del gr. εὐβουλία, de εὔβουλος; de εὖ, bien, y βουλή, consejo. f. Virtud que ayuda a hablar convenientemente, y es una de las que pertenecen a la prudencia.

Eucalipto. (Del gr. εὖ, bien, y καλυπτός, cubierto.) m. Árbol de la familia de las mirtáceas, que crece hasta 100 metros de altura, con tronco derecho y copa cónica, hojas persistentes, olorosas, glaucas, coriáceas, lanceoladas y colgantes; flores amarillas, axilares, y fruto capsular de tres a cuatro celdas con muchas semillas. Originario de Australia, se ha aclimatado rápidamente en Europa. Es febrífugo el cocimiento de las hojas; la corteza da un buen curtiente; sirve la madera para la construcción y carretería, aunque es de fibra torcida. El árbol es de gran utilidad para sanear terrenos pantanosos.

Eucaristía. (Del lat. *eucharistĭa,* y éste del gr. εὐχαριστία, de εὐχάριστος; de εὖ, bien, y χαρίζεσθαι, dar gracias.) f. Sacramento instituido por Jesucristo, mediante el cual, por las palabras que el sacerdote pronuncia, se transubstancian el pan y el vino en el cuerpo y la sangre de Cristo.

Eucarístico, ca. (Del lat. *eucharistĭcus,* y éste del gr. εὐχαριστικός.) adj. Perteneciente a la Eucaristía. *Especies* EUCARÍSTICAS; *sacramento* EUCARÍSTICO. || **2.** V. **Pan eucarístico.** || **3.** Dícese de las obras en prosa o verso cuyo fin es dar gracias.

Euclidiano, na. adj. Perteneciente o relativo a Euclides o al método matemático de este filósofo griego del siglo V antes de Jesucristo.

Eucologio. (Del gr. εὐχή, súplica, y λέγω, escoger.) m. Devocionario que contiene los oficios del domingo y principales fiestas del año.

Eucrático, ca. (Del gr. εὔκρατος, bien, mezclado.) adj. *Med.* Dícese del buen temperamento y complexión de un sujeto, cual corresponde a su edad, naturaleza y sexo.

Eudiómetro. (Del gr. εὐδία, tiempo sereno, y μέτρον, medida.) m. *Fís.* Tubo de vidrio muy resistente, bastante ancho, cerrado por un extremo y con un tapón de metal por el otro, destinado a contener gases, que han de reaccionar químicamente mediante la chispa eléctrica.

Eufemismo. (Del lat. *euphemismus,* y éste del gr. εὐφημισμός.) m. *Ret.* Modo de decir para expresar con suavidad o decoro ideas cuya recta y franca expresión sería dura o malsonante.

Eufemístico, ca. adj. Relativo al eufemismo.

Eufonía. (Del lat. *euphonĭa,* y éste del gr. εὐφωνία, de εὔφωνος; de εὖ, bien, y φωνή, voz.) f. Sonoridad agradable que resulta de la acertada combinación de los elementos acústicos de la palabra.

Eufónico, ca. adj. Que tiene eufonía.

Euforbiáceo, a. (Del lat. *euphorbia*, y éste del gr. εὐφόρβιον.) adj. *Bot.* Aplícase a plantas angiospermas dicotiledóneas, hierbas, arbustos o árboles, muchas de las cuales tienen abundante látex, con frecuencia venenoso, flores unisexuales y frutos secos dehiscentes; como la lechetrezna y el ricino. Ú. t. c. s. f. || **2.** f. pl. *Bot.* Familia de estas plantas.

Euforbio. (Del lat. *euphorbium*, de *Euforbo*, médico de Juba, segundo rey de la Mauritania, que descubrió el uso de esta planta.) m. Planta africana de la familia de las euforbiáceas, con un tallo carnoso de más de un metro de altura, anguloso, con espinas geminadas, cónicas y muy duras, sin hojas, y de la cual, por presión, se saca un zumo muy acre, que secándose da una substancia resinosa, usada en medicina como purgante. || **2.** Resina de esta planta.

Euforia. (Del gr. εὐφορία, de εὔφορος; de εὖ, bien, y φέρω, llevar.) f. Capacidad para soportar el dolor y las adversidades. || **2.** Sensación de bienestar, resultado de una perfecta salud. || **3.** Estado del ánimo propenso al optimismo.

Eufórico, ca. adj. Perteneciente o relativo a la euforia.

Eufótida. (Del gr. εὖ, bien, y φῶς, φωτός, luz.) f. Roca compuesta de diálaga y feldespato: es de color blanco manchado de verde, de textura granujienta y muy tenaz. Sirve como piedra de adorno.

Eufrasia. (Del gr. εὐφρασία, alegría.) f. Hierba vellosa, de la familia de las escrofulariáceas, con tallo erguido y ramoso, de uno a dos decímetros de altura; hojas elípticas, dentadas y sin pecíolo; flores pequeñas, axilares, blancas, con rayas purpúreas y una mancha amarilla parecida a la figura de un ojo, circunstancia a que la planta ha debido su fama para las enfermedades de la vista.

Eugenesia. (Del gr. εὖ bien, y γένεσις, engendramiento.) f. Aplicación de las leyes biológicas de la herencia al perfeccionamiento de la especie humana.

Eugenésico, ca. adj. Relativo a la eugenesia.

Eunuco. (Del lat. *eunūchus*, y éste del gr. εὐνοῦχος; de εὐνή, lecho, y ἔχω, tener, guardar.) m. Hombre castrado que se destina en los serrallos a la custodia de las mujeres. || **2.** En la historia antigua y oriental, ministro o empleado favorito de un rey.

Eupatorio. (Del lat. *eupatoria*, de *Eupátor*, sobrenombre del gran Mitrídates, rey del Ponto, quien hizo uso de esta hierba.) f. *Bot.* Especie de agrimonia.

Eupepsia. (Del gr. εὐπεψία.) f. *Med.* Digestión normal.

Eupéptico, ca. adj. *Med.* Aplícase a la substancia o medicamento que favorece la digestión.

Eurasiático, ca. adj. Perteneciente o relativo a Europa y Asia, consideradas como un todo geográfico.

Euripo. (Del lat. *eurīpus*, y éste del gr. εὔριπος.) m. ant. Estrecho de mar.

Euritmia. (Del lat. *eurythmia*, y éste del gr. εὐρυθμία.) f. Buena disposición y correspondencia de las diversas partes de una obra de arte.

Eurítmico, ca. adj. *Arq.* Perteneciente o relativo a la euritmia.

Euro. (Del lat. *eurus*, y éste del gr. εὖρος.) m. poét. Uno de los cuatro vientos cardinales, que sopla de oriente. || **noto.** poét. Viento intermedio entre el **euro** y el austro.

Europa. n. p. V. **Té de Europa.**

Europeizar. tr. Introducir en un pueblo la cultura propia de las naciones de Europa. Ú. t. c. r.

Europeo, a. (Del lat. *europaeus*.) adj. Natural de Europa. Ú. t. c. s. || **2.** Perteneciente a esta parte del mundo. || **3.** V. **Alerce europeo.** || **4.** V. **Manzanilla europea.**

Euscalduna. (Del vasco *eskualduna*.) adj. Aplícase al lenguaje vasco. Ú. t. c. s. m.

Éuscaro, ra. adj. Perteneciente al lenguaje vascuence. || **2.** m. **Vascuence,** 1.ª acep.

Eusquero, ra. adj. **Éuscaro.** || **2.** m. **Éuscaro.**

Eustaquio. (Médico italiano del siglo XVI.) n. p. *Zool.* V. **Trompa de Eustaquio.**

Éustilo. (Del lat. *eustȳlos*, y éste del gr εὔστυλος.) m. *Arq.* Intercolumnio en que el claro o distancia de columna a columna es de cuatro módulos y medio.

Eutanasia. (Del gr. εὖ, bien, y θάνατος, muerte.) f. *Med.* Muerte sin sufrimiento físico y, en sentido restricto, la que así se provoca voluntariamente.

Eutiquianismo. m. Doctrina y secta de los eutiquianos.

Eutiquiano, na. adj. Sectario de Eutiques, heresiarca del siglo V, que no admitía en Jesucristo sino una sola naturaleza. Ú. t. c. s. || **2.** Perteneciente a la doctrina y secta de Eutiques.

Eutrapelia. (Del gr. εὐτραπελία.) f. Virtud que modera el exceso de las diversiones o entretenimientos. || **2.** Donaire o jocosidad urbana e inofensiva. || **3.** Discurso, juego o cualquiera ocupación inocente que se toma por vía de recreación honesta con templanza.

Eutrapélico, ca. adj. Perteneciente o relativo a la eutrapelia.

Eutropelia. f. **Eutrapelia.**

Eutropélico, ca. adj. **Eutrapélico.**

Evacuación. (Del lat. *evacuatĭo, -ōnis*.) f. Acción y efecto de evacuar.

Evacuante. p. a. de **Evacuar.** Que evacua. || **2.** adj. *Med.* **Evacuativo.** Ú. t. c. s.

Evacuar. (Del lat. *evacuāre*.) tr. Desocupar alguna cosa. || **2.** Expeler un ser orgánico humores o excrementos. || **3.** Desempeñar un encargo, informe o cosa semejante. || **4.** ant. Enervar, debilitar, minorar. || **5.** *For.* Cumplir un trámite. EVACUAR *un traslado, una diligencia.* || **6.** *Med.* Sacar, extraer los humores sobrantes o viciados del cuerpo humano. || **7.** *Mil.* Dejar una plaza, una ciudad, una fortaleza, etc., las tropas o guarnición que había en ella.

Evacuativo, va. adj. *Med.* Que tiene propiedad o virtud de evacuar. Ú. t. c. s. m.

Evacuatorio, ria. adj. *Med.* **Evacuativo.** || **2.** m. Lugar público destinado en las poblaciones para que los transeúntes puedan hacer aguas.

Evad, evas, evat. defect. ant. que sólo se halla usado en estas personas del presente y del imperativo, y significa **veis aquí, ved, mira, mirad,** y también **sabed** o **entended.**

Evadir. (Del lat. *evadĕre*.) tr. Evitar un daño o peligro inminente; eludir con arte o astucia una dificultad prevista. Ú. t. c. r. || **2.** r. Fugarse, escaparse.

Evagación. (Del lat. *evagatĭo, -ōnis*.) f. ant. Acción de vaguear. || **2.** fig. Distracción de la imaginación.

Evaluación. (De *evaluar*.) f. **Valuación.**

Evaluador, ra. adj. Que evalúa.

Evaluar. (De *e* y *valuar*.) tr. **Valorar.** || **2.** Estimar, apreciar el valor de las cosas no materiales.

Evanescente. (Del lat. *evānescĕre*, desvanecerse.) adj. Que se desvanece o esfuma.

Evangeliario. m. Libro de liturgia que contiene los evangelios de cada día del año.

Evangélicamente. adv. m. Conforme a la doctrina del Evangelio.

Evangélico, ca. (Del lat. *evangelĭcus*.) adj. Perteneciente o relativo al Evangelio. || **2.** V. **Ley evangélica.** || **3.** Perteneciente al protestantismo. || **4.** Dícese particularmente de una secta formada por la fusión del culto luterano y del calvinista.

Evangelio. (Del lat. *evangelĭum*, y éste del gr. εὐαγγέλιον, buena nueva; de εὖ, bien, y ἄγγελος, mensajero.) m. Historia de la vida, doctrina y milagros de Nuestro Señor Jesucristo, repetida en los cuatro volúmenes escritos respectivamente por los cuatro evangelistas, que componen el primer libro canónico del Nuevo Testamento. || **2.** En la misa, capítulo tomado de uno de los cuatro libros de los evangelistas, que se dice después de la epístola y gradual, y al fin de la misa. || **3.** fig. Religión cristiana. *Convertirse al* EVANGELIO. || **4.** fig. y fam. Verdad indiscutible. *Sus palabras son el* EVANGELIO. *Decir el* EVANGELIO. || **5.** pl. Librito muy chico, forrado comúnmente en tela de seda, en que se contiene el principio del Evangelio de San Juan y otros tres capítulos de los otros tres santos evangelistas, el cual se solía poner entre algunas reliquias y dijes a los niños, colgado en la cintura. || **Evangelios abreviados,** o **chicos.** fig. y fam. Los refranes, por la verdad que hay o se supone en ellos. || **Ordenar** a uno **de evangelio.** fr. Ordenarlo de diácono.

Evangelista. (Del lat. *evangelista*.) m. Cada uno de los cuatro escritores sagrados que escribieron el Evangelio. || **2.** Persona destinada para cantar el Evangelio en las iglesias. || **3.** *Méj.* Memorialista, el que tiene por oficio escribir cartas u otros papeles que necesita la gente que no sabe hacerlo.

Evangelistero. (De *evangelista*.) m. Clérigo que en algunas iglesias tiene la obligación de cantar el Evangelio en las misas solemnes. || **2.** ant. **Diácono.** Díjose así porque es el que canta el Evangelio. || **3.** ant. Atril con su pie, sobre el cual se pone el libro de los Evangelios, para cantar el que se dice en la misa.

Evangelización. f. Acción y efecto de evangelizar.

Evangelizador, ra. adj. Que evangeliza. Ú. t. c. s.

Evangelizar. (Del lat. *evangelizāre*.) tr. Predicar la fe de Nuestro Señor Jesucristo o las virtudes cristianas.

Evaporable. adj. Que se puede evaporar.

Evaporación. (Del lat. *evaporatĭo, -ōnis*.) f. Acción y efecto de evaporar o evaporarse.

Evaporar. (Del lat. *evaporāre*.) tr. Convertir en vapor. Ú. t. c. r. || **2.** fig. Disipar, desvanecer. Ú. t. c. r. || **3.** r. fig. Fugarse, desaparecer sin ser notado.

Evaporatorio, ria. adj. *Med.* Aplícase al medicamento que tiene virtud y eficacia para hacer evaporar. Ú. t. c. s. m.

Evaporizar. tr. **Vaporizar.** Ú. t. c. intr. y c. r.

Evasión. (Del lat. *evasĭo, -ōnis*.) f. **Evasiva.** || **2. Fuga,** 1.ª acep.

Evasiva. f. Efugio o medio para eludir una dificultad.

Evasivo, va. adj. Que incluye una evasiva o la favorece. *Respuesta* EVASIVA; *medios* EVASIVOS.

Evasor, ra. adj. Que se evade.

Evección. (Del lat. *evectĭo, -ōnis*, acción de levantarse en el aire.) f. *Astron.* Desigualdad periódica en la forma y posición de la órbita de la Luna, ocasionada por la atracción del Sol.

Evenir. (Del lat. *evenīre*.) impers. ant. Suceder, acontecer.

Evento. (Del lat. *eventus*.) m. Acontecimiento, suceso imprevisto o de realización incierta o contingente. || **A todo evento.** m. adv. En previsión de todo lo que pueda suceder.

Eventual. adj. Sujeto a cualquier evento o contingencia. || **2.** Aplícase a los derechos o emolumentos anejos a un empleo fuera de su dotación fija. || **3.** Dícese de ciertos fondos destinados en algunas oficinas a gastos accidentales.

Eventualidad. f. Calidad de eventual. || **2.** Hecho o circunstancia de realización incierta o conjetural.

Eventualmente. adv. m. Incierta o casualmente.

Eversión. (Del lat. *eversio, -ōnis.*) f. Destrucción, ruina, desolación.

Evicción. (Del lat. *evictio, -ōnis.*) f. *For.* Privación, despojo que sufre el poseedor, y en especial el comprador de una cosa, o sería amenaza de ese mismo despojo. || **2.** *For.* V. **Citación de evicción.** || **Prestar la evicción.** fr. *For.* Cumplir el vendedor su obligación de defender la cosa vendida, o de sanearla cuando es ineficaz su defensa. || **Salir a la evicción.** fr. *For.* Presentarse el vendedor a practicar en juicio esa misma defensa.

Evidencia. (Del lat. *evidentia.*) f. Certeza clara, manifiesta y tan perceptible de una cosa, que nadie puede racionalmente dudar de ella. || **moral.** Certidumbre de una cosa, de modo que el sentir o juzgar lo contrario sea tenido por temeridad.

Evidenciar. (De *evidencia.*) tr. Hacer patente y manifiesta la certeza de una cosa; probar y mostrar que no sólo es cierta, sino clara.

Evidente. (Del lat. *evidens, -entis.*) adj. Cierto, claro, patente y sin la menor duda. || **2.** Se usa como expresión de asentimiento.

Evidentemente. adv. m. Con evidencia.

Evitable. (Del lat. *evitabĭlis.*) adj. Que se puede evitar o debe evitarse.

Evitación. (Del lat. *evitatio, -ōnis.*) f. Acción y efecto de precaver y evitar que suceda una cosa.

Evitado, da. (Del lat. *evitātus.*) adj. ant. **Vitando.** Usáb. t. c. s.

Evitar. (Del lat. *evitāre.*) tr. Apartar algún daño, peligro o molestia; precaver, impedir que suceda. || **2.** Excusar, huir de incurrir en algo. || **3.** Huir de tratar a uno; apartarse de su comunicación. || **4.** r. ant. Eximirse del vasallaje.

Eviterno, na. (Del lat. *aeviternus.*) adj. Que habiendo comenzado en el tiempo, no tendrá fin; como los ángeles, las almas racionales, el cielo empíreo.

Evo. (Del lat. *aevum.*) m. *Teol.* Duración de las cosas eternas. || **2.** poét. Duración de tiempo sin término.

Evocable. adj. Que se puede evocar.

Evocación. (Del lat. *evocatio, -ōnis.*) f. Acción y efecto de evocar.

Evocador, ra. adj. Que evoca.

Evocar. (Del lat. *evocāre.*) tr. Llamar a los espíritus y a los muertos, suponiéndolos capaces de acudir a los conjuros e invocaciones. || **2.** Apostrofar a los muertos. || **3.** fig. Traer alguna cosa a la memoria o a la imaginación.

¡Evohé! (Del lat. *evoe*, y éste del gr. εὐοῖ.) interj. Grito de las bacantes para aclamar o invocar a Baco.

Evolar. (Del lat. *evolāre.*) intr. ant. **Volar.**

Evolución. (Del lat. *evolutio, -ōnis.*) f. Acción y efecto de evolucionar. || **2.** Desarrollo de las cosas o de los organismos, por medio del cual pasan gradualmente de un estado a otro. || **3.** Movimiento que hacen las tropas o los buques, pasando de unas formaciones a otras para atacar al enemigo o defenderse de él. || **4.** fig. Mudanza de conducta, de propósito o de actitud. || **5.** fig. Desarrollo o transformación de las ideas o de las teorías. || **6.** *Fil.* Hipótesis que pretende explicar todos los fenómenos, cósmicos, físicos y mentales, por transformaciones sucesivas de una sola realidad primera, sometida a perpetuo movimiento intrínseco, en cuya virtud pasa de lo simple y homogéneo a lo compuesto y heterogéneo. || **7.** **Transformación.**

Evolucionar. intr. Desenvolverse, desarrollarse los organismos o las cosas, pasando de un estado a otro. || **2.** Hacer evoluciones la tropa o los buques. || **3.** Mudar de conducta, de propósito o de actitud.

Evolucionismo. m. Doctrina filosófica que se funda en la hipótesis de la evolución.

Evolucionista. adj. Relativo a la evolución. || **2.** Partidario del evolucionismo. Ú. t. c. s.

Evolutivo, va. adj. Perteneciente a la evolución.

Evónimo. (Del lat. *evonȳmus*, y éste del gr. εὐώνυμος; de εὖ, bien, y ὄνομα, nombre.) m. **Bonetero,** 3.ª acep.

Ex. (Del lat. *ex.*) prep. insep., por regla general, que denota más ordinariamente fuera o más allá de cierto espacio o límite de lugar o tiempo, como en EX*tender*, EX*traer*, EX*céntrico*, EX*temporáneo;* negación o privación, como en EX*heredar;* encarecimiento, como en EX*clamar*. || **2.** Antepuesta a nombres de dignidades o cargos, denota que los tuvo y ya no los tiene la persona de quien se hable; v. gr.: EX *provincial*, EX *ministro*. || **3.** También se antepone a otros nombres o adjetivos de persona para indicar que ésta ha dejado de ser lo que aquéllos significan: EX *discípulo*, EX *monárquico*. || **4.** Forma parte de locuciones latinas usadas en nuestro idioma; v. gr.: EX *abrupto*, EX *cáthedra*.

Exabrupto. (De *ex abrupto.*) m. Salida de tono; dicho o ademán inconveniente e inesperado, manifestado con viveza.

Ex abrupto. (Del lat. *ex abrupto*, de repente, de improviso.) m. adv. que explica la viveza y calor con que uno prorrumpe a hablar cuando o como no se esperaba. || **2.** *For.* Arrebatadamente, sin guardar el orden establecido. Decíase principalmente de las sentencias cuando no habían precedido las solemnidades de estilo.

Exacción. (Del lat. *exactio, -ōnis.*) f. Acción y efecto de exigir, con aplicación a impuestos, prestaciones, multas, deudas, etc. || **2.** Cobro injusto y violento.

Exacerbación. (Del lat. *exacerbatio, -ōnis.*) f. Acción y efecto de exacerbar o exacerbarse.

Exacerbamiento. m. **Exacerbación.**

Exacerbar. (Del lat. *exacerbāre.*) tr. Irritar, causar muy grave enfado o enojo. Ú. t. c. r. || **2.** Agravar o avivar una enfermedad, una pasión, una molestia, etc. Ú. t. c. r.

Exactamente. adv. m. Con exactitud.

Exactitud. (De *exacto.*) f. Puntualidad y fidelidad en la ejecución de una cosa.

Exacto, ta. (Del lat. *exactus.*) adj. Puntual, fiel y cabal. || **2.** V. **Ciencias exactas.**

Exactor. (Del lat. *exactor.*) m. Cobrador o recaudador de los tributos, impuestos o emolumentos.

Exageración. (Del lat. *exaggeratio, -ōnis.*) f. Acción y efecto de exagerar. || **2.** Concepto, hecho o cosa que traspasa los límites de lo justo, verdadero o razonable.

Exageradamente. adv. m. Con exageración.

Exagerado, da. p. p. de **Exagerar.** || **2.** adj. **Exagerador.** *No seas* EXAGERADO *en tus alabanzas.* || **3.** Excesivo, que incluye en sí exageración. *Precio* EXAGERADO.

Exagerador, ra. (Del lat. *exaggerātor.*) adj. Que exagera. Ú. t. c. s.

Exagerante. p. a. de **Exagerar.** Que exagera.

Exagerar. (Del lat. *exaggerāre.*) tr. Encarecer, dar proporciones excesivas, decir, representar o hacer una cosa de modo que exceda de lo verdadero, natural, ordinario, justo o conveniente.

Exagerativamente. adv. m. Con exageración.

Exagerativo, va. adj. Que exagera.

Exagitado, da. (Del lat. *exagitātus.*) adj. ant. Agitado, estimulado.

Exaltación. (Del lat. *exaltatio, -ōnis.*) f. Acción y efecto de exaltar o exaltarse. || **2.** Gloria que resulta de una acción muy notable.

Exaltado, da. p. p. de **Exaltar.** || **2.** adj. Que se exalta.

Exaltamiento. (De *exaltar.*) m. **Exaltación.**

Exaltar. (Del lat. *exaltāre.*) tr. Elevar a una persona o cosa a mayor auge o dignidad. || **2.** fig. Realzar el mérito o circunstancias de uno con demasiado encarecimiento. || **3.** r. Dejarse arrebatar de una pasión, perdiendo la moderación y la calma.

Exalzar. (De *ex* y *alzar.*) tr. ant. **Ensalzar.**

Examen. (Del lat. *exāmen.*) m. Indagación y estudio que se hace acerca de las cualidades y circunstancias de una cosa o de un hecho. || **2.** Prueba que se hace de la idoneidad de un sujeto para el ejercicio y profesión de una facultad, oficio o ministerio, o para demostrar el aprovechamiento en los estudios. || **3.** V. **Carta, pieza de examen.** || **de conciencia.** Recordación de las palabras, obras y pensamientos con relación a las obligaciones de cristiano. || **de testigos.** *For.* Diligencia judicial que se practica tomando declaración a las personas que, no siendo parte en el juicio, saben y pueden dar testimonio sobre lo que se quiere averiguar. || **Libre examen.** El que desde el punto de vista cristiano se hace de los dogmas, sin otro criterio que el texto de la Biblia interpretado conforme al juicio personal y descartando la autoridad de la iglesia docente.

Examinación. (Del lat. *examinatio, -ōnis.*) f. ant. **Examen.**

Examinador, ra. (Del lat. *examinātor.*) m. y f. Persona que examina. || **sinodal.** Teólogo o canonista nombrado por el prelado diocesano en el sínodo de su diócesis, o fuera de él, en virtud de su propia autoridad, para examinar a los que han de ser admitidos a las órdenes sagradas y ejercer los ministerios de párrocos, confesores, predicadores, etc.

Examinamiento. (De *examinar.*) m. ant. **Examen.**

Examinando, da. (Del lat. *examinandus.*) m. y f. Persona que está para ser examinada.

Examinante. p. a. de **Examinar.** Que examina. || **2.** m. ant. **Examinando.**

Examinar. (Del lat. *examināre.*) tr. Inquirir, investigar, escudriñar con diligencia y cuidado una cosa. || **2.** Reconocer la calidad de una cosa, viendo si contiene algún defecto o error. *La censura* EXAMINA *un libro.* || **3.** Probar o tantear la idoneidad y suficiencia de los que quieren profesar o ejercer una facultad, oficio o ministerio, o ganar cursos en los estudios. Ú. t. c. r.

Exangüe. (Del lat. *exsanguis;* de *ex*, priv., y *sanguis*, sangre.) adj. Desangrado, falto de sangre. || **2.** fig. Sin ningunas fuerzas, aniquilado. || **3.** fig. **Muerto,** 3.ª acep.

Exanimación. (Del lat. *exanimatio, -ōnis.*) f. Privación de las funciones vitales.

Exánime. (Del lat. *exanĭmis;* de *ex*, priv., y *anĭmus*, espíritu.) adj. Sin señal de vida o sin vida. || **2.** fig. Sumamente debilitado; sin aliento, desmayado.

Exantema. (Del lat. *exanthēma*, y éste del gr. ἐξάνθημα, de ἐξανθέω, florecer.) m. *Med.* Erupción de la piel, de color rojo más o menos subido, que desaparece momentáneamente con la presión del dedo; va acompañada o precedida de calentura y termina por descamación; como el sarampión, la escarlatina y otras enfermedades.

Exantemático, ca. adj. *Med.* Perteneciente al exantema o acompañado de esta erupción. || **2.** *Med.* V. **Tifus exantemático.**

Exarca. (De *exarco.*) m. Gobernador que algunos emperadores de Oriente enviaban a Italia para que gobernase las provincias sujetas a ellos, y residía ordinariamente en Ravena. || **2.** En la Iglesia griega, dignidad inmediatamente inferior a la de patriarca.

Exarcado. m. Dignidad de exarca. || **2.** Espacio de tiempo que duraba el gobierno de un exarca. || **3.** Período histórico en que hubo exarcas. || **4.** Territorio gobernado por un exarca.

Exarco. (Del lat. *exarchus*, y éste del gr. ἔξαρχος.) m. **Exarca.**

Exardecer. (Del lat. *exardescĕre.*) intr. ant. Enardecerse, airarse extremadamente.

Exárico. (Del ár. *aš-šarīk*, asociado, aparcero.) m. Aparcero o arrendatario moro que pagaba una renta proporcional a los frutos de la cosecha. || **2.** Siervo de la gleba, de origen moro.

Exasperación. (Del lat. *exasperatĭo*, *-ōnis.*) f. Acción y efecto de exasperar o exasperarse.

Exasperante. p. a. de **Exasperar.** Que exaspera.

Exasperar. (Del lat. *exasperāre.*) tr. Lastimar, irritar una parte dolorida o delicada. Ú. t. c. r. || **2.** fig. Irritar, enfurecer, dar motivo de enojo grande a uno. Ú. t. c. r.

Exaudible. (Del lat. *exaudibĭlis.*) adj. ant. De naturaleza o calidad para ser oído favorablemente, y que mueve a conceder lo que se pide.

Exaudir. (Del lat. *exaudīre.*) tr. ant. Oir favorablemente los ruegos y conceder lo que se pide.

Excandecencia. (Del lat. *excandescentĭa.*) f. Irritación vehemente.

Excandecer. (Del lat. *excandescĕre.*) tr. Encender en cólera a uno, irritarle. Ú. t. c. r.

Excarcelable. adj. Que puede ser excarcelado.

Excarcelación. f. Acción y efecto de excarcelar.

Excarcelar. (De *ex*, fuera de, y *cárcel.*) tr. Poner en libertad al preso, por mandamiento judicial, bajo fianza o sin ella. Ú. t. c. r.

Excarceración. (Del lat. *ex*, fuera de, y *carcer*, cárcel.) f. p. us. *For.* **Excarcelación.**

Ex cáthedra. m. adv. lat. Desde la cátedra de San Pedro. Dícese cuando el Papa enseña a toda la Iglesia, o define verdades pertenecientes a la fe o a las costumbres. || **2.** fig. y fam. En tono magistral y decisivo.

Excava. f. *Agr.* Acción y efecto de excavar, 3.ª acep.

Excavación. (Del lat. *excavatĭo*, *-ōnis.*) f. Acción y efecto de excavar.

Excavador, ra. adj. Que excava. Ú. t. c. s. || **2.** f. Máquina para excavar.

Excavar. (Del lat. *excavāre.*) tr. Quitar de una cosa sólida parte de su masa o grueso, haciendo hoyo o cavidad en ella. || **2.** Hacer en el terreno hoyos, zanjas, desmontes, pozos o galerías subterráneas. || **3.** *Agr.* Descubrir y quitar la tierra de alrededor de las plantas para beneficiarlas.

Excedencia. f. Condición de excedente, 4.ª acep. || **2.** Haber que percibe el oficial público que está excedente.

Excedente. p. a. de **Exceder.** Que excede. || **2.** adj. **Excesivo.** || **3.** Sobrante, 1.ª acep. Ú. t. c. s. m. || **4.** Se dice del oficial público que, sin perder este carácter, está temporalmente abstenido de ejercer cargo en su carrera o cuerpo.

Exceder. (Del lat. *excedĕre.*) tr. Ser una persona o cosa más grande o aventajada que otra con que se compara en alguna línea. || **2.** intr. Propasarse, ir más allá de lo lícito o razonable. Ú. m. c. r. || **Excederse uno a sí mismo.** fr. Hacer una persona alguna cosa que aventaje a todo lo que se le había visto hasta entonces, sobre todo si su fama es grande.

Excelencia. (Del lat. *excellentĭa.*) f. Superior calidad o bondad que constituye y hace digna de singular aprecio y estimación en su género una cosa. || **2.** Tratamiento de respeto y cortesía, que se da a algunas personas por su dignidad o empleo. || **Por excelencia.** m. adv. **Excelentemente.** || **2.** Por antonomasia.

Excelente. (Del lat. *excellens*, *entis.*) adj. Que sobresale en bondad, mérito o estimación entre las cosas que son buenas en su misma especie. || **2.** Tratamiento honorífico usado antiguamente. || **3.** m. Moneda de oro acuñada por los Reyes Católicos, equivalente a la dobla. || **de la granada.** Moneda de oro acuñada por los Reyes Católicos, de menos peso y valor que la dobla. Llamóse así por llevar en el escudo del anverso la figura de una granada alusiva a la reconquista del reino de Granada.

Excelentemente. adv. m. Con excelencia.

Excelentísimo, ma. adj. sup. de **Excelente.** || **2.** Tratamiento y cortesía con que se habla a la persona a quien corresponde el de excelencia.

Excelsamente. adv. m. De un modo excelso; alta y elevadamente.

Excelsitud. (Del lat. *excelsitūdo.*) f. Suma alteza.

Excelso, sa. (Del lat. *excelsus.*) adj. Muy elevado, alto, eminente. || **2.** V. **Araucaria excelsa.** || **3.** fig. Úsase por elogio, para denotar la singular excelencia de la persona o cosa a que se aplica. EXCELSA *majestad; ánimo* EXCELSO. || **4. El Excelso. El Altísimo.**

Excéntricamente. adv. m. Con excentricidad.

Excentricidad. (De *excéntrico.*) f. Rareza o extravagancia de carácter. || **2.** Dicho o hecho raro, anormal o extravagante. || **3.** *Geom.* Distancia que media entre el centro de la elipse y uno de sus focos.

Excéntrico, ca. (De *ex* y *céntrico.*) adj. De carácter raro, extravagante. || **2.** *Geom.* Que está fuera del centro o que tiene un centro diferente. || **3.** f. *Mec.* Pieza que gira alrededor de un punto que no es su centro de figura; tiene por objeto transformar el movimiento circular continuo en rectilíneo alternativo. Ú. t. c. m. || **de la espada.** *Esgr.* Empuñadura, estando en postura de ángulo agudo.

Excepción. (Del lat. *exceptĭo*, *-ōnis.*) f. Acción y efecto de exceptuar. || **2.** Cosa que se aparta de la regla o condición general de las demás de su especie. || **3.** *For.* Título o motivo jurídico que el demandado alega para hacer ineficaz la acción del demandante; como el pago de la deuda, la prescripción del dominio, etc. || **4.** *For.* V. **Testigo mayor de toda excepción.** || **dilatoria.** *For.* La que, según ley, puede ser tratada y resuelta en artículo de previo pronunciamiento, con suspensión entretanto del juicio. || **perentoria.** *For.* La que se ventila en el juicio y se falla en la sentencia definitiva.

Excepcional. adj. Que forma excepción de la regla común. || **2.** Que se aparta de lo ordinario, o que ocurre rara vez.

Excepcionar. tr. p. us. **Exceptuar.** || **2.** *For.* Alegar excepción en el juicio.

Exceptación. (De *exceptar.*) f. ant. **Excepción.**

Exceptador, ra. (De *exceptar.*) adj. ant. Que exceptúa.

Exceptar. (Del lat. *exceptāre.*) tr. ant. **Exceptuar.**

Exceptivo, va. adj. Que exceptúa. *Ley* EXCEPTIVA. || **2.** Que expresa o hace excepción.

Excepto, ta. (Del lat. *exceptus*, retirado, sacado.) p. p. irreg. ant. de **Exceptar.** || **2.** adj. ant. **Independiente,** 1.ª acep. || **3.** adv. m. A excepción de, fuera de, menos.

Exceptuación. (De *exceptuar.*) f. **Excepción.**

Exceptuar. (Del lat. *exceptus*, p. p. de *excipĕre*, sacar.) tr. Excluir a una persona o cosa de la generalidad de lo que se trata o de la regla común. Ú. t. c. r.

Excerpta. (Del lat. *excerpta*, pl. n. de *excerptus*, elegido, entresacado.) f. Colección, recopilación, extracto.

Excerta. f. **Excerpta.**

Excesivamente. adv. m. Con exceso.

Excesivo, va. (De *exceso.*) adj. Que excede y sale de regla.

Exceso. (Del lat. *excessus.*) m. Parte que excede y pasa más allá de la medida o regla. || **2.** Lo que sale en cualquier línea de los límites de lo ordinario o de lo lícito. || **3.** Aquello en que una cosa excede a otra. || **4.** Abuso, delito o crimen. Ú. m. en pl. || **5.** ant. Enajenamiento y transportación de los sentidos. || **6. Exceso de peso.** || **de peso, o de equipaje.** En los ferrocarriles, la demasía en el peso del equipaje, respecto del número de kilos que la Compañía concede gratuitamente a cada viajero. || **de poder.** *For.* Acto recurrible de la autoridad administrativa en que se extralimita de sus facultades o las ejerce fuera del procedimiento legal. || **En exceso.** m. adv. **Excesivamente.** || **Y otros excesos.** fr. fam. con que se termina una enumeración de cosas reprochables o malas.

Excidio. (Del lat. *excidĭum.*) m. ant. Destrucción, ruina, asolamiento.

Excipiente. (Del lat. *excipiens*, *-entis*, p. a. de *excipĕre*, sacar, tomar.) m. *Farm.* Substancia por lo común inerte, que se mezcla con los medicamentos para darles la consistencia, forma, sabor u otras cualidades que faciliten su uso.

Excitabilidad. f. Calidad de excitable.

Excitable. (Del lat. *excitabĭlis.*) adj. Capaz de ser excitado. || **2.** Que se excita fácilmente.

Excitación. (Del lat. *excitatĭo*, *-ōnis.*) f. Acción y efecto de excitar o excitarse. || **2.** *Biol.* Efecto que produce un excitante, 2.ª acep., al actuar sobre una célula, un órgano o un organismo.

Excitador, ra. adj. Que produce excitación. || **2.** m. *Fís.* Aparato formado por dos arcos metálicos, aislado cada uno en uno de sus extremos y sujetos a girar alrededor de un eje; sirve para producir la descarga eléctrica entre dos puntos que tengan potenciales muy diferentes. || **3.** *Fís.* Sistema destinado a engendrar la descarga oscilatoria en las estaciones transmisoras de la telegrafía sin hilos.

Excitante. p. a. de **Excitar.** Que excita. Ú. t. c. s. m. || **2.** *Biol.* Toda excitación cualitativa o cuantitativa, del medio en que se halla una célula, un órgano o un organismo, y que puede producir en éstos un cambio de su equilibrio material y dinámico, acompañado de la liberación de cierta cantidad de energía

Excitar. (Del lat. *excitāre.*) tr. Mover estimular, provocar, inspirar algún sentimiento, pasión o movimiento. || **2.** r. Animarse por el enojo, el entusiasmo, la alegría, etc.

Excitativo, va. adj. Que tiene virtud o intención de excitar o mover. Ú. t. c. s. m.

Exclamación. (Del lat. *exclamatĭo, -ōnis.*) f. Voz, grito o frase en que se refleja una emoción del ánimo, sea de alegría, pena, indignación, cólera, asombro o cualquiera otro afecto. || **2.** *Ret.* Figura que se comete expresando en forma exclamativa un movimiento del ánimo o una consideración de la mente.

Exclamar. (Del lat. *exclamāre.*) intr. Emitir palabras con fuerza o vehemencia para expresar un vivo afecto o movimiento del ánimo, o para dar vigor y eficacia a lo que se dice.

Exclamativo, va. (De *exclamar.*) adj. **Exclamatorio.**

Exclamatorio, ria. (De *exclamar.*) adj. Propio de la exclamación. *Tono* EXCLAMATORIO; *expresión* EXCLAMATORIA.

Exclaustración. f. Acción y efecto de exclaustrar.

Exclaustrado, da. p. p. de **Exclaustrar.** || **2.** m. y f. Religioso exclaustrado.

Exclaustrar. (De *ex,* fuera de, y *claustro.*) tr. Permitir u ordenar a un religioso que abandone el claustro, por supresión del instituto a que pertenece o por otro motivo.

Excluible. adj. Que puede ser excluido.

Excluidor, ra. adj. Que excluye.

Excluir. (Del lat. *excludĕre.*) tr. Echar a una persona o cosa fuera del lugar que ocupaba. EXCLUIR *a uno de una junta o comunidad;* EXCLUIR *una partida de la cuenta.* || **2.** Descartar, rechazar o negar la posibilidad de alguna cosa. *Los datos* EXCLUYEN *una hipótesis contraria a ellos.*

Exclusión. (Del lat. *exclusĭo, -ōnis.*) f. Acción y efecto de excluir.

Exclusiva. (De *exclusivo.*) f. Repulsa para no admitir a uno en un empleo, comunidad o cargo. También se suele extender a otras cosas. || **2.** Privilegio en virtud del cual una persona o corporación puede hacer algo prohibido a las demás.

Exclusivamente. adv. m. Con exclusión. || **2.** Sola, únicamente.

Exclusive. adv. m. **Exclusivamente.** || **2.** Significa, en todo género de cálculos y recuentos, que el último número o la última cosa de que se hizo mención no se toma en cuenta. *Hasta el primero de enero* EXCLUSIVE.

Exclusivismo. (De *exclusivo.*) m. Obstinada adhesión a una persona, una cosa o una idea, sin prestar atención a las demás que deben ser tenidas en cuenta.

Exclusivista. adj. Relativo al exclusivismo. || **2.** Dícese de la persona que practica el exclusivismo. Ú. t. c. s.

Exclusivo, va. (De *excluso.*) adj. Que excluye o tiene fuerza y virtud para excluir. || **2.** Único, solo, excluyendo a cualquier otro.

Excluso, sa. (Del lat. *exclūsus.*) p. p. irreg. de **Excluir.**

Excogitable. (Del lat. *excogitabĭlis.*) adj. Que se puede excogitar, discurrir o imaginar.

Excogitar. (Del lat. *excogitāre.*) tr. Hallar o encontrar una cosa con el discurso y la meditación.

Excomulgación. (De *excomulgar.*) f. ant. **Excomunión.**

Excomulgado, da. p. p. de **Excomulgar.** || **2.** m. y f. Persona excomulgada. || **3.** fig. y fam. Indino, endiablado. || **vitando.** Aquel con quien no se puede lícitamente tratar ni comunicar en aquellas cosas que se prohiben por la excomunión mayor.

Excomulgador. m. El que excomulga.

Excomulgamiento. (De *excomulgar.*) m. ant. **Excomunión.**

Excomulgar. (Del lat. *excommunicāre.*) tr. Apartar de la comunión de los fieles y del uso de los sacramentos al contumaz y rebelde a los mandatos de la Iglesia. || **2.** fig. y fam. Declarar a una persona fuera de la comunión o trato con otra u otras, casi siempre con violencia de expresión.

Excomunicación. (Del lat. *excommunicatĭo, -ōnis.*) f. ant. **Excomunión.**

Excomunión. (De *ex,* priv., y *comunión.*) f. Acción y efecto de excomulgar. || **2.** Carta o edicto con que se intima y publica la censura. || **3. Paulina,** 1.ª acep. || **a matacandelas.** La que se publica en la Iglesia con varias solemnidades, y entre ellas la de apagar candelas metiéndolas en agua. || **de participantes.** Aquella en que incurren los que tratan con el excomulgado declarado o público. || **2.** Por ext., otras cosas que se participan por el trato o aligación con otros. || **ferendae sententiae.** La que se impone por la autoridad eclesiástica, aplicando a persona o personas determinadas la disposición de la Iglesia que tiene establecida condena de la falta cometida. || **latae sententiae.** Aquella en que se incurre en el momento de cometer la falta previamente condenada por la Iglesia, sin necesidad de imposición personal expresa. || **mayor.** Privación activa y pasiva de los sacramentos y sufragios comunes de los fieles. || **menor.** Privación pasiva de los sacramentos.

Excoriación. f. Acción y efecto de excoriar o excoriarse.

Excoriar. (Del lat. *excoriāre,* quitar la piel.) tr. Gastar, arrancar o corroer el cutis o el epitelio, quedando la carne descubierta. Ú. m. c. r.

Excrecencia. (Del lat. *excrescentĭa.*) f. Carnosidad o superfluidad que se cría en animales y plantas, alterando su textura y superficie natural.

Excreción. (Del lat. *excretĭo, -ōnis.*) f. Acción y efecto de excretar.

Excremental. (De *excremento.*) adj. **Excrementicio.**

Excrementar. tr. Deponer los excrementos.

Excrementicio, cia. adj. Perteneciente a la excreción y a las substancias excretadas.

Excremento. (Del lat. *excrementum.*) m. Residuos del alimento, que después de hecha la digestión, despide el cuerpo por el ano. || **2.** Cualquiera materia asquerosa que despiden de sí la boca, nariz u otras vías del cuerpo. || **3.** El que se produce en las plantas por putrefacción.

Excrementoso, sa. adj. Aplícase al alimento que nutre poco y se convierte más que otros en excremento. || **2. Excrementicio.**

Excrescencia. f. **Excrecencia.**

Excretar. (De *excreto.*) intr. Expeler el excremento. || **2.** Expeler las substancias elaboradas por las glándulas.

Excreto, ta. (Del lat. *excrētus,* p. p. de *excernĕre,* separar, purgar.) adj. Que se excreta.

Excretor, ra. adj. *Zool.* **Excretorio.** || **2.** *Zool.* Dícese del conducto por el que salen de las glándulas los productos que éstas han elaborado.

Excretorio, ria. (De *excreto.*) adj. V. **Vaso excretorio.** || **2.** *Zool.* Dícese de los órganos que sirven para excretar.

Excrex. (Del lat. *excrescĕre,* crecer, extenderse.) m. *For. Ar.* Donación que hace un cónyuge a otro en consideración a sus prendas personales, o aumento de dote que el marido asigna a la mujer. En plural se dice **excrez.**

Exculpación. f. Acción y efecto de exculpar o exculparse. || **2.** Hecho o circunstancia que sirve para exonerar de culpa.

Exculpar. (Del lat. *ex culpa,* sin culpa.) tr. Descargar a uno de culpa. Ú. t. c. r.

Excullado, da. adj. ant. Debilitado, desvirtuado.

Excursión. (Del lat. *excursĭo, -ōnis.*) f. **Correría,** 1.ª acep. || **2.** Ida a alguna ciudad, museo o paraje para estudio, recreo o ejercicio físico. || **3.** *For.* **Excusión.**

Excursionismo. m. Ejercicio y práctica de las excursiones como deporte o con fin científico o artístico.

Excursionista. com. Persona que hace excursiones.

Excusa. f. Acción y efecto de excusar o excusarse. || **2.** Motivo o pretexto que se invoca o se utiliza para eludir una obligación o disculpar alguna omisión. || **3.** *For.* Excepción o descargo.

Excusa. f. **Escusa.**

Excusabaraja. f. **Escusabaraja.**

Excusable. (Del lat. *excusabĭlis.*) adj. Que admite excusa o es digno de ella. || **2.** Que se puede omitir o evitar.

Excusación. (Del lat. *excusatĭo, -ōnis.*) f. **Excusa,** 1.er art.

Excusada. f. ant. **Excusa,** 1.er art., 1.ª acep. || **A excusadas.** m. adv. ant. **A escusadas.**

Excusadamente. adv. m. Sin necesidad.

Excusadero, ra. adj. ant. Digno de excusa o que puede excusarse.

Excusado, da. (De *escuso,* escondido, del lat. *absconsus.*) adj. Reservado, preservado o separado del uso común. || **2.** V. **Puerta excusada.** || **3.** m. Común, retrete.

Excusado, da. p. p. de **Excusar.** || **2.** adj. Que por privilegio está libre de pagar tributos. || **3.** Superfluo e inútil para el fin que se desea. || **4.** Lo que no hay precisión de hacer o decir. EXCUSADO *es que yo dé razón a todos de mi conducta.* || **5.** Tributario que se excusaba de pagar al rey o señor, y debía contribuir a la persona o comunidad a cuyo favor se había concedido el privilegio. || **6.** Dícese del labrador que en cada parroquia elegía el rey u otro privilegiado para que le pagase los diezmos. Ú. t. c. s. || **7.** V. **Casa excusada** y **A horas excusadas.** || **8.** m. Derecho que tenía la Hacienda real de elegir, entre todas las casas dezmeras de cada parroquia, una que contribuyese al rey con los diezmos que debía pagar a la Iglesia. || **9.** Cantidad que dichas casas rendían. || **10.** Tribunal en que se decidían los pleitos relativos a las casas dezmeras. || **Pensar en lo excusado.** fr. fig. con que se nota lo imposible o muy dificultoso de una pretensión o intento.

Excusador, ra. (Del lat. *excusātor.*) adj. Que excusa. || **2.** m. El que exime y excusa a otro de una carga, servicio o ministerio, sirviéndolo por él. || **3.** Teniente de un beneficiado, que sirve el beneficio por él. || **4.** *For.* El que sin tener poder del reo ni ser su defensor, le excusaba, alegando y probando la causa por que no podía venir ni comparecer.

Excusalí. m. Delantal pequeño.

Excusano, na. (De *escuso,* escondido.) adj. ant. Encubierto, escondido.

Excusanza. (De *excusar.*) f. ant. **Excusa,** 1.er art.

Excusaña. (Del lat. *absconsus,* escondido.) f. ant. Hombre de campo que en tiempo de guerra se ponía en un paso o vado para observar los movimientos del enemigo. || **A excusañas.** m. adv. ant. A escondidas o a hurto.

Excusar. (Del lat. *excusāre.*) tr. Exponer y alegar causas o razones para sacar libre a uno de la culpa que se le imputa. Ú. t. c. r. || **2.** Evitar, impedir, precaver que una cosa perjudicial se ejecute o suceda. EXCUSAR *pleitos, discordias, lances.* || **3.** Rehusar hacer una cosa. Ú. t. c. r. || **4.** Eximir y libertar del pago de tributos o de un servicio personal.

|| **5.** Junto con infinitivo, poder evitar, poder dejar de hacer lo que éste significa. EXCUSAS *venir, que ya no haces falta.*

Excusión. (Del lat. *excussĭo, -ōnis.*) f. *For.* Derecho o beneficio de los fiadores para no ser compelidos, por regla general, al pago mientras tenga bienes suficientes el obligado principal o preferentemente.

Excuso, sa. adj. ant. Excusado y de repuesto. || **2.** m. Acción y efecto de excusar.

Exea. (Del lat. *exīre,* salir.) m. *Mil.* **Explorador,** 1.ª acep.

Execrable. (Del lat. *exsecrabĭlis.*) adj. Digno de execración.

Execración. (Del lat. *exsecratĭo, -ōnis.*) f. Acción y efecto de execrar. || **2.** Pérdida del carácter sagrado de un lugar, sea por profanación, sea por accidente. || **3.** *Ret.* Figura en que se toma esta palabra en su misma acepción vulgar.

Execrador, ra. (Del lat. *exsecrātor.*) adj. Que execra. Ú. t. c. s.

Execramento. (Del lat. *exsecramentum.*) m. ant. **Execración,** 1.ª acep. || **2.** desus. Superstición en que se usa de cosas y palabras a imitación de los sacramentos.

Execrando, da. (Del lat. *exsecrandus.*) adj. Execrable, o que debe ser execrado.

Execrativo, va. adj. Que execra.

Execrar. (Del lat. *exsecrāre.*) tr. Condenar y maldecir con autoridad sacerdotal o en nombre de cosas sagradas. || **2.** Vituperar o reprobar severamente. || **3. Aborrecer,** 1.ª acep.

Execratorio, ria. adj. Que sirve para execrar. || **2.** V. **Juramento execratorio.**

Exedra. (Del lat. *exĕdra* o *exhĕdra,* y éste del gr. ἐξέδρα; de ἐξ, fuera, y ἕδρα, silla.) f. *Arq.* Construcción descubierta, de planta semicircular, con asientos fijos en la parte interior de la curva, y respaldos también permanentes.

Exégesis. (Del gr. ἐξήγησις, de ἐξηγέομαι, guiar, exponer, explicar.) f. Explicación, interpretación. Aplícase principalmente a la de los libros de la Sagrada Escritura.

Exegeta. (Del gr. ἐξηγητής.) m. Intérprete o expositor de la Sagrada Escritura.

Exegético, ca. (Del gr. ἐξηγητικός.) adj. Perteneciente a la exégesis. || **2.** *For.* Dícese del método expositivo en las obras de Derecho que sigue el orden de las leyes positivas, a cuya interpretación atienden principalmente.

Exención. (Del lat. *exemptĭo, -ōnis.*) f. Efecto de eximir o eximirse. || **2.** Franqueza y libertad que uno goza para eximirse de algún cargo u obligación.

Exentamente. adv. m. Libremente, con exención. || **2.** Claramente, con franqueza, sencillamente.

Exentar. (De *exento.*) tr. **Eximir.** Ú. t. c. r.

Exento, ta. (Del lat. *exemptus.*) p. p. irreg. de **Eximir.** || **2.** adj. Libre, desembarazado de una cosa. EXENTO *de cuidados, de temor.* || **3.** Dícese de las personas o cosas no sometidas a la jurisdicción ordinaria. *Obispado, lugar* EXENTO. || **4.** V. **Jurisdicción exenta.** || **5.** Aplícase al sitio o edificio que está descubierto por todas partes. || **6.** *Arq.* V. **Columna exenta.** || **7.** m. desus. Oficial de guardias de corps, inferior al alférez y superior al brigadier.

Exequátur. (Del lat. *exsequātur,* que ejecute; de *exsĕqui,* ejecutar, cumplimentar.) m. Voz con que se designa el pase que da la autoridad civil de un Estado a las bulas y rescriptos pontificios para su observancia. || **2.** Autorización que otorga el jefe de un Estado a los agentes extranjeros para que en su territorio puedan ejercer las funciones propias de sus cargos.

Exequial. (Del lat. *exsequiālis.*) adj. ant. Perteneciente o relativo a las exequias. Ú. en *Chile.*

Exequias. (Del lat. *exsequĭae.*) f. pl. Honras funerales.

Exequible. (Del lat. *exsĕqui,* conseguir.) adj. Que se puede hacer, conseguir o llevar a efecto.

Exercivo, va. adj. ant. Que ejerce con actividad y fuerza.

Exergo. (Del gr. ἐξ, fuera, y ἔργον, obra, fuera de la obra.) m. *Numism.* Parte de una moneda o medalla, donde cabe o se pone el nombre de la ceca u otra inscripción, debajo del tipo o figura.

Exfoliación. f. Acción y efecto de exfoliar o exfoliarse. || **2.** *Med.* Pérdida o caída de la epidermis en forma de escamas.

Exfoliador, ra. adj. *Chile.* Aplícase a una especie de cuaderno que tiene las hojas ligeramente pegadas para desprenderlas fácilmente.

Exfoliar. (Del lat. **exfoliāre.*) tr. Dividir una cosa en láminas o escamas. Ú. t. c. r.

Exhalación. (Del lat. *exhalatĭo, -ōnis.*) f. Acción y efecto de exhalar o exhalarse. || **2. Estrella fugaz.** || **3.** Rayo, centella. || **4.** Vapor o vaho que un cuerpo exhala y echa de sí por evaporación.

Exhalador, ra. adj. Que exhala.

Exhalar. (Del lat. *exhalāre.*) tr. Despedir gases, vapores u olores. || **2.** fig. Dicho de suspiros, quejas, etc., lanzarlos, despedirlos. || **3.** r. fig. **Desalar,** 3.er art.

Exhaustivo, va. (Del lat. *exhaustus,* agotado.) adj. Que agota o apura por completo.

Exhausto, ta. (Del lat. *exhaustus,* p. p. de *exhaurīre,* agotar.) adj. Enteramente apurado y agotado de lo que necesita tener para hallarse en buen estado. *El erario está* EXHAUSTO *de dinero.*

Exheredación. (Del lat. *exheredatĭo, -ōnis.*) f. Acción y efecto de exheredar. || **2.** *For.* **Desheredación.**

Exheredar. (Del lat. *exheredāre.*) tr. **Desheredar.**

Exhibición. (Del lat. *exhibitĭo, -ōnis.*) f. Acción y efecto de exhibir.

Exhibicionismo. m. Prurito de exhibirse.

Exhibicionista. com. Persona aficionada al exhibicionismo.

Exhibir. (Del lat. *exhibēre.*) tr. Manifestar, mostrar en público. Ú. t. c. r. || **2.** *For.* Presentar escrituras, documentos, pruebas, etc., ante quien corresponda.

Exhíbita. (Del lat. *exhibĭta,* exhibida.) f. *For. Ar.* **Exhibición.**

Exhortación. (Del lat. *exhortatĭo, -ōnis.*) f. Acción de exhortar. || **2.** Advertencia o aviso con que se intenta persuadir. || **3.** Plática o sermón familiar y breve.

Exhortador, ra. (Del lat. *exhortātor.*) adj. Que exhorta. Ú. t. c. s.

Exhortar. (Del lat. *exhortāre.*) tr. Inducir a uno con palabras, razones y ruegos a que haga o deje de hacer alguna cosa.

Exhortativo, va. adj. **Exhortatorio.**

Exhortatorio, ria. (Del lat. *exhortatorĭus.*) adj. Perteneciente o relativo a la exhortación. *Discurso* EXHORTATORIO; *oración* EXHORTATORIA.

Exhorto. (1.ª pers. del sing. del pres. de indic. de *exhortar;* fórmula que el juez emplea en estos despachos.) m. *For.* Despacho que libra un juez a otro su igual para que mande dar cumplimiento a lo que le pide. Díjose así porque le exhorta y pide, y no le manda, por no ser superior.

Exhumación. f. Acción de exhumar.

Exhumador, ra. adj. Que exhuma. Ú. t. c. s.

Exhumar. (Del lat. *ex,* fuera de, y *humus,* tierra.) tr. Desenterrar, sacar de la sepultura un cadáver o restos humanos. || **2.** fig. **Desenterrar,** 2.ª acep.

Exicial. (Del lat. *exitiālis,* de *exitĭum,* destrucción, muerte.) adj. ant. Mortal, mortífero.

Exida. (De *exir.*) f. ant. **Salida.**

Exigencia. (Del lat. *exigentĭa.*) f. Acción y efecto de exigir. || **2.** Pretensión caprichosa o desmedida. || **3.** ant. **Exacción,** 1.ª acep.

Exigente. (Del lat. *exigens, -entis.*) p. a. de **Exigir.** || **2.** adj. Dícese en especial del que exige caprichosa o despóticamente. Ú. t. c. s.

Exigible. adj. Que puede o debe exigirse.

Exigidero, ra. adj. **Exigible.**

Exigir. (Del lat. *exigĕre.*) tr. Cobrar, percibir, sacar de uno por autoridad pública dinero u otra cosa. EXIGIR *los tributos, las rentas.* || **2.** fig. Pedir una cosa, por su naturaleza o circunstancia, algún requisito necesario para que se haga o perfeccione. || **3.** fig. Demandar imperiosamente.

Exigüidad. (Del lat. *exiguĭtas, -ātis.*) f. Calidad de exiguo.

Exiguo, gua. (Del lat. *exigŭus.*) adj. Insuficiente, escaso.

Exilio. (Del lat. *exilĭum.*) m. **Destierro,** 1.ª acep.

Eximente. p. p. de **Eximir.** Que exime. || **2.** adj. V. **Circunstancia eximente.** Ú. t. c. s. f.

Eximición. (De *eximir.*) f. ant. **Exención.**

Eximio, mia. (Del lat. *eximĭus.*) adj. Muy excelente.

Eximir. (Del lat. *eximĕre.*) tr. Libertar, desembarazar de cargas, obligaciones, cuidados, culpas, etc. Ú. t. c. r.

Exinanición. (Del lat. *exinanitĭo, -ōnis.*) f. Notable falta de vigor y fuerza.

Exinanido, da. (Del lat. *exinanītus,* p. p. de *exinanīre,* consumir.) adj. Notablemente falto de fuerzas y vigor.

Exir. (Del lat. *exīre.*) intr. ant. **Salir.**

Existencia. (Del lat. *existentĭa.*) f. Acto de existir. || **2.** Vida del hombre. || **3.** pl. Cosas que no han tenido aún la salida o empleo a que están destinadas; como los frutos que están por vender al tiempo de dar cuenta.

Existencial. adj. Perteneciente o relativo al acto de existir.

Existente. (Del lat. *existens, -entis.*) p. a. de **Existir.** Que existe.

Existimación. (Del lat. *existimatĭo, -ōnis.*) f. Acción y efecto de existimar.

Existimar. (Del lat. *existimāre.*) tr. Hacer juicio o formar opinión de una cosa; tenerla por cierta, aunque no lo sea.

Existimativo, va. (De *existimar.*) adj. **Putativo.**

Existir. (Del lat. *exsistĕre.*) intr. Tener una cosa ser real y verdadero. || **2.** Tener vida. || **3.** Haber, estar, hallarse. *En la Academia* EXISTE *un autógrafo de Cervantes.*

Éxito. (Del lat. *exĭtus,* de *exire,* salir.) m. Fin o terminación de un negocio o dependencia. || **2.** Resultado feliz de un negocio, actuación, etc.

Ex libris. (Locución latina.) m. Cédula que se pega en el reverso de la tapa de los libros, en la cual consta el nombre del dueño o el de la biblioteca a que pertenece el libro.

Exocrina. (Del gr. ἔξω, fuera, y κρίνω, segregar.) adj. *Zool.* Dícese de la glándula que tiene conducto excretor, por el cual salen los productos que aquélla ha elaborado.

Éxodo. (Del lat. *exŏdus,* y éste del gr. ἔξοδος, salida; de ἐξ, fuera de, y ὁδός, camino.) m. Segundo libro del Pentateuco, en el cual se refiere en primer lugar la salida de los israelitas de Egipto. || **2.** fig. Emigración de un pueblo.

Exoesqueleto. (Del gr. ἔξω, fuera, y *esqueleto.*) m. *Zool.* **Dermatoesqueleto.**

Exoftalmía. (De ἐξ, fuera, y ὀφθαλμός, ojo.) f. *Med.* Síntoma de varias enfermedades que consiste en la situación saliente del globo ocular.

Exoftálmico, ca. adj. Perteneciente o relativo a la exoftalmía.

Exoftalmos. m. *Med.* **Exoftalmía.**

Exoneración. (Del lat. *exoneratio, -ōnis.*) f. Acción y efecto de exonerar o exonerarse.

Exonerar. (Del lat. *exonerāre.*) tr. Aliviar, descargar, libertar de peso, carga u obligación. Ú. t. c. r. || **2.** Separar, privar o destituir a alguno de un empleo.

Exorable. (Del lat. *exorabĭlis.*) adj. Dícese del que se deja vencer fácilmente de los ruegos, y condesciende con las súplicas que le hacen.

Exorar. (Del lat. *exorāre.*) tr. Pedir, solicitar con empeño.

Exorbitancia. (Del lat. *exorbĭtans, -antis,* exorbitante.) f. Exceso notable con que una cosa pasa del orden y término regular.

Exorbitante. (Del lat. *exorbĭtans, -antis,* p. a. de *exorbitāre,* salirse del camino, separarse.) adj. Que excede mucho del orden y término regular.

Exorbitantemente. adv. m. Con exorbitancia.

Exorcismo. (Del lat. *exorcismus,* y éste del gr. ἐξορκισμός.) m. Conjuro ordenado por la Iglesia contra el espíritu maligno.

Exorcista. (Del lat. *exorcista,* y éste del gr. ἐξορκιστής.) m. El que en virtud de orden o grado menor eclesiástico tiene potestad para exorcizar.

Exorcistado. m. Orden de exorcista, que es la tercera de las menores.

Exorcizante. p. a. de **Exorcizar.** Que exorciza.

Exorcizar. (Del lat. *exorcizāre,* y éste del gr. ἐξορκίζω.) tr. Usar de los exorcismos dispuestos y ordenados por la Iglesia contra el espíritu maligno.

Exordiar. (De *exordio.*) tr. ant. Empezar o principiar.

Exordio. (Del lat. *exordĭum.*) m. Principio, introducción, preámbulo de una obra literaria; especialmente la primera parte del discurso oratorio, la cual tiene por objeto excitar la atención y preparar el ánimo de los oyentes. || **2.** Preámbulo de un razonamiento o conversación familiar. || **3.** ant. fig. Origen y principio de una cosa.

Exordir. (Del lat. *exordīri.*) intr. ant. Hacer exordio, dar principio a una oración.

Exornación. (Del lat. *exornatio, -ōnis.*) f. Acción y efecto de exornar o exornarse.

Exornar. (Del lat. *exornāre.*) tr. Adornar, hermosear. Ú. t. c. r. || **2.** Tratándose del lenguaje escrito o hablado, amenizarlo o embellecerlo con galas retóricas.

Exósmosis [Exosmosis]. (Del gr. ἔξω, fuera, y ὠσμός, acción de empujar o impeler.) f. *Fís.* Corriente de dentro a fuera, que se establece al mismo tiempo que su contraria la endósmosis, cuando dos líquidos de distinta densidad están separados por una membrana.

Exotérico, ca. (Del lat. *exoterĭcus,* y éste del gr. ἐξωτερικός.) adj. Común, accesible para el vulgo, lo contrario de esotérico. Aplícase por lo común a la doctrina que los filósofos de la antigüedad manifestaban públicamente.

Exoticidad. f. Calidad de exótico.

Exótico, ca. (Del lat. *exotĭcus,* y éste del gr. ἐξωτικός.) adj. Extranjero, peregrino. Dícese más comúnmente de las voces, plantas y drogas. || **2.** Extraño, chocante, extravagante.

Exotiquez. f. Calidad de exótico.

Expandir. (Del lat. *expandĕre.*) tr. Extender, dilatar, ensanchar, difundir. Ú. t. c. r.

Expansibilidad. (De *expansible.*) f. *Fís* Propiedad que tiene un cuerpo de poder ocupar mayor espacio que el que ocupa.

Expansible. adj. *Fís.* Susceptible de expansión.

Expansión. (Del lat. *expansĭo, -ōnis.*) f. *Fís.* Acción y efecto de extenderse o dilatarse. || **2.** fig. Acción de desahogar al exterior de un modo efusivo cualquier afecto o pensamiento. EXPANSIÓN *del ánimo, de la alegría, de la amistad.* || **3.** Recreo, asueto, solaz.

Expansionarse. r. Espontanearse, desahogar.

Expansivo, va. (Del lat. *expansus,* extendido.) adj. Que puede o que tiende a extenderse o dilatarse, ocupando mayor espacio. || **2.** fig. Franco, comunicativo. *Carácter* EXPANSIVO; *amistad* EXPANSIVA.

Expatriación. f. Acción y efecto de expatriarse o ser expatriado.

Expatriarse. (De *ex* y *patria.*) r. Abandonar uno su patria por necesidad o por cualquier otra causa.

Expavecer. (Del lat. *expavescĕre.*) tr. ant. Atemorizar, espantar. Usáb. t. c. r.

Expectable. (Del lat. *exspectabĭlis.*) adj. **Espectable.**

Expectación. (Del lat. *exspectatĭo, -ōnis.*) f. Intensión con que se espera una cosa o suceso importante. || **2.** Fiesta que se celebra el día 18 de diciembre en honor de la Virgen Nuestra Señora, y sucedió a la de la Anunciación, que celebraba antes en semejante día la Iglesia de España desde el concilio décimo toledano. || **De expectación.** loc. **Expectable.** *Hombre* DE EXPECTACIÓN.

Expectante. (Del lat. *exspectans, -antis,* p. a. de *exspectāre,* observar.) adj. Que espera observando, o está a la mira de una cosa. *Actitud, medicina* EXPECTANTE. || **2.** *For.* Dícese del hecho, la cosa, la obligación o el derecho de que se tiene conocimiento como venidero con certeza o sin ella.

Expectativa. (Del lat. *spectātum,* esperado.) f. Cualquiera esperanza de conseguir en adelante una cosa, si se depara la oportunidad que se desea. || **2.** Especie de futura que se daba en Roma en lo antiguo a una persona para obtener un beneficio o prebenda eclesiástica, luego que se verificase quedar vacante. || **3.** Posibilidad, más o menos cercana o probable, de conseguir un derecho, acción, herencia, empleo u otra cosa, al ocurrir un suceso que se prevé o al hacerse efectiva determinada eventualidad.

Expectativas. (Del m. or. que *expectativa.*) adj. pl. V. **Cartas, letras expectativas.**

Expectoración. f. Acción y efecto de expectorar. || **2.** Lo que se expectora.

Expectorante. adj. *Med.* Que hace expectorar. Ú. t. c. s. m.

Expectorar. (Del lat. *expectorāre;* de *ex,* fuera de, y *pectus,* pecho.) tr. Arrancar y arrojar por la boca las flemas y secreciones que se depositan en la faringe, la laringe, la tráquea o los bronquios.

Expedición. (Del lat. *expeditĭo, -ōnis.*) f. Acción y efecto de expedir. || **2.** Facilidad, desembarazo y prontitud en decir o hacer. || **3.** Despacho, bula, breve, dispensación y otros géneros de indultos que dimanan de la curia romana. || **4.** Excursión que tiene por objeto realizar una empresa en punto distante. EXPEDICIÓN *militar, naval, científica.* || **5.** Conjunto de personas que la realizan. || **6.** Excursión colectiva a alguna ciudad o paraje con un fin científico, artístico o deportivo.

Expedicionario, ria. adj. Que lleva a cabo una expedición. *Tropa* EXPEDICIONARIA; *ejército* EXPEDICIONARIO. Ú. t. c. s.

Expedicionero. m. El que trata y cuida de la solicitud y despacho de las expediciones que se solicitan en la curia romana.

Expedidamente. adv. m. ant. **Expeditamente.**

Expedido, da. (De *expedir.*) adj. ant. Expedito, desembarazado.

Expedidor, ra. m. y f. Persona que expide.

Expedientar. tr. Someter a expediente, 9.ª acep.

Expediente. (Del lat. *expedĭens, -entis,* p. a. de *expedīre,* soltar, dar curso, convenir.) adj. ant. Conveniente, oportuno. || **2.** m. Dependencia o negocio que se sigue sin juicio contradictorio en los tribunales, a solicitud de un interesado o de oficio. || **3.** Conjunto de todos los papeles correspondientes a un asunto o negocio. Aplícase señaladamente a la serie ordenada de actuaciones administrativas, y también a las judiciales en los actos de jurisdicción voluntaria. || **4.** Medio, arbitrio o partido que se toma para dar salida a una duda o dificultad, o salvar los inconvenientes que presenta la decisión o curso de una dependencia. || **5.** Despacho, curso en los negocios y causas. || **6.** Facilidad, desembarazo y prontitud en la decisión o manejo de los negocios u otras cosas. || **7.** Título, razón, motivo o pretexto. || **8.** Avío, surtimiento, provisión. || **9.** Procedimiento administrativo en que se enjuicia la actuación de un funcionario. || **Cubrir uno el expediente.** fr. Revestirlo de todos los requisitos necesarios para la completa instrucción del negocio. || **2.** fig. y fam. Aparentar que se cumple una obligación o hacer lo menos posible para cumplirla. || **3.** fig. Cometer un fraude salvando las apariencias. || **Dar expediente.** fr. Dar pronto despacho a un negocio. || **Instruir uno un expediente.** fr. Practicar las diligencias y reunir todos los documentos necesarios para preparar la decisión de un negocio.

Expedienteo. m. Tendencia exagerada a formar expedientes, o a prolongar o complicar la instrucción de ellos. || **2.** Tramitación de los expedientes.

Expedir. (Del lat. *expedīre.*) tr. Dar curso a las causas y negocios; despacharlos. || **2.** Despachar, extender por escrito, con las formalidades acostumbradas, bulas, privilegios, reales órdenes, etc. || **3.** Pronunciar un auto o decreto. || **4.** Remitir, enviar mercancías, telegramas, pliegos, etc. || **5.** ant. Despachar y dar lo necesario para que uno se vaya.

Expeditamente. adv. m. Fácilmente, desembarazadamente.

Expeditivo, va. (De *expedito.*) adj. Que tiene facilidad en dar expediente o salida en un negocio, sin muchos miramientos, evitando trámites.

Expedito, ta. (Del lat. *expedītus.*) adj. Desembarazado, libre de todo estorbo; pronto a obrar.

Expelente. p. a. de **Expeler.** Que expele.

Expeler. (Del lat. *expellĕre.*) tr. Arrojar, lanzar, echar de alguna parte a una persona o cosa.

Expendedor, ra. adj. Que gasta o expende. Ú. t. c. s. || **2.** m. y f. Persona que vende efectos de otro, y más particularmente la que vende tabaco, sellos, etc., en los estancos, o billetes de entrada para las funciones de teatro y otras. || **de moneda falsa.** *For.* El que secreta y cautelosamente va distribuyendo e introduciendo en el comercio moneda falsa.

Expendeduría. (De *expendedor.*) f. Tienda en que se vende por menor tabaco u otros efectos, estancados o monopolizados.

Expender. (Del lat. *expendĕre,* pesar, pagar.) tr. Gastar, hacer expensas. || **2.** Vender efectos de propiedad ajena por encargo de su dueño. || **3.** Vender al menudeo. || **4.** *For.* Dar salida por menor a la moneda falsa.

Expendición. f. Acción y efecto de expender.

Expendio. (De *expender.*) m. p. us. Gasto, dispendio, consumo. || **2.** *Argent., Méj.* y *Perú.* Expendición, venta al menudeo. || **3.** *Méj.* **Expendeduría.**

Expensar. tr. *Chile* y *Méj.* Costear, pagar los gastos de alguna gestión o negocio. Ú. principalmente en lenguaje forense.

Expensas. (Del lat. *expensa.*) f. pl. Gastos, costas. || **2.** *For.* **Litisexpensas.** || **A expensas.** m. adv. A costa, por cuenta, a cargo.

Experiencia. (Del lat. *experientĭa.*) f. Advertimiento, enseñanza que se adquiere con el uso, la práctica o sólo con el vivir. || **2. Experimento.** || **La experiencia es madre de la ciencia.** ref. que encarece la enseñanza que procede del uso y conocimiento práctico.

Experimentación. f. Acción y efecto de experimentar. || **2.** Método científico de indagación, fundado en la determinación voluntaria de los fenómenos.

Experimentado, da. p. p. de **Experimentar.** || **2.** adj. Dícese de la persona que tiene experiencia.

Experimentador, ra. adj. Que experimenta o hace experiencias. Ú. t. c. s.

Experimental. (De *experimento.*) adj. Fundado en la experiencia, o que se sabe y alcanza por ella. *Física* EXPERIMENTAL; *conocimiento* EXPERIMENTAL.

Experimentalmente. adj. m. Por experiencia.

Experimentar. (De *experimento.*) tr. Probar y examinar prácticamente la virtud y propiedades de una cosa. || **2.** En las ciencias fisicoquímicas y naturales, hacer operaciones destinadas a descubrir, comprobar o demostrar determinados fenómenos o principios científicos. || **3.** Notar, echar de ver en sí una cosa, como la gravedad o alivio de un mal. || **4.** Sufrir, padecer.

Experimento. (Del lat. *experimentum.*) m. Acción y efecto de experimentar.

Expertamente. adv. m. Diestramente, con práctica y conocimiento.

Experto, ta. (Del lat. *expertus,* p. p. de *experīre,* experimentar.) adj. Práctico, hábil, experimentado. || **2.** m. **Perito,** 2.ª y 3.ª aceps.

Expiación. (Del lat. *expiatĭo, -ōnis.*) f. Acción y efecto de expiar.

Expiar. (Del lat. *expiāre.*) tr. Borrar las culpas; purificarse de ellas por medio de algún sacrificio. || **2.** Tratándose de un delito o de una falta, sufrir el delincuente la pena impuesta por los tribunales. || **3.** fig. Padecer trabajos por consecuencia de desaciertos o de malos procederes. || **4.** fig. Purificar una cosa profanada; como un templo, etc.

Expiativo, va. (Del lat. *expiātum,* supino de *expiāre,* expiar.) adj. Que sirve para la expiación.

Expiatorio, ria. (Del lat. *expiatorĭus.*) adj. Que se hace por expiación, o que la produce.

Expilar. (Del lat. *expilāre.*) tr. Robar, despojar.

Expillo. m. **Matricaria.**

Expiración. (Del lat. *expiratĭo, -ōnis.*) f. Acción y efecto de expirar.

Expirante. p. a. de **Expirar.** Que expira.

Expirar. (Del lat. *exspirāre.*) intr. **Morir,** 1.ª acep. || **2.** fig. Acabarse, fenecer una cosa. EXPIRAR *el mes, el plazo.*

Explanación. (Del lat. *explanatĭo, -ōnis.*) f. Acción y efecto de explanar. || **2.** Acción y efecto de allanar un terreno. || **3.** fig. Declaración y explicación de un texto, doctrina o sentencia que tiene el sentido obscuro u ofrece muchas cosas que observar.

Explanada. (Del lat. *explanāta,* allanada.) f. Espacio de terreno allanado. || **2.** *Fort.* Declive que se continúa desde el camino cubierto hacia la campaña. || **3.** *Fort.* Parte más elevada de la muralla, sobre el límite de la cual se levantan las almenas. || **4.** *Fort.* V. **Cresta de la explanada.** || **5.** *Mil.* Pavimento de fábrica o armazón de fuertes largueros, sobre los cuales se monta y resbala la cureña de una batería.

Explanar. (Del lat. *explanāre.*) tr. **Allanar,** 1.ª acep. || **2.** Construir terraplenes, hacer desmontes, etc., hasta dar al terreno la nivelación o el declive que se desea. || **3.** fig. Declarar, explicar.

Explayada. adj. *Blas.* Dícese del águila que se representa con las alas extendidas. || **2.** V. **Exployada.**

Explayar. (De *ex* y *playa.*) tr. Ensanchar, extender. Ú. t. c. r. || **2.** r. fig. Difundirse, dilatarse, extenderse. EXPLAYARSE *en un discurso.* || **3.** fig. Esparcirse, irse a divertir al campo. || **4.** fig. Confiarse de una persona, comunicándole algún secreto o intimidad, para desahogar el ánimo.

Expletivo, va. (Del lat. *expletīvus.*) adj. Aplícase a las voces o partículas que, sin ser necesarias para el sentido, se emplean para hacer más llena o armoniosa la locución.

Explicable. (Del lat. *explicabĭlis.*) adj. Que se puede explicar.

Explicablemente. adv. m. ant. Con distinción y claridad.

Explicación. (Del lat. *explicatĭo, -ōnis.*) f. Declaración o exposición de cualquiera materia, doctrina o texto por palabras claras o ejemplos, para que se haga más perceptible. || **2.** Satisfacción que se da a una persona o colectividad declarando que las palabras o actos que puede tomar a ofensa carecieron de intención de agravio. || **3.** Manifestación o revelación de la causa o motivo de alguna cosa.

Explicaderas. f. pl. fam. Manera de explicarse o darse a entender cada cual. *Bruno tiene buenas* EXPLICADERAS.

Explicador, ra. (Del lat. *explicātor.*) adj. Que explica o comenta una cosa. Ú. t. c. s.

Explicar. (Del lat. *explicāre.*) tr. Declarar, manifestar, dar a conocer a otro lo que uno piensa. Ú. t. c. r. || **2.** Declarar o exponer cualquiera materia, doctrina o texto difícil, por palabras muy claras con que se haga más perceptible. || **3.** Enseñar en la cátedra. || **4.** Justificar, exculpar palabras o acciones, declarando que no hubo en ellas intención de agravio para otra persona. || **5.** Dar a conocer la causa o motivo de alguna cosa. || **6.** r. Llegar a comprender la razón de alguna cosa; darse cuenta de ella.

Explicativo, va. adj. Que explica o sirve para explicar una cosa. *Nota* EXPLICATIVA.

Explícitamente. adv. m. Expresa y claramente.

Explícito, ta. (Del lat. *explicĭtus.*) adj. Que expresa clara y determinadamente una cosa.

Explorable. adj. Que puede ser explorado.

Exploración. (Del lat. *exploratĭo, -ōnis.*) f. Acción y efecto de explorar.

Explorador, ra. (Del lat. *explorātor.*) adj. Que explora. Ú. t. c. s. || **2.** m. Muchacho afiliado a cierta asociación educativa, patriótica y deportiva.

Explorar. (Del lat. *explorāre.*) tr. Reconocer, registrar, inquirir o averiguar con diligencia una cosa o un lugar.

Exploratorio, ria. adj. Que sirve para explorar. || **2.** *Med.* Aplícase al instrumento o medio que se emplea para explorar cavidades o heridas en el cuerpo. Ú. t. c. s. m.

Explosión. (Del lat. *explosĭo, -ōnis.*) f. Acción de reventar, con estruendo, un cuerpo continente, por rebasar los límites de la resistencia de sus paredes el esfuerzo producido por la dilatación progresiva, unas veces, y otras, por la súbita transformación en gases del cuerpo contenido. || **2.** Dilatación repentina de un gas expelido del cuerpo que lo contiene, sin que éste estalle ni se rompa; como se observa en el disparo de una arma de fuego y en muchos aparatos motores. || **3.** fig. Manifestación súbita y violenta de ciertos afectos del ánimo. EXPLOSIÓN *de risa, de entusiasmo.* || **4.** *Fon.* Parte final de la articulación o sonido de las consonantes oclusivas *p, t,* etc., en los casos en que el aire aspirado sale repentinamente al cesar la oclusión; como en *padre, taza.*

Explosivo, va. adj. Que hace o puede hacer explosión. || **2.** *Quím.* Que se incendia con explosión; como los fulminantes o la pólvora. Ú. t. c. s. m. || **3.** *Fon.* Dícese de la consonante que se pronuncia de un golpe; como la *p* y la *t.* || **4.** *Fon.* Dícese de la letra que representa este sonido. Ú. t. c. s.

Explotable. adj. Que se puede explotar.

Explotación. f. Acción y efecto de explotar. || **2.** Conjunto de elementos dedicados a una industria o granjería. *La compañía ha instalado una magnífica* EXPLOTACIÓN.

Explotador, ra. adj. Que explota. Ú. t. c. s.

Explotar. (Del fr. *exploiter,* de *exploit,* y éste del lat. *explicĭtum,* p. p. de *explicāre,* desplegar, acabar.) tr. Extraer de las minas la riqueza que contienen. || **2.** fig. Sacar utilidad de un negocio o industria en provecho propio. || **3.** fig. Aplicar en provecho propio, por lo general de un modo abusivo, las cualidades o sentimientos de una persona, o un suceso o circunstancia cualquiera.

Exployada. (Del fr. *éployé.*) adj. V. **Águila exployada.**

Expoliación. (Del lat. *exspoliatĭo, -ōnis.*) f. Acción y efecto de expoliar.

Expoliador, ra. (Del lat. *exspoliātor.*) adj. Que expolia o favorece la expoliación. Ú. t. c. s.

Expoliar. (Del lat. *exspoliāre.*) tr. Despojar con violencia o con iniquidad.

Expolición. (Del lat. *expolitĭo, -ōnis.*) f. *Ret.* Figura que consiste en repetir un mismo pensamiento con distintas formas, o en acumular varios que vengan a decir lo mismo, aunque no sean enteramente iguales, para esforzar o exornar la expresión de aquello que se quiere dar a entender.

Exponedor. (De *exponer.*) m. ant. **Expositor.**

Exponencial. (De *exponente.*) adj. *Mat.* V. **Cantidad exponencial.**

Exponente. p. a. de **Exponer.** Que expone. Ú. t. c. s. || **2.** m. *Álg.* y *Arit.* Número o expresión algebraica que denota la potencia a que se ha de elevar otro número u otra expresión, y se coloca en la parte superior a su derecha. || **3.** *Álg.* y *Arit.* Diferencia de una progresión aritmética o razón de una geométrica.

Exponer. (Del lat. *exponĕre.*) tr. Presentar una cosa para que sea vista, ponerla de manifiesto. Ú. t. c. intr. en el sentido de **Manifestar,** 3.ª acep. || **2.** Colocar una cosa para que reciba la acción de un agente. || **3.** Declarar, interpretar, explicar el sentido genuino de una palabra, texto o doctrina que puede tener varios o es difícil de entender. || **4.** Arriesgar, aventurar, poner una cosa en contingencia de perderse o dañarse. Ú. t. c. r. || **5.** Dejar a un niño recién nacido a la puerta de una iglesia, o casa, o en otro paraje público.

Exportable. adj. Que se puede exportar.

Exportación. (Del lat. *exportatĭo, -ōnis.*) f. Acción y efecto de exportar. || **2.** Conjunto de mercaderías que se exportan.

Exportador, ra. (Del lat. *exportātor.*) adj. Que exporta. Ú. t. c. s.

Exportar. (Del lat. *exportāre.*) tr. Enviar géneros del propio país a otro.

Exposición. (Del lat. *expositĭo, -ōnis.*) f. Acción y efecto de exponer o exponerse. || **2.** Representación que se hace por escrito, comúnmente a una autoridad, pidiendo o reclamando una cosa. || **3.** Manifestación pública de artículos de industria o de artes y ciencias, para estimular la producción, el comercio o la cultura. || **4.** Conjunto de las noticias dadas en las obras épicas, dramáticas y novelescas, acerca de los antecedentes o causas de la acción. || **5.** Situación de un objeto con relación a los puntos cardinales del horizonte. || **6.** Espacio de tiempo durante el cual se expone a la luz una placa fotográfica o un papel sensible para que se impresione. Ú. especialmente en contraposición a la exposición instantánea. || **7.** *Mús.* En ciertas formas musicales, parte inicial de una composición en la que se presentan el tema o los temas que han de repetirse o desarrollarse después.

Expositivo, va. (Del lat. *expositīvus.*) adj. Que expone, declara o interpreta.

Expósito, ta. (Del lat. *expositus*, expuesto.) adj. Dícese del que recién nacido fué expuesto en un paraje público. Ú. m. c. s. || **2.** V. **Casa de expósitos.**

Expositor, ra. (Del lat. *expositor.*) adj. Que interpreta, expone y declara una cosa. Ú. t. c. s. || **2.** m. Por antonom., el que expone o explica la Sagrada Escritura, o un texto jurídico. || **3.** m. y f. Persona que concurre a una exposición pública con objetos de su propiedad o industria.

Expremijo. (De *exprimir.*) m. Mesa baja, larga, de tablero con ranuras, cercada de listones y algo inclinada, para que al hacer queso escurra el suero y salga por una abertura hecha en la parte más baja.

Expremir. (Del lat. *exprimĕre.*) tr. ant. Expresar.

Expresamente. adv. m. De modo expreso.

Expresar. (De *expreso*, claro.) tr. Decir, manifestar con palabras lo que uno quiere dar a entender. || **2.** Dar uno indicio del estado o los movimientos del ánimo por medio de miradas, actitudes, gestos o cualesquier otros signos exteriores. || **3.** Manifestar el artista con viveza y exactitud los afectos propios del caso. || **4.** r. Darse a entender por medio de la palabra. *Antonio* SE EXPRESA *bien.*

Expresión. (Del lat. *expresĭo, -ōnis.*) f. Especificación, declaración de una cosa para darla a entender. || **2.** Palabra o locución. || **3.** Efecto de expresar, 2.ª acep. || **4.** Viveza y propiedad con que se manifiestan los afectos en la oración o en la representación teatral, en la pintura y en las demás artes. || **5.** Cosa que se regala en demostración de afecto a quien se quiere obsequiar. || **6.** Acción de exprimir. || **7.** *Álg.* Conjunto de términos que representa una cantidad. || **8.** *Farm.* Zumo o substancia exprimida. || **9.** pl. **Memoria**, 9.ª acep. || **Reducir** una cosa **a la mínima expresión.** fr. fig. Mermarla, disminuirla todo lo posible.

Expresionismo. m. Escuela y tendencia estética que, reaccionando contra el impresionismo, propugna la intensidad de la expresión sincera aun a costa del equilibrio formal.

Expresivamente. adv. m. De manera expresiva.

Expresivo, va. (De *expreso.*) adj. Dícese de la persona que manifiesta con gran viveza de expresión lo que siente o piensa, y de la frase, ademán, acto, etc., que expresa mucho o da a entender muy eficazmente una cosa. || **2.** **Afectuoso**, 1.ª acep. || **3.** *Mús.* V. **Órgano expresivo.**

Expreso, sa. (Del lat. *expressus.*) p. p. irreg. de **Expresar.** || **2.** adj. Claro, patente, especificado. || **3.** V. **Tren expreso.** Ú. t. c. s. || **4.** m. Correo extraordinario, despachado con una noticia o aviso determinado. || **5.** adv. m. **Ex profeso**, con particular intento.

Exprimidera. f. Instrumento que se usa para estrujar la materia de que se quiere sacar el zumo.

Exprimidero. m. **Exprimidera.**

Exprimir. (Del lat. *exprimĕre.*) tr. Extraer el zumo o líquido de una cosa que lo tenga o esté empapada en él, apretándola o retorciéndola. || **2.** fig. **Estrujar**, 3.ª acep. || **3.** fig. Expresar, manifestar.

Ex profeso. m. adv. lat. De propósito, con particular intención.

Expropiación. f. Acción y efecto de expropiar. || **2.** Cosa expropiada. Ú. m. en pl.

Expropiador, ra. adj. Que expropia.

Expropiar. (De *ex* y *propio.*) tr. Desposeer de una cosa a su propietario, dándole en cambio una indemnización, salvo casos excepcionales. Se efectúa legalmente por motivos de utilidad pública.

Expuesto, ta. (Del lat. *expositus.*) p. p. irreg. de **Exponer.** || **2.** adj. **Peligroso.** || **3.** ant. **Expósito.**

Expugnable. (Del lat. *expugnabĭlis.*) adj. Que se puede expugnar.

Expugnación. (Del lat. *expugnatĭo, -ōnis.*) f. Acción y efecto de expugnar.

Expugnador, ra. (Del lat. *expugnātor.*) adj. Que expugna. Ú. t. c. s.

Expugnar. (Del lat. *expugnāre.*) tr. Tomar por fuerza de armas una ciudad, plaza, castillo, etc.

Expulsar. (Del lat. *expulsāre*, intens. de *expellĕre*, expeler.) tr. **Expeler.** Dícese comúnmente de las personas, **a** diferencia de expeler, que se aplica más bien a los humores y otras cosas materiales.

Expulsión. (Del lat. *expulsĭo, -ōnis.*) f. Acción y efecto de expeler. || **2.** Acción y efecto de expulsar. || **3.** *Esgr.* Golpe que da el diestro sacudiendo violentamente con la fuerza de su espada la flaqueza de la del contrario, para desarmarlo.

Expulsivo, va. (Del lat. *expulsīvus.*) adj. Que tiene virtud y facultad de expeler. *Medicamento* EXPULSIVO. Ú. t. c. s. m.

Expulso, sa. (Del lat. *expulsus.*) p. p. irreg. de **Expeler** y **Expulsar.**

Expulsor, ra. adj. Que expulsa. || **2.** m. En algunas armas de fuego, mecanismo dispuesto para expulsar los cartuchos vacíos.

Expurgación. (Del lat. *expurgatĭo, -ōnis.*) f. Acción y efecto de expurgar.

Expurgador, ra. adj. Que expurga. Ú. t. c. s.

Expurgar. (Del lat. *expurgāre.*) tr. Limpiar o purificar una cosa. || **2.** fig. Dícese de los libros o impresos en que la autoridad competente, sin prohibir su lectura, mandaba tachar algunas palabras, cláusulas o pasajes.

Expurgatorio, ria. adj. Que expurga o limpia. || **2.** V. **Índice expurgatorio.** Ú. t. c. s. m.

Expurgo. (De *expurgar.*) m. **Expurgación.**

Exquisitamente. adv. m. De manera exquisita.

Exquisitez. f. Calidad de exquisito.

Exquisito, ta. (Del lat. *exquisītus.*) adj. De singular y extraordinaria invención, primor o gusto en su especie.

Éxtasi. m. **Éxtasis.**

Extasiarse. (De *éxtasis.*) r. **Arrobarse.**

Éxtasis. (Del lat. *ecstăsis*, y éste del gr. ἔκστασις.) m. Estado del alma enteramente embargada por un sentimiento de admiración, alegría, etc. || **2.** *Teol.* Estado del alma, caracterizado interiormente por cierta unión mística con Dios mediante la contemplación y el amor, y exteriormente por la suspensión mayor o menor del ejercicio de los sentidos.

Extático, ca. (Del gr. ἐκστατικός.) adj. Que está en actual éxtasis, o lo tiene con frecuencia o habitualmente.

Extemporal. (Del lat. *extemporālis.*) adj. **Extemporáneo.**

Extemporáneamente. adv. m. Fuera de su tiempo propio y oportuno.

Extemporáneo, a. (Del lat. *extemporanĕus.*) adj. Impropio del tiempo en que sucede o se hace. || **2.** Inoportuno, inconveniente.

Extender. (Del lat. *extendĕre.*) tr. Hacer que una cosa, aumentando su superficie, ocupe más lugar o espacio que el que antes ocupaba. Ú. t. c. r. || **2.** Esparcir, desparramar lo que está amontonado, junto o espeso. EXTENDER *la hierba segada, para que se seque;* EXTENDER *la pintura con la brocha.* || **3.** Desenvolver, desplegar o poner a la larga una cosa que estaba doblada, arrollada o encogida. Ú. t. c. r. || **4.** Hablando de cosas morales, como derechos, jurisdicción, autoridad, conocimientos, etc., darles mayor amplitud y comprensión que la que tenían. Ú. t. c. r. || **5.** Hablando de escrituras, autos, despachos, etc., ponerlos por escrito y en la forma acostumbrada. || **6.** r. Ocupar cierta porción de terreno. Dícese de los montes, llanuras, campos, pueblos, etc. || **7.** Ocupar cierta cantidad de tiempo, durar. || **8.** Hacer por escrito o de palabra la narración o explicación de las cosas, dilatada y copiosamente. || **9.** fig. Propagarse, irse difundiendo una raza, una especie animal o vegetal, una profesión, uso, opinión o costumbre donde antes no la había. || **10.** fig. Alcanzar la fuerza, virtud o eficacia de una cosa a influir u obrar en otras. || **11.** fig. y fam. Ponerse muy hinchado y entonado, afectando señorío y poder.

Extendidamente. adv. m. **Extensamente.**

Extendimiento. (De *extender.*) m. ant. **Extensión.** || **2.** ant. fig. Expansión o dilatación de una pasión o afecto.

Extensamente. adv. m. Por extenso, con extensión.

Extensible. adj. Que se puede extender.

Extensión. (Del lat. *extensĭo, -ōnis.*) f. Acción y efecto de extender o extenderse. || **2.** *Geom.* Capacidad para ocupar una parte del espacio. *El punto no tiene* EXTENSIÓN. || **3.** *Geom.* Medida del espacio ocupado por un cuerpo. || **4.** *Lóg.* Conjunto de individuos comprendidos en una idea. || **5.** *Gram.* Tratando del significado de las palabras, ampliación del mismo a otro concepto relacionado con el originario.

Extensivamente. adv. m. De un modo extensivo.

Extensivo, va. (Del lat. *extensīvus.*) adj. Que se extiende o se puede extender, comunicar o aplicar a más cosas que a las que ordinariamente comprende.

Extenso, sa. (Del lat. *extensus.*) p. p. irreg. de **Extender.** || **2.** adj. Que tiene extensión. || **3.** Que tiene mucha extensión, vasto. || **Por extenso.** m. adv. Extensamente, circunstanciadamente.

Extensor, ra. (De *extenso.*) adj. Que extiende o hace que se extienda una cosa. *Músculo* EXTENSOR.

Extenuación. (Del lat. *extenuatĭo, -ōnis.*) f. Enflaquecimiento, debilitación de fuerzas materiales. Ú. t. en sent. fig. || **2.** *Ret.* **Atenuación**, 2.ª acep.

Extenuar. (Del lat. *extenuāre.*) tr. Enflaquecer, debilitar. Ú. t. c. r.

Extenuativo, va. adj. Que extenúa.

Exterior. (Del lat. *exterior.*) adj. Que está por la parte de afuera. || **2.** V. **Deuda, fuero exterior.** || **3.** Relativo a otros países, por contraposición a nacional e interior. *Comercio* EXTERIOR. || **4.** *Astron.* V. **Planeta exterior.** || **5.** *Fort.* V. **Obra, polígono exterior.** || **6.** *Zool.* V. **Cuero exterior.** || **7.** m. Superficie externa de los cuerpos. || **8.** Traza, aspecto o porte de una persona.

Exterioridad. (De *exterior.*) f. Cosa exterior o externa. || **2.** Apariencia, aspecto de las cosas, o porte, conducta ostensible de una persona. || **3.** Demostración con que se aparenta un afecto del ánimo, aunque en realidad no se sienta. || **4.** Honor de pura ceremonia; pompa de mera ostentación. Ú. m. en pl.

Exteriorización. f. Acción y efecto de exteriorizar.

Exteriorizar. tr. Hacer patente, revelar o mostrar algo al exterior. Ú. t. c. r.

Exteriormente. adv. m. Por la parte exterior; ostensible o aparentemente.

Exterminable. adj. Que se puede exterminar.

Exterminación. f. Acción y efecto de exterminar.

Exterminador, ra. (Del lat. *exterminātor.*) adj. Que extermina. Ú. t. c. s. || **2.** m. ant. Apeador o deslindador de términos.

Exterminar. (Del lat. *extermināre.*) tr. desus. Echar fuera de los términos; desterrar. || **2.** fig. Acabar del todo con una cosa como si se desterrara, extirpara o descastara. || **3.** fig. Desolar, devastar por fuerza de armas.

Exterminio. (Del lat. *extermĭnĭum.*) m. Acción y efecto de exterminar.

Externado. m. Establecimiento de enseñanza donde se reciben alumnos externos.

Externamente. adv. m. Por la parte externa.

Externo, na. (Del lat. *externus.*) adj. Dícese de lo que obra o se manifiesta al exterior, y en comparación o contraposición con lo interno. || **2.** V. **Culto, fuero externo.** || **3.** Dícese del alumno que sólo permanece en el colegio o escuela durante las horas de clase. Ú. t. c. s. || **4.** *Med.* V. **Otitis externa.** || **5.** *Zool.* V. **Vena yugular externa.**

Ex testamento. m. adv. lat. *For.* Por el testamento.

Extinción. (Del lat. *exstinctĭo, -ōnis.*) f. Acción y efecto de extinguir o extinguirse.

Extinguible. (Del lat. *exstinguibĭlis.*) adj. Que se puede extinguir.

Extinguir. (Del lat. *exstinguĕre.*) tr. Hacer que cese el fuego o la luz. Ú. t. c. r. || **2.** fig. Hacer que cesen o se acaben del todo ciertas cosas que desaparecen gradualmente; como un sonido, un afecto, una vida. Ú. t. c. r.

Extintivo, va. (De *extinto.*) adj. Que causa extinción. || **2.** *For.* Que hace caducar, perderse o cancelarse una acción o un derecho. *Prescripción* EXTINTIVA.

Extinto, ta. (Del lat. *exstinctus.*) p. p. irreg. de **Extinguir.** || **2.** adj. V. **Volcán extinto.** || **3.** *Argent.* y *Chile.* Muerto, fallecido.

Extintor, ra. adj. Que extingue. || **2.** m. Aparato para extinguir incendios, que por lo común arroja sobre el fuego un chorro de agua o de una mezcla que dificulta la combustión.

Extirpable. adj. Que se puede extirpar.

Extirpación. (Del lat. *exstirpatĭo, -ōnis.*) f. Acción y efecto de extirpar.

Extirpador, ra. (Del lat. *exstirpātor.*) adj. Que extirpa. Ú. t. c. s. || **2.** m. *Agr.* Instrumento que consiste en un bastidor de madera o de hierro, con travesaños armados por su parte inferior de cuchillas de hierro a modo de rejas, que cortan horizontalmente la tierra y las raíces. Suele estar montado sobre tres ruedas: una delantera y dos laterales.

Extirpar. (Del lat. *exstirpāre.*) tr. Arrancar de cuajo o de raíz. || **2.** fig. Acabar del todo con una cosa, de modo que cese de existir; como los vicios, abusos, etc.

Extorno. m. Parte de prima que el asegurador devuelve al asegurado a consecuencia de alguna modificación en las condiciones de la póliza contratada.

Extorsión. (Del lat. *extorsĭo, -ōnis.*) f. Acción y efecto de usurpar y arrebatar por fuerza una cosa a uno. || **2.** fig. Cualquier daño o perjuicio.

Extorsionar. tr. Usurpar, arrebatar. || **2.** Causar extorsión o daño.

Extra. (Del lat. *extra.*) prep. insep. que significa **fuera de,** como en EXTRA*muros,* EXTRA*judicial,* EXTRA*ordinario.* || **2.** En estilo familiar suele emplearse aislada, significando **además.** EXTRA *del sueldo, tiene muchas ganancias.* || **3.** adj. Extraordinario, óptimo. || **4.** m. fam. Adehala, gaje, plus.

Extracción. (Del lat. *extractĭo, -ōnis.*) f. Acción y efecto de extraer. || **2.** En el juego de la lotería, acto de sacar algunos números con sus respectivas suertes, para decidir por ellos las ganancias o pérdidas de los jugadores. || **3.** Origen, linaje. Tómase, por lo común, en mala parte, o se usa con los adjetivos *baja, humilde,* etc.

Extracta. (Del lat. *extracta,* sacada, extraída.) f. *For. Ar.* Traslado fiel de cualquiera instrumento público o de una parte de él.

Extractador, ra. adj. Que extracta. Ú. t. c. s.

Extractar. (De *extracto.*) tr. Reducir a extracto una cosa; como escrito, libro, etc.

Extracto. (Del lat. *extractus,* p. p. de *extrahĕre,* extraer, sacar.) m. Resumen que se hace de un escrito cualquiera, expresando en términos precisos únicamente lo más substancial. || **2.** Cada uno de los cinco números que salían a favor de los jugadores en la lotería primitiva. || **3.** Producto sólido o espeso obtenido por evaporación de un zumo o de una disolución de substancias vegetales o animales. Según el líquido disolvente, recibe la calificación de acuoso, alcohólico, etéreo, etc. || **4.** *For.* Apuntamiento o resumen de un expediente o de pleito contencioso administrativo. || **de Saturno.** Disolución acuosa del acetato de plomo básico. || **tebaico. Extracto** acuoso de opio.

Extractor, ra. (Del lat. *extractor.*) m. y f. Persona que extrae. || **2.** Aparato o pieza de un mecanismo que sirve para extraer.

Extradición. (Del lat. *ex,* fuera de, y *tradĭtĭo, -ōnis,* acción de entregar.) f. Entrega del reo refugiado en un país, hecha por el gobierno de éste a las autoridades de otro país que lo reclaman para juzgarlo y, en su caso, castigarlo.

Extradós. (Del ital. *extradosso.*) m. Superficie convexa o exterior de una bóveda.

Extraente. p. a. de **Extraer.** Que extrae. Ú. t. c. s.

Extraer. (Del lat. *extrahĕre.*) tr. Sacar, poner una cosa fuera de donde estaba. || **2.** *Álg.* y *Arit.* Tratándose de raíces, averiguar cuáles son las de una cantidad dada. || **3.** *For. Ar.* Sacar traslado de un instrumento público o de una parte de él. || **4.** *Quím.* Separar algunas de las partes de que se componen los cuerpos.

Extrajudicial. (De *extra* y *judicial.*) adj. Que se hace o trata fuera de la vía judicial.

Extrajudicialmente. adv. m. Sin las solemnidades judiciales, y por lo general, privadamente.

Extralimitación. f. Acción y efecto de extralimitarse.

Extralimitarse. (De *extra* y *límite.*) r. fig. Excederse en el uso de facultades o atribuciones; abusar de la benevolencia ajena. Ú. t. c. tr.

Extramuros. (Del lat. *extra muros,* fuera de las murallas.) adv. l. Fuera del recinto de una ciudad, villa o lugar.

Extranjería. f. Calidad y condición que por las leyes corresponden al extranjero residente en un país, mientras no está naturalizado en él. || **2.** Sistema o conjunto de normas reguladoras de la condición, los actos y los intereses de los extranjeros en un país.

Extranjerismo. m. Afición desmedida a costumbres extranjeras. || **2.** Voz, frase o giro de un idioma extranjero empleado en español.

Extranjerizar. Introducir las costumbres extranjeras, mezclándolas con las propias del país. Ú. t. c. r.

Extranjero, ra. (Del ant. fr. y prov. *estrangier,* y éste del lat. **extranearĭus,* de **extranĕus,* extraño.) adj. Que es o viene de país de otra soberanía. || **2.** Natural de una nación con respecto a los naturales de cualquiera otra. Ú. m. c. s. || **3.** m. Toda nación que no es la propia.

Extranjía. f. fam. **Extranjería.** || **De extranjía.** loc. fam. **Extranjero.** || **2.** fig. y fam. Extraño o inesperado.

Extranjis (De). loc. fam. **De extranjía.** || **2.** De tapadillo, ocultamente.

Extraña. f. Planta herbácea de la familia de las compuestas, con tallo rollizo, velloso y guarnecido de muchas hojas alternas, aovadas, lampiñas, con dientes desiguales, y tanto más estrechas cuanto más altas están; flores terminales, grandes, de mucha variedad en las corolas, pues las hay blancas, azules, moradas, encarnadas y jaspeadas de estos colores. Procede de la China y se cultiva mucho como planta de adorno.

Extrañación. f. **Extrañamiento.**

Extrañamente. adv. m. De manera extraña.

Extrañamiento. m. Acción y efecto de extrañar o extrañarse.

Extrañar. (Del lat. *extraneāre.*) tr. Desterrar a país extranjero. Ú. t. c. r. || **2.** Apartar, privar a uno del trato y comunicación que se tenía con él. Ú. t. c. r. || **3.** Ver u oir con admiración o extrañeza una cosa. Ú. t. c. r. || **4.** Sentir la novedad de alguna cosa que usamos, echando de menos la que nos es habitual. *No he dormido bien porque* EXTRAÑABA *la cama.* || **5.** *And., Amér. Central, Chile, Ecuad., Méj.* y *Perú.* Echar de menos a alguna persona o cosa, sentir su falta. *Mugía la vaca* EXTRAÑANDO *a su cría.* || **6.** Afear, reprender. || **7.** ant. Rehuir, esquivar. || **8.** r. Rehusarse, negarse a hacer una cosa.

Extrañero, ra. (De *extraño.*) adj. ant. Extranjero o forastero.

Extrañez. f. **Extrañeza.**

Extrañeza. (De *extraño.*) f. Calidad de raro, extraño, extraordinario. || **2.** Cosa rara, extraña, extraordinaria. || **3.** Desvío, desavenencia entre los que eran amigos. || **4.** Admiración, novedad.

Extraño, ña. (Del lat. *extranĕus.*) adj. De nación, familia o profesión distinta de la que se nombra o sobrentiende; contrapónese a *propio.* Ú. t. c. s. || **2.** Raro, singular. || **3. Extravagante.** EXTRAÑO *humor, genio;* EXTRAÑA *manía.* || **4.** Dícese de lo que es ajeno a la naturaleza o condición de una cosa de la cual forma parte. *Pedro es un* EXTRAÑO *en su familia.* || **5.** Seguido de la preposición *a,* dícese de lo que no tiene parte en la cosa nombrada tras la preposición. *Juan permaneció* EXTRAÑO *a aquellas maquinaciones.* || **6.** *Esgr.* V. **Compás, movimiento extraño.** || **Serle** a uno **extraña** una cosa. fr. No estar práctico en ella o ser impropia para él. || **Hacer un extraño el caballo.** fr. Espantarse inopinadamente.

Extraoficial. adj. Oficioso, no oficial.

Extraoficialmente. adv. m. De modo extraoficial.

Extraordinariamente. adv. m. De manera extraordinaria.

Extraordinario, ria. (Del lat. *extraordinarius.*) adj. Fuera del orden o regla natural o común. || **2.** V. **Enviado extraordinario.** || **3.** *For.* V. **Juicio extraordinario.** || **4.** m. Correo especial que se despacha con urgencia. || **5.** Plato o manjar que se añade a la comida diaria. || **6.** Número de un periódico que se publica por algún motivo extraordinario.

Extrarradio. m. Parte o zona, la más exterior del término municipal, que rodea al casco y radio de la población.

Extrasístole. f. *Med.* Latido anormal e irregular del corazón, seguido de una pausa en las contracciones y acompañado, por lo común, de sensación de choque o de angustia.

Extratémpora. (Del lat. *extra,* fuera de, y *tempŏra,* los tiempos.) f. Dispensa para que un clérigo reciba las órdenes mayores fuera de los tiempos señalados por la Iglesia.

Extraterritorial. adj. Dícese de lo que está o se considera fuera del territorio de la propia jurisdicción.

Extraterritorialidad. (De *extra* y *territorio.*) f. Derecho o privilegio fundado en una ficción jurídica que considera el domicilio de los agentes diplomáticos, los buques de guerra, etc., como si estuviesen fuera del territorio donde se encuentran, para seguir sometidos a las leyes de su país de origen.

Extravagancia. (De *extravagante.*) f. Desarreglo en el pensar y obrar.

Extravagante. (Del lat. *extra,* fuera de, y *vagans, -antis,* errante.) adj. Que se hace o dice fuera del orden o común modo de obrar. || **2.** Que habla, viste o procede así. Ú. t. c. s. || **3.** m. ant. Escribano que no era del número ni tenía asiento fijo en ningún pueblo, juzgado o tribunal. || **4.** f. Cualquiera de las constituciones pontificias que se hallan recogidas y puestas al fin del cuerpo del derecho canónico, después de los cinco libros de las decretales y clementinas. Diósеles este nombre porque están fuera del cuerpo canónico. Unas se llaman comunes y otras de Juan XXII.

Extravasación. f. Acción y efecto de extravasarse.

Extravasarse. (De *extra* y *vaso.*) r. Salirse un líquido de su vaso. Tiene mucho uso esta voz en medicina.

Extravenar. (De *extra,* fuera de, y *vena.*) tr. Hacer salir la sangre de las venas. Ú. m. c. r. || **2.** fig. Desviar, sacar de su lugar.

Extraversión. (De *extra,* fuera, y *versio.*) f. Movimiento del ánimo que, cesando en su propia contemplación, sale fuera de sí por medio de los sentidos.

Extraviado, da. p. p. de **Extraviar.** || **2.** adj. De costumbres desordenadas. || **3.** Tratando de lugares, poco transitado, apartado.

Extraviar. (Del lat. *extra* y *via,* camino.) tr. Hacer perder el camino. Ú. t. c. r. || **2.** Poner una cosa en otro lugar que el que debía ocupar. || **3.** Hablando de la vista o de la mirada, no fijarla en objeto determinado. || **4.** r. No encontrarse una cosa en su sitio e ignorarse su paradero. || **5.** fig. Dejar la carrera y forma de vida que se había empezado y tomar otra distinta. Tómase, por lo común, en mala parte.

Extravío. m. Acción y efecto de extraviar o extraviarse. || **2.** fig. Desorden en las costumbres. || **3.** fam. Molestia, perjuicio.

Extremadamente. adv. m. Con extremo, por extremo.

Extremadano, na. adj. ant. **Extremeño.** Apl. a pers., usáb. t. c. s.

Extremadas. f. pl. Entre ganaderos, tiempo en que están ocupados en hacer el queso.

Extremado, da. p. p. de **Extremar.** || **2.** adj. Sumamente bueno o malo en su género.

Extremamente. adv. m. **En extremo.**

Extremar. tr. Llevar una cosa al extremo. || **2.** ant. Separar, apartar una cosa de otra. Ú. t. c. r. Hoy conserva uso entre ganaderos cuando apartan los corderos de las madres; y en León, como reflexivo, especialmente en la significación de separarse los que viven juntos para establecerse cada uno de por sí. || **3.** ant. Hacer a uno el más excelente en su género. || **4.** *Ar.* y *Nav.* Hacer la limpieza y arreglo de las habitaciones. || **5.** intr. Entre ganaderos se dice de los ganados que trashuman y van a pasar el invierno en los territorios templados de Extremadura. || **6.** r. Emplear uno toda la habilidad y esmero en la ejecución de una cosa.

Extremaunción. (De *extrema,* última, y *unción.*) f. Uno de los santos sacramentos de la Iglesia, que consiste en la unción con óleo sagrado hecha por el sacerdote a los fieles que se hallan en peligro inminente de morir.

Extremeño, ña. adj. Natural de Extremadura. Ú. t. c. s. || **2.** Perteneciente a esta región de España. || **3.** Que habita en los extremos de una región. Ú. t. c. s.

Extremidad. (Del lat. *extremĭtas, -ātis.*) f. Parte extrema o última de una cosa. || **2.** fig. El grado último a que una cosa puede llegar. || **3.** ant. **Superioridad,** 1.ª acep. || **4.** pl. Cabeza, pies, manos y cola de los animales. || **5.** Pies y manos del hombre. || **6.** Los brazos y piernas o las patas, en oposición al tronco.

Extremismo. m. Tendencia a adoptar ideas extremas o exageradas, especialmente en política.

Extremista. adj. Dícese del partidario de ideas extremas o exageradas, especialmente en política. Ú. t. c. s.

Extremo, ma. (Del lat. *extrēmus.*) adj. **Último.** || **2.** V. **Diente extremo.** || **3.** Aplícase a lo más intenso, elevado o activo de cualquiera cosa. *Frío, calor* EXTREMO. || **4.** Excesivo, sumo, mucho. || **5.** V. **Necesidad extrema.** || **6. Distante.** || **7. Desemejante.** || **8.** m. Parte primera o parte última de una cosa, o principio o fin de ella. || **9.** desus. **Padrenuestro,** 2.ª acep. || **10.** Punto último a que puede llegar una cosa. || **11.** Esmero sumo en una operación. || **12.** Invernadero de los ganados trashumantes, y pastos en que se apacientan en el invierno. || **13.** pl. Manifestaciones exageradas y vehementes de un afecto del ánimo, como alegría, dolor, etc. Ú. principalmente en la frase *hacer* EXTREMOS. || **Con extremo.** m. adv. Muchísimo, excesivamente. || **De extremo a extremo.** m. adv. Desde el principio al fin. || **2.** De un **extremo** al otro su contrario. || **En extremo.** m. adv. **Con extremo.** || **Ir a extremo.** fr. Pasar los ganados de las dehesas y montes de invierno a los de verano, o al contrario, para tener los pastos necesarios y poderse sustentar en todas las estaciones del año. || **Ir,** o **pasar, de un extremo a otro.** fr. Mudarse casi de repente el orden de las cosas o las ideas u opiniones, pasando a las opuestas. || **2.** Venir después de un tiempo muy frío un calor grande, o al contrario. || **Por extremo.** m. adv. **Con extremo.**

Extremoso, sa. (De *extremo.*) adj. Que no se comide o no guarda medio en afectos o acciones, sino que declina o da en un extremo. || **2.** Muy expresivo en demostraciones cariñosas.

Extrínsecamente. adv. m. De manera extrínseca.

Extrínseco, ca. (Del lat. *extrinsĕcus.*) adj. Externo, no esencial.

Exturbar. (Del lat. *exturbāre,* echar fuera.) tr. ant. Arrojar o expeler a uno con violencia.

Exuberancia. (Del lat. *exuberantĭa.*) f. Abundancia suma; plenitud y copia excesiva.

Exuberante. (Del lat. *exubĕrans, -antis,* p. a. de *exuberāre,* abundar mucho.) adj. Abundante y copioso con exceso.

Exuberar. (Del lat. *exuberāre,* de *ex,* intens., y *uber,* abundante.) intr. ant. Abundar con exceso.

Exudación. (Del lat. *exsudatĭo, -ōnis.*) f. Acción y efecto de exudar.

Exudado, da. (De *exudar.*) p. p. de **Exudar.** || **2.** m. *Med.* Producto de la exudación, generalmente por extravasación de la sangre en las inflamaciones.

Exudar. (Del lat. *exudāre.*) intr. Salir un líquido fuera de sus vasos o continentes propios. Ú. t. c. tr.

Exulceración. (Del lat. *exulceratĭo, -ōnis.*) f. *Med.* Acción y efecto de exulcerar o exulcerarse.

Exulcerar. (Del lat. *exulcerāre.*) tr. *Med.* Corroer el cutis de modo que empiece a formarse llaga. Ú. t. c. r.

Exultación. (Del lat. *exultatĭo, -ōnis.*) f. Acción y efecto de exultar.

Exultar. (Del lat. *exsultāre.*) intr. Saltar de alegría, transportarse de gozo.

Exutorio. (Del lat. *exūtum,* supino de *exuĕre,* separar, extraer.) m. *Med.* Úlcera abierta y sostenida por el arte, para determinar una supuración permanente con un fin curativo.

Exvoto. (Del lat. *ex voto,* por voto.) m. Don u ofrenda, como muletas, mortajas, figuras de cera, cabellos, tablillas, cuadros, etc., que los fieles dedican a Dios, a la Virgen o a los santos en señal y por recuerdo de un beneficio recibido. Cuélganse en los muros o en la techumbre de los templos. También se dio este nombre a parecidas ofrendas que los gentiles hacían a sus dioses.

Eyaculación. f. Acción y efecto de eyacular.

Eyacular. (Del lat. *eiaculāri.*) tr. Lanzar con rapidez y fuerza el contenido de un órgano, cavidad o depósito.

Eyaculatorio, ria. adj. Perteneciente o relativo a la eyaculación.

Ezquerdear. tr. ant. Llevar una arma en el lado izquierdo. || **2.** intr. Torcerse a la izquierda de la visual una hilada de sillares, un muro, etc. || **3.** ant. fig. **Izquierdear.**

F

f — faca

F. f. Séptima letra del abecedario español, y quinta de sus consonantes. Su nombre es **efe.**

Fa. (Nombre sacado por Guido Aretino, así como los de las cinco restantes notas de la escala de su tiempo, de la primera estrofa del himno de San Juan Bautista: *Ut* queant laxis *re*sonare fibris — *Mi*ra gestorum *fa*muli tuorum, — *Sol*ve polluti *la*bii reatum...) m. *Mús.* Cuarta voz de la escala música. ‖ **2.** V. **Ni fu ni fa.**

Faba. (Del lat. *faba.*) f. ant. **Haba,** 1.ª y 2.ª aceps. Ú. en *Ar.*, *Ast.* y *Gal.* ‖ **2.** *Ast.* **Judía,** 3.ª acep.

Fabada. (De *faba.*) f. Potaje de judías con tocino y morcilla, que se usa en Asturias.

Fabeación. f. ant. *Ar.* Acción y efecto de fabear.

Fabeador. (De *fabear.*) m. ant. *Ar.* Cada uno de los consejeros cuyos nombres se sacaban por suerte entre los insaculados en las bolsas de los jurados de Zaragoza, para votar los que podían entrar en suerte de oficios; y porque votaban con habas se les llamaba **fabeadores.**

Fabear. (De *faba.*) intr. ant. *Ar.* Votar con habas blancas y negras.

Fabla. (Del lat. *fabŭla,* de *fari,* hablar.) f. ant. **Habla.** ‖ **2.** Imitación convencional del español antiguo hecha en algunas composiciones literarias. ‖ **3.** ant. **Fábula.** ‖ **4.** ant. Concierto, confabulación.

Fablable. (De *fablar.*) adj. ant. Decible o explicable.

Fablado, da. (Del lat. *fabulātus.*) adj. ant. Con los advs. *bien* o *mal,* bien o mal hablado.

Fablador, ra. (De *fablar.*) adj. ant. **Hablador.** Usáb. t. c. s.

Fablante. p. a. ant. de **Fablar.** Que fabla.

Fablar. (Del lat. *fabulāre.*) tr. ant. **Hablar.**

Fabliella. (d. de *fabla,* fábula.) f. ant. Cuento o relación. ‖ **2.** ant. **Hablilla.**

Fablistán. (De *fablar.*) adj. ant. **Hablistán.** Usáb. t. c. s.

Fablistanear. (De *fablistán.*) intr. ant. Charlar, hablar mucho y con impertinencia.

Fabo. (Del lat. *fagus.*) m. *Ar.* **Haya,** 1.er art.

Fabordón. (Del fr. *faux-bourdon.*) m. *Mús.* Contrapunto sobre canto llano, usado principalmente para la música religiosa.

Fábrica. (Del lat. *fabrĭca.*) f. Acción y efecto de fabricar. ‖ **2.** Lugar donde se fabrica una cosa. *La* FÁBRICA *de paños.* ‖ **3. Edificio.** ‖ **4.** Cualquier construcción o parte de ella hecha con piedra o ladrillo y argamasa. *Rellenar los huecos del entramado con* FÁBRICA. *Una pared de* FÁBRICA. ‖ **5.** Renta o derecho que se cobra, y fondo que suele haber en las iglesias, para repararlas y costear los gastos del culto divino. ‖ **6.** Invención, artificio de algo no material. ‖ **7.** V. **Derecho, marca, mayordomo, obra de fábrica.** ‖ **8.** *Arq.* V. **Punto de fábrica.**

Fabricación. (Del lat. *fabricatio, -ōnis.*) f. **Fábrica,** 1.ª acep.

Fabricadamente. adv. m. ant. Hermosa y pulidamente; con artificio y primor.

Fabricador, ra. (Del lat. *fabricātor.*) adj. ant. **Fabricante.** Ú. t. c. s. ‖ **2.** fig. Que inventa o dispone una cosa no material. FABRICADOR *de embustes, de discordias.*

Fabricante. p. a. de **Fabricar.** Que fabrica. Ú. t. c. s. ‖ **2.** m. Dueño, maestro o artífice que tiene por su cuenta una fábrica.

Fabricar. (Del lat. *fabricāre.*) tr. Hacer una cosa por medios mecánicos, como sillas, telas, agujas, etc. ‖ **2.** Construir un edificio, un dique, un muro o cosa análoga. ‖ **3.** Por ext., **elaborar.** ‖ **4.** fig. Hacer o disponer una cosa no material. FABRICAR *uno su fortuna;* FABRICAR *una mentira.*

Fabrido, da. (Del lat. *fabrītus,* p. p. de *fabrīre,* construir, labrar.) adj. ant. Fabricado, labrado.

Fabril. (Del lat. *fabrīlis.*) adj. Perteneciente a las fábricas o a sus operarios. ‖ **2.** V. **Rúbrica fabril.**

Fabrilmente. adv. m. ant. Artificiosamente, con maestría.

Fabriquero. m. **Fabricante.** ‖ **2.** Persona que en las iglesias cuida de la custodia y la inversión de los fondos dedicados a los edificios y a los utensilios y paños del culto. ‖ **3.** Operario que en los montes trabaja en el carboneo.

Fabro. (Del lat. *faber, fabri.*) m. ant. **Artífice.**

Fabuco. (Del lat. *fagum,* hayuco.) m. **Hayuco.**

Fábula. (Del lat. *fabŭla.*) f. Rumor, hablilla. ‖ **2.** Relación falsa, mentirosa, de pura invención, destituida de todo fundamento. ‖ **3.** Ficción artificiosa con que se encubre o disimula una verdad. ‖ **4.** Suceso o acción ficticia que se narra o se representa para deleitar. ‖ **5.** Composición literaria, generalmente en verso, en que por medio de una ficción alegórica y de la representación de personas humanas y de personificaciones de seres irracionales, inanimados o abstractos, se da una enseñanza útil o moral. ‖ **6.** En los poemas épico y dramático y en cualquiera otro análogo, serie y contexto de los incidentes de que se compone la acción, y de los medios por que se desarrolla. ‖ **7. Mitología.** ‖ **8.** Cualquiera de las ficciones de la mitología. *La* FÁBULA *de Psiquis y Cupido, de Prometeo, de las Danaides.* ‖ **9.** Objeto de murmuración irrisoria o despreciativa. *Fulano es la* FÁBULA *de Madrid.* ‖ **milesia.** Cuento o novela inmoral, y sin más fin que el de entretener o divertir a los lectores. Llamósela así por haberse hecho célebres en Mileto las obras de esta clase.

Fabulación. (Del lat. *fabulatio, -ōnis.*) f. ant. **Conversación,** 1.ª acep.

Fabulador. (Del lat. *fabulātor.*) m. **Fabulista.**

Fabular. (Del lat. *fabulāre.*) tr. ant. Hablar sin fundamento. ‖ **2.** ant. Inventar cosas fabulosas.

Fabulario. m. Repertorio de fábulas.

Fabulesco, ca. adj. Propio o característico de la fábula como género literario.

Fabulista. com. Persona que compone o escribe fábulas, 5.ª acep. ‖ **2.** Persona que escribe acerca de la mitología.

Fabulizar. tr. ant. **Fabular.**

Fabulosamente. adv. m. Fingidamente o con falsedad. ‖ **2.** fig. Excesivamente, exageradamente.

Fabulosidad. (Del lat. *fabulosĭtas, -ātis.*) f. ant. Falsedad de las fábulas. ‖ **2.** Calidad de fabuloso.

Fabuloso, sa. (Del lat. *fabulōsus.*) adj. Falso, de pura invención, destituido de existencia real o de verdad histórica. ‖ **2.** fig. Extraordinario, excesivo, increíble. *Precios* FABULOSOS; FABULOSA *ignorancia.*

Faca. (Del ár. *farja,* cuchillo de un palmo.) f. Cuchillo corvo. ‖ **2.** Cualquier cuchillo de grandes dimensiones y con punta, que suele llevarse envainado en una funda de cuero.

Faca. (Del ingl. *hack,* caballo de alquiler.) f. ant. **Jaca,** 1.ª acep.

Facción. (Del lat. *factĭo, -ōnis.*) f. Parcialidad de gente amotinada o rebelada. || **2.** Bando, pandilla, parcialidad o partido violentos o desaforados en sus procederes o sus designios. || **3.** Cualquiera de las partes del rostro humano. Ú. m. en pl. || **4.** Acción de guerra. || **5.** Acto del servicio militar; como guardia, centinela, patrulla, etc ; y así, del militar que está ocupado en algo de esto, se dice que *está de* FACCIÓN. || **6.** ant. **Hechura.** || **7.** ant. Figura y disposición con que una cosa se distingue de otra.

Faccionar. (De *facción*, figura.) tr. ant. Dar figura o forma a una cosa.

Faccionario, ria. (Del lat. *factionarĭus*, de *factĭo*, facción.) adj. Que se declara a favor de un partido o parcialidad.

Faccioso, sa. (Del lat. *factiōsus.*) adj. Perteneciente a una facción. Dícese comúnmente del rebelde armado. Ú. t. c. s. || **2.** Inquieto, revoltoso, perturbador de la quietud pública. Ú. t. c. s.

Facecia. (Del lat. *facetĭa.*) f. desus. Chiste, donaire o cuento gracioso.

Facecioso, sa. (De *facecia.*) adj. ant. Que encierra en sí chiste o donaire.

Facedero, ra. (De *facer.*) adj. ant. **Hacedero,** 1.ª acep.

Facedor, ra. (De *facer.*) m. y f. ant. **Hacedor,** 2.ª acep. || **2.** m. ant. **Factor,** 1.ª acep.

Facendera. (De *facienda.*) f. ant. **Hacendera.** Ú. en *Ast* y *León.*

Facer. (Del lat. *facĕre.*) tr. ant. **Hacer.** Usáb. t. c. r.

Facera. (Del lat. **faciarĭa*, de *facĭes*, cara.) f. **Acera,** 2.ª acep.

Facería. (De *facero*, fronterizo.) f. *Nav.* Terrenos de pasto que hay en los linderos de dos o más pueblos y se aprovechan por ellos en común.

Facerir. (De *zaferir.*) tr. ant. **Zaherir.**

Facero, ra. (Del lat. **faciarĭus*, de *facĭes*, cara.) adj. ant. **Fronterizo.** || **2.** *Nav.* Perteneciente a la facería.

Faceruelo. (De *faz*, cara.) m. ant. **Almohada,** 1.ª acep.

Faceta. (Del fr. *facette.*) f. Cada una de las caras o lados de un poliedro, cuando son pequeñas. Dícese especialmente de las caras de las piedras preciosas talladas. || **2.** fig. Cada uno de los aspectos que en un asunto se pueden considerar.

Faceto, ta. (Del lat. *facētus.*) adj. desus. **Chistoso.** Ú. en *Méj.*

Facia. (Del lat. *facie ad*, con la cara dirigida a tal sitio.) prep. ant. **Hacia.**

Facial. (Del lat. *faciālis*, de *facĭes*, cara.) adj. Perteneciente al rostro. || **2. Intuitivo.** || **3.** *Zool.* V. **Ángulo facial.**

Facialmente. adv. m. **Intuitivamente.**

Facienda. (Del lat. *facienda*, cosas que se han de hacer.) f. ant. **Hacienda.** || **2.** ant. Negocio, asunto. || **3.** ant. Hecho de armas, pelea.

Faciente. (Del lat. *facĭens, -entis.*) p. a. ant. de **Facer. Haciente.** Usáb. t. c. s.

Facies. (Del lat. *facĭes*, cara.) f. *Med.* Aspecto del semblante en cuanto revela alguna alteración o enfermedad del organismo. || **hipocrática.** Aspecto característico que presentan generalmente las facciones del enfermo próximo a la agonía.

Fácil. (Del lat. *facĭlis.*) adj. Que se puede hacer sin mucho trabajo. || **2.** Que puede suceder con mucha probabilidad. *Es* FÁCIL *que venga hoy.* || **3.** desus. Aplícase al que con ligereza se deja llevar del parecer de otro, y por lo común se toma en mala parte; porque del que muda su dictamen en otro mejor, se dice que es dócil y prudente. || **4.** Aplicado a la mujer, frágil, liviana. || **5.** adv. **Fácilmente.**

Facilidad. (Del lat. *facilĭtas, -ātis.*) f. Disposición para hacer una cosa sin gran trabajo. || **2.** Ligereza, demasiada condescendencia. || **3.** Oportunidad, ocasión propicia para hacer algo. || **Dar facilidades.** fr. **Facilitar,** 1.ª acep.

Facililllo, lla. adj. d. de **Fácil.** || **2.** Dícese en sentido irónico para indicar lo que es difícil.

Facilímo, ma. (Del lat. *facillĭmus.*) adj. sup. ant. de **Fácil.**

Facilitación. f. Acción de facilitar una cosa.

Facilitar. tr. Hacer fácil o posible la ejecución de una cosa o la consecución de un fin. || **2.** Proporcionar o entregar.

Facilitón, na. adj. fam. Que todo lo cree fácil, o presume de facilitar la ejecución de las cosas. Ú. t. c. s.

Fácilmente. adv. m. Con facilidad.

Facimiento. (De *facer.*) m. ant. Acción y efecto de hacer una cosa. || **2.** ant. Trato o comunicación familiar. || **3.** ant. Cópula carnal.

Facina. (Del lat. **fascīna.*) f. ant. **Hacina.**

Facineroso, sa. (Del lat. *facinorōsus.*) adj. Delincuente habitual. Ú. t. c. s. || **2.** m. Hombre malvado, de perversa condición.

Facinoroso, sa. (Del lat. *facinorōsus.*) adj. ant. **Facineroso.** Usáb. t. c. s.

Fación. f. ant. **Facción,** 3.ª, 4.ª y 6.ª aceps. || **A fación.** m. adv. ant. A manera, al modo.

Facionado, da. (De *fación.*) adj. ant. Con los advs. *bien* o *mal*, aplicábase a la persona bien o mal configurada en sus miembros, especialmente en el rostro.

Facistelo. m. ant. **Facistol.** || **2.** ant. **Faldistorio.**

Facistol. (Del b. lat. *facistolium*, y éste del germ. *faldastōl*, sillón.) m. Atril grande donde se ponen el libro o libros para cantar en la iglesia: el que sirve para el coro suele tener cuatro caras para poner varios libros. || **2.** ant. **Faldistorio.** || **3.** adj. *Ant.* y *Venez.* Engreído, pedante.

Facón. m. aum. de **Faca,** 1.er art. || **2.** *Argent.* Daga o puñal grande.

Facsímil. m. **Facsímile.**

Facsímile. (Del lat. *fac*, imper. de *facĕre*, hacer, y *simĭle*, semejante.) m. Perfecta imitación o reproducción de una firma, escrito, dibujo, impreso, etc.

Factible. (Del lat. *factibĭlis.*) adj. Que se puede hacer.

Facticio, cia. (Del lat. *facticius.*) adj. Que no es natural y se hace por arte.

Factitivo, va. (Del lat. *factum*, hecho.) adj. *Gram.* Dícese del verbo o perífrasis verbal cuyo sujeto no ejecuta por sí mismo la acción, sino que la hace ejecutar por otro u otros.

Factor. (Del lat. *factor.*) m. p. us. El que hace una cosa. || **2.** Entre comerciantes, apoderado con mandato más o menos extenso para traficar en nombre y por cuenta del poderdante, o para auxiliarle en los negocios. || **3.** Dependiente del comisario de guerra o del asentista para la distribución de víveres a la tropa. || **4.** Oficial real que en las Indias recaudaba las rentas y rendía los tributos en especie pertenecientes a la Corona. || **5.** Empleado que en las estaciones de ferrocarriles cuida de la recepción, expedición y entrega de los equipajes, encargos, mercancías y animales que se transportan por ellos. || **6.** ant. Hacedor o capataz. || **7.** *Álg.* y *Arit.* Cada una de las cantidades que se multiplican para formar un producto. || **8.** *Álg.* y *Arit.* **Submúltiplo.** || **9.** fig. Elemento, concausa.

Factoraje. m. **Factoría,** 1.ª y 2.ª aceps.

Factoría. f. Empleo y encargo del factor. || **2.** Paraje u oficina donde reside el factor y hace los negocios de comercio. || **3.** Establecimiento de comercio, especialmente el situado en país colonial.

Factorial. (De *factor.*) f. *Mat.* Producto de todos los términos de una progresión aritmética.

Factótum. (Del lat. *fac*, imper. de *facĕre*, hacer, y *totum*, todo.) m. fam. Sujeto que desempeña en una casa o dependencia todos los menesteres. || **2.** fam. Persona entremetida, que oficiosamente se presta a todo género de servicios. || **3.** Persona de plena confianza de otra y que en nombre de ésta despacha sus principales negocios.

Factura. (Del lat. *factūra.*) f. **Hechura.** || **2.** Cuenta que los factores dan del coste y costas de las mercaderías que compran y remiten a sus corresponsales. || **3.** Relación de los objetos o artículos comprendidos en una venta, remesa u otra operación de comercio. || **4.** Cuenta detallada de cada una de estas operaciones, con expresión de número, peso o medida, calidad y valor o precio. || **5.** *Pint.* y *Esc.* **Ejecución,** 1.ª acep. || **Hacer factura.** fr. **Facturar.**

Facturación. f. Acción y efecto de facturar.

Facturar. tr. Extender las facturas. || **2.** Comprender en ellas cada artículo, bulto u objeto. || **3.** Registrar, anotar en las estaciones de ferrocarriles equipajes o mercancías para que sean remitidos a su destino.

Fácula. (Del lat. *facŭla*, antorcha pequeña.) f. *Astron.* Cada una de las partes más brillantes que se observan en el disco del Sol.

Facultad. (Del lat. *facultas, -ātis.*) f. Aptitud, potencia física o moral. || **2.** Poder, derecho para hacer alguna cosa. || **3.** Ciencia o arte. *La* FACULTAD *de leyes; la* FACULTAD *de un artífice.* || **4.** En las universidades, cuerpo de doctores o maestros de una ciencia. *La* FACULTAD *de medicina, de filosofía.* || **5.** Cédula real que se despachaba por la cámara, para las fundaciones de mayorazgos, para enajenar bienes vinculados, o para imponer cargas sobre ellos o sobre los propios de las ciudades, villas y lugares. Decíase más comúnmente **facultad real.** || **6.** Médicos, cirujanos y boticarios de la cámara del rey. || **7.** Licencia o permiso. || **8.** desus. Caudal o hacienda. Ú. m. en pl. || **9.** *Med.* Fuerza, resistencia. *El estómago no tiene* FACULTAD *para digerir el alimento.* || **mayor.** En las universidades se llamaron así la teología, el derecho y la medicina.

Facultar. tr. Conceder facultades a uno para hacer lo que sin tal requisito no podría.

Facultativamente. adv. m. Según los principios y reglas de una facultad. || **2.** De modo potestativo.

Facultativo, va. adj. Perteneciente a una facultad. *Dictamen* FACULTATIVO. || **2.** V. **Cuerpo facultativo.** || **3.** Perteneciente a la facultad, o poder que uno tiene para hacer alguna cosa. || **4.** Dícese del que profesa una facultad. || **5.** Potestativo; aplícase al acto que no es necesario, sino que libremente se puede hacer u omitir. || **6.** m. Médico o cirujano.

Facultoso, sa. (De *facultad*, caudal.) adj. ant. Que tiene muchos bienes o caudales.

Facundia. (Del lat. *facundĭa.*) f. Afluencia, facilidad en el hablar.

Facundo, da. (Del lat. *facundus.*) adj. Fácil y afluente en el hablar.

Facha. (Del ital. *faccia*, y éste del lat. *facĭes*, faz.) f. fam. Traza, figura, aspecto. || **2.** fam. Mamarracho, adefesio. Ú. a veces c. m. || **3.** *Chile.* **Fachenda.** || **Facha a facha.** m. adv. **Cara a cara.** || **Ponerse en facha.** fr. *Mar.* Parar el curso de una embarcación por medio de las velas, haciéndolas obrar en sentidos contrarios. || **2.** fam. Ponerse en forma o disposición conveniente para una cosa.

Facha. (Del lat. vulg. *fascŭla*, por *facŭla*, d. de *fax*, tea.) f. ant. **Hacha,** 1.er art.

Facha. f. ant. **Hacha,** 2.° art., 1.ª acep.

Facha. (Del ant. arag. *faxa*, faja, y éste del lat. *fascĭa*.) f. ant. **Faja.**

Fachada. (De *facha*, 1.er art.) f. Aspecto exterior de conjunto que ofrece un edificio, un buque, etc., por cada uno de los lados que puede ser mirado. || **2.** fig. y fam. **Presencia,** 3.ª acep. *Fulano tiene gran* FACHADA. || **3.** fig. Portada en los libros. || **Hacer fachada.** fr. Confrontar, dar frente un edificio a otra cosa o lugar.

Fachado, da. adj. fam. Con los advs. *bien* o *mal*, que tiene buena o mala figura, traza o aspecto.

Fachear. intr. *Mar.* Estar o ponerse en facha una embarcación.

Fachenda. (De *facha*, 1.er art.) f. fam. Vanidad, jactancia. || **2.** m. fam. **Fachendoso.**

Fachendear. (De *fachenda*.) intr. fam. Hacer ostentación vanidosa o jactanciosa.

Fachendista. (De *fachenda*.) adj. fam. **Fachendoso.** Ú. t. c. s.

Fachendón, na. (De *fachenda*.) adj. fam. **Fachendoso.** Ú. t. c. s.

Fachendoso, sa. adj. fam. Que tiene fachenda. Ú. t. c. s.

Fachinal. m. *Argent.* Estero o lugar anegadizo cubierto de paja brava, junco y otra vegetación.

Fachoso, sa. adj. fam. De mala facha, de figura ridícula. || **2.** *Chile* y *Méj.* **Fachendoso.**

Fachudo, da. adj. **Fachoso,** 1.ª acep.

Fachuela. f. ant. d. de **Facha,** 2.° art.

Fada. (Del lat. *fata*, de *fatum*.) f. Hada, maga, hechicera. || **2.** Variedad de camuesa pequeña, de que se hace en Galicia una conserva muy estimada.

Fadar. (De *fado*.) tr. ant. **Hadar.**

Fadiga. (De *fadigar*.) f. *Ar.* Tanteo y retracto que las leyes de la corona de Aragón reconocen a los poseedores del dominio directo en la enfiteusis, y a los señores en los feudos, cuando el enfiteuta o el vasallo enajenan sus derechos. || **2.** Cantidad que en algunos casos percibían el dueño directo o el señor por la renuncia de su derecho de prelación en las enajenaciones de enfiteusis y feudos.

Fadigar. tr. *Ar.* Tantear el precio, calidad o valor de algún solar u otra cosa material que se desea comprar, beneficiar o labrar.

Fado. (Del lat. *fatum*.) m. ant. **Hado.** || **2.** Cierta canción popular portuguesa.

Fadrubado, da. adj. ant. Estropeado, desconcertado, descoyuntado.

Faena. (Del cat. *feyna*, y éste del lat. *facienda*, cosa que se ha de hacer.) f. Trabajo corporal. || **2.** fig. Trabajo mental. || **3. Quehacer.** Ú. m. en pl. || **4.** *Guat.* y *Méj.* Trabajo que se hace en una hacienda en horas extraordinarias.

Faenero, ra. adj. *And.* Dedicado a la faena de la recolección o vendeja de una cosecha. || **2.** m. *And.* y *Chile.* Obrero del campo.

Faetón. (Por alusión a *Faetón*, hijo del Sol y de Climene, según la mitología, y conductor del carro de su padre.) m. Carruaje descubierto, de cuatro ruedas, alto y ligero.

Fagáceo, a. (De *fagus*, nombre de un género de plantas.) adj. *Bot.* Dícese de árboles y arbustos angiospermos dicotiledóneos que se distinguen por sus hojas sencillas, casi siempre alternas, flores monoicas y fruto indehiscente con semilla sin albumen, y más o menos cubierto por la cúpula; como la encina y el castaño. Ú. t. c. s. f. || **2.** f. pl. *Bot.* Familia de estas plantas.

Fagocito. (Del gr. φαγεῖν, comer, y κύτος, célula.) m. *Zool.* Cualquiera de las células que se hallan en la sangre y en muchos tejidos animales, capaces de apoderarse, mediante la emisión de seudópodos, de bacterias, cadáveres celulares y, en general, de toda clase de partículas nocivas o inútiles para el organismo, incluyéndolas en su protoplasma y digiriéndolas después.

Fagocitosis. f. *Fisiol.* Función que desempeñan los fagocitos en el organismo.

Fagot. (Del fr. *fagot*.) m. Instrumento de viento, formado por un tubo de madera de unos siete centímetros de grueso y más de un metro de largo, con agujeros y llaves, y que se toca con una boquilla de caña puesta en un tudel. || **2.** Persona que toca este instrumento.

Fagotista. m. El que ejerce o profesa el arte de tocar el fagot.

Fagüeño. (Del lat. *favonĭus*.) m. *Ar.* **Favonio.**

Faique. m. *Ecuad.* Árbol de la familia de las mimosáceas.

Faisán. (Del prov. *faizan*, y éste del lat. *phasiānus*.) m. Ave del orden de las gallináceas, del tamaño y aspecto de un gallo, del que se distingue por llevar en vez de cresta carnosa un penacho de plumas, tener los ojos rodeados de una carúncula encarnada, la cola muy larga y tendida, y el plumaje verde y rojizo con reflejos metálicos; pecho y espalda de color amarillo y brillo de oro; cada pluma tiene un festón azul muy brillante. El plumaje de la hembra es más obscuro, y dominan en él los colores rojizo, agrisado y pardo, los cuales forman manchas y rayas. Su carne es muy apreciada. || **2.** *And.* Hongo comestible de color pardo que se cría en los jarales.

Faisana. f. Hembra del faisán.

Faisanería. f. Corral o cercado para los faisanes.

Faisanero, ra. m. y f. Persona que se dedica a la cría y venta de faisanes.

Faja. (Del arag. ant. *faxa*, y éste del lat. *fascĭa*.) f. Tira de tela o de tejido de punto de algodón, lana o seda con que se rodea el cuerpo por la cintura, dándole varias vueltas. || **2.** Cualquiera lista mucho más larga que ancha; y así, se llaman **fajas** las zonas del globo celeste o terrestre, y también, en la arquitectura, ciertas listas salientes, más anchas que el filete, que adornan algunas partes del edificio. || **3.** Tira de papel que en vez de cubierta o sobre se pone al libro, periódico o impreso de cualquiera clase que se ha de enviar de una parte a otra, y especialmente cuando ha de ir por el correo. || **4.** Insignia propia de algunos cargos militares, civiles o eclesiásticos. La que usan los generales del ejército y la armada es de seda encarnada, con las borlas y los entorchados que corresponden a su graduación. También usan **faja** de seda, pero azul celeste, todos los oficiales del cuerpo de estado mayor del ejército. || **5.** *Arq.* Moldura ancha y de poco vuelo. || **6.** *Arq.* Telar liso que se hace alrededor de las ventanas y arcos de un edificio. || **7.** *Blas.* Pieza de honor horizontal que corta el escudo por el centro, ocupando un tercio de su altura. || **8.** pl. *Germ.* Azotes. || **Lo que entra con la faja sale con la mortaja.** ref. Declara que las costumbres adquiridas en la niñez perduran toda la vida.

Fajado, da. p. p. de **Fajar.** || **2.** adj. Dícese de la persona azotada. || **3.** *Blas.* V. **Escudo fajado.** || **4.** *And.* Dícese del animal que tiene en los lomos y la barriga una zona de color distinto al que domina en su capa. || **5.** m. *Min.* Madero o tablón que para formar piso se emplea en las minas. || **6.** *Min.* Madero en rollo que se emplea en la entibación de los pozos.

Fajadura. f. **Fajamiento.** || **2.** *Mar.* Tira de lona alquitranada con que se forran algunos cabos para resguardarlos.

Fajamiento. m. Acción y efecto de fajar o fajarse.

Fajar. (Del arag. *fajar*, y éste del lat. *fasciāre*.) tr. Rodear, ceñir o envolver con faja o venda una parte del cuerpo. Ú. t. c. r. || **2.** Envolver al niño y ponerle el fajero. || **3.** *Can.*, *Cuba*, *Chile* y *Perú.* Pegar a uno, golpearle. *Le* FAJÓ *dos bofetadas. Luis le* FAJÓ *a Juan.* || **4.** rec. *Cuba.* Irse a las manos dos personas. || **Fajar con uno.** fr. fam. Acometerle con violencia.

Fajardo. m. Cubilete de masa de hojaldre, relleno de carne picada y perdigada.

Fajares. (De *fajo*.) m. pl. ant. Haces o gavillas.

Fajeado, da. adj. Que tiene fajas o listas.

Fajero. m. Faja de punto que se pone a los niños de teta.

Fajilla. f. d. de **Faja.** || **2. Faja,** 3.ª acep.

Fajín. m. d. de **Faja.** || **2.** Ceñidor de seda de determinados colores y distintivos de que pueden usar con el traje civil los generales del ejército y la armada, o los jefes de administración y otros funcionarios.

Fajina. (Del arag. *fajina*, y éste del lat. **fascīna*, de *fascis*, haz.) f. Conjunto de haces de mies que se pone en las eras. || **2.** Leña ligera para encender. || **3.** *Sal.* Haza, huerta, tierra cercada dedicada al cultivo intensivo. || **4.** *Mil.* Toque que ordena la retirada de las tropas a sus alojamientos o el término de una facción, etc. || **5.** *Fort.* Haz de ramas delgadas muy apretadas, de que se sirven los ingenieros militares para diversos usos, y muy señaladamente para revestimientos. Las hay de revestir, de coronar, incendiarias, etc. || **Meter fajina.** fr. fig. y fam. Hablar mucho inútilmente, metiendo bulla y mezclando cosas impertinentes.

Fajina. f. **Faena.**

Fajinada. f. *Fort.* Conjunto de fajinas, 1.er art. || **2.** Obra hecha con ellas.

Fajo. (Del arag. ant. *faxo*, y éste del lat. *fascis*.) m. Haz o atado. || **2.** *Guip.* Unidad de peso para leñas. || **3.** *Nav.* Unidad longitudinal para medir la listonería de madera. || **4.** pl. Conjunto de ropa y paños con que se viste a los niños recién nacidos.

Fajol. (Del cat. *faxol*, y éste del lat. *phaseŏlus*, alubia.) m. **Alforjón.**

Fajón. m. aum. de **Faja.** || **2.** *Arq.* Recuadro ancho de yeso alrededor de los huecos de las puertas y ventanas.

Fajuela. f. d. de **Faja.**

Falace. (Del lat. *fallax*, *-ācis*.) adj. ant. **Falaz.**

Falacia. (Del lat. *fallacĭa*.) f. Engaño, fraude o mentira con que se intenta dañar a otro. || **2.** Hábito de emplear falsedades en daño ajeno.

Falagador, ra. (De *falagar*.) m. y f. ant. Persona que falaga.

Falagar. (Del ár. *jalaqa*, mentir, pulir una cosa, componer un discurso.) tr. ant. **Halagar.** || **2.** ant. Apaciguar, amortiguar. Usáb. t. c. r. || **3.** r. ant. **Alegrarse.**

Falago. (De *falagar*.) m. ant. **Halago.**

Falagüeñamente. adv. m. ant. **Halagüeñamente.**

Falagüeño, ña. (De *falago*.) adj. ant. **Halagüeño.**

Falaguero, ra. adj. ant. **Halagüeño.**

Falange. (Del lat. *phalanx*, *-angis*, y éste del gr. φάλαγξ.) f. Cuerpo de infantería pesadamente armada, que formaba la principal fuerza de los ejércitos de Grecia. Alejandro el Grande la aumentó y perfeccionó; su orden de batalla era 16 de fondo; su número, 16.000 infantes. || **2.** Cualquier cuerpo de tropas numeroso. || **3.** fig. Conjunto numeroso de personas unidas en cierto orden y para un mismo fin. || **4.** *Zool.* Cada uno de los huesos de los dedos. Se distinguen con los adjetivos ordinales *primera*, *segunda* y *tercera*, comenzando a contar desde el metacarpo o el metatarso.

Falangeta. (De *falange.*) f. Falange tercera de los dedos.

Falangia. f. Falangio, 1.ª acep.

Falangiano, na. (De *falange*, 4.ª acep.) adj. *Zool.* Perteneciente o relativo a la falange. *Articulación* FALANGIANA; *músculos* FALANGIANOS.

Falangina. (De *falange.*) f. Falange segunda de los dedos.

Falangio. (Del lat. *phalangĭum*, y éste del gr. φαλάγγιον.) m. **Segador,** 2.ª acep. ‖ **2.** Planta de la familia de las liliáceas, con la raíz pequeña, delgada y verde, hojas radicales largas y estrechas, dos o tres escapos con flores blancas, y las semillas negras. Los antiguos la supusieron antídoto contra la picadura del arácnido del mismo nombre.

Falansterio. (Del gr. φάλαγξ, falange, y el sufijo *terio*, que indica lugar.) m. Edificio en que, según el sistema de Fourier, habitaba cada una de las falanges en que dividía la sociedad. ‖ **2.** Por ext., alojamiento colectivo para numerosa gente.

Falárica. (Del lat. *falarĭca.*) f. Lanza arrojadiza que usaron los antiguos.

Falaris. (Del lat. *phalāris*, y éste del gr. φαλαρίς.) f. **Foja,** 2.° art.

Falaz. (Del lat. *fallax, -ācis.*) adj. Dícese de la persona que tiene el vicio de la falacia. ‖ **2.** Aplícase también a todo lo que halaga y atrae con falsas apariencias. FALAZ *mansedumbre;* FALACES *obsequios.*

Falazmente. adv. m. Con falacia; de manera falaz.

Falbalá. (En ital., en fr. y en port. *falbalá.*) m. Pieza casi cuadrada que se ponía en la abertura de un corte de la faldilla del cuarto trasero de la casaca. ‖ **2. Faralá.**

Falca. (Del ár. *falga* o *filqa*, cuña de madera.) f. Defecto de una tabla o madero que les impide ser perfectamente lisos o rectos. ‖ **2.** *Ar.* y *Murc.* **Cuña,** 1.ª y 2.ª aceps. ‖ **3.** *Mar.* Tabla delgada que se coloca de canto, y de popa a proa, sobre la borda de las embarcaciones menores para que no entre el agua. ‖ **4.** *Colomb.* Cerco que se pone como suplemento a las pailas. Ú. m. en pl.

Falcado, da. p. p. de **Falcar.** ‖ **2.** adj. V. **Carro falcado.** ‖ **3.** Que forma una curvatura semejante a la de la hoz. ‖ **4.** f. *Ar.* Manojo de mies que el segador corta de un solo golpe de hoz.

Falcar. (Del lat. *falx, falcis*, hoz.) tr. ant. Cortar con la hoz.

Falcar. (De *falca.*) tr. *Ar.* y *Murc.* Asegurar con cuñas.

Falcario. (Del lat. *falcarĭus.*) m. Soldado romano armado con una hoz.

Falce. (Del arag. *falce*, y éste del lat. *falx, falcis*, hoz.) f. Hoz o cuchillo corvo.

Falcidia. (Del lat. *falcidĭa* [*lex*], de *Falcidius*, el tribuno que dió esta ley.) adj. *For.* V. **Cuarta falcidia.** Ú. t. c. s.

Falciforme. (Del lat. *falx, falcis*, hoz, y *forma*, forma.) adj. Que tiene forma de hoz.

Falcinelo. (Del ital. *falcinello*, y éste del lat. *falx, falcis*, hoz.) m. Ave del orden de los pájaros, poco mayor que una paloma, de pico muy largo, corvo, comprimido y grueso en la punta; plumaje castaño en la cabeza, garganta y pecho, y verde brillante con reflejos cobrizos en las alas, dorso y cola; patas largas, verdosas, y dedos y uñas muy delgados.

Falcino. (Del lat. **falcinus*, de *falx*, hoz.) m. *Ar.* **Vencejo,** 2.ª acep.

Falcirrostro, tra. adj. Dícese de las aves que tienen el pico en forma de hoz.

Falcón. (Del lat. *falco, -ōnis.*) m. Especie de cañón de la artillería antigua. ‖ **2.** ant. **Halcón.**

Falconero. (De *falcón.*) m. ant. **Halconero,** 2.ª acep.

Falconete. (De *falcón.*) m. Especie de culebrina que arrojaba balas hasta de kilo y medio.

Falcónido, da. adj. Dícese de aves de rapiña diurnas, de pico corto y encorvado, dedos armados de uñas fuertes, cuyo tipo es el halcón. Ú. t. c. s. ‖ **2.** f. pl. Familia de estas aves.

Falda. (Del germ. *falda*, pliegue, seno.) f. Parte de toda ropa talar desde la cintura abajo. Ú. m. en pl. ‖ **2.** Vestidura o parte del vestido de mujer que con más o menos vuelo cae desde la cintura abajo. ‖ **3.** V. **Perrillo de falda.** ‖ **4.** Cada una de las partes de una prenda de vestir que cae suelta sin ceñirse al cuerpo. ‖ **5.** V. **Capote, capotillo de dos faldas.** ‖ **6.** Hierro del guardabrazo, pendiente del hombro, que por detrás protegía el omóplato y por delante iba a cubrir parte del pecho. ‖ **7.** En la armadura, parte que cuelga desde la cintura abajo. ‖ **8.** Carne de la res, que cuelga de las agujas, sin asirse a hueso ni costilla. ‖ **9. Regazo.** *Tener en la* FALDA *el niño.* ‖ **10.** ant. **Halda,** 2.ª acep. ‖ **11.** Ala del sombrero, que rodea la copa. ‖ **12.** fig. Parte baja o inferior de los montes o sierras. ‖ **13.** pl. fam. Mujer o mujeres, en oposición al hombre. *Cuestión de* FALDAS. *Aficionado a* FALDAS. ‖ **Faldas en cinta.** expr. ant. **Haldas en cinta.** ‖ **Cortar faldas,** o **las faldas.** fr. *For.* Castigo que se imponía a las mujeres perdidas, cercenándoles los vestidos por vergonzoso lugar. ‖ **2.** fig. **Cortar un sayo.** ‖ **Pegado a las faldas.** loc. que se aplica al muchacho que, respecto de las mujeres de su familia, se muestra menos independiente de lo que corresponde a su edad.

Faldamenta. f. **Falda,** 1.ª acep. ‖ **2.** fam. Falda larga y desgarbada.

Faldamento. m. **Faldamenta.**

Faldar. (De *falda.*) m. Parte de la armadura antigua, que caía desde el extremo inferior del peto, como faldilla. ‖ **2.** *Cuen.* Delantal que usan las mujeres.

Faldear. tr. Caminar por la falda de un monte u otra eminencia del terreno.

Faldellín. (De *faldilla.*) m. Falda corta. ‖ **2. Refajo,** 1.ª acep.

Faldeo. m. *Argent.* y *Chile.* Faldas de un monte.

Faldero, ra. adj. Perteneciente o relativo a la falda. ‖ **2.** V. **Perro faldero.** Ú. t. c. s. ‖ **3.** fig. Aficionado a estar entre mujeres. ‖ **4.** f. Mujer que se dedica a hacer faldas.

Faldeta. f. d. de **Falda.** ‖ **2.** En la maquinaria teatral, lienzo con que se cubre lo que ha de aparecer a su tiempo.

Faldicorto, ta. adj. Corto de faldas.

Faldillas. (d. de *faldas.*) f. pl. En ciertos trajes, partes que cuelgan de la cintura abajo.

Faldinegro, gra. adj. Aplícase al ganado vacuno bermejo por encima y negro por debajo.

Faldistorio. (Del b. lat. *faldistorium*, y éste del germ. *faldastōl*, sillón.) m. Asiento especial de que usan los obispos en algunas funciones pontificales.

Faldón. m. aum. de **Falda.** ‖ **2.** Falda suelta al aire, que pende de alguna ropa. ‖ **3.** Parte inferior de alguna ropa, colgadura, etc. ‖ **4.** Piedra de tahona que por estar muy gastada sirve encima de otra, que no lo está tanto, para que con el peso de ambas pueda molerse bien el grano. ‖ **5.** *Arq.* Vertiente triangular de un tejado que cae sobre una pared testera. ‖ **6.** *Arq.* Conjunto de los dos lienzos y del dintel que forma la boca de la chimenea. ‖ **Agarrarse,** o **asirse, a los faldones** de alguno. fr. fig. y fam. Acogerse a su valimiento o patrocinio. ‖ **Tener,** o **traer, uno el faldón levantado.** fr. fig. y fam. Estar en descubierto por faltas o culpas cometidas.

Faldriquera. (De *falda.*) f. **Faltriquera.**

Faldudo, da. adj. Que tiene mucha falda. ‖ **2.** m. *Germ.* **Broquel,** 1.ª acep.

Faldulario. (De *falda.*) m. Ropa que desproporcionadamente cuelga sobre el suelo.

Falena. (Del gr. φάλαινα.) f. *Zool.* Mariposa de cuerpo delgado y alas anchas y débiles, cuyas orugas tienen dos pares de falsas patas abdominales, mediante las cuales pueden mantenerse erguidas y rígidas sobre las ramas de los árboles, imitando el aspecto de éstas.

Falencia. (Del lat. *fallens, -entis*, engañador.) f. Engaño o error que se padece en asegurar una cosa. ‖ **2.** *Argent.*, *Chile* y *Hond.* **Quiebra,** 4.ª acep.

Falerno. m. Vino famoso en la antigua Roma, así llamado porque procedía de un campo del mismo nombre en Campania.

Falescer. (incoat. del lat. *fallĕre.*) intr. ant. **Faltar.**

Faleucio. (Del lat. *phaleucĭum.*) adj. **Faleuco.** Ú. t. c. s.

Faleuco. (Del lat. *phalaecus.*) adj. V. **Verso faleuco.** Ú. t. c. s.

Falibilidad. (Del lat. *fallibĭlis*, falible.) f. Calidad de falible. ‖ **2.** Riesgo o posibilidad de engañarse o errar una persona. ‖ **3.** fig. Aplícase a algunas cosas abstractas. *La* FALIBILIDAD *de la justicia, o de los juicios humanos.*

Falible. (Del lat. *fallibĭlis.*) adj. Que puede engañarse o engañar. ‖ **2.** Que puede faltar o fallar.

Fálico, ca. adj. Relativo o perteneciente al falo.

Falidamente. adv. m. ant. En vano sin fundamento.

Falido, da. (De *falir.*) adj. ant. **Fallido.**

Falimiento. (De *falir.*) m. p. us. Engaño, falsedad, mentira.

Falir. (Del lat. *fallĕre.*) intr. ant. Engañar o faltar uno a su palabra.

Falisco. m. Verso de la poesía latina, compuesto de tres dáctilos y un espondeo.

Falo. (Del gr. φαλλός.) m. **Miembro viril.**

Falondres (De). m. adv. *Mar.*, *Cuba* y *Venez.* De golpe, de repente.

Falopio. (n. p. de un célebre cirujano italiano del siglo XVI.) *Zool.* V. **Trompa de Falopio.**

Falordia. f. *Ar.* **Faloria.**

Faloria. (Tal vez del lat. *fabularia*, pl. n. de *fabulāris*, fabuloso, falso.) f. *Ar.* Cuento, fábula, mentira.

Falquía. f. ant. Doble cabestro que se ataba al cabezón de una caballería.

Falsa. (De *falso.*) f. *Ar.* y *Murc.* **Desván.** ‖ **2.** *Albac.*, *Ar.* y *Méj.* **Falsilla.**

Falsaarmadura. f. **Contraarmadura.**

Falsabraga. (De *falsa* y *braga.*) f. *Fort.* Muro bajo que para mayor defensa se levanta delante del muro principal.

Falsada. (De *falsar.*) f. **Calada,** 2.ª acep.

Falsador, ra. (De *falsar.*) adj. ant. **Falseador.**

Falsamente. adv. m. Con falsedad.

Falsar. (Del lat. *falsāre.*) tr. **Falsear,** 2.ª acep.

Falsario, ria. (Del lat. *falsarĭus.*) adj. Que falsea o falsifica una cosa. Ú. t. c. s. ‖ **2.** Que acostumbra decir o hacer falsedades y mentiras. Ú. t. c. s.

Falsarregla. (De *falsa* y *regla.*) f. **Falsa escuadra.** ‖ **2.** *And.*, *Perú* y *Venez.* **Falsilla.**

Falseador, ra. adj. Que falsea o contrahace alguna cosa.

Falseamiento. m. Acción y efecto de falsear.

Falsear. (De *falso.*) tr. Adulterar, corromper o contrahacer una cosa material o inmaterial, como la moneda, la escritura, la doctrina, el pensamiento. || **2.** En el juego del tresillo, salir de una carta que no sea triunfo ni rey, en la confianza de que no posean otra mayor los contrarios, para despistarlos y evitar que se la fallen. FALSEAR *el caballo.* || **3.** Romper o penetrar la armadura. || **4.** *Arq.* Desviar un corte ligeramente de la dirección perpendicular. || **5.** intr. Flaquear o perder una cosa su resistencia y firmeza. || **6.** Disonar de las demás una cuerda de un instrumento. || **7.** Entre guarnicioneros, dejar en las sillas hueco o anchura para que los asientos de ella no hieran ni maltraten a la cabalgadura.

Falsedad. (Del lat. *falsĭtas, -ātis.*) f. Falta de verdad o autenticidad. || **2.** Falta de conformidad entre las palabras, las ideas y las cosas. || **3.** *For.* Cualquiera de las mutaciones u ocultaciones de la verdad, sea de las castigadas como delito, sea de las que causan nulidad de los actos, según la ley civil.

Falseo. m. *Arq.* Acción y efecto de falsear, 4.ª acep. || **2.** *Arq.* Corte o cara de una piedra o madero falseados.

Falseta. f. *Mús.* En la música popular de guitarra, frase melódica o floreo que se intercala entre las sucesiones de acordes destinadas a acompañar la copla.

Falsete. (De *falso.*) m. Corcho para tapar una cuba cuando se quita la canilla. || **2.** Puerta pequeña y de una hoja, para pasar de una a otra pieza de una casa. || **3.** *Mús.* Voz más aguda que la natural, que se produce haciendo vibrar las cuerdas superiores de la laringe. || **4.** *Mús.* **Falseta.**

Falsía. (De *falso.*) f. Falsedad, deslealtad, doblez. || **2.** ant. Falta de solidez y firmeza en alguna cosa.

Falsificación. f. Acción y efecto de falsificar. || **2.** *For.* Delito de falsedad que se comete en documento público, comercial o privado, en moneda, o en sellos o marcas.

Falsificador, ra. adj. Que falsifica. Ú. t. c. s.

Falsificar. (Del lat. *falsificāre;* de *falsus,* falso, y *facĕre,* hacer.) tr. **Falsear,** 1.ª acep.

Falsilla. (De *falso.*) f. Hoja de papel con líneas muy señaladas, que se pone debajo de otro en que se ha de escribir, para que aquéllas se transparenten y sirvan de guía.

Falso, sa. (Del lat. *falsus.*) adj. Engañoso, fingido, simulado, falto de ley, de realidad o veracidad. || **2.** Incierto y contrario a la verdad. *Citas* FALSAS; *argumentos* FALSOS. || **3.** **Falsario.** || **4.** desus. Cobarde, pusilánime. Ú. en *Chile.* || **5.** *Ar.* y *Nav.* Flojo, haragán. || **6.** Aplícase a la caballería que tiene resabios y cocea aun sin hostigarla. || **7.** Dícese de la moneda que maliciosamente se hace imitando la legítima. || **8.** Entre colmeneros, dícese del peón o colmena cuyo trabajo se empezó por el centro o medio de lo largo de la caja. || **9.** En la arquitectura y otras artes, se aplica a la pieza que suple la falta de dimensiones o de fuerza de otra. FALSO *pilote;* FALSO *forro de un barco.* || **10.** V. **Abeto, dado, juramento, monedero, pimentero, plátano, zumaque falso.** || **11.** V. **Acacia, arma, carta, costilla, escuadra, llave, piedra, pimienta, puerta, risa falsa.** || **12.** V. **Aguas falsas.** || **13.** V. **Falsa escuadra.** || **14.** V. **Falso flete.** || **15.** V. **Falso testimonio.** || **16.** *Arit.* V. **Falsa posición.** || **17.** *Blas.* V. **Armas falsas.** || **18.** *Equit.* V. **Falsa rienda.** || **19.** *Med.* V. **Pleuresía falsa.** || **20.** *Mús.* V. **Cuerda falsa.** || **21.** m. Pieza de la misma tela, que se pone interiormente en la parte del vestido donde la costura hace más fuerza, para que no se rompa o falsee. || **22.** **Ruedo,** 3.ª acep. || **23.** *Germ.* **Verdugo,** 5.ª acep. || **Con el falso no tomes amistad, porque te hará maldad.** proverb. contra las personas engañosas. || **De falso.** m. adv. **En falso,** 1.ª acep. || **En falso.** m. adv. Falsamente o con intención contraria a la que se quiere dar a entender. Es muy usado en los juegos de envite, cuando el que tiene poco juego envida para que se engañe el contrario. || **2.** Sin la debida seguridad y resistencia. *Este edificio está hecho* EN FALSO. || **Sobre falso.** m. adv. **En falso,** 2.ª acep.

Falsopeto. (De *falso* y *peto.*) m. ant. **Farseto.** || **2.** ant. **Balsopeto.**

Falta. (Del lat. **fallĭtus,* por *falsus,* p. p. de *fallĕre,* engañar, faltar.) f. Defecto o privación de una cosa necesaria o útil. FALTA *de medios, de lluvias.* || **2.** Defecto en el obrar, quebrantamiento de la obligación de cada uno. || **3.** Ausencia de una persona del sitio en que hubiera debido estar, y nota o registro en que se hace constar esa ausencia. || **4.** Supresión de la regla o menstruo en la mujer, principalmente durante el embarazo. || **5.** En el juego de la pelota, caída o golpe de ésta fuera de los límites señalados; también se llama así en otros deportes. || **6.** Defecto de la moneda en cuanto al peso que por la ley debía tener. || **7.** *For.* Infracción voluntaria de la ley, ordenanza, reglamento o bando, a la cual está señalada sanción leve. || **8.** *For.* V. **Juicio de faltas.** || **de intención.** *For.* Circunstancia atenuante determinada por la desproporción entre el propósito delictivo y el mayor daño causado. || **A falta de caldo, buena es la carne,** o **a falta de pan, buenas son tortas.** refs. irónicos que aconsejan conformarse con lo que se tiene o alcanza, a falta de otra cosa mejor. || **A falta de hombres buenos, a mi padre hicieron alcalde.** ref. que se suele decir cuando una persona tiene cargo, dignidad o cometido inmerecido o inadecuado, por no haber sujeto más apto. || **A falta de polla, pan y cebolla.** ref. que enseña a conformarse con lo que se tiene. || **Caer** uno **en falta.** fr. fam. No cumplir con lo que debe. || **Dar** uno **quince y falta** a otro. fr. fig. y fam. Excederle mucho en cualquier habilidad o mérito. Se dice con alusión al juego de la pelota. || **Hacer falta** una cosa o persona. fr. Ser precisa para algún fin. || **2.** desus. Causar daño la carencia de ella. || **Hacer** uno **falta.** fr. No estar pronto al tiempo que debía. || **Hacerle** a uno **falta** una persona o cosa. fr. No tener una u otra cuando nos sería necesaria o provechosa. || **Hacer tanta falta como los perros en misa.** fr. fam. Estorbar, no hacer uno ninguna falta. || **No ser** una cosa **por falta de misterio.** fr. **No ser sin misterio.** || **Por falta de hombres buenos, a mi padre hicieron alcalde.** ref. **A falta de hombres buenos,** etc. || **Sin falta.** m. adv. Puntualmente, con seguridad. || **Tener más faltas que el caballo de Gonela,** o **que un juego de pelota.** frs. con que se ponderan los defectos e imperfecciones de una persona o cosa.

Falta. m. *Chile.* **Buhonero.**

Faltante. p. a. de **Faltar.** Que falta.

Faltar. (De *falta.*) intr. No existir una prenda, calidad o circunstancia en lo que debiera tenerla. || **2.** Consumirse, acabar, fallecer. || **3.** No corresponder una cosa al efecto que se esperaba de ella. FALTÓ *la escopeta, la amarra.* || **4.** No acudir a una cita u obligación. || **5.** Hallarse ausente una persona del lugar en que suele estar. *Antonio* FALTA *de su casa desde hace un mes.* || **6.** No corresponder uno a lo que es, o no cumplir con lo que debe. FALTÓ *a la lealtad, a la nobleza.* || **7.** Dejar de asistir a otro, o no tratarle con la consideración debida. *Fulano me* FALTÓ. || **8.** desus. Carecer. *No* FALTARON *de ánimo.* || **Faltar poco** para algo. fr. Estar a punto de suceder una cosa o de acabar una acción. FALTA POCO *para terminarse el año.* FALTA POCO *para llenarse el estanque.* || **¡No faltaba más!** expr. usada para rechazar una proposición por absurda o inadmisible. || **2.** **Desde luego,** 2.ª acep. || **No faltaba más sino que.** fr. que encarece lo extremadamente desagradable, extraño o increíble que sería aquello que se enuncia tras la conjunción *que.*

Falto, ta. (De *faltar.*) adj. Defectuoso o necesitado de alguna cosa. || **2.** Escaso, mezquino, apocado.

Faltón, na. adj. fam. Que falta con frecuencia a sus obligaciones, promesas o citas.

Faltoso, sa. adj. ant. Falto, necesitado. || **2.** fam. Que no tiene cabales sus facultades, falto de juicio.

Faltrero, ra. (Del ant. alto al. *falt,* pliegue, seno.) m. y f. p. us. Ladrón, ratero.

Faltriquera. (De *faldriquera.*) f. Bolsillo de las prendas de vestir. || **2.** Bolsillo que se atan las mujeres a la cintura y que llevan colgando debajo del vestido o delantal. || **3.** **Cubillo,** 3.ª acep. || **4.** V. **Huevo de faltriquera.** || **Rascar,** o **rascarse, uno la faltriquera.** fr. fig. y fam. Soltar dinero, gastar, comúnmente de mala gana. || **Tener** uno **en la faltriquera** a otro. fr. fig. y fam. **Tener** a uno **en el bolsillo.**

Falúa. (De *faluca.*) f. Embarcación menor con carroza, y destinada al uso de los jefes de marina y algunas autoridades de los puertos.

Faluca. (Del ár. *falūka,* embarcación pequeña.) f. ant. **Falúa.**

Falucho. (De *faluca.*) m. Embarcación costanera con una vela latina. || **2.** *Argent.* Sombrero de dos picos y ala abarquillada que usan los jefes militares y los diplomáticos en las funciones de gala.

Falla. (Del lat. *falla,* de *fallĕre,* engañar, faltar.) f. Defecto material de una cosa que merma su resistencia. Dícese especialmente de las telas. || **2.** Cantidad de real y medio impuesta en Filipinas al indígena o mestizo por cada uno de los días que no prestaba servicio comunal en los cuarenta que anualmente le eran obligatorios. || **3.** ant. **Falta,** 1.er art., 2.ª acep. Ú. en *Colomb.* y *Chile.* || **4.** *Geol.* Quiebra que los movimientos geológicos han producido en un terreno. || **Sin falla.** m. adv. ant. Sin menoscabo.

Falla. (Del hol. *falie;* en fr. *faille.*) f. Cobertura de la cabeza, que ha muchos años usaban las mujeres para adorno y abrigo de noche al salir de las visitas, la cual dejaba descubierto el rostro solamente, y bajaba cubriendo hasta los pechos y mitad de la espalda. || **2.** *Méj.* Gorrito de tela fina con que se cubre la cabeza a los niños pequeños.

Falla. (Del cat. *falla,* y éste del lat. *facŭla.*) f. En el reino de Valencia, hoguera que los vecinos encienden en las calles la noche de la víspera de San José. En la capital constituyen los objetos que se han de quemar verdaderas obras de arte, formando grupos o representaciones simbólicas alusivas a sucesos de actualidad.

Fallada. f. Acción de fallar, 2.° art., 1.ª acep.

Fallador, ra. (De *fallar,* 1.er art.) adj ant. **Hallador.**

Fallador, ra. (De *fallar,* 2.° art.) m. y f. En los juegos de naipes, persona que falla.

Fallamiento. (De *fallar,* 1.er art.) m. ant. Hallazgo, descubrimiento o invención.

Fallanca. f. Vierteaguas de una puerta o ventana.

Fallar. (Del lat. *afflāre,* soplar, olfatear, husmear.) tr. ant. **Hallar.** || **2.** *For.* Decidir, determinar un litigio o proceso.

Fallar. (De *falla*, 1.er art.) tr. En algunos juegos de cartas, poner un triunfo por no tener el palo que se juega. || **2.** intr. Frustrarse, faltar o salir fallida una cosa, no respondiendo a lo que se esperaba de ella. HA FALLADO *la cosecha.* FALLA *la puntería.* || **3.** Perder una cosa su resistencia rompiéndose o dejando de servir. FALLAR *un sostén, una cuerda.*

Fallazgo. (De *fallar*, 1.er art.) m. ant. **Hallazgo.**

Falleba. (Del ár. *jallāba*, tarabilla.) f. Varilla de hierro acodillada en sus dos extremos, sujeta en varios anillos y que puede girar por medio de un manubrio, para cerrar las ventanas o puertas de dos hojas, asegurando una con otra, o con el marco, donde se encajan las puntas de los codillos.

Fallecedero, ra. adj. Que puede faltar o fallecer.

Fallecedor, ra. (De *fallecer.*) adj. ant. **Fallecedero.**

Fallecer. (De un incoat. del lat. *fallĕre.*) intr. **Morir,** 1.ª acep. || **2.** Faltar o acabarse una cosa. || **3.** ant. Carecer y necesitar de una cosa. || **4.** ant. Faltar, errar. || **5.** ant. Caer en una falta. || **Fallecer de** una cosa. fr. ant. Desistir de ella.

Fallecido, da. p. p. de **Fallecer.** || **2.** adj. ant. Desfallecido, debilitado.

Falleciente. p. a. de **Fallecer.** Que fallece.

Fallecimiento. m. Acción y efecto de fallecer.

Fallero, ra. adj. Perteneciente o relativo a la falla, 3.er art. || **2.** m. y f. Persona que toma parte en las fallas de Valencia.

Fallero, ra. (De *falla*, 1.er art.) adj. Dícese del empleado o del jornalero que deja de concurrir con frecuencia a su ocupación o trabajo. Ú. t. c. s.

Fallidero, ra. (De *fallir.*) adj. ant. **Perecedero,** 1.ª acep.

Fallido, da. p. p. de **Fallir.** || **2.** adj. Frustrado, sin efecto. || **3.** Quebrado o sin crédito. Ú. t. c. s. || **4.** Dícese de la cantidad, crédito, etc., que se considera incobrable. Ú. t. c. s.

Fallir. (Del lat. *fallĕre.*) intr. **Fallecer,** 2.ª y 4.ª aceps. || **2. Falir.**

Fallo. (De *fallar*, 1.er art.) m. Sentencia definitiva del juez, y en ella, especialmente, el pronunciamiento decisivo o imperativo. || **2.** Por ext., decisión tomada por persona competente sobre cualquier asunto dudoso o disputado. || **Echar** uno **el fallo.** fr. *For.* **Fallar,** 1.er art., 2.ª acep. || **2.** fig. Desahuciar el médico al enfermo. || **3.** fig. y fam. Juzgar decisivamente acerca de una persona o cosa.

Fallo, lla. (De *fallar*, 2.º art.) adj. En algunos juegos de naipes, falto de un palo. Ú. con el verbo *estar. Estoy* FALLO *a oros.* || **2.** m. Falta de un palo en el juego de naipes. *Tengo* FALLO *a espadas.*

Fallo, lla. adj. *Ál.* y *Nav.* Desfallecido, falto de fuerzas. || **2.** *Chile.* Aplícase al cereal cuya espiga no ha granado por completo.

Fama. (Del lat. *fama.*) f. Noticia o voz común de una cosa. || **2.** Opinión que las gentes tienen de una persona. || **3.** Opinión que el común tiene de la excelencia de un sujeto en su profesión o arte. *Predicador de* FAMA. || **Buena fama hurto encubre.** ref. que aconseja que se procure adquirir buena opinión, porque con ella se puede disimular mejor un defecto, si lo hay. || **Cobra buena fama, y échate a dormir.** ref. que da a entender que el que una vez adquiere buena **fama,** con poco trabajo la conserva. || **Correr fama.** fr. Divulgarse y esparcirse una noticia. || **Dar fama.** fr. Acreditar a uno; darle a conocer. || **Echar fama.** fr. Publicar, echar voz de una cosa. || **Es fama.** loc. Se dice, se sabe. || **Si quieres buena fama, no te dé el sol en la cama.** ref. que reprende a los perezosos y alaba a los diligentes. || **Unos tienen la fama y otros cardan la lana.** ref. que advierte que muchas veces se atribuye a uno lo que otro hizo.

Famado, da. (De *fama.*) adj. ant. **Afamado,** 1.er art.

Fambre. (Del lat. **famen, -ĭnis*, por *fames.*) f. ant. **Hambre.**

Fambriento, ta. (De *fambre.*) adj. ant. **Hambriento.**

Fame. (Del lat. *fames.*) f. ant. **Hambre.**

Famélico, ca. (Del lat. *famelĭcus.*) adj. **Hambriento.**

Familia. (Del lat. *familĭa.*) f. Gente que vive en una casa bajo la autoridad del señor de ella. || **2.** Número de criados de uno, aunque no vivan dentro de su casa. || **3.** Conjunto de ascendientes, descendientes, colaterales y afines de un linaje. || **4.** V. **Hijo, madre, padre de familia.** || **5.** V. **Madre, padre de familias.** || **6.** Cuerpo de una orden o religión, o parte considerable de ella. || **7.** Parentela inmediata de uno. || **8. Prole.** || **9.** Conjunto de individuos que tienen alguna condición común. || **10.** fam. Grupo numeroso de personas. || **11.** *For.* V. **Consejo de familia.** || **12.** *Chile.* Enjambre de abejas. || **13.** *Bot.* y *Zool.* Grupo taxonómico constituido por varios géneros naturales que poseen gran número de caracteres comunes. FAMILIA *de las papilionáceas.* || **Cargar,** o **cargarse, de familia.** fr. fig. y fam. Llenarse de hijos o criados. || **De buena familia.** loc. Dícese de las personas cuyos antecesores gozan de buen crédito y estimación social. || **En familia.** m. adv. Sin gente extraña, en la intimidad.

Familiar. (Del lat. *familiāris.*) adj. Perteneciente a la familia. || **2.** Dícese de aquello que uno tiene muy sabido o en que es muy experto. || **3.** Aplicado al trato, llano y sin ceremonia, a modo del que se usa entre personas de una misma familia. || **4.** Aplicado a voces, frases, lenguaje, estilo, etc., natural, sencillo, corriente, propio de la conversación o de la común manera de expresarse en la vida privada. || **5.** V. **Carta familiar.** || **6.** m. El que tiene trato frecuente y de confianza con uno. || **7.** Criado, sirviente. || **8.** Eclesiástico o paje dependiente y comensal de un obispo. || **9.** Ministro de la Inquisición, que asistía a las prisiones y otros encargos. || **10.** Criado que tienen los colegios para servir a la comunidad, y no a los colegiales en particular. || **11.** En la orden militar de Alcántara, el que por afecto y devoción era admitido en ella, ofreciendo gratuitamente, para de presente o futuro, el todo o parte de sus bienes. || **12.** El que tomaba la insignia o hábito de una religión, como los hermanos de la Orden Tercera. || **13.** Demonio que se supone tener trato con una persona, y acompañarla y servirla. Ú. t. en pl. || **14.** Coche de muchos asientos. || **Hacerse familiar.** fr. **Familiarizarse.**

Familiaridad. (Del lat. *familiarĭtas, -ātis.*) f. Llaneza y confianza con que algunas personas se tratan entre sí. || **2. Familiatura,** 1.ª y 2.ª aceps. || **3.** ant. Criados y personas de familia.

Familiarizar. tr. Hacer familiar o común una cosa. || **2.** r. Introducirse y acomodarse al trato familiar de uno. || **3.** Adaptarse, acostumbrarse a algunas circunstancias o cosas. FAMILIARIZARSE *con el peligro.*

Familiarmente. adv. m. Con familiaridad y confianza.

Familiatura. f. Empleo o título de familiar de la Inquisición. || **2.** Empleo de familiar o de fámulo en un colegio. || **3.** En algunas órdenes, hermandad que uno tenía con ellas.

Familio. m. ant. Familiar, criado.

Familión. m. aum. de **Familia.** || **2.** Familia numerosa.

Famillo. m. ant. **Familio.**

Famosamente. adv. m. De una manera famosa. || **2.** Excelentemente, muy bien.

Famoso, sa. (Del lat. *famōsus.*) adj. Que tiene fama y nombre en la acepción común, tomándose tanto en buena como en mala parte. *Comedia* FAMOSA; *ladrón* FAMOSO. || **2.** fam. Bueno, perfecto y excelente en su especie. || **3.** fam. Aplícase a personas y a hechos o dichos que llaman la atención por su chiste o por ser muy singulares y extravagantes. FAMOSO *tarambana;* FAMOSO *disparate; ocurrencia* FAMOSA. || **4.** ant. Visible e indubitable.

Fámula. (Del lat. *famŭla.*) f. fam. Criada, doméstica.

Famular. (Del lat. *famulāris.*) adj. Perteneciente o relativo a los fámulos.

Famulato. (Del lat. *famulātus.*) m. Ocupación y ejercicio del criado o sirviente. || **2. Servidumbre,** 3.ª acep.

Famulicio. (Del lat. *famulitĭum.*) m. **Famulato.**

Fámulo. (Del lat. *famŭlus.*) m. Sirviente de la comunidad de un colegio. || **2.** fam. Criado doméstico.

Fanal. (Del ital. *fanale*, y éste del gr. φανός, antorcha, luz.) m. Farol grande que se coloca en las torres de los puertos para que su luz sirva de señal nocturna. || **2.** Cada uno de los grandes faroles que colocados en la popa de los buques servían como insignia de mando. || **3.** Campana transparente, por lo común de cristal, que sirve para que el aire no apague la luz puesta dentro de ella o para atenuar y matizar el resplandor. || **4.** La campana de cristal cerrada por arriba, que sirve para resguardar del polvo lo que se cubre con ella. || **5.** *Germ.* **Ojo,** 1.ª acep.

Fanáticamente. adv. m. Con fanatismo.

Fanático, ca. (Del lat. *fanatĭcus.*) adj. Que defiende con tenacidad desmedida y apasionamiento, creencias u opiniones religiosas. Ú. t. c. s. || **2.** Preocupado o entusiasmado ciegamente por una cosa. FANÁTICO *por la música.*

Fanatismo. m. Tenaz preocupación, apasionamiento del fanático.

Fanatizador, ra. adj. Que fanatiza. Ú. t. c. s.

Fanatizar. tr. Provocar o sugerir el fanatismo.

Fandango. m. Antiguo baile español, muy común todavía entre andaluces, cantado con acompañamiento de guitarra, castañuelas y hasta de platillos y violín, a tres tiempos y con movimiento vivo y apasionado. || **2.** Tañido y coplas con que se acompaña. || **3.** fig. y fam. Bullicio, trapatiesta.

Fandanguero, ra. adj. Aficionado a bailar el fandango, o a asistir a bailes y festejos. Ú. t. c. s.

Fandanguillo. m. Baile popular, en compás de tres por ocho, parecido al fandango, y copla con que se acompaña.

Fandulario. m. **Faldulario.**

Faneca. f. *Zool.* Pez teleósteo marino del suborden de los anacantos, de dos a tres decímetros de largo, cabeza apuntada, dientes de sierra, color pardusco por el lomo y blanco por el vientre, y piel tan trasluciente que a través de ella se ven todos los músculos. Es una especie de abadejo que abunda en el Cantábrico.

Fanega. (Del ár. *faniqa*, cierta medida para áridos.) f. Medida de capacidad para áridos que, según el marco de Castilla, tiene 12 celemines y equivale a 55 litros y medio; pero esta cabida es muy variable según las diversas regiones de España. || **2.** Porción de granos, legumbres, semillas y cosas semejantes que cabe en esta medida. || **de puño,** o **de sembradura.** Espacio de tierra en que se puede sembrar una **fanega** de trigo. || **de tierra.** Medida agraria que, según el marco de Castilla, contiene 576 estadales cuadrados y equivale a 64 áreas y 596 miliáreas. Esta cifra varía según las regiones.

Fanegada. f. **Fanega de tierra.** || **A fanegadas.** m. adv. fig. y fam. Con mucha abundancia.

Faneguero. m. *Ast.* El que cobra en renta gran cantidad de fanegas de grano.

Fanerógamo, ma. (Del gr. φανερός, aparente, y γάμος, casamiento.) adj. *Bot.* Dícese de la planta en que el conjunto de los órganos de la reproducción se presenta en forma de flor, que se distingue a simple vista. En la flor se efectúa la fecundación y como consecuencia de ésta se desarrollan las semillas, que contienen los embriones de las nuevas plantas. Ú. t. c. s. f. || **2.** f. pl. *Bot.* Tipo de estas plantas.

Fanfarrear. intr. **Fanfarronear.**

Fanfarria. (De *fanfarrear.*) f. fam. Baladronada, bravata, jactancia. || **2.** m. *Ar.* **Fanfarrón.**

Fanfarrón, na. (Del m. or. que *fartantón.*) adj. fam. Que se precia y hace alarde de lo que no es, y en particular de valiente. Ú. t. c. s. || **2.** fam. Aplícase a las cosas que tienen mucha apariencia y hojarasca. || **3.** V. **Trigo fanfarrón.**

Fanfarronada. f. Dicho o hecho propio de fanfarrón.

Fanfarronear. (De *fanfarrón.*) intr. Hablar con arrogancia echando fanfarronadas.

Fanfarronería. f. Modo de hablar y de portarse el fanfarrón.

Fanfarronesca. f. Porte, conducta y ejercicio de los fanfarrones.

Fanfurriña. f. fam. Enojo leve y pasajero.

Fangal [Fangar]. m. Sitio lleno de fango.

Fango. (Del gót. *fani.*) m. Lodo glutinoso que se forma generalmente con los sedimentos térreos en los sitios donde hay agua detenida. || **2.** fig. En algunas frases metafóricas, vilipendio, degradación. *Llenarle a uno de* FANGO.

Fangoso, sa. (De *fango.*) adj. Lleno de fango. || **2.** fig. Que tiene la blandura y viscosidad propias del fango.

Fano. (Del lat. *fanum.*) m. ant. **Templo.**

Fantaseador, ra. adj. Que fantasea.

Fantasear. intr. Dejar correr la fantasía o imaginación. || **2.** Preciarse vanamente. || **3.** tr. Imaginar algo fantástico.

Fantasía. (Del lat. *phantasia*, y éste del gr. φαντασία.) f. Facultad que tiene el ánimo de reproducir por medio de imágenes las cosas pasadas o lejanas, de representar las ideales en forma sensible o de idealizar las reales. || **2.** Imagen formada por la **fantasía,** 1.ª acep. || **3.** Grado superior de la imaginación; la imaginación en cuanto inventa o produce. || **4.** Ficción, cuento, novela o pensamiento elevado e ingenioso. *Las* FANTASÍAS *de los poetas, de los músicos y de los pintores.* || **5.** fam. Presunción, entono y gravedad afectada. || **6.** *Mar.* V. **Punto de fantasía.** || **7.** *Mús.* Composición instrumental de forma libre o formada sobre motivos de una ópera. || **8.** pl. Granos de perlas que están pegados unos con otros con algún género de división por medio. || **De fantasía.** Locución que, en términos de modas, se aplica a las prendas de vestir y adornos que no son de forma o gusto corrientes.

Fantasioso, sa. (De *fantasía*, presunción.) adj. fam. Vano, presuntuoso.

Fantasma. (Del lat. *phantasma*, y éste del gr. φάντασμα.) m. Visión quimérica, como la que ofrecen los sueños o la imaginación acalorada. || **2.** Imagen de un objeto que queda impresa en la fantasía. || **3.** fig. Persona entonada, grave y presuntuosa. || **4.** f. Espantajo o persona disfrazada que sale por la noche para asustar a la gente.

Fantasmagoría. (Del gr. φάντασμα, aparición, y ἀγορεύω, hablar, llamar.) f. Arte de representar figuras por medio de una ilusión óptica. || **2.** fig. Ilusión de los sentidos o figuración vana de la inteligencia, desprovista de todo fundamento.

Fantasmagórico, ca. adj. Perteneciente o relativo a la fantasmagoría.

Fantasmal. adj. Perteneciente o relativo al fantasma, 1.ª acep.

Fantasmón, na. adj. fam. Lleno de presunción y vanidad. Ú. t. c. s. || **2.** m. aum. de **Fantasma,** 3.ª y 4.ª aceps.

Fantásticamente. adv. m. Fingidamente, sin realidad. || **2.** fig. Con fantasía y engaño.

Fantástico, ca. (Del lat. *phantasticus*, y éste del gr. φανταστικός.) adj. Quimérico, fingido, que no tiene realidad, y consiste sólo en la imaginación. || **2.** Perteneciente a la fantasía. || **3.** fig. Presuntuoso y entonado.

Fantochada. f. fig. Acción propia de fantoche.

Fantoche. (Del fr. *fantoche*, y éste del ital. *fantoccio*, muñeco.) m. **Títere,** 1.ª y 2.ª aceps.

Fañado, da. (De *facer*, hacer, cumplir, y *año.*) adj. Dícese del animal que tiene un año.

Fañoso, sa. adj. *Cuba, Méj., P. Rico* y *Venez.* **Gangoso.**

Faquí. m. **Alfaquí.**

Faquín. (Del ital. *facchino.*) m. Ganapán, esportillero, mozo de cuerda.

Faquir. (Del ár. *faqîr*, pobre, hombre religioso que hace voto de pobreza.) m. Santón mahometano que vive de limosna y practica actos de singular austeridad. Hay faquires en varios países de Oriente, y con especialidad en la India.

Far. (Del lat. *facĕre.*) tr. ant. **Hacer.**

Fara. (Del lat. *parias.*) f. Culebra africana de un metro de longitud próximamente, de color gris con manchas negras y una raya también negra, y de escamas aquilladas a todo lo largo del dorso.

Farabusteador. (De *farabustear.*) m. *Germ.* Ladrón diligente.

Farabustear. (Tal vez del m. or. que *filibustero.*) tr. *Germ.* **Buscar,** 2.ª acep.

Faracha. f. *Ar.* Espadilla para macerar el lino o cáñamo.

Farachar. tr. *Ar.* **Espadar.**

Farad. m. *Fís.* Nombre del **faradio,** en la nomenclatura internacional.

Faradio. (De *Faraday*, n. p. de un físico inglés.) m. Medida de la capacidad eléctrica de un cuerpo o de un sistema de cuerpos conductores que con la carga de un culombio produce un voltio.

Faralá. (De *farfalá.*) m. Volante, adorno compuesto de una tira de tafetán o de otra tela, que rodea las basquiñas y briales o vestidos y enaguas de las mujeres; está plegado y cosido por la parte superior, y suelto o al aire por la inferior. También se llaman así los adornos de cortinas y tapetes puestos en la misma disposición. || **2.** fam. Adorno excesivo y de mal gusto.

Farallo. (Del ant. *frallar*, del lat. **fragŭlāre*, romper.) m. *Sal.* Migaja de pan.

Farallón. (Del ant. *frallar*, del lat. **fragŭlāre*, romper.) m. Roca alta y tajada que sobresale en el mar y alguna vez en tierra firme. || **2. Crestón,** 3.ª acep

Faramalla. f. fam. Charla artificiosa encaminada a engañar. || **2.** fam. **Farfolla,** 2.ª acep. || **3.** com. fam. Persona faramallera. Ú. t. c. adj.

Faramallero, ra. (De *faramalla.*) adj. fam. Hablador, trapacero. Ú. t. c. s.

Faramallón, na. adj. fam. Faramallero. Ú. t. c. s.

Farandola. f. *Ar.* y *Nav.* Faralá, volante.

Farándula. (Del al. *fahrender*, vagabundo.) 1. Profesión de los farsantes.|| **2.** Una de las varias compañías que antiguamente formaban los cómicos: componíase de siete hombres o más, y de tres mujeres, y andaban representando por los pueblos. || **3.** fig. y fam. **Faramalla,** 1.ª acep.

Farandulear. intr. Farolear.

Farandulero, ra. (De *farándula.*) m. y f. Persona que recitaba comedias. || **2.** adj. fig. y fam. Hablador, trapacero, que tira a engañar. Ú. m. c. s.

Farandúlico, ca. adj. Perteneciente a la farándula.

Faranga. (Del ár. *farāg*, ociosidad.) f. *Sal.* Haraganería, dejadez.

Faraón. m. Cualquiera de los antiguos reyes de Egipto anteriores a la conquista de este país por los persas. || **2.** Juego de naipes parecido al monte, y en el cual se emplean dos barajas. Se llamó así por la figura de un Faraón que se representaba en las antiguas barajas.

Faraónico, ca. adj. Perteneciente o relativo a los faraones.

Faraute. (De *haraute.*) m. El que lleva y trae mensajes entre personas que están ausentes o distantes, fiándose entrambas partes de él. || **2.** Rey de armas de segunda clase, que tenían los generales y grandes señores. || **3.** El que al principio de la comedia recitaba o representaba el prólogo o introducción de ella, que después se llamó loa. || **4.** fam. El principal en la disposición de alguna cosa, y más comúnmente el bullicioso y entremetido que quiere dar a entender que lo dispone todo. || **5.** ant. **Intérprete,** 2.ª acep. || **6.** *Germ.* **Mandilandín.**

Farda. (Del ár. *farda*, impuesto, obligación.) f. **Alfarda,** 1.er art. || **Pagar farda,** o **la farda.** fr. fig. y fam. Rendir obsequio o atenciones a uno por respeto, temor o interés. Ú. m. con negación. *Yo no he de pagar* FARDA.

Farda. (Del ár. *farda*, media carga de una acémila, paquete.) f. Bulto o lío de ropa.

Farda. (Del ár. *farda*, corte, muesca.) f. *Carp.* Corte o muesca que se hace en un madero para encajar en él la barbilla de otro.

Fardacho. m. **Lagarto,** 1.ª acep.

Fardaje. (De *fardo.*) m. **Fardería.**

Fardar. (De *fardo.*) tr. Surtir y abastecer a uno, especialmente de ropa y vestidos. Ú. t. c. r.

Fardel. (De *fardo.*) m. Saco o talega que llevan regularmente los pobres, pastores y caminantes de a pie, para las cosas comestibles u otras de su uso. || **2. Fardo.** || **3.** fig. y fam. Persona desaliñada.

Fardelejo. m. d. de **Fardel.**

Fardería. f. Conjunto de cargas o fardos.

Fardero. (De *fardo.*) m. *Ar.* **Mozo de cordel.**

Fardialedra. (Del anglosajón *feordling*, cuarta parte de una moneda.) f. *Germ.* Dineros menudos.

Fardido, da. (Del germ. *hardjan*, endurecer, aguerrir.) adj. ant. **Ardido.**

Fardo. (De *farda*, 2.º art.) m. Lío grande de ropa u otra cosa, muy apretado, para poder llevarlo de una parte a otra; lo que se hace regularmente con las mercaderías que se han de transportar, y se cubren con harpillera o lienzo embreado o encerado, para que no se maltraten.

Farellón. (Como *farallón* y *farillón*, del ant. *frallar*, del lat. **fragŭlāre*, romper.) m. **Farallón.**

Fares. (Del lat. *farus*, candelero tenebrario.) f. pl. *Murc.* Tinieblas de la Semana Santa.

Farfalá. (De *falbalá.*) m. **Faralá.**

Farfallón, na. adj. fam. Farfullero, chapucero. Ú. t. c. s.

Farfalloso, sa. (De *farfulla.*) adj. *Ar.* Tartamudo o tartajoso.

Farfán. (Del ár. *farḥān*, alegre, jovial.) m. Nombre con que se distinguió en Marruecos a cada uno de los individuos de ciertas familias españolas que se dice haber pasado allí en el siglo VIII, las cuales siempre conservaron la fe cristiana, y al fin volvieron y se establecieron en Castilla el año 1390.

Farfante. (Del ár. *farfār*, ligero, inconstante.) m. fam. **Farfantón.** Ú. t. c. adj.

Farfantón. (De *farfante.*) m. fam. Hombre hablador, jactancioso, que se alaba de pendencias y valentías. Ú. t. c. adj.

Farfantonada. f. fam. Hecho o dicho propios del farfantón.

Farfantonería. f. fam. **Farfantonada.**

Fárfara. (Del lat. *farfărus.*) f. Planta herbácea de la familia de las compuestas, con bohordos de escamas coloridas y de uno a dos decímetros de altura, hojas radicales, grandes, denticuladas, tenues, tomentosas por el envés, y que aparecen después que las flores, que son aisladas, terminales, amarillas y de muchos pétalos. El cocimiento de las hojas y flores se emplea como pectoral.

Fárfara. (Del ár. *halhala*, tejido sutil y claro.) f. Telilla que tienen los huevos de las aves por la parte interior de la cáscara. || **En fárfara.** m. adv. que expresa el modo de estar el huevo que se halla en la overa con sola la **fárfara**, sin haber criado la cáscara, y aun algunas veces lo suele poner el ave de esta suerte. || **2.** fig. A medio hacer o sin la última perfección.

Farfaro. (Del al. *pfarrherr*, cura párroco.) m. *Germ.* **Clérigo,** 1.ª acep.

Farfolla. (Del dialect. *marfolla*, y éste del lat. *malum folium.*) f. Espata o envoltura de las panojas del maíz, mijo y panizo. || **2.** fig. Cosa de mucha apariencia y de poca entidad.

Farfulla. (Voz onomatopéyica.) f. fam. Defecto del que habla balbuciente y de prisa. || **2.** com. fam. Persona farfulladora. Ú. t. c. adj.

Farfulladamente. adv. m. fam. Con prisa, atropelladamente.

Farfullador, ra. adj. fam. Que farfulla. Ú. t. c. s.

Farfullar. (De *farfulla.*) tr. fam. Hablar muy de prisa y atropelladamente. || **2.** fig. y fam. Hacer una cosa con tropelía y confusión.

Farfullero, ra. adj. **Farfullador.** Ú. t. c. s.

Fargallón, na. adj. fam. Que hace las cosas atropelladamente. Ú. t. c. s. || **2.** Desaliñado y descuidado en el aseo. Ú. t. c. s.

Farillón. m. **Farallón.**

Farina. (Del lat. *farīna.*) f. ant. **Harina.**

Farináceo, a. (Del lat. *farinacĕus.*) adj. Que participa de la naturaleza de la harina, o se parece a ella.

Farinato. (De *farina.*) m. *Sal.* Embutido de pan amasado con manteca de cerdo, sal y pimienta.

Farinetas. (De *farina.*) f. pl. *Ar.* **Gacha,** 3.ª acep.

Faringe. (Del gr. φάρυγξ, -υγγος.) m. *Zool.* Porción ensanchada del tubo digestivo de muchos animales, de paredes generalmente musculosas y situada a continuación de la boca. En el hombre y en los demás mamíferos tiene varias aberturas, por las que comunica con las fosas nasales, con la trompa de Eustaquio, con la laringe y con el esófago.

Faríngeo, a. adj. *Zool.* Perteneciente o relativo a la faringe.

Faringitis. (De *faringe* y el sufijo *itis*, inflamación.) f. *Med.* Inflamación de la faringe.

Fariña. (Del gall. *fariña*, y éste del lat. *farina*, harina.) f. *Argent.* Harina gruesa de mandioca. || **2.** pl. *Ast.* Harina de maíz cocida con agua.

Fariño, ña. adj. *Sal.* Flojo; aplícase a las tierras de ínfima calidad.

Farisaicamente. adv. m. **Hipócritamente.**

Farisaico, ca. (Del lat. *pharisaĭcus.*) adj. Propio o característico de los fariseos. || **2.** V. **Escándalo farisaico.** || **3.** fig. **Hipócrita.**

Farisaísmo. m. Cuerpo, conjunto, secta, costumbres o espíritu de los fariseos.

Fariseísmo. m. **Farisaísmo.** || **2.** fig. **Hipocresía.**

Fariseo. (Del lat. *pharisaeus*; éste del gr. φαρισαῖος, y éste de la raíz hebrea *faras*, separar.) m. Entre los judíos, miembro de una secta que afectaba rigor y austeridad, pero en realidad eludía los preceptos de la ley, y, sobre todo, su espíritu. || **2.** fig. Hombre hipócrita. || **3.** fig. y fam. Hombre alto, seco y de mala intención o catadura.

Farmacético, ca. adj. ant. **Farmacéutico.**

Farmacéutico, ca. (Del lat. *pharmaceutĭcus*, y éste del gr. φαρμακευτικός, de φαρμακεύω, preparar o administrar drogas.) adj. Perteneciente a la farmacia. || **2.** m. El que profesa la farmacia y el que la ejerce.

Farmacia. (Del lat. *pharmacīa*, y éste del gr. φαρμακεία.) f. Ciencia que enseña a conocer los cuerpos naturales y el modo de prepararlos y combinarlos para que sirvan de remedio en las enfermedades, o para conservar la salud. || **2.** Profesión de esta ciencia. || **3. Botica,** 1.ª y 2.ª aceps.

Fármaco. (Del lat. *pharmăcum*, y éste del gr. φάρμακον.) m. ant. **Medicamento.**

Farmacología. (Del gr. φάρμακον, medicamento, y λόγος, tratado.) f. Parte de la materia médica, que trata de los medicamentos.

Farmacológico, ca. adj. Perteneciente o relativo a la farmacología.

Farmacopea. (Del gr. φαρμακοποιΐα; de φάρμακον, medicamento, y ποιέω, hacer.) f. Libro en que se expresan las substancias medicinales que se usan más comúnmente, y el modo de prepararlas y combinarlas.

Farmacopola. (Del lat. *pharmacopōla*, y éste del gr. φαρμακοπώλης; de φάρμακον, medicamento, y πωλέω, vender.) m. p. us. **Farmacéutico,** 2.ª acep.

Farmacopólico, ca. (De *farmacopola.*) adj. Perteneciente a la farmacia o a los medicamentos.

Farnaca. (Del ár. *farnaqa*, cría de liebre.) f. *Ar.* **Lebrato.**

Faro. (Del lat. *pharus*, y éste del gr. Φάρος, isla de la embocadura del Nilo, que dió su nombre al faro en ella construído.) m. Torre alta en las costas, con luz en su parte superior, para que durante la noche sirva de señal y aviso a los navegantes. || **2.** Farol con potente reverbero. || **3.** fig. Aquello que da luz en un asunto, lo que sirve de guía a la inteligencia o a la conducta.

Farol. (De *faro.*) m. Caja formada de vidrios o de otra materia transparente, dentro de la cual se pone luz para que alumbre. || **2.** Cazoleta formada de aros de hierro, en que se ponen las teas para las luminarias o para alumbrarse. || **3.** fig. y fam. Fachenda, papelón. || **4.** En el juego, jugada o envite falso hecho para deslumbrar o desorientar. || **5.** *Taurom.* Lance de capa a la verónica, en que el torero, después de echar la capa al toro, la pasa en redondo sobre su cabeza y la coloca en sus hombros. || **Medio farol.** *Taurom.* Suerte de frente con la capa, en la que el diestro deja este engaño a la espalda, tras de pasarla por encima de la cabeza, generalmente para iniciar otra suerte, como el lance de espalda, el galleo, etc. || **de situación.** *Mar.* Cada uno de los **faroles** que se encienden de noche en los buques que navegan, y que por los distintos colores de sus cristales sirven de guía para evitar los abordajes. || **Adelante con los faroles.** expr. fig. y fam. con que se manifiesta uno resuelto, o anima a otro, a continuar o perseverar a todo trance en lo ya comenzado, a pesar de las dificultades que se presentan.

Farola. f. Farol grande, generalmente compuesto de varios brazos, con sendas luces, propio para iluminar plazas y paseos públicos. || **2. Fanal,** 1.ª acep.

Farolazo. m. Golpe dado con un farol. || **2.** *Amér. Central* y *Méj.* Trago de licor.

Farolear. (De *farol*, 3.ª acep.) intr. fam. Fachendear o papelonear.

Faroleo. m. Acción y efecto de farolear.

Farolería. f. Establecimiento donde se hacen o venden faroles. || **2.** fig. Acción propia de persona **farolera.**

Farolero, ra. (De *farol*, 3.ª acep.) adj. fig. y fam. Vano, ostentoso, amigo de llamar la atención y de hacer lo que no le toca. Ú. t. c. s. || **2.** m. El que hace faroles o los vende. || **3.** El que tiene cuidado de los faroles del alumbrado. || **Meterse uno a farolero.** fr. fig. y fam. Meterse donde no le llaman; meterse en camisa de once varas.

Farolillo. (De *farol*, 1.ª acep., por la forma del fruto.) m. Planta herbácea, trepadora, de la familia de las sapindáceas, con tallos largos y ramosos; hojas lanceoladas con bordes dentados y pecioladas de tres en tres; flores axilares de color blanco amarillento y fruto globoso de un centímetro de diámetro con tres semillas verdosas casi redondas. Se cultiva en los jardines, se ha usado en medicina como diurética, y en la India, de donde procede, ensartan los frutos para hacer pulseras y collares. || **2.** Planta perenne de la familia de las campanuláceas, con tallos herbáceos de seis a ocho decímetros de altura, estriados y ramosos; hojas sentadas, oblongas, ásperas y vellosas, y flores grandes, campanudas, blancas, rojizas, moradas o jaspeadas, de pedúnculos largos y en ramilletes piramidales. Se cultiva en los jardines y florece todo el verano.

Farolón. adj. fam. **Farolero,** 1.ª acep. Ú. t. c. s. || **2.** m. aum. fam. de **Farol.**

Farón. (De *faro.*) m. ant. **Fanal,** 2.ª acep.

Farota. (Del ár. *farūṭa*, mujer charlatana y mentirosa.) f. fam. Mujer descarada y sin juicio.

Farotón, na. (De *farota.*) m. y f. fam. Persona descarada y sin juicio. Ú. t. c. adj.

Farpa. f. Cada una de las puntas agudas que quedan al hacer una o varias escotaduras en el borde de algunas cosas, como banderas, estandartes, planos de veleta, etc.

Farpado, da. adj. Que remata y está cortado en farpas.

Farra. (Del lat. *fario.*) f. Pez de agua dulce, parecido al salmón, que vive principalmente en el lago de Ginebra, y tiene la cabeza pequeña y aguda, la boca pequeña, la lengua corta, el lomo verdoso y el vientre plateado. Su carne es muy sabrosa.

Farra. f. *Argent.* y *Chile.* Juerga, jarana, parranda.

Farraca. f. *Sal.* y *Zam.* **Faltriquera.**

Farrago. m. desus. **Fárrago.**

Fárrago. (Del lat. *farrāgo.*) m. Conjunto de cosas superfluas y mal ordenadas, o de especies inconexas y mal digeridas.

Farragoso, sa. adj. Que tiene fárrago.

Farraguista. (De *fárrago.*) com. Persona que tiene la cabeza llena de ideas confusas y mal ordenadas.

Farrapas. (Como *farrepas* [*Sant.*], del lat. *far, farris*, harina y salvado.) f. pl. *Ast.* **Fariñas.**

Farrear. intr. *Argent.* y *Chile.* Andar de farra o de parranda.

Farro. (Del lat. *far, farris.*) m. Cebada a medio moler, después de remojada y quitada la cascarilla. || **2.** Semilla parecida a la escanda.

Farropea. (De *ferropea.*) f. ant. **Arropea.**

Farruco, ca. (Del ár. *farrūq*, muy tímido.) adj. fam. Aplícase en muchas provincias a los gallegos o asturianos recién salidos de su tierra. Ú. m. c. s.

Farruco, ca. (Del ár. *fārūq*, valiente.) adj. fam. Valiente, impávido.

Farsa. (Del b. lat. *farsa*, y éste del lat. *farsus*, relleno, henchido.) f. Nombre dado en lo antiguo a las comedias. || **2.** Pieza cómica, breve por lo común, y sin más objeto que hacer reir. || **3.** Compañía de farsantes. || **4.** despect. Obra dramática desarreglada, chabacana y grotesca. || **5.** fig. Enredo, tramoya para aparentar o engañar.

Farsador, ra. (De *farsar.*) m. y f. ant. **Farsante.**

Farsálico, ca. (Del lat. *farsalĭcus.*) adj. Perteneciente a Farsalia.

Farsanta. (De *farsante.*) f. Mujer que tenía por oficio representar farsas.

Farsante. (De *farsar.*) m. El que tenía por oficio representar farsas; comediante. || **2.** adj. fig. y fam. Dícese de la persona que con vanas apariencias finge lo que no siente o pretende pasar por lo que no es. Ú. m. c. s.

Farsantear. intr. *Chile.* **Fachendear.**

Farsantería. f. Calidad de farsante, 2.ª acep.

Farsar. (De *farsa.*) intr. ant. Hacer o representar papel de cómico.

Farseto. (Del ital. *farsetto*, y éste del lat. *farsus*, relleno.) m. Jubón acolchado o relleno de algodón, de que usaba el que se había de armar, para resistir sobre él las armas y que no hiciesen daño al cuerpo.

Farsista. com. Autor de farsas. || **2.** ant. **Farsante,** 1.ª acep.

Fartal. m. ant. **Farte.**

Fartar. (De *farto.*) tr. ant. **Hartar.**

Farte. (Del cat. *fart*, y éste del lat. *fartus*, relleno.) m. ant. Frito de masa rellena de una pasta dulce con azúcar, canela y otras especias.

Farto, ta. (Del lat. *fartus*, relleno.) adj. ant. **Harto.**

Fartura. (De *fartar.*) f. ant. **Hartura.**

Fas (Por) o por nefas. (Del lat. *fas*, justo, lícito, y *nefas*, injusto.) m. adv. fam. Justa o injustamente; por una cosa o por otra.

Fascal. (Del lat. *fascālis*, de *fascis*, haz.) m. *Ar.* Conjunto de 30 haces de trigo, que se amontona en el campo al tiempo de segar, y corresponde a una carga. || **2.** *Alm.* Cuerda de esparto crudo y sin majar hecha con trenzado muy flojo. Sirve para hacer maromas.

Fasces. (Del lat. *fasces*, pl. de *fascis*, haz.) f. pl. Insignia del cónsul romano, que se componía de una segur en un hacecillo de varas.

Fasciculado, da. adj. V. **Columna fasciculada.**

Fascículo. (Del lat. *fascicŭlus*, hacecito.) m. **Entrega,** 2.ª acep. || **2.** *Anat.* Haz de fibras musculares.

Fascinación. (Del lat. *fascinatio, -ōnis.*) f. **Aojo.** || **2.** fig. Engaño o alucinación.

Fascinador, ra. (Del lat. *fascinātor.*) adj. Que fascina.

Fascinante. p. a. de **Fascinar.** Que fascina.

Fascinar. (Del lat. *fascināre.*) tr. **Aojar,** 1.er art., 1.ª acep. || **2.** fig. Engañar, alucinar, ofuscar.

Fascioso, sa. adj. ant. **Fastidioso.**

Fascismo. (Del ital. *fascio*, y éste del lat. *fascis*, haz.) m. Movimiento político y social, principalmente de juventudes organizadas en milicias bajo el signo de las antiguas fasces, que se produjo en Italia después de la primera guerra mundial. || **2.** Doctrina del partido político italiano de este nombre y de los similares en otros países.

Fascista. adj. Perteneciente o relativo al fascismo. || **2.** Partidario de esta doctrina o movimiento social. Ú. t. c. s.

Fascona. f. ant. **Azcona.**

Fase. (Del gr. φάσις, de φαίνω, brillar.) f. *Astron.* Cada una de las diversas apariencias o figuras con que se dejan ver la Luna y algunos planetas, según los ilumina el Sol. || **2.** fig. Cada uno de los diversos aspectos que presenta un fenómeno natural o una cosa, doctrina, negocio, etc.

Faséolo. (Del lat. *phaseŏlus.*) m. ant. **Frísol.**

Fásol. (Del cat. *fásol*, y éste del lat. **phasŭlus*, por *phaselus*, alubia.) m. Fríjol o judía. Ú. m. en pl.

Fasquía. (Del lat. *fastīdium*, infl. por *asco.*) f. ant. Asco o hastío, especialmente el que se toma de una cosa por su mal olor.

Fasquiar. (De *fasquía.*) tr. ant. **Fastidiar.**

Fasta. (De *fata.*) prep. ant. **Hasta.**

Fastial. (Del lat. *fastigĭum*, remate de un edificio.) m. ant. *Arq.* **Hastial,** 1.ª acep. || **2.** *Arq.* Piedra más alta de un edificio.

Fastidiar. (De *fastidio.*) tr. Causar asco o hastío una cosa. Ú. t. c. r. || **2.** fig. Enfadar, disgustar o ser molesto a alguien.

Fastidio. (Del lat. *fastidĭum.*) m. Disgusto o desazón que causa el manjar mal recibido del estómago, o el olor fuerte y desagradable de una cosa. || **2.** fig. Enfado, cansancio, hastío, repugnancia.

Fastidiosamente. adv. m. Con fastidio.

Fastidioso, sa. (Del lat. *fastidiōsus.*) adj. Enfadoso, importuno; que causa disgusto, desazón y hastío. || **2.** Fastidiado, disgustado.

Fastigio. (Del lat. *fastigĭum.*) m. Lo más alto de alguna cosa que remata en punta; como una pirámide. || **2.** fig. **Cumbre,** 2.ª acep. || **3.** *Arq.* **Frontón,** 5.ª acep.

Fastío. (De *fastidio.*) m. ant. **Hastío.**

Fasto, ta. (Del lat. *fastus.*) adj. Aplícase al día en que era lícito en la antigua Roma tratar los negocios públicos y administrar justicia. || **2.** Dícese también, por contraposición a nefasto, del día, año, etc., feliz o venturoso. || **3.** m. **Fausto,** 1.er art.

Fastos. (Del lat. *fastos*, acus. de *fasti, -ōrum.*) m. pl. Entre los romanos, especie de calendario en que se anotaban por meses y días sus fiestas, juegos y ceremonias y las cosas memorables de la república. || **2.** fig. Anales o serie de sucesos por el orden de los tiempos.

Fastosamente. adv. m. **Fastuosamente.**

Fastoso, sa. (Del lat. *fastōsus.*) adj. **Fastuoso.**

Fastuosamente. adv. m. Con fausto, de manera fastuosa.

Fastuoso, sa. (Del lat. *fastuōsus.*) adj. Ostentoso, amigo de fausto y pompa.

Fata. (Del ár. *ḥattà.*) adv. l. ant. **Hasta.**

Fatal. (Del lat. *fatālis.*) adj. Perteneciente al hado, inevitable. || **2.** Desgraciado, infeliz. || **3. Malo.** || **4.** *For.* Dícese del plazo o término que es improrrogable. || **5.** *For.* V. **Año fatal.**

Fatalidad. (Del lat. *fatalĭtas, -ātis.*) f. Calidad de fatal. || **2.** Desgracia, desdicha, infelicidad.

Fatalismo. (De *fatal.*) m. Doctrina según la cual todo sucede por las determinaciones ineludibles del hado o del destino. || **2.** Enseñanza de los que opinan que una ley ineludible encadena a todos los seres, sin que pueda existir en ninguno libertad ni albedrío.

Fatalista. adj. Que sigue la doctrina del fatalismo. Ú. t. c. s.

Fatalmente. adv. m. Inevitablemente, forzosamente. || **2.** Desgraciadamente, desdichadamente. || **3.** Muy mal.

Fatídicamente. adv. m. De manera fatídica.

Fatídico, ca. (Del lat. *fatidĭcus.*) adj. Aplícase a las cosas o personas que anuncian o pronostican el porvenir. Dícese más comúnmente de las que anuncian desgracias.

Fatiga. (De *fatigar.*) f. Agitación, cansancio, trabajo extraordinario. || **2.** Molestia ocasionada por la respiración frecuente o difícil. || **3. Náusea,** 1.ª acep. Ú. m. en pl. || **4.** fig. Molestia, penalidad, sufrimiento. Ú. m. en pl.

Fatigación. (Del lat. *fatigatio, -ōnis.*) f. **Fatiga.** || **2.** ant. fig. **Importunación.**

Fatigadamente. adv. m. Con fatiga.

Fatigador, ra. adj. Que fatiga a otro.

Fatigar. (Del lat. *fatigāre*; de *fatim*, con exceso, y *agĕre*, hacer.) tr. Causar fatiga. Ú. t. c. r. || **2.** Vejar, molestar. || **3.** *Germ.* **Hurtar.**

Fatigosamente. adv. m. Con fatiga.

Fatigoso, sa. adj. Fatigado, agitado || **2.** Que causa fatiga.

Fatimí. (Del ár. *fāṭimī*, perteneciente o relativo a *Fāṭima.*) adj. Descendiente de Fátima, hija única de Mahoma. Apl. a pers., ú. t. c. s.

Fato. (Del lat. *fatum.*) m. ant. **Hado.**

Fato. (Del ár. *ḥaẓẓ*, porción, lote.) m. ant. **Hato.**

Fato. m. *Ar.* y *Extr.* **Olfato.** || **2.** *And., Extr., León, Sal.* y *Zam.* Olor, especialmente el desagradable.

Fato, ta. adj. *Ast., Huesca* y *Rioja.* **Fatuo.** Ú. t. c. s.

Fator. m. ant. **Factor.**

Fatoraje. m. ant. **Factoría.**

Fatoría. f. ant. **Factoría.**

Fatuidad. (Del lat. *fatuĭtas, -ātis.*) f. Falta de razón o de entendimiento. || **2.** Dicho o hecho necio. || **3.** Presunción, vanidad infundada y ridícula.

Fatuo, tua. (Del lat. *fatŭus.*) adj. Falto de razón o de entendimiento. Ú. t. c. s. || **2.** Lleno de presunción o vanidad infundada y ridícula. Ú. t. c. s. || **3.** V. **Fuego fatuo.**

Faucal. adj. Perteneciente o relativo a las fauces.

Fauces. (Del lat. *fauces.*) f. pl. *Zool.* Parte posterior de la boca de los mamíferos, que se extiende desde el velo del paladar hasta el principio del esófago. || **2.** *Zool.* V. **Istmo de las fauces.**

Fauna. (De *fauno.*) f. Conjunto de los animales de un país o región. || **2.** Obra que los enumera y describe.

Fauno. (Del lat. *faunus.*) m. *Mit.* Semidiós de los campos y selvas.

Faurestina. f. *Bot. Cuba.* Árbol de la familia de las mimosáceas, muy copudo, de flores olorosas, que se planta a los lados de los caminos para dar sombra.

Fausto. (Del lat. *fastus.*) m. Grande ornato y pompa exterior; lujo extraordinario.

Fausto, ta. (Del lat. *faustus.*) adj. Feliz, afortunado.

Faustoso, sa. adj. **Fastuoso.**

Fautor, ra. (Del lat. *fautor.*) m. y f. El que favorece y ayuda a otro. Hoy se usa más generalmente en mala parte.

Fautoría. (De *fautor.*) f. **Favor,** 1.ª acep.

Favila. (Del lat. *favilla.*) f. poét. Pavesa o ceniza del fuego.

Favo. (Del lat. *favus.*) m. ant. **Panal,** 1.ª acep. Ú. en *Sal.* || **2.** *Med.* Enfermedad cutánea semejante a la tiña. || **El favo es dulce, mas pica la abeja.** ref. que se aplica al placer que trae aparejado un gran dolor.

Favonio. (Del lat. *favonĭus.*) m. **Céfiro,** 1.ª y 2.ª aceps. Ú. m. en poesía.

Favor. (Del lat. *favor.*) m. Ayuda, socorro que se concede a uno. || **2.** Honra, beneficio, gracia. || **3. Privanza.** || **4.** Expresión de agrado que suelen hacer las damas. || **5.** Cinta, flor u otra cosa semejante dada por una dama a un caballero, y que en las fiestas públicas llevaba éste en el sombrero o en el brazo. || **6.** V. **Palo de favor.** || **A favor de.** m. adv. En beneficio y utilidad de uno. || **2.** A beneficio de, en virtud de. A FAVOR DE *un calmante o de una sangría;* A FAVOR DEL *viento o de la marea.* || **A favor de obra.** fr. con que se denota que una cosa, lejos de contrariar, favorece el intento que se persigue. || **De favor.** loc. Dícese de algunas cosas que se obtienen gratuitamente; como billetes de teatro, pases de ferrocarril, etc. || **Estar** uno **en favor.** fr. Poder mucho con una persona. || **¡Favor a la justicia! ¡Favor al rey!** exprs. con que los ministros de justicia pedían ayuda y socorro para aprehender a un delincuente. || **Hazme el favor de** tal cosa. expr. de cortesía con que se pide algo. Ú. t. con otros tiempos y personas del verbo *hacer.* || **Tener** uno **a** su **favor** a alguien o algo. fr. Servirle a uno de apoyo o de defensa.

Favorable. (Del lat. *favorabĭlis.*) adj. Que favorece. || **2.** Propicio, apacible, benévolo. || **3.** V. **Privilegio favorable.**

Favorablemente. adv. m. Con favor, benévolamente. || **2.** De conformidad con lo que se desea. *La instancia fue informada* FAVORABLEMENTE.

Favorecedor, ra. adj. Que favorece. Ú. t. c. s.

Favorecer. (De *favor.*) tr. Ayudar, amparar, socorrer a uno. || **2.** Apoyar un intento, empresa u opinión. || **3.** Dar o hacer un favor. || **Favorecerse de** una persona o cosa. fr. Acogerse a ella; valerse de su ayuda o amparo.

Favoreciente. p. a. de **Favorecer.** Que favorece.

Favorido, da. adj. desus. Favorecido.

Favoritismo. (De *favorito.*) m. Preferencia dada al favor sobre el mérito o la equidad, especialmente cuando aquélla es habitual y predominante.

Favorito, ta. (De *favor.*) adj. Que es con preferencia estimado y apreciado. || **2.** m. **Palo de favor.** || **3.** m. y f. Persona que priva con un rey o personaje.

Faya. (Del fr. *faille,* y éste del neerl. *falie,* velo de mujer.) f. Cierto tejido grueso de seda, que forma canutillo.

Faya. f. *Sal.* **Peñasco,** 1.ª acep.

Fayado. (Del gall. *fayar,* techar.) m. En Galicia, desván que por lo común no es habitable.

Fayanca. f. Postura del cuerpo en la cual hay poca firmeza para mantenerse. || **2.** desus. Vaya, burla. || **De fayanca.** fr. fig. A medio mogate; sin cuidado.

Faz. (Del lat. *fascis.*) f. ant. **Haz,** 1.er art.

Faz. (Del lat. *facies.*) f. Rostro o cara. || **2.** Vista o lado de una cosa. || **3. Anverso,** 1.ª acep. || **4.** pl. ant. Mejillas. || **Sacra,** o **santa, Faz.** Imagen del rostro de Jesús. || **Faz a faz.** m. adv. **Cara a cara.** || **A prima,** o **primera, faz.** m. adv. **A primera vista.** || **En faz.** m. adv. **A vista.** || **En faz y en paz.** m. adv. Pública y pacíficamente.

Faz. (Del lat. *facies,* cara.) prep. ant. **Hacia.**

Faza. (Del lat. *fascia.*) f. ant. **Haza.**

Fazaleja. (De un d. del lat. *facies.*) f. ant. **Toalla.**

Fazaña. (De *facer.*) f. ant. **Hazaña.** || **2.** ant. Sentencia dada en un pleito. || **3.** ant. Sentencia o refrán.

Fazañero, ra. (De *fazaña.*) adj. ant. **Hazañoso.**

Fazañoso, sa. (De *fazaña.*) adj. ant. **Hazañoso.**

Fazferir. (Del lat. *faciem ferire,* herir en la cara.) tr. ant. Echar en rostro a uno una acusación o un cargo, hiriéndole con él como si fuese con una cosa material.

Fazo. m. *Germ.* Pañuelo de narices.

Fazoleto. (Del ital. *fazzoletto.*) m. ant. **Pañuelo.**

Fe. (Del lat. *fides.*) f. La primera de las tres virtudes teologales: es una luz y conocimiento sobrenatural con que sin ver creemos lo que Dios dice y la Iglesia nos propone. || **2.** V. **Artículo, auto de fe.** || **3.** V. **Promotor, protestación, símbolo de la fe.** || **4.** Confianza, buen concepto que se tiene de una persona o cosa. *Tener* FE *en el médico.* || **5.** Creencia que se da a las cosas por la autoridad del que las dice o por la fama pública. || **6.** Palabra que se da o promesa que se hace a uno con cierta solemnidad o publicidad. || **7.** Seguridad, aseveración de que una cosa es cierta. *El escribano da* FE. || **8.** Documento que certifica la verdad de una cosa. FE *de soltería,* FE *de bautismo.* || **9. Fidelidad,** 1.ª acep. *Guardar la* FE *conyugal.* || **católica. Religión católica.** || **de erratas.** *Impr.* Lista de las erratas que hay en un libro, inserta en el mismo al final o al comienzo, con la enmienda que de cada una debe hacerse. || **de livores.** *For.* Diligencia o testimonio que extiende el escribano en las causas criminales sobre muerte, heridas u otras lesiones corporales, especificando el número de éstas y su tamaño, situación y aspecto, según su leal saber y entender. || **de vida.** Certificación negativa de defunción y afirmativa de presencia, utilizada principalmente para el cobro de haberes pasivos. || **2.** fig. y fam. Acto de presencia o noticia auténtica del que permanecía alejado. Ú. principalmente con el verbo *dar.* || **pública.** Autoridad legítima atribuida a notarios, escribanos, agentes de cambio y bolsa, cónsules y secretarios de juzgados, tribunales y de otros institutos oficiales, para que los documentos que autorizan en debida forma sean considerados como auténticos y lo contenido en ellos sea tenido por verdadero mientras no se haga prueba en contrario. || **púnica.** fig. **Mala fe.** || **Buena fe.** Rectitud, honradez. || **2.** *For.* Convicción en que se halla una persona de que hace o posee alguna cosa con derecho legítimo. || **Mala fe.** Doblez, alevosía. || **2.** *For.* Malicia o temeridad con que se hace una cosa o se posee o detenta algún bien. || **A buena fe.** m. adv. Ciertamente, de seguro, sin duda. || **A fe.** m. adv. **En verdad.** También se repite, diciendo **a fe a fe,** por mayor encarecimiento. || **A fe de bueno, de caballero, de cristiano,** etc., exprs. de que se usa para asegurar una cosa. || **A fe mía.** m. adv. con que se asegura una cosa. || **A la buena fe.** m. adv. Con ingenuidad y sencillez; sin dolo o malicia. || **A la fe.** m. adv. ant. Verdaderamente, ciertamente. Se usa todavía entre gente rústica, y las más veces con admiración o extrañeza. || **Dar fe.** fr. Ejercitar la fe pública: extrajudicial, los notarios; judicial, los escribanos. || **2.** Asegurar una cosa que se ha visto. || **De buena fe.** m. adv. Con verdad y sinceridad. || **De mala fe.** m. adv. Con malicia o engaño. || **En fe.** m. adv. En seguridad, en fuerza. || **Hacer fe.** fr. Ser suficiente un dicho o escrito, o tener los requisitos necesarios para que en virtud de él se crea lo que se dice o ejecuta. || **Mía fe.** desus., o **Por mi fe.** m. adv. **A fe mía.** || **Prestar fe.** fr. Dar asenso a lo que otro dice.

Fe. adv. demostrativo ant. **He,** 1.er art.

Fealdad. (De *feo,* según el modelo de *beldad.*) f. Calidad de feo. || **2.** fig. Torpeza, deshonestidad o acción indigna y que parece mal.

Feamente. adv. m. Con fealdad. || **2.** fig. Torpemente, brutalmente y con acciones indignas.

Feamiento. m. ant. **Fealdad.**

Febeo, a. (Del lat. *phoebēus.*) adj. poét. Perteneciente a Febo o al Sol.

Feblaje. (De *feble.*) m. Merma que al ser acuñada podía sacar en su peso una moneda por defecto de los aparatos de acuñación.

Feble. (Del lat. *flebĭlis,* de *flēre,* llorar.) adj. Débil, flaco. || **2.** Hablando de monedas, y en general de aleaciones de metales, falto, ya en peso, ya en ley, de lo estrictamente necesario. Ú. t. c. s.

Febledad. (De *feble.*) f. ant. Debilidad, flaqueza.

Feblemente. adv. m. Flacamente, flojamente, sin firmeza.

Febo. (Del lat. *Phoebus.*) m. Nombre del fabuloso Apolo, como dios de la luz, que en lenguaje poético se toma por el Sol.

Febra. (Del lat. *fibra.*) f. ant. **Hebra.**

Febrático, ca. (De *fiebre.*) adj. ant. Febricitante o calenturiento.

Febrera. f. **Cacera,** 1.er art.

Febrerillo. m. d. de **Febrero.** Ú. sólo en la locución **Febrerillo el loco,** para denotar la inconstancia del tiempo en este mes, y en el refrán **Febrerillo corto, con sus días veintiocho.**

Febrero. (Del lat. *februarĭus.*) m. Segundo mes del año, que en los comunes tiene veintiocho días y en los bisiestos veintinueve. || **En febrero, un día malo y otro bueno. En febrero, un rato al sol y otro al humero.** refs. con que se expresa lo desigual que es el tiempo en ese mes, por lo cual se le califica de loco. || **Febrero, cebadero.** ref. que denota que la lluvia en este mes afianza la cosecha de la cebada. || **Si no lloviere en febrero, ni buen prado, ni buen centeno.** ref. que denota cuán necesaria es la lluvia de ese mes para la hierba y para los panes.

Febricitante. (Del lat. *febricitans, -antis,* p. a. de *febricitāre,* tener calentura.) adj. *Med.* **Calenturiento,** 1.ª acep.

Febrícula. f. Hipertermia prolongada, moderada, por lo común no superior a 38 grados, casi siempre vespertina, de origen infeccioso o nervioso.

Febrido, da. adj. ant. Bruñido, resplandeciente.

Febrífugo, ga. (Del lat. *febris,* calentura, y *fugāre,* hacer huir, ahuyentar.) adj. *Med.* Que quita las calenturas, y más particularmente las intermitentes. Ú. t. c. s. m.

Febril. (Del lat. *febrīlis.*) adj. Perteneciente a la fiebre. || **2.** fig. Ardoroso, desasosegado, violento. *Impaciencia, actividad* FEBRIL.

Febrilmente. adv. m. Con fiebre. || **2.** fig. Con afán, con vehemencia.

Febroniano, na. adj. Perteneciente a la doctrina y escuela de Febronio (Juan Nicolás Hontheim), canonista alemán del siglo XVIII, que rebajaba los derechos de la potestad pontificia y exaltaba cismáticamente la autoridad de los obispos.

Fecal. (Del lat. *faex, faecis,* hez, excremento.) adj. Perteneciente o relativo al excremento intestinal.

Fecial. (Del lat. *feciālis.*) m. El que entre los romanos intimaba la paz y la guerra.

Fécula. (Del lat. *faecŭla.*) f. *Quím.* Hidrato de carbono que, en forma de granos microscópicos y como substancia de reserva, se encuentra principalmente en las células de las semillas, tubérculos y raíces de muchas plantas, de donde se extrae para utilizarlo como alimento del hombre o de los animales domésticos o con fines industriales. Hervida en agua, produce un líquido blanquecino y viscoso que toma color azulado en contacto con el yodo.

Feculento, ta. (Del lat. *faeculentus.*) adj. Que contiene fécula. || **2.** Que tiene heces.

Fecundable. adj. Susceptible de fecundación.

Fecundación. f. Acción de fecundar.

Fecundador, ra. (Del lat. *fecundātor.*) adj. Que fecunda.

Fecundamente. adv. m. Con fecundidad.

Fecundante. p. a. de **Fecundar.** Que fecunda.

Fecundar. (Del lat. *fecundāre.*) tr. Fertilizar, hacer productiva una cosa. || **2.** Hacer directamente fecunda o productiva una cosa por vía de generación u otra semejante. || **3.** *Biol.* Unirse el elemento reproductor masculino al femenino para dar origen a un nuevo ser.

Fecundativo, va. adj. Que tiene virtud de fecundar.

Fecundidad. (Del lat. *fecundĭtas, -ātis.*) f. Virtud y facultad de producir. || **2.** Calidad de fecundo. || **3.** Abundancia, fertilidad. || **4.** Reproducción numerosa y dilatada.

Fecundización. f. Acción y efecto de fecundizar.

Fecundizador, ra. adj. Que fecundiza.

Fecundizante. p. a. de **Fecundizar.** Que fecundiza.

Fecundizar. tr. Hacer a una cosa susceptible de producir o de admitir fecundación. *Por medio de los abonos se* FECUNDIZA *un terreno.*

Fecundo, da. (Del lat. *fecundus.*) adj. Que produce o se reproduce por virtud de los medios naturales. || **2.** Fértil, abundante, copioso.

Fecha. (Del lat. *facta,* f. de *factus,* hecho.) f. **Data,** 1.er art., 1.a acep. || **2.** Cada uno de los días que transcurren desde uno determinado. *Esta carta ha tardado tres* FECHAS. || **3.** Tiempo o momento actual: *A estas* FECHAS *ya habrá llegado. Hasta la* FECHA *no ha habido noticias.* || **ut retro.** La misma expresada anteriormente en un escrito. Ú. de esta fórmula para no repetir la **fecha.** || **ut supra.** La misma del encabezamiento de un escrito. Ú. de esta fórmula para no repetir la **fecha.** || **Larga fecha. Larga data.**

Fechador. m. *Chile* y *Méj.* **Matasellos.**

Fechar. tr. Poner fecha a un escrito.

Fecho, cha. (Del lat. *factus.*) p. p. irreg. ant. de **Facer.** Se usó hasta nuestros días en las mercedes reales, reales despachos y otros documentos públicos. || **2.** En las oficinas dícese de los expedientes cuyas resoluciones han sido cumplimentadas por las mismas. Ú. t. c. s. || **3.** m. Nota que se pone generalmente en las minutas de documentos oficiales o al pie de los acuerdos, como testimonio de que han sido cumplimentados. || **4.** V. **Fiel de fechos.** || **5.** ant. Acción, hecho o hazaña. || **Malos fechos.** ant. Delitos.

Fechor. (Del lat. *factor, -ōris.*) m. ant. El que hace alguna cosa.

Fechoría. (De *fechor.*) f. **Acción,** 2.a acep. Tómase por lo común en mala parte.

Fechura. (Del lat. *factūra.*) f. ant. **Hechura.** || **2.** ant. Hechura o figura que tiene una cosa.

Fechuría. f. **Fechoría.**

Fedatario. (De *fe,* 1.er art., y *datario.*) m. Denominación genérica aplicable al notario y otros funcionarios que gozan de fe pública.

Fedegar. tr. *Sal.* Bregar, amasar.

Feder. (Del lat. *foetēre.*) intr. ant. **Heder.**

Federación. (Del lat. *foederatĭo, -ōnis.*) f. Acción de federar. || **2.** Entidad compuesta por los elementos federados. || **3.** Estado federal. || **4.** Poder central del mismo.

Federal. (Del lat. *foedus, -ĕris,* pacto, alianza.) adj. **Federativo.** || **2. Federalista.** Apl. a pers., ú. t. c. s.

Federalismo. (De *federal.*) m. Espíritu o sistema de confederación entre corporaciones o Estados.

Federalista. adj. Partidario del federalismo. Apl. a pers., ú. t. c. s. || **2. Federativo.**

Federar. tr. Hacer alianza, liga, unión o pacto entre varios. Ú. t. c. r.

Federativo, va. adj. Perteneciente a la confederación. || **2.** Aplícase al sistema de varios Estados que, rigiéndose cada uno de ellos por leyes propias, están sujetos en ciertos casos y circunstancias a las decisiones de un gobierno central.

Fediente. p. a. ant. de **Feder.** Que hiede.

Fediondo, da. adj. ant. **Hediondo.**

Fedor. (Del lat. *foetor.*) m. ant. **Hedor.**

Feeza. (De *feo.*) f. ant. **Fealdad.**

Fefaciente. (De *fe* y *faciente.*) adj. ant. **Fehaciente.**

Fefaút. (De la letra *f* y de las notas musicales *fa* y *ut.*) m. En la música antigua, indicación del tono que principia en el cuarto lugar de la escala diatónica de *do* y se desarrolla según los preceptos del canto llano y del canto figurado.

Féferes. m. pl. *Colomb., C. Rica, Cuba, Ecuad.* y *Méj.* Bártulos, trastos, baratijas.

Fehaciente. (De *fefaciente.*) adj. *For.* Que hace fe en juicio.

Feila. f. *Germ.* Cierta flor o engaño que usan los ladrones cuando los cogen en un hurto; y es fingirse desmayados o con mal de corazón.

Feje. m. *León.* Haz, fajo.

Feladiz. (De *filadiz.*) m. *Ar.* Trencilla, especialmente la que se usa para atar las alpargatas.

Feldespático, ca. adj. Perteneciente o relativo al feldespato. || **2.** Que contiene feldespato.

Feldespato. (Del al. *feldspat;* de *feld,* campo, y *spat,* espato.) m. Substancia mineral de color blanco, amarillento o rojizo, brillo resinoso o anacarado, poco menos dura que el cuarzo, y que forma parte principal de muchas rocas, como la ortosa, la albita, etc. Es un silicato de alúmina con potasa, sosa o cal y cantidades pequeñas de magnesia y óxidos de hierro.

Felibre. (Del prov. *felibre.*) m. Poeta provenzal moderno.

Felice. (Del lat. *felix, -īcis.*) adj. poét. **Feliz.**

Felicemente. adv. m. ant. **Felizmente.**

Felicidad. (Del lat. *felicĭtas, -ātis.*) f. Estado del ánimo que se complace en la posesión de un bien. || **2.** Satisfacción, gusto, contento. *Las* FELICIDADES *del mundo.* || **3.** Suerte feliz. *Viajar con* FELICIDAD.

Felicitación. (De *felicitar.*) f. Acción de felicitar.

Felicitar. (Del lat. *felicitāre,* hacer feliz.) tr. Manifestar a una persona la satisfacción que se experimenta con motivo de algún suceso, fausto para ella. Ú. t. c. r. || **2.** Expresar el deseo de que una persona sea venturosa. || **3.** desus. Hacer feliz y dichoso a uno.

Félido. (De *felis,* nombre zoológico.) adj. *Zool.* Dícese de mamíferos del orden de los carnívoros digitígrados, que tienen la cabeza redondeada y hocico corto, patas anteriores con cinco dedos y posteriores con cuatro, uñas agudas y retráctiles; como el león y el gato. Ú. t. c. s. || **2.** m. pl. *Zool.* Familia de estos animales.

Feligrés, sa. (Del lat. *fil[ius] ecclesiae,* hijo de la Iglesia.) m. y f. Persona que pertenece a cierta y determinada parroquia, respecto a ella misma. || **2.** fig. p. us. Camarada, compañero.

Feligresía. (De *feligrés.*) f. Conjunto de feligreses de una parroquia. || **2. Parroquia,** 3.a acep. || **3.** Parroquia rural, compuesta de diferentes barrios.

Felino, na. (Del lat. *felīnus.*) adj. Perteneciente o relativo al gato. || **2.** Que parece de gato. || **3.** Dícese de los animales que pertenecen a la familia zoológica de que es tipo el gato. Ú. t. c. s. m.

Feliz. (Del lat. *felix, -īcis.*) adj. Que tiene o goza felicidad. *Hombre* FELIZ. Ú. t. en sent. fig. *Estado* FELIZ. || **2.** Que ocasiona felicidad. *Hora* FELIZ. || **3.** Aplicado a las concepciones del entendimiento o a los modos de manifestarlas o expresarlas, oportuno, acertado, eficaz. *Dicho, ocurrencia, idea* FELIZ. || **4.** Que ocurre o sucede con felicidad. *Campaña* FELIZ.

Felizmente. adv. m. Con felicidad. || **2.** Por dicha, por fortuna.

Felón, na. (Del ital. *fellone,* y éste del germ. *fillon,* azotador.) adj. Que comete felonía. Ú. t. c. s.

Felonía. (De *felón.*) f. Deslealtad, traición, acción fea.

Felpa. (Del al. *felbel,* especie de terciopelo.) f. Tejido de seda, algodón, etc., que tiene pelo por la haz. || **2.** fig. y fam. Zurra de golpes. || **3.** fig. y fam. Rapapolvo. || **larga.** La que tiene el pelo largo como de medio dedo.

Felpar. tr. Cubrir de felpa. || **2.** fig. poét. Cubrir con vello u otra cosa a manera de felpa. *El lirio que* FELPÓ *naturaleza.* Ú. t. c. r. *La tierra* SE FELPÓ *de hierbas.*

Felpilla. (d. de *felpa.*) f. Cordón de seda tejida en un hilo con pelo como la felpa, que sirve para bordar y guarnecer vestidos u otras cosas.

Felpo. m. Felpudo, ruedo.

Felposo, sa. (De *felpa.*) adj. Cubierto de pelos blandos, entrelazados, de modo que no se distinguen sus hilos. || **2.** Semejante a la felpa.

Felpudo, da. (De *felpa.*) adj. **Afelpado.** || **2.** m. **Ruedo,** 5.a acep.

Felús. (Del ár. *fulūs,* monedas de cobre, dinero, y éste del gr. ὀβολός.) m. En Marruecos, dinero, y especialmente la moneda de cobre de poco valor.

Femar. tr. *Ar.* Abonar con fiemo o fimo.

Fematero, ra. (De *fiemo.*) m. y f. *Ar.* Persona que se dedica a recoger la basura.

Fembra. (Del lat. *femĭna.*) f. ant. **Hembra.**

Femencia. (Del lat. *vehementĭa.*) f. ant. **Hemencia.**

Femenciar. (De *femencia.*) tr. ant. **Hemenciar.**

Femenil. (Del lat. *femĭna,* hembra, mujer.) adj. Perteneciente o relativo a la mujer.

Femenilmente. adv. m. Afeminadamente; con modo propio de la mujer.

Femenino, na. (Del lat. *femenīnus.*) adj. Propio de mujeres. || **2.** Dícese del ser dotado de órganos para ser fecundado. || **3.** Perteneciente o relativo a este ser. || **4.** fig. Débil, endeble. || **5.** *Gram.* V. **Género femenino.** Ú. t. c. s. || **6.** *Gram.* Perteneciente al género **femenino.** *Nombre* FEMENINO; *terminación* FEMENINA.

Fementidamente. adv. m. Con falsedad y falta de fe y palabra.

Fementido, da. (De *fe,* 1.er art., y *mentido.*) adj. Falto de fe y palabra. || **2.** Engañoso, falso, tratándose de cosas.

Femera. (De *fiemo.*) f. *Ar.* **Estercolero,** 2.a acep.

Feminal. (Del lat. *feminālis.*) adj. ant. **Femenil.**

Femineidad. (De *femíneo.*) f. Calidad de femíneo. || **2.** *For.* Calidad de ciertos bienes, de ser pertenecientes a la mujer. || **3.** *For.* V. **Mayorazgo de femineidad.**

Feminela. f. *Art.* Pedazo de zalea que cubre el zoquete de la lanada.

Femíneo, a. (Del lat. *feminĕus.*) adj. Femenino, femenil.

Feminidad. f. Calidad de femenino. || **2.** *Med.* Estado anormal del varón en que aparecen uno o varios caracteres sexuales femeninos.

Feminismo. (Del lat. *femĭna*, mujer, hembra.) m. Doctrina social favorable a la condición de la mujer, a quien concede capacidad y derechos reservados hasta ahora a los hombres.

Feminista. adj. Relativo al feminismo. || **2.** com. Partidario del feminismo.

Femoral. adj. *Zool.* Perteneciente o relativo al fémur. || **2.** *Zool.* V. **Bíceps, tríceps femoral.** || **3.** m. *Zool.* Pieza alargada de figura de varilla, que forma parte de las patas de los insectos y está articulada por uno de sus extremos con el trocánter y por el otro con la tibia.

Fémur. (Del lat. *femur.*) m. Hueso del muslo.

Fenal. (Del lat. *foenum*, heno.) m. *Ar.* Prado, 1.ª acep.

Fenazo. (Del lat. *foenum*, heno.) m. *Ar.* **Lastón.**

Fenchidor, ra. adj. ant. **Henchidor.**

Fenchimiento. m. ant. **Henchimiento.**

Fenchir. tr. ant. **Henchir.**

Fenda. (De *fender.*) f. Raja o hendedura al hilo en la madera.

Fendedura. (De *fender.*) f. ant. **Hendedura.**

Fender. (Del lat. *findĕre.*) tr. ant. **Hender.**

Fendi. m. **Efendi.**

Fendiente. (De *fender.*) m. **Hendiente.**

Fenecer. (incoat. del lat. *finīre.*) tr. Poner fin a una cosa, concluirla. FENECER *las cuentas.* || **2.** intr. Morir o fallecer. || **3.** Acabarse, terminarse o tener fin una cosa.

Fenecí. m. desus. *And.* Estribo, contrafuerte de arco.

Fenecimiento. m. Acción y efecto de fenecer.

Fenestra. (Del lat. *fenestra.*) f. ant. **Ventana.**

Fenestraje. (De *fenestra.*) m. ant. **Ventanaje.**

Fenianismo. m. Partido o secta de los fenianos. || **2.** Conjunto de principios y doctrinas que defienden.

Feniano. (Del ingl. *fenian.*) m. Individuo de la secta y partido políticos adversos a la dominación inglesa en Irlanda.

Fenicado, da. adj. Que tiene ácido fénico.

Fenicar. tr. Echar ácido fénico a una cosa.

Fenice. (Del lat. *phoenix, -īcis.*) adj. **Fenicio.** Apl. a pers., ú. t. c. s.

Feniciano, na. adj. ant. **Fenicio.** Apl. a pers., usáb. t. c. s.

Fenicio, cia. (Del lat. *phoenicĭus.*) adj. Natural de Fenicia. Ú. t. c. s. || **2.** Perteneciente a este país del Asia antigua.

Fénico. (Del gr. φαίνω, brillar, por alusión al gas.) adj. *Quím.* V. **Ácido fénico.**

Fénix. (Del lat. *phoenix.*) m. Ave fabulosa, que los antiguos creyeron que era única y que renacía de sus cenizas. Usáb. t. c. f. || **2.** fig. Lo que es exquisito o único en su especie. *El* FÉNIX *de los ingenios.* || **3.** *Astron.* **Ave Fénix.**

Fenogreco. (Del lat. *foenum graecum*, heno griego.) m. **Alholva.**

Fenol. (Del gr. φαίνω, brillar.) m. *Quím.* Cuerpo sólido que se extrae por destilación de los aceites de alquitrán. Se usa como antiséptico en medicina.

Fenomenal. adj. Perteneciente o relativo al fenómeno. || **2.** Que participa de la naturaleza del fenómeno. || **3.** fam. Tremendo, muy grande. *Un cuello de puntas* FENOMENALES. *Se dio un golpe* FENOMENAL.

Fenoménico, ca. adj. Perteneciente o relativo al fenómeno, 1.ª acep.

Fenómeno. (Del lat. *phaenomĕnon*, y éste del gr. φαινόμενον, de φαίνω, aparecer.) m. Toda apariencia o manifestación, así del orden material como del espiritual. || **2.** Cosa extraordinaria y sorprendente. || **3.** fam. Persona o animal monstruoso.

Fenotípico, ca. adj. Perteneciente o relativo al fenotipo.

Fenotipo. (Del gr. φαίνω, aparecer, y τύπος, tipo.) m. *Biol.* Conjunto de caracteres hereditarios, cuya aparición es debida a la existencia de sendos genes, que posee cada individuo perteneciente a una determinada especie vegetal o animal.

Feo, a. (Del lat. *foedus.*) adj. Que carece de belleza y hermosura. || **2.** fig. Que causa horror o aversión. *Acción* FEA. || **3.** fig. De aspecto malo o desfavorable. *El asunto se pone* FEO. || **4.** En el juego, se dice de las cartas falsas. || **5.** V. **Sexo feo.** || **6.** m. fam. Desaire manifiesto, grosero. *Le hizo muchos* FEOS. || **Dejar feo a uno.** fr. fig. y fam. Desairarle. || **Tocarle a uno bailar con la más fea.** fr. fig. y fam. Tocarle a uno la peor parte.

Feote, ta. adj. aum. de **Feo.**

Feotón, na. adj. fam. aum. de **Feote.**

Fer. (Del lat. *facĕre.*) tr. ant. **Hacer.**

Feracidad. (Del lat. *feracĭtas, -ātis.*) f. Fertilidad, fecundidad. Dícese con relación a los campos que dan abundantes frutos.

Feral. (Del lat. *ferālis.*) adj. desus. Cruel, sangriento.

Feraz. (Del lat. *ferax, -ācis*, de *ferre*, llevar.) adj. Fértil, copioso de frutos.

Ferecracio. (Del lat. *pherecratĭus*, de *Pherecrătes*, poeta griego, inventor de este metro.) adj. V. **Verso ferecracio.** Ú. t. c. s.

Feredad. (Del lat. *ferĭtas, -ātis.*) f. ant. **Fiereza.**

Ferendae sententiae. expr. lat. V. **Censura, excomunión ferendae sententiae.**

Féretro. (Del lat. *ferĕtrum*, de *ferre*, llevar.) m. Caja o andas en que se llevan a enterrar los difuntos.

Feria. (Del lat. *ferĭa.*) f. Cualquiera de los días de la semana, excepto el sábado y domingo. Se dice **feria** segunda, el lunes; tercera, el martes, etc. || **2.** Descanso y suspensión del trabajo. || **3.** Mercado de mayor importancia que el común, en paraje público y días señalados, y también las fiestas que se celebran con tal ocasión. || **4.** Paraje público en que están expuestos los animales, géneros o cosas para este mercado. *Voy a la* FERIA; *en la* FERIA *hay mucha gente.* || **5.** Concurrencia de gente en un mercado de esta clase. || **6.** fig. Trato, convenio. || **7.** *Méj.* Dinero menudo, cambio. || **8.** *C. Rica.* Adehala, añadidura, propina. || **9.** pl. Dádivas o agasajos que se hacen por el tiempo que hay **ferias** en algún lugar. *Dar* FERIAS. || **Ferias mayores.** Las de Semana Santa. || **Cada uno cuenta, o habla, de la feria como le va en ella.** ref. que denota que cada cual habla de las cosas según el provecho o daño que ha sacado de ellas. || **Revolver la feria.** fr. fig. y fam. Causar disturbios, alborotar; descomponer un negocio en que otros entienden.

Feriado, da. p. p. de **Feriar.** || **2.** adj. V. **Día feriado.**

Ferial. (Del lat. *feriāle.*) adj. Perteneciente a las ferias o días de la semana. || **2.** ant. Perteneciente a feria o mercado. || **3.** m. **Feria**, 3.ª y 4.ª aceps.

Feriante. (De *feriar.*) adj. Concurrente a la feria para comprar o vender. Ú. t. c. s.

Feriar. (Del lat. *feriāri.*) tr. Comprar en la feria. Ú. t. c. r. || **2.** Vender, comprar o permutar una cosa por otra. || **3.** Dar ferias, regalar. Ú. t. c. r. || **4.** intr. Suspender el trabajo por uno o varios días, haciéndolos como feriados o de fiesta.

Ferida. (De *ferir.*) f. ant. **Herida.** || **2.** ant. **Golpe**, 1.ª acep.

Feridad. (Del lat. *ferĭtas, -ātis.*) f. ant. Ferocidad o fiereza.

Ferido, da. p. p. de **Ferir.** || **2.** adj. ant. V **Lid ferida de palabras.**

Feridor, ra. (De *ferir.*) adj. ant. Que hiere. Usáb. t. c. s.

Ferino, na. (Del lat. *ferinus.*) adj. Perteneciente a la fiera o que tiene sus propiedades. || **2.** *Med.* V. **Tos ferina.**

Ferir. (Del lat. *ferīre.*) tr. ant. **Herir.** || **2.** ant. **Aferir.**

Ferlín. (Del anglosajón *feordling*, cuarta parte de una moneda.) m. Moneda antigua que valía la cuarta parte de un dinero.

Fermata. (Del ital. *fermata*, detención.) f. *Mús.* **Calderón**, 7.ª acep. || **2.** *Mús.* Sucesión de notas de adorno, por lo común en forma de cadencia, que se ejecuta suspendiendo momentáneamente el compás.

Fermentable. adj. Susceptible de fermentación.

Fermentación. (Del lat. *fermentatĭo, -ōnis.*) f. Acción y efecto de fermentar.

Fermentado, da. p. p. de **Fermentar.** || **2.** adj. V. **Pan fermentado.**

Fermentador, ra. adj. Que fermenta.

Fermentante. p. a. de **Fermentar.** Que fermenta o hace fermentar.

Fermentar. (Del lat. *fermentāre.*) intr. Producirse un proceso químico por la acción de un fermento, que aparece íntegramente al final de la serie de reacciones químicas sin haberse modificado. || **2.** fig. Agitarse o alterarse los ánimos. || **3.** tr. Hacer o producir la fermentación.

Fermentativo, va. adj. Que tiene la propiedad de hacer fermentar.

Fermento. (Del lat. *fermentum.*) m. *Biol.* Cualquiera de las substancias coloidales, solubles en agua y elaboradas por las células, que intervienen en el desarrollo de muchos procesos bioquímicos actuando a la manera de los catalizadores inorgánicos.

Fermosamente. adv. m. ant. **Hermosamente.**

Fermoso, sa. (Del lat. *formōsus.*) adj. ant. **Hermoso.**

Fermosura. (De *fermoso.*) f. ant. **Hermosura.**

Fernambuco. (De *Fernambuco*, o *Pernambuco*, provincia del Brasil, de donde procede esta mercancía.) m. **Palo de Fernambuco.**

Fernandina. (Del fr. *ferrandine.*) f. Cierta tela de hilo.

Fernandino, na. adj. Perteneciente o relativo a Fernando VII. || **2.** Partidario de este rey. Ú. t. c. s.

Feroce. (Del lat. *ferox, -ōcis.*) adj. poét. p. us. **Feroz.**

Ferocia. (Del lat. *ferocĭa.*) f. ant. **Ferocidad.**

Ferocidad. (Del lat. *ferocĭtas, -ātis.*) f. Fiereza, crueldad. || **2.** Atrocidad, dicho o hecho insensato.

Ferodo. m. Nombre registrado de un material formado con fibras de amianto e hilos metálicos, que se emplea principalmente para forrar las zapatas de los frenos.

Feróstico, ca. (De *fiero.*) adj. fam. Irritable y díscolo. || **2.** fam. Feo en alto grado.

Feroz. (De *feroce.*) adj. Que obra con ferocidad y dureza.

Ferozmente. adv. m. Con ferocidad.

Ferra. f. **Farra**, 1.er art.

Ferrada. (Del lat. *ferrata*, armada de hierro.) f. Maza armada de hierro, como la de Hércules. || **2.** ant. **Herrada**, 2.ª acep. Ú. en *Ast.*

Ferrado, da. p. p. de **Ferrar.** ‖ **2.** m. Medida agraria, usada en Galicia, cuya capacidad superficial varía desde 4 áreas y 288 miliáreas hasta 6 áreas y 395 miliáreas. ‖ **3.** Medida de capacidad para áridos en la misma región, que varía desde 13 litros y 13 centilitros hasta 16 litros y 15 centilitros.

Ferrador. (De *ferrar.*) m. ant. **Herrador.**

Ferradura. (De *ferrar.*) f. ant. **Herradura.**

Ferraje. m. ant. **Herraje.**

Ferramienta. (Del lat. *ferramenta,* instrumentos de hierro.) f. ant. **Herramienta.**

Ferrar. (Del lat. *ferrāre.*) tr. Guarnecer, cubrir con hierro una cosa. ‖ **2.** ant. **Herrar.** ‖ **3.** ant. Marcar o señalar con hierro.

Ferrarés, sa. adj. Natural de Ferrara. Ú. t. c. s. ‖ **2.** Perteneciente a esta ciudad de Italia.

Ferre. m. *Ast.* **Azor,** 1.er art., 1.ª acep.

Ferreal. adj. *Sal.* Dícese de una variedad de uva de grano oval y hollejo grueso y encarnado.

Ferreña. (De *fierro.*) adj. V. **Nuez ferreña.**

Férreo, a. (Del lat. *ferrĕus.*) adj. De hierro o que tiene sus propiedades. ‖ **2.** V. **Línea, vía férrea.** ‖ **3.** fig. Perteneciente al siglo o edad de hierro. ‖ **4.** fig. Duro, tenaz.

Ferrer. (Del cat. y arag. *ferrer,* y éste del lat. *ferrarĭus,* herrero.) m. ant. **Ferrero.**

Ferrería. (De *ferrero.*) f. Taller en donde se beneficia el mineral de hierro, reduciéndolo a metal. ‖ **de chamberga.** *Ál.* La que se ocupa en la fabricación de sartenes y otros objetos análogos.

Ferrero. (Del lat. *ferrarĭus.*) m. ant. **Herrero,** 1.er art. ‖ **2.** adj. V. **Raposo ferrero.**

Ferreruelo. (Del al. *feier hülle,* manto de gala.) m. Capa más bien corta que larga, con sólo cuello sin capilla.

Ferrete. (d. de *fierro.*) m. Sulfato de cobre que se emplea en tintorería. ‖ **2.** Instrumento de hierro que sirve para marcar y poner señal a las cosas.

Ferretear. (De *ferrete,* 2.ª acep.) tr. **Ferrar,** 1.ª y 3.ª aceps. ‖ **2.** Labrar con hierro.

Ferretería. (De *ferrete.*) f. **Ferrería.** ‖ **2.** Comercio de hierro. ‖ **3.** Conjunto de objetos de hierro que se venden en las **ferreterías,** como cerraduras, clavos, herramientas, vasijas, etc.

Ferretero, ra. m. y f. Tendero de ferretería.

Férrico, ca. (Del lat. *ferrum,* hierro.) adj. *Quím.* Aplícase a las combinaciones del hierro en las que el cuerpo unido a este metal lo está en la proporción máxima en que puede efectuarlo.

Ferrificarse. (Del lat. *ferrum,* hierro, y *facĕre,* hacer.) r. *Min.* Reunirse las partes ferruginosas de una substancia, formando hierro o adquiriendo la consistencia de tal.

Ferrizo, za. (De *ferro.*) adj. De hierro.

Ferro. (Del lat. *ferrum,* hierro.) m. V. **Testa de ferro.** ‖ **2.** *Mar.* **Ancla,** 1.ª acep.

Ferrocarril. (Del lat. *ferrum,* hierro, y de *carril,* carril de hierro.) m. Camino con dos filas de barras de hierro paralelas, sobre las cuales ruedan los carruajes, arrastrados generalmente por una locomotora. ‖ **de sangre.** Aquel en que el tiro o arrastre se verifica por fuerza animal o de sangre. ‖ **funicular.** El destinado a subir grandes pendientes y que funciona por medio de cables o cadenas.

Ferrocarrilero, ra. adj. *Argent., Colomb.* y *Ecuad.* **Ferroviario.**

Ferrocino. (Del lat. *fornicīnus,* bastardo.) m. Sarmiento bastardo.

Ferrojar. (Del ant. *ferrojo,* y éste del lat. *verucŭlum,* infl. por *ferrum,* hierro.) tr. ant. **Aherrojar.**

Ferrolano, na. adj. Natural del Ferrol. Ú. t. c. s. ‖ **2.** Perteneciente a esta ciudad.

Ferrón. m. El que trabaja en una ferrería. ‖ **2.** *Nav.* Arrendatario y maestro de los trabajos en las ferrerías.

Ferronas. (De *fierro.*) f. pl. *Germ.* Espuelas.

Ferropea. (Del lat. *ferrum,* hierro, y *pes, pedis,* pie.) f. ant. **Arropea.**

Ferroso, sa. (Del lat. *ferrum,* hierro.) adj. *Quím.* Aplícase a las combinaciones del hierro en las que el cuerpo unido a este metal lo está en la proporción mínima en que puede efectuarlo.

Ferrovial. adj. **Ferroviario.**

Ferroviario, ria. adj. Perteneciente o relativo a las vías férreas. ‖ **2.** m. Empleado de ferrocarriles.

Ferrugiento, ta. (Del lat. *ferrūgo, -ĭnis,* herrumbre.) adj. De hierro o con alguna de sus cualidades.

Ferrugíneo, a. (Del lat. *ferrugĭnĕus.*) adj. p. us. **Ferruginoso.**

Ferruginoso, sa. (Del lat. *ferrugĭnus,* de *ferrūgo,* orín del hierro.) adj. Dícese del mineral que contiene hierro visiblemente, ya en estado metálico, ya en combinación. ‖ **2.** Aplícase a las aguas minerales en cuya composición entra alguna sal de hierro.

Fértil. (Del lat. *fertĭlis,* de *ferre,* llevar.) adj. Aplícase a la tierra que lleva o produce mucho. ‖ **2.** fig. Dícese del año en que la tierra produce abundantes frutos, y por ext., del ingenio.

Fertilidad. (Del lat. *fertilĭtas, -ātis.*) f. Virtud que tiene la tierra para producir copiosos frutos.

Fertilizable. adj. Que puede ser fertilizado.

Fertilizador, ra. adj. Que fertiliza.

Fertilizante. p. a. de **Fertilizar.** Que fertiliza. Ú. t. c. s.

Fertilizar. (De *fértil.*) tr. Fecundizar la tierra, disponiéndola para que dé abundantes frutos.

Férula. (Del lat. *ferŭla.*) f. **Cañaheja.** ‖ **2. Palmatoria,** 1.ª acep. ‖ **3.** *Cir.* Tablilla flexible y resistente que se emplea en el tratamiento de las fracturas. ‖ **Estar** uno **bajo la férula** de otro. fr. fig. Estar sujeto a él.

Feruláceo, a. (Del lat. *ferulacĕus.*) adj. Semejante a la férula o cañaheja.

Fervencia. (Del lat. *fervens, -entis,* p. a. de *fervĕre,* hervir.) f. **Hervencia.**

Ferventísimo, ma. adj. sup. de **Ferviente.**

Férvido, da. (Del lat. *fervĭdus.*) adj. **Ardiente,** 1.ª y 2.ª aceps. ‖ **2. Hirviente.**

Ferviente. (Del lat. *fervens, -entis.*) p. a. ant. de **Fervir.** Que hierve. ‖ **2.** adj. fig. **Fervoroso.**

Fervientemente. adv. m. Con fervor, celo, o eficacia suma.

Fervir. (Del lat. *fervēre.*) tr. ant. **Hervir.**

Fervor. (Del lat. *fervor.*) m. ant. **Hervor.** ‖ **2.** Calor intenso; como el del fuego o el del sol. ‖ **3.** fig. Celo ardiente y afectuoso hacia las cosas de piedad y religión. ‖ **4.** fig. Eficacia suma con que se hace una cosa.

Fervorar. (De *fervor.*) tr. **Enfervorizar.**

Fervorín. (d. de *fervor.*) m. Cada una de las breves jaculatorias que se suelen decir en las iglesias, con especialidad durante la comunión general. Ú. m. en pl.

Fervorizar. (De *fervor.*) tr. **Enfervorizar.** Ú. t. c. r.

Fervorosamente. adv. m. Con fervor. Ú. m. en lo moral.

Fervoroso, sa. adj. fig. Que tiene fervor activo y eficaz.

Fescenino, na. (Del lat. *fescennīnus.*) adj. Natural de Fescenio. Ú. t. c. s. ‖ **2.** Perteneciente a esta ciudad de Etruria. ‖ **3.** V. **Versos fesceninos.**

Feseta. (Del lat. *fossōrium,* con cambio de sufijo.) f. *Murc.* Azada pequeña.

Fesoria. (Del lat. *fossōria,* por *fossōrium.*) f. *Ast.* Azada pequeña.

Festa (Del lat. *festa [dies].*) f. ant. **Fiesta.**

Festeante. p. a. ant. de **Festear.** Que festeja.

Festear. tr. ant. **Festejar.** Ú. en *Ar., Murc.* y *Val.*

Festejador, ra. adj. Que festeja. Ú. t. c. s.

Festejante. p. a. de **Festejar.** Que festeja y obsequia a otro.

Festejar. tr. Hacer festejos en obsequio de uno; cortejarle. ‖ **2. Galantear,** 1.ª y 2.ª aceps. ‖ **3.** *Méj.* Azotar, castigar de obra, golpear. ‖ **4.** r. Divertirse, recrearse.

Festejo. (d. de *festa.*) m. Acción y efecto de festejar. ‖ **2. Galanteo.** ‖ **3.** pl. Regocijos públicos.

Festeo. m. ant. **Festejo.**

Festero, ra. (De *festa.*) m. y f. **Fiestero.** ‖ **2.** m. El que en las capillas de música cuida de ajustar las fiestas, avisar a los músicos para ellas y satisfacerles su estipendio.

Festín. (Del fr. *festin,* y éste del ital. *festino,* d. de *festa,* del lat. *festa,* fiesta.) m. Festejo particular, con baile, música, banquete u otros entretenimientos. ‖ **2.** Banquete espléndido.

Festinación. (Del lat. *festinatĭo, -ōnis.*) f. Celeridad, prisa, velocidad.

Festinar. (Del lat. *festināre.*) *Colomb., Chile, Hond., Méj.* y *Venez.* tr. Apresurar, precipitar, activar.

Festival. (Del lat. *festivālis.*) adj. ant. **Festivo.** ‖ **2.** m. Fiesta, especialmente musical.

Festivamente. adv. m. Con fiesta, regocijo y alegría.

Festividad. (Del lat. *festivĭtas, -ātis.*) f. Fiesta o solemnidad con que se celebra una cosa. ‖ **2.** Día festivo en que la Iglesia celebra algún misterio o a un santo. ‖ **3.** Agudeza, donaire en el modo de decir.

Festivo, va. (Del lat. *festīvus.*) adj. Chistoso, agudo. ‖ **2.** Alegre, regocijado y gozoso. ‖ **3.** Solemne, digno de celebrarse. ‖ **4.** V. **Día festivo.**

Festón. (Del ital. *festone,* der. de *festa,* del lat. *festa,* fiesta.) m. Adorno compuesto de flores, frutas y hojas, que se ponía en las puertas de los templos donde se celebraba una fiesta o se hacía algún regocijo público, y en las cabezas de las víctimas en los sacrificios de los gentiles. ‖ **2.** Bordado de realce en que por un lado queda rematada cada puntada con un nudo, de tal modo que puede cortarse la tela a raíz del bordado sin que éste se deshaga. ‖ **3.** Cualquier bordado, dibujo o recorte en forma de ondas o puntas, que adorna la orilla o borde de una cosa. ‖ **4.** *Arq.* Adorno a manera de **festón,** 1.ª y 3.ª aceps.

Festonar. (De *festón.*) tr. **Festonear.**

Festoneado, da. p. p. de **Festonear.** ‖ **2.** adj. Que tiene el borde en forma de festón o de onda.

Festonear. tr. Adornar con festón. ‖ **2.** Bordar festones.

Fetación. f. Desarrollo del feto, gestación.

Fetal. adj. Perteneciente o relativo al feto.

Feticida. adj. Que ocasiona la muerte de un feto. *Substancia, maniobra* FETICIDA. ‖ **2.** Dícese del que voluntariamente causa la muerte a un feto. Ú. m. c. s.

Feticidio. m. Muerte dada violentamente a un feto.

Fetiche. (Del fr. *fétiche,* y éste del lat. *factitĭus,* artificial.) m. Ídolo u objeto de culto supersticioso en algunos pueblos primitivos.

Fetichismo. m. Culto de los fetiches. ‖ **2.** fig. Idolatría, veneración excesiva.

Fetichista. adj. Perteneciente o relativo al fetichismo. ‖ **2.** com. Persona, que profesa este culto.

Fetidez. (De *fétido.*) f. Hediondez, hedor.

Fétido, da. (Del lat. *foetĭdus,* de *foetēre,* oler mal.) adj. **Hediondo,** 1.ª acep. || **2.** V. **Asa, caliza fétida.**

Feto. (Del lat. *fetus.*) m. Producto de la concepción de una hembra vivípara, desde que pasa el período embrionario hasta el momento del parto. || **2.** Este mismo producto después de abortado.

Fetor. m. desus. **Hedor.**

Fetua. (Del ár. *fatwà,* dictamen sobre una consulta jurídica.) f. Decisión que da el muftí a una cuestión jurídica.

Feúco, ca. (De *feo.*) adj. despect. fam. **Feúcho.**

Feúcho, cha. (De *feo.*) adj. despect. fam. con que se encarece y moteja la fealdad de una persona o cosa.

Feudal. adj. Perteneciente al feudo. || **2.** Perteneciente a la organización política y social fundada en los feudos, y al tiempo de la Edad Media en que éstos estuvieron en vigor.

Feudalidad. f. Calidad, condición o constitución del feudo.

Feudalismo. m. Sistema feudal de gobierno y de organización de la propiedad.

Feudar. (De *feudo.*) tr. ant. **Enfeudar.** || **2.** Tributar, 1.ª acep.

Feudatario, ria. adj. Sujeto y obligado a pagar feudo. Ú. t. c. s.

Feudista. m. *For.* Autor que escribe sobre la materia de feudos.

Feudo. (Del germ. *fĕhu,* rebaño, propiedad.) m. Contrato por el cual los soberanos y los grandes señores concedían en la Edad Media tierras o rentas en usufructo, obligándose el que las recibía a guardar fidelidad de vasallo al donante, prestarle el servicio militar y acudir a las asambleas políticas y judiciales que el señor convocaba. || **2.** Reconocimiento o tributo con cuya condición se concede el **feudo.** || **3.** Dignidad o heredamiento que se concede en **feudo.** || **4.** fig. Respeto o vasallaje. || **de cámara.** El que está constituido en situado anual de dinero sobre la hacienda del señor, inmueble o raíz. || **franco.** El que se concede libre de obsequio y servicio personal. || **impropio.** Aquel a que falta alguna circunstancia de las que pide la constitución del **feudo** riguroso; como el **feudo** de cámara, el franco, etc. || **ligio.** Aquel en que el feudatario queda tan estrechamente subordinado al señor, que no puede reconocer otro con subordinación semejante, a distinción del vasallaje en general, que se puede dar respecto de diversos señores. || **propio.** Aquel en que concurren todas las circunstancias que pide su constitución para hacerlo riguroso; como el **feudo** ligio, el recto, etc. || **recto.** El que contiene obligación de obsequio y servicio personal, determinado o no.

Fez. (Del lat. *faex.*) f. ant. **Hez.**

Fez. (Del nombre ár. de *Fez, Fās.*) m. Gorro de fieltro rojo y de figura de cubilete, usado especialmente por los moros, y hasta 1925 por los turcos.

Fi. m. desus. **Hijo.**

Fía. f. *Extr.* y *Sant.* Venta hecha al fiado. || **2.** *Logr.* Fianza, fiador.

Fiable. adj. Dícese de la persona a quien se puede fiar, o de quien se puede responder.

Fiado, da. p. p. de **Fiar.** || **2.** ant. Seguro y digno de confianza. || **Al fiado.** m. adv. con que se expresa que uno toma, compra, vende, juega o contrata sin dar o tomar de presente lo que debe pagar o recibir. || **En fiado.** m. adv. Debajo de fianza, y se usa cuando uno sale de la cárcel mediante fianza.

Fiador, ra. m. y f. Persona que fía a otra para la seguridad de aquello a que está obligada. || **2.** m. Cordón que llevan algunos objetos para impedir que se caigan o pierdan al usarlos; como el que cosido al interior del cuello de la capa o manteos se rodea a la garganta; el que lleva el sable en su empuñadura para rodearlo a la mano y a la muñeca; el que llevan los instrumentos quirúrgicos destinados a introducirse en el interior de una herida, etc. || **3.** Pasador de hierro que sirve para afianzar las puertas por el lado de adentro a fin de que, aun cuando se falsee la llave, no se puedan abrir. || **4.** Cada uno de los garfios que sostienen por debajo los canalones de cinc de los tejados. || **5.** Correa que lleva la caballería de mano o de contraguía a la parte de afuera, desde la guarnición a la cama del freno. || **6.** Pieza con que se afirma una cosa para que no se mueva; como el **fiador** de la escopeta. || **7.** fam. Nalgas de los muchachos, porque son las que, llevando el castigo, pagan las travesuras o picardías que ellos hacen. || **8.** *Chile* y *Ecuad.* **Barboquejo.** || **9.** *Cetr.* Cuerda larga con la cual sueltan al halcón cuando empieza a volar, y le hacen que venga al señuelo. || **carcelero.** El que responde de que otro guardará carcelería. || **de salvo.** En lo antiguo, el que se daban los que tenían enemistad o estaban desafiados; y esta fianza producía el mismo efecto que la tregua. || **lego, llano y abonado.** El que por no gozar de fuero particular ha de responder ante el juez ordinario de aquello a que se obliga. || **Dar fiador.** fr. **Dar fianza.**

Fiadora. f. Mujer que va vendiendo por las casas ropas y alhajas al fiado y que cobra por lo general a plazos.

Fiadura. (De *fiar.*) f. ant. **Fianza.** || **Meter a uno en la fiadura.** fr. ant. Darle por fiador.

Fiaduría. (De *fiador.*) f. ant. **Fianza.**

Fiambrar. (De *fiambre.*) tr. Preparar los alimentos que han de comerse fiambres.

Fiambre. (De *frío; fiambre,* por *friambre.*) adj. Que después de asado o cocido se ha dejado enfriar para no comerlo caliente. Ú. t. c. s. m. || **2.** fig. y fam. Pasado de tiempo o de la sazón oportuna. *Noticia* FIAMBRE.

Fiambrera. f. Cestón o caja para llevar el repuesto de cosas fiambres. || **2.** Cacerola, ordinariamente cilíndrica y con tapa bien ajustada, que sirve para llevar la comida fuera de casa. || **3.** Conjunto de cacerolas iguales que, sobrepuestas unas a otras y con un braserillo debajo, se usan, sujetas en dos barras de hierro, para llevar la comida caliente de un punto a otro. || **4.** *Argent.* **Fresquera.**

Fianza. (De *fiar.*) f. Obligación accesoria que uno hace para seguridad de que otro pagará lo que debe o cumplirá aquello a que se obligó, tomando sobre sí el fiador verificarlo él en el caso de que no lo haga el deudor principal, o sea el que directamente para sí estipuló. || **2.** Prenda que da el contratante en seguridad del buen cumplimiento de su obligación. || **3.** Cosa que se sujeta a esta responsabilidad, especialmente cuando es dinero, que pasa a poder del acreedor, o se deposita y consigna. || **4.** **Fiador,** 1.ª acep. || **5.** ant. **Confianza.** || **6.** ant. **Finca.** || **carcelera.** *For.* La que se da de que alguno a quien sueltan de la cárcel se presentará siempre que se le mande. || **de arraigo.** *For.* La que se da hipotecando u obligando bienes raíces. || **2.** *For.* La que se exige de algunos litigantes de que permanezcan en el juicio y respondan a sus resultas. Exígese más comúnmente del litigante extranjero que demanda a un español, y se presta en los casos y en la forma que en la nación a que pertenezca se exigiere de los españoles. || **de estar a derecho.** *For.* La que presta un tercero de que el demandado se presentará al llamamiento del juez siempre que éste lo ordenare. || **de la haz.** *For.* La que se hace de estar por el reo a todas las obligaciones reales y personales. || **Dar fianza.** fr. *For.* Presentar ante el juez persona o bienes que queden obligados a la paga en caso de faltar el principal a su obligación. || **Poner en fianza.** fr. *Veter.* Poner la mano o pie de la caballería en estiércol humedecido con agua, para que, reblandeciéndose el casco, se hierre con más facilidad.

Fiar. (Del lat. **fidāre,* por *fidĕre.*) tr. Asegurar uno que cumplirá lo que otro promete, o pagará lo que debe, obligándose, en caso de que no lo haga, a satisfacer por él. || **2.** Vender sin tomar el precio de contado, para recibirlo en adelante. || **3.** **Confiar,** 3.ª acep. || **4.** Dar o comunicar a uno una cosa en confianza. Ú. t. c. r. || **5.** ant. Afianzar o asegurar. || **6.** intr. **Confiar,** 1.ª acep. FÍO *en Dios que me socorrerá.* || **Ser de fiar** una persona o cosa. fr. Merecer por sus cualidades que se confíe en ella. || **Si tan largo me lo fiáis;** a veces se completa, **dad acá lo que os queda.** fr. con que demostramos desconfianza de que se realice lo que mucho se demora.

Fiasco. (Del ital. *fiasco.*) m. Mal éxito.

Fíat. (Del lat. *fiat,* hágase, sea hecho.) m. Consentimiento o mandato para que una cosa tenga efecto. || **2.** Gracia que hacía el Consejo de la Cámara para que uno pudiera ser escribano.

Fibiella. (De un d. del lat. *fibla.*) f. ant. **Hebilla.**

Fibra. (Del lat. *fibra.*) f. Cada uno de los filamentos que entran en la composición de los tejidos orgánicos vegetales o animales. || **2.** Cada uno de los filamentos que presentan en su textura ciertos minerales; como el amianto, el hierro forjado, etc. || **3.** Raíces pequeñas y delicadas de las plantas. || **4.** fig. Vigor, energía y robustez. || **muscular.** *Zool.* Cada una de las células, provistas de uno o de muchos núcleos, que tienen forma de filamento, son contráctiles y constituyen la parte principal de los músculos. Estas fibras son de dos clases: estriadas, que existen en todos los músculos de los artrópodos y en los de contracción voluntaria de los vertebrados, así como en el miocardio, y lisas, desprovistas de estriación, que forman parte de muchas vísceras de los vertebrados, siendo su contracción, en general, independiente de la voluntad, y de todos los músculos de gusanos y moluscos. || **nerviosa.** *Zool.* Cuerpo filiforme, cilíndrico, formado por una neurita y por la envoltura, más o menos complicada, que la rodea.

Fibrina. (De *fibra.*) f. *Quím.* Substancia albuminoidea, insoluble en el agua y en los líquidos salinos, producida por la coagulación de otra substancia también albuminoidea que se halla disuelta en ciertos líquidos orgánicos; como la sangre, la linfa, etc.

Fibrocartilaginoso. adj. *Zool.* Relativo al fibrocartílago.

Fibrocartílago. m. *Zool.* Tejido constituido por células cartilaginosas pequeñas y ovoideas, que están separadas unas de otras por numerosos y apretados haces de fibras conjuntivas, a los cuales debe su gran resistencia.

Fibroma. (De *fibra.*) m. *Med.* Tumor formado exclusivamente por tejido fibroso.

Fibroso, sa. adj. Que tiene muchas fibras.

Fíbula. (Del lat. *fibŭla.*) f. Hebilla, a manera de imperdible, de que usaron mucho griegos y romanos.

Ficante. (De *ficar.*) m. *Germ.* **Jugador.**

Ficar. (Del lat. **figicāre,* por *figĕre,* fijar.) intr. ant. **Fincar,** 3.ª acep. || **2.** tr. *Germ* **Jugar.**

Ficción. (Del lat. *fictio, -ōnis.*) f. Acción y efecto de fingir. || **2.** Invención poética. || **de derecho,** o **legal.** *For.* La que introduce o autoriza la ley o la jurisprudencia en favor de uno; como cuando, en algunos casos, al hijo concebido se le tiene por nacido.

Fice. (Del lat. *phycis,* y éste del gr. φυκίς.) m. *Zool.* Pez marino teleósteo, del suborden de los acantopterigios, de unos cuatro decímetros de largo, cabeza pequeña y rojiza, labios gruesos, y doble el de la mandíbula superior, dientes fuertes y cónicos, color verdoso con manchas grises por el lomo y plateado y con líneas rojas por el vientre. Vive cerca de las costas y su carne es bastante apreciada.

Ficoideo, a. (Del lat. *ficus,* higo, y el gr. εἶδος, forma.) adj. *Bot.* **Aizoáceo.**

Ficticio, cia. (Del lat. *fictitius.*) adj. Fingido o fabuloso. || **2.** Aparente, convencional.

Ficto, ta. (Del lat. *fictus.*) p. p. irreg. de **Fingir.**

Ficha. (Del fr. *fiche.*) f. Pieza pequeña de marfil, madera, hueso, etc., que sirve para señalar los tantos que se atraviesan en el juego. || **2.** Cada una de las piezas del juego de dominó. || **3.** Pieza pequeña de cartón, metal u otra substancia, a la que se asigna un valor convenido y que se usa en substitución de la moneda en algunas casas de negocios y establecimientos industriales. || **4.** Cédula de cartulina o papel fuerte que puede con otras ser clasificada y guardada verticalmente en cajas. || **antropométrica.** Cédula en que se consignan medidas corporales y señales individuales para la identificación de personas sujetas a la vigilancia de la policía.

Fichar. tr. En el juego del dominó, poner la ficha. || **2.** Hacer la ficha antropométrica de un individuo. || **3.** Ir contando con fichas los géneros que el camarero de café, casino, etc., recibe para servirlos. || **4.** fig. y fam. Refiriéndose a una persona, ponerla en el número de aquellas que se miran con prevención y desconfianza.

Fichero. m. Caja o mueble con cajonería donde se pueden guardar ordenadamente las fichas o cédulas.

Fidalgo, ga. (De *fijodalgo.*) m. y f. ant. Hidalgo.

Fidecomiso. m. **Fideicomiso.**

Fidedigno, na. (Del lat. *fides,* fe, y *dignus,* digno.) adj. Digno de fe y crédito.

Fideero, ra. m. y f. Persona que fabrica fideos u otras pastas semejantes.

Fideicomisario, ria. (Del lat. *fideicommissarius.*) adj. *For.* Dícese de la persona a quien se destina un fideicomiso. Ú. t. c. s. || **2.** *For.* Perteneciente al fideicomiso.

Fideicomiso. (Del lat. *fideicommissum;* de *fides,* fe, y *commissus,* confiado.) m. *For.* Disposición testamentaria por la cual el testador deja su hacienda o parte de ella encomendada a la fe de uno para que, en caso y tiempo determinados, la transmita a otro sujeto o la invierta del modo que se le señala.

Fideicomitente. com. *For.* Persona que ordena el fideicomiso.

Fidelidad. (Del lat. *fidelĭtas, -ātis.*) f. Lealtad, observancia de la fe que uno debe a otro. || **2.** Puntualidad, exactitud en la ejecución de una cosa.

Fidelísimo, ma. (Del lat. *fidelissĭmus.*) adj. sup. de **Fiel.** || **2.** Dictado de los reyes de Portugal.

Fideo. (Del cat. *fideu.*) m. Pasta de harina de trigo, ya sola, ya mezclada con gluten y con fécula, en forma de cuerda delgada, que sirve para sopa. Ú. m. en pl. || **2.** fig. y fam. Persona muy delgada.

Fido, da. (Del lat. *fidus.*) adj. ant. **Fiel.**

Fiducia. (Del lat. *fiducia.*) f. ant. **Confianza.**

Fiduciario, ria. (Del lat. *fiduciarius.*) adj. *For.* Heredero o legatario a quien el testador manda transmitir los bienes a otra u otras personas, o darles determinada inversión. Ú. t. c. s. || **2.** Que depende del crédito y confianza que merezca. *Circulación* FIDUCIARIA. || **3.** V. **Moneda fiduciaria.** || **4.** V. **Valores fiduciarios.**

Fiebre. (Del lat. *febris,* de *fervēre,* hervir.) f. Fenómeno patológico que ordinariamente se manifiesta por elevación de la temperatura normal del cuerpo y frecuencia del pulso y de la respiración. || **2.** fig. Viva y ardorosa agitación producida por una causa moral. FIEBRE *de los negocios.* || **aftosa. Glosopeda.** || **amarilla.** Enfermedad endémica de las costas de las Antillas y del golfo de México, desde donde solía transmitirse a otros puntos de América, así como también a las costas de Europa y de África favorables para su desarrollo, ocasionando asoladoras epidemias. || **anticipante.** La que se adelanta. || **continua.** La que sigue su curso sin interrupción. || **de Malta. Fiebre mediterránea.** || **efémera,** o **efímera.** La que dura, por lo común, un día natural y desaparece ordinariamente por algún fenómeno crítico espontáneo. || **eruptiva.** La que va acompañada de erupciones cutáneas. || **esencial.** La que no es sintomática de una enfermedad local. || **héctica,** o **hética.** La propia de las enfermedades consuntivas. || **intermitente.** La que aparece y desaparece por intervalos más o menos largos. || **láctea.** La que generalmente se presenta en la mujer al segundo o tercero día del parto y es precursora de la subida de la leche. || **mediterránea.** La muy intensa, con temperatura irregular, sudores abundantes, que es de larga duración y tiene frecuentes recaídas. || **palúdica.** La producida por la picadura de una especie de mosquito que abunda en los terrenos pantanosos. || **perniciosa.** La intermitente tan grave e insidiosa, que con mucha frecuencia causa la muerte en los primeros accesos. || **puerperal.** La que padecen algunas mujeres después del parto como consecuencia de él. || **remitente.** La que durante su curso presenta alternativas de aumento y disminución en su intensidad. || **sincopal.** La que se junta con el síncope. || **sínoca,** o **sinocal.** La continua sin remisiones bien definidas y que no es, por lo general, grave. || **sintomática.** La ocasionada por cualquiera enfermedad localizada en un órgano. || **subintrante.** Aquella cuya accesión sobreviene antes de haberse quitado la antecedente. || **tifoidea.** Infección intestinal específica, producida por un microbio que determina lesiones en las placas linfáticas del intestino delgado. || **Declinar la fiebre.** fr. Bajar, minorarse. Ú. m. comúnmente hablando de las tercianas. || **Limpiarse uno de fiebre.** fr. Faltarle la fiebre, quedando libre de ella. || **No lo ha de fiebre, sino de siempre.** fr. fam. con que se indica que la conducta de una persona obedece a su natural carácter o a su costumbre y no a las circunstancias del momento. || **Recargar la fiebre.** fr. Aumentarse o entrar nueva accesión.

Fiel. (Del lat. *fidēlis.*) adj. Que guarda fe. || **2.** Exacto, conforme a la verdad. FIEL *traslado; memoria* FIEL. || **3.** Que tiene en sí las reglas y circunstancias que pide el uso a que se destina. *Reloj* FIEL. || **4.** Por antonom., cristiano que vive en la debida sujeción a la Iglesia Católica Romana. Ú. t. c. s. || **5.** m. El encargado de que se hagan algunas cosas con la exactitud y legalidad que exige el servicio público, vigilando el cumplimiento de los preceptos legales o de las órdenes de la autoridad. || **6.** Aguja que juega en la alcoba o caja de las balanzas y romanas, y se pone vertical cuando hay perfecta igualdad en los pesos comparados. || **7.** Cada una de las dos piezas de acero que tiene la ballesta, la una embutida en el tablero y quijeras en que se tiene la llave, y la otra fuera de ellas, lo que basta para que puedan rodar las navajas de la gafa cuando se arma la ballesta. || **8.** Cualquiera de los hierrecillos o pedazos de alambre que sujetan algunas piezas de la llave del arcabuz. || **9.** Clavillo que asegura las hojas de las tijeras. || **10.** En algunas partes de Andalucía, tercero o persona que tenía por oficio recoger los diezmos y guardarlos. || **11.** ant. Persona diputada por el rey para señalar el campo y reconocer las armas de los que entraban en público desafío, cuidar de ellos y de la debida igualdad en el duelo, y era como el juez del desafío. || **12.** ant. *For.* Persona a cuyo cargo se ponía judicialmente una cosa litigiosa mientras se decidía el pleito. || **almotacén. Almotacén.** || **cogedor. Cillero,** 1.ª acep. || **contraste. Contraste,** 3.ª acep. || **de fechos.** Sujeto habilitado para ejercer funciones de escribano en los pueblos en que no lo hay. || **de lides.** Cualquiera de las personas encargadas de asistir a los retos en lo antiguo, para partir el campo, reconocer las armas de los contendientes y hacer observar completa igualdad, evitando todo fraude y engaño. || **de romana.** Oficial que asiste en el matadero al peso de la carne por mayor. || **ejecutor.** Regidor a quien toca asistir al repeso. || **medidor.** Oficial que asiste a la medida de granos y líquidos. || **En fiel.** m. adv. Con igualdad de peso, o sin inclinarse las balanzas, ni el **fiel** del peso, ni la lengüeta de la romana, a un lado ni a otro.

Fielato. m. Oficio de fiel. || **2.** Oficina del fiel. || **3.** Oficina a la entrada de las poblaciones, en la cual se pagan los derechos de consumo.

Fielazgo. (De *fiel.*) m. desus. **Fielato.**

Fieldad. (Del lat. *fidelĭtas, -ātis.*) f. **Fielato,** 1.ª acep. || **2.** Seguridad, custodia, guarda. || **3.** Despacho que el Consejo de Hacienda solía dar a los arrendadores al principio del año para que pudieran recaudar las rentas reales de su cargo mientras se les despachaba el recudimiento de frutos. || **4.** En algunas partes, **tercia,** 5.ª acep. || **5.** ant. **Fidelidad.** || **Meter en fieldad.** fr. ant. Poner en poder de uno una cosa para su seguridad.

Fielmente. adv. m. Con fidelidad.

Fieltrar. tr. Dar a la lana la consistencia del fieltro.

Fieltro. (Del germ. *feltar.*) m. Especie de paño no tejido que resulta de conglomerar borra, lana o pelo. || **2.** Sombrero, capote, alfombra, etc., hechos de **fieltro.** || **3.** desus. Capote o sobretodo que se ponía encima de los vestidos para defenderse del agua.

Fiemo. (Del lat. *fimus.*) m. *And., Ar., Nav.* y *Rioja.* Fimo, estiércol.

Fiera. (Del lat. *fera.*) f. Bruto indómito, cruel y carnicero. || **2.** fig. Persona cruel o de carácter malo y violento. || **3.** *Zool.* **Carnívoro,** 4.ª acep. || **4.** pl. *Germ.* Criados de justicia. || **Ser una fiera para,** o **en,** una cosa. fr. fig. y fam. Dedicarse a ella con gran actividad.

Fierabrás. (Con alusión al famoso gigante de este nombre que figura en los antiguos libros de caballerías.) m. fig. y fam. Persona mala, perversa, ingobernable. Aplícase por lo común a los niños traviesos.

Fieramente. adv. m. Con fiereza.

Fiereza. (De *fiero.*) f. Inhumanidad, crueldad de ánimo; y en los brutos, saña y braveza. || **2.** fig. Deformidad que causa desagrado a la vista.

Fiero, ra. (Del lat. *ferus.*) adj. Perteneciente o relativo a las fieras. || **2.** Duro, agreste o intratable. || **3.** Feo. || **4.** Grande, excesivo, descompasado. || **5.** ant. Aplicábase a los animales no domesticados. || **6.** fig. Horroroso, terrible. || **7.** *For.* V. **Animal fiero.** || **8.** m. Bravata y amenaza con que uno intenta aterrar a otro. Ú. m. en pl. || **Echar,** o **hacer, fieros.** fr. Proferir baladronadas y amenazas.

Fierra. (De *fierro.*) f. ant. **Herradura,** 1.ª acep.

Fierro. (Del lat. *ferrum.*) m. ant. **Hierro.** || **2.** ant. V. **Cabeza de fierro.** || **3.** *Amér.* **Hierro,** 2.ª acep || **4.** pl. ant. Prisiones; como grillos, cadenas, etc.

Fiesta. (Del lat. *festa,* pl. de *festum.*) f. Alegría, regocijo o diversión. || **2.** fam. Chanza, broma. || **3.** Día que la Iglesia celebra con mayor solemnidad que otros, mandando oir misa en él y emplearlo en obras santas; como son los domingos, Pascua y otros. || **4.** Día en que se celebra alguna solemnidad nacional, y en el que están cerradas las oficinas y otros establecimientos públicos. || **5.** Solemnidad con que la Iglesia celebra la memoria de un santo. || **6.** Regocijo dispuesto para que el pueblo se recree. || **7.** Agasajo, caricia u obsequio que se hace para ganar la voluntad de uno, o como expresión de cariño. Ú. m. en pl. *El perrillo hace* FIESTAS *a su amo.* || **8.** pl. Vacaciones que se guardan en la **fiesta** de Pascua y otras solemnes. *En pasando estas* FIESTAS *se despachará tal negocio.* || **Fiesta de armas.** En lo antiguo, combate público de unos caballeros con otros para mostrar su valor y destreza. || **de consejo.** Día de trabajo que es de vacación para los tribunales. || **de guardar.** Día en que hay obligación de oir misa. || **de las cabañuelas,** o **de los tabernáculos.** Solemnidad que celebran los hebreos en memoria de haber habitado sus mayores en el desierto debajo de tiendas antes de entrar en tierra de Canaán. || **de pólvora.** fig. Lo que pasa o se gasta con presteza y brevedad. || **de precepto. Fiesta de guardar.** || **doble.** La que la Iglesia celebra con rito doble. || **2.** fig. y fam. Función de gran convite, baile o regocijo. || **fija,** o **inmoble.** La que la Iglesia celebra todos los años en el mismo día; como la Pascua de Navidad, a 25 de diciembre. || **movible.** La que la Iglesia no celebra todos los años en el mismo día, como la Pascua de Resurrección y demás dependientes de ésta, el Corpus, etc. || **nacional. Fiesta,** 4.ª acep. || **semidoble.** La que la Iglesia celebra con rito semidoble. || **simple.** La que la Iglesia celebra con rito simple. || **Fiestas reales.** Festejos hechos en obsequio de una persona real, con esplendor y ciertas solemnidades. || **Aguar,** o **aguarse, la fiesta.** fr. fig. y fam. Turbar o turbarse cualquier regocijo. || **Celebrar las fiestas.** fr. Guardarlas como manda la Iglesia. || **Coronar la fiesta.** fr. fig. Completarla con un hecho notable. Suele usarse irónicamente. || **Echar las fiestas.** Publicar el párroco en la misa del domingo las demás fiestas que ocurren en la semana. || **2.** fig. Prevenir uno los festejos o pasatiempos que espera tener. || **3.** fig. desus. Decir baldones e injurias. || **Estar uno de fiesta.** fr. fam. Estar alegre, gustoso y de chiste. || **Guardar las fiestas.** fr. **Santificar las fiestas.** || **Haced fiestas a la gata, y saltaros ha a la cara.** ref. Aplícase al mal pago que da el ingrato. || **Hacer fiesta.** fr. Dejar la labor o el trabajo un día, como si fuera de fiesta. || **Holgar hoy, mañana fiesta, buena vida es ésta.** Dicho contra los holgazanes. || **No estar** uno **para fiestas.** fr. fig. y fam. Estar desazonado y enfadado, o no gustar de lo que se le propone. || **Quien te hace fiestas que no te suele hacer, o te quiere engañar, o te ha menester.** ref. que da a entender el cuidado con que deben mirarse los aduladores. || **Santificar las fiestas.** fr. Ocuparlas en cosas de Dios, cesando en las obras mecánicas. || **Se acabó la fiesta.** fr. fig. y fam. con que se interrumpe y corta una discusión o asunto cualquiera, manifestando hastío y saciedad. || **Tengamos la fiesta en paz.** expr. fig. y fam. que se emplea para pedir a una persona, en son de amenaza o consejo, que no dé motivo de disturbio o reyerta.

Fiestero, ra. adj. Amigo de fiestas. Ú. t. c. s.

Fifiriche. adj. *C. Rica* y *Méj.* Raquítico, flaco, enclenque. || **2.** *C. Rica* y *Méj.* **Petimetre.**

Figana. f. *Venez.* Ave del orden de las gallináceas, de unos 25 centímetros de largo; su color es generalmente pardo rayado de negro y las patas amarillas, el cuello largo. Se domestica fácilmente y limpia las casas de insectos y sabandijas.

Fígaro. (Del personaje *Fígaro* de dos comedias de Beaumarchais.) m. **Barbero,** 1.er art., 1.ª acep. || **2. Torera.**

Figle. (Del fr. *ophicléide,* y éste del gr. ὄφις, serpiente, y κλείς, llave.) m. Instrumento músico de viento, que consiste en un tubo largo de latón, doblado por la mitad, de diámetro gradualmente mayor desde la embocadura hasta el pabellón, y con llaves o pistones que abren o cierran el paso al aire.

Figo. (Del lat. *ficus.*) m. ant. **Higo.** || **No, que son figos.** expr. fig. y fam. con que se afirma uno en lo que ha dicho y otro duda.

Figón. m. Casa donde se guisan y venden cosas ordinarias de comer. || **2.** ant. **Figonero.**

Figonero, ra. m. y f. Persona que tiene figón.

Figueral. m. **Higueral.**

Figuerense. adj. Natural de Figueras. Ú. t. c. s. || **2.** Perteneciente a esta ciudad.

Figulino, na. (Del lat. *figulinus,* de *figŭlus,* alfarero.) adj. De barro cocido. *Estatua* FIGULINA. || **2.** V. **Arcilla, pintura figulina.**

Figura. (Del lat. *figūra.*) f. Forma exterior de un cuerpo por la cual se diferencia de otro. || **2. Cara,** 1.ª acep. || **3.** Estatua o pintura que representa el cuerpo de un hombre o animal. || **4.** En el dibujo, la que representa el cuerpo humano. || **5.** Cosa que representa o significa otra. || **6.** desus. En lo judicial, forma o modo de proceder. || **7.** Cualquiera de los tres naipes de cada palo que representan personas, y se llaman rey, caballo y sota. || **8.** Nota musical. || **9.** Personaje de la obra dramática y actor que lo representa. || **10.** Cambio de colocación de los bailarines en una danza. || **11. Figurería,** 2.ª acep. || **12.** *Geom.* Espacio cerrado por líneas o superficies. || **13.** *Geom.* Conjunto de líneas o representación de objetos que sirve para la demostración de un teorema o un problema. || **14.** *Gram.* **Figura de construcción.** || **15.** *Gram.* **Figura de dicción.** || **16.** *Ret.* Cada uno de ciertos modos de hablar que, apartándose de otro más vulgar o sencillo, aunque no siempre más natural, da a la expresión de los afectos o las ideas singular elevación, gracia o energía. || **17.** m. p. us. Hombre entonado, que afecta gravedad en sus acciones y palabras. || **18.** com. Persona ridícula, fea y de mala traza. || **celeste.** *Astrol.* Delineación que expresa la positura y disposición del cielo y estrellas en cualquier momento de tiempo señalado. Preséntanse en ella las doce casas celestes y los grados de los signos, y el lugar que los planetas y otras estrellas tienen en ellos. || **de bulto.** La que se hace de piedra, madera u otra materia. || **de construcción.** *Gram.* Cada uno de los varios modos de construcción gramatical con que, siguiendo la sintaxis llamada figurada, se quebrantan las leyes de la reputada por regular o normal. || **decorativa.** fig. Persona que ocupa un puesto sin ejercer las funciones esenciales del mismo, o asiste a un acto solemne sin tomar en él parte activa. || **de delito.** *For.* Definición legal específica de cada delito que señala los elementos o caracteres típicos de éste y garantiza la aplicación estricta de la ley penal. || **de dicción.** *Gram.* Cada una de las varias alteraciones que experimentan los vocablos en su estructura habitual, bien por aumento, bien por supresión, bien por transposición de letras, bien por contracción de dos de ellos. || **del silogismo.** Cada uno de los **cuatro grupos** en que se clasifican los silogismos según la posición del término medio en las premisas: primera, sujeto en la mayor y predicado en la menor; segunda, predicado en ambas; tercera, sujeto en las dos; cuarta (más artificiosa y menos usada), predicado en la mayor y sujeto en la menor. Cada **figura** comprende diferentes modos. || **de tapiz.** fig. y fam. Persona de traza o **figura** ridícula. || **moral.** La que en las pinturas, representaciones dramáticas o alegorías significa algo no material; como la inocencia, el tiempo, la muerte. || **penal.** *For.* **Figura de delito.** || **Buena,** o **mala, figura.** La de partes armónicas y bien proporcionadas, o al contrario. || **Alzar figura.** fr. *Astrol.* Formar plantilla, tema o diseño en que se delinean las casas celestes y los lugares de los planetas, y lo demás conducente a formar el horóscopo o pronóstico de los sucesos de una persona. || **Hacer figura.** fr. fig. Tener autoridad y representación en el mundo, o quererlo aparentar. || **Hacer figuras.** fr. Hacer movimientos o ademanes ridículos. || **Hoy figura, mañana sepultura.** loc. que alude a lo perecedero de la vanidad humana. || **Levantar figura.** fr. *Astrol.* **Alzar figura.** || **Tomar figura.** fr. Remedar a una persona.

Figurable. adj. Que se puede figurar.

Figuración. (Del lat. *figuratio, -ōnis.*) f. Acción y efecto de **figurar** o **figurarse** una cosa.

Figuradamente. adv. m. Con sentido figurado.

Figurado, da. p. p. de **Figurar.** || **2.** adj. Aplícase al canto o música cuyas notas tienen diferente valor según su diversa figura, en lo cual se distingue del canto llano. || **3.** Que usa figuras retóricas. *Lenguaje, estilo* FIGURADO. || **4.** Dícese del sentido en que se toman las palabras para que denoten idea diversa de la que recta y literalmente significan. || **5.** Aplícase también a la voz o frase de sentido **figurado.** || **6.** *Blas.* V. **Sol figurado.** || **7.** *Gram.* V. **Sintaxis figurada.** || **8.** *Mús.* V. **Canto figurado.**

Figural. (Del lat. *figurālis.*) adj. ant. Perteneciente a la figura.

Figurante, ta. (De *figurar.*) m. y f **Comparsa,** 3.ª acep.

Figurar. (Del lat. *figurāre.*) tr. Disponer, delinear y formar la figura de una cosa. || **2.** Aparentar, suponer, fingir. FIGURÓ *una retirada.* || **3.** intr. Formar parte o pertenecer al número de determinadas personas o cosas. || **4. Hacer figura.** || **5.** r. Imaginarse, fantasear, suponer uno algo que no conoce.

Figurativamente. adv. m. De un modo figurativo.

Figurativo, va. (Del lat. *figurativus.*) adj. Que es o sirve de representación o figura de otra cosa.

Figurería. f. Condición de figurero, 1.ª acep. ‖ **2.** Mueca o ademán ridículo o afectado.

Figurero, ra. (De *figura.*) adj. fam. Que tiene costumbre de hacer figurerías, 2.ª acep. Ú. t. c. s. ‖ **2.** m. y f. Persona que hace o vende figuras de barro o yeso.

Figurilla. d. de **Figura.** ‖ **2.** com. fam. Persona pequeña y ridícula.

Figurín. (d. de *figura.*) m. Dibujo o modelo pequeño para los trajes y adornos de moda. ‖ **2.** fig. Lechuguino, gomoso.

Figurón. m. aum. de **Figura.** ‖ **2.** fig. y fam. Hombre fantástico y entonado, que aparenta más de lo que es. ‖ **3.** fig. y fam. Protagonista de la comedia de **figurón.** ‖ **de proa.** *Mar.* **Mascarón de proa.**

Fija. (Del lat. *fixa,* t. f. de *fixus,* fijo.) f. desus. **Bisagra,** 1.ª acep. ‖ **2.** *Cant.* Paleta larga y estrecha, con dientes o sin ellos en los bordes, que sirve para sacar los calzos de entre los sillares sentados en obra y para introducir la mezcla en las juntas. Úsanla también los empedradores para introducir arena o mezcla entre los adoquines. ‖ **3.** *Carp.* V. **Escoplo de fijas.**

Fijación. f. Acción de fijar. ‖ **2.** *Quím.* Estado de reposo a que se reducen las materias después de agitadas y movidas por una operación química.

Fijadalgo. (Contracc. de *fija de algo.*) f. ant. **Hijadalgo.**

Fijado, da. p. p. de **Fijar.** ‖ **2.** adj. *Blas.* Dícese de todas las partes del blasón que acaban en punta hacia abajo. ‖ **3.** m. Acción y efecto de fijar una imagen fotográfica.

Fijador, ra. adj. Que fija. ‖ **2.** m. *Albañ.* Operario que se emplea en introducir el mortero entre las piedras y en retundir las juntas. ‖ **3.** *Carp.* El operario que fija las puertas y ventanas en sus cercos. ‖ **4.** *Fot.* Líquido que sirve para fijar. ‖ **5.** *Pint.* Líquido que esparcido por medio de un pulverizador sirve para fijar dibujos hechos con carbón o con lápiz.

Fijamente. adv. m. Con seguridad y firmeza. ‖ **2.** Atenta, cuidadosamente.

Fijante. (De *fijar.*) adj. *Art.* Aplícase a los tiros que se hacen por elevación y utilizando generalmente los morteros.

Fijar. (De *fijo.*) tr. Hincar, clavar, asegurar un cuerpo en otro. ‖ **2.** Pegar con engrudo, etc.; como en la pared los anuncios y carteles. ‖ **3.** Hacer fija o estable alguna cosa. Ú. t. c. r. ‖ **4.** Determinar, limitar, precisar, designar de un modo cierto. FIJAR *el sentido de una palabra, la hora de una cita.* ‖ **5.** Dirigir o aplicar intensamente. FIJAR *la mirada, la atención.* ‖ **6.** *Albañ.* Introducir el mortero en las juntas de las piedras cuando están calzadas, valiéndose de una fija o paleta. ‖ **7.** *Carp.* Poner las bisagras y asegurar y ajustar las hojas de puertas y ventanas a los cercos de las mismas cuando éstos se han colocado ya en los muros. ‖ **8.** *Fot.* Hacer que la imagen fotográfica impresionada en una placa o en un papel sensible quede inalterable a la acción de la luz. ‖ **9.** r. Determinarse, resolverse. ‖ **10.** Atender, reparar, notar.

Fijativo. m. Fijador, 4.ª y 5.ª aceps.

Fijeza. (De *fijo,* 2.° art.) f. Firmeza, seguridad de opinión. ‖ **2.** Persistencia, continuidad.

Fijo, ja. (Del lat. *filius.*) m. y f. ant. **Hijo.** ‖ **2.** ant. **Descendiente.**

Fijo, ja. (Del lat. *fixus.*) p. p. irreg. de **Fijar.** ‖ **2.** adj. Firme, asegurado. ‖ **3.** Permanentemente establecido sobre reglas determinadas, y no expuesto a movimiento o alteración. *Sueldo, día* FIJO. ‖ **4.** V. **Aceite fijo.** ‖ **5.** V. **Ambulancia, fiesta, garrucha, polea fija.** ‖ **6.** *Astron.* V. **Estrella fija.** ‖ **7.** *Mar.* V. **Punto fijo.** ‖ **De fijo.** m. adv. Seguramente, sin duda. ‖ **Ésa es la fija.** fr. fam. con que se aprueba como cierta alguna cosa. ‖ **Ésta es la fija.** fr. que indica haber llegado ya la ocasión de que ocurra aquello que se teme o se espera.

Fijodalgo. (Contracc. de *fijo de algo.*) m. ant. **Hijodalgo.**

Fil. (De *fiel.*) m. ant. **Fiel de romana.** ‖ **derecho. Salto,** 2.ª acep. ‖ **Estar en fil,** o **en un fil.** fr. fig. que denota la igualdad en que se hallan algunas cosas.

Fila. (Del lat. *filum,* hilo.) f. Orden que guardan varias personas o cosas colocadas en línea. ‖ **2.** Unidad de medida que sirve para apreciar la cantidad de agua que llevan las acequias, y se usa principalmente en Valencia, Aragón y Navarra. Varía según las localidades, desde 46 a 85 litros por segundo. ‖ **3.** fig. y fam. Tirria, odio, antipatía. ‖ **4.** *Huesca.* Pieza de madera de hilo, de 26 a 30 palmos de longitud, con una escuadría cuyos canto y tabla son casi iguales. ‖ **5.** *Zar.* Madero en rollo, de 13 varas de longitud y 12 dedos de diámetro. ‖ **6.** *Germ.* **Cara,** 1.ª acep. ‖ **7.** *Mil.* Línea que los soldados forman de frente, hombro con hombro. ‖ **8.** *Mil.* V. **Cabo de fila.** ‖ **de carga.** *Barc.* Pieza de madera de hilo, de 24 palmos de longitud y con una escuadría de siete cuartos de palmo en la tabla, y cinco y medio en el canto. ‖ **india.** La que forman varias personas una tras otra. ‖ **En fila.** m. adv. con que se explica la disposición de estar algunas cosas en línea recta o puestas en ala. ‖ **En filas.** m. adv. En servicio activo en el ejército.

Filáciga. f. ant. **Filástica.**

Filacteria. (Del lat. *phylacteria,* pl. de *-ium,* y éste del gr. φυλακτήριον, amuleto; de φυλάσσω, guardar.) f. Amuleto o talismán que usaban los antiguos. ‖ **2.** Pedazo de piel o pergamino en que estaban escritos algunos pasajes de la Escritura y el cual llevaban los judíos atado al brazo izquierdo o a la frente. ‖ **3.** Cinta con inscripciones o leyendas, que suele ponerse en pinturas o esculturas, en epitafios, escudos de armas, etc.

Filadelfo, fa. (De *Filadelfia,* ciudad de los Estados Unidos, de donde fueron traídas estas plantas.) adj. *Bot.* Dícese de arbustos pertenecientes a la familia de las saxifragáceas, originarios de América, que tienen tallos fistulosos, hojas opuestas, pecioladas, sencillas, sin estípulas, y flores regulares, ordinariamente blancas y olorosas; como la jeringuilla. Ú. t. c. s. f.

Filadillo. (De *filado.*) m. ant. **Hiladillo.**

Filadiz. (De *filado.*) m. Seda que se saca del capullo roto.

Filado, da. p. p. de **Filar.** ‖ **2.** m. ant. **Hilado,** 4.ª y 5.ª aceps.

Filador, ra. (De *filar.*) m. y f. ant. **Hilador.**

Filamento. (Del b. lat. *filamentum,* y éste del lat. *filum,* hilo.) m. Cuerpo filiforme, flexible o rígido.

Filamentoso, sa. adj. Que tiene filamentos.

Filamiento. (Del b. lat. *filamentum.*) m. ant. **Hilado,** 4.ª acep.

Filandón. m. *Ast.* y *León.* Reunión nocturna de mujeres para hilar.

Filandria. (Del fr. *filandre,* de *filer,* y éste del lat. *filāre,* hilar.) f. *Zool.* Gusano de la clase de los nematelmintos, que vive parásito en el aparato digestivo de las aves, especialmente de las de rapiña. Es filiforme, blanquecino y muy pequeño. Los naturalistas distinguen varias especies, cada una de ellas propia del animal en que se desarrolla.

Filantropía. (Del gr. φιλανθρωπία, de φιλάνθρωπος, filántropo.) f. Amor al género humano.

Filantrópico, ca. adj. Perteneciente a la filantropía.

Filántropo. (Del gr. φιλάνθρωπος; de φίλος, que ama, y ἄνθρωπος, hombre.) m. El que se distingue por el amor a sus semejantes.

Filar. (Del lat. *filāre.*) tr. ant. **Hilar.** ‖ **2.** *Germ.* Cortar sutilmente. ‖ **3.** *Mar.* Arriar progresivamente un cable o cabo que está trabajando.

Filarete. (Del fr. *filaret,* y éste del ital. *filaretto,* del lat. *filum,* hilo.) m. desus. Red que se echaba por los costados del navío, dentro de la cual se colocaban ropas para defensa de las balas enemigas.

Filaria. (De *filus,* hilo.) f. Género de nematodos, parásitos del organismo humano y de los animales, patógenos en diferentes climas tropicales. Una de sus especies se aloja y propaga en el tejido subcutáneo, en la vejiga de la orina, en el escroto y en los ganglios linfáticos de la pelvis y del abdomen y, por obstrucción de los vasos linfáticos, da origen a la elefantiasis.

Filariosis. f. Enfermedad producida por la filaria.

Filarmonía. (Del gr. φίλος, que ama, y de *armonía.*) f. Pasión por la música.

Filarmónica. f. *Vizc.* **Acordeón.**

Filarmónico, ca. (De *filarmonía.*) adj. Apasionado por la música. Ú. t. c. s.

Filástica. (De *filo,* hilo.) f. *Mar.* Hilos de que se forman todos los cabos y jarcias. Sácanse las **filásticas** de los trozos de cables viejos que se destuercen para atar con ellos lo que se ofrezca.

Filatelia. (Del gr. φίλος, amigo, y τέλος, impuesto.) f. Arte que trata del conocimiento de los sellos, principalmente de los de correos.

Filatélico, ca. adj. Relativo a la filatelia.

Filatelista. com. Persona que se dedica a la filatelia.

Filatería. (De *filatero.*) f. Tropel de palabras que un embaucador ensarta para engañar y persuadir de lo que quiere. ‖ **2.** Demasía de palabras para explicar o dar a entender un concepto.

Filatero, ra. (Del lat. *filātum,* supino de *filāre,* salir hilo a hilo.) adj. Que acostumbra usar de filaterías. Ú. t. c. s. ‖ **2.** *Germ.* Ladrón que hurta cortando alguna cosa.

Filaucía. (Del gr. φιλαυτία, de φίλαυτος, egoísta; de φίλος, amante, y αὐτός, mismo.) f. ant. **Amor propio.**

Filautero, ra. adj. p. us. **Egoísta.**

Filautía. f. p. us. **Filaucía.**

Filderretor. (De *filo, de* y *retor,* 1.ᵉʳ art.) m. Tejido de lana, semejante al que hoy llaman lanilla, pero de algo más cuerpo, que se usaba para hábitos de sacerdotes y para vestidos de alivio de luto en las mujeres.

Filelí. (Del ár. *filālī,* perteneciente o relativo a *Tafilalt* o *Tafilete,* oasis de Marruecos.) m. ant. Tela muy ligera de lana y seda, que se solía traer de Berbería.

Fileno, na. (De *Filis,* nombre de mujer en los poetas bucólicos.) adj. fam. Delicado, afeminado.

Filera. f. Arte de pesca, que se cala a la entrada de las albuferas, y consiste en varias filas de redes que tienen al extremo unas nasas pequeñas.

Filete. (Del fr. y del cat. *filet,* y éstos del lat. *filum,* hilo.) m. Miembro de moldura, el más delicado, como una lista larga y angosta. ‖ **2.** Línea o lista fina que sirve de adorno. ‖ **3.** Remate de hilo enlazado que se echa al canto de alguna ropa, especialmente en los cuellos y puños de las camisas, para que no se maltraten. ‖ **4.** Asador pequeño y delgado. ‖ **5.** Solomillo. ‖ **6.** Pequeña lonja de carne magra o de pescado limpio de raspas. ‖ **7.** Espiral saliente del tornillo. ‖ **8.** *Equit.* Embocadura compuesta de dos cañoncitos de hierro delgados y articulados en el centro, a cuyos extremos hay unas argollitas, en las cuales se colocan las correas de las riendas y testeras. Sirve para que los potros se acostumbren a recibir el bocado. || **9.** *Alm.* Cuerda de esparto retorcida que se compone de dos hilos. || **10.** *Impr.* Pieza de metal cuya superficie termina en una o más rayas de diferentes gruesos, y sirve para distinguir el texto de las notas y para otros usos. || **11.** *Mar.* Cordoncillo de esparto que sirve para enjuncar las velas en los buques latinos. || **12.** *Blas.* Banda, orla, faja, etc., cuando son muy estrechas. || **nervioso.** *Zool.* Ramificación tenue de los nervios. || **Gastar** uno **muchos filetes.** fr. fig. y fam. Adornar la conversación con gracias y delicadezas.

Filetear. tr. Adornar con filetes.

Filetón. (aum. de *filete.*) m. Entre bordadores, entorchado más grueso y retorcido que el ordinario, con que se forman las flores que se imitan en los bordados.

Filfa. f. fam. Mentira, engaño, noticia falsa.

Filia. (Del gr. φίλος, amigo.) Elemento que entra en algunas voces compuestas, como *biblio*FILIA, *anglo*FILIA, para indicar afición, y que se usa como s. f. para expresar apasionada simpatía por alguna cosa.

Filiación. (Del lat. *filiatio, -ōnis,* de *filius,* hijo.) f. Acción y efecto de filiar. || **2.** Procedencia de los hijos respecto a los padres. || **3.** Dependencia que tienen algunas personas o cosas respecto de otra u otras principales. || **4.** Señas personales de cualquier individuo. || **5.** *Mil.* Registro que en los regimientos se hace del que sienta plaza de soldado, especificando su estatura, facciones y otras señas.

Filial. (Del lat. *filiālis.*) adj. Perteneciente al hijo. || **2.** Aplícase a la iglesia o al establecimiento que depende de otro.

Filialmente. adv. m. Con amor de hijo.

Filiar. (Del lat. *filius,* hijo.) tr. Tomar la filiación a uno. || **2.** r. Inscribirse o hacerse inscribir en el asiento militar. || **3.** Afiliarse.

Filibote. (Del ingl. *fly-boat;* de *fly,* volar, y *boat,* barco: barco mosca.) m. Embarcación semejante a la urca, de dos palos, de popa redonda, y alterosa. Hoy ya no está en uso.

Filibusterismo. m. Partido de los filibusteros, 2.ª acep.

Filibustero. (Del ingl. *freebooter,* merodeador.) m. Nombre de ciertos piratas que por el siglo XVII infestaron el mar de las Antillas. || **2.** El que trabajaba por la emancipación de las que fueron provincias ultramarinas de España.

Filicida. (De *filius,* hijo, y *caedĕre,* matar.) adj. Que mata a su hijo. Ú. t. c. s.

Filicidio. m. Muerte violenta que un padre da a su hijo.

Filicíneo, a. (Del lat. *filix, -icis,* helecho.) adj. *Bot.* Dícese de plantas criptógamas pteridofitas, herbáceas o leñosas, con tallo subterráneo horizontal, del cual nacen por un lado numerosas raíces y por el otro hojas compuestas con muchos folíolos. Ú. t. c. s. f. || **2.** f. pl. *Bot.* Clase de estas plantas, conocidas con el nombre de helechos.

Filiera. (Del fr. *filière,* de *fil,* hilo.) f. *Blas.* Bordura disminuida en la tercera parte de su anchura puesta en la misma situación.

Filiforme. (Del lat. *filum,* hilo, y *forma,* forma.) adj. Que tiene forma o apariencia de hilo. || **2.** V. **Pulso filiforme.**

Filigrana. (Del ital. *filigrana,* y éste del lat. *filum,* hilo, y *granum,* grano.) f. Obra formada de hilos de oro o plata, unidos y soldados con mucha perfección y delicadeza. || **2.** Señal o marca transparente hecha en el papel al tiempo de fabricarlo. || **3.** fig. Cosa delicada y pulida. || **4.** *Cuba.* Arbusto silvestre, de la familia de las verbenáceas, con hojas ásperas, aromáticas, aovadas, de bordes ondulados, flor menuda y fruto apiñado.

Fililí. (De *fileli.*) m. fam. Delicadeza, sutileza, primor de alguna cosa.

Filipéndula. (Del lat. *filum,* hilo, y *pendŭla,* colgante, pendiente.) f. Hierba de la familia de las rosáceas, con tallos sencillos de cuatro a seis decímetros de altura; hojas divididas en muchos segmentos desiguales, lanceolados y lampiños; estípulas semicirculares y dentadas, flores en macetas terminales, blancas o ligeramente róseas, y raíces de mucha fécula astringente, tuberculosas y pendientes entre sí de una especie de hilos.

Filipense. (Del lat. *philippensis.*) adj. Natural de Filipos. Ú. t. c. s. || **2.** Perteneciente a esta ciudad de Macedonia.

Filipense. (De *Filipo,* Felipe.) adj. Dícese del sacerdote de la Congregación de San Felipe Neri. Ú. t. c. s.

Filípica. (Con alusión a las arengas u oraciones de Demóstenes contra *Filipo,* rey de Macedonia.) f. Invectiva, censura acre.

Filipichín. m. Tejido de lana estampado.

Filipina. f. *Cuba.* Chaqueta de dril, sin solapas, que visten los hombres.

Filipinismo. m. Vocablo o giro propio de los filipinos que hablan la lengua española. || **2.** Afición a las cosas propias de Filipinas.

Filipinista. com. Persona que cultiva y estudia las lenguas, costumbres e historia de Filipinas.

Filipino, na. adj. Natural de las islas Filipinas. Ú. t. c. s. || **2.** Perteneciente a ellas.

Filis. (De *Filis,* nombre poético de mujer.) f. Habilidad, gracia y delicadeza en hacer o decir las cosas para que salgan con la última perfección. || **2.** Juguetillo de barro muy pequeño que solían usar las mujeres atado en una cinta prendida al brazo.

Filisteo, a. (Del lat. *philistaeus.*) adj. Dícese del individuo de una pequeña nación enemiga de los israelitas, y que ocupaba la costa del Mediterráneo al norte de Egipto. Ú. t. c. s. || **2.** Perteneciente o relativo a los **filisteos.** || **3.** m. fig. Hombre de mucha estatura y corpulencia.

Filo. (Del lat. *filum.*) m. Arista o borde agudo de un instrumento cortante. || **2.** Punto o línea que divide una cosa en dos partes iguales. || **3.** ant. **Hilo.** || **del viento.** *Mar.* Línea de dirección que éste lleva. || **rabioso.** El que se da al cuchillo u otra arma ligeramente y sin arte. || **Dar filo, o un hilo.** fr. Amolar, afilar. || **Darse un filo a la lengua.** fr. fig. y fam. **Murmurar,** 4.ª acep. || **De doble filo.** loc. Dícese de las armas blancas que tienen **filo** por ambas partes. || **2.** fig. Dícese de las cosas y acciones que pueden obrar en favor o en contra de lo que se pretende. || **Embotar los filos.** fr. fig. Entorpecer y detener la agudeza, eficacia y ardor con que uno hace, dice o pretende alguna cosa. || **Hacer** uno alguna cosa **en el filo de una espada.** fr. fig. y fam. Hacerla en ocasión difícil o arriesgada. || **Herir por los mismos filos.** fr. fig. Valerse uno de las mismas razones o acciones de otro para impugnarle o mortificarle. || **Por filo.** m. adv. Justa, cabalmente, en punto.

Filodio. (Del gr. φυλλώδης, parecido a una hoja.) m. *Bot.* Pecíolo muy ensanchado, a manera de la lámina de una hoja.

Filófago, ga. (Del gr. φύλλον, hoja, y φαγεῖν, comer.) adj. *Zool.* Que se alimenta de hojas. Ú. t. c. s.

Filología. (Del lat. *philologĭa,* y éste del gr. φιλολογία.) f. Estudio científico de una lengua y de las manifestaciones del espíritu a que ella sirve de medio de expresión. || **2.** Particularmente, estudio científico de la parte gramatical y lexicográfica de una lengua.

Filológica. (De *filológico.*) f. **Filología.**

Filológicamente. adv. m. Con arreglo a los principios de la filología.

Filológico, ca. (De *filología.*) adj. Perteneciente o relativo a la filología.

Filólogo. (Del lat. *philolŏgus,* y éste del gr. φιλολόγος; de φίλος, que ama, y λόγος, doctrina, erudición.) m. El versado en filología.

Filomanía. (Del gr. φύλλον, hoja, y μανία, afición desmedida.) f. Superabundancia de hojas en un vegetal.

Filomela. (Del lat. *philomēla,* y éste del gr. Φιλομήλα; de φίλος, que ama, y μέλος, el canto.) f. poét. **Ruiseñor.**

Filomena. f. poét. Filomela.

Filón. (Del fr. *filon.*) m. *Min.* Masa metalífera o pétrea que rellena una antigua quiebra de las rocas de un terreno. || **2.** fig. Materia, negocio, recurso del que se espera sacar gran provecho.

Filonio. (Del lat. *philonium,* de *Philon,* nombre de un médico.) m. *Farm.* Electuario compuesto de miel, opio y otros ingredientes calmantes y aromáticos.

Filopos. m. pl. *Mont.* Telas o vallas de lienzo y cuerda que se forman para encaminar las reses al paraje en que se deben montear.

Filoseda. (De *filo,* hilo, y *seda.*) f. Tela de lana y seda. || **2.** Tejido de seda y algodón.

Filoso, sa. adj. *Argent., C. Rica* y *Hond.* Afilado, que tiene filo. || **2.** f. Planta cistínea. || **3.** *Germ.* **Espada,** 1.ª acep.

Filosofador, ra. adj. Que filosofa. Ú. t. c. s.

Filosofal. (De *filósofo.*) adj. V. **Piedra filosofal.** || **2.** ant. **Filosófico.**

Filosofalmente. adv. m. ant. **Filosóficamente.**

Filosofar. (Del lat. *philosophāri.*) intr. Examinar una cosa como filósofo, o discurrir acerca de ella con razones filosóficas. || **2.** fam. Meditar, hacer soliloquios.

Filosofastro. (Del lat. *philosophaster, -tri.*) m. despect. Falso o pretenso filósofo, que no tiene la instrucción necesaria para ser considerado como tal.

Filosofía. (Del lat. *philosophia,* y éste del gr. φιλοσοφία, de φιλόσοφος, filósofo.) f. Ciencia que trata de la esencia, propiedades, causas y efectos de las cosas naturales. || **2.** Conjunto de doctrinas que con este nombre se aprenden en los institutos, colegios y seminarios. || **3.** Facultad dedicada en las universidades a la ampliación de estos conocimientos. || **4.** fig. Fortaleza o serenidad de ánimo para soportar las vicisitudes de la vida. || **moral.** La que trata de la bondad o malicia de las acciones humanas. || **natural.** La que investiga las leyes de la naturaleza.

Filosóficamente. adv. m. Con filosofía.

Filosófico, ca. (Del lat. *philosophĭcus,* y éste del gr. φιλοσοφικός.) adj. Perteneciente o relativo a la filosofía. || **2.** V. **Duda filosófica.** || **3.** ant. V. **Lana filosófica.**

Filosofismo. (De *filósofo.*) m. Falsa filosofía. || **2.** Abuso de esta ciencia.

Filósofo, fa. (Del lat. *philosŏphus,* y éste del gr. φιλόσοφος; de φίλος, amante, y σοφός, sabio.) adj. **Filosófico.** || **2.** **Afilosofado.** || **3.** m. El que estudia, profesa o sabe la filosofía. || **4.** Hombre virtuoso y austero que vive retirado y huye de las distracciones y concurrencias.

Filotráquea. f. *Zool.* Cada una de las bolsas comunicantes con el exterior, y con pared provista de repliegues laminares, que tienen los escorpiones y arañas, y en las cuales entra el aire que el animal utiliza para la respiración.

Filoxera. (Del gr. φύλλον, hoja, y ξηρός, seco.) f. Insecto hemíptero, oriundo de la América del Norte, parecido al pulgón, de color amarillento, de menos de medio milímetro de largo, que ataca primero las hojas y después los filamentos de las raíces de las vides, y se multiplica con tal rapidez, que en poco tiempo aniquila todos los viñedos de una comarca. || **2.** fig. y fam. **Borrachera,** 1.ª acep.

Filoxérico, ca. adj. Relativo a la filoxera.

Filtración. (Del lat. *filtratio, -ōnis.*) f. Acción de filtrar o filtrarse.

Filtrador, ra. (De *filtrar.*) adj. Que filtra. || **2.** m. **Filtro,** 1.er art., 1.ª acep.

Filtrante. adj. Que filtra o sirve de filtro.

Filtrar. tr. Hacer pasar un líquido por un filtro. || **2.** intr. Penetrar un líquido a través de otro cuerpo sólido. || **3.** Dejar un cuerpo sólido pasar un líquido a través de sus poros, vanos o resquicios. || **4.** r. fig. Hablando de dinero o de bienes, desaparecer inadvertida o furtivamente.

Filtro. m. Materia porosa (fieltro, papel, esponja, carbón, piedra) o masa de arena o piedras menudas a través de la cual se hace pasar un líquido para clarificarlo. Dícese, por extensión, de aparatos similares dispuestos para depurar el gas que los atraviesa. || **2.** Manantial de agua dulce en la costa del mar y a veces hasta en parajes bañados por el mar. || **3.** *Ópt.* Pantalla que se interpone al paso de la luz para excluir ciertos rayos, dejando pasar otros. || **4.** *Electr.* Aparato para eliminar determinadas frecuencias en la corriente que lo atraviesa.

Filtro. (Del lat. *philtrum,* y éste del gr. φίλτρον.) m. Bebida o composición que se ha fingido podía conciliar el amor de una persona.

Filudo, da. adj. *Amér.* De filo muy agudo.

Filustre. m. fam. Finura, elegancia.

Filván. m. Rebaba sutil que queda en el corte de una herramienta recién afilada.

Filló. (Del gall. *filló,* hojaldre.) m. Fruta de sartén, que se hace con masa de harina, yemas de huevo batidas y un poco de leche, frita en manteca. Ú. m. en pl.

Filloa. (Del gall. *filloa,* y éste del lat. *foliola,* hojuela.) f. **Filló.** Ú. m. en pl.

Filloga. (Del gall. *filloa,* y éste del lat. *foliola,* de *fŏlia,* hoja.) f. *Zam.* Morcilla hecha con sangre de cerdo, arroz, canela y azúcar.

Fimbria. (Del lat. *fimbria,* de *fiber,* remate.) f. Borde inferior de la **vestidura talar.** || **2.** Orla o franja de adorno.

Fimo. (Del lat. *fimus.*) m. **Estiércol.**

Fimosis. (Del gr. φίμωσις.) f. *Med.* Estrechez del orificio del prepucio, que impide la salida del bálano.

Fin. (Del lat. *finis.*) amb. Término, remate o consumación de una cosa. Ú. m. c. m. || **2.** m. desus. Límite, confín. || **3.** Objeto o motivo con que se ejecuta una cosa. || **4.** V. **Cuerda, tornillo sin fin.** || **de fiesta.** Composición literaria corta con la cual se terminaba un espectáculo teatral. || **2.** fig. Final notable, por lo común impertinente, de una conversación, asunto, etc. || **último.** Aquel a cuya consecución se dirigen la intención y los medios del que obra. || **A fin de.** m. conjunt. final. Con objeto de; para. Únese con el infinitivo. A FIN DE *averiguar la verdad.* || **A fin de que.** m. conjunt. final. Con objeto de que; para que. Únese con el subjuntivo. A FIN DE QUE *no haya nuevas dilaciones.* || **A fines** del mes, año, siglo, etc. m. adv. En los últimos días de cualquiera de estos períodos de tiempo. || **A la fin loa la vida, y a la tarde loa el día.** expr. proverb. **Hasta el fin nadie es dichoso.** || **Al fin.** m. adv. Por último; después de vencidos todos los embarazos. Dícese también **al fin, al fin,** o **al fin, fin,** para mayor energía de lo que se asienta o trata. || **Al fin de la jornada.** loc. adv. Al cabo de tiempo; al concluirse, al descubrirse una cosa. || **Al fin del mundo.** loc. adv. En sitio muy apartado. || **Al fin se canta la gloria.** expr. con que se da a entender que hasta estar concluida una cosa no se puede hacer juicio cabal de ella. || **2.** fig. Indica que el premio viene después del trabajo. || **Al fin y a la postre. Al fin y al cabo. Al fin y al postre.** ms. advs. **Al fin, al fin.** || **Dar fin.** fr. Acabarse una cosa. || **2. Morir,** 1.ª acep. || **Dar fin a** una cosa. fr. Acabarla, concluirla. || **Dar fin de** una cosa. fr. Destruirla, consumirla enteramente. || **En fin.** m. adv. Finalmente, últimamente. || **2.** En suma, en resumidas cuentas, en pocas palabras. || **En fin de cuentas.** m. adv. En resumen, en definitiva. || **Hasta el fin nadie es dichoso.** loc. proverb. con que se recomienda no alegrarse porque vaya bien un asunto hasta ver cómo acaba. || **Poner fin a** una cosa. fr. **Dar fin a** una cosa. || **Por fin.** m. adv. **En fin.** || **Por fin y postre.** m. adv. Al cabo, por remate. || **Sin fin.** loc. fig. Sin número, innumerables.

Finable. (De *finar.*) adj. ant. **Acabable.**

Finado, da. p. p. de **Finar.** || **2.** m. y f. Persona muerta.

Final. (Del lat. *finālis.*) adj. Que remata, cierra o perfecciona una cosa. || **2.** V. **Causa, impenitencia, perseverancia final.** || **3.** *Gram.* V. **Conjunción final.** || **4.** *Ortogr.* V. **Punto final.** || **5.** *Teol.* V. **Juicio final.** || **6.** m. Fin y remate de una cosa. || **7.** f. Última y decisiva competición de un campeonato o concurso. || **8.** V. **Cuarto de final.** || **Por final.** m. adv. **En fin.**

Finalidad. (Del lat. *finalĭtas, -ātis.*) f. fig. Fin con que o por que se hace una cosa.

Finalista. com. Partidario de la doctrina de las causas finales. || **2.** Cada uno de los que llegan a la prueba final, después de haber resultado vencedores en los concursos previos de un campeonato.

Finalizar. (De *final.*) tr. Concluir una obra; darle fin. || **2.** intr. Extinguirse, consumirse o acabarse una cosa.

Finalmente. adv. m. Últimamente, en conclusión.

Finamente. adv. m. Con finura o delicadeza.

Finamiento. (De *finar.*) m. **Fallecimiento.**

Financiar. (Del fr. *financer.*) tr. Crear o fomentar una empresa aportando el dinero necesario.

Financiero, ra. (Del fr. *financier,* de *finances,* hacienda pública.) adj. Perteneciente o relativo a la hacienda pública, a las cuestiones bancarias y bursátiles o a los grandes negocios mercantiles. || **2.** m. y f. Persona versada en la teoría o en la práctica de estas mismas materias.

Finanza. (Del fr. *finances,* de *finer,* finar.) f. ant. **Fianza,** 1.ª acep. || **2.** ant. **Rescate.**

Finar. (De *fin.*) intr. Fallecer, morir. Usáb. t. en lo antiguo c. r. || **2.** r. Consumirse, deshacerse por una cosa o apetecerla con ansia.

Finca. (De *fincar.*) f. Propiedad inmueble, rústica o urbana. || **¡Buena finca!** irón. **¡Buena hipoteca!**

Fincabilidad. f. Caudal inmueble.

Fincable. (De *fincar.*) adj. ant. **Restante.**

Fincar. (De *ficar.*) tr. ant. **Hincar,** 1.ª acep. || **2.** intr. Adquirir fincas. Ú. t. c. r. || **3.** ant. **Hincar,** 4.ª acep.

Finchado, da. p. p. de **Finchar.** || **2.** adj. fam. Ridículamente vano o engreído.

Finchar. tr. ant. **Hinchar.** || **2.** r. fam. Engreírse, envanecerse.

Finchazón. f. ant. **Hinchazón.**

Finés, sa. (Del lat. *Finnia,* Finlandia.) adj. Dícese del individuo de un pueblo antiguo que se extendió por varios países del Norte de Europa, y el cual dió nombre a Finlandia, poblada hoy por gente de la raza **finesa.** Ú. t. c. s. || **2.** Perteneciente a los **fineses.** || **3. Finlandés.** || **4.** m. Idioma **finés.**

Fineta. f. Tela de algodón de tejido diagonal compacto y fino.

Fineza. (De *fino.*) f. Pureza y bondad de una cosa en su línea. || **2.** Acción o dicho con que uno da a entender el amor y benevolencia que tiene a otro. || **3.** Actividad y empeño amistoso a favor de uno. || **4.** Dádiva pequeña y de cariño. || **5.** Delicadeza y primor.

Fingidamente. adv. m. Con fingimiento, simulación o engaño.

Fingido, da. p. p. de **Fingir.** || **2.** adj. Que finge, falso. *No te fíes de ése, que es muy* FINGIDO. || **3.** *For.* V. **Agnación fingida.**

Fingidor, ra. adj. Que finge. Ú. t. c. s.

Fingimiento. (De *fingir.*) m. Simulación, engaño o apariencia con que se intenta hacer que una cosa parezca diversa de lo que es. || **2.** ant. Fábula, ficción.

Fingir. (Del lat. *fingĕre.*) tr. Dar a entender lo que no es cierto. Ú. t. c. r. || **2.** Dar existencia ideal a lo que realmente no la tiene. Ú. t. c. r. || **3.** Simular, aparentar.

Finible. (De *finir.*) adj. Que se puede acabar.

Finibusterre. (De las palabras latinas *finibus terrae;* lit., en los fines de la tierra o del mundo.) m. *Germ.* Término o fin. || **2.** *Germ.* **Horca,** 1.ª acep. || **3.** fam. Colmo, el acabóse.

Finiestra. (Del lat. *fenĕstra,* ventana.) f. ant. **Ventana.**

Finiquitar. (De *finiquito.*) tr. Terminar, saldar una cuenta. || **2.** fig. y fam. Acabar, concluir, rematar.

Finiquito. (De *fin* y *quito.*) m. Remate de las cuentas, o certificación que se da para que conste estar ajustadas y satisfecho el alcance que resulta de ellas. || **Dar finiquito.** fr. fig. y fam. Acabar con el caudal o con otra cosa.

Finir. (Del lat. *finīre.*) intr. ant. Finalizar, acabar. Ú. en *Colomb., Chile* y *Venez.*

Finisecular. adj. Perteneciente o relativo al fin de un siglo determinado.

Finítimo, ma. (Del lat. *finitĭmus.*) adj. p. us. Cercano, vecino, confinante. Dícese de poblaciones, territorios, campos, etc.

Finito, ta. (Del lat. *finītus,* acabado, finalizado.) adj. Que tiene fin, término, límite.

Finlandés, sa. adj. Natural u oriundo de Finlandia. Ú. t. c. s. || **2.** Perteneciente a este país de Europa. || **3.** Idioma **finlandés.**

Fino, na. (Del b. lat. *finus,* por el lat. *finītus,* acabado.) adj. Delicado y de buena calidad en su especie. || **2.** Delgado, sutil. || **3.** Dícese de la persona delgada, esbelta y de facciones delicadas. || **4.** De exquisita educación; urbano, cortés. || **5.** Amoroso, afectuoso. || **6.** Astuto, sagaz. || **7.** Que hace las cosas con primor y oportunidad. || **8.** Tratándose de metales, muy depurado o acendrado. || **9.** Dícese del jerez muy seco, de color pálido, y cuya graduación oscila entre 15 y 17 grados. Ú. t. c. m. || **10.** V. **Hierba, manzanilla, piedra fina.** || **11.** *Mar.* Dícese del buque que por su traza corta el agua con facilidad. || **12.** pl. Polvo de carbón mineral arrastrado por las aguas durante el lavado, y que se recupera por tratamiento de dichas aguas.

Finojo. (Del lat. *fenŭcŭlum,* hinojo.) m. ant. **Hinojo,** 2.° art. Usáb. m. en pl.

Finquero. m. El que explota una finca rústica en los territorios españoles del Golfo de Guinea.

Finta. f. Tributo que se pagaba al príncipe, de los frutos de la hacienda de cada súbdito, en caso de grave necesidad.

Finta. (Del lat. **fincta,* de *ficta* con la *n* de *fingĕre.*) f. Ademán o amago que se hace con intención de engañar a uno. ‖ **2.** *Esgr.* Amago de golpe para tocar con otro; hácese para engañar al contrario, que acude a parar el primer golpe.

Finura. (De *fino.*) f. Primor, delicadeza, buena calidad. ‖ **2.** Urbanidad, cortesía.

Finústico, ca. (De *fino* con la terminación de *rústico.*) adj. fam. despect. de **Fino;** dícese especialmente de la persona que exagera su cortesía en el trato social.

Finustiquería. f. fam. Calidad de finústico.

Fiñana. m. Variedad de trigo fanfarrón, de aristas negras.

Fiofío. (Voz onomatopéyica.) m. *Chile.* Pajarillo insectívoro, de plumaje verde aceitunado, blanquecino por el vientre y la garganta, y con una cresta blanca.

Fiordo. (Del escand. *fjord.*) m. Golfo en las costas de Noruega, estrecho y profundo, entre montañas de laderas abruptas, formado por los glaciares, durante el período cuaternario.

Fique. m. *Colomb., Méj.* y *Venez.* Fibra de la pita de que se hacen cuerdas.

Firma. (De *firmar;* en b. lat. *firma.*) f. Nombre y apellido, o título, de una persona, que ésta pone con rúbrica al pie de un documento escrito de mano propia o ajena, para darle autenticidad o para obligarse a lo que en él se dice. ‖ **2.** Nombre y apellido, o título, de la persona que no usa rúbrica, o no debe usarla, puesto al pie de un documento. ‖ **3.** Conjunto de documentos que se presentan a un jefe para que los firme. ‖ **4.** Acto de firmarlos. ‖ **5.** *Ar.* Uno de los cuatro procesos forales de Aragón, por el cual se mantenía a uno en la posesión de los bienes o derechos que se suponía pertenecerle. ‖ **6.** *For. Ar.* Despacho que expedía el tribunal al que se valía de este proceso. ‖ **en blanco.** La que se da a uno, dejando hueco en el papel, para que pueda escribir lo convenido o lo que quiera. ‖ **tutelar.** *For. Ar.* Despacho que se expide en virtud de título; como ley o escritura pública. ‖ **Buena,** o **mala, firma.** En el comercio, persona de crédito, o que carece de él. ‖ **Media firma.** En los documentos oficiales, aquella en que se omite el nombre de pila. ‖ **Dar uno firma en blanco a** otro. fr. fig. Darle facultades para que obre con toda libertad en un negocio. ‖ **Dar** uno **la firma a** otro. fr. *Com.* Confiarle la representación y la dirección de su casa o de una dependencia. ‖ **Echar una firma.** fr. fig. y fam. Remover con la badila las ascuas del brasero para dejarlas al descubierto de la ceniza. ‖ **Llevar** uno **la firma de** otro. fr. *Com.* Tener la representación y dirección de la casa de otro o de una dependencia.

Firmal. (Del port. *firmal,* y éste del lat. *firmus,* firme.) m. Joya en forma de broche.

Firmamento. (Del lat. *firmamentum.*) m. La bóveda celeste en que están aparentemente los astros. ‖ **2.** ant. Apoyo o cimiento sobre que se afirma alguna cosa.

Firmamiento. m. ant. **Firmeza.**

Firmán. (Del persa *fermān,* orden, rescripto.) m. Decreto soberano en Turquía.

Firmante. p. a. de **Firmar.** Que firma. Ú. t. c. s.

Firmar. (Del lat. *firmāre,* afirmar, dar fuerza.) tr. Poner uno su firma. ‖ **2.** ant. Afirmar, dar firmeza y seguridad a una cosa. ‖ **3.** *Ar.* Afirmar, 3.ª acep. ‖ **4.** r. Usar de tal o cual nombre o título en la firma. ‖ **Firmar en blanco.** fr. Poner uno su firma en papel que, en todo o en parte, no está escrito, para que otro escriba en él lo convenido o lo que quiera. ‖ **No estar** uno **para firmar.** fr. fig. y fam. Estar borracho.

Firme. (Del adv. lat. *firme,* del lat. *firmus.*) adj. Estable, fuerte, que no se mueve ni vacila. ‖ **2.** V. **Aguas firmes.** ‖ **3.** V. **Tierra firme.** ‖ **4.** fig. Entero, constante, que no se deja dominar ni abatir. ‖ **5.** *For.* V. **Sentencia firme.** ‖ **6.** m. Capa sólida de terreno, sobre que se puede cimentar. ‖ **7.** Capa de guijo o de piedra machacada que sirve para consolidar el piso de una carretera. ‖ **8.** adv. m. Con firmeza, con valor, con violencia. ‖ **De firme.** m. adv. Con constancia y ardor, sin parar. ‖ **2.** Con solidez. ‖ **3.** Recia, violentamente. ‖ **En firme.** m. adv. En las operaciones comerciales, modo de concertarlas con carácter definitivo. ‖ **2.** *Com.* Dícese de las operaciones de Bolsa que se hacen o contratan definitivamente a plazo fijo. ‖ **3.** *Equit.* V. **Parada en firme.** ‖ **Estar** uno **en lo firme.** fr. fig. y fam. Estar en lo cierto; profesar opinión o doctrina segura. ‖ **¡Firmes!** *Mil.* Voz de mando que se da en la formación a los soldados para que se cuadren. ‖ **Quedarse** uno **en firme,** o **en lo firme.** fr. fig. y fam. **Estar en los huesos.**

Firmedumbre. (Del lat. vulgar *firmitumen, -minis,* por *firmitūdo, -inis.*) f. ant. **Firmeza.**

Firmemente. adv. m. Con firmeza.

Firmeza. (De *firme.*) f. Estabilidad, fortaleza, estado de lo que no se mueve ni vacila. ‖ **2.** fig. Entereza, constancia, fuerza moral de quien no se deja dominar ni abatir.

Firmón. (De *firmar.*) adj. Aplícase al que por interés firma escritos o trabajos facultativos ajenos. *Abogado* FIRMÓN.

Firulete. m. *Argent.* y *Perú.* Adorno superfluo y de mal gusto. Ú. m. en pl.

Fisán. (Del lat. *phasēlus,* alubia, con cambio de sufijo.) m. *Sant.* Alubia, judía.

Fisberta. (De *Fusberta,* nombre de la espada de Reinaldo, según Ariosto y Pulci.) f. *Germ.* **Espada,** 1.ª acep.

Fiscal. (Del lat. *fiscālis.*) adj. Perteneciente al fisco o al oficio de **fiscal.** ‖ **2.** V. **Agencia, agente, promotor, zona fiscal.** ‖ **3.** ant. V. **Solicitador fiscal.** ‖ **4.** m. Ministro encargado de promover los intereses del fisco. ‖ **5.** El que representa y ejerce el ministerio público en los tribunales. ‖ **6.** fig. El que averigua o delata las operaciones de uno. ‖ **7.** desus. *Amér.* En los pueblos de indios era uno de los indígenas encargado de que los demás cumpliesen sus deberes religiosos. ‖ **8.** *Boliv.* y *Chile.* Seglar que cuida de una capilla rural, dirige las funciones del culto y auxilia al párroco, por quien es nombrado. ‖ **civil.** Magistrado que, representando el interés público, intervenía cuando era necesario en los negocios civiles. ‖ **criminal.** Ministro que promovía la observancia de las leyes que tratan de delitos y penas. ‖ **de lo civil. Fiscal civil.** ‖ **de vara.** Alguacil eclesiástico. ‖ **togado.** Funcionario del cuerpo jurídico militar que representa al ministerio público ante los tribunales superiores militares.

Fiscalear. tr. ant. **Fiscalizar.**

Fiscalía. f. Oficio y empleo de fiscal. ‖ **2.** Oficina o despacho del fiscal.

Fiscalizable. adj. Que se puede o se debe fiscalizar.

Fiscalización. f. Acción y efecto de fiscalizar.

Fiscalizador, ra. adj. Que fiscaliza. Ú. t. c. s. m.

Fiscalizar. tr. Hacer el oficio de fiscal. ‖ **2.** fig. Criticar y traer a juicio las acciones u obras de otro.

Fisco. (Del lat. *fiscus.*) m. Erario, tesoro público. ‖ **2.** Moneda de cobre de Venezuela, equivalente a la cuarta parte de un centavo.

Fiscorno. m. Instrumento músico de metal parecido al bugle y que es uno de los que componen la cobla.

Fisga. f. *Ast.* Pan de escanda. ‖ **2.** *Ast.* Grano de la escanda descascarado.

Fisga. (De *fisgar.*) f. Arpón de tres dientes para pescar peces grandes. ‖ **2.** Burla que con arte se hace de una persona, usando de palabras irónicas o acciones disimuladas.

Fisgador, ra. adj. Que fisga. Ú. t. c. s.

Fisgar. (Del lat. **fixicāre,* clavar, de *fixus,* fijo.) tr. Pescar con fisga o arpón. ‖ **2. Husmear,** 1.ª acep. ‖ **3.** Atisbar para ver lo que pasa en la casa del vecino. ‖ **4.** intr. Burlarse de uno diestra y disimuladamente; hacer fisga. Ú. t. c. r.

Fisgón, na. adj. Que tiene por costumbre fisgar o hacer burla. Ú. t. c. s. ‖ **2. Husmeador.** Ú. t. c. s.

Fisgonear. (De *fisgón.*) tr. Fisgar, husmear de continuo o por hábito.

Fisgoneo. m. Acción y efecto de fisgonear.

Física. (Del lat. *physica,* y éste del gr. φυσική, t. f. de -κός, físico.) f. Ciencia que tiene por objeto el estudio de los cuerpos y sus leyes y propiedades, mientras no cambia su composición, así como el de los agentes naturales con los fenómenos que en los cuerpos produce su influencia. ‖ **2.** ant. **Medicina,** 1.ª acep.

Físicamente. adv. m. **Corporalmente.** ‖ **2.** Real y verdaderamente.

Físico, ca. (Del lat. *physĭcus,* y éste del gr. φυσικός, de φύσις, naturaleza.) adj. Perteneciente a la física. ‖ **2.** Perteneciente a la constitución y naturaleza corpórea, y en este sentido se contrapone a moral. ‖ **3.** V. **Geografía, imposibilidad física.** ‖ **4.** *Cuba* y *Méj.* Pedante, melindroso. ‖ **5.** m. El que profesa la física. ‖ **6.** ant. Profesor de medicina, médico. Ú. en muchos pueblos de Castilla. ‖ **7.** Exterior de una persona; lo que forma su constitución y naturaleza.

Fisicoquímica. f. Parte de las ciencias naturales que estudia los fenómenos comunes a la física y a la química.

Fisicoquímico, ca. adj. Perteneciente o relativo a la fisicoquímica.

Fisiocracia. (Del gr. φύσις, naturaleza, y κράτος, poder.) f. Sistema económico que atribuía exclusivamente a la naturaleza el origen de la riqueza.

Fisiócrata. com. Partidario de la fisiocracia.

Fisiología. (Del lat. *physiologĭa,* y éste del gr. φυσιολογία, de φυσιολόγος, fisiólogo.) f. Ciencia que tiene por objeto el estudio de las funciones de los seres orgánicos.

Fisiológicamente. adv. m. Con arreglo a las leyes de la fisiología.

Fisiológico, ca. (Del gr. φυσιολογικός.) adj. Perteneciente a la fisiología. ‖ **2.** V. **Atrofia fisiológica.**

Fisiólogo. (Del lat. *physiolŏgus,* y éste del gr. φυσιολόγος, de φύσις, naturaleza.) m. El que estudia o profesa la fisiología.

Fisión. (Del lat. *fissio, -ōnis.*) f. *Fís.* Escisión del núcleo de un átomo, acompañada de liberación de energía, tal como se produce mediante el bombardeo de dicho núcleo con neutrones.

Fisionomía. (Del lat. *physiognomĭa,* y éste del gr. φυσιογνωμονία, de φυσιογνώμων; de φύσις, naturaleza, y γνώμων, el que distingue.) f. **Fisonomía.**

Fisioterapia. (Del gr. φύσις, naturaleza, y θεραπεία, curación.) f. *Med.* Método curativo por medio de los agentes naturales: aire, agua, luz, etc.

Fisípedo, da. (Del lat. *fissĭpes, -ĕdis;* de *fissus,* hendido, y *pes,* pie.) adj. **Bisulco.** Ú. t. c. s.

Fisirrostro, tra. (Del lat. *fissus*, hendedura, y *rostrum*, pico.) adj. *Zool.* Dícese del pájaro que tiene el pico corto, ancho, aplastado y profundamente hendido. || **2.** m. pl. *Zool.* Suborden de estos animales, al cual pertenecen las golondrinas y los vencejos.

Fisonomía. (De *fisionomía.*) f. Aspecto particular del rostro de una persona, que resulta de la varia combinación de sus facciones. || **2.** fig. Aspecto exterior de las cosas.

Fisonómico, ca. adj. Perteneciente a la fisonomía.

Fisonomista. adj. Dícese del que se dedica a hacer estudio de la fisonomía. Ú. t. c. s. || **2.** Aplícase al que sin este estudio tiene facilidad natural para recordar y distinguir a las personas por su fisonomía. Ú. t. c. s.

Fisónomo. m. **Fisonomista.**

Fisostigmina. (Del gr. φῦσα, vejiga y soplo, y στίγμα, señal.) f. *Quím.* Alcaloide muy venenoso que se extrae del haba del calabar y de algunas otras plantas de la familia de las papilionáceas, y que se emplea en medicina para contraer la pupila y contra la hiperestesia de la medula espinal.

Fisóstomo. (De φῦσα, vejiga, y στόμα, boca.) adj. *Zool.* Dícese de los peces teleósteos con aletas de radios blandos y flexibles y de las cuales las abdominales están situadas detrás de las pectorales, o no existen. Ú. t. c. s. || **2.** m. pl. *Zool.* Suborden de estos animales, al que pertenecen muchos peces marinos y la mayoría de los de agua dulce.

Fistol. (Del ital. *fistolo*, diablo.) m. p. us. Hombre ladino y sagaz en su conducta, y singularmente en el juego. || **2.** *Méj.* Alfiler que se prende como adorno en la corbata.

Fístola. f. ant. **Fístula.**

Fistolar. (De *fístola.*) tr. ant. **Afistolar.**

Fistra. (Del lat. *fistŭla*, cañafístula.) f. **Ameos,** 1.ª acep.

Fístula. (Del lat. *fistŭla.*) f. Cañón o arcaduz por donde pasa el agua u otro líquido. || **2.** Instrumento músico de aire, a manera de flauta. || **3.** *Cir.* Conducto anormal, ulcerado y estrecho que se abre en la piel o en las membranas mucosas. || **lagrimal. Rija,** 1.er art.

Fistular. (Del lat. *fistulāris.*) adj. Perteneciente a la fístula.

Fistular. tr. **Afistolar.**

Fistuloso, sa. (Del lat. *fistulōsus.*) adj. Que tiene la forma de fístula o su semejanza. || **2.** *Cir.* Aplícase a las llagas y úlceras en que se forman fístulas.

Fisura. (Del lat. *fissūra.*) f. *Cir.* Fractura o hendedura longitudinal de un hueso. || **2.** *Cir.* Grieta en el ano. || **3.** *Min.* Hendedura que se encuentra en una masa mineral.

Fito, ta. (Del lat. *fictus*, p. p. de *figĕre*, fijar.) p. p. ant. de **Fincar.** || **2.** m. ant. Hito o mojón.

Fitófago, ga. (Del gr. φυτόν, vegetal, y φαγεῖν, comer.) adj. Que se alimenta de materias vegetales. Ú. t. c. s.

Fitoftirio. (Del gr. φυτόν, planta, y φθορά corrupción.) adj. *Zool.* Dícese de insectos hemípteros de pequeño tamaño, ápteros o con cuatro alas membranosas, que viven parásitos de los vegetales, a los que suelen causar grandes perjuicios porque chupan su savia y obstruyen sus estomas; como la filoxera. Ú. t. c. s. || **2.** m. pl. *Zool.* Suborden de estos animales.

Fitografía. (De *fitógrafo.*) f. Parte de la botánica, que tiene por objeto la descripción de las plantas.

Fitográfico, ca. adj. Perteneciente o relativo a la fitografía.

Fitógrafo. (Del gr. φυτόν, vegetal, y γράφω, describir.) m. El que profesa o sabe la fitografía.

Fitolacáceo, a. (De *phytolacca*, nombre de un género de plantas, y éste del gr. φυτόν, vegetal, y *laca.*) adj. *Bot.* Dícese de plantas angiospermas dicotiledóneas, matas y árboles, por lo común lampiños, con hojas alternas, simples y membranosas o algo carnosas, flores casi siempre hermafroditas, fruto abayado y a veces de otras formas, y semilla de albumen amiláceo, como la hierba carmín y el ombú. Ú. t. c. s. f. || **2.** f. pl. *Bot.* Familia de estas plantas.

Fitología. (Del gr. φυτόν, vegetal, y λόγος, tratado.) f. **Botánica.**

Fitonisa. f. **Pitonisa.**

Fitopatología. (Del gr. φυτόν, vegetal, y παθολογία.) f. Estudio de las enfermedades de las plantas.

Fitotomía. (Del gr. φυτόν, vegetal, y τομή, sección.) f. Parte de la botánica, que estudia la anatomía de las plantas.

Fiucia. f. ant. **Fiducia.**

Fiuciar. (Del lat. *fiduciāre.*) tr. ant. **Afiuciar.**

Fiyuela. f. *León.* **Filloga.**

Fizar. (Del lat. **fictiāre*, del p. p. *fictus*, de *figĕre*, hincar.) tr. *Ar.* Picar, producir una picadura o mordedura, especialmente los insectos o reptiles.

Fizón. (De *fizar.*) m. *Ar.* **Aguijón.**

Flabelicornio. (Del lat. *flabellum*, abanico, y *cornu*, cuerno.) adj. *Zool.* Que tiene las antenas en forma de abanico.

Flabelífero, ra. (Del lat. *flabellĭfer, -ĕri*, que lleva abanico.) adj. Aplícase al que tiene por oficio llevar y agitar un abanico grande montado en una vara, en ciertas ceremonias religiosas o cortesanas.

Flabeliforme. (Del lat. *flabellum*, abanico, y *forma*, forma.) adj. En forma de abanico.

Flabelo. m. Abanico grande con mango largo.

Flacamente. adv. m. Débil, flojamente.

Flaccidez. f. Calidad de fláccido. || Laxitud, debilidad muscular, flojedad.

Fláccido, da. (Del lat. *flaccĭdus.*) adj. Flaco, flojo, sin consistencia.

Flaco, ca. (Del lat. *flaccus.*) adj. Dícese de la persona o animal de pocas carnes. || **2.** V. **Tercio flaco.** || **3.** fig. Flojo, sin fuerzas, sin vigor para resistir. || **4.** fig. Aplícase al espíritu falto de vigor y resistencia, fácil de ser movido a cualquiera opinión. || **5.** fig. Endeble, sin fuerza. *Argumento, fundamento* FLACO. || **6.** m. Defecto moral o afición predominante de las personas.

Flacucho, cha. adj. d. despect. de **Flaco,** 1.ª acep.

Flacura. f. Calidad de flaco.

Flagelación. (Del lat. *flagellatio, -ōnis.*) f. Acción de flagelar o flagelarse.

Flagelado, da. (De *flagelo.*) adj. *Biol.* Dícese de la célula o microorganismo que tiene uno o varios flagelos. Ú. t. c. s. m. || **2.** m. pl. *Zool.* Clase de protozoos, que comprende animales provistos de flagelos en número que comúnmente no excede de ocho. Muchas de sus especies viven en las aguas dulces o marinas y otras son parásitas.

Flagelador, ra. adj. Que flagela. Ú. t. c. s.

Flagelante. p. a. de **Flagelar.** Que flagela. || **2.** m. Hereje de la secta que apareció en Italia en el siglo XIII, y cuyo error consistía en preferir, como más eficaz para el perdón de los pecados, la penitencia de los azotes a la confesión sacramental. || **3.** Disciplinante, penitente que se azotaba en público, especialmente en los días de Semana Santa.

Flagelar. (Del lat. *flagellāre.*) tr. **Azotar.** Ú. t. c. r. || **2.** fig. **Fustigar,** 2.ª acep.

Flagelo. (Del lat. *flagellum.*) m. Azote o instrumento destinado para azotar. || **2. Azote,** 5.ª y 6.ª aceps. || **3.** *Biol.* Cualquiera de los filamentos permanentes, largos y delgados que emergen del protoplasma de los protozoos flagelados, de algunas bacterias y algas unicelulares y de ciertos espermatozoides y esporas; mediante sus movimientos se efectúa la locomoción de estas células en un medio líquido.

Flagicio. (Del lat. *flagitium.*) m. ant. Delito grave y atroz.

Flagicioso, sa. (Del lat. *flagitiōsus.*) adj. ant. Que comete muchos y graves delitos.

Flagrancia. (Del lat. *flagrantia.*) f. Calidad de flagrante.

Flagrante. (Del lat. *flagrans, -antis.*) p. a. poét. de **Flagrar.** Que flagra. || **2.** adj. Que se está ejecutando actualmente. || **En flagrante.** m. adv. En el mismo momento de estarse cometiendo un delito, sin que el autor haya podido huir.

Flagrar. (Del lat. *flagrāre.*) intr. poét. Arder o resplandecer como fuego o llama.

Flama. (Del lat. *flamma.*) f. **Llama,** 1.er art. || **2.** Reflejo o reverberación de la llama. || **3.** *Mil.* Adorno que se usó en la parte anterior y superior del morrión y del chacó.

Flamante. (Del lat. *flammans, -antis.*) adj. ant. Que arroja llamas. || **2.** Lúcido, resplandeciente. || **3.** Nuevo en una línea o clase; recién entrado en ella. *Novio* FLAMANTE. || **4.** Aplicado a cosas, acabado de hacer o de estrenar. || **5.** pl. *Blas.* V. **Palos flamantes.**

Flamear. (De *flamma.*) intr. Despedir llamas. || **2.** fig. Ondear las grímpolas y flámulas, o la vela del buque por estar al filo del viento. || **3.** *Med.* Quemar alcohol u otro líquido inflamable en superficies o vasijas que se quieren esterilizar.

Flamen. (Del lat. *flamen.*) m. Sacerdote romano destinado al culto de especial y determinada deidad. Vestía largo manto abrochado al cuello, cubría su cabeza con un gorro a manera de casquete, realzado en lo alto por un borlón de lana, y llevaba en la mano un bastón de olivo. || **augustal.** El de Augusto. || **dial.** El de Júpiter. || **marcial.** El de Marte. || **quirinal.** El de Rómulo.

Flamenco, ca. (Del germ. *flaming.*) adj. Natural de la antigua región de Flandes o de las modernas provincias de este nombre. Ú. t. c. s. || **2.** Perteneciente a ellas. || **3.** Dícese de lo andaluz que tiende a hacerse agitanado. *Cante, aire, tipo* FLAMENCO. || **4. Achulado,** 2.ª acep. Ú. t. c. s. || **5.** Aplícase a las personas, especialmente a las mujeres, de buenas carnes, cutis terso y bien coloreado. Ú. t. c. s. || **6.** *P. Rico.* Delgado, flaco. || **7.** m. Idioma **flamenco.** || **8.** *And.* Cuchillo de Flandes. || **9.** *Argent.* **Facón.** || **10.** *Zool.* Ave del orden de las zancudas, de cerca de un metro de altura, con pico, cuello y patas muy largos, plumaje blanco en el cuello, pecho y abdomen, y rojo intenso en la cabeza, espalda, cola, parte superior de las alas, pies y parte superior del pico, cuya punta es negra, lo mismo que las remeras.

Flamenquería. f. Calidad de flamenco, chulería.

Flamenquilla. (De *flamenco.*) f. Plato mediano, de figura redonda u oblonga, mayor que el trinchero y menor que la fuente. || **2. Maravilla,** 3.ª acep.

Flamenquismo. m. Afición a las costumbres flamencas o achuladas.

Flámeo. (Del lat. *flammĕus.*) adj. Que participa de la condición de la llama. || **2.** m. Velo o toca de color de fuego que en la Roma antigua se ponía a las desposadas.

Flamero. (De *flama.*) m. Candelabro que, por medio de mixtos contenidos en él, arroja una gran llama.

Flamígero, ra. (Del lat. *flammĭger, -ĕra*; de *flamma*, llama, y *gerĕre*, llevar.) adj. Que arroja o despide llamas, o imita su figura.

Flámula. (Del lat. *flammŭla.*) f. Especie de grímpola. || **2.** ant. Ranúnculo o apio de ranas.

Flan. (Del fr. *flan*, y éste del germ. *flado*, pastel.) m. Plato de dulce que se hace mezclando yemas de huevo, leche y azúcar, y poniendo este compuesto, para que se cuaje, en el baño de María, dentro de un molde generalmente bañado de azúcar tostada. Suele componerse también de harina, y con frecuencia se le echa alguna otra cosa, como café, naranja, vainilla, etc. || **2.** *Numism.* **Cospel.**

Flanco. (Del fr. *flanc.*) m. Cada una de las dos partes laterales de un cuerpo considerado de frente. *El* FLANCO *derecho; por el* FLANCO *izquierdo.* || **2.** Costado, lado de un buque o de un cuerpo de tropa; como de navío, de batallón, escuadrón, columna, etc. || **3.** *Fort.* Parte del baluarte que hace ángulo entrante con la cortina, y saliente con el frente. || **4.** *Fort.* Cada uno de los dos muros que unen al recinto fortificado las caras de un baluarte. || **del escudo.** *Blas.* Cualquiera de los costados del mismo en el sentido de su longitud, y de un tercio de su anchura. || **retirado.** *Fort.* El del baluarte cuando está cubierto con el orejón.

Flandes. n. p. V. **Consejo, hoja de Flandes.** || **¿Estamos aquí, o en Flandes?** expr. fam. **¿Estamos aquí, o en Jauja?** || **No hay más Flandes.** fr. fig. desus. No hay cosa mejor; encarecimiento de hermosura, bondad, etc.

Flanero. m. Molde en que se cuaja el flan.

Flanqueado, da. p. p. de **Flanquear.** || **2.** adj. Dícese del objeto que tiene a sus flancos o costados otras cosas que le acompañan o completan. || **3.** Defendido o protegido por los flancos. || **4.** *Blas.* Dícese de la figura que parte el escudo del lado de los flancos, ya por medios óvalos, ya por medios rombos, que corren desde el ángulo del jefe al de la punta del mismo lado de donde toman su principio.

Flanqueador, ra. adj. Que flanquea. Ú. t. c. s.

Flanqueante. p. a. de **Flanquear.** Que flanquea.

Flanquear. (De *flanco.*) tr. Estar colocado al flanco o lado de una cosa. || **2.** *Mil.* Colocarse al flanco de una fuerza para defenderla o para atacarla, y también protegerla o atacarla por el flanco. || **3.** *Mil.* Estar colocado un castillo, baluarte, monte, etc., de tal suerte, respecto de una ciudad, fortificación, etc., que llegue a éstas con su artillería, cruzándolas o atravesándolas con sus fuegos.

Flanqueo. m. Acción o disposición de una tropa que bate al enemigo por sus flancos.

Flanquís. (Del fr. *flanchis.*) m. *Blas.* Sotuer que no tiene sino el tercio de su anchura normal.

Flaón. (Del fr. ant. *flaon*, y éste del germ. *flado.*) m. p. us. **Flan,** 1.ª acep.

Flaquear. (De *flaco.*) intr. Debilitarse, ir perdiendo la fuerza. || **2.** Amenazar ruina o caída alguna cosa, como un edificio, una columna o viga. || **3.** fig. Decaer de ánimo, aflojar en una acción.

Flaquecer. (De *flaco.*) intr. ant. **Enflaquecer.**

Flaquera. (De *flaco.*) f. *Sal.* Enfermedad de las abejas, producida por la falta de pasto.

Flaqueza. (De *flaco.*) f. Extenuación, falta, mengua de carnes. || **2.** fig. Debilidad, falta de vigor y fuerzas. || **3.** fig Fragilidad o acción defectuosa cometida por debilidad, especialmente de la carne. || **4.** *Esgr.* Tercio flaco.

Flato. (Del lat. *flatus*, viento.) m. Acumulación molesta de gases en el tubo digestivo, que algunas veces es enfermedad. || **2.** ant. **Viento,** 1.er art., 1.ª acep. || **3.** *Amér. Central, Colomb., Méj.* y *Venez.* Melancolía, murria, tristeza. || **Al flato, con el plato.** ref. con que se denota que esta incomodidad se suele combatir comiendo.

Flatoso, sa. adj. Sujeto a flatos.

Flatulencia. (Del b. lat. *flatulentia*, y éste del lat. *flatus*, viento.) f. Indisposición o molestia del flatulento.

Flatulento, ta. adj. Que causa flatos. || **2.** Que los padece. Ú. t. c. s.

Flatuoso, sa. adj. **Flatoso.**

Flauta. (En ant. fr. *flaüte.*) f. Instrumento músico de viento, en forma de tubo con varios agujeros circulares que se tapan con los dedos o con llaves. Se hacía comúnmente de boj o de ébano, y hoy se hace de metal. || **2.** m. **Flautista.** || **dulce.** La que tiene la embocadura en el extremo del primer tubo y en forma de boquilla. || **travesera.** La que se coloca de través, y de izquierda a derecha, para tocarla. Tiene cerrado el extremo superior del primer tubo, hacia la mitad del cual está la embocadura en forma de agujero ovalado, mayor que los demás. Éstos se tapan o destapan con los dedos o por medio de llaves. || **Y sonó la flauta;** a veces se completa, añadiendo **por casualidad.** fr. tomada de una fábula conocida, para indicar que un acierto ha sido casual.

Flautado, da. adj. Semejante a la flauta. || **2.** m. Uno de los registros del órgano, compuesto de cañones, cuyo sonido imita el de las flautas.

Flauteado, da. adj. De sonido semejante al de la flauta. Aplícase especialmente a la voz dulce y delicada.

Flautero. m. Artífice que hace flautas.

Flautillo. (De *flauta.*) m. **Caramillo,** 1.ª acep.

Flautín. (d. de *flauta.*) m. Flauta pequeña, de tono agudo y penetrante, cuyos sonidos corresponden a los de la flauta ordinaria, pero en una octava alta. Ú. en las orquestas, y más en las bandas militares. || **2.** Persona que toca este instrumento.

Flautista. com. Persona que ejerce o profesa el arte de tocar la flauta.

Flautos. (De *flauta.*) m. pl. fam. V. **Pitos flautos.**

Flavo, va. (Del lat. *flavus.*) adj. De color entre amarillo y rojo, como el de la miel, el del oro.

Flébil. (Del lat. *flebĭlis*, de *flēre*, llorar.) adj. Digno de ser llorado. || **2.** Lamentable, triste, lacrimoso. Ú. más en poesía.

Flebitis. (Del gr. φλέψ, vena, y el sufijo *itis*, inflamación.) f. Inflamación de las venas.

Flebotomía. (Del gr. φλεβοτομία, de φλεβοτόμος; de φλέψ, vena, y τέμνω, cortar.) f. Arte de sangrar, 1.ª acep. || **2.** **Sangría,** 1.ª acep.

Flebotomiano. m. Profesor de flebotomía; sangrador.

Fleco. (De *flueco.*) m. Adorno compuesto por una serie de hilos o cordoncillos colgantes de una tira de tela o de pasamanería. || **2.** **Flequillo,** 2.ª acep. || **3.** fig. Borde deshilachado por el uso en una tela vieja.

Flecha. (Del fr. *flèche.*) f. **Saeta.** || **2.** *Fort.* Obra compuesta de dos caras y dos lados, que suele formarse en tiempo de sitio a las extremidades de los ángulos entrantes y salientes del glacis: sirve para estorbar los aproches. || **3.** *Geom.* **Sagita.** || **4.** *Astron.* Constelación boreal situada al norte del Águila.

Flechador. m. El que dispara flechas.

Flechadura. f. *Mar.* Conjunto de lechastes de una tabla de jarcia.

Flechar. tr. Estirar la cuerda del arco, colocando en él la flecha para arrojarla. || **2.** Herir o matar a uno con flechas. || **3.** fig. y fam. Inspirar amor, cautivar los sentidos repentinamente. || **4.** intr. Tener el arco en disposición para arrojar la saeta.

Flechaste. (De *flecha*, como en fr. *enfléchure*, de *en* y *flèche.*) m. *Mar.* Cada uno de los cordeles horizontales que, ligados a los obenques, como a medio metro de distancia entre sí y en toda la extensión de jarcias mayores y de gavia, sirven de escalones a la marinería para subir a ejecutar las maniobras en lo alto de los palos.

Flechazo. m. Acción de disparar la flecha. || **2.** Golpe o herida que ésta causa. || **3.** fig. y fam. Amor que repentinamente se concibe o se inspira.

Flechera. f. Embarcación ligera de guerra, usada en Venezuela, de forma de canoa con quilla, movida por canaletes, y que antiguamente iba montada por indios armados de flechas.

Flechería. f. Conjunto de muchas flechas disparadas. || **2.** Provisión de flechas.

Flechero. m. El que se sirve del arco y de las flechas para las peleas y otros usos. || **2.** El que hace flechas.

Flechilla. f. d. de **Flecha.** || **2.** *Argent.* Pasto fuerte que come el ganado cuando está tierno. La planta está provista de unos vástagos de forma de flecha que son perjudiciales para el ganado.

Flegma. (Del lat. *phlegma*, y éste del gr. φλέγμα, inflamación o su efecto.) f. ant. **Flema.**

Flegmasía. (Del gr. φλεγμασία, de φλέγω, quemar, arder.) f. *Med.* Enfermedad que presenta todos los fenómenos característicos de la inflamación.

Flegmático, ca. (Del lat. *phlegmaticus*, y éste del gr. φλεγματικός.) adj. ant. **Flemático.**

Flegmón. (Del lat. *phlegmon, -ŏnis*, y éste del gr. φλεγμονή, de φλέγω, inflamarse.) m. ant. **Flemón,** 2.° art.

Flegmonoso, sa. (De *flegmón.*) adj. *Med.* **Flemonoso.**

Fleja. (Por *freja*, del lat. **fraxa*, der. regres. de **fraxĭnus*, fresno.) f. *Ar.* **Flejar.**

Flejar. m. *Ar.* **Fresno.**

Fleje. (Del lat. *flexus*, doblado, arqueado.) m. Tira de chapa de hierro con que se hacen aros para asegurar las duelas de cubas y toneles y las balas de ciertas mercancías.

Flema. (De *flegma.*) f. Uno de los cuatro humores en que se dividían antiguamente los del cuerpo humano. || **2.** Mucosidad pegajosa que se arroja por la boca, procedente de las vías respiratorias. || **3.** fig. Tardanza y lentitud en las operaciones. || **4.** *Quím.* Producto acuoso obtenido de las substancias orgánicas al ser descompuestas por el calor en aparato destilatorio. || **Gastar flema.** fr. fig. Proceder despacio. || **2.** fig. No alterarse fácilmente.

Flemático, ca. adj. Perteneciente a la flema o que participa de ella. || **2.** Tardo y lento en las acciones.

Fleme. (Del prov. *flecme*, y éste del lat. *phlebŏtomus.*) m. *Veter.* Instrumento de hierro con una laminita acerada, puntiaguda y cortante, que sirve para sangrar las bestias.

Flemón. m. aum. de **Flema.**

Flemón. (De *flegmón.*) m. Tumor en las encías. || **2.** *Med.* Inflamación aguda del tejido celular en cualquier parte del cuerpo.

Flemonoso, sa. (De *flegmonoso.*) adj. Perteneciente o relativo al flemón.

Flemoso, sa. adj. Que participa de flema o la causa.

Flemudo, da. adj. **Flemático,** 2.ª acep. Ú. t. c. s.

Fleo. m. Especie de gramínea con glumillas fructíferas tiernas.

Flequezuelo. m. d. de **Fleco.**

Flequillo. m. d. de **Fleco.** ‖ **2.** Porción de cabello recortado que a manera de fleco se deja caer sobre la frente.

Fletador. m. El que fleta. ‖ **2.** *Com.* En el contrato de fletamento, el que entrega la carga que ha de transportarse.

Fletamento. m. Acción de fletar. ‖ **2.** *Com.* Contrato mercantil en que se estipula el flete. ‖ **3.** V. **Carta de fletamento.**

Fletamiento. m. ant. **Fletamento.**

Fletante. p. a. de **Fletar.** ‖ **2.** m. *Argent., Chile* y *Ecuad.* El que da en alquiler una nave o una bestia para transportar personas o mercaderías. ‖ **3.** *Com.* En el contrato de fletamento, el naviero o el que le represente.

Fletar. (De *flete.*) tr. Alquilar la nave o alguna parte de ella para conducir personas o mercaderías. ‖ **2.** Embarcar mercaderías o personas en una nave para su transporte. Ú. t. c. r. ‖ **3.** *Argent., Chile, Ecuad.* y *Méj.* Alquilar una bestia de carga, carro o carruaje. ‖ **4.** fig. *Chile* y *Perú.* Soltar, espetar, largar, dicho de acciones o palabras inconvenientes o agresivas. *Le* FLETÓ *una desvergüenza, una bofetada.* ‖ **5.** ant. *Guat.* Frotar, restregar. ‖ **6.** r. *Cuba* y *Méj.* Largarse, marcharse de pronto. ‖ **7.** *Argent.* Colarse, introducirse en una reunión sin ser invitado.

Flete. (Del b. al. *fracht*, salario.) m. Precio estipulado por el alquiler de la nave o de una parte de ella. ‖ **2.** Carga de un buque. ‖ **3.** *Amér.* Precio del alquiler de una nave o de otro medio de transporte. ‖ **4.** *Amér.* Carga que se transporta por mar o por tierra. *Los arrieros buscan* FLETE. ‖ **5.** *Argent.* Caballo ligero. ‖ **Falso flete.** Cantidad que se paga cuando no se usa de la nave o de la parte de ella que se ha alquilado.

Flexibilidad. (Del lat. *flexibilĭtas, -ātis.*) f. Calidad de flexible. ‖ **2.** Disposición que tienen algunas cosas para doblarse fácilmente sin romperse. ‖ **3.** fig. Disposición del ánimo a ceder y acomodarse fácilmente a un dictamen.

Flexible. (Del lat. *flexibĭlis.*) adj. Que tiene disposición para doblarse fácilmente. ‖ **2.** fig. Dícese del ánimo, genio o índole que tienen disposición a ceder o acomodarse fácilmente al dictamen o resolución de otro. ‖ **3.** m. Cable formado de hilos finos de cobre recubiertos de una capa aisladora, que se emplea para la transmisión de la energía eléctrica en el interior de los edificios. ‖ **4.** **Sombrero flexible.**

Flexión. (Del lat. *flexĭo, -ōnis.*) f. Acción y efecto de doblar o doblarse. ‖ **2.** *Gram.* Alteración que experimentan las voces conjugables y las declinables con el cambio de desinencias.

Flexional. adj. *Gram.* Perteneciente o relativo a la flexión.

Flexor, ra. (Del lat. *flexor.*) adj. Que dobla o hace que una cosa se doble con movimiento de flexión. *Músculo* FLEXOR.

Flexuoso, sa. (Del lat. *flexuōsus.*) adj. Que forma ondas. ‖ **2.** fig. **Blando.**

Flexura. (Del lat. *flexus*, doblado.) f. Pliegue, curva, doblez.

Flictena. (Del gr. φλύκταινα, de φλύζω, brotar, fluir.) f. *Med.* Tumorcillo cutáneo, transparente, a modo de vejiguilla o ampolla, que contiene humor acuoso y no pus o materia.

Flocadura. (Del lat. *floccus*, fleco.) f. Guarnición hecha de flecos.

Flogístico, ca. adj. *Quím.* Perteneciente o relativo al flogisto.

Flogisto. (Del gr. φλογιστός, inflamable; de φλογίζω, inflamarse.) m. *Quím.* Principio imaginado por Stahl en el siglo XVIII para explicar los fenómenos caloríficos, y que suponía formar parte de la composición de todos los cuerpos, desprendiéndose de ellos durante la combustión.

Flogosis. (Del gr. φλόγωσις, de φλογόω, inflamar.) f. *Med.* **Inflamación.** 2.ª acep.

Flojamente. adv. m. Con descuido, pereza y negligencia.

Flojear. intr. Obrar con pereza y descuido; aflojar en el trabajo. ‖ **2.** **Flaquear.**

Flojedad. (De *flojo.*) f. Debilidad y flaqueza en alguna cosa. ‖ **2.** fig. Pereza, negligencia y descuido en las operaciones.

Flojel. m. Tamo o pelillo delicado y sutil que se saca y despide de encima del pelo del paño. ‖ **2.** Especie de pelillo que tienen las aves, que aún no llega a ser pluma. ‖ **3.** V. **Pato de flojel.**

Flojera. (De *flojo.*) f. fam. **Flojedad.**

Flojo, ja. (Del lat. *fluxus*, p. p. de *fluĕre*, fluir.) adj. Mal atado, poco apretado o poco tirante. ‖ **2.** Que no tiene mucha actividad, fortaleza o vigor. *Vino* FLOJO. ‖ **3.** V. **Cuerda, seda floja.** ‖ **4.** fig. Perezoso, negligente, descuidado y tardo en las operaciones. Ú. t. c. s.

Flojuelo. m. *Ál.* y *Rioja.* **Flojel,** 1.ª acep.

Floqueado, da. (Del lat. *floccus*, fleco.) adj. Guarnecido con fleco.

Floquecillo. m. d. ant. de **Fleco.**

Flor. (Del lat. *flos, floris.*) f. Conjunto de los órganos de la reproducción de las plantas fanerógamas, compuesto generalmente de cáliz, corola, estambres y pistilos. ‖ **2.** Lo más escogido de una cosa. FLOR *del ejército; pan de* FLOR; *la* FLOR *de la harina.* ‖ **3.** Polvillo que tienen ciertas frutas en el árbol, y aún conservan recién cortadas y cuando no han sido manoseadas; como se ve en las ciruelas, uvas y otras. ‖ **4.** Nata que hace el vino en lo alto de la vasija. ‖ **5.** Irisaciones que se producen en las láminas delgadas de metales, cuando candentes se pasan por el agua. ‖ **6.** Parte más sutil y ligera de los minerales, que se pega en lo más alto del alambique. ‖ **7.** **Entereza virginal.** ‖ **8.** Piropo, requiebro. Ú. m. en pl. ‖ **9.** Juego de envite que se juega con tres naipes; y del que junta tres de un palo, se dice que hace **flor.** ‖ **10.** Lance en el juego de la perejila o de la treinta y una, que consiste en tener tres cartas blancas del mismo palo. ‖ **11.** **Cacho,** 1.er art., 2.ª acep. ‖ **12.** En las pieles adobadas, parte exterior, que admite pulimento, a distinción de la parte que se llama carnaza. ‖ **13.** Entre fulleros, trampa y engaño que se hace en el juego. ‖ **14.** *Chile.* **Mentira,** 3.ª acep. ‖ **completa.** *Bot.* La que consta de cáliz, corola, estambres y pistilos. ‖ **compuesta.** *Bot.* **Cabezuela,** 6.ª acep. ‖ **de amor. Amaranto.** ‖ **de ángel.** *Ál.* Narciso amarillo. ‖ **de la abeja.** *Ál.* Especie de orquídea que recibe su nombre porque la **flor,** vista de frente, se parece a una abeja. ‖ **de la canela.** loc. fig. y fam. Aplícase para encarecer lo muy excelente. ‖ **de la edad. Juventud,** 1.ª acep. ‖ **de la maravilla.** Planta de adorno, originaria de Méjico, de la familia de las iridáceas, con **flores** grandes, terminales, que se marchitan a las pocas horas de abiertas, y tienen la corola de una pieza, dividida en seis lacinias, las tres exteriores más largas que las otras y todas de color de púrpura con manchas como la piel del tigre. ‖ **2.** fig. y fam. Persona que convalece súbitamente o con mucha brevedad de una dolencia, y está tan pronto buena como mala. ‖ **de la sal.** Especie de espuma rojiza que produce la sal, y es de uso en medicina. ‖ **de la Trinidad. Trinitaria.** ‖ **de la vida. Flor de la edad.** ‖ **del embudo. Cala,** 3.er art. ‖ **de lis.** Forma heráldica de la **flor** del lirio, que se compone de un grupo de tres hojas, la del medio grande y ancha, y las de los costados más estrechas y retorcidas, terminadas todas por un remate más pequeño en la parte inferior. ‖ **2.** Planta americana de la familia de las amarilidáceas, con un escapo de tres decímetros de alto, en cuyo extremo nace una **flor** grande, de color rojo purpúreo y aterciopelada, dividida en dos grandes labios muy desiguales, y cada uno con tres lacinias, la del medio más larga que las otras, y todas juntas en forma parecida a la **flor** de lis heráldica. ‖ **del viento.** *Bot.* Una de las especies de anemone, con flores violadas; es venenosa. ‖ **2.** *Mar.* Primeros soplos que de él se sienten cuando cambia o después de una calma. ‖ **de macho.** *Ál.* **Amargón.** ‖ **de muerto.** *Bot.* **Maravilla,** 3.ª acep. ‖ **de Santa Lucía.** Planta del orden de las bromeliáceas que tiene **flores** azules obscuras o blancas. ‖ **desnuda.** *Bot.* La que carece de cáliz y corola. ‖ **incompleta.** *Bot.* La que carece de alguna o algunas de las partes de la completa. ‖ **irregular.** *Bot.* **Cigomorfa.** ‖ **regular.** *Bot.* **Actinomorfa.** ‖ **unisexual.** *Bot.* La que no reúne los dos sexos, y carece, por tanto, de estambres o de pistilos. ‖ **y nata. Flor,** 1.er art., 2.ª acep. *La* FLOR Y NATA *de la sociedad.* ‖ **Flores conglomeradas.** *Bot.* Las que en gran número se contienen en un pedúnculo ramoso, estrechamente unidas y sin orden. ‖ **cordiales.** Mezcla de ciertas **flores,** cuya infusión se da a los enfermos como sudorífico. ‖ **de cantueso** fig. y fam. Cosa fútil o de poca entidad. ‖ **de cinc.** Copos de óxido de este metal. ‖ **de maíz.** Rosetas de maíz. ‖ **de mano.** Las que se hacen a imitación de las naturales. ‖ **de mayo.** Culto especial que se tributa a la Virgen Santísima en todos los días de este mes. ‖ **de muerto.** Las de la maravilla, 3.ª acep. ‖ **solitarias.** *Bot.* Las que nacen aisladas unas de otras en una planta. ‖ **A flor de cuño.** *Numism.* Expresión que denota la excelente conservación de una moneda o medalla. ‖ **A flor de agua.** m. adv. A la superficie, sobre o cerca de la superficie del agua. ‖ **A flor de tierra.** m. adv. A la superficie, sobre o cerca de la superficie de la tierra. ‖ **Ajustado a flor.** Entre ebanistas y carpinteros, se dice de la pieza que está embutida en otra, quedando igual la superficie de ambas. ‖ **A la flor del agua.** m. adv. **A flor de agua.** ‖ **Andarse a la flor del berro.** fr. fig. y fam. Darse a diversiones y placeres. ‖ **Andarse en flores.** fr. Rehusar la contestación o diferir entrar en lo esencial de un asunto. ‖ **Buscar la flor del berro.** fr. fig. y fam. **Andarse a la flor del berro.** ‖ **Caer** uno **en flor.** fr. fig. Morir o malograrse de corta edad. ‖ **Como mil flores,** o **como unas flores.** expr. adv. con que se explica la galanura y buen parecer de una cosa. ‖ **2.** También se usa para significar que uno está satisfecho o como quiere. ‖ **Dar** uno **en la flor.** fr. Contraer la maña de hacer o decir una cosa. ‖ **Decir flores.** fr. **Echar flores.** ‖ **De mi flor.** loc. adj. fam. Excelente, magnífico. ‖ **Descornar la flor.** fr. *Germ.* Descubrir la trampa o fullería del jugador. ‖ **Echar flores.** fr. **Requebrar,** 2.ª y 3.ª aceps. ‖ **En flor.** m. adv. fig. En el estado anterior a la madurez, complemento o perfección de una cosa. ‖ **En flores.** m. adv. fig. En claro, en ayunas. ‖ **Entenderle** a uno **la flor.** fr. fig. y fam. Conocerle la intención. ‖ **Ni de las flores de marzo, ni de la mujer sin empacho.** ref. que denota lo poco que se puede fiar en la mujer que ha empezado a perder la vergüenza, del mismo modo que del campo cuando se adelanta demasiado antes que llegue la primavera. ‖ **Pasársela,** o **pasárselo,** uno **en flores.** fr. fig. Pasarlo bien, tener vida regalada. ‖ **Si son flores o no son flores.** expr. fig. Se dice del que no ve con claridad una cosa y no atina a decir lo que piensa, o del que disimuladamente y aparentando duda, injiere la especie que le convenía soltar. || **Tener por flor.** fr. Haber hecho hábito o costumbre de un defecto; como trampear, murmurar, etc. || **Todo es flor, y al fin de azahar.** fr. fig. Dícese, jugando del vocablo, por la lozanía de la juventud que sigue placeres vanos y sin fruto, y al fin está llena de azares.

Flor. (Del lat. *fluor,-ōris,* flujo.) f. Menstruación de la mujer. || **Flores blancas. Flujo blanco.**

Flora. (Del lat. *Flora,* diosa de las flores.) n. p. *Bot.* V. **Calendario, reloj de Flora.** || **2.** f. Conjunto de plantas de un país o región. || **3.** Obra que trata de ellas y las enumera y describe.

Floración. (De *florar.*) f. *Bot.* **Florescencia.** || **2.** Tiempo que duran abiertas la flores de las plantas de una misma especie.

Florada. f. *Ar.* Entre colmeneros, tiempo que dura una floración.

Floraina. (De *flor,* 13.ª acep.) f. *Germ.* **Engaño,** 1.ª acep.

Floral. adj. Perteneciente o relativo a la flor. *Verticilio* FLORAL.

Florales. (Del lat. *florāles ludi,* juegos florales.) adj. pl. Aplícase a las fiestas o juegos que celebraban los gentiles en honor de la diosa Flora. A su imitación se han instituido después en Provenza y en otras partes. || **2.** V. **Juegos florales.**

Florar. intr. Dar flor. Dícese de los árboles y las plantas, sigularmente de los que se cultivan para cosechar sus frutos.

Flordelisado, da. adj. *Blas.* V. **Cruz flordelisada.**

Flordelisar. tr. *Blas.* Adornar con flores de lis una cosa.

Floreado, da. p. p. de **Florear.** || **2.** adj. V. **Pan floreado.**

Floreal. (Del fr. *floréal.*) m. Octavo mes del calendario republicano francés, cuyos días primero y último coincidían, respectivamente, con el 20 de abril y el 19 de mayo.

Florear. tr. Adornar o guarnecer con flores. || **2.** Tratándose de la harina, sacar la primera y más sutil por medio del cedazo más espeso. || **3.** Disponer el naipe para hacer trampa. || **4.** intr. Vibrar, mover la punta de la espada. || **5.** Tocar dos o tres cuerdas de la guitarra con tres dedos sucesivamente sin parar, formando así un sonido continuado. || **6.** fam. **Echar flores.** || **7.** *Ar., Chile* y *Sal.* Escoger lo mejor de una cosa.

Florecedor, ra. adj. Que florece.

Florecer. (De *florescer.*) intr. Echar o arrojar flor. Ú. t. c. tr. || **2.** fig. Prosperar, crecer en riqueza o reputación. Dícese también de los entes morales; como la justicia, las ciencias, etc. || **3.** fig. Existir una persona o cosa insigne en un tiempo o época determinada. || **4.** r. Hablando de algunas cosas, como el queso, pan, etc., ponerse mohosas.

Floreciente. p. a. de **Florecer.** Que florece. || **2.** fig. **Próspero.**

Florecimiento. m. Acción y efecto de florecer o florecerse.

Florencia. n. p. V. **Raja de Florencia.**

Florentín. adj. **Florentino.** Apl. a pers., ú. t. c. s.

Florentino, na. (Del lat. *florentīnus.*) adj. Natural de Florencia. Ú. t. c. s. || **2.** Perteneciente a esta ciudad de Italia.

Florentísimo, ma. (Del lat. *florentissĭmus.*) adj. sup. de **Floreciente.** Que prospera o florece con excelencia.

Floreo. (De *florear.*) m. fig. Conversación vana y de pasatiempo. || **2.** fig. Dicho vano y superfluo empleado sin otro fin que el de hacer alarde de ingenio, o el de halagar o lisonjear al oyente, o sólo por mero pasatiempo. || **3.** *Danza.* En la danza española, movimiento de un pie en el aire cuando el otro permanece en el suelo, y el cuerpo sostenido sobre él. || **4.** *Esgr.* Vibración o movimiento de la punta de la espada. || **5.** *Mús.* Acción de florear en la guitarra.

Florero, ra. adj. fig. Que usa de palabras chistosas y lisonjeras. Ú. t. c. s. || **2.** m. y f. **Florista,** 2.ª acep. || **3.** m. Vaso para poner flores naturales o artificiales. || **4.** Maceta o tiesto con flores. || **5.** Armario, caja o lugar destinado para guardar flores. || **6.** *Germ.* Fullero que hace trampas floreando el naipe. || **7.** *Pint.* Cuadro en que sólo se representan flores.

Florescencia. f. **Eflorescencia.** || **2.** *Bot.* Acción de florecer. || **3.** *Bot.* Época en que las plantas florecen, o aparición de las flores en cada vegetal.

Florescer. (Del lat. *florescĕre.*) intr. ant. **Florecer.**

Floresta. (Del b. lat. *foresta,* y éste de *foras,* de fuera.) f. Terreno frondoso y ameno poblado de árboles. || **2.** fig. Reunión de cosas agradables y de buen gusto.

Florestero. m. Guarda de una floresta.

Floreta. (d. de *flor.*) f. Entre guarnicioneros, bordadura sobrepuesta que sirve de fuerza y adorno en los extremos de las cinchas. || **2.** *Danza.* En la danza española, tejido o movimiento que se hacía con ambos pies.

Floretada. (De *florete.*) f. ant. Papirote dado en la frente.

Floretazo. m. Golpe dado con el florete.

Florete. (Del fr. *fleuret,* y éste del ital. *fioretto,* del lat. *flos, floris.*) adj. V. **Azúcar, papel florete.** || **2.** m. Esgrima con espadín. || **3.** Espadín destinado a la enseñanza o ejercicio de este juego: es de cuatro aristas, y no suele tener aro en la empuñadura. || **4.** Lienzo o tela entrefina de algodón.

Floretear. (De *floreta.*) tr. Adornar y guarnecer con flores una cosa. || **2.** intr. Manejar el florete.

Floreteo. m. Acción y efecto de floretear.

Floretista. m. El que es diestro en el juego del florete.

Floricultor, ra. (Del lat. *flos, floris,* flor, y *cultor,* cultivador.) m. y f. Persona dedicada a la floricultura.

Floricultura. (Del lat. *flos, floris,* flor, y *cultūra,* cultivo.) f. Cultivo de las flores. || **2.** Arte que lo enseña.

Floridamente. adv. m. fig. Con elegancia y gracia.

Floridano, na. adj. Natural de la Florida. Ú. t. c. s. || **2.** Perteneciente a este Estado de América del Norte.

Floridez. (De *florido.*) f. Abundancia de flores. *La* FLORIDEZ *de la primavera.* || **2.** fig. Calidad de florido, 5.ª acep.

Florido, da. adj. Que tiene flores. || **2.** V. **Junco florido.** || **3.** V. **Letra, pascua florida.** || **4.** fig. Dícese de lo más escogido de alguna cosa. || **5.** fig. Dícese del lenguaje o estilo amena y profusamente exornado de galas retóricas. || **6.** *Germ.* Rico, opulento.

Florífero, ra. (Del lat. *florĭfer, -ĕra;* de *flos, floris,* flor, y *ferre,* llevar.) adj. Que lleva o produce flores.

Florígero, ra. (Del lat. *florĭger, -ĕra;* de *flos, floris,* flor, y *gerĕre,* llevar.) adj. poét. **Florífero.**

Florilegio. (Del lat. *flos, floris,* flor, y *legĕre,* escoger.) m. fig. Colección de trozos selectos de materias literarias.

Florín. (Del ital. *fiorino,* moneda florentina marcada con el lirio de los Médicis.) m. Moneda de plata equivalente al escudo de España, que se usa en algunos países, especialmente en Austria y Holanda, y estuvo marcada antiguamente con una flor de lis. || **2.** Moneda de oro mandada acuñar por los reyes de Aragón copiando los florines o ducados de Florencia; su valor sufrió grandes alteraciones por efecto del abuso de liga en el metal.

Floripondio. m. Arbusto del Perú, de la familia de las solanáceas, que crece hasta tres metros de altura, con tronco leñoso, hojas grandes, alternas, oblongas, enteras y vellosas; flores solitarias, blancas, en forma de embudo, de unos tres decímetros de largo, de olor delicioso, pero perjudicial si se aspira mucho tiempo, y fruto elipsoidal, con muchas semillas pequeñas de figura de riñón. || **2.** fig. despect. Flor grande que suele figurar en adornos de mal gusto.

Florista. com. Persona que fabrica flores de mano. || **2.** Persona que vende flores.

Florlisar. tr. *Blas.* **Flordelisar.**

Florón. m. aum. de **Flor,** 1.er art. || **2.** Adorno hecho a manera de flor muy grande, que se usa en pintura y arquitectura en el centro de los techos de las habitaciones, etc. || **3.** *Blas.* Adorno, a manera de flor, que se pone en el círculo de algunas coronas. || **4.** fig. Hecho que da lustre, que honra.

Flósculo. (Del lat. *floscŭlus,* florecita.) m. *Bot.* Cada una de las flores de corola tubulosa que forman parte de una cabezuela.

Flota. (Como el fr. *flotte,* del anglosajón *flota.*) f. Conjunto de barcos mercantes de un país, compañía de navegación o línea marítima. || **2.** Conjunto de otras embarcaciones que tienen un destino común. FLOTA *de guerra, pesquera,* etc. || **3.** Conjunto de aparatos de aviación para un servicio determinado.

Flotabilidad. f. Calidad de flotable, 1.ª acep.

Flotable. adj. Capaz de flotar. || **2.** Dícese del río por donde pueden conducirse a flote maderas u otras cosas, aunque no sea navegable.

Flotación. f. Acción y efecto de flotar. || **2.** *Mar.* **Línea de flotación.**

Flotador, ra. adj. Que flota o sobrenada en un líquido. || **2.** m. Cuerpo destinado a flotar en un líquido. || **3.** Corcho u otro cuerpo ligero que se echa en un río o arroyo para observar la velocidad de la corriente y deducir el volumen que fluye por segundo de tiempo. || **4.** Aparato que sirve para determinar el nivel de un líquido o para regular la salida del mismo.

Flotadura. (De *flotar.*) f. **Flotación.**

Flotamiento. (De *flotar.*) m. **Flotación.**

Flotante. p. a. de **Flotar.** Que flota. || **2.** adj. V. **Costilla, deuda, dique, pontón flotante.**

Flotar. (Del fr. *flotter,* y éste del lat. *fluctuāre.*) intr. Sostenerse un cuerpo en equilibrio en la superficie de un líquido o en suspensión, sumergido en un fluido aeriforme. || **2.** Ondear en el aire.

Flotar. tr. ant. **Frotar.**

Flote. (De *flotar,* 1.er art.) m. **Flotadura.** || **A flote.** m. adv. Manteniéndose sobre el agua. || **2.** fig. Con recursos, habilidad o suerte para salir de apuros.

Flotilla. f. d. de **Flota.** || **2.** Flota compuesta de buques pequeños.

Fluctuación. (Del lat. *fluctuatĭo, -ōnis.*) f. Acción y efecto de fluctuar. || **2.** fig. Irresolución, indeterminación o duda con que vacila uno, sin acertar a resolverse.

Fluctuante. (Del lat. *fluctŭans, -antis.*) p. a. de **Fluctuar.** Que fluctúa.

Fluctuar. (Del lat. *fluctuāre,* de *fluctus,* ola.) intr. Vacilar un cuerpo sobre las aguas por el movimiento agitado de ellas. || **2.** fig. Estar a riesgo de perderse y arruinarse una cosa. || **3.** fig. Vacilar o dudar en la resolución de una cosa. || **4. Ondear,** 2.ª acep. || **5.** fig. **Oscilar,** 2.ª acep.

Fluctuoso, sa. (Del lat. *fluctuōsus.*) adj. Que fluctúa.

Flueco. (Del lat. *flŏccus,* fleco.) m. ant. Fleco.

Fluencia. f. Acción y efecto de fluir. ‖ **2.** Lugar donde mana o comienza a fluir un líquido.

Fluente. (Del lat. *fluens, -entis.*) p. a. de **Fluir.** Que fluye.

Fluidez. f. Calidad de fluido.

Fluido, da. (Del lat. *fluĭdus.*) adj. Dícese de cualquier cuerpo cuyas moléculas tienen entre sí poca o ninguna coherencia, y toma siempre la forma del recipiente o vaso donde está contenido; como los líquidos y los gases. Ú. t. c. s. ‖ **2.** fig Tratándose del lenguaje o estilo, corriente y fácil. ‖ **3.** m. *Zool.* Cada uno de ciertos agentes hipotéticos que admiten algunos fisiólogos; como el **fluido** nervioso y el magnético animal. ‖ **imponderable.** *Fís.* Cada uno de los agentes invisibles y de naturaleza desconocida que se han considerado como causa inmediata de los fenómenos eléctricos, magnéticos, luminosos y caloríficos, y se distinguían con el calificativo correspondiente. ‖ **Fluidos elásticos.** *Fís.* Cuerpos gaseosos.

Fluir. (Del lat. *fluĕre.*) intr. Correr un líquido o un gas.

Flujo. (Del lat. *fluxus.*) m. Acción y efecto de fluir. ‖ **2.** Movimiento de ascenso de la marea. ‖ **3.** *Quím.* Cada uno de los compuestos que se emplean en los laboratorios para fundir minerales y aislar metales. ‖ **blanco.** *Med.* Excreción anormal procedente de las vías genitales de la mujer. ‖ **de palabras.** fig. Abundancia excesiva de voces. ‖ **de reir.** fig. Hábito que uno tiene de reir con exceso. ‖ **de risa.** Carcajada ruidosa, prolongada y violenta. ‖ **de vientre.** Indisposición que consiste en la frecuente evacuación del vientre.

Fluminense. adj. Natural de Río Janeiro. Ú. t. c. s. ‖ **2.** Relativo o perteneciente a esa ciudad brasileña.

Flúor. (Del lat. *fluor,* de *fluĕre,* fluir.) m. Metaloide gaseoso, más pesado que el aire, de olor sofocante y desagradable y color amarillo verdoso. Posee gran energía química, ataca a casi todos los metales y metaloides, descompone todas las substancias hidrogenadas, es irrespirable y tóxico, y se extrae de la fluorita. ‖ **2.** V. **Espato flúor.** ‖ **3.** *Quím.* Flujo, 3.ª acep.

Fluorescencia. (De la *fluorita,* mineral en que se observó primeramente el fenómeno.) f. Propiedad que tienen algunos cuerpos de mostrarse pasajeramente luminosos, mientras reciben la excitación de ciertas radiaciones.

Fluorescente. adj. Perteneciente o relativo a la fluorescencia.

Fluorhídrico. (De *flúor,* y el gr. ὕδωρ, agua.) adj. *Quím.* V. **Ácido fluorhídrico.**

Fluorina. f. **Fluorita.**

Fluorita. (De *flúor.*) f. Mineral compuesto de flúor y calcio, cristalino, compacto y de colores brillantes y variados. Tiene uso en las artes decorativas, en metalurgia como fundente y, sobre todo, en el grabado del cristal.

Fluslera. f. ant. **Fruslera.**

Fluvial. (Del lat. *fluviālis,* de *fluvĭus,* río.) adj. Perteneciente a los ríos.

Flux. (Del fr. *flux,* y éste del lat. *fluxus,* flujo, abundancia.) m. En ciertos juegos, circunstancia de ser de un mismo palo todas las cartas de un jugador. Es mayor o menor, según el valor de los naipes. ‖ **2.** *Colomb.* **Terno,** 3.ª acep. ‖ **Hacer uno flux.** fr. fig. y fam. Consumir o acabar enteramente su caudal o el ajeno, quedándose sin pagar a nadie.

Fluxibilidad. f. ant. Calidad de fluxible.

Fluxible. (Del lat. *fluxibĭlis.*) adj. desus. Fluido, líquido.

Fluxión. (Del lat. *fluxĭo, -ōnis.*) f. Acumulación morbosa de humores en cualquier órgano. ‖ **2.** ant. **Flujo.** ‖ **3.** Constipado de narices, resfriado.

¡Fo! interj. de asco.

Fobia. (Del gr. φοβία, horror.) Elemento que entra en algunas voces compuestas, como *hidro*FOBIA, *anglo*FOBIA, para indicar repulsión, y que se usa como s. f. para expresar apasionada aversión hacia una cosa.

Foca. (Del lat. *phoca,* y éste del gr. φώκη.) f. *Zool.* Animal mamífero del orden de los pinnípedos; tiene un metro próximamente de largo, cuerpo en forma de pez, cabeza y cuello como de perro, y todo cubierto de pelo gris. Nada perfectamente, pero en tierra anda con dificultad y arrastrándose.

Focal. adj. *Fís.* y *Geom.* Perteneciente o relativo al foco. *Distancia* FOCAL.

Foceifiza. (Del ár. *fusaifisa,* mosaico.) f. Género de mosaico en el cual, por medio de pedacitos de vidrio dorado o de colores, figuraban árboles, ciudades, flores y otros dibujos los artífices musulmanes.

Focense. (Del lat. *phocensis.*) adj. Natural de Fócida. Ú. t. c. s. ‖ **2.** Perteneciente a este país de Grecia antigua.

Focino. (De *foz.*) m. Aguijada de punta algo corva con que se rige y gobierna al elefante.

Foco. (Del lat. *fŏcus,* fogón.) m. *Fís.* Punto donde vienen a reunirse los rayos luminosos y caloríferos reflejados por un espejo cóncavo o refractados por un lente más grueso por el centro que por los bordes. ‖ **2.** *Fís.* Punto, aparato o reflector de donde parte un haz de rayos luminosos o caloríferos. ‖ **3.** *Geom.* Punto cuya distancia a cualquiera de los de una curva se puede expresar en función racional y entera de las coordenadas de dichos puntos. La elipse y la hipérbola tienen dos **focos,** y la parábola uno solo. ‖ **4.** fig. Lugar real o imaginario en que está como reconcentrada alguna cosa con toda su fuerza y eficacia, y desde el cual se propaga o ejerce influencia. FOCO *de ilustración, de vicios.* ‖ **acústico.** Punto donde se concentran las ondas sonoras emitidas dentro de una superficie cóncava al ser reflejadas por ésta. ‖ **real.** *Fís.* **Foco,** 1.ª acep. ‖ **virtual.** *Fís.* Punto en que concurren las prolongaciones de los rayos luminosos reflejados por un espejo convexo o refractados por un lente cóncavo.

Fóculo. (Del lat. *focŭlus,* d. de *fŏcus,* fogón, hogar.) m. Hogar pequeño. ‖ **2.** Cavidad del ara gentílica, donde se encendía el fuego.

Focha. f. Foja, 2.° art.

Fodolí. (Del ár. *fudūli,* curioso, entremetido.) adj. desus. Entremetido, hablador; que pretende aconsejar, mandar o intervenir donde no le llaman.

Fofadal. (De *fofo.*) m. *Argent.* **Tremedal.**

Fofo, fa. (De *bofo.*) adj. Esponjoso, blando y de poca consistencia.

Fogaje. (De *fuego,* en el sentido de hogar o casa.) m. Cierto tributo o contribución que pagaban antiguamente los habitantes de casas. ‖ **2.** *Ar.* Fuego, hogar. ‖ **3.** *Argent.* y *Méj.* Fuego, erupción de la piel. ‖ **4.** *Argent., Colomb., P. Rico* y *Venez.* Bochorno, calor. ‖ **5.** *Ecuad.* Fogata, llamarada. ‖ **6.** fig. *P. Rico.* Bochorno, sonrojo, sofoco.

Fogar. (Del lat. *focāris.*) m. ant. **Hogar.**

Fogarada. (De *fogar.*) f. **Llamarada.**

Fogarata. f. fam. **Fogata.**

Fogarear. tr. *Ar.* y *Sal.* Quemar produciendo llama. ‖ **2.** r. *Sal.* Abochornarse las plantas, especialmente las vides.

Fogaril. (De *fogar.*) m. Jaula de aros de hierro, dentro de la cual se enciende lumbre, y que se cuelga en sitio desde donde ilumine o sirva como señal. ‖ **2.** Fogarín. ‖ **3.** *And.* y *Ar.* Hogar, 1.ª acep.

Fogarín. (d. de *fogar.*) m. *And.* Hogar común que usan los trabajadores del campo que se reúnen en una viña, cortijo, etc. Ordinariamente está en bajo.

Fogarizar. (De *fogar.*) tr. Hacer fuego con hogueras.

Fogata. f. Fuego hecho con leña u otro combustible que levanta llama. ‖ **2.** Hornillo superficial o de pequeña cavidad que, cargado con escasa porción de pólvora, sirve para vencer obstáculos de poca resistencia en la nivelación de terrenos. Aplícase también para defensa de las brechas.

Fogón. (Del b. lat. *foco, focōnis,* y éste del lat. *fŏcus,* fuego.) m. Sitio adecuado en las cocinas para hacer fuego, y guisar. ‖ **2.** Oído en las armas de fuego, y especialmente en los cañones, obuses, morteros, etc. ‖ **3.** En las calderas de las máquinas de vapor, lugar destinado a contener el combustible. ‖ **4.** *Art.* V. **Aguja de fogón.** ‖ **5.** *Argent., C. Rica* y *Chile.* Fuego, fogata. ‖ **6.** *Argent.* Reunión de paisanos o soldados en torno al fuego.

Fogonadura. (De *fogón,* por comparación con el agujero por donde pasa el tubo del fogón.) f. *Mar.* Cada uno de los agujeros que tienen las cubiertas de la embarcación para que pasen por ellos los palos a fijarse en sus carlingas. ‖ **2.** Abertura en un piso de madera para dar paso a un pie derecho que sirve de sostén a algún objeto elevado.

Fogonazo. (De *fogón,* 2.ª acep.) m. Llama que levanta la pólvora cuando prende.

Fogonero. m. El que cuida del fogón, sobre todo en las máquinas de vapor.

Fogosidad. (De *fogoso.*) f. Ardimiento y viveza demasiada.

Fogoso, sa. (De *fuego.*) adj. ant. Que quema y abrasa. ‖ **2.** fig. Ardiente, demasiado vivo.

Fogueación. f. Numeración de hogares o fuegos.

Foguear. tr. Limpiar con fuego una arma, lo que se hace cargándola con poca pólvora y disparándola. ‖ **2.** *Mil.* Acostumbrar a las personas o caballos al fuego de la pólvora. ‖ **3.** fig. Acostumbrar a alguien a las penalidades y trabajos de un estado u ocupación. ‖ **4.** *Veter.* **Cauterizar,** 1.ª acep.

Fogueo. m. Acción y efecto de foguear.

Foguera. (Del lat. *focaria,* de *fŏcus,* fuego.) f. ant. **Hoguera.**

Foguero, ra. (Del lat. *focarĭus.*) adj. ant. Perteneciente al fuego o llama de la hoguera. ‖ **2.** m. ant. Braserillo u hornillo en que se pone lumbre.

Foguezuelo. m. d. de **Fuego.**

Foir. (Del lat. *fugĕre.*) intr. ant. **Huir.**

Foiso, sa. (Del lat. *fossus,* cavado, ahondado.) adj. ant. **Hondo.**

Foja. (Del lat. *folia,* hojas.) f. ant. **Hoja.** ‖ **2.** *For.* Hoja de papel en un proceso. Ú. en América en el lenguaje corriente.

Foja. (Del cat. *folxa,* y éste del lat. *fūlĭca,* gaviota.) f. Ave del orden de las zancudas, de más de tres decímetros de largo, plumaje negro con reflejos grises, pico grueso, abultado y extendido por la frente formando una mancha blanca, alas anchas, cola corta y redondeada, y pies de color verdoso amarillento con dedos largos y palmeados en la base. Vuela mal y es nadadora.

Fojuela. f. ant. **Hojuela.**

Folga. (De *folgar.*) f. ant. Huelga, pasatiempo y diversión.

Folgado, da. p. p. de **Folgar.** ‖ **2.** adj. ant. **Holgado.**

Folgamiento. (De *folgar.*) m. ant. **Huelga.**

Folganza. (De *folgar.*) f. ant. Holgura o descanso. || **2.** ant. fig. Desahogo del ánimo.

Folgar. (Del lat. *follicāre*, de *follis*, fuelle.) intr. ant. **Holgar.** || **2.** ant. Tener ayuntamiento carnal.

Folgazano, na. (De *folganza.*) adj. ant. **Holgazán.**

Folgo. (Del lat. **follicus*, der. regres. de *follicŭlus*, fuelle.) m. Bolsa forrada de pieles, para cubrir y abrigar los pies y las piernas cuando uno está sentado.

Folguín. m. ant. **Golfín,** 2.° art.

Folgura. (De *folgar.*) f. ant. **Holgura.**

Folía. (Del fr. *folie*, de *fol*, y éste del lat. *follis*, fuelle.) f. ant. **Locura.** || **2.** Canto popular de las islas Canarias que se acompaña con la guitarra. || **3.** fig. Cualquier música ligera, generalmente de gusto popular. || **4.** pl. Baile portugués de gran ruido, que se bailaba entre muchas personas. || **5.** Tañido y mudanza del baile español, que solía bailar uno solo con castañuelas

Foliáceo, a. (Del lat. *foliacĕus*, de *folium*, hoja.) adj. *Bot.* Perteneciente o relativo a las hojas de las plantas. || **2.** Que tiene estructura laminar.

Foliación. f. Acción y efecto de foliar. || **2.** Serie numerada de los folios de un escrito o impreso. || **3.** *Bot.* Acción de echar hojas las plantas. || **4.** *Bot.* Modo de estar colocadas las hojas en una planta.

Foliador, ra. adj. Que sirve para foliar. Dícese especialmente de máquinas y aparatos que numeran correlativamente los folios. Ú. t. c. s.

Foliar. tr. Numerar los folios del libro o cuaderno.

Foliatura. (Del lat. *foliatūra.*) f. **Foliación.**

Folicular. adj. En forma de folículo.

Foliculario. (Del fr. *folliculaire*, y éste del lat. *follicŭlus*, folículo.) m. despect. Folletista, periodista.

Folículo. (Del lat. *follicŭlus.*) m. *Bot.* Fruto sencillo y seco, que se abre sólo por un lado y tiene una sola cavidad que comúnmente encierra varias semillas. || **2.** *Zool.* Glándula sencilla, en forma de saquito, situada en el espesor de la piel o de las mucosas.

Folijones. (De *folía*, baile.) m. pl. Son y danza que se usaba en Castilla la Vieja con arpa, guitarra, violín, tamboril y castañuelas.

Folio. (Del lat. *folium*, hoja.) m. Hoja del libro o cuaderno. || **2.** Titulillo o encabezamiento de las páginas de un libro. || **3.** Hierba dioica de la familia de las euforbiáceas, que tiene las hojas aovadas y cubiertas de una especie de tomento blanco, el tallo algo leñoso, las flores conglobadas y las semillas casi redondas. || **atlántico.** El de grandes dimensiones y que no se dobla por la mitad, sino que forma una hoja cada pliego, como en los grandes atlas geográficos. || **de Descartes.** *Geom.* Curva de tercer grado, con dos ramas infinitas que tienen una asíntota común y se cortan formando un lazo sencillo, semejante a una hoja aovado-lanceolada. || **índico.** Hoja de árbol de la canela. || **recto.** Primera página de un **folio,** cuando sólo ella está numerada. || **verso. Folio vuelto.** || **vuelto.** Revés o segunda plana de la hoja del libro que no está numerada sino en la primera. || **Al primer folio.** m. adv. fig. con que se explica que una cosa se descubre inmediatamente o se conoce con facilidad. || **De a folio.** fig. y fam. Muy grande, dicho de ciertas cosas inmateriales. *Disparate* DE A FOLIO; *verdad* DE A FOLIO. || **En folio.** expr. Dícese del libro, folleto, etc., cuyo tamaño iguala a la mitad de un pliego de papel sellado. Se dice **folio imperial** cuando excede de este tamaño. || **En folio mayor.** expr. En **folio** superior a la marca ordinaria. || **En folio menor.** expr. En **folio** inferior a la marca ordinaria.

Folíolo. (Del lat. *foliŏlum.*) m. *Bot.* Cada una de las hojuelas de una hoja compuesta.

Folión. m. **Folía,** 3.ª acep.

Folklore. (Voz inglesa.) m. Conjunto de las tradiciones, creencias y costumbres de las clases populares. || **2.** Ciencia que estudia estas materias.

Folklórico, ca. adj. Perteneciente al folklore.

Folklorista. m. y f. Persona versada en el folklore.

Foluz. (Del m. or. que *felús.*) f. Cornado o tercia parte de una blanca.

Folla. (De *follar*, 3.er art.) f. Lance del torneo en que batallan dos cuadrillas desordenadamente. || **2.** Junta o mezcla de muchas cosas diversas, sin orden ni concierto, por diversión o capricho. || **3.** Diversión teatral compuesta de varios pasos de comedia inconexos, mezclados con otros de música. || **4.** ant. Concurso de mucha gente, en que sin orden ni concierto hablan todos, o andan revueltos para alcanzar alguna cosa que se les echa a la rebatiña.

Follada. (De *follar*, 2.° art.) f. Empanadilla hueca y hojaldrada.

Follado, da. p. p. de **Follar.** || **2.** m. *Sal.* La parte más ancha y holgada de las mangas y de la pechera de la camisa. || **3.** *Can.* Arbusto caprifoliáceo cuyas ramas se emplean en cestería. || **4.** m. pl. ant. Especie de calzones o calzas que se usaban en lo antiguo, muy huecos y arrugados a manera de fuelles.

Follador. (De *follar*, 1.er art.) m. El que afuella en una fragua.

Follaje. (Del prov. *follatge*, y éste del lat. **foliaticum*, de *folium*, hoja.) m. Conjunto de hojas de los árboles y otras plantas. || **2.** Adorno de cogollos y hojas con que se guarnece y engalana una cosa. || **3.** fig. Adorno superfluo, complicado y de mal gusto. || **4.** fig. Copia de palabras superfluas o superabundancia de exornación retórica en lo escrito o hablado.

Follajería. f. ant. **Follaje,** 2.ª acep.

Follar. (Del lat. *follis*, fuelle.) tr. **Afollar,** 1.ª acep. || **2.** r. Soltar una ventosidad sin ruido.

Follar. (Del lat. *folium*, hoja.) tr. Formar o componer en hojas alguna cosa.

Follar. (Del lat. *fūllāre*, abatanar.) tr. ant. **Hollar.** || **2.** ant. Talar o destruir.

Follero. m. El que hace o vende fuelles.

Folleta. (Del prov. *folheta*, y éste d. del lat. *fŏlia.*) f. ant. Medida de vino que corresponde al cuartillo.

Folletero. m. **Follero.**

Folletín. m. d. de **Folleto.** || **2.** Escrito que se inserta en la parte inferior de las planas de los periódicos, y en el cual se trata de materias extrañas al objeto principal de la publicación; como artículos de crítica, novelas, etc.

Folletinesco, ca. adj. Perteneciente o relativo al folletín. || **2.** fig. Complicado y avivador del interés, como suelen ser las novelas que se publican en los folletines.

Folletinista. com. Escritor de folletines.

Folletista. com. Escritor de folletos.

Folleto. (Del ital. *foglietto*, y éste del lat. *folium*, hoja.) m. Obra impresa, no periódica, que no consta de bastantes hojas para formar libro. La ley de Imprenta señala como límite entre folleto y libro, el número de 200 páginas. || **2.** ant. Gacetilla manuscrita que contenía regularmente las noticias del día.

Follisca. f. *Colomb.* y *Venez.* Fullona, pendencia, gresca.

Follón, na. (Del lat. *follis*, fuelle.) adj. Flojo, perezoso y negligente. Ú. t. c. s. || **2.** Vano, arrogante, cobarde y de ruin proceder. Ú. t. c. s. || **3.** m. Cohete que se dispara sin trueno. || **4.** ant. Cualquiera de los vástagos que echan los árboles desde la raíz, además del tronco principal. || **5.** Ventosidad sin ruido.

Follonería. (De *follón.*) f. ant. Ruindad en el modo de proceder.

Follonía. (De *follón.*) f. desus. Vanidad, presunción.

Follosas. (De *fuelle.*) f. pl. *Germ.* **Calzas.**

Fomalhaut. (Del ár. *fam al-ḥawt*, boca del pez.) f. *Astron.* Estrella de primera magnitud en la constelación del Pez austral.

Fomentación. (Del lat. *fomentatĭo, -ōnis.*) f. *Med.* Acción y efecto de fomentar, 3.ª acep. || **2.** *Med.* **Fomento,** 5.ª acep.

Fomentador, ra. adj. Que fomenta. Ú. t. c. s.

Fomentar. (Del lat. *fomentāre.*) tr. Dar calor natural o templado que vivifique o preste vigor. *La gallina* FOMENTA *los huevos.* || **2.** fig. Excitar, promover o proteger una cosa. || **3.** fig. Atizar, dar pábulo a una cosa. || **4.** *Med.* Aplicar a una parte enferma paños empapados en un líquido.

Fomento. (Del lat. *fomentum*, contracc. de *fovimentum*; de *fovēre*, abrigar, calentar.) m. Calor, abrigo y reparo que se da a una cosa. || **2.** Pábulo o materia con que se ceba una cosa. || **3. Ministerio de Fomento.** || **4.** fig. Auxilio, protección. || **5.** *Med.* Medicamento líquido que se aplica en paños exteriormente.

Fomes. (Del lat. *fomes.*) m. Causa que excita y promueve una cosa.

Fómite. (Del lat. *fomes, -ĭtis.*) m. desus. **Fomes.**

Fonación. (Del gr. φωνή, voz.) f. Emisión de la voz o de la palabra.

Fona. (Voz catalana.) f. desus. Cuchillo en las capas u otras ropas. Ú. m. en pl.

Foncarralero, ra. adj. Natural de Fuencarral. Ú. t. c. s. || **2.** Relativo o perteneciente a este pueblo de la provincia de Madrid.

Fonda. (Del m. or. que *fondac.*) f. Establecimiento público donde se da hospedaje y se sirven comidas. || **2.** *Chile.* Puesto o cantina en que se despachan comidas y bebidas.

Fonda. (Del lat. *fŭnda.*) f. ant. **Honda,** 1.ª acep.

Fondable. (De *fondo.*) adj. Aplícase a los parajes de la mar donde pueden dar fondo los barcos.

Fondac. (Del ár. *fundăq*, hospedería, depósito, alhóndiga.) m. En Marruecos, hospedería y almacén donde se negocia con las mercancías que llevan allí los traficantes.

Fondado, da. (De *fondo.*) adj. Aplícase a los barriles y pipas cuyo fondo o suelo se asegura con cuerdas o con flejes de hierro para que no se desbarate con el peso que llevan dentro.

Fondeadero. m. Paraje situado en costa, puerto o ría, de profundidad suficiente para que la embarcación pueda dar fondo.

Fondeado, da. adj. *Amér.* Rico, acaudalado, que está en fondos.

Fondear. tr. Reconocer el fondo del agua. || **2.** Registrar, reconocer los ministros o individuos de la hacienda pública o del fisco una embarcación para ver si trae géneros prohibidos o de contrabando. || **3.** fig. Examinar con cuidado una cosa hasta llegar a sus principios. Se aplica también a las personas para cerciorarse de su aptitud o conocimientos. || **4.** *Mar.* Desarrumar o apartar la carga del navío hasta descubrir el plan y fondo de él para reconocer una cosa. || **5.** intr. *Mar.* Asegurar una embarcación o cualquier otro cuerpo flotante, por medio de anclas o grandes pesos que se agarren o descansen en el fondo de las aguas.

Fondearse. r. *Amér.* Acumular fondos, enriquecerse.

Fondeo. m. Acción de fondear, 2.ª, 4.ª y 5.ª aceps.

Fondero. (De *fonda*, 2.° art.) m. ant. **Hondero.**

Fondeza. (De *fondo*, hondo.) f. ant. **Profundidad.**

Fondillón. (De *fondo*.) m. Asiento y madre de la cuba cuando, después de mediada, se vuelve a llenar y rehenchir, y suele conservarse muchos años. || **2.** Vino rancio de Alicante.

Fondillos. (De *fondo*.) m. pl. Parte trasera de los calzones o pantalones.

Fondirse. (De *fondo*.) r. ant. **Hundirse.**

Fondista. com. Persona que tiene a su cargo una fonda.

Fondo, da. (Del lat. *fundus*.) adj. ant. **Hondo.** || **2.** m. Parte inferior de una cosa hueca. || **3.** Hablando del mar, de los ríos o estanques, superficie sólida sobre la cual está el agua. || **4. Hondura.** || **5.** Extensión interior de un edificio. *Esta casa tiene mucho* FONDO, *aunque poca fachada.* || **6.** Color o dibujo que cubre una superficie y sobre el cual resaltan los adornos, dibujos o manchas de otro u otros colores. *Un mármol de* FONDO *rojo. Un papel con flores sobre* FONDO *amarillo.* || **7.** *Pint.* **Campo,** 12.ª acep. || **8.** Grueso que tienen los diamantes. || **9.** Caudal o conjunto de bienes que posee una persona o comunidad. || **10. Índole.** *Persona de buen* FONDO. || **11. Artículo de fondo.** || **12.** V. **Hombre, libro de fondo.** || **13.** V. **Hombre de fondos.** || **14.** fig. Lo principal y esencial de una cosa. En esta acepción se contrapone a la forma. || **15.** fig. Caudal de una cosa; como de sabiduría, de virtud, de malicia, etc. || **16. Vaca,** 3.ª acep. || **17.** Cada una de las colecciones de impresos o manuscritos de una biblioteca que ingresan de una determinada procedencia. || **18.** Falda de debajo sobre la cual se arma el vestido. || **19.** Cada uno de los dos témpanos de la cuba o del tonel. || **20.** *Al.* Arte de pesca compuesto de una cuerda a cuyo extremo hay dos anzuelos y un plomo. || **21.** *Cuba.* Caldera usada en los ingenios. || **22.** *Méj.* Saya blanca que las mujeres llevan debajo de las enaguas. || **23.** *Mar.* Parte de un buque, que va debajo del agua. Ú. t. en pl. *Limpiar los* FONDOS. || **24.** *Mar.* V. **Agua, mar de fondo.** || **25.** *Mil.* Espacio en que se forman las hileras y ocupan los soldados pecho con espalda. || **26.** *Mil.* V. **Carga a fondo.** || **27.** pl. *Com.* Caudales, dinero, papel moneda, etc., pertenecientes al tesoro público o al haber de un negociante. || **28.** *For.* En los procesos, la cuestión de derecho substantivo, por contraposición a las de trámite y excepciones dilatorias. || **Fondo muerto, perdido,** o **vitalicio.** Capital que se impone a rédito por una o más vidas, con la condición de que, muriendo aquel o aquellos sobre cuyas vidas se impone, quede a beneficio del que recibió el capital y paga el rédito. || **Fondos de amortización.** Los destinados a extinguir una deuda o a reintegrar un haber del demérito o destrucción de bienes que lo integran. || **de reptiles.** fig. y fam. En algunos Ministerios, fondos secretos que se aplican a la captación de voluntades o al simple favor. || **secretos.** Los créditos autorizados por el Presupuesto para gastos de seguridad interior o exterior del Estado, sin sujeción a los requisitos y justificantes de las leyes de contabilidad. || **A fondo.** m. adv. Entera y perfectamente. *Trató la cuestión* A FONDO. || **Dar fondo.** fr. *Mar.* **Fondear,** 5.ª acep. || **2.** fig. Terminar, agotarse. || **Echar a fondo.** fr. *Mar.* **Echar a pique,** 1.ª acep. || **En fondo.** V. **Grabado en fondo.** || **Estar en fondos.** fr. Tener dinero disponible. || **Irse a fondo.** fr. Hundirse la embarcación o cualquiera otra cosa en el agua. || **2.** *Esgr.* Tenderse uno hacia delante para tirar una estocada.

Fondón. (De *fondo*.) m. **Fondillón,** 1.ª acep. || **2.** Lo más bajo, o el fondo, de los brocados de altos. || **3.** ant. Fondo profundo. || **De fondón.** m. adv. ant. Decíase así cuando se destruía, derribaba o desbarataba una cosa hasta los fundamentos. || **En fondón.** m. adv. ant. En lo hondo.

Fondón, na. adj. fam. y despect. Dícese de la persona que ha perdido la gallardía y agilidad de la juventud por haber engordado.

Fondonero, ra. (De *fondón*.) adj. ant. **Hondonero.**

Fondura. f. ant. **Hondura.**

Fonébol. (Del cat. *fonébol*, y éste del lat. *fundibŭlum*.) m. **Fundíbulo.**

Fonema. (Del gr. φώνημα, sonido de la voz.) m. *Gram.* Cada uno de los sonidos simples del lenguaje hablado, sea letra o sílaba.

Fonendoscopio. (Del gr. φωνή, sonido; ἔνδον, dentro, y σκοπέω, examinar.) m. Aparato semejante al estetoscopio, más perfeccionado y para audición biauricular.

Fonética. (Del gr. φωνητική, t. f. de -κός, fonético.) f. Conjunto de los sonidos de un idioma. || **2.** Estudio acerca de los sonidos de uno o varios idiomas, sea en su fisiología y acústica, sea en su evolución histórica.

Fonético, ca. (Del gr. φωνητικός.) adj. Perteneciente a la voz humana o al sonido en general. || **2.** Aplícase a todo alfabeto o escritura cuyos elementos o letras representan sonidos, de cuya combinación resultan las palabras. || **3.** Aplícase especialmente al alfabeto u ortografía que trata de representar los sonidos con mayor exactitud y más especificadamente que la escritura usual.

Fonetismo. m. Conjunto de caracteres fonéticos de un idioma. || **2.** Adaptación de la escritura a la más exacta representación de los sonidos de un idioma.

Fonetista. com. Persona versada en fonética.

Fónico, ca. (Del gr. φωνή, voz.) adj. Perteneciente a la voz o al sonido.

Fonil. (Del arag. *fonil*, y éste del lat. **fundīle*, por *fundibŭlum*, embudo.) m. Embudo con que se envasan líquidos en las pipas.

Fonje. (Del cat. *fonxe*, y éste del lat. **fŭngĕus*, de *fŭngus*, hongo.) adj. p. us. Blando, muelle o mollar y esponjoso.

Fonocaptor. (Del gr. φωνή, sonido, y el lat. *captor, -ōris*.) m. *Electr.* Aparato que aplicado a un disco de gramófono permite reproducir eléctricamente las vibraciones inscritas en el disco. Consta de un brazo articulado en cuyo extremo libre hay una aguja conectada con la membrana de un micrófono.

Fonografía. f. Manera de inscribir sonidos para reproducirlos por medio del fonógrafo.

Fonográfico, ca. adj. Perteneciente o relativo al fonógrafo.

Fonógrafo. (Del gr. φωνή, voz, y γράφω, escribir.) m. *Fís.* Instrumento que inscribe sobre un cilindro, generalmente de cera, las vibraciones de la voz humana o de cualquier otro sonido, y las reproduce.

Fonograma. (Del gr. φωνή, voz, y γράμμα, letra.) m. Sonido representado por una o más letras. || **2.** Cada una de las letras del alfabeto.

Fonolita. (Del gr. φωνή, sonido, y λίθος, piedra.) f. Roca compuesta de feldespato y de silicato de alúmina: es de color gris azulado y textura compacta, y se emplea como piedra de construcción.

Fonología. (Del gr. φωνή, voz, y λόγος, tratado.) f. **Fonética.** || **2.** Rama de la lingüística, que estudia los elementos fónicos, atendiendo a su respectivo valor funcional dentro del sistema propio de cada lengua.

Fonológico, ca. adj. Relativo a la fonología.

Fonólogo. m. Persona entendida en fonología.

Fonómetro. (Del gr. φωνή, sonido, y μέτρον, medida.) m. Aparato para medir el sonido.

Fonsadera. (De *fonsado*, en b. lat. *fonsadera*.) f. Servicio personal en la guerra, que se prestaba antiguamente. || **2.** Tributo que se pagaba para atender a los gastos de la guerra.

Fonsado. (Del m. or. que *fosado*.) m. **Fonsadera.** || **2.** Labor del foso. || **3.** ant. Ejército, hueste.

Fonsario. (Del b. lat. *fonsarius*, y éste del lat. *fossa*, foso.) m. ant. Foso que circunda las plazas.

Fontal. (Del lat. *fontālis*.) adj. Perteneciente a la fuente. || **2.** ant. fig. Primero y principal.

Fontana. (Del lat. *fontāna*.) f. poét. **Fuente,** 1.ª, 2.ª y 3.ª aceps. Ú. corrientemente en *Sant.*

Fontanal. (Del lat. *fontanālis*.) adj. Perteneciente a la fuente. || **2.** m. **Fontanar.** || **3.** Sitio que abunda en manantiales.

Fontanar. (De *fontana*.) m. **Manantial.**

Fontanela. (De *fontana*.) f. Cada uno de los espacios membranosos que hay en el cráneo de muchos animales antes de su completa osificación. || **2.** Instrumento de que usaban los cirujanos para abrir fuentes en el cuerpo humano.

Fontanería. (De *fontanero*.) f. Arte de encañar y conducir las aguas para los diversos usos de ellas. || **2.** Conjunto de conductos por donde se dirige y distribuye el agua.

Fontanero, ra. (De *fontana*.) adj. Perteneciente a las fuentes. || **2.** V. **Real fontanero.** || **3.** m. Artífice que encaña, distribuye y conduce las aguas para sus diversos usos.

Fontano, na. (Del lat. *fontānus*.) adj. ant. **Fontanal,** 1.ª acep.

Fontanoso, sa. (De *fontana*.) adj. ant. Aplicábase al lugar que tiene muchos manantiales.

Fonte. f. ant. **Fuente.**

Fontecica, lla. f. d. ant. de **Fuente.**

Fontegí. m. Variedad de trigo fanfarrón.

Fontezuela. f. d. de **Fuente.**

Fontículo. (Del lat. *fonticŭlus*.) m. *Cir.* **Fuente,** 10.ª acep.

Foñico. (Del lat. *folium*, hoja.) m. *And.* Hoja seca de maíz.

Foque. (Del neerl. *fok*.) m. *Mar.* Nombre común a todas las velas triangulares que se orientan y amuran sobre el bauprés; se aplica por antonomasia a la mayor y principal de ellas, que es la que se enverga en un nervio que baja desde la encapilladura de velacho a la cabeza del botalón de aquel nombre. || **2.** fig. y fam. Cuello de camisa almidonado de puntas muy tiesas.

Foradador. (De *foradar*.) m. ant. Instrumento con que se horada.

Foradar. (De *forado*.) tr. ant. **Horadar.** Ú. t. c. r.

Forado, da. (Del lat. *forātus*, de *forāre*, horadar.) adj. ant. Que está horadado. || **2.** m. ant. **Agujero,** 1.ª acep. || **3.** *Amér. Merid.* Horado hecho en una pared.

Foraida. (Del lat. *forāre*, agujerear.) f. ant. Hondonada u hoyada.

Forajido, da. (Del lat. *foras*, fuera, y *exītus*, salido.) adj. Aplícase a la persona facinerosa que anda fuera de poblado, huyendo de la justicia. Ú. t. c. s. || **2.** desus. El que vive desterrado o extrañado de su patria o casa.

Foral. adj. Perteneciente al fuero. || **2.** V. **Alera, consorcio foral.** || **3.** *For.* V. **Bienes forales.** || **4.** *For.* V. **Grita**

foral. ‖ **5.** m. En Galicia, tierra o heredad dada en foro o enfiteusis.

Foralmente. adv. m. Con arreglo a fuero.

Forambre. (Del lat. *forāmen, -ĭnis.*) f. ant. **Agujero,** 1.ª acep.

Forambrera. f. ant. **Forambre.**

Foramen. (Del lat. *forāmen.*) m. Agujero o taladro. ‖ **2.** Hoyo o taladro de la piedra baja de la tahona, por donde entra el palahierro.

Foraminífero. (De *foramen.*) adj. *Zool.* Dícese de protozoos rizópodos acuáticos, casi todos marinos, con seudópodos que se ramifican y juntan unos con otros para formar extensas redes y con caparazón de forma y composición química variadas; como la numulita. Ú. t. c. s. ‖ **2.** m. pl. *Zool.* Orden de estos animales.

Foráneo, a. (Del b. lat. *foranĕus*, y éste del lat. *foras*, de fuera.) adj. Forastero, extraño. ‖ **2.** V. **Vicarios foráneos.** ‖ **3.** *Rioja.* Exterior, de fuera. Aplícase a las hojas exteriores de las berzas, lechugas, etc.

Forano, na. (Del b. lat. *foranus*, de *foras*, de fuera.) adj. ant. **Foráneo,** 1.ª acep. ‖ **2.** ant. Rústico, huraño. ‖ **3.** ant. Exterior, extrínseco y de afuera. ‖ **4.** *Germ.* **Forastero.**

Forañо, ña. (Del b. lat. *foranĕus*, y éste del lat. *foras*, de fuera.) adj. ant. Exterior, de afuera. ‖ **2.** m. *Sal.* La tabla que se saca de junto a la corteza del árbol.

Foras. (Del lat. *foras.*) adv. l. ant. **Fuera.** ‖ **2.** ant. **Fuera de.**

Forastero, ra. (Del ant. fr. *forestier*, de *forest*, y éste del lat. *foras*, de fuera.) adj. Que es o viene de fuera del lugar. ‖ **2.** Dícese de la persona que vive o está en un lugar de donde no es vecina y en donde no ha nacido. Ú. t. c. s. ‖ **3.** V. **Guía de forasteros.** ‖ **4.** fig. Extraño, ajeno.

Forca. (Del lat. *furca.*) f. ant. **Horca.** ‖ **2.** ant. **Horquilla.**

Forcate. (Del arag. *forcat*, y éste del lat. **furcatus*, de *fŭrca*, horca.) m. *Ál.*, *Ar.* y *Rioja.* Arado con dos varas o timones para que tire de él una sola caballería.

Forcatear. tr. *Ál.* y *Rioja.* Arar con forcate.

Forcaz. (De *forca.*) adj. Dícese del carromato de dos varas.

Forcejar. intr. Hacer fuerza para vencer alguna resistencia. ‖ **2.** fig. Resistir, hacer oposición, contradecir tenazmente. ‖ **3.** tr. ant. **Forzar,** 3.ª acep.

Forcejear. (De *forcejo.*) intr. **Forcejar,** 1.ª y 2.ª aceps.

Forcejeo. m. **Forcejo.**

Forcejo. m. Acción de forcejar.

Forcejón. (De *forcejo.*) m. Esfuerzo violento.

Forcejudo, da. (De *forcejo.*) adj. Que tiene y hace mucha fuerza.

Fórceps. (Del lat. *forceps*, tenaza.) m. *Obst.* Instrumento en forma de tenaza, que se usa para la extracción de las criaturas en los partos difíciles.

Forciar. tr. ant. **Forzar.**

Forcina. (Del dialect. *forcina*, y éste del lat. *fŭscĭna*, horca, infl. por *fŭrca.*) f. ant. Especie de tenedor grande de tres púas.

Forcir. (Del lat. *fŭlcīre*, apoyar.) tr. ant. Fortalecer o reforzar.

Forchina. (Del lat. *fŭscina*, infl. por *fŭrca.*) f. Arma de hierro o modo de horquilla. ‖ **2.** ant. Tenedor para comer.

Forense. (Del lat. *forensis*, de *forum*, foro, plaza pública.) adj. Perteneciente al foro. ‖ **2.** V. **Médico forense.** ‖ **3.** ant. Público y manifiesto.

Forense. (Del lat. *foras*, de fuera.) adj. **Forastero.**

Forero, ra. adj. Perteneciente o que se hace conforme a fuero. ‖ **2.** V. **Carta, moneda forera.** ‖ **3.** ant. Aplicábase al práctico y versado en los fueros. Usáb. t. c. s. ‖ **4.** m. Dueño de finca dada a foro. ‖ **5.** El que paga foro. ‖ **6.** ant. Pechero, 2.° art. ‖ **7.** ant. El que cobraba las rentas debidas por fuero o derecho.

Forestación. f. *Chile.* Acción y efecto de poblar un terreno con plantas forestales.

Forestal. (Del b. lat. *forestalis*, de *foresta*, bosque, y éste del lat. *foras*, afuera.) adj. Relativo a los bosques y a los aprovechamientos de leñas, pastos, etc.

Fórfolas. (Del lat. *furfur, -ŭris*, caspa.) f. pl. ant. Escamas que se forman en el cuero cabelludo, al modo de caspa gruesa, pero pegada y con algún humor debajo.

Forigar. tr. *Ar.* Hurgar, hurgonear.

Forillo. m. En el teatro, telón pequeño que se pone detrás y a la distancia conveniente del telón de foro en que hay puerta u otra abertura semejante.

Forínseco, ca. (Del lat. *forinsĕcus.*) adj. ant. Que está de la parte de fuera.

Forista. m. ant. El versado en el estudio de los fueros.

Forja. (Del fr. *forge*, y éste del lat. *fabrĭca*, fábrica.) f. **Fragua.** Llámanla así los plateros a distinción de la de los herreros. ‖ **2. Ferrería.** ‖ **3.** Acción y efecto de forjar. ‖ **4. Argamasa,** 1.ª acep. ‖ **a la catalana.** Aparato usado antiguamente para la fabricación del hierro, y compuesto de tres partes principales: un hogar bajo y abierto, una trompa y un martinete para forjar el hierro obtenido.

Forjado, da. p. p. de **Forjar.** ‖ **2.** m. *Arq.* **Entramado,** 2.ª acep.

Forjador, ra. adj. Que forja. Ú. t. c. s.

Forjadura. (De *forjar.*) f. **Forja,** 3.ª acep.

Forjar. (Del fr. *forger.*) tr. Dar la primera forma con el martillo a cualquiera pieza de metal. ‖ **2.** Fabricar y formar. Dícese particularmente entre los albañiles. ‖ **3.** *Albañ.* Revocar toscamente con yeso o mortero. ‖ **4.** *Albañ.* Llenar con bovedillas o tableros de rasilla los espacios que hay entre viga y viga. ‖ **5.** fig. Inventar, fingir, fabricar. *La joven* HA FORJADO *mil embustes.*

Forlón. m. Especie de coche antiguo de cuatro asientos: era sin estribos, cerrado con puertecillas, colgada la caja sobre correones y puesta entre dos varas de madera.

Forma. (Del lat. *forma.*) f. Figura o determinación exterior de la materia. ‖ **2.** Disposición o expresión de una potencialidad o facultad de las cosas. ‖ **3.** Fórmula y modo de proceder en una cosa. ‖ **4.** Molde en que se vacía y forma alguna cosa; como son las **formas** en que se vacían las estatuas de yeso y muchas obras de platería. ‖ **5.** Tamaño de un libro en orden a sus dimensiones de largo y ancho; como folio, cuarto, octavo, etc. ‖ **6.** Modo, manera de hacer una cosa. *No hay* FORMA *de cobrar.* ‖ **7.** Calidades de estilo o modo de expresar las ideas, a diferencia de lo que constituye el fondo substancial de la obra literaria. ‖ **8.** Tratándose de letra, especial configuración que tiene la de cada persona, o la usada en país o tiempo determinado. ‖ **9.** Pan ázimo, cortado regularmente en figura circular, mucho más pequeña que la de la hostia, y que sirve para la comunión de los legos. Se le da este nombre aun después de consagrada. ‖ **10.** Palabras rituales que, aplicadas por el ministro competente a la materia de cada sacramento, integran la esencia de éste. ‖ **11.** *Impr.* Molde que se pone en la prensa para imprimir una cara de todo el pliego. ‖ **12.** *Arq.* **Formero,** 1.ª acep. ‖ **13.** *Fil.* Principio activo que con la materia prima constituye la esencia de los cuerpos; tratando de formas espirituales, sólo se llama así al alma humana. ‖ **14.** *Fil.* Principio activo que da a la cosa su entidad, ya substancial, ya accidental. ‖ **15.** *For.* Requisitos externos o aspectos de expresión en los actos jurídicos. ‖ **16.** *For.* Cuestiones procesales en contraposición al fondo del pleito o causa. ‖ **17.** pl. Configuración del cuerpo humano, especialmente los pechos y caderas de la mujer. ‖ **Forma silogística.** Modo de argüir usando de silogismos. ‖ **Dar forma.** fr. Arreglar lo que estaba desordenado. ‖ **2.** Cumplir o ejecutar lo que en principio está acordado hacer. ‖ **De forma.** loc. Dícese de la persona de distinción y prendas recomendables. *Hombre* DE FORMA. ‖ **De forma que.** fr. conjuntiva que indica consecuencia y resultado. *Lo expuso muy ordenadamente,* DE FORMA QUE *convenció.* ‖ **En debida forma.** m. adv. *For.* Conforme a las reglas del derecho y prácticas establecidas. *Venga* EN DEBIDA FORMA; *pida* EN DEBIDA FORMA. ‖ **En forma.** m. adv. Con formalidad. ‖ **2.** Como es debido. ‖ **3. En toda forma.** ‖ **4.** *For.* **En debida forma.** ‖ **En toda forma.** m. adv. Bien y cumplidamente; con toda formalidad y cuidado. ‖ **Guardar la forma del ayuno.** Cumplir únicamente su requisito substancial, que consiste en hacer una sola comida al día, las personas que están dispensadas de su cumplimiento total.

Formable. (Del lat. *formabĭlis.*) adj. Que se puede formar.

Formación. (Del lat. *formatĭo, -ōnis.*) f. Acción y efecto de formar. ‖ **2. Forma,** 1.ª acep. *El caballo es de buena* FORMACIÓN. ‖ **3.** Perfil de entorchado con que los bordadores guarnecen las hojas de las flores dibujadas en la tela. ‖ **4.** *Geol.* Conjunto de rocas o masas minerales que presentan caracteres geológicos y paleontológicos comunes a ellas. ‖ **5.** *Mil.* Reunión ordenada de un cuerpo de tropas para revistas y otros actos del servicio.

Formador, ra. (Del lat. *formātor.*) adj. Que forma o pone en orden. Ú. t. c. s.

Formadura. (Del lat. *formatūra.*) f. ant. Figura de una cosa y conformación en sus partes.

Formaje. (Del fr. *fromage*, y éste del lat. **formatĭcum*, de *forma*, forma del queso.) m. **Encella.** ‖ **2.** desus. **Queso.**

Formal. (Del lat. *formalis.*) adj. Perteneciente a la forma. En este sentido se contrapone a esencial. ‖ **2.** V. **Causa formal.** ‖ **3.** Que tiene formalidad. ‖ **4.** Aplícase a la persona seria, amiga de la verdad y enemiga de chanzas. ‖ **5.** Expreso, preciso, determinado. ‖ **6.** V. **Precepto formal de obediencia.** ‖ **7.** *For.* V. **Estatuto formal.**

Formaldehído. m. *Quím.* **Aldehído fórmico.**

Formaleta. f. *Albac.* y *Colomb.* **Cimbra,** 1.ª acep.

Formalete. m. *Arq.* **Medio punto,** 1.ª acep.

Formalidad. (De *formal.*) f. Exactitud, puntualidad y consecuencia en las acciones. ‖ **2.** Cada uno de los requisitos que se han de observar o llenar para ejecutar una cosa. ‖ **3.** Modo de ejecutar con la exactitud debida un acto público. ‖ **4.** Seriedad, compostura en algún acto.

Formalismo. (De *formal.*) m. Rigurosa aplicación y observancia, en la enseñanza o en la indagación científica, del método, procedimiento y manera externa recomendados por alguna escuela.

Formalista. (De *formal.*) adj. Dícese del que para cualquier asunto observa con exceso de celo las formas y tradiciones. Ú. t. c. s.

Formalizar. (De *formal.*) tr. Dar la última forma a una cosa. ‖ **2.** Revestir una cosa de los requisitos legales. FORMALIZAR *un expediente, un ingreso, un asiento.* ‖ **3.** Concretar, precisar. FORMALIZAR *un cargo, una oposición.* ‖ **4.** r.

Ponerse serio, haciendo aprecio de una cosa que acaso se dijo por chanza o sin intención de ofender.

Formalmente. adv. m. Según la forma debida. ‖ **2.** Con formalidad, expresamente.

Formante. p. a. de **Formar.** Que forma.

Formar. (Del lat. *formāre.*) tr. Dar forma a una cosa. ‖ **2.** Juntar y congregar diferentes personas o cosas, uniéndolas entre sí para que hagan aquéllas un cuerpo moral y éstas un todo. ‖ **3.** Hacer o componer varias personas o cosas el todo del cual son partes. Ú. t. c. intr. ‖ **4.** *Mil.* Poner en orden. FORMAR *el escuadrón.* ‖ **5.** intr. Colocarse una persona en una formación, cortejo, etc. ‖ **6.** Entre bordadores, perfilar las labores dibujadas en la tela con el torzal o felpilla. ‖ **7.** Criar, educar, adiestrar. ‖ **8.** r. Adquirir una persona más o menos desarrollo, aptitud o habilidad en lo físico o en lo moral.

Formativo, va. adj. Dícese de lo que forma o da la forma.

Formatriz. (Del lat. *formātrix.*) adj. **Formadora.**

Formero. (De *forma.*) m. *Arq.* Cada uno de los arcos en que descansa una bóveda vaída. ‖ **2.** *And.* **Cimbra,** 1.ª acep.

Formiato. m. *Quím.* Sal que resulta de la combinación del ácido fórmico con una base.

Formicante. (Del lat. *formĭcans, -āntis,* que anda como la hormiga.) adj. Propio de hormiga. ‖ **2.** Lento, tardo. ‖ **3.** *Med.* V. **Pulso formicante.**

Fórmico. (Del lat. *formīca,* hormiga.) adj. *Quím.* V **Ácido fórmico.**

Formidable. (Del lat. *formidabĭlis.*) adj. Muy temible y que infunde asombro y miedo. ‖ **2.** Excesivamente grande en su línea, enorme.

Formidar. (Del lat. *formidāre.*) tr. ant. Temer, recelar.

Formidoloso, sa. (Del lat. *formidolōsus.*) adj. Que tiene mucho miedo. ‖ **2.** Espantoso, horrible y que impone miedo.

Formol. m. *Quím.* Líquido incoloro, de olor fuerte y desagradable, que consiste en una solución acuosa de formaldehído al 40 por 100. Es un poderoso antiséptico, por lo cual se emplea como desinfectante y también para la conservación de preparaciones anatómicas.

Formón. (De *forma.*) m. Instrumento de carpintería, semejante al escoplo, pero más ancho de boca y menos grueso. ‖ **2.** Sacabocados con que se cortan las hostias y otras cosas de figura circular. ‖ **3.** *Rioja.* Pieza del arado de hierro sobre la cual se apoyan la vertedera por encima y la reja por delante. ‖ **de punta corriente.** El que acaba en corte oblicuo

Fórmula. (Del lat. *formŭla.*) f. Medio práctico propuesto para resolver un asunto controvertido o ejecutar una cosa difícil. ‖ **2.** **Receta,** 1.ª y 4.ª aceps. ‖ **3.** Expresión concreta de una avenencia o transacción entre diversos pareceres, partidos o grupos. ‖ **4.** *Mat.* Resultado de un cálculo, cuya expresión, reducida a sus más simples términos, sirve de pauta y regla para resolución de todos los casos análogos. ‖ **5.** *Quím.* Representación simbólica de la composición de un cuerpo por medio de letras y signos determinados. ‖ **dentaria.** Representación simbólica de la dentición de un mamífero, mediante una línea recta horizontal, encima de la cual se expresa en guarismos el número de incisivos, caninos, premolares y molares de la mandíbula superior, y debajo de ella, por el mismo orden, el de los dientes de la mandíbula inferior. ‖ **Por fórmula.** m. adv. Para cubrir apariencias, sin convicción, para salir del paso.

Formular. (De *fórmula.*) tr. Reducir a términos claros y precisos un mandato, una proposición o un cargo. ‖ **2.** Recetar. ‖ **3.** Expresar, manifestar.

Formular. adj. Relativo o perteneciente a la fórmula; que tiene cualidades de fórmula.

Formulario, ria. adj. Relativo o perteneciente a las fórmulas o al formulismo. ‖ **2.** Dícese de lo que se hace por fórmula, cubriendo las apariencias. ‖ **3.** m. Libro o escrito en que se contienen las fórmulas que se han de observar para la petición, expedición o ejecución de algunas cosas.

Formulismo. m. Excesivo apego a las fórmulas en la resolución y ejecución de cualquier asunto, especialmente de los oficiales y burocráticos. ‖ **2.** Tendencia a preferir la apariencia de las cosas a su esencia.

Formulista. adj. Aplícase a la persona partidaria del formulismo. Ú. t. c. s.

Fornáceo, a. (Del lat. *furnacĕus,* de *furnus,* horno.) adj. poét. Perteneciente o semejante al horno.

Fornacino, na. adj. ant. V. **Costilla fornacina.**

Fornalla. (Del lat. *fornācŭla.*) f. ant. **Horno.**

Fornazo. (Del lat. *fornacĕus.*) m. ant. **Hornazo.**

Fornecer. (De *fornir.*) tr. desus. Proveer de todo lo necesario una cosa para algún fin.

Fornecimiento. (De *fornecer.*) m. desus. Provisión, reparo y fortificación con que se proveía y guarnecía una cosa. FORNECIMIENTO *de un castillo.*

Fornecino, na. (Del lat. *fornix, -ĭcis,* lupanar.) adj. ant. Decíase del hijo bastardo o del nacido de adulterio. ‖ **2.** *Ar.* Dícese del vástago sin fruto de la vid. Ú. m. c. s.

Fornel. (Del cat. *fornell,* y éste del lat. **fŭrnĕllus,* de *fŭrnus,* horno.) m. *Albac., Alm.* y *Jaén.* **Anafe.**

Fornelo. (Del ital. *fornello,* y éste del lat. **fŭrnĕllus,* de *fŭrnus,* horno.) m. Chofeta manual de hierro, de que regularmente se sirven en las casas de comunidad para hacer el chocolate.

Fornicación. (Del lat. *fornicatĭo, -ōnis.*) f. Acción de fornicar.

Fornicador, ra. (Del lat. *fornicātor.*) adj. Que fornica. Dícese regularmente del que tiene este vicio. Ú. t. c. s.

Fornicar. (Del lat. *fornicāre.*) intr. Tener ayuntamiento o cópula carnal fuera del matrimonio. Ú. t. c. tr.

Fornicario, ria. (Del lat. *fornicarĭus.*) adj. Perteneciente a la fornicación. ‖ **2.** Que tiene el vicio de fornicar. Ú. t. c. s.

Fornicio. (Del b. lat. *fornicium,* y éste del lat. *fornix, -ĭcis,* lupanar.) m. **Fornicación.**

Fornición. (De *fornir.*) f. ant. Abastecimiento o provisión.

Fornido, da. p. p. de **Fornir.** ‖ **2.** adj. Robusto, y de mucho hueso.

Fornimento. (De *fornir.*) m. ant. Provisión y prevención que se hace de las cosas necesarias para un fin. ‖ **2.** ant. Arreo o jaez.

Fornimiento. m. ant. **Fornimento,** 1.ª acep.

Fornir. (Del germ. *frumjan,* producir, fabricar.) tr. ant. **Fornecer.** ‖ **2.** *Germ.* Arreciar o reformar.

Fornitura. (Del fr. *fourniture,* de *fournir,* y éste del m. or. que *fornir.*) f. *Impr.* Porción de letra que se funde para completar una fundición. ‖ **2.** *Mil.* Correaje y cartuchera que usan los soldados. Ú. m. en pl.

Forno. (Del lat. *furnus.*) m. ant. **Horno.** ‖ **de poya.** ant. **Horno de poya.**

Foro. (Del lat. *forum.*) m. Plaza donde se trataban en Roma los negocios públicos y donde el pretor celebraba los juicios. ‖ **2.** Por ext., sitio en que los tribunales oyen y determinan las causas. ‖ **3.** Curia, y cuanto concierne al ejercicio de la abogacía y a la práctica de los tribunales. ‖ **4.** Parte del escenario o de las decoraciones teatrales opuesta a la embocadura y más distante de ella. ‖ **5.** V. **Telón de foro.** ‖ **6.** Contrato consensual por el cual una persona cede a otra, ordinariamente por tres generaciones, el dominio útil de una cosa mediante cierto canon o pensión. ‖ **7.** Canon o pensión que se paga en virtud de este contrato. ‖ **8.** ant. **Fuero.** ‖ **Por tal foro.** m. adv. Con tal condición o pacto.

Forqueta. (d. de *forca,* horquilla.) f. ant. Tenedor para comer. ‖ **2.** ant. **Horca,** 3.ª acep.

Forradura. (De *forrar.*) f. ant. **Forro,** 1.er art.

Forraje. (Del fr. *fourrage,* y éste del germ. *fodr.*) m. Verde que se da al ganado, especialmente en la primavera. ‖ **2.** *Argent., Chile* y *Méj.* Pasto seco conservado para alimentación del ganado, y también los cereales destinados a igual uso. ‖ **3.** Acción de forrajear. ‖ **4.** fig. y fam. Abundancia y mezcla de muchas cosas de poca substancia.

Forrajeador. (De *forrajear.*) m. Soldado que va a forrajear.

Forrajear. tr. Segar y coger el forraje. ‖ **2.** *Mil.* Salir los soldados a coger el pasto para los caballos.

Forrajera. (De *forraje.*) f. Red de cuerda que los soldados de caballería ligera llevaban arrollada a la cintura cuando iban a forrajear. Después de llena de hierba o de mieses verdes, sujetaban la red a la montura de los caballos. ‖ **2.** Cinturón o faja que usan ciertos regimientos montados con el uniforme de gala. ‖ **3.** Cuerda que los jinetes forrajeadores llevaban arrollada al cuerpo y les servía para atar los haces de mies. ‖ **4.** Cordón que los militares de cuerpos montados llevan rodeado al cuello por un extremo, y que por el otro va sujeto a un botón de la parte anterior del uniforme en actos de servicio pie a tierra, y al ros o chacó en maniobras a caballo.

Forrajero, ra. adj. Aplícase a las plantas o a algunas de sus partes, que sirven para forraje. ‖ **2.** m. ant. **Forrajeador.**

Forrar. (Del fr. *fourrer,* y éste del germ. *fodr.*) tr. Poner forro a alguna cosa. ‖ **2.** Cubrir una cosa con funda o forro que la resguarde y conserve.

Forro. (De *forrar.*) m. Abrigo, defensa, resguardo o cubierta con que se reviste una cosa por la parte interior o exterior. Dícese especialmente de las telas y pieles que se ponen por la parte interior de las ropas o vestidos. ‖ **2.** Cubierta del libro. ‖ **3.** *Mar.* Conjunto de tablones con que se cubre el esqueleto del buque interior y exteriormente. ‖ **4.** *Mar.* Conjunto de planchas de cobre o de tablas con que se revisten los fondos del buque. ‖ **Ni por el forro.** expr. fig. y fam. con que se denota que alguno desconoce completamente tal o cual ciencia o los libros que de ella tratan. Ú. principalmente con los verbos *no conocer, no haber visto.* ‖ **2.** Ni por asomo, ni lo más mínimo.

Forro, rra. adj. ant. **Horro.**

Fortacán. (De *furtar* y *can.*) m. *León.* **Ladrón,** 2.ª acep.

Fortachón, na. (aum. de *fuerte.*) adj. fam. Recio y fornido; que tiene grandes fuerzas y pujanza.

Fortalecedor, ra. adj. Que fortalece.

Fortalecer. (De *fortaleza.*) tr. **Fortificar.** Ú. t. c. r. ‖ **2.** ant. Confirmar, corroborar. Dícese de los argumentos, razones, etc.

Fortalecimiento. m. Acción y efecto de fortalecer o fortalecerse. ‖ **2.** Lo que hace fuerte un sitio o población como muros, torres, etc. || **3.** ant. **Fortaleza,** 4.ª acep.

Fortaleza. (Del prov. *fortaleza*, y éste del lat. *fortis*.) f. Fuerza y vigor. || **2.** Tercera de las cuatro virtudes cardinales, que consiste en vencer el temor y huir de la temeridad. || **3.** Natural defensa que tiene un lugar o puesto en su misma situación. || **4.** Recinto fortificado; como castillo, ciudadela, etc. || **5.** pl. Defecto de las hojas de espada y demás armas blancas, que consiste en unas grietecillas menudas.

¡Forte! Voz ejecutiva con que se manda hacer alto en las faenas marineras.

Fortepiano. (Del ital. *forte*, fuerte, y *piano*, suave, dulce, con alusión a los sonidos de este instrumento.) m. *Mús.* **Piano,** 2.ª acep.

Fortezuelo, la. adj. d. de **Fuerte.** || **2.** m. d. de **Fuerte.**

Fortificación. (Del lat. *fortificatio, -ōnis*.) f. Acción de fortificar. || **2.** Obra o conjunto de obras con que se fortifica un pueblo o un sitio cualquiera. || **3. Arquitectura militar.** || **de campaña.** La que se hace para defender por tiempo limitado un campo u otra posición militar. || **permanente.** La que se construye con materiales duraderos, para que sirva de defensa por tiempo ilimitado.

Fortificador, ra. adj. Que fortifica.

Fortificante. p. a. de **Fortificar.** Que fortifica.

Fortificar. (Del lat. *fortificāre*; de *fortis*, fuerte, y *facĕre*, hacer.) tr. Dar vigor y fuerza material o moralmente. || **2.** Hacer fuerte con obras de defensa un pueblo o un sitio cualquiera, para que pueda resistir a los ataques del enemigo. Ú. t. c. r.

Fortín. (d. de *fuerte*.) m. Una de las obras que se levantan en los atrincheramientos de un ejército para su mayor defensa. || **2.** Fuerte pequeño.

Fortísimo, ma. adj. sup. de **Fuerte.**

Fortitud. (Del lat. *fortitūdo*.) f. ant. **Fortaleza.**

Fortuitamente. adv. m. Casualmente, sin prevención ni premeditación.

Fortuito, ta. (Del lat. *fortuītus*; de *fors, fortis*, suerte, casualidad.) adj. Que sucede inopinada y casualmente. || **2.** V. **Caso fortuito.**

Fortuna. (Del lat. *fortūna*.) f. Divinidad mitológica que presidía a los sucesos de la vida, distribuyendo ciegamente los bienes y los males. || **2. Suerte,** 1.ª, 2.ª y 3.ª aceps. || **3.** Hacienda, capital, caudal. || **4.** Borrasca, tempestad en mar o tierra. || **5.** V. **Bienes, día, golpe, hombre, lance, moza, tiempo de fortuna.** || **6.** fig. V. **Rueda de la fortuna.** || **7.** ant. Desgracia, adversidad, infortunio. || **8.** *Astrol.* V. **Parte de fortuna.** || **Correr fortuna.** fr. *Mar.* Padecer tormenta la embarcación, y estar a riesgo de perderse. || **Fortuna te dé Dios, hijo, que el saber poco, te basta,** o **que el saber, poco te vale.** ref. **Ventura te dé Dios, hijo,** etc. || **Fortuna y aceituna, a veces mucha y a veces ninguna.** ref. que da a entender que así como la cosecha de la aceituna rara vez es mediana, así también es la **fortuna,** que rara vez se contenta con la medianía. || **Más vale fortuna en tierra que bonanza por la mar.** ref. que encarece los riesgos de la navegación, y que prefiere a éstos cualquier trabajo o adversidad en tierra firme. || **Por fortuna.** m. adv. Afortunadamente, por casualidad. || **Probar fortuna.** fr. Intentar una empresa cuyo buen término se considera difícil o dudoso. || **Soplar la fortuna** a uno. fr. fig. Sucederle las cosas felizmente.

Fortunado, da. p. p. de **Fortunar.** || **2.** adj. ant. **Afortunado.**

Fortunal. (De *fortuna*, desgracia, adversidad.) adj. ant. Peligroso o arriesgado.

Fortunar. (Del lat. *fortunāre*.) tr. ant. Afortunar.

Fortunio. (Del lat. *fortunĭus*, de *fortuna*, suerte.) m. desus. Felicidad, dicha. || **2.** ant. **Infortunio.**

Fortuno, na. (De *fortunar*.) adj. ant. **Fortunoso.**

Fortunón. m. fam. aum. de **Fortuna.**

Fortunoso, sa. (De *fortuna*, borrasca, desgracia.) adj. desus. Borrascoso, tempestuoso. || **2.** ant. Azaroso, desgraciado.

Forúnculo. m. *Med.* **Furúnculo.**

Forza. f. ant. **Fuerza.**

Forzadamente. adv. m. Por fuerza. || **2.** ant. Forzosamente, necesariamente.

Forzado, da. p. p. de **Forzar.** || **2.** adj. Ocupado o retenido por fuerza. || **3.** V. **Pie forzado.** || **4.** V. **Gente forzada.** || **5.** V. **Trabajos forzados.** || **6.** No espontáneo. *Risa* FORZADA, *cumplimientos* FORZADOS. || **7.** p. us. **Forzoso.** || **8.** m. Galeote condenado a servir al remo en las galeras. || **9.** adv. m. ant. **Forzosamente.**

Forzador. (De *forzar*.) m. El que hace fuerza o violencia a otro, y más comúnmente el que fuerza a una mujer.

Forzal. (De *fuerza*.) m. Banda o faja maciza de donde arrancan las púas de un peine.

Forzamento. m. ant. **Forzamiento.**

Forzamiento. m. Acción de forzar o hacer fuerza.

Forzante. p. a. ant. de **Forzar.** Que fuerza.

Forzar. (Del lat. **fortiāre*, y éste del lat. *fortis*, fuerte.) tr. Hacer fuerza o violencia física para conseguir un fin que habitualmente no debe ser conseguido por la fuerza. FORZAR *una puerta.* || **2.** Entrar, sujetar y rendir a fuerza de armas una plaza, castillo, etc. || **3.** Gozar a una mujer contra su voluntad. || **4.** Tomar u ocupar por fuerza una cosa. || **5.** fig. Obligar o precisar a que se ejecute una cosa. Ú. t. c. r. || **6.** r. ant. **Esforzarse.**

Forzosa. (De *forzoso*.) f. Lance en el juego de damas a la española, con el cual se gana precisamente dentro de 12 jugadas, teniendo tres damas contra una y la calle de en medio del tablero por suya, y si se descuida y a las 12 jugadas no ha acabado el juego, queda hecho tablas. || **La forzosa.** fam. Precisión ineludible en que uno se encuentra de hacer algo contra su voluntad. || **Hacer** a uno **la forzosa** fr. fig. y fam. Ponerle en la precisión de que ejecute lo que no quiere, disponiendo las cosas de suerte que no se pueda excusar.

Forzosamente. adv. m. **Por fuerza.** || **2. Violentamente.** || **3.** Necesaria e ineludiblemente.

Forzoso, sa. (De *fuerza*.) adj. Que no se puede excusar. || **2.** V. **Trabajos forzosos.** || **3.** ant. Fuerte, recio o violento. || **4.** ant. **Forzudo.** || **5.** ant. Violento; contra razón y derecho. || **6.** *For.* V. **Heredero forzoso.** || **7.** *For.* V. **Jurisdicción forzosa.**

Forzudamente. adv. m. Con mucha fuerza y empuje.

Forzudo, da. adj. Que tiene grandes fuerzas.

Fosa. (Del lat. *fossa*, de *fodĕre*, cavar.) f. **Sepultura,** 2.ª acep. || **2.** Hoyo en la tierra para enterrar uno o más cadáveres. || **3.** ant. **Foso,** 1.ª y 3.ª aceps. || **4.** *Zool.* Cada una de ciertas cavidades en el cuerpo de los animales. *Las* FOSAS *nasales.* || **5.** Depresión que existe en la superficie de algunos huesos. || **6.** *Sal.* Finca plantada de árboles frutales. || **navicular.** *Zool.* Dilatación o ensanche que hay en el extremo de la uretra del hombre y en algún otro lugar del cuerpo humano.

Fosada. (De *fosar*.) f. ant. **Foso,** 1.ª y 3.ª aceps.

Fosado. (Del lat. *fossātum*, de *fossāre*, cavar.) m. ant. Hoyo que se abre en la tierra para alguna cosa. || **2.** ant. Conjunto de fortificaciones de una ciudad. || **3.** ant. **Fonsadera.** || **4.** *Fort.* **Foso,** 4.ª acep.

Fosadura. (De *fosado*.) f. ant. Zanja u hoyo hecho en la tierra.

Fosal. (De *fosa*.) m. **Cementerio.** || **2.** ant. Sepulcro, fosa. Ú. en Aragón.

Fosar. m. ant. **Fosal,** 1.ª acep.

Fosar. (Del lat. *fossāre*.) tr. Hacer foso alrededor de una cosa.

Fosario. (De *fosar*.) m. ant. **Osario.**

Fosca. (De *fosco*.) f. **Calina.** || **2.** *Murc.* Bosque o selva enmarañada.

Fosco, ca. (Del lat. *fuscus*.) adj. **Hosco.** || **2. Obscuro,** 1.ª y 2.ª aceps.

Fosfatado, da. adj. Que tiene fosfato. *Harina* FOSFATADA.

Fosfático, ca. adj. *Quím.* Perteneciente o relativo al fosfato.

Fosfato. (De *fósforo*.) m. *Quím.* Sal formada por la combinación del ácido fosfórico con una o más bases.

Fosfaturia. (De *fosfato*, y el gr. οὖρον, orina.) f. *Med.* Pérdida excesiva de ácido fosfórico por la orina.

Fosfeno. (Del gr. φῶς, luz, y φαίνω, aparecer.) m. Sensación visual producida por la excitación mecánica de la retina o por una presión sobre el globo ocular.

Fosforado, da. (De *fósforo*.) adj. Que contiene fósforo, 1.ª acep.

Fosforecer. (De *fósforo*.) intr. Manifestar fosforescencia o luminiscencia.

Fosforera. f. Estuche o caja en que se guardan o llevan los fósforos.

Fosforero, ra. m. y f. Persona que vende fósforos.

Fosforescencia. f. **Luminiscencia,** especialmente la del fósforo.

Fosforescente. p. a. de **Fosforecer.** Que fosforece.

Fosforescer. intr. **Fosforecer.**

Fosfórico, ca. adj. Perteneciente o relativo al fósforo.

Fosforita. (De *fósforo*.) f. Mineral compacto o terroso, de color blanco amarillento, formado por el fosfato de cal. Se emplea como abono en agricultura después de añadirle ácido sulfúrico para hacerlo soluble.

Fósforo. (Del lat. *phosphŏrus*, y éste del gr. φωσφόρος, el lucero de la mañana; de φῶς, luz, y φέρω, llevar.) m. Metaloide venenoso, de aspecto como la cera, olor peculiar, muy combustible, que luce en la obscuridad sin desprendimiento apreciable de calor. Se extrae comúnmente de los huesos. || **2.** Trozo de cerilla, madera o cartón, con cabeza de **fósforo** y un cuerpo oxidante, que sirve para encender luz. || **3.** El lucero del alba. || **rojo.** Estado alotrópico del **fósforo,** que no luce en la obscuridad y es más difícilmente inflamable que el **fósforo** blanco.

Fosforoscopio. (De *fósforo*, y el gr. σκοπέω, ver, examinar.) m. *Fís.* Instrumento que sirve para averiguar si un cuerpo es o no fosforescente.

Fosfuro. m. *Quím.* Combinación del fósforo con una base.

Fósil. (Del lat. *fossĭlis*, de *fossum*, supino de *fodĕre*, cavar.) adj. Aplícase a la substancia de origen orgánico más o menos petrificada, que por causas naturales se encuentra en las capas terrestres. Ú. t. c. s. m. || **2.** V. **Harina, madera fósil.** || **3.** Por ext., dícese de la impresión, vestigio o molde que denota la existencia de organismos que no son de la época geológica actual. Ú. t. c. s. m. || **4.** fig. y fam. Viejo, anticuado. || **5.** m. desus. Mineral o roca de cualquier clase.

Fosilífero, ra. adj. Dícese del terreno que contiene fósiles.

Fosilización. f. Acción y efecto de fosilizarse.

Fosilizarse. (De *fósil*.) r. Convertirse en fósil un cuerpo orgánico.

Fosique. m. **Fusique.**

Foso. (Del lat. *fossus*, p. p. de *fodĕre*, cavar.) m. **Hoyo.** || **2.** Piso inferior del escenario, o sea espaciosa cavidad a que el tablado sirve como de techo. || **3.** En las cocheras de carruajes mecánicos, excavación que sirve para poder arreglar cómodamente el motor desde abajo. || **4.** *Fort.* Excavación profunda que circuye la fortaleza.

Fosura. (Del lat. *fossūra*.) f. ant. **Excavación.**

Fotiniano, na. adj. Partidario de Fotino, hereje del siglo IV. Ú. t. c. s.

Foto. (Del lat. *fautum*, p. p. de *favēre*, ayudar.) m. ant. **Confianza.**

Foto. f. apóc. fam. de **Fotografía,** 2.ª acep.

Fotocopia. f. Fotografía especial obtenida directamente sobre el papel y empleada para reproducir páginas manuscritas o impresas.

Fotocopiar. tr. Hacer fotocopias.

Fotoeléctrico, ca. adj. *Fís.* Perteneciente o relativo a la acción de la luz sobre ciertos fenómenos eléctricos; como la variación de la resistencia de algunos cuerpos cuando reciben radiaciones luminosas de una determinada longitud de onda. || **2.** Dícese de los aparatos en que se utiliza dicha acción.

Fotofobia. (Del gr. φῶς, φωτός, luz, y φοβέομαι, temer, espantarse.) f. *Med.* Repugnancia y horror a la luz.

Fotófobo, ba. adj. Que padece fotofobia. Ú. t. c. s.

Fotófono. (Del gr. φῶς, φωτός, luz, y φωνέω, hablar, sonar.) m. *Fís.* Instrumento que sirve para transmitir el sonido por medio de ondas luminosas.

Fotogénico, ca. (Del gr. φῶς, φωτός, luz, y γεννάω, producir.) adj. Que promueve o favorece la acción química de la luz. || **2.** Dícese de aquello que tiene buenas condiciones para ser reproducido por la fotografía.

Fotograbado. (Del gr. φῶς, φωτός, luz, y de *grabado*.) m. Procedimiento de grabar un clisé fotográfico sobre planchas de cinc, cobre, etc., y arte de estampar esas planchas por acción química de la luz. || **2.** Lámina grabada o estampada por este procedimiento.

Fotograbar. tr. Grabar por medio de la fotografía.

Fotografía. (Del gr. φῶς, φωτός, luz, y γράφω, grabar, dibujar, representar.) f. Arte de fijar y reproducir por medio de reacciones químicas, en superficies convenientemente preparadas, las imágenes recogidas en el fondo de una cámara obscura. || **2.** Estampa obtenida por medio de este arte. || **3.** Taller en que se ejerce este arte.

Fotografiar. tr. Ejercer el arte de la fotografía. || **2.** fig. Describir de palabra o por escrito, sucesos, cosas o personas, en términos tan precisos y claros y con tal verdad, que parecen presentarse ante la vista.

Fotográficamente. adv. m. Por medio de la fotografía.

Fotográfico, ca. adj. Perteneciente o relativo a la fotografía.

Fotógrafo. m. El que ejerce la fotografía.

Fotograma. m. Cualquiera de las imágenes que se suceden en una película cinematográfica en cuanto se considera aisladamente.

Fotogrametría. f. Procedimiento para obtener planos de grandes extensiones de terreno por medio de fotografías, tomadas generalmente desde una aeronave.

Fotolitografía. (Del gr. φῶς, φωτός, luz, y de *litografía*.) f. Arte de fijar y reproducir dibujos en piedra litográfica, mediante la acción química de la luz sobre substancias convenientemente preparadas. || **2.** Estampa obtenida por medio de este arte.

Fotolitografiar. tr. Ejercer el arte de la fotolitografía.

Fotolitográficamente. adv. m. Por medio de la fotolitografía.

Fotolitográfico, ca. adj. Perteneciente o relativo a la fotolitografía.

Fotometría. (De *fotómetro*.) f. Parte de la óptica, que trata de las leyes relativas a la intensidad de la luz y de los métodos para medirla.

Fotométrico, ca. adj. Perteneciente o relativo al fotómetro.

Fotómetro. (Del gr. φῶς, φωτός, luz, y μέτρον, medida.) m. *Fís.* Instrumento para medir la intensidad de la luz.

Fotosfera. (Del gr. φῶς, φωτός, luz, y σφαῖρα, esfera.) f. *Astron.* Zona luminosa y más interior de la envoltura gaseosa del Sol.

Fototerapia. (Del gr. φῶς, φωτός, luz, y θεραπεία, curación.) f. *Med.* Método de curación de las enfermedades por la acción de la luz.

Fototipia. f. Procedimiento de reproducir clisés fotográficos sobre una capa de gelatina, con bicromato, extendida sobre cristal o cobre, y arte de estampar esas reproducciones. || **2.** Lámina estampada por este procedimiento.

Fototípico, ca. adj. Relativo a la fototipia.

Fototipografía. (Del gr. φῶς, φωτός, luz, y de *tipografía*.) f. Arte de obtener y de estampar clisés tipográficos obtenidos por medio de la fotografía.

Fototipográfico, ca. adj. Perteneciente o relativo a la fototipografía.

Fótula. f. ant. *And.* Cucaracha voladora.

Fotuto. m. *Cuba.* **Caracola,** 1.ª acep., o cualquier instrumento de viento que produce un sonido fuerte.

Foya. (Del lat. *fovĕa*.) f. ant. **Hoya,** 1.ª acep. || **2.** *Ast.* Hornada de carbón.

Foyo. (De *foya*.) m. ant. **Hoyo.**

Foyoso, sa. (De *foyo*.) adj. ant. **Hoyoso.**

Foz. f. ant. **Alfoz.**

Foz. (Del lat. *falx, falcis*.) f. ant. **Hoz,** 1.er art.

Foz. (Del lat. *faux, faucis*.) f. ant. **Hoz,** 2.° art.

Frac. (Del al. *frack*.) m. Vestidura de hombre, que por delante llega hasta la cintura y por detrás tiene dos faldones más o menos anchos y largos.

Fracasado, da. p. p. de **Fracasar.** || **2.** adj. fig. Dícese de la persona desconceptuada a causa de los fracasos padecidos en sus intentos o aspiraciones. Ú. t. c. s.

Fracasar. (En ital. *fracassare*.) tr. desus. Destrozar, hacer trizas alguna cosa. || **2.** intr. Romperse, hacerse pedazos y desmenuzarse una cosa. Dícese regularmente de las embarcaciones cuando, tropezando en un escollo, se hacen pedazos. || **3.** fig. Frustrarse una pretensión o un proyecto. || **4.** Tener un resultado adverso en un negocio.

Fracaso. (De *fracasar*.) m. Caída o ruina de una cosa con estrépito y rompimiento. || **2.** fig. Suceso lastimoso, inopinado y funesto. || **3.** Malogro, resultado adverso de una empresa o negocio.

Fracción. (Del lat. *fractio, -ōnis*, de *fractum*, supino de *frangĕre*, romper.) f. División de una cosa en partes. || **2.** Cada una de las partes o porciones de un todo con relación a él, divididas o consideradas con separación del todo. || **3.** *Álg.* y *Arit.* Expresión que indica una división no efectuada o que no puede efectuarse. || **4.** *Arit.* **Número quebrado.** || **5.** ant. **Infracción.** || **6.** ant. **Quebrantamiento.** || **continua.** *Álg.* La que tiene por numerador la unidad y por denominador un número mixto, cuya **fracción** tiene por numerador la unidad y por denominador otro número mixto de igual clase, y así sucesivamente. || **decimal.** *Mat.* Aquella cuyo denominador es, o se sobrentiende ser, la unidad seguida de ceros, o sea una potencia de diez. || **impropia.** *Mat.* Aquella cuyo numerador es mayor que el denominador, y por consiguiente es mayor que la unidad. || **propia.** *Mat.* La que tiene el numerador menor que el denominador, y por consiguiente vale menos que la unidad.

Fraccionable. adj. Que puede fraccionarse.

Fraccionamiento. m. Acción y efecto de fraccionar.

Fraccionar. tr. Dividir una cosa en partes o fracciones.

Fraccionario, ria. (De *fracción*.) adj. *Álg.* y *Arit.* **Quebrado,** 8.ª acep. Ú. t. c. s.

Fractura. (Del lat. *fractūra*.) f. Acción y efecto de fracturar o fracturarse. || **conminuta.** *Cir.* Aquella en que el hueso queda reducido a fragmentos menudos.

Fracturar. (De *fractura*.) tr. Romper o quebrantar con esfuerzo una cosa. Ú. t. c. r.

Frada. f. *Ast.* y *Sant.* Acción y efecto de fradar.

Fradar. (De *frade*.) tr. *Ast.* y *Sant.* **Afrailar.**

Frade. (Por **fradre*, del lat. *frater, -tris*, hermano.) m. ant. **Fraile.**

Fradear. (De *frade*.) intr. ant. Entrarse o meterse fraile.

Fraga. (Del lat. *fraga*, fresas.) f. **Frambueso.** || **2.** *Ar.* **Fresa,** 1.er art.

Fraga. (Del lat. **fraga*, t. f. de *fragus*, segundo elemento de *naufrăgus*, etc.) f. **Breñal.** || **2.** Entre madereros, la madera inútil que es necesario cortar para que las piezas queden bien desbastadas en la primera labra.

Fraga. n. p. V. **Maza de Fraga.**

Fragancia. (Del lat. *fragantĭa*.) f. Olor suave y delicioso. || **2.** fig. Buen nombre y fama de las virtudes de una persona.

Fragante. (Del lat. *fragrans, -antis*, p. a. de *fragrāre*, exhalar olor.) adj. Que tiene o despide fragancia; que huele bien. || **2. Flagrante.** || **En fragante.** m. adv. **En flagrante.**

Fragaria. (Del lat. *fraga*.) f. **Fresa,** 1.er art.

Fragata. (En ital. *fregata*.) f. Buque de tres palos, con cofas y vergas en todos ellos. La de guerra tenía sólo una batería corrida entre los puentes, además de la de cubierta, a diferencia de los navíos, que, aparte de éstas de cubierta, tenían dos o tres corridas entre los puentes. || **2.** V. **Capitán de fragata.** || **ligera. Corbeta.**

Frágil. (Del lat. *fragĭlis*.) adj. Quebradizo, y que con facilidad se hace pedazos; como la loza, el vidrio, etc. || **2.** fig. Dícese de la persona que cae fácilmente en algún pecado, especialmente contra la castidad. || **3.** fig. Caduco y perecedero.

Fragilidad. (Del lat. *fragilĭtas, -ātis*.) f. Calidad de frágil.

Frágilmente. adv. m. Con fragilidad.

Fragmentación. f. Acción y efecto de fragmentar.

Fragmentar. (De *fragmento*.) tr. Fraccionar, reducir a fragmentos. Ú. t. c. r.

Fragmentario, ria. adj. Perteneciente o relativo al fragmento. || **2.** Incompleto, no acabado.

Fragmento. (Del lat. *fragmentum*.) m. Parte o porción pequeña de algunas cosas quebradas o partidas. || **2.** fig. Parte que ha quedado, o que se publica, de un libro o escrito. || **3.** Trozos o restos de una obra escultórica o arquitectónica.

Fragor. (Del lat. *fragor*, de la raíz *frag-*, de donde *frangĕre*, romper.) m. Ruido, estruendo.

Fragoroso, sa. (De *fragor*.) adj. **Fragoso,** 2.ª acep.

Fragosidad. (De *fragoso*.) f. Aspereza y espesura de los montes. || **2.** Camino o terreno lleno de asperezas y breñas.

Fragoso, sa. (Del lat. *fragōsus.*) adj. Áspero, intrincado, lleno de quiebras, malezas y breñas. ‖ **2.** Ruidoso, estrepitoso.

Fragrancia. f. ant. **Fragancia.**

Fragrante. adj. **Fragante.**

Fragua. (Del lat. *fabrica,* de *faber,* artífice.) f. Fogón en que se caldean los metales para forjarlos. Distínguese de los demás fogones en que, para activar el fuego en él, se establece siempre una corriente horizontal de aire por medio de un fuelle o de otro aparato análogo. ‖ **Sangrar la fragua.** fr. fig. Entre herreros y cerrajeros, hacer correr por un agujero que a este fin tiene la **fragua,** la escoria que resulta del carbón y del hierro.

Fraguado. m. Acción y efecto de fraguar, 3.ª acep

Fraguador, ra. adj. fig. Que fragua, traza y discurre alguna cosa. Tómase en mala parte. FRAGUADOR *de enredos.* Ú. t. c. s.

Fraguante (En). m. adv. ant. **En fragante.**

Fraguar. (Del lat. *fabricāre.*) tr. **Forjar,** 1.ª acep. ‖ **2.** fig. Idear, discurrir y trazar la disposición de alguna cosa. Tómase comúnmente en mala parte. ‖ **3.** intr. *Albañ.* Dicho de la cal, yeso y otras masas, llegar a trabar y a endurecerse consistentemente en la obra con ellos fabricada.

Fragüín. (De *fraga,* 2.º art.) m. *Extr.* Arroyuelo que corre saltando entre piedras por un terreno fragoso.

Fragura. f. **Fragosidad.**

Frailada. f. fam. Acción descompuesta y de mala crianza, cometida por un fraile.

Frailar. (De *fraile.*) tr. ant. **Enfrailar,** 1.ª acep.

Fraile. (De *fraire.*) m. Nombre que se da a los religiosos de ciertas órdenes. ‖ **2.** Doblez hacia afuera que suele hacer una parte del ruedo de los vestidos talares. ‖ **3.** Rebajo triangular que se hace en la pared de las chimeneas de campana para que el humo suba más fácilmente. ‖ **4.** Mogote de piedra con figura más o menos semejante a la de un **fraile.** ‖ **5.** desus. En los ingenios de azúcar, bagazo o cibera que queda de la caña después de haberle sacado todo el jugo. ‖ **6.** V. **Ciruela de fraile.** ‖ **7.** *And.* Montón de mies trillada, que se hace en las eras para aventarla cuando haga viento a propósito. ‖ **8.** *Mál.* En los lagares, montón de uvas ya pisadas y apiladas para formar los pies. ‖ **9.** *Murc.* La parte alta del ramo donde hilan los gusanos. ‖ **10.** *Impr.* Parte del papel donde no se señala la correspondiente del molde al hacerse la impresión. ‖ **11.** pl. *Ál.* y *Nav.* Planta orquídea con flores en espiga, muy compactas, rojas o blancas jaspeadas. ‖ **Fraile de misa y olla.** El que está destinado para asistir al coro y servicio del altar, y no sigue la carrera de cátedras o púlpito ni tiene los grados que son consiguientes a ella. ‖ **Aunque se lo digan, o prediquen, frailes descalzos.** fr. fig. y fam. con que se pondera la obcecación de una persona, o la dificultad de ser creída una cosa. ‖ **Fraile que pide por Dios, pide para dos.** ref. que explica que en las obras de caridad que se hacen con el prójimo no sólo se interesa el que las recibe, sino también el que las hace, por el mérito que adquiere con Dios. Dicho maliciosamente, quiere indicar que el que pide para otro suele quedarse con algo. ‖ **No se lo harán creer frailes descalzos.** fr. fig. y fam. **Aunque se lo digan frailes descalzos.**

Frailear. tr. *And.* **Afrailar.**

Frailecillo. m. d. de **Fraile.** ‖ **2. Ave fría.** ‖ **3.** En el torno de la seda, cada uno de los dos zoquetillos hincados en él, a modo de pilares, donde se asegura el husillo de hierro. ‖ **4.** *And.* Cada una de las varas con que se sujeta la puente delantera de las correderas en las carretas. ‖ **5.** *And.* Cada uno de los dos palitos que están por bajo de las orejeras para que éstas no se peguen con la cabeza del arado. ‖ **6.** *Zool. Cuba.* Ave palmípeda de unos 30 centímetros de altura, plumaje grisáceo con algunas fajas negras, pico negro, patas amarillas y ojos grandes. Habita en lugares pantanosos y en las playas y sabanas. ‖ **7.** *Bot. Cuba.* Arbusto de la familia de las euforbiáceas, de un metro a metro y medio de altura, madera blancuzca, ramas tortuosas, hojas alternas, oblongas y una espina en su base; flores olorosas, pequeñas, de cuatro pétalos blancos; fruto aovado, amarillo, carnoso, que encierra una almendra.

Frailecito. m. d. de **Fraile.** ‖ **2.** Juguete que hacen los niños cortando incompletamente la parte superior de una haba, sacándole el grano, y quedando el hollejo de modo que semeja la capilla de un fraile.

Frailego, ga. adj. ant. **Frailesco.**

Frailejón. m. *Bot. Colomb., Ecuad.* y *Venez.* Planta de la familia de las compuestas, que alcanza hasta dos metros de altura, crece en los páramos, tiene hojas anchas, gruesas y aterciopeladas, y flor de un color amarillo de oro; produce una resina muy apreciada.

Frailengo, ga. adj. fam. **Frailesco.**

Fraileño, ña. adj. fam. **Frailesco.**

Frailería. f. fam. Los frailes en común.

Frailero, ra. adj. Propio de los frailes. *Sillón* FRAILERO. ‖ **2.** fam. Muy apasionado por los frailes. ‖ **3.** *Carp.* Dícese de la ventana cuyo postigo va colgado de la misma hoja y no al cerco.

Frailesco, ca. adj. fam. Perteneciente o relativo a frailes, 1.ª acep.

Frailezuelo. m. d. de **Fraile,** 1.ª acep.

Frailía. f. Estado de clérigo regular.

Frailillos. (d. de *fraile.*) m. pl. **Arísaro.**

Frailote. m. aum. de **Fraile.**

Frailuco. m. despect. Fraile despreciable y de poco respeto.

Frailuno, na. adj. fam. despect. Propio de fraile.

Fraire. (Del prov. *fraire,* y éste del lat. *frater.*) m. ant. **Fraile.**

Frajenco. (Del germ. *frising, frisking,* jabato.) m. *Ar.* Cerdo mediano que ni es ya de leche ni sirve todavía para la matanza.

Frambuesa. (Del fr. *framboise,* y éste del gót. *frambesi.*) f. Fruto del frambueso, semejante a la zarzamora, algo velloso, de color carmín, olor fragante y suave, y sabor agridulce muy agradable.

Frambueso. (De *frambuesa.*) m. Planta de la familia de las rosáceas, con tallos delgados, erguidos, doblados en la punta, espinosos y algo garzos; las hojas, verdes por encima, blancas por el envés, partidas en tres o cinco lóbulos, acorazonado el del medio; las flores son blancas, axilares, y su fruto es la frambuesa.

Frámea. (Del lat. *framĕa.*) f. Arma usada solamente por los antiguos germanos. Era una asta con un hierro en la punta, angosto y corto, pero muy agudo.

Francachela. f. fam. Comida de dos o más personas a cualquiera hora del día o de la noche, para regalarse o divertirse con extremo regocijo.

Francalete. m. Correa con hebilla en un extremo y a propósito para oprimir o asegurar alguna cosa. ‖ **2.** *And.* Correa gruesa que une los tiros o tirantes al horcate.

Francamente. adv. m. Con franqueza o con franquicia.

Francés, sa. (Del prov. *fransés,* y éste del germ. *frank,* libre.) adj. Natural de Francia. Ú. t. c. s. ‖ **2.** Perteneciente a esta nación de Europa. ‖ **3.** V. **Chimenea francesa.** ‖ **4.** V. **Mal francés.** ‖ **5.** m. Lengua **francesa,** una de las neolatinas. ‖ **A la francesa.** m. adv. Al uso de Francia. ‖ **2.** Con los verbos *despedirse, marcharse, irse,* significa bruscamente, sin decir una palabra de despedida.

Francesada. f. Invasión francesa en España en 1808. *El archivo se quemó cuando* LA FRANCESADA. ‖ **2.** Dicho o hecho propio y característico de los franceses.

Francesilla. (Por haber venido de Francia.) f. Planta anual de la familia de las ranunculáceas, con hojas radicales, pecioladas, enteras o recortadas; tallo central con hojas de tres en tres, divididas en segmentos hendidos; flores terminales, grandes, muy variadas de color, y raíces en tubérculos pequeños, agrupados en un centro común. Se cultiva en los jardines. ‖ **2.** Ciruela parecida a la damascena, que se cultiva mucho en la comarca de Tours, en Francia. ‖ **3.** Panecillo de masa muy esponjosa, poco cocido y de figura alargada.

Francia. n. p. *Sev.* V. **Sangre de Francia.** ‖ **¿Estamos aquí, o en Francia?** expr. fam. **¿Estamos aquí, o en Jauja?**

Francisca. (Del lat. *francisca,* especie de hacha de dos filos.) f. ant. **Segur.**

Franciscano, na. adj. Dícese del religioso de la orden de San Francisco. Ú. t. c. s. ‖ **2.** Perteneciente a esta orden. ‖ **3.** Parecido en el color al sayal de los religiosos de la orden de San Francisco.

Francisco, ca. adj. **Franciscano.** Apl. a pers., ú. t. c. s.

Francmasón, na. (Del fr. *francmaçon.*) m. y f. Persona que pertenece a la francmasonería.

Francmasonería. (Del fr. *francmaçonnerie.*) f. Asociación secreta en que se usan varios símbolos tomados de la albañilería; como escuadras, niveles, etc.

Franco, ca. (Del ant. alto al. *franco,* hombre libre; en lat. *francus.*) adj. Liberal, dadivoso, bizarro y elegante. ‖ **2.** Desembarazado, libre y sin impedimento alguno. ‖ **3.** Libre, exento y privilegiado. ‖ **4.** Aplícase a las cosas que están libres y exceptuadas de derechos y contribuciones, y a los lugares, puertos, etc., en que se goza de esta exención. ‖ **5.** V. **Lengua, mesa, piedra, posada, puerta franca.** ‖ **6.** Sencillo, ingenuo y leal en su trato. ‖ **7.** En la costa de África, **europeo.** Apl. a pers., ú. t. c. s. ‖ **8.** Dícese de todos los pueblos antiguos de la Germania inferior. Apl. a pers., ú. t. c. s. ‖ **9.** Lengua que usaron estos pueblos. ‖ **10. Francés.** Apl. a pers., ú. t. c. s. Úsase en los compuestos que indiquen nacionalidad. *Sociedad académica* FRANCO-*hispano-portuguesa de Tolosa.* ‖ **11.** *Blas.* V. **Franco cuartel.** ‖ **12.** *Com.* V. **Escala franca.** ‖ **13.** *Min.* V. **Terreno franco.** ‖ **14.** *Com.* Precediendo a las palabras *bordo, vagón, almacén* u otras análogas y referido a precios, denota que los gastos hechos por una mercancía hasta llegar al lugar que se indica no son de cuenta del comprador. ‖ **15.** m. Moneda de plata, que sirve de unidad monetaria en Francia y otros países, y pesa cinco gramos, de aleación de nueve partes de plata y una de cobre, como la peseta española. ‖ **16.** Tiempo que dura la feria en que se vende libre de derechos. ‖ **17.** Entre el vulgo, sello de franqueo.

Francocuartel. m. *Blas.* **Franco cuartel.**

Francolín. (Del ital. *francolino.*) m. Ave del orden de las gallináceas, del tamaño y forma de la perdiz, de la cual se distingue por el plumaje, que es negro en la cabeza, pecho y vientre, y gris con pintas blancas en la espalda; tiene un collar castaño muy señalado.

Francolino, na. adj. *Chile* y *Ecuad.* Reculo.

Francote, ta. adj. aum. de **Franco.** || **2.** fam. Dícese de la persona de carácter abierto y que procede con sinceridad y llaneza.

Franchote, ta. m. y f. **Franchute.**

Franchute, ta. m. y f. despect. **Francés.**

Franela. (Del fr. *flanelle.*) f. Tejido fino de lana ligeramente cardado por una de sus caras.

Frange. (Del lat. *frangĕre,* cortar.) m. *Blas.* División del escudo de armas, hecha con dos diagonales que se cortan en el centro.

Frangente. p. a. de **Frangir.** Que frange. || **2.** m. Acontecimiento fortuito y desgraciado, que coge sin prevención.

Frangible. (De *frangir.*) adj. Capaz de quebrarse o partirse.

Frangir. (Del lat. *frangĕre.*) tr. Partir o dividir una cosa en pedazos.

Frangle. (De *franja.*) m. *Blas.* Faja estrecha que sólo tiene de anchura la sexta parte de la faja o la decimoctava del escudo.

Frangollar. (Del lat. *frangĕre,* quebrantar.) tr. ant. Quebrantar el grano del trigo. || **2.** fig. y fam. Hacer una cosa de prisa y mal.

Frangollo. (De *frangollar.*) m. Trigo machacado y cocido. || **2.** Pienso de legumbres o granos triturados que se da al ganado. || **3.** *Can.* Maíz cocido con leche. || **4.** *Cuba* y *P. Rico.* Dulce seco hecho de plátano verde triturado. || **5.** fig. *Méj.* Comida hecha sin esmero. || **6.** fig. *Perú.* Mezcolanza, revoltijo. || **7.** *Chile.* Trigo, cebada o maíz triturados para cocerlos. || **8.** *Argent.* Locro de maíz muy molido. || **9.** *Argent.* Acción y efecto de frangollar.

Frangollón, na. (De *frangollar.*) adj. *Amér.* y *And.* Dícese de quien hace de prisa o mal una cosa.

Frangote. m. *Com.* Fardo mayor o menor que los regulares de dos en carga.

Franhueso. (De *frañer* y *hueso.*) m. *Zool.* *Ast.* **Quebrantahuesos,** 1.ª acep.

Franja. (Del fr. *frange,* y éste del lat. *fimbrĭa,* fimbria.) f. Guarnición tejida de hilo de oro, plata, seda, lino o lana, que sirve para adornar y guarnecer los vestidos u otras cosas. || **2.** Faja, lista o tira en general.

Franjar. tr. Guarnecer con franjas.

Franjear. (De *franja.*) tr. **Franjar.**

Franjón. m. aum. de **Franja.**

Franjuela. f. d. de **Franja.**

Franqueable. adj. Que se puede franquear, 3.ª acep.

Franqueado, da. p. p. de **Franquear.** || **2.** adj. ant. Aplicábase al zapato recortado y desvirado pulidamente.

Franqueamiento. (De *franquear.*) m. **Franqueo.**

Franquear. (De *franco.*) tr. Libertar, exceptuar a uno de una contribución, tributo, pecho u otra cosa. || **2.** Conceder una cosa liberalmente y con generosidad. || **3.** Desembarazar, quitar los impedimentos que estorban e impiden el curso de una cosa; abrir camino. FRANQUEAR *la puerta, el paso.* || **4.** Pagar previamente en sellos el porte de cualquier objeto que se remite por el correo. || **5.** Dar libertad al esclavo. || **6.** r. Prestarse uno fácilmente a los deseos de otro. || **7.** Descubrir uno su interior a otro. || **8.** ant. Hacerse franco, libre o exento.

Franqueniáceo, a. (De *Frankenio,* médico sueco del siglo XVII a quien Linneo dedicó estas plantas.) adj. *Bot.* Dícese de matas y arbustos angiospermos dicotiledóneos, muy ramosos, con hojas opuestas o verticiladas sin estípulas, flores sentadas y comúnmente rosadas o moradas, y frutos capsulares llenos de semillas diminutas; como el albohol. Ú. t. c. s. f. || **2.** f. pl. *Bot.* Familia de estas plantas.

Franqueo. m. Acción y efecto de franquear, 4.ª y 5.ª aceps.

Franqueza. (De *franco.*) f. Libertad, exención. || **2.** Liberalidad, generosidad. || **3.** fig. Sinceridad, lisura, abertura de corazón, ingenuidad.

Franquía. (De *franco.*) f. Situación en la cual un buque tiene paso franco para hacerse a la mar o tomar determinado rumbo. Ú. m. en las frases **ponerse en franquía, estar en franquía** o **ganar franquía.** || **En franquía.** m. adv. fig. y fam. Tratándose de personas, en disposición de poder hacer lo que quieran, librándose de algún quehacer o compromiso. Ú. también con los verbos *estar* y *ponerse.*

Franquicia. (De *franco.*) f. Libertad y exención que se concede a una persona para no pagar derechos por las mercaderías que introduce o extrae, o por el aprovechamiento de algún servicio público.

Frañer. (Del lat. *frangĕre.*) tr. ant. **Quebrantar.** Ú. todavía en Asturias.

Frao. (Del cat. *frau.*) m. ant. *Ar.* **Fraude.**

Fraque. m. **Frac.**

Frasca. (Del ital. *frasca.*) f. Hojarasca y ramas pequeñas y delgadas de los árboles.

Frasco. (Del germ. *flaska.*) m. Vaso de cuello recogido, que se hace de vidrio, plata, cobre, estaño u otra materia, y sirve comúnmente para tener y conservar líquidos. || **2.** Vaso hecho regularmente de cuerno, en que se lleva la pólvora para cargar la escopeta. || **3.** Contenido de un **frasco.** || **4.** *Venez.* V. **Pico de frasco.** || **cuentagotas.** El que por la forma de su gollete y de su tapón sirve para verter gota a gota su contenido. || **de mercurio.** Peso de tres arrobas de mercurio, que es la cabida de los antiguos **frascos** de hierro usados como envase en Almadén.

Frase. (Del lat. *phrăsis,* y éste del gr. φράσις, de φράζω, hablar.) f. Conjunto de palabras que basta para formar sentido, y especialmente cuando no llega a constituir una oración cabal. || **2.** Locución enérgica, y por lo común metafórica, con la que se significa más de lo que se expresa, u otra cosa de lo que indica la letra. || **3.** Modo particular con que ordena la dicción y expresa sus pensamientos cada escritor u orador, y aun índole y aire especial de cada lengua. *La* FRASE *de Cicerón se diferencia mucho de la de Salustio; la* FRASE *castellana tiene gran afinidad y semejanza con la griega.* || **hecha. Frase proverbial.** || **2.** La que en sentido figurado y con forma inalterable, es de uso vulgar y no incluye sentencia alguna; v. gr.: *¡Aquí fue Troya!; como anillo al dedo.* || **musical.** Período de una composición delimitado por una cadencia, y que tiene sentido propio. || **proverbial.** La que es de uso vulgar y expresa una sentencia a modo de proverbio; v. gr.: *Cada cual puede hacer de su capa un sayo.* || **sacramental.** fig. La fórmula consagrada por el uso o por la ley para determinadas circunstancias o determinados conceptos. || **Gastar frases.** fr. fam. Hablar mucho y con rodeos y circunloquios.

Frasear. tr. Formar frases.

Fraseología. (Del gr. φράσις, frase, y λόγος, razón, orden.) f. Modo de ordenar las frases, peculiar a cada escritor. || **2.** Demasía de palabras; verbosidad redundante en lo escrito o hablado.

Fraseológico, ca. adj. Perteneciente o relativo a la frase.

Frasis. amb. ant. **Frase.** || **2.** desus. Habla, lenguaje.

Frasquera. f. Caja hecha con diferentes divisiones, en que se guardan ajustados los frascos para llevarlos de una parte a otra sin que se maltraten.

Frasqueta. (Del fr. *frisquette.*) f. *Impr.* Cuadro con bastidor de hierro y crucetas de papel o pergamino, con que en las prensas de mano se sujeta al tímpano y se cubre en los blancos la hoja de papel que se va a imprimir.

Frasquete. m. d. de **Frasco.**

Fratás. m. *Albañ.* Instrumento compuesto de una tablita lisa, cuadrada o redonda, con un taruguito en medio para agarrarla. Sirve para alisar el enlucido o jaharrar, humedeciéndolo primero.

Fratasar. tr. Igualar con el fratás la superficie de un muro enfoscado o jaharrado, a fin de dejarlo liso, sin hoyos ni asperezas.

Fraterna. (Del lat. *fraterna,* t. f. de *-nus,* fraterno.) f. Corrección o represión áspera.

Fraternal. (De *fraterno.*) adj. Propio de hermanos. *Amor, caridad* FRATERNAL. || **2.** V. **Corrección fraternal.**

Fraternalmente. adv. m. Con fraternidad.

Fraternidad. (Del lat. *fraternĭtas, -ātis.*) f. Unión y buena correspondencia entre hermanos o entre los que se tratan como tales.

Fraternizar. (De *fraterno.*) intr. Unirse y tratarse como hermanos.

Fraterno, na. (Del lat. *fraternus;* de *frater,* hermano.) adj. Perteneciente a los hermanos. || **2.** V. **Corrección fraterna.**

Fratres. (pl. del lat. *frater,* hermano.) m. pl. ant. Tratamiento que se daba a los eclesiásticos que vivían en comunidad.

Fratría. (Del gr. φρατρία.) Entre los antiguos griegos, subdivisión de una tribu que tenía sacrificios y ritos propios. || **2.** Sociedad íntima, hermandad, cofradía.

Fratricida. (Del lat. *fratricida;* de *frater,* hermano, y *caedĕre,* matar.) adj. Que mata a su hermano. Ú. t. c. s.

Fratricidio. (Del lat. *fratricidĭum.*) m. Muerte de una persona, ejecutada por su propio hermano.

Fraudador, ra. (Del lat. *fraudātor.*) adj. ant. **Defraudador.** Usáb. t. c. s.

Fraudar. (Del lat. *fraudāre.*) tr. ant. Cometer fraude o engañar.

Fraude. (Del lat. *fraus, fraudis.*) m. Engaño, inexactitud consciente, abuso de confianza, que produce o prepara un daño, generalmente material. Se ha usado como femenino. || **2.** *For.* Delito que comete el encargado de vigilar la ejecución de contratos públicos, y aun de algunos privados, confabulándose con la representación de los intereses opuestos. || **En fraude de acreedores.** *For.* Dícese de los actos del deudor, generalmente simulados y rescindibles, que dejan al acreedor sin medio de cobrar lo que se le debe.

Fraudulencia. (Del lat. *fraudulentĭa.*) f. **Fraude.**

Fraudulentamente. adv. m. Con fraude.

Fraudulento, ta. (Del lat. *fraudulentus.*) adj. Engañoso, falaz.

Fraudulosamente. adv. m. ant. **Fraudulentamente.**

Fraustina. f. Cabeza de madera en que se solían aderezar las tocas y moños de las mujeres.

Fray. m. Apócope de **Fraile.** Ú. precediendo al nombre de los religiosos de ciertas órdenes. || **2. Frey.** || **Fray Modesto nunca fue prior,** o **nunca llega,** o **llegó, a prior.** fr. proverb. con que se da a entender que no siempre conviene la timidez y el encogimiento, especialmente para lograr empleos o dignidades.

Frazada. (De *frezada.*) f. Manta peluda que se echa sobre la cama.

Frazadero. m. El que fabrica frazadas.

Frecuencia. (Del lat. *frequentĭa.*) f. Repetición a menudo de un acto o suceso. || **2.** *Fís.* Número de ondulaciones de un movimiento vibratorio en la unidad de tiempo.

Frecuentación. (Del lat. *frecuentatio, -ōnis.*) f. Acción de frecuentar.

Frecuentador, ra. (Del lat. *frequentātor.*) adj. Que frecuenta. Ú. t. c. s.

Frecuentar. (Del lat. *frequentāre.*) tr. Repetir un acto a menudo. ‖ **2.** Concurrir con frecuencia a un lugar. FRECUENTAR *una casa.*

Frecuentativo. (Del lat. *frequentatīvus.*) adj. *Gram.* V. **Verbo frecuentativo.** Ú. t. c. s.

Frecuente. (Del lat. *frequens, -entis.*) adj. Repetido a menudo. ‖ **2.** Usual, común.

Frecuentemente. adv. m. Con frecuencia.

Fredor. (Del lat. *frigdor.*) m. ant. **Frío.**

Fregación. (Del lat. *fricatio, -ōnis.*) f. ant. **Fricación.**

Fregadero. m. Banco donde se ponen los artesones o barreños en que se friega. Hay también **fregaderos** hechos de fábrica.

Fregado, da. p. p. de **Fregar.** ‖ **2.** adj. *Argent.* y *Chile.* Majadero, enfadoso, importuno, dicho de personas. ‖ **3.** *Colomb.* Tenaz, terco. ‖ **4.** *Méj.* Bellaco, perverso. ‖ **5.** m. Acción y efecto de fregar. ‖ **6.** fig. y fam. Enredo, embrollo, negocio o asunto poco decente. ‖ **Ser** uno, o **servir, lo mismo para un fregado que para un barrido.** fr. fig. y fam. Ser materia dispuesta para todo, o para cosas contrarias, como lo sagrado y lo profano, lo serio y lo jocoso, etc.

Fregador, ra. (Del lat. *fricātor.*) adj. Que friega. Ú. t. c. s. ‖ **2.** m. **Fregadero.** ‖ **3. Estropajo,** 2.ª acep.

Fregadura. (Del lat. *fricatūra.*) f. **Fregado,** 5.ª acep.

Fregajo. (De *fregar.*) m. En las galeras, **estropajo,** 2.ª acep.

Fregamiento. (De *fregar.*) m. **Fricación.**

Fregar. (Del lat. *fricāre,* frotar, restregar.) tr. Restregar con fuerza una cosa con otra. ‖ **2.** Limpiar alguna cosa restregándola con estropajo, cepillo, etc., empapado en agua y jabón, u otro líquido adecuado. ‖ **3.** fig. y fam. *Amér.* Fastidiar, molestar, jorobar. Ú. t. c. r.

Fregata. f. ant. fam. **Fregona.**

Fregatriz. f. **Fregona.**

Fregona. f. Criada que sirve en la cocina y friega. Ú. generalmente en sentido despectivo.

Fregonil. adj. fam. Propio de fregonas.

Fregotear. tr. fam. Fregar de prisa y mal.

Fregoteo. m. fam. Acción y efecto de fregotear.

Freidor, ra. m. y f. *And.* Persona que fríe pescado para venderlo.

Freidura. f. Acción y efecto de freír.

Freiduría. (De *freidor.*) f. Tienda donde se fríe pescado para la venta.

Freila. (De *freile.*) f. Religiosa de alguna de las órdenes militares. ‖ **2.** ant. Religiosa lega de una orden regular.

Freilar. (De *freile.*) tr. ant. Recibir a uno en alguna orden militar.

Freile. (De *fraile.*) m. Caballero profeso de alguna de las órdenes militares. ‖ **2.** Sacerdote de alguna de ellas. ‖ **3.** V. **Colegial freile.**

Freir. (Del lat. *frigĕre.*) tr. Hacer que un manjar crudo llegue a estar en disposición de poderse comer, teniéndolo el tiempo necesario en aceite o grasa hirviendo. Ú. t. c. r. ‖ **2.** fig. Mortificar pesada e insistentemente, encocorar. *Me tiene* FRITO *con sus necedades.* ‖ **Al freir de los huevos.** loc. adv. fig. y fam. con que se expresa el tiempo en que ha de echarse de ver si una cosa ha de llegar a tener efecto. ‖ **Al freir será el reir, y al pagar será el llorar.** ref. que censura al que da por seguro lo que es ilusorio o contingente, u obra sin previsión y sin tino. ‖ **Freírsela** a uno. fr. fig. y fam. Engañarle con premeditación.

Freira. (De *freire.*) f. **Freila,** 1.ª acep.

Freire. (De *fraire.*) m. **Freile.**

Freiría. f. Conjunto de freires.

Fréjol. (Del cat. *fésol,* y éste del lat. **phasŭlus,* por *phasēlus,* alubia.) m. **Judía,** 1.ª, 2.ª y 3.ª aceps.

Frémito. (Del lat. *fremĭtus.*) m. **Bramido.**

Frenar. (Del lat. *frenāre.*) tr. **Enfrenar.** ‖ **2.** Moderar o parar con el freno el movimiento de una máquina o de un carruaje. ‖ **3.** ant. fig. **Refrenar.**

Frenería. (De *frenero.*) f. Paraje en que se hacen frenos. ‖ **2.** Tienda en donde se venden.

Frenero. m. El que hace frenos o los vende.

Frenesí. (Del lat. *phrenēsis.*) m. Delirio furioso. ‖ **2.** fig. Violenta exaltación y perturbación del ánimo.

Frenesía. f. ant. **Frenesí.**

Frenéticamente. adv. m. Con frenesí.

Frenético, ca. (Del lat. *phrenetĭcus.*) adj. Poseído de frenesí. ‖ **2.** Furioso, rabioso.

Frenillar. (De *frenillo.*) tr. *Mar.* **Afrenillar.**

Frenillo. (d. de *freno.*) m. Membrana que sujeta la lengua por la línea media de la parte inferior, y que, cuando se desarrolla demasiado, impide mamar o hablar con expedición. ‖ **2.** Ligamento que sujeta el prepucio al bálano. ‖ **3.** Cerco de correa o de cuerda que, sujeto a la cabeza del perro, o de otro animal, se ajusta alrededor de su boca para que no muerda. ‖ **4.** *Amér. Central* y *Cuba.* Cada una de las cuerdas o tirantes que lleva la cometa, y que convergen en la cuerda que la sujeta. ‖ **5.** *Mar.* Cabo o rebenque para diversos usos. ‖ **No tener** uno **frenillo,** o **no tener** uno **frenillo en la lengua.** fr. fig. y fam. Decir sin reparo ni empacho lo que piensa o siente, o hablar con demasiada libertad y desembarazo.

Freno. (Del lat. *frenum.*) m. Instrumento de hierro, que se compone de embocadura, camas y barbada, y sirve para sujetar y gobernar las caballerías. ‖ **2.** Aparato o artificio especial que sirve en las máquinas y carruajes para moderar o detener el movimiento. ‖ **3.** fig. Sujeción que se pone a uno para moderar sus acciones. ‖ **acodado. Freno** cerrado o gascón, que es oportuno para hacer la boca a los potros, porque los lastima menos que los demás. ‖ **Beber el freno.** fr. *Equit.* Sacar el caballo el bocado de los asientos con la lengua y subirlo a lo superior de la boca. ‖ **Correr uno sin freno.** fr. fig. Entregarse desordenadamente a los vicios. ‖ **Meter** a uno **en freno.** fr. fig. Contenerle; ponerle en sus justos límites. ‖ **Morder el freno.** fr. **Tascar el freno.** ‖ **Saborear el freno.** fr. *Equit.* Dícese del caballo que, moviendo los sabores, refresca la boca y hace espuma. ‖ **Tascar el freno.** fr. *Equit.* Morder el caballo el bocado o moverlo entre los dientes. ‖ **2.** fig. Resistir uno la sujeción que se le impone, pero sufriéndola a su pesar. ‖ **Tirar del freno** a uno. fr. fig. Contenerle en sus acciones; reprimirle. ‖ **Trocar** uno **los frenos.** fr. fig. y fam. Hacer o decir las cosas trocadamente, poniendo una en lugar de otra.

Frenología. (Del gr. φρήν, inteligencia, y λόγος, tratado.) f. Hipótesis fisiológica de Gall, que considera el cerebro como una agregación de órganos, a cada uno de los cuales corresponde diversa facultad intelectual, instinto o afecto, y gozando estos instintos, afectos o facultades de una energía proporcional al mayor o menor desarrollo de la parte cerebral que les corresponde.

Frenológico, ca. adj. Perteneciente a la frenología.

Frenólogo. m. El que profesa la frenología.

Frenópata. m. El que profesa la frenopatía.

Frenopatía. (Del gr. φρήν, inteligencia, y πάθος, enfermedad.) f. Parte de la medicina, que estudia las enfermedades mentales.

Frental. adj. *Zool.* **Frontal,** 1.ª acep.

Frente. (De *fruente.*) f. Parte superior de la cara, comprendida entre una y otra sien, y desde encima de los ojos hasta que empieza la vuelta del cráneo. ‖ **2.** Parte delantera de una cosa, a diferencia de sus lados. ‖ **3.** En la carta u otro documento, blanco que se deja al principio. ‖ **4.** fig. Semblante, cara. FRENTE *serena.* ‖ **5.** m. *Fort.* Cada uno de los dos lienzos de muralla que desde los extremos de los flancos se van a juntar para cerrar el baluarte y formar su ángulo. ‖ **6.** *Mil.* Primera fila de la tropa formada o acampada. *El escuadrón tenía diez hombres de* FRENTE. ‖ **7.** *Mil.* Extensión o línea de territorio continuo en que combaten los ejércitos con cierta permanencia o duración. ‖ **8.** amb. Fachada o lo primero que se ofrece a la vista en un edificio u otra cosa. ‖ **9. Anverso.** ‖ **10.** adv. l. **Enfrente,** 1.ª acep. ‖ **calzada.** La que es poco espaciosa, por nacer el cabello a corta distancia de las cejas. ‖ **de batalla.** *Mil.* Extensión que ocupa una porción de tropa o un ejército formado en batalla. ‖ **único.** fig. Coalición de fuerzas distintas con una dirección común para fines sociales o políticos. ‖ **A frente.** m. adv. De cara o en derechura. ‖ **Arrugar** uno **la frente.** fr. fig. y fam. Mostrar en el semblante ira, enojo o miedo. ‖ **Con la frente levantada.** loc. adv. fig. y fam. Con serenidad o con descaro. ‖ **De frente.** m. adv. Con los verbos *llevar, acometer* y otros, significa con gran resolución, ímpetu y actividad. ‖ **En frente.** m. adv. **Enfrente.** ‖ **Frente a frente.** m. adv. **Cara a cara.** ‖ **Frente por frente.** m. adv. **Enfrente.** Ú. para encarecer la exactitud de la situación que se quiere determinar. ‖ **Hacer frente.** fr. fig. **Hacer cara.** ‖ **Me la claven en la frente.** expr. fig. y fam. con que se pondera la persuasión en que uno está de la imposibilidad de una cosa. ‖ **Ponerse al frente.** fr. Hablando de una colectividad o conjunto de personas, asumir el mando o la dirección de ellas. ‖ **Traerlo** uno **escrito en la frente.** fr. fig. No acertar a disimular su condición personal, o lo que le está sucediendo, manifestándolo en el semblante y en otras acciones visibles.

Frentero. m. Almohadilla que se ponía a los niños sobre la frente para que no se lastimasen al caer.

Frentón, na. adj. **Frontudo.**

Freo. (Del cat. *freu,* y éste del lat. *fretum.*) m. *Mar.* Canal estrecho entre dos islas o entre una isla y tierra firme.

Frere. (Del fr. *frère,* y éste del lat. *frater, -tris,* hermano.) m. ant. **Freile.**

Fres. (De *friso.*) m. *Ar.* **Franja.** Ú. m. en pl.

Fresa. (Del fr. *fraise,* y éste del lat. **fragĕa,* de *fragum.*) f. Planta de la familia de las rosáceas, con tallos rastreros, nudosos y con estolones; hojas pecioladas, vellosas, blancas por el envés, divididas en tres segmentos aovados y con dientes gruesos en el margen; flores pedunculadas, blancas o amarillentas, solitarias o en corimbos poco nutridos, y fruto casi redondo, algo apuntado, de un centímetro de largo, rojo, suculento y fragante. ‖ **2.** Fruto de esta planta.

Fresa. (De *fresar.*) f. Herramienta de movimiento circular continuo, constituida por una serie de buriles o cuchillas convenientemente espaciados entre sí y que trabajan uno después de otro en la máquina de labrar metales o fresarlos.

Fresada. f. Cierta vianda compuesta de harina, leche y manteca, que se usó antiguamente.

Fresado, da. p. p. de **Fresar.** ‖ **2.** adj. ant. Guarnecido con franjas, flecos, etc. ‖ **3.** Acción y efecto de fresar, 2.ª acep.

Fresadora. f. Máquina provista de fresas que sirve para labrar metales.

Fresal. m. Terreno plantado de fresas.

Fresar. tr. Guarnecer con freses o fresos. ‖ **2.** Abrir agujeros y, en general, labrar metales por medio de la herramienta llamada fresa. ‖ **3.** *Albac.* Mezclar la harina con el agua antes de amasar. ‖ **4.** intr. ant. Gruñir o regañar.

Fresca. f. **Fresco,** 10.ª acep. *Tomar la* FRESCA. ‖ **2.** El frescor de las primeras horas de la mañana o de las últimas de la tarde en tiempo caluroso. *Salir con la* FRESCA. ‖ **3.** fam. **Claridad,** 5.ª acep. *Decir una* FRESCA. ‖ **Ser uno capaz de decir, o plantar, una fresca al lucero del alba.** fr. fig. y fam. Ser capaz de decírsela a cualquiera persona, por mucho respeto que merezca o por muy encumbrada que esté.

Frescachón, na. (aum. de *fresco.*) adj. Muy robusto y de color sano. ‖ **2.** V. **Viento frescachón.**

Frescal. adj. Dícese de algunos pescados no enteramente frescos, sino conservados con poca sal. *Sardinas* FRESCALES. ‖ **2.** ant. **Fresco,** 1.ª acep. ‖ **3.** *Sor.* **Fresquedal.**

Frescales. com. fam. Persona fresca, que no tiene empacho.

Frescamente. adv. m. Recientemente, sin haber mediado mucho tiempo. ‖ **2.** fig. Con frescura y desenfado.

Fresco, ca. (Del germ. *frisk.*) adj. Moderadamente frío, con relación a nuestra temperatura, a la de la atmósfera o a la de cualquier otro cuerpo. ‖ **2.** Reciente, acabado de hacer, de coger, etc. *Queso* FRESCO; *huevo* FRESCO. ‖ **3.** V. **Pescada fresca.** ‖ **4.** fig. Reciente, pronto, acabado de suceder. *Noticia* FRESCA. ‖ **5.** fig. Abultado de carnes y blanco y colorado, aunque no de facciones delicadas. ‖ **6.** fig. Sereno y que no se inmuta en los peligros o contradicciones. ‖ **7.** fig. y fam. Desvergonzado, que no tiene empacho. Ú. t. c. s. ‖ **8.** fig. Dícese de las telas delgadas y ligeras; como el tafetán, la gasa, etc. ‖ **9.** *Mar.* V. **Viento fresco.** ‖ **10.** m. Frío moderado. ‖ **11. Frescura.** ‖ **12.** Pescado **fresco,** sin salar. ‖ **13.** Tocino **fresco.** ‖ **14.** Pintura hecha al **fresco.** ‖ **15.** *Amér. Central, Méj., Perú* y *Venez.* Refresco, bebida fría o atemperante. ‖ **Al fresco.** m. adv. **Al sereno.** ‖ **2.** V. **Pintura al fresco.** ‖ **De fresco.** m. adv. ant. De pronto, al instante. ‖ **Estar, o quedar,** uno **fresco.** fr. fig. y fam. Estar, o quedar, mal en un negocio o pretensión. ‖ **Tomar** uno **el fresco.** fr. Ponerse en parte a propósito para gozar de él.

Frescor. m. Frescura o fresco. ‖ **2.** *Pint.* Color rosado que tienen las carnes sanas y frescas.

Frescote, ta. adj. aum. de **Fresco.** ‖ **2.** fig. y fam. Dícese de la persona abultada de carnes que tiene el cutis terso y de buen color.

Frescura. (De *fresco.*) f. Calidad de fresco. ‖ **2.** Amenidad y fertilidad de un sitio delicioso y lleno de verdor. ‖ **3.** fig. Desembarazo, desenfado. *Con brava* FRESCURA *me venía a pedir dinero prestado.* ‖ **4.** fig. Chanza, dicho picante, respuesta fuera de propósito. *Me respondió una* FRESCURA. ‖ **5.** fig. Descuido, negligencia y poco celo. *El mozo toma las cosas con* FRESCURA. ‖ **6.** fig. Serenidad, tranquilidad de ánimo.

Fresera. f. **Fresa,** 1.er art., 1.ª acep.

Fresero, ra. m. y f. Persona que vende fresa, 1.er art.

Fresnal. adj. Perteneciente o relativo al fresno.

Fresneda. (Del lat. *fraxinētum.*) f. Sitio o lugar de muchos fresnos.

Fresnillo. (De *fresno.*) m. **Díctamo blanco.**

Fresno. (Del lat. *fraxĭnus.*) m. Árbol de la familia de las oleáceas, con tronco grueso, de 25 a 30 metros de altura, corteza cenicienta y muy ramoso; hojas compuestas de hojuelas sentadas, elípticas, agudas en el ápice y con dientes marginales; flores pequeñas, blanquecinas, en panojas cortas, primero erguidas y al fin colgantes, y fruto seco con ala membranosa y semilla elipsoidal. La madera es blanca y muy apreciada por su elasticidad.

Freso. m. ant. **Friso.**

Fresón. m. Fruto de una fresera oriunda de Chile, semejante a la fresa, pero de volumen mucho mayor, de color rojo amarillento y sabor más ácido.

Fresquedal. m. Porción de prado o de monte, que por tener humedad mantiene su verdor en la época de agostamiento.

Fresquera. f. Especie de jaula, fija o móvil, que se coloca en sitio ventilado para conservar frescos algunos comestibles o líquidos. Se llama también así cierta cámara frigorífica casera.

Fresquería. (De *frasco.*) f. *Amér.* **Botillería,** 1.ª acep.

Fresquero, ra. m. y f. Persona que conduce o vende pescado fresco.

Fresquilla. f. Especie de melocotón o prisco.

Fresquista. m. El que pinta al fresco.

Frete. m. *Blas.* Enrejado compuesto de bandas y barras muy estrechas.

Frey. m. Tratamiento que se usa entre los religiosos de las órdenes militares, a distinción de las otras órdenes, en que se llaman **fray.**

Frez. (Del ár. *fart*, estiércol, fiemo en el vientre.) **Freza,** 1.er art.

Freza. (De *frez.*) f. Estiércol o excremento de algunos animales.

Freza. (De *frezar,* 1.er art.) f. **Desove.** ‖ **2.** Surco que dejan ciertos peces cuando se restriegan contra la tierra del fondo para desovar. ‖ **3.** Tiempo del desove. ‖ **4.** Huevos de los peces, y pescado menudo recién nacido de ellos. ‖ **5.** *Mont.* Señal u hoyo que hace un animal escarbando u hozando.

Freza. (De *frezar,* 2.° art.) f. Tiempo en que durante cada una de las mudas come el gusano de seda.

Frezada. (De *frisar.*) f. **Frazada.**

Frezador. (De *frezar.*) m. ant. Comedor o gastador.

Frezar. (De *frez.*) intr. Arrojar o despedir el estiércol o excremento los animales. ‖ **2.** Entre colmeneros, arrojar o echar de sí la colmena la inmundicia y heces. ‖ **3. Desovar.** ‖ **4.** Restregarse el pez contra el fondo del agua para desovar. ‖ **5.** *Mont.* Escarbar u hozar un animal haciendo frezas u hoyos. ‖ **6.** tr. Limpiar las colmenas de las inmundicias producidas en su interior.

Frezar. (Del lat. *fressare,* moler y hacer ruido.) intr. Tronchar y comer las hojas los gusanos de seda después que han despertado.

Frezar. (Del franco **frisi,* ribete y rizo.) intr. ant. Frisar, acercarse.

Fría. (De *frida,* t. f. de *frido.*) f. desus. **Fresca,** 1.ª acep. ‖ **Con la fría.** m. adv. desus. Con la fresca.

Friabilidad. f. Calidad de friable.

Friable. (Del lat. *friabĭlis,* de *friāre,* desmenuzar.) adj. Que se desmenuza fácilmente.

Frialdad. (De *frío.*) f. Sensación que proviene de la falta de calor. ‖ **2.** Impotencia para la generación. ‖ **3.** fig. Flojedad y descuido en el obrar. ‖ **4.** fig. **Necedad.** ‖ **5.** fig. Dicho insulso y fuera de propósito. ‖ **6.** fig. Indiferencia, despego, poco interés.

Frialeza. f. ant. **Frialdad.**

Fríamente. adv. m. Con frialdad. ‖ **2.** fig. Sin gracia, chiste, ni donaire.

Friático, ca. adj. **Friolero.** ‖ **2.** Frío, necio, sin gracia.

Fricación. (Del lat. *fricatĭo, -ōnis.*) f. Acción y efecto de fricar.

Fricandó. (Del fr. *fricandeau.*) m. Cierto guisado de la cocina francesa.

Fricar. (Del lat. *fricāre.*) tr. **Restregar.**

Fricasé. (Del fr. *fricassé.*) m. Guisado de la cocina francesa, cuya salsa se bate con huevos.

Fricasea. (Del fr. *fricassée.*) f. desus. Guisado que se hacía de carne ya cocida, friéndola con manteca y sazonándola con especias, y se servía sobre rebanadas de pan. Ú. en Chile.

Fricativo, va. (Del lat. *frĭcā-re,* fregar.) adj. *Gram.* Dícese de los sonidos cuya articulación, permitiendo una salida continua de aire emitido, hace que éste salga con cierta fricción o roce en los órganos bucales; como la *f, s, z, j,* etc. ‖ **2.** Dícese de la letra que representa este sonido. Ú. t. c. f.

Fricción. (Del lat. *frictĭo, -ōnis.*) f. Acción y efecto de friccionar.

Friccionar. (De *fricción.*) tr. Restregar, dar friegas.

Frido, da. (Del lat. *frigĭdus.*) adj. ant. **Frío.**

Friega. (De *fregar,* restregar.) f. Remedio que se hace restregando alguna parte del cuerpo con un paño o cepillo o con las manos. ‖ **2.** *Colomb.* y *C. Rica.* Molestia, fastidio. ‖ **3.** *Chile.* Tunda, zurra.

Friera. (De *frío.*) f. **Sabañón,** 1.ª acep. ‖ **No vienen frieras sino a ruines piernas.** ref. con que se da a entender que los males y trabajos suelen venir, por lo regular, a los más débiles.

Frieza. f. ant. **Frialdad.**

Frige. adj. ant. **Frigio.**

Frigente. (Del lat. *frigens, -entis,* p. a. de *frigēre,* estar frío.) adj. ant. Que enfría o se enfría.

Frigerativo, va. (Del lat. *frigerātum,* supino de *frigerāre,* enfriar, refrescar.) adj. ant. **Refrigerativo.**

Frigidez. (De *frígido.*) f. **Frialdad.**

Frigidísimo, ma. adj. sup. de **Frío.**

Frígido, da. (Del lat. *frigĭdus.*) adj. poét. **Frío.**

Frigio, gia. (Del lat. *phrygius.*) adj. Natural de Frigia. Ú. t. c. s. ‖ **2.** Perteneciente a este país de Asia antigua. ‖ **3.** V. **Gorro frigio.**

Frigoriento, ta. (Del lat. *frigus, -ŏris,* frío.) adj. ant. **Friolento.**

Frigorífico, ca. (Del lat. *frigorificus;* de *frigus, -ŏris,* frío, y *facĕre,* hacer.) adj. Que produce enfriamiento. Dícese principalmente de las mezclas que hacen bajar la temperatura en más o menos grados; como la de la nieve y sal común. ‖ **2.** Dícese de las cámaras o espacios enfriados artificialmente para conservar frutas, carnes, etc. Ú. t. c. m.

Friísimo, ma. adj. sup. de **Frío.**

Fríjol. (Del lat. *phaseŏlus.*) m. **Fréjol.**

Frijol. m. *Amér.* **Fréjol.**

Frijolar. m. Terreno sembrado de fríjoles.

Frijolillo. m. *Bot. Cuba.* Árbol silvestre, de la familia de las papilionáceas, de madera fuerte, hojas de largo pecíolo con hojuelas ovales puntiagudas. El fruto sirve de alimento al ganado.

Frijón. m. *And.* y *Extr.* **Fréjol.**

Frimario. (Del fr. *frimaire.*) m. Tercer mes del calendario republicano francés, cuyos días primero y último coincidían, respectivamente, con el 21 de noviembre y el 20 de diciembre.

Fringa. f. *Hond.* Manta, especie de capote de monte.

Fringilago. (Del lat. *fringilla.*) m. Paro carbonero.

Fringílido. (Del lat. *fringilla.*) adj. *Zool.* Dícese de pájaros del suborden de los conirrostros que en la cara posterior de los tarsos tienen dos surcos laterales; como el gorrión y el jilguero. Ú. t. c. s. m. || **2.** m. pl. *Zool.* Familia de estos animales.

Frío, a. (De *frido.*) adj. Aplícase a los cuerpos cuya temperatura es muy inferior a la ordinaria del ambiente. || **2.** V. **Ave, gallina, iglesia fría.** || **3.** V. **Lino frío.** || **4.** fig. **Impotente,** 2.ª acep. || **5.** fig. Que respecto de una persona o cosa muestra indiferencia, desapego o desafecto, o que no toma interés por ella. || **6.** fig. Sin gracia, espíritu ni agudeza. *Hombre* FRÍO; *respuesta* FRÍA. || **7.** fig. Ineficaz, de poca recomendación. || **8.** m. Disminución notable de calor en los cuerpos; descenso de temperatura que, por regla general, los contrae y llega a liquidar los gases y congelar los líquidos. || **9.** Sensación que experimenta el cuerpo animal cuando su temperatura es mucho más elevada que la de cualquiera otro cuerpo que le roba calor. || **10.** Disminución excesiva y extraordinaria de calor que experimenta total o parcialmente el cuerpo animal por efecto de causas fisiológicas o morbosas; como la inmovilidad, el primer período de la digestión y el que precede a la entrada de ciertos accesos febriles. || **11.** Bebida enfriada con nieve o hielo, pero líquida. || **A frías.** m. adv. ant. **Fríamente.** || **En frío.** m. adv. fig. Tratándose de operaciones quirúrgicas en un órgano o tejido inflamado, practicarlas después de haber desaparecido la flogosis. || **No darle** a uno una cosa **frío ni calor,** o **ni calentura. No entrarle** a uno **frío ni calor por** una cosa. frs. figs. y fams. con que se explica la indiferencia con que se toma un asunto. || **Quedarse** uno **frío.** fr. fig. Quedarse asustado o aturdido por algún suceso o desengaño inesperados.

Friolengo, ga. adj. ant. **Friolero.**

Friolento, ta. (De *frior.*) adj. **Friolero.**

Friolera. (De *frior.*) f. Cosa de poca monta o de poca importancia. || **2.** ant. Frialdad, cosa falta de gracia.

Friolero, ra. (De *frior.*) adj. Muy sensible al frío.

Frioliento, ta. adj. ant. **Friolero.**

Friollego, ga. adj. ant. **Friolero.**

Frión, na. adj. aum. de **Frío,** 6.ª acep.

Frior. (Del lat. *frigor.*) m. ant. **Frío.**

Frisa. (Del anglosajón *frise,* rizado.) f. Tela ordinaria de lana, que sirve para forros y vestidos de las aldeanas. || **2.** *Fort.* Estacada o palizada oblicua que se pone en la berma de una obra de campaña. || **3.** *Mar.* Tira de cuero, paño, goma, etc., con que se hace perfecto el ajuste de dos piezas en contacto. || **4.** *León.* Especie de manta de lana fuerte que usan las maragatas para cubrirse la cabeza y que les cuelga hasta más abajo de la cintura. || **5.** desus. Pelo de algunas telas, como el de la felpa. Ú. en *Argent.* y *Chile.*

Frisado, da. p. p. de **Frisar.** || **2.** m. Tejido de seda cuyo pelo se frisaba formando borlillas.

Frisador, ra. m. y f. Persona que frisa el paño u otra tela.

Frisadura. f. Acción y efecto de frisar.

Frisar. (Del germ. **frisi,* ribete, rizo.) tr. Levantar y rizar los pelillos de algún tejido. || **2.** p. us. **Disminuir.** || **3.** *Mar.* Colocar tiras de cuero, paño, goma, etc., para hacer perfecto el ajuste de dos piezas en contacto. Úsase para cerrar las portas y portillas de luz y en casi todos los órganos de las máquinas de vapor y neumáticas. || **4.** intr. Congeniar, confrontar. || **5.** fig. **Acercarse.**

Frisar. (Del lat. **frictiāre,* frotar.) tr. **Refregar.**

Frisio, sia. adj. **Frisón.** Apl. a pers., ú. t. c. s.

Friso. (Del ár. *ifrīz,* ornamento de arquitectura, y éste quizá del gr. ζωφόρος, con pérdida de la primera sílaba.) m. *Arq.* Parte del cornisamento que media entre el arquitrabe y la cornisa, donde suelen ponerse follajes y otros adornos. || **2.** Faja más o menos ancha que suele pintarse en la parte inferior de las paredes, de diverso color que éstas. También suele ser de seda, estera de junco, papel pintado, azulejos, mármol, etc.

Frísol. (Del lat. *phaseŏlus.*) m. **Judía.**

Frisón, na. adj. Natural de Frisia. Ú. t. c. s. || **2.** Perteneciente a esta provincia de Holanda. || **3.** Dícese de los caballos que vienen de Frisia o son de aquella casta, los cuales tienen muy fuertes y anchos los pies. Ú. t. c. s. || **4.** fig. Dícese de una cosa grande y corpulenta dentro de otras de su género. || **5.** m. Lengua germánica hablada por los **frisones.**

Frisuelo. (Del lat. *phaseŏlus.*) m. **Frísol.**

Frisuelo. (Del b. lat. *frixeolus,* d. de *frixus,* frito.) m. Especie de fruta de sartén.

Fritada. f. Conjunto de cosas fritas. FRITADA *de pajarillos, de criadillas.*

Fritanga. f. Fritada, especialmente la abundante en grasa. A veces se usa en sentido despectivo.

Fritar. (De *frito.*) tr. *Colomb.* y *Sal.* **Freir.**

Fritillas. (De *frito.*) f. pl. *Mancha.* **Fruta de sartén.**

Frito, ta. (Del lat. *frictus.*) p. p. irreg. de **Freir.** || **2.** m. **Fritada.** || **3.** Cualquier manjar **frito.** || **Si están fritas o no están fritas.** expr. fig. y fam. con que se da entender que uno se resuelve a hacer una cosa, tenga o no razón.

Fritura. f. **Fritada.**

Friulano, na. adj. Natural del Friul. Ú. t. c. s. || **2.** Perteneciente a este país de Italia. || **3.** m. Lengua neolatina, afín al grisón, hablada en el Friul.

Friura. (De *frío.*) f. desus. **Frialdad.** Ú. en *León, Sant.* y *Venez.* || **2.** *Med.* Escara producida por el frío.

Frívolamente. adv. m. Con frivolidad.

Frivolidad. f. Calidad de frívolo.

Frívolo, la. (Del lat. *frivŏlus.*) adj. Ligero, veleidoso, insubstancial. || **2.** Fútil y de poca substancia.

Frivoloso, sa. adj. ant. **Frívolo.**

Friz. f. Flor del haya.

Froga. (Del lat. *fabrĭca.*) f. ant. Fábrica de albañilería, especialmente la hecha con ladrillos, a diferencia de la sillería.

Frogar. (Del lat. *fabricāre.*) intr. ant. **Fraguar,** 3.ª acep. || **2.** tr. ant. Hacer la fábrica o pared de albañilería.

Froncia. f. *Sal.* Mata de baleo que se usa para barrer.

Fronda. (De *fronde.*) f. Hoja de una planta. || **2.** *Bot.* Hoja de los helechos. || **3.** pl. Conjunto de hojas o ramas que forman espesura.

Fronda. (Del fr. *fronde,* y éste del lat. *funda,* honda.) f. *Cir.* Vendaje de lienzo, de cuatro cabos y forma de honda, que se emplea en el tratamiento de las fracturas y heridas.

Fronde. (Del lat. *frons, frondis.*) m. **Fronda,** 1.er art., 2.ª acep.

Frondio, dia. adj. *And.* y *Colomb.* Malhumorado, displicente. || **2.** *Méj.* Sucio, desaseado.

Frondosidad. (De *frondoso.*) f. Abundancia de hojas y ramas.

Frondoso, sa. (Del lat. *frondōsus.*) adj. Abundante de hojas y ramas. || **2.** Abundante en árboles que forman espesura.

Frontal. (Del lat. *frontālis.*) adj. *Zool.* Perteneciente o relativo a la frente. *Músculos* FRONTALES. || **2.** m. Paramento de sedas, metal u otra materia con que se adorna la parte delantera de la mesa del altar. || **3. Hueso frontal.** || **4.** *Ar.* Témpano de la cuba o barril. || **5.** *Colomb., Ecuad.* y *Méj.* **Frontalera,** 1.ª acep. || **6.** *Arq.* **Carrera,** 17.ª acep.

Frontalera. (De *frontal.*) f. Correa o cuerda de la cabezada y de la brida del caballo, que le ciñe la frente y sujeta las carrilleras. || **2.** Fajas y adornos como goteras, que guarnecen el frontal por lo alto y por los lados. || **3.** Sitio o paraje donde se guardan los frontales, 2.ª acep. || **4. Frontil,** 1.ª acep.

Frontalero, ra. (De *frontal.*) adj. ant. **Fronterizo.**

Frontalete. m. d. de **Frontal,** 2.ª acep.

Fronte. (Del lat. *frons, frontis.*) f. ant. **Frente.**

Frontera. (De *frontero.*) f. Confín de un Estado. || **2. Frontis.** || **3.** Cada una de las fajas o fuerzas que se ponen en el serón por la parte de abajo para su mayor firmeza. || **4.** *Albañ.* Tablero fortificado con barrotes que sirve para sostener los tapiales que forman el molde de la tapia cuando se llega con ella a las esquinas o vanos.

Fronteria. (De *frontero.*) f. ant. **Frontera.** || **Hacer fronteria.** fr. ant. **Hacer frente.**

Fronterizo, za. adj. Que está o sirve en la frontera. *Ciudad* FRONTERIZA; *soldado* FRONTERIZO. || **2.** Que está enfrente de otra cosa.

Frontero, ra. (Del lat. *frons, frontis,* frente.) adj. Puesto y colocado enfrente. || **2.** m. **Frentero.** || **3.** Caudillo o jefe militar que mandaba la frontera. || **4.** adv. l. **Enfrente,** 1.ª acep.

Frontil. (De *fronte.*) m. Pieza acolchada de materia basta, regularmente de esparto, que se pone a los bueyes entre su frente y la coyunda con que los uncen, a fin de que ésta no les ofenda. || **2.** *Cuba.* Parte de la cabezada que cubre la frente de una caballería.

Frontino, na. adj. Dícese de la bestia que tiene alguna señal en la frente. || **2.** fig. y fam. V. **Señal de borrica frontina.**

Frontis. (Del lat. *frons, frontis,* frente.) m. Fachada o frontispicio de una fábrica o de otra cosa.

Frontispicio. (Del lat. *frons, frontis,* frente, y *spicĕre,* ver, examinar.) m. Fachada o delantera de un edificio, libro, etc. || **2.** fig. y fam. **Cara,** 1.ª acep. || **3.** *Arq.* **Frontón,** 5.ª acep.

Frontón. (De *fronte.*) m. Pared principal o frente contra el cual se lanza la pelota en el juego de pie. || **2.** Edificio o sitio dispuesto para jugar a la pelota. || **3.** Parte del muro de una veta donde trabajan los mineros para adelantar horizontalmente la excavación de la mina. En la Argentina llámase **frontón descabezado** al que desciende algo. || **4.** Parte escarpada de una costa. || **5.** *Arq.* Remate triangular de una fachada o de un pórtico; se coloca también encima de puertas y ventanas.

Frontudo, da. (De *fronte.*) adj. Dícese del animal que tiene mucha frente.

Frotación. f. Acción de frotar o frotarse.

Frotador, ra. adj. Que frota. Ú. t. c. s. || **2.** Que sirve para frotar.

Frotadura. m. **Frotación.**

Frotamiento. m. Acción y efecto de frotar o frotarse.

Frotante. p. a. de **Frotar.** Que frota.

Frotar. (Del lat. *frictus,* p. p. de *fricāre,* fregar.) tr. Pasar una cosa sobre otra con fuerza muchas veces. Ú. t. c. r.

Frote. (De *frotar.*) m. **Frotamiento.**

Fructa. f. ant. **Fruta.**

Fructero, ra. (De *fructo.*) adj. ant. **Frutal.**

Fructidor. (Del fr. *fructidor.*) m. Duodécimo mes del calendario republicano francés, cuyos días primero y último coincidían, respectivamente, con el 18 de agosto y el 16 de septiembre.

Fructíferamente. adv. m. Con fruto.

Fructífero, ra. (Del lat. *fructĭfer;* de *fructus,* fruto, y *ferre,* llevar.) adj. Que produce fruto.

Fructificable. adj. Que puede fructificar.

Fructificación. (Del lat. *fructificatĭo, -ōnis.*) f. Acción y efecto de fructificar.

Fructificador, ra. adj. Que fructifica.

Fructificar. (Del lat. *fructificāre;* de *fructus,* fruto, y *facĕre,* producir.) intr. Dar fruto los árboles y otras plantas. || **2.** fig. Producir utilidad una cosa.

Fructo. (Del lat. *fructus.*) m. ant. **Fruto.**

Fructual. (Del lat. *fructus.*) adj. ant. **Frutal.**

Fructuario, ria. (Del lat. *fructuarĭus.*) adj. **Usufructuario.** || **2.** Que consiste en frutos. *Renta, pensión* FRUCTUARIA. || **3.** V. **Censo fructuario.**

Fructuosamente. adv. m. Con fruto, con utilidad.

Fructuoso, sa. (Del lat. *fructuōsus.*) adj. Que da fruto o utilidad.

Fruente. (Del lat. *frons, frontis.*) f. ant. **Frente.**

Fruente. p. a. de **Fruir.** Que fruye.

Frugal. (Del lat. *frugālis;* de *frux, frugis,* fruto de la tierra.) adj. Parco en comer y beber. || **2.** Aplícase también a las cosas en que esa parquedad se manifiesta. *Vida, almuerzo* FRUGAL.

Frugalidad. (Del lat. *frugalĭtas, -ātis.*) f. Templanza, moderación prudente en la comida y la bebida.

Frugalmente. adv. m. Con frugalidad.

Frugífero, ra. (Del lat. *frugĭfer, -ĕri;* de *frux,* fruto, y *ferre,* llevar.) adj. poét. Que lleva fruto.

Frugívoro, ra. (Del lat. *frux,* fruto de la tierra, y *vorāre,* comer.) adj. Aplícase al animal que se alimenta de frutos.

Fruición. (Del lat. *fruitĭo, -ōnis.*) f. Goce muy vivo en el bien que uno posee. || **2.** Complacencia, goce en general. *El malvado tiene* FRUICIÓN *en ver llorar.*

Fruir. (Del lat. *frui.*) intr. Gozar del bien que se ha deseado.

Fruitivo, va. (Del lat. *fruĭtus,* p. p. de *frui,* gozar.) adj. Propio para causar placer con su posesión.

Frumentario, ria. (Del lat. *frumentarĭus.*) adj. Relativo o perteneciente al trigo y otros cereales. || **2.** m. Oficial que de Roma se enviaba a las provincias para remitir convoyes de trigo al ejército.

Frumenticio, cia. (Del lat. *frumentum,* trigo.) adj. **Frumentario,** 1.ª acep.

Frunce. (De *fruncir.*) m. Arruga o pliegue, o serie de arrugas o pliegues menudos que se hacen en una tela frunciéndola.

Fruncidor, ra. adj. Que frunce. Ú. t. c. s.

Fruncimiento. m. Acción de fruncir. || **2.** fig. Embuste y fingimiento.

Fruncir. (Del ant. fr. *froncir,* arrugar.) tr. Arrugar la frente y las cejas en señal de desabrimiento o de ira. || **2.** Recoger el paño u otras telas, haciendo en ellas unas arrugas pequeñas. || **3.** Estrechar y recoger una cosa, reduciéndola a menor extensión. FRUNCIR *la boca.* || **4.** fig. y p. us. Tergiversar u obscurecer la verdad. || **5.** r. fig. Afectar compostura, modestia y encogimiento.

Fruslera. (Del lat. *frustŭlum,* de *frustum,* desperdicio.) f. Raeduras que salen de las piezas de azófar cuando se tornean. || **2.** ant. Latón o azófar.

Fruslería. (De *fruslera.*) f. Cosa de poco valor o entidad. || **2.** fig. y fam. Dicho o hecho de poca substancia.

Fruslero. (Por *fuslero,* del lat. **fustilarius,* de *fustis,* como *uslero.*) m. Cilindro de madera que se usa en las cocinas para trabajar y extender la masa.

Fruslero, ra. (Del lat. *frustŭlum,* de *frustum.*) adj. Fútil o frívolo.

Frustración. f. Acción y efecto de frustrar o frustrarse.

Frustráneo, a. (De *frustrar.*) adj. Que no produce el efecto apetecido.

Frustrar. (Del lat. *frustrāre.*) tr. Privar a uno de lo que esperaba. || **2.** Dejar sin efecto, malograr un intento. Ú. t. c. r. || **3.** *For.* Dejar sin efecto un propósito contra la intención del que procura realizarlo. FRUSTRAR *un delito.* Ú. t. c. r.

Frustratorio, ria. (Del lat. *frustratorĭus*) adj. Que hace frustrar o frustrarse una cosa.

Fruta. (De *fruto.*) f. Fruto comestible de ciertas plantas cultivadas, como la pera, guinda, fresa, etc. || **2.** fig. y fam. Producto de una cosa o consecuencia de ella. || **a la catalana. Garbías.** || **del cercado ajeno.** loc. fig. Todo lo que por ser de propiedad ajena despierta en nosotros más codicia. || **del tiempo.** La que se come en la misma estación en que madura y se coge. || **2.** fig. y fam. Cosa que sucede con frecuencia en tiempo determinado; como los resfriados en invierno. || **de sartén.** Masa frita, de varios nombres y figuras. || **nueva.** fig. Lo que es nuevo en cualquiera línea. || **prohibida.** fig. Todo aquello que no nos es permitido usar. || **seca.** La que por la condición de su cáscara, o por haber sido sometida a la desecación, se conserva comestible todo el año. || **Uno come la fruta aceda, y otro tiene la dentera.** ref. que explica que algunos suelen sufrir la pena de la culpa que otros cometen.

Frutaje. m. Pintura de frutas y flores.

Frutal. adj. Dícese del árbol que lleva fruta. Ú. t. c. s.

Frutar. intr. **Dar fruto.**

Frutecer. (Del lat. *fructescĕre.*) intr. poét. Empezar a echar fruto los árboles y las plantas.

Frutería. (De *frutero.*) f. Tienda o puesto donde se vende fruta. || **2.** Oficio que había en la casa real, en que se cuidaba de la prevención de las frutas y de servirlas a los reyes. || **3.** Paraje o sitio de la casa real, en que se tenía y guardaba la fruta.

Frutero, ra. adj. Que sirve para llevar o para contener fruta. *Buque* FRUTERO; *plato* FRUTERO. || **2.** m. y f. Persona que vende fruta. || **3.** m. Plato hecho a propósito para servir la fruta. || **4.** Lienzo labrado con que por curiosidad se cubre la fruta que se pone en la mesa. || **5.** Cuadro o lienzo pintado de diversos frutos. || **6.** Canastillo de frutas imitadas.

Frútice. (Del lat. *frutex, -ĭcis,* arbusto.) m. *Bot.* Cualquiera planta casi leñosa y de aspecto semejante al de los arbustos; como el rosal.

Fruticoso, sa. (Del lat. *fruticōsus.*) adj. *Bot.* Que tiene la naturaleza o calidades del frútice.

Fruticultura. f. Cultivo de las plantas que producen frutas. || **2.** Arte que enseña ese cultivo.

Frutier. (Del prov. *frutier,* y éste del lat. *fructus,* fruto.) m. desus. Oficial palatino encargado de la frutería, según la etiqueta de la casa de Borgoña.

Frutífero, ra. adj. ant. **Fructífero.**

Frutificar. intr. ant. **Fructificar.**

Frutilla. f. d. de **Fruta.** || **2. Coco,** 3.er art. || **3.** *Amér. Merid.* **Fresón.** || **del campo.** *Bot. Chile.* Arbusto de la familia de las ramnáceas, de ramas alargadas y derechas.

Frutillar. m. *Amér. Merid.* Sitio donde se crían las frutillas.

Frutillero. m. *Amér. Merid.* Vendedor ambulante de frutillas.

Fruto. (Del lat. *fructus.*) m. *Bot.* Producto del desarrollo del ovario después de haberse efectuado la fecundación, en el cual están contenidas las semillas y a cuya formación cooperan con frecuencia el cáliz y otras partes de la flor. || **2.** Cualquiera producción de la tierra que rinde alguna utilidad. || **3.** La del ingenio o del trabajo humano. || **4.** fig. Utilidad y provecho. || **5.** pl. Producciones de la tierra, de que se hace cosecha. || **Fruto de bendición.** Hijo de legítimo matrimonio. || **Frutos civiles.** *For.* Utilidad que producen las cosas mediante el arrendamiento o contratos equivalentes. || **2.** Contribución que se pagaba por todas las rentas procedentes de arriendos de tierras, fincas, derechos reales y juros jurisdiccionales. || **en especie.** Los que no están reducidos o valuados a dinero u otra cosa equivalente. || **mostrados,** o **parecidos.** *For.* Se llamó así a los **frutos** pendientes en la fase inicial de su desarrollo. || **pendientes.** *For.* Los que estando más o menos desarrollados permanecen unidos a la cosa que los produce. || **percibidos.** *For.* Los que ya se separaron de la cosa de que proceden. || **A fruto sano.** expr. de que se usa entre labradores en los arrendamientos de tierras y **frutos,** y denota ser el precio lo mismo un año que otro, sin que se minore por esterilidad u otro caso fortuito. || **Dar fruto.** fr. Producirlo la tierra, los árboles, las plantas, etc. || **Frutos por alimentos.** loc. *For.* Dícese cuando al tutor o curador se le concede todo el producto de las rentas del pupilo para alimentarle. || **Llevar fruto.** fr. **Dar fruto.** || **Sacar fruto.** fr. fig. Conseguir efecto favorable de las diligencias que se hacen o medios que se ponen. *Este predicador saca mucho* FRUTO *con sus sermones.*

Frutuoso, sa. adj. ant. **Fructuoso.**

Fu. Bufido del gato. || **2.** interj. de desprecio. || **Hacer fu,** o **hacer fu como el gato.** fr. fig. y fam. Salir huyendo. || **Ni fu ni fa.** loc. fam. con que se indica que algo es indiferente, que no es ni bueno ni malo.

Fúcar. (Con alusión a los banqueros alemanes de la familia de *Fugger,* famosos por sus riquezas.) m. fig. Hombre muy rico y hacendado.

Fucia. (De *fiucia.*) f. ant. **Fiducia.** || **A fucia.** m. adv. ant. **En confianza.** || **En fucia del conde, no mates al hombre.** ref. **En hoto del conde, no mates al hombre.**

Fucilar. (Del ital. *fucile,* eslabón, 2.ª acep.) intr. Producirse fucilazos en el horizonte. || **2.** Fulgurar, rielar.

Fucilazo. (De *fucilar.*) m. Relámpago sin ruido que ilumina la atmósfera en el horizonte por la noche.

Fuco. m. *Rioja.* Alga de color aceitunado y cubierta de mechones blancos.

Fucsia. (De *Fuchs,* botánico alemán del siglo XVI.) f. Arbusto de la familia de las oenoteráceas, con ramos lampiños, hojas ovales, agudas y dentadas, y flores de color rojo obscuro, colgantes, de pedúnculos largos, cáliz cilíndrico, con cuatro lóbulos y corola de cuatro pétalos. Es planta de adorno, procedente de la América Meridional.

Fucsina. (De *fucsia,* por el color.) f. Materia colorante sólida, que se emplea para teñir la seda y la lana de rojo obscuro, y resulta de la acción del ácido arsénico u otras substancias sobre la anilina. Se ha usado para aumentar la coloración de los vinos, y no es nociva sino cuando conserva algún residuo de ácido arsénico.

Fuchina. (Del cat. *fugir,* y éste del lat. *fugĕre,* huir.) *Ar.* **Escapatoria.**

Fuego. (Del lat. *fŏcus.*) m. Calórico y luz producidos por la combustión, que tuvieron los antiguos por uno de los cuatro elementos de la naturaleza. ‖ **2.** Materia encendida en brasa o llama; como carbón, leña, etc. ‖ **3. Incendio.** ‖ **4.** Ahumada que se hacía de noche en las atalayas de la costa para advertir si había enemigos o no. ‖ **5.** Efecto de disparar las armas de **fuego.** ‖ **6.** fig. Hogar, vecino que tiene casa y hogar. *Ese lugar tiene cien* FUEGOS. ‖ **7.** fig. Encendimiento de sangre con alguna picazón y señales exteriores; como ronchas, costras, etc. ‖ **8.** fig. Ardor que excitan algunas pasiones del ánimo; como el amor, la ira, etc. ‖ **9.** fig. Lo muy vivo y empeñado de una acción o disputa. ‖ **10.** *Fort.* **Flanco,** 3.ª acep. ‖ **11.** *Veter.* **Cauterio.** ‖ **12.** pl. **Fuegos artificiales,** 2.ª acep. ‖ **Fuego de batallón.** *Mil.* El que hace unido un batallón. ‖ **del hígado. Calor del hígado.** ‖ **de San Antón,** o **de San Marcial.** Enfermedad epidémica que hizo grandes estragos desde el siglo X al XVI, y la cual consistía en una especie de gangrena precedida y acompañada de ardor abrasador. Era una erisipela maligna. ‖ **de Santelmo.** Meteoro ígneo que, al hallarse muy cargada de electricidad la atmósfera, suele dejarse ver en los mástiles y vergas de las embarcaciones, especialmente después de la tempestad. ‖ **fatuo.** Inflamación de ciertas materias que se elevan de las substancias animales o vegetales en putrefacción, y forman pequeñas llamas que se ven andar por el aire a poca distancia de la tierra, especialmente en los parajes pantanosos y en los cementerios. ‖ **graneado.** *Mil.* El que se hace sin intermisión por los soldados individualmente, y a cuál más de prisa puede. ‖ **greguisco.** ant. **Fuego griego.** ‖ **griego.** Mixto incendiario que se inventó en Grecia para abrasar las naves. ‖ **guirgüesco.** ant. **Fuego griego.** ‖ **incendiario.** *Art.* El que se hace disparando proyectiles cargados de materias incendiarias. ‖ **infernal.** *Art.* El que se compone de aceite, resina, alcanfor, salitre y otros ingredientes de semejante naturaleza. ‖ **muerto. Solimán.** ‖ **nutrido.** *Mil.* El que se hace sin interrupción y persistentemente. ‖ **oblicuo.** *Mil.* El que se hace con dirección al costado derecho o izquierdo. ‖ **pérsico. Zona,** 5.ª acep. ‖ **potencial.** *Cir.* Cáustico cuya virtud está en minerales, plantas o piedras corrosivas. ‖ **sacro,** o **sagrado. Fuego de San Antón.** ‖ **Fuegos artificiales.** Invenciones de **fuego** que se usan en la milicia; como granadas y bombas. ‖ **2.** Cohetes y otros artificios de pólvora, que se hacen para regocijo o diversión. ‖ **A fuego lento,** o **manso.** m. adv. fig. con que se da a entender el daño o perjuicio que se va haciendo poco a poco y sin ruido. ‖ **A fuego y hierro. A fuego y sangre.** ms. advs. **A sangre y fuego.** ‖ **Apagar el fuego con aceite.** expr. usada cuando en lugar de aplacar una contienda, la enconamos más. ‖ **Apagar los fuegos.** fr. *Mil.* Hacer cesar con la artillería los **fuegos** de la del enemigo. ‖ **2.** fr. fig. y fam. Desconcertar al adversario en altercado o controversia. ‖ **Atizar el fuego.** fr. fig. Avivar una contienda, fomentar una discordia. ‖ **Dar fuego.** fr. Aplicar o comunicar el **fuego** al arma que se quiere disparar o al barreno. ‖ **Donde fuego se hace, humo sale.** ref. que da a entender que por más ocultas que se hagan las cosas, no dejan de rastrearse. ‖ **Echar** uno **fuego por los ojos.** fr. fig. Manifestar gran furor o ira. ‖ **Estar** uno **hecho un fuego.** fr. fig. Estar demasiadamente acalorado por exceso de una pasión. ‖ **¡Fuego!** interj. que se emplea para ponderar lo extraordinario de una cosa. ‖ **2.** *Mil.* Voz con que se manda a la tropa disparar las armas de **fuego.** ‖ **¡Fuego de Cristo! ¡Fuego de Dios!** exprs. con que se denota grande enojo o furor, y también lo mismo que con la sola voz **¡fuego!** usada como interjección. ‖ **Hacer fuego.** fr. *Mil.* Disparar una o varias armas de **fuego.** ‖ **Huir del fuego y dar en las brasas.** fr. fig. y fam. Dícese del que procurando evitar un inconveniente o daño, cae en otro. ‖ **Jugar con fuego.** fr. fig. Empeñarse imprudentemente, por pasatiempo y diversión, en una cosa que pueda ocasionar sinsabores o perjuicios. ‖ **Labrar a fuego.** fr. *Veter.* Curar o señalar una parte del animal con instrumento de hierro candente. ‖ **Levantar fuego.** fr. fig. Excitar una disensión, riña o contienda. ‖ **Meter a fuego y sangre.** fr. **Poner a fuego y sangre.** ‖ **Meter fuego.** fr. fig. Dar animación a una empresa, activarla, promoverla eficazmente. ‖ **No cabíamos al fuego y entró nuestro abuelo.** fr. proverb. **Éramos pocos y parió mi abuela.** ‖ **No está bien el fuego cabe las estopas.** ref. **Si el fuego está cerca de la estopa, llega el diablo y sopla.** ‖ **Pegar fuego.** fr. **Incendiar.** ‖ **Poner a fuego y sangre.** fr. Destruir los enemigos un país; asolarlo. ‖ **Romper el fuego.** fr. Comenzar a disparar. ‖ **2.** fig. Iniciar una pelea o disputa. ‖ **Sacar un fuego con otro fuego.** fr. fig. Desquitarse o vengarse de uno, empleando en el desagravio los mismos medios que sirvieron para la ofensa. ‖ **Si el fuego está cerca de la estopa, llega el diablo y sopla.** ref. que advierte el riesgo que hay en la demasiada familiaridad entre hombres y mujeres. ‖ **Tocar a fuego.** fr. Hacer con las campanas señal de que hay algún incendio.

Fueguecillo, to. m. d. de **Fuego.**

Fueguezuelo. m. d. de **Fuego.**

Fueguino, na. adj. Natural de la Tierra del Fuego. Ú. t. c. s. ‖ **2.** Perteneciente a esta región sudamericana.

Fuelgo. (De *folgar.*) m. ant. **Aliento.**

Fuellar. (Del arag. *fuella,* y éste del lat. *fŏlia,* hoja.) m. Talco de colores con que se adornan las velas rizadas, principalmente el día de la Purificación de Nuestra Señora.

Fuelle. (Del lat. *follis.*) m. Instrumento para recoger aire y lanzarlo con dirección determinada. Los hay de varias formas, según los usos a que se destinan, pero esencialmente se reducen a una caja con tapa y fondo de madera, costados de piel para que sean flexibles, una válvula por donde entra el aire y un cañón por donde sale cuando, plegándose los costados, se reduce el volumen del aparato. ‖ **2.** Bolsa de cuero de la gaita gallega. ‖ **3.** Arruga del vestido, casual o hecha de propósito, o por estar mal cosido. ‖ **4.** En los carruajes, cubierta de piel o de tejido impermeable que, mediante unas varillas de hierro puestas a trechos y unidas por la parte inferior, se extiende para guarecerse del sol o de la lluvia, y se pliega hacia la parte de atrás cuando se quiere. ‖ **5.** Pieza de piel u otra materia plegable que se pone en los lados de bolsos, carteras, etc., para poder aumentar o disminuir su capacidad. ‖ **6.** fig. Conjunto de nubes que se dejan ver sobre las montañas, y que regularmente son señales de viento. ‖ **7.** fig. y fam. Persona soplona. ‖ **8.** *Ast.* Odre usado en los molinos para envasar harina. ‖ **9.** *Ar.* En los molinos de aceite de Teruel, pila de cantería en que se recogen los caldos.

Fuéllega. f. *And.* **Huélliga.**

Fuentada. f. fam. **Fuente,** 6.ª acep.

Fuente. (Del lat. *fons, fontis.*) f. Manantial de agua que brota de la tierra. ‖ **2.** Aparato o artificio con que se hace salir el agua en los jardines y en las casas, calles o plazas, para diferentes usos, trayéndola encañada desde los manantiales o desde los depósitos. ‖ **3.** Cuerpo de arquitectura hecho de fábrica, piedra, hierro, etc., que sirve para que salga el agua por uno o muchos caños dispuestos en él. ‖ **4. Pila,** 2.° art., 2.ª acep. ‖ **5.** Plato grande, circular u oblongo, más o menos hondo, que se usa para servir las viandas. ‖ **6.** Cantidad de vianda que cabe en este plato. ‖ **7.** Vacío que tienen las caballerías junto al corvejón. Ú. m. en pl. ‖ **8.** fig. Principio, fundamento u origen de una cosa. ‖ **9.** fig. Aquello de que fluye con abundancia un líquido. ‖ **10.** *Cir.* **Exutorio.** ‖ **ascendente.** Surtidor de agua que brota de una hendedura vertical del terreno. ‖ **Beber** uno **en buenas fuentes.** fr. fig. y fam. Recibir conocimientos de buenos maestros o en buenas obras, o adquirir noticias de personas o en lugares dignos de todo crédito. ‖ **Dejar la fuente por el arroyo.** fr. proverb. Buscar cosa peor, dejando lo mejor.

Fuentezuela. f. d. de **Fuente.**

Fuer. m. Apócope de **Fuero.** ‖ **A fuer de.** m. adv. A ley de, en razón de, en virtud de, a manera de.

Fuera. (De *fueras.*) adv. l. y t. A o en la parte exterior de cualquier espacio o término real o imaginario. FUERA *de casa, de tiempo, de propósito.* Pueden anteponérsele las preps. *de, por* y *hacia.* ‖ **De fuera.** m. adv. **Defuera.** ‖ **Estar** uno **fuera de sí.** fr. fig. Estar enajenado y turbado de suerte que no pueda reglar sus acciones con acierto. ‖ **¡Fuera!** interj. **¡Afuera!** Ú. t. repetida. En los teatros y otros sitios suele emplearse para denotar desaprobación. Ú. alguna vez como substantivo. *Aquí se oía un* FUERA, *allá un silbido.* ‖ **2.** Seguida de un nombre de prenda de vestir, intima a su dueño que se despoje de ella. ¡FUERA *la capa!* ‖ **Fuera de.** m. adv. conjuntivo; precediendo a substantivos, significa excepto, salvo: FUERA DE *eso, pídeme lo que quieras.* ‖ **2.** Precediendo a verbos, significa además de, aparte de: FUERA DE *que pueden sobrevenir accidentes imprevistos.*

Fuerarropa (Hacer). (De *fuera* y *ropa.*) Frase de mando usada en las galeras para que se desnudase la chusma.

Fueras. (Del lat. *fŏras,* fuera.) adv. m. ant. **Fuera.** ‖ **Fueras ende.** m. adv. ant. **Fuera de.**

Fuerista. com. Persona muy inteligente e instruida en los fueros de las provincias privilegiadas. ‖ **2.** Persona defensora acérrima de los fueros. ‖ **3.** adj. Perteneciente o relativo a los fueros.

Fuero. (Del lat. *forum,* tribunal.) m. Ley o código dados para un municipio durante la Edad Media. ‖ **2.** Jurisdicción, poder. FUERO *eclesiástico, secular.* ‖ **3.** Nombre de algunas compilaciones de leyes. FUERO *Juzgo;* FUERO *Real.* ‖ **4.** Cada uno de los privilegios y exenciones que se conceden a una provincia, ciudad o persona. Ú. m. en pl. ‖ **5.** ant. Lugar o sitio en que se hace justicia. ‖ **6.** fig. y fam. Arrogancia, presunción. Ú. m. en pl. ‖ **7.** *For.* Competencia a la que legalmente las partes están sometidas y por derecho les corresponde. ‖ **activo.** *For.* Aquel de que gozan unas personas para llevar sus causas a ciertos tribunales por privilegio del cuerpo de que son individuos. ‖ **de atracción.** *For.* Dícese cuando por el rango del Tribunal, la calidad del justiciable o la índole del asunto, ha de conocer aquél de cuestiones diferentes, aunque conexas, respecto de las que estrictamente le competen. ‖ **de la conciencia.** Libertad de la conciencia para aprobar las buenas obras y reprobar las malas. Ú. m. en pl.

‖**exterior,** o **externo.** Tribunal que aplica las leyes. ‖ **interior,** o **interno. Fuero de la conciencia.** ‖ **mixto.** El que participa del eclesiástico y del secular. ‖ **A fuero,** o **al fuero.** m. adv. Según ley, estilo o costumbre. ‖ **De fuero.** m. adv. De ley, o según la obligación que induce la ley. ‖ **Reconvenir en su fuero.** fr. *For.* Citar a uno para que comparezca en juicio ante el juez o tribunal competente. ‖ **Surtir fuero, o el fuero.** fr. *For.* Estar o quedar uno sujeto al de un juez determinado.

Fuerte. (Del lat. *fortis.*) adj. Que tiene fuerzas y resistencia. *Cordel, pared* FUERTE. ‖ **2.** Robusto, corpulento y que tiene grandes fuerzas. ‖ **3.** Animoso, varonil. ‖ **4.** Duro, que no se deja fácilmente labrar; como el diamante, el acero, etc. ‖ **5.** Hablando del terreno, áspero, fragoso. ‖ **6.** Dícese del lugar resguardado con obras de defensa que lo hacen capaz de resistir los ataques del enemigo. ‖ **7.** Entre plateros, monederos y lapidarios, dícese de lo que excede en el peso o ley; y así, se llama **fuerte** la moneda que tiene algo más del peso que le corresponde, y de un diamante se dice que tiene tres gramos **fuertes** cuando pesa algo más, pero no llega a tres y medio. ‖ **8.** Aplícase a la moneda de plata, para distinguirla de la de vellón del mismo nombre. Así, el real **fuerte** valía dos y medio reales de vellón, y el peso **fuerte** ocho reales también **fuertes,** que equivalían a veinte de vellón. En las Antillas españolas y en el archipiélago filipino, la **fuerte** ha sido siempre la moneda legal. ‖ **9.** V. **Agua bota, carro, casa, plaza, sexo fuerte.** ‖ **10.** fig. Terrible, grave, excesivo. FUERTE *rigor; lance* FUERTE. ‖ **11.** fig. Temoso, de mala condición y de genio duro. ‖ **12.** fig. Muy vigoroso y activo. *Vino, tabaco* FUERTE. ‖ **13.** fig. Grande, eficaz y que tiene fuerza para persuadir. *Razón* FUERTE. ‖ **14.** fig. Versado en una ciencia o arte. *Está* FUERTE *en matemáticas.* ‖ **15.** *Gram.* Dícese de la forma gramatical que tiene el acento en el tema. *Amo, dijo.* ‖ **16.** *For.* V. **Mano fuerte.** ‖ **17.** m. **Fortaleza,** 4.ª acep. ‖ **18.** fig. Aquello a que una persona tiene más afición o en que más sobresale. Ú. comúnmente con el verbo *ser. El canto es su* FUERTE. ‖ **19.** *Mús.* Esfuerzo de la voz en el pasaje o nota que señala el signo representado con una *f.* ‖ **20.** adv. m. **Fuertemente.** ‖ **21.** Suculentamente o con exceso en la bebida. Ú. con los verbos *almorzar, comer, merendar* y *cenar.* ‖ **22.** ant. Con mucho cuidado y desvelo. ‖ **Acometa quienquiera, el fuerte espera.** ref. en que se advierte que es más valor esperar con serenidad el peligro que acometer. ‖ **Hacerse fuerte.** fr. Fortificarse en algún lugar para defenderse. ‖ **2.** fig. Resistirse a condescender en alguna cosa.

Fuertemente. adv. m. Con fuerza. ‖ **2.** fig. Con vehemencia.

Fuertezuelo. m. d. de **Fuerte.**

Fuerza. (Del lat. **fŏrtia,* de *fŏrtis,* fuerte.) f. Vigor, robustez y capacidad para mover una cosa que tenga peso o haga resistencia; como para levantar una piedra, tirar una barra, etc. ‖ **2.** Virtud y eficacia natural que las cosas tienen en sí. ‖ **3.** Acto de obligar a uno a que dé asenso a una cosa, o a que la haga. ‖ **4.** Violencia que se hace a una mujer para gozarla. ‖ **5.** Grueso o parte principal, mayor y más fuerte de un todo. *La* FUERZA *del ejército.* ‖ **6.** Estado más vigoroso de una cosa. *La* FUERZA *de la juventud, de la edad.* ‖ **7. Eficacia.** *La* FUERZA *del argumento, de la razón.* ‖ **8.** Plaza murada y guarnecida de gente para defensa. ‖ **9.** Fortificaciones de esta plaza. ‖ **10.** Lista de bocací, holandilla u otra cosa fuerte que echan los sastres al canto de las ropas entre la tela principal y el forro. También se llama así a otras fajas o listas que se cosen para reforzar algún otro tejido. ‖ **11.** *Esgr.* Tercio primero de la espada hacia la guarnición. ‖ **12.** *For.* Agravio que el juez eclesiástico hace a la parte en conocer de su causa, o en el modo de conocer de ella, o en no otorgarle la apelación. ‖ **13.** *Mec.* Toda causa capaz de modificar el estado de reposo o de movimiento de un cuerpo. ‖ **14.** *Mec.* **Resistencia,** 3.ª acep. ‖ **15.** pl. *Mil.* Gente de guerra y demás aprestos militares. ‖ **Fuerza aceleratriz.** *Mec.* La que aumenta la velocidad de un movimiento. ‖ **animal.** La del ser viviente cuando se emplea como motriz. ‖ **armada.** El ejército o una parte de él. ‖ **bruta.** La material, en oposición a la que da el derecho o la razón. ‖ **centrífuga.** *Mec.* Aquella por la cual propende un cuerpo a alejarse de la curva que describe en su movimiento y seguir por la tangente. ‖ **centrípeta.** *Mec.* Aquella con que propende un cuerpo a acercarse al centro en derredor del cual se mueve. ‖ **de inercia.** *Mec.* Resistencia que oponen los cuerpos a obedecer a la acción de las **fuerzas.** ‖ **de sangre. Fuerza animal.** ‖ **2. Plétora,** 1.ª acep. ‖ **electromotriz.** Causa que origina el movimiento de la electricidad producida por un generador. ‖ **irresistible.** *For.* La que anulando la voluntad del compelido a ejecutar un delito, es circunstancia eximente. ‖ **liberatoria.** La que legalmente se concede al papel moneda para que puedan pagarse con éste las deudas y obligaciones, cuya cuantía está referida a la moneda acuñada. ‖ **mayor.** *For.* La que por no poderse prever o resistir, exime del cumplimiento de alguna obligación. En sentido estricto, la que procede de la voluntad lícita o ilícita de un tercero. ‖ **pública.** Agentes de la autoridad encargados de mantener el orden. ‖ **retardatriz.** *Mec.* La que disminuye la velocidad de un movimiento. ‖ **viva.** *Mec.* Energía acumulada de un cuerpo en movimiento, y cuyo valor es la mitad del producto de su masa por el cuadrado de su velocidad. ‖ **Fuerzas vivas.** Se dice de las clases y los grupos impulsores de la actividad y la prosperidad, señaladamente del orden económico, en una población, una comarca o una nación. ‖ **A fuerza de.** m. adv. que seguido de un substantivo o de un verbo indica el modo de obrar empleando con intensidad o abundancia el objeto designado por el substantivo, o reiterando mucho la acción expresada por el verbo. A FUERZA DE *estudio,* DE *dinero,* etc.; A FUERZA DE *correr, cayó rendido.* ‖ **A fuerza de brazos.** loc. fig. y fam. **A fuerza** de mérito o de trabajo. ‖ **A fuerza de Dios y de las gentes.** fr. Por encima de todo, atropellando los respetos debidos. ‖ **A fuerza de manos.** loc. fig. y fam. Con fortaleza y constancia. ‖ **A fuerza de varón, espada de gorrión.** ref. que aconseja usar de maña y cortesía contra la fuerza del poderoso. ‖ **A fuerza de villano, hierro en mano.** ref. que enseña que a quien no escucha razones es menester resistirle por **fuerza.** ‖ **A la fuerza.** m. adv. **Por fuerza.** ‖ **A la fuerza ahorcan.** fr. fam. con que se da a entender que uno se ve o se ha visto obligado a hacer alguna cosa contra su voluntad. ‖ **Alzar la fuerza.** fr. *For.* Enmendar los tribunales superiores civiles, por juicio extraordinario, la violencia que hacen los jueces eclesiásticos. ‖ **A viva fuerza.** m. adv. Violentamente, con todo el vigor posible. ‖ **Cobrar fuerzas.** fr. Convalecer el enfermo o recuperarse poco a poco. ‖ **De fuerza.** m. adv. ant. Forzosa, necesariamente; por **fuerza.** ‖ **De por fuerza.** m. adv. fam. **Por fuerza.** ‖ **En fuerza de.** m. adv. A causa de, en virtud de. ‖ **Fuerza a fuerza.** m. adv. **De poder a poder.** ‖ **Fuerza del consonante.** fr. fig. y fam. Circunstancia que obliga a uno a obrar en consonancia con ella y en contra de la voluntad propia. ‖ **Hacer fuerza.** fr. Forcejear, obligar, forzar, violentar. ‖ **2.** Inclinar el ánimo, convencer, persuadir. ‖ **Írsele** a uno **la fuerza por la boca.** fr. fig. y fam. Ser baladrón. ‖ **Por fuerza.** m. adv. Violentamente; contra la propia voluntad. ‖ **2.** Necesaria, indudablemente. ‖ **Protestar la fuerza.** fr. *For.* Reclamar contra la violencia con que se precisa a uno a hacer lo que no quiere. ‖ **Quitar fuerza.** fr. *For.* **Alzar la fuerza.** ‖ **Sacar uno fuerzas de flaqueza.** fr. Hacer esfuerzo extraordinario a fin de lograr aquello para que se considera débil o impotente. ‖ **Ser fuerza.** loc. Ser necesario o forzoso. ES FUERZA *tomar alguna resolución.*

Fuesa. (De *fosa.*) f. ant. **Huesa.**

Fufar. intr. Dar bufidos el gato.

Fufo. m. **Fu,** 1.ª acep.

Fufú. m. *Colomb., Cuba* y *P. Rico.* Comida hecha de plátano, ñame o calabaza.

Fuga. (Del lat. *fuga.*) f. Huida apresurada. ‖ **2.** La mayor fuerza o intensión de una acción, ejercicio, etc. ‖ **3.** Salida de gas o líquido por un orificio o abertura producidos accidentalmente. ‖ **4.** *Mús.* Composición que gira sobre un tema y su imitación, repetidos con cierto artificio por diferentes tonos. ‖ **de consonantes.** Escrito en que las consonantes se substituyen por puntos. Es una especie de acertijo. ‖ **de vocales.** Cuando las que se substituyen por puntos son las vocales. ‖ **Meter en fuga** a uno. fr. fig. y fam. Excitarle con viveza para que ejecute alguna cosa, especialmente de diversión.

Fugacidad. (Del lat. *fugacĭtas, -ātis.*) f. Calidad de fugaz.

Fugada. f. **Ráfaga,** 1.ª acep.

Fugar. (Del lat. *fugāre.*) tr. ant. Poner en fuga o huida. ‖ **2.** r. Escaparse, huir.

Fugaz. (Del lat. *fugax, -ācis.*) adj. Que con velocidad huye y desaparece. ‖ **2.** V. **Estrella fugaz.** ‖ **3.** fig. De muy corta duración.

Fugazmente. adv. m. De manera fugaz.

Fugible. (Del lat. *fugibĭlis.*) adj. ant. Que se debe huir.

Fúgido, da. (Del lat. *fugĭtus,* p. p. de *fugĕre,* huir.) adj. ant. **Fugaz.** Suele usarse aún en poesía.

Fugir. (Del lat. *fugĕre.*) intr. ant. **Huir.**

Fugitivo, va. (Del lat. *fugitīvus.*) adj. Que anda huyendo y escondiéndose. Ú. t. c. s. ‖ **2.** Que pasa muy aprisa y como huyendo. ‖ **3.** fig. Caduco, perecedero; que tiene corta duración y desaparece con facilidad.

Fuguillas. m. fam. Hombre de vivo genio, rápido en obrar e impaciente en el obrar de los demás.

Fuida. (De *fuir.*) f. ant. **Huida.**

Fuidizo, za. (De *fuida.*) adj. ant. Huidizo, fugitivo.

Fuimiento. (De *fuir.*) m. ant. Salida o desamparo.

Fuina. (Del arag. *fuina,* y éste del lat. **fagīna,* de *fagus,* haya.) f. **Garduña.**

Fuir. (De *fugir.*) intr. ant. **Huir.**

Fuisca. (Del gall. y port. *faisca,* y éste del germ. *falaviska,* chispa.) f. ant. **Chispa.**

Ful. adj. *Germ.* Falso, fallido.

Fulán. m. ant. **Fulano.**

Fulano, na. (Del ár. *fulān,* un tal.) m. y f. Voz con que se suple el nombre de una persona, cuando se ignora o de propósito no se quiere expresar. ‖ **2.** Persona indeterminada o imaginaria.

Fular. (Del fr. *foulard.*) m. Tela fina de seda.

Fulastre. adj. fam. Chapucero, hecho farfulladamente.

Fulcir. (Del lat. *fulcire*, apoyar.) tr. ant. **Sustentar.**

Fulcro. (Del lat. *fulcrum.*) m. Punto de apoyo de la palanca.

Fulero, ra. (De *ful.*) adj. fam. Chapucero, inaceptable, poco útil. || **2.** *Ar., León* y *Nav.* Dícese de la persona falsa, embustera o simplemente charlatana y sin seso.

Fulgente. (Del lat. *fulgens, -entis.*) adj. Brillante, resplandeciente.

Fúlgido, da. (Del lat. *fulgĭdus.*) adj. **Fulgente.**

Fulgor. (Del lat. *fulgor.*) m. Resplandor y brillantez con luz propia.

Fulguración. f. Acción y efecto de fulgurar. || **2.** *Med.* Accidente causado por el rayo.

Fulgurante. (Del lat. *fulgurans, -antis.*) p. a. de **Fulgurar.** Que fulgura.

Fulgurar. (Del lat. *fulgurāre*, de *fulgur*, relámpago.) intr. Brillar, resplandecer, despedir rayos de luz.

Fulgurita. (De *fulgurar.*) f. Tubo vitrificado producido por el rayo al penetrar en la tierra fundiendo las substancias silíceas con que se tropieza.

Fulguroso, sa. adj. Que fulgura o despide fulgor.

Fúlica. (Del lat. *fulĭca.*) f. Ave del orden de las zancudas, especie pequeña de polla de agua; tiene el pico fuerte, grueso y oblicuo hacia la punta; el cuerpo verdoso, fusco por encima y ceniciento por debajo, y los dedos guarnecidos de membranas largas y hasta cierto punto hendidas.

Fulidor. m. *Germ.* Ladrón que tiene muchachos para que le abran de noche las puertas o casas.

Fuliginosidad. f. Calidad de fuliginoso.

Fuliginoso, sa. (Del lat. *fuliginōsus*, de *fulīgo*, hollín.) adj. Denegrido, obscurecido, tiznado.

Fulmicotón. m. *Quím.* Algodón pólvora.

Fulminación. (Del lat. *fulminatĭo, -ōnis.*) f. Acción de fulminar.

Fulminador, ra. (Del lat. *fulminātor.*) adj. Que fulmina. Ú. t. c. s.

Fulminante. (Del lat. *fulminans, -antis.*) p. a. de **Fulminar.** Que fulmina. || **2.** adj. Aplícase a las enfermedades muy graves, repentinas y por lo común mortales. || **3.** Dícese de las materias o compuestos que estallan con explosión. Ú. t. c. s. m. || **4.** V. **Oro, pólvora fulminante.**

Fulminar. (Del lat. *fulmināre*, de *fulmen*, rayo.) tr. Arrojar rayos. || **2.** ant. Ilustrar, iluminar. || **3.** fig. Arrojar bombas y balas. || **4.** fig. Dicho de sentencias, excomuniones, censuras, etc., dictarlas, imponerlas.

Fulminato. (Del lat. *fulmen*, rayo.) m. *Quím.* Cada una de las sales formadas por el ácido fulmínico con las bases de plata, mercurio, cinc o cadmio, todas explosivas. || **2.** Por ext., cualquiera materia explosiva.

Fulminatriz. (Del lat. *fulminātrix.*) adj. **Fulminadora.** || **2.** V. **Legión fulminatriz.**

Fulmíneo, a. (Del lat. *fulminĕus.*) adj. Que participa de las propiedades del rayo.

Fulmínico, ca. (Del lat. *fulmen*, rayo.) adj. *Quím.* V. **Ácido fulmínico.**

Fulminoso, sa. adj. Fulmíneo.

Fulla. f. *Ar.* **Mentira.** || **2.** *Vizc.* **Barquillo.**

Fulleresco, ca. adj. Perteneciente a los fulleros, o propio de ellos.

Fullería. (De *fullero.*) f. Trampa y engaño que se comete en el juego. || **2.** fig. Astucia, cautela y arte con que se pretende engañar.

Fullero, ra. adj. Que hace fullerías, 1.ª acep. Ú. t. c. s.

Fullona. (De *folla.*) f. fam. Pendencia, riña y cuestión entre dos o más personas, con muchas voces y ruido.

Fumable. adj. Que se puede fumar.

Fumada. f. Porción de humo que se toma de una vez fumando un cigarro.

Fumadero. m. Local destinado a los fumadores.

Fumador, ra. adj. Que tiene costumbre de fumar. Ú. t. c. s.

Fumante. (Del lat. *fumans, -antis.*) p. a. de **Fumar.** Que fuma, o que humea.

Fumar. (Del lat. *fumāre*, humear, arrojar humo.) intr. **Humear.** || **2.** Aspirar y despedir el humo del tabaco que se hace arder en cigarros, en pipa o en otra forma. Se suele **fumar** también opio, anís y otras substancias. Ú. t. c. tr. || **3.** r. fig. y fam. Gastar, consumir indebidamente una cosa. SE FUMÓ *la paga del mes y anda sin un cuarto.* || **4.** fig. y fam. Dejar de acudir a una obligación. FUMARSE *la clase, la oficina.*

Fumarada. (De *fumar.*) f. Porción de humo que sale de una vez. || **2.** Porción de tabaco que cabe en la pipa.

Fumaria. (Del lat. *fumarĭa.*) f. Hierba de la familia de las papaveráceas, con tallo tendido, hueco, ramoso y de cuatro a seis decímetros de largo; hojas de color verde amarillento, alternas, partidas en segmentos oblongos y puntiagudos; flores pequeñas en espiga, de color purpúreo y casi negras en el ápice, y frutos esferoidales en racimos poco apretados. El jugo de esta planta, que es de sabor amargo, se usa algo en medicina.

Fumarola. (Del lat. *fumariola*, pl. n. de *fumariolum*, sahumerio.) f. Grieta de la tierra en las regiones volcánicas, por donde salen gases sulfurosos o vapores de agua cargados de algunas otras substancias.

Fumear. (Del lat. *fumigāre.*) intr. ant. **Humear.**

Fumero. (Del lat. *fumarium.*) m. ant. **Humero.**

Fumífero, ra. (Del lat. *fumĭfer, -ĕri*; de *fumus*, humo, y *ferre*, llevar.) adj. poét. Que echa o despide humo.

Fumigación. (Del lat. *fumigatĭo, -ōnis.*) f. Acción de fumigar.

Fumigador, ra. m. y f. Persona que fumiga. || **2.** m. Aparato para fumigar.

Fumigar. (Del lat. *fumigāre.*) tr. Desinfectar por medio de humo, gas o vapores adecuados.

Fumigatorio, ria. adj. Perteneciente o relativo a la fumigación. || **2.** m. Perfumador, 2.ª acep.

Fumista. m. El que hace o arregla cocinas, chimeneas o estufas. || **2.** El que vende estos aparatos.

Fumistería. f. Tienda o taller de cocinas o estufas.

Fumívoro, ra. (Del lat. *fumus*, humo, y *vorāre*, consumir.) adj. Aplícase a los hornos y chimeneas de disposiciones especiales para completar la combustión de modo que no resulte salida de humo.

Fumo. (Del lat. *fumus.*) m. ant. **Humo.** || **2.** ant. **Fuego,** 6.ª acep. || **Afumar fumos.** fr. ant. Tener hogar.

Fumorola. f. **Fumarola.**

Fumosidad. (De *fumoso.*) f. Materia del humo.

Fumoso, sa. (Del lat. *fumōsus.*) adj. Que abunda en humo, o lo despide en gran cantidad.

Funámbulo, la. (Del lat. *funambŭlus*; de *funis*, cuerda, y *ambulāre*, andar.) m. y f. Volatinero que hace ejercicios en la cuerda o el alambre.

Función. (Del lat. *functĭo, -ōnis.*) f. Ejercicio de un órgano o aparato de los seres vivos, máquinas o instrumentos. || **2.** Acción y ejercicio de un empleo, facultad u oficio. || **3.** Acto público, diversión o espectáculo a que concurre mucha gente. || **4.** Concurrencia de algunas personas en una casa particular, por cumpleaños, convite u otra cosa semejante. || **5.** *Mat.* Cantidad cuyo valor depende del de otra u otras cantidades variables. || **6.** *Mil.* Acción de guerra. || **No hay función sin tarasca.** expr. fig. y fam. con que se critica a la persona que asiste a todas las fiestas y diversiones.

Funcional. adj. Relativo a las funciones, especialmente a las vitales.

Funcionamiento. m. Acción de funcionar.

Funcionar. intr. Ejecutar una persona, máquina, etc., las funciones que le son propias.

Funcionario, ria. (De *funcionar.*) m. y f. Persona que desempeña un empleo público.

Funche. m. *Cuba, Méj.* y *P. Rico.* Especie de gachas de harina de maíz.

Funda. (Del lat. *funda*, bolsa.) f. Cubierta o bolsa de cuero, paño, lienzo u otra tela con que se envuelve una cosa para conservarla y resguardarla.

Fundación. (Del lat. *fundatĭo, -ōnis.*) f. Acción y efecto de fundar. || **2.** Principio, erección, establecimiento y origen de una cosa. || **3.** Documento en que constan las cláusulas de una institución de mayorazgo, obra pía, etc. || **4.** *For.* Persona jurídica dedicada a la beneficencia, ciencia, enseñanza, o piedad que continúa y cumple la voluntad de quien la erige.

Fundacional. adj. Perteneciente o relativo a la fundación.

Fundadamente. adv. m. Con fundamento.

Fundador, ra. (Del lat. *fundātor.*) adj. Que funda. Ú. t. c. s.

Fundago. (Del m. or. que *fondac.*) m. ant. Almacén donde se guardaban algunos géneros.

Fundamental. adj. Que sirve de fundamento o es lo principal en una cosa. || **2.** V. **Piedra fundamental.** || **3.** *Geom.* Aplícase a la línea que, dividida en un número grande de partes iguales, sirve de fundamento para dividir las demás líneas que se describen en la pantómetra.

Fundamentalmente. adv. m. Con arreglo a los principios y fundamentos de una cosa.

Fundamentar. tr. Echar los fundamentos o cimientos a un edificio. || **2.** fig. Establecer, asegurar y hacer firme una cosa.

Fundamento. (Del lat. *fundamentum.*) m. Principio y cimiento en que estriba y sobre que se funda un edificio u otra cosa. || **2.** Hablándose de personas, seriedad, formalidad. *Este niño no tiene* FUNDAMENTO. || **3.** Razón principal o motivo con que se pretende afianzar y asegurar una cosa. || **4.** Fondo o trama de los tejidos. || **5.** fig. Raíz, principio y origen en que estriba y tiene su mayor fuerza una cosa no material.

Fundar. (Del lat. *fundāre.*) tr. Edificar materialmente una ciudad, colegio, hospital, etc. || **2.** Estribar, apoyar, armar alguna cosa material sobre otra. Ú. t. c. r. || **3.** Erigir, instituir un mayorazgo, universidad u obra pía, dándoles rentas y estatutos para que subsistan y se conserven. || **4.** Establecer, crear. FUNDAR *un imperio, una asociación.* || **5.** fig. Apoyar con motivo y razones eficaces o con discursos una cosa. FUNDAR *una sentencia, un dictamen.* Ú. t. c. r.

Fundente. (p. a. de *fundir.*) adj. *Quím.* Que facilita la fundición. || **2.** m. *Med.* Medicamento que aplicado a ciertos tumores facilita su resolución. || **3.** *Quím.* Substancia que se mezcla con otra para facilitar la fusión de ésta. Hay **fundentes** terrosos, alcalinos, ácidos y metálicos.

Fundería. (De *fundir.*) f. **Fundición,** 2.ª acep.

Fundible. adj. Capaz de fundirse.
Fundibulario. (Del lat. *fundibularius.*) m. Soldado romano que peleaba con honda.
Fundíbulo. (Del lat. *fundibŭlum.*) m. Máquina de madera que servía en lo antiguo para disparar piedras de gran peso.
Fundición. f. Acción y efecto de fundir o fundirse. || **2.** Fábrica en que se funden metales. || **3. Hierro colado.** || **4.** *Impr.* Surtido o conjunto de todos los moldes o letras de una clase para imprimir.
Fundido, da. p. p. de **Fundir.** || **2.** adj. V. **Acero, hierro fundido.**
Fundidor. m. El que tiene por oficio fundir.
Fundir. (Del lat. *fundĕre.*) tr. Derretir y liquidar los metales, los minerales u otros cuerpos sólidos. || **2.** Dar forma en moldes al metal en fusión. FUNDIR *cañones, estatuas.* || **3.** ant. **Hundir.** Usáb. t. c. r. || **4.** r. fig. Unirse intereses, ideas o partidos que antes estaban en pugna. || **5.** fig. y fam. *Amér.* Arruinarse, hundirse. *El negociante* SE FUNDIÓ. Ú. t. c. tr.
Fundo, da. (Del lat. *fundus*, fondo.) adj. ant. **Profundo.** || **2.** m. *For.* Heredad o finca rústica.
Fúnebre. (Del lat. *funĕbris.*) adj. Relativo a los difuntos. *Honras* FÚNEBRES. || **2.** fig. Muy triste, luctuoso, funesto.
Fúnebremente. adv. m. De un modo fúnebre.
Funebridad. (De *fúnebre.*) f. ant. Conjunto de circunstancias que hacen triste o melancólica una cosa.
Funeral. (Del lat. *funerālis.*) adj. Perteneciente a entierro o exequias. || **2.** V. **Cuarta funeral.** || **3.** m. Pompa y solemnidad con que se hace un entierro o unas exequias. || **4. Exequias.** Ú. t. en pl.
Funerala (A la). (De *funeral.*) m. adv. que expresa la manera de llevar las armas los militares en señal de duelo, con las bocas o las puntas hacia abajo.
Funeralias. f. pl. ant. **Funerales.**
Funeraria. f. Empresa que se encarga de proveer las cajas, coches fúnebres y demás objetos pertenecientes a los entierros. || **2.** pl. ant. **Funerales.**
Funerario, ria. (Del lat. *funerarius.*) adj. **Funeral,** 1.ª acep.
Funéreo, a. (Del lat. *funerĕus.*) adj. poét. **Fúnebre.**
Funestamente. adv. m. De un modo funesto.
Funestar. (Del lat. *funestāre.*) tr. Mancillar, deslustrar, profanar.
Funesto, ta. (Del lat. *funestus.*) adj. Aciago; que es origen de pesares. || **2.** Triste y desgraciado.
Funestoso, sa. adj. ant. **Funesto.**
Fungible. (Del lat. *fungĕre.*) adj. Que se consume con el uso. || **2.** *For.* V. **Bienes fungibles.**
Fungosidad. (Del lat. *fungosĭtas, -ātis.*) f. *Cir.* Carnosidad fofa que dificulta la cicatrización de las heridas.
Fungoso, sa. (Del lat. *fungōsus*, de *fungus*, hongo.) adj. Esponjoso, fofo, ahuecado y lleno de poros.
Funicular. (Del lat. *funicŭlus*, cuerda.) adj. Aplícase al vehículo o artefacto en el cual la tracción se hace por medio de una cuerda, cable o cadena. Ú. t. c. s. || **2.** V. **Ferrocarril funicular.**
Funículo. (Del lat. *funicŭlus*, cuerda.) m. *Bot.* Cordoncito que une a la placenta cada uno de los óvulos. || **2.** *Bot.* Conjunto de vasos nutritivos que unen la semilla al pericarpio después de haber atravesado la placenta. || **3.** *Arq.* Adorno propio de la arquitectura románica, consistente en un toro o baquetón retorcido a manera de cable o maroma.
Fuñador. (De *fuñar.*) m. *Germ.* **Pendenciero.**
Fuñar. intr. *Germ.* Revolver pendencias.
Fuñicar. intr. Hacer una labor con torpeza o ñoñería.
Fuñinque. adj. *Cuba* y *Chile.* Dícese de la persona débil, tímida o enclenque.
Fuñique. adj. Dícese de la persona inhábil y embarazada en sus acciones. Ú. t. c. s. || **2.** Meticuloso, chinche.
Furacar. (Del lat. *forāre*, agujerear.) tr. ant. Horadar, hacer agujeros.
Furción. (Del lat. *fruitĭo, -ōnis.*) f. ant. **Infurción.**
Furente. (Del lat. *furens, -entis.*) adj. poét. Arrebatado y poseído de furor.
Furfuráceo, a. (Del lat. *furfur, furfŭris*, salvado.) adj. Parecido al salvado.
Furgón. (Del fr. *fourgon*, y éste del célt. *frisco*, carruaje.) m. Carro largo y fuerte de cuatro ruedas y cubierto, que sirve en el ejército para transportar equipajes, municiones o víveres, y en los ferrocarriles para el transporte de equipajes y mercancías. || **2.** Carruaje cerrado de cuatro ruedas, con pescante cubierto, usado para transporte en las poblaciones.
Furia. (Del lat. *furia.*) f. *Mit.* Cada una de las tres divinidades infernales en que se personificaban los remordimientos. || **2.** Ira exaltada. || **3.** Acceso de demencia. || **4.** fig. Persona muy irritada y colérica. || **5.** fig. Actividad y violenta agitación de las cosas insensibles. *La* FURIA *del viento, del mar.* || **6.** fig. Prisa, velocidad y vehemencia con que se ejecuta alguna cosa. || **A toda furia.** m. adv. Con la mayor eficacia o diligencia.
Furibundo, da. (Del lat. *furibundus.*) adj. Airado, colérico, muy propenso a enfurecerse. || **2.** Que denota furor. *Batalla* FURIBUNDA; *miradas* FURIBUNDAS.
Furiente. adj. **Furente.**
Furierismo. m. Sistema utópico de organización social inventado por Fourier, el cual, tomando por base la atracción ejercida entre los hombres por las pasiones, aspira a reunirlos en falansterios, donde cada cual se entregue a sus propias inclinaciones, resultando de la combinación de todas ellas una especie de sociedad armónica que excluye la propiedad y la familia, y tolera y aun recomienda la poligamia.
Furierista. adj. Partidario del furierismo. Apl. a pers., ú. t. c. s. || **2.** Perteneciente o relativo a este sistema.
Furiosamente. adv. m. Con furia.
Furioso, sa. (Del lat. *furiōsus.*) adj. Poseído de furia. || **2.** Loco, que debe ser atado o sujeto para que no haga daño. || **3.** fig. Violento, terrible. || **4.** fig. Muy grande y excesivo. FURIOSO *gasto;* FURIOSO *caudal.* || **5.** *Blas.* V. **Toro furioso.**
Furlón. m. **Forlón.**
Furnia. (Del lat. *fūrnus*, horno.) f. *And.* Bodega bajo tierra. || **2.** *Cuba.* Sima que penetra en dirección vertical y por lo común en terreno peñascoso.
Furo. (De *furar*, y éste del lat. *fŏrāre*, horadar.) m. En los ingenios de azúcar, orificio que en su parte inferior tienen las hormas cónicas de barro cocido, para salida del agua y melaza al purgar y lavarse los panes de azúcar. || **2.** V. **Miel de furos.**
Furo (Hacer). (Del lat. *fur, furis*, ladrón.) fr. *Ar.* Ocultar mañosamente una cosa.
Furo, ra. (Del lat. *furo*, hurón.) adj. Dícese de la persona huraña. || **2.** *Ar.* Aplícase al animal fiero sin domar. || **3.** *Al.*, *Ar.* y *Nav.* Furioso, fiero.
Furor. (Del lat. *furor.*) m. Cólera, ira exaltada. || **2.** En la demencia o en delirios pasajeros, agitación violenta con los signos exteriores de la cólera. || **3.** fig. Arrebatamiento, entusiasmo del poeta cuando compone. || **4.** fig. **Furia,** 5.ª y 6.ª aceps. || **uterino.** *Med.* Deseo violento e insaciable en la mujer de entregarse a la cópula.
Furriel. (De *furrier.*) m. El que tenía a su cargo en cada compañía de soldados la distribución del pre, pan y cebada, y designaba personal para el servicio. Por lo regular tenía la graduación de cabo de escuadra. || **2.** En las caballerizas reales, oficial que cuidaba de las cobranzas y paga de la gente que servía en ellas, y también de las provisiones de paja y cebada.
Furriela. f. **Furriera.**
Furrier. (Del fr. *fourrier*, y éste del germ. *fodr*, pasto.) m. **Furriel.**
Furriera. (Del fr. *fourrière*, de *fourrier*, furriel.) f. Oficio de la casa real, a cuyo cargo estaban las llaves, muebles y enseres de palacio y la limpieza de ellos y de las habitaciones.
Furris. adj. fam. *Ál.*, *Ar.*, *Méj.*, *Nav.* y *Venez.* Malo, despreciable, mal hecho.
Furruco. m. *Venez.* Especie de zambomba.
Furtadamente. adv. m. ant. **Hurtadamente.**
Furtador. (De *furtar.*) m. ant. **Ladrón,** 1.ª acep.
Furtar. (De *furto.*) tr. ant. **Hurtar.** || **2.** r. ant. Escaparse, huir.
Furtiblemente. adv. m. ant. **Furtivamente.**
Furtivamente. adv. m. A escondidas.
Furtivo, va. (Del lat. *furtīvus.*) adj. Que se hace a escondidas y como a hurto.
Furto. (Del lat. *furtum.*) m. ant. **Hurto.** || **A furto.** m. adv. ant. **A hurto.**
Furúnculo. (Del lat. *furuncŭlus.*) m. *Med.* **Divieso.**
Fusa. (Del ital. *fusa.*) f. *Mús.* Nota de música, cuyo valor es la mitad de la semicorchea.
Fusado, da. (De *fuso.*) adj. *Blas.* Dícese del escudo o pieza cargada de husos.
Fusca. (Del lat. *fuscus.*) f. **Pato negro.**
Fusca. (De *fuisca.*) f. *Extr.* y *Sal.* Maleza, hojarasca.
Fuscar. (Del lat. *fuscāre.*) tr. ant. **Obscurecer,** 1.ª acep.
Fusco, ca. (Del lat. *fuscus.*) adj. **Obscuro,** 1.ª y 2.ª aceps.
Fuselado, da. (Del fr. *fuselé.*) adj. *Blas.* **Fusado.**
Fusentes. (Del lat. *fusus*, p. p. de *fundĕre*, derramar.) adj. pl. que se aplicaba a las aguas del Guadalquivir en menguante o cuando vertían hacia el mar.
Fusibilidad. f. Calidad de fusible.
Fusible. (Del lat. *fusibĭlis.*) adj. Que puede fundirse. || **2.** m. Hilo o chapa metálica, fácil de fundirse, que se coloca en algunas partes de las instalaciones eléctricas, para que cuando la corriente sea excesiva, la interrumpan fundiéndose.
Fusiforme. (Del lat. *fusus*, huso, y *forma*, figura.) adj. De figura de huso.
Fúsil. (Del lat. *fusĭlis.*) adj. **Fusible.**
Fusil. (Del ital. *fucile*, y éste del lat. **focīlis*, de *focus*, fuego.) m. Arma de fuego, portátil, destinada al uso de los soldados de infantería, en reemplazo del arcabuz y del mosquete. Consta de un cañón de hierro o de acero, de 8 a 10 decímetros de longitud ordinariamente, de un mecanismo con que se dispara, y de la caja a que éste y aquél van unidos. || **de chispa.** El de llave con pie de gato provisto de un pedernal que, chocando contra el rastrillo acerado, incendia el cebo. || **de pistón.** El que se ceba colocando sobre su chimenea una cápsula cilíndrica de cobre que contiene pólvora fulminante, la cual se inflama al golpe de un martillo que reemplaza al pie de gato.
Fusilamiento. m. Acción y efecto de fusilar.
Fusilar. (De *fusil.*) tr. *Mil.* Ejecutar a una persona con una descarga de fusilería. || **2.** fig. fam. Plagiar, copiar trozos o ideas de un original sin citar el nombre del autor.
Fusilazo. m. Tiro disparado con el fusil. || **2. Fucilazo.**
Fusilería. f. Conjunto de fusiles. || **2.** Conjunto de soldados fusileros.

Fusilero, ra. (De *fusil.*) adj. Perteneciente o relativo al fusil. || **2.** V. **Marcha real fusilera.** || **3.** m. Soldado de infantería que no era granadero ni cazador. || **de montaña.** Soldado de tropa ligera.

Fusión. (Del lat. *fusĭo, -ōnis.*) f. Efecto de fundir o fundirse. || **2.** fig. Unión de intereses, ideas o partidos que antes estaban en pugna.

Fusionar. tr. fig. Producir una fusión, 2.ª acep. Ú. t. c. r.

Fusionista. adj. Partidario de la fusión de ideas, intereses o partidos. Ú. t. c. s.

Fusique. m. Pomo de cuello largo en cuya extremidad hay unos agujeritos por donde sorbe la nariz el tabaco en polvo. Lo usaban, por lo común, los gallegos y asturianos.

Fuslera. f. ant. **Fruslera.**

Fuslina. (De un der. del lat. *fusĭlis*, de *fusus*, fundido.) f. Sitio destinado a la fundición de minerales.

Fuso. (Del lat. *fusus.*) m. ant. **Huso.** || **2.** *Blas.* **Losange.**

Fusor. (Del lat. *fusor*, fundidor.) m. Vaso o instrumento que sirve para fundir.

Fusta. (Del b. lat. *fusta*, y éste del lat. *fustis*, palo.) f. Varas, ramas y leña delgada, como la que se corta o roza de los árboles. || **2.** Cierto tejido de lana. || **3.** Vara flexible o látigo largo y delgado que por el extremo superior tiene pendiente una trencilla de correa, y de que usan los tronquistas de caballos para castigarlos. Se hacen de diversas maneras, y suelen tener una empuñadura, para afianzarlas, en la parte más gruesa. || **4.** Buque ligero de remos y con uno o dos palos, que se empleaba con frecuencia como explorador. || **5.** pl. *Mancha.* Cantidad que pagan a los propietarios los dueños de los ganados por que éstos aprovechen la rastrojera.

Fustado, da. (Del fr. *fusté*, del ant. *fust*, y éste del lat. *fustis*, palo.) adj. *Blas.* Aplícase al árbol cuyo tronco es de diferente color que las hojas, o a la lanza o pica cuya asta es de diferente color que el hierro.

Fustal. (Del ár. *Fusṭāṭ*, nombre de una ciudad árabe, anterior y vecina a la del Cairo, y hoy englobada en ésta.) m. **Fustán.**

Fustán. (De *fustal.*) m. Tela gruesa de algodón, con pelo por una de sus caras. || **2.** ant. *Amér.* Enaguas o refajo de algodón.

Fustancado, da. (De *fustanque.*) adj. *Germ.* Dícese de la persona apaleada.

Fustanero. m. El que fabrica fustanes.

Fustanque. (De *fusta.*) m. *Germ.* **Palo,** 1.ª acep.

Fustaño. m. **Fustán.**

Fuste. (Del lat. *fustis*, palo.) m. **Madera,** 1.ª acep. || **2.** **Vara,** 1.ª acep. || **3.** Vara o palo en que está fijado el hierro de la lanza. || **4.** Cada una de las dos piezas de madera que tiene la silla del caballo. || **5.** poét. Silla del caballo. || **6.** fig. Fundamento de una cosa no material; como de un discurso, oración, escrito, etc. || **7.** fig. Nervio, substancia o entidad. *Hombre de* FUSTE. || **8.** *Arq.* Parte de la columna que media entre el capitel y la basa. || **cuarentén.** *Ar.* **Cuarentén.**

Fustero, ra. adj. Perteneciente al fuste. || **2.** m. **Tornero,** 1.ª y 2.ª aceps. || **3.** desus. **Carpintero,** 1.ª acep.

Fustete. (d. de *fuste*, palo.) m. Arbusto de la familia de las anacardiáceas, ramoso, copudo, de hojas alternas, pecioladas, enteras, elípticas y agudas en la base; flores verdosas en panojas pendientes, con pedúnculos muy vellosos después de la floración, y semillas redondas y duras. Se cultiva por el olor aromático de las hojas y lo curioso de las flores, y el cocimiento de la madera y de la corteza sirve para teñir de amarillo las pieles.

Fustigación. f. Acción y efecto de fustigar.

Fustigador, ra. adj. Que fustiga. Ú. t. c. s.

Fustigante. p. a. de **Fustigar.** Que fustiga.

Fustigar. (Del lat. *fustigāre*; de *fustis*, palo, y *agĕre*, mover, menear.) tr. **Azotar,** 1.ª acep. || **2.** fig. Vituperar, censurar con dureza.

Fusto. (De *fuste*, 1.ª acep.) m. *Huesca.* Pieza de madera de hilo, de cinco a seis metros de longitud, con una escuadría de 25 a 38 centímetros de tabla por 24 a 29 de canto.

Fustumbre. (De *fuste.*) f. ant. conjunto de varas o palos.

Fútbol [Futbol]. (Del ingl. *football;* y éste de *foot*, pie, y *ball*, pelota.) m. Juego entre dos equipos que consiste en lanzar con los pies un balón, según determinadas reglas.

Futbolista. com. Jugador de fútbol.

Futbolístico, ca. adj. Perteneciente o relativo al fútbol.

Futesa. (Del fr. *foutaise*, der. de *foutre*, y éste del lat. *futuĕre*, tener trato carnal.) f. Fruslería, nadería.

Fútil. (Del lat. *futĭlis.*) adj. De poco aprecio o importancia.

Futilidad. (Del lat. *futilĭtas, -ātis.*) f. Poca o ninguna importancia de una cosa, por lo regular, de discursos y argumentos.

Futraque. m. fam. desus. Levita, casaca.

Futre. m. *Chile.* Lechuguino, o simplemente persona vestida con atildamiento.

Futura. (Del lat. *futūra*, t. f. de *-rus*, futuro.) f. Derecho a la sucesión de un empleo o beneficio antes de estar vacante. || **2.** fam. Novia que tiene con su novio compromiso formal.

Futurario, ria. adj. Dícese de aquello que pertenece a futura sucesión. *Renta* FUTURARIA.

Futuro, ra. (Del lat. *futūrus.*) adj. Que está por venir. || **2.** V. **La vida futura.** || **3.** *Gram.* V. **Tiempo futuro.** Ú. t. c. s. || **4.** m. fam. Novio que tiene con su novia compromiso formal. || **contingente.** Lo que puede suceder o no. || **imperfecto.** *Gram.* El que manifiesta de un modo absoluto que la cosa existirá, que la acción se ejecutará o el suceso acaecerá. || **perfecto.** *Gram.* El que denota acción **futura** con respecto al momento en que se habla, pero pasada con respecto a otra ocasión posterior. Denota asimismo acción que, según conjetura o probabilidad, deberá haberse verificado ya en tiempo venidero o pasado.

Fuyente. p. a. ant. de **Fuir.** Que huye.

G

G. f. Octava letra del abecedario español, y sexta de sus consonantes. Su nombre es **ge.** Seguida inmediatamente de *e* o de *i* suena como la *j;* v. gr.: *genio, giro.* En cualquiera otro caso tiene sonido análogo al de la *k,* salvo que sonoro; por ejemplo: *gala, goma, gula; iglesia, negligente, greda, grito.* En las sílabas que forma con la *u* seguida de *e* o *i,* deja de pronunciarse la primera de estas tres vocales; v. gr.: *guedeja, guiso.* Cuando la misma vocal *u* tiene sonido en alguna de estas combinaciones, debe llevar diéresis; como en *Sigüenza, argüir.*

Gabacha. f. *Zam.* Especie de dengue de paño que usan las aldeanas.

Gabachada. f. Acción propia de gabacho.

Gabacho, cha. (Del fr. *gavache,* de *Gave,* nombre de varios torrentes y ríos del Pirineo francés.) adj. Dícese de los naturales de algunos pueblos de las faldas de los Pirineos. Ú. t. c. s. ‖ **2.** Perteneciente a estos pueblos. ‖ **3.** Aplícase al palomo o paloma de casta grande y calzado de plumas. ‖ **4.** fam. despect. **Francés.** Apl. a pers., ú. t. c. s. ‖ **5.** m. fam. Lenguaje español plagado de galicismos.

Gabán. (Del ár. *qabā',* túnica de hombre, con mangas.) m. Capote con mangas, y a veces con capilla, y por lo regular hecho de paño fuerte. ‖ **2. Abrigo,** 3.ª acep.

Gabaonita. adj. Natural de Gabaón. Ú. t. c. s. ‖ **2.** Perteneciente a esta ciudad de la tribu de Benjamín, en Palestina.

Gabarda. (Del m. or. que *galabardera.*) f. *Ar.* **Escaramujo,** 1.ª y 2.ª aceps.

Gabardina. (En fr. *galvardine.*) f. Ropón con mangas ajustadas, usado por los labradores en algunas comarcas. ‖ **2.** Sobretodo de tela impermeable. ‖ **3.** Tela de tejido diagonal, de que se hacen esos sobretodos y otras prendas de vestir.

Gabarra. (En ital. y prov. *gabarra.*) f. Embarcación mayor que la lancha, con árbol y mastelero y generalmente con cubierta. Suele ir remolcada, y cuando no, se maneja con vela y remo, y se usa en las costas para transportes. ‖ **2.** Barco pequeño y chato destinado a la carga y descarga en los puertos.

Gabarrero. m. Conductor de una gabarra. ‖ **2.** Cargador o descargador de ella. ‖ **3.** El que saca leña del monte y la transporta para venderla.

Gabarro. (Del lat. *crabo, -ōnis,* tábano.) m. Nódulo de composición distinta de la masa de la piedra en que se encuentra encerrado. ‖ **2.** Defecto que tienen las telas o tejidos en la urdimbre o trama que según su clase les corresponde. ‖ **3. Pepita,** 1.er art. ‖ **4.** Pasta fundida de pez, resina y piedra machacada, que se aplica en caliente para llenar las faltas de los sillares. ‖ **5.** fig. Obligación o carga con que se recibe una cosa, o incomodidad que resulta de tenerla. ‖ **6.** fig. Error en las cuentas, por malicia o equivocación. ‖ **7.** *Sal.* **Abejón,** 2.ª acep. ‖ **8.** fig. *Sal.* Zángano, holgazán. ‖ **9.** *Veter.* Enfermedad de las caballerías en la parte lateral y superior del casco, la cual consiste en un tumor inflamatorio, ordinariamente con supuración y abertura fistulosa.

Gabarrón. m. aum. de **Gabarra.**

Gabarse. (Del prov. *gabar* o del ant. fr. *gaber,* jactarse, y éste del germ. *gabb,* burla.) r. ant. **Alabarse.**

Gabasa. f. **Bagasa.**

Gábata. (Del lat. *gabăta.*) f. Escudilla u hortera en que se echaba la comida que se repartía a cada soldado o galeote.

Gabato, ta. (De *gamo.*) m. y f. *And.* Cría menor de un año de los ciervos y las liebres.

Gabazo. m. **Bagazo.**

Gabejo. (De **gabicŭlum,* del célt. *gab,* brazado, como *gavilla.*) m. Haz pequeño de paja o de leña.

Gabela. (Del ár. *qabāla,* impuesto, también or. de *alcabala.*) f. Tributo, impuesto o contribución que se paga al Estado. Algunos quieren que sea determinado tributo que se llamaba así; pero en el sentir común es voz genérica. ‖ **2.** ant. Lugar público adonde todos podían concurrir para ver los espectáculos que se celebraban en él. ‖ **3.** fig. Carga, servidumbre, gravamen.

Gabijón. (De *gabejo.*) m. *Ál.* y *Pal.* Haz de paja de centeno después de separado el grano.

Gabina. f. *And.* fam. **Sombrero de copa.**

Gabinete. (Del ital. *gabinetto,* del lat. *cavĕa,* jaula.) m. Aposento de estrado, menor que la sala, y generalmente contiguo a ella. ‖ **2.** Pieza en que las señoras reciben visitas de confianza. ‖ **3.** Conjunto de muebles para un gabinete. ‖ **4.** Colección de objetos curiosos, para ostentación o destinados para estudio de algún arte o ciencia. GABINETE *de historia natural, de física.* ‖ **5. Ministerio,** 1.ª y 4.ª aceps. ‖ **6.** V. **Correo, cuestión de gabinete.** ‖ **De gabinete.** loc. que se aplica al que escribe o trata de una materia, conociéndola sólo por teoría, sin tener en ella práctica.

Gabita. f. *Ast.* Yunta de encuarte.

Gablete. (Del fr. *gablet,* y éste del al. *giebel,* cúspide.) m. *Arq.* Remate formado por dos líneas rectas y ápice agudo, que se ponía en los edificios de estilo ojival.

Gabote. m. *Ar.* **Rehilete,** 3.ª acep.

Gabrieles. m. pl. fam. Garbanzos del cocido.

Gabuzo. m. *León* y *Zam.* Vara seca de brezo que, colgada verticalmente y encendida por el extremo inferior, sirve para el alumbrado doméstico.

Gacel. (Del ár. *gazāl.*) m. Macho de la gacela.

Gacela. (Del ár. *gazāla.*) f. Antílope algo menor que el corzo, que habita en Persia, Arabia y el norte de África, y es muy celebrado por su gentileza, por su agilidad y por la hermosura de sus ojos, grandes, negros y vivos. Tiene la cola corta, las piernas muy finas, blanco el vientre, leonado el lomo, y las astas encorvadas a modo de lira.

Gaceta. (Del ital. *gazzetta,* una moneda y luego un periódico, de *gazza,* urraca, y éste del lat. *gaia,* urraca.) f. Papel periódico en que se dan noticias políticas, literarias, etc. Hoy únicamente suele aplicarse esta denominación a periódicos que no tratan de política, sino de algún ramo especial de literatura, de administración, etc. GACETA *de Teatros;* GACETA *de los Tribunales.* ‖ **2.** En España, nombre que tuvo durante muchos años el diario oficial del gobierno. ‖ **3.** fam. **Correveidile.** ‖ **Mentir más que la gaceta.** fr. fig. y fam. Mentir mucho.

Gaceta. (Del fr. *caissette, cassette,* d. de *caisse,* del lat. *capsa,* caja.) f. Caja refractaria que sirve para colocar dentro del horno los baldosines que han de cocerse.

Gacetable. adj. Decíase del proyecto propio para convertirse en disposición gubernativa y publicarse como tal en la Gaceta oficial.

Gacetera. f. Mujer que vende gacetas.

Gacetero. m. El que escribe para las gacetas o las vende.

Gacetilla. (d. de *gaceta,* 1.er art.) f. Parte de un periódico destinada a la inserción de noticias cortas. ‖ **2.** Cada una de estas mismas noticias. ‖ **3.** fig. y fam. Persona que por hábito e inclinación lleva y trae noticias de una parte a otra.

Gacetillero. m. Redactor de gacetillas.

Gacetista. m. Persona aficionada a leer gacetas. || **2.** Persona que habla frecuentemente de novedades.

Gacilla. (De *gaza*, 1.er art.) f. *C. Rica.* Broche, imperdible, 2.ª acep.

Gacha. (Del lat. *coacta*, pl. n. de *coactus*, p. p. de *cogĕre*, cuajar.) f. Cualquiera masa muy blanda que tiene mucho de líquida. || **2.** *Colomb.* y *Venez.* Cuenco, escudilla de loza o barro. || **3.** pl. Comida compuesta de harina cocida con agua y sal, la cual se puede aderezar con leche, miel u otro aliño. || **4.** fig. y fam. Lodo, barro. || **5.** *And.* Halagos, caricias, mimos. || **Hacerse uno unas gachas.** fr. fig. y fam. Expresar el cariño con demasiada melosidad y enternecimiento.

Gachapo. m. *Ast.* y *León.* Caja donde el segador guarda la piedra de afilar la guadaña.

Gaché. (Voz gitana.) m. Nombre con que los gitanos designan a los andaluces. || **2.** *And.* Entre el pueblo bajo, hombre en general, y en especial el querido o cortejo de una mujer.

Gacheta. f. d. de **Gacha.** || **2. Engrudo.**

Gacheta. (Del fr. *gâchette.*) f. Palanquita que, oprimida por un resorte, sujeta en su posición el pestillo de algunas cerraduras, encajándose en él por medio de dientes y muescas. || **2.** Cada uno de los dientes de esta clase que hay en la cola del pestillo.

Gachí. (f. gitano de *gachó.*) f. *And.* Entre el pueblo bajo, mujer, muchacha.

Gacho, cha. (Del lat. *coactus*, p. p. de *cogĕre*, recoger, impeler.) adj. Encorvado, inclinado hacia la tierra. || **2.** Dícese del buey o vaca que tiene uno de los cuernos o ambos inclinados hacia abajo. || **3.** Dícese del caballo o yegua muy enfrenados que tienen el hocico muy metido a pecho, a distinción de los despapados, que levantan mucho la cabeza. || **4.** Dícese del cuerno retorcido hacia abajo. || **5.** V. **Sombrero gacho.** || **A gachas.** m. adv. fam. **A gatas.**

Gachó. m. *And.* **Gaché.**

Gachón, na. (De *gacha*, mimo.) adj. fam. Que tiene gracia, atractivo y dulzura. || **2.** fam. *And.* Dícese del niño que se cría con mucho mimo.

Gachonada. (De *gachón.*) f. fam. **Gachonería,** 1.ª acep. || **2.** fam. Acto de gachonería.

Gachonería. (De *gachón.*) f. fam. Gracia, donaire, atractivo. || **2.** *And.* fam. Mimo, halago.

Gachuela. f. d. de **Gacha.**

Gachumbo. m. *Amér.* Cubierta leñosa y dura de varios frutos, de los cuales hacen vasijas, tazas y otros utensilios.

Gachupín. m. **Cachupín.**

Gaditano, na. (Del lat. *gaditānus*, de *Gades*, Cádiz.) adj. Natural de Cádiz. Ú. t. c. s. || **2.** Perteneciente a esta ciudad.

Gaélico, ca. adj. Aplícase a los dialectos de la lengua céltica que se hablan en ciertas comarcas de Irlanda y Escocia. Ú. t. c. s.

Gaetano, na. adj. Natural de Gaeta. Ú. t. c. s. || **2.** Perteneciente a esta ciudad de Italia.

Gafa. (Del neerl. *gaffel*, horquilla.) f. Instrumento para armar la ballesta, que atrae con fuerza la cuerda hasta montarla en la nuez. || **2. Grapa,** 1.ª acep. || **3.** *Mar.* Especie de tenaza para suspender objetos pesados. || **4.** pl. Los dos ganchos que, sujetos con cuerdas a otra más larga, sirven para subir y bajar los materiales en las construcciones. || **5.** Tablilla pendiente de dos hierros corvos en la parte superior, que se cuelga en la barandilla de la mesa de trucos para afianzar la mano izquierda y poder jugar la bola que está entronerada. || **6.** Enganches con que se afianzan los anteojos detrás de las orejas. || **7.** Anteojos con este género de armadura.

Gafar. (De *gafa.*) tr. Arrebatar una cosa con las uñas o con un instrumento corvo. || **2.** Lañar, componer con gafas o grapas los objetos rotos, principalmente los de cerámica.

Gafarrón. m. *Ar.* y *Murc.* **Pardillo,** 6.ª acep.

Gafedad. (De *gafo.*) f. Contracción permanente de los dedos, que impide su movimiento. || **2.** Lepra en que se mantienen fuertemente encorvados los dedos de las manos, a modo de las garras de las aves de rapiña, y también, a veces, los de los pies.

Gafete. (d. de *gafa.*) m. **Corchete,** 1.ª acep.

Gafetí. (Del ár. *gāfitī*, perteneciente al *gāfit*, eupatoria.) m. *Bot.* **Eupatorio.**

Gafez. f. ant. **Gafedad.**

Gafo, fa. (Tal vez del m. or. que *gafa.*) adj. Que tiene encorvados y sin movimiento los dedos de manos o pies. Ú. t. c. s. || **2.** Que padece la lepra llamada gafedad. Ú. t. c. s. || **3.** *Colomb.*, *C. Rica* y *P. Rico.* Despeado. Dícese de la caballería que, por haber andado mucho sin herraduras por terreno duro, tiene la planta del casco irritada y no puede caminar sin dolor.

Gafoso, sa. adj. ant. **Gafo.**

Gagate. m. ant. **Gagates.**

Gagates. (Del gr. γαγάτης.) m. ant. **Azabache,** 1.ª acep.

Gago, ga. adj. ant. **Tartamudo.** Ú. en *Can.*, *Perú*, *P. Rico* y *Venez.*

Gaguear. intr. *Sal.* **Susurrar,** 2.ª acep. || **2.** *Can.*, *Chile*, *Perú*, *P. Rico* y *Venez.* **Tartamudear.**

Gaguera. f. *Can.*, *Chile*, *Perú* y *P. Rico.* **Tartamudez.**

Gaicano. m. **Rémora,** 1.ª acep.

Gaita. (Der ár. *gaita.*) f. Flauta de cerca de media vara, al modo de chirimía, que, acompañada del tamboril, se usa mucho en los regocijos de los lugares. || **2. Gaita gallega.** || **3.** fig. y fam. **Pescuezo,** 1.ª acep. *Alargar la* GAITA; *sacar la* GAITA. || **4.** fig. y fam. Cosa difícil, ardua o engorrosa. Ú. generalmente con el verbo *ser. Es* GAITA *servir a hombre tan delicado.* || **5.** fig. y fam. **Droga,** 4.ª acep. Ú. t., por lo común, con el verbo *ser.* || **6.** ant. **Ayuda,** 5.ª acep. || **gallega.** Instrumento músico de viento formado por un cuero de cabrito a manera de odre, denominado fuelle, al cual van unidos tres tubos de boj: uno delgado, llamado soplete, con una válvula en su base, por el cual se sopla para henchir de aire el fuelle; otro corto, el puntero, especie de dulzaina, provisto de agujeros donde pulsan los dedos del tañedor, y el tercero más grueso y largo, llamado roncón, que produce un sonido continuado y forma el bajo del instrumento. || **2.** V. **Endecasílabo de gaita gallega.** || **zamorana.** Instrumento músico, de figura de una caja más larga que ancha, que contiene diferentes cuerdas, a las que hiere una rueda que está dentro, al ser movida por una cigüeña de hierro; tiene a un lado varias teclas que, pulsándolas con la mano izquierda, forman la diferencia de los tañidos. || **Ándese la gaita por el lugar.** expr. fig. y fam. que se emplea para dar a entender la indiferencia con que uno mira aquello que por ningún concepto le importa o interesa. || **Estar uno de gaita.** fr. fig. y fam. Estar alegre y contento, y hablar con gusto y placer. || **Templar gaitas.** fr. fig. y fam. Usar de contemplaciones para concertar voluntades o satisfacer o desenojar a uno.

Gaitería. (De *gaitero.*) f. Vestido o adorno, o modo de vestir y adornarse, de varios colores fuertes, alegres y contrapuestos.

Gaitero, ra. (De *gaita.*) adj. fam. Dícese de la persona ridículamente alegre, y que usa de chistes poco correspondientes a su edad o estado. Ú. t. c. s. || **2.** fam. Aplícase a los vestidos o adornos de colores demasiado llamativos y unidos con extravagancia. || **3.** m. El que tiene por oficio tocar la gaita. || **El gaitero de Bujalance, un maravedí porque empiece, y diez porque acabe.** ref. con que se zahiere a los que son molestos y pesados en su trato y conversación, y por otra parte difíciles de entrar en ella, haciéndose de rogar.

Gaje. (Del fr. *gage*, prenda, y éste del germ. *wadyan*, apostar.) m. Emolumento, obvención que corresponde a un destino o empleo. Ú. m. en pl. || **2.** ant. Prenda o señal de aceptar o estar aceptado el desafío entre dos. || **3.** pl. ant. Sueldo o estipendio que pagaba el príncipe a los de su casa o a los soldados. || **Gajes del oficio, empleo,** etc. loc. irón. Molestias o perjuicios que se experimentan con motivo del empleo u ocupación.

Gajero. adj. ant. Que goza gajes o lleva salario.

Gajo. (Del lat. **galleus*, de *galla*, agalla, gállara.) m. Rama de árbol, sobre todo cuando está desprendida del tronco. || **2.** Cada uno de los grupos de uvas en que se divide el racimo. || **3.** Racimo apiñado de cualquiera fruta. GAJO *de ciruelas, de guindas.* || **4.** Cada una de las divisiones interiores de varias frutas, como las de la naranja, granada, etc. || **5.** Cada una de las divisiones o puntas de las horcas, bieldos y otros instrumentos de labranza. || **6.** Ramal de montes que deriva de una cordillera principal. || **7.** ant. Ramo que sale de algunas cosas, y como que nace, depende y tiene relación con ellas. || **8.** *Argent.* **Esqueje.** || **9.** *Hond.* Mechón de pelo. || **10.** *Bot.* **Lóbulo,** 1.ª acep.

Gajorro. (De *gajo.*) m. *And.* Gañote, garguero. || **2.** *And.* Fruta de sartén hecha de harina, huevos y miel, de consistencia semejante al barquillo.

Gajoso, sa. adj. Que tiene gajos o se compone de ellos.

Gala. (Del ant. fr. *gale*, y éste del germ. *wale*, riqueza, ostentación.) f. Vestido sobresaliente y lucido. || **2.** Gracia, garbo y bizarría en hacer o decir algo. || **3.** Lo más esmerado, exquisito y selecto de una cosa. *Isabel es la* GALA *del pueblo.* || **4.** *Ant.* y *Méj.* Obsequio que se hace dando una moneda de corto valor a una persona por haber sobresalido en alguna habilidad o como propina. || **5.** pl. Trajes, joyas y demás artículos de lujo que se poseen y ostentan. || **6.** Regalos que se hacen a los que van a contraer matrimonio. || **7.** *Sal.* Flores de las plantas herbáceas. || **Gala de Francia. Balsamina,** 2.ª acep. || **A la gala de uno.** m. adv. ant. **A su salud.** || **Cantar la gala.** fr. fig. Alabarse, glorificar. || **De gala.** loc. Dícese del uniforme o traje de mayor lujo, en contraposición del que se usa para diario. || **De media gala.** loc. Dícese del uniforme o traje que por ciertas prendas o adornos se diferencia del de **gala** y del de diario. || **Hacer gala de** una cosa. fr. fig. Preciarse y gloriarse de ella. || **Hacer gala del sambenito.** fr. fig. y fam. Gloriarse de una acción mala o vergonzosa. || **La gala del nadador es saber guardar la ropa.** fr. proverbial que da a entender que en cualquier empeño, lo más importante es cuidar de no sufrir un daño o detrimento. || **Llevar o llevarse** uno **la gala.** fr. Merecer el aplauso, atención y estimación de las gentes. || **Tener a gala.** fr. **Hacer gala de.**

Galaadita. adj. Natural del antiguo país de Galaad, situado en Palestina, al este del Jordán. Ú. t. c. s. || **2.** Perteneciente a esta región.

Galabardera. (Del ár. *kalb al-ward*, gusano de la rosa, con terminación romance.) f. **Escaramujo,** 1.ª y 2.ª aceps.

Galáctico, ca. adj. *Astron.* Perteneciente o relativo a la Galaxia o Vía Láctea.

Galactita. (Del lat. *galactītis*, y éste del gr. γαλακτίτης, lácteo.) f. Arcilla jabonosa que se deshace en el agua, poniéndola de color de leche.

Galactites. f. Galactita.

Galactófago, ga. (Del gr. γάλα, -ακτος, leche, y φαγεῖν, comer.) adj. Que se mantiene de leche. Ú. t. c. s.

Galactómetro. (Del gr. γάλα, -ακτος, leche, y μέτρον, medida.) m. Instrumento que sirve para reconocer la densidad de la leche.

Galactosa. f. *Quím.* Azúcar que se prepara mediante hidrólisis de la lactosa.

Galacho. m. *Ar.* Barranquera que excavan las aguas al correr por las pendientes del terreno.

Galafate. (Del m. or. que *gerifalte*.) m. Ladrón sagaz que roba con arte, disimulo o engaño. ‖ **2.** desus. **Corchete,** 6.ª acep. ‖ **3.** desus. **Ganapán,** 1.ª acep.

Galaico, ca. (Del lat. *galaĭcus*.) adj. **Gallego,** 2.ª acep. *Cordillera* GALAICA, *literatura* GALAICA.

Galamero, ra. (Del m. or. que *gulusmero*.) adj. p. us. **Goloso.**

Galamperna. f. *Ál.* Hongo con el sombrerillo atetado de color pardo, carne blanca, de buen olor y sabor.

Galán. adj. Apócope de **Galano.** ‖ **2.** m. Hombre de buen semblante, bien proporcionado de miembros y airoso en el manejo de su persona. ‖ **3.** El que galantea a una mujer. ‖ **4.** El que en el teatro hace alguno de los principales papeles serios, con exclusión del de barba. *Primer* GALÁN; *segundo* GALÁN. ‖ **de día.** Arbusto de la familia de las solanáceas, propio de América tropical, de hojas apuntadas, verdes, lustrosas por encima, pálidas por el envés; flores blancas en figura de clavo, seis o más en un pedúnculo, y por fruto unas bayas esféricas moradas. ‖ **de noche.** Arbusto ramoso de la familia de las solanáceas, propio de América tropical, que lleva en su parte superior hojas alternas de olor muy fuerte; flores blancuzcas de cinco pétalos soldados por la parte inferior a manera de tubo, muy olorosas por la noche, y por fruto unas bayas esféricas de color perla. ‖ **2.** *C. Rica.* Cacto con flores grandes blancas y olorosas que se abren por la noche.

Galanamente. adv. m. Con gala. ‖ **2.** fig. Con elegancia y gracia.

Galancete. m. d. de **Galán.** ‖ **2.** Actor que representa papeles de galán joven.

Galanga. (Del ár. *jalanŷ*, planta de las Indias Orientales.) f. *Bot.* Planta exótica de la familia de las cingiberáceas, de hojas radicales, enteras, planas, envainadoras, con el nervio medio prominente; flores blanquecinas, tubulares, en espiga sobre un bohordo central, y raíz en rizoma nudoso de unos dos centímetros de diámetro, parda por fuera, roja por dentro, aromática, amarga y picante. ‖ **2.** Rizoma de esta planta, usado antiguamente en medicina. ‖ **3. Chata,** 1.ª acep.

Galanía. (De *galán*.) f. **Galanura.**

Galano, na. (De *gala*.) adj. Bien adornado. ‖ **2.** Dispuesto con buen gusto e intención de agradar. ‖ **3.** Que viste bien, con aseo, compostura y primor. ‖ **4.** fig. Dicho de las producciones del ingenio, elegante y gallardo. *Discurso, estilo* GALANO; *comparación* GALANA. ‖ **5.** fam. V. **Cuentas galanas.** ‖ **6.** fig. *Mar.* V. **Guerra galana.** ‖ **7.** fig. y fam. V. **Pata galana.** ‖ **8.** *C. Rica* y *Zam.* Dicho de las plantas, lozano, hermoso. ‖ **9.** *Cuba.* Aplícase a la res de pelo de varios colores. ‖ **10.** f. *Sal.* Margarita, flor de esta planta.

Galante. (Del fr. *galant*, y éste de *galer*, del germ. *wale*, riqueza, ostentación.) adj. Atento, cortesano, obsequioso, en especial con las damas. ‖ **2.** Aplícase a la mujer que gusta de galanteos y a la de costumbres licenciosas.

Galanteador. adj. Que galantea. Ú. t. c. s.

Galantear. (De *galante*.) tr. Requebrar a una mujer. ‖ **2.** Procurar captarse el amor de una mujer, especialmente para seducirla. ‖ **3.** fig. Solicitar asiduamente alguna cosa o la voluntad de una persona. ‖ **4.** ant. **Engalanar.**

Galantemente. adv. m. Con galantería.

Galanteo. m. Acción de galantear.

Galantería. (De *galante*.) f. Acción o expresión obsequiosa, cortesana o de urbanidad. ‖ **2.** Gracia y elegancia que se advierte en la forma o figura de algunas cosas. ‖ **3.** Liberalidad, bizarría, generosidad.

Galanura. (De *galano*.) f. Adorno vistoso o gallardía que resulta de la gala. ‖ **2.** Gracia, gentileza, donosura. ‖ **3.** fig. Elegancia y gallardía en el modo de expresar los conceptos.

Galapagar. m. Sitio donde abundan los galápagos.

Galápago. (Del ár. *qalabbaq* o *qalābaq*, tortuga.) m. Reptil del orden de los quelonios, parecido a la tortuga, pero que tiene los dedos reunidos por membranas interdigitales, por ser de vida acuática; la cabeza y extremidades son enteramente retráctiles dentro del caparazón. ‖ **2. Dental,** 1.er art., 1.ª acep. ‖ **3.** Polea chata por un lado para poderla fijar cómodamente en un madero. ‖ **4.** Aparato que sirve para sujetar fuertemente una pieza que se trabaja, como el barrón acodillado con que se fijan en los bancos las piezas, o la prensa en que los arcabuceros metían el cañón para asegurarlo y poderlo barrenar. ‖ **5.** Molde en que se hace la teja. ‖ **6.** Lingote corto de plomo, estaño o cobre. ‖ **7.** *Sal.* Trozo de vaqueta que se cose a las botas que usan los ganaderos para evitar que entre el agua. ‖ **8.** *Albañ.* Cimbra pequeña. ‖ **9.** *Albañ.* Reparo y revestido que se hace en los lugares subterráneos de terreno poco macizo para contener el empuje de las tierras. ‖ **10.** *Albañ.* Tortada de yeso que se echa en los ángulos salientes de un tejado. ‖ **11.** *Cir.* Tira de lienzo, cuadrilonga, hendida por los dos extremos, sin llegar al medio, formando por lo común cuatro ramales. ‖ **12.** *Equit.* Silla de montar, ligera y sin ningún resalto; a la inglesa. ‖ **13.** *Mar.* Trozo de madera asegurado en uno y otro lado de la cruz de una verga, para sujetar la trinca del cuadernal de la paloma. ‖ **14.** *Mil.* **Testudo,** 2.ª acep. ‖ **15.** *Mil.* Máquina antigua de guerra para aproximarse la tropa a los muros guarecida de ella, y era una especie de barracón de madera transportable y cubierto por el techo con pieles. ‖ **16.** *Veter.* Enfermedad propia del asno y del caballo, que se desarrolla en el rodete del casco y parte de la corona, caracterizada por una secreción anormal de la materia córnea de la tapa. ‖ **17.** *Hond.* y *Venez.* Silla de montar para señora.

Galapaguera. f. Estanque pequeño en que se conservan vivos los galápagos.

Galapatillo. m. *Zool. Ar.* Insecto del orden de los hemípteros, que ataca a la espiga del trigo cuando está sin sazonar.

Galapero. m. *Extr.* Guadapero, peral silvestre.

Galapo. m. Pieza de madera, de figura esférica, con unas canales donde se ponen los hilos o cordeles que se han de torcer en uno para formar otros mayores o maromas.

Galardón. (De *gualardón*.) m. Premio o recompensa de los méritos o servicios.

Galardonador, ra. adj. Que galardona.

Galardonar. (De *galardón*.) tr. Premiar o remunerar los servicios o méritos de uno.

Galardoneador, ra. adj. ant. **Galardonador.**

Gálata. (Del lat. *galăta*.) adj. Natural de Galacia. Ú. t. c. s. ‖ **2.** Perteneciente a este país de Asia antigua.

Galatites. f. **Galactites.**

Galavardo. m. ant. Hombre alto, desgarbado y dejado; inútil para el trabajo.

Galaxia. (Del lat. *galaxĭas*, y éste del gr. γαλαξίας, lácteo.) f. **Galactita.** ‖ **2.** *Astron.* **Vía Láctea.** ‖ **3.** *Astron.* Por ext., cualquier otra formación estelar semejante.

Galayo. (Del ár. *qulai'a*, castillete, dicho de una roca o colina que lo semeja.) m. En las serranías de Murcia y Cazorla, prominencia de roca pelada que se eleva en el monte.

Galbana. (Del ár. *gabāna*, tristeza, descontento, desánimo.) f. fam. Pereza, desidia o poca gana de hacer una cosa.

Galbana. (Del ár. *ŷalbāna*, guisante pequeño.) f. ant. Guisante pequeño. Ú. en *Sal.*

Galbanado, da. adj. De color del gálbano.

Galbanero, ra. (De *galbana*, 1.er art.) adj. fam. **Galbanoso.**

Gálbano. (Del lat. *galbanŭm*.) m. Gomorresina de color gris amarillento, más o menos sólida y de olor aromático, que se saca de una planta de la familia de las umbelíferas, espontánea en Siria. Se ha usado en medicina y entraba en la composición del perfume quemado por los judíos ante el altar de oro.

Galbanoso, sa. (De *galbana*, 1.er art.) adj. fam. Desidioso, perezoso.

Gálbula. (Del lat. *galbŭlus*, de *galbus*, de color verde claro.) f. Fruto en forma de cono corto, y de base redondeada, a veces carnoso, que producen el ciprés y algunas plantas análogas.

Galce. m. *Ar.* Gárgol, ranura en el canto de una tabla para machiembrarla con otra. ‖ **2.** *Ar.* Marco o aro.

Galdido, da. (En valenciano *galdir*, *engaldir*, gulusmear, tragar.) adj. **Gandido.**

Galdón. m. **Alcaudón.**

Galdosiano, na. adj. Propio y característico de Pérez Galdós como escritor, o que tiene semejanza con las dotes o calidades por que se distinguen sus obras.

Galdrufa. (Del ár. *jadrūfa*, peonza.) f. *Ar.* **Peonza,** 1.ª acep.

Galdudo, da. adj. ant. **Galdido.**

Gálea. (Del lat. *galĕa*.) f. Casco con carrilleras que usaban los soldados romanos.

Galea. (Del gr. bizantino *galea*.) f. ant. **Galera,** 3.ª acep. ‖ **2.** *Germ.* Carreta, especialmente la de ruedas de madera y sin llantas de hierro.

Galeana. adj. *Sal.* Dícese de una especie de uva blanca, de grano grueso y redondo. Ú. m. c. s.

Galeato. (Del lat. *galeātus*, p. p. de *galeāre*, cubrir o defender con un casco o celada.) adj. Aplícase al prólogo o proemio de una obra, en que se la defiende de los reparos y objeciones que se le han puesto o se le pueden poner.

Galeaza. (aum. de *galea*.) f. Embarcación, la mayor de las que se usaban de remos y velas. Llevaba tres mástiles: el artimón, el maestro y el trinquete; siendo así que las galeras ordinarias carecían del artimón.

Galega. (Del lat. mod. *galēga*, y éste del gr. γάλα, leche, y αἴξ, αἰγός, cabra.) f. Planta de la familia de las papilionáceas, con tallos de 8 a 12 decímetros de altura, ramosos y herbáceos; hojas compuestas de 11 a 17 hojuelas enteras, lanceoladas y de borde grueso; flores blancas, azuladas o rojizas, en panojas axilares pendientes de un largo pecíolo, y fruto en vaina estriada con muchas semillas. Se ha empleado en medicina y hoy se cultiva en los jardines.

Galena. (Del lat. *galēna*, y éste del gr. γαλήνη.) f. Mineral compuesto de azufre y plomo, de color gris y lustre intenso. Es la mejor mena del plomo.

Galénico, ca. adj. Perteneciente a Galeno, al que sigue su doctrina y a la doctrina misma.

Galenismo. m. Doctrina de Galeno, el más famoso médico de la antigüedad después de Hipócrates.

Galenista. adj. Partidario del galenismo. Ú. t. c. s.

Galeno. (Por alusión al célebre médico griego de siglo II, Claudio *Galeno*.) m. fam. **Médico,** 1.er art., 4.ª acep. || **2.** V. **Cerato de Galeno.**

Galeno, na. (Del gr. γαληνός, apacible, tranquilo.) adj. *Mar.* Dícese del viento o brisa que sopla suave y apaciblemente.

Gáleo. (Del lat. *galĕos*, y éste del gr. γαλεός.) m. *Zool.* **Cazón,** 1.er art.

Galeón. (aum. de *galea*.) m. Bajel grande de vela, parecido a la galera y con tres o cuatro palos en los que orientaban, generalmente, velas de cruz; los había de guerra y mercantes. || **2.** Cada una de las naves de gran porte que, saliendo periódicamente de Cádiz, tocaban en puertos determinados del nuevo mundo, como las que iban a Cartagena de Indias y de allí a Portobelo. || **3.** *And.* fig. Cámara grande o nave que sirve para panera o almacén de diferentes frutos.

Galeoncete. m. d. ant. de **Galeón.**

Galeota. (De *galea*.) f. Galera menor, que constaba de 16 ó 20 remos por banda, y sólo un hombre en cada uno. Llevaba dos palos y algunos cañones pequeños.

Galeote. (De *galea*.) m. El que remaba forzado en las galeras.

Galera. (De *galea*.) f. Carro para transportar personas, grande, con cuatro ruedas, al que se pone ordinariamente una cubierta o toldo de lienzo fuerte. || **2.** Cárcel de mujeres. || **3.** Embarcación de vela y remo, la más larga de quilla y que calaba menos agua entre las de vela latina. || **4.** V. **Capón de galera.** || **5. Crujía,** 2.ª acep. || **6.** *Hond.* y *Méj.* Cobertizo, tinglado. || **7.** fam. *Argent.*, *Chile* y *Urug.* Sombrero de copa redondeada y alas abarquilladas. || **8.** *Arit.* Separación que se hace al escribir los factores de una división, trazando una línea vertical entre el dividendo, que se pone a la izquierda, y el divisor, que va en el mismo renglón a la derecha, y luego otra raya horizontal debajo de este último, para escribir allí el cociente. || **9.** *Carp.* Garlopa grande. || **10.** *Impr.* Tabla guarnecida por tres de sus lados de unos listones con rebajo, en que entra otra tablita delgada que se llama volandera: sirve para poner las líneas de letras que va componiendo el oficial cajista, formando con ellas la galerada. || **11.** *Min.* Fila de hornos de reverbero en que se colocan varias retortas que se calientan con el mismo fuego. || **12.** *Zool.* Cualquiera de los crustáceos adultos del orden de los estomatópodos. || **13.** pl. Pena de servir remando en las galeras reales, que se imponía a ciertos delincuentes. *Echar a* GALERAS; *condenar a* GALERAS. || **Galera bastarda.** *Mar.* La más fuerte que la ordinaria. || **gruesa.** *Mar.* La de mayor porte. || **sutil.** *Mar.* La más pequeña.

Galerada. f. Carga que cabe en una galera de ruedas. || **2.** *Impr.* Trozo de composición que se pone en una galera o en un galerín. || **3.** *Impr.* Prueba de la composición o de algún trozo, que se saca para corregirla.

Galerero. m. El que gobierna las mulas de la galera o es dueño de ella.

Galería. (En b. lat. *galeria*, tal vez del m. or. que *galera*.) f. Pieza larga y espaciosa, adornada de muchas ventanas, o sostenida por columnas o pilares, que sirve para pasearse o colocar en ella cuadros, adornos y otras preciosidades. || **2.** Corredor descubierto o con vidrieras, que da luz a las piezas interiores en las casas particulares. || **3.** Colección de pinturas. || **4.** Camino subterráneo que se hace en las minas para disfrute, ventilación, comunicación y desagüe. || **5.** El que se hace en otras obras subterráneas. || **6. Paraíso,** 4.ª acep. || **7.** Público que concurre al paraíso de los teatros. || **8.** Bastidor que se coloca en la parte superior de una puerta o balcón para colgar de él las cortinas. || **9.** Ornato calado o de columnitas que se pone en la parte superior de un mueble. || **10.** *Mar.* **Crujía,** 5.ª acep. || **11.** *Mar.* Cada uno de los balcones de la popa del navío. || **12.** *Mil.* Camino estrecho y subterráneo construido en una fortificación para facilitar el ataque o la defensa. || **13.** *Mil.* Camino defendido lateralmente por maderos clavados al suelo y techado con tablas cubiertas de materias poco combustibles; constrúyense en terreno expuesto a los tiros de una plaza, para poder acercarse a su muralla. || **cubierta.** Construcción debida al hombre primitivo, la cual consiste en una especie de corredor formado por grandes piedras y con techo también de piedra.

Galerín. m. d. de **Galera.** || **2.** *Impr.* Tabla de madera, o plancha de metal, larga y estrecha, con un listón en su parte inferior y costado derecho, que forma ángulo recto, donde los cajistas, colocándolo en la caja diagonalmente, depositan las líneas de composición según las van haciendo, hasta que se llena y forman una galerada.

Galerita. (Del lat. *galerita*.) f. **Cogujada.**

Galerna. (En fr. *galerne*.) f. Ráfaga súbita y borrascosa que en la costa septentrional de España suele soplar entre el Oeste y el Noroeste.

Galerno. m. **Galerna.**

Galero. (Del lat. *galērus*.) m. *Sant.* Especie de sombrero chambergo.

Galerón. m. *Amér. Merid.* Romance vulgar que se canta en una especie de recitado. || **2.** *Venez.* Aire popular al son del cual se baila, y se cantan cuartetas y seguidillas. || **3.** *C. Rica* y *Salv.* Cobertizo, tinglado.

Galés, sa. adj. Natural de Gales. Ú. t. c. s. || **2.** Perteneciente a este país de Inglaterra. || **3.** m. Idioma **galés,** uno de los célticos.

Galfarro. m. *León.* **Gavilán,** 1.ª acep. || **2.** ant. Ministro inferior de justicia. || **3.** fig. Hombre ocioso, perdido, mal entendido.

Galga. f. Piedra grande que, desprendida de lo alto de una cuesta, baja rodando y dando saltos. || **2. Piedra voladora.** || **3.** *Hond.* Hormiga amarilla que anda velozmente.

Galga. (En fr. *gale*, del gaél. *gall*, erupción.) f. Erupción cutánea, parecida a la sarna, que sale frecuentemente en el pescuezo a las personas desaseadas.

Galga. (Del lat. *caliga*.) f. Cada una de las cintas cosidas al calzado de las mujeres para sujetarlo a la canilla de la pierna.

Galga. (Del flam. *galg*, viga.) f. Palo grueso y largo atado por los extremos fuertemente a la caja del carro, que sirve de freno, al oprimir el cubo de una de las ruedas. || **2.** Féretro o andas en que se lleva a enterrar a los pobres. || **3.** *Mar.* El orinque o el anclote con que se engalga o refuerza en malos tiempos el ancla fondeada. Por ext., se da este nombre a la ayuda que se da al ancla empotrada en tierra, haciendo firme en su cruz un calabrote que se amarra a un noray, para evitar que el esfuerzo del buque pueda arrancarla. || **4.** pl. *Min.* Dos maderos inclinados que por la parte superior se apoyan en el hastial de una excavación y sirven para sostener el huso de un torno de mano.

Galgo, ga. (Del lat. *gallĭcus* [*canis*].) adj. V. **Perro galgo.** Ú. t. c. s. || **2.** *Colomb.* y *Sal.* Goloso, galamero. || **A la larga, el galgo a la liebre mata.** ref. que enseña que con la constancia se vencen las dificultades. || **Donde el galgo no piensa, la liebre salta.** ref. **Donde menos se piensa, salta la liebre.** || **¡Échale un galgo!** expr. fig. y fam. con que se denota la dificultad de alcanzar a una persona, o la de comprender u obtener una cosa. || **El galgo barcino, o malo o muy fino.** ref. con que se da a entender que en el **galgo** de este color no hay medianía. || **El galgo y el gavilán no se quejan por la prea, sino porque es su ralea.** ref. que se aplica a la gente baja y de malas inclinaciones, que hace daños aun cuando no tenga ánimo de hacerlos. || **El que nos vendió el galgo.** expr. fig. y fam. con que se explica lo muy conocida que es una persona por algún chasco que ha dado. || **La galga de Lucas.** expr. fig. y fam. con que se da a entender que alguno falta en la ocasión forzosa. || **No le alcanzarán galgos.** expr. fig. y fam. con que se pondera la distancia de algún parentesco. || **Váyase a espulgar un galgo.** expr. fig. y fam. de que se usa para despedir a uno con desprecio.

Galguear. tr. *León.* Mondar, limpiar las regueras.

Galgueño, ña. adj. Relativo o parecido al galgo.

Galguero. m. Cuerda con que se templa la galga del carro y que se ata a una anilla.

Galguero. m. El que cuida los galgos.

Galguesco, ca. adj. Galgueño.

Gálgulo. (Del lat. *galgŭlus*.) m. **Rabilargo,** 3.ª acep.

Galiana. f. **Cañada,** 1.er art., 2.ª acep.

Galianos. (De *galiana*.) m. pl. Comida que hacen los pastores con torta cocida a las brasas y guisada después con aceite y caldo.

Galibar. (De *gálibo*.) tr. *Mar.* Trazar con los gálibos el contorno de las piezas de los buques.

Gálibo. (De *calibo*, 1.er art.) m. Arco de hierro en forma de U invertida, que sirve en las estaciones de los ferrocarriles para comprobar si los vagones con su carga máxima pueden circular por los túneles y bajo los pasos superiores. || **2.** fig. **Elegancia.** || **3.** *Mar.* Plantilla con arreglo a la cual se hacen las cuadernas y otras piezas de los barcos. || **4.** fig. *Arq.* Buen aspecto de una columna por la acertada proporción de sus dimensiones.

Galicado, da. (De *gálico*.) adj. Dícese del estilo, frase o palabra en que se advierte la influencia de la lengua francesa.

Galicano, na. (Del lat. *gallicānus*.) adj. Perteneciente a las Galias. Hoy se usa principalmente hablando de la Iglesia de Francia y de su especial liturgia y disciplina. || **2. Galicado.**

Galiciano, na. (De *Galicia*.) adj. **Gallego,** 2.ª acep.

Galicinio. (Del lat. *gallicinium*; de *gallus*, gallo, y *canĕre*, cantar, por ser la hora en que cantan con frecuencia los gallos.) m. ant. Parte de la noche próxima al amanecer.

Galicismo. (Del lat. *gallĭcus*, francés.) m. Idiotismo propio de la lengua francesa. || **2.** Vocablo o giro de esta lengua empleado en otra. || **3.** Empleo de vocablos o giros franceses en distinto idioma.

Galicista. m. Persona que incurre frecuentemente en galicismos, hablando o escribiendo. || **2.** adj. Perteneciente o relativo al galicismo, 2.ª y 3.ª aceps.

Gálico, ca. (Del lat. *gallĭcus*.) adj. Perteneciente a las Galias. || **2.** *Med.* V. **Morbo gálico.** || **3.** m. **Sífilis.**

Galicoso, sa. adj. Que padece de gálico. Ú. t. c. s.

Galicursi. adj. fam. Dícese del lenguaje en que por afectación de elegancia se abusa de los galicismos. || **2.** fam. Dícese de la persona que emplea este lenguaje. Ú. t. c. s.

Galilea. (Del b. lat. *galilaea*, y éste del m. or. que *galería*.) f. Pórtico o atrio de las iglesias, con especialidad la parte ocupada con tumbas de próceres o reyes. || **2.** Pieza cubierta, fuera del templo, sin retablo ni altar, ni apariencia ninguna de capilla, que servía de cementerio.

Galilea. (De las palabras de Jesucristo «et ecce praecedit vos in *Galilaeam*», según el Evangelio de San Mateo, cap. XXVIII, 7.) f. En la Iglesia griega, tiempo que media desde la Pascua de Resurrección hasta la Ascensión.

Galileo, a. (Del lat. *galilaeus*.) adj. Natural de Galilea. Ú. t. c. s. || **2.** Perteneciente a este país de Tierra Santa. || **3.** m. Nombre que por oprobio han dado algunos a Jesucristo y a los cristianos.

Galillo. (De *gallillo*.) m. **Úvula.** || **2.** fam. Gaznate, gañote.

Galima. (Del ár. *ganīma*, rapiña.) f. ant. Hurto frecuente y pequeño.

Galimar. (De *galima*.) tr. ant. Arrebatar o robar.

Galimatías. (Del fr. *galimatias*, invención jocosa del siglo XVI; de *galli*, gallo, y el gr. μάθεια, enseñanza.) m. fam. Lenguaje obscuro por la impropiedad de la frase o por la confusión de las ideas.

Galináceo, a. adj. *Zool.* **Gallináceo.** Ú. t. c. s. f.

Galindo, da. adj. ant. Torcido, engarabitado.

Galio. (Del lat. *galion*, y éste del gr. γάλιον, de γάλα, leche.) m. Hierba de la familia de las rubiáceas, con tallos erguidos, de tres a seis decímetros, delgados, nudosos y ramosos; hojas lineales, surcadas, casi filiformes y puntiagudas; flores amarillas en panojas terminales muy apretadas, y fruto en drupa con dos semillas de figura de riñón. Esta planta se ha usado en medicina y sirve en la fabricación de quesos para cuajar la leche.

Galio. (De *Galia*, por haberse descubierto en Francia.) m. *Quím.* Metal muy raro, de la familia del aluminio, que se suele encontrar en los minerales de cinc.

Galiparla. (De *galo* y *parlar*.) f. Lenguaje de los que emplean voces y giros afrancesados, hablando o escribiendo en castellano.

Galiparlante. adj. **Galiparlista.**

Galiparlista. (De *galiparla*.) m. El que emplea la galiparla.

Galipote. (Del fr. *galipot*.) m. *Mar.* Especie de brea o alquitrán que se usa para calafatear.

Galizabra. (De *galea* y *zabra*.) f. Embarcación de vela latina, que era común en los mares de Levante, de porte de cien toneladas, poco más o menos.

Galo, la. (Del lat. *gallus*.) adj. Natural de la Galia. Ú. t. c. s. || **2.** Perteneciente a dicho país. || **3.** m. Antigua lengua céltica de las Galias.

Galocha. (En fr. *galoche*.) f. Calzado de madera o de hierro, de que se usa en algunas provincias para andar por la nieve, el agua y el lodo.

Galocha. f. ant. **Papalina,** 1.er art., 1.ª acep.

Galochero. m. El que hace o vende galochas, 1.er art.

Galocho, cha. adj. Dícese del que es de mala vida. || **2.** fam. Dejado, desmalazado.

Galón. (De *gala*.) m. Tejido fuerte y estrecho, a manera de cinta, que sirve para guarnecer vestidos u otras cosas. || **2.** *Mar.* Listón de madera que guarnece exteriormente el costado de la embarcación por la parte superior, y a la lumbre del agua. || **3.** *Mil.* Distintivo que llevan en el brazo o en la bocamanga diferentes clases del ejército o de cualquiera otra fuerza organizada militarmente, hasta el coronel inclusive.

Galón. (Del ingl. *gallon*.) m. Medida inglesa de capacidad, para los líquidos, usada en el comercio. Equivale, con corta diferencia, a cuatro litros y medio.

Galoneador, ra. m. y f. Persona que galonea o ribetea.

Galoneadura. (De *galonear*.) f. Labor o adorno hecho con galones.

Galonear. tr. Guarnecer o adornar con galones los vestidos u otras cosas.

Galonista. (De *galón*, 1.er art., 3.ª acep.) m. fam. Alumno distinguido de un colegio o academia militar, a quien por premio se concede el uso de las insignias de cabo o sargento, representativas de cierta autoridad sobre sus compañeros.

Galop. (Del fr. *galop*, y éste del m. or. que *galopar*.) m. Danza húngara, usada también en otros pueblos. || **2.** Música de este baile.

Galopa. f. **Galop.**

Galopada. f. Carrera a galope.

Galopante. p. a. de **Galopar.** Que galopa. || **2.** adj. fig. Aplícase a la tisis de carácter fulminante.

Galopar. (Del ant. alto al. *ga-laupan*, correr.) intr. Ir el caballo a galope. || **2.** Cabalgar una persona en caballo que va a galope.

Galope. (De *galopar*.) m. *Equit.* Marcha más levantada del caballo, que consiste en una serie de saltos sobre el cuarto trasero, quedando siempre terreno a su frente y moviendo los brazos a compás. Sólo cuando va a escape es más violento el aire del caballo. || **2.** V. **Estay de galope.** || **sostenido,** o **medio galope.** Marcha del caballo a **galope,** pero acompasadamente y sin grande celeridad: no es aire natural, sino de escuela. || **A, o de, galope.** m. adv. fig. Con prisa y aceleración.

Galopeado, da. p. p. de **Galopear.** || **2.** adj. fam. Hecho de prisa, y por lo mismo, mal. || **3.** m. fam. Castigo dado a uno con bofetadas o a puñadas. || **4.** *And.* Plato compuesto de harina, pimentón, ajo frito, aceite y vinagre.

Galopear. (De *galope*.) intr. **Galopar.**

Galopeo. (De *galopear*.) m. ant. **Galope.**

Galopillo. (d. de *galopo*.) m. Criado que sirve en la cocina para los oficios más humildes de ella.

Galopín. (De *galopo*.) m. Cualquier muchacho mal vestido, sucio y desharrapado, por abandono. || **2.** Pícaro, bribón, sin crianza ni vergüenza. || **3.** fig. y fam. Hombre taimado, de talento y de mundo. || **4.** *Mar.* **Paje de escoba.** || **de cocina. Galopillo.**

Galopinada. f. Acción de galopín, 2.ª y 3.ª aceps.

Galopo. (De *galopar*.) m. **Galopín,** 2.ª acep.

Galota. (Del fr. *calotte*, birrete, y éste del lat. *calautĭca*.) f. ant. **Papalina,** 1.er art.

Galpito. m. Pollo débil, enfermizo y de pocas medras.

Galpón. m. Departamento que se destinaba a los esclavos en las haciendas de América. || **2.** *Amér. Merid.* Cobertizo grande con paredes o sin ellas.

Galúa. f. *Murc.* Variedad de mújol.

Galucha. f. *Colomb., C. Rica, Cuba, P. Rico* y *Venez.* **Galope.**

Galuchar. intr. *Colomb., C. Rica, Cuba, P. Rico* y *Venez.* **Galopar.**

Galván. n. p. **No lo entenderá Galván.** expr. fig. y fam. con que se denota que una cosa es muy intrincada, obscura o imperceptible. || **No nos conozca Galván,** o **No le conocerá Galván.** fr. proverb. alusiva a un antiguo romance. Se aplica a persona o cosa disfrazada o difícil de reconocer.

Galvánico, ca. adj. *Fís.* Perteneciente al galvanismo.

Galvanismo. (De *Galvani*, físico italiano, el primero que observó este fenómeno.) m. *Fís.* Electricidad desarrollada por el contacto de dos metales diferentes, generalmente el cobre y el cinc, con un líquido interpuesto. || **2.** *Fís.* Propiedad de excitar, por medio de corrientes eléctricas, movimientos en los nervios y músculos de animales vivos o muertos. || **3.** Parte de la física, que estudia el **galvanismo.**

Galvanización. f. Acción y efecto de galvanizar.

Galvanizar. tr. *Fís.* Aplicar el galvanismo a un animal vivo o muerto. || **2.** Aplicar una capa de metal sobre otro, empleando al efecto el galvanismo. || **3.** Dar un baño de cinc fundido a un alambre, plancha de hierro, etc., para que no se oxide. || **4.** fig. Animar, dar vida momentánea a una corporación o sociedad que está en decadencia.

Galvano. m. Reproducción, por lo común artística, hecha por galvanoplastia.

Galvanómetro. (De *galvano* [véase *galvanismo*] y el gr. μέτρον, medida.) m. *Fís.* Aparato destinado a medir la intensidad y determinar el sentido de una corriente eléctrica por medio de la desviación que sufre una aguja imantada sita en lo interior de un carrete rodeado por alambre de cobre envuelto en seda, cuando pasa la corriente por dicho alambre.

Galvanoplastia. (De *galvano* [véase *galvanismo*] y el gr. πλαστός, modelado; de πλάσσω, formar.) f. *Fís.* Arte de sobreponer a cualquier cuerpo sólido una capa de un metal disuelto en un líquido, valiéndose de corrientes eléctricas, procedimiento con que suelen prepararse moldes para vaciados y para la estampación estereotípica.

Galvanoplástica. f. *Fís.* **Galvanoplastia.**

Galvanoplástico, ca. adj. Perteneciente a la galvanoplastia.

Gálvez. n. p. **Mañana ayunará Gálvez: a bien que no es hoy.** ref. con que se da a entender que se difiere el cumplimiento de una cosa debida o prometida.

Galla. (Del lat. *galla*, brote, excrecencia.) f. Remolino que a veces forma el pelo del caballo en los lados del pecho, detrás del codo y junto a la cinchera.

Galladura. (De *gallar*.) f. Pinta como de sangre, menor que una lenteja, que se halla en la yema del huevo puesto por la gallina cubierta por el gallo, y sin la cual el huevo es infecundo.

Gallar. (De *gallo*.) tr. **Gallear,** 1.ª acep.

Gállara. (Del lat. **gallŭla*, d. de *galla*, brote, excrecencia.) f. **Agalla,** 1.ª acep.

Gallarda. (De *gallardo*.) f. Especie de danza de la escuela española, así llamada por ser muy airosa. || **2.** Tañido de esta danza. || **3.** *Impr.* Carácter de letra menor que el breviario y mayor que la glosilla.

Gallardamente. adv. m. Con gallardía.

Gallardear. (De *gallardo*.) intr. Ostentar bizarría y desembarazo en hacer algunas cosas. Ú. t. c. r.

Gallardete. (Del fr. *gaillardet*.) m. *Mar.* Tira o faja volante que va disminuyendo hasta rematar en punta, y se pone en lo alto de los mástiles de la embarcación, o en otra parte, como insignia, o para adorno, aviso o señal. Es distintivo en todo buque de guerra, cuando lleva los colores nacionales. Úsase también como adorno en edificios, calles, etc.

Gallardetón. m. *Mar.* Gallardete rematado en dos puntas, más corto y ancho que el ordinario.

Gallardía. (De *gallardo.*) f. Bizarría, desenfado y buen aire, especialmente en el manejo del cuerpo. || **2.** Esfuerzo y arresto en ejecutar las acciones y acometer las empresas.

Gallardo, da. (Del prov. *galhart.*) adj. Desembarazado, airoso y galán. || **2.** Bizarro, valiente. || **3.** fig. Grande o excelente en cosas correspondientes al ánimo. GALLARDO *pensamiento;* GALLARDO *poeta.*

Gallareta. (De *gallo.*) f. **Foja,** 2.° art.

Gallarín. (De *gallo,* en el juego del monte.) m. ant. Cuenta que se hace doblando siempre el número en progresión geométrica. || **Salir** a uno **al gallarín** una cosa. fr. fam. Sucederle mal o vergonzosamente.

Gallarofa. f. *Ar.* **Perfolla.**

Gallarón. (De *gallo.*) m. **Sisón,** 1.er art.

Gallaruza. (Despect. del lat. *galĕra,* birrete, montera.) f. Vestido de gente montañesa, con capucha para defender la cabeza del frío y de las aguas. || **2.** fig. y fam. V. **Gente de gallaruza.**

Gallear. tr. Cubrir el gallo a las gallinas. || **2.** intr. fig. y fam. Alzar la voz con amenazas y gritería. || **3.** fig. y fam. Sobresalir entre otros. || **4.** *Metal.* Producirse un galleo. || **5.** r. ant. fig. y fam. Enfurecerse con uno, diciéndole injurias.

Gallegada. f. Multitud de gallegos. || **2.** Palabra o acción propia de los gallegos. || **3.** Cierto baile de los gallegos. || **4.** Tañido correspondiente a este baile. *Tocar la* GALLEGADA.

Gallego, ga. (Del lat. *gallaĭcus.*) adj. Natural de Galicia. Ú. t. c. s. || **2.** Perteneciente a esta región de España. || **3.** V. **Gaita, trompa gallega.** || **4.** V. **Nabo gallego.** || **5.** En Castilla, dícese del viento cauro o noroeste, porque viene de la parte de Galicia. Ú. t. c. s. || **6.** fig. y fam. V. **Mesa gallega, o de gallegos.** || **7.** despect. *Argent., Bol.* y *P. Rico.* Español que se traslada a aquellas regiones. Ú. t. c. s. || **8.** m. Dialecto de los **gallegos.** || **9.** fam. **Mozo de cuerda.** || **10.** *C. Rica.* Especie de lagartija que vive en las orillas de los ríos y nada con mucha rapidez. || **11.** *Cuba* y *P. Rico.* Ave acuática parecida a la gaviota. || **A gallego pedidor, castellano tenedor.** ref. que advierte el desaire que deben sufrir los importunos y molestos.

Galleguismo. m. Locución, giro o modo de hablar peculiar y propio de los gallegos.

Galleo. (De *gallear.*) m. *Metal.* Desigualdad que se forma en la superficie de algunos metales cuando después de fundidos se enfrían rápidamente, y resquebrajándose, dejan salir la masa interior. || **2.** *Taurom.* Quiebro que ayudado con la capa hace el torero ante el toro.

Gallera. f. Gallinero en que se crían los gallos de pelea. || **2.** Edificio construido expresamente para las riñas de gallos. || **3.** Jaula donde se transportan los gallos de pelea.

Gallería. f. *Cuba.* El sitio donde se crían los gallos de pelea.

Gallero. adj. *Amér.* Aficionado a las riñas de gallos. Ú. t. c. s. || **2.** m. Individuo que se dedica a la cría de gallos de pelea.

Galleta. (Del fr. *galet, galette,* del ant. *gal,* y éste del célt. *gallos,* piedra.) f. **Bizcocho,** 1.ª acep. || **2.** Pasta compuesta de harina, azúcar y a veces huevo, manteca o confituras diversas, que, dividida en trozos pequeños y moldeados o modelados en forma varia, se cuecen al horno. Puede conservarse mucho tiempo sin que se altere. || **3.** fam. Cachete, bofetada. || **4.** Carbón mineral lavado y clasificado, cuyos trozos han de tener un tamaño reglamentario comprendido entre 25 y 45 milímetros. || **5.** *Mar.* Disco de bordes redondeados en que rematan los palos y las astas de banderas. || **6.** *Mil.* Adorno con que, hacia 1840, se substituyó el pompón en el chacó y morrión militares. Consistía en un disco que llevaba en la parte anterior el número del regimiento. || **7.** *Argent.* y *Chile.* **Bizcocho,** 2.ª acep.

Galleta. (Del lat. *gallēta,* vasija.) f. Vasija pequeña con un caño torcido para verter el licor que contiene. || **2.** *Argent.* Vasija hecha de calabaza, chata, redonda y sin asa que se usa para tomar mate.

Galletería. f. Tienda en que se venden galletas.

Galletero. m. Vasija en que se conservan y sirven las galletas. || **2.** El que trabaja en la fabricación de galletas.

Gallillo. (Del lat. **gallĕllus,* d. de *galla.*) m. **Galillo.**

Gallina. (Del lat. *gallīna.*) f. Hembra del gallo, del cual se distingue exteriormente por tener menor tamaño, cresta pequeña o rudimentaria, cola sin cobijas prolongadas y tarsos sin espolones. || **2.** V. **Leche, pata, pie de gallina.** || **3.** fig. V. **Carne, paso de gallina.** || **4.** com. fig. y fam. Persona cobarde, pusilánime y tímida. *Esteban es un* GALLINA. || **armada.** Guisado que se hace asando bien una **gallina,** enlardándola después con tocino, poniendo yemas de huevo y polvoreándola con harina y sal. || **ciega.** Juego de muchachos, en que vendan los ojos a uno de ellos hasta que coge a otro, o le conoce cuando le toca, y entonces éste es el vendado. || **2. Chotacabras.** || **3.** *Chile.* Ave solitaria y nocturna. Se alimenta de insectos que caza al vuelo durante la noche. || **de agua. Foja,** 2.° art. || **de Guinea.** Ave del orden de las gallináceas, poco mayor que la **gallina** común, de cabeza pelada, cresta ósea, carúnculas rojizas en las mejillas y plumaje negro azulado, con manchas blancas, pequeñas y redondas, ordenada y simétricamente distribuidas por todo el cuerpo; cola corta y puntiaguda, lo mismo en el macho que en la hembra, y tarsos sin espolones. Originaria del país de su nombre, se ha domesticado en Europa, y su carne es muy estimada. || **de mar.** Pez teleósteo del suborden de los acantopterigios, común en el Mediterráneo, de dos a tres decímetros de largo, con cabeza provista de aristas o crestas óseas, algunas de ellas con puntas espinosas, cuerpo comprimido y escamoso, aletas fuertes y color rojizo. Es comestible, pero no muy estimado. || **de río. Fúlica.** || **en corral ajeno.** fig. y fam. Persona que se halla o ha de hallarse avergonzada o confusa entre gente desconocida. || **fría. Gallina** muerta, particularmente la que se paga en foro a los señores en Galicia. || **guinea. Gallina de Guinea.** || **sorda. Chocha.** || **Acostarse** uno **con las gallinas.** fr. fig. y fam. Acostarse muy temprano. || **Aldeana es la gallina, y cómela el de Sevilla, o el de la villa.** ref. que advierte que no se deben despreciar las cosas por ser humildes o criadas en tierra pobre. || **Cantar la gallina.** fr. Carear el gallo de pelea cuando se acobarda o se siente vencido. || **2.** fig. y fam. Confesar uno su equivocación o su falta cuando se ve obligado a ello. || **Cuando meen las gallinas.** expr. fig. y fam. con que se denota la imposibilidad de hacer o conseguir una cosa, o que no debe hacerse por ser impertinente. || **Echar una gallina.** fr. Poner huevos a una **gallina** clueca para que los empolle. || **Holgad, gallinas, que el gallo está en vendimias,** o **que muerto es el gallo.** ref. que da a entender la falta que hace la cabeza en una casa o comunidad, por la libertad que se toman los dependientes de ella. || **Hurtar gallina y pregonar rodilla.** fr. contra hipócritas que después de apropiarse lo ajeno, escrupulizan en algo insignificante. || **La gallina de mi vecina más huevos pone que la mía,** o **más gorda está que la mía.** ref. que reprende a los envidiosos, que siempre tienen por mejor lo que otros poseen. || **Matar la gallina de los huevos de oro.** fr. proverb. que hace alusión a una fábula conocida. Dícese cuando por avaricia de ganar mucho de una vez, se pierde todo. || **No es mucho que a quien te da la gallina entera, tú des una pierna de ella.** ref. que enseña que debemos ser agradecidos a los bienhechores. || **Tan contenta va una gallina con un pollo, como otra con ocho.** ref. que enseña el amor y cuidado de las madres con los hijos, al modo de la **gallina,** que recoge debajo de sus alas a un pollo solo, y cuida de él como la que tiene muchos. || **Viva la gallina, y viva con su pepita.** ref. que aconseja que no se debe intentar el curar radicalmente ciertos achaques habituales, por el riesgo que puede haber de perder la vida.

Gallináceo, a. (Del lat. *gallinacĕus.*) adj. Perteneciente a la gallina. || **2.** *Zool.* Dícese de las aves caracterizadas por tener dos membranas cortas entre los tres dedos anteriores, y un solo dedo en la parte posterior, el pico ligeramente encorvado, y una membrana blanca o azulada delante de cada oído; como el gallo, la perdiz, el pavo y el faisán. Ú. t. c. s. f. || **3.** f. pl. *Zool.* Orden de estas aves.

Gallinaza. (Del lat. *gallinacĕa,* term. f. de *-cĕus.*) f. **Aura,** 2.° art. || **2.** Excremento o estiércol de las gallinas.

Gallinazo. (Del lat. *gallinacĕus.*) m. **Aura,** 2.° art.

Gallinejas. f. pl. Tripas fritas de gallina y otras aves, que se venden en los barrios extremos de Madrid.

Gallinería. (De *gallinero.*) f. Lugar o puesto donde se venden gallinas. || **2.** Conjunto de gallinas. || **3.** ant. **Gallinero,** 4.ª acep. || **4.** fig. Cobardía y pusilanimidad.

Gallinero, ra. (Del lat. *gallinarĭus* y *gallinarium.*) adj. V. **Albarda gallinera.** || **2.** *Cetr.* Aplícase a las aves de rapiña cebadas en las gallinas. || **3.** m. y f. Persona que trata en gallinas. || **4.** m. Lugar o cobertizo donde las aves de corral se crían y se recogen a dormir. || **5.** Conjunto de gallinas que se crían en una granja o casa. || **6.** Cesto o cesta donde van encerradas las gallinas que se llevan a vender. || **7.** fig. desus. **Cazuela,** 3.ª acep. || **8. Paraíso,** 4.ª acep. || **9.** fig. Lugar donde hay mucha gritería y no se entienden unos con otros. || **No llegar al gallinero.** fr. fig. y fam. No llegar a su completo desarrollo el niño débil o enfermizo.

Gallineta. (d. de *gallina.*) f. **Fúlica.** || **2. Chocha.** || **3.** *Argent., Colomb., Chile* y *Venez.* **Gallina de Guinea.**

Gallino. (De *gallina.*) m. *And.* y *Murc.* Gallo al que le faltan las cobijas de la cola.

Gallinoso, sa. (De *gallina.*) adj. ant. Pusilánime, tímido, cobarde.

Gallipato. (De *gallo* y *pato.*) m. *Zool.* Batracio del orden de los urodelos, que crece hasta unos 30 centímetros de largo: tiene dos filas de dientes en el paladar, comprimida la cola, y las costillas horadan la piel y se hacen salientes a voluntad del animal. Vive en los estanques cenagosos y en las fuentes.

Gallipava. (De *gallipavo.*) f. Gallina de una variedad mayor que las comunes. Abunda en Andalucía y Murcia.

Gallipavo. (De *gallo* y *pavo.*) m. **Pavo,** 1.ª acep. || **2.** fig. y fam. **Gallo,** 10.ª acep.

Gallipuente. (De *gallón,* tepe, y *puente.*) m. *Ar.* Especie de puente sin barandas, que se hace en las acequias para comunicación de los campos; suele ser de cañas, cubierto de céspedes.

Gallístico, ca. adj. Perteneciente o relativo a los gallos, y especialmente a las peleas de los mismos. *Circo* GALLÍSTICO.

Gallito. (d. de *gallo.*) m. fig. El que sobresale y hace papel en alguna parte. || **2.** *C. Rica.* **Caballito del diablo.** || **3.** *Colomb.* **Rehilete,** 1.ª acep. || **4.** *Zool. Cuba.* Ave zancuda, con espolones en las alas, uñas largas y agudas, plumaje de color rojo obscuro y negro; ojos pardos, pies verdosos. Permanece en las inmediaciones de las aguas estancadas donde flotan plantas acuáticas. || **5.** *Argent.* Pájaro dentirrostro, de color gris verdoso, el vientre rojo y un copete en la cabeza. || **del rey. Budión.**

Gallo. (Del lat. *gallus.*) m. Ave del orden de las gallináceas, de aspecto arrogante, cabeza adornada de una cresta roja, carnosa y ordinariamente erguida; pico corto, grueso y arqueado; carúnculas rojas y pendientes a uno y otro lado de la cara; plumaje abundante, lustroso y a menudo con visos irisados; cola de catorce penas cortas y levantadas, sobre las que se alzan y prolongan en arco las cobijas, y tarsos fuertes, escamosos, armados de espolones largos y agudos. || **2.** Pez marino del orden de los acantopterigios, de unos 20 centímetros de largo, cabeza pequeña, boca prominente, cuerpo comprimido, verdoso por encima y plateado por el vientre, aletas pequeñas, figurando la dorsal la cresta de un **gallo,** y cola redonda. || **3.** *Arq.* **Parhilera.** || **4.** En el juego del monte, las dos segundas cartas que se echan por el banquero y se colocan por debajo del albur. || **5.** **Molinete,** 3.ª acep.; solían pintar en él un **gallo** porque los muchachos lo llevaban cuando iban a ver correr **gallos.** || **6.** V. **Cresta, ojo, pata, pie de gallo.** || **7.** V. **Misa del gallo.** || **8.** V. **Rey de gallos.** || **9.** fig. y fam. V. **Memoria, muelas de gallo.** || **10.** fig. y fam. Nota falsa que inadvertidamente emite el que canta, perora o habla. || **11.** fig. y fam. El que en una casa, pueblo o comunidad todo lo manda o lo quiere mandar y disponer a su voluntad. || **12.** fig. y fam. Esputo, gargajo. || **13.** *Al.* **Estoque,** 4.ª acep. || **14.** *Alm.* Corcho que flota en el agua para indicar el lugar en que se ha fondeado la red. || **15.** *Colomb.* **Rehilete,** 3.ª acep. || **16.** *Colomb., C. Rica* y *Chile.* Hombre fuerte, valiente. Ú. t. c. adj. || **de monte.** *Al.* **Grajo,** 1.ª acep. || **de roca.** Pájaro dentirrostro que habita en Colombia, Venezuela y el Perú. || **silvestre. Urogallo.** || **Abaja acá, gallo, que estás encaramado.** fr. contra engreídos. || **Al gallo que canta, le aprietan la garganta.** ref. que advierte el daño que se puede seguir de no guardar un secreto. || **Al primer gallo.** expr. adv. ant. A medianoche. || **Alzar uno el gallo.** fr. fig. y fam. Manifestar soberbia o arrogancia en la conversación o en el trato. || **Andar uno de gallo.** fr. fig. y fam. Pasar la noche en bromas, bailes u otras diversiones. || **Bajar el gallo.** fr. fig. y fam. Deponer la altanería con que se habla o trata a alguna persona. || **Cada gallo canta en su muladar,** y algunos añaden: **y el bueno, en el suyo y ajeno.** ref. que advierte que cada uno manda en su casa o ministerio, y que el hombre de distinguido mérito es atendido en todas partes. || **Como el gallo de Morón, cacareando y sin plumas.** expr. fig. y fam. que se aplica a los que conservan algún orgullo, aunque en la pendencia o negocio en que se metieron queden vencidos. || **Correr gallos.** loc. con que se designa un entretenimiento de carnaval, que consiste en enterrar un **gallo,** dejándole fuera el pescuezo y cabeza, y uno de los que juegan, con los ojos vendados, parte a buscarle con una espada en la mano, consistiendo el lance en herirle o cortarle la cabeza con ella. Otros corren el **gallo** continuamente, hasta que le alcanzan o le cansan, hiriéndole del mismo modo. || **Correr gallos a caballo.** fr. con que se designa un juego que consiste en colgar un **gallo** de una cuerda por los pies y cortarle la cabeza o arrancársela, corriendo a caballo. || **Daca el gallo, toma el gallo, quedan las plumas en la mano.** ref. que enseña que por manejar o revolver demasiado algunas cosas, suelen desmejorarse o perderse. || **El que solo come su gallo, solo ensilla su caballo.** ref. que enseña que el que no da de lo que tiene ni ayuda a los demás, no halla quien le socorra ni ayude en lo que ha menester. || **Engreído como gallo de cortijo.** expr. fig. y fam. que se aplica al que presume que vale más que otros, y por eso desdeña su compañía. || **En menos que canta un gallo.** expr. fig. y fam. En muy poco tiempo; en un instante. || **Entre gallos y media noche.** fr. A **deshora.** || **Escarbó el gallo, y descubrió el cuchillo.** ref. que manifiesta que los que andan averiguando lo que no les importa, suelen descubrir lo que no quisieran. || **Gallo que no canta, algo tiene en la garganta.** ref. que advierte que cuando uno deja de terciar en conversaciones que le atañen, suele consistir en que algo tiene que temer. || **Ir a escucha gallo.** fr. fig. y fam. Ir con cuidado y atención, observando si se oye alguna cosa. || **Levantar uno el gallo.** fr. **Alzar el gallo.** || **Metí gallo en mi cillero, hízose mi hijo y mi heredero.** ref. que se dice del que voluntariamente recibe a uno en su casa, el cual luego, por fuerza o maña, se hace dueño de ella. || **No cantan bien dos gallos en un gallinero.** fr. que indica cuán mal se avienen dos que a la vez quieren imponer su voluntad o su prestigio. || **Otro gallo me, te, le, nos, os, les cantara.** expr. fig. y fam. Mejor sería mi, tu, su, nuestra, vuestra suerte. || **Oyó al gallo cantar, y no supo en qué muladar.** ref. con que se zahiere al que oye mal o entiende mal lo que oye. || **Tener** uno **mucho gallo.** fr. fig. y fam. Tener soberbia, altanería o vanidad, y afectar superioridad o dominio.

Gallocresta. (De *gallo* y *cresta.*) f. Planta medicinal, especie de salvia, con las hojas obtusas, festoneadas y de figura algo semejante a la cresta del gallo, el tallo anguloso y como de medio metro de alto, y la flor encarnada. || **2.** Planta herbácea de la familia de las escrofulariáceas, con tallo derecho, sencillo o ramoso; hojas lanceoladas, acorazonadas en la base, aserradas por el margen, y flores amarillentas en espiga.

Gallofa. (Del gr. κέλυφος, monda.) f. Comida que se daba a los pobres que venían de Francia a Santiago de Galicia pidiendo limosna. || **2.** Verdura u hortaliza que sirve para ensalada, menestras y otros usos. || **3.** Cuento de poca substancia; chisme. || **4.** **Añalejo.** || **5.** *Sant.* y *Vizc.* **Panecillo,** 2.ª acep. || **Andar,** o **darse, a la gallofa.** fr. fig. y fam. **Gallofear.**

Gallofar. intr. **Gallofear.**

Gallofear. (De *gallofa.*) intr. Pedir limosna, viviendo vaga y ociosamente, sin aplicarse a trabajo ni ejercicio alguno.

Gallofero, ra. (De *gallofa.*) adj. Pobretón, holgazán y vagabundo, que se da a la briba y anda pidiendo limosna. Ú. t. c. s.

Gallofo, fa. adj. **Gallofero.** Ú. t. c. s.

Gallón. m. **Tepe.** || **2.** *Ar.* Pared o cerca hecha de barro mezclado con granzones y palitroques.

Gallón. (Del lat. *galla,* agalla.) m. *Arq.* Cierta labor, que adorna los boceles de algunos órdenes de arquitectura. Cada **gallón** consta de la cuarta parte de un huevo, puesta entre dos hojas que, siguiendo su misma forma, vienen adelgazándose a juntarse debajo. || **2.** Adorno que a modo del citado se acostumbra poner en los cabos de los cubiertos de plata. || **3.** *Mar.* Última cuaderna de proa.

Gallonada. (De *gallón,* 1.er art.) f. Tapia fabricada de gallones o tepes.

Gallote, ta. (De *gallo,* 1.ª acep.) adj. *Cád., C. Rica* y *Méj.* Desenvuelto, resuelto, de rompe y rasga. Ú. t. c. s.

Galludo. m. *Zool.* Especie de tiburón, semejante a la mielga, que abunda en las costas orientales y meridionales de España y en las de Marruecos.

Gallundero, ra. adj. ant. V. **Red gallundera.**

Gama. f. Hembra del gamo, del cual se distingue a primera vista por la falta de cuernos. || **2.** *Sant.* **Cuerno,** 1.ª acep.

Gama. (Del gr. γάμμα, tercera letra del alfabeto griego, Γ, con la cual daba principio la serie de los sonidos musicales.) f. *Mús.* Escala musical. || **2.** *Mús.* Tabla o escala con que se enseña la entonación de las notas de la música. || **3.** fig. Escala, gradación; aplícase a los colores.

Gamada. (Del nombre de la letra griega Γ, gamma.) adj. V. **Cruz gamada.**

Gamarra. (Del vasc. *gamarra.*) f. Correa de poco más de un metro de longitud que, partiendo de la cincha, pasa por entre los brazos del caballo, se asegura en el pretal de la silla y llega a la muserola, donde se afianza. Se ha usado para afirmar la cabeza del caballo e impedir que éste despape o picotee. || **Media gamarra. Amarra,** 1.ª acep.

Gamarza. f. **Alharma.**

Gamba. (Del lat. *gamba.*) f. ant. **Pierna,** 1.ª acep.

Gamba. f. Crustáceo semejante al langostino; es algo menor, y faltan en el caparazón los surcos que hay en aquél a uno y otro lado de la quilla mocha. Habita en el Mediterráneo y es comestible.

Gambaj. m. **Gambax.**

Gámbalo. m. Cierto tejido de lienzo que se usaba antiguamente.

Gambalúa. (De *gamba.*) m. fam. **Galavardo.**

Gámbaro. (Del m. or. que *cámaro.*) m. **Camarón,** 1.ª acep.

Gambax. (Del germ. *wamba,* panza, como el ant. fr. *gambais.*) m. Jubón acolchado que se ponía debajo de la coraza para amortiguar los golpes.

Gamberro, rra. adj. Libertino, disoluto. Ú. t. c. s. || **2.** Grosero, mal educado. Ú. t. c. s. || **3.** f. *And.* **Mujer pública.**

Gambesina. f. **Gambesón.**

Gambesón. (aum. de *gambax.*) m. Saco acolchado que llegaba hasta media pierna y se ponía debajo de la armadura.

Gambeta. (De *gamba,* 1.er art.) f. *Danza.* Movimiento especial que se hace con las piernas jugándolas y cruzándolas con aire. || **2.** **Corveta.** || **3.** *Argent.* y *Bol.* **Esguince,** 1.ª acep.

Gambetear. intr. Hacer gambetas. || **2.** Hacer corvetas el caballo.

Gambeto. (Del ital. *gambetto*, y éste del célt. *gamba, camba*, corva.) m. Capote que llegaba hasta media pierna y que, usado antiguamente en Cataluña, se adoptó para algunas tropas ligeras. ‖ **2. Cambuj,** 2.ª acep.

Gambito. (Del ital. *gambetto*, zancadilla, y éste d. de *gamba*, gamba.) m. En el juego de ajedrez, lance que consiste en sacrificar, al principio de la partida, algún peón o pieza, o ambos, para lograr una posición favorable.

Gamboa. f. Variedad de membrillo injerto, más blanco, jugoso y suave que los comunes.

Gambocho. m. *Ál.* Juego de la tala o toña.

Gambota. (De *gamba*.) f. *Mar.* Cada uno de los maderos curvos calados a espiga por su pie en el yugo principal, que forman la bovedilla y son como otras tantas columnas de la fachada o espejo de popa.

Gambox. m. **Cambuj.**

Gambusina. f. *Murc.* Variedad de pera.

Gambuj [~ **bujo,** ~ **bux**]. m. **Cambuj.**

Gamella. (Del célt. *gamba, camba*, corva.) f. Arco que se forma en cada extremo del yugo que se pone a los bueyes, mulas, etc. ‖ **Hacer venir,** o **traer,** a uno **a la gamella.** fr. fig. y fam. Reducirle por fuerza, o con arte e industria, a lo que repugnaba.

Gamella. (De *camella*, 2.° art.) f. Artesa que sirve para dar de comer y beber a los animales, para fregar, lavar y otros usos.

Gamella. f. **Camellón,** 1.er art., 2.ª acep. ‖ **2.** ant. **Camella,** 3.er art., 1.ª acep.

Gamellada. f. Lo que cabe en una gamella. 2.° art.

Gamelleja. f. d. de **Gamella,** 2.° art.

Gamello. m. ant. **Camello,** 1.ª acep.

Gamellón. m. aum. de **Gamella,** 2.° art. ‖ **2.** Pila donde se pisan las uvas.

Gameto. (Del gr. γαμετή, esposa, o γαμέτης, marido.) m. *Biol.* Cada una de las dos células sexuales, masculina y femenina, que se unen para formar el huevo de las plantas y de los animales.

Gamezno. m. Gamo pequeño y nuevo.

Gamillón. m. **Gamellón,** 2.ª acep.

Gamitadera. f. **Balitadera.**

Gamitar. intr. Dar gamitidos.

Gamitido. m. Balido del gamo o voz que lo imita.

Gamma. (Del gr. γάμμα.) f. Tercera letra del alfabeto griego, que corresponde a la que en el nuestro se llama *ge*.

Gamo. (Del lat. *dama*.) m. Mamífero rumiante del grupo de los ciervos, de unos 90 centímetros de altura hasta la cruz, pelaje rojizo obscuro salpicado de multitud de manchas pequeñas y de color blanco, que es también el de las nalgas y parte inferior de la cola; cabeza erguida y con cuernos en forma de pala terminada por uno o dos candiles dirigidos hacia adelante o hacia atrás. Es originario del mediodía de Europa. ‖ **2.** V. **Carrera de gamos.**

Gamón. (Del gr. γάμος, unión íntima, por la disposición de las raíces de la planta.) m. Planta de la familia de las liliáceas, con hojas erguidas, largas, en figura de espada; flores blancas con una línea rojiza en cada pétalo, en espiga apretada, sobre un escapo rollizo de un metro próximamente de altura, y raíces tuberculosas, fusiformes e íntimamente unidas por uno de sus extremos. Para combatir las enfermedades cutáneas se ha empleado el cocimiento de los tubérculos radicales.

Gamonal. m. Tierra en que se crían muchos gamones. ‖ **2.** *Amér. Central* y *Merid.* **Cacique,** 2.ª acep.

Gamonalismo. m. *Amér. Central* y *Merid.* **Caciquismo.**

Gamonita. f. **Gamón.**

Gamonital. m. ant. **Gamonal.**

Gamonito. (d. de *gamón*.) m. Retoño que echan algunos árboles y plantas alrededor, que siempre se queda pequeño y bajo.

Gamonoso, sa. adj. Abundante en gamones.

Gamopétala. (Del gr. γάμος, unión, y de *pétalo*.) adj. *Bot.* Dícese de las corolas cuyos pétalos están soldados entre sí y de las flores que tienen esta clase de corolas.

Gamosépalo, la. (Del gr. γάμος, unión, y de *sépalo*.) adj. *Bot.* Dícese de los cálices cuyos sépalos están soldados entre sí y de las flores que tiene esta clase de cálices.

Gamuno, na. adj. Aplícase a la piel del gamo.

Gamusino. m. Animal imaginario cuyo nombre se usa para dar bromas a los cazadores novatos.

Gamuza. (Del lat. *camox, -ōcis*.) f. Especie de antílope del tamaño de una cabra grande, con astas negras, lisas y derechas, terminadas a manera de anzuelo; el color de su pelo es moreno subido. Habita en las rocas más escarpadas de los Alpes y los Pirineos y es célebre por la prodigiosa osadía de sus saltos. ‖ **2.** Piel de la gamuza, que después de adobada queda muy flexible, de aspecto aterciopelado y de color amarillo pálido. Llámase también así la piel de otros animales cuando queda con cualidades semejantes a éstas.

Gamuzado, da. adj. De color de gamuza, 2.ª acep.

Gamuzón. m. aum. de **Gamuza.**

Gana. f. Deseo, apetito, propensión natural, voluntad de una cosa; como de comer, dormir, etc. ‖ **Abrir,** o **abrirse, las ganas de comer.** fr. Excitar o excitarse el apetito. ‖ **Darle** a uno **la gana,** o **la real gana.** fr. fam. En lenguaje poco culto, querer hacer una cosa. ‖ **De buena gana.** m. adv. Con gusto o voluntad. ‖ **De gana.** m. adv. Con fuerza o ahínco, ‖ **2. De buena gana.** ‖ **De su gana.** m. adv. desus. Voluntariamente; por sí mismo, espontáneamente. ‖ **De mala gana.** m. adv. Con repugnancia y fastidio. ‖ **De ser buena no he gana; de ser mala dámelo el alma;** y otros dicen: **no se me tienen los pies en casa.** ref. que enseña la inclinación natural, especialmente en la gente moza, de darse a los pasatiempos y diversiones, y el cuidado que se debe tener en la edad temprana. ‖ **Donde hay gana, hay maña.** ref. que reprende a los que rehusan hacer lo que se les manda, con el pretexto de que no saben hacerlo. ‖ **Mala gana.** fr. Indisposición, desazón, molestia. ‖ **Tener** uno **gana de fiesta.** fr. fig. y fam. Incitar a otro a riña o pendencia. ‖ **Tener** uno **gana de rasco.** fr. fig. y fam. Hallarse, sentirse con **ganas** de jugar o retozar. ‖ **Tenerle ganas** a uno. fr. fig. y fam. Desear reñir o pelearse con él.

Ganable. adj. Que puede ganarse.

Ganada. (De *ganar*.) f. ant. **Ganancia,** 1.ª acep. Ú. en la Argentina.

Ganadería. (De *ganadero*) f. Copia de ganado. ‖ **2.** Raza especial de ganado, que suele llevar el nombre del ganadero. ‖ **3.** Crianza, granjería o tráfico de ganados.

Ganadero, ra. adj. Aplícase a ciertos animales que acompañan al ganado. ‖ **2.** m. y f. Dueño de ganados, que trata en ellos y hace granjería. ‖ **3.** El que cuida del ganado. ‖ **de mayor hierro,** o **señal.** En Extremadura y otras provincias, el que tiene mayor número de cabezas.

Ganado, da. (De *ganar*.) p. p. de **Ganar.** ‖ **2.** adj. Dícese del que gana. ‖ **3.** m. Conjunto de bestias mansas que se apacientan y andan juntas. GANADO *ovejuno, cabrío, vacuno.* ‖ **4.** Conjunto de abejas que hay en la colmena. ‖ **5.** fig. y fam. Conjunto de personas. ‖ **6.** V. **Juez de ganados.** ‖ **7.** *Ast.* V. **Casa de ganado.** ‖ **bravo.** El no domado o domesticado. Dícese especialmente de las ganaderías de toros para la lidia. ‖ **de cerda.** Los cerdos. ‖ **de pata,** o **de pezuña, hendida.** Los bueyes, vacas, carneros, ovejas, cabras y cerdos. ‖ **en vena.** El no castrado. ‖ **mayor.** El que se compone de cabezas o reses mayores; como bueyes, mulas, yeguas, etc. ‖ **menor.** El que se compone de reses o cabezas menores; como ovejas, cabras, etc. ‖ **menudo.** Las crías del **ganado.** ‖ **moreno.** El de cerda. ‖ **Correr ganado,** o **el ganado.** fr. ant. Perseguirlo o recogerlo para prendarlo. ‖ **Entre ruin ganado poco hay que escoger.** ref. que da a entender que entre varias personas o cosas, ninguna es a propósito para el fin o asunto de que se trata. ‖ **Quien tiene ganado, no desea mal año.** ref. que da a entender que sólo los logreros tienen interés en que el año no sea abundante.

Ganador, ra. adj. Que gana. Ú. t. c. s.

Ganancia. f. Acción y efecto de ganar. ‖ **2.** Utilidad que resulta del trato, del comercio o de otra acción. ‖ **3.** V. **Hijo de ganancia.** ‖ **4.** *Chile, Guat.* y *Méj.* Propina, adehala. ‖ **Ganancias y pérdidas.** *Com.* Cuenta en que anotan los tenedores de libros el aumento o disminución que va sufriendo el haber del comerciante en las operaciones mercantiles. En el debe de la contabilidad se anotan las pérdidas, y en el haber, las ganancias del comerciante. ‖ **A las ganancias.** *And.* Locución aplicada a las aparcerías sobre ganado, en que, previa compra o tasación de éste, se reparte después el aumento del valor en venta. ‖ **Andar** uno **de ganancia.** fr. Seguir con felicidad y buen suceso un empeño, pretensión u otra cosa ‖ **No le arriendo la ganancia.** expr. de que se suele usar para dar a entender que uno está en peligro, o expuesto a un trabajo o castigo a que ha dado ocasión.

Ganancial. adj. Propio de la ganancia o perteneciente a ella. ‖ **2.** *For.* V. **Bienes gananciales.** Ú. t. c. s.

Gananciero, ra. (De *ganancia*.) adj. ant. Granjero; que se ocupa en granjerías.

Ganancioso, sa. adj. Que ocasiona ganancia. ‖ **2.** Que sale con ella de un trato, comercio u otra cosa. Ú. t. c. s.

Ganapán. (De *ganar* y *pan*.) m. Hombre que gana la vida llevando y transportando cargas, o lo que le mandan, de un punto a otro. ‖ **2.** fig. y fam. Hombre rudo y tosco.

Ganapierde. (De *ganar* y *perder*.) amb. Manera especial de jugar a las damas, en que gana el que logra perder todas las piezas. ‖ **2.** Aplícase a otros juegos en que se conviene que pierda el ganador.

Ganar. (Del germ. *waidanjan*, segar.) tr. Adquirir caudal o aumentarlo con cualquier género de comercio, industria o trabajo. ‖ **2.** Dicho de juegos, batallas, oposiciones, pleitos, etc., obtener lo que en ellos se disputa. ‖ **3.** Conquistar o tomar una plaza, ciudad, territorio o fuerte. ‖ **4.** Llegar al sitio o lugar que se pretende. GANAR *la orilla, la cumbre, la llanura.* ‖ **5.** Captarse la voluntad de una persona. ‖ **6.** Lograr o adquirir una cosa; como la honra, el favor, la inclinación, la gracia. Ú. t. c. r. ‖ **7.** fig. Aventajar, exceder a uno en algo. ‖ **8.** *Mar.* Avanzar, acercándose a un objeto o a un rumbo determinados. ‖ **9.** intr. Mejorar, medrar, prosperar. ‖ **Ganar** uno **de comer.** fr. Sustentarse del producto de su trabajo en un oficio o ministerio. || **A la,** o **al, gana gana.** m. adv. con que, por oposición al ganapierde, se significa el modo más usual de jugar a las damas, procurando ganar las piezas del contrario. || **A la,** o **al, ganapierde.** m. adv. con que se significa un modo de jugar a las damas, dando a comer todas las piezas al contrario.

Gancha. f. *Albac.* y *León.* **Gajo,** 2.ª acep.

Ganchero. (De *gancho.*) m. *Cuen.* El que guía las maderas por el río, sirviéndose de un bichero.

Ganchete (A medio). m. adv. fam. A medias, a medio hacer. || **De medio ganchete.** m. adv. Desaliñadamente, mal, sin la perfección debida. || **2.** Dícese de la postura del que se sienta inseguramente, sin ocupar todo el asiento.

Ganchillo. m. **Aguja de gancho.** || **2.** Labor o acción de trabajar con aguja de gancho. || **3.** *And.* **Gancho,** 10.ª acep.

Gancho. (Del gr. γαμψός, curvo, retorcido.) m. Instrumento de metal, madera, etc., corvo y por lo común puntiagudo en uno o ambos extremos, que sirve para prender, agarrar o colgar una cosa. || **2.** Pedazo que queda en el árbol cuando se rompe una rama. || **3. Cayado,** 1.ª acep. || **4. Sacadilla.** || **5.** V. **Aguja de gancho.** || **6.** fig. y fam. El que con maña o arte solicita a otro para algún fin. || **7.** fig. y fam. **Rufián.** || **8.** fig. y fam. **Garrapato,** 1.ª acep. || **9.** fig. y fam. Atractivo, especialmente hablando de las mujeres. || **10.** *Colomb., C. Rica, Hond., Méj.* y *Perú.* Horquilla para sujetar el pelo. || **11.** *Ar.* y *Nav.* **Almocafre.** || **12.** *Zam.* Horcón de cinco dientes. || **13.** *Ecuad.* Silla de montar para señora. || **Echar** a uno **el gancho.** fr. fig. y fam. Prenderle, atraparle, atraerle con maña. || **Tener gancho.** fr. fig. y fam. Se dice de la mujer que se da buena maña para sacar novio.

Ganchoso, sa. adj. Que tiene gancho o se asemeja a él.

Ganchudo, da. adj. Que tiene forma de gancho. || **2.** *Zool.* **Unciforme.**

Ganchuelo. m. d. de **Gancho.**

Gándara. (En port. *gândara.*) f. Tierra baja, inculta y llena de maleza.

Gandaya. f. Tuna, vida holgazana. || **Andar uno a la gandaya. Buscar,** o **correr, uno la gandaya. Ir por la gandaya.** frs. fams. Buscarse la vida el vagabundo que no tiene ocupación fija.

Gandaya. f. **Redecilla,** 2.ª acep.

Gandido, da. p. p. de **Gandir.** || **2.** adj. desus. Hambriento, necesitado. || **3.** *Colomb., C. Rica, Cuba, Méj.* y *Venez.* Comilón, hambrón. || **4.** *Zam.* Cansado, fatigado.

Gandinga. f. Mineral menudo y lavado. || **2.** *Sev.* Despojos de reses. || **3.** *Mál.* Pasa de inferior calidad. || **4.** *Cuba.* y *P. Rico.* Chanfaina con salsa espesa. || **Buscar la gandinga.** fr. fam. Buscar la gandaya, ganarse la vida.

Gandir. (En valenciano *engaldir.*) tr. ant. **Comer,** 2.° art., 1.ª acep.

Gandujado. (De *gandujar.*) m. Guarnición que formaba una especie de fuelles o arrugas.

Gandujar. tr. Encoger, fruncir, plegar.

Gandul, la. (Del ár. *gandūr,* fatuo, ganapán.) adj. fam. Tunante, vagabundo, holgazán. Ú. t. c. s. || **2.** m. Individuo de cierta milicia antigua de los moros de África y Granada. || **3.** Individuo de ciertos pueblos de indios salvajes.

Gandulear. (De *gandul.*) intr. **Holgazanear.**

Gandulería. f. Calidad de gandul.

Gandumbas. adj. fam. Haragán, dejado, apático. Ú. t. c. s.

Ganeta. f. **Jineta,** 1.er art.

Ganforro, rra. adj. fam. Bribón, picarón o persona de mal vivir. Ú. t. c. s.

Ganga. (Voz imitativa del canto de esta ave.) f. Ave del orden de las gallináceas, de forma y tamaño semejantes a los de la perdiz: tiene la gorja negra, en la pechuga un lunar rojo, y lo demás del cuerpo variado de negro, pardo y blanco. Su carne es dura y poco substanciosa. || **2.** *Cuba.* Ave zancuda de la familia de los zarapitos; pero no vive como éstos en la proximidad de las aguas, sino en las aradas.

Ganga. (Del al. *gang,* filón.) f. *Min.* Materia que acompaña a los minerales y que se separa de ellos como inútil. || **2.** fig. Cosa apreciable que se adquiere a poca costa o con poco trabajo. Ú. mucho en sentido irónico para designar cosa despreciable, molesta. || **3.** *Alm.* Arado tirado por una sola caballería.

Gangarilla. f. Compañía antigua de cómicos o representantes, compuesta de tres o cuatro hombres y un muchacho que hacía de dama.

Ganglio. (Del lat. *ganglion,* y éste del gr. γάγγλιον.) m. *Med.* Tumor pequeño que se forma en los tendones y en las aponeurosis. || **linfático.** *Zool.* Cualquiera de los órganos de forma arriñonada, ovoidea o esférica, intercalados en el trayecto de los vasos linfáticos y en cuyo interior se forman los linfocitos. Actúan como filtros para la linfa, pues retienen las substancias nocivas que este humor pueda contener. || **nervioso.** *Zool.* Nudo o abultamiento intercalado en el trayecto de los nervios y formado principalmente por la acumulación de células nerviosas.

Ganglionar. adj. *Zool.* Perteneciente o relativo a los ganglios; compuesto de ellos. *Sistema* GANGLIONAR.

Gangocho. m. *Amér. Central, Chile* y *Méj.* **Guangoche.**

Gangosidad. f. Calidad de gangoso.

Gangoso, sa. adj. Que habla gangueando. Ú. t. c. s. || **2.** Dícese de este modo de hablar.

Gangrena. (Del lat. *gangraena,* y éste del gr. γάγγραινα, de γράω, comer, roer.) f. Desorganización y privación de vida en cualquier tejido de un cuerpo animal producida por falta de riego sanguíneo, por mortificación traumática o por complicación infecciosa de las heridas. || **2.** Enfermedad de los árboles que corroe los tejidos.

Gangrenarse. r. Padecer gangrena una parte del cuerpo o del árbol.

Gangrénico, ca. adj. ant. **Gangrenoso.**

Gangrenoso, sa. adj. Que participa de la gangrena. *Llaga* GANGRENOSA.

Ganguear. (Onomatopeya.) intr. Hablar con resonancia nasal producida por cualquier defecto en los conductos de la nariz.

Gangueo. m. Acción y efecto de ganguear.

Ganguero, ra. adj. Amigo de procurarse gangas, de buscar ventajas.

Gánguil. (Quizá del ár. *qanŷa,* barco, góndola, galeota.) m. Barco de pesca, con dos proas y una vela latina. || **2.** Arte de arrastre de malla muy estrecha. || **3.** Barco destinado a recibir, conducir y verter en alta mar el fango, arena, piedra, etc., que extrae la draga.

Gano. (De *ganar.*) m. ant. **Ganancia.**

Ganoideo. adj. *Zool.* Dícese de peces con esqueleto cartilaginoso u óseo, cola heterocerca, boca ventral y escamas con brillo de esmalte, de forma romboidal y yuxtapuestas u ordenadas en filas longitudinales; como el esturión. Ú. t. c. s. || **2.** m. pl. *Zool.* Orden de estos animales.

Ganosamente. adv. m. p. us. Con gana.

Ganoso, sa. adj. Deseoso y que tiene gana de una cosa.

Gansada. f. fig. y fam. Hecho o dicho propio de ganso, 4.ª acep.

Gansarón. (De *ganso.*) m. **Ansarón,** 1.ª acep. || **2.** fig. Hombre alto, flaco y desvaído.

Gansear. intr. fam. Hacer o decir gansadas.

Ganso, sa. (Del al. *gans.*) m. y f. Ave palmípeda doméstica algo menor que el ánsar y de plumaje gris rayado de pardo, más obscuro en la cabeza y en el cuello, y amarillento en el pecho y vientre, pico anaranjado casi negro en la punta y la base, y pies rojizos. Menos acuático que el pato; se cría bien en países húmedos y es apreciado por su carne y por su hígado, a veces muy voluminoso. Grazna fuertemente al menor ruido, y por ello se le ha considerado como símbolo de la vigilancia. Es esta ave el resultado de la domesticidad del ánsar. || **2. Ánsar,** 1.ª acep. || **3.** fig. Persona tarda, perezosa, descuidada. Ú. t. c. adj. || **4.** fig. Persona rústica, malcriada, torpe, incapaz. Ú. t. c. adj. || **5.** m. Entre los antiguos, ayo o pedagogo de los niños. || **bravo.** El que se cría libremente sin domesticar. || **Correr el ganso,** o **correr gansos.** fr. con que se designa una diversión semejante a la de correr gallos.

Ganta. f. Medida de capacidad para áridos, usada en Filipinas, vigesimaquinta parte del caván, igual a dos cuartillos y medio. Su equivalencia métrica, tres litros. || **2.** Medida de capacidad para líquidos, usada en Filipinas, decimasexta parte de la tinaja, igual a una azumbre y dos cuartillos. Su equivalencia métrica, tres litros.

Gante. (De *Gante,* ciudad de Bélgica, de donde procede esta tela.) m. Especie de lienzo crudo.

Gantés. adj. Dícese del natural de Gante. Ú. t. c. s. || **2.** Perteneciente o relativo a esta ciudad belga.

Ganzúa. (De *gancho.*) f. Alambre fuerte y doblado por una punta, a modo de garfio, con que a falta de llave pueden correrse los pestillos de las cerraduras. || **2.** fig. y fam. Ladrón que roba con maña o saca lo que está muy encerrado y escondido. || **3.** fig. y fam. Persona que tiene arte o maña para sonsacar a otra su secreto. || **4.** *Germ.* **Verdugo, 5.ª** acep.

Ganzuar. tr. p. us. Abrir con ganzúa. || **2.** fig. Sonsacar, sacar con maña.

Gañán. (Del ár. *gannām,* pastor, el que cuida del *ganam* o ganado.) m. Mozo de labranza. || **2.** fig. Hombre fuerte y rudo. || **Pierde el gañán porque los años se le van.** ref. que da a entender que para el trabajo penoso del cuerpo es necesaria la fuerza y robustez de la mocedad.

Gañanía. f. Conjunto de gañanes. || **2.** Casa en que se recogen. || **3.** *Sal.* **Alquería.**

Gañido. (Del lat. *gannītus.*) m. Aullido del perro cuando lo maltratan. || **2.** Quejido de otros animales.

Gañil. (Del lat. *galla,* excrecencia.) m. **Gañote,** 1.ª acep. || **2.** Agallas de los peces.

Gañín. m. *Ast.* y *Sant.* Hombre suave en sus formas, pero falso y de mala intención en el fondo.

Gañir. (Del lat. *gannīre.*) intr. Aullar el perro con gritos agudos y repetidos cuando lo maltratan. || **2.** Quejarse algunos animales con voz semejante al gañido del perro. || **3.** Graznar las aves. || **4.** fig. y fam. Resollar o respirar con ruido las personas. Ú. especialmente en frases negativas.

Gañivete. m. ant. **Canivete.**

Gañón. m. **Gañote.**

Gañote. (De *caño.*) m. fam. Garguero o gaznate. || **2.** *And.* y *Extr.* Género de fruta de sartén, que se hace de masa muy delicada, con la figura y forma del

gañote. || **De gañote.** m. adv. fam. **De gorra.**

Gao. m. *Germ.* **Piojo,** 1.ª acep.

Gaollo. m. *Pal.* Especie de brezo.

Gaón. m. *Mar.* Remo parecido al canalete, que se usa en algunas embarcaciones pequeñas de los mares de la India.

Gáraba. f. *Sant.* Árgoma, y especialmente la parte más gruesa y leñosa de la misma.

Garabatá. f. ant. **Caraguatá.**

Garabatada. f. Acción de garabatear, 1.ª acep.

Garabatear. intr. Echar los garabatos para agarrar o asir una cosa y sacarla de donde está metida. || **2. Garrapatear.** Ú. t. c. tr. || **3.** fig. y fam. Andar por rodeos o no ir derecho en lo que se dice o hace.

Garabateo. m. Acción y efecto de garabatear.

Garabato. (De *garfa.*) m. Instrumento de hierro cuya punta está vuelta en semicírculo. Sirve para tener colgadas algunas cosas, o para asirlas o agarrarlas. || **2. Almocafre.** || **3.** Soguilla pequeña con una estaca corta en cada extremo, para asir con ella la maña o hacecillo de lino crudo y tenerlo firme a los golpes de mazo con que le quitan la gárgola o simiente. || **4.** desus. **Bozal,** 6.ª acep. || **5. Garrapato,** 1.ª acep. || **6.** Arado en que el timón se substituye por dos piezas de madera unidas a la cama y que permiten que haga el tiro una sola caballería. || **7.** fig. y fam. Aire, garbo y gentileza que tienen algunas mujeres, y les sirve de atractivo aunque no sean hermosas. || **8.** fig. y fam. V. **Humildad de garabato.** || **9.** Garfios de hierro que sujetos al extremo de una cuerda sirven para sacar objetos caídos en un pozo. || **10.** Palo de madera dura que forma gancho en un extremo. || **11.** pl. **Escarabajo,** 6.ª acep. || **12.** fig. Acciones descompasadas con dedos y manos.

Garabatoso, sa. adj. **Garrapatoso.** || **2.** p. us. Que tiene garbo o garabato.

Garabero. (De *garabo.*) m. *Germ.* Ladrón que hurta con garabato.

Garabito. m. Asiento en alto y casilla de madera que usan las vendedoras de frutas y otras cosas en la plaza. || **2.** Gancho, garabato. || **3.** *And.* Perro cruzado de pachón y podenco.

Garabo. m. *Germ.* Apócope de **Garabato,** 1.ª acep.

Garaje. (Del fr. *garage.*) m. Local destinado a guardar automóviles.

Garama. (Del ár. *garāma,* impuesto.) f. En Marruecos, garrama que pagaban las tribus. || **2.** Indemnización colectiva que paga una tribu por los robos cometidos en su territorio. || **3.** Regalos que se hacen a una familia en la fiesta con que se celebra un fausto acontecimiento de la misma.

Garamanta. (De *garamante.*) adj. Dícese del individuo de un pueblo antiguo de la Libia interior. Ú. t. c. s. || **2.** Perteneciente a este pueblo.

Garamante. (Del lat. *garamantis.*) adj. **Garamanta.** Apl. a pers., ú. t. c. s.

Garambaina. f. Adorno de mal gusto y superfluo en los vestidos u otras cosas. || **2.** pl. fam. Visajes o ademanes afectados o ridículos. || **3.** fam. Rasgos o letras mal formados y que no se pueden leer.

Garambullo. m. *Méj.* Cacto que tiene por fruto una tuna pequeña roja.

Garandar. (Del al. *fahrender,* errante.) intr. *Germ.* Andar tunando de una parte a otra.

Garandumba. f. *Amér. Merid.* Embarcación grande a manera de balsa, para conducir carga siguiendo la corriente de los ríos.

Garante. (Del ant. alto al. *wërento.*) adj. Que da garantía. Ú. t. c. s. com.

Garantía. (De *garante.*) f. Acción y efecto de afianzar lo estipulado. || **2.** Fianza, prenda. || **3.** Cosa que asegura y protege contra algún riesgo o necesidad. || **Garantías constitucionales.** Derechos que la Constitución de un Estado reconoce a todos los ciudadanos.

Garantir. (De *garante.*) tr. **Garantizar.**

Garantizador, ra. adj. Que garantiza.

Garantizar. (De *garante.*) tr. Dar garantía.

Garañón. (De *guarán.*) m. Asno grande destinado para cubrir las yeguas y las burras. || **2.** Camello padre. || **3.** desus. Caballo semental. Ú. hoy en *Amér. Central, Chile* y *Méj.* || **4.** *Can.* Macho cabrío destinado a padre.

Garapacho. m. **Carapacho,** 1.ª acep. || **2.** Especie de hortera de madera o corcho, de forma semejante a la concha superior de la tortuga.

Garapanda. f. *Pal.* Arte de pesca a modo de retel.

Garapiña. f. Estado del líquido que se solidifica formando grumos. || **2.** Galón adornado en uno de sus bordes con ondas de realce. || **3.** Tejido especial en galones y encajes, dicho así por su semejanza con la **garapiña,** 2.ª acep. || **4.** *Cuba* y *Méj.* Bebida muy refrigerante hecha de la corteza de la piña y agua con azúcar.

Garapiñar. tr. Poner un líquido en estado de garapiña. || **2.** Bañar golosinas en el almíbar que forma grumos. *Almendras* GARAPIÑADAS; *piñones* GARAPIÑADOS.

Garapiñera. f. Vasija que sirve para garapiñar o congelar los líquidos metiéndola ordinariamente en un cubo de corcho, más alto y ancho que ella, y rodeándola allí de nieve o hielo, con sal.

Garapita. (Del lat. *gallŭla,* agalla.) f. Red espesa y pequeña para coger pececillos.

Garapito. m. Insecto hemíptero, de un centímetro de largo, oblongo, con las alas cortas e inclinadas a un lado y otro del cuerpo, color fusco rayado de negro en el dorso, boca puntiaguda, y las patas del último par mucho más largas que las de los otros dos. Vive sobre las aguas estancadas, en las cuales nada, generalmente de espaldas.

Garapullo. m. **Rehilete,** 1.ª acep.

Garatura. (Del ital. *grattatura,* de *grattare,* raspar.) f. Instrumento cortante y corvo con dos manijas, que usan los pelambreros para separar la lana de las pieles, rayéndolas.

Garatusa. f. Lance del juego del chilindrón o pechigonga, que consiste en descartarse de sus nueve cartas el que es mano, dejando a los demás con las suyas. || **2.** fam. Halago y caricia para ganar la voluntad de una persona. || **3.** *Esgr.* Treta compuesta de nueve movimientos, y partición de dos o tres ángulos, que hacen por ambas partes, por fuera y por dentro, arrojando la espada a los lados, y de allí volviendo a subirla para herir de estocada en el rostro o pecho.

Garay. m. Embarcación filipina, especie de cha ana, de costados levantados y rectos y de proa algo más estrecha que el resto de la embarcación. Sirvió en un principio para conducir ganado; pero destinada después a la piratería, va desapareciendo.

Garba. (Del ant. alto al. *garba.*) f. *Ar.* y *Murc.* Gavilla de mieses. || **2.** *Nav.* Hierba para pienso del ganado.

Garbancero, ra. adj. Referente al garbanzo. Aplícase especialmente al terreno o al tiempo en que se dan bien los garbanzos. || **2.** m. y f. Persona que trata en garbanzos. || **3.** Persona que vende torrados.

Garbanzal. m. Tierra sembrada de garbanzos.

Garbanzo. (En gr. ἐρέβινθος.) m. Planta herbácea de la familia de las papilionáceas, con tallo de cuatro a cinco decímetros de altura, duro y ramoso; hojas compuestas de hojuelas elípticas y aserradas por el margen; flores blancas, axilares y pedunculadas, y fruto en vaina inflada, pelosa, con una o dos semillas amarillentas, de un centímetro próximamente de diámetro, gibosas, y con un ápice encorvado. || **2.** Semilla de esta planta, legumbre de mucho uso en España; se come ordinariamente en la olla, en potaje, y a veces solamente tostada con sal. || **Garbanzo negro.** fig. Persona que entre las de su clase no goza de consideración por sus condiciones morales o de carácter. || **de agua.** Medida antigua de agua, equivalente a la cantidad de líquido que sale por un caño del diámetro de un **garbanzo** regular. || **¿De dónde le vino al garbanzo el pico?** ref. con que se reprende al que siendo de linaje humilde o de escasas dotes se ensoberbece jactándose. || **Echar garbanzos** a uno fr. fig. y fam. Incitarle a que diga lo que de otra suerte callaría, o enfadarle. || **Ese garbanzo no se ha cocido en su olla.** expr. fig. y fam. **Ese bollo no se ha cocido en su horno.** || **Garbanzos de a libra.** expr. fig. Cosa rara o extraordinaria. || **Poner garbanzos a** uno. fr. fig. y fam. **Echarle garbanzos.** || **Por un garbanzo no se descompone la olla.** fr. fig. y fam. usada para despreciar la defección o el disentimiento de una persona del acuerdo de la mayoría. || **Tropezar** uno **en un garbanzo.** fr. fig. y fam. con que se denota la propensión a hallar dificultad en todo, a enredarse en cualquier cosa, o a tomar motivo de cosas fútiles para enfadarse o hacer oposición.

Garbanzón. m. *Al.* **Agracejo,** 3.er art.

Garbanzuelo. m. d. de **Garbanzo.** || **2.** *Veter.* **Esparaván,** 2.ª acep. || **3.** V. **Esparaván de garbanzuelo.**

Garbar. tr. *Ar.* Formar las garbas o recogerlas.

Garbear. intr. Afectar garbo o bizarría en lo que se hace o se dice.

Garbear. tr. *Ar.* **Garbar.** || **2.** Robar o andar al pillaje. || **3.** intr. fam. Trampear, buscarse la vida. Ú. t. c. r.

Garbera. (Del germ. *garba,* gavilla.) f. *And., Ar.* y *Murc.* Montón de garbas.

Garbías. m. pl. Guisado compuesto de borrajas, bledos, queso fresco, especias finas, flor de harina, manteca de cerdo sin sal y yemas de huevos duros, todo cocido y después hecho tortillas y frito.

Garbillador, ra. adj. Dícese de la persona que garbilla. Ú. t. c. s.

Garbillar. (De *garbillo.*) tr. Ahechar grano. || **2.** *Min.* Limpiar minerales con el garbillo.

Garbillo. (Del lat. *cribĕllum,* cribo.) m. Especie de zaranda de esparto con que se garbilla el grano. || **2.** *And.* y *Murc.* Esparto largo y escogido. || **3.** Ahechaduras que resultan en las fábricas de harina y que, molidas, sirven de alimento al ganado. || **4.** *Min.* Especie de criba con aro de esparto y fondo de lona o tela metálica con que se apartan de los minerales la tierra y las gangas. || **5.** *Min.* Mineral menudo y limpiado con el **garbillo.**

Garbín. m. **Garvín.**

Garbino. (Del ár. *garbī,* occidental.) m. **Sudoeste,** 2.ª acep.

Garbo. (Del ant. alto al. *garwi,* ornato, atavío.) m. Gallardía, gentileza, buen aire y disposición de cuerpo. || **2.** fig. Cierta gracia y perfección que se da a las cosas. || **3.** fig. Bizarría, desinterés y generosidad.

Gárboli. m. desus. *Cuba.* Juego del escondite.

Garbón. (De *garba.*) m. *Val.* Haz pequeño de leña menuda que se usa para los hornos.

Garbón. (En fr. *garbon;* en prov. *garroun.*) m. *Zool.* Macho de la perdiz.
Garbosamente. adv. m. Con garbo.
Garboso, sa. (De *garbo.*) adj. Airoso, gallardo, bizarro y bien dispuesto. || **2.** fig. Generoso.
Gárbula. (Del lat. *valvŏlus,* vaina, hollejo.) f. *Sal.* Vaina seca de los garbanzos, que se aprovecha para la lumbre.
Garbullo. (Del ital. *garbuglio.*) m. Inquietud y confusión de muchas personas revueltas unas con otras. Dícese especialmente de los muchachos cuando andan a la rebatiña.
Garcero. (De *garza.*) adj. V. **Halcón garcero.**
Garceta. (De *garza.*) f. Ave del orden de las zancudas, de unos 40 centímetros de alto y 65 de envergadura; plumaje blanco, cabeza con penacho corto, del cual salen dos plumas filiformes pendientes, pico recto, negro y largo, cuello muy delgado, buche adornado con plumas finas y prolongadas, y tarsos negros. || **2.** Pelo de la sien, que cae a la mejilla y allí se corta o se forma en trenzas. || **3.** *Mont.* Cada una de las puntas inferiores de las astas del venado.
García. m. fam. *And., Ast.* y *Rioja.* Zorro, raposo.
Garda. (De *gardar.*) f. *Germ.* Trueque o cambio de una alhaja por otra.
Garda. f. *Germ.* **Viga,** 1.ª acep.
Gardacho. m. *Ál.* y *Nav.* **Lagarto,** 1.ª acep.
Gardama. f. *Ál.* y *Nav.* **Carcoma,** 1.ª acep.
Gardar. tr. ant. **Guardar.** || **2.** *Germ.* Trocar o cambiar una alhaja por otra.
Gardenia. (De *Garden,* médico inglés a quien fué dedicada esta planta.) f. Arbusto originario del Asia oriental, de la familia de las rubiáceas, con tallos espinosos de unos dos metros de altura; hojas lisas, grandes, ovaladas, agudas por ambos extremos y de color verde brillante; flores terminales, solitarias, de pétalos gruesos, blancas y olorosas, y fruto en baya de pulpa amarillenta. || **2.** Flor de esta planta.
Gardingo. (Del godo *warjan,* guardar.) m. Individuo de uno de los órdenes del oficio palatino entre los visigodos, inferior a los duques y los condes.
Gardo. m. *Germ.* **Mozo.**
Gardubera. f. *Ál.* **Cerraja,** 2.° art.
Garduja. f. En las minas de Almadén, piedra que, por no tener ley de azogue, se arroja como inútil.
Garduña. (Quizá del ár. *qarqadūn* o *qarqadawn,* nombre de una rata.) f. Mamífero carnicero, de unos tres decímetros de largo, cabeza pequeña, orejas redondas, cuello largo, patas cortas, pelo castaño por el lomo, pardo en la cola y blanco en la gorja y pecho. Es nocturno y muy perjudicial, porque destruye las crías de muchos animales útiles.
Garduño, ña. (De *garduña.*) m. y f. fam. Ratero o ratera que hurta con maña y disimulo.
Garete (Ir, o **irse, al).** fr. *Mar.* Dícese de la embarcación que, sin gobierno, va llevada del viento o de la corriente.
Garfa. (De ant. alto al. *harfan,* agarrar.) f. Cada una de las uñas de las manos en los animales que las tienen corvas. || **2.** Derecho que se exigía antiguamente por la justicia para poner guardas en las eras. || **3.** *Mec.* Pieza que agarra, para sostenerlo colgado, el cable conductor de la corriente para los tranvías y ferrocarriles eléctricos. || **Echar la garfa.** fr. fig. y fam. Procurar coger y agarrar algo con las uñas.
Garfada. (De *garfa.*) f. Acción de procurar coger o agarrar con las uñas, especialmente los animales que las tienen corvas, y por ext., cualesquier animales, y aun las personas.
Garfear. (De *garfa.*) intr. Echar los garfios para asir con ellos una cosa.
Garfiada. (De *garfio.*) f. **Garfada.**
Garfiña. (De *garfiñar.*) f. *Germ.* **Hurto,** 1.ª acep.
Garfiñar. (De *garfa.*) tr. *Germ.* **Hurtar,** 1.ª acep.
Garfio. (De *garfa.*) m. Instrumento de hierro, corvo y puntiagudo, que sirve para aferrar algún objeto.
Gargajeada. (De *gargajear.*) f. **Gargajeo.**
Gargajear. intr. Arrojar gargajos por la boca.
Gargajeo. m. Acción y efecto de gargajear.
Gargajiento, ta. adj. **Gargajoso.** Ú. t. c. s.
Gargajo. (De la raíz onomatopéyica *garg-;* en gr. γαργαρίζω; en lat. *gargarizāre.*) m. Flema casi coagulada que se expele de la garganta.
Gargajoso, sa. adj. Que gargajea con frecuencia. Ú. t. c. s.
Gargal. (De *garla,* agalla, en port. dialectal, y éste del lat. **gallŭla,* d. de *galla.*) m. *Chile.* Agalla del roble.
Gargalizar. (Del lat. *gargaridiāre* o *-zāre.*) intr. ant. **Vocear,** 1.ª acep.
Gargamillón. m. *Germ.* **Cuerpo,** 2.ª acep.
Garganchón. m. **Garguero.**
Garganta. (Como el ital. *gargatta,* de la onomat. *garg.*) f. Parte anterior del cuello. || **2.** Espacio interno comprendido entre el velo del paladar y la entrada del esófago y de la laringe. || **3.** Voz del cantante. || **4.** V. **Nudo en la garganta.** || **5.** V. **Paso de garganta.** || **6.** fig. Parte superior del pie, por donde está unido con la pierna. || **7.** fig. Cualquier estrechura de montes, ríos u otros parajes. || **8.** fig. **Cuello,** 7.ª acep. || **9.** fig. Ángulo que forma la cama del arado con el dental y la reja. || **10.** *And.* Cama del arado. || **11.** *Arq.* Parte más delgada y estrecha de las columnas, balaustres y otras piezas semejantes. || **12.** *Fort.* Abertura menor de la cañonera que se abre en las fortificaciones para el uso de la artillería. || **de polea.** Ranura cóncava, abierta en el contorno de la polea, por donde pasa la cuerda. || **Hacerse** uno **de garganta.** fr. Preciarse de cantar bien, con facilidad de gorjeos y quiebros. || **Mentir por la garganta.** fr. ant. **Mentir por la barba.** || **Seca la garganta, ni gruñe ni canta.** ref. con que los bebedores disculpan su afición a beber a menudo. || **Tener** a uno **atravesado en la garganta.** fr. fig. y fam. **No poderle tragar.** || **Tener** uno **buena garganta.** fr. Ejecutar mucho con la voz en el canto.
Gargantada. f. Porción de cualquier líquido que se arroja de una vez violentamente por la garganta.
Gargantear. intr. Cantar haciendo quiebros con la garganta. || **2.** tr. *Germ.* Confesar en el tormento. || **3.** *Mar.* Ligar la gaza de un cuadernal o motón, para unirla bien al cuerpo del mismo.
Garganteo. m. Acción de gargantear, 1.ª acep.
Gargantería. (De *gargantero.*) f. ant. **Glotonería.**
Gargantero, ra. (De *garganta.*) adj. ant. **Glotón.** Usáb. t. c. s.
Gargantez. f. ant. **Garganteza.**
Garganteza. (De *garganta.*) f. ant. **Glotonería.**
Gargantil. (De *garganta.*) m. Escotadura que tiene la bacía del barbero para ajustarla al cuello del que se afeita.
Gargantilla. f. **Collar,** 1.ª acep. || **2.** Cada una de las cuentas que se pueden ensartar para formar un collar.
Gargantón, na. adj. ant. **Glotón.** Usáb. t. c. s. || **2.** m. aum. de **Garganta.**
Gárgara. (De la onomat. *garg.*) f. Acción de mantener un líquido en la garganta, con la boca hacia arriba, sin tragarlo y arrojando el aliento, lo cual produce un ruido semejante al del agua en ebullición. Ú. m. en pl. || **Mandar** a uno **a hacer gárgaras.** fr. fam. **Mandarle a freír espárragos.**
Gargarismo. (Del lat. *gargarisma,* y éste del gr. γαργαρισμός.) m. Acción de gargarizar. || **2.** Licor que sirve para hacer gárgaras.
Gargarizar. (Del lat. *gargarizāre,* y éste del gr. γαργαρίζω.) intr. Hacer gárgaras.
Gárgaro. m. *Venez.* Juego del escondite.
Gargavero. m. **Garguero.** || **2.** Instrumento músico de viento, compuesto de dos flautas dulces con una sola embocadura.
Gargol. (Del ár. *gargal,* huevo huero.) adj. Hablando de los huevos, **huero.**
Gárgol. (De *gárgola,* 1.er art.) m. Ranura en que se hace encajar el canto de una pieza; como el tablero de una puerta en los largueros y peinazos, las tiestas de una pipa en las duelas, o la lengüeta de una tabla de suelo en la contigua.
Gárgola. (Del b. lat. *gargula,* y éste del lat. *gurgulio.*) f. Caño o canal, por lo común vistosamente adornado, por donde se vierte el agua de los tejados o de las fuentes.
Gárgola. (Del lat. *valvŏlus,* hollejo y vaina.) f. **Baga,** 1.er art. || **2.** *Ál.* Vaina de legumbre, que contiene uno o dos granos.
Gargozada. (De *gorgozada.*) f. ant. **Gorgozada.**
Garguero. (Del m. or. que *gargajo.*) m. Parte superior de la tráquea. || **2.** Toda la caña del pulmón.
Gargüero. m. **Garguero.**
Garibaldina. f. Especie de blusa de color rojo, como la que usaban el general italiano Garibaldi y sus voluntarios, que estuvo de moda entre las señoras.
Garifalte. m. ant. **Gerifalte,** 1.ª acep.
Garifo, fa. adj. **Jarifo.**
Garigola. f. *Murc.* Caja en que el cazador lleva metido el hurón.
Gario. m. *León, Pal., Seg.* y *Vallad.* **Bielda,** 1.ª acep. || **2.** *Sant.* Instrumento agrícola, especie de rastro de madera para recoger el abono. || **3.** *Albac.* Triple garfio para sacar de los pozos latas, cubos, etc.
Gariofilea. (De *gariofilo.*) f. Especie de clavel silvestre.
Gariofilo. (Del lat. *garyophyllon,* y éste del gr. καρυόφυλλον.) m. ant. Clavo de especia.
Garita. (Del fr. *garite, guérite;* de *se garer,* refugiarse.) f. Torrecilla de fábrica o de madera fuerte, con ventanillas largas y estrechas, que se coloca en los puntos salientes de las fortificaciones para abrigo y defensa de los centinelas. || **2.** Casilla pequeña de madera que se destina para abrigo y comodidad de centinelas, vigilantes, guardafrenos, etc. || **3.** Cuarto pequeño que suelen tener los porteros en el portal para poder ver quién entra y sale. || **4.** Excusado, retrete con un solo asiento; y donde hay muchos, cada división separada con el suyo.
Garitero. m. El que tiene por su cuenta un garito. || **2.** El que con frecuencia va a jugar a los garitos. || **3.** *Germ.* Encubridor de ladrones.
Garito. (De *garita.*) m. Paraje o casa donde concurren a jugar los tahúres o fulleros. || **2.** Ganancia que se saca de la casa del juego. || **3.** *Germ.* **Casa,** 1.ª acep.
Garitón. (De *garito.*) m. *Germ.* **Aposento,** 1.ª acep.
Garla. (De *garlar.*) f. fam. Habla, plática o conversación.
Garlador, ra. adj. fam. Que garla. Ú. t. c. s.
Garlante. p. a. fam. de **Garlar.** Que garla.
Garlar. (Del lat. *garrŭlāre,* charlar.) intr. fam. Hablar mucho, sin intermisión y poco discretamente.

Garlear. (De *garla.*) intr. *Germ.* **Triunfar,** 1.ª acep.
Garlera. (De *galera.*) f. *Germ.* **Carreta.**
Garlido. (De *garlar.*) m. p. us. **Chirrido.**
Garlito. (Del dialect. *garla,* garganta, y éste del lat. *gallŭla,* agalla.) m. Especie de nasa, a modo de buitrón, que tiene en lo más estrecho una red dispuesta de tal forma que, entrando el pez por la malla, no puede salir. || **2.** fig. y fam. Celada, lazo o asechanza que se arma a uno para molestarle y hacerle daño. || **Caer** uno **en el garlito.** fr. fig. y fam. **Caer en el lazo.** || **Coger** a uno **en el garlito.** fr. fig. y fam. Sorprenderle en una acción que quería hacer ocultamente.
Garlo. m. *Germ.* **Garla.**
Garlocha. f. **Garrocha.**
Garlochí. m. *Germ.* **Corazón.**
Garlón. (De *garlo.*) m. *Germ.* **Hablador.**
Garlopa. (Del neerl. *voorloop.*) f. *Carp.* Cepillo largo y con puño, que sirve para igualar las superficies de la madera ya acepillada, especialmente en las junturas de las tablas.
Garma. f. *Ast.* y *Sant.* Vertiente muy agria donde es fácil despeñarse.
Garmejón. (Del dialect. *garmar,* y éste del lat. *carmināre,* cardar.) m. *Sal.* Trípode sobre el cual se espada el lino.
Garnacha. (De *guarnecer.*) f. Vestidura talar con mangas y un sobrecuello grande, que cae desde los hombros a las espaldas. Úsanlo los togados. || **2.** Persona que viste la **garnacha.** || **3.** Compañía de cómicos o representantes que andaba por los pueblos, y se componía de cinco o seis hombres, una mujer, que hacía de primera dama, y un muchacho que hacía de segunda. || **4.** *León.* **Melena,** 1.er art., 2.ª acep. || **5.** fam. *León.* **Pescozón.** || **6.** *Méj.* desus. Tortilla grande con chile u otro manjar.
Garnacha. (Como el fr. *garnache,* y el ital. *vernaccia,* del lat. **hibernacĕa,* de *hibernus,* invierno.) f. Especie de uva roja que tira a morada, los racimos no grandes, los granos bastante separados, muy delicada, de muy buen gusto y muy dulce, de la cual hacen un vino especial. || **2.** Este mismo vino. || **3.** Género de bebida a modo de carraspada.
Garnato. m. ant. **Granate.**
Garniel. m. Bolsa de cuero, especie de burjaca, pendiente del cinto y con varias divisiones. También se da ese nombre al cinturón que lleva pendiente esa bolsa. || **2.** *Ecuad.* y *Méj.* Maletín o estuche de cuero.
Garo. (Del lat. *garum,* y éste del gr. γάρος.) m. Condimento muy estimado por los romanos, que se hacía poniendo a macerar en salmuera y con diversos líquidos los intestinos, hígado y otros desperdicios de ciertos pescados; como el escombro, el escaro y el salmonete. || **2.** Pez, hoy desconocido, con que decían los antiguos que se hizo primeramente este condimento.
Garó. (Del fr. *gare,* refugio.) m. *Germ.* **Pueblo,** 1.ª acep.
Garojo. (Del lat. *carylium,* de *caryon,* nuez.) m. *Sant.* **Carozo,** 1.ª acep.
Garona. n. p. *Germ.* V. **Juan de Garona.**
Garoso, sa. adj. *Colomb.* y *Venez.* Hambriento, comilón.
Garpa. (De *grapa.*) f. **Carpa,** 2.° art.
Garra. (Del célt. *garra,* pierna.) f. Mano o pie del animal, cuando están armados de uñas corvas, fuertes y agudas; como en el león y el águila. || **2.** fig. Mano del hombre. || **3.** fig. y fam. V. **Gente de la garra.** || **4.** *Mar.* Cada uno de los ganchos del arpeo. || **5.** *Ar.* y *Nav.* **Pierna,** 1.ª acep. || **6.** *Argent.* y *Méj.* Extremidad del cuero por donde se afianza en las estacas al estirarlo. || **7.** *Argent., Colomb. C. Rica* y *Chile.* Pedazo de cuero endurecido y arrugado. || **8.** *Colomb.* **Coracha.** || **9.** pl. *Amér.* Desgarrones, harapos. || **Caer en las garras.** fr. fig. Caer en las manos de uno de quien se teme o recela grave daño. || **Cinco y la garra.** expr. fam. con que se da a entender que ciertas cosas que se tienen es sólo a costa de tomarlas o haberlas hurtado, aludiendo a los cinco dedos de la mano, con que se toman. || **Echar** a uno **la garra.** fr. fig. y fam. Cogerle o prenderle. || **Sacar** a uno **de las garras de** otro. fr. fig. Libertarle de su poder.
Garrabera. f. *Ar.* Variedad de zarzamora.
Garrafa. (Del ár. *garrāf,* cántaro.) f. Vasija esférica, que remata en un cuello largo y angosto. Las hay de vidrio, de cobre y de estaño, y sirven para enfriar las bebidas o licores, rodeándolas de hielo. || **corchera.** La que se usa siempre dentro de una corchera proporcionada a sus dimensiones, y constituye con ella un solo aparato.
Garrafal. (De *garrofal.*) adj. Dícese de cierta especie de guindas y cerezas, mayores y menos tiernas que las comunes, y de los árboles que las producen. || **2.** fig. Aplícase a ciertas cosas exorbitantes. *Error, mentira* GARRAFAL. Tómase siempre en mala parte.
Garrafiñar. (De *garfiñar.*) tr. fam. Quitar una cosa agarrándola.
Garrafón. m. aum. de **Garrafa.** || **2.** Damajuana o castaña.
Garrama. (Del m. or. que *garama.*) f. Cierta contribución que pagan los mahometanos a sus príncipes. || **2.** fam. Robo, pillaje, hurto o estafa. || **3.** *Sal.* Derrama, contribución.
Garramar. (De *garrama,* robo.) tr. fam. Hurtar y agarrar con astucia y engaño cuanto se encuentra.
Garrampa. (Del germ. *kramp,* calambre.) f. *Ar.* **Calambre.**
Garrancha. (aum. de *garra.*) f. fam. **Espada,** 1.ª acep. || **2.** ant. **Gancho.** Ú. en *Ar.* y *Colomb.* || **3.** *Bot.* **Espata.**
Garranchada. f. **Garranchazo.**
Garranchazo. m. Herida o rasgón que se hace con un garrancho o con un gancho.
Garrancho. (despect. de *garra.*) m. Parte dura, aguda y saliente del tronco o rama de una planta. || **2.** **Gancho,** 2.ª acep.
Garranchuelo. (De *garrancho.*) m. Planta anua de la familia de las gramíneas, que tiene el tallo tendido y acodado, de unos cuatro decímetros de largo, hojas y vainas vellosas, y espigas lineares, largas, verdosas o violáceas.
Garrapata. (De *garra* y *pata.*) f. *Zool.* Ácaro de forma ovalada, de cuatro a seis milímetros de largo, con las patas terminadas en dos uñas mediante las cuales se agarra al cuerpo de ciertos mamíferos (hombre, perros, carneros, etc.) para chuparles la sangre; suele ingerir este líquido en tal cantidad, que su cuerpo adquiere un volumen desmesurado, llegando a hacerse casi esférico. || **2.** fam. *Mil.* En los regimientos de caballería, caballo inútil. || **3.** fam. *Mil.* Tropa que cuida y conduce las **garrapatas,** 2.ª acep.
Garrapatear. intr. Hacer garrapatos. Ú. t. c. tr.
Garrapatero. m. *Colomb., Ecuad.* y *Venez.* Ave de pico corvo, pecho blanco y alas negras, que se alimenta de garrapatas que quita al ganado.
Garrapato. (De *garabato.*) m. Rasgo caprichoso e irregular hecho con la pluma. || **2.** pl. **Escarabajo,** 6.ª acep.
Garrapatón. (De *gazapatón,* infl. por *garrapato.*) m. **Gazapatón.**
Garrapatoso, sa. adj. Aplícase a la escritura llena de garrapatos.
Garrapiñar. (De *garrafiñar, garfiñar,* infl. por *rapiña.*) tr. **Garrafiñar.**
Garrapo. m. *Sal.* Cerdo que no ha cumplido un año.
Garrar. (De *garra.*) intr. *Mar.* Cejar o ir hacia atrás un buque arrastrando el ancla, por no haber ésta hecho presa, o por haberse desprendido, o por no sujetarla bastante el fondo.
Garrasí. m. *Venez.* Calzón usado por los llaneros, abierto a los costados y abotonado hasta la corva, donde remata en dos puntas.
Garrear. intr. *Mar.* **Garrar.**
Garria. f. *Sal.* Prado extenso sin árboles. || **2.** *Sal.* Oveja que se queda rezagada.
Garridamente. adv. m. ant. Lindamente, gallardamente.
Garrideza. (De *garrido.*) f. ant. Gallardía o gentileza de cuerpo. || **2.** fig. **Elegancia,** 1.ª acep.
Garrido, da. adj. **Galano.**
Garridura. f. ant. Acción y efecto de garrir.
Garrir. (Del lat. *garrīre.*) intr. ant. **Charlar.** || **2.** Gritar el loro.
Garro. (De *garra.*) m. *Germ.* **Mano,** 1.ª acep.
Garroba. f. **Algarroba,** 3.ª acep.
Garrobal. adj. ant. **Garrafal,** 1.ª acep. || **2.** m. Sitio poblado de algarrobos.
Garrobilla. (De *garrobo.*) f. Astillas o pedazos de algarrobo, de que usan, con otros ingredientes, para curtir los cueros y darles un color como leonado.
Garrobo. m. ant. **Algarrobo.**
Garrobo. m. *C. Rica* y *Hond.* Saurio de fuerte piel escamosa, que abunda en las tierras cálidas de las costas y vive en las cercanías de las casas.
Garrocha. (De *garra.*) f. Vara que en la extremidad tiene un hierro pequeño con un arponcillo para que agarre y no se desprenda. || **2.** Vara larga para picar toros, que tiene cuatro metros de largo, cinco centímetros de grueso y una punta de acero de tres filos, llamada puya, sujeta en el extremo por donde se presenta a la fiera.
Garrochar. tr. **Agarrochar.**
Garrochazo. m. Herida y golpe dado con la garrocha.
Garrochear. (De *garrocha.*) tr. **Agarrochar.**
Garrochista. m. **Agarrochador.**
Garrochón. (aum. de *garrocha.*) m. **Rejón,** 2.ª acep.
Garrofa. f. **Algarroba,** 3.ª acep.
Garrofal. (De *garrofa.*) adj. **Garrafal.** || **2.** m. **Garrobal,** 2.ª acep.
Garrofero. m. *Murc.* **Algarrobo.**
Garrón. (De *garra.*) m. Espolón de ave. || **2.** Extremo de la pata del conejo, de la res y otros animales, por donde se cuelgan después de muertos. || **3.** Cualquiera de los ganchos que quedan de las ramas laterales de otra principal que se corta de un árbol. || **4.** *Ar., Murc.* y *P. Rico.* **Calcañar;** y así, del que lleva las medias caídas, se dice que las lleva al **garrón.** || **Tener garrones.** fr. fig. y fam. que se aplica a aquellas personas que por la experiencia que tienen del mundo, no son fáciles de engañar.
Garrota. f. **Garrote,** 1.ª acep. || **2.** **Cayado,** 1.ª acep.
Garrotal. (De *garrote.*) m. Plantío de olivar, hecho con estacas o garrotes de olivos grandes.
Garrotazo. m. Golpe dado con el garrote.
Garrote. (De *garra.*) m. Palo grueso y fuerte que puede manejarse a modo de bastón. || **2.** **Estaca,** 2.ª acep., especialmente la del olivo. || **3.** V. **Vino de garrote.** || **4.** Compresión fuerte que se hace de las ligaduras retorciendo la cuerda con un palo. || **5.** Ligadura fuerte que se da en los brazos o muslos oprimiendo su carne, y que se ha empleado algunas veces como tormento. || **6.** Instrumento para ejecutar a los condenados a muerte, que consiste en un aro de hierro con que se sujeta contra un pie

derecho la garganta del sentenciado, oprimiéndola en seguida por medio de un tornillo de paso muy largo hasta conseguir la estrangulación. || **7.** Defecto de un dibujo, que consiste en la falta de la continuidad debida a una línea. || **8.** Pandeo de una pared, en la superficie de una piedra labrada, en la alineación de los caños de una conducción de agua, etc. || **9.** *Pal.* y *Sant.* Cesto que se hace de tiras de palo de avellano. || **10.** *Sant.* Unidad de medida para leñas, que equivale a media carga. || **11.** *Méj.* **Galga,** 4.° art., 1.ª acep. || **12.** *Mar.* Palanca con que se da vuelta a la trinca de un cabo. || **Dar garrote.** fr. Ejecutar el suplicio o el tormento de **garrote.** || **2.** fig. y fam. Quitar el ratero la anilla a un reloj de bolsillo para separarlo de la cadena.

Garrotear. (De *garrote.*) tr. ant. **Apalear,** 1.er art., 1.ª acep. Ú. en *Amér.*

Garrotera. f. *Murc.* Cada una de las estacas que forman los adrales del carro.

Garrotillo. (d. de *garrote.*) m. Difteria en la laringe, y a veces en la tráquea y otros puntos del aparato respiratorio, que suele ocasionar la muerte por sofocación. Ataca de ordinario en la primera infancia. || **2.** *Rioja.* Palo corvo que se usa para dar el nudo al vencejo sin lastimarse los dedos cuando se atan los haces de mies.

Garrotín. m. Baile que gozó de mucha popularidad a fines del siglo XIX.

Garrubia. f. **Algarroba,** 2.ª acep.

Garrucha. (De *carrucha.*) f. **Polea.** || **2.** V. **Tormento de garrucha.** || **3.** *Ar.* y *Vallad.* **Pasador,** 11.ª acep. || **combinada.** La que forma parte de un sistema de **garruchas;** como los cuadernales y aparejos. || **fija.** La que no muda de sitio y sirve de guía a la cuerda, en uno de cuyos extremos actúa la potencia y en el otro la resistencia. || **movible.** La que cambia de sitio bajando y subiendo, y entonces un extremo de la soga está asegurado a un punto fijo, y la resistencia se sujeta a la armadura de la polea. || **simple.** La que funciona sola e independiente.

Garrucho. (De *garrucha.*) m. *Mar.* Anillo de hierro o madera, que sirve para envergar las velas de cuchillo y para otros usos.

Garruchuela. f. d. de **Garrucha.**

Garrudo, da. adj. Que tiene mucha garra.

Garrulador, ra. adj. **Gárrulo.**

Garrulería. f. Charla de persona gárrula.

Garrulidad. (Del lat. *garrulĭtas -ātis.*) f. Calidad de gárrulo.

Gárrulo, la. (Del lat. *garrŭlus.*) adj. Aplícase al ave que canta, gorjea o chirría mucho. || **2.** fig. Dícese de la persona muy habladora o charlatana. || **3.** fig. Dícese de cosas que hacen ruido continuado; como el viento, un arroyo, etc.

Garsina. f. *Germ.* **Hurto,** 1.ª acep.

Garsinar. (De *garsina.*) tr. *Germ.* **Hurtar,** 1.ª acep.

Garúa. (Del lat. *caligo, -inis,* obscuridad.) f. *Amér.* y *Murc.* **Llovizna.**

Garuar. (De *garúa.*) intr. *Amér.* **Lloviznar.**

Garujo. (Del lat. *carylium,* de *caryon,* nuez.) m. **Hormigón,** 1.er art.

Garulla. (Del lat. *carylium,* de *caryon,* nuez.) f. **Granuja,** 1.ª y 5.ª aceps. || **2.** fig. y fam. Conjunto desordenado de gente. || **3.** *Ast.* Cascajo, conjunto de nueces, avellanas y castañas. || **Campar de garulla.** fr. fam. Echar baladronadas, contando con algún apoyo.

Garullada. f. fig. y fam. **Garulla,** 2.ª acep.

Garullo. m. *Sal.* **Pavipollo.** || **2.** *And.*, *Áv.* y *Tol.* Pavo destinado a servir de padre. || **3.** *And.*, *Extr.* y *Sant.* Variedad de pera silvestre.

Garvín. m. Cofia hecha de red, que usaron las mujeres como adorno.

Garza. (Del ár. *garsa.*) f. Ave zancuda, de cabeza pequeña con moño largo y gris; pico prolongado y negro, amarillento por la base; la cerviz, los lados del cuello, las alas y la cola de color ceniciento; el cuerpo verdoso por encima y pardo blanquecino por debajo; los tarsos amarillentos, las uñas negras y las plumas de las alas con una mancha blanca en su extremo. Vive a orillas de los ríos y pantanos. || **real.** Ave zancuda, de cabeza pequeña con moño largo, negro y brillante, dorso azulado, vientre blanco, así como el pecho, que tiene manchas negruzcas casi elípticas; alas grises con las plumas mayores negras; tarsos verdosos y pico largo y amarillo, más obscuro hacia la punta. Abunda en España en los terrenos aguanosos. || **Aunque la garza vuela muy alta, el halcón la mata.** proverb. contra los engreídos.

Garzo, za. (Metát. de *zarco.*) adj. De color azulado. Aplícase más comúnmente a los ojos de este color, y aun a las personas que los tienen así. || **2.** m. **Agárico.**

Garzón. (Del fr. *garçon.*) m. Joven, mancebo, mozo. || **2.** Niño, hijo varón. || **3.** En el cuerpo de guardias de Corps, ayudante por quien el capitán comunicaba las órdenes. || **4.** ant. El que solicita, enamora o corteja. || **5.** ant. Joven que lleva vida disoluta con las mujeres. || **6.** desus. Sodomita, tratando de costumbres moras. || **7.** *Venez.* Ave de la especie de las garzas reales, de cabeza sin pluma, pico muy largo, collar rojo, alas negras y vientre blanco. Tiene en la mandíbula inferior una especie de bolsa donde deposita el agua.

Garzonear. (De *garzón,* 2.ª acep.) tr. ant. Solicitar, enamorar o cortejar. || **2.** ant. Llevar el joven vida disoluta con las mujeres.

Garzonería. f. ant. **Garzonía.**

Garzonía. (De *garzón,* 3.ª acep.) f. ant. Acción de solicitar, enamorar o cortejar. || **2.** ant. Vida disoluta del joven. || **3.** *Albac.* Acción de acariciarse los animales en celo. || **4.** *And.* Celo de los animales salvajes.

Garzota. (De *garza.*) f. Ave zancuda, de unos tres decímetros de largo, con el pico grande y de color negro; tiene en la nuca tres plumas de más de un decímetro de largo e inclinadas hacia la cola; el lomo verde negruzco, el vientre ceniciento, los pies amarillentos y las uñas negras. Habita en los países templados de entrambos continentes, en donde se alimenta de peces y anfibios. La hembra se distingue principalmente por carecer de las tres plumas que tiene el macho en la nuca. || **2.** Plumaje o penacho que se usa para adorno de los sombreros, morriones o turbantes, y en los jaeces de los caballos.

Garzul. adj. *And.* V. **Trigo garzul.**

Gas. (Palabra inventada por Van Helmont, muerto en 1644.) m. Todo fluido aeriforme a la presión y temperatura ordinarias. || **2.** Carburo de hidrógeno con mezcla de otros **gases,** que se obtiene por la destilación en vasos cerrados del carbón de piedra y se emplea para alumbrado o calefacción y para obtener fuerza motriz. || **hilarante.** Óxido nitroso que tiene propiedades anestésicas. || **permanente.** El que por insuficiencia de los procedimientos antes empleados no había podido liquidarse. Hoy no se conoce ya ninguno que tenga esta propiedad. || **pobre.** Mezcla de **gases** de poder luminoso muy débil, cuyos principales componentes son el hidrógeno y óxido de carbono. Se produce por la acción del vapor de agua y del aire sobre el carbón candente.

Gasa. (De *Gaza,* ciudad de Palestina, donde tal vez tuvo origen esta tela.) f. Tela de seda o hilo muy clara y sutil. || **2.** Tira de **gasa** o paño negro que se rodea al sombrero en señal de luto. || **3.** Banda de tejido muy ralo, que esterilizada o impregnada de substancias medicamentosas se usa en cirugía.

Gasajado, da. p. p. de **Gasajar.** || **2.** m. ant. **Agasajo.** || **3.** ant. Gusto, placer o contento.

Gasajar. (Del germ. *gasalho,* compañero.) tr. ant. Alegrar, divertir. Usáb. t. c. r.

Gasajo. (De *gasajar.*) m. ant. **Agasajo.**

Gasajoso, sa. (De *gasajo.*) adj. ant. Alegre, regocijado, gustoso. || **2.** ant. **Agasajador.**

Gascón, na. adj. Natural de Gascuña. Ú. t. c. s. || **2.** Perteneciente a esta antigua provincia de Francia. || **3.** V. **Capa gascona.**

Gasconés, sa. adj. **Gascón.** Apl. a pers., ú. t. c. s.

Gaseiforme. (De *gas* y *forma,* latinizados.) adj. Que se halla en estado de gas.

Gasendismo. m. Doctrina atomística del P. Gasendi o Gasendo, afamado filósofo francés del siglo XVII.

Gasendista. adj. Partidario del gasendismo. Ú. t. c. s.

Gaseosa. f. Bebida refrescante, efervescente y sin alcohol.

Gaseoso, sa. adj. **Gaseiforme.** || **2.** Aplícase al líquido de que se desprenden gases.

Gasificación. f. Acción de pasar un líquido al estado de gas.

Gasificar. tr. *Quím.* Determinar la gasificación de los cuerpos químicamente tratados.

Gasista. m. El que tiene por oficio la colocación y arreglo de los aparatos necesarios para el alumbrado por medio del gas y demás usos de éste. || **2.** El obrero empleado en los servicios del alumbrado por gas.

Gasógeno. (De *gas* y el gr. γεννάω, engendrar.) m. Aparato destinado para obtener gases. || **2.** Aparato que se instala en algunos vehículos automóviles, destinado a producir carburo de hidrógeno que se emplea como carburante. || **3.** Mezcla de bencina y alcohol, que se usa para el alumbrado y para quitar manchas.

Gasoleno. (De *gas* y el lat. *oleum,* aceite.) m. **Gasolina.**

Gasolina. f. Mezcla de hidrocarburos, líquida, incolora, muy volátil, fácilmente inflamable, producto del primer período de la destilación del petróleo.

Gasolinera. f. Lancha automóvil con motor de gasolina. || **2.** Depósito de gasolina para la venta al público.

Gasómetro. (De *gas* y el gr. μέτρον, medida.) m. Instrumento para medir el gas. || **2.** Aparato que en las fábricas de gas del alumbrado se emplea para que el fluido salga con uniformidad por efecto de una sostenida y constante presión. || **3.** Sitio y edificio donde está el aparato.

Gasón. (Del fr. *gazon.*) m. **Yesón.** || **2.** En algunas partes, terrón muy grande que queda sin desgranar por el arado. || **3.** *Ar.* **Césped,** 1.ª acep.

Gastable. adj. Que se puede gastar.

Gastadero. m. fam. Sitio o acción en que se gasta una cosa. GASTADERO *de tiempo, de paciencia.*

Gastado, da. p. p. de **Gastar.** || **2.** adj. Debilitado, disminuido, borrado con el uso. || **3.** Dícese de la persona decaída de su vigor físico o de su prestigio moral.

Gastador, ra. adj. Que gasta mucho dinero. Ú. t. c. s. || **2.** ant. fig. Que destruye o vicia. || **3.** m. En los presidios, el que va condenado a los trabajos públicos. *Ir condenado en calidad de* GASTADOR. || **4.** *Mil.* Soldado que se aplica a los trabajos de abrir trincheras y otros semejantes. || **5.** *Mil.* Cada uno de los soldados que hay en cada batallón destinados principalmente a franquear el paso en las marchas, para lo cual llevan palas, hachas y picos.

Gastamiento. m. Acción y efecto de gastarse o consumirse una cosa. || **2.** ant. **Gasto.**

Gastar. (Del lat. *vastāre*, infl. por el germ. *wōstjan*, gastar.) tr. Expender o emplear el dinero en una cosa. || **2. Consumir,** 1.ª acep. GASTAR *el vestido, el agua, las fuerzas.* Ú. t. c. r. || **3.** Destruir, asolar un territorio. || **4. Digerir,** 1.ª acep. || **5. Echar a perder,** 1.ª acep. || **6.** Tener habitualmente. GASTAR *mal humor.* || **7.** Usar, poseer, llevar. GASTAR *coche, anteojos, bigote, una broma.* || **Gastarlas.** expr. fam. Proceder, portarse. *Así* LAS GASTAS *tú; bien sé cómo* LAS GASTA *el amo.*

Gasterópodo. (Del gr. γαστήρ, estómago, y ποῦς, ποδός, pie.) adj. *Zool.* Dícese de los moluscos terrestres o acuáticos que tienen un pie carnoso mediante el cual se arrastran; la cabeza es más o menos cilíndrica y lleva en su extremo anterior la boca y en su parte dorsal uno o dos pares de tentáculos; el cuerpo se halla comúnmente protegido por una concha de una pieza y de forma muy variable, según las especies, casi siempre arrollada en espiral; como la púrpura y la lapa. Ú. t. c. s. || **2.** m. pl. *Zool.* Clase de estos moluscos.

Gasto. m. Acción de gastar. || **2.** Lo que se ha gastado o se gasta. || **3.** *Fís.* Cantidad que un manantial de fluido, agua, gas, electricidad, etc., proporciona en determinada unidad de tiempo. || **Gastos de escritorio.** Lo que se gasta en las oficinas y despachos particulares en papel, tinta, etc. || **de representación.** Asignación suplementaria aneja a ciertos cargos del Estado para su más decoroso desempeño, o haberes que perciben algunos funcionarios de elevada categoría a quienes no señalan sueldo las leyes. || **de residencia.** Lo que se abona sobre el sueldo a un funcionario público por tener que residir en localidades determinadas. || **Cubrir gastos.** fr. Producir una cosa lo bastante para resarcir de su coste. || **Dar el gasto.** fr. ant. **Talar,** 2.° art., 1.ª acep. || **Hacer el gasto.** fr. fig. y fam. Mantener uno o dos la conversación entre muchos concurrentes, o ser una cosa determinada la materia de ella.

Gastoso, sa. adj. Que gasta mucho.

Gastralgia. (Del gr. γαστήρ, γαστρός, estómago, y ἄλγος, dolor.) f. *Med.* Dolor de estómago.

Gastrálgico, ca. adj. Perteneciente o relativo a la gastralgia.

Gastricismo. m. Denominación genérica de diversos estados morbosos agudos del estómago.

Gástrico, ca. (Del lat. *gastrĭcus*, y éste del gr. γαστήρ, γαστρός, estómago.) adj. *Med.* Perteneciente al estómago. *Fiebre* GÁSTRICA. || **2.** *Fisiol.* V. **Jugo gástrico.**

Gastritis. (Del gr. γαστήρ, γαστρός, estómago, y el sufijo *itis*, inflamación.) f. *Med.* Inflamación del estómago.

Gastroenteritis. (Del gr. γαστήρ, γαστρός, estómago, y de *enteritis*.) f. *Med.* Inflamación simultánea de la membrana mucosa del estómago y de la de los intestinos.

Gastrointestinal. adj. Referente o relativo al estómago y a los intestinos.

Gastronomía. (Del gr. γαστρονομία; de γαστήρ, γαστρός, estómago, y νέμω, gobernar, arreglar.) f. Arte de preparar una buena comida. || **2.** Afición a comer regaladamente.

Gastronómico, ca. adj. Perteneciente o relativo a la gastronomía.

Gastrónomo, ma. m. y f. Persona inteligente en el arte de la gastronomía. || **2.** Persona aficionada a las mesas opíparas.

Gastrovascular. adj. *Zool.* Aplícase a la única cavidad que existe en el cuerpo de los animales celentéreos, en la cual se efectúa la digestión de los alimentos que han entrado en ella por una boca rodeada de varios tentáculos.

Gata. f. Hembra del gato. || **2. Gatuña.** || **3.** fig. Nubecilla o vapor que se pega a los montes y sube por ellos como gateando. || **4.** fig. y fam. Mujer nacida en Madrid. || **5.** *Zool. Cuba.* **Lija,** 1.ª acep. || **6.** *Ál.* y *Ast.* Oruga grande, erizada de pelos largos, con dos apéndices en el último anillo. || **7.** *Mar.* V. **Aparejo de gata.** || **8.** *Mil.* Cobertizo, a manera de manta, para cubrir a los soldados que se acercaban al muro para minarlo. || **de Juan Ramos,** o **de Mari Ramos.** fig. y fam. Persona que disimuladamente y con melindre pretende una cosa, dando a entender que no la quiere. || **parida.** fig. y fam. Persona flaca y extenuada. || **¿Está parida la gata?** fr. que se emplea cuando hay varias luces de sobra en una habitación. || **Hacer la gata,** o **la gata ensogada,** o **la gata muerta.** fr. fig. y fam. Simular o afectar humildad o moderación. || **No eches la gata en tu cama, o no la acocees después de echada.** ref. que aconseja no dar demasiadas alas a uno, o no extrañar ni quejarse después si abusa de la excesiva tolerancia que con él se tiene. || **Regala a la gata y te saltará a la cara.** ref. contra ingratos.

Gatada. f. Acción propia de gato. || **2.** Regate o parada repentina que suele hacer la liebre en la carrera cuando la siguen los perros, con lo que logra que éstos pasen de largo y ella vuelve hacia atrás, sacándoles gran ventaja. || **3.** fig. y fam. Acción vituperable en que median astucia, engaño y simulación.

Gatallón, na. (despect. de *gato*.) adj. fam. Pillastrón, maulón. Ú. t. c. s.

Gatamuso, sa. adj. *Vallad.* Hipócrita, solapado. Ú. t. c. s.

Gatas (A). m. adv. con que se significa el modo de ponerse o andar una persona con pies y manos en el suelo, como los gatos y demás cuadrúpedos. || **Salir uno a gatas.** fr. fig. y fam. Librarse con gran trabajo y dificultad de un peligro o apuro.

Gatatumba. f. fam. Simulación de obsequio, de reverencia, dolor u otra cosa semejante.

Gatazo. m. aum. de **Gato,** 1.er art. || **2.** fam. Engaño que se hace a uno para sacarle dinero u otra cosa de valor. || **Dar gatazo.** fr. fig. y fam. Engañar, timar.

Gateado, da. adj. Semejante en algún aspecto al del gato. *Ojos grandes y* GATEADOS. || **2.** Con vetas semejantes a las de los gatos de algalia. *Mármol* GATEADO. || **3.** *Argent.* Dícese del caballo o de la yegua de pelo rubio con una línea negruzca en el filo del lomo y otras iguales y de través en brazos y piernas. || **4.** m. Madera americana muy compacta y variamente veteada, que emplean los ebanistas en muebles de lujo. || **5. Gateamiento.**

Gateamiento. m. Acción de gatear.

Gatear. intr. Trepar como los gatos, y especialmente subir por un tronco o astil valiéndose de los brazos y las piernas. || **2.** fam. Andar a gatas. || **3.** tr. fam. Arañar el gato. || **4.** fam. **Hurtar,** 1.ª acep.

Gatera. f. Agujero que se hace en pared, tejado o puerta para que puedan entrar y salir los gatos o con otros fines. || **2.** *Mar.* Agujero circular, revestido de hierro y practicado en las cubiertas de los buques, por el cual sale la cadena de la caja donde está estibada. || **3.** com. **Gatillo,** 5.ª acep.

Gatera. (Del quichua *ccatu*, mercado.) f. *Bol., Ecuad.* y *Perú.* Revendedora, y más especialmente verdulera.

Gatería. f. fam. Junta o concurrencia de muchos gatos. || **2.** fig. y fam. Reunión de mozos o muchachos mal criados. || **3.** fig. y fam. Simulación, con especie de humildad y halago, con que se pretende lograr una cosa.

Gatero, ra. adj. Habitado o frecuentado de gatos. || **2.** V. **Desván gatero.** || **3.** m. y f. Vendedor de gatos. || **4.** El que es aficionado a tener o criar gatos.

Gatesco, ca. adj. fam. **Gatuno.**

Gatillazo. m. Golpe que da el gatillo en las escopetas, etc. || **Dar gatillazo.** fr. fig. y fam. Salir incierta la esperanza o concepto que se tenía de una persona o cosa.

Gatillo. (De *gato*.) m. Instrumento de hierro, a modo de tenazas o alicates, con que se sacan muelas y dientes. || **2.** En las armas de fuego portátiles, **percusor,** 2.ª acep. || **3.** Parte superior del pescuezo de algunos animales cuadrúpedos, que se extiende desde cerca de la cruz hasta cerca de la nuca. || **4.** Pedazo de carne que se tuerce en la parte superior del pescuezo de algunos animales cuadrúpedos, cayendo hacia uno de los lados de él. || **5.** fig. y fam. Muchacho ratero. || **6.** Pieza de hierro o de madera con que se une y traba lo que se quiere asegurar. || **7.** *Pal.* Flor de la acacia. || **8.** *Chile.* Crines largas que se dejan a las caballerías en la cruz y de las cuales se asen los jinetes para montar.

Gato. (Del lat. *cattus*.) m. Mamífero carnívoro, digitígrado, doméstico, de unos cinco decímetros de largo desde la cabeza hasta el arranque de la cola, que por sí sola mide dos decímetros próximamente; cabeza redonda, lengua muy áspera, patas cortas, con cinco dedos en las anteriores y cuatro en las posteriores, armados de uñas fuertes, agudas, y que el animal puede sacar o esconder a voluntad; pelaje espeso, suave, de color blanco, gris, pardo, rojizo o negro. Es muy útil en las casas, por lo mucho que persigue a los ratones. || **2.** Bolso o talego en que se guarda el dinero. || **3.** Dinero que se guarda en él. || **4.** Instrumento de hierro que sirve para agarrar fuertemente la madera y traerla donde se pretende. Se usa para echar aros a las cubas, y en el oficio de portaventanero. || **5.** Máquina compuesta de un engranaje de piñón y cremallera, con un trinquete de seguridad, que sirve para levantar grandes pesos a poca altura. También se hace con una tuerca y un husillo. || **6.** Instrumento que consta de seis o más garfios de acero, y servía para reconocer y examinar el alma de los cañones y demás piezas de artillería. || **7. Ratonera,** 1.ª acep. || **8.** V. **Lengua, ojo, pie, sopas, uva de gato.** || **9.** fig. y fam. Ladrón ratero que hurta con astucia y engaño. || **10.** fig. y fam. Hombre sagaz, astuto. || **11.** fig. y fam. Hombre nacido en Madrid. || **12.** fig. y fam. V. **Mano, ojos de gato.** || **13.** *Argent.* Danza popular que se baila por una o dos parejas con movimientos rápidos. || **14.** *Argent.* Música que acompaña ese baile. || **15.** *Carp.* Instrumento de hierro o de madera compuesto de dos planchas con un tornillo que permite aproximar una a otra de modo que quede fuertemente sujeta la pieza que se coge entre ambas. || **16.** *Zool.* Dase este nombre a todos los félidos en general. || **cerval,** o **clavo.** Especie de **gato** cuya cola llega a 35 centímetros de longitud; tiene la cabeza gruesa, con pelos largos alrededor de la cara; pelaje gris, corto, suave y con muchas manchas negras que forman anillos en la cola. Vive en el centro y mediodía de España, trepa a los árboles y es muy dañino. Su piel se usa en manguitería. || **de agua.**

Especie de ratonera que se pone sobre un lebrillo de agua, donde caen los ratones. || **de algalia.** Mamífero carnívoro oriundo de Asia, de un metro de largo desde la cabeza hasta la extremidad de la cola, que mide cerca de cuatro decímetros; de color gris con fajas transversales negras, estrechas y paralelas, crines cortas en el lomo, y cerca del ano una especie de bolsa donde el animal segrega la algalia. || **de Angora. Gato** de pelo muy largo, procedente de Angora, en el Asia Menor. || **de clavo. Gato clavo.** || **montés.** Especie de **gato** poco mayor que el doméstico, con pelaje gris rojizo, rayado de bandas negras, y cola leonada con la punta y dos anillos también negros. Vive en los montes del norte de España. A veces se aplica indebidamente este nombre al **gato cimarrón.** || **romano.** El que tiene la piel manchada a listas transversales de color pardo y negro. || **A gato viejo, rata tierna.** ref. que se aplica al viejo enamorado de una mujer joven. || **Ata el gato.** fig. y fam. Persona rica, avarienta y mísera. || **Buscar el gato en el garbanzal.** fr. fig. y fam. Empeñarse en una empresa muy difícil. || **Correr como gato por ascuas,** o **brasas.** fr. fam. que denota la celeridad con que se huye de un daño, peligro o inconveniente. || **Cuando el gato no está, los ratones bailan.** ref. Cuando se ausentan los superiores, o no vigilan, los subordinados huelgan. || **Cuatro gatos.** expr. despect. para indicar poca gente y sin importancia. || **Dar gato por liebre.** fr. fig. y fam. Engañar en la calidad de una cosa por medio de otra inferior que se le asemeja. || **Echarle** a uno **el gato a las barbas.** fr. fig. y fam. Atreverse con él, insultarle, denostarle, o hacer cosa que le irrite. || **El gato de Mari Ramos halaga con la cola y araña con las manos.** ref. con que se detesta la malicia de los que se muestran afables y pacíficos para hacer daño más a su salvo. || **El gato maullador, nunca buen cazador.** ref. que se aplica al que habla mucho y obra poco. || **Gato con guantes no caza ratones.** fr. fig. y fam. con que se expresa cuán embarazoso es usar de refinamientos a que uno no está acostumbrado. || **Gato escaldado, del agua fría ha miedo,** o **huye.** ref. que denota que el que ha experimentado algunos daños en lances peligrosos, con dificultad entra aun en los de menor riesgo. || **Haber gato encerrado.** fr. fig. y fam. Haber causa o razón oculta o secreta, o manejos ocultos. || **Hasta los gatos quieren zapatos.** ref. con que se moteja a los que tienen pretensiones superiores a su mérito y condición. || **Hasta los gatos tienen tos,** o **romadizo.** fr. fig. y fam. con que se reprende a los que hacen ostentación de cualidades que no les son propias. || **Ir como gato por ascuas.** fr. fam. **Correr como gato por ascuas.** || **Lavarse a lo gato.** fr. fam. Lavarse sin mojarse apenas, y especialmente hacerlo pasándose por la cara un paño mojado. || **Lo más encomendado lleva el gato.** ref. que advierte que lo que más se cuida es lo que suele extraviarse o perderse. || **Llevar el gato al agua.** fr. fig. y fam. Superar una dificultad o arrostrar el riesgo de una empresa. Ú. m. en la frase interrogativa **¿quién lleva,** o **quién ha de llevar, el gato al agua?** || **Pasar como gato por ascuas.** fr. fam. **Correr como gato por ascuas.** || **Sepan gatos que es antruejo,** o **entruejo.** ref. que se dice de cualquier día de gran comida, y especialmente por aquellos que en los convites comen más de lo regular. || **Vender gato por liebre.** fr. fig. y fam. **Dar gato por liebre.** || **Yo mando a mi gato y mi gato manda a su rabo.** ref. que se aplica a quien se desentiende de lo que se le ha encomendado para encargarlo a otro.

Gato. (Del quichua *ccatu.*) m. *Perú.* Mercado al aire libre.

Gatuna. f. **Gatuña.**

Gatunero. (De *gatuno.*) m. *And.* El que vende carne de contrabando.

Gatuno, na. adj. Perteneciente o relativo al gato.

Gatuña. (De *gato,* con alusión a las espinas de la planta, y *uña.*) f. Planta herbácea de la familia de las papilionáceas, con tallos ramosos, delgados, casi tendidos, duros y espinosos; hojas compuestas de tres hojuelas pequeñas, elípticas y dentadas; flores solitarias, axilares, rojizas o blancas, y fruto en vainillas ovales, con pocas semillas. Es muy común en los sembrados, y la raíz se ha empleado como aperitivo.

Gatuperio. (De *gato,* formada esta voz a semejanza de *vituperio, improperio, dicterio,* etc.) m. Mezcla de diversas substancias incoherentes de que resulta un todo desabrido o dañoso. || **2.** fig. y fam. Embrollo, enjuague, intriga.

Gauchada. f. *Argent., Chile* y *Perú.* Acción propia de un gaucho. || **2.** *Argent.* fig. Servicio o favor ocasional prestado con buena voluntad.

Gauchaje. m. *Argent.* y *Chile.* Conjunto o reunión de gauchos.

Gauchesco, ca. adj. Relativo al gaucho; que tiene maneras o semejanzas de gaucho.

Gaucho, cha. adj. Dícese del hombre natural de las pampas del Río de la Plata en la Argentina, Uruguay y Río Grande do Sul. *Un payador* GAUCHO. Ú. m. c. s. para designar a naturales de estas pampas, que son por lo común mestizos de español e indio, grandes jinetes, dedicados a la ganadería o a la vida errante. || **2.** Relativo o perteneciente a esos **gauchos.** *Un apero* GAUCHO. || **3.** *Argent., Chile* y *Urug.* Buen jinete, o poseedor de otras habilidades propias del **gaucho.** || **4.** *Argent.* Grosero, zafio. || **5.** *Argent.* y *Chile.* Ducho en tretas, taimado, astuto.

Gaudeamus. (Del lat. *gaudeāmus* [alegrémonos], 1.ª pers. de pl. del pres. de subj. de *gaudēre,* alegrarse, regocijarse.) m. fam. Fiesta, regocijo, comida y bebida abundante.

Gaudio. (Del lat. *gaudĭum.*) m. ant. **Gozo.**

Gaudón. (Del lat. *cauda,* cola.) m. *Ál.* **Alcaudón.**

Gavanza. f. Flor del gavanzo.

Gavanzo. (De *agavanzo.*) m. **Escaramujo,** 1.ª y 2.ª aceps.

Gavera. (De *gavia,* 1.er art.) f. *And., Colomb., Méj.* y *Venez.* Gradilla o galápago, molde para fabricar tejas o ladrillos. || **2.** *Perú.* **Tapial.** || **3.** *Colomb.* Aparato de madera con varios compartimientos, donde se enfría y espesa la miel de cañas obtenida en los trapiches.

Gaveta. (Del ital. *gavetta,* y éste del lat. *gabăta,* plato.) f. Cajón corredizo que hay en los escritorios y papeleras, y sirve para guardar lo que se quiere tener a la mano. || **2.** *Murc.* Anillo de hierro, o lazo de cuerda, que en las paredes de las barracas donde se crían los gusanos de seda, hay para asegurar los zarzos.

Gavia. (Del lat. *cavĕa,* hoyo y jaula.) f. desus. Jaula, y especialmente la de madera en que se encerraba al loco o furioso. || **2.** Zanja que se abre en la tierra para desagüe o linde de propiedades. || **3.** *Sal.* y *Zam.* Hoyo o zanja que se hace en la tierra para plantar los árboles o las cepas. || **4.** *Germ.* **Casco,** 5.ª acep. || **5.** *Mar.* Vela que se coloca en el mastelero mayor de las naves, la cual da nombre a éste, a su verga, etc. || **6.** *Mar.* Por ext., cada una de las velas correspondientes en los otros dos masteleros. *El navío navega con las tres* GAVIAS, *porque lleva* GAVIA, *velacho y sobremesana.* || **7.** *Mar.* Cofa de las galeras.

Gavia. (Del lat. *gavia.*) f. **Gaviota.**

Gavia. (De *gavilla.*) f. *Min.* Cuadrilla de operarios que se emplea en el trecheo.

Gavial. (Del lat. *gaviālis.*) m. *Zool.* Reptil del orden de los emidosaurios, propio de los ríos de la India, parecido al cocodrilo, de unos ocho metros de largo, con el hocico muy prolongado y puntiagudo y las membranas de los pies dentadas.

Gaviero. m. *Mar.* Marinero a cuyo cuidado está la gavia y el registrar cuanto se pueda alcanzar a ver desde ella.

Gavieta. f. *Mar.* Gavia, a modo de garita, que se pone sobre la mesana o el bauprés.

Gaviete. (Tal vez de *gavia;* en prov. *gaviteau;* en ital. *gavitello.*) m. *Mar.* Madero corvo, robusto y con una roldana en la cabeza, que se coloca en la popa de la lancha para levar con ella una ancla, halando del cable o del orinque encapillado previamente sobre dicha roldana.

Gavilán. m. Ave del orden de las rapaces, de unos tres decímetros de largo desde el pico a la extremidad de la cola, con plumaje gris azulado en la parte superior del cuerpo, blanco con fajas onduladas de color pardo rojizo en el cuello, pecho y vientre, y cola parda con cinco rayas negras. La hembra es un tercio mayor y de plumaje más claro. || **2.** Rasguillo que se hace al final de algunas letras. || **3.** Cualquiera de los dos lados del pico de la pluma de escribir. || **4.** Cada uno de los dos hierros que salen de la guarnición de la espada, forman la cruz y sirven para defender la mano y la cabeza de los golpes del contrario. || **5.** Hierro cortante que tiene en la punta de abajo la aguijada, con el que el gañán limpia el arado y lo desbroza. || **6.** Garfio de hierro que usaban los antiguos para aferrar las naves. || **7. Vilano,** 3.ª acep. || **8.** *And., Amér. Central, Cuba, Méj.* y *P. Rico.* Uñero, borde de la uña, especialmente la del dedo gordo del pie, que se clava en la carne. || **araniego.** El que caza o coge con la red llamada arañuelo. || **Hidalgo como el gavilán.** expr. proverb. Dícese de la persona desagradecida a sus bienhechores.

Gavilana. f. *Bot. C. Rica.* Planta herbácea de la familia de las compuestas, con tallos derechos que llegan a una altura de más de dos metros; hojas divididas en lóbulos angostos y alargados; flores en corimbo, pequeñas y de color amarillo dorado. Se usa en medicina como tónico y febrífugo.

Gavilancillo. (d. de *gavilán.*) m. Pico o punta corva que tiene la hoja de la alcachofa.

Gavilla. (De un der. del lat. *capŭlus,* de *capĕre,* coger; en b. lat. *gavella.*) f. Conjunto de sarmientos, cañas, mieses, ramas, hierba, etc., mayor que el manojo y menor que el haz. *Ochenta* GAVILLAS *de sarmientos, de cebada.* || **2.** fig. Junta de muchas personas, y comúnmente de baja suerte. GAVILLA *de pícaros; gente de* GAVILLA.

Gavillada. (De *gavilla.*) f. *Germ.* Lo que el ladrón junta con sus robos.

Gavillador. (De *gavillar,* 2.º art.) m. *And.* Obrero del cortijo encargado de hacer las gavillas, 1.ª acep. || **2.** *Germ.* Ladrón que reúne a los que le han de acompañar en el robo.

Gavillar. m. Terreno que está cubierto de gavillas, 1.ª acep.

Gavillar. (De *gavilla.*) tr. **Agavillar,** 1.ª acep. || **2.** *Germ.* **Juntar.**

Gavillero. m. Lugar, sitio o paraje en que se juntan y amontonan las gavillas en la siega. || **2.** Línea de gavillas de mies que dejan los segadores tendidas en el terreno segado. || **3.** *Chile.* Jornalero que con el bieldo echa las gavillas al carro.

Gavina. f. Gaviota.

Gavinote. m. *Zool.* Pollo de la gavina.

Gavión. (De *gavia*, 1.er art.) m. *Mil.* Cestón de mimbres lleno de tierra, que sirve para defender de los tiros del enemigo a los que abren la trinchera. || **2.** Cestón relleno de tierra o piedra que sirve en obras hidráulicas. || **3.** fig. y fam. Sombrero grande de copa y ala.

Gavión. (Del lat. *gavia*.) m. ant. **Avión,** 1.er art. Ú. en Burgos.

Gaviota. (De *gavia*, 2.° art.) f. Ave del orden de las palmípedas, de unos 75 centímetros de largo desde el pico hasta el fin de la cola y un metro de envergadura; plumaje muy tupido, blanco en general; dorso ceniciento; negras, pero de extremo blanco, las tres penas mayores de las alas; pico anaranjado y pies rojizos. Vive en las costas, vuela mucho, es muy voraz y se alimenta principalmente de los peces que coge en el mar. Hay otras especies muy parecidas, pero más pequeñas.

Gavota. (De *gavot*, habitante o natural de *Gap*, en Francia, de donde procede este baile.) f. Especie de baile entre dos personas, que ya no está en uso. || **2.** Música que acompañaba a este baile.

Gaya. (De *gayo*.) f. Lista de diverso color que el fondo. || **2.** Insignia de victoria que se daba a los vencedores. || **3. Urraca,** 1.ª acep. || **4.** *Germ.* **Mujer pública.**

Gayadura. (De *gayar*.) f. Guarnición y adorno del vestido u otra cosa, hecho con listas de otro color.

Gayar. (De *gaya*.) tr. Adornar una cosa con diversas listas de otro color.

Gayata. f. *Ar.* **Cayada.**

Gayera. f. *Ast.* Variedad de cereza de gran tamaño.

Gayo, ya. (Del ant. alto al. *gahi*, pronto, vivaracho.) adj. Alegre, vistoso. || **2.** V. **Gaya ciencia.** || **3.** V. **Gaya doctrina.** || **4.** m. ant. **Grajo,** 1.ª acep. Ú. en *Ál.*, *Ar.* y *Nav.*

Gayola. (Del lat. *caveŏla*, d. de *cavĕa*, jaula.) f. **Jaula.** || **2.** fig. y fam. **Cárcel,** 1.ª acep. || **3.** *And.* Especie de choza sobre palos o árboles, para los guardas de viñas.

Gayomba. f. *Bot.* Arbusto de la familia de las papilionáceas, de dos a tres metros de altura, con tallo fuerte y erguido, ramas estriadas, verdes y con aspecto de junco cuando jóvenes; hojas escasas, sencillas, casi sentadas y oblongas; flores grandes, olorosas, amarillas, en ramos pendientes, y fruto en vainillas lineales, negruzcas, lustrosas cuando maduras, y con 10 ó 12 semillas arriñonadas.

Gayón. (De *gaya*, ramera.) m. *Germ.* **Rufián.**

Gayuba. (De *gaya*, vistosa, y de *uva*.) f. Mata de la familia de las ericáceas, tendida, siempre verde y ramosa; hojas amontonadas, lustrosas, elípticas, pecioladas y enteras; flores en racimos terminales, de corola blanca o sonrosada, y fruto en drupa roja y esférica de seis a ocho milímetros de diámetro. El cocimiento de las hojas y frutos se suele emplear como diurético.

Gaza. (En fr. *ganse;* en prov. *ganso*.) f. *Mar.* Lazo que se forma en el extremo de un cabo doblándolo y uniéndolo con costura o ligada, y que sirve para enganchar o ceñir una cosa o suspenderla de alguna parte. Ú. en *Cuba*, *Méj.* y *P. Rico*, en el lenguaje común.

Gaza. f. *Germ.* **Gazuza.**

Gazafatón. (Del grecolat. *cacemphaton*, dicho malsonante, yerro de lenguaje.) m. fam. **Gazapatón.**

Gazapa. (De *gazapo*.) f. fam. Mentira, embuste.

Gazapatón. (Como *gazafaton*.) m. fam. Disparate o yerro en el hablar. || **2.** Expresión malsonante en que se incurre por inadvertencia o por mala pronunciación.

Gazapera. (De *gazapo*.) f. Madriguera que hacen los conejos para guarecerse y criar a sus hijos. || **2.** fig. y fam. Junta de algunas gentes que se unen en parajes escondidos para fines poco decentes. || **3.** fig. y fam. Riña o pendencia entre varias personas.

Gazapina. (De *gazapo*.) f. fam. Junta de truhanes y gente ordinaria. || **2.** fam. Pendencia, alboroto.

Gazapo. (Del lat. *dasȳpus*, y éste del gr. δασύπους, conejo de pies vellosos.) m. Conejo nuevo. || **2.** fig. y fam. Hombre disimulado y astuto. || **3.** fig. y fam. **Gazapa.** || **4.** fig. y fam. Yerro que por inadvertencia deja escapar el que escribe o el que habla.

Gazapón. (De *gazapo*.) m. **Garito.**

Gazgaz. m. ant. desus. Burla que se hace de quien se dejó engañar.

Gazmiar. tr. **Gulusmear.** || **2.** r. fam. Quejarse, resentirse.

Gazmol. m. Granillo que sale a las aves de rapiña en la lengua y en el paladar.

Gazmoñada. f. **Gazmoñería.**

Gazmoñería. (De *gazmoño*.) f. Afectación de modestia, devoción o escrúpulos.

Gazmoñero, ra. adj. **Gazmoño.** Ú. t. c. s.

Gazmoño, ña. (Del vasc. *gazmuña*.) adj. Que afecta devoción, escrúpulos y virtudes que no tiene. Ú. t. c. s.

Gaznápiro, ra. adj. Palurdo, simplón, torpe, que se queda embobado con cualquiera cosa. Ú. m. c. s.

Gaznar. intr. **Graznar.**

Gaznatada. f. Golpe violento que se da con la mano en el gaznate. || **2.** *Hond.*, *Méj.*, *P. Rico* y *Venez.* **Bofetada.**

Gaznatazo. m. **Gaznatada,** 1.ª acep. || **2.** *Ar.*, *Áv.* y *Sal.* **Bofetada.**

Gaznate. (Tal vez de *gaznar*.) m. **Garguero.** || **2.** Fruta de sartén en figura de gaznate. || **3.** *Méj.* Dulce hecho de piña o coco.

Gaznatón. m. **Gaznatada.** || **2. Gaznate,** 2.ª acep.

Gaznido. m. ant. **Graznido.**

Gazofia. f. **Bazofia.**

Gazofilacio. (Del lat. *gazophylacĭum*, y éste del gr. γαζοφυλάκιον, de γάζα, tesoro, y φύλαξ, guarda.) m. Lugar donde se recogían las limosnas, rentas y riquezas del templo de Jerusalén.

Gazpachero. m. *And.* En los cortijos, el trabajador encargado de hacer la comida a los gañanes.

Gazpacho. m. Género de sopa fría que se hace regularmente con pedacitos de pan y con aceite, vinagre, sal, ajo, cebolla y otros aditamentos. || **2.** Especie de migas que las gentes del campo hacen de la torta cocida en el rescoldo o entre las brasas.

Gazpachuelo. m. d. de **Gazpacho.** || **2.** *And.* Sopa caliente con huevos, batida la yema y cuajada la clara, y que se adereza con vinagre o limón.

Gazuza. (Del vasc. *gose-utsa*.) f. fam. **Hambre.**

Ge. f. Nombre de la letra *g*.

Ge. (Del lat. *illi illum gelo*, se lo.) pron. ant. **Se,** 2.° art.

Gea. (Del gr. γῆ, tierra.) f. Conjunto del reino inorgánico de un país o región. || **2.** Obra que lo describe.

Gecónido. (De *gecko*, nombre de animal.) adj. *Zool.* Dícese de reptiles saurios de pequeño tamaño, con el cuerpo deprimido y cubierto de escamas tuberculosas y cuatro patas con cinco dedos terminados en ventosas que les permiten trepar por paredes lisas; como la salamanquesa. Ú. t. c. s. || **2.** m. pl. *Zool.* Familia de estos animales.

Gehena. (Del lat. *gehenna*, que dicen venir del hebr. *gē-ḥinnōm*, valle de *ḥinnōm*, Josué, xv, 8.) m. **Infierno,** 1.ª acep. Es voz de la Sagrada Escritura.

Gejionense. adj. **Gijonés.** Apl. a pers., ú. t. c. s.

Gelatina. (Del lat. *gelātus*, helado, congelado.) f. *Quím.* Substancia sólida, incolora, y transparente cuando pura; inodora, insípida y notable por su mucha coherencia; procede de la transformación de la colágena del tejido conjuntivo y de los huesos y cartílagos por efecto de la cocción. || **seca.** La destinada a la alimentación.

Gelatinoso, sa. adj. Abundante en gelatina o parecido a ella, especialmente por la consistencia.

Geldre. (De *Güeldres*.) m. **Mundillo,** 3.ª y 4.ª aceps.

Gelfe. (De *golof*, tribu negra.) m. Negro de una tribu que habita en el Senegal.

Gélido, da. (Del lat. *gelĭdus*.) adj. poét. Helado o muy frío.

Gelo. m. ant. **Hielo.**

Gema. (Del lat. *gemma*.) f. Nombre genérico de las piedras preciosas, y más principalmente de las denominadas orientales. || **2.** Parte de un madero escuadrado donde, por escasez de dimensiones, ha quedado parte de la corteza. || **3.** V. **Sal gema.** || **4.** *Bot.* Yema o botón en los vegetales.

Gemación. (Del lat. *gemmatĭo*, *-ōnis*.) f. *Bot.* Desarrollo de la gema, yema o botón para la producción de una rama, hoja o flor. || **2.** *Bot.* y *Zool.* Modo de reproducción asexual, propio de muchas plantas y de muchos animales invertebrados, que se caracteriza por separarse del organismo una pequeña porción del mismo, llamada yema, la cual se desarrolla hasta formar un individuo semejante al progenitor. || **celular.** Dícese de la mitosis en la que el citoplasma se divide en dos partes de tamaño muy desigual, la menor de las cuales se conoce con el nombre de yema; como en algunos protozoos.

Gemebundo, da. adj. Que gime profundamente.

Gemela. (De *diamela*.) f. Jazmín de Arabia, de hojas persistentes, compuestas de siete hojuelas acorazonadas, a menudo soldadas por la base las tres superiores, y flores blancas por dentro, encarnadas por fuera, dobles y muy olorosas. Generalmente se injerta sobre el jazmín común para adelantar su desarrollo y multiplicar la especie.

Gemelo, la. (Del lat. *gemellus*.) adj. Dícese de cada uno de dos o más hermanos nacidos de un parto. Ú. t. c. s. || **2.** Aplícase ordinariamente a los elementos iguales de diversos órdenes que, apareados, cooperan a un mismo fin. || **3.** *Zool.* V. **Músculo gemelo.** Ú. t. c. s. || **4.** m. pl. **Anteojo,** 3.ª acep. || **5.** Juego de dos botones iguales o de algunos otros objetos de esta clase. || **6.** *Astron.* **Géminis,** 2.ª acep. || **7.** *Carp.* Los dos maderos gruesos que se empalman a otro para darle más resistencia y cuerpo. || **de campo.** Doble anteojo de alcance apropiado para observar objetos a gran distancia. || **de teatro.** Doble anteojo de poco alcance usado en las salas de espectáculos públicos.

Gemido. m. Acción y efecto de gemir.

Gemidor, ra. adj. Que gime. || **2.** fig. Que hace cierto sonido parecido al gemido del hombre.

Geminación. (Del lat. *gemĭnatĭo*.) f. Acción y efecto de geminar. || **2.** *Ret.* Figura que consiste en repetir inmediatamente una o más palabras: *Huye, huye de estos inconvenientes.*

Geminado, da. p. p. de **Geminar.** || **2.** adj. *Hist. Nat.* Partido, dividido.

Geminar. (Del lat. *gemināre*.) tr. ant. Duplicar, repetir.

Gemínidas. f. pl. *Astron.* Estrellas fugaces cuyo punto radiante está en la constelación de los Gemelos.

Géminis. (Del lat. *gemĭni*, hermanos gemelos.) m. *Astron.* Tercer signo o parte del Zodiaco, de 30 grados de amplitud, que el Sol recorre aparentemente durante el último tercio de la primavera. ‖ **2.** *Astron.* Constelación zodiacal que en otro tiempo debió de coincidir con el signo de este mismo nombre, pero que actualmente, por resultado del movimiento retrógrado de los puntos equinocciales, se halla delante del mismo signo o un poco hacia el oriente. ‖ **3.** *Farm.* Emplasto compuesto de albayalde y cera, disuelto con aceite rosado y agua común.

Gémino, na. (Del lat. *geminus.*) adj. ant. Duplicado, repetido.

Gemíparo, ra. adj. Aplícase a los animales o plantas reproducidos por medio de yemas.

Gemiquear. intr. *And.* **Gimotear.**

Gemiqueo. m. *And.* Acción de gemiquear.

Gemir. (Del lat. *gemĕre.*) intr. Expresar naturalmente, con sonido y voz lastimera, la pena y dolor que aflige el corazón. ‖ **2.** fig. Aullar algunos animales, o sonar algunas cosas inanimadas, con semejanza al gemido del hombre.

Gemonias. (Del lat. *gemonĭas,* acus. de *-niae, -ārum.*) f. pl. Derrumbadero del monte Aventino o del Capitolino en Roma, por el cual se arrojaban desnudos los cadáveres de los criminales ejecutados en la prisión. ‖ **2.** Castigo por extremo infamante.

Gemoso, sa. adj. Aplícase a la viga o madero que tiene gema, 2.ª acep.

Gen. (De la raíz del lat. *genus.*) m. *Biol.* Cada una de las partículas, que se supone que están dispuestas en serie lineal y en un orden fijo y constante a lo largo de los cromosomas, y que de modo desconocido producen la aparición de los caracteres hereditarios en las plantas y en los animales.

Genciana. (Del lat. *gentiāna.*) f. Planta vivaz de la familia de las gencianáceas, con tallo sencillo, erguido, fistuloso, de un metro próximamente de altura; hojas grandes, elípticas, enteras, lustrosas, con cinco o siete nervios longitudinales, pecioladas las inferiores y abrazadoras las de encima; flores amarillas que forman hacecillos en el ápice del tallo y en las axilas; fruto capsular, ovoideo, con muchas semillas, y raíz gruesa, carnosa, de color amarillo rojizo, de olor fuerte y sabor muy amargo. Empléase en medicina como tónica y febrífuga.

Gencianáceo, a. (De *genciana.*) adj. *Bot.* Dícese de hierbas angiospermas dicotiledóneas, lampiñas por lo común, amargas, con hojas opuestas, envainadoras y sin estípulas; flores terminales o axilares, solitarias o en manojo, corimbo, racimo o cima; frutos capsulares, raras veces abayados, y semillas con albumen carnoso; como la genciana, la centaura menor y la canchalagua. Ú. t. c. s. ‖ **2.** f. pl. *Bot.* Familia de estas plantas.

Gencianeo, a. adj. *Bot.* **Gencianáceo.**

Gendarme. (Del fr. *gendarme.*) m. Militar destinado en Francia y otros países a mantener el orden y la seguridad pública.

Gendarmería. f. Cuerpo de tropa de los gendarmes. ‖ **2.** Cuartel o puesto de gendarmes.

Genealogía. (Del lat. *genealogĭa,* y éste del gr. γενεαλογία; de γενεά, generación, y λόγος, tratado.) f. Serie de progenitores y ascendientes de cada individuo. ‖ **2.** Escrito que la contiene.

Genealógico, ca. (Del gr. γενεαλογικός.) adj. Perteneciente a la genealogía. *Libro, papel* GENEALÓGICO. ‖ **2.** V. **Árbol genealógico.**

Genealogista. m. El que hace profesión o estudio de saber genealogías y linajes, y de escribir sobre ellos.

Genearca. (Del lat. *genearcha,* y éste del gr. γενεά, generación, y ἀρχή, principio, origen.) m. ant. Cabeza o principal de un linaje.

Geneático, ca. (Del gr. γενεά, nacimiento.) adj. Que pretende adivinar por el nacimiento de los hombres. Ú. t. c. s.

Generable. (Del lat. *generabĭlis.*) adj. Que se puede producir por generación.

Generación. (Del lat. *generatĭo, -ōnis.*) f. Acción y efecto de engendrar. ‖ **2.** Casta, género o especie. ‖ **3.** Sucesión de descendientes en línea recta. ‖ **4.** Conjunto de todos los vivientes coetáneos. *La* GENERACIÓN *presente; la* GENERACIÓN *futura.*

Generador, ra. (Del lat. *generātor.*) adj. Que engendra. Ú. t. c. s. ‖ **2.** *Geom.* Dícese de la línea o de la figura que por su movimiento engendran respectivamente una figura o un sólido geométrico. En esta acepción el adjetivo femenino es **generatriz.** ‖ **3.** m. En las máquinas, aquella parte de ellas que produce la fuerza o energía, como en las máquinas de vapor, la caldera, y en la electricidad, una dinamo.

General. (Del lat. *generālis.*) adj. Común y esencial a todos los individuos que constituyen un todo, o a muchos objetos, aunque sean de naturaleza diferente. ‖ **2.** Común, frecuente, usual. ‖ **3.** Que posee vasta instrucción. *Eduardo es un hombre muy* GENERAL. ‖ **4.** V. **Absolución, baile, capitanía, comandante, concilio, confesión, cónsul, contaduría, cuartel, definidor, depositaría, depositario, dirección, director, estado, estudio, gramática, huelga, ingeniero, inquisidor, inspector, mayor, ministro, oficial, receptor, renta general.** ‖ **5.** m. El que tiene en la fuerza armada empleo superior al de coronel, capitán de navío o asimilados. ‖ **6.** Prelado superior de una orden religiosa. ‖ **7.** En las universidades, seminarios, etc., aula o pieza donde se enseñaban las ciencias. ‖ **8.** *Ar.* **Aduana,** 1.ª acep. ‖ **9.** *Mil.* V. **Capitán, comisario, cuartel maestre, estado mayor, oficial, teniente general.** ‖ **de brigada.** Primer grado del generalato en la milicia, y que viene a ser correspondiente al antiguo empleo de brigadier. ‖ **de división. Mariscal de campo.** ‖ **de la artillería.** Jefe a cuyo cuidado estaba lo perteneciente a ella. ‖ **de la caballería.** El que mandaba en toda ella como jefe superior, teniendo a sus órdenes otros **generales.** ‖ **de la frontera.** El que mandaba como superior en toda ella. ‖ **de las galeras.** El que como jefe o superior mandaba en ellas. ‖ **en jefe.** El que tiene el mando superior de un ejército. ‖ **Generales de la ley.** *For.* Preguntas que ésta preceptúa para todos los testigos; como edad, estado, profesión u oficio, amistad o parentesco con las partes, interés en el asunto, etc. ‖ **En general,** o **por lo general.** m. adv. En común, generalmente. ‖ **2.** Sin especificar ni individualizar cosa alguna.

Generala. f. Mujer del general. ‖ **2.** *Mil.* Toque de tambor, corneta o clarín para que las fuerzas de una guarnición o campo se pongan sobre las armas.

Generalato. m. Oficio o ministerio del general de las órdenes religiosas. ‖ **2.** Tiempo que dura este oficio o ministerio. ‖ **3.** *Mil.* Empleo o grado de general. ‖ **4.** Conjunto de los generales de uno o varios ejércitos.

Generalero. (De *general,* 8.ª acep.) m. *Ar.* **Aduanero,** 2.ª acep.

Generalidad. (Del lat. *generalĭtas, -ātis.*) f. Mayoría, muchedumbre o casi totalidad de los individuos u objetos que componen una clase o todo sin determinación a persona o cosa particular. *La* GENERALIDAD *de los hombres.* ‖ **2.** Vaguedad o falta de precisión en lo que se dice o escribe. ‖ **3.** Lo que de esa manera se dice o escribe. *Contestó con una* GENERALIDAD *y volvió la espalda.* ‖ **4.** Nombre que se dio en lo antiguo a las Cortes catalanas, y posteriormente, al organismo que velaba por el cumplimiento de sus acuerdos. ‖ **5.** Gobierno regional autónomo que existió en Cataluña. ‖ **6.** *Ar.* **Comunidad,** 2.ª acep. ‖ **7.** *Ar.* Derechos que se adeudan en las aduanas.

Generalísimo. (adj. sup. de *general.*) m. Jefe que manda el estado militar en paz y en guerra, con autoridad sobre todos los generales del ejército.

Generalizable. adj. Que puede generalizarse.

Generalización. f. Acción y efecto de generalizar.

Generalizador, ra. adj. Que generaliza.

Generalizar. (De *general.*) tr. Hacer pública o común una cosa. Ú. t. c. r. ‖ **2.** Considerar y tratar en común cualquier punto o cuestión, sin contraerla a caso determinado. ‖ **3.** Abstraer lo que es común y esencial a muchas cosas, para formar un concepto general que las comprenda todas.

Generalmente. adv. m. Con generalidad.

Generante. (Del lat. *generans, -antis.*) p. a. de **Generar.** desus. Que genera.

Generar. (Del lat. *generāre.*) tr. **Engendrar.**

Generativo, va. (Del lat. *generātum,* supino de *generāre,* engendrar.) adj. Dícese de lo que tiene virtud de engendrar.

Generatriz. (Del lat. *generātrix.*) adj. *Geom.* **Generadora.** Ú. t. c. s. ‖ **2.** *Fís.* Dícese de la máquina que convierte la energía mecánica en eléctrica. Ú. t. c. s. f.

Genéricamente. adv. m. De un modo genérico.

Genérico, ca. (De *género.*) adj. Común a muchas especies. ‖ **2.** *Gram.* V. **Artículo, nombre genérico.** ‖ **3.** *Gram.* Perteneciente al género. *Desinencia* GENÉRICA.

Género. (Del lat. *genus, genĕris.*) m. **Especie,** 1.ª acep. ‖ **2.** Modo o manera de hacer una cosa. *Tal* GÉNERO *de hablar no conviene a esa persona.* ‖ **3. Clase,** 2.ª acep. ‖ **4.** En el comercio, cualquier mercancía. ‖ **5.** Cualquier clase de tela. GÉNEROS *de algodón, de hilo, de seda.* ‖ **6.** *Gram.* Accidente gramatical que sirve para indicar el sexo de las personas o de los animales y el que se atribuye a las cosas, o bien para indicar que no se les atribuye ninguno. ‖ **7.** *Bot.* y *Zool.* Conjunto de especies que tienen cierto número de caracteres comunes. ‖ **ambiguo.** *Gram.* El de los nombres de cosas que unas veces se consideran de **género** masculino y otras de femenino; v. gr.: *El puente* y *la puente; el mar* y *la mar.* ‖ **común.** *Gram.* El de los nombres de personas de una sola terminación para el masculino y el femenino; v. gr.: *El mártir* y *la mártir; el testigo* y *la testigo.* ‖ **chico.** Clase de obras teatrales modernas de menor importancia, que comprende, sainetes, comedias y zarzuelas de uno o dos actos. ‖ **epiceno.** *Gram.* El de los nombres de animales cuando, con una misma terminación y artículo, designan el macho y la hembra; v. gr.: *El milano, la perdiz.* ‖ **femenino.** *Gram.* El del nombre que significa mujer o animal hembra, y el del que, no expresando sexo alguno, se considera comprendido en este mismo **género** por su terminación, por su etimología o por el uso; v. gr.: *Mujer, gallina, casa, virtud.* ‖ **masculino.** *Gram.* El del nombre que significa varón o animal macho, y el del que, no expresando sexo alguno, se considera comprendido en este mismo **género** por su terminación, por su etimología o por el uso; v. gr.: *Hombre, caballo, árbol, dictamen.* ‖ **neutro.** *Gram.* El del vocablo que no es masculino ni femenino, esto es, ni lo uno ni lo otro, y el cual no se aplica en nuestra lengua a seres animados ni cosas materiales, sino tan sólo a ideas o conceptos. Tiene forma especial en el artículo determinado y en algunos pronombres; v. gr.: *Lo* (artículo y pronombre), *ello, esto, eso* y *aquello;* pero también se usan otras palabras en **género** neutro con la terminación propia del masculino, y cualquiera parte de la oración, empleada así, toma carácter más o menos determinado de nombre substantivo; v. gr.: *Lo bueno, lo malo, lo mío, lo tuyo; no quiero creer*LO; *no doy en* ELLO; ESTO *es insufrible; no haré yo* TAL; *no sé* QUÉ *decir;* ALGO *ha sucedido.* || **De género.** loc. *Esc.* y *Pint.* Dícese de las obras que representan escenas de costumbres o de la vida común, y de los artistas que las ejecutan. *Pintor* DE GÉNERO; *cuadro* DE GÉNERO.

Generosamente. adv. m. Con generosidad.

Generosía. (De *generoso.*) f. ant. **Generosidad,** 1.ª acep.

Generosidad. (Del lat. *generosĭtas, -ātis.*) f. Nobleza heredada de los mayores. || **2.** Inclinación o propensión del ánimo a anteponer el decoro a la utilidad y al interés. || **3.** Largueza, liberalidad. || **4.** Valor y esfuerzo en las empresas arduas.

Generoso, sa. (Del lat. *generōsus.*) adj. Noble y de ilustre prosapia. || **2.** Que obra con magnanimidad y nobleza de ánimo. Ú. t. c. s. || **3.** Liberal, dadivoso y franco. || **4.** Excelente en su especie. *Caballo* GENEROSO. || **5.** V. **Vino generoso.**

Genesiaco, ca [~ **síaco, ca**]. adj. Perteneciente o relativo a la génesis.

Genésico, ca. adj. Perteneciente o relativo a la generación.

Génesis. (Del lat. *genĕsis*, y éste del gr. γένεσις, engendramiento, producción.) m. Primer libro del Pentateuco de Moisés, que empieza por la historia de la creación del mundo. || **2.** f. Origen o principio de una cosa. || **3.** Por ext., conjunto de los fenómenos que dan por resultado un hecho.

Genesta. (Del lat. *genesta.*) f. ant. **Hiniesta.**

Genética. (Del gr. γένεσις, engendramiento, producción.) f. Parte de la biología, que trata de los problemas de la herencia.

Genético, ca. adj. Relativo a la genética y a la génesis u origen de las cosas.

Genetliaca [~ **tlíaca**]. (Del lat. *genethliăca*, t. f. de *-cus*, genetlíaco.) f. Práctica vana y supersticiosa de pronosticar a uno su buena o mala fortuna por el día en que nace.

Genetliaco, ca [~ **tlíaco, ca**]. (Del lat. *genethliăcus*, y éste del gr. γενεθλιακός, de γενέθλη, nacimiento.) adj. Perteneciente a la genetliaca, o que la ejercita. || **2.** Dícese del poema o composición sobre el nacimiento de una persona. || **3.** m. El que practica la genetliaca.

Genetlítico, ca. adj. ant. **Genetliaco.**

Genial. (Del lat. *geniālis.*) adj. Propio del genio o inclinación de uno. || **2.** Placentero; que causa deleite o alegría. || **3.** Sobresaliente, extremado, que revela genio creador. || **4.** V. **Días geniales.** || **5.** vulg. *Ar., Sal.* y *Sant.* Genio, índole, carácter.

Genialidad. (Del lat. *genialĭtas, -ātis.*) f. Singularidad propia del carácter de una persona. Por lo general se usa en sentido despectivo.

Genialmente. adv. m. De manera genial.

Geniazo. m. aum. de **Genio.** || **2.** fam. Genio fuerte.

Genilla. (Del lat. *genae*, ojos.) f. ant. Pupila o niña del ojo.

Genio. (Del lat. *genĭus.*) m. Índole o inclinación según la cual dirige uno comúnmente sus acciones. || **2.** Disposición para una cosa; como ciencia, arte, etc. || **3.** Grande ingenio, fuerza intelectual extraordinaria o facultad capaz de crear o inventar cosas nuevas y admirables. || **4.** fig. Sujeto dotado de esta facultad. *Calderón es un* GENIO. || **5. Carácter,** 11.ª acep. || **6.** Deidad que suponían los antiguos gentiles engendradora de cuanto hay en la naturaleza. || **7.** En las artes, ángeles o figuras que se colocan al lado de una divinidad, o para representar una alegoría. || **Corto de genio.** fr. **Corto,** 8.ª acep. || **Genio y figura, hasta la sepultura.** ref. que explica no ser fácil mudar de **genio.**

Genipa. f. **Yagua.**

Genista. (Del lat. *genista.*) f. **Retama.**

Genital. (Del lat. *genitālis.*) adj. Que sirve para la generación. || **2.** m. **Testículo.** Ú. m. en pl.

Genitivo, va. (Del lat *genitīvus.*) adj. Que puede engendrar y producir una cosa. || **2.** m. *Gram.* Uno de los casos de la declinación. Denota relación de propiedad, posesión o pertenencia, y en castellano lleva siempre antepuesta la preposición *de*, cuyo oficio es en este caso, por consiguiente, muy diverso del que hace en el ablativo.

Genitor. (Del lat. *genĭtor.*) m. El que engendra.

Genitorio, ria. adj. ant. **Genital,** 1.ª acep.

Genitourinario, ria. adj. *Med.* Perteneciente o relativo a las vías y órganos genitales y urinarios.

Genitura. (Del lat. *genitūra.*) f. ant. **Generación,** 1.ª acep. || **2.** ant. Semen o materia de la generación.

Genízaro, ra. adj. **Jenízaro.**

Geno. (Del lat. *genus.*) m. ant. **Linaje.**

Genocidio. m. Exterminio o eliminación sistemática de un grupo social por motivos de raza, de religión o de política.

Genojo. (Del lat. *genŭcŭlum*, d. de *genu*, rodilla.) m. ant. **Rodilla,** 1.ª acep.

Genol. (Del cat. y prov. *genoll*, y éste del lat. *genŭcŭlum*, rodilla.) m. *Mar.* Cada una de las piezas que se amadrinan de costado a las varengas para la formación de las cuadernas de un buque.

Genolí. m. desus. Pasta de color amarillo que se usaba en pintura.

Genollo. m. ant. **Genojo.**

Genotípico, ca. adj. Perteneciente o relativo al genotipo.

Genotipo. (Del lat. *genus* y *typus.*) m. *Biol.* Conjunto de los genes existentes en cada uno de los núcleos celulares de los individuos pertenecientes a una determinada especie vegetal o animal.

Génova. n. p. V. **Ciruela de Génova.**

Genovés, sa. adj. Natural de Génova. Ú. t. c. s. || **2.** Perteneciente a esta ciudad de Italia. || **3.** m. Por ext., banquero en los siglos XVI y XVII.

Genovisco, ca. adj. ant. **Genovés.** Apl. a pers., usáb. t. c. s.

Genro. (Del lat. *gener, -ĕri.*) m. ant. **Yerno.**

Gent. (Del fr. *gent*, noble, y éste del lat. *genĭtus*, nacido.) adv. m. ant. **Gentilmente.**

Gentalla. f. ant. **Gentualla.**

Gente. (Del lat. *gens, gentis.*) f. Pluralidad de personas. || **2. Nación.** || **3.** Tropa de soldados. || **4.** Nombre colectivo que se da a cada una de las clases que pueden distinguirse en la sociedad. *Buena* GENTE; GENTE *del pueblo;* GENTE *rica o de dinero.* || **5.** V. **Derecho, don, trato de gentes.** || **6.** V. **Decir, dicho de las gentes.** || **7.** fam. Familia o parentela. *¿Cómo tiene usted su* GENTE? || **8.** fam. Conjunto de personas que viven reunidas o trabajan a las órdenes de uno. *¿Está ya toda la* GENTE? || **9.** fig. y fam. V. **Bocanada de gente.** || **10.** *Colomb., Chile* y *P. Rico.* **Gente** decente, bien portada. || **11.** *Mar.* Conjunto de los soldados y marineros de un buque. || **12.** pl. Gentiles. Hoy sólo tiene uso en la expresión **el Apóstol de las gentes.** || **13.** *Germ.* Las orejas. || **Gente de armas.** Conjunto de hombres de armas, cada uno de los cuales llevaba un archero. || **de barrio.** La ociosa y holgazana. || **de bien.** La de buena intención y proceder. || **de capa negra.** fig. y fam. **Gente** ciudadana y decente. || **de capa parda.** fig. y fam. **Gente** rústica; como los labradores o aldeanos. || **de carda,** o **de la carda.** Cardadores o pelaires que comúnmente vivían a lo pícaro y solían parar en valentones y rufianes. || **de escalera abajo.** fig. y fam. La de clase inferior en cualquier línea. || **de gallaruza.** fig. y fam. **Gente de capa parda.** || **de la cuchilla.** fig. y fam. Los carniceros. || **de la garra.** fig. y fam. **Gente** acostumbrada a hurtar. || **de la vida airada.** Los que se precian de guapos y valientes, o los que viven libre o licenciosamente. || **del bronce.** fig. y fam. **Gente** alegre y resuelta. || **del polvillo.** fig. y fam. Personas que se emplean en obras de albañilería y en el acopio de los materiales para ellas. || **del rey.** Galeotes y presidiarios. || **de mar.** Matriculados y marineros. || **de medio pelo.** La de clase media no muy acomodada. || **de paz.** expr. con que se contesta al alto que echa el centinela, o al que pregunta ¡quién!, cuando uno llama. || **de pelea.** Soldados de fila, a distinción de los cuarteleros y vivanderos. || **de pelo,** o **de pelusa.** fig. y fam. La rica y acomodada. || **de plaza.** fig. y fam. En las poblaciones cortas, la que es rica y acomodada, y que suele gastar el tiempo en conversaciones en las plazas y sitios públicos. || **de pluma.** fig. y fam. La que tiene por ejercicio escribir. Ordinariamente se toma por los escribanos. || **de seguida.** La que anda en cuadrilla, haciendo robos u otros daños, como bandoleros. || **de Su Majestad. Gente del rey.** || **de toda broza.** fig. y fam. La que vive con libertad, sin tener oficio ni empleo conocido. || **de trato.** La que está dedicada a la negociación o comercio. || **de traza.** La que observa la debida circunspección en obras y palabras. || **forzada. Gente del rey.** || **menuda.** fam. Los niños. || **2.** fig. y fam. La plebe. || **non sancta.** fam. La de mal vivir. || **perdida.** La vagabunda, haragana, desalmada, o de mal vivir. || **Ahogarse la gente.** fr. fig. y fam. con que se pondera el calor y apretura que ocasiona el mucho concurso de personas. || **Ande yo caliente y ríase la gente.** ref. que se aplica al que prefiere su gusto o su comodidad, al bien parecer. || **Bullir de gente.** fr. ant. fig. Ser mucho y frecuente un concurso de personas. || **De gente en gente.** m. adv. De generación en generación. || **Derramar la gente de armas,** o **de guerra.** fr. ant. Despedirla, licenciarla, o reformarla. || **Gente loca, coméis, de mi rabo y no de mi boca.** ref. que condena a los que en ausencia juzgan mal de acciones ajenas. || **Hacer gente.** fr. Reclutar hombres para la milicia, o reunirlos para cualquier otro fin. || **2.** fig. y fam. Ocasionar reunión de **gente,** llamando su atención de algún modo.

Gentecilla. f. d. de **Gente.** || **2.** despect. Gente ruin y despreciable.

Gentil. (Del lat. *gentīlis.*) adj. Idólatra o pagano. Ú. t. c. s. || **2.** Brioso, galán, gracioso. GENTIL *mozo;* GENTIL *donaire.* || **3. Notable.** GENTIL *desvergüenza;* GENTIL *disparate.* || **4.** V. **Halcón gentil.** || **5.** V. **Gentil hombre.** || **6.** V. **Gentil pieza.** || **7.** ant. **Gentilicio,** 1.ª acep. || **8.** ant. **Noble,** 3.ª acep.

Gentileza. (De *gentil*, 2.ª acep.) f. Gallardía, buen aire y disposición del cuerpo; garbo y bizarría. || **2.** Desembarazo y garbo en la ejecución de alguna cosa. || **3.** Ostentación, bizarría y gala. || **4.** Urbanidad, cortesía.

Gentilhombre. (De *gentil* y *hombre.*) m. Buen mozo. Palabra con que se apostrofaba a alguno para captarse su voluntad, y así, Cervantes: *Dígame*, GENTILHOMBRE, etc. || **2.** Persona que se despachaba al rey con un pliego de importancia, para darle noticia de algún buen suceso; como la toma de una plaza o el arribo de una flota. || **3.** El que servía en las casas de los grandes o en otras para acompañar al señor o señora. || **de boca.** Criado de la casa del rey, en clase de caballeros, que seguía en grado al mayordomo de semana: su destino propio era servir a la mesa del rey, por lo que se le dió el nombre; posteriormente sólo acompañaban al rey cuando salía a la capilla en público o a otra fiesta de iglesia, y cuando iba a alguna función a caballo. || **de cámara.** Persona de distinción que acompañaba al rey en ella y cuando salía. Estas funciones eran privativas de los **gentileshombres** de cámara con ejercicio, porque había también **gentileshombres** de entrada, llamados así por tenerla en la sala de Grandes, y por haberlos también honorarios, que sólo gozaban la insignia de la llave. || **de la casa.** El que acompañaba al rey después de los **gentileshombres de boca.** || **de lo interior. Gentilhombre de boca.** || **de manga.** Criado cuyo empleo honorífico se estableció en la casa real para servir al príncipe y a cada uno de los infantes mientras estaban en la menor edad: su encargo era asistir continuamente al cuidado de la persona real a quien estaba asignado, darle el brazo cuando lo necesitaba, etc. || **de placer.** fam. **Bufón,** 2.° art., 2.ª acep.

Gentilicio, cia. (Del lat. *gentilitĭus.*) adj. Perteneciente a las gentes o naciones. || **2.** Perteneciente al linaje o familia. || **3.** *For.* V. **Retracto gentilicio.** || **4.** *Gram.* V. **Adjetivo gentilicio.**

Gentílico, ca. adj. Perteneciente a los gentiles.

Gentilidad. (Del lat. *gentilĭtas, -ātis.*) f. Falsa religión que profesan los gentiles o idólatras. || **2.** Conjunto y agregado de todos los gentiles.

Gentilismo. (De *gentil.*) m. **Gentilidad.**

Gentilizar. intr. Practicar o seguir los ritos de los gentiles. || **2.** tr. Dar carácter gentílico a alguna cosa.

Gentilmente. adv. m. Con gentileza. || **2.** A manera de los gentiles.

Gentío. (De *gente.*) m. Concurrencia o afluencia de número considerable de personas en un lugar.

Gento, ta. (Del lat. *genĭtus*, p. p. de *gignĕre*, engendrar.) adj. ant. Gentil, bello, gallardo.

Gentualla. f. despect. Gente la más despreciable de la plebe.

Gentuza. f. despect. **Gentualla.**

Genués, sa. (Del lat. *Genua*, Génova.) adj. ant. **Genovés.** Apl. a pers., usáb. t. c. s.

Genuflexión. (Del lat. *genuflexĭo, -ōnis*, de *genuflectĕre*, doblar la rodilla, arrodillarse.) f. Acción y efecto de doblar la rodilla, bajándola hacia el suelo, ordinariamente en señal de reverencia.

Genuino, na. (Del lat. *genuīnus.*) adj. Puro, propio, natural, legítimo.

Genulí. m. **Genolí.**

Geocéntrico, ca. (Del gr. γῆ, tierra, y de *céntrico.*) adj. Perteneciente o relativo al centro de la Tierra. || **2.** *Astron.* Aplícase a la latitud y longitud de un planeta visto desde la Tierra. || **3.** *Astron.* Aplícase al sistema de Tolomeo y a los demás que suponen ser la Tierra el centro del Universo.

Geoda. (Del lat. *geōdes*, y éste del gr. γεώδης, térreo.) f. *Geol.* Hueco de una roca, tapizado de una substancia generalmente cristalizada.

Geodesia. (Del gr. γεωδαισία; de γῆ, tierra, y δαίω, *dividir.*) f. Ciencia matemática que tiene por objeto determinar la figura y magnitud de todo el globo terrestre o de una gran parte de él, y construir los mapas correspondientes.

Geodésico, ca. adj. Perteneciente o relativo a la geodesia.

Geodesta. m. Profesor de geodesia. || **2.** El que se ejercita habitualmente en ella.

Geófago, ga. (Del gr. γῆ, tierra, y φαγεῖν, comer.) adj. Que come tierra. Ú. t. c. s.

Geofísica. f. Parte de la geología, que estudia la física terrestre.

Geogenia. (Del gr. γῆ, tierra, y γένος, nacimiento.) f. Parte de la geología, que trata del origen y formación de la Tierra.

Geogénico, ca. adj. Perteneciente o relativo a la geogenia.

Geognosia. (Del gr. γῆ, tierra, y γνῶσις, conocimiento). f. Parte de la geología, que estudia la estructura y composición de las rocas que forman la Tierra.

Geognosta. (Del gr. γῆ, tierra, y γνώστης, el que conoce.) m. El que profesa la geognosia o en ella tiene especiales conocimientos.

Geognóstico, ca. adj. Perteneciente o relativo a la geognosia.

Geogonía. (Del gr. γῆ, tierra, y γονεία, generación.) f. **Geogenia.**

Geogónico, ca. adj. Perteneciente o relativo a la geogonía.

Geografía. (Del lat. *geographĭa*, y éste del gr. γεωγραφία, de γεωγράφος, geógrafo.) f. Ciencia que trata de la descripción de la Tierra. || **astronómica. Cosmografía.** || **botánica.** La que estudia la distribución de las especies vegetales en la superficie de la Tierra. || **física.** Parte de la **geografía,** que trata de la configuración de las tierras y los mares. || **histórica.** La que estudia la distribución de los Estados y pueblos en la Tierra a través de las distintas épocas. || **lingüística.** La que estudia la distribución de los fenómenos lingüísticos de un idioma sobre el territorio en que éste se habla. || **política.** Parte de la **geografía,** que trata de la distribución y organización de la Tierra en cuanto es morada del hombre. || **zoológica.** La que estudia la distribución de las especies animales en la superficie de la Tierra.

Geográficamente. adv. m. Según las reglas de la geografía.

Geográfico, ca. (Del lat. *geographĭcus*, y éste del gr. γεωγραφικός.) adj. Perteneciente o relativo a la geografía.

Geógrafo. (Del lat. *geogrăphus*, y éste del gr. γεωγράφος; de γῆ, tierra, y γράφω, describir.) m. El que profesa la geografía o en ella tiene especiales conocimientos.

Geoide. (Del gr. γῆ, tierra, y εἶδος, forma.) m. Forma teórica de la Tierra determinada por la geodesia.

Geología. (Del gr. γῆ, tierra, y λόγος, tratado.) f. Ciencia que trata de la forma exterior e interior del globo terrestre; de la naturaleza de las materias que lo componen y de su formación; cambios o alteraciones que éstas han experimentado desde su origen, y colocación que tienen en su actual estado.

Geológico, ca. adj. Perteneciente o relativo a la geología.

Geólogo. m. El que profesa la geología o en ella tiene especiales conocimientos.

Geomancia [~ **mancía**]. (Del lat. *geomantīa*, y éste del gr. γεωμαντεία; de γῆ, tierra, y μαντεία, adivinación.) f. Especie de magia y adivinación supersticiosa que se hace valiéndose de los cuerpos terrestres o con líneas, círculos o puntos hechos en la tierra.

Geomántico, ca. adj. Perteneciente a la geomancia. || **2.** m. El que la profesa.

Geomético. m. ant. **Geomántico.**

Geómetra. (Del lat. *geomĕtra*, y éste del gr. γεωμέτρης; de γῆ, tierra, y μετρέω, medir.) m. El que profesa la geometría o en ella tiene especiales conocimientos.

Geometral. adj. **Geométrico.**

Geometría. (Del lat. *geometrĭa*, y éste del gr. γεωμετρία, de γεωμέτρης, geómetra.) f. Parte de las matemáticas, que trata de las propiedades y medida de la extensión. || **algorítmica.** *Mat.* Aplicación del álgebra a la **geometría,** para resolver por medio del cálculo ciertos problemas de la extensión. || **analítica.** *Mat.* Parte de las matemáticas, que estudia las propiedades de las líneas y superficies representadas por medio de ecuaciones. || **del espacio.** *Mat.* Parte de la **geometría,** que considera las figuras cuyos puntos no están todos en un mismo plano. || **descriptiva.** *Mat.* Parte de las matemáticas, que tiene por objeto resolver los problemas de la geometría del espacio por medio de operaciones efectuadas en un plano y representar en él las figuras de los sólidos. || **plana.** *Mat.* Parte de la **geometría,** que considera las figuras cuyos puntos están todos en un plano.

Geométricamente. adv. m. Conforme al método y reglas de la geometría.

Geométrico, ca. (Del lat. *geometrĭcus*, y éste del gr. γεωμετρικός.) adj. Perteneciente a la geometría. || **2.** V. **Codo, paso, pie geométrico.** || **3.** V. **Codo geométrico cúbico.** || **4.** V. **Cruz geométrica.** || **5.** *Geom.* V. **Cuadrado geométrico.** || **6.** *Geom.* V. **Línea, ortografía, progresión geométrica.** || **7.** *Mat.* V. **Proporción, razón geométrica.** || **8.** *Persp.* V. **Plano geométrico.** || **9.** fig. Muy exacto. *Demostración* GEOMÉTRICA; *cálculo* GEOMÉTRICO.

Geomorfía. (Del gr. γῆ, tierra, y μορφή, forma.) f. Parte de la geodesia, que trata de la figura del globo terráqueo y de la formación de los mapas.

Geonomía. (Del gr. γῆ, tierra, y νόμος, ley.) f. Ciencia que estudia las propiedades de la tierra vegetal.

Geonómico, ca. adj. Perteneciente o relativo a la geonomía.

Geopolítica. f. Ciencia que pretende fundar la política nacional o internacional en el estudio sistemático de los factores geográficos, económicos y raciales.

Geoponía. (Del gr. γεωπονία, de γεωπόνος; de γῆ, tierra, y πόνος, trabajo.) f. **Agricultura.**

Geopónica. f. **Geoponía.**

Geopónico, ca. (Del gr. γεωπονικός.) adj. Perteneciente o relativo a la geoponía.

Georama. (Del gr. γῆ, tierra, y ὅραμα, acción de ver, espectáculo.) m. Globo geográfico, grande y hueco, sobre cuya superficie interior está trazada la figura de la Tierra, de suerte que el espectador que se coloca en el centro de dicho globo abraza de una ojeada el conjunto de los mares, continentes, etc.

Georgiano, na. adj. Natural de Georgia. Ú. t. c. s. || **2.** Perteneciente a este país de Asia.

Geórgica. (Del lat. *georgĭca*, y éste del gr. γεωργικός, rural; de γεωργός; de γῆ, tierra, y ἔργον, obra.) f. Obra que tiene relación con la agricultura. Ú. m. en pl., y hablando de las literarias. Por antonom., se entienden las de Virgilio que llevan este nombre.

Geotectónico, ca. adj. Perteneciente o relativo a la forma, disposición y estructura de las rocas y terrenos que constituyen la corteza terrestre.

Geótico, ca. (Del gr. γῆ, tierra.) adj. ant. Perteneciente a la tierra o que se ejecuta con ella.

Geotropismo. m. *Biol.* Tropismo en que el factor predominante es la fuerza de gravedad.

Gépido, da. (Del lat. *gepĭdae.*) adj. Dícese de cada uno de los individuos de una antigua nación germánica que se juntó a los hunos bajo Atila, y, vencida después por los ostrogodos, se fundió con ellos. Ú. t. c. s.

Geraniáceo, a. (De *geranio.*) adj. *Bot.* Dícese de hierbas o matas angiospermas dicotiledóneas, con ramos articulados y estípulas, hojas alternas u opuestas, y flores solitarias o en umbela que dan tres o cinco frutillos membranosos e indehiscentes y con una sola semilla; como el geranio y la aguja de pastor. Ú. t. c. s. || **2.** f. pl. *Bot.* Familia de estas plantas.

Geranio. (Del lat. *geranĭon*, y éste del gr. γεράνιον.) m. Planta exótica de la familia de las geraniáceas, con tallos herbáceos de dos a cuatro decímetros de altura y ramosos; hojas opuestas, pecioladas y de borde ondeado; flores en umbela apretada, y frutos capsulares, alargados, unidos de cinco en cinco, cada uno con su semilla. Hay varias especies, que se distinguen por el tamaño de las hojas, ser éstas vellosas o no, estar más o menos recortadas, y, sobre todo, por el olor y coloración de las flores. Estas hierbas, originarias del África austral, se cultivan en los jardines. || **de hierro.** Pelargonio de hojas grandes, generalmente con zonas de colores distintos en la haz, y flores rojas. Tiene un olor desagradable, pero se cultiva por la belleza de sus flores. || **de malva.** Pelargonio de hojas parecidas a las de la malva, pero más suaves, olor de manzana y flores blancas. Se cultiva por lo delicado de su aroma. || **de rosa.** Pelargonio de hojas pequeñas y vellosas, de olor muy grato y flores rosadas. Se cultiva para extraer su esencia, muy empleada en perfumería y utilizada a veces para falsificar la esencia de rosa. || **de sardina.** *Ál.*, *Córd.* y *Nav.* **Geranio de hierro.**

Gerbo. m. **Jerbo.**

Gerencia. f. Cargo de gerente. || **2.** Gestión que le incumbe. || **3.** Oficina del gerente. || **4.** Tiempo que una persona dura en este cargo.

Gerente. (Del lat. *gerens, -entis*, p. a. de *gerĕre*, dirigir.) m. *Com.* El que dirige los negocios y lleva la firma en una sociedad o empresa mercantil, con arreglo a su constitución.

Geriatría. (Del gr. γῆρας, vejez, y ἰατρεία, curación.) f. Parte de la medicina, que estudia la vejez y sus enfermedades.

Gerifalco. m. ant. **Gerifalte.**

Gerifalte. (Del al. *geierfalk;* de *geier*, buitre, y *falke*, halcón.) m. Ave del orden de las rapaces, con plumaje pardo con rayas claras en las penas de las alas y cola, y blanquecino con listas cenicientas en el vientre. Es el halcón mayor que se conoce, pues tiene seis decímetros de largo y catorce de envergadura; fué muy estimado como ave de cetrería, y vive ordinariamente en el norte de Europa. || **2.** Pieza antigua de artillería, especie de culebrina de muy poco calibre. || **3.** fig Persona que descuella en cualquier línea. || **4.** *Germ.* **Ladrón,** 1.ª acep.

Germán. adj. Apócope de **Germano.**

Germana. (De *germano*, 2.° art.) f. *Germ.* **Mujer pública.**

Germanesco, ca. adj. Perteneciente o relativo a la germanía.

Germanía. (Del lat. *germānus*, hermano.) f. Jerga o manera de hablar de ladrones y rufianes, que usaban ellos solos y compuesta de voces del idioma español con significación distinta de la genuina y verdadera, y de otros muchos vocablos de orígenes muy diversos. || **2. Amancebamiento.** || **3.** Hermandad formada por los gremios de Valencia a principios de siglo XVI. Úsábase m. en pl. con ocasión de la guerra que promovieron contra los nobles en varias poblaciones del reino de Valencia, entre los años 1519 y 1522. || **4.** *Germ.* **Rufianesca.** || **5.** fam. *Albac.*, *And.* y *Cuen.* Tropel de muchachos.

Germánico, ca. (Del lat. *germanĭcus.*) adj. Perteneciente o relativo a la Germania o a los germanos. || **2.** Aplícase al que venció a los germanos y al hijo o descendiente del vencedor. Ú. t. c. s. || **3.** Dícese de algunas cosas pertenecientes a Alemania. || **4.** Dícese de la lengua indoeuropea que hablaron los pueblos germanos, y de la cual se derivaron el nórdico, el gótico, el alemán, el neerlandés, el frisón y el anglosajón. Ú. t. c. s. m.

Germanidad. (Del lat. *germanĭtas, -ātis.*) f. ant. **Hermandad.**

Germanio. (De *Germania*, por haberse descubierto en Alemania.) m. *Quím.* Metal muy raro, parecido al bismuto, que se encuentra en los minerales de cinc.

Germanismo. (Del lat. *Germanĭa*, Alemania.) m. Idiotismo propio de la lengua alemana. || **2.** Vocablo o giro de esta lengua empleado en otra. || **3.** Empleo de vocablos o giros alemanes en distinto idioma.

Germanista. m. y f. Persona versada en la lengua y cultura alemanas.

Germanización. f. Acción y efecto de germanizar.

Germanizar. tr. Hacer tomar el carácter germánico, o inclinación a las cosas germánicas. Ú. t. c. r.

Germano, na. adj. Natural u oriundo de la Germania, del territorio que se extiende desde el Rin hasta el Vístula, y desde gran parte del Danubio hasta el mar Báltico. Ú. t. c. s.

Germano, na. (Del lat. *germānus.*) adj. ant. **Genuino.** || **2.** m. **Hermano carnal.** || **3.** *Germ.* **Rufián.**

Germen. (Del lat. *germen.*) m. Principio rudimental de un nuevo ser orgánico. || **2.** Parte de la semilla de que se forma la planta. || **3.** Primer tallo que brota de ésta. || **4.** fig. Principio, origen de una cosa material o moral.

Germinación. (Del lat. *germinatĭo, -ōnis.*) f. Acción de germinar.

Germinador, ra. (Del lat. *germinātor.*) adj. Que hace germinar.

Germinal. (Del lat. *germinālis.*) adj. Perteneciente al germen. || **2.** m. Séptimo mes del calendario republicano francés, cuyos días primero y último coincidían, respectivamente, con el 21 de marzo y el 19 de abril.

Germinante. p. a. de **Germinar.** Que germina.

Germinar. (Del lat. *germināre.*) intr. Brotar y comenzar a crecer las plantas. || **2.** Comenzar a desarrollarse las semillas de los vegetales. || **3.** fig. Brotar, crecer, desarrollarse cosas morales o abstractas. GERMINAR *las virtudes, los vicios, la libertad.*

Germinativo, va. adj. Que puede germinar o causar la germinación.

Gerno. (De *genro.*) m. ant. **Yerno.**

Gerundense. (Del lat. *gerundensis*, de *Gerunda*, Gerona.) adj. Natural de Gerona. Ú. t. c. s. || **2.** Perteneciente a esta ciudad.

Gerundiada. (De *Gerundio*, 2.° art.) f. fam. Expresión gerundiana.

Gerundiano, na. (De *Gerundio*, 2.° art.) adj. fam. Aplícase al estilo propio de un gerundio, 2.° art.

Gerundio. (Del lat. *gerundĭum.*) m. *Gram.* Forma verbal invariable del modo infinitivo, cuya terminación regular es *ando* en los verbos de la primera conjugación, y *iendo* en los de la segunda y tercera; v. gr.: *Amando, temiendo, partiendo.* Denota la idea del verbo en abstracto, y, por lo común, como ejecutándose de presente; pero puede referirse a cualquier tiempo así como a cualquier género y número, según el sentido de la frase de que forme parte; v. gr.: *Estoy, estuve, estaré* LEYENDO; VOLANDO *la tórtola;* VOLANDO *los pájaros.* Tiene más generalmente carácter adverbial, por cuanto modifica la significación del verbo, expresando modo, condición, motivo o circunstancia; v. gr.: *Vino* CORRIENDO; HABLANDO *se entiende la gente.* Empléase a veces como ablativo absoluto; v. gr.: REINANDO *Isabel la Católica se descubrió el Nuevo Mundo.*

Gerundio. (Por alusión a fray *Gerundio* de Campazas, creación del Padre Isla.) m. fig. y fam. Persona que habla o escribe en estilo hinchado, afectando inoportunamente erudición e ingenio. Dícese más especialmente de los predicadores y de los escritores de materias religiosas o eclesiásticas.

Gesneriáceo, a. (De *gesneria*, nombre de un género de plantas.) adj. *Bot.* Dícese de plantas angiospermas dicotiledóneas, herbáceas, rara vez leñosas, afines a las escrofulariáceas y orobancáceas, de las que difieren por ciertos caracteres morfológicos de sus ovarios. Casi todas viven en países intertropicales, y muchas son ornamentales y muy apreciadas en jardinería; como la gloxínea. Ú. t. c. s. f. || **2.** f. pl. *Bot.* Familia de estas plantas.

Gesolreút. (De la letra *g* y de las notas musicales *sol, re, ut.*) m. En la música antigua, indicación del tono que principia en el quinto grado de la escala diatónica de *do* y se desarrolla según los preceptos del canto llano y del canto figurado.

Gesta. (Del lat. *gesta*, hechos señalados, hazañas.) f. V. **Cantar, romance de gesta.** || **2.** Conjunto de hechos memorables de algún personaje.

Gestación. (Del lat. *gestatĭo, -ōnis.*) f. Tiempo que dura la preñez. || **2.** fig. Acción de germinar, 2.ª acep.

Gestadura. (De *gesto*, rostro.) f. ant. Cara o rostro.

Gestatorio, ria. (Del lat. *gestatorĭus.*) adj. Que ha de llevarse a brazos. || **2.** V. **Silla gestatoria.**

Gestear. intr. Hacer gestos.

Gestero, ra. adj. Que tiene el hábito o vicio de hacer gestos.

Gesticulación. (Del lat. *gesticulatĭo, -ōnis.*) f. Movimiento del rostro, que indica afecto o pasión.

Gesticular. (Del lat. *gesticŭlus*, d. de *gestus*, gesto.) adj. Perteneciente al gesto.

Gesticular. (Del lat. *gesticulāri.*) intr. Hacer gestos.

Gesticuloso, sa. adj. Que gesticula.

Gestión. (Del lat. *gestĭo, -ōnis.*) f. Acción y efecto de gestionar. || **2.** Acción y efecto de administrar. || **de negocios.** *For.* Cuasi contrato que se origina por el cuidado de intereses ajenos sin mandato de su dueño.

Gestionar. (De *gestión.*) tr. Hacer diligencias conducentes al logro de un negocio o de un deseo cualquiera.

Gesto. (Del lat. *gestus.*) m. Expresión del rostro según los diversos afectos del ánimo. || **2.** Movimiento exagerado del rostro por hábito o enfermedad. || **3. Mueca.** || **4. Semblante,** 3.ª acep. || **5.** ant. fig. Aspecto o apariencia que tienen algunas cosas inanimadas. || **6.** Acto o hecho. || **Estar de buen, o mal, gesto.** fr. Estar de buen, o mal, humor. || **Hacer gestos** a una cosa. fr. fig. y fam. Despreciarla o mostrarse poco contento de ella. || **Poner gesto.** fr. Mostrar enfado o enojo en el semblante. || **Ponerse a gesto.** fr. ant. Aderezarse y componerse para parecer bien.

Gestor, ra. (Del lat. *gestor*, procurador.) adj. Que gestiona. Ú. t. c. s. || **2.** *Com.* Miembro de una sociedad mercantil que participa en la administración de ésta. || **de negocios.** *For.* El que sin tener mandato para ello, cuida bienes, negocios o intereses ajenos, en pro de aquel a quien pertenecen.

Gestudo, da. adj. fam. Que acostumbra poner mal gesto. Ú. t. c. s.

Geta. (Del lat. *geta.*) adj. Natural de un pueblo escita situado al este de la Dacia. Ú. t. c. s. m. y en pl.

Gético, ca. (Del lat. *getĭcus.*) adj. Perteneciente o relativo a los getas.

Getulo, la. (Del lat. *getūlus.*) adj. Natural de Getulia, país de África antigua, al sur de la Numidia. Ú. t. c. s. y en pl.

Giba. (Del lat. *gibbus*, joroba.) f. **Corcova.** || **2.** fig. y fam. Molestia, incomodidad. || **3.** *Germ.* **Bulto,** 3.ª acep. || **4.** *Germ.* **Alforja,** 1.ª acep.

Gibado, da. (De *giba.*) adj. **Corcovado.**

Gibao. m. V. **Pie de gibao.**

Gibar. (De *giba.*) tr. **Corcovar.** || **2.** fig. y fam. Fastidiar, vejar, molestar.

Gibelino, na. (Del ital. *ghibellino*, del n. p. de *Weibelingen.*) adj. Partidario de los emperadores de Alemania, en la Edad Media, contra los güelfos, defensores de los papas. Ú. t. c. s. || **2.** Perteneciente o relativo a los **gibelinos.**

Gibosidad. f. Cualquiera protuberancia en forma de giba.

Giboso, sa. (Del lat. *gibbōsus.*) adj. Que tiene giba o corcova. Ú. t. c. s.

Gibraltareño, ña. adj. Natural de Gibraltar. Ú. t. c. s. || **2.** Perteneciente a esta ciudad.

Giennense. adj. **Jiennense.**

Giga. (Del medio alto al. *gige;* en al. mod. *geige*, violín.) f. Baile antiguo que se ejecutaba en compás de seis por ocho con aire acelerado. || **2.** Música correspondiente a este baile. || **3.** ant. Instrumento músico de cuerda.

Giganta. (De *gigante.*) f. Mujer que excede de estatura a la generalidad de las demás. || **2. Girasol,** 1.ª acep. || **3.** V. **Hierba giganta.**

Gigante. (Del lat. *gigas, -antis.*) adj. **Gigantesco.** || **2.** m. El que excede mucho en estatura a la generalidad de los demás. || **3. Gigantón,** 2.ª acep. || **4.** fig. El que excede o sobresale en ánimo, fuerzas u otra cualquiera virtud o vicio. || **5.** pl. *Germ.* Los dedos mayores de la mano. || **Gigante en tierra de enanos.** fig. y fam. Hombre de pequeña estatura. || **2.** fr. fig. para denotar que un sujeto descuella no por su propio valer, sino por inferioridad de los que le rodean.

Gigantea. (Del lat. *gigantēa*, t. f. de *-ēus*, giganteo.) f. **Girasol,** 1.ª acep.

Giganteo, a. (Del lat. *gigantēus.*) adj. p. us. **Gigantesco.**

Gigantesco, ca. adj. Perteneciente o relativo a los gigantes. || **2.** fig. Excesivo o muy sobresaliente en su línea. *Árbol* GIGANTESCO; *fuerzas* GIGANTESCAS.

Gigantez. (De *gigante.*) f. Tamaño que excede mucho de lo regular.

Gigánticamente. adv. m. ant. Al modo o manera de los gigantes.

Gigántico, ca. adj. ant. **Giganteo.**

Gigantilla. f. d. de **Giganta.** || **2.** Figura artificial con cabeza y miembros desproporcionados a su cuerpo. || **3.** Por semejanza se llama así a la mujer muy gruesa y baja.

Gigantino, na. adj. ant. **Giganteo.**

Gigantismo. m. *Med.* Enfermedad del desarrollo caracterizada por un crecimiento excesivo con relación a la talla media de los individuos de la misma edad, especie y raza.

Gigantón, na. m. y f. aum. de **Gigante.** || **2.** Cada una de las figuras gigantescas que suelen llevarse en algunas procesiones. || **3.** m. Planta compuesta, especie de dalia, de flores moradas. || **Echar** a uno **los gigantones.** fr. fig. y fam. **Echarle el toro.**

Gigote. (Del fr. *gigot*, pierna de carnero preparada para comerla.) m. Guisado de carne picada rehogada en manteca. || **2.** Por ext., cualquiera otra comida picada en pedazos menudos. || **Hacer gigote** una cosa. fr. fig. y fam. Hacerla menudos pedazos.

Gijonense. adj. **Gijonés.**

Gijonés, sa. adj. Natural de Gijón. Ú. t. c. s. || **2.** Perteneciente a esta villa.

Gil. m. Individuo de cierto bando de la montaña de Santander, especialmente de la comarca de Trasmiera, en el siglo XV, adversario del de los Negretes.

Gilí. (Del ár. *ŷāhil*, con imela, *ŷihil*, bobo, aturdido, ignorante.) adj. fam. Tonto, lelo.

Gilito. adj. Dícese del fraile descalzo de San Francisco, perteneciente al convento de San Gil, que existió en Madrid, cerca del real Alcázar, hasta la época de Bonaparte.

Gilvo, va. (Del lat. *gilvus.*) adj. Aplícase al color melado o entre blanco y rojo.

Gimnasia. (Del lat. *gymnasĭa*, y éste del gr. γυμνασία, de γυμνάζω, ejercitar.) f. Arte de desarrollar, fortalecer y dar flexibilidad al cuerpo por medio de ciertos ejercicios. || **2.** Estos ejercicios mismos tomados en conjunto. || **3.** fig. Práctica o ejercicio que adiestra en cualquiera actividad o función.

Gimnasio. (Del lat. *gymnasĭum*, y éste del gr. γυμνάσιον.) m. Lugar destinado a ejercicios gimnásticos. || **2.** Lugar destinado a la enseñanza pública.

Gimnasta. (Del gr. γυμναστής.) m. Persona que practica ejercicios gimnásticos.

Gimnástica. (Del lat. *gymnastĭca*, t. f. de *-cus*, gimnástico.) f. **Gimnasia.**

Gimnástico, ca. (Del lat. *gymnastĭcus*, y éste del gr. γυμναστικός.) adj. Perteneciente o relativo a la gimnasia.

Gímnico, ca. (Del lat. *gymnĭcus*, y éste del gr. γυμνικός.) adj. Perteneciente a la lucha de los atletas, y a los bailes en que se imitaban estas luchas.

Gimnosofista. (Del lat. *gymnosophistae*, y éste del gr. γυμνοσοφιστής; de γυμνός, desnudo, y σοφιστής, sabio.) m. Nombre con que griegos y romanos designaban a los brahmanes o algunas de sus sectas.

Gimnospermo, ma. (Del gr. γυμνός, desnudo, y σπέρμα, simiente.) adj. *Bot.* Dícese de las plantas fanerógamas cuyos carpelos no llegan a constituir una cavidad cerrada que contiene los óvulos y, por tanto, las semillas quedan al descubierto; como el pino, el ciprés y el helecho. || **2.** f. pl. *Bot.* Subtipo de estas plantas.

Gimnoto. (Del gr. γυμνός, desnudo.) m. *Zool.* Pez teleósteo del suborden de los fisóstomos, muy parecido a la anguila y de más de un metro de longitud, que vive en los ríos de la América Meridional. Tiene la particularidad de producir descargas eléctricas que paralizan a animales bastante grandes.

Gimoteador, ra. adj. Que gimotea.

Gimotear. intr. fam. o despect. de gemir, dicho del gemir ridículamente, sin bastante causa, etc.

Gimoteo. m. fam. Acción y efecto de gimotear.

Ginandra. (Del gr. γυνή, mujer, y ἀνήρ, ἀνδρός, hombre.) adj. *Bot.* Dícese de las plantas con flores hermafroditas cuyos estambres están soldados con el pistilo.

Gindama. f. **Jindama.**

Ginea. (Del gr. γενεά.) f. ant. **Genealogía.**

Ginebra. f. Instrumento grosero con que se acompaña rudamente un canto popular, y se compone de una serie de palos, tablas o huesos que, ensartados por ambas puntas y en disminución gradual, producen cierto ruido cuando se rascan con otro palo. || **2.** Cierto juego de naipes. || **3.** fig. Confusión, desorden, desarreglo. || **4.** fig. Ruido confuso de voces humanas, sin que ninguna pueda percibirse con claridad y distinción.

Ginebra. (Del fr. *genièvre*, y éste del lat. *junipĕrus*, enebro.) f. Alcohol de semillas aromatizado con las bayas del enebro.

Ginebrada. f. Torta pequeña, hecha con masa de hojaldre y con los bordes levantados formando picos, que se rellena con un batido de la misma masa con leche cuajada.

Ginebrés, sa. adj. **Ginebrino.** Apl. a pers., ú. t. c. s.

Ginebrino, na. adj. Natural de Ginebra. Ú. t. c. s. || **2.** Perteneciente a esta ciudad de Suiza.

Gineceo. (Del lat. *gynaecēum*, y éste del gr. γυναικεῖος, de γυνή, mujer.) m. Departamento retirado que en el piso superior de sus casas destinaban los griegos para habitación de sus mujeres. || **2.** *Bot.* **Pistilo.**

Ginecocracia. (Del gr. γυναικοκρατία, de γυναικοκρατέομαι; de γυνή, mujer, y κρατέω, dominar.) f. Gobierno de las mujeres.

Ginecología. (Del gr. γυνή, γυναικός, mujer, y λόγος, tratado.) f. Parte de la medicina, que trata de las enfermedades especiales de la mujer.

Ginecológico, ca. adj. Perteneciente o relativo a la ginecología.

Ginecólogo, ga. m. y f. Persona que profesa la ginecología.

Ginesta. f. Hiniesta, retama.

Gineta. f. **Jineta,** 1.er art.

Gingidio. (Del lat. *gingidĭon*, y éste del gr. γιγγίδιον.) m. **Biznaga,** 1.ª y 2.ª aceps.

Gingival. (Del lat. *gingīva*, encía.) adj. Relativo o perteneciente a las encías.

Ginovés, sa. ant. **Genovés.** Apl. a pers., usáb. t. c. s.

Gira. (De *girar*, 1.ª acep.) f. Excursión que efectúa un grupo de personas, sea por mero recreo o con otros fines. || **A la gira.** m. adv. *Mar.* Dícese del buque fondeado con una o dos anclas o amarrado a una boya, de manera que gire presentando siempre la proa al impulso del viento o de la corriente.

Girada. (De *girar.*) f. ant. **Giro,** 1.er art., 2.ª acep. || **2.** *Danza.* Movimiento en la danza española, que consiste en dar una vuelta sobre la punta de un pie llevando el otro en el aire.

Girador. m. El que gira, 4.ª acep.

Giralda. (De *girar.*) f. Veleta de torre, cuando tiene figura humana o de animal.

Giraldete. m. Roquete sin mangas.

Giraldilla. d. de **Giralda.** || **2.** Baile popular de Asturias y provincias inmediatas, que se ejecuta en compás binario.

Giramiento. (De *girar.*) m. ant. **Giro,** 1.er art., 2.ª acep.

Girándula. (Del ital. *girandola*, d. de *giranda*, de *girare*, y éste del lat. *gyrāre*, girar.) f. Rueda llena de cohetes que gira despidiéndolos. || **2.** Artificio que se pone en las fuentes para arrojar el agua con agradable variedad.

Girante. p. a. de **Girar.** Que gira. || **2.** m. ant. **Novilunio.**

Girar. (Del lat. *gyrāre.*) intr. Moverse alrededor o circularmente. || **2.** fig. Desarrollarse una conversación, negocio, trato, etc., en torno a un tema o interés dado. || **3.** Desviarse o torcer la dirección inicial. *La calle* GIRA *a la derecha.* || **4.** *Com.* Expedir libranzas, talones u otras órdenes de pago. Ú. t. c. tr. GIRAR *una letra.* || **5.** *Com.* Hacer las operaciones mercantiles de una casa o empresa. || **6.** *Mec.* Moverse un cuerpo circularmente alrededor de una línea recta que le sirve de eje.

Girasol. (De *girar* y *sol*, por la propiedad que tiene la flor de irse volviendo hacia donde el sol camina.) m. Planta anual oriunda del Perú, de la familia de las compuestas, con tallo herbáceo, derecho, de unos tres centímetros de grueso y cerca de dos metros de altura; hojas alternas, pecioladas y acorazonadas; flores terminales, que se doblan en la madurez, amarillas, de dos a tres decímetros de diámetro, y fruto con muchas semillas negruzcas, casi elipsoidales, de unos tres centímetros de largo, comestibles, y de las que puede extraerse un aceite bueno para condimento. Se cultiva en España más por adorno que como planta de utilidad industrial. || **2. Ópalo girasol.** || **3.** fig. Persona que procura granjearse el favor de un príncipe o poderoso.

Giratorio, ria. adj. Que gira o se mueve alrededor. || **2.** V. **Placa giratoria.** || **3.** f. Mueble con estantes y divisiones que gira alrededor de un eje y se usa en los despachos para colocar libros y papeles.

Girifalte. m. **Gerifalte.**

Girino. (Del lat. *gyrīnus.*) m. Coleóptero pentámero de unos siete milímetros de largo, con cuerpo ovalado, de color bronceado muy brillante; dos pares de ojos; las patas del primer par largas y filiformes, y las de los otros dos pares cortas y anchas, a propósito para la natación; élitros que no tapan por completo el abdomen y alas membranosas. Anda rápidamente y trazando sobre las aguas estancadas multitud de curvas, por lo que se le llama escribano del agua. || **2.** desus. Renacuajo, cría de la rana.

Giro. (Del lat. *gyrus,* y éste del gr. γῦρος.) m. Movimiento circular. || **2.** Acción y efecto de girar. || **3.** Dirección que se da a una conversación, a un negocio y sus diferentes fases. || **4.** Tratándose del lenguaje o estilo, estructura especial de la frase, o manera de estar ordenadas las palabras para expresar un concepto. || **5.** Amenaza, bravata o fanfarronada. || **6. Chirlo.** || **7.** *Com.* Movimiento o traslación de caudales por medio de letras, libranzas, etc. || **8.** *Com.* Conjunto de operaciones o negocios de una casa, compañía o empresa. || **mutuo.** Giro oficial entre los diversos puntos donde el gobierno lo tenía autorizado. || **postal.** El que sirven las oficinas de correos y que ha substituido al **giro** mutuo. || **telegráfico.** El que se hace por mediación de las oficinas de telégrafos. || **Tomar uno otro giro.** fr. fig. Mudar de intento o resolución.

Giro, ra. adj. ant. Hermoso, galán. || **2.** *Amér., And.* y *Murc.* Aplícase al gallo que tiene las plumas del cuello y de las alas amarillas. || **3.** *Argent.* y *Chile.* Aplícase también al gallo matizado de blanco y negro.

Giroflé. (Del fr. *girofle,* y éste del lat. *garyophyllon,* del gr. καρυόφυλλον.) m. **Clavero,** 1.er art.

Girola. (Del fr. *girolle,* y éste del lat. *gyrāre,* girar.) f. *Arq.* Nave que rodea el ábside en la arquitectura románica y gótica.

Girómetro. (Del lat. *gyrus,* y éste del gr. γῦρος, giro, y μέτρον, medida.) m. Aparato para medir la velocidad de rotación de una máquina.

Girondino, na. adj. Dícese del individuo de un partido político que se formó en Francia en tiempo de la Revolución, y de este mismo partido, llamado así por haberse distinguido principalmente en él los diputados de la Gironda. Apl. a pers., ú. m. c. s.

Gironés, sa. adj. ant. **Gerundense.** Apl. a pers., ú. t. c. s.

Giroscópico, ca. adj. V. **Aguja giroscópica.**

Giroscopio. m. *Fís.* Aparato ideado por Foucault en 1852, que consiste en un disco circular que gira sobre un eje libre y demuestra la rotación del globo terrestre. || **2.** *Fís.* Aparato para apreciar los movimientos circulares del viento. || **3.** *Fís.* **Giróstato.**

Giróscopo. m. *Fís.* **Giroscopio.**

Giróstato. (Del gr. γῦρος, giro, y στατός, estable, fijo.) m. *Fís.* Aparato constituido principalmente por un volante pesado que gira rápidamente y tiende a conservar el plano de rotación reaccionando contra cualquier fuerza que lo aparte de dicho plano.

Giróvago, ga. (Del lat. *gyrovăgus.*) adj. **Vagabundo.** || **2.** Dícese del monje que por no sujetarse a la vida regular de los anacoretas y cenobitas, vagaba de uno en otro monasterio. Ú. t. c. s.

Gis. (Del lat. *gypsum,* yeso.) m. **Clarión.**

Giste. (Del al. *gischt,* espuma.) m. Espuma de la cerveza.

Gitanada. f. Acción propia de gitanos. || **2.** fig. Adulación, chiste, caricias y engaños con que suele conseguirse lo que se desea.

Gitanamente. adv. m. fig. Con gitanería.

Gitanear. intr. fig. Halagar con gitanería, para conseguir lo que se desea.

Gitanería. f. Caricia y halago hechos con zalamería y gracia, al modo de las gitanas. || **2.** Reunión o conjunto de gitanos. || **3.** Dicho o hecho propio y peculiar de los gitanos.

Gitanesco, ca. adj. Propio de los gitanos.

Gitanismo. m. Costumbres y maneras que caracterizan a los **gitanos.** || **2. Gitanería,** 2.ª acep. || **3.** Vocablo o giro propio de la lengua que hablan los gitanos.

Gitano, na. (De *egiptano.*) adj. Dícese de cierta raza de gentes errantes y sin domicilio fijo, que se creyó ser descendiente de los egipcios y parecen proceder del norte de la India. Apl. a pers., ú. t. c. s. || **2.** Propio de los **gitanos,** o parecido a ellos. || **3. Egipcio.** Apl. a pers., ú. t. c. s. || **4.** fig. Que tiene gracia y arte para ganarse las voluntades de otros. Suele usarse en buen y en mal sentido, aunque por lo común se aplica con elogio, y en especial hablando de las mujeres. Ú. t. c. s.

Glabro, bra. (Del lat. *glaber.*) adj. Calvo, lampiño.

Glaciación. f. Formación de glaciares en una determinada región y época.

Glacial. (Del lat. *glaciālis.*) adj. **Helado,** 2.ª acep. || **2.** Que hace helar o helarse. || **3.** fig. Frío, desafecto, desabrido. || **4.** *Geogr.* V. **Zona glacial.** || **5.** *Geogr.* Aplícase a las tierras y mares que están en las zonas **glaciales.**

Glacialmente. adv. m. fig. Con frialdad o de modo glacial.

Glaciar. (Del fr. *glacier,* y éste del lat. **glaciarius,* de *glacies,* hielo.) m. Masa de hielo acumulada en las zonas altas de las cordilleras por encima del límite de las nieves perpetuas y cuya parte inferior se desliza muy lentamente, como si fuese un río de hielo.

Glaciarismo. m. Estudio científico de los glaciares.

Glacis. (Del fr. *glacis,* de *glacier,* y éste del lat. *glacies,* hielo.) m. *Fort.* **Explanada,** 2.ª acep.

Gladiador. (Del lat. *gladiātor,* de *gladĭus,* espada.) m. El que en los juegos públicos de los romanos batallaba con otro o con una bestia feroz, hasta quitarle la vida o perderla.

Gladiator. m. **Gladiador.**

Gladiatorio, ria. (Del lat. *gladiatorĭus.*) adj. Perteneciente a los gladiadores.

Gladio. (Del lat. *gladĭus,* espada.) m. **Espadaña,** 1.ª acep.

Gladíolo [~ **diolo**]. (Del lat. *gladiŏlus.*) m. **Estoque,** 4.ª acep.

Glande. (Del lat. *glans, glandis,* bellota.) m. **Bálano,** 1.ª acep. || **2.** f. ant. **Bellota,** 1.ª acep. Ú. en la *Rioja.*

Glandífero, ra. (Del lat. *glandĭfer;* de *glans, glandis,* bellota, y *ferre,* llevar.) adj. poét. y *Bot.* Que lleva o da bellotas.

Glandígero, ra. (Del lat. *glans, glandis,* bellota, y *gerĕre,* llevar.) adj. **Glandífero.**

Glándula. (Del lat. *glandŭla.*) f. *Bot.* Cualquiera de los órganos unicelulares o pluricelulares que segregan substancias inútiles o nocivas para la planta; pueden estar situadas en la epidermis, como las que elaboran las esencias, o en los tejidos profundos, como las que producen la trementina. || **2.** *Zool.* Cualquiera de los órganos que segregan materias inútiles o nocivas para el animal, como el riñón, o productos que el organismo utiliza en el ejercicio de una determinada función, como el páncreas. || **endocrina.** La que elabora hormonas, que se incorporan directamente a la sangre circulante por ella. || **exocrina.** La que segrega substancias que no tienen carácter hormonal, las cuales salen de ella por un conducto especial. || **pineal. Epífisis,** 1.ª acep. || **pituitaria. Hipófisis.** || **suprarrenal.** Cada uno de los dos órganos situados en contacto con el riñón de los batracios, reptiles, aves y mamíferos (en el hombre encima de la extremidad superior de esta víscera) y compuestos de una masa central o medular y otra cortical, la primera de las cuales segrega la adrenalina.

Glandular. adj. Propio de las glándulas. *Sistema* GLANDULAR.

Glanduloso, sa. (Del lat. *glandulōsus.*) adj. Que tiene glándulas, o está compuesto de ellas.

Glasé. (Del fr. *glacé,* de *glacer,* y éste del lat. *glacies,* hielo.) m. Tafetán de mucho brillo.

Glaseado, da. p. p. de **Glasear.** || **2.** adj. Que imita o se parece al glasé.

Glasear. (De *glasé.*) tr. Dar brillo a la superficie de algunas cosas, como al papel, a algunos manjares, etc.

Glasto. (Del lat. *glastum.*) m. Planta bienal de la familia de las crucíferas, con tallo herbáceo, ramoso, de seis a ocho decímetros de altura; hojas grandes, garzas, lanceoladas, con orejetas en la base; flores pequeñas, amarillas, en racimos que forman un gran ramillete, y fruto en vainilla elíptica, negra y casi plana, con una semilla comprimida, tres veces más larga que ancha. De las hojas de esta planta, antes muy cultivada, se saca un color análogo al del añil.

Glaucio. (Del lat. *glaucĭum.*) m. Hierba de la familia de las papaveráceas con tallos de cuatro a seis decímetros de altura, ramosos en la base, lampiños y amarillentos; hojas grandes, de jugo acre, elípticas, de borde muy hendido, flores solitarias, de cuatro pétalos amarillos, y fruto capsular con semillas aovadas. Crece esta planta comúnmente en terrenos estériles y arenosos.

Glauco, ca. (Del lat. *glaucus,* y éste del gr. γλαυκός, de color verdemar.) adj. Verde claro. || **2.** m. Molusco gasterópodo marino, sin concha, de cinco a seis centímetros de largo, con cuerpo fusiforme, cuatro tentáculos cortos y tres pares de branquias en forma de aletas, con las que respira y nada el animal, que es de color azul con reflejos nacarados.

Glayo. m. *Ast.* **Arrendajo,** 1.ª acep.

Gleba. (Del lat. *gleba.*) f. Terrón que se levanta con el arado. || **2.** V. **Siervo de la gleba.** || **3.** *Ar.* Terreno cubierto de césped.

Glera. (Del arag. *glera,* y éste del lat. *glarĕa,* cantorral.) f. **Cascajar,** 1.ª acep. || **2.** ant. **Arenal.**

Glicerina. (Del gr. γλυκερός, dulce.) f. Líquido incoloro, espeso y dulce, que se encuentra en todos los cuerpos grasos como base de su composición. Se usa mucho en farmacia y perfumería, pero sobre todo para preparar la nitroglicerina, base de la dinamita.

Glicina. f. Planta leguminosa, enredadera de jardín, con flores azuladas en grandes racimos.

Gliconio. (Del lat. *glyconius*, de *Glycon*, nombre del inventor de este metro.) adj. V. **Verso gliconio.** Ú. t. c. s.

Glíptica. (Del gr. γλύφω, esculpir.) f. Arte de grabar en piedras duras.

Global. adj. Tomado en conjunto.

Globo. (Del lat. *globus*.) m. **Esfera,** 1.ª acep. ‖ **2. Tierra,** 1.ª acep. ‖ **3. Globo aerostático.** ‖ **4.** Especie de fanal de cristal con que se cubre una luz para que no moleste a la vista o simplemente por adorno. ‖ **aerostático.** Bolsa de tafetán u otra tela de poco peso llena de un gas de menor densidad que el aire atmosférico, cuya fuerza ascensional equilibra el peso del **globo,** y el de la barquilla y la carga. ‖ **cautivo.** El que está sujeto con un cable y sirve de observatorio. ‖ **celeste.** Esfera en cuya superficie se figuran las constelaciones principales, con situación semejante a la que ocupan en el espacio. ‖ **centrado.** *Blas.* **Mundo centrado.** ‖ **dirigible.** Globo fusiforme que lleva una o varias barquillas con motores y hélices propulsoras para hacerle marchar y un timón vertical para guiarlo. ‖ **sonda.** Globo pequeño no tripulado, que lleva aparatos registradores y se eleva generalmente a gran altura. Se utiliza para estudios meteorológicos. ‖ **terráqueo,** o **terrestre. Tierra,** 1.ª acep. ‖ **2.** Esfera en cuya superficie se figura la disposición respectiva que las tierras y mares tienen en nuestro planeta.‖ **En globo.** m. adv. En conjunto, alzadamente, sin detallar.

Globoso, sa. (Del lat. *globōsus*.) adj. De figura de globo.

Globular. adj. De figura de glóbulo. ‖ **2.** Compuesto de glóbulos.

Globulariáceo, a. (De *globularia*, nombre latino del único género de esta familia de plantas.) adj. *Bot.* Dícese de plantas angiospermas dicotiledóneas, hierbas perennes, matas o arbustos, con hojas alternas, simples y sin estípulas; flores en cabezuelas, comúnmente terminales, y por frutos cariópsides con semilla de albumen carnoso; como la corona de rey. Ú. t. c. s. f. ‖ **2.** f. pl. *Bot.* Familia de estas plantas.

Glóbulo. (Del lat. *globŭlus*.) m. d. de **Globo.** ‖ **2.** Pequeño cuerpo esférico. ‖ **blanco.** *Zool.* **Leucocito.** ‖ **rojo.** *Zool.* **Hematíe.**

Globuloso, sa. adj. Compuesto de glóbulos.

Gloria. (Del lat. *gloria*.) f. **Bienaventuranza,** 1.ª acep. Es uno de los cuatro novísimos. ‖ **2. Cielo,** 4.ª acep. ‖ **3.** Reputación, fama y honor que resulta a cualquiera por sus buenas acciones y grandes calidades. ‖ **4.** Gusto y placer vehemente. *La* GLORIA *del estudioso es estudiar.* ‖ **5.** Lo que ennoblece o ilustra en gran manera una cosa. *Cervantes es* GLORIA *de España; el buen hijo es* GLORIA *de su padre.* ‖ **6.** Majestad, esplendor, magnificencia. ‖ **7.** Tejido de seda muy delgado y transparente, de que se hacían mantos para las mujeres, más claros que los de humo. ‖ **8.** Género de pastel abarquillado, hecho de masa de hojaldre, en que en lugar de carne se echan yemas de huevo batidas, manjar blanco, azúcar y otras cosas. ‖ **9.** En algunas partes de Castilla la Vieja y León, hornillo dispuesto para calentarse y cocer las ollas. En Tierra de Campos es un estrado hecho sobre un hueco abovedado, en cuyo interior se quema paja u otro combustible para calentar la habitación y para dar mayor calor a las personas que sobre él se colocan. ‖ **10.** En los teatros, cada una de las veces que se alza el telón, al final de los actos, para que los actores y autores reciban el aplauso del público. ‖ **11.** *Pint.* Rompimiento de cielo, en que se representan ángeles, resplandores, etc. ‖ **11.** m. Cántico o rezo de la misa, que comienza con las palabras GLORIA *in excelsis Deo.* ‖ **12. Gloria Patri.** ‖ **Con las glorias se olvidan las memorias.** ref. que da a entender que el que sube a altos empleos o tiene grandes gustos y satisfacciones, suele olvidar a los amigos y los beneficios recibidos. ‖ **Estar uno en la gloria.** fr. fig. y fam. Estar muy contento y gozoso. ‖ **Estar uno en sus glorias.** fr. fam. Estar haciendo una cosa con gran placer y contento por ser muy de su genio o gusto. ‖ **Gloria vana, florece y no grana.** ref. que advierte cuán poco suelen durar las satisfacciones del mundo. ‖ **Hacer gloria de** una cosa. fr. Gloriarse de ella. ‖ **Saber a gloria** una cosa a uno. fr. fig. y fam. Gustarle mucho su disfrute, serle muy grato.

Gloriado, da. p. p. de **Gloriarse.** ‖ **2.** m. *Amér. Central* y *Merid.* Especie de ponche hecho con aguardiente.

Gloria Patri. (expr. lat., *gloria al Padre*.) m. Versículo latino que se dice después del padrenuestro y avemaría y al fin de los salmos e himnos de la Iglesia.

Gloriapatri. m. **Gloria Patri.**

Gloriar. (Del lat. *gloriāri*.) tr. **Glorificar.** ‖ **2.** r. Preciarse demasiado o alabarse de una cosa. ‖ **3.** Complacerse, alegrarse mucho. *El padre se* GLORÍA *de las acciones del hijo.*

Glorieta. (Del fr. *gloriette*, y éste del lat. *gloria*.) f. **Cenador,** 3.ª acep. ‖ **2.** Plazoleta, por lo común en un jardín, donde suele haber un cenador. ‖ **3.** Plaza donde desembocan por lo común varias calles o alamedas.

Glorificable. adj. Digno de ser glorificado.

Glorificación. (Del lat. *glorificatĭo, -ōnis*.) f. Alabanza que se da a una cosa digna de honor, estimación o aprecio. ‖ **2.** Acción y efecto de glorificar o glorificarse.

Glorificador, ra. (Del lat. *glorificātor*.) adj. Que glorifica. Ú. t. c. s. ‖ **2.** Que da la gloria o la vida eterna.

Glorificante. p. a. de **Glorificar.** Que glorifica.

Glorificar. (Del lat. *glorificāre*.) tr. Hacer glorioso al que no lo era. ‖ **2.** Reconocer y ensalzar al que es glorioso dándole alabanzas. ‖ **3.** r. **Gloriarse.**

Gloriosamente. adv. m. Con gloria.

Glorioso, sa. (Del lat. *gloriōsus*.) adj. Digno de honor y alabanza. ‖ **2.** Perteneciente a la gloria o bienaventuranza. *Misterios* GLORIOSOS *del santo rosario;* GLORIOSA *ascensión del Señor a los Cielos.* ‖ **3.** Que goza de Dios en la gloria, y especialmente cuando ha sobresalido en virtudes o merecimientos. *La* GLORIOSA *Virgen María; el* GLORIOSO *San José.* ‖ **4.** Que se alaba demasiado y habla de sí casi con jactancia. ‖ **5.** fig. y fam. *Teol.* V. **Cuerpo glorioso.** ‖ **6.** f. Por antonom., la Virgen María. ‖ **7.** fig. Revolución española del año 1868. ‖ **Echar** uno **de la gloriosa.** fr. Vanagloriarse, contando hazañas y valentías propias, jactándose de guapo, o haciendo alarde y ostentación de caballero, de sabio, etc.

Glosa. (Del lat. *glossa*, lenguaje obscuro, y éste del gr. γλῶσσα, lengua.) f. Explicación o comento de un texto obscuro o difícil de entender. ‖ **2.** Nota que se pone en un instrumento o libro de cuenta y razón para advertir la obligación a que está afecta o hipotecada alguna cosa; como una casa, un juro. ‖ **3.** Nota o reparo que se pone en las cuentas a una o varias partidas de ellas. ‖ **4.** Composición poética al fin de la cual o al de cada una de sus estrofas se hacen entrar rimando y formando sentido uno o más versos anticipadamente propuestos. ‖ **5.** *Mús.* Variación que diestramente ejecuta el músico sobre unas mismas notas, pero sin sujetarse rigurosamente a ellas.

Glosador, ra. adj. Que glosa. Ú. t. c. s.

Glosar. tr. Hacer, poner o escribir glosas. ‖ **2.** fig. Interpretar o tomar en mala parte y con intención siniestra una palabra, proposición o acto.

Glosario. (Del lat. *glossarium*.) m. Catálogo de palabras obscuras o desusadas, con definición o explicación de cada una de ellas. ‖ **2. Vocabulario.**

Glose. m. Acción de glosar o poner notas en un instrumento o libro de cuenta y razón.

Glosilla. f. d. de **Glosa.** ‖ **2.** *Impr.* Carácter de letra menor que la de breviario.

Glosopeda. (Del gr. γλῶσσα, lengua, y el lat. *pes, pĕdis*, pie.) f. *Veter.* Enfermedad epizoótica de los ganados, que se manifiesta por fiebre y por el desarrollo de vesículas o flictenas pequeñas en la boca y entre las pezuñas.

Glótico, ca. adj. *Zool.* Perteneciente o relativo a la glotis.

Glotis. (Del gr. γλωττίς.) f. *Zool.* Orificio o abertura anterior, superior en el hombre, de la laringe.

Glotología. (Del gr. γλῶττα, lengua.) f. **Lingüística.**

Glotón, na. (Del lat. *gluto, -ōnis*.) adj. Que come con exceso y con ansia. Ú. t. c. s. ‖ **2.** m. Animal carnívoro ártico, del tamaño de un zorro grande.

Glotonamente. adv. m. Con glotonería.

Glotonear. (De *glotón*.) intr. Comer glotonamente.

Glotonería. f. Acción de glotonear. ‖ **2.** Calidad de glotón.

Glotonía. (De *glotón*.) f. ant. **Glotonería.**

Gloxínea. f. *Bot.* Planta de jardín, bulbosa, de flores acampanadas, originaria de América del Sur y perteneciente a la familia de las gesneriáceas.

Glucemia. (Del gr. γλύκος, dulzor, y αἷμα, sangre.) f. *Fisiol.* Presencia de azúcar en la sangre, y más especialmente cuando excede de lo normal.

Glucina. (Del gr. γλυκύς, dulce.) f. *Quím.* Óxido de glucinio que entra en la composición del berilo y de la esmeralda, y que combinado con los ácidos forma sales de sabor dulce.

Glucinio. (De *glucina*.) m. p. us. **Berilio.**

Glucógeno. (Del gr. γλύκος, dulzor, y γεννάω, engendrar.) m. *Quím.* Hidrato de carbono semejante al almidón, de color blanco, que se encuentra en el hígado y, en menor cantidad, en los músculos y en varios tejidos, así como en los hongos y otras plantas criptógamas; es una substancia de reserva que, en el momento de ser utilizada por el organismo, se transforma en glucosa.

Glucómetro. m. Aparato para apreciar la cantidad de **azúcar** que tiene un líquido.

Glucosa. (Del gr. γλυκύς, dulce.) f. *Quím.* Azúcar de color blanco, cristalizable, de sabor muy dulce, muy soluble en agua y poco en alcohol, que se halla disuelto en las células de muchos frutos maduros, como la uva, la pera, etc., en el plasma sanguíneo normal y en la orina de los diabéticos. Con fines industriales se prepara mediante hidrólisis de las féculas.

Glucósido. m. *Quím.* Cualquiera de las substancias orgánicas, existentes en muchos vegetales, que mediante hidrólisis provocada por la acción de ácidos diluidos dan, como productos de descomposición, glucosa y otros cuerpos. Muchos de ellos son venenos enérgicos, y en dosis pequeñísimas se usan como medicamentos.

Glucosuria. (Del gr. γλύκος, dulzor, y οὐρέω, orinar.) f. *Med.* Estado patológico del organismo, que se manifiesta por la presencia de glucosa en la orina.

Gluma. (Del lat. *gluma.*) f. *Bot.* Cubierta floral de las plantas gramíneas, que se compone de dos valvas a manera de escamas, insertas debajo del ovario.

Gluten. (Del lat. *gluten*, cola.) m. Cualquier substancia pegajosa que puede servir para unir una cosa a otra. || **2.** *Bot.* Substancia albuminoidea, de color amarillento, que se encuentra en las semillas de las gramíneas, junto con el almidón, y constituye una reserva nutritiva que el embrión utiliza durante su desarrollo.

Glúteo, a. (Del gr. γλουτός, nalga.) adj. Perteneciente a la nalga. *Arteria* GLÚTEA; *región* GLÚTEA. || **2.** *Zool.* V. **Músculo glúteo.** Ú. t. c. s.

Glutinosidad. f. Calidad de glutinoso.

Glutinoso, sa. (Del lat. *glutinōsus.*) adj. Pegajoso y que tiene virtud para pegar y trabar una cosa con otra; como el engrudo, la liga, etc.

Gneis. (Del al. *gneiss*, del ant. *kneiss*, hojoso.) m. Roca de estructura pizarrosa e igual composición que el granito.

Gnéisico, ca. adj. Perteneciente o relativo al gneis.

Gnetáceo, a. (Del lat. *gnetum*, nombre de un género de plantas.) adj. *Bot.* Dícese de plantas gimnospermas, árboles o arbustos, frecuentemente bejucos, con hojas laminares, de figura de escama o aovadas; flores unisexuales, por lo común dioicas, reunidas en inflorescencias ramificadas; frutos abayados. Ú. t. c. s. f. || **2.** f. pl. *Bot.* Familia de estas plantas.

Gnómico, ca. (Del lat. *gnomĭcus*, y éste del gr. γνωμικός, de γνώμη, sentencia.) adj. Dícese de los poetas que escriben o componen sentencias y reglas de moral en pocos versos, y de las poesías de este género. Apl. a pers., ú. t. c. s.

Gnomo. (Del gr. γνώμων, de γιγνώσκω, conocer.) m. Ser fantástico, reputado por los cabalistas como espíritu o genio de la Tierra, y que después se ha imaginado en figura de enano que guardaba o trabajaba los veneros de las minas.

Gnomon. (Del lat. *gnōmon*, y éste del gr. γνώμων, de γιγνώσκω, conocer.) m. Antiguo instrumento de astronomía, compuesto de un estilo vertical y de un plano o círculo horizontal, con el cual se determinaban el acimut y altura del Sol, observando la dirección y longitud de la sombra proyectada por el estilo sobre el expresado círculo. || **2.** Indicador de las horas en los relojes solares más comunes, con frecuencia de la figura de un estilo. || **3.** *Cant.* **Escuadra,** 1.ª acep. || **movible. Falsa escuadra.**

Gnomónica. (Del lat. *gnomonĭca*, y éste del gr. γνωμονική, t. f. de -κός, gnomónico.) f. Ciencia que trata y enseña el modo de hacer los relojes solares.

Gnomónico, ca. (Del lat. *gnomonĭcus*, y éste del gr. γνωμονικός.) adj. Perteneciente a la gnomónica. *Plano* GNOMÓNICO. || **2.** V. **Polo gnomónico.**

Gnosticismo. (De *gnóstico.*) m. Doctrina filosófica y religiosa de los primeros siglos de la Iglesia, mezcla de la cristiana con creencias judaicas y orientales, que se dividió en varias sectas y pretendía tener un conocimiento intuitivo y misterioso de las cosas divinas.

Gnóstico, ca. (Del lat. *gnostĭcus*, y éste del gr. γνωστικός, de γιγνώσκω, conocer.) adj. Perteneciente o relativo al gnosticismo. || **2.** Que profesa el gnosticismo. Ú. t. c. s.

Gobén. (Del cat. *gobern*, y éste de *gobernar*, del lat. *gūbĕrnāre.*) m. *Murc.* Palo que sujeta los adrales en la trasera del carro.

Gobernable. adj. Susceptible de ser gobernado.

Gobernación. (Del lat. *gubernatĭo, -ōnis.*) f. **Gobierno,** 1.ª acep. || **2.** Ejercicio del gobierno. || **3. Ministerio de la Gobernación.**

Gobernáculo. (Del lat. *gubernacŭlum.*) m. ant. *Mar.* **Gobernalle.**

Gobernador, ra. (Del lat. *gubernātor.*) adj. Que gobierna. Ú. t. c. s. || **2.** m. Jefe superior de una provincia, ciudad o territorio, que, según el género de jurisdicción que ejerce, toma el nombre de **gobernador civil, militar** o **eclesiástico.** || **3.** Representante del Gobierno en algún establecimiento público. GOBERNADOR *del Banco de España.*

Gobernadora. f. Mujer del gobernador. || **2.** La que gobierna por sí un reino o nación.

Gobernadorcillo. (De *gobernador.*) m. Juez pedáneo en las islas Filipinas, con jurisdicción correccional, de policía y civil en asuntos de menor cuantía.

Gobernalle. (Del cat. *governall*, y éste del lat. *gubernacŭlum*, gobernalle.) m. *Mar.* **Timón,** 5.ª acep.

Gobernallo. (Del lat. *gubernacŭlum.*) m. ant. *Mar.* **Gobernalle.**

Gobernamiento. (De *gobernar.*) m. ant. **Gobierno,** 1.ª acep.

Gobernante. p. a. de **Gobernar.** Que gobierna. Ú. m. c. s. || **2.** m. fam. El que se mete a gobernar una cosa.

Gobernanza. f. ant. **Gobierno,** 1.ª acep.

Gobernar. (Del lat. *gūbĕrnāre*, dirigir la nave.) tr. Mandar con autoridad o regir una cosa. Ú. t. c. intr. || **2.** Guiar y dirigir. GOBERNAR *la nave, la procesión, la danza.* Ú. t. c. r. || **3.** ant. Sustentar o alimentar. || **4.** vulg. Componer, arreglar. || **5.** intr. Obedecer el buque al timón.

Gobernativo, va. adj. **Gubernativo.**

Gobernoso, sa. (De *gobernar.*) adj. fam. Que gusta de tener en buen orden la casa, la hacienda o los negocios. || **2.** fam. Que tiene aptitud para ello.

Gobierna. (De *gobernar.*) f. **Veleta,** 1.ª acep.

Gobierno. m. Acción y efecto de gobernar o gobernarse. || **2.** Orden de regir y gobernar una nación, provincia, plaza, etc. || **3.** Conjunto de los ministros superiores de un Estado. || **4.** Empleo, ministerio y dignidad de gobernador. || **5.** Distrito o territorio en que tiene jurisdicción o autoridad el gobernador. || **6.** Edificio en que tiene su despacho y oficinas. || **7.** Tiempo que dura el mando o autoridad del gobernador. || **8. Gobernalle.** || **9.** Docilidad de la nave al timón. || **10.** ant. Alimento y sustento. || **11.** *Germ.* **Freno,** 1.ª acep. || **12.** *And.* Manta hecha de retazos de tela retorcidos y entretejidos con hilo fuerte. || **absoluto.** Aquel en que todos los poderes se hallan reunidos en solo una persona o cuerpo, sin limitación. Aplícase más comúnmente al caso en que se hallan reunidos en el monarca. || **parlamentario.** Aquel en que los ministros necesitan la confianza de las Cámaras, o al menos de la elegida por voto más popular y directo. || **representativo.** Aquel en que, bajo diversas formas, concurre la nación, por medio de sus representantes, a la formación de las leyes. || **Servir de gobierno** una cosa. fr. fam. Servir de norma, de advertencia o aviso.

Gobio. (Del lat. *gobĭus.*) m. Pez teleósteo de pequeño tamaño, del suborden de los acantopterigios, con las aletas abdominales colocadas debajo de las torácicas y unidas ambas por los bordes formando a modo de un embudo. Se conocen varias especies, algunas de las cuales son abundantísimas en las aguas litorales españolas y en las fluviales mezcladas con las de mar.

Goce. m. Acción y efecto de gozar o disfrutar una cosa.

Gocete. (Del fr. *gousset.*) m. Sobaquera de malla sujeta a la cuera de armar, para proteger las axilas. || **de lanza.** Rodete de cuero o hierro que se clavaba en la manija de la lanza.

Gociano, na. adj. Natural de Gocia. Ú. t. c. s. || **2.** Perteneciente a esta región de Suecia.

Gochapeza. f. *León.* Juego de muchachos que consiste en meter en un círculo una bola impelida a palos.

Gocho, cha. (Voz con que se llama al cerdo.) m. y f. fam. **Cochino, na.**

Godeño, ña. (De *godo*, 2.ª acep.) adj. *Germ.* Rico o principal.

Godeo. (Del lat. *gaudĭum.*) m. desus. Placer, gusto, contento.

Godería. (Del m. or. que *godible.*) f. *Germ.* Convite o comida de gorra.

Godesco, ca. adj. **Godible.** Apl. a pers., ú. t. c. s.

Godible. (Del lat. *gaudĭum*, gozo, alegría.) adj. Alegre, placentero.

Godizo, za. adj. *Germ.* **Godeño.**

Godo, da. (Del lat. *gothus*, y éste del gót. *guthans.*) adj. Dícese del individuo de un antiguo pueblo establecido en Escandinavia tres siglos antes de Jesucristo, conquistador de varios países, expugnador de Roma y fundador de reinos en España e Italia. Ú. t. c. s. || **2.** Dícese del rico y poderoso, originario de familias ibéricas, que, confundido con los **godos** invasores, formó parte de la nobleza al constituirse la nación española. Ú. t. c. s. || **3.** *Germ.* **Gótico,** 7.ª acep. || **4.** *Germ.* V. **Bracio godo.** || **5.** *Argent.* y *Chile.* despect. Nombre con que se designaba a los españoles durante la guerra de la Independencia. || **Hacerse de los godos.** fr. fig. Blasonar de noble. || **Ser godo.** fr. fig. Ser de nobleza antigua.

Godoy. n. p. **Mañana ayunará Godoy: a bien que no es hoy.** ref. **Mañana ayunará Gálvez,** etc.

Gofio. m. *Argent., Bol., Can., Cuba, Ecuad.* y *P. Rico.* Harina gruesa de maíz, trigo o cebada tostada. || **2.** *Venez.* Especie de alfajor hecho con harina de maíz o de cazabe y papelón.

Gofo, fa. (Del ital. *goffo;* en fr. *goffe.*) adj. Necio, ignorante y grosero. || **2.** *Pint.* Dícese de la figura enana y de baja estatura.

Goja. f. ant. Cuévano o cesta en que se recogen las espigas.

Gol. (Del ingl. *goal*, meta.) m. En el juego de fútbol y otros semejantes, suerte de entrar el balón en la portería.

Gola. (Del lat. *gula*, garganta.) f. **Garganta,** 1.ª y 2.ª aceps. || **2.** Pieza de la armadura antigua, que se ponía sobre el peto para cubrir y defender la garganta. || **3.** Insignia de los oficiales militares en determinados actos del servicio, y que consiste en una media luna convexa de metal, pendiente del cuello. || **4. Gorguera,** 1.ª acep. || **5.** Adorno de tul, encaje, etc., plegado o fruncido, que por moda se ha usado alrededor del cuello. || **6.** *Arq.* Moldura cuyo perfil tiene la figura de una *s;* esto es, una concavidad en la parte superior, y una convexidad en la inferior. || **7.** *Fort.* Entrada desde la plaza al baluarte, o distancia de los ángulos de los flancos. || **8.** *Fort.* Línea recta, imaginaria cuando no tiene parapeto, que une los extremos de los dos flancos en una obra defensiva. || **9.** *Geogr.* Canal por donde entran los buques en ciertos puertos o rías. || **inversa,** o **reversa.** *Arq.* La que tiene la convexidad en la parte superior y la concavidad en la inferior.

Golde. (Del lat. *cŭlter*, cuchillo.) m. *Nav.* Instrumento de labranza, especie de arado.

Goldre. (Del lat. *cŏrytus*, *gorytus*, y éste del gr. γωρυτός.) m. Carcaj o aljaba en que se llevan las saetas.

Goles. m. pl. *Blas.* **Gules.**

Goleta. (Del fr. *goélette*, de *goéland*, golondrina de mar, y éste del bretón *goelann*.) f. Embarcación fina, de bordas poco elevadas, con dos palos, y a veces tres, y un cangrejo en cada uno. ‖ **2.** V. **Bergantín goleta.**

Golf. m. Juego de origen escocés, que consiste en impeler con diferentes palos, a manera de mazas, una pelota pequeña para introducirla en una serie de agujeros muy espaciados, 9 ó 18, abiertos en terreno cubierto ordinariamente de césped. Gana el jugador que hace el recorrido con el menor número de golpes.

Golfán. (En port. *golfam*.) m. **Nenúfar.**

Golfear. intr. Vivir a la manera de un golfo.

Golfería. f. Conjunto de golfos, 2.° art. ‖ **2.** Acción propia de un golfo.

Golfín. (De *delfín*, infl. por *golfo*.) m. **Delfín,** 1.er art., 1.ª acep.

Golfín. (Metát. de *folguín*.) m. Ladrón que generalmente iba con otros en cuadrilla.

Golfo. (Del lat. *colpus*, y éste del gr. κόλπος, seno.) m. Gran porción de mar que se interna en la tierra entre dos cabos. *El* GOLFO *de Venecia.* ‖ **2.** Toda la extensión del mar. ‖ **3.** Aquella gran extensión del mar que dista mucho de tierra por todas partes, y en la cual no se encuentran islas. *El* GOLFO *de las Damas; el* GOLFO *de las Yeguas.* ‖ **4.** Cierto juego de envite.

Golfo, fa. (Tal vez de *golfín*, 2.° art.) m. y f. Pilluelo, vagabundo.

Golfo. (Del lat. *gomphus*, pernio.) m. *Ar.* y *Murc.* **Pernio.**

Goliardesco, ca. adj. Perteneciente o relativo al goliardo. Dícese especialmente de las poesías latinas compuestas por los goliardos sobre temas amorosos, báquicos y satíricos.

Goliardo, da. adj. Dado a la gula y a la vida desordenada; seguidor del vicio y el demonio personificado en el gigante bíblico Goliat. ‖ **2.** m. En la Edad Media, clérigo o estudiante vagabundo que llevaba vida irregular.

Golilla. f. d. de **Gola.** ‖ **2.** Adorno hecho de cartón forrado de tafetán u otra tela negra, que circunda el cuello, y sobre el cual se pone una valona de gasa u otra tela blanca engomada o almidonada; lo han usado los ministros togados y demás curiales. ‖ **3.** Anillo o rodete que cada una de las piezas de un cuerpo de bomba tiene en su extremo con objeto de asegurarlas por medio de tornillos y tuercas. ‖ **4.** En las gallináceas, plumas que desde la cresta cubren el cuello hasta la línea más horizontal del cuerpo. ‖ **5.** *Albañ.* Trozo de tubo corto que sirve para empalmar unos con otros los caños de barro. ‖ **6.** *Bol.* Chalina que usa el gaucho. ‖ **7.** *Chile.* **Estornija,** 1.ª acep. ‖ **8.** m. fam. Ministro togado que usaba la **golilla.** También se dió este nombre a los paisanos, en contraposición a los militares. ‖ **Ajustar,** o **apretar,** a uno **la golilla.** fr. fig. y fam. Ponerle en razón; reducirle a que obre bien por la represión o el castigo. ‖ **2.** fig. y fam. Ahorcarle o darle garrote.

Golillero, ra. m. y f. Persona que tenía por oficio hacer y aderezar golillas, 2.ª acep.

Golimbro, bra. adj. *Bad.* **Goloso.**

Golimbrón, na. adj. *And.* y *Sant.* **Goloso.**

Golmajear. (De *golmajo*.) intr. *Rioja.* **Golosinear.**

Golmajería. (De *golmajo*.) f. *Rioja.* **Golosina.**

Golmajo, ja. (De *gola*.) adj. *Rioja.* **Goloso.**

Golondrera. (De *golondrino*, 5.ª acep.) f. *Germ.* Compañía de soldados.

Golondrina. (Del lat. *hirundo, -ĭnis*.) f. Pájaro muy común en España desde principio de la primavera hasta fines de verano, que emigra en busca de países templados. Tiene unos 15 centímetros desde la cabeza a la extremidad de la cola, pico negro, corto y alesnado, frente y barba rojizas, cuerpo negro azulado por encima y blanco por debajo, alas puntiagudas y cola larga y muy ahorquillada. ‖ **2.** *Zool.* Pez teleósteo marino, del suborden de los acantopterigios, de cuerpo fusiforme, que llega a más de seis decímetros de largo, con el lomo de color rojo obscuro y el vientre blanquecino; cabeza cúbica y hundida entre los ojos, boca sin dientes, cola muy ahorquillada, dos aletas dorsales espinosas, pequeñas las abdominales y anal, y las torácicas tan desarrolladas, que sirven al animal para los revuelos que hace fuera del agua. ‖ **3.** En Barcelona y otros puertos, barca pequeña de motor para viajeros. ‖ **4.** ant. Hueco de la mano del caballo. ‖ **5.** *C. Rica* y *Hond.* Hierba rastrera, de la familia de las euforbiáceas; la leche que segrega se utiliza para curar los orzuelos. ‖ **6.** V. **Emigración golondrina.** ‖ **7.** *Chile.* Carro que se utiliza para las mudanzas. ‖ **de mar.** Ave palmípeda menor que la gaviota, con el pico recto y puntiagudo, las alas muy largas y la cola ahorquillada. Se alimenta de pececillos y moluscos. ‖ **Una golondrina no hace verano.** ref. que enseña que un ejemplar o caso no hace regla. ‖ **Voló la golondrina.** expr. fig. y fam. **Voló el golondrino.**

Golondrinera. (De *golondrina*.) f. **Celidonia.**

Golondrino. m. Pollo de la golondrina. ‖ **2. Golondrina,** 2.ª acep. ‖ **3.** fig. El que anda de una parte a otra, mudando estaciones como la golondrina. ‖ **4.** fig. Soldado desertor. ‖ **5.** *Germ.* **Soldado,** 2.ª acep. ‖ **6.** *Med.* Infarto glandular en el sobaco, que comúnmente termina por supuración. ‖ **Voló el golondrino.** expr. fig. y fam. con que se da a entender que una cosa de que se tenía esperanza se escapa de las manos.

Golondro. (De *gola*.) m. Deseo y antojo de una cosa. ‖ **Andar en golondros.** fr. fam. Andar desvanecido, con esperanzas peligrosas e inútiles. ‖ **Campar de golondro.** fr. fam. Vivir de gorra, a costa ajena.

Golorito. (d. del lat. *color, -ōris*, color.) m. *Rioja.* **Jilguero.**

Golosa. f. *Colomb.* **Infernáculo.**

Golosamente. adv. m. Con golosina.

Golosear. (De *goloso*.) intr. **Golosinear.**

Golosía. f. ant. Gula, glotonería.

Golosina. (De *goloso*.) f. Manjar delicado que sirve más para el gusto que para el sustento; como frutas, dulces y otros. ‖ **2.** Deseo o apetito de una cosa. ‖ **3.** fig. Cosa más agradable que útil. ‖ **Amargar a uno la golosina.** fr. fig. y fam. Salirle caro el disfrute de un placer.

Golosinar. intr. **Golosinear.**

Golosinear. intr. Andar comiendo o buscando golosinas.

Golosmear. (De *goloso*.) intr. **Gulusmear.**

Goloso, sa. (Del lat. *gulōsus*.) adj. Aficionado a comer golosinas. Ú. t. c. s. ‖ **2.** Deseoso o dominado por el apetito de alguna cosa. ‖ **3.** V. **Tornillo de rosca golosa.** ‖ **4. Apetitoso,** 1.ª acep. ‖ **Pide el goloso para el deseoso.** ref. que explica que algunos, con el pretexto de pedir para otros, solicitan para sí lo que desean. ‖ **Tener muchos golosos** una cosa. fr. Ser muy codiciada o apetecida.

Golpazo. m. aum. de **Golpe.** ‖ **2.** Golpe violento o ruidoso.

Golpe. (Del ant. *golpar*, y éste del ant. *golpo*, del lat. *col(ă)pus*, golpe.) m. Encuentro repentino y violento de dos cuerpos. ‖ **2.** Efecto del mismo encuentro. ‖ **3.** Multitud, copia o abundancia de una cosa. GOLPE *de agua, de gente, de música.* ‖ **4.** Infortunio o desgracia que acomete de pronto. ‖ **5. Latido,** 3.ª acep. ‖ **6.** Pestillo de golpe y puerta provista de este pestillo. ‖ **7.** Entre jardineros, número de pies, sean uno, dos o más, que se plantan en un hoyo. ‖ **8.** Hoyo en que se pone la semilla o la planta. ‖ **9.** En el juego de trucos y de billar, lance en que se hacen algunas rayas; como billa, carambola, etc. ‖ **10.** En los torneos y juegos de a caballo, medida del valor de los lances entre los que pelean. ‖ **11. Cartera,** 4.ª acep. ‖ **12.** Adorno de pasamanería sobrepuesto en una pieza de vestir. ‖ **13.** fig. Admiración, sorpresa. ‖ **14.** fig. En las obras de ingenio, parte que tiene más gracia u oportunidad. ‖ **15.** fig. Ocurrencia graciosa y oportuna en el curso de la conversación. ‖ **16.** fig. Postura al juego con la cual se acierta. Por ext., se dice de cada uno de los intentos que aventura una persona. ‖ **17.** *Méj.* Especie de almadana. ‖ **de Estado.** Medida grave y violenta que toma uno de los poderes del Estado, usurpando las atribuciones de otro. ‖ **de fortuna.** Suceso extraordinario, próspero o adverso, que sobreviene de repente. ‖ **de gracia.** El que se da para rematar al que está gravemente herido. Se le da este nombre en significación más o menos sincera de que, siendo más breve, sea menos dolorosa la muerte. ‖ **2.** fig. Vejamen, agravio o injuria con que se consuma el descrédito, la desgracia o la ruina de una persona. ‖ **de mar.** Ola fuerte que quiebra en las embarcaciones, islas, peñascos y costas del mar. ‖ **de pechos.** Signo de dolor y de contrición, que consiste en darse con la mano o puño en el pecho, en señal de pesar por los pecados o faltas cometidos. ‖ **de tos.** Acceso de tos. ‖ **de vista. Ojo,** 19.ª acep. ‖ **en bola.** El que se da a una bola con otra, dirigiendo por el aire la que lleva el impulso, y sin que ruede ni toque en el suelo. ‖ **en vago.** El que se yerra. ‖ **2.** fig. Designio frustrado. ‖ **A golpe.** m. adv. *Agr.* Aplícase a la manera de sembrar por hoyos. ‖ **A golpes.** m. adv. A porrazos. ‖ **2.** fig. Con intermitencias. Dícese de una cosa, un adorno, por ejemplo, que se pone en unos puntos sí y en otros no. ‖ **A golpe seguro.** m. adv. A tiro hecho; sobre seguro. ‖ **Caer de golpe.** fr. fig. Caer de una vez e inesperadamente toda la casa u otra cosa. ‖ **Dar golpe** una cosa. fr. fig. Causar sorpresa y admiración. ‖ **Dar golpe a** una cosa. fr. fig. Probar de ella. *Dar* GOLPE *a la empanada, al jarro.* ‖ **Dar** uno **golpe en bola.** fr. fig. Salir airoso en una empresa difícil o arriesgada. ‖ **De golpe.** m. adv. fig. Prontamente, con brevedad. ‖ **De golpe y porrazo,** o **zumbido.** m. adv. fig. y fam. Precipitadamente, sin reflexión ni meditación. ‖ **De un golpe.** m. adv. fig. De una sola vez o en una sola acción. ‖ **El golpe de la sartén, si no duele, tizna bien.** ref. que da a entender que las calumnias contra uno, aunque siendo claras y reconocidas por tales no parezca que le perjudican, suelen dejar alguna mancha en su reputación. ‖ **Errar el golpe.** fr. fig. Frustrarse el efecto de una acción premeditada. ‖ **Parar el golpe.** fr. fig. Evitar el contratiempo o fracaso que amenazaba. ‖ **Un solo golpe no derriba un roble.** ref. que enseña que para el buen éxito de cualquiera solicitud no basta una sola instancia o tentativa.

Golpeadero. m. Parte donde se golpea mucho. ‖ **2.** Sitio en que choca el agua cuando se despeña o cae desde alto. ‖ **3.** Ruido que resulta cuando se dan muchos golpes continuados.

Golpeado, da. p. p. de **Golpear.** || **2.** m. *Germ.* **Postigo.** || **3.** *Germ.* **Puerta,** 1.ª acep.

Golpeador, ra. adj. Que golpea. Ú. t. c. s.

Golpeadura. f. Acción y efecto de golpear.

Golpear. tr. Dar repetidos golpes. Ú. t. c. intr. || **2.** *Germ.* Menudear en una misma cosa.

Golpeo. (De *golpear.*) m. **Golpeadura.**

Golpete. (d. de *golpe.*) m. Palanca de metal con un diente, fija en la pared, que sirve para mantener abierta una hoja de puerta o ventana.

Golpetear. tr. Golpear viva y continuadamente. Ú. t. c. intr.

Golpeteo. m. Acción y efecto de golpetear.

Golpetillo. m. *And.* Muelle de las navajas que suena al abrirlas.

Goluba. (Del gót. *glova.*) f. *Rioja.* Guante tosco para arrancar los cardos de los sembrados.

Gollería. (De *gula.*) f. Manjar exquisito y delicado. || **2.** fig. y fam. Delicadeza, superfluidad, demasía.

Gollero. m. *Germ.* El que hurta en los grandes concursos y aprietos de gente.

Golletazo. (De *gollete.*) m. Golpe que se da en el gollete de una botella, cuando no se puede abrir, para romperla y poder sacar el contenido. || **2.** fig. Término violento e irregular que se pone a un negocio difícil. || **3.** *Taurom.* Estocada en la tabla del cuello del toro, que penetra en el pecho y atraviesa los pulmones.

Gollete. (Del lat. *gŭla*, infl. por *cuello.*) m. Parte superior de la garganta, por donde se une a la cabeza. || **2.** Cuello estrecho que tienen algunas vasijas; como garrafas, botellas, etc. || **3.** Cuello que traen los donados en sus hábitos. || **Estar uno hasta el gollete.** fr. fig. y fam. Estar cansado y harto de sufrir. || **2.** fig. y fam. Estar embarrancado. || **3.** fig. y fam. Haber comido mucho.

Gollizno. m. **Gollizo.**

Gollizo. (Del lat. *gŭla*, infl. por *cuello.*) m. **Garganta,** 7.ª acep.

Golloría. (Del lat. *gŭla*, infl. por *cuello.*) f. **Gollería.**

Goma. (Del lat. *gŭmma, gŭmmi.*) f. Substancia viscosa e incristalizable que naturalmente, o mediante incisiones, fluye de diversos vegetales y después de seca es soluble en el agua e insoluble en el alcohol y el éter. Disuelta en agua, sirve para pegar, 1.ª acep. || **2.** Tira o banda de **goma** elástica a modo de cinta. || **3. Goma** elástica, caucho: *suelas de goma.* || **4.** Tumor esférico o globuloso que se desarrolla en los huesos o en el espesor de ciertos órganos, como el cerebro, el hígado, etc., y es de ordinario de origen sifilítico. || **adragante. Tragacanto,** 2.ª acep. || **arábiga.** La que producen ciertas acacias muy abundantes en Arabia: es amarillenta, de fractura vítrea casi transparente, muy usada en medicina como pectoral y en multitud de aplicaciones en la industria. || **ceresina.** La que se saca del cerezo, almendro y ciruelo. || **de borrar.** La elástica preparada especialmente para borrar en el papel el lápiz o la tinta. || **elástica.** Látex producido por varias moráceas y euforbiáceas intertropicales, que después de coagulado, es una masa impermeable muy elástica, y tiene muchas aplicaciones en la industria. || **laca. Laca,** 1.ª acep. || **quino. Quino,** 2.ª acep.

Gomar. (De *goma.*) tr. ant. **Engomar.**

Gomarra. f. *Germ.* **Gallina,** 1.ª acep.

Gomarrero. (De *gomarra.*) m. *Germ.* Ladrón de gallinas y pollos.

Gomarrón. (De *gomarra.*) m. *Germ.* Pollo de la gallina.

Gomecillo. m. fam. **Lazarillo.**

Gomel. adj. **Gomer.**

Gómena. f. ant. **Gúmena.**

Gomer. (Del ár. *gumāra.*) adj. Dícese del individuo de la tribu berberisca de Gomara, una de las más antiguas del África Septentrional, establecida desde tiempo remoto en la costa al oriente del estrecho de Gibraltar. Ú. m. c. s. y en pl. || **2.** Perteneciente a esta tribu.

Gomero, ra. adj. Perteneciente o relativo a la goma. || **2.** m. *Argent.* El que explota la industria de la goma.

Gomia. (Del lat. *gumia*, comedor, tragón.) f. **Tarasca.** Llámase así en algunas provincias, y también sirve esta voz para amedrentar a los niños. || **2.** fig. y fam. Persona que come demasiado y engulle con presteza y voracidad cuanto le dan. || **3.** fig. y fam. Lo que consume, gasta y aniquila. GOMIA *del caudal.*

Gomista. com. Persona que trafica en objetos de goma.

Gomorresina. f. Jugo lechoso que fluye naturalmente o por incisión de varias plantas, y se solidifica al aire; compónese generalmente de una resina mezclada con una materia gomosa y un aceite volátil.

Gomosería. f. Calidad de gomoso o pisaverde.

Gomosidad. f. Calidad de gomoso.

Gomoso, sa. (Del lat. *gummōsus.*) adj. Que tiene goma o se parece a ella. || **2.** Que padece gomas. Ú. t. c. s. || **3.** m. Pisaverde, lechuguino, currutaco.

Gonce. (Del lat. *contus.*) m. **Gozne.**

Góndola. (Del ital. *gondola.*) f. Embarcación pequeña de recreo, sin palos ni cubierta, por lo común con una carroza en el centro, y que se usa principalmente en Venecia. || **2.** Cierto carruaje en que pueden viajar juntas muchas personas.

Gondolero. m. El que tiene por oficio dirigir la góndola, 1.ª acep., o remar en ella.

Gonela. (Del ital. *gonnella*, d. de *gonna*, saya, y éste del lat. *gunna.*) f. Túnica de piel o de seda, generalmente sin mangas, usada por hombres y mujeres y que a veces vestía el caballero sobre la armadura. Usóse mucho antiguamente por las damas aragonesas.

Gonete. (Del ital. *gonna*, saya.) m. Vestido de mujer, a modo de zagalejo, usado antiguamente.

Gonfalón. (Del ital. *gonfalone*, y éste del germ. *gundfano*, estandarte.) m. **Confalón.**

Gonfalonero. m. **Confaloniero.**

Gonfalonier. m. **Confalonier.**

Gonfaloniero. m. **Confaloniero.**

Gong. (Del ingl. *gong*, y éste del malayo *gong.*) m. **Gongo.**

Gongo. (De *gong.*) m. **Batintín.**

Gongorino, na. adj. Que adolece de los vicios del gongorismo. || **2.** Que incurre en ellos. Ú. t. c. s.

Gongorismo. (De *Góngora*, poeta insigne, príncipe de los culteranos.) m. **Culteranismo.**

Gongorizar. intr. Escribir o hablar en estilo gongorino.

Goniómetro. (Del gr. γωνία, ángulo, y μέτρον, medida.) m. Instrumento que sirve para medir ángulos, especialmente los de la cristalización.

Gonococia. f. Enfermedad producida por la infección del gonococo de Neisser. Generalmente se localiza en la uretra, dando lugar a la blenorragia; más raramente determina inflamación de las articulaciones o del endocardio, o estados septicémicos.

Gonocócico, ca. adj. Perteneciente o relativo a la gonococia.

Gonococo. (Del gr. γόνος, esperma, y κόκος, granos.) m. Bacteria en forma de elementos ovoides, que se reúnen en parejas y más raramente en grupos de cuatro o más unidades. Se encuentra en el interior de las células del pus blenorrágico o del de otras lesiones gonocócicas.

Gonorrea. (Del lat. *gonorrhoea*, y éste del gr. γονόρροια; de γόνος, esperma, y ῥέω, fluir.) f. **Blenorragia.**

Gorbión. m. **Gurbión,** 1.er art.

Gorbiza. f. *Ast.* **Brezo,** 1.er art.

Gorciense. adj. Natural de Gorza. Ú. t. c. s. || **2.** Perteneciente a esta población de la Lorena.

Gordal. (De *gordo.*) adj. Que excede en gordura a las cosas de su especie. *Dedo* GORDAL. || **2.** V. **Aceituna gordal.**

Gordana. (De *gordo.*) f. Unto de res.

Gordeza. (De *gordo.*) f. ant. **Grosura.**

Gordiano. adj. fig. V. **Nudo gordiano.**

Gordiflón, na. (De *gordinflón.*) adj. fam. Demasiadamente grueso, y que tiene muchas carnes, aunque flojas.

Gordillo, lla. adj. d. de **Gordo.** || **2.** V. **Tabla de gordillo.**

Gordinflón, na. (De *gordo* e *inflar.*) adj. fam. **Gordiflón.**

Gordo, da. (Del lat. *gurdus.*) adj. Que tiene muchas carnes. || **2.** Muy abultado y corpulento. || **3.** Pingüe, craso y mantecoso. *Carne* GORDA; *tocino* GORDO. || **4.** V. **Agua gorda.** || **5.** V. **Baile de botón,** o **de cascabel, gordo.** || **6.** V. **Dedo, jueves, trueno gordo.** || **7.** Que excede del grosor corriente en su clase. *Hilo* GORDO; *lienzo* GORDO. || **8.** ant. Torpe, tonto, poco avisado. || **9.** fig. y fam. V. **Letras gordas.** || **10.** fig. y fam. V. **Pájaro gordo.** || **11.** fig. V. **Premio gordo.** Ú. t. c. s. || **12.** m. Sebo o manteca de la carne del animal. || **13.** V. **Tabla de gordo.** || **14.** f. *Méj.* Tortilla de maíz más gruesa que la común. || **Algo gordo.** fr. fam. Algún suceso de mucha importancia o muy sonado. || **Armarse la gorda.** fr. fam. Sobrevenir una pendencia, discusión ruidosa o trastorno político o social.

Gordolobo. (Del lat. *cauda lupi*, cola de lobo.) m. Planta vivaz de la familia de las escrofulariáceas, con tallo erguido de seis a ocho decímetros de altura, cubierto de borra espesa y cenicienta; hojas blanquecinas, gruesas, muy vellosas por las dos caras, oblongas, casi pecioladas las inferiores, y envainadoras en parte y con punta aguda las superiores; flores en espiga, de corola amarilla, y fruto capsular con dos divisiones que encierran varias semillas pequeñas y angulosas. El cocimiento de las flores se ha usado en medicina contra la tisis; las hojas se han empleado alguna vez como mecha de candil y sus semillas sirven para envarbascar el agua.

Gordor. m. ant. **Gordura.** || **2.** ant. **Grueso.** Ú. en *And.*

Gordura. (De *gordo.*) f. Grasa, tejido adiposo que normalmente existe en proporciones muy variables entre los órganos y se deposita alrededor de vísceras importantes. || **2.** Abundancia de carnes y grasas en las personas y animales.

Gorga. (Del lat. *gŭrga*, garganta.) f. Alimento o comida para las aves de cetrería. || **2.** *Ar.* Remolino que forman las aguas de los ríos en algunos lugares, excavando en olla las arenas del fondo.

Gorgojarse. (De *gorgojo.*) r. **Agorgojarse.**

Gorgojo. (Del lat. **gŭrgŭlium*, de *gŭrgŭlio, curculio.*) m. *Zool.* Insecto coleóptero del suborden de los tetrámeros, de color pardo obscuro, cuerpo ovalado y de unos tres milímetros de largo, que vive en diversas semillas, dentro de las cuales se desarrollan las larvas, que son blancas y muy pequeñas; como el animal se multiplica rápidamente, llega a causar grandes destrozos. Hay diversas especies, cada una peculiar de una semilla. || **2.** fig. y fam. Persona muy chica.

Gorgojoso, sa. adj. Corroído del gorgojo.

Gorgomillera. (Del lat. *gŭrga*, garganta.) f. ant. **Garguero.**
Gorgón. (Del m. or. que el fr. *corégone.*) m. ant. **Esguín.**
Gorgóneo, a. (Del lat. *gorgonēus*, y éste del gr. γοργόνειος.) adj. Perteneciente a las Gorgonas, epíteto que se aplicaba a las Furias.
Gorgor. (Voz onomatopéyica.) m. **Gorgoteo.**
Gorgorán. (Del ingl. *grogeram;* en fr. *gourgouran.*) m. Tela de seda con cordoncillo, sin otra labor por lo común, aunque también lo había listado y realzado.
Gorgorear. intr. *And.* y *Chile.* **Gorgoritear.**
Gorgoreta. f. *Filip.* **Alcarraza.**
Gorgorita. f. Burbuja pequeña. ‖ **2.** fam. **Gorgorito.** Ú. m. en pl.
Gorgoritear. (De *gorgorito.*) intr. fam. Hacer quiebros con la voz en la garganta, especialmente en el canto.
Gorgorito. (Del m. or. que *gorgor.*) m. fam. Quiebro que se hace con la voz en la garganta, especialmente al cantar. Ú. m. en pl. ‖ **2.** *Sal.* **Gorgorita,** 1.ª acep.
Górgoro. m. *Sal.* Trago o sorbo. ‖ **2.** *Méj.* Burbuja, gorgorita, pompa.
Gorgorotada. (De *gorgor.*) f. Cantidad o porción de cualquier licor, que se bebe de un golpe.
Gorgoteo. (De **gorgotear*, de *gorgor.*) m. Ruido producido por el movimiento de un líquido o un gas en el interior de alguna cavidad.
Gorgotero. m. Buhonero que anda vendiendo cosas menudas.
Gorgozada. (De **gorgozo*, del lat. *gurgŭstium*, y éste de *gŭrga*, garganta, y *ustium, ostium*, puerta.) f. desus. Gargantada o espadañada.
Gorguera. (Del lat. *gŭrga*, garganta.) f. Adorno del cuello, hecho de lienzo plegado y alechugado. ‖ **2. Gorjal,** 2.ª acep. ‖ **3.** *Bot.* **Involucro.**
Gorguerán. m. ant. **Gorgorán.**
Gorguz. (Del berb. *gergīt*, lanza.) m. Especie de dardo, venablo o lanza corta. ‖ **2.** Vara larga que lleva en uno de sus extremos un hierro de dos ramas, una recta y otra curva, y que sirve para coger las piñas de los pinos. ‖ **3.** *Méj.* **Puya,** 1.er art., 1.ª acep
Gorigori. m. fam. Voz con que vulgarmente se alude al canto lúgubre de los entierros.
Gorila. (Del lat. *gorilla*, y éste del gr. γορίλλα, nombre dado en el periplo de Hannón a unas mujeres de una isla del occidente de África, que tal vez fueran monos.) m. Mono antropomorfo, de color pardo obscuro y de estatura igual a la del hombre; tres dedos de sus pies están unidos por la piel hasta la última falange; es membrudo y muy fiero, y habita en el África a orillas del río Gabón.
Gorja. (Del fr. *gorge*, y éste del lat. *gŭrga*, garganta.) f. **Garganta.** ‖ **Estar** uno **de gorja.** fr. fam. Estar alegre y festivo. ‖ **Mentir por la gorja.** fr. ant. Aseverar una cosa sin el más mínimo fundamento.
Gorjal. (De *gorja.*) m. Parte de la vestidura del sacerdote, que circunda y rodea el cuello. ‖ **2.** Pieza de la armadura antigua, que se ajustaba al cuello para su defensa. ‖ **3.** *And.* En algunas razas lanares, repliegue cutáneo en la terminación del cuello, si se prolonga hasta los pechos.
Gorjeador, ra. adj. Que gorjea.
Gorjeamiento. (De *gorjear.*) m. ant. **Gorjeo.**
Gorjear. (De *gorja.*) intr. Hacer quiebros con la voz en la garganta. Se dice de la voz humana y de los pájaros. ‖ **2.** ant. **Burlarse.** Ú. en *Amér.* ‖ **3.** r. Empezar a hablar el niño y formar la voz en la garganta.
Gorjeo. (De *gorjear.*) m. Quiebro de la voz en la garganta. ‖ **2.** Articulaciones imperfectas en la voz de los niños.
Gorjería. f. ant. **Gorjeo,** 2.ª acep.
Gorlita. f. *Murc.* Lazada que se forma en la hebra al retorcerse el hilo.
Gormador. m. El que gorma o vomita.
Gormar. (Del lat. *vomĕre.*) tr. **Vomitar,** 1.ª acep.
Gorra. f. Prenda que sirve para cubrir la cabeza, y se hace de tela, piel o punto, sin copa ni alas y con visera o sin ella. ‖ **2. Gorro,** 2.ª acep. ‖ **3. Montera,** 1.er art., 1.ª acep. ‖ **4. Birretina,** 2.ª acep. ‖ **5.** m. fig. **Gorrón,** 2.° art., 1.ª acep. ‖ **Buena gorra y buena boca hacen más que buena bolsa.** ref. que advierte cuánto vale el ser corteses y bien hablados. ‖ **De gorra.** m. adv. fam. A costa ajena. Ú. con los verbos *andar, comer, vivir,* etc. ‖ **Duro de gorra.** fig. y fam. Dícese del que aguarda que otro le haga primero la cortesía. ‖ **Hablarse de gorra.** fr. fig. y fam. Hacerse cortesía, quitándose la **gorra** sin hablarse ni comunicarse.
Gorrada. (De *gorra.*) f. **Gorretada.**
Gorrería. (De *gorrero.*) f. Taller donde se hacen gorras o gorros. ‖ **2.** Tienda donde se venden.
Gorrero, ra. m. y f. Persona que tiene por oficio hacer o vender gorras o gorros. ‖ **2.** m. **Gorrón,** 2.° art.
Gorreta. f. d. de **Gorra.**
Gorretada. (De *gorreta.*) f. Cortesía hecha con la gorra.
Gorrete. m. d. de **Gorro.**
Gorriato. m. *And., Áv., Các.* y *Sal.* **Gorrión.**
Gorrilla. f. d. de **Gorra.** ‖ **2.** *Sal.* Sombrero de fieltro que usan los aldeanos; tiene la copa baja en forma de cono truncado y el ala ancha, acanalada al borde y guarnecida con cinta de terciopelo.
Gorrín. (De la onomat. *gorr.*) m. **Gorrino.**
Gorrinera. (De *gorrino.*) f. Pocilga, cochiquera.
Gorrinería. f. **Porquería,** 1.ª y 2.ª aceps.
Gorrino, na. (De la onomat. *gorr.*) m. y f. Cerdo pequeño que aún no llega a cuatro meses. ‖ **2. Cerdo.** ‖ **3.** fig. Persona desaseada o de mal comportamiento en su trato social. Ú. t. c. adj.
Gorrión. m. Pájaro de unos 12 centímetros desde la cabeza a la extremidad de la cola, con el pico fuerte, cónico y algo doblado en la punta; plumaje pardo en la cabeza, castaño en el cuello, espalda, alas y cola, pero con manchas negras y rojizas, negro en el pecho y garganta y ceniciento en el vientre. Es muy abundante y sedentario en España.
Gorriona. f. Hembra del gorrión.
Gorrionera. (De *gorrión.*) f. fig. y fam. Lugar donde se recoge y oculta gente viciosa y mal entretenida.
Gorrista. (De *gorra*, 5.ª acep.) adj. **Gorrón,** 2.° art. Ú. t. c. s.
Gorro. (De *gorra.*) m. Pieza redonda, de tela o de punto, para cubrir y abrigar la cabeza. ‖ **2.** Prenda que se pone a los niños en la infancia para cubrirles la cabeza y que se les asegura con cintas debajo de la barba. ‖ **catalán. Gorro** de lana que se usa en Cataluña, en forma de manga cerrada por un extremo. ‖ **frigio. Gorro** semejante al que usaban los frigios, y que se tomó como emblema de la libertad por los revolucionarios franceses de 1793 y luego por los republicanos españoles. ‖ **Llenársele** a uno **el gorro.** fr. fig. y fam. perder la paciencia, no aguantar más.
Gorrón. m. Guijarro pelado y redondo. ‖ **2.** Gusano de seda que deja el capullo a medio hacer, a causa de una enfermedad de cuyas resultas se arruga y queda pequeño. ‖ **3. Chicharrón,** 1.er art., 1.ª acep. ‖ **4.** *Mec.* Espiga en que termina el extremo inferior de un árbol vertical u otra pieza análoga, para servirle de apoyo y facilitar su rotación.
Gorrón, na. (De *gorra.*) adj. Que tiene por hábito comer, vivir, regalarse o divertirse a costa ajena. Ú. t. c. s. ‖ **2.** m. Hombre perdido y enviciado que trata con las gorronas y mujeres de mal vivir.
Gorrona. adj. V. **Pasa gorrona.** ‖ **2.** f. **Ramera.**
Gorronal. (De *gorrón* 1.er art., 1.ª acep.) m. **Guijarral.**
Gorronería. f. Cualidad o acción de gorrón, 2.° art.
Gorruendo, da. (De *gorrón*, 2.° art.) adj. ant. Harto o satisfecho de comer.
Gorullo. (De *borullo.*) m. **Burujo,** 1.ª acep.
Gorullón. m. *Germ.* **Alcaide,** 2.ª acep.
Gosipino, na. (Del lat. *gossypīnus*, algodonero.) adj. Dícese de lo que tiene algodón o se parece a él.
Gota. (Del lat. *gutta.*) f. Partecilla de agua u otro licor. ‖ **2.** Enfermedad constitucional que causa hinchazón muy dolorosa en ciertas articulaciones pequeñas y se complica a veces con afecciones viscerales. ‖ **3.** *Arq.* Cada uno de los pequeños troncos de pirámide o de cono que como adorno se colocan debajo de los triglifos del cornisamento dórico. ‖ **4.** pl. Pequeña cantidad de ron o coñac que se mezcla con el café una vez servido éste en la taza. ‖ **Gota artética.** La que se padece en los artejos. ‖ **caduca,** o **coral. Epilepsia.** ‖ **de sangre.** *Ál.* **Centaura menor.** ‖ **serena. Amaurosis.** ‖ **Gota a gota.** m. adv. Por **gotas** y con intermisión de una a otra. ‖ **Gota a gota, la mar se apoca.** ref. que demuestra que todas las cosas llegan a su fin por grandes que sean, y que los caudales más gruesos se destruyen si falta una prudente economía. ‖ **No quedar** a uno **gota de sangre en el cuerpo,** o **en las venas.** fr. fig. con que se pondera el terror o espanto de una persona. ‖ **No ver gota.** fr. fig. y fam. No ver nada. ‖ **Sudar** uno **la gota gorda,** o **tan gorda,** o **tan gorda como el puño.** fr. fig. y fam. con que se pondera su afán para conseguir lo que intenta. ‖ **Una y otra gota apagan la sed.** expr. fig. que explica que la repetición de los actos facilita el fin a que se dirigen.
Goteado, da. p. p. de **Gotear.** ‖ **2.** adj. Manchado de gotas.
Gotear. intr. Caer un líquido gota a gota. ‖ **2.** Comenzar a llover a gotas espaciadas. ‖ **3.** fig. Dar o recibir una cosa a pausas o con intermisión.
Goteo. m. Acción y efecto de gotear.
Gotera. f. Continuación de gotas de agua que caen en lo interior de un edificio u otro espacio techado. ‖ **2.** Hendedura o paraje del techo por donde caen. ‖ **3.** Sitio en que cae el agua de los tejados. ‖ **4.** Señal que deja. ‖ **5. Griseta,** 2.ª acep. ‖ **6.** Cenefa o caída de la tela que cuelga alrededor del dosel, o del cielo de una cama, sirviendo de adorno. ‖ **7.** fig. **Achaque,** 1.er art., 1.ª acep. Ú. m. en pl. ‖ **8.** pl. *Amér.* Afueras, contornos, alrededores. ‖ **9.** *Sant.* Alrededores de una casa. ‖ **Es una gotera.** expr. fig. y fam. con que se significa la continuación frecuente y sucesiva de cosas molestas. ‖ **La gotera cava la piedra.** ref. que enseña que la constancia o continuación vence las mayores dificultades. ‖ **Quien no adoba,** o **quita, gotera, hace casa entera.** ref. que enseña el cuidado con que se debe acudir al remedio de los males en sus principios, antes de que sean grandes.
Gotero. m. *Méj.* y *P. Rico.* **Cuentagotas.**
Goterón. (De *gotera.*) m. Gota muy grande de agua llovediza. ‖ **2.** *Arq.* Canal que se hace en la cara inferior de la coro-

na de la cornisa, con el fin de que el agua de lluvia no corra por el sofito.

Gótico, ca. (Del lat. *gothĭcus*.) adj. Perteneciente a los godos. || **2.** Aplícase a lo escrito o impreso en letra **gótica.** *Un pliego suelto* GÓTICO. || **3.** Dícese del arte que en la Europa occidental se desarrolla por evolución del románico desde el siglo XII hasta el Renacimiento. Ú. t. c. s. || **4.** V. **Columna gótica.** || **5.** V. **Letra gótica.** || **6.** ant. fig. V. **Letras góticas.** || **7.** fig. Noble, ilustre. || **8.** m. Lengua germánica que hablaron los godos. || **flamígero.** El estilo ojival caracterizado por la decoración de calados con adornos asimétricos, semejantes a las ondulaciones de las llamas. || **florido.** El de la última época, que se caracteriza por la ornamentación exuberante.

Gotón, na. (Del lat. *gothōnes*, godos). adj. **Godo.** Apl. a pers., ú. m. c. s. y en pl.

Gotoso, sa. adj. Que padece gota. Ú. t. c. s. || **2.** *Cetr.* Dícese del ave de rapiña que tiene torpes los pies por enfermedad.

Goyesco, ca. adj. Propio y característico de Goya, o que tiene semejanza con el estilo de las obras de este pintor.

Gozamiento. m. ant. Acción y efecto de gozar de una cosa.

Gozante. p. a. de **Gozar.** Que goza.

Gozar. (De *gozo*.) tr. Tener y poseer alguna cosa; como dignidad, mayorazgo o renta. Ú. t. c. intr. con la prep. *de*. || **2.** Tener gusto, complacencia y alegría de una cosa. Ú. t. c. r. || **3. Conocer,** 8.ª acep. || **4.** intr. Sentir placer, experimentar suaves y gratas emociones. || **Gozar y gozar.** expr. *For.* Denota el contrato entre dos o más personas, por el cual se permutan las posesiones y alhajas solamente en cuanto al usufructo; como una viña por un olivar.

Gozne. (De *gonce*.) m. Herraje articulado con que se fijan las hojas de las puertas y ventanas al quicial para que al abrirlas o cerrarlas giren sobre aquél. Compónese de dos anillos enlazados, o bien de dos planchitas de metal, una de las cuales lleva una espiga que gira dentro de un tejuelo que hay en la otra pieza; también se aplican los **goznes** a las tapas de cajas, baúles y otros objetos que necesitan tener un movimiento giratorio. || **2. Bisagra,** 1.ª acep.

Gozo. (Del lat. *gaudĭum*.) m. Movimiento del ánimo que se complace en la posesión o esperanza de bienes o cosas halagüeñas y apetecibles. || **2. Alegría,** 1.ª acep. || **3.** fig. Llamarada que levanta la leña menuda y seca cuando se quema. || **4.** pl. Composición poética en loor de la Virgen o de los santos, que se divide en coplas, después de cada una de las cuales se repite un mismo estribillo. || **El gozo en el pozo.** ref. con que se da a entender haberse malogrado una cosa con que se contaba. || **No caber** uno **en sí de gozo.** fr. fig. y fam. **No caber de contento.** || **Saltar** uno **de gozo.** fr. fig. y fam. Estar sumamente gozoso.

Gozosamente. adv. m. Con gozo.

Gozoso, sa. adj. Que siente gozo. || **2.** ant. Que se celebra con gozo.

Gozque. (De la onomat. *cuz*, *goz*, *coz*, para llamar al perro, como *cuzco*.) adj. V. **Perro gozque.** Ú. m. c. s. || **El gozque al mastín ladra.** ref. que se aplica cuando el débil se queja violentamente del poderoso.

Gozquejo. m. d. de **Gozque.**

Gozquillas. f. pl. ant. **Cosquillas.**

Gozquillo, lla. m. y f. d. de **Gozque.**

Gozquilloso, sa. adj. ant. **Cosquilloso.**

Grabado. (De *grabar*.) m. Arte de grabar. || **2.** Procedimiento para grabar. || **3.** Estampa que se produce por medio de la impresión de láminas grabadas al efecto. || **al agua fuerte.** Procedimiento en que se emplea la acción del ácido nítrico sobre una lámina; cúbrese ésta con una capa de barniz, en la cual con una aguja se abre el dibujo hasta dejar descubierta la superficie metálica, y después que el ácido ha mordido lo bastante, se quita el barniz con un disolvente. || **al agua tinta.** El que se hace cubriendo la lámina con polvos de resina que, calentando luego aquélla, se adhieren a la superficie formando granitos o puntos; éstos quedan después grabados mediante la acción del agua fuerte. || **al barniz blando. Grabado** al agua fuerte, que sólo tiene por objeto señalar ligeramente en la lámina los trazos que se han de abrir con el buril, para lo cual se saca un calco del dibujo con lápices a propósito en papel delgado y se estampa sobre la superficie del barniz en posición invertida. || **al humo.** El que se hace en una lámina previamente graneada, rascando, aplanando o puliendo los espacios que han de quedar con más o menos tinta o limpios de ella cuando se haga la estampación. || **a media tinta. Grabado al agua tinta.** || **a puntos.** El que resulta de dibujar los objetos con puntos hechos a buril o con una ruedecilla muy agudamente dentada. || **de estampas,** o **en dulce.** El que se hace en planchas de acero o cobre, en tablas de madera o sobre otra materia que fácilmente reciba la huella del buril con sólo el impulso de la mano del artista. || **en fondo,** o **en hueco.** El que se ejecuta en troqueles de metal, en madera o en piedras finas, para acuñar medallas, formar sellos, etc. || **en negro. Grabado al humo.** || **punteado. Grabado a puntos.**

Grabador, ra. (De *grabar*.) m. y f. Persona que profesa el arte del grabado.

Grabadura. f. Acción y efecto de grabar.

Grabar. (Del neerl. *graven*; en gr. γράφω.) tr. Señalar con incisión o abrir y labrar en hueco o en relieve sobre una superficie de piedra, metal, madera, etc., un letrero, figura o representación de cualquier objeto. || **2.** fig. Fijar profundamente en el ánimo un concepto, un sentimiento o un recuerdo. Ú. t. c. r.

Grabazón. f. Adorno sobrepuesto formado de piezas grabadas.

Gracejada. f. *Amér. Central* y *Méj.* Payasada, bufonada, generalmente de mal gusto.

Gracejar. intr. Hablar o escribir con gracejo. || **2.** Decir chistes.

Gracejo. (De *gracia*.) m. Gracia, chiste y donaire festivo en hablar o escribir.

Gracia. (Del lat. *gratĭa*.) f. Don gratuito de Dios que eleva sobrenaturalmente la criatura racional en orden a la bienaventuranza eterna. || **2.** Don natural que hace agradable a la persona que lo tiene. || **3.** Cierto donaire y atractivo, independiente de la hermosura de las facciones, que se advierte en la fisonomía de algunas personas. || **4.** Beneficio, don y favor que se hace sin merecimiento particular; concesión gratuita. || **5.** Afabilidad y buen modo en el trato con las personas. || **6.** Garbo, donaire y despejo en la ejecución de una cosa. || **7.** Benevolencia y amistad de uno. || **8.** Chiste, dicho agudo, discreto y de donaire. || **9.** Perdón o indulto de pena que concede el jefe del Estado o el poder público competente. || **10.** Nombre de cada uno. || **11.** En algunas partes, acompañamiento que va después del entierro a la casa del difunto, y responso que se dice en ella. || **12.** pl. Divinidades mitológicas: fueron tres y tuvieron por madre a Venus, según la fábula más vulgarizada, y su poder se extendía sobre cuanto tiene relación con el agrado de la vida. || **Gracia actual.** Auxilio sobrenatural transeúnte dado por Dios a la criatura racional en orden a la bienaventuranza eterna. || **cooperante.** La que ayuda a la voluntad cuando ésta quiere el bien y lo practica. || **de Dios.** fig. Los dones naturales beneficiosos para la vida, especialmente el aire y el sol. *Abre la ventana, que entre la* GRACIA DE DIOS. || **2.** Entre gente rústica, el pan; y así suelen decir por modo de juramento y aseveración: *por esta* GRACIA DE DIOS, tomando el pan y besándolo. || **de niño.** fam. Dicho o hecho que parece ser superior a la comprensión propia de su edad. || **habitual.** Cualidad estable sobrenatural infundida por Dios en el espíritu, por lo que lo santifica y hace hijo de Dios y heredero de su gloria. || **operante.** La que antecediendo al albedrío, o sana el alma o la mueve y excita a querer y obrar el bien. || **original.** La que infundió Dios a nuestros primeros padres en el estado de la inocencia. || **y Justicia. Ministerio de Gracia y Justicia.** || **Gracias al sacar.** *For.* Ciertas dispensas que se conceden por el Ministerio de Justicia para actos de jurisdicción voluntaria, como la emancipación o habilitación de un menor, etc., gravadas con pago de ciertos derechos. || **Aquí gracia y después gloria.** fr. que se usa para indicar que se da por terminado el asunto de que se trata. || **Caer de la gracia de** uno. fr. fig. Perder su valimiento y favor. || **Caer en gracia.** fr. Agradar, complacer. || **Dando gracias por agravios, negocian los hombres sabios.** ref. que enseña y aconseja que pagar las injurias con beneficios y agasajos es la mejor y más acertada máxima de los hombres prudentes y discretos. || **Dar** uno **en la gracia de** decir o hacer una cosa. fr. fam. Repetirla de continuo y como por tema. || **Dar gracias.** fr. Manifestar de palabra o por medio de ademanes el agradecimiento por el beneficio recibido. || **Decir** uno **dos gracias** a otro. fr. fig. y fam. Decirle algunas claridades. || **De gracia.** m. adv. Gratuitamente, sin premio ni interés alguno. || **En gracia.** m. adv. En consideración a una persona o servicio. || **Estar en gracia.** fr. Dícese de los que, por la santidad de sus costumbres, se cree que son aceptos a Dios. || **2.** Aplícase también a los que están en valimiento con los poderosos. || **¡Gracias!** expr. elíp. con que significamos nuestro agradecimiento por cualquier beneficio, favor o atención que se nos dispensa. || **Gracias a.** m. adv. Por intervención de, por causa de, una persona o cosa. || **¡Gracias a Dios!** exclam. de alabanza a Dios, o para manifestar alegría por una cosa que se esperaba con ansia y ha sucedido. || **Hablar de gracia.** fr. ant. Decir y hablar sin fundamento. || **Hacer gracia.** fr. **Caer en gracia.** || **Hacer gracia de** alguna cosa a uno. fr. Dispensarle o librarle de ella. || **Más vale caer en gracia que ser gracioso.** ref. que enseña que a veces puede más la fortuna y dicha de un sujeto que su propio mérito. || **No está gracia en casa.** fr. fam. con que se expresa que una persona está disgustada y de mal humor. || **No estar de gracia,** o **para gracias.** fr. Estar disgustado o de mal humor. || **¡Qué gracia!** expr. con que irónicamente se rechaza la pretensión de alguno, o se nota de despropósito. || **Referir gracias.** fr. ant. **Dar gracias.** || **Reírle** a uno **la gracia.** fr. fig. y fam. Aplaudirle con alborozo algún dicho o hecho digno, por lo común, de censura. || **Tener gracia** una cosa. fr. irón. Ser chocante, producir extrañeza. || **¡Vaya en gracia!** expr. de aquiescencia, que muchas veces se usa en sentido irónico. || **Y gracias.** expr. fam. con que se da a entender a uno que debe contentarse con lo que ha conseguido.

Graciable. adj. Inclinado a hacer gracias, y afable en el trato. || **2.** Que se puede otorgar graciosamente, sin sujeción a precepto.

Graciado, da. (De *gracia.*) adj. ant. Franco, liberal o gracioso.

Grácil. (Del lat. *gracĭlis.*) adj. Sutil, delgado o menudo.,

Gracilidad. f. Calidad de grácil.

Graciola. (De *gladíolo,* infl. por *gracia.*) f. Hierba vivaz de la familia de las escrofulariáceas, con tallos de tres a cuatro decímetros de altura, rollizos y lampiños; hojas sentadas, opuestas, lanceoladas y con dientes en el margen; flores axilares, pedunculadas, en forma de embudo, blancas o amarillentas, y fruto capsular con semillas pequeñas y arrugadas. Vive en terrenos pantanosos, es de olor nauseabundo, sabor amargo, emética, catártica y considerada antiguamente como un gran antídoto de las tercianas.

Graciosamente. adv. m. Con gracia. || **2.** Sin premio ni recompensa alguna.

Graciosidad. (Del lat. *gratiosĭtas, -ātis.*) f. Hermosura, perfección o excelencia de una cosa, que da gusto y deleita a los que la ven u oyen.

Gracioso, sa. (Del lat. *gratiōsus.*) adj. Aplícase a la persona o cosa cuyo aspecto tiene cierto atractivo que deleita a los que la miran. || **2.** Chistoso, agudo, lleno de donaire y gracia. || **3.** Que se da de balde o de gracia. || **4.** Dictado de los reyes de Inglaterra. || **5.** V. **Privilegio gracioso.** || **6.** m. y f. Actor dramático que ejecuta siempre el papel de carácter festivo y chistoso.

Gracir. (De *gracia.*) tr. ant. **Agradecer.**

Grada. (De *grado.*) f. **Peldaño.** || **2.** Asiento a manera de escalón corrido. || **3.** Conjunto de estos asientos en los teatros y otros lugares públicos. || **4.** Tarima que se suele poner al pie de los altares. || **5.** *Mar.* Plano inclinado hecho de cantería, a orillas del mar o de un río, sobre el cual se construyen o carenan los barcos. || **6.** pl. Conjunto de escalones que suelen tener los edificios grandes, majestuosos, delante de su pórtico o fachada. || **Grada del trono.** fr. Soberano poder del monarca. || **Grada a grada.** m. adv. ant. **De grado en grado.**

Grada. (Del lat. *crates,* enrejado o verja.) f. Reja o locutorio de los monasterios de monjas. || **2.** Instrumento de madera o de hierro, de figura casi cuadrada, a manera de unas parrillas grandes, con el cual se allana la tierra después de arada, para sembrarla. || **de cota.** La que tiene ramas que dejan lisa la tierra. || **de dientes.** La que en vez de ramas tiene unas púas de palo o de hierro.

Gradación. (Del lat. *gradatio, -ōnis.*) f. Serie de cosas ordenada gradualmente. || **2.** ant. **Graduación.** || **3.** *Mús.* Período armónico que va subiendo de grado en grado para expresar más un afecto. || **4.** *Ret.* Figura que consiste en juntar en el discurso palabras o frases que, con respecto a su significación, vayan como ascendiendo o descendiendo por grados, de modo que cada una de ellas exprese algo más o algo menos que la anterior.

Gradado, da. (Del lat. *gradātus.*) adj. Que tiene gradas.

Gradar. tr. Allanar con la grada la tierra después de arada.

Gradecer. (Del lat. *gratus,* grato.) tr. ant. **Agradecer.**

Gradecilla. f. d. de **Grada.** || **2.** *Arq.* **Ánulo,** 1.er art.

Gradeo. m. Acción y efecto de gradar.

Gradería. f. Conjunto o serie de gradas, como las de los altares y las de los anfiteatros o cátedras.

Gradiente. m. Relación de la diferencia de presión barométrica entre dos puntos. || **2.** f. *Chile* y *Ecuad.* Pendiente, declive.

Gradilla. (d. de *grada,* 1.er art.) f. Escalerilla portátil.

Gradilla. (De *grada,* 2.° art.) f. Marco para fabricar ladrillos. || **2.** ant. **Parrilla,** 2.° art., 1.ª acep.

Gradíolo [Gradiolo]. m. **Gladíolo.**

Grado. (Del lat. *gradus.*) m. **Peldaño.** || **2.** Cada una de las generaciones que marcan el parentesco entre las personas. En la línea transversal, civilmente se cuentan las generaciones de ambas ramas, y canónicamente, tan sólo las de la rama más larga. || **3.** Derecho que se concedía a los militares para que se les contara la antigüedad de un empleo superior antes de obtenerlo, usando entretanto las divisas correspondientes a este empleo. Últimamente se concedía también sin antigüedad y sólo como honor. || **4.** En las universidades, título y honor que se da al que se gradúa en una facultad o ciencia. GRADO *de bachiller, de doctor.* || **5.** En ciertas escuelas, cada una de las secciones en que sus alumnos se agrupan según su edad y el estado de sus conocimientos y educación. || **6.** fig. Cada uno de los diversos estados, valores o calidades que, en relación de menor a mayor, puede tener una cosa. || **7.** Unidad de medida en la escala de varios instrumentos destinados a apreciar la cantidad o intensidad de una energía o de un estado físico, como la presión, la densidad, el calor, etc. || **8.** *Álg.* Número de orden que expresa el de factores de la misma especie que entran en un término o en una parte de él. || **9.** *Álg.* En una ecuación o en un polinomio reducidos a forma racional y entera, el del término en que la variable tiene exponente mayor. || **10.** *For.* Cada una de las diferentes instancias que puede tener un pleito. *En* GRADO *de apelación;* en GRADO *de revista.* || **11.** *Geom.* Cada una de las partes iguales, que suelen ser 360, en que se considera dividida la circunferencia del círculo. || **12.** *Gram.* Manera de significar la intensidad relativa de los calificativos. GRADO *positivo, comparativo* y *superlativo.* || **13.** pl. Órdenes menores que se dan después de la tonsura, que son como escalones para subir a las demás. || **Grado de una curva.** *Mat.* **Grado** de la ecuación que la representa. || **De grado en grado.** m. adv. Por partes, sucesivamente. || **En grado superlativo.** m. adv. fig. En sumo **grado;** con exceso. || **Ganar los grados del perfil.** fr. *Esgr.* Salirse, el que esgrime la espada, de la línea de defensa de su contrario, quedando en disposición de herirle a mansalva.

Grado. (Del lat. *gratus,* grato.) m. Voluntad, gusto. Ú. sólo en las siguiente locuciones: **A mal de mi, de tu, de su, de nuestro, de vuestro grado.** expr. **Mal de mi, de tu, de su, de nuestro, de vuestro grado.** || **De buen grado,** o **de grado.** m. adv. Voluntaria y gustosamente. || **De mal grado.** m. adv. Sin voluntad, con repugnancia y a disgusto. || **De su grado.** m. adv. **De grado.** || **¡Grado a Dios!** exclam. ant. **¡Gracias a Dios!** || **Mal de mi, de tu, de su, de nuestro, de vuestro grado;** o **mal mi, tu, su, nuestro, vuestro grado.** m. adv. A pesar mío, tuyo, suyo, nuestro, vuestro; aunque no quiera, o no quieras, o no quieran, o no queramos, o no queráis. || **Ni grado ni gracias.** expr. con que se explica que una cosa se hace sin elección y que no merece gracias. || **Ser** una cosa **en grado** de uno. fr. ant. Ser de su gusto y aprobación. || **Sin grado.** m. adv. ant. **De mal grado.**

Gradoso, sa. (De *grado,* 2.° art.) adj. ant. Gustoso, agradable.

Graduable. adj. Que puede graduarse.

Graduación. f. Acción y efecto de graduar. || **2.** Cantidad proporcional de alcohol que contienen las bebidas espirituosas. || **3.** *Mil.* Categoría de un militar en su carrera.

Graduado, da. p. p. de **Graduar.** || **2.** adj. *Mil.* En las carreras militares se aplicaba al que tenía grado superior a su empleo. *El coronel* GRADUADO, *comandante López.*

Graduador. m. Instrumento que sirve para graduar la cantidad o calidad de una cosa.

Gradual. (Del lat. *gradus,* grado.) adj. Que está por grados o va de grado en grado. || **2.** V. **Salmo gradual.** || **3.** m. Parte de la misa, que se reza entre la epístola y el evangelio.

Gradualmente. adv. m. **De grado en grado.**

Graduando, da. (De *graduar.*) m. y f. Persona que recibe o está próxima a recibir un grado por la universidad.

Graduar. (Del lat. *gradus,* grado.) tr. Dar a una cosa el grado o calidad que le corresponde. GRADUAR *la salida del agua por una boquera.* || **2.** Apreciar en una cosa el grado o calidad que tiene. GRADUAR *la densidad de la leche.* || **3.** Señalar en una cosa los grados en que se divide. GRADUAR *un círculo, un termómetro, un mapa.* || **4.** Dividir y ordenar una cosa en una serie de grados o estados correlativos. GRADUAR *el interés en una obra dramática.* GRADUAR *una escuela.* || **5.** En las universidades, dar el grado y título de bachiller, licenciado o doctor en una facultad. Ú. t. c. r. || **6.** *Mil.* En las carreras militares, conceder grado o grados. GRADUARON *a González de comandante.*

Grafía. (Del gr. γραφή, escritura.) f. Modo de escribir o representar los sonidos, y, en especial, empleo de tal letra o tal signo gráfico para representar un sonido dado.

Gráficamente. adv. m. De un modo gráfico.

Gráfico, ca. (Del lat. *graphĭcus,* y éste del gr. γραφικός.) adj. Perteneciente o relativo a la escritura. || **2.** Aplícase a las descripciones, operaciones y demostraciones que se representan por medio de figuras o signos. Ú. t. c. s. || **3.** fig. Aplícase al modo de hablar que expone las cosas con la misma claridad que si estuvieran dibujadas. || **4.** f. Representación de datos numéricos de cualquier clase por medio de una o varias líneas que hacen visible la relación o gradación que esos datos guardan entre sí. *La* GRÁFICA *de la mortalidad; la* GRÁFICA *de una fiebre.*

Grafila [Gráfila]. (Del gr. γράφω, escribir, dibujar.) f. Orlita, generalmente de puntos o de línea, que tienen las monedas en su anverso o reverso.

Grafio. (Del lat. *graphĭum,* y éste del gr. γραφεῖον, punzón.) m. Instrumento con que se dibujan y hacen las labores en las pinturas estofadas o esgrafiadas. || **2.** ant. **Punzón,** 1.ª acep.

Grafioles. (Del lat. *graphiŏlum,* d. de *graphĭum,* punzón.) m. pl. Especie de melindres que se hacen en figura de *s,* de masa de bizcocho y manteca de vacas.

Grafito. (Del gr. γραφίς, -ίδος, lápiz.) m. Mineral de textura compacta, color negro agrisado, lustre metálico, graso al tacto y compuesto casi exclusivamente de carbono. Se usa para hacer lapiceros, crisoles refractarios y para otras aplicaciones industriales.

Grafología. (Del gr. γράφω, escribir, y λόγος, tratado.) f. Arte que pretende averiguar por las particularidades de la letra algunas cualidades psicológicas del que la escribe.

Grafológico, ca. adj. Perteneciente o relativo a la grafología.

Grafólogo. m. Persona que practica la grafología.

Grafomanía. f. Manía de escribir o componer libros, artículos, etc.

Grafómano, na. adj. Que tiene grafomanía.

Grafómetro. (Del gr. γράφω, escribir, y μέτρον, medida.) m. Semicírculo graduado, con dos alidadas o anteojos, uno fijo y otro móvil, que sirve para medir cualquier ángulo en las operaciones topográficas.

Gragea. (De *dragea.*) f. Confites muy menudos de varios colores.

Graja. (Del lat. *gracŭla.*) f. Hembra del grajo. ‖ **No entiendo de graja pelada.** expr. fig. y fam. con que uno da a entender que no gusta de hacer o creer algo en que recela engaño.

Grajear. intr. Cantar o chillar los grajos o los cuervos. ‖ **2.** Formar sonidos guturales el niño que no sabe aún hablar.

Grajero, ra. adj. Dícese del lugar donde se recogen y anidan los grajos.

Grajo. (Del lat. *gracŭlus.*) m. Ave muy semejante al cuervo, con el cuerpo de color violáceo negruzco, el pico y los pies rojos y las uñas grandes y negras. ‖ **2.** fig. p. us. Charlatán, cascante. ‖ **3.** *Colomb., Cuba, Ecuad., Perú* y *P. Rico.* Olor desagradable que se desprende del sudor, y especialmente de los negros desaseados. ‖ **4.** *Cuba.* Planta de la familia de las mirtáceas, de olor fétido. ‖ **Le dijo el grajo al cuervo: Quítate allá, que tiznas.** ref. **Dijo la sartén a la caldera: Tírate allá, culinegra.**

Grajuelo. m. d. de **Grajo.**

Grajuno, na. adj. Relativo al grajo o que se le asemeja.

Grama. (Del lat. *gramen.*) f. Planta medicinal de la familia de las gramíneas, con el tallo cilíndrico y rastrero, que echa raicillas por los nudos; hojas cortas, planas y agudas, y flores en espigas filiformes que salen en número de tres o de cinco en la extremidad de cañitas de dos decímetros de largo. ‖ **del Norte.** Planta perenne de la familia de las gramíneas, cuya raíz, rastrera, usada en medicina, echa cañitas de más de seis decímetros de alto, con hojas planas, lineares y lanceoladas, ligeramente vellosas por encima, y flores en espiga alargada, floja y comprimida. ‖ **de olor,** o **de prados.** Planta de la familia de las gramíneas, que tiene cañitas de tres decímetros de largo, desnudas en la mitad superior y con dos o tres hojas más cortas que las vainas en la inferior, y flores en panoja aovada, cilíndrica, amarilla y brillante. Es muy olorosa y se cultiva en los prados artificiales. ‖ **Más vale comer grama y abrojo, que traer capirote en el ojo.** ref. que enseña que es mejor poco con libertad o adquirido legítimamente, que mucho sin ella o mal adquirido.

Gramal. m. Terreno cubierto de grama.

Gramalote. m. *Colomb., Ecuad.* y *Perú.* Hierba forrajera de la familia de las gramíneas.

Gramalla. (En fr. *gramalle.*) f. Vestidura larga hasta los pies, a manera de bata, de que se usó mucho en lo antiguo. ‖ **2.** Cota de malla.

Gramallera. (Del m. or. que *caramillera.*) f. *Gal.* y *León.* **Llar,** 2.° art.

Gramar. (Del lat. *carmināre,* cardar.) tr. *Ast.* y *Gal.* Dar segunda mano al pan después de amasado.

Gramática. (Del lat. *grammatĭca,* y éste del gr. γραμματική, t. f. de -κός, gramático.) f. Arte de hablar y escribir correctamente una lengua. ‖ **2.** Estudio de la lengua latina. ‖ **comparada.** La que estudia dos o más idiomas comparándolos entre sí. ‖ **general.** Aquella en que se trata de los principios generales o fundamentales de todos los idiomas. ‖ **parda.** fam. Habilidad natural o adquirida que tienen algunos para manejarse.

Gramatical. (Del lat. *grammaticālis.*) adj. Perteneciente a la gramática.

Gramaticalmente. adv. m. Conforme a las reglas de la gramática.

Gramático, ca. (Del lat. *grammatĭcus,* y éste del gr. γραμματικός, de γράμμα, letra.) adj. **Gramatical.** ‖ **2.** m. El entendido en gramática o que escribe de ella.

Gramatiquear. tr. fam. despect. Tratar de materias gramaticales.

Gramatiquería. f. fam. despect. Cosa que pertenece a la gramática.

Gramil. (Del gr. γραμμή, línea.) m. Instrumento compuesto de una tablita atravesada perpendicularmente por un listón móvil, que se afianza en su cajera por medio de una cuña, y va provisto, cerca de uno de sus extremos, de una punta de acero. Corriendo el listón hasta la distancia conveniente y pasando la tablita por el canto de un objeto, la punta señalará una paralela al borde.

Gramilla. (De *gramar.*) f. Tabla vertical de cerca de un metro de altura, con pie, donde se colocan los manojos de lino o cáñamo para agramarlos.

Gramilla. f. d. de **Grama.** ‖ **2.** *Argent.* Planta de la familia de las gramíneas que se utiliza para pasto.

Gramíneo, a. (Del lat. *gramĭnĕus.*) adj. V. **Corona gramínea.** ‖ **2.** *Bot.* Aplícase a plantas angiospermas monocotiledóneas que tienen tallos cilíndricos, comúnmente huecos, interrumpidos de trecho en trecho por nudos llenos; hojas alternas que nacen de estos nudos y abrazan el tallo; flores muy sencillas, dispuestas en espigas o en panojas, y grano seco cubierto por las escamas de la flor; como el trigo, el arroz y el bambú. Ú. t. c. s. f. ‖ **3.** f. pl. *Bot.* Familia de estas plantas.

Gramo. (Del gr. γράμμα, escrúpulo.) m. Peso, en el vacío, de un centímetro cúbico de agua destilada, a la temperatura de cuatro grados centígrados. Es la unidad ponderal del sistema métrico y vale veinte granos y tres centésimas de los pesos de Castilla.

Gramófono. (Del gr. γράμμα, escritura, y φωνή, voz.) m. Instrumento que reproduce las vibraciones de la voz humana o de otro cualquier sonido, inscritas previamente sobre un disco giratorio. Es nombre comercial registrado.

Gramoso, sa. adj. Perteneciente a la grama. ‖ **2.** Que cría esta hierba.

Gran. adj. Apócope de **Grande.** Sólo se usa en singular, antepuesto al substantivo. GRAN *empeño;* GRAN *sermón.* ‖ **2.** Principal o primero en una clase. GRAN *maestre de San Juan.* ‖ **3.** V. **Gran bestia, gran canciller de las Indias, gran cruz, gran hombre, gran libro, gran mogol, gran prior, gran señor, gran visir.** ‖ **4.** V. **El gran turco.** ‖ **5.** *Impr.* V. **Gran canon.** ‖ **6.** *Mil.* V. **Gran masa.** ‖ **7.** *Zool.* V. **Gran simpático.**

Grana. (De *granar.*) f. **Granazón.** ‖ **2.** Semilla menuda de varios vegetales. ‖ **3.** Tiempo en que se cuaja el grano de trigo, lino, cáñamo, etc. ‖ **4.** *Rioja.* Frutos de los árboles de monte, como bellotas, hayucos, etc. ‖ **Dar en grana.** fr. Dícese de las plantas cuando se dejan crecer tanto que sólo sirven para semilla.

Grana. (Del lat. *grannum.*) f. **Cochinilla,** 2.° art. ‖ **2. Quermes,** 1.ª acep. ‖ **3.** Excrecencia o agallita que el quermes forma en la coscoja, y que exprimida produce color rojo. ‖ **4.** Color rojo obtenido de este modo. ‖ **5.** Paño fino usado para trajes de fiesta. ‖ **del Paraíso. Cardamomo.** ‖ **de sangre de toro,** o **morada.** Aquella cuyo color tira a morado, por lo cual es muy inferior a la otra.

Granada. (Del lat. *granātum,* subentendiéndose *malum.*) f. Fruto del granado, de figura globosa, con diámetro de unos 10 centímetros, y coronado por un tubo corto y con dientecitos, restos de los sépalos del cáliz; corteza de color amarillento rojizo, delgada y correosa, que cubre multitud de granos encarnados, jugosos, dulces unas veces, agridulces otras, y cada uno con una pepita blanquecina algo amarga. Es comestible apreciado, refrescante, y se emplea en medicina contra las enfermedades de la garganta. ‖ **2.** Globo o bola de cartón, vidrio, bronce o hierro, casi del tamaño de una **granada** natural, llena de pólvora, con una espoleta atacada con un mixto inflamable. Las llevaban los granaderos para arrojarlas encendidas a los enemigos. ‖ **3.** Proyectil hueco de metal, que contiene un explosivo y se dispara con obús u otra pieza de artillería. ‖ **albar.** *Murc.* Fruto del granado, que tiene los granos casi blancos y muy dulces. ‖ **cajín.** *Murc.* La que tiene los granos de color carmesí, con un sabor agridulce muy gustoso, y es muy estimada. ‖ **de mano. Granada,** 2.ª acep. Hoy se usa en la guerra cargada con diferentes explosivos o gases tóxicos. ‖ **real.** La que se dispara con mortero, por ser poco menos que la bomba. ‖ **zafarí.** Fruto del granado, que tiene cuadrados los granos.

Granadal. m. Tierra plantada de granados.

Granadera. f. Bolsa de vaqueta que llevaban los granaderos para guardar las granadas de mano.

Granadero. (De *granada.*) m. Soldado que se escogía por su elevada estatura y servía antiguamente para arrojar granadas de mano. ‖ **2.** Soldado de elevada estatura perteneciente a una compañía que formaba a la cabeza del regimiento. ‖ **3.** fig. y fam. Persona muy alta.

Granadés, sa. adj. ant. **Granadino,** 2.° art. Apl. a pers., usáb. t. c. s.

Granadí. (Del ár. *garnāṭī,* perteneciente o relativo a Granada.) adj. ant. **Granadino,** 2.° art. Apl. a pers., usáb. t. c. s.

Granadilla. (De *granada,* porque sus granos tienen el sabor de los de este fruto.) f. Flor de la pasionaria. ‖ **2.** V. **Parcha granadilla.** ‖ **3.** *Bot.* Planta originaria de la América Meridional, de la familia de las pasifloriáceas. ‖ **4.** Fruto de esta planta.

Granadillo. (De *granada,* por el color de la madera.) m. *Bot. Cuba.* Árbol de la familia de las papilionáceas, de seis a ocho metros de altura, copa mediana, tronco y ramas tortuosas, con espinas solitarias, rectas y muy agudas; hojas ovaladas, obtusas y coriáceas; flores blanquecinas en hacecillos, fruto en legumbre vellosa, y madera dura, compacta, de grano fino y color rojo y amarillo, muy apreciada en ebanistería.

Granadina. (De *Granada.*) f. Tejido calado, que se hace con seda retorcida. ‖ **2.** Variedad del cante andaluz, especialmente de Granada.

Granadino, na. adj. Perteneciente al granado o a la granada. ‖ **2.** m. Flor del granado. ‖ **3.** f. Refresco hecho con zumo de granada.

Granadino, na. adj. Natural de Granada. Ú. t. c. s. ‖ **2.** Perteneciente a esta ciudad.

Granado. (De *granada.*) m. *Bot.* Árbol de la familia de las punicáceas, de cinco a seis metros de altura, con tronco liso y tortuoso, ramas delgadas, hojas opuestas, oblongas, enteras y lustrosas, flores casi sentadas, rojas y con los pétalos algo doblados, y cuyo fruto es la granada.

Granado. p. p. de **Granar.** ‖ **2.** adj. fig. Notable y señalado; principal, ilustre y escogido. ‖ **3.** fig. Maduro, experto. || **Por granado.** m. adv. ant. **Por mayor.**

Granalla. (Despect. de *grano.*) f. Granos o porciones menudas a que se reducen los metales para facilitar su fundición.

Granar. intr. Formarse y crecer el grano de los frutos en algunas plantas, como las espigas, los racimos, etc. || **2.** *Germ.* **Enriquecer,** 3.ª acep.

Granate. (Del lat. *granātum,* granada, con alusión al color de sus granos.) m. Piedra fina compuesta de silicato doble de alúmina y de hierro u otros óxidos metálicos. Su color varía desde el de los granos de granada al rojo, negro, verde, amarillo, violáceo y anaranjado. || **2.** Color rojo obscuro. || **almandino.** El de color rojo brillante o violeta, muy usado en joyería. || **de Bohemia.** El vinoso. || **noble, oriental,** o **sirio. Granate almandino.**

Granatín. (Del m. or. que *granadí.*) m. Cierto género de tejido antiguo.

Granazón. f. Acción y efecto de granar.

Grancé. (Del fr. *garance,* color encarnado, y éste del m. or. que *granza.*) adj. Dícese del color rojo que resulta de teñir los paños con la raíz de la rubia o granza.

Grancero. m. Sitio en donde se recogen y guardan las granzas de trigo, cebada u otros granos y semillas.

Grancilla. f. Carbón mineral lavado y clasificado, cuyos trozos han de tener un tamaño reglamentario comprendido entre 12 y 15 milímetros.

Grancolombiano, na. adj. Perteneciente o relativo a la Gran Colombia, Estado constituido por Bolívar en el congreso de Angostura, con los territorios que hoy pertenecen a Colombia, Venezuela y el Ecuador.

Grand. adj. ant. **Grande.**

Granda. f. **Gándara.**

Grandánime. adj. ant. **Magnánimo.**

Grande. (Del lat. *grandis.*) adj. Que excede a lo común y regular. || **2.** V. **Balancín, Dios, hueso, semana grande.** || **3.** V. **Grande hombre.** || **4.** V. **Lista grande.** || **5.** ant. V. **Casa grande.** || **6.** ant. **Mucho.** || **7.** m. Prócer, magnate, persona de muy elevada jerarquía o nobleza. || **de España.** Persona que tenía la preeminencia de poder cubrirse delante del rey si era caballero, o de tomar asiento delante de la reina si era señora, y gozaba de los demás privilegios anexos a esta dignidad. Hubo **grandes** de primera, de segunda y de tercera clase, que se distinguían en el modo y tiempo de cubrirse cuando hacían la ceremonia de presentarse la primera vez al rey. || **Cubrirse de grande de España.** fr. Tomar posesión, en presencia del rey, de las prerrogativas de esta dignidad. || **En grande.** m. adv. Por mayor, en conjunto. *Considerar una cosa* EN GRANDE. || **2.** fig. Con fausto o gozando mucho predicamento. Ú. con los verbos *estar, vivir,* etc.

Grandecía. f. ant. **Grandeza.**

Grandemente. adv. m. Mucho o muy bien. || **2. En extremo.**

Grander. (Del lat. *grandĕre.*) tr. ant. Engrandecer.

Grandevo, va. (Del lat. *grandaevus;* de *grandis,* crecido, y *aevum,* edad.) adj. poét. Dícese de la persona de mucha edad.

Grandez. f. ant. **Grandeza.**

Grandeza. (De *grande.*) f. Tamaño excesivo de una cosa respecto de otra del mismo género. || **2.** Majestad y poder. || **3.** Dignidad de grande de España. || **4.** Conjunto o concurrencia de los grandes de España. || **5.** Extensión, tamaño, magnitud.

Grandezuelo, la. adj. d. de **Grande.**

Grandifacer. (Del lat. *grandis,* grande, y *facĕre,* hacer.) tr. ant. Engrandecer o hacer grande.

Grandifecho, cha. p. p. irreg. ant. de **Grandifacer.**

Grandificencia. (De *grandifacer.*) f. ant. **Grandeza.**

Grandilocuencia. (De *grandilocuente.*) f. Elocuencia muy abundante y elevada. || **2.** Estilo sublime.

Grandilocuente. (De *grandis,* grande, y *loquens, -entis,* que habla.) adj. Que habla o escribe con grandilocuencia.

Grandílocuo, cua. (Del lat. *grandilŏquus.*) adj. **Grandilocuente.**

Grandillón, na. adj. fam. aum. de **Grande.** || **2.** fam. Que excede del tamaño regular con desproporción.

Grandiosamente. adv. m. Con grandiosidad.

Grandiosidad. (De *grandioso.*) f. Admirable grandeza, magnificencia.

Grandioso, sa. (De *grande.*) adj. Sobresaliente, magnífico.

Grandisonar. intr. poét. Resonar, tronar con fuerza.

Grandísono, na. (Del lat. *grandisŏnus.*) adj. poét. **Altísono.**

Grandor. (De *grande.*) m. Tamaño de las cosas.

Grandote, ta. adj. fam. aum. de **Grande.**

Grandullón, na. adj. fam. **Grandillón.** Dícese especialmente de los muchachos muy crecidos para su edad. Ú. t. c. s.

Grandura. f. ant. **Grandor.**

Graneado, da. p. p. de **Granear.** || **2.** adj. Reducido a grano. *Pólvora* GRANEADA. || **3.** Salpicado de pintas. || **4.** *Mil.* V. **Fuego graneado.**

Graneador. (De *granear.*) m. Criba de piel que se usa en las fábricas de pólvora para refinar el grano por segunda vez. || **2.** Lugar destinado a este efecto en las fábricas de pólvora. || **3.** Instrumento de acero, achaflanado, y que remata en una línea curva llena de puntas menudas, de que usan los grabadores para granear las planchas que han de grabar al humo.

Granear. tr. Esparcir el grano o semilla en un terreno. || **2.** Convertir en grano la masa preparada de que se compone la pólvora, pasándola por el graneador. || **3.** Llenar la superficie de una plancha de puntos muy espesos con el graneador, para grabar al humo. || **4.** Sacarle grano a la superficie lisa de una piedra litográfica para poder dibujar en ella con lápiz litográfico.

Granel (A). (Del cat. *granell,* y éste del lat. **granellum,* de *granum.*) m. adv. Hablando de cosas menudas, como trigo, centeno, etc., sin orden, número ni medida. Tratando de géneros, sin envase, sin empaquetar. || **2.** fig. De montón, en abundancia.

Granero, ra. adj. Natural de El Grao. Ú. t. c. s. || **2.** Perteneciente a este puerto de Valencia.

Granero. (Del lat. *granarĭum.*) m. Sitio en donde se recoge y custodia el grano. || **2.** fig. Territorio muy abundante en grano y que provee de él a otros países.

Granévano. m. **Tragacanto.**

Granguardia. (De *gran* y *guardia.*) f. *Mil.* Tropa de caballería, apostada a mucha distancia de un ejército acampado, para guardar las avenidas y dar avisos.

Granido, da. (De *grano.*) adj. *Germ.* **Rico,** 2.ª acep. || **2.** m. *Germ.* Paga de contado.

Granilla. f. Granillo que por el revés tiene el paño.

Granillero, ra. (De *granillo,* d. de *grano.*) adj. *And.* y *Mancha.* Dícese de los cerdos que en el tiempo de la montanera se alimentan en el monte de la bellota que encuentran en el suelo.

Granillo. m. d. de **Grano.** || **2.** Tumorcillo que nace encima de la rabadilla a los canarios y jilgueros. || **3.** fig. Utilidad y provecho de una cosa usada y frecuentada.

Granilloso, sa. adj. Que tiene granillos.

Granítico, ca. adj. Perteneciente al granito o semejante a esta roca.

Granito. m. d. de **Grano.** || **2.** Roca compacta y dura, compuesta de feldespato, cuarzo y mica. Lo hay de varios colores, según el tinte y la proporción de sus componentes. Se emplea como piedra de cantería. || **3.** *Murc.* Huevecito del gusano de seda. || **Con su granito de sal.** m. adv. fig. **Con su grano de sal.** || **Echar un granito de sal.** fr. fig. y fam. Añadir alguna especie a lo que se dice o trata, para darle chiste, sazón y viveza.

Granívoro, ra. (Del lat. *granum,* grano, y *vorāre,* comer.) adj. Aplícase a los animales que se alimentan de granos.

Granizada. f. Copia de granizo que cae de una vez. || **2.** fig. Multitud de cosas que caen o se manifiestan continuada y abundantemente. || **3.** *And.* y *Chile.* Bebida helada.

Granizado. m. *Argent.* Refresco que se hace con hielo machacado al que se agrega alguna esencia o jugo de fruta.

Granizar. intr. Caer granizo. || **2.** fig. Arrojar o despedir una cosa con ímpetu, menudeando y haciendo que caiga espeso lo que se arroja. Ú. t. c. tr.

Granizo. (Del lat. **grandinĭcĕus,* de *grando, -inis.*) m. Agua congelada que desciende con violencia de las nubes, en granos más o menos duros y gruesos, pero no en copos como la nieve. || **2.** Especie de nube de materia gruesa que se forma en los ojos entre las túnicas úvea y córnea. || **3.** fig. **Granizada,** 1.ª y 2.ª aceps. || **4.** *Germ.* Muchedumbre de una cosa. || **Armarse el granizo.** fr. Levantarse una nube que amenaza tempestad. || **2.** fig. y fam. Originarse desazones y pendencias. || **Saltar** uno **como granizo en albarda.** fr. fig. y fam. Sentirse y alterarse con facilidad y neciamente de cualquier cosa que otro dice.

Granja. (Del fr. *grange,* y éste del lat. **granĭca,* de *granum.*) f. Hacienda de campo, a manera de grande huerta, dentro de la cual suele haber una casería donde se recogen la gente de labor y el ganado.

Granjeable. adj. Que se puede granjear.

Granjear. (De *granja.*) tr. Adquirir caudal, obtener ganancias traficando con ganados u otros objetos de comercio. || **2.** Adquirir, conseguir, obtener, en general. || **3. Captar,** 1.ª acep. Ú. m. c. r. || **4.** ant. Cultivar con esmero las tierras y heredades, cuidando de la conservación y aumento del ganado. || **5.** *Mar.* Ganar, con relación a la distancia o al barlovento.

Granjeo. m. Acción y efecto de granjear.

Granjería. (De *granjero.*) f. Beneficio de las haciendas de campo y venta de sus frutos, o cría de ganados y trato con ellos, etc. || **2.** fig. Ganancia y utilidad que se obtiene traficando y negociando.

Granjero, ra. m. y f. Persona que cuida de una granja. || **2.** Persona que se emplea en granjerías.

Grano. (Del lat. *granum.*) m. Semilla y fruto de las mieses; como del trigo, cebada, etc. || **2.** Semillas pequeñas de varias plantas. GRANO *de mostaza, de anís.* || **3.** Cada una de las semillas o frutos que con otros iguales forma un agregado. GRANO *de uva, de granada.* || **4.** Porción o parte menuda de otras cosas. GRANO *de arena, de incienso.* || **5.** Cada una de las partecillas, como de arena, que se perciben en la masa de algunos cuerpos. GRANO *de la piedra, del hierro colado.* || **6.** Especie de tumorcillo que nace en alguna parte del cuerpo y a veces cría materia. || **7.** En las armas de fuego, pieza que se echaba en la parte del fogón cuando se había gastado y agrandado con el uso, y en ella se volvía a abrir el fogón. || **8.** Dozava parte del tomín, equivalente a 48 miligramos. || **9.** En las piedras preciosas, cuarta parte de un quilate. || **10.** Cuarta parte del quilate, que se emplea para designar la cantidad de fino de una liga de oro. || **11. Flor,** 12.ª acep. || **12.** Cada una de las pequeñas protuberancias que agrupadas cubren la flor de ciertas pieles curtidas; como el cordobán, la vaqueta, la zapa, y algunas antes de curtir, como la de lija. || **13.** *Germ.* **Ducado,** 5.ª acep. || **14.** *Farm.* Peso de un **grano** regular de cebada, que equivale a la vigesimocuarta parte del escrúpulo, o sea muy cerca de cinco centigramos. || **de arena.** fig. Auxilio pequeño con que uno contribuye para una obra o fin determinado. || **Granos del Paraíso.** *Bot.* Semillas del amomo. || **¡Ahí es un grano de anís!** expr. fig. y fam. de que se usa irónicamente para denotar la gravedad o importancia de una cosa. || **Ahogarse el grano.** fr. *Agr.* No prevalecer, por las malas hierbas que nacen junto a él. || **Apartar el grano de la paja.** fr. fig. y fam. Distinguir en las cosas lo substancial de lo que no lo es. || **Con su grano de sal.** m. adv. fig. que advierte la prudencia, madurez y reflexión con que deben tratarse y gobernarse los puntos arduos y delicados. || **Donde está el grano, está el lazo.** ref. que advierte a los codiciosos el peligro que corren. || **Grano a grano, allega para tu año.** ref. con que se denota lo mucho que importa la economía continuada, aunque sea en cosas pequeñas. || **Grano a grano, hinche la gallina el papo.** ref. que enseña que el que poco a poco va guardando lo que gana o adquiere, al cabo de algún tiempo se halla rico y abastecido. || **Ir uno al grano.** fr. fig. y fam. Atender a la substancia cuando se trata de alguna cosa, omitiendo superfluidades; y así se manda o recomienda también, diciendo: **Al grano.** || **No ser grano de anís** una cosa. fr. fig. y fam. Tener importancia. || **Sacar grano de** una cosa. fr. fig. y fam. Sacar de ella utilidad o provecho. || **Un grano no hace granero, pero ayuda a su compañero.** ref. que recomienda la economía hasta en las cosas de menos valor.

Granollerense. adj. Natural de Granollers. Ú. t. c. s. || **2.** Perteneciente a esta villa de la provincia de Barcelona.

Granoso, sa. (Del lat. *granōsus.*) adj. Dícese de lo que en su superficie forma granos con alguna regularidad; como sucede en la piel de zapa o lija y en la corteza de algunas frutas.

Granoto. (De *grano.*) m. *Germ.* **Cebada.**

Grant. adj. ant. **Grande.**

Granuja. (De un der. del lat. *granum,* grano.) f. Uva desgranada y separada de los racimos. || **2.** Granillo interior de la uva y de otras frutas, que es su simiente. || **3.** fam. **Granujería,** 1.ª acep. || **4.** m. fam. Muchacho vagabundo, pilluelo. || **5.** fig. Bribón, pícaro.

Granujada. f. Acción propia de un granuja.

Granujado, da. (De *granujo.*) adj. **Agranujado,** 1.er art.

Granujería. f. Conjunto de granujas, 4.ª y 5.ª aceps. || **2. Granujada.**

Granujiento, ta. (De *granujo.*) adj. Que tiene muchos granos, especialmente tratándose de personas y animales.

Granujo. m. fam. Grano o tumor pequeño que sale en cualquier parte del cuerpo.

Granujoso, sa. (De *granujo.*) adj. Dícese de lo que tiene granos.

Granulación. f. Acción y efecto de granular o granularse.

Granulado, da. p. p. de **Granular.** || **2.** adj. **Granular,** 2.ª acep. || **3.** V. **Azúcar granulado.**

Granular. (De *gránulo.*) adj. Aplícase a la erupción de granos y a las cosas en cuyo cuerpo o superficie se forman granos. || **2.** Dícese de las substancias cuya masa forma granos o porciones menudas.

Granular. (De *gránulo.*) tr. *Quím.* Reducir a granillos una masa pastosa o derretida. || **2.** r. Cubrirse de granos pequeños alguna parte del cuerpo.

Gránulo. (Del lat. *granŭlum.*) m. d. de **Grano.** || **2.** Bolita de azúcar y goma arábiga con muy corta dosis de algún medicamento.

Granuloso, sa. (De *gránulo.*) adj. **Granilloso.**

Granza. (En fr. *garance,* y éste del germ. *wratja,* rubia.) f. **Rubia,** 1.er art.

Granza. (Del lat. *grandia,* pl. n. de *grandis.*) f. Carbón mineral lavado y clasificado, cuyos trozos han de tener un tamaño reglamentario comprendido entre 15 y 25 milímetros. || **2.** pl. Residuos de paja larga y gruesa, espiga, grano sin descascarillar, etc., que quedan del trigo, cebada y otras semillas cuando se avientan y acriban. || **3.** Desechos que salen del yeso cuando se cierne. || **4.** Superfluidades de cualquier metal. || **Mientras descansas, machaca esas granzas.** ref. con que se nota al que impone a otro demasiado trabajo, sin dejarle tiempo para descansar.

Granzón. (De *granzas,* 2.ª acep.) m. *Min.* Cada uno de los pedazos gruesos de mineral que no pasan por la criba. || **2.** *Venez.* Arena gruesa. || **3.** pl. Nudos de la paja que quedan cuando se criba, y que ordinariamente deja el ganado en los pesebres, por ser lo más duro de ella.

Granzoso, sa. adj. Que tiene muchas granzas.

Grañón. m. Especie de sémola hecha de trigo cocido en grano. || **2.** El mismo grano de trigo cocido.

Grao. (Del cat. *grau,* y éste del lat. *gradus,* escalón.) m. Playa que sirve de desembarcadero.

Grapa. (Del germ. *krappa,* gancho.) f. Pieza de hierro u otro metal, cuyos dos extremos, doblados y aguzados, se clavan para unir o sujetar dos tablas u otras cosas. || **2.** *Veter.* Llaga o úlcera transversal que se forma a las caballerías en la parte anterior del corvejón y posterior de la rodilla. || **3.** *Veter.* Cada una de las excrecencias, a modo de verrugas ulceradas, que se forman a las caballerías en el menudillo y en la cuartilla.

Grasa. (Del lat. *crassa,* t. f. de *-sus,* grueso.) f. Manteca, unto o sebo de un animal. || **2.** Goma del enebro. || **3.** Mugre o suciedad que sale de la ropa o está pegada en ella por el continuado ludir de la carne. || **4. Grasilla.** || **5.** Lubricante graso. || **6.** *Quím.* Nombre genérico de substancias orgánicas, muy abundantes en los tejidos de plantas y animales, que están formadas por la combinación de ácidos grasos con la glicerina. || **7.** pl. *Min.* Escorias que produce la limpia de un baño metálico antes de hacer la colada.

Grasera. f. Vasija donde se echa la grasa. || **2.** Utensilio de cocina para recibir la grasa de las piezas que se asan.

Grasería. (De *grasa.*) f. Taller donde se hacen las velas de sebo.

Grasero. m. *Min.* Sitio donde se echan las grasas de un metal.

Graseza. f. Calidad de graso. || **2.** ant. **Grosura.**

Grasiento, ta. adj. Untado y lleno de grasa.

Grasilla. f. d. de **Grasa.** || **2.** Polvo de sandáraca, de color blanco algún tanto amarillento, que se emplea para que la tinta no cale o se corra en el papel cuando se escribe sobre raspado.

Graso, sa. (Del lat. *crassus,* grueso.) adj. Pingüe, mantecoso y que tiene gordura. || **2.** V. **Ácido graso.** || **3.** m. **Graseza.**

Grasones. (Del m. or. que *granzas.*) m. pl. Potaje de harina, o trigo machacado, y sal en grano, al que después de cocido se le agrega leche de almendras o de cabras, grañones, azúcar y canela.

Grasor. (De *graso.*) f. ant. **Grosura.**

Grasoso, sa. adj. Que está impregnado de grasa.

Graspo. m. Especie de brezo.

Grasura. (De *graso.*) f. **Grosura.**

Grata. (De *gratar.*) f. Escobilla de metal que sirve para limpiar, raspar o bruñir, como la que usan los plateros para limpiar las piezas sobredoradas, o aquella con que se deshollina el cañón de las armas de fuego portátiles.

Gratamente. adv. m. De manera grata, con agrado.

Gratar. (Del prov. *gratar,* y éste del germ. *krattōn,* rascar.) tr. Limpiar o bruñir con la grata.

Gratificación. (Del lat. *gratificatĭo, -ōnis.*) f. Galardón y recompensa pecuniaria de un servicio eventual. || **2.** Remuneración fija que se concede por el desempeño de un servicio o cargo, la cual es compatible con un sueldo del Estado.

Gratificador, ra. (Del lat. *gratificātor.*) adj. Que gratifica. Ú. t. c. s.

Gratificar. (Del lat. *gratificāre;* de *gratus,* grato, y *facĕre,* hacer.) tr. Recompensar o galardonar con una gratificación. || **2.** Dar gusto, complacer.

Grátil. (De *gratil.*) m. *Mar.* Extremidad u orilla de la vela, por donde se une y sujeta al palo, verga o nervio correspondiente. || **2.** *Mar.* Parte central de la verga, de tojino a tojino, en la cual se afirma un cabo, cadena o cabilla de hierro, para envergar la vela.

Gratil. (Del b. lat. *gratillus.*) m. **Grátil.**

Gratis. (Del lat. *gratis.*) adv. m. De gracia o de balde.

Gratisdato, ta. (Del lat. *gratis,* sin motivo, y *datus,* dado.) adj. Que se da de gracia, sin trabajo o especial mérito de parte del que recibe.

Gratitud. (Del lat. *gratitūdo.*) f. Sentimiento por el cual nos consideramos obligados a estimar el beneficio o favor que se nos ha hecho o ha querido hacer, y a corresponder a él de alguna manera.

Grato, ta. (Del lat. *gratus.*) adj. Gustoso, agradable. || **2.** Gratuito, gracioso.

Gratonada. f. Especie de guisado de pollos.

Gratuidad. f. Calidad de gratuito.

Gratuitamente. adv. m. De gracia, sin interés. || **2.** Sin fundamento. *Afirmar* GRATUITAMENTE.

Gratuito, ta. (Del lat. *gratuĭtus.*) adj. De balde o de gracia. || **2.** Arbitrario, sin fundamento. *Suposición* GRATUITA; *acusación* GRATUITA.

Gratulación. (Del lat. *gratulatĭo, -ōnis.*) f. Acción y efecto de gratular o gratularse.

Gratular. (Del lat. *gratulāre.*) tr. Dar el parabién a uno. || **2.** r. Alegrarse, complacerse.

Gratulatorio, ria. (Del lat. *gratulatorĭus.*) adj. Dícese del discurso, carta, etc., en que se da el parabién a alguno por un suceso próspero.

Grava. (Del célt. *grava,* arena gruesa.) f. **Guijo,** 1.ª acep. || **2.** Piedra machacada con que se cubre y allana el piso de los caminos. || **3.** Mezcla de guijas, arena y a veces arcilla que se encuentra en yacimientos.

Gravamen. (Del lat. *gravāmen.*) m. Carga, obligación que pesa sobre alguno de ejecutar o consentir una cosa. || **2.** Carga impuesta sobre un inmueble o sobre un caudal.

Gravante. p. a. ant. de **Gravar.** Que grava.

Gravar. (Del lat. *gravāre.*) tr. Cargar, pesar sobre una persona o cosa. ‖ **2.** Imponer un gravamen.

Gravativo, va. adj. Dícese de lo que grava.

Grave. (Del lat. *gravis.*) adj. Dícese de lo que pesa. Ú. t. c. s. m. *La caída de los* GRAVES. ‖ **2.** Grande, de mucha entidad o importancia. *Negocio, enfermedad* GRAVE. ‖ **3.** Aplícase al que está enfermo de cuidado. ‖ **4.** V. **Pecado grave.** ‖ **5.** Circunspecto, serio; que causa respeto y veneración. ‖ **6.** Dícese del estilo que se distingue por su circunspección, decoro y nobleza. ‖ **7.** Arduo, difícil. ‖ **8.** Molesto, enfadoso. ‖ **9.** Se dice del sonido hueco y bajo, por contraposición al agudo. ‖ **10.** V. **Acento grave.** ‖ **11.** *Danza.* V. **Paso grave.** ‖ **12.** *For.* V. **Lesión grave.** ‖ **13.** *Pros.* Aplícase a la palabra cuyo acento prosódico carga en su penúltima sílaba; v. gr.: *Mañana, imagen.* ‖ **14.** *Teol.* V. **Necesidad grave.**

Gravear. (De *grave,* pesado.) intr. **Gravitar,** 2.ª acep.

Gravedad. (Del lat. *gravitas, -ātis.*) f. *Fís.* Manifestación terrestre de la atracción universal, o sea tendencia de los cuerpos a dirigirse al centro de la Tierra, cuando cesa la causa que lo impide. ‖ **2.** Compostura y circunspección. ‖ **3.** Enormidad, exceso. ‖ **4.** fig. Grandeza, importancia. GRAVEDAD *del negocio, de la enfermedad.* ‖ **5.** *Fís.* V. **Centro de gravedad.**

Gravedoso, sa. (De *gravedad.*) adj. Circunspecto y serio con afectación.

Gravedumbre. (Del lat. *gravitūdo,-ĭnis.*) f. ant. Aspereza, dificultad.

Gravemente. adv. m. Con gravedad. ‖ **2.** De manera grave.

Gravera. f. Yacimiento de grava, 3.ª acep.

Gravescer. (Del lat. *gravescĕre.*) tr. ant. **Agravar.**

Graveza. f. ant. **Gravedad,** 1.ª acep. ‖ **2.** ant. Gravamen, carga. ‖ **3.** ant. **Dificultad.**

Gravidez. (De *grávido.*) f. **Preñez,** 1.ª acep.

Grávido, da. (Del lat. *gravĭdus.*) adj. poét. Cargado, lleno, abundante. Dícese especialmente de la mujer encinta.

Gravímetro. (Del lat. *gravis,* pesado, y del gr. μέτρον, medida.) m. *Fís.* Instrumento para determinar el peso específico de los líquidos y a veces de los sólidos.

Gravitación. f. Acción y efecto de gravitar. ‖ **2.** Efecto de la atracción universal, especialmente cuando se ejerce o manifiesta entre los cuerpos celestes.

Gravitar. (Del lat. *gravĭtas, -ātis,* peso.) intr. Tener un cuerpo propensión a caer o cargar sobre otro, por razón de su peso. ‖ **2.** Descansar o hacer fuerza un cuerpo sobre otro. ‖ **3.** fig. **Cargar,** 7.ª acep.

Gravoso, sa. (De *grave,* pesado.) adj. Molesto, pesado y a veces intolerable. ‖ **2.** Que ocasiona gasto o menoscabo.

Graznador, ra. adj. Que grazna.

Graznar. (Del lat. **gracinare,* de la voz del grajo.) intr. Dar graznidos.

Graznido. (De *graznar.*) m. Voz de algunas aves; como el cuervo, el grajo, el ganso, etc. ‖ **2.** fig. Canto desigual y como gritando, que disuena mucho al oído y que en cierto modo imita la voz del ganso.

Greba. (En fr. *grève,* y éste del célt. *grava,* piedra.) f. Pieza de la armadura antigua, que cubría la pierna desde la rodilla hasta la garganta del pie.

Grebón. m. ant. **Greba.**

Greca. (De *greco.*) f. Adorno que consiste en una faja más o menos ancha en que se repite la misma combinación de elementos decorativos, y especialmente la compuesta por líneas que forman ángulos rectos.

Grecano, na. (De *greco.*) adj. ant. Griego, 1.er art

Greciano, na. adj. Griego, 1.er art., 2.ª acep.

Grecisco, ca. adj. Greguisco.

Grecismo. (Del lat. *graecus,* griego.) m. **Helenismo.**

Grecizante. p. a. de **Grecizar.** Que greciza.

Grecizar. (Del lat. *graecissāre.*) tr. Dar forma griega a voces de otro idioma. ‖ **2.** intr. Usar afectadamente en otro idioma voces o locuciones griegas.

Greco, ca. (Del lat. *graecus.*) adj. **Griego,** 1.er art., 2.ª acep. Apl. a pers., ú. t. c. s.

Grecolatino, na. adj. Perteneciente o relativo a griegos y latinos, y en especial se dice de lo escrito en griego y en latín o que de cualquier otro modo se refiere a entrambos idiomas.

Grecorromano, na. adj. Perteneciente a griegos y romanos, o compuesto de elementos propios de uno y otro pueblo. *Politeísmo, imperio* GRECORROMANO; *arquitectura* GRECORROMANA.

Greda. (Del lat. *creta.*) f. Arcilla arenosa, por lo común de color blanco azulado, que se usa principalmente para desengrasar los paños y quitar manchas.

Gredal. adj. Aplícase a la tierra que tiene greda. ‖ **2.** m. Terreno abundante en greda.

Gredoso, sa. adj. Perteneciente a la greda o que tiene sus cualidades.

Grefier. (Del fr. *greffier,* y éste del lat. *graphium,* puntero.) m. Oficio honorífico de la casa real, según la etiqueta de la de Borgoña, auxiliar y complementario del de contralor. En el bureo actuaba como secretario. ‖ **2.** Oficial que asistía a las ceremonias de toma del collar del toisón de oro. Lo nombraba el ministro de Estado entre los individuos de la carrera diplomática, y generalmente entre los secretarios de embajada.

Gregal. (Del lat. *graegālis,* de *graecus,* griego.) m. Viento que viene de entre levante y tramontana, según la división que de la rosa náutica se usa en el Mediterráneo.

Gregal. (Del lat. *gregālis,* de *grex, gregis,* rebaño.) adj. Que anda junto y acompañado con otros de su especie. Aplícase regularmente a los ganados que pastan y andan en rebaño.

Gregario, ria. (Del lat. *gregarĭus.*) adj. Dícese del que está en compañía de otros sin distinción; como el soldado raso. ‖ **2.** fig. Dícese del que sigue servilmente las ideas o iniciativas ajenas.

Grege. (Del lat. *grex, gregis,* rebaño.) f. ant. **Grey.**

Gregoriano, na. adj. Dícese del canto religioso reformado por la Santidad de Gregorio I. ‖ **2.** V. **Canto gregoriano.** ‖ **3.** Dícese del año, calendario, cómputo y era que reformó Gregorio XIII. ‖ **4.** V. **Calendario gregoriano.** ‖ **5.** V. **Corrección gregoriana.** ‖ **6.** V. **Misas gregorianas.**

Gregorillo. (De *gorguerillo,* d. de *gorguera.*) m. Prenda de lienzo con que las mujeres se cubrían cuello, pechos y espaldas.

Greguería. (De *griego,* 1.er art.) f. **Algarabía,** 1.er art. 4.ª acep.

Gregüescos. (De *griego,* 1.er art.) m. pl. Calzones muy anchos que se usaron en los siglos XVI y XVII.

Greguisco, ca. (De *griego,* 1.er art.) adj. **Griego,** 1.er art., 2.ª acep. ‖ **2.** ant. V. **Fuego greguisco.**

Greguizar. intr. **Grecizar.**

Grelo. (Del lat. **gallĕllus,* d. de *galla,* excrecencia.) m. *Gal.* y *León.* Nabizas y sumidades tiernas y comestibles de los tallos del nabo.

Gremial. adj. Perteneciente a gremio, oficio o profesión. ‖ **2.** m. Individuo de un gremio. ‖ **3.** Paño cuadrado de que usan los obispos, poniéndolo sobre las rodillas para algunas ceremonias cuando celebran de pontifical. ‖ **4.** Paño rectangular, igual en forma, dimensiones y adorno a un frontal de altar, que pendiente de sus manos llevan los tres clérigos del terno de la misa conventual de las iglesias catedrales y de otras que tienen ese privilegio en la procesión claustral y en algunas otras.

Gremio. (Del lat. *gremĭum.*) m. desus. **Regazo.** ‖ **2.** Unión de los fieles con sus legítimos pastores, y especialmente con el Pontífice Romano. ‖ **3.** En las universidades, el cuerpo de doctores y catedráticos. ‖ **4.** Corporación formada por los maestros, oficiales y aprendices de una misma profesión u oficio, regida por ordenanzas o estatutos especiales. ‖ **5.** Conjunto de personas que tiene un mismo ejercicio, profesión o estado social.

Grenchudo, da. adj. Que tiene crenchas o greñas. Aplícase principalmente a los animales.

Greno. (Metát. de *negro.*) m. *Germ.* **Negro,** 2.ª acep. ‖ **2.** *Germ.* **Esclavo,** 1.ª acep.

Greña. (Del lat. *crinis.*) f. Cabellera revuelta y mal compuesta. Ú. m. en pl. ‖ **2.** Lo que está enredado y entretejido con otra cosa, sin poderse desenlazar fácilmente. ‖ **3.** *And.* y *Méj.* Porción de mies que se pone en la era para formar la parva y trillarla. ‖ **4.** *And.* Primer follaje que produce el sarmiento después de plantado. ‖ **5.** *And.* El mismo plantío de viñas en el segundo año. ‖ **Andar a la greña.** fr. fam. Reñir dos o más personas, especialmente mujeres, tirándose de los cabellos. ‖ **2.** fig. y fam. Altercar descompuesta y acaloradamente; empelazgarse. ‖ **En greña.** m. adv. *Méj.* En rama, sin purificar o sin beneficiar. *Plata en* GREÑA.

Greñudo, da. adj. Que tiene greñas. ‖ **2.** m. Caballo recelador en las paradas.

Greñuela. (d. de *greña.*) f. *And.* Sarmientos que forman viña al año de plantados.

Gres. (Del fr. *grès,* arenisca.) m. Pasta compuesta ordinariamente de arcilla figulina y arena cuarzosa, con que en alfarería se fabrican diversos objetos que, después de cocidos a temperaturas muy elevadas, son resistentes, impermeables y refractarios.

Gresca. (Del cat. *greesca,* de *greguesca.*) f. Bulla, algazara. ‖ **2.** Riña, pendencia.

Greuge. (Del cat. y prov. *greuge,* de *greujar,* y éste del lat. **greviāre,* de *grevis, gravis,* infl. por *levis.*) m. ant. Queja del agravio hecho a las leyes o fueros, que se daba ordinariamente en las Cortes de Aragón.

Grevillo. m. *C. Rica.* Árbol grande, de hojas anchas y largas, flores rojas o amarillas y semillas oblongas.

Grey. (Del lat. *grex, gregis,* rebaño.) f. Rebaño de ganado menor. ‖ **2.** Por ext., ganado mayor. ‖ **3.** fig. Congregación de los fieles cristianos bajo sus legítimos pastores. ‖ **4.** fig. Conjunto de individuos que tienen algún carácter común, como los de una misma raza, región o nación.

Grial. (Del ant. fr. *gréal,* y éste del lat. **cratalis,* de *crater,* copa.) m. Vaso o plato místico, que en los libros de caballería se supone haber servido para la institución del sacramento eucarístico.

Grida. (De *gridar.*) f. ant. **Grita,** 1.ª acep. Se tomaba frecuentemente por la señal que se hacía para que los soldados tomasen las armas.

Gridador. (De *gridar.*) m. *Germ.* Gritador o pregonero.

Gridar. (Del lat. *quiritāre,* gritar.) tr. ant. **Gritar.**

Grido. (De *gridar.*) m. ant. **Grito.**

Griego, ga. (Del lat. *graecus.*) adj. Natural u oriundo de Grecia. Ú. t. c. s. ‖ **2.** Perteneciente a esta nación. ‖ **3.** V. **Las calendas griegas.** ‖ **4.** V. **Cruz, pez griega.** ‖ **5.** V. **Fuego griego.** ‖ **6.** m.

Lengua **griega.** || **7.** fig. y fam. Lenguaje ininteligible, incomprensible. Ú. principalmente en la fr. *Hablar en* GRIEGO. || **8.** fam. Tahúr, fullero.

Griego. (De *agrio*, como el fr. *griotte*, por *aigrotte*, de *aigre*.) adj. V. **Guindo griego.**

Griesco. (De *gresca*.) m. ant. **Griesgo.**

Griesgo. (De *griesco*.) m. ant. Encuentro, combate o pelea.

Grieta. (De *grietarse*.) f. Quiebra o abertura longitudinal que se hace naturalmente en la tierra o en cualquier cuerpo sólido. || **2.** Hendedura poco profunda que se forma en la piel de diversas partes del cuerpo o en las membranas mucosas próximas a ella.

Grietado, da. adj. Que tiene grietas, aberturas o rayas.

Grietarse. (Del lat. *crepitāre*, crepitar.) r. Abrirse un cuerpo, formándose en él grietas.

Grietearse. r. **Grietarse.**

Grietoso, sa. adj. Lleno de grietas.

Grifado, da. p. p. de **Grifarse.** || **2.** adj. **Grifo,** 2.° art.

Grifalto. (De *girifalte*.) m. Especie de culebrina de muy pequeño calibre, que se usaba antiguamente.

Grifarse. r. **Engrifarse.**

Grifo, fa. (Del lat. *gryphus*, y éste del gr. γρυπός, encorvado, retorcido.) adj. Dícese de los cabellos crespos o enmarañados. || **2.** m. Animal fabuloso, de medio cuerpo arriba águila, y de medio abajo león. || **3.** Llave, generalmente de bronce, colocada en la boca de las cañerías y en calderas y en otros depósitos de líquidos.

Grifo, fa. adj. V. **Letra grifa.** Ú. t. c. s. m.

Grifón. m. **Grifo,** 1.er art., 3.a acep.

Grigallo. (De *gran* y *gallo*.) m. Ave del orden de las gallináceas, mayor que la perdiz y bastante semejante al francolín: tiene el pico negro, el cuerpo pardo negruzco, cuatro plumas negras en la alas, y las demás blancas por la base, las patas casi negras y cuatro dedos en cada pie. La hembra tiene el plumaje rojizo, jaspeado de pardo y amarillento.

Grija. f. ant. **Guija,** 1.a acep.

Grilla. f. Hembra del grillo, la cual no tiene la facultad de producir el sonido que produce el macho con los élitros. || **Ésa es grilla.** expr. fam. con que uno da a entender que no cree una especie que oye.

Grillado, da. p. p. de **Grillar** y **Grillarse.** || **2.** adj. ant. Que tiene grillos.

Grillar. (Del lat. *grillāre*.) intr. ant. Cantar los grillos.

Grillarse. (De *grillo*, tallo.) r. Entallecer el trigo, las cebollas, ajos y cosas semejantes.

Grillera. f. Agujero o cuevecilla en que se recogen los grillos en el campo. || **2.** Jaula de alambre o mimbres en que se los encierra. || **3.** fig. y fam. **Olla de grillos.**

Grillero. m. El que cuida de echar y quitar los grillos a los presos en la cárcel.

Grilleta. (Del fr. *grillette*, y éste de *grille*, del lat. *cratĭcŭla*, rejilla.) f. Rejilla de la celada.

Grillete. (d. de *grillos*.) m. Arco de hierro, próximamente semicircular, con dos agujeros, uno en cada extremo, por los cuales se pasa un perno que se afirma con una chaveta, y sirve para asegurar una cadena a la garganta del pie de un presidiario, a un punto de una embarcación, etc.

Grillo. (Del lat. *gryllus*.) m. Insecto ortóptero, de unos tres centímetros de largo, color negro rojizo con una mancha amarilla en el arranque de las alas, cabeza redonda y ojos muy prominentes. El macho, cuando está tranquilo, sacude y roza con tal fuerza los élitros, que produce un sonido agudo y monótono. || **2.** fig. y fam. V. **Olla de grillos.** || **cebollero,** o **real. Cortón.** || **Andar a grillos.** fr. fig. y fam. Ocuparse en cosas inútiles o baladíes.

Grillo. (Del lat. **gallellus*, de *galla*, excrecencia). m. Tallo que arrojan las semillas, ya cuando empiezan a nacer en la tierra donde se siembran, o ya en la cámara si se humedecen.

Grillos. (Del fr. *grille*, y éste del lat. *cratĭcŭla*, rejilla.) m. pl. Conjunto de dos grilletes con un perno común, que se colocan en los dos pies de los presos para impedirles andar. || **2.** fig. Cualquiera cosa que embaraza y detiene el movimiento.

Grillotalpa. m. **Cortón.**

Grima. (Del germ. **grim*, enojado.) f. Desazón, disgusto, horror que causa una cosa.

Grimoso, sa. adj. Que da grima, horroroso.

Grímpola. (Del prov. *guimpola*, y éste del germ. *wimpel*, bandera.) f. *Mar.* Gallardete muy corto que se usa generalmente como cataviento. || **2.** Una de las insignias militares que se usaban en lo antiguo, y que acostumbraban los caballeros poner en sus sepulturas y llevar al campo de batalla cuando hacían armas con otros. La figura de su paño era triangular.

Grinalde. f. Proyectil de guerra, a modo de granada, que se usó antiguamente.

Gringo, ga. adj. fam. despect. Extranjero, especialmente de habla inglesa, y en general todo el que habla una lengua que no sea la española. Ú. t. c. s. || **2.** m. fam. **Griego,** 1.er art., 7.a acep.

Gringuele. m. *Cuba.* Planta tiliácea, de tallo fibroso, de color violáceo, hojas grandes aserradas, con dos barbillas en la base. Es comestible.

Griñolera. f. Arbusto de la familia de las rosáceas, de un metro a metro y medio de altura, con hojas pequeñas y enteras, flores rosadas en corimbo y frutos globulares con dos o tres semillas.

Griñón. (Del ant. fr. *grénon*, y éste del célt. **grennos, grend*, pelo.) m. Toca que se ponen en la cabeza las beatas y las monjas, y les rodea el rostro.

Griñón. (De *briñón*.) m. Variedad de melocotón pequeño y sabroso, de piel lisa y muy colorada.

Gripal. adj. *Med.* Perteneciente o relativo a la gripe.

Gripe. (Del fr. *grippe*, y éste del ruso *jrip*, ronquera.) f. *Med.* Enfermedad epidémica aguda, acompañada de fiebre y con manifestaciones variadas, especialmente catarrales.

Gripo. (Del fr. *grip*, bajel de pirata, y éste del germ. *grīpan*, agarrar.) m. Especie de bajel antiguo para transportar géneros.

Gris. (Del germ. *gris*.) adj. Dícese del color que resulta de la mezcla de blanco y negro o azul. Ú. t. c. s. || **2.** V. **Ámbar, plata gris.** || **3.** fig. Triste, lánguido, apagado. || **4.** m. Variedad de ardilla que se cría en Siberia, y cuya piel es muy estimada en manguitería. || **5.** fam. Frío, o viento frío. *Hace* GRIS.

Grisa. f. ant. **Gris,** 4.a acep.

Grisáceo, a. adj. De color que tira a gris.

Gríseo, a. adj. De color gris.

Griseta. (De *gris*.) f. Cierto género de tela de seda con flores u otro dibujo de labor menuda. || **2.** Enfermedad de los árboles, ocasionada por filtración de agua en lo interior del tronco, y la cual se manifiesta con la aparición de manchas blancas, rojas o negras.

Grisgrís. (Del ár. *ḥirz-ḥirz*, repetición de un nombre que significa *amuleto*.) m. Especie de nómina supersticiosa de los moriscos.

Grisma. (De *brizna*.) f. *Guat.* y *Hond.* Brizna, pizca.

Grisón, na. (Del lat. *grisōnes*.) adj. Natural de un cantón de Suiza, situado en las fuentes del Rin. Ú. t. c. s. || **2.** Perteneciente a este país. || **3.** m. Lengua neolatina hablada en la mayor parte de este cantón.

Grisú. (Voz del dialecto valón.) m. Metano desprendido de las minas de hulla que al mezclarse con el aire se hace inflamable y produce violentas explosiones.

Grita. (De *gritar*.) f. **Gritería.** || **2.** Algazara o vocería en demostración de desagrado o vituperio. || **3.** *Cetr.* Voz que el cazador da al azor cuando sale la perdiz. || **foral.** *For.* Manera de emplazamiento que se usaba en los procesos en Aragón. || **Dar grita.** fr. Mofarse o burlarse de uno a gritos.

Gritadera. f. ant. **Gritadora.** Ú. en *Venez.*

Gritador, ra. adj. Que grita. Ú. t. c. s.

Gritar. (Del lat. *quiritāre*, hablar a grandes voces.) intr. Levantar la voz más de lo acostumbrado. || **2.** Manifestar el público desaprobación y desagrado con demostraciones ruidosas. Ú. t. c. tr. GRITAR *a un actor;* GRITAR *una comedia.*

Gritería. (De *gritar*.) f. Confusión de voces altas y desentonadas.

Griterío. m. **Gritería.**

Grito. (De *gritar*.) m. Voz sumamente esforzada y levantada. || **2.** Expresión proferida con esta voz. || **3.** Manifestación vehemente de un sentimiento general. || **4.** *Germ.* Metát. de **Trigo.** || **A grito herido,** o **pelado.** m. adv. **A voz en grito.** || **Alzar el grito.** fr. fam. Levantar la voz con descompostura y orgullo. || **Asparse a gritos.** fr. fig. y fam. de que se usa para exagerar la fuerza o vehemencia con que suelen llorar los niños, o gritar las personas mayores para llamar a otra. || **Estar en un grito.** fr. Quejarse por efecto de un dolor agudo e incesante. || **Levantar el grito.** fr. fam. **Alzar el grito.** || **Poner el grito en el cielo.** fr. fig. y fam. Clamar en voz alta, quejándose vehementemente de alguna cosa.

Gritón, na. adj. fam. Que grita mucho.

Gro. (Del fr. *gros*, y éste del lat. *grossus*, grueso.) m. Tela de seda sin brillo y de más cuerpo que el tafetán.

Groar. intr. **Croar.**

Groenlandés, sa [Groelandés, sa]. adj. Natural de Groenlandia. Ú. t. c. s. || **2.** Perteneciente a esta región de la América Septentrional.

Groera. f. *Mar.* Agujero hecho en un tablón o plancha, para dar paso a un cabo, a un pinzote, etc.

Grofa. (Del lat. *scrofa*, puerca.) f. *Germ.* **Mujer pública.**

Grojo. m. *Logr.* Variedad de enebro.

Gromo. (Del lat. *grumus*, montoncillo.) m. **Grumo,** 3.a acep. || **2.** *Ast.* Rama de árgoma.

Gróndola. f. ant. **Góndola.**

Gropos. m. pl. Cendales o algodones del tintero.

Gros. (Del cat. *gros*, y éste del lat. *grossus*, grueso.) m. Moneda antigua de Navarra, que valía dos sueldos. || **2.** Moneda de cobre de varios Estados alemanes, que equivalía a la octava parte de una peseta.

Gros (En). (De *groso*.) m. adv. ant. **En grueso.**

Grosa. f. ant. **Gruesa,** 2.a acep.

Grosamente. adv. m. En grueso, toscamente.

Grosca. f. ant. Especie de serpiente muy venenosa.

Grosedad. f. ant. **Grosura.** 1.a acep. || **2.** ant. Grueso o espesor de una cosa. || **3.** ant. Abundancia o fecundidad. || **4.** ant. **Grosería.**

Grosella. (Del al. *krausselbeere*, uva espina.) f. Fruto del grosellero, que es una uvita o baya globosa de hermoso color rojo, jugosa y de sabor agridulce muy grato. Su jugo es medicinal, y suele usarse en bebidas y en jalea.

Grosellero. m. *Bot.* Arbusto de la familia de las saxifragáceas, que tiene tronco ramoso de uno a dos metros de altura; hojas alternas, pecioladas y divididas en cinco lóbulos con festoncillos en el margen; flores de color amarillo verdoso y en racimitos, y por fruto la grosella. || **silvestre. Uva espina.**

Groseramente. adv. m. Con grosería.

Grosería. (De *grosero.*) f. Descortesía, falta grande de atención y respeto. || **2.** Tosquedad, falta de finura y primor en el trabajo de manos. || **3.** Rusticidad, ignorancia.

Grosero, ra. (De *grueso.*) adj. Basto, grueso, ordinario y sin arte. *Ropa* GROSERA. || **2.** Descortés, que no observa decoro ni urbanidad. Ú. t. c. s.

Grosez. f. desus. **Grosura,** 1.ª acep.

Groseza. (De *grueso.*) f. ant. **Grosor,** 1.ª acep. || **2.** desus. **Grosería.** || **3.** ant. Espesura de los humores y licores.

Grosezuelo, la. adj. d. de **Grueso.**

Grosicie [~ **sidad**]. f. ant. **Grosura,** 1.ª acep.

Grosiento, ta. adj. ant. **Grasiento.**

Grosísimo, ma. adj. sup. de **Grueso.**

Groso. (De *grueso.*) adj. V. **Tabaco groso.**

Grosor. m. Grueso de un cuerpo. || **2.** ant. **Grosura,** 1.ª acep.

Grosularia. (Del lat. mod. *grossularia,* grosella.) f. Variedad de granate compuesta de sílice, alúmina y cal, translúcida y de color verdoso o amarillento.

Grosularieo, a. (Del lat. mod. *grossularia,* grosella.) adj. *Bot.* Dícese de arbustitos o matas de la familia de las saxifragáceas, con hojas alternas, sencillas, enteras o lobuladas y sin estípulas; flores por lo común en racimo, verduscas, blanquizcas, amarillas o rojas; bayas oblongas o globosas, y semillas de albumen carnoso o casi córneo; como el grosellero y la calderilla. Ú. t. c. s. f.

Grosura. (De *grueso.*) f. Substancia crasa o mantecosa, o jugo untuoso y espeso. || **2.** Extremidades y asadura de los animales. || **3.** V. **Día de grosura.**

Grotescamente. adv. m. De manera grotesca.

Grotesco, ca. (Del ital. *grottesco,* de *grotta,* gruta.) adj. Ridículo y extravagante por la figura o por cualquiera otra calidad. || **2.** Irregular, grosero y de mal gusto. || **3. Grutesco.** Ú. t. c. s. m.

Grúa. (Del lat. *grus, grŭis.*) f. Máquina compuesta de un aguilón montado sobre un eje vertical giratorio, y con una o varias poleas, que sirve para levantar pesos y llevarlos de un punto a otro, dentro del círculo que el brazo describe o del movimiento que pueda tener la **grúa.** || **2.** Máquina militar antigua de que se usaba en el ataque de las plazas. || **3.** ant. **Grulla,** 1.ª acep.

Gruador. (De *grúa,* grulla.) m. ant. **Agorero,** 1.ª acep.

Gruero, ra. (De *grúa,* grulla.) adj. ant. Dícese del ave de rapiña inclinada a echarse a las grullas.

Gruesa. (De *grueso.*) f. Número de doce docenas. Se usa comúnmente para contar cosas menudas; como botones, agujas, etc. || **2.** En los cabildos y capítulos eclesiásticos, renta principal de cualquier prebenda, en que no se incluyen las distribuciones.

Gruesamente. adv. m. En grueso, a bulto. || **2.** De un modo grueso.

Grueso, sa. (Del lat. *grossus.*) adj. Corpulento y abultado. || **2. Grande.** || **3.** V. **Avería gruesa.** || **4.** V. **Intestino, rostrillo grueso.** || **5.** ant. Fuerte, duro y pesado. || **6.** fig. Aplícase al entendimiento o talento obscuro, confuso y poco agudo. || **7.** *Mar.* V. **Galera gruesa.** || **8.** m. Corpulencia o cuerpo de una cosa || **9.** Parte principal, mayor y más fuerte, de un todo. *El* GRUESO *del ejército.* || **10.** Trazo ancho o muy entintado de una letra. Dícese en contraposición a perfil. || **11.** Espesor de una cosa. *El* GRUESO *de la pared.* || **12.** V. **Compás de gruesos.** || **13.** V. **Herrero, mercader de grueso.** || **14.** *Geom.* Una de las tres dimensiones de los sólidos, ordinariamente la menor. || **A la gruesa.** m. adv. *Com.* V. **Contrato, préstamo a la gruesa.** || **En grueso.** m. adv. Por junto, por mayor, en cantidades grandes. || **Por grueso.** m. adv. ant. **En grueso.**

Gruir. (Del lat. *gruĕre.*) intr. Gritar las grullas.

Grujidor. m. Barreta de hierro cuadrada, con una muesca en cada extremidad, de la cual usan los vidrieros para grujir.

Grujir. (Del fr. *gruger,* y éste del neerl. *gruizen.*) tr. Igualar con el grujidor los bordes de los vidrios después de cortados éstos con el diamante.

Grulla. (Del lat. *gruilla,* d. de *grus, grŭis.*) f. Ave del orden de las zancudas, que llega a 12 ó 13 decímetros de altura y tiene pico cónico y prolongado, cabeza en parte cubierta con algunos pelos pardos y rojos, cuello largo y negro, alas grandes y redondas, cola pequeña, pero de cobijas largas y cerdosas, y plumaje de color gris. Es ave de paso de España, de alto vuelo, y suele mantenerse sobre un pie cuando se posa. || **2. Grúa,** 2.ª acep. || **3.** pl. *Germ.* Polainas. || **Grulla trasera pasa a la delantera.** ref. que enseña que no por la precipitación y celeridad se llega más pronto al fin.

Grullada. (De *grullo.*) f. **Gurullada.** || **2. Perogrullada.** || **3.** fig. y fam. Junta de alguaciles o corchetes que solían acompañar a los alcaldes cuando iban de ronda.

Grullero, ra. (De *grulla.*) adj. **Gruero.** || **2.** V. **Halcón grullero.**

Grullo. (De *grulla.*) adj. *Méj.* Aplícase al caballo de color ceniciento. || **2.** m. fam. *And.* Paleto, cateto, palurdo. || **3. Grulla,** 1.ª acep., en el ref. **Dos a uno, tornarme he grullo,** con el cual se da a entender que es prudente ceder y retirarse cuando las fuerzas contrarias son superiores. || **4.** *Germ.* **Alguacil,** 1.ª acep. || **5.** *Méj.* y *Venez.* **Peso duro.** || **6.** *Argent.* Caballo semental grande.

Grumete. (Del ingl. *groom,* criado joven.) m. Marinero de clase inferior. || **2.** *Germ.* Ladrón que usa de escala para robar.

Grumo. (Del lat. *grumus.*) m. Parte de un líquido que se coagula. GRUMO *de sangre, de leche.* || **2.** Conjunto de cosas apiñadas y apretadas entre sí. GRUMO *de uvas, de coliflor.* || **3.** Yema o cogollo en los árboles. || **4.** Extremidad del alón del ave. || **Grumos de oro llama el escarabajo a sus hijos.** ref. **Dijo el escarabajo a sus hijos: ¡Venid acá, mis flores!**

Grumoso, sa. adj. Lleno de grumos.

Gruñente. (De *gruñir.*) m. *Germ.* **Cerdo.**

Gruñido. (Del lat. *grunnītus.*) m. Voz del cerdo. || **2.** Voz ronca del perro u otros animales cuando amenazan. || **3.** fig. Sonidos inarticulados, roncos, que emite una persona como señal generalmente de mal humor.

Gruñidor, ra. adj. Que gruñe. || **2.** m. *Germ.* Ladrón que hurta cerdos.

Gruñimiento. m. Acción y efecto de gruñir.

Gruñir. (Del lat. *grunnīre.*) intr. Dar gruñidos. || **2.** fig. Mostrar disgusto y repugnancia en la ejecución de una cosa, murmurando entre dientes. || **3.** Chirriar, rechinar una cosa. *La puerta está* GRUÑENDO.

Gruñón, na. adj. fam. Que gruñe con frecuencia.

Grupa. (Del germ. *kruppa.*) f. **Anca,** 2.ª acep. || **Volver grupas,** o **la grupa.** Volver atrás el que va a caballo.

Grupada. (En cat. *gropada* y *glopada,* de *glop,* sorbo, gorgorotada.) f. Golpe de aire o agua impetuoso y violento.

Grupera. (De *grupa.*) f. Almohadilla que se pone detrás del borrén trasero en las sillas de montar, sobre los lomos de la caballería, para colocar encima la maleta u otros efectos que ha de llevar a la grupa. || **2. Baticola.**

Grupo. (Del ant. alto al. *kropf.*) m. Pluralidad de seres o cosas que forman un conjunto, material o mentalmente considerado. || **2.** *Pint.* y *Esc.* Conjunto de figuras pintadas o esculpidas.

Gruta. (Del lat. *crupta,* y éste del gr. κρυπτή.) f. Cavidad natural abierta en riscos o peñas, a veces de aspecto agradable. || **2.** Estancia subterránea artificial que imita más o menos los peñascos naturales.

Grutesco, ca. (De *gruta.*) adj. Relativo o perteneciente a la gruta, 2.ª acep. *Columna* GRUTESCA; *artífice* GRUTESCO. || **2.** *Arq.* y *Pint.* Dícese del adorno caprichoso de bichos, sabandijas, quimeras y follajes, llamado así por ser a imitación de los que se encontraron en las grutas o ruinas del palacio de Tito. Ú. t. c. s. m.

¡Gua! interj. *Bol., Colomb., Perú* y *Venez.* Se usa para expresar temor o admiración.

Guaba. f. *Amér. Central* y *Ecuad.* **Guama.**

Guaba. m. *Ant.* Araña peluda, especie de tarántula.

Guabairo. m. *Cuba.* Ave nocturna, de unos 30 centímetros de longitud total, plumaje de color rojo obscuro veteado de negro; vive en los bosques y se alimenta de insectos.

Guabán. m. *Bot. Cuba.* Árbol silvestre, de la familia de las meliáceas, cuya madera se utiliza para mangos de herramientas.

Guabico. m. *Cuba.* Árbol de la familia de las anonáceas, con las hojas ovaladas, obtusas, alternas, lustrosas, de color verde pálido; flores solitarias de seis pétalos, tres de ellos largos y castaños, los otros casi triangulares; el fruto en vaina; madera dura y fina.

Guabina. f. *Ant., Colomb.* y *Venez.* Pez de río, de carne suave y gustosa, el cuerpo mucilaginoso, algo cilíndrico, cabeza obtusa. || **2.** *Colomb.* Aire musical popular de la montaña.

Guabirá. (Del guaraní.) m. *Argent.* Árbol grande, de tronco liso y blanco, hojas aovadas, con una espina en el ápice; fruto amarillo, del tamaño de una guinda.

Guabiyú. (Del guaraní.) m. *Argent.* Árbol de la familia de las mirtáceas, de propiedades medicinales; hojas carnosas, verdinegras; fruto comestible, dulce, negro, del tamaño de una guinda.

Guabo. m. *C. Rica* y *Ecuad.* **Guamo.**

Guabul. m. *Hond.* Bebida que se hace de plátano maduro, cocido y deshecho en agua.

Guaca. (Voz quichua.) f. Sepulcro de los antiguos indios, principalmente de Bolivia y Perú, en que se encuentran a menudo objetos de valor. || **2.** *Amér. Merid.* Tesoro escondido o enterrado. || **3.** *C. Rica* y *Cuba.* Hoyo donde se depositan frutas verdes para que maduren. || **4.** *Bol., C. Rica, Cuba* y *Méj.* Hucha o alcancía.

Guacal. (De *huacalli,* voz azteca.) m. *Bot. Amér. Central.* Árbol de la familia de las bignoniáceas, que produce unos frutos redondos de pericarpio leñoso, los cuales, partidos por la mitad y extraída la pulpa, se utilizan como vasija. || **2.** *Amér. Central.* La vasija así formada. || **3.** *Ant., Can., Colomb., Méj.* y *Venez.* Especie de cesta o jaula formada de varillas de madera, que se utiliza para el transporte de loza, cristal, frutas, etc.

Guacalote. m. *Bot. Cuba.* Planta trepadora, de la familia de las papilionáceas, de tallos gruesos con fuertes espinas; por fruto una vaina que contiene dos semillas duras, amarillas, del tamaño de una aceituna.

Guacamaya. f. ant. **Guacamayo.** Ú. en *Amér. Central, Colomb.* y *Méj.* || **2.** *Cuba* y *Hond.* **Espantalobos.**

Guacamayo. (Del haitiano *huacamayo.*) m. Ave de América, especie de papagayo, del tamaño de la gallina, con el pico blanco por encima, negro por debajo, las sienes blancas, el cuerpo rojo sanguíneo, el pecho variado de azul y verde, las plumas grandes exteriores de las alas muy azules, los encuentros amarillos, y la cola muy larga y roja, con las plumas de los lados azules.

Guacamol [~ **mole**]. (Del mej. *ahuacamulli.*) m. *Amér. Central, Cuba* y *Méj.* Ensalada de aguacate.

Guacamote. m. *Méj.* **Yuca,** 2.ª acep.

Guacer. intr. ant. Guarecer o curarse.

Guacia. f. **Acacia,** 1.ª acep. || **2.** Goma de este árbol.

Guácima. (Voz haitiana.) f. *Ant., Colomb.* y *C. Rica.* Árbol silvestre, que en poco tiempo crece hasta ocho metros de altura y cerca de uno de grueso; corteza obscura, jabonosa; tronco muy ramoso; madera estoposa, que se emplea para hormas, yugos, duelas, etc.; hojas alternas, ásperas, dentadas; flores en racimo, pequeñas, de color blanco amarillento, y fruto ovoide, leñoso, erizado, rojo cuando maduro, dulce, que sirve de alimento, así como las hojas, al ganado de cerda y al vacuno.

Guácimo. m. *Colomb., Hond.* y *Venez.* **Guácima.**

Guaco. (Voz americana.) m. Planta de la familia de las compuestas, con tallos de 15 a 20 metros de largo, sarmentosos y volubles; hojas grandes, ovales, acorazonadas en la base y puntiagudas en su extremo; flores blancas en forma de campanilla, de cuatro en cuatro y con olor fuerte nauseabundo. Este bejuco es propio de la América intertropical, y el cocimiento de las hojas se considera de singular virtud contra las picaduras de animales venenosos, las obstrucciones, el reumatismo y aun el cólera. || **2.** Ave del orden de las gallináceas, casi tan grande como el pavo, de plumaje negruzco en las partes superiores y blanco en el vientre y la extremidad de las penas; pico negro, fuerte, corto y rodeado en la base de piel amarillenta; un penacho eréctil de plumas muy negras en lo alto de la cabeza; alas cortas y cóncavas, cola larga, tarsos lisos y pies con cuatro dedos casi iguales. Abunda en América desde Méjico al Paraguay, no es difícil de domesticar, y su carne se aprecia más que la del faisán. || **3.** *C. Rica.* Ave de la familia de las falcónidas, con el cuerpo negro y el vientre blanco. || **4.** *Amér. Merid.* Objeto de cerámica que se encuentra en las guacas, 1.ª acep.

Guachaje. m. *Chile.* Hato de terneros separados de sus madres.

Guachapear. (Voz imitativa.) tr. fam. Golpear y agitar con los pies el agua detenida. || **2.** fig. y fam. Hacer una cosa de prisa y chapuceramente. || **3.** intr. Sonar una chapa de hierro por estar mal clavada.

Guachapear. (Del arauc. *huychapén.*) tr. *Chile.* Hurtar, robar, arrebatar.

Guachapelí. (Voz americana.) m. *Bot. C. Rica, Ecuad.* y *Venez.* Árbol de la familia de las mimosáceas, parecido a la acacia; su madera es fuerte, sólida y de color obscuro, muy apreciada en los astilleros.

Guáchara. f. desus. *Cuba* y *P. Rico.* Mentira, embuste.

Guacharaca. (Voz cumanagota.) f. *Colomb.* y *Venez.* **Chachalaca.**

Guácharo, ra. adj. Dícese de la persona enfermiza, y por lo común de la hidrópica o abotagada. || **2.** ant. Aplicábase al que estaba continuamente llorando y lamentándose. || **3.** *Ecuad.* **Huérfano.** Ú. t. c. s. || **4.** m. **Guacho,** 4.ª acep. || **5.** V. **Boca de guácharo.** || **6.** Pájaro de la América Central, del suborden de los dentirrostros, de unos cinco decímetros de largo desde la cabeza a la extremidad de la cola, de plumaje rojizo, con manchas verdosas y blanquecinas orladas de negro; ojos pequeños y azules; el pico corto, encorvado y armado de dientes dobles; pies de dedos y uñas muy prolongados; es nocturno y se oculta de día en las cavernas. || **7.** *Sal.* **Sapo,** 1.ª acep.

Guacharrada. f. p. us. Caída de golpe de alguna cosa en el agua o en el lodo.

Guacharro. m. **Guacho,** 4.ª acep.

Guache. (Del quichua *huaccha,* pobre.) m. *Colomb.* y *Venez.* Hombre de la hez, villano, bajo, canalla.

Guachinango, ga. (Voz mejicana.) adj. *Cuba, Méj.* y *P. Rico.* Astuto, zalamero. || **2.** m. *Cuba* y *Méj.* **Pagro.**

Guacho, cha. adj. *Argent., Colomb., Chile* y *Ecuad.* Dícese de la cría que ha perdido la madre. || **2.** *Argent.* y *Chile.* Por ext., huérfano, desmadrado, expósito. || **3.** *Chile.* Descabalado, desparejado. || **4.** m. Cría de un animal, y especialmente pollo de cualquier pájaro. || **5.** V. **Boca de guacho.** || **6.** *Alb.* y *Cuen.* Niño pequeño, chiquillo. || **7.** *Ecuad.* **Surco.**

Guadafiones. (Del ár. *waẓāfa,* trabas del caballo.) m. pl. Maniotas o trabas.

Guadal. m. *Argent.* Extensión de tierra arenosa que, cuando llueve, si no hay declive, se convierte en un barrizal.

Guadalajareño, ña. adj. Natural de Guadalajara. Ú. t. c. s. || **2.** Perteneciente a esta ciudad.

Guadalmecí. m. ant. **Guadamecí.**

Guadamací [~ **macil**]. m. **Guadamecí.**

Guadamacilería. (De *guadamacilero.*) f. Oficio de fabricar guadamaciles. || **2.** Taller en que se fabricaban. || **3.** Tienda en que se vendían.

Guadamacilero. m. Fabricante de guadamaciles.

Guadamecí. (Del ár. *gadāmasī,* perteneciente a Gadamés, ciudad y oasis en el Sahara, a unos quinientos kilómetros de Trípoli.) m. Cuero adobado y adornado con dibujos de pintura o relieve.

Guadamecil. m. **Guadamecí.**

Guadameco. m. Cierto adorno que usaban las mujeres.

Guadaña. (De *guadañar.*) f. Instrumento para segar a ras de tierra, formado por una cuchilla puntiaguda, menos corva y más ancha que la de la hoz, enastada en un mango largo que forma ángulo con el plano de la hoja; este mango lleva dos manijas, una en el extremo y otra en el segundo tercio del mismo. || **2.** V. **Prado de guadaña.**

Guadañador, ra. adj. Que guadaña. || **2.** f. Máquina que sirve para guadañar.

Guadañar. (Del germ. *waidanyan.*) tr. Segar el heno o hierba con la guadaña.

Guadañeador. m. ant. **Guadañero.** || **2.** ant. **Guadañil.**

Guadañero. m. El que siega la hierba con guadaña.

Guadañeta. f. *Sant.* Instrumento para pescar calamares, que está formado por una tablita con unos garfios de alambre.

Guadañil. m. **Guadañero,** y más particularmente el que siega el heno.

Guadaño. m. *Cád., Cuba* y *Méj.* Bote pequeño con carroza usado en los puertos.

Guadapero. (Del flam. *wald-peer.*) m. Peral silvestre.

Guadapero. (De *guardar* y *apero.*) m. Mozo que lleva la comida a los segadores.

Guadarnés. (De *guardar* y *arnés.*) m. Lugar o sitio donde se guardan las sillas y guarniciones de los caballos y mulas, y todo lo demás perteneciente a la caballeriza. || **2.** Sujeto que cuida de las guarniciones, sillas y demás aderezos de la caballeriza. || **3.** Antiguo oficio honorífico de palacio, que tenía a su cargo el cuidado de las armas. || **4.** **Armería,** 1.ª acep.

Guadianés, sa. adj. Perteneciente o relativo al río Guadiana. Dícese principalmente de los ganados criados en sus riberas.

Guadijeño, ña. adj. Natural de Guadix. Ú. t. c. s. || **2.** Perteneciente a esta ciudad. || **3.** m. Cuchillo de un jeme de largo y cuatro dedos de ancho, con punta y corte por un lado. Tiene en el mango una horquilla de hierro para afianzarlo al dedo pulgar.

Guado. m. ant. Color amarillo como el de la gualda.

Guadra. f. *Germ.* **Espada,** 1.ª acep.

Guadramaña. desus. f. Embuste o ficción, treta.

Guadua. f. *Colomb., Ecuad.* y *Venez.* Especie de bambú muy grueso y alto, que tiene púas, y cuyos canutos, de medio metro poco más o menos, son gruesos por el nacimiento como el muslo de un hombre, y están llenos de agua. Sirve para muchos usos, entre ellos para la construcción de casas.

Guadual. m. *Colomb., Ecuad.* y *Venez.* Sitio poblado de guaduas.

Guáduba. f. *Colomb., Perú* y *Venez.* **Guadua.**

Guagua. (Voz cubana.) f. Cosa baladí. || **2.** *Cuba.* Insecto muy pequeño, de color blanco o gris, que forma unas costras en el tronco de los naranjos, limoneros, anonas, etc., y los destruye. || **De guagua.** m. adv. fam. **De balde.**

Guagua. (Voz quichua.) f. *Argent., Bol., Chile, Ecuad.* y *Perú.* Rorro, niño de teta. En el *Ecuad.* es com.

Guaguasí. m. *Cuba.* Árbol silvestre, de ocho metros de altura, madera quebradiza, hojas ovaladas, lustrosas por encima; flores blancuzcas; fruto oblongo, rugoso. Fluye del tronco, por incisión, una resina aromática que se emplea como purgante.

Guaicán. (Voz caribe.) m. *Ant.* **Rémora,** 1.ª acep.

Guaicurú. m. *Argent.* Planta de medio metro de altura, de tallo áspero, estriado, cuadrangular; ramitas alternas; hojas vellosas alternas, largas, agudas y nerviosas; flores moradas en racimo; raíz fusiforme leñosa. Tiene propiedades medicinales.

Guaiño. (Voz quichua.) m. *Bol.* Triste o yaraví.

Guaira. (Del quichua *guaira,* viento.) f. Hornillo de barro en que los indios del Perú funden los minerales de plata, tanto mejor cuanto mayor es el viento que hace. || **2.** *Mar.* Vela triangular que se enverga al palo solamente, o a éste y a un mastelerillo guindado en él. || **3.** *Amér. Central.* Especie de flauta de varios tubos que usan los indios.

Guairabo. m. *Chile.* Ave nocturna, del orden de las zancudas, plumaje blanco, cabeza y dorso negros.

Guairo. m. Embarcación pequeña y con dos guairas, que se usa en América para el tráfico en las bahías y costas.

Guaita. (Del germ. *wahta,* guardia.) f. *Mil.* Soldado que estaba en acecho durante la noche.

Guaitar. (Del germ. *wahten*, vigilar.) intr. ant. *Mil.* **Aguaitar.**

Guaja. com. fam. Pillo, tunante, granuja.

Guajaca. f. *Cuba.* Planta silvestre que se enreda y cuelga de ciertos árboles, semejando cabellos gruesos; el tallo es filiforme; hojas muy alargadas; flor de tres pétalos. Convenientemente preparadas, las fibras de esta planta se usan para rellenar colchones.

Guajacón. m. *Cuba.* Pececillo de agua dulce, vivíparo, con una sola aleta dorsal. Hay varias especies de distintos colores.

Guájar. amb. **Guájara.**

Guájara. (Del ár. *waŷara*, lugar donde pasan fieras, cubil, tajo excavado por las aguas de un río.) f. Fragosidad, lo más áspero de una sierra.

Guaje. (Del mejic. *uaxin.*) m. *Méj.* Especie de acacia. ‖ **2.** *Hond.* y *Méj.* **Calabaza vinatera.** ‖ **3.** *Hond.* y *Méj.* Bobo, tonto. Ú. t. c. adj.

Guájete por guájete. (Del ár. *wāḥid*, uno.) expr. adv. fam. Tanto por tanto; una cosa por otra.

Guajira. (De *guajiro.*) f. Cierto canto popular usual entre los campesinos de la isla de Cuba.

Guajiro, ra. (Del yucateco *guajiro*, señor.) m. y f. Campesino de la isla de Cuba, y por ext., persona rústica.

Guajolote. m. *Méj.* **Pavo,** 1.ª acep.

Guala. f. *Chile.* Ave palmípeda, con el pico verdoso; el plumaje rojo obscuro, y blanco por el pecho. ‖ **2.** *Venez.* **Aura,** 2.° art.

¡Gualá! (Del ár. *wa-llāh*, ¡por Dios!) interj. Por Dios, por cierto. Úsase puesta en boca de mahometanos, para afirmar, negar o encarecer.

Gualanday. m. *Colomb.* Árbol corpulento de la familia de las bignoniáceas, con flores de color purpúreo.

Gualardón. (Del germ. *widarlôn*, recompensa.) m. ant. **Galardón.**

Gualardonar. tr. ant. **Galardonar.**

Gualatina. (Del b. lat. *galatina*, y éste del gr. γαλακτίνη, manjar preparado con leche.) f. Guiso que se compone de manzanas, leche de almendras desleídas con caldo de la olla; especias finas remojadas en agua rosada, y harina de arroz.

Gualda. (Del ingl. *weld.*) f. Hierba de la familia de las resedáceas, con tallos ramosos de cuatro a seis decímetros de altura; hojas enteras, lanceoladas, con un diente a cada lado de la base; flores amarillas en espigas compactas, y fruto capsular con semillas pequeñas en forma de riñón. Aunque abunda bastante como planta silvestre, se cultiva para teñir de amarillo dorado con su cocimiento. ‖ **2.** fig. y fam. V. **Cara de gualda.**

Gualdado, da. adj. Teñido con el color de gualda.

Gualdera. (Del lat. *collaterālis.*) f. Cada uno de los dos tablones o planchas laterales que son parte principal de algunas armazones, y sobre los cuales se aseguran otras que las completan, como sucede en las cureñas, escaleras, cajas, carros, etc.

Gualdo, da. adj. De color de gualda o amarillo.

Gualdrapa. (Del lat. *vastrapes.*) f. Cobertura larga, de seda o lana, que cubre y adorna las ancas de la mula o caballo. ‖ **2.** fig. y fam. Calandrajo desaliñado y sucio que cuelga de la ropa.

Gualdrapazo. (De *gualdrapear.*) m. Golpe que dan las velas de un buque contra los árboles y jarcias en tiempos calmosos y de alguna marejada.

Gualdrapear. tr. Poner de vuelta encontrada una cosa sobre otra, como los alfileres cuando se ponen punta con cabeza.

Gualdrapear. (De *gualdrapa.*) intr. Dar gualdrapazos.

Gualdrapeo. m. Acción de gualdrapear, 1.° y 2.° arts.

Gualdrapero. (De *gualdrapa.*) m. Que anda vestido de andrajos.

Gualiqueme. m. *Bot. Hond.* **Bucare.**

Gualputa. f. *Chile.* Planta parecida al trébol.

Guama. f. *Colomb.* y *Venez.* Fruto del guamo. Forma una legumbre hasta de medio metro de largo y cuatro centímetros de ancho, chata, rígida, parda y cubierta de vello que se desprende con facilidad. Encierra esta legumbre diez o más senos con sendas semillas ovales cubiertas de una substancia comestible muy dulce, blanca, que parecen copos de algodón. ‖ **2.** *Colomb.* **Guamo.**

Guamá. m. *Bot.* Árbol de la familia de las mimosáceas que se cría en las islas de Cuba y Puerto Rico. Es maderable y de su corteza se hacen cuerdas.

Guamil. m. *Hond.* Planta que brota en las tierras roturadas sin sembrar.

Guamo. m. *Bot.* Árbol americano de la familia de las mimosáceas, de 8 a 10 metros de altura, con tronco delgado y liso, hojas alternas compuestas de hojuelas elípticas, y flores blanquecinas en espigas axilares, con vello sedoso. Su fruto es la guama, y se planta para dar sombra al café.

Guampa. (Voz quichua.) f. *Argent.* y *Urug.* Asta o cuerno del animal vacuno.

Guámparo. m. *Chile.* **Aliara.**

Guanabá. m. *Cuba.* Ave zancuda, de pico ancho y negruzco; la cabeza y parte del cuello negros; dos plumas blancas colgantes de 20 centímetros de largo; el resto del plumaje ceniciento, ojos grandes; pies amarillos. Se alimenta principalmente de mariscos.

Guanábana. f. *Amér.* Fruta del guanábano, una de las más delicadas de América.

Guanabanada. f. *Amér.* **Champola.**

Guanábano. (Voz caribe.) m. Árbol de las Antillas, de la familia de las anonáceas, de seis a ocho metros de altura, con copa hermosa, tronco recto de corteza lisa y color gris obscuro; hojas lanceoladas, lustrosas, de color verde intenso por encima y blanquecinas por el envés; flores grandes de color blanco amarillento, y fruto acorazonado de corteza verdosa, con púas débiles, pulpa blanca de sabor muy grato, refrigerante y azucarado, y semillas negras.

Guanabina. f. *Bot. Cuba.* Fruto del corojo.

Guanacaste. (Voz azteca.) m. *Amér. Central.* Árbol gigantesco de la familia de las mimosáceas, de hojas menudas que se cierran durante la noche, y por fruto unas vainas aplastadas y enroscadas.

Guanaco. (Voz quichua.) m. Mamífero rumiante de unos 13 decímetros de altura hasta la cruz, y poco más de largo desde el pecho hasta el extremo de la grupa; cabeza pequeña con orejas largas y puntiagudas; ojos negros y brillantes; boca con el labio superior hendido; cuello largo, erguido, curvo y cubierto, como todo el cuerpo, de abundante pelo largo y lustroso, de color generalmente pardo obscuro, pero a veces gris, rojo amarillento y hasta blanco; cola corta, alta y adornada de cerdas finas; patas delgadas y largas, con pies de dos dedos bien separados y con fuertes uñas. Tiene en el pecho y en las rodillas callosidades como los camellos. Es animal salvaje que habita en los Andes meridionales. ‖ **2.** fig. *Amér. Central.* Páparo, payo. ‖ **3.** fig. *Amér. Central* y *Merid.* Tonto, simple.

Guanajo. m. *Ant.* **Pavo,** 1.ª acep.

Guanana. f. *Cuba.* Ave palmípeda parecida al ganso, aunque algo menor; cuando joven tiene el plumaje ceniciento, y después blanco con las remeras negras.

Guanche. adj. Dícese del individuo de la raza que poblaba las islas Canarias al tiempo de su conquista. Ú. t. c. s. En f. ú. a veces la forma **guancha.**

Guando. (Voz quichua.) m. *Colomb., Ecuad.* y *Perú.* Andas, parihuela.

Guandú. m. *Bot. C. Rica, Cuba* y *Hond.* Arbusto de la familia de las papilionáceas, de unos dos metros de altura, siempre verde; ramas vellosas; hojas lanceoladas, verdes por encima, pálidas por el envés, que sirven de alimento al ganado; flores amarillas; por fruto unas vainas vellosas que encierran una gran legumbre muy sabrosa después de guisada.

Guanera. f. Sitio o paraje donde se encuentra el guano, 1.er art.

Guanero, ra. adj. Perteneciente o relativo al guano, 1.er art.

Guango. m. *Sal.* Cobertizo largo y estrecho con la techumbre a dos aguas.

Guangoche. m. *Amér. Central* y *Méj.* Tela basta, especie de harpillera para embalajes, cubiertas, etc.

Guangocho, cha. adj. *Méj.* Ancho, holgado. ‖ **2.** m. *Hond.* **Guangoche.** ‖ **3.** *Hond.* Saco hecho de esta tela.

Guanín. (Voz haitiana.) m. *Ant.* y *Colomb.* Entre los colonizadores de América, oro de baja ley fabricado por los indios. ‖ **2.** Joya fabricada por los indios con ese metal.

Guanina. f. *Bot. Cuba.* Planta herbácea de la familia de las papilionáceas, de un metro de altura, toda cubierta de vello sedoso, con las hojas, que se pliegan por la noche, compuestas de cuatro pares de hojuelas y una glándula en medio de cada par; flores amarillas de cinco pétalos, y legumbre cuadrangular articulada transversalmente, que contiene muchas semillas pardas de forma acorazonada, que tostadas se emplean en lugar del café.

Guaniquí. m. *Cuba.* Bejuco que crece en las sierras, de hojas alternas, apuntadas; flores sin corola; anteras prolongadas; los tallos, por su flexibilidad, se usan principalmente para hacer cestos.

Guano. (Voz quichua, que significa estiércol, especialmente el de pájaros.) m. Materia excrementicia de aves marinas que se encuentra acumulada en gran cantidad en las costas y en varias islas del Perú y del norte de Chile. Se utiliza como abono en la agricultura. ‖ **2.** Abono mineral fabricado a imitación del **guano.**

Guano. m. *Cuba.* Nombre genérico de unas palmeras de las cuales existen varias especies, entre ellas la llamada miraguano. ‖ **2.** *Cuba.* Penca de la palma.

Guanquí. m. *Bot. Chile.* Planta de la familia de las dioscoreáceas, parecida al ñame.

Guanta. f. *Ecuad.* **Guatusa.** ‖ **2.** *Germ.* **Mancebía,** 1.ª acep.

Guantada. (De *guante*, en acep. fig. de *mano.*) f. Golpe que se da con la mano abierta.

Guantazo. m. **Guantada.**

Guante. (Del ant. flam. *wante.*) m. Prenda para cubrir la mano, que se hace, por lo común, de piel, tela o tejido de punto y suele tener una funda para cada dedo. ‖ **2.** Cubierta para proteger la mano, hecha de caucho o de cuero, como la que usan los cirujanos y los boxeadores. ‖ **3.** pl. Agasajo o gratificación, especialmente la que se suele dar sobre el precio de una cosa que se vende o traspasa. ‖ **Adobar los guantes.** fr. Regalar y gratificar a una persona. ‖ **Arrojar el guante** a uno. fr. Desafiarle con esta ceremonia, que se usaba antiguamente. ‖ **2.** fig. **Desafiar,** 1.ª acep. ‖ **Asentar** a uno **el guante.** fr. fig. **Asentarle la mano.** ‖ **Descalzarse** uno **los guantes.**

fr. fig. Quitárselos de las manos. || **Echar el guante.** fr. fig. **Arrojar el guante.** || **2.** fig. y fam. Alargar la mano para agarrar alguna cosa. || **Echar el guante** a uno. fr. fig. y fam. **Echarle la garra.** || **Echar un guante.** fr. fig. Recoger dinero entre varias personas para un fin, regularmente de beneficencia. || **Poner** a uno **como un guante,** o **más blando,** o **más suave, que un guante.** fr. fig. y fam. Volverle dócil por medio de la reprensión o de otro castigo. Ú. t. con otros verbos. || **Recoger el guante.** fr. fig. Aceptar un desafío. || **Salvo el guante.** expr. fam. de que se usaba para excusarse de no haberse quitado el **guante** al dar la mano a uno.

Guantelete. (Del fr. *gantelet,* d. de *gant,* guante.) m. **Manopla,** 1.ª acep.

Guantería. f. Taller donde se hacen guantes. || **2.** Tienda donde se venden. || **3.** Arte y oficio de guantero.

Guantero, ra. m. y f. Persona que hace o vende guantes.

Guañil. m. *Chile.* Arbusto de la familia de las compuestas, con hojas lanceoladas, flores en panoja.

Guañir. (Del lat. *gannīre.*) intr. *Extr.* Gruñir los cochinillos pequeños o lechales.

Guao. m. *Bot.* Arbusto de Méjico, Cuba y del Ecuador, de la familia de las anacardiáceas, con hojas compuestas, lisas por encima y tomentosas por el envés; flores pequeñas, rojas; la semilla alimenta al ganado de cerda y la madera se usa para hacer carbón.

Guapamente. adv. m. fam. Con guapeza. || **2.** Muy bien.

Guapear. (De *guapo.*) intr. fam. Ostentar ánimo y bizarría en los peligros. || **2.** fam. Hacer alarde de gusto exquisito en los vestidos y cabos. || **3.** *Chile.* Fanfarronear, echar bravatas.

Guapería. f. Acción propia de guapo, 4.ª y 5.ª aceps.

Guapetón, na. adj. fam. aum. de Guapo. || **2.** m. **Guapo,** 4.ª acep.

Guapeza. (De *guapo.*) f. fam. Bizarría, ánimo y resolución en los peligros. || **2.** fam. Ostentación en los vestidos. || **3.** Acción propia del guapetón o bravo.

Guapo, pa. adj. fam. desus. Animoso, bizarro y resuelto, que desprecia los peligros y los acomete. Ú. en *Amér.* Ú. t. c. s. || **2.** fam. Ostentoso, galán y lucido en el modo de vestir y presentarse. || **3.** fam. Bien parecido. || **4.** m. Hombre pendenciero y perdonavidas. || **5.** En estilo picaresco, galán que festeja a una mujer. || **6.** pl. fam. *Áv.* y *Sal.* Adornos, cosas ostentosas e inútiles.

Guapote, ta. (d. de *guapo.*) adj. fam. Bonachón, de buen genio. || **2.** fam. De buen parecer.

Guapura. f. fam. Cualidad de guapo.

Guara. f. *Cuba.* Árbol muy parecido al castaño. || **2.** *Hond.* **Guacamayo.** || **3.** *Chile.* Perifollo, garambaina.

Guará. (Voz guaraní.) m. *Amér. Merid.* Especie de lobo de las pampas.

Guaraca. (Voz quichua.) f. *Colomb., Chile, Ecuad.* y *Perú.* Honda, zurriago.

Guaracaro. m. *Bot. Venez.* Planta leguminosa, sin zarcillos, que crece rodeando o abrazando en espiral los cuerpos extraños que alcanza, o retuerce sus tallos unos sobre otros. || **2.** Semilla de esta planta, que se cosecha como el fríjol y es comestible.

Guaracha. f. *Cuba* y *P. Rico.* Baile semejante al zapateado.

Guarache. m. *Méj.* Especie de sandalia tosca de cuero.

Guaraguao. m. *Zool.* Ave rapaz diurna, parecida al borní.

Guáramo. m. *Venez.* Valor, pujanza o bajeza.

Guarán. (Del germ. *wranyo,* caballo padre.) m. *Ar.* **Garañón.**

Guaraná. (Voz americana, del m. or. que *guaraní.*) f. *Amér. Central, Bol.* y *Parag.* **Paulinia.** || **2.** Pasta preparada con semillas de paulinia, cacao y tapioca, que se emplea como medicamento.

Guarango, ga. adj. *Argent., Chile* y *Urug.* Incivil, mal educado, descarado. || **2.** m. *Ecuad.* y *Perú.* Especie de aromo silvestre. || **3.** *Venez.* **Dividivi.**

Guaraní. adj. Dícese del individuo de una raza que, diversificada en numerosas tribus, se extiende desde el Orinoco al Río de la Plata. Ú. t. c. s. || **2.** Perteneciente a esta raza. || **3.** m. Lengua **guaraní.**

Guarapo. (Voz quichua.) m. *Amér.* Jugo de la caña dulce exprimida, que por vaporización produce el azúcar. || **2.** Bebida fermentada hecha con este jugo.

Guarapón. m. *Chile* y *Perú.* Sombrero de ala ancha que se usa en el campo para defenderse del sol.

Guarda. (Del ant. alto al. *warta.*) com. Persona que tiene a su cargo y cuidado la conservación de una cosa. || **2.** f. Acción de guardar, conservar o defender. || **3. Tutela.** || **4.** Observancia y cumplimiento de un mandato, ley o estatuto. || **5.** Monja que acompaña a los hombres que entran en el convento, para que se observe la debida compostura. || **6.** Carta baja que en algunos juegos de naipes sirve para reservar la de mejor calidad. || **7.** Cada una de las dos varillas grandes del abanico, que sirven como de defensa a las otras. Ú. m. en pl. || **8.** Cualquiera de las dos hojas de papel blanco que ponen los encuadernadores al principio y al fin de los libros. Ú. m. en pl. || **9.** ant. **Escasez.** || **10.** ant. Sitio donde se guardaba cualquier cosa. || **11.** En las cerraduras, el rodete o hierro que impide pasar la llave para correr el pestillo, y en las llaves, la rodaplancha o hueco que hay en el paletón por donde pasa el rodete. Ú. m. en pl. || **12. Guarnición,** 3.ª acep. || **13.** *And.* Vaina de la podadera. || **14.** pl. *Astron.* Nombre vulgar de las dos estrellas posteriores del cuadrilátero de la Osa Mayor. || **Guarda de vista.** Persona que no pierde nunca de vista al que guarda. || **jurado.** Aquel a quien nombra la autoridad a propuesta de particulares, corporaciones o empresas cuyos intereses vigila; sus declaraciones, por haber prestado juramento previo al ejercicio de la función, suelen hacer fe, salvo prueba en contrario. || **mayor.** El que manda y gobierna a los **guardas** inferiores. || **2.** Señora de honor en palacio, a cuyo cargo estaba la **guarda** y cuidado de toda la servidumbre femenina. || **mayor del cuerpo real.** Oficio de alta dignidad en los antiguos palacios de los reyes de España. || **mayor del rey.** desus. Cierto empleo honorífico en palacio. || **Falsear las guardas.** fr. Contrahacer las **guardas** de una llave para abrir lo que está cerrado con ella. || **2.** *Mil.* Ganar con soborno o engañar las de un castillo, plaza o ejército para poder sorprenderlos. || **Ser** una persona o cosa **en guarda de** uno. fr. ant. Estar bajo su protección y defensa.

Guardabanderas. m. Marinero a cuyo cuidado se confían los efectos llamados de bitácora, tales como agujas, banderas, escandallos, etc.

Guardabarrera. com. Persona que en las líneas de los ferrocarriles custodia un paso a nivel y cuida de que las barreras, palenques o cadenas estén cerrados o abiertos conforme a reglamento.

Guardabarros. m. **Alero,** 1.er art., 2.ª acep.

Guardable. adj. Que se puede guardar.

Guardabosque. m. Sujeto destinado para guardar los bosques, especialmente los reales.

Guardabrazo. m. Pieza de la armadura antigua, para cubrir y defender el brazo.

Guardabrisa. m. Fanal de cristal abierto por arriba y por abajo, dentro del cual se colocan las velas para que no se corran o apaguen con el aire. || **2.** Bastidor con cristal que lleva el automóvil en su parte anterior para resguardar a los viajeros del aire que viene opuesto al movimiento.

Guardacabras. com. Cabrero o cabrera.

Guardacalada. (De *guarda,* por *buharda,* y *calada.*) f. Abertura que se hacía en los tejados para formar en ellos una ventana o vertedero que sobresaliese del alero, a fin de que se pudiese verter a la calle.

Guardacantón. m. Poste de piedra para resguardar de los carruajes las esquinas de los edificios. || **2.** Cada uno de los postes de piedra que se colocan a los lados de los paseos y caminos para que no salgan de ellos los carruajes. || **3.** Pieza de hierro de la galera, que corre desde el balancín al pezón de las ruedas delanteras, para resguardarlas y afianzar el tiro.

Guardacartuchos. m. *Mar.* Caja cilíndrica de cuero o suela, con su tapa, que sirve para conducir los cartuchos desde el pañol a la pieza.

Guardacoimas. m. *Germ.* Criado del padre de mancebía.

Guardacostas. m. Barco de poco porte, especialmente destinado a la persecución del contrabando. || **2.** Buque, generalmente acorazado, para la defensa del litoral.

Guardacuños. m. Empleado encargado en la casa de moneda de guardar los cuños y demás instrumentos que sirven para las labores de la moneda, y de cortar toda la que se halla imperfecta y defectuosa.

Guardadamas. m. Empleo de la casa real, cuyo principal ministerio era ir a caballo al estribo del coche de las damas para que nadie llegase a hablarles, y después se limitó al cargo de despejar la sala del cuarto de la reina en las funciones públicas.

Guardado, da. p. p. de **Guardar.** || **2.** adj. **Reservado,** 2.ª y 3.ª aceps.

Guardador, ra. adj. Que guarda o tiene cuidado de sus cosas. Ú. t. c. s. || **2.** Que observa con puntualidad y exactitud una ley, precepto, estatuto o ceremonia. Ú. t. c. s. || **3.** Miserable, mezquino y apocado. Ú. t. c. s. || **4.** m. En la milicia antigua, aquel cuyo oficio era guardar y conservar las cosas que se ganaban a los enemigos. || **5.** Tutor o curador. || **Guardan guardadores para buenos gastadores.** ref. que se aplica cuando al ahorro y economía de uno sucede el gasto o despilfarro de otro.

Guardafrenos. m. Empleado que tiene a su cargo en los trenes de ferrocarriles el manejo de los frenos.

Guardafuego. m. *Mar.* Andamio de tablas que se cuelga por el exterior del costado de un buque, para impedir que las llamas suban más arriba de donde conviene cuando se da fuego a los fondos.

Guardaguas. m. *Mar.* Listón que se clava en los costados del buque sobre cada porta, para que no entre el agua que escurren las tablas superiores.

Guardagujas. m. Empleado que en los cambios de vía de los ferrocarriles tiene a su cargo el manejo de las agujas, para que cada tren marche por la vía que le corresponde.

Guardahúmo. (De *guardar* y *humo.*) m. *Mar.* Vela que se coloca por la cara de proa en la chimenea del fogón, para que el humo no vaya a popa cuando el buque está aproado al viento.

Guardainfante. (De *guardar* e *infante*, por ser prenda con que podían ocultar su estado las mujeres embarazadas.) m. Especie de tontillo redondo, muy hueco, hecho de alambres con cintas, que se ponían antiguamente las mujeres en la cintura, y sobre él la basquiña. || **2.** Conjunto de los trozos de madera en forma de duelas que se suelen colocar sobre el cilindro de un cabrestante para aumentar su diámetro y conseguir que recoja más cuerda a cada vuelta que dé.

Guardaízas. m. *Germ.* Guardacoimas.

Guardaja. f. p. us. Guedeja.

Guardajoyas. m. Persona a cuyo cuidado estaba la guarda y custodia de las joyas de los reyes. || **2.** Lugar donde se guardaban las joyas de los reyes.

Guardalado. m. Pretil o antepecho.

Guardalmacén. com. Persona que tiene a su cargo la custodia de un almacén.

Guardalobo. m. Mata perenne de la familia de las santaláceas, de cerca de un metro de altura, con hojas lineares, sentadas, lampiñas y enterísimas; flores dioicas, pequeñas, verdosas o amarillentas, y fruto en drupa roja y casi seca.

Guardamalleta. (De *guardar* y *malleta*, d. de *malla*.) f. Pieza de adorno que pende sobre el cortinaje por la parte superior y que permanece fija.

Guardamangel. m. Cámara que en los grandes palacios estaba destinada a despensa.

Guardamangier. (Del fr. *gardemanger*, de *garder*, del germ. *wardon*, y de *manger*, *mangier*, del lat. *manducare*, comer.) m. **Guardamangel.** || **2.** Oficial palatino que, según la etiqueta de la casa de Borgoña, estuvo encargado de recibir y distribuir las viandas y provisiones y llevar cuenta de la nómina de las raciones.

Guardamano. m. **Guarnición,** 3.ª acep.

Guardamateriales. m. En las casas de moneda, sujeto a cuyo cargo está la compra de materiales para fundiciones.

Guardamiento. m. ant. Acción de guardar.

Guardamigo. m. **Pie de amigo,** 2.ª acep.

Guardamonte. m. En las armas de fuego, pieza de metal en semicírculo. clavada en la caja sobre el disparador, para su reparo y defensa cuando el arma está montada. || **2. Capote de monte.** || **3.** *Méj.* Pedazo de piel que se pone sobre las ancas del caballo para evitar la mancha del sudor. || **4.** *Argent.* y *Bol.* Piezas de cuero que cuelgan de la parte delantera de la montura y sirven para defender las piernas del jinete de la maleza del monte.

Guardamuebles. m. Local destinado a guardar muebles. || **2.** Empleado de palacio que cuidaba de los muebles.

Guardamujer. f. Criada de la reina, que seguía en clase a la señora de honor y era superior a la dueña, cuyo cargo era acompañar en el coche a las damas.

Guardapapo. m. Pieza de la armadura antigua, que defendía el cuello y la barba.

Guardapelo. m. **Medallón,** 3.ª acep.

Guardapesca. m. Buque de pequeño porte destinado a vigilar el cumplimiento de los reglamentos de pesca marítima.

Guardapiés. m. **Brial,** 1.ª acep.

Guardapolvo. m. Resguardo de lienzo, tablas u otra materia, que se pone encima de una cosa para preservarla del polvo. || **2.** Sobretodo de tela ligera para preservar el traje de polvo y manchas, especialmente en los viajes. || **3.** Tejadillo voladizo construido sobre un balcón o ventana, para desviar las aguas llovedizas. || **4.** Pieza de vaqueta o becerrillo, que está unida al botín de montar y cae sobre el empeine de pie. || **5.** Caja o tapa interior que suele haber en los relojes de bolsillo, para mayor resguardo de la máquina. || **6.** pl. En los coches, hierros que van desde la vara de guardia o balancín grande hasta el eje.

Guardapuerta. f. **Antepuerta,** 1.ª acep.

Guardapuntas. m. Contera que sirve para preservar la punta del lápiz.

Guardar. (De *guarda*.) tr. Cuidar y custodiar algo; como dinero, joyas, vestidos, etc. || **2.** Tener cuidado de una cosa y vigilancia sobre ella. GUARDAR *un campo, una viña, ganado, un rebaño.* || **3.** Observar y cumplir lo que cada uno debe por obligación. GUARDAR *la ley, la palabra, el secreto.* || **4.** Conservar o retener una cosa. || **5.** No gastar; ser detenido o miserable. || **6.** Preservar una cosa del daño que le puede sobrevenir. || **7.** ant. **Aguardar.** || **8.** ant. Impedir, evitar. || **9.** ant. Atender o mirar a lo que otro hace. || **10.** ant. Acatar, respetar, tener miramiento. || **11.** fig. Tener, observar. GUARDAR *miramientos, silencio.* || **12.** r. Recelarse y precaverse de un riesgo. || **13.** Poner cuidado en dejar de ejecutar una cosa que no es conveniente. *Yo me* GUARDARÉ *de ir a tal parte.* || **¡Guarda!** interj. de temor o recelo de una cosa. || **2.** Voz con que se advierte y avisa a uno que se aparte del peligro que le amenaza. || **Guardársela** a uno. fr. fig. y fam. Diferir para tiempo oportuno la venganza, castigo, despique o desahogo de una ofensa o culpa. || **Quien guarda, halla.** ref. con que se recomienda la previsión y la economía, estimulando a ellas.

Guardarraya. f. *Ant.* **Linde,** 2.ª acep.

Guardarrío. m. **Martín pescador.**

Guardarropa. f. Oficina destinada en palacio y en otras casas y establecimientos públicos para poner en custodia la ropa. Se llama también así al local improvisado para este objeto en cualquier fiesta o concurso de gentes. En este caso ú. c. m. || **2.** com. Sujeto destinado para cuidar de la oficina en que se guardan las ropas. || **3.** En el teatro, persona encargada de suministrar o custodiar los vestidos y efectos llamados de guardarropía. || **4.** m. Armario donde se guarda la ropa. || **5. Abrótano.**

Guardarropía. (De *guardarropa*.) f. En el teatro, conjunto de trajes que sólo sirven, por regla general, para vestir a los coristas y comparsas; y también los efectos de cierta clase necesarios en las representaciones escénicas. || **2.** Lugar o habitación en que se custodian estos trajes o efectos. || **De guardarropía.** fr. que se aplica a las cosas que aparentan ostentosamente lo que no son en realidad.

Guardarruedas. m. **Guardacantón,** 1.ª y 2.ª aceps. || **2.** Pieza de hierro, por lo común en forma de *S*, que se pone a los lados del umbral en las puertas cocheras, para que los quicios no sean rozados por las ruedas de los vehículos.

Guardasilla. f. Moldura ancha de madera, que se clava en la pared para evitar que ésta sea rozada y estropeada con los respaldos de las sillas.

Guardasol. m. p. us. **Quitasol.**

Guardatimón. m. *Mar.* Cada uno de los cañones que solían ponerse en las portas de la popa, que están en una y otra banda del timón.

Guardavela. m. *Mar.* Cabo que trinca las velas de gavia a los calceses de los palos para acabar de aferrarlas.

Guardavía. m. Empleado que tiene a su cargo la vigilancia constante de un trozo de vía férrea.

Guardería. f. Ocupación y trabajo del guarda. || **2.** Coste del guarda o guardas de una finca rústica. || **3.** Establecimiento benéfico en que se atiende a los niños de los trabajadores durante las horas en que éstos están dedicados a sus faenas.

Guardesa. f. Mujer encargada de guardar o custodiar una cosa. || **2.** Mujer del guarda.

Guardia. (De *guardar*.) f. Conjunto de soldados o gente armada que asegura o defiende una persona o un puesto. || **2.** Defensa, custodia, honra, asistencia, amparo, protección. || **3.** Servicio especial que con cualquiera de estos objetos, o varios de ellos a la par, se encomienda a una o más personas. || **4.** V. **Vara de guardia.** || **5.** *Esgr.* Manera de estar en defensa. || **6.** Cuerpo de tropa, como la **Guardia** de Corps, la Republicana, la de Alabarderos, etc. || **7.** *Mil.* V. **Cuerpo de guardia.** || **8.** m. Individuo de uno de estos cuerpos. || **civil.** La dedicada a perseguir a los malhechores y a mantener la seguridad de los caminos y el orden en las poblaciones. || **2.** Individuo de este cuerpo. || **de asalto.** Individuo de un cuerpo creado para reprimir todo movimiento subversivo o de desorden público. || **de honor.** *Mil.* La que se pone a las personas a quienes corresponde por su dignidad o empleo. || **de la corte.** ant. *Mil.* **Guardia de honor.** || **de lancilla. Guardia** de a caballo, que sólo servía en las entradas de reina y en los entierros de personas reales. Llevaba una lancilla larga y delgada, con una banderilla de tafetán junto al hierro. || **de la persona del rey.** Cuerpo de soldados nobles, destinados para guardar inmediatamente la persona del rey. || **marina.** El que se educa para ser oficial en la carrera militar y facultativa de la armada. || **municipal.** La que, dependiente de los ayuntamientos, y a las órdenes del alcalde, se dedica a mantener el orden y los reglamentos en lo tocante a la policía urbana. || **2.** Individuo de este cuerpo. || **De guardia.** m. adv. que con los verbos *entrar*, *estar*, *tocar*, *salir* y otros semejantes, se refiere al cumplimiento de este servicio. || **En guardia.** m. adv. *Esgr.* En actitud de defensa. Ú. comúnmente con los verbos *estar* y *ponerse.* || **2.** fig. Prevenido o sobre aviso. Ú. con los verbos *estar* y *ponerse.* || **Montar la guardia.** fr. *Mil.* Entrar de **guardia** la tropa en un puesto para que salga y descanse la que estaba en él.

Guardián, na. (De *guardia*.) m. y f. Persona que guarda una cosa y cuida de ella. || **2.** m. En la orden de San Francisco, prelado ordinario de uno de sus conventos. || **3.** Especie de oficial de mar o contramaestre subalterno, especialmente encargado de las embarcaciones menores y de los cables o amarras. || **4.** *Mar.* Cable de mejor calidad que los ordinarios, y con el cual se aseguran los barcos pequeños cuando se recela temporal.

Guardianía. f. Prelacía o empleo de guardián en la orden de San Francisco. || **2.** Tiempo que dura. || **3.** Territorio que tiene señalado cada convento de frailes franciscanos para pedir limosna en los pueblos comprendidos en él.

Guardilla. f. **Buhardilla.** || **2.** Habitación contigua al tejado.

Guardilla. (De *guardar*.) f. Entre costureras, cierta labor para adornar y asegurar la costura. || **2.** Cada una de las dos púas gruesas del peine que sirven de resguardo a las delgadas. Ú. m. en pl.

Guardillón. m. Desván corrido y sin divisiones que queda entre el techo del último piso de un edificio y la armadura del tejado. || **2.** Guardilla pequeña y no habitable.

Guardín. (De *guarda*.) m. *Mar.* Cabo con que se suspenden las portas de la artillería. || **2.** *Mar.* Cada uno de los dos cabos o cadenas que van sujetos a la caña del timón y por medio de los cuales se maneja.

Guardoso, sa. (De *guardar.*) adj. Dícese del que tiene cuidado de no enajenar ni expender sus cosas, ni desperdiciarlas. || **2.** Miserable, mezquino y escaso.

Guarecer. (De *guarir.*) tr. Acoger a uno; ponerle a cubierto de persecuciones o de ataques; preservarle de algún mal. || **2.** Guardar, conservar y asegurar una cosa. || **3.** Curar, medicinar. || **4.** ant. Socorrer, amparar, ayudar. || **5.** intr. ant. **Sanar,** 2.ª acep. || **6.** r. Refugiarse, acogerse y resguardarse en alguna parte para librarse de riesgo, daño o peligro.

Guarecimiento. (De *guarecer.*) m. ant. Guardia, cumplimiento, observancia.

Guarén. m. *Chile.* Rata de gran tamaño que tiene los dedos palmeados, lo cual le permite nadar bien; vive a orillas de las aguas y se alimenta de ranas y pececillos.

Guarenticio, cia. adj. ant. **Guarentigio.**

Guarentigio, gia. (Del ant. alto al. *wërento,* garante.) adj. *For.* Aplicábase al contrato, escritura o cláusula de ella en que se daba poder a las justicias para que la hiciesen cumplir, y ejecutasen al obligado como por sentencia pasada en autoridad de cosa juzgada.

Guaria. f. *C. Rica.* Orquídea que adorna los tejados y tapias; la más abundante tiene la flor de color violado rojizo. Hay otra variedad de flor blanca.

Guariao. m. *Zool. Cuba.* Ave grande, del orden de las zancudas, de plumaje obscuro con manchas blancas; pies negros, así como la extremidad del pico; anda en parejas por las ciénagas y a orillas de las lagunas; vuela con las patas colgantes; se alimenta de gusanos y moluscos. Su carne es blanca y gustosa.

Guaricha. f. despect. *Colomb., Ecuad.* y *Venez.* Hembra, mujer. || **2.** *Ecuad.* Manceba de un soldado que le sigue de guarnición en guarnición.

Guarida. (De *guarir.*) f. Cueva o espesura donde se recogen y guarecen los animales. || **2.** Amparo o refugio para librarse de un daño o peligro. || **3.** fig. Paraje o parajes donde se concurre con frecuencia o en que regularmente se halla alguno. *Andrés tiene muchas* GUARIDAS. Tómase, por lo común, en mala parte. || **4.** ant. Remedio, libertad.

Guaridero, ra. (De *guarir.*) adj. ant. Curable o que se puede curar.

Guarimán. (Voz caribe.) m. Árbol americano de la familia de las magnoliáceas, con tronco ramoso de seis a ocho metros de altura, copa abierta, hojas persistentes, lanceoladas y coriáceas, flores blancas, pedunculadas, en corimbos terminales, y fruto en baya con muchas semillas de albumen carnoso. La corteza de las ramas es cenicienta por fuera, rojiza en lo interior, de olor y sabor aromáticos parecidos a los de la canela, aunque más acres, y, como ésta, se usa para condimentos y medicinas. || **2.** Fruto de este árbol.

Guarimiento. (De *guarir.*) m. ant. **Curación.** || **2.** ant. Amparo, refugio, acogida.

Guarín. (De *guarro.*) m. Lechoncillo, el último nacido en una lechigada.

Guarir. (Del germ. *warjan,* proteger.) tr. ant. **Curar.** || **2.** intr. Subsistir o mantenerse. || **3.** ant. **Sanar.** || **4.** r. ant. **Guarecer,** 6.ª acep.

Guarisapo. m. *Chile.* **Renacuajo,** 1.ª acep.

Guarismo, ma. (Del ár. *jwārizmī,* sobrenombre, por haber nacido en *Jwārizm,* tierras de Persia, del matemático Muḥammad ibn Mūsā, inventor de los logaritmos; véase *algoritmo.*) adj. ant. **Numérico.** || **2.** m. Cada uno de los signos o cifras arábigas que expresan una cantidad. || **3.** Cualquiera expresión de cantidad, compuesta de dos o más cifras. || **4.** V. **Letra, número de guarismo.** || **No tener guarismo.** fr. fig. Ser innumerable.

Guaritoto. m. *Venez.* Arbusto de la familia de las euforbiáceas, que crece en lugares cálidos y sombríos. El cocimiento de la raíz se emplea como hemostático.

Guarne. (De *guarnir.*) m. *Mar.* Cada una de las vueltas de un cabo alrededor de la pieza en que ha de funcionar.

Guarnecedor, ra. adj. Que guarnece. Ú. t. c. s.

Guarnecer. (De *guarnir.*) tr. Poner guarnición a alguna cosa; como traje, joya, espada, caballería o plaza fuerte. || **2.** Colgar, vestir, adornar. || **3.** Dotar, proveer, equipar. || **4.** ant. Corroborar, autorizar, dar autoridad a una persona. || **5.** *Albañ.* Revocar o revestir las paredes de un edificio. || **6.** *Cetr.* Poner lonja o cascabel al ave de rapiña. || **7.** *Mil.* Estar de guarnición. || **8.** ant. *Mil.* Sostener o cubrir un género de tropa con otro, o una obra de fortificación con otra.

Guarnecido, da. p. p. de **Guarnecer.** || **2.** m. *Albañ.* Revoque o entablado con que se revisten por dentro o por fuera las paredes de un edificio.

Guarnés. m. **Guadarnés.**

Guarnición. (De *guarnir.*) f. Adorno que se pone en los vestidos, ropas, colgaduras y otras cosas semejantes, para hermosearlas y enriquecerlas. || **2.** Engaste de oro, plata u otro metal, en que se sientan y aseguran las piedras preciosas. || **3.** Defensa que se pone en las espadas y armas de esta clase para preservar la mano. || **4.** Tropa que guarnece una plaza, castillo o buque de guerra. || **5.** *Mar.* V. **Mesa de guarnición.** || **6.** pl. Conjunto de correajes y demás efectos que se ponen a las caballerías para que tiren de los carruajes o para montarlas o cargarlas. || **Guarnición al aire.** La de adorno que está sentada sólo por un canto, y queda por el otro hueca y suelta. || **de castañeta.** La que se forma de una tela dócil, plegándola y sentándola en ondas alternadas, de suerte que en cada una de ellas forma un hueco que imita algo la forma de las castañetas.

Guarnicionar. tr. Poner guarnición en una plaza fuerte.

Guarnicionería. (De *guarnicionero.*) f. Taller en que se hacen guarniciones para caballerías. || **2.** Tienda donde se venden.

Guarnicionero. m. El que hace o vende guarniciones para caballerías.

Guarniel. m. **Garniel,** 1.ª acep.

Guarnigón. (Del lat. *coturnix, -icis,* codorniz.) m. Pollo de la codorniz.

Guarnimiento. (De *guarnir.*) m. desus. Adorno, aderezo, vestidura. || **2.** *Mar.* Conjunto de varias piezas, cabos o efectos con que se guarne o sujeta un aparejo, una vela o un cabo.

Guarnir. (Del ant. alto al. *warnōn.*) tr. **Guarnecer.** || **2.** *Mar.* Colocar convenientemente los cuadernales de un aparejo en una faena.

Guaro. (En fr. *gouarouba.*) m. Especie de loro pequeño, mayor que el perico y muy locuaz.

Guaro. m. *Amér. Central.* Aguardiente de caña.

Guarrazo. m. *And.* y *Sal.* Porrazo que se da al caer.

Guarrería. f. Porquería, suciedad. || **2.** fig. Acción sucia.

Guarrero. m. **Porquerizo.**

Guarrilla. (Como *buarillo* y *buaro,* de *búho.*) f. *Ál.* Especie de águila pequeña.

Guarro, rra. (De la voz con que se llama al cerdo.) m. y f. **Cochino, na.** Ú. t. c. adj.

Guarro, rra. (Como *buaro* y *buharro,* de *búho.*) m. y f. *Ecuad.* **Guarrilla.**

¡Guarte! interj. ¡Guárdate! ¡Guarda!

Guarumo. m. *Amér. Centr., Colomb. Ecuad., Méj.* y *Venez.* Árbol artocárpeo cuyas hojas producen efectos tónicos sobre el corazón.

Guarura. f. *Venez.* Caracol hasta de un pie de largo, que usado como bocina produce un sonido que se oye a gran distancia.

Guasa. (Del fr. *gausse,* burla, y éste del lat. *gavissus,* que se divierte.) f. fam. Falta de gracia y viveza; sosería, pesadez; conjunto de cualidades que hacen desagradable o empalagosa a una persona. || **2.** fam. Chanza, burla. || **3.** *Cuba.* Pez ancho, de color verde amarillento con manchas obscuras; la carne se come en fresco y se conserva acecinada.

Guasábara. f. desus. *Colomb.* y *P. Rico.* Motín, algarada.

Guasanga. (Voz caribe.) f. *Amér. Central, Colomb., Cuba* y *Méj.* Bulla, algazara, barahúnda.

Guasasa. (Voz caribe.) f. *Cuba.* Mosca pequeña que vive en enjambres en lugares húmedos y sombríos.

Guasca. (Voz quichua.) f. *Amér. Merid.* y *Ant.* Ramal de cuero, cuerda o soga, que sirve de rienda o de látigo y para otros usos.

Guascazo. m. Azote dado con guasca o cosa semejante, como látigo o vara flexible.

Guasearse. (De *guasa.*) r. **Chancearse.**

Guasería. f. *Argent.* y *Chile.* Acción grosera, torpe, chabacana o baja.

Guaso, sa. (Voz quichua.) m. y f. Rústico, campesino de Chile. || **2.** adj. fig. *Argent., Chile* y *Ecuad.* Tosco, grosero, incivil.

Guasón, na. adj. fam. Que tiene guasa. Ú. t. c. s. || **2.** fam. Burlón, chancero. Ú. t. c. s.

Guastante. p. a. de **Guastar.** ant. Que guasta.

Guastar. (Del lat. *vastāre,* infl. por el germ. *wōstjan.*) tr. ant. **Consumir,** 1.ª acep.

Guasto. (De *guastar.*) m. ant. **Consunción.**

Guata. (Del ár. *waḍḍ'a,* poner entretela o forro en el vestido.) f. Manta de algodón en rama.

Guataca. f. *Cuba.* Azada corta que se usa para limpiar de hierba las tierras.

Guatacare. m. *Bot. Venez.* Árbol de la familia de las borragináceas, de madera resistente y flexible.

Guate. m. *C. Rica* y *Hond.* **Malojo.** || **2.** Cierta planta lorantácea de Venezuela.

Guatemalteco, ca. adj. Natural de Guatemala. Ú. t. c. s. || **2.** Perteneciente a esta república de América.

Guateque. (Voz caribe.) m. Baile bullanguero, y por ext., cualquier jolgorio.

Guatiní. m. *Cuba.* **Tocororo.**

Guatón, na. adj. *Chile.* Barrigudo, de vientre abultado. Ú. t. c. s.

Guatusa. f. *C. Rica, Ecuad.* y *Hond.* Roedor parecido a la paca; su carne es muy gustosa.

Guau. Onomatopeya con que se representa la voz del perro.

Guaucho. m. *Chile* Arbusto de hoja menuda y gruesa; arde aun cuando esté verde, por ser resinoso.

¡Guay! (Del ár. *way,* interj. que denota conmiseración o asombro.) interj. poét. **¡Ay!** || **Tener** uno **muchos guayes.** fr. Padecer grandes achaques o muchos contratiempos de la fortuna.

Guaya. (De *guayar.*) f. Lloro o lamentación por una desgracia o contratiempo. || **Hacer** uno **la guaya.** fr. Ponderar los trabajos o miserias que padece, o fingirlas para mover a compasión.

Guayaba. (Voz caribe.) f. Fruto del guayabo, que es de figura aovada, del tamaño de una pera mediana, de varios colores, y más o menos dulce, con la carne llena de unos granillos o semillas pequeñas. || **2.** Conserva y jalea que se hace con esta fruta. || **3.** *Ant., Colomb.* y *Salv.* fig. y fam. Mentira, embuste.

Guayabal. m. Terreno poblado de guayabos.

Guayabera. f. Chaquetilla corta de tela ligera. Fué importada de Cuba, donde la usan los campesinos.

Guayabo. m. Árbol de América, de la familia de las mirtáceas, que crece hasta cinco o seis metros de altura, con tronco torcido y ramoso; hojas elípticas, puntiagudas, ásperas y gruesas; flores blancas, olorosas, axilares, de muchos pétalos redondeados, y que tiene por fruto la guayaba.

Guayaca. (Voz quichua.) f. *Argent., Bol.* y *Chile.* Bolsillo suelto o taleguilla para guardar monedas o adminículos de fumar. || **2.** fig. **Amuleto.**

Guayacán. m. **Guayaco.**

Guayaco. (Voz haitiana.) m. Árbol de la América tropical, de la familia de las cigofiláceas, que crece hasta unos 12 metros de altura, con tronco grande, ramoso, torcido, de corteza dura, gruesa y pardusca; hojas persistentes, pareadas, elípticas y enteras; flores en hacecillos terminales con pétalos de color blanco azulado, y fruto capsular, carnoso, con varias divisiones, en cada una de las cuales hay una semilla. La madera, de color cetrino negruzco, es muy dura y se emplea en ebanistería y en la construcción de máquinas, y contiene una resina aromática amarga, de color rojo obscuro, que se emplea en medicina como sudorífico muy activo. || **2.** Madera de este árbol.

Guayacol. m. Principio medicinal del guayaco.

Guayadero. (De *guayar.*) m. ant. Lugar destinado o dispuesto para el lloro o sentimiento, especialmente en los duelos.

Guayado, da. p. p. de **Guayar.** || **2.** adj. Dícese de los cantares que tienen por estribillo *¡guay!,* o *¡ay amor!*

Guayaquil. adj. Perteneciente a Guayaquil, puerto principal de la república del Ecuador. || **2.** m. Cacao de **Guayaquil.**

Guayaquileño, ña. adj. Natural de Guayaquil. Ú. t. c. s. || **2.** Perteneciente a esta ciudad de la república del Ecuador.

Guayar. (De *¡guay!*) intr. ant. Llorar, lamentarse.

¡Guayas! interj. ant. **¡Guay!**

Guayo. (Voz araucana.) m. *Chile.* Árbol de la familia de las rosáceas, de madera dura y colorada.

Guayuco. m. *Colomb.* y *Venez.* Especie de taparrabo o pampanilla.

Guayusa. f. *Ecuad.* Planta cuya infusión reemplaza al té, y se parece al mate del Paraguay.

Guazapa. f. *Guat.* y *Hond.* **Perinola,** 1.ª acep.

Guazubirá. m. *Argent.* Venado del monte, de color de canela obscuro.

Gubán. m. Bote grande usado en Filipinas, hecho con tablas sobrepuestas en forma de tingladillo, sujetas a las cuadernas con bejuco y calafateadas con resina y filamentos de la drupa del coco. No tiene pieza alguna clavada; carece de timón; lleva fijas las bancadas; se gobierna con espadilla, y los bogadores usan remos o zaguales, según el espacio de que puedan disponer. Navega con suma rapidez; su poco calado le permite flotar por los esteros de menos agua, sobre los bajos arrecifes, y es fácil de poner en tierra.

Gubernación. f. ant. **Gobernación.**

Gubernamental. adj. Perteneciente al gobierno del Estado. || **2.** Respetuoso o benigno para con el gobierno o favorecedor del principio de autoridad.

Gubernar. tr. ant. **Gobernar.**

Gubernativamente. adv. m. Por procedimiento gubernativo.

Gubernativo, va. adj. Perteneciente al gobierno. || **2.** V. **Policía gubernativa.**

Gubia. (Del lat. *gubia,* formón.) f. Formón de mediacaña, delgado, de que usan los carpinteros y otros artífices para labrar superficies curvas. || **2.** Aguja en figura de mediacaña, que servía para reconocer los fogones de los cañones de artillería.

Gubileta. (De *gubilete.*) f. ant. Caja o vaso grande en que se metían los gubiletes.

Gubilete. (Del fr. *gobelet,* del lat. *cūpa,* cuba.) m. ant. **Cubilete.**

Guedeja. (De *vedeja.*) f. Cabellera larga. || **2.** Melena del león. || **Tener una cosa por la guedeja.** fr. fig. No dejar escapar la ocasión de lograrla.

Guedejado, da. adj. En forma de guedejas o melena.

Guedejón, na. adj. **Guedejudo.** || **2.** m. aum. de **Guedeja.**

Guedejoso, sa. adj. **Guedejudo.**

Guedejudo, da. adj. Que tiene muchas guedejas.

Güeldo. (En fr. *gueldre.*) m. Cebo que emplean los pescadores, hecho con camarones y otros crustáceos pequeños.

Güeldrés, sa. adj. Natural de Güeldres. Ú. t. c. s. || **2.** Perteneciente a esta provincia de Holanda.

Güelfo, fa. (Del n. p. al. *Welf.*) adj. Partidario de los papas, en la Edad Media, contra los gibelinos, defensores de los emperadores de Alemania. Ú. t. c. s. || **2.** Perteneciente o relativo a los **güelfos.**

Guelte. (Del al. *geld,* dinero.) m. **Dinero,** 1.ª y 3.ª aceps.

Gueltre. (Del al. *gelder,* dineros.) m. **Guelte.**

Güello. (Del lat. *ocŭlus.*) m. ant. **Ojo.** Usáb. m. en pl. Ú. en *Ast.* y *Ar.*

Güeña. (De *boheña,* de *boje.*) f. *Ar.* Embutido compuesto de las vísceras del cerdo, excepto el hígado, y algunas carnes gordas de desperdicio de los demás embutidos, picado todo y adobado con ajos, pimentón, pimienta, clavo, sal, orégano y otras especies.

Guercho, cha. (Del borgoñón *dwĕrh,* atravesado.) adj. ant. **Bizco.** Usáb. t. c. s. Ú. en *Ar.*

Güérmeces. (Del germ. *worm,* pus.) m. pl. Enfermedad que padecen las aves de rapiña en la cabeza, boca, tragadero y oídos, y son unos granos pequeños que se hacen llagas.

Guernesey. n. p. V. **Azucena de Guernesey.**

Guerra. (Del germ. *wĕrra,* querella.) f. Desavenencia y rompimiento de paz entre dos o más potencias. || **2.** Lucha armada entre dos o más naciones o entre bandos de una misma nación. || **3.** V. **Auditor, contrabando, hombre, marina, navío, pólvora, prisionero de guerra.** || **4.** Pugna, disidencia entre dos o más personas. || **5.** Toda especie de lucha y combate, aunque sea en sentido moral. || **6.** Cierto juego de billar. || **7.** fig. Oposición de una cosa con otra. || **8.** *Art.* V. **Cohete de guerra.** || **9.** *Mar.* V. **Buque de guerra.** || **10.** *Mil.* **Acción, comisario, municiones de guerra.** || **abierta.** Enemistad, hostilidad declarada. || **a muerte.** Aquella en que no se da cuartel. || **2.** fig. Lucha, ataque sin intermisión. || **civil.** La que tienen entre sí los habitantes de un mismo pueblo o nación. || **de bolas.** Juego de billar en el cual entran tantas bolas cuantos sean los jugadores, y consiste en procurar hacer billas. || **de palos.** Juego de billar en que se colocan en medio de la mesa cinco palitos numerados, con los cuales se efectúan los lances. || **galana.** fig. La que es poco sangrienta y empeñada, y se hace con algunas partidas de gente, sin empeñar todo el ejército. || **2.** *Mar.* La que se hace con el cañón, sin llegar al abordaje. || **sin cuartel. Guerra a muerte.** || **Armar en guerra.** fr. *Mar.* Poner las embarcaciones mercantes en disposición de combatir. || **Dar guerra.** fr. ant. Hacerla. || **2.** fig. y fam. Causar molestia; dar que sentir. || **Declarar la guerra.** fr. Notificar o hacer saber una potencia a otra la resolución que ha tomado de tratarla como a enemiga, cortando toda comunicación y comercio, y cometiendo contra ella y sus vasallos actos de hostilidad. || **2.** fig. Entablar abiertamente lucha o competencia con alguien. || **El que tonto va a la guerra, tonto viene de ella.** ref. con que se da a entender que los viajes podrán enseñar mucho al hombre naturalmente discreto, pero nada al de cortas luces. || **En buena guerra.** m. adv. fig. Luchando con lealtad. || **¡Guerra!** Voz o grito que se usaba antiguamente para excitarse al combate. || **Ir a la guerra ni casar, no se ha de aconsejar.** ref. que, además del sentido recto, enseña lo expuesto que es dar dictamen en asuntos de éxito contingente. || **Publicar guerra.** fr. **Declarar la guerra.** || **Quien no sabe qué es guerra, vaya a ella.** ref. que reprende a los que juzgan de las cosas sin haberlas experimentado. || **Tener guerra, o la guerra, declarada.** fr. fig. que se dice de la persona que continuamente o por sistema contradice o persigue a otra u otras.

Guerreador, ra. adj. Que guerrea. Ú. t. c. s.

Guerreante. p. a. de **Guerrear.** Que guerrea.

Guerrear. intr. Hacer guerra. Ú. t. c. tr. || **2.** fig. Resistir, rebatir o **contradecir.**

Guerrera. f. Chaqueta ajustada y abrochada desde el cuello, que forma parte de ciertos uniformes del ejército.

Guerreramente. adv. m. A modo o en forma de guerra.

Guerrería. (De *guerrero.*) f. ant. Arte de la guerra.

Guerrero, ra. adj. Perteneciente o relativo a la guerra. || **2.** Que guerrea. Apl. a pers., ú. t. c. s. || **3.** Que tiene genio marcial y es inclinado a la guerra. || **4.** fig. y fam. Travieso, que incomoda y molesta a los demás. || **5.** m. **Soldado,** 1.ª acep.

Guerrilla. (d. de *guerra.*) f. Línea de tiradores formada de varias parejas o grupos poco numerosos, equidistantes unos de otros, que hostilizan al enemigo, cubriendo el frente o los flancos del cuerpo de batalla. || **2.** Partida de tropa ligera, que hace las descubiertas y rompe las primeras escaramuzas. || **3.** Partida de paisanos, por lo común no muy numerosa, que al mando de un jefe particular y con poca o ninguna dependencia de los del ejército, acosa y molesta al enemigo. || **4.** Juego de naipes entre dos personas, cada una de las cuales recibe 20 cartas. El as vale cuatro, el rey tres, el caballo dos y la sota una.

Guerrillear. intr. Pelear en guerrillas.

Guerrillero. m. Paisano que sirve en una guerrilla, o es jefe de ella.

Guía. (De *guiar.*) com. Persona que encamina, conduce y enseña a otra el camino. || **2.** El que en los juegos y ejercicios de a caballo conduce una cuadrilla. || **3.** fig. Persona que enseña y dirige a otra para hacer o lograr lo que se propone. || **4.** m. *Mil.* Sargento o cabo que, según las varias evoluciones, se coloca en la posición conveniente para la mejor alineación de la tropa. || **5. Manillar.** || **6.** f. Lo que en sentido figurado dirige o encamina. || **7.** Poste o pilar grande de cantería que se coloca de trecho en trecho, a los lados de un camino de montaña, para señalar su dirección, especialmente durante las nevadas. || **8.** Tratado en que se dan preceptos o meras noticias para encaminar o dirigir en cosas, ya espirituales o abstractas, ya puramente mecánicas o materiales. GUÍA *de Pecadores, de Agricultura, del Viajero, Eclesiástica.* || **9.** Despacho que lleva consigo el que transporta algunos géneros, para que no se los detengan ni descaminen. || **10.** Mecha delgada con pólvora y cubierta con papel, que sirve para dar fuego a los barrenos, y en los fuegos de artificio para guiarlo a la parte que se quiere. || **11.** Sarmiento o vara que se deja en las cepas y en los árboles para dirigirlos. También se llama así el tallo principal de las coníferas y otros árboles. || **12.** Palanca que sale oblicuamente de lo alto del eje de una noria para enganchar en ella la caballería, o del de un molino de viento para orientarlo. || **13.** Pieza o cuerda que en las máquinas y otros aparatos sirve para obligar a otra pieza a que siga en su movimiento camino determinado. || **14.** Caballería que, sola o apareada con otra, va delante de todas en un tiro fuera del tronco. || **15.** Cada uno de los extremos del bigote cuando están retorcidos. || **16.** V. **Bestia, carta de guía.** || **17.** Especie de fullería en los naipes. || **18. Guarda,** 7.ª acep. || **19.** *Vizc.* Pieza de madera de hilo, de roble, de 12 a 14 pies de longitud, y con una escuadría de siete pulgadas de tabla por seis de canto. || **20.** *Mar.* Cualquier cabo o aparejo que sirve para mantener un objeto en la situación que debe ocupar. || **21.** *Min.* Vetilla a que algunas veces se reducen los filones y que sirve para buscar la prolongación del criadero. || **22.** *Mús.* Voz que va delante en la fuga y a la cual siguen las demás. || **23.** pl. Riendas para gobernar los caballos de **guías.** || **Guía de forasteros.** Libro oficial que se publicaba anualmente y contenía, con otras varias noticias, los nombres de las personas que a la sazón ejercían los cargos o dignidades más importantes del Estado. Llamósele después GUÍA *oficial de España.* || **A guías.** m. adv. Gobernando un solo cochero con éstas un tiro de cuatro o más caballerías. || **De guías.** loc. Dícese de las caballerías que, en un tiro compuesto de varias, van delante de las demás. || **Echarse con las guías,** o **con guías y todo.** fr. fig. Atropellar a uno, no dando lugar a que responda. || **En guía,** o **en la guía.** m. adv. ant. Guiando, dirigiendo.

Guiabara. f. *Cuba.* **Uvero,** 3.ª acep.

Guiadera. (De *guiar.*) f. Guía de las norias y otros artificios semejantes. || **2.** Cada uno de los maderos o barrotes paralelos que sirven para dirigir el movimiento rectilíneo de un objeto; como la viga de un molino de aceite, la jaula de un pozo de mina, etc.

Guiado, da. p. p. de **Guiar.** || **2.** adj. Que se lleva con guía o póliza.

Guiador, ra. adj. Que guía. Ú. t. c. s.

Guiaje. (De *guiar.*) m. ant. Seguro, resguardo o salvoconducto.

Guiamiento. m. ant. Acción y efecto de guiar. || **2.** ant. **Guiaje.**

Guiar. (De *guidar.*) tr. Ir delante mostrando el camino. || **2.** Hacer que una pieza de una máquina u otro aparato siga en su movimiento determinado camino. || **3.** Dirigir el crecimiento de las plantas haciéndoles guías. || **4.** Conducir un carruaje. || **5.** fig. Dirigir a uno en algún negocio. || **6.** r. Dejarse uno dirigir o llevar por otro, o por indicios, señales, etc.

Guidar. (Del germ. *witan.*) tr. ant. **Guiar.**

Guido, da. (Del al. *gut,* bueno.) adj. *Germ.* **Bueno.**

Guienés, sa. adj. Natural de Guiena. Ú. t. c. s. || **2.** Perteneciente a esta antigua provincia de Francia.

Guifa. (Del ár. *ŷīfa,* cadáver, carne mortecina.) f. *And.* Despojos del matadero.

Guiguí. m. Mamífero nocturno de Filipinas, del orden de los roedores, muy parecido a la ardilla, de color pardo, con las extremidades algo rojizas y la cola casi negra; tiene entre las dos patas de un mismo lado una membrana que le sirve de paracaídas; vive en los árboles y su carne es comestible.

Guija. (Del lat. *aquilia,* t. f. de *aquilius,* de *aquilus,* obscuro.) f. Piedra pelada y chica que se encuentra en las orillas y cauces de los ríos y arroyos. || **2. Almorta.**

Guijarral. m. Terreno abundante en guijarros.

Guijarrazo. m. Golpe dado con guijarro.

Guijarreño, ña. adj. Abundante en guijarros o perteneciente a ellos. || **2.** fig. Aplícase a la persona de complexión dura y fuerte.

Guijarro. (De *guija.*) m. **Canto rodado.** || **Ya escampa, y llovían guijarros.** expr. fig. y fam. que se usa cuando uno persiste pesadamente en porfiar sobre alguna cosa. || **2.** fig. y fam. También se dice cuando sobre un daño recibido sobrevienen otros mayores, o cuando una situación empeora, en vez de mejorar.

Guijarroso, sa. adj. Dícese del terreno en donde hay muchos guijarros.

Guijeño, ña. (De *guija.*) adj. Perteneciente a la guija o que tiene su naturaleza. || **2.** fig. Duro, empedernido.

Guijo. (De *guija.*) m. Conjunto de guijas. Se usa para consolidar y rellenar los caminos. || **2.** ant. **Guijarro.** || **3. Gorrón,** 1.er art., 4.ª acep.

Guijón. m. **Neguijón.**

Guijoso, sa. adj. Aplícase al terreno que abunda en guijo. || **2. Guijeño,** 1.ª acep.

Guilalo. m. Embarcación filipina de cabotaje, de poco calado, popa y proa afiladas, que usa batangas y velas comúnmente de estera.

Guileña. f. **Aguileña.**

Guilindujes. m. pl. *Ar.* Perendengues, perifollos. || **2.** *Hond.* Arreos con adornos colgantes.

Guilla. (Del ár. *gilla,* cosecha.) f. Cosecha copiosa, abundancia. || **De guilla.** loc. De buena granazón. || **2.** A satisfacción, en abundancia.

Guilladura. f. **Chifladura.**

Guillame. (Del fr. *guillaume,* y éste de n. p. *Guillaume.*) m. Cepillo estrecho de que usan los carpinteros y ensambladores para hacer los rebajos y otras cosas que no se pueden acepillar con la garlopa ni otros cepillos.

Guillarse. r. fam. Irse o huirse. || **2.** fam. **Chiflar,** 1.er art., 4.ª acep.

Guillatún. m. *Chile.* Ceremonia solemne que ejecutan los araucanos para pedir a la divinidad lluvia o bonanza.

Güillín. m. **Huillín.**

Guillomo. m. *Bot.* Arbusto de la familia de las rosáceas, de hojas elípticas, dentadas, algo coriáceas; flores blancas en racimo, y fruto del tamaño de un guisante, comestible. Crece en los peñascales de las montañas.

Guillote. (De *guilla.*) m. Cosechero o usufructuario. || **2.** adj. Holgazán y desaplicado. || **3.** Bisoño y no impuesto en las fullerías de los tahúres.

Guillotina. (De *Guillotin,* médico francés, inventor de esta máquina.) f. Máquina inventada en Francia para decapitar a los reos de muerte. || **2.** Máquina de cortar papel, compuesta de una cuchilla vertical, guiada entre un bastidor de hierro. || **3.** fig. y fam. Procedimiento autorizado por los reglamentos de varias Cámaras legislativas para contener la obstrucción, fijando plazo en que ha de terminar la discusión para proceder a la votación de un proyecto de ley. || **De guillotina.** Dícese de las vidrieras y persianas que se abren y cierran resbalando a lo largo de las ranuras del cerco, en vez de girar sobre bisagras.

Guillotinar. tr. Quitar la vida con la guillotina, 1.ª acep.

Güimba. f. *Cuba.* **Guabico.**

Guimbalete. (Del ant. fr. *guimbelet,* y éste del neerl. *wimbel.*) m. Palanca con que se da juego al émbolo de la bomba aspirante.

Guimbarda. (En fr. *guimbarde,* y éste del prov. *guimbardo,* de *guimba,* salto.) f. Cepillo de carpintero, de cuchilla estrecha, perpendicular a la cara y muy saliente, que sirve para labrar el fondo de las cajas y ranuras.

Güin. m. *Cuba.* Pendón o vástago que echan algunas cañas, y es de consistencia fofa, muy ligero; se usa para la armadura de las cometas y para hacer jaulas.

Guinchado, da. p. p. de **Guinchar.** || **2.** adj. *Germ.* Perseguido, acosado.

Guinchar. (De *guincho.*) tr. Picar o herir con la punta de un palo.

Guincho. m. Pincho de palo. || **2.** *Logr.* Gancho terminado en punta. || **3.** *Cuba.* Ave de rapiña de la familia de las falcónidas; plumaje pardo obscuro y blanco; se alimenta de peces.

Guinchón. m. **Desgarrón.**

Guinda. (Como el ant. fr. *guisne* y el bearnés *guinle,* del gr. ϐυσσινός, rojo.) f. Fruto del guindo. || **Beber con guindas.** fr. fig. y fam. con que se encarece el refinamiento de lo que se pide o se hace. || **Echar guindas,** o **echarle guindas, a la tarasca,** y completándolo: **a ver cómo las masca.** fr. fig. y fam. que expresa la dificultad o inutilidad de un esfuerzo que se hace; e irónicamente indica también la facilidad con que uno vence cualquier dificultad.

Guinda. (De *guindar.*) f. *Mar.* Altura total de la arboladura de un buque.

Guindado, da. p. p. de **Guindar.** || **2.** adj. Compuesto con guindas, 1.er art.

Guindal. m. **Guindo.**

Guindalera. f. Sitio plantado de guindos.

Guindaleta. (De *guindar.*) f. Cuerda de cáñamo o cuero, del grueso de un dedo, que sirve para diferentes usos. || **2.** Pie derecho donde los plateros tienen colgado el peso. || **3.** *Albac.* y *And.* Caballería que va la primera en una reata o en un tiro.

Guindaleza. (Del fr. *guinderesse,* y éste del neerl. *windreep.*) f. *Mar.* Cabo de 12 a 25 centímetros de mena, de tres o cuatro cordones colchados de derecha a izquierda y de cien o más brazas de largo, que se usa para diferentes faenas a bordo y en tierra.

Guindamaina. (De *guindar* y *amainar.*) f. *Mar.* Saludo que hacen los buques arriando e izando, una o más veces, su bandera.

Guindar. (Del ant. alto al. *windan,* izar, torcer.) tr. Subir una cosa que ha de colocarse en alto. Ú. t. c. r. || **2.** fam. Lograr una cosa en concurrencia de otros. *Gaspar* GUINDÓ *el empleo.* || **3.** fam. **Ahorcar,** 1.ª acep. Ú. t. c. r. || **4.** *Germ.* Aquejar o maltratar. || **5.** intr. *León.* Resbalar, escurrirse. || **6.** r. Descolgarse de alguna parte por medio de cuerda, soga u otro artificio.

Guindaste. (De *guindar.*) m. *Mar.* Armazón de tres maderos en forma de horca, con cajeras y roldanas para el paso y juego de algunos cabos. || **2.** *Mar.* Cada uno de los dos maderos colocados verticalmente al pie de los palos y a cada banda, para amarrar los escotines de las gavias. || **3.** *Mar.* Armazón de hierro, madera o metal, en forma de horca, para colgar alguna cosa.

Guindilla. (d. de *guinda.*) f. Fruto del guindillo de Indias. || **2.** Pimiento pequeño que pica mucho. || **3.** despect. y fam. **Guardia municipal,** 2.ª acep. || **4.** despect. y fam. **Agente de policía.**

Guindillo de Indias. m. Planta de la familia de las solanáceas, especie de pimiento, que se cultiva en los jardines. Es una mata de unos cinco decímetros de altura, ramosa, con hojas lanceoladas, flores blancas, axilares, pequeñas y muy abundantes, y fruto redondo, encarnado, del tamaño de una guinda y muy picante.

Guindo. (De *guinda.*) m. Árbol de la familia de las rosáceas, especie de cerezo, del que puede distinguirse por ser las hojas más pequeñas y el fruto más redondo y comúnmente ácido. || **griego.** Guindo garrafal.

Guindola. (De *guindar.*) f. *Mar.* Pequeño andamio volante compuesto de tres tablas que, unidas y colgadas por sus extremos, abrazan un palo, y se emplea para rascarlo, pintarlo o hacer en él cualquier otro trabajo semejante. || **2.** *Mar.* Aparato salvavidas provisto de un largo cordel cuyo chicote está sujeto a bordo y que va colgado por fuera en la popa del buque de modo que permite lanzarlo prontamente al agua. Por lo común lleva una luz, que se enciende automáticamente al lanzar el aparato, para que pueda así ser visto de noche por la persona a quien se intenta salvar. || **3.** *Mar.* Barquilla de la corredera. || **4.** *Mar.* V. **Tabla de guindola.**

Guinea. (De *Guinea*, región de África, por ser éstas monedas hechas con el oro traído de allí.) f. Antigua moneda inglesa, equivalente a la par a 26 pesetas y 25 céntimos.

Guinea. (Véase *Guinea*, 1.er art.) n. p. V. **Gallina, hierba, maíz de Guinea.**

Guineo, a. adj. Natural de Guinea. Ú. t. c. s. || **2.** Perteneciente a esta región de África. || **3.** V. **Gallina guinea.** || **4.** V. **Plátano guineo.** Ú. t. c. s. || **5.** m. Cierto baile de movimientos violentos y gestos ridículos, propio de los negros. || **6.** Tañido o son de este baile, que se toca en la guitarra.

Guinga. (De *Guingamp*, ciudad de Bretaña, de donde se importó esta tela.) f. Especie de tela de algodón, aunque a imitación de ella también las había de hilo y de seda.

Guinilla. f. ant. **Genilla.**

Guinja. (De *jinja.*) f. **Azufaifa.**

Guinjo. (De *jinjo.*) m. **Azufaifo.**

Guínjol. (De *jinjol.*) m. **Guinja.**

Guinjolero. (De *jinjolero.*) m. **Guinjo.**

Guiñada. (De *guiñar.*) f. Acción de guiñar. || **2.** *Mar.* Desvío de la proa del buque hacia un lado u otro del rumbo a que se navega, producido por mal gobierno de la embarcación, descuido del timonel, gran marejada u otra causa.

Guiñador, ra. adj. Que guiña los ojos.

Guiñadura. (De *guiñar.*) f. **Guiñada.**

Guiñapiento, ta. adj. **Guiñaposo.**

Guiñapo. m. Andrajo o trapo roto, viejo o deslucido. || **2.** fig. Persona que anda con vestido roto y andrajoso. || **3.** fig. Persona envilecida, degradada.

Guiñaposo, sa. adj. Lleno de guiñapos o andrajos.

Guiñar. (Del fr. *guigner*, y éste del germ. *winkjan.*) tr. Cerrar un ojo momentáneamente quedando el otro abierto. Hácese a veces con disimulo por vía de señal o advertencia. || **2.** *Mar.* Dar guiñadas el buque por mal gobierno, marejada u otra causa, o darlas al intento por medio del timón. || **3.** rec. Darse de ojo; hacerse guiños o señas con los ojos. || **4.** r. *Germ.* Guillarse, 1.ª acep.

Guiñarol. (De *guiñar.*) m. *Germ.* Aquel a quien hacen señas con los ojos.

Guiño. (De *guiñar.*) m. **Guiñada,** 1.ª acep.

Guiñón. (De *guiño.*) m. *Germ.* Seña que se hace con un ojo.

Guiñote. m. Juego de naipes, variante del tute.

Guión. (De *guía.*) adj. V. **Perro guión.** Ú. t. c. s. || **2.** m. Cruz que va delante del prelado o de la comunidad como insignia propia. || **3.** Estandarte del rey o de cualquier otro jefe de hueste. || **4.** Pendón pequeño o bandera arrollada que se lleva delante de algunas procesiones. || **5.** Escrito en que breve y ordenadamente se han apuntado algunas especies o cosas con objeto de que sirva de guía para determinado fin. || **6.** Argumento de una obra cinematográfica, expuesto con todos los pormenores necesarios para su cabal realización. || **7.** El que en las danzas guía la cuadrilla. || **8.** Ave delantera en las bandadas que van de paso. || **9.** fig. El que va delante, enseña y amaestra a alguno. || **10.** *Gram.* Signo ortográfico (-) que se pone al fin del renglón que termina con parte de una palabra cuya otra parte, por no caber en él, se ha de escribir en el siguiente. Ú. t. para unir las dos partes de alguna palabra compuesta, como *aovado-lanceolada*. Úsase de **guiones** más largos para separar las oraciones incidentales que no se ligan con ninguno de los miembros del período; para indicar en los diálogos cuándo habla cada interlocutor, evitando así la repetición de advertencias, y para suplir al principio de línea, en índices y otros escritos semejantes, el vocablo con que empieza otra línea anterior. || **11.** *Mar.* Parte más delgada del remo, desde la empuñadura hasta el punto en que se afirma en el tolete. || **12.** *Mús.* Nota o señal que se pone al fin de la escala cuando no se puede seguir y ha de volver a empezar; y denota el punto de la escala, línea o espacio en que se prosigue la solfa. || **de codornices.** Rey de codornices.

Guionaje. (De *guión.*) m. Oficio del guía o conductor.

Guipar. tr. vulg. Ver, percibir, descubrir.

Guipuscoano, na. adj. ant. **Guipuzcoano.** Apl. a pers., usáb. t. c. s.

Guipuz. adj. ant. **Guipuzcoano.** Apl. a pers., usáb. t. c. s.

Guipuzcoano, na. adj. Natural de Guipúzcoa. Ú. t. c. s. || **2.** Perteneciente a esta provincia. || **3.** Uno de los ocho principales dialectos del vascuence.

Güira. (Voz americana.) f. *Ant.* Árbol tropical de la familia de las bignoniáceas, de cuatro a cinco metros de altura, con tronco torcido y copa clara; hojas sentadas, opuestas, grandes y acorazonadas; flores axilares, blanquecinas, de mal olor, y fruto globoso, de corteza dura y blanquecina, lleno de pulpa blanca con semillas negras. De este fruto, serrado en dos partes iguales, hacen los campesinos de América tazas, platos, jofainas, etc., según su tamaño. || **2.** Fruto de este árbol.

Guiri. (Contracc. del vasc. *Guiristino, Cristino.*) m. Nombre con que, durante las guerras civiles del siglo XIX, designaban los carlistas a los partidarios de la reina Cristina, y después a todos los liberales, y en especial a los soldados del gobierno. || **2.** vulg. Individuo de la guardia civil. || **3.** *Ál.* **Tojo,** 1.ª acep.

Guirigay. (Voz imitativa.) m. fam. Lenguaje obscuro y de dificultosa inteligencia. || **2.** Gritería y confusión que resulta cuando varios hablan a la vez o cantan desordenadamente.

Guirindola. f. Chorrera de la camisola.

Guirlache. (Del fr. *grillage*, de *grille*, parrilla, y éste del lat. *craticŭla*, rejilla.) m. Pasta comestible de almendras tostadas y caramelo.

Guirlanda. (Del fr. *guirlande*, y este del germ. *wieren.*) f. desus. **Guirnalda.**

Guirnalda. (De *guirlanda.*) f. Corona abierta, tejida de flores, hierbas o ramas, con que se ciñe la cabeza; úsase más como simple adorno, y se llama también así la tira tejida de flores y ramas que no forma círculo. || **2. Perpetua.** || **3.** Cierto tejido de lana basta que se usó antiguamente. || **4.** *Mil.* Especie de rosca embreada y dispuesta en forma de **guirnalda,** que se arrojaba encendida desde las plazas para descubrir de noche a los enemigos.

Guirnaldeta. f. d. de **Guirnalda.**

Güiro. m. *Bol.* y *Perú.* Tallo del maíz verde. || **2.** *Ant.* Nombre genérico de varios bejucos. || **3.** *Ant.* Instrumento músico que se hace con el fruto del **güiro.**

Guiropa. f. Guisado de carne con patatas, u otro semejante.

Guisa. (Del germ. *wîsa.*) f. Modo, manera o semejanza de una cosa. || **2.** ant. Voluntad, gusto, antojo. || **3.** ant. Clase o calidad. || **A guisa.** m. adv. A modo, de tal suerte, en tal manera. || **A la guisa.** m. adv. ant. **A la brida.** || **De guisa.** m. adv. ant. Con condición, de manera. || **De,** o **en, tal guisa.** m. adv. **A guisa.**

Guisadamente. adv. m. ant. Cumplidamente, regladamente.

Guisado, da. p. p. de **Guisar.** || **2.** adj. ant. Útil o conveniente. || **3.** ant. Aplicábase a la persona bien parecida o dispuesta. || **4.** ant. Dispuesto, preparado, prevenido de lo necesario para una cosa. || **5.** ant. Justo, conveniente, razonable. Usáb. t. c. s. m. || **6.** m. Guiso preparado con salsa, después de rehogado el manjar y mezclado por lo general con cebolla y harina. || **7.** Guiso de pedazos de carne, con salsa y generalmente con patatas. || **8.** *Germ.* ant. **Mancebía,** 1.ª acep. Usáb. sólo como neutro. || **Estar** uno **mal guisado.** fr. fam. Estar disgustado, displicente, desazonado.

Guisador, ra. adj. Que guisa la comida. Ú. t. c. s.

Guisamiento. (De *guisar.*) m. ant. Aderezo, disposición o compostura de una cosa.

Guisandero, ra. m. y f. Persona que guisa la comida.

Guisantal. m. Tierra sembrada de guisantes.

Guisante. m. *Bot.* Planta hortense de la familia de las papilionáceas, con tallos volubles de uno a dos metros de longitud; hojas pecioladas, compuestas de tres pares de hojuelas elípticas, enteras y ondeadas por el margen; estípulas a menudo convertidas en zarcillos; flores axilares en racimos colgantes de color blanco, rojo y azulado, y fruto en vaina casi cilíndrica, con diversas semillas próximamente esféricas, de seis a ocho milímetros de diámetro. || **2.** Semilla de esta planta. || **de olor.** Variedad de almorta que se cultiva en los jardines, porque además de tener flores amariposadas, tricolores y de excelente perfume, es muy trepadora.

Guisar. (De *guisa.*) tr. Preparar los manjares sometiéndolos a la acción del fuego. || **2.** Preparar los alimentos haciéndolos cocer, después de rehogados, en una salsa compuesta de grasa, agua o caldo, cebolla y otros condimentos. || **3.** fig. Ordenar, componer una cosa. || **4.** ant. Adobar, escabechar o preparar las carnes o pescados para su conservación. || **5.** p. us. Cuidar, disponer, preparar. Ú. t. c. r.

Guisaso. m. *Cuba.* Nombre genérico que se aplica a diferentes especies de plantas silvestres, todas herbáceas y de fruto verde aovado o redondo, erizado de espinas, como los amores o cadillos.

Guiso. (De *guisar.*) m. Manjar guisado.

Guisopillo. m. **Hisopillo.**

Guisopo. m. des. **Hisopo.**

Guisote. (despect. de *guiso.*) m. Guisado ordinario y grosero, hecho con poco cuidado.

Guita. (Del lat. *vitta*, cinta.) f. Cuerda delgada de cáñamo.

Guita. (De *dita.*) f. fam. **Dinero,** 1.ª y 3.ª aceps.

Guitar. tr. Coser o labrar con guita, 1.er art.

Guitarra. (Del ár. *qiṭāra,* y éste del gr. κιθάρα, cítara.) f. Instrumento músico de cuerda, que se compone de una caja de madera, a modo de óvalo estrechado por el medio, con un agujero circular en el centro de la tapa y un mástil con trastes. Seis clavijas colocadas en el extremo de este mástil sirven para templar otras tantas cuerdas aseguradas en un puente fijo en la parte inferior de la tapa, que se pulsan con los dedos de la mano derecha mientras las pisan los de la izquierda donde conviene al tono. || **2.** Instrumento para quebrantar y moler el yeso hasta reducirlo a polvo: se compone de una tabla gruesa, de unos cuatro decímetros en cuadro, y un mango ajustado en el centro casi perpendicularmente. || **3.** *Venez.* Traje de fiesta. || **Estar bien, o mal, templada la guitarra.** fr. fig. y fam. Estar uno de buen, o mal, humor. || **Estar** una cosa **puesta a la guitarra.** fr. fig. y fam. Estar puesta con primor, conforme al arte, al uso o a la moda. || **Pegar** una cosa **como guitarra en un entierro.** fr. No cuadrar con la sazón en que se emplea. || **Ser** uno **buena guitarra.** fr. fig. y fam. **Ser buena maula.** || **Venir** una cosa **como guitarra en un entierro.** fr. **Pegar como guitarra en un entierro.**

Guitarrazo. m. Golpe dado con la guitarra.

Guitarreo. m. Toque de guitarra repetido o cansado.

Guitarrería. (De *guitarrero.*) f. Taller donde se fabrican guitarras, bandurrias, bandolines y laúdes. || **2.** Tienda donde se venden.

Guitarrero, ra. m. y f. Persona que hace o vende guitarras. || **2. Guitarrista.**

Guitarresco, ca. adj. fam. Perteneciente o relativo a la guitarra.

Guitarrillo. m. Instrumento músico de cuatro cuerdas y de la forma de una guitarra muy pequeña. || **2. Tiple,** 2.ª acep.

Guitarrista. com. Persona que toca por oficio la guitarra. || **2.** Persona diestra en el arte de tocar la guitarra.

Guitarro. (De *guitarra.*) m. **Guitarrillo,** 1.ª acep.

Guitarrón. m. aum. de **Guitarra.** || **2.** fig. y fam. Hombre sagaz y picarón.

Guite. (De *guitar.*) m. ant. **Guita,** 1.er art.

Guitero, ra. (De *guita.*) m. y f. Persona que hace o vende guita, 1.er art.

Guito, ta. (Del vasc. *gait,* malo.) adj. *Ar.* Aplícase al macho, mula u otro animal de carga, falso.

Guitón. (Del fr. *jeton,* ficha.) m. Especie de moneda que servía para tantear.

Guitón, na. (Del ital. *guitto,* abyecto, y éste del lat. *vietus,* débil.) adj. Pícaro pordiosero que con capa de necesidad anda vagando de lugar en lugar, sin querer trabajar ni sujetarse a cosa alguna. Ú. t. c. s.

Guitonear. (De *guitón.*) intr. Andarse a la briba sin aplicación a ningún trabajo.

Guitonería. f. Acción y efecto de guitonear.

Guizacillo. m. Planta propia de las regiones cálidas, de la familia de las gramíneas, con las cañas postradas en la base, acodadas, ramosas, y los ramos derechos, lampiños, de cuatro decímetros de alto, las vainas flojas, las hojas estrechas, largas, muy agudas y ásperas en el borde, y flores en espiga densa, terminal, casi sentadas en una raspa flexuosa.

Guizazo. m. *Cuba.* **Pata de gallo,** 1.ª acep.

Guizgar. tr. **Enguizgar.**

Guiznar. intr. desus. Hacer guiños.

Guizque. m. Palo con un gancho en una extremidad para alcanzar algo que está en alto. || **2.** *And.* Palo con regatón en un extremo y en el otro una horquilla de hierro que sirve para descansar las andas en las procesiones. || **3.** *Albac., Murc.* y *Ter.* **Aguijón,** 2.ª acep.

Guizquero. m. *And.* El que lleva las andas en las procesiones.

Guja. (Del fr. *vouge,* y éste del célt. *vidubium,* hoz.) f. Archa enastada, o lanza con hierro en forma de cuchilla ancha y de unos tres decímetros de largo, que usaron los archeros.

Gula. (Del lat. *gula.*) f. Exceso en la comida o bebida, y apetito desordenado de comer y beber. || **2.** desus. *And.* **Bodegón,** 1.ª y 2.ª aceps. || **3.** ant. **Esófago.**

Gules. (Del fr. *gueules,* de *gueule,* y éste del lat. *gula,* garganta.) m. pl. *Blas.* Color rojo heráldico que en pintura se expresa por el rojo vivo y en el grabado por líneas verticales muy espesas.

Gulosamente. adv. m. ant. Con gula.

Gulosidad. f. **Glotonería.**

Gulosidad. f. p. us. **Gula,** 1.ª acep.

Guloso, sa. (Del lat. *gulōsus,* comedor, tragón.) adj. Que tiene gula o se entrega a ella. Ú. t. c. s.

Gulusmear. (De *goloso.*) intr. **Golosinear,** andar oliendo lo que se guisa.

Gulusmero, ra. adj. Que gulusmea.

Gullería. f. **Gollería.**

Gulloria. f. **Calandria,** 1.er art., 1.ª acep. || **2. Gollería.**

Gumamela. f. *Filip.* Planta malvácea.

Gúmena. (Del turco arabizado *kūmana* o *gumna,* cable.) f. *Mar.* Maroma gruesa que sirve en las embarcaciones para atar las áncoras y para otros usos.

Gumeneta. f. d. de **Gúmena.**

Gumía. (Del ár. *kummiyya,* faca, cuchillo de punta curva, tal vez así llamado porque se llevaba en el *kumm* o manga.) f. Arma blanca, como daga un poco encorvada, que usan los moros.

Gunneráceo, a. (De *gunnera,* nombre de un género de plantas.) adj. *Bot.* Dícese de hierbas perennes angiospermas dicotiledóneas, con hojas de grandes pecíolos, inflorescencias en forma de panoja y fruto en drupa; como el pangue. Ú. t. c. s. f. || **2.** f. pl. *Bot.* Familia de estas plantas.

Gura. f. *Germ.* La justicia.

Gura. f. Paloma de hermoso color azul y con moño, que vive en bandadas en los bosques de Filipinas.

Gurapas. (Del ár. *gurāb,* galera, navío.) f. pl. *Germ.* **Galeras,** 13.ª acep.

Gurbia. (Del lat. *gulbia,* voz de or. céltico.) f. ant. **Gubia.** Ú. en *Amér.*

Gurbio, bia. (De *gurbia.*) adj. Dícese de los instrumentos de metal que tienen alguna curvatura.

Gurbión. (De *gurbio.*) m. Tela de seda de torcidillo o cordoncillo. || **2.** Cierta especie de torzal grueso usado por los bordadores en las guarniciones y bordados.

Gurbión. (Del ár. *ǰurbiyūm,* y éste del gr. εὐφόρβιον.) m. Goma del euforbio.

Gurbionado, da. adj. Que se hace con gurbión. 1.er art., 2.ª acep.

Gurbiote. m. *Nav.* **Madroño,** 1.ª acep.

Gurdo, da. (Del lat. *gurdus.*) adj. Necio, simple, insensato.

Guro. (De *gura,* 1.er art.) m. *Germ.* **Alguacil,** 1.ª acep.

Gurón. (De *guro.*) m. *Germ.* Alcaide de la cárcel.

Gurriato. (despect. de *gorrión.*) m. Pollo del gorrión. || **2.** *León, Sal.* y *Zam.* Cerdo pequeño.

Gurrufero. m. fam. Rocín feo y de malas mañas.

Gurrumina. (Del vasc. *gur-mina.*) f. fam. Condescendencia y contemplación excesiva a la mujer propia. || **2.** *Cuba, Extr., Guat.* y *Méj.* Pequeñez, fruslería, cosa baladí. || **3.** *Ecuad., Guat.* y *Méj.* Cansera, molestia.

Gurrumino, na. (De *gurrumina.*) adj. fam. Ruin, desmedrado, mezquino. || **2.** *Bol.* y *Perú.* Cobarde, pusilánime. || **3.** m. fam. El que tiene gurrumina. || **4.** m. y f. *Méj.* y *Sal.* Chiquillo, niño, muchacho.

Gurullada. (De *grullada.*) f. fam. Cuadrilla de gente baladí. || **2.** *Germ.* Tropa de corchetes y alguaciles.

Gurullo. m. **Burujo,** 1.ª acep. || **2.** *And.* Pasta de harina, agua y aceite que se desmenuza formando unas bolitas o granos.

Gurumelo. (Del lat. *cucumellus,* de *cucumis, -ĕris,* cohombro.) m. *And.* Seta comestible de color pardo que nace en los jarales.

Gurupa. f. **Grupa.**

Gurupera. f. **Grupera.**

Guropetín. m. Gurupera pequeña.

Gusanear. (De *gusano.*) intr. **Hormiguear.**

Gusanera. (De *gusano.*) f. Llaga o parte donde se crían gusanos. || **2.** Zanja que se abre cerca de los gallineros y se llena de capas alternadas de paja triturada, excrementos de caballería y tierra vegetal, todo lo cual se riega con sangre de matadero y heces de vino o sidra, para que al fermentar y corromperse faciliten la producción de gusanos y larvas que sirvan de alimento a las gallinas. || **3.** fig. y fam. Pasión que más reina en el ánimo. *Le dio en la* GUSANERA. || **4.** *And.* y *Ar.* Herida en la cabeza.

Gusanería. f. Copia o muchedumbre de gusanos.

Gusaniento, ta. adj. Que tiene gusanos.

Gusanillo. m. d. de **Gusano.** || **2.** Cierto género de labor menuda que se hace en los tejidos de lienzo y otras telas. || **3.** Hilo de oro, plata, seda, etc., ensortijado para formar con él ciertas labores. || **4.** *And.* Especie de pestiño. || **Matar el gusanillo.** fr. fig. y fam. **Tomar la mañana,** 2.ª acep.

Gusano. (Del lat. **cossānus,* de *cossus* o *cossis.*) m. *Zool.* Cualquiera de las larvas vermiformes de insectos que tienen metamorfosis complicadas, como las de algunas moscas, que se desarrollan en las carnes corrompidas, las de ciertos coleópteros, que se crían en el jamón, etc. || **2. Lombriz.** || **3. Oruga,** 3.ª acep. || **4.** fig. Hombre humilde y abatido. || **5.** *Zool.* Cualquiera de los animales metazoos, invertebrados, de vida libre o parásitos, que tienen el cuerpo alargado, segmentado y con simetría bilateral, sin extremidades articuladas, con sistema nervioso formado por ganglios dispuestos en serie longitudinal y unidos entre sí por delgados cordones; tegumento blando, sin caparazón, íntimamente unido a una capa muscular cuyas contracciones sirven para la locomoción del animal; como la tenia, la lombriz y la sabela. || **6.** pl. Tipo de estos animales. || **Gusano de la conciencia.** fig. Remordimiento nacido del mal obrar. || **de luz. Luciérnaga.** || **de San Antón. Cochinilla,** 1.er art. || **de sangre roja.** *Zool.* **Anélido.** || **de la seda,** o **de seda.** Larva de un insecto lepidóptero pequeño, de alas blancas con bordes obscuros, la cual tiene un cornezuelo en el anillo posterior; llega a unos siete centímetros de largo, se alimenta de hojas de morera y hace un capullo de seda, dentro del cual se transforma en crisálida y después en mariposa. || **revoltón. Convólvulo,** 1.ª acep.

Gusanoso, sa. adj. Que tiene gusano.

Gusarapiento, ta. adj. Que tiene gusarapos o está lleno de ellos. ‖ **2.** fig. Muy inmundo o corrompido.

Gusarapo, pa. (despect. de *gusano.*) m. y f. Cualquiera de los diferentes animalejos de forma de gusanos, que se crían en los líquidos.

Gustable. (Del lat. *gustabĭlis.*) adj. Perteneciente o relativo al gusto. ‖ **2.** ant. **Gustoso,** 1.ª acep. Ú. en *Chile* y *León.*

Gustación. (Del lat. *gustatĭo, -ōnis.*) f. Acción y efecto de gustar; probadura.

Gustadura. f. Acción de gustar.

Gustar. (Del lat. *gustāre.*) tr. Sentir y percibir en el paladar el sabor de las cosas. ‖ **2. Experimentar.** ‖ **3.** intr. Agradar una cosa; parecer bien. ‖ **4.** Desear, querer y tener complacencia en una cosa. GUSTAR *de correr, de jugar.*

Gustativo, va. adj. Perteneciente al sentido del gusto.

Gustazo. m. aum. de **Gusto.** ‖ **2.** fam. Gusto grande que uno tiene o se promete de chasquear o hacer daño a otro. ‖ **Por un gustazo, un trancazo.** ref. con que se significa que nada es difícil ni costoso cuando se desea mucho.

Gustillo. (d. de *gusto*). m. Dejo o saborcillo que percibe el paladar en algunas cosas, cuando el sabor principal no apaga del todo otro más vivo y penetrante que hay en ellas.

Gusto. (Del lat. *gustus.*) m. Uno de los sentidos corporales con que se percibe y distingue el sabor de las cosas. En los vertebrados, los órganos de este sentido se hallan principalmente en la lengua, y en muchos invertebrados, como crustáceos, insectos y moluscos, consiste en células tegumentarias, a veces provistas de pelos sensitivos. ‖ **2.** Sabor que tienen las cosas en sí mismas, o que produce la mezcla de ellas por el arte. ‖ **3.** Placer o deleite que se experimenta con algún motivo, o se recibe de cualquier cosa. ‖ **4.** Propia voluntad, determinación o arbitrio. ‖ **5.** Facultad de sentir o apreciar lo bello o lo feo. *Diego tiene buen* GUSTO. Sin calificativo se toma siempre en buena parte. *Vicente tiene* GUSTO, o *es hombre de* GUSTO. ‖ **6.** Cualidad, forma o manera que hace bella o fea una cosa. *Obra, traje de buen* GUSTO; *adorno de mal* GUSTO. Sin calificativo se toma siempre en buena parte. *Traje de* GUSTO, o *de poco,* o *de mucho* GUSTO. ‖ **7.** Manera de sentirse o ejecutarse la obra artística o literaria en país o tiempo determinado. *El* GUSTO *griego, el* GUSTO *francés, el* GUSTO *del siglo pasado, el* GUSTO *moderno, el* GUSTO *antiguo.* ‖ **8.** Manera de apreciar las cosas cada persona; sentimiento de apreciación propio de cada cual. *Los hombres tienen* GUSTOS *diferentes.* ‖ **9.** Capricho, antojo, diversión. ‖ **A gusto.** m. adv. Según conviene, agrada o es necesario. ‖ **Al gusto dañado, o estragado, lo dulce le es amargo.** ref. que enseña que, por lo común, es ocioso reconvenir con suavidad al que está preocupado por alguna pasión vehemente. ‖ **«A tu gusto, mula», y le daban de palos.** fr. proverb. con que se zahiere a quien se empeña en hacer cosas de que ha de resultarle daño o perjuicio. ‖ **Caer en gusto.** fr. ant. **Caer en gracia.** ‖ **Dar** a uno **por el gusto.** fr. Obrar en el sentido que desea. ‖ **De gustos no hay** nada **escrito,** o **no se ha escrito.** ref. con que se quiere dar a entender que cada cual puede tener lícitamente sus **gustos,** por no ser posible discernir los buenos de los malos. ‖ **Despacharse** uno **a su gusto.** fr. fam. Hacer o decir sin reparo lo que le acomoda. ‖ **Hablar al gusto.** fr. Hablar según el deseo o contemplación del que oyó o preguntó. ‖ **Hay gustos que merecen palos.** fr. proverb. con que se afirma que algunos **gustos** son de todo punto desacertados y reprobables. ‖ **Ir a gusto en el machito.** fr. fig. y fam. que se aplica a la persona que rehusa abandonar una situación cómoda y provechosa. ‖ **Más vale un gusto que cien panderos.** ref. que significa que se prefiere un capricho al bien que puede resultar de omitirlo. ‖ **Sobre gusto,** o **gustos, no hay disputa;** o **sobre gustos no se ha escrito,** o **no hay nada escrito.** ref. **De gustos no hay nada escrito.** ‖ **Tomar el gusto** a una cosa. fr. fig. Aficionarse a ella.

Gustosamente. adv. m. Con gusto.

Gustoso, sa. adj. **Sabroso.** ‖ **2.** Que siente gusto o hace con gusto una cosa. ‖ **3.** Agradable, divertido, entretenido; que causa gusto o placer.

Gutagamba. f. Árbol de la India, de la familia de las gutíferas, con tronco recto de 8 a 10 metros de altura; copa espaciosa; hojas pecioladas, enteras y coriáceas; flores masculinas y femeninas separadas, con corola de color rojo amarillento; fruto en baya semejante a una naranja y con cuatro semillas duras, oblongas y algo aplastadas. De este árbol fluye una gomorresina sólida, amarilla, de sabor algo acre, que se emplea en farmacia y en pintura y entra en la composición de algunos barnices. ‖ **2.** Esta gomorresina.

Gutapercha. (Del ingl. *gutta-percha,* y éste del malayo *guetah,* goma, y *perca,* el árbol que la produce.) f. Goma translúcida, sólida, flexible, e insoluble en el agua, que se obtiene haciendo incisiones en el tronco de cierto árbol de la India, correspondiente a la familia de las sapotáceas. Blanqueada y calentada en agua, se pone bastante blanda, adhesiva y capaz de estirarse en láminas y tomar cualquier forma, que conserva tenazmente después de seca. Tiene gran aplicación en la industria para fabricar telas impermeables y sobre todo para envolver los conductores de los cables eléctricos, por ser esta substancia muy aisladora. ‖ **2.** Tela barnizada con esta substancia.

Gutiámbar. (Del lat. *gutta* y *ámbar.*) f. Cierta goma de color amarillo, que sirve para iluminaciones y miniaturas.

Gutífero, ra. (Del lat. *gutta* y *fero.*) adj. *Bot.* Aplícase a hierbas vivaces, arbustos y árboles angiospermos dicotiledóneos, en su mayoría originarios de la zona tórrida, con hojas opuestas, enteras casi siempre y pecioladas; flores terminales o axilares, en panoja o racimo; fruto en cápsula o en baya, con semillas sin albumen, a veces con arilo. Por incisiones, y aun naturalmente, estas plantas segregan jugos resinosos; como la gutapercha, el calambuco y el corazoncillo. Ú. t. c. s. f. ‖ **2.** f. pl. *Bot.* Familia de estas plantas.

Gutural. (Del lat. *guttŭrālis,* de *guttur,* garganta). adj. Perteneciente o relativo a la garganta. ‖ **2.** *Gram.* Dícese de cada una de las consonantes *g, j,* y *k,* llamadas más propiamente velares. Ú. t. c. s. f. ‖ **3.** *Fon.* Aplícase al sonido articulado que se produce por estrechamiento y contracción de la garganta, como la *j* aspirada en algunas partes de Andalucía. ‖ **4.** *Fon.* Letra que representa este sonido. Ú. t. c. s. f.

Guturalmente. adv. m. Con sonido o pronunciación gutural.

Guzla. f. Instrumento de música de una sola cuerda de crin, a modo de rabel, con el cual los ilirios acompañan sus cantos.

Guzmán. (Del godo *gods,* bueno, y *manna,* hombre). m. Noble que servía en la armada real y en el ejército de España con plaza de soldado, pero con distinción.

Guzpatarero. (De *guzpátaro.*) m. *Germ.* Ladrón que horada las paredes.

Guzpátaro. m. *Germ.* **Agujero,** 1.ª acep.

Guzpatarra. f. Cierto juego de muchachos usado antiguamente.

H

H. f. Novena letra del abecedario español, y séptima de sus consonantes. Su nombre es **hache,** y hoy no tiene sonido. Antiguamente se aspiraba en algunas palabras, y aún suele pronunciarse así en Andalucía y Extremadura. Fuera de estas regiones se aspira también en muy pocas voces, como *holgorio,* y otras que el Diccionario indica.

¡Ha! interj. **¡Ah!**

Haba. (Del lat. *faba.*) f. *Bot.* Planta herbácea, anual, de la familia de las papilionáceas, con tallo erguido, de un metro próximamente, ramoso y algo estriado; hojas compuestas de hojuelas elípticas, crasas, venosas y de color verde azulado; flores amariposadas, blancas o róseas, con una mancha negra en los pétalos laterales, olorosas y unidas dos o tres en un mismo pedúnculo, y fruto en vaina de unos 12 centímetros de largo, rolliza, correosa, aguzada por los extremos, con cinco o seis semillas grandes, oblongas, aplastadas, blanquecinas o prietas y con una raya negra en la parte asida a la misma vaina. Estas semillas son comestibles, y aun todo el fruto cuando está verde. Se cree que la planta procede de Persia, pero se cultiva de antiguo en toda Europa. ‖ **2.** Fruto y semilla de esta planta. ‖ **3.** Simiente de ciertos frutos; como el café, el cacao, etc. ‖ **4.** Cada una de las bolitas blancas y negras con que se hacen las votaciones secretas en algunas congregaciones, para lo cual primeramente se usaron **habas,** o de diversos colores, o peladas y cubiertas. ‖ **5. Gabarro,** 1.ª acep. ‖ **6. Roncha,** 1.er art., 1.ª acep. ‖ **7.** fig. Figurilla de porcelana escondida en una rosca o bizcocho, generalmente de Pascuas, la cual se toma por buen agüero para la persona a quien toca el trozo que la contiene. ‖ **8. Bálano,** 1.ª acep. ‖ **9.** *Ast.* Habichuela, judía. ‖ **10.** *Germ.* **Uña,** 1.ª acep. ‖ **11.** *Min.* Trozo de mineral más o menos redondeado y envuelto por la ganga, que suele presentarse en los filones. ‖ **12.** *Veter.* Tumor que se forma a las caballerías en el paladar, inmediatamente detrás de los dientes incisivos. ‖ **de Egipto. Colocasia.** ‖ **de las Indias. Guisante de olor.** ‖ **del Calabar.** *Bot.* Planta de la familia de las papilionáceas, de la que se extrae la fisostigmina. ‖ **de San Ignacio.** Arbusto de la familia de las loganiáceas, que se cría en Filipinas, ramosísimo, con hojas opuestas, pecioladas, ovales, agudas, enteras y lampiñas; flores blancas de olor de jazmín y forma de embudo, en panojas axilares, colgantes y con un pedúnculo común; fruto en cápsula carnosa del tamaño de una pera, con 20 ó 24 semillas duras, de corteza córnea, color leonado y volumen como una avellana, pero de forma más aplastada, de sabor muy amargo, y que se usa en medicina como purgante y emético por la estricnina que contiene. ‖ **2.** Simiente de esta planta. ‖ **marina. Ombligo de Venus,** 2.ª acep. ‖ **panosa.** Variedad del **haba** común, pastosa, y que se emplea por lo regular para alimento de las caballerías. ‖ **2.** Fruto de esta planta. ‖ **tonca.** Semilla de la sarapia. ‖ **Habas verdes.** fig. Canto y baile popular de Castilla la Vieja. ‖ **Echar las habas.** fr. fig. Hacer hechizos o sortilegios por medio de **habas** y de otras cosas. ‖ **Son habas contadas.** expr. fig. con que se denota ser una cosa cierta y clara. ‖ **2.** Dícese de cosas que son número fijo y por lo general escaso.

Habado, da. adj. Dícese del animal que tiene la enfermedad del haba. ‖ **2.** Aplícase al que tiene en la piel manchas en figura de habas. ‖ **3.** Dícese del ave, especialmente de la gallina, cuyas plumas de varios colores se entremezclan, formando pintas.

Habanera. f. Danza propia de la Habana, que se ha generalizado. ‖ **2.** Música de esta danza.

Habanero, ra. adj. Natural de la Habana. Ú. t. c. s. ‖ **2.** Perteneciente a esta ciudad. ‖ **3. Indiano,** 5.ª acep. Ú. t. c. s.

Habano, na. adj. Perteneciente a la Habana, y por ext., a la isla de Cuba. Dícese más especialmente del tabaco. ‖ **2.** Dícese del color del tabaco claro. ‖ **3.** m. Cigarro puro elaborado en la isla de Cuba con hoja de la planta de aquel país.

Habar. m. Terreno sembrado de habas. ‖ **El habar de Cabra se secó lloviendo.** fr. prov. que reprende a los que se empeoran con el beneficio.

Hábeas corpus. (De la fr. lat. *Habeas corpus* [de N.] *ad subiiciendum,* etc., con que comienza el auto de comparecencia.) m. Derecho de todo ciudadano, detenido o preso, a comparecer inmediata y públicamente ante un juez o tribunal para que, oyéndole, resuelva si su arresto fué o no legal, y si debe alzarse o mantenerse. Es frase usada en Inglaterra, y hoy admitida en nuestro idioma.

Habedero, ra. adj. ant. Que se ha de haber o percibir.

Háber. (Del hebr. *habber,* sabio.) m. Sabio o doctor entre los judíos. Título algo inferior al de rabí o rabino.

Haber. (Del infinit. *haber.*) m. Hacienda, caudal, conjunto de bienes y derechos pertenecientes a una persona natural o jurídica. Ú. m. en pl. ‖ **2.** Cantidad que se devenga periódicamente en retribución de servicios personales. ‖ **3.** *Com.* Una de las dos partes en que se dividen las cuentas corrientes. En las columnas que están debajo de este epígrafe se comprenden todas las sumas que se acreditan o descargan al individuo a quien se abre la cuenta. Las partidas que se anotan en el **haber** forman el débito del que abre la cuenta y el crédito de aquel a quien se lleva. ‖ **4.** fig. Cualidades positivas o méritos que se consideran en una persona o cosa, en oposición a las malas cualidades o desventajas. ‖ **monedado.** Moneda, dinero en especie.

Haber. (Del lat. *habēre.*) tr. Poseer, tener una cosa. ‖ **2.** Apoderarse uno de alguna persona o cosa; llegar a tenerla en su poder. *Los malhechores no pudieron* SER HABIDOS; *Antonio lee cuantos libros puede* HABER. ‖ **3.** Verbo auxiliar que sirve para conjugar otros verbos en los tiempos compuestos. *Yo* HE *amado; tú* HABRÁS *leído.* ‖ **4.** impers. Acaecer, ocurrir, sobrevenir. HUBO *una hecatombe.* ‖ **5.** Verificarse, efectuarse. *Ayer* HUBO *junta; mañana* HABRÁ *función.* ‖ **6.** En frases de sentido afirmativo, ser necesario o conveniente aquello que expresa el verbo o cláusula a que va unido por medio de la conjunción *que.* HAY *que pasear;* HAY *que tener paciencia;* HAY *que ver lo que se hace.* ‖ **7.** En frases de sentido negativo, ser inútil, inconveniente o imposible aquello que expresa el verbo o cláusula a que va unido con la conjunción *que* o sin ella. *No* HAY *que correr; no* HAY *diferenciar cosas tan parecidas.* ‖ **8.** Estar realmente en alguna parte. HABER *veinte personas en una reunión;* HABER *poco dinero en un bolsillo.* ‖ **9.** Hallarse o existir real o figuradamente. HAY *hombres sin caridad;* HAY *razones en apoyo de tu dictamen;* HABER *tal distancia de una parte a otra;* HABER *gran diferencia entre esto y aquello.* ‖ **10.** Denotando transcurso de tiempo, **hacer.** HA *cinco días; poco tiempo* HA; HABRÁ *diez años.* ‖ **11.** r. Portarse, proceder bien o mal. || **Haber de.** En esta forma es auxiliar de otro verbo, llevándolo al presente de infinitivo, y se presta a diversos conceptos. HE DE *salir temprano;* HABRÉ DE *conformarme;* HAS DE *tener entendido.* || **Allá se las haya,** o **se las hayan,** o **se lo haya,** o **se lo hayan,** o **te las hayas,** o **te lo hayas.** locs. fams. que se usan para denotar que uno no quiere tener participación en alguna cosa o que se separa del dictamen de otro por temer mal efecto. || **Bien haya.** Expresión que se usa en frases exclamativas, como bendición. || **Haber dello con dello.** fr. fam. Andar mezclado lo bueno con lo malo, lo agradable con lo desagradable. || **Haberlas,** o **haberlo, con** uno. fr. fam. Tratar con él, y especialmente disputar o contender con él. || **Haber** a uno **por confeso.** fr. *For.* Declararle o reputarle por confeso, teniendo por reconocida una firma o por contestada afirmativamente una pregunta, por falta de comparecencia a declarar, después de cumplidos los requisitos que la ley preceptúa. || **Habérselas** con uno. fr. fam. Disputar o contender con él. || **¡Habráse visto!** Exclamación de reproche, ante un mal proceder inesperado. || **Lo habido y por haber.** fr. fam. que se usa para indicar que un conjunto comprende toda clase de cosas imaginables. || **No haber más.** fr. que, junta con algunos verbos, significa lo sumo o excelente de lo que dice el verbo. NO HABÍA MÁS *que ver;* NO HAY MÁS *que decir.* || **No haber más que pedir.** fr. Ser perfecta una cosa; no faltarle nada para llenar el deseo. || **No haber tal.** fr. No ser cierto lo que se dice o lo que se imputa a uno. || **¡No haya más!** Exclamación que se profiere metiendo paz entre los que riñen. || **Si los hay.** fr. ponderativa que va después de un calificativo para reforzar su significación. *Es valiente,* SI LOS HAY.

Haberado, da. adj. ant. Dícese del hacendado que tiene haberes o riquezas. || **2.** ant. Que tiene valor o riqueza.

Haberío. (De *haber,* 1.er art.) m. Bestia de carga o de labor. || **2.** Ganado o conjunto de los animales domésticos. || **3.** ant. **Haber,** 1.er art., 1.ª acep.

Haberoso, sa. (De *haber,* 1.er art.) adj. ant. Rico, acaudalado.

Habichuela. (d. de *haba.*) f. **Judía,** 1.ª y 2.ª aceps.

Habidero, ra. adj. ant. Que se puede tener o haber.

Habiente. p. a. de **Haber.** Que tiene. Ú. unas veces antepuesto y otras pospuesto al nombre que es su complemento. HABIENTE O HABIENTES *derecho,* o *derecho* HABIENTE O HABIENTES.

Hábil. (Del lat. *habĭlis.*) adj. Capaz, inteligente y dispuesto para el manejo de cualquier ejercicio, oficio o ministerio. || **2.** V. **Términos hábiles.** || **3.** *For.* Apto para una cosa. HÁBIL *para contratar; tiempo* HÁBIL. || **4.** *For.* V. **Día hábil.**

Habilidad. (Del lat. *habilĭtas, -ātis.*) f. Capacidad, inteligencia y disposición para una cosa. || **2.** Gracia y destreza en ejecutar una cosa que sirve de adorno al sujeto; como bailar, montar a caballo, etc. || **3.** Cada una de las cosas que una persona ejecuta con gracia y destreza. || **4. Tramoya,** 1.er art., 3.ª acep. || **Hacer** uno sus **habilidades.** fr. fam. Valerse de toda su destreza y maña para negociar y conseguir una cosa.

Habilidoso, sa. adj. Que tiene habilidades.

Habilitación. f. Acción y efecto de habilitar o habilitarse. || **2.** Cargo o empleo de habilitado. || **3.** Despacho u oficina donde el habilitado ejerce su cargo. || **de bandera.** Concesión que se otorga por los tratados a buques extranjeros, para que hagan el comercio en las aguas y puertos nacionales.

Habilitado, da. p. p. de **Habilitar.** || **2.** m. En la milicia, oficial a cuyo cargo está el agenciar y recaudar en la tesorería los intereses del regimiento o cuerpo que le nombra. Este cargo se ha hecho ya extensivo a otras muchas dependencias no militares. || **3.** *For.* Auxiliar especial de los secretarios judiciales que puede substituir al titular en la función aun sin vacante ni interinidad.

Habilitador, ra. adj. Que habilita a otro. Ú. t. c. s.

Habilitar. (Del lat. *habilitāre.*) tr. Hacer a una persona o cosa hábil, apta o capaz para aquello que antes no lo era. || **2.** *For.* Subsanar en las personas faltas de capacidad civil o de representación, y en las cosas, deficiencias de aptitud o de permisión legal. HABILITAR *para comparecer en juicio;* HABILITAR *horas o días para actuaciones judiciales.* || **3.** Dar a uno el capital necesario para que pueda negociar por sí. || **4.** En los concursos a prebendas o curatos, declarar al que ha cumplido bien en la oposición por hábil y acreedor en otra, sin necesidad de los ejercicios que tiene ya hechos. || **5.** Proveer a uno de lo que ha menester para un viaje y otras cosas semejantes. Ú. t. c. r.

Hábilmente. adv. m. Con habilidad.

Habiloso, sa. adj. *Chile.* **Habilidoso.**

Habillado, da. (Del fr. *habiller,* y éste del lat. **habiliāre,* de *habĭlis.*) adj. ant. Vestido, adornado.

Habillamiento. (Del fr. *habiller,* y éste del lat. **habiliāre,* de *habĭlis.*) m. ant. Vestidura, arreo o adorno en el traje.

Habitabilidad. f. Cualidad de habitable.

Habitable. (Del lat. *habitabĭlis.*) adj. Que puede habitarse.

Habitación. (Del lat. *habitatĭo, -ōnis.*) f. Acción y efecto de habitar. || **2.** Cualquiera de los aposentos de la casa o morada. || **3.** Edificio o parte de él que se destina para habitarse. || **4.** *For.* Servidumbre personal cuyo poseedor tiene facultad de ocupar en casa ajena las piezas necesarias para sí y para su familia, sin poder arrendar ni traspasar por ningún título este derecho. || **5.** *Bot.* y *Zool.* Región donde naturalmente se cría una especie vegetal o animal.

Habitáculo. (Del lat. *habitacŭlum.*) m. **Habitación,** 3.ª acep.

Habitador, ra. (Del lat. *habitātor.*) adj. Que vive o reside en un lugar o casa. Ú. t. c. s.

Habitamiento. (De *habitar.*) m. ant. **Habitación.** 1.ª acep.

Habitante. p. a. de **Habitar.** Que habita. || **2.** m. Cada una de las personas que constituyen la población de un barrio, ciudad, provincia o nación.

Habitanza. (De *habitar.*) f. ant. **Habitación.**

Habitar. (Del lat. *habitāre.*) tr. Vivir, morar en un lugar o casa. Ú. t. c. intr.

Hábito. (Del lat. *habĭtus,* de *habēre,* tener.) m. Vestido o traje de que cada uno usa según su estado, ministerio o nación, y especialmente el que usan los religiosos y religiosas. || **2.** Costumbre adquirida por la repetición de actos de la misma especie. || **3.** Facilidad que se adquiere por larga o constante práctica en un mismo ejercicio. || **4.** Insignia con que se distinguen las órdenes militares. || **5.** fig. Cada una de estas órdenes. || **6.** V. **Caballero del hábito.** || **7.** pl. Vestido talar que traen los eclesiásticos y que usaban los estudiantes, compuesto ordinariamente de sotana y manteo. || **Hábito de penitencia.** El que impone o manda traer por algún tiempo quien tiene potestad para ello: se llevaba por un delito o pecado público. || **2.** Vestido usado para mortificación del cuerpo, o como señal de humildad o devoción. || **Ahorcar los hábitos.** fr. fig. y fam. Dejar el traje eclesiástico o religioso para tomar otro destino o profesión. || **2.** fig. y fam. Cambiar de carrera, profesión u oficio. || **Colgar los hábitos.** fr. fig. **Ahorcar los hábitos.** || **El hábito no hace al monje.** ref. que enseña que el exterior no siempre corresponde al interior. || **Tomar el hábito.** fr. Recibir el **hábito** con las formalidades correspondientes en cualquiera de las religiones regulares, o en una congregación religiosa, o en una de las órdenes militares.

Habituación. f. Acción y efecto de habituar o habituarse.

Habitual. (Del lat. *habituālis.*) adj. Que se hace, padece o posee con continuación o por hábito. || **2.** V. **Pecado habitual.**

Habitualmente. adv. m. De manera habitual.

Habituar. (Del lat. *habituāre.*) tr. Acostumbrar o hacer que uno se acostumbre a una cosa. Ú. m. c. r.

Habitud. (Del lat. *habitūdo.*) f. Relación o respecto que tiene una cosa a otra. || **2.** ant. **Hábito,** 2.ª acep.

Habitudinal. (Del lat. *habitūdo, -ĭnis,* costumbre.) adj. ant. **Habitual.**

Habiz. (Del ár. *aḥbās* [con imela, *aḥbīs*], pl. de *ḥubs,* bienes de manos muertas, vinculados para obras pías.) m. Donación de inmuebles hecha bajo ciertas condiciones a las mezquitas o a otras instituciones religiosas de los musulmanes.

Habla. (Del lat. *fabŭla.*) f. Facultad de hablar. *Perder el* HABLA. || **2.** Acción de hablar. || **3.** Idioma, lenguaje, dialecto. || **4.** Razonamiento, oración, arenga. || **Al habla.** m. adv. *Mar.* A distancia propia para entenderse con la voz. Ú. con los verbos *estar, ponerse* y *pasar.* || **2.** En trato, en comunicación acerca de algún asunto. Ú. especialmente seguido de la preposición *con. Estar* AL HABLA *con uno. Quedar* AL HABLA *con uno.* || **Estar, dejar, tener,** etc., **en habla** una cosa. fr. Estar en estado de concertarse, tratarse o disponerse para su conclusión. || **Negar,** o **quitar,** uno **el habla** a otro. fr. No hablarle por haber reñido con él.

Hablado, da. p. p. de **Hablar.** || **2.** adj. Con los advs. *bien* o *mal,* comedido o descomedido en el hablar. || **3.** V. **Danza hablada.** || **Bien hablado.** Que habla con propiedad, y sabe usar el lenguaje que conviene a su propósito o intento.

Hablador, ra. adj. Que habla mucho, con impertinencia y molestia del que le oye. Ú. t. c. s. || **2.** Que por imprudencia o malicia cuenta todo lo que ve y oye. Ú. t. c. s.

Habladorzuelo, la. adj. d. de **Hablador.** Ú. t. c. s.

Habladuría. (De *hablador.*) f. Dicho o expresión inoportuna e impertinente, que desagrada o injuria. || **2. Hablilla.**

Hablanchín, na. adj. fam. **Hablador.** Ú. t. c. s.

Hablante. p. a. de **Hablar.** Que habla. Ú. t. c. s. m.

Hablantín, na. adj. fam. **Hablanchín.** Ú. t. c. s.

Hablar. (Del lat. *fabŭlāri.*) intr. Articular, proferir palabras para darse a entender. || **2.** Proferir palabras ciertas aves a quienes puede enseñarse a remedar las articulaciones de la voz humana. || **3. Conversar,** 1.ª acep. *Ayer* HABLÉ *largamente con don Pedro.* || **4. Perorar.** *Mañana* HABLARÁ *en el Senado el ministro de Hacienda.* || **5.** Tratar, convenir, concertar. Ú. t. c. r. || **6.** Expresarse de uno u otro modo. HABLAR *bien* o *mal;* HABLAR *elocuentemente;* HABLAR *como el vulgo.* || **7.** Con los advs. *bien* o *mal,* además de la acepción de expresarse de uno u otro modo, tiene la de manifestar, en lo que se dice, cortesía y benevolencia, o al contrario, o la de emitir opiniones favorables o adversas acerca de personas o cosas. || **8.** Con la prep. *de,* razonar, o tratar de una cosa platicando. HABLAR *de negocios, de artes, de literatura.* || **9.** Tratar de algo por escrito. *Los autores antiguos no* HABLAN *de esta materia.* || **10.** Dirigir la palabra a una persona. *El rey* HABLÓ *a todos los presentes; nadie le* HABLARÁ *antes que yo.* || **11.** fig. Tener relaciones amorosas una persona con otra. *Gil* HABLA *a,* o *con, Juana.* || **12.** Murmurar o criticar. *El que más* HABLA *es el que más tiene por qué callar.* || **13.** Rogar, interceder por uno. || **14.** fig. Explicarse o darse a entender por medio distinto del de la palabra. HABLAR *por señas.* || **15.** fig. Dar a entender algo de cualquier modo que sea. *En el mundo todo* HABLA *de Dios.* || **16.** fig. Dícese para encarecer el modo de sonar un instrumento con gran arte y expresión. *Toca la guitarra, que la hace* HABLAR. || **17.** tr. Emplear uno u otro idioma para darse a entender. HABLA *francés;* HABLA *italiano y alemán.* || **18. Decir,** 1.ª acep., en locuciones como ésta: HABLAR *disparates.* || **19.** rec. Comunicarse, tratarse de palabra una persona con otra. *Antonio y Juan* SE HABLARON *ayer en el teatro; tu hermano y yo* NOS HEMOS HABLADO *algunas veces.* || **20.** Con negación, no tratarse una persona con otra, por haberse enemistado con ella, o tenerla en menos. || **Cada uno habla como quien es.** fr. con que se da a entender que regularmente se explica cada uno conforme a su nacimiento y crianza. || **Es hablar por demás.** expr. con que se denota que es inútil lo que uno dice, por no hacer fuerza ni impresión a la persona a quien **habla.** || **Estar hablando.** fr. fig. con que se exagera la propiedad con que está ejecutada una cosa inanimada, como pintura, estatua, etc., y que imita tanto a lo natural, que parece que **habla.** || **Hablar alto.** fr. fig. Explicarse con libertad o enojo en una cosa, fundándose en su autoridad o en la razón. || **Hablar a tontas y a locas.** fr. fam. **Hablar** sin reflexión y lo primero que ocurre, aunque sean disparates. || **Hablara yo para mañana.** expr. fam. con que se reconviene a uno después que ha explicado una circunstancia que antes omitió y era necesaria. || **Hablar bien criado.** fr. fam. **Hablar** como hombre de buena crianza. || **Hablar claro.** fr. Decir uno su sentir desnudamente y sin adulación. || **Hablar** una cosa **con** uno. fr. Comprenderle, tocarle, pertenecerle. || **Hablar** uno **consigo.** fr. Meditar o discurrir sin llegar a pronunciar lo que medita o discurre. || **Hablar cristiano.** fr. fig. y fam. **Hablar** claro, de manera que se entienda. || **Hablar en común.** fr. **Hablar** en general y con todos. || **Hablar en cristiano.** fr. fig. y fam. **Hablar cristiano.** || **Hablar** uno **entre sí.** fr. **Hablar consigo.** || **Hablar fuerte.** fr. fig. **Hablar recio.** || **Hablar gordo.** fr. fig. Echar bravatas, amenazando a uno y tratándole con imperio. || **Hablarlo todo.** fr. No tener discreción para callar lo que se debe. || **Hablar por hablar.** Decir una cosa sin fundamento ni substancia y sin venir al caso. || **Hablar recio.** fr. fig. **Hablar** con entereza y superioridad. || **Hablárselo** uno **todo.** fr. **Hablar** tanto, que no deje lugar de hacerlo a los demás. || **2.** Contradecirse, diciendo cosas mal avenidas entre sí. || **Ni hablar ni parlar,** o **ni habla ni parla.** loc. fam. con que se denota el sumo silencio de uno. || **No hablarse** uno **con** una persona. fr. fig. No tratar con ella por haberse enemistado o tenerla en menos. || **No se hable más de,** o **en, ello.** expr. con que se corta una conversación, o se compone y da por concluido un negocio o disgusto. || **Quien habla lo que no debe, oye lo que no quiere,** o **Quien mal habla, peor oye.** refs. que advierten al maldiciente que ha de salir malparado. || **Quien mucho habla, mucho yerra.** fr. proverb. con que se denota el inconveniente de la demasía en **hablar.**

Hablilla. (d. de *habla.*) f. Rumor, cuento, mentira que corre en el vulgo.

Hablista. (De *habla.*) com. Persona que se distingue por la pureza, propiedad y elegancia del lenguaje.

Hablistán. (De *hablista.*) adj. fam. **Hablanchín.** Ú. t. c. s.

Habón. m. **Haba,** 6.ª acep.

Habús. (Del ár. *ḥubūs,* bienes de manos muertas, afectados a obras pías; véase *habiz.*) m. En Marruecos, **habiz.**

Haca. (Del ingl. *hack.*) f. **Jaca.** || **¡Qué haca!,** o **¡qué haca morena!** expr. fam. que se usa en modo disyuntivo con otra cosa que se desprecia.

Hacán. (Del hebr. *hakam.*) m. Sabio o doctor entre los judíos.

Hacanea. (Del fr. *haquenée,* y éste de *Hackney,* lugar de Inglaterra.) f. **Jaca de dos cuerpos.**

Hacecillo. m. d. de **Haz,** 1.er art. || **2.** *Bot.* Porción de flores unidas en cabezuela, cuyos pedúnculos están erguidos y casi paralelos y son de igual altura.

Hacedero, ra. adj. Que puede hacerse, o es fácil de hacer. || **2.** m. ant. **Hacedor,** 1.ª acep.

Hacedor, ra. adj. Que hace, causa o ejecuta alguna cosa. Ú. t. c. s. Aplícase únicamente a Dios, ya con algún calificativo, como *el Supremo* HACEDOR; ya sin ninguno, como *el* HACEDOR. || **2.** m. Persona que tiene a su cuidado la administración de una hacienda, bien sea de campo, ganado u otras granjerías.

Hacendado, da. p. p. de **Hacendar.** || **2.** adj. Que tiene hacienda en bienes raíces, y comúnmente se dice sólo del que tiene muchos de estos bienes. Ú. t. c. s. || **3.** *Argent.* Dícese del estanciero que se dedica a la cría de ganado.

Hacendar. tr. Dar o conferir el dominio de haciendas o bienes raíces, como lo hacían los reyes con los conquistadores de alguna provincia. || **2.** r. Comprar hacienda una persona para arraigarse en alguna parte.

Hacendeja. f. d. de **Hacienda.**

Hacendera. (De *hacienda.*) f. Trabajo a que debe acudir todo el vecindario, por ser de utilidad común.

Hacendería. (De *hacendera.*) f. ant. Obra o trabajo corporal.

Hacendero, ra. adj. Dícese del que procura con aplicación los adelantamientos de su casa y hacienda. || **2.** m. En las minas de Almadén, operario que trabaja a jornal por cuenta del Estado.

Hacendilla, ta. f. d. de **Hacienda.**

Hacendista. m. Hombre versado en la administración o en la doctrina de la hacienda pública.

Hacendístico, ca. adj. Perteneciente o relativo a la hacienda pública.

Hacendoso, sa. (De *hacienda.*) adj. Solícito y diligente en las faenas domésticas.

Hacenduela. f. fam. d. de **Hacienda.**

Hacer. (Del lat. *facĕre.*) tr. Producir una cosa; darle el primer ser. || **2.** Fabricar, formar una cosa dándole la figura, norma y traza que debe tener. || **3.** Ejecutar, poner por obra una acción o trabajo. HACER *prodigios.* Ú. a veces sin determinar la acción, y entonces puede ser también reflexivo. *No sabe qué* HACER, o *qué* HACERSE. || **4.** fig. Dar el ser intelectual; formar algo con la imaginación o concebirlo en ella. HACER *concepto, juicio, un poema.* || **5.** Caber, contener. *Esta tinaja* HACE *cien arrobas de aceite.* || **6.** Causar, ocasionar. HACER *sombra, humo.* || **7.** Disponer, componer, aderezar. HACER *la comida, la olla, la maleta.* || **8.** Componer, mejorar, perfeccionar. *Esta pipa* HACE *buen vino.* || **9.** Juntar, convocar. HACER *gente.* || **10.** Habituar, acostumbrar. HACER *el cuerpo a las fatigas;* HACER *el caballo al fuego.* Ú. t. c. r. || **11.** Enseñar o industriar las aves de caza. || **12.** Cortar con arte. HACER *la barba a uno;* HACER *el pico o las uñas a las aves.* Ú. t. c. r. || **13.** Entre jugadores, asegurar lo que paran y juegan, cuando tienen poco o ningún dinero delante. HAGO *tanto;* HAGO *a todo.* || **14.** Junto con algunos nombres, significa la acción de los verbos que se forman de la misma raíz que dichos nombres; y así, HACER *estimación,* es *estimar;* HACER *burla, burlarse.* || **15.** Reducir una cosa a lo que significan los nombres a que va unido. HACER *pedazos, trozos.* || **16.** Usar o emplear lo que los nombres significan. HACER *señas, gestos.* || **17.** Con nombre o pronombre personal en acusativo, creer o suponer, en locuciones como éstas: *Yo* HACÍA *a Juan,* o *yo le* HACÍA, *de Madrid, en Francia, contigo, estudiando, menos simple; no le* HAGO *tan necio.* || **18.** Con las preps. *con* o *de,* **proveer,** 4.ª acep. HACER *a uno con dinero, de libros.* Ú. m. c. r. || **19.** Junto con los artículos *el, la, lo* y algunos nombres, denota ejercer actualmente lo que los nombres significan, y más comúnmente representarlo; como en las frases HACER *el rey, el gracioso, el bobo.* Dícese también HACER *el papel de rey, de gracioso, de bobo;* y también con la prep. *de* sólo: HACER *de Antígona.* || **20.** Componer un número o cantidad. *Nueve y cuatro* HACEN *trece.* || **21.** Obligar a que se ejecute la acción de un infinitivo o de una oración subordinada. *Le* HIZO *venir; nos* HIZO *que fuésemos.* || **22.** Expeler del cuerpo las aguas mayores y menores. Ú. m. c. intr., y especialmente en las frases: HACER *del cuerpo, de vientre.* || **23.** intr. Importar, convenir. *Eso no le* HACE; *al caso* HARÍA. || **24.** Corresponder, concordar, venir bien una cosa con otra. *Aquello* HACE *aquí bien; esto no* HACE *con aquello; llave que* HACE *a ambas cerraduras.* || **25.** Con algunos nombres de oficios y la prep. *de,* ejercerlos interina o eventualmente. HACER *de portero, de escribano, de presidente.* || **26.** Junto con la prep. *por* y los infinitivos de algunos verbos, poner cuidado y diligencia para la ejecución de lo que los verbos significan. HACER *por llegar;* HACER *por venir.* || **27.** También en este sentido suele juntarse con la prep. *para.* HACER *para salvarse;* HACER *para sí.* || **28.** Usado como neutro o con el pronombre *se,* y seguido en el primer caso de la partícula *de* y artículo, y en el segundo de artículo o solamente de voz expresiva de alguna cualidad, fingirse uno lo que no es. HACER *del tonto;* HACERSE *el tonto;* HACERSE *tonto.* || **29.** En el mismo género de construcción, blasonar de lo que significan las palabras a que este verbo va unido. HACER *del hombre;* HACERSE *el valiente.* || **30.** Aparentar, dar a entender lo contrario de lo cierto o verdadero. Ú., por lo común, seguido del adv. *como.* HACER *uno como que no quiere una cosa,* o *como que no ha visto a otro.* || **31.** Toma el significado de un verbo anterior, haciendo las veces de éste. *Trabajaba activamente, como lo solía* HACER. || **32.** r. Crecer, aumentarse, adelantarse para llegar al estado de perfección que cada cosa ha de tener. HACERSE *los árboles, los sembrados.* || **33.** Volverse, transformarse. HACERSE *vinagre el vino;* HACERSE *moro el cristiano.* || **34.** Hallarse, existir, situarse. || **35.** impers. Experimentarse o sobrevenir una cosa o accidente, que se refiere al buen o mal tiempo. HACE *calor, frío, buen día.* Dícese también en general. HACE *bueno; mañana* HARÁ *malo.* ‖ **36.** Haber transcurrido cierto tiempo. HACE *tres días; ayer* HIZO *un mes; mañana* HARÁ *dos años.* ‖ **Algo hemos, o se ha, de hacer para blanca ser.** ref. que advierte que quien tiene un defecto, necesita poner de su parte alguna diligencia para disimularlo. ‖ **Haberla hecho buena.** fr. fam. irón. Haber ejecutado una cosa perjudicial o contraria a determinado fin. BUENA LA HAS HECHO; LA HEMOS HECHO BUENA. ‖ **¿Hacemos algo?** expr. fam. con que se incita a otro a que entre en algún negocio que tiene con él, o a venir a la conclusión de un contrato. ‖ **Hacer alguna.** fr. fam. Ejecutar una mala acción o travesura. ‖ **Hacer** una cosa **a mal hacer.** fr. **Hacer** adrede una cosa mala. Ú. generalmente en pretérito y con negación y el pronombre *lo.* ‖ **Hacer** una cosa **arrastrando.** fr. fig. y fam. con que se denota que no se **hace** bien o que se **hace** de mala gana. ‖ **Hacer a todo.** fr. Estar una persona dispuesta, o ser una cosa a propósito, para servir en cualquier ministerio a que se quiera aplicar. ‖ **2.** Se usa también para significar la disposición de uno para recibir cualquiera cosa que le den. ‖ **Hacer buena** una cosa. fr. fig. y fam. Probarla o justificarla; **hacer** efectiva y real la cosa que se dice o se supone. ‖ **Hacer caediza** una cosa. fr. Dejarla maliciosamente caer, como por descuido o acaso. ‖ **Hacerla.** fr. con que se significa que uno faltó a lo que debía, a sus obligaciones o al concepto que se tenía formado de él. ‖ **Hacerla cerrada.** fr. fig. y fam. Cometer un error culpable por todas sus circunstancias. ‖ **Hacerlo mal y excusarlo peor.** fr. con que se explica que algunas veces los motivos **de hacer** las cosas malas son peores que ellas mismas. ‖ **Hacer perdidiza** una cosa. fr. Dejarla caer como por descuido, maliciosamente, o suponer que se ha perdido, siendo falso. ‖ **Hacer por hacer.** fr. fam. con que se da a entender que se **hace** una cosa sin necesidad o sin utilidad. ‖ **Hacer presente.** fr. Representar, informar, declarar, referir. ‖ **2.** Considerar a uno como si lo estuviera en orden a los emolumentos u otros favores. ‖ **Hacer que hacemos.** fr. fam. Aparentar que se trabaja cuando en realidad no se **hace** nada de provecho. ‖ **Hacer saber.** fr. Poner en noticia de uno alguna cosa; darle parte de aquello que ignoraba. ‖ **Hacerse a** una parte. fr. Apartarse, retirarse a ella. HAZTE *allá;* HACERSE A *un lado;* HACERSE *afuera.* ‖ **Hacerse a una.** fr. **Ir a una.** ‖ **Hacerse con** una cosa. fr. Obtenerla. ‖ **Hacerse con** una persona, o cosa. fr. fig. y fam. Dominarla. ‖ **Hacerse** uno **chiquito.** fr. fig. y fam. **Hacerse el chiquito.** ‖ **Hacerse** uno **de rogar.** fr. No acceder a lo que otro pide hasta que se lo ruega con instancia. ‖ **Hacerse dura** una cosa. fr. fig. Ser difícil de creer o soportar. ‖ **Hacerse fuerte.** fr. Fortificarse en algún lugar para defenderse de una violencia o riesgo. ‖ **2.** Mantenerse con tesón en un propósito o en una idea. ‖ **Hacérsele** una cosa a uno. fr. Figurársele, parecerle. *Las manadas que a don Quijote* SE LE HICIERON *ejércitos.* ‖ **Hacerse memorable.** fr. Adquirir celebridad. ‖ **Hacerse obedecer.** fr. Tener entereza para **hacer** que se cumpla lo que se manda. ‖ **Hacerse** uno **olvidadizo.** fr. Fingir que no se acuerda de lo que debiera tener presente. ‖ **Hacerse** uno **presente.** fr. Ponerse de intento delante de otro para algún fin. ‖ **Hacerse rico.** fr. Adquirir riquezas. ‖ **Hacerse** uno **servir.** fr. No permitir descuido en su asistencia. ‖ **Hacerse tarde.** fr. Pasarse el tiempo oportuno para ejecutar una cosa. ‖ **Hacerse valiente.** fr. ant. Fiar, salir garante. ‖ **Hacerse** uno **viejo.** fr. fig. y fam. Consumirse por todo. ‖ **2.** fig. y fam. Ú. t. por respuesta para significar que alguno está ocioso cuando le preguntan qué **hace.** ‖ **Hacer sudar** a uno. fr. fig. y fam. con que se da a entender la dificultad que le cuesta ejecutar o comprender una cosa. ‖ **2.** fig. y fam. Obligarle a dar dinero. ‖ **Hacer una que sea sonada.** fr. fam. con que, en son de amenaza, se anuncia un gran escarmiento o escándalo. ‖ **Hacer ver.** fr. Mostrar una cosa, o demostrarla de modo que no quede duda. ‖ **Hacer viejo** a uno. fr. con que se da a entender que los que se conocieron en menor edad se hallan ya hombres o en edad crecida. ‖ **Hacer y acontecer.** fr. fam. con que se significan las ofertas de un bien o beneficio grande. ‖ **2.** fam. Ú. para amenazar. ‖ **Más hace el que quiere que no el que puede.** ref. que enseña que la voluntad tiene la principal parte de las acciones, y que con ella las ejecuta aun el que parece que tiene menos posibilidad. ‖ **No es de hacer,** o **de hacerse,** una cosa. expr. con que se significa que no es lícita o conveniente la que se va a ejecutar, ni correspondiente al que la va a **hacer.** ‖ **No hay que hacer,** o **eso no tiene que hacer.** expr. con que se da a entender que no tiene dificultad lo que se propone, y se conviene enteramente en ello. ‖ **No la hagas y no la temas.** fr. proverb. con que se da a entender que por aquello que no se **haya hecho** no se padecerá temor. ‖ **No me hagas hablar.** expr. de que se usa para contener a uno amenazándole con que se dirá cosa que le pese. ‖ **No me hagas tanto que.** expr. con que se amenaza al que persiste en **hacer** una cosa que molesta. ‖ **¿Qué hacemos, o qué haremos, con eso?** expr. con que se significa la poca importancia y utilidad, para el fin que se pretende, de lo que actualmente se discurre o propone. ‖ **¿Qué haces?** expr. **Mira lo que haces.** ‖ **¿Qué hemos de hacer?,** o **¿Qué le hemos de hacer?,** o **¿Qué se le ha de hacer?** exprs. de que se usa para conformarse uno con lo que sucede, dando a entender que no está en su mano el evitarlo. ‖ **Quien hace lo que quiere, no hace lo que debe.** ref. que reprende la demasiada libertad y voluntariedad en el obrar, que comúnmente **hace** exceder de lo justo. ‖ **Si no hago lo que veo, toda me meo.** ref. contra envidiosos e imitadores.

Hacera. (Del lat. **faciāria,* de *facia, facies,* cara.) f. **Acera.**

Hacerir. (Del lat. *faciem ferīre.*) tr. ant. **Zaherir.**

Hacezuelo. m. d. de **Haz,** 1.er art.

Hacia. (Del lat. *facie ad,* cara a.) prep. que determina la dirección del movimiento con respecto al punto de su término. Ú. t. metafóricamente. ‖ **2.** Alrededor de, cerca de. HACIA *las tres de la tarde.* ‖ **Hacia donde.** m. adv. que denota el lugar **hacia** el cual se dirige una cosa, o por donde se ve u oye.

Hacienda. (Del lat. *facienda,* lo que ha de hacerse.) f. Finca agrícola. ‖ **2.** Cúmulo de bienes y riquezas que uno tiene. ‖ **3.** Labor, faena casera. Ú. m. en pl. ‖ **4.** ant. Obra, acción o suceso. ‖ **5.** ant. Asunto, negocio que se trata entre algunas personas. ‖ **6.** Ministerio de Hacienda. ‖ **7.** V. **Día de hacienda.** ‖ **8.** *Argent., Pal.* y *Sal.* **Ganado,** 3.ª acep. ‖ **9.** *Argent.* Conjunto de ganados que hay en una estancia o granja. ‖ **de beneficio.** *Méj.* Oficina donde se benefician los minerales de plata. ‖ **pública.** Conjunto sistemático de haberes, bienes, rentas, impuestos, etc., correspondientes al Estado para satisfacer las necesidades de la nación. ‖ **Real hacienda. Hacienda pública.** ‖ **Derramar la hacienda.** fr. fig. Destruirla, disiparla, malgastarla. ‖ **Hacer buena hacienda.** fr. irón. que se usa cuando uno ha incurrido en algún yerro o desacierto. ‖ **Hacienda de sobrino, quémala el fuego y llévala el río.** ref. que indica el descuido o mala fe con que administran algunos tutores los bienes de sus pupilos. ‖ **Hacienda, tu dueño te vea.** ref. que indica los perjuicios a que por lo común está sujeto el que fía sus cosas al cuidado de otro. ‖ **Quien da su hacienda antes de la muerte, merece que le den con un mazo en la frente.** ref. que enseña cuánta circunspección sea menester para que uno traspase a otro en vida sus bienes o empleos, por la facilidad con que sobrevienen después motivos de arrepentimiento. ‖ **Redondear la hacienda.** fr. Aumentarla con adquisiciones complementarias hasta llegar a la cuantía propuesta de antemano. ‖ **Sanear la hacienda.** fr. Pagar las cargas, créditos o gravámenes que tenía contra sí y dejarla libre.

Haciente. p. a. ant. de **Hacer.** Que hace. Usáb. t. c. s., como en el siguiente ref.: **Hacientes y consencientes merecen igual pena.**

Hacimiento. m. ant. Acción y efecto de hacer. ‖ **de gracias.** ant. **Acción de gracias.** ‖ **de rentas.** Arrendamiento de ellas hecho a pregón.

Hacina. (Del lat. **fascīna,* de *fascis,* haz.) f. Conjunto de haces colocados apretada y ordenadamente unos sobre otros. ‖ **2.** fig. Montón o rimero.

Hacinación. f. **Hacinamiento.**

Hacinador, ra. m. y f. Persona que hacina.

Hacinamiento. m. Acción y efecto de hacinar o hacinarse.

Hacinar. tr. Poner los haces unos sobre otros formando hacina. ‖ **2.** fig. Amontonar, acumular, juntar sin orden. Ú. t. c. r.

Hacino, na. (Del ár. *ḥazin,* triste.) adj. ant. Avaro, mezquino, miserable. ‖ **2.** ant. **Triste.** ‖ **Hacino sodes, Gómez; para eso son los hombres.** ref. con que irónicamente se zahiere a los mezquinos y avaros.

Hacha. (Del lat. *facŭla,* tea, hacha.) f. Vela de cera, grande y gruesa, de figura por lo común de prisma cuadrangular y con cuatro pabilos. ‖ **2.** Mecha que se hace de esparto y alquitrán para que resista al viento sin apagarse. ‖ **3.** Haz de paja liado o atado como fajina; se usa alguna vez para cubiertas de chozas y otras construcciones de campo. ‖ **de viento. Hacha,** 2.ª acep.

Hacha. (Del germ. *hapya,* dalle.) f. Herramienta cortante, compuesta de una pala acerada, con filo algo curvo, ojo para enastarla, y a veces con peto. ‖ **2.** Baile antiguo español. ‖ **3.** V. **Lengua, maestro de hacha.** ‖ **de abordaje.** *Mar.* **Hacha** pequeña con corte por un lado y por el otro un pico curvo muy agudo, el cual se clavaba en el costado del buque enemigo y servía de agarradero al tomarlo al abordaje. ‖ **de armas.** Arma de que se usaba antiguamente en la guerra, de la misma hechura que el **hacha** de cortar leña, para desarmar al enemigo, rompiéndole las armas que le defendían el cuerpo.

Hachar. tr. **Hachear.**

Hachazo. m. Golpe dado con el hacha. ‖ **2.** Golpe que el toro da lateralmente con un cuerno, produciendo contusión y no herida. ‖ **3.** *Colomb.* Repada del caballo, espanto súbito y violento.

Hache. f. Nombre de la letra *h.* ‖ **Entrar con haches y erres.** fr. fig. y fam. Tener malas cartas el que va a jugar la puesta. ‖ **Llámale,** o **llámele usted, hache.** expr. fig. y fam. Lo mismo es una cosa que otra. ‖ **No decir** uno **haches ni erres.** fr. fig. y fam. No hablar cuando parece que conviene.

Hachear. tr. Desbastar y labrar un madero con el hacha, 2.° art., 1.ª acep. || **2.** intr. Dar golpes con el hacha, 2.° art., 1.ª acep.

Hachero. m. Candelero o blandón que sirve para poner el hacha, 1.er art., 1.ª acep. || **2.** ant. **Atalaya,** 1.ª acep. || **3.** desus. Vigía que hacía señales desde un hacho.

Hachero. m. El que trabaja con el hacha en cortar y labrar maderas. || **2.** *Mil.* **Gastador,** 5.ª acep.

Hacheta. f. d. de **Hacha,** 1.° y 2.° arts.

Hachís. (Del ár. *ḥašīš*, hierba seca.) m. Composición de sumidades floridas y otras partes de cierta variedad de cáñamo, mezcladas con diversas substancias azucaradas o aromáticas, que produce una embriaguez especial y usan mucho los orientales.

Hacho. (De *hacha*, 1.er art.) m. Manojo de paja o esparto encendido para alumbrar. || **2.** Leño bañado de materias resinosas, de que se usaba para el mismo fin. || **3.** *Germ.* **Ladrón,** 1.ª acep. || **4.** *Geogr.* Sitio elevado cerca de la costa, desde donde se descubre bien el mar y en el cual solían hacerse señales con fuego. *El* HACHO *de Ceuta.*

Hachón. m. **Hacha,** 1.er art., 2.ª acep. || **2.** Especie de brasero alto, fijo sobre un pie derecho, en que se encienden algunas materias que levantan llama, y se usa en demostración de alguna festividad o regocijo público.

Hachote. (aum. de *hacha*, 1.er art.) m. *Mar.* Vela corta y gruesa usada a bordo en los faroles de combate y de señales.

Hachote. m. aum. de **Hacha,** 2.° art., 1.ª acep.

Hachuela. f. d. de **Hacha,** 2.° art. || **de abordaje. Hacha de abordaje.**

Hada. (Del lat. *fāta*.) f. Ser fantástico que se representaba bajo la forma de mujer y al cual se atribuía poder mágico y el don de adivinar lo futuro. || **2.** ant. Cada una de las tres parcas. || **3.** ant. **Hado.** || **Acá y allá malas hadas ha.** ref. que advierte que por todas partes hay trabajos y miserias. || **A malas hadas, malas bragas.** ref. que enseña que la mala ropa suele ser indicio de poca fortuna.

Hadada. f. ant. **Hada.**

Hadado, da. p. p. de **Hadar.** || **2.** adj. Propio del hado o relativo a él. || **3.** Prodigioso, mágico, encantado.

Hadador, ra. adj. ant. Que hada. Usáb. t. c. s.

Hadar. (Del lat. **fatare*, pronosticar, de *fatum*, hado.) tr. Determinar el hado una cosa. || **2.** Anunciar, pronosticar lo que está dispuesto por los hados. || **3. Encantar,** 1.er art., 1.ª acep.

Hadario, ria. (De *hada*.) adj. ant. **Desdichado.**

Hado. (Del lat. *fatum*.) m. Divinidad o fuerza desconocida que, según los gentiles, obraba irresistiblemente sobre las demás divinidades y sobre los hombres y los sucesos. || **2. Destino,** 2.ª y 3.ª aceps. || **3.** Lo que, conforme a lo dispuesto por Dios desde la eternidad, nos sucede con el discurso del tiempo, mediante las causas naturales ordenadas y dirigidas por la Providencia. || **4.** En opinión de los filósofos paganos, serie y orden de causas tan encadenadas unas con otras, que necesariamente producen su efecto. || **Hados y lados hacen dichosos o desdichados.** ref. que enseña que la suerte del hombre es buena o mala según que lo dispone la Providencia, y que en ella suelen tener mucha parte las personas a que uno se arrima.

¡Hae! interj. ant. **¡Ah!**

Haedo. (Del lat. *fagētum*.) m. *Ast.* y *Sant.* **Hayal.**

Hafiz. (Del ár. *ḥafiz*, guardián.) m. Guarda, veedor, conservador.

Hagiografía. (De *hagiógrafo*.) f. Historia de las vidas de los santos.

Hagiográfico, ca. adj. Perteneciente a la hagiografía.

Hagiógrafo. (Del lat. *hagiogrăphus*, y éste del gr. ἅγιος, santo, y γράφω, escribir.) m. Autor de cualquiera de los libros de la Sagrada Escritura. || **2.** En la Biblia hebrea, autor de cualquiera de los libros comprendidos en la tercera parte de ella. || **3.** Escritor de vidas de santos.

Haitiano, na. adj. Natural de Haití. Ú. t. c. s. || **2.** Perteneciente a este país de América. || **3.** m. Idioma que hablaban los naturales de aquel país.

¡Hala! (Del ár. *halà*, interj. para excitar a los caballos.) interj. que se emplea para infundir aliento o meter prisa. || **2.** interj. para llamar. || **¡Hala, hala!** fr. con que se denota la persistencia en una marcha.

Halacabuyas. (De *halar* y *cabuya*.) m. Marinero principiante que no sirve para otra cosa que para halar de los cabos.

Halacuerda. m. despect. *Mar.* Marinero que sólo entiende de aparejos y labores mecánicas.

Halacuerdas. (De *halar* y *cuerda*.) m. **Halacabuyas.**

Halagador, ra. adj. **Halagüeño,** 1.ª acep.

Halagar. (De *falagar*.) tr. Dar a uno muestras de afecto o rendimiento con palabras o acciones que puedan serle gratas. || **2.** Dar motivo de satisfacción o envanecimiento. || **3. Adular.** || **4.** fig. Agradar, deleitar.

Halago. m. Acción y efecto de halagar. || **2.** fig. Cosa que halaga.

Halagüeñamente. adv. m. Con halago.

Halagüeño, ña. (De *halago*.) adj. Que halaga. || **2.** Que lisonjea o adula. || **3.** Que atrae con dulzura y suavidad.

Halaguero, ra. adj. desus. **Halagüeño.**

Halar. (Del ant. nórdico *hala*, tirar, arrastrar.) tr. *Mar.* Tirar de un cabo, de una lona o de un remo en el acto de bogar. || **2.** *And.* y *Cuba.* Tirar hacia sí de una cosa.

Halcón. (Del lat. *falco, -ōnis*.) m. *Zool.* Ave rapaz diurna, de unos cuarenta centímetros de largo desde la cabeza a la extremidad de la cola, y muy cerca de nueve decímetros de envergadura; cabeza pequeña, pico fuerte, curvo y dentado en la mandíbula superior; plumaje de color variable con la edad, pues cuando joven es de color pardo con manchas rojizas en la parte superior, y blanquecino rayado de gris por el vientre; pero a medida que el animal envejece, se vuelve plomizo con manchas negras en la espalda, se obscurecen y señalan más las rayas de la parte inferior, y, en cambio, aclara el color del cuello y de la cola. La hembra es un tercio mayor que el macho; los dos tienen uñas curvas y robustas, tarsos de color verde amarillento y potente vuelo; son muy audaces, enemigos encarnizados de toda clase de aves, y aun de los mamíferos pequeños, y como se prestan con relativa facilidad a ser domesticados, se empleaban antiguamente en la caza de cetrería. || **alcaravanero.** El acostumbrado a perseguir a los alcaravanes. || **campestre.** El domesticado que se criaba en el campo, suelto en compañía de las gallinas y otras aves domésticas. || **coronado. Arpella.** || **garcero.** El que caza y mata garzas. || **gentil. Neblí.** || **grullero.** El que está hecho a la caza de grullas. || **lanero.** *Cetr.* **Alfaneque,** 1.er art. || **2.** *Cetr.* **Borní.** || **letrado.** Variedad del **halcón** común, que se distinguía en tener mayor número de manchas negras. || **marino.** Ave de rapiña más fácil de amansarse que las otras: es de unos tres decímetros de largo, de color ceniciento, con manchas pardas, y a veces enteramente blanco, y tiene el pico grande, corvo y fuerte, así como las uñas. || **montano.** El criado en los montes, que por no haber sido enseñado desde joven, era siempre zahareño. || **niego.** El cogido en el nido o recién sacado de él. || **palumbario. Azor,** 1.er art., 1.ª acep. || **ramero.** El pequeño, que salta de rama en rama. || **redero.** El que se cogió con red y fuera del nido yendo de paso. || **roqués.** Variedad del **halcón** común, de color enteramente negro. || **soro.** El cogido antes de haber mudado por primera vez la pluma. || **zorzaleño.** Variedad de neblí con pintas amarillentas en el plumaje. || **Abajar, o bajar, los halcones.** fr. *Cetr.* Darles a comer la carne lavada, cuando están muy gordos, para que enflaquezcan y puedan volar con más velocidad. || **Si tantos halcones la garza combaten, a fe que la maten.** ref. con que se denota que si la multitud se conjura contra uno, no hay resistencia que pueda contrastarla.

Halconado, da. adj. Que en alguna cosa se asemeja al halcón.

Halconear. (De *halcón*.) intr. fig. Dar muestra la mujer desenvuelta, con su traje, sus miradas y movimientos provocativos, de andar a caza de hombres.

Halconera. f. Lugar donde se guardan y tienen los halcones.

Halconería. (De *halconero*.) f. Caza que se hace con halcones.

Halconero, ra. adj. Dícese de la mujer que halconea y de sus acciones y gestos provocativos. || **2.** m. El que cuidaba de los halcones de la cetrería o volatería. || **mayor.** El jefe de los **halconeros,** a cuyo mando y dirección estaba todo lo tocante a la caza de volatería. Este empleo fue antiguamente en España una de las mayores dignidades de la casa real.

Halda. (Del germ. *falda*.) f. **Falda.** || **2.** Harpillera grande con que se envuelven y empacan algunos géneros; como el algodón y la paja. || **3. Haldada.** || **4.** V. **Capote, capotillo de dos haldas.** || **5.** *Ar. Sal.* y *Vizc.* **Regazo,** 1.ª y 2.ª aceps. || **De haldas o de mangas.** m. adv. fig. y fam. De un modo o de otro; por bien o por mal; quiera o no quiera; lícita o ilícitamente. || **Poner haldas en cinta.** fr. fam. Remangarse uno la falda o la túnica para poder correr. || **2.** expr. fig. y fam. Prepararse para hacer alguna cosa.

Haldada. f. Lo que cabe en el halda.

Haldear. (De *halda*.) intr. Andar de prisa las personas que llevan faldas.

Haldero, ra. adj. desus. **Faldero.**

Haldeta. f. d. de **Halda.** || **2.** En el cuerpo de un traje, pieza o cada una de las piezas que cuelgan desde la cintura hasta un poco más abajo.

Haldinegro, gra. adj. **Faldinegro.**

Haldraposo, sa. adj. ant. **Andrajoso.**

Haldudo, da. adj. **Faldudo.**

Haleche. (Del lat. *halex, -ēcis*.) m. **Boquerón,** 3.ª acep.

Halieto. (Del lat. *haliaeĕtus*, y éste del gr. ἁλιαίετος; de ἅλς, mar, y αἰετός, águila.) m. **Águila pescadora.**

Halifa. m. ant. **Califa.**

Halifado. m. ant. **Califato.**

Hálito. (Del lat. *halĭtus*.) m. Aliento que sale por la boca del animal. || **2.** Vapor que una cosa arroja. || **3.** poét. Soplo suave y apacible del aire.

Halo. (Del lat. *halos*, y éste del gr. ἅλως.) m. Meteoro luminoso consistente en un cerco de colores pálidos que suele aparecer alrededor de los discos del Sol y de la Luna.

Halófilo, la. (Del gr. ἅλς, sal, y φίλος, amigo.) adj. *Bot.* Aplícase a las plantas que viven en los terrenos donde abundan las sales.

Halógeno, na. (Del gr. ἅλς, sal, y γεννάω, engendrar.) adj. *Quím.* Aplícase a los metaloides que forman sales haloideas.

Haloideo, a. (Del gr. ἅλς, sal, y εἶδος, forma.) adj. *Quím.* Aplícase a las sales formadas por la combinación de un metal con un metaloide sin ningún otro elemento.

Halón. m. **Halo.**

Haloque. (De *faluca.*) m. Embarcación pequeña usada antiguamente.

Halotecnia. (Del gr. ἅλς, sal, y τέχνη, arte.) f. *Quím.* Tratado sobre la extracción de las sales industriales.

Haloza. f. **Galocha,** 1.er art.

Hallada. f. **Hallazgo,** 1.ª acep.

Hallado, da. p. p. de **Hallar.** || **2.** adj. Con los advs. *tan, bien* o *mal,* familiarizado o avenido.

Hallador, ra. adj. Que halla. Ú. t. c. s. || **2.** *Mar.* Que recoge en el mar y salva despojos de naves o de sus cargamentos. Ú. t. c. s. || **3.** ant. **Inventor.** Usáb. t. c. s.

Hallamiento. (De *hallar.*) m. ant. **Hallazgo,** 1.ª acep.

Hallar. (Del lat. *afflāre,* soplar.) tr. Dar con una persona o cosa sin buscarla. || **2. Encontrar,** 1.ª acep. || **3. Inventar.** || **4.** Ver, observar, notar. || **5. Averiguar.** || **6.** Dar con una tierra o país de que antes no había noticia. || **7.** Conocer, entender en fuerza de una reflexión. || **8.** r. Estar presente. || **9. Estar,** 1.ª acep. HALLARSE *atado, perdido, alegre, enfermo.* || **¡Ay, ay, que me he hallado, por andar abajado!** ref. con que se denota que para hacer uno su fortuna o lograr algo, conviene que ande vigilante, procurando granjear con sumisiones y ruegos la voluntad del que reparte las gracias. || **Hallarse bien con** una cosa. fr. Estar contento con ella. || **Hallarse con** una cosa. fr. Tenerla. || **Hallarse** uno **en todo.** fr. Ser entremetido; ir a todas partes sin que le llamen. || **Hallárselo** uno **todo hecho.** fr. fig. Conseguir lo que desea sin necesidad de emplear el adecuado esfuerzo para obtenerlo. || **2.** fig. y fam. Ser muy dispuesto y expedito. || **No hallarse** uno. fr. No encontrarse a gusto en algún sitio, estar molesto.

Hallazgo. (Del lat. **afflatĭcum,* de *afflāre,* soplar.) m. Acción y efecto de hallar. || **2.** Cosa hallada. || **3.** Lo que se da a uno por haber hallado una cosa y restituirla a su dueño o por dar noticia de ella. || **4.** *For.* Encuentro casual de cosa mueble ajena, que no sea tesoro oculto.

Hallulla. (Como *jallullo,* del lat. *foliŏla,* hojuela.) f. Pan que se cuece en rescoldo o en ladrillos o piedras muy calientes. || **2.** *Chile.* Pan hecho de masa más fina y de forma más delgada que el común.

Hallullo. m. **Hallulla.**

Hamaca. (Voz haitiana.) f. Red gruesa y clara, por lo común de pita, la cual, asegurada por las extremidades en dos árboles, estacas o escarpias, queda pendiente en el aire, y sirve de cama y columpio, o bien sirve como vehículo, conduciéndola dos hombres. Se hace también de lona y de otros tejidos resistentes. Es muy usada en los países tropicales.

Hamadría [~ **dríada**]. f. *Mit.* **Dríade.**

Hamadríade. (Del lat. *hamadry̆as, -ădis,* y éste del gr. ἁμαδρυάς; de ἅμα, con, y δρῦς, encina.) f. *Mit.* **Dríade.**

Hámago. m. Substancia correosa y amarilla de sabor amargo, que labran las abejas y se halla en algunas celdillas de los panales. || **2.** fig. Fastidio o náusea.

Hamamelidáceo, a. (De *hamamelis,* nombre de un género de plantas.) adj. *Bot.* Dícese de arbustos y árboles de Asia, América Septentrional y África Meridional, con pelos estrellados, hojas esparcidas y estípulas caedizas; flores generalmente hermafroditas, alguna vez apétalas, en inflorescencias muy diversas; fruto en cápsula; como el ocozol. Ú. t. c. s. f. || **2.** f. pl. *Bot.* Familia de estas plantas.

Hamaquear. (De *hamaca.*) tr. *Amér.* **Mecer,** 2.ª acep. Ú. t. c. r. || **2.** *Cuba.* fig. Marear a uno, traerle como un zarandillo.

Hamaquero. m. El que hace hamacas. || **2.** Cada uno de los que conducen en la hamaca al que va dentro de ella. || **3.** Gancho que se introduce en la pared para que sostenga la hamaca que ha de colgarse.

Hambre. (Del lat. **famen, -ĭnis,* por *fames.*) f. Gana y necesidad de comer. || **2.** Escasez de frutos, particularmente de trigo. || **3.** fig. Apetito o deseo ardiente de una cosa. || **calagurritana.** La que padecieron los habitantes de Calagurris (hoy Calahorra) sitiados por los romanos. || **2.** fig. y fam. **Hambre** muy violenta. || **canina.** Enfermedad que consiste en tener uno tanta gana de comer, que con nada se ve satisfecho. || **2.** fig. Gana de comer extraordinaria y excesiva. || **3.** fig. Deseo vehementísimo. || **de tres semanas.** loc. fig. y fam. que se usa cuando uno, por puro melindre, muestra repugnancia a ciertos manjares, o no quiere comer a sus horas, por estar ya satisfecho. || **estudiantina.** fig. y fam. Buen apetito y gana de comer a cualquier hora. || **A buena hambre no hay pan duro, ni falta salsa a ninguno. A gran hambre no hay pan malo, ni duro, ni bazo. A hambre no hay pan bazo. A la hambre no hay mal pan.** refs. con que se da a entender que cuando aprieta la necesidad no se repara en delicadezas. || **Andar** uno **muerto de hambre.** fr. fig. Pasar la vida con suma estrechez y miseria. || **Apagar el hambre.** fr. fig. **Matar el hambre.** || **Clarearse** uno **de hambre.** fr. fig. y fam. con que se pondera la mucha **hambre** que tiene. || **Hambre que espera hartura, no es hambre ninguna.** ref. que alienta a llevar con paciencia los trabajos a que ha de seguirse una gran recompensa o prosperidad. || **Hambre y esperar, hacen rabiar.** ref. que declara lo insoportables que son estas dos cosas. || **Hambre y frío entregan al hombre a su enemigo.** ref. con que se denota ser a veces tal la fuerza de la necesidad, que quien la padece se ve precisado a practicar los oficios que más se le resisten. || **Hambre o sueño o ruindad de,** o **del, dueño.** fr. con que se indican las causas del bostezo. || **Hambre y valentía.** expr. con que se nota al arrogante y vano que quiere disimular su pobreza. || **Juntarse el hambre con la gana de comer.** fr. fig. que se usa para indicar que coinciden las faltas, necesidades o aficiones de dos personas. || **Matar de hambre.** fr. fig. Dar poco de comer, extenuar. || **Matar el hambre.** fr. fig. Saciarla. || **Matarse** uno **de hambre.** fr. fig. Tratarse mal por penitencia o por sobrada cicatería. || **Morir,** o **morirse, de hambre.** fr. fig. Tener o padecer mucha penuria. || **Ni con toda hambre al arca, ni con toda sed al cántaro.** ref. con que se da a entender que en ocasiones pide la prudencia que se contenga uno y aguante. || **Perecer,** o **rabiar, de hambre.** fr. **Morir de hambre.** || **Si quieres cedo engordar, come con hambre y bebe a vagar.** ref. que enseña que para nutrirse bien es necesario comer sólo cuando hay apetito, y beber despacio. || **Sitiar** a uno **por hambre.** fr. fig. Valerse de la ocasión de que esté en necesidad o apuro, para reducirle a lo que se desea.

Hambrear. tr. Causar a uno o hacerle padecer hambre, impidiéndole la provisión de víveres. || **2.** intr. Padecer hambre. || **3.** Mostrar alguna necesidad, excitando la compasión y mendigando remedio para ella.

Hambriento, ta. (Del lat. **famulentus.*) adj. Que tiene mucha hambre. Ú. t. c. s. || **2.** fig. **Deseoso.** || **Más discurre un hambriento que cien letrados.** ref. con que se da a entender cuán ingenioso es el hombre cuando se halla en un apuro.

Hambrina. f. *And.* Hambre grande o extrema.

Hambrío, a. (De *hambre.*) adj. ant. **Hambriento.** Ú. en *Sal.*

Hambrón, na. (De *hambre.*) adj. fam. Muy hambriento; que continuamente anda manifestando afán y agonía por comer. Ú. t. c. s.

Hambruna. f. *Amér. Merid.* **Hambrina.**

Hamburgués, sa. adj. Natural de Hamburgo. Ú. t. c. s. || **2.** Perteneciente a esta ciudad de Alemania.

Hamez. f. Especie de cortadura que se les hace en las plumas a las aves de rapiña por no cuidarlas bien en punto a alimentos.

Hamo. (Del lat. *hamus.*) m. **Anzuelo,** 1.ª acep.

Hampa. f. Género de vida que antiguamente tenían en España, y con especialidad en Andalucía, ciertos hombres pícaros, los cuales, unidos en una especie de sociedad, como los gitanos, se empleaban en hacer robos y otros desafueros, y usaban de un lenguaje particular, llamado jerigonza o germanía. || **2.** Vida de holgazanería picaresca y maleante.

Hampesco, ca. adj. Perteneciente al hampa.

Hampo, pa. adj. **Hampesco.** || **2.** m. **Hampa.**

Hampón. (De *hampa.*) adj. Valentón, bravo; bribón, haragán. Ú. t. c. s.

Hamudí. (Del ár. *ḥammūdī,* perteneciente o relativo a *Ḥammūd,* n. p. de persona.) adj. Dícese de los descendientes de Alí ben Hamud, que a la caída del califato de Córdoba fundaron reinos de taifas en Málaga y Algeciras durante la primera mitad del siglo XI de J. C. Ú. t. c. s. En esta palabra se aspira la *h.*

Hanega. f. **Fanega.**

Hanegada. f. **Fanegada.**

Hannoveriano, na. adj. Natural de Hannóver. Ú. t. c. s. || **2.** Perteneciente a este país de Europa.

Hansa. (Del ant. alto al. *hansa,* compañía.) f. **Ansa,** 2.º art.

Hanseático, ca. (De *hansa.*) adj. **Anseático.**

Hanzo. m. ant. Contento, alegría, placer.

¡Hao! interj. ant. que se usaba para llamar a uno que estuviese distante. || **2.** m. ant. Renombre, fama.

Hapálido. (De *hapale,* nombre de un género de monos.) adj. *Zool.* Dícese de simios que se caracterizan por tener cuatro incisivos verticales, uñas comprimidas y puntiagudas, excepto en el pulgar de las extremidades abdominales; el pulgar de las torácicas es poco o nada oponible. Son los monos más pequeños que se conocen, y viven en la América Meridional; como el tití. Ú. t. c. s. m. || **2.** m. pl. *Zool.* Familia de estos animales.

Haplología. (Del gr. ἁπλόος, simple, y λόγος, vocablo, palabra.) f. Eliminación de una sílaba por ser semejante a otra sílaba contigua de la misma palabra, como *cejunto* por *cejijunto, impudicia* por *impudicicia.*

Haragán, na. (Tal vez del ár. *fargān,* ocioso, desocupado.) adj. Que excusa y rehuye el trabajo y pasa la vida en el ocio. Ú. m. c. s.

Haraganamente. adv. m. Con haraganería.

Haraganear. (De *haragán.*) intr. Pasar la vida en el ocio; no ocuparse en ningún género de trabajo.
Haraganería. (De *haragán.*) f. Ociosidad, falta de aplicación al trabajo.
Haragania. (De *haragán.*) f. desus. **Haraganería.**
Haraganoso, sa. adj. p. us. **Haragán.**
Harambel. (Del ár. *al-ḥanbal*, poyal, tapiz.) m. **Arambel.**
Harapiento, ta. adj. **Haraposo.**
Harapo. (Del lat. *faluppa*, tela mala, infl. por *drappus.*) m. **Andrajo.** 1.ª acep. ‖ **2.** Líquido ya sin fuerza, o aguardiente de poquísimos grados, que sale por la piquera del alambique cuando va a terminar la destilación del vino. ‖ **Andar,** o **estar,** uno **hecho un harapo.** fr. fig. y fam. Llevar muy roto el vestido.
Haraposo, sa. adj. Andrajoso, roto, lleno de harapos.
Haraute. (Del ant. alto al. *heriwalto*, heraldo.) m. ant. **Rey de armas.**
Harbar. intr. desus. Hacer alguna cosa de prisa y atropelladamente. Usáb. t. c. tr.
Harbullar. tr. **Farfullar.**
Harbullista. adj. p. us. **Farfullador.** Ú. t. c. s.
Harca. (Del ár. *ḥaraka*, movimiento de tropas.) f. En Marruecos, expedición militar de tropas indígenas de organización irregular. ‖ **2.** Partida de rebeldes marroquíes. En esta palabra se aspira la *h.*
Harem. m. **Harén.**
Harén. (Del ár. *ḥarim*, lugar vedado, gineceo.) m. Departamento de la casas de los musulmanes en que viven las mujeres. ‖ **2.** Conjunto de todas las mujeres que viven bajo la dependencia de un jefe de familia entre los musulmanes.
Harense. adj. Natural de Haro. Ú. t. c. s. ‖ **2.** Perteneciente a esta ciudad.
Harija. (Del lat. **farīcŭla*, de *far*, harina y salvado.) f. Polvillo que el aire levanta del grano cuando se muele, y de la harina cuando se cierne.
Harina. (Del lat. *farina.*) f. Polvo que resulta de la molienda del trigo o de otras semillas. ‖ **2.** Este mismo polvo despojado del salvado o la cascarilla. ‖ **3.** Polvo procedente de algunos tubérculos y legumbres. ‖ **4.** fig. Polvo menudo a que se reducen algunas materias sólidas; como los metales, etc. ‖ **abalada.** La que cae fuera de la artesa cuando se cierne con descuido. ‖ **fósil. Trípoli.** ‖ **lacteada.** Polvo compuesto de leche concentrada en el vacío, pan tostado pulverizado y azúcar, y que constituye un alimento muy útil en la primera infancia. ‖ **Cerner, cerner, y sacar poca harina.** ref. que denota que algunos se afanan en cosas que de suyo traen poca utilidad. ‖ **Donde no hay harina, todo es mohína.** ref. con que se da a entender que la pobreza y miseria suelen ocasionar disgustos y desazones en las familias. ‖ **Esparcidor de harina y recogedor de ceniza.** ref. **Allegador de la ceniza y derramador de la harina.** ‖ **Estar metido en harina.** fr. de que se usa hablando del pan, para significar que no está esponjoso. ‖ **2.** fig. y fam. Estar uno gordo y tener las carnes macizas. ‖ **3.** fig. y fam. Estar empeñado con mucho ahínco en una obra o empresa. ‖ **Hacer buena,** o **mala, harina.** fr. fig. y fam. Obrar bien o mal. ‖ **Hacer harina** una cosa. fr. fig. Hacerla añicos. ‖ **Harina abalada no te vea suegra ni cuñada.** ref. que aconseja no descubrir uno las propias faltas a sus émulos, porque no es fácil que las disimulen. ‖ **Haz buena harina y no toques bocina.** ref. que aconseja obrar bien y no publicarlo. ‖ **Ser** una cosa **harina de otro costal.** fr. fig. y fam. Ser muy diferente de otra con que se la compara. ‖ **2.** fig. y fam. Ser una especie enteramente ajena al asunto de que se trata.
Harinado. m. Harina disuelta en agua.
Harinero, ra. adj. Perteneciente a la harina. *Molino, cedazo* HARINERO. ‖ **2.** m. El que trata y comercia en harina. ‖ **3.** Arcón o sitio donde se guarda la harina.
Harinoso, sa. adj. Que tiene mucha harina. ‖ **2. Farináceo.**
Hariscarse. r. **Ariscarse.**
Harma. (Del gr. ἅρμαλα.) f. **Alharma.**
Harmonía. f. **Armonía.**
Harmónicamente. adv. m. **Armónicamente.**
Harmónico, ca. adj. **Armónico.**
Harmonio. m. *Mús.* **Armonio.**
Harmoniosamente. adv. m. **Armoniosamente.**
Harmonioso, sa. adj. **Armonioso.**
Harmonista. com. ant. **Armonista.**
Harmonizable. adj. **Armonizable.**
Harmonización. f. *Mús.* **Armonización.**
Harmonizar. tr. **Armonizar.**
Harneadura. f. *Chile.* Acción y efecto de harnear.
Harnear. tr. *Chile.* Cribar, pasar por el harnero.
Harnerero. m. El que hace o vende harneros.
Harnero. (Del lat. [*cribrum*] *farinārium.*) m. **Criba.** ‖ **alpistero.** El que sirve para limpiar el alpiste. ‖ **Estar** uno **hecho un harnero.** fr. fig. Tener muchas heridas.
Harneruelo. m. Paño horizontal que forma el centro de la mayor parte de los techos de madera labrada o alfarjes.
Harón, na. (Del ár. *ḥārūn* o *ḥarūn*, reacio.) adj. Lerdo, perezoso, holgazán. ‖ **2.** Que se resiste a trabajar. ‖ **Sacar** a uno **de harón.** fr. Sacarle de su paso, avivarle.
Haronear. (De *harón.*) intr. Emperezarse; andar lerdo, flojo o tardo.
Haronía. (De *harón.*) f. Pereza, flojedad, poltronería.
Harpa. f. **Arpa.**
Harpado, da. adj. **Arpado,** 1.er art.
Harpado, da. adj. **Arpado,** 2.° art.
Harpía. f. **Arpía.**
Harpillera. (Del m. or. que *herpil;* en fr. *serpillière.*) f. **Arpillera.**
Harqueño. adj. Perteneciente o relativo a la harca. Apl. a pers., ú. t. c. s. En esta voz se aspira la *h.*
Harrado. m. El rincón o ángulo entrante que forma la bóveda esquilfada. ‖ **2. Enjuta,** 1.ª acep.
¡Harre! (Del ár. *harrà*, grito para estimular a los camellos.) interj. y m. **¡Arre!**
Harrear. (De *¡harre!*) tr. **Arrear,** 1.er art.
Harria. f. **Arria.**
Harriería. f. **Arriería.**
Harriero. (De *harrear.*) m. **Arriero.** ‖ **2.** Ave trepadora de larga cola, plumaje rojizo y alas de color gris verdoso con reflejos metálicos. Habita en la isla de Cuba.
Harruquero. m. *And.* **Arriero.**
Hartada. f. Acción y efecto de hartar o hartarse. ‖ **Más vale una hartada que dos hambres.** fr. fam. para disculparse de consumir algo de una vez sin dejar nada para otra ocasión.
Hartar. (De *harto.*) tr. Saciar el apetito de comer o beber. Ú. t. c. r. y como intr. ‖ **2.** fig. Satisfacer el gusto o deseo de una cosa. ‖ **3.** fig. Fastidiar, cansar. Ú. t. c. r. ‖ **4.** fig. Junto con algunos nombres y la prep. *de,* dar, causar, etc., copia o muchedumbre de lo que significan los nombres con que se junta. HARTAR *a uno de palos, de desvergüenzas.*
Hartazga. f. ant. **Hartazgo.**
Hartazgo. (De *hartar.*) m. Repleción incómoda que resulta de comer, o de comer y beber, con exceso. ‖ **Darse** uno **un hartazgo.** fr. fam. Comer con mucho exceso; llenarse de comida hasta más no poder. ‖ **Darse** uno **un hartazgo de** una cosa. fr. fig. y fam. Hacerla con exceso. DARSE UN HARTAZGO *de comer, de leer, de hablar.*
Hartazón. m. **Hartazgo.**
Hartío, a. adj. ant. Harto o saciado.
Harto, ta. (Del lat. *fartus*, saciado, henchido.) p. p. irreg. de **Hartar.** Ú. t. c. s. ‖ **2.** adj. Bastante o sobrado. ‖ **3.** fig. y fam. V. **Harto de ajos.** ‖ **4.** adv. c. Bastante o sobrado.
Hartón. (De *hartar.*) adj. V. **Cambur hartón.** ‖ **2.** m. *Germ.* **Pan,** 1.ª acep.
Hartura. (De *harto.*) f. Repleción de alimento. ‖ **2.** Abundancia, copia. ‖ **3.** fig. Logro cabal y cumplido de un deseo o apetito.
Hasaní. (Del ár. *ḥasanī*, perteneciente o relativo a *Ḥasan*, n. p. de persona.) adj. Dícese principalmente de la moneda que acuñó el sultán de Marruecos, Hasán, y en general de la moneda marroquí.
Hasta. (De *fasta.*) prep. que sirve para expresar el término de lugares, acciones y cantidades continuas o discretas. ‖ ‖ **2.** Se usa como conjunción copulativa, y entonces sirve para exagerar o ponderar una cosa, y equivale a **también** o **aun.** ‖ **Hasta después. Hasta luego.** exprs. que se emplean como saludo para despedirse de persona a quien se espera volver a ver pronto o en el mismo día. ‖ **Hasta no más.** m. adv. que se usa para significar grande exceso o demasía de alguna cosa.
Hastial. (Del lat. **fastīgiāle*, de *fastigium*, hastial.) m. Parte superior triangular de la fachada de un edificio en la cual descansan las dos vertientes del tejado o cubierta, y por ext., toda la fachada. ‖ **2.** fig. Hombrón rústico y grosero. Suele aspirarse la *h.* ‖ **3.** *Min.* Cara lateral de una excavación. ‖ **4.** pl. *Ál.* Porches o soportales para uso y comodidad del público.
Hastiar. (Del lat. *fastidiāre.*) tr. **Fastidiar.** Ú. t. c. r.
Hastío. (Del lat. *fastīdium.*) m. Repugnancia a la comida. ‖ **2.** fig. Disgusto, tedio.
Hastiosamente. adv. m. Con hastío.
Hastioso, sa. (Del lat. *fastidiōsus.*) adj. **Fastidioso.**
Hataca. f. Cierto cucharón o cuchara grande de palo. ‖ **2.** Palo cilíndrico que servía para extender la masa.
Hatada. (De *hato.*) f. *Extr.* **Hatería,** 2.ª acep.
Hatajador. m. *Méj.* El que guía la recua.
Hatajo. m. **Atajo,** 5.ª y 6.ª aceps.
Hatear. (De *hato.*) intr. Recoger uno cuando está de viaje, la ropa y pequeño ajuar que tiene para el uso preciso y ordinario. ‖ **2.** Dar la hatería a los pastores.
Hatería. (De *hatero.*) f. Provisión de víveres con que para algunos días se abastece a los pastores, jornaleros y mineros. ‖ **2.** Ropa, ajuar y repuesto de víveres que llevan los pastores cuando andan con el ganado, y también los jornaleros y mineros.
Hatero, ra. (De *hato.*) adj. Aplícase a las caballerías mayores y menores que sirven para llevar la ropa y el ajuar de los pastores. ‖ **2.** m. El que está destinado para llevar la provisión de víveres a los pastores. ‖ **3.** m. y f. *Cuba.* Persona que posee un hato, 5.ª acep.
Hatijo. m. Cubierta de esparto o de otra materia semejante, para tapar la boca de las colmenas o de otro vaso.
Hatillo. m. d. de **Hato.** ‖ **Echar** uno **el hatillo al mar.** fr. fig. y fam. Irritarse, enojarse. ‖ **Coger,** o **tomar,** uno **el hatillo,** o su **hatillo.** fr. fig. y fam. Marcharse, partirse, irse.

Hato. (De *fato*, 2.° art.) m. Ropa y pequeño ajuar que uno tiene para el uso preciso y ordinario. || **2.** Porción de ganado mayor o menor; como bueyes, vacas, ovejas, carneros, etc. || **3.** Sitio que fuera de las poblaciones eligen los pastores para comer y dormir durante su estada allí con el ganado. || **4. Hatería,** 1.ª acep. || **5.** *Cuba* y *Venez.* Hacienda de campo destinada a la cría de toda clase de ganado, y principalmente del mayor. || **6.** fig. Junta o compañía de gente malvada o despreciable. *Un* HATO *de pícaros, de tontos.* || **7.** fig. **Atajo,** 6.ª acep. || **8.** fam. Junta o corrillo. || **9.** ant. Redil o aprisco. || **Andar** uno **con el hato a cuestas.** fr. fig. y fam. Mudar frecuentemente de habitación, o andar vagando de un lugar a otro sin fijar en ninguno su domicilio. || **Liar** uno **el hato.** fr. fig. y fam. Prepararse para marchar. || **Menear el hato** a uno. fr. fig. y fam. Zurrarle, darle golpes. || **Perder** uno **el hato.** fr. fig. y fam. Huir o hacer otra cosa con tal aceleración y falta de tiento, que parece que pierde o se le cae lo que trae a cuestas. || **Revolver el hato.** fr. fig. y fam. Excitar discordias entre algunos; inquietar los ánimos de unos con otros. || **Traer** uno **el hato a cuestas.** fr. fig. y fam. **Andar con el hato a cuestas.**

Haute. (Del fr. *haute*, alta.) m. *Blas.* Escudo de armas adornado de cota, donde se pintan las armas de distintos linajes, las unas enteramente descubiertas y las otras la mitad sólo, como que lo que falta lo encubre la parte ya pintada.

Havar. (Del berb. *Hawāra*, n. p. de una tribu.) adj. Dícese del individuo de la tribu berberisca de Havara, una de las más antiguas del África Septentrional. Ú. m. c. s. y en pl. || **2.** Perteneciente a esta tribu.

Havara. adj. **Havar.** Ú. m. c. s.

Havo. (Del lat. *favus*, panal.) m. ant. Favo.

Haya. (Del lat. *fagĕa*, f. del adj. *fagĕus*, de haya.) f. *Bot.* Árbol de la familia de las fagáceas, que crece hasta 30 metros de alto, con tronco grueso, liso, de corteza gris y ramas de gran altura que forman una copa redonda y espesa; hojas pecioladas, alternas, oblongas, de punta aguda y borde dentellado; flores masculinas y femeninas separadas, las primeras en amentos colgantes y las segundas en involucro hinchado hacia el medio, y madera de color blanco rojizo, ligera, resistente y de espejuelos muy señalados. Su fruto es el hayuco. || **2.** Madera de este árbol.

Haya. (3.ª pers. del pr. de subj. de *haber.*) f. Donativo que en las escuelas de baile español hacían antiguamente los discípulos a sus maestros por las pascuas y otras festividades del año, bailando primero uno de ellos el alta, después de lo cual ponía en un sombrero el dinero que le parecía, y sacaba en seguida a bailar a otro discípulo, que practicaba lo mismo, y así sucesivamente todos los demás.

Hayaca. f. Pastel de harina de maíz relleno con pescado o carne en pedazos pequeños, tocino, pasas, aceitunas, almendras, alcaparras y otros ingredientes, que, envuelto en hojas de plátano, se hace en Venezuela, especialmente como manjar y regalo de Navidad.

Hayal. m. Sitio poblado de hayas, 1.er art.

Hayedo. (De *haedo*, infl. por *haya*, 1.er art.) m. **Hayal.**

Hayeno, na. adj. ant. Perteneciente al haya, 1.er art.

Hayo. m. **Coca,** 1.er art. || **2.** Mezcla de hojas de coca y sales calizas o de sosa y aun ceniza, que mascan los indios de Colombia.

Hayucal. (De *hayuco.*) m. *León.* **Hayal.**

Hayuco. (Del lat. *fagum*, infl. por *haya*, 1.er art.) m. Fruto del haya, de forma de pirámide triangular. Suele darse como pasto al ganado de cerda.

Haz. (Del lat. *fascis.*) m. Porción atada de mieses, lino, hierbas, leña u otras cosas semejantes. || **2.** Conjunto de rayos luminosos de un mismo origen. || **3.** pl. **Fasces.**

Haz. (Del lat. *acies*, fila, con la *h* de *haz*, 1.er art.) m. Tropa ordenada o formada en trozos o divisiones. || **2.** Tropa formada en filas.

Haz. (Del lat. *facĭes*, cara.) f. Cara o rostro. || **2.** fig. Cara del paño o de cualquiera tela y de otras cosas, y especialmente la opuesta al envés. || **3.** ant. fig. Fachada de un edificio. || **4.** *For.* V. **Fianza de la haz.** || **de la tierra.** fig. Superficie de ella. || **A dos haces.** m. adv. Con segunda intención. || **A sobre haz.** m. adv. Por lo que aparece en lo exterior; según lo que se presenta por de fuera y por encima. || **En haz,** o **en la haz.** m. adv. ant. A vista, en presencia. || **Hacer haz.** *Albañ.* y *Carp.* fr. que se dice de dos maderos o sillares, cuando sus paramentos están en un mismo plano. || **Ser** uno **de dos haces.** fr. fig. Decir una cosa y sentir otra.

Haza. (Del lat. *fascĭa*, faja.) f. Porción de tierra labrantía o de sembradura. || **2.** ant. fig. Montón o rimero. || **Haza, do escarba el gallo.** ref. en que se advierte que si uno ha de cuidar bien de sus heredades, conviene las tenga cerca del pueblo de su residencia. || **Mondar la haza.** fr. fig. y fam. Desembarazar un sitio o paraje, a semejanza del labrador cuando levanta la mies.

Hazaleja. (De *fazaleja.*) f. **Toalla.**

Hazana. (De *hacer.*) f. fam. Faena casera habitual y propia de la mujer.

Hazaña. (De *hacer.*) f. Acción o hecho, y especialmente hecho ilustre, señalado y heroico.

Hazañar. (De *hazaña.*) intr. ant. Hacer hazañerías.

Hazañería. (De *hazañero.*) f. Cualquiera demostración o expresión con que uno afectadamente da a entender que teme, escrupuliza o se admira, no teniendo motivo para ello.

Hazañero, ra. (De *hazaña.*) adj. Que hace hazañerías. || **2.** Perteneciente a la hazañería.

Hazañosamente. adv. m. Valerosamente, con heroicidad.

Hazañoso, sa. (De *fazañoso.*) adj. Aplícase al que ejecuta hazañas. || **2.** Dícese de los hechos heroicos.

Hazmerreír. (De *hacer*, el pron. *me* y *reír.*) m. fam. Persona que por su figura ridícula y porte extravagante sirve de juguete y diversión a los demás.

Hazuela. f. d. de **Haza.**

He. (Del ár. *hā*, he aquí.) adv. dem. que junto con los adverbios *aquí* y *allí*, o con los pronombres *me, te, la, le, lo, las, los*, sirve para señalar o mostrar una persona o cosa. || **2.** interj. ¡**Ce**!

He (A la). loc. ant. **A la fe.**

Hebdómada. (Del lat. *hebdomăda*, y éste del gr. ἑβδομάς.) f. **Semana,** 1.ª acep. || **2.** Espacio de siete años. *Las setenta* HEBDÓMADAS *de Daniel.*

Hebdomadariamente. adv. m. **Semanalmente.**

Hebdomadario, ria. (De *hebdómada.*) adj. **Semanal.** || **2.** m. y f. En los cabildos eclesiásticos y comunidades regulares, semanero, o persona que se destina cada semana para oficiar en el coro o en el altar.

Hebén. adj. V. **Uva hebén.** || **2.** Dícese también del veduño y vides que la producen. || **3.** fig. Aplícase a la persona o cosa que es de poca substancia o fútil.

Hebetar. (Del lat. *hebetāre.*) tr. p. us. **Embotar,** 1.er art., 2.ª acep.

Hebijón. (De *hebilla*, por contaminación con *aguijón.*) m. Clavo o púa de la hebilla.

Hebilla. (Del lat. *fibĕlla.*) f. Pieza, generalmente de metal, que se hace de varias figuras, con una patilla y uno o más clavillos en medio, asegurados por un pasador, la cual sirve para ajustar y unir las orejas de los zapatos, las correas, cintas, etc. || **No faltar hebilla** a uno o a una cosa. fr. fig. y fam. con que se denota la perfección de ésta, o que una persona tiene todo lo necesario para ejecutar algo.

Hebillaje. m. Conjunto de hebillas que entran en un aderezo, vestido o adorno.

Hebillar. tr. ant. Poner hebillas en una cosa.

Hebillero, ra. m. y f. Persona que hace o vende hebillas.

Hebilleta. f. d. de **Hebilla.** || **No faltar hebilleta** a uno o a una cosa. fr. fig. y fam. **No faltarle hebilla.**

Hebillón. m. aum. de **Hebilla.**

Hebilluela. f. d. de **Hebilla.**

Hebra. (Del lat. *fibra.*) f. Porción de hilo, estambre, seda u otra materia semejante hilada, que para coser algo suele meterse por el ojo de una aguja. || **2.** En algunas partes, estigma de la flor del azafrán. || **3.** Fibra de la carne. || **4.** Filamento de las materias textiles. || **5.** En la madera, aquella parte que tiene consistencia y flexibilidad para ser labrada o torcida sin saltar ni quebrarse. || **6.** Hilo que forman las materias viscosas que tienen cierto grado de concentración. || **7.** Vena o filón. || **8.** fig. Hilo del discurso. || **9.** pl. poét. Los cabellos. Ú. t. en sing. || **Cortar** a uno **la hebra de la vida.** fr. fig. Privarle de la vida, quitársela. || **De una hebra.** m. adv. fig. *Chile.* **De un aliento.** || **Estar** uno **de buena hebra.** fr. fig. y fam. Tener complexión fuerte y robusta. || **Hacer hebra.** fr. **Hacer madeja.** || **Pegar la hebra.** fr. fig. y fam. Trabar accidentalmente conversación, o prolongarla más de la cuenta. || **Ser** uno **de buena hebra.** fr. fig. y fam. **Estar de buena hebra.**

Hebraico, ca. (Del lat. *hebraĭcus.*) adj. **Hebreo.** || **2.** m. ant. **Hebreo.**

Hebraísmo. (Del lat. *hebraismus.*) m. Profesión de la ley antigua o de Moisés. || **2.** Giro o modo de hablar propio y privativo de la lengua hebrea. || **3.** Empleo de tales giros o construcciones en otro idioma.

Hebraísta. m. El que cultiva la lengua y literatura hebreas.

Hebraizante. p. a. de **Hebraizar.** Que hebraíza. || **2.** m. **Hebraísta.** || **3. Judaizante.**

Hebraizar. intr. Usar hebraísmos, 3.ª acep.

Hebreo, a. (Del lat. *hebraeus*, y éste del hebr. *'ibrī.*) adj. Aplícase al pueblo semítico que conquistó y habitó la Palestina, y que también se llama israelita y judío. Apl. a pers., ú. t. c. s. || **2.** Perteneciente o relativo a este pueblo. || **3.** Dícese, como israelita y judío, del que aún profesa la ley de Moisés. Ú. t. c. s. || **4.** Perteneciente a los que la profesan. || **5.** m. Lengua de los **hebreos.** || **6.** fig. y fam. **Mercader.** || **7.** fig. y fam. **Usurero.**

Hebrero. m. **Herbero,** 1.ª acep.

Hebrero. (Del lat. *februarĭus.*) m. ant. **Febrero.** || **Cuando llueve en hebrero, todo el año ha tempero.** ref. con que se manifiesta la buena disposición que adquiere la tierra con las lluvias de febrero.

Hebroso, sa. (De *hebra.*) adj. **Fibroso.**

Hebrudo, da. adj. *And., C. Rica* y *León.* **Hebroso.**

Hecatombe. (Del lat. *hecatombe*, y éste del gr. ἑκατόμβη; de ἑκατόν, ciento, y βοῦς, buey.) f. Sacrificio de cien bueyes u otras víctimas, que hacían los antiguos paganos a sus dioses. || **2.** Cualquier sacrificio solemne en que es crecido el número de víctimas, aunque no lleguen a ciento o excedan de este número. || **3.** fig. Matanza, 2.ª acep.

Heciento, ta. (De *hez.*) adj. ant. Feculento, 2.ª acep.

Hectárea. (De *hecto* y *área.*) f. Medida de superficie, que tiene 100 áreas y equivale a 894 estadales cuadrados con 469 milésimas, o sea algo más de fanega y media de Castilla.

Héctico, ca. (Del lat. *hectĭcus*, y éste del gr. ἑκτικός, habitual.) adj. **Hético.** || **2.** V. **Fiebre héctica.** Ú. t. c. s.

Hectiquez. (De *héctico.*) f. *Med.* Estado morboso crónico, caracterizado por consunción y fiebre héctica.

Hecto. (Contracc. irreg. del gr. ἑκατόν, ciento.) Voz que sólo tiene uso como prefijo de vocablos compuestos, con la significación de cien. HECTÓ*metro.*

Hectógrafo. (De *hecto* y el gr. γράφω, escribir.) m. Aparato que sirve para sacar muchas copias de un escrito o dibujo.

Hectogramo. (De *hecto* y *gramo.*) m. Medida de peso, que tiene 100 gramos.

Hectolitro. (De *hecto* y *litro.*) m. Medida de capacidad, que tiene 100 litros. Equivale en medida de Castilla, para áridos, a 1 fanega, 9 celemines y 2 1/2 cuartillos, y en los líquidos, a 6 cántaras y 6 cuartillos.

Hectómetro. (De *hecto* y *metro.*) m. Medida de longitud, que tiene 100 metros.

Hectóreo, a. (Del lat. *hectorĕus.*) adj. poét. Perteneciente a Héctor, personaje homérico, o semejante a él.

Hecha. (Del lat. *facta.*) f. ant. Hecho o acción. || **2.** ant. **Fecha.** || **3.** *Ar.* Tributo o censo que se paga por el riego de las tierras. || **De aquella hecha.** m. adv. ant. Desde entonces, desde aquel tiempo o desde aquella vez. || **De esta hecha.** m. adv. Desde ahora, desde este tiempo o desde esta vez o fecha. || **Quien ha las hechas, ha, o tiene, las sospechas.** ref. contra los que juzgan mal de otros por lo que ellos experimentan en sí; y también da a entender que el que comete un delito se hace sospechoso cuando se trata de otro de igual clase.

Hechiceresco, ca. adj. Perteneciente a la hechicería.

Hechicería. (De *hechicero.*) f. Arte supersticioso de hechizar. || **2. Hechizo,** 8.ª acep. || **3.** Acto supersticioso de hechizar.

Hechicero, ra. (De *hechizo.*) adj. Que practica el vano y supersticioso arte de hechizar. Ú. t. c. s. || **2.** fig. Que por su hermosura, gracias o buenas prendas atrae y cautiva la voluntad y cariño de las gentes. *Niña* HECHICERA; *estilo* HECHICERO.

Hechizar. (De *hechizo.*) tr. Según la credulidad del vulgo, privar uno a otro de la salud o de la vida, trastornarle el juicio, o causarle algún otro daño, en virtud de pacto hecho con el diablo y de ciertas confecciones y prácticas supersticiosas. || **2.** fig. Despertar una persona o cosa admiración, afecto o deseo.

Hechizo, za. (Del lat. *factitius.*) adj. Artificioso o fingido. || **2.** De quita y pon, portátil, postizo, sobrepuesto y agregado. || **3.** Hecho o que se hace según ley y arte. || **4.** V. **Herradura hechiza.** || **5.** V. **Ruido hechizo.** || **6.** ant. Contrahecho, falseado o imitado. || **7.** ant. Bien adaptado o apropiado. || **8.** m. Cualquiera cosa supersticiosa, como jugos de hierbas, untos, etc., de que se valen los hechiceros para el logro de los fines que se prometen en el ejercicio de sus vanas artes. || **9.** fig. Persona o cosa que arrebata, suspende y embelesa nuestras potencias y sentidos.

Hecho, cha. (Del lat. *factus.*) p. p. irreg. de **Hacer.** || **2.** adj. Perfecto, maduro. *Hombre, árbol, vino* HECHO. || **3.** Con algunos nombres, semejante a las cosas significadas por tales nombres. HECHO *un león, un basilisco.* || **4.** Aplicado a nombres de cantidad con el adv. *bien*, denota que la cantidad es algo más de lo que se expresa. || **5.** Aplicado a nombres de animales, con los advs. *bien* o *mal*, significa la proporción o desproporción de sus miembros entre sí, y la buena o mala formación de cada uno de ellos. || **6.** V. **Frase, ropa hecha.** || **7.** V. **Hombre hecho.** || **8.** Úsase en su terminación masculina como respuesta afirmativa para conceder o aceptar lo que se pide o propone. || **9.** m. Acción u obra. || **10.** V. **Hombre, juez de hecho.** || **11. Suceso,** 1.ª acep. || **12.** Asunto o materia de que se trata. || **13.** *For.* Caso sobre que se litiga o que da motivo a la causa. || **14.** *For.* V. **Ignorancia de hecho.** || **15.** *For.* V. **Condición imposible de hecho.** || **16.** *For.* V. **Presunción de hecho y de derecho.** || **de armas.** Hazaña o acción señalada en la guerra. || **probado.** *For.* El que como tal se declara en las sentencias por los tribunales de instancia, y es base para las apreciaciones jurídicas en casación, especialmente en lo criminal. || **Hechos de los Apóstoles.** El quinto libro del Nuevo Testamento, escrito por San Lucas. || **A hecho.** m. adv. Seguidamente, sin interrupción hasta concluir. || **2.** Por junto, sin distinción ni diferencia. || **A lo hecho no hay remedio, y a lo por hacer, consejo.** ref. que enseña la conformidad que se necesita en lo que ya se hizo, cuando salió mal, y la prudencia y prevención con que se debe obrar en adelante. || **A nuevos hechos, nuevos consejos.** ref. que advierte que según las circunstancias, tiempos y costumbres, varían las leyes o la conducta de los hombres. || **De hecho.** m. adv. **Efectivamente.** || **2.** De veras, con eficacia y buena voluntad. || **3.** *For.* Sirve para denotar que en una causa se procede arbitrariamente por vía de fuerza y contra lo prescrito en el derecho. || **De hecho y de derecho.** loc. Que además de existir o proceder, existe o procede legítimamente. || **En hecho de verdad.** m. adv. Real y verdaderamente. || **Esto es hecho.** expr. con que se da a entender haberse ya verificado enteramente o consumado una cosa. || **Hacer uno su hecho.** fr. **Hacer su negocio.** || **Hecho y derecho.** loc. con que se explica que una persona es cabal, o que se ha ejecutado una cosa cumplidamente. || **2.** Real y verdadero.

Hechor, ra. (Del lat. *factor, -ōris*, factor.) m. y f. ant. **Autor, ra,** 1.ª acep. || **2.** *And.* y *Chile.* **Malhechor, ra.** || **3.** m. *Argent.* y *Venez.* **Garañón,** 1.ª acep.

Hechura. (Del lat. *factūra.*) f. Acción y efecto de hacer. || **2.** Cualquiera cosa respecto del que la ha hecho o formado. Con especialidad se da este nombre a las criaturas respecto de Dios, por ser todas obra suya. || **3.** Composición, fábrica, organización del cuerpo. || **4.** Forma exterior o figura que se da a las cosas. || **5.** Dinero que se paga al maestro u oficial por hacer una obra. Suele usarse en plural. || **6.** Imagen o figura de bulto hecha de madera, barro, pasta u otra materia. || **7.** fig. Una persona respecto de otra a quien debe su empleo, dignidad y fortuna. || **No se pierde más que la hechura.** expr. jocosa que se usa cuando se quiebra una cosa que es de poquísimo o ningún valor y no puede componerse, para significar que se perdió cuanto había que perder. || **No tener hechura** una cosa. fr. No ser factible.

Hedentina. (De *hedentino.*) f. Olor malo y penetrante. || **2.** Sitio donde lo hay.

Hedentino, na. (De *hediente.*) adj. ant. Hediondo.

Hedentinoso, sa. (De *hedentino.*) adj. ant. Hediondo.

Heder. (Del lat. *foetēre.*) intr. Arrojar de sí un olor muy malo y penetrante. || **2.** fig. Enfadar, cansar, ser intolerable.

Hediente. p. a. ant. de **Heder.** Que hiede.

Hediento, ta. (De *heder.*) adj. **Hediondo.**

Hediondamente. adv. m. Con hedor.

Hediondez. f. Cosa hedionda. || **2. Hedor.**

Hediondo, da. (Del lat. **foetĭbŭndus*, de *foetēre*, heder.) adj. Que arroja de sí hedor. || **2.** fig. Molesto, enfadoso e insufrible. || **3.** fig. Sucio y repugnante, torpe y obsceno. || **4.** V. **Cañaheja, manzanilla hedionda.** || **5.** V. **Leño, lirio, trébol hediondo.** || **6.** m. *Bot.* Arbusto leguminoso, originario de España, de la familia de las leguminosas, que crece hasta dos metros de altura, con hojas compuestas de tres hojuelas enteras y lanceoladas; flores amarillas en racimos casi pegados a las mismas ramas, y fruto en vainillas negras, algo tortuosas, con seis o siete semillas pardas, de figura de riñón y un centímetro de largo. Toda la planta despide un olor desagradable.

Hedo, da. (Del lat. *foedus.*) adj. ant. Feo.

Hedonismo. (Del gr. ἡδονή, el placer.) m. Doctrina que proclama como fin supremo de la vida la consecución del placer.

Hedonista. adj. Perteneciente o relativo al hedonismo. || **2.** Partidario del hedonismo. Ú. t. c. s.

Hedor. (Del lat. *foetor, -ōris.*) m. Olor desagradable, que generalmente proviene de substancias orgánicas en descomposición.

Hegelianismo. m. Sistema filosófico, fundado en la primera mitad del siglo XIX por el alemán Hegel, según el cual, lo Absoluto, que él llama Idea, se manifiesta evolutivamente bajo las formas de naturaleza y de espíritu. En esta voz se aspira la *h*, y tiene la *g* sonido suave.

Hegeliano, na. adj. Que profesa el hegelianismo. Ú. t. c. s. || **2.** Perteneciente a él. En esta voz se aspira la *h*, y tiene la *g* sonido suave.

Hegemonía. (Del gr. ἡγεμονία, de ἡγεμών, guía.) f. **Heguemonía.**

Hegemónico, ca. adj. Perteneciente o relativo a la hegemonía.

Hégira. (Del ár. *hiŷra*, emigración.) f. Era de los mahometanos, que se cuenta desde la puesta del Sol del jueves 15 de julio de 622, día de la huida de Mahoma de la Meca a Medina, y que se compone de años lunares de 354 días, intercalando 11 de 355 en cada período de 30. El año 1954 de la era cristiana corresponde en su primera mitad al 1373 de la **hégira.**

Heguemonía. (De *hegemonía.*) f. Supremacía que un Estado ejerce sobre otros; como Macedonia sobre la antigua Grecia.

Héjira. f. **Hégira.**

Helable. adj. Que se puede helar.

Helada. (Del lat. *gelāta*, t. f. de *-tus*, helado.) f. Congelación de los líquidos, producida por la frialdad del tiempo. || **blanca. Escarcha.** || **Ara con helada, matarás la grama.** ref. que enseña que, arrancadas con el arado las raíces de las malas hierbas, se secan fácilmente en tiempo de hielos. || **Caer heladas.** fr. **Helar,** 1.ª acep.

Heladería. (De *heladero.*) f. Tienda en que se hacen y venden helados.

Heladero. m. *Chile.* El que tiene una heladería.

Heladizo, za. (De *helado.*) adj. Que se hiela fácilmente.

Helado, da. p. p. de **Helar.** || **2.** adj. Muy frío. || **3.** fig. Suspenso, atónito, pasmado. || **4.** fig. Esquivo, desdeñoso. || **5.** V. **Queso helado.** || **6.** m. Bebida o manjar **helado.** || **7. Sorbete.** || **8.** *And.* **Azúcar rosado.**

Helador, ra. adj. Que hiela.

Heladura. (De *helar.*) f. Atronadura producida por el frío. || **2. Doble albura.**

Helamiento. m. Acción y efecto de helar o helarse.

Helante. p. a. ant. de **Helar.** Que hiela.

Helar. (Del lat. *gelāre.*) tr. Congelar, cuajar, endurecer la acción del frío un líquido. Ú. m. c. intr. y c. r. || **2.** fig. Poner o dejar a uno suspenso y pasmado; sobrecogerle. || **3.** fig. Hacer a uno caer de ánimo; desalentarle, acobardarle. || **4.** r. Ponerse una persona o cosa sumamente fría o yerta. || **5.** Coagularse o consolidarse una cosa que se había liquidado, por faltarle el calor necesario para mantenerse en el estado de líquida; como la grasa, el plomo, etc. Ú. algunas veces como transitivo. || **6.** Hablando de árboles, arbustos, plantas o frutas, secarse a causa de la congelación de su savia y jugos, producida por el frío.

Helear. (De *hiel.*) tr. **Ahelear,** 1.ª acep.

Helechal. m. Sitio poblado de helechos.

Helecho. (Del lat. **filictum,* de *filix, -licis.*) m. *Bot.* Planta criptógama, de la clase de las filiáceas, con frondas pecioladas, de dos a cinco decímetros de largo, lanceoladas y divididas en segmentos oblongos, alternos y unidos entre sí por la base; cápsulas seminales en dos líneas paralelas al nervio medio de los segmentos, y rizoma carnoso. || **2.** *Bot.* Cualquiera de las plantas de la clase de las filicíneas. || **hembra.** Especie de filicínea que se caracteriza por tener frondas de 7 a 13 decímetros de longitud, con pecíolo largo, grueso y en parte subterráneo, que cortado al través representa aproximadamente el águila de dos cabezas empleada en la heráldica; cada fronda se divide en dos o tres partes, y éstas en segmentos lanceolados, vellosos por el envés y con las cápsulas seminales situadas junto al margen. El rizoma se ha usado en medicina como antihelmíntico. || **macho.** Especie de filicínea que se caracteriza por tener frondas de seis a ocho decímetros de longitud, oblongas, de pecíolo cubierto con escamas rojizas y divididas en segmentos largos de borde aserrado. El rizoma es de sabor algo amargo, olor desagradable, y se emplea en medicina como vermífugo.

Helena. (Del lat. *helĕna,* y éste del gr. ἑλένη.) f. **Fuego de Santelmo,** cuando se presenta con una sola llama.

Helénico, ca. (Del lat. *hellenĭcus,* y éste del gr. Ἑλληνικός.) adj. **Griego,** 1.er art., 2.ª acep.

Helenio. (Del lat. *helenĭon,* y éste del gr. ἑλένιον.) m. Planta vivaz de la familia de las compuestas, con tallo velludo de 8 a 12 decímetros de altura, hojas radicales muy grandes, pecioladas, oblongas y perfoliadas, jugosas, desigualmente dentadas y muy vellosas por el envés las superiores; flores amarillas en cabezuelas terminales, de corola prolongada por un lado a manera de lengüeta; fruto capsular casi cilíndrico, y raíz amarga y aromática, usada en medicina como uno de los ingredientes que componen la triaca.

Helenismo. (Del lat. *hellenismus,* y éste del gr. Ἑλληνισμός.) m. Giro o modo de hablar propio y privativo de la lengua griega. || **2.** Empleo de tales giros o construcciones en otro idioma. || **3.** Influencia religiosa, científica, literaria, artística y política, ejercida por la cultura antigua de los griegos en la civilización y cultura modernas.

Helenista. (Del gr. Ἑλληνιστής.) m. Nombre que daban los antiguos a los judíos que hablaban la lengua y observaban los usos de los griegos, y a los griegos que abrazaban el judaísmo. || **2.** Persona versada en la lengua y literatura griegas.

Helenístico, ca. adj. Perteneciente o relativo a los helenistas. || **2.** Dícese del griego alejandrino y particularmente del de los Setenta, y que es el dialecto macedónico mezclado con el de Fenicia y el de Egipto.

Helenizante. p. a. de **Helenizar.** Que heleniza. Ú. t. c. s. m.

Helenizar. (De *heleno.*) tr. p. us. Introducir las costumbres, cultura y arte griegos en otra nación. Dícese especialmente de la antigua Roma y de su literatura y arte. || **2.** r. Adoptar las costumbres, literatura y arte griegos.

Heleno, na. (Del gr. Ἕλλην, Ἕλληνος.) adj. **Griego,** 1.er art., 1.ª y 2.ª aceps. Apl. a pers., ú. t. c. s.

Helera. (De *hiel.*) f. **Granillo,** 2.ª acep.

Helero. m. Masa de hielo acumulada en las zonas altas de las cordilleras por debajo del límite de las nieves perpetuas, y que se derrite en veranos muy calurosos. || **2.** Por ext., toda la mancha de nieve.

Helespontiaco, ca [~ **tíaco, ca**]. (Del lat. *hellespontiăcus.*) adj. ant. **Helespóntico.**

Helespóntico, ca. (Del lat. *hellespontiăcus.*) adj. Perteneciente o relativo al Helesponto.

Helgado, da. (Del lat. *filicātus,* de *filix,* helecho, por la semejanza con los dientes o cortaduras de las hojas de esta planta.) adj. Que tiene los dientes ralos y desiguales.

Helgadura. (De *helgado.*) f. Hueco o espacio que hay entre diente y diente. || **2.** Desigualdad de éstos.

Heliaco, ca [~ **líaco, ca**]. (Del lat. *heliăcus,* y éste del gr. ἡλιακός, solar, de ἥλιος, sol.) adj. *Astron.* Dícese del orto u ocaso de los astros, que salen o se ponen, cuando más, una hora antes o después que el Sol.

Hélice. (Del lat. *helix, -icis,* y éste del gr. ἕλιξ, -ικος, espiral.) m. ant. *Arq.* **Voluta.** || **2.** *Astron.* **Osa Mayor.** Diósele este nombre porque se la ve girar alrededor del polo. || **3.** f. *Anat.* Parte más externa y periférica del pabellón de la oreja del hombre; comienza en el orificio externo del conducto auditivo y contornea a aquélla, hasta el lóbulo. || **4.** *Geom.* Curva de longitud indefinida que da vueltas en la superficie de un cilindro, formando ángulos iguales con todas las generatrices. || **5.** *Geom.* **Espiral,** 2.ª acep. || **6.** *Mar.* Conjunto de aletas helicoidales que giran alrededor de un eje, y, al girar, empujan el fluido ambiente y producen en él una fuerza de reacción que se utiliza principalmente para la propulsión de barcos y aeronaves. || **7.** *Mar.* V. **Pozo de la hélice.**

Hélico, ca. (Del gr. ἑλικός, torcido.) adj. ant. *Geom.* De figura espiral.

Helicoidal. (De *helicoide.*) adj. En figura de hélice. *Estría* HELICOIDAL.

Helicoide. (Del gr. ἕλιξ, -ικος, espiral, y εἶδος, forma.) m. *Geom.* Superficie alabeada engendrada por una recta que se mueve apoyándose en una hélice y en el eje del cilindro que la contiene, con el cual forma constantemente un mismo ángulo.

Helicón. (Del lat. *Helicon, -ōnis,* y éste del gr. Ἑλικών.) m. fig. Lugar de donde viene o adonde se va a buscar la inspiración poética. Dícese así por alusión a un monte de Beocia, consagrado a las musas. || **2.** Instrumento músico de metal y de grandes dimensiones, cuyo tubo, de forma circular, permite colocarlo alrededor del cuerpo y apoyarlo sobre el hombro de quien lo toca.

Helicona. adj. f. **Heliconia.**

Helicónides. (Del lat. *Heliconĭdes,* y éste del gr. Ἑλικωνίδες.) f. pl. Las musas, así dichas porque moraban, según la fábula, en el monte Helicón.

Heliconio, nia. (Del lat. *heliconĭus,* y éste del gr. ἑλικώνιος.) adj. Perteneciente al monte Helicón o a las Helicónides.

Helicóptero. (Del gr. ἕλιξ, -ικος, hélice, y πτερόν, ala.) m. Aparato de aviación que se sostiene en el aire por la acción directa de hélices de eje vertical.

Helio. (Del gr. ἥλιος, sol.) m. Cuerpo simple, gaseoso, incoloro, muy ligero y de poca actividad química. Mediante el análisis espectroscópico se descubrió en la atmósfera solar, y posteriormente se ha encontrado en algunos minerales, en la atmósfera, en la emanación gaseosa de las aguas nitrogenadas y en la del radio.

Heliocéntrico, ca. (Del gr. ἥλιος, sol, y de *céntrico.*) adj. *Astron.* Aplícase a las medidas y lugares astronómicos que han sido referidos al centro del Sol. || **2.** *Astron.* Aplícase al sistema de Copérnico y a los demás que suponen ser el Sol centro del Universo.

Heliofísica. (Del gr. ἥλιος, sol, y φύσις, naturaleza.) f. *Astron.* Tratado de la naturaleza física del Sol.

Heliofísico, ca. adj. *Astron.* Relativo o perteneciente a la heliofísica.

Heliogábalo. (Por alusión al emperador romano de este nombre, que fué voraz en el comer.) m. fig. Hombre dominado por la gula.

Heliograbado. (Del gr. ἥλιος, sol, y de *grabado.*) m. Procedimiento para obtener, en planchas convenientemente preparadas, y mediante la acción de la luz solar, grabados en relieve. || **2.** Estampa obtenida por este procedimiento.

Heliografía. (Del gr. ἥλιος, sol, y γράφω, describir.) f. Sistema de transmisión de señales por medio del heliógrafo.

Heliográfico, ca. adj. Perteneciente o relativo al heliógrafo o a la heliografía.

Heliógrafo. (Del gr. ἥλιος, sol, y γράφω, describir.) m. Instrumento destinado a hacer señales telegráficas por medio de la reflexión de un rayo de sol en un espejo plano que se puede mover de diversas maneras y producir destellos más cortos o más largos, agrupados o separados, a voluntad del operador, para denotar convencionalmente letras o palabras.

Heliograma. (Del gr. ἥλιος, sol, y *grama,* aféresis de telegrama.) m. Despacho telegráfico transmitido por medio del heliógrafo.

Heliómetro. (Del gr. ἥλιος, sol, y μέτρον, medida.) m. Instrumento astronómico análogo al ecuatorial, del que se diferencia por la forma de su objetivo. Sirve para la medición de distancias angulares entre dos astros, o de su diámetro aparente, especialmente el del Sol.

Helioscopio. (Del gr. ἥλιος, sol, y σκοπέω, mirar.) m. Clase de ocular o aparato adaptable a los anteojos y telescopios para observar el Sol sin que su resplandor ofenda la vista.

Heliosis. (Del gr. ἡλίωσις.) f. *Pat.* **Insolación,** 1.ª acep.

Helióstato. (Del gr. ἥλιος, sol, y στατός, parado.) m. Instrumento geodésico que sirve para hacer señales a larga distancia, reflejando un rayo de luz solar en dirección siempre fija, por medio de un espejo que, regido por un mecanismo, sigue el movimiento aparente del Sol. También se emplea de noche con luces artificiales muy intensas.

Heliotelegrafía. (Del gr. ἥλιος, sol, y de *telegrafía.*) f. Telegrafía por medio del heliógrafo.

Helioterapia. (Del gr. ἥλιος, sol, y θεραπεία, curación.) f. Método curativo que consiste en exponer a la acción de los rayos solares todo el cuerpo del enfermo o parte de él.

Heliotropio. (Del lat. *heliotropĭus*, y éste del gr. ἡλιοτρόπιον.) m. **Heliotropo.**

Heliotropo. (Del gr. ἡλιότροπος; de ἥλιος, sol, y τρέπω, volver, porque las flores de la planta miran siempre hacia el Sol.) m. *Bot.* Planta de la familia de las borragináceas, con tallo leñoso, de muchas ramas, de cinco a ocho decímetros de altura, velludas y pobladas de hojas persistentes, alternas, aovadas, rugosas, sostenidas en pecíolos muy cortos; flores pequeñas, azuladas, en espigas y vueltas todas al mismo lado, y fruto compuesto de cuatro aquenios contenidos en el fondo del cáliz. Es originaria del Perú, y se cultiva mucho en los jardines por el olor de vainilla de las flores. || **2.** Ágata de color verde obscuro con manchas rojizas. || **3.** Helióstato en que a mano y por medio de tornillos se hace seguir al espejo el movimiento aparente del Sol.

Helmintiasis. (Del gr. ἕλμινς, -ινθος, gusano.) f. Enfermedad producida por toda clase de gusanos que viven alojados en los tejidos o en el intestino de un vertebrado.

Helmíntico, ca. adj. Relativo a los helmintos. || **2.** Dícese del medicamento empleado contra los helmintos intestinales.

Helminto. (Del gr. ἕλμινς, -ινθος, gusano.) m. **Gusano.**

Helmintología. (Del gr. ἕλμινς, -ινθος, gusano, y λόγος, tratado.) f. Parte de la zoología, que trata de la descripción y estudio de los gusanos.

Helmintológico, ca. adj. Perteneciente o relativo a la helmintología.

Helor. (De *hielo*.) m. *Murc.* Frío intenso y penetrante.

Helvecio, cia. (Del lat. *helvetius*.) adj. Natural de la Helvecia, hoy Suiza. Ú. t. c. s. || **2.** Perteneciente a este país de Europa antigua.

Helvético, ca. adj. **Helvecio.** Apl. a pers., ú. t. c. s.

Hemacrimo. (Del gr. αἷμα, sangre, y κρυμός, frío.) adj. *Zool.* Dícese del animal cuya temperatura es aproximadamente igual a la de los objetos que le rodean, variando, por tanto, en relación con la temperatura del medio; como los reptiles y los insectos.

Hematemesis. (Del gr. αἷμα, -ατος, sangre, y ἔμεσις, vómito.) f. *Med.* Vómito de sangre.

Hematermo. (Del gr. αἷμα, sangre, y θερμός, caliente.) adj. Dícese del animal cuya temperatura permanece constante, siendo independiente de la del medio en que habita y, por lo regular, más elevada que la de los objetos que le rodean; como los mamíferos y las aves.

Hematíe. (Del gr. αἷμα, -ατος, sangre.) m. *Zool.* Cualquiera de las células existentes en enorme cantidad en la sangre de los vertebrados y que dan a este humor su color rojo característico. En los mamíferos tienen casi siempre forma de discos ovalados y están provistos de núcleo en los peces, batracios, reptiles y aves.

Hematites. (Del lat. *haematītes*, y éste del gr. αἱματίτης.) f. Mineral de hierro oxidado, rojo, de color de sangre y a veces pardo, que por su dureza sirve para bruñir metales.

Hematófago, a. (Del gr. αἷμα, -ατος, sangre, y φαγεῖν, comer.) adj. Dícese de todo animal que se alimenta de sangre, como muchos insectos chupadores, y entre los mamíferos los quirópteros llamados vampiros.

Hematoma. (Del gr. αἷμα, -ατος, sangre.) m. *Pat.* Tumor producido por acumulación de sangre extravasada.

Hematosis. (Del gr. αἱμάτωσις, de αἱματόω, cambiar la sangre.) f. Conversión de la sangre negra o venosa en arterial.

Hematoxilina. (Del gr. αἷμα, -ατος, sangre, y ξύλον, madera.) f. Materia colorante del palo campeche muy utilizada en histología.

Hematozoario. (Del gr. αἷμα, -ατος, sangre, y ζῷον, animal.) adj. *Zool.* Dícese de los animales que viven parásitos en la sangre de otros. Ú. t. c. s. m.

Hematuria. (Del gr. αἷμα, -ατος, sangre, y οὐρέω, orinar.) f. *Med.* Fenómeno morboso que consiste en orinar sangre.

Hembra. (Del lat. *fēmĭna*.) f. Animal del sexo femenino. || **2.** En las plantas que tienen sexos distintos en pies diversos, como sucede con las palmeras, individuo que da fruto. || **3.** fig. Hablando de corchetes, broches, tornillos, rejas, llaves y otras cosas semejantes, pieza que tiene un hueco o agujero por donde otra se introduce o encaja. || **4.** El mismo hueco y agujero. || **5.** fig. **Molde,** 1.ª acep. || **6.** fig. Cola de caballo poco doblada. || **7. Mujer.** || **8.** adj. V. **Aristoloquia, helecho, lauréola hembra.** || **9.** fig. Delgado, fino, flojo, lacio. *Pelo* HEMBRA. || **A la hembra desamorada, a la adelfa le sepa el agua.** ref. con que se maldice a las personas de áspera condición y genio desagradecido, aludiendo al amargor de la adelfa.

Hembraje. m. *Amér. Merid.* Conjunto de las hembras de un ganado.

Hembrear. intr. Mostrar el macho inclinación a las hembras. || **2.** Engendrar sólo hembras o más hembras que machos.

Hembrilla. f. d. de **Hembra.** || **2.** En algunos artefactos, piecicita pequeña en que otra se introduce o asegura. || **3. Armella,** 1.ª acep. || **4.** *And.* **Sobeo.** || **5.** *Ar.* y *Rioja.* Variedad de trigo candeal cuyo grano es pequeño.

Hembruno, na. adj. ant. Perteneciente a la hembra.

Hemencia. (De *femencia*.) f. ant. Vehemencia, eficacia, actividad.

Hemenciar. (De *femenciar*.) tr. ant. Procurar, solicitar con vehemencia, ahinco y eficacia una cosa.

Hemencioso, sa. (De *hemencia*.) adj. ant. Vehemente, activo, eficaz.

Hemeroteca. (Del gr. ἡμέρα, día, y θήκη, caja, depósito.) f. Biblioteca en que principalmente se guardan y sirven al público diarios y otras publicaciones periódicas.

Hemiciclo. (Del lat. *hemicyclus*, y éste del gr. ἡμικύκλιον; de ἡμι-, medio, y κύκλος, círculo.) m. **Semicírculo.** || **2.** Espacio central del salón de sesiones del Congreso de los Diputados.

Hemicránea. (Del lat. *hemicrania*, y éste del gr. ἡμικρανία; de ἡμι-, medio, y κράνιον, cráneo.) f. *Med.* **Jaqueca.**

Hemina. (Del lat. *hemīna*, y éste del gr. ἡμίνα.) f. Medida antigua para líquidos, equivalente a medio sextario. || **2.** Cierta medida que se usó antiguamente en la cobranza de tributos. || **3.** En la provincia de León, medida de capacidad para frutos, equivalente a algo más de 18 litros. || **4.** Medida agraria usada en la misma provincia para la tierra de secano, que tiene 110 pies de lado, y equivale a 939 centiáreas y 41 decímetros cuadrados. || **5.** Medida para las tierras de regadío en la provincia de León, que tiene 90 pies de lado, y equivale a 628 centiáreas y 88 decímetros cuadrados.

Hemiplejía. (Del gr. ἡμιπληξία; de ἡμι-, medio, y πλήσσω, herir, golpear.) f. *Med.* Parálisis de todo un lado del cuerpo.

Hemipléjico, ca. adj. Perteneciente a la hemiplejía o propio de ella. || **2.** Que la padece. Ú. t. c. s.

Hemíptero. (Del gr. ἡμι-, medio, y πτερόν, ala.) adj. *Zool.* Dícese de los insectos con pico articulado, y por tanto chupadores, casi siempre con cuatro alas, las dos anteriores coriáceas por completo o sólo en la base, y las otras dos membranosas, y a veces las cuatro membranosas, y con metamorfosis sencilla; como la chinche, la cigarra y los pulgones. Ú. t. c. s. || **2.** m. pl. *Zool.* Orden de estos insectos.

Hemisférico, ca. adj. Perteneciente o relativo al hemisferio.

Hemisferio. (Del lat. *hemisphaerĭum*, y éste del gr. ἡμισφαίριον; de ἡμι-, medio, y σφαῖρα, esfera.) m. *Geom.* Cada una de las dos mitades de una esfera dividida por un plano que pase por su centro. || **austral.** *Astron.* El que, limitado por el Ecuador, comprende el polo antártico o austral. || **boreal.** *Astron.* El que, limitado por el Ecuador, comprende el polo ártico o boreal. || **occidental.** *Astron.* El de la esfera celeste o terrestre opuesto al oriental, por donde el Sol y los demás astros se ocultan o transponen. || **oriental.** *Astron.* El de la esfera celeste o terrestre determinado por un meridiano, y en el cual nacen o salen el Sol y los demás astros.

Hemisfero. m. ant. **Hemisferio.**

Hemistiquio. (Del lat. *hemistichĭum*, y éste del gr. ἡμιστίχιον; de ἡμι-, medio, y στίχος, línea.) m. Mitad o parte de un verso. Dícese especialmente de cada una de las dos partes de un verso separadas o determinadas por una cesura.

Hemocianina. (Del gr. αἷμα, sangre, y κυανός, azul.) f. *Zool.* Substancia equivalente en el aspecto fisiológico a la hemoglobina, que toma color azulado cuando se oxida, y está disuelta en la sangre de algunos crustáceos, arácnidos y moluscos.

Hemofilia. (Del gr. αἷμα, sangre, y φίλος, amigo.) f. Hemopatía hereditaria, caracterizada por la dificultad de coagulación de la sangre, lo que motiva que las hemorragias provocadas o espontáneas sean copiosas y hasta incoercibles.

Hemoglobina. (Del gr. αἷμα, sangre, y de *glóbulo*, 3.ª acep.) f. *Zool.* Pigmento que da color a la sangre, contenido en los hematíes de todos los vertebrados y disuelto en el plasma sanguíneo de algunos invertebrados. Se oxida fácilmente en contacto con el aire atmosférico o con él disuelto en agua, y se reduce luego para proporcionar a las células el oxígeno que necesitan para su respiración.

Hemopatía. (Del gr. αἷμα, sangre, y πάθος, padecimiento.) f. *Pat.* Enfermedad de la sangre.

Hemoptísico, ca. adj. *Pat.* Dícese del enfermo atacado de hemoptisis.

Hemoptisis. (Del lat. *haemoptysis*, y éste del gr. αἱμόπτυσις; de αἷμα, sangre, y πτύω, expectorar.) f. *Med.* Hemorragia de la membrana mucosa pulmonar, caracterizada por la expectoración más o menos abundante de sangre.

Hemorragia. (Del lat. *haemorrhagia*, y éste del gr. αἱμορραγία; de αἷμα, sangre, y ῥήγνυμι, brotar.) f. *Med.* Flujo de sangre de cualquiera parte del cuerpo.

Hemorroida. f. *Med.* **Hemorroide.**

Hemorroidal. (De *hemorroide*.) adj. *Med.* Perteneciente a las almorranas. *Arteria, sangre* HEMORROIDAL; *venas* HEMORROIDALES.

Hemorroide. (Del lat. *haemorrhŏis, -ĭdis*, y éste del gr. αἱμορροΐς; de αἷμα, sangre, y ῥέω, fluir.) f. *Med.* **Almorrana.**

Hemorroisa. (Del lat. *haemorrhoissa*, y éste del gr. αἱμόρροος, hemorroo.) f. Mujer que padece flujo de sangre.

Hemorroo. (Del gr. αἱμόρροος.) m. **Ceraste.**

Hemostasis. (Del gr. αἷμα, sangre, y στάσις, fijación.) f. *Pat.* Práctica de los medios conducentes a cohibir las hemorragias.

Hemostático, ca. (Del gr. αἷμα, sangre, y στατικός, que detiene.) adj. *Med.* Dícese del medicamento que se emplea para contener la hemorragia. Ú. t. c. s. m.

Henal. (De *heno*.) m. **Henil.**

Henar. m. Sitio poblado de heno.

Henasco. (De *heno.*) m. *Sal.* Hierba seca que queda en los prados o entre las matas, en el verano.

Henazo. (De *heno.*) m. *Sal.* **Almiar.**

Henchidor, ra. adj. Que hinche. Ú. t. c. s.

Henchidura. f. Acción y efecto de henchir o henchirse.

Henchimiento. m. **Henchidura.** ‖ **2.** En los molinos de papel, suelo de las pilas sobre el cual baten los mazos. ‖ **3.** *Mar.* Cualquier pieza de madera con que se rellenan huecos existentes en otra pieza principal.

Henchir. (Del lat. *implēre.*) tr. **Llenar,** 1.ª, 2.ª y 5.ª aceps. ‖ **2.** r. **Llenar,** 7.ª acep.

Hendedor, ra. adj. Que hiende.

Hendedura. (De *hender.*) f. **Hendidura.**

Hender. (Del lat. *findĕre.*) tr. Hacer o causar una hendidura. Ú. t. c. r. ‖ **2.** fig. Atravesar o cortar un fluido; como una flecha el aire o un buque el agua. ‖ **3.** fig. Abrirse paso rompiendo por entre una muchedumbre de gente o de otra cosa.

Hendible. adj. Que se puede hender.

Hendidura. (De *hendido,* p. p. de *hender.*) f. Abertura prolongada en un cuerpo sólido, cuando no llega a dividirlo del todo.

Hendiente. (De *hender.*) m. ant. Golpe que con la espada u otra arma cortante se tiraba o daba de alto a bajo.

Hendija. (Del lat. **findicŭla,* de *findĕre,* hender.) f. Aféresis de **Rehendija.** Ú. en *Amér.*

Hendimiento. m. Acción y efecto de hender o henderse.

Hendir. tr. p. us. **Hender.**

Hendrija. (De *hendija.*) f. ant. **Rendija.**

Henequén. (Voz caribe.) m. **Pita,** 1.er art.

Hénide. (De *heno.*) f. poét. Ninfa de los prados.

Henificar. tr. Segar plantas forrajeras y secarlas al sol, para conservarlas como heno.

Henil. (Del lat. *fenīle.*) m. Lugar donde se guarda el heno.

Heno. (Del lat. *fēnum.*) m. Planta de la familia de las gramíneas, con cañitas delgadas de unos 20 centímetros de largo; hojas estrechas, agudas, más cortas que la vaina, y flores en panoja abierta, pocas en número y con arista en el cascabillo. ‖ **2.** Hierba segada, seca, para alimento del ganado. ‖ **blanco.** Planta perenne de la familia de las gramíneas, que tiene tallos de 50 a 80 centímetros, hojas planas cubiertas de vello suave, flores en panojas ramosas, y se cultiva en los prados artificiales. ‖ **Tener el heno, o traer heno, en el cuerno.** fr. fig. Ser de carácter irascible, o propenso a vengar la más pequeña injuria.

Henojil. (De *hinojo,* rodilla.) m. **Cenojil.**

Heñir. (Del lat. *fingĕre.*) tr. Sobar la masa con los puños. ‖ **Hay mucho que heñir.** fr. fig. y fam. con que se denota que para concluir una cosa todavía se necesita trabajar mucho en ella.

Hepática. (Del lat. *hepatĭca,* t. f. de *-cus,* hepático.) f. *Bot.* Cualquiera de las plantas de la clase de las hepáticas. ‖ **2.** Planta herbácea, vivaz, de la familia de las ranunculáceas, con hojas radicales, gruesas, pecioladas, partidas en tres lóbulos acorazonados, de color verde lustroso por encima y pardo rojizo por el envés, flores azuladas o rojizas, y fruto seco con muchas semillas. Se ha usado en medicina. ‖ **de las fuentes.** Planta de la clase de las hepáticas, dioica, con tallo foliáceo extendido sobre las superficies húmedas, en cuyo envés hay filamentos rizoides y dos series de hojitas. Es de sabor acre y olor fuerte; se ha usado para curar los empeines y las afecciones del hígado.

Hepático, ca. (Del lat. *hepatĭcus,* y éste del gr. ἡπατικός, de ἧπαρ, hígado.) adj. *Bot.* Dícese de plantas briofitas con tallo formado por un parénquima homogéneo y siempre provisto de filamentos rizoides, y ordinariamente con hojas muy poco desarrolladas. Viven en los sitios húmedos y sombríos adheridas al suelo y las paredes, o parásitas en los troncos de los árboles, y son parecidas a los musgos. Ú. t. c. s. f. ‖ **2.** *Med.* Que padece del hígado. Ú. t. c. s. ‖ **3.** Perteneciente a esta víscera. ‖ **4.** f. pl. *Bot.* Clase de las plantas **hepáticas.**

Hepatitis. (Del gr. ἧπαρ, ἥπατος, hígado, y el sufijo *itis.*) f. *Med.* Inflamación del hígado.

Hepatización. f. *Med.* Alteración patológica de un tejido que le da consistencia semejante a la del hígado; como en el pulmón afecto de neumonía.

Heptacordo. (Del lat. *heptachordus,* y éste del gr. ἑπτάχορδος; de ἑπτά, siete, y χορδή, cuerda.) m. *Mús.* Gama o escala usual compuesta de las siete notas *do, re, mi, fa, sol, la, si.* ‖ **2.** *Mús.* Intervalo de séptima en la escala musical.

Heptagonal. adj. De figura de heptágono o semejante a él.

Heptágono, na. (Del lat. *heptagōnus,* y éste del gr. ἑπτάγωνος; de ἑπτά, siete, y γωνία, ángulo.) adj. *Geom.* Aplícase al polígono de siete lados. Ú. t. c. s.

Heptámetro. adj. Dícese del verso que consta de siete pies. Ú. t. c. s.

Heptarquía. (Del gr. ἑπτά, siete, y ἀρχία, gobierno.) f. País dividido en siete reinos.

Heptasilábico, ca. adj. Perteneciente o relativo al heptasílabo.

Heptasílabo, ba. (Del gr. ἑπτά, siete, y συλλαβή, sílaba.) adj. Que consta de siete sílabas. *Verso* HEPTASÍLABO. Ú. t. c. s.

Heptateuco. (Del lat. *heptateuchus,* y éste del gr. ἑπτάτευχος; de ἑπτά, siete, y τεῦχος, libro.) m. Parte de la Biblia, que comprende el Pentateuco y los dos siguientes libros de Josué y de los Jueces.

Her. (Del lat. **facre,* por *facĕre.*) tr. ant. Hacer. Ú. en *Sal.*

Heraclida. (Del lat. *heraclidae, -arum,* y éste del gr. Ἡρακλείδης; de Ἡρακλῆς, Hércules.) adj. Descendiente de Heracles o Hércules.

Heráldica. (De *heráldico.*) f. **Blasón,** 1.ª acep.

Heráldico, ca. (De *heraldo.*) adj. Perteneciente al blasón o al que se dedica a esta ciencia. Apl. a pers., ú. t. c. s.

Heraldista. com. Persona versada en la heráldica.

Heraldo. (Del ant. alto al. *heriwalto.*) m. **Rey de armas.**

Heraute. m. ant. **Haraute.**

Herbáceo, a. (Del lat. *herbacĕus*). adj. Que tiene la naturaleza o calidades de la hierba.

Herbada. f. **Jabonera,** 4.ª acep.

Herbadgo. (Del lat. *herbatĭcus.*) m. ant. **Herbaje,** 2.ª acep.

Herbajar. (De *herbaje.*) tr. Apacentar el ganado en prado o dehesa. ‖ **2.** intr. Pacer o pastar el ganado. Ú. t. c. tr.

Herbaje. (Del lat. *herbatĭcus.*) m. Conjunto de hierbas que se crían en los prados y dehesas. ‖ **2.** Derecho que cobran los pueblos por el pasto de los ganados forasteros en sus términos concejiles y por el arrendamiento de los pastos y dehesas. ‖ **3.** Tributo que en la corona de Aragón se pagaba a los reyes al principio de su reinado, por razón y a proporción de los ganados mayores y menores que cada uno poseía. ‖ **4.** Tela de lana, parda, gruesa, áspera e impermeable usada principalmente por la gente de mar.

Herbajear. tr. e intr. **Herbajar.**

Herbajero. m. El que toma en arrendamiento el herbaje de los prados o dehesas. ‖ **2.** El que da en arrendamiento el herbaje de sus dehesas o prados.

Herbal. (Del lat. *herba,* hierba.) adj. *Sal.* **Cereal,** 3.ª acep. Ú. t. c. s.

Herbar. tr. Aderezar, adobar con hierbas las pieles o cueros. ‖ **2.** ant. **Enherbolar.**

Herbario, ria. (Del lat. *herbarĭus.*) adj. Perteneciente o relativo a las hierbas y plantas. ‖ **2.** m. **Botánico,** 3.ª acep. ‖ **3.** *Bot.* Colección de plantas secas, colocadas según arte entre cristales, o en libros o papeles. ‖ **4.** *Zool.* **Panza,** 3.ª acep. ‖ **seco.** *Bot.* **Herbario,** 3.ª acep.

Herbaza. f. aum. de **Hierba.**

Herbazal. (De *herbaza.*) m. Sitio poblado de hierbas.

Herbecer. (Del lat. *herbescĕre.*) intr. Empezar a nacer la hierba.

Herbecica, ta. f. d. ant. de **Hierba.**

Herbera. f. ant. **Herbero,** 1.ª acep.

Herbero. (Del lat. *herbarĭus.*) m. Esófago o tragadero del animal rumiante. ‖ **2.** ant. *Mil.* **Forrajeador.** ‖ **Hacer el herbero.** fr. Abrir a las reses el pescuezo después de muertas, para atarles el esófago, arrancándolo luego de la faringe, a fin de que, al sacarles el vientre, no salga la inmundicia por aquel conducto.

Herbívoro, ra. (Del lat. *herba,* hierba, y *vorāre,* comer.) adj. Aplícase a todo animal que se alimenta de vegetales, y más especialmente al que pace hierbas. Ú. t. c. s. m.

Herbolar. (Del lat. *herbŭla,* d. de *herba,* hierba, en la acep. de veneno.) tr. **Enherbolar.**

Herbolaria. (De *herbolario.*) f. ant. Botánica aplicada a la medicina.

Herbolario, ria. (Del lat. *herbŭla,* d. de *herba,* hierba.) adj. ant. **Herbario.** ‖ **2.** fig. y fam. Botarate, alocado, sin seso. Ú. t. c. s. ‖ **3.** m. El que sin principios científicos se dedica a recoger hierbas y plantas medicinales para venderlas. ‖ **4.** El que tiene tienda en que las vende. ‖ **5.** Tienda donde se venden hierbas medicinales.

Herbolecer. (Del lat. *herbŭla,* d. de *herba,* hierba.) intr. ant. **Herbecer.**

Herbolizar. (Del lat. *herbŭla,* d. de *herba,* hierba.) intr. ant. *Bot.* **Herborizar.**

Herborización. f. *Bot.* Acción y efecto de herborizar.

Herborizador, ra. adj. *Bot.* Que herboriza. Ú. t c. s.

Herborizar. (De *herbolizar.*) intr. *Bot.* Andar por montes, valles y campos reconociendo y cogiendo hierbas y plantas.

Herboso, sa. (Del lat. *herbōsus.*) adj. Poblado de hierba.

Herculáneo, a. (Del lat. *herculānĕus.*) adj. ant. **Hercúleo.**

Herculano, na. (Del lat. *herculānus.*) adj. ant. **Hercúleo.**

Hercúleo, a. (Del lat. *herculĕus.*) adj. Perteneciente o relativo a Hércules o que en algo se asemeja a él o a sus cualidades.

Hércules. (Por alusión a *Hércules,* semidiós, hijo de Júpiter y Alcumena.) m. fig. Hombre de mucha fuerza. ‖ **2.** *Astron.* Constelación boreal muy extensa, situada al occidente de la Lira, norte del Serpentario y oriente de la Corona boreal. ‖ **3.** ant. *Med.* **Epilepsia.**

Herculino, na. adj. ant. **Hercúleo.**

Heredad. (Del lat. *haeredĭtas, -ātis.*) f. Porción de terreno cultivado perteneciente a un mismo dueño ‖ **2.** Hacienda de campo, bienes raíces o posesiones. ‖ **3.** ant. **Herencia.**

Heredado, da. p. p. de **Heredar.** ‖ **2.** adj. **Hacendado,** 2.ª acep. Ú. t. c. s. ‖ **3.** Que ha heredado.

Heredaje. (De *heredar.*) m. ant. **Herencia.**

Heredamiento. (De *heredar.*) m. Hacienda de campo. ‖ **2.** ant. **Herencia.** ‖ **3.** *For.* Capitulación o pacto, comúnmente con ocasión de matrimonio, en que, según el régimen de algunas regiones, se promete la herencia o parte de ella, o se dispone, por acto entre vivos, la sucesión.

Heredanza. (De *heredar.*) f. ant. **Heredad,** 2.ª acep.

Heredar. (Del lat. *haereditāre.*) tr. Suceder por disposición testamentaria o legal en los bienes y acciones que tenía uno al tiempo de su muerte. || **2.** Darle a uno heredades, posesiones o bienes raíces. || **3.** fig. Instituir uno a otro por su heredero. || **4.** ant. Adquirir la propiedad o dominio de un terreno. || **5.** *Biol.* Sacar los seres vivos los caracteres anatómicos y fisiológicos que tienen sus progenitores. || **¿Heredástelo, o ganástelo?** expr. proverb. que da a entender la facilidad con que se malgastan los caudales que no ha costado trabajo adquirir. || **Quien lo hereda, no lo hurta.** ref. que se dice de los hijos que salen con las mismas inclinaciones y propiedades que sus padres. || **Quien no hereda, no medra.** ref. con que se denota ser muy difícil que uno junte grandes riquezas sólo con su industria y trabajo.

Heredero, ra. (Del lat. *haereditarius.*) adj. Dícese de la persona que por testamento o por ley sucede a título universal en todo o parte de una herencia. Ú. t. c. s. || **2.** Dueño de una heredad o heredades. || **3.** fig. Que saca o tiene las inclinaciones o propiedades de sus padres. || **4.** *For.* V. **Institución de heredero.** || **forzoso.** *For.* El que tiene por ministerio de la ley una parte de herencia que el testador no le puede quitar ni cercenar sin causa legítima de desheredación. || **Instituir heredero, o por heredero,** a uno. fr. *For.* Nombrar a uno **heredero** en el testamento.

Heredípeta. (Del lat. *haeredipĕta;* de *haeres,* heredero, y *petĕre,* pedir, rogar.) com. Persona que con astucias procura proporcionarse herencias o legados.

Hereditable. (Del lat. *haereditāre,* heredar.) adj. ant. Que puede heredarse.

Hereditario, ria. (Del lat. *haereditarius.*) adj. Perteneciente a la herencia o que se adquiere por ella. || **2.** V. **As hereditario.** || **3.** fig. Aplícase a las inclinaciones, costumbres, virtudes, vicios o enfermedades que pasan de padres a hijos.

Hereja. f. ant. Mujer hereje.

Hereje. (Del prov. *eretge,* y éste del lat. *haereticus.*) com. Cristiano que en materia de fe se opone con pertinacia a lo que cree y propone la Iglesia católica. || **2.** fig. y fam. V. **Cara de hereje.** || **3.** fig. Desvergonzado, descarado, procaz.

Herejía. (De *hereje.*) f. Error en materia de fe, sostenido con pertinacia. || **2.** fig. Sentencia errónea contra los principios ciertos de una ciencia o arte. || **3.** fig. Palabra gravemente injuriosa contra uno.

Herejote, ta. m. y f. aum. de **Hereje.**

Herén. f. **Yeros.**

Herencia. (Del lat. *hērens, -entis,* heredero.) f. Derecho de heredar. || **2.** Conjunto de bienes, derechos y obligaciones que, al morir una persona, son transmisibles a sus herederos o a sus legatarios. || **3.** *Biol.* Conjunto de caracteres anatómicos y fisiológicos que los seres vivos heredan de sus progenitores. || **4.** *For.* V. **Adición de la herencia.** || **yacente.** *For.* Aquella en que no ha entrado aún el heredero. || **Adir la herencia.** fr. *For.* Admitirla.

Heresiarca. (Del lat. *haeresiarcha,* y éste del gr. αἱρεσιάρχης; de αἵρεσις, herejía, y ἄρχω, ser el primero, mandar.) m. Autor de una herejía.

Heretical. adj. **Herético.**

Hereticar. (De *herético.*) intr. ant. Sostener con pertinacia una herejía.

Herético, ca. (Del lat. *haerĕticus,* y éste del gr. αἱρετικός.) adj. Perteneciente a la herejía o al hereje.

Heria. f. ant. **Feria.** || **2.** *Germ.* **Hampa.**

Herida. (De *herir.*) f. Rotura hecha en las carnes con un instrumento, o por efecto de fuerte choque con un cuerpo duro. || **2.** Golpe de las armas blancas al tiempo de herir con ellas. || **3.** fig. Ofensa, agravio. || **4.** fig. Lo que aflige y atormenta el ánimo. || **5.** *Cetr.* Paraje donde se abate la caza de volatería, perseguida por una ave de rapiña. || **contusa.** La causada por contusión. || **penetrante.** *Cir.* La que llega a lo interior de alguna de las cavidades del cuerpo. || **punzante.** La producida por un instrumento o arma, agudos y delgados. || **Manifestar la herida.** fr. *Cir.* Abrirla y dilatarla para conocer bien el daño y curarla con más seguridad. || **Renovar la herida.** fr. fig. Recordar una cosa que cause sentimiento. || **Resollar, o respirar, por la herida.** fr. Echar, despedir el aire interior por ella. || **2.** fig. Dar a conocer con alguna ocasión el sentimiento que se tenía reservado. || **Tocar** a uno **en la herida.** fr. fig. Tocarle alguna especie sobre que está resentido.

Herido, da. p. p. de **Herir.** || **2.** adj. Con el adv. *mal,* gravemente **herido.** Ú. t. c. s. || **3.** V. **Bienes heridos.** || **4.** ant. **Sangriento,** 4.ª acep.

Heridor, ra. adj. Que hiere.

Heril. (Del lat. *herīlis;* de *herus,* amo.) adj. Perteneciente o relativo al amo.

Herimiento. m. desus. Acción y efecto de herir. || **2.** desus. Concurso de vocales que forman sílaba o sinalefa.

Herir. (Del lat. *fĕrīre.*) tr. Romper o abrir las carnes del animal con una arma u otro instrumento. || **2.** Golpear, sacudir, batir, dar un cuerpo contra otro. || **3.** Hablando del sol, bañar una cosa, esparcir o tender sobre ella sus rayos. || **4.** Hablando de instrumentos de cuerda, pulsarlos, tocarlos. || **5.** Hablando del oído o de la vista, hacer los objetos impresión en estos sentidos; causar en ellos alguna sensación. || **6.** Hacer fuerza una letra sobre otra para formar sílaba o sinalefa con ella. || **7.** fig. Hablando del alma o del corazón, mover, excitar algún afecto. || **8.** fig. Ofender, agraviar. Dícese más comúnmente de las palabras o escritos. || **9.** fig. **Acertar,** 1.ª acep. HERIR *la dificultad.* || **10.** intr. ant. Con la prep. *de* y los nombres *mano, pie,* etc., temblarle a uno estas partes, padecer convulsiones en ellas. || **11.** r. ant. Con la prep. *de* y algunos nombres, como *peste* o males pegajosos, contagiarse, infestarse.

Herma. (Del lat. *herma* y *hermes,* y éste del gr. Ἑρμῆς, Mercurio.) m. Busto sin brazos colocado sobre un estípite.

Hermafrodita. (De *hermafrodito.*) adj. Que tiene los dos sexos. || **2.** Dícese del individuo de la especie humana que tiene un vicio de conformación de los órganos genitales que da la apariencia de la reunión de los dos sexos. Ú. t. c. s. || **3.** *Bot.* Aplícase a los vegetales cuyas flores reúnen en sí ambos sexos; esto es, los estambres y el pistilo; y también a estas flores. || **4.** *Zool.* Dícese de ciertos animales invertebrados que tienen entrambos sexos.

Hermafroditismo. m. Calidad de hermafrodita.

Hermafrodito. (Del lat. *hermaphrodītus,* y éste del gr. Ἑρμαφρόδιτος, personaje mitológico que participaba de los dos sexos; de Ἑρμῆς, Mercurio, y Ἀφροδίτη, Venus.) m. **Hermafrodita.**

Hermana. (De *hermano.*) f. *Germ.* **Camisa,** 1.ª acep. || **2.** pl. *Germ.* Las tijeras. || **3.** *Germ.* Las orejas. || **Hermana de la caridad.** Religiosa de la congregación fundada por San Vicente de Paúl en el siglo XVII para la asistencia benéfica en hospitales, hospicios, asilos, etc.

Hermanable. adj. Perteneciente al hermano o que puede hermanarse.

Hermanablemente. adv. m. Fraternalmente, uniformemente, en consonancia.

Hermanado, da. p. p. de **Hermanar.** || **2.** adj. fig. Igual y uniforme en todo a una cosa.

Hermanal. (De *hermano.*) adj. **Fraternal.**

Hermanamiento. m. Acción y efecto de hermanar o hermanarse.

Hermanar. tr. Unir, juntar, uniformar. Ú. t. c. r. || **2.** Hacer a uno hermano de otro en sentido místico o espiritual. Ú. t. c. r.

Hermanastro, tra. (despect. de *hermano.*) m. y f. Hijo de uno de los dos consortes con respecto al hijo del otro.

Hermanazgo. (De *hermano.*) m. **Hermandad.**

Hermandad. (Del lat. *germanĭtas, -ātis.*) f. Relación de parentesco que hay entre hermanos. || **2.** fig. Amistad íntima; unión de voluntades. || **3.** fig. Correspondencia que guardan varias cosas entre sí. || **4.** fig. **Cofradía,** 1.ª acep. || **5.** fig. Privilegio que a una o varias personas concede una comunidad religiosa para hacerlas por este medio participantes de ciertas gracias y privilegios. || **6.** V. **Alcalde de la hermandad.** || **7.** V. **Carta, hoja, testamento de hermandad.** || **8.** ant. fig. Liga, alianza o confederación entre varias personas. || **9.** ant. fig. Gente aliada y confederada. || **10.** ant. fig. **Sociedad,** 4.ª acep. || **Santa Hermandad.** Tribunal con jurisdicción propia, que perseguía y castigaba los delitos cometidos fuera de poblado.

Hermandarse. (De *hermandad.*) r. ant. **Hermanar,** 1.ª y 2.ª aceps. || **2.** ant. Hacerse hermano de una comunidad religiosa.

Hermandino. m. Individuo de la hermandad popular que a fines del siglo XV y comienzos del XVI se alzó en Galicia contra la dominación señorial.

Hermanear. intr. Dar el tratamiento de hermano; usar de este nombre hablando o tratando con uno.

Hermanecer. intr. Nacerle a uno un hermano.

Hermanía. f. ant. **Germanía.**

Hermano, na. (Del lat. *germānus.*) m. y f. Persona que con respecto a otra tiene los mismos padres, o solamente el mismo padre o la misma madre. || **2.** Tratamiento que mutuamente se dan los cuñados. || **3.** Lego o donado de una comunidad regular. || **4.** V. **Lenguas hermanas.** || **5.** V. **Primo hermano.** || **6.** fig. Persona que respecto de otra tiene el mismo padre que ella en sentido moral; como un religioso respecto de otros de su misma orden, o un cristiano respecto de los demás fieles de Jesucristo. || **7.** fig. Persona admitida por una comunidad religiosa a participar de ciertas gracias y privilegios. || **8.** fig. Individuo de una hermandad o cofradía. || **9.** fig. **Hermano de la Doctrina Cristiana.** || **10.** fig. Una cosa respecto de otra a que es semejante. || **bastardo.** El habido fuera de matrimonio, respecto del legítimo. || **carnal.** El que lo es de padre y madre. || **coadjutor.** En los regulares de la Compañía de Jesús, coadjutor temporal. || **consanguíneo. Hermano de padre.** || **de la Doctrina Cristiana.** Individuo de la congregación de la Doctrina Cristiana, 2.ª acep. || **de leche.** Hijo de una nodriza respecto del ajeno que ésta crió, y viceversa. || **del trabajo. Ganapán,** 1.ª acep. || **de madre.** Persona que respecto de otra tiene la misma madre, pero no el mismo padre. || **de padre.** Persona que respecto de otra tiene el mismo padre, pero no la misma madre. || **mayor.** Nombre que se da en algunas cofradías o asociaciones pías al presidente o presidenta. || **uterino. Hermano de madre.** || **Medio hermano.** Una persona con respecto a otra que no tiene los mismos padres, sino solamente el mismo padre o la misma madre. || **Entre hermanos, dos testigos y un notario.** ref. **Entre dos amigos, un notario y dos testigos.** || **Entre hermanos, no metas tus manos.** ref. **Entre padres y hermanos, no metas tus manos.** || **Hermano ayuda, y cuñado acuña.** ref. que da a entender los encontrados afectos que de ordinario se experimentan entre **hermanos** y cuñados. || **Siete hermanos de un vientre, cada uno de su miente.** ref. que alude a la diversidad de caracteres que muchas veces se nota entre los hermanos.

Hermanuco. (De *hermano.*) m. despect. **Donado,** 2.ª acep.

Hermeneuta. com. Persona que profesa la hermenéutica.

Hermenéutica. (Del gr. ἑρμηνευτική, t. f. de -κός, hermenéutico.) f. Arte de interpretar textos para fijar su verdadero sentido, y especialmente el de interpretar los textos sagrados.

Hermenéutico, ca. (Del gr. ἑρμηνευτικός, de ἑρμηνεύω, interpretar, explicar.) adj. Perteneciente o relativo a la hermenéutica.

Herméticamente. adv. m. De manera hermética.

Hermeticidad. f. Calidad de hermético, 2.ª y 4.ª aceps.

Hermético, ca. (De *Hermes.*) adj. Aplícase a las especulaciones, escritos y partidarios que en distintas épocas han seguido ciertos libros de alquimia atribuidos a Hermes, filósofo egipcio que se supone vivió en el siglo XX antes de Jesucristo. || **2.** Dícese de lo que cierra una abertura de modo que no permita pasar el aire ni otra materia gaseosa. || **3.** V. **Sello hermético.** || **4.** fig. Impenetrable, cerrado, aun tratándose de cosas inmateriales.

Hermodátil. (Del gr. ἑρμοδάκτυλος; de Ἑρμῆς, Mercurio, y δάκτυλος, dedo.) m. **Quitameriendas.** Ú. m. en pl.

Hermosamente. adv. m. Con hermosura. || **2.** fig. Con propiedad y perfección.

Hermoseador, ra. adj. Que hermosea. Ú. t. c. s.

Hermoseamiento. m. Acción y efecto de hermosear.

Hermosear. (De *hermoso.*) tr. Hacer o poner hermosa a una persona o cosa. Ú. t. c. r. || **2.** intr. desus. Ostentar hermosura.

Hermoseo. m. p. us. **Hermoseamiento.**

Hermoso, sa. (Del lat. *formōsus.*) adj. Dotado de hermosura. || **2.** Grandioso, excelente y perfecto en su línea. || **3.** Despejado, apacible y sereno. ¡HERMOSO *día!*

Hermosura. (De *hermoso.*) f. Belleza de las cosas que pueden ser percibidas por el oído o por la vista. || **2.** Por ext., lo agradable de una cosa que recrea por su amenidad u otra causa. || **3.** Proporción noble y perfecta de las partes con el todo, y del todo con las partes; conjunto de cualidades que hacen a una cosa excelente en su línea. || **4.** Mujer hermosa. || **¡Qué hermosura de rebusca, o de rebusco!** expr. con que se nota al que con poco trabajo quiere conseguir mucho fruto.

Hernia. (Del lat. *hernĭa.*) f. Tumor blando, elástico, sin mudanza de color en la piel, producido por la dislocación y salida total o parcial de una víscera u otra parte blanda, fuera de la cavidad en que se halla ordinariamente encerrada.

Herniado, da. adj. **Hernioso.**

Herniario, ria. adj. Perteneciente o relativo a la hernia. *Tumor, anillo* HERNIARIO.

Hérnico, ca. (Del lat. *hernĭcus.*) adj. Dícese del individuo de un antiguo pueblo del Lacio. Ú. t. c. s. || **2.** Perteneciente a este pueblo.

Hernioso, sa. (Del lat. *herniōsus.*) adj. Que padece hernia. Ú. t. c. s.

Hernista. m. Cirujano que con particularidad se dedica a curar hernias.

Herodes. n. p. **Andar, o ir, de Herodes a Pilatos.** fr. fig. y fam. Ir de una persona a otra y de mal en peor en un asunto.

Herodiano, na. (Del lat. *herodiānus.*) adj. Perteneciente o relativo a Herodes.

Héroe. (Del lat. *heros, -ōis,* y éste del gr. ἥρως.) m. Entre los antiguos paganos, el que creían nacido de un dios o una diosa y de una persona humana, por lo cual le reputaban más que hombre y menos que dios; como Hércules, Aquiles, Eneas, etc. || **2.** Varón ilustre y famoso por sus hazañas o virtudes. || **3.** El que lleva a cabo una acción heroica. || **4.** Personaje principal de todo poema en que se representa una acción, y del épico especialmente. || **5.** Cualquiera de los personajes de carácter elevado en la epopeya.

Heroicamente. adv. m. Con heroicidad.

Heroicidad. f. Calidad de heroico. || **2.** Acción heroica.

Heroico, ca. (Del lat. *heroĭcus,* y éste del gr. ἡρωϊκός.) adj. Aplícase a las personas famosas por sus hazañas o virtudes, y, por ext., dícese también de las acciones. || **2.** Perteneciente a ellas. || **3.** Aplícase también a la poesía o composición poética en que con brío y elevación se narran o cantan gloriosas hazañas o hechos grandes y memorables. || **4.** V. **Comedia heroica.** || **5.** V. **Medicamento, remedio, romance heroico.** || **6.** V. **Tiempos heroicos.** || **A la heroica.** m. adv. Al uso de los tiempos **heroicos.**

Heroida. (Del lat. *herōis, -ĭdis,* heroína, y éste del gr. ἡρωΐς.) f. Composición poética en que el autor hace hablar o figurar a algún héroe o personaje célebre.

Heroína. (Del lat. *heroīna,* y éste del gr. ἡρωΐνη.) f. Mujer ilustre y famosa por sus grandes hechos. || **2.** La que lleva a cabo un hecho heroico. || **3.** Protagonista del drama o de cualquier otro poema análogo; como la novela.

Heroísmo. m. Esfuerzo eminente de la voluntad y de la abnegación, que lleva al hombre a realizar hechos extraordinarios en servicio de Dios, del prójimo o de la patria. || **2.** Conjunto de cualidades y acciones que colocan a uno en la clase de héroe. || **3. Heroicidad,** 2.ª acep.

Heroísta. (De *héroe.*) adj. ant. Aplicábase a los poetas épicos. Usáb. t. c. s.

Herpe. (Del lat. *herpes,* y éste del gr. ἕρπης.) amb. Erupción que aparece en puntos aislados del cutis, por lo común crónica y de muy distintas formas, acompañada de comezón o escozor, y debida al agrupamiento, sobre una base más o menos inflamada, de granitos o vejiguillas que dejan rezumar, cuando se rompen, un humor que al secarse forma costras o escamas. Ú. m. en pl. || **2. Zona,** 5.ª acep.

Herpete. (Del lat. *herpes, -ētis.*) m. ant. Herpe.

Herpético, ca. (Del lat. *herpestĭcus,* y éste del gr. ἑρπηστικός.) adj. *Med.* Perteneciente al herpe. || **2.** Que padece esta enfermedad. Ú. t. c. s.

Herpetismo. m. *Med.* Predisposición constitucional para el padecimiento de erupciones cutáneas o herpes.

Herpetología. (Del gr. ἑρπετόν, reptil, y λέγω, tratar.) f. Tratado de los reptiles.

Herpil. (De *los [s]erpiles,* del lat. *sĭrpus,* junco.) m. Saco de red de tomiza, con mallas anchas, destinado a portear paja, melones, etc.

Herrada. (Del lat. *ferrāta,* t. f. de *-tus,* herrado.) adj. V. **Agua herrada.** || **2.** f. Cubo de madera, con grandes aros de hierro o de latón, y más ancho por la base que por la boca. || **Una herrada no es caldera.** expr. fam. con que, jugando del vocablo, suele uno excusarse cuando ha incurrido en una equivocación o ligero error.

Herradero. (De *herrar.*) m. Acción y efecto de marcar o señalar con el hierro los ganados. || **2.** Sitio destinado para hacer esta operación. || **3.** Estación o temporada en que se efectúa.

Herrado. (Del lat. *ferrātus,* de hierro.) m. ant. **Herrada.**

Herrado, da. p. p. de **Herrar.** || **2.** m. Operación de herrar, 1.ª acep.

Herrador. (De *ferrador.*) m. El que por oficio hierra las caballerías.

Herradora. f. fam. Mujer del herrador.

Herradura. (De *herrar.*) f. Hierro aproximadamente semicircular que se clava a las caballerías en los cascos para que no se les maltraten con el piso. || **2.** Resguardo, hecho de esparto o cáñamo, que se pone a las caballerías en pies o manos cuando se deshierran, para que no se les maltraten los cascos. || **3.** V. **Callo, camino de herradura.** || **4.** Murciélago que tiene los orificios nasales rodeados por una membrana en forma de **herradura.** Vive de preferencia en las cuevas naturales y sitios semejantes, de donde sale al anochecer en busca de los insectos de que se alimenta. Hay varias especies. || **de buey. Callo,** 3.ª acep. || **de la muerte.** fig. y fam. Ojeras lívidas que se dibujan sobre el rostro del moribundo y son indicios de su próximo fin. Ú. m. en pl. || **hechiza.** La grande y de clavo embutido destinada para el ganado caballar. || **Asentarse la herradura.** fr. Lastimarse el pie o mano de las caballerías por estar muy apretada la **herradura.** || **Herradura que chacolotea, clavo le falta.** ref. con que se nota al que blasona mucho de su nobleza, teniendo en ella un defecto considerable. || **Mostrar las herraduras.** fr. de que se usa para explicar que una caballería es falsa o que tira coces. || **2.** fig. y fam. **Huir,** 1.ª acep.

Herraj. (Del lat. *fraces.*) m. **Erraj.**

Herraje. (De *hierro.*) m. Conjunto de piezas de hierro o acero con que se guarnece un artefacto; como puerta, coche, cofre, etc. || **2.** Conjunto de herraduras y clavos con que éstas se aseguran. || **3.** *Sant.* Dicho del ganado vacuno, **herramienta,** 5.ª acep.

Herraje. m. **Herraj.**

Herramental. adj. Dícese de la bolsa u otra cualquier cosa en que se guardan y llevan las herramientas. Ú. t. c. s. m. || **2.** m. **Herramienta,** 2.ª acep.

Herramienta. (Del lat. *ferramĕnta,* pl. n. de *ferramĕntum.*) f. Instrumento, por lo común, de hierro o acero, con que trabajan los artesanos en las obras de sus oficios. || **2.** Conjunto de estos instrumentos. || **3.** ant. **Herraje,** 1.er art., 1.ª acep. || **4.** fig. y fam. **Cornamenta.** || **5.** fig. y fam. **Dentadura.**

Herrar. (Del lat. *ferrāre.*) tr. Ajustar y clavar las herraduras a las caballerías, o los callos a los bueyes. || **2.** Marcar con un hierro encendido los ganados, artefactos, esclavos o delincuentes. || **3.** Guarnecer de hierro un artefacto. || **4.** ant. Poner a uno prisiones de hierro.

Herrén. (Del lat. *farrāgo, -ĭnis.*) m. Forraje de avena, cebada, trigo, centeno y otras semillas que se da al ganado. || **2.** f. **Herrenal.**

Herrenal. m. Terreno en que se siembra el herrén.

Herrenar. tr. *Sal.* Alimentar el ganado con herrén.

Herreñal. (Del dialect. *herreña*, y éste del lat. *ferrāgo, -ĭnis*, alcacel.) m. **Herrenal.**

Herrera. adj. V. **Cuchar herrera.** || **2.** f. fam. Mujer del herrero.

Herrería. (De *ferrería*.) f. Oficio de herrero. || **2.** Taller en que se funde o forja y se labra el hierro en grueso. || **3.** Taller de herrero. || **4.** Tienda de herrero. || **5.** fig. Ruido acompañado de confusión y desorden; como el que se hace cuando algunos riñen o se acuchillan.

Herrerillo. (d. de *herrero*, por el chirrido metálico del canto.) m. Pájaro de unos 12 centímetros de largo desde el pico hasta la extremidad de la cola, y dos decímetros de envergadura; de cabeza azul, nuca y cejas blancas, lomo de color verde azulado, pecho y abdomen amarillos con una mancha negra en el último, pico de color pardo obscuro con la punta blanca, y patas negruzcas. Es insectívoro y bastante común en España. || **2.** Pájaro de unos 15 centímetros de largo desde el pico a la extremidad de la cola, y tres decímetros de envergadura; de cabeza y lomo de color azulado, cuello y carrillos blancos, pecho y abdomen bermejos, una raya negra desde las comisuras de la boca hasta el cuello, pico pardusco y patas amarillentas. Es insectívoro, común en España, y hace el nido de barro y en forma de puchero, en los huecos de los árboles.

Herrero. (Del lat. *ferrarius*.) m. El que tiene por oficio labrar el hierro. || **2.** V. **Agua de herreros.** || **3.** V. **Moco de herrero.** || **de grueso.** El que trabaja exclusivamente en obras gruesas; como balcones, arados, calces de coche, etc. || **Al herrero, con barbas, y a las letras, con babas.** ref. que enseña que ciertas artes mecánicas que necesitan fuerza para ejercerse, sólo se aprenden en edad algo vigorosa; y que las ciencias se han de empezar desde la edad tierna. || **Como el herrero de Mazariegos, que machacando olvidó el oficio.** ref. con que se zahiere al que yerra en cosa propia de su oficio o habitual ocupación. || **De herrero a herrero no pasa dinero.** ref. **Entre sastres no se pagan hechuras.** || **El herrero de Arganda, él se lo fuella y él se lo macha, y él se lo lleva a vender a la plaza.** ref. que se aplica al que hace las cosas que le convienen y necesita, sin valerse de auxilio ni favor ajeno. || **Quien deja al herrero y va al herrerón, gasta su dinero y quémase el carbón.** ref. que aconseja preferir lo mejor, aunque cueste más caro.

Herrero. m. *Germ.* Apócope de **Herreruelo,** 2.° art.

Herrerón. m. despect. Herrero que no sabe bien su oficio.

Herreruelo. m. d. de **Herrero.** || **2.** Pájaro de 12 centímetros de largo desde la punta del pico hasta la extremidad de la cola, y 17 centímetros de envergadura: el plumaje del macho es negro en el dorso, cabeza y cola, y blanco en la frente, pecho, abdomen y parte de las alas; la hembra es de color aplomado por el lomo y blanquecino por el vientre. || **3.** Soldado de la antigua caballería alemana, cuyas armas defensivas, a saber, peto, espaldar y una celada que le cubría el rostro, eran de color negro; las ofensivas eran venablos, martillos de agudas puntas y dos arcabuces pequeños colgados del arzón de la silla.

Herreruelo. m. **Ferreruelo.**

Herrete. m. d. de **Hierro.** || **2.** Cabo de alambre, hojalata u otro metal, que se pone a las agujetas, cordones, cintas, etc., para que puedan entrar fácilmente por los ojetes. Los hay también de adorno, labrados artísticamente, y se usan en los cabos de los cordones militares, de los de librea y de algunos lazos que llevan las damas.

Herretear. tr. Echar o poner herretes a las agujetas, cordones, cintas, etc. || **2.** ant. Marcar o señalar con un instrumento de hierro.

Herrezuelo. m. Pieza pequeña de hierro.

Herrial. adj. V. **Uva herrial.** || **2.** Dícese también de la vid que la produce y del viñedo de esta especie.

Herrín. (Del lat. **ferrīgo, -ĭnis*, por *ferrūgo, -ĭnis*.) m. **Herrumbre,** 1.ª acep.

Herrojo. (Del lat. *verucŭlum*, infl. por *ferrum*.) m. ant. **Cerrojo.**

Herrón. (De *hierro*.) m. Tejo de hierro con un agujero en medio, que en el juego antiguo llamado también **herrón,** se tiraba desde cierta distancia, con objeto de meterlo en un clavo hincado en la tierra. || **2. Arandela,** 1.er art., 2.ª acep. || **3.** Barra grande de hierro, que suele usarse para plantar álamos, vides, etc. || **4.** *Colomb.* Hierro o púa del trompo o peón.

Herronada. f. Golpe dado con herrón, 3.ª acep. || **2.** fig. Golpe violento que dan algunas aves con el pico.

Herropea. (Del lat. *ferrum*, hierro, y *pes, pedis*, pie.) f. ant. **Arropea.**

Herropeado, da. (De *herropea*.) adj. ant. Que tiene los pies sujetos con prisiones de hierro.

Herrugento, ta. (Del lat. *ferrūgo*, orín.) adj. ant. **Herrumbroso.**

Herrugiento, ta. (De *herrugento*.) adj. ant. **Herrumbroso.**

Herrumbrar. (Del lat. *ferrumināre*.) tr. **Aherrumbrar.** || **2.** r. **Aherrumbrarse.**

Herrumbre. (Del lat. *ferrūmen, -ĭnis*, por *ferrūgo, -ĭnis*.) f. **Orín,** 1.er art. || **2.** Gusto o sabor que algunas cosas toman del hierro; como las aguas, etc. || **3. Roya,** 1.ª acep.

Herrumbroso, sa. adj. Que cría herrumbre o está tomado de ella.

Herrusca. (De *hierro*.) f. ant. Arma vieja, por lo común, espada o sable.

Hertziana. (De *Hertz*, n. p.) adj. *Fís.* V. **Onda hertziana.**

Hérulo, la. (Del lat. *herŭli*.) adj. Dícese del individuo de una nación perteneciente a la gran confederación de los suevos, que habitó en las costas de la actual Pomerania y fué una de las que tomaron parte en la invasión del imperio romano durante el siglo v. Ú. t. c. s. m. y en pl.

Hervencia. (De *herver*, hervir.) f. Género de suplicio usado antiguamente, el cual consistía en cocer en calderas a los grandes criminales o sus miembros mutilados, que luego se colgaban de escarpias junto a los caminos o sobre las puertas de las ciudades.

Herventar. (Del lat. *fervens, -entis*, herviente.) tr. Meter una cosa en agua u otro líquido, y tenerla dentro hasta que dé un hervor.

Herver. (Del lat. *fervēre*.) intr. ant. **Hervir.** Ú. en *León* y *Méj.*

Hervidero. m. Movimiento y ruido que hacen los líquidos cuando hierven. || **2.** fig. Manantial donde surge el agua con desprendimiento abundante de burbujas gaseosas, que hacen ruido y agitan el líquido. || **3.** fig. Ruido que hacen los humores estancados en el pecho por la agitación del aire al tiempo de respirar. || **4.** fig. Muchedumbre o copia de personas o de animales. HERVIDERO *de gente, de hormigas.*

Hervido, da. p. p. de **Hervir.** || **2.** m. *Amér. Merid.* Cocido u olla.

Hervidor. m. Utensilio de cocina para hervir líquidos. || **2.** En los termosifones y otros aparatos análogos, caja de palastro cerrada, por cuyo interior pasa el agua, y que recibe directamente la acción del fuego.

Herviente. p. a. de **Hervir. Hirviente.**

Hervimiento. (De *hervir*.) m. ant. **Hervor.**

Hervir. (Del lat. *fervēre*.) intr. Producir burbujas un líquido cuando se eleva suficientemente su temperatura, o por la fermentación. || **2.** fig. Hablando del mar, ponerse sumamente agitado, haciendo mucho ruido y espuma. || **3.** fig. Con la prep. *en* y ciertos nombres, abundar en las cosas significadas por ellos. HERVIR *en chismes;* HERVIR *en pulgas.* || **4.** fig. Hablando de afectos y pasiones, indica su viveza, intensión y vehemencia.

Hervite. V. **Cochite hervite.**

Hervor. (Del lat. *fervor, -ōris*.) m. Acción y efecto de hervir. || **2.** fig. Fogosidad, inquietud y viveza de la juventud. || **3.** ant. fig. Ardor, animosidad. || **4.** ant. fig. **Fervor,** 3.ª acep. || **5.** ant. fig. Ahínco, vehemencia, eficacia. || **de la sangre.** *Med.* Nombre de ciertas erupciones cutáneas pasajeras y benignas. || **Alzar,** o **levantar, el hervor.** fr. Empezar a hervir o cocer un líquido.

Hervorizarse. (De *hervor*.) r. ant. **Enfervorizarse.**

Hervoroso, sa. (De *hervor*.) adj. Fogoso, impetuoso, ardoroso. || **2.** Que hierve o parece que hierve.

Hesitación. (Del lat. *haesitatio, -ōnis*.) f. **Duda.**

Hesitar. (Del lat. *haesitāre*.) intr. p. us. Dudar, vacilar.

Hespérico, ca. (De *Hesperia*.) adj. **Occidental.** Dícese de cada una de las dos penínsulas, España e Italia. || **2. Hesperio,** 2.ª acep.

Hespéride. (Del lat. *hesperĭdes*, y éste del gr. ἑσπερίδες.) adj. Perteneciente a las **hespérides.** || **2.** f. pl. **Pléyades.**

Hesperidio. (Del lat. mod. *hesperidium*, y éste del clásico *hesperĭdes*.) m. *Bot.* Fruto carnoso de corteza gruesa, dividido en varias celdas por telillas membranosas; como la naranja y el limón.

Hespérido, da. adj. poét. **Hespéride,** 1.ª acep. || **2.** poét. **Occidental.** Dícese así del nombre del planeta Héspero.

Hesperio, ria. (Del lat. *hesperius*.) adj. Natural de una u otra Hesperia (España e Italia). Ú. t. c. s. || **2.** Perteneciente a ellas.

Héspero. (Del lat. *Hespĕrus*, y éste del gr. Ἕσπερος.) m. El planeta Venus cuando a la tarde aparece en el Occidente.

Héspero, ra. adj. **Hesperio.**

Hespirse. (Del m. or. que *hispir*.) r. *Sant.* Engreírse, envanecerse.

Hetaira. (Del gr. ἑταίρα.) f. **Hetera.**

Heteo, a. (Del lat. *hethaeus*.) adj. Dícese del individuo de un pueblo antiguo que habitó en la tierra de Canaán y formó parte de la tribu de Judá. Ú. m. c. s. m. y en pl. || **2.** Perteneciente o relativo a este pueblo.

Hetera. (De *hetaira*.) f. En la antigua Grecia, dama cortesana de elevada condición. || **2. Mujer pública.**

Heterocerca. (Del gr. ἕτερος, desigual, y κέρκος, cola.) adj. *Zool.* Dícese de la aleta caudal de los peces que está formada por dos lóbulos desiguales, como la de la mielga, y por ext., de la cola de los peces que tienen esta clase de aleta caudal.

Heteróclito, ta. (Del lat. *heteroclĭtus*, y éste del gr. ἑτερόκλιτος; de ἕτερος, otro, y κλίνω, declinar.) adj. Aplícase rigurosamente al nombre que no se declina según la regla común, y en general, a toda locución que se aparta de las reglas gramaticales de la analogía. || **2.** fig. Irregular, extraño y fuera de orden.

Heterodino. (Del gr. ἕτερος, desigual, y ὁδός, camino.) m. *Electr.* Receptor que produce ondas sostenidas de frecuencia ligeramente diferente de la de las ondas transmitidas, con objeto de obtener por batimiento una frecuencia inferior, que es la que se utiliza para recibir las señales.

Heterodoxia. (Del gr. ἑτεροδοξία, de ἑτερόδοξος, heterodoxo.) f. Disconformidad con el dogma católico. *La* HETERODOXIA *de un escritor, de una opinión o doctrina.* || **2.** Por ext., disconformidad con la doctrina fundamental de cualquiera secta o sistema.

Heterodoxo, xa. (Del gr. ἑτερόδοξος; de ἕτερος, otro, y δόξα, opinión.) adj. Hereje o que sustenta una doctrina no conforme con el dogma católico. Dícese de personas o cosas y ú. t. c. s. *Escritor* HETERODOXO; *opinión* HETERODOXA; *un* HETERODOXO; *los* HETERODOXOS. || **2.** Por ext., no conforme con la doctrina fundamental de una secta o sistema. Ú. t. c. s.

Heterogeneidad. f. Calidad de heterogéneo. || **2.** Mezcla de partes de diversa naturaleza en un todo.

Heterogéneo, a. (Del lat. *heterogenĕus*, y éste del gr. ἑτερογενής; de ἕτερος, otro, y γένος, género.) adj. Compuesto de partes de diversa naturaleza.

Heteromancia [∼ **mancía**]. (Del gr. ἕτερος, otro, y μαντεία, adivinación, por alusión al vuelo de las aves a uno u otro lado.) f. Adivinación supersticiosa por el vuelo de las aves.

Heterómero. (Del gr. ἕτερος, distinto, y μέρος, miembro.) adj. *Zool.* Dícese de los insectos coleópteros que tienen cuatro artejos en los tarsos de las patas del último par y cinco en los demás; como la carraleja. Ú. t. c. s. || **2.** m. pl. *Zool.* Suborden de estos animales.

Heterónomo, ma. (Del gr. ἕτερος, otro, y νόμος, ley, costumbre.) adj. Dícese del que está sometido a un poder extraño que le impide el libre desarrollo de su naturaleza.

Heterópsido, da. (Del gr. ἕτερος, otro, y ὄψις, vista, aspecto.) adj. Dícese de las substancias metálicas que carecen del brillo propio del metal.

Heteróptero. (Del gr. ἕτερος, distinto, y πτερόν, ala.) adj. *Zool.* Dícese de los insectos hemípteros con cuatro alas, de las que las dos posteriores son membranosas y las anteriores coriáceas en su base; suelen segregar líquidos de olor desagradable. Algunos son parásitos y ápteros, como la chinche. Ú. t. c. s. || **2.** m. pl. *Zool.* Suborden de estos animales.

Heteroscio, cia. (Del gr. ἑτερόσκιος; de ἕτερος, otro, y σκιά, sombra.) adj. *Geogr.* Dícese del habitante de las zonas templadas, el cual a la hora del mediodía hace sombra siempre hacia un mismo lado. Ú. t. c. s. y m. en pl.

Hético, ca. (De *héctico*.) adj. **Tísico.** Ú. t. c. s. || **2.** Perteneciente a este enfermo. || **3.** V. **Fiebre hética.** Ú. t. c. s. || **4.** fig. Que está muy flaco y casi en los huesos. Ú. t. c. s. || **confirmado.** El declarado y reconocido por tal.

Hetiquez. f. *Med.* **Hectiquez.**

Hetría. f. ant. Enredo, mezcla, confusión.

Heurística. (f. de *heurístico*.) f. Arte de inventar.

Heurístico, ca. (Del gr. εὑρίσκω, hallar, inventar.) adj. Perteneciente o relativo a la heurística.

Hexacoralario. (Del gr. ἕξ, seis, y *coralario*.) adj. *Zool.* Dícese de celentéreos antozoos cuya boca está rodeada por tentáculos en número de seis o múltiplo de seis; como las actinias. Ú. t. c. s. || **2.** m. pl. *Zool.* Orden de estos animales.

Hexacordo. (Del lat. *hexachordos*, y éste del gr. ἑξάχορδος; de ἕξ, seis, y χορδή, cuerda.) m. *Mús.* Escala para canto llano compuesta de las seis primeras notas usuales, e inventada en el siglo XI por Guido Aretino. || **2.** *Mús.* Intervalo de sexta en la escala musical. || **mayor.** *Mús.* Intervalo que consta de cuatro tonos y un semitono. || **menor.** *Mús.* Intervalo que consta de tres tonos y dos semitonos.

Hexaedro. (Del gr. ἑξάεδρος; de ἕξ, seis, y ἕδρα, cara.) m. *Geom.* Sólido de seis caras. || **regular.** *Geom.* **Cubo,** 2.° art., 3.ª acep.

Hexagonal. adj. De figura de hexágono o semejante a él.

Hexágono, na. (Del lat. *hexagōnus*, y éste del gr. ἑξάγωνος; de ἕξ, seis, y γωνία, ángulo.) adj. *Geom.* Aplícase al polígono de seis ángulos y seis lados. Ú. m. c. s. m.

Hexámetro. (Del lat. *hexamĕtrus*, y éste del gr. ἑξάμετρος; de ἕξ, seis, y μέτρον, medida.) adj. V. **Verso hexámetro.** Ú. t. c. s.

Hexángulo, la. (Del gr. ἕξ, seis, y el lat. *angŭlus*, ángulo.) adj. **Hexágono.**

Hexápeda. (Del gr. ἑξάπεδος; de ἕξ, seis, y πούς, pie.) f. **Toesa.**

Hexasílabo, ba. (Del lat. *hexasyllăbus*, y éste del gr. ἑξασύλλαβος; de ἕξ, seis, y συλλαβή, sílaba.) adj. De seis sílabas. *Verso* HEXASÍLABO. Ú. t. c. s.

Hez. (Del lat. *faex, faecis*.) f. Parte de desperdicio en las preparaciones líquidas, que, por ser generalmente térrea y más pesada, se deposita en el fondo de las cubas o vasijas. Ú. m. en pl. || **2.** fig. Lo más vil y despreciable de cualquiera clase. || **3.** pl. Excrementos e inmundicias que arroja el cuerpo por el ano.

Hi. com. **Hijo.** Sólo tiene uso en la voz compuesta **hidalgo** y sus derivados, y en frases como estas: HI *de puta;* HI *de perro.*

Hí. (Del lat. *hic*.) adv. l. ant. **Allí.**

Híadas. f. pl. *Astron.* **Híades.**

Híades. (Del lat. *hyădes*, y éste del gr. ὑάδες, de ὕω, llover.) f. pl. *Astron.* Grupo notable de estrellas en la constelación de Toro.

Hialino, na. (Del lat. *hyalĭnus*, y éste del gr. ὑάλινος, de ὕαλος, vidrio.) adj. *Fís.* Diáfano como el vidrio o parecido a él. || **2.** V. **Cuarzo hialino.**

Hiante. (Del lat. *hians, hiantis*.) adj. V. **Verso hiante.**

Hiato. (Del lat. *hiātus*.) m. Cacofonía que resulta del encuentro de vocales en la pronunciación, especialmente perceptible en ciertas combinaciones de *a, e, o;* como en *de este a oeste.* || **2.** p. us. Abertura, grieta.

Hibernal. (Del lat. *hibernālis*.) adj. **Invernal.**

Hibernés, sa. adj. Natural de Hibernia, hoy Irlanda. Ú. t. c. s. || **2.** Perteneciente a esta isla de Europa antigua.

Hibérnico, ca. adj. **Hibernés,** 2.ª acep.

Hibernizo, za. adj. **Hibernal.**

Hibiernal. adj. ant. **Hibernal.**

Hibiernar. (Del lat. *hibernāre*.) intr. ant. Ser la estación de invierno.

Hibierno. (Del lat. *hibernum*.) m. **Invierno.**

Hibleo, a. (Del lat. *hyblaeus*.) adj. Perteneciente a Hibla, monte y ciudad de Sicilia antigua.

Hibridación. f. Producción de seres híbridos.

Hibridismo. m. Calidad de híbrido.

Híbrido, da. (Del lat. *hybrida*, y éste del gr. ὕβρις, injuria.) adj. Aplícase al animal o al vegetal procreado por dos individuos de distinta especie. || **2.** fig. Dícese de todo lo que es producto de elementos de distinta naturaleza.

Hibuero. m. **Higüero.**

Hicaco. (Voz haitiana.) m. *Bot.* Arbusto de la familia de las crisobalanáceas, de tres a cuatro metros de altura, con muchos ramos poblados de hojas alternas, ovaladas, muy obtusas, coriáceas y nerviosas; flores de cinco pétalos blanquecinos, agrupadas en las axilas de los ramos más altos, y fruto en drupa del tamaño, forma y color de la ciruela claudia. Es espontáneo en las Antillas.

Hicotea. (Voz americana.) f. *Zool.* Reptil quelonio de la familia de los emídidos, que se cría en América; tiene unos 30 centímetros de longitud, y es comestible.

Hidalgamente. adv. m. Con generosidad, con nobleza de ánimo.

Hidalgo, ga. (De *fidalgo*.) m. y f. Persona que por su sangre es de una clase noble y distinguida. Llámase también **hidalgo** de sangre. || **2.** adj. Perteneciente a un **hidalgo.** || **3.** fig. Dícese de la persona de ánimo generoso y noble, y de lo perteneciente a ella. || **de bragueta.** Padre que por haber tenido siete hijos varones consecutivos en legítimo matrimonio, adquiría el derecho de hidalguía. || **de cuatro costados.** Aquel cuyos abuelos paternos y maternos son **hidalgos.** || **de devengar quinientos sueldos.** El que por los antiguos fueros de Castilla tenía derecho a cobrar 500 sueldos en satisfacción de las injurias que se le hacían. || **de ejecutoria.** El que ha litigado su hidalguía y probado ser **hidalgo** de sangre. Denomínase así a diferencia del **hidalgo** de privilegio. || **de gotera.** El que únicamente en un pueblo gozaba de los privilegios de su hidalguía, de tal manera, que los perdía en mudando su domicilio. || **de privilegio.** El que lo es por compra o merced **real.** || **de solar conocido.** El que tiene casa solariega o desciende de una familia que la ha tenido o la tiene. || **El hidalgo de Guadalajara, lo que dice, o pone, a la noche, no cumple a la mañana.** ref. con que se nota al que falta a su palabra. || **Hidalgo honrado, antes roto que remendado.** ref. que enseña que el hombre honrado prefiere la pobreza a remediarla por medios indignos.

Hidalgote, ta. m. y f. aum. de **Hidalgo.**

Hidalguejo, ja [∼ **güelo, la** ∼ **guete, ta**]. ms. y fs. ds. de **Hidalgo.**

Hidalguez. f. **Hidalguía.**

Hidalguía. f. Calidad de hidalgo, o su estado y condición civil. || **2.** V. **Carta de hidalguía.** || **3.** V. **Carta ejecutoria de hidalguía.** || **4.** fig. Generosidad y nobleza de ánimo.

Hidátide. (Del gr. ὑδατίς -ίδος.) f. **Equinococo.** || **2.** Vesícula que lo contiene. || **3.** Quiste hidatídico.

Hidatídico, ca. adj. Perteneciente a la hidátide.

Hidiondo, da. adj. desus. **Hediondo.**

Hidra. (Del lat. *hydra*, y éste del gr. ὕδρα, serpiente acuática.) f. Culebra acuática, venenosa, que suele hallarse cerca de las costas, tanto en el mar Pacífico como en el de las Indias; es de color negro por encima y blanco amarillento por debajo; de unos cinco decímetros de largo; cubierta de escamas pequeñas y con la cola muy comprimida por ambos lados y propia para la natación. || **2.** *Zool.* Pólipo de forma cilíndrica y de uno a dos centímetros de longitud, parecido a un tubo cerrado por una extremidad y con varios tentáculos en la otra. Se cría en el agua dulce y se alimenta de infusorios y gusanillos. || **3.** *Astron.* Constelación austral de figura muy prolongada, comprendida entre las del León y la Virgen por el norte, y las del Navío y el Centauro por el sur. || **4.** *Mit.* Monstruo del lago de Lerna, con siete cabezas que renacían a medida que se cortaban, muerto por Hércules, que se las cortó todas de un golpe.

Hidrácido. m. *Quím.* Ácido compuesto de hidrógeno y otro cuerpo simple.

Hidrargirio. m. **Hidrargiro.**

Hidrargirismo. (De *hidrargiro*.) m. *Med.* Intoxicación crónica originada por la absorción de mercurio. Es enfermedad frecuente en los obreros de las minas de este metal.

Hidrargiro. (Del lat. *hydrargȳrus*, y éste del gr. ὑδράργυρος; de ὕδωρ, agua, y ἄργυρος, plata.) m. *Quím.* **Mercurio**, 2.ª acep.

Hidratación. f. Acción y efecto de hidratar.

Hidratar. (Del gr. ὕδωρ, ὕδατος, agua.) tr. *Quím.* Combinar un cuerpo con el agua. *Cal* HIDRATADA. Ú. t. c. r.

Hidrato. (De *hidratar.*) m. *Quím.* Combinación de un cuerpo con el agua. || **de carbono.** Nombre genérico de multitud de substancias orgánicas y de reacción neutra, formadas por carbono, hidrógeno y oxígeno, que, como los azúcares y las féculas, contienen los dos últimos elementos en la misma proporción en que entran ellos a formar el agua.

Hidráulica. (Del lat. *hydraulĭca*, y éste del gr. ὑδραυλική, t. f. de -κός, hidráulico.) f. Parte de la mecánica, que estudia el equilibrio y el movimiento de los fluidos. || **2.** Arte de conducir, contener, elevar y aprovechar las aguas.

Hidráulico, ca. (Del lat. *hydraulĭcus*, y éste del gr. ὑδραυλικός, de ὑδραυλίς, órgano hidráulico; de ὕδωρ, agua, y αὐλέω, tocar la flauta.) adj. Perteneciente a la hidráulica. || **2.** Que se mueve por medio del agua. *Rueda, prensa* HIDRÁULICA. || **3.** Dícese de las cales y cementos que se endurecen en contacto con el agua, y también de las obras donde se emplean dichos materiales. || **4.** V. **Arquitectura, cal, caliza, máquina hidráulica.** || **5.** V. **Ariete, hormigón, marco hidráulico.** || **6.** m. El que sabe o profesa la hidráulica.

Hidria. (Del lat. *hydrĭa*, y éste del gr. ὑδρία, cántaro.) f. Vasija grande, a modo de cántaro o tinaja, que usaron los antiguos para contener agua.

Hidroavión. (Del gr. ὕδωρ, agua, y de *avión.*) m. Avión que lleva en lugar de ruedas uno o varios flotadores para posarse sobre el agua.

Hidrobiología. (Del gr. ὕδωρ, agua, y de *biología.*) f. Ciencia que estudia la vida de los animales y las plantas que pueblan las aguas corrientes y las remansadas en la superficie terrestre.

Hidrocarburo. m. *Quím.* Cada uno de los compuestos químicos resultantes de la combinación del carbono con el hidrógeno.

Hidrocefalia. (De *hidrocéfalo.*) f. *Med.* Hidropesía de la cabeza.

Hidrocéfalo, la. (Del gr. ὑδροκέφαλος; de ὕδωρ, agua, y κεφαλή, cabeza.) adj. Que padece hidrocefalia. || **2.** m. ant. **Hidrocefalia.**

Hidrocele. (Del lat. *hydrocēle*, y éste del gr. ὑδροκήλη; de ὕδωρ, agua, y κήλη, tumor.) f. *Med.* Hidropesía de la túnica serosa del testículo.

Hidroclorato. (Del gr. ὕδωρ, agua, y de *clorato.*) m. *Quím.* **Clorhidrato.**

Hidroclórico, ca. (Del gr. ὕδωρ, agua, y *clórico.*) adj. *Quím.* **Clorhídrico.**

Hidrodinámica. (Del gr. ὕδωρ, agua, y *dinámica.*) f. Parte de la mecánica, que estudia el movimiento de los fluidos.

Hidrodinámico, ca. adj. Perteneciente o relativo a la hidrodinámica.

Hidroeléctrico, ca. (Del gr. ὕδωρ, agua, y *eléctrico.*) adj. Perteneciente a la energía eléctrica obtenida por fuerza hidráulica.

Hidrófana. (Del gr. ὕδωρ, agua, y φαίνω, brillar.) f. Ópalo que adquiere transparencia dentro del agua.

Hidrofilacio. (Del gr. ὕδωρ, agua, y φυλάσσω, guardar.) m. Concavidad subterránea y llena de agua, de que muchas veces se alimentan los manantiales.

Hidrófilo, la. (Del gr. ὕδωρ, agua, y φίλος, amigo.) adj. Dícese de la materia que tiene la propiedad de absorber el agua con gran facilidad. || **2.** *Zool.* Coleóptero acuático de cuerpo convexo y oval y de color negro de aceituna, con los palpos maxilares filiformes, más largos que las antenas, y el esternón prolongado en aguda espina. Llega a tener cuatro o cinco centímetros de longitud. Las larvas son carnívoras y los adultos fitófagos.

Hidrofobia. (Del lat. *hydrophobĭa*, y éste del gr. ὑδροφοβία, de ὑδροφόβος, hidrófobo.) f. Horror al agua, que suelen tener los que han sido mordidos de animales rabiosos. || **2. Rabia**, 1.ª acep.

Hidrófobo, ba. (Del lat. *hidrophŏbus*, y éste del gr. ὑδροφόβος; de ὕδωρ, agua, y φόβος, terror, espanto.) adj. Que padece hidrofobia. Ú. t. c. s. || **2.** m. ant. **Hidrofobia.**

Hidrófugo, ga. (Del gr. ὕδωρ, agua, y lat. *fugĕre*, huir evitar.) adj. Dícese de las substancias que evitan la humedad o las filtraciones.

Hidrógeno. (Del gr. ὕδωρ, agua, y γεννάω, engendrar.) m. Gas inflamable, incoloro, inodoro y 14 veces más ligero que el aire. Entra en la composición de multitud de substancias orgánicas, y combinado con el oxígeno forma el agua. || **sulfurado.** *Quím.* **Ácido sulfhídrico.**

Hidrognosia. (Del gr. ὕδωρ, agua, y γνῶσις, conocimiento.) f. Rama del saber, que explica las calidades e historia de las aguas del globo terrestre.

Hidrogogía. (Del gr. ὕδωρ, agua, y ἀγωγή, conducto, canal.) f. Arte de canalizar aguas.

Hidrografía. (De *hidrógrafo.*) f. Parte de la geografía física, que trata de la descripción de los mares y las corrientes de agua.

Hidrográfico, ca. adj. Perteneciente o relativo a la hidrografía.

Hidrógrafo. (Del gr. ὕδωρ, agua, y γράφω, describir.) m. El que ejerce o profesa la hidrografía.

Hidrólisis. (Del gr. ὕδωρ, agua, y λύσις, disolución.) f. *Quím.* Desdoblamiento de la molécula de ciertos compuestos orgánicos, ya por exceso de agua, ya por la presencia de una corta cantidad de fermento o de ácido.

Hidrología. (Del gr. ὕδωρ, agua, y λόγος, tratado.) f. Parte de las ciencias naturales, que trata de las aguas. || **médica.** Estudio de las aguas con aplicación al tratamiento de las enfermedades.

Hidrológico, ca. adj. Perteneciente o relativo a la hidrología.

Hidromancia [~ **mancía**]. (Del lat. *hydromantĭa*, y éste del gr. ὕδωρ, agua, y μαντεία predicción.) f. Arte supersticiosa de adivinar por las señales y observaciones del agua.

Hidromántico, ca. adj. Perteneciente a la hidromancia. || **2.** m. Persona que la profesa.

Hidromel [~ **miel**]. (Del lat. *hydromĕli*, y éste del gr. ὑδρόμελι; de ὕδωρ, agua, y μέλι, miel.) m. **Aguamiel**, 1.ª acep.

Hidrometeoro. (Del gr. ὕδωρ, agua, y de *meteoro.*) m. Meteoro producido por el agua en estado líquido, sólido o de vapor.

Hidrómetra. m. El que sabe y profesa la hidrometría.

Hidrometría. (De *hidrómetro.*) f. Parte de la hidrodinámica, que trata del modo de medir el caudal, la velocidad o la fuerza de los líquidos en movimiento.

Hidrométrico, ca. adj. Perteneciente o relativo a la hidrometría.

Hidrómetro. (Del gr. ὕδωρ, agua, y μέτρον, medida.) m. Instrumento que sirve para medir el caudal, la velocidad o la fuerza de un líquido en movimiento.

Hidrópata. m. *Med.* El que profesa la hidropatía.

Hidropatía. (Del gr. ὕδωρ, agua, y πάθος, enfermedad.) f. *Med.* **Hidroterapia.**

Hidropático, ca. adj. Perteneciente o relativo a la hidropatía.

Hidropesía. (Del lat. *hydropĭsis*, y éste del gr. ὕδρωψ; de ὕδωρ, agua, y ὤψ, aspecto.) f. *Med.* Derrame o acumulación anormal del humor seroso en cualquiera cavidad del cuerpo animal, o su infiltración en el tejido celular.

Hidrópico, ca. (Del lat. *hydropĭcus*, y éste del gr. ὑδρωπικός.) adj. *Med.* Que padece hidropesía, especialmente de vientre. Ú. t. c. s. || **2.** fig. **Insaciable.** || **3.** fig. Sediento con exceso.

Hidroplano. (Del gr. ὕδωρ, agua, y de *plano.*) m. Embarcación provista de aletas inclinadas que al marchar, por efecto de la reacción que el agua ejerce contra ellas, sostienen gran parte del peso del aparato, el cual alcanza de ordinario una velocidad muy superior a la de los otros buques. || **2. Hidroavión.**

Hidropteríneo, a. (Del gr. ὕδωρ, agua, y πτερόν, ala.) adj. *Bot.* Dícese de plantas criptógamas pteridofitas, acuáticas, a veces flotantes, con tallo horizontal, de cuya cara superior nacen las hojas y de la inferior las raíces o, en algunas de las especies flotantes, unas hojas absorbentes. Ú. t. c. s. f. || **2.** f. pl. *Bot.* Clase de estas plantas.

Hidroscopia. (Del gr. ὕδωρ, agua, y σκοπέω, ver, examinar.) f. Arte de averiguar la existencia y condiciones de las aguas ocultas, examinando previamente la naturaleza y configuración del terreno.

Hidrosfera. (Del gr. ὕδωρ, agua, y σφαῖρα, esfera.) f. Conjunto de las partes líquidas del globo terráqueo.

Hidrosilicato. m. *Quím.* Silicato hidratado.

Hidrostática. (Del gr. ὕδωρ, agua, y de *estática.*) f. Parte de la mecánica, que estudia el equilibrio de los fluidos.

Hidrostáticamente. adv. m. Con arreglo a la hidrostática.

Hidrostático, ca. adj. Perteneciente o relativo a la hidrostática.

Hidrotecnia. (Del gr. ὕδωρ, agua, y τέχνη, arte.) f. Arte de construir máquinas y aparatos hidráulicos.

Hidroterapia. (Del gr. ὕδωρ, agua, y θεραπεία, curación.) f. Método curativo por medio del agua.

Hidroterápico, ca. adj. Perteneciente o relativo a la hidroterapia.

Hidrotórax. (Del gr. ὕδωρ, agua, y θώραξ, tórax.) m. *Med.* Hidropesía del pecho.

Hidroxilo. m. *Quím.* Radical formado por un átomo de hidrógeno y otro de oxígeno, que forma parte de muchos compuestos.

Hiebre. f. ant. **Fiebre.**

Hiedra. (Del lat. *hĕdĕra.*) f. Planta trepadora, siempre verde, de la familia de las araliáceas, con tronco y ramos sarmentosos, de que brotan raíces adventicias que se agarran fuertemente a los cuerpos inmediatos; hojas coriáceas, verdinegras, lustrosas, persistentes, pecioladas, partidas en cinco lóbulos, si bien son enteras y en forma de corazón las de los ramos superiores; flores de color amarillo verdoso, en umbelas, y fruto en bayas negruzcas del tamaño de un guisante. Aunque la **hiedra** no es una parásita verdadera, daña y aun ahoga con su espeso follaje los árboles a que se agarra. || **arbórea. Hiedra.** || **terrestre.** Planta vivaz de la familia de las labiadas, con tallos duros, de tres a cuatro decímetros, hojas pecioladas en forma de corazón, festoneadas y verdinegras; flores axilares en grupillos separados, de corola azul, y fruto en varias semillas menudas. Se ha empleado en medicina como expectorante.

Hiel. (Del lat. *fel, fellis.*) f. **Bilis.** || **2.** V. **Vejiga de la hiel.** || **3.** fig. Amargura, aspereza o desabrimiento. || **4.** V. **Paloma sin hiel.** || **5.** pl. fig. Trabajos, adversidades, disgustos. || **Hiel de la tierra. Centaura menor.** || **Dar a beber hieles.** fr. fig. y fam. Dar disgustos y pesadumbres. || **Echar uno la hiel.** fr.

fig. y fam. Trabajar con exceso. || **Estar uno hecho de hiel.** fr. fig. y fam. con que se pondera la irritación, cólera o desabrimiento de una persona. || **No tener uno hiel.** fr. fig. y fam. Ser sencillo y de genio suave. || **Poca hiel hace amarga mucha miel.** ref. con que se denota que un pesar, por pequeño que sea, quita el gusto que causa un placer, aunque sea grande; y también que es muy perjudicial una mala compañía, pues uno malo puede perder a muchos. || **Quien te dio la hiel, te dará la miel.** ref. que expresa que la corrección de los superiores, aunque parezca amarga, produce efectos saludables. || **Sudar uno la hiel.** fr. fig. y fam. **Echar la hiel.**

Hielo. (Del lat. *gĕlu.*) m. Agua convertida en cuerpo sólido y cristalino por un descenso suficiente de temperatura. || **2.** Acción de helar o helarse. || **3.** fig. Frialdad en los afectos. || **4.** fig. Pasmo, suspensión del ánimo. || **Estar uno hecho un hielo.** fr. fig. y fam. Estar muy frío. || **Romper el hielo.** fr. fig. y fam. En el trato personal o en una reunión, quebrantar la reserva, el embarazo o el recelo que por cualquier motivo exista.

Hieltro. m. ant. **Fieltro.**

Hiemal. (Del lat. *hiemalis*, invernal.) adj. **Invernal.** || **2.** *Astrol.* V. **Cuadrante hiemal.** Ú. t. c. s. || **3.** *Astron.* V. **Solsticio hiemal.**

Hiena. (Del lat. *hyaena*, y éste del gr. ὕαινα.) f. Mamífero carnicero de 11 decímetros próximamente desde el hocico a la cola; siete decímetros de altura hasta la cruz, y bastante menos en las ancas, pues si bien las piernas no son más cortas que los brazos, camina con aquéllas siempre dobladas, cual si el animal estuviese derrengado. El pelaje es áspero, gris, con rayas atravesadas, pardas o negruzcas, cabeza parecida a la del lobo, crines a todo lo largo del espinazo, cola corta y espesa, cuatro dedos en cada pie, y entre el ano y la cola una especie de bolsa que segrega un líquido espeso y nauseabundo. Vive en Asia y África, es animal nocturno y se alimenta principalmente de carroña.

Hienda. (Del lat. *fĭmĭta*, de *fĭmus.*) f. **Estiércol.** || **Quien hienda echa en la coladera, hienda saca de ella.** ref. con que se manifiesta que el que se vale de ruines medios, debe esperar el éxito correspondiente a ellos.

Hienda. f. *Extr.* y *León.* **Hendidura.**

Hiera. (Del lat. *hĕdĕra.*) f. *Ál.* **Hiedra.**

Hiera. (Como *jera*, del lat. *diāria.*) f. desus. **Jera**, 1.er art., 1.ª acep.

Hierarquía. (Del. gr ἱεραρχία.) f. ant. **Jerarquía.**

Hierático, ca. (Del lat. *hieratĭcus*, y éste del gr. ἱερατικός, de ἱερός, sagrado.) adj. Perteneciente o relativo a las cosas sagradas o a los sacerdotes. Es término de la antigüedad gentílica. || **2.** Aplícase a cierta escritura de los antiguos egipcios, que era una abreviación de la jeroglífica. || **3.** Aplícase a cierta clase de papel que se traía de Egipto. || **4.** Dícese de la escultura y la pintura religiosas que reproducen formas tradicionales. || **5.** fig. Dícese también del estilo o ademán que tiene o afecta solemnidad extrema, aunque sea en cosas no sagradas.

Hieratismo. m. Calidad de hierático, 4.ª y 5.ª aceps.

Hierba. (Del lat. *hĕrba.*) f. Toda planta pequeña cuyo tallo es tierno y perece después de dar la simiente en el mismo año, o a lo más al segundo, a distinción de las matas, arbustos y árboles, que echan troncos o tallos duros y leñosos. || **2.** Conjunto de muchas **hierbas** que nacen en un terreno. || **3.** **Jardín,** 3.ª acep. || **4.** Veneno hecho con **hierbas** venenosas. Ú. m. en pl. || **5.** V. **Queso de hierba.** || **6.** pl. Entre los religiosos, menestras que les dan a comer y ensalada cocida para colación. || **7.** Pastos que hay en las dehesas para los ganados. || **8.** Hablando de los animales que se crían en los pastos, **años.** *Este potro tiene tres* HIERBAS. || **9.** V. **Barro, pañuelo de hierbas.** || **Hierba artética. Pinillo,** 1.ª acep. || **ballestera. Hierba de ballestero.** || **belida. Botón de oro.** || **buena. Hierbabuena.** || **callera.** Planta de la familia de las crasuláceas, cuyas hojas, opuestas, ovaladas y redondeadas en la base, emplea el vulgo para cicatrizar heridas y ablandar callos. || **cana.** Planta herbácea de la familia de las compuestas, con tallo ramoso, surcado, hueco, rojizo y de tres a cuatro decímetros de altura; hojas blandas, gruesas, jugosas, perfoliadas y partidas en lóbulos dentados; flores amarillas, tubulares, y fruto seco y con semillas coronadas de vilanos blancos, largos y espesos que semejan pelos canos, de donde le vino el nombre. Es común en las orillas de los caminos y se considera como emoliente. || **carmín.** Planta herbácea americana, aclimatada en España, de la familia de las fitolacáceas, con raíz carnosa y fusiforme; tallo erguido, ramoso y asurcado; hojas alternas, aovadas, lanceoladas y onduladas por el margen; flores en espiga y sin corola, y fruto en baya. Toda la planta es encarnada, tiene algún empleo en medicina, y de las semillas se extrae una laca roja. || **centella. Calta.** || **de bálsamo.** *Ál.* **Ombligo de Venus,** 1.ª acep. || **de ballestero. Eléboro.** || **2.** Veneno hecho con un cocimiento de eléboro. || **de cuajo.** Flor y pelusa del cardo de comer, con la cual se cuaja la leche. || **de Guinea.** Planta de la familia de las gramíneas, que crece hasta cerca de un metro de altura, con hojas ensiformes, radicales, abrazadoras y en macolla; tallo central, y flores hermafroditas, en espiguilla, formando panoja, con semillas abundantes. Es planta muy apreciada para pasto del ganado, especialmente caballar, y se propaga con facilidad en las regiones tropicales. || **del ala. Helenio.** || **de las coyunturas. Belcho.** || **de las golondrinas. Celidonia.** || **de las siete sangrías. Asperilla.** || **de limón.** *Cuba.* **Esquenanto.** || **del maná.** Planta de la familia de las gramíneas, con el tallo caído, de medio metro a uno de largo, hojas planas y flores en panoja prolongada, casi unilateral, compuesta de espiguillas con pedúnculos largos, paralelos al eje. Sirve de forraje y se emplea en lugar del esparto. || **de los lazarosos,** o **de los pordioseros. Clemátide.** || **del Paraguay.** Especie de acebo con hojas lampiñas, pecioladas, oblongas y aserradas por el margen; flores axilares, blancas, de pedúnculo largo, en ramilletes apretados, y fruto en drupa roja, con cuatro huesecillos de almendra venenosa. Abunda en la América Meridional. || **2.** Hojas de este arbolito, que, secas y empaquetadas, son uno de los principales ramos del comercio del Paraguay. || **de punta. Espiguilla,** 3.ª acep. || **de San Juan. Corazoncillo.** || **de Santa María.** Planta herbácea de la familia de las compuestas, con tallos de tres a cuatro decímetros, ramosos y estriados; hojas grandes, elípticas, pecioladas, fragantes y festoneadas por el margen, y flores en cabecillas amarillentas muy duraderas. Se cultiva mucho en los jardines por su buen olor, y se usa algo en medicina como estomacal y vulneraria. || **de Santa María del Brasil. Pazote.** || **de Túnez. Servato.** || **doncella.** Planta herbácea, vivaz, de la familia de las apocináceas, con tallos de seis a ocho decímetros, los estériles reclinados y casi erguidos los floríferos; hojas pedunculadas, lisas, coriáceas, en forma de corazón, algo vellosas en el margen; flores grandes, de corola azul; fruto capsular y semillas membranosas. Se usa en medicina como astringente. || **estrella. Estrellamar,** 2.ª acep. || **fina.** Planta de la familia de las gramíneas, con cañas delgadas, derechas, de unos 25 centímetros de alto; hojas estrechas, lineares y agudas, y flores rojizas dispuestas en panojas terminales muy delgadas y bien abiertas. || **giganta. Acanto,** 1.ª acep. || **hormiguera. Pazote.** || **impía.** Planta anua de la familia de las compuestas, con tallos delgados, erguidos, dicótomos, tomentosos, blanquecinos, vestidos de hojas filiformes, y cabezuelas axilares y terminales || **jabonera. Jabonera,** 3.ª y 4.ª aceps. || **lombriguera.** Planta de la familia de las compuestas, con tallos herbáceos de seis a ocho decímetros de altura, hojas grandes partidas en lacinias lanceoladas y aserradas, flores de cabezuelas amarillas en corimbos terminales, y fruto seco con semillas menudas. Es bastante común en España, tiene olor fuerte, sabor muy amargo, y se ha empleado como estomacal y vermífuga. || **2.** En algunas partes, **abrótano.** || **luisa. Luisa.** || **melera. Melera,** 3.ª acep. || **meona. Milenrama.** || **mora.** Planta herbácea, anual, de la familia de las solanáceas, con tallos de tres a cuatro decímetros de altura, ramosos y velludos; hojas lanceoladas, nerviosas, con dientes en el margen; flores axilares, en corimbos poco poblados, de corola blanca, y fruto en baya negra de un centímetro de diámetro. Se ha empleado en medicina como calmante. || **2.** *Filip.* **Espicanardo,** 3.ª acep. || **pastel. Glasto.** || **pejiguera. Duraznillo.** || **piojenta,** o **piojera. Estafisagria.** || **pulguera. Zaragatona.** || **puntera. Siempreviva mayor.** || **romana. Hierba de Santa María.** || **sagrada. Verbena,** 1.ª acep. || **santa. Hierbabuena,** 1.ª acep. || **sarracena. Hierba de Santa María.** || **tora. Orobanca.** || **Hierbas del señor San Juan.** Todas aquellas que se venden el día de San Juan Bautista, que son muy olorosas o medicinales; como mastranzo, trébol, etc. || **viejas.** ant. Campos no roturados. || **Crecer como la mala hierba.** fr. fam. Dícese de los muchachos que crecen, cuando al mismo tiempo no se aplican. || **En hierba.** m. adv. con que se denota, hablando de los panes y otras semillas, que están aún verdes y tiernos. || **Haber pisado uno buena,** o **mala, hierba.** fr. Salirle bien, o mal, las cosas. || **2.** fig. y fam. Estar contento o descontento, de buen o mal humor. || **La mala hierba crece mucho.** ref. con que se denota festivamente que un mozo está alto y crecido. || **Otras hierbas.** expr. jocosa que se añade después de enumerar enfáticamente los nombres, dictados o prendas de una persona, como para dar a entender que aún le corresponden otros. *Narciso es muy caballero, muy galán, muy donoso y* OTRAS HIERBAS. || **Sentir uno crecer,** o **nacer, la hierba.** fr. fig. y fam. Tener gran perspicacia; ser muy advertido.

Hierbabuena. (De *hierba* y *buena.*) f. Planta herbácea, vivaz, de la familia de las labiadas, con tallos erguidos, poco ramosos, de cuatro a cinco decímetros; hojas vellosas, elípticas, agudas, nerviosas y aserradas; flores rojizas en grupos axilares, y fruto seco con cuatro semillas. Se cultiva mucho en las huertas, es de olor agradable y se emplea en condimentos. || **2.** Nombre que se da a otras plantas labiadas parecidas a la anterior; como el mastranzo, sándalo y poleo.

Hierbajo. m. despect. de **Hierba,** 1.ª acep.

Hierbal. m. *Chile.* Herbazal.
Hierbatero. m. *Chile.* Hombre que en las poblaciones vende por menor forraje o hierba verde para animales.
Hierbezuela. f. d. de **Hierba.**
Hiero. (Del lat. *ĕrum*, por *ĕrvum*.) m. **Yero.**
Hieródula. (Del gr. ἱερόδουλος; de ἱερός, sagrado, y δοῦλος, esclavo.) f. Esclava dedicada al servicio de una divinidad, en la antigua Grecia.
Hierofanta. (Del lat. *hierophanta*.) m. **Hierofante.**
Hierofante. (Del lat. *hierophantes*, y éste del gr. ἱεροφάντης; de ἱερός, sagrado, y φαίνω, mostrar, enseñar.) m. Sacerdote del templo de Ceres Eleusina y de otros varios de Grecia, que dirigía las ceremonias de la iniciación en los misterios sagrados. || **2.** Por ext., maestro de nociones recónditas.
Hieroglífico, ca. (Del lat. *hieroglyphĭcus*, y éste del gr. ἱερογλυφικός, de ἱερογλύφος; de ἱερός, sagrado, y γλύφω, grabar.) adj. **Jeroglífico.** Ú. t. c. s.
Hieroscopia. (Del gr. ἱεροσκοπία, de ἱεροσκόπος; del pl. ἱερά, víctimas, y σκοπέω, examinar.) f. **Aruspicina.**
Hierosolimitano, na. (Del lat. *hierosolymitānus*, de *Hierosolўma*, Jerusalén.) adj. **Jerosolimitano.**
Hierra. (De *herrar*.) f. *Amér.* **Herradero,** 1.ª acep.
Hierre. (De *herrar*.) m. *And.* **Herradero,** 1.ª acep.
Hierrezuelo. m. d. de **Hierro.**
Hierro. (Del lat. *fĕrrum*.) m. Metal dúctil, maleable y muy tenaz, de color gris azulado, que puede recibir gran pulimento y es el más empleado en la industria y en las artes. || **2.** Marca que con **hierro** candente se pone a los ganados. En otro tiempo se ponía también a los delincuentes y esclavos. || **3.** En la lanza, saeta y otros instrumentos semejantes, pieza de **hierro** o de acero que se pone en el extremo para herir. || **4.** V. **Camino, capillo, corona, edad, geranio, pirita, siglo, voluntad de hierro.** || **5.** fig. Arma, instrumento o pieza de **hierro** o acero; como la pica, la reja del arado, etc. || **6.** fig. V. **Bolsa, cabeza de hierro.** || **7.** V. **Ganadero de mayor hierro.** || **8.** pl. Prisiones de **hierro;** como cadenas, grillos, etc. || **Hierro albo.** El candente. || **arquero. Hierro cellar.** || **cabilla.** El forjado en barras redondas más gruesas que las del **hierro** varilla. || **carretil.** El forjado en barras de un decímetro de ancho y dos centímetros de grueso, destinado generalmente a llantas de carros. || **cellar.** El forjado en barras de unos cinco centímetros de ancho y uno de grueso, que sirve para cellos de pipa, y con el cual comúnmente se hacían las celadas de las ballestas. || **colado.** El que sale fundido de los hornos altos: tiene mayor cantidad de carbono que el acero, es más quebradizo, de grano más grueso en su fractura y más fusible, y, según la cantidad de carbono que contiene, se distinguen diferentes variedades; como el blanco, el gris, el atruchado, etc. || **cuadradillo,** o **cuadrado.** Barra de **hierro** cuya sección transversal es un cuadrado de dos a tres centímetros de lado. || **cuchillero. Hierro cellar.** || **de doble T.** El forjado en barras en forma de dos de aquellas letras, opuestas por la base. || **de llantas. Hierro carretil.** || **dulce.** El libre de impurezas, que se trabaja con facilidad. || **espático. Siderosa.** || **fundido. Hierro colado.** || **medio tocho. Hierro tochuelo.** || **palanquilla.** El forjado en barras de sección cuadrada de cuatro centímetros de lado. || **pirofórico. Hierro** finísimamente dividido que se inflama espontáneamente en contacto con el aire. || **planchuela. Hierro arquero.** || **tocho.** El forjado en barras de sección cuadrada de siete centímetros de lado. || **tochuelo.** El forjado en barras de sección cuadrada de cinco a seis centímetros de lado. || **varilla.** El forjado en barras redondas de poco diámetro. || **Agarrarse** uno **a,** o **de, un hierro ardiendo.** fr. fig. y fam. **Agarrarse a,** o **de, un clavo ardiendo.** || **A hierro y fuego;** o, **a hierro y sangre.** ms. advs. **A sangre y fuego.** || **Cargado de hierro, cargado de miedo.** ref. que da a entender que quien anda muy cargado de armas para hacer ostentación de valiente, no lo es. || **Comer hierro.** fr. fig. y fam. *And.* Hablar un galán con su dama por una reja próxima al piso de la calle. || **Librar el hierro.** fr. *Esgr.* Separarse las hojas de las espadas. || **Llevar hierro a Vizcaya.** fr. fig. **Llevar leña al monte.** || **Machacar, majar,** o **martillar, en hierro frío.** fr. fig. y fam. Ser inútil la corrección y doctrina cuando el natural es duro y mal dispuesto a recibirla. || **Mascar hierro.** fr. fig. y fam. *And.* **Comer hierro.** || **Meter a hierro frío.** fr. ant. **Pasar a cuchillo.** || **Quien a hierro mata, a hierro muere.** ref. con que se denota que regularmente suele uno experimentar el mismo daño que hizo a otro. || **Tocar el hierro.** fr. *Esgr.* Juntarse las hojas de las espadas.
Higa. (De *higo*.) f. Dije de azabache o coral, en figura de puño, que ponen a los niños con la idea supersticiosa de librarlos del mal de ojo. || **2.** Acción que se ejecuta con la mano, cerrado el puño, mostrando el dedo pulgar por entre el dedo índice y el cordial, con el que se señalaba a las personas infames o se hacía desprecio de ellas. También se usaba contra el aojo. || **3.** fig. Burla o desprecio. || **Dar higa la escopeta.** fr. No dar lumbre el pedernal al dispararla. || **Dar higas.** fr. fig. Despreciar una cosa; burlarse de ella. || **Mear claro y dar una higa al médico.** ref. que indica que el que goza de buena salud no necesita del médico. || **No dar por** una cosa **dos higas.** fr. fig. y fam. Despreciarla.
Higadilla. f. **Higadillo.**
Higadillo. (d. de *hígado*.) m. Hígado de los animales pequeños, particularmente de las aves.
Hígado. (Del lat. *ficātum*, de *ficus*, higo, moldeado sobre el gr. συκωτός, sazonado con higos.) m. *Zool.* Víscera voluminosa, propia de los animales vertebrados, que en los mamíferos tiene forma irregular y color rojo obscuro y está situada en la parte anterior y derecha del abdomen; desempeña varias funciones importantes, entre ellas la secreción de la bilis. || **2.** *Zool.* Cada una de las dos glándulas simétricas, tubulosas o ramificadas, que comunican con la cavidad digestiva y vierten en ella su producto de secreción, que es un líquido semejante al jugo pancreático de los vertebrados. || **3.** *Zool.* Glándula de gran tamaño, propia de los moluscos, cuyo conducto excretor desemboca en la cavidad estomacal y vierte en ella un líquido que contiene fermentos digestivos análogos a los del jugo pancreático de los vertebrados. || **4.** V. **Calor, fuego del hígado.** || **5.** fig. Ánimo, valentía. Ú. m. en pl. || **de antimonio.** *Farm.* Mezcla de color de **hígado,** algo transparente y a medio vitrificar, que resulta de la operación en que los boticarios funden en un crisol partes iguales de antimonio y potasa con un poco de sal común. || **de azufre.** *Farm.* Mezcla que se hace en las boticas derritiendo azufre con potasa. || **Malos hígados.** fig. Mala voluntad; índole dañina. || **Con lo que sana el hígado, enferma la bolsa.** ref. que manifiesta que las cosas importantes no se consiguen sin trabajo y costa. || **Echar** uno **los hígados.** fr. fig. y fam. **Echar la hiel.** || **Echar** uno **los hígados por** una cosa. fr. fig. y fam. Solicitarla con ansia y diligencia. || **Hasta los hígados.** exp. fam. que sirve para denotar la intención y vehemencia de un afecto. || **Lo que es bueno para el hígado, es malo para el bazo.** ref. con que se da a entender que lo que aprovecha para unas cosas suele dañar para otras. || **Moler los hígados** a uno. fr. fig. y fam. Importunarle. || **Querer** uno **comer** a otro **los hígados.** fr. fig. y fam. que se usa para denotar la crueldad y rabia con que uno desea vengarse de otro.
Higaja. f. desus. Hígado, 1.ª acep. || **2.** desus. **Higadillo.**
Higate. (Del lat. *ficātum*.) m. Potaje que se usaba antiguamente, y se hacía de higos sofreídos primero con tocino, y después cocidos con caldo de gallina y sazonados con azúcar, canela y otras especias finas.
Higiene. (Del gr. ὑγιεινή, t. f. de ὑγιεινός, de ὑγιής, sano.) f. Parte de la medicina, que tiene por objeto la conservación de la salud, precaviendo enfermedades. || **2.** fig. Limpieza, aseo en las viviendas y poblaciones. || **privada.** Aquella de cuya aplicación cuida el individuo. || **pública.** Aquella en cuya aplicación interviene la autoridad, prescribiendo reglas preventivas.
Higiénico, ca. adj. Perteneciente o relativo a la higiene.
Higienista. adj. Dícese de la persona dedicada al estudio de la higiene. Ú. t. c. s.
Higienizar. tr. Disponer o preparar una cosa conforme a las prescripciones de la higiene.
Higo. (Del lat. *ficus*.) m. Segundo fruto, o el más tardío, de la higuera; es blando, de gusto dulce, por dentro de color más o menos encarnado o blanco, y lleno de semillas sumamente menudas; exteriormente está cubierto de una pielecita verdosa, negra o morada, según las diversas castas que hay de ellos. || **2.** Excrecencia, regularmente venérea, que se forma alrededor del ano, y cuya figura es semejante a la de un **higo.** Toma también otros nombres, según varía la figura. || **3.** V. **Cambur higo.** || **boñigar. Higo doñegal.** || **chumbo, de pala,** o **de tuna.** Fruto del nopal o higuera de Indias. || **doñegal** o **doñigal.** Variedad de **higo,** de buen tamaño y color. || **melar.** Variedad de **higo,** pequeño, redondo, blanco y muy dulce. || **zafarí.** Variedad de **higo,** muy dulce y tierno. || **De higos a brevas.** loc. adv. fig. y fam. **De tarde en tarde.** || **No dar un higo por** una cosa. fr. fig. Despreciarla. || **No dársele** a uno **un higo.** fr. fig. y fam. No importarle nada una cosa. || **No estimar en un higo** una cosa. Desestimarla, despreciarla. || **No valer** una cosa **un higo.** fr. fig. y fam. **No valer un comino.**
Higrometría. (De *higrómetro*.) f. Parte de la física, relativa al conocimiento de las causas productoras de la humedad atmosférica y de la medida de sus variaciones.
Higrométrico, ca. adj. Perteneciente o relativo a la higrometría o al higrómetro. || **2.** Dícese del cuerpo cuyas condiciones varían sensiblemente con el cambio de humedad de la atmósfera.
Higrómetro. (Del gr. ὑγρός, húmedo, y μέτρον, medida.) m. Instrumento que sirve para determinar la humedad del aire atmosférico.
Higroscopia. (Del gr. ὑγρός, húmedo, y σκοπέω, examinar.) f. **Higrometría.**
Higroscopicidad. (De *higroscópico*.) f. *Fís.* Propiedad de algunos cuerpos inorgánicos, y de todos los orgánicos, de absorber y de exhalar la humedad según las circunstancias que los rodean.

Higroscópico, ca. (De *higroscopio.*) adj. Que tiene higroscopicidad.

Higroscopio. (Del gr. ὑγρός, húmedo, y σκοπέω, examinar.) m. **Higrómetro.** ‖ **2.** Juguete en que, mediante una cuerda de tripa que se destuerce más o menos según el grado de humedad del aire, se mueve una figurilla o parte de ella para indicar lluvia o buen tiempo.

Higuana. f. **Iguana.**

Higuera. (De *higo.*) f. *Bot.* Árbol de la familia de las moráceas, de mediana altura, madera blanca y endeble, látex amargo y astringente; hojas grandes, lobuladas, verdes y brillantes por encima, grises y ásperas por abajo, e insertas en un pedúnculo bastante largo. ‖ **breval.** Árbol mayor que la **higuera** y de hojas más grandes y verdosas, que da brevas e higos. ‖ **chumba. Nopal.** ‖ **de Egipto. Cabrahígo,** 1.ª acep. ‖ **de Indias. Nopal.** ‖ **del diablo,** o **del infierno. Higuera infernal.** ‖ **de pala,** o **de tuna. Nopal.** ‖ **infernal. Ricino.** ‖ **loca, moral,** o **silvestre. Sicómoro,** 1.ª acep. ‖ **Estar en la higuera.** fr. fig. y fam. **Estar en Babia.**

Higuera. n. p. V. **Sal de la Higuera.**

Higueral. m. Sitio poblado de higueras, 1.er art.

Higuereta. (De *higuera.*) f. **Ricino.**

Higuerilla. f. d. de **Higuera,** 1.er art. ‖ **2. Higuera infernal.**

Higüero. m. **Güira.**

Higuerón. (De *higuera,* 1.er art.) m. *Bot.* Árbol de la familia de las moráceas, con tronco corpulento, copa espesa, hojas grandes y alternas, fruto de mucho jugo, y madera fuerte, correosa, de color blanco amarillento, muy usada en la América tropical, donde es espontáneo el árbol, para la construcción de embarcaciones.

Higuerote. m. **Higuerón.**

Higueruela. f. d. de **Higuera.** ‖ **2.** Planta herbácea de la familia de las papilionáceas, de hojas partidas como las del trébol, y flores azuladas en cabezuelas axilares.

Higuí (Al). loc. fam. Entretenimiento propio de carnaval que consiste en poner un higo seco suspendido de un palo y que se hace saltar en el aire mientras los muchachos tratan de cogerlo con la boca.

¡Hi, hi, hi! interj. **¡Ji, ji, ji!**

Hijadalgo. (De *fijadalgo.*) f. **Hidalga.**

Hijastro, tra. (Del lat. *filiaster* y *filiastra,* de *filius,* hijo.) m. y f. Hijo o hija de uno de los cónyuges, respecto del otro que no los procreó.

Hijato. (De *hijo.*) m. **Retoño.**

Hijo, ja. (Del lat. *filius.*) m. y f. Persona o animal respecto de su padre o de su madre. ‖ **2.** fig. Cualquiera persona, respecto del reino, provincia o pueblo de que es natural. ‖ **3.** fig. Persona que ha tomado el hábito de religioso, con relación al patriarca fundador de su orden y a la casa donde lo tomó. ‖ **4.** fig. Cualquiera obra o producción del ingenio. ‖ **5.** Nombre que se suele dar al yerno y a la nuera, respecto de los suegros. ‖ **6.** Expresión de cariño entre las personas que se quieren bien. ‖ **7.** m. Lo que procede o sale de otra cosa por procreación; como los retoños o renuevos que echa el árbol por el pie, la caña del trigo, etc. ‖ **8.** Substancia ósea, esponjosa y blanca que forma lo interior del asta de los animales. ‖ **9.** m. pl. Descendientes. ‖ **Hijo bastardo.** El nacido de unión ilícita. ‖ **2.** El de padres que no podían contraer matrimonio al tiempo de la concepción ni al del nacimiento. ‖ **de algo. Hidalgo.** ‖ **de bendición.** El de legítimo matrimonio. ‖ **de confesión.** Cualquiera persona, con respecto al confesor que tiene elegido por director de su conciencia. ‖ **de Dios.** *Teol.* El Verbo eterno, engendrado por su Padre. ‖ **2.** *Teol.* En sentido místico, el justo o el que está en gracia. ‖ **de familia.** El que está bajo la autoridad paterna o tutelar, y por ext., el mayor de edad que no ha tomado estado y sigue morando en la casa de sus progenitores. ‖ **de ganancia. Hijo natural.** ‖ **hija de la caridad. Hermana de la caridad.** ‖ **hijo de la cuna.** El de la inclusa. ‖ **del agua.** El que está muy hecho al mar o es muy diestro nadador. ‖ **de la piedra.** Expósito que se cría de limosna, sin saberse quiénes son sus padres. ‖ **de la tierra.** El que no tiene padres ni parientes conocidos. ‖ **del diablo.** El que es astuto y travieso. ‖ **de leche.** Cualquier persona respecto de su nodriza. ‖ **del hombre.** En sentido verdadero se llama así a Jesucristo, porque siendo verdadero Dios, se hizo verdadero hombre, descendiente de hombres. ‖ **de padre,** o **de madre. Hijo de su padre,** o **de su madre.** ‖ **de puta.** expr. injuriosa y de desprecio. ‖ **de su madre.** expr. que se usa con alguna viveza para llamar a uno bastardo o **hijo de puta.** ‖ **de su padre,** o **de su madre.** expr. fam. con que se denota la semejanza del **hijo** en las inclinaciones, cualidades o figura del padre o de la madre. ‖ **de vecino.** El natural de cualquier pueblo, y el nacido de padres establecidos en él. ‖ **espiritual. Hijo de confesión.** ‖ **espurio. Hijo bastardo.** ‖ **habido en buena guerra.** El habido fuera del matrimonio. ‖ **incestuoso.** El habido por incesto. ‖ **legítimo.** El nacido de legítimo matrimonio. ‖ **mancillado. Hijo espurio.** ‖ **natural.** El que es habido de mujer soltera y padre libre, que podían casarse al tiempo de tenerle. ‖ **sacrílego.** El procreado con quebrantamiento del voto de castidad que ligaba al padre, a la madre o a ambos. ‖ **único.** Por ficción legal y para la excepción o prórroga del servicio militar, se reputa como tal, aunque tenga otros hermanos, al que es sostén de familia pobre. ‖ **Hijos de muchas madres,** o **de tantas madres.** expr. con que se suele manifestar la diversidad de genios y costumbres entre muchos de una misma comunidad. ‖ **A bien te salgan, hija, esos arremangos.** ref. que irónicamente denota el mal fin que suelen tener la desenvoltura y licencioso despejo de las doncellas. ‖ **«A bien te salgan, hijo, tus barraganadas»: el toro era muerto, y hacía alcocarras con el capirote por las ventanas.** ref. que se aplica a los que hacen ostentación de valor cuando están en paraje seguro. ‖ **A la hija casada, sálennos yernos.** ref. que reprende a aquellos que no habiendo querido remediar antes los trabajos de uno, después que por otro lado se remediaron, acuden con ofertas y muestras de deseo de hacerlo. ‖ **A la hija mala, dineros y casalla.** ref. que denota cuánto deben cuidar los padres de casar a las **hijas** que descubren malas inclinaciones, sin reparar en los gastos que esto les ocasiona. ‖ **Al hijo del rico no le toques al vestido.** ref. que da a entender que los ricos son regularmente poco sufridos. ‖ **Al hijo de tu vecino límpiale las narices y métele en tu casa.** ref. que advierte a los padres que, para casar a sus **hijos,** escojan personas cuyas prendas y calidades les sean conocidas. ‖ **Buscar un hijo prieto en Salamanca.** fr. fig. y fam. Buscar a una persona o cosa por señas o indicios comunes a otras muchas. ‖ **Cada hijo de vecino.** loc. fam. Cualquiera persona. ‖ **Cada uno es hijo de sus obras.** fr. fam. con que se denota que la conducta o modo de obrar de una persona la da mejor a conocer que las noticias de su nacimiento o inaje. ‖ **Casa a tu hijo con su igual, y no dirán de ti mal.** ref. ‖ **Casar y compadrar, cada cual con su igual.** ‖ **Como mi hijo entre fraile, mas que no me quiera nadie.** ref. que explica cuán amigos somos de conseguir nuestros deseos, aun a pesar ajeno. ‖ **¿Cuál hijo quieres? Al niño cuando crece, y al enfermo mientras adolece.** ref. que enseña que el cariño de los padres se mueve especialmente y se aumenta a la vista de las necesidades o desgracias de los **hijos.** ‖ **Cualquiera hijo de vecino.** expr. fam. **Cada hijo de vecino.** ‖ **Cuando a tu hija le viniere el hado, no aguardes que venga su padre del mercado.** ref. que significa que no se debe dejar pasar la ocasión de la buena fortuna por pequeños reparos. ‖ **De buenos y mejores, a mi hija vengan demandadores.** ref. que explica el deseo que tienen los padres de que muchos pretendan a sus **hijas** para casarlas, y tener donde escoger. ‖ **Echar al hijo.** fr. Abandonarle, exponerle a la puerta de la iglesia o en otra parte. ‖ **El hijo borde y la mula cada día se mudan.** ref. que demuestra la poca estabilidad de obras y palabras en la gente mal nacida. ‖ **El hijo de la cabra, cabrito ha de ser.** ref. que denota que los **hijos** heredan las cualidades de sus padres. ‖ **El hijo de la cabra, de una hora a otra bala.** ref. que denota que el hombre de ruin nacimiento, cuando menos se piensa descubre sus bajos principios. ‖ **El hijo de la gata, ratones mata.** ref. que denota el poderoso influjo que tienen en los **hijos** el ejemplo y las costumbres de los padres. ‖ **El hijo del asno, dos veces rebuzna al día.** ref. con que se advierte cuán natural es que los **hijos** imiten a los padres en las costumbres, o los discípulos a los maestros. ‖ **El hijo del bueno pasa malo y bueno.** ref. que enseña que la buena educación contribuye mucho a llevar con igualdad la próspera y adversa fortuna. ‖ **El hijo muerto, y el apio en el huerto.** ref. que nota a los que por su descuido dejan pasar la ocasión de librarse de un daño cuando está en su mano el remedio, con alusión a la madre que deja de aplicar el apio del huerto a su **hijo,** enfermo de ahito. ‖ **El hijo que aprovece, a su padre parece.** ref. que se dice del que propaga su linaje. ‖ **Este nuestro hijo don Lope, ni es miel, ni hiel, ni vinagre, ni arrope.** ref. que se aplica a las personas que son inútiles para todo. ‖ **Hija enlodada, ni viuda ni casada.** ref. que da a entender que quien ha perdido su opinión y fama, con dificultad hallará acomodo o establecimiento. ‖ **Hija, ni mala seas, ni hagas las semejas.** ref. que aconseja no sólo el obrar bien, sino también el evitar cualesquiera acciones que puedan parecer mal y dar escándalo. ‖ **Hijo ajeno, métele por la manga y salirse ha por el seno.** ref. que reprende a los desagradecidos, y se toma de la costumbre antigua de meter por una manga y sacar por la otra al que se adoptaba por **hijo.** ‖ **¡Hijo de Dios!** expr. de admiración o extrañeza. ‖ **Hijo descalostrado, medio criado.** ref. con que se da a entender el riesgo de morir que tienen los niños en los primeros días de su infancia, en que maman la primera leche o calostro. ‖ **Hijo de viuda, o mal criado o mal acostumbrado.** ref. con que se da a entender la falta que hace el padre para la buena educación de los **hijos.** ‖ **Hijo envidador no nazca en casa.** ref. que manifiesta los desórdenes y perjuicios que trae consigo el vicio del juego. ‖ **Hijo fuiste, padre serás: cual hiciste, tal habrás.** ref. que enseña que como los **hijos** trataren a sus padres, serán tratados ellos cuando lo sean. ‖ **Hijo malo, más vale doliente que**

sano. ref. que advierte los pesares que ocasionan los **hijos** de malas inclinaciones. || **Hijo no tenemos y nombre le ponemos.** ref. que reprende a los que disponen de antemano de las cosas de que no tienen seguridad. || **Hijos, de tus bragas; bueyes, de tus vacas.** ref. con que se denota el mayor cuidado que se tiene de las cosas propias respecto de las ajenas. || **Hijo sin dolor, madre sin amor.** ref. que enseña que lo que cuesta poco trabajo y fatiga se estima poco. || **Hijos y pollos, muchos son pocos.** ref. que se dijo por los muchos que se desgracian de unos y otros antes que se vean crecidos y grandes. || **Los hijos de buenos, capa son de duelos.** ref. que denota que los bien nacidos naturalmente se inclinan a proteger a los necesitados. || **Los hijos de Mari Rabadilla, o Mari Sabidilla, cada uno en su escudilla.** ref. que reprende la poca unión que suele haber entre los de una misma familia. || **Mi hija Antona se fue a misa y viene a nona.** ref. que reprende a las mujeres que salen o se mantienen fuera de su casa con aparentes pretextos, porque siempre dan que presumir o censurar. || **Mi hija hermosa, el lunes a Toro y el martes a Zamora.** fr. que se dice de las mujeres andariegas y amigas de hallarse en todas las diversiones. || **Muchas hijas en casa, todo se abrasa.** ref. que da a entender el gasto grande que causa el acomodo de muchas **hijas.** || **Muchos hijos y poco pan, contento con afán.** ref. que denota que no puede haber gusto cumplido en una familia cuando falta lo necesario para mantenerla. || **No me pesa de que mi hijo enfermó, sino de la mala maña que le quedó.** ref. que advierte que rara vez se corrigen los resabios que una vez se contraen. || **Quien tiene hijas por casar, tome vedijas para hilar.** ref. que aconseja a los padres que críen bien a las **hijas,** enseñándolas a trabajar para cuando tomen estado. || **Quien tiene hijos al lado, no morirá,** o **no muere, ahitado.** ref. en que se advierte el grande amor de los padres, que muchas veces se privan de lo que necesitan, y se lo quitan de la boca para darlo a sus **hijos.** || **Quien tuviere hijo varón, no llame a otro ladrón.** ref. que enseña que no debe censurar los defectos ajenos el que está expuesto a incurrir en ellos. || **Sufriré hija golosa y albendera, mas no ventanera.** ref. en que se advierte que aunque los padres tengan alguna condescendencia con sus **hijas** en otros defectos, de ningún modo deben permitir que se den mucho al público. || **¿Tenemos hijo, o hija?** expr. fam. con que se pregunta si el éxito de un negocio ha sido bueno o malo. || **Todos somos hijos de Adán.** expr. con que se denota la igualdad de condiciones y linajes de todos los hombres por naturaleza. || **Todos somos hijos de Adán y de Eva, sino que nos diferencia la seda.** ref. con que se da a entender que aunque todos los hombres tengan un mismo origen, la educación y las riquezas distinguen las diversas clases sociales. || **Tres hijas y una madre, cuatro diablos para el padre.** ref. que advierte cómo se aúnan las **hijas** con la madre cuando riñe con el marido, y también para pedirle lo que tal vez no puede dar. || **Vezaste tus hijas galanas, cubriéronse de hierbas tus sembradas.** ref. que pronostica malos sucesos a los padres que permiten que su mujer e **hijas** gasten en demasía con relación a su estado, pues les faltarán medios para cultivar su hacienda, de que procederá la ruina de su casa.

Hijodalgo. (De *hijo de algo.*) m. **Hidalgo.** || **2.** V. **Alcalde de hijosdalgo.**

Hijuco, ca. m. y f. d. despect. de **Hijo, ja.**

Hijuela. (Del lat. *filiŏla.*) f. d. de **Hija.** || **2.** Cosa aneja o subordinada a otra principal. || **3.** Tira de tela que se pone en una pieza de vestir para ensancharla. || **4.** Colchón estrecho y delgado, que se pone en la cama debajo de los otros para levantar el hoyo producido por el peso del cuerpo. || **5.** Pedazo de lienzo circular que cubre la hostia sobre la patena hasta el momento del ofertorio. || **6.** Cada uno de los canales o regueros pequeños que conducen el agua desde una acequia al campo que se ha de regar, y escurren el sobrante a otros canales de evacuación. || **7.** Camino o vereda que atraviesa desde el camino real o principal a los pueblos u otros sitios algo desviados de él. || **8.** Expedición postal que lleva las cartas a los pueblos que están fuera de la carrera. || **9.** Documento donde se reseñan los bienes que tocan en una partición a uno de los partícipes en el caudal que dejó el difunto. || **10.** Conjunto de los mismos bienes. || **11.** En las carnicerías, póliza que dan los que pesan la carne a los dueños para que por ella se les forme la cuenta de la que venden. || **12.** Simiente que tienen las palmas y palmitos. || **13.** *And.* Hacecito de leña menuda que se dispone así para venderla por menor. || **14.** *Chile.* Fundo rústico que se forma de la división de otro mayor. || **15.** *Murc.* Cuerda, a modo de las de guitarra, que se hace del intestino del gusano de seda, y usan los pescadores de caña para asegurar el anzuelo. || **A ti te lo digo, hijuela; entiéndelo tú, mi nuera.** ref. que se usa cuando, hablando con una persona, se reprende indirectamente a otra para que lo entienda y se corrija.

Hijuelación. f. *Chile.* Acción de hijuelar.

Hijuelar. tr. *Chile.* Dividir un fundo en hijuelas.

Hijuelero. (De *hijuela,* 8.ª acep.) m. **Peatón,** 2.ª acep.

Hijuelo. (Del lat. *filiŏlus.*) m. d. de **Hijo.** || **2.** En los árboles, **retoño.**

Hila. (Del lat. *fila,* pl. n. de *filum.*) f. **Hilera,** 1.ª acep. || **2.** Tripa delgada. || **3.** Hebra que se sacaba de un trapo de lienzo usado, y servía, junta con otras, para curar las llagas y heridas. Ú. casi siempre en pl. || **de agua.** Cantidad de agua que se toma de una acequia por un boquete de un palmo cuadrado. El sindicato de riegos de Lorca lo ha fijado en 10 litros y 60 centilitros por segundo. || **real de agua.** Volumen doble del anterior. || **Hilas raspadas.** Pelusa que se saca de trapos, raspándolos con tijeras o navaja. || **A la hila.** m. adv. Uno tras otro.

Hila. f. Acción de hilar. *Ya viene el tiempo de la* HILA. || **2.** *Sant.* Tertulia que en las noches de invierno tiene la gente aldeana en alguna cocina grande, al amor de la lumbre, y durante la cual suelen hilar las mujeres.

Hilacha. f. Pedazo de hila que se desprende de la tela.

Hilacho. m. **Hilacha.**

Hilachoso, sa. adj. Que tiene muchas hilachas.

Hilada. (De *hilo.*) f. **Hilera,** 1.ª acep. || **2.** *Arq.* Serie horizontal de ladrillos o piedras que se van poniendo en un edificio. || **3.** *Mar.* Serie horizontal de tablones, planchas del blindaje u otros objetos puestos a tope, uno a continuación de otro.

Hiladillo. (De *hilado.*) m. Hilo que sale de la maraña de la seda, el cual se hila en la rueca como el lino. || **2.** Cinta estrecha de hilo o seda. || **3.** *Sal.* **Puntilla,** 1.ª acep.

Hiladizo, za. (De *hilado.*) adj. Que se puede hilar.

Hilado, da. p. p. de **Hilar.** || **2.** adj. || V. **Cristal hilado.** || **3.** V. **Huevos hilados.** || **4.** m. Acción y efecto de hilar. || **5.** Porción de lino, cáñamo, seda, lana, algodón, etc., reducida a hilo. || **La que se enseña a beber de tierna, enviará el hilado a la taberna.** ref. que advierte que los que se acostumbran a beber, consumen en vino todo lo que ganan.

Hilador, ra. m. y f. Persona que hila. Se usa principalmente en el arte de la seda.

Hilandería. (De *hilandero.*) f. Arte de hilar. || **2.** Fábrica de hilados.

Hilandero, ra. m. y f. Persona que tiene por oficio hilar. || **2.** m. Paraje donde se hila. || **A la mala hilandera, la rueca le hace dentera.** ref. que enseña que el mal trabajador pretexta mil motivos frívolos para excusarse del trabajo. || **Hilandera la lleváis, Vicente; quiera Dios que os aproveche.** ref. que denota que no siempre salen hacendosas las mujeres aunque lo sean antes de casarse.

Hilanderuelo, la. m. y f. d. de **Hilandero, ra.**

Hilanza. f. Acción de hilar. || **2. Hilado,** 5.ª acep.

Hilar. (Del lat. *filāre.*) tr. Reducir a hilo el lino, cáñamo, lana, seda, algodón, etc. || **2.** Sacar de sí el gusano de seda la hebra para formar el capullo. Se dice también de otros insectos y de las arañas cuando forman sus capullos y telas. || **3.** fig. Discurrir, trazar o inferir unas cosas de otras. || **Hilar delgado.** fr. fig. Discurrir con sutileza o proceder con sumo cuidado y exactitud. || **Hilar en verde.** fr. Sacar la seda del capullo estando el gusano vivo dentro de él. || **Hilar largo.** fr. fig. con que se da a entender que está muy distante o tardará mucho tiempo en suceder lo que se ofrece o aquello de que se habla. || **Quien hila y tuerce, bien se le parece.** ref. que manifiesta que siempre luce el trabajo a quien se dedica a su ministerio con constancia y aplicación.

Hilaracha. f. **Hilacha.**

Hilarante. (Del lat. *hilarans, -antis,* p. a. de *hilarāre,* alegrar, regocijar.) adj. Que inspira alegría o mueve a risa. || **2.** *Quím.* V. **Gas hilarante.**

Hilaridad. (Del lat. *hilarĭtas, -ātis.*) f. Expresión tranquila y plácida del gozo, alegría y satisfacción del ánimo. || **2.** Risa y algazara que excita en una reunión lo que se ve o se oye.

Hilatura. (De *hilar.*) f. Arte de hilar la lana, el algodón y otras materias análogas.

Hilaza. f. **Hilado,** 5.ª acep. || **2.** Hilo que sale gordo y desigual. || **3.** Hilo con que se teje cualquier tela. || **4.** ant. **Hila,** 1.er art., 3.ª acep. || **Descubrir uno la hilaza.** fr. fig. y fam. Hacer patente el vicio o defecto que tenía y se ignoraba.

Hileña. (De *hilo.*) f. ant. **Hilandera.**

Hilera. (De *hilo.*) f. Orden o formación en línea de un número de personas o cosas. || **2.** Instrumento de que se sirven los plateros y metalúrgicos para reducir a hilo los metales. Es una lámina de acero taladrada con agujeros que van insensiblemente achicándose, para que la barra o cilindro de metal que se hace pasar sucesivamente por cada uno de ellos, desde el mayor al menor, llegue a reducirse a un hilo. || **3.** Hilo o hilaza fina. || **4.** ant. **Hilandera.** || **5.** *Ar.* Hueca del huso, por ser donde se afianza la hebra para formarse. || **6.** *Arq.* **Parhilera.** || **7.** *Mil.* Línea de soldados uno detrás de otro. || **8.** pl. *Zool.* Apéndices agrupados alrededor del ano de las arañas, que sostienen las pequeñas glándulas productoras del líquido de consistencia gomosa que, al secarse en el aire, forma los hilos que estos animales aplican a muy diversos usos.

Hilero. (De *hilo.*) m. Señal que forma la dirección de las corrientes en las aguas del mar o de los ríos. || **2.** Corriente secundaria o derivación de una corriente principal, haga o no señal en la superficie del agua.

Hilete. m. d. de **Hilo.**

Hilo. (Del lat. *filum.*) m. Hebra larga y delgada que se forma retorciendo el lino, lana, cáñamo u otra materia textil. || **2.** Ropa blanca de lino o cáñamo, por contraposición a la de algodón, lana o seda. || **3.** Alambre muy delgado que se saca de los metales con la hilera. || **4.** Hebra de que forman las arañas, gusanos de seda, etc., sus telas y capullos. || **5. Filo.** || **6.** fig. Chorro muy delgado y sutil de un líquido. HILO *de agua, de sangre.* || **7.** fig. Continuación o serie del discurso. Dícese también de otras cosas. *El* HILO *de la risa.* || **bramante. Bramante,** 2.° art., 1.ª acep. || **de acarreto.** *And.* **Bramante,** 2.° art., 1.ª acep. || **de cajas.** El fino, llamado así por venir sus madejas en cajas. || **de camello.** El que se hace de pelo de camello, mezclado con lana. || **de cartas.** El de cáñamo, más delgado que el bramante. || **de conejo. Alambre conejo.** || **de empalomar. Bramante,** 2.° art., 1.ª acep. || **de ensalmar.** ant. **Bramante,** 2.° art., 1.ª acep. || **de la muerte.** fig. Término de la vida. || **de la vida.** fig. Curso ordinario de ella. || **de medianoche,** o **de mediodía.** Momento preciso que divide la mitad de la noche o del día. || **de monjas.** El fino, llamado así porque lo labraban en conventos de monjas. || **de palomar.** *Ar.* **Hilo de empalomar.** || **de perlas.** Cantidad de perlas enhebradas en un **hilo.** || **de pita.** El que se saca de esta planta. || **de salmar. Hilo de ensalmar.** || **de uvas.** Colgajo de uvas. || **de velas.** *Mar.* **Hilo** de cáñamo, más grueso que el regular, con el cual se cosen las velas de las embarcaciones. || **palomar.** ant. **Hilo de empalomar.** || **primo.** El muy blanco y delicado, con el cual, encerado, se cosen los zapatos delgados y curiosos. || **volatín.** *Mar.* **Hilo de velas.** || **A hilo.** m. adv. Sin interrupción. || **2.** Según la dirección de una cosa, en línea paralela con ella. || **Al hilo.** m. adv. con que se denota que el corte de las cosas que tienen hebras o venas va según la dirección de éstas, y no cortándolas al través. || **Al hilo del viento.** m. adv. *Vol.* Volando el ave en la misma dirección que el viento. || **Andar al hilo de la gente.** loc. fig. y fam. **Irse al hilo de la gente.** || **Colgar de un hilo.** fr. fig. y fam. **Pender de un hilo.** || **2. Estar** uno **colgado de los cabellos.** || **Cortar el hilo.** fr. fig. Interrumpir, atajar el curso de la conversación o de otras cosas. || **Cortar el hilo de la vida.** fr. Matar, quitar la vida. || **Cortar el hilo del discurso.** fr. fig. Interrumpirlo, pasando a tratar de especie inconexa con su objeto o asunto principal. || **De hilo.** m. adv. Derechamente, sin detención. || **Estar cosida** una cosa **con hilo blanco.** fr. fig. y fam. Desdecir y no conformar con otra. || **Estar cosida** una cosa **con hilo gordo.** fr. fig. y fam. Estar hecha con poca curiosidad. || **Hilo a hilo.** m. adv. con que se denota que una cosa líquida corre con lentitud y sin intermisión. || **Irse al hilo,** o **tras el hilo, de la gente.** fr. Hacer las cosas sólo porque otros las hacen. || **Llevar** uno, o una cosa, **hilo.** fr. fig. y fam. Llevar traza o camino de seguir una conversación u otra cosa por mucho tiempo sin interrumpirla. || **Más tonto que un hilo de uvas.** loc. *And.* Dícese de la persona muy necia y simple. || **No tocar** a uno **en un hilo de la ropa.** fr. fig. **No tocar** a uno **al pelo de la ropa.** || **Pender de un hilo.** expr. con que se explica el gran riesgo o amenaza de ruina de una cosa. || **2.** Se usa también para significar el temor de un suceso desgraciado. || **Perder el hilo.** fr. fig. Olvidarse, en la conversación o el discurso, de la especie de que se estaba tratando. || **Por el hilo se saca el ovillo.** ref. con que se denota que por la muestra y por el principio de una cosa se conoce lo demás de ella. || **Quebrar el hilo.** fr. fig. Interrumpir o suspender la prosecución de una cosa. || **Seguir el hilo.** fr. fig. Proseguir o continuar en lo que se trataba, decía o ejecutaba. || **Tomar el hilo.** fr. fig. Continuar el discurso o conversación que se había interrumpido. || **Vivir al hilo del mundo.** fr. fig. y fam. **Dejarse llevar de la corriente.**

Hilomorfismo. (Del gr. ὕλη, materia, y μορφή, forma.) m. Teoría ideada por Aristóteles y seguida por la mayoría de los escolásticos, según la cual todo cuerpo se halla constituído por dos principios esenciales, que son la materia y la forma.

Hilván. (De *hilo* y *vano.*) m. Costura de puntadas largas con que se une y prepara lo que se ha de coser después de otra manera. || **2.** *Chile.* Hilo que se emplea para hilvanar. || **Hablar de hilván.** fr. fig. y fam. Hablar de prisa y atropelladamente.

Hilvanar. tr. Apuntar o unir con hilvanes lo que se ha de coser después. || **2.** fig. Enlazar o coordinar ideas, frases o palabras el que habla o escribe. || **3.** fig. y fam. Trazar, proyectar o preparar una cosa con precipitación.

Himen. (Del lat. *hymen,* y éste del gr. ὑμήν, membrana.) m. *Zool.* Repliegue membranoso que reduce el orificio externo de la vagina mientras conserva su integridad.

Himeneo. (Del lat. *hymenaeus,* y éste del gr. ὑμέναιος.) m. Boda o casamiento. || **2. Epitalamio.**

Himenóptero. (Del gr. ὑμηνόπτερος; de ὑμήν, membrana, y πτερόν, ala.) adj. *Zool.* Dícese de insectos con metamorfosis complicadas, como las abejas y las avispas, que son masticadores y lamedores a la vez por estar su boca provista de mandíbulas y, además, de una especie de lengüeta; tienen cuatro alas membranosas. El abdomen de las hembras de algunas especies lleva en su extremo un aguijón en el que desemboca el conducto excretor de una glándula venenosa. Ú. t. c. s. m. || **2.** m. pl. *Zool.* Orden de estos insectos.

Himnario. (Del lat. *hymnarium.*) m. Colección de himnos.

Himno. (Del lat. *hymnus,* y éste del gr. ὕμνος.) m. Composición poética en alabanza de Dios, de la Virgen o de los santos. || **2.** Entre los gentiles, composición poética en loor de sus falsos dioses o de los héroes. || **3.** Poesía cuyo objeto es honrar a un grande hombre, celebrar una victoria u otro suceso memorable, o expresar fogosamente, con cualquier motivo, impetuoso júbilo o desapoderado entusiasmo. || **4.** Composición musical dirigida a cualquiera de estos fines.

Himplar. intr. Emitir la onza o la pantera su voz natural.

Hin. Onomatopeya con que se representa la voz del caballo y de la mula.

Hincadura. f. Acción y efecto de hincar o fijar una cosa.

Hincapié. m. Acción de hincar o afirmar el pie para sostenerse o para hacer fuerza. || **Hacer** uno **hincapié.** fr. fig. y fam. Insistir con tesón y mantenerse firme en la propia opinión o en la solicitud de una cosa.

Hincar. (Del lat. **figcāre,* por **figĭcāre,* de *figĕre.*) tr. Introducir o clavar una cosa en otra. || **2.** Apoyar una cosa en otra como para clavarla. || **3.** *Rioja.* **Plantar,** 2.° art., 1.ª acep. || **4.** intr. ant. **Quedar.** || **5.** r. **Hincarse de rodillas.**

Hinco. m. Poste, palo o puntal que se hinca en tierra.

Hincón. m. Madero o maderos, regularmente de la figura de una horquilla, que se afianzan o hincan en las márgenes de los ríos y en los cuales se asegura la maroma que sirve para conducir la barca. || **2.** *Sal.* Hito o mojón para acotar las tierras.

Hincha. (De *hinchar.*) f. fam. Odio, encono o enemistad.

Hinchadamente. adv. m. Con hinchazón.

Hinchado, da. p. p. de **Hinchar.** || **2.** adj. fig. Vano, presumido. || **3.** Dícese del lenguaje, estilo, etc., que abunda en palabras y expresiones redundantes, hiperbólicas y afectadas.

Hinchamiento. (De *hinchar.*) m. **Hinchazón.**

Hinchar. (De *henchir,* influido por *inflar.*) tr. Hacer que aumente de volumen algún objeto, llenándolo de aire u otra cosa. Ú. t. c. r. || **2.** fig. Aumentar el agua de un río, arroyo, etc. Ú. t. c. r. || **3.** fig. Exagerar, abultar una noticia o un suceso. || **4.** r. Aumentar de volumen una parte del cuerpo, por herida o golpe o por haber acudido a ella algún humor. || **5.** fig. Envanecerse, engreírse, ensoberbecerse.

Hinchazón. f. Efecto de hincharse. || **2.** fig. Vanidad, presunción, soberbia o engreimiento. || **3.** fig. Vicio o defecto del estilo hinchado.

Hinchimiento. m. ant. **Henchimiento.**

Hinchir. tr. ant. **Henchir.** Ú. en *Sal.*

Hiniesta. (Del lat. *genesta.*) f. **Retama.**

Hiniestra. (Del lat. *fenĕstra.*) f. ant. **Ventana,** 1.ª y 2.ª aceps.

Hinnible. (Del lat. *hinnibĭlis,* de *hinnīre,* relinchar.) adj. p. us. Capaz de relinchar. Dícese del caballo.

Hinojal. m. Sitio poblado de hinojos.

Hinojar. (De *hinojo,* rodilla.) intr. ant. **Arrodillar.** Usáb. t. c. r.

Hinojo. (Del lat. *fenŭcŭlum.*) m. Planta herbácea de la familia de las umbelíferas, con tallos de 12 a 14 decímetros, erguidos, ramosos y algo estriados; hojas partidas en muchas lacinias largas y filiformes; flores pequeñas y amarillas, en umbelas terminales, y fruto oblongo, con líneas salientes bien señaladas y que encierra diversas semillas menudas. Toda la planta es aromática, de gusto dulce, y se usa en medicina y como condimento. || **marino.** Hierba de la familia de las umbelíferas, con tallos gruesos, flexuosos, de tres a cuatro decímetros de altura; hojas carnosas divididas en segmentos lanceolados casi lineales; flores pequeñas de color blanco verdoso, y semillas orbiculares casi planas. Es planta aromática de sabor algo salado, abundante entre las rocas.

Hinojo. (Del lat. *genŭcŭlum.*) m. **Rodilla,** 1.ª acep. Ú. m. en pl. || **De hinojos.** m. adv. **De rodillas.** || **Hinojos fitos.** expr. ant. Hincadas las rodillas.

Hinojosa. n. p. V. **Topacio de Hinojosa.**

Hinque. (De *hincar.*) m. Juego que ejecutan los muchachos con sendos palos puntiagudos que, con determinadas condiciones, clavan en la tierra húmeda.

Hintero. (Del lat. **finctorium,* por *fictorium,* de *fingĕre,* heñir.) m. Mesa que usan los panaderos para heñir o amasar el pan.

Hiñir. tr. ant. **Heñir.** Ú. en *Sal.*

Hiogloso, sa. (De *hioides* y el gr. γλῶσσα, lengua.) adj. Perteneciente o relativo al hioides y a la lengua.

Hioideo, a. adj. *Zool.* Perteneciente al hueso hioides.

Hioides. (Del gr. ὑοειδής, que tiene la forma de la letra U.) adj. *Zool.* V. **Hueso hioides.** Ú. t. c. s.

Hipar. int. Sufrir reiteradamente el hipo. || **2.** Resollar los perros cuando van siguiendo la caza. || **3.** Fatigarse por el mucho trabajo o angustiarse con exceso. || **4. Gimotear.** Pronúnciase aspirando la *h.* || **5.** fig. Desear con ansia, codiciar con demasiada pasión una cosa.

Hiper. (Del gr. ὑπέρ.) prep. insep. que significa superioridad o exceso. HIPER*dulía,* HIPER*crítico.*

Hiperbático, ca. adj. Que tiene hipérbaton.

Hipérbato. m. desus. **Hipérbaton.**

Hipérbaton. (Del lat. *hyperbăton,* y éste del gr. ὑπερβατόν, transpuesto.) m. *Gram.* Figura de construcción, que frecuentemente se comete, aun en el lenguaje más vulgar y sencillo, invirtiendo el orden que en el discurso deben tener las palabras con arreglo a las leyes de la sintaxis llamada regular.

Hipérbola. (Del lat. *hyperbŏla,* y éste del gr. ὑπερβολή.) f. *Geom.* Curva simétrica respecto de dos ejes perpendiculares entre sí, con dos focos, compuesta de dos porciones abiertas, dirigidas en opuesto sentido, que se aproximan indefinidamente a dos asíntotas, y resultan de la intersección de una superficie cónica con un plano que encuentra a todas las generatrices, unas por un lado del vértice y otras en su prolongación por el lado opuesto. || **Hipérbolas conjugadas.** *Geom.* Las que tienen las mismas asíntotas y están colocadas dentro de los cuatro ángulos que éstas forman.

Hipérbole. (Del lat. *hyperbŏle,* y éste del gr. ὑπερβολή; de ὑπέρ, más allá, y βάλλω, arrojar.) f. *Ret.* Figura que consiste en aumentar o disminuir excesivamente la verdad de aquello de que se habla. Se ha usado también como masculino.

Hiperbólicamente. adv. m. Con hipérbole; de manera hiperbólica.

Hiperbólico, ca. (Del lat. *hyperbolĭcus,* y éste del gr. ὑπερβολικός.) adj. Perteneciente a la hipérbola. || **2.** De figura de hipérbola o parecido a ella. || **3.** Perteneciente o relativo a la hipérbole; que la encierra o incluye. || **4.** V. **Paraboloide hiperbólico.**

Hiperbolizar. intr. Usar de hipérboles.

Hiperboloide. (De *hipérbola* y del gr. εἶδος, forma.) m. *Geom.* Superficie cuyas secciones planas son elipses, círculos o hipérbolas, y se extiende indefinidamente en dos sentidos opuestos. || **2.** *Geom.* Sólido comprendido en un trozo de esta superficie. || **de dos cascos,** o **de dos hojas.** *Geom.* El que consta de dos cascos separados con sus convexidades vueltas en opuesto sentido. || **de revolución.** *Geom.* El formado por el giro de una hipérbola alrededor de uno de sus ejes. || **de un casco,** o **de una hoja.** *Geom.* El que consta de una sola pieza que va ensanchándose a manera de bocina en dos opuestos sentidos a partir del centro.

Hiperbóreo, a. (Del lat. *hyperborĕus,* y éste del gr. ὑπερβόρειος; de ὑπέρ, más allá, y Βορέας, Norte.) adj. Aplícase a las regiones muy septentrionales y a los pueblos, animales y plantas que viven en ellas.

Hiperclorhidria. (Del gr. ὑπέρ, sobre, y de *clorhídrico.*) f. Exceso de ácido clorhídrico en el jugo gástrico.

Hiperclorhídrico, ca. adj. Perteneciente o relativo a la hiperclorhidria. || **2.** Que padece hiperclorhidria.

Hipercrisis. (Del gr. ὑπέρ, sobre, y κρίσις, crisis.) f. *Med.* Crisis violenta.

Hipercrítica. f. Crítica exagerada.

Hipercrítico. (Del gr. ὑπέρ, más alla, y κριτικός, crítico.) adj. Propio de la hipercrítica o del que la practica. || **2.** m. Censor inflexible; crítico que nada perdona.

Hiperdulía. (Del gr. ὑπέρ, sobre, y δουλεία, servidumbre.) f. **Culto de hiperdulía.**

Hiperemia. (Del gr. ὑπέρ, sobre, y αἷμα, sangre.) f. *Med.* Abundancia extraordinaria de sangre en una parte del cuerpo.

Hiperestesia. (Del gr. ὑπέρ, sobre, y αἴσθησις, sensibilidad.) f. Sensibilidad excesiva y dolorosa.

Hiperestesiar. tr. Causar hiperestesia. || **2.** r. Padecerla.

Hiperestésico, ca. adj. Perteneciente o relativo a la hiperestesia.

Hiperhidrosis. (Del gr. ὑπέρ, sobre, y ὕδωρ, agua.) f. Exceso de la secreción sudoral, generalizado o localizado en determinadas regiones de la piel, principalmente en los pies y en las manos.

Hipericíneo, a. (De *hipérico.*) adj. *Bot.* Dícese de hierbas, matas, arbustos y árboles, de la familia de las gutíferas, que suelen tener jugo resinoso, con hojas por lo común enteras y opuestas; flores terminales o axilares, apanojadas o racimosas, generalmente amarillas; frutos capsulares o abayados, y semillas sin albumen; como el hipérico, el ásciro y la todabuena. Ú. t. c. s. f. || **2.** f. pl. *Bot.* Familia de estas plantas.

Hipérico. (Del lat. *hyperĭcon,* y éste del gr. ὑπέρικον.) m. **Corazoncillo.**

Hipermetamorfosis. (Del gr. ὑπέρ, sobre, y de *metamorfosis.*) f. Metamorfosis que consta de mayor número de fases o mudanzas que la ordinaria, como la de la cantárida.

Hipermetría. (Del gr. ὑπερμετρία, de ὑπέρμετρος, desmesurado; de ὑπέρ, más allá, y μέτρον, medida.) f. Figura poética nada recomendable y de muy poco uso, que se comete dividiendo una palabra para acabar con su primera parte un verso y empezar otro con la segunda.

Hipermétrope. adj. Que padece hipermetropía. Apl. a pers., ú. t. c. s.

Hipermetropía. (Del gr. ὑπέρμετρος, desmesurado, y la terminación *opía,* de *miopía.*) f. *Med.* Defecto de la visión, generalmente congénito, en el que los rayos luminosos, en lugar de enfocarse en la retina, lo hacen detrás de ésta. Sus consecuencias sobre la visión son análogas a las de la presbicia.

Hipertensión. f. *Med.* Tensión excesivamente alta de la sangre en el aparato circulatorio.

Hipertermia. (Del gr. ὑπέρ, sobre, y θέρμη, calor.) f. *Med.* Estado agudo o crónico de elevación anormal de la temperatura del cuerpo, por causas infecciosas, nerviosas, etc.

Hipertónico. (Del gr. ὑπέρ, sobre, y τόνος, presión.) adj. *Quím.* Dícese de una solución que comparada con otra, tiene mayor presión osmótica que ella, siendo igual la temperatura de ambas.

Hipertrofia. (Del gr. ὑπέρ, sobre, y τροφή, alimentación.) f. *Med.* Aumento excesivo del volumen de un órgano.

Hipertrofiarse. (De *hipertrofia.*) r. *Med.* Aumentarse con exceso el volumen de un órgano.

Hipertrófico, ca. adj. *Med.* Perteneciente o relativo a la hipertrofia.

Hípico, ca. (Del gr. ἱππικός, de ἵππος, caballo.) adj. Perteneciente o relativo al caballo.

Hipido. m. Acción y efecto de hipar, 4.ª acep. Pronúnciase aspirando la *h.*

Hipismo. (Del gr. ἵππος, caballo.) m. Conjunto de conocimientos relativos a la cría y educación del caballo.

Hipnal. (Del lat. *hypnăle,* y éste del gr. ὑπνηλή, soñolienta; de ὕπνος, sueño.) m. Áspid al cual se atribuía por los antiguos la propiedad de infundir un sueño mortal con su mordedura.

Hipnosis. (Del gr. ὑπνόω, adormecer.) f. Sueño producido por el hipnotismo.

Hipnótico, ca. (Del gr. ὑπνωτικός, soñoliento.) adj. Perteneciente o relativo al hipnotismo. Ú. t. c. s. || **2.** m. Medicamento que se da para producir el sueño.

Hipnotismo. (Del gr. ὕπνος, sueño.) m. *Med.* Procedimiento empleado para producir el sueño llamado magnético, por fascinación, mediante influjo personal, o por aparatos adecuados.

Hipnotización. f. Acción de hipnotizar.

Hipnotizador, ra. adj. Que hipnotiza. Ú. t. c. s.

Hipnotizar. tr. Producir la hipnosis.

Hipo. (Voz imitativa.) m. Movimiento convulsivo del diafragma, que produce una respiración interrumpida y violenta y causa algún ruido. || **2.** fig. Ansia, deseo eficaz de una cosa. || **3.** fig. Encono, enojo y rabia con alguno. *Tiene un* HIPO *con su vecina, que nada que hace le parece bien.*

Hipo. (Del gr. ὑπό.) prep. insep. que significa inferioridad o subordinación. HIPO*dérmico,* HIPÓ*tesis.*

Hipocampo. (Del lat. *hippocampus,* y éste del gr. ἱππόκαμπος; de ἵππος, caballo, y κάμπη, encorvado.) m. **Caballo marino,** 2.ª acep.

Hipocastanáceo, a. (Del gr. ὑπό, bajo, y καστάνειος, de castaña.) adj. *Bot.* Dícese de árboles o arbustos angiospermos dicotiledóneos, con hojas opuestas, compuestas y palmeadas, flores irregulares, hermafroditas o unisexuales por aborto, dispuestas en racimos o en panojas, y fruto en cápsulas con semillas gruesas sin albumen y sin arilo; como el castaño de Indias. Ú. t. c. s. || **2.** f. pl. *Bot.* Familia de estas plantas.

Hipocastáneo, a. adj. *Bot.* **Hipocastanáceo.**

Hipocausto. (Del lat. *hypocaustum,* y éste del gr. ὑπόκαυστον.) m. Habitación que entre los griegos y los romanos se caldeaba por medio de hornillos y conductos situados debajo de su pavimento.

Hipocentauro. (Del lat. *hippocentaurus,* y éste del gr. ἱπποκένταυρος; de ἵππος, caballo, y κένταυρος, centauro.) m. **Centauro,** 1.ª acep.

Hipocicloide. (Del gr. ὑπό, debajo, y de *cicloide.*) f. *Geom.* Línea curva descrita por un punto de una circunferencia que rueda dentro de otra fija, conservándose tangentes.

Hipoclorhidria. (De *hipo,* 2.º art., y *clorhídrico.*) f. *Med.* Escasez de ácido clorhídrico en el jugo gástrico.

Hipoclorhídrico, ca. adj. *Med.* Perteneciente o relativo a la hipoclorhidria. || **2.** Que padece hipoclorhidria.

Hipocondría. (Del lat. *hypochondria,* y éste del gr. ὑποχόνδρια, los hipocondrios.) f. *Med.* Afección caracterizada por una gran sensibilidad del sistema nervioso con tristeza habitual.

Hipocondriaco, ca [~ **dríaco, ca**]. (Del gr. ὑποχονδριακός.) adj. *Med.* Perteneciente a la hipocondría. || **2.** *Med.* Que padece de esta enfermedad. Ú. t. c. s.

Hipocóndrico, ca. adj. Perteneciente a los hipocondrios o a la hipocondría.

Hipocondrio. (Del gr. ὑποχόνδριον; de ὑπό, debajo, y χόνδριον, cartílago.) m. *Zool.* Cada una de las dos partes laterales de la región epigástrica, situada debajo de las costillas falsas. Ú. m. en pl.

Hipocorístico, ca. adj. *Gram.* Dícese de los nombres que en forma diminutiva, abreviada o infantil se usan como apelativos cariñosos, familiares o eufemísticos.

Hipocrás. (Del gr. ὑπό, debajo, y κρᾶσις, mezcla; de κεράννυμι, templar el vino con agua.) m. Bebida hecha con vino, azúcar, canela y otros ingredientes.

Hipocrático, ca. (Del lat. *hippocratĭcus.*) adj. Perteneciente a Hipócrates o a su doctrina.

Hipocrénides. (Del lat. *hippocrenĭdes.*) f. pl. Las musas. Dióseles este nombre por el de la fuente Hipocrene, consagrada a ellas.

Hipocresía. (Del gr. ὑποκρισία.) f. Fingimiento y apariencia de cualidades o sentimientos contrarios a los que verdaderamente se tienen o experimentan. Dícese comúnmente de la falsa apariencia de virtud o devoción.

Hipócrita. (Del lat. *hypocrĭta*, y éste del gr. ὑποκριτής.) adj. Que finge o aparenta lo que no es o lo que no siente. Dícese especialmente del que finge virtud o devoción. Ú. t. c. s.

Hipócritamente. adv. m. Con hipocresía.

Hipodérmico, ca. (Del gr. ὑπό, debajo, y δέρμα, piel.) adj. Que está o se pone debajo de la piel.

Hipódromo. (Del lat. *hippodrŏmos*, y éste del gr. ἱππόδρομος; de ἵππος, caballo, y δρόμος, carrera.) m. Lugar destinado para carreras de caballos y carros.

Hipófisis. (Del gr. ὑπόφυσις, crecimiento por debajo.) f. Órgano de secreción interna, situado en la excavación de la base del cráneo, llamada *silla turca;* está compuesto de dos lóbulos: uno anterior, glandular; y otro posterior, nervioso. Las hormonas que produce influyen sobre el crecimiento, desarrollo sexual, etc.

Hipogástrico, ca. adj. *Zool.* Perteneciente al hipogastrio.

Hipogastrio. (Del lat. *hypogastrium*, y éste del gr. ὑπογάστριον; de ὑπό, debajo, y γαστήρ, vientre, estómago.) m. *Zool.* Parte inferior del vientre.

Hipogénico, ca. (Del gr. ὑπό, debajo, y γενικός, que se refiere a la generación.) adj. *Geol.* Dícese de los terrenos y rocas formados en lo interior de la Tierra.

Hipogeo. (Del lat. *hypogaeus*, y éste del gr. ὑπόγαιος, subterráneo; de ὑπό, debajo, y γῆ, tierra.) m. Bóveda subterránea donde los griegos y otras naciones antiguas conservaban los cadáveres sin quemarlos. || **2.** Capilla o edificio subterráneo.

Hipogloso, sa. (Del gr. ὑπό, debajo, y γλῶσσα, lengua.) adj. *Zool.* Que está debajo de la lengua. *Nervios* HIPOGLOSOS.

Hipoglucemia. (De *hipo*, 2.° art., y *glucemia.*) f. *Fisiol.* Disminución de la cantidad normal de azúcar contenida en la sangre.

Hipogrifo. (Del gr. ἵππος, caballo, y γρύψ, grifo.) m. Animal fabuloso, mitad caballo y mitad grifo.

Hipólogo. (Del gr. ἵππος, caballo, y λόγος, tratado.) m. Veterinario de caballos.

Hipómanes. (Del lat. *hippomănes*, y éste del gr. ἱππομανής, pasión por los caballos.) m. *Veter.* Humor que se desprende de la vulva de la yegua cuando está en celo.

Hipomoclio [∼ **clion**]. (Del gr. ὑπομόχλιον; de ὑπό, debajo, y μοχλός, palanca.) m. *Fís.* **Fulcro.**

Hipopótamo. (Del lat. *hippopotămus*, y éste del gr. ἱπποπόταμος; de ἵππος, caballo, y ποταμός, río.) m. Mamífero paquidermo, de piel gruesa, negruzca y casi desnuda; cuerpo voluminoso que mide cerca de tres metros de largo por dos de alto; cabeza gorda, con orejas y ojos pequeños, boca muy grande, labios monstruosos, piernas muy cortas y cola delgada y de poca longitud. Vive en los grandes ríos de África, y suele salir del agua durante la noche para pastar en las orillas.

Hiposo, sa. adj. Que tiene hipo.

Hipóstasis. (Del lat. *hypostăsis*, y éste del gr. ὑπόστασις, de ὑφίστημι, soportar, subsistir.) f. *Teol.* Supuesto o persona. Ú. más hablando de las tres personas de la Santísima Trinidad.

Hipostáticamente. adv. m. *Teol.* De un modo hipostático.

Hipostático, ca. (Del gr. ὑποστατικός.) adj. *Teol.* Perteneciente a la hipóstasis. Dícese comúnmente de la unión de la naturaleza humana con el Verbo divino en una sola persona.

Hiposulfato. (Del gr. ὑπό, debajo, y de *sulfato.*) m. *Quím.* Sal resultante de la combinación del ácido hiposulfúrico con una base.

Hiposulfito. (Del gr. ὑπό, debajo, y de *sulfito.*) m. *Quím.* Sal formada por la combinación del ácido hiposulfuroso con una base.

Hiposulfúrico. adj. *Quím.* Dícese de un ácido inestable que se obtiene por la combinación del azufre con el oxígeno, y cuyas sales son los hiposulfatos.

Hiposulfuroso. (Del gr. ὑπό, debajo, y de *sulfuroso.*) adj. *Quím.* Se dice de uno de los ácidos que se obtienen por la combinación del azufre con el oxígeno, y que es el menos oxigenado de todos.

Hipotálamo. (Del gr. ὑπό, debajo, y θάλαμος, tálamo.) m. *Anat.* Región del encéfalo situada en la base cerebral, unida por un tallo nervioso a la hipófisis, y en la que residen centros importantes de la vida vegetativa.

Hipoteca. (Del lat. *hypothēca*, y éste del gr. ὑποθήκη, de ὑποτίθημι, poner debajo.) f. Finca afecta a la seguridad del pago de un crédito. || **2.** *For.* Derecho real que grava bienes inmuebles o buques, sujetándolos a responder del cumplimiento de una obligación o del pago de una deuda. || **¡Buena hipoteca!** irón. Persona o cosa poco digna de confianza.

Hipotecable. adj. Que se puede hipotecar.

Hipotecar. tr. Gravar bienes inmuebles sujetándolos al cumplimiento de alguna obligación.

Hipotecario, ria. adj. Perteneciente o relativo a la hipoteca. || **2.** Que se asegura con hipoteca.

Hipotecnia. (Del gr. ἵππος, caballo, y τέχνη, arte.) f. Ciencia que trata de la crianza y educación del caballo.

Hipotensión. (Del gr. ὑπό, bajo, y *tensión.*) f. *Med.* Tensión excesivamente baja de la sangre en el aparato circulatorio.

Hipotenusa. (Del lat. *hypotenūsa*, y éste del gr. ὑποτείνουσα, t. f. del p. a. de ὑποτείνω, tender por debajo.) f. *Geom.* Lado opuesto al ángulo recto en un triángulo rectángulo.

Hipotermia. (Del gr. ὑπό, bajo, y θέρμη, calor.) f. *Med.* Estado habitual o episódico de descenso de la temperatura del cuerpo por debajo de los límites normales.

Hipótesi. f. **Hipótesis.**

Hipótesis. (Del lat. *hypothĕsis*, y éste del gr. ὑπόθεσις.) f. Suposición de una cosa, sea posible o imposible, para sacar de ella una consecuencia.

Hipotéticamente. adv. m. De manera hipotética; por suposición.

Hipotético, ca. (Del lat. *hypothetĭcus*, y éste del gr. ὑποθετικός.) adj. Perteneciente a la hipótesis o que se funda en ella. || **2.** *Dial.* V. **Proposición hipotética.**

Hipotiposis. (Del gr. ὑποτύπωσις, de ὑποτυπόω, modelar; de ὑπό, debajo, y τύπος, tipo.) f. *Ret.* Descripción viva y eficaz de una persona o cosa por medio del lenguaje.

Hipotónico, ca. adj. *Quím.* Dícese de una solución que comparada con otra, tiene menor presión osmótica que ella, siendo igual la temperatura de ambas.

Hipsometría. (De *hipsómetro.*) f. **Altimetría.**

Hipsométrico, ca. adj. Perteneciente o relativo a la hipsometría.

Hipsómetro. (Del gr. ὕψος, altura, y μέτρον, medida.) m. Termómetro muy sensible, dividido en décimas de grado, que sirve para medir la altitud de un lugar, observando la temperatura a que allí empieza a hervir el agua.

Hircano, na. (Del lat. *hyrcānus.*) adj. Natural de Hircania. Ú. t. c. s. || **2.** Perteneciente a este país de Asia antigua.

Hirco. (Del lat. *hircus*, macho cabrío.) m. **Cabra montés.** || **2.** ant. **Macho cabrío.**

Hircocervo. (Del lat. *hircus*, macho cabrío, y *cervus*, ciervo.) m. Animal quimérico, compuesto de macho cabrío y ciervo. || **2.** fig. **Quimera,** 2.ª acep.

Hiriente. p. a. de **Herir.** Que hiere.

Hirma. (De *hirmar.*) f. **Orillo.**

Hirmar. (Del lat. *firmāre*, asegurar.) tr. **Afirmar,** 1.ª acep.

Hirsutismo. m. *Med.* Brote anormal de vello recio en lugares de la piel generalmente lampiños. Es más frecuente en la mujer.

Hirsuto, ta. (Del lat. *hirsūtus.*) adj. Dícese del pelo disperso y duro, y de lo que está cubierto de pelo de esta clase o de púas o espinas. *Cabellera, piel, castaña* HIRSUTA. Ú. más en estilo poético y científico.

Hirundinaria. (Del lat. *hirundo, -ĭnis*, golondrina.) f. **Celidonia.**

Hirviente. (Del lat. *fervens, -entis.*) p. a. de **Hervir.** Que hierve.

Hisca. (Del lat. *visca*, pl. de *viscum.*) f. **Liga,** 4.ª acep.

Hiscal. (Del lat. *fiscus*, cesta de mimbre, junco o esparto.) m. Cuerda de esparto de tres ramales.

Hisopada. f. Rociada de agua echada con el hisopo.

Hisopadura. f. p. us. **Hisopada.**

Hisopar. tr. **Hisopear.**

Hisopazo. m. **Hisopada.** || **2.** Golpe dado con el hisopo.

Hisopear. tr. Rociar o echar agua con el hisopo.

Hisopillo. (d. de *hisopo.*) m. Muñequilla de trapo que, empapada en un líquido, sirve para humedecer y refrescar la boca y la garganta de los enfermos. || **2.** Mata de la familia de las labiadas, con tallos leñosos de tres a cuatro decímetros de altura; hojas pequeñas, coriáceas, verdes, lustrosas, lanceoladas, lineales y enteras; flores en verticilos laxos, de corola blanca o rósea, y fruto seco con varias semillas menudas. Es planta aromática, útil para condimentos y algo usada en medicina como tónica y estomacal.

Hisopo. (Del lat. *hyssōpus;* éste del gr. ὕσσωπος, y éste del hebr. *ezob.*) m. Mata muy olorosa de la familia de las labiadas, con tallos leñosos de cuatro a cinco decímetros de altura, derechos y poblados de hojas lanceoladas, lineales, pequeñas, enteras, glandulosas y a veces con vello corto en las dos caras; flores azules o blanquecinas, en espiga terminal, y fruto de nuececillas casi lisas. Es planta muy común que ha tenido alguna aplicación en medicina y perfumería. || **2.** Palo corto y redondo, en cuya extremidad se pone un manojito de cerdas o una bola de metal hueca con agujeros, dentro de la cual están metidas las cerdas, y sirve en las iglesias para dar agua bendita o esparcirla al pueblo. El mango suele ser también de plata u otro metal. || **3.** Manojo de ramitas que se usa con este mismo fin, como lo autoriza o manda la liturgia en algunas bendiciones solemnes

Hisopo húmedo. (Del lat. *oesўpum*, y éste del gr. οἴσυπος.) m. *Farm.* Mugre que tiene la lana de las ovejas y carneros, la cual se recoge cuando se lava la lana, y después de evaporada queda una materia sólida y jugosa como si fuera ungüento.

Hispalense. (Del lat. *hispalensis*, de *Hispălis*, Sevilla.) adj. **Sevillano.** Apl. a pers., ú. t. c. s.

Hispalio, lia. adj. p. us. **Hispalense.**

Hispalo, la. adj. ant. **Hispalense.** Apl. a pers., usáb. t. c. s.

Hispanense. (Del lat. *hispaniensis.*) adj. ant. **Español.** Apl. a pers., usáb. t. c. s.

Hispánico, ca. (Del lat. *hispanĭcus.*) adj. **Español,** 2.ª acep. || **2.** Perteneciente o relativo a la antigua Hispania o a los pueblos que formaron parte de ella y a los que nacieron de estos pueblos en época posterior.

Hispanidad. f. Carácter genérico de todos los pueblos de lengua y cultura hispánica. || **2.** Conjunto y comunidad de los pueblos hispanos. || **3.** ant. **Hispanismo.**

Hispanismo. (De *hispano.*) m. Giro o modo de hablar propio y privativo de la lengua española. || **2.** Vocablo o giro de esta lengua empleado en otra. || **3.** Empleo de vocablos o giros españoles en distinto idioma. || **4.** Afición al estudio de la lengua y literatura españolas y de las cosas de España.

Hispanista. (Del lat. *Hispania*, España.) com. Persona versada en la lengua y cultura españolas. Se da comúnmente este nombre a los que no son españoles.

Hispanizar. (De *hispano.*) tr. **Españolizar.**

Hispano, na. (Del lat. *hispānus.*) adj. **Hispánico.** || **2. Español.** Apl. a pers., ú. t. c. s. || **3. Hispanoamericano,** 2.ª acep.

Hispanoamericanismo. m. Doctrina que tiende a la unión espiritual de todos los pueblos hispanoamericanos.

Hispanoamericano, na. adj. Perteneciente a españoles y americanos o compuesto de elementos propios de ambos países. || **2.** Dícese más comúnmente de las naciones de América en que se habla el español, y de los individuos de raza blanca nacidos o naturalizados en ellas.

Hispanófilo, la. (Del lat. *hispanus*, hispano, y el gr. φίλος, amigo.) adj. Dícese del extranjero aficionado a la cultura, historia y costumbres de España. Ú. t. c. s.

Hispanohablante. adj. Dícese de la persona que tiene como lengua materna el español. Ú. t. c. s.

Híspido, da. (Del lat. *hispĭdus.*) adj. De pelo áspero y duro; hirsuto, erizado.

Hispir. (De *híspido.*) tr. Esponjar, ahuecar una cosa, como los colchones de lana cuando se mullen. Ú. t. c. intr. y c. r.

Histérico, ca. (Del lat. *hystericus*, y éste del gr. ὑστερικός, de ὑστέρα, la matriz.) adj. Perteneciente al útero. || **2.** Perteneciente al histerismo. || **3.** *Med.* V. **Aura histérica.** || **4.** m. **Histerismo.**

Histerismo. (De *histérico.*) m. *Med.* Enfermedad nerviosa, crónica, más frecuente en la mujer que en el hombre, caracterizada por gran variedad de síntomas, principalmente funcionales, y a veces por ataques convulsivos.

Histerología. (Del lat. *hysterologia*, y éste del gr. ὑστερολογία, de ὕστερολόγος; de ὕστερος, posterior, y λέγω, decir.) f. *Ret.* Figura que consiste en invertir o trastornar el orden lógico de las ideas, diciendo antes lo que debería decirse después.

Histología. (Del gr. ἱστός, tejido, y λόγος, tratado.) f. Parte de la anatomía, que trata del estudio de los tejidos orgánicos.

Histológico, ca. adj. Perteneciente o relativo a la histología.

Histólogo. m. Persona entendida o versada en histología.

Historia. (Del lat. *historia*, y éste del gr. ἱστορία.) f. Narración y exposición verdadera de los acontecimientos pasados y cosas memorables. En sentido absoluto se toma por la relación de los sucesos públicos y políticos de los pueblos; pero también se da este nombre a la de sucesos, hechos o manifestaciones de la actividad humana de cualquiera otra clase. HISTORIA *de la literatura, de la filosofía, de las artes, de la medicina, de la legislación.* || **2.** Conjunto de los sucesos referidos por los historiadores. *Éste es muy entendido en* HISTORIA; *aquél no la conoce.* || **3.** Obra histórica compuesta por un escritor. *La* HISTORIA *de Tucídides, de Tito Livio, de Mariana.* || **4.** Obra histórica en que se refieren los acontecimientos o hechos de un pueblo o de un personaje. HISTORIA *de España, de Alejandro.* || **5.** fig. Relación de cualquier género de aventura o suceso, aunque sea de carácter privado y no tenga importancia alguna. *He aquí la* HISTORIA *de este negocio.* || **6.** fig. Fábula, cuento o narración inventada. || **7.** fig. y fam. Cuento, chisme, enredo. Ú. m. en pl. || **8.** *Pint.* Cuadro o tapiz que representa un caso histórico o fabuloso. || **natural.** Descripción de las producciones de la naturaleza en sus tres reinos animal, vegetal y mineral. || **sacra,** o **sagrada.** Conjunto de narraciones históricas contenidas en el Viejo y el Nuevo Testamento. || **universal.** La de todos los tiempos y pueblos del mundo. || **¡Así se escribe la historia!** loc. con que se moteja al que falsea la verdad de un suceso al referirlo. || **De historia.** loc. Dícese de la persona de quien se cuentan lances y aventuras que, en general, no le honran. || **Dejarse** uno **de historias.** fr. fig. y fam. Omitir rodeos e ir a lo esencial de una cosa. || **Hacer historia.** fr. **Historiar,** 1.ª y 2.ª aceps. || **Pasar** una cosa **a la historia.** fr. fig. Perder su actualidad e interés por completo. || **Picar en historia** una cosa. fr. Tener mayor gravedad y trascendencia de lo que podía imaginarse o al pronto parecía.

Historiado, da. p. p. de **Historiar.** || **2.** adj. V. **Letra historiada.** || **3.** fig. y fam. Recargado de adornos o de colores mal combinados. || **4.** *Pint.* Aplícase al cuadro o dibujo compuesto de varias figuras convenientemente colocadas respecto del suceso o escena que representan.

Historiador, ra. m. y f. Persona que escribe historia.

Historial. (Del lat. *historiālis.*) adj. Perteneciente a la historia. || **2.** m. Reseña circunstanciada de los antecedentes de un negocio, o de los servicios o la carrera de un funcionario. || **3.** ant. **Historiador.**

Historialmente. adv. m. De un modo historial.

Historiar. tr. Componer, contar o escribir historias. || **2.** Exponer las vicisitudes por que ha pasado una persona o cosa. || **3.** fam. *Amér.* Complicar, confundir, enmarañar. || **4.** *Pint.* Pintar o representar un suceso histórico o fabuloso en cuadros, estampas o tapices.

Históricamente. adv. m. De un modo histórico.

Historicidad. f. Calidad de histórico.

Histórico, ca. (Del lat. *historĭcus.*) adj. Perteneciente a la historia. || **2.** Averiguado, comprobado, cierto, por contraposición a lo fabuloso o legendario. || **3.** Digno, por la trascendencia que se le atribuye, de figurar en la historia. || **4.** m. ant. **Historiador.**

Historieta. f. d. de **Historia.** || **2.** Fábula, cuento o relación breve de aventura o suceso de poca importancia.

Historiografía. (De *historiógrafo.*) f. Arte de escribir la historia. || **2.** Estudio bibliográfico y crítico de los escritos sobre historia y sus fuentes, y de los autores que han tratado de estas materias.

Historiográfico, ca. adj. Perteneciente o relativo a la historiografía.

Historiógrafo. (Del lat. *historiogrăphus*, y éste del gr. ἱστοριογράφος; de ἱστορία, historia, y γράφω, escribir.) m. El que cultiva la historia o la historiografía.

Histrión. (Del lat. *histrĭo, -ōnis.*) m. El que representaba disfrazado en la comedia o tragedia antigua. || **2.** Volatín, jugador de manos u otra cualquiera persona que divertía al público con disfraces.

Histriónico, ca. (Del lat. *histrionĭcus.*) adj. Perteneciente al histrión.

Histrionisa. (De *histrión.*) f. Mujer que representaba o bailaba en el teatro.

Histrionismo. m. Oficio de histrión. || **2.** Conjunto de las personas dedicadas a este oficio.

Hita. (Del lat. *ficta*, t. f. de *-tus*, p. p. de *figĕre*, clavar.) f. Clavo pequeño sin cabeza, que se queda embutido totalmente en la pieza que asegura. || **2. Hito,** 1.er art., 4.ª acep.

Hitación. f. Acción y efecto de hitar.

Hitamente. adv. m. Atentamente, fijamente.

Hitar. (De *hito*, 1.er art.) tr. **Amojonar.**

Hito, ta. (Del lat. *fictus*, fijo.) adj. Unido, inmediato. Sólo tiene uso en la locución **calle,** o **casa, hita.** || **2. Fijo,** 2.° art. || **3.** ant. fig. **Importuno.** || **4.** m. Mojón o poste de piedra, por lo común labrada, que sirve para conocer la dirección de los caminos y para señalar los límites de un territorio. || **5.** Juego que se ejecuta fijando en la tierra un clavo, y tirando a él con herrones o con tejos. El que más cerca del clavo pone el herrón o tejo, éste gana. || **6.** fig. Blanco o punto adonde se dirige la vista o puntería para acertar el tiro. || **A hito.** m. adv. Fijamente, seguidamente o con permanencia en un lugar. || **Dar en el hito.** fr. fig. Comprender o acertar el punto de la dificultad. || **Jugar** uno **a dos hitos.** fr. fig. y fam. **Jugar con dos barajas.** || **Mirar de hito,** o **de hito en hito.** fr. Fijar la vista en un objeto sin distraerla a otra parte. || **Mirar en hito.** fr. **Mirar de hito en hito.** || **Mudar de hito.** fr. fig. y fam. Variar los medios para la consecución de una cosa. || **Tener** uno **la** suya **sobre el hito.** fr. fig. y fam. No darse por vencido.

Hito, ta. (Tal vez del m. or. que *hito*, 1.er art., compárese *prieto.*) adj. **Negro.** Aplícase al caballo sin mancha ni pelo de otro color. De aquí el refrán **hito sin señal, muchos le buscan y pocos le han.**

Hitón. (aum. de *hita*, 1.ª acep.) m. *Min.* Clavo grande cuadrado y sin cabeza.

Hobacho, cha. (Del ár. *habayyaŷ*, fofo, hinchado.) adj. ant. **Hobachón.**

Hobachón, na. (aum. de *hobacho.*) adj. Aplícase al que, teniendo muchas carnes, es flojo y para poco trabajo.

Hobachonería. (De *hobachón.*) f. Pereza, desidia, holgazanería.

Hobo. (Voz caribe.) m. **Jobo.**

Hoce. f. ant. **Hoz,** 1.er art.

Hocete. (d. de *hoz.*) m. *Murc.* **Hocino,** 1.er art.

Hocicada. f. Golpe dado con el hocico o de hocicos.

Hocicar. (De *hocico.*) tr. **Hozar.** || **2.** fig. y fam. **Besucar.** || **3.** p. us. Hundir un palo en tierra, como hozando. || **4.** intr. Dar de hocicos en el suelo, o contra la pared, puerta, etc. || **5.** fig. y fam. Tropezar con un obstáculo o dificultad insuperable. || **6.** *Mar.* Hundir o calar la proa.

Hocico. (De *hozar.*) m. Parte más o menos prolongada de la cabeza de algunos animales, en que están la boca y las narices. || **2.** V. **Pimiento de hocico de buey.** || **3.** Boca de hombre cuando tiene los labios muy abultados. || **4.** fig. y fam. **Cara,** 1.ª acep. *Félix tiene buen* HOCICO, *o buenos* HOCICOS. || **5.** fig. y fam. Gesto que denota enojo o desagrado. *Estar con* HOCICO. || **Caer,** o **dar, de hocicos.** fr. fam. Dar con la cara, o caer dando con ella, en una parte. || **Meter el hocico en todo.** fr. fig. y fam. con que se moteja la nimia curiosidad de los que se meten en todas partes, queriéndolo averiguar todo. || **Quitar los hocicos.** fr. fig. y fam. **Quitar la cara.** || **Salir a los hocicos.** fr. fig. y fam. **Salir a la cara.**

Hocicón, na. (De *hocico.*) adj. **Hocicudo.**

Hocicudo, da. (De *hocico.*) adj. Dícese de la persona que tiene jeta, 1.er art.,

1.ª acep. ‖ **2.** Dícese del animal de mucho hocico.

Hocino. (De *hoz*, 1.er art.) m. Instrumento corvo de hierro acerado, con mango, de que se usa para cortar la leña. ‖ **2.** El que usan los hortelanos para trasplantar.

Hocino. (De *hoz*, 2.° art.) m. Terreno que dejan las quebradas o angosturas de las faldas de las montañas cerca de los ríos o arroyos. ‖ **2.** pl. Huertecillos que se forman en dichos parajes. ‖ **3.** Angostura de los ríos cuando se estrechan entre dos montañas.

Hodómetro. m. **Odómetro.**

Hogañazo. adv. t. fam. **Hogaño.**

Hogaño. (Del lat. *hoc anno*, en este año.) adv. t. fam. En este año, en el año presente. ‖ **2.** Por ext., en esta época, a diferencia de **antaño**, 2.ª acep.

Hogar. (Del lat. *focus*, fuego.) m. Sitio donde se coloca la lumbre en las cocinas, chimeneas, hornos de fundición, etc. ‖ **2. Hoguera.** ‖ **3.** fig. Casa o domicilio. ‖ **4.** fig. Vida de familia.

Hogareño, ña. adj. Amante del hogar y de la vida de familia.

Hogaril. m. *Murc.* Hogar, fogón.

Hogaza. (Del lat. *focacĭa*, t. f. de *-cĭus*, cocido al fuego.) f. Pan grande que pesa más de dos libras. ‖ **2.** Pan de harina mal cernida, que contiene algo de salvado. ‖ **A quien cuece y amasa, no hurtes hogaza.** ref. que advierte que al que está experimentado y práctico en una cosa, no se le puede engañar en ella con facilidad. ‖ **La hogaza no embaraza.** ref. que enseña que lo necesario no debe mirarse como estorbo.

Hoguera. (Del lat. *focarĭa*, f. de *focarĭus*, del fuego.) f. Porción de materias combustibles que, encendidas, levantan mucha llama. ‖ **Llévame caballera, siquiera a la hoguera.** fr. fam. que se dice de los que por usar de alguna comodidad no reparan en inconvenientes.

Hoja. (Del lat. *fŏlia*, pl. n. de *fŏlium*.) f. Cada una de las partes, generalmente verdes, planas y delgadas, que nacen por lo común en primavera en la extremidad de los tallos y en las ramas de los vegetales. ‖ **2. Pétalo.** ‖ **3.** Lámina delgada de cualquier materia; como metal, madera, papel, etc. ‖ **4.** En los libros y cuadernos, cada una de las partes iguales que resultan al doblar el papel para formar el pliego. ‖ **5.** Laminilla delgada, a manera de escama, que se levanta en los metales al tiempo de batirlos. ‖ **6.** Cuchilla de las armas blancas y herramientas. ‖ **7.** Cada una de las capas delgadas en que se suele dividir la masa; como sucede en los hojaldres. ‖ **8.** Porción de tierra labrantía o dehesa, que se siembra o pasta un año y se deja descansar otro u otros dos. ‖ **9.** En las puertas, ventanas, biombos, etc., cada una de las partes que se abren y se cierran. ‖ **10.** Mitad de cada una de las partes principales de que se compone un vestido. ‖ **11.** Cada una de las partes de la armadura antigua, que cubría el cuerpo. ‖ **12.** V. **Hiperboloide de dos hojas.** ‖ **13.** V. **Vino de dos, de tres, hojas.** ‖ **14.** fig. **Espada**, 1.ª acep. ‖ **abrazadora.** *Bot.* La sentada que se prolonga en la base abrazando al tallo. ‖ **acicular.** *Bot.* La linear, puntiaguda y por lo común persistente; como las del pino. ‖ **aovada.** *Bot.* La de figura redondeada, más ancha por la base que por la punta, que es roma; como las del membrillo. ‖ **aserrada.** *Bot.* Aquella cuyo borde tiene dientes inclinados hacia su punta; como las de la violeta. ‖ **berberisca.** Plancha de latón muy delgada y luciente que se empleaba en medicina para cubrir ciertas llagas. ‖ **compuesta.** *Bot.* La que está dividida en varias hojuelas separadamente articuladas; como las de la acacia blanca. ‖ **de afeitar.** Laminilla muy delgada de acero, con filo en dos de sus lados, que colocada en un instrumento especial sirve para afeitar la barba. ‖ **de Flandes. Hoja de lata.** ‖ **de hermandad.** Contribución ordinaria, directa, que, para levantar las cargas provinciales, se paga en Álava con arreglo al cupo señalado a cada municipio por la diputación. ‖ **de lata. Hojalata.** ‖ **de limón.** *Ál.* **Toronjil.** ‖ **de Milán. Hoja de lata.** ‖ **dentada.** *Bot.* Aquella cuyos bordes están festoneados de puntas rectas; como la del castaño común. ‖ **de parra.** fig. Aquello con que se procura encubrir o cohonestar alguna acción vergonzosa o censurable. ‖ **de ruta.** Documento expedido por los jefes de estación, en el cual constan las mercancías que contienen los bultos que transporta un tren, los nombres de los consignatarios, puntos de destino y otros pormenores. ‖ **de servicios.** Documento en que constan los antecedentes personales y actos favorables o desfavorables de un funcionario público en el ejercicio de su profesión. ‖ **de tocino.** Mitad de la canal de cerdo partida a lo largo. ‖ **digitada.** *Bot.* La compuesta cuyas hojuelas nacen del pecíolo común separándose a manera de los dedos de la mano abierta; como las del castaño de Indias. ‖ **discolora.** *Bot.* Aquella cuyas dos caras son de color diferente. ‖ **entera.** *Bot.* La que no tiene ningún seno ni escotadura en sus bordes; como las de la adelfa. ‖ **enterísima.** *Bot.* La que tiene su margen sin dientes, desigualdad ni festón alguno; como las de la madreselva. ‖ **envainadora.** *Bot.* La sentada que se prolonga o extiende a lo largo del tallo formándole una envoltura; como las del trigo. ‖ **escotada.** *Bot.* La que tiene en el extremo una escotadura más o menos grande y angulosa; como las del espantalobos. ‖ **escurrida.** *Bot.* La sentada cuya base corre o se extiende por ambos lados hacia abajo por el tallo; como las del girasol. ‖ **nerviosa.** *Bot.* La que tiene nervios que corren de arriba abajo sin dividirse en otros ramillos; como las del llantén. ‖ **perfoliada.** *Bot.* La que por su base y nacimiento rodea enteramente el tallo, pero sin formar tubo. ‖ **sentada.** *Bot.* La que carece de pecíolo. ‖ **suelta.** Impreso que sin ser cartel ni periódico, tiene menos páginas que el folleto. ‖ **trasovada.** *Bot.* La aovada más ancha por la punta que por la base; como las del espino. ‖ **venosa.** *Bot.* La que tiene vasillos sobresalientes de su superficie que se extienden con sus ramificaciones desde el nervio hasta los bordes; como las del ciclamor. ‖ **volante. Papel volante.** ‖ **Batir hoja.** fr. Labrar oro, plata u otro metal, reduciéndolo a **hojas** o planchas. ‖ **Desdoblar la hoja.** fr. fig. y fam. Volver al discurso que de intento se había interrumpido. ‖ **Doblar la hoja.** fr. fig. Dejar el negocio que se trata, para proseguirlo después; y ordinariamente se dice cuando se hace una digresión en el discurso. ‖ **Mudar la hoja.** fr. fig. y fam. Desistir uno del intento que tenía. ‖ **No se mueve la hoja en el árbol sin la voluntad del Señor.** loc. con que se denota que comúnmente no se hacen las cosas sin un fin particular. ‖ **Picarse** uno **de la hoja.** fr. fig. y fam. Preciarse de espadachín o de valentón. ‖ **Poner** a uno **como hoja de perejil.** fr. fig. y fam. **Ponerle como chupa de dómine.** ‖ **Quien se pone debajo de la hoja, dos veces se moja.** ref. con que se denota la imprudencia de los que por conseguir una cosa desatienden otras y las pierden. ‖ **Ser** uno **tentado de la hoja.** fr. fig. y fam. Ser aficionado a aquello de que se trata. ‖ **Ser todo hoja, y no tener fruto.** fr. fig. y fam. Hablar mucho y sin substancia. ‖ **Tener hoja.** fr. Quedar resquebrajado el metal de una moneda, con lo cual pierde ésta su sonido característico. ‖ **Tras esa hoja viene otra.** ref. con que se da a entender la facilidad con que algunos se contradicen en sus escritos o conversaciones. ‖ **Volver la hoja.** fr. fig. Mudar de parecer. ‖ **2.** fig. Faltar a lo prometido. ‖ **3.** fig. Mudar de conversación.

Hojalata. (De *hoja de lata*.) f. Lámina de hierro o acero, estañada por las dos caras.

Hojalatería. (De *hojalatero*.) f. Taller en que se hacen piezas de hojalata. ‖ **2.** Tienda donde se venden.

Hojalatero. m. El que tiene por oficio hacer o vender piezas de hojalata.

Hojalde. (Del lat. *foliatĭlis* [*panis*], de *folium*, hoja.) m. **Hojaldre.**

Hojaldra. f. ant. **Hojaldre.** Ú. en *Amér.* y *Murc.*

Hojaldrado, da. p. p. de **Hojaldrar.** ‖ **2.** adj. Semejante al hojaldre.

Hojaldrar. tr. Dar a la masa forma de hojaldre.

Hojaldre. (Cruce de *hojalde* y de **hojadre*, del lat. *foliatĭlis*, hojoso.) amb. Masa que de muy sobada con manteca hace, al cocerse en el horno, muchas hojas delgadas superpuestas unas a otras. ‖ **Quitar la hojaldre al pastel.** fr. fig. y fam. Descubrir un enredo o trampa.

Hojaldrero, ra. m. y f. **Hojaldrista.**

Hojaldrista. com. Persona que hace hojaldres.

Hojaranzo. m. **Ojaranzo**, 1.ª acep. ‖ **2. Adelfa.**

Hojarasca. (De *hoja*.) f. Conjunto de las hojas que han caído de los árboles. ‖ **2.** Demasiada e inútil frondosidad de algunos árboles o plantas. ‖ **3.** fig. Cosa inútil y de poca substancia, especialmente en las palabras y promesas.

Hojear. tr. Mover o pasar ligeramente las hojas de un libro o cuaderno. ‖ **2.** Pasar las hojas de un libro, leyendo de prisa algunos pasajes para tomar de él un ligero conocimiento. ‖ **3.** intr. Tener hoja un metal. ‖ **4.** Moverse las hojas de los árboles.

Hojecer. intr. ant. Echar hoja los árboles.

Hojoso, sa. (Del lat. *foliōsus*.) adj. Que tiene muchas hojas.

Hojudo, da. adj. **Hojoso.**

Hojuela. (Del lat. *foliŏla*, pl. n. de *foliŏlum*.) f. d. de **Hoja.** ‖ **2.** Fruta de sartén, muy extendida y delgada. ‖ **3.** Hollejo o cascarilla que queda de la aceituna molida, y que, separada, la vuelven a moler. ‖ **4.** V. **Aceite de hojuela.** ‖ **5.** Hoja muy delgada, angosta y larga, de oro, plata u otro metal, que sirve para galones, bordados, etc. ‖ **6.** *Bot.* Cada una de las hojas que forman parte de otra compuesta.

¡Hola! (Del ár. *wa-llāh*, ¡por Dios!) interj. que se emplea para denotar extrañeza placentera o desagradable, para llamar a los inferiores, o a modo de salutación familiar. Ú. t. repetida.

Holán. m. **Holanda**, 1.ª acep.

Holanda. (De *Holanda*, de donde procede esta tela.) f. Lienzo muy fino de que se hacen camisas, sábanas y otras cosas. ‖ **2.** V. **Lágrima, tierra de Holanda.** ‖ **3.** Aguardiente obtenido por destilación directa de vinos puros y sanos, con una graduación máxima de 65 grados centesimales. Ú. m. en pl.

Holandés, sa. adj. Natural de Holanda. Ú. t. c. s. ‖ **2.** Perteneciente a esta nación de Europa. ‖ **3.** V. **Tabaco holandés.** ‖ **4.** m. Idioma hablado en Holanda. ‖ **A la holandesa.** m. adv. Al uso de Holanda. ‖ **2.** Dícese de la encuadernación económica en que el cartón de la cubierta va forrado de papel o tela, y de piel el lomo.

Holandeta. f. **Holandilla.**

Holandilla. (d. de *holanda.*) f. Lienzo teñido y prensado, usado generalmente para forros de vestidos. ‖ **2.** **Tabaco holandilla.**

Holco. (Del lat. *holcus.*) m. **Heno blanco.**

Holear. intr. Usar repetidamente la interj. ¡hola!

Holgachón, na. (De *holgar.*) adj. fam. Acostumbrado a pasarlo bien trabajando poco.

Holgadamente. adv. m. Con holgura.

Holgadero. m. Sitio donde regularmente se junta la gente para holgar.

Holgado, da. p. p. de **Holgar.** ‖ **2.** adj. **Desocupado.** ‖ **3.** Ancho y sobrado para lo que ha de contener. *Vestido, zapato* HOLGADO. ‖ **4.** fig. Dícese del que está desempeñado en la hacienda y le sobra algo después de hecho el gasto de su casa.

Holganza. (De *holgar.*) f. Descanso, quietud, reposo. ‖ **2.** **Ociosidad.** ‖ **3.** Placer, contento, diversión y regocijo.

Holgar. (Del lat. *fŏllĭcāre,* soplar, respirar.) intr. Descansar, tomar aliento después de una fatiga. ‖ **2.** Estar ocioso, no trabajar. ‖ **3.** Alegrarse de una cosa. Ú. t. c. r. ‖ **4.** Dicho de las cosas inanimadas, estar sin ejercicio o sin uso. ‖ **5.** ant. Yacer, estar, parar. ‖ **6.** r. Divertirse, entretenerse con gusto en una cosa.

Holgazán, na. (De *folgazano.*) adj. Aplícase a la persona vagabunda y ociosa que no quiere trabajar. Ú. t. c. s.

Holgazanear. (De *holgazán.*) intr. Estar voluntariamente ocioso.

Holgazanería. (De *holgazán.*) f. Ociosidad, haraganería, aversión al trabajo.

Holgazar. intr. ant. **Holgazanear.**

Holgón, na. (De *holgar.*) adj. Amigo de holgar y divertirse. Ú. t. c. s.

Holgorio. (De *holgar.*) m. fam. Regocijo, fiesta, diversión bulliciosa. Suele aspirarse la *h.*

Holgueta. (d. de *huelga.*) f. fam. **Holgura,** 1.ª acep.

Holgura. (De *holgar.*) f. Regocijo, diversión entre muchos. ‖ **2.** **Anchura.**

Holocausto. (Del lat. *holocaustum,* y éste del gr. ὁλόκαυστος; de ὅλος, todo, y καυστός, quemado.) m. Sacrificio especial entre los israelitas, en que se quemaba toda la víctima. ‖ **2.** fig. **Sacrificio,** 5.ª acep.

Hológrafo, fa. (Del lat. *holŏgrăphus,* y éste del gr. ὁλόγραφος.) adj. *For.* **Ológrafo.** Ú. t. c. s. m.

Holómetro. (Del gr. ὅλος, todo, y μέτρον, medida.) m. Instrumento que sirve para tomar la altura angular de un punto sobre el horizonte.

Holosérico, ca. (Del lat. *holosericus,* y éste del gr. ὁλοσηρικός; de ὅλος, todo, y σηρικός, de seda.) adj. ant. Aplicábase a los tejidos o ropas de pura seda y sin mezcla de otra cosa.

Holostérico. (Del gr. ὅλος, todo, y στερεός, sólido.) adj. V. **Barómetro holostérico.**

Holoturia. (Del lat. *holothuria,* y éste del gr. ὁλοθούριον.) f. *Zool.* Cualquiera de los equinodermos pertenecientes a la clase de los holotúridos.

Holotúrido. (De *holoturia.*) adj. *Zool.* Dícese de animales equinodermos de cuerpo alargado con tegumento blando que tiene en su espesor gránulos calcáreos de tamaño microscópico; boca y ano en los extremos opuestos del cuerpo, tentáculos retráctiles y más o menos ramificados alrededor de la boca. Unas especies son unisexuales y otras hermafroditas; como el cohombro de mar. Ú. t. c. s. ‖ **2.** m. pl. *Zool.* Clase de estos animales.

Holladero, ra. (De *hollar.*) adj. Dícese de la parte de un camino o paraje por donde ordinariamente se transita.

Holladura. f. Acción y efecto de hollar. ‖ **2.** Derecho que se pagaba por el piso de los ganados en un terreno.

Hollar. (Del lat. **fŭllāre,* pisar.) tr. Pisar, comprimir una cosa poniendo sobre ella los pies. ‖ **2.** fig. Abatir, ajar, humillar, despreciar.

Holleca. f. **Herrerillo,** 2.ª acep.

Holleja. f. ant. **Hollejo.**

Hollejo. (Del lat. *fŏllĭcŭlus,* fuelle pequeño.) m. Pellejo o piel delgada que cubre algunas frutas y legumbres; como la uva, la habichuela, etc.

Hollejudo, da. adj. Dícese del fruto que tiene el hollejo duro o áspero.

Hollejuela. f. d. ant. de **Holleja.**

Hollejuelo. m. d. de **Hollejo.**

Hollín. (Del lat. **fullīgo, īgĭnis,* por *fūlīgo, -īgĭnis.*) m. Substancia crasa y negra que el humo deposita en la superficie de los cuerpos a que alcanza. ‖ **2.** fam. **Jollín.**

Hollinar. m. ant. **Hollín.**

Holliniento, ta. adj. Que tiene hollín, 1.ª acep.

Homarrache. m. **Moharrache.**

Hombracho. m. Hombre grueso y fornido.

Hombrada. f. Acción propia de un hombre generoso y esforzado.

Hombradía. (De *hombrada.*) f. Calidad de hombre. ‖ **2.** Esfuerzo, entereza, valor.

Hombre. (Del lat. *hŏmo, -ĭnis.*) m. Animal racional. Bajo esta acepción se comprende todo el género humano. ‖ **2.** **Varón,** 1.ª acep. ‖ **3.** El que ha llegado a la edad viril o adulta. ‖ **4.** V. **Cuerpo de hombre.** ‖ **5.** Entre el vulgo, **marido.** ‖ **6.** El que en ciertos juegos de naipes dice que entra y juega contra los demás. ‖ **7.** Juego de naipes entre varias personas con elección de palo que sea triunfo. Hay varias especies de él. ‖ **8.** Junto con algunos substantivos por medio de la prep. *de,* el que posee las calidades o cosas significadas por los substantivos. HOMBRE *de honor, de tesón, de valor.* ‖ **bueno.** El que pertenecía al estado llano. ‖ **2.** *For.* El mediador en los actos de conciliación. ‖ **de ambas sillas.** Decíase del que con soltura y buen manejo cabalgaba a la brida y a la jineta. ‖ **2.** fig. El que es sabio en varias artes o facultades. ‖ **de armas.** Jinete que iba a la guerra armado de todas piezas. ‖ **de barba. Hombre de bigotes.** ‖ **de bien.** El honrado que cumple puntualmente sus obligaciones. ‖ **de bigote al ojo.** El que ostentaba cierto aire de arrogancia, llevando el bigote retorcido y con la punta al ojo. ‖ **de bigotes.** fig. y fam. El que tiene entereza y severidad. ‖ **de buena capa.** fig. y fam. El de buen porte. ‖ **de buenas letras.** El versado en letras humanas. ‖ **de cabeza.** El que tiene talento. ‖ **de cabo.** ant. *Mar.* Cualquiera de los marineros de una embarcación, que se llamaba así para distinguirse de los remeros y forzados en las galeras. ‖ **de calzas atacadas.** fig. El nimiamente observante de los usos y costumbres antiguos. ‖ **2.** fig. El demasiadamente rígido en su modo de proceder. ‖ **de campo.** El que con frecuencia anda en el campo ejercitándose en la caza o en las faenas agrícolas. ‖ **de capa negra.** ant. fig. Persona ciudadana y decente. ‖ **de capa y espada.** El seglar que no profesaba de propósito una facultad. ‖ **de copete.** fig. El de estimación y autoridad. ‖ **de corazón.** El valiente, generoso y magnánimo. ‖ **de días.** El anciano, el provecto. ‖ **de dinero.** El acaudalado. ‖ **de distinción.** El de ilustre nacimiento, empleo o categoría. ‖ **de dos caras.** fig. El que en presencia dice una cosa y en ausencia otra. ‖ **de edad.** El viejo o próximo a la vejez. ‖ **de Estado.** El de aptitud reconocida para dirigir acertadamente los negocios políticos de una nación. ‖ **2.** **Hombre** político, cortesano. ‖ **3.** **Estadista,** 2.ª acep. ‖ **de estofa.** fig. El de respeto y consideración. ‖ **de fondo.** El que tiene gran capacidad e instrucción y talento. ‖ **de fondos. Hombre de dinero.** ‖ **de fortuna.** El que de cortos principios llega a grandes empleos o riquezas. ‖ **de guerra.** El que sigue la carrera de las armas o profesión militar. ‖ **de haldas.** El que tiene una profesión sedentaria. ‖ **de hecho.** El que cumple su palabra. ‖ **de iglesia. Clérigo,** 1.ª acep. ‖ **de la vida airada.** El que vive licenciosamente. ‖ **2.** El que se precia de guapo y valentón. ‖ **del campo. Hombre de campo.** ‖ **de letras. Literato.** ‖ **del rey.** En lo antiguo, el que servía en la casa real. ‖ **de lunas. Hombre** lunático. ‖ **de mala digestión.** fig. y fam. El que tiene mal gesto y dura condición. ‖ **de manera. Hombre de distinción.** ‖ **de manga.** Clérigo o religioso. ‖ **de manos. Hombre de puños.** ‖ **de mar.** Aquel cuya profesión se ejerce en el mar o se refiere a la marina; como los marineros, calafates, contramaestres, etc. ‖ **de mundo.** El que por su trato con toda clase de gentes y por su experiencia y práctica de negocios merece esta calificación. ‖ **de nada.** El que es pobre y de obscuro nacimiento. ‖ **de negocios.** El que tiene muchos a su cargo. ‖ **de orden.** ant. **Religioso,** 3.ª acep. ‖ **de palabra.** El que cumple lo que promete. ‖ **de pecho.** fig. y fam. El constante y de gran serenidad. ‖ **de pelea. Soldado,** 1.ª acep. ‖ **de pelo en pecho.** fig. y fam. El fuerte y osado. ‖ **de pro,** o **de provecho.** El de bien. ‖ **2.** El sabio o útil al público. ‖ **de punto.** Persona principal y de distinción. ‖ **de puños.** fig. y fam. El robusto, fuerte y valeroso. ‖ **de todas sillas.** fig. **Hombre de ambas sillas.** ‖ **de veras.** El que es amigo de la realidad y verdad. ‖ **2.** El serio y enemigo de burlas. ‖ **de verdad.** El que siempre la dice y tiene opinión y fama de eso. ‖ **espiritual.** El dedicado a la virtud y contemplación. ‖ **exterior.** En contraposición a **hombre interior,** el **hombre** con relación a lo externo y corporal del mismo, o sea todo lo que en él se refiere a la vida vegetativa y animal. ‖ **hecho.** El que ha llegado a la edad adulta. ‖ **2.** fig. El instruido o versado en una facultad. ‖ **interior.** El **hombre** con relación al alma y al cultivo de sus facultades intelectuales y morales. ‖ **liso.** El de verdad, ingenuo, sincero, sin dolo ni artificio. ‖ **lleno.** fig. El que sabe mucho. ‖ **mayor.** El anciano, el de edad avanzada. ‖ **menudo.** El miserable, escaso y apocado. ‖ **nuevo.** El **hombre,** en cuanto ha sido regenerado por Jesucristo. ‖ **para poco.** El pusilánime, de poco espíritu, de ninguna expedición. ‖ **público.** El que interviene públicamente en los negocios políticos. ‖ **viejo.** El **hombre,** en cuanto ha heredado por el pecado original los sentimientos y malas inclinaciones que son efecto del mismo pecado. ‖ **Gentil hombre. Gentilhombre.** ‖ **Gran,** o **grande, hombre.** El ilustre y eminente en una línea. ‖ **Pobre hombre.** El de cortos talentos e instrucción. ‖ **2.** El de poca habilidad y sin vigor ni resolución. ‖ **Al hombre mezquino bástale un rocino.** ref. que enseña que sólo a los generosos conviene aumentar los gastos de su casa, mas no a los miserables que se lamentan de los gastos más precisos. ‖ **Al hombre osado la fortuna le da la mano.** ref. con que se manifiesta que suelen lograrse mejor las cosas cuando se emprenden sin reparo ni timidez. ‖ **Al hombre venturero la hija le nace primero.** ref. con que se indica ser ventura para un matrimonio tener pronto una hija. ‖ **Al hombre vergonzoso el diablo le llevó a palacio.** ref. que advierte que se necesita de mucho despejo y desenfado para tratar y conversar en los palacios, o que no sabe uno aprovecharse de su asistencia a ellos para lo que pudiera conseguir. || **Anda el hombre al trote por ganar su capote.** ref. en que se denota la mucha solicitud que algunos emplean con objeto de adquirir lo necesario para su conveniencia. || **Buen hombre, pero mal sastre.** expr. que se dice de las personas de buena índole o genio, pero de corta o ninguna habilidad. || **Como un solo hombre.** loc. que expresa la unanimidad con que proceden muchas personas sin previo acuerdo. || **De hombre a hombre no va nada.** expr. fam. con que se denota arrojo, valentía y nada de temor. || **De hombre arraigado no te verás vengado.** ref. que advierte la dificultad que hay en tomar venganza de personas hacendadas y poderosas. || **De hombre es errar; de bestias, perseverar en el error.** ref. que enseña que las personas han de ser dóciles, y no tercas y obstinadas en sus dictámenes. || **El hombre, en la plaza; y la mujer, en la casa.** ref. que enseña que así como el **hombre** tiene, por lo regular, que ganar para la vida fuera de su casa, la mujer debe cuidar en ella de su hacienda. || **El hombre es fuego; la mujer, estopa; llega el diablo y sopla.** ref. que enseña el riesgo que hay en el trato frecuente entre **hombres** y mujeres, por la fragilidad humana. || **El hombre pone,** o **propone, y Dios dispone.** ref. que enseña que el logro de nuestras determinaciones pende precisa y únicamente de la voluntad de Dios. || **El hombre sentado, ni capuz tendido ni camisón curado.** ref. que enseña que las conveniencias se pierden y malogran por la pereza y ociosidad. || **Guárdate de hombre que no habla y de can que no ladra.** ref. que advierte que no debemos confiar en ellos, porque de ordinario son traidores y dañan antes de ser sentidos. || **Hacer** a uno **hombre.** fr. fig. y fam. Protegerle eficazmente. || **¡Hombre!** interj. que indica sorpresa o asombro. Ú. también repetida. || **Hombre adeudado, cada año apedreado.** ref. que se dice aludiendo a los perjuicios que padecen los que tienen deudas, como sucede de ordinario a los labradores a quienes al tiempo de recoger sus frutos se los embargan, que es lo mismo que si se los hubiese destruido un pedrisco. || **¡Hombre al agua!** expr. *Mar.* Ú. para advertir que ha caído alguno al mar. || **¡Hombre a la mar!** expr. *Mar.* **¡Hombre al agua!** || **Hombre apasionado no quiere ser consolado.** ref. que advierte que el que está poseído de una vehemente aflicción, no admite ningún consuelo. || **Hombre apercibido, medio combatido. Hombre apercibido vale por dos.** refs. **Hombre prevenido vale por dos.** || **Hombre atrevido dura como vaso de vidrio.** ref. **Los valientes y el buen vino duran poco.** || **Hombre bellaco, tres barbas o cuatro.** ref. que advierte que el que es pícaro y astuto, muda de semblante según le conviene. || **Hombre enamorado, nunca casa con sobrado.** ref. que da a entender que los enamorados son ordinariamente disipadores de sus haciendas, y no atienden a adelantarlas. || **Hombre honrado, antes muerto que injuriado.** ref. que aconseja preferir la honra a la vida. || **Hombre mezquino, después que ha comido ha frío.** ref. que enseña que al trabajador robusto y laborioso el comer le da ánimo para volver al trabajo, pero al flojo y débil se lo quita. || **Hombre perezoso, en la fiesta es acucioso.** ref. que moteja al descuidado que, no aplicándose al trabajo en los días de hacienda, quisiera en los festivos desquitar lo que ha dejado de hacer en los otros por su negligencia. || **Hombre pobre, todo es trazas.** ref. que enseña que la pobreza por lo común es ingeniosa y se aplica a buscar y poner en práctica todos aquellos medios que discurre posibles para su alivio. || **Hombre prevenido vale por dos.** ref. que advierte la gran ventaja que lleva en cualquier lance o empeño el que obra con prevención. || **Hombre que presta, sus barbas mesa.** ref. que advierte el cuidado con que se debe prestar para no tener que arrepentirse. || **Ni hombre tiple ni mujer bajón.** ref. que arguye por la irregularidad de las cosas los malos efectos de ellas. || **No haber hombre con hombre.** fr. fig. con que se pondera la discordia o falta de unión entre varias personas. || **No hay hombre cuerdo a caballo.** expr. fig. con que se da a entender que con gran dificultad suele obrar y proceder templada y prudentemente el que se halla puesto en la ocasión de propasarse. || **No hay hombre sin hombre.** ref. que denota la dificultad de medrar una persona sin la ayuda de otra. || **No quedar hombre con hombre.** fr. **Quedar** desbaratado o disperso un conjunto de personas. || **No ser** uno **hombre de pelea.** fr. fig. Carecer de ánimo, resolución y habilidad para empresas varoniles o manejos de negocios de importancia. || **No son hombres todos los que mean en pared.** ref. con que se manifiesta que no se debe juzgar de las cosas por las señales exteriores, y que no todos tienen las prendas correspondientes a la excelencia de su ser. || **No tener** uno **hombre.** fr. No tener protector o favorecedor. || **Por falta de hombres buenos, a mi padre hicieron alcalde.** ref. que se dice cuando se da un empleo a persona que no lo merece, a falta de otra más digna. || **Ser** uno **hombre al agua.** fr. fig. y fam. No dar esperanza de remedio en su salud o en su conducta. || **Ser** uno **hombre muy llegado a las horas de comer.** fr. fam. Estar pronto a ejecutar las cosas que le son de utilidad. || **Ser** uno **hombre para** alguna cosa. fr. Ser capaz de ejecutar lo que dice u ofrece. || **2.** Tener las calidades y requisitos convenientes para el desempeño de lo que se trata. || **Ser** uno **mucho hombre.** fr. Ser persona de gran talento e instrucción o de gran habilidad. || **Ser** uno **muy hombre.** fr. Ser valiente y esforzado. || **Ser** uno **otro hombre.** fr. fig. Haber cambiado mucho en sus calidades, ya físicas, ya morales. || **Ser** uno **poco hombre.** fr. Carecer de las calidades necesarias para el desempeño de un oficio, cargo o comisión.

Hombrear. intr. Querer el joven parecer hombre hecho.

Hombrear. intr. Hacer fuerza con los hombros para sostener o empujar alguna cosa. || **2.** fig. Querer igualarse con otro u otros en saber, calidad o prendas. Ú. t. c. r.

Hombrecillo. m. d. de **Hombre.** || **2. Lúpulo.**

Hombredad. f. ant. **Hombradía.**

Hombrera. f. Pieza de la armadura antigua, que cubría y defendía los hombros. || **2.** Labor o adorno especial de los vestidos en la parte correspondiente a los hombros. || **3.** Cordón, franja o pieza de paño en forma de almohadilla que, sobrepuesta a los hombros en el uniforme militar, sirve de defensa, adorno y sujeción de correas y cordones del vestuario, y a veces como insignia del empleo personal jerárquico.

Hombretón. m. aum. de **Hombre.**

Hombrezuelo. m. d. de **Hombre.**

Hombría de bien. f. **Honradez.**

Hombrillo. m. Lista de lienzo con que se refuerza la camisa por el hombro. || **2.** Tejido de seda u otra cosa, que sirve de adorno y se pone encima de los hombros.

Hombro. (Del lat. *hŭmĕrus.*) m. Parte superior y lateral del tronco del hombre y de los cuadrumanos, de donde nace el brazo. || **2.** V. **Paño de hombros.** || **3.** *Impr.* Parte de la letra desde el remate del árbol hasta la base del ojo. || **A hombros.** m. adv. con que se denota que se lleva alguna persona o cosa a cuestas, sobre los **hombros** del que la conduce. || **Arrimar el hombro.** fr. fig. Trabajar con actividad; ayudar o contribuir al logro de un fin. || **Cargado de hombros.** loc. **Cargado de espaldas.** || **Echar** uno **al hombro** una cosa. fr. fig. Hacerse responsable de ella. || **Encoger** uno **los hombros.** fr. fig. Llevar en paciencia y con la mayor resignación una cosa desagradable, sin moverse a nada ni chistar. || **Encogerse** uno **de hombros.** fr. Hacer el movimiento natural que causa el miedo. || **2.** fig. No saber uno, o no querer, responder a lo que se le pregunta. || **3.** fig. Mostrarse o permanecer indiferente ante lo que oye o ve. || **4.** fig. **Encoger los hombros.** || **Escurrir el hombro.** fr. fig. y fam. **Hurtar el hombro.** || **Estar hombro a hombro.** fr. fig. y fam. Codearse. || **Hurtar el hombro.** fr. fig. Excusar el trabajo o la cooperación para el logro de un fin. || **Mirar** a uno **por encima del hombro,** o **sobre el hombro,** o **sobre hombro.** fr. fig. y fam. Tenerle en menos, desdeñarle. || **Poner el hombro.** fr. fig. **Arrimar el hombro.** || **Poner** a uno **hombro a hombro** con otro. fr. fig. y fam. Elevarle hasta la condición o categoría de éste. || **Ponerse hombro a hombro.** fr. fig. y fam. **Estar hombro a hombro.** || **Sacar** uno **a hombros** a otro. fr. fig. Librarle con su favor o poder, o a sus expensas, de un riesgo o apuro; ponerle en salvo.

Hombruno, na. adj. fam. Dícese de la mujer que por alguna cualidad o circunstancia se parece al hombre, y de las cosas en que estriba esta semejanza. *Andar* HOMBRUNO; *cara* HOMBRUNA.

Home. (Del lat. *homo, -ĭnis.*) m. ant. **Hombre.** Ú. en *Sev.* y *Méj.* || **de leyenda.** ant. **Clérigo,** 1.ª acep.

Homecillo. m. ant. **Homicillo.** || **2.** ant. Enemistad, odio, aborrecimiento.

Homenaje. (Del prov. *homenatge,* y éste del lat. **hominaticum,* de *homo.*) m. Juramento solemne de fidelidad hecho a un rey o señor. Se decía también del hecho a un igual para obligarse al cumplimiento de cualquier pacto. || **2.** Acto o serie de actos que se celebran en honor de una persona. || **3.** V. **Pleito homenaje.** || **4.** V. **Torre del homenaje.** || **5.** fig. Sumisión, veneración, respeto hacia una persona.

Homeópata. adj. Dícese del médico que profesa la homeopatía. Ú. t. c. s.

Homeopatía. (Del gr. ὅμοιος, parecido, y πάθος, afección, enfermedad.) f. Sistema curativo que aplica a las enfermedades, en dosis mínimas, las mismas substancias que en mayores cantidades producirían al hombre sano síntomas iguales o parecidos a los que se trata de combatir.

Homeopáticamente. adv. m. En dosis diminutas u homeopáticas.

Homeopático, ca. adj. Perteneciente o relativo a la homeopatía. || **2.** fig. De tamaño o en cantidad muy diminutos.

Homérico, ca. (Del lat. *homerĭcus.*) adj. Propio y característico de Homero como poeta, o que tiene semejanza con cualquiera de las dotes o calidades por que se distinguen sus producciones.

Homiciano. (De *homicio.*) m. ant. El que mata a otro.

Homiciarse. (De *homicio.*) r. ant. Enemistarse, perder la buena unión o armonía que se tenía con uno.

Homicida. (Del lat. *homicīda;* de *homo,* hombre, y *caedĕre,* matar.) adj. Que ocasiona la muerte de una persona. *Puñal* HOMICIDA. Apl. a pers., ú. t. c. s.

Homicidio. (Del lat. *homicidĭum.*) m. Muerte causada a una persona por otra. ‖ **2.** Por lo común, la ejecutada ilegítimamente y con violencia. ‖ **3.** Cierto tributo que se pagaba en lo antiguo.

Homiciero. (De *homiciarse.*) m. ant. El que causa o promueve enemistades y discordias entre otras personas.

Homicillo. (Del lat. *homicidĭum.*) m. Pena pecuniaria en que incurría el que, llamado por juez competente por haber herido gravemente o muerto a uno, no comparecía y daba lugar a que se sentenciase su causa en rebeldía. ‖ **2.** ant. **Homicidio.**

Homicio. (Del lat. *homicidĭum.*) m. ant. **Homicidio.**

Homilía. (Del lat. *homilĭa,* y éste del gr. ὁμιλία, de ὅμιλος, reunión.) f. Razonamiento o plática que se hace para explicar al pueblo las materias de religión. ‖ **2.** pl. Lecciones del tercer nocturno de los maitines, sacadas de las **homilías** de los padres y doctores de la Iglesia.

Homiliario. m. Libro que contiene homilías.

Hominal. (Del lat. *homo, -mĭnis,* hombre.) adj. *Zool.* Perteneciente o relativo al hombre.

Hominicaco. (Del lat. *homo, -mĭnis,* hombre.) m. fam. Hombre pusilánime y de mala traza.

Homocerca. adj. *Zool.* Dícese de la aleta caudal de los peces que está formada por dos lóbulos iguales y simétricos, como la de la sardina; y por ext., de la cola de los peces que tienen esta clase de aleta caudal.

Homofonía. (Del gr. ὁμοφωνία.) f. Calidad de homófono. ‖ **2.** *Mús.* Conjunto de voces o sonidos simultáneos que cantan al unísono.

Homófono, na. (Del gr. ὁμόφωνος; de ὁμός, parecido, y φωνή, sonido.) adj. Dícese de las palabras que con distinta significación suenan de igual modo; v. gr.: *Solar,* nombre; *solar,* adjetivo, y *solar,* verbo. ‖ **2.** Dícese del canto o música en que todas las voces tienen el mismo sonido.

Homogéneamente. adv. m. De modo homogéneo.

Homogeneidad. f. Calidad de homogéneo.

Homogeneizar. tr. Transformar en homogéneo, por medios físicos o químicos, un compuesto o mezcla de elementos diversos.

Homogéneo, a. (Del b. lat. *homogenĕus,* y éste del gr. ὁμογενής, de la misma raza.) adj. Perteneciente a un mismo género. ‖ **2.** Dícese del compuesto cuyos elementos son de igual naturaleza o condición.

Homógrafo, fa. (Del gr. ὁμός, parecido, y γράφω, escribir.) adj. Aplícase a las palabras de distinta significación que se escriben de igual manera; v. gr.: *Haya,* árbol, y *haya,* persona del verbo *haber.*

Homologación. f. *For.* Acción y efecto de homologar.

Homologar. (De *homólogo.*) tr. *For.* Dar firmeza las partes al fallo de los árbitros o arbitradores, en virtud de consentimiento tácito, por haber dejado pasar el término legal para impugnarlo. ‖ **2.** *For.* Confirmar el juez ciertos actos y convenios de las partes, para hacerlos más firmes y solemnes.

Homólogo, ga. (Del lat. *homolŏgus,* y éste del gr. ὁμόλογος; de ὁμός, parecido, y λόγος, razón.) adj. *Geom.* Aplícase a los lados que en cada una de dos o más figuras semejantes están colocados en el mismo orden. ‖ **2.** *Lóg.* Dícese de los términos sinónimos o que significan una misma cosa.

Homonimia. (Del lat. *homonymĭa,* y éste del gr. ὁμωνυμία.) f. Calidad de homónimo.

Homónimo, ma. (Del lat. *homonȳmus,* y éste del gr. ὁμώνυμος; de ὁμός, parecido, y ὄνομα, nombre.) adj. Dícese de dos o más personas o cosas que llevan un mismo nombre, y de las palabras que siendo iguales por su forma tienen distinta significación; v. gr.: *Tarifa,* ciudad, y *tarifa* de precios. Ú. t. c. s., y tratándose de personas, equivale a **tocayo.**

Homóptero. (Del gr. ὁμός, parecido, y πτερόν, ala.) adj. *Zool.* Dícese de insectos hemípteros cuyas alas anteriores son casi siempre membranosas como las posteriores, aunque un poco más fuertes y más coloreadas que éstas, y que tienen el pico recto e inserto en la parte inferior de la cabeza; como la cigarra. Ú. t. c. s. ‖ **2.** m. pl. *Zool.* Suborden de estos animales.

Homosexual. (Del gr. ὁμός, y *sexual.*) adj. **Sodomita.** Ú. t. c. s.

Homosexualidad. f. Calidad de homosexual.

Homúnculo. (Del lat. *homuncŭlus.*) m. d. despect. de **Hombre.**

Honcejo. (Del lat. **falcicŭlus,* de *falx,* hoz.) m. **Hocino,** 1.er art.

Honda. (Del lat. *fŭnda.*) f. Tira de cuero, o trenza de lana, cáñamo, esparto u otra materia semejante, para tirar piedras con violencia. Usaban de ella antiguamente en la guerra; pero hoy sólo tiene uso entre los pastores y los muchachos. ‖ **2. Braga,** 2.ª acep.

Hondable. adj. **Fondable.** ‖ **2.** ant. **Hondo.**

Hondada. (De *honda.*) f. **Hondazo.**

Hondamente. adv. m. Con hondura o profundidad. ‖ **2.** fig. Profundamente, altamente, elevadamente.

Hondarras. (De *hondo,* fondo.) f. pl. *Rioja.* Poso o heces que quedan en la vasija que ha tenido un licor.

Hondazo. m. Tiro de honda.

Hondeador. (De *hondear,* 1.er art.) m. *Germ.* Ladrón que tantea por dónde ha de hurtar.

Hondear. (De *hondo.*) tr. Reconocer el fondo con la sonda. ‖ **2.** Sacar carga de una embarcación. ‖ **3.** *Germ.* **Tantear,** 3.ª acep.

Hondear. intr. Disparar la honda.

Hondero. m. Soldado que antiguamente usaba de honda en la guerra.

Hondijo. m. **Honda,** 1.ª acep.

Hondillos. m. pl. **Entrepiernas,** 2.ª acep.

Hondo, da. (Del lat. *fŭndus.*) adj. Que tiene profundidad. ‖ **2.** Aplícase a la parte del terreno que está más baja que todo lo circundante. ‖ **3.** fig. Profundo, alto o recóndito. ‖ **4.** fig. Tratándose de un sentimiento, intenso, extremado. ‖ **5.** V. **Cante hondo.** ‖ **6.** m. Parte inferior de una cosa hueca o cóncava.

Hondón. (De *hondo.*) m. Suelo interior de cualquiera cosa hueca. ‖ **2.** Lugar profundo que se halla rodeado de terrenos más altos. ‖ **3.** Ojo o agujero que tiene la aguja para enhebrarla. ‖ **4.** Parte del estribo donde se apoya el pie. ‖ **Contra hondón.** loc. ant. Hacia abajo. ‖ **Donde hay saca y nunca pon, presto se llega al hondón.** ref. **Donde hay saca y nunca pon, presto se acaba el bolsón.**

Hondonada. (De *hondón.*) f. Espacio de terreno hondo.

Hondonal. (De *hondón.*) m. *Sal.* Prado bajo y húmedo. ‖ **2.** *Sal.* **Juncar.**

Hondonero, ra. (De *hondón.*) adj. ant. **Hondo.**

Hondura. (De *hondo.*) f. Profundidad de una cosa, ya sea en las concavidades de la tierra, ya en las del mar, ríos, pozos, etc. ‖ **Meterse** uno **en honduras.** fr. fig. Tratar de cosas profundas y dificultosas, sin tener bastante conocimiento de ellas.

Hondureñismo. m. Vocablo, giro o locución propios de los hondureños.

Hondureño, ña. adj. Natural de Honduras. Ú. t. c. s. ‖ **2.** Perteneciente a esta nación de América.

Honestad. (Del lat. *honestas, -ātis.*) f. ant. **Honestidad.**

Honestamente. adv. m. Con honestidad o castidad. ‖ **2.** Con modestia, decoro o cortesía.

Honestar. (Del lat. *honestāre.*) tr. **Honrar.** ‖ **2. Cohonestar.** ‖ **3.** r. ant. Portarse con moderación y decencia.

Honestidad. (Del lat. *honestĭtas, -ātis.*) f. Compostura, decencia y moderación en la persona, acciones y palabras. ‖ **2.** Recato, pudor. ‖ **3.** Urbanidad, decoro, modestia. ‖ **Pública honestidad.** Impedimento canónico dirimente, derivado de matrimonio no válido o de concubinato público y notorio, que se equipara a la afinidad; pero sólo comprende los dos primeros grados de la línea recta.

Honesto, ta. (Del lat. *honestus.*) adj. Decente o decoroso. ‖ **2.** Recatado, pudoroso. ‖ **3.** Razonable, justo. ‖ **4. Honrado.** ‖ **5.** V. **Estado honesto.**

Hongarina. (De *hungarina.*) f. **Anguarina.**

Hongo. (Del lat. *fŭngus.*) m. *Bot.* Cualquiera de las plantas talofitas, sin clorofila, de tamaño muy variado y reproducción preferentemente asexual, por esporas, que son parásitas o viven sobre materias orgánicas en descomposición; su talo, ordinariamente filamentoso y ramificado y conocido con el nombre de micelio, absorbe los principios orgánicos nutritivos que existen en el medio; como el cornezuelo, la roya, el agárico, etc. ‖ **2.** Sombrero de fieltro o castor y de copa baja, rígida y aproximadamente semiesférica. ‖ **3.** *Med.* Excrecencia fungosa que crece en las úlceras o heridas e impide la cicatrización de las mismas. ‖ **4.** pl. *Bot.* Clase de las plantas de este nombre. ‖ **Hongo marino. Anemone de mar.** ‖ **yesquero.** Especie muy común en España al pie de los robles y encinas, que carece de pedicelo y es de color de canela. Macerado en agua, machacado e impregnado de nitro, constituye la yesca.

Hongoso, sa. (Del lat. *fŭngōsus.*) adj. ant. **Fungoso.** Ú. en *Sal.*

Honor. (Del lat. *honor, -ōris.*) m. Cualidad moral que nos lleva al más severo cumplimiento de nuestros deberes respecto del prójimo y de nosotros mismos. ‖ **2.** Gloria o buena reputación que sigue a la virtud, al mérito o a las acciones heroicas, la cual trasciende a las familias, personas y acciones mismas del que se la granjea. ‖ **3.** Honestidad y recato en las mujeres, y buena opinión que se granjean con estas virtudes. ‖ **4.** Obsequio, aplauso o celebridad de una cosa. ‖ **5.** Dignidad, cargo o empleo. Ú. m. en pl. *Aspirar a los* HONORES *de la república, de la magistratura.* ‖ **6.** V. **Capellán, dueña, lance, palabra, señora de honor.** ‖ **7.** fig. V. **Campo del honor.** ‖ **8.** *Mil.* V. **Guardia de honor.** ‖ **9.** pl. Concesión que se hace en favor de uno para que use el título y preeminencias de un cargo o empleo como si realmente lo tuviera, aunque le falte el ejercicio y no goce gajes algunos. *Fulano goza* HONORES *de bibliotecario, de intendente.*

Honorabilidad. f. Cualidad de la persona honorable.

Honorable. (Del lat. *honorabĭlis.*) adj. Digno de ser honrado o acatado. ‖ **2.** *Blas.* V. **Pieza honorable,** y **Pieza honorable disminuida.**

Honorablemente. adv. m. Con honor, con estimación y lustre.

Honoración. (Del lat. *honoratio, -ōnis.*) f. ant. Acción y efecto de honrar.

Honorar. (Del lat. *honorāre.*) tr. p. us. Honrar, ensalzar.

Honorario, ria. (Del lat. *honorarius.*) adj. Que sirve para honrar a uno. || **2.** Aplícase al que tiene los honores y no la propiedad de una dignidad o empleo. || **3.** m. Gaje o sueldo de honor. || **4.** Estipendio o sueldo que se da a uno por su trabajo en algún arte liberal. Ú. m. en pl.

Honorificación. f. ant. Acción y efecto de honorificar.

Honorificadamente. adv. m. ant. **Honoríficamente.**

Honoríficamente. adv. m. Con honor. || **2.** Con carácter honorario y sin efectividad.

Honorificar. (Del lat. *honorificāre.*) tr. ant. Honrar o dar honor.

Honorificencia. (Del lat. *honorificentia.*) f. ant. Honra, decoro, magnificencia.

Honorífico, ca. (Del lat. *honorificus.*) adj. Que da honor. || **2.** V. **Mención honorífica.**

Honoris causa. loc. lat. que significa por razón o causa de honor. V. **Doctor honoris causa.**

Honoroso, sa. (Del lat. *honorōsus.*) adj. desus. **Honroso.**

Honra. (De *honrar.*) f. Estima y respeto de la dignidad propia. || **2.** Buena opinión y fama, adquirida por la virtud y el mérito. || **3.** Demostración de aprecio que se hace de uno por su virtud y mérito. || **4.** V. **Caso, punto de honra.** || **5.** Pudor, honestidad y recato de las mujeres. || **6.** pl. Oficio solemne que se hace por los difuntos algunos días después del entierro. Hácense también anualmente por las almas de los difuntos. || **Honra del ahorcado.** fig. y fam. **Compañía del ahorcado.** || **El que quiera honra, que la gane.** expr. fam. con que se reprueba la murmuración. || **Honra y provecho no caben en un saco.** ref. que enseña que regularmente los empleos de honor y distinción no son de mucho lucro. || **Tener** uno **a mucha honra** una cosa. fr. Gloriarse, envanecerse de ella.

Honrable. (Del lat. *honorabilis.*) adj. ant. Digno de ser honrado.

Honradamente. adv. m. Con honradez. || **2.** Con honra.

Honradero, ra. adj. p. us. **Honrador.**

Honradez. (De *honrado.*) f. Calidad de probo. || **2.** Proceder recto, propio del hombre probo.

Honrado, da. (Del lat. *honorātus.*) p. p. de **Honrar.** || **2.** adj. Que procede con honradez. || **3.** Ejecutado honrosamente. || **4.** fig. V. **Barba honrada.**

Honrador, ra. adj. Que honra. Ú. t. c. s.

Honradote, ta. adj. aum. de **Honrado.**

Honramiento. m. Acción y efecto de honrar.

Honrar. (Del lat. *honorāre.*) tr. Respetar a una persona. || **2.** Enaltecer o premiar su mérito. || **3.** Dar honor o celebridad. || **4.** r. Tener uno a honra ser o hacer alguna cosa. || **Yo a vos por honrar, vos a mí por encornudar.** ref. que se dice de los que corresponden con ingratitud a los beneficios que se les hacen.

Honrilla. f. d. de **Honra.** Tómase frecuentemente por el puntillo o vergüenza con que se hace o deja de hacer una cosa porque no parezca mal, y las más veces se suele decir: *Por la* NEGRA HONRILLA.

Honrosamente. adv. m. Con honra.

Honroso, sa. (Del lat. *honorōsus.*) adj. Que da honra y estimación. || **2.** Decente, decoroso.

Hontana. (Del lat. *fontana.*) f. ant. **Fuente** 1.ª, 2.ª y 3.ª aceps.

Hontanal. (De *hontana.*) adj. Aplícase a las fiestas que los gentiles dedicaban a las fuentes. Ú. t. c. s. f. || **2.** m. **Hontanar.**

Hontanar. (De *hontana.*) m. Sitio en que nacen fuentes o manantiales.

Hontanarejo. m. d. de **Hontanar.**

Hopa. f. Especie de vestidura, al modo de túnica o sotana cerrada. || **2.** Loba o saco de los ajusticiados.

Hopalanda. (Del b. lat. *hopelanda* y *opelanda;* en fr. *houppelande.*) f. Falda grande y pomposa, particularmente la que vestían los estudiantes que iban a las universidades. Ú. m. en pl.

Hopear. (De *hopo.*) intr. Menear la cola los animales, especialmente la zorra cuando la siguen. || **2.** fig. **Corretear,** 1.ª acep.

Hopeo. m. Acción de hopear.

Hoplita. (Del gr. ὁπλίτες.) m. Soldado griego de infantería que usaba armas pesadas.

Hoploteca. f. **Oploteca.**

Hopo. (Del m. or. que el fr. *houppe.*) m. Copete o mechón de pelo. || **2.** Rabo o cola que tiene mucho pelo o lana; como la de la zorra, la oveja, etc. Suele aspirarse la *h.* || **3.** *Germ.* Cabezón o cuello de sayo. || **¡Hopo!** interj. **¡Largo de aquí! ¡Afuera!** || **Seguir el hopo** a uno. fr. fig. y fam. Ir siguiéndole y dándole alcance. || **Sudar el hopo.** fr. fig. y fam. Costar mucho trabajo y afán la consecución de una cosa.

Hoque. (Del ár. *ḥaqq,* retribución, propina.) m. **Alboroque.**

Hora. (Del lat. *hora.*) f. Cada una de las 24 partes en que se divide el día solar. Cuéntanse en el orden civil de 12 en 12 desde la medianoche hasta el mediodía, y desde éste hasta la medianoche siguiente. También se cuentan en el uso oficial desde la medianoche sin interrupción hasta la medianoche siguiente, y en astronomía desde las doce del día hasta el mediodía inmediato. || **2.** Tiempo oportuno y determinado para una cosa. *Dar y tomar* HORA; *ya es* HORA *de comer.* || **3.** Últimos instantes de la vida. Ú. m. con el verbo *llegar. Llegarle a uno la* HORA, *o su* HORA, *o su última* HORA || **4.** Espacio de una **hora,** que en el día de la Ascensión emplean los fieles en celebrar este misterio. || **5.** V. **Libro de horas.** || **6.** En algunas partes, **legua.** || **7.** *Astron.* Cada una de las 24 partes iguales y equivalentes a 15 grados, en que para ciertos usos consideran los astrónomos dividida la línea equinoccial. || **8.** adv. t. **Ahora.** || **9.** f. pl. Librito o devocionario en que está el oficio de Nuestra Señora y otras devociones. || **10.** Este mismo oficio. || **Hora de la modorra.** Tiempo inmediato al amanecer o a la venida del día, porque entonces carga pesadamente el sueño. Se usa frecuentemente entre las centinelas puestas en esta **hora.** || **menguada.** Tiempo fatal o desgraciado en que sucede un daño o no se logra lo que se desea. || **santa.** Oración que se hace los jueves, de once a doce de la noche, en recuerdo de la oración y agonía de Nuestro Señor Jesucristo en el Huerto. || **suprema.** La de la muerte. || **temporal.** La que se empleaba para los usos civiles en la antigüedad y en la Edad Media, y era la duodécima parte de cada día o de cada noche naturales, y variable por tanto en cada día de año y en cada localidad. || **Cuarenta horas.** Festividad que se celebra estando patente el Santísimo Sacramento, en memoria de las que estuvo Cristo en el sepulcro. || **Horas canónicas.** Las diferentes partes del oficio divino que la Iglesia acostumbra rezar en distintas **horas** del día; como maitines, laudes, vísperas, prima, etc. || **menores.** En el oficio divino, las cuatro intermedias, que son: prima, tercia, sexta y nona. || **muertas.** Las muchas perdidas en una sola ocupación. || **¡A buena hora mangas verdes!** loc. fig. y fam. con que se denota que una cosa no sirve cuando llega fuera de oportunidad. || **A horas escusadas.** m. adv. **A escondidas.** || **A la buena hora.** m. adv. **En hora buena.** || **A la hora.** m. adv. Al punto, inmediatamente, al instante. || **2.** ant. Entonces o en aquel tiempo. || **A la hora de ahora,** o **a la hora de ésta.** loc. fam. En esta **hora.** || **A la hora horada.** loc. fam. A la **hora** puntual, precisa, perentoria. Se dice para inculpar a los que piden o recuerdan algo cuando ya es muy difícil o imposible de hacerse o remediarse. || **Antes de la hora, gran denuedo; venidos al punto, mucho miedo.** ref. que reprende a los baladrones y a los que ofrecen hacer muchas cosas cuando no hay riesgo alguno ni están en ocasión de hacerlas, y cuando llega ésta no ejecutan nada de lo que prometen. || **A poco de hora.** loc. ant. En poco tiempo; poco después. || **A tal hora te amanezca.** expr. fam. que se suele decir al que llega tarde a una cita o negocio, y también al que trueca las **horas** del día al hablar de ellas. || **A todas horas.** m. adv. fam. **Cada hora.** || **A última hora.** m. adv. En los últimos momentos. Es locución de que usan los periódicos cuando comunican una noticia recibida al entrar el número en prensa. Dícese también con referencia a las asambleas políticas y otras juntas, para significar lo que se determina o vota en ellas al concluir cada sesión. || **Cada hora.** m. adv. Siempre, continuamente. || **Casarás en mala hora, y comerás cabeza de olla.** ref. que denota las ventajas que consigue el que es cabeza de familia, aunque se case desventajosamente. || **Dar hora.** fr. Señalar plazo o citar tiempo preciso para una cosa. || **Dar la hora.** fr. Sonar en el reloj las campanadas que la indican. || **2.** En los tribunales y oficinas, anunciar que ha llegado la **hora** de salida. || **3.** fig. Ser una persona o cosa cabal o perfecta. || **De buena hora.** m. adv. **A la hora.** || **De hora a hora, Dios mejora.** ref. que aconseja esperar de la misericordia de Dios el remedio de nuestros males, pues no se olvida de enviarlo pronto cuando conviene. || **De hora en hora.** m. adv. Sin cesar. || **En buen,** o **buena hora.** m. adv. **En hora buena.** || **En chica hora, Dios obra.** ref. que enseña que las obras de Dios no están circunscritas a términos y espacios precisos. || **En hora buena.** m. adv. Con bien, con felicidad. || **2.** Empléase también para denotar aprobación, aquiescencia o conformidad. || **En hora mala, o en mal,** o **mala, hora.** m. adv. que se emplea para denotar disgusto, enfado o desaprobación. || **En poco de hora.** loc. ant. **A poco de hora.** || **Ganar horas.** fr. Hablando de los correos, ganar el premio señalado por cada **hora** que tardaban menos en el viaje de las que regularmente debían gastar. || **Ganar las horas.** fr. Aprovechar el tiempo, acelerando las providencias para el logro de una cosa. || **Hacer hora.** fr. Ocuparse en una cosa mientras llega el tiempo señalado para otro negocio. || **Hacerse hora de** una cosa. fr. Llegar el tiempo oportuno o señalado para ejecutarla. || **¡Hora sus!** interj. ant. **¡Sus!,** 2.° art. || **Llegar** uno **a la hora del arriero,** o **del burro,** o **a la hora undécima.** fr. fig. y fam. **Llegar a los anises.** || **Llegar,** o **llegarse, la hora.** fr. fam. Cumplirse el plazo señalado o el tiempo determinado y oportuno para una cosa. || **No ver** uno **la hora de** una cosa. fr. fig. y fam. que encarece el deseo de que llegue el momento de hacerla o verla cumplida. || **Por hora.** m. adv. En cada **hora.** || **Por horas.** m adv. **Por instantes.** || **Tal hora el corazón brama, aunque**

la lengua calla. ref. que enseña no convenir muchas veces explicar uno su sentimiento. || **Tener** uno sus **horas contadas.** fr. fig. Estar próximo a la muerte. || **Toda hora que.** m. conj. *Ar.* Siempre que. || **Tomar hora.** fr. Enterarse del plazo o tiempo que se señala para una cosa.

Horacar. tr. ant. **Furacar.**

Horaciano, na. (Del lat. *horatiānus.*) adj. Propio o característico de Horacio como escritor, o que tiene semejanza con cualquiera de las dotes o calidades por que se distinguen sus producciones.

Horaco. (De *horacar.*) m. ant. **Agujero.**

Horada. adj. V. **A la hora horada.**

Horadable. adj. Que se puede horadar.

Horadación. f. Acción de horadar.

Horadado, da. p. p. de **Horadar.** || **2.** m. Capullo del gusano de seda, que está agujereado por ambas partes.

Horadador, ra. adj. Que horada. Ú. t. c. s.

Horadar. (De *horado.*) tr. Agujerear una cosa atravesándola de parte a parte.

Horado. (Del lat. *forātus*, perforado.) m. Agujero que atraviesa de parte a parte una cosa. || **2.** Por ext., caverna o concavidad subterránea.

Horambre. (Del lat. *forāmen, -mĭnis*, agujero.) m. En los molinos de aceite, cada uno de los agujeros o taladros que tienen en medio las guiaderas, por los cuales se mete el ventril para balancear sobre él la viga.

Horambrera. (De *horambre.*) f. ant. **Agujero,** 1.ª acep.

Horario, ria. (Del lat. *horarĭus.*) adj. Perteneciente a las horas. || **2.** V. **Ángulo, círculo horario.** || **3.** m. Saetilla o mano de reloj que señala las horas, y es siempre algo más corta que el minutero. || **4. Reloj.** || **5.** Cuadro indicador de las horas en que deben ejecutarse determinados actos.

Horca. (Del lat. *fŭrca.*) f. Conjunto de tres palos, dos hincados en la tierra y el tercero encima trabando los dos, en el cual, a manos del verdugo, morían colgados los condenados a esta pena. || **2.** Palo con dos puntas y otro que atravesaba, entre los cuales metían antiguamente el pescuezo del condenado, paseándole en esta forma por las calles. || **3.** Instrumento de forma parecida que ponen al pescuezo a los cerdos y perros para que no entren en las heredades. || **4.** Palo que remata en dos o más púas hechas del mismo palo o sobrepuestas de hierro, con el cual los labradores hacinan las mieses, las echan en el carro, levantan la paja y revuelven la parva. || **5.** Palo que remata en dos puntas y sirve para sostener las ramas de los árboles, armar los parrales, etc. || **de ajos,** o **de cebollas.** Ristra o soga de los tallos de ajos, o de cebollas, que se hacen en dos ramales que se juntan por un lado. || **pajera.** *Ar.* **Aviento.** || **Dejar horca y pendón.** fr. fig. Dejar en el tronco de los árboles, cuando se podan, dos ramas principales. || **Enseñar,** o **mostrar, la horca antes que el lugar.** fr. fig. Anticipar una mala nueva, o poner inconvenientes y estorbos para negar una cosa. || **Pasar** uno **por las horcas caudinas.** fr. fig. Sufrir el sonrojo de hacer por fuerza lo que no quería. || **Tener horca y cuchillo.** fr. En lo antiguo, tener derecho y jurisdicción para castigar hasta con pena capital. || **2.** fig. y fam. Mandar como dueño y con gran de autoridad.

Horcado, da. adj. En forma de horca.

Horcadura. (De *horcado.*) f. Parte superior del tronco de los árboles, donde se divide éste en ramas. || **2.** Ángulo que forman dos ramas que salen del mismo punto.

Horcajadas (A). (De *horcajo.*) m. adv. con que se denota la postura del que va a caballo, con la horcajadura sobre los lomos de la caballería, echando cada pierna por su lado.

Horcajadillas (A). m. adv. **A horcajadas.**

Horcajadura. (De *horcajo*, por la forma.) f. Ángulo que forman los dos muslos o piernas en su nacimiento.

Horcajo. (De *horca.*) m. Horca de madera que se pone al pescuezo de las mulas para trabajar. || **2.** Horquilla que forma la viga del molino de aceite en el extremo en que se cuelga el peso. || **3.** Confluencia de dos ríos o arroyos. || **4.** Punto de unión de dos montañas o cerros.

Horcate. (De *horca.*) m. Arreo de madera o hierro, en forma de herradura, que se pone a las caballerías encima de la collera, y al cual se sujetan las cuerdas o correas de tiro.

Horco. (De *horca.*) m. **Horca de ajos, o de cebollas.**

Horco. (Del lat. *orcus.*) m. **Infierno,** 1.ª acep. || **2.** poét. **Infierno,** 4.ª acep.

Horcón. m. aum. de **Horca.** || **2. Horca,** 4.ª acep. || **3.** *Cuba.* Madero vertical que en las casas rústicas sirve a modo de columna, para sostener vigas o aleros de tejado.

Horconada. f. Golpe dado con el horcón. || **2.** Porción de heno, paja, etc., que de una vez se coge y arroja con él.

Horconadura. f. Conjunto de horcones.

Horchata. (De *hordiate.*) f. Bebida que se hace de almendras, pepitas de sandía o melón, calabaza y otras, todo machacado y exprimido con agua y sazonado con azúcar. También se hace sólo de almendras, de chufas u otras substancias análogas.

Horchatería. (De *horchatero.*) f. Casa o sitio donde se hace horchata. || **2.** Casa o sitio donde se vende.

Horchatero, ra. m. y f. Persona que tiene por oficio hacer o vender horchata.

Horda. (Quizá del ár. *'urdà*, campamento, y éste del turco *ordī* u *ordū.*) f. Reunión de salvajes que forman comunidad y no tienen domicilio.

Hordiate. (Del cat. *ordiat*, y éste del lat. **hordeātus*, de *hordĕum*, cebada.) m. Cebada mondada. || **2.** Bebida que se hace de cebada, semejante a la tisana.

Hordio. (Del lat. *hordĕum.*) m. ant. **Cebada.** Ú. en *Ar.*

Horizontal. adj. Que está en el horizonte o paralelo a él. *Línea, plano* HORIZONTAL. Apl. a línea, ú. t. c. s. || **2.** *Astron.* V. **Paralaje horizontal.** || **3.** *Persp.* V. **Plano horizontal.**

Horizontalidad. f. Calidad de horizontal.

Horizontalmente. adv. m. De modo horizontal.

Horizonte. (Del lat. *horizon, -ontis*, y éste del gr. ὁρίζων.) m. Línea que limita la superficie terrestre a que alcanza la vista del observador, y en la cual parece que se junta el cielo con la tierra. || **2.** Espacio circular de la superficie del globo, encerrado en dicha línea. || **3.** *Mar.* V. **Depresión de horizonte.** || **artificial.** Cubeta llena de mercurio, o espejo mantenido horizontalmente, que se usa en algunas operaciones astronómicas. || **de la mar.** *Mar.* La superficie cónica formada por las tangentes a la superficie terrestre, que parten del ojo del observador. || **racional.** *Geogr.* Círculo máximo de la esfera celeste, paralelo al **horizonte** sensible. || **sensible.** *Geogr.* **Horizonte,** 2.ª acep. || **2.** *Mar.* **Horizonte de la mar.**

Horma. (Del lat. *fōrma.*) f. Molde con que se fabrica o forma una cosa. Llámase así principalmente el que usan los zapateros para hacer zapatos, y los sombrereros para formar la copa de los sombreros. Las hay también de piezas articuladas, que sirven para evitar que se deforme el calzado. || **2.** Pared de piedra seca. || **3.** *Cuba* y *Perú.* Vasija de barro en que se elabora el pan de azúcar: es de figura cónica de cerca de una vara de alto, y media de diámetro en su base. || **Hallar** uno **la horma de** su **zapato.** fr. fig. y fam. Encontrar lo que le acomoda o lo que desea. || **2.** fig. y fam. Encontrarse con quien le entienda sus mañas y artificios, o con quien le resista y se oponga a sus intentos.

Hormaza. (Del lat. *formacĕa*, t. f. de *-cĕus*, hormazo, 2.° art.) f. **Horma,** 2.ª acep.

Hormazo. m. Golpe dado con una horma, 1.ª acep.

Hormazo. (Del lat. *formacĕus*, de *forma*, molde.) m. Montón de piedras sueltas. || **2.** ant. Tapia o pared de tierra. || **3.** *Gran.* y *Córd.* **Carmen,** 2.° art.

Hormento. (Del lat. *fermĕntum*, fermento.) m. ant. Fermento o levadura. || **¿Quién te hizo acuciosa? Hormento y aguja roja.** ref. que advierte que las ocasiones son muchas veces las que hacen a los hombres solícitos y cuidadosos.

Hormero. m. El que hace o vende hormas.

Hormiga. (Del lat. *formīca.*) f. Insecto himenóptero, de color negro por lo común, cuyo cuerpo tiene dos estrechamientos, uno en la unión de la cabeza con el tórax y otro en la de éste con el abdomen, antenas acodadas y patas largas. Vive en sociedad, en hormigueros donde pasa recluida el invierno. Como en las abejas, hay tres clases de individuos: hembras fecundas, machos y neutros o hembras estériles; las dos primeras llegan a tener un centímetro de largo y llevan alas, de que carecen las neutras. Hay diversas especies que se diferencian por el tamaño, coloración y manera de construir los hormigueros. || **2.** Enfermedad cutánea que causa comezón. || **3.** pl. *Germ.* Dados de jugar. || **Hormiga blanca. Comején.** || **león.** Insecto neuróptero, de unos 25 milimetros de largo; color negro con manchas amarillas; antenas cortas, cabeza transversal, ojos salientes, tórax pequeño, abdomen largo y casi cilíndrico, alas de tres centímetros de longitud y uno de ancho, reticulares y transparentes, y patas cortas. Vive aislado, aova en la arena, y las larvas se alimentan de **hormigas.** Hay varias especies. || **Ser una hormiga.** fr. que se dice de la persona allegadora y vividora.

Hormigante. (Del lat. *formīcans, -āntis*, picante.) adj. Que causa comezón.

Hormigo. m. Ceniza cernida que se mezclaba con el mineral de azogue en el método de beneficio por jabecas. || **2.** Gachas, por lo común de harina de maíz. || **3.** pl. Plato de repostería hecho generalmente con pan rallado, almendras o avellanas tostadas y machacadas y miel. || **4.** Partes más gruesas que quedan en el harnerillo al cribar la sémola o trigo quebrantado.

Hormigón. (De *hormigo*, 3.ª acep.; compárese *nuégado.*) m. Mezcla compuesta de piedras menudas y mortero de cal y arena. || **armado.** Fábrica hecha con **hormigón** hidráulico sobre una armadura de barras de hierro o acero. || **hidráulico.** Aquel cuya cal es hidráulica.

Hormigón. (De *hormiga.*) m. Enfermedad del ganado vacuno. || **2.** Enfermedad de algunas plantas, causada por un insecto que roe las raíces y tallos.

Hormigonera. f. Aparato para la confección del hormigón, 1.er art.

Hormigoso, sa. (Del lat. *formicōsus.*) adj. Perteneciente a las hormigas. || **2.** Dañado de ellas.

Hormigueamiento. m. Hormigueo.

Hormiguear. (De *hormiga.*) intr. Experimentar alguna parte del cuerpo una sensación más o menos molesta, comparable a la que resultaría si por ella bulleran o corrieran hormigas. ‖ **2.** fig. Bullir, ponerse en movimiento. Dícese propiamente de la multitud o concurso de gente o animales. ‖ **3.** *Germ.* Hurtar cosas de poco precio.

Hormigüela. f. d. de **Hormiga.**

Hormigueo. m. Acción y efecto de hormiguear.

Hormiguero, ra. adj. Perteneciente a la enfermedad llamada hormiga. ‖ **2.** V. **Hierba hormiguera.** ‖ **3.** V. **Oso hormiguero.** ‖ **4.** m. Lugar donde se crían y se recogen las hormigas. ‖ **5. Torcecuello.** ‖ **6.** fig. Lugar en que hay mucha gente puesta en movimiento. ‖ **7.** *Germ.* Ladrón que hurta cosas de poco precio. ‖ **8.** *Germ.* Fullero que juega con dados falsos. ‖ **9.** *Agr.* Cada uno de los montoncitos de hierbas inútiles o dañinas cubiertos con tierra, que se hacen en diferentes puntos del barbecho para pegarles fuego y beneficiar la heredad.

Hormiguesco, ca. adj. Perteneciente o relativo a la hormiga.

Hormiguilla. f. d. de **Hormiga.** ‖ **2.** Cosquilleo, picazón o prurito.

Hormiguillar. (De *hormiguillo.*) tr. *Amér.* Revolver el mineral argentífero hecho harina con el magistral y la sal común para preparar el beneficio.

Hormiguillo. (De *hormiga.*) m. Enfermedad que da a las caballerías en los cascos y que poco a poco se los va gastando y deshaciendo. ‖ **2.** Línea de gente que se hace para ir pasando de mano en mano los materiales para las obras y otras cosas. ‖ **3. Hormigo,** 3.ª acep. ‖ **4. Hormiguilla,** 2.ª acep. ‖ **5.** *Amér.* Movimiento que producen las reacciones entre el mineral y los ingredientes incorporados para el beneficio por amalgamación. ‖ **6.** La misma unión o incorporación. ‖ **Parecer que uno tiene hormiguillo.** fr. fig. y fam. Bullir, estar inquieto y sin sosiego.

Hormiguita. f. d. de **Hormiga.** ‖ Ser uno **una hormiguita para su casa.** fr. fig. y fam. **Ser una hormiga.**

Hormilla. (d. de *horma.*) f. Pieza circular y pequeña, de madera, hueso u otra materia, que forrada forma un botón.

Hormón. m. *Biol.* **Hormona.**

Hormona. (Del gr. ὁρμῶν, p. a. de ὁρμάω, excitar, mover.) f. *Biol.* Producto de la secreción de ciertos órganos del cuerpo de animales y plantas, que, transportados por la sangre o por los jugos del vegetal, excita, inhibe o regula la actividad de otros órganos o sistemas de órganos.

Hormonal. adj. Referente a las hormonas.

Hornabeque. (Del al. *hornwerk.*) m. *Fort.* Fortificación exterior que se compone de dos medias baluartes trabados con una cortina. Sirve para el mismo efecto que las tenazas, pero es más fuerte, por defender los flancos mutuamente sus caras y la cortina.

Hornablenda. (Del al. *hornblende,* blenda córnea; de *horn,* cuerno, y *blende,* blenda.) f. Variedad de anfíbol cristalizado o en masas espáticas o gránulos, compuesto por un silicato de calcio, magnesia y hierro que se encuentra en muchas rocas eruptivas. Es de color verdinegro o negruzco.

Hornacero. m. Oficial que asiste y tiene a su cuidado la hornaza.

Hornacina. (De *horno.*) f. *Arq.* Hueco en forma de arco, que se suele dejar en el grueso de la pared maestra de las fábricas, para colocar en él una estatua o un jarrón, y a veces en los muros de los templos, para poner un altar.

Hornacha. f. ant. **Hornaza.**

Hornacho. (De *horno.*) m. Agujero o concavidad que se hace en las montañas o cerros donde se cavan algunos minerales o tierras; como almazarrón, arena, etc.

Hornachuela. (d. de *hornacha.*) f. Especie de covacha o choza.

Hornada. f. Cantidad o porción de pan, pasteles u otras cosas que se cuece de una vez en el horno. ‖ **2.** fig. y fam. Conjunto de individuos que acaban al mismo tiempo una carrera, o reciben a la vez el nombramiento para un cargo. HORNADA *de senadores vitalicios.*

Hornaguear. tr. Cavar o minar la tierra para sacar hornaguera. ‖ **2.** *And.* Mover una cosa de un lado para otro, a fin de hacerla entrar en un lugar en que cabe a duras penas. Por ej.: el pie en un zapato estrecho. ‖ **3.** r. *And.* y *Chile.* Moverse un cuerpo a un lado y otro.

Hornagueo. m. Acción de hornaguear u hornaguearse.

Hornaguera. (Del lat. *fornacaria,* t. f. de *-rius,* hornaguero.) f. **Carbón de piedra.**

Hornaguero, ra. (Del lat. *fornacarius,* de *fornax,* horno.) adj. Flojo, holgado o espacioso. ‖ **2.** Aplícase al terreno en que hay hornaguera.

Hornaje. m. *Rioja.* Precio que se da en los hornos por el trabajo de cocer el pan.

Hornaza. (Del lat. *fornacĕa,* t. f. de *-cĕus,* fornazo.) f. aum. despect. de **Horno.** ‖ **2.** Horno pequeño de que usan los plateros y fundidores de metales. ‖ **3.** *Pint.* Color amarillo claro que se hace en los hornillos de los alfareros para vidriar.

Hornazo. (De *fornazo.*) m. Rosca o torta guarnecida de huevos que se cuecen juntamente con ella en el horno. ‖ **2.** Agasajo que en los lugares hacen los vecinos al predicador que han tenido en la cuaresma, el día de Pascua, después del sermón de gracias.

Hornear. (De *horno.*) intr. Ejercer el oficio de hornero.

Hornecino, na. adj. Fornecino, bastardo, adulterino.

Hornera. (Del lat. *furnaria.*) f. **Plaza,** 10.ª acep. ‖ **2.** Mujer del hornero.

Hornería. f. Oficio de hornero.

Hornero, ra. (Del lat. *furnarius.*) m. y f. Persona que tiene por oficio cocer pan y templar para ello el horno. ‖ **2.** m. *Argent.* Pájaro de color pardo acanelado, menos el pecho, que es blanco, y la cola, que tira a rojiza. Hace su nido de barro y en forma de horno. ‖ **No seáis hornera si tenéis la cabeza de manteca.** ref. que advierte que nadie se encargue de lo que no pueda desempeñar.

Hornía. (De *horno.*) f. *Sant.* Cenicero contiguo al llar o fogón.

Hornija. f. Leña menuda con que se alimenta el fuego del horno.

Hornijero. m. El que acarrea la hornija.

Hornilla. (De *hornillo.*) f. Hueco hecho en el macizo de los hogares, con una rejuela horizontal en medio de la altura para sostener la lumbre y dejar caer la ceniza, y un respiradero inferior para dar entrada al aire. Hácese también separada del hogar. ‖ **2.** Hueco que se hace en la pared del palomar para que aniden las palomas en él.

Hornillo. (d. de *horno.*) m. Horno manual de barro refractario, o de metal, que se emplea en laboratorios, cocinas y usos industriales para calentar, fundir, cocer o tostar. ‖ **2.** *Mil.* Concavidad que se hace en la mina, donde se mete la pólvora para producir una voladura. ‖ **3.** *Mil.* Cajón lleno de pólvora o bombas, que entierran debajo de algunos de los trabajos, al cual se pega fuego cuando el enemigo se ha hecho dueño del sitio en que está enterrado. ‖ **de atanor.** Aparato usado por los alquimistas, y en el cual el carbón que servía como combustible se cargaba en un tubo o cilindro central, desde donde bajaba al hogar para ir alimentando el fuego. Varias aberturas dispuestas alrededor permitían hacer diversas operaciones al mismo tiempo.

Horno. (Del lat. *furnus.*) m. Fábrica para caldear, en general abovedada y provista de respiradero o chimenea y una o varias bocas por donde se introduce lo que se trata de someter a la acción del fuego. ‖ **2.** Montón de leña, piedra o ladrillo para la carbonización, calcinación o cochura. ‖ **3.** Aparato de forma muy variada, con rejilla o sin ella en la parte inferior y una abertura en lo alto que hace de boca y respiradero. Sirve para trabajar y transformar con ayuda del calor las substancias minerales. ‖ **4. Boliche,** 1.er art., 9.ª acep. ‖ **5.** Caja de hierro en los fogones de ciertas cocinas, para asar o calentar viandas. ‖ **6.** Sitio o concavidad en que crían las abejas, fuera de las colmenas. ‖ **7.** Cada uno de los agujeros de dos o más órdenes, unos sobre otros, en que se meten y afianzan los vasos que se ajustan con yeso y cal en el paredón del colmenar. ‖ **8.** Cada uno de estos vasos. ‖ **9.** *Ar.* **Tahona,** 2.ª acep. ‖ **10.** *Germ.* **Calabozo,** 1.er art. ‖ **Alto horno.** El de cuba muy prolongada, destinado a reducir los minerales de hierro por medio de castina y carbón y con auxilio de aire impelido con gran fuerza. ‖ **castellano.** El de cuba baja y prismática que se emplea en la metalurgia del plomo. ‖ **de calcinación.** El que sirve para calcinar minerales. ‖ **de campaña.** El de fácil transporte e instalación para cocer el pan en los campamentos militares. ‖ **de carbón. Carbonera,** 1.ª acep. ‖ **de copela.** El de reverbero de bóveda o plaza movibles en el cual se benefician los minerales de plata. ‖ **de cuba.** El de cavidad de forma de cuba, que sirve para fundir, mediante aire impelido por máquinas, los minerales que se colocan mezclados con el combustible. ‖ **de gran tiro.** El de cuba sin máquina sopladora y con gran chimenea. ‖ **de manga.** El de cuba, porque en lo antiguo recibía el aire de la máquina sopladora por una manga de cuero. ‖ **de pava.** El de cuba cuya máquina sopladora es una pava. ‖ **de poya. Horno** común en el cual se suele pagar en pan. ‖ **de reverbero,** o **de tostadillo.** Aquel cuya plaza está cubierta por una bóveda que reverbera o refleja el calor producido en un hogar independiente. Tiene siempre chimenea. ‖ **Calentarse el horno.** fr. fig. Enardecerse una persona, irritarse. ‖ **Encender el horno.** fr. Pegar fuego a la leña para calentarlo. ‖ **No estar el horno para bollos,** o **tortas.** fr. fig. y fam. No haber oportunidad o conveniencia para hacer una cosa.

Horópter. (Del gr. ὅρος, límite, y ὀπτήρ, que mira.) m. *Ópt.* Línea recta tirada por el punto donde concurren los dos ejes ópticos, paralelamente a la que une los centros de los dos ojos del observador.

Horoptérico, ca. adj. *Ópt.* Perteneciente o relativo al horópter. ‖ **2.** *Ópt.* Dícese del plano que, pasando por el horópter, es perpendicular al eje óptico.

Horóptero. m. *Ópt.* **Horópter.**

Horóscopo. (Del lat. *horoscŏpus,* y éste del gr. ὡροσκόπος; de ὥρα, hora, y σκοπέω, examinar.) m. Observación que los astrólogos hacían del estado del cielo al tiempo del nacimiento de uno, por la cual pretendían adivinar los sucesos de su vida. ‖ **2.** Agorero que pronosticaba la suerte de la vida de los hombres por la observación de las horas de los nacimientos. || **lunar.** *Astrol.* **Parte de fortuna.**

Horqueta. f. d. de **Horca.** || **2. Horcón,** 2.ª acep. || **3.** Parte del árbol donde se juntan formando ángulo agudo el tronco y una rama medianamente gruesa. || **4.** fig. *Argent.* Parte donde el curso de un río o arroyo forma ángulo agudo, y terreno que éste comprende.

Horquetero. m. *Murc.* El que hace o vende horquetas, 1.ª acep.

Horquilla. f. d. de **Horca.** || **2. Horca,** 3.ª acep. || **3.** Vara larga, terminada en uno de sus extremos por dos puntas, que sirve para colgar y descolgar las cosas o para afianzarlas y asegurarlas. || **4.** Enfermedad que hiende las puntas del pelo, dividiéndolas en dos, y poco a poco lo va consumiendo. || **5.** Pieza de alambre doblada por en medio, con dos puntas iguales, que emplean las mujeres para sujetar el pelo. También se hacen de plata, pasta, carey y otras substancias. || **6.** desus. **Clavícula.**

Horquillado. p. p. de **Horquillar.** || **2.** m. Acción de horquillar.

Horquillador. m. *And.* Obrero que horquilla.

Horquillar. tr. *And.* Ahorquillar las varas de las cepas para que los racimos no toquen en el suelo.

Horrar. (De *horro.*) tr. ant. **Ahorrar.** Ú. en *Amér.* || **2.** r. *Guat.* y *Hond.* Quedarse horro. Dícese de la yegua, vaca, etc., cuando se les muere la cría.

Horre (En). (De *horrar.*) m. adv. **A granel.**

Horrendamente. adv. m. De modo horrendo.

Horrendo, da. (Del lat. *horrĕndus.*) adj. Que causa horror.

Hórreo. (Del lat. *horrĕum.*) m. Granero o lugar donde se recogen los granos. || **2.** *Ast.* Edificio de madera, de base rectangular, sostenido en el aire por cuatro o más columnas o pilares, llamados pegollos, en el cual se guardan y preservan de la humedad y de los ratones granos y otros productos agrícolas.

Horrero. (De *hórreo.*) m. El que tiene a su cuidado trojes de trigo y lo distribuye y reparte.

Horribilidad. f. Calidad de horrible.

Horribilísimo, ma. adj. sup. de **Horrible.**

Horrible. (Del lat. *horribĭlis.*) adj. **Horrendo.**

Horriblemente. adv. m. **Horrorosamente.**

Horridez. f. Calidad de hórrido.

Hórrido, da. (Del lat. *horrĭdus.*) adj. **Horrendo.**

Horrífico, ca. (Del lat. *horrifĭcus.*) adj. **Horrendo.**

Horripilación. (Del lat. *horripilatĭo, -ōnis.*) f. Acción y efecto de horripilar u horripilarse. || **2.** *Med.* Estremecimiento que experimenta el que padece el frío de terciana u otra enfermedad.

Horripilante. p. a. de **Horripilar.** Que horripila.

Horripilar. (Del lat. *horripilāre;* de *horrēre,* estar erizado, y *pilus,* pelo.) tr. Hacer que se ericen los cabellos. Ú. t. c. r. || **2.** Causar horror y espanto. Ú. t. c. r.

Horripilativo, va. (De *horripilar.*) adj. Dícese de lo que causa horripilación.

Horrisonante. adj. **Horrísono.**

Horrísono, na. (Del lat. *horrisŏnus;* de *horrēre,* hororizar, y *sonus,* sonido.) adj. Dícese de lo que con su sonido causa horror y espanto.

Horro, rra. (Del ár. *ḥurr,* libre, no esclavo.) adj. Dícese del que habiendo sido esclavo, alcanza libertad. || **2.** Libre, exento, desembarazado. || **3.** Aplícase a la yegua, burra, oveja, etc., que no queda preñada. || **4.** Entre ganaderos, dícese de cualquiera de las cabezas de ganado que se conceden a los mayorales y pastores, mantenidas a costa de los dueños. || **5.** V. **Carta de horro.** || **6.** fig. Dícese del tabaco y de los cigarrillos de baja calidad y que arden mal. || **Ir horro.** fr. que más comúnmente se usa en el juego, cuando tres o cuatro están jugando y dos hacen el partido de no tirar en los envites la parte que el otro tenga puesta, si perdiere, lo cual se pacta antes de ver las cartas. || **Ir, sacar,** o **salir, horro.** fr. con que se denota que se ha sacado libre a uno y sin pagar aquello que adeudan otros en un mismo negocio, o que él se ha salido sin pagar su parte.

Horror. (Del lat. *horror, -ōris.*) m. Movimiento del alma causado por una cosa terrible y espantosa, y ordinariamente acompañado de estremecimiento y de temor. || **2.** fig. Atrocidad, monstruosidad, enormidad. Ú. m. en pl.

Horrorizar. tr. Causar horror. || **2.** r. Tener horror o llenarse de pavor y espanto.

Horrorosamente. adv. m. Con horror.

Horroroso, sa. adj. Que causa horror. || **2.** fam. Muy feo.

Horrura. f. Bascosidad y superfluidad que sale de una cosa. || **2. Escoria,** 4.ª acep. || **3.** ant. **Horror.** || **4.** *Sal.* **Poso,** 1.ª acep. || **5.** *Sal.* Légamo que dejan los ríos en las crecidas. || **6.** pl. *Min.* Escorias obtenidas en primera fundición que son susceptibles de beneficio.

Hortal. (Del lat. *hortuālis.*) m. ant. **Huerto.** Ú. en *Ar.*

Hortaleza. f. ant. **Hortaliza.**

Hortaliza. (De *hortal.*) f. Verduras y demás plantas comestibles que se cultivan en las huertas.

Hortatorio, ria. (Del lat. *hortatorĭus.*) adj. **Exhortatorio.**

Hortecillo. m. d. de **Huerto.**

Hortelana. f. Mujer del hortelano.

Hortelano, na. (De *hortolano.*) adj. Perteneciente a huertas. || **2.** m. El que por oficio cuida y cultiva huertas. || **3.** Pájaro de unos 12 centímetros de largo desde el pico a la extremidad de la cola, con plumaje gris verdoso en la cabeza, pecho y espalda, amarillento en la garganta y de color de ceniza en las partes inferiores; cola ahorquillada con las plumas laterales blancas, uñas ganchudas y pico bastante largo. Es común en España. || **4.** V. **Amor de hortelano.**

Hortense. (Del lat. *hortēnsis.*) adj. Perteneciente a las huertas. || **2.** V. **Costo hortense.**

Hortensia. (De *Hortensia,* esposa del célebre relojero de París, Lepaute, a quien dedicó esta flor el naturalista Commerson, que la importó de la China.) f. Arbusto exótico de la familia de las saxifragáceas, con tallos ramosos de un metro de altura próximamente, hojas elípticas, agudas, opuestas, de color verde brillante, y flores hermosas, en corimbos terminales, con corola rosa o azulada, que va poco a poco perdiendo color hasta quedar casi blanca. Es planta originaria del Japón, que se cultiva en nuestros jardines.

Hortera. (Del b. lat. *fortera,* vasija, y éste del lat. *fortis,* fuerte.) f. Escudilla o cazuela de palo. || **2.** m. En Madrid, apodo del mancebo de ciertas tiendas de mercader.

Hortezuela. f. ant. d. de **Huerta.**

Hortezuelo. m. ant. d. de **Huerto.**

Horticultor, ra. (Del lat. *hortus,* huerto, y *cultor,* cultivador.) m. y f. Persona dedicada a la horticultura.

Horticultura. (Del lat. *hortus, horti,* huerto, y *cultūra,* cultivo.) f. Cultivo de los huertos y huertas. || **2.** Arte que lo enseña.

Hortolano. (Del lat. *hortulānus.*) m. **Hortelano.**

Horuelo. (De *foro,* plaza pública.) m. *Ast.* Sitio señalado en algunos pueblos, donde se reúnen por la tarde en días festivos los jóvenes de ambos sexos para recrearse.

Hosanna. (Del lat. *hosanna,* y éste del hebr. *hoší'a-nna,* sálvanos.) m. Exclamación de júbilo usada en la liturgia católica. || **2.** Himno que se canta el Domingo de Ramos.

Hosco, ca. (Del lat. **fūscus,* por *fŭscus,* obscuro.) adj. Dícese del color moreno muy obscuro, como suele ser el de los indios y mulatos. || **2.** Ceñudo, áspero e intratable.

Hoscoso, sa. (De *hosco,* áspero.) adj. Erizado y áspero. || **2.** Dicho de las reses vacunas, barcino, de pelo bermejo.

¡Hospa! interj. *Sant.* **¡Oxte!**

Hospedable. (De *hospedar.*) adj. ant. Digno de ser hospedado. || **2.** ant. Perteneciente a buen hospedaje.

Hospedablemente. adv. m. ant. **Hospitalmente.**

Hospedador, ra. (Del lat. *hospitātor.*) adj. Que hospeda. Ú. t. c. s.

Hospedaje. (De *hospedar.*) m. Alojamiento y asistencia que se da a una persona. || **2.** Cantidad que se paga por estar de huésped. || **3.** ant. **Hospedería,** 3.ª acep.

Hospedamiento. m. **Hospedaje.**

Hospedante. p. a. de **Hospedar.** Que hospeda.

Hospedar. (Del lat. *hospitāre.*) tr. Recibir uno en su casa huéspedes; darles alojamiento. Ú. t. c. r. || **2.** intr. Pasar los colegiales a la hospedería, cumplido el término de su colegiatura.

Hospedería. (De *hospedero.*) f. Habitación destinada en las comunidades para recibir a los huéspedes. || **2.** Casa que en algunos pueblos tienen las comunidades religiosas para hospedar a los regulares forasteros de su orden. || **3.** Casa destinada al alojamiento de visitantes o viandantes, establecida por personas particulares, institutos o empresas. || **4. Hospedaje,** 1.ª acep. || **5.** ant. Número de huéspedes o tiempo que dura el hospedaje.

Hospedero, ra. m. y f. Persona que tiene a su cargo cuidar huéspedes.

Hospiciano, na. adj. Dícese de la persona asilada en un hospicio, 4.ª acep. Ú. t. c. s.

Hospicio. (Del lat. *hospitĭum.*) m. Casa destinada para albergar y recibir peregrinos y pobres. || **2. Hospedaje.** || **3. Hospedería,** 2.ª acep. || **4.** Asilo en que se da mantenimiento y educación a niños pobres, expósitos o huérfanos. || **5.** *Chile.* **Asilo,** 1.er art., 2.ª acep.

Hospital. (Del lat. *hospitālis.*) adj. ant. Afable y caritativo con los huéspedes. || **2.** ant. **Hospedable,** 2.ª acep. || **3.** m. Establecimiento en que se curan enfermos, por lo general pobres. || **4.** Casa que sirve para recoger pobres y peregrinos por tiempo limitado. || **de la sangre.** fig. Los parientes pobres. || **de primera sangre,** o **de sangre.** *Mil.* Sitio o lugar que, estando en campaña, se destina para hacer la primera cura a los heridos. || **robado.** fig. y fam. Casa que está sin alhajas ni muebles. || **Al hospital por hilas,** o **por mantas.** expr. fig. y fam. que reprende la imprudencia de pedir a uno lo que consta que necesita y le falta para sí. || **Estar hecho un hospital.** fr. fig. y fam. que se aplica a la persona que padece muchos achaques, o a la casa en que se juntan a un tiempo muchos enfermos.

Hospitalariamente. adv. m. Con hospitalidad.

Hospitalario, ria. (Del lat. *hospitalarĭus.*) adj. Aplícase a las religiones que tienen por instituto el hospedaje; como la de Malta, la de San Juan de Dios, etc. || **2.** Que socorre y alberga a los extranjeros y necesitados. || **3.** Dícese del que acoge con agrado o agasaja a quienes recibe en su casa, y también de la casa misma. || **4.** Perteneciente o relativo al hospital, 3.ª acep.

Hospitalería. (De *hospitalero.*) f. ant. **Hospitalidad.**

Hospitalero, ra. (Del lat. *hospitalarĭus.*) m. y f. Persona encargada del cuidado de un hospital. || **2.** Persona caritativa que hospeda en su casa.

Hospitalicio, cia. adj. Perteneciente a la hospitalidad.

Hospitalidad. (Del lat. *hospitalĭtas, -ātis.*) f. Virtud que se ejercita con peregrinos, menesterosos y desvalidos, recogiéndolos y prestándoles la debida asistencia en sus necesidades. || **2.** Buena acogida y recibimiento que se hace a los extranjeros o visitantes. || **3.** Estancia o mansión de los enfermos en el hospital.

Hospitalizar. tr. Llevar a uno al hospital para prestarle la asistencia que necesita.

Hospitalmente. adv. m. Con hospitalidad.

Hospodar. (Del ruso *gospodarj*, y éste del gr. δεσπότης, déspota.) m. Nombre que se daba a los antiguos príncipes soberanos de Moldavia y de Valaquia.

Hosquedad. f. Calidad de hosco.

Hostaje. (Del prov. *ostatge*, y éste de *oste*, del lat. *hospes, -ĭtis*, huésped.) m. ant. **Rehén.**

Hostal. (Del lat. *hospitāle.*) m. **Hostería.** || **2.** V. **Maestre, maestro de hostal.**

Hostalaje. (De *hostal.*) m. ant. **Hospedaje,** 2.ª acep.

Hostalero. (De *hostal.*) m. ant. **Mesonero,** 2.ª acep.

Hoste. (Del lat. *hostis.*) m. ant. **Enemigo.** || **2.** ant. **Hueste.**

Hoste. (Del ital. *[h]oste*, y éste del lat. *hospes, -ĭtis.*) m. ant. **Hospedador.**

Hostelaje. (Del ant. fr. *hostel.*) m. ant. **Mesón.** || **2.** ant. **Hostalaje.**

Hostelero, ra. (Del lat. *hospitalarĭus.*) m. y f. Persona que tiene a su cargo una hostería.

Hosterero. m. desus. **Hostelero.**

Hostería. (De *hoste*, 2.º art.) f. Casa donde se da de comer y también alojamiento a todo el que lo paga.

Hostia. (Del lat. *hostĭa.*) f. Lo que se ofrece en sacrificio. || **2.** Hoja redonda y delgada de pan ázimo, que se hace para el sacrificio de la misa. || **3.** Por ext., oblea blanca de la cual se corta. || **4.** Por ext., oblea hecha para comer, con harina, huevo y azúcar batidos en agua o leche.

Hostiario. m. Caja en que se guardan hostias no consagradas. || **2.** Molde en que se hacen.

Hostiero, ra. m. y f. Persona que hace hostias. || **2.** m. **Hostiario,** 1.ª acep.

Hostigador, ra. adj. Que hostiga. Ú. t. c. s.

Hostigamiento. m. Acción de hostigar.

Hostigar. (Del lat. *fustigāre.*) tr. Azotar, castigar con látigo, vara o cosa semejante. || **2.** fig. Perseguir, molestar a uno, ya burlándose de él, ya contradiciéndole, o de otro modo.

Hostigo. (De *hostigar.*) m. **Latigazo,** 2.ª acep. || **2.** Parte de la pared o muralla, expuesta al daño de los vientos recios y lluvias. || **3.** Golpe de viento o de agua, que hiere y maltrata la pared.

Hostigoso, sa. adj. *Chile* y *Guat.* Empalagoso, fastidioso.

Hostil. (Del lat. *hostīlis.*) adj. Contrario o enemigo.

Hostilidad. (Del lat. *hostilĭtas, -ātis.*) f. Calidad de hostil. || **2.** Acción hostil. || **3.** Agresión armada de un pueblo, ejército o tropa, que constituye de hecho el estado de guerra. || **Romper las hostilidades.** fr. *Mil.* Dar principio a la guerra atacando al enemigo.

Hostilizar. (De *hostil.*) tr. Hacer daño a enemigos.

Hostilmente. adv. m. Con hostilidad.

Hostilla. f. ant. **Ajuar.**

Hotel. (Del fr. *hôtel*, y éste del lat. *hospitālis*, de *hospes*, huésped.) m. Fonda de lujo. || **2.** Casa aislada de las colindantes, del todo o en parte, y habitada por una sola familia.

Hotelero, ra. adj. Perteneciente o relativo al hotel, 1.ª acep. || **2.** m. y f. Persona que posee o dirige un hotel, 1.ª acep.

Hotentote, ta. adj. Dícese del individuo de una nación negra que habita cerca del cabo de Buena Esperanza. Ú. t. c. s.

Hoto. (Del lat. *fautus*, favorecido, protegido.) m. Confianza, esperanza. || **En hoto.** m. adv. **En confianza.** || **En hoto del conde, no mates al hombre.** ref. que advierte el riesgo de obrar mal, aun confiando en el favor de los poderosos.

Hove. (Del lat. *fagum*, hayuco.) m. *Ál.* **Hayuco.**

Hovero, ra. (Del ár. *ḥubārī*, avutardado, nombre dado al caballo entre blanco y bayo, por la semejanza de su color con la carne de la avutarda cocida.) adj. **Overo,** 1.er art.

Hoy. (Del lat. *hŏdie.*) adv. t. En este día, en el día presente. || **2.** Actualmente, en el tiempo presente. || **De hoy a mañana.** m. adv. para dar a entender que una cosa sucederá presto o está pronta a ejecutarse. || **De hoy en adelante,** o **de hoy más.** m. adv. Desde este día. || **Hoy por hoy.** m. adv. En este tiempo, en la estación presente. || **Por hoy.** m. adv. **Por ahora.**

Hoya. (Del lat. *fovĕa.*) f. Concavidad u hondura grande formada en la tierra. || **2. Sepultura,** 2.ª y 3.ª aceps. || **3.** Llano extenso rodeado de montañas. || **4. Almáciga,** 2.º art. || **5.** *Arq.* V. **Lima hoya.** || **Plantar a hoya.** fr. *Agr.* Plantar haciendo hoyo.

Hoyada. (De *hoyo.*) f. Terreno bajo que no se descubre hasta estar cerca de él.

Hoyanca. (De *hoya.*) f. fam. Fosa común que hay en los cementerios, para enterrar los cadáveres de los que no pagan sepultura particular.

Hoyito. m. d. de **Hoyo.** || **Los hoyitos,** o **los tres hoyitos.** *Cuba* y *Chile.* Juego parecido al hoyuelo, del cual se diferencia en ser tres los hoyos pequeños, y se juega haciendo embocar una bolita de un hoyo en otro, ganando el que la mete en los tres.

Hoyo. (De *hoya.*) m. Concavidad u hondura formada naturalmente en la tierra o hecha de intento. || **2.** Concavidad que se hace en algunas superficies; y así, se llaman **hoyos** las señales que dejan las viruelas. || **3. Sepultura,** 2.ª y 3.ª aceps. || **Hacer un hoyo para tapar otro.** ref. que reprende a aquellos que para evitar un daño o cubrir una trampa hacen otra.

Hoyoso, sa. adj. Que tiene hoyos.

Hoyuela. f. d. de **Hoya.** || **2.** Hoyo en la parte inferior de la garganta, donde comienza el pecho.

Hoyuelo. m. d. de **Hoyo.** || **2.** Hoyo en el centro de la barba; y también el que se forma en la mejilla de algunas personas, cerca de la comisura de la boca, cuando se ríen. || **3.** Juego de muchachos, que consiste en meter monedas o bolitas en un hoyo pequeño que hacen en tierra, tirándolas desde cierta distancia. || **4. Hoyuela,** 2.ª acep.

Hoz. (Del lat. *falx, falcis.*) f. Instrumento que sirve para segar mieses y hierbas, compuesto de una hoja acerada, corva, con dientes muy agudos y cortantes por la parte cóncava, afianzada en un mango de madera. || **2.** V. **Alguacil de la hoz.** || **De hoz y de coz.** m. adv. Sin reparo ni miramiento. || **La hoz en el haza, y el hombre en la casa.** ref. que zahiere a los que debiendo estar trabajando, se hallan ociosos. || **Meter la hoz en mies ajena.** fr. fig. Introducirse uno en profesión o negocios que no le tocan.

Hoz. (Del lat. *faux, faucis.*) f. Angostura de un valle profundo, o la que forma un río que corre por entre dos sierras.

Hozada. f. Golpe dado con la hoz. || **2.** Porción de mies o de hierba que se siega o coge de una vez con la hoz.

Hozadero. m. Sitio donde van a hozar puercos o jabalíes.

Hozador, ra. adj. Que hoza.

Hozadura. f. Hoyo o señal que deja el animal por haber hozado.

Hozar. (Del lat. **fodiāre*, de *fodere*, cavar.) tr. Mover y levantar la tierra con el hocico, lo que hacen el puerco y el jabalí. Ú. t. c. intr. *Los cerdos* HOZAN *y gruñen.*

Hu. (Del lat. *ubi.*) adv. l. ant. **Donde.**

¡Hu! ¡hu! ¡hu! interj. Triple grito con que la chusma de una galera saludaba a las personas principales que entraban en ella.

Huaca. (Voz quichua.) f. **Guaca.**

Huacal. m. **Guacal.**

Huacatay. (Voz quichua.) m. Especie de hierbabuena americana, usada como condimento en algunos guisos.

Huaco. m. **Guaco.**

Huachache. m. *Perú.* Mosquito muy molesto del Perú, de color blanquecino.

Huaico. (Voz quichua.) m. *Perú.* Masa enorme de peñas que las lluvias torrenciales desprenden de las alturas de los Andes y que, al caer en los ríos, ocasionan el desbordamiento de las aguas.

Huairuro. (Voz quichua.) m. Especie de frísol del Perú, de color coralino, muy estimado por los indios para collares, aretes y otras prendas de adorno.

Huango. m. Peinado de las indias ecuatorianas, que consiste en una sola trenza fajada estrechamente y que cae por la espalda.

Huarache. m. *Méj.* **Cacle.**

Huasca. (Voz quichua.) f. *Amér. Merid.* **Guasca.**

Hucia. (Del lat. *fidūcia*, confianza.) f. ant. **Confianza.**

Hucha. (Del fr. *huge, huche*, y éste del germ. *hütte.*) f. Arca grande que tienen los labradores para guardar sus cosas. || **2. Alcancía,** 1.ª acep. || **3.** fig. Dinero que se ahorra y guarda para tenerlo de reserva. *José tiene buena* HUCHA.

Huchear. (De *¡hucho!*) intr. Llamar, gritar, dar grita. Ú. t. c. tr. || **2.** Lanzar los perros en la cacería, dando voces.

¡Hucho! (De la onomat. *uch.*) interj. **¡Huchohó!**

¡Huchohó! (De *¡hucho!*, y la interj. *¡oh!*, u *¡ho!*) interj. de que se sirven los cazadores de cetrería para llamar al pájaro y cobrarlo.

Huebos. (Del lat. *ŏpus*, necesidad.) m. ant. Necesidad, cosa necesaria.

Huebra. (Del lat. *opĕra*, obra.) f. **Yugada,** 1.ª acep. || **2.** Par de mulas y mozo que se alquilan para trabajar un día entero. || **3. Barbecho.** || **4.** *Germ.* Baraja de naipes.

Huebrero. m. Mozo que trabaja en la huebra. || **2.** El que la da en alquiler.

Hueca. (De *hueco.*) f. Muesca espiral que se hace al huso en la punta delgada para que trabe en ella la hebra que se va hilando.

Hueco, ca. (Del lat. *vacŭus*, vacío.) adj. Cóncavo o vacío. Ú. t. c. s. *Allí hay un* HUECO. || **2.** V. **Monte hueco.** || **3.** fig. Presumido, hinchado, vano. || **4.** Dícese de lo que tiene sonido retumbante y profundo. *Voz* HUECA. || **5.** fig. Dícese del lenguaje, estilo, etc., con que ostentosa y afectadamente se expresan conceptos vanos o triviales. || **6.** Mullido y esponjoso. *Tierra, lana* HUECA. || **7.** Dícese de lo que estando vacío abulta mucho por estar extendida y dilatada su superficie. || **8.** m. Intervalo de tiempo o lugar. || **9.** V. **Grabado en hueco.** || **10.** fig. y fam. Empleo o puesto vacante. || **11.** *Arq.* Abertura en un muro, para servir de puerta, ventana, chimenea, etc. || **supraclavicular.** *Anat.* Depresión que existe, encima de cada clavícula, a ambos lados del cuello.

Huecograbado. (De *hueco* y *grabado.*) m. Procedimiento para obtener fotograbados que pueden tirarse en máquinas rotativas. || **2.** Estampa obtenida por este procedimiento.

Huecú. m. Sitio cenagoso y cubierto de hierba en la cordillera del centro y sur de Chile, y en el que se hunden y sumergen sin poder valerse para salir los hombres y animales que en él entran.

Huego. m. ant. **Fuego.**

Huélfago. (Del lat. *follicāre*, de *follis*, fuelle.) m. Enfermedad de los animales, que les hace respirar con dificultad y prisa.

Huelga. (De *holgar.*) f. Espacio de tiempo en que uno está sin trabajar. || **2.** Cesación o paro en el trabajo de personas empleadas en el mismo oficio, hecho de común acuerdo con el fin de imponer ciertas condiciones a los patronos. || **3.** Tiempo que media sin labrarse la tierra. || **4.** Recreación que ordinariamente se tiene en el campo o en un sitio ameno. || **5.** Sitio que convida a la recreación. || **6. Holgura.** || **7. Huelgo,** 3.ª acep. || **8.** V. **Día de huelga.** || **de brazos caídos.** La que practican en su puesto habitual de trabajo quienes se abstienen de reanudarlo a la hora reglamentaria. || **del hambre.** Abstinencia total de alimentos que se impone a sí misma una persona, mostrando de este modo su decisión de morir si no consigue lo que pretende. || **general.** La que se plantea simultáneamente en todos los oficios de una o varias localidades. Cuando afecta a una sola actividad, se designa con el nombre de ella: HUELGA *ferroviaria, de Correos, de empleados*, etc. || **revolucionaria.** La que responde a propósitos de subversión política, más que a reivindicaciones de carácter económico o social.

Huelgo. (De *holgar.*) m. Aliento, respiración, resuello. || **2.** Holgura, anchura. || **3.** Espacio vacío que queda entre dos piezas que han de encajar una en otra. || **Tomar huelgo.** fr. Parar un poco para descansar, resollando libremente el que va corriendo; y se extiende a otras cosas o trabajos en que se descansa un rato para volver a ellos.

Huelguista. m. El que toma parte en una huelga, 2.ª acep.

Huelguístico, ca. adj. Perteneciente o relativo a la huelga, 2.ª acep.

Huelveño, ña. adj. Natural de Huelva. Ú. t. c. s. || **2.** Perteneciente a esta ciudad.

Huella. (De *hollar.*) f. Señal que deja el pie del hombre o del animal en la tierra por donde ha pasado. || **2.** Acción de hollar. || **3.** Plano del escalón o peldaño en que se asienta el pie. || **4.** Señal que deja una lámina o forma de imprenta en el papel u otra cosa en que se estampa. || **dactilar. Impresión dactilar.** || **A la huella.** m. adv. **A la zaga.** || **Seguir las huellas de** uno. fr. fig. Seguir su ejemplo, imitarle.

Huélliga. (De **holligar*, del lat. **fullicāre*, de *fullāre*, pisar.) f. **Huella,** 1.ª acep.

Huello. (De *hollar.*) m. Sitio o terreno que se pisa. *Esta senda tiene buen* HUELLO. || **2.** Hablando de los caballos, acción de pisar. || **3.** Superficie o parte inferior del casco del animal, con herradura o sin ella.

Huemul. (Voz araucana.) m. *Argent.* y *Chile.* Cuadrúpedo semejante al ciervo; habita en los Andes.

Huerca. (De *huerco.*) f. *Germ.* La justicia.

Huerco. (Del lat. *ŏrcus.*) m. ant. **Infierno,** 1.ª y 4.ª aceps. || **2.** ant. **Muerte.** || **3.** ant. El demonio. || **4.** fig. El que está siempre llorando, triste y retirado en la obscuridad.

Huérfago. m. **Huélfago.**

Huerfanidad. (De *huérfano.*) m. ant. **Orfandad.**

Huérfano, na. (Del lat. *ŏrphănus*, y éste del gr. ὀρφανός.) adj. Dícese de la persona de menor edad a quien han faltado su padre y madre o alguno de los dos. Ú. t. c. s. || **2.** ant. **Expósito.** Ú. en *Chile* y *Perú.* || **3.** poét. Dícese de la persona a quien han faltado los hijos. || **4.** fig. Falto de alguna cosa, y especialmente de amparo. *En aquella ocasión quedó* HUÉRFANA *la ciudad.*

Huero, ra. (Del gr. οὔριον [ᾠόν], estéril, [huevo].) adj. V. **Huevo huero.** || **2.** fig. Vano, vacío y sin substancia. || **Salir huera** una cosa. fr. fig. y fam. Malograrse, fracasar.

Huerta. (De *huerto.*) f. Terreno destinado al cultivo de legumbres y árboles frutales. Se distingue del huerto en ser de mayor extensión, y en que suele haber menos arbolado y más verduras. || **2.** En algunas partes, toda la tierra de regadío. || **Meter** a uno **en la huerta.** fr. fig. y fam. Engañarle valiéndose de medios que juzgue que redundan en su utilidad o gusto. || **Metióte en la huerta, y no te dio de la fruta de ella.** ref. contra el poderoso que pone a la vista el premio y en llegando la ocasión no lo da. || **Nace en la huerta lo que no siembra el hortelano.** ref. con que se denota que a pesar de la buena educación se suelen introducir resabios.

Huertano, na. adj. Dícese del habitante de algunas comarcas de regadío que se conocen en algunas provincias con el nombre de huertas; como la huerta de Murcia, la de Valencia, etc. Ú. t. c. s.

Huertero, ra. m. y f. ant. **Hortelano, na.** Ú. en *Sal.*, *Argent.* y *Perú.*

Huertezuela. f. d. de **Huerta.**

Huertezuelo. m. d. de **Huerto.**

Huerto. (Del lat. *hŏrtus.*) m. Sitio de corta extensión en que se plantan verduras, legumbres y principalmente árboles frutales. || **Huerto y tuerto, mozo y potro, y mujer que mira mal, quiérense saber tratar.** ref. que advierte que para sacar partido de una cosa se necesita paciencia y maña.

Huesa. (Del lat. *fŏssa*, fosa.) f. **Sepultura,** 2.ª y 3.ª aceps. || **Vienes de la huesa, y preguntas por la muerta.** ref. que nota a los que afectan ignorancia de lo que saben.

Huesarrón. m. aum. de **Hueso.**

Huesera. (De *hueso.*) f. *Chile* y *León.* **Osario,** 1.er art., 1.ª y 2.ª aceps.

Huesezuelo. m. d. de **Hueso.**

Huesillo. m. d. de **Hueso.** || **2.** *Amér. Merid.* Durazno secado al sol.

Hueso. (Del lat. *ŏssum.*) m. Cada una de las piezas duras que forman el neuroesqueleto de los vertebrados. || **2.** Parte dura y compacta que está en lo interior de algunas frutas, como la guinda, el melocotón, etc., en la cual se contiene la semilla. || **3.** Parte de la piedra de cal, que no se ha cocido y que sale cerniéndola. || **4.** fig. Lo que causa trabajo o incomodidad. Regularmente se entiende el empleo muy penoso en su ejercicio. || **5.** fig. Lo inútil, de poco precio y mala calidad. || **6.** fig. Parte ingrata y de menos lucimiento de un trabajo que se reparte entre dos o más personas. || **7.** fig. y fam. Persona de carácter desagradable o de trato difícil. || **8.** fig. y fam. V. **Bocado, carne sin hueso.** || **9.** *Pint.* V. **Sombra de hueso.** || **10.** pl. fam. **Mano,** 1.ª acep., en locuciones como la siguiente: *Toca esos* HUESOS. || **Hueso coronal.** *Zool.* **Hueso frontal.** || **cuadrado.** *Zool.* Uno de los **huesos** del carpo, que en el hombre forma parte de la segunda fila. || **cuboides.** *Zool.* Uno de los **huesos** del tarso, que en el hombre está situado en el borde externo del pie. || **cuneiforme.** *Zool.* Cada uno de los **huesos** de forma prismática, a modo de cuñas, que existen en el tarso de los mamíferos; en el hombre son tres y están colocados en la parte anterior de la segunda fila del tarso. || **de santo.** Pasta de repostería hecha con harina y huevos, frita en aceite. || **escafoides.** *Zool.* **Hueso** del carpo de los mamíferos, que en el hombre es el más externo y voluminoso de la fila primera. || **2.** *Zool.* **Hueso** del tarso de los mamíferos, que en el hombre se articula con el astrágalo y el cuboides. || **esfenoides.** *Zool.* **Hueso** enclavado en la base del cráneo de los mamíferos, que concurre a formar las cavidades nasales y las órbitas. || **etmoides.** *Zool.* Pequeño **hueso** encajado en la escotadura del **hueso** frontal de los vertebrados, y que concurre a formar la base del cráneo, las cavidades nasales y las órbitas. || **frontal.** El que forma la parte anterior y superior del cráneo, y que en la primera edad de la vida se compone de dos mitades que se sueldan después. || **grande.** *Zool.* **Hueso cuadrado.** || **hioides.** *Zool.* **Hueso** situado a raíz de la lengua y encima de la laringe. || **innominado.** *Zool.* Cada uno de los dos **huesos,** situados uno en cada cadera, que junto con el sacro y el cóccix forman la pelvis de los mamíferos; en el animal adulto está constituido por la unión íntima de tres piezas óseas: el íleon, el isquion y el pubis. || **intermaxilar.** *Zool.* El situado en la parte anterior, media e interna de la mandíbula superior en algunos animales, llamado también incisivo, porque en él se alojan los dientes de este nombre; en la especie humana se suelda con los maxilares superiores, antes del nacimiento. || **maxilar.** *Zool.* Cada uno de los tres que forman las mandíbulas; dos de ellos, la superior, y el otro, la inferior. || **navicular.** *Zool.* **Hueso escafoides.** || **occipital.** *Zool.* **Hueso** del cráneo, correspondiente al occipucio. || **orbital.** *Zool.* Cada uno de los que forman la órbita del ojo. || **palomo. Cóccix.** || **parietal.** *Zool.* Cada uno de los dos situados en las partes media y laterales de la cabeza, los mayores entre los que forman el cráneo. || **piramidal.** *Zool.* Uno de los que hay en el carpo o muñeca del hombre, así dicho por su figura. || **plano.** *Zool.* Aquel cuya longitud y anchura son mayores que su espesor. || **sacro.** *Zool.* **Hueso** situado en la parte inferior del espinazo, formado por cinco vértebras soldadas entre sí, en el hombre, por más o menos en otros animales, y que articulándose con los dos innominados forma la pelvis. || **temporal.** *Zool.* Cada uno de los dos del cráneo de los mamíferos, correspondientes a las sienes. || **A hueso.** m. adv. *Albañ.* Tratándose de la colocación de piedras, baldosas o ladrillos, perfectamente unidos y sin mortero entre sus juntas o lechos. || **Dar** uno **con sus huesos** en algún lugar. fr. fig. y fam. Ir a parar a él. || **Dar** a uno **un hueso que roer.** fr. fig. Darle un empleo o trabajo engorroso y de escasa utilidad. || **Desenterrar los huesos de** uno. fr. fig. Descubrir los defectos antiguos de su familia. || **El hueso y la carne duélense de su sangre.** ref. que explica el sentimiento natural que tocan los parientes recíprocamente en sus adversidades, aun cuando estén mal entre sí. || **El que se traga un hueso, confianza tiene en su pescuezo.** ref. con que se da a entender la seguridad que uno tiene al acometer una empresa difícil. || **Estar** uno **en los huesos.** fr. fig. y fam. Estar sumamente flaco. || **Hueso que te cupo en parte, róelo con sutil arte.** ref. que enseña que en las desgracias que nos vienen sin culpa, es necesario estudiar el modo de hacerlas más tolerables. || **La sin hueso.** fr. La lengua. || **Mondar los huesos.** fr. fig. y fam. con que se nota a uno que con poca urbanidad se come cuanto le ponen. || **No dejar** a uno **hueso sano.** fr. fig. y fam. Murmurar de él descubriendo todos sus defectos o la mayor parte de ellos. || **No estar** uno **bien con sus huesos.** fr. fig. y fam. Cuidar poco de su salud. || **No hacer** uno **los huesos duros** en algún lugar o destino. fr. fig. y fam. No durar en él. || **No poder** uno **con sus huesos.** fr. fig. y fam. Estar rendido de fatiga. || **Podérsele contar** a uno **los huesos.** fr. fig. y fam. **Estar en los huesos.** || **Ponerse,** o **quedarse,** uno **en los huesos.** fr. fig. Llegar a estar muy flaco y extenuado. || **Quien te da un hueso, no te quiere ver muerto.** ref. que enseña que no nos quiere mal quien parte con nosotros de lo que tiene, aunque sea poco o malo. || **Roerle** a uno **los huesos.** fr. fig. y fam. Murmurar de él. || **Róete ese hueso.** expr. fig. y fam. con que se explica que a uno se le encomienda una cosa de mucho trabajo sin utilidad ni provecho. || **Romperle** a uno **un hueso,** o **los huesos.** fr. fig. y fam. Golpearle fuertemente. || **Ser** una cosa **un hueso.** fr. fig. y fam. Ser muy difícil de resolver. || **Soltar la sin hueso.** fr. fig. y fam. Hablar con demasía. || **2.** fig. y fam. Prorrumpir en dicterios. || **Tener** uno **los huesos duros.** fr. fig. y fam. que suele emplear el que no admite una ocupación impropia de su edad o circunstancias. || **Tener** uno **los huesos molidos.** fr. fig. Estar muy rendido por excesivo trabajo.

Huesoso, sa. adj. Perteneciente o relativo al hueso. || **2.** *Veter.* V. **Esparaván huesoso.**

Huésped, da. (Del lat. *hŏspes, -ĭtis.*) m. y f. Persona alojada en casa ajena. || **2.** Mesonero o amo de posada. || **3.** V. **Colegial huésped** || **4.** Persona que hospeda en su casa a uno. || **5.** *Bot.* y *Zool.* El vegetal o animal en cuyo cuerpo se aloja un parásito. Por ejemplo, el hombre es el **huésped** de la lombriz solitaria. || **de aposento.** Persona a quien se destinaba el uso de una parte de casa en virtud del servicio de aposentamiento de corte. || **El huésped y el pece, a los tres días hiede.** ref. que enseña que los hospedados en alguna casa, deben estar en ella lo menos que puedan. || **Huéspeda hermosa, mal para la bolsa.** ref. que enseña que en las posadas, cuando la **huéspeda** es bien parecida, no se repara en el gasto. || **Huésped con sol, ha honor.** ref. con que se da a entender que el caminante que llega temprano y antes que otros a la posada, logra las conveniencias que hay en ella. || **Huésped tardío, no viene manivacío.** ref. con que se denota que el caminante que piensa llegar tarde a la posada, regularmente lleva prevención de comida. || **Iránse los huéspedes y comeremos el gallo.** ref. con que se denota que se difiere a uno el castigo que merece, por respeto de los que están presentes, hasta que se vayan. || **No contar con la huéspeda.** fr. fig. y fam. **Echar la cuenta sin la huéspeda.** || **Ser** uno **huésped en su casa.** fr. fig. y fam. Parar poco en ella.

Hueste. (Del lat. *hostis,* enemigo, adversario.) f. Ejército en campaña. Ú. m. en pl. || **2.** fig. Conjunto de los secuaces o partidarios de una persona o de una causa.

Huesudo, da. adj. Que tiene o muestra mucho hueso.

Hueteño, ña. adj. Natural de Huete. Ú. t. c. s. || **2.** Perteneciente a esta ciudad.

Hueva. (Del lat. *ŏva,* pl. n. de *ŏvum.*) f. Masa que forman los huevecillos de ciertos pescados, encerrada en una bolsa oval.

Huevar. intr. *Vol.* Principiar las aves a tener huevos.

Huevera. f. Mujer que trata en huevos. || **2.** Mujer del huevero. || **3.** Conducto membranoso que tienen las aves desde el ovario hasta cerca del ano, y en el cual se forma la clara y la cáscara de los huevos. || **4.** Utensilio de porcelana, loza, metal u otra materia, en forma de copa pequeña, en que se pone, para comerlo, el huevo pasado por agua. || **5.** Utensilio de mesa para servir en ella los huevos pasados por agua.

Huevería. f. Tienda donde se venden huevos.

Huevero. m. El que trata en huevos. || **2. Huevera,** 4.ª acep.

Huevezuelo. m. d. de **Huevo.**

Huévil. m. Planta de Chile, de la familia de las solanáceas, de unos 80 centímetros de altura, lampiña y de olor fétido; de su palo y hojas se extrae un tinte amarillo, y la infusión de los mismos se emplea contra la disentería.

Huevo. (Del lat. **ŏvum,* por *ŏvum.*) m. *Biol.* Célula resultante de la unión del gameto masculino con el femenino en la reproducción sexual de las plantas y de los animales. || **2.** *Biol.* Cuerpo más o menos esférico, procedente de la segmentación de la célula **huevo,** que contiene el germen del nuevo individuo y, además, ciertas substancias de que éste se alimenta durante las primeras fases de su desarrollo. || **3.** Cualquiera de los óvulos de ciertos animales, como la mayoría de los peces y batracios, que son fecundados por los espermatozoides del macho después de haber salido del cuerpo de la hembra y que contienen las materias nutritivas necesarias para la formación del embrión. || **4.** Pedazo de madera fuerte, como de una cuarta en cuadro, y con un hueco en el medio, de que se sirven los zapateros para amoldar en él la suela. || **5.** Cápsula de cera, de figura ovoide, que llena de agua de olor se tiraba por festejo en las carnestolendas. || **6.** V. **Berenjena, blanco, meaja, ponche de huevo.** || **de Colón. Huevo de Juanelo.** || **de faltriquera. Yema,** 3.ª acep. || **de Juanelo.** fig. Cosa que tiene, al parecer, mucha dificultad, y es facilísima después de sabido en qué consiste. || **de pulpo. Liebre de mar.** || **duro.** El cocido, con la cáscara, en agua hirviendo, hasta llegarse a cuajar enteramente yema y clara. || **en agua.** *Ar.* **Huevo pasado por agua.** || **en cáscara. Huevo pasado por agua.** || **encerado.** El pasado por agua que no está duro. || **estrellado.** El que se fríe con manteca o aceite, sin batirlo antes y sin tostarlo por encima. || **huero.** El que por no estar fecundado por el macho no produce cría, aunque se eche a la hembra clueca. || **2.** Por ext., el que por enfriamiento o por otra causa se pierde en la incubación. || **mejido. Yema mejida.** || **partenogenético.** *Biol.* El óvulo que se desarrolla sin previa unión con el espermatozoide. || **pasado por agua.** El cocido ligeramente, con la cáscara, en agua hirviendo. || **Huevos bobos.** *Ar.* Tortilla con pan rallado, aderezada en caldo. || **dobles.** Dulce de repostería que se hace con yemas de **huevo** y azúcar clarificado. || **dobles quemados.** Dulce semejante al anterior, que después de preparado se cuece en el estrelladero. || **hilados.** Composición de **huevos** y azúcar, que forma la figura de hebras o hilos. || **moles.** Yemas de **huevo** batidas con azúcar. || **revueltos.** Los que se fríen en sartén revolviéndolos para que no se unan como en la tortilla. || **A huevo.** m. adv. con que se indica lo barato que cuestan o se venden las cosas. || **Aborrecer** uno **los huevos.** fr. fig. y fam. Darle ocasión a que desista de la buena obra comenzada, cuando se la andan escudriñando mucho; como hacen la gallina y otras aves si, estando sobre los **huevos,** se los llegan a manosear. || **Cacarear y no poner huevo.** fr. fig. y fam. Prometer mucho y no dar nada. || **Dar con los huevos en la ceniza.** fr. fig. y fam. Echar a perder alguna cosa. || **Hispe el huevo bien batido, como la mujer con el buen marido.** *Ast.* ref. con que se dan a entender las dichas que alcanza una mujer teniendo un buen marido. || **Límpiate, que estás de huevo.** fr. fig. y fam. con que se nota de ilusorio lo que otro dice o intenta. || **No comer un huevo, por no perder la cáscara.** *Chile.* fr. fig. y fam. que se dice del cicatero, sobre todo cuando lo es en la comida. || **No es por el huevo, sino por el fuero.** ref. con que se significa que uno sigue con empeño un pleito o negocio, no tanto por la utilidad que le resulte, cuanto porque prevalezca la razón que le asiste. || **Parecer que** uno **está empollando huevos.** fr. fig. y fam. Estar apoltronado a la lumbre, o muy metido en casa. || **Parecerse como un huevo a otro.** fr. fig. Ser una cosa o persona completamente igual a otra. || **Parecerse** una cosa a otra **como un huevo a una castaña.** fr. fig. y fam. con que se pondera la desemejanza de cosas que se comparan entre sí. || **Pisando huevos.** m. adv. fig. y fam. Con tiento, muy despacio. Ú. con verbos de movimiento, como *andar, venir,* etc. || **Sacar los huevos.** fr. Empollarlos, estar sobre ellos el ave, calentándolos, o tenerlos en la estufa hasta que salgan los pollos. || **Sobre un huevo pone la gallina.** ref. que enseña que es muy del caso tener algún principio en una materia para adelantar en ella. || **Sórbete ese huevo.** expr. fig. y fam. con que se denota la complacencia de que a otro le venga un leve daño. || **Un huevo; y ése, huero.** expr. que se dice del que no tiene más que un hijo, y éste, enfermo.

¡Huf! interj. ¡Uf!

Hugonote, ta. (Del fr. *huguenot,* y éste del al. *eidgenossen,* confederado.) adj. Dícese de los que en Francia seguían la secta de Calvino. Ú. t. c. s.

¡Huich! o **¡Huiche!** interj. *Chile.* usada para burlarse de uno, o para provocarle, excitándole la envidia o picándole al amor propio.

¡Huichí! o **¡Huichó!** interj. *Chile.* ¡Ox!

Huida. f. Acción de huir. || **2.** Ensanche y holgura que se deja en mechinales y otros agujeros, para poder meter y sacar con facilidad maderos. || **3.** *Equit.* Acción y efecto de apartarse el caballo, súbita y violentamente, de la dirección en que lo lleva el jinete.

Huidero, ra. adj. Huidizo, fugaz. || **2.** m. Trabajador que en las minas de azogue se ocupa en abrir huidas o agujeros en que se introducen y afirman los maderos para entibar la mina. || **3.** Lugar adonde se huyen reses o piezas de caza.

Huidizo, za. adj. Que huye o es inclinado a huir.

Huidor, ra. (Del lat. *fugĭtor.*) adj. Que huye. Ú. t. c. s.

¡Huifa! interj. de alegría usada en Chile.

Huilte. m. *Chile.* Tallo o troncho del cochayuyo, principalmente cuando está creciendo y antes de ramificarse. Es comestible.

Huillín. (Voz araucana.) m. Especie de nutria de Chile.

Huimiento. m. ant. **Huida,** 1.ª acep.

Huincha. (Voz quichua.) f. *Chile.* Cinta de lana o de algodón.

Huingán. (Voz quichua.) m. *Bot.* Arbusto chileno, de la familia de las anacardiáceas, de flores blancas y pequeñas en racimos axilares, y frutos negruzcos, de unos cuatro milímetros de diámetro.

Huir. (Del lat. **fūgīre*, de *fūgĕre*, infl. por *īre*.) intr. Apartarse con velocidad, por miedo o por otro motivo, de personas, animales o cosas, para evitar un daño, disgusto o molestia. Ú. t. c. r. y raras veces como tr. || **2.** Con voces que expresen idea de tiempo, transcurrir o pasar velozmente. HUYEN *los siglos, la vida.* || **3.** fig. Alejarse velozmente una cosa. *La nave* HUYE *del puerto.* || **4.** Apartarse de una cosa mala o perjudicial; evitarla. HUIR *de los vicios;* HUIR *de las ocasiones de ofender a Dios.* Ú. t. c. tr. || **A huir, que azotan.** expr. fig. y fam. con que se avisa a uno que se aparte de un riesgo, o de la presencia de una persona que le incomoda.

Huira. f. *Chile.* Corteza del maqui que, sola o torcida en forma de soga, sirve para atar.

Huiro. m. Nombre común a varias algas marinas muy abundantes en las costas de Chile.

Huitrín. m. *Chile.* Colgajo de choclos o mazorcas de maíz.

Hujier. m. Ujier.

Hulano, na. m. y f. desus. **Fulano, na.**

Hule. (Del mejic. *ulli.*) m. Caucho o goma elástica. || **2.** Tela pintada al óleo y barnizada, que por su impermeabilidad tiene muchos usos. || **Haber hule.** fr. *Taurom.* Haber heridas o muerte de algún torero o picador.

Hulero. m. *Amér.* Trabajador que recoge el hule o goma elástica.

Hulla. (Del fr. *houille*, y éste del germ. *skolla.*) f. Carbón de piedra que se conglutina al arder, y, calcinado en vasos cerrados, da coque. || **blanca.** fig. Corriente de agua empleada como fuerza motriz.

Hullero, ra. adj. Perteneciente o relativo a la hulla.

¡Hum! interj. desus. **¡Huf!**

Humada. (Del lat. *fumata*, t. f. de *-tus*, p. p. de *fumāre*, humear.) f. **Ahumada.**

Humaina. f. desus. Tela muy basta.

Humanal. adj. **Humano.** || **2.** ant. fig. Compasivo, caritativo e inclinado a la piedad.

Humanamente. adv. m. Con humanidad. || **2.** Se usa también para denotar la dificultad o imposibilidad de hacer o creer una cosa. *Eso* HUMANAMENTE *no se puede hacer.*

Humanar. tr. Hacer a uno humano, familiar y afable. Ú. m. c. r. || **2.** r. Hacerse hombre. Dícese únicamente del Verbo divino.

Humanidad. (Del lat. *humanĭtas, -ātis.*) f. **Naturaleza humana.** || **2.** Género humano. || **3.** Propensión a los halagos de la carne, dejándose fácilmente vencer de ella. || **4.** Fragilidad o flaqueza propia del hombre. || **5.** Sensibilidad, compasión de las desgracias de nuestros semejantes. || **6.** Benignidad, mansedumbre, afabilidad. || **7.** fam. Corpulencia, gordura. *Antonio tiene grande* HUMANIDAD. || **8.** pl. **Letras humanas.**

Humanismo. m. Cultivo y conocimiento de las letras humanas. || **2.** Doctrina de los humanistas del Renacimiento.

Humanista. com. Persona instruida en letras humanas.

Humanístico, ca. adj. Perteneciente o relativo al humanismo o a las humanidades.

Humanitario, ria. (Del lat. *humanĭtas*, humanidad.) adj. Que mira o se refiere al bien del género humano. || **2.** Benigno, caritativo, benéfico.

Humanitarismo. (De *humanitario.*) m. Humanidad, 5.ª acep.

Humanizar. tr. **Humanar,** 1.ª acep. || **2.** r. Ablandarse, desenojarse, hacerse benigno.

Humano, na. (Del lat. *humānus.*) adj. Perteneciente al hombre o propio de él. || **2.** V. **Letras humanas.** || **3.** V. **Linaje humano.** || **4.** V. **Naturaleza humana.** || **5.** V. **Respeto humano.** || **6.** fig. Aplícase a la persona que se compadece de las desgracias de sus semejantes. || **7.** *Teol.* V. **Acto humano.**

Humante. p. a. de **Humar.** Que huma.

Humar. (Del lat. *fūmāre*, humear.) tr. p. us. **Fumar.**

Humarada. f. **Humareda.**

Humarazo. m. **Humazo.**

Humareda. f. Abundancia de humo.

Humaza. f. **Humazo.**

Humazga. (De *humo*, hogar.) f. Tributo que se pagaba a algunos señores territoriales por cada hogar o chimenea.

Humazo. m. Humo denso, espeso y copioso. || **2.** Humo de lana o papel encendido que se aplica a las narices o a la boca por remedio, y algunas veces por chasco. || **3.** Humo sofocante o venenoso que se hace en los buques cerrando las escotillas, para matar o ahuyentar las ratas. || **4.** Humo que se hace entrar en el cubil o las madrigueras, para hacer salir a las alimañas. || **Dar humazo** a uno. fr. fig. y fam. Hacer de modo que se retire del paraje adonde acostumbraba concurrir e incomodaba.

Humeante. p. a. de **Humear.** Que humea.

Humear. (De *fumear.*) intr. Exhalar, arrojar y echar de sí humo. Ú. t. c. r. || **2.** Arrojar una cosa vaho o vapor que se parece al humo. HUMEAR *la sangre, la tierra.* || **3.** fig. Quedar reliquias de un alboroto, riña o enemistad que hubo en otro tiempo. || **4.** fig. Altivecerse, entonarse, presumir. || **5.** tr. *Amér.* **Fumigar.**

Humectación. (Del lat. *humectatĭo, -ōnis.*) f. Acción y efecto de humedecer.

Humectante. p. a. de **Humectar.** Que humecta.

Humectar. (Del lat. *humectāre.*) tr. **Humedecer.**

Humectativo, va. (De *humectar.*) adj. Que causa y engendra humedad.

Humedad. (Del lat. *humidĭtas, -ātis.*) f. Calidad de húmedo. || **2.** Agua de que está impregnado un cuerpo o que, vaporizada, se mezcla con el aire.

Humedal. m. Terreno húmedo.

Humedar. (De *húmedo.*) tr. ant. **Humedecer.**

Humedecer. (De *húmedo.*) tr. Producir o causar humedad en una cosa. Ú. t. c. r.

Húmedo, da. (Del lat. *humĭdus.*) adj. Ácueo o que participa de la naturaleza del agua. || **2.** Ligeramente impregnado de agua o de otro líquido. || **3.** *Farm.* V. **Hisopo húmedo.** || **4.** *Quím.* V. **Vía húmeda.** || **Húmedo radical.** *Med.* Entre los antiguos, humor linfático, dulce, sutil y balsámico, que se suponía dar a las fibras del cuerpo flexibilidad y elasticidad.

Humera. (De *humo.*) f. fam. **Borrachera,** 1.ª acep. Pronúnciase aspirando la *h*.

Humeral. (Del lat. *humerāle.*) adj. V. **Velo humeral.** Ú. t. c. s. m. || **2.** *Zool.* Perteneciente o relativo al húmero. *Arteria* HUMERAL. || **3.** m. Paño blanco que se pone sobre los hombros el sacerdote, y en cuyos extremos envuelve ambas manos para coger la custodia o el copón y trasladarlos de una parte a otra, o para manifestar aquélla a la adoración de los fieles.

Húmero. (Del lat. *humĕrus.*) m. *Zool.* Cada uno de los huesos del brazo, que se articula por uno de sus extremos con la escápula y por el otro con el cúbito y el radio.

Humero. (De *fumero.*) m. Cañón de chimenea por donde sale el humo. || **2.** *Sal.* Habitación donde se ahúma la matanza para que se cure o sazone.

Humidad. f. desus. **Humedad.**

Húmido, da. adj. poét. **Húmedo.**

Humiento, ta. (De *humo.*) adj. ant. Ahumado, tiznado. Ú. en *Sal.*

Humigar. tr. ant. **Fumigar.**

Húmil. (Del lat. *humĭlis.*) adj. ant. **Humilde.**

Humildad. (Del lat. *humilĭtas, -ātis.*) f. Virtud cristiana que consiste en el conocimiento de nuestra bajeza y miseria y en obrar conforme a él. || **2.** Bajeza de nacimiento o de otra cualquier especie. || **3.** Sumisión, rendimiento. || **de garabato.** fig. y fam. La falsa y afectada.

Humildanza. f. ant. **Humildad,** 1.ª acep.

Humilde. (Del lat. *humĭlis.*) adj. Que tiene o ejercita humildad. || **2.** fig. Bajo y de poca altura. || **3.** fig. Que carece de nobleza.

Humildemente. adv. m. Con humildad.

Humildosamente. adv. m. ant. **Humildemente.**

Humildoso, sa. adj. ant. **Humilde.**

Humiliación. f. ant. **Humillación.**

Humiliar. tr. ant. **Humillar.**

Humílimo. adj. sup. ant. de **Húmil.**

Húmilmente. adv. m. **Humildemente.**

Humillación. (Del lat. *humiliatĭo, -ōnis.*) f. Acción y efecto de humillar o humillarse.

Humilladamente. adv. m. ant. **Humildemente.**

Humilladero. (De *humillar.*) m. Lugar devoto que suele haber a las entradas o salidas de los pueblos y junto a los caminos, con una cruz o imagen.

Humillador, ra. adj. Que humilla. Ú. t. c. s.

Humillamiento. (De *humillar.*) m. ant. **Humillación.**

Humillante. p. a. de **Humillar.** Que humilla. || **2.** adj. Degradante, depresivo.

Humillar. (Del lat. *humiliāre.*) tr. Postrar, bajar, inclinar una parte del cuerpo, como la cabeza o rodilla, en señal de sumisión y acatamiento. || **2.** fig. Abatir el orgullo y altivez de uno. || **3.** r. Hacer actos de humildad. || **4.** ant. Arrodillarse o hacer adoración.

Humillo. (d. de *humo.*) m. fig. Vanidad, presunción y altanería. Ú. m. en pl. || **2.** Enfermedad que suele dar a los cochinos pequeños cuando no es de buena calidad la leche de sus madres.

Humilloso, sa. adj. ant. **Humilde.**

Humita. (Voz quichua.) f. *Argent., Chile* y *Perú.* Pasta compuesta de maíz tierno rallado, mezclado con ají y otros condimentos que, dividida en partes y envueltas cada una de éstas en sendas pancas u hojas de mazorca, se cuece en agua y luego se tuesta al rescoldo. || **2.** Cierto guisado hecho con maíz tierno.

Humitero, ra. m. y f. *Argent., Chile* y *Perú.* Persona que hace y vende humitas, 1.ª acep.

Humo. (Del lat. *fūmus.*) m. Producto que en forma gaseosa se desprende de una combustión incompleta, y se compone principalmente de vapor de agua y ácido carbónico que llevan consigo carbón en polvo muy tenue. || **2.** Vapor que exhala cualquiera cosa que fermenta. || **3.** V. **Manto, negro, tabaco de humo.** || **4.** pl. Hogares o casas. || **5.** fig. Vanidad, presunción, altivez. || **A humo de pajas.** m. adv. fig. y fam. Ligeramente, de corrida, sin reflexión ni consideración. Ú., por lo común, negativamente. || **Bajarle a uno los humos.** fr. fig. y fam. Domar su altivez. || **Dar humo a narices** a uno. fr. fig. y fam. Darle pesadumbre, amohinarle. || **Hacer humo.** fr. fig. y fam. Guisar, componer la comida. || **2.** fig. y fam. Permanecer en un lugar. ‖ **3.** fig. y fam. Dícese de las chimeneas y fogones, cuando no despiden el humo al exterior, por lo cual se llenan de él las habitaciones. ‖ **Hacer humo** a uno. fr. fig. y fam. Hacerle mala cara para que se vaya. ‖ **Humo y mala cara sacan a la gente de casa.** ref. que enseña que los que tienen mal modo, ahuyentan a las gentes. ‖ **Irse todo en humo.** fr. fig. Desvanecerse y parar en nada lo que daba grandes esperanzas. ‖ **La del humo.** loc. fam. **La ida del humo.** ‖ **No es nada; que del humo llora.** ref. que se usa para quitar importancia a lo que parece tenerla. ‖ **Pesar el humo.** fr. fig. y fam. Sutilizar demasiado; extremar la crítica de las cosas. ‖ **Subírsele** a uno **el humo a la chimenea.** fr. fig. y fam. **Tomarse del vino.** ‖ **Subírsele** a uno **el humo a las narices.** fr. fig. y fam. Irritarse, enfadarse. ‖ **Vender humos.** fr. fig. y fam. Suponer valimiento y privanza con un poderoso para sacar con artificio utilidad de los pretendientes.

Humor. (Del lat. *hūmor, ōris.*) m. Cualquiera de los líquidos del cuerpo del animal. ‖ **2.** fig. Genio, índole, condición, especialmente cuando se da a entender con una demostración exterior. ‖ **3.** fig. Jovialidad, agudeza. *Hombre de* HUMOR. ‖ **4.** fig. Buena disposición en que uno se halla para hacer una cosa. ‖ **ácueo.** *Zool.* Líquido que en el globo del ojo de los vertebrados y cefalópodos se halla delante del cristalino. ‖ **pecante.** El que se suponía teóricamente que predominaba en cada enfermedad. ‖ **vítreo.** *Zool.* Masa de aspecto gelatinoso que en el globo del ojo de los vertebrados y cefalópodos se encuentra detrás del cristalino. ‖ **Buen humor.** Propensión más o menos duradera a mostrarse alegre y complaciente. ‖ **Mal humor.** Aversión habitual o accidental a todo acto de alegría, y aun de urbanidad y atención. ‖ **Desgastar los humores.** fr. Atenuarlos, adelgazarlos. ‖ **Llevarle** a uno **el humor.** fr. **Seguirle el humor.** ‖ **Rebalsarse los humores.** fr. Recogerse o detenerse en una parte del cuerpo. ‖ **Remover humores.** fr. fig. Inquietar los ánimos; perturbar la paz. ‖ **Remover los humores.** fr. Alterarlos. ‖ **2.** fig. **Remover humores.** ‖ **Seguirle** a uno **el humor.** fr. Convenir aparentemente con sus ideas o inclinaciones, para divertirse con él o para no exasperarle.

Humoracho. m. despect. de **Humor.**

Humorada. (De *humor*, jovialidad.) f. Dicho o hecho festivo, caprichoso o extravagante.

Humorado, da. adj. Que tiene humores. Ú. comúnmente con los advs. *bien* y *mal.*

Humoral. adj. Perteneciente a los humores.

Humorismo. (De *humor.*) m. Estilo literario en que se hermanan la gracia con la ironía y lo alegre con lo triste. ‖ **2.** Doctrina médica según la cual todas las enfermedades resultan de la alteración de los humores.

Humorista. (De *humor.*) adj. Dícese del autor en cuyos escritos predomina el humorismo. Ú. t. c. s. ‖ **2.** Decíase del médico partidario de la doctrina del humorismo.

Humorísticamente. adv. m. De manera humorística.

Humorístico, ca. adj. Perteneciente o relativo al humorismo, 1.ª acep.

Humorosidad. (De *humoroso.*) f. Abundancia de humores.

Humoroso, sa. (Del lat. *humorōsus.*) adj. Que tiene humor.

Humosidad. f. **Fumosidad.**

Humoso, sa. (Del lat. *fūmōsus.*) adj. Que echa de sí humo. ‖ **2.** Dícese del lugar o sitio que contiene humo o donde el humo se esparce. ‖ **3.** fig. Que exhala o despide de sí algún vapor.

Humus. (Del lat. *humus.*) m. *Agr.* **Mantillo,** 1.ª acep.

Hundible. adj. Que puede hundirse.

Hundición. f. ant. **Hundimiento.**

Hundidor. m. ant. **Fundidor.**

Hundimiento. m. Acción y efecto de hundir o hundirse.

Hundir. (Del lat. *fŭndĕre.*) tr. Sumir, meter en lo hondo. ‖ **2.** ant. **Fundir.** ‖ **3.** fig. Abrumar, oprimir, abatir. ‖ **4.** fig. Confundir a uno, vencerle con razones. ‖ **5.** fig. Destruir, consumir, arruinar. ‖ **6.** r. Arruinarse un edificio, sumergirse una cosa. ‖ **7.** fig. Haber disensiones y alborotos o bulla en alguna parte. ‖ **8.** fig. y fam. Esconderse y desaparecerse una cosa, de forma que no se sepa dónde está ni se pueda dar con ella.

Hungarina. (De *húngaro*, por haber venido de Hungría.) f. ant. **Anguarina.**

Húngaro, ra. adj. Natural de Hungría. Ú. t. c. s. ‖ **2.** Perteneciente a este país de Europa. ‖ **3.** m. **Magiar,** 3.ª acep. ‖ **A la húngara.** m. adv. Al uso de Hungría.

Huno, na. (Del lat. *hunni.*) adj. con que se designa un pueblo feroz del centro de Asia, que venció a los alanos, pasó con ellos el Don, trastornó el imperio godo de Hermanrico, y en hordas numerosas ocupó el territorio que se extiende desde el Volga hasta el Danubio, haciendo su nombre olvidar el de los escitas. Ú. t. c. s.

Hupe. (En fr. *hupe.*) f. Descomposición de algunas maderas que se convierten en una substancia blanda y esponjosa que exhala un olor parecido al de los hongos y que después de seca suele emplearse como yesca.

Hura. f. Grano maligno o carbunclo que sale en la cabeza y que suele ser peligroso. ‖ **2.** Agujero pequeño; madriguera.

Huracán. (Voz caribe.) m. Viento sumamente impetuoso y temible que, a modo de torbellino, gira en grandes círculos, cuyo diámetro crece a medida que avanza apartándose de las zonas de calmas tropicales, donde suele tener origen. ‖ **2.** fig. Viento de fuerza extraordinaria.

Huracanado, da. adj. Que tiene la fuerza o los caracteres propios del huracán.

Huraco. (Del m. or. que *furacar.*) m. **Agujero.**

Hurañamente. adv. m. De modo huraño.

Hurañía. (De *huraño.*) f. Repugnancia que uno tiene al trato de gentes.

Huraño, ña. (Del m. or. que *foráneo*, infl. por *hurón.*) adj. Que huye y se esconde de las gentes.

Hurera. (De *hura.*) f. Agujero, huronera.

Hurgador, ra. adj. Que hurga. ‖ **2.** m. **Hurgón,** 2.ª acep.

Hurgamandera. f. *Germ.* **Mujer pública.**

Hurgamiento. m. Acción de hurgar.

Hurgar. (Del lat. *furicāre.*) tr. Menear o remover una cosa. ‖ **2. Tocar,** 1.er art., 2.ª acep. ‖ **3.** fig. Incitar, conmover. ‖ **Peor es hurgallo.** fr. fig. y fam. **Peor es meneallo.**

Hurgón. (De *hurgar.*) adj. Que hurga. ‖ **2.** m. Instrumento de hierro para remover y atizar la lumbre. ‖ **3.** fam. **Estoque.**

Hurgonada. f. Acción de hurgonear, 1.ª acep. ‖ **2.** fam. **Estocada.**

Hurgonazo. Golpe dado con el hurgón. ‖ **2.** fam. **Estocada.**

Hurgonear. tr. Menear y revolver la lumbre con el hurgón. ‖ **2.** fam. Tirar estocadas.

Hurgonero. m. **Hurgón,** 2.ª acep.

Hurguete. (De *hurgar.*) m. *Chile.* **Hurón,** 2.ª acep.

Hurguetear. tr. *Argent.* y *Chile.* Hurgar, escudriñar, huronear.

Hurguillas. (De *hurgar*) com. Persona bullidora y apremiante.

Hurí. (De *ḥūrī*, der. de *ḥūr*, pl. de *ḥawrā'*, la que tiene unos ojos muy hermosos, calidad con que se describe a la mujer celestial del paraíso islámico.) f. Cada una de las mujeres bellísimas creadas por la fantasía religiosa de los musulmanes, para compañeras de los bienaventurados en su paraíso.

Hurón. (Del lat. **fūro, -ōnis*, de *fur, furis.*) m. Mamífero carnicero de unos 20 centímetros de largo desde la cabeza hasta el arranque de la cola, la cual mide un decímetro próximamente: tiene el cuerpo muy flexible y prolongado, la cabeza pequeña, las patas cortas, el pelaje gris más o menos rojizo, y glándulas anales que despiden un olor sumamente desagradable. Originario del norte de África, vive en domesticidad en España, donde se emplea para la caza de conejos, a los que persigue con encarnizada tenacidad. ‖ **2.** fig. y fam. Persona que averigua y descubre lo escondido y secreto. ‖ **3.** fig. y fam. Persona huraña. Ú. t. c. adj.

Hurona. f. Hembra del hurón, 1.ª acep.

Huronear. intr. Cazar con hurón. ‖ **2.** fig. y fam. Procurar saber y escudriñar cuanto pasa.

Huronera. f. Lugar en que se mete y encierra el hurón. ‖ **2.** fig. y fam. Lugar en que uno está oculto o escondido.

Huronero. m. El que cuida de los hurones.

¡Hurra! (Del ingl. *hurrah.*) interj. usada para expresar alegría y satisfacción o excitar el entusiasmo.

Hurraca. (Del lat. *furax*, inclinado a robar.) f. **Urraca.**

Hurraco. m. Adorno que llevaban las mujeres en la cabeza.

Hurtada. (De *hurtar.*) f. ant. **Hurto.** ‖ **A hurtadas.** m. adv. ant. **A hurtadillas.**

Hurtadamente. adv. m. ant. **Furtivamente.**

Hurtadillas (A). (De *hurtada.*) m. adv. Furtivamente; sin que nadie lo note.

Hurtadineros. (De *hurtar* y *dinero.*) m. *Ar.* **Alcancía,** 1.ª acep.

Hurtado, da. p. p. de **Hurtar.** ‖ **2.** adj. *Arq.* V. **Arco de punto hurtado.**

Hurtador, ra. adj. Que hurta. Ú. t. c. s.

Hurtagua. (De *hurtar* y *agua.*) f. Especie de regadera que tenía los agujeros en el fondo.

Hurtar. (De *hurto.*) tr. Tomar o retener bienes ajenos contra la voluntad de su dueño, sin intimidación en las personas ni fuerza en las cosas. ‖ **2.** No dar el peso o medida cabal los que venden. ‖ **3.** fig. Dícese del mar y de los ríos cuando se van entrando por las tierras y se las llevan. ‖ **4.** fig. Tomar dichos, sentencias y versos ajenos, dándolos por propios. ‖ **5.** fig. Desviar, apartar. ‖ **6.** r. fig. Ocultarse, desviarse.

Hurtas (A). (De *hurto.*) m. adv. ant. **A hurtadillas.**

Hurtiblemente. adv. m. ant. **Furtivamente.**

Hurto. (Del lat. *furtum.*) m. Acción de hurtar. ‖ **2.** Cosa hurtada. ‖ **3.** En las minas de Almadén, camino subterráneo que se hace a uno y otro lado del principal con el fin de facilitar la extracción de metales o de dar comunicación al viento, o para otros fines. ‖ **A hurto.** m. adv. **A hurtadillas.** ‖ **Coger** a uno **con el hurto en las manos.** fr. fig. Sorprenderle en el acto mismo de ejecutar una cosa que quisiera que no se supiese.

Husada. f. Porción de lino, lana o estambre que, ya hilada, cabe en el huso. || **Husada menuda, a su dueño ayuda.** ref. que enseña que la labor continuada, aunque sea de corta consideración, contribuye a mantener las casas.

Húsar. (Del fr. *hussard*, y éste del servio *husar*.) m. Soldado de caballería vestido a la húngara.

Husentes. adj. Fusentes.

Husera. f. Bonetero, 3.ª acep.

Husero. m. Cuerna recta que tiene el gamo de un año.

Husillero. m. El que en los molinos de aceite trabaja en el husillo.

Husillo. (d. de *huso*.) m. Tornillo de hierro o madera, muy usado para el movimiento de las prensas y otras máquinas. || **2.** V. **Escalera de husillo.**

Husillo. m. Conducto por donde se desaguan los lugares inmundos o que pueden padecer inundación.

Husita. adj. Dícese del que sigue los errores de Juan de Hus. Ú. t. c. s.

Husma. (Del gr. ὀσμή, olor.) f. **Husmeo.** || **Andar** uno **a la husma.** fr. fig. y fam. Andar inquiriendo para saber las cosas ocultas, sacándolas por conjeturas y señales.

Husmar. (De *husma*.) tr. ant. **Husmear.**

Husmeador, ra. adj. Que husmea. Ú. t. c. s.

Husmear. (De *husmo*.) tr. Rastrear con el olfato una cosa. || **2.** fig. y fam. Andar indagando una cosa con arte y disimulo. || **3.** intr. Empezar a oler mal una cosa, especialmente la carne.

Husmeo. m. Acción y efecto de husmear, 1.ª y 2.ª aceps.

Husmo. (De *husmar*.) m. Olor que despiden de sí las cosas de carne, como tocino, carnero, perdiz, etc., que regularmente suele provenir de que ya empiezan a pasarse. || **Andarse** uno **al husmo.** fr. fig. **Husmear,** 1.ª y 2.ª aceps. || **Estar** uno **al husmo.** fr. fig. y fam. Estar esperando la ocasión de lograr su intento. || **Venirse** uno **al husmo.** fr. fig. **Andarse al husmo.**

Huso. (Del lat. *fūsus*.) m. Instrumento manual, generalmente de madera, de figura redondeada, más largo que grueso, que va adelgazándose desde el medio hacia las dos puntas, y sirve para hilar torciendo la hebra y devanando en él lo hilado. || **2.** Instrumento que sirve para unir y retorcer dos o más hilos. || **3.** Cierto instrumento de hierro, como de medio metro de largo y del grueso de un bellote: tiene en la parte inferior una cabezuela, también de hierro, para que haga contrapeso a la mano, y sirve para devanar la seda. || **4.** V. **Cardo huso.** || **5.** *Blas.* Losange largo y estrecho. || **6.** *Min.* Cilindro de un torno. || **esférico.** *Geom.* Parte de la superficie de una esfera, comprendida entre las dos caras de un ángulo diedro que tiene por arista un diámetro de aquélla. || **Al mal huso quebrarle la hueca,** o **la pierna.** ref. que, jugando del vocablo, condena o reprende las acciones malas, aun cuando se procure excusarlas con el uso y la costumbre. || **Ser más derecho que un huso.** fr. fig. y fam. con que se pondera que una persona o cosa es muy derecha o recta.

Huta. (Del fr. *hutte*, y éste del germ. *hütte*.) f. Choza en donde se esconden los monteros para echar los perros a la caza cuando pasa por allí.

Hutía. (Voz caribe.) f. Mamífero roedor, abundante en las Antillas, de unos cuatro decímetros de largo, figura semejante a la de la rata, y pelaje espeso, suave, leonado, más obscuro por el lomo que por el vientre. Es comestible y se conocen varias especies.

¡Huy! (Del lat. *hui*.) interj. con que se denota dolor físico agudo, o melindre, o asombro pueril y ridículo.

Huyente. p. a. de Huir. Que huye.

I

I. f. Décima letra del abecedario español, y tercera de sus vocales; pronúnciase elevando la lengua en su parte anterior más que para pronunciar la *e*, y cerrando algo más los labios. ‖ **2.** Letra numeral que tiene el valor de uno en la numeración romana. ‖ **3.** *Dial.* Signo de la proposición particular afirmativa. ‖ **griega. Ye.**

Ibérico, ca. (Del lat. *ibericus.*) adj. Ibero, 2.ª acep.

Iberio, ria. (Del lat. *iberius.*) adj. Ibero, 2.ª acep.

Ibero, ra [Íbero, ra]. (Del lat. *iberus.*) adj. Natural de la Iberia europea, hoy España y Portugal, o de la Iberia asiática. Ú. t. c. s. ‖ **2.** Perteneciente a cualquiera de estos dos países.

Iberoamericano, na. adj. Perteneciente o relativo a los pueblos de América que antes formaron parte de los reinos de España y Portugal. ‖ **2.** Perteneciente o relativo a estos pueblos y a España y Portugal. Apl. a pers., ú. t. c. s.

Íbice. (Del lat. *ibex, ibicis.*) m. **Cabra montés.**

Ibicenco, ca. adj. Natural de Ibiza. Ú. t. c. s. ‖ **2.** Perteneciente a esta isla, una de las Baleares.

Ibídem. (Del lat. *ibidem.*) adv. lat. que, en índices, notas o citas de impresos o manuscritos, se usa con su propia significación de allí mismo o en el mismo lugar.

Ibis. (Del lat. *ibis*, y éste del gr. ἶβις.) f. Ave del orden de las zancudas, de unos seis decímetros de largo desde la cabeza hasta lo último de la cola, y próximamente igual altura; pico largo, de punta encorvada y obtusa; parte de la cabeza y toda la garganta desnudas; plumaje blanco, excepto la cabeza, cuello, cola y extremidad de las alas, donde es negro. Vive principalmente de moluscos fluviales, pero los antiguos egipcios, atendiendo las épocas de aparición del ave en las orillas del Nilo, creían que se alimentaba de los reptiles que infectan el país después de las inundaciones periódicas del río, y por ello la veneraban.

Ibón. m. *Ar.* Lago de los Pirineos de Aragón.

Icaco. m. **Hicaco.**

Icáreo, a. adj. **Icario.**

Icario, ria. (Del lat. *icarius.*) adj. Perteneciente al Ícaro.

Icástico. (Del gr. εἰκαστικός, relativo a la representación de los objetos.) adj. Natural, sin disfraz ni adorno.

Icneumón. (Del lat. *ichneumon*, y éste del gr. ἰχνεύμων.) m. **Mangosta.**

Icnografía. (Del lat. *ichnographia*, y éste del gr. ἰχνογραφία; de ἴχνος, traza, planta, y γράφω, describir.) f. *Arq.* Delineación de la planta de un edificio.

Icnográfico, ca. adj. *Arq.* Perteneciente a la icnografía o hecho según ella.

Icono. (Del gr. εἰκών.) m. Representación devota de pincel, o de relieve, usada en las iglesias orientales unidas o cismáticas. En particular, se aplica a las tablas pintadas con técnica bizantina, llamadas en Castilla en el siglo XV «tablas de Grecia».

Iconoclasta. (Del gr. εἰκονοκλάστης; de εἰκών, imagen, y κλάω, romper.) adj. Dícese del hereje que niega el culto debido a las sagradas imágenes. Ú. t. c. s.

Iconografía. (Del lat. *iconographia*, y éste del gr. εἰκονογραφία; de εἰκών, imagen, y γράφω, describir.) f. Descripción de imágenes, retratos, cuadros, estatuas o monumentos, y especialmente de los antiguos. ‖ **2.** Tratado descriptivo, o colección de imágenes o retratos.

Iconográfico, ca. adj. Perteneciente o relativo a la iconografía.

Iconología. (Del gr. εἰκονολογία; de εἰκών, imagen, y λέγω, decir.) f. *Esc.* y *Pint.* Representación de las virtudes, vicios u otras cosas morales o naturales, con la figura o apariencia de personas.

Iconológico, ca. adj. Perteneciente o relativo a la iconología.

Iconómaco. (Del gr. εἰκονομάχος; de εἰκών, imagen, y μάχομαι, combatir.) adj. **Iconoclasta.** Ú. t. c. s.

Iconostasio. (Del gr. εἰκών, imagen, y στάσις, acción de poner.) m. Mampara o cancel con puertas, adornado con imágenes pintadas, que en las iglesias griegas está colocado delante del altar y se cierra para ocultar al sacerdote durante la consagración.

Icor. (Del gr. ἰχώρ.) m. *Cir.* Denominación aplicada por la antigua cirugía a un líquido seroso, que exhalan ciertas úlceras malignas, sin hallarse en él los elementos del pus y principalmente sus glóbulos.

Icoroso, sa. adj. *Cir.* Que participa de la naturaleza del icor, o relativo a él.

Icosaedro. (Del lat. *icosahĕdros*, y éste del gr. εἰκοσάεδρος; de εἴκοσι, veinte, y ἕδρα, cara.) m. *Geom.* Sólido limitado por 20 caras. ‖ **regular.** *Geom.* Aquel cuyas caras son todas triángulos equiláteros iguales.

Ictericia. (De *ictérico.*) f. *Med.* Enfermedad producida por la absorción de la bilis y cuya señal exterior más perceptible es la amarillez de la piel y de las conjuntivas.

Ictericiado, da. (De *ictericia.*) adj **Ictérico,** 2.ª acep. Ú. t. c. s.

Ictérico, ca. (Del lat. *ictericus*, y éste del gr. ἰκτερικός, de ἴκτερος, amarillez.) adj. *Med.* Perteneciente a la ictericia. ‖ **2.** *Med.* Que la padece. Ú. t. c. s.

Icterodes. (Del gr. ἰκτερώδης; de ἴκτερος, amarillez, y εἶδος, forma, semejanza.) adj. *Med.* V. **Tifus icterodes.**

Ictíneo. (Del gr. ἰχθύς, pez.) m. **Buque submarino.**

Ictiófago, ga. (Del gr. ἰχθυοφάγος; de ἰχθύς, pez, y φαγεῖν, comer.) adj. Que se mantiene de peces. Ú. t. c. s.

Ictiografía. (Del gr. ἰχθύς, pez, y γράφω, describir.) f. Parte de la zoología, que se ocupa en la descripción de los peces.

Ictiología. (Del gr. ἰχθύς, pez, y λόγος, discurso.) f. Parte de la zoología, que trata de los peces.

Ictiológico, ca. adj. Perteneciente o relativo a la ictiología.

Ictiólogo. m. El que profesa la ictiología.

Ictiosauro. (Del gr. ἰχθύς, pez, y σαῦρος, lagarto.) m. Reptil fósil, marino, de tamaño gigantesco, con el hocico prolongado y los dientes separados; ojos grandes rodeados de un círculo de placas óseas, cuello muy corto y cuatro aletas natatorias. Se encuentra principalmente en el terreno jurásico.

Ichal. m. Sitio en que hay muchos ichos.

Icho. (Del quichua *ichu.*) m. *Bot.* **Pajón.**

Ida. (De *ido.*) f. Acción de ir de un lugar a otro. ‖ **2.** fig. Ímpetu, prontitud o acción inconsiderada e impensada. *Tiene unas* IDAS *terribles.* ‖ **3.** *Esgr.* Acometimiento que hace uno de los competidores al otro después de presentar la espada. ‖ **4.** *Mont.* Señal o rastro que con los pies hace la caza en el suelo. ‖ **y venida.** Partido o convenio en el juego de los cientos, en que se fenece el juego en cada mano sin acabar de contar el ciento, pagando los tantos según las calidades de él. ‖ **En dos idas y venidas.** loc. fig. y fam. Brevemente, con prontitud. ‖ **Ida y venida por casa de mi tía.** ref. en que se reprenden las falsas razones con que algunos cohonestan sus extravíos particulares. ‖ **La ida del cuervo,** o **del humo.** loc. fam. con que al irse alguno se da a entender el deseo de que no vuelva, o el juicio que se hace de que no volverá. || **No dar,** o **no dejar, la ida por la venida.** fr. que explica la eficacia y solicitud con que uno pretende o gestiona una cosa.

Idalio, lia. (Del lat. *idalius.*) adj. Perteneciente a Idalia, antigua ciudad de la isla de Chipre, consagrada a Venus. || **2.** Perteneciente a esta deidad del gentilismo.

Idea. (Del lat. *idĕa,* y éste del gr. ἰδέα, forma, apariencia; de ἰδεῖν, ver.) f. Primero y más obvio de los actos del entendimiento, que se limita al simple conocimiento de una cosa. || **2.** Imagen o representación que del objeto percibido queda en el alma. *Su* IDEA *no se borra jamás de mi mente.* || **3.** Conocimiento puro, racional, debido a las naturales condiciones de nuestro entendimiento. *La justicia es* IDEA *innata.* || **4.** Plan y disposición que se ordena en la fantasía para la formación de una obra. *La* IDEA *de un sermón; la* IDEA *de un palacio.* || **5.** Intención de hacer una cosa. *Tener, llevar* IDEA *de casarse, de huir.* || **6.** Concepto, opinión o juicio formado de una persona o cosa. *Tengo buena* IDEA *de Antonio. He formado* IDEA *del asunto.* || **7.** Ingenio para disponer, inventar y trazar una cosa. *Es hombre de* IDEA; *tiene* IDEA *para estos trabajos.* || **8.** fam. Manía o imaginación extravagante. Ú. m. en pl. *Le perseguía una* IDEA; *eran incoherentes sus* IDEAS. || **Ideas de Platón.** Ejemplares perpetuos e inmutables que de todas las cosas criadas existen, según este filósofo, en la mente divina. || **universales.** Conceptos formados por abstracción que representan en nuestra mente, reducidas a unidad común, realidades que existen en diversos seres; por ejemplo: hombre, respecto de Pedro, Juan, Antonio, etc., y así todas las especies y los géneros.

Ideación. (De *idear.*) f. Génesis y proceso en la formación de las ideas.

Ideal. (Del lat. *ideālis.*) adj. Perteneciente o relativo a la idea. || **2.** Que no es físico, real y verdadero, sino que está en la fantasía. || **3.** V. **Belleza ideal.** || **4.** Excelente, perfecto en su línea. || **5.** m. Prototipo, modelo o ejemplar de perfección.

Idealidad. f. Calidad de ideal.

Idealismo. (De *ideal.*) m. Condición de los sistemas filosóficos que consideran la idea como principio del ser y del conocer. Comprende esta denominación, como tipos generales, el **idealismo** templado de Platón, el subjetivo de Kant y el absoluto de Hégel. || **2.** Aptitud para elevar sobre la realidad sensible las cosas que se describen o se representan. || **3.** Aptitud de la inteligencia para idealizar.

Idealista. adj. Dícese de la persona que profesa la doctrina del idealismo. Ú. t. c. s. || **2.** Aplícase a la que propende a representarse las cosas de una manera ideal. Ú. t. c. s.

Idealización. f. Acción y efecto de idealizar.

Idealizador, ra. adj. Que idealiza.

Idealizar. (De *ideal.*) tr. Elevar las cosas sobre la realidad sensible por medio de la inteligencia o fantasía.

Idealmente. adv. m. En la idea o discurso.

Idear. tr. Formar idea de una cosa. || **2.** Trazar, inventar.

Ideario. m. Repertorio de las principales ideas de un autor, de una escuela o de una colectividad.

Ideático, ca. (De *idea.*) adj. *Amér.* Venático, maniático.

Ídem. (Del lat. *idem,* el mismo, lo mismo.) pron. lat. que significa el mismo o lo mismo, y se suele usar para repetir las citas de un autor, y en las cuentas y listas para denotar diferentes partidas de una sola especie. || **Ídem per ídem.** loc. lat. que significa ello por ello, o lo mismo es lo uno que lo otro.

Idénticamente. adv. m. De manera idéntica, con identidad.

Idéntico, ca. (De *idem.*) adj. Dícese de lo que en substancia y accidentes es lo mismo que otra cosa con que se compara. Ú. t. c. s. || **2.** Muy parecido.

Identidad. (Del lat. *identĭtas, -ātis,* de *idem,* lo mismo.) f. Calidad de idéntico. || **2.** *For.* Hecho de ser una persona o cosa la misma que se supone o se busca. || **3.** *Mat.* Igualdad que se verifica siempre, sea cualquiera el valor de las variables que su expresión contiene. || **de persona.** *For.* Ficción de derecho por la cual el heredero se tiene por una misma persona con el causante de la sucesión, en cuanto a los derechos y obligaciones transmisibles, salvo en el caso de beneficio de inventario.

Identificable. adj. Que puede ser identificado.

Identificación. f. Acción de identificar.

Identificar. (De *idéntico,* y el lat. *-ficāre,* de *facĕre.*) tr. Hacer que dos o más cosas que en realidad son distintas aparezcan y se consideren como una misma. Ú. m. c. r. || **2.** *For.* Reconocer si una persona o cosa es la misma que se supone o se busca. || **3.** r. *Fil.* Dícese de aquellas cosas que la razón aprehende como diferentes, aunque en la realidad sean una misma. *El entendimiento, la memoria y la voluntad* SE IDENTIFICAN *entre sí y con el alma.* || **Identificarse** uno **con** otro. fr. Llegar a tener las mismas creencias, propósitos, deseos, etc., que él.

Ideo, a. (Del lat. *idaeus.*) adj. Perteneciente al monte Ida. || **2.** Por ext., perteneciente a Troya o Frigia.

Ideográfico, ca. (Del gr. ἰδέα, idea, y γραφικός, que representa, que describe.) adj. Aplícase a la escritura en que no se representan las palabras por medio de signos fonéticos o alfabéticos, sino las ideas por medio de figuras o símbolos; por ejemplo, pintando un león para expresar la idea de fuerza.

Ideograma. (Del gr. ἰδέα, idea, y γράμμα, letra.) m. Cada uno de los signos o elementos de la escritura ideográfica.

Ideología. (Del gr. ἰδέα, idea, y λόγος, discurso.) f. Rama de las ciencias filosóficas, que trata del origen y clasificación de las ideas.

Ideológico, ca. adj. Perteneciente a la ideología.

Ideólogo, ga. m. y f. Persona que profesa la ideología. || **2.** Persona ilusa, soñadora; que piensa en utopías.

Idílico, ca. adj. Perteneciente o relativo al idilio.

Idilio. (Del lat. *idyllĭum,* y éste del gr. εἰδύλλιον, d. de εἶδος, forma, imagen.) m. Composición poética que tiene más generalmente por caracteres distintivos lo tierno y delicado, y por asuntos las cosas del campo y los afectos amorosos de los pastores. || **2.** fig. Coloquio amoroso, y por ext. relaciones entre enamorados.

Idioma. (Del lat. *idiōma,* y éste del gr. ἰδίωμα, de ἴδιος, propio, especial.) m. Lengua de una nación o de una comarca. || **2.** Modo particular de hablar de algunos o en algunas ocasiones. *En* IDIOMA *de la corte; en* IDIOMA *de palacio.*

Idiomático, ca. (Del gr. ἰδιωματικός, especial.) adj. Propio y peculiar de una lengua determinada.

Idiosincrasia. (Del gr. ἰδιοσυγκρασία; de ἴδιος, propio, especial, y σύγκρασις, temperamento.) f. Índole del temperamento y carácter de cada individuo, por la cual se distingue de los demás.

Idiosincrásico, ca. adj. Perteneciente o relativo a la idiosincrasia.

Idiota. (Del lat. *idiōta,* y éste del gr. ἰδιώτης.) adj. Que padece de idiotez. Ú. t. c. s. || **2.** Ayuno de toda instrucción.

Idiotez. (De *idiota.*) f. Trastorno mental caracterizado por la falta congénita y completa de las facultades intelectuales.

Idiotismo. (Del lat. *idiotismus,* lenguaje o estilo familiar, y éste del gr. ἰδιωτισμός.) m. Ignorancia, falta de letras e instrucción. || **2.** *Gram.* Modo de hablar contra las reglas ordinarias de la gramática, pero propio de una lengua.

Idólatra. (Del lat. *idololatra,* y éste del gr. εἰδωλολάτρης; de εἴδωλον, ídolo, y λατρεία, latría.) adj. Que adora ídolos o falsas deidades. Ú. t. c. s. || **2.** fig. Que ama excesivamente a una persona o cosa.

Idolatrante. p. a. de **Idolatrar.** Que idolatra.

Idolatrar. (De *idólatra.*) tr. Adorar ídolos o falsas deidades. || **2.** fig. Amar excesivamente a una persona o cosa. Ú. t. c. intr. IDOLATRAR *en.*

Idolatría. (Del lat. *idolatrīa,* y éste del gr. εἰδωλολατρεία, de εἰδωλολάτρης, idólatra.) f. Adoración que se da a los ídolos y falsas divinidades. || **2.** fig. Amor excesivo y vehemente a una persona o cosa.

Idolátrico, ca. (Del lat. *idolatrĭcus.*) adj. Perteneciente a la idolatría.

Idolejo. m. d. de **Ídolo.**

Ídolo. (Del lat. *idōlum,* y éste del gr. εἴδωλον.) m. Figura de una falsa deidad a que se da adoración. || **2.** fig. Persona o cosa excesivamente amada.

Idolología. (Del gr. εἴδωλον, ídolo, y λόγος, tratado.) f. Ciencia que trata de los ídolos.

Idolopeya. (Del gr. εἰδωλοποιΐα; de εἴδωλον, imagen, espectro, y ποιέω, representar.) f. *Ret.* Figura que consiste en poner un dicho o discurso en boca de una persona muerta.

Idoneidad. (Del lat. *idoneĭtas, -ātis.*) f. Calidad de idóneo.

Idóneo, a. (Del lat. *idonĕus.*) adj. Que tiene buena disposición o suficiencia para una cosa.

Idos. m. pl. **Idus.**

Idumeo, a. (Del lat. *idumaeus.*) adj. Natural de Idumea. Ú. t. c. s. || **2.** Perteneciente a este país de Asia antigua.

Idus. (Del lat. *idus.*) m. pl. En el antiguo cómputo romano y en el eclesiástico, el día 15 de marzo, mayo, julio y octubre, y el 13 de los demás meses. || **Idus y calendas, todo se pasa en ofrendas.** ref. contra los que gastan todo el tiempo en fiestas y comilonas.

Iglesia. (Del lat. *ecclesia,* y éste del gr. ἐκκλησία, congregación.) f. Congregación de los fieles, regida por Cristo y el Papa, su vicario en la tierra. || **2.** Conjunto del clero y pueblo de un país en donde el catolicismo tiene adeptos. IGLESIA *latina, griega.* || **3.** Estado eclesiástico, que comprende a todos los ordenados. || **4.** Gobierno eclesiástico general del Sumo Pontífice, concilios y prelados. || **5.** Cabildo de las catedrales o colegiales; y así, se divide en metropolitana, sufragánea, exenta y parroquial. || **6.** Diócesis, territorio y lugares de la jurisdicción de los prelados. || **7.** Conjunto de sus súbditos. || **8.** Impropiamente, cada una de las sectas particulares de herejes. *La* IGLESIA *reformada.* || **9.** Templo cristiano. || **10.** Inmunidad del que se acoge a su sagrado. || **11.** V. **Cabeza, comunión, llaves de la Iglesia.** || **12.** V. **Cuerpo, día, hombre de iglesia.** || **13.** fig. y fam. V. **Arco de iglesia.** || **catedral. Iglesia** principal en que reside el obispo o arzobispo con su cabildo. || **colegial.** La que no siendo silla propia de arzobispo u obispo, se compone de abad y canónigos seculares, y en ella se celebran los oficios divinos como en las catedrales.

|| **conventual.** La de un convento. || **de estatuto.** Aquella en que ha de hacer pruebas de limpieza de sangre el que solicita ser admitido en ella. || **en cruz griega.** La que se compone de dos naves de igual longitud que se cruzan perpendicularmente por su parte media. || **en cruz latina.** La que se compone de dos naves, una más larga que otra, que se cruzan a escuadra. || **fría.** La que tenía derecho de asilo. || **2.** Derecho que conservaba el que era extraído de la **iglesia** y no restituido a ella, para alegarlo si le volvían a prender. || **juradera.** La que estaba destinada para recibir en ella los juramentos decisorios. || **mayor.** La principal de cada pueblo. || **metropolitana.** La que es sede de un arzobispo. || **militante.** Congregación de los fieles que viven en este mundo en la fe católica. || **oriental.** Latamente, la que estaba incluida en el imperio de Oriente, a distinción de la incluida en el imperio de Occidente. || **2.** Menos extensamente, la que estaba comprendida sólo en el patriarcado de Antioquía, que en el imperio romano se llamaba Diócesis Oriental. || **3.** La que sigue el rito griego. || **papal.** Aquella en que el prelado provee todas las prebendas. || **parroquial. Parroquia,** 1.ª acep. || **patriarcal.** La que es sede de un patriarca. || **primada.** La que es sede de un primado. || **purgante.** Congregación de los fieles que están en el purgatorio. || **triunfante.** Congregación de los fieles que están ya en la gloria. || **Acogerse a la Iglesia.** fr. fam. Entrar en religión, hacerse eclesiástico o adquirir fuero de tal. || **Cumplir con la Iglesia.** fr. Comulgar los fieles por Pascua florida o de Resurrección. || **Entrar** uno **en la Iglesia.** fr. fig. Abrazar el estado eclesiástico. || **Extraer de la iglesia.** fr. Sacar de ella, en virtud de orden judicial, a un reo que estaba retraído o refugiado. || **Iglesia me llamo.** expr. usada por los delincuentes para no decir su nombre, y dar a entender que tenían **iglesia** o que gozaban de su impunidad. || **2.** expr. fig. y fam. de que usa el que está asegurado de las persecuciones y tiros que otros le pueden ocasionar. || **Iglesia, o mar, o casa real.** ref. según el cual los tres medios de hacer fortuna son las dignidades eclesiásticas, el comercio y el servicio del rey en su casa. || **Llevar** uno **a la iglesia** a una mujer. fr. fig. Casarse con ella. || **Reconciliarse con la Iglesia.** fr. Volver al gremio de ella el apóstata o el hereje que abjuró de su error o herejía. || **Tomar iglesia.** fr. Acogerse a ella para tomar asilo.

Iglesieta. f. d. de **Iglesia,** 9.ª acep.

Ignaciano, na. adj. Perteneciente a la doctrina de San Ignacio de Loyola o a las instituciones por él fundadas.

Ignaro, ra. (Del lat. *ignārus.*) adj. **Ignorante.**

Ignavia. (Del lat. *ignavĭa.*) f. Pereza, desidia, flojedad de ánimo.

Ignavo, va. (Del lat. *ignāvus.*) adj. Indolente, flojo, cobarde.

Ígneo, a. (Del lat. *ignĕus,* de *ignis,* fuego.) adj. De fuego o que tiene alguna de sus calidades. || **2.** De color de fuego.

Ignición. (Del lat. *ignītus,* encendido.) f. Acción y efecto de estar un cuerpo encendido, si es combustible, o enrojecido por un fuerte calor, si es incombustible.

Ignífero, ra. (Del lat. *ignĭfer;* de *ignis,* fuego, y *ferre,* llevar.) adj. poét. Que arroja o contiene fuego.

Ignífugo, ga. (Del lat. *ignis,* fuego, y *fugĕre,* huir, evitar.) adj. Que protege contra el incendio. *Pintura* IGNÍFUGA.

Ignipotente. (Del lat. *ignipŏtens, -entis;* de *ignis,* fuego, y *potens,* poderoso.) adj. poét. Poderoso en el fuego.

Ignito, ta. (Del lat. *ignītus.*) adj. Que tiene fuego o está encendido.

Ignívomo, ma. (Del lat. *ignivŏmus;* de *ignis,* fuego, y *vomĕre,* vomitar.) adj. poét. Que vomita fuego.

Ignóbil. (Del lat. *ignobĭlis.*) adj. ant. **Ignoble.**

Ignobilidad. (Del lat. *ignobilĭtas, -ātis.*) f. ant. Calidad de ignoble.

Ignoble. adj. ant. **Innoble.**

Ignografía. f. **Icnografía.**

Ignominia. (Del lat. *ignominĭa.*) f. Afrenta pública que uno padece con causa o sin ella.

Ignominiosamente. adv. m. Con ignominia.

Ignominioso, sa. (Del lat. *ignominiōsus.*) adj. Que es ocasión o causa de ignominia.

Ignoración. (Del lat. *ignorantĭo, -ōnis.*) f. ant. **Ignorancia.**

Ignorancia. (Del lat. *ignorantĭa.*) f. Falta de ciencia, de letras y noticias, o general o particular. || **de derecho.** *For.* Desconocimiento de la ley, el cual a nadie excusa, porque rige la necesaria presunción o ficción de que, habiendo sido aquélla promulgada, han de saberla todos. || **de hecho.** *For.* La que se tiene de un **hecho,** y puede ser estimada en las relaciones jurídicas. || **invencible.** La que tiene uno de alguna cosa, por no alcanzar motivo o razón que le haga dudar de ella. || **supina.** La que procede de negligencia en aprender o inquirir lo que puede y debe saberse. || **Ignorancia no quita pecado.** expr. con que se explica que la **ignorancia** de las cosas que se deben saber no exime de culpa. || **No pecar** uno **de ignorancia.** fr. Hacer una cosa con conocimiento de que no es razón el hacerla, o después de advertido de que no la debía hacer. || **Pretender** uno **ignorancia.** fr. Alegarla.

Ignorante. (Del lat. *ignorans, -antis.*) p. a. de **Ignorar.** Que ignora. || **2.** adj. Que no tiene noticia de las cosas. Ú. t. c. s.

Ignorantemente. adv. m. Con ignorancia.

Ignorar. (Del lat. *ignorāre.*) tr. No saber una o muchas cosas, o no tener noticia de ellas.

Ignoto, ta. (Del lat. *ignōtus;* de *in,* priv., y *gnōtus,* conocido.) adj. No conocido ni descubierto.

Igorrote. m. Individuo de la raza aborigen de la isla de Luzón, en las Filipinas. Los **igorrotes** en su mayor parte son salvajes, y ocupan la cordillera, desde la provincia de Pangasinán hasta la misión de Ituy, y no poco espacio de la parte oriental. || **2.** Lengua de los **igorrotes.** || **3.** adj. Perteneciente a éstos o a su lengua.

Igreja. (Del lat. *eclesia,* por *ecclesia.*) f. ant. **Iglesia.**

Iguado, da. (Del lat. *aequatus.*) p. p. ant. de **Iguar.** || **2.** adj. ant. **Igualado.**

Igual. (Del lat. *aequālis.*) adj. De la misma naturaleza, cantidad o calidad de otra cosa. || **2.** Liso, que no tiene cuestas ni profundidades. *Terreno, superficie* IGUAL. || **3.** Muy parecido o semejante. *No he visto cosa* IGUAL; *ser una cosa sin* IGUAL. || **4.** Proporcionado, en conveniente relación. *Sus fuerzas no eran* IGUALES *a su intento.* || **5.** Constante, no variable. *Es de un carácter* IGUAL *y afable.* || **6. Indiferente.** *Todo le es* IGUAL. || **7.** De la misma clase o condición. Ú. t. c. s. || **8.** *Geom.* Dícese de las figuras que se pueden superponer de modo que se confundan en su totalidad. || **9.** *Geom.* V. **Línea de partes iguales.** || **10.** m. *Mat.* Signo de la igualdad, formado de dos rayas horizontales y paralelas (=). || **Al igual.** m. adv. Con igualdad. || **Casar y compadrar, cada cual con su igual.** ref. que enseña que cada uno debe mantenerse en su esfera sin aspirar a más ni descender a menos. || **En igual de.** m. adv. En vez de, o en lugar de. EN IGUAL *de darme el dinero, me lo piden.* || **Por igual,** o **por un igual.** m. adv. **Igualmente.** || **Sin igual.** m. adv. **Sin par.**

Iguala. f. Acción y efecto de igualar o igualarse. || **2.** Composición, ajuste o pacto en los tratos. || **3.** Estipendio o cosa que se da en virtud de ajuste. || **4.** Listón de madera con que los albañiles reconocen la llanura de las tapias o de los suelos. || **A la iguala.** m. adv. **Al igual.**

Igualación. f. Acción y efecto de igualar o igualarse. || **2.** fig. Ajuste, convenio o concordia || **3.** desus. *Alg.* **Ecuación,** 1.ª acep.

Igualadino, na. adj. Natural de Igualada. Ú. t. c. s. || **2.** Perteneciente a esta ciudad.

Igualado, da. p. p. de **Igualar.** || **2.** adj. Aplícase a ciertas aves que ya han arrojado el plumón y tienen igual la pluma.

Igualador, ra. adj. Que iguala. Ú. t. c. s.

Igualamiento. m. Acción y efecto de igualar o igualarse.

Igualante. p. a. ant. de **Igualar.** Que iguala.

Igualanza. (De *igualar.*) f. ant. **Igualdad.** || **2.** ant. **Iguala.**

Igualar. tr. Poner al igual con otra a una persona o cosa. Ú. t. c. r. || **2.** fig. Juzgar sin diferencia, o estimar a uno y tenerle en la misma opinión o afecto que a otro. || **3. Allanar,** 1.ª y 2.ª aceps. IGUALAR *los caminos, los terrenos.* || **4.** Hacer ajuste o convenirse con pacto sobre una cosa. Ú. t. c. r. || **5.** intr. Ser una cosa igual a otra. Ú. t. c. r.

Igualdad. (Del lat. *aequalĭtas, -ātis.*) f. Conformidad de una cosa con otra en naturaleza, forma, calidad o cantidad. || **2.** Correspondencia y proporción que resulta de muchas partes que uniformemente componen un todo. || **3.** *Mat.* Expresión de la equivalencia de dos cantidades. || **ante la ley.** Principio que reconoce a todos los ciudadanos capacidad para los mismos derechos. || **de ánimo.** Constancia y serenidad en los sucesos prósperos o adversos.

Igualeza. (De igual.) f. ant. **Igualdad,** 1.ª acep.

Igualitario, ria. (De *igualar.*) adj. Que entraña igualdad o tiende a ella.

Igualmente. adv. m. Con igualdad. || **2.** También, asimismo.

Igualón, na. adj. Dícese del pollo de la perdiz cuando ya se asemeja a sus padres.

Iguana. (Del caribe *ihuana,* o *iuana.*) f. Nombre genérico de unos reptiles parecidos a los lagartos, pero con la lengua simplemente escotada en el extremo y no protráctil, y los dientes aplicados a la superficie interna de las mandíbulas. Están generalmente provistos de una gran papada y de una cresta espinosa a lo largo del dorso; alguna de las especies llega a alcanzar hasta un metro de longitud. Es indígena de la América Meridional, y su carne y huevos son comestibles.

Iguánido. adj. *Zool.* Dícese de ciertos reptiles saurios, cuyo tipo es la iguana. || **2.** m. pl. *Zool.* Familia de estos reptiles.

Iguanodonte. (De *iguana,* y el gr. ὀδών, ὀδόντος, diente.) m. Reptil del orden de los saurios, que se encuentra fósil en los terrenos secundarios inferiores al cretáceo, y era herbívoro, tenía hasta 12 metros de largo, las extremidades anteriores mucho más cortas que las posteriores, con tres dedos en cada una, y cola muy larga.

Iguar. (Del lat. *aequāre,* igualar.) tr. ant. **Eguar.**

Iguaria. (Del port. *iguaria.*) f. Manjar delicado y apetitoso.

Igüedo. (De *iguar.*) m. **Cabrón,** 1.ª acep.

Ijada. (Del lat. *iliata, de ilia, ijares.*) f. Cualquiera de las dos cavidades simétricamente colocadas entre las costillas falsas y los huesos de las caderas. || **2.** En los peces, parte anterior e inferior del cuerpo. || **3.** Dolor o mal que se padece en aquella parte. || **Tener una cosa su ijada.** fr. fig. Dícese de aquello en que, entre lo que tiene de bueno, se halla algo que no lo es tanto.

Ijadear. tr. Mover mucho y aceleradamente las ijadas, por efecto del cansancio.

Ijar. (Del lat. *iliare, de ilia, ijares.*) m. **Ijada,** 1.ª acep.

Ijujú. m. Grito de júbilo.

Ilación. (Del lat. *illatio, -ōnis.*) f. Acción y efecto de inferir una cosa de otra. || **2.** Trabazón razonable y ordenada de las partes de un discurso. || **3.** *Lóg.* Enlace o nexo del consiguiente con sus premisas.

Ilapso. (Del lat. *illapsus, p. p. de illābi, caer sobre, insinuarse.*) m. Especie de éxtasis contemplativo, durante el cual se suspenden las sensaciones exteriores, quedando el espíritu en un estado de quietud y arrobamiento.

Ilativo, va. (Del lat. *illatīvus.*) adj. Que se infiere o puede inferirse. || **2.** Perteneciente o relativo a la ilación. || **3.** *Gram.* V. **Conjunción ilativa.**

Ilécebra. (Del lat. *illecĕbra.*) f. Halago engañoso; cariñosa ficción que atrae y convence.

Ilegal. (De *in,* 2.° art., y *legal.*) adj. Que es contra ley.

Ilegalidad. f. Falta de legalidad.

Ilegalmente. adv. m. Sin legalidad.

Ilegible. (De *in,* 2.° art., y *legible.*) adj. Que no puede o no debe leerse.

Ilegislable. adj. No legislable.

Ilegítimamente. adv. m. Sin legitimidad.

Ilegitimar. (De *ilegítimo.*) tr. Privar a uno de la legitimidad; hacer que se tenga por ilegítimo al que realmente era legítimo o creía serlo.

Ilegitimidad. (De *ilegítimo.*) f. Falta de alguna circunstancia o requisito para ser legítima una cosa.

Ilegítimo, ma. (Del lat. *illegitĭmus; de in, priv., y legitĭmus.*) adj. No legítimo.

Íleo. (Del lat. *ilĕus, y éste del gr.* εἰλεός, *cólico violento.*) m. *Med.* Enfermedad aguda, producida por el retorcimiento de las asas intestinales, que origina oclusión intestinal y cólico miserere.

Ileocecal. adj. *Anat.* Que pertenece a los intestinos íleon y ciego.

Íleon. (Del gr. εἰλέων, *p. a. de* εἰλέω, *retorcerse.*) m. *Zool.* Tercera porción del intestino delgado de los mamíferos, que empieza donde acaba el yeyuno y termina en el ciego.

Íleon. m. *Zool.* **Ilion.**

Ilercavón, na. adj. Natural de una región de la España Tarraconense, que comprendía parte de las actuales provincias de Tarragona y Castellón. Ú. t. c. s. || **2.** Perteneciente a esta región.

Ilerdense. (Del lat. *ilerdensis.*) adj. Natural de la antigua Ilerda, hoy Lérida. Ú. t. c. s. || **2.** Perteneciente a esta ciudad de la España Tarraconense. || **3.** **Leridano.** Apl. a pers., ú. t. c. s.

Ilergete. (Del lat. *ilergĕtes.*) adj. Natural de una región de la España Tarraconense, que se extendía por la parte llana de las provincias de Huesca, Zaragoza y Lérida. Ú. t. c. s. || **2.** Perteneciente a esta región.

Ileso, sa. (Del lat. *illaesus.*) adj. Que no ha recibido lesión o daño.

Iletrado, da. (De *in,* 2.° art., y *letrado.*) adj. Falto de cultura.

Iliaco, ca [Ilíaco, ca]. adj. Perteneciente o relativo al íleon.

Iliaco, ca [Ilíaco, ca]. (Del lat. *iliăcus, y éste del gr.* Ἰλιακός, *de* Ἴλιον, *Troya.*) adj. Perteneciente o relativo a Ilión o Troya.

Iliberal. (Del lat. *illiberālis.*) adj. No liberal.

Iliberitano, na. (Del lat. *illiberritānus.*) adj. Natural de la antigua Ilíberis o Iliberris, que comúnmente se cree ser Granada. Ú. t. c. s. || **2.** Perteneciente a esta ciudad de la Bética.

Iliberritano, na. adj. **Iliberitano.** Apl. a pers., ú. t. c. s.

Ilicíneo, a. (Del lat. *ilex, ilicis, encina.*) adj. *Bot.* **Aquifoliáceo.**

Ilícitamente. adv. m. Contra razón, justicia o derecho.

Ilicitano, na. (Del lat. *illicitānus, de Illĭci, Elche.*) adj. Natural de la antigua Ílici, hoy Elche. Ú. t. c. s. || **2.** Perteneciente a esta población de la España Tarraconense.

Ilícito, ta. (Del lat. *illicĭtus.*) adj. No permitido legal ni moralmente.

Ilicitud. f. Calidad de ilícito.

Iliense. (Del lat. *iliensis.*) adj. **Troyano.** Apl. a pers., ú. t. c. s.

Ilimitable. adj. Que no puede limitarse.

Ilimitadamente. adv. m. Sin limitación, de manera ilimitada.

Ilimitado, da. (Del lat. *illimitātus.*) adj. Que no tiene límites.

Ilion. (Del lat. *ilium, ijar.*) m. *Zool.* Hueso de la cadera, que en los mamíferos adultos se une al isquion y al pubis para formar el **hueso innominado.**

Ilipulense. (Del lat. *ilipulenses.*) adj. Natural de Ilípula. Ú. t. c. s. || **2.** Perteneciente a esta antigua ciudad de la Bética.

Ilíquido, da. (De *in,* 2.° art., y *líquido.*) adj. Dícese de la cuenta, deuda, etc., que está por liquidar.

Ilírico, ca. (Del lat. *illyrĭcus.*) adj. **Ilirio.**

Ilirio, ria. (Del lat. *illyrĭus.*) adj. Natural de Iliria. Ú. t. c. s. || **2.** Perteneciente a esta región de Europa.

Iliterario, ria. adj. No literario.

Iliterato, ta. (Del lat. *illiterātus.*) adj. Ignorante y no versado en ciencias ni letras humanas.

Iliturgitano, na. (Del lat. *illiturgitānus.*) adj. Natural de Iliturgi. Ú. t. c. s. || **2.** Perteneciente a esta antigua ciudad de la Bética.

Ilógico, ca. (De *in,* 2.° art., y *lógico.*) adj. Que carece de lógica, o va contra sus reglas y doctrinas.

Ilota. (Del lat. *ilotae, y éste del gr.* εἵλωτης.) com. Esclavo de los lacedemonios, originario de la ciudad de Helos. || **2.** fig. El que se halla o se considera desposeído de los goces y derechos de ciudadano.

Ilotismo. m. Condición de ilota.

Iludir. (Del lat. *illudĕre.*) tr. **Burlar.**

Iluminación. (Del lat. *illuminatio, -ōnis.*) f. Acción y efecto de iluminar. || **2.** Adorno y disposición de muchas y ordenadas luces. || **3.** Especie de pintura al temple, que de ordinario se ejecuta en vitela o papel terso.

Iluminado, da. p. p. de **Iluminar.** || **2.** adj. **Alumbrado,** 1.er art., 3.ª acep. Ú. m. c. s. y en pl. || **3.** Dícese del individuo de una secta herética y secreta fundada en 1776 por el bávaro Weishaupt, que con la incondicional y ciega obediencia de los adeptos pretendía establecer como ideal un sistema moral contrario al orden existente en religión, propiedad y familia. Ú. m. c. s. y en pl.

Iluminador, ra. (Del lat. *illuminātor.*) adj. Que ilumina. Ú. t. c. s. || **2.** m. y f. Persona que adorna libros, estampas, etc., con colores.

Iluminante. p. a. de **Iluminar.** Que ilumina.

Iluminar. (Del lat. *illumināre.*) tr. Alumbrar, dar luz o bañar de resplandor. || **2.** Adornar con mucho número de luces los templos, casas u otros sitios. || **3.** Dar color a las figuras, letras, etc., de una estampa, libro, etc. || **4.** Poner por detrás de las estampas tafetán o papel de color, después de cortados los blancos. || **5.** fig. Ilustrar el entendimiento con ciencias o estudios. || **6.** fig. **Alumbrar,** 1.er art., 8.ª acep. || **7.** *Teol.* Ilustrar interiormente Dios a la criatura.

Iluminaria. f. **Luminaria,** 1.ª acep. Ú. m. en pl.

Iluminativo, va. adj. Capaz de iluminar.

Iluminismo. m. Sistema de los iluminados.

Ilusamente. adv. m. Falsa, engañosamente.

Ilusión. (Del lat. *illusio, -ōnis.*) f. Concepto, imagen o representación sin verdadera realidad, sugeridos por la imaginación o causados por engaño de los sentidos. || **2.** Esperanza acariciada sin fundamento racional. || **3.** *Ret.* Ironía viva y picante.

Ilusionarse. r. Forjarse ilusiones.

Ilusivo, va. (De *iluso.*) adj. Falso, engañoso, aparente.

Iluso, sa. (Del lat. *illūsus, p. p. de illudĕre, burlar.*) adj. Engañado, seducido, preocupado. Ú. t. c. s. || **2.** Propenso a ilusionarse, soñador.

Ilusorio, ria. (Del lat. *illusorĭus.*) adj. Capaz de engañar. || **2.** De ningún valor o efecto, nulo.

Ilustración. (Del lat. *illustratio, -ōnis.*) f. Acción y efecto de ilustrar o ilustrarse. || **2.** Estampa, grabado o dibujo que adorna un libro ilustrado. || **3.** Publicación, comúnmente periódica, con láminas y dibujos, además del texto que suele contener.

Ilustrado, da. p. p. de **Ilustrar.** || **2.** adj. Dícese de la persona de entendimiento e instrucción.

Ilustrador, ra. (Del lat. *illustrātor.*) adj. Que ilustra. Ú. t. c. s.

Ilustrante. p. a. ant. de **Ilustrar.** Que ilustra.

Ilustrar. (Del lat. *illustrāre.*) tr. Dar luz al entendimiento. Ú. t. c. r. || **2.** Aclarar un punto o materia con palabras, imágenes, o de otro modo. || **3.** Adornar un impreso con láminas o grabados alusivos al texto. || **4.** fig. Hacer ilustre a una persona o cosa. Ú. t. c. r. || **5.** fig. Instruir, civilizar. Ú. t. c. r. || **6.** *Teol.* Alumbrar Dios interiormente a la criatura con luz sobrenatural.

Ilustrativo, va. adj. Que ilustra.

Ilustre. (Del lat. *illustris.*) adj. De distinguida prosapia, casa, origen, etc. || **2.** Insigne, célebre. || **3.** Título de dignidad. *Al* ILUSTRE *señor.* || **4.** f. pl. *Germ.* Las botas.

Ilustremente. adv. m. De un modo ilustre.

Ilustreza. f. ant. Nobleza esclarecida.

Ilustrísima. f. Tratamiento que se da a los obispos, en substitución de *Su Señoría* ILUSTRÍSIMA.

Ilustrísimo, ma. (Del lat. *illustrissĭmus.*) adj. sup. de **Ilustre,** que como tratamiento se da a ciertas personas por razón de su cargo o dignidad. Hasta hace algún tiempo se aplicaba especialmente a los obispos.

Imada. f. *Mar.* Cada una de las explanadas de madera puestas a uno y otro lado de la cuna y que substituyen a los picaderos para la botadura. Sobre ellas resbalan las anguilas de la cuna que conduce el buque al agua.

Imagen. (Del lat. *imāgo, -ĭnis.*) f. Figura, representación, semejanza y apariencia de una cosa. || **2.** Estatua, efigie, o pintura de Jesucristo, de la Santísima Virgen o de un santo. || **3.** *Fís.* Reproducción de la figura de un objeto por la combinación de los rayos de luz. || **4.** *Ret.* Representación viva y eficaz de una cosa por medio del lenguaje. || **accidental.** *Fisiol.* La que después de haber contemplado un objeto con mucha intensidad, persiste en el ojo, aunque con colores cambiados. || **real.** *Fís.* La que se produce por el concurso de los rayos de luz, en el foco real de un espejo cóncavo o de una lente convergente. || **virtual.** *Fís.* La que se forma aparentemente detrás de un espejo. || **Quedar para vestir imágenes.** fr. fig. y fam. que se dice de las mujeres cuando llegan a cierta edad y no se han casado.

Imagenería. f. desus. **Imaginería.**

Imaginable. (Del lat. *imaginabĭlis.*) adj. Que se puede imaginar.

Imaginación. (Del lat. *imaginatĭo, -ōnis.*) f. Facultad del alma, que representa las imágenes de las cosas reales o ideales. || **2.** Aprensión falsa o juicio y discurso de una cosa que no hay en realidad o no tiene fundamento. || **Ni por imaginación.** loc. adv. y fam. **Ni por sueños.** || **Ponérsele** a uno **en la imaginación** alguna cosa. fr. **Ponérsele en la cabeza.**

Imaginamiento. (De *imaginar.*) m. ant. Idea o pensamiento de ejecutar una cosa.

Imaginante. p. a. ant. de **Imaginar.** Que imagina.

Imaginar. (Del lat. *imaginārī.*) tr. Representar idealmente una cosa; crearla en la imaginación. || **2.** Presumir, sospechar. || **3.** ant. Adornar con imágenes un sitio.

Imaginaria. (De *imaginario.*) f. *Mil.* Guardia que no presta efectivamente el servicio de tal, pero que ha sido nombrada para el caso de haber de salir del cuartel la que está guardándolo. || **2.** m. *Mil.* Soldado que por turno vela durante la noche en cada compañía o dormitorio de un cuartel.

Imaginariamente. adv. m. Por aprensión, sin realidad.

Imaginario, ria. (Del lat. *imaginarius.*) adj. Que sólo tiene existencia en la imaginación. || **2.** Decíase del estatuario o pintor de imágenes. || **3.** V. **Espacios imaginarios.** || **4.** V. **Moneda imaginaria.** || **5.** *Mat.* V. **Cantidad imaginaria.** Ú. t. c. s. f.

Imaginativa. (Del lat. *imaginativa vis.*) f. Potencia o facultad de imaginar. || **2. Sentido común,** 1.ª acep.

Imaginativo, va. (De *imaginar.*) adj. Que continuamente imagina o piensa.

Imaginería. (De *imagen.*) f. Bordado por lo regular de seda, cuyo dibujo es de aves, flores y figuras, imitando en lo posible la pintura. || **2.** Arte de bordar de **imaginería.** || **3.** Talla o pintura de imágenes sagradas.

Imaginero. m. Estatuario o pintor de imágenes.

Imágines. f. pl. desus. de **Imagen.**

Imán. (Del fr. *aimant,* y éste del lat. *adămas, -antis,* diamante, piedra dura.) m. Mineral de hierro de color negruzco, opaco, casi tan duro como el vidrio, cinco veces más pesado que el agua, y que tiene la propiedad de atraer el hierro, el acero y en grado menor algunos otros cuerpos. Es una combinación de dos óxidos de hierro, que a veces se halla cristalizada. || **2.** fig. **Atractivo,** 3.ª acep. || **artificial.** Hierro o acero imanado.

Imán. (Del ár. *imām,* el que está delante, el que preside, jefe.) m. Encargado de presidir y dirigir la oración del pueblo entre los mahometanos.

Imanación. f. Acción y efecto de imanar o imanarse.

Imanar. (De *imán* 1.er art.) tr. **Magnetizar,** 1.ª acep. Ú. t. c. r.

Imantación. f. **Imanación.**

Imantar. tr. **Imanar.** Ú. t. c. r.

Imbabureño, ña. adj. Natural de Imbabura, provincia del Ecuador. Ú. t. c. s. || **2.** Perteneciente a esta provincia.

Imbécil. (Del lat. *imbecĭllis.*) adj. Alelado, escaso de razón. Ú. t. c. s. || **2.** p. us. Flaco, débil.

Imbecilidad. (Del lat. *imbecillĭtas, -ātis.*) f. Alejamiento, escasez de razón, perturbación del sentido. || **2.** p. us. Flaqueza, debilidad.

Imbécilmente. adv. m. Con imbecilidad.

Imbele. (Del lat. *imbellis.*) adj. Incapaz de guerrear, de defenderse; débil, flaco, sin fuerzas ni resistencia. Ú. m. en poesía.

Imberbe. (Del lat. *imberbis.*) adj. Dícese del joven que no tiene barba.

Imbiar. tr. desus. **Enviar.**

Imbibición. (Del lat. *imbibĕre,* embeber.) f. Acción y efecto de embeber.

Imbornal. (Como el cat. *ambrunal* y el ast. *empruno,* pendiente, del lat. *in prono,* en pendiente.) m. Boca o agujero por donde se vacía el agua de lluvia de los terrados. || **2.** *Mar.* Agujero o registro que se abre en los trancaniles para dar salida a las aguas que se depositan en las respectivas cubiertas, y muy especialmente a las que embarca el buque en los golpes de mar. || **Por los imbornales.** loc. fig. y fam. *Venez.* **Por los cerros de Úbeda.**

Imborrable. (De *in,* 2.° art., y *borrar.*) adj. **Indeleble.**

Imbricado, da. (Del lat. *imbricātus,* en figura de teja.) adj. *Bot.* y *Zool.* Dícese de las hojas, semillas y escamas, que están sobrepuestas unas en otras como las tejas de un tejado. || **2.** *Zool.* Aplícase a las conchas de superficie ondulada.

Imbuir. (Del lat. *imbuĕre.*) tr. Infundir, persuadir.

Imbunche. (Del arauc. *ivumche.*) m. Brujo o ser maléfico que, según creencia vulgar de los araucanos, roba los niños de seis meses y se los lleva a su cueva para convertirlos en monstruos. || **2.** fig. *Chile.* Niño feo, gordo y rechoncho. || **3.** fig. *Chile.* Maleficio, hechicería. || **4.** fig. *Chile.* Asunto embrollado y de difícil o imposible solución.

Imbursación. f. *Ar.* Acción y efecto de imbursar.

Imbursar. (Del lat. *in,* en, y *bursa,* bolsa.) tr. *Ar.* **Insacular.**

Imela. (Del ár. *imāla,* inflexión.) f. Fenómeno fonético de algunos dialectos árabes, antiguos y modernos, consistente en que el sonido *a,* generalmente cuando es largo, se pronuncia en determinadas circunstancias como *e* o *i.* Existió en el árabe hablado de la España musulmana.

Imitable. (Del lat. *imitabĭlis.*) adj. Que se puede imitar. || **2.** Capaz o digno de imitación.

Imitación. (Del lat. *imitatĭo, -ōnis.*) f. Acción y efecto de imitar.

Imitado, da. p. p. de **Imitar.** || **2.** adj. Hecho a imitación de otra cosa.

Imitador, ra. (Del lat. *imitātor.*) adj. Que imita. Ú. t. c. s.

Imitante. p. a. de **Imitar.** Que imita.

Imitar. (Del lat. *imitāre.*) tr. Ejecutar una cosa a ejemplo o semejanza de otra.

Imitativo, va. (Del lat. *imitativus.*) adj. Perteneciente a la imitación. *Artes* IMITATIVAS. || **2.** V. **Armonía imitativa.**

Imitatorio, ria. (Del lat. *imitatorius.*) adj. Perteneciente a la imitación.

Imoscapo. (Del lat. *imus,* inferior, y *scāpus,* tronco, tallo.) m. *Arq.* Parte inferior del fuste de una columna.

Impaciencia. (Del lat. *impatientĭa.*) f. Falta de paciencia.

Impacientar. (De *impaciente.*) tr. Hacer que uno pierda la paciencia. || **2.** r. Perder la paciencia.

Impaciente. (Del lat. *impatĭens, -entis.*) adj. Que no tiene paciencia.

Impacientemente. adv. m. Con impaciencia.

Impacto. (Del lat. *impactus.*) m. Choque de un proyectil en el blanco. || **2.** Huella o señal que en él deja.

Impagable. adj. Que no se puede pagar.

Impago. (De *in,* 2.° art., y *pago,* 3.er art.) adj. fam. *Argent.* y *Chile.* Dícese de la persona a quien no se le ha pagado.

Impalpable. (De *in,* 2.° art., y *palpable.*) adj. Que no produce sensación al tacto. || **2.** fig. Que apenas la produce.

Impar. (Del lat. *impar.*) adj. Que no tiene par o igual. || **2.** *Arit.* V. **Número impar.** Ú. t. c. s.

Imparcial. (De *in,* 2.° art., y *parcial.*) adj. Que juzga o procede con imparcialidad. *Juez* IMPARCIAL. Ú. t. c. s. || **2.** Que incluye o denota imparcialidad. *Historia* IMPARCIAL. || **3.** Que no se adhiere a ningún partido o no entra en ninguna parcialidad. Ú. t. c. s.

Imparcialidad. (De *imparcial.*) f. Falta de designio anticipado o de prevención en favor o en contra de personas o cosas, de que resulta poderse juzgar o proceder con rectitud.

Imparcialmente. adv. m. Sin parcialidad, sin prevención por una ni otra parte.

Imparisílabo, ba. adj. Dícese de los nombres griegos y latinos que en los casos oblicuos del singular tienen mayor número de sílabas que en el nominativo.

Impartible. adj. Que no puede partirse.

Impartir. (Del lat. *impartīre.*) tr. Repartir, comunicar. || **2.** V. **Impartir el auxilio.**

Impasibilidad. (Del lat. *impassibilĭtas, -ātis.*) f. Calidad de impasible.

Impasible. (Del lat. *impassibĭlis.*) adj. Incapaz de padecer.

Impasiblemente. adv. m. Con impasibilidad.

Impávidamente. adv. m. Sin temor ni pavor.

Impavidez. (De *impávido.*) f. Denuedo, valor y serenidad de ánimo ante los peligros.

Impávido, da. (Del lat. *impavĭdus.*) adj. Libre de pavor; sereno ante el peligro, impertérrito.

Impecabilidad. (De *impecable.*) f. Calidad de impecable.

Impecable. (Del lat. *impeccabĭlis.*) adj. Incapaz de pecar. || **2.** fig. Exento de tacha.

Impedancia. f. *Electr.* Resistencia aparente de un circuito al flujo de la corriente alterna, equivalente a la resistencia efectiva cuando la corriente es continua.

Impedido, da. p. p. de **Impedir.** || **2.** adj. Que no puede usar de sus miembros ni manejarse para andar. Ú. t. c. s.

Impedidor, ra. (Del lat. *impeditor.*) adj. Que impide. Ú. t. c. s.

Impediente. p. a. de **Impedir.** Que impide. || **2.** adj. V. **Impedimento impediente.**

Impedimenta. (Del lat. *impedimenta,* pl. n. de *-tum,* impedimento.) f. Bagaje que suele llevar la tropa, e impide la celeridad de las marchas y operaciones.

Impedimento. (Del lat. *impedimentum.*) m. Obstáculo, embarazo, estorbo para una cosa. || **2.** Cualquiera de las circunstancias que hacen ilícito o nulo el matrimonio. || **dirimente.** El que estorba que se contraiga matrimonio entre ciertas personas, y lo anula si se contrae. || **impediente.** El que estorba que se contraiga matrimonio entre ciertas personas, haciéndolo ilícito si se contrae, pero no nulo.

Impedir. (Del lat. *impedīre.*) tr. Estorbar, imposibilitar la ejecución de una cosa. || **2.** poét. Suspender, embargar.

Impeditivo, va. (Del lat. *impedĭtum,* supino de *impedīre,* impedir.) adj. Dícese de lo que impide, estorba o embaraza.

Impelente. p. a. de **Impeler.** Que impele. || **2.** V. **Bomba impelente.**

Impeler. (Del lat. *impellĕre.*) tr. Dar empuje para producir movimiento. || **2.** fig. Incitar, estimular.

Impender. (Del lat. *impendĕre.*) tr. Gastar, expender, invertir, tratándose de dinero.

Impenetrabilidad. (De *impenetrable.*) f. Propiedad de los cuerpos que impide que uno esté en el lugar que ocupa otro.

Impenetrable. (Del lat. *impenetrabĭlis.*) adj. Que no se puede penetrar. || **2.** fig. Dícese de las sentencias, opiniones o escritos que no se pueden comprender absolutamente sin mucha dificultad, y también de los secretos, misterios, designios, etc., que no se alcanzan ni se descifran.

Impenitencia. (Del lat. *impoenitentĭa.*) f. Obstinación en el pecado; dureza de corazón para arrepentirse de él. || **final.** Perseverancia en la **impenitencia** hasta la muerte.

Impenitente. (Del lat. *impoenĭtens, -entis.*) adj. Que se obstina en el pecado; que persevera en él sin arrepentimiento. Ú. t. c. s.

Impensa. (Del lat. *impensa,* gasto.) f. *For.* Gasto que se hace en la cosa poseída. Ú. m. en pl.

Impensadamente. adv. m. Sin pensar en ello, sin esperarlo, sin advertirlo.

Impensado, da. (De *in,* 2.° art., y *pensado.*) adj. Aplícase a las cosas que suceden sin pensar en ellas o sin esperarlas.

Imperador, ra. adj. Que impera o manda. || **2.** m. y f. desus. **Emperador, ra.**

Imperante. p. a. de **Imperar.** Que impera. || **2.** adj. *Astrol.* Dícese del signo que se suponía dominar en el año, por estar en casa superior.

Imperar. (Del lat. *imperāre.*) intr. Ejercer la dignidad imperial. || **2.** Mandar, dominar.

Imperativamente. adv. m. Con imperio.

Imperativo, va. (Del lat. *imperatīvus.*) adj. Que impera o manda. Ú. t. c. m. || **2.** V. **Mandato imperativo.** || **3.** *Gram.* V. **Modo imperativo.** Ú. t. c. s.

Imperatoria. (Del lat. *imperatorĭa,* t. f. de *-rius,* imperatorio.) f. Planta herbácea de la familia de las umbelíferas, con tallo hueco, estriado, de cuatro a seis decímetros de altura; hojas inferiores grandes, de pecíolo muy largo y divididas en tres hojuelas lobuladas o profundamente aserradas, y más pequeñas y algo curvas las superiores; flores en umbela casi plana, y fruto seco con semillas menudas y estriadas. Es común en España, y se usó mucho en medicina el cocimiento de las hojas, tallos y raíz.

Imperatorio, ria. (Del lat. *imperatorĭus.*) adj. Perteneciente al emperador o a la potestad y majestad imperial. || **2.** ant. **Imperioso.**

Imperceptible. (De *in,* 2.° art., y *perceptible.*) adj. Que no se puede percibir.

Imperceptiblemente. adv. m. De modo imperceptible.

Imperdible. adj. Que no puede perderse. || **2.** m. Alfiler que se abrocha quedando su punta dentro de un gancho para que no pueda abrirse fácilmente.

Imperdonable. adj. Que no se debe o puede perdonar.

Imperdonablemente. adv. m. De modo imperdonable.

Imperecedero, ra. (De *in,* 2.° art., y *perecedero.*) adj. Que no perece. || **2.** fig. Aplícase a lo que hiperbólicamente se quiere calificar de inmortal o eterno. *Fama* IMPERECEDERA.

Imperfección. (Del lat. *imperfectĭo, -ōnis.*) f. Falta de perfección. || **2.** Falta o defecto ligero en lo moral.

Imperfectamente. adv. m. Con imperfección.

Imperfecto, ta. (Del lat. *imperfectus.*) adj. No perfecto. || **2.** Principiado y no concluido o perfeccionado. || **3.** V. **Colon imperfecto.** || **4.** V. **Rima imperfecta.** || **5.** *Gram.* V. **Futuro, pretérito imperfecto.** Ú. t. c. s. m.

Imperfeto, ta. adj. desus. **Imperfecto.**

Imperforación. (De *in,* 2.° art., y *perforación.*) f. *Med.* Defecto o vicio orgánico que consiste en tener ocluidos o cerrados órganos o conductos que por su naturaleza deben estar abiertos para ejercer sus funciones.

Imperial. (Del lat. *imperiālis.*) adj. Perteneciente al emperador o al imperio. || **2.** V. **Ciruela, manjar imperial.** || **3.** *Blas.* V. **Corona imperial.** || **4.** f. Tejadillo o cobertura de las carrozas. || **5.** Sitio con asientos que algunos carruajes tienen encima de la cubierta. || **6.** Especie de juego de naipes.

Imperialismo. m. Sistema y doctrina de los imperialistas.

Imperialista. (De *imperial.*) adj. Partidario de extender la dominación de un Estado sobre otro u otros, por medio de la fuerza. || **2.** Partidario del régimen imperial en el Estado.

Imperiar. (De *imperio.*) intr. ant. **Imperar.**

Impericia. (Del lat. *imperitĭa.*) f. Falta de pericia.

Imperio. (Del lat. *imperĭum.*) m. Acción de imperar o de mandar con autoridad. || **2.** Dignidad de emperador. || **3.** Espacio de tiempo que dura el gobierno de un emperador. || **4.** Tiempo durante el cual hubo emperadores en determinado país. || **5.** Estados sujetos a un emperador. || **6.** Por ext., potencia de alguna importancia, aunque su jefe no se titule emperador. || **7.** V. **Vicario del imperio.** || **8.** Especie de lienzo que venía del **imperio** de Alemania. || **9.** fig. Altanería, orgullo. || **Mero imperio.** Potestad que reside en el soberano, y por su disposición en ciertos magistrados, para imponer penas a los delincuentes con conocimiento de causa. || **Mixto imperio.** Facultad que compete a los jueces para decidir las causas civiles y llevar a efecto sus sentencias. || **Valer un imperio** una persona o cosa. fr. fig. y fam. Ser excelente o de gran mérito.

Imperiosamente. adv. m. Con imperio o altanería.

Imperioso, sa. (Del lat. *imperiōsus.*) adj. Que manda con imperio. || **2.** Que lleva consigo exigencia o necesidad.

Imperitamente. adv. m. Con impericia.

Imperito, ta. (Del lat. *imperītus.*) adj. Que carece de pericia.

Impermeabilidad. f. Calidad de impermeable.

Impermeabilización. f. Acción y efecto de impermeabilizar.

Impermeabilizar. tr. Hacer impermeable alguna cosa.

Impermeable. (Del lat. *impermeabĭlis;* de *in,* priv., y *permeabĭlis,* penetrable.) adj. Impenetrable al agua o a otro fluido. || **2.** m. Sobretodo hecho con tela **impermeable.**

Impermutabilidad. f. Calidad de impermutable.

Impermutable. (Del lat. *impermutabĭlis.*) adj. Que no puede permutarse.

Imperscrutable. (Del lat. *imperscrutabĭlis.*) adj. **Inescrutable.**

Impersonal. (Del lat. *impersonālis.*) adj. V. **Tratamiento impersonal.** || **2.** *Gram.* V. **Verbo impersonal.** || **En,** o **por, impersonal.** m. adv. **Impersonalmente.**

Impersonalizar. (De *impersonal.*) tr. *Gram.* Usar como impersonales algunos verbos que en otros casos no tienen esta condición; como HACE *calor;* SE CUENTA *de un marino.*

Impersonalmente. adv. m. Con tratamiento impersonal, o sea: modo de tratar a un sujeto usando el artículo determinado y la tercera persona del verbo. || **2.** *Gram.* Sin determinación de persona. Aplícase a la manera de estar usado un verbo cuando en tercera persona de plural o en la de singular, acompañada o no del pronombre *se,* expresa acción sin agente determinado; v. gr.: CUENTAN *de un sabio que un día...;* CONVIENE *aprender;* SE MIENTE *mucho.*

Impersuasible. adj. No persuasible.

Impertérrito, ta. (Del lat. *imperterrĭtus.*) adj. Dícese de aquel a quien no se infunde fácilmente terror, o a quien nada intimida.

Impertinencia. (Del lat. *impertĭnens, -entis,* impertinente.) f. Dicho o hecho fuera de propósito. || **2.** Nimia susceptibilidad nacida de un humor desazonado y displicente, como regularmente lo suelen tener los enfermos. || **3.** Importunidad molesta y enfadosa. || **4.** Curiosidad, prolijidad, nimio cuidado de una cosa. *Esto está hecho con* IMPERTINENCIA.

Impertinente. (Del lat. *impertĭnens, -entis.*) adj. Que no viene al caso, o que molesta de palabra o de obra. || **2.** Nimiamente susceptible; que se desagrada de todo, y pide o hace cosas que son fuera de propósito. Ú. t. c. s. || **3.** m. pl. Anteojos con manija que suelen usar las señoras.

Impertinentemente. adv. m. Con impertinencia.

Impertir. (Del lat. *impertīre.*) tr. **Impartir.**

Imperturbabilidad. f. Calidad de imperturbable.

Imperturbable. (Del lat. *imperturbabĭlis.*) adj. Que no se perturba.

Imperturbablemente. adv. m. De manera imperturbable.

Ímpeto. m. desus. **Ímpetu.**

Impetra. (De *impetrar.*) f. Facultad, licencia, permiso. || **2.** Bula en que se concede un beneficio dudoso, con obligación de aclararlo de su cuenta y riesgo el que lo consigue.

Impetración. (Del lat. *impetratĭo, -ōnis.*) f. Acción y efecto de impetrar.

Impetrador, ra. (Del lat. *impetrātor.*) adj. Que impetra. Ú. t. c. s.

Impetrante. p. a. de **Impetrar.** Que impetra.

Impetrar. (Del lat. *impetrāre.*) tr. Conseguir una gracia que se ha solicitado y pedido con ruegos. || **2.** Solicitar una gracia con encarecimiento y ahínco.

Impetratorio, ria. adj. Que sirve para impetrar.

Ímpetu. (Del lat. *impĕtus.*) m. Movimiento acelerado y violento. || **2.** La misma fuerza o violencia.

Impetuosamente. adv. m. Con ímpetu.

Impetuosidad. (De *impetuoso.*) f. **Ímpetu.**

Impetuoso, sa. (Del lat. *impetuōsus.*) adj. Violento, precipitado.

Impiadoso, sa. adj. desus. **Impiedoso.**

Impíamente. adv. m. Con impiedad, sin religión. || **2.** Sin compasión, sin miramiento; con dureza o crueldad.

Impiedad. (Del lat. *impiĕtas, -ātis.*) f. Falta de piedad o de religión.

Impiedoso, sa. (Del lat. *in,* 2.° art., y *pietōsus,* piadoso.) adj. **Impío,** 1.ª acep.

Impígero, ra. (Del lat. *impĭger, -gri.*) adj. ant. Activo, pronto, vivo.

Impingar. (Del lat. *impinguāre.*) tr. ant. Lardear una cosa.

Impío, a. (Del lat. *impĭus,* con el acento de *pío.*) adj. Falto de piedad. || **2.** fig. **Irreligioso.** || **3.** V. **Hierba impía.** Ú. t. c. s.

Impíreo, a. adj. desus. **Empíreo.**

Impla. (Del anglosajón *wimpel,* velo; en b. lat. *impla.*) f. Toca o velo de la cabeza usado antiguamente. || **2.** Tela de que se hacían estos velos.

Implacable. (Del lat. *implacabĭlis.*) adj. Que no se puede aplacar o templar.

Implacablemente. adv. m. Con rigor o enojo implacable.

Implantación. f. Acción y efecto de implantar.

Implantador, ra. adj. Que implanta.

Implantar. (De *in*, 1.er art., y *plantar*.) tr. Establecer y poner en ejecución doctrinas nuevas, instituciones, prácticas o costumbres.

Implantón. (De *in*, 1.er art., y *plantón*.) m. *Sant.* Pieza de madera de sierra, de siete a nueve pies de longitud y con una escuadría de seis pulgadas de tabla por tres de canto.

Implaticable. (De *in*, 2.° art., y *platicable*.) adj. Que no admite plática o conversación.

Implicación. (Del lat. *implicatio, -ōnis*.) f. Contradicción, oposición de los términos entre sí.

Implicante. p. a. de **Implicar.** Que implica.

Implicar. (Del lat. *implicāre*.) tr. Envolver, enredar. Ú. t. c. r. || **2.** fig. Contener, llevar en sí, significar. || **3.** intr. Obstar, impedir, envolver contradicción. Ú. m. con adverbios de negación.

Implicatorio, ria. (De *implicar*.) adj. Que envuelve o contiene en sí contradicción o implicación.

Implícitamente. adv. m. De modo implícito.

Implícito, ta. (Del lat. *implicĭtus*.) adj. Dícese de lo que se entiende incluido en otra cosa sin expresarlo.

Imploración. (Del lat. *imploratio, -ōnis*.) f. Acción y efecto de implorar.

Implorador, ra. adj. Que implora.

Implorar. (Del lat. *implorāre*.) tr. Pedir con ruegos o lágrimas una cosa.

Implosión. f. *Fon.* Modo de articulación propio de las consonantes implosivas y, más estrictamente, parte de la pronunciación de los sonidos oclusivos correspondiente al momento en que se forma la oclusión.

Implosivo, va. adj. *Fon.* Dícese de la articulación o sonido oclusivo que por ser final de sílaba, como la *p* de *apto* o la *c* de *néctar*, termina sin la abertura súbita de las consonantes explosivas. || **2.** *Fon* Dícese de la letra que representa este sonido. Ú. t. c. s. f.

Implume. (Del lat. *implūmis*.) adj. Que no tiene plumas.

Impluvio. (Del lat. *impluvĭum*, de *impluĕre*, llover.) m. Espacio descubierto en medio del atrio de las casas romanas, por donde entraban las aguas de la lluvia que eran recogidas en un pequeño depósito que tenía en el centro.

Impolítica. (De *in*, 2.° art., y *política*.) f. **Descortesía.**

Impolíticamente. adv. m. De manera impolítica.

Impolítico, ca. adj. Falto de política o contrario a ella.

Impoluto, ta. (Del lat. *impollūtus*.) adj. Limpio, sin mancha.

Imponderable. (De *in*, 2.° art., y *ponderable*.) adj. Que no puede pesarse. || **2.** fig. Que excede a toda ponderación. || **3.** *Fís.* V. **Fluido imponderable.**

Imponderablemente. adv. m. De modo imponderable, 2.ª acep.

Imponedor, ra. adj. **Imponente.** Ú. t. c. s.

Imponente. p. a. de **Imponer.** Que impone. Ú. t. c. s.

Imponer. (Del lat. *imponĕre*.) tr. Poner carga, obligación u otra cosa. || **2.** Imputar, atribuir falsamente a otro una cosa. || **3.** Instruir a uno en una cosa; enseñársela o enterarle de ella. Ú. t. c. r. || **4.** Infundir respeto o miedo. || **5.** Poner dinero a rédito o en depósito. || **6.** *Impr.* Llenar con cuadrados u otras piezas el espacio que separa las planas entre sí, para que, impresas, aparezcan con márgenes proporcionadas.

Imponible. (De *imponer*.) adj. Que se puede gravar con impuesto o tributo. || **2.** V. **Líquido, riqueza imponible.**

Impopular. (Del lat. *impopulāris*.) adj. Que no es grato a la multitud.

Impopularidad. (De *impopular*.) f. Desafecto, mal concepto en el público.

Importable. (Del lat. *importabĭlis*.) adj. ant. **Insoportable.**

Importación. (De *importar*.) f. Acción de importar, 5.ª acep. || **2.** Conjunto de cosas importadas.

Importador, ra. adj. Que importa, 5.ª acep. Ú. t. c. s.

Importancia. (Del lat. *importans, -antis*, importante.) f. Calidad de lo que importa, de lo que es muy conveniente o interesante, o de mucha entidad o consecuencia. || **2.** Representación de una persona por su dignidad o calidades. *Hombre de* IMPORTANCIA. || **Darse** uno **importancia.** fr. Afectar superioridad o influencia. || **Ser** una cosa **de la importancia** de alguno. fr. Importarle, interesarle.

Importante. p. a. de **Importar.** Que importa. || **2.** adj. Que es de importancia.

Importantemente. adv. m. Con importancia.

Importar. (Del lat. *importāre*.) intr. Convenir, interesar, hacer al caso, ser de mucha entidad o consecuencia || **2.** tr. Hablando del precio de las cosas, valer o llegar a tal cantidad la cosa comprada o ajustada. || **3.** Introducir en un país géneros, artículos, costumbres o juegos extranjeros. || **4.** Llevar consigo. IMPORTAR *necesidad, violencia.* || **5.** ant. Contener, ocasionar o causar.

Importe. (De *importar*.) m. Cuantía de un precio, crédito, deuda o saldo.

Importunación. (De *importunar*.) f. Instancia porfiada y molesta.

Importunadamente. adv. m. Con importunación; importunamente.

Importunamente. adv. m. Con importunidad y porfía. || **2.** Fuera de tiempo o de propósito.

Importunar. (De *importuno*.) tr. Incomodar o molestar con una pretensión o solicitud.

Importunidad. (Del lat. *importunĭtas, -ātis*.) f. Calidad de importuno. || **2.** Incomodidad o molestia causada por una solicitud o pretensión.

Importuno, na. (Del lat. *importūnus*.) adj. **Inoportuno.** || **2.** Molesto, enfadoso.

Imposibilidad. (Del lat. *impossibilĭtas, -ātis*.) f. Falta de posibilidad para existir una cosa o para hacerla. || **física.** Absoluta repugnancia que hay para existir o verificarse una cosa en el orden natural. || **2.** *For.* Enfermedad o defecto que estorba o excusa para una función pública. || **metafísica.** La que implica contradicción, como que una cosa sea y no sea a un mismo tiempo. || **moral.** Inverosimilitud de que pueda ser o suceder una cosa, o contradicción evidente entre aquello de que se trata y las leyes de la moral y de la recta conciencia. || **Imposible de toda imposibilidad.** expr. fam. con que se pondera la **imposibilidad** absoluta de una cosa.

Imposibilitado, da. p. p. de **Imposibilitar.** || **2.** adj. **Tullido,** 2.ª acep.

Imposibilitar. (De *in*, 2.° art., y *posibilitar*.) tr. Quitar la posibilidad de ejecutar o conseguir una cosa.

Imposible. (Del lat. *impossibĭlis*.) adj. No posible. || **2.** Sumamente difícil. Ú. t. c. s. m. *Pedir eso es pedir un* IMPOSIBLE. || **3.** Inaguantable, enfadoso, intratable. Ú. con los verbos *estar* y *ponerse.* || **4.** *For.* V. **Condición imposible de derecho, y de hecho.** || **5.** m. *Ret.* Figura que consiste en asegurar que primero que suceda o deje de suceder una cosa, ha de ocurrir otra de las que no están en lo posible. || **Hacer los imposibles.** fr. fig. y fam. Apurar todos los medios para el logro de un fin.

Imposiblemente. adv. m. Con imposibilidad.

Imposición. (Del lat. *impositĭo, -ōnis*.) f. Acción y efecto de imponer o imponerse. || **2.** Carga, tributo u obligación que se impone. || **3.** **Impostura,** 1.ª acep. || **4.** *Impr.* Composición de cuadrados que separa las planas entre sí, para que, impresas, aparezcan con las márgenes correspondientes. || **de manos.** Ceremonia que usa la Iglesia para transmitir la gracia del Espíritu Santo a los que van a recibir ciertos sacramentos.

Imposta. (Del lat. *imposĭta*, puesta sobre.) f. *Arq.* Hilada de sillares, algo voladiza, a veces con moldura, sobre la cual va sentado un arco. || **2.** *Arq.* Faja que corre horizontalmente en la fachada de los edificios a la altura de los diversos pisos.

Impostor, ra. (Del lat. *impostor*.) adj. Que atribuye falsamente a uno alguna cosa. Ú. t. c. s. || **2.** Que finge o engaña con apariencia de verdad. Ú. t. c. s.

Impostura. (Del lat. *impostūra*.) f. Imputación falsa y maliciosa. || **2.** Fingimiento o engaño con apariencia de verdad.

Impotable. adj. Que no es potable.

Impotencia. (Del lat. *impotentĭa*.) f. Falta de poder para hacer una cosa. || **2.** Incapacidad de engendrar o concebir.

Impotente. (Del lat. *impotens, -entis*.) adj. Que no tiene potencia. || **2.** Incapaz de engendrar o concebir. Ú. t. c. s.

Impracticabilidad. f. Calidad de impracticable.

Impracticable. (De *in*, 2.° art., y *practicable*.) adj. Que no se puede practicar. || **2.** Dícese de los caminos y parajes por donde no se puede caminar o por donde no se puede pasar sin mucha incomodidad.

Imprecación. (Del lat. *imprecatio, -ōnis*.) f. Acción de imprecar. || **2.** *Ret.* Figura que consiste en imprecar.

Imprecar. (Del lat. *imprecāri*.) tr. Proferir palabras con que se pida o se manifieste desear vivamente que alguien reciba mal o daño.

Imprecatorio, ria. (De *imprecar*.) adj. Que implica o denota imprecación. *Fórmula, exclamación* IMPRECATORIA.

Imprecisión. f. Falta de precisión.

Impreciso, sa. adj. No preciso, vago, indefinido.

Impregnable. adj. Dícese de los cuerpos capaces de ser impregnados.

Impregnación. f. Acción y efecto de impregnar o impregnarse.

Impregnar. (Del lat. *impregnāre*.) tr. Introducir entre las moléculas de un cuerpo las de otro en cantidad perceptible sin combinación. Ú. m. c. r.

Impremeditación. f. Falta de premeditación.

Impremeditado, da. adj. No premeditado. || **2.** **Irreflexivo.**

Impremir. tr. ant. **Imprimir.**

Imprenta. (De *emprenta*.) f. Arte de imprimir, 1.ª acep. || **2.** Taller o lugar donde se imprime. || **3.** **Impresión,** 3.ª acep. || **4.** V. **Letra, libertad, metal, pie, tinta, yerro de imprenta.** || **5.** fig. Lo que se publica impreso. IMPRENTA *política, literaria; leyes de* IMPRENTA; *la* IMPRENTA *ilustra, o corrompe.* || **6.** *Sant.* Pieza de madera de sierra, de siete a nueve pies de longitud, con una escuadría de tres pulgadas de tabla por una de canto.

Impresa. f. desus. **Empresa.**

Impresario. m. desus. **Empresario.**

Imprescindible. (De *in*, 2.° art., y *prescindible*.) adj. Dícese de aquello de que no se puede prescindir.

Imprescriptibilidad. f. Calidad de imprescriptible.

Imprescriptible. (De *in,* 2.° art., y *prescriptible.*) adj. Que no puede prescribir.

Impresentable. adj. Que no es digno de presentarse o de ser presentado.

Impresión. (Del lat. *impressĭo, -ōnis.*) f. Acción y efecto de imprimir. || **2.** Marca o señal que una cosa deja en otra apretándola; como la que deja la huella de los animales, el sello que se estampa en un papel, etc. || **3.** Calidad o forma de letra con que está impresa una obra. || **4.** Obra impresa. || **5.** Efecto o alteración que causa en un cuerpo otro extraño. *El aire frío me ha hecho mucha* IMPRESIÓN. || **6.** ant. **Imprenta,** 2.ª acep. || **7.** fig. Movimiento que las cosas causan en el ánimo. || **dactilar** o **digital.** La que suele dejar la yema del dedo en un objeto al tocarlo, o la que se obtiene impregnándola previamente en una materia colorante. || **De la primera impresión.** loc. fig. y p. us. Principiante o nuevo en una cosa. || **Hacer impresión** una cosa. fr. fig. Fijarse en la imaginación o en el ánimo conmoviendo eficazmente.

Impresionabilidad. f. Calidad de impresionable.

Impresionable. adj. Fácil de impresionarse o de recibir una impresión.

Impresionante. p. a. de **Impresionar.** Que impresiona.

Impresionar. (De *impresión.*) tr. Fijar por medio de la persuasión, o de una manera conmovedora, en el ánimo de otro una especie, o hacer que la conciba con fuerza y viveza. Ú. t. c. r. || **2.** Exponer una superficie convenientemente preparada a la acción de las vibraciones acústicas o luminosas, de manera que queden fijadas en ella y puedan ser reproducidas por procedimientos fonográficos o fotográficos. || **3.** Conmover el ánimo hondamente.

Impresionismo. m. Sistema pictórico y escultórico que consiste en reproducir la naturaleza atendiendo más a la impresión que nos produce que a ella misma en realidad.

Impresionista. adj. Partidario del impresionismo, o que ejecuta sus obras artísticas conforme a él.

Impreso, sa. (Del lat. *impressus.*) p. p. irreg. de **Imprimir.** || **2.** m. Obra impresa.

Impresor. (De *impreso.*) m. Artífice que imprime. || **2.** Dueño de una imprenta.

Impresora. f. Mujer del impresor. || **2.** Propietaria de una imprenta.

Imprestable. (Del lat. *impraestabĭlis.*) adj. Que no se puede prestar.

Imprevisible. adj. Que no se puede prever.

Imprevisión. f. Falta de previsión, inadvertencia, irreflexión.

Imprevisor, ra. (De *in,* 2.° art., y *previsor.*) adj. Que no prevé.

Imprevisto, ta. adj. No previsto. || **2.** m. pl. En lenguaje administrativo, gastos para los cuales no hay crédito habilitado y distinto.

Imprimación. f. Acción y efecto de imprimar. || **2.** Conjunto de ingredientes con que se imprima.

Imprimadera. f. Instrumento de hierro o de madera, en figura de cuchilla o media luna, con el cual se impriman los lienzos, puertas, paredes, etc.

Imprimador. m. El que imprima.

Imprimar. (Del lat. *in,* en, y *primus,* primero.) tr. Preparar con los ingredientes necesarios las cosas que se han de pintar o teñir.

Imprimátur. (3.ª pers. sing. del pres. de subj. del lat. *imprimĕre,* imprimir.) m. fig. Licencia que da la autoridad eclesiástica para imprimir un escrito.

Imprimidor. (De *imprimir.*) m. ant. Impresor.

Imprimir. (Del lat. *imprimĕre.*) tr. Señalar en el papel u otra materia las letras y otros caracteres de las formas, apretándolas en la prensa. || **2.** Estampar un sello u otra cosa en papel, tela o masa por medio de la presión. || **3.** ant. Introducir o hincar con fuerza alguna cosa en otra. || **4.** fig. Fijar en el ánimo algún afecto o especie.

Improbabilidad. f. Falta de probabilidad.

Improbable. (Del lat. *improbabĭlis.*) adj. No probable.

Improbablemente. adv. m. Con improbabilidad.

Improbar. (Del lat. *improbāre.*) tr. Desaprobar, reprobar una cosa.

Improbidad. (Del lat. *improbĭtas, -ātis.*) f. Falta de probidad; perversidad, iniquidad.

Ímprobo, ba. (Del lat. *imprŏbus.*) adj. Falto de probidad, malo, malvado. || **2.** Aplícase al trabajo excesivo y continuado.

Improcedencia. (De *in,* 2.° art., y *procedencia.*) f. Falta de oportunidad, de fundamento o de derecho.

Improcedente. (De *in,* 2.° art., y *procedente.*) adj. No conforme a derecho. || **2.** Inadecuado, extemporáneo.

Improductivo, va. (De *in,* 2.° art., y *productivo.*) adj. Dícese de lo que no produce.

Improfanable. adj. Que no se puede profanar.

Impronta. (Del ital. *impronta,* y éste del lat. *imprimĕre,* imprimir.) f. Reproducción de imágenes en hueco o de relieve, en cualquiera materia blanda o dúctil, como papel humedecido, cera, lacre, escayola, etc.

Impronunciable. adj. Imposible de pronunciar o de muy difícil pronunciación. || **2.** Inefable, o que no puede explicarse con palabras.

Improperar. (Del lat. *improperāre.*) tr. Decir a uno improperios.

Improperio. (Del lat. *improperĭum.*) m. Injuria grave de palabra, y especialmente aquella que se emplea para echar a uno en cara una cosa. || **2.** pl. Versículos que se cantan en el oficio del Viernes Santo, durante la adoración de la cruz.

Impropiamente. adv. m. Con impropiedad.

Impropiar. tr. ant. Usar las palabras con impropiedad.

Impropiedad. (Del lat. *improprĭĕtas, -ātis.*) f. Falta de propiedad, 7.ª acep.

Impropio, pia. (Del lat. *improprĭus.*) adj. Falto de las cualidades convenientes según las circunstancias. || **2.** Ajeno de una persona, cosa o circunstancias, o extraño a ellas. || **3.** V. **Feudo impropio.** || **4.** *Arit.* V. **Quebrado impropio.** || **5.** *Mat.* V. **Fracción impropia.**

Improporción. f. **Desproporción.**

Improporcionado, da. (De *in,* 2.° art., y *proporcionado.*) adj. Que carece de proporción.

Impropriamente. adv. m. desus. **Impropiamente.**

Impropriedad. f. ant. **Impropiedad.**

Improprio, pria. adj. ant. **Impropio.**

Improrrogable. adj. Que no se puede prorrogar.

Impróspero, ra. (Del lat. *improsper, -ĕri.*) adj. No próspero.

Impróvidamente. adv. m. Sin previsión.

Improvidencia. (Del lat. *improvidentĭa.*) f. ant. Falta de providencia.

Impróvido, da. (Del lat. *improvĭdus.*) adj. Desprevenido.

Improvisación. f. Acción y efecto de improvisar. || **2.** Obra o composición improvisada. || **3.** Medra rápida, por lo común inmerecida, en la carrera o en la fortuna de una persona.

Improvisadamente. adv. m. **Improvisamente.**

Improvisador, ra. adj. Que improvisa. Dícese especialmente del que compone versos de repente. Ú. t. c. s.

Improvisamente. adv. m. De repente, sin prevención ni previsión.

Improvisar. (De *improviso.*) tr. Hacer una cosa de pronto, sin estudio ni preparación alguna. || **2.** Hacer de este modo discursos, poesías, etc.

Improviso, sa. (Del lat. *improvīsus.*) adj. Que no se prevé o previene. || **Al,** o **de, improviso.** m. adv. **Improvisamente.** || **En un improviso.** m. adv. p. us. En un instante.

Improvisto, ta. (De *in,* 2.° art., y *provisto.*) adj. **Improviso.** || **A la improvista.** m. adv. **Improvisamente.**

Imprudencia. (Del lat. *imprudentĭa.*) f. Falta de prudencia. || **temeraria.** *For.* Punible e inexcusable negligencia con olvido de las precauciones que la prudencia vulgar aconseja, la cual conduce a ejecutar hechos que, a mediar malicia en el actor, serían delitos.

Imprudente. (Del lat. *imprūdens, -entis.*) adj. Que no tiene prudencia. Ú. t. c. s.

Imprudentemente. adv. m. Con imprudencia.

Impúber. adj. **Impúbero.** Ú. t. c. s.

Impúbero, ra. (Del lat. *impūbes -ĕris.*) adj. Que no ha llegado aún a la pubertad. Ú. t. c. s.

Impudencia. (Del lat. *impudentĭa.*) f. Descaro, desvergüenza.

Impudente. (Del lat. *impŭdens, -entis.*) adj. Desvergonzado, sin pudor.

Impúdicamente. adv. m. **Deshonestamente.** || **2.** Con cinismo, descaradamente.

Impudicia. f. **Impudicicia.**

Impudicicia. (Del lat. *impudicitĭa.*) f. **Deshonestidad.**

Impúdico, ca. (Del lat. *impudĭcus.*) adj. Deshonesto, sin pudor.

Impudor. m. Falta de pudor y de honestidad. || **2.** **Cinismo,** 2.ª acep.

Impuesto, ta. (Del lat. *imposĭtus.*) p. p. irreg. de **Imponer.** || **2.** m. Tributo, carga.

Impugnable. adj. Que se puede impugnar.

Impugnable. adj. ant. **Inexpugnable.**

Impugnación. (Del lat. *impugnatĭo, -ōnis.*) f. Acción y efecto de impugnar.

Impugnador, ra. (Del lat. *impugnātor.*) adj. Que impugna. Ú. t. c. s.

Impugnante. p. a. de **Impugnar.** Que impugna.

Impugnar. (Del lat. *impugnāre.*) tr. Combatir, contradecir, refutar.

Impugnativo, va. adj. Dícese de lo que impugna o sirve para impugnar.

Impulsar. (De *impulso.*) tr. **Impeler.**

Impulsión. (Del lat. *impulsĭo, -ōnis.*) f. **Impulso.**

Impulsividad. f. Condición de impulsivo.

Impulsivo, va. (Del lat. *impulsīvus.*) adj. Dícese de lo que impele o puede impeler. || **2.** V. **Causa impulsiva.** || **3.** Dícese del que, llevado de la impresión del momento, habla o procede sin reflexión ni cautela.

Impulso. (Del lat. *impulsus.*) m. Acción y efecto de impeler. || **2.** Instigación, sugestión.

Impulsor, ra. (Del lat. *impulsor.*) adj. Que impele. Ú. t. c. s.

Impune. (Del lat. *impūnis.*) adj. Que queda sin castigo.

Impunemente. adv. m. Con impunidad.

Impunidad. (Del lat. *impunĭtas, -ātis.*) f. Falta de castigo.

Impunido, da. (Del lat. *impunītus.*) adj. ant. **Impune.**

Impuramente. adv. m. Con impureza.

Impureza. (Del lat. *impuritia.*) f. Mezcla de partículas groseras o extrañas a un cuerpo o materia. || **2.** Falta de pureza o castidad. || **de sangre.** fig. Mancha de una familia por la mezcla de raza que se tiene por mala o impura.

Impuridad. (Del lat. *impurĭtas, -ātis.*) f. **Impureza.**

Impurificación. f. Acción y efecto de impurificar.

Impurificar. tr. Hacer impura a una persona o cosa. || **2.** Causar impureza. || **3.** Después de abolida la Constitución española de 1823, incapacitar a los liberales para el servicio del Estado.

Impuro, ra. (Del lat. *impūrus.*) adj. No puro.

Imputabilidad. f. Calidad de imputable.

Imputable. adj. Que se puede imputar.

Imputación. (Del lat. *imputatĭo, -ōnis.*) f. Acción de imputar. || **2.** Cosa imputada.

Imputador, ra. (Del lat. *imputātor.*) adj. Que imputa. Ú. t. c. s.

Imputar. (Del lat. *imputāre.*) tr. Atribuir a otro una culpa, delito o acción. || **2.** Señalar la aplicación o inversión de una cantidad, sea al entregarla, sea al tomar razón de ella en cuenta.

Imputrible. (Del lat. *imputribĭlis.*) adj. desus. **Incorruptible.**

In. (Del lat. *in.*) prep. insep. que se convierte en *im* delante de *b* o *p;* en *i*, por *il*, delante de *l*, y en *ir* delante de *r*. Por regla general equivale a *en*, como en IM*poner*, IM*plantar*, IN*sacular*, etc. || **2.** Tiene oficio por sí sola en locuciones latinas usadas en nuestro idioma; v. gr.: IN *pártibus;* IN *promptu.*

In. Prefijo negativo o privativo, latino, que con ese mismo valor usamos en castellano con adjetivos, verbos y substantivos abstractos; como en IN*acabable*, IN*comunicar*, IN*acción*, etc. La *n* final sufre los mismos cambios que la del prefijo anterior.

Inabarcable. adj. Que no puede abarcarse. Ú. m. en sent. fig.

Inabordable. adj. Que no se puede abordar.

Inacabable. adj. Que no se puede acabar, que no se le ve el fin, o que se retarda éste con exceso.

Inaccesibilidad. (Del lat. *inaccessibilĭtas, -ātis.*) f. Calidad de inaccesible.

Inaccesible. (Del lat. *inaccessibĭlis.*) adj. No accesible. || **2.** *Topogr.* V. **Altura inaccesible.**

Inaccesiblemente. adv. m. De un modo inaccesible.

Inacceso, sa. (Del lat. *inaccessus.*) adj. **Inaccesible.**

Inacción. f. Falta de acción, ociosidad, inercia.

Inacentuado, da. adj. *Gram.* Dícese de la vocal, sílaba o palabra que se pronuncia sin acento prosódico.

Inaceptable. adj. No aceptable.

Inactividad. f. Carencia de actividad.

Inactivo, va. (De *in*, 2.° art., y *activo.*) adj. Sin acción o movimiento; ocioso, inerte.

Inadaptabilidad. f. Calidad de inadaptable.

Inadaptable. adj. No adaptable.

Inadaptación. f. No adaptación.

Inadaptado, da. adj. Dícese del que no se adapta o aviene a ciertas condiciones o circunstancias. Apl. a pers., ú. t. c. s.

Inadecuación. f. Falta de adecuación.

Inadecuado, da. adj. No adecuado.

Inadmisible. adj. No admisible.

Inadoptable. adj. No adoptable.

Inadvertencia. f. Falta de advertencia.

Inadvertidamente. adv. m. Con inadvertencia.

Inadvertido, da. adj. Dícese del que no advierte o repara en las cosas que debiera. || **2.** No advertido.

Inafectado, da. (Del lat. *inaffectātus.*) adj. No afectado.

Inagotable. (De *in*, 2.° art., y *agotable.*) adj. Que no se puede agotar.

Inaguantable. (De *in*, 2.° art., y *aguantable.*) adj. Que no se puede aguantar o sufrir.

Inajenable. (De *in*, 2.° art., y *ajenable.*) adj. **Inalienable.**

Inalámbrico, ca. adj. Aplícase a todo sistema de comunicación eléctrica sin alambres conductores.

In albis. (Del lat. *in*, en, y *albis*, abl. del pl. de *albus*, blanco.) m. adv. **En blanco,** 2.ª y 3.ª aceps. Ú. m. con los verbos *dejar* y *quedarse.*

Inalcanzable. adj. Que no se puede alcanzar.

Inalienabilidad. f. Calidad de inalienable.

Inalienable. (De *in*, 2.° art., y *alienable.*) adj. Que no se puede enajenar.

Inalterabilidad. f. Calidad de inalterable.

Inalterable. (De *in*, 2.° art., y *alterable.*) adj. Que no se puede alterar.

Inalterablemente. adv. m. Sin alteración.

Inalterado, da. adj. Que no tiene alteración.

Inameno, na. (Del lat. *inamoenus.*) adj. Falto de amenidad.

Inamisible. (Del lat. *inamissibĭlis.*) adj. Que no se puede perder.

Inamovible. adj. Que no es movible.

Inamovilidad. (De *in*, 2.° art., y *amovilidad.*) f. Calidad de inamovible.

Inanalizable. adj. No analizable.

Inane. (Del lat. *inānis.*) adj. Vano, fútil, inútil.

Inanición. (Del lat. *inanitĭo, -ōnis.*) f. *Med.* Notable debilidad por falta de alimento o por otras causas.

Inanidad. (Del lat. *inanĭtas, -ātis.*) f. Futilidad, vacuidad.

Inanimado, da. (Del lat. *inanimātus.*) adj. Que no tiene alma, 1.ª y 5.ª aceps.

In ánima vili. loc. lat. que significa *en ánima vil*, y que se usa en medicina para denotar que los experimentos o ensayos deben hacerse en animales irracionales antes que en el hombre.

Inánime. (Del lat. *inanĭmis.*) adj. p. us. **Exánime.** || **2.** p. us. **Inanimado.**

Inapagable. (De *in*, 2.° art., y *apagable.*) adj. Que no puede apagarse.

Inapeable. adj. Que no se puede apear. || **2.** fig. Que no se puede comprender o conocer. || **3.** fig. Aplícase al que tenazmente se aferra en su dictamen u opinión.

Inapelable. (De *in*, 2.° art., y *apelable.*) adj. Aplícase a la sentencia o fallo de que no se puede apelar. || **2.** fig. Irremediable, inevitable.

Inapetencia. (De *in*, 2.° art., y *apetencia.*) f. Falta de apetito o de gana de comer.

Inapetente. (Del lat., *in*, priv., y *appetens, -entis*, que apetece.) adj. Que no tiene apetencia.

Inaplazable. adj. Que no se puede aplazar.

Inaplicable. (De *in*, 2.° art., y *aplicable.*) adj. Que no se puede aplicar o acomodar a una cosa, o en una ocasión determinada.

Inaplicación. f. **Desaplicación.**

Inaplicado, da. adj. **Desaplicado.**

Inapreciable. (De *in*, 2.° art., y *apreciable.*) adj. Que no se puede apreciar, por su mucho valor o mérito, o por su extremada pequeñez u otro motivo.

Inaprensible. (Del lat. *inapprehensibĭlis.*) adj. Que no se puede coger.

Inaprensivo, va. adj. Que no tiene aprensión.

Inaprovechado, da. adj. No aprovechado.

Inarmónico, ca. (De *in*, 2.° art., y *armónico.*) adj. Falto de armonía.

Inarticulado, da. (Del lat. *inarticulātus.*) adj. No articulado. || **2.** Dícese también de los sonidos de la voz con que no se forman palabras.

In artículo mortis. expr. lat. *For.* En el artículo de la muerte. || **2.** V. **Matrimonio in artículo mortis.**

Inartificioso, sa. adj. No artificioso, sin artificio.

Inasequible. adj. No asequible.

Inasible. adj. Que no se puede asir o coger.

Inastillable. adj. Dícese de un vidrio especial cuya rotura no produce fragmentos agudos y cortantes, como sucede en el vidrio ordinario.

Inatacable. (De *in*, 2.° art., y *atacable.*) adj. Que no puede ser atacado.

Inatención. f. Falta de atención.

Inatento, ta. adj. **Desatento,** 1.ª acep.

Inaudito, ta. (Del lat. *inaudītus.*) adj. Nunca oído. || **2.** fig. Monstruoso, extremadamente vituperable.

Inauguración. (Del lat. *inauguratĭo, -ōnis.*) f. Acto de inaugurar. || **2.** desus. Exaltación de un soberano al trono.

Inaugurador, ra. adj. Que inaugura.

Inaugural. adj. Perteneciente a la inauguración. *Solemnidad, ceremonia, oración* INAUGURAL.

Inaugurar. (Del lat. *inaugurāre.*) tr. Adivinar supersticiosamente por el vuelo, canto o movimiento de las aves. || **2.** Dar principio a una cosa con cierta pompa. || **3.** Abrir solemnemente un establecimiento público. || **4.** Celebrar el estreno de una obra, edificio o monumento de pública utilidad.

Inaveriguable. (De *in*, 2.° art., y *averiguable.*) adj. Que no se puede averiguar.

Inaveriguado, da. adj. No averiguado.

Inca. m. Rey, príncipe o varón de estirpe regia entre los antiguos peruanos. || **2.** Moneda de oro de la república del Perú, equivalente a 20 soles. || **3.** V. **Espejo de los incas.**

Incaico, ca. adj. Perteneciente o relativo a los incas.

Incalculable. (De *in*, 2.° art., y *calculable.*) adj. Que no puede calcularse.

Incaler. (Del lat. *incalēre*; de *in*, en, y *calēre*, caler.) intr. ant. Tocar, importar.

Incalificable. (De *in*, 2.° art., y *calificable.*) adj. Que no se puede calificar. || **2.** Muy vituperable.

Incalmable. adj. Que no se puede calmar.

Incalumniable. adj. Que no puede ser calumniado.

Incandescencia. f. Calidad de incandescente.

Incandescente. (Del lat. *incandescens, -entis*, p. a. de *incandescĕre*, ponerse blanco el metal a fuego vivo.) adj. **Candente,** 1.ª acep.

Incansable. adj. Incapaz o muy difícil de cansarse.

Incansablemente. adv. m. Con persistencia o tenacidad que no cede al cansancio.

Incantable. (De *in*, 2.° art., y *cantable.*) adj. Que no se puede cantar.

Incantación. (Del lat. *incantatĭo, -ōnis.*) f. ant. **Encanto,** 1.er art., 1.ª acep.

Incapacidad. f. Falta de capacidad para hacer, recibir o aprender una cosa. || **2.** fig. Rudeza, falta de entendimiento. || **3.** *For.* Carencia de aptitud legal para ejecutar válidamente determinados actos, o para obtener determinados oficios públicos.

Incapacitado, da. p. p. de **Incapacitar.** || **2.** adj. Dícese, especialmente en el orden civil, de los locos, pródigos, sordomudos, iletrados y reos que sufren pena de interdicción.

Incapacitar. (De *incapaz.*) tr. Decretar la falta de capacidad civil de personas mayores de edad. || **2.** Decretar la carencia, en una persona, de las condiciones legales para un cargo público.

Incapaz. (Del lat. *incapax.*) adj. Que no tiene capacidad o aptitud para una cosa. || **2.** fig. Falto de talento. || **3.** *For.* Que no tiene cumplida personalidad para actos civiles, o que carece de aptitud legal para una cosa determinada.

Incapel. (De *in*, 1.er art., y *capel*, del lat. *capellus*, capillo.) m. *Ál.* **Capillo,** 3.ª acep.

Incardinación. f. Acción y efecto de incardinar.

Incardinar. (Del b. lat. *incardinare*, y éste del lat. *in*, en, y *cardo, -ĭnis*, el quicio.) tr. Admitir un obispo como súbdito propio a un eclesiástico de otra diócesis. Ú. t. c. r.

Incasable. adj. Que no puede casarse. || **2.** Dícese también del que tiene gran repugnancia al matrimonio. || **3.** Aplícase a la mujer que por su fealdad, pobreza o malas cualidades difícilmente podrá hallar marido.

Incasto, ta. (Del lat. *incastus;* de *in*, negat., y *castus*, casto.) adj. Deshonesto, que no tiene continencia o castidad.

Incausto. m. **Encausto,** 2.ª acep.

Incautación. f. Acción y efecto de incautarse.

Incautamente. adv. m. Sin cautela, sin previsión.

Incautarse. (Del lat. *in*, en, y *captāre*, coger.) r. Tomar posesión un tribunal, u otra autoridad competente, de dinero o bienes de otra clase.

Incauto, ta. (Del lat. *incautus.*) adj. Que no tiene cautela.

Incendaja. (De *encendaja.*) f. Materia combustible a propósito para encender fuego. Ú. m. en pl.

Incendiar. (De *incendio.*) tr. Poner fuego a cosa que no está destinada a arder; como edificios, mieses, etc. Ú. t. c. r.

Incendiario, ria. (Del lat. *incendiarius.*) adj. Que maliciosamente incendia un edificio, mieses, etc. Ú. t. c. s. || **2.** Destinado para incendiar o que puede causar incendio. || **3.** fig. Escandaloso, subversivo. *Artículo, discurso, libro* INCENDIARIO. || **4.** *Art.* V. **Fuego incendiario.**

Incendio. (Del lat. *incendĭum.*) m. Fuego grande que abrasa lo que no está destinado a arder; como edificios, mieses, etc. || **2.** fig. Afecto que acalora y agita vehementemente el ánimo; como el amor, la ira, etc.

Incensación. f. Acción y efecto de incensar.

Incensada. f. Cada uno de los vaivenes del incensario en el acto de incensar. || **2.** fig. Adulación, lisonja.

Incensar. (Del b. lat. *incensare*, de *incensum*, incienso.) tr. Dirigir con el incensario el humo del incienso hacia una persona o cosa. || **2.** fig. **Lisonjear,** 1.ª acep.

Incensario. m. Braserillo con cadenillas y tapa, que sirve para incensar.

Incensivo, va. (Del lat. *incesīvus.*) adj. ant. Que enciende o tiene virtud de encender.

Incenso. m. ant. **Incienso.**

Incensor, ra. (Del lat. *incensor.*) adj. ant. **Incendiario.** Usáb. t. c. s.

Incensurable. (De *in*, 2.° art., y *censurable.*) adj. Que no se puede censurar.

Incentivo, va. (Del lat. *incentīvus.*) adj. Que mueve o excita a desear o hacer una cosa. Ú. m. c. s. m.

Inceptor. (Del lat. *inceptor, -ōris.*) m. desus. **Comenzador.**

Incerteza. (De *in*, 2.° art., y *certeza.*) f. ant. **Incertidumbre.**

Incertidumbre. f. Falta de certidumbre; duda, perplejidad.

Incertinidad. (De *in*, 2.° art., y *certinidad.*) f. **Incertidumbre.**

Incertísimo, ma. adj. sup. de **Incierto.**

Incertitud. (Del lat. *incertitūdo.*) f. ant. **Incertidumbre.**

Incesable. (Del lat. *incessabĭlis.*) adj. Que no cesa o no puede cesar.

Incesablemente. adv. m. De manera incesable.

Incesante. (De *in*, 2.° art., y *cesante.*) adj. Que no cesa.

Incesantemente. adv. m. Sin cesar.

Incestar. (Del lat. *incestāre.*) intr. ant. Cometer incesto.

Incesto. (Del lat. *incestus.*) adj. desus. **Incestuoso,** 2.ª acep. || **2.** m. Pecado carnal cometido por parientes dentro de los grados en que está prohibido el matrimonio.

Incestuosamente. adv. m. De modo incestuoso.

Incestuoso, sa. (Del lat. *incestuōsus.*) adj. Que comete incesto. Ú. t. c. s. || **2.** Perteneciente a este pecado. || **3.** V. **Hijo incestuoso.**

Incidencia. (Del lat. *incidentĭa.*) f. Lo que sobreviene en el curso de un asunto o negocio y tiene con él alguna conexión. || **2.** *Geom.* Caída de una línea, de un plano o de un cuerpo, o la de un rayo de luz, sobre otro cuerpo, plano, línea o punto. || **3.** *Geom.* V. **Ángulo de incidencia.** || **4.** *Ópt.* V. **Rayo de la incidencia.** || **Por incidencia.** m. adv. **Accidentalmente.**

Incidental. adj. **Incidente.**

Incidentalmente. adv. m. **Incidentemente.**

Incidente. (Del lat. *incĭdens, -entis.*) adj. Que sobreviene en el curso de un asunto o negocio y tiene con éste algún enlace. Ú. m. c. s. || **2.** *Ópt.* V. **Rayo incidente.** || **3.** m. *For.* Cuestión distinta del principal asunto del juicio, pero con él relacionada, que se ventila y decide por separado, a veces sin suspender el curso de aquél; y otras, suspendiéndolo; caso éste en que se denomina *de previo y especial pronunciamiento.*

Incidentemente. adv. m. **Por incidencia.**

Incidir. (Del lat. *incidĕre.*) intr. Caer o incurrir en una falta, error, extremo, etc. || **2.** *Med.* Hacer una incisión o cortadura.

Incienso. (Del lat. *incēnsus*, quemado.) m. Gomorresina en forma de lágrimas, de color amarillo blanquizco o rojizo, fractura lustrosa, sabor acre y olor aromático al arder. Proviene de árboles de la familia de las burseráceas, originarios de Arabia, de la India y del África, y se quema como perfume en las ceremonias religiosas. || **2.** Mezcla de substancias resinosas que al arder despiden buen olor. || **3.** V. **Árbol del incienso.** || **4.** fig. **Lisonja,** 1.er art. || **hembra.** El que por incisión se le hace destilar al árbol. || **macho.** El que naturalmente destila el árbol, el cual es más puro y mejor que el **incienso hembra.**

Inciente. (Del lat. *insciens, -entis.*) adj. ant. Que no sabe.

Inciertamente. adv. m. Con incertidumbre.

Incierto, ta. (Del lat. *incertus.*) adj. No cierto o no verdadero. || **2.** Inconstante, no seguro, no fijo. || **3.** Desconocido, no sabido, ignorado.

Incinerable. adj. Que ha de incinerarse. Dícese especialmente de los billetes de banco que se retiran de la circulación para ser quemados.

Incineración. f. Acción y efecto de incinerar.

Incinerar. (Del lat. *incinerāre;* de *in*, en, y *cĭnis, -ĕris*, ceniza.) tr. Reducir una cosa a cenizas. Dícese más comúnmente de los cadáveres.

Incipiente. (Del lat. *incipiens, -entis*, p. a. de *incipĕre*, comenzar.) adj. Que empieza.

Incircunciso, sa. (Del lat. *incircumcīsus.*) adj. No circuncidado.

Incircunscripto, ta. (Del lat. *incircumscriptus.*) adj. No comprendido dentro de determinados límites.

Incisión. (Del lat. *incisĭo, -ōnis.*) f. Hendidura que se hace en algunos cuerpos con instrumento cortante. || **2.** **Cesura.**

Incisivo, va. (Del lat. *incīsum*, supino de *incidĕre*, cortar.) adj. Apto para abrir o cortar. || **2.** V. **Diente incisivo.** Ú. t. c. s. || **3.** fig. Punzante, mordaz.

Inciso, sa. (Del lat. *incīsus*, p. p. de *incidĕre*, cortar.) adj. **Cortado,** 3.ª acep. || **2.** m. *Gram.* Cada uno de los miembros que, en los períodos, encierra un sentido parcial. || **3.** *Gram.* **Coma,** 1.er art., 1.ª acep.

Incisorio, ria. (Del lat. *incisorĭus*, de *incīsum*, supino de *incidĕre*, cortar.) adj. Que corta o puede cortar. Dícese comúnmente de los instrumentos de cirugía.

Incisura. f. *Med.* Escotadura, fisura, hendidura.

Incitación. (Del lat. *incitatĭo, -ōnis.*) f. Acción y efecto de incitar.

Incitador, ra. (Del lat. *incitātor.*) adj. Que incita. Ú. t. c. s.

Incitamento. (Del lat. *incitamentum.*) m. Lo que incita.

Incitamiento. m. **Incitamento.**

Incitante. p. a. de **Incitar.** Que incita.

Incitar. (Del lat. *incitāre.*) tr. Mover o estimular a uno para que ejecute una cosa.

Incitativa. (De *incitativo.*) f. *For.* Provisión que despachaba el tribunal superior para que los jueces ordinarios hiciesen justicia y no agraviasen a las partes.

Incitativo, va. adj. Que incita o tiene virtud de incitar. Ú. t. c. s. m. || **2.** *For.* **Aguijatorio.**

Incivil. (Del lat. *incivīlis.*) adj. Falto de civilidad o cultura.

Incivilidad. f. Falta de civilidad o cultura.

Incivilmente. adv. m. De manera incivil.

Inclasificable. adj. Que no se puede clasificar.

Inclaustración. (De *in*, 1.er art., y *claustro.*) f. Ingreso en una orden monástica.

Inclemencia. (Del lat. *inclementĭa.*) f. Falta de clemencia. || **2.** fig. Rigor de la estación, especialmente en el invierno. || **A la inclemencia.** m. adv. Al descubierto, sin abrigo.

Inclemente. (Del lat. *inclēmens, -entis.*) adj. Falto de clemencia.

Inclín. (De *inclinar*, 4.ª acep.) m. *León* y *Sal.* Inclinación, propensión. || **2.** *León* y *Sal.* Índole, carácter, temperamento.

Inclinación. (Del lat. *inclinatĭo, -ōnis.*) f. Acción y efecto de inclinar o inclinarse. || **2.** Reverencia que se hace con la cabeza o el cuerpo. || **3.** fig. Afecto, amor, propensión a una cosa. || **4.** *Geom.* Dirección que una línea o una superficie tiene con relación a otra línea u otra superficie. || **de la aguja magnética.** *Fís.* Ángulo, variable según las localidades, que la aguja imanada forma con el plano horizontal.

Inclinado, da. p. p. de **Inclinar.** || **2.** adj. *Mec.* V. **Plano inclinado.**

Inclinador, ra. adj. Que inclina. Ú. t. c. s.

Inclinante. (Del lat. *inclīnans, -antis.*) p. a. de **Inclinar.** Que inclina o se inclina.

Inclinar. (Del lat. *inclināre.*) tr. Apartar una cosa de su posición perpendicular a otra o al horizonte. Ú. t. c. r. || **2.** fig. Persuadir a uno a que haga o diga lo que dudaba hacer o decir. || **3.** intr. Parecerse o asemejarse un tanto un objeto a otro. Ú. t. c. r. || **4.** r. Propender a hacer, pensar o sentir una cosa. ME INCLINO *a creerle.*

Inclinativo, va. (Del lat. *inclinativus.*) adj. Dícese de lo que inclina o puede inclinar.

Ínclito, ta. (Del lat. *inclўtus.*) adj. Ilustre, esclarecido, afamado.

Incluir. (Del lat. *includĕre.*) tr. Poner una cosa dentro de otra o dentro de sus límites. || **2.** Contener una cosa a otra, o llevarla implícita. || **3.** Comprender un número menor en otro mayor, o una parte en su todo.

Inclusa. (Del nombre de Nuestra Señora de la *Inclusa*, dado a una imagen de la Virgen que en el siglo XVI se trajo de la isla de *l'Écluse*, en Holanda, y que fué colocada en la casa de expósitos de Madrid.) f. Casa en donde se recogen y crían a los niños expósitos.

Inclusa. (Del lat. *inclūsa*, cerrada.) f. ant. **Esclusa.**

Inclusero, ra. adj. fam. Que se cría o se ha criado en la inclusa, 1.ᵉʳ art. Ú. t. c. s.

Inclusión. (Del lat. *inclusĭo, -ōnis.*) f. Acción y efecto de incluir. || **2.** Conexión o amistad de una persona con otra.

Inclusivamente. adv. m. Con inclusión.

Inclusive. (Del lat. escolástico *inclusīve*, y éste del lat. *inclūsus*, incluso.) adv. m. **Inclusivamente.**

Inclusivo, va. (De *incluso.*) adj. Que incluye o tiene virtud y capacidad para incluir una cosa.

Incluso, sa. (Del lat. *inclūsus.*) p. p. irreg. de **Incluir.** Ú. sólo como adjetivo. || **2.** adv. m. Con inclusión de, inclusivamente. || **3.** prep. **Hasta**, 2.ª acep.

Incluyente. p. a. de **Incluir.** Que incluye.

Incoación. (Del lat. *inchoatĭo, -ōnis.*) f. Acción de incoar.

Incoar. (Del lat. *inchoāre.*) tr. Comenzar una cosa. Dícese comúnmente de un proceso, pleito, expediente o alguna otra actuación oficial.

Incoativo, va. (Del lat. *inchoatīvus.*) adj. Que explica o denota el principio de una cosa o de una acción progresiva. || **2.** V. **Verbo incoativo.**

Incobrable. (De *in*, 2.° art., y *cobrable.*) adj. Que no se puede cobrar o es de muy dudosa cobranza.

Incoercible. (De *in*, 2.° art., y *coercible.*) adj. Que no puede ser coercido.

Incogitado, da. (Del lat. *incogitātus.*) adj. desus. **Impensado.**

Incógnita. (Del lat. *incognĭta*, t. f. de *-tus*, incógnito.) f. *Mat.* Cantidad desconocida que es preciso determinar en una ecuación o en un problema para resolverlos. || **2.** fig. Causa o razón oculta de un hecho que se examina. *Despejar la* INCÓGNITA *de la conducta de Juan.*

Incógnito, ta. (Del lat. *incognĭtus.*) adj. No conocido. Ú. t. c. s. m., especialmente con la significación que tiene en el siguiente ejemplo: *S. M. guarda el* INCÓGNITO. || **De incógnito.** m. adv. de que se usa para significar que una persona constituida en dignidad quiere tenerse por desconocida, y que no se la trate con las ceremonias y etiqueta que le corresponden. *El emperador José II viajó* DE INCÓGNITO *por Italia.*

Incognoscible. (Del lat. *incognoscibĭlis.*) adj. Que no se puede conocer.

Incoherencia. f. Falta de coherencia.

Incoherente. (Del lat. *incohaerens, -entis.*) adj. No coherente.

Incoherentemente. adv. m. Con incoherencia.

Íncola. (Del lat. *incŏla.*) m. Morador o habitante de un pueblo o lugar.

Incoloro, ra. (Del lat. *incŏlor, -ōris.*) adj. Que carece de color.

Incólume. (Del lat. *incolŭmis.*) adj. Sano, sin lesión ni menoscabo.

Incolumidad. (Del lat. *incolumĭtas, -ātis.*) f. Estado o calidad de incólume.

Incombinable. (De *in*, 2.° art., y *combinable.*) adj. Que no puede combinarse.

Incombustibilidad. f. Calidad de incombustible.

Incombustible. (De *in*, 2.° art., y *combustible.*) adj. Que no se puede quemar. || **2.** fig. Desapasionado, incapaz de enamorarse.

Incombusto, ta. (De *in* 2.° art., y *combusto.*) adj. ant. No quemado.

Incomerciable. (De *in*, 2.° art., y *comerciable.*) adj. Dícese de aquello con lo cual no se puede comerciar.

Incomestible. adj. Que no es comestible. || **2. Incomible.**

Incomible. (De *in*, 2.° art., y *comible.*) adj. Que no se puede comer. Dícese principalmente de lo que está mal condimentado.

Incomodador, ra. adj. Que incomoda; molesto, enfadoso. Ú. t. c. s.

Incómodamente. adv. m. Con incomodidad.

Incomodar. (Del lat. *incommodāre.*) tr. Causar incomodidad. Ú. t. c. r.

Incomodidad. (Del lat. *incommodĭtas, -ātis.*) f. Falta de comodidad. || **2. Molestia**, 1.ª acep. || **3.** Disgusto, enojo.

Incómodo, da. (Del lat. *incommŏdus.*) adj. Que incomoda. || **2.** Que carece de comodidad. || **3.** m. **Incomodidad.**

Incomparable. (Del lat. *incomparabĭlis.*) adj. Que no tiene o no admite comparación.

Incomparablemente. adv. m. Sin comparación.

Incomparado, da. (Del lat. *incomparātus.*) adj. **Incomparable.**

Incompartible. adj. Que no se puede compartir.

Incompasible. (De *in*, 2.° art., y *compasible.*) adj. **Incompasivo.**

Incompasivo, va. (De *in*, 2.° art., y *compasivo.*) adj. Que carece de compasión.

Incompatibilidad. (De *in*, 2.° art., y *compatibilidad.*) f. Repugnancia que tiene una cosa para unirse con otra, o de dos o más personas entre sí. || **2.** Impedimento o tacha legal para ejercer una función determinada, o para ejercer dos o más cargos a la vez.

Incompatible. adj. No compatible con otra cosa. || **2.** *For.* V. **Mayorazgo incompatible.**

Incompensable. adj. No compensable.

Incompetencia. f. Falta de competencia o de jurisdicción.

Incompetente. (Del lat. *incompĕtens, -entis.*) adj. No competente.

Incomplejo, ja. adj. **Incomplexo.** || **2.** *Arit.* V. **Número incomplejo.**

Incompletamente. adv. m. De un modo incompleto.

Incompleto, ta. (Del lat. *incomplētus.*) adj. No completo. || **2.** *Bot.* V. **Flor incompleta.**

Incomplexo, xa. (Del lat. *incomplĕxus.*) adj. Desunido y sin trabazón ni adherencia.

Incomponible. adj. No componible.

Incomportable. adj. No comportable.

Incomposibilidad. (De *incomposible.*) f. Imposibilidad o dificultad de componerse una persona o cosa con otra.

Incomposible. (De *in*, 2.° art., y *composible.*) adj. **Incomponible.**

Incomposición. f. Falta de composición o de debida proporción en las partes que componen un todo. || **2.** ant. Descompostura o desaseo.

Incomprehensibilidad. (Del lat. *incomprehensibilĭtas, -ātis.*) f. **Incomprensibilidad.**

Incomprehensible. (Del lat. *incomprehensibĭlis.*) adj. **Incomprensible.**

Incomprendido, da. adj. Que no ha sido debidamente comprendido. || **2.** Dícese de la persona cuyo mérito no ha sido generalmente apreciado. Ú. t. c. s.

Incomprensibilidad. (De *incomprehensibilidad.*) f. Calidad de incomprensible.

Incomprensible. (De *incomprehensible.*) adj. Que no se puede comprender.

Incomprensiblemente. adv. m. De manera incomprensible.

Incomprensión. f. Falta de comprensión.

Incompresibilidad. f. Calidad de incompresible.

Incompresible. (De *in*, 2.° art., y *compresible.*) adj. Que no se puede comprimir o reducir a menor volumen.

Incompuestamente. (De *in*, 2.° art., y *compuestamente.*) adv. m. ant. Sin aseo, con desaliño. || **2.** ant. fig. Sin compostura, desordenadamente.

Incompuesto, ta. adj. desus. No compuesto. || **2.** desus. Desaseado, desaliñado.

Incomunicabilidad. (De *in*, 2.° art., y *comunicabilidad.*) f. Calidad de incomunicable.

Incomunicable. (Del lat. *incommunicabĭlis.*) adj. No comunicable.

Incomunicación. f. Acción y efecto de incomunicar o incomunicarse. || **2.** *For.* Aislamiento temporal de procesados o de testigos, que acuerdan los jueces, señaladamente los instructores de un sumario.

Incomunicado, da. p. p. de **Incomunicar.** || **2.** adj. Que no tiene comunicación. Dícese de los presos cuando no se les permite tratar con nadie de palabra ni por escrito.

Incomunicar. (De *in*, 2.° art., y *comunicar.*) tr. Privar de comunicación a personas o cosas. || **2.** r. Aislarse, negarse al trato con otras personas, por temor, melancolía u otra causa.

Inconcebible. (De *in*, 2.° art., y *concebible.*) adj. Que no puede concebirse o comprenderse.

Inconciliable. (De *in*, 2.° art., y *conciliable.*) adj. Que no puede conciliarse.

Inconcino, na. (Del lat. *inconcinnus.*) adj. Desordenado, descompuesto, desarreglado.

Inconcusamente. adv. m. Seguramente, sin oposición ni disputa.

Inconcuso, sa. (Del lat. *inconcussus.*) adj. Firme, sin duda ni contradicción.

Incondicional. (De *in*, 2.° art., y *condicional.*) adj. Absoluto, sin restricción ni requisito. || **2.** m. El adepto a una persona o idea, sin limitación o condición ninguna.

Incondicionalmente. adv. m. De manera incondicional.

Inconducente. adj. No conducente para un fin.

Inconexión. (Del lat. *inconnexĭo, -ōnis.*) f. Falta de conexión o unión de una cosa con otra.

Inconexo, xa. (Del lat. *inconnexus.* adj. Que no tiene conexión con una cosa.

Inconfesable. adj. Dícese de lo que por ser vergonzoso y vil, no puede confesarse.

Inconfeso, sa. (Del lat. *inconfessus.*) adj. Aplícase al presunto reo que no confiesa el delito acerca del cual se le pregunta.

Inconfidencia. (De *in*, 2.° art., y *confidencia.*) f. **Desconfianza.**

Inconfidente. adj. No confidente, 1.ª acep.

Inconfundible. adj. No confundible.

Incongruamente. adv. m. **Incongruentemente.**

Incongruencia. (Del lat. *incongruentĭa.*) f. Falta de congruencia.

Incongruente. (Del lat. *incongrŭens, -entis.*) adj. No congruente.

Incongruentemente. adv. m. Con incongruencia.

Incongruidad. (Del lat. *incongruĭtas, -ātis.*) f. **Incongruencia.**

Incongruo, grua. (Del lat. *incongrŭus.*) adj. **Incongruente.** || **2.** Aplícase a la pieza eclesiástica que no llega a la congrua señalada por el sínodo. || **3.** Dícese del eclesiástico que no tiene congrua.

Inconmensurabilidad. f. Calidad de inconmensurable.

Inconmensurable. (Del lat. *incommensurabĭlis.*) adj. No conmensurable.

Inconmovible. adj. Que no se puede conmover o alterar; perenne, firme.

Inconmutabilidad. (Del lat. *incommutabilĭtas, -ātis.*) f. Calidad de inconmutable.

Inconmutable. (Del lat. *incommutabĭlis.*) adj. Inmutable. || **2.** No conmutable.

Inconquistable. (De *in*, 2.° art., y *conquistable.*) adj. Que no se puede conquistar. || **2.** fig. Que no se deja vencer con ruegos y dádivas.

Inconsciencia. (Del lat. *inconscientĭa.*) f. Estado en que el individuo no se da cuenta exacta del alcance de sus palabras o acciones; falta de conciencia.

Inconsciente. adj. No consciente. Apl. a pers., ú. t. c. s. *El marido es un* INCONSCIENTE.

Inconscientemente. adv. m. De manera inconsciente.

Inconsecuencia. (Del lat. *inconsequentĭa.*) f. Falta de consecuencia en lo que se dice o hace.

Inconsecuente. (Del lat. *inconsĕquens, -entis.*) adj. **Inconsiguiente.** || **2.** Que procede con inconsecuencia. Ú. t. c. s.

Inconsideración. (Del lat. *inconsideratĭo, -ōnis.*) f. Falta de consideración y reflexión.

Inconsideradamente. adv. m. Sin consideración ni reflexión.

Inconsiderado, da. (Del lat. *inconsiderātus.*) adj. No considerado ni reflexionado. || **2.** Inadvertido, que no considera ni reflexiona. Ú. t. c. s.

Inconsiguiente. adj. No consiguiente.

Inconsistencia. f. Falta de consistencia.

Inconsistente. (De *in*, 2.° art., y *consistente.*) adj. Falto de consistencia.

Inconsolable. (Del lat. *inconsolabĭlis.*) adj. Que no puede ser consolado o consolarse. || **2.** fig. Que muy difícilmente se consuela.

Inconsolablemente. adv. m. Sin consuelo.

Inconstancia. (Del lat. *inconstantĭa.*) f. Falta de estabilidad y permanencia de una cosa. || **2.** Demasiada facilidad y ligereza con que uno muda de opinión, de pensamiento, de amigos, etc.

Inconstante. (Del lat. *inconstans, -antis.*) adj. No estable ni permanente. || **2.** Que muda con demasiada facilidad y ligereza de pensamientos, aficiones, opiniones o conducta.

Inconstantemente. adv. m. Con inconstancia.

Inconstitucional. (De *in*, 2.° art., y *constitucional.*) adj. No conforme con la constitución del Estado.

Inconstitucionalidad. f. Oposición de una ley, de un decreto o de un acto a los preceptos de la Constitución.

Inconstruible. adj. Que no se puede construir.

Inconsultamente. adv. m. ant. **Inconsideradamente.**

Inconsulto, ta. (Del lat. *inconsultus.*) adj. ant. Que se hace sin consideración ni consejo.

Inconsútil. (Del lat. *inconsutĭlis.*) adj. Sin costura. Ú. comúnmente hablando de la túnica de Jesucristo.

Incontable. (De *in*, 2.° art., y *contable.*) adj. Que no puede contarse. || **2.** Muy difícil de contar, numerosísimo.

Incontaminado, da. (Del lat. *incontaminātus.*) adj. No contaminado.

Incontenible. adj. Que no puede ser contenido o refrenado.

Incontestabilidad. f. Calidad de incontestable.

Incontestable. (De *in*, 2.° art., y *contestable.*) adj. Que no se puede impugnar ni dudar con fundamento.

Incontinencia. (Del lat. *incontinentĭa.*) f. Vicio opuesto a la continencia, especialmente en el refrenamiento de las pasiones de la carne. || **de orina.** *Med.* Enfermedad que consiste en no poder retener la orina.

Incontinente. (Del lat. *incontĭnens, -entis.*) adj. Desenfrenado en las pasiones de la carne. || **2.** Que no se contiene.

Incontinente. adv. t. **Incontinenti.**

Incontinentemente. adv. m. Con incontinencia. || **2.** adv. t. ant. **Incontinenti.**

Incontinenti. (De la loc. lat. *in continenti*, inmediatamente.) adv. t. Prontamente, al instante, al punto, sin dilación.

Incontinuo, nua. (De *in*, 1.er art., y *continuo.*) adj. No interrumpido, continuo.

Incontrastable. (De *in*, 2.° art., y *contrastable.*) adj. Que no se puede vencer o conquistar. || **2.** Que no puede impugnarse con argumentos ni razones sólidas. || **3.** fig. Que no se deja reducir o convencer.

Incontrastablemente. adv. m. De modo incontrastable.

Incontratable. (De *in*, 2.° art., y *contratable.*) adj. **Intratable.**

Incontrito, ta. adj. No contrito.

Incontrovertible. (De *in*, 2.° art., y *controvertible.*) adj. Que no admite duda ni disputa.

Inconvencible. adj. ant. **Invencible.** || **2.** Que no se deja convencer con razones.

Inconvenible. adj. No conveniente o convenible.

Inconveniblemente. adv. m. ant. Sin conveniencia.

Inconveniencia. (Del lat. *inconvenientĭa.*) f. Incomodidad, desconveniencia. || **2.** Disconformidad e inverosimilitud de una cosa. || **3.** **Despropósito.**

Inconveniente. (Del lat. *inconveniens, -entis.*) adj. No conveniente. || **2.** m. Impedimento u obstáculo que hay para hacer una cosa. || **3.** Daño y perjuicio que resulta de ejecutarla.

Inconversable. (De *in*, 2.° art., y *conversable.*) adj. Dícese de la persona intratable por su genio, retiro o aspereza.

Inconvertible. (Del lat. *inconvertibĭlis.*) adj. No convertible.

Incordio. (Del lat. *in*, en, y *chorda*, cuerda.) m. **Bubón**, 2.ª acep. || **2.** fig. y fam. Cosa incómoda, agobiante o muy molesta.

Incorporable. (Del lat. *incorporabĭlis.*) adj. ant. **Incorpóreo.**

Incorporación. (Del lat. *incorporatĭo, -ōnis.*) f. Acción y efecto de incorporar o incorporarse.

Incorporal. (Del lat. *incorporālis.*) adj. **Incorpóreo.** || **2.** Aplícase a las cosas que no se pueden tocar.

Incorporalmente. adv. m. Sin cuerpo.

Incorporar. (Del lat. *incorporāre.*) tr. Agregar, unir dos o más cosas para que hagan un todo y un cuerpo entre sí. || **2.** Sentar o reclinar el cuerpo que estaba echado y tendido. Ú. t. c. r. || **3.** r. Agregarse una o más personas a otras para formar un cuerpo.

Incorporeidad. f. Calidad de incorpóreo.

Incorpóreo. (Del lat. *incorporĕus.*) adj. No corpóreo.

Incorporo. (De *incorporar.*) m. **Incorporación.**

Incorrección. (De *in*, 2.° art., y *corrección.*) f. Calidad de incorrecto. || **2.** Dicho o hecho incorrecto.

Incorrectamente. adv. m. De modo incorrecto; con incorrección.

Incorrecto, ta. (Del lat. *incorrectus.*) adj. No correcto.

Incorregibilidad. f. Calidad de incorregible.

Incorregible. (Del lat. *incorrigibĭlis.*) adj. No corregible. || **2.** Dícese del que por su dureza y terquedad no se quiere enmendar ni ceder a los buenos consejos.

Incorregiblemente. adv. m. Sin enmienda ni corrección, de modo obstinado e incorregible.

Incorrupción. (Del lat. *incorruptĭo, -ōnis.*) f. Estado de una cosa que no se corrompe. || **2.** fig. Pureza de vida y santidad de costumbres. Dícese particularmente hablando de la justicia y la castidad.

Incorruptamente. adv. m. Sin corrupción.

Incorruptibilidad. (Del lat. *incorruptibilĭtas, -ātis.*) f. Calidad de incorruptible.

Incorruptible. (Del lat. *incorruptibĭlis.*) adj. No corruptible. || **2.** fig. Que no se puede pervertir. || **3.** fig. Muy difícil de pervertirse.

Incorrupto, ta. (Del lat. *incorruptus.*) adj. Que está sin corromperse. || **2.** fig. No dañado ni pervertido. || **3.** fig. Aplícase a la mujer que no ha perdido la pureza virginal.

Incrasante. p. a. de **Incrasar.** *Med.* Que incrasa.

Incrasar. (Del lat. *incrassāre.*) tr. *Med.* Engrasar.

Increado, da. (Del lat. *increātus.*) adj. No creado. || **2.** V. **Sabiduría increada.**

Incredibilidad. (Del lat. *incredibilĭtas, -ātis.*) f. Imposibilidad o dificultad que hay para que sea creída una cosa.

Incrédulamente. adv. m. Con incredulidad.

Incredulidad. (Del lat. *incredulĭtas, -ātis.*) f. Repugnancia o dificultad en creer una cosa. || **2.** Falta de fe y de creencia católica.

Incrédulo, la. (Del lat. *incredŭlus.*) adj. Que no cree lo que debe, y especialmente que no cree los misterios de la religión. Ú. t. c. s. || **2.** Que no cree con facilidad y de ligero.

Increíble. (Del lat. *incredibĭlis.*) adj. Que no puede creerse. || **2.** fig. Muy difícil de creer.

Increíblemente. adv. m. De modo increíble.

Incrementar. (Del lat. *incrementāre.*) tr. Aumentar, acrecentar.

Incremento. (Del lat. *incrementum.*) m. **Aumento**, 1.ª acep. || **2.** *Gram.* Aumento de sílabas que tienen en la lengua latina los casos sobre las del nominativo, y los verbos sobre las de la segunda persona del presente de indicativo. || **3.** *Gram.* En español, aumento de letras que tienen los aumentativos, diminutivos, despectivos y superlativos sobre los positivos de que proceden, y cualquiera otra voz derivada sobre la primitiva.

Increpación. (Del lat. *increpatĭo, -ōnis.*) f. Reprensión fuerte, agria y severa.

Increpador, ra. (Del lat. *increpātor.*) adj. Que increpa. Ú. t. c. s.

Increpante. p. a. de **Increpar.** Que increpa.

Increpar. (Del lat. *increpāre.*) tr. Reprender con dureza y severidad.

Incriminación. f. Acción y efecto de incriminar.

Incriminar. (Del lat. *incrimināre*, acusar.) tr. Acriminar con fuerza o insistencia. || **2.** Exagerar o abultar un delito, culpa o defecto, presentándolo como crimen.

Incristalizable. (De *in*, 2.° art., y *cristalizable.*) adj. Que no se puede cristalizar.

Incruentamente. adv. m. Sin derramamiento de sangre.

Incruento, ta. (Del lat. *incruentus.*) adj. No sangriento. Dícese especialmente del sacrificio de la misa.

Incrustación. (Del lat. *incrustatio, -ōnis.*) f. Acción de incrustar. || **2.** Cosa incrustada.

Incrustante. adj. Que incrusta o puede incrustar. *Aguas* INCRUSTANTES.

Incrustar. (Del lat. *incrustāre.*) tr. Embutir en una superficie lisa y dura piedras, metales, maderas, etc., formando dibujos para que sirvan de adorno. || **2.** Cubrir una superficie con una costra dura.

Incubación. (Del lat. *incubatio, -ōnis.*) f. Acción y efecto de incubar. || **2.** *Med.* Desarrollo de una enfermedad desde que empieza a obrar la causa morbosa hasta que se manifiestan sus efectos.

Incubadora. (De *incubar.*) f. Aparato que sirve para la incubación artificial.

Incubar. (Del lat. *incubāre.*) intr. **Encobar.** || **2.** tr. **Empollar,** 1.er art., 1.a acep.

Íncubo. (Del lat. *incŭbus.*) adj. Dícese del espíritu, diablo o demonio que, según la opinión vulgar, tiene comercio carnal con una mujer, bajo la apariencia de varón. Ú. t. c. s. || **2.** m. ant. *Med.* **Pesadilla,** 1.a y 2.a aceps.

Incuestionable. adj. No cuestionable.

Inculcación. (Del lat. *inculcatio, -ōnis.*) f. Acción y efecto de inculcar.

Inculcador. (Del lat. *inculcātor.*) adj. Que inculca. Ú. t. c. s.

Inculcar. (Del lat. *inculcāre.*) tr. Apretar una cosa contra otra. Ú. t. c. r. || **2.** fig. Repetir con empeño muchas veces una cosa a uno. || **3.** fig. Imbuir, infundir con ahínco en el ánimo de uno una idea, un concepto, etc. || **4.** *Impr.* Juntar demasiado unas letras con otras. || **5.** r. fig. Afirmarse, obstinarse uno en lo que siente o prefiere.

Inculpabilidad. (De *inculpable.*) f. Exención de culpa; inocencia, 2.a acep. || **2.** V. **Veredicto de inculpabilidad.**

Inculpable. (Del lat. *inculpabĭlis.*) adj. Que carece de culpa o no puede ser inculpado.

Inculpablemente. adv. m. Sin culpa; de un modo que no se puede culpar.

Inculpación. (Del lat. *inculpatio, -ōnis.*) f. Acción y efecto de inculpar.

Inculpadamente. adv. m. Sin culpa.

Inculpado, da. (De *in,* 2.° art., y *culpado.*) adj. p. us. Inocente, sin culpa.

Inculpar. (Del lat. *inculpāre.*) tr. Culpar, acusar a uno de una cosa.

Incultamente. adv. m. De un modo inculto.

Incultivable. (De *in,* 2.° art., y *cultivable.*) adj. Que no puede cultivarse.

Incultivado, da. (De *in,* 2.° art., y *cultivado,* p. p. de *cultivar.*) adj. ant. **Inculto,** 1.a acep.

Inculto, ta. (Del lat. *incultus.*) adj. Que no tiene cultivo ni labor. || **2.** fig. Aplícase a la persona, pueblo o nación de modales rústicos y groseros o de corta instrucción. || **3.** fig. Hablando del estilo, desaliñado y grosero.

Incultura. f. Falta de cultivo o de cultura.

Incumbencia. (De *incumbir.*) f. Obligación y cargo de hacer una cosa.

Incumbir. (Del lat. *incumbĕre.*) intr. Estar a cargo de uno una cosa.

Incumplimiento. m. Falta de cumplimiento.

Incumplir. tr. No llevar a efecto, dejar de cumplir.

Incunable. (Del lat. *incunabŭla,* cuna.) adj. Aplícase a las ediciones hechas desde la invención de la imprenta hasta principios del siglo XVI. Ú. t. c. s. m.

Incurable. (Del lat. *incurabĭlis.*) adj. Que no se puede curar o no puede sanar. Apl. a pers., ú. t. c. s. || **2.** Muy difícil de curarse. || **3.** fig. Que no tiene enmienda ni remedio.

In curia. expr. lat. V. **Juez in curia.**

Incuria. (Del lat. *incuria.*) f. Poco cuidado, negligencia.

Incurioso, sa. (Del lat. *incuriōsus.*) adj. Descuidado, negligente. Ú. t. c. s.

Incurrimiento. m. Acción y efecto de incurrir.

Incurrir. (Del lat. *incurrĕre.*) intr. Construido con la prep. *en* y substantivo que signifique culpa, error o castigo, ejecutar la acción o merecer la pena expresada por el substantivo. || **2.** Con la misma preposición y substantivo que signifique sentimiento desfavorable, como odio, ira, desprecio, etc., causarlo, atraérselo.

Incursión. (Del lat. *incursio, -ōnis.*) f. Acción de incurrir. || **2.** *Mil.* **Correría,** 1.a acep.

Incurso, sa. (Del lat. *incursus.*) p. p. irreg. de **Incurrir.** || **2.** m. p. us. **Acometimiento,** 1.a acep.

Incurvar. tr. ant. **Encorvar.**

Incusación. (Del lat. *incusatio, -ōnis.*) f. ant. **Acusación.**

Incusar. (Del lat. *incusāre.*) tr. Acusar, imputar.

Incuso, sa. (Del lat. *incūsus.*) adj. Aplícase a la moneda o medalla que tiene en hueco por una cara el mismo cuño que por la opuesta en relieve.

Indagación. (Del lat. *indagatio, -ōnis.*) f. Acción y efecto de indagar.

Indagador, ra. (Del lat. *indagātor.*) adj. Que indaga. Ú. t. c. s.

Indagar. (Del lat. *indagāre.*) tr. Averiguar, inquirir una cosa, discurriendo con razón o fundamento, o por conjeturas y señales.

Indagatoria. (De *indagatorio.*) f. *For.* Declaración que acerca del delito que se está averiguando se toma al presunto reo sin recibirle juramento.

Indagatorio, ria. adj. *For.* Que tiende o conduce a indagar.

Indebidamente. adv. m. Sin deberse hacer. || **2. Ilícitamente.**

Indebido, da. (De *in,* 2.° art., y *debido,* p. p. de *deber.*) adj. Que no es obligatorio ni exigible. || **2.** Ilícito, injusto y falto de equidad. || **3.** V. **Culto indebido.** || **4.** *For.* V. **Paga indebida, o de lo indebido.**

Indecencia. (Del lat. *indecentia.*) f. Falta de decencia o de modestia. || **2.** Acto vituperable o vergonzoso.

Indecente. (Del lat. *indecens, -entis.*) adj. No decente, indecoroso.

Indecentemente. adv. m. De modo indecente.

Indecible. (Del lat. *indicibĭlis.*) adj. Que no se puede decir o explicar.

Indeciblemente. adv. m. De modo indecible.

Indecisión. (De *in,* 2.° art., y *decisión.*) f. Irresolución o dificultad de alguno en decidirse.

Indeciso, sa. (Del lat. *in,* negat., y *decīsus,* decidido.) adj. Dícese de la cosa sobre la cual no ha caído resolución. || **2.** Perplejo, dudoso.

Indecisorio. (De *in,* 2.° art., y *decisorio.*) adj. V. **Juramento indecisorio.**

Indeclarable. adj. Que no se puede declarar.

Indeclinable. (Del lat. *indeclinabĭlis.*) adj. Que necesariamente tiene que hacerse o cumplirse. || **2.** *For.* Aplícase a la jurisdicción que no se puede declinar. || **3.** *Gram.* Aplícase a las partes de la oración que no se declinan.

Indecoro. m. Falta de decoro.

Indecoro, ra. (Del lat. *indecōrus.*) adj. ant. **Indecoroso.**

Indecorosamente. adv. m. Sin decoro.

Indecoroso, sa. (De *in,* 2.° art., y *decoroso.*) adj. Que carece de decoro, o lo ofende.

Indefectibilidad. f. Calidad de indefectible. Aplícase especialmente a la Iglesia católica.

Indefectible. (De *in,* 2.° art., y *defectible.*) adj. Que no puede faltar o dejar de ser.

Indefectiblemente. adv. m. De un modo indefectible.

Indefendible. (De *in,* 2.° art., y *defendible.*) adj. Que no puede ser defendido.

Indefensable. (De *in,* 2.° art., y *defensable.*) adj. **Indefendible.**

Indefensible. (De *in,* 2.° art., y *defensible.*) adj. **Indefendible.**

Indefensión. f. Falta de defensa; situación del que está indefenso. || **2.** *For.* Situación en que se deja a la parte litigante a la que se niegan o limitan contra ley sus medios procesales de defensa.

Indefenso, sa. (Del lat. *indefensus.*) adj. Que carece de medios de defensa, o está sin ella.

Indeficiente. (Del lat. *indeficiens, -entis.*) adj. Que no puede faltar.

Indefinible. (De *in,* 2.° art., y *definible.*) adj. Que no se puede definir.

Indefinidamente. adv. m. De modo indefinido o inacabable.

Indefinido, da. (Del lat. *indefinītus.*) adj. No definido. || **2.** Que no tiene término señalado o conocido. || **3.** *Gram.* V. **Artículo indefinido.** || **4.** *Lóg.* Dícese de la proposición que no tiene signos que la determinen. || **5.** *Mil.* Decíase del oficial que no tenía plaza efectiva. Usáb. t. c. s.

Indehiscente. adj. *Bot.* No dehiscente.

Indeleble. (Del lat. *indelebĭlis.*) adj. Que no se puede borrar o quitar. Aplícase, entre otros usos, al carácter que un sacramento imprime en el alma.

Indeleblemente. adv. m. De modo indeleble; sin poderse borrar.

Indeliberación. f. Falta de deliberación o reflexión.

Indeliberadamente. adv. m. Sin deliberación.

Indeliberado, da. (Del lat. *indeliberātus.*) adj. Hecho sin deliberación ni reflexión.

Indelicado, da. adj. Falto de delicadeza.

Indemne. (Del lat. *indemnis.*) adj. Libre o exento de daño.

Indemnidad. (Del lat. *indemnĭtas, -ātis.*) f. Propiedad, estado o situación del que está libre de padecer daño o perjuicio. || **2.** *For.* V. **Caución de indemnidad.**

Indemnización. f. Acción y efecto de indemnizar o indemnizarse. || **2.** Cosa con que se indemniza.

Indemnizar. (De *indemne.*) tr. Resarcir de un daño o perjuicio. Ú. t. c. r.

Indemorable. adj. Que no puede demorarse.

Indemostrable. (Del lat. *indemonstrabĭlis.*) adj. No demostrable.

Independencia. f. Falta de dependencia. || **2.** Libertad, autonomía, y especialmente la de un Estado que no es tributario ni depende de otro. || **3.** Entereza, firmeza de carácter.

Independente. adj. ant. **Independiente.**

Independentemente. adv. m. ant. **Independientemente.**

Independiente. adj. Exento de dependencia. || **2. Autónomo.** || **3.** fig. Dícese de la persona que sostiene sus derechos u opiniones, sin que la doblen respetos, halagos ni amenazas. || **4.** adv. m. **Independientemente.** INDEPENDIENTE *de eso.*

Independientemente. adv. m. Con independencia.

Independizar. tr. Hacer independiente a una persona o cosa. Ú. t. c. r.

Indescifrable. (De *in,* 2.° art., y *descifrable.*) adj. Que no se puede descifrar.

Indescriptible. (Del lat. *in,* priv., y *descriptum,* supino de *describĕre,* describir.) adj. Que no se puede describir.

Indeseable. (De *in,* 2.° art., y *deseable.*) adj. Dícese de la persona, especialmente extranjera, cuya permanencia en un país consideran peligrosa para la tranquilidad pública las autoridades de éste. Ú. t. c. s.

Indesignable. (De *in*, 2.° art., y *designar.*) adj. Imposible o muy difícil de señalar.

Indestructibilidad. f. Calidad de indestructible.

Indestructible. (Del lat. *in*, priv., y *destructibĭlis.*) adj. Que no se puede destruir.

Indeterminable. (Del lat. *indeterminabĭlis.*) adj. Que no se puede determinar. ‖ **2. Indeterminado,** 2.ª acep.

Indeterminación. f. Falta de determinación en las cosas, o de resolución en las personas.

Indeterminadamente. adv. m. Sin determinación.

Indeterminado, da. (Del lat. *indeterminātus.*) adj. No determinado, o que no implica ni denota determinación alguna. ‖ **2.** Dícese del que no se resuelve a una cosa. ‖ **3.** *Álg.* V. **Ecuación indeterminada.** ‖ **4.** *Gram.* V. **Artículo, pronombre indeterminado.** ‖ **5.** *Mat.* V. **Cuestión indeterminada.** ‖ **6.** *Mat.* V. **Problema indeterminado.**

Indevoción. (Del lat. *indevotĭo, -ōnis.*) f. Falta de devoción.

Indevoto, ta. (Del lat. *indevōtus.*) adj. Falto de devoción. ‖ **2.** No afecto a una persona o cosa.

Índex. (Del lat. *index.*) adj. desus. **Índice,** 1.ª acep. Usáb. t. c. s. ‖ **2.** m. desus. **Índice,** 6.ª acep.

Indezuelo, la. m. y f. d. de **Indio,** 1.er art., 1.ª acep.

India. n. p. V. **Alcaparra, cámara, caña, carrera, castaño, coco, comisario general, conejillo, higuera, junco, lagarto, melón, sala, zarzaparrilla de Indias.** ‖ **2.** V. **Avellana, caña, cedro, jazmín de la India.** ‖ **3.** V. **Anís estrellado, casa de contratación, gran buitre, gran canciller, haba, palo, pimiento, sol de las Indias.** ‖ **4.** f. fig. Abundancia de riquezas. Ú. m. en pl.

Indiada. f. *Amér.* Conjunto o muchedumbre de indios.

Indiana. (De *indiano*, 4.ª acep.) f. Tela de lino o algodón, o de mezcla de uno y otro, pintada por un solo lado.

Indianés, sa. adj. **Indio,** 1.er art., 1.ª acep.

Indianista. (De *indiano*, 4.ª acep.) com. Persona que cultiva las lenguas y literatura del Indostán, así antiguas como modernas.

Indiano, na. adj. Natural, pero no originario de América, o sea de las Indias Occidentales. Ú. t. c. s. ‖ **2.** Perteneciente a ellas. ‖ **3.** V. **Palma indiana.** ‖ **4.** Perteneciente a las Indias Orientales. ‖ **5.** Dícese también del que vuelve rico de América. Ú. t. c. s. ‖ **de hilo negro.** fig. y fam. Hombre avaro, miserable, mezquino.

Indicación. (Del lat. *indicatĭo, -ōnis.*) f. Acción y efecto de indicar. ‖ **de procedencia.** Forma de propiedad industrial como derecho privativo de alguna localidad, zona o comarca cuyos productos son famosos por la naturaleza o la industria.

Indicador, ra. adj. Que indica o sirve para indicar. Ú. t. c. s.

Indicante. p. a. de **Indicar.** Que indica. Ú. t. c. s.

Indicar. (Del lat. *indicāre.*) tr. Dar a entender o significar una cosa con indicios y señales.

Indicativo, va. (Del lat. *indicatīvus.*) adj. Que indica o sirve para indicar. ‖ **2.** *Gram.* V. **Modo indicativo.** Ú. t. c. s.

Indicción. (Del lat. *indictĭo, -ōnis.*) f. Convocación o llamamiento para una junta o concurrencia sinodal o conciliar. ‖ **2.** *Cronol.* Año de cada uno de los períodos de quince que se contaron desde el 315 de Jesucristo, y empezaba el 24 de septiembre. ‖ **romana.** *Cronol.* Año de igual período, que se usa en las bulas pontificias y empieza el 1.° de enero como el ordinario.

Índice. (Del lat. *index, -ĭcis.*) adj. V. **Dedo índice.** Ú. t. c. s. ‖ **2.** m. Indicio o señal de una cosa. ‖ **3.** Lista o enumeración breve, y por orden, de libros, capítulos o cosas notables. ‖ **4.** Catálogo contenido en uno o muchos volúmenes, en el cual, por orden alfabético o cronológico, están escritos los autores o materias de las obras que se conservan en una biblioteca, y sirve para hallarlos con facilidad y franquearlos con prontitud a cuantos los buscan o piden. ‖ **5.** Pieza o departamento donde está el catálogo, etc., en las bibliotecas públicas. ‖ **6.** Cada una de las manecillas de un reloj y, en general, las agujas y otros elementos indicadores de los instrumentos graduados, tales como barómetros, termómetros, higrómetros, etc. ‖ **7.** Gnomon de un cuadrante solar. ‖ **8.** *Álg.* y *Arit.* Número o letra que se coloca en la abertura del signo radical y sirve para indicar el grado de la raíz. ‖ **cefálico.** *Zool.* Relación entre la anchura y la longitud máxima del cráneo. ‖ **de refracción.** *Dióptr.* Número que representa la relación constante entre los senos de los ángulos de incidencia y de refracción. ‖ **expurgatorio.** Catálogo de los libros que se prohíben o se mandan corregir por la Iglesia, y en el cual entiende una de las congregaciones de la curia romana.

Indiciado, da. p. p. de **Indiciar.** ‖ **2.** adj. Que tiene contra sí la sospecha de haber cometido un delito. Ú. t. c. s.

Indiciador, ra. adj. Que indicia. Ú. t. c. s.

Indiciar. tr. Dar indicios de una cosa por donde pueda venirse en conocimiento de ella. ‖ **2.** Sospechar una cosa o venir en conocimiento de ella por indicios. ‖ **3. Indicar.**

Indiciario, ria. adj. *For.* Relativo a indicios o derivado de ellos.

Indicio. (Del lat. *indicĭum.*) m. Acción o señal que da a conocer lo oculto. ‖ **Indicios vehementes.** *For.* Aquellos que mueven de tal modo a creer una cosa, que ellos solos equivalen a prueba semiplena.

Indicioso, sa. (De *indicio.*) adj. **Sospechoso,** 2.ª acep.

Índico, ca. (Del lat. *indĭcus.*) adj. Perteneciente a las Indias Orientales. ‖ **2.** desus. **Índigo.** ‖ **3.** V. **Avellana índica.** ‖ **4.** V. **Folio, nardo índico.**

In díem. expr. lat. *For.* V. **Adición in díem.**

Indiestro, tra. adj. ant. No diestro ni hábil para una cosa.

Indiferencia. (Del lat. *indifferentĭa.*) f. Estado del ánimo en que no se siente inclinación ni repugnancia a un objeto o negocio determinado.

Indiferente. (Del lat. *indiffĕrens, -entis.*) adj. No determinado por sí a una cosa más que a otra. ‖ **2.** Que no importa que sea o se haga de una o de otra forma.

Indiferentemente. adv. m. Indistintamente, sin diferencia.

Indiferentismo. (De *indiferente.*) m. Estado del ánimo que hace ver con indiferencia los sucesos, o no adoptar ni combatir doctrina alguna. Aplícase principalmente a las creencias y prácticas religiosas.

Indígena. (Del lat. *indigĕna.*) adj. Originario del país de que se trata. Apl. a pers., ú. t. c. s. ‖ **2.** V. **Ruipóntico indígena.**

Indigencia. (Del lat. *indigentĭa.*) f. Falta de medios para alimentarse, vestirse, etc.

Indigenismo. m. Estudio, cultivo y exaltación de los caracteres y antigua cultura de ciertos pueblos autóctonos de América, que hoy forman parte de naciones en las que predomina una civilización europea.

Indigenista. adj. Perteneciente o relativo al indigenismo. ‖ **2.** m. y f. Persona partidaria del indigenismo.

Indigente. (Del lat. *indĭgens, -entis.*) adj. Falto de medios para pasar la vida. Ú. t. c. s.

Indigerido, da. (De *in*, 2.° art., y *digerido.*) adj. ant. **Indigesto.**

Indigestarse. (De *indigesto.*) r. No sentar bien un manjar o comida. ‖ **2.** fig. y fam. No agradarle a uno alguien, por su trato áspero, o por otro motivo.

Indigestible. (Del lat. *indigestibĭlis.*) adj. Que no se puede digerir o es de muy difícil digestión.

Indigestión. (Del lat. *indigestĭo, -ōnis.*) f. Falta de digestión. ‖ **2.** Trastorno que por esta causa padece el organismo.

Indigesto, ta. (Del lat. *indigestus.*) adj. Que no se digiere o se digiere con dificultad. ‖ **2.** Que está sin digerir. ‖ **3.** fig. Confuso, sin el orden y distinción que le corresponde. ‖ **4.** fig. Áspero, difícil en el trato.

Indigete. adj. Natural de una región de la España Tarraconense, al norte de la actual provincia de Gerona. Ú. t. c. s. ‖ **2.** Perteneciente a esta región.

Indignación. (Del lat. *indignatĭo, -ōnis.*) f. Enojo, ira, enfado vehemente contra una persona o contra sus actos.

Indignamente. adv. m. Con indignidad.

Indignante. (Del lat. *indignans, -antis.*) p. a. de **Indignar.** Que indigna o se indigna.

Indignar. (Del lat. *indignāri.*) tr. Irritar, enfadar vehementemente a uno. Ú. t. c. r.

Indignidad. (Del lat. *indignĭtas, -ātis.*) f. Falta de mérito y de disposición para una cosa. ‖ **2.** Acción reprobable, impropia de las circunstancias del sujeto que la ejecuta, o de la calidad de aquel con quien se trata. ‖ **3.** ant. **Indignación.** ‖ **4.** *For.* Motivo de incapacidad sucesoria por mal comportamiento grave del heredero o legatario hacia el causante de la herencia o los parientes inmediatos de éste.

Indigno, na. (Del lat. *indignus.*) adj. Que no tiene mérito ni disposición para una cosa. ‖ **2.** Que no corresponde a las circunstancias de un sujeto, o es inferior a la calidad y mérito de la persona con quien se trata. ‖ **3.** Vil, ruin.

Índigo. (Del lat. *indĭcus*, de la India.) m. Añil.

Indijado, da. adj. ant. Adornado con dijes.

Indilgar. tr. ant. **Endilgar.** Ú. en *Amér.*

Indiligencia. (Del lat. *indiligentĭa.*) f. Falta de diligencia y de cuidado.

Indinar. tr. fam. **Indignar.** Ú. t. c. r.

Indino, na. adj. fam. **Indigno.** ‖ **2.** fam. Dícese de la persona, muchacho generalmente, traviesa o descarada.

Indio, dia. adj. Natural de la India, o sea de las Indias Orientales. Ú. t. c. s. ‖ **2.** Perteneciente a ellas. ‖ **3.** Aplícase al antiguo poblador de América, o sea de las Indias Occidentales, y del que hoy se considera como descendiente de aquél sin mezcla de otra raza. Dícese también de las cosas. *Traje* INDIO; *lengua* INDIA. Apl. a pers., ú. t. c. s. ‖ **4.** m. Metal parecido al estaño, pero más fusible y volátil, y que en el espectroscopio presenta una raya azul característica, a que debe su nombre. Fue descubierto en 1863, y no tiene aplicaciones conocidas. ‖ **de carga.** El que en las Indias Occidentales conducía de una parte a otra las cargas, supliendo de esta suerte la carencia de otros medios de transporte. ‖ **sangley. Indio** chino o japonés que pasa a comerciar a Filipinas. ‖ **¿Somos indios?** expr. fam. con que se reconviene a uno cuando quiere engañar o cree no le entienden lo que dice.

Indio, dia. (De *índigo.*) adj. De color azul.

Indirecta. (Del lat. *indirecta*, t. f. de *-tus*, indirecto.) f. Dicho o medio indirecto de que uno se vale para no significar explícita o claramente una cosa y darla, sin embargo, a entender. ‖ **del padre Cobos.** fam. Explícita y rotunda manifestación o declaración de aquello que se quería o que, al parecer, se debía dar a entender embozada o indirectamente.

Indirectamente. adv. m. De modo indirecto.

Indirecte. adv. m. lat. V. **Directe ni indirecte.**

Indirecto, ta. (Del lat. *indirectus.*) adj. Que no va rectamente a un fin, aunque se encamine a él. ‖ **2.** *Gram.* V. **Complemento indirecto.**

Indisciplina. (Del lat. *indisciplīna.*) f. Falta de disciplina.

Indisciplinable. (De *in*, 2.° art., y *disciplinable.*) adj. Incapaz de disciplina.

Indisciplinado, da. p. p. de **Indisciplinarse.** ‖ **2.** adj. Falto de disciplina.

Indisciplinarse. r. Quebrantar la disciplina.

Indiscreción. f. Falta de discreción y de prudencia. ‖ **2.** fig. Dicho o hecho indiscreto.

Indiscretamente. adv. m. Sin discreción ni prudencia.

Indiscreto, ta. (Del lat. *indiscrētus.*) adj. Que obra sin discreción. Ú. t. c. s. ‖ **2.** Que se hace sin discreción.

Indisculpable. (De *in*, 2.° art., y *disculpable.*) adj. Que no tiene disculpa. ‖ **2.** fig. Que difícilmente puede disculparse.

Indiscutible. adj. No discutible.

Indisolubilidad. f. Calidad de indisoluble.

Indisoluble. (Del lat. *indissolubĭlis.*) adj. Que no se puede disolver o desatar.

Indisolublemente. adv. m. De un modo indisoluble.

Indispensabilidad. f. p. us. Calidad de indispensable.

Indispensable. adj. Que no se puede dispensar ni excusar. ‖ **2.** Que es necesario o muy regular que suceda.

Indispensablemente. adv. m. Forzosa y precisamente.

Indisponer. (De *in*, 2.° art., y *disponer.*) tr. Privar de la disposición conveniente, o quitar la preparación necesaria para una cosa. Ú. t. c. r. ‖ **2. Malquistar.** Ú. m. c. r. INDISPONERSE *con uno.* ‖ **3.** Causar indisposición o falta de salud. ‖ **4.** r. Experimentarla.

Indisposición. f. Falta de disposición y de preparación para una cosa. ‖ **2.** Desazón o quebranto leve de la salud.

Indispuesto, ta. p. p. irreg. de **Indisponer.** ‖ **2.** adj. Que se siente algo malo o con alguna novedad o alteración en la salud.

Indisputable. (Del lat. *indisputabĭlis.*) adj. Que no admite disputa.

Indisputablemente. adv. m. Sin disputa.

Indistinción. f. Falta de distinción.

Indistinguible. (De *in*, 2.° art., y *distinguible.*) adj. Que no se puede distinguir. ‖ **2.** fig. Muy difícil de distinguir.

Indistintamente. adv. m. Sin distinción.

Indistinto, ta. (Del lat. *indistinctus.*) adj. Que no se distingue de otra cosa. ‖ **2.** Que no se percibe clara y distintamente.

Individuación. f. Acción y efecto de individuar.

Individual. adj. Perteneciente o relativo al individuo. ‖ **2.** Particular, propio y característico de una cosa.

Individualidad. (De *individual.*) f. Calidad particular de una persona o cosa, por la cual se da a conocer o se señala singularmente.

Individualismo. (De *individual.*) m. Aislamiento y egoísmo de cada cual, en los afectos, en los intereses, en los estudios, etc. ‖ **2.** Sistema filosófico que considera al individuo como fundamento y fin de todas las leyes y relaciones morales y políticas. ‖ **3.** Propensión a obrar según el propio albedrío y no de concierto con la colectividad.

Individualista. adj. Que practica el individualismo. Ú. t. c. s. ‖ **2.** Partidario del individualismo. Ú. t. c. s. ‖ **3.** Perteneciente o relativo al individualismo.

Individualizar. (De *individual.*) tr. **Individuar.**

Individualmente. adv. m. Con individualidad. ‖ **2.** Uno a uno; individuo por individuo.

Individuamente. adv. m. Con unión estrecha e inseparable.

Individuar. (De *individuo.*) tr. Especificar una cosa; tratar de ella con particularidad y por menor. ‖ **2.** Determinar individuos comprendidos en la especie.

Individuidad. (Del lat. *individuĭtas, -ātis.*) f. ant. **Individualidad.**

Individuo, dua. (Del lat. *individŭus.*) adj. **Individual.** ‖ **2. Indivisible,** 1.ª acep. ‖ **3.** m. Cada ser organizado, sea animal o vegetal, respecto de la especie a que pertenece. ‖ **4.** Persona perteneciente a una clase o corporación. INDIVIDUO *del Consejo de Estado, de la Academia Española.* ‖ **5.** fam. La propia persona u otra, con abstracción de las demás. *Tomás cuida bien de su* INDIVIDUO. ‖ **6.** m. y f. fam. Persona cuyo nombre y condición se ignoran o no se quieren decir.

Indivisamente. adv. m. Sin división.

Indivisibilidad. f. Calidad de indivisible.

Indivisible. (Del lat. *indivisibĭlis.*) adj. Que no puede ser dividido. ‖ **2.** *For.* Dícese de la cosa que no admite división; ya por ser ésta impracticable, ya porque impida o varíe substancialmente la aptitud de ella para el destino que tenía, ya porque desmerece mucho con la división.

Indivisiblemente. (De *in*, 2.° art., y *divisible.*) adv. m. De manera que no pueda dividirse.

Indivisión. (Del lat. *indivisĭo, -ōnis.*) f. Carencia de división. ‖ **2.** *For.* Estado de condominio o de comunidad de bienes entre dos o más partícipes.

Indiviso, sa. (Del lat. *indivisus.*) adj. No separado o dividido en partes. Ú. t. c. s.

Indiyudicable. (Del lat. *in*, priv., y *diiudicāre*, formar juicio, juzgar.) adj. ant. Que no se puede o no se debe juzgar.

Indo, da. (Del lat. *indus.*) adj. **Indio,** 1.er art., 1.ª y 2.ª aceps. Apl. a pers., ú. t. c. s.

Indócil. (Del lat. *indocĭlis.*) adj. Que no tiene docilidad.

Indocilidad. f. Falta de docilidad.

Indoctamente. adv. m. Con ignorancia; de modo que revele falta de saber o instrucción.

Indocto, ta. (Del lat. *indoctus.*) adj. Falto de instrucción, inculto.

Indoctrinado, da. adj. ant. Que carece de doctrina o enseñanza.

Indocumentado, da. adj. Dícese de quien no lleva consigo documento oficial por el cual pueda identificarse su personalidad, y también del que carece de él. ‖ **2.** fig. Dícese de la persona sin arraigo ni respetabilidad. Ú. t. c. s.

Indoeuropeo, a. adj. Dícese de cada una de las razas y lenguas procedentes de un origen común y extendidas desde la India hasta el occidente de Europa. ‖ **2.** Dícese también de la raza y lengua que dieron origen a todas ellas. Ú. t. c. s. m.

Indogermánico, ca. (De *indo* y *germánico.*) adj. **Indoeuropeo.**

Índole. (Del lat. *indŏles.*) f. Condición e inclinación natural propia de cada uno. ‖ **2.** Naturaleza, calidad y condición de las cosas.

Indolencia. (Del lat. *indolentĭa.*) f. Calidad de indolente.

Indolente. (Del lat. *indŏlens, -entis.*) adj. Que no se afecta o conmueve. ‖ **2.** Flojo, perezoso. ‖ **3.** Que no duele.

Indolentemente. adv. m. Con indolencia.

Indoloro, ra. adj. Que no causa dolor.

Indomabilidad. f. Calidad de indomable.

Indomable. (Del lat. *indomabĭlis.*) adj. Que no se puede domar.

Indomado, da. adj. Que está sin domar o reprimir.

Indomeñable. (De *in*, 2.° art., y *domeñar.*) adj. desus. **Indomable.**

Indomesticable. (De *in*, 2.° art., y *domesticable.*) adj. Que no se puede domesticar.

Indomesticado, da. adj. No domesticado.

Indoméstico, ca. (De *in*, 2.° art., y *doméstico.*) adj. Que está sin domesticar.

Indómito, ta. (Del lat. *indomĭtus.*) adj. No domado. ‖ **2.** Que no se puede domar. ‖ **3.** fig. Difícil de sujetar o reprimir.

Indonesio, sia. adj. Perteneciente o relativo a Indonesia. ‖ **2.** Natural de esta región asiática que comprende principalmente los territorios del archipiélago malayo. Ú. t. c. s.

Indostanés, sa. adj. Natural del Indostán. Ú. t. c. s.

Indostánico, ca. adj. Perteneciente o relativo al Indostán.

Indostano, na. adj. **Indostanés.**

Indotación. f. Falta de dotación.

Indotado, da. (Del lat. *indotātus.*) adj. Que está sin dotar.

Indubitable. (Del lat. *indubitabĭlis.*) adj. **Indudable.**

Indubitablemente. adv. m. **Indudablemente.**

Indubitadamente. adv. m. Ciertamente, sin duda.

Indubitado, da. (Del lat. *indubitātus.*) adj. Cierto y que no admite duda.

Inducción. (Del lat. *inductĭo, -ōnis.*) f. Acción y efecto de inducir. ‖ **eléctrica.** *Fís.* Acción de las cargas eléctricas, o de las corrientes, unas sobre otras. ‖ **electromagnética.** *Fís.* Influjo de las corrientes eléctricas sobre los imanes, y de éstos sobre aquéllas. ‖ **magnética.** Acción de los imanes, unos sobre otros.

Inducia. (Del lat. *inducĭa.*) f. Tregua o dilación.

Inducido, da. p. p. de **Inducir.** ‖ **2.** m. *Fís.* Circuito que gira en el campo magnético de una dinamo, y en el cual se desarrolla una corriente por efecto de su rotación.

Inducidor, ra. adj. Que induce a una cosa. Ú. t. c. s.

Inducimiento. (De *inducir.*) m. **Inducción.**

Inducir. (Del lat. *inducĕre.*) tr. Instigar, persuadir, mover a uno. ‖ **2.** ant. Ocasionar, causar. ‖ **3.** *Fil.* Ascender lógicamente el entendimiento desde el conocimiento de los fenómenos, hechos o casos, a la ley o principio que virtualmente los contiene o que se efectúa en todos ellos uniformemente. ‖ **4.** *Fís.* Producir un cuerpo electrizado fenómenos eléctricos en otro situado a cierta distancia de él.

Inductivo, va. (Del lat. *inductīvus.*) adj. Que se hace por inducción. ‖ **2.** Perteneciente a ella.

Inductor, ra. (Del lat. *inductor, -ōris*, de *inducĕre*, inducir.) adj. Que induce. ‖ **2.** m. *Fís.* Órgano de las máquinas eléctricas destinado a producir la inducción magnética.

Indudable. (Del lat. *indubitabĭlis.*) adj. Que no puede dudarse.

Indudablemente. adv. m. De modo indudable.

Indulgencia. (Del lat. *indulgentĭa.*) f. Facilidad en perdonar o disimular las culpas o en conceder gracias. || **2.** Remisión que hace la Iglesia de las penas debidas por los pecados. || **3.** ant. V. **Viernes de Indulgencias.** || **parcial.** Aquella por la cual se perdona parte de la pena. || **plenaria.** Aquella por la cual se perdona toda la pena.

Indulgente. (Del lat. *indulgens, -entis.*) adj. Fácil en perdonar y disimular los yerros o en conceder gracias.

Indulgentemente. adv. m. De manera indulgente.

Indultar. (De *indulto.*) tr. Perdonar a uno el todo o parte de la pena que tiene impuesta o conmutarla por otra menos grave. || **2.** Exceptuar o eximir de una ley u obligación.

Indultario. m. Sujeto que, en virtud de indulto o gracia pontificia, podía conceder beneficios eclesiásticos.

Indulto. (Del lat. *indultus.*) m. Gracia o privilegio concedido a uno para que pueda hacer lo que sin él no podría. || **2.** Gracia por la cual el superior remite el todo o parte de una pena o la conmuta, o exceptúa y exime a uno de la ley o de otra cualquier obligación. || **3.** V. **Día de indulto.**

Indumentaria. (De *indumento.*) f. Estudio histórico del traje. || **2. Vestido,** 1.ª acep.

Indumentario, ria. adj. Perteneciente o relativo al vestido.

Indumento. (Del lat. *indumentum,* de *induĕre,* vestir.) m. **Vestidura.**

Induración. (Del lat. *induratĭo, -ōnis.*) f. **Endurecimiento.**

Industria. (Del lat. *industrĭa.*) f. Maña y destreza o artificio para hacer una cosa. || **2.** Conjunto de operaciones materiales ejecutadas para la obtención, transformación o transporte de uno o varios productos naturales. || **3.** Suma y conjunto de las **industrias** de uno mismo o de varios géneros, de todo un país o de parte de él. *La* INDUSTRIA *algodonera, la agrícola; la* INDUSTRIA *española, la catalana.* || **4.** V. **Caballero de industria,** o **de la industria.** || **De industria.** m. adv. De intento, de propósito.

Industrial. adj. Perteneciente a la industria. || **2.** V. **Ingeniero industrial.** || **3.** m. El que vive del ejercicio de una industria.

Industrialismo. (De *industrial.*) m. Tendencia al predominio indebido de los intereses industriales. || **2. Mercantilismo.**

Industrialista. adj. Partidario del industrialismo.

Industrialización. f. Acción y efecto de industrializar.

Industrializar. tr. Hacer que una cosa sea objeto de industria o elaboración. || **2.** Dar predominio a las industrias en la economía de un país.

Industriar. (Del lat. *industriāre.*) tr. Instruir, adiestrar, amaestrar a uno. || **2.** r. Ingeniarse, bandearse, sabérselas componer.

Industriosamente. adv. m. Con industria y maña. || **2.** ant. **De industria.**

Industrioso, sa. (Del lat. *industriōsus.*) adj. Que obra con industria, 1.ª acep. || **2.** Que se hace con industria. || **3.** Que se dedica con ahínco al trabajo.

Inebriar. (Del lat. *inebriāre.*) tr. **Embriagar.**

Inebriativo, va. (De *inebriar.*) adj. ant. **Embriagador.**

Inedia. (Del lat. *inedĭa.*) f. Estado de una persona que no se alimenta por más tiempo del regular.

Inédito, ta. (Del lat. *inedĭtus.*) adj. Escrito y no publicado.

Ineducación. f. Carencia de educación.

Ineducado, da. adj. Falto de educación, o de buenos modales.

Inefabilidad. (Del lat. *ineffabilĭtas, -ātis.*) f. Calidad de inefable.

Inefable. (Del lat. *ineffabĭlis;* de *in,* priv., y *affabĭlis,* que se puede decir.) adj. Que con palabras no se puede explicar.

Inefablemente. adv. m. Sin poderse explicar. Dícese comúnmente por encarecimiento.

Ineficacia. (Del lat. *inefficacĭa.*) f. Falta de eficacia y actividad.

Ineficaz. (Del lat. *inefficax.*) adj. No eficaz.

Ineficazmente. adv. m. Sin eficacia.

Inelegancia. f. Falta de elegancia.

Inelegante. (Del lat. *inelĕgans, -antis.*) adj. No elegante.

Ineluctable. (Del lat. *ineluctabĭlis.*) adj. Dícese de aquello contra lo cual no puede lucharse; inevitable.

Ineludible. (De *in,* 2.° art., y *eludible.*) adj. Que no se puede eludir.

Ineludiblemente. adv. m. De modo ineludible.

Inembargable. adj. Que no puede ser objeto de embargo.

Inenarrable. (Del lat. *inenarrabĭlis.*) adj. **Inefable.**

Inepcia. (Del lat. *ineptĭa.*) f. **Necedad.**

Ineptamente. adv. m. Sin aptitud ni proporción; neciamente.

Ineptitud. (Del lat. *ineptitūdo.*) f. Inhabilidad, falta de aptitud o de capacidad.

Inepto, ta. (Del lat. *ineptus.*) adj. No apto o a propósito para una cosa. || **2.** Necio o incapaz. Ú. t. c. s.

Inequívocamente. adv. m. De modo inequívoco.

Inequívoco, ca. (De *in,* 2.° art., y *equívoco.*) adj. Que no admite duda o equivocación.

Inercia. (Del lat. *inertĭa.*) f. Flojedad, desidia, inacción. || **2.** *Mec.* Incapacidad de los cuerpos para salir del estado de reposo, para cambiar las condiciones de su movimiento o para cesar en él, sin la aplicación o intervención de alguna fuerza. || **3.** *Mec.* V. **Fuerza, momento de inercia.**

Inerme. (Del lat. *inermis.*) adj. Que está sin armas. || **2.** *Bot.* y *Zool.* Desprovisto de espinas, pinchos o aguijones.

Inerrable. (Del lat. *inerrabĭlis.*) adj. Que no se puede errar.

Inerrante. (Del lat. *inerrans, -antis.*) adj. *Astron.* Fijo y sin movimiento.

Inerte. (Del lat. *iners, inertis.*) adj. Inactivo, ineficaz, estéril, inútil. || **2.** Flojo, desidioso.

Inervación. f. *Fisiol.* Acción del sistema nervioso en las funciones de los demás órganos del cuerpo del animal.

Inervador, ra. adj. Que produce la inervación.

Inescrutable. (Del lat. *inscrutabĭlis.*) adj. Que no se puede saber ni averiguar.

Inescudriñable. (De *in,* 2.° art., y *escudriñable.*) adj. **Inescrutable.**

Inesperable. (De *in,* 2.° art., y *esperable.*) adj. Que no es de esperar.

Inesperadamente. adv. m. Sin esperarse.

Inesperado, da. (De *in,* 2.° art., y *esperado,* p. p. de *esperar.*) adj. Que sucede sin esperarse.

Inestabilidad. f. Falta de estabilidad.

Inestable. adj. No estable.

Inestancable. adj. Que no se puede estancar.

Inestimabilidad. f. Calidad de inestimable.

Inestimable. (Del lat. *inaestimabĭlis.*) adj. Incapaz de ser estimado como corresponde.

Inestimado, da. (Del lat. *inaestimātus.*) adj. Que está sin apreciar ni tasar. || **2.** V. **Dote inestimada.** || **3.** Que no se estima tanto como merece estimarse.

Inevitable. (Del lat. *inevitabĭlis.*) adj. Que no se puede evitar.

Inevitablemente. adv. m. Sin poderse evitar.

Inexactamente. adv. m. Con inexactitud, de manera inexacta.

Inexactitud. f. Falta de exactitud.

Inexacto, ta. (De *in,* 2.° art., y *exacto.*) adj. Que carece de exactitud.

Inexcogitable. adj. Que no se puede excogitar.

Inexcusable. (Del lat. *inexcusabĭlis.*) adj. Que no se puede excusar.

Inexcusablemente. adv. m. Sin excusa.

Inexhausto, ta. (Del lat. *inexhaustus.*) adj. Que por su abundancia o plenitud no se agota ni se acaba.

Inexistencia. (Del lat. *in,* en, y *existentĭa.*) f. ant. Existencia de una cosa en otra.

Inexistencia. f. Falta de existencia.

Inexistente. (Del lat. *inexistens, -entis;* de *in,* en, y *existens,* existente.) adj. ant. Que existe en otro.

Inexistente. (De *in,* 2.° art., y *existente.*) adj. Que carece de existencia. || **2.** fig. Dícese de aquello que aunque existe se considera totalmente nulo.

Inexorabilidad. f. Calidad de inexorable.

Inexorable. (Del lat. *inexorabĭlis.*) adj. Que no se deja vencer de los ruegos.

Inexorablemente. adv. m. De modo inexorable.

Inexperiencia. (Del lat. *inexperientĭa.*) f. Falta de experiencia.

Inexperto, ta. (Del lat. *inexpertus.*) adj. Falto de experiencia. Ú. t. c. s.

Inexpiable. (Del lat. *inexpiabĭlis.*) adj. Que no se puede expiar.

Inexplicable. (Del lat. *inexplicabĭlis.*) adj. Que no se puede explicar.

Inexplicablemente. adv. m. De manera inexplicable.

Inexplicado, da. adj. Falto de la debida explicación.

Inexplorado, da. (Del lat. *inexplorātus.*) adj. No explorado.

Inexpresable. adj. Que no se puede expresar.

Inexpresivo, va. (De *in,* 2.° art., y *expresivo.*) adj. Que carece de expresión.

Inexpugnable. (Del lat. *inexpugnabĭlis.*) adj. Que no se puede tomar o conquistar a fuerza de armas. || **2.** fig. Que no se deja vencer ni persuadir.

Inextensible. adj. *Fís.* Que no se puede extender.

Inextenso, sa. (De *in,* 2.° art., y *extenso.*) adj. Que carece de extensión.

Inextinguible. (Del lat. *inextinguibĭlis.*) adj. No extinguible. || **2.** fig. De perpetua o larga duración.

In extremis. loc. lat. En los últimos instantes de la existencia; y así, del que está a punto de morir se dice que *está* IN EXTREMIS. || **2.** V. **Matrimonio in extremis.**

Inextricable. (Del lat. *inextricabĭlis.*) adj. Difícil de desenredar; muy intrincado y confuso.

In facie ecclesiae. (Lit., *en presencia de la Iglesia.*) expr. lat. que se usa hablando del santo sacramento del matrimonio, cuando se celebra públicamente y con las ceremonias establecidas.

Infacundo, da. (Del lat. *infacundus.*) adj. No facundo, o que no halla fácilmente palabras para explicarse.

Infalibilidad. f. Calidad de infalible.

Infalible. (De *in,* 2.° art., y *falible.*) adj. Que no puede engañar ni engañarse. || **2.** Seguro, cierto, indefectible.

Infaliblemente. adv. m. De modo infalible.

Infalsificable. adj. Que no se puede falsificar.
Infamación. (Del lat. *infamatio, -ōnis.*) f. Acción y efecto de infamar.
Infamadamente. adv. m. De manera infamante.
Infamador, ra. (Del lat. *infamātor.*) adj. Que infama. Ú. t. c. s.
Infamante. p. a. de **Infamar.** Que infama.
Infamar. (Del lat. *infamāre.*) tr. Quitar la fama, honra y estimación a una persona o a una cosa personificada. Ú. t. c. r.
Infamativo, va. adj. Dícese de lo que infama o puede infamar.
Infamatorio, ria. adj. Dícese de lo que infama. ‖ **2.** V. **Libelo infamatorio.**
Infame. (Del lat. *infāmis.*) adj. Que carece de honra, crédito y estimación. Ú. t. c. s. ‖ **2.** Muy malo y vil en su especie.
Infamemente. adv. m. Con infamia.
Infamia. (Del lat. *infamĭa.*) f. Descrédito, deshonra. ‖ **2.** Maldad, vileza en cualquier línea. ‖ **Purgar la infamia.** fr. *For.* Decíase del reo cómplice en un delito, que, habiendo declarado contra su compañero, no se tenía por testigo idóneo por estar infamado del delito, y poniéndole en el tormento y ratificando allí su declaración, se decía que purgaba la **infamia,** y quedaba válido su testimonio.
Infamidad. f. ant. **Infamia.**
Infamoso, sa. (De *infamia.*) adj. ant. **Infamatorio.**
Infancia. (Del lat. *infantĭa.*) f. Edad del niño desde que nace hasta los siete años. ‖ **2.** fig. Conjunto o clase de los niños de tal edad. ‖ **3.** fig. Primer estado de una cosa después de su nacimiento o erección. *La* INFANCIA *del mundo, de un reino, de una institución.*
Infando, da. (Del lat. *infandus.*) adj. Torpe e indigno de que se hable de ello.
Infanta. (De *infante.*) f. Niña que aún no ha llegado a los siete años de edad. ‖ **2.** Cualquiera de las hijas legítimas del rey, nacidas después del príncipe o de la princesa. ‖ **3.** Mujer de un infante. ‖ **4.** Parienta del rey que por gracia real obtiene este título.
Infantado. m. Territorio de un infante o infanta, hijos de reyes.
Infantazgo. m. ant. **Infantado.**
Infante. (Del lat. *infans, -antis.*) m. Niño que aún no ha llegado a la edad de siete años. ‖ **2.** Cualquiera de los hijos varones y legítimos del rey, nacidos después del príncipe o de la princesa. ‖ **3.** Pariente del rey que por gracia real obtiene este título. ‖ **4.** Hasta los tiempos de don Juan I se llamó así también el hijo primogénito del rey. Se solía añadir **heredero,** o **primero heredero.** ‖ **5.** Soldado que sirve a pie. ‖ **6. Infante de coro.** ‖ **7.** ant. Descendiente de casa y sangre real. ‖ **8.** f. ant. **Infanta,** 2.ª acep. ‖ **de coro.** En algunas catedrales, muchacho que sirve en el coro y en varios ministerios de la iglesia, con manto y roquete.
Infantejo. m. d. de **Infante.** ‖ **2.** Niño de coro, en algunas catedrales.
Infantería. (De *infante,* soldado de a pie.) f. Tropa que sirve a pie en la milicia. ‖ **de línea.** La que en regimientos, batallones y aun en agrupaciones menores, combate ordinariamente en masa como cuerpo principal de las batallas. ‖ **de marina.** La destinada a dar la guarnición a los buques de guerra, arsenales y departamentos marítimos. ‖ **ligera.** la que con preferencia sirve en guerrillas, avanzadas y descubiertas. ‖ **Ir,** o **quedar,** uno **de infantería.** fr. fig. y fam. Andar a pie el que iba a caballo, o con otros que van a caballo.
Infantesa. f. desus. **Infanta.**
Infanticida. (Del lat. *infanticīda;* de *infans, -antis,* niño, y *caedĕre,* matar.) adj. Dícese del que mata a un niño o infante. Ú. m. c. s.
Infanticidio. (Del lat. *infanticidĭum.*) m. Muerte dada violentamente a un niño, sobre todo si es recién nacido o está próximo a nacer. ‖ **2.** *For.* Muerte dada al recién nacido por la madre o ascendientes maternos para ocultar la deshonra de aquélla.
Infantil. (Del lat. *infantīlis.*) adj. Perteneciente a la infancia. ‖ **2.** fig. Inocente, cándido, inofensivo.
Infantillo. m. d. de **Infante.** ‖ **2.** *Murc.* Cada uno de los niños que, como los seises, cantan en el coro de la catedral.
Infantina. f. d. de **Infanta.**
Infantino, na. adj. **Infantil.**
Infanzón, na. (Del b. lat. *infantio, -ōnis,* y éste del lat. *infans, -antis,* infante.) m. y f. Hijodalgo o hijadalgo que en sus heredamientos tenía potestad y señorío limitados.
Infanzonado, da. adj. Propio del infanzón o perteneciente a él.
Infanzonazgo. m. Territorio o solar del infanzón.
Infanzonía. f. Calidad de infanzón.
Infartar. tr. Causar un infarto. Ú. t. c. r.
Infarto. (Del lat. *infartus,* relleno.) m. *Med.* Aumento de tamaño de un órgano enfermo: INFARTO *de un ganglio, del hígado,* etc. ‖ **2.** Parte de un órgano privado de su riego sanguíneo, por obstrucción de la arteria correspondiente, generalmente a consecuencia de una embolia.
Infatigable. (Del lat. *infatigabĭlis.*) adj. **Incansable.**
Infatigablemente. adv. m. Sin fatigarse. ‖ **2.** Con perseverancia tenaz.
Infatuación. f. Acción y efecto de infatuar o infatuarse.
Infatuar. (Del lat. *infatuāre.*) tr. Volver a uno fatuo, engreírle. Ú. t. c. r.
Infaustamente. adv. m. Con desgracia o infelicidad.
Infausto, ta. (Del lat. *infaustus.*) adj. Desgraciado, infeliz.
Infebril. (De *in,* 2.° art., y *febril.*) adj. Sin fiebre.
Infección. (Del lat. *infectĭo, -ōnis.*) f. Acción y efecto de inficionar.
Infeccionar. (De *infección.*) tr. **Inficionar.**
Infeccioso, sa. adj. Que es causa de infección. *Foco* INFECCIOSO.
Infecir. (Del lat. *inficĕre.*) tr. ant. **Inficionar.**
Infectar. (Del lat. *infectāre.*) tr. **Inficionar.** Ú. t. c. r.
Infectivo, va. (Del lat. *infectīvus.*) adj. Dícese de lo que inficiona o puede inficionar.
Infecto, ta. (Del lat. *infectus.*) p. p. irreg. de **Infecir.** ‖ **2.** adj. Inficionado, contagiado, pestilente, corrompido.
Infecundarse. r. ant. Hacerse infecundo.
Infecundidad. (Del lat. *infecundĭtas, -ātis.*) f. Falta de fecundidad.
Infecundo, da. (Del lat. *infecundus.*) adj. No fecundo.
Infelice. adj. poét. **Infeliz.**
Infelicemente. adv. m. **Infelizmente.**
Infelicidad. (Del lat. *infelicĭtas, -ātis.*) f. **Desgracia,** 1.ª acep.
Infeliz. (Del lat. *infēlix, -icis.*) adj. **Desgraciado.** Ú. t. c. s. ‖ **2.** fam. Bondadoso y apocado. Ú. t. c. s.
Infelizmente. adv. m. Con infelicidad.
Inferencia. (De *inferir.*) f. **Ilación.**
Inferior. (Del lat. *inferĭor.*) adj. Que está debajo de otra cosa o más bajo que ella. ‖ **2.** Que es menos que otra cosa en su calidad o en su cantidad. ‖ **3.** Dícese de la persona sujeta o subordinada a otra. Ú. t. c. s. ‖ **4.** V. **Labio, parte inferior.** ‖ **5.** *Astron.* V. **Meridiano, planeta inferior.** ‖ **6.** *Geogr.* Aplícase a algunos lugares o tierras que respecto de otros están a nivel más bajo. *Guinea* INFERIOR.
Inferioridad. f. Calidad de inferior. ‖ **2.** Situación de una cosa que está más baja que otra o debajo de ella.
Inferir. (Del lat. **inferīre,* por *inferre,* llevar.) tr. Sacar consecuencia o deducir una cosa de otra. ‖ **2.** Llevar consigo, ocasionar, conducir a un resultado. ‖ **3.** Tratándose de ofensas, agravios, heridas, etc., hacerlos o causarlos.
Infernáculo. m. Juego de muchachos que consiste en sacar de varias divisiones trazadas en el suelo un tejo a que se da con un pie, llevando el otro en el aire y cuidando de no pisar las rayas y de que el tejo no se detenga en ellas.
Infernal. (Del lat. *infernālis.*) adj. Que es del infierno o perteneciente a él. ‖ **2.** V. **Higuera, piedra infernal.** ‖ **3.** fig. Muy malo, dañoso o perjudicial en su línea. ‖ **4.** fig. y fam. Se dice hiperbólicamente de lo que causa sumo disgusto o enfado: *ruido* INFERNAL. ‖ **5.** *Art.* V. **Fuego infernal.**
Infernar. (Del lat. *infernus,* el infierno.) tr. Ocasionar a uno la pena del infierno o su condenación. Ú. t. c. r. ‖ **2.** fig. Inquietar, perturbar, irritar. Ú. t. c. r.
Infernillo. m. **Infiernillo.**
Inferno, na. (Del lat. *infernus.*) adj. poét. **Infernal.**
Infestación. (Del lat. *infestatĭo, -ōnis.*) f. Acción y efecto de infestar o infestarse.
Infestar. (Del lat. *infestāre.*) tr. Inficionar, apestar. Ú. t. c. r. ‖ **2.** Causar daños y estragos con hostilidades y correrías. ‖ **3.** Causar estragos y molestias los animales y las plantas advenedizas en los campos cultivados y aun en las casas.
Infesto, ta. (Del lat. *infestus.*) adj. poét. Dañoso, perjudicial.
Infeudación. f. **Enfeudación.**
Infeudar. tr. **Enfeudar.**
Inficiente. (Del lat. *inficĭens, -entis.*) p. a. ant. de **Infecir.** Que inficiona.
Infición. (Del lat. *infectĭo, -ōnis.*) f. ant. **Infección.**
Inficionar. (De *infición.*) tr. Corromper, contagiar. Ú. t. c. r. ‖ **2.** fig. Corromper con malas doctrinas o ejemplos. Ú. t. c. r.
Infidel. (Del lat. *infidēlis.*) adj. ant. **Infiel,** 2.ª acep. Usáb. t. c. s.
Infidelidad. (Del lat. *infidelĭtas, -ātis.*) f. Falta de fidelidad; deslealtad. ‖ **2.** Carencia de la fe católica. ‖ **3.** Conjunto y universidad de los infieles que no conocen la fe católica.
Infidelísimo, ma. (Del lat. *infidelissĭmus.*) adj. sup. de **Infiel.**
Infidencia. (Del lat. *in,* priv., y *fidentĭa,* confianza.) f. Falta a la confianza y fe debida a otro.
Infidente. (Del lat. *in,* priv., y *fidens, -entis,* confiado.) adj. Que comete infidencia. Ú. t. c. s.
Infido, da. (Del lat. *infīdus.*) adj. ant. Infiel, desleal.
Infiel. (Del lat. *infidēlis.*) adj. Falto de fidelidad; desleal. ‖ **2.** Que no profesa la fe verdadera. Ú. t. c. s. ‖ **3.** Falto de puntualidad y exactitud. *Intérprete, imagen, relación* INFIEL.
Infielmente. adv. m. Con infidelidad.
Infiernillo. m. **Cocinilla,** 2.° art., 1.ª acep.
Infierno. (Del lat. *infĕrnus.*) m. Lugar destinado por la divina justicia para eterno castigo de los malos. ‖ **2.** Tormento y castigo de los condenados. ‖ **3.** Uno de los cuatro novísimos o postrimerías del hombre. ‖ **4.** Lugar adonde creían los paganos que iban las al-

mas después de la muerte. Ú. t. en pl. || **5.** Limbo o seno de Abrahán, donde estaban detenidas las almas de los justos esperando la redención. || **6.** En algunas órdenes religiosas que deben por instituto comer de viernes, hospicio o refectorio donde se come de carne. || **7.** Lugar o cóncavo debajo de tierra, en que sienta la rueda y artificio con que se mueve la máquina de la tahona. || **8.** Pilón adonde van las aguas que se han empleado en escaldar la pasta de la aceituna para apurar todo el aceite que contiene, en el cual, reposadas aquéllas, se recoge uno de inferior calidad. || **9.** V. **Aceite de infierno.** || **10.** V. **Higuera del infierno.** || **11.** fig. Uno de los espacios o divisiones que se trazan en el suelo, en el juego del infernáculo. || **12.** fig. En Cuba, cierto juego de naipes. || **13.** fig. y fam. Lugar en que hay mucho alboroto y discordia. || **14.** fig. y fam. La misma discordia. || **Anda,** o **vete, al infierno.** expr. fam. de ira con que se suele rechazar a la persona que importuna y molesta. || **El infierno está lleno de buenos deseos,** o **propósitos, y el cielo de buenas obras.** ref. que se usa para indicar que las buenas intenciones son vanas cuando no van acompañadas de las obras. || **Los quintos infiernos.** loc. fig. Lugar muy profundo o muy lejano.

Infiesto, ta. (Del lat. *infestus.*) adj. ant. Inhiesto, enhiesto, levantado, derecho.

Infigurable. (Del lat. *infigurabilis.*) adj. Que no puede tener figura corporal ni representarse con ella.

Infiltración. f. Acción y efecto de infiltrar o infiltrarse.

Infiltrar. (De *in*, 1.er art., y *filtrar.*) tr. Introducir suavemente un líquido entre los poros de un sólido. Ú. t. c. r. || **2.** fig. Infundir en el ánimo ideas, nociones o doctrinas. Ú. t. c. r.

Ínfimo, ma. (Del lat. *infĭmus*, sup. de *infĕrus*, inferior.) adj. Que en su situación está muy bajo. || **2.** En el orden y graduación de las cosas, dícese de la que es última y menos que las demás. || **3.** Dícese de lo más vil y despreciable en cualquier línea.

Infingidor, ra. (De *infingir.*) adj. ant. **Fingidor.**

Infingir. tr. ant. **Fingir.** Usáb. t. c. r.

Infinible. (Del lat. *infinibĭlis.*) adj. Que no se acaba o no puede tener fin.

Infinidad. (Del lat. *infinĭtas, -ātis.*) f. Calidad de infinito. || **2.** fig. Gran número y muchedumbre de cosas o personas.

Infinido, da. adj. ant. **Infinito.**

Infinitamente. adv. m. De un modo infinito.

Infinitesimal. adj. *Mat.* Aplícase a las cantidades infinitamente pequeñas. || **2.** *Mat.* V. **Cálculo infinitesimal.**

Infinitivo. (Del lat. *infinitīvus.*) adj. *Gram.* V. **Modo infinitivo.** Ú. t. c. s. || **2.** m. *Gram.* Presente de **infinitivo,** o sea voz que da nombre al verbo.

Infinito, ta. (Del lat. *infinītus.*) adj. Que no tiene ni puede tener fin ni término. || **2.** Muy numeroso, grande y excesivo en cualquiera línea. || **3.** V. **Proceso en infinito.** || **4.** *Esgr.* V. **Línea infinita.** || **5.** m. *Mat.* Signo en forma de un ocho tendido (∞), que sirve para expresar un valor mayor que cualquiera cantidad asignable. || **6.** adv. m. Excesivamente, muchísimo.

Infinitud. (Del lat. *infinitūdo.*) f. **Infinidad,** 1.ª acep.

Infinta. (Del lat. *in*, intens., y *ficta*, finta.) f. ant. **Fingimiento.**

Infintosamente. adv. m. ant. Fingidamente, con engaño.

Infintoso, sa. (De *infinta.*) adj. ant. Fingido, disimulado, engañoso.

Infintuosamente. adv. m. ant. **Infintosamente.**

Infirmar. (Del lat. *infirmāre*, debilitar, anular.) tr. ant. Disminuir, minorar el valor y eficacia de una cosa. || **2.** *For.* **Invalidar.**

Inflación. (Del lat. *inflatĭo, -ōnis.*) f. Acción y efecto de inflar. || **2.** fig. Engreimiento y vanidad. || **3.** fig. Excesiva emisión de billetes en reemplazo de moneda.

Inflamable. adj. Fácil de inflamarse.

Inflamación. (Del lat. *inflamatĭo, -ōnis.*) f. Acción y efecto de inflamar o inflamarse. || **2.** Alteración patológica en una parte cualquiera del organismo, caracterizada por trastornos de la circulación de la sangre y, frecuentemente, por aumento de calor, enrojecimiento, hinchazón y dolor.

Inflamador, ra. adj. Que inflama.

Inflamamiento. (De *inflamar*, 3.ª acep.) m. ant. **Inflamación.**

Inflamar. (Del lat. *inflammāre.*) tr. Encender una cosa levantando llama. Ú. t. c. r. || **2.** fig. Acalorar, enardecer las pasiones y afectos del ánimo. Ú. t. c. r. || **3.** r. Producirse inflamación, 2.ª acep. || **4.** Enardecerse una parte del cuerpo del animal tomando un color encendido.

Inflamatorio, ria. adj. *Med.* Que causa inflamación. || **2.** *Med.* Que procede del estado de inflamación.

Inflamiento. (De *inflar.*) m. **Inflación.**

Inflar. (Del lat. *inflāre;* de *in*, en, y *flāre*, soplar.) tr. Hinchar una cosa con aire u otra substancia aeriforme. Ú. t. c. r. || **2.** fig. Exagerar, abultar hechos, noticias, etc. || **3.** fig. Ensoberbecer, engreír. Ú. m. c. r.

Inflativo, va. adj. Que infla o tiene virtud de inflar.

Inflexibilidad. f. Calidad de inflexible. || **2.** fig. Constancia y firmeza de ánimo para no conmoverse ni doblegarse.

Inflexible. (Del lat. *inflexibĭlis.*) adj. Incapaz de torcerse o de doblarse. || **2.** fig. Que por su firmeza y constancia de ánimo no se conmueve ni se doblega, ni desiste de su propósito.

Inflexiblemente. adv. m. Con inflexibilidad.

Inflexión. (Del lat. *inflexĭo, -ōnis.*) f. Torcimiento o comba de una cosa que estaba recta o plana. || **2.** Hablando de la voz, elevación o atenuación que se hace con ella, quebrándola o pasando de un tono a otro. || **3.** *Geom.* Punto de una curva en que cambia de sentido su curvatura. || **4.** *Gram.* Cada una de las terminaciones del verbo en sus diferentes modos, tiempos, números y personas; del pronombre en sus casos, y de las demás partes variables de la oración en sus géneros y números.

Inflicto, ta. (Del lat. *inflictus.*) p. p. irreg. ant. de **Infligir.**

Infligir. (Del lat. *infligĕre*, herir, golpear.) tr. Hablando de castigos y penas corporales, imponerlas, condenar a ellas.

Inflorescencia. (De *in*, 1.er art., y *florescencia.*) f. *Bot.* Orden o forma con que aparecen colocadas las flores al brotar en las plantas. INFLORESCENCIA *en umbela, en espiga, en racimo, en ramillete.*

Influencia. (Del lat. *influens, -entis*, influyente.) f. Acción y efecto de influir. || **2.** fig. Poder, valimiento, autoridad de una persona para con otra u otras o para intervenir en un negocio. || **3.** fig. Gracia e inspiración que Dios envía interiormente a las almas.

Influente. (Del lat. *influens, -entis.*) p. a. desus. de **Influir. Influyente.**

Influir. (Del lat. *influĕre.*) tr. Producir unas cosas sobre otras ciertos efectos; como el del hierro sobre la aguja imanada, la luz en la vegetación, etc. || **2.** fig. Ejercer una persona o cosa predominio o fuerza moral en el ánimo. || **3.** fig. Contribuir con más o menos eficacia al éxito de un negocio. || **4.** fig. Inspirar o comunicar Dios algún efecto o don de su gracia.

Influjo. (Del lat. *influxus.*) m. **Influencia.** || **2.** **Flujo,** 2.ª acep.

Influyente. p. a. de **Influir.** Que influye.

Infolio. m. Libro en folio.

Inforciado. (Del b. lat. *infortiatum*, reforzado.) m. Segunda parte del Digesto o Pandectas de Justiniano.

Información. (Del lat. *informatĭo, -ōnis.*) f. Acción y efecto de informar o informarse. || **2.** Averiguación jurídica y legal de un hecho o delito. || **3.** Pruebas que se hacen de la calidad y circunstancias necesarias en un sujeto para un empleo u honor. Ú. m. en pl. || **4.** ant. fig. Educación, instrucción. || **ad perpétuam,** o **ad perpétuam rei memóriam.** *For.* La que se hace judicialmente y a prevención, para que conste en lo sucesivo una cosa. || **de derecho.** *For.* **Información en derecho.** || **de dominio.** Medio supletorio para inscribir el de bienes en el registro de la propiedad cuando se carece de título escrito. || **de pobre,** o **de pobreza.** *For.* La que se hace ante los jueces y tribunales para obtener los beneficios de la defensa gratuita. || **de sangre.** Aquella con que se acredita que en la ascendencia y familia de un sujeto concurren las calidades de linaje que se requieren para un determinado fin. || **de vita et móribus.** La que se hace de la vida y costumbres de aquel que ha de ser admitido en una comunidad o antes de obtener una dignidad o cargo. || **en derecho.** *For.* **Papel en derecho.** || **parlamentaria.** Averiguación sobre algún asunto importante, encargada a una comisión especial de cualquiera de los cuerpos colegisladores. || **posesoria.** Medio supletorio de titulación para inscribir el de bienes en el registro de la propiedad, limitado a la posesión que puede convertirse luego en inscripción de dominio.

Informador, ra. (Del lat. *informātor.*) adj. Que informa. Ú. t. c. s.

Informal. (De *in*, 2.º art., y *formal.*) adj. Que no guarda las reglas y circunstancias prevenidas. || **2.** Aplícase también a la persona que en su porte y conducta no observa la conveniente gravedad y puntualidad. Ú. t. c. s.

Informalidad. f. Calidad de informal. || **2.** fig. Cosa reprimible por informal.

Informalmente. adv. m. Con informalidad; de manera informal.

Informamiento. m. ant. **Información,** 1.ª acep.

Informante. p. a. de **Informar.** Que informa. || **2.** m. El que tiene encargo y comisión de hacer las informaciones de limpieza de sangre y calidad de uno.

Informar. (Del lat. *informāre.*) tr. Enterar, dar noticia de una cosa. Ú. t. c. r. || **2.** ant. fig. Formar, perfeccionar a uno por medio de la instrucción y buena crianza. || **3.** *Fil.* Dar forma substancial a una cosa. || **4.** intr. Dictaminar un cuerpo consultivo, un funcionario o cualquier persona perita, en asunto de su respectiva competencia. || **5.** *For.* Hablar en estrados los fiscales y los abogados.

Informativo, va. adj. Dícese de lo que informa o sirve para dar noticia de una cosa. || **2.** *Fil.* Que da forma a una cosa.

Informe. (De *informar.*) m. Noticia o instrucción que se da de un negocio o suceso, o bien acerca de una persona. || **2.** Acción y efecto de informar, 4.ª acep. || **3.** *For.* Exposición total que hace el letrado o el fiscal ante el tribunal que ha de fallar el proceso.

Informe. (Del lat. *informis;* de *in,* priv., y *forma,* figura.) adj. Que no tiene la forma, figura y perfección que le corresponde. ‖ **2.** De forma vaga e indeterminada.

Informidad. (Del lat. *informĭtas, -ātis.*) f. Calidad de informe.

Infortificable. adj. Que no se puede fortificar.

Infortuna. (De *in,* 2.° art., y *fortuna.*) f. *Astrol.* Influjo adverso e infausto de los astros.

Infortunadamente. adv. m. Sin fortuna, con desgracia.

Infortunado, da. (Del lat. *infortunātus.*) adj. **Desafortunado.** Ú. t. c. s.

Infortunio. (Del lat. *infortunĭum.*) m. Suerte desdichada o fortuna adversa. ‖ **2.** Estado desgraciado en que se encuentra una persona. ‖ **3.** Hecho o acaecimiento desgraciado.

Infortuno, na. (De *in,* 2.° art., y *fortuna.*) adj. ant. **Desafortunado.**

Infosura. f. *Veter.* Enfermedad de las caballerías que se presenta con dolores en dos o en los cuatro remos, caracterizada principalmente por el miedo con que pisan.

Infracción. (Del lat. *infractĭo, -ōnis.*) f. Transgresión, quebrantamiento de una ley, pacto o tratado; o de una norma moral, lógica o doctrinal.

Infracto, ta. (Del lat. *in,* priv., y *fractus,* quebrantado, abatido.) adj. Constante y que no se conmueve fácilmente.

Infractor, ra. (Del lat. *infractor.*) adj. Transgresor. Ú. t. c. s.

In fraganti. m. adv. **En flagrante.**

Infrangible. (Del lat. *infrangibĭlis.*) adj. Que no se puede quebrar o quebrantar.

Infranqueable. (De *in,* 2.° art., y *franqueable.*) adj. Imposible o difícil de franquear, 3.ª acep.

Infraoctava. (Del lat. *infra,* debajo de, y de *octava.*) f. Tiempo que abraza los seis días comprendidos entre el primero y último de la octava de una festividad de la Iglesia.

Infraoctavo, va. adj. Aplícase a cualquiera de los días de la infraoctava.

Infraorbitario, ria. adj. *Med.* Dícese de lo que está situado en la parte inferior de la órbita del ojo, o inmediatamente debajo.

Infrascripto, ta. adj. **Infrascrito.** Ú. t. c. s.

Infrascrito, ta. (Del lat. *infra,* debajo de, y *scriptus,* escrito.) adj. Que firma al fin de un escrito. Ú. t. c. s. ‖ **2.** Dicho abajo o después de un escrito.

Infrecuencia. f. Falta de frecuencia, rareza. ‖ **2.** Calidad de infrecuente.

Infrecuente. adj. Que no es frecuente.

Infrigidación. (Del lat. *infrigidatĭo, -ōnis.*) f. desus. **Enfriamiento.**

Infringir. (Del lat. *infringĕre.*) tr. **Quebrantar,** 5.ª acep.

Infructífero, ra. (Del lat. *infructĭfer, -ĕri.*) adj. Que no produce fruto. ‖ **2.** fig. Que no es de utilidad ni provecho para el fin que se persigue.

Infructuosamente. adv. m. Sin fruto, sin utilidad.

Infructuosidad. (Del lat. *infructuosĭtas, -ātis.*) f. Calidad de infructuoso.

Infructuoso, sa. (Del lat. *infructuōsus.*) adj. Ineficaz, inútil para algún fin.

Infrugífero, ra. (De *in,* 2.° art., y *frugífero.*) adj. **Infructífero.**

Infrutescencia. f. *Bot.* Fructificación formada por agrupación de varios frutillos con apariencia de unidad, como la del moral, la del higo, etc.

Ínfula. (Del lat. *infŭla.*) f. Adorno de lana blanca, a manera de venda, con dos tiras caídas a los lados, con que se ceñían la cabeza los sacerdotes de los gentiles y los suplicantes, y que se ponía sobre las de las víctimas. Usábanlo también en la antigüedad algunos reyes. Ú. m. en pl. ‖ **2.** Cada una de las dos cintas anchas que penden por la parte posterior de la mitra episcopal. ‖ **3.** pl. fig. Presunción o vanidad.

Infumable. (De *in,* 2.° art., y *fumar.*) adj. Dícese del tabaco pésimo, ya por su calidad, ya por defecto de elaboración. ‖ **2.** Por ext., inaceptable, de mala calidad, sin aprovechamiento posible.

Infundadamente. adv. m. Sin fundamento racional.

Infundado, da. (De *in,* 2.° art., y *fundado,* p. p. de *fundar.*) adj. Que carece de fundamento real o racional.

Infundibuliforme. (Del lat. *infundibŭlum,* embudo, y *forma,* forma.) adj. En forma de embudo.

Infundio. m. Mentira, patraña o noticia falsa, generalmente tendenciosa.

Infundioso, sa. adj. Mentiroso, que acostumbra propalar infundios.

Infundir. (Del lat. *infundĕre.*) tr. ant. Poner un simple o medicamento en un licor por cierto tiempo. ‖ **2.** p. us. Echar un líquido en una vasija u otro recipiente. ‖ **3.** fig. Comunicar Dios al alma un don o gracia. ‖ **4.** fig. Causar en el ánimo un impulso moral o afectivo. INFUNDIR *miedo, fe, cariño.*

Infurción. (De *in,* 1.er art., y *furción.*) f. Tributo que en dinero o especie se pagaba al señor de un lugar por razón del solar de las casas.

Infurcioniego, ga. adj. Sujeto al tributo de infurción.

Infurtir. tr. **Enfurtir.**

Infurto, ta. p. p. irreg. de **Infurtir.**

Infuscar. (Del lat. *infuscāre;* de *in,* en, y *fuscus,* obscuro.) tr. ant. Ofuscar, obscurecer.

Infusibilidad. f. Calidad de infusible.

Infusible. (De *in,* 2.° art., y *fusible.*) adj. Que no puede fundirse o derretirse.

Infusión. (Del lat. *infusĭo,-ōnis.*) f. Acción y efecto de infundir. ‖ **2.** Hablando del sacramento del bautismo, acción de echar el agua sobre el que se bautiza. ‖ **3.** *Farm.* Acción de extraer de las substancias orgánicas las partes solubles en agua, a una temperatura mayor que la del ambiente y menor que la del agua hirviendo. ‖ **4.** *Farm.* Producto líquido así obtenido. ‖ **Estar** uno **en infusión para** una cosa. fr. fig. y fam. Hallarse en aptitud y disposición para conseguirla en breve.

Infuso, sa. (Del lat. *infūsus.*) p. p. irreg. de **Infundir.** Hoy sólo tiene uso hablando de las gracias y dones que Dios infunde en el alma. *Ciencia* INFUSA.

Infusorio. (Del lat. *infusorĭum.*) m. *Zool.* **Ciliado.**

Inga. (Del quichua *inca.*) adj. V. **Piedra inga.** Ú. t. c. s. ‖ **2.** m. **Inca.** ‖ **3.** Árbol de la familia de las mimosáceas que vive en las regiones tropicales de América y es parecido al timbó, pero menor que éste. Su madera es pesada y muy parecida a la del nogal.

Ingenerable. (Del lat. *ingenerabĭlis.*) adj. Que no puede ser engendrado.

Ingeniar. (De *ingenio.*) tr. Trazar o inventar ingeniosamente. ‖ **2.** r. Discurrir con ingenio trazas y modos para conseguir una cosa o ejecutarla.

Ingeniatura. (De *ingeniar.*) f. fam. Industria y arte con que se ingenia uno y procura su bien.

Ingeniería. f. Arte de aplicar los conocimientos científicos a la invención, perfeccionamiento o utilización de la técnica industria len todas sus determinaciones.

Ingeniero. (De *ingenio.*) m. El que profesa la ingeniería. ‖ **2.** ant. El que discurre con ingenio las trazas y modos de conseguir o ejecutar una cosa. ‖ **agrónomo.** El que entiende en el fomento, calificación y medición de las fincas rústicas y en cuanto se refiere a la práctica de la agricultura y dirección de las construcciones rurales. ‖ **civil.** El que pertenece a cualquiera de los cuerpos facultativos no militares dedicados a obras y trabajos públicos. ‖ **de caminos, canales y puertos.** El que entiende en la traza, ejecución y conservación de los caminos, canales y puertos y de otras obras relacionadas con ellos. ‖ **de la armada, o de marina.** El que tiene a su cargo proyectar, hacer y conservar toda clase de construcciones navales. ‖ **de minas.** El que entiende en el laboreo de las minas y en la construcción y dirección de las fábricas en que se benefician los minerales. ‖ **de montes.** El que entiende en la cría, fomento y aprovechamiento de los montes. ‖ **general.** Jefe superior del cuerpo de **ingenieros** militares, llamado después **director, o inspector general de ingenieros.** ‖ **geógrafo.** El que ejerce su cargo en la corporación oficial encargada de formar la estadística y el mapa general de España. ‖ **industrial.** El que entiende en todo lo concerniente a la industria fabril. ‖ **mecánico.** El que tiene los conocimientos necesarios para trazar y construir toda clase de máquinas y artefactos, y establecer y dirigir las industrias que dependen de las artes mecánicas. ‖ **militar.** El que pertenece al cuerpo de **ingenieros** del ejército, que proyecta y ejecuta las construcciones militares de toda especie, cuida de su conservación en tiempo de paz y tiene a su cargo en campaña los trabajos de sitio y defensa y cuantas obras necesitan las tropas para acantonarse, comunicarse entre sí, marchar y combatir al enemigo. ‖ **naval. Ingeniero de la armada.** ‖ **químico.** El que posee los conocimientos especiales para la confección de productos químicos y para establecer y dirigir las industrias relacionadas con la química.

Ingenio. (Del lat. *ingenĭum.*) m. Facultad en el hombre para discurrir o inventar con prontitud y facilidad. ‖ **2.** Sujeto dotado de esta facultad. *Comedia famosa de un* INGENIO *de esta corte.* ‖ **3.** Intuición, entendimiento, facultades poéticas y creadoras. ‖ **4.** Industria, maña y artificio de uno para conseguir lo que desea. ‖ **5.** Máquina o artificio mecánico. ‖ **6.** Cualquiera máquina o artificio de guerra para ofender y defenderse. ‖ **7.** Instrumento usado por los encuadernadores para cortar los cantos de los libros, compuesto de dos largueros de madera paralelos de unos cuarenta centímetros de longitud, uno de los cuales tiene asegurada por la parte interior una cuchilla horizontal y ambos van unidos por un husillo que los aproxima gradualmente a medida del movimiento alternativo que se da a la armazón sobre las teleras de la prensa donde el libro está sujeto. ‖ **8. Ingenio de azúcar.** ‖ **9.** *Ar.* Fábrica donde se elabora la cera. ‖ **de azúcar.** Conjunto de aparatos para moler la caña y obtener el azúcar. ‖ **2.** Finca que contiene el cañamelar y las oficinas de beneficio. ‖ **Afilar,** o **aguzar,** uno **el ingenio.** fr. fig. Aplicar atentamente la inteligencia para salir de una dificultad.

Ingeniosamente. adv. m. Con ingenio.

Ingeniosidad. (Del lat. *ingeniosĭtas, -ātis.*) f. Calidad de ingenioso. ‖ **2.** fig. Especie o idea artificiosa y sutil. Ú. por lo general despectivamente.

Ingenioso, sa. (Del lat. *ingeniōsus.*) adj. Que tiene ingenio. ‖ **2.** Hecho o dicho con ingenio.

Ingénito, ta. (Del lat. *ingenĭtus.*) adj. No engendrado. ‖ **2.** Connatural y como nacido con uno.

Ingente. (Del lat. *ingens, -entis.*) adj. Muy grande.

Ingenuamente. adv. m. Con ingenuidad o sinceridad.

Ingenuidad. (Del lat. *ingenuĭtas, -ātis.*) f. Sinceridad, buena fe, candor, realidad en lo que se hace o se dice. ‖ **2.** *For.* Condición personal de haber nacido libre, en contraposición a la del manumiso o liberto.

Ingenuo, nua. (Del lat. *ingenŭus.*) adj. Real, sincero, candoroso, sin doblez. ‖ **2.** *For.* Que nació libre y no ha perdido su libertad. Ú. t. c. s.

Ingerencia. f. **Injerencia.**

Ingeridura. f. **Injeridura.**

Ingerir. (Del lat. *ingerĕre.*) tr. Introducir por la boca la comida o los medicamentos.

Ingestión. (Del lat. *ingestio, -ōnis.*) f. Acción de ingerir, 2.° art.

Ingiva. f. ant. **Encía.**

Ingle. (Del lat. *inguen, -ĭnis.*) f. Parte del cuerpo, en que se juntan los muslos con el vientre.

Inglés, sa. adj. Natural de Inglaterra. Ú. t. c. s. ‖ **2.** Perteneciente a esta nación de Europa. ‖ **3.** V. **Césped, tafetán inglés.** ‖ **4.** V. **Letra, llave, pimienta inglesa.** ‖ **5.** m. Lengua **inglesa.** ‖ **6.** Cierta tela usada antiguamente. ‖ **7.** fam. **Acreedor,** 1.ª acep. ‖ **A la inglesa.** m. adv. Al uso de Inglaterra. ‖ **2.** loc. adv. fam. **A escote.** ‖ **3.** Dícese de la encuadernación cuyas tapas, de tela o cuero, son flexibles y tienen además las puntas redondeadas.

Inglesismo. (De *inglés.*) m. **Anglicismo.**

Inglete. (Del fr. *anglet*, y éste de *angle*, del lat. *angŭlus*, ángulo.) m. Ángulo de 45 grados que con cada uno de los catetos forma la hipotenusa del cartabón. ‖ **2.** Unión a escuadra de los trozos de una moldura.

Ingletear. tr. Formar con ingletes, 2.ª acep.

Inglosable. adj. Que no se puede glosar.

Ingobernable. (De *in*, 2.° art., y *gobernable.*) adj. Que no se puede gobernar.

Ingratamente. adv. m. Con ingratitud.

Ingratitud. (Del lat. *ingratitūdo.*) f. Desagradecimiento, olvido o desprecio de los beneficios recibidos.

Ingrato, ta. (Del lat. *ingrātus.*) adj. Desagradecido, que olvida o desconoce los beneficios recibidos. ‖ **2.** Desapacible, áspero, desagradable. ‖ **3.** Dícese de lo que no corresponde al trabajo que cuesta labrarlo, conservarlo o mejorarlo.

Ingravidez. f. Calidad de ingrávido.

Ingrávido, da. (De *in*, 2.° art., y *grave.*) adj. Ligero, suelto y tenue como la gasa o la niebla.

Ingre. (Del lat. *inguen, -ĭnis*, ingle.) f. ant. **Ingle.** Ú. en Burgos.

Ingrediente. (Del lat. *ingredĭens, -entis*, p. a. de *ingrĕdi*, entrar en.) m. Cualquiera cosa que entra con otras en un remedio, bebida, guisado u otro compuesto.

Ingresar. (De *ingreso.*) intr. **Entrar,** 1.ª acep. Dícese, por lo común, de las cosas, y más generalmente del dinero. Ú. t. c. tr. *Hoy* HAN INGRESADO *en caja mil pesetas.* ‖ **2. Entrar,** 9.ª acep.

Ingreso. (Del lat. *ingressus.*) m. Acción de ingresar. ‖ **2. Entrada,** 1.ª, 2.ª y 3.ª aceps. ‖ **3.** Caudal que entra en poder de uno, y que le es de cargo en las cuentas. ‖ **4. Pie de altar.**

Inguinal. (Del lat. *inguinālis.*) adj. **Inguinario.**

Inguinario, ria. (Del lat. *inguinarius.*) adj. Perteneciente a las ingles.

Ingurgitación. (Del lat. *ingurgitatio, -ōnis.*) f. *Med.* Acción y efecto de ingurgitar.

Ingurgitar. (Del lat. *ingurgitāre*; de *in*, en, y *gurges, -ĭtis*, abismo, sima.) tr. *Med.* **Engullir.**

Ingustable. (Del lat. *ingustabĭlis.*) adj. Que no se puede gustar a causa de su mal sabor.

Inhábil. (Del lat. *inhabĭlis.*) adj. Falto de habilidad, talento o instrucción. ‖ **2.** Que no tiene las calidades y condiciones necesarias para hacer una cosa. ‖ **3.** Que por falta de algún requisito, o por una tacha o delito, no puede obtener o servir un cargo, empleo o dignidad. ‖ **4.** Dícese también del proceder que es inadecuado para alcanzar el fin a que se endereza. ‖ **5.** *For.* Dícese del día feriado y también de las horas en que está puesto el Sol, durante las cuales, salvo habilitación expresa, no deben practicarse actuaciones.

Inhabilidad. f. Falta de habilidad, talento o instrucción. ‖ **2.** Defecto o impedimento para ejercer u obtener un empleo u oficio.

Inhabilitación. f. Acción y efecto de inhabilitar o inhabilitarse. ‖ **2.** Pena aflictiva, en la cual se distinguen varios grados.

Inhabilitamiento. (De *inhabilitar.*) m. ant. **Inhabilitación,** 1.ª acep.

Inhabilitar. (De *in*, 2.° art., y *habilitar.*) tr. Declarar a uno inhábil o incapaz de ejercer u obtener cargos públicos, o de ejercitar derechos civiles o políticos. ‖ **2.** Imposibilitar para una cosa. Ú. t. c. r.

Inhabitable. (Del lat. *inhabitabĭlis.*) adj. No habitable.

Inhabitado, da. adj. No habitado.

Inhacedero, ra. adj. No hacedero.

Inhalación. (Del lat. *inhalatio, -ōnis.*) f. Acción de inhalar.

Inhalador. (De *inhalar.*) m. *Med.* Aparato para efectuar inhalaciones.

Inhalar. (Del lat. *inhalāre.*) tr. *Med.* Aspirar, con un fin terapéutico, ciertos gases o líquidos pulverizados. ‖ **2.** intr. Soplar en forma de cruz sobre cada una de las ánforas de los santos óleos cuando se consagran.

Inherencia. (Del lat. *inhaerentia.*) f. Unión de cosas inseparables por su naturaleza, o que sólo se pueden separar mentalmente y por abstracción. ‖ **2.** *Fil.* El modo de existir los accidentes, o sea no en sí, sino en la substancia que modifican.

Inherente. (Del lat. *inhaerens, -entis*, p. a. de *inhaerēre*, estar unido.) adj. Que por su naturaleza está de tal manera unido a otra cosa, que no se puede separar.

Inhesión. (Del lat. *inhaesio, -ōnis.*) f. p. us. **Apego.** ‖ **2.** *Fil.* **Inherencia.**

Inhestar. tr. **Enhestar.**

Inhibición. (Del lat. *inhibitio, -ōnis.*) f. Acción y efecto de inhibir o inhibirse.

Inhibir. (Del lat. *inhibēre.*) tr. *For.* Impedir que un juez prosiga en el conocimiento de una causa. ‖ **2.** ant. Prohibir, estorbar. ‖ **3.** *Med.* Suspender transitoriamente una función o actividad del organismo mediante la acción de un estímulo adecuado. Ú. t. c. r. ‖ **4.** r. Echarse fuera de un asunto, o abstenerse de entrar en él o de tratarlo.

Inhibitorio, ria. adj. *For.* Aplícase al despacho, decreto o letras que inhiben al juez. Ú. t. c. s. f.

Inhiesto, ta. (Del lat. *infēstus*, levantado.) adj. **Enhiesto.**

Inhonestable. adj. p. us. **Deshonesto.**

Inhonestamente. adv. m. **Deshonestamente.**

Inhonestidad. (Del lat. *inhonestĭtas, -ātis.*) f. Falta de honestidad o decencia.

Inhonesto, ta. (Del lat. *inhonestus.*) adj. **Deshonesto.** ‖ **2.** Indecente e indecoroso.

Inhonorar. (Del lat. *inhonorāre.*) tr. ant. **Deshonorar.**

Inhospedable. (De *in*, 2.° art., y *hospedable.*) adj. **Inhospitable.**

Inhospitable. adj. **Inhospitalario.**

Inhospital. (Del lat. *inhospitālis.*) adj. **Inhospitalario.**

Inhospitalario, ria. (De *in*, 2.° art., y *hospitalario.*) adj. Falto de hospitalidad. ‖ **2.** Poco humano para con los extraños. ‖ **3.** Dícese de lo que no ofrece seguridad ni abrigo. *Playa* INHOSPITALARIA.

Inhospitalidad. (Del lat. *inhospitalĭtas, -ātis.*) f. Falta de hospitalidad.

Inhóspito, ta. (Del lat. *inhospĭtus.*) adj. **Inhospitalario,** 3.ª acep.

Inhumación. f. Acción y efecto de inhumar.

Inhumanamente. adv. m. Con inhumanidad.

Inhumanidad. (Del lat. *inhumanĭtas, -ātis.*) f. Crueldad, barbarie, falta de humanidad.

Inhumano, na. (Del lat. *inhumānus.*) adj. Falto de humanidad, bárbaro, cruel.

Inhumar. (Del lat. *inhumāre*; de *in*, en, y *humus*, tierra.) tr. **Enterrar,** 2.ª acep.

Iniciación. (Del lat. *initiatio, -ōnis.*) m. Acción y efecto de iniciar o iniciarse.

Iniciador, ra. (Del lat. *initiātor.*) adj. Que inicia. Ú. t. c. s.

Inicial. (Del lat. *initiālis.*) adj. Perteneciente al origen o principio de las cosas. *Velocidad* INICIAL *de un proyectil.* ‖ **2.** V. **Letra inicial.** Ú. t. c. s. f.

Iniciar. (Del lat. *initiāre*, de *initium*, principio.) tr. Admitir a uno a la participación de una ceremonia o cosa secreta; enterarle de ella, descubrírsela. ‖ **2.** fig. Instruir en cosas abstractas o de alta enseñanza. INICIAR *en los arcanos de la metafísica, en los secretos de las artes.* Ú. t. c. r. ‖ **3.** Comenzar o promover una cosa. INICIAR *un debate.* ‖ **4.** r. Recibir las primeras órdenes u órdenes menores.

Iniciativa. (De *iniciativo.*) f. Derecho de hacer una propuesta. ‖ **2.** Acto de ejercerlo. ‖ **3.** Acción de adelantarse a los demás en hablar u obrar. ‖ **4.** Cualidad personal que inclina a esta acción. ‖ **5.** Procedimiento establecido en algunas constituciones políticas, mediante el cual interviene directamente el pueblo en la propuesta y adopción de medidas legislativas; como sucede en Suiza y en algunos Estados de Norteamérica.

Iniciativo, va. (De *iniciar.*) adj. Que da principio a una cosa.

Inicio. m. Comienzo, principio.

Inicuamente. adv. m. Con iniquidad.

Inicuo, cua. (Del lat. *inīquus.*) adj. Contrario a la equidad. ‖ **2.** Malvado, injusto.

Iniesta. (Del lat. *genĕsta.*) f. ant. **Retama.**

Inigual. (Del lat. *inaequālis.*) adj. ant. **Desigual.**

Inigualado, da. adj. Que no tiene igual; impar.

Inigualdad. (Del lat. *inaequalĭtas, -ātis.*) f. ant. **Desigualdad.**

In illo témpore. loc. lat. que significa en aquel tiempo, y se usa en el sentido de en otros tiempos o hace mucho tiempo.

Inimaginable. adj. No imaginable.

Inimicicia. (Del lat. *inimicitia.*) f. ant. **Enemistad.**

Inimicísimo, ma. adj. sup. de **Enemigo.**

Inimitable. (Del lat. *inimitabĭlis.*) adj. No imitable.

In íntegrum. loc. lat. *For.* V. **Restitución in íntegrum.**

Ininteligible. (Del lat. *inintelligibĭlis.*) adj. No inteligible.

Ininterrumpido, da. adj. Continuado sin interrupción.

Iniquidad. (Del lat. *iniquĭtas, -ātis.*) f. Maldad, injusticia grande.

Iniquísimo, ma. (Del lat. *iniquissimus.*) adj. sup. de **Inicuo.**

Injerencia. f. Acción y efecto de injerirse.

Injeridura. (De *injerir.*) f. Parte por donde se ha injertado el árbol.

Injerir. (Del lat. *insĕrĕre*, introducir.) tr. fig. Incluir una cosa en otra, haciendo mención de ella. || **2.** r. Entremeterse, introducirse en una dependencia o negocio.

Injerta. f. Acción de injertar.

Injertador. m. El que injerta.

Injertar. (Del lat. *insĕrtāre.*) tr. Injerir en la rama o tronco de un árbol alguna parte de otro en la cual ha de haber yema para que pueda brotar.

Injertera. (De *injertar.*) f. Plantación formada de árboles sacados de la almáciga.

Injerto, ta. (Del lat. *insĕrtus*, introducido.) p. p. irreg. de **Injertar.** || **2.** m. Parte de una planta con una o más yemas, que aplicada al patrón se suelda con él. || **3.** Acción de injertar. || **4.** Planta injertada. || **de cañutillo.** El que se hace adaptando un rodete o cañuto de corteza con una o más yemas, sobre el tronco del patrón. || **de corona,** o **de coronilla.** El que se hace introduciendo una o más púas entre la corteza y la albura del tronco del patrón. || **de escudete.** El que se hace introduciendo entre el líber y la albura del patrón una yema con parte de la corteza a que está unida, cortada ésta en forma de escudo.

Injundia. f. fam. **Enjundia.**

Injuria. (Del lat. *iniurĭa.*) f. Agravio, ultraje de obra o de palabra. || **2.** Hecho o dicho contra razón y justicia. || **3.** fig. Daño o incomodidad que causa una cosa.

Injuriador, ra. adj. Que injuria. Ú. t. c. s.

Injuriamiento. m. ant. Acción y efecto de injuriar.

Injuriante. p. a. de **Injuriar.** Que injuria.

Injuriar. (Del lat. *iniuriāre.*) tr. Agraviar, ultrajar con obras o palabras. || **2.** Dañar o menoscabar.

Injuriosamente. adv. m. Con injuria.

Injurioso, sa. (Del lat. *iniuriōsus.*) adj. Que injuria.

Injustamente. adv. m. Con injusticia; sin razón.

Injusticia. (Del lat. *iniustitĭa.*) f. Acción contraria a la justicia. || **2.** Falta de justicia. || **3.** *For.* V. **Recurso de injusticia notoria.**

Injustificable. (De *in*, 2.° art., y *justificable.*) adj. Que no se puede justificar.

Injustificadamente. adv. m. De manera injustificada.

Injustificado, da. adj. No justificado.

Injusto, ta. (Del lat. *iniustus.*) adj. No justo. Apl. a pers., ú. t. c. s.

Inllevable. (De *in*, 2.° art., y *llevar.*) adj. Que no se puede soportar, aguantar o tolerar.

Inmaculada. (De *inmaculado.*) f. **Purísima.**

Inmaculadamente. adv. m. Sin mancha.

Inmaculado, da. (Del lat. *immaculātus.*) adj. Que no tiene mancha.

Inmadurez. f. Falta de madurez.

Inmaduro, ra. (De *in*, 2.° art., y *maduro.*) adj. ant. **Inmaturo.**

Inmanejable. adj. No manejable.

Inmanencia. f. Calidad de inmanente.

Inmanente. (Del lat. *immanens, -entis*, p. a. de *immanēre*, permanecer en.) adj. *Fil.* Dícese de lo que es inherente a algún ser o va unido de un modo inseparable a su esencia, aunque racionalmente pueda distinguirse de ella.

Inmarcesible. (Del lat. *immarcescibĭlis.*) adj. Que no se puede marchitar.

Inmarchitable. (De *in*, 2.° art., y *marchitar.*) adj. **Inmarcesible.**

Inmaterial. (Del lat. *immateriālis.*) adj. No material.

Inmaterialidad. f. Calidad de inmaterial.

Inmaturo, ra. (Del lat. *immatūrus.*) adj. No maduro, o que no está en sazón.

Inmediación. f. Calidad de inmediato. || **2.** *For.* Conjunto de derechos atribuidos al sucesor inmediato en una vinculación. || **3.** pl. **Contorno,** 1.ª acep.

Inmediatamente. adv. m. Sin interposición de cosa alguna. || **2.** adv. t. Luego, al punto, al instante.

Inmediato, ta. (Del lat. *immediātus*; de *in*, priv., y *medĭum*, medio.) adj. Contiguo o muy cercano a otra cosa. || **2.** Que sucede de seguida, sin tardanza. || **3.** *Biol.* V. **Principio inmediato.** || **Darle** a uno **por las inmediatas.** fr. fig. y fam. Estrechar o apretar a uno con acciones o palabras que, hiriéndole en lo que siente, le convencen y dejan sin respuesta. || **Llegar,** o **venir, a las inmediatas.** fr. fig. y fam. Llegar a lo más estrecho o fuerte de la contienda en una disputa o pelea.

Inmedicable. (Del lat. *immedicabĭlis.*) adj. fig. Que no se puede remediar o curar.

Inmejorable. adj. Que no se puede mejorar.

Inmejorablemente. adv. m. De manera inmejorable.

Inmemorable. (Del lat. *immemorabĭlis.*) adj. **Inmemorial.**

Inmemorablemente. adv. m. De un modo inmemorial.

Inmemorial. (De *in*, 2.° art., y *memoria.*) adj. Tan antiguo, que no hay memoria de cuándo empezó. || **2.** *For.* V. **Tiempo inmemorial.**

Inmensamente. adv. m. Con inmensidad.

Inmensidad. (Del lat. *immensĭtas, -ātis.*) f. Infinidad en la extensión; atributo de sólo Dios, infinito e inmensurable. || **2.** fig. Muchedumbre, número o extensión grande.

Inmenso, sa. (Del lat. *immensus.*) adj. Que no tiene medida; infinito o ilimitado; y en este sentido es propio epíteto de Dios y de sus atributos. || **2.** fig. Muy grande o muy difícil de medirse o contarse.

Inmensurable. (Del lat. *immensurabĭlis.*) adj. Que no puede medirse. || **2.** fig. De muy difícil medida.

Inmerecidamente. adv. m. Sin haberlo merecido, o sin merecerlo.

Inmerecido, da. adj. No merecido.

Inméritamente. adv. m. Sin mérito, sin razón.

Inmérito, ta. (Del lat. *immerĭtus.*) adj. Inmerecido, injusto.

Inmeritorio, ria. adj. No meritorio.

Inmersión. (Del lat. *immersĭo, -ōnis.*) f. Acción de introducir o introducirse una cosa en un líquido. || **2.** *Astron.* Entrada de un astro en el cono de la sombra que proyecta otro.

Inmerso, sa. (Del lat. *immersus*, p. p. de *immergĕre*, sumergir.) adj. Sumergido, abismado.

Inmigración. f. Acción y efecto de inmigrar.

Inmigrante. p. a. de **Inmigrar.** Que inmigra. Ú. t. c. s.

Inmigrar. (Del lat. *immigrāre*; de *in*, en, y *migrāre*, irse, pasar.) intr. Llegar a un país para establecerse en él los que estaban domiciliados en otro. Se dice especialmente de los que forman nuevas colonias o se domicilian en las ya formadas.

Inmigratorio, ria. adj. Perteneciente o relativo a la inmigración.

Inminencia. (Del lat. *imminentĭa.*) f. Calidad de inminente, en especial hablando de un riesgo.

Inminente. (Del lat. *immĭnens, -entis*, p. a. de *imminēre*, amenazar.) adj. Que amenaza o está para suceder prontamente.

Inmiscuir. (der. del lat. *immiscuus*, formado como *promiscuus.*) tr. Poner una substancia en otra para que resulte una mezcla. || **2.** r. fig. Entremeterse, tomar parte en un asunto o negocio, especialmente cuando no hay razón o autoridad para ello.

Inmisión. (Del lat. *immissĭo, -ōnis*, acción de echar.) f. Infusión o inspiración.

Inmobiliario, ria. adj. Perteneciente a cosas inmuebles. *Crédito* INMOBILIARIO.

Inmoble. (Del lat. *immobĭlis.*) adj. Que no puede ser movido. || **2.** Que no se mueve. || **3.** V. **Fiesta inmoble.** || **4.** Constante, firme e invariable en las resoluciones o afectos del ánimo.

Inmoderación. (Del lat. *immoderatĭo, -ōnis.*) f. Falta de moderación.

Inmoderadamente. adv. m. Sin moderación.

Inmoderado, da. (Del lat. *immoderatus.*) adj. Que no tiene moderación.

Inmodestamente. adv. m. Con inmodestia.

Inmodestia. (Del lat. *immodestĭa.*) f. Falta de modestia.

Inmodesto, ta. (Del lat. *immodestus.*) adj. No modesto.

Inmódico, ca. (Del lat. *immodĭcus.*) adj. Excesivo, inmoderado.

Inmolación. (Del lat. *immolatĭo, -ōnis.*) f. Acción y efecto de inmolar.

Inmolador, ra. (Del lat. *immolātor.*) adj. Que inmola. Ú. t. c. s.

Inmolar. (Del lat. *immolāre.*) tr. Sacrificar, degollando una víctima. || **2. Sacrificar,** 1.ª acep. || **3.** r. fig. Dar la vida, la hacienda, el reposo, etc., en provecho u honor de una persona o cosa.

Inmoral. (De *in*, 2.° art., y *moral.*) adj. Que se opone a la moral o a las buenas costumbres.

Inmoralidad. f. Falta de moralidad, desarreglo en las costumbres. || **2.** Acción inmoral.

Inmortal. (Del. lat. *immortālis.*) adj No mortal, o que no puede morir. || **2.** fig. Que dura tiempo indefinido.

Inmortalidad. (Del lat. *immortalĭtas, -ātis.*) f. Calidad de inmortal. || **2.** fig. Duración indefinida de una cosa en la memoria de los hombres.

Inmortalizar. (De *inmortal.*) tr. Hacer perpetua una cosa en la memoria de los hombres. Ú. t. c. r.

Inmortalmente. adv. m. De un modo inmortal.

Inmortificación. f. Falta de mortificación.

Inmortificado, da. adj. No mortificado.

Inmotivadamente. adv. m. Sin motivo o razón; infundadamente.

Inmotivado, da. (De *in*, 2.° art., y *motivado*, p. p. de *motivar.*) adj. Sin motivo.

Inmoto, ta. (Del lat. *immotus*; de *in*, negat., y *mōtus*, movido.) adj. Que no se mueve.

Inmovible. (De *in*, 2.° art., y *movible.*) adj. **Inmoble.**

Inmóvil. (De *in*, 2.° art., y *móvil.*) adj. Inmoble, 2.ª y 4.ª aceps.

Inmovilidad. (Del lat. *immobilĭtas, -ātis.*) f. Calidad de inmóvil.

Inmovilización. f. Acción y efecto de inmovilizar o inmovilizarse.

Inmovilizar. tr. Hacer que una cosa quede inmóvil. || **2.** *Com.* Invertir un caudal en bienes de lenta o difícil realización. || **3.** *For.* Coartar la libre enajenación de bienes. || **4.** r. Quedarse o permanecer inmóvil.

Inmudable. (Del lat. *immutabĭlis.*) adj. **Inmutable.**

Inmueble. (Del lat. *immobĭlis.*) adj. V. **Bienes inmuebles.** Ú. t. c. s. m.

Inmundicia. (Del lat. *immunditĭa.*) f. Suciedad, basura, porquería. || **2.** fig. Impureza, deshonestidad.

Inmundo, da. (Del lat. *immundus;* de *in,* negat., y *mundus,* limpio.) adj. Sucio y asqueroso. ‖ **2.** V. **Espíritu inmundo.** ‖ **3.** fig. **Impuro.** ‖ **4.** fig. Dícese de aquello cuyo uso estaba prohibido a los judíos por su ley.

Inmune. (Del lat. *immūnis.*) adj. Libre, exento de ciertos oficios, cargos, gravámenes o penas. ‖ **2.** No atacable por ciertas enfermedades.

Inmunidad. (Del lat. *immunĭtas, -ātis.*) f. Calidad de inmune. ‖ **2.** Privilegio local concedido a los templos e iglesias, en virtud del cual los delincuentes que a ellas se acogían no eran castigados con pena corporal en ciertos casos. ‖ **parlamentaria.** Prerrogativa de los senadores y diputados a cortes, que los exime de ser detenidos o presos, salvo en casos que determinan las leyes, ni procesados o juzgados sin autorización del respectivo cuerpo colegislador.

Inmunización. f. Acción y efecto de inmunizar.

Inmunizador, ra. adj. Que inmuniza.

Inmunizar. tr. Hacer inmune.

Inmutabilidad. (Del lat. *immutabilĭtas, -ātis.*) f. Calidad de inmutable. *La* INMUTABILIDAD *de los eternos decretos de Dios.*

Inmutable. (Del lat. *immutabĭlis.*) adj. No mudable.

Inmutación. (Del lat. *immutatĭo, -ōnis.*) f. Acción y efecto de inmutar o inmutarse.

Inmutar. (Del lat. *immutāre.*) tr. Alterar o variar una cosa. ‖ **2.** r. fig. Sentir cierta conmoción repentina del ánimo, manifestándola por un ademán o por la alteración del semblante o de la voz.

Inmutativo, va. adj. Que inmuta o tiene virtud de inmutar.

Innacible. (Del lat. *innascibĭlis.*) adj. ant. Que no puede nacer.

Innaciente. (De *in,* 2.° art., y *naciente.*) adj. ant. Que no nace.

Innatismo. (De *innato.*) m. Sistema filosófico que enseña que las ideas son connaturales a la razón y nacen con ella.

Innato, ta. (Del lat. *innātus,* p. p. de *innasci,* nacer en, producirse.) adj. Connatural y como nacido con el mismo sujeto.

Innatural. (Del lat. *innaturālis.*) adj. Que no es natural.

Innavegable. (Del lat. *innavigabĭlis.*) adj. No navegable. ‖ **2.** Dícese también de la embarcación que se halla en estado tal que no se puede navegar con ella.

Innecesariamente. adv. m. Sin necesidad; de modo innecesario.

Innecesario, ria. adj. No necesario.

Innegable. (De *in,* 2.° art., y *negable.*) adj. Que no se puede negar.

Innoble. (Del lat. *ignobĭlis.*) adj. Que no es noble. ‖ **2.** Dícese comúnmente de lo que es vil y abyecto.

Innocencia. f. desus. **Inocencia.**

Innocente. adj. desus. **Inocente.**

Innocuo, cua. (Del lat. *innocŭus.*) adj. Que no hace daño.

Innominable. (Del lat. *innominabĭlis.*) adj. p. us. Que no se puede nombrar.

Innominado, da. (Del lat. *innominātus.*) adj. Que no tiene nombre especial. ‖ **2.** *Zool.* V. **Hueso innominado.** Ú. t. c. s. y comúnmente en pl.

Innoto, ta. adj. ant. **Ignoto.**

Innovación. (Del lat. *innovatĭo, -ōnis.*) f. Acción y efecto de innovar.

Innovador, ra. (Del lat. *innovātor.*) adj. Que innova. Ú. t. c. s.

Innovamiento. (De *innovar.*) m. **Innovación.**

Innovar. (Del lat. *innovāre.*) tr. Mudar o alterar las cosas, introduciendo novedades. ‖ **2.** ant. **Renovar.**

Innumerabilidad. (Del lat. *innumerabilĭtas, -ātis.*) f. Muchedumbre grande y excesiva.

Innumerable. (Del lat. *innumerabĭlis.*) adj. Que no se puede reducir a número.

Innumerablemente. adv. m. Sin número.

Innumeridad. (De *innúmero.*) f. ant. **Innumerabilidad.**

Innúmero, ra. (Del lat. *innumĕrus.*) adj. **Innumerable.**

Inobediencia. (Del lat. *inobedientĭa.*) f. Falta de obediencia.

Inobediente. (Del lat. *inobedĭens, -entis.*) adj. No obediente.

Inobservable. (Del lat. *inobservabĭlis.*) adj. Que no puede observarse.

Inobservancia. (Del lat. *inobservantĭa.*) f. Falta de observancia.

Inobservante. (Del lat. *inobservans, -antis.*) adj. No observante.

Inocencia. (Del lat. *innocentĭa.*) f. Estado y calidad del alma que está limpia de culpa. ‖ **2.** Exención de toda culpa en un delito o en una mala acción. ‖ **3.** Candor, simplicidad, sencillez. ‖ **4.** V. **Estado de la inocencia.**

Inocentada. (De *inocente.*) f. fam. Acción o palabra candorosa o simple. ‖ **2.** fam. Engaño ridículo en que uno cae por descuido o por falta de malicia.

Inocente. (Del lat. *innŏcens, -entis.*) adj. Libre de culpa. Ú. t. c. s. ‖ **2.** Aplícase también a las acciones y cosas que pertenecen a la persona **inocente.** ‖ **3.** Cándido, sin malicia, fácil de engañar. Ú. t. c. s. ‖ **4.** Que no daña, que no es nocivo. ‖ **5.** Aplícase al niño que no ha llegado a la edad de discreción. Ú. t. c. s. *La degollación de los* INOCENTES.

Inocentemente. adv. m. Con inocencia.

Inocentón, na. adj. fig. y fam. aum. de Inocente, 3.ª acep.

Inocuidad. f. Calidad de innocuo.

Inoculación. (Del lat. *inoculatĭo, -ōnis.*) f. Acción y efecto de inocular.

Inoculador. (Del lat. *inoculātor.*) m. El que inocula.

Inocular. (Del lat. *inoculāre.*) tr. *Med.* Comunicar por medios artificiales una enfermedad contagiosa. Ú. t. c. r. ‖ **2.** fig Pervertir, contaminar a uno con el mal ejemplo o la falsa doctrina. Ú. t. c. r.

Inocultable. (De *in* y *ocultable.*) adj. Que no puede ocultarse.

Inocuo, cua. adj. **Innocuo.**

Inodoro, ra. (Del lat. *inodōrus.*) adj. Que no tiene olor. ‖ **2.** Aplícase especialmente a los aparatos de forma muy variada que se colocan en los excusados de las casas y en los evacuatorios públicos, para impedir el paso de los malos olores y de las emanaciones infectas de las letrinas. Ú. t. c. s. m.

Inofensivo, va. (De *in,* 2.° art., y *ofensivo.*) adj. Incapaz de ofender. ‖ **2.** fig. Que no puede causar daño ni molestia.

Inofenso, sa. (Del lat. *inoffensus.*) adj. ant. **Ileso.**

Inoficioso, sa. (Del lat. *inofficiōsus.*) adj. *For.* Que lesiona los derechos de herencia forzosa. Aplícase a los actos de última voluntad y a las dotes y donaciones.

Inolvidable. adj. Que no puede o no debe olvidarse.

Inope. (Del lat. *inops, -ŏpis.*) adj. Pobre, indigente.

Inopia. (Del lat. *inopĭa.*) f. Indigencia, pobreza, escasez.

Inopinable. (Del lat. *inopinabĭlis.*) adj. No opinable. ‖ **2.** ant. Que no se puede ofrecer a la imaginación o no se puede pensar que suceda.

Inopinadamente. adv. m. De un modo inopinado.

Inopinado, da. (Del lat. *inopinātus.*) adj. Que sucede sin haber pensado en ello, o sin esperarlo.

Inoportunamente. adv. m. Sin oportunidad.

Inoportunidad. (Del lat. *inopportunĭtas, -ātis.*) f. Falta de oportunidad.

Inoportuno, na. (Del lat. *inopportūnus.*) adj. Fuera de tiempo o de propósito.

Inorancia. f. ant. **Ignorancia.**

Inorar. tr. ant. **Ignorar.** Ú. en *And., Sal., Guat.* y *Méj.*

Inordenadamente. adv. m. De un modo inordenado.

Inordenado, da. (De *in,* 2.° art., y *ordenado.*) adj. Que no tiene orden; desordenado.

Inordinado, da. (Del lat. *inordinātus.*) adj. **Inordenado.**

Inorgánico, ca. (De *in,* 2.° art., y *orgánico.*) adj. Dícese de cualquier cuerpo sin órganos para la vida, como son todos los minerales. ‖ **2.** fig. Dícese también de lo mal concertado por faltar al conjunto la conveniente ordenación de las partes. ‖ **3.** fig. V. **Química inorgánica.**

Inorme. adj. ant. **Enorme.**

Inoxidable. (De *in,* 2.° art., y *oxidable.*) adj. Que no se puede oxidar.

In pártibus. expr. lat. **In pártibus infidélium.**

In pártibus infidélium. (Lit., *en lugares, o países, de infieles.*) expr. lat. V. **Obispo in pártibus infidélium.** ‖ **2.** fam. y fest. Aplícase a la persona condecorada con el título de un cargo que realmente no ejerce. En esta acepción es más frecuente decir sólo **in pártibus.**

In péctore. expr. lat. V. **Cardenal in péctore.** ‖ **2.** loc. fig. y fam. con que se da a entender haberse tomado una resolución y tenerla aún reservada.

In perpétuum. loc. lat. Perpetuamente, para siempre.

In petto. expr. ital. V. **Cardenal in petto.**

In promptu. expr. lat. Aplícase a las cosas que están a la mano o se hacen de pronto. *Tomar un partido, o cometer un acto* IN PROMPTU.

In púribus. loc. fam. Desnudo, en cueros. Es corrupción vulgar de la frase técnica latina *in puris naturálibus,* en estado puramente natural.

Inquebrantable. (De *in,* 2.° art., y *quebrantable.*) adj. Que persiste sin quebranto, o no puede quebrantarse.

Inquerir. tr. ant. **Inquirir.**

Inquietación. (Del lat. *inquietatĭo, -ōnis.*) f. ant. **Inquietud.**

Inquietador, ra. (Del lat. *inquietātor.*) adj. Que inquieta. Ú. t. c. s.

Inquietamente. adv. m. Con inquietud.

Inquietante. p. a. de **Inquietar.** Que inquieta.

Inquietar. (Del lat. *inquietāre.*) tr. Quitar el sosiego, turbar la quietud. Ú. t. c. r. ‖ **2.** *For.* Intentar despojar a uno de la quieta y pacífica posesión de una cosa, o perturbarle en ella.

Inquieto, ta. (Del lat. *inquiētus.*) adj. Que no está quieto, o es de índole bulliciosa. ‖ **2.** fig. Desasosegado por una agitación del ánimo. ‖ **3.** fig. Por metonimia y designando el efecto por la causa, dícese de aquellas cosas en que no se ha tenido o gozado quietud. *Pasar una noche* INQUIETA.

Inquietud. (Del lat. *inquietūdo.*) f. Falta de quietud, desasosiego, desazón. ‖ **2.** Alboroto, conmoción.

Inquilinato. (Del lat. *inquilinātus.*) m. Arriendo de una casa o parte de ella. ‖ **2.** Derecho que adquiere el inquilino en la casa arrendada. ‖ **3.** Contribución o tributo de cuantía relacionada con la de los alquileres.

Inquilino, na. (Del lat. *inquilīnus.*) m. y f. Persona que ha tomado una casa o parte de ella en alquiler para habitarla. ‖ **2.** *For.* Arrendatario, comúnmente de finca urbana. ‖ **3.** *Chile.* Persona que vive en una finca rústica en la cual se le da habitación y un trozo de terreno para que lo explote por su cuenta, con la obligación de trabajar en el mismo campo en beneficio del propietario.

Inquina. (Del lat. *iniquāre*, de *inīquus*, injusto.) f. Aversión, mala voluntad.

Inquinamento. (Del lat. *inquinamentum*.) m. Infección.

Inquinar. (Del lat. *inquināre*.) tr. Manchar, contagiar.

Inquiridor, ra. adj. Que inquiere. U. t. c. s.

Inquirir. (Del lat. *inquirĕre*.) tr. Indagar, averiguar o examinar cuidadosamente una cosa.

Inquisición. (Del lat. *inquisitĭo, -ōnis*.) f. Acción y efecto de inquirir. || **2.** Tribunal eclesiástico, establecido para inquirir y castigar los delitos contra la fe. || **3.** Casa donde se juntaba el tribunal de la **Inquisición.** || **4.** Cárcel destinada para los reos pertenecientes a este tribunal. || **5.** V. **Comisario de la Inquisición.** || **6.** V. **Vara de Inquisición.** || **Hacer inquisición.** fr. fig. y fam. Examinar los papeles, y separar los inútiles para quemarlos.

Inquisidor, ra. (Del lat. *inquisītor*.) adj. **Inquiridor.** Ú. t. c. s. || **2.** m. Juez eclesiástico que conocía de las causas de fe. || **3. Pesquisidor.** || **4.** En Aragón, cada uno de los jueces que el rey, el lugarteniente o los diputados nombraban para hacer inquisición de la conducta del vicecanciller y de otros magistrados, o de los contrafueros cometidos por ellos, a fin de castigarlos según sus delitos. Estos **inquisidores,** que se nombraban de dos en dos años, acabada su encuesta quedaban sin jurisdicción. || **apostólico.** El nombrado por el **inquisidor** general para entender, a título de delegado, dentro de una demarcación eclesiástica, en los negocios pertenecientes a la Inquisición, principalmente en los nombramientos de familiares, jueces de causas, etc. || **de Estado.** En la república de Venecia, cada uno de los tres nobles elegidos del Consejo de los Diez, que estaban diputados para inquirir y castigar los crímenes de Estado, con poder absoluto. || **general.** Supremo **inquisidor,** a cuyo cargo estaba el gobierno del Consejo de Inquisición y de todos sus tribunales. || **ordinario.** El obispo o el que en su nombre asistía a sentenciar en definitiva las causas de los reos de fe.

Inquisitivo, va. (Del lat. *inquisitīvus*.) adj. ant. Que inquiere y averigua con cuidado y diligencia las cosas o es inclinado a esto. || **2.** Perteneciente a la indagación o averiguación.

Inquisitorial. adj. Perteneciente o relativo al inquisidor o a la Inquisición. || **2.** fig. Dícese de los procedimientos parecidos a los del tribunal de la Inquisición.

Inquisitorio, ria. adj. **Inquisitivo.**

Inri. m. Nombre que resulta de leer como una palabra las iniciales de *Iesus Nazarenus Rex Iudaeórum,* rótulo latino de la santa cruz. || **2.** fig. Nota de burla o de afrenta. *Le puso el* INRI.

Insabible. adj. Que no se puede saber; inaveriguable.

Insaciabilidad. f. Calidad de insaciable.

Insaciable. adj. Que tiene apetitos o deseos tan desmedidos, que no puede saciarlos.

Insaciablemente. adv. m. Con insaciabilidad.

Insaculación. f. Acción y efecto de insacular.

Insaculador. m. El que insacula.

Insacular. (Del lat. *in*, en, y *sacŭlus*, saquito.) tr. Poner en un saco, cántaro o urna, cédulas o boletas con números o con nombres de personas o cosas para sacar una o más por suerte.

Insalivación f. Acción y efecto de insalivar.

Insalivar. (De *in*, 1.er art., y *saliva*.) tr. Mezclar los alimentos con la saliva en la cavidad de la boca.

Insalubre. (Del lat. *insalūbris*.) adj. **Malsano,** 1.ª acep.

Insalubridad. f. Falta de salubridad.

Insanable. (Del lat. *insanabĭlis*.) adj. Que no se puede sanar; incurable.

Insania. (Del lat. *insanĭa*.) f. **Locura.**

Insano, na. (Del lat. *insānus*.) adj. Loco, demente, furioso.

Insatisfecho, cha. adj. No satisfecho.

Inscribible. adj. *For.* Que puede inscribirse.

Inscribir. (Del lat. *inscribĕre*.) tr. Grabar letreros en metal, piedra u otra materia. || **2.** Apuntar el nombre de una persona entre los de otras para un objeto determinado. Ú. t. c. r. || **3. Impresionar,** 2.ª acep. || **4.** *For.* Tomar razón, en algún registro, de los documentos o las declaraciones que han de asentarse en él según las leyes. || **5.** *Geom.* Trazar una figura dentro de otra, de modo que, sin cortarse ni confundirse, estén ambas en contacto en varios de los puntos de sus perímetros.

Inscripción. (Del lat. *inscriptĭo, -ōnis*.) f. Acción y efecto de inscribir o inscribirse. || **2.** Escrito sucinto grabado en piedra, metal u otra materia, para conservar la memoria de una persona, cosa o suceso importante. || **3.** Anotación o asiento del gran libro de la deuda pública, en que el Estado reconoce la obligación de satisfacer una renta perpetua correspondiente a un capital recibido. || **4.** Documento o título que expide el Estado para acreditar esta obligación. || **5.** *Numism.* Letrero rectilíneo en las monedas y medallas.

Inscripto, ta. (Del lat. *inscriptus*.) p. p. irreg. **Inscrito.**

Inscrito, ta. (De *inscripto*.) p. p. irreg. de **Inscribir.**

Inscrutable. (Del lat. *inscrutabĭlis*.) adj. ant. **Inescrutable.**

Insculpir. (Del lat. *insculpĕre*.) tr. **Esculpir.**

Insecable. adj. Que no se puede secar o es muy difícil de secarse.

Insecable. (Del lat. *insecabĭlis*.) adj. Que no se puede cortar o dividir.

Insecticida. (Del lat. *insectum*, insecto, y *caedĕre*, matar.) adj. Que sirve para matar insectos. Dicho de los productos destinados a este fin, ú. t. c. m.

Insectil. (De *insecto*.) adj. Perteneciente a la clase de los insectos.

Insectívoro, ra (Del lat. *insectum*, insecto, y *vorāre*, devorar.) adj. Dícese de los animales zoófagos que principalmente se alimentan de insectos. Ú. t. c. s. || **2.** Dícese también de algunas plantas que los aprisionan entre sus hojas y los digieren. || **3.** *Zool.* Dícese de mamíferos de pequeño tamaño, unguiculados y plantígrados, que tienen molares provistos de tubérculos agudos con los cuales mastican el cuerpo de los insectos de que se alimentan; como el topo y el erizo. Ú. t. c. s. || **4.** m. pl. *Zool.* Orden de estos animales.

Insecto. (Del lat. *insectum*.) adj. *Zool.* Dícese del artrópodo de respiración traqueal, con el cuerpo dividido distintamente en cabeza, tórax y abdomen, con un par de antenas y tres de patas. La mayor parte tienen uno o dos pares de alas y sufren metamorfosis durante su desarrollo. Ú. t. c. s. m. || **2.** m. pl. *Zool.* Clase de estos animales.

Inseguramente. adv. m. Sin seguridad.

Inseguridad. f. Falta de seguridad.

Inseguro, ra. (De *in*, 2.° art., y *seguro*.) adj. Falto de seguridad.

Insenescencia. (Del lat. *in*, negat., y *senescĕre*, envejecer.) f. Calidad de lo que no se envejece.

Insensatez. (De *insensato*.) f. Necedad, falta de sentido o de razón. || **2.** fig. Dicho o hecho insensato.

Insensato, ta. (Del lat. *insensātus*.) adj. Tonto, fatuo, sin sentido. Ú. t. c. s.

Insensibilidad. (Del lat. *insensibilĭtas, -ātis*.) f. Falta de sensibilidad. || **2.** fig. Dureza de corazón, o falta de sentimiento en las cosas que lo suelen causar.

Insensibilizar. (Del lat. *in*, priv., y *sensibĭlis*, sensible.) tr. Quitar la sensibilidad o privar a uno de ella. Ú. t. c. r.

Insensible. (Del lat. *insensibĭlis*.) adj. Que carece de facultad sensitiva o que no tiene sentido. || **2.** Privado de sentido por dolencia, accidente u otra causa. || **3. Imperceptible.** || **4.** fig. Que no siente las cosas que causan dolor y pena o mueven a lástima.

Insensiblemente. adv. m. De un modo insensible.

Inseparabilidad. (Del lat. *inseparabilĭtas, -ātis*.) f. Calidad de inseparable.

Inseparable. (Del lat. *inseparabĭlis*.) adj. Que no se puede separar. || **2.** V. **Preposición inseparable.** || **3.** fig. Dícese de las cosas que se separan con dificultad. || **4.** fig. Dícese de las personas estrechamente unidas entre sí con vínculos de amistad o de amor. Ú. t. c. s.

Inseparablemente. adv. m. Con inseparabilidad.

Insepultado, da. (De *in*, 2.° art., y *sepultado*.) adj. ant. **Insepulto.**

Insepulto, ta. (Del lat. *insepultus*.) adj. No sepultado. Dícese del cadáver.

Inserción. (Del lat. *insertĭo, -ōnis*.) f. Acción y efecto de inserir. || **2.** Acción y efecto de insertar.

Inserir. (Del lat. *insĕrĕre*, introducir.) tr. **Insertar.** || **2. Injerir.** || **3. Injertar.**

Insertar. (Del lat. *insertāre*, frec. de *insĕrĕre*, injerir.) tr. Incluir, introducir una cosa en otra. Dícese regularmente de la inclusión de algún texto o escrito en otro. || **2.** r. *Bot.* y *Zool.* Introducirse más o menos profundamente un órgano entre las partes de otro, o adherirse a su superficie.

Inserto, ta. (Del lat. *insertus*, p. p. de *insĕrĕre*, introducir, injerir.) p. p. irreg. de **Inserir.** || **2.** adj. ant. **Injerto.**

Inservible. adj. No servible o que no está en estado de servir.

Insidia. (Del lat. *insidĭa*.) f. **Asechanza.**

Insidiador, ra. (Del lat. *insidiātor*.) adj. Que insidia. Ú. t. c. s.

Insidiar. (Del lat. *insidiāre*.) tr. Poner asechanzas.

Insidiosamente. adv. m. Con insidias.

Insidioso, sa. (Del lat. *insidiōsus*.) adj. Que arma asechanzas. Ú. t. c. s. || **2.** Que se hace con asechanzas. || **3.** Malicioso o dañino con apariencias inofensivas. || **4.** *Med.* Dícese del padecimiento o enfermedad que, bajo una apariencia benigna, oculta gravedad suma.

Insigne. (Del lat. *insignis*.) adj. Célebre, famoso.

Insignemente. adv. m. De un modo insigne.

Insignia. (Del lat. *insignĭa*; véase *enseña*.) f. Señal, distintivo, o divisa honorífica. || **2.** Bandera o estandarte de una legión romana. || **3.** Pendón, estandarte, imagen o medalla de una hermandad o cofradía. || **4.** p. us. **Muestra,** 1.ª acep. || **5.** *Mar.* Bandera de cierta especie que, puesta al tope de uno de los palos del buque, denota la graduación del jefe que lo manda o de otro que va en él.

Insignido, da. (Del lat. *insignītus*, p. p. de *insignīre*, distinguir.) adj. ant. Distinguido, adornado.

Insignificancia. (De *insignificante*.) f. Pequeñez, insuficiencia, inutilidad.

Insignificante. (De *in*, 2.° art., y *significante*.) adj. Baladí, pequeño, despreciable.

Insimular. (Del lat. *insimulāre*.) tr. ant. Acusar a uno de un delito; delatarlo .

Insinceridad. f. Falta de sinceridad.

Insincero, ra. (De *in* y *sincero.*) adj. No sincero, simulado, doble.

Insinia. f. ant. **Insignia.**

Insinuación. (Del lat. *insinuatio, -ōnis.*) f. Acción y efecto de insinuar o insinuarse. || **2.** *For.* Manifestación o presentación de un instrumento público ante juez competente, para que éste interponga en él su autoridad y decreto judicial. Se ha aplicado especialmente a las donaciones. || **3.** *Ret.* Género de exordio, o parte del exordio, en que el orador trata de captarse la benevolencia y atención de los oyentes.

Insinuador, ra. adj. Que insinúa. Ú. t. c. s.

Insinuante. p. a. de **Insinuar.** Que insinúa o se insinúa.

Insinuar. (Del lat. *insinuāre.*) tr. Dar a entender una cosa, no haciendo más que indicarla o apuntarla ligeramente. || **2.** *For.* Hacer insinuación, 2.ª acep. || **3.** r. Introducirse mañosamente en el ánimo de uno, ganando su gracia y afecto. || **4.** fig. Introducirse blanda y suavemente en el ánimo un afecto, vicio, virtud, etc.

Insinuativo, va. adj. Dícese de lo que tiene virtud o eficacia para insinuar o insinuarse.

Insípidamente. adv. m. Con insipidez.

Insipidez. f. Calidad de insípido.

Insípido, da. (Del lat. *insipĭdus.*) adj. Falto de sabor. || **2.** Que no tiene el grado de sabor que debiera o pudiera tener. *Fruta* INSÍPIDA; *café* INSÍPIDO. || **3.** fig. Falto de espíritu, viveza, gracia o sal. *Poeta* INSÍPIDO; *comedia* INSÍPIDA.

Insipiencia. (Del lat. *insipientia.*) f. Falta de sabiduría o ciencia. || **2.** Falta de juicio.

Insipiente. (Del lat. *insipiens, -entis.*) adj. Falto de sabiduría o ciencia. Ú. t. c. s. || **2.** Falto de juicio. Ú. t. c. s.

Insistencia. (Del lat. *insistens, -entis,* insistente.) f. Permanencia, reiteración y porfía acerca de una cosa.

Insistente. (Del lat. *insistens, -entis.*) p. a. de **Insistir.** Que insiste.

Insistentemente. adv. m. Con insistencia.

Insistir. (Del lat. *insistĕre.*) intr. Descansar una cosa sobre otra. || **2.** Instar reiteradamente; persistir o mantenerse firme en una cosa.

Ínsito, ta. (Del lat. *insĭtus,* p. p. de *inserĕre,* plantar, inculcar.) adj. Propio y connatural a una cosa y como nacido en ella.

Insobornable. adj. Que no puede ser sobornado.

Insociabilidad. f. Falta de sociabilidad.

Insociable. (Del lat. *insociabĭlis.*) adj. Huraño o intratable e incómodo en la sociedad.

Insocial. (Del lat. *insociālis.*) adj. **Insociable.**

Ínsola. f. ant. **Ínsula.**

Insolación. (Del lat. *insolatio, -ōnis.*) f. Enfermedad causada en la cabeza por el excesivo ardor del sol. || **2.** *Meteor.* Tiempo que durante el día luce el sol sin nubes.

Insolar. (Del lat. *insolāre.*) tr. Poner al sol una cosa, como hierba, planta, etc., para facilitar su fermentación, o secarla. || **2.** r. Asolearse, enfermar por el demasiado ardor del sol.

Insoldable. adj. Que no se puede soldar.

Insolencia. (Del lat. *insolentia.*) f. Acción desusada y temeraria. || **2.** Atrevimiento, descaro. || **3.** Dicho o hecho ofensivo e insultante.

Insolentar. tr. Hacer a uno insolente y atrevido. Ú. m. c. r.

Insolente. (Del lat. *insŏlens, -entis.*) adj. Que comete insolencias. Ú. t. c. s. || **2.** Orgulloso, soberbio, desvergonzado. || **3.** ant. Raro, desusado y extraño.

Insolentemente. adv. m. Con insolencia.

In sólidum. (Del lat. *in,* en, y *solĭdum,* todo, total.) m. adv. *For.* Por entero, por el todo. Ú. m. para expresar la facultad u obligación que, siendo común a dos o más personas, puede ejercerse o debe cumplirse por entero por cada una de ellas. *Juan y Pedro son deudores* IN SÓLIDUM.

Insólito, ta. (Del lat. *insolĭtus.*) adj. No común ni ordinario; desacostumbrado.

Insolubilidad. (Del lat. *insolubilĭtas, -ātis.*) f. Calidad de insoluble.

Insoluble. (Del lat. *insolubĭlis.*) adj. Que no puede disolverse ni diluírse. || **2.** Que no se puede resolver o desatar.

Insoluto, ta. (Del lat. *insolūtus.*) adj. No pagado.

Insolvencia. (De *in,* 2.° art., y *solvencia.*) f. Incapacidad de pagar una deuda.

Insolvente. (De *in,* 2.° art., y *solvente.*) adj. Que no tiene con qué pagar. Ú. t. c. s.

Insomne. (Del lat. *insomnis;* de *in,* priv., y *somnus,* sueño.) adj. Que no duerme, desvelado.

Insomnio. (Del lat. *insomnĭum.*) m. Vigilia, desvelo.

Insondable. (De *in,* 2.° art., y *sondable.*) adj. Que no se puede sondear. Dícese del mar cuando no se le puede hallar el fondo con la sonda. || **2.** fig. Que no se puede averiguar, sondear o saber a fondo.

Insonoro, ra. (Del lat. *insonōrus.*) adj. Falto de sonoridad.

Insoportable. (De *in,* 2.° art., y *soportable.*) adj. Insufrible, intolerable. || **2.** fig. Muy incómodo, molesto y enfadoso.

Insospechable. adj. Que no puede sospecharse.

Insospechado, da. adj. No sospechado.

Insostenible. adj. Que no se puede sostener. || **2.** fig. Que no se puede defender con razones.

Inspección. (Del lat. *inspectio, -ōnis.*) f. Acción y efecto de inspeccionar. || **2.** Cargo y cuidado de velar sobre una cosa. || **3.** Casa, despacho u oficina del inspector. || **4.** *Mil.* V. **Revista de inspección.** || **ocular.** *For.* Examen que hace el juez por sí mismo, y en ocasiones con asistencia de los interesados y de peritos o testigos, de un lugar o de una cosa, para hacer constar en acta o diligencia los resultados de sus observaciones.

Inspeccionar. (De *inspección.*) tr. Examinar, reconocer atentamente una cosa.

Inspector, ra. (Del lat. *inspector.*) adj. Que reconoce y examina una cosa. Ú. t. c. s. || **2.** m. Empleado público o particular que tiene a su cargo la inspección y vigilancia en el ramo a que pertenece y del cual toma título especial el destino que desempeña. INSPECTOR *de policía, de correos, de aduanas, de estudios, de ferrocarriles.* || **general.** Funcionario a quien por su alta categoría corresponde la vigilancia sobre la totalidad de un servicio del Estado y del personal que lo ejecuta.

Inspiración. (Del lat. *inspiratio, -ōnis.*) f. Acción y efecto de inspirar. || **2.** fig. Ilustración o movimiento sobrenatural que Dios comunica a la criatura. || **3.** fig. Efecto de sentir el escritor, el orador o el artista aquel singular y eficaz estímulo que le hace producir espontáneamente, y como si lo que produce fuera cosa hallada de pronto y no buscada con esfuerzo. || **4.** fig. Cosa inspirada, en cualquiera de las acepciones figuradas de **inspirar.**

Inspiradamente. adv. m. De manera inspirada; con inspiración.

Inspirador, ra. (Del lat. *inspirātor.*) adj. Que inspira. Ú. t. c. s. || **2.** *Zool.* Aplícase a los músculos que sirven para la inspiración.

Inspirante. p. a. de **Inspirar.** Que inspira.

Inspirar. (Del lat. *inspirāre.*) tr. **Aspirar,** 1.ª acep. || **2. Soplar,** 3.ª acep. || **3.** fig. Infundir o hacer nacer en el ánimo o la mente afectos, ideas, designios, etc. || **4.** fig. En sentido menos genérico, sugerir ideas o especies para la composición de la obra literaria o artística, o bien dar instrucciones a los que dirigen o redactan publicaciones periódicas. || **5.** fig. Iluminar Dios el entendimiento de uno o excitar y mover su voluntad. || **6.** r. fig. Enardecerse y avivarse el genio del orador, del literato o del artista con el recuerdo o la presencia de una persona o cosa, o con el estudio de obras ajenas.

Inspirativo, va. adj. Que tiene virtud de inspirar.

Instabilidad. (Del lat. *instabilĭtas, -ātis.*) f. **Inestabilidad.**

Instable. (Del lat. *instabĭlis.*) adj. **Inestable.**

Instalación. f. Acción y efecto de instalar o instalarse. || **2.** Conjunto de cosas instaladas.

Instalador, ra. adj. Que instala, 2.ª y 3.ª aceps. Ú. t. c. s.

Instalar. (Del lat. *in,* en, y el germ. *stall,* mansión, estancia; en b. lat. *installare.*) tr. Poner en posesión de un empleo, cargo o beneficio. Ú. t. c. r. || **2. Colocar,** 1.ª acep. Ú. t. c. r. || **3.** Colocar en un lugar o edificio los enseres y servicios que en él se hayan de utilizar; como en una fábrica, los conductos de agua, aparatos para la luz, etc. || **4.** r. Establecerse, 3.ª acep. de **Establecer.**

Instancia. (Del lat. *instantia.*) f. Acción y efecto de instar. || **2.** Memorial, solicitud. || **3.** En las escuelas, impugnación de una respuesta dada a un argumento. || **4.** *For.* Cada uno de los grados jurisdiccionales que la ley tiene establecidos para ventilar y sentenciar, en jurisdicción expedita, lo mismo sobre el hecho que sobre el derecho, en los juicios y demás negocios de justicia. Las instancias son dos en el actual enjuiciamiento civil; una o dos en lo administrativo; y en lo penal, una para delitos y dos para faltas; fueron antes en mayor número, y siguen siéndolo en el procedimiento canónico. || **5.** V. **Juez de primera instancia.** || **Absolver de la instancia.** fr. *For.* En el enjuiciamiento criminal anterior al vigente, fallar el proceso sin condena, por falta de pruebas de cargo, pero sin absolver al reo, y dejando abierto el juicio para ampliarlo eventualmente. || **Causar instancia.** fr. *For.* En el antiguo enjuiciamiento, abrir juicio formal y someter a fallo el asunto; lo cual se evitaba, en otras peticiones, haciendo protesta de no CAUSAR INSTANCIA. || **De primera instancia.** m. adv. Al primer ímpetu, de un golpe. || **2.** Primeramente, en primer lugar, por la primera vez.

Instantánea. (De *instantáneo.*) f. Plancha fotográfica que se obtiene instantáneamente. || **2.** Estampa de la plancha así obtenida.

Instantáneamente. adv. t. En un instante, luego, al punto.

Instantáneo, a. adj. Que sólo dura un instante.

Instante. (Del lat. *instans, -antis.*) p. a. de **Instar.** Que insta. || **2.** m. **Segundo,** 16.ª acep. || **3.** fig. Tiempo brevísimo. || **A cada instante, o cada instante.** m. adv. fig. Frecuentemente, a cada paso. || **Al instante.** m. adv. Luego, al punto, sin dilación. || **Por instantes.** m. adv. Sin cesar, continuamente, sin intermisión. || **2.** De un momento a otro.

Instantemente. adv. m. Con instancia. || **2.** adv. t. ant. **Instantáneamente.**

Instar. (Del lat. *instāre.*) tr. Repetir la súplica o petición o insistir en ella con ahínco. ‖ **2.** En las escuelas, impugnar la solución dada al argumento. ‖ **3.** intr. Apretar o urgir la pronta ejecución de una cosa.

In statu quo. expr. lat. que se emplea para denotar que las cosas están o deben estar en la misma situación que antes tenían.

Instauración. (Del lat. *instauratĭo, -ōnis.*) f. Acción y efecto de instaurar.

Instaurador, ra. adj. Que instaura. Ú. t. c. s.

Instaurar. (Del lat. *instaurāre.*) tr. Renovar, restablecer, restaurar. ‖ **2.** Establecer, 1.ª acep.

Instaurativo, va. (Del lat. *instauratīvus.*) adj. Dícese de lo que tiene virtud de instaurar. Ú. t. c. s. m.

Instigación. (Del lat. *instigatĭo, -ōnis.*) f. Acción y efecto de instigar.

Instigador, ra. (Del lat. *instigātor.*) adj. Que instiga. Ú. t. c. s.

Instigar. (Del lat. *instigāre.*) tr. Incitar, provocar o inducir a uno a que haga una cosa.

Instilación. (Del lat. *instillatĭo, -ōnis.*) f. Acción y efecto de instilar. ‖ **2.** ant. Destilación o fluxión.

Instilar. (Del lat. *instillāre;* de *in,* en, y *stilla,* gota.) tr. Echar poco a poco, gota a gota, un licor en otra cosa. ‖ **2.** fig. Infundir o introducir insensiblemente en el ánimo una cosa; como doctrina, afecto, etc.

Instimular. (Del lat. *instimulāre.*) tr. desus. **Estimular.**

Instímulo. m. desus. **Estímulo.**

Instintivamente. adv. m. Por instinto; de una manera instintiva.

Instintivo, va. adj. Que es obra, efecto o resultado del instinto, y no del juicio o la reflexión o de propósito deliberado.

Instinto. (Del lat. *instinctus.*) m. Estímulo interior que determina a los animales a una acción dirigida a la conservación o a la reproducción. ‖ **2.** Impulso o movimiento del Espíritu Santo, hablando de inspiraciones sobrenaturales. ‖ **3.** ant. Instigación o sugestión. ‖ **Por instinto.** m. adv. Por un impulso o propensión maquinal e indeliberada.

Institor. (Del lat. *institor.*) m. **Factor,** 2.ª acep.

Institución. (Del lat. *institutĭo, -ōnis.*) f. Establecimiento o fundación de una cosa. ‖ **2.** Cosa establecida o fundada. ‖ **3.** Cada una de las organizaciones fundamentales de un Estado, nación o sociedad. INSTITUCIÓN *de la monarquía, del feudalismo.* ‖ **4.** desus. Instrucción, educación, enseñanza. ‖ **5.** pl. Colección metódica de los principios o elementos de una ciencia, arte, etc. ‖ **6.** Órganos constitucionales del poder soberano en la nación. ‖ **Institución canónica.** Acción de conferir canónicamente un beneficio. ‖ **corporal.** Acción de poner a uno en posesión de un beneficio. ‖ **de heredero.** *For.* Nombramiento que en el testamento se hace de la persona que ha de heredar.

Institucional. adj. Perteneciente o relativo a la institución.

Instituente. p. a. de **Instituir. Instituyente.**

Instituidor, ra. adj. Que instituye. Ú. t. c. s.

Instituir. (Del lat. *instituĕre.*) tr. **Fundar,** 3.ª acep. ‖ **2.** Establecer algo de nuevo; dar principio a una cosa. ‖ **3.** V. **Instituir heredero,** o **por heredero.** ‖ **4.** desus. Enseñar o instruir. ‖ **5.** ant. Determinar, resolver.

Instituta. (Del lat. *institūta,* instituciones.) f. Compendio del derecho civil de los romanos, compuesto por orden del emperador Justiniano.

Instituto. (Del lat. *institūtum.*) m Constitución o regla que prescribe cierta forma y método de vida o de enseñanza; como, por ejemplo, el de las órdenes religiosas. ‖ **2.** Corporación científica, literaria, artística, benéfica, etc. ‖ **3.** Edificio en que funciona alguna de estas corporaciones. ‖ **4.** ant. Intento, objeto y fin a que se encamina una cosa. ‖ **armado.** Cada uno de los cuerpos militares destinados a la defensa del país o al mantenimiento del orden público. ‖ **de segunda enseñanza.** Establecimiento oficial donde se siguen los estudios de cultura general comunes a las diversas carreras científicas y literarias. ‖ **general y técnico. Instituto de segunda enseñanza.**

Institutor, ra. (Del lat. *institūtor.*) adj. **Instituidor.** Ú. t. c. s. ‖ **2.** m. *Colomb.* Profesor, pedagogo, maestro.

Institutriz. (De *instituir.*) f. Maestra encargada de la educación o instrucción de uno o varios niños, en el hogar doméstico.

Instituyente. p. a. de **Instituir.** Que instituye.

Instridente. (Del lat. *instrĭdens, -entis.*) adj. **Estridente.**

Instrucción. (Del lat. *instructĭo, -ōnis.*) f. Acción de instruir o instruirse. ‖ **2.** Caudal de conocimientos adquiridos. ‖ **3.** Curso que sigue un proceso o expediente que se está formando o instruyendo. ‖ **4.** Conjunto de reglas o advertencias para algún fin. ‖ **5.** pl. Órdenes que se dictan a los agentes diplomáticos o a los jefes de fuerzas navales. ‖ **6.** Reglamento en que predominan las disposiciones técnicas o explicativas para el cumplimiento de un servicio administrativo. ‖ **Instrucción primaria. Primera enseñanza.** ‖ **pública.** La que se da en establecimiento sostenido por el Estado, y comprende la primera y segunda enseñanza, las facultades, las profesiones y las carreras especiales.

Instructivamente. adv. m. Para instrucción.

Instructivo, va. (De *instructo.*) adj. Dícese de lo que instruye o sirve para instruir.

Instructo, ta. (Del lat. *instructus.*) p. p. irreg. ant. de **Instruir.**

Instructor, ra. (Del lat. *instructor.*) adj. Que instruye. Ú. t. c. s.

Instruido, da. p. p. de **Instruir.** ‖ **2.** adj. Que tiene bastante caudal de conocimientos adquiridos.

Instruidor, ra. adj. ant. **Instructor.** Usáb. t. c. s.

Instruir. (Del lat. *instruĕre.*) tr. Enseñar, doctrinar. ‖ **2.** Comunicar sistemáticamente ideas, conocimientos o doctrinas. ‖ **3.** Dar a conocer a uno el estado de una cosa, informarle de ella, o comunicarle avisos o reglas de conducta. Ú. t. c. r. ‖ **4.** Formalizar un proceso o expediente conforme a las reglas de derecho y prácticas recibidas.

Instrumentación. f. Acción y efecto de instrumentar.

Instrumental. adj. Perteneciente a los instrumentos músicos. ‖ **2.** V. **Causa, música instrumental.** ‖ **3.** *For.* Perteneciente a los instrumentos o escrituras públicas. *Prueba, testigo* INSTRUMENTAL. ‖ **4.** m. Conjunto de instrumentos de una orquesta o de una banda militar. ‖ **5.** Conjunto de instrumentos profesionales del médico o del cirujano. ‖ **6.** Uno de los ocho casos de la declinación sánscrita, con el que se denota, entre otras relaciones, la de medio o instrumento.

Instrumentalmente. adv. m. Como instrumento.

Instrumentar. tr. Arreglar una composición musical para varios instrumentos.

Instrumentista. m. Músico de instrumento. ‖ **2.** Fabricante de instrumentos músicos, quirúrgicos, etc.

Instrumento. (Del lat. *instrumentum.*) m. Conjunto de diversas piezas combinadas adecuadamente para que sirva con determinado objeto en el ejercicio de las artes y oficios. ‖ **2.** Ingenio o máquina. ‖ **3.** Aquello de que nos servimos para hacer una cosa. ‖ **4.** Escritura, papel o documento con que se justifica o prueba alguna cosa. ‖ **5. Instrumento músico.** ‖ **6.** fig. Lo que sirve de medio para hacer una cosa o conseguir un fin. ‖ **de canto.** ant. *Mús.* **Instrumento músico.** ‖ **de cuerda.** *Mús.* El que lleva cuerdas de tripa o de metal que se hacen sonar pulsándolas, golpeándolas con macillos o haciendo que un arco roce con ellas. ‖ **de percusión.** *Mús.* El que se hace sonar golpeándolo con badajos, baquetas o varillas. ‖ **de viento.** *Mús.* El que se hace sonar impeliendo aire dentro de él. ‖ **músico.** Conjunto de piezas dispuestas de modo que sirva para producir sonidos musicales. ‖ **neumático.** *Mús.* **Instrumento de viento.** ‖ **Hacer** uno **hablar a un instrumento.** fr. fig. Tocarlo con mucha expresión y destreza.

Instruto, ta. (Del lat. *instructus.*) p. p. ant. de **Instruir.**

Insuave. (Del lat. *insuāvis.*) adj. Desapacible a los sentidos, o que causa una sensación áspera y desagradable.

Insuavidad. f. Calidad de insuave.

Insubordinación. f. Falta de subordinación.

Insubordinado, da. p. p. de **Insubordinar.** ‖ **2.** adj. Que falta a la subordinación. Ú. t. c. s.

Insubordinar. (De *in,* 2.° art., y *subordinar.*) tr. Introducir la insubordinación. ‖ **2.** r. Quebrantar la subordinación, sublevarse.

Insubsistencia. f. Falta de subsistencia.

Insubsistente. adj. No subsistente. ‖ **2.** Falto de fundamento o razón.

Insubstancial. (Del lat. *insubstantiālis.*) adj. De poca o ninguna substancia.

Insubstancialidad. f. Calidad de insubstancial. ‖ **2.** Cosa insubstancial.

Insubstancialmente. adv. m. De manera insubstancial.

Insudar. (Del lat. *insudāre.*) intr. Afanarse o poner mucho trabajo, cuidado y diligencia en una cosa.

Insuficiencia. (Del lat. *insufficientia.*) f. Falta de suficiencia o de inteligencia. ‖ **2.** Cortedad o escasez de una cosa.

Insuficiente. (Del lat. *insufficiens, -entis.*) adj. No suficiente.

Insuflación. (Del lat. *insufflatĭo, -ōnis.*) f. *Med.* Acción y efecto de insuflar.

Insuflar. (Del lat. *insufflāre.*) tr. *Med.* Introducir a soplos en un órgano o en una cavidad un gas, un líquido o una substancia pulverulenta.

Insufrible. (De *in,* 2.° art., y *sufrible.*) adj. Que no se puede sufrir. ‖ **2.** fig. Muy difícil de sufrir.

Insufriblemente. adv. m. De un modo insufrible.

Insufridero, ra. (De *in,* 2.° art., y *sufridero.*) adj. desus. **Insufrible.**

Ínsula. (Del lat. *insŭla.*) f. **Isla,** 1.ª acep. ‖ **2.** fig. Cualquier lugar pequeño o gobierno de poca entidad. Dícese a semejanza de la que fingió Cervantes en su *Don Quijote* haber sido dada a su escudero Sancho Panza.

Insulano, na. (Del lat. *insulānus.*) adj **Isleño.** Apl. a pers., ú. t. c. s.

Insular. (Del lat. *insulāris.*) adj. **Isleño.** Apl. a pers., ú. t. c. s.

Insulina. (De *ínsula.*) f. *Zool.* Hormona segregada por la porción endocrina del páncreas, que regula la cantidad de glucosa existente en la sangre. Sus preparados farmacológicos se utilizan en el tratamiento de ciertas enfermedades y muy especialmente en el de la diabetes sacarina.

Insulsamente. adv. m. Con insulsez.

Insulsez. f. Calidad de insulso. ‖ **2.** Dicho insulso.

Insulso, sa. (Del lat. *insulsus.*) adj. Insípido, zonzo y falto de sabor. ‖ **2.** fig. Falto de gracia y viveza.

Insultador, ra. adj. Que insulta. Ú. t. c. s.

Insultante. p. a. de **Insultar.** Que insulta. ‖ **2.** adj. Dícese de las palabras o acciones con que se insulta.

Insultar. (Del lat. *insultāre.*) tr. Ofender a uno provocándole e irritándole con palabras o acciones. ‖ **2.** r. **Accidentarse.**

Insulto. (Del lat. *insultus.*) m. Acción y efecto de insultar. ‖ **2.** Acometimiento o asalto repentino y violento. ‖ **3. Accidente,** 3.ª acep.

Insumable. adj. Que no se puede sumar o es difícil de sumarse; exorbitante.

Insume. (Del lat. *insumĕre,* gastar, consumir.) adj. **Costoso.**

Insumergible. adj. No sumergible.

Insumisión. f. Falta de sumisión.

Insumiso, sa. adj. Inobediente, rebelde.

Insuperable. (Del lat. *insuperabĭlis.*) adj. No superable.

Insupurable. adj. p. us. Que no se puede consumir o supurar.

Insurgente. (De *insurgir.*) adj. Levantado o sublevado. Ú. t. c. s.

Insurgir. (Del lat. *insurgĕre.*) intr. ant. **Insurreccionarse.**

Insurrección. (Del lat. *insurrectĭo, -ōnis.*) f. Levantamiento, sublevación o rebelión de un pueblo, nación, etc.

Insurreccional. adj. Perteneciente o relativo a la insurrección.

Insurreccionar. (De *insurrección.*) tr. Concitar a las gentes para que se amotinen contra las autoridades. ‖ **2.** r. Alzarse, rebelarse, sublevarse contra las autoridades.

Insurrecto, ta. (Del lat. *insurrectus.*) adj. Levantado o sublevado contra la autoridad pública; rebelde. Ú. m. c. s.

Insustancial. adj. **Insubstancial.**

Insustancialidad. f. **Insubstancialidad.**

Insustancialmente. adv. m. **Insubstancialmente.**

Insustituible. (De *in,* 2.° art., y *sustituible.*) adj. Que no puede sustituirse.

Intacto, ta. (Del lat. *intactus.*) adj. No tocado o palpado. ‖ **2.** fig. Que no ha padecido alteración, menoscabo o deterioro. ‖ **3.** fig. Puro, sin mezcla. ‖ **4.** fig. No ventilado o de que no se ha hablado.

Intachable. adj. Que no admite o merece tacha.

Intangibilidad. f. Calidad de intangible.

Intangible. (De *in,* 2.° art., y *tangible.*) adj. Que no debe o no puede tocarse.

Integérrimo, ma. (Del lat. *integerrĭmus.*) adj. sup. de **Íntegro.**

Integrable. adj. *Mat.* Que se puede integrar.

Integración. (Del lat. *integratĭo, -ōnis.*) f. Acción y efecto de integrar.

Integral. (Del lat. *integrālis.*) adj. *Fil.* Aplícase a las partes que entran en la composición de un todo, a distinción de las partes que se llaman esenciales, sin las que no puede subsistir una cosa. ‖ **2.** V. **Parte integral.** ‖ **3.** *Mat.* V. **Cálculo integral.** ‖ **4.** *Mat.* Aplícase al signo (∫) con que se indica la integración. ‖ **5.** f. *Mat.* Resultado de integrar una expresión diferencial.

Integralmente. adv. m. De modo integral.

Íntegramente. adv. m. **Enteramente.** ‖ **2.** Con integridad.

Integrante. p. a. de **Integrar.** Que integra. ‖ **2.** adj. **Integral,** 1.ª acep. ‖ **3.** V. **Parte integrante.**

Integrar. (Del lat. *integrāre.*) tr. Dar integridad a una cosa; componer un todo con sus partes integrantes. Ú. t. c. r. ‖ **2. Reintegrar.** ‖ **3.** *Mat.* Determinar por el cálculo una cantidad de la que sólo se conoce la expresión diferencial.

Integridad. (Del lat. *integrĭtas, -ātis.*) f. Calidad de íntegro. ‖ **2.** Pureza de las vírgenes.

Integrismo. (De *íntegro.*) m. Partido político español fundado a fines del siglo XIX, y basado en el mantenimiento de la integridad de la tradición española.

Integrista. adj. Perteneciente o relativo al integrismo. ‖ **2.** com. Partidario del integrismo.

Íntegro, gra. (Del lat. *intĕger, -gri.*) adj. Aquello a que no falta ninguna de sus partes. ‖ **2.** fig. Desinteresado, recto, probo.

Integumento. (Del lat. *integumentum.*) m. Envoltura o cobertura. ‖ **2.** fig. Disfraz, ficción, fábula.

Intelección. (Del lat. *intellectĭo, -ōnis.*) f. Acción y efecto de entender.

Intelectiva. (Del lat. *intellectīva,* t. f. de *-vus,* intelectivo.) f. Facultad de entender.

Intelectivo, va. (Del lat. *intellectīvus.*) adj. Que tiene virtud de entender.

Intelecto. (Del lat. *intellectus.*) m. **Entendimiento,** 1.ª acep.

Intelectual. (Del lat. *intellectuālis.*) adj. Perteneciente o relativo al entendimiento. ‖ **2.** Espiritual o sin cuerpo. ‖ **3.** Dedicado preferentemente al cultivo de las ciencias y letras. Ú. t. c. s.

Intelectualidad. (Del lat. *intellectualĭtas, -ātis.*) f. **Entendimiento,** 1.ª acep. ‖ **2.** fig. Conjunto de las personas cultas de un país, región, etc.

Intelectualmente. adv. m. De un modo intelectual.

Inteleto. m. desus. **Intelecto.**

Inteligencia. (Del lat. *intelligentĭa.*) f. Facultad intelectiva. ‖ **2.** Facultad de conocer, la cual se manifiesta de varios modos. ‖ **3.** Conocimiento, comprensión, acto de entender. ‖ **4.** Sentido en que se puede tomar una sentencia, dicho o expresión. ‖ **5.** Habilidad, destreza y experiencia. ‖ **6.** Trato y correspondencia secreta de dos o más personas o naciones entre sí. ‖ **7.** Substancia puramente espiritual. ‖ **8.** *Mar.* V. **Bandera de inteligencia.** ‖ **En, o en la, inteligencia.** m. adv. En el concepto, en el supuesto o en la suposición.

Inteligenciado, da. (De *inteligencia.*) adj. Enterado, instruido.

Inteligente. (Del lat. *intelligens, -entis.*) adj. Sabio, perito, instruido. Ú. t. c. s. ‖ **2.** Dotado de facultad intelectiva.

Inteligibilidad. f. Calidad de inteligible.

Inteligible. (Del lat. *intelligibĭlis.*) adj. Que puede ser entendido. ‖ **2.** Dícese de lo que es materia de puro conocimiento, sin intervención de los sentidos. ‖ **3.** Que se oye clara y distintamente.

Inteligiblemente. adv. m. De modo inteligible.

Intemperadamente. adv. m. ant. Sin templanza.

Intemperado, da. (Del lat. *intemperātus.*) adj. p. us. Inmoderado, excesivo.

Intemperancia. (Del lat. *intemperantĭa.*) f. Falta de templanza.

Intemperante. (Del lat. *intemperans, -antis.*) adj. Destemplado o falto de templanza.

Intemperatura. (De *in,* 2.° art., y *temperatura.*) f. ant. **Intemperie.**

Intemperie. (Del lat. *intemperĭes.*) f. Destemplanza o desigualdad del tiempo. ‖ **A la intemperie.** m. adv. A cielo descubierto, sin techo ni otro reparo alguno.

Intempesta. (Del lat. *intempesta nox.*) adj. poét. V. **Noche intempesta.**

Intempestivamente. adv. m. De modo intempestivo.

Intempestivo, va. (Del lat. *intempestīvus.*) adj. Que es fuera de tiempo y sazón.

Intemporal. adj. No temporal, independiente del curso del tiempo.

Intención. (Del lat. *intentĭo, -ōnis.*) f. Determinación de la voluntad en orden a un fin. ‖ **2.** fig. Instinto dañino que descubren algunos animales, a diferencia de lo que se observa generalmente en los de su especie. *Caballo, toro de* INTENCIÓN. ‖ **3.** Cautelosa advertencia con que uno habla o procede. ‖ **Primera intención.** fam. Modo de proceder franco y sin detenerse a reflexionar mucho. ‖ **Segunda intención.** fam. Modo de proceder doble y solapado. ‖ **Curar de primera intención.** fr. *Cir.* Curar por el pronto a un herido. ‖ **Dar intención.** fr. **Dar esperanza.** ‖ **De primera intención.** expr. Dícese de las acciones no definitivas. ‖ **Fundar, o tener fundada, intención contra** uno. fr. *For.* Asistir o favorecer a uno el derecho común para ejercer una facultad sin necesidad de probarlo.

Intencionadamente. adv. m. Con intención.

Intencionado, da. adj. Que tiene alguna intención. Ú. principalmente con los advs. *bien, mal, mejor* y *peor.*

Intencional. (De *intención.*) adj. Perteneciente a los actos interiores del alma. ‖ **2.** Deliberado, de caso pensado, hecho a sabiendas.

Intencionalmente. adv. m. De modo intencional.

Intendencia. f. Dirección, cuidado y gobierno de una cosa. ‖ **2.** Distrito a que se extiende la jurisdicción del intendente. ‖ **3.** Empleo del intendente. ‖ **4.** Casa u oficina del intendente.

Intendenta. f. Mujer del intendente.

Intendente. (Del lat. *intendens, -entis,* p. a. de *intendĕre,* dirigir, encaminar.) m. Jefe superior económico. ‖ **2.** Suele darse el mismo título a algunos jefes de fábricas u otras empresas explotadas por cuenta del erario. ‖ **3.** En el ejército y en la marina, jefe superior de los servicios de la administración militar, y cuya categoría jerárquica está asimilada a la de general de división o de brigada.

Intender. tr. ant. **Entender.**

Intensamente. adv. m. Con intensión.

Intensar. tr. **Intensificar.** Ú. t. c. r.

Intensidad. (De *intenso.*) f. Grado de energía de un agente natural o mecánico, de una cualidad, de una expresión, etc. ‖ **2.** fig. Vehemencia de los afectos y operaciones del ánimo. ‖ **del sonido, o de la voz.** Propiedad de los mismos, que depende de la mayor o menor amplitud de las ondas sonoras.

Intensificación. f. Acción de intensificar.

Intensificar. (De *intenso,* y el lat. *facĕre,* hacer.) tr. Hacer que una cosa adquiera mayor intensidad de la que tenía. Ú. t. c. r.

Intensión. (Del lat. *intensĭo, ōnis.*) f. **Intensidad.**

Intensivamente. adv. m. **Intensamente.**

Intensivo, va. (Del lat. *intensīvus.*) adj. Que intensifica.

Intenso, sa. (Del lat. *intensus.*) adj. Que tiene intensión. ‖ **2.** fig. Muy vehemente y vivo.

Intentar. (De *intento.*) tr. Tener ánimo de hacer una cosa. ‖ **2.** Prepararla, iniciar la ejecución de la misma. ‖ **3.** Procurar o pretender.

Intento, ta. (Del lat. *intentus.*) adj. ant. **Atento.** ‖ **2.** m. Propósito, intención, designio. ‖ **3.** Cosa intentada. ‖ **De intento.** m. adv. **De propósito.**

Intentona. f. fam. Intento temerario, y especialmente si se ha frustrado.

Ínter. adv. t. Ínterin. Ú. t. c. s. con el artículo *el. En el* ÍNTER.

Ínter. (Del lat. *inter.*) prep. insep. que significa entre o en medio; v. gr.: INTER*cutáneo,* INTER*poner,* INTER*venir.* ‖ **2.** Tiene uso por sí sola en las locuciones latinas ÍNTER *nos,* ÍNTER *vivos.*

Interandino, na. (De *inter,* 2.° art., y *Andes,* n. p.) adj. Dícese del tráfico y relaciones de otra índole entre las naciones o habitantes que están al uno y otro lado de los Andes.

Interarticular. adj. Que está situado en las articulaciones.

Intercadencia. (De *inter,* 2.° art., y *cadencia.*) f. Desigualdad o inconstancia en la conducta o en los afectos. ‖ **2.** Desigualdad defectuosa en el lenguaje, estilo, etc. ‖ **3.** *Med.* Cierta irregularidad en el número de las pulsaciones, que consiste en percibirse una más en el intervalo que separa dos regulares.

Intercadente. (Del lat. *inter,* entre, y *cadens, -entis,* que cae.) adj. Que tiene intercadencias.

Intercadentemente. adv. m. Con intercadencia.

Intercalación. (Del lat. *intercalatio, -ōnis.*) f. Acción y efecto de intercalar.

Intercaladura. f. **Intercalación.**

Intercalar. (Del lat. *intercalāris.*) adj. Que está interpuesto, injerido o añadido. ‖ **2.** V. **Día intercalar.**

Intercalar. (Del lat. *intercalāre.*) tr. Interponer o poner una cosa entre otras.

Intercambiable. (De *inter,* 2.° art., y *cambiable.*) adj. Dícese de cada una de las piezas similares pertenecientes a objetos fabricados con perfecta igualdad, y que pueden ser utilizadas en cualquiera de ellos sin necesidad de modificación.

Intercambio. (De *inter,* 2.° art., y *cambio.*) m. Reciprocidad e igualdad de consideraciones y servicios entre corporaciones análogas de diversos países o del mismo país.

Interceder. (Del lat. *intercedĕre.*) intr. Rogar o mediar por otro para alcanzarle una gracia o librarle de un mal.

Intercelular. (Del lat. *inter,* entre, y *cĕlula.*) adj. *Biol.* Que está situado entre las células. *Substancia* INTERCELULAR.

Interceptación. f. Acción y efecto de interceptar.

Interceptar. (Del lat. *interceptum,* supino de *intercipĕre,* quitar, interrumpir.) tr. Apoderarse de una cosa antes que llegue al lugar o a la persona a que se destina. ‖ **2.** Detener una cosa en su camino. ‖ **3.** Interrumpir, obstruir una vía de comunicación.

Intercesión. (Del lat. *intercesio, -ōnis.*) f. Acción y efecto de interceder.

Intercesor, ra. (Del lat. *intercessor.*) adj. Que intercede. Ú. t. c. s.

Intercesoriamente. adv. m. Con o por intercesión.

Interciso, sa. (Del lat. *intercīsus,* p. p. de *intercīdĕre,* cortar por mitad o por medio.) adj. V. **Día interciso.**

Interclusión. (Del lat. *interclusio, -ōnis.*) f. ant. Acción de encerrar una cosa entre otras.

Intercolumnio [~ **lunio**]. (Del lat. *intercolumnium.*) m. *Arq.* Espacio que hay entre dos columnas.

Intercontinental. adj. Que llega de uno a otro continente, y especialmente de Europa a América. *Cable* INTERCONTINENTAL.

Intercostal. (Del lat. *inter,* entre, y *costa,* costilla.) adj. *Zool.* Que está entre las costillas.

Intercurrente. (Del lat. *intercurrens, -ĕntis.*) adj. *Med.* Dícese de la enfermedad que sobreviene durante el curso de otra.

Intercutáneo, a. (De *inter,* 2.° art., y *cutáneo.*) adj. Que está entre cuero y carne. Aplícase regularmente a los humores.

Interdecir. (Del lat. *interdicĕre.*) tr. Vedar o prohibir.

Interdental. adj. *Fon.* Dícese de la consonante que se pronuncia colocando la punta de la lengua entre los bordes de los dientes incisivos, como la *z.* ‖ **2.** *Fon.* Dícese de la letra que representa este sonido. Ú. t. c. s f.

Interdependencia. f. Dependencia recíproca.

Interdicción. (Del lat. *interdictio, -ōnis.*) f. Acción y efecto de interdecir. ‖ **civil.** Privación de derechos civiles, definida por la ley: es pena accesoria que somete a tutela a quien se le impone.

Interdicto. (Del lat. *interdictum.*) m. **Entredicho.** ‖ **2.** *For.* Juicio posesorio, sumario o sumarísimo.

Interdigital. (Del lat. *inter,* entre, y *digitus,* dedo.) adj. *Zool.* Dícese de cualquiera de las membranas, músculos, etc., que se hallan entre los dedos.

Interés. (De *interese.*) m. Provecho, utilidad, ganancia. ‖ **2.** Valor que en sí tiene una cosa. ‖ **3.** Lucro producido por el capital. ‖ **4.** Inclinación más o menos vehemente del ánimo hacia un objeto, persona o narración que le atrae o conmueve. ‖ **5.** pl. Bienes de fortuna. ‖ **6.** Conveniencia o necesidad de carácter colectivo en el orden moral o material. ‖ **Interés compuesto.** El de un capital a que se van acumulando sus réditos para que produzcan otros. ‖ **legal.** El que, a falta de estipulación previa sobre su cuantía, fija la ley cuando haya de devengarse o el deudor incurre en mora. Hoy es el 4 por 100 anual. ‖ **simple.** El de un capital sin agregarle ningún rédito vencido, aun cuando no se haya cobrado. ‖ **Intereses a proporción.** Cuenta que se reduce a dividir los pagos que se hacen a cuenta de un capital que produce **intereses,** en dos partes proporcionales a la cantidad del débito y a la suma de los **intereses** devengados; como, por ejemplo, si el débito fuese 20 y los **intereses** adeudados 10, y el pago es de 6, se aplican 4 al capital y 2 a los **intereses.** ‖ **a prorrata.** Cuenta que se llevaba en la Contaduría mayor de Cuentas, y consistía en suponer el débito que habían de producir los **intereses** en cierto día; y al tiempo de pagarse una porción a cuenta, se cubría primeramente con ella el importe íntegro de dichos réditos, aplicándose el resto en cuenta del débito principal, el cual se quedaba establecido en el mismo día que se causaba, y desde él producía los **intereses** que correspondían a la cantidad a que quedaba reducido. ‖ **creados.** Ventajas, no siempre legítimas, de que gozan varios individuos, y por efecto de las cuales se establece entre ellos alguna solidaridad circunstancial. Ú. m. frecuentemente en mala parte para designar este linaje de **intereses** en cuanto se oponen a alguna obra de justicia o de mejoramiento social. ‖ **Por el interés, lo más feo hermoso es.** ref. que denota cuánto tuerce el **interés** la claridad del entendimiento y la rectitud de la voluntad.

Interesable. (De *interesar.*) adj. Interesado, codicioso.

Interesadamente. adv. m. De manera interesada.

Interesado, da. p. p. de **Interesar.** ‖ **2.** adj. Que tiene interés en una cosa. Ú. t. c. s. ‖ **3.** Que se deja llevar demasiadamente del interés, o sólo se mueve por él. Ú. t. c. s.

Interesal. adj. **Interesable.**

Interesante. adj. Que interesa.

Interesar. (De *interés*) intr. Tener interés en una cosa. Ú. t. c. r. ‖ **2.** tr. Dar parte a uno en una negociación o comercio en que pueda tener utilidad o interés. ‖ **3.** Hacer tomar parte o empeño a uno en los negocios o intereses ajenos, como si fuesen propios. ‖ **4.** Cautivar la atención y el ánimo con lo que se dice o escribe. ‖ **5.** Inspirar interés o afecto a una persona. ‖ **6.** **Afectar,** 4.ª y 7.ª aceps.

Interese. (Del lat. *interesse,* importar.) m. ant. Interés.

Interesencia. (De *interesente.*) f. Asistencia personal a un acto o función.

Interesente. (Del lat. *interesse,* asistir.) adj. Que asiste y concurre a los actos de comunidad para poder percibir una distribución que pide asistencia personal.

Interestelar. (Del lat. *inter,* entre, y *stella,* estrella.) adj. Dícese del espacio comprendido entre dos o más astros.

Interfecto, ta. (Del lat. *interfectus,* muerto.) adj. *For.* Dícese de la persona muerta violentamente. Ú. m. c. s.

Interferencia. (Del lat. *inter,* entre, y *ferens, -entis,* p. a. de *ferre,* llevar.) f. *Fís.* Acción recíproca de las ondas, ya sea en el agua, ya en la propagación del sonido, del calor o de la luz, etc., de que resulta, en ciertas condiciones, aumento, disminución o neutralización del movimiento ondulatorio.

Interferir. tr. *Fís.* Causar interferencia. Ú. t. c. intr.

Interfoliar. (Del lat. *inter,* entre, y *folium,* hoja.) tr. Intercalar entre las hojas impresas o escritas de un libro otras en blanco.

Ínterin. (Del lat. *interim.*) m. **Interinidad,** 2.ª acep. ‖ **2.** adv. t. Entretanto o mientras.

Interinamente. adv. t. Con interinidad o en el ínterin.

Interinar. tr. Desempeñar interinamente un cargo o empleo.

Interinario, ria. adj. ant. **Interino.**

Interinidad. f. Calidad de interino. ‖ **2.** Tiempo que dura el desempeño interino de un cargo.

Interino, na. (De *interin.*) adj. Que sirve por algún tiempo supliendo la falta de otra persona o cosa. Aplícase más comúnmente al que ejerce un cargo o empleo por ausencia o falta de otro, y en este caso ú. t. c. s.

Interinsular. adj. Dícese del tráfico y relaciones de otra índole, entre dos o más islas.

Interior. (Del lat. *interior, -ōris.*) adj. Que está de la parte de adentro. ‖ **2.** Que está muy adentro. ‖ **3.** Dícese de la habitación o cuarto que no tiene vistas a la calle. ‖ **4.** V. **Deuda, fuero, sentido interior.** ‖ **5.** fig. Que sólo se siente en el alma. ‖ **6.** fig. V. **Hombre interior.** ‖ **7.** fig. Perteneciente a la nación de que se habla, en contraposición a lo extranjero. *Política* INTERIOR; *comercio* INTERIOR. ‖ **8.** *Fort.* V. **Polígono interior.** ‖ **9.** *Zool.* V. **Cuero interior.** ‖ **10.** m. En los coches de tres compartimientos, el de en medio. ‖ **11.** **Ánimo,** 1.ª acep. ‖ **12.** La parte **interior** de una cosa. ‖ **13.** V. **Ministerio de lo Interior.** ‖ **14.** pl. **Entrañas.**

Interioridad. f. Calidad de interior. ‖ **2.** pl. Cosas privativas, por lo común secretas, de las personas, familias o corporaciones.

Interiormente. adv. l. En lo interior.

Interjección. (Del lat. *interiectio, -ōnis.*) f. *Gram.* Voz que formando por sí sola una oración elíptica o abreviada, expresa alguna impresión súbita, como asombro, sorpresa, dolor, molestia, amor, etc.

Interjectivo, va. adj. *Gram.* Perteneciente o relativo a la interjección.

Interlineación. f. Acción y efecto de interlinear.

Interlineal. (De *inter,* 2.° art., y *línea.*) adj. Escrito o impreso entre dos líneas o renglones. ‖ **2.** Aplícase también a la traducción interpolada en el texto de la obra traducida, de modo que cada línea de la versión esté inmediata a la línea correspondiente del original.

Interlinear. (De *inter,* 2.° art., y *línea.*) tr. **Entrerrenglonar.**

Interlocución. (Del lat. *interlocutĭo, -ōnis.*) f. Diálogo, 1.ª acep.

Interlocutor, ra. (Del lat. *interlocūtum,* supino de *interlŏqui,* dirigir preguntas, interrumpir.) m. y f. Cada una de las personas que toman parte en un diálogo real o fingido.

Interlocutoriamente. adv. m. *For.* De un modo interlocutorio.

Interlocutorio, ria. (De *interlocutor.*) adj. *For.* Aplícase al auto o sentencia que se da antes de la definitiva. Ú. t. c. s. m.

Intérlope. (Del fr. *interlope,* y éste del ingl. *interlope,* contrabandear.) adj. Dícese del comercio fraudulento de una nación en las colonias de otra, o de la usurpación de privilegios concedidos a una compañía para las colonias. Aplícase también a los buques dedicados a este tráfico sin autorización.

Interludio. (Del lat. *inter,* entre, y *ludus,* recreo, entretenimiento.) m. *Mús.* Breve composición que ejecutaban los organistas entre las estrofas de un coral, y modernamente se ejecuta a modo de intermedio en la música instrumental.

Interlunio. (Del lat. *interlunĭum.*) m. *Astron.* Tiempo de la conjunción, en que no se ve la Luna.

Intermaxilar. (Del lat. *inter,* entre, y *maxilla,* quijada.) adj. *Zool.* Que se halla entre los huesos maxilares. ‖ **2.** *Zool.* V. **Hueso intermaxilar.** Ú. t. c. s.

Intermediado, da. p. p. de **Intermediar.** ‖ **2.** adj. ant. **Intermedio.**

Intermediar. (De *intermedio.*) intr. **Mediar,** 4.ª acep.

Intermediario, ria. (De *intermediar.*) adj. Que media entre dos o más personas, y especialmente entre el productor y el consumidor de géneros o mercaderías; y así se dice de los traficantes, acaparadores, proveedores, tenderos, tablajeros, etc. Ú. t. c. s.

Intermedio, dia. (Del lat. *intermedĭus.*) adj. Que está entremedias o en medio de los extremos de lugar o tiempo. ‖ **2.** m. Espacio que hay de un tiempo a otro o de una acción a otra. ‖ **3.** Baile, música, sainete, etc., que se ejecuta entre los actos de una comedia o de otra pieza de teatro. ‖ **4.** Espacio de tiempo durante el cual queda interrumpida la representación o ejecución de poemas dramáticos o de óperas, o de cualquiera otro espectáculo semejante, desde que termina cada uno de los actos o partes de la función hasta que empieza el acto o la parte siguiente. En el teatro, durante cada uno de estos intervalos está generalmente corrido el telón de boca.

Interminable. (Del lat. *interminabĭlis.*) adj. Que no tiene termino o fin.

Interminación. (Del lat. *interminatĭo, -ōnis.*) f. p. us. Amenaza, conminación.

Interministerial. adj. Que se refiere a varios ministerios o los relaciona entre sí.

Intermisión. (Del lat. *intermissĭo, -ōnis.*) f. Interrupción o cesación de una labor o de otra cualquiera cosa por algún tiempo.

Intermiso, sa. (Del lat. *intermissus.*) p. p. irreg. de **Intermitir.** ‖ **2.** adj. Interrumpido, suspendido.

Intermitencia. (De *intermitente.*) f. Calidad de intermitente. ‖ **2.** *Med.* Discontinuación de la calentura o de otro cualquier síntoma que cesa y vuelve.

Intermitente. (De *intermitir.*) adj. Que se interrumpe o cesa y prosigue o se repite. ‖ **2.** V. **Fiebre intermitente.** Ú. t. c. s. f.

Intermitir. (Del lat. *intermittĕre.*) tr. Suspender por algún tiempo una cosa; interrumpir su continuación.

Internación. f. Acción y efecto de internar o internarse. ‖ **2.** V. **Derecho de internación.**

Internacional. (De *inter,* 2.° art., y *nacional.*) adj. Relativo a dos o más naciones. ‖ **2.** V. **Derecho, mandato internacional.**

Internacionalidad. f. Calidad de internacional.

Internacionalismo. m. Sistema socialista que preconiza la asociación internacional de los obreros para obtener ciertas reivindicaciones.

Internacionalista. adj. Partidario del internacionalismo.

Internacionalizar. tr. Someter a la autoridad conjunta de varias naciones, o de un organismo que las represente, territorios o asuntos que dependían de la autoridad de un solo Estado.

Internado, da. p. p. de **Internar.** ‖ **2.** Estado del alumno interno. ‖ **3.** Conjunto de alumnos internos.

Internamente. adv. l. **Interiormente.**

Internar. (De *interno.*) tr. Conducir o mandar trasladar tierra adentro a una persona o cosa. ‖ **2.** intr. **Penetrar,** 2.ª acep. ‖ **3.** r. Avanzar hacia adentro, por tierra o por mar. ‖ **4.** fig. Introducirse o insinuarse en los secretos y amistad de uno o profundizar una materia.

Internista. adj. Dícese del médico que se dedica al tratamiento de enfermedades que no requieren intervención quirúrgica, y especialmente a las que afectan los órganos internos. Ú. t. c. s.

Interno, na. (Del lat. *internus.*) adj. **Interior.** ‖ **2.** V. **Culto, fuero interno.** ‖ **3.** Dícese del alumno que vive dentro de un establecimiento de enseñanza. Ú. t. c. s. ‖ **4.** *Med.* V. **Otitis interna.** ‖ **5.** *Zool.* V. **Vena yugular interna.** ‖ **De interno.** m. adv. ant. **Interiormente.**

Internodio. (Del lat. *internodĭum;* de *inter,* entre, y *nodus,* nudo.) m. Espacio que hay entre dos nudos.

Ínter nos. loc. lat. que significa entre nosotros, y se usa familiarmente en frases como la siguiente: *Acá* ÍNTER NOS *te diré lo que ha sucedido.*

Internuncio. (Del lat. *internuntĭus.*) m. El que habla por otro. ‖ **2. Interlocutor.** ‖ **3.** Ministro pontificio que hace veces de nuncio. ‖ **4.** Ministro del emperador de Austria, que residía en Constantinopla.

Interoceánico, ca. adj. Que pone en comunicación dos océanos.

Interpaginar. (De *inter,* 2.° art., y *página.*) tr. **Interfoliar.**

Interparlamentario, ria. (De *inter* y *parlamentario.*) adj. Dícese de las comunicaciones y organizaciones que enlazan la actividad internacional entre las representaciones legislativas de diferentes países.

Interpelación. (Del lat. *interpellatĭo, -ōnis.*) f. Acción y efecto de interpelar.

Interpelante. p. a. de **Interpelar.** Que interpela. Ú. t. c. s.

Interpelar. (Del lat. *interpellāre.*) tr. Implorar el auxilio de uno o recurrir a él solicitando su amparo y protección. ‖ **2.** Excitar o compeler a uno para que dé explicaciones o descargos sobre un hecho cualquiera. ‖ **3.** En el régimen parlamentario, usar un diputado o senador de la palabra para iniciar o plantear al gobierno, y a veces a la mesa, una discusión amplia ajena a los proyectos de ley y a las proposiciones, aunque no siempre tienda a obtener explicaciones o descargos de los ministros.

Interplanetario, ria. adj. Dícese del espacio existente entre dos o más planetas.

Interpolación. (Del lat. *interpolatĭo, -ōnis.*) f. Acción y efecto de interpolar.

Interpoladamente. adv. m. Con interpolación.

Interpolador, ra. adj. Que interpola, 2.ª acep. Ú. t. c. s.

Interpolar. (Del lat. *interpolāre.*) tr. Poner una cosa entre otras. ‖ **2.** Intercalar algunas palabras o frases en el texto de un manuscrito antiguo, o en obras y escritos ajenos. ‖ **3.** Interrumpir o hacer una breve intermisión en la continuación de una cosa, volviendo luego a proseguirla.

Interponer. (Del lat. *interponĕre.*) tr. **Interpolar,** 1.ª acep. ‖ **2.** fig. Poner por intercesor o medianero a uno. Ú. t. c. r. ‖ **3.** *For.* Formalizar por medio de un pedimento alguno de los recursos legales; como el de nulidad, de apelación, etc.

Interposición. (Del lat. *interpositĭo, -ōnis.*) f. Acción y efecto de interponer o interponerse.

Interpósita persona. loc. lat. *For.* El que interviene en un acto jurídico por encargo y en provecho de otro, aparentando obrar por cuenta propia.

Interprender. (Del lat. *inter,* entre, y *prehendĕre,* coger, sorprender.) tr. Tomar u ocupar por sorpresa una cosa.

Interpresa. (Del lat. *inter,* entre, y *prehensa,* t. f. de *-sus,* p. p. de *prehendĕre,* sorprender.) f. Acción de interprender. ‖ **2.** Acción militar súbita e imprevista.

Interpretación. (Del lat. *interpretatĭo, -ōnis.*) f. Acción y efecto de interpretar. ‖ **auténtica.** *For.* La que de una ley hace el mismo legislador. ‖ **de lenguas.** Secretaría en que se traducen al español y a otras lenguas, documentos y papeles legales escritos en otra distinta. ‖ **doctrinal.** *For.* La que se funda en las opiniones de los jurisconsultos. ‖ **usual.** *For.* La autorizada por la jurisprudencia de los tribunales.

Interpretador, ra. (Del lat. *interpretātor.*) adj. Que interpreta. Ú. t. c. s. ‖ **2.** ant. **Traductor.** Usáb. t. c. s.

Interpretante. p. a. de **Interpretar.** Que interpreta.

Interpretar. (Del lat. *interpretāre.*) tr. Explicar o declarar el sentido de una cosa, y principalmente el de textos faltos de claridad. ‖ **2.** Traducir de una lengua a otra. ‖ **3.** Entender o tomar en buena o mala parte una acción o palabra. ‖ **4.** Atribuir una acción a determinado fin o causa. ‖ **5.** Comprender y expresar bien o mal el asunto o materia de que se trata. Dícese especialmente de los actores o de los artistas en general.

Interpretativamente. adv. m. De modo interpretativo.

Interpretativo, va. adj. Que sirve para interpretar una cosa. ‖ **2.** V. **Bigamia interpretativa.**

Intérprete. (Del lat. *interpres, -ĕtis.*) com. Persona que interpreta. ‖ **2.** Persona que se ocupa en explicar a otras, en idioma que entienden, lo dicho en lengua que les es desconocida. ‖ **3.** fig. Cualquiera cosa que sirve para dar a conocer los afectos y movimientos del alma. ‖ **de buques.** V. **Corredor intérprete de buques.**

Interpuesto, ta. p. p. irreg. de **Interponer.**

Interregno. (Del lat. *interregnum.*) m. Espacio de tiempo en que un Estado no tiene soberano. ‖ **parlamentario.** fig. Intervalo desde que se interrumpen hasta que se reanudan las sesiones de las Cortes.

Interrogación. (Del lat. *interrogatĭo, -ōnis.*) f. **Pregunta.** ‖ **2.** Signo ortográfico (¿ ?) que se pone al principio y fin de palabra o cláusula en que se hace pregunta. ‖ **3.** *Ret.* Figura que consiste en interrogar, no para manifestar duda o pedir respuesta, sino para expresar indirectamente la afirmación, o dar más vigor y eficacia a lo que se dice.

Interrogante. p. a. de **Interrogar.** Que interroga. Ú. t. c. s. ‖ **2.** adj. *Gram.* V. **Punto interrogante.** Ú. t. c. s.

Interrogar. (Del lat. *interrogāre.*) tr. **Preguntar.**

Interrogativamente. adv. m. Con interrogación.

Interrogativo, va. (Del lat. *interrogativus.*) adj. *Gram.* Que implica o denota interrogación. *Modo de hablar* INTERROGATIVO; *señal o nota* INTERROGATIVA.

Interrogatorio. (Del lat. *interrogatorius.*) m. Serie de preguntas, comúnmente formuladas por escrito. ‖ **2.** Papel o documento que las contiene. ‖ **3.** Acto de dirigirlas a quien las ha de contestar.

Interromper. (Del lat. *interrumpĕre.*) tr. ant. **Interrumpir.**

Interroto, ta. (Del lat. *interrŭptus.*) p. p. irreg. ant. de **Interromper.**

Interrumpidamente. adv. m. Con interrupción.

Interrumpir. (Del lat. *interrumpĕre.*) tr. Estorbar o impedir la continuación de una cosa. ‖ **2. Suspender,** 2.ª acep. ‖ **3.** Atravesarse uno con su palabra mientras otro está hablando.

Interrupción. (Del lat. *interruptio, -ōnis.*) f. Acción y efecto de interrumpir.

Interruptor, ra. (Del lat. *interruptor, -ōris.*) adj. Que interrumpe. ‖ **2.** m. Aparato destinado a interrumpir una corriente eléctrica en el conductor de un circuito.

Intersecarse. (Del lat. *intersecāre.*) rec. *Geom.* Cortarse o cruzarse dos líneas o superficies entre sí.

Intersección. (Del lat. *intersectio, -ōnis.*) f. *Geom.* Punto común a dos líneas que se cortan. ‖ **2.** *Geom.* Encuentro de dos líneas, dos superficies o dos sólidos que recíprocamente se cortan. La intersección de dos líneas es un punto; la de dos superficies, una línea; y la de dos sólidos, una superficie.

Interserir. (Del lat. *interserĕre;* de *inter,* entre, y *serĕre,* sembrar.) tr. ant. Injerir una cosa entre otras.

Intersticial. adj. Dícese de lo que ocupa los intersticios que existen en un cuerpo o entre dos o más.

Intersticio. (Del lat. *interstitium.*) m. Hendidura o espacio, por lo común pequeño, que media entre dos cuerpos o entre dos partes de un mismo cuerpo. ‖ **2. Intervalo,** 1.ª acep. ‖ **3.** *For.* Espacio de tiempo que, según las leyes eclesiásticas, debe mediar entre la recepción de dos órdenes sagradas. Ú. m. en pl.

Intertropical. (De *inter,* 2.° art., y *trópico.*) adj. Perteneciente o relativo a los países situados entre los dos trópicos, y a sus habitantes.

Interurbano, na. adj. Dícese de las relaciones y servicios de comunicación entre distintos barrios de una misma ciudad. ‖ **2.** Hablando de servicios telefónicos, los que ponen en comunicación una red urbana con otra.

Interusurio. (Del lat. *interusurium.*) m. *For.* Interés que se debe a la mujer por la retardación en la restitución de su dote. Dícese comúnmente INTERUSURIO *dotal.*

Intervalo. (Del lat. *intervallum.*) m. Espacio o distancia que hay de un tiempo a otro o de un lugar a otro. ‖ **2.** *Mús.* Diferencia de tono entre los sonidos de dos notas musicales. ‖ **claro,** o **lúcido.** Espacio de tiempo en que los que han perdido el juicio dan muestras de cordura.

Intervención. (Del lat. *interventio, -ōnis.*) f. Acción y efecto de intervenir. ‖ **2.** Oficina del interventor.

Intervencionismo. m. Ejercicio reiterado o habitual de la intervención en asuntos internacionales. ‖ **2.** Sistema intermedio entre el individualismo y el colectivismo, que confía a la acción del Estado el dirigir y suplir, en la vida del país, la iniciativa privada.

Intervencionista. adj. Que se refiere al intervencionismo. ‖ **2.** Partidario de él.

Intervenidor, ra. (De *intervenir.*) adj. Interventor. Ú. t. c. s.

Intervenir. (Del lat. *intervenīre.*) intr. Tomar parte en un asunto. ‖ **2.** Interponer uno su autoridad. ‖ **3. Mediar,** 2.ª y 3.ª aceps. ‖ **4.** Sobrevenir, ocurrir, acontecer. ‖ **5.** tr. Tratándose de cuentas, examinarlas y censurarlas con autoridad suficiente para ello. ‖ **6.** Tratándose de una letra de cambio, ofrecer un tercero aceptarla o pagarla por cuenta del librador o de cualquiera de los endosantes. ‖ **7.** Tratándose de aduanas, fiscalizar su administración. ‖ **8.** En las relaciones internacionales, dirigir temporalmente una o varias potencias algunos asuntos interiores de otra. ‖ **9.** *Cir.* **Operar.**

Interventor, ra. (Del lat. *interventor.*) adj. Que interviene. Ú. t. c. s. ‖ **2.** Empleado que autoriza y fiscaliza ciertas operaciones a fin de que se hagan con legalidad. ‖ **3.** En las elecciones para diputados, concejales, etc., elector designado oficialmente por un candidato para vigilar la regularidad de la votación y autorizar el resultado de la misma en unión del presidente y demás individuos de la mesa.

Ínter vivos. (loc. lat. que significa *entre vivos.*) V. **Donación ínter vivos.**

Intervocálico, ca. adj. Dícese de la consonante que se halla entre dos letras vocales.

Interyacente. (Del lat. *interiăcens, -entis.*) adj. Que yace en medio o entre cosas yacentes.

Intestado, da. (Del lat. *intestātus.*) adj. *For.* Que muere sin hacer testamento válido. Ú. t. c. s. ‖ **2.** *For.* V. **Sucesión intestada.** ‖ **3.** m. *For.* Caudal sucesorio acerca del cual no existen o no rigen disposiciones testamentarias.

Intestinal. adj. Perteneciente a los intestinos. ‖ **2.** V. **Lombriz intestinal.**

Intestino, na. (Del lat. *intestīnus,* de *intus,* dentro, interiormente.) adj. **Interno,** 1.ª acep. ‖ **2.** fig. Civil, doméstico. ‖ **3.** m. *Zool.* Conducto membranoso, provisto de tejido muscular, que forma parte del aparato digestivo de los gusanos, artrópodos, moluscos, procordados y vertebrados. Se halla situado a continuación del estómago y está plegado en muchas vueltas en la mayoría de los vertebrados. En sus paredes hay numerosas glándulas secretoras del jugo intestinal, que coadyuvan a la digestión de los alimentos. Ú. t. en pl. ‖ **ciego.** *Zool.* Parte del **intestino** grueso, del hombre y de la mayoría de los mamíferos, situada entre el **intestino** delgado y el colon, que está muy desarrollada en los herbívoros y sobre todo en los roedores. ‖ **delgado.** Parte del **intestino** de los mamíferos que tiene menor diámetro. ‖ **grueso.** Parte del **intestino** de los mamíferos que tiene mayor diámetro.

Intima. (De *intimar.*) f. **Intimación.**

Intimación. (Del lat. *intimatio, -ōnis.*) f. Acción y efecto de intimar.

Íntimamente. adv. m. Con intimidad.

Intimar. (Del lat. *intimāre.*) tr. Declarar, notificar, hacer saber una cosa, especialmente con autoridad o fuerza para ser obedecido. ‖ **2.** r. Introducirse un cuerpo o una cosa material por los poros o espacios huecos de otra. ‖ **3.** fig. Introducirse en el afecto o ánimo de uno; estrecharse con él. Ú. t. c. intr. INTIMÓ *con él.*

Intimatorio, ria. adj. *For.* Aplícase a las cartas, despachos o letras con que se intima un decreto u orden.

Intimidación. f. Acción y efecto de intimidar.

Intimidad. f. Amistad íntima. ‖ **2.** Parte personalísima, comúnmente reservada, de los asuntos, designios o afecciones de un sujeto o de una familia.

Intimidar. (Del lat. *intimidāre;* de *in,* en, y *timĭdus,* tímido.) tr. Causar o infundir miedo. Ú. t. c. r.

Íntimo, ma. (Del lat. *intĭmus.*) adj. Más interior o interno. ‖ **2.** Aplícase también a la amistad muy estrecha y al amigo muy querido y de confianza.

Intitulación. (De *intitular.*) f. ant. Título o inscripción. ‖ **2.** ant. Dedicatoria de una obra impresa o manuscrita.

Intitular. (Del lat. *intitulāre.*) tr. Poner título a un libro u otro escrito. ‖ **2.** Dar un título particular a una persona o cosa. Ú. t. c. r. ‖ **3.** ant. Nombrar, señalar o destinar a uno para determinado empleo o ministerio. ‖ **4.** ant. Dedicar una obra a uno, poniendo al frente su nombre para autorizarla.

Intocable. (De *in,* 2.° art., y *tocar.*) adj. desus. **Intangible.**

Intolerabilidad. (Del lat. *intolerabilĭtas, -ātis.*) f. Calidad de intolerable.

Intolerable. (Del lat. *intolerabĭlis.*) adj. Que no se puede tolerar.

Intolerancia. (Del lat. *intolerantia.*) f. Falta de tolerancia. Dícese más comúnmente en materia religiosa.

Intolerante. (Del lat. *intolĕrans, -antis.*) adj. Que no tiene tolerancia. Ú. t. c. s.

Intonso, sa. (Del lat. *intonsus.*) adj. Que no tiene cortado el pelo. ‖ **2.** fig. Ignorante, inculto, rústico. Ú. t. c. s. ‖ **3.** fig. Dícese del ejemplar de una edición o del libro que se encuaderna sin cortar las barbas a los pliegos de que se compone.

Intoxicación. f. Acción y efecto de intoxicar o intoxicarse.

Intoxicar. (Del lat. *in,* en, y *toxĭcum,* veneno.) tr. **Envenenar,** 1.ª acep. Ú. t. c. r.

Intradós. (Del fr. *intrados,* y éste del lat. *intra,* dentro, y *dorsum,* dorso.) m. *Arq.* Superficie que de un arco o bóveda queda a la vista por la parte interior del edificio de que forma parte. ‖ **2.** *Arq.* Cara de una dovela, que corresponde a esta superficie.

Intraducibilidad. f. Calidad de intraducible.

Intraducible. (De *in,* 2.° art., y *traducible.*) adj. Que no se puede traducir de un idioma a otro.

Intramuros. (Del lat. *intra,* dentro, y *muros,* murallas.) adv. l. Dentro de una ciudad, villa o lugar.

Intramuscular. (Del lat. *intra,* dentro, y de *músculo.*) adj. *Anat.* Que está dentro de los músculos.

Intráneo, a. (Del lat. *intranĕus.*) adj. ant. **Interno.**

Intranquilidad. f. Falta de tranquilidad; inquietud, zozobra.

Intranquilizador, ra. adj. Que intranquiliza.

Intranquilizar. (De *in,* 2.° art., y *tranquilizar.*) tr. Quitar la tranquilidad, inquietar, desasosegar.

Intranquilo, la. (De *in,* 2.° art., y *tranquilo.*) adj. Falto de tranquilidad.

Intransferible. adj. No transferible.

Intransigencia. (De *intransigente.*) f. Condición del que no transige con lo que es contrario a sus gustos, hábitos, ideas, etc.

Intransigente. (De *in,* 2.° art., y *transigente.*) adj. Que no transige. ‖ **2.** Que no se presta a transigir.

Intransitable. (De *in,* 2.° art., y *transitable.*) adj. Aplícase al lugar o sitio por donde no se puede transitar.

Intransitivo, va. (Del lat. *intransitīvus.*) adj. *Gram.* V. **Verbo intransitivo.**

Intransmisible. (De *in,* 2.° art., y *transmisible.*) adj. Que no puede ser transmitido.

Intransmutabilidad. f. Calidad de intransmutable.

Intransmutable. (De *in,* 2.° art., y *transmutable.*) adj. Que no se puede transmutar.

Intrasmisible. adj. **Intransmisible.**

Intratabilidad. f. Calidad de intratable.

Intratable. (Del lat. *intractabilis.*) adj. No tratable ni manejable. ‖ **2.** Aplícase a los lugares y sitios difíciles de transitar. ‖ **3.** fig. Insociable o de genio áspero.

Intrépidamente. adv. m. Con intrepidez.

Intrepidez. (De *intrépido.*) f. Arrojo, esfuerzo, valor en los peligros. ‖ **2.** fig. Osadía o falta de reparo o reflexión.

Intrépido, da. (Del lat. *intrepĭdus.*) adj. Que no teme en los peligros. ‖ **2.** fig. Que obra o habla sin reflexión.

Intributar. (Del lat. *intribūtum,* supino de *intribuĕre,* imponer contribución.) tr. ant. **Atributar.**

Intricable. (Del lat. *intricabĭlis.*) adj. ant. **Intrincable.**

Intricación. (De *intricar.*) f. ant. **Intrincación.**

Intricadamente. adv. m. ant. **Intrincadamente.**

Intricamiento. (De *intricar.*) m. ant. **Intrincamiento.**

Intricar. (Del lat. *intricāre.*) tr. **Intrincar.** Ú. t. c. r.

Intriga. (De *intrigar.*) f. Manejo cauteloso, acción que se ejecuta con astucia y ocultamente, para conseguir un fin. ‖ **2.** Enredo, embrollo.

Intrigante. p. a. de **Intrigar.** Que intriga o suele intrigar. Ú. m. c. s.

Intrigar. (Del lat. *intricāre,* enredar, embrollar.) intr. Emplear intrigas, usar de ellas. ‖ **2.** tr. Inspirar viva curiosidad una cosa.

Intrincable. adj. Que se puede intrincar.

Intrincación. f. Acción y efecto de intrincar.

Intrincadamente. adv. m. Con intrincación.

Intrincado, da. p. p. de **Intrincar.** ‖ **2.** adj. Enredado, complicado, confuso.

Intrincamiento. m. **Intrincación.**

Intrincar. (De *intricar.*) tr. Enredar o enmarañar una cosa. Ú. t. c. r. ‖ **2.** fig. Confundir u obscurecer los pensamientos o conceptos.

Intríngulis. (Del lat. *in,* en, y *tricŭlis,* abl. de *tricŭlae,* d. de *tricae,* enredos.) m. fam. Intención solapada o razón oculta que se entrevé o supone en una persona o acción.

Intrínsecamente. adv. m. Interiormente, esencialmente.

Intrínseco, ca. (Del lat. *intrinsĕcus,* interiormente.) adj. Íntimo, esencial.

Intrinsiqueza. (De *intrínsico.*) f. **Intimidad.**

Introducción. (Del lat. *introductio, -ōnis.*) f. Acción y efecto de introducir o introducirse. ‖ **2.** Preparación, disposición, o lo que es propio para llegar al fin que uno se ha propuesto. ‖ **3.** **Exordio,** 1.ª acep. ‖ **4.** fig. Entrada y trato familiar e íntimo con una persona. ‖ **5.** *Mús.* Parte inicial, generalmente breve, de una obra instrumental o de cualquiera de sus tiempos. ‖ **6.** *Mús.* **Sinfonía,** 3.ª acep.

Introducidor, ra. (De *introducir.*) adj. ant. **Introductor.** Usáb. t. c. s. ‖ **2.** ant. **Metedor,** 2.ª acep.

Introducir. (Del lat. *introducĕre.*) tr. Dar entrada a una persona en un lugar. *El criado me* INTRODUJO *en la sala.* Ú. t. c. r. *Los ladrones* SE INTRODUJERON *en la casa por el balcón.* ‖ **2.** Meter o hacer entrar o penetrar una cosa en otra. INTRODUCIR *la mano en un agujero, la sonda en una herida, mercancías en un país.* ‖ **3.** fig. Hacer que uno sea recibido o admitido en un lugar, o granjearle el trato, la amistad, la gracia, etc., de otra persona. INTRODUCIR *a uno en la corte;* INTRODUCIRLE *en la amistad del príncipe.* Ú. t. c. r. ‖ **4.** fig. Hacer figurar, hacer hablar a un personaje en una obra de ingenio; como drama, novela, diálogo, etc. ‖ **5.** fig. Hacer adoptar, poner en uso. INTRODUCIR *una industria en un país, palabras en un idioma.* ‖ **6.** fig. Atraer, ocasionar. INTRODUCIR *el desorden, la discordia.* Ú. t. c. r. ‖ **7.** r. fig. Meterse uno en lo que no le toca.

Introducto, ta. (Del lat. *introductus,* introducido.) adj. ant. Instruido, diestro.

Introductor, ra. (Del lat. *introductor.*) adj. Que introduce. Ú. t. c. s. ‖ **de embajadores.** Funcionario o diplomático destinado en algunos Estados para acompañar a los embajadores y ministros extranjeros en las entradas públicas y otros actos de ceremonia.

Introductorio, ria. (Del lat. *introductorius.*) adj. ant. Que sirve para introducir.

Introito. (Del lat. *introītus.*) m. Entrada o principio de un escrito o de una oración. ‖ **2.** Lo primero que dice el sacerdote en el altar al dar principio a la misa. ‖ **3.** En el teatro antiguo, prólogo para explicar el argumento del poema dramático a que precedía, para pedir indulgencia al público o para otros fines análogos.

Intrometerse. r. ant. **Entrometerse.**

Intromisión. f. Acción y efecto de entrometer o entrometerse.

Introspección. (Del lat. *introspectio, -ōnis.*) f. Observación interna del alma o de sus actos.

Introspectivo, va. (Del lat. *introspectum,* de *introspicĕre,* mirar por dentro.) adj. Propio de la introspección o relativo a ella.

Introversión. (De *introverso.*) f. Acción y efecto de penetrar el alma humana dentro de sí misma, abstrayéndose de los sentidos.

Introverso, sa. (Del lat. *introversus,* vuelto hacia dentro.) adj. Dícese del espíritu o del alma que se abstrae de los sentidos y penetra dentro de sí para contemplarse.

Intrusamente. adv. m. Por intrusión.

Intrusarse. (De *intruso.*) r. Apropiarse, sin razón ni derecho, un cargo, una autoridad, una jurisdicción, etc.

Intrusión. (Del lat. *intrusio, -ōnis.*) f. Acción de introducirse sin derecho en una dignidad, jurisdicción, oficio, propiedad, etc.

Intruso, sa. (Del lat. *intrūsus,* p. p. de *intrudĕre,* introducirse.) adj. Que se ha introducido sin derecho. ‖ **2.** Detentador de alguna cosa alcanzada por intrusión. Ú. t. c. s. ‖ **3.** Que alterna con personas de condición superior a la suya propia.

Intubación. f. *Med.* Procedimiento empleado en el tratamiento de la difteria: consiste en la colocación de un tubo metálico dentro de la laringe para permitir el acceso del aire y evitar la asfixia del enfermo.

Intuición. (Del lat. *intuitio, -ōnis.*) f. *Fil.* Percepción clara, íntima, instantánea de una idea o una verdad, tal como si se tuviera a la vista. ‖ **2.** *Teol.* **Visión beatífica.**

Intuir. (Del lat. *intuēre.*) tr. Percibir clara e instantáneamente una idea o verdad, y tal como si se la tuviera a la vista.

Intuitivamente. adv. m. Con intuición.

Intuitivo, va. adj. Perteneciente a la intuición.

Intuito. (Del lat. *intuitus.*) m. Vista, ojeada o mirada. ‖ **Por intuito.** m. adv. En atención, en consideración, por razón.

Intuitu. m. ant. **Intuito.**

Intumescencia. (Del lat. *intumescens, -entis,* intumescente.) f. **Hinchazón,** 1.ª acep.

Intumescente. (Del lat. *intumescens, -entis,* p. a. de *intumescĕre,* hincharse.) adj. Que se va hinchando.

Intususcepción. (Del lat. *intus,* interiormente, y *susceptio, -ōnis,* acción de recibir.) f. *Hist. Nat.* Modo de crecer los seres orgánicos por los elementos que asimilan interiormente, a diferencia de los inorgánicos, que sólo crecen por yuxtaposición.

Inulto, ta. (Del lat. *inultus.*) adj. poét. No vengado o castigado.

Inundación. (Del lat. *inundatio, -ōnis.*) f. Acción y efecto de inundar o inundarse. ‖ **2.** fig. Multitud excesiva de una cosa.

Inundancia. (Del lat. *inundantia.*) f. ant. **Inundación.**

Inundante. p. a. de **Inundar.** Que inunda.

Inundar. (Del lat. *inundāre.*) tr. Cubrir el agua los terrenos y a veces las poblaciones. Ú. t. c. r. ‖ **2.** fig. Llenar un país de gentes extrañas o de otras cosas. Ú. t. c. r.

Inurbanamente. adv. m. Sin urbanidad.

Inurbanidad. f. Falta de urbanidad; desatención, descortesía.

Inurbano, na. (Del lat. *inurbānus.*) adj. Falto de urbanidad.

Inusado, da. (De *in,* 2.º art., y *usado.*) adj. ant. **Inusitado.**

Inusitadamente. adv. m. De modo inusitado.

Inusitado, da. (Del lat. *inusitātus.*) adj. No usado.

Inútil. (Del lat. *inutĭlis.*) adj. No útil.

Inutilidad. (Del lat. *inutilĭtas, -ātis.*) f. Calidad de inútil.

Inutilizar. tr. Hacer inútil, vana o nula una cosa. Ú. t. c. r.

Inútilmente. adv. m. Sin utilidad.

In utroque o **in utroque jure.** (Lit., *en uno y otro* o *en uno y otro derecho.*) loc. lat. que se usa para expresar que un bachiller, licenciado o doctor lo es en ambos derechos, civil y canónico.

Invadeable. (De *in,* 2.º art., y *vadeable.*) adj. Que no se puede vadear.

Invadiente. p. a. de **Invadir.** Que invade.

Invadir. (Del lat. *invadĕre.*) tr. Acometer, entrar por fuerza en una parte. ‖ **2.** fig. Entrar injustificadamente en funciones ajenas.

Invaginación. f. Acción y efecto de invaginar. ‖ **2.** Introducción anormal de una porción del intestino en la que le precede o le sigue. ‖ **3.** Operación quirúrgica que consiste en introducir uno en otro los dos extremos del intestino dividido, con objeto de restablecer la continuidad del tubo intestinal.

Invaginar. (Del lat. *in,* en, y *vagīna,* vaina.) tr. Doblar los bordes de la boca de un tubo o de una vejiga, haciendo que se introduzcan en el interior del mismo.

Invalidación. f. Acción y efecto de invalidar. ‖ **2.** **Inutilidad.**

Invalidad. (De *inválido.*) f. ant. **Nulidad.**

Inválidamente. adv. m. Con invalidación.

Invalidar. tr. Hacer inválida, nula o de ningún valor y efecto una cosa.

Invalidez. f. Calidad de inválido.

Inválido, da. (Del lat. *invalĭdus.*) adj. Que no tiene fuerza ni vigor. Aplícase por lo común a los soldados viejos o estropeados. Ú. t. c. s. ‖ **2.** fig. Nulo y de ningún valor, por no tener las condiciones que exigen las leyes. ‖ **3.** fig. Falto de vigor y de solidez en el entendimiento o en la razón.

Invariabilidad. f. Calidad de invariable.

Invariable. (De *in,* 2.º art., y *variable.*) adj. Que no padece o no puede padecer variación.

Invariablemente. adv. m. **Invariadamente.**

Invariación. f. Subsistencia permanente y sin variación de una cosa o en una cosa.

Invariadamente. adv. m. Sin variación.

Invariado, da. adj. No variado.

Invasión. (Del lat. *invasio, -ōnis.*) f. Acción y efecto de invadir.
Invasor, ra. (Del lat. *invāsor.*) adj. Que invade. Ú. t. c. s.
Invectiva. (Del lat. *invectīva.*) f. Discurso o escrito acre y violento contra personas o cosas.
Invehir. (Del lat. *invehĕre.*) tr. ant. Hacer o decir invectivas contra uno.
Invencible. (De *in,* 2.° art., y *vencible.*) adj. Que no puede ser vencido.
Invenciblemente. adv. m. De un modo invencible.
Invención. (Del lat. *inventio, -ōnis.*) f. Acción y efecto de inventar. || **2.** Cosa inventada. || **3. Hallazgo,** 1.ª acep. || **4.** Engaño, ficción. || **5.** *Ret.* Elección y disposición de los argumentos y especies del discurso oratorio. || **de la Santa Cruz.** Conmemoración con que anualmente celebra la Iglesia el día 3 de mayo el hallazgo de la cruz de Nuestro Señor Jesucristo. || **Buena o mala invención, no la hizo Villalón.** ref. con que se da a entender que no está encerrada toda la ciencia en el conocimiento de una sola persona.
Invencionero, ra. (De *invención.*) adj. **Inventor.** Ú. t. c. s. || **2.** Embustero, engañador. Ú. t. c. s.
Invendible. (Del lat. *invendibĭlis.*) adj. Que no puede venderse.
Invenible. (De *invenir.*) adj. ant. Que se puede hallar o descubrir.
Invenir. (Del lat. *invenīre.*) tr. ant. Hallar o descubrir.
Inventación. (De *inventar.*) f. ant. **Invención,** 1.ª acep.
Inventador, ra. (De *inventar.*) adj. **Inventor.** Ú. t. c. s.
Inventar. (De *invento.*) tr. Hallar o descubrir, a fuerza de ingenio y meditación, o por mero acaso, una cosa nueva o no conocida. || **2.** Hallar, imaginar, crear su obra el poeta o el artista. || **3.** Fingir hechos falsos; levantar embustes.
Inventariar. tr. Hacer inventario.
Inventario. (Del lat. *inventarium.*) m. Asiento de los bienes y demás cosas pertenecientes a una persona o comunidad, hecho con orden y distinción. || **2.** Papel o instrumento en que están escritas dichas cosas. || **3.** V. **Beneficio de inventario.** || **4.** *Com.* V. **Libro de inventarios.**
Inventiva. (De *inventar.*) f. Facultad y disposición para inventar. || **2.** ant. **Invención.**
Inventivo, va. adj. Que tiene disposición para inventar. || **2.** Dícese de las cosas inventadas.
Invento. (Del lat. *inventum.*) m. **Invención.**
Inventor, ra. (Del lat. *inventor.*) adj. Que inventa. Ú. t. c. s. || **2.** Que finge o discurre sin más fundamento que su voluntariedad y capricho. Ú. t. c. s.
Inverecundia. (Del lat. *inverecundĭa.*) f. Desvergüenza, desfachatez.
Inverecundo, da. (Del lat. *inverecundus;* de *in,* priv., y *verecundĭa,* vergüenza.) adj. Que no tiene vergüenza. Ú. t. c. s.
Inverisímil. (De *in,* 2.° art., y *verisímil.*) adj. **Inverosímil.**
Inverisimilitud. (De *in,* 2.° art., y *verisimilitud.*) f. **Inverosimilitud.**
Invernáculo. (Del lat. *hibernacŭlum.*) m. Lugar cubierto y abrigado artificialmente para defender las plantas de la acción del frío.
Invernada. (De *invernar.*) f. Estación de invierno. || **2.** *Amér.* **Invernadero,** 2.ª acep.
Invernadero. (De *invernar.*) m. Sitio cómodo y a propósito para pasar el invierno, y destinado a este fin. || **2.** Paraje destinado para que pasten los ganados en dicha estación. || **3. Invernáculo.**
Invernal. (De *ivernal.*) adj. Perteneciente al invierno. || **2.** m. Establo en los invernaderos, para guarecerse el ganado.
Invernar. (De *ivernar.*) intr. Pasar el invierno en una parte. || **2.** Ser tiempo de invierno.
Invernizo, za. adj. Perteneciente al invierno o que tiene sus propiedades.
Inverosímil. (De *in,* 2.° art., y *verosímil.*) adj. Que no tiene apariencia de verdad.
Inverosimilitud. (De *in,* 2.° art., y *verosimilitud.*) f. Calidad de inverosímil.
Inverosímilmente. adv. m. De modo inverosímil.
Inversamente. adv. m. **A la inversa.**
Inversión. (Del lat. *inversio, -ōnis.*) f. Acción y efecto de invertir. || **2.** *Mús.* Colocación de las notas de un acorde en posición distinta de la normal, o modificación de una frase o motivo de manera que los intervalos se sigan en dirección contraria a la primitiva.
Inverso, sa. (Del lat. *inversus.*) p. p. irreg. de **Invertir.** || **2.** adj. Alterado, trastornado. || **3.** V. **Anteojo inverso.** || **4.** V. **Gola inversa.** || **A,** o **por, la inversa.** m. adv. **Al contrario.**
Inversor, ra. adj. *Astron.* V. **Capa inversora.**
Invertebrado, da. (De *in,* 2.° art., y *vertebrado.*) adj. *Zool.* Dícese de los animales que no tienen columna vertebral. Ú. t. c. s. m. || **2.** m. pl. *Zool.* En la antigua clasificación zoológica, tipo de estos animales.
Invertido, da. p. p. de **Invertir.** || **2.** adj. *Fort.* V. **Aspillera invertida.** || **3.** m. **Sodomita,** 3.ª acep.
Invertir. (Del lat. *invertĕre.*) tr. Alterar, trastornar las cosas o el orden de ellas. || **2.** Hablando de caudales, emplearlos, gastarlos, o colocarlos en aplicaciones productivas. || **3.** Hablando del tiempo, emplearlo u ocuparlo de una u otra manera. || **4.** *Mat.* Cambiar los lugares que en una proporción ocupan, respectivamente, los dos términos de cada razón.
Investidura. f. Acción y efecto de investir. || **2.** Carácter que se adquiere con la toma de posesión de ciertos cargos o dignidades.
Investigable. (Del lat. *investigabĭlis.*) adj. Que se puede investigar.
Investigable. (Del lat. *in,* negat., y *vestigāre,* hallar, inquirir.) adj. desus. Que no se puede investigar.
Investigación. (Del lat. *investigatio, -ōnis.*) f. Acción y efecto de investigar.
Investigador, ra. (Del lat. *investigātor.*) adj. Que investiga. Ú. t. c. s.
Investigar. (Del lat. *investigāre.*) tr. Hacer diligencias para descubrir una cosa.
Investir. (Del lat. *investīre.*) tr. Conferir una dignidad o cargo importante. Ú. con las preps. *con* o *de.*
Inveteradamente. adv. m. De modo inveterado.
Inveterado, da. (Del lat. *inveterātus.*) adj. Antiguo, arraigado.
Inveterarse. (Del lat. *inveterāre.*) r. **Envejecerse.**
Inviar. tr. desus. **Enviar.**
Invictamente. adv. m. Victoriosa, incontrastablemente.
Invicto, ta. (Del lat. *invictus.*) adj. No vencido; siempre victorioso.
Invidia. f. ant. **Envidia.** Ú. en *León.*
Invidiar. tr. ant. **Envidiar.**
Invidioso, sa. adj. ant. **Envidioso.** Usáb. t. c. s.
Invido, da. (Del lat. *invĭdus.*) adj. **Envidioso.**
Invierno. (De *ivierno,* infl. por *in-.*) m. Estación del año, que astronómicamente principia en el solsticio del mismo nombre y termina en el equinoccio de primavera. || **2.** En el Ecuador, donde las estaciones no son sensibles, temporada de lluvias que dura próximamente unos seis meses, con algunas intermitencias y alteraciones. || **3.** Época la más fría del año, que en el hemisferio septentrional corresponde a los meses de diciembre, enero y febrero. En el hemisferio austral corresponde a los meses de junio, julio y agosto. || **4.** V. **Trigo de invierno.**
Invigilar. (Del lat. *invigilāre.*) intr. Velar, cuidar solícitamente de una cosa.
Inviolabilidad. f. Calidad de inviolable. || **2.** Prerrogativa personal del monarca, declarada en la Constitución del Estado. || **parlamentaria.** Prerrogativa personal de los senadores y diputados que los exime de responsabilidad por las manifestaciones que hagan y los votos que emitan en el respectivo cuerpo colegislador.
Inviolable. (Del lat. *inviolabĭlis.*) adj. Que no se debe o no se puede violar o profanar. || **2.** Que goza la prerrogativa de inviolabilidad.
Inviolablemente. adv. m. Con inviolabilidad. || **2. Infaliblemente.**
Inviolado, da. (Del lat. *inviolātus.*) adj. Que se conserva en toda su integridad y pureza.
Invirtud. f. ant. Falta de virtud; acción opuesta a ella.
Invirtuosamente. adv. m. ant. Sin virtud; viciosamente.
Invirtuoso, sa. (De *in,* 2.° art., y *virtuoso.*) adj. ant. Falto de virtud y opuesto a ella.
Invisibilidad. (Del lat. *invisibilĭtas, -ātis.*) f. Calidad de invisible.
Invisible. (Del lat. *invisibĭlis.*) adj. Incapaz de ser visto. || **2.** V. **Sombras invisibles.** || **En un invisible.** loc. adv. fig. En un momento.
Invisiblemente. adv. m. De modo que no se percibe o no se ve.
Invitación. (Del lat. *invitatio, -ōnis.*) f. Acción y efecto de invitar. || **2.** Cédula o tarjeta con que se invita.
Invitado, da. p. p. de **Invitar.** || **2.** m. y f. Persona que ha recibido invitación.
Invitador, ra. adj. Que invita. Ú. t. c. s.
Invita minerva. loc. lat. que suele usarse en español con su propia significación de contra la voluntad de Minerva o de las musas.
Invitante. p. a. de **Invitar.** Que invita. Ú. t. c. s.
Invitar. (Del lat. *invitāre.*) tr. Convidar, incitar.
Invitatorio. (Del lat. *invitatorius.*) m. Antífona que se canta y repite en cada verso del salmo *Venite* al principio de los maitines.
Invito, ta. adj. desus. **Invicto.**
Invocación. (Del lat. *invocatio, -ōnis.*) f. Acción y efecto de invocar. || **2.** Parte del poema en que el poeta invoca a un ser divino o sobrenatural, verdadero o falso.
Invocador, ra. (Del lat. *invocātor.*) adj. Que invoca. Ú. t. c. s.
Invocar. (Del lat. *invocāre.*) tr. Llamar uno a otro en su favor y auxilio. || **2.** Acogerse a una ley, costumbre o razón; exponerla, alegarla.
Invocatorio, ria. adj. Que sirve para invocar.
Involución. (Del lat. *involutio, -ōnis,* acción de envolver.) f. Fase regresiva de un proceso biológico, o modificación retrógrada de un órgano. || **senil.** Conjunto de fenómenos de esclerosis y atrofia característicos de la vejez.
Involucrar. (Del lat. *involūcrum,* cubierta, disfraz.) tr. Injerir en los discursos o escritos cuestiones o asuntos extraños al principal objeto de ellos.
Involucro. (Del lat. *involūcrum.*) m. *Bot.* Verticilo de brácteas, situado en la base de una flor o de una inflorescencia.
Involuntariamente. adv. m. Sin voluntad ni consentimiento.
Involuntariedad. f. Calidad de involuntario.

Involuntario, ria. (Del lat. *involuntarius.*) adj. No voluntario. Aplícase también a los movimientos físicos o morales que suceden independientemente de la voluntad.

Invulnerabilidad. f. Calidad de invulnerable.

Invulnerable. (Del lat. *invulnerabĭlis.*) adj. Que no puede ser herido.

Inyección. (Del lat. *iniectĭo, -ōnis.*) f. Acción y efecto de inyectar. || **2.** Fluido inyectado.

Inyectable. adj. Dícese de la substancia o medicamento preparados para usarlos en inyecciones. Ú. t. c. m.

Inyectar. (Del lat. *iniectāre.*) tr. Introducir a presión un gas, un líquido, o una masa fluida, en el interior de un cuerpo.

Inyector. m. Aparato que sirve para introducir el agua en las calderas de vapor, aspirándola directamente del depósito por medio de una corriente de este fluido.

Inyuncto, ta. (Del lat. *iniunctus.*) p. p. irreg. ant. de **Inyungir.**

Inyungir. (Del lat. *iniungĕre.*) tr. ant. Prevenir, mandar, imponer.

Iñiguista. (De San *Íñigo* o Ignacio de Loyola, fundador de la Compañía de Jesús.) adj. **Jesuita.** Ú. t. c. s.

Ion. (Del gr. ἰών, que va.) m. *Quím.* Radical simple o compuesto que se disocia de las substancias al disolverse éstas, y da a las disoluciones el carácter de la conductividad eléctrica. || **2.** *Electr.* Átomo o grupo de átomos dotados de una carga eléctrica, que puede ser positiva o negativa.

Iota. (Del gr. ἰῶτα.) f. Novena letra del alfabeto griego, que corresponde a nuestra *i* vocal.

Ipecacuana. (Voz de los indios americanos, que significa *raíz nudosa.*) f. Planta fruticosa de la familia de las rubiáceas propia de la América Meridional, con tallos sarmentosos, hojas elípticas, muy prolongadas, lisas por encima y algo vellosas por el envés; flores pequeñas, blancas, en ramilletes terminales; fruto en bayas aovadas y tersas, con dos semillas gibosas unidas por un plano, y raíz cilíndrica, de un centímetro de diámetro, torcida, llena de anillos salientes poco separados, y muy usada en medicina como emética, tónica, purgante y sudorífica. || **2.** Raíz de esta planta. || **de las Antillas.** *Bot.* Arbusto de la familia de las asclepiadáceas, de hojas lanceoladas y lisas y flores de color de azafrán. Su raíz se usa como emético. || **2.** Raíz de esta planta.

Ipil. (Voz tagala.) m. *Bot.* Árbol grande, leguminoso, de las islas Filipinas, con hojas opuestas y aladas; hojuelas aovadas y lampiñas, flores en panoja, cáliz tubular con diez estambres, corola de un solo pétalo, y legumbre coriácea, en forma de hoz, de dos valvas y tres o cuatro semillas. La madera, dura, pesada y de color amarillo, que se obscurece con los años como la del nogal europeo, es incorruptible y muy apreciada para la construcción de muebles y otros objetos.

Ípsilon. (Del gr. ὔψιλόν; lit., *y* pura y simple.) f. Vigésima letra del alfabeto griego, que corresponde a la que en el nuestro se llama *i griega* o *ye.*

Ipso facto. loc. lat. Inmediatamente, en el acto; por el mismo hecho.

Ipso jure. loc. lat. *For.* Por ministerio de la ley.

Ir. (Del lat. *ire.*) intr. Moverse de un lugar hacia otro. Ú. t. c. r. || **2. Venir,** 4.ª acep. || **3.** Caminar de acá para allá. || **4.** Distinguirse, diferenciarse una persona o cosa de otra. *¡Lo que* VA *del padre al hijo!* || **5.** Úsase para denotar hacia dónde se dirige un camino. *Este camino* VA *a la aldea.* || **6.** Extenderse una cosa, ocupar, comprender desde un punto a otro. || **7.** Obrar, proceder. || **8.** Con la prep. *por,* declinarse o conjugarse un nombre o verbo como otro tomado como modelo. || **9.** En varios juegos de naipes, **entrar,** 14.ª acep. || **10.** Considerar las cosas por un aspecto especial o dirigirlas a un fin determinado. *Si por honestidad* VA, *¿qué cosa más honesta que la virtud?; ahora* VA *de veras;* VA *por la salud de usted.* || **11.** Junto con los gerundios de algunos verbos, denota la acción de ellos y da a entender la actual ejecución de lo que dichos verbos significan; como VAMOS *caminando;* o que la acción empieza a verificarse; como VA *anocheciendo,* esto es, principia a anochecer. || **12.** Junto con el participio pasivo de los verbos transitivos, significa padecer su acción, y con el de los reflexivos, ejecutarla. IR *vendido;* IR *atenido.* || **13.** En la acepción anterior, cuando el participio sea el del verbo *apostar,* se calla, y queda **ir** con la significación que tendría si aquél fuera expreso. Así, VAN *cinco duros a que yo llego antes,* equivale a VAN *apostados cinco duros,* etc. || **14.** Junto con la prep. *a* y un infinitivo, significa disponerse para la acción del verbo con que se junta. VOY *a salir;* VAMOS *a almorzar.* || **15.** Junto con la misma prep. y algunos substantivos con artículo o sin él, concurrir habitualmente. || **16.** Junto con la prep. *con,* tener o llevar lo que el nombre significa. IR *con tiento, con miedo, con cuidado.* || **17.** Junto con la prep. *contra,* perseguir, y también sentir y pensar lo contrario de lo que significa el nombre a que se aplica. IR *contra la corriente, contra la opinión de uno.* || **18.** Construido con la prep. *en,* importar, interesar. *En eso le* VA *la vida o la honra; nada te* VA *en eso.* || **19.** Con la prep. *por,* seguir una carrera. IR *por la iglesia, por la milicia.* || **20.** Con la misma prep., **ir** a traer una cosa. IR *por lana, por leña.* || **21.** r. Morirse o estarse muriendo. || **22.** Salirse un líquido insensiblemente del vaso o cosa en donde está. Aplícase también al mismo vaso o cosa que lo contiene. *Ese vaso, esa fuente* SE VA. || **23.** Deslizarse, perder el equilibrio. IRSE *los pies;* IRSE *la pared.* || **24.** Gastarse, consumirse o perderse una cosa. || **25.** Desgarrarse o romperse una tela, y también envejecerse. || **26.** Ventosear o hacer uno sus necesidades sin sentir o involuntariamente. || **27.** Con la prep. *de* y tratándose de las cartas de la baraja, descartarse de una o varias. SE FUE *de los ases.* || **A eso voy.** o **vamos.** loc. fam. que usa aquel a quien recuerdan alguna cosa de que debía hablar en la conversación o discurso, y de la cual parecía haberse olvidado o distraído. || **A gran ir,** o **al más ir.** loc. adv. ant. **A todo correr.** || **¡Allá irás!** loc. que equivale a enviar a alguno en hora mala. || **Allá va,** o **allá va eso,** o **allá va lo que es.** expr. fam. que suele emplearse al arrojar algo que puede caer sobre quien esté debajo o cerca. || **2.** También se usa cuando, repentinamente y sin prevenir a uno, se le dice algo que ha de dolerle o disgustarle. || **¡Cuánto va!** expr. con que se significa la sospecha o recelo de que suceda o se ejecute una cosa, y es la fórmula de apostar a que se verifique. || **Donde fueres, haz como vieres.** ref. que advierte que cada uno debe acomodarse a los usos y estilos del país donde se halla. || **Estar ido.** fr. fig. y fam. Estar loco, alelado, o profundamente distraído. || **Ir adelante.** fr. fig. y fam. No detenerse; proseguir en lo que se va diciendo o tratando. || **Ir alto.** fr. fig. Dícese de los ríos o arroyos cuando van muy crecidos. || **Iráse lo amado y quedará lo descolorado.** ref. con que se da a entender que pasado el deleite que causa una pasión desordenada, queda sólo el descrédito, el deshonor o la vergüenza. || **Ir a una.** fr. Procurar dos o más personas de común acuerdo la consecución de un mismo fin. || **Ir bien.** fr. fig. y fam. Hallarse en buen estado. || **Ir** con uno. fr. fig. y fam. Ser de su opinión o dictamen; convenir con él. || **2.** fig. y fam. Estar de su parte o a su favor. || **Ir** uno **descaminado.** fr. Apartarse del camino. || **2.** fig. Apartarse de la razón o de la verdad. || **Ir largo.** fr. con que se denota que una cosa tardará en verificarse. || **Ir lejos.** fr. fig. Estar muy distante de lo que se dice, se hace o se quiere dar a entender. || **2.** Conseguir notables adelantos o medros. || **Ir mal.** fr. Hallarse en mal estado. || **Ir muy lejos.** fr. fig. **Ir lejos.** || **Ir para largo.** fr. **Ir largo.** || **Ir pasando.** fr. fig. y fam. con que se significa que uno se mantiene en el mismo estado en orden a su salud o conveniencia, sin especial adelantamiento o mejoría. || **Ir** uno **perdido.** fr. fig. con que se confiesa o previene la desventaja en las competencias con otro, especialmente en los juegos de habilidad. || **Irse abajo** una cosa. fr. **Venir,** o **venirse, a tierra.** || **Irse allá.** fr. Ser, valer, importar o significar lo mismo o casi lo mismo una cosa que otra || **Írsele,** o **írsele por alto,** a uno una cosa. fr. fig. y fam. No entenderla o no advertirla. || **Irse muriendo.** fr. fig. y fam. Ir o caminar muy despacio, con desmayo o lentitud. || **Irse por alto.** fr. En el juego de trucos y billar, hacer uno saltar fuera su bola por encima de la tablilla, con lo cual se pierden rayas. || **Ir** uno **sobre** una cosa. fr. fig. Seguir un negocio sin perderlo de vista. || **Ir sobre** uno. fr. fig. Seguirle de cerca; ir en su alcance para apresarle o hacerle daño. || **Ir tirando.** fr. fam. Sobrellevar las adversidades y trabajos que se presentan en la vida. || **Ir** uno **tras** alguna cosa. fr. fig. **Andar tras** ella. || **Ir tras** alguno. fr. fig. **Andar tras** él. || **Ir y venir en** una cosa. fr. fig. y fam. Insistir en ella, revolviéndola continuamente en la imaginación. *Si das en* IR Y VENIR EN *eso, perderás el juicio.* || **Ir zumbando.** fr. fig. Ir con violencia o suma ligereza. || **Ni va ni viene.** expr. fig. y fam. con que se explica la irresolución de una persona. || **No irle ni venirle** a uno **nada** en una cosa. fr. fig. y fam. No importarle; no tener en ella interés alguno. || **Por donde fueres, haz como vieres.** ref. **Donde fueres, haz como vieres.** || **Quien lejos va a casar, o va engañado o va a engañar.** ref. que advierte cuánto conviene que se conozcan y traten las personas que se han de casar, para el acierto de los matrimonios. || **¿Quién va?** o **¿quién va allá?** expr. de que se usa, regularmente por la noche, cuando se descubre un bulto o se siente un ruido y no se ve quién lo causa. || **Sin irle ni venirle** a uno. expr. fig. y fam. Sin importarle aquello de que se trata. || **Sin ir más lejos.** fr. fig. con que se indica no ser necesario buscar más datos o informes que los que están a la vista. || **Sobre si fue o si vino.** expr. fig. y fam. que se emplea para denotar la contrariedad de pareceres en una disputa o reyerta, y con que por lo común se da a entender haber sido fútil y vano el motivo de la discordia. || **Vamos claros.** expr. fam. con que se manifiesta el deseo de que la materia que se trata se explique con sencillez y claridad. || **¡Vamos despacio!** expr. fig. **¡Despacio!** || **¡Vaya!** interj. fam. que se emplea para expresar leve enfado, para denotar aprobación o para excitar o contener. Ú. t. repetida. || **Váyase lo uno por lo otro.** expr. fam. con que se da a entender que una de las dos cosas de que se trata puede ser compensación de la otra. || **Vete a esparragar.** fr. fig. y fam. **Anda a esparragar.**

|| **Vete, o idos, a pasear.** expr. fam. **Vete, o idos, a paseo.** || **Vete, o idos, en hora mala, o noramala.** expr. fam. que se emplea para despedir a una o varias personas con enfado o disgusto. || **Y yo fui y vine, y no me dieron nada.** fr. que suele usarse para acabar los cuentos.

Ira. (Del lat. *ira.*) f. Pasión del alma, que mueve a indignación y enojo. || **2.** Apetito o deseo de injusta venganza. || **3.** Apetito o deseo de venganza, según orden de justicia. || **4.** fig. Furia o violencia de los elementos. || **5.** pl. Repetición de actos de saña, encono o venganza. || **A ira de Dios no hay cosa fuerte.** ref. con que se da a entender que al poder de Dios no hay cosa que resista. || **De ira de señor y de alboroto de pueblo te libre Dios.** ref. que denota cuán temibles son el enojo y la violencia en los poderosos, o una conmoción popular. || **Descargar la ira en** uno. fr. fig. Desfogarla. || **¡Ira de Dios!** exclam. de que se usa para manifestar la extrañeza que causa una cosa, o la demasía de ella, especialmente cuando se teme produzca sus malos efectos contra nosotros. || **Ira de enamorados, amores doblados.** ref. que denota que las riñas entre los que verdaderamente se aman, les acrecientan el amor. || **Ira de hermanos, ira de diablos.** ref. que da a entender que son mucho peores los efectos de la **ira** cuando es entre personas que por el parentesco u otros motivos deben tener más unión y amistad. || **Llenarse** uno **de ira.** fr. Enfadarse o irritarse mucho.

Iracundia. (Del lat. *iracundia.*) f. Propensión a la ira. || **2.** Cólera o enojo.

Iracundo, da. (Del lat. *iracundus.*) adj. Propenso a la ira. Ú. t. c. s. || **2.** fig. y poét. Aplícase a los elementos alterados.

Irado, da. p. p. ant. de **Irarse.** || **2.** adj. ant. **Forajido.** || **Irado y pagado.** expr. que se halla en donaciones antiguas de los reyes, de la cual se usaba al tiempo de nombrar lo que se reservaban en los lugares donados. Entre estas reservas era una que el rey había de poder entrar en los tales lugares, siempre que quisiese, de guerra o de paz.

Iranio, nia. adj. Perteneciente o relativo al Irán. || **2.** Natural del Irán. Ú. t. c. s.

Irarse. (De *ira.*) r. ant. **Airarse.**

Irascencia. (Del lat. *irascentia.*) f. ant. **Iracundia.**

Irascibilidad. f. Calidad de irascible.

Irascible. (Del lat. *irascibĭlis.*) adj. Propenso a irritarse.

Irasco. (Quizá del lat. *hircus*, contaminado con el suf. *asco.*) m. *Ál.*, *Ar.* y *Nav.* **Macho cabrío.**

Irenarca. (Del lat. *irenarcha*, y éste del gr. εἰρηνάρχης; de εἰρήνη, paz, y ἄρχω, gobernar.) m. Entre los romanos, magistrado destinado a cuidar de la quietud y tranquilidad del pueblo.

Iridáceo, a. (De *iris*, nombre de un género de plantas.) adj. *Bot.* Dícese de hierbas angiospermas monocotiledóneas, con rizomas, tubérculos o bulbos, hojas estrechas y enteras; flores actinomorfas o cigomorfas con el periantio formado por dos verticilos de aspecto de corola; fruto en cápsula y semillas con albumen córneo o carnoso; como el lirio cárdeno, el lirio hediondo y el azafrán. Ú. t. c. s. f. || **2.** f. pl. *Bot.* Familia de estas plantas.

Iride. (De lat. *iris, -ĭdis*, iris, a causa del color azul violado de las flores de esta planta.) f. **Lirio hediondo.**

Irídeo, a. (Del lat. *iris, -ĭdis*, lirio.) adj. *Bot.* **Iridáceo.**

Iridio. (Del lat. *iris, -ĭdis*, y éste del gr. ἶρις, iris.) m. Metal blanco amarillento, quebradizo, muy difícilmente fusible y algo más pesado que el oro. Se halla en la naturaleza unido al platino y al rodio, y su disolución en el ácido clorhídrico presenta distintos matices.

Iridiscente. (Del lat. *iris, -ĭdis*, iris.) adj. Que muestra o refleja los colores del iris, 1.ª acep.

Iriense. adj. Natural de Iria Flavia. Ú. t. c. s. || **2.** Perteneciente a este pueblo de la provincia de La Coruña.

Iris. (Del lat. *iris*, y éste del gr. ἶρις.) m. Arco de colores que a veces se forma en las nubes cuando el Sol, a espaldas del espectador, refracta y refleja su luz en la lluvia. También se observa este arco en las cascadas y pulverizaciones de agua bañadas por el sol en determinadas posiciones. || **2.** **Ópalo noble.** || **3.** *Fís.* V. **Color del iris.** || **4.** *Zool.* Disco membranoso del ojo de los vertebrados y cefalópodos, de color vario, en cuyo centro está la pupila. || **de paz.** fig. Persona que logra apaciguar graves discordias. || **2.** fig. Acontecimiento que influye para la terminación de algún disturbio.

Irisación. f. Acción y efecto de irisar. || **2.** pl. Vislumbre que se produce en las láminas delgadas de los metales cuando, candentes, se pasan por el agua.

Irisar. intr. Presentar un cuerpo fajas variadas o reflejos de luz, con todos los colores del arco iris, o algunos de ellos.

Iritis. f. *Med.* Inflamación del iris, 4.ª acep.

Irlanda. (De *Irlanda*, isla de donde proceden estas telas.) f. Cierto tejido de lana y algodón. || **2.** Cierta tela fina de lino.

Irlandés, sa. adj. Natural de Irlanda. Ú. t. c. s. || **2.** Perteneciente a esta isla de Europa. || **3.** m. Lengua de los irlandeses.

Irlandesco, ca. adj. ant. **Irlandés.** Apl. a pers., usáb. t. c. s.

Ironía. (Del lat. *ironīa*, y éste del gr. εἰρωνεία.) f. Burla fina y disimulada. || **2.** Figura retórica que consiste en dar a entender lo contrario de lo que se dice.

Irónicamente. adv. m. Con ironía.

Irónico, ca. (Del lat. *ironĭcus.*) adj. Que denota o implica ironía, o concerniente a ella.

Ironista. com. Persona que habla o escribe con ironía.

Ironizar. tr. p. us. Hablar con ironía, ridiculizar.

Iroqués, sa. adj. Dícese del individuo de una raza indígena de la América Septentrional. Ú. t. c. s. || **2.** Perteneciente a esta raza. || **3.** m. Lengua **iroquesa.**

Irracionabilidad. (De *irracionable.*) f. p. us. **Irracionalidad.**

Irracionable. (Del lat. *irrationabĭlis.*) adj. ant. **Irracional.**

Irracionablemente. adv. m. ant. **Irracionalmente.**

Irracional. (Del lat. *irrationālis.*) adj. Que carece de razón. Usado como substantivo, es el predicado esencial del bruto, que le diferencia del hombre. || **2.** Opuesto a la razón o que va fuera de ella. || **3.** *Mat.* Aplícase a las raíces o cantidades radicales que no pueden expresarse exactamente con números enteros ni fraccionarios.

Irracionalidad. f. Calidad de irracional.

Irracionalmente. adv. m. Con irracionalidad; de modo irracional.

Irradiación. f. Acción y efecto de irradiar.

Irradiar. (Del lat. *irradiāre.*) tr. Despedir un cuerpo rayos de luz, calor u otra energía en todas direcciones. || **2.** Someter un cuerpo a la acción de ciertos rayos.

Irrazonable. adj. No razonable. || **2.** ant. **Irracional.**

Irrealidad. f. Calidad o condición de lo que no es real.

Irrealizable. (De *in*, 2.° art., y *realizable.*) adj. Que no se puede realizar.

Irrebatible. (De *in*, 2.° art., y *rebatible.*) adj. Que no se puede rebatir o refutar.

Irreconciliable. (De *in*, 2.° art., y *reconciliable.*) adj. Aplícase al que no quiere volver a la paz y amistad con otro.

Irrecordable. adj. Que no puede recordarse.

Irrecuperable. (Del lat. *irrecuperabĭlis.*) adj. Que no se puede recuperar.

Irrecusable. (Del lat. *irrecusabĭlis.*) adj. Que no se puede recusar. || **2.** ant. **Inevitable.**

Irredento, ta. (Del lat. *in*, pref. negat., y *redemptus*, p. p. de *redimĕre*, redimir.) adj. Que permanece sin redimir. Dícese especialmente del territorio que una nación pretende anexionarse por razones históricas, de lengua, raza, etc.

Irredimible. (De *in*, 2.° art., y *redimible.*) adj. Que no se puede redimir. || **2.** V. **Censo irredimible.**

Irreducible. (De *in*, 2.° art., y *reducible.*) adj. Que no se puede reducir.

Irreductibilidad. f. Calidad de irreductible.

Irreductible. (De *in*, 2.° art., y *reductible.*) adj. **Irreducible.**

Irreductiblemente. adv. m. De modo irreductible.

Irreemplazable. adj. No reemplazable.

Irreflexión. f. Falta de reflexión.

Irreflexivamente. adv. m. Con irreflexión; de modo irreflexivo.

Irreflexivo, va. (De *in*, 2.° art., y *reflexivo.*) adj. Que no reflexiona. || **2.** Que se dice o hace sin reflexionar.

Irreformable. (Del lat. *irreformabĭlis.*) adj. Que no se puede reformar.

Irrefragable. (Del lat. *irrefragabĭlis.*) adj. Que no se puede contrarrestar.

Irrefragablemente. adv. m. De un modo irrefragable.

Irrefrenable. (De *in*, 2.° art., y *refrenable.*) adj. Que no se puede refrenar.

Irrefutable. (Del lat. *irrefutabĭlis.*) adj. Que no se puede refutar.

Irreglamentable. adj. Que no se puede reglamentar.

Irregular. (De *in*, 2.° art., y *regular.*) adj. Que va fuera de regla; contrario a ella. || **2.** Que no sucede común y ordinariamente. || **3.** Que ha incurrido en una irregularidad canónica, o tiene defecto que le incapacita para ciertas dignidades. || **4.** *For.* V. **Mayorazgo irregular.** || **5.** *Geom.* Dícese del polígono y del poliedro que no son regulares. || **6.** *Gram.* Aplícase a la palabra derivada o formada de otro vocablo, que no se ajusta en su formación a la regla seguida generalmente por las de su clase. || **7.** *Gram.* V. **Participio, verbo irregular.**

Irregularidad. f. Calidad de irregular. || **2.** Impedimento canónico para recibir las órdenes o ejercerlas por razón de ciertos defectos naturales o por delitos. || **3.** fig. y fam. Malversación, desfalco, cohecho u otra inmoralidad en la gestión o administración pública, o en la privada.

Irregularmente. adv. m. Con irregularidad.

Irreivindicable. adj. No reivindicable.

Irreligión. (Del lat. *irreligĭo, -ōnis.*) f. Falta de religión.

Irreligiosamente. adv. m. Sin religión.

Irreligiosidad. (Del lat. *irreligiosĭtas, -ātis.*) f. Calidad de irreligioso.

Irreligioso, sa. (Del lat. *irreligiōsus.*) adj. Falto de religión. Ú. t. c. s. || **2.** Que se opone al espíritu de la religión.

Irremediable. (Del lat. *irremediabĭlis.*) adj. Que no se puede remediar.

Irremediablemente. adv. m. Sin remedio.

Irremisible. (Del lat. *irremissibĭlis.*) adj. Que no se puede remitir o perdonar.

Irremisiblemente. adv. m. Sin remisión o perdón.

Irremunerado, da. (Del lat. *irremunerātus.*) adj. No remunerado.

Irrenunciable. (De *in*, 2.° art., y *renunciable.*) adj. Que no se puede renunciar.

Irreparable. (Del lat. *irreparabĭlis.*) adj. Que no se puede reparar.

Irreparablemente. adv. m. Sin arbitrio para reparar un daño.

Irreprehensible. (Del lat. *irreprehensibĭlis.*) adj. desus. **Irreprensible.**

Irreprensible. (De *irreprehensible.*) adj. Que no merece reprensión.

Irreprensiblemente. adv. m. Sin motivo de reprensión.

Irrepresentable. adj. Dícese de las obras de carácter dramático que no son aptas para la representación escénica.

Irreprimible. adj. Que no se puede reprimir.

Irreprochabilidad. f. Calidad de irreprochable.

Irreprochable. adj. Que no puede ser reprochado.

Irrequieto, ta. (Del lat. *irrequiētus.*) adj. desus. Inquieto, incesante, continuo.

Irrescindible. (De *in*, 2.° art., y *rescindible.*) adj. Que no puede rescindirse.

Irresistible. (Del lat. *irresistibĭlis.*) adj. Que no se puede resistir.

Irresistiblemente. adv. m. Sin poderse resistir.

Irresoluble. (Del lat. *irresolubĭlis.*) adj. Dícese de lo que no se puede resolver o determinar. || **2.** p. us. **Irresoluto.**

Irresolución. f. Falta de resolución.

Irresoluto, ta. (Del lat. *irresolūtus.*) adj. Que carece de resolución. Ú. t. c. s.

Irrespetuoso, sa. adj. No respetuoso.

Irrespirable. (Del lat. *irrespirabĭlis.*) adj. Que no puede respirarse. *Gas* IRRESPIRABLE. || **2.** Que difícilmente puede respirarse. *Aire, atmósfera* IRRESPIRABLE.

Irresponsabilidad. f. Calidad de irresponsable. || **2.** Impunidad que resulta de no residenciar a los que son responsables.

Irresponsable. (De *in*, 2.° art., y *responsable.*) adj. Dícese de la persona a quien no se puede exigir responsabilidad.

Irrestañable. adj. Que no se puede restañar.

Irresuelto, ta. (De *in*, 2.° art., y *resuelto.*) adj. **Irresoluto.**

Irretractable. (Del lat. *irretractabĭlis.*) adj. p. us. No retractable.

Irretroactividad. f. Principio jurídico que rechaza el efecto retroactivo de las leyes, salvo declaración expresa de éstas, o en lo penal, favorable al reo.

Irreverencia. (Del lat. *irreverentĭa.*) f. Falta de reverencia. || **2.** Dicho o hecho irreverente.

Irreverenciar. tr. No tratar con la debida reverencia; profanar.

Irreverente. (Del lat. *irrevĕrens, -entis.*) adj. Contrario a la reverencia o respeto debido. Ú. t. c. s.

Irreverentemente. adv. m. Sin reverencia.

Irreversibilidad. f. Calidad de irreversible.

Irreversible. adj. Que no es reversible.

Irrevocabilidad. f. Calidad de irrevocable.

Irrevocable. (Del lat. *irrevocabĭlis.*) adj. Que no se puede revocar.

Irrevocablemente. adv. m. De modo irrevocable.

Irrigación. (Del lat. *irrigatĭo, -ōnis.*) f. Acción y efecto de irrigar.

Irrigador. (Del lat. *irrigātor.*) m. *Med.* Instrumento que sirve para irrigar.

Irrigar. (Del lat. *irrigāre*, regar, rociar.) tr. *Med.* Rociar o regar con un líquido alguna parte del cuerpo.

Irrisible. (Del lat. *irrisibĭlis.*) adj. Digno de risa y desprecio.

Irrisión. (Del lat. *irrisĭo, -ōnis.*) f. Burla con que se provoca a risa a costa de una persona o cosa. || **2.** fam. Persona o cosa que es o puede ser objeto de esta burla.

Irrisoriamente. adv. m. Por irrisión.

Irrisorio, ria. (Del lat. *irrisorĭus.*) adj. Que mueve o provoca a risa y burla.

Irritabilidad. (Del lat. *irritabilĭtas, -ātis.*) f. Propensión a conmoverse o irritarse con violencia o facilidad.

Irritable. (Del lat. *irritabĭlis.*) adj. Capaz de irritación o irritabilidad. *Fibra, genio* IRRITABLE.

Irritable. (De *irritar*, 2.° art.) adj. Que se puede anular o invalidar.

Irritación. (Del lat. *irritatĭo, -ōnis.*) f. Acción y efecto de irritar o irritarse, 1.er art.

Irritación. f. *For.* Acción y efecto de irritar, 2.° art.

Irritador, ra. (Del lat. *irritātor*, de *irritāre*, irritar, 1.er art.) adj. Que irrita o excita vivamente. Ú. t. c. s.

Írritamente. adv. m. **Inválidamente.**

Irritamiento. (Del lat. *irritamentum.*) m. **Irritación,** 1.er art.

Irritante. p. a. de **Irritar,** 1.° y 2.° arts. Que irrita.

Irritar. (Del lat. *irritāre.*) tr. Hacer sentir ira. Ú. t. c. s. || **2.** Excitar vivamente otros afectos o inclinaciones naturales. IRRITAR *los celos, el odio, la avaricia, el apetito.* Ú. t. c. r. || **3.** *Med.* Causar excitación morbosa en un órgano o parte del cuerpo. Ú. t. c. r.

Irritar. (Del lat. *irritāre*, de *irrĭtus*, vano.) tr. *For.* Anular, invalidar.

Írrito, ta. (Del lat. *irrĭtus;* de *in*, priv., y *ratus*, válido.) adj. Inválido, sin fuerza ni obligación.

Irrogación. f. Acción y efecto de irrogar.

Irrogar. (Del lat. *irrogāre.*) tr. Tratándose de perjuicios o daños, causar, ocasionar. Ú. t. c. r.

Irrompible. (De *in*, 2.° art., y *rompible.*) adj. Que no se puede romper.

Irruir. (Del lat. *irruĕre.*) tr. Acometer con ímpetu, invadir un lugar.

Irrumpir. (Del lat. *irrumpĕre.*) intr. Entrar violentamente en un lugar.

Irrupción. (Del lat. *irruptĭo, -ōnis.*) f. Acometimiento impetuoso e impensado. || **2.** Invasión.

Irunés, sa. adj. Natural de Irún. Ú. t. c. s. || **2.** Perteneciente a esta ciudad.

Isabelino, na. adj. Perteneciente o relativo a cualquiera de las reinas que llevaron el nombre de Isabel en España o Inglaterra. || **2.** Aplícase a la moneda que lleva el busto de Isabel II de España. || **3.** Con el mismo epíteto se distinguió a las tropas que defendieron su corona contra el pretendiente don Carlos. Ú. t. c. s. || **4.** Tratándose de caballos, de color de perla o entre blanco y amarillo.

Isagoge. (Del lat. *isagōge*, y éste del gr. εἰσαγωγή, de εἰσάγω, introducir.) f. **Introducción,** 3.ª acep.

Isagógico, ca. (Del lat. *isagogĭcus*, y éste del gr. εἰσαγωγικός.) adj. Perteneciente a la isagoge.

Isatis. m. Nombre del zorro ártico, más pequeño que el europeo y cubierto de pelo espeso, largo y fino, completamente blanco en invierno y pardusco en verano. Hay una variedad que nunca cambia de color, y es el zorro azul.

Isba. f. Vivienda de madera que construyen algunos pueblos septentrionales del antiguo continente.

Isiaco, ca [Isíaco, ca]. adj. Perteneciente a Isis o a su culto.

Isidoriano, na. adj. Perteneciente a San Isidoro. || **2.** Dícese de ciertos monjes jerónimos, instituidos por fray Lope de Olmedo, y aprobados por el papa Martín V, los cuales, entre otras casas, tuvieron la de San Isidoro del Campo, en Sevilla. Ú. t. c. s.

Isidro, dra. m. y f. En Madrid, aldeano forastero e incauto.

Isípula. f. desus. **Erisipela.**

Isla. (Del lat. *insŭla.*) f. Porción de tierra rodeada de agua por todas partes. || **2. Manzana,** 2.ª acep. || **3.** fig. Conjunto de árboles o monte de corta extensión, aislado y que no esté junto a un río. || **4.** fig. *Chile.* Terreno más o menos extenso, próximo a un río, y que en años anteriores ha sido bañado por las aguas de éste, o lo es actualmente en las grandes crecidas. || **En isla.** m. adv. **Aisladamente.**

Islam. (Del ár. *islām*, entrega a la voluntad de Dios.) m. **Islamismo.** || **2.** Conjunto de los hombres y pueblos que creen y aceptan esta religión.

Islámico, ca. adj. Perteneciente o relativo al Islam.

Islamismo. (De *islam.*) m. Conjunto de dogmas y preceptos morales que constituyen la religión de Mahoma.

Islamita. adj. Que profesa el islamismo. Apl. a pers., ú. t. c. s.

Islamizar. intr. Adoptar la religión, prácticas, usos y costumbres islámicos. Ú. t. c. r.

Islán. m. Especie de velo, guarnecido de encajes, con que antiguamente se cubrían la cabeza las mujeres cuando no llevaban manto.

Islandés, sa. adj. Natural de Islandia. Ú. t. c. s. || **2.** Perteneciente a esta isla del norte de Europa. || **3.** m. Idioma hablado en Islandia: es un dialecto del nórdico.

Islandia. n. p. V. **Espato de Islandia.**

Islándico, ca. adj. **Islandés,** 2.ª acep.

Islario. m. Descripción de las islas de un mar, continente o nación. || **2.** Mapa en que están representadas.

Isleño, ña. adj. Natural de una isla. Ú. t. c. s. || **2.** Perteneciente a una isla.

Isleo. (De *isla.*) m. Isla pequeña situada a la inmediación de otra mayor. || **2.** Porción de terreno circuida por todas partes de otros de distinta clase o de una corona de peñascos u obstáculos diversos.

Isleta. f. d. de **Isla.**

Islilla. (De *asilla.*) f. **Sobaco,** 1.ª acep. || **2. Clavícula.**

Islote. m. Isla pequeña y despoblada. || **2.** Peñasco muy grande, rodeado de mar.

Ismaelita. (Del lat. *ismaelīta.*) adj. Descendiente de Ismael. Dícese de los árabes. Ú. t. c. s. || **2.** Agareno o sarraceno. Apl. a pers., ú. t. c. s.

Isobara. f. Línea isobárica.

Isobárico, ca. (Del gr. ἴσος, igual, y βάρος, pesadez.) adj. Aplícase a dos o más lugares de igual presión atmosférica. || **2.** Dícese principalmente de las líneas que en la superficie de la Tierra pasan por los puntos de igual altura media del barómetro.

Isocronismo. (De *isócrono.*) m. *Fís.* Igualdad de duración en los movimientos de un cuerpo.

Isócrono, na. (Del gr. ἰσόχρονος; de ἴσος, igual, y χρόνος, tiempo.) adj. *Fís.* Aplícase a los movimientos que se hacen en tiempos de igual duración.

Isófago. m. desus. **Esófago.**

Isoglosa. (Del gr. ἴσος, igual, y γλῶσσα, lengua.) adj. Dícese de la línea imaginaria que en un atlas lingüístico pasa por todos los puntos en que se manifiesta un mismo fenómeno. Ú. t. c. s. f.

Isógono, na. (Del gr. ἴσος, igual, y γωνία, ángulo.) adj. *Fís.* Aplícase a los cuerpos cristalizados, de ángulos iguales.

Isomería. f. Calidad de isómero.

Isómero, ra. (Del gr. ἰσομερής; de ἴσος, igual, y μέρος, parte.) adj. Aplícase a los cuerpos que con igual composición química tienen distintas propiedades físicas.

Isomorfismo. (De *isomorfo.*) m. *Mineral.* Calidad de isomorfo.

Isomorfo, fa. (Del gr. ἴσος, igual, y μορφή, forma.) adj. *Mineral.* Aplícase a los cuerpos de diferente composición química e igual forma cristalina, y que pueden cristalizar asociados; como el espato de Islandia y la giobertita, que forman la dolomía.

Isoperímetro, tra. (Del gr. ἴσος, igual, y περίμετρος, contorno.) adj. *Geom.* Aplícase a las figuras que siendo diferentes tienen igual perímetro.

Isópodo. (Del gr: ἴσος, igual, y πούς, ποδός, pie.) adj. *Zool.* Dícese de pequeños crustáceos de cuerpo deprimido y ancho, con los apéndices del pleon de aspecto foliáceo. Unas especies viven en las aguas dulces o en el mar, otras son terrestres y habitan los lugares húmedos, como la cochinilla de humedad. Algunas especies son parásitas de crustáceos marinos. Ú. t. c. s. || **2.** m. pl. *Zool.* Orden de estos animales.

Isoquímeno, na. (Del gr. ἴσος, igual, y χειμαίνειν, sentir el frío del invierno.) adj. *Meteor.* Dícese de la línea que pasa por todos los puntos de la Tierra que tienen la misma temperatura media en el invierno.

Isósceles. (Del lat. *isoscĕles,* y éste del gr. ἰσοσκέλης; de ἴσος, igual, y σκέλος, pierna.) adj. *Geom.* V. **Triángulo isósceles.**

Isotermo, ma. (Del gr. ἴσος, igual, y θερμός, caliente.) adj. *Fís.* De igual temperatura. || **2.** *Meteor.* Dícese de la línea que pasa por todos los puntos de la Tierra de igual temperatura media anual.

Isótero, ra. (Del gr. ἴσος, igual, y θέρος, verano.) adj. *Meteor.* Dícese de la línea que pasa por todos los puntos de la Tierra que tienen la misma temperatura media en el verano.

Isotónico, ca. adj. *Quím.* Dícese de las soluciones que a la misma temperatura tienen igual presión osmótica.

Isótopo. (Del gr. ἴσος, igual, y τόπος, lugar.) m. *Fís.* Cuerpo que, en el sistema periódico de los elementos, ocupa el mismo lugar que otro, por tener ambos idénticas propiedades químicas, pero que se distingue de aquél por la diferente constitución y peso de sus átomos. *El deuterio es un* ISÓTOPO *del hidrógeno.*

Isquiático, ca. adj. Perteneciente al isquion.

Isquion. (Del gr. ἰσχίον.) m. *Zool.* Hueso que en los mamíferos adultos se une al ilion y al pubis para formar el hueso innominado y constituye la parte posterior de éste.

Israelí. (De *Israel.*) adj. Natural o ciudadano del Estado de Israel. Ú. t. c. s. || **2.** Perteneciente a dicho Estado.

Israelita. (Del lat. *israelīta.*) adj. Hebreo, 1.ª y 4.ª aceps. Apl. a pers., ú. t. c. s. || **2.** Natural de Israel. Ú. t. c. s. || **3.** Perteneciente a este reino.

Israelítico, ca. (Del lat. *israelitĭcus.*) adj. Israelita, 3.ª acep.

Istmeño, na. adj. Natural de un istmo.

Ístmico, ca. adj. Perteneciente o relativo a un istmo. *Juegos* ÍSTMICOS.

Istmo. (Del lat. *isthmus,* y éste del gr. ἰσθμός.) m. *Geogr.* Lengua de tierra que une dos continentes o una península con un continente. ISTMO *de Corinto.* || **de las fauces.** *Zool.* Abertura entre la parte posterior de la boca y la faringe; la limitan por arriba el velo del paladar; por los lados, los pilares de éste; y por abajo, la base de la lengua. || **del encéfalo.** *Zool.* Parte inferior y media del encéfalo y en que se unen el cerebro y el cerebelo.

Istriar. tr. **Estriar.**

Ita. adj. **Aeta.** Ú. t. c. s.

Italianismo. m. Giro o modo de hablar propio y privativo de la lengua italiana. || **2.** Vocablo o giro de esta lengua empleado en otra. || **3.** Empleo de vocablos o giros italianos en distinto idioma.

Italianizar. tr. Hacer tomar carácter italiano, o inclinación a las cosas italianas. Ú. t. c. r.

Italiano, na. adj. Natural de Italia. Ú. t. c. s. || **2.** Perteneciente a esta nación de Europa. || **3.** V. **Ensalada italiana.** || **4.** m. Lengua **italiana,** una de las neolatinas. || **A la italiana.** m. adv. A estilo de Italia.

Italicense. (Del lat. *italicensis.*) adj. Natural de Itálica. Ú. t. c. s. || **2.** Perteneciente a esta ciudad de la Bética.

Itálico, ca. (Del lat. *itălus.*) adj. **Italiano,** 2.ª acep. Dícese en particular de lo perteneciente a Italia antigua. *Pueblos* ITÁLICOS; *escuela, filosofía, guerra* ITÁLICA. || **2.** V. **Letra itálica.** Ú. t. c. s. || **3. Italicense.** Apl. a pers., ú. t. c. s.

Ítalo, la. (Del lat. *itălus.*) adj. **Italiano.** Apl. a pers., ú. t. c. s., y casi siempre en poesía.

Itar. (Del lat. *iectāre, iactāre,* echar.) tr. ant. **Echar.**

Ítem. (Del lat. *item,* del mismo modo, también.) adv. lat. de que se usa para hacer distinción de artículos o capítulos en una escritura u otro instrumento, y también por señal de adición. Dícese también **ítem más.** || **2.** m. fig. Cada uno de dichos artículos o capítulos. || **3.** fig. Aditamento, añadidura.

Iterable. (Del lat. *iterabĭlis.*) adj. Capaz de repetirse.

Iteración. (Del lat. *iteratĭo, -ōnis.*) f. Acción y efecto de iterar.

Iterar. (Del lat. *iterāre.*) tr. **Repetir.**

Iterativo, va. (Del lat. *iteratīvus.*) adj. Que tiene la condición de repetirse o reiterarse.

Itericia. f. ant. **Ictericia.**

Itinerario, ria. (Del lat. *itinerarĭus,* de *iter, itinĕris,* camino.) adj. Perteneciente a caminos. || **2.** m. Descripción y dirección de un camino, expresando los lugares y posadas por donde se ha de transitar. || **3.** p. us. **Derrotero,** 1.ª acep. || **4.** *Mil.* Partida que se adelanta para preparar alojamiento a la tropa que va de marcha.

Itria. (De *itrio.*) f. Óxido de itrio, substancia blanca, terrosa, insoluble en el agua y que se extrae de algunos minerales poco comunes.

Itrio. (De *Itterby,* pueblo de Suecia; véase *terbio.*) m. Metal que forma un polvo brillante y negruzco.

Ivernal. (Del lat. *hibernālis.*) adj. ant. **Invernal.**

Ivernar. (Del lat. *hibernāre.*) intr. ant. **Invernar.**

Ivierno. (Del lat. [*tempus*] *hībĕrnum.*) m. **Invierno.**

Iza. (De *izar.*) f. *Germ.* **Ramera.**

Izado, da. p. p. de **Izar.** || **2.** m. *Germ.* El que está amancebado.

Izar. (Del neerl. *hissen.*) tr. *Mar.* Hacer subir alguna cosa tirando de la cuerda de que está colgada, la cual pasa, al efecto, por un punto más elevado.

Izgonce. m. ant. **Esconce.**

Izgonzar. tr. ant. **Esconzar.**

Izote. (Del mejic. *iczotl.*) m. *Bot.* Árbol de la familia de las liliáceas, propio de la América Central: es una especie de palma, de unos cuatro metros de altura, con ramas en forma de abanico, hojas fuertes y ensiformes, punzantes y ásperas en los bordes, y flores blancas, muy olorosas, que suelen comerse en conserva. En España se cultiva en los jardines.

Izquierda. (De *izquierdo.*) f. **Mano izquierda.** || **2.** Hablando de colectividades políticas, la más exaltada y radical de ellas, y que guarda menos respeto a las tradiciones del país.

Izquierdear. (De *izquierdo.*) intr. fig. Apartarse de lo que dictan la razón y el juicio.

Izquierdista. f. Partidario de la izquierda, 2.ª acep.

Izquierdo, da. (Del m. or. que *esquerro.*) adj. V. **Mano izquierda.** || **2.** Dícese de lo que cae o mira hacia la mano **izquierda** o está en su lado. || **3.** Aplícase a lo que desde el eje de la vaguada de un río cae a mano **izquierda** de quien se coloca mirando hacia donde corren las aguas. || **4. Zurdo.** || **5.** Dícese de la caballería que por mala formación saca los pies o manos hacia fuera y mete las rodillas adentro. || **6.** fig. Torcido, no recto.

J

J. f. Undécima letra del abecedario español, y octava de sus consonantes. Su nombre es **jota** y su sonido una fuerte aspiración.

Jaba. (Voz caribe.) f. *Cuba.* Especie de cesta, hecha de tejido de junco o yagua. || **2.** *Amér.* Especie de cajón de forma enrejada en que se transporta loza.

Jabalcón. (De *jabalón.*) m. *Arq.* Madero ensamblado en uno vertical para apear otro horizontal o inclinado.

Jabalconar. tr. Formar con jabalcones el tendido del tejado. || **2.** Sostener con jabalcones un vano o voladizo.

Jabalí. (Del ár. *ŷabalī*, montaraz.) m. Mamífero paquidermo, bastante común en los montes de España, que es la variedad salvaje del cerdo, del cual se distingue por tener la cabeza más aguda, la jeta más prolongada, las orejas siempre tiesas, el pelaje muy tupido, fuerte, de color gris uniforme, y los colmillos grandes y salientes de la boca. || **alunado.** Aquel cuyos colmillos, por ser muy viejo, le han crecido de manera que casi llegan a formar media luna o algo más, de suerte que no puede herir con ellos.

Jabalín. m. ant. **Jabalí.** Ú. en *And.* y *Sal.*

Jabalina. (De *jabalín.*) f. Hembra del jabalí.

Jabalina. (En fr. *javeline*, y éste del célt. *gabalos*, lanza.) f. Arma, a manera de pica o venablo, de que se usaba más comúnmente en la caza mayor.

Jabalinero, ra. (De *jabalín.*) adj. *Sal.* Dícese del perro adiestrado en la caza del jabalí.

Jabalón. (Del ár. *ŷamalūn*, techo abovedado.) m. *Arq.* **Jabalcón.**

Jabalonar. tr. **Jabalconar.**

Jabaluno, na. (De *jabalí.*) adj. V. **Piedra jabaluna.** Ú. t. c. s. f.

Jabarcón. m. ant. *Arq.* **Jabalcón.**

Jabardear. intr. Dar jabardos las colmenas.

Jabardillo. (d. de *jabardo.*) m. Bandada grande, susurradora, arremolinada e inquieta, de insectos o avecillas. || **2.** fig. y fam. Remolino de mucha gente que mueve confusión y ruido.

Jabardo. m. Enjambre pequeño producido por una colmena como segunda cría del año, o como primera y única si está débil por haber sido el invierno muy riguroso. || **2.** fig. y fam. **Jabardillo,** 2.ª acep.

Jabato. m. Hijo pequeño o cachorro del jabalí.

Jabeba. f. **Ajabeba.**

Jabeca. (Del ár. *sabīka*, lingote.) f. *Min.* Horno de destilación, usado antiguamente en Almadén, que consistía en una fábrica rectangular con su punta y chimenea de tiro, y cubierta por una bóveda en cañón con varias filas de agujeros, donde se colocaban las ollas casi llenas de mineral de azogue revuelto con hormigo.

Jábeca. (Del ár. *šabaka*, red.) f. **Jábega,** 1.er art.

Jabega. f. **Jabeba.**

Jábega. (De *jábeca.*) f. Red de más de cien brazas de largo, compuesta de un copo y dos bandas, de las cuales se tira desde tierra por medio de cabos sumamente largos.

Jábega. (De *jabeque.*) f. Embarcación parecida al jabeque, pero más pequeña y que sirve para pescar.

Jabegote. m. Cada uno de los hombres que tiran de los cabos de la jábega, 1.er art.

Jabeguero, ra. adj. Perteneciente a la jábega, 1.er art. || **2.** m. Pescador de jábega, 1.er art.

Jabelgar. tr. ant. **Jalbegar.** Ú. en *Sal.*

Jabeque. (Del ár. *šabbāk*, barco para pescar con red.) m. Embarcación costanera de tres palos, con velas latinas, que también suele navegar a remo.

Jabeque. (Del ár. *ḥabaṭ*, huella o señal de herida.) m. fig. y fam. Herida en el rostro, hecha con arma blanca corta. Ú. m. con el verbo *pintar.*

Jabera. f. Especie de cante popular andaluz, en compás de tres por ocho; se compone de una introducción instrumental parecida a la malagueña, y de una copla.

Jabí. (Del ár. *šaʿbī*, variedad de manzana primaveral.) adj. Dícese de una especie de manzana silvestre y pequeña. Ú. t. c. s. m. || **2.** Aplícase también a cierta especie de uva pequeña que se cría en el antiguo reino de Granada. Ú. t. c. s.

Jabí. (Voz americana.) m. *Bot.* Árbol de la América intertropical, de la familia de las papilionáceas, con tronco liso, que crece hasta seis metros de altura; muy ramoso, con hojas compuestas de hojuelas ovaladas, lustrosas y pecioladas; flores pequeñas en ramilletes colgantes y de corola morada; fruto en vainas estrechas con semillas elípticas, y madera rojiza, dura, tan compacta, que apenas puede cortarse con hacha, y muy apreciada en la construcción naval por ser incorruptible debajo del agua.

Jabillo. (De *jabí*, 2.° art.) m. Árbol de la América tropical, de la familia de las euforbiáceas, de más de 15 metros de altura, muy ramoso, con hojas alternas, pecioladas, flores monoicas y fruto en caja que se abre con ruido. Contiene un jugo lechoso muy deletéreo, y su madera, blanda, muy fibrosa y de mucha duración debajo del agua, se emplea para hacer canoas.

Jabino. (Del lat. *sabīna.*) m. Variedad enana del enebro.

Jable. (Del fr. *jable.*) m. Gárgol en que se encajan las tiestas de las tapas de toneles y botas.

Jabón. (Del lat. *sapo, -ōnis.*) m. Pasta que resulta de la combinación de un álcali con los ácidos del aceite u otro cuerpo graso; es soluble en el agua, y por sus propiedades detersorias sirve comúnmente para lavar. || **2.** V. **Caldera, mano, palo de jabón.** || **3.** fig. Cualquiera otra masa que tenga semejante uso, aunque no esté compuesta como el **jabón** común. || **4.** *Farm.* Compuesto medicinal que resulta de la acción del amoníaco u otro álcali, o de un óxido metálico, sobre aceites, grasas o resinas, y se mezcla a veces con otras substancias que no producen saponificación. || **blando.** Aquel cuyo álcali es la potasa y que se distingue por su color obscuro y su consistencia de ungüento. || **de olor. Jaboncillo,** 1.ª acep. || **de Palencia.** fig. y fam. Pala con que las lavanderas golpean la ropa para limpiarla y gastar menos **jabón.** || **2.** fig. y fam. Zurra de palos. || **de piedra. Jabón duro.** || **de sastre.** Esteatita blanca que los sastres emplean para señalar en la tela el sitio por donde han de cortar o coser. || **duro.** Aquel cuyo álcali es la sosa, y se distingue por su color blanco o jaspeado y su mucha consistencia. || **Dar jabón** a uno. fr. fig. y fam. Adularle, lisonjearle. || **Dar** a uno **un jabón.** fr. fig. y fam. Castigarle o reprenderle ásperamente.

Jabonado, da. p. p. de **Jabonar.** || **2.** m. **Jabonadura,** 1.ª acep. || **3.** Conjunto de ropa blanca que se ha de jabonar o se ha jabonado.

Jabonador, ra. adj. Que jabona. Ú. t. c. s.

Jabonadura. f. Acción y efecto de jabonar. || **2.** pl. Agua que queda mezclada con el jabón y su espuma. || **3.** Espuma que se forma al jabonar. || **Dar a**

a uno **una jabonadura.** fr. fig. y fam. **Dar** a uno **un jabón.**

Jabonar. tr. Fregar o estregar la ropa u otras cosas con jabón y agua para lavarlas, emblanquecerlas o ablandarlas. || **2.** Humedecer la barba con agua jabonosa para afeitarla. || **3.** fig. y fam. **Dar un jabón.**

Jaboncillo. (d. de *jabón.*) m. Pastilla de jabón duro mezclado con alguna substancia aromática para los usos del tocador. || **2.** Árbol de América, de la familia de las sapindáceas, de seis a ocho metros de altura, con hermosa copa, hojas divididas en hojuelas enteras, flores de cuatro pétalos amarillentos, en racimos axilares, y fruto carnoso parecido a una cereza, pero amargo y con dos o tres huesos o semillas negras y lustrosas. La pulpa de este fruto produce con el agua una especie de jabón que sirve para lavar la ropa. || **3.** *Cuba.* **Calalú,** 2.ª acep. || **4.** *Farm.* **Jabón,** 4.ª acep. || **de sastre. Jabón de sastre.**

Jabonera. f. Mujer que hace o vende jabón. || **2.** Caja que hay para el jabón en los lavabos y tocadores. || **3.** *Bot.* Planta herbácea de la familia de las cariofiláceas, con tallos erguidos de cuatro a seis decímetros; hojas lanceoladas, con pecíolo corto y tres nervios muy prominentes; flores grandes, olorosas, de color blanco rosado, formando panojas, y fruto capsular con diversas semillas. El zumo de esta planta y su raíz hacen espuma con el agua y sirven, como el jabón, para lavar la ropa. Es muy común en los terrenos húmedos. || **4.** Planta de la misma familia que la anterior, con tallos nudosos de seis a ocho decímetros de altura; hojas largas, muy estrechas y carnosas; flores blancas, pequeñas, en corimbos muy apretados, y fruto seco y capsular. Es frecuente en los sembrados. || **de la Mancha. Jabonera,** 4.ª acep.

Jabonería. (De *jabonero.*) f. Fábrica de jabón. || **2.** Tienda de jabón.

Jabonero, ra. adj. Perteneciente o relativo al jabón. || **2.** Dícese del toro cuya piel es de color blanco sucio que tira a amarillento. || **3.** V. **Hierba jabonera.** || **4.** m. El que fabrica o vende jabón.

Jaboneta. f. **Jabonete.**

Jabonete. m. **Jaboncillo,** 1.ª acep. || **de olor. Jabonete.**

Jabonoso, sa. adj. Que es de jabón o de naturaleza de jabón.

Jaborandi. m. Árbol poco elevado, originario del Brasil, de la familia de las rutáceas, con hojas compuestas de siete o nueve hojuelas, flores en racimos delgados y largos, y fruto capsular de cinco divisiones. Tienen las hojas olor y sabor semejantes a los de las del naranjo, y su infusión es eficaz para promover la salivación y la transpiración.

Jaca. (De *haca.*) f. Caballo cuya alzada no llega a siete cuartas. || **2.** *Perú.* Yegua de poca alzada. || **de dos cuerpos.** La que aproximándose a las siete cuartas, aunque sin alcanzarlas, es por su robustez y buenas proporciones capaz del mismo servicio que el caballo de alzada.

Jacal. (Del mejic. *xacalli.*) m. *Méj.* **Choza.**

Jácara. (Quizá del verbo ár. *ŷakkara,* hacer rabiar, molestar a uno.) f. Romance alegre en que por lo regular se cuentan hechos de la vida airada. || **2.** Cierta música para cantar o bailar. || **3.** Especie de danza, formada al tañido o son propio de la **jácara.** || **4.** Junta de gente alegre que de noche anda metiendo ruido y cantando por las calles. || **5.** fig. y fam. Molestia o enfado, por alusión al que causan los que andan de noche cantando **jácaras.** || **6.** fig. y fam. Mentira o patraña. || **7.** fig. y fam. Cuento, historia, razonamiento. *Antonio echó ya su* JÁCARA.

Jacarandá. m. *Chile.* Árbol de la familia de las bignoniáceas, de flores azules, muy cultivado en parques y jardines. Es propio de la América tropical.

Jacarandaina. f. *Germ.* **Jacarandina.**

Jacarandana. (De *jácara.*) f. *Germ.* Rufianesca o junta de rufianes o ladrones. || **2.** *Germ.* Lenguaje de los rufianes.

Jacarandina. f. *Germ.* **Jacarandana.** || **2.** *Germ.* **Jácara,** 2.ª acep. || **3.** *Germ.* Modo particular de cantarla los jaques.

Jacarandino, na. adj. *Germ.* Perteneciente a la jacarandina.

Jacarando, da. adj. Propio de la jácara o relativo a ella. || **2.** m. **Jácaro,** 2.ª acep.

Jacarandoso, sa. (De *jacarando.*) adj. fam. Donairoso, alegre, desenvuelto.

Jacarear. intr. Cantar jácaras frecuentemente. || **2.** fig. y fam. Andar por las calles cantando y haciendo ruido. || **3.** fig. y fam. Molestar a uno con palabras impertinentes y enfadosas.

Jacarero. m. Persona que anda por las calles cantando jácaras. || **2.** fig. y fam. Alegre de genio y chancero.

Jacarista. m. **Jacarero.**

Jácaro, ra. (Del m. or. que *jácara.*) adj. Perteneciente o relativo al guapo y baladrón. || **2.** m. El guapo y baladrón. || **A lo jácaro.** m. adv. Con afectación, valentía o bizarría en el modo o traje.

Jácena. (Del ár. *ḥāṣina,* que fortalece o defiende.) f. *Alic.* Madero de hilo, de 36 palmos de longitud y escuadría de 18 pulgadas de lado. || **2.** En Baleares, viga de pinabete. || **3.** *Arq.* **Viga maestra.**

Jacer. (Del lat. *iacēre.*) tr. ant. Tirar o arrojar.

Jacerina. (De *jacerino.*) f. Cota de malla.

Jacerino, na. (De *jazarino.*) adj. V. **Cota jacerina.** || **2.** ant. Duro y difícil de penetrar, como el acero.

Jacilla. (Del lat. *iacīlia,* pl. n. de *iacīle,* de *iacēre,* yacer.) f. Señal o huella que deja una cosa sobre la tierra en que ha estado por algún tiempo.

Jacintino, na. (Del lat. *hyacinthinus.*) adj. **Violado.** Ú. m. en poesía.

Jacinto. (Del lat. *hyacinthus,* y éste del gr. ὑάκινθος.) m. Planta anual de la familia de las liliáceas, con hojas radicales, enhiestas, largas, angostas, acanaladas, lustrosas y crasas; flores olorosas, blancas, azules, róseas o amarillentas, en espiga sobre un escapo central fofo y cilíndrico, y fruto capsular con tres divisiones y varias semillas negras casi redondas. Es originario del Asia Menor y se cultiva por lo hermoso de las flores. || **2.** Flor de esta planta. || **3. Circón.** || **de Ceilán. Circón.** || **de Compostela.** Cuarzo cristalizado de color rojo obscuro. || **occidental. Topacio.** || **oriental. Rubí.**

Jaco. (Del ár. *šakk,* loriga de mallas apretadas.) m. Cota de malla de manga corta y que no pasaba de la cintura. || **2.** Jubón de tela tosca hecha con pelo de cabra, que antiguamente usaron los soldados.

Jaco. (De *jaca.*) m. Caballo pequeño y ruin.

Jacobeo, a. adj. Perteneciente o relativo al apóstol Santiago.

Jacobinismo. m. Doctrina de los jacobinos.

Jacobino, na. (Del fr. *jacobin.*) adj. Dícese del individuo del partido más demagógico y sanguinario de Francia en tiempo de la Revolución, y de este mismo partido, llamado así a causa de haber celebrado sus reuniones en un convento de dominicanos, a quienes vulgarmente se daba en aquel país el nombre de **jacobinos,** por la calle de San Jacobo, donde tuvieron en París su primera casa. Apl. a pers., ú. t. c. s. || **2.** Por ext., dícese del demagogo partidario de la revolución violenta y sanguinaria. Ú. m. c. s.

Jacobita. adj. **Monofisita.** Ú. t. c. s. || **2.** Partidario de la restauración en el trono de Inglaterra de Jacobo II Estuardo o de sus descendientes. Ú. t. c. s. || **3.** Perteneciente o relativo a la política de estos partidarios.

Jactancia. (Del lat. *iactantĭa.*) f. Alabanza propia, desordenada y presuntuosa. || **2.** *For.* V. **Acción de jactancia.**

Jactanciosamente. adv. m. Con jactancia.

Jactancioso, sa. (De *jactancia.*) adj. Que se jacta. Ú. t. c. s.

Jactante. (Del lat. *iactans, -antis.*) p. a. ant. de **Jactarse.** Que se jacta.

Jactar. (Del lat. *iactāre.*) tr. ant. Mover, agitar. || **2.** r. Alabarse uno excesiva y presuntuosa o desordenadamente de la propia excelencia, y también de la que él mismo se atribuye, y aun de acciones criminales o vergonzosas. También se ha usado como tr. JACTAR *valor;* JACTAR *linajes.*

Jactura. (Del lat. *iactūra.*) f. ant. Quiebra, menoscabo, pérdida.

Jaculatoria. (Del lat. *iaculatoria,* t. f. de *-rius,* jaculatorio.) f. Oración breve dirigida al cielo con vivo movimiento de corazón.

Jaculatorio, ria. (Del lat. *iaculatorĭus,* de *iaculāri,* lanzar.) adj. Breve y fervoroso. || **2.** V. **Oración jaculatoria.**

Jáculo. (Del lat. *iacŭlum.*) m. **Dardo,** 1.ª acep.

Jachalí. (Voz americana.) m. Árbol de la América intertropical, de la familia de las anonáceas, con tronco liso de seis a siete metros de altura; copa redonda, ramas abundantes pobladas de hojas gruesas, enteras, alternas, lanceoladas y lustrosas; flores blancas, axilares; fruto ovoide, drupáceo, aromático, sabroso, de corteza amarillenta y dividida en escamas cuadrangulares, y madera sumamente dura, muy apreciada para la ebanistería.

Jada. (Del lat. **asciata,* de *ascia.*) f. *Ar.* **Azada.**

Jade. (Del chino *jud.*) m. Piedra muy dura, tenaz, de aspecto jabonoso, blanquecina o verdosa con manchas rojizas o moradas, que suele hallarse formando nódulos entre las rocas estratificadas cristalinas. Es un silicato de magnesia y cal con escasas porciones de alúmina y óxidos de hierro y de manganeso, resultando con una composición semejante a la del feldespato. Muchas de las herramientas prehistóricas están hechas de este mineral, y aún se emplea en la China para fabricar amuletos muy apreciados contra el mal de piedra.

Jadeante. p. a. de **Jadear.** Que jadea.

Jadear. (De *ijadear.*) intr. Respirar anhelosamente por efecto de algún trabajo o ejercicio impetuoso.

Jadeo. m. Acción de jadear.

Jadiar. (De *jada.*) tr. *Ar.* Cavar con la jada.

Jadraque. (Del ár. *ḥadrat,* excelencia, majestad, señoría.) m. Tratamiento de respeto y cortesía que se da entre musulmanes a los sultanes y príncipes.

Jaecero, ra. m. y f. Persona que hace jaeces.

Jaén. (De *Jaén,* de donde procede esta uva.) adj. V. **Uva jaén.** Ú. t. c. s. || **2.** Dícese también de la vid y del veduño que la producen.

Jaenero, ra. adj. **Jaenés.**

Jaenés, sa. adj. Natural de Jaén. Ú. t. c. s. || **2.** Perteneciente a esta ciudad.

Jaez. (Del ár. *ŷahāz,* aparejo, equipo.) Cualquier adorno que se pone a las caballerías. Ú. m. en pl. || **2.** Adorno de cintas con que se enjaezan las crines del caballo en días de función o gala. Llámase medio **jaez** cuando sólo está entrenzada la mitad de las crines. || **3.** fig. Calidad o propiedad de una cosa. || **4.** *Germ.* Ropa o vestidos.

Jaezar. (De *jaez.*) tr. **Enjaezar.**

Jafético, ca. adj. Aplícase a los pueblos y razas que descienden de Jafet, tercer hijo de Noé, y que se cree hallarse extendidas desde la India y Asia Central hasta las extremidades occidentales de Europa. || **2.** Perteneciente a estos pueblos o razas.

Jaga. (Del gall. y port. *chaga*, y éste del lat. *plaga*, golpe.) f. ant. **Llaga,** 1.ª acep.

Jagua. (Del mejic. *xahualli.*) f. Árbol de la América intertropical, de la familia de las rubiáceas, con tronco recto de 10 a 12 metros de altura, corteza gris, ramas largas casi horizontales, hojas grandes, opuestas, lanceoladas, nerviosas y de color verde claro; flores olorosas, blancas, amarillentas, en ramilletes colgantes; fruto como un huevo de ganso, drupáceo, de corteza cenicienta y pulpa blanquecina, agridulce, que envuelve muchas semillas pequeñas, duras y negras, y madera de color amarillento rojizo, fuerte y elástica. || **2.** Fruto de este árbol.

Jaguadero. (Del ant. *ejaguar*, del lat. **exaquāre*, desaguar.) m. ant. **Desaguadero.**

Jaguar. (Voz americana.) m. Félido de gran tamaño, rugidor, con la piel adornada de manchas grandes negras. Se encuentra desde Tejas y Méjico, en toda la América Central y Meridional.

Jaguarzo. (Del ár. *šaqwāṣ*, variedad de jara.) m. *Bot.* Arbusto de la familia de las cistáceas, de unos dos metros de altura, derecho, ramoso, con hojas algo viscosas, de color verde obscuro por la haz y blanquecinas por el envés, lanceoladas, casi lineales, revueltas en su margen, algo envainadoras; flores blancas en grupos terminales, y fruto capsular, pequeño, liso y casi globoso. Es muy abundante en el centro de España.

Jagüey. m. *Bot.* Bejuco de la isla de Cuba, de la familia de las moráceas, que crece enlazándose con otro árbol, al cual mata por vigoroso que sea. || **2.** *Amér.* Balsa, pozo o zanja llena de agua, ya artificialmente, ya por filtraciones naturales del terreno.

Jaharí. (Del ár. *ša'arī*, peludo, velloso.) adj. Dícese de una especie de higos que se cría en Andalucía. Ú. t. c. s.

Jahariz. m. ant. **Jaraíz.**

Jaharral. (Del ár. *ḥaŷar*, piedra.) m. *And.* Lugar de mucha piedra suelta.

Jaharrar. (Del ár. *ḥawāra*, greda blanca.) tr. Cubrir con una capa de yeso o mortero el paramento de una fábrica de albañilería.

Jaharro. m. Acción y efecto de jaharrar.

Jaiba. f. *Cuba.* Especie de cangrejo moro de concha casi plana. || **2.** *Chile.* **Cámbaro.**

Jaique. (Del ár. *ḥā'ik.*) m. Especie de almalafa, usada en Berbería, que sirve para cubrirse de noche y como vestido de día.

¡Ja, ja, ja! interj. con que se denota la risa.

Jalapa. (De *Xalapa*, ciudad de Méjico, de donde procede esta planta.) f. Raíz de una planta vivaz americana, de la familia de las convolvuláceas, semejante a la enredadera de campanillas, del tamaño y forma de una zanahoria, compacta, pesada, negruzca por fuera, blanca por dentro y con jugo resinoso que se solidifica pronto. Se usa en medicina como purgante enérgico.

Jalar. tr. fam. **Halar.** || **2.** fam. Tirar, atraer.

Jalbegador, ra. adj. Que jalbega. Ú. t. c. s.

Jalbegar. (Del lat. **exalbicāre*, blanquear.) tr. **Enjalbegar.** || **2.** fig. Afeitar o componer el rostro con afeites. Ú. t. c. r.

Jalbegue. (De *jalbegar.*) m. Blanqueo hecho con cal o arcilla blanca. || **2.** Lechada de cal dispuesta para blanquear o enjalbegar. || **3.** fig. Afeite de que suelen usar las mujeres para blanquearse el rostro.

Jaldado, da. adj. **Jalde.**

Jalde. (Del ant. fr. *jalne*, y éste del lat. *galbĭnus*, de color verde claro.) adj. Amarillo subido.

Jaldeta. f. ant. **Faldeta.** Ú. en *Sal.* || **2.** ant. Cada una de las vertientes o aguas de una armadura, desde el almizate hasta el estribo. || **3.** ant. Distancia que había entre las alfardas que formaban cada vertiente de la armadura.

Jaldo, da. adj. **Jalde.**

Jaldre. m. *Cetr.* Color jalde.

Jalea. (Del fr. *gelée.*) f. Conserva transparente, hecha del zumo de algunas frutas. || **2.** *Farm.* Cualquier medicamento muy azucarado, de los que tienen por base una materia vegetal o animal, y que al enfriarse toman consistencia gelatinosa. || **del agro.** Conserva de cidra. || **Hacerse** uno **una jalea.** fr. fig. y fam. Mostrarse extremadamente afectuoso de puro enamorado.

Jaleador, ra. adj. Que jalea. Ú. t. c. s.

Jalear. (De *¡hala!*) tr. Llamar a los perros a voces para cargar o seguir la caza. || **2.** Animar con palmadas, ademanes y expresiones a los que bailan, cantan, etc. || **3.** *And.* **Ojear,** 2.° art., 1.ª acep.

Jaleco. (Del turco *yalak*, chupa.) m. Jubón de paño de color, cuyas mangas no llegaban más que a los codos, puesto sobre la camisa, escotado, abierto por delante y con ojales y ojetes. Era prenda del traje servil entre los turcos; pero los turcos argelinos, hombres y mujeres, lo usaban en tiempo de frío debajo del sayo, y siempre lo vestían allí los cristianos cautivos.

Jaleo. m. Acción y efecto de jalear. || **2.** Cierto baile popular andaluz. || **3.** Tonada y coplas de este baile. || **4.** fam. **Jarana,** 1.ª y 2.ª aceps. || **5.** *And.* **Ojeo.**

Jaletina. f. **Gelatina.** || **2.** Especie de jalea fina y transparente, que se prepara generalmente cociendo cola de pescado con cualquiera fruta, o con substancias animales, y azúcar.

Jalifa. (Del m. or. que *califa.*) m. Autoridad suprema de la zona del protectorado español en Marruecos, que con intervención del alto comisario de España y por delegación irrevocable del sultán ejerce los poderes y desempeña las funciones que a éste competen. || **2.** En Marruecos, lugarteniente que substituye a un funcionario; v. gr.: al cadí durante sus ausencias o enfermedades.

Jalifato. m. Dignidad de jalifa. || **2.** Territorio gobernado por el jalifa.

Jalifiano, na. adj. Que corresponde a la autoridad del jalifa o de ella depende.

Jalisciense. adj. Natural de Jalisco. Ú. t. c. s. || **2.** Perteneciente a este Estado de la república mejicana.

Jalma. (Del lat. *sagma*, y éste del gr. σάγμα.) f. **Enjalma.**

Jalmería. f. Arte u obra de los jalmeros.

Jalmero. (De *jalma.*) m. **Enjalmero.**

Jalón. (En fr. *jalon.*) m. *Topogr.* Vara con regatón de hierro para clavarla en tierra y determinar puntos fijos cuando se levanta el plano de un terreno.

Jalonar. tr. Alinear por medio de jalones.

Jaloque. (Del ár. *šarūq* o *šalūk*, viento de Levante.) m. **Sudeste,** 2.ª acep.

Jallullo. m. *And.* **Hallullo.**

Jamaicano, na. adj. Natural de Jamaica. Ú. t. c. s. || **2.** Perteneciente a esta isla de América.

Jamar. tr. fam. **Comer,** 2.° art.

Jamás. (Del lat. *iam magis*, ya más.) adv. t. **Nunca.** Pospuesto a este adverbio y a *siempre*, refuerza el sentido de una y otra voz. || **2.** ant. **Siempre.** || **3.** ant. Alguna vez. || **Jamás por jamás,** o **Por jamás.** ms. advs. **Nunca jamás.**

Jamba. (Del fr. *jambe*, y éste del célt. *camba*, pierna.) f. *Arq.* Cualquiera de las dos piezas labradas que, puestas verticalmente en los dos lados de las puertas o ventanas, sostienen el dintel de ellas.

Jambaje. m. *Arq.* Conjunto de las dos jambas y el dintel que forman el marco de una puerta o ventana. || **2.** Todo lo perteneciente al ornato de las jambas y el dintel.

Jámbico, ca. adj. **Yámbico.**

Jambo. m. ant. **Yambo,** 1.er art.

Jambón. (De *jamba.*) m. ant. **Jamón.**

Jambrar. (Del lat. *examināre*, enjambrar.) tr. *Ar.* **Enjambrar.**

Jamelgo. (Del lat. *famelĭcus*, hambriento.) m. fam. Caballo flaco y desgarbado, por hambriento.

Jamerdana. (De *jamerdar.*) f. Paraje adonde se arroja la inmundicia de los vientres de las reses en el rastro o matadero.

Jamerdar. (Del lat. *ex*, priv., y *merda*, excremento.) tr. Limpiar los vientres de las reses. || **2.** fam. Lavar mal y de prisa.

Jamete. (Del b. gr. ἑξάμιτος, de seis lizos.) m. Rica tela de seda, que algunas veces solía entretejerse de oro.

Jametería. (Del ár. *hammād*, que elogia desmedidamente, con terminación española.) f. *Murc.* **Zalamería.**

Jámila. (Del ár. *ŷamīla*, agua que corre de las aceitunas apiladas.) f. **Alpechín.**

Jamón. (De *jambón.*) m. Carne curada de la pierna del cerdo. || **2.** ant. Anca, pierna. || **en dulce.** El que se cuece en vino blanco y se come fiambre.

Jamona. (De *jamón.*) adj. fam. Aplícase a la mujer que ha pasado de la juventud, especialmente cuando es gruesa. Ú. m. c. s. || **2.** f. ant. Galardón, gratificación o regalo consistente principalmente en perniles u otros comestibles.

Jamúas. f. pl. *León.* **Jamugas.**

Jamuga. f. **Jamugas.**

Jamugas. (Del célt. *sambūca.*) f. pl. Silla de tijera, con patas curvas y correones para apoyar espalda y brazos, que se coloca sobre el aparejo de las caballerías para montar cómodamente a mujeriegas.

Jamurar. tr. **Achicar,** 2.ª acep.

Jamuscar. tr. ant. **Chamuscar.**

Jándalo, la. (De la palabra *andaluz*, pronunciada burlescamente.) adj. fam. Aplícase a los andaluces por su pronunciación gutural. Ú. t. c. s. || **2.** m. En Castilla, Asturias y otras regiones del Norte, se dice de la persona que ha estado en Andalucía y vuelve con la pronunciación y hábitos de aquella tierra.

Jangada. f. fam. Salida o idea necia y fuera de tiempo o ineficaz. || **2.** fam. **Trastada.** || **3. Balsa,** 2.° art., 1.ª acep.

Jangua. (Del chino *chun*, barco.) f. Embarcación pequeña armada en guerra, muy usada en los mares de Oriente.

Jansenismo. m. Doctrina de Cornelio Jansen, heresiarca holandés del siglo XVII, que exageraba las ideas de San Agustín acerca de la influencia de la gracia divina para obrar el bien, con mengua de la libertad humana.

Jansenista. adj. Sectario del jansenismo. Ú. t. c. s. || **2.** Perteneciente o relativo al jansenismo.

Japón. n. p. V. **Barniz, níspero, zumaque del Japón.**

Japón, na. adj. **Japonés.** Apl. a pers., ú. t. c. s.

Japonense. adj. **Japonés.** Apl. a pers., ú. t. c. s.

Japonés, sa. adj. Natural del Japón. Ú. t. c. s. || **2.** Perteneciente a este país de Asia. || **3.** m. Idioma **japonés.**

Japónica. adj. V. **Tierra japónica.**

Japuta. (Del ár. *šabbūṭ.*) f. *Zool.* Pez teleósteo del suborden de los acantopterigios, de color plomizo, de unos 35 centímetros de largo y casi otro tanto de alto, cabeza pequeña, boca redonda, armada de dientes finos, largos y apretados a manera de brocha, escamas regulares y romboidales que se extienden hasta cubrir las aletas dorsal y anal, cola en forma de media luna, y aleta pectoral muy larga. Vive en el Mediterráneo y es comestible apreciado.

Jaque. (Del persa *šāh*, rey.) m. Lance del juego de ajedrez, en que el rey o la reina de un jugador están amenazados por alguna pieza del otro, quien tiene obligación de avisarlo. || **2.** Palabra con que lo avisa. || **¡Jaque!** interj. con que se avisa a uno que se aparte o se vaya. || **Tener** a uno **en jaque.** fr. Tenerle bajo el peso de una amenaza.

Jaque. (Del ár. *šaij*, jeque.) m. fam. Valentón, perdonavidas.

Jaque. (Del ár. *šaqq*, mitad de una cosa.) m. Especie de peinado liso que antiguamente usaban las mujeres. || **2.** *Ar.* Cada una de las dos bolsas de las alforjas.

Jaquear. tr. Dar jaques en el juego del ajedrez. || **2.** fig. Hostigar al enemigo haciéndole temer un ataque.

Jaqueca. (Del ár. *šaqīqa*, migraña.) f. Dolor de cabeza más o menos duradero, que no ataca sino a intervalos y solamente, por lo común, en un lado o en una parte de ella. || **Dar** a uno **una jaqueca.** fr. fig. y fam. Fastidiarle y marearle con lo pesado, difuso o necio de la conversación.

Jaquecoso, sa. (De *jaqueca.*) adj. fig. Fastidioso, molesto, cargante.

Jaquel. (De *jaque*, en el ajedrez.) m. *Blas.* **Escaque,** 2.ª acep.

Jaquelado, da. (De *jaquel.*) adj. *Blas.* Dividido en escaques. || **2.** Dícese de las piedras preciosas labradas con facetas cuadradas.

Jaquero. m. Peine pequeño y muy fino que servía para hacer el jaque, 2.° art., 1.ª acep.

Jaqués, sa. adj. Natural de Jaca. Ú. t. c. s. || **2.** Perteneciente a esta ciudad. || **3.** V. **Libra, moneda jaquesa.**

Jaqueta. (De *jaco*, 1.er art.) f. ant. **Chaqueta.**

Jaquetilla. f. Jaqueta más corta que la común.

Jaquetón. m. *Zool.* Tiburón semejante al marrajo, que puede alcanzar más de seis metros de longitud, con dientes planos, triangulares y aserrados en sus bordes. Se encuentra en todos los mares, siendo quizá, por su tamaño y su poderosa dentadura, el tiburón más peligroso que se conoce.

Jaquetón. m. fam. aum. de **Jaque,** 2.° art.

Jaquetón. m. Jaqueta mayor que la común.

Jáquima. (Del ár. *šakīma*, cabezada.) f. Cabezada de cordel, que suple por el cabestro, para atar las bestias y llevarlas.

Jaquimazo. m. Golpe dado con la jáquima. || **2.** fig. y fam. Pesar o chasco grave dado a uno.

Jaquimero. m. El que hace o vende jáquimas.

Jaquir. (Tal vez del lat. *iacŭi*, pret. de *iacēre.*) tr. ant. Dejar, desamparar.

Jar. (Aféresis del cat. *pixar*, der. del lat. *mixi*, pret. de *mingĕre*, mear.) intr. *Germ.* **Orinar.**

Jara. (Del ár. *ša'rā'*, mata, breña.) f. Arbusto siempre verde, de la familia de las cistáceas, con ramas de color pardo rojizo, de dos metros de altura; hojas muy viscosas, opuestas, sentadas, estrechas, lanceoladas, de haz lampiña de color verde obscuro, y envés velloso, algo blanquecino; flores grandes, pedunculadas, de corola blanca, frecuentemente con una mancha rojiza en la base de cada uno de los cinco pétalos, y fruto capsular, globoso con diez divisiones, donde están las semillas. Es abundantísima en los montes del centro y mediodía de España. || **2.** Palo de punta aguzada y endurecido al fuego, que se emplea como arma arrojadiza. || **blanca. Estepilla.** || **cerval,** o **cervuna.** Mata semejante a la **jara,** de la que se distingue por tener las hojas con pecíolo, acorazonadas, lampiñas y sin manchas en la base de los pétalos. Abunda en España. || **estepa.** Mata semejante a la **jara,** pero más pequeña, de cuatro a seis decímetros de alto, muy ramosa, con hojas pecioladas, elípticas, vellosas, verdes por encima y cenicientas por el envés; flores en largos pedúnculos, blancas, con bordes amarillos, y fruto en cápsula pentagonal. Se halla en toda España. || **macho. Jara cerval.** || **negra. Jara,** 1.ª acep.

Jarabe. (Del ár. *šarāb*, bebida.) m. Bebida que se hace cociendo azúcar en agua hasta que se espese sin formar hilos, y añadiendo zumos refrescantes o substancias medicinales, de que toma nombre. || **2.** fig. Cualquier bebida excesivamente dulce. || **de pico.** fr. fig. y fam. Palabras sin substancia; promesas que no se han de cumplir. || **Tres jarabes y una purga; venga premio y anda, mula.** ref. contra los médicos ignorantes e interesados.

Jarabear. tr. Dar o mandar tomar el médico jarabes con frecuencia. || **2.** r. Tomar jarabes, regularmente para disponerse a la purga.

Jaracalla. f. **Alondra.**

Jaraíz. (Del ár. *ṣahrīŷ*, cisterna, estanque.) m. **Lagar.** || **2.** En algunas partes, lagar pequeño.

Jaral. m. Sitio poblado de jaras. || **2.** fig. Lo que está muy enredado o intrincado, aludiendo a la espesura de los **jarales.**

Jaramago. (Del lat. *siser amarĭcum*, sisimbrio amargo.) m. Planta herbácea de la familia de las crucíferas, con tallo enhiesto de seis a ocho decímetros, y ramoso desde la base; hojas grandes, ásperas, arrugadas, partidas en lóbulos obtusos y algo dentados; flores amarillas, pequeñas, en espigas terminales muy largas, y fruto en vainillas delgadas, casi cilíndricas, torcidas por la punta y con muchas semillas. Es muy común entre los escombros.

Jarameño, ña. adj. Perteneciente al río Jarama o a sus riberas. || **2.** Aplícase a los toros que se crían en las riberas del Jarama, celebrados por su bravura y ligereza.

Jaramugo. (De *samarugo.*) m. Pececillo nuevo de cualquiera especie.

Jarana. (De *jacarandana.*) f. fam. Diversión bulliciosa de gente ordinaria. || **2.** fam. Pendencia, alboroto, tumulto. || **3.** fam. Trampa, engaño, burla.

Jarandina. f. *Germ.* **Jacarandina.**

Jaranear. intr. fam. Andar en jaranas.

Jaranero, ra. adj. Aficionado a jaranas.

Jarano. adj. V. **Sombrero jarano.** Ú. t. c. s.

Jarapote. m. *And.* y *Ar.* **Jaropeo.**

Jarapotear. tr. *And.* y *Ar.* **Jaropear.**

Jarazo. m. Golpe dado o herida hecha con la jara.

Jarcia. (Del ár. *sarsiya*, cuerda que sujeta el mástil.) f. Carga de muchas cosas distintas para un uso o fin. || **2.** Aparejos y cabos de un buque. Ú. m. en pl. || **3.** Conjunto de instrumentos y redes para pescar. || **4.** fig. y fam. Conjunto de muchas cosas diversas o de una misma especie, pero sin orden ni concierto. || **5.** *Mar.* V. **Maestre, tabla de jarcia.** || **muerta.** *Mar.* La que está siempre fija y que, tesa, sirve para la sujeción de los palos.

Jarciar. tr. **Enjarciar.**

Jardín. (Del fr. *jardin*, y éste del al. *garten.*) m. Terreno en donde se cultivan plantas deleitosas por sus flores, matices o fragancia, y que suele adornarse además con árboles o arbustos de sombra, fuentes, estatuas, etc. || **2.** En los buques, **Letrina,** 1.ª acep. || **3.** Mancha que deslustra y afea la esmeralda. || **4.** *Germ.* Tienda de mercader o feria. || **botánico.** Terreno destinado para cultivar las plantas que tienen por objeto el estudio de la botánica.

Jardinera. f. La que por oficio cuida y cultiva un jardín. || **2.** Mujer del jardinero. || **3.** Mueble de una u otra forma, más o menos rico, dispuesto para colocar en él macetas con plantas de adorno o las mismas plantas. || **4.** Carruaje de cuatro ruedas y cuatro asientos, ligero, descubierto, y cuya caja, por lo general, figura ser de mimbres. || **5.** Coche abierto que se usa en verano en los tranvías.

Jardinería. (De *jardinero.*) f. Arte de cultivar los jardines.

Jardinero. m. El que por oficio cuida y cultiva un jardín.

Jareta. (Del ár. *šarīṭ*, cuerda, cinta, trenza.) f. Costura que se hace en la ropa, doblando la orilla y cosiéndola por un lado, de suerte que quede un hueco para meter por él una cinta o cordón, a fin de encoger o ensanchar la vestidura cuando se ata al cuerpo. || **2.** *Mar.* Red de cabos o enrejado de madera, que cubría horizontalmente el alcázar para detener los motones y pedazos de cabo o de madera que pudieran desprenderse de la arboladura durante una función, o se colocaba verticalmente por encima de las bordas, para dificultar la entrada de los enemigos en los abordajes. || **3.** *Mar.* Cabo que se amarra y tesa de obenque a obenque desde una banda a otra para sujetarlos, y asegurar los palos cuando la obencadura se ha aflojado en un temporal. || **4.** *Mar.* Cabo que con otros iguales sujeta el pie de las arraigadas y la obencadura, yendo desde la de una banda a la de la otra por debajo de la cofa.

Jaretera. f. **Jarretera,** 1.ª acep.

Jaretón. (De *jareta.*) m. Dobladillo muy ancho.

Jaricar. (Del ár. *šarīk*, socio, aparcero.) intr. *Murc.* Reunir en un mismo caz las hilas de agua de varios propietarios, para regar cada uno de ellos con el total de agua, durante el tiempo proporcionado a la cantidad de ella que ha aportado al caudal común.

Jarico. m. *Cuba.* **Jicotea.**

Jarife. m. **Jerife.**

Jarifiano, na. adj. **Jerifiano.**

Jarifo, fa. (Del ár. *šarīf*, noble, excelente.) adj. Rozagante, vistoso, bien compuesto o adornado.

Jarillo. (d. de *jaro.*) m. **Jaro,** 1.er art.

Jarique. (Del m. or. que *jaricar.*) m. *Ál.* Número de cabezas de ganado de cerda que pueden pastar gratuitamente en los montes comunales, y cuota que se ha de pagar por las que excedan del número señalado. || **2.** *Murc.* Convenio entre diversos regantes para jaricar un caudal de agua. || **3.** *Murc.* Acción y efecto de jaricar.

Jaro. m. **Aro,** 2.° art.

Jaro. (De *jara.*) m. Mancha espesa de los montes bajos. || **2.** *Ál.* Roble pequeño.

Jaro, ra. adj. Dícese del animal que tiene el pelo rojizo, y especialmente del cerdo y del jabalí. Ú. t. c. s.

Jarocho, cha. (Del lat. *ferox, -ōcis.*) m. y f. En algunas provincias, persona de modales bruscos, descompuestos, y algo insolentes. Ú. t. c. adj. || **2.** *Méj.* Campesino de la costa de Veracruz.

Jaropar. tr. fam. Dar a uno muchos jaropes o medicinas de botica. || **2.** fig. y fam. Disponer y dar en forma de jarope otro licor que no sea de botica.

Jarope. (Del m. or. que *jarabe.*) m. **Jarabe.** || **2.** fig. y fam. Trago amargo o bebida desabrida y fastidiosa.

Jaropear. tr. fam. **Jaropar.**

Jaropeo. m. fam. Uso excesivo y frecuente de jaropes.

Jaroso, sa. adj. Lleno o poblado de jaras.

Jarquía. (Del ár. *šarqiyya,* parte oriental.) f. ant. Distrito o territorio sito al este de una gran ciudad y dependiente de ella.

Jarra. (Del ár. *ŷarra,* vasija de barro para agua.) f. Vasija generalmente de loza con cuello y boca anchos y una o más asas. || **2.** En Jerez, recipiente de hojalata, de doce litros y medio de capacidad, que sirve para el trasiego de los vinos en la bodega. || **3.** Orden antigua de caballería en el reino de Aragón, que tenía por insignia en un collar de oro una **jarra** con azucenas. || **De jarras, o en jarra,** o **en jarras.** m. adv. para explicar la postura del cuerpo, que se toma encorvando los brazos y poniendo las manos en la cintura.

Jarrar. tr. fam. **Jaharrar.**

Jarrazo. m. aum. de **Jarro.** || **2.** Golpe dado con **jarra** o **jarro.**

Jarrear. intr. fam. Sacar frecuentemente agua o vino con el jarro. || **2.** fam. y p. us. Golpear, dar jarrazos. || **3.** fig. Llover copiosamente.

Jarrear. tr. **Jaharrar.**

Jarrer, ra. (De *jarro.*) m. y f. ant. **Tabernero, ra.**

Jarrero. m. El que hace o vende jarros. || **2.** El que cuida del agua o vino que se pone en ellos.

Jarreta. f. d. de **Jarra.**

Jarretar. (De *jarrete.*) tr. ant. **Desjarretar.** || **2.** fig. Enervar, debilitar, quitar las fuerzas o el ánimo. Ú. t. c. r.

Jarrete. (Del fr. *jaret, jarret,* y éste de *jarre,* del célt. *garra,* pata.) m. **Corva,** 1.ª acep. || **2. Corvejón,** 1.er art. || **3.** Parte alta y carnuda de la pantorrilla hacia la corva.

Jarretera. (Del fr. *jarretière,* de *jarret,* jarrete.) f. Liga con su hebilla, con que se ata la media o el calzón por el jarrete. || **2.** Orden militar instituida en Inglaterra, llamada así por la insignia que se añadió a la orden de San Jorge, que fué una liga.

Jarrita. f. d. de **Jarra,** 1.ª acep. || **Hacer la jarrita.** fr. fig. y fam. Hacer ademán de pagar algún gasto común, llevándose la mano al bolsillo del chaleco.

Jarro. (De *jarra.*) m. Vasija de barro, loza, vidrio o metal, a manera de jarra y con sólo una asa. || **2.** Cantidad de líquido que cabe en ella. || **3.** *Ar.* Medida de capacidad para el vino, octava parte del cántaro, equivalente a un litro y 24 centilitros. || **4.** fam. *Ar.* El que grita mucho hablando sin propósito, principalmente si es mujer. || **A jarros.** m. adv. fig. y fam. **A cántaros.** || **Echarle a uno un jarro de agua,** o **de agua fría.** fr. fig. y fam. Quitarle de pronto una esperanza halagüeña o el entusiasmo o fervor de que estaba animado.

Jarrón. (aum. de *jarro.*) m. Pieza arquitectónica en forma de jarro, con que se decoran edificios, galerías, escaleras, jardines, etc., puesta casi siempre sobre un pedestal y como adorno de remate. || **2.** Vaso, por lo general de porcelana, artísticamente labrado, para adornar consolas, chimeneas, etc.,

Jarropa. adj. Se dice de la res cabría de pelo castaño tostado.

Jasa. (De *jasar.*) f. **Sajadura.**

Jasador. (De *jasar.*) m. Sajador o sangrador. || **2.** ant. Instrumento para sajar.

Jasadura. (De *jasar.*) f. **Sajadura.**

Jasar. tr. **Sajar.**

Jaspe. (Del lat. *iaspis,* y éste del gr. ἴασπις.) m. Piedra silícea de grano fino, textura homogénea, opaca, y de colores variados, según contenga porciones de alúmina y hierro oxidado o carbono. || **2.** Mármol veteado.

Jaspeado, da. p. p. de **Jaspear.** || **2.** adj. Veteado o salpicado de pintas como el jaspe. || **3.** m. Acción y efecto de jaspear.

Jaspear. tr. Pintar imitando las vetas y salpicaduras del jaspe.

Jaspón. (De *jaspe.*) m. Mármol de grano grueso, blanco una veces, y otras con manchas rojas amarillas como el brocatel.

Jastre. m. ant. **Sastre.**

Jateo, a. adj. *Mont.* V. **Perro jateo.** Ú. t. c. s.

Jatib. (Del ár. *jaṭīb,* orador, predicador.) m. En Marruecos, predicador encargado de dirigir la oración del viernes y de pronunciar el sermón.

Jativés, sa. adj. Perteneciente o relativo a Játiva. || **2.** Natural de esta población de Valencia. Ú. t. c. s.

Jato, ta. m. y f. **Ternero, ra.**

¡Jau! interj. para animar e incitar a algunos animales, especialmente a los toros.

Jaudo, da. adj. *Rioja.* **Jauto.**

Jauja. (Por alusión al pueblo y a la provincia de igual nombre en el Perú, célebres por la bondad del clima y riqueza del territorio.) f. Nombre con que se denota todo lo que quiere presentarse como tipo de prosperidad y abundancia. || **¿Estamos aquí, o en Jauja?** expr. fam. con que se reprende una acción o un dicho importuno o indecoroso.

Jaula. (Del ant. fr. *jaiole,* y éste del lat. *caveŏla,* jaula.) f. Caja hecha con listones de madera, mimbres, alambres, etc., y dispuesta para encerrar animales pequeños. || **2.** Encierro formado con enrejados de hierro o de madera, como los que se hacen para asegurar a las fieras. || **3.** Embalaje de madera formado con tablas o listones, colocados a cierta distancia unos de otros. || **4.** *Min.* Armazón generalmente de hierro, que, colgada del cintero y sujeta entre guías, se emplea en los pozos de las minas para subir y bajar los operarios y los materiales. || **Aporrearse uno en la jaula.** fr. fig. y fam. Afanarse y fatigarse en vano por salir con su intento. || **Jaula hecha, pájaro muerto.** ref. **Casa hecha, sepultura abierta.**

Jaulero. (De *jaula.*) m. *And.* Cazador de perdices, con reclamo.

Jaulilla. (d. de *jaula.*) f. Adorno para la cabeza, que se usaba antiguamente, hecho a manera de red.

Jaulón. m. aum. de **Jaula.**

Jauría. f. Conjunto de perros que cazan dirigidos por un mismo perrero.

Jauto, ta. (Del lat. *fatŭus.*) adj. *Ar.* Insípido y sin sal.

Javanés, sa. adj. Natural de Java. Ú. t. c. s. || **2.** Perteneciente a esta isla del archipiélago de la Sonda. || **3.** m. Lengua hablada por los **javaneses.**

Javera. f. **Jabera.**

Javo, va. adj. **Javanés.** Apl. a pers., ú. t. c. s.

Jayán, na. (Quizá del ár. *ḥayyān,* animoso, lleno de vida.) m. y f. Persona de grande estatura, robusta y de muchas fuerzas. || **2.** m. *Germ.* Rufián respetado por todos los demás.

Jazarán. m. **Jacerina.**

Jazarino, na. (Del ár. *ŷazā'irī,* perteneciente o relativo a la ciudad de Argel.) adj. ant. **Argelino.** Apl. a pers., usáb. t. c. s.

Jazmín. (Del ár.-persa *yāsimīn.*) m. *Bot.* Arbusto de la familia de las oleáceas, con tallos verdes, delgados, flexibles, algo trepadores y de cuatro a seis metros de longitud; hojas alternas y compuestas de hojuelas estrechas, en número impar, duras, enteras y lanceoladas; flores en el extremo de los tallos, pedunculadas, blancas, olorosas, de cinco pétalos soldados por la parte inferior a manera de embudo, y fruto en baya negra y esférica. Es originario de Persia y se cultiva en los jardines por el excelente olor de sus flores, que utiliza la perfumería. || **2.** Flor de este arbusto. || **amarillo.** Mata o arbustillo de la misma familia que el anterior, con ramas erguidas de 6 a 12 decímetros, delgadas, angulosas y verdes; hojas partidas en tres hojuelas, oblongas, obtusas y enteras; flores amarillas, olorosas, en grupos pequeños, de pedúnculos cortos y al extremo de las ramas, y fruto en baya globosa del tamaño de un guisante. Es indígena y común en España. || **2.** Flor de este arbusto. || **de España.** Especie que se cría señaladamente en Cataluña, Valencia y Murcia. Sus tallos son derechos; las hojas, aladas o compuestas de muchos pares de hojuelas, rematan en tres reunidas hasta cierto trecho por sus bases, y las flores colorean algo por fuera y son blancas por dentro, y mayores, más hermosas y mucho más olorosas que las del **jazmín** común. || **2.** Flor de este arbusto. || **de la India. Gardenia.** || **real. Jazmín de España.**

Jazmíneo, a. (De *jazmín.*) adj. *Bot.* Dícese de matas y arbustos pertenecientes a la familia de las oleáceas, derechos o trepadores, con hojas opuestas y sencillas o alternas y compuestas, sin estípulas, con flores hermafroditas y regulares, cáliz persistente y fruto en baya con dos semillas; como el jazmín. Ú. t. c. s. f. || **2.** f. pl. *Bot.* Familia de estas plantas.

Jazminero. m. *And.* **Jazmín,** 1.ª acep.

Jea. f. Tributo que se pagaba antiguamente por la introducción de los géneros de tierra de moros en Castilla y Andalucía.

Jebe. (Del ár. *šabb.*) m. **Alumbre.** || **2.** *Amér.* **Goma elástica.**

Jebuseo, a. (Del lat. *iebusaeus,* y éste del hebr. *yabūsī,* el de la gente o nación de Jebús.) adj. Dícese del individuo de un pueblo bíblico que tenía por capital a Jebús, después Jerusalén. Ú. t. c. s. || **2.** Perteneciente a este pueblo.

Jeda. (Del lat. *fēta,* preñada.) adj. f. *Sant.* Dícese de la vaca recién parida y que está criando.

Jedar. (Del lat. *fetāre,* preñarse.) tr. *Sant.* **Parir,** 1.ª acep. Dícese de la vaca y de la cerda.

Jedive. (Del persa ár. *jadīw* o *jīdīw,* señor.) m. Título peculiar del virrey de Egipto.

Jedrea. f. fam. **Ajedrea.**

Jefa. (De *jefe.*) f. Superiora o cabeza de un cuerpo u oficio.

Jefatura. f. Cargo o dignidad de jefe. || **2.** Puesto de guardias de seguridad bajo las órdenes de un jefe.

Jefe. (Del fr. *chef,* y éste del lat. *caput,* cabeza.) m. Superior o cabeza de un cuerpo u oficio. || **2. Adalid,** 2.ª acep. || **3.** En el ejército y en la marina, categoría superior a la de capitán e inferior a la de general. || **4.** V. **General en jefe.** || **5.** *Blas.* Cabeza o parte alta del escudo de armas. || **de administración.** Funcionario de categoría administrativa civil, inmediatamente superior a la de **jefe de negociado.** || **de día.** *Mil.* Cualquiera de los que turnan por días en el servicio de vigilancia. || **de escuadra.** *Mil.* En la marina, grado que equivalía al de mariscal de campo en el ejército. || **de negociado.** Funcionario de categoría administrativa civil, inmediatamente superior a la de oficial. || **político.** El que tenía el mando superior de una provincia en la parte gubernativa, como ahora el gobernador civil. || **superior de administración.** Funcionario que es o ha sido subsecretario, director general, o desempeña o ha desempeñado otro cargo civil asimilado a éstos. ‖ **Mandar** uno **en jefe.** fr. Mandar como cabeza principal.

Jehová. (Del hebr. *Yahvé*, nombre del Ser absoluto y eterno.) m. Nombre de Dios en la lengua hebrea.

Jeito. (Del gall. *xeito*, y éste del lat. *iactum*, tirada.) m. Red usada en el Atlántico para la pesca de la anchoa y la sardina.

Jeja. (Del lat. *sasia*, que es como debe leerse en Plinio, 18, 141, en vez de *asia*.) f. En las provincias españolas de Levante, **trigo candeal.**

¡Je, je, je! interj. con que se denota la risa.

Jején. (Voz haitiana.) m. Insecto díptero, más pequeño que el mosquito y de picada más irritante. Abunda en las playas del mar de las Antillas y en otras regiones de América.

Jeliz. (Del ár. *ŷallās*, con imela *ŷallīs*, aposentador de oficio.) m. Oficial que en las tres alcaicerías del antiguo reino de Granada, y con la fianza de 1.000 ducados, estaba nombrado y autorizado por el ayuntamiento para recibir, guardar y vender en almoneda o subasta pública la seda que le llevaban personas particulares, y para cobrar y percibir los derechos que por tales ventas devengaba para los propios de la ciudad aquella mercancía. En la alcaicería de Granada eran seis los **jelices**; algunos tenían tienda propia, y otros en ajena desempeñaban su oficio.

Jemal. adj. Que tiene la distancia y longitud del jeme. *Clavo, herida* JEMAL.

Jeme. (Del lat. *semis*, medio.) m. Distancia que hay desde la extremidad del dedo pulgar a la del dedo índice, separado el uno del otro todo lo posible. Sirve de medida. ‖ **2.** fig. fam. **Palmito,** 2.° art. *Tiene buen* JEME.

Jenabe. (Del lat. *sĭnapi*.) m. **Mostaza,** 1.ª y 2.ª aceps.

Jenable. m. **Jenabe.**

Jengibre. (Del lat. *zingibĕri*, y éste del gr. ζιγγίβερι.) m. *Bot.* Planta de la India, de la familia de las cingiberáceas, con hojas radicales, lanceoladas, casi lineales; flores en espiga, de corola purpúrea, sobre un escapo central de cuatro a seis decímetros de alto; fruto capsular bastante pulposo y con varias semillas, y rizoma del grueso de un dedo, algo aplastado, nudoso y ceniciento por fuera, blanco amarillento por dentro, de olor aromático y de sabor acre y picante como el de la pimienta; se usa en medicina y como especia. ‖ **2.** Rizoma de esta planta.

Jeniquén. m. *Cuba.* **Henequén.**

Jenízaro, ra. (Del turco *yeni-ŷeri[k]*, tropa nueva.) adj. ant. Decíase del hijo de padres de diversa nación; como de española y francés, o al contrario. Usáb. t. c. s. ‖ **2.** fig. Mezclado de dos especies de cosas. ‖ **3.** *Méj.* Dícese del descendiente de cambujo y china, o de chino y cambuja. Ú. t. c. s. ‖ **4.** m. Soldado de infantería de la antigua guardia del emperador de los turcos.

Jeque. (Del ár. *šaij*, anciano, señor, jefe.) m. Superior o régulo entre los musulmanes y otros pueblos orientales, que gobierna y manda un territorio o provincia, ya sea como soberano, ya como feudatario.

Jeque. m. *Ar.* **Jaque,** 3.er art., 2.ª acep.

Jera. (Del lat. *diaria*.) f. *Sal.* Obrada, jornal. ‖ **2.** *Zam.* Ocupación, quehacer. ‖ **3.** fig. *Extr.* **Yugada.**

Jera. (Del fr. [*bonne*] *chère*, buena cara.) f. **Regalo,** 3.ª y 4.ª aceps. ‖ **2.** *Ál.* Buena cara, afectuosidad.

Jerapellina. (De *harapo*.) f. Vestido viejo hecho pedazos o andrajoso.

Jerarca. (Del gr. ἱεράρχης; de ἱερός, santo, y ἄρχω, mandar.) m. Superior y principal en la jerarquía eclesiástica.

Jerarquía. (De *hierarquía*.) f. Orden entre los diversos coros de los ángeles y los grados diversos de la Iglesia. ‖ **2.** Por ext., orden o grados de otras personas y cosas.

Jerárquicamente. adv. m. De manera jerárquica.

Jerárquico, ca. (Del gr. ἱεραρχικός.) adj. Perteneciente o relativo a la jerarquía.

Jerarquizar. tr. Organizar jerárquicamente alguna cosa.

Jerbo. (Del ár. *ŷarbūʿ*, por *yarbūʿ*, variedad de rata.) m. Mamífero roedor, del tamaño de una rata, con pelaje leonado por encima y blanco por debajo, miembros anteriores muy cortos, y excesivamente largos los posteriores, por lo cual, aunque de ordinario camina sobre las cuatro patas, salta mucho y con rapidez al menor peligro; la cola es de doble longitud que el cuerpo y termina en un grueso mechón de pelos. Vive en el norte de África.

Jeremiada. (De *Jeremías*.) f. Lamentación o muestra exagerada de dolor.

Jeremías. (Del nombre del profeta *Jeremías*, por alusión a sus célebres trenos.) com. fig. Persona que continuamente se está lamentando.

Jerez. m. Vino blanco y de fina calidad, que se cría y elabora en la zona integrada por los términos municipales de Jerez de la Frontera, Puerto de Santa María y Sanlúcar de Barrameda.

Jerezano, na. adj. Natural de Jerez. Ú. t. c. s. ‖ **2.** Perteneciente a una de las poblaciones de este nombre.

Jerga. (Del lat. *sērĭca*, de seda.) f. Tela gruesa y tosca. ‖ **2. Jergón,** 1.er art., 1.ª acep. ‖ **Estar, dejar,** o **poner,** una cosa **en jerga.** fr. fig. y fam. Haberse empezado y no estar perfeccionada.

Jerga. (De la raíz onomatopéyica *garg-*, como el lat. *garrīre*, charlar, gorjear.) f. Lenguaje especial y familiar que usan entre sí los individuos de ciertas profesiones y oficios, como toreros, estudiantes, etc. ‖ **2. Jerigonza,** 2.ª acep.

Jergal. adj. Propio de la jerga, 2.° art.

Jergón. (aum. de *jerga*, 1.er art.) m. Colchón de paja, esparto o hierba y sin bastas. ‖ **2.** fig. y fam. Vestido mal hecho y poco ajustado al cuerpo. ‖ **3.** fig. y fam. Persona gruesa, pesada, tosca y perezosa. ‖ **Llenar el jergón.** fr. fig. y fam. **Llenar el baúl.**

Jergón. (Del m. or. que *circón*.) m. Circón de color verdoso que suele usarse en joyería.

Jergueta. f. d. de **Jerga,** 1.er art.

Jerguilla. (d. de *jerga*, 1.er art.) f. Tela delgada de seda o lana, o mezcla de una y otra, que se parece en el tejido a la jerga.

Jeribeque. m. Guiño, visaje, contorsión. Ú. m. en pl.

Jericó. n. p. V. **Rosa de Jericó.**

Jerife. (Del ár. *šarīf*, noble, ilustre.) m. Descendiente de Mahoma por su hija Fátima, esposa de Alí. ‖ **2.** Individuo de la dinastía reinante en Marruecos. ‖ **3.** Jefe superior de la ciudad de la Meca, antes de la conquista de esta ciudad por Ben Seud.

Jerifiano, na. adj. Perteneciente o relativo al jerife. ‖ **2.** Aplícase, en lenguaje diplomático, al sultán de Marruecos, y así, se le suele llamar en los tratados *Su Majestad* JERIFIANA.

Jerigonza. (De *jerga*.) f. **Jerga,** 2.° art., 1.ª acep. ‖ **2.** fig. y fam. Lenguaje de mal gusto, complicado y difícil de entender. ‖ **3.** fig. y fam. Acción extraña y ridícula. ‖ **Andar en jerigonzas.** fr. fig. y fam. Andar en rodeos o tergiversaciones maliciosas.

Jerigonzar. (De *jerigonza*.) tr. ant. Hablar con obscuridad y rodeos; explicar con ellos una cosa.

Jeringa. (Del lat. *syringa*, y éste del gr. σῦριγξ, tubo.) f. Instrumento compuesto de un tubo que termina por su parte anterior en un cañoncito delgado, y dentro del cual juega un émbolo por medio del que asciende primero, y se arroja o inyecta después, un líquido cualquiera. Sirve más comúnmente para enemas e inyecciones. ‖ **2.** Instrumento de igual clase dispuesto para impeler o introducir materias no líquidas, pero blandas; como la masa con que se hacen los embutidos. ‖ **3.** fig. y fam. Molestia, pejiguera, importunación.

Jeringación. f. fam. Acción de jeringar.

Jeringador, ra. adj. fam. Que jeringa. Ú. t. c. s.

Jeringar. tr. Arrojar por medio de la jeringa el líquido con fuerza y violencia a la parte que se destina. ‖ **2.** Introducir con la jeringa un licor en el intestino para limpiarlo y purgarlo. Ú. t. c. r. ‖ **3.** fig. y fam. Molestar o enfadar. Ú. t. c. r.

Jeringatorio. m. fam. **Jeringación.**

Jeringazo. m. Acción de arrojar el líquido introducido en la jeringa. ‖ **2.** Licor así arrojado.

Jeringuilla. (De *jeringa*, porque los tallos de la planta se emplean para hacer flautas, jeringas, etc.) f. *Bot.* Arbusto de la familia de las saxifragáceas, con tallos de unos dos metros de altura, muy ramosos, de hojas sencillas, aovadas, puntiagudas y casi lampiñas; flores dispuestas en racimos, con el tubo del cáliz aovado y la corola de cuatro o cinco pétalos, blancos y muy fragantes, muchos estambres y cuatro o cinco estilos. ‖ **2.** Flor de esta planta.

Jeringuilla. f. d. de **Jeringa,** 1.ª y 2.ª aceps. ‖ **2.** Jeringa pequeña en la que se enchufa una aguja hueca de punta aguda cortada a bisel, y sirve para inyectar substancias medicamentosas en el interior de tejidos u órganos.

Jeroglífica. (De *jeroglífico*.) f. desus. **Mote,** 1.er art., 1.ª acep.

Jeroglífico, ca. (De *hieroglífico*.) adj. Aplícase a la escritura en que, por regla general, no se representan las palabras con signos fonéticos o alfabéticos, sino el significado de las palabras con figuras o símbolos. Usaron este género de escritura los egipcios y otros pueblos antiguos, principalmente en los monumentos. ‖ **2.** m. Cada uno de los caracteres o figuras usados en este género de escritura. ‖ **3.** Conjunto de signos y figuras con que se expresa una frase, ordinariamente por pasatiempo o juego de ingenio.

Jeronimiano, na. adj. Perteneciente a la orden de San Jerónimo.

Jerónimo, ma. adj. Dícese del religioso de la orden de San Jerónimo. *Monje* JERÓNIMO. Ú. t. c. s. ‖ **2. Jeronimiano.**

Jerosolimitano, na. (De *hierosolimitano*.) adj. Natural de Jerusalén. Ú. t. c. s. ‖ **2.** Perteneciente a esta ciudad de Palestina.

Jerpa. (De *serpa*.) f. Sarmiento delgado y estéril que echan las vides por la parte de abajo y junto al tronco.

Jerricote. m. Guisado o potaje compuesto de almendras, azúcar, salvia y jengibre, cocido todo en caldo de gallina.

Jertas. f. pl. *Germ.* Las orejas.

Jeruga. (Del lat. *siliqua*.) f. **Vaina,** 2.ª acep.

Jerusalén. n. p. V. **Comisario general, cruz de Jerusalén.**

Jerviguilla. f. d. desus. de **Jervilla.**

Jervilla. f. **Servilla.**

Jesé. n. p. V. **Vara de Jesé.**

Jesnato, ta. (Del lat. *Iesus*, Jesús, y *natus*, nacido.) adj. Díjose de la persona que desde su nacimiento fue dedicada a Jesús. Ú. t. c. s.

Jesucristo. (De *Jesús* y *Cristo.*) m. Nombre sacrosanto del Hijo de Dios hecho hombre. || **2.** V. **Vicario de Jesucristo.** || **¡Jesucristo!** interj. con que se manifiesta admiración y extrañeza.

Jesuita. adj. Dícese del religioso del orden de clérigos regulares de la Compañía de Jesús, fundada por San Ignacio de Loyola. Ú. t. c. s. || **2.** V. **Té de los jesuitas.**

Jesuítico, ca. adj. Perteneciente a la Compañía de Jesús.

Jesús. (Del lat. *Iesus;* del hebr. *Yehosuá,* Salvador.) m. Nombre adorable que se da a la segunda persona de la Santísima Trinidad, hecha hombre para redimir al género humano. || **Nazareno. Jesús.** || **Decir los Jesuses.** fr. ant. Ayudar a bien morir. || **En un decir Jesús,** o **en un Jesús.** loc. adv. fig. y fam. En un instante; en brevísimo tiempo. || **Hasta verte, Jesús mío.** expr. fam. Hasta apurar el líquido contenido en un vaso, porque antiguamente algunos de éstos llevaban en el fondo la cifra IHS. || **¡Jesús!,** o **¡Jesús, María y José!** exclams. con que se denota admiración, dolor, susto o lástima. || **¡Jesús, mil veces!** exclam. con que se manifiesta grave aflicción o espanto. || **Sin decir Jesús.** loc. adv. fig. con que se pondera lo instantáneo de la muerte de una persona.

Jesusear. intr. fam. Repetir muchas veces el nombre de Jesús.

Jeta. (Del ár. *jaṭm,* hocico, pico, nariz.) f. Boca saliente por su configuración o por tener los labios muy abultados. || **2.** fam. **Cara,** 1.ª acep. || **3.** Hocico del cerdo. || **4. Grifo,** 1.er art., 3.ª acep. || **5.** *Ar.* **Espita,** 2.ª acep. || **Estar uno con tanta jeta.** fr. fig. y fam. Mostrar en el semblante enojo, disgusto o mal humor.

Jeta. f. ant. **Seta,** 2.° art., 1.ª acep. Ú. en *And.*

Jetar. (Del arag. *jetar* y éste del lat. *iectāre, iactāre,* arrojar.) tr. ant. **Jitar.** || **2.** *Ar.* Desleír algo en cosa líquida. JETAR *la salsa;* JETAR *un ajo y echarlo en el guisado.*

Jetazo. (De *jeta,* 1.er art.) m. *Ar.* y *Murc.* **Mojicón,** 3.ª acep.

Jeto. (De *jetar.*) m. *Ar.* Colmena vacía, untada con aguamiel, para que acudan a ella los enjambres.

Jetón, na. adj. **Jetudo.**

Jetudo, da. adj. Que tiene jeta.

Ji. (Del gr. χῖ.) f. Vigésima segunda letra del alfabeto griego. En el latín represéntase con *ch,* y en los idiomas neolatinos con estas mismas letras, o sólo con *c* o *qu,* como acontece en el español, según su ortografía moderna; v. gr.: *Caos, Aquiles.*

Jíbaro, ra. adj. *Amér.* Campesino, silvestre. Dícese de las personas, los animales, las costumbres, las prendas de vestir y de algunas otras cosas. *Fiesta* JÍBARA. Apl. a pers., ú. t. c. s. || **2.** V. **Sombrero jíbaro.** || **3.** *Méj.* Dícese del descendiente de albarazado y calpamula, o de calpamulo y albarazada. Ú. t. c. s.

Jibia. (Del lat. *sēpĭa.*) f. *Zool.* Cefalópodo dibranquial, decápodo, de cuerpo oval y con una aleta a cada lado; de los diez tentáculos, los dos más largos llevan ventosas sobre el extremo, mientras que los otros ocho las tienen en toda su longitud; en el dorso, cubierta por la piel, tiene una concha calcárea, blanda y ligera. Alcanza unos 30 centímetros de largo, abunda en los mares templados y es comestible. || **2. Jibión,** 1.ª acep.

Jibión. m. Pieza caliza de la jibia, que sirve a los plateros para hacer moldes y tiene además otros varios usos industriales. || **2.** En las costas de Cantabria, **calamar.**

Jibraltareño, ña. adj. **Gibraltareño.**

Jícara. (Del mejic. *xicalli,* vaso hecho de la corteza del fruto de la güira.) f. *Amér.* Vasija pequeña de madera, ordinariamente hecha de la corteza del fruto de la güira, y usada como la de loza del mismo nombre en España. || **2.** Vasija pequeña, generalmente de loza, que suele emplearse para tomar chocolate.

Jicarazo. m. Golpe dado con una jícara. || **2.** Propinación alevosa de veneno.

Jícaro. (De *jícara.*) m. *Hond.* **Güira.**

Jicarón. m. aum. de **Jícara.**

Jicote. (Del mejic. *xicotli.*) m. Avispa gruesa de Honduras, de cuerpo negro y vientre amarillo. || **2.** *Hond.* Panal de esta avispa.

Jicotea. f. *Cuba.* **Hicotea.**

Jiennense. adj. **Jaenés.** Apl. a pers., ú. t. c. s.

Jifa. (Del ár. *ŷifa,* carne mortecina, carroña.) f. Desperdicio que se tira en el matadero al descuartizar las reses.

Jiferada. f. Golpe dado con el jifero, 3.ª acep.

Jifería. (De *jifero.*) f. Ejercicio de matar y desollar las reses.

Jifero, ra. (De *jifa.*) adj. Perteneciente al matadero. || **2.** fig. y fam. Sucio, puerco y soez. || **3.** m. Cuchillo con que matan y descuartizan las reses. || **4.** Oficial que mata las reses y las descuartiza.

Jifia. (Del lat. *xiphias,* y éste del gr. ξιφίας, de ξίφος, espada.) f. **Pez espada.**

Jiga. f. **Giga.**

Jigote. m. **Gigote.**

Jiguilete. m. **Jiquilete.**

Jijallar. m. Monte poblado de jijallos.

Jijallo. (De *sisallo.*) m. **Caramillo,** 3.ª acep.

Jijas. (Quizá del m. or. que *chicha,* 1.er art.) f. pl. *León* y *Sal.* **Brío,** 1.ª y 2.ª aceps.

Jijear. (Del grito *jij.*) intr. *Sal.* Lanzar jijeos.

Jijeo. (De *jijear.*) m. *Sal.* Grito con que los mozos suelen terminar los cantares y tonadas, especialmente en las rondas.

¡Ji, ji, ji! interj. con que se denota la risa.

Jijona. f. Variedad de trigo álaga que se cría en la Mancha y Murcia.

Jileco. m. **Jaleco.**

Jilguera. f. Hembra del jilguero.

Jilguero. (De *silguero.*) m. Pájaro muy común en España, que mide 12 centímetros de longitud desde lo alto de la cabeza hasta la extremidad de la cola, y 23 centímetros de envergadura; tiene el pico cónico y delgado, plumaje pardo por el lomo, blanco con una mancha roja en la cara, otra negra en lo alto de la cabeza, un collar blanco bastante ancho en el cuello, y negras con puntas blancas las plumas de las alas y cola, si bien las primeras están teñidas de amarillo en su parte media. Es uno de los pájaros más bonitos de Europa; se domestica fácilmente, canta bien, y puede cruzarse con el canario.

Jilmaestre. (Del al. *schirrmeister,* maestro del arnés.) m. *Art.* Teniente mayoral que suple por éste en el gobierno de los caballos o mulas de transporte de las piezas.

Jilote. (Del mejic. *xilotl.*) m. *Amér. Central* y *Méj.* Mazorca de maíz, cuando sus granos no han cuajado aún.

Jimelga. (Del lat. **gemĕllĭcus,* de *gemellus,* gemelo.) f. *Mar.* Refuerzo de madera en forma de teja y de largo variable, que se da a los palos, vergas, etc.

Jimenzar. (De *simiente.*) tr. *Ar.* Quitar a golpes de pala o piedra al lino o cáñamo seco la simiente, para llevarlo a poner en agua.

Jimia. f. **Simia.**

Jimio. m. **Simio.**

Jindama. (Del caló.) f. *Germ.* Miedo, cobardía.

Jinebro. (Del lat. *iūnĭpĕrus, iūnĭpirus.*) m. ant. **Enebro.** Ú. en *Ál.*

Jinestada. f. Salsa que se hace de leche, harina de arroz, especias, dátiles y otras cosas.

Jineta. (Del ár. *ŷarnaiṭ,* variedad del gato de algalia.) f. Mamífero carnicero, de unos 45 centímetros de largo desde la cabeza hasta el arranque de la cola, la cual mide casi otro tanto. El cuerpo es muy esbelto, la cabeza pequeña, el hocico prolongado, el cuello largo, las patas cortas y el pelaje blanco en la garganta, pardo amarillento con manchas en fajas negras por el cuerpo y con anillos blancos y negros en la cola. En Berbería, donde es abundante este animal, lo domestican para reemplazar con ventaja al gato común; pero la algalia que produce esparce en las casas un olor casi intolerable para los europeos.

Jineta. (De *jinete.*) f. Arte de montar a caballo que, según la escuela de este nombre, consiste en llevar los estribos cortos y las piernas dobladas, pero en posición vertical desde la rodilla abajo. Ú. en el modo adverbial **a la jineta.** || **2.** V. **Caballero de la jineta.** || **3.** Lanza corta con el hierro dorado y una borla por guarnición, que en lo antiguo era insignia de los capitanes de infantería. || **4.** V. **Cincha, paje de jineta.** || **5.** Charretera de seda que usaban los sargentos como divisa. || **6.** Tributo que en otro tiempo se imponía sobre los ganados. || **7.** V. **Silla jineta.**

Jinetada. (De *jinete.*) f. p. us. Acto de vanidad o de jactancia impropio del que lo ejecuta.

Jinete. (Del ár. *zanāta,* nombre de una tribu berberisca, famosa por su destreza en la equitación.) m. Soldado de a caballo que peleaba en lo antiguo con lanza y adarga, y llevaba encogidas las piernas, con estribos cortos. || **2.** El que cabalga. || **3.** El que es diestro en la equitación. || **4.** Caballo a propósito para ser montado a la jineta. || **5.** Caballo castizo y generoso.

Jinetear. (De *jinete.*) intr. Andar a caballo, principalmente por los sitios públicos, alardeando de gala y primor. || **2.** tr. *Guat., Hond.* y *Méj.* Domar caballos cerriles.

Jinglar. intr. Moverse de una parte a otra colgado, como en el columpio.

Jingoísmo. (Del ingl. *jingo,* partidario de una política exterior agresiva.) m. Patriotería exaltada que propugna la agresión contra las demás naciones.

Jingoísta. adj. Partidario del jingoísmo. Ú. t. c. s. com.

Jinja. (De *jinjo.*) f. ant. **Jínjol.**

Jinjo. (Del lat. *zizўphum,* y éste del gr. ζίζυφον.) m. ant. **Jinjolero.**

Jínjol. (De *jinjo.*) m. **Azufaifa.**

Jinjolero. (De *jinjol.*) m. **Azufaifo.**

Jipijapa. (De *Jipijapa,* pueblo de la república del Ecuador.) f. Tira fina, flexible y muy tenaz, que se saca de las hojas del bombonaje, y se emplea en la población de aquel nombre y otros puntos de la América Meridional para tejer sombreros, petacas y diversos objetos muy apreciados. || **2.** m. Sombrero de **jipijapa.**

Jiquilete. (Del mejic. *xiuhquilitl.*) m. *Bot.* Planta de la familia de las papilionáceas, del mismo género que el añil, común en las Antillas, con tallos ramosos de ocho a nueve decímetros de altura, hojas compuestas de hojuelas en número impar, enteras, elípticas, pecioladas, de color verde claro; flores amarillas, y fruto en vainas estrechas, algo encorvadas, de seis a ocho centímetros de largo, y con varias semillas negras poco mayores que lentejas. Macerando en agua las hojas de esta planta, y echando el líquido filtrado con una disolución de cal, se obtiene añil de superior calidad.

Jira. (Del neerl. *scheuren,* desgarrar.) f. Pedazo algo grande y largo que se corta o rasga de una tela. || **Hacer jiras y capirotes.** fr. fig. y fam. **Hacer mangas y capirotes.**

Jira. (Del fr. *[bonne] chère,* buena cara.) f. Banquete o merienda, especialmente campestres, que se hacen entre amigos, con regocijo y bulla.

Jirafa. (Del m. or. que *azorafa.*) f. Mamífero rumiante, indígena del África, de cinco metros de altura, cuello largo y esbelto, las extremidades abdominales bastante más cortas que las torácicas, con lo que resulta el cuerpo más bajo por detrás, cabeza pequeña con dos cuernos poco desarrollados, y pelaje de color gris claro con manchas leonadas poligonales. ‖ **2.** *Astron.* Constelación boreal situada en las proximidades del polo.

Jirapliega. (Del gr. ἱερά, santa, y πίκρα, especie de antídoto; en b. lat. *girapigra.*) f. *Farm.* Electuario purgante compuesto de acíbar, miel clarificada y otros ingredientes.

Jirasal. (Quizá del ár. *qarāsiyà*, especie de ciruela o cereza.) f. Fruto de la yaca, parecido a la chirimoya y erizado de púas blandas.

Jirel. (Del ár. *ŷilāl*, caparazón, baste, albarda.) m. Gualdrapa rica de caballo.

Jiride. (Del lat. *xyris, -idis*, y éste del gr. ξυρίς, lirio hediondo.) f. *Bot.* **Íride.**.

Jirofina. f. Salsa que se compone de bazo de carnero, pan tostado y otros ingredientes.

Jiroflé. m. **Giroflé.**

Jirón. (De *jira*, 1.er art.) m. Faja que se echa en el ruedo del sayo o saya. ‖ **2.** Pedazo desgarrado del vestido o de otra ropa. ‖ **3.** Pendón o guión que remata **en** punta. ‖ **4.** fig. Parte o porción pequeña de un todo. ‖ **5.** *Blas.* Figura triangular que apoyándose en el borde del escudo, llega hasta el centro o corazón de éste.

Jironado, da. adj. Roto, hecho jiras o jirones. ‖ **2.** Guarnecido o adornado con jirones. ‖ **3.** *Blas.* Dícese del escudo dividido en los ocho triángulos o jirones que resultan por la combinación de las armas partidas, cortadas, tajadas y tronchadas.

Jirpear. tr. *Agr.* Cavar las cepas de las vides alrededor, dejando un hoyo donde se detenga el agua cuando se riegan o llueve.

Jisca. (Del célt. *sesca.*) f. **Carrizo,** 1.ª acep.

Jisma. (De *cisma.*) f. ant. Cuento o chisme.

Jismero, ra. (De *jisma.*) adj. ant. **Cuentero.**

Jitar. (Del lat. *iectare, iactare*, echar.) tr. ant. **Vomitar.** ‖ **2.** *Ar.* Echar, expulsar. Ú. ya sólo en las montañas.

¡Jo! interj. **¡So!**

Job. n. p. V. **Lágrimas, Libro de Job.** ‖ **2.** m. Por antonom., hombre de mucha paciencia.

Jobo. (De *hobo.*) m. *Bot.* Árbol americano de la familia de las anacardiáceas, con hojas alternas, compuestas de un número impar de hojuelas aovadas, puntiagudas y lustrosas; flores hermafroditas en panojas, y fruto amarillo parecido a la ciruela.

Jocalias. (Del b. lat. *iocalia.*) f. pl. ant. *Ar.* Alhajas de iglesia; como vasos sagrados, relicarios, etc.

Jocó. (Voz del Congo.) m. **Orangután.**

Jocosamente. adv. m. Con jocosidad; chistosamente.

Jocoserio, ria. adj. Que participa de las calidades de lo serio y de lo jocoso. *Drama* JOCOSERIO; *obra* JOCOSERIA.

Jocosidad. f. Calidad de jocoso. ‖ **2.** Chiste, donaire.

Jocoso, sa. (Del lat. *iocōsus.*) adj. Gracioso, chistoso, festivo.

Jocundidad. (Del lat. *iucundĭtas, -ātis.*) f. Alegría, apacibilidad.

Jocundo, da. (Del lat. *iucundus.*) adj. Plácido, alegre y agradable.

Jofaina. (Del ár. *ŷufaina*, platillo hondo, escudilla.) f. Vasija en forma de taza, de gran diámetro y poca profundidad, que sirve principalmente para lavarse la cara y las manos.

Jofor. (Del ár. *ŷufūr*, pl. de *ŷafr*, adivinación.) m. Pronóstico, entre los moriscos.

Joglar. (Del lat. *ioculāris.*) m. ant. **Juglar.**

Joglería. (De *joglar.*) f. ant. Pasatiempo, regocijo, placer.

Joguer. (Del lat. *iacēi*, pret. perfecto de *iacēre.*) intr. ant **Acostarse.**

Jojoto. m. *Venez.* Fruto del maíz en leche.

Jolgorio. m. fam. **Holgorio.**

Jolito. (Del ital. *giolito.*) m. Calma, suspensión. ‖ **En jolito.** m. adv. Burlado o chasqueado. Ú. con los verbos *dejar, quedarse* y *volverse.*

Joloano, na. adj. Natural de Joló. Ú. t. c. s. ‖ **2.** Perteneciente a cualquiera de las islas de este archipiélago de Oceanía.

Jollín. (De *hollín.*) m. fam. Gresca, jolgorio, diversión bulliciosa.

Jónico, ca. (Del lat. *ionĭcus* y éste del gr. ἰωνικός.) adj. Natural de Jonia. Ú. t. c. s. ‖ **2.** Perteneciente o relativo a las regiones de este nombre de Grecia y Asia antiguas. ‖ **3.** *Arq.* V. **Columna jónica.** ‖ **4.** *Arq.* V. **Capitel, orden jónico.** ‖ **5.** m. Pie de la poesía griega y latina, compuesto de cuatro sílabas. Divídese en mayor o menor: en el mayor son largas las dos primeras y breves las otras, y al contrario en el menor. ‖ **6.** Dialecto **jónico**, uno de los cuatro principales de la lengua griega.

Jonio, nia. (Del lat. *ionius*, y éste del gr. Ἰωνία, la Jonia.) adj. **Jónico,** 1.ª y 2.ª aceps. Apl. a pers., ú. t. c. s.

Jonjabar. tr. fam. Engatusar, lisonjear. ‖ **2.** *Germ.* Apurar, inquietar.

Jonjolí. m. ant. **Ajonjolí,** 1.ª acep.

Joparse. (De *¡jopo!*) r. *Ar.* y *Rioja.* Irse, huir, escapar.

¡Jopo! interj. fam. **¡Hopo!**

Jora. (De *sora.*) f. *Amér. Merid.* Maíz preparado para hacer chicha.

Jorcar. (Del lat. *furca*, instrumento para aventar el trigo, horca.) tr. *Extr.* **Ahechar.**

Jorco. m. *Extr.* Fiesta o baile algo libre que se usa entre gente vulgar.

Jordán. (Por alusión al río *Jordán*, santificado por el bautismo del Salvador.) m. fig. Lo que remoza, hermosea y purifica. ‖ **Ir uno al Jordán.** fr. fig. y fam. Remozarse o convalecer.

Jorfe. (Del ár. *ŷurf*, acantilado.) m. Muro de sostenimiento de tierras, ordinariamente de piedra en seco. ‖ **2.** Peñasco tajado que forma despeñadero.

Jorge. m. *Zool.* **Abejorro,** 2.ª acep.

Jorgolín. m. *Germ.* Compañero o criado de rufián.

Jorgolino. m. *Germ.* **Jorgolín.**

Jorguín, na. (Tal vez del vasc. *sorguina*, bruja.) m. y f. Persona que hace hechicerías.

Jorguinería. (De *jorguín.*) f. **Hechicería.**

Jornada. (Del lat. *diurnus*, propio del día.) f. Camino que yendo de viaje se anda regularmente en un día. ‖ **2.** Todo el camino o viaje, aunque pase de un día. ‖ **3.** Expedición militar. ‖ **4.** Viaje que los reyes hacían a los sitios reales. ‖ **5.** Tiempo que residían en alguno de estos sitios. ‖ **6.** Época veraniega en que oficialmente se traslada el cuerpo diplomático a residencia distinta de la capital y también algún ministro, para mantener las relaciones con aquél. ‖ **7.** Tiempo de duración del trabajo diario de los obreros. ‖ **8.** fig. Lance, ocasión, circunstancia. ‖ **9.** fig. Tiempo que dura la vida del hombre. ‖ **10.** fig. Tránsito del alma de esta vida a la eterna. ‖ **11.** fig. En el poema dramático español, **acto,** 4.ª acep. ‖ **12.** desus. **Jornal,** 1.ª acep. ‖ **13.** *Impr.* Tirada de unos 1.500 pliegos que se hacía antiguamente en un día. ‖ **rompida.** ant. *Mil.* Batalla o acción general. ‖ **A grandes,** o **a largas, jornadas.** m. adv. fig. Con celeridad y presteza. ‖ **Caminar** uno **por** sus **jornadas.** fr. fig. Proceder con tiempo y reflexión en un negocio.

Jornal. (Del lat. **diŭrnāle*, de *diŭrnus.*) m. Estipendio que gana el trabajador por cada día de trabajo. ‖ **2.** Este mismo trabajo. ‖ **3.** Medida de tierra, de extensión varia, usada en diferentes provincias de España. ‖ **A jornal.** m. adv. Mediante determinado salario cotidiano. Dícese del trabajo hecho de este modo, a diferencia del que se ajusta a destajo.

Jornalar. tr. **Ajornalar.** ‖ **2.** intr. ant. Trabajar a jornal.

Jornalero, ra. m. y f. Persona que trabaja a jornal.

Joroba. (Del ár. *ḥudūba*, giba.) f. **Corcova.** ‖ **2.** fig. y fam. Impertinencia y molestia enfadosa.

Jorobado, da. p. p. de **Jorobar.** ‖ **2.** adj. **Corcovado.** Ú. t. c. s.

Jorobadura. f. Acción y efecto de jorobar.

Jorobar. (De *joroba*, 2.ª acep.) tr. fig. y fam. **Gibar,** 2.ª acep. Ú. t. c. r.

Jorobeta. m. fam. **Jorobado,** 2.ª acep.

Jorrar. (De *jorro.*) tr. ant. **Remolcar.** ‖ **2.** V. **Red de jorrar.**

Jorro. (Del ár. *ŷarr*, arrastre.) m. V. **Red de jorro.** ‖ **A jorro.** m. adv. *Mar.* **A remolque,** 1.ª acep.

Josa. (Del ár. *ḥušša*, jardín, vergel.) f. Heredad sin cerca plantada de vides y árboles frutales.

Josefino, na. adj. Perteneciente o relativo a todo individuo llamado José. Dícese especialmente de los individuos de las congregaciones devotas de San José. Ú. t. c. s.

Jostra. (De **jostrar*, y éste del lat. **sŭbstrāre*, echar abajo.) f. ant. **Suela,** 1.ª acep. ‖ **2.** *Ál.* Suela hecha del mismo cuero que las abarcas y cosida a éstas como refuerzo. ‖ **3.** *León.* **Mancha,** 1.er art., 1.ª acep.

Jostrado, da. (Del lat. **sŭbstrāre*, echar abajo.) adj. Aplícase al virote guarnecido de un cerco de hierro, al modo de las puntas de las lanzas de justar, y con la cabeza redonda.

Josué. n. p. V. **Libro de Josué.**

Jota. (Del lat. *iota*, y éste del gr. ἰῶτα.) f. Nombre de la letra *j.* ‖ **2.** Cosa mínima. Ú. siempre con negación. ‖ **No entender** uno, o **no saber, jota,** o **una jota.** fr. fig. y fam. Ser muy ignorante en una cosa. ‖ **Sin faltar jota,** o **una jota.** expr. adv. fig. y fam. **Sin faltar una coma.**

Jota. (Del arag. *jotar*, y éste del lat. *saltāre.*) f. Baile popular propio de Aragón, aunque usado también en Navarra y en algunas provincias de Levante. ‖ **2.** Música con que se acompaña este baile. ‖ **3.** Copla que se canta con esta música. Consta generalmente de cuatro versos octosílabos.

Jota. f. *Amér. Merid.* **Ojota.**

Jota. (Del ár. *futta*, potaje, sopa.) f. Potaje de bledos, borrajas y otras verduras sazonadas con hierbas olorosas y especias, y rehogado todo en caldo de la olla.

Jote. m. Especie de buitre de Chile, de color negro, excepto la cabeza y cuello que son de color violáceo, y cola bastante larga.

Joule. m. *Fís.* Nombre del **julio,** 2.° art., en la nomenclatura internacional.

Jovada. (De *jubo*, 2.° art.) f. *Ar.* Terreno que puede arar en un día un par de mulas.

Jovar. (Del lat. *iŭvāre*, ayudar.) tr. ant. **Remolcar.**

Joven. (Del lat. *iuvĕnis.*) adj. De poca edad. Ú. t. c. s. ‖ **2.** V. **Dama joven.** ‖ **de lenguas.** En algunos Estados europeos, funcionario de la categoría de entrada en la carrera de intérpretes para el extranjero al servicio de las misiones diplomáticas establecidas en países orientales.

Jovenado. (De *joven.*) m. En algunas órdenes religiosas, tiempo que están los religiosos o religiosas, después de la profesión, bajo la dirección de un maestro. || **2.** Casa o cuarto en que habitan.

Jovenete. (d. de *joven.*) m. Jovenzuelo osado o petulante.

Jovenzuelo, la. adj. d. de **Joven.**

Jovial. (Del lat. *iovialis.*) adj. Perteneciente a Jove o Júpiter. || **2.** Alegre, festivo, apacible.

Jovialidad. (De *jovial.*) f. Alegría y apacibilidad de genio.

Jovialmente. adv. m. Con jovialidad; de manera jovial.

Joya. (Del fr. *joie*, y éste del lat. *gaudium*, gozo.) f. Pieza de oro, plata o platino, con perlas o piedras preciosas o sin ellas, que sirve para adorno de las personas y especialmente de las mujeres. || **2.** Agasajo hecho por reconocimiento o como premio de algún servicio. || **3. Brocamantón.** || **4.** V. **Día de joya,** o **de la joya.** || **5.** fig. Cosa o persona ponderada, de mucha valía. || **6.** *Arq.* y *Art.* **Astrágalo,** 2.ª y 3.ª aceps. || **7.** pl. Conjunto de ropas y alhajas que lleva una mujer cuando se casa. || **Llevarse** uno **la joya.** fr. fig. **Llevarse la palma.**

Joyante. adv. V. **Seda joyante.**

Joyel. (De *joya.*) m. Joya pequeña.

Joyelero. (De *joyel.*) m. **Guardajoyas,** 1.ª acep.

Joyera. (De *joya.*) f. La que tiene tienda de joyería. || **2.** Mujer que hacía y bordaba adornos mujeriles.

Joyería. (De *joyero.*) f. Trato y comercio de joyas. || **2.** Tienda donde se venden. || **3.** Taller en que se construyen.

Joyero. (De *joya.*) m. El que tiene tienda de joyería. || **2.** Estuche, caja o armario para guardar joyas.

Joyo. (Del lat. *lolium.*) m. **Cizaña,** 1.ª acep.

Joyón. m. aum. de **Joya.**

Joyosa. (Del fr. *Joyeuse*, nombre de la espada de Carlomagno, y de las de otros caballeros.) f. *Germ.* **Espada.** 1.ª acep.

Joyuela. f. d. de **Joya.**

Juaguarzo. m. **Jaguarzo.**

Juan. m. *Germ.* Cepo de iglesia. || **2.** V. **Don Juan.** || **3.** V. **Hierba de San Juan.** || **4.** V. **Hierbas del señor San Juan.** || **5.** V. **Polvos de Juanes.** || **6.** V. **Preste Juan.** || **7.** fig. y fam. V. **Gata de Juan Ramos.** || **de buen alma.** fam. **Buen Juan.** || **de Garona.** *Germ.* **Piojo,** 1.ª acep. || **Díaz.** *Germ.* Candado o cerradura. || **Dorado.** *Germ.* Moneda de oro. || **Lanas.** fam. Hombre apocado que se presta con facilidad a todo cuanto se quiere hacer de él. || **Machir.** *Germ.* **Machete.** || **Palomo.** fam. Hombre que no se vale de nadie, ni sirve para nada. || **Platero.** *Germ.* Moneda de plata. || **Tarafe.** *Germ.* **Tarafe.** || **Buen Juan.** fam. Hombre sencillo y fácil de engañar. || **A Juan de la Torre la baba le corre.** ref. contra los que se dejan adular. || **Duerme, Juan, y yace, que tu asno pace.** ref. que da a entender el descuido y sosiego con que puede vivir el que ha despachado lo que está a su cargo. || **Hacer San Juan.** fr. fam. Despedirse los mozos asalariados antes de cumplir el tiempo de su ajuste. || **Juan Palomo: yo me lo guiso y yo me lo como.** ref. con que se censura al egoísta que no cuenta con nadie para partir el provecho de lo que hace. || **Otra al dicho Juan de Coca.** expr. fig. y fam. con que se nota la importuna repetición de una cosa.

Juanelo. n. p. fig. V. **Artificio, huevo de Juanelo.**

Juanero. (De *juan.*) m. *Germ.* Ladrón que abre cepos de iglesia.

Juanete. (En port. *joanete.*) m. Pómulo muy abultado o que sobresale mucho. || **2.** Hueso del nacimiento del dedo grueso del pie, cuando sobresale demasiado. || **3.** *Mar.* Cada una de las vergas que se cruzan sobre las gavias, y las velas que en aquéllas se envergan. || **4.** *Mar.* V. **Masteleríllo, mastelero de juanete.** || **5.** *Veter.* Sobrehueso que se forma en la cara inferior del tejuelo o hueso que tienen dentro del casco las caballerías.

Juanetero. m. *Mar.* Marinero especialmente encargado de la maniobra de los juanetes.

Juanetudo, da. adj. Que tiene juanetes, 2.ª acep.

Juanillo. (d. de *Juan.*) m. *Perú.* Propina, gratificación, soborno.

Juarda. (Del lat. *sordes*, suciedad, inmundicia.) f. Suciedad que sacan el paño o la tela de seda por no haberles quitado bien la grasa que tenían al tiempo de su fabricación.

Juardoso, sa. adj. Que tiene juarda.

Juba. f. **Aljuba.**

Jubada. (De *jubo*, 2.º art.) f. *Ar.* **Jovada.**

Jubete. (Del m. or. que *jubón.*) m. Coleto cubierto de malla de hierro que usaron los soldados españoles hasta fines del siglo XV.

Jubetería. f. Tienda donde se vendían jubetes y jubones. || **2.** Oficio de jubetero.

Jubetero. m. El que hacía jubetes y jubones.

Jubilación. (Del lat. *iubilatio, -onis.*) f. Acción y efecto de jubilar o jubilarse. || **2.** Haber pasivo que disfruta la persona jubilada. || **3.** ant. **Júbilo.**

Jubilado, da. p. p. de **Jubilar.** || **2.** adj. Dícese del que ha sido jubilado, 1.ª acep. Ú. t. c. s.

Jubilante. p. a. ant. de **Jubilar.** Que se jubila o se alegra.

Jubilar. adj. Perteneciente al jubileo.

Jubilar. (Del lat. *iubilare.*) tr. Disponer que, por razón de vejez, largos servicios o imposibilidad, y generalmente con derecho a pensión, cese un funcionario civil en el ejercicio de su carrera o destino. || **2.** Por ext., dispensar a una persona, por razón de su edad o decrepitud, de ejercicios o cuidados que practicaba o le incumbían. || **3.** fig. y fam. Desechar por inútil una cosa y no servirse más de ella. || **4.** intr. Alegrarse, regocijarse. Ú. t. c. r. || **5.** r. Conseguir la jubilación. Usáb. t. c. intr.

Jubileo. (Del lat. *iubilaeus*; del hebr. *yobel*, júbilo.) m. Fiesta pública que celebraban los israelitas al terminar cada período de siete semanas de años, o sea al comenzar el año quincuagésimo. En este año no se sembraba ni se segaba; todos los predios vendidos o de cualquier manera enajenados volvían a su antiguo dueño, y los esclavos hebreos, con sus mujeres e hijos, recobraban la libertad. || **2.** Entre los cristianos, indulgencia plenaria, solemne y universal, concedida por el Papa en ciertos tiempos y en algunas ocasiones. || **3.** V. **Año de jubileo.** || **4.** Espacio de tiempo que contaban los judíos de un **jubileo** a otro. || **5.** fig. Entrada y salida frecuente de muchas personas en una casa u otro sitio. || **de caja.** El que se concede con la obligación de dar una limosna. Diósele este nombre porque para recoger dicha limosna se solían poner cajas. || **Ganar el jubileo.** fr. Hacer las diligencias necesarias para conseguir las indulgencias correspondientes. || **Ganar el jubileo de la pestaña.** fr. Salir las mujeres a curiosear cuando hay fiesta. || **Por jubileo.** m. adv. fig. y fam. Rara vez, con alusión a que el **jubileo** se concedía de cien en cien años.

Júbilo. (Del lat. *iubilum.*) m. Viva alegría, y especialmente la que se manifiesta con signos exteriores.

Jubilosamente. adv. m. Con júbilo.

Jubiloso, sa. (De *júbilo.*) adj. Alegre, regocijado, lleno de júbilo.

Jubillo. m. Regocijo público de algunos pueblos de Aragón, el cual consistía en correr por la noche un toro que llevaba en las astas unas grandes bolas de pez y resina encendidas. || **2.** Toro que se corría de esta manera.

Jubo. m. Culebra pequeña, muy común en la isla de Cuba, donde vive oculta entre las piedras y malezas.

Jubo. (Del lat. *iugum.*) m. *Ar.* **Yugo,** 1.ª acep.

Jubón. (Del m. or. que *chupa.*) m. Vestidura que cubre desde los hombros hasta la cintura, ceñida y ajustada al cuerpo. || **2.** fig. y fam. **Jubón de azotes.** || **de azotes.** fig. y fam. Azotes que por justicia se daban en las espaldas. || **de nudillos.** Especie de cota. || **ojeteado. Jubete.** || **Buen jubón me tengo en Francia.** expr. fig. y fam. que se usa para burlarse de quien se jacta de tener una cosa que en realidad no le puede servir.

Jubonero. m. El que tiene por oficio hacer jubones.

Júcaro. m. Árbol de las Antillas, de la familia de las combretáceas, que crece hasta unos 12 metros de altura, con tronco liso y grueso, hojas ovales y lustrosas por encima, flores sin corola y en racimos, fruto parecido a la aceituna y madera durísima.

Judaica. (De *judaico.*) f. Púa de equino fósil, de forma globular o cilíndrica, lisa, espinosa o estriada y siempre con un piececillo que la unía a la concha del animal. Son bastante abundantes sobre las rocas jurásicas y cretáceas, y por la forma que algunas tienen se han empleado como amuletos.

Judaico, ca. (Del lat. *iudaicus.*) adj. Perteneciente a los judíos. || **2.** V. **Betún judaico.** || **3.** V. **Piedra judaica.**

Judaísmo. (Del lat. *iudaismus.*) m. **Hebraísmo,** 1.ª acep.

Judaización. f. Acción y efecto de judaizar.

Judaizante. p. a. de **Judaizar.** Que judaíza. Ú. t. c. s.

Judaizar. (Del lat. *iudaizare.*) intr. Abrazar la religión de los judíos. || **2.** Practicar pública o privadamente ritos y ceremonias de la ley judaica.

Judas. (Por alusión a *Judas* Iscariote, por quien alevosamente Jesús fue vendido a los judíos.) m. fig. Hombre alevoso, traidor. || **2.** Gusano de seda que se engancha al subir al embojo y muere colgado sin hacer su capullo. || **3.** V. **Alma, árbol, beso, mano, pelo de Judas.** || **4.** fig. Muñeco de paja que en algunas partes ponen en la calle durante la Semana Santa y después lo queman. || **Estar hecho,** o **parecer,** uno **un Judas.** fr. fig. y fam. Tener roto y maltratado el vestido; ser desaseado.

Judea. n. p. V. **Bálsamo, betún de Judea.**

Judería. f. Barrio destinado para habitación de los judíos. || **2.** Cierto pecho o contribución que pagaban los judíos. || **3.** ant. **Judaísmo.**

Judezno, na. m. y f. ant. Judihuelo o hijo de judío.

Judgador. (De *judgar.*) m. ant. **Juez.**

Judgar. (Del lat. *iudicare.*) tr. ant. **Juzgar.**

Judía. (Del ár. *yudiyā'*, alubia.) f. *Bot.* Planta herbácea anual, de la familia de las papilionáceas, con tallos endebles, volubles, de tres a cuatro metros de longitud; hojas grandes, compuestas de tres hojuelas acorazonadas unidas por la base; flores blancas en grupos axilares, y fruto en vainas aplastadas, terminadas en dos puntas, y con varias semillas de forma de riñón. Se cultiva en las huertas por su fruto, comestible, así seco como verde, y hay muchas especies, que se diferencian por el tamaño de la planta y el volumen, color y forma de las vainas y semillas. || **2.** Fruto de esta planta. || **3.** Semilla de esta planta. || **4.** En el juego del monte, cualquier naipe de figura. || **5.** *Ar.* y *Murc.* **Avefría.** || **de careta.** Planta procedente de la China, de la familia de las papilionáceas, parecida a la **judía,** pero con tallos más cortos, vainas muy estrechas y largas, y semillas pequeñas, blancas, con una manchita negra y redonda en uno de los extremos. || **2.** Fruto de esta planta. || **3.** Semilla de esta planta.

Judiada. f. Acción propia de judíos. || **2.** p. us. Muchedumbre o conjunto de judíos. || **3.** fig. y fam. Acción inhumana. || **4.** fig. y fam. Lucro excesivo y escandaloso.

Judiar. m. Tierra sembrada de judías.

Judicación. (Del lat. *iudicatio, -ōnis.*) f. ant. Acción de juzgar.

Judicante. (De *judicar.*) m. *Ar.* Cada uno de los jueces que condenaban o absolvían a los ministros de justicia denunciados y acusados por delincuentes en sus oficios.

Judicar. (Del lat. *iudicāre.*) tr. ant. **Juzgar.**

Judicativo, va. (Del lat. *iudicatīvus.*) adj. ant. Que juzga o puede hacer juicio de algo.

Judicatura. (Del lat. *iudicatūra.*) f. Ejercicio de juzgar. || **2.** Dignidad o empleo de juez. || **3.** Tiempo que dura. || **4.** Cuerpo constituido por los jueces de un país.

Judicial. (Del lat. *iudiciālis.*) adj. Perteneciente al juicio, a la administración de justicia o a la judicatura. || **2.** V. **Poder, policía judicial.** || **3.** *For.* V. **Arbitrio, juramento judicial.**

Judicialmente. adv. m. Por autoridad o procedimiento judicial.

Judiciario, ria. (Del lat. *iudiciarius.*) adj. ant. **Judicial.** || **2.** V. **Astrología judiciaria.** Ú. t. c. s. || **3.** Perteneciente a ésta. || **4.** m. El que profesa esta vana ciencia.

Judicio. (Del lat. *iudicĭum.*) m. ant. **Juicio.**

Judiciosamente. adv. m. ant. **Juiciosamente.**

Judicioso, sa. (De *judicio.*) adj. ant. **Juicioso.**

Judiego, ga. adj. ant. Perteneciente a los judíos. || **2.** Dícese de una especie de aceituna, buena para hacer aceite, pero no para comer.

Judihuela. f. d. de **Judía.**

Judihuelo. m. d. de **Judío.**

Judío, a. (Del lat. *iudaeus,* y éste del hebr. *yehūdī,* de la tribu de Judá.) adj. **Hebreo,** 1.ª a 4.ª aceps. Apl. a pers., ú. t. c. s. || **2.** Natural de Judea. Ú. t. c. s. || **3.** Perteneciente a este país de Asia antigua. || **4.** fig. Avaro, usurero. || **5.** m. **Judión.** || **de señal.** **Judío** convertido, a quien se le permitía vivir entre cristianos, y para ser conocido se le hacía llevar una señal en el hombro. || **Al judío, dadle un huevo y pediros ha el tozuelo. Al judío, dadle un palmo y tomará cuatro.** refs. contra los que en vez de agradecer el favor recibido, molestan al que se lo ha dispensado con nuevas importunaciones. || **Cegar como la judía de Zaragoza, llorando duelos ajenos.** expr. con que se moteja a los que sin obligación ni motivo justificado, se interesan demasiado por los asuntos ajenos.

Judión. m. Cierta variedad de judía, de hoja mayor y más redonda y con las vainas más anchas, cortas y estoposas.

Judit. n. p. V. **Libro de Judit.**

Juego. (Del lat. *iŏcus.*) m. Acción y efecto de jugar. || **2.** Ejercicio recreativo sometido a reglas, y en el cual se gana o se pierde. JUEGO *de naipes, de ajedrez, de billar, de pelota.* || **3.** En sentido absoluto, **juego de naipes.** || **4.** En los juegos de naipes, conjunto de cartas que se reparten a cada jugador. || **5.** Disposición con que están unidas dos cosas, de suerte que sin separarse puedan tener movimiento; como las coyunturas, los goznes, etc. || **6.** El mismo movimiento. || **7.** Determinado número de cosas relacionadas entre sí y que sirven al mismo fin. JUEGO *de hebillas, de botones, de café.* || **8.** En los carruajes de cuatro ruedas, cada una de las dos armazones, compuestas de un par de aquéllas, su eje y demás piezas que le corresponden: llámanse delantero o trasero, con relación al lugar que ocupan. || **9.** Visos y cambiantes que resultan de la caprichosa mezcla o disposición particular de algunas cosas. JUEGO *de aguas, de colores, de luces.* || **10.** Seguido de la prep. *de* y de ciertos nombres, casa o sitio en donde se juega a lo que dichos nombres significan. *Se reunieron en el* JUEGO *de pelota.* || **11.** fig. Habilidad y arte para conseguir una cosa o para estorbarla. || **12.** pl. Fiestas y espectáculos públicos que se usaban en lo antiguo. || **Juego a largo.** El de pelota cuando ésta se dirige de persona a persona. || **carteado.** Cualquiera de los de naipes que no es de envite. || **de alfileres.** **Juego** de niños, que consiste en empujar cada jugador con la uña del dedo pulgar, sobre cualquier superficie plana, un alfiler, que le pertenece, para formar cruz con otro alfiler, que hace suyo si logra formarla. || **de azar. Juego de suerte.** || **de billar. Billar.** || **de cartas. Juego de naipes.** || **de compadres.** fig. y fam. Modo de proceder dos o más personas que aspiran al logro de un fin, estando de acuerdo y aparentando lo contrario. || **de cubiletes.** fig. y fam. Industria con que se trata de engañar a uno haciéndole creer lo que no es verdad. || **de damas.** Damas, 13.ª acep. de **Dama.** || **de envite.** Cada uno de aquellos en que se apuesta dinero sobre un lance determinado. || **de ingenio.** Ejercicio del entendimiento, en que por diversión o pasatiempo se trata de resolver una cuestión propuesta en términos sujetos a ciertas reglas; como las charadas, las quincenas, los logogrifos, los ovillejos y los acertijos de todo género. || **de la campana. Juego** infantil en que dos niños, dándose la espalda y enlazándose por los brazos, se suspenden alternativamente imitando el volteo de las campanas. || **del hombre. Hombre,** 7.ª acep. || **del oráculo.** Diversión que consiste en dirigir preguntas en verso varias personas a una sola, y en dar ésta respuestas en el mismo metro de las preguntas. || **de los cantillos.** El que juegan los niños con cinco piedrecitas haciendo con ellas diversas combinaciones y lanzándolas a lo alto para recogerlas en el aire al caer. || **de manos.** Acción de darse palmadas unas personas a otras por diversión o afecto. || **2.** Agilidad de manos con que los titiriteros y otras personas engañan y burlan la vista de los espectadores con varios géneros de entretenimientos. || **3.** fig. Acción ruin por la cual se hace desaparecer en poco tiempo una cosa que se tenía a la vista. || **de naipes.** Cada uno de los que se juegan con ellos, y se distinguen por nombres especiales; como la brisca, el solo, el tresillo, etc. || **de niños.** fig. Modo de proceder sin consecuencia ni formalidad. || **de palabras.** Artificio que consiste en usar palabras, por donaire o alarde de ingenio, en sentido equívoco o en varias de sus acepciones o en emplear dos o más que sólo se diferencian en alguna o algunas de sus letras. || **de pasa pasa. Juego de manos,** 2.ª acep. || **de pelota. Juego** entre dos o más personas, que consiste en arrojar una pelota con la mano, con pala o con cesta, de unas a otras directamente o haciéndola rebotar en una pared. || **de prendas.** Diversión casera que consiste en decir o hacer los concurrentes una cosa, pagando prenda el que no lo hace bien. || **de suerte.** Cada uno de aquellos cuyo resultado no depende de la habilidad o destreza de los jugadores, sino exclusivamente del acaso o la suerte; como el del monte o el de los dados. || **de tira y afloja. Juego** de prendas que consiste en asir cada uno de los que lo juegan la punta de sendas cintas o pañuelos que a su vez coge por la punta o extremo opuesto la persona que dirige el **juego,** y cuando ésta manda aflojar deben tirar los demás, o al contrario, perdiendo prenda el que yerre. || **de trucos. Trucos,** 5.ª acep. de **Truco.** || **de vocablos,** o **voces. Juego de palabras.** || **público.** Casa donde se juega públicamente con tolerancia de la autoridad. || **Juegos florales.** Concurso poético instituido por los trovadores en la Provenza, y por don Juan I de Aragón en Cataluña, y el cual aún suele celebrarse en muchas partes, mantenido por varones insignes y presidido por una reina de la fiesta, con premio de flores simbólicas para el poeta vencedor. || **malabares.** Ejercicios de agilidad y destreza que se practican generalmente como espectáculo, manteniendo diversos objetos en equilibrio inestable, lanzándolos a lo alto y recogiéndolos, etc. || **2.** fig. Combinaciones artificiosas de conceptos con que se pretende deslumbrar al público. || **Acudir el juego** a uno. fr. **Dar bien el juego.** || **Cerrar el juego.** fr. En el del dominó, hacer una jugada que impida continuarlo. Ú. t. el verbo c. r. || **Conocerle** a uno **el juego.** fr. fig. Penetrar su intención. || **Dar bien,** o **mal, el juego.** fr. Tener favorable o contraria la suerte. || **Dar juego.** fr. fig. y fam. con que se denota que un asunto o suceso tendrá más efecto del que se cree. || **Desgraciado en el juego, afortunado en amores.** fr. fam. que suele decirse, como para consuelo, o con ironía, a la persona que pierde en el **juego.** || **Despintársele** a uno **el juego.** fr. Engañarse por estar la pinta equivocada, tomando un palo por otro. || **El juego de la correhuela, cátale dentro y cátale fuera.** ref. que se dijo por los inconstantes y mudables. || **En juego.** loc. que con los verbos *andar, estar, poner,* etc., significa que intervienen en un intento las cosas de que se habla. *Están* EN JUEGO *poderosas influencias.* || **En juego ni en veras, con tu señor no partas peras.** ref. **Ni en burlas ni en veras,** etc. || **Hacer juego.** fr. Mantenerlo o perseverar en él. || **2.** Entre jugadores, decir aquel a quien le toca las calidades que tiene; como la de entrada, paso, etc. || **3.** fig. Convenir o corresponderse una cosa con otra en orden, proporción y simetría. || **Hacerle** a uno **el juego.** fr. fig. **Hacerle el caldo gordo.** || **Juego de manos, juego de villanos.** ref. que censura la excesiva familiaridad en jugar y tocarse con las manos unas personas a otras. || **Juego fuera.** expr. usada en algunos **juegos** de envite cuando se envida todo lo que falta para acabar el **juego.** || **Meter en juego** a uno. fr. **Meterle en fuga.** || **No dejar entrar en juego.** fr. fig. y fam. **No dejar meter baza.** || **Por juego.** loc. adv. Por burla, de chanza. || **Verle** a uno **el juego.** fr. fig. **Conocerle el juego.**

Jueguezuelo. m. d. de **Juego.**

Juera. (Del lat. **ioiarium* [*cribum*], por *loliarium,* de cizaña.) f. *Extr.* Harnero espeso de esparto que sirve para limpiar o ahechar el trigo.

Juerga. f. fam. **Huelga,** 4.ª acep. || **2.** En Andalucía, diversión bulliciosa de varias personas, acompañada de cante y baile flamencos.

Juerguista. adj. Aficionado a la **juerga**, 1.ª acep. Ú. t. c. s.

Jueves. (Del lat. *Iŏvis [dies]*, día consagrado a Júpiter.) m. Quinto día de la semana. || **de comadres.** El penúltimo antes del carnaval. || **de compadres.** El anterior al de comadres. || **de la cena.** ant. **Jueves** Santo. || **gordo,** o **lardero.** El inmediato a las carnestolendas. || **No ser cosa del otro jueves.** fr. fig. y fam. con que se indica no ser extraordinario aquello de que se habla.

Juez. (Del lat. *iūdex, -ĭcis.*) m. El que tiene autoridad y potestad para juzgar y sentenciar. || **2.** En las justas públicas y certámenes literarios, el que cuida de que se observen las leyes impuestas en ellos y de distribuir los premios. || **3.** El que es nombrado para resolver una duda. || **4.** Magistrado supremo del pueblo de Israel, desde que éste se estableció en Palestina hasta que adoptó la monarquía. || **5.** Cada uno de los caudillos que conjuntamente gobernaron a Castilla en cierta época, a falta de sus antiguos condes. || **6.** V. **Libro de los Jueces.** || **7.** fig. y fam. V. **Cara de juez,** o **de justo juez.** || **8.** *For.* V. **Arbitrio de juez.** || **acompañado.** *For.* El que se nombraba para que acompañara en el conocimiento y determinación de los autos, a aquel a quien recusaba la parte. || **ad quem.** *For.* **Juez** ante quien se interpone la apelación de otro inferior. || **apartado.** *For.* El que por comisión especial conocía antiguamente de una causa, con inhibición de la justicia ordinaria. || **a quo.** *For.* **Juez** de quien se apela para ante el superior. || **arbitrador.** Aquel en quien las partes se comprometen para que por vía de equidad ajuste y transija sus diferencias. || **árbitro. Juez arbitrador.** || **2.** *For.* El designado por las partes litigantes, y que ha de ser letrado, pero no juez oficial, para fallar el pleito conforme a derecho. || **3.** *For.* **Amigable componedor.** || **compromisario. Compromisario,** 1.ª acep. || **conservador.** Eclesiástico o secular nombrado para defender de violencias a una iglesia, comunidad u otro establecimiento privilegiado. || **de alzadas,** o **de apelaciones.** En lo antiguo, cualquier **juez** superior a quien iban las apelaciones de los inferiores. || **de balanza. Balanzario.** || **de competencias.** Cualquiera de los ministros de los consejos que componían la junta de este nombre, encargada de decidir las competencias suscitadas entre diversos **jueces** sobre jurisdicción. || **de compromiso. Juez compromisario.** || **de encuesta.** Ministro togado de Aragón, que hacía inquisición contra los ministros de justicia delincuentes y contra los notarios y escribanos, y los castigaba procediendo de oficio, y no a instancia de parte. || **de ganados.** Uno de los tres mayores que formaban parte de las principalías de Filipinas, y que entendía especialmente en los asuntos relacionados con la ganadería. || **de hecho.** El que falla sobre la certeza de los hechos y su calificación, dejando la resolución legal al de derecho. Tales son los **jueces** en cuestiones sobre riegos y distribución de aguas. || **2. Jurado,** 7.ª acep. || **delegado.** El que por comisión de otro que tiene jurisdicción ordinaria, conoce de las causas que se le cometen, según la forma y orden contenidos en la delegación. || **del estudio.** En la universidad de Salamanca, el que conocía de las causas de los graduados, estudiantes y ministros que gozaban del fuero de la universidad. || **de palo.** fig. y fam. El que es torpe e ignorante. *Es tan claro este pleito, que lo podría sentenciar un* JUEZ DE PALO. || **de paz.** El que hasta la institución de los **jueces** municipales, en 1870, oía a las partes antes de consentir que litigasen, procurando reconciliarlas, y resolvía de plano las cuestiones de ínfima cuantía. También cuando era letrado solía suplir al **juez** de primera instancia. || **de policía.** Uno de los tres mayores que formaban parte de las principalías de Filipinas, y que entendía especialmente en los asuntos relacionados con el cumplimiento de las obligaciones sobre policía urbana. || **de primera instancia. Juez de primera instancia y de instrucción.** || **de primera instancia y de instrucción.** El ordinario de un partido o distrito, que conoce en primera instancia de los asuntos civiles no cometidos por la ley a los **jueces** municipales, y en materia criminal dirige la instrucción de los sumarios. || **de raya.** *Argent.* El que falla sobre el resultado de una carrera de caballos. || **de sacas. Alcalde de sacas.** || **de sementeras.** Uno de los tres mayores que formaban parte de las principalías de Filipinas, y que entendía especialmente en los asuntos relacionados con los productos agrícolas. || **entregador. Alcalde entregador.** || **in curia.** Cualquiera de los seis protonotarios apostólicos españoles a quienes el nuncio del Papa en estos reinos debía cometer el conocimiento de las causas que venían en apelación a su tribunal, no pudiendo él conocer por sí sino en los casos en que su sentencia causaba ejecutoria. Hoy conoce la Rota de las causas de que ellos conocían. || **lego.** Juez municipal no letrado, y especialmente si actúa como substituto del de primera instancia, caso en que necesita abogado asesor para lo que no sea de mero trámite. || **mayor.** Cada uno de los tres que formaban parte de las principalías de Filipinas. || **mayor de Vizcaya.** Ministro togado de la chancillería de Valladolid, que por sí solo conocía en segunda instancia de las causas civiles y criminales que iban en apelación del corregidor y justicias ordinarias de Vizcaya. || **municipal.** El que con duración temporal y sin la exigencia de ser letrado, ejerce en un municipio o distrito de éste, jurisdicción penal sobre faltas, civil en los asuntos de menor cuantía y actos de conciliación, y dirige también el registro del estado civil de las personas. || **oficial de capa y espada.** Cada uno de los ministros de capa y espada que había en la audiencia de la contratación de Indias, en Cádiz, cuando existía este tribunal. || **ordinario.** El que en primera instancia conoce las causas y pleitos. || **2. Juez** eclesiástico, vicario del obispo. || **3.** Por antonom., el mismo obispo. || **pedáneo.** Magistrado inferior que entre los romanos sólo conocía de las causas leves, y no tenía tribunal, sino que oía de pie y decidía de plano. || **2.** Asesor o consejero del pretor romano, a cuyos pies se sentaba. || **3. Alcalde pedáneo.** || **pesquisidor.** El que se destinaba o enviaba para hacer jurídicamente la pesquisa de un delito o reo. || **prosinodal. Examinador sinodal.** || **tutelar.** El que tenía el cargo de dar tutela al menor que no la tuviese. || **A jueces galicianos, con los pies en las manos.** ref. contra los **jueces** que se dejan sobornar. Dícese con alusión a los regalos de aves que, cogidas de los pies, se llevan en la mano. || **Juez cadañero, derecho,** o **estrecho, como sendero.** ref. que denota que el **juez** que se muda cada año, es estrecho en el cumplimiento de su oficio, porque ha de ser residenciado presto.

Jugada. f. Acción de jugar el jugador cada vez que le toca hacerlo. || **2.** Lance de juego que de este acto se origina. || **3.** fig. Acción mala e inesperada contra uno. || **Hacer** uno su **jugada.** fr. fig. y fam. Hacer un buen negocio.

Jugadera. (De *jugar.*) f. **Lanzadera.**

Jugador, ra. adj. Que juega. Ú. t. c. s. || **2.** Que tiene el vicio de jugar. Ú. t. c. s. || **3.** Que tiene especial habilidad y es muy diestro en jugar. Ú. t. c. s. || **de manos.** El que hace juegos de manos. || **de ventaja. Fullero.** || **El mejor jugador, sin cartas.** expr. fig. y fam. con que se denota que se ha dejado de incluir a uno en el negocio o diversión en que tiene mayor interés, inteligencia o destreza.

Jugante. p. a. de **Jugar.** Que juega.

Jugar. (Del lat. *iŏcāri.*) intr. Hacer algo por espíritu de alegría y con el solo fin de entretenerse o divertirse. || **2.** Travesear, retozar. || **3.** Entretenerse, divertirse tomando parte en uno de los juegos sometidos a reglas, ya medie o ya no medie en él interés. || **4.** Tomar parte en uno de los juegos sometidos a reglas, no para divertirse, sino para satisfacer inclinación viciosa o con el solo fin de ganar dinero. || **5.** Llevar a cabo el jugador un acto propio del juego cada vez que le toca intervenir en él. || **6.** En ciertos juegos de naipes, **entrar,** 14.ª acep. || **7.** V. **Jugar a la baja, al alza.** || **8.** Con la prep. *con*, burlarse de alguno. || **9.** Ponerse una cosa que consta de piezas, en movimiento o ejercicio para el objeto a que está destinada; como las máquinas, las tramoyas en los teatros, etc. Ú. t. c. tr. || **10.** Tratándose de armas blancas o de fuego, hacerse de ellas el uso a que están destinadas. *En tal acción* JUGÓ *la bayoneta*, o JUGARON *los cañones.* || **11. Hacer juego,** 3.ª acep. || **12.** Intervenir o tener parte en un negocio. *Antonio* JUEGA *en este asunto.* || **13.** tr. Tratándose de partidas de juego, llevarlas a cabo. JUGAR *un tresillo, una partida de ajedrez.* || **14.** Tratándose de las cartas, fichas o piezas que se emplean en ciertos juegos, hacer uso de ellas. JUGAR *una carta, un alfil.* || **15.** Perder al juego. *Luis* HA JUGADO *cuanto tenía.* || **16.** Tratándose de los miembros corporales, usar de ellos dándoles el movimiento que les es natural. || **17.** Tratándose de armas, saberlas manejar. JUGAR *la espada, el florete.* || **18.** Arriesgar, aventurar, JUGAR *el todo por el todo.* || **¡Bien juega quien mira!** loc. con que se reprende a los mirones de un juego cuando notan o advierten alguna mala jugada. || **Jugar a las bonicas.** fr. que se usa cuando dos personas echan la pelota de una mano a otra, **jugando** sin dejarla caer al suelo. Aplícase también a otros juegos cuando no media interés. || **Jugar fuerte,** o **grueso.** fr. Aventurar al juego grandes cantidades. || **Jugar limpio.** fr. fig. **Jugar** sin trampas ni engaños. || **2.** fig. y fam. Proceder en un negocio con lealtad y buena fe. || **Ni juega ni da de barato.** fr. fig. y fam. que significa que uno procede con total indiferencia y sin tomar partido.

Jugarreta. (De *jugar.*) f. fam. Jugada mal hecha y sin conocimiento del juego. || **2.** fig. y fam. Truhanada, mala pasada.

Juglándeo, a. (Del lat. *iuglans, -andis*, nuez, nogal.) adj. *Bot.* **Yuglandáceo.**

Juglar. (De *joglar.*) adj. Chistoso, picaresco. || **2. Juglaresco.** || **3.** m. El que por dinero y ante el pueblo cantaba, bailaba o hacía juegos y truhanerías. || **4.** El que por estipendio o dádivas recitaba o cantaba poesías de los trovadores, para recreo de los reyes y de los magnates. || **5.** ant. Trovador, poeta.

Juglara. adj. f. ant. de **Juglar.** || **2.** f. **Juglaresa.**

Juglarería. f. desus. **Juglería.**

Juglaresa. f. Mujer juglar.

Juglaresco, ca. adj. Propio del juglar, o relativo a él.

Juglaría. f. Juglería. ‖ **2.** V. **Mester de juglaría.**
Juglería. f. Ademán o modo propio de los juglares.
Jugo. (Del lat. *sūcus.*) m. Zumo de las substancias animales o vegetales sacado por presión, cocción o destilación. ‖ **2.** fig. Lo provechoso, útil y substancial de cualquiera cosa material o inmaterial. ‖ **gástrico.** *Zool.* Líquido ácido que segregan ciertas glándulas existentes en la membrana mucosa del estómago y que contiene pepsina, fermento que actúa sobre las materias albuminoideas de los alimentos. ‖ **pancreático.** *Zool.* Líquido alcalino que segrega la porción exocrina del páncreas y llega al intestino por un conducto especial. Contiene varios fermentos, que actúan sobre algunos hidratos de carbono, grasas y proteínas de los alimentos.
Jugosidad. (Del lat. *sūcosĭtas, -ātis.*) f. Calidad de jugoso.
Jugoso, sa. (Del lat. *sūcōsus.*) adj. Que tiene jugo. ‖ **2.** V. **Azúcar jugosa.** ‖ **3.** fig. **Substancioso.** ‖ **4.** *Pint.* Aplícase al colorido exento de sequedad, y al dibujo exento de rigidez y dureza.
Juguete. (d. de *juego.*) m. Objeto curioso y bonito con que se entretienen los niños. ‖ **2.** Chanza o burla. ‖ **3.** Composición musical o pieza teatral breve y ligera. JUGUETE *lírico, cómico, dramático.* ‖ **4.** Persona o cosa dominada por fuerza material o moral que la mueve y maneja a su arbitrio. JUGUETE *de las olas, de las pasiones, de la fortuna.* ‖ **Por juguete.** m. adv. fig. Por chanza o entretenimiento.
Juguetear. (De *juguete.*) intr. Entretenerse jugando y retozando.
Jugueteo. m. Acción de juguetear.
Juguetería. f. Comercio de juguetes. ‖ **2.** Tienda donde se venden.
Juguetero, ra. adj. desus. **Juguetón.**
Juguetón, na. (De *juguetear.*) adj. Aplícase a la persona o animal que juega y retoza con frecuencia.
Juiciero. (De *juicio.*) m. ant. El que juzgaba sin fundamento.
Juicio. (Del lat. *iudĭcium.*) m. Facultad del alma, en cuya virtud el hombre puede distinguir el bien del mal y lo verdadero de lo falso. ‖ **2.** *Lóg.* Operación del entendimiento, que consiste en comparar dos ideas para conocer y determinar sus relaciones. ‖ **3.** Estado de la sana razón como opuesto a locura o delirio. *Está en su* JUICIO; *está fuera de* JUICIO. ‖ **4.** Opinión, parecer o dictamen. ‖ **5.** V. **Tela de juicio.** ‖ **6.** V. **Día, muela del juicio.** ‖ **7.** Pronóstico que los astrólogos hacen de los sucesos del año. ‖ **8.** fig. Seso, asiento y cordura. *Hombre de* JUICIO. ‖ **9.** *For.* Conocimiento de una causa, en la cual el juez ha de pronunciar la sentencia. ‖ **10.** ant. *For.* Sentencia del juez. ‖ **11.** *Teol.* El que Dios hace del alma en el instante en que se separa del cuerpo. Es uno de los cuatro novísimos o postrimerías del hombre. ‖ **12.** *Teol.* **Juicio final.** ‖ **contencioso.** *For.* El que se sigue ante el juez sobre derechos o cosas que varias partes contrarias litigan entre sí. ‖ **contradictorio.** Proceso que se instruye a fin de justificar el merecimiento para ciertas recompensas. ‖ **convenido.** Aquel en que estando conformes de antemano acreedor y deudor, sólo buscan la solemnidad de allanamiento y confesión para el reconocimiento de la deuda. ‖ **declarativo.** El que en materia civil se sigue con plenitud de garantías procesales y termina por sentencia que causa ejecutoria entre los litigantes, acerca del asunto controvertido. ‖ **de desahucio.** El sumario que tiene por objeto el lanzamiento de quien como arrendatario, dependiente o precarista posee bienes ajenos sin título alguno o sólo por el de arriendo caducado o resuelto. ‖ **de Dios.** Cada una de ciertas pruebas que con intento de averiguar la verdad se hacían en lo antiguo; como la del duelo, la de manejar hierros ardientes, etc. ‖ **de faltas.** *For.* El que versa sobre infracciones de bandos de buen gobierno, o ligeras transgresiones del código penal de que antes conocían los jueces de paz y hoy los municipales. ‖ **de mayor cuantía.** El declarativo de tramitación más solemne que versa sobre derechos inestimables pecuniariamente o cosas cuyo valor exceda del límite procesal que ha variado, siendo hoy de 20.000 pesetas. ‖ **de menor cuantía.** El declarativo, intermedio entre el de mayor cuantía y el verbal. ‖ **ejecutivo.** *For.* **Vía ejecutiva.** ‖ **extraordinario.** *For.* Aquel en que se procedía de oficio por el juez. ‖ **2.** *For.* Aquel en que se procedía sin el orden ni reglas establecidas por el derecho para los juicios comunes. ‖ **final.** *Teol.* **Juicio universal,** 2.ª acep. ‖ **oral.** *For.* Período decisivo del proceso penal en que, después de terminado el sumario, se practican directamente las pruebas y alegaciones ante el tribunal sentenciador. ‖ **ordinario.** **Juicio declarativo.** ‖ **particular.** *Teol.* **Juicio,** 11.ª acep. ‖ **petitorio.** *For.* El que se seguía sobre la propiedad de una cosa o la pertenencia de un derecho. ‖ **plenario.** *For.* El posesorio en que se trata con amplitud del derecho de las partes para declarar la posesión a favor de una de ellas, o reconocer el buen derecho que tiene en la propiedad. ‖ **posesorio.** *For.* Aquel en que se controvierte la mera posesión de una cosa. ‖ **universal.** *For.* El que tiene por objeto la liquidación y partición de una herencia o la del caudal de un quebrado o concursado. ‖ **2.** *Teol.* El que ha de hacer Jesucristo de todos los hombres en el fin del mundo, para dar a cada uno el premio o castigo de sus obras. ‖ **verbal.** El declarativo de grado inferior que se sigue ante la justicia municipal. ‖ **Justos juicios de Dios.** expr. Decretos ocultos de la divina Justicia. ‖ **Abrir el juicio.** fr. *For.* Decíase del acto de instaurar el príncipe o el Tribunal Supremo un **juicio** ya ejecutoriado, para que las partes dedujesen de nuevo sus derechos. ‖ **Amontonarse el juicio.** fr. fig. y fam. Ofuscarse la razón por enojo o por error. ‖ **Asentar el juicio.** fr. Empezar a tener **juicio** y cordura. ‖ **Cargar** uno **el juicio en** alguna cosa. fr. fig. Detener en ella la consideración. ‖ **Contender en juicio.** fr. **Pleitear,** 1.ª acep. ‖ **Convenir a juicio.** fr. ant. *For.* Acudir o concurrir al tribunal competente a litigar las causas y pleitos. ‖ **Convenir a** uno **en juicio.** fr. ant. *For.* Ponerle demanda judicial. ‖ **Echar juicio,** o **un juicio, a montón.** fr. fig. y fam. Juzgar temerariamente. ‖ **Entrar en juicio con** uno. fr. Pedirle y tomarle cuenta de lo que se le ha entregado y ha practicado en cumplimiento de su obligación. ‖ **Estar a juicio.** fr. Sujetarse a lo que resulte de un pleito, sea en pro o en contra. ‖ **Estar** uno **en su juicio.** fr. Estar bien dispuesto y tener cabal y entero su entendimiento para poder obrar con perfecto conocimiento y advertencia. ‖ **Estar** uno **fuera de juicio.** fr. Padecer la enfermedad de manía o locura. ‖ **2.** Estar cegado o enajenado por alguna pasión o arrebato. ‖ **Estar** uno **muy en juicio.** fr. **Estar en su juicio.** ‖ **Falto de juicio.** loc. Dícese del que padece una demencia, del que está poseído de algún arrebato o pasión que le embarga el discernimiento y del que lo tiene muy escaso. ‖ **Parecer** uno **en juicio.** fr. *For.* Deducir ante el juez la acción o derecho que tiene, o las excepciones que excluyen la acción contraria. ‖ **Pedir** uno **en juicio.** fr. *For.* Comparecer ante el juez a proponer sus acciones y derechos. ‖ **Perder el juicio.** fr. fig. de que se usa para ponderar la extrañeza que causa una cosa. ‖ **Poner en juicio.** fr. ant. Comprometer en hombres prudentes la resolución de un negocio. ‖ **Privarse** uno **de juicio.** fr. Volverse loco. ‖ **Quitar el juicio** alguna cosa. fr. fig. y fam. Causar grande extrañeza y admiración. ‖ **Sacar de juicio** a uno. fr. fig. y fam. **Sacar de quicio.** ‖ **2.** **Quitar el juicio.** ‖ **Salir** uno **de juicio.** fr. fig. **Estar fuera de juicio,** 2.ª acep. ‖ **Ser** una cosa **un juicio.** fr. fig. Ser de ver, o de admirar. ‖ **Suspender** uno **el juicio.** fr. No determinarse a resolver en una duda por falta de noticia o por las razones que hacen fuerza por una y otra parte. ‖ **Tener** uno **el juicio en los calcañares,** o **en los talones.** fr. fig. y fam. Portarse con poca reflexión y cordura. ‖ **Volver** a uno **el juicio.** fr. Trastornárselo, hacérselo perder. ‖ **Volvérsele el juicio** a uno. fr. **Privarse de juicio.**
Juiciosamente. adv. m. Con juicio.
Juicioso, sa. adj. Que tiene juicio o procede con madurez y cordura. Ú. t. c. s. ‖ **2.** Hecho con juicio.
Jujeo. (De *jujear,* del grito *juj.*) m. *Sant.* **Jijeo.**
Julepe. (De *ŷullāb,* palabra persa arabizada, agua de rosa, jarabe.) m. Poción compuesta de aguas destiladas, jarabes y otras materias medicinales. ‖ **2.** Juego de naipes en que se pone un fondo y se señala triunfo volviendo una carta, después de repartir tres a cada jugador. Por cada baza que se hace se gana la tercera parte del fondo, y quien no hace ninguna queda obligado a reponer el fondo. ‖ **3.** fig. y fam. Reprimenda, castigo. ‖ **4.** fig. *Amér. Merid.* Susto, miedo. ‖ **Dar julepe** a uno. fr. Dejarle sin baza. ‖ **Llevar** uno **julepe.** fr. Quedarse sin baza.
Juliano, na. adj. Perteneciente a Julio César o instituido por él. ‖ **2.** V. **Calendario juliano.** ‖ **3.** Perteneciente al conde Julián. ‖ **4.** V. **Sopa juliana.**
Julio. (Del lat. *iulius.*) m. Séptimo mes del año, según nuestro cómputo: consta de treinta y un días.
Julio. (De *Joule,* nombre de un célebre físico.) m. Unidad de medida del trabajo eléctrico, equivalente al producto de un voltio por un culombio.
Julo. m. Res o caballería que va delante de las demás en el ganado o la recua.
Juma. f. fam. **Jumera.**
Jumarse. r. vulg. Embriagarse, emborracharse. Ú. m. en América.
Jumenta. (De *jumento.*) f. Asna, 1.ª acep.
Jumental. (Del lat. *iumentālis.*) adj. Perteneciente al jumento.
Jumentil. adj. **Jumental.**
Jumento. (Del lat. *iumentum.*) m. Asno.
Jumera. f. fam. **Humera.**
Juncáceo, a. (De *juncus,* nombre de un género de plantas.) adj. *Bot.* Dícese de hierbas angiospermas monocotiledóneas, semejantes a las gramíneas, propias de terrenos húmedos, generalmente vivaces, con rizoma, tallos largos, filiformes o cilíndricos, hojas alternas envainadoras, flores poco aparentes y fruto en cápsula, que contiene semillas de albumen amiláceo; como el junco de esteras. Ú. t. c. s. f. ‖ **2.** f. pl. *Bot.* Familia de estas plantas.
Juncada. f. Fruta de sartén, de figura cilíndrica y larga a manera de junco. ‖ **2.** **Juncar.** ‖ **3.** *Veter.* Medicamento preparado con manteca de vacas, miel y cocimiento de adormideras, que para

curar el muermo usaron los antiguos veterinarios, aplicándolo en la parte enferma con un manojito de juncos.

Juncal. adj. Perteneciente o relativo al junco. || **2.** V. **Ajonjera juncal.** || **3.** *And.* Gallardo, bizarro. || **4.** m. **Juncar.**

Juncar. m. Sitio poblado de junqueras.

Júnceo, a. (Del lat. *iuncĕus,* de junco.) adj. *Bot.* **Juncáceo.**

Juncia. (Del lat. *iūncĕa,* parecida al junco.) f. Planta herbácea, vivaz, de la familia de las ciperáceas, con cañas triangulares de 8 a 12 decímetros de altura; hojas largas, estrechas, aquilladas, de bordes ásperos; flores verdosas en espigas terminales, y fruto en granos secos de albumen harinoso. Es medicinal y olorosa, sobre todo el rizoma, y abunda en los sitios húmedos. || **La juncia de Alcalá, que llegó tres días después de la función.** expr. fig. y fam. con que se moteja todo aquello que por retraso viene o se dice tarde y fuera de tiempo. || **Vender juncia.** fr. fig. Jactarse, echar bravatas.

Juncial. m. Sitio poblado de juncias.

Junciana. f. fig. y fam. Hojarasca, jactancia vana y sin fundamento.

Junciera. (De *juncia.*) f. Vaso de barro, con tapa agujereada, para que salga el olor de las hierbas o raíces aromáticas que se ponen dentro de él en infusión con vinagre.

Juncino, na. (Del lat. *iuncĭnus.*) adj. De juncos o compuesto con ellos.

Juncir. (Del lat. *iūngĕre.*) tr. ant. **Yungir.** Ú. en *Ál.*

Junco. (Del lat. *iūncus.*) m. *Bot.* Planta de la familia de las juncáceas, con cañas o tallos de seis a ocho decímetros de largo, lisos, cilíndricos, flexibles, puntiagudos, duros, y de color verde obscuro por fuera y esponjosos y blancos en lo interior; hojas radicales reducidas a una vainilla delgada, flores en cabezuelas verdosas cerca de la extremidad de las cañas, y fruto capsular con tres ventallas y muchas semillas en cada una de ellas. Se cría en parajes húmedos. || **2.** Cada uno de los tallos de esta planta. || **3. Bastón,** 1.ª acep., especialmente cuando es delgado. || **4.** V. **Rabo de junco.** || **5.** *Bot.* Planta de la familia de las ciperáceas, abundante en toda España, con rizoma rastrero, tallos cilíndricos finamente estriados; inflorescencia formada por varias cabezuelas globosas, de flores muy pequeñas y situada cerca del ápice del tallo. || **común. Junco,** 1.er art., 1.ª acep. || **de esteras. Junco,** 1.er art., 1.ª acep. || **de Indias. Rota,** 3.er art. || **florido.** *Bot.* Arbusto de la familia de las butomáceas, cuyas flores, dispuestas en umbela, tienen seis pétalos y sus frutos son cápsulas con seis divisiones y multitud de semillas. Críase en Europa en lugares pantanosos; las hojas suelen usarse en medicina como aperitivas, y la raíz y las semillas, contra la mordedura de las serpientes. || **marinero, marino,** o **marítimo.** Planta de la familia de las juncáceas, con tallos verdes, rollizos, ásperos y medulosos; hojas radicales, muy puntiagudas, y flores en panoja apretada. Crece espontánea en lugares húmedos y alcanza hasta tres metros de altura. || **oloroso. Esquenanto.**

Junco. (Del chino *chun,* barco.) m. Especie de embarcación pequeña de que usan en las Indias Orientales.

Juncoso, sa. (Del lat. *iuncōsus.*) adj. Parecido al junco. || **2.** Aplícase al terreno que produce juncos.

Junglada. f. **Lebrada.**

Junio. (Del lat. *iunĭus.*) m. Sexto mes del año, que era el cuarto entre los antiguos romanos: consta de treinta días.

Júnior. (Del lat. *iunĭor,* más joven.) m. Religioso joven que después de haber profesado está aún sujeto a la enseñanza y obediencia del maestro de novicios.

Junípero. (Del lat. *iunipĕrus.*) m. **Enebro.**

Juno. (Del nombre de la diosa así llamada.) f. *Astron.* Asteroide descubierto por Harding en 1804.

Junquera. f. **Junco,** 1.er art., 1.ª acep.

Junqueral. m. **Juncar.**

Junquillo. (d. de *junco.*) m. Planta de jardinería, especie de narciso, de flores muy olorosas de color amarillo, cuya caña o tallo es liso y parecido al junco, 1.er art. || **2. Junco de Indias.** || **3.** *Arq.* Moldura redonda y más delgada que el bocel.

Junta. (De *juntar.*) f. Reunión de varias personas para conferenciar o tratar de un asunto. || **2.** Cada una de las conferencias o sesiones que celebran. || **3.** Todo que forman varias cosas unidas o agregadas unas a otras. || **4.** Unión de dos o más cosas. || **5.** Conjunto de los individuos nombrados para dirigir los asuntos de una colectividad. || **6. Juntura,** 1.ª acep. || **7.** Pieza de cartón, cáñamo, caucho u otra materia compresible, que se coloca en la unión de dos tubos u otras partes de un aparato o máquina, para impedir el escape del cuerpo fluido que contienen. || **8.** *Arq.* Espacio que queda entre las superficies de las piedras o ladrillos contiguos de una pared, y que suele rellenarse con mezcla o yeso. || **9.** *Arq.* Cada una de estas mismas superficies. || **10.** *Mar.* Empalme, costura. || **administrativa.** La que rige los intereses peculiares de un pueblo que forma en unión de otros un municipio. || **arbitral.** Tribunal administrativo que entiende en defraudaciones o faltas de contrabando. || **de aposento.** Tribunal que entendía en el repartimiento de las casas de aposento y de los tributos impuestos sobre ellas. || **de descargos.** Tribunal o **junta** de sujetos nombrados por el rey, que intervenía en el cumplimiento y ejecución de los testamentos y últimas voluntades de los reyes y en la satisfacción de sus deudas. || **municipal.** Reunión de concejales con un número igual de vocales asociados, para la aprobación de presupuestos y otros asuntos importantes. || **Retundir juntas.** fr. *Albañ.* Rellenar con argamasa fina las llagas de un muro.

Juntador, ra. adj. ant. Que junta. Usáb. t. c. s.

Juntadura. (De *juntar.*) f. ant. **Juntura.**

Juntamente. adv. m. Con unión o concurrencia de dos o más cosas en un mismo sujeto o lugar. || **2.** ant. **Unánimemente.** || **3.** adv. t. A un mismo tiempo.

Juntamiento. m. ant. Acción y efecto de juntar o juntarse. || **2.** ant. Junta o asamblea. || **3.** ant. **Juntura,** 1.ª acep.

Juntar. (Del lat. *iūnctāre.*) tr. Unir unas cosas con otras. || **2. Congregar.** Ú. t. c. r. || **3. Acopiar.** JUNTAR *dinero, víveres.* || **4.** Tratándose de puertas o ventanas, **entornar.** || **5.** r. Arrimarse, acercarse mucho a uno. || **6.** Acompañarse, andar con uno. || **7.** Tener acto carnal.

Juntera. (De *junta,* empalme.) f. Garlopa cuyo hierro ocupa solamente la mitad del ancho de la caja, resaltando la otra mitad de ésta, con lo cual permite afirmar la herramienta en el canto de la pieza que se cepilla.

Junterilla. f. Juntera pequeña para principiar los rebajos, por lo cual se suele llamar **junterilla** de rebajos.

Juntero. m. Individuo de la junta que en Barcelona y en septiembre de 1843 promovió la revolución que terminó en noviembre del mismo año.

Junto, ta. (Del lat. *iūnctus.*) p. p. irreg. de **Juntar.** || **2.** adj. Unido, cercano. || **3.** adv. l. Seguido de la prep. *a,* **cerca de.** || **4.** adv. m. Juntamente, a la vez. *Tocaban, cantaban y bailaban, todo* JUNTO. || **De por junto.** m. adv. **Por junto.** || **En junto.** m. adv. En total. *Tenía* EN JUNTO *dos pesetas.* || **2. Por junto.** || **Por junto.** m. adv. **Por mayor.** Empléase hablando del acopio de provisiones que para algún tiempo suele hacerse en las casas. *Tengo* POR JUNTO *el aceite, los garbanzos.*

Juntorio. m. Cierta especie de antiguo tributo.

Juntura. (Del lat. *iūnctūra.*) f. Parte o lugar en que se juntan y unen dos o más cosas. || **2.** ant. **Junta,** 3.ª acep. || **3.** ant. Unión o mezcla de una cosa con otra. || **claval.** *Zool.* Unión de dos huesos entrando el uno en el otro a manera de clavo. || **nodátil,** o **nudosa.** *Zool.* La que forman dos huesos entrando en la cavidad del uno la cabeza o nudo del otro, y es la que sirve para el movimiento. || **serrátil.** *Zool.* La que tienen dos huesos en figura de dientes de sierra, de modo que las puntas que salen del uno entran en los huecos del otro.

Junza. f. *Murc.* **Juncia.**

Juñir. (Del lat. *iūngĕre.*) tr. *Ar.* **Uncir.**

Júpiter. (Del dios *Júpiter.*) m. Planeta conocido desde muy antiguo: es el mayor de cuantos componen el sistema solar, comparable por su brillo con Venus, y al cual acompañan nueve satélites. || **2.** *Alq.* **Estaño,** 1.er art.

Jupiterino, na. adj. Perteneciente o relativo al dios mitológico Júpiter.

Jur. (Del lat. *ius, iuris.*) m. ant. **Derecho.**

Jura. (De *jurar.*) f. Acto solemne en que los Estados y ciudades de un reino, en nombre de todo él, reconocen y juran la obediencia a su príncipe. || **2.** Acción de jurar, 3.ª acep. || **3. Juramento,** 1.ª acep. || **de la mancuadra,** o **de mancuadra.** ant. *For.* **Juramento de calumnia.** || **Jura mala, en piedra caiga.** ref. que enseña que no se debe ejecutar lo malo, aunque se haya jurado.

Juradería. f. ant. **Juraduría.**

Juradero, ra. (Del lat. *iuratorĭus.*) adj. V. **Iglesia juradera.**

Jurado, da. p. p. de **Jurar.** || **2.** adj. V. **Enemigo, guarda jurado.** || **3.** V. **Relación jurada.** || **4.** Que ha prestado juramento al encargarse del desempeño de su función u oficio. *Intérprete, vocal, veedor* JURADO. || **5.** m. Sujeto cuyo cargo versaba sobre la provisión de víveres en los ayuntamientos y concejos. || **6.** Tribunal no profesional ni permanente, de origen inglés, introducido luego en otras naciones, cuyo esencial cometido es determinar y declarar el hecho justiciable o la culpabilidad del acusado, quedando al cuidado de los magistrados la imposición de la pena que por las leyes corresponde al caso. || **7.** Cada uno de los individuos que componen dicho tribunal. || **8.** Cada uno de los individuos que constituyen el tribunal examinador en exposiciones, concursos, etc. || **9.** Conjunto de estos individuos. || **en cap.** En la corona de Aragón, era el primero de los **jurados,** que se elegía de los ciudadanos más ilustres que ya habían sido insaculados en otras bolsas de **jurados,** y que tuviesen cuarenta años cumplidos.

Jurador, ra. (Del lat. *jurātor.*) adj. Que tiene vicio de jurar. Ú. t. c. s. || **2.** ant. Que jura. Usáb. t. c. s. || **3.** *For.* Que declara en juicio con juramento. Ú. t. c. s.

Juradoría. f. ant. **Juraduría.**

Juraduría. f. Oficio y dignidad de jurado.

Juramentar. tr. Tomar juramento a uno. || **2.** r. Obligarse con juramento.

Juramento. (Del lat. *iuramentum.*) m. Afirmación o negación de una cosa, poniendo por testigo a Dios, o en sí mismo o en sus criaturas. || **2.** Voto o reniego. || **asertorio.** Aquel con que se afirma la verdad de una cosa presente o pasada. || **de calumnia.** *For.* El que hacían las partes al principio del pleito, testificando que no procedían ni procederían con malicia. || **decisorio,** o **deferido.** *For.* Aquel que una parte exige de la otra en juicio o fuera de él, obligándose a pasar por lo que ésta jurare. || **execratorio.** Maldición que uno se echa a sí mismo si no fuere verdad lo que asegura. || **falso.** El que se hace con mentira. || **indecisorio.** Aquel cuyas afirmaciones sólo son aceptadas como decisivas en cuanto perjudican al jurador. || **judicial.** *For.* El que el juez toma de oficio o a pedimento de la parte. || **supletorio.** *For.* El que se pide a la parte a falta de otras pruebas. || **Si el juramento es por nos, la burra es nuestra por Dios.** ref. que da a entender la facilidad con que algunos juran en falso por su propio interés.

Juramiento. m. ant. **Juramento.**

Jurante. p. a. de **Jurar.** Que jura.

Jurar. (Del lat. *iurāre.*) tr. Afirmar o negar una cosa, poniendo por testigo a Dios, o en sí mismo o en sus criaturas. || **2.** Reconocer solemnemente y con juramento de fidelidad y obediencia la soberanía de un príncipe. || **3.** Someterse solemnemente y con igual juramento a los preceptos constitucionales de un país, estatutos de las órdenes religiosas, graves deberes de determinados cargos, etc. || **4.** intr. Echar votos y reniegos. || **Jurar en falso.** fr. Asegurar con juramento lo que se sabe que no es verdad. || **Jurársela,** o **jurarselas,** uno a otro. fr. fam. Asegurar que se ha de vengar de él.

Jurásico, ca. adj. *Geol.* Dícese del terreno sedimentario que en la región del Jura, en Francia, donde ha sido bien estudiado, sigue en edad al liásico. Ú. t. c. s. || **2.** Perteneciente a este terreno.

Juratoria. (Del lat. *iuratoria,* t. f. de *-rius,* juratorio.) adj. *For.* V. **Caución juratoria.** || **2.** f. Lámina de plata o plana de pergamino, casi siempre esto último, en que estaba escrito el principio de cada uno de los cuatro evangelios, y sobre la cual ponían las manos los magistrados de Aragón para hacer el juramento.

Juratorio. (Del lat. *iuratorius.*) m. Instrumento en que se hacía constar el juramento prestado por los magistrados de Aragón.

Jurdano, na. adj. Natural de las Jurdes. Ú. t. c. s. || **2.** Perteneciente a este territorio, situado entre las provincias de Cáceres y Salamanca.

Jurdía. (Quizá del ár. *zaradiyya,* cosa hecha de mallas.) f. Especie de red para pescar.

Jurel. (Del gr. σαῦρος; en fr. *saurel.*) m. Pez teleósteo marino del suborden de los acantopterigios, de medio metro de largo próximamente, cuerpo rollizo, carnoso, de color azul por el lomo y blanco rojizo por el vientre, cabeza corta, escamas pequeñas y muy unidas a la piel, excepto a lo largo de los costados, donde son fuertes y agudas, dos aletas de grandes espinas en el lomo, y cola extensa y muy ahorquillada.

Jurero, ra. adj. *Chile* y *Perú.* Que jura en falso.

Jurgina. f. **Jurguina.**

Jurguina. f. **Jorguina.**

Jurídicamente. adv. m. En forma de juicio o de derecho. || **2.** Por la vía judicial; por ante un juez. || **3.** Con arreglo a lo dispuesto por la ley. || **4.** En términos propios y rigurosos de derecho; en lenguaje legal.

Juridicial. (Del lat. *iuridiciālis.*) adj. ant. **Judicial.**

Juridicidad. (De *jurídico.*) f. Tendencia o criterio favorable al predominio de las soluciones de estricto derecho en los asuntos políticos y sociales.

Jurídico, ca. (Del lat. *iuridicus.*) adj. Que atañe al derecho, o se ajusta a él. || **2.** V. **Acto, convento jurídico.** || **3.** V. **Culpa, persona jurídica.** || **4.** ant. V. **Día jurídico.**

Jurio. m. ant. Juro o derecho perpetuo de propiedad.

Jurisconsulto. (Del lat. *iurisconsultus.*) m. El que profesa con el debido título la ciencia del derecho, dedicándose más particularmente a escribir sobre él y a resolver las consultas legales que se le proponen. || **2.** En lo antiguo, intérprete del derecho civil, cuya respuesta tenía fuerza de ley. || **3. Jurisperito.**

Jurisdicción. (Del lat. *iurisdictio, -ōnis.*) f. Poder o autoridad que tiene uno para gobernar y poner en ejecución las leyes o para aplicarlas en juicio. || **2.** Término de un lugar o provincia. || **3.** Territorio en que un juez ejerce sus facultades de tal. || **4.** Autoridad, poder o dominio sobre otro. || **acumulativa.** *For.* Aquella por la cual puede un juez conocer a prevención de las mismas causas que otro. || **contenciosa.** La que se ejerce en forma de juicio sobre pretensiones o derechos contrapuestos de las partes litigantes. || **contencioso-administrativa.** La que conoce de los recursos contra las decisiones definitivas de la administración. || **delegada.** La que ejerce uno en lugar de otro por comisión que se le da para asunto y tiempo determinados. || **2.** La que, aun ejercida en nombre del rey, correspondía a los jueces o tribunales, sin que pudiera decidir en último término ni aquél ni el gobierno. || **exenta.** En el derecho canónico, la que no depende de la ordinaria. || **forzosa.** *For.* La que no se puede declinar. || **ordinaria.** *For.* La que procede del fuero común, en contraposición a la privilegiada. || **retenida.** La que, aunque confiada a tribunales o consejos, dependía en último grado y término del rey o del gobierno. || **voluntaria.** Aquella en que, sin juicio contradictorio, el juez o tribunal da solemnidad a actos jurídicos o dicta ciertas resoluciones rectificables en materia civil o mercantil. || **Atribuir jurisdicción.** fr. *For.* Asignarla la ley, o someterse las partes a juez que legalmente carecería de competencia. || **Caer debajo de la jurisdicción de** uno. fr. fig. y fam. **Caer debajo de su poder.** || **Declinar la jurisdicción.** fr. *For.* Pedir al juez que conoce de un pleito o causa que se reconozca por incompetente y se inhiba de su seguimiento. || **Prorrogar la jurisdicción.** fr. *For.* Extenderla a casos y personas que antes no comprendía. || **Reasumir la jurisdicción.** fr. *For.* Suspender el superior o quitar por algún tiempo la que otro tenía, ejerciéndola por sí mismo en el conocimiento de un negocio. || **Refundir,** o **refundirse, la jurisdicción.** fr. *For.* Quedar cometidos a un juez o tribunal negocios de que conocían dos o más.

Jurisdiccional. adj. Perteneciente a la jurisdicción. || **2.** V. **Aguas jurisdiccionales.** || **3.** V. **Mar jurisdiccional.**

Jurispericia. (Del lat. *iurisperitia.*) f. Jurisprudencia.

Jurisperito. (Del lat. *iurisperītus;* de *ius, iuris,* derecho, y *peritus,* perito.) m. El que conoce en toda su extensión el derecho civil y canónico, aunque no se ejercite en las tareas del foro.

Jurisprudencia. (Del lat. *iurisprudentia.*) f. Ciencia del derecho. || **2.** Enseñanza doctrinal que dimana de las decisiones o fallos de autoridades gubernativas o judiciales. || **3.** Norma de juicio que suple omisiones de la ley, y que se funda en las prácticas seguidas en casos iguales o análogos.

Jurisprudente. (Del lat. *iurisprūdens, -entis.*) m. **Jurisperito.**

Jurista. (Del lat. *ius, iuris,* derecho.) m. El que estudia o profesa la ciencia del derecho. || **2.** El que tiene juro o derecho a una cosa.

Juro. (Del lat. *ius, iuris.*) m. Derecho perpetuo de propiedad. || **2.** Especie de pensión perpetua que se concedía sobre las rentas públicas, ya por merced graciosa, ya por recompensa de servicios, o bien por vía de réditos de un capital recibido. || **moroso.** Aquel a cuya cobranza se había dejado de acudir por espacio de cierto número de años, y porque el dinero no estuviera ocioso se valía el príncipe de él, con la calidad de satisfacerlo a la parte luego que acreditara su pertenencia. || **Caber el juro.** fr. Tener cabimiento en la relación por antelación. || **De juro.** m. adv. Ciertamente, por fuerza, sin remedio. || **De,** o **por, juro de heredad.** m. adv. Perpetuamente; para que pase de padres a hijos.

Jusbarba. (Del lat. *Jovis barba,* barba de Júpiter.) f. **Brusco,** 2.ª acep.

Jusello. (Del lat. *iuscellum,* caldo, salsa.) m. Potaje que se hace con caldo de carne, perejil, queso y huevos.

Jusente. f. ant. **Yusente.**

Jusi. m. Tela de Filipinas, clara como gasa y listada de colores fuertes, que se teje con seda y con hilazas de la China.

Jusmeso, sa. (Del lat. *deorsum,* abajo, y *missus,* metido.) p. p. irreg. de **Jusmeterse.**

Jusmeterse. (Del lat. *deorsum,* abajo, y *mittĕre,* meter.) r. *Ar.* **Someterse.**

Justa. (De *justar.*) f. Pelea o combate singular, a caballo y con lanza || **2.** Torneo o juego de a caballo en que acreditaban los caballeros su destreza en el manejo de las armas. || **3.** fig. Competencia o certamen en un ramo del saber. JUSTA *literaria.*

Justa. f. *Germ.* La justicia.

Justador. (De *justar.*) m. El que justa. || **2.** ant. Ajustador o jubón.

Justamente. adv. m. Con justicia. || **2.** Cabalmente, ni más ni menos. *Eso ha sucedido* JUSTAMENTE *como yo pensaba.* || **3. Ajustadamente.** *Este vestido viene* JUSTAMENTE *al cuerpo.* || **4.** adv. con que se expresa la identidad de lugar o tiempo en que sucede una cosa. *Antonio se hallaba* JUSTAMENTE *en aquel pueblo.*

Justar. (Del lat. **iūxtāre,* de *iuxta,* junto.) intr. Pelear o combatir en las justas.

Justedad. f. Calidad de justo. || **2.** Igualdad o correspondencia justa y exacta de una cosa.

Justicia. (Del lat. *iustitia.*) f. Virtud que inclina a dar a cada uno lo que le pertenece. || **2.** Atributo de Dios por el cual arregla todas las cosas en número, peso o medida. Ordinariamente se entiende por la divina disposición con que castiga las culpas. || **3.** Una de las cuatro virtudes cardinales, que consiste en arreglarse a la suprema **justicia** y voluntad de Dios. || **4.** Derecho, razón, equidad. || **5.** Conjunto de todas las virtudes, que constituye bueno al que las tiene. || **6.** Lo que debe hacerse según derecho o razón. *Pido* JUSTICIA. || **7.** Pena o castigo público. || **8.** Ministro o tribunal que ejerce **justicia.** || **9.** Poder judicial. || **10.** V. **Administración, sala de justicia.** || **11.** V. **Audiencia en justicia.** || **12.** V. **Ejecutor de la justicia.** || **13.** ant. V. **Pleito de justicia.** || **14.** fam. Castigo de muerte. *En este mes ha habido dos* JUSTICIAS. || **15.** ant. **Alguacil,** 1.ª acep. || **conmutativa.** La que regula la igualdad o proporción que debe haber entre las cosas, cuando se dan o cambian unas por otras. || **de sangre.** ant. **Mero imperio.** || **distribu-**

tiva. La que arregla la proporción con que deben distribuirse las recompensas y los castigos. ‖ **mayor de Aragón.** Magistrado supremo de aquel reino, que con el consejo de cinco lugartenientes togados hacía **justicia** entre el rey y los vasallos, y entre los eclesiásticos y seculares. Dictaba en nombre del rey sus provisiones e inhibiciones, cuidaba de que se observasen los fueros, conocía de los agravios hechos por los jueces y otras autoridades, y fallaba los recursos de fuerza. ‖ **mayor de Castilla, de la casa del rey,** o **del reino.** Dignidad, de las primeras del reino, que gozaba de grandes preeminencias y facultades, y a la cual se comunicaba toda la autoridad real para averiguar los delitos y castigar a los delincuentes. Desde el siglo XIV se hizo esta dignidad hereditaria en la casa de los duques de Béjar, en donde permanece, aunque sin ejercicio. ‖ **ordinaria.** *For.* La jurisdicción común, por contraposición a la de fuero y privilegio. ‖ **original.** Inocencia y gracia en que Dios crió a nuestros primeros padres. ‖ **Administrar justicia.** fr. *For.* Aplicar las leyes en los juicios civiles o criminales y hacer cumplir las sentencias. ‖ **¡Aquí de la justicia!** exclam. **¡Favor a la justicia!** ‖ **De justicia.** m. adv. Debidamente, según **justicia** y razón. ‖ **De justicia en justicia.** m. adv. Dícese de los desterrados conducidos de pueblo en pueblo o de alcalde en alcalde hasta su destino. ‖ **Estar** uno **a justicia.** fr. **Estar a derecho.** ‖ **Hacer justicia** a uno. fr. Obrar en razón con él o tratarle según el mérito sin atender a otro motivo, especialmente cuando hay competencia y disputa. ‖ **Ir por justicia.** fr. Poner pleito; acudir a un juez o tribunal. ‖ **¡Justicia de Dios!** exclam. para dar a entender que aquello que ocurre se considera obra de la **justicia** de Dios. ‖ **2.** Imprecación con que se da a entender que una cosa es injusta, como pidiendo a Dios que la castigue. ‖ **Justicia, mas no,** o **y no, por mi casa.** ref. que enseña que todos desean que se castiguen los delitos, pero no cuando son ellos los culpables. ‖ **La justicia de enero.** expr. fam. con que se da a entender que ciertos jueces u otros funcionarios no suelen perseverar en el nimio rigor que ostentan cuando principian a ejercer sus cargos. ‖ **Oir en justicia.** fr. *For.* Examinar un juez o tribunal los descargos o excusas del funcionario a quien impuso alguna corrección. ‖ **Pedir en justicia.** fr. *For.* Poner demanda ante el juez competente. ‖ **Poner por justicia** a uno. fr. Demandarle ante el juez competente. ‖ **Tenerse** uno **a la justicia.** fr. Detenerse y rendirse a ella.

Justiciable. adj. Que puede o debe someterse a la acción de los tribunales de justicia. Dícese principalmente de ciertos hechos.

Justiciador. (De *justiciar.*) m. ant. El que hace justicia.

Justiciar. (De *justicia.*) tr. ant. **Ajusticiar.** ‖ **2. Condenar,** 1.ª acep.

Justiciazgo. m. Empleo o dignidad del justicia.

Justiciero, ra. adj. Que observa y hace observar estrictamente la justicia. ‖ **2.** Que observa estrictamente la justicia en el castigo de los delitos.

Justificable. adj. Que se puede justificar.

Justificación. (Del lat. *iustificatĭo, -ōnis.*) f. Conformidad con lo justo. ‖ **2.** Probanza que se hace de la inocencia o bondad de una persona, un acto o una cosa. ‖ **3.** Prueba convincente de una cosa. ‖ **4.** Santificación interior del hombre por la gracia, con la cual se hace justo. ‖ **5.** *Impr.* Justa medida del largo que han de tener los renglones que se ponen en el componedor.

Justificadamente. adv. m. Con justicia y rectitud. ‖ **2.** Con verdad y exactitud; sin discrepar.

Justificado, da. p. p. de **Justificar.** ‖ **2.** adj. Conforme a justicia y razón. ‖ **3.** Que obra según justicia y razón.

Justificador, ra. adj. Que justifica. ‖ **2.** m. **Santificador.**

Justificante. p. a. de **Justificar.** Que justifica. Ú. t. c. s. m.

Justificar. (Del lat. *iustificāre.*) tr. Hacer Dios justo a uno dándole la gracia. ‖ **2.** Probar una cosa con razones convincentes, testigos y documentos. ‖ **3.** Rectificar o hacer justa una cosa. ‖ **4.** Ajustar, arreglar una cosa con exactitud. ‖ **5.** Probar la inocencia de uno en lo que se le imputa o presume de él. Ú. t. c. r. ‖ **6.** *Impr.* Igualar el largo de las líneas según la medida exacta que se ha puesto en el componedor.

Justificativo, va. adj. Que sirve para justificar una cosa. *Instrumentos* JUSTIFICATIVOS.

Justillo. (d. de *justo.*) m. Prenda interior sin mangas, que ciñe el cuerpo y no baja de la cintura.

Justinianeo, a. adj. Aplícase a los cuerpos legales del tiempo del emperador Justiniano y al derecho contenido en ellos.

Justipreciación. f. Acción y efecto de justipreciar.

Justipreciar. (De *justo* y *precio.*) tr. Apreciar o tasar una cosa.

Justiprecio. (De *justipreciar.*) m. Aprecio o tasación de una cosa.

Justo, ta. (Del lat. *iustus.*) adj. Que obra según justicia y razón. ‖ **2.** Arreglado a justicia y razón. ‖ **3.** Que vive según la ley de Dios. Ú. t. c. s. ‖ **4.** Exacto, que no tiene en número, peso o medida ni más ni menos que lo que debe tener. ‖ **5.** Apretado o que ajusta bien con otra cosa. ‖ **6.** m. *Germ.* **Jubón.** ‖ **7.** adv. m. Justamente, debidamente. ‖ **8.** Apretadamente, con estrechez. ‖ **Al justo.** m. adv. Ajustadamente, con la debida proporción. ‖ **2.** Cabalmente, a punto fijo. ‖ **En justos y en verenjustos.** m. adv. fig. y fam. Con razón o sin ella. ‖ **En justo y creyente.** loc. adv. Al punto, súbitamente, aceleradamente. ‖ **Pagar justos por pecadores.** fr. Pagar los inocentes las culpas que otros han cometido.

Juta. (Voz americana.) f. Ave del orden de las palmípedas, variedad de ganso doméstico que crían los indios de Quito.

Jutía. f. *Cuba.* **Hutía.**

Juvenal. (Del lat. *iuvenālis.*) adj. **Juvenil.** Dícese de los juegos que instituyó Nerón cuando se cortó la barba y la dedicó a Júpiter, y del día que añadió Calígula a las saturnales para que lo celebrasen los jóvenes.

Juvenco, ca. (Del lat. *iŭvencus.*) m. y f. ant. **Novillo, lla.**

Juvenecer. (Del lat. *iuvenescĕre.*) tr. ant. **Rejuvenecer.** Usáb. t. c. r.

Juvenible. adj. ant. **Juvenil.**

Juvenil. (Del lat. *juvenīlis.*) adj. Perteneciente a la juventud.

Juventud. (Del lat. *iuventus, -ūtis.*) f. Edad que media entre la niñez y la edad viril. ‖ **2.** Conjunto de jóvenes.

Juvia. f. Árbol indígena de Venezuela, de la familia de las mirtáceas; crece en la región del Orinoco y es uno de los más majestuosos del Nuevo Mundo. Su tronco tiene un metro de diámetro, pero alcanza más de 30 de altura; a los quince años da las primeras flores, y su fruto, que contiene una almendra muy gustosa, de la cual se saca excelente aceite, es del tamaño de una cabeza humana, y tan pesado, que los salvajes no se aventuran en los bosques sin cubrirse cabeza y espaldas con un broquel de madera muy sólida. ‖ **2.** Fruto de este árbol.

Juzgado. (De *juzgar.*) m. Junta de jueces que concurren a dar sentencia. ‖ **2.** Tribunal de un solo juez. ‖ **3.** Término o territorio de su jurisdicción. ‖ **4.** Sitio donde se juzga. ‖ **5. Judicatura,** 2.ª acep. ‖ **de provincia.** El que formaba cada uno de los alcaldes de casa y corte en Madrid, y cada uno de los alcaldes del crimen en las poblaciones donde había chancillería, para conocer en primera instancia de las causas civiles y criminales de su respectivo cuartel.

Juzgador, ra. (De *juzgar.*) adj. Que juzga. Ú. t. c. s. ‖ **2.** m. ant. **Juez.**

Juzgaduría. (De *juzgador.*) f. ant. **Judicatura,** 2.ª acep.

Juzgamiento. m. ant. Acción y efecto de juzgar.

Juzgamundos. (De *juzgar* y *mundo.*) com. fig. y fam. Persona murmuradora.

Juzgante. p. a. de **Juzgar.** Que juzga.

Juzgar. (De *judgar.*) tr. Deliberar, quien tiene autoridad para ello, acerca de la culpabilidad de alguno, o de la razón que le asiste en cualquier asunto, y sentenciar lo procedente. ‖ **2.** Persuadirse de una cosa, creerla, formar dictamen. ‖ **3.** ant. Condenar a uno por justicia a perder una cosa; confiscársela. ‖ **4.** *Fil.* Afirmar, previa la comparación de dos o más ideas, las relaciones que existen entre ellas. ‖ **Estar a juzgado y sentenciado.** fr. *For.* Quedar obligado a oir y consentir la sentencia que se diere.

K

K. f. Duodécima letra del abecedario español, y novena de sus consonantes. Su nombre es **ka.** No se emplea sino en voces de evidente procedencia extranjera, y durante muchos años ha estado en desuso. Suplíasela con la *c* antes de la *a*, la *o* y la *u*, y con la *q*, seguida de esta última vocal, antes de la *e* y la *i;* y se la suple aún de igual modo en muchos vocablos que la tienen en lenguas de que la nuestra los ha tomado.

Ka. f. Nombre de la letra **k.**

Kan. (Del turco y persa *jān*, título que a veces ha designado al soberano.) m. Príncipe o jefe, entre los tártaros.

Kantiano, na. adj. Perteneciente o relativo al kantismo. *Filósofo* KANTIANO. Apl. a pers., ú. t. c. s.

Kantismo. m. Sistema filosófico ideado por el alemán Kant a fines del siglo XVIII, fundado en la crítica del entendimiento y de la sensibilidad.

Kappa. (Del gr. κάππα.) f. Décima letra del alfabeto griego, que corresponde a la que en el nuestro se llama *ka.* En el latín y en los idiomas neolatinos se ha substituido por regla general con la *c;* v. gr.: *Cadmo, centro, cinoglosa.*

Kéfir. (Voz caucásica.) m. Leche fermentada artificialmente y que contiene ácido láctico, alcohol y ácido carbónico.

Kermes. (Del ár. *qirmiz*, grana, cochinilla.) m. **Quermes.**

Kili. (Del gr. χίλιοι, mil.) pref. **Kilo.** KILI*área.*

Kiliárea. (De *kili* y *área.*) f. Extensión superficial que tiene 1.000 áreas, o sea 10 hectáreas.

Kilo. (Del m. or. que *kili.*) Voz que con la significación de mil, tiene uso como prefijo de vocablos compuestos. || **2.** m. **Kilogramo.**

Kilociclo. m. *Electr.* Unidad de frecuencia equivalente a mil oscilaciones por segundo.

Kilográmetro. m. *Mec.* Unidad de trabajo mecánico o esfuerzo capaz de levantar un kilogramo a un metro de altura.

Kilogramo. (De *kilo* y *gramo.*) m. Peso de 1.000 gramos, que equivale a 2 libras, 2 onzas, 12 adarmes, y 14 1/2 granos de las antiguas pesas de Castilla, o sea 2,17 libras.

Kilolitro. (De *kilo* y *litro.*) m. Medida de capacidad, que tiene 1.000 litros, o sea un metro cúbico. En los líquidos equivale a 61,98 cántaras, y en los áridos a 18,01 fanegas.

Kilométrico, ca. adj. Perteneciente o relativo al kilómetro. || **2.** V. **Billete kilométrico.** Ú. t. c. s. || **3.** De larga duración.

Kilómetro. (De *kilo* y *metro.*) m. Medida de longitud, que tiene 1.000 metros. Equivale a 18 centésimas de legua. || **cuadrado.** Medida de superficie que es un cuadrado de un **kilómetro** de lado. Tiene un millón de metros cuadrados, o sea 100 hectáreas, y equivale a 155,2 fanegas de Castilla.

Kilovatio. (De *kilo* y *vatio.*) m. *Electr.* Unidad electromagnética equivalente a mil vatios.

Kiosco. m. **Quiosco.**

Kirie. (Del gr. Κύριε, vocat. de Κύριος, Señor.) m. Deprecación que se hace al Señor, llamándole con esta palabra griega, al principio de la misa, tras el introito. Ú. m. en pl. || **Llorar los kiries.** fr. fig. y fam. Llorar mucho.

Kirieleisón. (Del gr. Κύριε, ¡oh Señor!, y ἐλέησον, ten piedad.) m. **Kirie.** || **2.** fam. Canto de los entierros y oficio de difuntos. || **Cantar el kirieleisón.** fr. fig. y fam. Pedir misericordia.

Krausismo. m. Sistema filosófico ideado por el alemán Krause, colaborador de Schelling, a principios del siglo XIX. Se funda en una conciliación entre el teísmo y el panteísmo, según la cual, Dios, sin ser el Mundo ni estar exclusivamente fuera de él, lo contiene en sí y de él trasciende.

Krausista. adj. Perteneciente o relativo al krausismo. *Filósofo* KRAUSISTA. Apl. a pers., ú. t. c. s.

Kurdo, da. adj. **Curdo.** Apl. a pers., ú. t. c. s.

L

L. f. Decimotercia letra del abecedario español, y décima de sus consonantes. Su nombre es **ele.** || **2.** Letra numeral que tiene el valor de 50 en la numeración romana.

La. (Del lat. *illa.*) *Gram.* Artículo determinado en género femenino y número singular. Suele anteponerse a nombres propios de persona de este mismo género; v. gr.: LA *Juana;* LA *Teresa.* || **2.** *Gram.* Acusativo del pronombre personal de tercera persona en género femenino y número singular. No admite preposición, y puede usarse como sufijo: LA *miré; mira*LA. Esta forma propia del acusativo no debe emplearse en dativo, aunque lo hayan hecho escritores de nota.

La. (V. *Fa.*) m. *Mús.* Sexta voz de la escala música.

Lábaro. (Del lat. *labărum.*) m. Estandarte de que usaban los emperadores romanos, en el cual, desde el tiempo de Constantino y por su mandado, se puso la cruz y el monograma de Cristo, compuesto de las dos primeras letras de este nombre en griego. || **2.** Este mismo monograma. || **3.** Por ext., la cruz sin el monograma.

Labe. (Del lat. *labes.*) f. p. us. Mancha, tilde, plaga.

Labeo. m. p. us. **Labe.**

Laberíntico, ca. (Del lat. *labyrinthĭcus.*) adj. Perteneciente o relativo al laberinto. || **2.** fig. Enmarañado, confuso, a manera de laberinto.

Laberinto. (Del lat. *labyrinthus,* y éste del gr. λαβύρινθος.) m. Lugar artificiosamente formado de calles, encrucijadas y plazuelas, para que, confundiéndose el que está dentro, no pueda acertar con la salida. || **2.** fig. Cosa confusa y enredada. || **3.** Composición poética hecha con tal artificio, que los versos puedan leerse al derecho y al revés y de otras maneras sin que dejen de formar cadencia y sentido. || **4.** *Zool.* Parte interna del oído de los vertebrados.

Labia. (De *labio.*) f. fam. Verbosidad persuasiva y gracia en el hablar.

Labiada. (De *labio.*) adj. *Bot.* Dícese de la corola gamopétala irregular que está dividida en dos partes o labios, a manera de una boca, de los cuales el superior está formado por dos pétalos y el inferior por tres. Por ext., dícese de las flores que tienen esta clase de corola.

Labiado, da. (De *labio.*) adj. *Bot.* Aplícase a plantas angiospermas dicotiledóneas, hierbas, matas y arbustos, que se distinguen por sus hojas opuestas, cáliz persistente y corola labiada, y por tener el fruto formado por cuatro aquenios situados en el fondo del cáliz; como la albahaca, el espliego, el tomillo y la salvia. Ú. t. c. s. f. || **2.** f. pl. *Bot.* Familia de estas plantas.

Labial. (Del lat. *labiālis.*) adj. Perteneciente a los labios. || **2.** *Fon.* Dícese de la consonante cuya pronunciación depende principalmente de los labios, como la *b.* || **3.** *Fon.* Dícese de la letra que representa este sonido. Ú. t. c. s. f.

Labializar. tr. *Fon.* Dar carácter labial a un sonido.

Labiérnago. (Del lat. **labŭrnicus,* de *labŭrnus,* codeso.) m. Arbusto o arbolillo de la familia de las oleáceas, de dos a tres metros de altura, con ramas mimbreñas, de corteza cenicienta, hojas persistentes, opuestas, estrechas, de color verdinegro, correosas, enteras o aserradas y con pecíolo corto; flores de corola blanquecina en hacecillos axilares, y fruto en drupa globosa y negruzca, del tamaño de un guisante.

Labihendido, da. adj. Que tiene hendido o partido el labio superior.

Lábil. (Del lat. *labĭlis.*) adj. Que resbala o se desliza fácilmente. || **2.** Frágil, caduco, débil. || **3.** *Quím.* Dícese del compuesto fácil de transformar en otro más estable.

Labilidad. f. Calidad de lábil.

Labio. (Del lat. *labium.*) m. Cada una de las dos partes exteriores, carnosas y movibles de la boca, que cubren la dentadura. Se llaman **superior** e **inferior.** || **2.** fig. Borde de ciertas cosas. *Los* LABIOS *de una herida, de un vaso, del cáliz de una flor.* || **3.** fig. Órgano del habla. Ú. en sing. o en pl. *Su* LABIO *enmudeció; nunca le ofendieron mis* LABIOS. || **leporino.** El superior del hombre, cuando, por defecto congénito, está hendido en la forma que normalmente lo tiene la liebre. || **Cerrar los labios.** fr. fig. **Callar,** 1.ª a 4.ª aceps. || **Estar colgado,** o **pendiente, de los labios de otro.** fr. fig. **Estar colgado,** o **pendiente, de sus palabras.** || **Morderse los labios.** fr. fig. y fam. **Morderse la lengua.** Ú. t. con negación. || **2.** fig. y fam. Violentarse para reprimir la risa o el habla. || **No descoser,** o **despegar,** uno **los labios,** o **sus labios.** fr. fig. Callar o no contestar. || **Sellar el labio,** o **los labios.** fr. fig. Callar, enmudecer o suspender las palabras.

Labiodental. adj. *Fon.* Dícese de la consonante cuya articulación se forma aplicando o acercando el labio inferior a los bordes de los dientes incisivos superiores, como la *f.* || **2.** *Fon.* Dícese de la letra que representa este sonido. Ú. t. c. s. f.

Labirinto. m. ant. **Laberinto.**

Labor. (Del lat. *labor, -ōris.*) f. **Trabajo,** 1.ª y 2.ª aceps. || **2.** Adorno tejido o hecho a mano, en la tela, o ejecutado de otro modo en otras cosas. Ú. con frecuencia en pl. || **3.** Obra de coser, bordar, etc., en que se ocupan las mujeres. || **4.** Con el artículo *la,* escuela de niñas donde aprenden a hacer **labor.** *Ir a la* LABOR; *sacar a la niña de la* LABOR. || **5.** Labranza, en especial la de las tierras que se siembran. Hablando de las demás operaciones agrícolas, ú. m. en pl. || **6.** V. **Casa de labor.** || **7.** Cada una de las vueltas de arado o de las cavas que se dan a la tierra. || **8.** Entre los fabricantes de teja y ladrillo, cada millar de esta obra. || **9.** Cada uno de los grupos de productos que se confeccionan en las fábricas de tabacos. || **10.** En algunas partes, simiente de los gusanos de seda. || **11.** *Mar.* V. **Cabo de labor.** || **12.** *Min.* **Excavación.** Ú. m. en pl. || **blanca.** La que hacen las mujeres en lienzo. || **de chocolate. Tarea de chocolate.** || **Hacer labor.** fr. **Hacer juego,** 3.ª acep. || **Hacer labores.** fr. *Ar.* Tomar las medidas convenientes para la consecución de una cosa. || **Labor comenzada, no te la vea suegra ni cuñada.** ref. **Harina abalada,** etc. || **La labor de la judía, trabajar de noche y holgar de día.** ref. contra los que invierten el orden de las cosas, no haciéndolas a su debido tiempo. || **Meter en labor la tierra.** fr. Labrarla, prepararla para la sementera.

Laborable. adj. Que se puede laborar o trabajar. || **2.** V. **Día laborable.**

Laborador. (Del lat. *laborātor, -ōris.*) m. ant. Trabajador o labrador.

Laboral. adj. Perteneciente o relativo al trabajo, en su aspecto económico, jurídico y social.

Laborante. (Del lat. *labōrans, -antis.*) p. a. de **Laborar.** Que labora. || **2.** m. Conspirador o muñidor que persigue algún empeño político. || **3.** ant. **Oficial,** 3.ª acep.

Laborar. (Del lat. *labōrāre.*) tr. **Labrar.** || **2.** intr. Gestionar o intrigar con algún designio.

Laboratorio. (De *laborar.*) m. Oficina en que los químicos hacen sus experimentos y los farmacéuticos las medicinas. || **2.** Por ext., oficina o taller donde se hacen trabajos de índole técnica, o investigaciones científicas.

Laborear. (De *labor.*) tr. Labrar o trabajar una cosa. || **2.** *Min.* Hacer excavaciones en una mina. || **3.** intr. *Mar.* Pasar y correr un cabo por la roldana de un motón.

Laboreo. (De *laborar.*) m. Cultivo de la tierra o del campo. || **2.** *Mar.* Orden y disposición de los que se llaman en las embarcaciones cabos de labor, para el conveniente manejo de las vergas, masteleros y velamen. || **3.** *Min.* Arte de explotar las minas, haciendo las labores o excavaciones necesarias, fortificándolas, disponiendo el tránsito por ellas y extrayendo las menas aprovechables. || **4.** *Min.* Conjunto de estas labores.

Laborera. adj. Aplícase a la mujer diestra en las labores de manos.

Laborío. m. Labor o trabajo.

Laboriosamente. adv. m. Con laboriosidad.

Laboriosidad. (De *laborioso.*) f. Aplicación o inclinación al trabajo.

Laborioso, sa. (Del lat. *laboriōsus.*) adj. Trabajador, aficionado al trabajo, amigo de trabajar. || **2.** Trabajoso, penoso.

Laboroso, sa. (De *labor.*) adj. desus. **Laborioso.**

Labra. f. Acción y efecto de labrar piedra, madera, etc.

Labrada. (De *labrar.*) f. Tierra arada, barbechada y dispuesta para sembrarla al año siguiente. || **2.** pl. *Germ.* Hebillas.

Labradero, ra. adj. Proporcionado para la labor y que se puede labrar.

Labradío, a. (De *labrado.*) adj. **Labrantío.** Ú. t. c. s. m.

Labrado, da. p. p. de **Labrar.** || **2.** adj. Aplícase a las telas o géneros que tienen alguna labor, en contraposición de los lisos. || **3.** m. **Labra.** || **4.** Campo labrado. Ú. m. en pl. || **5.** pl. *Germ.* Botines o borceguíes.

Labrador. n. p. V. **Piedra del Labrador.**

Labrador, ra. (Del lat. *laborātōr, -ōris.*) adj. Que labra la tierra. Ú. t. c. s. || **2.** Que trabaja o es a propósito para trabajar. || **3.** m. y f. Persona que posee hacienda de campo y la cultiva por su cuenta. || **4.** f. *Germ.* La mano. || **Labrador chuchero, nunca buen apero.** ref. con que se denota que el labrador que se distrae en la caza, adelanta poco en la labranza. || **Labrador de capa negra, poco medra.** ref. con que se da a entender que el **labrador** que vive a lo caballero, no prospera, o se arruina.

Labradoresco, ca. adj. Perteneciente al labrador o propio de él.

Labradoril. adj. **Labradoresco.**

Labradorita. (De *Labrador,* región de la América Septentrional donde primeramente se halló este mineral.) f. Feldespato laminar de color gris, translúcido, iridiscente y que entra en la composición de diferentes rocas. Es un silicato de alúmina y cal.

Labradura. (De *labrar.*) f. ant. **Labor.**

Labrandera. f. Mujer que sabe labrar o hacer labores mujeriles.

Labrante. (De *labrar.*) m. p. us. Cantero, picapedrero. || **2.** p. us. **Hachero,** 2.° art., 1.ª acep.

Labrantín. (De *labrante.*) m. Labrador de poco caudal.

Labrantío, a. (De *labrante.*) adj. Aplícase al campo o tierra de labor. Ú. t. c. s. m.

Labranza. (De *labrar.*) f. Cultivo de los campos. || **2.** Hacienda de campo o tierras de labor. || **3.** Labor o trabajo de cualquier arte u oficio.

Labrar. (Del lat. *laborāre.*) tr. Trabajar en un oficio. || **2.** Trabajar una materia reduciéndola al estado o forma conveniente para usar de ella. LABRAR *la madera;* LABRAR *plata.* || **3.** Cultivar la tierra. || **4. Arar.** || **5.** Llevar una tierra en arrendamiento. || **6. Edificar,** 1.ª acep. || **7.** Coser o bordar, o hacer otras labores mujeriles. || **8.** fig. Hacer, formar, causar. LABRAR *la felicidad, la desgracia, la ruina de alguno.* || **9.** intr. fig. Hacer fuerte impresión en el ánimo una cosa, y en especial cuando es gradual y durable.

Labrero, ra. adj. Aplícase a las redes de cazonal.

Labriego, ga. (Del lat. *labor, -ōris.*) m. y f. Labrador rústico.

Labrio. (Del lat. *labrum,* infl. por *labium.*) m. desus. **Labio.**

Labro. (Del lat. *labrum.*) m. ant. **Labio.** || **2.** *Zool.* Labio superior de la boca de los insectos, muy aparente en los masticadores, y confuso a veces o modificado en los demás.

Labrusca. (Del lat. *labrusca.*) f. Vid silvestre.

Laca. (Del ár. *lakk,* nombre de varias drogas que tiñen de rojo.) f. Substancia resinosa, translúcida, quebradiza y encarnada, que se forma en las ramas de varios árboles de la India con la exudación que producen las picaduras de unos insectos parecidos a la cochinilla, y los restos de estos mismos animales que mueren envueltos en el líquido que hacen fluir. || **2.** Barniz duro y brillante hecho con esta substancia resinosa y muy empleado por los chinos y japoneses. || **3.** Por ext., objeto barnizado con **laca.** || **4.** Color rojo que se saca de la cochinilla, de la raíz de la rubia o del palo de Pernambuco. || **5.** Substancia aluminosa colorida que se emplea en la pintura. LACA *amarilla, verde, de Venecia.*

Lacayil. adj. desus. **Lacayuno.**

Lacayo, ya. adj. desus. **Lacayuno.** || **2.** m. Cada uno de los dos soldados de a pie, armados de ballesta, que solían acompañar a los caballeros en la guerra y formaban a las veces cuerpos de tropa. || **3.** Criado de librea, cuya principal ocupación es acompañar a su amo a pie, a caballo o en coche. || **4.** Lazo colgante de cintas con que adornaban las mujeres el puño de la camisa o del jubón. || **5. Mozo de espuelas.**

Lacayuelo. m. d. de **Lacayo.**

Lacayuno, na. adj. fam. Propio de lacayos.

Lacear. tr. Adornar con lazos. || **2.** Atar con lazos. || **3.** Disponer la caza para que venga al tiro, tomándole el aire. || **4.** Coger con lazos la caza menor. || **5.** *Chile.* **Lazar.**

Lacedemón. adj. **Lacedemonio.** Apl. a pers., ú. t. c. s.

Lacedemonio, nia. (Del lat. *lacedaemonius.*) adj. Natural de Lacedemonia. Ú. t. c. s. || **2.** Perteneciente a este país de la antigua Grecia.

Lacena. f. Aféresis de **Alacena.**

Laceración. (Del lat. *laceratio, -ōnis.*) f. Acción y efecto de lacerar, 1.er art.

Lacerado, da. p. p. de **Lacerar,** 2.° art. || **2.** adj. Infeliz, desdichado. || **3. Lazarino.** Ú. t. c. s. || **4.** ant. **Escaso,** 3.ª acep. Usáb. t. c. s.

Lacerador. (De *lacerar,* 2.° art.) m. ant. Acostumbrado a trabajos; capaz de resistirlos.

Lacerante. p. a. de **Lacerar,** 1.° y 2.° arts. Que lacera.

Lacerar. (Del lat. *lacerāre.*) tr. Lastimar, golpear, magullar, herir. Ú. t. c. r. || **2.** fig. Dañar, vulnerar. LACERAR *la honra, la reputación.* || **3.** ant. Penar, pagar un delito. || **4.** ant. fig. Perjudicar a una persona; malquistarla con otra.

Lacerar. (De *laceria.*) intr. Padecer, pasar trabajos. || **2.** ant. Escasear, ahorrar, gastar poco.

Lacerear. intr. ant. **Lacerar,** 2.° art.

Laceria. (De *lázaro.*) f. Miseria, pobreza. || **2.** Trabajo, fatiga, molestia. || **3.** ant. **Mal de San Lázaro.**

Lacería. f. Conjunto de lazos, especialmente en labores de adorno.

Lacerio. m. ant. **Laceria.**

Lacerioso, sa. adj. Que padece laceria o miseria.

Lacero. m. Persona diestra en manejar el lazo para apresar toros, caballos, etc. || **2.** El que se dedica a coger con lazos la caza menor, por lo común furtivamente.

Lacerto. (Del lat. *lacertus.*) m. ant. **Lagarto.**

Lacertoso, sa. (Del lat. *lacertōsus.*) adj. Musculoso, membrudo, fornido.

Lacetano, na. (Del lat. *lacetānus.*) adj. Natural de Lacetania. Ú. t. c. s. || **2.** Perteneciente a esta región de la España Tarraconense, cuyo territorio comprendía parte de las provincias de Barcelona y Lérida.

Lacinia. (Del lat. *lacinia,* franja, tira.) f. *Bot.* Cada una de las tirillas largas y de forma irregular en que se dividen las hojas o los pétalos de algunas plantas.

Laciniado, da. adj. *Bot.* Que tiene lacinias.

Lacio, cia. (Del lat. *flaccĭdus.*) adj. Marchito, ajado. || **2.** Flojo, descaecido, sin vigor. || **3.** Dícese del cabello que cae sin formar ondas ni rizos.

Lacivo, va. adj. desus. **Lascivo.**

Lacón. (Del gr. λάκων.) adj. p. us. **Lacónico.** Apl. a pers., ú. t. c. s.

Lacón. (Voz gallega.) m. Brazuelo del cerdo, y especialmente su carne curada.

Lacónicamente. adv. m. Breve y concisamente; de manera lacónica.

Lacónico, ca. (Del lat. *laconĭcus,* y éste del gr. λακωνικός, espartano, lacedemonio.) adj. **Laconio,** 2.ª acep. || **2.** Breve, conciso, compendioso. *Lenguaje, estilo* LACÓNICO; *carta, respuesta* LACÓNICA. || **3.** Que habla o escribe de esta manera. *Escritor* LACÓNICO; *persona* LACÓNICA.

Laconio, nia. (Del lat. *laconius.*) adj. Natural de Laconia. Ú. t. c. s. || **2.** Perteneciente a este país de Grecia.

Laconismo. (Del lat. *laconismus,* y éste del gr. λακωνισμός.) m. Calidad de lacónico.

Lacra. f. Reliquia o señal de una enfermedad o achaque. || **2.** Defecto o vicio de una cosa, físico o moral.

Lacrar. (De *lacra.*) tr. Dañar la salud de uno; pegarle una enfermedad. Ú. t. c. r. || **2.** fig. Dañar o perjudicar a uno en sus intereses.

Lacrar. tr. Cerrar con lacre.

Lacre. (De *laca.*) m. Pasta sólida, generalmente en barritas, compuesta de goma laca y trementina con añadidura de bermellón o de otro color. Empléase derretido, en cerrar y sellar cartas y en otros usos análogos. || **2.** fig. y desus. Color rojo. *Calzas de* LACRE. || **3.** fig. adj. De color rojo. Ú. m. en *Amér.*

Lácrima. f. ant. **Lágrima.**

Lacrimable. adj. ant. **Lagrimable.**

Lacrimación. (Del lat. *lacrimatio, -ōnis.*) f. ant. Derramamiento de lágrimas.

Lacrimal. adj. Perteneciente a las lágrimas.

Lacrimar. (Del lat. *lacrimāre.*) intr. ant. **Llorar,** 1.ª acep.

Lacrimatorio, ria. (Del lat. *lacrimatorius.*) adj. V. **Vaso lacrimatorio.** Ú. t. c. s.

Lacrimógeno, na. (Del lat. *lacrima,* lágrima, y el gr. γεννάω, engendrar.) adj. Que produce lagrimeo. Dícese especialmente de ciertos gases.

Lacrimosamente. adv. m. De manera lacrimosa.

Lacrimoso, sa. (Del lat. *lacrimōsus.*) adj. Que tiene lágrimas. || **2.** Que mueve a llanto.

Lactación. (Del lat. *lactatio, -ōnis.*) f. Acción de mamar.

Lactancia. (Del lat. *lactantia.*) f. **Lactación.** || **2.** Período de la vida en que la criatura mama.

Lactante. (Del lat. *lactans, -antis.*) p. a. de **Lactar.** Que lacta, 1.ª y 3.ª aceps.

Lactar. (Del lat. *lactāre,* de *lac, lactis,* leche.) tr. **Amamantar.** || **2.** Criar con leche. || **3. Mamar,** 1.ª acep.

Lactario, ria. (Del lat. *lactarius.*) adj. p. us. **Lechoso,** 2.ª acep.

Lactato. m. *Quím.* Cuerpo resultante de la combinación del ácido láctico con un radical simple o compuesto.

Lacteado, da. (De *lácteo.*) adj. V. **Harina lacteada.**

Lácteo, a. (Del lat. *lactĕus.*) adj. Perteneciente a la leche o parecido a ella. || **2.** V. **Fiebre láctea.** || **3.** *Astron.* V. **Vía Láctea.** || **4.** *Med.* V. **Costra láctea.** || **5.** *Zool.* V. **Vena láctea.**

Lactescencia. f. Calidad de lactescente.

Lactescente. (Del lat. *lactescens, -entis.*) adj. De aspecto de leche.

Lacticíneo, a. (Del lat. *lacticīna,* de *lac, lactis,* leche.) adj. **Lácteo.**

Lacticinio. (Del lat. *lacticinium.*) m. Leche o cualquier manjar compuesto con ella.

Lacticinoso, sa. (De *lacticinio.*) adj. Lechoso, lácteo.

Láctico. (Del lat. *lac, lactis,* leche.) adj. *Quím.* Perteneciente o relativo a la leche. || **2.** V. **Ácido láctico.**

Lactífero, ra. (Del lat. *lactifer, -ĕri;* de *lac, lactis,* leche, y *ferre,* llevar.) adj. *Zool.* Aplícase a los conductos por donde pasa la leche hasta llegar a los pezones de las mamas.

Lactina. (Del lat. *lactĭna,* blanca como la leche.) f. *Quím.* **Azúcar de leche.**

Lactómetro. m. **Galactómetro.**

Lactosa. (Del lat. *lactōsa,* lechosa.) f. *Quím.* **Lactina.**

Lactucario. (Del lat. *lactucarius,* de *lactūca,* lechuga.) m. *Farm.* Jugo lechoso que se obtiene de la lechuga espigada, haciendo incisiones en su tallo. Desecado al sol, es pardo, quebradizo, de olor fétido y sabor amargo, y se usa como medicamento calmante.

Lactumen. (Del lat. *lac, lactis,* leche.) m. *Med.* Enfermedad que suelen padecer los niños que maman, y consiste en ciertas llaguitas y costras que les salen en la cabeza y el cuerpo.

Lactuoso, sa. adj. ant. **Lácteo.**

Lacunario. (Del lat. *lacunarium.*) m. *Arq.* **Lagunar,** 2.° art.

Lacustre. (Del lat. *lacus,* lago, con la term. de *palustre.*) adj. Perteneciente a los lagos.

Lacha. f. **Haleche.**

Lacha. f. fam. **Vergüenza,** 2.ª acep.

Lada. (Del lat. *lada.*) f. **Jara,** 1.ª acep.

Ládano. (Del lat. *ladănum.*) m. Producto resinoso que fluye espontáneamente de las hojas y ramas de la jara.

Ladeado, da. p. p. de **Ladear.** || **2.** adj. *Bot.* Dícese de las hojas, flores, espigas y demás partes de una planta cuando todas miran a un lado únicamente.

Ladear. tr. Inclinar y torcer una cosa hacia un lado. Ú. t. c. intr. y c. r. || **2.** intr. Andar o caminar por las laderas. || **3.** fig. Declinar del camino derecho. || **4.** r. fig. Inclinarse a una cosa; dejarse llevar de ella. || **5.** fig. Estar una persona o cosa al igual de otra. || **6.** fig. y fam. *Chile.* **Enamorarse.** || **Ladearse con** uno. fr. fig. y fam. Andar o ponerse a su lado. || **2.** Empezar a enemistarse con él.

Ladeo. m. Acción y efecto de ladear o ladearse.

Ladera. (De *ladero.*) f. Declive de un monte o de una altura. || **2.** ant. **Lado.**

Ladería. f. Llanura pequeña en la ladera de un monte.

Ladero, ra. (De *lado.*) adj. **Lateral.**

Ladi. f. Título de honor que se da en Inglaterra a las señoras de la nobleza.

Ladierno. (Del lat. *alaternus.*) m. **Aladierna.**

Ladilla. (Del lat. *blatella,* de *blattăla.*) f. Insecto anopluro de dos milímetros de largo, casi redondo, aplastado, y de color amarillento. Vive parásito en las partes vellosas del cuerpo humano, donde se agarra estrechamente por medio de las pinzas con que terminan sus patas; se reproduce con gran rapidez y sus picaduras son muy molestas. || **2. Cebada ladilla.** || **Pegarse** uno **como ladilla.** fr. fig. y fam. Arrimarse a otro con pesadez y molestándole.

Ladillo. (d. de *lado.*) m. Parte de la caja del coche que está a cada uno de los lados de las puertecillas y cubre el brazo de las personas que están dentro. || **2.** *Impr.* Composición breve que suele colocarse en el margen de la plana, generalmente para indicar el contenido del texto.

Ladinamente. adv. m. De un modo ladino.

Ladino, na. (Del lat. *latīnus,* latino.) adj. ant. Aplicábase al romance o castellano antiguo. || **2.** Que habla con facilidad alguna o algunas lenguas además de la propia. || **3.** fig. Astuto, sagaz, taimado. || **4.** V. **Esclavo ladino.** || **5.** *Filol.* **Rético.**

Lado. (Del lat. *latus.*) m. Costado o parte del cuerpo de la persona o del animal, comprendida entre el brazo y el hueso de la cadera. || **2.** Lo que está a la derecha o a la izquierda de un todo. || **3.** Costado o mitad del cuerpo del animal desde el pie hasta la cabeza. *La perlesía le ha cogido todo el* LADO *izquierdo.* || **4.** Cualquiera de los parajes que están alrededor de un cuerpo. *La ciudad está sitiada por todos* LADOS, *o por el* LADO *de la ciudadela, o por el* LADO *del río.* || **5.** Estera que se pone arrimada a las estacas de los **lados** de los carros para que no se salga por ellos la carga. || **6.** Anverso o reverso de una medalla. *Esta moneda tiene por un* LADO *el busto del monarca, y por el* OTRO, *las armas de la nación.* || **7.** Cada una de las dos caras de una tela o de otra cosa que las tenga. || **8.** Sitio, lugar. *Haz* LADO; *déjale un* LADO. || **9.** Línea genealógica. *Por el* LADO *de la madre es hidalgo.* || **10.** fig. Cada uno de los aspectos por que se puede considerar una persona o cosa. *Por un* LADO *me pareció muy entendido el médico; por otro, muy presuntuoso. Por un* LADO *promete ventajas esa empresa; mas por otro la juzgo muy arriesgada.* || **11.** fig. Modo, medio o camino que se toma para una cosa. *Viendo que me entendían, eché por otro* LADO. || **12.** *Geom.* Cada una de las dos líneas que forman un ángulo. || **13.** *Geom.* Cada una de las líneas que forman o limitan un polígono. || **14.** *Geom.* Arista de los poliedros regulares. || **15.** *Geom.* Generatriz de la superficie lateral del cono y del cilindro. || **16.** fig. Valimiento, favor, protección. || **17.** pl. fig. Personas que favorecen o protegen a otra. || **18.** fig. Personas que frecuentemente están cerca de otra a quien aconsejan y en cuyo ánimo influyen. *Este ministro tiene buenos* LADOS. || **Al lado.** m. adv. Muy cerca, inmediato. || **A un lado.** loc. adv. con que se advierte a uno o a varios que se aparten y dejen el paso libre. || **Comerle un lado** a uno. fr. fig. y fam. Hacerle un gasto continuo, viviendo en su casa y comiendo a su expensas. || **Dar de lado** a uno. fr. fig y fam. Dejar su trato o su compañía; huir de él con disimulo. || **Dar lado,** o **de lado.** fr. *Mar.* **Dar de quilla,** o **la quilla.** || **Dejar a un lado** una cosa. fr. fig. Omitirla en la conversación. **Echar a un lado.** fr. fig. Hablando de un negocio o diligencia, concluir, fenecer. || **Hacerse** uno **a un lado.** fr. Apartarse, quitarse de en medio. || **Ir lado a lado.** fr. con que se explica la igualdad de dos o más personas cuando se pasean juntas. || **Mirar de lado,** o **de medio lado.** fr. fig. Mirar con ceño y desprecio. || **2.** fig. Mirar con disimulo.

Ladón. m. **Lada.**

Ladra. f. Acción de ladrar. || **2.** *Mont.* Conjunto de ladridos que se oyen a cada encuentro de los perros con una res.

Ladrador, ra. (Del lat. *latrātor.*) adj. Que ladra. || **2.** m. ant. **Perro,** 1.er art., 1.ª acep.

Ladradura. f. ant. **Ladra.**

Ladral. (Del lat. *laterālis,* lateral.) m. *Ast.* y *Sant.* **Adral.** Ú. m. en pl.

Ladrante. p. a. de **Ladrar.** Que ladra.

Ladrar. (Del lat. *latrāre.*) intr. Dar ladridos el perro. || **2.** fig. y fam. Amenazar sin acometer. || **3.** fig. y fam. Impugnar, motejar. Alguna vez se entiende con razón y justicia, pero de ordinario indica malignidad.

Ladrido. (De *ladrar.*) m. Voz que forma el perro, parecida a la onomatopeya *guau.* || **2.** fig. y fam. Murmuración, censura, calumnia con que se zahiere a uno.

Ladriello. m. ant. **Ladrillo,** 1.er art.

Ladrillado, da. p. p. de **Ladrillar.** || **2.** m. Solado de ladrillos.

Ladrillador. (De *ladrillar.*) m. **Enladrillador.**

Ladrillar. m. Sitio o lugar donde se fabrica ladrillo.

Ladrillar. (De *ladrillo.*) tr. **Enladrillar.**

Ladrillazo. m. Golpe dado con un ladrillo.

Ladrillejo. m. d. de **Ladrillo,** 1.er art. || **2.** Juego que suelen hacer de noche los mozos colgando un ladrillo delante de la puerta de una casa y moviéndolo desde lejos para que dé en la puerta y crean los de la casa que llaman a ella.

Ladrillero, ra. m. y f. Persona que hace ladrillos. || **2.** m. El que los vende.

Ladrillo. (Del lat. **laterĕllus,* d. de *later, -ĕris.*) m. Masa de arcilla, en forma de paralelepípedo rectangular, que, después de cocida, sirve para construir muros, solar habitaciones, etc. Sus dimensiones ordinarias son de 28 centímetros de largo, 14 de ancho y 7 de grueso. || **2.** fig. Labor en figura de **ladrillo** que tienen algunos tejidos. || **3.** fig. V. **Aceite de ladrillo.** || **azulejo. Azulejo,** 2.° art. || **de chocolate.** fig. Pasta de chocolate hecha en figura de **ladrillo.**

Ladrillo. (Del lat. *latro.*) m. *Germ.* **Ladrón,** 1.ª acep.

Ladrilloso, sa. adj. Que es de ladrillo o se le asemeja.

Ladrocinio. (De *latrocinio.*) m. ant. **Latrocinio.**

Ladrón, na. (Del lat. *latro, -ōnis.*) adj. Que hurta o roba. Ú. m. c. s. || **2.** m. Portillo que se hace en un río para sangrarlo, o en las acequias o presas de los molinos o aceñas, para robar el agua por aquel conducto. || **3.** Toma clandestina de electricidad. || **4.** Pavesa encendida que, separándose del pabilo, se pega a la vela y la hace correrse. || **5.** fig. V. **Cueva de ladrones.** || **6.** *Impr.* **Lardón,** 1.ª acep. || **cuatrero. Ladrón** que hurta bestias. || **El buen ladrón.** San Dimas, uno de los dos malhechores crucificados con Jesucristo y el cual, arrepintiéndose, alcanzó la gloria. || **El mal ladrón.** Uno de los dos malhechores crucificados con Jesucristo y el cual murió sin arrepentirse. || **Hacer del ladrón, fiel.** fr. fig. Confiarse de uno poco seguro, por necesidad, o esperando de él buena correspondencia. || **2.** fig. Ostentar honradez y sencillez para inspirar confianza. || **Piensa el ladrón que**

todos son de su condición. ref. que enseña cuán propensos somos a sospechar de otro lo que nosotros hacemos. || Por un ladrón pierden ciento en el mesón. ref. que explica la sospecha que se concibe contra otros por el daño que uno ha causado. || Quien hurta al ladrón, gana, o ha, cien días, o cien años, de perdón. ref. con que se disculpa al que comete una mala acción contra un malvado.

Ladronamente. adv. m. fig. Disimuladamente, a hurtadillas.

Ladroncillo. m. d. de **Ladrón.** || **Ladroncillo de agujeta, después sube a barjuleta.** ref. con que se denota que los ladrones empiezan por poco y acaban por mucho.

Ladronear. intr. Vivir de robos, hurtos y rapiñas.

Ladronera. f. Lugar donde se recogen y ocultan los ladrones. || **2.** Ladrón, 2.ª acep. || **3.** Ladronicio. *Esto es una* LADRONERA. || **4.** Alcancía, 1.ª acep. || **5.** *Fort.* Matacán, 7.ª acep.

Ladronería. (De *ladronera.*) f. Ladronicio.

Ladronesca. f. fam. Conjunto de ladrones.

Ladronesco, ca. adj. fam. Perteneciente a los ladrones.

Ladronía. (De *ladrón.*) f. ant. Ladronicio.

Ladronicio. m. Latrocinio.

Ladronzuelo, la. m. y f. d. de **Ladrón.** || **2.** Ratero, ra, 1.ª acep.

Lagaña. f. Legaña.

Lagañoso, sa. adj. Legañoso.

Lagar. (De *lago.*) m. Recipiente donde se pisa la uva para obtener el mosto. || **2.** Sitio donde se prensa la aceituna para sacar el aceite, o donde se machaca la manzana para preparar la sidra. || **3.** Edificio donde hay un **lagar** para uva, aceituna o manzana. || **4.** Suerte de tierra de poca extensión, plantada de olivar, y en la cual hay edificio y artefactos para extraer el aceite.

Lagarearse. r. *Sal.* Hacerse lagarejo.

Lagarejo. m. d. de **Lagar.** || **Hacerse lagarejo.** fr. fig. y fam. Maltratarse o estrujarse la uva que se trae para comer.

Lagarero. m. El que trabaja en el lagar.

Lagareta. f. Lagarejo. || **2.** Charco de agua u otro líquido. || **3.** *And.* Pocilga, 1.ª acep.

Lagarta. (Del lat. **lacarta*, por *lacerta.*) f. Hembra del lagarto. || **2.** Mariposa cuya oruga causa grandes daños a diversos árboles, y principalmente a la encina, siendo a veces una plaga. El macho es bastante más pequeño que la hembra, de coloración más obscura, y tiene antenas plumosas, las que en la hembra son sencillas. || **3.** fig. y fam. Mujer pícara, taimada. Ú. t. c. adj.

Lagartado, da. adj. Alagartado, 2.ª acep.

Lagartear. tr. *Chile.* Coger de los lagartos a uno con instrumento adecuado o con ambas manos, y apretárselos para impedirle el uso de los brazos, con el fin de atormentarlo o vencerlo en la lucha.

Lagarteo. m. *Chile.* Acción de lagartear.

Lagartera. f. Agujero o madriguera del lagarto.

Lagarterano, na. adj. Perteneciente o relativo al pueblo de Lagartera. || **2.** m. y f. Natural de este pueblo de la provincia de Toledo.

Lagartero, ra. adj. Aplícase al ave u otro animal que caza lagartos.

Lagartezna. f. ant. Lagartija.

Lagartija. (d. de *lagarta.*) f. Especie de lagarto muy común en España, de unos dos decímetros de largo, de color pardo, verdoso o rojizo por encima y blanco por debajo. Es muy ligero y espantadizo, se alimenta de insectos y vive entre los escombros y en los huecos de las paredes.

Lagartijero, ra. adj. Aplícase a algunos animales que cazan y comen lagartijas.

Lagartijo. m. d. de **Lagarto.**

Lagarto. (Del lat. **lacartus*, por *lacertus.*) m. Reptil terrestre del orden de los saurios, de cinco a ocho decímetros de largo, contando desde la parte anterior de la cabeza hasta la extremidad de la cola. La cabeza es ovalada, la boca grande con muchos y agudos dientes, el cuerpo prolongado y casi cilíndrico y la cola larga y perfectamente cónica; las cuatro patas son cortas, delgadas y cada una con cinco dedos armados de afiladas uñas; la piel está cubierta de laminillas a manera de escamas, blancas en el vientre, y manchadas de verde, amarillo y azul, que forman dibujos simétricos, en el resto del cuerpo. Es sumamente ágil, inofensivo y muy útil para la agricultura por la gran cantidad de insectos que devora. Se reproduce por huevos que entierra la hembra, hasta que el calor del sol los vivifica. || **2.** Músculo grande del brazo, que está entre el hombro y el codo. || **3.** fig. y fam. Hombre pícaro, taimado. Ú. t. c. adj. || **4.** fig. y fam. Espada roja, insignia de la orden de caballería de Santiago. || **5.** *Germ.* Ladrón del campo. || **6.** *Germ.* Ladrón que muda de vestido para que no le conozcan. || **de Indias.** Caimán, 1.ª acep. || **¡Lagarto!** interj. que entre gentes supersticiosas se dice cuando alguien nombra la culebra, y en general, para ahuyentar la mala suerte. Úsase más repetida.

Lago. (Del lat. *lacus.*) m. Gran masa permanente de agua depositada en hondonadas del terreno, con comunicación al mar o sin ella. || **de leones.** Lugar subterráneo o cueva en que los encerraban.

Lagopo. (Del lat. *lagōpus*, y éste del gr. λαγώπους; de λαγώς, liebre, y ποῦς, pie.) m. *Bot.* Pie de liebre.

Lagosta. f. ant. Langosta.

Lagostín. m. ant. Langostín.

Lagosto. m. ant. Lagosta.

Lagotear. (Del gót. *laigon*, lamer.) intr. fam. Hacer halagos y zalamerías para conseguir una cosa. Ú. t. c. tr.

Lagotería. (De *lagotero.*) f. fam. Zalamería para congraciarse con una persona o lograr una cosa.

Lagotero, ra. (De *lagotear.*) adj. fam. Que hace lagoterías. Ú. t. c. s.

Lágrima. (Del lat. *lacrÿma.*) f. Cada una de las gotas del humor que segrega la glándula lagrimal, y que sobreabunda y vierten los ojos por causas morales o físicas. Ú. m. en pl. || **2.** fig. Gota de humor que destilan las vides y otros árboles después de la poda. || **3.** fig. Porción muy corta de cualquier licor. || **4.** fig. Vino de lágrima. || **5.** fig. V. Paño, valle de lágrimas. || **6.** pl. fig. Pesadumbres, adversidades, dolores. || **Lágrima de Batavia, o de Holanda.** Gota de vidrio fundido que al echarse en agua fría se templa como el acero, tomando la forma ovoide o de pera. En tal estado se mantiene firme, mas en cuanto se le rompe la punta, se reduce a polvo fino con una ligera detonación. || **Lágrimas de cocodrilo.** fig. Las que vierte una persona aparentando un dolor que no siente. || **de David, o de Job.** Planta de la familia de las gramíneas, de caña elevada, hojas anchas y algo planas, flores monoicas en espiga, y fruto globoso, duro y de color gris claro. Es originaria de la India, se cultiva en los jardines, y de las simientes se hacen rosarios y collares. || **de Moisés.** fig. y fam. Piedras o guijarros con que se apedrea a uno. || **de San Lorenzo.** fig. Perseidas. || **de San Pedro.** fig. y fam. Lágrimas de Moisés. || **Correr las lágrimas.** fr. Caer por las mejillas de la persona que llora. || **Deshacerse** uno **en lágrimas.** fr. fig. Llorar copiosa y amargamente. || **Lo que no va en lágrimas va en suspiros.** expr. fig. y fam. con que se da a entender que unas cosas se compensan con otras. || **Llorar** uno **a lágrima viva.** fr. Llorar abundantemente y con íntima pena. || **Llorar** uno **con lágrimas de sangre** una cosa. fr. fig. Arrepentirse de ella angustiosamente o padecer profundo dolor como consecuencia de haberla ejecutado. || **Llorar** uno **lágrimas de sangre.** fr. fig. Sentir pena muy viva y cruel. || **Saltarle,** o **saltársele,** a uno **las lágrimas.** fr. Enternecerse, echar a llorar de improviso.

Lagrimable. (Del lat. *lacrimabĭlis.*) adj. Digno de ser llorado.

Lagrimacer. intr. Lagrimar.

Lagrimal. (De *lágrima.*) adj. Aplícase a los órganos de secreción y excreción de las lágrimas. || **2.** V. Fístula lagrimal. || **3.** *Zool.* V. Carúncula lagrimal. || **4.** m. Extremidad del ojo próxima a la nariz. || **5.** *Agr.* Úlcera que suele formarse en la axila de las ramas cuando éstas se desgajan algún tanto del tronco.

Lagrimar. (De *lágrima.*) intr. Llorar, 1.ª acep.

Lagrimear. intr. Secretar con frecuencia lágrimas la persona que llora fácil o involuntariamente.

Lagrimeo. m. Acción de lagrimear. || **2.** Flujo independiente de toda emoción del ánimo, por no poder pasar las lágrimas desde el lagrimal a las fosas nasales, o ser su secreción muy abundante por irritación del ojo. Es síntoma de varias enfermedades del ojo, de los párpados y de las vías lagrimales.

Lagrimón. m. aum. de **Lágrima.**

Lagrimón, na. (De *lagrimar.*) adj. ant. Lagrimoso, legañoso o pitarroso.

Lagrimoso, sa. (Del lat. *lacrimōsus.*) adj. Aplícase a los ojos tiernos y húmedos por achaque, por vicio de la naturaleza, por estar próximos a llorar o por haber llorado. || **2.** Dícese de la persona o animal que tiene los ojos en este estado. || **3.** Lacrimoso, 2.ª acep. || **4.** Que destila lágrimas, 2.ª acep.

Laguna. (Del lat. *lacūna.*) f. Depósito natural de agua, generalmente dulce y por lo común de menores dimensiones que el lago. || **2.** fig. En lo manuscrito o impreso, hueco en que se dejó de poner algo o en que algo ha desaparecido por la acción del tiempo o por otra causa. || **3.** Defecto, vacío o solución de continuidad en un conjunto o serie. || **No bebas en laguna ni comas más de una aceituna.** ref. que indica ser bueno para la salud el abstenerse de ambas cosas. || **Salir de lagunas y entrar en mojadas.** ref. Salir del lodo y caer en el arroyo.

Lagunajo. (despect. de *laguna.*) m. Charco que queda en el campo después de haber llovido o haberse inundado.

Lagunar. m. ant. Lagunajo.

Lagunar. (Del lat. *lacūnar, -āris.*) m. *Arq.* Cada uno de los huecos que dejan los maderos con que se forma el techo artesonado.

Lagunazo. m. Lagunajo.

Lagunero, ra. adj. Perteneciente a la laguna.

Lagunero, ra. adj. Natural de La Laguna. Ú. t. c. s. || **2.** Perteneciente a esta ciudad de Canarias.

Lagunoso, sa. (Del lat. *lacunōsus.*) adj. Abundante en lagunas.

Laical. (Del lat. *laicālis.*) adj. Perteneciente a los legos.

Laicismo. (De *laico.*) m. Doctrina que defiende la independencia del hombre o de la sociedad, y más particularmente del Estado, de toda influencia eclesiástica o religiosa.

Laicización. f. Acción y efecto de laicizar.

Laicizar. tr. Hacer laico o independiente de toda influencia religiosa.

Laico, ca. (Del lat. *laĭcus.*) adj. **Lego,** 1.ª acep. Ú. t. c. s. ‖ **2.** Dícese de la escuela o enseñanza en que se prescinde de la instrucción religiosa.

Laidamente. adv. m. ant. Ignominiosa, vergonzosamente.

Laido, da. (Del ant. al. *laid,* desagradable.) adj. ant. Afrentoso, ignominioso. ‖ **2.** ant. Triste o caído de ánimo. ‖ **3.** Feo o afeado.

Lailán. m. ant. Almoneda, subasta.

Lairén. adj. V. **Uva lairén.** ‖ **2.** Dícese también de las cepas que la producen y del veduño de esta especie.

Laísmo. m. Vicio en que incurren los laístas.

Laísta. adj. *Gram.* Aplícase a los que dicen siempre *la* y *las,* tanto en el dativo como en el acusativo del pronombre *ella.* Ú. t. c. s.

Laja. (Del lat. epigráfico *lausia;* en b. lat. *lausa,* losa.) f. **Lancha,** 1.ª acep. ‖ **2.** *Mar.* Bajo de piedra, a manera de meseta llana.

Laja. (Del lat. *laxus,* flojo.) f. ant. **Traílla,** 1.ª acep. ‖ **2.** *Colomb.* Cuerda de cabuya más delgada y fina que el lazo.

Lama. (Del lat. *lama.*) f. Cieno blando, suelto y pegajoso, de color obscuro, que se halla en algunos lugares del fondo del mar o de los ríos, y en el de los vasos o parajes en donde hay o ha habido agua largo tiempo. ‖ **2. Ova.** ‖ **3.** *And.* Arena muy menuda y suave que sirve para mezclar con la cal. ‖ **4.** *Min.* Lodo de mineral muy molido, que se deposita en el fondo de los canales por donde corren las aguas que salen de los aparatos de trituración de las menas. ‖ **5.** *Chile.* **Verdín,** 3.ª acep. ‖ **6.** *Hond.* **Musgo,** 1.er art., 1.ª acep.

Lama. (Del lat. *lamĭna.*) f. **Lámina,** 1.ª acep. ‖ **2.** Tela de oro o plata en que los hilos de estos metales forman el tejido y brillan por su haz sin pasar al envés. ‖ **3.** *Chile.* Tejido de lana con flecos en los bordes.

Lama. (Del tibetano *blama.*) m. Sacerdote de los tártaros occidentales, cercanos a la China.

Lamaísmo. m. Secta del budismo en el Tíbet.

Lamaísta. com. Sectario del lamaísmo.

Lambda. (Del gr. λάμβδα.) f. Undécima letra del alfabeto griego, que corresponde a la que en el nuestro se llama *ele.*

Lambel. (Del fr. *lambel.*) m. *Blas.* Pieza que tiene la figura de una faja con tres caídas muy semejantes a las gotas de la arquitectura. Pónese de ordinario horizontalmente en la parte superior del escudo, a cuyos lados no llega, para señalar que son las armas del hijo segundo, y no del heredero de la casa.

Lambeo. (Del fr. *lambeau.*) m. *Blas.* **Lambel.**

Lamber. (Del lat. *lambĕre,* lamer.) tr. ant. **Lamer.** Ú. en *Amér., León* y *Sal.*

Lambicar. tr. ant. **Alambicar.**

Lambida. f. ant. **Lamedura.**

Lambistón, na. (De *lamber.*) adj. *Sant.* Goloso, lamerón.

Lambrequín. (Del fr. *lambrequin.*) m. *Blas.* Adorno, generalmente en forma de hojas de acanto, que baja de lo alto del casco y rodea el escudo: representa las cintas con que se adornaba el yelmo, o la tela fija en él para defender la cabeza de los rayos del sol. Ú. m. en pl.

Lambrija. f. **Lombriz.** ‖ **2.** fig. y fam. Persona muy flaca.

Lambrucio, cia. adj. fam. Goloso, glotón.

Lamedal. m. Sitio o paraje donde hay mucha lama o cieno.

Lamedor, ra. adj. Que lame. Ú. t. c. s. ‖ **2.** m. **Jarabe.** ‖ **3.** fig. Halago fingido o lisonja con que se pretende suavizar el ánimo de uno a quien se ha dado o se pretende dar un disgusto. ‖ **Dar lamedor.** fr. fig. y fam. Entre jugadores, hacerse uno al principio perdidizo, para que empicándose el contrario se le gane el dinero con más seguridad.

Lamedura. f. Acción y efecto de lamer.

Lamelibranquio. (Del lat. *lamella,* laminilla, y el gr. βράγχιον, agalla.) adj. *Zool.* Dícese del molusco marino o de agua dulce, que tiene simetría bilateral, región cefálica rudimentaria, branquias foliáceas y pie ventral en forma de hacha, y está provisto de una concha bivalva; como la almeja, el mejillón y la ostra. Ú. t. c. s. m. ‖ **2.** m. pl. Clase de estos animales.

Lamentable. (Del lat. *lamentabĭlis.*) adj. Que merece ser sentido o es digno de llorarse. ‖ **2.** Que infunde tristeza y horror. *Voz, rostro* LAMENTABLE.

Lamentablemente. adv. m. Con lamentos, o de manera lamentable.

Lamentación. (Del lat. *lamentatĭo, -ōnis.*) f. Queja dolorosa junta con llanto, suspiros u otras muestras de aflicción. ‖ **2.** Cada una de las partes del canto lúgubre de Jeremías, llamadas trenos.

Lamentador, ra. (Del lat. *lamentātor.*) adj. Que lamenta o se lamenta. Ú. t. c. s.

Lamentante. p. a. ant. de **Lamentar.** Que lamenta o se lamenta.

Lamentar. (Del lat. *lamentāre.*) tr. Sentir una cosa con llanto, sollozos u otras demostraciones de dolor. Ú. t. c. intr. y c. r.

Lamento. (Del lat. *lamentum.*) m. **Lamentación,** 1.ª acep.

Lamentoso, sa. adj. Que prorrumpe en lamentos o quejas. ‖ **2. Lamentable.**

Lameplatos. (De *lamer* y *plato.*) com. fig. y fam. Persona golosa. ‖ **2.** fig. y fam. Persona que se alimenta de sobras.

Lamer. (Del lat. *lambĕre.*) tr. Pasar repetidas veces la lengua por una cosa. Ú. t. c. r. ‖ **2.** fig. Tocar blanda y suavemente una cosa. *El arroyo* LAME *las arenas.* ‖ **Dejar a uno que lamer.** fr. fig. y fam. Inferirle un daño que no pueda remediarlo pronto. ‖ **Llevar,** o **tener,** uno **que lamer.** fr. fig. y fam. Haber recibido un mal que no puede remediarse pronto. ‖ **Mejor lamiendo que mordiendo.** fr. fig. que denota que mejor se consiguen las cosas con halago que con rigor.

Lamerón, na. (De *lamer.*) adj. fam. **Laminero,** 2.° art.

Lametón. m. Acción de lamer con ansia.

Lamia. (Del lat. *lamĭa,* y éste del gr. λαμία.) f. Monstruo fabuloso que decían tener rostro de mujer hermosa y cuerpo de dragón. ‖ **2.** *Zool.* Especie de tiburón, de la misma familia que el carón y la tintorera, que se encuentra en los mares españoles y alcanza unos tres metros de longitud.

Lamido, da. p. p. de **Lamer.** ‖ **2.** adj. fig. Dícese de la persona flaca, y de la muy pálida y limpia. ‖ **3.** fig. **Relamido,** 2.ª acep. ‖ **4.** fig. p. us. Gastado con el uso o con el roce continuo. ‖ **5.** *Pint.* Dícese de lo que tiene aspecto muy terso y liso, por sobra de trabajo y esmero.

Lamiente. p. a. de **Lamer.** Que lame.

Lamín. (De *lamer.*) m. *Ar.* **Golosina,** 1.ª acep.

Lámina. (Del lat. *lamĭna.*) f. Plancha delgada de un metal. ‖ **2.** Plancha de cobre o de otro metal en la cual está grabado un dibujo para estamparlo. ‖ **3.** V. **Abridor de láminas.** ‖ **4. Estampa,** 1.ª y 4.ª aceps. ‖ **5.** Pintura hecha en cobre. ‖ **6.** fig. Plancha delgada o chapa de cualquier materia. ‖ **7.** *Bot.* Parte ensanchada de las hojas, pétalos y sépalos. ‖ **8.** *Zool.* Parte delgada y plana de los huesos, cartílagos, tejidos y membranas de los seres orgánicos. ‖ **Buena,** o **mala, lámina.** fig. Buena, o mala, estampa. Dícese de algunos animales.

Laminado, da. p. p. de **Laminar.** ‖ **2.** adj. Guarnecido de láminas o planchas de metal. ‖ **3.** m. Acción y efecto de laminar.

Laminador. m. Máquina compuesta esencialmente de dos cilindros lisos de acero que casi se tocan longitudinalmente, y que, girando en sentido contrario y comprimiendo masas de metales maleables, los estiran en láminas o planchas. A veces los cilindros están acanalados para formar, entre sus estrías, barras, carriles, etc. ‖ **2.** El que tiene por oficio hacer láminas de metal.

Laminar. adj. De forma de lámina. ‖ **2.** Aplícase a la estructura de un cuerpo cuando sus láminas u hojas están sobrepuestas y paralelamente colocadas.

Laminar. tr. Tirar láminas, planchas o barras con el laminador. ‖ **2.** Guarnecer con láminas.

Laminar. (De *lamín.*) tr. *Ar.* Lamer o gulusmear.

Laminera. (De *laminero,* 2.° art.) f. *Ar.* Abeja suelta que se adelanta a las demás al olor del pasto que le agrada.

Laminero, ra. adj. Que hace láminas. Ú. t. c. s. ‖ **2.** Que guarnece relicarios de metal. Ú. t. c. s.

Laminero, ra. (De *laminar,* 3.er art.) adj. **Goloso.** Ú. t. c. s.

Laminoso, sa. (Del lat. *laminōsus.*) adj. Aplícase a los cuerpos cuya textura es laminar. ‖ **2.** *Zool.* V. **Tejido laminoso.**

Lamiscar. tr. fam. Lamer aprisa y con ansia.

Lamoso, sa. adj. Que tiene o cría lama.

Lampa. (Voz quichua.) f. *Chile* y *Perú.* **Azada,** 1.ª acep.

Lampacear. tr. *Mar.* Enjugar con el lampazo la humedad de las cubiertas y costados de una embarcación.

Lámpada. (Del lat. *lampas, -ădis.*) f. ant. **Lámpara.**

Lampante. adj. *And.* Dícese del aceite de oliva más puro.

Lampar. (Del lat. *lampadāre.*) intr. **Alampar.** Ú. t. c. r.

Lámpara. (De *lámpada.*) f. Utensilio para dar luz, que consta de uno o varios mecheros con un depósito para la materia combustible, cuando es líquida; de una boquilla en que se quema un gas que llega a ella desde el depósito en que se produce; o de un globo de cristal, abierto unas veces y herméticamente cerrado otras, dentro del cual hay unos carbones o un hilo metálico que se ponen candentes al pasar por ellos una corriente eléctrica. ‖ **2.** Elemento de los aparatos de radio, parecido en su origen a una **lámpara** eléctrica de incandescencia, y que en su forma más simple consta de tres electrodos metálicos: un filamento, una rejilla y una placa. ‖ **3.** V. **Carretón de lámpara.** ‖ **4.** Cuerpo que despide luz. ‖ **5.** Mancha de aceite que cae en la ropa. ‖ **6.** Ramo de árbol que los jóvenes ponen a las puertas de las casas en manifestación de sus regocijos y de sus amores. ‖ **de esmaltador.** Aquella con cuya llama, activada por la acción del soplete, funden los metales, para esmaltarlos, soldarlos, etc., los plateros y orífices. ‖ **de los mineros,** o **de seguridad.** Candileja cuya luz se cubre con un cilindro de tela metálica de malla tan fina, que impide el paso de la llama y la inflamación de los gases explosivos que suele haber en las minas de hulla. || **Atizar la lámpara.** fr. fig. y fam. Volver a echar vino en el vaso o los vasos para beber.

Lamparería. (De *lamparero.*) f. Taller en que se hacen lámparas. || **2.** Tienda donde se venden. || **3.** Almacén donde se guardan y arreglan.

Lamparero, ra. m. y f. Persona que hace o vende lámparas. || **2.** Persona que tiene cuidado de las lámparas, limpiándolas y encendiéndolas.

Lamparilla. f. d. de **Lámpara.** || **2. Mariposa,** 3.ª acep. || **3.** Plato, vaso o vasija en que ésta se pone. || **4. Álamo temblón.** || **5.** Tejido de lana delgado y ligero de que se solían hacer las capas de verano. || **6.** *Cuen.* **Retel.** || **momperada.** La que se distingue de la común en tener el tejido más fino y ser prensada y lustrosa.

Lamparín. m. Cerco de metal en que se pone la lamparilla en las iglesias.

Lamparista. com. **Lamparero.**

Lamparón. m. aum. de **Lámpara.** || **2. Lámpara,** 5.ª acep. || **3.** *Med.* Escrófula en el cuello. || **4.** *Veter.* Enfermedad de los solípedos, acompañada de erupción de tumores linfáticos en varios sitios.

Lampatán. m. **China,** 2.° art., 1.ª acep.

Lampazo. (Del lat. *lappacĕus.*) m. Planta de la familia de las compuestas, de seis a ocho decímetros de altura, de tallo grueso, ramoso y estriado, hojas aovadas, y en cabezuelas terminales flores purpúreas cuyo cáliz tiene escamas con espinas en anzuelo. || **2.** V. **Paño de lampazo.** || **3.** *Mar.* Manojo o borlón hecho de filásticas de largo variable, y con una gaza en la cabeza para su manejo, que sirve principalmente para enjugar la humedad de las cubiertas y costados de los buques. || **4.** *Min.* Escobón hecho con ramas verdes atadas a la punta de un palo, y que, mojado en agua, sirve para refrescar las paredes y dirigir convenientemente la llama en los hornos de fundición de plomo.

Lampear. tr. *Chile* y *Perú.* Remover la tierra con la lampa.

Lampeón. (De *lampión.*) m. **Lampión.**

Lampiño, ña. adj. Dícese del hombre que no tiene barba. || **2.** Que tiene poco pelo o vello. || **3.** V. **Trigo lampiño.** || **4.** *Bot.* Falto de pelos. *Tallo* LAMPIÑO.

Lampión. (Del fr. *lampion,* d. de *lampe,* lampara.) m. **Farol,** 1.ª acep.

Lampo. (Del lat. *lampăre,* brillar.) m. poét. Resplandor o brillo pronto y fugaz; como el del relámpago.

Lampote. (En fr. *lampas.*) m. Cierta tela de algodón fabricada en Filipinas.

Lamprea. (Del lat. *lamprēda, lampētra.*) f. *Zool.* Pez del orden de los ciclóstomos, de un metro o algo más de largo, de cuerpo casi cilíndrico, liso, viscoso y terminado en una cola puntiaguda; tiene el lomo verde, manchado de azul, y, sobre él, dos aletas pardas con manchas amarillas; y otra, de color azul, rodeando la cola; a cada lado de la cabeza se ven siete agujeros branquiales. Vive asido a las peñas, a las que se agarra fuertemente con la boca. Su carne es muy estimada. || **2.** Pez de río, semejante a la **lamprea** de mar, de la cual principalmente se diferencia en no pasar de tres o cuatro decímetros de longitud, ser negruzco por el lomo, plateado por el vientre y tener muy separadas las dos aletas dorsales. Vive por lo común en las aguas estancadas y en los ríos de poca corriente, y es comestible.

Lampreada. f. *Guat.* Tunda de lampreazos.

Lampreado, da. p. p. de **Lamprear.** || **2.** m. Guiso chileno hecho con charquí y otros ingredientes.

Lamprear. (De *lamprea,* por guisarse como se guisa generalmente este pescado.) tr. Componer o guisar una vianda, friéndola o asándola primero, y cociéndola después en vino o agua con azúcar o miel y especia fina, a lo cual se añade un poco de agrio al tiempo de servirla.

Lampreazo. m. **Latigazo.**

Lamprehuela. f. d. de **Lamprea.** || **2. Lampreílla.**

Lampreílla. f. Pez de río, parecido a la lamprea de agua dulce en forma y color, pero incapaz de adherirse por succión a los cuerpos sumergidos; sus aletas dorsales se tocan, los ojos apenas se distinguen, y no pasa de 10 a 12 centímetros de longitud y 2 de grueso. Es comestible.

Lampuga. (En fr. *lampuge.*) f. Pez marino del orden de los acantopterigios, de cuerpo comprimido lateralmente y que llega a un metro de longitud. Dentro del agua aparece todo dorado, a pesar de que por el lomo, que es casi recto, es verde con manchas de color anaranjado, y por el vientre plateado. La aleta del lomo, que corre desde el medio de la cabeza hasta la cola, es amarilla con una raya azul en la base; la de la cola es verde, y las restantes enteramente pajizas. Es comestible, pero se aprecia poco.

Lampuguera. (De *lampuga.*) f. Arte de pesca mixto de nasas y red de cerco.

Lana. (Del lat. *lana.*) f. Pelo de las ovejas y carneros, que se hila y sirve para hacer paño y otros tejidos. || **2.** Pelo de otros animales parecido a la **lana.** LANA *de vicuña.* || **3.** V. **Perro de lanas.** || **4.** Tejido de **lana,** y vestido que de él se hace. *Vestir* LANA. || **5.** V. **Juan Lanas.** || **6.** m. *Guat.* y *Hond.* Persona de la ínfima plebe. || **de caídas.** La que tienen en las piernas los ganados. || **en barro.** En las fábricas de paños, **lana** más pura que sale del peine antes de hilarse. || **filosófica.** ant. **Flores de cinc.** || **Aunque vestido de lana, no soy borrego.** fr. proverb. con que uno da a entender que no tiene la condición o el carácter que aparenta. || **Batir la lana.** fr. *Extr.* Esquilar el ganado lanar. || **Cardarle** a uno **la lana.** fr. fig. y fam. Reprenderle con severidad y aspereza. || **2.** fig. y fam. Ganarle cantidad considerable en el juego. || **Cual más, cual menos, toda la lana es pelos.** ref. con que se manifiesta que es inútil escoger entre cosas o personas que adolecen de unos mismos defectos. || **Ir por lana, y volver trasquilado.** ref. que se usa para denotar que uno ha sufrido perjuicio o pérdida en aquello en que creía ganar o hallar provecho. || **Lavar la lana** a uno. fr. fig. y fam. Averiguar y examinar la conducta de una persona sospechosa hasta descubrir la verdad. || **Poca lana, y ésa en zarzas.** ref. que se aplica al que tiene poco, y eso con trabajo o riesgo. || **Varear la lana.** fr. Sacudirla con varas a propósito, antes de hacer los colchones, para que se ahueque. || **Venir por lana y salir trasquilado.** ref. **Ir por lana,** etc.

Lanada. (De *lana.*) f. *Art.* Instrumento para limpiar y refrescar el alma de las piezas de artillería después de haberlas disparado. Consta de una asta algo más larga que la pieza, con un zoquete cilíndrico en el extremo donde va liada la feminela.

Lanado, da. (Del lat. *lanātus.*) adj. **Lanuginoso.**

Lanar. (Del lat. *lanāris.*) adj. Dícese del ganado o la res que tiene lana.

Lanaria. (Del lat. *lanaria herba,* hierba lanera, porque suele usarse en los lavaderos para limpiar la lana.) f. **Jabonera,** 4.ª acep.

Lancán. m. Embarcación filipina, especie de banca de grandes dimensiones, que no lleva ni necesita batangas, por medir unos dos metros de manga, aunque es de una sola pieza. Sirve únicamente para conducir carga, y camina siempre a remolque.

Lance. m. Acción y efecto de lanzar o arrojar. || **2.** Acción de echar la red para pescar. || **3.** Pesca que se saca de una vez. || **4.** Trance u ocasión crítica. || **5.** En el poema dramático o en cualquiera otro análogo, como la novela, suceso, acontecimiento, situación interesante o notable. || **6.** Encuentro, riña, quimera. || **7.** En el juego, cada uno de los accidentes algo notables que ocurren en él. || **8.** Arma lanzada por la ballesta. || **9.** *Taurom.* Suerte de capa. || **apretado. Caso apretado.** || **de fortuna.** Casualidad, accidente inesperado. || **de honor. Desafío,** 1.ª acep. || **A pocos lances.** m. adv. A breve tiempo; sin tropiezos ni dificultades. || **De lance.** m. adv. Dícese de lo que se compra barato, aprovechando una coyuntura. || **De lance en lance.** m. adv. De una acción en otra, o de una razón en otra. || **Echar** uno **buen,** o **mal, lance.** fr. fig. y fam. Conseguir su intento, o frustrársele sus cálculos o esperanzas. || **Jugar uno el lance.** fr. Manejar un negocio que pide destreza o sagacidad. || **Tener pocos lances** una cosa. fr. fig. y fam. Ser poco agradable, divertida o interesante.

Lanceado, da. (Del lat. *lanceātus,* de *lancĕa,* lanza.) adj. *Bot.* **Lanceolado.**

Lancear. (Del lat. *lanceāre.*) tr. **Alancear.**

Lancéola. (Del lat. *lanceŏla,* lancilla, por la forma de la hoja.) f. **Llantén menor.**

Lanceolado, da. (Del lat. *lanceolātus.*) adj. *Bot.* De figura semejante al hierro de la lanza. Dícese de las hojas y de los lóbulos de ellas.

Lancera. f. Armero para colocar las lanzas.

Lancería. f. Conjunto de lanzas. || **2.** Tropa de lanceros.

Lancero. (Del lat. *lancearius.*) m. Soldado que pelea con lanza. || **2.** El que usa o lleva lanza; como los vaqueros y toreros. || **3.** El que hace o labra lanzas. || **4. Lancera.** || **5.** pl. Baile de figuras, muy parecido al rigodón. || **6.** Música de este baile.

Lanceta. (d. de *lanza.*) f. Instrumento que sirve para sangrar abriendo una cisura en la vena, y también para abrir algunos tumores y otras cosas. Tiene la hoja de acero con el corte muy sutil por ambos lados, y la punta agudísima.

Lancetada. f. Acción de herir con la lanceta. || **2.** Abertura que con ella se hace.

Lancetazo. m. **Lancetada.**

Lancetero. m. Estuche en que se llevan colocadas las lancetas.

Lancilla. f. d. de **Lanza.** || **2.** V. **Guardia de lancilla.**

Lancinante. p. a. de **Lancinar.** || **2.** adj. Dícese del dolor semejante al que produciría una herida de lanza.

Lancinar. (Del lat. *lancināre.*) tr. Punzar, desgarrar. Ú. t. c. r.

Lancurdia. f. Trucha pequeña.

Lancha. (Del lat. *planca,* tabla plana.) f. Piedra naturalmente lisa, plana y de poco grueso. || **2.** Bote grande de vela y remo, o de vapor, propio para ayudar en las faenas de fuerza que se ejecutan en los buques, y para transportar carga y pasajeros en el interior de los puertos o entre puntos cercanos de la costa. || **3.** La mayor de las embarcaciones menores que llevan a bordo los grandes buques para su servicio. || **4. Bote,** 3.er art. || **5. Barca.** || **6.** Cierto armadijo compuesto de unos palillos y una piedra para coger perdices. || **7.** *Mar.* V. **Patrón de lancha.** || **bombardera, ca-**

ñonera, u obusera. La que se construye de propósito para llevar un mortero, cañón u obús montado, y batir más de cerca las escuadras o las plazas y fortalezas de tierra.

Lanchada. f. Carga que lleva de una vez una lancha.

Lanchaje. m. Transporte de mercaderías en lanchas u otra embarcación menor, y flete que se paga por ello.

Lanchar. m. Cantera de donde se sacan lanchas de piedra. || **2.** Sitio en que abundan.

Lanchazo. m. Golpe que se da de plano con una lancha de piedra.

Lanchero. m. Conductor o patrón de una lancha.

Lancho. m. desus. **Lancha,** 1.ª acep.

Lanchón. m. aum. de **Lancha.**

Lanchuela. f. d. de **Lancha,** 1.ª acep.

Landa. (Del célt. *landa,* tierra.) f. Grande extensión de tierra llana en que sólo se crían plantas silvestres.

Lande. (Del lat. *glans, glandis,* bellota.) f. ant. **Glande,** 2.ª acep. Ú. en *Ál.* y *Ast.*

Landgrave. (Del al. *landgraf;* de *land,* país, y *graf,* conde.) m. Título de honor y de dignidad de que han solido usar algunos grandes señores de Alemania.

Landgraviato. m. Dignidad de landgrave. || **2.** Territorio del landgrave.

Landó. (Del fr. *landau,* y éste de *Landau,* n. p. de una ciudad del Palatinado bávaro.) m. Coche de cuatro ruedas, con capotas delantera y trasera, para poderlo usar descubierto o cerrado.

Landre. (Del dialect. *landra,* con la *e* de *lande.*) f. Tumor del tamaño de una bellota, que se forma en los parajes glandulosos; como el cuello, los sobacos y las ingles. || **2.** Bolsa escondida que se hace en la capa o vestido para llevar oculto el dinero. || **3.** ant. **Peste levantina.**

Landrecilla. (d. de *landre.*) f. Pedacito de carne redondo que se halla en varias partes del cuerpo; como en medio de los músculos del muslo, entre las glándulas del sobaco y en otras partes.

Landrero, ra. adj. Dícese del mísero o mendigo que va ahuchando el dinero en la landre. || **2.** *Germ.* Ladrón que al trocar algún dinero recibe el ajeno y no da el suyo, sosteniendo que ya lo ha dado. || **3.** *Germ.* El que hurta abriendo la ropa donde ve que hay bulto de dinero.

Landrilla. (d. de *landre.*) f. Cresa de ciertos dípteros, que se fija debajo de la lengua y en las fosas nasales de diversos mamíferos. || **2.** Cada uno de los granos que levanta con su picadura.

Lanería. (De *lanero.*) f. Casa o tienda donde se vende lana.

Lanero, ra. (Del lat. *lanarĭus.*) adj. Perteneciente o relativo a la lana. || **2.** m. El que trata en lanas. || **3.** Almacén donde se guarda lana.

Lanero, ra. (Del lat. *laniarĭus,* carnicero, de *laniāre,* despedazar.) adj. *Cetr.* **Halcón lanero.**

Langa. (Del ingl. *ling.*) f. **Truchuela,** 2.ª acep.

Langaruto, ta. (despect. de *largo.*) adj. fam. **Larguirucho.**

Langor. m. ant. **Languor.**

Langosta. (De *lagosta.*) f. *Zool.* Insecto ortóptero de la familia de los acrídidos, de color gris amarillento, de cuatro a seis centímetros de largo, cabeza gruesa, ojos prominentes, antenas finas y alas membranosas; el tercer par de patas es muy robusto y a propósito para saltar. Es fitófago, y en circunstancias dadas se multiplica extraordinariamente, formando espesas nubes que arrasan comarcas enteras. Hay varias especies. || **2.** Crustáceo decápodo macruro, que alcanza hasta cinco decímetros de longitud, con todas sus patas terminadas en pinzas pequeñas; cuatro antenas, dos centrales cortas y dos laterales muy largas y fuertes; ojos prominentes, cuerpo casi cilíndrico, y cola larga y gruesa. Es de color fusco que se vuelve rojo por la cocción; vive en alta mar, y su carne se tiene por manjar delicado. || **3.** fig. y fam. Lo que destruye o consume una cosa. *Los muchachos son* LANGOSTA *de las despensas.*

Langostín. m. **Langostino.**

Langostino. (De *langosta.*) m. Crustáceo decápodo marino, del suborden de los macruros, de 12 a 14 centímetros de largo, patas pequeñas, bordes de las mandíbulas fibrosos, cuerpo comprimido, cola muy prolongada, carapacho poco consistente y de color grisáceo que cambia en rosa subido por la cocción, y su carne es muy apreciada.

Langostón. (aum. de *langosta.*) m. Insecto ortóptero semejante a la langosta, pero de mayor tamaño, que llega a seis centímetros: es de color verde esmeralda, tiene las antenas muy largas y vive comúnmente en los árboles.

Languedociano, na. adj. Perteneciente o relativo al Languedoc. *Dialecto* LANGUEDOCIANO.

Lánguidamente. adv. m. Con languidez, con flojedad.

Languidecer. intr. Adolecer de languidez; perder el espíritu o el vigor.

Languidez [~ **deza**]. (De *lánguido.*) f. Flaqueza, debilidad. || **2.** Falta de espíritu, valor o energía.

Lánguido, da. (Del lat. *languĭdus.*) adj. Flaco, débil, fatigado. || **2.** De poco espíritu, valor y energía.

Languor. (Del lat. *languor, -ōris.*) m. **Languidez.**

Lanífero, ra. (Del lat. *lanifer, -ĕri;* de *lana,* lana, y *ferre,* llevar.) adj. poét. Que lleva o tiene lana.

Lanificación. f. **Lanificio.**

Lanificio. (Del lat. *lanificĭum.*) m. Arte de labrar la lana. || **2.** Obra hecha de lana.

Lanilla. (d. de *lana.*) f. Pelillo que le queda al paño por la haz. || **2.** Tejido de poca consistencia hecho con lana fina. || **3.** Especie de afeite que usaban antiguamente las mujeres.

Lanío, a. (De *lana.*) adj. **Lanar.**

Lanosidad. (Del lat. *lanosĭtas, -ātis.*) f. Pelusa o vello suave que tienen las hojas de algunas plantas, las frutas y otras cosas.

Lanoso, sa. (Del lat. *lanōsus.*) adj. **Lanudo.**

Lansquenete. (Del al. *landsknecht;* de *land,* tierra, país, y *knecht,* servidor.) m. Soldado de la infantería alemana que peleó también en España al lado de los tercios castellanos durante la dominación de la casa de Austria.

Lantaca. f. Especie de culebrina de poco calibre, muy usada entre los malayos, joloanos y otras razas orientales.

Lantano. (Del gr. λανθάνω, estoy oculto.) m. Metal de color plomizo, que arde fácilmente y descompone el agua a la temperatura ordinaria. Es raro en la naturaleza.

Lanteja. f. **Lenteja.**

Lantejuela. f. **Lentejuela.**

Lanterna. (Del lat. *lanterna.*) f. ant. **Linterna.**

Lanterno. (Del lat. *alatĕrnus,* aladierna.) m. *Ar.* **Aladierna.**

Lanternón. m. ant. aum. de **Lanterna.**

Lantisco. m. ant. **Lentisco.** Ú. en *And.*

Lanudo, da. adj. Que tiene mucha lana o vello.

Lanuginoso, sa. (Del lat. *lanuginōsus.*) adj. Que tiene lanosidad.

Lanza. (Del lat. *lancĕa.*) f. Arma ofensiva compuesta de una asta o palo largo en cuya extremidad está fijo un hierro puntiagudo y cortante a manera de cuchilla. || **2.** Vara de madera que unida por uno de sus extremos al juego delantero de un carruaje, sirve para darle dirección. A sus lados se colocan, enganchándolas, las caballerías del tronco, que han de hacer el tiro. || **3.** Soldado que usaba el arma del mismo nombre, fuese a pie o a caballo. || **4.** Hombre de armas, provisto de dos cabalgaduras, la una caballo bueno, y la otra mula, rocín o jaca, con que ciertos caballeros o escuderos, vasallos del rey, de un señor o de una comunidad, les servían en la guerra, disfrutando como acostamiento o remuneración de ello algunas tierras y ciertas franquicias. || **5.** Tubo de metal con que rematan las mangas de las bombas para dirigir bien el chorro de agua. || **6.** V. **Mano de la lanza,** o **de lanza.** || **7.** V. **Paje de lanza.** || **8.** pl. Cierto servicio de dinero que pagaban al rey los grandes y títulos, en lugar de los soldados con que debían asistirle en campaña. || **Lanza castellana.** *Mil.* **Lanza,** 4.ª acep. || **jineta. Jineta,** 2.° art., 3.ª acep. || **porquera,** o **media lanza. Lanza corta,** especie de chuzo. || **Correr lanzas.** fr. Correr en los torneos los justadores armados y a caballo combatiéndose con las **lanzas.** || **Deshacer la lanza.** fr. En las justas y torneos, sacar o llevar la **lanza** fuera de la rectitud que conviene para lograr el bote. || **Echar lanzas en la mar.** fr. fig. y fam. **Coger agua en cesto.** || **Estar con la lanza en ristre.** fr. fig. Estar dispuesto o preparado para acometer una empresa, o para reconvenir o contestar resueltamente a uno. || **Hincar,** o **meter, la lanza hasta el regatón.** fr. fig. y fam. Apretar a uno con ahínco y sin darle partido, haciéndole todo el daño posible. || **No haber,** o **no quedar, lanza enhiesta.** fr. fig. Derrotar enteramente al enemigo; no dejarle fuerzas para volver al combate. || **No romper lanzas con nadie.** fr. fig. Ser enemigo de riñas y contiendas. || **Quebrar lanzas.** fr. fig. Reñir, disputar o enemistarse dos o más personas. || **Romper lanzas.** fr. fig. Quitar las dificultades y estorbos que impiden la ejecución de una cosa. || **2.** Con la prep. *por,* salir a la defensa de una persona o cosa. || **Ser uno una lanza.** fr. fig. y fam. *Amér.* Ser hábil y despejado.

Lanzacabos. (De *lanzar* y *cabo.*) adj. V. **Cañón lanzacabos.**

Lanzada. f. Golpe que se da con la **lanza,** 1.ª acep. || **2.** Herida que con ella se hace. || **3.** Unidad usual para la venta de adobes, y que consta de 220 de éstos. || **de a pie.** *Taurom.* Suerte antigua que consistía en esperar el diestro al toro, rodilla en tierra, con una lanza muy fuerte cuyo cuento estaba afirmado en un hoyo abierto en el suelo y la cual enderezaba al testuz de la fiera para que ésta, al acometer, se la clavase. || **de moro izquierdo,** o **zurdo.** expr. de que se suele usar como imprecación deseándole a uno un mal grave.

Lanzada. (De *lanzar.*) f. Movimiento que se enseña al caballo, obligándole a saltar hacia adelante sobre las patas traseras con los brazos en el aire.

Lanzadera. (De *lanzar.*) f. Instrumento de figura de barquichuelo, con una canilla dentro, que usan los tejedores para tramar. || **2.** Pieza de figura semejante que tienen las máquinas de coser. || **3.** Instrumento parecido, pero sin canilla, que se emplea en varias labores femeniles. || **Parecer uno una lanzadera.** fr. fig. y fam. Andar de acá para allá en continuo movimiento.

Lanzador, ra. adj. Que lanza o arroja. Ú. t. c. s. || **de tablado.** Caballero que en los torneos arrojaba lanzas a un tablado que se hacía a este fin.

Lanzafuego. (De *lanzar* y *fuego.*) m. *Art.* **Botafuego,** 1.ª acep.

Lanzallamas. m. Aparato usado en las guerras modernas para lanzar a corta distancia (30 ó más metros) un chorro de líquido inflamado.

Lanzamiento. m. Acción de lanzar o arrojar una cosa. || **2.** *For.* Despojo de una posesión o tenencia por fuerza judicial. || **3.** *Mar.* Proyección o salida que tiene el codaste por la popa, y la roda por la proa, sobre la longitud de la quilla.

Lanzar. (Del lat. *lanceāre.*) tr. **Arrojar.** Ú. t. c. r. || **2.** Soltar, dejar libre. Ú. mucho en la volatería, hablando de las aves. || **3. Vomitar,** 1.ª acep. || **4.** ant. Echar, imponer, cargar. || **5.** ant. Emplear, invertir, gastar. || **6.** *Agr.* **Echar,** 6.ª acep. || **7.** *For.* Despojar a uno de la posesión o tenencia de alguna cosa.

Lanzatorpedos. adj. V. **Tubo lanzatorpedos.**

Lanzazo. m. **Lanzada.**

Lanzón. m. aum. de **Lanza.** || **2.** Lanza corta y gruesa con un rejón de hierro ancho y grande, de que solían usar los guardas de las viñas.

Lanzuela. (Del lat. *lanceŏla.*) f. d. de **Lanza,** 1.ª acep. || **2.** ant. Lanceta para sangrar.

Laña. (Del lat. *lamna, lamĭna.*) f. **Grapa,** 1.ª acep. || **2.** ant. Lonja de tocino.

Laña. f. Coco verde.

Lañador. (De *lañar,* 1.er art.) m. El que por medio de lañas o grapas compone objetos rotos, especialmente de barro o loza.

Lañar. (De *laña.*) tr. Trabar, unir o afianzar con lañas una cosa.

Lañar. (Del lat. *laniāre.*) tr. *Gal.* Abrir el pescado para salarlo.

Laodicense. (Del lat. *laodicensis.*) adj. Natural de Laodicea. Ú. t. c. s. || **2.** Perteneciente a esta ciudad del Asia antigua.

Lapa. (Del gr. λάπη.) f. Telilla o nata que diversos vegetales criptógamos forman en la superficie de algunos líquidos.

Lapa. (Del lat. *lepas, -ădis,* y éste del gr. λεπάς.) f. *Zool.* Molusco gasterópodo, de concha cónica con su abertura oblonga, lisa o con estrías, que vive asido fuertemente a las piedras de las costas. Hay muchas especies, todas comestibles, aunque de poco valor.

Lapa. (Del lat. *lappa.*) f. **Lampazo,** 1.ª acep. || **2.** *Nav.* **Almorejo.**

Lapachar. m. Terreno cenagoso o excesivamente húmedo.

Lapacho. m. Árbol de la América Meridional, de la familia de las bignoniáceas, cuya madera, fuerte e incorruptible, se emplea en construcción y en ebanistería. || **2.** Madera de este árbol.

Lápade. f. **Lapa,** 2.º art.

Laparotomía. (Del gr. λαπάρα, epigastrio, y τομή, sección.) f. *Cir.* Operación quirúrgica que consiste en abrir las paredes abdominales y el peritoneo.

Lapicero. m. Instrumento en que se pone el lápiz para servirse de él. || **2. Lápiz,** 2.ª acep.

Lápida. (Del lat. *lapis, -ĭdis.*) f. Piedra llana en que ordinariamente se pone una inscripción.

Lapidación. (Del lat. *lapidatĭo, -ōnis.*) f. Acción y efecto de lapidar.

Lapidar. (Del lat. *lapidāre.*) tr. **Apedrear,** 2.ª acep.

Lapidario, ria. (Del lat. *lapidarius.*) adj. Perteneciente a las piedras preciosas. || **2.** Perteneciente o relativo a las inscripciones que se ponen en lápidas. *Estilo* LAPIDARIO. || **3.** m. El que tiene por oficio labrar piedras preciosas. || **4.** El que comercia en ellas.

Lapídeo, a. (Del lat. *lapidĕus.*) adj. De piedra o perteneciente a ella.

Lapidificación. f. *Quím.* Acción y efecto de lapidificar o lapidificarse.

Lapidificar. (Del lat. *lapis, -ĭdis,* piedra, y *facĕre,* hacer.) tr. *Quím.* Convertir en piedra. Ú. t. c. r.

Lapidífico, ca. adj. *Quím.* Que lapidifica.

Lapidoso, sa. (Del lat. *lapidōsus.*) adj. **Lapídeo.**

Lapilla. (Del lat. *lappa.*) f. **Cinoglosa.**

Lapislázuli. (Del lat. *lapis,* piedra, y del ár. *lāzūrd,* por *lāzaward,* azul.) m. Mineral de color azul intenso, tan duro como el acero, que suele usarse en objetos de adorno y antiguamente se empleaba en la preparación del azul de ultramar. Es un silicato de alúmina mezclado con sulfato de cal y sosa, y acompañado frecuentemente de pirita de hierro.

Lapita. (Del lat. *lapitha.*) m. Individuo de un pueblo de los tiempos heroicos de Grecia, que habitaba en Tesalia, cerca del monte Olimpo, y se hizo famoso por su lucha con los centauros en las bodas de Piritoo.

Lápiz. (Del lat. *lapis,* piedra.) m. Nombre genérico de varias substancias minerales, suaves, crasas al tacto, que se usan generalmente para dibujar. || **2.** Barrita de grafito encerrada en un cilindro o prisma de madera y que sirve para escribir o dibujar. || **de color.** Composición o pasta que se hace con varios colores dándole la figura de puntas de **lápiz,** y sirve para pintar al pastel. || **de plomo. Grafito.** || **encarnado. Lápiz rojo.** || **plomo. Lápiz de plomo.** || **rojo. Almagre,** 1.ª acep.

Lapizar. m. Mina o cantera de lápiz de plomo.

Lapizar. tr. Dibujar o rayar con lápiz.

Lapo. (Del lat. *alăpa.*) m. fam. Cintarazo, bastonazo o varazo. || **2.** *Ar., Chile* y *Méj.* **Bofetada.** || **3.** fig. Trago o chisguete.

Lapón, na. adj. Natural de Laponia. Ú. t. c. s. || **2.** Perteneciente a este país de Europa. || **3.** m. Lengua hablada por los **lapones.**

Lapso, sa. (Del lat. *lapsus.*) adj. ant. Que ha caído en un delito o error. || **2.** m. Paso o transcurso. || **3.** Curso de un espacio de tiempo. || **4.** Caída en una culpa o error.

Lapsus cálami. expr. lat. que se usa en castellano con su propia significación de error cometido al correr de la pluma.

Lapsus linguae. expr. lat. que se usa en castellano con su propia significación de tropiezo o error de lengua.

Laque. (Voz araucana.) m. *Chile.* **Boleadoras.**

Laqueado, da. adj. Cubierto o barnizado de laca.

Lar. (Del lat. *lar.*) m. *Mit.* Cada uno de los dioses de la casa u hogar. Ú. m. en pl. || **2. Hogar,** 1.ª acep. || **3.** pl. fig. Casa propia u hogar.

Larario. (Del lat. *lararĭum.*) m. Entre los gentiles, lugar destinado en cada casa para adorar los lares o dioses domésticos.

Lardar. tr. **Lardear.**

Lardear. tr. Untar con lardo o grasa lo que se está asando. || **2. Pringar,** 3.ª acep.

Lardero, ra. (Del lat. *lardarius.*) adj. ant. **Graso,** 1.ª acep. || **2.** V. **Jueves lardero.**

Lardo. (Del lat. *lardum.*) m. Lo gordo del tocino. || **2.** Grasa o unto de los animales.

Lardón. (De *ladrón.*) m. *Impr.* Pedacito de papel que por descuido suele quedar en la frasqueta, el cual, al tiempo de tirar el pliego, se interpone entre éste y la forma, y es causa de que no salga estampada alguna parte de él. || **2.** *Impr.* Adición hecha al margen en el original o en las pruebas.

Lardoso, sa. (De *lardo.*) adj. Grasiento, pringoso.

Larga. (De *largo.*) f. Pedazo de suela o de fieltro que ponen los zapateros en la parte posterior de la horma para que salga más largo el zapato. || **2.** El más largo de los tacos de billar. || **3.** Dilación, retardación. Ú. m. con el verbo *dar* y en pl. || **4.** *Tauróm.* Lance que consiste en sacar al toro de la suerte de vara, corriéndolo con el capote extendido a lo largo.

Largamente. adv. m. Con extensión, cumplidamente. || **2.** fig. Con anchura, sin estrechez. *Juan tiene con qué pasarlo* LARGAMENTE. || **3.** fig. Francamente, con liberalidad. *El generoso da* LARGAMENTE. || **4.** adv. t. Por mucho o largo tiempo.

Largar. (De *largo.*) tr. Soltar, dejar libre. Dícese especialmente de lo que es molesto, nocivo o peligroso. || **2.** Aflojar, ir soltando poco a poco. Ú. mucho en la marina. || **3.** *Mar.* Desplegar, soltar una cosa; como la bandera o las velas. || **4.** r. fam. Irse o ausentarse uno con presteza o disimulo. || **5.** *Mar.* Hacerse la nave a la mar, o apartarse de tierra o de otra embarcación.

Largaria. f. ant. Largo o longitud.

Largición. (Del lat. *largitĭo, -ōnis.*) f. desus. Dádiva, regalo, prodigalidad.

Largo, ga. (Del lat. *largus.*) adj. Que tiene más o menos largor. || **2.** Que tiene largor excesivo. || **3.** V. **Anteojo de larga vista.** || **4.** V. **Aristoloquia, cedoaria, felpa, paja, pimienta, vara larga.** || **5.** V. **Larga data, larga fecha.** || **6.** V. **Juego a largo.** || **7.** fig. Liberal, dadivoso. || **8.** fig. Copioso, abundante, excesivo. || **9.** fig. Dilatado, extenso, continuado. || **10.** fig. Pronto, expedito, que hace en abundancia lo que significa el verbo o verbal con que se junta. *Este oficial es* LARGO *en trabajar.* || **11.** fig. y fam. Astuto, listo. || **12.** fig. Aplicado en plural a cualquiera división del tiempo, como días, meses, etc., suele tomarse por muchos. *Estuvo ausente* LARGOS *años.* || **13.** fig. V. **Cuento largo.** || **14.** *Gram.* V. **Sílaba, vocal larga.** || **15.** *Mar.* Arriado, suelto. *Está* LARGO *ese cabo.* || **16.** *Mar.* V. **Boga, mar larga.** || **17.** *Mar.* V. **Viento largo, o a un largo.** || **18.** *Mil.* V. **Paso largo.** || **19.** m. **Largor.** || **20.** *Mús.* Uno de los movimientos fundamentales de la música, que equivale a despacio o lento. || **21.** *Mús.* Composición, o parte de ella, escrita en este movimiento. *Tocar un* LARGO. || **22.** adv. m. Sin escasez, con abundancia. || **A la larga.** m. adv. Según el **largo** de una cosa. *Hay un palo atravesado* A LA LARGA. || **2.** Al cabo, pasado mucho tiempo. || **3.** Lentamente, poco a poco. || **4.** Difusamente, con extensión. || **A lo largo.** m. adv. En sentido de la longitud de una cosa. || **2.** A lo lejos, a mucha distancia. || **3. A la larga,** 4.ª acep. || **A lo más largo.** m. adv. **A lo sumo.** || **Dar cinco de largo.** fr. En el juego de bolos, pasar de la raya hasta donde puede llegar la bola. || **De largo.** m. adv. Con hábitos o vestiduras talares. || **De largo a largo.** m. adv. A todo su largor. || **¡Largo!** o **¡largo de ahí, o de aquí!** expr. con que se manda a una o más personas que se vayan pronto. || **Largo y tendido.** expr. fam. Con profusión. || **Por largo.** m. adv. **Por extenso.**

Largomira. (De *largo* y *mirar.*) m. **Catalejo.**

Largor. (De *largo.*) m. **Longitud,** 1.ª acep.

Largueado, da. (De *largo.*) adj. Listado o adornado con listas.

Larguero, ra. (De *largo.*) adj. ant. **Largo,** 7.ª y 8.ª aceps. Ú. en *Chile.* || **2.** m. Cada uno de los dos palos o barrotes que se ponen a lo largo de una obra de carpintería, ya sea unidos con los demás de la pieza, o ya separados; como los de las camas, ventanas, etc. || **3. Cabezal,** 3.ª acep.

Larguez. f. ant. Largueza.

Largueza. (De *largo.*) f. Largura. || **2.** Liberalidad.

Larguirucho, cha. (despect. de *largo.*) adj. fam. Aplícase a las personas y cosas desproporcionadamente largas respecto de su ancho o de su grueso.

Largura. f. Largor.

Lárice. (Del lat. *larix, -icis.*) m. Alerce.

Laricino, na. adj. Perteneciente al lárice.

Larije. (De *alarije.*) adj. V. **Uva larije.**

Laringe. (Del gr. λάρυγξ, -υγγος.) f. *Zool.* Órgano tubular, constituído por varios cartílagos en la mayoría de los vertebrados, que por un lado comunica con la faringe y por otro con la tráquea. Es rudimentario en las aves y forma parte del aparato de la fonación en los mamíferos.

Laríngeo, a. adj. Perteneciente o relativo a la laringe.

Laringitis. (De *laringe* y el sufijo *itis,* inflamación.) f. Inflamación de la laringe.

Laringología. f. Parte de la patología, que estudia las enfermedades de la laringe.

Laringólogo. m. Especialista dedicado al estudio y tratamiento de las enfermedades de la laringe.

Laringoscopia. (De *laringoscopio.*) f. *Med.* Exploración de la laringe y de partes inmediatas a ella.

Laringoscopio. (Del gr. λάρυγξ, laringe, y σκοπέω, examinar.) m. *Med.* Instrumento que sirve para la laringoscopia.

Larra. (Voz vascuence.) f. *Ál.* **Prado.**

Larva. (Del lat. *larva,* fantasma.) f. *Zool.* Cualquiera de los animales jóvenes que, habiendo salido de las cubiertas del huevo, son aptos para llevar vida libre y presentan una forma que, en general, difiere bastante de la que tendrán cuando adquieran el estado adulto en virtud de metamorfosis más o menos complicadas; como las de insectos, crustáceos, equinodermos, batracios, etc. Son muy voraces. || **2.** ant. Fantasma, espectro, duende.

Larvado, da. (Del lat. *larvātus,* enmascarado.) adj. *Med.* Aplícase a las enfermedades que se presentan con síntomas que ocultan su verdadera naturaleza.

Larval. (Del lat. *larvālis.*) adj. Perteneciente a la larva.

Las. (Del lat. *illas,* pl. f. de *ille.*) Forma del artículo determinado en género femenino y número plural. LAS *cejas.* || **2.** Acusativo del pronombre personal de tercera persona en género femenino y número plural. No admite preposición y puede usarse como sufijo: LAS *miré; mira*LAS. Esta forma, propia del acusativo, no debe usarse en dativo, aunque lo hayan hecho escritores de nota.

Lasaña. (Del ital. *lasagna.*) f. **Oreja de abad,** 1.ª acep.

Lasarse. (Del lat. *lassāre.*) r. ant. Fatigarse, cansarse.

Lasca. (Del ant. alto al. *laska.*) f. Trozo pequeño y delgado desprendido de una piedra. || **2.** ant. **Lancha,** 1.ª acep. || **3.** *And.* **Lonja,** 1.er art., 1.ª acep.

Lascar. (Del lat. *laxāre,* desenvolver, desatar.) tr. *Mar.* Aflojar o arriar muy poco a poco un cabo.

Lascivamente. adv. m. Con lascivia.

Lascivia. (Del lat. *lascivĭa.*) f. Propensión a los deleites carnales. || **2.** ant. Apetito inmoderado de una cosa.

Lascivo, va. (Del lat. *lascīvus.*) adj. Perteneciente a la lascivia o sensualidad. || **2.** Que tiene este vicio. Ú. t. c. s. || **3.** Errático, de movimiento blando y libre; juguetón, alegre.

Lascivoso, sa. (Del lat. *lasciviōsus.*) adj. ant. **Lascivo.**

Lasedad. (De *laso.*) f. ant. **Lasitud.**

Laserpicio. (Del lat. *laserpitium.*) m. Planta herbácea, vivaz, de la familia de las umbelíferas, con tallo rollizo, estriado, poco ramoso, de seis a ocho decímetros de altura; hojas partidas en lóbulos lanceolados, flores blancas, semillas pareadas, ovoideas, algo vellosas, y raíz gruesa y fibrosa. || **2.** Semilla de esta planta.

Lasitud. (Del lat. *lassitūdo.*) f. Desfallecimiento, cansancio, falta de vigor y de fuerzas.

Laso, sa. (Del lat. *lassus.*) adj. Cansado, desfallecido, falto de fuerzas. || **2.** Flojo y macilento. || **3.** Dícese del hilo de lino o cáñamo y de la seda, sin torcer.

Lastar. (Del gót. *laistian,* pagar, ceder.) tr. Suplir lo que otro debe pagar, con el derecho de reintegrarse. || **2.** fig. Padecer en pago de una culpa.

Lástima. (De *lastimar.*) f. Enternecimiento y compasión que excitan los males de otro. || **2.** Objeto que excita la compasión. || **3.** Quejido, lamento, expresión lastimera. || **4.** Cualquiera cosa que cause disgusto, aunque sea ligero. *Es* LÁSTIMA *que no hayamos venido más temprano.* || **Dar,** o **hacer, lástima.** fr. Causar **lástima** o compasión; mover a ella. || **Llorar lástimas.** fr. fig. y fam. Exagerarlas. || **Poner lástima.** fr. Dar **lástima.** || **Quien no quiera ver lástimas, no vaya a la guerra.** ref. que reprende a los que se quejan después de haber buscado el daño voluntariamente.

Lastimador, ra. adj. Dícese de lo que lastima o hace daño.

Lastimadura. f. Acción y efecto de lastimar, 1.ª acep.

Lastimamiento. m. ant. **Lastimadura.**

Lastimar. (Del lat. *blasphemāre,* calumniar, blasfemar, y éste del gr. βλασφημέω.) tr. Herir o hacer daño. Ú. t. c. r. || **2. Compadecer.** || **3.** fig. Agraviar, ofender en la estimación u honra. || **4.** r. Dolerse del mal de uno. || **5.** Quejarse, dar muestras de dolor y sentimiento.

Lastimeramente. adv. m. De un modo lastimero.

Lastimero, ra. adj. Aplícase a las quejas, gemidos, lágrimas y otras demostraciones de dolor que mueven a lástima y compasión. || **2.** Que hiere o hace daño.

Lastimosamente. adv. m. De un modo lastimoso.

Lastimoso, sa. adj. Que mueve a compasión y lástima.

Lasto. (De *lastar.*) m. Recibo o carta de pago que se da al que lasta o paga por otro, para que pueda cobrarse de él.

Lastón. m. Planta perenne de la familia de las gramíneas, cuya caña es de unos seis decímetros de altura, estriada, lampiña y de pocos nudos, y las hojas muy largas, lo mismo que la panoja, cuyos ramos llevan multitud de florecitas con cabillo y con arista.

Lastra. (Del ital. *lastra.*) f. **Lancha,** 1.ª acep.

Lastrar. tr. Poner el lastre a la embarcación. || **2.** fig. Afirmar una cosa cargándola de peso. Ú. t. c. r.

Lastre. (De *lastra.*) m. Piedra de mala calidad y en lajas resquebrajadas, ancha y de poco grueso, que está en la superficie de la cantera, la cual no es a propósito para labrarse, y sólo sirve para las obras de mampostería.

Lastre. (Del ant. al. *last,* peso.) m. Piedra, arena u otra cosa de peso que se pone en el fondo de la embarcación, a fin de que ésta entre en el agua hasta donde convenga. || **2.** fig. Juicio, peso, madurez. *No tiene* LASTRE *aquella cabeza.* || **3.** *Mar.* V. **Buque en lastre.**

Lastrear. tr. desus. **Lastrar.**

Lastrón. m. aum. de **Lastre,** 1.er art.

Lasún. m. **Locha.**

Lata. (Del germ. *latta,* tableta, lancha.) f. **Hoja de lata.** || **2.** Envase hecho de hojalata, con su contenido o sin él. *Una* LATA *de tabaco, de salmón, de pimientos.* || **3.** Tabla delgada sobre la cual se aseguran las tejas. || **4.** Madero, por lo común en rollo y sin pulir, de menor tamaño que el cuartón. || **5.** fam. Discurso o conversación fastidiosa, y, en general, todo lo que causa hastío y disgusto por prolijo o impertinente.

Latae sententiae. expr. lat. V. **Censura, excomunión latae sententiae.**

Latamente. adv. m. Con extensión, larga, difusamente. || **2.** fig. Por ext., en sentido lato.

Latania. (Nombre indígena.) f. Palma de la isla de Borbón, que en Europa se cultiva en invernáculos, con hojas en forma de abanico, de color verde claro y de metro y medio de largo, cuyos pecíolos son de unos dos metros y tienen aguijones verdes hasta la mitad de su longitud.

Latastro. (Del lat. *later,* ladrillo.) m. *Arq.* **Plinto.**

Lataz. (Del gr. λάταξ, nutria.) m. Nutria que vive a orillas del mar Pacífico septentrional. Es muy parecida a la de Europa, aunque algo mayor y de pelo más fino y lustroso.

Latebra. (Del lat. *latĕbra.*) f. Escondrijo, refugio, cueva, madriguera.

Latebroso, sa. (Del lat. *latebrōsus.*) adj. Que se oculta y esconde y no se deja conocer.

Latente. (Del lat. *latens, -entis.*) adj. Oculto y escondido. || **2.** V. **Dolor latente.** || **3.** *Fís.* V. **Calor latente.**

Lateral. (Del lat. *laterālis.*) adj. Perteneciente o que está al lado de una cosa. || **2.** fig. Lo que no viene por línea recta. *Sucesión, línea* LATERAL. || **3.** *Mil.* V. **Paso lateral.** || **4.** *Zool.* V. **Ventrículos laterales.** || **5.** *Fon.* Dícese del sonido articulado en cuya pronunciación la lengua impide al aire espirado su salida normal por el centro de la boca, dejándole paso por los lados; como en la *l* y la *ll.* || **6.** *Fon.* Dícese de la letra que representa este sonido. Ú. t. c. s. f.

Lateralmente. adv. m. De lado. || **2.** De uno y otro lado.

Lateranense. (Del lat. *lateranensis.*) adj. Perteneciente al templo de San Juan de Letrán. *Concilio* LATERANENSE; *padres* LATERANENSES.

Latería. f. *Amér.* **Hojalatería.**

Latero, ra. adj. **Latoso.**

Látex. (Del lat. *latex,* leche.) m. *Bot.* Jugo propio de muchos vegetales, que circula por los vasos laticíferos; es de composición muy compleja y de él se obtienen substancias tan diversas como el caucho, la gutapercha, etc. El de ciertas plantas es venenoso, como el del manzanillo; el de otras muy acre, como el de la higuera común; el del árbol de la leche es dulce y utilizable como alimento.

Laticífero. adj. *Bot.* Dícese de los vasos de los vegetales que conducen el látex.

Latido, da. p. p. de **Latir.** || **2.** m. Ladrido entrecortado que da el perro cuando ve o sigue la caza o cuando de repente sufre algún dolor. || **3.** Golpe producido por la diástole del corazón contra la pared del pecho, y la de las arterias periféricas contra los tejidos que las cubren, el cual puede ser percibido por la vista, el tacto o instrumentos y aparatos adecuados. || **4.** Golpe doloroso que se siente en ciertas partes inflamadas muy sensibles, por la diástole de las arterias que las riegan. || **capilar.** El de algunos vasos capilares, en determinadas dolencias. || **venoso.** El de algunas venas, en casos patológicos.

Latiente. p. a. de **Latir.** Que late.

Latifundio. (Del lat. *latifundium;* de *latus,* ancho, y *fundus,* finca rústica.) m. Finca rústica de gran extensión.

Latifundista. com. Persona que posee uno o varios latifundios.

Latigadera. (De *látigo*.) f. *And.* Soga o correa con que se sujeta el yugo contra el pértigo de la carreta.

Latigazo. m. Golpe dado con el látigo. ‖ **2.** fig. Golpe semejante al **latigazo.** ‖ **3.** Chasquido del látigo. ‖ **4.** fig. Daño impensado que se hace a uno. ‖ **5.** fig. Reprensión áspera e inesperada.

Látigo. m. Azote largo, delgado y flexible, de cuero, cuerda, ballena u otra materia, con que se aviva y castiga a las caballerías especialmente. ‖ **2.** Cordel que sirve para afianzar al peso lo que se quiere pesar. ‖ **3.** Cuerda o correa con que se asegura y aprieta la cincha. ‖ **4.** V. **Cordel de látigo.** ‖ **5.** Pluma que se ponía para adorno sobre el ala del sombrero y lo rodeaba casi todo.

Latiguear. intr. Dar chasquidos con el látigo.

Latigueo. m. Acción de latiguear.

Latiguera. f. **Látigo,** 3.ª acep.

Latiguero. m. El que hace o vende látigos.

Latiguillo. m. d. de **Látigo.** ‖ **2. Estolón,** 2.° art. ‖ **3.** fig. y fam. Exceso declamatorio del actor o del orador que, exagerando la expresión de los afectos, quiere lograr un aplauso. ‖ **4.** V. **Caída de latiguillo.**

Latín. (Del lat. *latine*, en latín.) m. Lengua del Lacio hablada por los antiguos romanos, usada hoy por la Iglesia católica, y de la cual se deriva la española. ‖ **2.** Voz o frase latina empleada en escrito o discurso español. Suele tomarse en mala parte. Ú. m. en pl. ‖ **clásico.** El de los escritores del siglo de oro de la literatura latina. ‖ **moderno.** El empleado en sus obras por los escritores de la Edad Moderna. ‖ **rústico,** o **vulgar.** El hablado por el vulgo de los pueblos latinos, el cual, entre otras particularidades, se distinguía del clásico en tener una sintaxis menos complicada y usar de voces o expresiones no empleadas en éste. ‖ **Bajo latín.** El escrito después de la caída del imperio romano y durante la Edad Media. ‖ **Coger** a uno **en mal latín.** fr. fig. y fam. Cogerle en una falta, culpa o delito. ‖ **Decirle,** o **echarle,** a uno **los latines.** fr. fig. y fam. Casarle; echarle las bendiciones. ‖ **Saber latín,** o **mucho latín.** fr. fig. y fam. Ser astuto o muy avisado.

Latinajo. m. fam. despect. Latín malo y macarrónico. ‖ **2.** fam. despect. **Latín,** 2.ª acep. Ú. m. en pl.

Latinamente. adv. m. En lengua latina.

Latinar. intr. Hablar o escribir en latín.

Latinear. intr. **Latinar.** ‖ **2.** fam. Emplear con frecuencia voces o frases latinas hablando o escribiendo en español.

Latinidad. (Del lat. *latinĭtas, -ātis*.) f. **Latín,** 1.ª acep. ‖ **Baja latinidad. Bajo latín.**

Latiniparla. (De *latín* y *parlar*.) f. Lenguaje de los que emplean voces latinas, aunque españolizadas, hablando o escribiendo en español o en otro idioma que no sea el latino.

Latinismo. m. Giro o modo de hablar propio y privativo de la lengua latina. ‖ **2.** Empleo de tales giros o construcciones en otro idioma.

Latinista. com. Persona versada en la lengua y literatura latinas.

Latinización. f. Acción y efecto de latinizar.

Latinizador, ra. adj. Que latiniza.

Latinizante. p. a. de **Latinizar.** Que latiniza. Ú. t. c. s.

Latinizar. (Del lat. *latinizāre*.) tr. Dar forma latina a voces de otra lengua. ‖ **2.** intr. fam. **Latinear,** 2.ª acep. ‖ **3.** desus. Estudiar latín.

Latino, na. (Del lat. *latīnus*.) adj. Natural del Lacio o de cualquiera de los pueblos italianos de que era metrópoli la antigua Roma. Ú. t. c. s. ‖ **2.** Perteneciente a ellos. ‖ **3.** Que sabe latín. Ú. t. c. s. ‖ **4.** Perteneciente a la lengua latina o propio de ella. ‖ **5.** Aplícase a la Iglesia de Occidente, en contraposición de la griega, y a lo perteneciente a ella. *Los padres de la Iglesia* LATINA; *los ritos* LATINOS. ‖ **6.** V. **Cruz latina.** ‖ **7.** Suele también decirse de los naturales de los pueblos de Europa en que se hablan lenguas derivadas del latín, y de lo perteneciente a ellos. *Los emperadores* LATINOS *de Constantinopla.* ‖ **8.** *Mar.* V. **Vela latina.** ‖ **9.** *Mar.* Dícese de las embarcaciones y aparejos de vela triangular.

Latir. (Del lat. *glattīre*.) intr. Dar latidos el perro. ‖ **2. Ladrar.** ‖ **3.** Dar latidos el corazón, las arterias, y a veces los capilares y algunas venas.

Latirismo. (De *lathyrus sativus*, nombre botánico de la almorta.) m. *Med.* Intoxicación producida por la harina de almorta. Se manifiesta principalmente por parálisis crónica de las piernas.

Latísimamente. adv. Muy latamente.

Latitante. p. a. ant. de **Latitar.** Que está oculto y escondido.

Latitar. (Del lat. *latitāre*, frec. de *latēre*.) intr. ant. Esconderse, ocultarse, andar escondido.

Latitud. (Del lat. *latitūdo*.) f. La menor de las dos dimensiones principales que tienen las cosas o figuras planas, en contraposición a la mayor o longitud. ‖ **2.** Toda la extensión de un reino, provincia o distrito, tanto en ancho como en largo. ‖ **3.** *Astron.* Distancia que hay desde la Eclíptica a cualquier punto considerado en la esfera celeste hacia uno de los polos. ‖ **4.** *Geogr.* Distancia que hay desde un punto de la superficie terrestre al Ecuador, contada por los grados de su meridiano.

Latitudinal. (Del lat. *latitūdo, -ĭnis*, latitud.) adj. Que se extiende a lo ancho.

Latitudinario, ria. (Del lat. *latitūdo, -ĭnis*.) adj. *Teol.* Aplícase al que sostiene que puede haber salvación fuera de la Iglesia católica. Ú. t. c. s.

Latitudinarismo. m. *Teol.* Doctrina de los latitudinarios.

Lato, ta. (Del lat. *latus*.) adj. Dilatado, extendido. ‖ **2.** fig. Aplícase al sentido que por extensión se da a las palabras y no es el que exacta, literal o rigurosamente les corresponde. ‖ **3.** V. **Culpa lata.**

Latón. (De *lata*, hoja de metal.) m. Aleación de cobre y cinc, de color amarillo pálido y susceptible de gran brillo y pulimento.

Latón. m. *Ar.* Almeza o fruto del latonero. Ú. m. en pl.

Latonería. (De *latonero*, 1.er art.) f. Taller donde se fabrican obras de latón. ‖ **2.** Tienda donde se venden.

Latonero. m. El que hace o vende obras de latón.

Latonero. (Del m. or. que *lodoño*.) m. *Ar.* **Almez.**

Latoso, sa. (De *lata*, 3.er art.) adj. Fastidioso, molesto, pesado.

Latréutico, ca. (Del gr. λατρευτικός.) adj. Perteneciente o relativo a la latría.

Latría. (Del lat. *latrīa*, y éste del gr. λατρεία, adoración.) f. Reverencia, culto y adoración que sólo se debe a Dios. Ú. t. c. adj. *Adoración* LATRÍA.

Latrina. f. ant. **Letrina.**

Latrocinante. p. a. de **Latrocinar.** Que latrocina.

Latrocinar. (Del lat. *latrocināri*.) intr. p. us. Dedicarse al robo o latrocinio.

Latrocinio. (Del lat. *latrocinium*.) m. Hurto o costumbre de hurtar o defraudar en sus intereses a los demás.

Latvio, via. adj. Natural de Latvia. Ú. t. c. s. ‖ **2.** Perteneciente a esta república formada de Curlandia, de la parte meridional de Livonia y de otros territorios.

Laucha. (Voz araucana.) f. *Argent.* y *Chile.* **Ratón,** 1.ª acep.

Laúd. (Del ár. *al-'ūd*.) m. Instrumento músico que se toca punteando o hiriendo las cuerdas: su parte inferior es cóncava y prominente, compuesta de muchas tablillas como costillas. ‖ **2.** Embarcación pequeña del Mediterráneo, de un palo con vela latina, botalón con un foque y una mesana a popa. ‖ **3.** Tortuga marina de concha coriácea y con siete líneas salientes a lo largo del carapacho, que se asemejan a las cuerdas del **laúd.** Llega a unos dos metros de largo, habita en el Atlántico y se presenta algunas veces en el Mediterráneo.

Lauda. f. **Laude,** 1.er art.

Laudable. (Del lat. *laudabĭlis*.) adj. Digno de alabanza.

Laudablemente. adv. m. De modo laudable.

Láudano. m. Preparación compuesta de vino blanco, opio, azafrán y otras substancias. ‖ **2.** Extracto de opio. ‖ **3.** ant. **Opio.**

Laudar. (Del lat. *laudāre*.) tr. ant. **Alabar.** ‖ **2.** *For.* Fallar o dictar sentencia el juez árbitro o el amigable componedor.

Laudativamente. adv. m. ant. De un modo laudativo.

Laudativo, va. (Del lat. *laudatīvus*.) adj. ant. **Laudatorio.**

Laudatoria. (Del lat. *laudatoria*, t. f. de *-rius*, laudatorio.) f. Escrito u oración en alabanza de personas o cosas.

Laudatorio, ria. (Del lat. *laudatorius*.) adj. Que alaba o contiene alabanza.

Laude. (Del lat. *lapis, -ĭdis*.) f. Lápida o piedra que se pone en la sepultura, por lo común con inscripción o escudo de armas.

Laude. (Del lat. *laus, laudis*.) f. ant. **Alabanza.** ‖ **2.** pl. Una de las partes del oficio divino, que se dice después de maitines.

Laudemio. (Del b. lat. *laudemium*, y éste del lat. *laus, laudis*.) m. *For.* Derecho que se paga al señor del dominio directo cuando se enajenan las tierras y posesiones dadas a enfiteusis.

Laudo. (De *laudar*.) m. *For.* Decisión o fallo que dictan los árbitros o amigables componedores.

Launa. (Del lat. *lamĭna*; en cat. *llauna*.) f. Lámina o plancha de metal. ‖ **2.** Lámina o plancha de metal usada en las armaduras antiguas para facilitar el juego de las articulaciones. ‖ **3.** Arcilla magnesiana, de color gris, que forma con el agua una pasta homogénea e impermeable, por lo cual se emplea en varias partes de Andalucía para cubrir techos y azoteas.

Lauráceo, a. (De *lauro*.) adj. Parecido al laurel. ‖ **2.** *Bot.* Aplícase a plantas angiospermas dicotiledóneas, arbóreas por lo común, de hojas alternas y a veces opuestas, coriáceas, persistentes y sin estípulas, con flores hermafroditas o dioicas por aborto y dispuestas en umbela o en panoja, y por frutos bayas o drupas de una sola semilla sin albumen; como el laurel común, el árbol de la canela, el alcanforero y el aguacate. Ú. t. c. s. f. ‖ **3.** f. pl. *Bot.* Familia de estas plantas.

Laureado, da. p. p. de **Laurear.** ‖ **2.** adj. Que ha sido recompensado con honor y gloria. Dícese especialmente de los militares que obtienen la cruz de San Fernando, y también de esta insignia. Ú. t. c. s.

Laureando. (Del lat. *laureandus*, el que ha de coronarse de laurel.) m. **Graduando.**

Laurear. (Del lat. *laureāre*.) tr. Coronar con laurel. ‖ **2.** fig. Premiar, honrar.

Lauredal. m. Sitio poblado de laureles.

Laurel. (Del fr. *laurier*, y éste del lat. *laurearius*.) m. Árbol siempre verde, de la familia de las lauráceas, que crece hasta seis o siete metros de altura, con tronco liso, ramas levantadas, hojas coriáceas, persistentes, aromáticas, pecioladas, oblongas, lampiñas, de color verde obscuro, lustrosas por la haz y pálidas por el envés; flores de color blanco verdoso, pequeñas, en grupillos axilares, y fruto en baya ovoidea y negruzca. Las hojas son muy usadas para condimento y entran en algunas preparaciones farmacéuticas, igualmente que los frutos. || **2.** fig. Corona, triunfo, premio. || **alejandrino.** *Bot.* Arbusto siempre verde, de la familia de las liliáceas, que crece hasta seis o siete decímetros de altura, con hojas lanceoladas, de color verde claro; flores pequeñas, verdosas, situadas en el envés de las mismas hojas, y fruto en baya esférica, roja, de un centímetro de diámetro. Fue importado de Alejandría y se cultiva en nuestros jardines. || **cerezo,** o **real. Lauroceraso.** || **rosa. Adelfa.**

Laurente. m. Oficial que en los molinos de papel tiene por cargo principal asistir a las tinas con las formas y hacer los pliegos.

Láureo, a. (Del lat. *laureus*.) adj. De laurel, o de hoja de laurel.

Lauréola [Laureola]. (Del lat. *laureŏla*.) f. Corona de laurel con que se premiaban las acciones heroicas o se coronaban los sacerdotes de los gentiles. || **2. Adelfilla.** || **hembra.** Mata de la familia de las timeleáceas, con tallo ramoso de seis a ocho decímetros de altura; hojas tardías y caedizas, lanceoladas, cuatro veces más largas que anchas, verdes por la haz, garzas por el envés, lampiñas y de pecíolo muy corto; flores precoces, róseas, en hacecillos laterales, y fruto en baya roja. Se ha empleado en medicina como purgante la infusión de la corteza y frutos de esta planta, pero es de uso peligroso. || **macho. Lauréola,** 1.er art., 2.a acep.

Lauréola. f. **Auréola.**

Lauretano, na. (Del lat. *Lauretum*, Loreto.) adj. Perteneciente a Loreto, ciudad de Italia. || **2.** V. **Letanía lauretana.**

Laurífero, ra. (Del lat. *laurĭfer, -ĕri*; de *laurus*, laurel, y *ferre*, llevar.) adj. poét. Que produce o lleva laurel, 2.a acep.

Lauríneo, a. (De *laurino*.) adj. *Bot.* **Lauráceo,** 2.a y 3.a aceps. Ú. t. c. s. f.

Laurino, na. (Del lat. *laurinus*.) adj. Perteneciente al laurel.

Lauro. (Del lat. *laurus*.) m. **Laurel,** 1.a acep. || **2.** fig. Gloria, alabanza, triunfo.

Lauroceraso. (Del lat. *laurus*, laurel, y *cerăsus*, cereza.) m. Árbol exótico de la familia de las rosáceas, con tronco ramoso de tres a cuatro metros de altura, copa espesa, hojas coriáceas, oblongas, elipsoidales, lustrosas, aserradas por el margen y de color verde obscuro; flores blancas en espigas empinadas y axilares, y fruto semejante a la cereza. Se cultiva en Europa y de sus hojas se obtiene por destilación una agua muy venenosa que se usa en medicina y perfumería.

Laus Deo. loc. lat. que significa gloria a Dios, y se emplea al terminar una obra.

Lautamente. adv. m. p. us. **Espléndidamente.**

Lauto, ta. (Del lat. *lautus*.) adj. p. us. Rico, espléndido, opulento.

Lava. (Del ital. *lava*.) f. Materias derretidas o en fusión que salen de los volcanes al tiempo de la erupción, formando arroyos encendidos. Fría y en estado sólido, se emplea en la construcción de edificios y en otros usos.

Lava. (De *lavar*.) f. *Min.* Operación de lavar los metales para limpiarlos de impurezas.

Lavabo. (Del lat. *lavābo*, lavaré, primera palabra del versículo 6.° del salmo XXV, que se dice en el ofertorio de la misa.) m. Mesa comúnmente de mármol, con jofaina y demás recado para la limpieza y aseo personal. || **2.** Cuarto dispuesto para este aseo.

Lavacaras. (De *lavar* y *cara*.) com. fig. y fam. Persona aduladora.

Lavación. (Del lat. *lavatĭo, -ōnis*.) f. Lavadura o loción. Ú. m. en *Farm.*

Lavacro. (Del lat. *lavacrum*.) m. desus. **Baño,** 1.er art., 1.a, 2.a y 3.a aceps.

Lavada. f. **Lavado,** 2.a acep.

Lavadero. m. Lugar en que se lava. || **2.** ant. **Aljerifero.** || **3.** *Amér.* Paraje del lecho de un río o arroyo, donde se recogen arenas auríferas y se lavan allí mismo agitándolas en una batea.

Lavadientes. (De *lavar* y *diente*.) m. p. us. **Enjuague,** 3.a acep.

Lavado, da. p. p. de **Lavar.** || **2.** m. **Lavadura,** 1.a acep. || **3.** Pintura a la aguada hecha con un solo color.

Lavador, ra. (Del lat. *lavātor*.) adj. Que lava. Ú. t. c. s. || **2.** m. Instrumento de hierro que sirve para limpiar las armas de fuego; es cilíndrico y largo a proporción del arma que se ha de lavar. || **3.** ant. **Lavadero,** 1.a acep.

Lavadura. f. **Lavamiento,** 1.a acep. || **2. Lavazas.** || **3.** Composición que se hace con agua, aceite y huevos, batiéndolos juntos, y en la cual se templa la piel de que se hacen los guantes.

Lavafrutas. m. Recipiente con agua que se pone en la mesa al final de la comida para lavar algunas frutas y enjuagarse los dedos.

Lavajal. m. ant. **Lavajo.**

Lavaje. (De *lavar*.) m. Lavado de las lanas.

Lavajo. (De *navajo*.) m. Charca de agua llovediza, que rara vez se seca.

Lavamanos. m. Depósito de agua con caño, llave y pila para lavarse las manos.

Lavamiento. m. Acción y efecto de lavar o lavarse. || **2. Lavativa,** 1.a acep.

Lavanco. (De *lavar*.) m. Pato bravío.

Lavandería. (De *lavandero*.) f. ant. **Lavadero,** 1.a acep. || **2.** Establecimiento industrial para el lavado de la ropa.

Lavandero, ra. m. y f. Persona que tiene por oficio lavar la ropa.

Lavándula. (Del lat. *lavanda*, t. f. de *-dus*, p. de fut. de *lavāre*.) f. **Espliego.**

Lavaojos. m. Copita de cristal cuyo borde tiene forma adecuada para adaptarse a la órbita del ojo con el fin de aplicar a éste un líquido medicamentoso.

Lavar. (Del lat. *lavāre*.) tr. Limpiar una cosa con agua u otro líquido. Ú. t. c. r. || **2.** Dar los albañiles la última mano al blanqueo, bruñéndolo con un paño mojado. || **3.** Dar color con aguadas a un dibujo. || **4.** fig. Purificar, quitar un defecto, mancha o descrédito. || **5.** *Min.* Purificar los minerales por medio del agua.

Lavativa. (De *lavativo*.) f. **Ayuda,** 5.a acep. || **2.** Jeringa o cualquier instrumento manual, de forma varia y de una u otra materia, que puede servir para echar ayudas o clisteres. || **3.** fig. y fam. Molestia, incomodidad.

Lavativo, va. adj. ant. Que lava o tiene virtud de lavar y limpiar.

Lavatorio. (Del lat. *lavatorium*.) m. Acción de lavar o lavarse. || **2.** Ceremonia de lavar los pies a algunos pobres, que se hace el Jueves Santo. || **3.** Ceremonia que hace el sacerdote en la misa lavándose los dedos después de haber preparado el cáliz. || **4.** Cocimiento medicinal para limpiar una parte externa del cuerpo. || **5. Lavamanos.**

Lavazas. f. pl. Agua sucia o mezclada con las impurezas de lo que se lavó en ella.

Lave. (De *lavar*.) m. *Min.* **Lava,** 2.° art.

Lavija. f. *And.* **Clavija.**

Lavijero. m. *And.* **Clavijero.**

Lavotear. tr. fam. Lavar aprisa, mucho y mal. Ú. t. c. r.

Lavoteo. m. Acción de lavotear o lavotearse.

Laxación. (Del lat. *laxatĭo, -ōnis*.) f. Acción y efecto de laxar.

Laxamiento. (Del lat. *laxamentum*.) m. Laxación o laxitud.

Laxante. p. a. de **Laxar.** Que laxa. || **2.** m. Medicamento para mover el vientre.

Laxar. (Del lat. *laxāre*.) tr. Aflojar, ablandar, disminuir la tensión de una cosa. Ú. t. c. r.

Laxativo, va. (Del lat. *laxatīvus*.) adj. Que laxa o tiene virtud de laxar. Ú. t. c. s. m.

Laxidad. (Del lat. *laxĭtas, -ātis*.) f. **Laxitud.**

Laxismo. m. Sistema o doctrina en que domina la moral laxa o relajada.

Laxista. com. Partidario o secuaz del laxismo.

Laxitud. f. Calidad de laxo. LAXITUD *de las fibras.*

Laxo, xa. (Del lat. *laxus*.) adj. Flojo o que no tiene la tensión que naturalmente debe tener. || **2.** fig. Aplícase a la moral relajada, libre o poco sana. *Las opiniones* LAXAS *de algunos casuistas.*

Lay. (Del fr. *lai*, y éste del irlandés *laid*, canción.) m. Composición poética de los provenzales y de los franceses, destinada a relatar una leyenda o historia de amores, generalmente en versos cortos.

Laya. (Del vasc. *laya*.) f. Pala fuerte de hierro con cabo de madera, que sirve para labrar la tierra y revolverla. A veces lleva dos o más puntas, y en la parte superior del cabo tiene una manija atravesada, que se ase con ambas manos para apretar con ellas al mismo tiempo que se aprieta con el pie sobre la hoja.

Laya. (Del fr. *laie*, y éste del germ. *laida*, camino.) f. Calidad, especie, género. *Esto es de la misma* LAYA, *o de otra* LAYA.

Layador, ra. m. y f. Persona que laya.

Layar. tr. Labrar la tierra con la laya, 1.er art.

Layetano, na. (Del lat. *laietānus*.) adj. Natural de la Layetania. Ú. t. c. s. || **2.** Perteneciente a esta región de la España Tarraconense, situada en la costa de Cataluña, entre el río Tordera y el Llobregat.

Lazada. (De *lazo*.) f. Atadura o nudo que se hace con hilo, cinta o cosa semejante, de manera que tirando de uno de los cabos pueda desatarse con facilidad. || **2. Lazo,** 1.a acep.

Lazar. (Del lat. *laqueāre*, enlazar.) tr. Coger o sujetar con lazo.

Lazareto. (Del veneciano *lazareto*, ant. *nazareto*, de *Nazareth*, infl. por *lázaro*.) m. Hospital o lugar fuera de poblado, que se destina para hacer la cuarentena los que vienen de parajes infestados o sospechosos de enfermedad contagiosa. || **2.** Hospital de leprosos.

Lazarillo. (d. de *Lázaro*, n. p. Tomóse del principal personaje de la novela *Lazarillo de Tormes*, que siendo adolescente servía de guía a un ciego.) m. Muchacho que guía y dirige a un ciego.

Lazarino, na. (De *lázaro*.) adj. Que padece el mal de San Lázaro. Ú. t. c. s.

Lazarista. m. El que pertenece a la orden hospitalaria de San Lázaro, dedicada a asistir a los leprosos.

Lázaro. (De *Lázaro*, el mendigo de la parábola evangélica de San Lucas, XVI.) adj. ant. **Lazarino.** Usáb. t. c. s. Ú. en *Venez.* || **2.** m. Pobre andrajoso. || **Estar hecho un Lázaro.** fr. Estar cubierto de llagas.

Lazaroso, sa. (De *lázaro*.) adj. **Lazarino.** Ú. t. c. s. || **2.** V. **Hierba de los lazarosos.**

Lazdrar. intr. ant. **Lazrar.**

Lazo. (Del lat. *laquĕus*.) m. Atadura o nudo de cintas o cosa semejante que sirve de adorno, y se hace formando unas como hojas y dejando a veces los dos cabos sueltos y pendientes. || **2.** Adorno hecho de un metal, con piedras o sin ellas, imitando al **lazo** de la cinta. || **3.** Diseño o dibujo que se hace con boj, arrayán u otras plantas en los cuadros de los jardines. || **4.** Cualquiera de los enlaces artificiosos y figurados que hacen los danzantes y los que bailan contradanzas. || **5. Lazada,** 1.ª acep. LAZO *corredizo.* || **6.** Cuerda de hilos de alambre retorcido con su lazada corrediza que, asegurada en el suelo con una estaquilla, sirve para coger conejos. Hácese también de cerda para cazar perdices y otras aves. || **7.** Cuerda o trenza con una lazada corrediza en uno de sus extremos, que sirve para sujetar a ciertos animales, como toros, caballos, etc., arrojándosela a los pies o a la cabeza. || **8.** Cordel con que se asegura la carga. || **9.** En la ballestería, rodeo que con los caballos se hace a la res para precisarla a ponerse a tiro del que la espera, engañándola y haciéndola huir por la parte en que no se ha dejado rastro. || **10.** fig. Ardid o artificio engañoso; asechanza. || **11.** fig. Unión, vínculo, obligación. || **12.** *Arq.* Adorno de líneas y florones enlazados unos con otros que se hace en las molduras, frisos y otras cosas. || **ciego.** El que se emplea en la ballestería para cazar las reses sin verlas. || **Armar lazo.** fr. fig. y fam. Poner asechanzas; usar de una treta o artificio para engañar a uno. || **Caer** uno **en el lazo.** fr. fig. y fam. Ser engañado con un ardid o artificio. || **Con el lazo a la garganta.** fr. fig. **Con la soga a la garganta.** || **Meter el lazo al pie.** fr. fig. ant. **Armar lazo.** || **Roer** uno **el lazo.** fr. fig. y fam. Huir del aprieto o peligro en que estaba. || **Tender** a uno **un lazo.** fr. fig. Atraerle con engaño para causarle perjuicio.

Lazradamente. adv. m. ant. Con laceria o trabajo.

Lazrador. (De *lazrar.*) m. ant. El que padece y sufre trabajos y miserias.

Lazrar. (De *lacerar,* 2.° art.) intr. ant. Padecer y sufrir trabajos y miserias.

Lazulita. f. **Lapislázuli.**

Le. (Del lat. *illi,* dat. de *ille.*) Dativo del pronombre personal de tercera persona en género masculino o femenino y número singular: LE *dije; dijeLE.* Úsase también como acusativo del mismo pronombre en igual número y sólo en género masculino. No admite preposición, y en ambos oficios se puede usar como sufijo: LE *seguí; sígueLE.*

Leal. (Del lat. *legālis.*) adj. Que guarda a personas o cosas la debida fidelidad. Ú. t. c. s. || **2.** Aplícase igualmente a las acciones propias de un hombre fiel y de buena ley. || **3.** Aplícase a algunos animales domésticos, como el perro y el caballo, que muestran al hombre cierta especie de amor, fidelidad y reconocimiento. || **4.** Aplícase a las caballerías que no son falsas. || **5.** Fidedigno, verídico, legal y fiel, en el trato o en el desempeño de un oficio o cargo. || **De los leales se hinchen los hospitales.** ref. con que se denota que a las personas más acreedoras a los premios y mercedes, se las suele dejar abandonadas a su escasa fortuna. || **No vive más el leal que cuanto quiere el traidor.** ref. con que se advierte que el hombre sincero y franco está expuesto a las asechanzas y tiros del alevoso.

Lealdad. f. ant. **Lealtad.**

Lealmente. adv. m. Con lealtad. || **2.** Con legalidad, con la debida buena fe.

Lealtad. (Del lat. *legalĭtas, -ātis.*) f. Cumplimiento de lo que exigen las leyes de la fidelidad y las del honor y hombría de bien. || **2.** Amor o gratitud que muestran al hombre algunos animales; como el perro y el caballo. || **3.** Legalidad, verdad, realidad.

Lealtanza. f. ant. **Lealtad.**

Lebaniego, ga. adj. Natural de Liébana. Ú. t. c. s. || **2.** Perteneciente a esta comarca de la provincia de Santander.

Lebeche. (Del ár. *labăŷ,* viento entre poniente y ábrego.) m. En el litoral del Mediterráneo, viento sudoeste.

Lebení. (Del ár. *labanī,* perteneciente o relativo a la leche.) m. Bebida moruna que se prepara con leche agria.

Leberquisa. (Del al. *leberkies;* de *leber,* hígado, por el color, y *kies,* pirita.) f. **Pirita magnética.**

Lebrada. f. Cierto guiso de liebre.

Lebrasta. f. ant. **Lebrasto.**

Lebrasto. m. ant. **Lebrato.**

Lebrastón. (De *lebrasto.*) m. **Lebrato.**

Lebrato. m. Liebre nueva o de poco tiempo.

Lebratón. m. **Lebrato.**

Lebrel, la. (Del fr. *levrier,* y éste del lat. *leporarĭus,* lebrero.) adj. V. **Perro lebrel.** Ú. t. c. s. || **2.** V. **Montero de lebrel.** || **3.** pl. *Astron.* Constelación boreal situada entre la Osa Mayor y el Boyero.

Lebrero, ra. (Del lat. *leporarĭus,* de *lepus, -ŏris,* liebre.) adj. Aficionado a las cacerías o carreras de liebres. || **2.** V. **Perro lebrero.** Ú. t. c. s.

Lebrijano, na. adj. Natural de Lebrija. Ú. t. c. s. || **2.** Perteneciente a esta villa.

Lebrillo. (Del lat. *labēllum,* vasija, infl. por *labrum.*) m. Vasija de barro vidriado, de plata u otro metal, más ancha por el borde que por el fondo, y que sirve para lavar ropa, para baños de pies y otros usos.

Lebrón. m. aum. de **Liebre.** || **2.** fig. y fam. Hombre tímido y cobarde.

Lebroncillo. (De *lebrón.*) m. **Lebrato.** || **2.** ant. **Dado,** 1.er art., 1.ª acep.

Lebruno, na. adj. Perteneciente a la liebre o semejante a ella.

Lecanomancia [~**mancía**]. (Del gr. λεκανομαντεία; de λεκάνη, zafa, lebrillo, y μαντεία, adivinación.) f. Arte supersticioso de adivinar por el sonido que hacen las piedras preciosas u otros objetos al caer en una zafa.

Lección. (Del lat. *lectĭo, -ōnis.*) f. **Lectura,** 1.ª acep. || **2.** Inteligencia de un texto, según parecer de quien lo lee o interpreta, o según cada una de las distintas maneras en que se halla escrito. || **3.** Cualquiera de los trozos o lugares tomados de la Escritura, Santos Padres o actas sobre la vida de los santos, que se rezan o cantan en la misa y en los maitines al fin de cada nocturno. || **4.** Instrucción o conjunto de los conocimientos teóricos o prácticos que en cada vez da a los discípulos el maestro de una ciencia, arte, oficio o habilidad. || **5.** Cada uno de los capítulos o partes en que están divididos algunos escritos. || **6.** Todo lo que en cada vez señala el maestro al discípulo para que lo estudie. || **7.** Discurso que en las oposiciones a cátedras o beneficios eclesiásticos y en otros ejercicios literarios se compone dentro de un término prescrito, sobre un punto, que de ordinario se saca por suerte, y después se expone públicamente. || **8.** fig. Cualquiera amonestación, acontecimiento, ejemplo o acción ajena que nos enseña el modo de conducirnos. || **Dar la lección.** fr. Decirla el discípulo al maestro. || **Dar lección.** fr. Explicarla el maestro. || **Dar** a uno **una lección.** fr. fig. Hacerle comprender la falta que ha cometido, corrigiéndole hábil o duramente. || **Echar lección.** fr. Señalarla a los discípulos. || **Tomar la lección.** fr. Oírsela el maestro al discípulo, por lo regular con el libro o materia delante, para ver si la sabe. || **2.** fig. Aprender de otro, o para escarmiento o para gobierno propio. || **Tomar lección.** fr. Ejecutar con el maestro una habilidad o arte que se está aprendiendo, para irse adiestrando en ella.

Leccionario. m. Libro de coro que contiene las lecciones de maitines.

Leccionista. com. Maestro o maestra que da lecciones en casas particulares.

Leción. f. ant. **Lección.**

Lecionario. m. ant. **Leccionario.**

Lectisternio. (Del lat. *lectisternĭum.*) m. Culto que los romanos gentiles tributaban a sus dioses, o en acción de gracias o para implorar sus auxilios, y se reducía a poner dentro de un templo una mesa con manjares, y alrededor de ella unos bancos, donde colocaban las estatuas de aquellas deidades que ellos suponían convidadas al banquete.

Lectivo, va. (Del lat. *lectum,* supino de *legĕre,* leer.) adj. Aplícase al tiempo y días destinados para dar lección en las universidades y demás establecimientos de enseñanza.

Lector, ra. (Del lat. *lector, -ōris.*) adj. Que lee. Ú. t. c. s. || **2.** m. El que en las comunidades religiosas tiene el empleo de enseñar filosofía, teología o moral. || **3.** Clérigo que en virtud de su orden se empleaba antiguamente en enseñar a los catecúmenos y neófitos los rudimentos de la religión católica, y en leer el lugar de la Escritura sobre que el obispo iba a predicar a los fieles. || **4.** En la enseñanza de idiomas extranjeros, profesor auxiliar cuya lengua materna es la que se enseña. || **5.** ant. Catedrático o maestro que enseñaba una facultad.

Lectorado. m. Orden de lector, que es la segunda de las menores.

Lectoral. (De *lector.*) adj. V. **Canónigo lectoral.** Ú. t. c. s. || **2.** V. **Canonjía lectoral.** Ú. t. c. s.

Lectoralía. f. **Canonjía lectoral.**

Lectoría. f. En las comunidades religiosas, empleo de lector.

Lectuario. m. ant. **Letuario.**

Lectura. (Del lat. *lectūra.*) f. Acción de leer. || **2.** Obra o cosa leída. *Las malas* LECTURAS *pervierten el corazón y el gusto.* || **3.** En las universidades, tratado o materia que un catedrático o maestro explica a sus discípulos. || **4. Lección,** 2.ª y 7.ª aceps. || **5.** En algunas comunidades religiosas, **lectoría.** || **6.** Cultura o conocimiento de una persona. || **7.** Letra de imprenta que es de un grado más que la de entredós, y de uno menos que la atanasia. Hay **lectura** chica y **lectura** gorda; ambas se funden a un mismo cuerpo, pero la chica tiene el ojo más pequeño que la gorda.

Lecha. (De *leche.*) f. Licor seminal de los peces. || **2.** Cada una de las dos bolsas que lo contienen.

Lechada. (De *leche,* por el color.) f. Masa muy fina de sola cal o solo yeso, o de cal mezclada con arena, o de yeso junto con tierra, que sirve para blanquear paredes y para unir piedras o hiladas de ladrillo. || **2.** Masa suelta a que se reduce el trapo moliéndolo para hacer papel. || **3.** Líquido que tiene en disolución cuerpos insolubles muy divididos.

Lechal. (De *leche.*) adj. Aplícase al animal de cría que mama. Ú. t. c. s. || **2. Lechoso,** 2.ª acep. || **3.** m. Este mismo zumo.

Lechar. (Del lat. *lactāris.*) adj. **Lechal,** 1.ª y 2.ª aceps. || **2.** Aplícase a la hembra cuyos pechos tienen leche. || **3.** Que cría o tiene virtud para criar leche en las hembras de especies vivíparas. || **4.** V. **Cardo lechar.**

Lechaza. f. **Lecha.**

Leche. (Del lat. *lac, lactis.*) f. Líquido blanco que segregan las mamas de las hembras de los mamíferos, el cual contiene cantidades variables de hidratos de carbono, grasas y proteínas, que sirven de alimento a los hijos o crías. || **2.** *Bot.* **Látex.** || **3.** Jugo blanco que se extrae de algunas semillas menudas y parduscas. Su látex, que es abundante y acre, se ha usado en medicina. Hay diversas especies, en general herbáceas. || **4.** Con la prep. *de* y algunos nombres de animales, significa que éstos maman todavía. *Ternera, cochinillo de* LECHE. || **5.** Con la prep. *de* y algunos nombres de hembras de animales vivíparos, significa que éstas se tienen para aprovecharse de la **leche** que dan. *Burras, vacas de* LECHE. || **6.** V. **Ama, capón, cuenta, diente, hermano, hijo, madre, rayo de leche.** || **7.** V. **Mar en leche.** || **8.** fig. Primera educación o enseñanza que se da a uno, tanto sobre costumbres como sobre ciencias y artes. || **9.** fig. y fam. V. **Escarabajo, mosca en leche.** || **10.** *Quím.* V. **Azúcar de leche.** || **de canela.** Aceite de canela disuelto en vino. || **de gallina.** Planta herbácea, anual, de la familia de las liliáceas, con tallo central de dos a cuatro decímetros, hojas radicales, caídas, largas, lineales, con una canal blanca en toda su longitud; flores en corimbo que ocupa más de la mitad del escapo, con pedúnculos desiguales y corola por fuera verdosa y por dentro blanca como la **leche,** y fruto capsular con algunas semillas globosas. || **de los viejos.** fig. y fam. **Vino.** || **de pájaro. Leche de gallina.** || **de tierra. Magnesia.** || **virginal.** Licor blanco que sirve para afeite del rostro, y que se prepara mezclando algunas gotas de tintura de benjuí con suficiente cantidad de agua. || **Como una leche.** loc. fam. con que se denota que un manjar cocido o asado está muy tierno. || **Dar a leche.** fr. Entregar un ganadero a otro un rebaño de ovejas para que las ordeñe y mantenga por su cuenta, abonando al dueño un tanto por cabeza. || **Estar uno con la leche en los labios.** fr. fig. y fam. Faltarle, por ser joven, aquellos conocimientos del mundo que traen consigo la experiencia o la edad madura. || **2.** fig. y fam. Hacer poco tiempo que dejó de ser discípulo en una facultad o profesión; ser principiante, no estar versado o ejercitado en ella. || **Estar en leche.** fr. fig. Hablando de plantas o frutos, estar todavía formándose o cuajándose, o faltarles aún bastante para su madurez o sazón. || **2.** Hablando del mar, estar tranquilo y sosegado. || **La leche sale del hueso y no del hueso.** ref. de nodrizas, que alude a la necesidad de alimentarse bien las mujeres que crían. || **Lo que en la leche se mama, en la mortaja se derrama.** ref. con que se denota que todo cuanto se infunde e imprime en los primeros años, suele arraigar de manera que se retiene toda la vida. || **Mamar** uno una cosa **en la leche.** fr. fig. y fam. Aprenderla en los primeros años de la vida; adquirirla, contraerla entonces. || **Pedir leche a las Cabrillas.** fr. fig. Pedir imposibles. || **Tener, o traer,** uno **la leche en los labios.** fr. fig. y fam. **Estar con la leche en los labios.**

Lechecillas. (d. de *leches.*) f. pl. Mollejas de cabrito, cordero, ternera, etc. || **2. Asadura,** 1.ª acep.

Lechera. (De *lechero.*) f. La que vende leche. || **2.** Vasija en que se tiene la leche. || **3.** Vasija en que se sirve. || **amarga. Polígala.**

Lechera. (Del lat. *lectuaria,* t. f. de *-rius,* de *lectus,* lecho.) f. ant. **Litera,** 1.ª acep. || **2.** ant. **Lechiga,** 1.ª acep. || **3.** ant. *Mil.* **Explanada,** 5.ª acep.

Lechería. (De *lechero.*) f. Sitio o puesto donde se vende leche.

Lechero, ra. (Del lat. *lactarius.*) adj. Que contiene leche o tiene algunas de sus propiedades. || **2.** Aplícase a las hembras de animales, que se tienen para que den leche; como ovejas, cabras, etc. || **3.** V. **Cardo lechero.** || **4.** fam. Logrero, cicatero. || **5.** m. El que vende leche.

Lecherón. m. *Ar.* Vasija en que los pastores recogen la leche. || **2.** *Ar.* Mantilla de bayeta o de otra tela de lana en que se envuelven los niños luego que nacen.

Lechetrezna. f. Planta de la familia de las euforbiáceas, con tallo ramoso de cuatro a cinco decímetros de altura, hojas alternas, aovadas, obtusas y serradas por el margen; flores amarillentas en umbelas poco pobladas, fruto capsular con tres divisiones, y semillas menudas y parduscas. Su jugo es lechoso, acre y mordicante y se ha usado en medicina. Hay diversas especies, en general herbáceas.

Lechiga. (Del lat. *lectica,* litera, cama portátil.) f. ant. Féretro o andas en que se llevaban los cadáveres a enterrar. || **2.** ant. Cama o lecho que servía para dormir y descansar.

Lechigada. (De *lechiga,* cama.) f. Conjunto de animalillos que han nacido de un parto y se crían juntos en un mismo sitio. || **2.** fig. y fam. Compañía o cuadrilla de personas, por lo común gente baja o picaresca, de una misma profesión o de un mismo género de vida.

Lechigado, da. (De *lechiga,* cama.) adj. ant. Acostado en la cama.

Lechín. adj. Dícese de una especie de olivo que se cultiva en tierra de Écija, y produce mucha aceituna y muy abundante de aceite. Ú. t. c. s. m. || **2.** Dícese de la aceituna de este olivo. || **3. Lechino,** 2.ª acep.

Lechino. (Del lat. *licinium.*) m. Clavo de hilas que se coloca en lo interior de las úlceras y heridas para facilitar la supuración. || **2.** Grano o divieso pequeño, puntiagudo y lleno de aguadija y materia, que les sale a las caballerías sobre la piel.

Lecho. (Del lat. *lectum.*) m. Cama con colchones, sábanas, etc., para descansar y dormir. || **2.** Especie de escaño en que los orientales y romanos se reclinaban para comer. || **3. Cama,** 1.er art., 6.ª acep. || **4.** fig. En los carros o carretas, **cama,** 1.er art., 9.ª acep. || **5.** fig. Madre de río, o terreno por donde corren sus aguas. || **6.** fig. **Fondo,** con relación al del mar, o al de un lago. || **7.** fig. Porción de algunas cosas que están o se ponen extendidas horizontalmente sobre otras. || **8.** ant. V. **Mar en lecho.** || **9.** ant. fig. **Lechiga,** 1.ª acep. || **10.** *Arq.* Superficie de una piedra sobre la cual se ha de asentar otra. || **11.** *Geol.* **Estrato,** 1.ª acep. || **Abandonar el lecho.** fr. **Levantarse,** 28.ª y 29.ª aceps.

Lechón. (De *leche.*) m. Cochinillo que todavía mama. || **2.** Por ext., puerco macho de cualquier tiempo. || **3.** fig. y fam. Hombre sucio, puerco, desaseado. Ú. t. c. adj.

Lechona. f. Hembra del lechón, 2.ª acep. || **2.** fig. y fam. Mujer sucia, puerca, desaseada. Ú. t. c. adj.

Lechosa. (De *leche.*) f. **Papaya.**

Lechoso, sa. (Del lat. *lactōsus.*) adj. Que tiene cualidades o apariencia de leche. || **2.** Aplícase a las plantas y frutos que tienen un jugo blanco semejante a la leche. || **3.** m. **Papayo.**

Lechuga. (Del lat. *lactūca.*) f. Planta herbácea de la familia de las compuestas, con tallo ramoso de cuatro a seis decímetros de altura; hojas grandes, radicales, blandas, nerviosas, trasovadas, enteras o serradas; flores en muchas cabezuelas y de pétalos amarillentos, y fruto seco, gris, comprimido, con una sola semilla. Es originaria de la India, se cultiva en las huertas y hay de ella muchas variedades; como la repollada, la de oreja de mula, la rizada, la flamenca, etc. Las hojas son comestibles, y del tallo se puede extraer abundante látex, agradable al gusto. || **2. Lechuguilla,** 3.ª acep. || **3.** Cada uno de los fuellecillos formados en la tela a semejanza de las hojas de **lechuga.** || **romana.** Variedad de la cultivada. || **silvestre.** *Bot.* Planta de la familia de las compuestas, semejante a la **lechuga,** pero con tallo que llega a dos metros de altura, hojas largas, casi elípticas, recortadas en senos profundos y con aguijones en el nervio central; flores muy amarillas, y frutos negros con un piquillo blanco. Es planta común en España, de látex abundante, muy amargo y de olor desagradable, que se emplea en substitución del opio. || **Como una lechuga.** fr. fig. y fam. que se dice de la persona que está muy fresca y lozana. || **Esa lechuga no es de su huerto.** expr. fig. y fam. con que se moteja al que se apropia de las agudezas o invenciones de otro. || **Ser más fresco que una lechuga.** fr. fig. Dícese del que es muy descarado.

Lechugado, da. adj. Que tiene forma o figura de hoja de lechuga.

Lechuguero, ra. (Del lat. *lactucarius.*) m. y f. Persona que vende lechugas.

Lechuguilla. (d. de *lechuga.*) f. Lechuga silvestre. || **2. Cuello alechugado.** || **3.** Cierto género de cabezones o puños de camisa muy grandes y bien almidonados, y dispuestos por medio de moldes en figura de hojas de lechuga; moda que se estiló mucho durante el reinado de Felipe II.

Lechuguina. (De *lechuguino.*) f. fig. y fam. Mujer joven que se compone mucho y sigue rigurosamente la moda. Ú. t. c. adj.

Lechuguino. m. Lechuga pequeña antes de ser trasplantada. || **2.** Conjunto de **lechuguinos,** 1.ª acep. || **3.** fig. y fam. Muchacho imberbe que se mete a galantear aparentando ser hombre hecho. Ú. t. c. adj. || **4.** fig. y fam. Hombre joven que se compone mucho y sigue rigurosamente la moda. Ú. t. c. adj.

Lechuza. f. Ave rapaz y nocturna, de unos 35 centímetros de longitud desde lo alto de la cabeza hasta la extremidad de la cola, y próximamente el doble de envergadura, con plumaje muy suave, amarillento, pintado de blanco, gris y negro en las partes superiores, y blanco de nieve en el pecho, vientre, patas y cara; cabeza redonda, pico corto y encorvado en la punta, ojos grandes, brillantes y de iris amarillo, cara circular, cola ancha y corta y uñas negras. Es frecuente en España, resopla con fuerza cuando está parada, y da un graznido estridente y lúgubre cuando vuela. Se alimenta ordinariamente de insectos y de pequeños mamíferos roedores. || **2.** fig. Mujer que se asemeja a la **lechuza** en alguna de sus propiedades. Ú. t. c. adj. || **3.** *Germ.* Ladrón que hurta de noche.

Lechuzo. (De *lechuza.*) m. fig. y fam. El que anda en comisiones, y se envía a los lugares a ejecutar los despachos de apremios y otros semejantes. || **2.** fig. y fam. Hombre que se asemeja a la lechuza en alguna de sus propiedades. Ú. t. c. adj.

Lechuzo, za. (De *leche.*) adj. Dícese del muleto que no tiene un año. Ú. t. c. s.

Ledamente. adv. m. Con alegría, o plácidamente. Ú. m. en poesía.

Ledanía. (Del lat. *litania.*) f. ant. **Letanía.**

Ledanía. (Del lat. *limitanĕa,* t. f. de *-nĕus,* de *limes,* límite.) f. ant. **Límite.**

Ledo, da. (Del lat. *laetus.*) adj. Alegre, contento, plácido. Ú. m. en poesía.

Ledona. (Del lat. *ledo, -ōnis.*) f. ant. *Mar.* Flujo diario del mar.

Ledro, dra. (Tal vez metát. de *lerdo.*) adj. *Germ.* Bajo, ruin, despreciable. || **2.** *Germ.* V. **Bracio ledro.**

Leedor, ra. (De *leer.*) adj. **Lector,** 1.ª acep. Ú. t. c. s.

Leer. (Del lat. *legĕre.*) tr. Pasar la vista por lo escrito o impreso, haciéndose cargo del valor y significación de los caracteres empleados, pronúnciense o no las palabras representadas por estos caracteres. ‖ **2.** Enseñar o explicar un profesor a sus oyentes alguna materia sobre un texto. ‖ **3.** Entender o interpretar un texto de este o del otro modo. ‖ **4.** Decir en público el discurso llamado lección, en las oposiciones y otros ejercicios literarios. ‖ **5.** Tratándose de música, pasar la vista por el papel en que está representada, haciéndose cargo del valor de las notas. ‖ **6.** fig. Penetrar el interior de uno por lo que exteriormente aparece, o venir en conocimiento de una cosa oculta que le haya sucedido. ‖ **Leer de extraordinario.** fr. En las universidades era explicar un bachiller en leyes o cánones, nombrado por el claustro, a los estudiantes no graduados, el libro o materia que se les designaba, lo cual solía hacerse después que los maestros habían concluido con sus respectivas enseñanzas.

Lega. (Del lat. *laica,* t. f. de *-ĭus,* lego.) f. Monja profesa exenta de coro, que sirve a la comunidad en las haciendas caseras.

Legacía. f. Empleo o cargo de legado. ‖ **2.** Mensaje o negocio de que va encargado un legado. ‖ **3.** Territorio o distrito dentro del cual un legado ejerce su encargo o funciones. ‖ **4.** Tiempo que dura el cargo o funciones de un legado.

Legación. (Del lat. *legatĭo, -ōnis.*) f. **Legacía.** ‖ **2.** Cargo que da un gobierno a un individuo para que le represente cerca de otro gobierno extranjero, ya sea como embajador, ya como plenipotenciario, ya como encargado de negocios. ‖ **3.** Conjunto de los empleados que el legado tiene a sus órdenes, y otras personas de su comitiva oficial. ‖ **4.** Casa u oficina del legado.

Legado. (Del lat. *legātus.*) m. Manda que en su testamento o codicilo hace un testador a una o varias personas naturales o jurídicas. ‖ **2.** Por ext., lo que se deja o transmite a los sucesores, sea cosa material o inmaterial. ‖ **3.** Sujeto que una suprema potestad eclesiástica o civil envía a otra para tratar un negocio. ‖ **4.** Presidente de cada una de las provincias inmediatamente sujetas o reservadas a los emperadores romanos. En algunas provincias se daba al presidente el nombre de **legado** consular, como a los de la Bética y Lusitania en tiempo del emperador Adriano. ‖ **5.** Cada uno de aquellos socios que los procónsules llevaban en su compañía a las provincias por asesores y consejeros, los cuales en caso de necesidad hacían sus veces. ‖ **6.** En la milicia de los antiguos romanos, jefe o cabeza de cada legión. ‖ **7.** Cada uno de los ciudadanos romanos, por lo común del orden senatorio, enviados a las provincias recién conquistadas, para arreglar su gobierno. ‖ **8.** Persona eclesiástica que por disposición del Papa hace sus veces en un concilio, o ejerce sus facultades apostólicas en un reino o provincia de la cristiandad. ‖ **9.** Prelado que elegía el Sumo Pontífice para el gobierno de una de las provincias eclesiásticas; como Bolonia, Ferrara, etc. ‖ **a látere.** Cardenal enviado extraordinariamente por el Sumo Pontífice, con amplísimas facultades para que le represente cerca de un príncipe o gobierno cristiano o en un concilio.

Legador. (De *legar,* 2.° art.) m. Sirviente que en los esquileos ata de pies y manos a las reses lanares para que las esquilen.

Legadura. (Del lat. *ligatūra.*) f. Cuerda, tomiza, cinta u otra cosa que sirve para liar o atar.

Legajo. (De *legar,* atar.) m. Atado de papeles, o conjunto de los que están reunidos por tratar de una misma materia.

Legal. (Del lat. *legālis.*) adj. Prescrito por ley y conforme a ella. ‖ **2.** Verídico, puntual, fiel y recto en el cumplimiento de las funciones de su cargo. ‖ **3.** V. **Doctrina, interés, trampa legal.** ‖ **4.** *For.* V. **Ficción, medicina legal.**

Legalidad. (De *legal.*) f. Calidad de legal. ‖ **2.** Régimen político estatuido por la ley fundamental del Estado. *Tal partido viene aproximándose a la* LEGALIDAD. ‖ **3.** ant. **Legalización.**

Legalista. adj. Que antepone a toda otra consideración la aplicación literal de las leyes.

Legalización. f. Acción de legalizar. ‖ **2.** Certificado o nota con firma y sello, que acredita la autenticidad de un documento o de una firma.

Legalizar. tr. Dar estado legal a una cosa. ‖ **2.** Comprobar y certificar la autenticidad de un documento o de una firma.

Legalmente. adv. m. Según ley; conforme a derecho. ‖ **2. Lealmente.**

Legamente. adv. m. Sin instrucción, sin ciencia ni conocimientos.

Légamo. (De *légano.*) m. Cieno, lodo o barro pegajoso. ‖ **2.** Parte arcillosa de las tierras de labor.

Legamoso, sa. adj. Que tiene légamo.

Leganal. m. Charca de légano.

Légano. (De la raíz céltica *lig;* véase *lia,* 2.° art.) m. **Légamo.**

Leganoso, sa. adj. Que tiene mucho légano.

Legaña. (De un der. del lat. *lēma.*) f. Humor procedente de la mucosa y glándulas de los párpados, que se cuaja en el borde de éstos y en los ángulos de la abertura ocular.

Legañil. adj. p. us. **Legañoso.**

Legañoso, sa. adj. Que tiene muchas legañas. Ú. t. c. s.

Legar. (Del lat. *legāre.*) tr. Dejar una persona a otra alguna manda en su testamento o codicilo. ‖ **2.** Enviar a uno de legado o con una legacía.

Legar. (Del lat. *ligare.*) tr. ant. Ligar o atar. ‖ **2.** Juntar, congregar, reunir.

Legatario, ria. (Del lat. *legatarĭus.*) m. y f. Persona natural o jurídica favorecida por el testador con una o varias mandas a título singular.

Legenda. (Del lat. *legenda,* cosas que deben leerse.) f. Historia o actas de la vida de un santo.

Legendario, ria. (De *legenda.*) adj. Perteneciente o relativo a las leyendas. *Narración* LEGENDARIA; *héroe* LEGENDARIO. ‖ **2.** m. Libro de vidas de santos. ‖ **3.** Colección o libro de leyendas de cualquier clase.

Legible. (Del lat. *legibĭlis.*) adj. Que se puede leer.

Legión. (Del lat. *legĭo, -ōnis.*) f. Cuerpo de tropa romana compuesto de infantería y caballería, que varió mucho según la diversidad de los tiempos. Cada legión se dividía en diez cohortes. ‖ **2.** Nombre que suele darse a ciertos cuerpos de tropas. ‖ **3.** fig. Número indeterminado y copioso de personas o espíritus. ‖ **fulminatriz.** Famosa **legión** cristiana que en tiempo de Marco Aurelio peleó con gran valor contra los marcomanos.

Legionario, ria. (Del lat. *legionarĭus.*) adj. Perteneciente a la legión. ‖ **2.** m. Soldado que servía en una legión romana. ‖ **3.** En los ejércitos modernos, soldado de algún cuerpo de los que tienen nombre de legión.

Legionense. (Del lat. *legionensis.*) adj. **Leonés.** Apl. a pers., ú. t. c. s.

Legislable. adj. Que puede o debe legislarse.

Legislación. (Del lat. *legislatĭo, -ōnis.*) f. Conjunto o cuerpo de leyes por las cuales se gobierna un Estado, o una materia determinada. ‖ **2.** Ciencia de las leyes.

Legislador, ra. (Del lat. *legislātor, -ōris.*) adj. Que legisla. Ú. t. c. s.

Legislar. (De *legislador.*) intr. Dar, hacer o establecer leyes.

Legislativo, va. (De *legislar.*) adj. Aplícase al derecho o potestad de hacer leyes. ‖ **2.** Aplícase al cuerpo o código de leyes. ‖ **3.** V. **Poder legislativo.** ‖ **4.** Autorizado por una ley. *Crédito* LEGISLATIVO.

Legislator. m. ant. **Legislador.**

Legislatura. f. Tiempo durante el cual funcionan los cuerpos legislativos. ‖ **2.** Período de sesiones de Cortes durante el cual subsisten la mesa y las comisiones permanentes elegidas en cada cuerpo colegislador.

Legisperito. (Del lat. *legisperītus.*) m. **Jurisperito.**

Legista. (Del lat. *lex, legis,* ley.) m. Letrado o profesor de leyes o de jurisprudencia. ‖ **2.** El que estudia jurisprudencia o leyes.

Legítima. (Del lat. *legitĭma,* t. f. de *-mus,* legítimo.) f. *For.* Porción de la herencia de que el testador no puede disponer libremente, por asignarla la ley a determinados herederos. ‖ **estricta.** *For.* Parte de la total que ha de dividirse con absoluta igualdad entre los herederos forzosos, sin diferencia, gravamen, condición o mejora.

Legitimación. f. Acción y efecto de legitimar.

Legitimador, ra. adj. Que legitima.

Legítimamente. adv. m. Con legitimidad, con justicia, debidamente.

Legitimar. (De *legítimo.*) tr. Probar o justificar la verdad de una cosa o la calidad de una persona o cosa conforme a las leyes. ‖ **2.** Hacer legítimo al hijo que no lo era. ‖ **3.** Habilitar a una persona de suyo inhábil, para un oficio o empleo.

Legitimario, ria. (Del fr. *legitimaire.*) adj. Perteneciente a la legítima. ‖ **2.** *For.* Que tiene derecho a la legítima. Ú. t. c. s.

Legitimidad. f. Calidad de legítimo.

Legitimista. adj. Partidario de un príncipe o de una dinastía, por creer que tiene llamamiento legítimo para reinar. Ú. t. c. s.

Legítimo, ma. (Del lat. *legitĭmus.*) adj. Conforme a las leyes. ‖ **2.** Cierto, genuino y verdadero en cualquiera línea. ‖ **3.** V. **Hijo legítimo.** ‖ **4.** *For.* V. **Tutela legítima.** ‖ **5.** *For.* V. **Tutor legítimo.**

Lego, ga. (Del lat. *laĭcus,* y éste del gr. λαϊκός, popular.) adj. Que no tiene órdenes clericales. Ú. t. c. s. ‖ **2.** Falto de letras o noticias. ‖ **3.** V. **Juez lego.** ‖ **4.** m. En los conventos de religiosos, el que siendo profeso no tiene opción a las sagradas órdenes. ‖ **5.** V. **Patronato de legos.** ‖ **6.** *For.* V. **Auto, carta de legos.** ‖ **Lego, llano, liso y abonado.** loc. *For.* **Lego, llano y abonado.** ‖ **Lego, llano y abonado.** loc. *For.* Que explicaba las calidades que debía tener el fiador o depositario; esto es, que no gozara fuero eclesiástico ni de nobleza, y que tuviera hacienda. Aplicábase también a las fianzas.

Legón. (Del lat. *ligo, -ōnis,* azadón.) m. Especie de azadón, cuya forma varía según las provincias.

Legra. (Del lat. *ligŭla,* cucharilla.) f. *Cir.* Instrumento que se emplea para legrar. ‖ **2.** Herramienta de hierro o acero con mango de madera y punta aplastada en forma de gancho, que usan los almadreñeros para ahuecar las almadreñas.

Legración. f. *Cir.* Acción de legrar.
Legradura. f. *Cir.* **Legración.** || **2.** *Cir.* Efecto de legrar.
Legrar. (De *legra.*) tr. *Cir.* Raer la superficie de los huesos separando la membrana fibrosa que los cubre o la parte más superficial de la substancia ósea. || **2.** Raer la mucosa del útero.
Legrón. m. aum. de **Legra.** || **2.** Legra mayor que la regular, de que usan los albéitares.
Legua. (Del lat. *leuca.*) f. Medida itineraria que en España es de 20.000 pies o 6.666 varas y dos tercias, equivalente a 5.572 metros y 7 decímetros. || **2.** V. **Cómico, compañía de la legua.** || **3.** V. **Tragador de leguas.** || **cuadrada.** Cuadrado de una **legua** de lado, que, refiriéndose a las antiguas medidas de Castilla, comprende 4.822 y media fanegas ó 3.105 y media hectáreas. || **de posta.** La de 4 kilómetros. || **de quince, de diecisiete y medio, de dieciocho** y **de veinticinco al grado.** La que respectivamente representa un 15, un 17 $^1/_2$, un 18 o un 25 avo del grado de un meridiano terrestre, el cual mide 111.111 metros y 11 centímetros. || **de veinte al grado, marina,** o **marítima.** La de 19.938 pies castellanos, que se divide en 3 millas y equivale a 5.555 metros y 55 centímetros. || **A la legua, a legua, a leguas, de cien leguas, de mil leguas, de muchas leguas, desde media legua.** ms. advs. figs. Desde muy lejos, a gran distancia. || **Por doquiera hay su legua de mal camino.** **Tener** una cosa **su legua de mal camino.** refs. que enseñan que en cualquiera cosa que se intente hacer se encuentran dificultades.
Leguario, ria. adj. Perteneciente o relativo a la legua. *Poste* LEGUARIO.
Leguleyo. (Del lat. *leguleius.*) m. El que trata de leyes no conociéndolas sino vulgar y escasamente.
Legumbre. (Del lat. *legūmen, -ĭnis.*) f. Todo género de fruto o semilla que se cría en vainas. || **2.** Por ext., **hortaliza.**
Leguminoso, sa. (Del lat. *leguminōsus.*) adj. *Bot.* Dícese de hierbas, matas, arbustos y árboles angiospermos dicotiledóneos, con hojas casi siempre alternas, por lo general compuestas y con estípulas; flores de corola actinomorfa o cigomorfa, amariposada en muchas especies, y fruto en legumbre con varias semillas sin albumen. Estas plantas están comprendidas en las familias de las mimosáceas y de las papilionáceas. Ú. t. c. s. f.
Leíble. adj. **Legible.**
Leída. (De *leer.*) f. **Lectura,** 1.ª acep.
Leiden. n. p. *Fís.* V. **Botella de Leiden.**
Leído, da. p. p. de **Leer.** || **2.** adj. Dícese del que ha leído mucho y es hombre de muchas noticias y erudición. || **Leído y escribido.** loc. fam. Dícese de la persona que presume de instruida.
Leijar. (Del lat. *laxāre.*) tr. ant. **Dejar.**
Leila. (Del ár. *laila,* noche.) f. Fiesta o baile nocturno entre los moriscos.
Leima. (Del gr. λεῖμμα.) m. Uno de los semitonos usados en la música griega.
Leísmo. m. Empleo de la forma *le* del pronombre, como única en el acusativo masculino singular.
Leísta. adj. *Gram.* Aplícase a los que sostienen que *le* debe ser el único acusativo masculino del pronombre *él.* Ú. t. c. s.
Leja. (De *lejar.*) f. ant. **Manda.** || **2.** *Ar.* Tierra que al cambiar el curso de un río queda en una de las orillas, acreciendo a la heredad lindante. || **3.** *Murc.* Vasar, anaquel.
Lejanía. (De *lejano.*) f. Parte remota o distante de un lugar, de un paisaje o de una vista panorámica.
Lejano, na. (De *lejos.*) adj. Distante, apartado.
Lejar. (Del lat. *laxāre,* aflojar.) tr. ant. Dejar, legar o mandar.
Lejas. (Del lat. *laxas,* t. f. pl. de *laxus.*) adj. pl. Lejanas. Úsase casi únicamente en la expresión **de lejas tierras.**
Lejía. (Del lat. *lixīva.*) f. Agua en que se han disuelto álcalis o sus carbonatos. La que se obtiene cociendo ceniza sirve para la colada. || **2.** fig. y fam. Reprensión fuerte o satírica.
Lejío. (Del lat. *lixīvum.*) m. Lejía que usan los tintoreros.
Lejísimos. (sup. de *lejos.*) adv. l. y t. Muy lejos.
Lejitos. (d. de *lejos.*) adv. l. y t. Algo lejos.
Lejos. (Del lat. *laxos,* t. m. pl. de *laxus.*) adv. l. y t. A gran distancia; en lugar o tiempo distante o remoto. Ú. t. en sent. fig. *Está muy* LEJOS *de mi ánimo.* || **2.** m. Vista o aspecto que tiene una persona o cosa mirada desde cierta distancia. *Esta figura tiene buen* LEJOS. || **3.** fig. Semejanza, apariencia, vislumbre de una cosa. || **4.** *Pint.* Lo que en un cuadro, grabado o dibujo se representa distante de lo que es principal en el asunto. || **A lo lejos, de lejos, de muy lejos, desde lejos.** ms. advs. A larga distancia, o desde larga distancia.
Lejuelos. adv. l. y t. d. de **Lejos.**
Lejura. (De *lejos.*) f. ant. **Lejanía.**
Lelilí. (Del ár. *lā ilāh illā Allāh,* no hay dios sino *Allāh,* que es la profesión de fe islámica, pronunciada con imela.) m. Grita o vocería que hacen los moros cuando entran en combate o celebran sus fiestas y zambras.
Lelo, la. (Tal vez del lat. *laevŭlus,* d. de *laevus,* tonto.) adj. Fatuo, simple y como pasmado. Ú. t. c. s.
Lema. (Del lat. *lemma,* y éste del gr. λῆμμα.) m. Argumento o título que precede a ciertas composiciones literarias para indicar en breves términos el asunto o pensamiento de la obra. || **2.** Letra o mote que se pone en los emblemas y empresas para hacerlos más comprensibles. || **3. Tema,** 1.ª y 2.ª aceps. || **4.** Palabra o palabras que por contraseña se escriben en los pliegos cerrados de oposiciones y certámenes, para conocer, después del fallo, a quien pertenece cada obra, o averiguar el nombre de los autores premiados. || **5.** *Mat.* Proposición que es preciso demostrar antes de establecer un teorema.
Lemán. (Del ant. fr. *laman,* por *lodeman* o *lodman,* y éste del hol. *loodsman,* piloto.) m. ant. Piloto práctico.
Lemanaje. (De *lemán.*) m. ant. **Pilotaje,** 1.er art., 2.ª acep.
Lemanita. (De *Lemānus,* nombre latino del lago de Ginebra, en cuyas cercanías se encontró el mineral.) f. **Jade.**
Lembario. (De *lembo.*) m. Soldado que combatía a bordo de los bajeles.
Lembo. (Del lat. *lembus,* y éste del gr. λέμβος.) m. ant. Barco de velas y remos. || **2.** ant. **Barca.**
Lembrar. (De *nembrar,* y éste de *membrar,* del lat. *memŏrāre,* recordar.) tr. ant. **Recordar,** 1.ª y 2.ª aceps. Usáb. t. c. r.
Leme. (Tal vez del ingl. *helm.*) m. ant. **Timón,** 5.ª acep.
Lemera. (De *leme.*) f. ant. *Mar.* **Limera.**
Lemnáceo, a. (Del gr. λέμνα, lenteja de agua.) adj. *Bot.* Dícese de plantas angiospermas monocotiledóneas, acuáticas y natátiles, con tallo y hojas transformadas en una fronda verde, pequeña y en forma de disco; como la lenteja de agua. Ú. t. c. s. f. || **2.** f. pl. *Bot.* Familia de estas plantas.
Lemnícola. (Del lat. *lemnicŏla.*) adj. Habitante de la isla de Lemnos. || **2. Lemnio,** 1.ª acep.
Lemnio, nia. (Del lat. *lemnĭus.*) adj. Natural de Lemnos. Ú. t. c. s. || **2.** Perteneciente a esta isla del mar Egeo. || **3.** V. **Rúbrica lemnia.**
Lemniscata. (Del lat. *lemniscāta,* adornada con la cinta llamada lemnisco.) f. Curva plana que tiene figura semejante a un 8.
Lemnisco. (Del lat. *lemniscus,* y éste del gr. λημνίσκος.) m. Cinta o corbata que en señal de recompensa honorífica acompañaba a las coronas y palmas de los atletas vencedores.
Lemosín, na. adj. Natural de Limoges o de la antigua provincia de Francia de que era capital esta población. Ú. t. c. s. || **2.** Perteneciente a ellas. || **3.** m. **Lengua de oc.** || **4.** Lengua que hablan los **lemosines.**
Lémur. (Del lat. *lemūres.*) m. Género de mamíferos cuadrumanos, con los dientes incisivos de la mandíbula inferior inclinados hacia adelante y las uñas planas, menos la del índice de las extremidades torácicas y a veces la del medio de las abdominales, que son ganchudas, y la cola muy larga. Son frugívoros y propios de Madagascar. || **2.** pl. *Mit.* Genios tenidos generalmente por maléficos entre romanos y etruscos. || **3.** fig. Fantasmas, sombras, duendes.
Lemurias. (Del lat. *lemurĭa.*) f. pl. Fiestas nocturnas que se celebraban en Roma durante el mes de mayo, en honor de los lémures.
Len. (De *lene.*) adj. Entre hilanderas, se aplica al hilo o seda cuyas hebras están dobladas, por poco torcidas. || **2.** V. **Cuajada en len.**
Lena. (Por **alena,* de **alenar,* como el cat. *alenar,* del lat. *anhelāre,* respirar.) f. Aliento vigor.
Lena. (Del lat. *lena.*) f. ant. **Alcahueta,** 1.ª acep.
Lencera. (Del lat. *lintearĭa.*) f. Mujer que trata en lienzos o los vende. || **2.** Mujer del lencero.
Lencería. (De *lencero.*) f. Conjunto de lienzos de distintos géneros, o tráfico que se hace con ellos. || **2.** Tienda de lienzos. || **3.** Paraje de una población en que hay varias de estas tiendas. || **4.** Lugar donde en ciertos establecimientos, como colegios, hospitales, etc., se custodia la ropa blanca.
Lencero. (Del lat. *lintearĭus.*) m. Mercader de lienzos; el que trata en ellos o los vende.
Lendel. (dialect. del lat. **līmitĕllus,* de *limes, -ĭtis,* límite.) m. Huella que en forma de circunferencia deja en el suelo la caballería que saca agua de una noria o da movimiento a otra máquina semejante.
Lendera. f. ant. **Linde.**
Lendrera. (De *liendre.*) f. Peine de púas finas y espesas, a propósito para limpiar la cabeza.
Lendrero. m. Lugar en que hay liendres.
Lendroso, sa. adj. Que tiene muchas liendres.
Lene. (Del lat. *lenis.*) adj. Suave o blando al tacto. || **2.** Dulce, agradable, benévolo. || **3.** Leve, ligero.
Leneas. (Del lat. *lenaeas,* acus. pl. f. de *lenaeus,* y éste del gr. λήναια.) f. pl. Fiestas atenienses que se celebraban en honor de Baco, y durante las cuales se efectuaban los certámenes dramáticos.
Lengua. (Del lat. *lingua.*) f. Órgano muscular situado en la cavidad de la boca de los vertebrados y que sirve para gustar, para deglutir y para articular los sonidos de la voz. || **2.** Conjunto de palabras y modos de hablar de un pueblo o nación. || **3. Intérprete,** 2.ª acep. Ú. t. c. m. || **4.** Noticia que se desea o procura para un fin. || **5.** Badajo de la campana. || **6. Lengüeta,** 3.ª acep. || **7.** Cada una de las provincias o territorios en que tiene dividida su jurisdicción la orden de San Juan. *La* LENGUA *de Castilla, la de Aragón, la de Navarra.* || **8.** ant. **Habla,** 1.ª acep. || **9.** ant. **Espía,** 1.er art., 1.ª acep. || **aglutinante.** Idioma en que predomina la aglutinación. || **cani-**

na. **Cinoglosa.** || **cerval,** o **cervina.** *Bot.* Helecho de la familia de las papilionáceas, con frondas pecioladas, enteras, de tres a cuatro decímetros de longitud, lanceoladas, y con un escote obtuso en la base; cápsulas seminales en líneas oblicuas al nervio medio de la hoja, y raíces muy fibrosas. Se cría en lugares sombríos, y el cocimiento de las frondas, que es amargo y mucilaginoso, se ha empleado como pectoral. || **de buey.** Planta anual de la familia de las borragináceas, muy vellosa, con tallo erguido, de seis a ocho decímetros de altura; hojas lanceoladas, enteras, las inferiores con pecíolo, sentadas las superiores, y todas erizadas de pelos rígidos; flores en panojas de corola azul y forma de embudo, y fruto seco con cuatro semillas rugosas. Abunda en los sembrados, y sus flores forman parte de las cordiales. || **de ciervo. Lengua cerval.** || **de escorpión.** fig. Persona mordaz, murmuradora y maldiciente. || **de estropajo.** fig. y fam. Persona balbuciente, o que habla y pronuncia mal, de manera que apenas se entiende lo que dice. || **de fuego.** Cada una de las llamas en figura de **lengua** que bajaron sobre las cabezas de los Apóstoles en el día de Pentecostés. || **2.** Cada una de las llamas que se levantan en una hoguera o en un incendio. || **de gato.** Planta chilena, de la familia de las rubiáceas, de hojas aovadas y pedúnculos axilares con una, dos o tres flores envueltas por cuatro brácteas. Sus raíces, muy semejantes a las de la rubia, se usan, como las de ésta, en tintorería. || **2.** Bizcochito duro, alargado y muy delgado, que por su forma recuerda la de este animal. || **de hacha.** fig. y fam. **Lengua de escorpión.** || **del agua.** Orilla o extremidad de la tierra, que toca y lame el agua del mar, de un río, etc. || **2.** Línea horizontal adonde llega el agua en un cuerpo que está metido o nadando en ella. || **de oc.** La que antiguamente se hablaba en el mediodía de Francia y cultivaron los trovadores, llamada asimismo provenzal y lemosín. En la denominación de **lengua de oc** se comprende también el catalán antiguo. *Oc* en la **lengua** que de tal palabra toma nombre, significa *sí.* || **de oíl.** Francés antiguo, o sea **lengua** hablada antiguamente en Francia al norte del Loira. *Oil* en esta **lengua** significa *sí.* || **de perro. Lengua canina.** || **de sierpe.** fig. **Lengua de escorpión.** || **2.** *Fort.* Obra exterior que se suele hacer delante de los ángulos salientes del camino cubierto. || **de tierra.** Pedazo de tierra largo y estrecho que entra en el mar, en un río, etc. || **de trapo.** fam. **Lengua de estropajo.** || **de víbora.** Diente fósil de tiburón. Es casi plano, de figura triangular y con dentecillos agudos en su contorno. || **2.** fig. **Lengua de escorpión.** || **franca.** La que es mezcla bastarda de dos o más, y con la cual se entienden los naturales de pueblos distintos. || **madre.** Aquella de que han nacido o se han derivado otras. *El latín* es LENGUA MADRE *respecto de la nuestra.* || **materna.** La que se habla en un país, respecto de los naturales de él. || **muerta.** La que antiguamente se habló y no se habla ya como propia y natural de un país o nación. || **natural,** o **popular. Lengua materna.** || **sabia.** Cualquiera de las antiguas que ha producido una literatura importante. || **santa.** La hebrea. || **serpentina,** o **viperina.** fig. **Lengua de escorpión.** || **viva.** La que actualmente se habla en un país o nación. || **Lenguas hermanas.** Las que se derivan de una misma **lengua** madre; como, por ejemplo, el español y el italiano, que se derivan del latín. || **Mala lengua.** fig. Persona murmuradora o maldiciente. || **Media lengua.** fig. y fam. Persona que pronuncia imperfectamente por impedimento de la **lengua.** *Empezó a contar una noticia aquel* MEDIA LENGUA. || **2.** fig. y fam. La misma pronunciación imperfecta. *Empezó a contarlo con su* MEDIA LENGUA. || **Malas lenguas.** fig. y fam. El común de los murmuradores y de los calumniadores de las vidas y acciones ajenas. || **2.** fig. y fam. El común de las gentes. *Así lo dicen* MALAS LENGUAS. || **A malas lenguas, tijeras.** fr. fam. con que se amenaza a los maldicientes o murmuradores. || **Andar en lenguas.** fr. fig. y fam. Decirse, hablarse mucho de una persona o cosa. || **Atar la lengua.** fr. fig. Impedir que se diga una cosa. || **Buscar la lengua** a uno. fr. fig. y fam. Incitarle a disputas; provocarle a reñir. || **Calentársele** a uno **la lengua.** fr. fig. y fam. **Calentársele la boca.** || **Con la lengua de un palmo.** loc. adv. fig. y fam. Con grande anhelo o cansancio. || **De lengua en lengua.** loc. adv. fig. De unos en otros; de boca en boca. || **Destrabar la lengua.** fr. fig. Quitar el impedimento que uno tenía para hablar. || **Echar** uno **la lengua al aire.** fr. fig. y fam. **Írsele la lengua.** || **Echar la lengua,** o **echar la lengua de un palmo, por** una cosa. fr. fig. y fam. Desearla con ansia, trabajar y fatigarse por alcanzarla. || **Hablar con lengua de plata.** fr. fig. Prenteder o solicitar una cosa por medio de dinero, dádivas o regalos. || **Hacerse lenguas.** fr. fig. y fam. Alabar encarecidamente a personas o cosas. || **Irse,** o **írsele,** a uno **la lengua.** fr. fig. y fam. Decir inconsideradamente lo que no quería o debía manifestar. || **Largo de lengua.** loc. fig. Que habla con desvergüenza o con imprudencia. || **Ligero de lengua.** loc. fig. Que sin ninguna consideración ni miramiento dice cuanto le ocurre o se le viene a la boca. || **Morderse** uno **la lengua.** fr. fig. Contenerse en hablar, callando con alguna violencia lo que quisiera decir. || **No dice más la lengua que lo que siente el corazón.** ref. con que se declara que cada uno habla según sus inclinaciones y afectos. || **No diga la lengua lo que, o por do, pague la cabeza.** ref. que advierte que no se digan palabras que acarreen daño al que las dice. || **Pegársele** a uno **la lengua al paladar.** fr. fig. y fam. No poder hablar por turbación o pasión de ánimo. || **Poner lengua,** o **lenguas, en** uno. fr. fig. Hablar mal de él. || **Quien lengua ha,** o **quien tiene lengua, a Roma va.** ref. que enseña que el que duda o ignora debe preguntar para lograr el acierto. || **Sacar la lengua** a uno. fr. fig. y fam. Burlarse de él. *Todos le están* SACANDO LA LENGUA. || **Suelto de lengua.** loc. fig. **Ligero de lengua.** || **Tener** uno una cosa **en la lengua.** fr. fig. y fam. Estar a punto de decirla. || **2.** fig. y fam. Querer acordarse de algo, teniendo de ello especies indeterminadas. || **Tener** uno **la lengua gorda.** fr. fig. y fam. Estar borracho. || **Tener** uno **mala lengua.** fr. fig. Ser jurador, blasfemo, murmurador o maldiciente. || **Tener** uno **mucha lengua.** fr. fig. y fam. Ser muy hablador. || **Tirar de la lengua** a uno. fr. fig. y fam. Provocarle a que hable acerca de algo que convendría callar. || **Tomar lengua,** o **lenguas.** fr. Informarse de una cosa; tomar o adquirir noticias. || **Trabarse la lengua.** fr. fig. Impedirse el libre uso de ella por un accidente o enfermedad que la entorpece. || **Traer en lenguas** a uno. fr. fig. **Traer en bocas.** || **Trastrabarse la lengua.** fr. fig. **Trabarse la lengua.** || **Venírsele** a uno **a la lengua** una cosa. fr. fig. y fam. Ocurrírsele.

Lenguadeta. f. Lenguado pequeño.

Lenguado. (De *lengua,* por la forma.) m. *Zool.* Pez teleósteo, del suborden de los anacantos, de cuerpo oblongo y muy comprimido, casi plano y asimétrico hasta en las mandíbulas. Vive, echado siempre del mismo lado, en el fondo del mar o en la embocadura de los ríos. Su carne es comestible muy fino.

Lenguaje. (Del prov. *lenguatge,* y éste del lat. **linguatĭcum,* de *lingua.*) m. Conjunto de sonidos articulados con que el hombre manifiesta lo que piensa o siente. || **2.** Idioma hablado por un pueblo o nación o por una parte de ella. || **3.** Manera de expresarse. LENGUAJE *culto, grosero, sencillo, técnico, forense, vulgar.* || **4.** Estilo y modo de hablar y escribir de cada uno en particular. || **5.** fig. Conjunto de señales que dan a entender una cosa. *El* LENGUAJE *de los ojos, el de las flores.* || **6.** ant. Uso del habla o facultad de hablar. || **vulgar.** El usual, a diferencia del técnico y del literario.

Lenguarada. f. **Lengüetada.**

Lenguaraz. adj. Hábil, inteligente en dos o más lenguas. Ú. t. c. s. || **2.** Deslenguado, atrevido en el hablar.

Lenguatón, na. adj. *Sant.* **Lenguaraz,** 2.ª acep.

Lenguaz. (Del lat. *linguax, -ācis.*) adj. Que habla mucho, con impertinencia y necedad.

Lenguaza. (aum. de *lengua.*) f. **Buglosa.**

Lengudo, da. adj. p. us. **Lenguaraz,** 2.ª acep.

Lengüear. tr. ant. Espiar, seguir a uno, preguntando, tomando lengua o noticia de él.

Lengüeta. f. d. de **Lengua.** || **2. Epiglotis.** || **3.** Fiel de la balanza, y más propiamente el de la romana. || **4.** Cuchilla de acero que forma parte del ingenio usado por los encuadernadores. || **5.** Laminilla movible de metal que tienen algunos instrumentos músicos de viento y ciertas máquinas hidráulicas o de aire. || **6.** Hierro en forma de anzuelo que tienen las garrochas, saetas, banderillas, etc. || **7.** Horquilla que sostiene abierta la trampa o armadijo de coger pájaros. || **8.** Cierta moldura o adorno así llamado por su figura. || **9.** Barrena que se usa para agrandar y terminar los agujeros empezados con el berbiquí. || **10.** Tira de piel que suelen tener los zapatos en la parte del cierre por debajo de los cordones. || **11.** *Arq.* Tabique pequeño de ladrillo con que se fortifican las embocaduras de las bóvedas, o se separan los cañones de algunas chimeneas. || **12.** *Carp.* Espiga prolongada que se labra a lo largo del canto de una tabla o un tablón, generalmente de un tercio de grueso y con objeto de encajarla en una ranura de otra pieza. || **13.** *Cir.* Especie de compresa larga y estrecha que se aplica en las amputaciones, fracturas, etc. || **de chimenea.** Tabiquillo con que se separan unos de otros los cañones de chimenea cuando hay varios reunidos.

Lengüetada. (De *lengüeta.*) f. Acción de tomar una cosa con la lengua, o de lamerla con ella.

Lengüetería. f. Conjunto de los registros del órgano que tienen lengüeta.

Lengüezuela. f. d. de **Lengua.**

Lengüicorto, ta. adj. fam. Tímido al hablar, reservado.

Lengüilargo, ga. (De *lengua* y *largo.*) adj. fam. **Lenguaraz,** 2.ª acep.

Lenidad. (Del lat. *lenitas, -ātis.*) f. Blandura en exigir el cumplimiento de los deberes o en castigar las faltas.

Leniente. p. a. ant. de **Lenir.** Que lenifica. Ú. t. c. s.

Lenificación. f. Acción y efecto de lenificar.

Lenificar. (Del lat. *lenis,* suave, y *facĕre,* hacer.) tr. Suavizar, ablandar.

Lenificativo, va. (De *lenificar.*) adj. Lenitivo.

Lenir. (Del lat. *lenīre.*) tr. ant. Lenificar.

Lenitivo, va. (De *lenir.*) adj. Que tiene virtud de ablandar y suavizar. || **2.** m. Medicamento que sirve para ablandar o suavizar. || **3.** fig. Medio para mitigar los sufrimientos del ánimo.

Lenizar. (De *lene.*) tr. p. us. Lenificar.

Lenocinio. (Del lat. *lenocinium.*) m. Alcahuetería, 1.ª y 2.ª aceps. || **2.** V. **Casa de lenocinio.**

Lenón. (Del lat. *leno, -ōnis.*) m. ant. Alcahuete, 1.ª acep. || **2.** ant. **Rufián.**

Lentamente. adv. m. Con lentitud.

Lente. (Del lat. *lens, lentis.*) amb. Cristal con caras cóncavas o convexas, que se emplea en varios instrumentos ópticos. Ú. m. c. m. || **2.** Cristal para miopes o présbitas, con armadura que permite acercárselo cómodamente a un ojo. || **3.** pl. Cristales de igual clase, con armadura que permite acercarlos cómodamente a los ojos o sujetarlos en la nariz.

Lentecer. (Del lat. *lentescĕre.*) intr. Ablandarse o reblandecerse una cosa. Ú. t. c. r.

Lenteja. (Del lat. *lenticŭla.*) f. Planta herbácea, anual, de la familia de las papilionáceas, con tallos de tres a cuatro decímetros, endebles, ramosos y estriados; hojas oblongas, estípulas lanceoladas, zarcillos poco arrollados, flores blancas con venas moradas, sobre un pedúnculo axilar, y fruto en vaina pequeña, con dos o tres semillas pardas en forma de disco de medio centímetro de diámetro. Nace entre los sembrados y se cultiva por sus semillas, que son alimenticias y muy nutritivas. || **2.** Fruto de esta planta. || **3.** Pesa, en forma de **lenteja**, en que remata la péndola del reloj. || **acuática, o de agua.** Planta de la familia de las lemnáceas, que flota en las aguas estancadas y cuyas frondas tienen la forma y tamaño del fruto de la **lenteja**, y ordinariamente están agrupadas de tres en tres.

Lentejar. m. Campo sembrado de lentejas.

Lentejuela. f. d. de **Lenteja.** || **2.** Planchita redonda de plata u otra materia, de que se usa en los bordados, asegurándola en la ropa con puntadas que pasan por un agujerito que tiene en medio.

Lenteza. (De *lento.*) f. ant. **Lentitud.**

Lentezuela. f. d. de **Lente.**

Lenticular. (Del lat. *lenticulāris.*) adj. Parecido en la forma a la semilla de la lenteja. || **2.** m. *Zool.* Pequeña apófisis del yunque, mediante la cual este huesecillo de la parte media del oído de los mamíferos se articula con el estribo. Ú. t. c. adj.: *apófisis* LENTICULAR, *hueso* LENTICULAR.

Lentigo. (Del lat. *lentīgo, -ĭnis.*) m. *Med.* Lunar, peca.

Lentiscal. m. Terreno montuoso poblado de lentiscos.

Lentiscina. (Del lat. *lentiscīnus*, de lentisco.) f. ant. **Almáciga,** 1.er art.

Lentisco. (Del lat. *lentiscus.*) m. Mata o arbusto siempre verde, de la familia de las anacardiáceas, con tallos leñosos de dos a tres metros, hojas divididas en un número par de hojuelas coriáceas, ovaladas, de punta roma, lampiñas, lustrosas en la haz y mates por el envés; flores pequeñas amarillentas o rojizas, en racimos axilares, y fruto en drupa casi esférica, primero roja y después negruzca. La madera es rojiza, dura, aromática, y útil para ciertas obras de ebanistería; de las ramas puede sacarse almáciga, y de los frutos aceite para el alumbrado. Abunda en España. || **del Perú. Turbinto.**

Lentitud. (Del lat. *lentitūdo.*) f. Tardanza o espacio con que se ejecuta o acaece una cosa.

Lento, ta. (Del lat. *lentus*, de *lenīre*, ablandar, calmar.) adj. Tardo y pausado en el movimiento o en la operación. || **2.** Poco vigoroso y eficaz. || **3.** V. **Caliza lenta.** || **4.** V. **Manjar lento.** || **5.** ant. Hablando de árboles y arbustos, flexible o correoso. || **6.** *Sal.* **Blando,** 1.ª acep. || **7.** *Sal.* **Liento.** || **8.** *Farm.* y *Med.* Glutinoso, pegajoso. || **9.** *Mil.* V. **Paso lento.**

Lentor. (Del lat. *lentor.*) m. ant. Flexibilidad o correa de los árboles o arbustos. || **2.** *Med.* Viscosidad que cubre los dientes y la parte interior de los labios en los enfermos de calenturas tíficas.

Lentura. (De *lento.*) f. ant. **Lentor,** 1.ª acep.

Lenzal. (De lienzo.)adj. ant. De lienzo.

Lenzuelo. (Del lat. *linteŏlum.*) m. Pieza de lienzo fuerte, del tamaño de la sábana, con un cordón o trenza de pezuelo en cada extremo, que se emplea en las faenas de la trilla para llevar la paja y para otros usos. || **2.** p. us. **Pañuelo,** 2.ª acep.

Leña. (Del lat. *ligna*, pl. n. de *lignum*, leño.) f. Parte de los árboles y matas que, cortada y hecha trozos, se destina para la lumbre. || **2.** fig. y fam. Castigo, paliza. || **muerta.** La seca y caída de los árboles. || **rocera.** La que producen las rozas. || **rodada. Leña muerta.** || **viva.** La que se corta del árbol. || **Añadir leña al fuego.** fr. fig. **Echar leña al fuego.** || **Cargar de leña** a uno. fr. fig. y fam. Darle de palos. || **Echar leña al fuego.** fr. fig. Poner medios para acrecentar un mal. || **2.** Dar incentivo a un afecto, inclinación o vicio. || **La leña, cuanto más seca, más arde.** ref. que advierte que la lascivia suele ser más vehemente en los ancianos que en los jóvenes. || **Leña de romero y pan de panadera, la bordonería entera.** ref. con que se denota la holgazanería de los labradores que compran el pan por no cocerlo en su casa, y queman leña ligera por no ir a buscar la recia más lejos. || **Llevar leña al monte.** fr. fig. y fam. con que se moteja la indiscreción de los que dan una cosa a quien tiene abundancia de ella y no la necesita. || **Poner leña al fuego.** fr. fig. **Echar leña al fuego.**

Leñador, ra. (Del lat. *lignator, -ōris.*) m. y f. Persona que se emplea en cortar leña. || **2. Leñero,** 1.ª acep.

Leñame. m. **Madera,** 1.ª acep. || **2.** Provisión de leña.

Leñar. (Del lat. *lignāri.*) tr. *Ar.* Hacer o cortar leña.

Leñatero. m. **Leñador.**

Leñazo. (De *leño.*) m. fam. **Garrotazo.**

Leñera. (Del lat. *lignaria*, t. f. de *-rius*, leñero.) f. Sitio o mueble destinado para guardar o hacinar leña.

Leñero. (Del lat. *lignārius.*) m. El que vende leña. || **2.** El que tiene a su cargo el comprar la necesaria para una casa o comunidad. || **3. Leñera.**

Leño. (Del lat. *lignum.*) m. Trozo de árbol después de cortado y limpio de ramas. || **2. Madera,** 1.ª acep. || **3.** Embarcación de vela y remo, semejante a las galeotas, que durante la Edad Media se usó mucho, particularmente en el Mediterráneo. || **4.** fig. y poét. Nave, embarcación. || **5.** fig. y fam. Persona de poco talento y habilidad. || **hediondo. Hediondo,** 6.ª acep.

Leñoso, sa. (Del lat. *lignōsus.*) adj. Dícese de la parte más consistente de los vegetales. || **2.** Hablando de arbustos, plantas, frutos, etc., que tiene dureza y consistencia como la de la madera.

Leo. (Del lat. *leo.*) m. *Astron.* **León,** 9.ª y 10.ª aceps.

León (Del lat. *leo, -ōnis.*) m. *Zool.* Mamífero carnívoro de la familia de los félidos, de pelaje entre amarillo y rojo, de un metro de altura próximamente hasta la cruz y cerca de dos metros desde el hocico hasta el arranque de la cola: tiene la cabeza grande, los dientes y las uñas muy fuertes y la cola larga, cubierta de pelo corto, y terminada por un fleco de cerdas. El macho se distingue por una larga melena que le cubre la nuca y el cuello, y que crece con los años. || **2. Hormiga león.** || **3.** V. **Diente, pata, pie de león.** || **4.** V. **Lago de leones.** || **5.** fig. Hombre audaz, imperioso y valiente. || **6.** fig. *Chile.* **Puma.** || **7.** fig. *Chile.* Juego entre dos muchachos, uno de los cuales dispone de 14 tantos o piedrecillas, que se llaman *perros*, y el otro de uno, que se llama **león;** es juego parecido al del asalto y al ajedrez. Si los perros encierran al **león** en la parte del tablero que figura ser su casa o en otro punto, ganan el juego; pero si él se come la mayor parte de ellos, lo pierden. || **8.** *Germ.* **Rufián.** || **9.** *Astron.* Quinto signo o parte del Zodiaco, de 30 grados de amplitud, que el Sol recorre aparentemente al mediar el verano. || **10.** *Astron.* Constelación zodiacal que en otro tiempo debió de coincidir con el signo de este nombre, pero que actualmente, por resultado del movimiento retrógrado de los puntos equinocciales, se halla delante del mismo signo y un poco hacia el oriente. || **de proa.** *Mar.* Figura de talla de este animal, que llevaban algunos navíos y buques de guerra españoles en lo alto del tajamar. || **marino.** Mamífero pinnípedo de cerca de tres metros de longitud, con pelaje largo y espeso, una especie de cresta carnosa y móvil en lo alto de la cabeza, y unas bolsas junto a las narices, que el animal hincha a su arbitrio. || **miquero.** *Amér. Central.* **Eirá.** || **pardo.** ant. **Leopardo.** || **real. León,** 1.ª acep. || **Desquijarar leones.** fr. fig. Echar fieros y baladronadas. || **No es tan bravo, o fiero, el león como le pintan.** ref. con que se denota que una persona no es tan áspera y temible como se creía, o que un negocio es menos arduo y difícil de lo que se pensaba.

Leona. f. Hembra del león. || **2.** fig. Mujer audaz, imperiosa y valiente. || **3.** pl. *Germ.* Las calzas.

Leonado, da. adj. De color rubio obscuro, semejante al del pelo del león.

Leonera. f. Lugar en que se tienen encerrados los leones. || **2.** fig. y fam. **Casa de juego.** || **3.** fig. y fam. Aposento habitualmente desarreglado que suele haber en las casas, principalmente en las de mucha familia.

Leonería. (De *león.*) f. Bizarría, bravata, fieros.

Leonero. m. Persona que cuida de los leones que están en la leonera. || **2.** fig. y fam. Tablajero o garitero.

Leonés, sa. adj. Natural de León. Ú. t. c. s. || **2.** Perteneciente a esta ciudad. || **3.** Perteneciente al antiguo reino de León.

Leónica. adj. *Zool.* V. **Vena leónica.** Ú. t. c. s.

Leónidas. f. pl. *Astron.* Estrellas fugaces cuyo punto radiante está en la constelación del León.

Leonina. f. Especie de lepra en que la piel toma el aspecto de la del león.

Leonino, na. (Del lat. *leonīnus.*) adj. Perteneciente o relativo al león. || **2.** *For.* Dícese del contrato oneroso en que toda la ventaja o ganancia se atribuye a una de las partes, sin equitativa conmutación entre éstas.

Leonino, na. (De *Leonius*, poeta latino francés del siglo XII.) adj. V. **Verso leonino.**

Leopardo. (Del lat. *leopardus.*) m. Mamífero carnicero de metro y medio de argo desde el hocico hasta el arranque de la cola, que mide unos siete decímetros. El aspecto general es el de un gato grande, de pelaje blanco en el pecho y el vientre, y rojizo con manchas negras y redondas regularmente distribuidas en todo el resto del cuerpo. Vive en los bosques de Asia y África, y a pesar de su magnitud trepa con facilidad a los árboles en persecución de los monos y de otros animales. Es cruel y sanguinario.

Leopoldina. (Del nombre del capitán general don *Leopoldo* O'Donnell, que introdujo esta prenda en el uniforme del ejército.) f. Ros más bajo que el ordinario y sin orejeras.

Lepar. (De *pelar.*) tr. *Germ.* **Pelar,** 5.ª acep.

Lepe. n. p. **Saber más que Lepe.** fr. proverb. Ser muy perspicaz y advertido. Dícese por alusión a don Pedro de Lepe, obispo de Calahorra y la Calzada y autor de un libro titulado *Catecismo católico.*

Lépero, ra. adj. *Amér. Central* y *Méj.* Dícese del individuo soez, ordinario, poco decente. Ú. t. c. s. || **2.** *Cuba.* Astuto, perspicaz.

Lepidio. (Del lat. *lepidĭum,* y éste del gr. λεπίδιον.) m. Planta perenne de la familia de las crucíferas, con tallos lampiños de seis a ocho decímetros de altura; hojas de color verde azulado, gruesas, pecioladas, anchas y ovales las inferiores, lanceoladas las de en medio, muy estrechas las superiores y todas con dientes agudos en el margen; fruto seco, con semillas negruzcas, menudas y elipsoidales. Abunda en los terrenos húmedos, y sus hojas, que tienen sabor muy picante, suelen emplearse en medicina contra el escorbuto y el mal de piedra.

Lepidóptero. (Del gr. λεπίς, -ίδος, escama, y πτερόν, ala.) adj. *Zool.* Dícese de insectos que tienen boca chupadora constituida por una trompa que se arrolla en espiral, y cuatro alas cubiertas de escamitas imbricadas. Tienen metamorfosis completas, y en el estado de larva reciben el nombre de oruga, y son masticadores; sus ninfas son las crisálidas, muchas de las cuales pasan esta fase de su desarrollo dentro de un capullo, como el gusano de la seda. Ú. t. c. s. m. || **2.** m. pl. *Zool.* Orden de estos insectos.

Lepisma. (Del gr. λέπισμα, escama.) f. Insecto tisanuro de unos nueve milímetros de largo, con antenas prolongadas, cuerpo cilíndrico cubierto de escamas plateadas muy tenues, abdomen terminado por tres cerdillas articuladas, y pies cortos con dos artejos y una uña en cada tarso. Es nocturno, originario de América, se ha extendido por todo el mundo, y roe el cuero, el papel y el azúcar.

Leporino, na. (Del lat. *leporīnus.*) adj. Perteneciente a la liebre. || **2.** V. **Labio leporino.**

Lepra. (Del lat. *lepra,* y éste del gr. λέπρα.) f. Enfermedad infecciosa crónica, caracterizada principalmente por síntomas cutáneos y nerviosos, sobre todo tubérculos, manchas, úlceras y anestesias. || **2.** Enfermedad, principalmente de los cerdos, producida por el cisticerco de la tenia común, y que aparece en los músculos de aquellos animales en forma de pequeños puntos blancos. || **blanca. Albarazo.**

Leprosería. f. **Lazareto,** 2.ª acep.

Leproso, sa. (Del lat. *leprōsus.*) adj. Que padece lepra. Ú. t. c. s.

Leptorrino, na. (Del gr. λεπτός, fino, delgado, y ῥίς, ῥινός, nariz.) adj. Que tiene la nariz larga y delgada. || **2.** *Zool.* Dícese de los animales que tienen el pico o el hocico delgado y muy saliente.

Lera. f. **Helera.**

Lercha. f. Junquillo con que se ensartan aves o peces muertos, para llevarlos de una parte a otra.

Lerda. f. *Veter.* **Lerdón.**

Lerdamente. adv. m. Con pesadez y tardanza.

Lerdez. (De *lerdo.*) f. ant. Pesadez, tardanza.

Lerdo, da. (Del lat. *lurĭdus,* cárdeno; en b. lat. *lurdus,* pesado, embobado.) adj. Pesado y torpe en el andar. Dícese más comúnmente de las bestias. || **2.** fig. Tardo y torpe para comprender o ejecutar una cosa. || **3.** *Germ.* **Cobarde,** 1.ª acep.

Lerdón. (De *lerda.*) m. *Veter.* Tumor sinovial que padecen las caballerías cerca de las rodillas.

Lerense. adj. Perteneciente o relativo al río Lérez. || **2.** fig. **Pontevedrés.** Apl. a pers., ú. t. c. s.

Leridano, na. adj. Natural de Lérida. Ú. t. c. s. || **2.** Perteneciente a esta ciudad.

Lerneo, a. (Del lat. *lernaeus.*) adj. Perteneciente a la ciudad o a la laguna de Lerna. || **2.** Aplícase a las fiestas que se celebraban en esta ciudad de la Argólida en honor de Baco, Ceres y Proserpina. Ú. t. c. s.

Les. (Del lat. *illis,* dat. de pl. de *ille.*) Dativo del pronombre personal de tercera persona en género masculino o femenino y número plural. No admite preposición y se puede usar como sufijo: LES *di; da*LES. Es grave incorrección emplear en este caso para el género masculino la forma *los,* propia del acusativo, y en femenino tampoco debe emplearse la forma *las,* aunque lo hayan hecho escritores de nota.

Lesbiano, na. adj. **Lesbio.** Apl. a pers., ú. t. c. s.

Lesbio, bia. (Del lat. *lesbĭus.*) adj. Natural de Lesbos. Ú. t. c. s. || **2.** Perteneciente a esta isla del Mediterráneo. || **3.** V. **Regla lesbia.**

Lesión. (Del lat. *laesĭo, -ōnis.*) f. Daño o detrimento corporal causado por una herida, golpe o enfermedad. || **2.** fig. Cualquier daño, perjuicio o detrimento. || **3.** *For.* Daño que se causa en las ventas por no hacerlas en su justo precio. Dícese también del perjuicio sufrido con ocasión de otros contratos. || **enorme.** *For.* En el derecho anterior al vigente, perjuicio o agravio que uno experimentaba por haber sido engañado en algo más o menos de la mitad del justo precio en las compras y ventas. || **enormísima.** *For.* En el derecho anterior al vigente, perjuicio o agravio que uno experimentaba por haber sido engañado en mucho más de la mitad del justo precio en las compras y ventas. || **grave.** *For.* La que causa en el ofendido pérdida o inutilidad de un miembro, o le incapacita para trabajar por más de treinta días. || **menos grave.** *For.* La que dura de quince a treinta días.

Lesionador, ra. adj. Que lesiona.

Lesionar. tr. Causar lesión. Ú. t. c. r.

Lesivo, va. (De *leso.*) adj. Que causa o puede causar lesión, daño o perjuicio.

Lesna. (De *alesna.*) f. **Lezna.**

Lesnordeste. m. Viento medio entre el leste y el nordeste. || **2.** Parte que está situada hacia el sitio de donde sopla este viento.

Leso, sa. (Del lat. *laesus,* p. p. de *laedĕre,* dañar, ofender.) adj. Agraviado, lastimado, ofendido. Aplícase principalmente a la cosa que ha recibido el daño o la ofensa. LESA *humanidad;* LESO *derecho natural.* || **2.** V. **Crimen, delito de lesa majestad.** || **3.** Hablando del juicio, del entendimiento o de la imaginación, pervertido, turbado, trastornado.

Leso, sa. adj. *Argent., Chile* y *Bol.* Tonto, necio, de pocos alcances.

Lessueste. m. Viento medio entre el leste y el sueste. || **2.** Región situada hacia el sitio de donde sopla este viento.

Lest. m. ant. **Leste.**

Leste. (De *el este, al este.*) m. *Mar.* **Este,** 1.er art.

Lestrigón. (Del lat. *lestrygŏnes.*) m. Individuo de alguna de las tribus de antropófagos que, según las historias y poemas mitológicos, habitaban en Sicilia y en Campania. Ú. m. en pl.

Letal. (Del lat. *letālis,* de *letum,* muerte.) adj. Mortífero, capaz de ocasionar la muerte. Ú. m. en poesía.

Letame. (Del lat. *laetāmen.*) m. Tarquín, cieno y basura con que se abona la tierra.

Letanía. (Del lat. *litanīa,* y éste del gr. λιτανεία.) f. Rogativa, súplica que se hace a Dios con cierto orden, invocando a la Santísima Trinidad y poniendo por medianeros a Jesucristo, la Virgen y los santos. Ú. en pl. en el mismo sentido. || **2.** Procesión que se hace regularmente por una rogativa cantando las **letanías.** Ú. en pl. en el mismo sentido. || **3.** fig. y fam. Lista, retahíla, enumeración seguida de muchos nombres, locuciones o frases. || **de la Virgen,** o **lauretana.** Cierta deprecación a la Virgen por sus elogios y atributos colocados por orden, la cual se suele cantar o rezar después del rosario. || **de todos los santos. Letanía,** 1.ª acep. || **Letanías mayores.** Procesión de rogativa que se hace en la Iglesia católica el día de San Marcos Evangelista cantando las **letanías** que están señaladas. || **menores.** Procesión de rogativa que se hace en la Iglesia católica los tres días antes de la Ascensión.

Letargia. (Del lat. *lethargĭa,* y éste del gr. ληθαργία.) f. ant. **Letargo.**

Letárgico, ca. (Del lat. *lethargĭcus,* y éste del gr. ληθαργικός.) adj. *Med.* Que padece letargo. || **2.** *Med.* Perteneciente a esta enfermedad.

Letargo. (Del lat. *lethargus,* y éste del gr. λήθαργος; de λήθη, olvido, y ἀργός, inactivo.) m. *Med.* Síntoma de varias enfermedades nerviosas, infecciosas o tóxicas, caracterizado por un estado de somnolencia profunda y prolongada. || **2.** fig. Torpeza, modorra, insensibilidad, enajenamiento del ánimo.

Letargoso, sa. (De *letargo.*) adj. Que aletarga.

Leteo, a. (Del lat. *lethaeus,* y éste del gr. ληθαῖος, que hace olvidar; de λήθη, olvido.) adj. Perteneciente al Lete o Leteo, río del olvido, o que participa de alguna de las cualidades que a este río atribuye la mitología.

Leticia. (Del lat. *laetitĭa.*) f. ant. Alegría, regocijo, deleite.

Letificante. (Del lat. *laetifĭcans, -antis.*) p. a. de **Letificar.** Que letifica. || **2.** adj. ant. *Med.* Aplicábase a los remedios que dan energía, actividad y vigor. Usáb. t. c. s. m.

Letificar. (Del lat. *laetificāre;* de *laetus,* alegre, y *facĕre,* hacer.) tr. Alegrar, regocijar. || **2. Animar,** 7.ª acep.

Letífico, ca. (Del lat. *laetifĭcus.*) adj. Que alegra.

Letigio [Letijo]. m. ant. **Litigio.**

Letón, na. adj. Dícese de un pueblo de raza lituana, al cual pertenecen en su mayoría los habitantes de Curlandia. || **2.** Dícese también de cada uno de los individuos de este pueblo. Ú. t. c. s. || **3.** Perteneciente o relativo a este pueblo. || **4.** m. Lengua hablada en Curlandia; es un dialecto del lituano.

Letor, ra. adj. ant. **Lector.** Usáb. t. c. s.

Letra. (Del lat. *littĕra.*) f. Cada uno de los signos o figuras con que se representan los sonidos y articulaciones de un idioma. || **2.** Cada uno de estos mismos sonidos y articulaciones. || **3.** Forma de la **letra,** o sea modo particular de escribir con que se distingue lo escrito por una persona o en país o tiempo determinados, de lo escrito por otra persona o en otros tiempos o países. || **4.** Pieza de metal fundida en forma de prisma rectangular, con una **letra** u otra figura cualquiera relevada en una de las bases, para que pueda estamparse. Las **letras** de imprenta ordinarias son de liga de plomo y antimonio y las mayores suelen ser de madera. || **5.** Conjunto de esas piezas. *Esta composición tiene mucha* LETRA; *las cajas están llenas de* LETRA. || **6.** Sentido propio y exacto de las palabras empleadas en un texto, a diferencia del sentido figurado, o lato en que pueden o deben tomarse las mismas palabras, según racional interpretación. || **7.** Especie de romance corto, cuyos primeros versos se suelen glosar. || **8.** Conjunto de las palabras puestas en música para que se canten, a diferencia de la misma música. *La* LETRA *de una canción, de un himno, de una ópera.* || **9. Lema,** 2.ª acep. || **10. Letra de cambio.** || **11.** fig. y fam. Sagacidad y astucia para manejarse. *María tiene mucha* LETRA. || **12.** ant. **Carta,** 1.ª acep. || **13.** ant. **Letrero,** 2.ª acep. || **14.** pl. Los diversos ramos del humano saber. || **15.** Orden, provisión o rescripto. Tiene más uso hablando de los que se expiden en materias eclesiásticas. || **Letra abierta.** Carta de crédito y orden que se da a favor de uno para que se le franquee el dinero que pida, sin limitación de cantidad. || **agrifada. Letra grifa.** || **aldina.** La cursiva de imprenta empleada por Aldo Manucio y otros impresores de su misma familia. || **bastarda.** La de mano, inventada en Italia en el siglo XV y extendida por España a mediados del XVI. Es inclinada hacia la derecha, rotunda en las curvas, y sus gruesos y perfiles son resultados del corte y posición de la pluma y no de la presión de la mano. || **bastardilla.** La de imprenta que imita a la bastarda. || **cancilleresca.** La que se usaba en la cancillería. || **canina.** La *rr*, llamada así por la fuerza con que se pronuncia. || **capital. Letra mayúscula.** || **consonante.** *Gram.* Aquella en cuya pronunciación los órganos de la palabra forman en algún punto del canal vocal un contacto que interrumpe el paso del aire espirado, como en *p*, *t*, o una estrechez que le hace salir con fricación, como en *f*, *s*, *z*. || **continua. Semivocal.** || **corrida.** Serie de **letras** hechas con facilidad y soltura. || **2.** *Impr.* La que está trastrocada y cambiada, lo cual suele suceder en los principios y finales de línea por descuido de los prensistas. || **cortesana.** Cierta forma o carácter pequeño y jarifo que se usaba antiguamente. || **cursiva.** La de mano, que se liga mucho para escribir de prisa. || **2. Letra bastardilla.** || **de caja alta.** *Impr.* **Letra mayúscula.** || **de caja baja.** *Impr.* **Letra minúscula.** || **de cambio.** *Com.* Documento mercantil que comprende el giro de cantidad cierta en efectivo que hace el librador a la orden del tomador, al plazo que se expresa y a cargo del pagador, con indicación de la procedencia del valor de que se trata y del lugar en que ha de ejecutarse el pago. || **de dos puntos.** *Impr.* Mayúscula que se suele usar en los carteles y principios de capítulo, así llamada por estar fundida en dos líneas del cuerpo de su grado. || **de guarismo. Guarismo,** 2.ª acep. || **de imprenta. Letra,** 4.ª acep. || **de mano.** La que se hace al escribir con pluma, lápiz, etc., a diferencia de la impresa o de molde. || **de molde.** La impresa. || **de Tortis.** La gótica que se usó al tiempo de la introducción de la imprenta. || **doble.** Consonante que se representa con dos signos, como la *ll*, o que procede de la unión de otras dos, como la *ñ*. || **dominical.** En el cómputo eclesiástico, aquella que señala los domingos entre las siete, A, B, C, D, E, F y G, que se usan para designar los días de la semana. El año bisiesto tiene dos: una hasta el 24 de febrero, y otra hasta el fin del año. || **dórica.** Entre los antiguos lapidarios, campaneros y otros artífices, la que tenía de ancho la séptima parte de su altura. || **egipcia. Letra negrilla.** || **florida.** La mayúscula abierta en lámina con algún adorno alrededor de ella. || **gótica.** La de forma rectilínea y angulosa, que se usó en lo antiguo, y que se emplea aún, especialmente en Alemania. || **grifa. Letra aldina,** llamada así porque la empleó también Sebastián Grifo. || **historiada.** Mayúscula con adornos y figuras o símbolos. || **inglesa. Letra** más inclinada que la bastarda y cuyos gruesos y perfiles resultan de la mayor o menor presión de la pluma con que se escribe, que ha de ser muy delgada. || **inicial.** Aquella con que empieza una palabra, un verso, un capítulo, etc. || **itálica. Letra bastardilla.** || **magistral. Letra** bastarda de tamaño crecido hecha con todas las reglas caligráficas. || **mayúscula.** La que con mayor tamaño y distinta figura, por regla general, que la minúscula, se emplea como inicial de todo nombre propio, en principio de período, después de punto final y en otros casos. || **media.** *Gram.* Cualquiera de las consonantes *b*, *d*, *g*, llamadas más propiamente oclusivas sonoras. || **mensajera.** ant. **Carta mensajera.** || **menuda.** fig. y fam. Astucia, sagacidad. || **mercantivol.** Cierto género de **letra** que se usaba antiguamente entre los mercaderes y gente de comercio. || **metida.** Conjunto de **letras** de muy poca anchura y poco separadas las unas de las otras. || **minúscula.** La que es menor y de figura distinta, por regla general, de la mayúscula, y se emplea en la escritura constantemente, sin más excepción que la de los casos en que se debe usar **letra** de esta última clase. || **muda. Oclusiva,** 4.ª acep. || **2.** Dícese de la **letra** que no se pronuncia; como la *h* de *hombre* y la *u* de *que*. || **muerta.** fig. Escrito, regla o máxima en que se previene algo que ya no se cumple o no tiene efecto. Dícese generalmente hablando de leyes, tratados, convenios, etc. || **negrilla. Letra** especial gruesa que se destaca de los tipos ordinarios, resaltando en el texto. Ú. t. c. s. || **numeral.** La que representa número; como cualquiera de las que empleaban en la numeración los romanos y de que aún se hace uso. || **pancilla. Letra** redonda de los libros de coro. || **pelada.** La que no tiene rasgos ni adornos. || **pitagórica.** Nombre que frecuentemente se dió a la *Y*, por la moralidad que de sus dos trazos superiores sacó Pitágoras. || **procesada.** La que está encadenada y enredada, como se ve en varios escritos de los siglos XVI y XVII. || **redonda,** o **redondilla.** La de mano o de imprenta que es derecha y circular. || **remisoria. Remisoria.** || **romanilla. Letra redonda.** || **sencilla.** Cualquiera de las que no se consideran como dobles. || **tenue.** Consonante que se pronuncia con más suavidad que otras. || **tirada.** La del que escribe con facilidad y soltura, trazando las **letras** de un solo golpe y enlazando unas con otras. || **tiria.** Entre los antiguos lapidarios, la que tenía de ancho la quinta parte de su altura. || **titular.** *Impr.* Mayúscula que se emplea en portadas, títulos, principios de capítulo, carteles, etc. || **toscana.** Entre los antiguos lapidarios, la que tenía de ancho la sexta parte de su altura. || **versal.** *Impr.* **Letra mayúscula.** || **versalita.** *Impr.* Mayúscula igual en tamaño a la minúscula o de caja baja de la misma fundición. || **vocal.** La que se pronuncia mediante una simple espiración que hace vibrar la laringe, sin que el sonido producido en ésta halle a su paso por la boca ningún obstáculo que lo modifique. En español son cinco: *a*, *e*, *i*, *o*, *u*. || **Letras comunicatorias.** Testimoniales. || **divinas.** La Biblia o la Sagrada Escritura. || **expectativas.** Despachos reales o bulas pontificias que contienen la gracia de la futura de empleo o dignidad, prebenda o beneficio, etc., a favor de un sujeto. || **gordas.** fig. y fam. Corta instrucción o talento. Ú. m. con el verbo *tener*. || **góticas.** ant. fig. **Letras gordas.** || **humanas. Literatura,** y especialmente la griega y la latina. || **obedienciales.** Documento por el cual un superior de instituto religioso dispone el viaje de un súbdito suyo, y acredita éste la razón por la que viaja. || **patentes.** Edicto público o mandamiento del príncipe, que se despacha sellado con el sello principal, sobre una materia importante. || **sagradas. Letras divinas.** || **Bellas,** o **buenas, letras. Literatura.** || **Dos,** o **cuatro, letras.** fig. y fam. Escrito breve, principalmente carta o esquela. || **Primeras letras.** Arte de leer y escribir, doctrina cristiana y rudimentos de aritmética y de otras materias. || **A la letra.** m. adv. Literalmente; según la **letra** y significación natural de las palabras. || **2.** Enteramente y sin variación; sin añadir ni quitar nada. *Copiar, insertar* A LA LETRA. || **3.** fig. Puntualmente; sin ampliación ni restricción alguna. *Observar, cumplir* A LA LETRA. || **A letra vista.** m. adv. *Com.* **A la vista.** || **Apurar una letra.** Juego de prendas que consiste en decir sin demora, cuando le corresponde a cada uno de los jugadores, un nombre que empiece con la **letra** convenida. || **Atarse a la letra.** fr. fig. Sujetarse al sentido literal de cualquier texto. || **La letra con sangre entra.** ref. que da a entender que para aprender lo que se ignora o adelantar en cualquiera cosa, no han de excusarse el estudio y el trabajo. || **Las letras no embotan la lanza.** fr. fig. que enseña no ser opuesto el valor al estudio y a la literatura. || **Letra por letra.** loc. adv. fig. Enteramente; sin quitar ni añadir cosa alguna. || **Levantar letra.** fr. *Impr.* **Componer,** 13.ª acep. || **Meter letra.** fr. fig. y fam. Meter bulla; procurar embrollar las cosas. || **Protestar una letra.** fr. *Com.* Requerir ante notario al que no quiere aceptarla o pagarla, para recobrar su importe de alguno de los otros obligados al pago, con más la resaca. || **Seguir uno las letras.** fr. Estudiar, dedicarse a las ciencias.

Letrada. f. fam. Mujer del letrado o abogado.

Letrado, da. (Del lat. *littĕrātus*.) adj. Sabio, docto o instruido. || **2.** fam. Que presume de discreto y habla mucho sin fundamento. || **3.** ant. Que sólo sabía leer. || **4.** ant. Que sabía escribir. || **5.** ant. Que se escribe y pone por letra. || **6.** V. **Halcón letrado.** || **7.** m. **Abogado,** 1.ª acep. || **A lo letrado.** m. adv. Al uso de los **letrados.**

Letradura. f. ant. **Literatura.** || **2.** ant. Instrucción en las primeras letras o en el arte de leer.

Letraduría. (De *letrado*.) f. ant. Dicho vano e inútil, proferido con alguna presunción.

Letrear. tr. ant. **Deletrear.**

Letrero, ra. (Del lat. *litterarĭus*.) adj. ant. **Letrado.** || **2.** m. Palabra o conjunto de palabras escritas para noticiar o publicar una cosa.

Letrilla. (d. de *letra*.) f. Composición poética de versos cortos que suele ponerse en música. || **2.** Composición poética, amorosa, festiva o satírica, que se divide en estrofas, al fin de cada una de las cuales se repite ordinariamente como estribillo el pensamiento o concepto general de la composición, expresado con brevedad.

Letrina. (Del lat. *latrīna*.) f. Lugar destinado en las casas para verter las inmundicias y expeler los excrementos. || **2.** fig. Cosa que parece sucia y asquerosa.

Letrón. m. aum. de **Letra.** || **2.** pl. Edicto que en caracteres grandes se ponía, por virtud de letras apostólicas, en las puertas de las iglesias y en otros lugares para que constase estar excomulgados los designados en él.

Letrudo, da. (De *letra.*) adj. ant. **Letrado.** Usáb. t. c. s. Ú. en *Chile.*

Letuario. (Del lat. *electuarĭum.*) m. Especie de mermelada. || **2.** ant. **Electuario.**

Letura. f. ant. **Lectura.** || **Ir,** o **proceder, con letura.** fr. ant. Advertir, atender, o poner cuidado.

Leucemia. (Del gr. λευκός, blanco, y αἷμα, sangre.) f. Enfermedad que se caracteriza por el color blanco de la sangre.

Leucocitemia. (De *leucocito,* y el gr. αἷμα, sangre.) f. *Med.* Aumento de los leucocitos en la sangre.

Leucocito. (Del gr. λευκός, blanco, y κύτος, célula.) m. *Zool.* Cada una de las células esferoidales, incoloras, con citoplasma viscoso, que se encuentran en la sangre y en la linfa; están dotadas de movilidad, pudiendo atravesar las paredes de los vasos y trasladarse a diversos lugares del cuerpo.

Leucofeo, a. (Del lat. *leucophaeus,* y éste del gr. λευκόφαιος; de λευκός, blanco, y φαιός, gris.) adj. desus. De color gris o ceniciento.

Leucoplaquia. (Del gr. λευκός, blanco, y πλάξ, πλακός, placa.) f. Enfermedad caracterizada por unas manchas blancas que aparecen en las mucosas bucal y lingual.

Leucorrea. (Del gr. λευκός, blanco, y ῥέω, fluir.) f. *Med.* **Flujo blanco.**

Leudar. (Del lat. *levitāre, frec. de *levāre,* levantar.) tr. Dar fermento a la masa con la levadura. || **2.** r. Fermentar la masa con la levadura.

Leude. (Del germ. *leudis,* hombre; en al. *leute,* gente.) m. En la monarquía gótica, militar que seguía libremente en la hueste al rey, de quien recibía sueldo.

Leudo, da. (Del lat. *lĕvĭtus, por *levātus,* levantado.) adj. Aplícase a la masa o pan fermentado con levadura.

Leva. (De *levar.*) f. Partida de las embarcaciones del puerto. || **2.** Recluta o enganche de gente para el servicio de un Estado. Decíase comúnmente de la reunión de ociosos y vagos, que solía hacerse por la justicia para destinarlos al servicio de mar o tierra. || **3.** Acción de levarse o irse. || **4.** **Espeque,** 1.ª acep. || **5.** *Mar.* V. **Ancla, mar, pieza de leva.** || **6.** *Mec.* **Álabe,** 5.ª acep. || **7.** *Mec.* **Excéntrica** 3.ª acep. **Entenderle** a uno **la leva.** fr. fig. y fam. **Entenderle la flor.** || **Halar a la leva.** fr. *Mar.* Tirar de un cabo, recogiéndolo de manera continua. || **Irse a leva y a monte.** fr. fig. y fam. Escaparse, huirse, retirarse. || **No haber levas** con uno. fr. fam. No haber para con él traza ni subterfugio que valga.

Levada. (De *levar.*) f. En la cría de los gusanos de seda, porción de éstos que se alza y muda de una parte a otra. || **2.** ant. Llevada, recado o mensaje. || **3.** ant. Salida o nacimiento de los astros. || **4.** *Esgr.* Molinete que se hace con las lanzas, espadas, floretes, etc., antes de ponerse en guardia. || **5.** *Esgr.* Ida y venida, o lance que de una vez y sin intermisión juegan los dos que esgrimen.

Levadero, ra. (De *levar.*) adj. Que se ha de cobrar o exigir.

Levadizo, za. (De *levar,* levantar.) adj. Que se levanta o puede levantar con algún artificio, quitándolo y volviéndolo a poner, o levantándolo y volviéndolo a dejar caer. Tiene más uso hablando de los puentes.

Levador. (Del lat. *levator, -ōris.*) m. El que leva. || **2.** Operario que en las fábricas de papel recibe el pliego según sale del molde, lo coloca sobre un fieltro, lo tapa con otro y así sigue formando una pila que después se prensa. || **3.** ant. Llevador, portador o conductor. || **4.** *Germ.* Ladrón que huye con prontitud después de ejecutado el hurto. || **5.** *Germ.* Ladrón astuto y sutil que usa de muchas tretas para hurtar. || **6.** *Mec.* **Álabe,** 5.ª acep.

Levadura. (Del lat. *lĕvātūra,* de *levāre,* levantar.) f. *Bot.* Nombre genérico de ciertos hongos unicelulares de forma ovoidea, que se reproducen por gemación o división, suelen estar unidos entre sí en forma de cadena, y producen enzimas capaces de descomponer diversos cuerpos orgánicos, principalmente los azúcares, en otros más sencillos. || **2.** Cualquiera masa constituida principalmente por estos microorganismos y capaz de hacer fermentar el cuerpo con que se la mezcla. LEVADURA *de cerveza.* || **3.** Tabla que se asierra de un madero para dejarlo en la dimensión que debe tener.

Levamiento. (Del lat. *levamentum.*) m. ant. Levantamiento, sedición.

Levantada. f. Acción de levantarse, 28.ª y 29.ª aceps.

Levantadamente. adv. m. Con elevación; de manera elevada.

Levantadizo, za. (De *levantar.*) adj. ant. *Ar.* **Levadizo.**

Levantado, da. p. p. de **Levantar.** || **2.** adj. fig. **Elevado,** 2.ª acep. *Ánimo, estilo* LEVANTADO.

Levantador, ra. adj. Que levanta. Ú. t. c. s. || **2.** Amotinador, sedicioso. Ú. t. c. s.

Levantadura. f. ant. **Levantamiento.**

Levantamiento. m. Acción y efecto de levantar o levantarse. || **2.** Sedición, alboroto popular. || **3.** Sublimidad, elevación. || **4.** *Ar.* Ajuste, conclusión y finiquito de cuentas.

Levantar. (Del lat. *levans, -antis,* p. a. de *levāre,* alzar, levantar.) tr. Mover de abajo hacia arriba una cosa. Ú. t. c. r. || **2.** Poner una cosa en lugar más alto que el que antes tenía. Ú. t. c. r. || **3.** Poner derecha o en posición vertical a persona o cosa que esté inclinada, tendida, etc. Ú. t. c. r. || **4.** Separar una cosa de otra sobre la cual descansa o está adherida. Ú. t. c. r. || **5.** Tratándose de los ojos, la mirada, la puntería, etc., dirigirlos hacia arriba. || **6.** Recoger o quitar una cosa de donde está. LEVANTAR *la tienda, los manteles.* || **7.** **Alzar,** 7.ª acep. || **8.** Construir, fabricar, edificar. || **9.** En los juegos de naipes, separar o dividir la baraja en dos o más partes, lo cual comúnmente hace el que está a la mano izquierda del que da las cartas, para que, puestas debajo de las que estaban encima, se evite todo fraude. || **10.** En algunos juegos de naipes, **cargar,** 9.ª acep. || **11.** Abandonar un sitio, llevándose lo que en él hay para trasladarlo a otro lugar. || **12.** Mover, ahuyentar, hacer que salte la caza del sitio en que estaba. Ú. t. c. r. || **13.** Dicho de ciertas cosas que forman bulto sobre otras, hacerlas o producirlas. LEVANTAR *un chichón, una ampolla.* || **14.** fig. Erigir, establecer, instituir. || **15.** fig. Aumentar, subir, dar mayor incremento o precio a una cosa. || **16.** fig. Tratándose de la voz, darle mayor fuerza, hacer que suene más. || **17.** fig. Hacer que cesen ciertas penas o vejámenes impuestos por autoridad competente. LEVANTAR *el entredicho, el destierro, el arresto, el embargo.* || **18.** fig. Rebelar, sublevar. Ú. t. c. r. || **19.** fig. Engrandecer, ensalzar. || **20.** fig. Impulsar hacia cosas altas. LEVANTAR *el pensamiento, el corazón.* || **21.** fig. Esforzar, vigorizar. LEVANTAR *el ánimo.* || **22.** fig. Reclutar, alistar, hacer gente para el ejército. || **23.** fig. Ocasionar, formar, mover. Ú. t. c. r. || **24.** fig. Atribuir, imputar maliciosamente una cosa falsa. || **25.** *Equit.* Tratándose del caballo, llevarlo al galope. || **26.** *Equit.* Llevarlo sobre el cuarto trasero y engallado. || **27.** r. Sobresalir, elevarse sobre una superficie o plano. || **28.** Dejar la cama el que estaba acostado. || **29.** Vestirse, dejar la cama el que estaba en ella por una enfermedad o indisposición. || **Levantar** a uno **hacia arriba,** o **tan alto.** fr. fig. Irritarle, hacerle sentir gravemente una cosa. || **Levantarse con** una cosa. fr. **Alzarse con** una cosa.

Levante. (Del lat. *levans, -antis.*) m. **Oriente,** 2.ª acep. || **2.** Viento que sopla de la parte oriental. || **3.** Países que caen a la parte oriental del Mediterráneo. || **4.** Nombre genérico de las comarcas mediterráneas de España, y especialmente las correspondientes a los antiguos reinos de Valencia y Murcia. || **5.** V. **Ciprés, coca, coco de Levante.**

Levante. (De *levantar.*) m. *Chile.* Derecho que paga al dueño de un terreno el que corta maderas en él para beneficiarlas por su cuenta. || **2.** *Min.* Operación de levantar las cañerías de los hornos de aludeles para limpiarlos y recoger el azogue que contengan. || **De levante.** m. adv. En disposición próxima de hacer un viaje o mudanza, o sin haber fijado el domicilio.

Levantino, na. adj. Natural de Levante. Ú. t. c. s. || **2.** Perteneciente a la parte oriental del Mediterráneo. || **3.** *Med.* V. **Peste levantina.**

Levantisco, ca. (De *levante,* 1.er art.) adj. **Levantino.** Apl. a pers., ú. t. c. s.

Levantisco, ca. (De *levantar,* amotinar.) adj. De genio inquieto y turbulento.

Levar. (Del lat. *lĕvāre,* levantar.) tr. ant. **Levantar.** || **2.** ant. **Llevar.** || **3.** ant. Hacer levas o levantar gente para la guerra. || **4.** ant. Quitar, hurtar. || **5.** *Mar.* Hablando de las anclas, recoger, o sea arrancar y suspender la que está fondeada. || **6.** intr. ant. Nacer o salir los astros. || **7.** r. *Germ.* Moverse o irse. || **8.** *Mar.* **Hacerse a la vela.**

Leve. (Del lat. *levis.*) adj. Ligero, de poco peso. || **2.** V. **Culpa leve.** || **3.** fig. De poca importancia, venial, de poca consideración.

Levedad. (Del lat. *levĭtas, -ātis.*) f. Calidad de leve. || **2.** Inconstancia de ánimo y ligereza en las cosas.

Levemente. adv. m. Ligeramente, blandamente. || **2.** fig. **Venialmente.**

Levente. (Del turco *lāwandī,* corrupción de *levantino,* con el significado de guerrero.) m. Soldado turco de marina. || **2.** com. desus. *Cuba.* Advenedizo cuyas costumbres y origen se desconocen.

Leviatán. (Del lat. *Leviathan,* y éste del hebr. *liwyatan,* enorme monstruo acuático.) m. Monstruo marino, descrito en el libro de Job, y que los Santos Padres entienden en el sentido moral de demonio o enemigo de las almas.

Levidad. (Del lat. *levĭtas, -ātis.*) f. ant. **Levedad.**

Levigación. (Del lat. *levigatĭo, -ōnis.*) f. Acción y efecto de levigar.

Levigar. (Del lat. *levigāre.*) tr. Desleír en agua una materia en polvo para separar la parte más tenue de la más gruesa que se deposita en el fondo de la vasija.

Levirato. (Del lat. *levir,* cuñado.) m. Precepto de la ley mosaica, que obligaba al hermano del que murió sin hijos a casarse con la viuda.

Levísimo, ma. adj. sup. de **Leve.** || **2.** V. **Culpa levísima.**

Levita. (Del lat. *levīta.*) m. Israelita de la tribu de Leví, dedicado al servicio del templo. || **2.** **Diácono.**

Levita. (Del fr. *lévite,* y éste del m. or. que *levita,* 1.er art.) f. Vestidura moderna de hombre, ceñida al cuerpo y con mangas, y cuyos faldones, a diferencia de los del frac, llegan a cruzarse por delante.

Levítico, ca. (Del lat. *leviticus*.) adj. Perteneciente a los levitas. ‖ **2.** fig. Aficionado a la Iglesia, o supeditado a los eclesiásticos. ‖ **3.** m. Tercer libro del Pentateuco de Moisés, que trata de los sacrificios, ceremonias y oficios de los levitas. ‖ **4.** fig. y fam. Ceremonial que se usa en una función.

Levitón. (aum. de *levita*, 2.° art.) m. Levita más larga, más holgada y de paño más grueso que la de vestir.

Levógiro, ra. (Del lat. *laevus*, izquierdo, y *gyrāre*, girar.) adj. *Quím.* Dícese del cuerpo o substancia que desvía hacia la izquierda la luz polarizada.

Levosa. f. fam. y fest. **Levita,** 2.° art.

Lexiarca. (Del gr. ληξίαρχος; de λῆξις, proceso, y ἀρχός, jefe.) m. Cada uno de los seis magistrados atenienses que llevaban el registro o padrón de los ciudadanos que estaban en edad de administrar sus bienes.

Léxico, ca. (Del gr. λεξικός; de λέξις, lenguaje, palabra.) adj. Perteneciente o relativo al **léxico** o vocabulario de una lengua o región. ‖ **2.** m. Diccionario de la lengua griega. ‖ **3.** Por ext., diccionario de cualquiera otra lengua. ‖ **4.** Caudal de voces, modismos y giros de un autor.

Lexicografía. (De *lexicógrafo*.) f. Arte de componer léxicos o diccionarios, o sea de coleccionar todas las palabras de un idioma y descubrir y fijar el sentido y empleo de cada una de ellas.

Lexicográfico, ca. adj. Perteneciente o relativo a la lexicografía.

Lexicógrafo. (Del gr. mod. λεξικογράφος; del gr. λεξικός, léxico, y γράφω, escribir.) m. Colector de todos los vocablos que han de entrar en un léxico. ‖ **2.** El versado en lexicografía.

Lexicología. (Del gr. λεξικός, diccionario, y λόγος, tratado.) f. Tratado o estudio especial de lo relativo a la analogía o etimología de los vocablos, sobre todo en el concepto de haber de entrar éstos en un léxico o diccionario.

Lexicológico, ca. adj. Perteneciente o relativo a la lexicología.

Lexicólogo. m. El versado en lexicología.

Lexicón. m. **Léxico.**

Ley. (Del lat. *lex, lēgis*.) f. Regla y norma constante e invariable de las cosas, nacida de la causa primera o de sus propias cualidades y condiciones. ‖ **2.** Precepto dictado por la suprema autoridad, en que se manda o prohibe una cosa en consonancia con la justicia y para el bien de los gobernados. ‖ **3.** En el régimen constitucional, disposición votada por las Cortes y sancionada por el Jefe del Estado. ‖ **4. Religión,** 2.ª acep. *La* LEY *de los mahometanos.* ‖ **5.** Lealtad, fidelidad, amor. Ú. generalmente con los verbos *tener* y *tomar.* ‖ **6.** Calidad, peso o medida que tienen los géneros, según las **leyes.** ‖ **7.** Cantidad de oro o plata finos en las ligas de barras, alhajas o monedas de oro o plata, que fijan las **leyes** para estas últimas y la han fijado antes para todas. ‖ **8.** Cantidad de metal contenida en una mena. ‖ **9.** Estatuto o condición establecida para un acto particular. LEYES *de una justa, de un certamen, del juego.* ‖ **10.** Conjunto de las **leyes,** o cuerpo del derecho civil. ‖ **11.** V. **Palabras de la ley.** ‖ **12.** *For.* V. **Generales de la ley.** ‖ **13.** *For.* V. **Presunción de ley.** ‖ **14.** Cada una de las disposiciones comprendidas, como última división, en los títulos y libros de los códigos antiguos, equivalentes a los artículos de los actuales. ‖ **adjetiva.** Suele decirse de la procesal, y aun de la penal, por cuanto rigen la aplicación y castigan la violación de las demás. ‖ **antigua. Ley de Moisés.** ‖ **caldaria.** La que ordenaba antiguamente la prueba del agua caliente, que se hacía metiendo la mano y brazo desnudos en una caldera de agua hirviendo, para comprobar su inocencia el que los sacaba ilesos. ‖ **de bases.** La que sólo contiene las normas generales sobre una materia. ‖ **de Dios.** Todo aquello que es arreglado a la voluntad divina y recta razón. ‖ **de duelo.** Máximas y reglas establecidas acerca de los retos y desafíos. ‖ **de gracia.** La que Cristo estableció en su Evangelio. ‖ **de la trampa.** fam. Embuste, engaño. ‖ **del embudo.** fig. y fam. La que se emplea con desigualdad, aplicándola estrictamente a unos y ampliamente a otros. ‖ **del encaje.** fam. Dictamen o juicio que discrecionalmente forma el juez, sin atender a lo que las **leyes** disponen. ‖ **de Moisés.** Preceptos y ceremonias que Dios dio al pueblo de Israel por medio de Moisés para su gobierno y para el culto divino. ‖ **escrita.** Preceptos que escribió Dios con su dedo en las dos tablas que dio a Moisés en el monte Sinaí. ‖ **evangélica. Ley de gracia.** ‖ **marcial.** *For.* La de orden público, una vez declarado el estado de guerra. ‖ **2.** Ley o bando de carácter penal y militar, aplicados en tal situación. ‖ **natural.** Dictamen de la recta razón que prescribe lo que se ha de hacer o lo que debe omitirse. ‖ **nueva. Ley de gracia.** ‖ **orgánica.** La que inmediatamente se deriva de la Constitución de un Estado, y contribuye a su más perfecta ejecución y observancia. ‖ **recopilada.** Cualquiera de las incluidas en la Nueva o en la Novísima Recopilación. ‖ **sálica.** La que excluía del trono de Francia a las hembras y sus descendientes. Se introdujo en España después del establecimiento de la casa de Borbón, pero fué derogada en 1830. ‖ **seca.** La que prohibe el tráfico y consumo de bebidas alcohólicas; como la que rigió en los Estados Unidos de la América del Norte desde 1920 hasta 1933. ‖ **suntuaria.** La que tiene por objeto poner modo y tasa en los gastos. Ú. m. en pl. ‖ **vieja. Ley de Moisés.** ‖ **A la ley.** m. adv. fam. Con propiedad y esmero. ‖ **A ley de caballero, de cristiano,** cto. exprs. con que se asegura la verdad de lo que se dice. ‖ **Allá van leyes, do,** o **donde, quieren reyes.** ref. que da a entender que los poderosos quebrantan las **leyes,** acomodándolas o interpretándolas a su gusto. ‖ **A toda ley.** m. adv. Con estricta sujeción a lo justo o debido, o a cualquier género de arte, regla o prescripción. ‖ **Bajar de ley.** fr. Disminuir la parte más valiosa de un metal o un mineral respecto al volumen o al peso. ‖ **Bajo de ley.** loc. Dícese del oro o plata que tiene mayor cantidad de otros metales que la que permite la **ley.** ‖ **Con todas las de la ley.** m. adv. Sin omisión de ninguno de los requisitos indispensables para su perfección o buen acabamiento. ‖ **Dar la ley.** fr. fig. Servir de modelo en ciertas cosas. ‖ **2.** fig. Obligar a uno a que haga lo que otro quiere, aunque sea contra su gusto. ‖ **De buena ley.** loc. fig. De perfectas condiciones morales o materiales. ‖ **Echar la ley,** o **toda la ley,** a uno. fr. Condenarle, usando con él de todo el rigor de la **ley.** ‖ **Hecha la ley, hecha la trampa.** expr. fam. con que se da a entender que la malicia humana halla fácilmente medios y excusas para quebrantar o eludir un precepto apenas se ha impuesto. ‖ **Subir de ley.** fr. Aumentar la parte más valiosa de un metal o un mineral respecto al volumen o al peso. ‖ **Tomar** uno **la ley.** fr. *Ál.* y *Nav.* **Hacer,** o **tomar, las once.** ‖ **Venir contra** una **ley.** fr. Quebrantarla.

Leyenda. (Del lat. *legenda*, ger. de *legĕre*, leer.) f. Acción de leer. ‖ **2.** Obra que se lee. ‖ **3.** Historia o relación de la vida de uno o más santos. ‖ **4.** Relación de sucesos que tienen más de tradicionales o maravillosos que de históricos o verdaderos. ‖ **5.** Composición poética de alguna extensión en que se narra un suceso de esta clase. ‖ **6.** ant. V. **Home de leyenda.** ‖ **7.** *Numism.* Letrero que rodea la figura en las monedas o medallas. ‖ **Áurea.** Compilación de vidas de santos hecha por Jacobo de Vorágine en el siglo XIII.

Leyendario, ria. adj. **Legendario,** 1.ª acep.

Leyente. p. a. de **Leer.** Que lee. Ú. t. c. s.

Lezda. (Del lat. *licita*, t. f. de *licĭtus*, lícito.) f. Tributo, impuesto, especialmente el que se pagaba por las mercancías.

Lezdero. m. Ministro que cobraba el tributo de lezda.

Lezna. (De *lesna*.) f. Instrumento que se compone de un hierrecillo con punta muy sutil y un mango de madera, y del cual usan los zapateros y otros artesanos para agujerear, coser y pespuntar.

Lezne. adj. **Deleznable.**

Lía. (De *liar*.) f. Soga de esparto machacado, tejida como trenza, para atar y asegurar los fardos, cargas y otras cosas.

Lía. (Del célt. *liga, lega*, sedimento.) f. Heces. Ú. m. comúnmente en pl. ‖ **Estar** uno **hecho una lía.** fr. fig. y fam. Estar poseído del vino.

Lianza. (Del lat. *ligans, -antis*, p. a. de *ligāre*, liar.) f. ant. **Alianza.**

Liar. (De *ligar*.) tr. Atar y asegurar los fardos y cargas con lías. ‖ **2.** Envolver una cosa, sujetándola, por lo común, con papeles, cuerda, cinta, etc. ‖ **3.** Hablando de cigarrillos, formarlos envolviendo la picadura en el papel de fumar. ‖ **4.** fig. y fam. Engañar a uno, envolverle en un compromiso. Ú. t. c. r. ‖ **5.** ant. Hacer, contraer alianza con uno. ‖ **6.** r. **Envolver,** 7.ª acep. ‖ **Liarlas.** fr. fig. y fam. Huir uno, escaparse con presteza. ‖ **2.** fig. y fam. **Morir,** 1.ª acep.

Liara. f. **Aliara.**

Liásico, ca. (Del ingl. *layers*, estratos.) adj. *Geol.* Dícese del terreno sedimentario que sigue inmediatamente en edad al triásico, y lleva este nombre porque en Inglaterra, donde fue estudiado primeramente, está constituido por estratos o capas delgadas. Ú. t. c. s. ‖ **2.** *Geol.* Perteneciente a este terreno.

Liatón. (despect. de *lía*, 1.er art.) m. **Soguilla,** 2.ª acep.

Liaza. f. Conjunto de lías para atar las corambres de vino, aceite y cosas semejantes. ‖ **2.** Conjunto de mimbres que se emplean para la construcción de botas en la tonelería de Andalucía.

Libación. (Del lat. *libatio, -ōnis*.) f. Acción de libar. ‖ **2.** Ceremonia religiosa de los antiguos paganos, que consistía en llenar un vaso de vino o de otro licor y derramarlo después de haberlo probado.

Libamen. (Del lat. *libāmen*.) m. Ofrenda en el sacrificio.

Libamiento. (Del lat. *libāmentum*.) m. Materia o especies que se libaban en los sacrificios antiguos. ‖ **2.** ant. **Libación.**

Libán. (Del lat. *ligāmen*.) m. p. us. Cuerda de esparto.

Libar. (Del lat. *libāre*.) tr. Chupar suavemente el jugo de una cosa. ‖ **2.** Hacer la libación para el sacrificio. ‖ **3.** Algunas veces, **sacrificar,** 1.ª acep. ‖ **4.** Probar o gustar un licor.

Libatorio. (Del lat. *libatorium*.) m. Vaso con que los antiguos romanos hacían las libaciones.

Libela. (Del lat. *libella*.) f. Moneda de plata, la más pequeña que usaron los romanos. Pesaba la décima parte de un denario, equivalía al as, y a unos seis céntimos de peseta.

Libelar. (De *libelo*.) tr. ant. Escribir refiriendo una cosa. ‖ **2.** *For.* Hacer pedimentos.

Libelático, ca. (Del lat. *libellaticus*, de *libellus*, carta, información.) adj. Aplícase a los cristianos de la Iglesia primitiva que para librarse de la persecución se procuraban certificado de apostasía. Ú. t. c. s.

Libeldo. m. ant. **Libelo.**

Libelista. m. Autor de uno o varios libelos o escritos satíricos e infamatorios.

Libelo. (Del lat. *libellus*, d. de *liber*, libro.) m. Escrito en que se denigra o infama a personas o cosas. Lleva ordinariamente el calificativo de **infamatorio.** || **2.** ant. Libro pequeño. || **3.** *For.* Petición o memorial. || **de repudio.** Instrumento o escritura con que el marido antiguamente repudiaba a la mujer y dirimía el matrimonio. || **Dar libelo de repudio** a una cosa. fr. fig. Renunciar a ella; darle de mano.

Libélula. (Del lat. *libellŭlus*, librito, por la disposición de las alas como las hojas de un libro.) f. **Caballito del diablo.**

Líber. (Del lat. *liber*, película entre la corteza y la madera del árbol.) m. *Bot.* Parte del cilindro central de las plantas angiospermas dicotiledóneas, que está formada principalmente por hacecillos o paquetes de vasos cribosos.

Liberación. (Del lat. *liberatĭo, -ōnis.*) f. Acción de poner en libertad. || **2. Quitanza.** || **3.** Cancelación o declaración de caducidad de la carga o cargas que real o aparentemente gravan un inmueble.

Liberado, da. (Del lat. *liberātus.*) adj. *Com.* V. **Acción liberada.**

Liberador, ra. (Del lat. *liberātor.*) adj. **Libertador.** Ú. t. c. s.

Liberal. (Del lat. *liberālis.*) adj. Que obra con liberalidad. || **2.** Dícese de la cosa hecha con ella. || **3.** Expedito, pronto para ejecutar cualquier cosa. || **4.** V. **Arte liberal.** || **5.** Que profesa doctrinas favorables a la libertad política en los Estados. Apl. a pers., ú. t. c. s.

Liberalesco, ca. adj. despect. de **Liberal,** 5.ª acep.

Liberalidad. (Del lat. *liberalĭtas, -ātis.*) f. Virtud moral que consiste en distribuir uno generosamente sus bienes sin esperar recompensa. || **2.** Generosidad, desprendimiento.

Liberalismo. m. Orden de ideas que profesan los partidarios del sistema liberal. || **2.** Partido o comunión política que entre sí forman. || **3.** Sistema político-religioso que proclama la absoluta independencia del Estado, en sus organizaciones y funciones, de todas las religiones positivas.

Liberalizar. tr. Hacer liberal en el orden político a una persona o cosa. Ú. t. c. r.

Liberalmente. adv. m. Con liberalidad. || **2.** Con expedición, presteza y brevedad.

Líberamente. adv. m. ant. **Libremente.**

Liberar. (Del lat. *liberāre.*) tr. Libertar, eximir a uno de una obligación.

Liberatorio, ria. adj. Que tiene virtud de libertar, eximir o redimir. || **2.** V. **Fuerza liberatoria.**

Líbero, ra. (Del lat. *liber, libĕra.*) adj. ant. **Libre.**

Libérrimo, ma. (Del lat. *liberrĭmus.*) adj. sup. de **Libre.**

Libertad. (Del lat. *libertas, -ātis.*) f. Facultad natural que tiene el hombre de obrar de una manera o de otra, y de no obrar, por lo que es responsable de sus actos. || **2.** Estado o condición del que no es esclavo. || **3.** Estado del que no está preso. || **4.** Falta de sujeción y subordinación. *A los jóvenes los pierde la* LIBERTAD. || **5.** Facultad que se disfruta en las naciones bien gobernadas, de hacer y decir cuanto no se oponga a las leyes ni a las buenas costumbres. || **6.** Prerrogativa, privilegio, licencia. Ú. m. en pl. || **7.** Condición de las personas no obligadas por su estado al cumplimiento de ciertos deberes. || **8.** Desenfrenada contravención a las leyes y buenas costumbres. Ú. t. en pl. || **9.** Licencia u osada familiaridad. *Me tomo la* LIBERTAD *de escribir esta carta; eso es tomarse demasiada* LIBERTAD. Así aplicada, es siempre malsonante esta palabra en plural. || **10.** Exención de etiquetas. *En la corte hay más* LIBERTAD *en el trato; en los pueblos se pasea con* LIBERTAD. || **11.** Desembarazo, franqueza, despejo. *Para ser tan niña, se presenta con mucha* LIBERTAD. || **12.** Facilidad, soltura, disposición natural para hacer una cosa con destreza. En este sentido se dice de los pintores y grabadores, que tienen **libertad** de pincel o de buril. || **condicional.** Beneficio de abandonar la prisión que puede concederse a los penados en el último período de su condena, y que está sometido a la posterior observancia de buena conducta. || **de comercio.** Facultad de comprar y vender sin estorbo alguno. || **de conciencia.** Permiso de profesar cualquiera religión sin ser inquietado por la autoridad pública. || **2.** Desenfreno y desorden contra las buenas costumbres. || **de cultos.** Derecho de practicar públicamente los actos de la religión que cada uno profesa. || **de imprenta.** Facultad de imprimir cuanto se quiera, sin previa censura, con sujeción a las leyes. || **del espíritu.** Dominio o señorío del ánimo sobre las pasiones. || **provisional.** Situación o beneficio de que pueden gozar con fianza o sin ella los procesados, no sometiéndolos durante la causa a prisión preventiva. || **Apellidar libertad.** fr. Pedir el que está injustamente detenido en esclavitud que se le declare por libre. || **Poner** a uno **en libertad** de una obligación. fr. fig. Eximirle de ella. || **Sacar a libertad la novicia.** fr. Examinar el juez eclesiástico su voluntad a solas y en paraje donde, sin caer en nota, pueda libremente salirse del convento.

Libertadamente. adv. m. Con libertad, con descaro y desenfreno.

Libertado, da. p. p. de **Libertar.** || **2.** adj. Osado, atrevido. || **3.** Libre, sin sujeción. || **4.** ant. Desocupado, ocioso.

Libertador, ra. adj. Que liberta. Ú. t. c. s.

Libertar. (De *liberto.*) tr. Poner a uno en libertad; sacarle de esclavitud y sujeción. Ú. t. c. r. || **2.** Eximir a uno de una obligación, sujeción o deuda. Ú. t. c. r. || **3. Preservar.** *El abogado le* HA LIBERTADO *del presidio.*

Libertario, ria. adj. Que defiende la libertad absoluta, y por lo tanto, la supresión de todo gobierno y de toda ley.

Liberticida. (De *libertad*, y el lat. *caedĕre*, matar.) adj. Que anula la libertad.

Libertinaje. (De *libertino.*) m. Desenfreno en las obras o en las palabras. || **2.** Falta de respeto a la religión.

Libertino, na. (Del lat. *libertīnus.*) adj. Aplícase a la persona entregada al libertinaje. Ú. t. c. s. || **2.** m. y f. Hijo de liberto, y más frecuentemente el mismo liberto con respecto a su estado, como opuesto al del ingenuo.

Liberto, ta. (Del lat. *libertus.*) m. y f. Esclavo a quien se ha dado libertad, respecto de su patrono.

Líbico, ca. (Del lat. *libȳcus.*) adj. Perteneciente a Libia. || **2.** V. **Álamo líbico.**

Libídine. (Del lat. *libīdo, -ĭnis.*) m. Lujuria, lascivia.

Libidinosamente. adv. m. De un modo libidinoso.

Libidinoso, sa. (Del lat. *libidinōsus.*) adj. Lujurioso, lascivo.

Libido. (Del lat. *libīdo, -ĭnis.*) f. *Med.* y *Psicol.* El deseo sexual considerado por algunos autores como impulso y raíz de las más varias manifestaciones de la actividad psíquica.

Libio, bia. (Del lat. *libyus.*) adj. Natural de Libia. Ú. t. c. s. || **2.** Perteneciente a esta región de África antigua.

Libón. m. *Ar.* Manantial en que el agua sale a borbollones. || **2.** *Ar.* Laguna o depósito de agua.

Libra. (Del lat. *libra.*) f. Peso antiguo de Castilla, dividido en 16 onzas y equivalente a 460 gramos. En Aragón, Baleares, Cataluña y Valencia tenía 12 onzas, 17 en las Provincias Vascongadas y 20 en Galicia, y además las onzas eran desiguales, según los pueblos. || **2.** Moneda imaginaria, cuyo valor varía según los países. || **3.** En los molinos de aceite, peso que, colocado al extremo de la viga, sirve para oprimir la pasta. || **4.** Medida de capacidad, que contiene una **libra** de un líquido. || **5.** V. **Sueldo a,** o **por, libra.** || **6.** *Cuba.* Denominación dada a la hoja de tabaco de superior calidad. || **7.** *Astron.* Séptimo signo o parte del Zodiaco, de 30 grados de amplitud, que el Sol recorre aparentemente al comenzar el otoño. || **8.** *Astron.* Constelación zodiacal que en otro tiempo debió de coincidir con el signo de este nombre, pero que actualmente, por resultado del movimiento retrógrado de los puntos equinocciales, se halla delante del mismo signo y un poco hacia el oriente. || **carnicera.** La que para pesar carne y pescado se usaba en varias provincias, y tenía 36 onzas. || **catalana.** Moneda imaginaria usada antiguamente en Cataluña, que se dividía en 20 sueldos ó 240 dineros, y equivalía a dos pesetas y sesenta y siete céntimos. || **de Aragón. Libra jaquesa.** || **esterlina.** Moneda inglesa de oro, que a la par equivale a 25 pesetas. || **jaquesa.** Moneda imaginaria usada antiguamente en Aragón, con igual división que la catalana, pero con valor de cuatro pesetas y setenta y un céntimos. || **mallorquina.** Moneda imaginaria usada antiguamente en las Baleares, con igual división que la catalana, pero con valor de tres pesetas y treinta y dos céntimos. || **medicinal.** La que se ha usado en las boticas, y se dividía en 12 onzas ó 96 dracmas. || **navarra.** Moneda imaginaria usada antiguamente en el reino de Navarra, que equivalía a setenta y ocho céntimos de peseta y se dividía en los mismos sueldos y dineros que la catalana. || **valenciana.** Moneda imaginaria usada antiguamente en el reino de Valencia, con igual división que la catalana, pero con valor de tres pesetas y setenta y cinco céntimos. || **Entrar pocas,** o **pocos, en libra.** fr. fig. y fam. No poderse contar sino pocas de aquellas cosas de que se trata. *De polémicas tan urbanas* ENTRAN POCAS EN LIBRA.

Libración. (Del lat. *librātĭo, -ōnis.*) f. Movimiento como de oscilación que un cuerpo, ligeramente perturbado en su equilibrio, efectúa hasta recuperarlo poco a poco. || **2.** *Astron.* Movimiento aparente de la Luna, como de oscilación o balanceo, en virtud del cual la región o faz de aquel astro que mira hacia la Tierra, varía un poco y abarca en el curso del tiempo más de un hemisferio.

Libraco. m. despect. Libro despreciable.

Libracho. m. despect. **Libraco.**

Librado, da. p. p. de **Librar.** || **2.** m. y f. Persona contra la que se gira una letra de cambio.

Librador, ra. (Del lat. *liberātor.*) adj. Que libra. Ú. t. c. s. || **2.** ant. **Libertador.** Usáb. t. c. s. || **3.** m. En las caballerizas del rey, el que cuidaba de las provisiones para el ganado y de todo lo que es necesario para su curación. || **4.** Cogedor, generalmente de hojalata, con que en las tiendas ponen en el peso las mercancías secas para librearlas.

Libramiento. m. Acción y efecto de librar, 1.ª acep. || **2.** Orden que se da por escrito para que el tesorero, mayordomo, etc., pague una cantidad de dinero u otro género. || **3.** ant. Acción de librar, 4.ª acep. || **4.** ant. Chanza o burla pesadas.

Librancista. m. El que tiene una o más libranzas a su favor.

Librante. p. a. de **Librar.** Que libra.

Libranza. (De *librar.*) f. Orden de pago que se da, ordinariamente por carta, contra uno que tiene fondos a disposición del que la expide, la cual, cuando es a la orden, equivale a la letra de cambio. || **2. Libramiento,** 2.ª acep. || **3.** ant. Libración o libertad.

Librar. (Del lat. *liberāre.*) tr. Sacar o preservar a uno de un trabajo, mal o peligro. Ú. t. c. r. || **2.** Tratándose de la confianza, ponerla o fundarla en una persona o cosa. || **3.** Construido con ciertos substantivos, dar o expedir lo que éstos significan. LIBRAR *sentencia, real provisión, decretos, carta de pago.* || **4.** ant. Juzgar, decidir. || **5.** *Com.* Expedir letras de cambio, libranzas, cheques y otras órdenes de pago, a cargo de uno que tenga fondos a disposición del librador. || **6.** intr. Salir la religiosa a hablar al locutorio o a la red. || **7.** Parir la mujer. || **8.** fam. Disfrutar los empleados y obreros del día de descanso semanal. || **9.** *Cir.* Echar la placenta la mujer que está de parto. || **A bien,** o **a buen, librar.** loc. adv. Lo menos mal que puede, podrá o pudo suceder. || **Librar bien,** o **mal.** fr. Salir feliz, o infelizmente, de un lance o negocio. || **Librar en** uno, o **en** una cosa. fr. Fundar, confiar, cifrar.

Libratorio. (De *librar,* 6.ª acep.) m. **Locutorio,** 1.ª acep.

Librazo. m. Golpe dado con un libro.

Libre. (Del lat. *liber.*) adj. Que tiene facultad para obrar o no obrar. || **2.** Que no es esclavo. || **3.** Que no está preso. || **4.** Licencioso, insubordinado. || **5.** Atrevido, desenfrenado. *Es muy* LIBRE *en hablar.* || **6.** Disoluto, torpe, deshonesto. || **7.** Suelto, no sujeto. || **8.** Dícese del sitio, edificio, etc., que está solo y aislado y que no tiene casa contigua. || **9.** Exento, privilegiado, dispensado. *Estoy* LIBRE *del voto.* || **10. Soltero.** || **11. Independiente.** *El que no está sujeto a padres ni amos o superiores domésticos, es* LIBRE. || **12.** Desembarazado o exento de un daño o peligro. *Estoy* LIBRE *de penas, de cuidados.* || **13.** Que tiene esfuerzo y ánimo para hablar lo que conviene a su estado u oficio. || **14.** Aplícase a los sentidos y a los miembros del cuerpo que tienen expedito el ejercicio de sus funciones. *Tiene la voz* LIBRE. || **15.** Inocente, sin culpa. || **16.** V. **Absolución, paso, rueda, sílaba, verso, vientre libre.** || **17.** V. **Bienes, manos, palabras libres.** || **18.** V. **Libre cambio.** || **19.** ant. *For.* V. **Carta de libre.**

Librea. (Del fr. *livrée,* lo que es dado; especialmente vestido dado por el amo al criado; de *livrer,* y éste del lat. *liberāre,* librar.) f. Traje que los príncipes, señores y algunas otras personas o entidades dan a sus criados; por lo común uniforme y con distintivos. || **2.** Vestido uniforme que usaban las cuadrillas de caballeros en los festejos públicos. || **3.** fig. Paje o criado que usa **librea.** || **4.** *Mont.* Pelaje de los venados y otras reses.

Librear. tr. Vender o distribuir una cosa por libras.

Librear. (De *librea.*) tr. p. us. Adornar, embellecer con galas. Ú. t. c. r.

Librecambio. m. **Libre cambio.**

Librecambismo. m. Doctrina que defiende el libre cambio.

Librecambista. adj. Partidario del libre cambio. Ú. t. c. s. || **2.** Perteneciente o relativo al libre cambio.

Libredumbre. f. ant. **Libertad.**

Librejo. m. d. de **Libro.** || **2.** despect. **Libraco.**

Libremente. adv. m. Con libertad.

Librepensador, ra. adj. Partidario del librepensamiento. Ú. t. c. s.

Librepensamiento. (De *libre* y *pensamiento.*) m. Doctrina que reclama para la razón individual independencia absoluta de todo criterio sobrenatural en materia religiosa.

Librería. f. **Biblioteca,** 1.ª y 2.ª aceps. || **2.** Tienda donde se venden libros. || **3.** Ejercicio o profesión de librero.

Libreril. adj. Perteneciente o relativo al comercio de libros.

Librero. m. El que tiene por oficio vender libros. || **2.** ant. **Encuadernador,** 1.ª acep.

Libresco, ca. adj. Perteneciente o relativo al libro. || **2.** Dícese especialmente del escritor o autor que se inspira en la lectura de los libros y no en la realidad de la vida ni en la naturaleza.

Libreta. f. d. de **Libra.** || **2.** En varias partes, pan de una libra.

Libreta. (De *libro.*) f. Cuaderno o libro pequeño destinado a escribir en él anotaciones o cuentas. || **2. Cartilla,** 4.ª acep.

Librete. m. d. de **Libro.** || **2. Maridillo.**

Libretín. m. d. de **Librete.**

Libretista. com. Autor de uno o más libretos.

Libreto. (Del ital. *libretto.*) m. Obra dramática escrita para ser puesta en música, ya toda ella, como sucede en la ópera, ya sólo una parte, como en la zarzuela española y ópera cómica extranjera.

Librillo. m. **Lebrillo.**

Librillo. m. d. de **Libro.** || **2.** Cuadernito de papel de fumar. || **3. Libro,** 6.ª acep. || **de cera.** Porción de cerilla que se pliega en varias formas, pero especialmente en la aplanada, semejante a un **librillo,** y sirve para llevar fácilmente luz a cualquier parte. || **de oro,** o **plata.** Aquel en que los batihojas ponen los panes de oro o plata entre hojas de papel empolvadas de minio, para que no se peguen a ellas las láminas de metal.

Libro. (Del lat. *liber, libri.*) m. Reunión de muchas hojas de papel, vitela, etc., ordinariamente impresas, que se han cosido o encuadernado juntas con cubierta de papel, cartón, pergamino u otra piel, etc., y que forman un volumen. || **2.** Obra científica o literaria de bastante extensión para formar volumen. || **3.** Cada una de ciertas partes principales en que suele dividirse la obra científica o literaria, y los códigos y leyes de gran extensión. || **4. Libreto.** || **5.** fig. Contribución o impuesto. *No he pagado los* LIBROS; *andan cobrando los* LIBROS. || **6.** *Zool.* Tercera de las cuatro cavidades en que se divide el estómago de los rumiantes. || **7.** Para los efectos legales, todo impreso no periódico que contiene 200 páginas o más. || **amarillo, azul, blanco, rojo,** etc. **Libro** que contiene documentos diplomáticos y que publican en determinados casos los gobiernos. El color del **libro** permite reconocer el país a que pertenece. || **antifonal,** o **antifonario.** El de coro en que se contienen las antífonas de todo el año. || **blanco.** V. **Libro amarillo.** || **borrador. Borrador,** 1.er art., 2.ª acep. || **copiador.** El que en las casas de comercio sirve para copiar en él la correspondencia. || **de acuerdo.** *For.* **Libro** en que se hacen constar las resoluciones que adopta un tribunal sobre objetos de aplicación general u otros que no sean la substanciación, vista y fallo de los pleitos y causas. || **de asiento.** El que sirve para anotar o escribir lo que importa tener presente. || **de becerro. Becerro,** 3.ª, 4.ª y 5.ª aceps. || **de caballerías.** Especie de novela antigua en que se cuentan hazañas y hechos fabulosos de caballeros aventureros o andantes. || **de caja.** El que tienen los hombres de negocios y mercaderes para anotar la entrada y salida del dinero. || **de coro.** **Libro** grande, cuyas hojas regularmente son de pergamino, en que están escritos los salmos, antífonas, etc., que se cantan en el coro, con sus notas de canto. || **de cuentas ajustadas.** Prontuario de contabilidad elemental, dispuesto en diversidad de tablas de uso fácil. || **de Esdras.** Cada uno de los dos **libros** canónicos del Antiguo Testamento escritos por Esdras y Nehemías, y en los cuales se refiere la historia de la libertad del pueblo hebreo, de la cautividad de Babilonia y su vuelta a Jerusalén. || **de Ester. Libro** canónico del Antiguo Testamento, que contiene la historia de la joven judía de este nombre, esposa del rey Asuero, célebre por haber librado a su pueblo de la proscripción general. || **de fondo.** Hablando de los **libros** que tiene de venta un librero, cada uno de los que ha impreso por su cuenta, o cuya propiedad ha adquirido en gran número, a distinción de los de surtido. || **de horas. Libro** en que se contienen las horas canónicas. || **de inventarios.** *Com.* Aquel en que periódicamente se han de hacer constar todos los bienes y derechos del activo y todas las deudas y obligaciones del pasivo de cada comerciante, persona natural o jurídica, y el balance general de su giro. || **de Job. Libro** canónico del Antiguo Testamento, que contiene la historia de las terribles pruebas a que Dios puso la virtud de este hombre santo, de su paciencia y de sus sublimes diálogos con sus amigos. || **de Josué. Libro** canónico del Antiguo Testamento, escrito por Josué, en el que se refiere la historia de su conquista de la Tierra de Promisión, como caudillo del pueblo hebreo, inmediato sucesor de Moisés. || **de Judit. Libro** canónico del Antiguo Testamento, que contiene las historias de la libertad de Betulia por el extraordinario valor de aquella heroína. || **del acuerdo. Libro de acuerdo.** || **de la Sabiduría. Libro** canónico del Antiguo Testamento, que trata de la sabiduría creada e increada. || **de las cuarenta hojas.** fig. y fam. Baraja de naipes. || **de la vida.** fig. *Teol.* Conocimiento de Dios relativo a los elegidos, y en el cual se consideran como inscritos los predestinados a la gloria, ya de una manera irrevocable por estar ordenados a ella como fin, o de modo revocable por estar ordenados a ella por la gracia. || **del Eclesiástico. Eclesiástico,** 6.ª acep. || **de lo salvado. Libro** en que se sentaban y registraban las mercedes, gracias y concesiones que hacían los reyes. || **de los jueces. Libro** canónico del Antiguo Testamento, que contiene la historia del pueblo hebreo mientras fué gobernado por caudillos que se llamaron jueces, hasta Saúl, su primer rey. || **de los Macabeos.** Cada uno de los dos **libros** canónicos del Antiguo Testamento, que contienen la historia de Judas, por sobrenombre Macabeo, y de sus hermanos, y de las guerras que sostuvieron contra los reyes de Siria en defensa de la religión y de la libertad de la patria. || **de los Proverbios. Libro** canónico del Antiguo Testamento, en el que Salomón enseña a todos los hombres sus deberes para con Dios y para con el prójimo. || **de los Reyes.** Cada uno de los cuatro **libros** canónicos del Antiguo Testamento, que contienen la historia del establecimiento de la monarquía y la serie de los reyes que reinaron desde luego en el reino entero, y después de la división, en los de Judá y de Israel. ‖ **de mano.** El que está manuscrito. ‖ **de memoria.** El que sirve para apuntar en él lo que no se quiere fiar a la memoria. ‖ **de música.** El que tiene escritas las notas para tocar y cantar las composiciones músicas. ‖ **de oro.** El que contenía el registro de la nobleza veneciana. ‖ **de Rut. Libro** canónico del Antiguo Testamento, que contiene, en la historia de esta mujer moabita, ejemplos de singular virtud y de providencia divina. ‖ **de surtido.** Cada uno de los que reciben los libreros para venderlos por comisión. ‖ **de texto.** El que sirve en las aulas para que por él estudien los escolares. ‖ **de Tobías. Libro** canónico del Antiguo Testamento, que contiene un modelo excelente de piedad y de paciencia en la persona de este hombre santo. ‖ **diario.** *Com.* Aquel en que se van sentando día por día y por su orden todas las operaciones del comerciante relativas a su giro o tráfico. ‖ **entonatorio.** El que sirve para entonar en el coro. ‖ **maestro. Libro** principal en que se anotan y registran las noticias pertenecientes al gobierno económico de una casa. ‖ **2.** *Mil.* El que contiene las filiaciones y también las partidas que recibe el soldado, y se confrontan con las libretas. ‖ **mayor. Libro maestro.** ‖ **2.** *Com.* Aquel en que, por debe y haber, ha de llevar el comerciante, sujetándose a riguroso orden de fechas, las cuentas corrientes con las personas u objetos bajo cuyos nombres estén abiertas. ‖ **moral.** Cada uno de los cinco **libros** de la Sagrada Escritura denominados en particular los Proverbios, el Eclesiastés, el Cantar de los Cantares, la Sabiduría y el Eclesiástico, que abundan en máximas sabias y edificantes. Ú. m. en pl. ‖ **penador.** En algunos pueblos, el que tiene la justicia para sentar las penas en que condena a los que rompen con el ganado los cotos y límites de las heredades y sitios vedados. ‖ **procesionario.** El que se lleva en las procesiones, y donde están las preces y oraciones que se deben cantar. ‖ **ritual.** El que enseña el orden de las sagradas ceremonias y administración de los sacramentos. ‖ **rojo.** V. **Libro amarillo.** ‖ **sagrado.** Cada uno de los de la Sagrada Escritura recibidos por la Iglesia. Ú. m. en pl. ‖ **sapiencial. Libro moral.** Ú. m. en pl. ‖ **talonario.** El que sólo contiene libranzas, recibos, cédulas, billetes u otros documentos, de los cuales, cuando se cortan, queda una parte encuadernada para comprobar su legitimidad o falsedad y para otros varios efectos. ‖ **verde.** fig. y fam. **Libro** o cuaderno en que se escriben noticias particulares y curiosas de algunos países y personas, y en especial de los linajes, y de lo que tienen de bueno o de malo. ‖ **2.** fig. y fam. Persona dedicada a semejantes averiguaciones. ‖ **Gran libro.** El que llevan las oficinas de la deuda pública para anotar las inscripciones nominativas de las rentas perpetuas a cargo del Estado, pertenecientes a comunidades, corporaciones, instituciones o personas particulares. ‖ **Ahorcar** uno **los libros.** fr. fig. y fam. Abandonar los estudios. ‖ **Cantar a libro abierto.** fr. fig. Cantar de repente una composición música. ‖ **Hablar como un libro.** fr. fig. Hablar con corrección, elegancia y autoridad. ‖ **Hacer** uno **libro nuevo.** fr. fig. y fam. Empezar a corregir sus vicios con una vida arreglada y cristiana. ‖ **2.** fig. y fam. Introducir novedades. ‖ **Libro cerrado no saca letrado.** ref. cuyo sentido es que no aprovechan los **libros** si no se estudia en ellos. ‖ **Meterse** uno **en libros de caballerías.** fr. fig. Mezclarse en lo que no le importa o donde no le llaman. ‖ **No estar** una cosa **en los libros de** uno. fr. fig. y fam. Serle extraña una materia, o pensar de distinta manera. ‖ **No haber necesidad de,** o **no ser menester, abrir ni cerrar ningun libro para** una cosa. fr. fig. y fam. No requerir ésta, por ser muy clara, sencilla o fácil, meditación ni estudio. ‖ **Quemar** uno sus **libros.** fr. fig. de que se usa para esforzar la propia opinión o contrariar la ajena.

Librote. m. aum. de **Libro.**

Licantropía. (Del gr. λυκανθρωπία, de λυκάνθρωπος, licántropo.) f. *Med.* Manía en la cual el enfermo se imagina estar transformado en lobo, e imita los aullidos de este animal. ‖ **2.** *Med.* **Zoantropía.**

Licántropo. (Del gr. λυκάνθρωπος; de λύκος, lobo, y ἄνθρωπος, hombre.) m. El afectado de licantropía.

Liceísta. com. Socio de un liceo.

Licencia. (Del lat. *licentĭa.*) f. Facultad o permiso para hacer una cosa. ‖ **2.** Documento en que consta la **licencia.** ‖ **3.** Abusiva libertad en decir u obrar. ‖ **4.** Grado de licenciado. ‖ **5. Claustro de licencias.** ‖ **6.** pl. Las que se dan a los eclesiásticos por los superiores para celebrar, predicar, etc., por tiempo indefinido. ‖ **Licencia absoluta.** *Mil.* La que se concede a los militares, eximiéndolos completamente del servicio. ‖ **de artes.** Junta particular que en la universidad de Alcalá formaban los sujetos que por designación del claustro pleno examinaban a los bachilleres de ella, y, hallándolos hábiles, arreglaban el rótulo o graduación de preferencia con que habían de tomar el grado de licenciado. ‖ **poética.** Cada una de ciertas infracciones de las leyes del lenguaje o del estilo que pueden cometerse lícitamente en la poesía, por haberlas autorizado el uso con aprobación de los doctos. ‖ **Primero, segundo,** etc., **en licencias.** En la universidad de Alcalá decíase de los sujetos que en las **licencias** se señalaban para que recibiesen por este orden el grado de una facultad. ‖ **Tomarse** uno **la licencia.** fr. Hacer por sí e independientemente una cosa sin pedir la **licencia** o facultad que por obligación o cortesía se necesita para ejecutarla.

Licenciadillo. (d. de *licenciado.*) m. fig. y fam. El que andaba vestido de hábitos clericales y era ridículo en su persona o acciones.

Licenciado, da. p. p. de **Licenciar.** ‖ **2.** adj. Dícese de la persona que se precia de entendida. ‖ **3.** Dado por libre. ‖ **4.** m. y f. Persona que ha obtenido en una facultad el grado que le habilita para ejercerla. ‖ **5.** m. fam. El que viste hábitos largos o traje de estudiante. ‖ **6.** Tratamiento que se da a los abogados. ‖ **7.** Soldado que ha recibido su licencia absoluta. ‖ **Vidriera.** fig. Persona nimiamente delicada y tímida.

Licenciamiento. m. **Licenciatura,** 2.ª acep. ‖ **2.** Acción y efecto de licenciar a los soldados.

Licenciar. (Del lat. *licentiāre.*) tr. Dar permiso o licencia. ‖ **2.** Despedir a uno. ‖ **3.** Conferir el grado de licenciado. ‖ **4.** Dar a los soldados su licencia absoluta. ‖ **5.** r. Hacerse licencioso o desordenado. ‖ **6.** Tomar el grado de licenciado.

Licenciatura. (Del lat. *licentiātum,* supino de *licentiāre,* licenciar.) f. Grado de licenciado. ‖ **2.** Acto de recibirlo. ‖ **3.** Estudios necesarios para obtener este grado.

Licenciosamente. adv. m. Con demasiada licencia y libertad.

Licencioso, sa. (Del lat. *licentiōsus.*) adj. Libre, atrevido, disoluto.

Liceo. (Del lat. *Lycēum,* y éste del gr. Λύκειον.) m. Uno de los tres antiguos gimnasios de Atenas, donde enseñó Aristóteles, situado cerca del templo de Apolo Liceo, extramuros de la ciudad. ‖ **2.** Escuela aristotélica. ‖ **3.** Nombre de ciertas sociedades literarias o de recreo. ‖ **4.** En algunos países, **instituto de segunda enseñanza.**

Licio, cia. (Del lat. *lycĭus.*) adj. Natural de Licia. Ú. t. c. s. ‖ **2.** Perteneciente a este país de Asia antigua.

Lición. f. ant. **Lección.**

Licionario. m. ant. **Leccionario.**

Licitación. (Del lat. *licitatĭo, -ōnis.*) f. *For.* Acción y efecto de licitar.

Licitador. (Del lat. *licitātor.*) m. El que licita.

Lícitamente. adv. m. Justa, legítimamente, con justicia y derecho.

Licitante. p. a. de **Licitar.** Que licita.

Licitar. (Del lat. *licitāri.*) tr. Ofrecer precio por una cosa en subasta o almoneda.

Lícito, ta. (Del lat. *licĭtus.*) adj. Justo, permitido, según justicia y razón. ‖ **2.** Que es de la ley o calidad que se manda.

Licitud. f. Calidad de lícito.

Licnobio, bia. (Del gr. λυχνόβιος; de λύχνος, lámpara, y βίος, vida.) adj. Dícese de la persona que hace de la noche día, o sea que vive con luz artificial. Ú. t. c. s.

Licopodíneo, a. (De *licopodio.*) adj. *Bot.* Dícese de plantas criptógamas del tipo de las pteridofitas, con hojas pequeñas y muy sencillas, y que se distinguen de los otros vegetales del mismo grupo por la ramificación dicótoma de sus tallos y raíces; como el licopodio. Ú. t. c. s. f. ‖ **2.** f. pl. *Bot.* Clase de estas plantas.

Licopodio. (Del gr. λύκος, lobo, y πούς, ποδός, pie.) m. Planta de la clase de las licopodíneas, por lo común rastrera, de hojas simples, gruesas e imbricadas, que crece ordinariamente en lugares húmedos y sombríos.

Licor. (Del lat. *liquor.*) m. Cuerpo líquido. ‖ **2.** Bebida espiritosa obtenida por destilación, maceración o mezcla de diversas substancias, y compuesta de alcohol, agua, azúcar y esencias aromáticas variadas.

Licorera. f. Utensilio de mesa, donde se colocan las botellas o frascos de licor y a veces los vasitos o copas en que se sirve.

Licorista. com. Persona que hace o vende licores.

Licoroso, sa. (De *licor.*) adj. Aplícase al vino espiritoso y aromático.

Lictor. (Del lat. *lictor, -ōris.*) m. Ministro de justicia entre los romanos, que precedía con las fasces a los cónsules y a otros magistrados.

Licuable. (Del lat. *licuabĭlis.*) adj. **Liquidable.**

Licuación. (Del lat. *liquatĭo, -ōnis.*) f. Acción y efecto de licuar o licuarse.

Licuante. p. a. de **Licuar.** Que licua.

Licuar. (Del lat. *licuāre.*) tr. **Liquidar,** 1.ª acep. Ú. t. c. r. ‖ **2.** *Min.* Fundir un metal sin que se derritan las demás materias con que se encuentra combinado, a fin de separarlo de ellas. Ú. t. c. r.

Licuecer. (Del lat. *licuescĕre.*) tr. ant. Licuar. Usáb. t. c. r.

Licuefacción. (Del lat. *licuefactum,* supino de *liquefacĕre,* liquidar.) f. Acción y efecto de licuefacer o licuefacerse.

Licuefacer. (Del lat. *liquefacĕre.*) tr. **Licuar.** Ú. t. c. r.

Licuefactible. (De *licuefacer.*) adj. **Licuable.**

Licuefactivo, va. (Del lat. *liquefactus,* liquidado.) adj. Que tiene virtud de licuar.

Licuor. m. ant. **Licor.**

Licurgo, ga. (Por alusión a *Licurgo*, famoso legislador espartano.) adj. fig. Inteligente, astuto, hábil. || **2.** m. fig. **Legislador.**

Lichera. (Del lat. *lectuaria*, t. f. de *-rius*, propio del lecho.) f. En algunas partes, manta o cobertor para el lecho.

Lid. (Del lat. *lis, litis.*) f. Combate, pelea. || **2.** V. **Fiel de lides.** || **3.** ant. **Pleito.** || **4.** fig. Disputa, contienda de razones y argumentos. || **5.** *For.* En lo antiguo, prueba judicial mediante el reto y duelo de las partes. || **En buena lid.** loc. adv. Por buenos medios. || **Lid ferida de palabras.** loc. ant. *For.* Demanda o pleito contestado.

Lidia. f. Acción y efecto de lidiar.

Lidiadero, ra. adj. Que puede lidiarse o correrse.

Lidiador, ra. (Del lat. *litigātor.*) m. y f. Persona que lidia.

Lidiante. p. a. de **Lidiar.** Que lidia.

Lidiar. (Del lat. *lītigāre*, luchar.) intr. Batallar, pelear. || **2.** ant. **Litigar.** || **3.** fig. Hacer frente a uno, oponérsele. || **4.** fig. Tratar, comerciar con una o más personas que causan molestia y ejercitan la paciencia. || **5.** tr. Burlar al toro luchando con él y esquivando sus acometidas hasta darle muerte.

Lidio, dia. (Del lat. *lydĭus.*) adj. Natural de Lidia. Ú. t. c. s. || **2.** Perteneciente a este país de Asia antigua.

Liebrastón. (De *liebratón.*) m. **Lebrato.**

Liebratico. m. **Lebrato.**

Liebratón. (De *liebre.*) m. **Liebrastón.**

Liebre. (De lat. *lĕpus, -ŏris.*) f. Mamífero del orden de los roedores, que mide unos siete decímetros desde la cabeza hasta la cola, y 20 a 24 centímetros de altura; con pelaje suave y espeso de color negro rojizo en la cabeza y lomo, leonado en el cuello y patas, y blanco en el pecho y vientre; la cabeza proporcionalmente pequeña, con hocico estrecho y orejas muy largas, de color gris con las puntas negras; el cuerpo estrecho, las extremidades posteriores más largas que las anteriores, y la cola corta, negra por encima y blanca por debajo. Es animal muy tímido, solitario, de veloz carrera, que abunda en España. Vive preferentemente en las llanuras sin hacer madrigueras y descansa en camas que muda con frecuencia. Su carne es comestible apreciado y su piel más estimada que la del conejo. || **2.** V. **Pie de liebre.** || **3.** fig. y fam. Hombre tímido y cobarde. || **4.** *Astron.* Pequeña constelación meridional debajo de Orión y al occidente del Can Mayor. || **de mar,** o **marina.** *Zool.* Molusco gasterópodo, con el cuerpo desnudo, pero provisto de una concha oculta en el manto; tiene un cuello alargado y cuatro tentáculos cefálicos, de los cuales dos son grandes, parecidos a las orejas de un mamífero, de donde le viene el nombre. Se encuentran varias especies en las costas de la península ibérica. || **Coger uno una liebre.** fr. fig. y fam. Caerse al suelo el que resbala o tropieza, sin daño o con daño leve. || **Comer uno liebre.** fr. fig. y fam. Ser cobarde. || **Donde menos se piensa, salta la liebre.** ref. con que se da a entender el suceso repentino de las cosas que menos se esperaban. || **Levantar** uno **la liebre.** fr. fig. y fam. **Levantar la caza.** || **Seguir** uno **la liebre.** fr. fig. y fam. Continuar averiguando o buscando una cosa por la señal o indicio que de ella se tiene.

Liebrecilla. f. d. de **Liebre.** || **2.** f. **Aciano menor.**

Liebrezuela. f. d. de **Liebre.**

Liego, ga. adj. **Lleco.** Ú. t. c. s.

Liendre. (Del lat. *lens, lendis.*) f. *Zool.* Huevo del piojo, que suele estar adherido a los pelos de los animales huéspedes de este parásito. || **Cascarle,** o **machacarle,** a uno **las liendres.** fr. fig. y fam. Aporrearle, darle de palos. || **2.** fig. y fam. Argüirle o reprenderle con vehemencia.

Lientera. f. *Med.* **Lientería.**

Lientería. (Del lat. *lienterĭa*, y éste del gr. λειεντερία; de λεῖος, liso, y ἔντερον, intestino.) f. *Med.* Diarrea de alimentos no digeridos.

Lientérico, ca. (Del lat. *lienterĭcus.*) adj. *Med.* Perteneciente a la lientería. || **2.** *Med.* Que la padece. Ú. t. c. s.

Liento, ta. (Del lat. *lentus.*) adj. Húmedo, poco mojado.

Lienza. (De *lienzo.*) f. Lista o tira estrecha de cualquier tela.

Lienzo. (Del lat. *lintĕum.*) m. Tela que se fabrica de lino, cáñamo o algodón. || **2.** Pañuelo de **lienzo,** algodón o hiladillo, que sirve para limpiar las narices y el sudor. || **3.** Pintura que está sobre **lienzo.** || **4.** Fachada del edificio, o pared, que se extiende de un lado a otro. || **5.** *Fort.* Porción de muralla que corre en línea recta de baluarte a baluarte o de cubo a cubo.

Lieva. (De *lievar.*) f. ant. Acción de llevar una cosa. || **2.** ant. La misma cosa que se lleva.

Lievar. (De *levar*, infl. por *lievo.*) tr. ant. **Llevar.**

Lieve. (Del lat. *lĕvis*, leve.) adj. ant. **Leve.** || **De lieve.** m. adv. ant. Ligeramente, con facilidad.

Lifara. f. fam. *Ar.* **Alifara.**

Liga. (De *ligar.*) f. Cinta o banda de tejido elástico con que se aseguran las medias y los calcetines. || **2.** Venda o faja. || **3. Muérdago.** || **4.** Materia viscosa del muérdago y algunas otras plantas, con la cual se untan espartos, mimbres o juncos para cazar pájaros. || **5.** Unión o mezcla. || **6. Aleación.** || **7.** Confederación que hacen entre sí los príncipes o Estados para defenderse de sus enemigos o para ofenderlos. || **8.** Por ext., agrupación o concierto de individuos o colectividades humanas con algún designio que les es común. || **9.** Cantidad de cobre que se mezcla con el oro o la plata cuando se bate moneda o se fabrican alhajas. || **10.** ant. Banda o faja. || **11.** *Germ.* **Amistad.** || **Hacer** uno **buena,** o **mala, liga con** otro. fr. Convenir, o no, con él por sus condiciones.

Ligación. (Del lat. *ligatĭo, -ōnis.*) f. Acción y efecto de ligar. || **2. Liga,** 5.ª acep.

Ligada. f. *Mar.* **Ligadura,** 1.ª acep.

Ligado, da. p. p. de **Ligar.** || **2.** m. Unión o enlace de las letras en la escritura. || **3.** *Mús.* Unión de dos puntos sosteniendo el valor de ellos, y nombrando sólo el primero. || **4.** *Mús.* Modo de ejecutar una serie de notas diferentes sin interrupción de sonido entre unas y otras, por contraposición al picado.

Ligadura. (Del lat. *ligatūra.*) f. Vuelta que se da apretando una cosa con liga, venda u otra atadura. || **2.** Acción y efecto de ligar, 5.ª acep. || **3.** fig. **Sujeción,** 2.ª acep. || **4.** *Cir.* Venda o cinta con que se aprieta y da garrote. || **5.** *Mús.* Artificios con que se ata y liga la disonancia con la consonancia, quedando como ligada o impedida para que no cause el mal efecto que por sí sola causaría.

Ligagamba. (De *ligar* y *gamba.*) f. ant. **Ligapierna.**

Ligallero. m. *Ar.* Individuo de la junta de gobierno del ligallo.

Ligallo. (De *liga*, unión.) m. *Ar.* Junta que ganaderos y pastores tenían anualmente para tratar de los asuntos concernientes a su industria.

Ligamaza. (De *ligar.*) f. Viscosidad, y principalmente la materia pegajosa que envuelve las semillas de algunas plantas.

Ligamen. (Del lat. *ligāmen*, atadura.) m. Maleficio durante el cual se creía supersticiosamente que quedaba ligada la facultad de la generación. || **2.** Impedimento dirimente que para nuevo matrimonio supone el anterior no disuelto legalmente.

Ligamento. (Del lat. *ligamentum.*) m. **Ligación,** 1.ª acep. || **2.** *Zool.* Cordón fibroso muy homogéneo y de gran resistencia, que liga los huesos de las articulaciones. || **3.** *Zool.* Pliegue membranoso que enlaza o sostiene en la debida posición cualquier órgano del cuerpo de un animal.

Ligamentoso, sa. adj. Que tiene ligamentos.

Ligamiento. m. Acción y efecto de ligar o atar. || **2.** fig. Unión, conformidad en las voluntades. || **3.** ant. **Ligamento,** 1.ª acep.

Ligapierna. (De *ligar* y *pierna.*) f. ant. **Liga,** 1.ª acep.

Ligar. (Del lat. *ligāre.*) tr. **Atar.** || **2. Alear,** 2.° art. || **3.** Mezclar cierta porción de otro metal con el oro o con la plata cuando se bate moneda o se fabrican alhajas. || **4.** Unir o enlazar. || **5.** fig. Usar de algún maleficio contra uno con el fin de hacerle, según la creencia del vulgo, impotente para la generación. || **6.** fig. **Obligar,** 1.ª y 2.ª aceps. Ú. t. c. r. || **7.** ant. **Encuadernar.** || **8.** intr. En ciertos juegos de naipes, juntar dos o más cartas adecuadas al lance. || **9.** r. Confederarse, unirse para algún fin.

Ligarza. (De *ligar.*) f. *Ar.* **Legajo.**

Ligaterna. f. *Burg.*, *Cuen.* y *Pal.* **Lagartija.**

Ligatura. f. ant. **Ligadura.**

Ligazón. (Del lat. *ligatĭo, -ōnis.*) f. Unión, trabazón, enlace de una cosa con otra. || **2.** *Mar.* Cualquiera de los maderos que se enlazan para componer las cuadernas de un buque.

Ligeramente. adv. m. Con ligereza. || **2.** De paso, levemente. || **3.** fig. **De ligero.** || **4.** ant. fig. **Fácilmente.**

Ligerez. f. ant. **Ligereza.**

Ligereza. (De *ligero.*) f. Presteza, agilidad. || **2. Levedad.** || **3.** fig. Inconstancia, volubilidad, inestabilidad. || **4.** fig. Hecho o dicho de alguna importancia, pero irreflexivo o poco meditado.

Ligero, ra. (De un der. del lat. *levis*; en gr. ἐλαχύς.) adj. Que pesa poco. || **2.** Ágil, veloz, pronto. || **3.** Aplícase al sueño que se interrumpe fácilmente con cualquier ruido, por pequeño que sea. || **4.** Leve, de poca importancia y consideración. || **5.** V. **Artillería, caballería, fragata, infantería ligera.** || **6.** V. **Caballo, perico ligero.** || **7.** fig. Hablando de alimentos, que pronto y fácilmente se digiere. || **8.** fig. Inconstante, voltario, que muda fácilmente de opinión. || **9.** *Mil.* V. **Paso ligero.** || **10.** *Mil.* V. **Tropa ligera.** || **11.** m. *Germ.* Manto de mujer. || **A la ligera.** m. adv. De prisa, o **ligera** y brevemente. || **2.** fig. Sin aparato, con menos comodidad y compañía de la que corresponde. || **De ligero.** m. adv. fig. Sin reflexión. *Creer, partir* DE LIGERO. || **2.** ant. fig. **Fácilmente.**

Ligeruelo, la. adj. d. de **Ligero.** || **2.** V. **Uva ligeruela.**

Ligio. (Del ant. franco *lĕdig*; en b. lat. *ligius.*) adj. V. **Feudo ligio.**

Lignáloe. (Del lat. *lignum alŏes*, palo de áloe.) m. ant. **Lináloe.**

Lignario, ria. (Del lat. *lignarĭus.*) adj. De madera o perteneciente a ella.

Lignito. (Del lat. *lignum*, leño.) m. Carbón fósil que no produce coque cuando se calcina en vasos cerrados. Es un combustible de mediana calidad, de color negro o pardo, y tiene frecuentemente textura semejante a la de la madera de que procede.

Lígnum crucis. (Del lat. *lignum*, madero, y *crucis*, de la cruz.) m. Reliquia de la cruz de Nuestro Señor Jesucristo.

Ligón. (Del lat. *ligo*, *-ōnis*.) m. Especie de azada con mango largo, encorvado y hueco en el que entra el astil.

Ligona. f. *Ar.* **Ligón.**

Ligua. f. Hacha de armas, usada en Filipinas, con el mango de madera y la cabeza de hierro en forma de martillo.

Liguano, na. adj. *Chile.* Aplícase a una raza de carneros de lana gruesa y larga, a lo perteneciente a estos carneros, a su lana y a lo que con ella se fabrica.

Liguilla. (d. de *liga*.) f. Cierta clase de liga o venda estrecha.

Lígula. (Del lat. *ligŭla*, lengüeta.) f. *Bot.* Especie de estípula situada entre el limbo y el pecíolo de las hojas de las gramíneas. ‖ **2.** *Med.* **Epiglotis.**

Ligur. (Del lat. *ligur*.) adj. **Ligurino,** 1.ª acep. Ú. t. c. s.

Ligurino, na. (Del lat. *ligurīnus*.) adj. Natural de Liguria. Ú. t. c. s. ‖ **2.** Perteneciente a este país de la Italia antigua.

Ligústico, ca. (Del lat. *ligustĭcus*.) adj. **Ligurino,** 2.ª acep.

Ligustre. m. Flor del ligustro.

Ligustrino, na. adj. Perteneciente al ligustro.

Ligustro. (Del lat. *ligustrum*.) m. **Alheña,** 1.ª acep.

Lija. (De *lijar*, 1.er art.) f. *Zool.* Pez selacio, del suborden de los escuálidos, de cuerpo casi cilíndrico, que llega a un metro de longitud, cabeza pequeña y boca con muchos dientes de tres puntas; tiene cinco aberturas branquiales a cada lado del cuello; piel grísea con muchas pintas de color pardo rojizo en el lomo, blanquecina en la región abdominal, sin escamas, pero cubierta de una especie de granillos córneos muy duros, que la hacen sumamente áspera; las aletas dorsales tan separadas, que la última cae encima o detrás de la anal, y cola gruesa y escotada. Es animal carnicero, muy voraz, del cual se utiliza, además de la carne, la piel y el aceite que se saca de su hígado. ‖ **2.** Piel seca de este pez o de otro selacio, que por la dureza de sus granillos se emplea para limpiar y pulir metales y maderas. ‖ **3. Papel de lija.**

Lijadura. (De *lijar*, 2.° art.) f. *Sant.* Lesión, imperfección de una parte del cuerpo.

Lijar. (Del lat. *illīsus*.) tr. Alisar y pulir una cosa con lija o papel de lija.

Lijar. tr. ant. Lisiar, lastimar. Ú. en *Sant.*

Lijo, ja. adj. ant. **Lijoso.** ‖ **2.** m. ant. **Inmundicia.**

Lijosamente. (De *lijoso*.) adv. m. Con inmundicia, suciamente.

Lijoso, sa. (De *lijo*.) adj. ant. Sucio, inmundo.

Lila. (De *lilac*.) f. Arbusto de la familia de las oleáceas, de tres a cuatro metros de altura, muy ramoso, con hojas pecioladas, enteras, acorazonadas, puntiagudas, blandas y nerviosas; flores de color morado claro, salvo en la variedad que las tiene blancas, olorosas, pequeñas, de corola tubular partida en cuatro lóbulos iguales y en grandes ramilletes erguidos y cónicos, y fruto capsular, comprimido, negro, coriáceo, con dos semillas. Es planta originaria de Persia y muy cultivada en los jardines por la belleza de sus flores. ‖ **2.** Flor de este arbusto. ‖ **3.** Color morado claro, como la flor de la **lila.** ‖ **4.** adj. fam. Tonto, fatuo. Ú. t. c. s.

Lila. (De *Lille*, ciudad de Flandes, de donde se importó esta tela.) f. Tela de lana de varios colores, de que se usaba para vestidos y otras cosas.

Lilac. (Del ár. *līlāk*, y éste corrupción del persa *lilaŷ* o *līlang*, índigo.) f. **Lila,** 1.er art.

Lilaila. f. **Lelilí.**

Lilaila. f. **Filelí.** ‖ **2.** fam. Astucia, treta, bellaquería. Ú. m. en pl.

Lilao. m. fam. Ostentación vana en el porte o en palabras y acciones.

Liliáceo, a. (Del lat. *liliacĕus*, parecido al lirio.) adj. *Bot.* Dícese de plantas angiospermas monocotiledóneas, casi todas herbáceas, anuales o perennes, de raíz tuberculosa o bulbosa, con hojas opuestas, alternas o verticiladas, sentadas, pecioladas o envainadoras; flores hermafroditas, rara vez solitarias y más a menudo en bohordo; fruto capsular, generalmente con muchas semillas de albumen carnoso, o en baya; como el ajo, el áloe, el brusco y el cólquico. Ú. t. c. s. f. ‖ **2.** f. pl. *Bot.* Familia de estas plantas.

Lililí. m. **Lelilí.**

Lilio. (Del lat. *lilium*.) m. ant. **Lirio.**

Liliputiense. (Por alusión a los fantásticos personajes de *Lil-liput*, imaginados por el novelista Swift en sus *Viajes de Gulliver*.) adj. fig. Dícese de la persona extremadamente pequeña y endeble. Ú. t. c. s.

Lima. (Del ár. *līma*.) f. Fruto del limero, de forma esferoidal aplanada y de unos cinco centímetros de diámetro, pezón bien saliente de la base, corteza lisa y amarilla, y pulpa verdosa, dividida en gajos, comestible, jugosa y de sabor algo dulce. ‖ **2. Limero,** 2.ª acep.

Lima. (Del lat. *līma*.) f. Instrumento de acero templado, con la superficie finamente estriada en uno o en dos sentidos, para desgastar y alisar los metales y otras materias duras. ‖ **2.** fig. Corrección y enmienda de las obras, particularmente de las de entendimiento. ‖ **muza.** La que presenta grano de picadura más fina. ‖ **sorda.** La que está embotada con plomo y hace poco o ningún ruido cuando lima. ‖ **2.** fig. Lo que imperceptiblemente va consumiendo una cosa.

Lima. (Del lat. *līma*, t. f. de *-mus*.) f. *Arq.* Madero que se coloca en el ángulo diedro que forman dos vertientes o faldones de una cubierta, y en el cual se apoyan los pares cortos de la armadura. ‖ **2.** *Arq.* Este mismo ángulo diedro. ‖ **hoya.** *Arq.* Este mismo ángulo cuando es entrante. ‖ **tesa.** *Arq.* Este mismo ángulo cuando es saliente.

Lima. (En port. *lima* y *limosa*; en fr. *limaçe*.) f. *Germ.* **Camisa,** 1.ª acep.

Limaco. (Del lat. *līmax*, *-ăcis*, babosa.) m. *Ál.* y *Ar.* **Limaza.**

Limador. adj. Que lima; dícese especialmente del operario cuyo oficio es limar. Ú. t. c. s. ‖ **2.** m. desus. **Limatón,** 1.ª acep.

Limadura. (Del lat. *limatūra*.) f. Acción y efecto de limar. ‖ **2.** pl. Partecillas muy menudas que con la lima se arrancan de alguna pieza de metal o de materia semejante.

Limalla. (Del fr. *limaille*.) f. Conjunto de limaduras.

Limar. (Del lat. *līmāre*.) tr. Cortar o alisar los metales, la madera, etc., con la lima. ‖ **2.** fig. Pulir una obra. ‖ **3.** fig. Debilitar, cercenar alguna cosa material o inmaterial.

Limatón. m. Lima de figura redonda, gruesa y áspera, de que se sirven los cerrajeros y otros artífices en sus oficios. ‖ **2.** *Colomb.*, *Chile* y *Hond.* **Lima,** 2.° art., 1.ª acep.

Limaza. (Del lat. *līmax*, *-ăcis*, babosa.) f. **Babosa,** 1.ª acep.

Limazo. (Del lat. *limacĕus*, de *līmax*, babosa.) m. Viscosidad o babaza.

Limbo. (Del lat. *limbus*.) m. Lugar o seno donde estaban detenidas las almas de los santos y patriarcas antiguos esperando la redención del género humano. ‖ **2.** Lugar adonde van las almas de los que, antes del uso de la razón, mueren sin el bautismo. ‖ **3.** Borde de una cosa, y con especialidad orla o extremidad de la vestidura. ‖ **4.** Corona graduada que llevan los instrumentos destinados a medir ángulos. ‖ **5.** *Astron.* Contorno aparente de un astro. ‖ **6.** *Bot.* **Lámina,** 7.ª acep. ‖ **de los niños. Limbo,** 2.ª acep. ‖ **Estar uno en el limbo.** fr. fig. y fam. Estar distraído y como alelado, o pendiente de un suceso, sin poder resolver.

Limen. (Del lat. *limen*.) m. poét. **Umbral,** 1.ª y 2.ª aceps.

Limeño, ña. adj. Natural de Lima. Ú. t. c. s. ‖ **2.** Perteneciente a esta ciudad de América.

Limera. (De *lemera*.) f. *Mar.* Abertura en la bovedilla de popa, para el paso de la cabeza del timón.

Limero, ra. m. y f. Persona que vende limas, 1.er art., 1.ª acep. ‖ **2.** m. *Bot.* Árbol de la familia de las rutáceas, de cuatro a cinco metros de altura, con tronco liso y ramoso, copa abierta, hojas alternas, aovadas, persistentes, menudamente aserradas, duras, lustrosas, y flores blancas, pequeñas y olorosas. Es originario de Persia y se cultiva en España. Su fruto es la lima.

Limeta. (d. español del ár. *limma*, frasco, botella.) f. Botella de vientre ancho y corto, y cuello bastante largo. ‖ **No es soplar y hacer limetas.** fr. fig. y fam. usada en Chile para denotar que una cosa no es tan fácil como parece.

Limiste. (En fr. *limestre*.) m. Cierta clase de paño, fino y de mucho precio, que se fabricaba en Segovia.

Limitable. (Del lat. *limitabĭlis*.) adj. Que puede limitarse.

Limitación. (Del lat. *limitatĭo*, *-ōnis*.) f. Acción y efecto de limitar o limitarse. ‖ **2.** Término o distrito. ‖ **3.** ant. Límite o término de un territorio.

Limitadamente. adv. m. Con limitación.

Limitado, da. p. p. de **Limitar.** ‖ **2.** adj. Dícese del que tiene corto entendimiento.

Limitáneo, a. (De *límite*.) adj. Perteneciente o inmediato a los límites o fronteras de un reino o provincia.

Limitar. (Del lat. *limitāre*.) tr. Poner límites a un terreno. ‖ **2.** fig. Acortar, ceñir. Ú. t. c. r. ‖ **3.** fig. Fijar la mayor extensión que pueden tener la jurisdicción, la autoridad o los derechos y facultades de uno. ‖ **4.** intr. **Lindar.**

Limitativo, va. adj. Que limita, cercena o reduce. ‖ **2.** *For.* Dícese especialmente de los derechos reales que cercenan la plenitud del dominio; como el censo, las servidumbres, el usufructo, el uso, la habitación, etc.

Límite. (Del lat. *limes*, *-ĭtis*.) m. Término, confín o lindero de reinos, provincias, posesiones, etc. ‖ **2.** fig. Fin, término. ‖ **3.** *Mat.* Término del cual no puede pasar el valor de una cantidad.

Limítrofe. (Del lat. *limitrŏphus*, y éste del lat. *limes*, *-ĭtis*, límite, y del gr. τρέφω, alimentar.) adj. Confinante, aledaño.

Limo. (Del lat. *limus*.) m. Lodo o légamo.

Limón. (Del ár. *laimūn*.) m. Fruto del limonero, de forma ovoide, con unos 10 centímetros en el eje mayor y unos seis en el menor, pezón saliente en la base, corteza lisa, arrugada o surcada según las variedades, y siempre de color amarillo, pulpa amarillenta dividida en gajos, comestible, jugosa y de sabor ácido muy agradable. ‖ **2. Limonero,** 1.er art., 2.ª acep. ‖ **3.** *Cuba.* V. **Hierba de limón.** ‖ **ceutí.** Variedad de **limón** muy olorosa.

Limón. (De *leme*.) m. **Limonera.**

Limonada. (De *limón*, 1.er art.) f. Bebida compuesta de agua, azúcar y zumo de limón. ‖ **de vino. Sangría,** 7.ª acep. ‖ **purgante.** Citrato de magnesia disuelto en agua con azúcar. ‖ **seca.** Polvos de ácido cítrico y azúcar, con que se puede preparar una **limonada** disolviéndolos en agua.

Limonado, da. adj. De color de limón, 1.er art.

Limonar. m. Sitio plantado de limones. || **2.** ant. **Limonero,** 1.er art., 2.ª acep. Ú. en *Guat.*

Limonera. (De *limón,* 2.° art.) f. Cada una de las dos varas de un coche. Ú. m. en pl.

Limonero, ra. m. y f. Persona que vende limones. || **2.** m. *Bot.* Árbol de la familia de las rutáceas, de cuatro a cinco metros de altura; siempre verde, florido y con fruto; tronco liso y ramoso, copa abierta, hojas alternas elípticas, dentadas, duras, lustrosas, pecioladas y de un hermoso color verde; flores olorosas, de color de rosa por fuera y blancas por dentro. Es originario de Asia y se cultiva mucho en España. Su fruto es el limón.

Limonero, ra. (De *limón,* 2.° art.) adj. Aplícase a la caballería que va a varas en el carro, calesa, etc. Ú. t. c. s.

Limosidad. f. Calidad de limoso. || **2.** Sarro que se cría en la dentadura.

Limosín. adj. ant. **Lemosín.** Apl. a pers., usáb. t. c. s.

Limosna. (De *alimosna.*) f. Lo que se da por amor de Dios para socorrer una necesidad. || **2.** Donativo o subvención que se daba a los conventos de Indias, con cargo a los ingresos de encomiendas y otros.

Limosnadero, ra. adj. ant. **Limosnero.**

Limosnador, ra. m. y f. ant. Persona que da limosna.

Limosnear. intr. **Pordiosear,** 1.ª acep.

Limosnera. f. Escarcela en que se llevaba dinero para dar limosnas.

Limosnero, ra. adj. Caritativo, inclinado a dar limosna; que la da con frecuencia. || **2.** *Argent.* V. **Pobre limosnero.** || **3.** m. Encargado de recoger y distribuir limosnas. || **4.** El que en los palacios de los reyes, prelados u otras personas tiene el cargo de distribuir limosnas.

Limoso, sa. (Del lat. *limōsus.*) adj. Lleno de limo o lodo.

Limpia. (De *limpiar.*) f. **Limpieza,** 2.ª acep. *La* LIMPIA *de los pozos.* || **2.** V. **Esclusa de limpia.**

Limpiabarros. m. Utensilio que suele ponerse a la entrada de las casas, para que los que llegan de fuera se limpien el barro del calzado.

Limpiabotas. m. El que tiene por oficio limpiar y lustrar botas y zapatos.

Limpiachimeneas. (De *limpiar* y *chimenea.*) m. El que tiene por oficio deshollinar chimeneas.

Limpiadera. (De *limpiar.*) f. **Cepillo,** 2.ª acep. || **2. Aguijada,** 2.ª acep.

Limpiadientes. (De *limpiar* y *dientes.*) m. **Mondadientes.**

Limpiador, ra. adj. Que limpia. Ú. t. c. s.

Limpiadura. f. **Limpieza,** 2.ª acep || **2.** pl. Desperdicios o basura que se sacan de una cosa que se limpia.

Limpiamente. adv. m. Con limpieza. || **2.** fig. Hablando de algunos juegos o habilidades, con suma agilidad, desembarazo y destreza. || **3.** fig. Sinceramente, con candor. || **4.** fig. Con integridad, honestamente, sin interés.

Limpiamiento. (De *limpiar.*) m. **Limpieza,** 2.ª acep.

Limpiante. p. a. ant. de **Limpiar.** Que limpia.

Limpiaparabrisas. m. Mecanismo que se adapta a la parte exterior del parabrisas y que, moviéndose de un lado a otro, aparta la lluvia o la nieve que cae sobre aquél.

Limpiaplumas. m. Paño, con adorno o sin él, o cepillito que sirve para limpiar las plumas de escribir.

Limpiar. (Del lat. *limpidāre.*) tr. Quitar la suciedad o inmundicia de una cosa. Ú. t. c. r. || **2.** fig. **Purificar.** || **3.** fig. Echar, ahuyentar de una parte a los que son perjudiciales en ella. || **4.** fig. Quitar a los árboles las ramas pequeñas que se dañan entre sí. || **5.** fig. y fam. **Hurtar,** 1.ª acep. *Me* LIMPIARON *el pañuelo.* || **6.** fig. y fam. En el juego, **ganar,** 1.ª acep. *Le* LIMPIARON *a la malilla cincuenta pesetas.*

Limpiaúñas. m. Instrumento de concha, hueso o metal, que sirve para limpiar las uñas.

Limpidez. f. poét. Calidad de límpido.

Límpido, da. (Del lat. *limpĭdus.*) adj. poét. Limpio, terso, puro, sin mancha.

Limpiedad. (De *limpio.*) f. ant. **Limpieza.**

Limpiedumbre. f. ant. **Limpieza.**

Limpieza. f. Calidad de limpio. || **2.** Acción y efecto de limpiar o limpiarse. || **3.** fig. Hablando de la Santísima Virgen, su inmaculada Concepción. || **4.** fig. Pureza, castidad. || **5.** fig. Integridad y desinterés con que se procede en los negocios. || **6.** fig. Precisión, destreza, perfección con que se ejecutan ciertas cosas. || **7.** fig. En los juegos, observación estricta de las reglas de cada uno. || **de bolsa.** fig. y fam. Falta de dinero. || **de corazón.** fig. Rectitud, sinceridad. || **de manos.** fig. **Limpieza,** 5.ª acep. || **de sangre.** Calidad de no tener mezcla ni raza de moros, judíos, herejes ni penitenciados.

Limpio, pia. (Del lat. *limpĭdus.*) adj. Que no tiene mancha o suciedad. || **2.** Que no tiene mezcla de otra cosa. Dícese comúnmente de los granos. || **3.** Que tiene el hábito del aseo y la pulcritud. || **4.** Aplícase a las personas o familias que no tienen mezcla ni raza de moros, judíos, herejes o penitenciados. || **5.** V. **Billa, patente limpia.** || **6.** fig. V. **Manos limpias.** || **7.** fig. V. **Taco limpio.** Ú. t. c. s. || **8.** fig. Libre, exento de cosa que dañe o inficione. || **9.** fig. y fam. Dícese del que ha perdido todo en el juego. Ú. m. con los verbos *dejar* y *quedar.* || **10.** adv. m. **Limpiamente.** || **En limpio.** m. adv. En substancia. Ú. para expresar el valor fijo que queda de una cosa, deducidos los gastos y los desperdicios. || **2.** En claro y sin emnienda ni tachones, a diferencia de lo que está en borrador. || **3.** V. **Sacar en limpio.**

Limpión. (De *limpiar.*) m. Limpiadura ligera. *Dar un* LIMPIÓN *a los zapatos.* || **2.** fam. El que tiene a su cargo la limpieza de una cosa. || **Date un limpión.** expr. fig. y fam. con que se advierte a uno que no logrará lo que pretende o desea.

Lináceo, a. (De *lino.*) adj. *Bot.* Dícese de hierbas, matas o arbustos angiospermos dicotiledóneos, de hojas alternas, rara vez opuestas, sencillas, enteras y estrechas; flores regulares pentámeras y fruto seco, capsular, de cuatro a cinco divisiones y ocho o diez celdillas con otras tantas semillas; como el lino. Ú. t. c. s. f. || **2.** f. pl. *Bot.* Familia de estas plantas.

Linaje. (Del prov. *liñatge,* y éste del lat. **lineatĭcum,* de *linea.*) m. Ascendencia o descendencia de cualquier familia. || **2.** V. **Behetría, cabeza de linaje.** || **3.** fig. Clase o condición de una cosa. || **4.** pl. Vecinos nobles reconocidos por tales e incorporados en el cuerpo de la nobleza. || **Linaje humano.** Conjunto de todos los descendientes de Adán.

Linajista. m. El que sabe o escribe de linajes.

Linajudo, da. adj. Aplícase al que es o se precia de ser de gran linaje. Ú. t. c. s.

Lináloe. (De *lignáloe.*) m. **Áloe.**

Linamen. (De un der. del lat. *lignum,* leño.) m. ant. **Ramaje.**

Linao. m. Especie de juego de pelota, muy usado en la isla de Chiloé, provincia chilena.

Linar. m. Tierra sembrada de lino.

Linaria. (De *lino.*) f. Planta herbácea de la familia de las escrofulariáceas, con tallos erguidos ramosos, de cuatro a seis decímetros de altura; hojas parecidas a las del lino, estrechas, agudas, de color verde azulado y frecuentemente en verticilos; flores amarillas en espigas, y fruto capsular, ovoide, de dos celdas y muchas semillas menudas. Vive en terrenos áridos y se ha empleado en medicina como depurativo y purgante.

Linaza. (Del lat. **līnacĕa,* de *līnum.*) f. Simiente del lino, en forma de granillos elipsoidales, duros, brillantes y de color gris. Molida proporciona una harina muy usada para cataplasmas emolientes; por presión suelta un aceite secante de gran empleo en la fabricación de pintura y barnices, y echada en agua da un mucilago de mucha aplicación en la industria.

Lince. (Del lat. *lynx, lyncis,* y éste del gr. λύγξ.) m. Mamífero carnicero muy parecido al gato cerval, pero mayor, con el pelaje que tira a bermejo, y orejas puntiagudas terminadas en un pincel de pelos negros. Vive principalmente en el centro y norte de Europa, ataca a los ciervos y otros animales de gran tamaño, y los antiguos creían que su vista penetraba a través de las paredes. || **2.** fig. V. **Vista de lince.** || **3.** fig. Persona aguda, sagaz. Ú. t. c. adj. || **4.** Usado como adjetivo y con aplicación a la vista, **perspicaz.** *Vista* LINCE; *ojos* LINCES.

Lincear. (De *lince,* sagaz, perspicaz.) tr. fig. y fam. Descubrir o notar lo que difícilmente puede verse.

Linceo, a. (Del lat. *lyncĕus.*) adj. Perteneciente al lince. || **2.** fig. y poét. **Perspicaz.** *Ojos* LINCEOS; *vista* LINCEA.

Lincurio. (Del lat. *lyncurium,* y éste del gr. λυγκούριον; de λύγξ, lince, y οὖρον, orina.) m. Piedra conocida de los antiguos, que suponían ser la orina del lince petrificada, y según la opinión más común es la belemnita, aunque algunos la tienen por la turmalina.

Linchamiento. m. Acción de linchar.

Linchar. (De *Lynch,* magistrado de la Carolina del Sur en el siglo XVII.) tr. Ejecutar a un criminal sin formación de proceso o tumultuariamente, como se practica con frecuencia en los Estados Unidos de América.

Lindamente. adv. m. Primorosamente, con perfección.

Lindante. p. a. de **Lindar.** Que linda.

Lindaño. (Del lat. **līmĭtānĕus,* de *limes, -ĭtis,* límite.) m. ant. **Linde.**

Lindar. (Del lat. **līmĭtāris,* de *līmes, ĭtis,* linde.) m. p. us. **Umbral.**

Lindar. (Del lat. *lĭmĭtāre,* limitar.) intr. Estar contiguos dos territorios, terrenos o fincas.

Lindazo. (De *linde.*) m. Linde, y en especial si se halla señalado con mojones, o por medio de un ribazo.

Linde. (Del lat. *limes, -ĭtis.*) amb. **Límite,** 1.ª y 2.ª aceps. || **2.** Término o línea que divide unas heredades de otras.

Lindel. m. **Lintel.**

Lindera. f. Linde, o conjunto de los lindes de un terreno.

Lindería. f. **Lindera.**

Lindero, ra. (De *linde.*) adj. Que linda con una cosa. || **2.** m. **Linde.** || **Con linderos y arrabales.** loc. adv. fig. y fam. Refiriendo una cosa por extenso o con demasiada prolijidad, contando todas sus circunstancias y menudencias.

Lindeza. f. Calidad de lindo. || **2.** Hecho o dicho gracioso. || **3.** pl. irón. Insultos o improperios.

Lindo, da. (Del lat. *legitĭmus*, completo, perfecto.) adj. Hermoso, bello, apacible y grato a la vista. || **2.** V. **¡Linda pieza!** || **3.** fig. Bueno, cabal, perfecto, primoroso y exquisito. || **4.** m. fig. y fam. Hombre afeminado, presumido de hermoso y que cuida demasiado de su compostura y aseo. Dícese más comúnmente **lindo don Diego.** || **De lo lindo.** m. adv. Lindamente, a las mil maravillas, con gran primor. || **2.** Mucho o con exceso.

Lindón. (De *linde*.) m. Caballete en que los hortelanos suelen poner las esparragueras y otras plantas.

Lindura. f. Lindeza.

Línea. (Del lat. *linĕa*.) f. *Geom.* Extensión considerada en una sola de sus tres dimensiones: la longitud. || **2.** Medida longitudinal, compuesta de 12 puntos: es la duodécima parte de una pulgada y equivale a cerca de dos milímetros. || **3. Raya,** 1.er art., 1.ª acep. || **4. Renglón,** 1.ª acep. || **5.** Vía terrestre, marítima o aérea. LÍNEA *del Norte;* LÍNEA *de Vigo a Buenos Aires;* LÍNEA *de Marsella a Argel.* || **6.** Servicio regular de vehículos que recorren un itinerario determinado. *Coche de* LÍNEA. || **7.** Clase, género, especie. || **8. Línea equinoccial.** *Pasó la* LÍNEA; *está debajo de la* LÍNEA. || **9.** Serie de personas enlazadas por parentesco. || **10.** V. **Anteojo, infantería, navío, tropa de línea,** || **11.** fig. Término, límite. || **12. Frente.** 7.ª acep. || **13.** *Esgr.* Cada una de las distintas posiciones que toma la espada de un contendiente respecto a la del contrario. || **14.** *For.* V. **Reintegración de la línea.** || **15.** *Mil.* Formación de tropas en orden de batalla. || **abscisa.** *Geom.* **Abscisa.** || **aritmética.** *Geom.* Una de las que suelen señalarse en la pantómetra, y está destinada principalmente a facilitar la división en partes iguales de una recta cualquiera. || **colateral. Línea transversal,** 1.ª acep. || **coordenada.** *Geom.* **Coordenada.** || **cordométrica.** *Geom.* Una de las que suelen señalarse en la pantómetra, con divisiones que representan diferentes cuerdas de un círculo de radio conocido. || **curva.** *Geom.* La que no es recta en ninguna de sus porciones, por pequeñas que sean. || **de agua.** *Mar.* **Línea de flotación.** || **de circunvalación.** La férrea que enlaza unas con otras, las de los ferrocarriles que afluyen a distintas estaciones de una misma población. || **2.** *Fort.* La fortificada que construye el ejército sitiador por su retaguardia para asegurarse de cualquier tropa enemiga que esté fuera de la plaza. || **de contravalación.** *Fort.* La que forma el ejército sitiador para impedir las salidas de los sitiados. || **de defensa fijante.** *Fort.* La que indica la dirección de los tiros que, saliendo de los flancos, pueden asegurarse en las caras de los baluartes opuestos. || **de defensa rasante.** *Fort.* La que dirige el fuego de artillería y fusilería desde el flanco segundo para barrer o rasar la cara del baluarte opuesto. || **de doble curvatura.** *Geom.* La que no se puede trazar en un plano; como la hélice. || **de flotación.** *Mar.* La que separa la parte sumergida del casco de un buque de la que no lo está. || **de las cuerdas.** *Geom.* **Línea cordométrica.** || **de la tierra.** *Persp.* Intersección de un plano horizontal de proyección con otro vertical. || **2.** *Persp.* Intersección común del plano geométrico y del plano óptico. || **del diámetro.** *Esgr.* En la planta geométrica, real o imaginaria, que, según el arte de jugar la espada española, fija la dirección de los compases, llámase así la **línea** que divide el círculo en dos partes iguales y en cuyos extremos están situados los contendientes. || **del fuerte.** *Mar.* La curva que pasa por los puntos de mayor anchura de todas las cuadernas de un buque. || **de los ápsides.** *Astron.* Eje mayor de la órbita de un planeta. || **de los nodos.** *Astron.* Intersección del plano de la órbita de un planeta con la Eclíptica. || **de los polígonos.** *Geom.* **Línea geométrica.** || **de los sólidos.** *Geom.* **Línea estereométrica.** || **del viento.** *Mar.* La de la dirección que éste lleva. || **de mira.** *Art.* Visual que por el ocular del alza y el punto de mira de las armas de fuego se dirige al blanco que se pretende batir. || **de partes iguales.** *Geom.* **Línea aritmética.** || **de puntos.** *Gram.* **Puntos suspensivos.** || **de travieso.** ant. **Línea transversal,** 1.ª acep. || **equinoccial.** *Geogr.* **Ecuador terrestre.** || **estereográfica.** *Mar.* Curva cuyas ordenadas son los diversos calados, a partir del correspondiente al buque en rosca, y cuyas abscisas son los pesos que es necesario embarcar para producir aquéllos. || **estereométrica.** *Geom.* Una de las que suelen señalarse en la pantómetra, con divisiones que indican los lados de los cinco poliedros regulares, cuando se conoce el radio de la esfera circunscrita. || **férrea. Vía férrea.** || **geométrica.** *Geom.* Una de las que suelen señalarse en la pantómetra, con divisiones que indican los lados de los polígonos regulares, hasta el dodecágono inclusive, cuando se conoce el radio del círculo circunscrito. || **infinita.** *Esgr.* La recta y tangente al círculo de la planta geométrica, real o imaginaria, que en el juego de la espada española traza la dirección de los compases. || **maestra.** *Albañ.* Cada una de las fajas de yeso o de mezcla que se hacen en la pared para igualar después su superficie y dejarla enteramente plana. || **meridiana.** *Astron.* Intersección del plano meridiano con otro horizontal y que señala la orientación de Norte a Sur. || **2.** *Gnom.* Intersección del plano meridiano con la superficie de un cuadrante solar. || **metálica.** *Geom.* Una de las que suelen señalarse en la pantómetra, con divisiones que indican las diferentes alturas de prismas de igual base hechos con el mismo peso de diversos metales, o también el peso de éstos para un prisma de altura y base conocidas. || **neutra.** *Fís.* Sección media de un imán con relación a sus polos. || **obsidional.** *Fort.* Cualquiera de las dos que para su seguridad y defensa hace el ejército que sitia una plaza. || **ordenada.** *Geom.* **Ordenada.** || **quebrada.** *Geom.* La que sin ser recta está compuesta de varias rectas. || **recta.** Orden y sucesión de generaciones de padres a hijos. || **2.** *Geom.* La más corta que se puede imaginar desde un punto a otro. || **telefónica,** o **telegráfica.** Conjunto de los aparatos e hilos conductores del teléfono o del telégrafo. || **transversal.** Serie de parientes no nacidos unos de otros, sino enlazados por descender de un ascendiente común. || **2.** *Geom.* La que atraviesa o cruza a otras, principalmente si son paralelas. || **trigonométrica.** *Geom.* Cualquiera de las rectas que se consideran en el círculo y sirven para resolver triángulos por el cálculo. || **A línea tirada.** fr. *Impr.* Dícese de la composición que ocupa todo el ancho de la plana. || **Apartar la línea del punto.** fr. *Esgr.* Desviar la espada de la postura del ángulo recto, que es donde está el medio de la postura del brazo. || **Correr la línea.** fr. *Mil.* Recorrer los puestos que forman la de un ejército. || **Echar líneas.** fr. fig. Discurrir los medios, tomar las medidas para conseguir una cosa. || **En toda la línea.** fr. fig. **Completamente.** Ú. con los verbos *triunfar, vencer, ganar* y *derrotar.* || **Leer entre líneas.** fr. fig. **Leer entre renglones.** || **Tirar líneas.** fr. fig. **Echar líneas.** || **Tirar por línea curva.** fr. *Art.* **Tirar por elevación.**

Lineal. (Del lat. *lineālis*.) adj. Perteneciente a la línea. || **2.** Aplícase al dibujo que se representa por medio de líneas solamente. || **3.** V. **Perspectiva lineal.** || **4.** *Bot.* y *Zool.* Largo y delgado casi como una línea.

Lineamento. (Del lat. *lineamentum*.) m. Delineación o dibujo de un cuerpo, por el cual se distingue y conoce su figura.

Lineamiento. m. **Lineamento.**

Linear. (Del lat. *lineāris*.) adj. *Bot.* y *Zool.* **Lineal,** 4.ª acep.

Linear. (Del lat. *lineāre*.) tr. **Tirar líneas.** || **2. Bosquejar.**

Líneo, a. (Del lat. *linĕus*.) adj. *Bot.* **Lináceo.** Ú. t. c. s. f.

Linero, ra. (Del lat. *linarĭus*.) adj. Perteneciente o relativo al lino. || **2.** m. y f. ant. Persona que trata en lienzos o tejidos de lino.

Linfa. (Del lat. *lympha*.) f. *Zool.* Parte del plasma sanguíneo, que atraviesa las paredes de los vasos capilares, se difunde por los intersticios de los tejidos y, después de cargarse de substancias producidas por la actividad de las células, entra en los vasos linfáticos, por los cuales circula hasta incorporarse a la sangre venosa. || **2. Vacuna,** 2.ª y 3.ª aceps. || **3.** poét. **Agua,** 1.ª acep.

Linfático, ca. (Del lat. *lymphatĭcus*.) adj. Que abunda en linfa. Ú. t. c. s. || **2.** Perteneciente o relativo a este humor.

Linfatismo. m. Disposición orgánica con predominio del sistema linfático, tendencia a los infartos e inflamaciones de los ganglios, y a la degeneración escrofulosa y tuberculosa.

Linfocito. (Del lat. *lympha*, linfa, y el gr. κύτος, célula.) m. *Zool.* Leucocito pequeño, con núcleo redondeado y citoplasma escaso; se encuentra en la sangre de los vertebrados, y con mayor abundancia en la linfa.

Lingote. (Del fr. *lingot*, y éste del ingl. *ingot*.) m. Trozo o barra de metal en bruto, y principalmente de hierro, plata, oro o platino. || **2.** Cada una de las barras o paralelepípedos de hierro que sirven para balancear la estiba de los buques. Suelen tener un agujero en una de sus extremidades.

Lingual. (Del lat. *lingua*, lengua.) adj. Perteneciente a la lengua, 1.ª acep. || **2.** *Fon.* Dícese de los sonidos que, como la *l*, se pronuncian con el ápice de la lengua, llamados por esto más propiamente apicales. || **2.** *Fon.* Dícese de la letra que representa este sonido. Ú. t. c. s. f.

Lingue. (Del araucano *lige*.) m. Árbol chileno, de la familia de las lauráceas, alto, frondoso y de corteza lisa y cenicienta; su madera, flexible, fibrosa y de mucha duración, se emplea para vigas, yugos y muebles, y su corteza es muy usada para curtir el cuero. || **2.** Corteza de este árbol.

Linguete. (Del fr. *linguet*.) m. Barra corta y fuerte de hierro, giratoria por uno de sus extremos y que por el otro se puede encajar en un hueco para impedir el movimiento de retroceso en un cabrestante u otra máquina.

Lingüista. (Del lat. *lingua*, lengua.) m. El versado en lingüística.

Lingüística. f. Ciencia del lenguaje. || **2.** Estudio comparativo y filosófico de las lenguas.

Lingüístico, ca. adj. Perteneciente o relativo a la lingüística.

Liniavera. f. ant. **Carcaj.**

Linimento. (Del lat. *linimentum*, de *linīre*, untar suavemente.) m. *Farm.* Preparación menos espesa que el ungüento, en la cual entran como base aceites o bálsamos, y se aplica exteriormente en fricciones. || **amoniacal. Jabón,** 4.ª acep.

Linimiento. m. *Farm.* **Linimento.**

Linio. m. **Liño.**

Lino. (Del lat. *linum*.) m. Planta herbácea, anual, de la familia de las lináceas, con raíz fibrosa, tallo recto y hueco, como de un metro de alto y ramoso en su extremidad, hojas lanceoladas, flores de cinco pétalos azules, y fruto en caja de diez celdillas, con una semilla aplanada y brillante en cada una. De su tallo se extraen abundantes fibras que se utilizan para producir la hilaza. || **2.** Materia textil que se saca de los tallos de esta planta. || **3.** Tela hecha de **lino.** || **4.** fig. y poét. Vela de la nave. || **bayal.** Variedad de **lino** que se siembra en otoño; tiene los tallos largos y da la hilaza más fina y blanca. || **caliente.** Variedad de **lino** que se siembra en primavera; tiene los tallos cortos y muy ramosos y da más hilaza, pero de calidad inferior. || **cañocazo.** ant. **Lino caliente.** || **frío. Lino bayal.**

Linóleo. (De *lino*, y el lat. *oleŭm*, aceite.) m. Tela fuerte e impermeable, formada por un tejido de yute cubierto con una capa muy comprimida de corcho en polvo amasado con aceite de linaza bien oxidado.

Linón. (De *lino.*) m. Tela de hilo muy ligera, clara y fuertemente engomada. || **de algodón.** Tela de algodón parecida a la interior.

Linotipia. (Del ingl. *linotype.*) f. *Impr.* Máquina de componer provista de matrices, de la cual sale la línea formando una sola pieza.

Linotipista. com. Persona que maneja una linotipia.

Lintel. (Del lat. *limitellus*, d. de *limes, -ĭtis*, límite.) m. **Dintel.**

Linterna. (De *lanterna.*) f. Farol fácil de llevar en la mano, con una sola cara de vidrio y una asa en la opuesta. || **2.** ant. Jaula de hierro en donde solían poner las cabezas de los ajusticiados. || **3.** *Arq.* Fábrica de figura varia, pero siempre más alta que ancha y con ventanas, que se pone como remate en algunos edificios y sobre las medias naranjas de las iglesias. || **4.** *Mar.* **Faro,** 1.ª acep. || **5.** *Mec.* Rueda formada por dos discos paralelos fijos en el mismo eje y unidos en la circunferencia con barrotes cilíndricos en donde engranan los dientes de otra rueda. || **flamenca. Linterna sorda.** || **mágica.** Aparato óptico con el cual, por medio de lentes, se hacen aparecer, amplificadas sobre un lienzo o pared, figuras pintadas en tiras de vidrio intensamente iluminadas. || **sorda.** Aquella cuya luz va oculta por una pantalla opaca, que fácilmente se corre a voluntad del portador.

Linternazo. m. Golpe dado con la linterna. || **2.** fig. y fam. Golpe dado con cualquier otro instrumento.

Linternero. m. El que hace linternas.

Linternón. m. aum. de **Linterna.** || **2.** *Mar.* Farol de popa.

Linuezo. (De *lino.*) m. fam. **Linaza.**

Liña. (Del lat. *līnea.*) f. ant. **Línea.** || **2.** ant. Hebra de hilo.

Liño. (De *liña.*) m. Línea de árboles u otras plantas.

Liñuelo. (Del lat. *lineŏlus*, d. de *līnum*, lino.) m. **Ramal,** 1.ª acep.

Lío. (De *liar.*) m. Porción de ropa o de otras cosas atadas. || **2.** fig. y fam. **Embrollo.** || **3.** fig. y fam. **Amancebamiento.** || **Armar un lío.** fr. fig. y fam. **Embrollar.** || **Hacerse** uno **un lío.** fr. fig. y fam. **Embrollarse.**

Lionés, sa. adj. Natural de Lyón. Ú. t. c. s. || **2.** Perteneciente a esta ciudad de Francia.

Liorna. (De *Liorna*, puerto y ciudad de Italia.) f. fig. y fam. Algazara, barahúnda, desorden, confusión.

Lioso, sa. (De *lío.*) adj. fam. **Embrollador.** Dícese también de las cosas.

Lipemanía. (Del gr. λύπη, tristeza, y μανία, locura.) f. *Med.* **Melancolía,** 2.ª acep.

Lipemaniaco, ca [~ **maníaco, ca**]. adj. *Med.* Que padece de lipemanía. Ú. t. c. s.

Lipes. (Del territorio de Bolivia, del mismo nombre.) f. V. **Piedra lipes.**

Lipis. f. **Lipes.**

Lipoideo, a. (Del gr. λίπος, grasa, y εἶδος, forma.) adj. Dícese de toda substancia que tiene aspecto de grasa.

Lipoma. (Del gr. λίπος, grasa, y del suf. *oma*, que en medicina significa *tumor.*) m. *Med.* Tumor formado de tejido adiposo.

Lipotimia. (Del gr. λιποθυμία; de λείπω, abandonar, y θυμός, ánimo, sentido.) f. *Med.* Pérdida súbita y pasajera del sentido y del movimiento, con palidez del rostro y debilidad de la respiración y circulación.

Liquen. (Del lat. *lichen.*) m. *Bot.* Cuerpo resultante de la asociación simbiótica de hongos con algas unicelulares, cuyos caracteres morfológicos no se asemejan en nada a los que tenían los simbiontes antes de asociarse. Crece en sitios húmedos, extendiéndose sobre las rocas o las cortezas de los árboles en forma de hojuelas o costras grises, pardas, amarillentas o rojizas.

Liquidable. adj. Que se puede liquidar o es susceptible de liquidarse.

Liquidación. f. Acción y efecto de liquidar o liquidarse. || **2.** *Com.* Venta por menor, generalmente accidental o extraordinaria y con gran rebaja de precios, que hace una casa de comercio por cesación, quiebra, reforma o traslado del establecimiento, etc.

Liquidador, ra. adj. Que liquida, 2.ª y 3.ª aceps. Ú. t. c. s. m.

Liquidámbar. (De *líquido* y *ámbar.*) m. Bálsamo, unas veces líquido y otras viscoso, de color amarillo rojizo, aromático y de sabor acre, procedente del ocozol. Tiene propiedades emolientes y detersivas.

Líquidamente. adv. m. Con liquidación.

Liquidar. (Del lat. *liquidāre.*) tr. Hacer líquida una cosa sólida o gaseosa. Ú. t. c. r. || **2.** fig. Hacer el ajuste formal de una cuenta. || **3.** fig. Poner término a una cosa o a un estado de cosas; desistir de un negocio o de un empeño. Dícese también de la ruptura de relaciones personales. *Fulano era mi amigo, pero ya* LIQUIDÉ *con él.* || **4.** *Com.* Hacer ajuste final de cuentas una casa de comercio para cesar en él. || **5.** *Com.* Vender mercancías en liquidación.

Liquidez. f. Calidad de líquido.

Líquido, da. (Del lat. *liquĭdus.*) adj. Dícese de todo cuerpo cuyas moléculas tienen tan poca cohesión que se adaptan a la forma de la cavidad que las contiene, y tienden siempre a ponerse a nivel; como el agua, el vino, el azogue, etc. Ú. t. c. s. m. || **2.** Aplícase al saldo o residuo de cuantía cierta que resulta de la comparación del cargo con la data. *Deuda* LÍQUIDA; *alcance* LÍQUIDO. Ú. t. c. s. m. || **3.** *Gram.* Dícese de la consonante que, precedida de una muda y seguida de una vocal, forma sílaba con ellas; como en las voces *gloria* y *drama.* En español, la *l* y la *r* son las únicas **letras** de esta clase. Ambas forman sílaba con la *b*, la *c*, la *f*, la *g*, la *p* y la *t.* La *r* la forma además con la *d.* Ú. t. c. s. f. || **4.** V. **Brea, mirra líquida.** || **5.** V. **Capital, maná líquido.** || **Líquido imponible.** Cuantía estimada o fijada oficialmente a la riqueza del contribuyente, como base para señalar su cuota tributaria.

Lira. (Del lat. *lyra*, y éste del gr. λύρα.) f. Instrumento músico usado por los antiguos, compuesto de varias cuerdas tensas en un marco, que se pulsaban con ambas manos. || **2.** Combinación métrica de cinco versos (heptasílabos el primero, tercero y cuarto, y endecasílabos los otros dos), de los cuales riman el primero con el tercero, y el segundo con el cuarto y el quinto. También suelen ordenarse en ella los consonantes de otra manera. || **3.** Combinación métrica que consta de seis versos de distinta medida, y en la cual riman los cuatro primeros alternadamente, y los dos últimos entre sí. || **4.** fig. Instrumento que por ficción poética se supone que hace sonar el poeta lírico al entonar sus cantos. || **5.** fig. Numen o inspiración de un poeta determinado. *La* LIRA *de Anacreonte, de Horacio, de Herrera.* || **6.** *Astron.* Pequeña pero muy notable constelación septentrional, cerca y al sur de la cabeza del Dragón y al occidente del Cisne. || **7.** V. **Ave lira.**

Lira. (Del ital. *lira*, y éste del lat. *libra.*) f. Moneda italiana de plata, que a la par equivale a una peseta.

Lirado, da. adj. *Bot.* De figura de lira, 1.er art., 1.ª acep.

Liria. f. **Liga,** 4.ª acep.

Lírica. (Del lat. *lyrĭca*, t. f. de *-cus*, lírico.) f. Poesía lírica. *La* LÍRICA *italiana.*

Lírico, ca. (Del lat. *lyrĭcus.*) adj. Perteneciente a la lira o a la poesía propia para el canto. || **2.** Aplícase a uno de los tres principales géneros en que se divide la poesía, y en el cual se comprenden las composiciones en que el poeta canta sus propios afectos e ideas, y, por regla general, todas las obras en verso que no son épicas o dramáticas. || **3.** Dícese del poeta cultivador de este género en poesía. *Los poetas* LÍRICOS *de España.* Ú t. c. s. *Los* LÍRICOS *griegos.* || **4.** Propio, característico de la poesía **lírica**, o apto o conveniente para ella. *Arrebato, lenguaje, talento* LÍRICO.

Lirio. (Del lat. *lilium*, y éste del gr. λείριον.) m. *Bot.* Planta herbácea, vivaz, de la familia de las iridáceas, con hojas radicales, erguidas, ensiformes, duras, envainadoras y de tres a cuatro decímetros de largo; tallo central ramoso de cinco a seis decímetros de altura; flores terminales, grandes, de seis pétalos azules o morados y a veces blancos; fruto capsular con muchas semillas, y rizoma rastrero y nudoso. || **blanco. Azucena,** 1.ª acep. || **cárdeno. Lirio.** || **de agua. Cala,** 3.er art. || **de los valles. Muguete.** || **hediondo.** Planta semejante al **lirio**, del cual únicamente se distingue por tener el tallo sencillo y ser las flores de mal olor y con tres pétalos azules y otros tres amarillos.

Lirismo. (De *lira.*) m. Cualidad de lírico, inspiración lírica. || **2.** Abuso de las cualidades características de la poesía lírica, o empleo indebido de este género de poesía o del estilo lírico en composiciones de otra clase.

Lirón. (Del lat. *glis, gliris.*) m. Mamífero roedor muy parecido al ratón, de unos tres decímetros de longitud, correspondiendo casi la mitad a la cola, con pelaje de color gris obscuro en las partes superiores, blanco en las inferiores, espeso y largo, principalmente en aquélla. Vive en los montes, alimentándose de los frutos de los árboles, por donde trepa con extraordinaria agilidad; pasa todo el invierno adormecido y oculto, y su carne se consideraba por los romanos como manjar exquisito. || **2.** fig. Persona dormilona. || **Dormir** uno **como un lirón.** fr. fig. y fam. Dormir mucho o de continuo.

Lirón. (Del lat. *lyron*, y éste del gr. λύρων.) m. **Alisma.**

Lirón. (Del m. or. que *latón*, 2.° art.) m. *Murc.* **Almeza.**

Lirondo. adj. V. **Mondo y lirondo.**

Lironero. (Del m. or. que *latonero*, 2.° art.) m. *Murc.* **Almez.**

Lis. (Del fr. *lis*, y éste del lat. *lilium.*) m. **Lirio.** || **2.** *Blas.* **Flor de lis,** 1.ª acep.

Lisa. (Tal vez del m. or. que *locha;* véase *lasún.*) f. *Zool.* Pez teleósteo fluvial, del suborden de los fisóstomos, parecido a la locha, de cinco a seis centímetros de longitud y de carne insípida. Abunda en el Manzanares y otros ríos del centro de España. || **2. Mújol.**

Lisamente. adv. m. Con lisura. || **Lisa y llanamente.** loc. adv. Sin ambages ni rodeos. || **2.** *For.* Sin interpretación; entendiéndose las palabras tal como suenan.

Lisar. (Del lat. *laesum*, supino de *laedĕre*, dañar.) tr. ant. **Lisiar.**

Lisboeta. adj. **Lisbonés.**

Lisbonense. adj. **Lisbonés.** Apl. a pers., ú. t. c. s.

Lisbonés, sa. (Del lat. *Lisbōna*, Lisboa.) adj. Natural de Lisboa. Ú. t. c. s. || **2.** Perteneciente a esta ciudad de Portugal.

Lisera. f. *Murc.* Caña gruesa que sujeta transversalmente las que forman un cañizo. || **2.** *Murc.* Bohordo de la pita.

Lisera. (Del m. or. que el fr. *lisière.*) f. *Fort.* **Berma.**

Lisiado, da. p. p. de **Lisiar.** || **2.** adj. Dícese de la persona que tiene alguna imperfección orgánica. Ú. t. c. s. || **3.** Excesivamente aficionado a una cosa o deseoso de conseguirla.

Lisiadura. f. Acción y efecto de lisiar o lisiarse.

Lisiar. (Del lat. **laesiare*, de *laesus*, dañado.) tr. Producir lesión en alguna parte del cuerpo. Ú. t. c. r.

Lisimaquia. (Del lat. *lysimachĭa*, y éste del gr. λυσιμάχιον.) f. Planta herbácea de la familia de las primuláceas, con tallos erguidos, vellosos y cuadrangulares; hojas opuestas o en verticilos, con pecíolo corto, lanceoladas, agudas, de color verde amarillento por la haz, blanquecinas y lanuginosas por el envés; flores amarillas en umbelas terminales, y fruto seco, capsular, con muchas semillas. Crece en terrenos húmedos y se ha empleado contra las hemorragias.

Lisión. (Del lat. *laesĭo, -ōnis*, lesión.) f. ant. **Lesión.** Ú. en *Ecuad.*

Lisis. (Del gr. λύσις, disolución.) f. *Med.* Período de remisión gradual de la fiebre y en general del estado de enfermedad.

Liso, sa. (Del gr. λισσός.) adj. Igual, sin tropiezo ni aspereza; sin adornos, sin realces. || **2.** Aplícase a las telas que no son labradas y a los vestidos que carecen de guarnición y otros adornos. || **3.** Dícese, en las tabernas, de los vasos tan anchos por la boca como por el fondo. Ú. c. s. m. || **4.** V. **Hombre liso.** || **5.** *Germ.* **Desvergonzado,** 2.ª acep. Ú. en *Guat., Hond.* y *Perú.* || **6.** m. *Germ.* Raso o tafetán. || **7.** *Min.* Cara plana y extensa de una roca. || **8.** pl. **Holanda,** 3.ª acep. || **Liso y llano.** loc. que se aplica a los negocios que no tienen dificultad. *Es cosa* LISA Y LLANA.

Lisol. m. Líquido rojo pardusco mezclable con el agua, el alcohol y la bencina; se le considera como buen desinfectante e insecticida.

Lisonja. (Del ant. fr. *losenge*, adulación.) f. Alabanza afectada, para ganar la voluntad de una persona.

Lisonja. f. *Blas.* **Losange.**

Lisonjar. tr. ant. **Lisonjear.**

Lisonjeador, ra. adj. **Lisonjero.** Ú. t. c. s.

Lisonjeante. p. a. de **Lisonjear.** Que lisonjea.

Lisonjear. (De *lisonja*, 1.er art.) tr. **Adular.** || **2.** Dar motivo de envanecimiento. Ú. t. c. r. || **3.** fig. Deleitar, agradar. Dícese de las cosas materiales; como la música, etc. Ú. t. c. r.

Lisonjeramente. adv. m. Con lisonja. || **2. Agradablemente.**

Lisonjería. (De *lisonjero.*) f. ant. **Lisonja,** 1.er art.

Lisonjero, ra. adj. Que lisonjea. Ú. t. c. s. || **2.** fig. Que agrada y deleita. *Música, voz* LISONJERA.

Lisor. m. ant. **Lisura.**

Lista. (Del germ. *lista.*) f. **Tira,** 1.ª acep. || **2.** Señal larga y estrecha o línea que, por combinación de un color con otro, se forma artificial o naturalmente en un cuerpo cualquiera, y con especilidad en telas o tejidos. || **3. Catálogo.** || **civil.** Dotación asignada al monarca y a su familia en el presupuesto del Estado. || **de correos.** Oficina en las casas de correos a la cual se dirigen las cartas y paquetes cuyos destinatarios han de ir a ella a recogerlos. || **grande.** Relación completa de los números premiados en un sorteo de lotería. || **negra.** Relación secreta en la que uno inscribe los nombres de las personas o entidades que considera vitandas. || **Pasar lista.** Llamar en alta voz para que respondan las personas cuyos nombres figuran en un catálogo o relación. Ú. m. en la milicia y en las aulas.

Listado, da. p. p. de **Listar.** || **2.** adj. Que forma o tiene listas.

Listar. (De *lista.*) tr. **Alistar,** 1.er art., 1.ª acep.

Listeado, da. adj. **Listado.**

Listel. (De *lista.*) m. *Arq.* **Filete,** 1.ª acep.

Listero. m. El encargado de hacer la lista de los que concurren a una junta o trabajan en común.

Listeza. f. Calidad de listo; prontitud, sagacidad.

Listín. m. Lista pequeña o extractada de otra más extensa.

Listo, ta. (Del al. *listig.*) adj. Diligente, pronto, expedito. || **2.** Apercibido, preparado, dispuesto para hacer una cosa. || **3.** Sagaz, avisado.

Listón. (aum. de *lista.*) m. Cinta de seda más angosta que la colonia. || **2.** *Arq.* **Listel.** || **3.** *Carp.* Pedazo de tabla angosto que sirve para hacer marcos y para otros usos. || **4.** adj. Dícese del toro que tiene una lista blanca o más clara que el resto de la capa, por encima de la columna vertebral y por todo lo largo de la misma.

Listonado, da. p. p. de **Listonar.** || **2.** m. *Carp.* Obra o entablado hecho de listones.

Listonar. tr. *Carp.* Hacer un entablado de listones.

Listonería. f. Conjunto de listones.

Listonero, ra. m. y f. Persona que hace listones.

Lisura. (De *liso.*) f. Igualdad y tersura de la superficie de una cosa. || **2.** fig. Ingenuidad, sinceridad. || **3.** fig. *Guat.* y *Perú.* Palabra o acción grosera e irrespetuosa.

Lita. (Del lat. *lytta*, y éste del gr. λύττα, rabia.) f. **Landrilla,** con especialidad la del perro.

Litación. (Del lat. *litatĭo, -ōnis.*) f. Acción y efecto de litar.

Litar. (Del lat. *litāre.*) tr. Hacer un sacrificio agradable a la Divinidad.

Litarge. m. **Litargirio.**

Litargia. f. ant. **Letargia.**

Litargirio. (Del lat. *lithargȳrum*, y éste del gr. λιθάργυρος; de λίθος, piedra, y ἄργυρος, plata.) m. Óxido de plomo, fundido en láminas o escamas muy pequeñas, de color amarillo más o menos rojizo y con lustre vítreo. || **de oro.** El que tiene color y brillo parecidos a los de este metal. || **de plata.** El que contiene una cantidad de plata interpuesta y bastante para ser beneficiada.

Lite. (Del lat. *lis, litis.*) f. *For.* **Pleito,** 2.ª acep.

Litera. (Del lat. *lectuarĭa*, t. f. de *-rĭus*, de *lectus*, lecho.) f. Vehículo antiguo capaz para una o dos personas, a manera de caja de coche y con dos varas laterales que se afianzaban en dos caballerías, puestas una delante y otra detrás. || **2.** Cada una de las camas fijas construidas en los camarotes de los buques.

Literal. (Del lat. *litterālis.*) adj. Conforme a la letra del texto, o al sentido exacto y propio, y no lato ni figurado, de las palabras empleadas en él. || **2.** Aplícase a la traducción en que se vierten todas y por su orden, en cuanto es posible, las palabras del original.

Literalidad. f. Calidad de literal.

Literalmente. adv. m. Conforme a la letra o al sentido literal.

Literariamente. adv. m. Según los preceptos y reglas de la literatura.

Literario, ria. (Del lat. *litterarĭus.*) adj. Perteneciente o relativo a la literatura. || **2.** V. **República literaria.**

Literato, ta. (Del lat. *litterātus.*) adj. Aplícase a la persona versada en literatura, y a quien la profesa o cultiva. Ú. t. c. s.

Literatura. (Del lat. *litteratūra.*) f. Arte bello que emplea como instrumento la palabra. Comprende no solamente las producciones poéticas, sino también todas aquellas obras en que caben elementos estéticos, como las oratorias, históricas y didácticas. || **2.** Teoría de las composiciones literarias. || **3.** Conjunto de las producciones literarias de una nación, de una época o de un género. *La* LITERATURA *griega;* la LITERATURA *del siglo XVI.* || **4.** Por ext., conjunto de obras que versan sobre un arte o ciencia: LITERATURA *médica;* LITERATURA *jurídica.* || **5.** Suma de conocimientos adquiridos con el estudio de las producciones literarias; y en sentido más alto, instrucción general en este y cualesquiera otros de los distintos ramos del humano saber. || **de cordel. Pliegos de cordel.**

Literero. m. Vendedor o alquilador de literas. || **2.** El que guía una litera.

Litería. f. Oficio de la casa real, que cuidaba de las literas.

Litiasis. (Del gr. λιθίασις, de λιθιάω, tener mal de piedra; de λίθος, piedra.) f. **Mal de piedra.** || **biliar.** Formación de cálculos en la vejiga de la hiel.

Lítico, ca. (Del gr. λιθικός, de λίθος, piedra.) adj. Perteneciente o relativo a la piedra. || **2.** *Quím.* Decíase del ácido úrico.

Litigación. (Del lat. *litigatĭo, -ōnis.*) f. Acción y efecto de litigar.

Litigante. (Del lat. *litigans, -antis.*) p. a. de **Litigar.** Que litiga. Ú. m. c. s.

Litigar. (Del lat. *litigāre.*) tr. Pleitear, disputar en juicio sobre una cosa. || **2.** intr. fig. Altercar, contender.

Litigio. (Del lat. *litigĭum.*) m. Pleito, altercación en juicio. || **2.** fig. Disputa, contienda.

Litigioso, sa. (Del lat. *litigiōsus.*) adj. Dícese de lo que está en pleito; y, por ext., de lo que está en duda y se disputa || **2.** Propenso a mover pleitos y litigios.

Litina. (Del gr. λιθίνη, pétrea.) f. Óxido alcalino parecido a la sosa, que se halla combinado con algunos minerales y disuelto en ciertos veneros medicinales.

Litio. (Del gr. λιθίον, piedrecita.) m. Metal de color blanco de plata, tan poco denso, que flota sobre el agua, la nafta y el petróleo; se funde a 180 grados, y combinado con el oxígeno forma la litina.

Litis. (Del lat. *lis, litis.*) f. *For.* **Lite.**

Litisconsorte. (De *litis* y *consorte.*) com. *For.* Persona que litiga por la misma causa o interés que otra, formando con ella una sola parte.

Litiscontestación. (De *litis* y *contestación.*) f. *For.* Trabamiento de la contienda en juicio, por medio de la contestación a la demanda, de que resulta un especial estado jurídico del asunto litigioso y de los litigantes entre sí.

Litisexpensas. (De *litis* y *expensas.*) f. pl. *For.* Gastos o costas causados, o que se presume van a causarse, en el seguimiento de un pleito. || **2.** Por ext., fondos que se asignan a personas que no disponen libremente de su caudal, para que atiendan a tales gastos.

Litispendencia. (De *litis* y *pendencia.*) f. Estado del pleito antes de su terminación. ‖ **2.** *For.* Estado litigioso ante otro juez o tribunal del asunto o cuestión que se pone o intenta poner sub júdice. Es motivo para una de las excepciones dilatorias que admite la ley.

Litocálamo. (Del gr. λίθος, piedra, y κάλαμος, caña.) m. Caña fósil.

Litoclasa. (Del gr. λίθος, piedra, y κλάσις, rotura.) f. *Geol.* Quiebra o grieta de las rocas.

Litocola. (Del gr. λιθοκόλλα; de λίθος, piedra, y κόλλα, cola.) f. Betún que se hace con polvos de mármol, pez y claras de huevo, y se usa para pegar las piedras.

Litófago, ga. (Del gr. λίθος, piedra, y φαγεῖν, comer.) adj. Aplícase a los moluscos que perforan las rocas y hacen en ellas su habitación.

Litofotografía. (Del gr. λίθος, piedra, y de *fotografía.*) f. **Fotolitografía.**

Litofotografiar. tr. **Fotolitografiar.**

Litofotográficamente. adv. m. **Fotolitográficamente.**

Litogenesia. (Del gr. λίθος, piedra, y γένεσις, origen.) f. Parte de la geología, que trata de las causas que han originado las rocas.

Litografía. (Del gr. λίθος, piedra, y γράφω, dibujar.) f. Arte de dibujar o grabar en piedra preparada al efecto, para multiplicar los ejemplares de un dibujo o escrito. ‖ **2.** Cada uno de estos ejemplares. ‖ **3.** Taller en que se ejerce este arte.

Litografiar. (De *litografía.*) tr. Dibujar o escribir en piedra.

Litográfico, ca. adj. Perteneciente a la litografía. ‖ **2.** V. **Piedra litográfica.**

Litógrafo. m. El que se ejercita en la litografía.

Litología. (Del gr. λιθολογία, de λιθολόγος, litólogo.) f. Parte de la geología, que trata de las rocas.

Litológico, ca. adj. Perteneciente o relativo a la litología.

Litólogo. (Del gr. λιθολόγος; de λίθος, piedra, y λέγω, tratar.) m. El que profesa la litología o tiene en ella especiales conocimientos.

Litoral. (Del lat. *litorālis.*) adj. Perteneciente a la orilla o costa del mar. ‖ **2.** m. Costa de un mar, país o territorio.

Litosfera. (Del gr. λίθος, piedra, y σφαῖρα, esfera.) f. *Geol.* Conjunto de las partes sólidas del globo terráqueo.

Lítote. (Del lat. *litŏtes*, y éste del gr. λιτότης, de λιτός, tenue.) f. *Ret.* **Atenuación,** 2.ª acep.

Litotomía. (Del lat. *lithotomia*, y éste del gr. λιθοτομία, acción de cortar piedra.) f. *Cir.* Operación de la talla.

Litotricia. (Del gr. λίθος, piedra, y del lat. *tritum*, supino de *terĕre*, triturar.) f. *Cir.* Operación de pulverizar o de reducir a pedazos muy menudos, dentro de la vejiga de la orina, las piedras o cálculos que haya en ella, a fin de que puedan salir por la uretra.

Litráceo, a. (De *lythrum*, nombre de un género de plantas.) adj. *Bot.* Dícese de hierbas y arbustos angiospermos dicotiledóneos, con hojas enteras, comúnmente opuestas, flores hermafroditas, actinomorfas o cigomorfas, solitarias o en espigas, y fruto en cápsula con semillas angulosas de tegumento coriáceo; como la salicaria. Ú. t. c. s. f. ‖ **2.** f. pl. *Bot.* Familia de estas plantas.

Litrarieo, a. (Del lat. *lythrum*, nombre científico de la salicaria, derivado del gr. λύθρον, sangre empolvada, como parece ser el color de las flores.) adj. *Bot.* **Litráceo.**

Litre. (Del arauc. *lithe*, árbol de mala sombra.) m. Árbol chileno, de la familia de las anacardiáceas, de hojas enterísimas, flores amarillas en panoja, y frutos pequeños y dulces, de los cuales se hace chicha. Su madera es tan dura, que se emplea en dientes de ruedas hidráulicas y ejes de carretas. Su sombra y el contacto de sus ramas producen salpullido, especialmente a las mujeres y a los niños. ‖ **2.** *Chile.* fam. Enfermedad producida por la sombra de este árbol.

Litro. (Del gr. λίτρα, libra.) m. Unidad de capacidad del sistema métrico decimal, que vale 0,865 de cuartillo para áridos, y 1,984 para líquidos. ‖ **2.** Cantidad de áridos o de líquido que cabe en tal medida.

Lituano, na. adj. Natural de Lituania. Ú. t. c. s. ‖ **2.** Perteneciente a este país de Europa. ‖ **3.** m. Lengua de la familia eslava, hablada en Lituania.

Lituo. (Del lat. *lituus.*) m. Instrumento de música militar que usaron los romanos, especie de trompeta de sonido agudo, de un metro próximamente de largo, con tubo recto y angosto que a su extremidad se doblaba como un cayado. ‖ **2.** Cayado o báculo de que usaban los augures como insignia de su dignidad.

Liturgia. (Del lat. *liturgĭa*, y éste del gr. λειτουργία, servicio público.) f. Orden y forma que ha aprobado la Iglesia para celebrar los oficios divinos, y especialmente el santo sacrificio de la misa.

Litúrgico, ca. (Del gr. λειτουργικός.) adj. Perteneciente a la liturgia.

Liudar. intr. ant. **Leudar.** Ú. en *Colomb.* y *Chile.*

Liudo, da. adj. ant. **Leudo.** Ú. en *And.*, *Colomb.* y *Chile.*

Livianamente. adv. m. **Deshonestamente.** ‖ **2.** Con ligereza, sin fundamento. ‖ **3.** fig. **Superficialmente.**

Liviandad. f. Calidad de liviano. ‖ **2.** fig. Acción liviana.

Livianez. f. ant. **Livianeza.**

Livianeza. (De *liviano.*) f. ant. **Liviandad.**

Liviano, na. (Del lat. **lĕviānus*, de *lĕvis.*) adj. **Leve,** 1.ª acep. ‖ **2.** fig. Fácil, inconstante. ‖ **3.** fig. **Leve,** 3.ª acep. ‖ **4.** fig. Lascivo, incontinente. ‖ **5.** m. **Pulmón,** 1.ª acep. Ú. m. en pl. ‖ **6.** Burro que va delante y sirve de guía a la recua. ‖ **7.** f. Canto popular andaluz.

Lividecer. intr. Ponerse lívido.

Lividez. f. Calidad de lívido.

Lívido, da. (Del lat. *livĭdus.*) adj. **Amoratado,** 2.ª acep.

Livonio, nia. adj. Natural de Livonia. Ú. t. c. s. ‖ **2.** Perteneciente a este país de Rusia.

Livor. (Del lat. *livor, -ōris*, color cárdeno.) m. Color cárdeno. ‖ **2.** ant. **Cardenal,** 2.° art. ‖ **3.** fig. Malignidad, envidia, odio. ‖ **4.** *For.* V. **Fe de livores.**

Lixiviación. f. Acción y efecto de lixiviar.

Lixiviar. (Del lat. *lixivia*, lejía.) tr. *Quím.* Tratar una substancia compleja por el disolvente adecuado para obtener la parte soluble de ella.

Liza. (De *lisa.*) f. **Mújol.**

Liza. (Del fr. *lice*, y éste del germ. **listja.*) f. Campo dispuesto para que lidien dos o más personas. ‖ **2.** **Lid.**

Liza. (Del lat. *licia*, pl. n. de *licium.*) f. *Ar.* Hilo grueso de cáñamo.

Lizar. (De *liso.*) tr. ant. **Alisar.**

Lizo. (Del lat. *licium.*) m. Hilo fuerte que sirve de urdimbre para ciertos tejidos. Ú. m. en pl. ‖ **2.** Cada uno de los hilos en que los tejedores dividen la seda o estambre para que pase la lanzadera con la trama. ‖ **3.** V. **Árbol del lizo.** ‖ **4.** *Chile.* Palito que reemplaza a la lanzadera de los telares.

Lo. (Del lat. *illum*, acus. de *ille.*) Artículo determinado, en género neutro. ‖ **2.** Acusativo del pronombre personal de tercera persona, en género masculino o neutro y número singular. No admite preposición y se puede usar como sufijo: LO *probé; pruébaLO.*

Lo. m. *Mar.* Cada una de las relingas de caída en las velas redondas.

Loa. f. Acción y efecto de loar. ‖ **2.** En el teatro antiguo, prólogo, introito, discurso o diálogo con que solía darse principio a la función, para dirigir alabanzas a la persona ilustre a quien estaba dedicada, para encarecer el mérito de los farsantes, para captarse la benevolencia del público o para otros fines análogos. ‖ **3.** Composición dramática breve, pero con acción y argumento, que se representaba antiguamente antes del poema dramático a que servía como de preludio o introducción. ‖ **4.** Poema dramático de breve extensión en que se celebra, alegóricamente por lo común, a una persona ilustre o un acontecimiento fausto.

Loable. (Del lat. *laudabĭlis.*) adj. **Laudable.** ‖ **2.** f. En algunas universidades, refresco que se daba con motivo de un grado o función literaria.

Loablemente. adv. m. De una manera digna de alabanza.

Loadero, ra. (Del lat. *laudatorius.*) adj. ant. **Laudable.**

Loador, ra. (Del lat. *laudātor, -ōris.*) adj. Que loa. Ú. t. c. s.

Loamiento. (De *loar.*) m. ant. **Loa,** 1.ª acep.

Loán. m. Medida agraria usada en Filipinas, décima parte de la balita e igual a 3.600 pies cuadrados, o sea 2 áreas y 79 centiáreas.

Loanda. (De *Loanda*, o San Pablo de *Loanda*, capital de Angola, donde es endémica esta enfermedad.) f. Especie de escorbuto.

Loanza. (De *loar.*) f. ant. **Loa,** 1.ª acep.

Loar. (Del lat. *laudāre.*) tr. **Alabar.** ‖ **2.** ant. Dar por buena una cosa.

Loba. (Del lat. *lŭpa.*) f. Hembra de lobo. ‖ **2.** Lomo no removido por el arado, entre surco y surco. ‖ **3.** V. **Cerradura, llave de loba.** ‖ **Lo que la loba hace, al lobo le place.** ref. que enseña la facilidad con que se aúnan los que son de unas mismas costumbres e inclinaciones.

Loba. (Del gr. λώπη, especie de manto de piel.) f. **Sotana,** 1.er art. ‖ **cerrada.** Manto o sotana de paño negro que con el capirote y bonete formaba el traje que fuera del colegio usaban los colegiales y otras personas autorizadas por su estado o ejercicio para el uso de esta vestidura.

Lobada. f. *Murc.* **Loba,** 1.er art., 2.ª acep.

Lobado. (Del lat. **lŭpātus*, de *lŭpus*, lobo.) m. *Veter.* Tumor carbuncoso que padecen las caballerías en los encuentros, y el ganado vacuno, lanar y cabrío en el mismo sitio y en la papada.

Lobado, da. (De *lobo*, 2.° art.) adj. *Bot.* y *Zool.* **Lobulado.**

Lobagante. m. **Bogavante,** 3.ª acep.

Lobanillo. (Del m. or. que *lobado*, 1.er art.) m. Tumor o bulto superficial y que por lo común no duele, que se forma en algunas partes del cuerpo. ‖ **2.** Excrecencia leñosa cubierta de corteza, que se forma en el tronco o ramas de un árbol.

Lobarro. (De *lobo.*) m. *Murc.* **Lobina.**

Lobato. m. Cachorro del lobo.

Lobatón. (aum. de *lobato.*) m. *Germ.* Ladrón que hurta ovejas o carneros.

Lobear. intr. fig. Andar, a la manera de los lobos, al acecho y persecución de alguna presa.

Lobeliáceo, a. (De *lobelia*, nombre de un género de plantas dedicado al botánico *Lobel.*) adj. *Bot.* Dícese de hierbas o matas angiospermas dicotiledóneas, muy afines a las campanuláceas, generalmente con látex, con hojas alternas y sin estípulas, flores axilares, solitarias o en racimo y por lo común azules, y fruto seco con muchas semillas de albumen carnoso; como el quibey. Ú. t. c. s. f. || **2.** f. pl. *Bot.* Familia de estas plantas.

Lobera. f. Monte en que por su espesura hacen guarida los lobos. || **2.** ant. Portillo o agujero por donde se puede entrar y salir con trabajo.

Lobero, ra. adj. Perteneciente o relativo a los lobos. *Piel* LOBERA, *postas* LOBERAS. || **2.** m. El que caza lobos por la remuneración señalada a los que matan estos animales. || **3.** fam. **Espantanublados,** 1.ª acep.

Lobezno. (Del lat. *lūpĭcĭnus*, de *lŭpus*, lobo.) m. Lobo pequeño. || **2. Lobato.**

Lobina. (Del lat. *lŭpīna*.) f. **Róbalo.**

Lobo. (Del lat. *lŭpus*.) m. Mamífero carnicero de un metro próximamente desde el hocico hasta el nacimiento de la cola, y de seis a siete decímetros de altura hasta la cruz, con aspecto de perro mastín, pelaje de color gris obscuro, cabeza aguzada, orejas tiesas y cola larga con mucho pelo. Es animal salvaje, frecuente en España y enemigo terrible del ganado. || **2.** Locha de unos 12 centímetros de largo, color verdoso en el lomo, amarillento en los costados y blanquecino en el vientre, con manchas y listas parduscas por todo el cuerpo, y seis barbillas en el labio superior. || **3.** Garfio fuerte de hierro de que usaban los sitiados desde lo alto de a muralla para defenderse de los sitiadores. || **4.** V. **Boca, cabeza, diente de lobo.** || **5.** Máquina usada en hilandería para limpiar y desenlazar el algodón; consiste en un tambor cónico erizado, que gira dentro de una caja de la misma forma, llena de púas en su interior. || **6.** fig. y fam. **Borrachera,** 1.ª acep. || **7.** *Germ.* **Ladrón,** 1.ª acep. || **8.** *Astron.* Constelación austral debajo de Libra y al occidente del Escorpión. || **cebado.** *Blas.* El que lleva cordero u otra presa en la boca. || **cerval,** o **cervario. Lince,** 1.ª acep. || **2. Gato cerval.** || **de mar.** fig. y fam. Marino viejo y experimentado en su profesión. || **escorchado.** *Blas.* El de color de gules, que es el que se da a este animal cuando se le representa como si estuviera desollado. || **marino. Foca.** || **Lobos de una camada.** expr. fig. y fam. Personas que por tener unos mismos intereses o inclinaciones no se hacen daño unas a otras. Tómase, por lo común, en mala parte. || **Coger uno un lobo.** fr. fig. y fam. **Pillar un lobo.** || **Cuando el lobo da en la dula, ¡guay de quien no tiene más que una!** ref. que explica cuán mal queda al primer contratiempo el que tiene poco que perder. || **Del lobo, un pelo;** o **del lobo, un pelo; y ése, de la frente.** ref. que enseña que del mezquino se tome lo que diere. || **De lo contado come el lobo.** ref. que advierte que por más que uno cuide de resguardar una cosa, no siempre logra su seguridad. || **Desollar,** o **dormir, uno el lobo.** fr. fig. y fam. Dormir mientras dura la borrachera. || **El lobo está en la conseja.** ref. que se usa para avisar que cese la conversación cuando se murmura de uno que, sin haberlo advertido, está presente o llega de improviso. || **El lobo, harto de carne, métese fraile.** ref. **El diablo, harto de carne,** etc. || **El lobo y la vulpeja, ambos son de una conseja.** ref. que indica la conformidad de inclinaciones y dictámenes entre los que son de mala índole. || **Esperar del lobo carne.** fr. fig. y fam. Esperar algo de quien lo quiere todo para sí. || **Muda el lobo los dientes, y no las mientes.** ref. que advierte que los malignos, aunque crezcan en edad, no suelen mudar de genio. || **Pillar uno un lobo.** fr. fig. y fam. **Embriagarse.** || **Quien con lobos anda, a aullar se enseña.** ref. con que se explica el poderoso influjo que tienen las malas compañías para pervertir a los buenos. || **Tener el lobo por las orejas.** fr. fig. Hallarse excesivamente perplejo. || **Un lobo a otro no se muerden.** ref. con que se explica que las personas que tienen unos mismos intereses se disimulan mutuamente sus defectos.

Lobo. (Del gr. λοβός.) m. *Bot.* y *Zool.* **Lóbulo,** 2.ª y 3.ª aceps.

Lobo, ba. adj. *Méj.* **Zambo,** 2.ª acep. Ú. t. c. s.

Loboso, sa. adj. Aplícase al terreno en que se crían muchos lobos.

Lóbrego, ga. (Del lat. *lūbrĭcus*, resbaladizo.) adj. Obscuro, tenebroso. || **2.** fig. Triste, melancólico.

Lobreguecer. tr. Hacer lóbrega una cosa. || **2.** intr. **Anochecer,** 1.er art., 1.ª acep.

Lobreguez. (De *lóbrego*.) f. **Obscuridad,** 1.ª y 2.ª aceps.

Lobregura. (De *lóbrego*.) f. **Lobreguez.** || **2.** ant. **Tristeza,** 1.ª acep.

Lóbrigo, ga. adj. ant. **Lúbrico,** 2.ª acep.

Lobulado, da. adj. *Bot.* y *Zool.* En figura de lóbulo. || **2.** *Bot.* y *Zool.* Que tiene lóbulos.

Lóbulo. (De *lobo*, 2.° art.) m. Cada una de las partes, a manera de ondas, que sobresalen en el borde de una cosa; como la hoja de una planta o el intradós de un arco. || **2.** *Zool.* Perilla de la oreja. || **3.** *Bot.* y *Zool.* Porción redondeada y saliente de un órgano cualquiera. *Los* LÓBULOS *del pulmón, del hígado, del cerebro.*

Lobuno, na. adj. Perteneciente o relativo al lobo, 1.er art.

Locación. (Del lat. *locatĭo, -ōnis*.) f. *For.* **Arrendamiento.** || **Locación y conducción.** *For.* Contrato de arrendamiento.

Locador, ra. (Del lat. *locātor*, de *locāre*, logar.) m. y f. *Venez.* **Arrendador, ra,** 1.er art., 1.ª acep.

Local. (Del lat. *locālis*.) adj. Perteneciente al lugar. || **2.** Municipal o provincial, por oposición a general o nacional. || **3.** V. **Baile, privilegio local.** || **4.** m. Sitio o paraje cercado o cerrado y cubierto.

Localidad. (Del lat. *localĭtas, -ātis*.) f. Calidad de las cosas que las determina a lugar fijo. || **2.** Lugar o pueblo. || **3. Local,** 4.ª acep. || **4.** Cada una de las plazas o asientos en los locales destinados a espectáculos públicos.

Localismo. (De *local*.) m. Excesiva preocupación de uno por el lugar en que ha nacido. || **2.** Vocablo o locución que sólo tienen uso en determinada localidad.

Localización. f. Acción y efecto de localizar o localizarse.

Localizar. (De *local*.) tr. Fijar, encerrar en límites determinados. Ú. t. c. r. || **2.** Averiguar el lugar en que se halla una persona o cosa. *Hasta ahora no hemos podido* LOCALIZAR *al médico.*

Locamente. adv. m. Con locura. || **2.** Excesivamente, sin prudencia ni moderación.

Locatario, ria. (Del lat. *locatarĭus*, de *locāre*, logar.) m. y f. **Arrendatario, ria.**

Locativo, va. (Del lat. *locāre*, logar.) adj. Perteneciente o relativo al contrato de locación o arriendo. || **2.** Dícese del caso de la declinación que expresa fundamentalmente la relación de lugar en donde. Ú. t. c. s. m.

Loción. (Del lat. *lotĭo, -ōnis*.) f. **Lavadura,** 1.ª acep. Ú. m. en *Farm.* || **2.** Producto preparado para la limpieza del cabello.

Loco, ca. (En port. *louco*.) adj. Que ha perdido la razón. Ú. t. c. s. || **2.** De poco juicio, disparatado e imprudente. Ú. t. c. s. || **3.** V. **Aguja, avena, higuera, malva, manzanilla, piedra, pimienta loca.** || **4.** V. **Algarrobo, pájaro, pimiento, tordo loco.** || **5.** V. **Casa de locos.** || **6.** fig. Que excede en mucho a lo ordinario o presumible, tomado siempre en buena parte. *Cosecha* LOCA; *suerte* LOCA. || **7.** fig. Hablando de las ramas de los árboles, vicioso, pujante. || **8.** fig. V. **Vena de loco.** || **9.** *And.* V. **Arvejona loca.** || **10.** *Fís.* Dícese de la brújula cuando por causas accidentales pierde la propiedad de señalar el norte magnético, y de las poleas u otras partes de las máquinas que en ocasiones giran libre o inútilmente. || **11.** *Med.* V. **Viruelas locas.** || **de atar.** fig. y fam. Persona que en sus acciones procede como **loca.** || **perenne.** Persona que en ningún tiempo está en su juicio. || **2.** fig. y fam. Persona que siempre está de chanza. || **Al loco y al aire, darles calle.** ref. que advierte que se deben evitar contiendas con personas de genio violento e inconsiderado. || **A locas.** m. adv. **A tontas y a locas.** || **Burlaos con el loco en casa, burlará con vos en la plaza.** ref. que advierte que, si se da ocasión al indiscreto para que se burle o chancee con uno a solas, lo hará también en público. || **Cada loco con su tema.** ref. que comparativamente explica la tenacidad y apego que cada uno tiene a su propio dictamen y opinión; como los **locos,** que por lo regular disparatan siempre sobre la especie en que consiste su obsesión. Otros añaden **y cada lobo por su senda.** || **El loco, por la pena es cuerdo.** ref. con que se advierte que el castigo corrige los vicios, aun de los que carecen de razón. || **Estar loco de contento.** fr. fig. y fam. Estar excesivamente alegre. || **Más sabe el loco en su casa que el cuerdo en la ajena.** ref. que enseña que en los negocios propios más sabe aquel a quien pertenecen, por poco que entienda, que el que, mirándolos desde lejos, se introduce a juzgarlos sin conocimiento. || **No es loco quien su mal echa a otro.** ref. **No hace poco quien su mal echa a otro.** || **Un loco hace ciento.** ref. con que se expresa el poderoso influjo que tiene el mal ejemplo para viciar la costumbre. || **Volverse loco de contento.** fr. fig. y fam. **Estar loco de contento.**

Loco citato. loc. lat. En el lugar citado. Ú. en citas, alegaciones de textos, referencias, etc.

Locomoción. (Del lat. *locus*, lugar, y *motĭo, -ōnis*, movimiento.) f. Traslación de un punto a otro.

Locomotor, ra. (Del lat. *locus*, lugar, y *motor*, el que mueve.) adj. Propio para la locomoción. || **2.** f. Máquina que montada sobre ruedas y movida de ordinario por vapor, arrastra los vagones de un tren.

Locomotriz. adj. f. **Locomotora,** 1.ª acep.

Locomovible. (Del lat. *locus*, lugar, y de *móvil*.) adj. **Locomóvil.** Ú. t. c. s. f.

Locomóvil. (Del lat. *locus*, lugar, y de *móvil*.) adj. Que puede llevarse de un sitio a otro. Dícese especialmente de las máquinas de vapor que, por estar montadas sobre ruedas a propósito, pueden trasladarse a donde sean necesarias. Ú. t. c. s. f.

Locrense. (Del lat. *locrensis*.) adj. Natural de Lócrida. Ú. t. c. s. || **2.** Perteneciente a este país de la Grecia antigua.

Locro. (Voz quichua.) m. Guisado de carne, patatas o maíz y otros ingredientes, usado en la América Meridional.

Locuacidad. (Del lat. *loquacĭtas, -ātis*.) f. Calidad de locuaz.

Locuaz. (Del lat. *loquax, -ācis*.) adj. Que habla mucho o demasiado.

Locución. (Del lat. *locutĭo, -ōnis*.) f. Modo de hablar. || **2. Frase.** || **3.** Conjunto de dos o más palabras que no forman oración perfecta o cabal; como, por ejemplo, los modos adverbiales.

Locuela. (Del lat. *loquĕla*, de *loqui*, hablar.) f. Modo y tono particular de hablar de cada uno.

Locuelo, la. adj. d. de **Loco.** Ú. t. c. s. || **2.** fam. Dícese de la persona de corta edad, viva y atolondrada. Ú. t. c. s.

Locura. (De *loco*.) f. Privación del juicio o del uso de la razón. || **2.** Acción inconsiderada o gran desacierto. || **3.** fig. Exaltación del ánimo o de los ánimos, producida por algún afecto u otro incentivo. || **Quien de locura enferma, tarde o nunca sana.** ref. que denota lo poco bueno que puede esperarse de quienes no tienen juicio ni discreción. || **Si la locura fuese dolores, en cada casa habría voces.** ref. que da a entender cuán común es obrar con imprudencia.

Locutor, ra. (Del lat. *locūtor*.) m. y f. Persona que habla ante el micrófono, en las estaciones de radiotelefonía, para dar avisos, noticias, programas, etc.

Locutorio. (Del lat. *locūtor*, el que habla.) m. Habitación o departamento que, dividido comúnmente por una reja, se destina en los conventos y en las cárceles para que los visitantes puedan hablar con las monjas o los presos. || **2.** En las estaciones telefónicas, departamento destinado al uso individual del teléfono por el público.

Locha. (De *loche*.) f. *Zool.* Pez teleósteo del suborden de los fisóstomos, de unos tres decímetros de longitud, cuerpo casi cilíndrico, aplastado hacia la cola, de color negruzco, con listas amarillentas, escamas pequeñas, piel viscosa, boca rodeada de diez barbillas: seis en el labio superior y cuatro en el inferior; labios salientes y aletas no pareadas. Se cría en los lagos y ríos de agua fría y su carne es muy fina.

Loche. (Del fr. *loche*, y éste del ingl. *loach*.) m. **Locha.**

Lodachar. m. **Lodazal.**

Lodazal. m. Sitio o paraje lleno de lodo. || **Salir de lodazales y entrar en cenagales.** ref. **Salir del lodo y caer en el arroyo.**

Lodazar. m. **Lodazal.**

Lodiento, ta. (De *lodo*.) adj. ant. **Lodoso.** || **2.** ant. Sucio, mugriento. || **3.** ant. fig. Impuro, inmundo.

Lodo. (Del lat. *lŭtum*, barro.) m. Mezcla de tierra y agua, especialmente la que resulta de las lluvias en el suelo. || **Poner a uno de lodo, o del lodo.** fr. Enlodarle. || **2.** fig. Ofenderle, denostarle con palabras injuriosas. || **Salir del lodo y caer en el arroyo.** ref. que se dice de los que por evitar un mal pequeño caen en otro igual o mayor, y de los que habiendo despachado un negocio incómodo deben empezar otro más arduo.

Lodoñero. m. **Guayaco.**

Lodoño. (De un derivado del lat. *lotos*, y éste del gr. λωτός.) m. *Nav.* **Almez.**

Lodoso, sa. (Del lat. *lŭtosus*.) adj. Lleno de lodo.

Lofobranquio. (Del gr. λόφος, penacho, y el pl. βράγχια, branquias.) adj. *Zool.* Dícese de peces teleósteos que tienen las branquias en forma de penacho; como el caballo marino. Ú. t. c. s. m. || **2.** m. pl. *Zool.* Suborden de estos animales.

Logadero. (Del lat. *locatarius*.) m. ant. El que toma en alquiler o arrendamiento una cosa.

Loganiáceo, a. (De *logania*, nombre de un género de plantas dedicado a *Logan*, viajero inglés del siglo XVII.) adj. *Bot.* Dícese de plantas exóticas angiospermas dicotiledóneas, hierbas, arbustos o arbolillos, que tienen hojas opuestas, enteras y con estípulas; flores en racimos o en corimbos y algunas veces solitarias, terminales o axilares, y fruto capsular con semillas de albumen carnoso o córneo, como el maracure. Ú. t. c. s. f. || **2.** f. pl. *Bot.* Familia de estas plantas.

Logar. (Del lat. *lŏcālis*.) m. ant. **Lugar.**

Logar. (Del lat. *locāre*.) tr. ant. **Alquilar,** 1.ª y 2.ª aceps. || **2.** *Ar.* Ajustar a una persona para que realice un trabajo por cierto precio. Ú. t. c. r.

Logarítmico, ca. adj. *Arit.* Perteneciente a los logaritmos.

Logaritmo. (Del gr. λόγος, razón, y ἀριθμός, número.) m. *Mat.* Exponente a que es necesario elevar una cantidad positiva para que resulte un número determinado. El empleo de los **logaritmos** simplifica los procedimientos del cálculo aritmético.

Logia. (Del ital. *loggia*, y éste del ant. alto al. *laubja*, cuna.) f. Local donde se celebran asambleas de francmasones. || **2.** Asamblea de francmasones.

Lógica. (Del lat. *logĭca*, y éste del gr. λογική, t. f. de -κός, lógico.) f. Ciencia que expone las leyes, modos y formas del conocimiento científico. || **natural.** Disposición natural para discurrir con acierto sin el auxilio de la ciencia. || **parda.** fam. **Gramática parda.**

Logical. adj. ant. **Lógico,** 1.ª acep.

Lógicamente. adv. m. Según las reglas de la lógica.

Lógico, ca. (Del lat. *logĭcus*, y éste del gr. λογικός; de λόγος, razón, discurso.) adj. Perteneciente a la lógica. || **2.** Que la estudia y sabe. Ú. t. c. s. || **3.** Dícese comúnmente de toda consecuencia natural y legítima; del suceso cuyos antecedentes justifican lo sucedido, etc.

Logis. (Del fr. *logis*, alojamiento, y éste del m. or. que *logia*.) m. V. **Mariscal de logis.**

Logogrífico, ca. adj. Perteneciente o relativo al logogrifo. || **2.** Obscuro, difícil de entender.

Logogrifo. (Del gr. λόγος, palabra, lenguaje, y γρῖφος, red.) m. Enigma que consiste en hacer diversas combinaciones con las letras de una palabra, de modo que resulten otras cuyo significado, además del de la voz principal, se propone con alguna obscuridad.

Logomaquia. (Del gr. λογομαχία; de λόγος, palabra, y μάχομαι, luchar.) f. Discusión en que se atiende a las palabras y no al fondo del asunto.

Lograr. (Del lat. *lŭcrāre*, ganar.) tr. Conseguir o alcanzar lo que se intenta o desea. || **2.** Gozar o disfrutar una cosa. || **3.** r. Llegar a colmo o a su perfección una cosa.

Logrear. intr. Emplearse en dar o recibir a logro.

Logrería. f. Ejercicio de logrero. || **2.** ant. **Usura,** 1.ª acep.

Logrero, ra. m. y f. Persona que da dinero a logro. || **2.** Persona que compra o guarda y retiene los frutos para venderlos después a precio excesivo. || **3.** m. Persona que procura lucrarse por cualquier medio. Ú. m. en *Amér.*

Logro. (Del lat. *lŭcrum*.) m. Acción y efecto de lograr. || **2. Lucro.** || **3. Usura.** || **Dar a logro** una cosa. fr. Prestarla o darla con usura.

Logroñés, sa. adj. Natural de Logroño. Ú. t. c. s. || **2.** Perteneciente a esta ciudad.

Loguer. (De *loguero*.) m. ant. Salario, premio o alquiler.

Loguero. (Del lat. **locarium*, alquiler, de *lŏcus*, lugar.) m. ant. **Loguer.** || **2.** ant. Jornal que gana un peón. || **3.** *Ar.* El que se loga, 2.ª acep.

Loica. (Voz araucana.) f. Pájaro chileno algo mayor que el estornino, al cual se parece en el pico, pies, cola y aun en el modo de vivir y de alimentarse. El macho es de color gris obscuro, manchado de blanco, a excepción de la garganta y pecho, que son de color de escarlata. Se domestica con facilidad y es muy estimado por su canto dulce y melodioso.

Loina. f. *Ál.* y *Nav.* Pez muy pequeño, de río.

Loísmo. m. Vicio de emplear la forma *lo* del pronombre de tercera persona en función de dativo.

Loísta. adj. *Gram.* Aplícase al que usa siempre el *lo* para el acusativo masculino del pronombre *él*. Ú. t. c. s.

Lojano, na. adj. Natural de Loja, ciudad y provincia del Ecuador. Ú. t. c. s. || **2.** Perteneciente o relativo a esta ciudad o provincia.

Lojeño, ña. adj. Natural de Loja. Ú. t. c. s. || **2.** Perteneciente a esta ciudad de la provincia de Granada.

Lolio. (Del lat. *lolium*.) m. ant. **Joyo.**

Loma. (De *lomo*.) f. Altura pequeña y prolongada.

Lomada. f. ant. **Loma.** Ú. en la *Argent.*

Lomar. tr. *Germ.* **Dar.**

Lomba. (De *lombo*.) f. *León* y *Sant.* **Loma.**

Lombarda. f. **Bombarda,** 1.ª acep. || **2.** Variedad de berza, muy semejante al repollo, pero no tan cerrada, y de color encendido que tira a morado.

Lombardada. f. Tiro que dispara la lombarda.

Lombardear. tr. Disparar las lombardas contra un sitio o edificio.

Lombardería. f. Conjunto de piezas de artillería llamadas lombardas.

Lombardero. m. Soldado que tenía a su cargo dirigir y disparar las lombardas.

Lombárdico, ca. adj. **Lombardo,** 1.er art., 2.ª acep.

Lombardo, da. adj. Natural de Lombardía. Ú. t. c. s. || **2.** Perteneciente a este país de Italia. || **3. Longobardo,** 1.ª y 2.ª aceps. Apl. a pers., ú. t. c. s. y más en pl. || **4.** m. Banco de crédito donde se anticipa dinero sobre el valor de las manufacturas que se entregan para la venta.

Lombardo, da. (Quizá de *lombo*.) adj. Dícese del toro castaño, cuya parte superior y media del tronco es de color más claro que el del resto del cuerpo.

Lombo. (Del lat. *lŭmbus*, lomo.) m. ant. **Lomo.** Ú. en *Sal.*

Lombrigón. m. aum. de **Lombriz.**

Lombriguera. (Del lat. **lŭmbrĭcārius*, de *lŭmbrĭcus*, lombriz.) adj. V. **Hierba lombriguera.** Ú. t. c. s. f. || **2.** f. Agujero que hacen en la tierra las lombrices.

Lombriz. (Del lat. *lŭmbrĭcus*.) f. *Zool.* Gusano de la clase de los anélidos, de color blanco o rojizo, de cuerpo blando, cilíndrico, aguzado en el extremo donde está la boca, redondeado en el opuesto, de unos tres decímetros de largo y seis a siete milímetros de diámetro, y compuesto de más de cien anillos, cada uno de los cuales lleva en la parte inferior varios pelos cortos, rígidos y algo encorvados, que sirven al animal para andar. Vive en los terrenos húmedos y ayuda a la formación del mantillo, transformando en parte la tierra que traga para alimentarse, y que expulsa al poco tiempo de tenerla en el cuerpo. || **intestinal.** Gusano de la clase de los nematelmintos, de forma de **lombriz**, que vive parásito en el intestino del hombre y de algunos animales, y del cual hay muchas especies de diversos tamaños. || **solitaria. Tenia,** 1.ª acep.

Lomear. intr. Mover los caballos el lomo, encorvándolo con violencia.

Lomera. f. Correa que se acomoda en el lomo de la caballería, para que mantenga en su lugar las demás piezas de la guarnición. || **2.** Trozo de piel o de tela que se coloca en el lomo del libro para la encuadernación en media pasta. || **3. Caballete,** 2.ª acep.

Lometa. (De *loma*.) f. **Altozano** 1.ª acep.

Lomienhiesto, ta. (De *lomo* y *enhiesto*.) adj. Alto de lomos. || **2.** fig. y fam. Engreído, presuntuoso. || **Andar lomienhiesto.** fr. Andar holgando.

Lomillería. f. *Amér. Merid.* Taller donde se hacen lomillos, caronas, riendas, lazos, etc. || **2.** Tienda donde se venden, que regularmente suele ser el mismo taller.

Lomillo. (d. de *lomo.*) m. Labor de costura o bordado hecha con dos puntadas cruzadas. || **2.** Parte superior de la albarda, en la cual por lo interior queda un hueco proporcionado al lomo de la caballería. || **3.** *Ar.* **Solomillo.** || **4.** *Amér.* Pieza del recado de montar, consistente en dos almohadas rellenas de junco o de totora, afianzadas a una lonja de suela, que se aplica sobre la carona. || **5.** pl. Aparejo con dos almohadillas largas y estrechas que dejan libre el lomo y que se pone a las caballerías de carga.

Lominhiesto, ta. adj. **Lomienhiesto.**

Lomo. (Del lat. *lŭmbus.*) m. Parte inferior y central de la espalda. Ú. m. en pl. || **2.** En los cuadrúpedos, todo el espinazo desde la cruz hasta las ancas. || **3.** Carne del cerdo que forma esta parte del animal. || **4.** Parte del libro opuesta al corte de las hojas, en la cual se pone el rótulo. || **5.** Parte por donde doblan a lo largo de la pieza las pieles, tejidos y otras cosas. || **6.** Tierra que levanta el arado entre surco y surco. || **7.** En los instrumentos cortantes, parte opuesta al filo. || **8.** ant. **Loma.** || **9.** pl. Las costillas. || **A lomo.** m. adv. que, junto con los verbos *traer, llevar* y otros, significa conducir cargas en bestias. || **Arar por lomos.** fr. *Agr.* Dar los surcos claros cuando la primera reja se ha dado yunta, para sembrar sobre los **lomos** y rajarlos después al cubrir la simiente. || **Jugar de lomo.** fr. fig. Estar lozano y holgado. || **Rajar los lomos.** fr. *Agr.* Llevar el arado por medio de ellos, echando cada mitad en lo hondo de los surcos que están al pie.

Lomoso, sa. adj. ant. Perteneciente al lomo.

Lomudo, da. adj. Que tiene grandes lomos.

Lona. (De *Olonne,* población marítima de Francia, donde se tejía esta clase de lienzo.) f. Tela fuerte de algodón o cáñamo, para velas de navío, toldos, tiendas de campaña y otros usos.

Loncha. f. **Lancha,** 1.ª acep. || **2. Lonja,** 1.er art., 1.ª acep.

Lóndiga. f. **Alhóndiga.**

Londinense. (Del lat. *londinensis.*) adj. Natural de Londres. Ú. t. c. s. || **2.** Perteneciente a esta ciudad de Inglaterra.

Londrés, sa. adj. ant. **Londinense.** Apl. a pers., usáb. t. c. s.

Londrina. f. Tela de lana que se tejía en Londres.

Loneta. f. *Chile.* Lona delgada que se emplea en velas de botes y otros usos.

Longa. (Del lat. *longa,* larga.) f. *Mús.* Nota de la música antigua, que valía cuatro compases o dos breves.

Longadura. (Del lat. *longus,* largo.) ant. **Largura.**

Longamente. adv. m. ant. **Largamente,** 4.ª acep.

Longanimidad. (Del lat. *longanimĭtas, -ātis.*) f. Grandeza y constancia de ánimo en las adversidades.

Longánimo, ma. (Del lat. *longanĭmis.*) adj. Magnánimo, constante.

Longaniza. (Del lat. **lucanicĕa,* de *lucanĭcus botŭlus,* infl. por *longus.*) f. Pedazo largo de tripa angosta rellena de carne de cerdo picada y adobada. || **de sábado. Sabadeño.**

Longar. (De *luengo.*) adj. p. us. **Largo. 2.** V. **Panal longar.**

Longares. (De *alongar.*) m. *Germ.* Hombre cobarde.

Longazo, za. adj. aum. de **Luengo.**

Longevidad. (Del lat. *longaevĭtas, -ātis.*) f. Largo vivir.

Longevo, va. (Del lat. *longaevus;* de *longus,* largo, y *aevum,* tiempo, edad.) adj. Muy anciano o de larga edad.

Longincuo, cua. (Del lat. *longinquus.*) adj. Distante, lejano, apartado.

Longísimo, ma. (Del lat. *longissĭmus.*) adj. sup. de **Luengo.**

Longitud. (Del lat. *longitūdo.*) f. La mayor de las dos dimensiones principales que tienen las cosas o figuras planas, en contraposición a la menor, que se llama latitud. || **2.** V. **Reloj de longitudes.** || **3.** *Astron.* Arco de la Eclíptica, contando de occidente a oriente y comprendido entre el punto equinoccial de Aries y el círculo perpendicular a ella, que pasa por un punto de la esfera. || **4.** *Geog.* Distancia de un lugar respecto al primer meridiano, contada por grados en el Ecuador. || **5.** *Mar.* V. **Punto de longitudes.** || **de onda.** *Fís.* Distancia entre dos puntos correspondientes a una misma fase en dos ondas consecutivas.

Longitudinal. adj. Perteneciente a la longitud; hecho o colocado en el sentido o dirección de ella.

Longitudinalmente. adv. m. **A lo largo.**

Longo, ga. (Del lat. *lŏngus,* largo.) adj. ant. **Luengo.**

Longobardo, da. (Del lat. *longobardus.*) adj. Dícese del individuo de un pueblo compuesto de varias tribus pertenecientes a la confederación de los suevos, que invadió a Italia el año 568 y se estableció al norte de la misma en el país que de ellos tomó el nombre de Lombardía. Ú. t. c. s. y m. en pl. || **2.** Perteneciente a los **longobardos.** || **3. Lombardo,** 1.er art., 1.ª y 2.ª aceps. Apl. a pers., ú. t. c. s.

Longor. (De *luengo.*) m. ant. **Longitud.**

Longuera. (De *luengo.*) f. Porción de tierra, larga y angosta.

Longuería. (De *luengo.*) f. Dilación, prolijidad.

Longuetas. (De *luengo.*) f. pl. *Cir.* Tiras de lienzo, ya sencillas, ya dobles o triples, que se aplican en fracturas o amputaciones.

Longueza. (De *luengo.*) f. ant. **Largura.**

Longuezuelo, la. adj. ant. d. de **Luengo.**

Longuísimo, ma. adj. sup. **Longísimo.**

Longuiso. (Del lat. *longus,* apartado, lejano.) m. *Germ.* **Longares.**

Longura. (De *luengo.*) f. ant. **Longitud.** || **2.** ant. Transcurso considerable de tiempo. || **3.** ant. **Dilación.**

Lonja. (De *loncha.*) f. Cualquiera cosa larga, ancha y poco gruesa, que se corta o separa de otra. LONJA *de cuero, de tocino.* || **2.** Pieza de vaqueta con que en los coches se afianzan los balancines menores al mayor. || **3.** *Cetr.* Correa larga que se ataba a las pihuelas del halcón para no tenerle muy recogido.

Lonja. (Del germ. *laubja,* glorieta.) f. Edificio público donde se juntan mercaderes y comerciantes para sus tratos y comercios. || **2.** En las casas de esquileo, almacén donde se coloca la pila de lana. || **3.** Tienda donde se vende cacao, azúcar y otros géneros. || **4.** Atrio algo levantado del piso de las calles, a que regularmente salen las puertas de los templos y otros edificios.

Lonjear. (De *lonja,* tienda.) tr. ant. **Almacenar.**

Lonjeta. f. d. de **Lonja,** 1.er art. || **2. Cenador,** 3.ª acep.

Lonjista. com. Persona que tiene lonja, 2.° art., 3.ª acep.

Lontananza. (Del ital. *lontananza,* de *lontano,* y éste de un der. del lat. *longus,* largo.) f. *Pint.* Términos de un cuadro más distantes del plano principal. || **En lontananza.** m. adv. **A lo lejos.** Ú. sólo tratándose de cosas que por estar muy lejanas apenas se pueden distinguir.

Loor. (De *loar.*) m. **Alabanza.**

López. n. patronímico. **Ésos son otros López.** expr. fig. y fam. con que se da a entender que una cosa no tiene relación alguna con otra, aunque parezca de su misma especie.

Lopigia. f. **Alopecia.**

Lopista. com. Persona especialmente versada en el conocimiento de la vida y obras de Lope de Vega. Ú. t. c. adj.

Loquear. (De *loco.*) intr. Decir o hacer locuras. || **2.** fig. Regocijarse con demasiada bulla y alboroto.

Loquera. f. La que por oficio cuida y guarda locas. || **2.** Jaula de locos. || **3.** *Amér.* **Locura,** 1.ª acep.

Loquero. m. El que por oficio cuida y guarda locos.

Loquesco, ca. (De *loco.*) adj. **Alocado.** || **2.** fig. Chancero, decidor. || **A la loquesca.** loc. adv. A modo de locos.

Loquios. (Del gr. λοχεῖα, de λόχος, parto.) m. pl. Líquido que sale por los órganos genitales de la mujer durante el puerperio.

Lora. f. *Colomb., C. Rica, Hond.* y *Perú.* **Loro,** 1.er art. || **2.** *Chile.* Hembra del loro.

Lorantáceo, a. (Del gr. λῶρον, tira, y ἄνθος, flor.) adj. *Bot.* Dícese de plantas angiospermas dicotiledóneas, parásitas o casi parásitas, siempre verdes, con tallos articulados, hojas enteras, opuestas y sin estípulas; flores masculinas y femeninas separadas, las primeras sin corola y con el cáliz partido en tiras, las segundas con cuatro pétalos carnosos y cáliz unido, y fruto en baya mucilaginosa; como el muérdago. Ú. t. c. s. f. || **2.** f. pl. *Bot.* Familia de estas plantas.

Lorcha. f. Barca ligera y de rápido andar, de menos porte y eslora que el junco: navega a vela y remo, y se emplea en la navegación de cabotaje en China, y también en alijar barcos mayores dentro de bahía.

Lorcha. f. En Galicia, **haleche.**

Lord. (Del ingl. *lord,* señor.) m. Título de honor que se da en Inglaterra a los individuos de la primera nobleza. También llevan anejo este tratamiento algunos altos cargos. En pl., **lores.**

Lordosis. (Del gr. λόρδωσις.) f. Corcova con prominencia anterior.

Lorenés, sa. adj. Natural de Lorena. Ú. t. c. s. || **2.** Perteneciente a esta provincia francesa.

Lorenzana. (De *Lorenzana,* en Galicia.) f. Lienzo grueso fabricado en el pueblo de este nombre.

Loriga. (Del lat. *lorīca.*) f. Armadura para defensa del cuerpo, hecha de láminas pequeñas e imbricadas, por lo común de acero. || **2.** Armadura del caballo para el uso de la guerra. || **3.** Pieza de hierro circular con que se refuerzan los bujes de las ruedas de los carruajes.

Lorigado, da. (Del lat. *loricātus.*) adj. Armado con loriga. Ú. t. c. s.

Lorigón. m. aum. de **Loriga.** || **2.** Loriga grande con mangas que no pasaban del codo.

Loriguero, ra. (Del lat. *loricarĭus.*) adj. Perteneciente a la loriga.

Loriguillo. (De *loro,* 2.° art.) m. **Lauréola hembra.**

Loro. (Del malayo *lori.*) m. **Papagayo,** 1.ª acep., y más particularmente el que tiene el plumaje con fondo rojo. || **del Brasil. Paraguay,** 1.ª acep.

Loro, ra. (Del lat. *laurus,* laurel, por el color obscuro de sus hojas y fruto.) adj. De color amulatado o de un moreno que tira a negro. || **2.** m. **Lauroceraso.**

Lorquino, na. adj. Natural de Lorca. Ú. t. c. s. || **2.** Perteneciente a esta ciudad.

Lorza. f. **Alhorza.**

Los. (Del lat. *illos*, pl. m. de *ille*.) Forma del artículo determinado en género masculino y número plural. || **2.** Acusativo del pronombre personal de tercera persona en género masculino y número plural. No admite preposición y se puede usar como sufijo: LOS *miré; mira*LOS. Emplear en este caso la forma *les*, propia del dativo, es grave incorrección.

Losa. (Del celtolat., *lausia*, losa.) f. Piedra llana y de poco grueso, casi siempre labrada, que sirve para solar y otros usos. || **2.** Trampa formada con **losas** pequeñas, para coger aves o ratones. || **3.** fig. **Sepulcro,** 1.ª acep. || **A la losa, tan presto va la vieja como la moza.** ref. **Tan presto se va el cordero como el carnero.** || **Echar** uno **una losa encima.** fr. fig. Asegurar con la mayor firmeza que guardará en secreto la noticia que se le ha confiado. || **Echar** a uno **una losa sobre el corazón.** fr. fig. Causarle una grave pesadumbre que abruma y acongoja. || **Poner** uno **una losa encima.** fr. fig. **Echar una losa encima.**

Losado, da. p. p. de **Losar.** || **2.** m. **Enlosado,** 2.ª acep.

Losange. (Del fr. *losange*, y éste del lat. epigráfico [*lapides*] *lausiae*, losas.) m. Figura de rombo colocado de suerte que uno de los ángulos agudos quede por pie y su opuesto por cabeza.

Losar. (De *losa*.) tr. **Enlosar.**

Loseta. f. d. de **Losa.** || **2. Losa,** 2.ª acep. || **Coger** a uno **en la loseta.** fr. fig. y fam. Engañarle con astucia.

Losilla. f. d. de **Losa.** || **2. Losa,** 2.ª acep. || **Coger,** o **tomar** a uno, **en la losilla.** fr. fig. y fam. **Coger en la loseta.**

Losino, na. adj. Natural del valle de Losa. Ú. t. c. s. || **2.** Perteneciente a él.

Lota. (De *lote*.) f. *And.* Porción mayor o menor de pescado que se subasta en los sitios adonde arriban los barcos pesqueros. || **2.** *And.* Sitio o lugar en que se efectúa esta subasta, en la que se va pregonando el precio fijado en escala descendente, hasta que un postor grita: ¡mío!

Lote. (Del ant. al. *laut*.) m. Cada una de las partes en que se divide un todo que se ha de distribuir entre varias personas. || **2.** Lo que le toca a cada uno en la lotería o en otros juegos en que se sortean sumas desiguales. || **3. Dote,** 3.ª acep. || **4.** En las exposiciones y ferias de ganados, grupo ordinariamente muy reducido de caballos, mulos, etc., que tienen ciertos caracteres comunes o análogos.

Lotería. (De *lotero*.) f. Especie de rifa que se hace con mercaderías, billetes, dinero y otras cosas, con autoridad pública. || **2.** Juego público en que se sacaban a la suerte cinco números de noventa, y se premiaba diversamente a los que tenían en sus billetes algunos de dichos números o sus combinaciones. Este juego se llamó **lotería primitiva** o **vieja** desde que se estableció el siguiente. || **3.** Juego público en que se premian con diversas cantidades varios billetes sacados a la suerte entre un gran número de ellos que se ponen en venta. Este juego se llamó **lotería moderna** hasta que fue suprimido el anterior. || **4.** Juego casero en que se imita la **lotería** primitiva con números puestos en cartones, y extrayendo algunos de una bolsa o caja. || **5.** Casa en que se despachan los billetes de **lotería,** 3.ª acep. || **Caerle,** o **tocarle,** a uno **la lotería.** fr. fig. Tocarle uno de los mayores lotes de la misma. Dícese también en sentido irónico.

Lotero, ra. (De *lote*.) m. y f. Persona que tiene a su cargo un despacho de billetes de la lotería.

Lotiforme. adj. Que tiene forma de oto.

Loto. (Del lat. *lotos*, y éste del gr. λωτός.) m. Planta acuática de la familia de las ninfeáceas, de hojas muy grandes, coriáceas, con pecíolo largo y delgado; flores terminales, solitarias, de gran diámetro, color blanco azulado y olorosas, y fruto globoso parecido al de la adormidera, con semillas que se comen después de tostadas y molidas. Abunda en las orillas del Nilo, y las hojas, la flor y el fruto figuran en los monumentos de los antiguos egipcios. || **2.** Flor de esta planta. || **3.** Fruto de la misma. || **4.** *Bot.* Árbol de África, de la familia de las ramnáceas, parecido al azufaifo, de unos dos metros de altura, y cuyo fruto, que es una drupa rojiza del tamaño de la ciruela y casi redonda, tiene la carne algo dulce, y, según los antiguos mitólogos y poetas, hacía que los extranjeros que lo comían olvidasen su patria. || **5.** Fruto de este árbol. || **6.** V. **Azufaifo loto.**

Lotófago, ga. (Del gr. λωτοφάγος; de λωτός, loto, y φαγεῖν, comer.) adj. Dícese del individuo de ciertos pueblos que habitaban en la costa septentrional de África y se alimentaban con los frutos del loto, 4.ª acep. Ú. t. c. s. m. y más en pl.

Lovaniense. adj. Natural de Lovaina. Ú. t. c. s. || **2.** Perteneciente a esta ciudad de Bélgica.

Loxodromia. (Del gr. λοξός, oblicuo, y δρόμος, carrera.) f. *Náut.* Curva que en la superficie terrestre forma un mismo ángulo en su intersección con todos los meridianos, y sirve para navegar con rumbo constante.

Loxodrómico, ca. adj. *Mar.* Perteneciente o relativo a la loxodromia.

Loza. (Del lat. *lautia*, ajuar.) f. Barro fino, cocido y barnizado, de que están hechos platos, tazas, jícaras, etc. || **2.** Conjunto de estos objetos destinados al ajuar doméstico. || **Ande la loza.** expr. fig. y fam. con que se da a entender el bullicio y algazara que suele haber en algún concurso cuando la gente está contenta y alegre.

Lozanamente. adv. m. Con lozanía.

Lozanear. (De *lozano*.) intr. Ostentar lozanía. Ú. t. c. r. || **2.** Obrar con ella.

Lozanecer. (De *lozano*.) intr. ant. **Lozanear.**

Lozanía. (De *lozano*.) f. El mucho verdor y frondosidad en las plantas. || **2.** En los hombres y animales, viveza y gallardía nacidas de su vigor y robustez. || **3.** Orgullo, altivez.

Lozano, na. (En port. *louçāo*.) adj. Que tiene lozanía.

Lúa. (De *luva*.) f. Especie de guante hecho de esparto y sin separaciones para los dedos, el cual sirve para limpiar las caballerías. || **2.** ant. **Guante,** 1.ª acep. || **3.** *Mancha.* Zurrón de piel de cabra, carnero, etc., para transportar el azafrán. || **Tomar por la lúa.** fr. *Mar.* Dícho de las embarcaciones, perder el gobierno porque las velas reciben el viento por la parte de sotavento, por donde no están amuradas.

Lubigante. m. **Bogavante,** crustáceo.

Lubina. (Del lat. *lŭpīna*, t. f. de *lŭpīnus*.) f. **Róbalo.**

Lubricación. f. Acción y efecto de lubricar.

Lubricador, ra. adj. Que lubrica.

Lúbricamente. adv. m. Con lubricidad.

Lubricán. (De *lŭpus*, lobo, y *canis*, perro, infl. por *lóbrego*.) m. **Crepúsculo.**

Lubricante. p. a. de **Lubricar.** || **2.** adj. Dícese de toda substancia útil para lubricar. Ú. t. c. s. m.

Lubricar. (Del lat. *lubricāre*.) tr. Hacer lúbrica o resbaladiza una cosa.

Lubricativo, va. adj. Que sirve para lubricar.

Lubricidad. (Del lat. *lubricĭtas, -ātis*.) f. Calidad de lúbrico.

Lúbrico, ca. (Del lat. *lubrĭcus*.) adj. **Resbaladizo.** || **2.** fig. Propenso a un vicio, y particularmente a la lujuria. || **3.** fig. Libidinoso, lascivo.

Lubrificación. f. **Lubricación.**

Lubrificante. p. a. de **Lubrificar.** || **2.** adj. **Lubricante.** Ú. t. c. s. m.

Lubrificar. tr. **Lubricar.**

Lucano, na. (Del lat. *lucānus*.) adj. Natural de la Lucania. Ú. t. c. s. || **2.** Perteneciente a esta provincia de la Italia antigua.

Lucas. m. pl. *Germ.* Los naipes.

Lucemburgués, sa. adj. desus. **Luxemburgués.**

Lucencia. (Del lat. *lucens, -entis*, p. a. de *lucēre*, lucir.) f. ant. Claridad, resplandor.

Lucense. (Del lat. *lucensis*.) adj. **Lugués.** Apl. a pers., ú. t. c. s. || **2. Luqués.** Apl. a pers., ú. t. c. s.

Lucentísimo, ma. adj. sup. de **Luciente.**

Lucentor. (De *luciente*.) m. Cierto afeite que usaban las mujeres para el rostro.

Lucera. (De *luz*.) f. Ventana o claraboya abierta en la parte alta de los edificios.

Lucerna. (Del lat. *lucerna*.) f. Araña grande para alumbrar. || **2. Lumbrera,** 1.ª acep. || **3. Milano,** 3.ª acep. || **4.** p. us. **Luciérnaga.** || **5.** ant. Especie de lamparilla o linterna. || **6.** *Germ.* **Candela,** 1.ª acep.

Lucerno. (De *lucerna*.) m. *Germ.* **Candelero,** 1.ª acep.

Lucérnula. (Del lat. *lucernŭla*, lamparilla.) f. **Neguilla,** 1.ª acep.

Lucero. (De *luz*.) m. El planeta Venus, al que comúnmente llaman la estrella de Venus. || **2.** Cualquier astro de los que aparecen más grandes y brillantes. || **3.** Postigo o cuarterón de las ventanas, por donde entra la luz. || **4.** Lunar blanco y grande que tienen en la frente algunos cuadrúpedos. || **5.** fig. Lustre, esplendor. || **6.** fig. y poét. Cada uno de los ojos de la cara. Ú. m. en pl. || **del alba, de la mañana** o **de la tarde. Lucero,** 1.ª acep.

Lucianesco, ca. adj. Perteneciente o relativo a Luciano, o que tiene semejanza con las dotes o calidades por que se distinguen las obras de este escritor griego.

Lucible. (Del lat. *lucibĭlis*.) adj. ant. **Resplandeciente.**

Lucidamente. adv. m. Con lucimiento.

Lucidez. f. Calidad de lúcido.

Lúcido, da. (Del lat. *lucĭdus*.) adj. poét. **Luciente.** || **2.** fig. Claro en el razonamiento, en las expresiones, en el estilo, etc. || **3.** V. **Cámara lúcida.** || **4.** V. **Intervalo lúcido.**

Lucido, da. p. p. de **Lucir.** || **2.** adj. Que hace o desempeña las cosas con gracia, liberalidad y esplendor.

Lucidor, ra. adj. Que luce.

Lucidura. (De *lucir*.) f. Blanqueo que se da a las paredes.

Luciente. (Del lat. *lucens, -entis*.) p. a. de **Lucir.** Que luce.

Luciérnaga. (Del lat. *lŭcĕrnŭla*, d. de *lŭcĕrna*, luz.) f. *Zool.* Insecto coleóptero, de tegumento blando, notable por la gran diferencia morfológica que existe entre los individuos de uno y otro sexo. El macho, de unos 12 milímetros de largo, es de color amarillo pardusco, tiene la cabeza oculta por el tórax, élitros que cubren todo el abdomen, con tres costillas longitudinales, y patas finas y prolongadas. La hembra, un poco mayor que el macho, se asemeja a un gusano por carecer de alas y élitros, ser cortas sus patas y el abdomen muy prolongado y formado por anillos negruzcos de borde amarillo que despiden, particularmente los tres últimos, una luz fosforescente de color blanco verdoso.

Luciérnago. m. ant. **Luciérnaga.**

Lucifer. (Del lat. *Lucĭfer, -ĕri.*) m. El príncipe de los ángeles rebeldes. || **2. Lucífero,** 2.ª acep. || **3.** fig. Hombre soberbio, encolerizado y maligno.

Luciferal. (De *Lucifer.*) adj. ant. Soberbio, maligno.

Luciferino, na. adj. Perteneciente a Lucifer.

Lucífero, ra. (Del lat. *lucĭfer;* de *lux, lucis,* luz, y *ferre,* llevar.) adj. poét. Resplandeciente, luminoso, que da luz. || **2.** m. El lucero de la mañana.

Lucífugo, ga. (Del lat. *lucifŭgus;* de *lux, lucis,* luz, y *fugĕre,* huir.) adj. poét. Que huye de la luz. *Ave* LUCÍFUGA.

Lucilina. f. **Petróleo.**

Lucilo. m. **Lucillo.**

Lucillo. (Del lat. *lōcĕllus,* d. de *lŏcus,* lugar.) m. Urna de piedra en que suelen sepultarse algunas personas de distinción.

Lucimiento. m. Acción de lucir. || **Quedar** uno **con lucimiento.** fr. fig. Salir airoso en cualquier encargo o empeño.

Lucina. (Del lat. *luscinĭa.*) f. ant. **Ruiseñor.**

Lucio. (Del lat. *lucĭus.*) m. Pez del orden de los acantopterigios, semejante a la perca, de cerca de metro y medio de largo, cabeza apuntada, cuerpo comprimido, de color verdoso con rayas verticales pardas, aletas fuertes y cola triangular. Vive en los ríos y lagos, se alimenta de peces y batracios y su carne es grasa, blanca y muy estimada.

Lucio, cia. (Del lat. *lucĭdus.*) adj. Terso, lúcido. || **2.** m. Cada uno de los lagunajos que quedan en las marismas al retirarse las aguas.

Lución. m. Reptil del orden de los saurios, de color gris, con tres series de manchas negras en el lomo; carece de extremidades, y cuando se ve sorprendido, pone tan rígido el cuerpo, que se rompe con facilidad. Se halla en el norte de España y en el resto de Europa.

Lucir. (Del lat. *lucēre.*) intr. Brillar, resplandecer. || **2.** fig. Sobresalir, aventajar. Ú. t. c. r. || **3.** fig. Corresponder notoriamente el provecho al trabajo en cualquiera obra. *A tu vecino le* LUCE *el trabajo.* || **4.** tr. Iluminar, comunicar luz y claridad. || **5.** Manifestar el adelantamiento, la riqueza, la autoridad, etc. || **6. Enlucir.** || **7.** r. Vestirse y adornarse con esmero. || **8.** fig. **Quedar con lucimiento.**

Luco. (Del lat. *lucus.*) m. ant. Bosque o selva de árboles cerrados y espesos.

Lucrar. (Del lat. *lucrāre.*) tr. **Lograr,** 1.ª acep. || **2.** r. Utilizarse, sacar provecho de un negocio o encargo.

Lucrativo, va. (Del lat. *lucratīvus.*) adj. Que produce utilidad y ganancia. || **2.** V. **Causa lucrativa.** || **3.** V. **Títulolucrativo.**

Lucro. (Del lat. *lucrum.*) m. Ganancia o provecho que se saca de una cosa. || **cesante.** *For.* Ganancia o utilidad que se regula por la que podría producir el dinero en el tiempo que ha estado dado en empréstito o mutuo. || **Lucros y daños.** *Com.* **Ganancias y pérdidas.**

Lucroniense. (Del lat. *Lucronĭum,* Logroño.) adj. **Logroñés.** Apl. a pers., ú. t. c. s.

Lucroso, sa. (Del lat. *lucrōsus.*) adj. Que produce lucro.

Luctuosa. (Del lat. *luctuōsa,* t. f. de *-sus,* luctuoso.) f. Derecho antiguo que se pagaba en algunas provincias a los señores y prelados cuando morían sus súbditos, y consistía en una alhaja del difunto; la que él señalaba en su testamento, o la que el señor o prelado elegía.

Luctuosamente. adv. m. Con tristeza y llanto.

Luctuoso, sa. (Del lat. *luctuōsus,* de *luctus,* llanto.) adj. Triste y digno de llanto.

Lucubración. (Del lat. *lucubratĭo, -ōnis.*) f. Acción y efecto de lucubrar. || **2.** Vigilia y tarea consagrada al estudio. || **3.** Obra o producto de este trabajo. *Doctas* LUCUBRACIONES; LUCUBRACIONES *filosóficas.*

Lucubrar. (Del lat. *lucubrāre.*) tr. Trabajar velando y con aplicación en obras de ingenio.

Lúcuma. (Del quichua *rucma.*) f. Fruto del lúcumo. || **2. Lúcumo.**

Lúcumo. (De *lúcuma.*) m. Árbol de Chile y del Perú, de la familia de las sapotáceas, de hojas casi membranáceas, trasovadas y adelgazadas hacia el pecíolo. Su fruto, del tamaño de una manzana pequeña, se guarda, como las serbas, algún tiempo en paja, antes de comerlo.

Lucha. (Del lat. *lŭcta.*) f. Pelea entre dos, en que, abrazándose uno a otro, procura cada cual dar con su contrario en tierra. || **2.** Lid, combate. || **3.** fig. Contienda, disputa.

Luchador, ra. (Del lat. *luctātor.*) m. y f. Persona que lucha.

Luchar. (Del lat. *lŭctāre.*) intr. Contender dos personas a brazo partido. || **2.** Pelear, combatir. || **3.** fig. Disputar, bregar.

Lucharniego, ga. (De *nocharniego.*) adj. V. **Perro lucharniego.**

Luche. m. *Chile.* **Infernáculo.**

Luche. (Voz araucana.) m. Alga marina de Chile; es comestible.

Luda. f. *Germ.* **Mujer.**

Ludada. f Especie de adorno mujeril o venda para la frente, que se usaba en lo antiguo.

Ludia. (De *ludiar.*) f. *Extr.* **Levadura,** 1.ª acep.

Ludiar. (De *liudar.*) tr. *Extr.* **Leudar.** Ú. t. c. r.

Ludibrio. (Del lat. *ludibrĭum.*) m. Escarnio, desprecio, mofa.

Lúdicro, cra. (Del lat. *ludĭcrus.*) adj. Relativo o perteneciente al juego.

Ludimiento. m. Acción y efecto de ludir.

Ludio, dia. (De *ludiar.*) adj. *Extr.* **Leudo.**

Ludio, dia. adj. *Germ.* **Bellaco.** || **2.** *Germ.* V. **Mina ludia.** || **3.** m. *Germ.* Ochavo, cuarto, moneda de cobre.

Ludión. (Del lat. *ludĭo, -ōnis,* juglar, por la figurita que suele ponerse de lastre.) m. Aparatito destinado a hacer palpable la teoría del equilibrio de los cuerpos sumergidos en los líquidos. Es una bolita hueca y lastrada, con un orificio muy pequeño en su parte inferior, por donde penetra más o menos cantidad de líquido cuando se sumerge en agua, según la presión que se ejerce en la superficie de ésta.

Ludir. (Tal vez del lat. *ludĕre,* jugar.) tr. Frotar, estregar, rozar una cosa con otra.

Ludria. (Del lat. **lūtrĕa,* de *lŭtra.*) f. *Ar.* **Nutria.**

Lúe. (Del lat. *lues.*) f. **Infección.**

Luego. (Del lat. *lŏco,* a la sazón.) adv. t. Prontamente, sin dilación. || **2. Después,** 1.ª acep. || **3.** conj. ilat. con que se denota la deducción o consecuencia inferida de un antecedente. *Pienso,* LUEGO *existo;* ¿LUEGO *era fundado mi temor?* || **Con tres luegos.** loc. adv. fig. y fam. A toda prisa, con suma celeridad. || **De luego a luego.** m. adv. Con mucha prontitud, sin la menor dilación. || **Desde luego.** m. adv. Inmediatamente, sin tardanza. || **2.** De conformidad, sin duda. || **Luego a luego.** m. adv. **De luego a luego.** || **Luego como,** o **que.** expr. **Así que.** || **Luego luego.** m. adv. **En seguida.**

Luello. (Del lat. *lŏlĭum,* cizaña.) m. *Ar.* **Joyo.**

Luenga. (De *luengo.*) f. ant. Dilación, tardanza.

Luengamente. adv. m. ant. **Largamente.**

Luengo, ga. (Del lat. *lŏngus,* largo.) adj. **Largo.** || **2.** *Germ.* **Principal,** 1.ª acep. || **A la luenga.** m. adv. ant. **A la larga.** || **2.** ant. **A lo largo.** || **En luengo.** m. adv. De largo a largo.

Lueñe. (Del lat. *lŏnge,* lejos.) adj. ant. Distante, lejano, apartado. || **2.** adv. l. y t. ant. **Lejos.**

Lugano. (Del lat. *lucānus,* del bosque.) m. Pájaro del tamaño del jilguero, de plumaje verdoso, manchado de negro y ceniza, amarillo en el cuello, pecho y extremidades de las remeras y timoneras; color pardo negruzco en la cabeza y gris en el vientre. La hembra es más cenicienta y tiene manchas pardas en el abdomen. Se acomoda a la cautividad, y suele imitar el canto de otros pájaros.

Lugar. (De *logar,* 1.er art.) m. Espacio ocupado o que puede ser ocupado por un cuerpo cualquiera. || **2.** Sitio o paraje. || **3.** Ciudad, villa o aldea. || **4.** Población pequeña, menor que villa y mayor que aldea. || **5.** Pasaje, texto, autoridad o sentencia; expresión o conjunto de expresiones de un autor, o de un libro escrito. || **6.** Tiempo, ocasión, oportunidad. || **7.** Puesto, empleo, dignidad, oficio o ministerio. || **8.** Causa, motivo u ocasión para hacer o no hacer una cosa. *Dio* LUGAR *a que le prendiesen.* || **9.** Sitio que en una serie ordenada de nombres ocupa cada uno de ellos. || **10.** V. **Unidad de lugar** || **11.** En Galicia, casería dada en arriendo. || **acasarado.** En Galicia, conjunto de heredades alrededor de la casa en que habita el colono que las cultiva. || **común. Letrina.** || **de behetría. Behetría,** 1.ª acep. || **de señorío.** El que estaba sujeto a un señor particular, a distinción de los realengos. || **religioso.** Sitio donde está sepultada una persona. || **Lugares comunes.** Principios generales de que se sacan las pruebas para los argumentos en los discursos. || **2.** Expresiones triviales, o ya muy empleadas en casos análogos. || **oratorios.** *Ret.* **Lugares comunes,** 1.ª acep. || **teológicos.** Fuentes de donde la teología saca sus principios, argumentos e instrumentos. || **Como mejor haya lugar de derecho,** o **en derecho.** loc. adv. *For.* Úsase en los pedimentos para manifestar que, además de lo que pide la parte, quiere que se la favorezca en cuanto permite el derecho. || **Dar lugar.** fr. **Hacer lugar.** || **Despoblarse el lugar.** fr. fig. Salir la mayor parte de la gente de un pueblo, por una diversión u otro motivo. || **En lugar de.** m. adv. **En vez de.** || **En primer lugar.** m. adv. **Primeramente.** || **En su lugar, descanso.** *Mil.* fr. con que se autoriza al soldado para que, sin salirse de la fila, adopte una posición más cómoda apoyando el arma en el suelo. || **Hacer lugar.** fr. Desembarazar un sitio o dejar libre y franca una parte de él. || **Hacerse** uno **lugar.** fr. fig. Hacerse estimar o atender entre otros. || **No ha lugar.** *For.* expr. con que se declara que no se accede a lo que se pide. || **No ha lugar a deliberar.** Forma habitual de la proposición que en las Cortes y otras asambleas se hace para atajar el curso de un asunto. || **Quien en ruin lugar hace viña, a cuestas saca la vendimia.** ref. que enseña el poco fruto que debe esperarse cuando se trabaja en materias de suyo estériles, o cuando se favorece a ingratos. || **Salvo sea el lugar.** expr. fam. **Salva sea la parte.** || **Tener lugar.** fr. **Tener cabida.** || **2.** Disponer del tiempo necesario para hacer alguna cosa.

Lugarejo. m. d. de **Lugar.**

Lugareño, ña. adj. Natural de un lugar o población pequeña. Ú. t. c. s. || **2.** Que habita en un lugar o población pequeña. Ú. t. c. s. || **3.** Perteneciente a los lugares o poblaciones pequeñas, o propio y característico de ellos. *Costumbres* LUGAREÑAS.

Lugarete. m. d. de **Lugar.**

Lugarote. m. aum. de **Lugar.**

Lugartenencia. f. Cargo de lugarteniente.

Lugarteniente. (De *lugar* y *teniente*, el que tiene el lugar, el puesto.) m. El que tiene autoridad y poder para hacer las veces de otro en un ministerio o empleo.

Lugdunense. (Del lat. *lugdunensis.*) adj. Lionés.

Lugre. (Del ingl. *lugger.*) m. Embarcación pequeña, con tres palos, velas al tercio y gavias volantes.

Lúgubre. (Del lat. *lugŭbris.*) adj. Triste, funesto, melancólico.

Lúgubremente. adv. m. De modo lúgubre.

Lugués, sa. adj. Natural de Lugo. Ú. t. c. s. || **2.** Perteneciente a esta ciudad.

Luición. (Del lat. *luitĭo, -ōnis.*) f. Redención de censos.

Luir. (Del lat. *luĕre.*) tr. Redimir, quitar censos.

Luir. tr. *Mar.* **Ludir.**

Luis. (Del fr. *louis*, de *Louis XIII*, en cuyo tiempo comenzaron a acuñarse estas monedas.) m. Moneda de oro francesa de 20 francos.

Luisa. (Por haberse dedicado la planta a la reina María *Luisa*, esposa de Carlos IV.) f. Planta fruticosa de la familia de las verbenáceas, con tallos duros, estriados, de 12 a 15 decímetros de altura; hojas en verticilos triples, casi sentadas, elípticas, agudas por ambos extremos, ásperas por encima y lampiñas por debajo; flores pequeñas, en espigas piramidales, de corolas blancas por fuera y azuladas en lo interior, y fruto seco con semillas menudas y negras. La planta es originaria del Perú, se cultiva en los jardines, tiene olor de limón, muy agradable, y su hojas suelen usarse en infusión apreciada como tónica, estomacal y antiespasmódica.

Luismo. (De *luir*, 1.er art.) m. **Laudemio.**

Lujación. f. **Luxación.**

Lujo. (Del lat. *luxus.*) m. Demasía en el adorno, en la pompa y en el regalo. || **asiático.** El extremado.

Lujosamente. adv. m. Con lujo.

Lujoso, sa. adj. Que tiene o gasta lujo. || **2.** Dícese del mueble u otra cosa con que se ostenta el lujo.

Lujuria. (Del lat. *luxuria.*) f. Vicio que consiste en el uso ilícito o apetito desordenado de los deleites carnales. || **2.** Exceso o demasía en algunas cosas.

Lujuriante. (Del lat. *luxurians, -antis.*) p. a. de **Lujuriar.** Que lujuria. || **2.** adj. Muy lozano, vicioso y que tiene excesiva abundancia.

Lujuriar. (Del lat. *luxuriāre.*) intr. Cometer el pecado de lujuria. || **2.** Ejercer los animales el acto de la generación.

Lujuriosamente. adv. m. Con lujuria.

Lujurioso, sa. (Del lat. *luxuriōsus.*) adj. Dado o entregado a la lujuria. Ú. t. c. s.

Lula. (Del lat. *loligo.*) f. En Galicia, **calamar.**

Luliano, na. adj. Perteneciente o relativo a Raimundo Lulio, filósofo español del siglo XIII. || **2. Lulista.** Ú. t. c. s.

Lulismo. m. Sistema filosófico de Raimundo Lulio, y especialmente su doctrina lógica conocida con el nombre de *Arte magna.*

Lulista. adj. Partidario del lulismo. Ú. t. c. s.

Luma. (Voz araucana.) f. Árbol chileno, de la familia de las mirtáceas, que crece hasta 20 metros de altura. Su madera es dura, pesada y resistente. || **2.** Madera de este árbol.

Lumadero. m. *Germ.* **Diente,** 1.ª acep.

Lumaquela. (Del ital. *lumachella*, caracolillo.) f. **Mármol lumaquela.**

Lumbago. (Del lat. *lumbāgo*, de *lumbus*, lomo.) m. Dolor reumático en los lomos.

Lumbar. (Del lat. *lumbāre*, de *lumbus*, lomo.) adj. *Zool.* Perteneciente a los lomos y caderas.

Lumbo. (Del lat. *lumbus.*) m. ant. **Lomo.**

Lumbrada. f. Cantidad grande de lumbre.

Lumbral. (Del lat. **līmĭnāre*, de *līmen, -ĭnis*, umbral.) m. **Umbral.**

Lumbrarada. (De *lumbrerada.*) f. **Lumbrada.**

Lumbraria. f. ant. Lumbrera, luminaria.

Lumbre. (Del lat. *lūmen, -ĭnis.*) f. Carbón, leña u otra materia combustible encendida. || **2.** En las armas de fuego llamadas de chispa, parte del rastrillo que hiere al pedernal. || **3.** Parte anterior de la herradura. || **4.** Espacio que una puerta, ventana, claraboya, tronera, etc., deja franco a la entrada de la luz. || **5. Luz,** 1.er art., 1.ª y 2.ª aceps. || **6.** V. **Piedra de lumbre.** || **7.** fig. Esplendor, lucimiento, claridad. || **8.** ant. fig. **Vista,** 1.ª acep. || **9.** ant. fig. Luz de la razón. || **10.** ant. fig. Ilustración, noticia, doctrina. || **11.** *Ar.* V. **Alcobilla de lumbre.** || **12.** pl. Conjunto de eslabón, yesca y pedernal, que se usa para encender **lumbre.** || **Lumbre del agua.** Superficie del agua. || **A lumbre de pajas.** m. adv. fig. y fam. con que se da a entender la brevedad y poca duración de una cosa. || **A lumbre mansa.** m. adv. fig. **A fuego lento.** || **Dar lumbre.** fr. Arrojar chispas el pedernal herido del rastrillo o eslabón. || **2.** fig. Conseguir el lance o fin que se intentaba con algún disimulo. || **3.** fig. y fam. Prestar un fumador su tabaco o cigarrillo encendido a otro fumador, para que éste encienda el suyo. || **Ni por lumbre.** m. adv. fig. y fam. De ningún modo. || **Ser** una persona o cosa **la lumbre de los ojos** de uno. fr. fig. Estimarla o amarla mucho. || **Tocar** a uno **en la lumbre de los ojos.** fr. fig. **Tocarle en las niñas de los ojos.**

Lumbrera. (Del lat. *lūmĭnāria*, pl. de *lumināre.*) f. Cuerpo que despide luz. || **2.** Abertura, tronera o caño que desde el techo de una habitación, o desde la bóveda de una galería, comunica con el exterior y proporciona luz o ventilación. || **3.** Abertura que hay junto al hierro de los cepillos de carpintero, para que por ella salgan las virutas arrancadas al cepillar la madera. || **4.** ant. **Lámpara,** 1.ª acep. || **5.** fig. Persona insigne y esclarecida, que con su virtud y doctrina enseña e ilumina a otros. || **6.** *Mar.* Escotilla, generalmente con cubierta de cristales, cuyo objeto casi único es proporcionar luz y ventilación a determinados lugares del buque y principalmente a las cámaras. || **7.** pl. fig. Los ojos.

Lumbrerada. (De *lumbrera.*) f. **Lumbrarada.**

Lumbrería. (De *lumbre.*) f. ant. **Alumbramiento,** 1.ª acep.

Lumbrical. (Del lat. *lumbrīcus*, lombriz.) adj. V. **Músculo lumbrical.**

Lumbroso, sa. (Del lat. *luminōsus.*) adj. **Luminoso, ra,** 2.ª acep.

Lumia. f. **Ramera.**

Lumiaco. (De *limaco.*) m. *Sant.* **Babosa,** 1.ª acep.

Luminación. (Del lat. *luminatĭo, -ōnis.*) f. ant. **Iluminación.**

Luminador, ra. (De *luminar.*) m. y f. ant. **Iluminador, ra,** 2.ª acep.

Luminar. (Del lat. *lumināre, -āris.*) m. Cualquiera de los astros que despiden luz y claridad. || **2.** fig. **Lumbrera,** 5.ª acep.

Luminar. (Del lat. *lumināre.*) tr. ant. **Iluminar.**

Luminaria. (Del lat. *luminarĭa*, pl. de *-āre*, luminar.) f. Luz que se pone en ventanas, balcones, torres y calles en señal de fiesta y regocijo público. Ú. m. en pl. || **2.** Luz que arde continuamente en las iglesias delante del Santísimo Sacramento. || **3.** *Germ.* **Ventana,** 1.ª acep. || **4.** pl. Lo que se daba a los ministros y criados del rey para el gasto que debían hacer las noches de **luminarias** públicas.

Lumínico, ca. (Del lat. *lumen, -ĭnis*, luz.) adj. Perteneciente o relativo a la luz. || **2.** m. *Fís.* Principio o agente hipotético de los fenómenos de la luz.

Luminiscencia. (Del lat. *lumen, -ĭnis.*) f. Propiedad de despedir luz sin elevación de temperatura y visible casi sólo en la obscuridad, como la que se observa en las luciérnagas, en las maderas y en los pescados putrefactos, en minerales de uranio y en varios sulfuros metálicos.

Luminosamente. adv. m. De manera luminosa.

Luminosidad. f. Calidad de luminoso.

Luminoso, sa. (Del lat. *luminōsus.*) adj. Que despide luz.

Luminotecnia. (Del lat. *lumen, ĭnis*, y de τέχνη, arte.) f. Arte de la iluminación con luz artificial para fines industriales o artísticos.

Luna. (Del lat. *Lūna.*) f. Astro, satélite de la Tierra, que alumbra cuando está de noche sobre el horizonte. || **2.** Luz nocturna que este satélite nos refleja de la que recibe del Sol. || **3. Lunación.** || **4. Satélite,** 1.ª acep. || **5.** Tabla de cristal o de vidrio cristalino, de que se forma el espejo azogándola o plateándola por el reverso, o que se emplea en vidrieras, escaparates y otros usos. || **6. Luneta,** 1.ª acep. || **7. Pez luna.** || **8.** V. **Piedra de la luna.** || **9.** fig. Efecto que hace la **Luna** en los faltos de juicio y en otros enfermos. || **10.** *Ar.* Patio abierto o descubierto. || **11.** *Germ.* **Camisa,** 1.ª acep. || **12.** *Germ.* **Rodela.** || **creciente.** *Astron.* La **Luna** desde su conjunción hasta el plenilunio. || **de miel.** fig. Temporada subsiguiente al matrimonio, durante la cual los recién casados se complacen exclusivamente en su recíproca satisfacción. || **en lleno,** o **llena.** *Astron.* La **Luna** en el tiempo de su oposición con el Sol, que es cuando se ve iluminada toda la parte de su cuerpo que mira a la Tierra. || **menguante.** *Astron.* La **Luna** desde el plenilunio hasta su conjunción. || **nueva.** *Astron.* La **Luna** en el tiempo de su conjunción con el Sol. || **Media luna.** Figura que presenta la **Luna** al principiar a crecer y al fin del cuarto menguante. || **2.** Adorno o joya que tiene esta figura. || **3.** fig. **Desjarretadera.** || **4.** fig. Islamismo, mahometismo. || **5.** Imperio turco. || **6.** *Fort.* Especie de fortificación que se construye delante de las capitales de los baluartes, sin cubrir enteramente sus caras. || **A la luna.** m. adv. **A la luna de Valencia.** || **A la luna de Paita.** m. adv. fig. y fam. *Chile* y *Perú.* **A la luna de Valencia.** || **A la luna de Valencia.** m. adv. fig. y fam. Frustradas las esperanzas de lo que se deseaba o pretendía. Ú. con los verbos *dejar* y *quedarse.* || **Estar** uno **de buena,** o **de mala, luna.** fr. *Amér.* Estar de buen, o mal, humor. || **Ladrar a la Luna.** fr. fig. y fam. Manifestar necia y vanamente ira o enojo contra persona o cosa a quien no se puede ofender ni causar daño alguno. || **Luna con cerco, lavajo lleno; estrella en medio, lavajo seco.** ref. con que se da a entender que la presencia de halos o coronas alrededor de la **Luna** es indicio de próxima lluvia. || **Pedir la Luna.** fr. fam. Pedir cosa imposible o de muy difícil consecución. || **Tener** uno lunas. fr. fig. y fam. Sentir perturbación en el tiempo de las variaciones de la Luna.

Lunación. (Del lat. *lunatĭo, -ōnis.*) f. *Astron.* Tiempo que gasta la Luna desde una conjunción con el Sol hasta la siguiente.

Lunada. (De un der. del lat. *clunis*, nalga; véase *nalgada.*) f. ant. **Pernil**, 2.ª acep.

Lunado, da. (Del lat. *lunātus.*) adj. Que tiene figura o forma de media luna.

Lunanco, ca. (Del m. or. que *lunada.*) adj. Aplícase a los caballos y otros cuadrúpedos que tienen una anca más alta que la otra.

Lunar. (De *luna.*) m. Pequeña mancha en el rostro u otra parte del cuerpo, producida por una acumulación de pigmento en la piel. ‖ **2.** fig. Nota o mancha que resulta a uno de haber hecho una cosa vituperable. ‖ **3.** fig. Defecto o tacha de poca entidad en comparación de la bondad de la cosa en que se nota.

Lunar. (Del lat. *lunāris.*) adj. Perteneciente a la Luna. ‖ **2.** *Astrol.*, *Astron.* y *Cronol.* V. **Año, ciclo, eclipse, horóscopo, mes lunar.**

Lunario, ria. (De *luna.*) adj. Perteneciente o relativo a las lunaciones. ‖ **2.** m. **Calendario.** ‖ **3.** ant. **Lunación.**

Lunático, ca. (Del lat. *lunatĭcus.*) adj. Que padece locura, no continua, sino por intervalos. Ú. t. c. s.

Lunecilla. f. **Media luna**, 2.ª acep.

Lunel. (Del fr. *lunel.*) m. *Blas.* Figura en forma de flor, compuesta de cuatro medias lunas unidas por sus puntas.

Lunes. (Del lat. *lunae* [*dies*], día consagrado a la Luna.) m. Segundo día de la semana.

Luneta. (d. de *luna.*) f. Cristal o vidrio pequeño que es la parte principal de los anteojos. ‖ **2.** Media luna que como adorno usaban las mujeres en la cabeza y los niños en los zapatos. ‖ **3.** En los teatros, cada uno de los asientos con respaldo y brazos, colocados en filas frente al escenario en la planta inferior. ‖ **4.** Sitio del teatro en que estaban colocadas las **lunetas**, a diferencia del patio. ‖ **5.** *Arq.* **Bocateja.** ‖ **6.** *Arq.* **Luneto.** ‖ **7.** *Fort.* Baluarte pequeño y por lo común aislado. ‖ **meridiana.** *Astron.* **Anteojo de pasos.**

Luneto. m. *Arq.* Bovedilla en forma de media luna, abierta en la bóveda principal para dar luz a ésta.

Lunfardismo. m. Palabra o locución propia del lunfardo.

Lunfardo. m *Argent.* Ratero, ladrón. ‖ **2.** *Argent.* Chulo, rufián. ‖ **3.** Lenguaje de la gente de mal vivir, propio de Buenos Aires y sus alrededores y que posteriormente se ha extendido entre algunas gentes del pueblo.

Lungo, ga. (Del lat. *longus.*) adj. ant. **Largo.**

Lunilla. f. **Lunecilla.**

Lúnula. (Del lat. *lunŭla*, d. de *luna.*) f. Espacio blanquecino semilunar de la raíz de las uñas. ‖ **2.** Soporte para el viril de la custodia. ‖ **3.** *Geom.* Figura compuesta de dos arcos de círculo que se cortan volviendo la concavidad hacia el mismo lado.

Lupanar. (Del lat. *lupānar.*) m. **Mancebía**, 1.ª acep.

Lupanario, ria. (Del lat. *lupanarius.*) adj. Perteneciente al lupanar.

Lupercales. (Del lat. *lupercalia*, de *Lupercus*, el dios Pan.) f. pl. Fiestas que en el mes de enero celebraban los romanos en honor del dios Pan.

Lupia. (Del lat. **lupĕa*, de *lŭpus*, lobo.) f. **Lobanillo**, 1.ª acep.

Lupicia. f. **Alopecia.**

Lupino, na. (Del lat. *lupīnus.*) adj. Perteneciente o relativo al lobo. ‖ **2.** V. **Uva lupina.** ‖ **3.** m. **Altramuz**, 1.ª y 2.ª aceps.

Lupulino. m. Polvo resinoso amarillo y brillante que rodea los aquenios debajo de las escamas en los frutos del lúpulo, y se emplea en medicina como tónico.

Lúpulo. (Del lat. *lŭpŭlus*, lobito.) m. *Bot.* Planta trepadora, muy común en varias partes de España, de la familia de las cannabáceas, con tallos sarmentosos de tres a cinco metros de largo, hojas parecidas a las de la vid, flores masculinas en racimo, y las femeninas en cabezuela, y fruto en forma de piña globosa, cuyas escamas cubren dos aquenios rodeados de lupulino. Los frutos, desecados, se emplean para aromatizar y dar sabor amargo a la cerveza.

Lupus. (Del lat. *lŭpus*, lobo, por la índole corrosiva de la enfermedad.) m. Enfermedad de la piel o de las mucosas, producida por tubérculos que ulceran y destruyen las partes atacadas.

Luqués, sa. adj. Natural de Luca. Ú. t. c. s. ‖ **2.** Perteneciente a esta ciudad de Italia.

Luquete. (De *aluquete.*) m. **Alguaquida.** ‖ **2.** Ruedecita de limón o naranja que se echa en el vino para que tome de ella sabor.

Luquete. m. *Arq.* Casquete esférico que cierra la bóveda vaída.

Lurte. (En vasc. *elur*, nieve.) m. *Ar.* **Alud.**

Lusco, ca. (Del lat. *luscus.*) adj. ant. Tuerto o bizco o que ve muy poco.

Lusetano, na. adj. Dícese de una antigua facción de Navarra acaudillada por el señor de Lusa, y de los individuos de este bando. Apl. a pers., ú. t. c. s.

Lusitánico, ca. adj. Perteneciente o relativo a los lusitanos.

Lusitanismo. (De *lusitano.*) m. Giro o modo de hablar propio y privativo de la lengua portuguesa. ‖ **2.** Vocablo o giro de esta lengua empleado en otra. ‖ **3.** Uso de vocablos o giros portugueses en distinto idioma.

Lusitano, na. (Del lat. *lusitānus.*) adj. Natural de la Lusitania. Ú. t. c. s. ‖ **2.** Perteneciente a esta región de la España antigua, que comprendía todo Portugal al sur del Duero, y parte de Extremadura. ‖ **3. Portugués.** Apl. a pers., ú. t. c. s.

Luso, sa. adj. **Lusitano.** Apl. a pers., ú. t. c. s.

Lustración. (Del lat. *lustratĭo, -ōnis.*) f. Acción y efecto de lustrar, 1.ª acep.

Lustral. (Del lat. *lustrālis.*) adj. Perteneciente a la lustración. ‖ **2.** V. **Agua lustral.**

Lustramiento. m. desus. Acción de lustrar, 2.ª acep.

Lustrar. (Del lat. *lustrāre.*) tr. Purificar, purgar los gentiles con sacrificios, ritos y ceremonias las cosas que creían impuras. ‖ **2.** Dar lustre y brillantez a una cosa; como a los metales y piedras. ‖ **3.** Andar, peregrinar por un país o comarca.

Lustre. (De *lustrar.*) m. Brillo de las cosas tersas o bruñidas. ‖ **2.** V. **Azúcar de lustre.** ‖ **3.** fig. Esplendor, gloria.

Lústrico, ca. (Del lat. *lustrĭcus.*) adj. Perteneciente a la lustración. ‖ **2.** poét. Perteneciente al lustro.

Lustrina. (De *lustre.*) f. Tela vistosa, ordinariamente tejida de seda con oro o plata, que se ha empleado en ornamentos de iglesia. ‖ **2.** Tela lustrosa de seda, lana, algodón, etc., de mucho brillo y de textura semejante a la alpaca.

Lustro. (Del lat. *lustrum.*) m. Espacio de cinco años.

Lustrosamente. adv. m. Con lustre.

Lustroso, sa. adj. Que tiene lustre.

Lutado, da. adj. ant. Enlutado, de luto.

Lútea. (Del lat. *lutĕa.*) f. **Oropéndola.**

Lutecio. m. *Quím.* Cuerpo simple metálico aislado por primera vez en 1907.

Lúteo, a. (Del lat. *lutĕus.*) adj. De lodo.

Luteranismo. (De *luterano.*) m. Secta de Lutero. ‖ **2.** Comunidad o cuerpo de los sectarios de Lutero.

Luterano, na. adj. Que profesa la doctrina de Lutero. Ú. t. c. s. ‖ **2.** Perteneciente o relativo a Lutero, heresiarca alemán de principios del siglo XVI.

Luto. (Del lat. *luctus.*) m. Signo exterior de pena y duelo en ropas, adornos y otros objetos, por la muerte de una persona. El color del **luto** en los pueblos europeos es ahora el negro. ‖ **2.** Vestido negro que se usa por la muerte de uno. ‖ **3.** Duelo, pena, aflicción. ‖ **4.** pl. Paños y bayetas negras y otros aparatos fúnebres que se ponen en las casas de los difuntos mientras está el cuerpo presente, y en la iglesia durante las exequias. ‖ **Aliviar el luto.** fr. Usarlo menos riguroso. ‖ **Medio luto.** El que no es riguroso.

Lutoso, sa. (De *luto.*) adj. **Luctuoso.**

Lutria. (Del lat. **lŭtrĕa*, de *lŭtra.*) f. **Nutria.**

Luva. (Del gót. *lôfa.*) f. ant. **Lúa.**

Luvia. f. ant. **Lluvia.** Ú. en *Sal.* y *Méj.*

Luxación. (Del lat. *luxatĭo, -ōnis.*) f. *Cir.* Dislocación de un hueso.

Luxemburgués, sa. adj. Natural de Luxemburgo. Ú. t. c. s. ‖ **2.** Perteneciente a esta ciudad o región de Europa.

Luz. (Del lat. *lux, lucis.*) f. Agente físico que ilumina los objetos y los hace visibles. ‖ **2.** Claridad que irradian los cuerpos en combustión, ignición o incandescencia. ‖ **3.** Utensilio o aparato que sirve para alumbrar, como candelero, lámpara, vela, araña, etc. *Trae una* LUZ. ‖ **4.** V. **Ángel, gusano, luz, vara de luz.** ‖ **5.** ant. V. **Crespa de luz.** ‖ **6.** fig. Noticia o aviso. ‖ **7.** fig. Modelo, persona o cosa, capaz de ilustrar y guiar. ‖ **8.** fig. **Día**, 2.ª acep. ‖ **9.** fig. y fam. **Dinero**, 1.ª acep. ‖ **10.** V. **Disciplinante de luz.** ‖ **11.** *Arq.* Cada una de las ventanas o troneras por donde se da **luz** a un edificio. Ú. m. en pl. ‖ **12.** V. **Servidumbre de luces.** ‖ **13.** *Arq.* Dimensión horizontal interior de un vano o de una habitación. ‖ **14.** *Astrol.* V. **Traslación de luz.** ‖ **15.** *Ópt.* V. **Rayo de luz.** ‖ **16.** *Pint.* Punto o centro desde donde se ilumina y alumbra toda la historia y objetos pintados en un lienzo. ‖ **17.** *Pint.* V. **Degradación, toque de luz.** ‖ **18.** pl. fig. Ilustración, cultura. *El siglo de las* LUCES; *hombre de muchas* LUCES. ‖ **Luz artificial. Luz**, 2.ª acep. ‖ **cenicienta.** Claridad que ilumina la parte obscura del disco lunar antes y después del novilunio, y se debe a la **luz** reflejada por la Tierra. ‖ **cenital.** La que en una habitación, patio, iglesia u otro edificio se recibe por el techo, bien sea por tragaluces, por monteras de cristales o en otra forma. ‖ **cinérea. Luz cenicienta.** ‖ **de Bengala.** Fuego artificial compuesto de varios ingredientes y que despide claridad muy viva de diversos colores. ‖ **de la razón.** fig. Conocimiento que tenemos de las cosas por el natural discurso que nos distingue de los brutos. ‖ **de luz.** La que recibe una habitación, no inmediatamente, sino por medio de otra. ‖ **eléctrica.** La que se produce por medio de la electricidad, ya haciendo saltar chispas continuas entre dos conductores muy próximos, ya poniendo candente un hilo muy delgado de carbón u otra materia. ‖ **natural.** La que no es artificial; como la del Sol o la de un relámpago. ‖ **primaria.** *Pint.* La que inmediatamente procede del cuerpo luminoso. ‖ **refleja**, o **secun-**

daria. *Pint.* La que resulta de la iluminación proveniente de la primaria. ‖ **zodiacal.** Vaga claridad de aspecto fusiforme que en ciertas noches de la primavera y del otoño se advierte poco después del ocaso, o poco antes del orto del Sol, inclinada sobre el horizonte. ‖ **Media luz.** La que es escasa y no se comunica entera y directamente. ‖ **Primera luz.** La que recibe una habitación directamente del exterior. ‖ **Segunda luz. Luz de luz.** ‖ **A buena luz.** m. adv. fig. Con reflexión, atentamente. ‖ **A primera luz.** m. adv. fig. Al amanecer, al rayar el día. ‖ **A toda luz,** o **a todas luces.** m. adv. fig. Por todas partes, de todos modos. ‖ **Dar a luz.** fr. Publicar una obra. ‖ **2.** Parir la mujer. ‖ **Dar luz.** fr. Alumbrar el cuerpo luminoso, o disponer paso para la luz. *Este velón no* DA LUZ; *esta ventana* DA *buena* LUZ. ‖ **2.** fig. **Echar luz.** ‖ **Echar luz.** fr. fig. Recobrar vigor y robustez las personas delicadas. Ú. m. con negación. ‖ **2.** fig. Alumbrar, iluminar el entendimiento. ‖ **Entre dos luces.** m. adv. fig. **Al amanecer.** ‖ **2.** fig. **Al anochecer.** ‖ **3.** fig. y fam. Aplícase al que ha bebido mucho y está casi borracho. ‖ **Hacer dos luces.** fr. Alumbrar a dos partes a un tiempo. ‖ **Rayar la luz de la razón.** fr. fig. Empezar a ilustrarse el entendimiento en el conocimiento de las cosas. Dícese de los niños cuando van entrando en el uso de la razón. ‖ **Sacar a luz.** fr. **Dar a luz,** 1.ª acep. ‖ **2.** fig. Descubrir, manifestar, hacer patente y notorio lo que estaba oculto. ‖ **Salir a luz.** fr. fig. Ser producida una cosa. ‖ **2.** fig. Imprimirse, publicarse una cosa. ‖ **3.** fig. Descubrirse lo oculto. ‖ **Ver la luz.** fr. Hablando de personas, nacer.

Luz. (Del lat. *lucius.*) m. desus. **Merluza,** 1.ª acep.

Luzbel. m. Lucifer, 1.ª acep.

LL

LL. f. Decimocuarta letra del abecedario español, y undécima de sus consonantes. Por su figura es doble, pero sencilla por su sonido, y en la escritura, indivisible. Su nombre es **elle.**

Llábana. (Del lat. *lamina,* lámina.) f. *Ast.* Laja tersa y resbaladiza.

Llaca. f. Especie de zarigüeya de Chile y la Argentina, de pelaje ceniciento con una mancha negra sobre cada ojo.

Llaga. (Del lat. *plaga.*) f. **Úlcera,** 1.ª acep. || **2.** fig. Cualquier daño o infortunio que causa pena, dolor y pesadumbre. || **3.** *Albañ.* Junta entre dos ladrillos de una misma hilada. || **Indignarse la llaga.** fr. *Ar.* Irritarse o enconarse. || **La mala llaga sana; la mala fama mata.** ref. con que se denota cuán difícil es borrar la mala opinión, una vez adquirida. || **Renovar la llaga,** o **las llagas.** fr. fig. **Renovar la herida.** || **Sanan llagas, y no malas palabras.** ref. con que se reprende a los murmuradores y se ponderan los irreparables daños de la mala lengua.

Llagador, ra. adj. ant. Que llaga. Ú. t. c. s.

Llagamiento. (De *llagar.*) m. ant. **Llaga.**

Llagar. (Del lat. *plagāre.*) tr. Hacer o causar llagas.

Llagoso, sa. adj. ant. Que tiene llagas.

Llama. (Del lat. *flamma.*) f. Masa gaseosa en combustión, que se eleva de los cuerpos que arden, y despide luz de vario color. || **2.** fig. Eficacia y fuerza de una pasión o deseo vehemente. || **Salir de las llamas, y caer en las brasas.** ref. **Saltar de la sartén,** etc.

Llama. (Del lat. *lama.*) f. Terreno pantanoso en que se detiene el agua manantial que brota en él.

Llama. (Voz quichua.) f. Mamífero rumiante, variedad doméstica del guanaco, del cual sólo se diferencia en ser algo menor, pues tiene un metro de altura hasta la cruz, y próximamente igual longitud. Es propio de la América Meridional, donde aprovechan su leche, carne, cuero y pelo, que esquilan anualmente, como la lana de las ovejas; y domesticado, sirve como bestia de carga. Ú. t. c. m., principalmente en América.

Llamada. (De *llamar.*) f. **Llamamiento,** 1.ª acep. || **2.** Señal que en impresos o manuscritos sirve para llamar la atención desde un lugar hacia otro en que se pone cita, nota, corrección o advertencia. || **3.** Ademán o movimiento con que se llama la atención de uno con el fin de engañarle o distraerle de otro objeto principal; como la que se hace al enemigo, al toro, etc. || **4.** Invitación para inmigrar, dirigida al futuro emigrante, con pago del viaje y envío de billete que se denomina de **llamada.** || **5.** *Mil.* Toque de caja u otro instrumento para que la tropa tome las armas y entre en formación. || **6.** *Mil.* Señal que, tocando el clarín o la caja, se hace de un campo a otro para parlamentar. || **Batir llamada.** fr. *Mil.* Tocar **llamada** para hacer honores los tambores, cornetas y clarines, y por ext., cualquiera otra clase de músicas.

Llamadera. (De *llamar.*) f. **Aguijada,** 1.ª acep.

Llamado, da. p. p. de **Llamar.** || **2.** m. **Llamamiento,** 1.ª acep. || **Al llamado del que le piensa, viene el buey a la melena.** ref. que enseña la facilidad con que se obedece a aquel de quien se reciben beneficios. || **Muchos son los llamados y pocos los escogidos.** Frase evangélica que expresa que el número de los predestinados a la gloria es menor que el de los que cooperan con sus buenas obras a la gracia de la vocación divina. || **2.** Úsase también, como refrán, para significar que el número de los que logran una cosa es menor que el de los que a ella aspiran.

Llamador, ra. (Del lat. *clamātor.*) m. y f. Persona que llama. || **2.** m. **Avisador,** 2.ª acep. || **3. Aldaba,** 1.ª acep. || **4.** Aparato que en una estación telegráfica intermedia avisa las llamadas de otra. || **5. Botón,** 6.ª acep.

Llamamiento. m. Acción de llamar. || **2.** Inspiración con que Dios mueve los corazones. || **3.** Acción de atraer algún humor de una parte del cuerpo a otra. || **4.** *For.* Designación legítima de personas o estirpe, para una sucesión, una liberalidad testamentaria, o un cargo, como el de patrono, tutor, etc.

Llamante. p. a. de **Llamar.** Que llama.

Llamar. (Del lat. *clamāre.*) tr. Dar voces a uno o hacer ademanes para que venga o para advertirle alguna cosa. || **2.** Invocar, pedir auxilio oral o mentalmente. || **3.** Convocar, citar. LLAMAR *a Cortes.* || **4.** Nombrar, apellidar. || **5.** Traer, inclinar hacia un lado una cosa. || **6.** fig. Atraer una cosa hacia una parte. LLAMAR *la causa de la enfermedad a otra parte.* || **7.** *For.* Hacer llamamiento, 4.ª acep. || **8.** intr. Excitar la sed. Dícese más comúnmente de los manjares picantes y salados. || **9.** Hacer sonar la aldaba, una campanilla, un timbre, etc., para que alguien abra la puerta de una casa o acuda a la habitación donde se ha dado el aviso. || **10.** *Esgr.* V. **Treta del llamar.** || **11.** r. Tener tal o cual nombre o apellido. || **12.** *Mar.* Tratándose del viento, cambiar de dirección hacia parte determinada.

Llamarada. (Del lat. *flammāre,* de *flamma,* llama.) f. Llama que se levanta del fuego y se apaga pronto. || **2.** ant. **Ahumada.** || **3.** fig. Encendimiento repentino y momentáneo del rostro. || **4.** fig. Movimiento repentino del ánimo y de poca duración.

Llamargo. (Del lat. **lamarĭcus,* de *lama,* lodo.) m. **Llamazar.**

Llamativo, va. adj. Aplícase al manjar que llama o excita la sed. Ú. m. c. s. m. || **2.** fig. Que llama la atención exageradamente. *Colores, adornos, trajes* LLAMATIVOS.

Llamazar. (De *llama,* 2.° art.) m. Terreno pantanoso.

Llambria. (Del lat. *lamina.*) f. Parte de una peña que forma un plano muy inclinado y difícil de pasar.

Llameante. p. a. de **Llamear.** Que llamea.

Llamear. intr. Echar llamas.

Llana. (Del lat. *plana.*) f. Herramienta compuesta de una plancha de hierro o acero y una manija o una asa, de que usan los albañiles para extender y allanar el yeso o la argamasa. || **Dar de llana.** fr. Pasarla por encima del yeso o la argamasa para extenderlos sobre un paramento.

Llana. (Del lat. *plana,* t. f. de *-nus,* llano.) f. **Plana,** 2.° art., 1.ª acep. || **2. Llanada.**

Llanada. (Del lat. *planāta,* t. f. de *-tus,* allanado.) f. **Llanura,** 2.ª acep.

Llanamente. adv. m. fig. Con ingenuidad y sencillez. || **2.** fig. Con llaneza, sin aparato ni ostentación.

Llanca. (Voz quichua.) f. *Chile.* Mineral de cobre de color verde azulado. || **2.** Pedrezuelas de este mismo mineral o parecidas a él, que usaban y usan todavía los araucanos para collares y sartas, y para adorno de sus trajes.

Llande. (Del lat. *glans, glandis,* bellota.) f. **Glande,** 2.ª acep.

Llanero, ra. (De *llana,* 2.° art., 2.ª acep.) m. y f. Habitante de las llanuras.

Llaneza. (Del lat. *planitĭa.*) f. ant. **Llanura.** || **2.** fig. Sencillez, moderación en el trato, sin aparato ni cumplimiento. || **3.** fig. Familiaridad, igualdad en el trato de unos con otros. || **4.** fig. Sencillez notable en el estilo. || **5.** ant. fig. Sinceridad, buena fe. || **Alabo la llaneza.** expr. irón. con que se moteja al que usa de familiaridad y **llaneza** con las personas a quienes debía tratar con respeto o atención.

Llanisco, ca. adj. Natural de Llanes. Ú. t. c. s || **2.** Perteneciente a esta ciudad de Asturias.

Llano, na. (Del lat. *planus.*) adj. Igual y extendido, sin altos ni bajos. || **2.** Allanado, conforme. || **3.** V. **Canto llano.** || **4.** V. **Música llana.** || **5.** V. **Casa llana.** || **6.** fig. Accesible, sencillo, sin presunción. || **7.** fig. Libre, franco. || **8.** fig. Aplícase al vestido que no es precioso ni tiene adorno alguno. || **9.** fig. Claro, evidente. || **10.** fig. Corriente, que no tiene dificultad ni embarazo. || **11.** fig. Pechero o que no goza de fuero privilegiado. || **12.** fig. V. **Carnero, estado, número, verso llano.** || **13.** fig. Aplícase al estilo sencillo y sin ornato. || **14.** fig. Aplicado a las palabras, **grave,** 13.ª acep. || **15.** *For.* Hablando de fianzas, depósitos, etc., aplícase a la persona que no puede declinar la jurisdicción del juez a quien pertenece el conocimiento de estos actos. || **16.** m. **Llanura,** 2.ª acep. || **17.** pl. En las medias y calcetas de aguja, puntos en que no se crece ni se mengua. || **A la llana.** m. adv. fig. **Llanamente.** || **2.** fig. Sin ceremonia, sin aparato, sin acompañamiento, pompa ni ostentación. || **3.** *For.* Dícese de la puja o licitación cuando se hace abiertamente, de viva voz, oyendo los postores las respectivas ofertas. || **Aquel va más sano, que anda por el llano.** ref. que aconseja obrar del modo más seguro y huir de lo que sea peligroso. || **De llano o de llano en llano.** ms. advs. figs. Clara y llanamente.

Llanote, ta. adj. aum. de **Llano.**

Llanta. (Del lat. *planta.*) f. Planta, especialmente la del semillero o plantel. || **2.** Berza que no repolla, tarda mucho en florecer y es de hojas grandes y verdosas que se van arrancando a medida que crece la planta, y cuya recolección dura todo el año.

Llanta. (Por *yanta,* del fr. *jante,* y éste del célt. **cambita,* de *camba,* curva.) f. Cerco metálico exterior de las ruedas de los coches y carros. || **2.** Pieza de hierro mucho más ancha que gruesa. || **3.** V. **Hierro de llantas.** || **de goma.** Cerco de esta materia que cubre la **llanta** de los coches para suavizar el movimiento.

Llantar. tr. ant. **Plantar.**

Llantear. (De *llanto.*) intr. ant. Llorar, plañir.

Llantén. (Del lat. *plantāgo, -ĭnis.*) m. Planta herbácea, vivaz, de la familia de las plantagináceas, con hojas radicales, pecioladas, gruesas, anchas, ovaladas, enteras o algo ondeadas por el margen; flores sobre un escapo de dos a tres decímetros de altura, en espiga larga y apretada, pequeñas, verdosas, de corola tubular en la base y partida en cuatro pétalos en cruz; fruto capsular con dos divisiones, y semillas pardas elipsoidales. Es muy común en los sitios húmedos, y el cocimiento de las hojas se usa en medicina. || **de agua. Alisma.** || **mayor. Llantén.** || **menor.** Planta herbácea, vivaz, de la familia de las plantagináceas, con hojas radicales, erguidas, largas, lanceoladas, de cinco nervios longitudinales, y flores y frutos como el **llantén mayor,** al que substituye en medicina. Abunda en los prados.

Llantera. f. fam. **Llorera.**

Llantería. f. Llanto ruidoso y continuado de varias personas. Ú. m. en *Amér.*

Llantina. f. fam. **Llorera.**

Llanto. (Del lat. *planctus.*) m. Efusión de lágrimas acompañada frecuentemente de lamentos y sollozos. || **Anegarse uno en llanto.** fr. fig. **Llorar a lágrima viva.** || **El llanto, sobre el difunto.** expr. fig. con que se aconseja hacer las cosas inmediatamente después de la causa que las motiva.

Llanura. (De *llano.*) f. Igualdad de la superficie de una cosa. || **2.** Campo o terreno igual y dilatado, sin altos ni bajos.

Llapa. (Voz *quichua.*) f. **Yapa.**

Llapar. tr. *Min.* **Yapar.**

Llapingacho. m. Tortilla de queso que se hace en el Perú.

Llar. (Del lat. *lar, laris,* hogar.) m. *Ast.* y *Sant.* **Fogón,** 1.ª acep. || **Llar alto.** *Sant.* El que está sobre un poyo o meseta. || || **bajo.** *Sant.* El que se halla en el mismo plano del suelo de la cocina.

Llar. (De *ollar,* de *olla.*) f. pl. Cadena de hierro, pendiente en el cañón de la chimenea, con un garabato en el extremo inferior para colgar la caldera, y a poca distancia otro para subirla o bajarla.

Llareta. f. Planta de Chile, de la familia de las umbelíferas, de hojas sencillas, enteras y oblongas: destila de su tallo una resina transparente, de olor agradable, que se usa como estimulante y estomacal, y también para curar heridas.

Llaullau. (Voz araucana.) m. Hongo chileno que se cría en los árboles: es comestible y se emplea también en la fabricación de cierta especie de chicha.

Llave. (Del lat. *clavis.*) f. Instrumento, comúnmente de hierro, con guardas que se acomodan a las de una cerradura, y que sirve para abrirla o cerrarla, corriendo o descorriendo el pestillo. || **2.** Instrumento que sirve para apretar o aflojar las tuercas en los tornillos que enlazan las partes de una máquina o de un mueble. || **3.** Instrumento que sirve para facilitar o impedir el paso de un fluido por un conducto. || **4.** Mecanismo de las armas portátiles que sirve para dispararlas. || **5.** Instrumento de metal que consiste en un cilindro pequeño con taladro, generalmente cuadrado, en su parte interior, y que sirve para dar cuerda a los relojes. || **6.** Aparato de metal, de forma varia, colocado en algunos instrumentos músicos de viento, y que, movido por los dedos, abre o cierra el paso del aire, produciendo diferentes sonidos. || **7.** Cuña que asegura la unión de dos piezas de madera o de hierro, encajada entre ellas. || **8.** Cierto instrumento usado por los dentistas para arrancar las muelas. || **9. Corchete,** 4.ª acep. || **10.** V. **Ama, capitán, corneta de llaves.** || **11.** fig. Medio para descubrir lo oculto o secreto. || **12.** fig. Principio que facilita el conocimiento de otras cosas. || **13.** fig. Cosa que sirve de resguardo o defensa a otra u otras. *Esta plaza es* LLAVE *del reino.* || **14.** fig. Resorte o medio para quitar los estorbos o dificultades que se oponen a la consecución de un fin. || **15.** *Min.* Porción de roca o mineral que se deja cortada en forma de arco para que sirva de fortificación en las minas. || **16.** *Mús.* **Clave,** 7.ª acep. || **capona.** fam. **Llave** de gentilhombre de la cámara del rey, que sólo es honoraria, sin entrada ni ejercicio. || **de chispa.** La que determina la explosión de la pólvora, inflamando una pequeña cantidad de ella, puesta en la cazoleta, con las chispas resultantes del choque de la piedra, sujeta en el pie de gato, contra el rastrillo acerado que tiene al efecto. || **de entrada.** La que autorizaba a los gentileshombres de la cámara sin ejercicio para entrar en ciertas salas de palacio. || **de la mano.** Anchura entre las extremidades del pulgar y del meñique estando la mano enteramente abierta. || **de loba.** La correspondiente a la cerradura de loba. || **del pie.** Distancia desde lo alto del empeine hasta el fin del talón. || **del reino.** Plaza fuerte en la frontera, que dificulta la entrada al enemigo. || **de paso.** La que se intercala en una tubería para cerrar, abrir o regular el curso de un fluido. || **de percusión,** o **de pistón.** La que determina la explosión de la pólvora por medio de una cápsula fulminante que se inflama al golpe de un martillo pequeño, que substituye al pie de gato de las armas de chispa. || **de tercera vuelta.** La que, además de las guardas regulares y los dentecillos para segunda vuelta, tiene otros para dar tercera vuelta al pestillo, y entonces no se puede abrir con la **llave** sencilla ni con la doble. || **de tuerca.** Herramienta en forma de horquilla, que sirve para apretar o aflojar las tuercas en los tornillos. || **doble.** La que, además de las guardas regulares, tiene unos dentecillos que alcanzan a dar segunda vuelta al pestillo, y entonces no se puede abrir con la **llave** sencilla. || **dorada.** La que usaban los gentileshombres con ejercicio o con entrada. || **falsa.** La que se hace furtivamente para abrir una cerradura. || **inglesa.** Instrumento de hierro de figura de martillo, cuyo mango gira y abre más o menos las dos partes que forman la cabeza, hasta que aquéllas se aplican a la tuerca o tornillo que se quiere mover. || **2.** Arma de hierro en forma de eslabón, con agujeros por los que pasan los cuatro últimos dedos y que, una vez cerrado el puño, se usa para golpear. || **maestra.** La que está hecha en tal disposición que abre y cierra todas las cerraduras de una casa. || **Llaves de la Iglesia.** fig. Potestad espiritual para el gobierno y dirección de los fieles. || **Ahí te quedan las llaves.** expr. fig. con que se da a entender que uno deja el manejo de un negocio sin dar razón de su estado. || **Debajo de llave.** expr. con que se da a entender que una cosa está guardada o cerrada con **llave.** || **Debajo de siete llaves.** expr. fig. que denota que una cosa está muy guardada y segura. || **Doblar la llave.** fr. **Torcer la llave.** || **Echar la llave.** fr. Cerrar con ella. || **2.** fig. **Echar el sello.** || **Falsear la llave.** fr. Hacer otra semejante, con las mismas guardas y medidas, para abrir furtivamente una puerta, cofre, escritorio, etc. || **Las llaves en la cinta, y el perro en la cocina.** ref. que se aplica a las personas que, siendo muy descuidadas, afectan ser cuidadosas. || **Recoger uno las llaves.** fr. fig. y fam. Irse el último de un lugar o reunión. || **Torcer la llave.** fr. Darle vueltas dentro de la cerradura para abrir o cerrar. || **Tras llave,** o **tras siete llaves.** exprs. fams. **Debajo de llave.**

Llaverizo. (De *llavero.*) m. ant. El que cuidaba de las llaves, trayéndolas frecuentemente consigo.

Llavero, ra. m. y f. Persona que tiene a su cargo la custodia de las llaves de una plaza, ciudad, iglesia, palacio, cárcel, arca de caudales, etc., y por lo común el abrir y cerrar con ellas. || **2.** m. Anillo de metal en que se traen llaves, y se cierra con un muelle o encaje.

Llavín. (De *llave.*) m. **Picaporte,** 2.ª acep.

Lle. pron. ant. **Le.**

Lleco, ca. (Del b. lat. *froccus,* tierra inculta.) adj. Aplícase a la tierra o campo que nunca se ha labrado ni roto para sembrar. Ú. t. c. s.

Llega. (De *llegar.*) f. *Ar.* Acción y efecto de recoger, allegar o juntar.

Llegada. f. Acción y efecto de llegar. 1.ª acep.

Llegado, da. p. p. de **Llegar.** || **2.** adj. ant. **Cercano.**

Llegamiento. (De *llegar.*) m. ant. **Allegamiento.**

Llegar. (Del lat. *plicāre,* plegar.) intr. Venir, arribar de un sitio o paraje a otro. || **2.** Durar hasta época o tiempo determinado. || **3.** Venir por su orden o tocar por su turno una cosa o acción a uno. || **4.** Conseguir el fin a que se aspira. LLEGÓ *a ser general.* || **5.** Tocar, alcanzar una cosa. *La capa* LLEGA *a la rodilla.* || **6.** Venir, verificarse, empezar a correr un cierto y determinado tiempo, o venir el tiempo de ser o hacerse una cosa. || **7.** Ascender, importar, subir. *El gasto* LLEGÓ *a dos pesetas.* || **8.** Junto con algunos verbos tiene la significación del verbo a que se junta. LLEGÓ *a oír;* LLEGÓ *a entender,* por oyó, entendió. || **9.** tr. Allegar, juntar. || **10.** Arrimar, acercar una cosa hacia otra. || **11.** r. Acercarse una cosa a otra. || **12.** Ir a paraje determinado que esté cercano. || **13.** Unirse, adherirse. || **El que primero llega, ése la calza.** fr. proverb. con que se nota que el más diligente logra, por lo común, lo que solicita. || **Llegar y besar.** fr. fig. y fam. que explica la brevedad con que se logra una cosa. || **No llegar** una persona o cosa **a** otra. fr. fig. No igualarla o no tener las calidades, habilidad o circunstancias que ella.

Lleivún. m. Planta chilena de la familia de las ciperáceas, que crece en terrenos húmedos, y cuyos tallos se emplean para hacer lazos, atar sarmientos, plantas de jardines, etc.

Llena. (De *llenar.*) f. Crecida que hace salir de madre a un río o arroyo.

Llenamente. adv. m. Copiosa y abundantemente.

Llenar. (De *lleno.*) tr. Ocupar con alguna cosa un espacio vacío de cualquier especie. Ú. t. c. r. || **2.** fig. Ocupar dignamente un lugar o empleo. || **3.** fig. Parecer bien, satisfacer una cosa. *La razón de Pedro me* LLENÓ. || **4.** fig. Fecundar el macho a la hembra. || **5.** fig. Cargar, colmar abundantemente. *Le* LLENÓ *de favores, de improperios, de enojo.* || **6.** intr. Tratándose de la Luna, llegar al plenilunio. || **7.** r. fam. Hartarse de comida o bebida. || **8.** fig. y fam. Atufarse, irritarse después de haber sufrido o aguantado por algún tiempo.

Llenera. (Del lat. *plenaria,* t. f. de *-rius,* llenero.) f. ant. **Llenura.**

Lleneramente. adv. m. ant. **Plenamente.**

Llenero, ra. (Del lat. *plenarius.*) adj. Cumplido, cabal, pleno, sin limitación.

Llenez. f. desus. **Leneza.**

Lleneza. (De *lleno.*) f. ant. **Llenura.**

Lleno, na. (Del lat. *plenus.*) adj. Ocupado o henchido de otra cosa. || **2.** fig. V. **Hombre lleno.** || **3.** *Astron.* V. **Luna llena.** || **4.** *Blas.* Dícese del escudo o de la figura que lleva un esmalte distinto del de su campo en dos tercios de su anchura. || **5.** *Mar.* Aplícase al casco o a la cuaderna de mucha redondez o capacidad. || **6.** *Mar.* V. **Aguas llenas.** || **7.** *Med.* V. **Pulso lleno.** || **8.** m. Hablando de la Luna, **plenilunio.** || **9.** Concurrencia que ocupa todas las localidades de un teatro, circo, etc. || **10.** fam. Abundancia de una cosa. || **11.** fig. Perfección o último complemento de una cosa. || **12.** pl. *Mar.* Figura de los fondos del buque cuando se acerca a la redondez. || **13.** *Mar.* Parte del casco comprendida entre los raceles. || **De lleno,** o **de lleno en lleno.** ms. advs. Enteramente, totalmente.

Llenura. (De *lleno.*) f. Copia, abundancia grande, plenitud.

Llera. (Del lat. *glarĕa,* cantorral.) f. **Glera.**

Lleta. f. Tallo recién nacido de la semilla o del bulbo de una planta.

Lleudar. tr. **Leudar.**

Lleva. (De *llevar.*) f. **Llevada.**

Llevada. f. Acción y efecto de llevar.

Llevadero, ra. (De *llevar,* 5.ª acep.) adj. Fácil de sufrir, tolerable.

Llevador, ra. adj. Que lleva. Ú. t. c. s.

Llevanza. f. Acción y efecto de llevar, 13.ª acep.

Llevar. (Del ant. *lievo,* del lat. *lĕvāre,* levantar.) tr. Transportar, conducir una cosa de una parte a otra. || **2.** Cobrar, exigir, percibir el precio o los derechos de una cosa. || **3.** **Producir,** 2.ª acep. || **4.** Cortar, separar violentamente una cosa de otra. *La bala le* LLEVÓ *un brazo.* || **5.** Tolerar, sufrir. || **6.** Inducir, persuadir a uno; atraerle a su opinión o dictamen. || **7.** Guiar, indicar, dirigir. *Ese camino* LLEVA *a la ciudad.* || **8.** Traer puesto el vestido, la ropa, etc., o en los bolsillos dinero, papeles u otra cosa. || **9.** Introducir a alguien en el trato, favor o amistad de otro. || **10.** Lograr, conseguir. || **11.** Tratándose del caballo, manejarlo. || **12.** En varios juegos de naipes, ir a robar con un número determinado de puntos o cartas. || **13.** Tener en arrendamiento una finca. || **14.** Con nombres que signifiquen tiempo, contar, pasar. LLEVABA *seis años de carrera;* LLEVAMOS *aquí muchos días.* || **15.** Junto con algunos participios, haber realizado la acción del verbo de tales participios. LLEVAR *estudiado, sabido.* || **16.** Junto con la prep. *por* y algunos nombres, ejercitar las acciones que los mismos nombres significan. LLEVAR *por tema, por empeño, por cortesía.* || **17.** Construido con un dativo de persona o cosa y un acusativo que exprese medida de tiempo, distancia, tamaño, peso, etc., exceder una persona o cosa a otra en la cantidad que determina dicho nombre. *Mi hijo* LLEVA *al tuyo un año; el vapor a la goleta, cuatro millas; este soldado a aquél, dos pulgadas; el cerdo grande al pequeño, cinco arrobas.* || **18.** Con el complemento directo, *la cuenta, los libros, la labor* y otros análogos, **correr con.** || **19.** *Arit.* Reservar las decenas de una suma o multiplicación parcial para agregarlas a la suma o producto del orden superior inmediato. || **Llevar** uno **adelante** una cosa. fr. Seguir lo que ha emprendido. || **Llevar** uno **consigo.** fr. fig. Hacerse acompañar de una o varias personas. || **Llevarla hecha.** fr. fam. Tener dispuesta o tramada de antemano con disimulo y arte la ejecución de una cosa. || **Llevarlas bien,** o **mal.** fr. fam. **Llevarse bien,** o **mal.** || **Llevar las de perder.** fr. fam. Estar en caso desventajoso o desesperado. || **Llevar lo mejor,** o **lo peor.** fr. Ir consiguiendo ventaja, o al contrario, en lucha o competencia. || **Llevar** uno **por delante** una cosa. fr. fig. Tenerla presente para dirigir sus operaciones. LLEVABA POR DELANTE *el temor de Dios para obrar bien.* || **Llevarse bien,** o **mal.** fr. fam. Congeniar, o no; darse recíprocamente motivos de amor o agrado, o al contrario, dos o más personas que viven en compañía o tienen que tratarse con frecuencia. || **Llevar y traer.** fr. fig. y fam. Andar en chismes y cuentos. || **No llevarlas** uno **todas consigo.** fr. fam. **No tenerlas todas consigo.** || **Yo duro y vos duro, ¿quién llevará lo maduro?** ref. que explica la dificultad de concluir un ajuste o convenio entre dos porfiados.

Lloica. f. fam. *Chile.* **Loica.**

Lloradera. f. despect. Acción de llorar mucho con motivo liviano. || **2.** ant. **Llorona.**

Llorador, ra. (Del lat. *plorātor.*) adj. Que llora. Ú. t. c. s.

Lloraduelos. (De *llorar* y *duelo.*) com. fig. y fam. Persona que frecuentemente lamenta y llora sus infortunios.

Lloramico. m. d. de **Lloro.**

Llorante. p. a. ant. de **Llorar.** Que llora.

Llorar. (Del lat. *plōrāre.*) intr. Derramar lágrimas. Ú. t. c. tr. LLORAR *lágrimas de piedad.* || **2.** Fluir un humor por los ojos. || **3.** fig. Caer el licor gota a gota o destilar; como sucede en las vides al principio de la primavera. Ú. t. c. tr. || **4.** tr. fig. Sentir vivamente una cosa. LLORAR *una desgracia, la muerte de un amigo, las culpas, los pecados.* || **5.** fig. Encarecer lástimas, adversidades o necesidades. Dícese más cuando se hace importuna o interesadamente. || **El que no llora, no mama.** ref. con que se denota que para conseguir una cosa conviene pretenderla, y hasta pedirla importunamente. || **Llórame solo, y no me llores pobre.** ref. que explica que el que tiene quien le favorezca, espera ver mejorada su mala fortuna.

Lloredo. (Del lat. *laurētum.*) m. **Lauredal.**

Llorera. f. Lloro fuerte y continuado.

Llorica. com. Persona que llora con frecuencia y por cualquier motivo.

Lloriquear. (De *llorico,* d. de *lloro.*) intr. **Gimotear.**

Lloriqueo. (De *lloriquear.*) m. **Gimoteo.**

Lloro. m. Acción de llorar. || **2. Llanto.**

Llorón, na. adj. Perteneciente o relativo al llanto. || **2.** Que llora mucho o fácilmente. Ú. t. c. s. || **3.** V. **Sauce llorón.** Ú. m. c. s. || **4.** m. Penacho de plumas largas, flexibles y péndulas como las ramas de un sauce **llorón.** || **5.** f. **Plañidera.**

Llorosamente. adv. m. Con lloro.

Lloroso, sa. (De *lloro.*) adj. Que tiene señales de haber llorado. || **2.** Aplícase a las cosas que causan llanto y tristeza.

Llosa. (Del lat. *clausa,* cerrada.) f. *Ast., Sant.* y *Vizc.* Terreno labrantío cercado, mucho menos extenso que el de las mieses, agros o erias, y por lo común próximo a la casa o barriada a que pertenece.

Llotrar. tr. ant. **Quillotrar.** Usáb. t. c. r.

Llotro. (Falso análisis de *quillotro.*) m. ant. **Quillotro.**

Llovedizo, za. (De *llover.*) adj. Dícese de las bóvedas, techos, azoteas o cubiertas que, por defecto, dan fácil acceso al agua lluvia. || **2.** V. **Agua llovediza.**

Llover. (Del lat. *plŏvĕre,* por *plŭĕre.*) intr. Caer agua de las nubes. Ú. alguna vez como tr. || **2.** fig. Venir, caer sobre uno con abundancia una cosa; como trabajos, desgracias, etc. Ú. alguna vez como tr. || **3.** r. Calarse con las lluvias las bóvedas o los techos o cubiertos. || **A secas y sin llover.** loc. adv. fig. y fam. Sin preparación ni aviso. || **Como llovido.** loc. adv. fig. De modo inesperado e imprevisto. || **Llover sobre mojado.** fr. fig. Venir trabajos sobre trabajos. Ú. alguna vez como tr. || **Seco y sin llover.** loc. adv. fig. y fam. **A secas y sin llover.**

Llovido, da. p. p. de **Llover.** || **2.** m. **Polizón,** 2.ª acep.

Llovioso, sa. adj. **Lluvioso.**

Llovizna. (Del lat. **pluvicina,* de *plŭvia.*) f. Lluvia menuda que cae blandamente.

Lloviznar. (De *llovizna.*) intr. Caer de las nubes gotas menudas.

Llubina. f. **Lubina.**

Llueca. (De la onomat. *cloc,* lat. **clocca.*) adj. **Clueca.** Ú. t. c. s. || **Echar una llueca.** fr. Preparar el nido a la gallina **llueca** y ponerla sobre los huevos.

Lluvia. (Del lat. *plŭvia.*) f. Acción de llover. || **2. Agua llovediza.** || **3.** V. **Agua lluvia,** o **de lluvia.** || **4.** V. **Nube de lluvia.** || **5.** fig. Copia o muchedumbre. LLUVIA *de trabajos, de pedradas.* || **de estrellas.** Aparición de muchas estrellas fugaces en determinada región del cielo.

Lluvial. (De *lluvia.*) adj. ant. **Pluvial.**

Lluviano, na. adj. ant. Aplicábase a la tierra o paraje recién mojado con la lluvia.

Lluvioso, sa. (Del lat. *pluviōsus.*) adj. Aplícase al tiempo en que llueve mucho, o al país en que son frecuentes las lluvias.

M

M. f. Decimoquinta letra del abecedario español, y duodécima de sus consonantes. Su nombre es **eme.** || **2.** Letra numeral que tiene el valor de mil en la numeración romana.

Mabolo. m. Árbol de Filipinas, de la familia de las ebenáceas, que crece hasta diez u once metros de altura; con flores dioicas, unas solitarias axilares y otras terminales en espiga; hojas alternas y fruto muy semejante al melocotón, pero de carne dura y desabrida.

Maca. (De *macar.*) f. Señal que queda en la fruta por algún daño que ha recibido. || **2.** Daño ligero que tienen algunas cosas, como paños, lienzos, cuerdas, etc. || **3.** fig. y fam. Disimulación, engaño, fraude. *Juan tiene muchas* MACAS.

Maca. f. fam. Aféresis de **Hamaca.**

Macabeo. (Sobrenombre de Judas, hijo de Matatías.) V. **Libro de los Macabeos.**

Macabro, bra. (Del ár. *maqābir*, tumbas, cementerio.) adj. Dícese de lo que participa de la fealdad de la muerte y de la repulsión que ésta suele causar.

Macaca. f. Hembra del macaco.

Macaco. m. *Hond.* Moneda macuquina del valor de un peso.

Macaco, ca. (Del port. *macaco*, voz del Congo, que designa una especie de mona.) adj. *Cuba* y *Chile.* Feo, deforme. || **2.** m. Cuadrumano muy parecido a la mona, pero más pequeño que ella, con cola y el hocico saliente y aplastado.

Macadam. (De *McAdam*, n. p. de un ingeniero inglés) m. **Macadán.**

Macadamizar. tr. Pavimentar con macadam.

Macadán. m. Pavimento de piedra machacada que una vez tendida se comprime con el rodillo.

Macagua. (Voz caribe.) f. Ave rapaz diurna, de unos ocho decímetros de largo desde el pico hasta la extremidad de la cola, y plumaje de color amarillo pardusco por el dorso y blanco por el pecho y el vientre. Habita en los linderos de los bosques de la América Meridional, da gritos penetrantes y se alimenta de cuadrúpedos pequeños y de reptiles. || **2.** Serpiente venenosa que tiene cerca de dos metros de largo y unos dos decímetros de grueso, la cabeza grande y algo achatada, y el color pardo obscuro con manchas blanquecinas por el lomo y amarillento por el pecho y el vientre. Vive en regiones cálidas de Venezuela, especialmente a orillas del mar. || **3.** *Bot.* Árbol silvestre de la isla de Cuba, de la familia de las moráceas, de flores blancas y fruto del tamaño y figura de la bellota, pero sin cáscara, que comen especialmente los cerdos. Su madera, que es dura y fibrosa, se emplea en carpintería. || **terciopelo.** Serpiente venenosa de color negro aterciopelado, que se cría en las montañas elevadas de Venezuela.

Macagüita. (d. de *macagua.*) f. Palma espinosa que se cría en Venezuela, de corteza obscura con manchas blanquecinas, y cuyo fruto es un coquillo casi negro con pintas semejantes a las de la corteza. || **2.** Fruto de este árbol.

Macana. (Voz caribe.) f. Arma ofensiva, a manera de machete, hecha con madera dura y filo de pedernal, que usaban los indios americanos. || **2.** *Cuba.* Garrote grueso de madera dura y pesada. || **3.** *C. Rica.* **Coa,** 1.ª acep. || **4.** fig. Artículo de comercio que por su deterioro o falta de novedad queda sin fácil salida. || **5.** fig. *Ar.* **Broma,** 1.er art. || **6.** fig. *Argent.* Desatino, embuste o error de palabra o de hecho.

Macanazo. m. Golpe dado con la macana.

Macanche. adj. *Sal.* Delicado de salud, enfermizo.

Macandón. m. ant. **Camandulero.**

Macanudo, da. (De *macana.*) adj. *Argent., Cuba* y *P. Rico.* Chocante por lo grande y extraordinario.

Macar. (De la raíz *macc-*, la misma de que procede el lat. *macŭla*, mancha.) tr. ant. **Magullar.** || **2.** r. Empezar a pudrirse las frutas por los golpes y magulladuras que han recibido.

Macarelo. m. Hombre pendenciero y camorrista.

Macareno, na. adj. Vecino del barrio de la Macarena, en Sevilla. Ú. t. c. s. || **2.** fam. Guapo, majo, baladrón. Ú. t. c. s.

Macareo. m. Intumescencia grande que en la desembocadura de ciertos ríos, y rompiendo con estrépito y velocidad extraordinaria cauce arriba, levantan las aguas del mar durante las mareas más vivas.

Macarro. m. Panecillo de forma alargada y de una libra de peso. || **2.** Bollo de pan de aceite, largo y estrecho. || **3.** V. **Santo macarro.**

Macarrón. (Del ital. *maccheroni*, y éste del gr. μακάρια, pasta.) m. Pasta alimenticia hecha con la parte exterior del grano del trigo, porque contiene la mayor cantidad de gluten, en figura de tubos y cañutos largos, de paredes gruesas y de color blanco, amarillo o gris. Ú. m. en pl. || **2.** **Mostachón.** || **3.** *Mar.* Extremo de las cuadernas que sale fuera de las bordas del buque. Ú. m. en pl.

Macarronea. (Del ital. *maccheronea.*) f. Composición burlesca, generalmente en verso, en que se mezclan palabras latinas con otras de una lengua vulgar a las cuales se da terminación latina, sujetándolas además, por lo menos en apariencia, a las leyes de la prosodia clásica.

Macarrónicamente. adv. m. De manera macarrónica.

Macarrónico, ca. adj. Aplícase a la macarronea, al latín muy defectuoso y al lenguaje vulgar que peca gravemente contra las leyes de la gramática y del buen gusto.

Macaurel. f. Serpiente de Venezuela, no venenosa y parecida a la tragavenado, pero de menor tamaño.

Macazuchil. (Del mejic. *meca xochitl*; de *mecatl*, cuerda, y *xochitl*, flor.) m. Planta de la familia de las piperáceas, cuyo fruto, de sabor muy fuerte, empleaban los habitantes de Méjico para perfumar el chocolate y otras bebidas en que entra ba el cacao.

Maceador. m. El que macea.

Macear. tr. Dar golpes con el mazo o la maza. || **2.** intr. fig. **Machacar,** 2.ª acep.

Macedón, na. (Del lat. *macĕdon.*) adj. **Macedonio.** Apl. a pers., ú. t. c. s.

Macedónico, ca. (Del lat. *macedonĭcus.*) adj. **Macedonio,** 2.ª acep.

Macedonio, nia. (Del lat. *macedonĭus.*) adj. Natural de Macedonia. Ú. t. c. s. || **2.** Perteneciente a aquel reino de la Grecia antigua. || **3.** V. **Perejil macedonio.**

Macelo. (Del lat. *măcellum*, mercado de carne.) m. **Matadero,** 1.ª acep.

Maceo. m. Acción y efecto de macear.

Maceración. (Del lat. *maceratio, -ōnis.*) f. Acción y efecto de macerar o macerarse.

Maceramiento. (De *macerar.*) m. **Maceración.**

Macerar. (Del lat. *macerāre.*) tr. Ablandar una cosa, estrujándola, golpeándola o manteniéndola sumergida por algún tiempo en un líquido. || **2.** fig. Mortificar, afligir la carne con penitencias. Ú. t. c. r. || **3.** *Farm.* Sumergir en un líquido que está a la temperatura atmosférica cualquier substancia, para extraer de ella las partes solubles.

Macerina. f. **Mancerina.**

Macero. m. El que lleva la maza delante de los cuerpos o personas autorizadas que usan esta señal de dignidad.

Maceta. f. d. de **Maza.** || **2.** Empuñadura o mango de algunas herramientas. || **3.** Martillo con cabeza de dos bocas iguales y mango corto, que usan los canteros para golpear sobre el cincel o puntero.

Maceta. (Del ital. *mazzetto*, mazo de flores.) f. Vaso de barro cocido, que suele tener un agujero en la parte inferior, y que lleno de tierra sirve para criar plantas. || **2.** Pie de plata u otro metal, o de madera pintada, donde se ponen ramilletes de flores artificiales para adorno de altares o de otros sitios. || **3.** En la provincia de Granada, el vaso grande de vino. || **4.** *Bot.* **Corimbo.**

Macetero. m. Aparato de hierro o de madera para colocar macetas de flores.

Macetón. m. aum. de **Maceta,** 2.º art.

Macia. f. **Macis.**

Macicez. f. Calidad de macizo.

Macilento, ta. (Del lat. *macĭlentus*.) adj. Flaco, descolorido, triste.

Macillo. m. d. de **Mazo.** || **2.** Pieza del piano, a modo de mazo con mango y cabeza forrada de fieltro por uno de sus lados, con la cual, a impulso de la tecla, se hiere la cuerda correspondiente.

Macis. (Del lat. *macis*.) f. Corteza olorosa, de color rojo o rosado, en forma de red, que cubre la nuez moscada.

Macizamente. adv. m. Con macicez.

Macizar. (De *macizo*.) tr. Rellenar un hueco con material bien unido y apretado. || **2.** intr. *Ast.* y *Sant.* Arrojar macizo al agua mientras se está pescando.

Macizo, za. (Del lat. *massa*, masa, y éste del gr. μάζα.) adj. Lleno, sin huecos ni vanos; sólido. Ú. t. c. s. m. || **2.** fig. Sólido y bien fundado. || **3.** m. Prominencia del terreno, por lo común rocosa, o grupo de alturas o montañas. || **4.** fig. Conjunto de construcciones apiñadas o cercanas entre sí. || **5.** fig. *Sant.* Sardina en salmuera y conservada en barriles. || **6.** fig. Agrupación de plantas de adorno con que se decoran los cuadros de los jardines. || **7.** *Arq.* Parte de una pared que está entre dos vanos.

Maco, ca. (Del lat. *maccus*, tonto, estúpido.) adj. *Germ.* **Bellaco.**

Macoca. f. *Sal.* Golpe que se da en la cabeza con los nudillos.

Macolla. f. Conjunto de vástagos, flores o espigas que nacen de un mismo pie.

Macollar. intr. **Amacollar.** Ú. t. c. r.

Macón. m. Entre colmeneros, panal sin miel, reseco y de color obscuro. || **2.** *Ál.* **Propóleos.**

Macona. f. Banasta grande.

Macrobiótica. (Del gr. μακρός, largo, y βιωτική, t. f. de -ικός, relativo a la vida.) f. Arte de vivir muchos años.

Macrocefalia. f. Calidad de macrocéfalo.

Macrocéfalo, la. (Del gr. μακροκέφαλος; de μακρός, grande, y κεφαλή, cabeza.) adj. Se dice de todo animal que tiene la cabeza desproporcionada por lo grande, con relación al cuerpo, o con relación a la especie a que pertenece. Ú. t. c. s.

Macrocosmo. (Del gr. μακρός, grande, y κόσμος, mundo.) m. Según ciertos filósofos herméticos y místicos, el universo considerado como un ser animado semejante al hombre y, como él, compuesto de cuerpo y alma.

Macroscópico, ca. (Del gr. μακρός, grande, y σκοπέω, ver.) adj. *Biol.* Lo que se ve a simple vista, sin auxilio del microscopio.

Macruro, ra. (Del gr. μακρός, grande, y οὐρά, cola.) adj. *Zool.* Dícese de crustáceos decápodos que tiene un abdomen largo y bien desarrollado, del cual se sirven para nadar; como el bogavante. Ú. t. c. s. || **2.** m. pl. *Zool.* Suborden de estos animales.

Macsura. (Del ár. *maqṣūra*, recinto reservado, clausura.) f. Recinto reservado en una mezquita, destinado para el califa o el imán en las oraciones públicas, o para contener el sepulcro de un personaje tenido en opinión de santidad.

Macuache. m. Indio bozal mejicano que no ha recibido instrucción alguna.

Macuba. f. Tabaco aromático y de calidad excelente que se cultiva en el término de la Macuba, población de la Martinica. || **2.** *Zool.* Insecto coleóptero del suborden de los tetrámeros, de tres a cuatro centímetros de largo, cabeza puntiaguda y antenas de igual longitud que el cuerpo, que es estrecho y de color verde bronceado brillante. Se encuentra en España sobre los sauces y álamos blancos, y por el olor almizcleño que despide se ha empleado para comunicar al rapé común un aroma parecido al del tabaco anteriormente descrito.

Macuca. f. Planta perenne de la familia de las umbelíferas, de raíz globosa, tallo derecho y ramoso, hojas laciniadas y con pecíolos largos, flores blancas muy pequeñas y fruto parecido al del anís. Críase en parajes montuosos y sombríos del mediodía de España. || **2.** Arbusto silvestre de la familia de las rosáceas, parecido al peral, aunque de hoja más menuda, cuya fruta es muy pequeña, colorada, insípida y de carne blanda y suave. || **3.** Fruto de este arbusto.

Macuco, ca. adj. *Chile.* **Cuco,** 2.º art., 2.ª acep. || **2.** m. *Argent.* y *Colomb.* Muchacho grandullón.

Mácula. (Del lat. *macŭla*.) f. **Mancha,** 1.er art., 1.ª acep. || **2.** fig. Cosa que deslustra y desdora. || **3.** fig. y fam. Engaño, trampa. || **4.** *Astron.* Cada una de las partes obscuras que se observan en el disco del Sol o de la Luna.

Macular. (Del lat. *maculāre*.) tr. **Manchar,** 1.er art., 1.ª y 2.ª aceps.

Maculatura. (Del lat. *maculātus*, manchado.) f. *Impr.* Pliego mal impreso, que se desecha por manchado.

Maculoso, sa. (Del lat. *maculōsus*.) adj. ant. Lleno de manchas.

Macupa. f. Planta mirtácea de Filipinas que se cultiva como frutal y medicinal.

Macuquero. m. El que sin conocimiento de la autoridad se dedica a extraer metales de las minas abandonadas.

Macuquino, na. adj. Aplícase a la moneda cortada, de oro o plata, que corrió hasta mediados del siglo XIX.

Macuteno. m. *Méj.* Ladrón ratero.

Macuto. (Voz caribe.) m. Mochila de soldado. || **2.** Cesto tejido de caña, de forma cilíndrica y con una asa en la boca, del cual suelen hacer uso los pobres en Venezuela para recoger las limosmas.

Macha. f. Molusco de mar, comestible y muy abundante en los mares de Chile.

Machaca. f. Instrumento con que se machaca. || **2.** com. fig. Persona pesada que fastidia con su conversación necia e importuna. || **¡Dale, machaca!** expr. fam. con que se reprueba la obstinación o terquedad de uno.

Machacadera. (De *machacar*.) f. **Machaca,** 1.ª acep.

Machacado, da. p. p. de **Machacar.** || **2.** adj. *Min.* V. **Metal machacado.**

Machacador, ra. adj. Que machaca. Ú. t. c. s.

Machacante. m. Soldado destinado a servir a un sargento.

Machacar. (De *machar*.) tr. Golpear una cosa para quebrantarla o deformarla. || **2.** intr. fig. Porfiar e insistir importuna y pesadamente sobre una cosa.

Machacón, na. (De *machacar*.) adj. Importuno, pesado, que repite las cosas o las dice muy difusamente. Ú. t. c. s.

Machaconería. f. fam. **Machaquería.**

Machada. f. Hato de machos de cabrío. || **2.** fig. y fam. **Necedad,** 2.ª acep.

Machado, da. p. p. de **Machar.** || **2.** m. Hacha para cortar madera.

Machaqueo. m. Acción y efecto de machacar.

Machaquería. (De *machacar*.) f. Pesadez, importunidad.

Machar. (De *macho*, 2.º art.) tr. **Machacar.**

Machear. intr. Engendrar los animales más machos que hembras.

Machera. (De *macho*, 1.er art.) f. *Extr.* Criadero de alcornoques.

Machero. (De *macho*, 1.er art.) m. *Extr.* Planta nueva de alcornoque. || **2.** *Extr.* Alcornoque que no está todavía en explotación.

Macheta. (Del m. or. que *machete*.) f. *León* y *Sal.* **Destral.**

Machetazo. m. Golpe que se da con el machete.

Machete. (d. de *macho*, 2.º art.) m. Arma más corta que la espada; es ancha, de mucho peso y de un solo filo. || **2.** Cuchillo grande de diversas formas, que sirve para desmontar, cortar la caña de azúcar y otros usos.

Machetear. (De *machete*.) tr. **Amachetear.** || **2.** *Mar.* Clavar estacas.

Machetero. m. El que tiene por ejercicio desmontar con machete los pasos embarazados con árboles. || **2.** El que en los ingenios de azúcar se ocupa en cortar las cañas.

Machi. com. *Chile.* Curandero o curandera de oficio.

Máchica. (Voz quichua.) f. Harina de maíz tostado que comen los indios peruanos mezclada con azúcar y canela.

Machiega. (De *macho*, 1.er art.) adj. V. **Abeja machiega.**

Machihembrar. (De *macho* y *hembra*.) tr. *Carp.* Ensamblar dos piezas de madera a caja y espiga o a ranura y lengüeta.

Machín. m. ant. Hombre rústico. || **2.** *Colomb.* y *Venez.* **Mico,** 1.ª acep.

Machina. (Del fr. *machine;* éste del lat. *machĭna*, y éste del gr. μηχανή.) f. Cabria o grúa de grandes dimensiones, que se usa en puertos y arsenales. || **2.** **Martinete,** 2.º art., 4.ª acep.

Machinete. m. *Murc.* **Machete.**

Machío, a. (De *macho*.) adj. p. us. Dícese del vegetal que no da fruto.

Macho. (Del lat. *mascŭlus*.) m. Animal del sexo masculino. || **2.** **Mulo.** || **3.** Planta que fecunda a otra de su especie con el polen de sus estambres. || **4.** Parte del corchete que se engancha en la hembra. || **5.** En los artefactos, pieza que entra dentro de otra; como el tornillo en la tuerca. || **6.** fig. Hombre necio. Ú. t. c. adj. || **7.** fig. **Maslo,** 1.ª acep. || **8.** Cada una de las borlas pendientes del canesú en las chaquetillas de luces de los toreros. || **9.** fig. y fam. V. **Barbas de macho.** || **10.** *Cuba.* Puerco, cebón. || **11.** Estrofa, por lo general de tres versos, que se canta después de ciertas coplas de estilo flamenco. || **12.** fig. y fam. *Cuba.* **Casulla,** 2.ª acep. || **13.** *Arq.* Pilar de fábrica, que sostiene un techo o el arranque de un arco, o se injiere del todo o en parte en una pared para fortalecerla. || **14.** adj. fig. Fuerte, vigoroso, robusto. *Pelo* MACHO; *vino* MACHO. || **15.** V. **Abey, aristoloquia, helecho, jara, lauréola, retama, tonel macho.** || **cabrío. Cabrón,** 1.ª acep. || de

aterrajar. Tornillo de acero, sin cabeza, que sirve para abrir tuercas y que tiene a lo largo tres canales más o menos profundas, para dar la salida a la materia que se arranca o desgasta. || **de cabrío. Macho cabrío.** || **del timón.** *Mar.* Cada uno de los pinzotes fijos en la madre del timón, que encajan en las hembras que hay en el canto exterior del codaste. || **de parada.** El de cabrío enseñado a estarse quieto para que el ganado no se desparrame ni extravíe. || **romo. Burdégano.**

Macho. (Del lat. *marcŭlus*, d. de *marcus*, martillo.) m. Mazo grande que hay en las herrerías para forjar el hierro. || **2.** Banco en que los herreros tienen el yunque pequeño. || **3.** Yunque cuadrado.

Machón. (aum. de *macho*, 1.er art.) m. Pieza de madera del marco de Soria, que tiene 18 pies de longitud. || **2.** *Arq.* Macho, 1.er art., 13.ª acep.

Machorra. (De *machorro*.) f. Hembra estéril. || **2.** *Sal.* Oveja que en festividades o bodas matan en los pueblos para celebrar la fiesta.

Machorro, rra. (De *macho*, 1.er art.) adj. Estéril, infructífero.

Machota. f. Machote, 1.er art.

Machota. f. fam. *And.* y *Méj.* **Marimacho.**

Machote. (De *macho*, 2.º art.) m. despect. Especie de mazo. || **A machote.** m. adv. A golpe de mazo.

Machote. (Del mejic. *machiotl*, señal, comparación, ejemplo, dechado.) m. *Méj.* Señal que se pone para medir los destajos en las minas. || **2.** *Hond.* Borrador, dechado, modelo.

Machucador, ra. adj. Que machuca.

Machucadura. f. Acción y efecto de machucar.

Machucamiento. m. **Machucadura.**

Machucar. (De *machar*.) tr. Herir, golpear una cosa maltratándola con alguna contusión.

Machucho, cha. adj. Sosegado, juicioso. || **2.** Entrado en días.

Machuelo. m. d. de **Macho,** 1.er art., 2.ª acep. || **2. Germen,** 1.ª y 2.ª aceps.

Machuno, na. adj. ant. Perteneciente o relativo al macho, 1.er art., 1.ª acep. Ú. en Soria.

Madagaña. f. ant. Fantasma, espantajo.

Madama. f. Voz con que hemos españolizado la francesa *madame* usándola como fórmula vulgar de cortesía o título de honor, equivalente en ambos casos a señora, dama, o mejor a señora mía, dama mía.

Madamisela. (Del fr. *mademoiselle*.) f. **Damisela.**

Madapolán. (De *Madapolam*, pueblo de a India inglesa, donde hay muchas fábricas de tejidos.) m. Tela de algodón, especie de percal blanco y de buena calidad.

Madefacción. (Del lat. *madefactĭo, -ōnis*.) f. *Farm.* Acción de humedecer ciertas substancias para preparar con ellas un medicamento.

Madeja. (Del lat. *mataxa*.) f. Hilo recogido en vueltas iguales sobre un torno o aspadera, para que luego se pueda devanar fácilmente. || **2.** fig. **Mata de pelo.** || **3.** fig. y fam. Hombre flojo y dejado. || **sin cuenda.** fig. y fam. Cualquiera cosa que está muy enredada o desordenada. || **2.** fig. y fam. Persona que acumula especies sin coordinación ni método, o que no tiene orden ni concierto en sus cosas y discursos. || **Enredar,** o **enredarse, la madeja.** fr. fig. Complicar o complicarse un negocio, o un estado de cosas. || **Hacer madeja.** fr. fig. Dícese de los licores que, estando muy coagulados, hacen como hilos o hebras. || **Madeja entropezada, quien te aspó ¿por qué no te devana?** ref. con que se reprende a los que enredando una cosa en los principios, después la dejan sin concluir para que otro tenga el trabajo de ponerla en orden.

Madejeta. f. d. de **Madeja.**

Madejuela. f. d. de **Madeja.**

Madera. (Del lat. *materĭa*.) f. Parte sólida de los árboles debajo de la corteza. || **2.** Pieza de **madera** labrada, que sirve para cualquier obra de carpintería. || **3.** Materia de que se compone el casco de las caballerías. || **4.** fig. y fam. Disposición natural de las personas para determinada actividad. || **5.** V. **Corral, mosaico de madera.** || **alburente.** La de tejido excesivamente fofo y blando, propensa a corromperse y de malas condiciones para la construcción. || **anegadiza.** La que, echada en el agua, se va a fondo. || **borne.** La que es poco elástica, quebradiza y difícil de labrar, de color blanco sucio y a veces pardusco. Procede de árboles puntisecos y viejos. || **brava.** La dura y saltadiza. || **cañiza.** La que tiene la veta a lo largo. || **de hilo.** La que se labra a cuatro caras. || **del aire.** Asta o cuerno de cualquier animal. || **de raja.** La que se obtiene por desgaje en el sentido longitudinal de las fibras. || **de sierra.** La que resulta de subdividir con la sierra la enteriza. || **de trepa.** Aquella cuyas vetas forman ondas y otras figuras. || **en blanco.** La que está labrada y no tiene pintura ni barniz. || **en rollo.** La que no está labrada ni descortezada. || **enteriza.** El mayor madero escuadrado que se puede sacar del tronco de un árbol. || **fósil. Lignito.** || **pasmada.** La que tiene atronadura. || **serradiza. Madera de sierra.** || **Aguar la madera.** fr. fig. Entre madereros, echarla al río para que sea transportada por la corriente de éste. || **A media madera.** m. adv. Cortada la mitad del grueso en las piezas de **madera** o metal que se ensamblan o unen. || **Descubrir uno la madera.** fr. fig. y fam. **Descubrir la hilaza.** || **No holgar la madera.** fr. fig. y fam. Trabajar uno incesantemente. || **Pesar la madera.** fr. fig. y fam. **Tener mala madera.** || **Saber uno a la madera.** fr. fig. y fam. Tener las mismas condiciones e inclinación que sus padres. || **Sangrar la madera.** fr. fig. Hacer incisiones en los pinos y otros árboles resinosos, a fin de que la resina salga por ellas. || **Ser uno de mala madera,** o **tener uno mala madera.** fr. fig. y fam. Rehusar el trabajo, ser perezoso o de condición aviesa.

Maderable. adj. Aplícase al árbol, bosque, etc., que da madera útil para construcciones civiles o navales.

Maderación. f. p. us. **Maderamen.**

Maderada. f. Conjunto de maderos que se transporta por un río.

Maderaje. m. Conjunto de maderas que sirven para un edificio, o que entran en una construcción u obra determinada.

Maderamen. m. **Maderaje.**

Maderamiento. (De *maderar*.) m. **Enmaderamiento.**

Maderar. (De *madera*.) tr. ant. **Enmaderar.**

Maderería. (De *maderero*.) f. Sitio donde se recoge la madera para su venta.

Maderero. m. El que trata en madera. || **2.** El que se emplea en conducir las armadías o las maderadas por los ríos. || **3. Carpintero,** 1.ª acep.

Maderero, ra. adj. Perteneciente o relativo a la industria de la madera.

Maderista. m. *Ar.* **Maderero.**

Madero. (De *madera*.) m. Pieza larga de madera escuadrada o rolliza. || **2.** Pieza de madera de hilo destinada a la construcción. || **3.** fig. Nave, buque. || **4.** fig. y fam. Persona muy necia y torpe, o insensible. || **barcal.** El rollizo, de cualquier longitud, con 12 ó más pulgadas de diámetro. || **cachizo. Madero** grueso serradizo. || **de a diez.** El escuadrado que tiene por canto la décima parte de una vara, 7 dedos de tabla y 14 pies de longitud. || **de a ocho.** El escuadrado que tiene por canto la octava parte de una vara, 9 dedos de tabla y 16 pies de longitud. || **de a seis.** El escuadrado que tiene por canto la sexta parte de una vara, 10 dedos de tabla y 18 pies de longitud. || **de cuenta.** *Mar.* Cada una de las piezas de madera sobre que se funda el casco de un buque, como son: quilla, codaste, roda, etc. || **de suelo.** Viga o vigueta. || **Medio madero.** El que mide 10 pies de longitud y una escuadría de 10 dedos de tabla por 8 de canto.

Maderuelo. m. d. de **Madero.**

Madianita. (Del lat. *madianīta*.) adj. Dícese del individuo de un pueblo bíblico, descendiente de Madián. Ú. m. c. s. y en pl.

¡Madiós! interj. ant. **¡Pardiez!**

Mador. (Del lat. *mădor*.) m. Ligera humedad que cubre la superficie del cuerpo, sin llegar a ser verdadero sudor.

Madoroso, sa. adj. Que tiene mador.

Madrás. (De la ciudad india de este nombre.) m. Tejido fino de algodón que se usa para camisas y trajes femeninos.

Madrastra. (despect. de *madre*.) f. Mujer del padre respecto de los hijos llevados por éste al matrimonio. || **2.** fig. Cualquiera cosa que incomoda o daña. || **3.** *Germ.* **Cárcel,** 1.ª acep. || **4.** *Germ.* **Cadena,** 1.ª acep. || **Madrastra, aun de azúcar, amarga. Madrastra, el nombre le basta.** refs. con que se significa el poco amor que ordinariamente tienen las **madrastras** a sus hijastros.

Madraza. f. fam. Madre muy condescendiente y que mima mucho a sus hijos.

Madre. (Del lat. *māter, -tris*.) f. Hembra que ha parido. || **2.** Hembra respecto de su hijo o hijos. || **3.** Título que se da a las religiosas. || **4.** En los hospitales y casas de recogimiento, mujer a cuyo cargo está el gobierno en todo o en parte. || **5.** fam. Mujer anciana del pueblo. || **6. Matriz,** 1.ª acep. || **7.** fig. Causa, raíz u origen de donde proviene una cosa. || **8.** fig. Aquello en que figuradamente concurren algunas circunstancias propias de la maternidad. *Sevilla es* MADRE *de forasteros; la* MADRE *patria.* || **9.** Terreno por donde ordinariamente corren las aguas de un río o arroyo. || **10.** Acequia principal de la que parten o donde desaguan las hijuelas o acequias secundarias. || **11.** Alcantarilla o cloaca maestra. || **12.** Materia más crasa o heces del mosto, vino o vinagre que se sientan en el fondo de la cuba, tinaja, etc. || **13.** Madero principal donde tienen su fundamento, sujeción y apoyo otras partes de ciertas armazones, máquinas, etc., y también cuando hace oficio de eje. MADRE *del cabrestante, del timón, del tajamar.* || **14.** V. **Ahogamiento, paso de la madre.** || **15.** V. **Hermano, hijo, mal de madre.** || **16. Lengua madre** || **17.** *Mar.* Cuartón grueso de madera, que va desde el alcázar al castillo por cada banda de crujía. || **18.** *Quím.* V. **Aguas madres.** || **de clavo. Madreclavo.** || **de familia,** o **de familias.** Mujer casada o viuda, cabeza de su casa. || **de leche. Nodriza.** || **de niños.** *Med.* Enfermedad semejante a la alferecía o a la gota coral. || **política. Suegra,** 1.ª acep. || **2. Madrastra,** 1.ª acep. || **Dura madre.** ant. *Zool.* **Duramadre.** || **Pía madre.** ant. *Zool.* **Piamáter.** || **Buscar uno la madre gallega.** fr. fig. y fam. **Irse con su madre gallega.** || **Castígame mi madre, y yo trómpogelas,**

o **trómposelas.** fr. proverb. que reprende a los que, advertidos de una falta, reinciden en ella frecuentemente. || **Ésa es,** o **no es, la madre del cordero.** fr. proverb. con que se indica ser, o no ser, una cosa la razón real y positiva de un hecho o suceso. || **Faltará la madre al hijo, y no la niebla al granizo.** ref. con que se quiere dar a entender que es segura la niebla después de una granizada. || **Irse** uno **con su madre de Dios.** fr. fig. y fam. **Irse bendito de Dios.** || **Irse** uno **con su madre gallega.** fr. fig. y fam. Buscar la fortuna o ganar la vida. || **Madre ardida hace hija tollida.** ref. con que se advierte que las **madres** demasiado hacendosas, que no dejan nada que trabajar a sus hijas, suelen acostumbrarlas a la ociosidad. || **Madre holgazana cría hija cortesana.** ref. con que se advierte el peligro a que una **madre** puede exponer a su hija, dándole ejemplo de ociosidad. || **Madre pía, daño cría.** ref. que da a entender ser perjudicial la excesiva indulgencia de las madres con sus hijos, y por ext., la de un superior cualquiera con sus inferiores. || **Quien no cree en buena madre, creerá en mala madrastra.** ref. que da a entender que los que no hacen caso de advertencias amistosas, tendrán al fin que abrir los ojos cuando experimenten el castigo. || **Saber a la madre.** fr. fig. y fam. **Saber a la pega.** || **Sacar de madre** a uno. fr. fig. y fam. Inquietarle mucho; hacerle perder la paciencia. || **Salir de madre.** fr. fig. Exceder extraordinariamente de lo acostumbrado o regular.

Madrearse. (De *madre,* 12.ª acep.) r. Ahilarse, 3.ª acep. de **Ahilar.**

Madrecilla. (d. de *madre.*) f. **Huevera,** 3.ª acep.

Madreclavo. (De *madre* y *clavo.*) m. Clavo de especia que ha estado en el árbol dos años.

Madreña. (De *madera.*) f. **Almadreña.**

Madreperla. (De *madre* y *perla.*) f. *Zool.* Molusco lamelibranquio, con concha casi circular, de 10 a 12 centímetros de diámetro, cuyas valvas son escabrosas, de color pardo obscuro por fuera y lisas e iridiscentes por dentro. Se cría en el fondo de los mares intertropicales, donde se pesca para recoger las perlas que suele contener y aprovechar el nácar de la concha.

Madrépora. (Del ital. *madrepora; de madre,* madre, y el gr. πῶρος, piedra porosa.) f. *Zool.* Celentéreo antozoo, del orden de los hexacoralarios, que vive en los mares intertropicales y forma un polipero calcáreo y arborescente. || **2.** Este mismo polipero, que llega a formar escollos e islas en el océano Pacífico.

Madrepórico, ca. adj. Perteneciente o relativo a la madrépora.

Madrero, ra. adj. fam. Dícese del que está muy encariñado con su madre.

Madreselva. (De *madre* y *selva.*) f. Mata fruticosa de la familia de las caprifoliáceas, con tallos largos, sarmentosos, trepadores y vellosos en las partes más tiernas; hojas opuestas de color verde obscuro por la haz, glaucas por el envés, elípticas y enteras; flores olorosas en cabezuelas terminales con largo pedúnculo y de corola amarillenta, tubular y partida por el borde en cinco lóbulos desiguales, y fruto en baya pequeña y carnosa con varias semillas ovoides. Es común en las selvas y matorrales de España.

Madrigado, da. (Del lat. *matrix, -icis,* de *mater,* madre.) adj. Aplícase a la mujer casada en segundas nupcias. || **2.** Dícese del macho de ciertos animales, particularmente del toro que ha padreado. || **3.** fig. y fam. Dícese de la persona práctica y experimentada.

Madrigal. (Del ital. *madrigale,* de *madriale mandriale,* pastor, y éste de *mandria, mandra,* del lat. *mandra,* majada.) m. Composición poética en que se expresa con ligereza y galanura un afecto o pensamiento delicado, y la cual es breve por lo común, aunque no tanto como el epigrama, a cuyo género pertenece, y se escribe ordinariamente en la combinación métrica llamada silva.

Madrigalesco, ca. (De *madrigal.*) adj. fig. Elegante y nimiamente delicado en la expresión de los afectos.

Madriguera. (Del lat. *matricaria,* t. f. de *-rius;* de *mater,* madre.) f. Cuevecilla en que habitan ciertos animales, especialmente los conejos. || **2.** fig. Lugar retirado y escondido donde se oculta la gente de mal vivir.

Madrileño, ña. adj. Natural de Madrid. Ú. t. c. s. || **2.** Perteneciente a esta villa.

Madrilla. (Del lat. *matricŭlus.*) f. *Ar.* **Boga,** 1.er art., 1.ª acep.

Madrillera. (De *madrilla.*) f. *Ar.* Instrumento para pescar pececillos.

Madrina. (Del lat. **matrina,* de *mater, -tris,* madre.) f. Mujer que tiene, presenta o asiste a otra persona al recibir ésta el sacramento del bautismo, de la confirmación, del matrimonio, o del orden, si es varón, o al profesar, si se trata de una religiosa. || **2.** La que presenta y acompaña a otra persona que recibe algún honor, grado, etc. || **3.** fig. La que favorece o protege a otra persona en sus pretensiones, adelantamientos o designios. || **4.** Poste o puntal de madera. || **5.** Cuerda o correa con que se enlazan los bocados de las dos caballerías que forman pareja en un tiro, para obligarlas a marchar con igualdad. || **6.** Yegua que sirve de guía a una manada o piara de ganado caballar. || **7.** ant. fam. **Alcahueta,** 1.ª acep. || **8.** *Venez.* Manada pequeña de ganado manso que sirve para reunir o guiar al bravío. || **9.** *Mar.* Pieza de madera con que se refuerza o amadrina otra. || **Al, madrina, que eso ya me lo sabía.** ref. con que se nota a los que cuentan como nuevas las cosas triviales y sabidas.

Madrinazgo. m. Acto de asistir como madrina. || **2.** Título o cargo de madrina.

Madrinero, ra. adj. *Venez.* Dícese del ganado que sirve de madrina.

Madriz. (Del lat. *matrix, -icis.*) f. desus. **Matriz.**

Madrona. f. **Madre,** 11.ª acep. || **2.** ant. **Matrona.** || **3.** fam. **Madraza.**

Madroncillo. (d. de *madroño.*) m. **Fresa,** 1.er art., 2.ª acep.

Madroñal. m. Sitio poblado de madroños.

Madroñera. f. **Madroñal.** || **2. Madroño,** 1.ª acep.

Madroñero. m. *Murc.* **Madroño,** 1.ª acep.

Madroño. m. Arbusto de la familia de las ericáceas, con tallos de tres a cuatro metros de altura; hojas de pecíolo corto, lanceoladas, persistentes, coriáceas, de color verde obscuro, lustrosas por la haz y glaucas por el envés; flores en panoja arracimada, de corola globosa, blanquecina o sonrosada, y fruto esférico de dos o tres centímetros de diámetro, comestible, rojo exteriormente, amarillo en lo interior, de superficie granulosa y con tres o cuatro semillas pequeñas y comprimidas. || **2.** Fruto de este arbusto. || **3.** Borlita de forma semejante al fruto del **madroño.**

Madroñuelo. m. d. de **Madroño.**

Madrugada. (De *madrugar.*) f. **Alba,** 1.ª acep. || **2.** Acción de madrugar. || **De madrugada.** m. adv. Al amanecer, muy de mañana.

Madrugador, ra. adj. Que madruga, y especialmente que tiene costumbre de madrugar. Ú. t. c. s.

Madrugar. (De *madurgar.*) intr. Levantarse al amanecer o muy temprano. || **2.** fig. Ganar tiempo en una solicitud o empresa. || **3.** fam. **Jugar de antuvión.** || **No por mucho madrugar amanece más aína,** o **más temprano.** ref. que enseña que no por hacer diligencias antes de tiempo se apresura el logro de una cosa.

Madrugón, na. (De *madrugar.*) adj. **Madrugador.** || **2.** m. fam. Madrugada grande.

Madruguero, ra. adj. ant. **Madrugador.** Ú. en *And.*

Maduración. (Del lat. *maturatĭo, -ōnis,* acción de apresurarse.) f. Acción y efecto de madurar o madurarse.

Maduradero. m. Sitio a propósito para madurar las frutas.

Madurador, ra. adj. Que hace madurar.

Maduramente. adv. m. Con madurez.

Maduramiento. (De *madurar.*) m. ant. **Maduración.**

Madurante. p. a. de **Madurar.** Que madura.

Madurar. (Del lat. *matūrāre,* apresurarse.) tr. Dar sazón a los frutos. || **2.** fig. Poner en su debido punto con la meditación una idea, un proyecto, un designio, etc. || **3.** *Cir.* Activar la supuración en los tumores. || **4.** intr. Ir sazonándose los frutos. || **5.** fig. Crecer en edad, juicio y prudencia. || **6.** *Cir.* Ir haciéndose la supuración en un tumor.

Madurativo, va. adj. Que tiene virtud de madurar. Ú. t. c. s. m. || **2.** m. fig. y fam. Medio que se aplica para inclinar y ablandar al que no quiere hacer lo que se desea.

Madurazón. (Del lat. *maturatĭo, -ōnis.*) f. ant. **Madurez.**

Madurez. (De *maduro.*) f. Sazón de los frutos. || **2.** fig. Buen juicio o prudencia con que el hombre se gobierna.

Madureza. f. **Madurez.**

Madurgar. (Del lat. **matūrĭcāre,* de *matūrāre,* apresurarse.) intr. ant. **Madrugar.**

Maduro, ra. (Del lat. *matūrus.*) adj. Que está en sazón. || **2.** fig. Prudente, juicioso, sesudo. || **3.** Dicho de personas, entrado en años. || **4.** V. **Edad madura.** || **5.** V. **Tabaco maduro.**

Maes. (Del lat. *magis.*) adv. comp. ant. **Más,** 1.ª, 2.ª y 3.ª aceps. || **2.** conj. advers. ant. **Mas,** 3.er art.

Maesa. f. ant. **Maestra.** || **2. Abeja maesa.** || **3.** *Sal.* Convite o agasajo que tiene que pagar a los compañeros de viaje el forastero que por vez primera va a cualquier pueblo, villa o ciudad.

Maese. m. ant. **Maestro.** || **Coral. Juego de manos,** 2.ª acep.

Maesil. (De *maesa.*) m. **Maestril.**

Maesilla. (d. de *maesa.*) f. Cordel que se mueve sobre una garrucha, para subir o bajar los lizos de un par de bolillos de pasamanería. Ú. m. en pl.

Maeso. m. ant. **Maestro.**

Maestra. (Del lat. *magistra.*) f. Mujer que enseña un arte, oficio o labor. || **2.** Mujer que enseña a las niñas en una escuela o colegio. || **3.** Mujer del maestro. || **4.** Usado con el artículo *la,* escuela de niñas. *Ir a la* MAESTRA; *venir de la* MAESTRA. || **5. Abeja maestra.** || **6.** V. **Teta de maestra.** || **7.** Cada una de las dos cuerdas que tiran de la red en el arte de la jábega. Ú. m. en pl. || **8.** fig. Cosa que instruye o enseña. *La historia es la* MAESTRA *de la vida.* || **9.** *Albañ.* Listón de madera que se coloca a plomo por lo común, para que sirva de guía al construir una pared. || **10.** *Albañ.* **Línea maestra.** || **11.** *Albañ.* Hilera de piedras para señalar la superficie que ha de llenar el empedrado. || **de escuela Maestra,** 2.ª acep. || **de primera enseñanza.** La que tiene título oficial para enseñar en escuela de primeras letras las materias señaladas en la ley, aunque no ejerza. || **de primeras letras. Maestra de escuela.**

Maestradamente. adv. m. ant. Con maestría.

Maestradgo. m. ant. **Maestrazgo.**

Maestrado, da. p. p. ant. de **Maestrar.** || **2.** adj. ant. Mañoso, artificioso.

Maestraje. m. ant. Oficio de maestre de una embarcación.

Maestral. (Del lat. *magistrālis.*) adj. Perteneciente al maestre o al maestrazgo. || **2. Magistral.** || **3.** V. **Mesa maestral.** || **4.** *Mar.* V. **Viento maestral.** Ú. t. c. s. || **5.** m. **Maestril.**

Maestralizar. intr. *Mar.* En el Mediterráneo, declinar la brújula hacia la parte de donde viene el viento maestral.

Maestramente. adv. m. Con maestría, con destreza.

Maestrante. (De *maestrar.*) m. Cada uno de los caballeros de que se compone la maestranza.

Maestranza. (De *maestrante.*) f. Sociedad de caballeros cuyo instituto es ejercitarse en la equitación, y fué además en su origen escuela del manejo de las armas a caballo. || **2.** Conjunto de los talleres y oficinas donde se construyen y recomponen los montajes para las piezas de artillería, así como los carros y útiles necesarios para su servicio. || **3.** Conjunto de oficinas y talleres análogos para la artillería y efectos movibles de los buques de guerra. || **4.** Local o edificio ocupado por unos y otros talleres. || **5.** Conjunto de operarios que trabajan en ellos o en los demás de un arsenal. || **6.** V. **Cabo, capitán de maestranza.**

Maestrar. (Del lat. *magistrāre.*) tr. ant. **Amaestrar.**

Maestrazgo. m. Dignidad de maestre de cualquiera de las órdenes militares. || **2.** Territorio de la jurisdicción del maestre. || **3.** ant. Oficio de maestro, especialmente en un arte.

Maestre. (Del lat. *magĭster.*) m. Superior de cualquiera de las órdenes militares. || **2.** ant. Doctor o maestro. MAESTRE *Épila;* MAESTRE *Rodrigo.* || **3.** *Mar.* Persona a quien después del capitán correspondía antiguamente el gobierno económico de las naves mercantes. || **4.** *Mar.* V. **Toma de los maestres.** || **5.** *Mil.* V. **Cuartel maestre,** o **maestre general.** || **Coral. Maese Coral.** || **de campo.** Oficial de grado superior en la milicia, que mandaba cierto número de tropas. || **de campo general.** Oficial superior en la milicia, a quien solía confiarse el mando de los ejércitos. || **de hostal.** En la casa real de Aragón, persona que cuidaba del gobierno económico. || **de jarcia.** *Mar.* El encargado de la jarcia y cabos en los buques. || **de plata.** El que en los antiguos buques de la carrera de Indias tenía a su cargo la recepción, conducción y entrega de la plata que de allá se enviaba a España. || **de raciones,** o **de víveres.** El encargado de la provisión y distribución de los víveres para la marinería y tropa de los buques. || **racional.** Ministro real que tenía la razón de la Hacienda en cada uno de los Estados de la antigua corona de Aragón.

Maestrear. tr. Entender o intervenir con otros, como maestro, en una operación. || **2.** Podar la vid, dejando el sarmiento un palmo de largo para preservarlo de los hielos, hasta que llegue el tiempo de podar las viñas en forma. || **3.** *Albañ.* Hacer las maestras en una pared. || **4.** intr. fam. Hacer o presumir de maestro.

Maestreescuela. (De *maestre* y *escuela.*) m. **Maestrescuela.**

Maestregicomar. m. ant. **Maese Coral.**

Maestrepasquín. m. ant. **Pasquín.**

Maestresa. (De *maestre.*) f. ant. Dueña, señora.

Maestresala. (De *maestre* y *sala.*) m. Criado principal que asistía a la mesa de un señor y presentaba y distribuía en ella la comida. Usaba con el señor la ceremonia de hacer la salva gustando lo que se servía a la mesa, para precaverle de veneno.

Maestrescolía. f. Dignidad de maestrescuela.

Maestrescuela. (De *maestreescuela.*) m. Dignidad de algunas iglesias catedrales, a cuyo cargo estaba antiguamente enseñar las ciencias eclesiásticas. || **2.** En algunas universidades, **cancelario,** 1.ª acep.

Maestría. (De *maestro.*) f. Arte y destreza en enseñar o ejecutar una cosa. || **2.** Título de maestro. || **3.** En las órdenes regulares, dignidad o grado de maestro. || **4.** V. **Arte de maestría mayor, de maestría media.** || **5.** ant. **Maestraje.** || **6.** ant. Engaño, fingimiento o artificio y estratagema. || **7.** ant. Remedio, medicina, medicamento. || **de la cámara.** Empleo y oficina que hubo antiguamente en palacio.

Maestril. (De *maestra.*) m. Celdilla del panal de miel, dentro de la cual se transforma en insecto perfecto la larva de la abeja maesa.

Maestrillo. m. d. de **Maestro.** || **Cada maestrillo tiene su librillo.** ref. que indica la diversidad de los modos de pensar y obrar que tienen los hombres.

Maestro, tra. (Del lat. *magĭster, -tri.*) adj. Dícese de la obra de relevante mérito entre las de su clase. || **2.** fig. Dícese del irracional adiestrado. *Perro* MAESTRO; *halcón* MAESTRO. || **3.** V. **Abeja maestra.** Ú. t. c. s. || **4.** V. **Canal, cincha, clavija, llave maestra.** || **5.** V. **Cuchillo, libro, nervio maestro.** || **6.** *Albañ.* V. **Línea maestra.** || **7.** *Arq.* V. **Pared, viga maestra.** || **8.** *Mar.* V. **Cuaderna maestra.** || **9.** *Mil.* V. **Libro maestro.** || **10.** *Mús.* V. **Modo, tono maestro.** || **11.** m. El que enseña una ciencia, arte u oficio, o tiene título para hacerlo. || **12.** El que es práctico en una materia y la maneja con desembarazo. || **13.** Título que en las órdenes regulares se da a los religiosos encargados de enseñar, y que otras veces sirve para condecorar a los beneméritos. || **14.** El que está aprobado en un oficio mecánico o lo ejerce públicamente. MAESTRO *sastre;* MAESTRO *de coches.* || **15.** El que tenía el grado mayor en filosofía, conferido por una universidad. || **16.** Compositor de música. || **17.** ant. **Cirujano.** || **18.** ant. Maestre de una orden militar. || **19.** *Mar.* Palo mayor de una embarcación. || **aguañón.** Maestro constructor de obras hidráulicas. || **concertador.** *Mús.* El que enseña o repasa, comúnmente al piano, a cada uno de los cantantes la parte de música que les corresponde, y organiza el conjunto de las voces antes de la ejecución de la obra. || **de aja.** p. us. **Carpintero de ribera.** || **de altas obras.** ant. En la milicia, **verdugo,** 5.ª acep. || **de armas.** El que enseña el arte de la esgrima. || **de atar escobas.** fig. y fam. Título burlesco que se da al que afecta magisterio en cosas inútiles o ridículas. || **de balanza. Balanzario.** || **de caballería.** Cabo o jefe principal de los soldados de a caballo. || **de capilla.** Profesor que compone y dirige la música que se canta en los templos. || **de ceremonias.** El que advierte las ceremonias que deben observarse con arreglo a los ceremoniales o usos autorizados. || **de cocina.** Cocinero mayor, que manda y dirige a los dependientes en su ramo. || **de coches.** Constructor de coches. || **de escuela.** El que enseña a leer, escribir y contar, la doctrina cristiana y rudimentos de otras materias. || **de esgrima. Maestro de armas.** || **de hacha. Carpintero de ribera.** || **de hernias y roturas.** ant. **Hernista.** || **de hostal. Maestre de hostal.** || **de la balanza.** ant. **Balanzario.** || **de la cámara.** Oficial palatino que, según la etiqueta de la casa de Borgoña, funcionaba como habilitado para los gastos de despensa, gajes de criados y otros análogos. || **de la nave.** ant. **Piloto,** 1.ª acep. || **de los caballeros. Maestro de caballería.** || **del sacro palacio.** Uno de los empleados en el palacio pontificio, a cuyo cargo está el examen de los libros que se han de publicar. || **de llagas.** ant. **Cirujano.** || **de niños. Maestro de escuela.** || **de novicios.** Religioso que en las comunidades dirige y enseña a los novicios. || **de obra prima.** Zapatero de nuevo. || **de obras.** Profesor que cuida de la construcción material de un edificio bajo el plan del arquitecto, y puede trazar por sí edificios privados, con las condiciones prescritas en las disposiciones vigentes. || **de postas.** Persona a cuyo cuidado o en cuya casa están las postas o caballos de posta. || **2. Correo mayor.** || **de primera enseñanza.** El que tiene título oficial para enseñar en escuela de primeras letras las materias señaladas en la ley, aunque no ejerza. || **de primeras letras. Maestro de escuela.** || **de ribera. Maestro aguañón.** || **en artes. Maestro,** 15.ª acep. || **mayor.** El que tiene la dirección en las obras públicas del pueblo que le ha nombrado y dotado. || **racional. Maestre racional.** || **Al maestro, cuchillada.** expr. fig. y fam. de que se usa cuando se enmienda o corrige al que debe entender una cosa o presume saberla. || **El maestro ciruela, que no sabe leer y pone escuela.** fr. fig. y fam. con que se censura al que habla magistralmente de cosa que no entiende.

Magacén. (Del ár. *majzan,* lugar para guardar cosas.) m. ant. **Almacén.**

Magallánico, ca. adj. Perteneciente o relativo al estrecho de Magallanes.

Magancear. (Del m. or. que *magancés.*) intr. *Colomb.* y *Chile.* Haraganear, remolonear.

Magancería. (De *magancés.*) f. Engaño, trapacería.

Magancés. (Por alusión al traidor Galalón, natural de *Maganza.*) adj. fig. Traidor, dañino, avieso.

Magancia. f. *Chile.* **Magancería.**

Maganciero, ra. adj. *Chile.* **Magancés.**

Maganel. (Del lat. *mangănum,* y éste del gr. μάγγανον, máquina de guerra.) m. Máquina militar que servía para batir murallas.

Maganto, ta. adj. Triste, pensativo, macilento.

Maganzón, na. adj. fam. *Colomb.* y *C. Rica.* **Mangón,** 2.° art., 2.ª acep. Ú. m. c. s.

Magaña. f. Ardid, astucia, engaño, artificio. || **2.** Defecto de fundición en el alma de un cañón de artillería.

Magaña. f. *And.* y *Sant.* **Legaña.**

Magañoso, sa. adj. *And.* y *Sant.* **Legañoso.**

Magar. (Del servio y turco *magar,* acaso, aunque.) conj. ant. **Maguer.**

Magarza. f. **Matricaria.**

Magarzuela. (d. de *magarza.*) f. **Manzanilla hedionda.**

Magdalena. f. Bollo pequeño de varias formas, hecho con los mismos materiales que el bizcocho de confitería, pero con más harina y menos huevo. || **2.** fig. Mujer penitente o muy arrepentida de sus pecados. || **Estar hecha una Magdalena.** fr. fam. Estar desconsolada y lacrimosa. || **No está la Magdalena para tafetanes.** loc. fig. y fam. con que se da a entender que uno está desazonado o enfadado y, por consiguiente, en mala disposición para conceder una gracia.

Magdaleón. (Del gr. μαγδαλιά, miga de pan, masa.) m. *Farm.* Rollito largo y delgado que se hace de un emplasto.

Magia. (Del lat. *magīa*, de *magus*, mago.) f. Ciencia o arte que enseña a hacer cosas extraordinarias y admirables. Tómase por lo común en mala parte. ‖ **2.** fig. Encanto, hechizo o atractivo con que una cosa deleita y suspende. ‖ **blanca,** o **natural.** La que por medio de causas naturales obra efectos extraordinarios que parecen sobrenaturales. ‖ **negra.** Arte supersticioso por medio del cual cree el vulgo que pueden hacerse, con ayuda del demonio, cosas admirables y extraordinarias.

Magiar. adj. Dícese del individuo de un pueblo de lengua afín al finlandés, que habita en Hungría y Transilvania. Ú. m. c. s. ‖ **2.** Perteneciente a los **magiares.** ‖ **3.** m. Lengua hablada por los **magiares.**

Mágica. (Del lat. *magĭca*, t. f. de *-cus*, mágico.) f. **Magia.** ‖ **2.** Mujer que profesa y ejerce la magia. ‖ **3. Encantadora.**

Mágico, ca. (Del lat. *magĭcus.*) adj. Perteneciente a la magia. *Arte, obra* MÁGICA. ‖ **2.** Maravilloso, estupendo ‖ **3.** V. **Cuadrado mágico.** ‖ **4.** V. **Linterna mágica.** ‖ **5.** m. El que profesa y ejerce la magia. ‖ **6. Encantador.**

Magín. (De *maginar.*) m. fam. **Imaginación.**

Maginar. tr. ant. **Imaginar.**

Magisterial. adj. Perteneciente al magisterio.

Magisterio. (Del lat. *magisterĭum.*) m. Enseñanza y gobierno que el maestro ejerce con sus discípulos. ‖ **2.** Título o grado de maestro que se confería en una facultad. ‖ **3.** Cargo o profesión de maestro. ‖ **4.** Conjunto de los maestros de una nación, provincia, etc. ‖ **5.** En la química antigua, **precipitado.** ‖ **6.** fig. Gravedad afectada y presunción en hablar o en hacer una cosa.

Magistrado. (Del lat. *magistrātus.*) m. Superior en el orden civil, y más comúnmente ministro de justicia; como corregidor, oidor, consejero, etc. ‖ **2.** Dignidad o empleo de juez o ministro superior. ‖ **3.** Miembro de una sala de audiencia territorial o provincial, o del Tribunal Supremo de Justicia. ‖ **4.** ant. Cualquier consejo o tribunal.

Magistral. (Del lat. *magistrālis.*) adj. Perteneciente al ejercicio del magisterio. ‖ **2.** Dícese de lo que se hace con maestría. Empleada esta palabra en sentido moral, se toma en buena parte. *Sostuvo su opinión con razones* MAGISTRALES, *o de un modo* MAGISTRAL. Aplicada a los accidentes externos, se toma en mal sentido. *Tono* MAGISTRAL; *ínfulas* MAGISTRALES. ‖ **3.** Título con que se distingue la iglesia colegial de Alcalá de Henares por la circunstancia de haber de ser doctores en teología todos sus individuos. ‖ **4.** V. **Canónigo magistral.** Ú. t. c. s. ‖ **5.** V. **Canonjía magistral.** Ú. t. c. s. ‖ **6.** V. **Letra, reloj, trazo magistral.** ‖ **7.** Aplícase a ciertos instrumentos que por su perfección y exactitud sirven de término de comparación para apreciar las indicaciones de los ordinarios de su especie. ‖ **8.** m. *Farm.* Medicamento que sólo se prepara por prescripción facultativa. ‖ **9.** *Min.* Mezcla de óxido férrico y sulfato cúprico, resultante del tueste de la pirita cobriza, y que se emplea en el procedimiento americano de amalgamación para beneficiar los minerales de plata.

Magistralía. f. **Canonjía magistral.**

Magistralmente. adv. m. Con maestría. ‖ **2.** Con tono de maestro.

Magistratura. (Del lat. *magistrātus*, magistrado.) f. Oficio y dignidad de magistrado. ‖ **2.** Tiempo que dura. ‖ **3.** Conjunto de los magistrados.

Maglaca. (Del ár. *maglaqa*, cierre.) f. ant. *Gran.* **Compuerta,** 2.ª acep.

Magma. (Del gr. μάγμα, pasta exprimida.) adj. Dícese de la substancia espesa que sirve de soporte a los tejidos o a ciertas formaciones inorgánicas y que permanece después de exprimir las partes más fluidas de aquéllos.

Magnánimamente. adv. m. Con magnanimidad.

Magnanimidad. (Del lat. *magnanimĭtas, -ātis.*) f. Grandeza y elevación de ánimo.

Magnánimo, ma. (Del lat. *magnanĭmus;* de *magnus*, grande, y *anĭmus*, ánimo.) adj. Que tiene magnanimidad.

Magnate. (Del lat. *magnātus.*) m. Persona muy ilustre y principal por su cargo y poder.

Magnesia. (Del gr. Μαγνησία, *Magnesia*, comarca de Grecia.) f. Substancia terrosa, blanca, suave, insípida, inodora e infusible, la cual, combinada con ciertos ácidos, forma sales, que se hallan disueltas en algunos manantiales, entran en la composición de varias rocas y se usan en medicina como purgante. Es el óxido de magnesio.

Magnesiano, na. adj. *Quím.* Que contiene magnesia.

Magnésico, ca. adj. *Quím.* Perteneciente o relativo al magnesio.

Magnesio. (De *magnesia.*) m. Metal de color y brillo semejantes a los de la plata, maleable, poco tenaz y algo más pesado que el agua; arde con luz clara y muy brillante, que puede reemplazar a la solar en la fotografía.

Magnesita. (De *magnesia.*) f. **Espuma de mar.**

Magnético, ca. (Del lat. *magnetĭcus.*) adj. Perteneciente a la piedra imán. ‖ **2.** Que tiene las propiedades del imán. ‖ **3.** Perteneciente o relativo al magnetismo animal. ‖ **4.** V. **Aguja, declinación, pirita, regla magnética.** ‖ **5.** V. **Campo, norte, polo magnético.**

Magnetismo. (Del lat. *magnes, -ētis*, imán.) m. Virtud atractiva de la piedra imán. ‖ **2.** Conjunto de fenómenos producidos por cierto género de corrientes eléctricas. ‖ **animal.** Acción que una persona ejerce sobre el sistema nervioso de otra en circunstancias dadas y por medio de ciertas prácticas, infundiéndole un sueño especial y produciendo a veces el sonambulismo. ‖ **terrestre.** Acción que ejerce nuestro planeta sobre las agujas imanadas, obligándolas a tomar una dirección próxima a la del Norte cuando se pueden mover libremente.

Magnetización. f. Acción y efecto de magnetizar.

Magnetizador, ra. m. y f. Persona o cosa que magnetiza.

Magnetizar. (Del lat. *magnes, -ētis*, la piedra imán.) tr. Comunicar a un cuerpo la propiedad magnética. ‖ **2.** Producir intencionadamente en una persona, por medio de ciertas prácticas, los fenómenos del magnetismo animal.

Magneto. (Del lat. *magnes, -ētis*, imán.) f. Generador de electricidad de alto potencial, usado especialmente en los motores de explosión.

Magnificador, ra. adj. Que magnifica.

Magníficamente. adv. m. Con magnificencia. ‖ **2.** Perfectamente, muy bien.

Magnificar. (Del lat. *magnificāre.*) tr. Engrandecer, alabar, ensalzar. Ú. t. c. r.

Magníficat. (Del lat. *magnifĭcat*, magnifica, alaba, primera palabra de este canto.) m. Cántico que, según el Evangelio de San Lucas, dirigió al Señor la Virgen Santísima en la visitación a su prima Santa Isabel, y que se reza o canta al final de las vísperas. ‖ **Venir** una cosa **como magníficat a maitines.** fr. fig. y fam. Suceder a destiempo, o traerla a cuento fuera de propósito u oportunidad.

Magnificencia. (Del lat. *magnificentĭa.*) f. Liberalidad para grandes gastos y disposición para grandes empresas. ‖ **2.** Ostentación, grandeza.

Magnificente. adj. **Magnífico,** 1.ª y 2.ª aceps.

Magnificentísimo, ma. (Del lat. *magnificentissĭmus.*) adj. sup. de **Magnificente.**

Magnífico, ca. (Del lat. *magnifĭcus.*) adj. Espléndido, suntuoso. ‖ **2.** Excelente, admirable. ‖ **3.** Título de honor que suele darse a algunas personas ilustres.

Magnílocuo, cua. (Del lat. *magnilŏquus;* de *magnus*, grande, y *loqui*, hablar.) adj. ant. **Grandílocuo.**

Magnitud. (Del lat. *magnitūdo.*) f. Tamaño de un cuerpo. ‖ **2.** fig. Grandeza, excelencia o importancia de una cosa. ‖ **3.** *Astron.* Tratándose de las estrellas, su tamaño aparente por efecto de la mayor o menor intensidad de su brillo.

Magno, na. (Del lat. *magnus.*) adj. **Grande.** Aplícase como epíteto a algunas personas ilustres. *Alejandro* MAGNO; *Santa Gertrudis la* MAGNA. ‖ **2.** V. **Capa magna.** ‖ **3.** *Astrol.* V. **Conjunción magna.**

Magnolia. (De Pedro *Magnol*, botánico francés.) f. Árbol de la familia de las magnoliáceas, de 15 a 30 metros de altura, tronco liso y copa siempre verde; hojas grandes, lanceoladas, enteras, persistentes, coriáceas, verdes por la haz y algo rojizas por el envés; flores hermosas, terminales, solitarias, muy blancas, de olor excelente y forma globosa, y fruto seco, elipsoidal, que se abre irregularmente para soltar las semillas. Es planta originaria de América y perfectamente aclimatada en Europa. ‖ **2.** Flor o fruto de este árbol.

Magnoliáceo, a. adj. *Bot.* Dícese de árboles y arbustos angiospermos dicotiledóneos con hojas alternas, sencillas, coriáceas, casi siempre enteras; flores terminales o axilares, grandes y olorosas, y frutos capsulares con semillas de albumen carnoso; como la magnolia y el badián. Ú. t. c. s. f. ‖ **2.** f. pl. *Bot.* Familia de estas plantas.

Mago, ga. (Del lat. *magus*, y éste del gr. μάγος.) adj. Individuo de la clase sacerdotal en la religión zoroástrica. Ú. t. c. s. ‖ **2.** Que ejerce la magia. Ú. t. c. s. ‖ **3.** Dícese de los tres reyes que fueron a adorar a Jesús recién nacido. Ú. t. c. s.

Magosta. f. *Sant.* **Magosto.**

Magosto. (En port. *magusto.*) m. Hoguera para asar castañas cuando se va de jira, y especialmente en la época de la recolección de este fruto. ‖ **2.** Castañas asadas en tal ocasión.

Magra. (Del lat. *macra*, t. f. de *-cer*, magro.) f. Lonja de jamón.

Magrecer. (Del lat. *macrescĕre.*) tr. ant. **Enmagrecer.** Usáb. t. c. intr. y c. r.

Magrez. f. Calidad de magro.

Magreza. f. ant. **Magrez.**

Magro, gra. (Del lat. *macer, macra.*) adj. Flaco o enjuto y con poca o ninguna grosura. ‖ **2.** m. fam. Carne **magra** del cerdo próxima al lomo.

Magrujo, ja. adj. ant. **Magro.**

Magrura. (De *magro.*) f. **Magrez.**

Maguer. (Del servio y turco *magar*, aunque.) conj. advers. **Aunque.** ‖ **2.** adv. ant. **A pesar.**

Maguera. conj. **Maguer.**

Magüeto, ta. m. y f. **Novillo, lla,**

Maguey. (Voz caribe.) m. *Amér.* **Pita** 1.er art.

Maguillo. m. Manzano silvestre, cuyo fruto es más pequeño y menos sabroso que la manzana común. Suele emplearse para injertar en él; pero también lo hay cultivado, con fruto más crecido y mejor gusto.

Magujo. m. *Mar.* **Descalcador.**

Maguladura. (De *magular.*) f. ant. **Magulladura.**

Magular. (Del lat. *macŭlāre*, manchar, tocar.) tr. ant. **Magullar.** Ú. en Soria.
Magulla. f. ant. Magulladura.
Magulladura. f. Magullamiento.
Magullamiento. m. Acción y efecto de magullar o magullarse.
Magullar. (De *magular*.) tr. Causar a un cuerpo contusión, pero no herida, comprimiéndolo o golpeándolo violentamente. Ú. t. c. r.
Maguntino, na. adj. Natural de Maguncia. Ú. t. c. s. || **2.** Perteneciente a esta ciudad de Alemania.
Maharón, na. (Del ár. *maḥrūm*, que no tiene suerte.) adj. ant. Infeliz o desdichado.
Maharrana. (Del ár. *muḥarrama*, cosa prohibida.) f. *And.* Tocino fresco.
Maherimiento. m. ant. Acción y efecto de maherir.
Maherir. (Del lat. *manu ferīre*.) tr. Señalar, buscar, prevenir.
Mahoma. (Del ár. *Muḥammad*, con la alternancia vocálica muy antigua.) n. p. **Horro Mahoma, y diez años por servir.** ref. que se dice con ironía del que erradamente hace cuenta de estar fuera de una obligación, faltándole mucho para quedar libre de ella.
Mahometano, na. (De *Mahomet*, forma francesa de Mahoma.) adj. Que profesa la secta de Mahoma. Ú. t. c. s. || **2.** Perteneciente a Mahoma o a su secta.
Mahomético, ca. adj. **Mahometano,** 2.ª acep.
Mahometismo. m. Secta de Mahoma.
Mahometista. adj. **Mahometano,** 1.ª acep. Ú. t. c. s. || **2.** Dícese del mahometano bautizado que vuelve a su antigua religión. Ú. t. c. s.
Mahometizar. intr. Profesar el mahometismo.
Mahón. (Del puerto de *Mahón*, en las Baleares, donde en el siglo XVIII los buques ingleses transbordaban los cargamentos destinados a puertos españoles de Levante.) m. Tela fuerte de algodón escogido, y por lo común de color anteado, que primitivamente se fabricó en la ciudad de Nanquín, en China. || **2.** V. **Alhelí de Mahón.**
Mahona. (Del turco *maǵūna*, lanchón.) f. Especie de embarcación turca de transporte.
Mahonés, sa. adj. Natural de Mahón. Ú. t. c. s. || **2.** Perteneciente a esta ciudad. || **3.** V. **Salsa mahonesa.**
Mahonesa. (De *Mahón*, n. p.) f. Planta de la familia de las crucíferas, de cuatro a seis decímetros de altura, de hojas trasovadas y ásperas, tallos desparramados, flores pequeñas, en gran número y moradas, pétalos escotados y cáliz cerrado; su fruto es una silicua cilíndrica con semillas comprimidas. Se cultiva en los jardines. || **2.** Plato aderezado con la salsa mahonesa.
Mahozmedín. (De *mazmodina*.) m. ant. **Maravedí de oro.**
Maicería. f. *Cuba.* Establecimiento en que se vende maíz.
Maicero. m. *Cuba.* El que se dedica a la venta de maíz. || **2.** V. **Mico maicero.**
Maicillo. (De *maíz*.) m. Planta de la familia de las gramíneas, muy parecida al mijo, y cuyo fruto, muy nutritivo, constituye a veces el único alimento de algunos pueblos de los aborígenes de la América Central y Meridional. || **2.** *Chile.* Arena gruesa y amarillenta con que se cubre el pavimento de jardines y patios.
Maído. (De *mayar*.) m. **Maullido.**
Maílla. f. Fruto del maíllo.
Maíllo. m. **Maguillo.**
Maimón. (Del turco *maimūn*, mono.) adj. V. **Bollo maimón.** || **2.** m. **Mico,** 1.ª acep. || **3.** Especie de sopa con aceite, que se hace en Andalucía. Ú. m. en pl.
Maimonismo. m. Sistema filosófico profesado por el judío español Maimónides y sus discípulos en la Edad Media.
Mainel. m. *Arq.* Miembro arquitectónico, largo y delgado, que divide un hueco en dos partes verticalmente.
Maitén. (Del arauc. *maghtén*.) m. Árbol chileno, de la familia de las celastráceas, que crece hasta ocho metros de altura, de hojas dentadas, muy apetecidas por el ganado vacuno; flores monopétalas, en forma de campanilla y de color purpúreo, y madera dura, de color anaranjado.
Maitencito. (Quizá de *Martincito*, d. de *Martín*, n. p.) m. En Chile, juego de muchachos parecido al de la gallina ciega, y en el cual forman corro, asidos de las manos, todos los que toman parte en él, excepto dos que, figurando ser amo y criado, entran en aquél con los ojos vendados; y preguntando el amo *Maitencito, ¿dónde estás?*, contesta éste *Aquí*, y cambia de lugar para evitar que le alcance, pues cuando logra tocarle con la guaraca que con tal objeto lleva en la mano, ceden ambos su puesto a otra pareja, que continúa el juego en la misma forma.
Maitinada. (De *maitines*.) f. **Alborada,** 1.ª y 4.ª aceps.
Maitinante. m. En las catedrales, clérigo que tiene la obligación de asistir a maitines.
Maitines. (Del lat. *matutīnus*, de la mañana.) m. pl. Primera de las horas canónicas que antiguamente se rezaba y en muchas iglesias se reza todavía antes de amanecer.
Maíz. (Del caribe *mahís*.) m. Planta de la familia de las gramíneas, con el tallo grueso, de uno a tres metros de altura, según las especies; hojas largas, planas y puntiagudas; flores masculinas en racimos terminales y las femeninas en espigas axilares resguardadas por una vaina. Es indígena de la América tropical, se cultiva en Europa, y produce unas mazorcas con granos gruesos y amarillos muy nutritivos. || **2.** Grano de esta planta. || **de Guinea. Maíz morocho.** || **2. Zahína,** 1.ª y 2.ª aceps. || **morocho.** Planta de la familia de las gramíneas, con las hojas ensiformes y larguísimas, flores en panojas apretadas y simientes gruesas, comestibles, con las cuales se preparan diversos alimentos y bebidas. || **2.** Fruto de esta planta. || **negro. Panizo de Daimiel.**
Maizal. m. Tierra sembrada de maíz.
Maja. (De *majar*.) f. *And.* Mano de almirez. || **2.** *Cuba.* fig. y fam. Persona holgazana.
Majá. (Voz caribe.) m. Culebra de color amarillento, con manchas y pintas de color pardo rojizo, simétricamente dispuestas, que crece hasta 4 metros de longitud y 25 centímetros de diámetro por el medio del cuerpo. No es venenosa y vive en la isla de Cuba.
Majada. (Del lat. **macŭlāta*, de *macŭla*, malla, red.) f. Lugar o paraje donde se recoge de noche el ganado y se albergan los pastores. || **2.** Estiércol de los animales. || **3.** ant. **Mesón.** || **4.** *Sant.* **Braña.** || **5.** *Argent.* Manada o hato de ganado lanar.
Majadal. (De *majada*.) m. Lugar de pasto a propósito para ovejas y ganado menor. || **2. Majada,** 1.ª acep.
Majadear. intr. Hacer noche el ganado en una majada; albergarse en un paraje. || **2. Abonar,** 5.ª acep.
Majadería. (De *majadero*.) f. Dicho o hecho necio, imprudente o molesto.
Majaderico. (De *majadero*.) m. Especie de guarnición que se usaba antiguamente. || **2. Majaderillo.**
Majaderillo, to. (d. de *majadero*.) m. **Bolillo,** 1.ª acep.
Majadero, ra. (De *majar*.) adj. fig. Necio y porfiado. Ú. t. c. s. || **2.** m. Mano de almirez o de mortero. || **3.** Maza o pértiga para majar. || **4. Majaderillo.** || **Anda el majadero de otero en otero, y viene a quebrar en el hombre bueno.** ref. con que se da a entender que a veces paga el inocente los yerros del necio y porfiado.
Majado, da. p. p. de **Majar.** || **2.** m. *Chile.* Trigo o maíz que, remojado en agua caliente, se tritura y se come guisado de distintas maneras. || **3.** *Chile.* Postre o guiso hecho de este maíz o trigo.
Majador, ra. adj. Que maja. Ú. t. c. s.
Majadura. f. Acción y efecto de majar. || **2.** ant. fig. Azote, castigo.
Majagranzas. (De *majar* y *granzas*.) m. fig. y fam. Hombre pesado y necio.
Majagua. (Voz caribe.) f. Árbol americano de la familia de las malváceas, que crece hasta 12 metros de altura, con tronco recto y grueso, copa bien poblada, hojas grandes, alternas y acorazonadas, flores de cinco pétalos purpúreos, y fruto amarillo. Es muy común en los terrenos anegadizos de la isla de Cuba; y su madera, fuerte y correosa, tiene excelente empleo para lanzas y jalones, y del líber de los vástagos nuevos se hacen sogas de mucha duración y uso.
Majagual. m. Terreno poblado de majaguas.
Majagüero. m. *Cuba.* El que tiene por oficio sacar tiras de la majagua, para hacer sogas.
Majal. m. Banco de peces.
Majamiento. (De *majar*.) m. **Majadura,** 1.ª acep.
Majano. m. Montón de cantos sueltos que se forma en las tierras de labor o en las encrucijadas y división de términos.
Majar. (Del lat. **malleāre*, de *mallĕus*, martillo.) tr. **Machacar.** || **2.** fig. y fam. Molestar, cansar, importunar.
Majencia. f. fam. **Majeza.**
Majería. f. Conjunto o reunión de majos.
Majestad. (Del lat. *maiestas, -ātis*.) f. Calidad que constituye una cosa grave, sublime y capaz de infundir admiración y respeto. || **2.** Título o tratamiento que se da a Dios, y también a emperadores y reyes. || **3.** V. **Crimen, delito de lesa majestad.** || **4.** V. **Gente de Su Majestad.** || **Su Divina Majestad. Dios,** 1.ª acep.
Majestoso, sa. adj. **Majestuoso.**
Majestuosamente. adv. m. Con majestad.
Majestuosidad. f. Calidad de majestuoso.
Majestuoso, sa. adj. Que tiene majestad.
Majeza. f. fam. Calidad de majo. || **2.** fam. Ostentación de esta calidad.
Majilla. (Del lat. *maxilla*, mejilla.) f. ant. **Mejilla.**
Majo, ja. adj. Dícese de la persona que en su porte, acciones y vestidos afecta un poco de libertad y guapeza, más propia de la gente ordinaria que de la fina. Ú. t. c. s. || **2.** fam. Ataviado, compuesto, lujoso. || **3.** fam. Lindo, hermoso, vistoso.
Majolar. (Del lat. *malleolāris*.) m. Sitio poblado de majuelos. || **2.** ant. Pago recién plantado de viñas.
Majolar. (De *majuela*, 2.° art.) tr. ant. Ajustar los zapatos con lazos o correas.
Majoleta. f. Fruto del majoleto.
Majoleto. (d. de *majuelo*.) m. **Marjoleto.**
Majorana. f. ant. **Mejorana.**
Majorca. f. **Mazorca.**
Majuela. f. Fruto del majuelo.
Majuela. f. Correa de cuero con que se ajustan y atan los zapatos.
Majuelo. (De un d. del lat. *myxa*, ciruelo silvestre.) m. Espino de hojas cuneiformes divididas en tres o cinco segmentos y dentadas; flores blancas en corimbo

y muy olorosas; pedúnculos vellosos y lo mismo las hojillas del cáliz, y fruto rojo, dulce y de un solo huesecillo redondeado.

Majuelo. (Del lat. *mallĕŏlus*.) m. Viña. || **2.** *Rioja.* Cepa nueva.

Majzén. (Del ár. *majzan*, almacén, en el sentido de tesoro público, gobierno.) m. En Marruecos, gobierno o autoridad suprema.

Mal. adj. Apócope de **Malo.** Sólo se usa antepuesto al substantivo masculino. MAL *humor;* MAL *día.* || **2.** V. **Mal bicho, mal nombre, mal recado.** || **3.** V. **El mal ladrón.** || **4.** fig. y fam. V. **Mal engendro.** || **5.** fig. y fam. V. **Salto de mal año.** || **6.** m. Negación del bien; lo contrario al bien; lo que se aparta de lo lícito y honesto. || **7.** Daño u ofensa que uno recibe en su persona o en la hacienda. || **8.** Desgracia, calamidad. || **9.** Enfermedad, dolencia. || **caduco. Mal de corazón.** || **de bubas.** Bubas, 2.ª acep. de **Buba.** || **de corazón. Epilepsia.** || **de la rosa. Pelagra.** || **de la tierra. Nostalgia,** 1.ª acep. || **de Loanda. Loanda.** || **de madre. Histerismo.** || **de ojo.** Influjo maléfico que, según vanamente se cree, puede una persona ejercer sobre otra mirándola de cierta manera, y con particularidad sobre los niños. || **de orina.** Enfermedad en el aparato urinario, que ocasiona dificultad o incontinencia en la excreción. || **de piedra.** El que resulta de la formación de cálculos en las vías urinarias. || **de San Antón. Fuego de San Antón.** || **de San Lázaro. Elefancía.** || **francés. Gálico,** 3.ª acep. || **Allá vaya el mal do comen el huevo sin sal.** ref. que enseña que los **males** a nadie se deben desear. || **Allá vayas, mal, a do te pongan buen cabezal.** ref. con que se manifiesta el deseo de que los **males** ocurran en donde hallen más resistencia o remedio. || **A mal hecho, ruego y pecho.** ref. que enseña que, después de cometido un delito, no queda más recurso que la conformidad y el ruego por el perdón. || **Bien vengas, mal, si vienes solo.** ref. con que se da a entender que una desventura no suele ser única. || **Con mal está el huso, cuando la barba no anda de suso.** ref. que advierte la falta que hace a la viuda su marido. || **Decir mal.** fr. **Maldecir,** 2.ª acep. || **Del mal, el menos.** expr. fam. que aconseja que entre dos **males** se elija el menor. || **2.** fam. Empléase también para manifestar conformidad, cuando la desgracia que ocurre no es tan grande como se temía que fuese o hubiera podido ser. || **De mal a mal.** m. adv. **Mal a mal.** || **Echar a mal.** fr. Desestimar, despreciar una cosa. || **2.** Desperdiciar, malgastar o emplear **mal** una cosa. || **3. Echar a mala parte.** || **El mal del milano, las alas quebradas y el pico sano.** ref. con que se zahiere al que siendo cobarde ostenta el valor que no tiene. || **2.** Aplícase también al que se queja de estar enfermo y no por eso deja de comer bien. || **El mal entra a brazadas y sale a pulgaradas. El mal entra por quintales y sale por adarmes.** refs. que denotan que las enfermedades entran de golpe y salen muy despacio. || **El mal, para quien le fuere a buscar.** ref. con que indirectamente se aconseja huir del peligro, o bien evitar las ocasiones de que pueda originarse un daño. || **En mal de muerte no hay médico que acierte.** ref. que da a entender que hay **males** o desgracias a que parece imposible encontrar remedio. || **Estar uno tocado del mal de la rabia.** fr. fig. y fam. Estar dominado o poseído de una pasión. || **Hacer mal** a uno. fr. Perseguirle, injuriarle, procurarle daño o molestia. || **Hacer mal** una cosa. fr. Ser nociva y dañar o lastimar. || **Hacer mal.** fr. p. us. Tratándose del caballo, domarlo y adiestrarlo. || **2.** p. us. Lucir en él su habilidad el jinete. || **Hacérsele** a uno **de mal** una cosa. fr. Serle enojoso emprenderla o ejecutarla. || **Haces mal, espera otro tal.** ref. que enseña que si queremos vivir en paz y sin pesadumbres, no las causemos a otros; porque de hacer **mal,** siempre se sigue padecerlo. || **Harto bueno es castigar en mal ajeno.** ref. que pregona lo útil del escarmiento en los ejemplos ajenos. || **Llevar** uno **a mal** una cosa. fr. Resentirse, formar queja de ella. || **Mal ajeno, del pelo,** o **de pelo, cuelga.** ref. que advierte que los **males** ajenos se sienten mucho menos que los propios, o que cada uno mira por su interés, sin importarle nada el de otro. || **Mal a mal.** m. adv. **Por fuerza.** || **Mal que bien.** m. adv. De cualquier manera; sea como fuere. || **Mal de muchos, consuelo de tontos.** ref. con el cual se niega que sea más llevadera una desgracia cuando comprende a crecido número de personas. Los que tienen contraria opinión dicen: **Mal de muchos, consuelo de todos.** || **¡Mal haya!** exclam. imprecatoria. ¡MAL HAYA *el diablo!* || **Mal haya el romero que dice mal de su bordón.** fr. contra los que dicen mal de sus propias cosas. || **Mal largo, muerte al cabo.** ref. con que se indica su probable terminación en sentido recto y en el figurado. || **Más mal hay en la aldehuela del que suena.** ref. con que damos a entender ser mayor un **mal** de lo que parece o se presume. || **No hace poco quien su mal echa a otro.** ref. que acusa al que atribuye a otro sus defectos o imperfecciones. || **No hacer** uno **mal a un gato.** fr. fig. y fam. Ser pacífico, benigno y bienintencionado. || **No hay mal que por bien no venga.** ref. con que se da a entender que un suceso infeliz suele ser inopinadamente ocasión de otro venturoso, o que sobrellevados con resignación cristiana los **males,** traen bienes seguros para el hombre. || **No hay mayor mal que el descontento de cada cual.** ref. que nota que el disgusto con que se reciben los **males** e infortunios, los aumenta. || **2.** Úsase también para dar a entender que todo el que padece un **mal,** se figura que no lo hay mayor. || **Paga lo que debes, sanarás del mal que tienes.** ref. que aconseja la puntualidad en pagar las deudas, para librarse de los cuidados y molestias que ocasionan. || **Para el mal que hoy acaba, no es remedio el de mañana.** ref. que aconseja poner remedio a los **males** en tiempo oportuno. || **Parar en mal.** fr. Tener un fin desgraciado. || **Poco mal y bien quejado.** ref. con que se zahiere al que se lamenta mucho por leve motivo. || **Poner en mal.** fr. **Poner mal.** || **Por mal.** m. adv. fam. **Mal a mal.** || **Por mal de mis pecados.** m. adv. **Por mis pecados.** || **Por males de mis pecados.** m. adv. **Por malos de mis pecados.** || **Por su mal crió Dios,** o **le nacieron, alas a la hormiga.** ref. **Da Dios alas a la hormiga para morir más aína.** || **Quien canta, sus males espanta.** ref. que enseña que para alivio de los **males** o aflicciones conviene buscar alguna diversión. || **Quien escucha, su mal oye.** ref. que reprende a los demasiadamente curiosos y amigos de oír lo que otros hablan. || **Tomar** uno **a mal** una cosa. fr. **Llevarla a mal.** || **Tomarse** uno **el mal por su mano.** fr. **Tomarse la muerte por su mano.**

Mal. (Del lat. *male.*) adv. m. Contrariamente a lo que es debido; sin razón, imperfecta o desacertadamente; de mala manera. *Pedro se conduce siempre* MAL; *Antonio lo hace todo* MAL. || **2.** Contrariamente a lo que se apetece o requiere; infelizmente; de manera impropia o inadecuada para un fin. *La estratagema salió* MAL; *el enfermo va* MAL. || **3.** Difícilmente. MAL *puedo yo saberlo;* MAL *se podrá resolver en tan breve término tan arduo negocio.* || **4.** Insuficientemente o poco. MAL *se conoce que eres su amigo; te has enterado* MAL; MAL *hemos caminado hoy; cenó* MAL. || **De mal en peor.** m. adv. Cada vez más desacertada e infaustamente. || **Mal que bien.** loc. adv. De buena o de mala gana; bien o **mal** hecho.

Mala. (Del ant. alto al. *malha*, bolsa.) f. Valija del correo o posta ordinaria de Francia y de Inglaterra. || **2.** Este mismo correo.

Mala. f. **Malilla,** 1.ª acep.

Malabar. adj. Natural de Malabar. Ú. t. c. s. || **2.** Perteneciente a este país del Indostán. || **3.** V. **Juegos malabares.** || **4.** m. Lengua de los **malabares.**

Malabárico, ca. adj. **Malabar,** 2.ª acep.

Malabarismo. m. **Juegos malabares,** 2.ª acep.

Malabarista. com. Persona que hace juegos malabares. || **2.** *Chile.* Persona que roba o quita una cosa con astucia.

Malacate. (Del mejic. *malacatl*, huso, cosa giratoria.) m. Máquina a manera de cabrestante que tiene el tambor en lo alto, y debajo las palancas a que se enganchan las caballerías que lo mueven. Es aparato muy usado en las minas para sacar minerales y agua. || **2.** *Hond.* y *Méj.* **Huso,** 1.ª acep.

Malacia. (Del lat. *malacĭa*, y éste del gr. μαλακία, blandura, debilidad.) f. *Med.* Perversión del apetito que consiste en el deseo de comer materias extrañas e impropias para la nutrición; como yeso, carbón, cal, arena, tierra u otras cosas.

Malacitano, na. (Del lat. *malacitānus*.) adj. **Malagueño.** Apl. a pers., ú. t. c. s.

Malacología. (Del gr. μαλακός, blando, y λόγος, tratado.) f. Parte de la zoología, que trata de los moluscos.

Malacológico, ca. adj. Perteneciente o relativo a la malacología.

Malaconsejado, da. (De *mal* y *aconsejado*.) adj. Que obra desatinadamente llevado de malos consejos. Ú. t. c. s.

Malacopterigio. (Del gr. μαλακός, blando, y πτερύγιον, aleta.) adj. *Zool.* Dícese de los peces teleósteos que tienen todas sus aletas provistas de radios blandos, flexibles y articulados; como el salmón, el barbo y el rodaballo. Ú. t. c. s. m. || **abdominal.** *Zool.* Dícese del que tiene un par de aletas detrás del abdomen; como el salmón. || **2.** pl. *Zool.* Orden de estos peces en la antigua clasificación zoológica. || **ápodo.** *Zool.* Dícese del que carece de aletas abdominales; como el congrio. || **2.** pl. *Zool.* Orden de estos peces en la antigua clasificación zoológica. || **subranquial.** *Zool.* Dícese del que tiene las aletas abdominales debajo de las branquias y articuladas con la base de las torácicas; como el bacalao. || **2.** pl. *Zool.* Orden de estos peces en la antigua clasificación zoológica.

Malacostumbrado, da. (De *mal* y *acostumbrado*.) adj. Que tiene malos hábitos y costumbres. || **2.** Que goza de excesivo regalo y está muy mimado y consentido.

Malacuenda. (De *mala* y *cuenda*.) f. **Harpillera.** || **2.** Hilaza de estopa.

Malaestanza. (De *mala* y *estanza*.) f. ant. Indisposición, malestar.

Malafa. f. **Almalafa.**

Málaga. m. Vino dulce que se elabora con la uva de la tierra de Málaga.

Malagana. (De *malo* y *gana*.) f. fam. Desfallecimiento, desmayo.

Malagaña. f. *Ar.* Armazón de palos hincados en tierra y enlazados por lo alto con ramas de aliagas, que se emplea en algunas partes para enjambrar.

Malagradecido, da. adj. *Amér.* **Desagradecido.**

Malagueña. f. Aire popular propio y característico de la provincia de Málaga, algo parecido al fandango, con que se cantan coplas de cuatro versos octosílabos.

Malagueño, ña. adj. Natural de Málaga. Ú. t. c. s. ‖ **2.** Perteneciente a esta ciudad.

Maagués, sa. adj. ant. **Malagueño.** Apl. a pers., usáb. t. c. s.

Malagueta. (De *Malagueta*, costa de África donde se comerciaba con esta semilla.) f. Fruto pequeño, aovado, de color de canela y de olor y sabor aromáticos, que suele usarse como especia, y es producto de un árbol tropical de la familia de las mirtáceas. ‖ **2.** Árbol que da este fruto.

Malamente. adv. m. **Mal,** 2.° art.

Malandante. (De *mal*, 2.° art., y *andante*.) adj. Desafortunado, infeliz.

Malandanza. (De *malo* y *andanza*.) f. Mala fortuna, desgracia.

Malandar. m. Cerdo que no se destina para entrar en vara.

Malandrín, na. (Del prov. *malandrin*, y éste del lat. *male*, mal, y el neerl. *slenteren*, vagabundear.) adj. Maligno, perverso, bellaco. Ú. t. c. s.

Malaquita. (Del lat. *malachites*.) f. Mineral concrecionado, de hermoso color verde en zonas de tinte más o menos obscuro, tan duro como el mármol, susceptible de pulimento, y que suele emplearse en chapear objetos de lujo. Es un carbonato de cobre. ‖ **azul.** Mineral de color azul de Prusia, de textura cristalina o fibrosa, algo más duro y más raro que la verdadera **malaquita.** Es un bicarbonato de cobre. ‖ **verde. Malaquita.**

Malar. (Del lat. *mala*, mejilla.) adj. *Zool.* Perteneciente a la mejilla. ‖ **2.** m. *Zool.* **Pómulo.**

Malaria. (Del ital. *mala aria*, mal aire.) f. **Paludismo.**

Malatería. (De *malato*.) f. En algunas partes, edificio destinado en otro tiempo a hospital de leprosos.

Malatía. (De *malato*.) f. Gafedad, lepra. ‖ **2.** ant. **Enfermedad.**

Malato, ta. (Del lat. *male habitus*.) adj. Gafo, leproso. Ú. t. c. s. ‖ **2.** ant. **Enfermo,** 1.ª acep. Usáb. t. c. s.

Malavenido, da. adj. Mal avenido.

Malaventura. f. Desventura, desgracia, infortunio.

Malaventurado, da. adj. Infeliz o de mala ventura.

Malaventuranza. (De *malaventura*.) f. Infelicidad, desdicha, infortunio.

Malavés. (De *mal*, 2.° art., y *avés*.) adv. m. ant. **Malavez.**

Malavez. (De *malavés*.) adv. m. ant. **Apenas.**

Malayo, ya. adj. Dícese del individuo de piel muy morena, cabellos lisos, nariz aplastada y ojos grandes, perteneciente a una raza o gran variedad de la especie humana, que se halla esparcida en la península de Malaca (de donde se la cree oriunda), en las islas de la Sonda, y sobre todo en la Oceanía Occidental, que por ella se llama Malasia. Ú. t. c. s. ‖ **2.** Perteneciente a los **malayos.** ‖ **3.** m. Lengua **malaya.**

Malbaratador, ra. adj. Que malbarata. Ú. t. c. s.

Malbaratar. (De *mal*, 2.° art., y *baratar*.) tr. Vender la hacienda a bajo precio. ‖ **2.** Disiparla.

Malbaratillo. m. **Baratillo,** 2.ª acep.

Malbarato. m. Acción de malbaratar. ‖ **2.** Despilfarro, derroche, prodigalidad.

Malcarado, da. (De *mal*, 2.° art., y *cara*.) adj. Que tiene mala cara o aspecto repulsivo.

Malcasado, da. p. p. de **Malcasar.** ‖ **2.** adj. Dícese del consorte que falta a los deberes que le impone el matrimonio. Pide siempre el verbo *ser*, expreso o tácito.

Malcasar. tr. Casar a una persona sin las circunstancias que se requieren para la felicidad del matrimonio. Ú. t. c. intr. y c. r.

Malcaso. (De *malo* y *caso*.) m. Traición, acción fea e infame.

Malcocinado. (De *mal*, 2.° art., y *cocinar*.) m. Menudo de las reses. ‖ **2.** Sitio donde se vende.

Malcomer. tr. Comer escasamente, o con poco gusto, por la calidad de los manjares. *No me alcanza la renta para* MALCOMER.

Malcomido, da. p. p. de **Malcomer.** ‖ **2.** adj. Poco alimentado.

Malconsiderado, da. adj. **Desconsiderado,** 2ª. acep.

Malcontentadizo, za. adj. **Descontentadizo,** 2.ª acep.

Malcontento, ta. adj. Descontento o disgustado. ‖ **2.** Revoltoso, perturbador del orden público. Ú. t. c. s. ‖ **3.** m. Juego de naipes que consiste en trocar los jugadores entre sí las cartas con que están descontentos, perdiendo el que se queda con la inferior.

Malcoraje. (Del lat. *mercurialis*.) m. **Mercurial,** 3.ª acep.

Malcorte. (De *malo* y *corte*.) m. Quebrantamiento de las ordenanzas y estatutos, al sacar de los montes altos madera de construcción o leña para combustible y carboneo.

Malcreer. (De *mal*, 2.° art., y *creer*.) tr. ant. Dar crédito ligeramente a uno.

Malcriado, da. p. p. de **Malcriar.** ‖ **2.** adj. Falto de buena educación, descortés, incivil. Dícese, por lo común, de los niños consentidos y mal educados.

Malcriar. (De *mal*, 2.° art., y *criar*.) tr. Educar mal a los hijos, condescendiendo demasiado con sus gustos y caprichos.

Maldad. (Del lat. **malĭtas, -ātis*, de *malitia*, sobre el modelo de *bonĭtas, -ātis*.) f. Calidad de malo. ‖ **2.** Acción mala e injusta.

Maldadosamente. adv. m. ant. Con maldad, con malicia.

Maldadoso, sa. adj. Acostumbrado a cometer maldades. Ú. t. c. s. ‖ **2.** Que tiene o implica maldad.

Maldecido, da. p. p. de **Maldecir.** ‖ **2.** adj. Aplícase a la persona de mala índole. Ú. t. c. s. ‖ **Maldecido de cocer.** expr. fig. y fam. **Maldito de cocer.**

Maldecidor, ra. adj. Que maldice, 2.ª acep. Ú. t. c. s.

Maldecimiento. m. ant. Acción de maldecir, 2.ª acep.

Maldecir. (Infinit. de *maldecir*.) m. ant. **Maldición.**

Maldecir. (Del lat. *maledicĕre*; de *male*, mal, 2.° art., y *dicĕre*, decir.) tr. Echar maldiciones contra una persona o cosa. ‖ **2.** intr. Hablar con mordacidad en perjuicio de uno, denigrándole.

Maldiciente. (Del lat. *maledicens, -entis*.) p. a. de **Maldecir.** Que maldice. ‖ **2.** adj. Detractor por hábito. Ú. t. c. s.

Maldicientemente. adv. m. ant. Con maledicencia.

Maldición. (Del lat. *maledictio, -ōnis*.) f. Imprecación que se dirige contra una persona o cosa, manifestando enojo y aversión hacia ella, y muy particularmente deseo de que al prójimo le venga algún daño. ‖ **2.** ant. **Murmuración.** ‖ **Caer la maldición** a uno. fr. fam. Cumplirse la que le han echado. *Parece que* LE HA CAÍDO LA MALDICIÓN.

Maldicho, cha. (Del lat. *maledictus*.) p. p. irreg. ant. de **Maldecir.**

Maldispuesto, ta. (De *mal*, 2.° art., y *dispuesto*.) adj. **Indispuesto,** 2.ª acep. ‖ **2.** Que no tiene la disposición de ánimo necesaria para una cosa.

Maldita. (t. f. de *maldito*.) f. fam. **Lengua,** 1.ª acep. ‖ **Soltar uno la maldita.** fr. fam. Decir con sobrada libertad y poco respeto lo que siente.

Malditamente. adv. m. fam. Muy mal.

Maldito, ta. (Del lat. *maledictus*.) p. p. irreg. de **Maldecir.** ‖ **2.** adj. Perverso, de mala intención y dañadas costumbres. ‖ **3.** Condenado y castigado por la justicia divina. Ú. t. c. s. ‖ **4.** De mala calidad, ruin, miserable. *En esta* MALDITA *cama se acostó.* ‖ **5.** fam. **Ninguno,** 1.ª acep. *No sabe* MALDITA *la cosa.* ‖ **Maldito de cocer.** expr. fig. y fam. que se aplica a la persona que enfada por su terquedad u otras malas cualidades.

Maleabilidad. f. Calidad de maleable.

Maleable. (Del lat. *mallĕus*, martillo.) adj. Aplícase a los metales que pueden batirse y extenderse en planchas o láminas.

Maleador, ra. (De *malear*.) adj. **Maleante.** Ú. t. c. s.

Maleante. p. a. de **Malear.** Que malea. ‖ **2.** Burlador, maligno. Ú. t. c. s.

Malear. (De *malo*.) tr. Dañar, echar a perder una cosa. Ú. t. c. r. ‖ **2.** fig. Pervertir uno a otro con su mala compañía y costumbres. Ú. t. c. r.

Malecón. m. Murallón o terraplén que se hace para defensa de los daños que puedan causar las aguas.

Maledicencia. (Del lat. *maledicentia*.) f. Acción de maldecir, 2.ª acep.

Maleficencia. (Del lat. *maleficentia*.) f. Hábito o costumbre de hacer mal.

Maleficiar. (De *maleficio*.) tr. Causar daño a una persona o cosa. ‖ **2.** Hechizar, 1.ª acep.

Maleficio. (Del lat. *maleficium*.) m. Daño causado por arte de hechicería. ‖ **2.** Hechizo empleado para causarlo, según vanamente se cree. ‖ **3.** ant. Daño o perjuicio que se causa a otro. ‖ **Desligar el maleficio.** fr. Deshacer y destruir el impedimento que, según creencia vulgar, solía ponerse por medio del diablo, a algún casado para que no pudiese usar del matrimonio.

Maléfico, ca. (Del lat. *malefĭcus*.) adj. Que perjudica y hace daño a otro con maleficios. ‖ **2.** Que ocasiona o es capaz de ocasionar daño. ‖ **3.** m. **Hechicero.**

Malejo, ja. adj. d. de **Malo.**

Malencolía. (De *melancolia*, infl. por *mal*.) f. ant. **Melancolía.**

Malencólico, ca. adj. ant. **Melancólico.**

Malenconía. (De *malencolia*.) f. ant. **Malencolía.** Ú. en *Sal.* y *Sant.*

Malencónico, ca. (De *malenconía*.) adj. ant. **Melancólico.** Ú. en *Sal.*

Malenconioso, sa. (De *malenconía*.) adj. desus. **Melancólico.**

Malentrada. (De *mala* y *entrada*.) f. Cierto derecho que pagaba el que entraba preso en la cárcel.

Maleolar. adj. *Zool.* Perteneciente o relativo al maléolo.

Maléolo. (Del lat. *mallĕŏlus*, martillejo, por semejanza de forma.) m. *Zool.* **Tobillo.**

Malestar. (De *mal* y *estar*.) m. Desazón, incomodidad indefinible.

Maleta. (d. de *mala*, 1.er art.) f. Cofre pequeño de cuero o lona, sin armadura o con ella, que sirve para guardar ropa u otras cosas y se puede llevar a mano. ‖ **2. Manga,** 1.er art., 4.ª acep. ‖ **3.** *Germ.* Mujer pública a quien trae uno consigo, ganando con ella. ‖ **4.** m. fam. El que practica con torpeza o desacierto la profesión que ejerce. Dícese principalmente de los malos toreros. ‖ **5.** *Germ.* Ladrón que para robar se hace encerrar en algún cofre o bulto de mercaderías, del cual sale cuando llega la ocasión. ‖ **Hacer uno la maleta.** fr. fig. y fam. Disponer lo necesario para un viaje. ‖ **2.** Prepararse para irse de alguna parte, o dejar algún cargo o empleo. ‖ **Largar,** o **soltar, uno la maleta.** fr. fig. *Chile.* **Morir.**

Maletero. m. El que tiene por oficio hacer o vender maletas. ‖ **2.** Mozo de estación que se encarga de llevar las maletas.

Maletía. (De *malatia.*) f. ant. Malicia o calidad de una cosa nociva a la salud. ‖ **2.** ant. **Enfermedad.**

Maletín. m. d. de **Maleta.** ‖ **de grupa.** El que usan los oficiales y soldados de la caballería del ejército.

Maletón. m. aum. de **Maleta.**

Malevolencia. (Del lat. *malevolentia.*) f. **Mala voluntad.**

Malévolo, la. (Del lat. *malevŏlus;* de *male,* mal, y *volo,* quiero.) adj. Inclinado a hacer mal. Ú. t. c. s.

Maleza. (Del lat. *malitia,* de *malus,* malo.) f. Abundancia de hierbas malas que perjudican a los sembrados. ‖ **2.** Espesura que forma la muchedumbre de arbustos; como zarzales, jarales, etc. ‖ **3.** ant. **Maldad.**

Malfacer. (Del lat. *malefacĕre.*) tr. ant. Obrar mal.

Malfaciente. p. a. ant. de **Malfacer.** Que obra mal. Usáb. t. c. s.

Malfadado, da. (De *malo* y *fado.*) adj. ant. **Malhadado.**

Malfecho. (Del lat. *malefactus,* p. p. de *malefacĕre,* hacer mal.) m. ant. **Malhecho.**

Malfechor. (Del lat. *malefactor.*) m. ant. **Malhechor.**

Malfeita. (Del lat. *malefacta,* pl. n. de *-tum,* acción mala.) f. ant. Daño, perjuicio, maldad.

Malfetría. (Del lat. *malefactor,* malhechor.) f. ant. Hecho malo, maldad.

Malformación. f. *Med.* Deformidad o defecto congénito en alguna parte del organismo.

Malgache. adj. Natural de la isla de Madagascar. Ú. t. c. s. ‖ **2.** Perteneciente a esta isla.

Malgama. (Del lat. *malăgma,* y éste del gr. μάλαγμα; de μαλάσσω, ablandar.) f. *Quím.* **Amalgama,** 1.ª acep.

Malgastador, ra. adj. Que malgasta. Ú. t. c. s.

Malgastar. (De *mal* y *gastar.*) tr. Disipar el dinero, gastándolo con cosas malas o inútiles; por ext., dícese también del tiempo, la paciencia, los agasajos, etc.

Malgranada. (Del lat. *malum granatum.*) f. ant. **Granada,** 1.ª acep.

Malhablado, da. (De *mal,* 2.° art., y *hablado.*) adj. Desvergonzado o atrevido en el hablar. Ú. t. c. s.

Malhadado, da. (De *malfadado.*) adj. Infeliz, desgraciado, desventurado.

Malhecho, cha. (Del lat. *malefactus.*) adj. Aplícase a la persona de cuerpo mal formado o contrahecho. ‖ **2.** m. Acción mala o fea.

Malhechor, ra. (Del lat. *malefactor, -ōris.*) adj. Que comete un delito, y especialmente que los comete por hábito. Ú. t. c. s.

Malherir. tr. Herir gravemente.

Malhetría. f. ant. **Malfetría.**

Malhojo. (Del lat. *malum folium,* hoja mala.) m. **Marojo.**

Malhumor. m. **Mal humor.**

Malhumorado, da. p. p. de **Malhumorar.** ‖ **2.** adj. Que tiene malos humores. ‖ **3.** Que está de mal humor; desabrido o displicente.

Malhumorar. tr. Poner a uno de mal humor. Ú. t. c. r.

Malicia. (Del lat. *malitia.*) f. **Maldad,** 1.ª acep. ‖ **2.** Inclinación a lo malo y contrario a la virtud. ‖ **3.** Perversidad del que peca por pura malignidad. *Pecar de* MALICIA. ‖ **4.** Cierta solapa y bellaquería con que se hace o dice una cosa, ocultando la intención con que se procede. ‖ **5.** Interpretación siniestra y maliciosa; propensión a pensar mal. *Ésa es* MALICIA *tuya.* ‖ **6.** Calidad que hace una cosa perjudicial y maligna. *Esta calentura tiene mucha* MALICIA. ‖ **7.** Penetración, sutileza, sagacidad. *Este niño tiene mucha* MALICIA. ‖ **8.** V. **Casa a la malicia,** o **de malicia.** ‖ **9.** fam. Sospecha o recelo. *Tengo mis* MALICIAS *de que eso no sea así.* ‖ **10.** ant. Palabra satírica; sentencia picante y ofensiva. ‖ **Aunque malicia obscurezca verdad, no la puede apagar.** ref. que advierte que aunque la malicia o engaño logren encubrir la verdad, no pueden jamás ocultarla tanto que al fin no llegue a descubrirse.

Maliciable. adj. Que puede maliciarse.

Maliciador, ra. adj. p. us. Que malicia.

Maliciar. tr. Recelar, sospechar, presumir algo con malicia. Ú. t. c. r. ‖ **2. Malear.**

Maliciosamente. adv. m. Con malicia.

Malicioso, sa. (Del lat. *malitiōsus.*) adj. Que por malicia echa las cosas a mala parte. Ú. t. c. s. ‖ **2.** Que contiene malicia.

Malignamente. adv. m. Con malignidad.

Malignante. p. a. de **Malignar.** Que maligna.

Malignar. (Del lat. *malignāre.*) tr. Viciar, inficionar. ‖ **2.** ant. Poner mal o desacreditar a uno con otros. ‖ **3.** fig. Hacer mala una cosa. ‖ **4.** r. Corromperse, empeorarse.

Malignidad. (Del lat. *malignĭtas, -ātis.*) f. Propensión del ánimo a pensar u obrar mal. ‖ **2.** Calidad de maligno.

Maligno, na. (Del lat. *malignus.*) adj. Propenso a pensar u obrar mal. Ú. t. c. s. ‖ **2.** De índole perniciosa. ‖ **3.** V. **Espíritu maligno.**

Malilla. (d. de *mala,* 2.° art.) f. Carta que en algunos juegos de naipes forma parte del estuche y es la segunda entre las de más valor; en oros y copas se toma el siete por **malilla,** y en espadas y bastos el dos. ‖ **2.** En el rentoy, el dos de cada palo. ‖ **3.** Juego de naipes en que la carta superior o **malilla** es para cada palo el nueve. ‖ **4.** fig. **Comodín,** 2.ª acep.

Malina. (Del b. lat. *malina,* y éste del lat. *malus,* malo.) f. ant. Reflujo diario del mar. ‖ **2.** ant. Temporal de mar. ‖ **3.** ant. Gran marea.

Malingrar. (Del fr. *malingre,* enfermizo.) tr. p. us. **Malignar.**

Malino, na. (Del lat. *malignus.*) adj. fam. **Maligno.**

Malintencionado, da. (De *mal,* 2.° art., e *intencionado.*) adj. Que tiene mala intención. Ú. t. c. s.

Malmandado, da. (De *mal,* 2.° art., y *mandado.*) adj. Que no obedece, o que hace las cosas de mala gana. Ú. t. c. s.

Malmaridada. (Del *mal,* 2.° art., y *maridar.*) adj. Dícese de la mujer que falta a los deberes conyugales. Ú. t. c. s.

Malmarriento, ta. adj. *Ter.* Malucho, que empieza a sentirse enfermo.

Malmeter. (De *mal,* 2.° art., y *meter.*) tr. Malbaratar, malgastar. ‖ **2.** Inclinar, inducir a uno a hacer cosas malas. ‖ **3. Malquistar.**

Malmirado, da. (De *mal,* 2.° art., y *mirado.*) adj. Malquisto, desconceptuado. ‖ **2.** Descortés, inconsiderado.

Malo, la. (Del lat. *malus.*) adj. Que carece de la bondad que debe tener según su naturaleza o destino. ‖ **2.** Dañoso o nocivo a la salud. ‖ **3.** Que se opone a la razón o a la ley. ‖ **4.** V. **Ángel, pelo malo.** ‖ **5.** V. **Mala fe, mala figura, mala firma, mala noche, mala presa, mala sociedad, mala voluntad, mala voz.** ‖ **6.** ant. V. **Mala barata.** ‖ **7.** Que es de **mala** vida y costumbres. Ú. t. c. s. ‖ **8. Enfermo,** 1.ª acep. ‖ **9. Dificultoso,** 1.ª acep. *Juan es* MALO *de servir; este verso es* MALO *de entender.* ‖ **10.** Desagradable, molesto. *¡Qué rato tan* MALO*!; ¡qué* MALA *vecindad!* ‖ **11.** fig. V. **Mala cabeza, mala lengua, mala paga.** ‖ **12.** fig. V. **Malos hígados.** ‖ **13.** fam. Travieso, inquieto, enredador. Dícese comúnmente de los muchachos. ‖ **14.** fam. Bellaco, malicioso. ‖ **15.** Deslucido, deteriorado. *Este vestido está ya muy* MALO. ‖ **16.** fig. y fam. V. **Mala semana.** ‖ **17.** V. **Negocio de mala digestión.** ‖ **18.** V. **Malas lenguas.** ‖ **19.** *For.* V. **Dolo malo.** ‖ **20.** Usado con el artículo neutro *lo* y el verbo *ser,* significa lo que puede ofrecer dificultad o ser obstáculo para algún fin. *Yo bien hiciera tal o cual cosa; pero* LO MALO ES *que no me lo han de agradecer.* ‖ **21.** Usado como interjección, sirve para reprobar una cosa, o para significar que ocurre inoportunamente, infunde sospechas o es contraria a un fin determinado. ‖ **22.** m. **El malo.** El demonio. Ú. m. en pl. ‖ **A malas.** m. adv. Con enemistad. Ú. por lo común con el verbo *andar.* ‖ **Con la mala yanta, y con la buena ten baraja.** ref. que aconseja el poco trato y conversación que se ha de tener con los **malos,** porque no son fáciles de componer sus desavenencias y disputas, y que no debe ser así con los buenos. ‖ **De malas.** m. adv. Con desgracia, especialmente en el juego. Ú. con el verbo *estar.* ‖ **2.** Con **mala** intención. Ú. por lo común con el verbo *venir.* ‖ **El malo, para mal hacer, achaques no ha menester.** ref. que enseña que al malintencionado nunca le faltan pretextos ni ocasión para dañar. ‖ **El malo siempre piensa engaño.** ref. que advierte que el **malo** recela siempre de los demás, temiendo que sean como él. ‖ **Malo vendrá que bueno me hará.** ref. que advierte que tales personas o cosas que hoy se tienen por **malas,** pueden mañana estimarse de distinta manera, comparadas con otras peores. ‖ **Más vale malo conocido que bueno por conocer.** fr. proverb. que advierte los inconvenientes que pueden resultar de substituir una persona o cosa ya experimentada con otra que no se conoce. ‖ **Por la mala,** o **por malas.** m. adv. **Mal a mal.** ‖ **Por malas o por buenas.** loc. adv. A la fuerza o voluntariamente.

Maloca. (Del arauc. *malocán.*) f. *Amér. Merid.* Invasión en tierra de indios, con pillaje y exterminio. ‖ **2. Malón,** 1.ª acep.

Malogramiento. (De *malograr.*) m. **Malogro.**

Malograr. (De *mal,* 2.° art., y *lograr.*) tr. Perder, no aprovechar una cosa; como la ocasión, el tiempo, etc. ‖ **2.** r. Frustrarse lo que se pretendía o esperaba conseguirse. ‖ **3.** No llegar una persona o cosa a su natural desarrollo o perfeccionamiento.

Malogro. m. Efecto de malograrse una cosa.

Maloja. f. *Cuba.* **Malojo.**

Malojal. m. *Venez.* Plantío de malojos.

Malojero. m. *Cuba.* El que vende maloja.

Malojo. (De *malhojo.*) m. *Venez.* Planta del maíz que sólo sirve para pasto de caballerías.

Maloliente. adj. Que exhala mal olor.

Malón. (Voz araucana.) m. *Amér. Merid.* Irrupción o ataque inesperado de indios. ‖ **2.** fig. Felonía inesperada que uno ejecuta en daño de otro; mala partida.

Maloquear. (De *maloca.*) intr. Tratándose de indios, hacer correrías.

Malparado, da. p. p. de **Malparar.** ‖ **2.** Que ha sufrido notable menoscabo en cualquiera línea.

Malparanza. (De *malparar.*) f. ant. Menoscabo de una cosa, o mal estado a que se reduce.

Malparar. (De *mal,* 2.° art., y *parar.*) tr. Maltratar, poner en mal estado.

Malparida. f. Mujer que ha poco que malparió.

Malparir. (De *mal*, 2.° art., y *parir*.) intr. Abortar, 1.ª acep.

Malparto. (De *malo* y *parto*.) m. **Aborto**, 1.ª acep.

Malpigiáceo, a. (De *malpighia*, nombre de un género de plantas dedicado a *Malpighi*, naturalista italiano del siglo XVII.) adj. *Bot.* Dícese de arbustos o arbolitos angiospermos dicotiledóneos, que viven en países intertropicales, especialmente en América, con ramos por lo común trepadores y hojas casi siempre opuestas y con estípulas; flores hermosas en corimbos o en racimos, y fruto seco o abayado, dividido en tres celdillas con una sola semilla sin albumen; como el chaparro. Ú. t. c. s. f. || **2.** f. pl. *Bot.* Familia de estas plantas.

Malquerencia. (De *mala* y *querencia*.) f. Mala voluntad a determinada persona o cosa.

Malquerer. (De *mal*, 2.° art., y *querer*.) tr. Tener mala voluntad a una persona o cosa.

Malqueriente. p. a. de **Malquerer.** Que quiere mal a otro.

Malquistar. (De *malquisto*.) tr. Poner mal a una persona con otra u otras. *Le* MALQUISTARON *con el ministro.* Ú. t. c. r.

Malquisto, ta. (De *mal*, 2.° art., y *quisto*.) adj. Que está mal con una o varias personas.

Malrotador, ra. adj. Que malrota. Ú. t. c. s.

Malrotar. (Del lat. *manu rupta*, de mano rota.) tr. Disipar, destruir, malgastar la hacienda.

Malsano, na. (De *mal*, 2.° art., y *sano*.) adj. Dañoso a la salud. || **2.** Enfermizo, de salud quebrada.

Malsín. (De *malsinar*.) m. Cizañero, soplón.

Malsinar. (Del lat. *male*, mal, y *sīgnāre*, señalar.) tr. ant. Acusar, acriminar a alguno, o hablar mal de alguna cosa con dañina intención.

Malsindad. f. ant. Acción y efecto de malsinar.

Malsinería. (De *malsinar*.) f. ant. **Malsindad.**

Malsonante. p. a. ant. de **Malsonar.** Que suena mal. || **2.** adj. Aplícase a la doctrina o palabra que ofende los oídos de personas piadosas u honestas.

Malsonar. (De *mal*, 2.° art., y *sonar*.) intr. ant. Hacer mal sonido o desagradable.

Malsufrido, da. (De *mal*, 2.° art., y *sufrido*.) adj. Que tiene poco sufrimiento.

Malta. (Del ingl. *malt;* en al. *malz*.) f. Cebada que, germinada artificialmente y tostada, se emplea en la fabricación de la cerveza. || **2.** Esta misma cebada, preparada para hacer un cocimiento. || **3.** V. **Azúcar de malta.**

Malta. n. p. V. **Fiebre de Malta.**

Maltés, sa. adj. Natural de Malta. Ú. t. c. s. || **2.** Perteneciente a esta isla del Mediterráneo.

Maltosa. (De *malta*, 1.er art.) f. *Biol.* Azúcar dextrógiro, cristalizable, que es el producto de la descomposición del almidón mediante la diastasa, tanto en los animales como en las plantas.

Maltrabaja. (De *mal*, 2.° art., y *trabajar*.) com. fam. Persona haragana, perezosa.

Maltraedor, ra. (De *maltraer*.) adj. ant. Perseguidor o reprensor. Usáb. t. c. s.

Maltraer. (De *mal* y *traer*.) tr. Maltratar, injuriar. || **2.** ant. Reprender con severidad.

Maltrapillo. (De *malo* y *trapillo*.) m. Pilluelo mal vestido; golfo.

Maltratamiento. m. Acción y efecto de maltratar o maltratarse.

Maltratar. tr. Tratar mal a uno de palabra u obra. Ú. t. c. r. || **2.** Menoscabar, echar a perder.

Maltrato. (De *maltratar*.) m. **Maltratamiento.**

Maltrecho, cha. (De *mal*, 2.° art., y *recho*.) adj. Maltratado, malparado.

Maltusianismo. m. Conjunto de las teorías económicas de Malthus, fundadas en que, según él, la población tiende a crecer en progresión geométrica, mientras que los alimentos sólo aumentan en progresión aritmética.

Maltusiano, na. adj. Dícese del partidario del maltusianismo. Ú. t. c. s.

Maluco, ca. adj. Natural de las islas Malucas. Ú. t. c. s. || **2.** Perteneciente a estas islas de la Malasia.

Maluco, ca. adj. **Malucho.**

Malucho, cha. adj. fam. Que está algo malo.

Malva. (Del lat. *malva*.) f. Planta de la familia de las malváceas, con tallo áspero, ramoso, casi erguido, de cuatro a seis decímetros de altura; hojas de pecíolo largo, con estípulas partidas en cinco o siete lóbulos dentados por el margen; flores moradas, axilares, en grupos de pedúnculos desiguales, y fruto con muchas semillas secas. Es planta abundante y muy usada en medicina, por el mucílago que contienen las hojas y las flores. || **2.** V. **Geranio de malva.** || **arbórea, loca, real,** o **rósea.** Planta de la familia de las malváceas, con tallo recto y erguido, de dos a tres metros de altura; hojas blandas vellosas, acorazonadas, con lóbulos festoneados, y flores grandes, sentadas, encarnadas, blancas o róseas, que forman una espiga larga en lo alto del tallo. Se cultiva en los jardines. || **Haber nacido** uno **en las malvas.** fr. fig. y fam. Haber tenido humilde nacimiento. || **Ser** uno **como una,** o **una malva.** fr. fig. y fam. Ser dócil, bondadoso, apacible.

Malváceo, a. (Del lat. *malvacĕus*.) adj. *Bot.* Dícese de plantas angiospermas dicotiledóneas, hierbas, matas y a veces árboles, de hojas alternas con estípulas; flores axilares, regulares, con muchos estambres unidos formando un tubo que cubre el ovario, y fruto seco dividido en muchas celdas con semillas sin albumen; como la malva, la altea, el algodonero y la majagua. Ú. t. c. s. f. || **2.** f. pl. *Bot.* Familia de estas plantas.

Malvadamente. adv. m. Con maldad, con injusticia.

Malvado, da. adj. Muy malo, perverso. Ú. t. c. s.

Malvar. m. Sitio poblado de malvas.

Malvar. (Del lat. *male facĕre*, hacer mal.) tr. Corromper o hacer mala a una persona o cosa. Ú. t. c. r.

Malvarrosa. f. **Malva rósea.**

Malvasía. (De *Malvasia* [Monembasie], ciudad de Morea, cerca de Argos.) f. Uva muy dulce y fragante, producida por una variedad de vid cuyos sarmientos transportaron los catalanes desde la isla de Quío en tiempo de las Cruzadas, y prevalece en varias partes de España, especialmente en Sitjes. || **2.** Vino que se hace de esta uva.

Malvavisco. (Del lat. *malvaviscus*.) m. Planta perenne de la familia de las malváceas, con tallo de un metro de altura próximamente; hojas suaves, muy vellosas, ovaladas, de lóbulos poco salientes y dentadas por el margen; flores axilares de color blanco rojizo, fruto como el de la malva, y raíz gruesa. Abunda en los terrenos húmedos, y la raíz se usa como emoliente.

Malvender. tr. Vender a bajo precio, con poca o ninguna utilidad.

Malversación. f. Acción y efecto de malversar. || **2.** **Peculado.**

Malversador, ra. adj. Que malversa. Ú. t. c. s.

Malversar. (Del lat. *male*, mal, y *versāre*, volver.) tr. Invertir ilícitamente los caudales públicos, o equiparados a ellos, en usos distintos de aquellos para que están destinados.

Malvestad. (Del lat. **malefĭcĭtas, -ātis*, de *maleficium*.) f. ant. **Maldad.**

Malvezar. (De *mal*, 2.° art., y *vezar*.) tr. Acostumbrar mal. Ú. t. c. r.

Malvís. (En ital. *malviz;* en fr. *mauvis*.) m. Tordo de pico y patas negros, plumaje de color verde obscuro manchado de negro en el cuello, pecho y vientre, y de rojo en los lados del cuerpo y debajo de las alas. Es propio de los países del norte de Europa y ave de paso en España a fines de otoño.

Malviviente. (De *mal*, 2.° art., y *viviente*.) adj. ant. Decíase del hombre de mala vida.

Malvivir. intr. Vivir mal.

Malviz. m. **Malvís.**

Malla. (Del lat. *macŭla*, malla de red.) f. Cada uno de los cuadriláteros que, formados por cuerdas o hilos que se cruzan y se anudan en sus cuatro vértices, constituyen el tejido de la red. || **2.** Tejido de pequeños anillos o eslabones de hierro o de otro metal, enlazados entre sí, de que se hacían las cotas y otras armaduras defensivas, y se hacen actualmente portamonedas, bolsas y otros utensilios. || **3.** Cada uno de los eslabones de que se forma este tejido. || **4.** Por ext., tejido semejante al de la **malla** de la red. || **5.** *Blas.* Pieza cuadrada semejante al fuso, que contiene un espacio vacío de su misma figura.

Mallada. (Dialectal del lat. **macŭlāta*, redil, de *macŭla*, malla de red.) f. ant. **Majada.**

Malladar. (De *mallada*.) intr. ant. **Majadear,** 1.ª acep.

Mallar. tr. ant. Armar con cota de malla a una persona. || **2.** intr. Hacer malla. || **3.** **Enmallarse.**

Mallar. (Del lat. **malleāre*, de *mallĕus*, martillo.) tr. *Ast.* y *Sal.* **Majar,** 1.ª acep.

Mallero. m. El que hace **malla.**

Mallete. m. d. de **Mallo.** || **2.** *Mar.* Trozo de madera, generalmente en forma de cuña, que se emplea para dar seguridad y estabilidad a la arboladura o a la artillería en los barcos de guerra. || **3.** *Mar.* **Dado,** 7.ª acep.

Malleto. (De *mallo*.) m. Mazo con que se bate el papel en los molinos.

Mallo. (Del lat. *mallĕus*.) m. **Mazo,** 1.ª acep. || **2.** Juego en que se hacen correr por el suelo unas bolas de madera de siete a ocho centímetros de diámetro, dándoles con unos mazos de mango largo. || **3.** Terreno destinado para jugar al **mallo.**

Mallorqués, sa. adj. ant. **Mallorquín.** Apl. a pers., usáb. t. c. s.

Mallorquín, na. adj. Natural de Mallorca. Ú. t. c. s. || **2.** Perteneciente a esta isla. || **3.** V. **Libra mallorquina.** || **4.** m. Dialecto que se habla en las islas Baleares, y es una de las variedades del catalán.

Mama. (Del lat. *mamma*.) f. fam. Voz equivalente a madre, de que usan muchos y especialmente los niños. || **2.** *Zool.* **Teta,** 1.ª acep.

Mamá. f. fam. **Mama,** 1.ª acep.

Mamacallos. (De *mamar* y *callo*.) m. fig. y fam. Hombre tonto y que es para poco.

Mamacona. (Voz americana.) f. Cada una de las mujeres vírgenes y ancianas dedicadas al servicio de los templos entre los antiguos incas, y a cuyo cuidado estaban las vírgenes del Sol.

Mamada. f. fam. Acción de mamar. || **2.** Cantidad de leche que mama la criatura cada vez que se pone al pecho.

Mamadera. (De *mamar*.) f. Instrumento para descargar los pechos de las mujeres en el período de la lactancia. || **2.** *Chile.* **Biberón.**

Mamado, da. adj. vulg. Ebrio, borracho.

Mamador, ra. adj. Que mama. Dícese comúnmente del que mama para descargar los pechos de las mujeres.

Mamaíta. f. fam. d. de **Mamá.**

Mamancona. (De *mamacona*.) f. *Chile.* Mujer vieja y gorda.

Mamandurria. (De *mamar.*) f. *Amér. Merid.* Sueldo que se disfruta sin merecerlo; sinecura, ganga permanente.

Mamante. p. a. de **Mamar.** Que mama.

Mamantón, na. (De *mamante.*) adj. Dícese del animal que mama todavía.

Mamar. (Del lat. *mammāre.*) tr. Atraer, sacar, chupar con los labios y lengua la leche de los pechos. || **2.** fam. Comer, engullir. || **3.** fig. Adquirir un sentimiento o cualidad moral, o aprender algo en la infancia. MAMÓ *la piedad, la honradez.* || **4.** fig. y fam. Obtener, alcanzar, generalmente sin méritos para ello. *Joaquín* HA MAMADO, *o se* HA MAMADO, *un buen empleo.* || **5.** Con el pron. *la* como complemento directo, tragar el anzuelo, ser engañado con un ardid o artificio. Úsase casi solamente en las terceras personas del indefinido: MAMÓLA, MAMÁRONLA. || **Mamarse** a uno. fr. fig. y fam. Vencerlo, aturrullarlo; engañarlo duramente. || **Mamar y gruñir.** fr. fig. y fam. con que se moteja al que con nada se contenta, y se queja de que no sean mayores los beneficios que se le hacen.

Mamario, ria. adj. *Zool.* Perteneciente a las mamas o tetas en las hembras o a las tetillas en los machos. || **2.** *Zool.* V. **Círculo mamario.**

Mamarón. (De *mamar.*) m. El que fingiéndose tonto procura participar de fiestas y agasajos en que no tiene parte. || **Ir a mamarones.** fr. *Córd.* Concurrir los trabajadores de una finca, sin previa invitación, a los bailes, juegos o reuniones que se celebran en las fincas próximas.

Mamarrachada. f. fam. Conjunto de mamarrachos. || **2.** fam. Acción desconcertada y ridícula.

Mamarrachista. com. fam. Persona que hace mamarrachos.

Mamarracho. (De *moharracho.*) m. fam. Figura defectuosa y ridícula, o adorno mal hecho o mal pintado. Llámase también así a otras cosas imperfectas, ridículas y extravagantes. || **2.** fam. Hombre informal, no merecedor de respeto.

Mambís. m. Insurrecto contra la soberanía de España, en las guerras separatistas de Cuba en el siglo XIX.

Mambla. (Del lat. *mammŭla*, d. de *mamma*, teta.) f. Montecillo aislado en forma de teta de mujer.

Mambrú. m. *Mar.* Nombre vulgar de la chimenea del fogón de los buques.

Mamelón. (De *mama*, 2.ª acep.) m. Colina baja en forma de pezón de teta. || **2.** Cumbre o cima de igual forma. || **3.** *Cir.* Pequeña eminencia carnosa semejante a un pezoncillo en el tejido cicatrizal de heridas y úlceras.

Mamelonado, da. adj. *Cir.* Que tiene mamelones.

Mameluco. (Del ár. *mamlūk*, esclavo, hombre que es propiedad de otro.) m. Soldado de una milicia privilegiada de los soldanes de Egipto. || **2.** fig. y fam. Hombre necio y bobo.

Mamella. (Del lat. *mamilla.*) f. Cada uno de los apéndices largos y ovalados que tienen a los lados de la parte anterior e inferior del cuello algunos animales, particularmente las cabras.

Mamellado, da. adj. Que tiene mamellas.

Mamey. (Voz caribe.) m. Árbol americano de la familia de las gutíferas, que crece hasta 15 metros de altura, con tronco recto y copa hermosa, hojas elípticas, persistentes, obtusas, lustrosas y coriáceas; flores blancas, olorosas, y fruto casi redondo, de unos 15 centímetros de diámetro, de corteza verdusca, correosa y delgada, que se quita con facilidad, pulpa amarilla, aromática, sabrosa, y una o dos semillas del tamaño y forma de un riñón de carnero. || **2.** Fruto de este árbol. || **3.** Árbol americano de la familia de las sapotáceas, que crece hasta 30 metros de altura, con tronco grueso y copa cónica; hojas caedizas, lanceoladas, enteras, y coriáceas; flores axilares, solitarias, de color blanco rojizo, y fruto ovoide, de 15 a 20 centímetros de eje mayor, cáscara muy áspera, pulpa roja, dulce, muy suave y una semilla elipsoidal de cuatro a cinco centímetros de largo, lisa, lustrosa, quebradiza, de color de chocolate por fuera y blanca en lo interior. || **4.** Fruto de este árbol.

Mamía. adj. Dícese de la cabra de una sola ubre.

Mamífero. (Del lat. *mamma*, teta, y *ferre*, llevar.) adj. *Zool.* Dícese de animales vertebrados de temperatura constante, el desarrollo de cuyo embrión, que está provisto de amnios y alantoides, se verifica casi siempre dentro del cuerpo materno; las hembras alimentan a sus crías con la leche de sus mamas o tetas. Ú. t. c. s. || **2.** m. pl. *Zool.* Clase de estos animales.

Mamila. (Del lat. *mamilla.*) f. *Zool.* Parte principal de la teta o pecho de la hembra, exceptuado el pezón. || **2.** *Zool.* Tetilla en el hombre.

Mamilar. adj. *Zool.* Perteneciente a la mamila.

Mamola. (Del ár. *ma'mūla*, [caricia] fingida.) f. Cierto modo de poner uno la mano debajo de la barba de otro, como para acariciarle o burlarse de él. Hácese comúnmente a los muchachos. || **Hacer** a uno **la mamola.** fr. Darle golpecitos debajo de la barba en señal de mofa, burla o chacota. || **2.** fig. y fam. Engañarle con caricias fingidas, tratándole de bobo.

Mamón, na. adj. Que todavía está mamando. Ú. t. c. s. || **2.** Que mama mucho, o más tiempo del regular. Ú. t. c. s. || **3.** V. **Diente mamón.** || **4.** m. **Chupón,** 3.ª acep. || **5.** Árbol de la América intertropical, de la familia de las sapindáceas, corpulento, de copa tupida, con hojas alternas, compuestas, hojuelas pequeñas, lisas y casi redondas; flores en racimo, y fruto en drupa, cuya pulpa es acídula y comestible, como la almendra del hueso. || **6.** Fruto de este árbol. || **7.** Especie de bizcocho muy blando y esponjoso que se hace en México de almidón y huevo.

Mamona. f. **Mamola.**

Mamoso, sa. adj. Dícese de la criatura o animal que mama bien y con apetencia. || **2.** Aplícase a cierta especie de panizo.

Mamotreto. (Del gr. μαμμόθρεπτος.) m. Libro o cuaderno en que se apuntan las cosas que se han de tener presentes, para ordenarlas después. || **2.** fig. y fam. Libro o legajo muy abultado, principalmente cuando es irregular y deforme.

Mampara. (De *mamparar.*) f. Cancel movible hecho con un bastidor de madera cubierto de piel o tela, y que sirve para atajar una habitación, para cubrir la puertas y para otros usos. Pónese también sujeto con fijas al marco de una puerta, para que haga oficios de tal.

Mamparar. (Del lat. *manu parāre*, detener con la mano.) tr. ant. y vulg. **Amparar.** Ú. t. c. r.

Mamparo. (De *mampara.*) m. ant. Amparo o defensa. || **2.** *Mar.* Tabique de tablas o planchas de hierro con que se divide en compartimientos lo interior de un barco.

Mampastor. m. ant. **Mampostor.**

Mampelaño. m. ant. **Mamperlán.**

Mamperlán. m. Listón de madera con que se guarnece el borde de los peldaños en las escaleras de fábrica. || **2.** *And.* Escalón, especialmente el de madera.

Mampernal. m. ant. **Mamperlán.**

Mampesada. (De *man*, mano, y *pesada.*) f. ant. **Pesadilla.**

Mampesadilla. (De *mampesada.*) f. ant. **Pesadilla.**

Mampirlán. m. *Murc.* **Mamperlán.**

Mamporro. (De *mano* y *porra.*) m. fam. Golpe o coscorrón que hace poco daño.

Mampostear. (De *mampuesta.*) tr. *Arq.* Trabajar en mampostería.

Mampostería. (De *mampostero.*) f. Obra hecha con mampuestos colocados y ajustados unos con otros sin sujeción a determinado orden de hiladas o tamaños. || **2.** Oficio de mampostero. || **concertada.** Aquella en cuyos paramentos se colocan los mampuestos rudamente labrados sin sujeción a escuadra, para que ajusten mejor unos con otros. || **en seco.** La que se hace colocando los mampuestos sin argamasa. || **ordinaria.** La que se hace con mezcla o argamasa.

Mampostero. (De *mampuesto.*) m. El que trabaja en obras de mampostería. || **2.** Recaudador o administrador de diezmos, rentas, limosnas y otras cosas. || **3.** *And.* **Mampuesto,** 3.ª acep.

Mampostor. m. ant. **Mampostero,** 2.ª acep.

Mampostoría. (De *mampostor.*) f. ant. **Mampostería,** 2.ª acep.

Mampresar. (Del lat. *manus*, mano, y *pressāre*, oprimir.) tr. Empezar a domar las caballerías cerriles.

Mampuesta. (De *mampuesto.*) f. **Hilada,** 2.ª acep.

Mampuesto, ta. (De *mano* y *puesto.*) adj. Dícese del material que se emplea en la obra de mampostería. || **2.** m. Piedra sin labrar que se puede colocar en obra con la mano. || **3.** Reparo, parapeto. || **4.** *Amér.* Cualquier objeto en que se apoya el arma de fuego para tomar mejor la puntería. || **De mampuesto.** m. adv. De repuesto, de prevención. || **2.** Desde un parapeto, a cubierto.

Mamujar. tr. Mamar como sin gana, dejando el pecho y volviéndolo a tomar.

Mamullar. (De *mamar.*) tr. Comer o mascar con los mismos ademanes y gestos que hace el que mama. || **2.** fig. y fam. **Mascullar.**

Mamut. (Del ruso siberiano *mamut.*) m. Especie de elefante fósil que vivió en las regiones de clima frío durante la época cuaternaria; tenía la piel cubierta de pelo áspero y largo; los dientes incisivos de la mandíbula superior curvos y tan desarrollados, que se hallan algunos de tres metros.

Man. f. ant. Apócope de **Mano.** || **A man salva.** m. adv. **A mano salva.** || **Buena man derecha.** expr. ant. fam. Felicidad, fortuna, buena ventura en lo que se emprende. || **Man a mano.** m. adv. ant. Al punto, al instante.

Mana. f. ant. **Maná.** Ú. en *Amér.* || **2.** *Colomb.* **Maná,** 2.ª acep.

Maná. (Del lat. *manna*, y éste del hebr. *man.*) m. Milagroso manjar, enviado por Dios desde el cielo, a modo de escarcha, para alimentar al pueblo de Israel en el desierto. || **2.** Líquido azucarado que fluye espontáneamente o por incisión de las hojas o de los ramos de muy diversos vegetales, como el fresno, el alerce, el eucalipto, etc., y se solidifica rápidamente. Es ligeramente purgante; el del fresno se usa en terapéutica y se recoge principalmente de Sicilia y Calabria. Usáb. antiguamente como femenino. || **3.** V. **Hierba del maná.** || **4.** ant. Incienso desmenuzado y casi reducido a polvo. || **líquido. Tereniabín.**

Manada. (Del lat. *mināri*, conducir.) f. Hato o rebaño de ganado que está al cuidado de un pastor. || **2.** Conjunto de ciertos animales de una misma especie que andan reunidos. MANADA *de pavos;* MANADA *de lobos.* || **3.** ant. Cuadrilla o pelotón de gente. || **A manadas.** m. adv. En cuadrillas.

Manada. f. Porción de hierba, trigo, lino, etc., que se puede coger de una vez con la mano.

Manadero. m. Pastor de una manada de ganado.

Manadero, ra. adj. Dícese de lo que mana. ‖ **2.** m. **Manantial.**

Manante. (Del lat. *manans, -antis.*) p. a. de **Manar.** Que mana.

Manantial. (De *manante.*) adj. V. **Agua manantial.** ‖ **2.** m. Nacimiento de las aguas. ‖ **3.** fig. Origen y principio de donde proviene una cosa.

Manantío, a. (De *manante.*) adj. Que mana. Ú. t. c. s.

Manar. (Del lat. *manāre.*) intr. Brotar o salir de una parte un licor. Ú. t. c. tr. ‖ **2.** fig. Abundar, tener copia de una cosa.

Manare. m. Especie de cedazo que se usa en Venezuela, tejido de caña amarga o espina, con el cual se cierne el almidón de la yuca.

Manatí. (Voz caribe.) m. Mamífero sirenio de unos cinco metros de longitud, cabeza redonda, cuello corto, cuerpo muy grueso y piel cenicienta, velluda y de tres a cuatro centímetros de espesor; tiene los miembros torácicos en forma de aletas terminadas por manos, y tan desarrollados, que sirven a la hembra para sostener a sus hijuelos mientras maman. Vive cerca de las costas orientales de América, es animal herbívoro y su carne y grasa son muy estimadas. ‖ **2.** Tira de la piel de este animal, que, después de seca, sirve para hacer látigos y bastones.

Manato. m. **Manatí.**

Manaza. f. aum. de **Mano.**

Mancamiento. m. Acción de mancar o mancarse. ‖ **2.** Falta, privación, defecto de una cosa.

Mancar. (De *manco.*) tr. Lisiar, estropear, herir a uno en las manos, imposibilitándole el libre uso de ambas, o de una de ellas. Ú. t. c. r., y se suele extender a otros miembros. ‖ **2.** p. us. Hacer manco o defectuoso. ‖ **3.** intr. ant. Faltar, dejarse de hacer una cosa por falta de alguno. ‖ **4.** *Germ.* **Faltar.**

Mancarrón, na. adj. aum. de **Manco.** ‖ **2. Matalón.** Ú. t. c. s.

Manceba. (De *mancebo.*) f. Concubina; mujer con quien uno tiene comercio ilícito continuado.

Mancebete. m. d. de **Mancebo.**

Mancebez. f. ant. **Mancebía,** 4.ª acep.

Mancebía. (De *mancebo.*) f. Casa pública de mujeres mundanas. ‖ **2.** V. **Carta, casa, padre de mancebía.** ‖ **3. Mocedad,** 2.ª y 3.ª aceps. ‖ **4.** ant. Juventud o mocedad.

Mancebo, ba. (Del lat. *mancipium,* esclavo.) adj. desus. **Juvenil.** ‖ **2.** m. Mozo de pocos años. ‖ **3.** Hombre soltero. ‖ **4.** En algunos oficios y artes, el que trabaja por un salario; y especialmente el auxiliar práctico sin título facultativo de los farmacéuticos. ‖ **5.** Empleado de un establecimiento mercantil, que no tiene categoría de factor. ‖ **Mancebo me fui, y envejecí; mas nunca al justo desamparado vi.** ref. que advierte que los justos son protegidos y ayudados de la divina Providencia.

Mancelladero, ra. (De *mancellar.*) adj. ant. **Mancilladero.**

Mancellar. (Del lat. **macella,* manchita.) tr. ant. **Amancillar.**

Mancelloso, sa. (De *mancellar.*) adj. ant. Malicioso o maligno. ‖ **2.** ant. Manchado, sucio.

Máncer. (Del lat. *manzer,* y éste del hebr. *mamzer.*) m. Hijo de mujer pública. Ú. t. c. adj.

Mancera. (Del lat. **maniceāria,* de *manicae,* mango.) f. **Esteva,** 1.ª acep.

Mancerina. (Tomó nombre del marqués de *Mancera,* virrey del Perú desde 1639 a 1648.) f. Plato con una abrazadera circular en el centro, donde se coloca y sujeta la jícara en que se sirve el chocolate.

Mancil. m. *Germ.* **Mandil,** 6.ª acep.

Mancilla. (Del lat. **mancella,* por **macella,* de *macŭla,* infl. por *mancus.*) f. fig. **Mancha,** 1.er art. 5.ª acep. ‖ **2.** ant. **Paño,** 6.ª acep. ‖ **3.** ant. fig. Llaga o herida que mueve a compasión. ‖ **4.** ant. fig. Lástima, compasión.

Mancilladero, ra. adj. ant. Que mancilla.

Mancillado, da. p. p. de **Mancillar.** ‖ **2.** adj. V. **Hijo mancillado.**

Mancillamiento. m. ant. Acción y efecto de mancillar.

Mancillar. (De *mancilla.*) tr. **Amancillar.** Ú. t. c. r.

Mancilloso, sa. adj. ant. Lleno de mancilla, o que mueve a lástima.

Mancipación. (Del lat. *mancipatĭo, -ōnis.*) f. Enajenación, según el antiguo derecho romano, de una propiedad con ciertas solemnidades y en presencia de cinco testigos. ‖ **2.** Venta y compra.

Mancipar. (Del lat. *mancipāre;* de *manus,* mano, y *capĕre,* coger.) tr. Sujetar, hacer esclavo a uno. Ú. t. c. r.

Manco, ca. (Del lat. *mancus.*) adj. Aplícase a la persona o animal a quien falta un brazo o mano, o tiene perdido el uso de cualquiera de estos miembros. Ú. t. c. s. ‖ **2.** fig. Defectuoso, falto de alguna parte necesaria. *Obra* MANCA; *verso* MANCO. ‖ **3.** *Mar.* Decíase del bajel que no tenía remos. ‖ **4.** m. *Chile.* Caballo malo o flaco. ‖ **No ser uno manco.** fr. fig. y fam. **No ser cojo ni manco.** ‖ **2.** fig. y fam. Ser poco escrupuloso para apropiarse lo ajeno. ‖ **3.** fig. y fam. Ser largo de manos.

Mancomún (De). (De *man,* mano, y *común.*) m. adv. De acuerdo dos o más personas, o en unión de ellas.

Mancomunadamente. adv. m. **De mancomún.**

Mancomunado, da. adj. *For.* V. **Obligación mancomunada.**

Mancomunar. (De *mancomún.*) tr. Unir personas, fuerzas o caudales para un fin. Ú. t. c. r. ‖ **2.** *For.* Obligar a dos o más personas de mancomún a la paga o ejecución de una cosa, entre todas y por partes. ‖ **3.** r. Unirse, asociarse, obligarse de mancomún.

Mancomunidad. (De *mancomún.*) f. Acción y efecto de mancomunar o mancomunarse. ‖ **2.** Corporación y entidad legalmente constituidas por agrupación de municipios o provincias.

Mancornar. (De *mano* y *cuerno.*) tr. Poner a un novillo con los cuernos fijos en la tierra, dejándole sin movimiento. ‖ **2.** Atar una cuerda a la mano y cuerno del mismo lado de una res vacuna, para evitar que huya. ‖ **3.** Colocar la mano de la res derribada en el suelo sobre el cuerno del mismo lado para impedir que se levante. ‖ **4.** Atar dos reses por los cuernos para que anden juntas. ‖ **5.** fig. y fam. Unir dos cosas de una misma especie que estaban separadas.

Mancuadra. (Del lat. *manum quadrāre,* extender la mano.) f. ant. Juramento mutuo que hacían los litigantes de proceder con verdad y sin engaño en el pleito. ‖ **2.** ant. *For.* V. **Jura de la mancuadra,** o **de mancuadra.**

Mancuerda. (De *man,* mano, y *cuerda.*) f. Tormento que consistía en atar al supuesto reo con ligaduras que se iban apretando por vueltas de una rueda, hasta que confesase o corriese gran peligro su vida.

Mancuerna. (De *mancornar.*) f. Pareja de animales o cosas mancornados. MANCUERNA *de bueyes, de panocha.* ‖ **2.** Correa o cuerda de que se sirven los vaqueros para mancornar las reses. ‖ **3.** *Cuba.* Porción de tallo de la planta del tabaco con un par de hojas adheridas a él; disposición con que suelen hacerse los cortes de la planta al tiempo de la recolección. ‖ **4.** *Filip.* Pareja de presidiarios unidos por una misma cadena.

Mancha. (Del lat. **mancŭla,* de *macŭla,* infl. por *mancus,* falto.) f. Señal que una cosa hace en un cuerpo, ensuciándolo o echándolo a perder. ‖ **2.** Parte de alguna cosa con distinto color del general o dominante en ella. ‖ **3.** Pedazo de terreno que se distingue de los inmediatos por alguna calidad. ‖ **4.** Conjunto de plantas que pueblan algún terreno, diferenciándolo de los colindantes. ‖ **5.** fig. Deshonra, desdoro. ‖ **6.** *Astron.* **Mácula,** 4.ª acep. ‖ **7.** *Pint.* Estudio hecho sobre lienzo, o sobre tabla, con pincel y colores, para observar el efecto de las luces. ‖ **Cundir como mancha de aceite.** fr. fig. y fam. Extenderse o divulgarse mucho una noticia u otra cosa que empezó siendo muy pequeña. ‖ **No es mancha de judío.** expr. fig. y fam. con que se desestima o se tiene en poco la nota que se pone a uno. ‖ **No temas mancha que sale con el agua.** ref. que enseña que no deben atemorizar los males que tienen fácil remedio. ‖ **Salir la mancha.** fr. Quitarse de la ropa o sitio en que estaba. ‖ **2.** Volver a aparecer.

Mancha. n. p. V. **Jabonera de la Mancha.**

Mancha. (Del m. or. que *manga.*) f. *Ar.* Fuelle de la fragua o del órgano.

Manchadizo, za. (De *manchado.*) adj. Que fácilmente se mancha.

Manchado, da. p. p. de **Manchar,** 1.er art. ‖ **2.** adj. Que tiene manchas. ‖ **3.** V. **Picaza manchada.**

Manchador. (De *manchar,* 2.° art.) m. *Ar.* Entonador, palanquero.

Manchar. (Del lat. **mancŭlāre,* por *macŭlāre,* infl. por *mancus.*) tr. Poner sucia una cosa, haciéndole perder en alguna de sus partes el color que tenía. Ú. t. c. r. ‖ **2.** fig. Deslustrar la buena fama de una persona, familia o linaje. Ú. t. c. r. ‖ **3.** *Pint.* Ir metiendo las masas de claro y obscuro antes de unirlas y empastarlas.

Manchar. (De *mancha,* 3.er art.) intr. *Ar.* Entonar o dar viento a los fuelles de los órganos y las fraguas.

Máncharras. f. pl. V. **Chánchararras máncharras.**

Manchego, ga. adj. Natural de la Mancha. Ú. t. c. s. ‖ **2.** Perteneciente a esta región de España. ‖ **3.** V. **Seguidillas manchegas.** Ú. t. c. s.

Manchón. m. aum. de **Mancha,** 1.er art. ‖ **2.** En los sembrados y en los matorrales, pedazo en que nacen las plantas muy espesas y juntas. ‖ **3.** Parte de una tierra de labor que por un año se deja para pasto del ganado.

Manchoso, sa. adj. *Ál.* y *Ar.* **Manchadizo.**

Manchú. adj. Natural de Manchuria. Ú. t. c. s. ‖ **2.** Perteneciente a esta región asiática.

Manchuela. f. d. de **Mancha,** 1.er art.

Manda. (De *mandar.*) f. Oferta que uno hace a otro de darle una cosa. ‖ **2. Legado,** 1.ª acep. ‖ **3.** ant. **Testamento,** 1.ª acep. ‖ **La manda del bueno no es de perder.** fr. proverb. de que se usa para reconvenir a quien no cumple una promesa.

Mandación. f. ant. Jurisdicción y facultad.

Mandadera. f. La que sirve a una comunidad o a un particular para hacer mandados. ‖ **2. Demandadera.**

Mandadería. (De *mandadero,* 3.ª acep.) f. ant. Embajada o mensaje.

Mandadero, ra. (Del lat. *mandatarius.*) adj. **Bienmandado.** ‖ **2.** m. y f. **Demandadero, ra.** ‖ **3.** m. ant. **Procurador,** 2.ª acep. ‖ **4.** ant. Embajador o comisionado para un negocio.

Mandado, da. p. p. de **Mandar.** || **2.** m. Orden, precepto, mandamiento. || **3.** Comisión que se da en paraje distinto de aquel en que ha de ser desempeñada. || **4.** ant. Aviso o noticia. || **Quien hace los mandados, se coma los bocados.** ref. que enseña que se debe remunerar al que trabaja.

Mandador, ra. (Del lat. *mandātor.*) m. y f. ant. Persona que manda. || **2.** ant. Persona que lleva un mandado o embajada.

Mandamiento. (De *mandar.*) m. Precepto u orden de un superior a un inferior. || **2.** Cada uno de los preceptos del Decálogo y de la Iglesia. || **3.** *For.* Despacho del juez, por escrito, mandando ejecutar una cosa. || **4.** pl. fig. y fam. Los cinco dedos de la mano, en frases como las siguientes: *Come con los cinco* MANDAMIENTOS; *le puso en la cara los cinco* MANDAMIENTOS.

Mandanga. f. **Pachorra.**

Mandante. p. a. de **Mandar.** Que manda. || **2.** *For.* Persona que en el contrato consensual llamado mandato, confía a otra su representación personal, o la gestión o desempeño de uno o más negocios.

Mandar. (Del lat. *mandāre.*) tr. Ordenar el superior al súbdito; imponer un precepto. || **2.** Legar, dejar a otro una cosa en testamento. || **3.** Ofrecer, prometer una cosa. || **4. Enviar.** || **5. Encargar,** 1.ª acep. || **6.** ant. **Querer,** 4.ª acep. || **7.** *Equit.* Dominar el caballo, regirlo con seguridad y destreza. || **8.** intr. Regir, gobernar, tener el mando. Ú. t. c. tr. || **9.** r. Moverse, manejarse uno por sí mismo, sin ayuda de otro. Dícese comúnmente de los enfermos. || **10.** En los edificios, comunicarse una pieza con otra. || **11.** Servirse de una puerta, escalera u otra comunicación. || **Bien mandado.** loc. **Bienmandado.** || **Mal mandado.** loc. **Malmandado.** || **El mandar no quiere par.** ref. que advierte que, siendo muchos los que gobiernan, se suele perder el acierto por la discordancia de los pareceres. || **Eso está mandado recoger.** fr. fig. y fam. Se dice despreciativamente de lo anticuado y pasado de moda.

Mandarín. (Del indo *mantrin,* consejero.) m. El que en la China y en algunos otros países asiáticos tiene a su cargo el gobierno de una ciudad o la administración de justicia. || **2.** fig. y fam. Persona que ejerce un cargo y es tenida en poco.

Mandarina. (De *mandarín.*) adj. Dícese de la lengua sabia de la China. Ú. t. c. s. || **2.** V. **Naranja mandarina.** Ú. t. c. s.

Mandarria. f. *Mar.* Martillo o maza de hierro, de que se sirven los calafates para meter o sacar los pernos en los costados de los buques.

Mandatario. (Del lat. *mandatarius.*) m. *For.* Persona que, en virtud del contrato consensual llamado mandato, acepta del mandante el representarle personalmente, o la gestión o desempeño de uno o más negocios.

Mandato. (Del lat. *mandātum.*) m. Orden o precepto que el superior impone a los súbditos. || **2.** Ceremonia eclesiástica que se ejecuta el Jueves Santo lavando los pies a doce personas, en memoria de haberlos lavado Jesucristo a los doce apóstoles la noche de la cena. || **3.** Sermón que con este motivo se predica. || **4.** *For.* Contrato consensual por el que una de las partes confía su representación personal, o la gestión o desempeño de uno o más negocios a la otra, que lo toma a su cargo. || **5.** Encargo o representación que por la elección se confiere a los diputados, concejales, etc. || **imperativo.** Aquel en que los electores, generalmente en tiempos pasados, fijan o fijaban el sentido en que los elegidos habían de emitir su voto. || **internacional.** Potestad titular que, conferida e intervenida por la Sociedad de las Naciones, ejerce una potencia o Estado sobre pueblos de cultura y capacidad política atrasadas.

Manderecha. f. Mano derecha. || **Buena manderecha.** fr. fig. Buena suerte o fortuna.

Mandí. (Voz guaraní.) m. Especie de bagre de la Argentina, de unos seis decímetros de largo y de carne muy delicada.

Mandíbula. (Del lat. *mandibŭla,* de *mandĕre,* mascar, comer.) f. *Zool.* Cada una de las dos piezas, óseas o cartilaginosas, que limitan la boca de los animales vertebrados y en las cuales están implantados los dientes. || **2.** *Zool.* Cada una de las dos piezas córneas que forman el pico de las aves. || **3.** *Zool.* Cada una de las dos piezas duras, quitinosas, que tienen en la boca los insectos masticadores y que, moviéndose lateralmente, se juntan para triturar los alimentos. || **A mandíbula batiente.** m. adv. **A carcajada tendida.** || **Reír a mandíbula batiente.** fr. fam. Dar rienda suelta a la risa.

Mandibular. adj. Perteneciente a las mandíbulas.

Mandil. (Del ár. *mandīl* o *mindīl,* paño para diferentes usos, y éste del lat. *mantīle.*) m. Prenda de cuero o tela fuerte, que, colgada del cuello, sirve en ciertos oficios para proteger la ropa desde lo alto del pecho hasta por bajo de las rodillas. || **2. Delantal,** 1.ª acep. || **3.** Insignia de que usan los masones, en representación del **mandil** de los obreros. Se hace de seda de varios colores, según los grados, y lleva bordados con oro o plata diversos atributos o emblemas. || **4.** Pedazo de bayeta que sirve para dar al caballo la última mano de limpieza. || **5.** Red de mallas muy estrechas para pescar. || **6.** *Germ.* **Mandilandín.**

Mandilada. (De *mandil,* 5.ª acep.) f. *Germ.* Junta de criados de rufianes.

Mandilandín. m. *Germ.* Criado de rufianes o de mujeres públicas.

Mandilandinga. (De *mandilandín.*) f. *Germ.* Picaresca, hampa.

Mandilar. tr. Limpiar el caballo con un paño o mandil.

Mandilejo. m. d. de **Mandil.**

Mandilete. (De *mandil.*) m. Pieza de la armadura que protegía la mano. || **2.** *Art.* Portezuela que cierra la tronera de una batería para defender las piezas mientras no se hace fuego.

Mandilón. (aum. de *mandil.*) m. fig. y fam. Hombre de poco espíritu y cobarde.

Mandinga. adj. Dícese de los negros del Sudán Occidental. Ú. t. c. s. || **2.** m. *Amér.* **Pateta,** 1.ª acep. || **3.** *Argent.* Nombre del diablo en el lenguaje de los campesinos. || **4.** *Argent.* fig. y fam. Muchacho travieso. || **5.** *Murc.* **Baldragas.**

Mandioca. (Del guaraní *mandiog.*) f. Arbusto de la familia de las euforbiáceas, que se cría en las regiones cálidas de América, de dos a tres metros de altura, con una raíz muy grande y carnosa, hojas profundamente divididas y flores dispuestas en racimo. De su raíz se extrae la tapioca. || **2. Tapioca.**

Mando. (De *mandar.*) m. Autoridad y poder que tiene el superior sobre sus súbditos. || **2.** ant. **Mandato,** 1.ª y 4.ª aceps. || **3.** V. **Don, voz de mando.** || **4.** *Germ.* **Destierro.** || **5.** *Mec.* Botón, llave, palanca u otro artificio semejante que actúa sobre un mecanismo o parte de él para iniciar, suspender o regular su funcionamiento desde el lugar que ocupa el operador. || **Tener** uno **el mando y el palo.** fr. fig. y fam. Tener absoluto poder y dominio.

Mandoble. (De *man,* mano, y *doble.*) m. Cuchillada o golpe grande que se da esgrimiendo el arma con ambas manos. || **2.** fam. Espada grande. || **3.** fig. Amonestación o reprensión áspera.

Mandón, na. adj. Que ostenta demasiado su autoridad y manda más de lo que le toca. Ú. t. c. s. || **2.** m. En lo antiguo, jefe de tropa irregular. || **3.** Capataz de mina en América. || **4.** *Chile.* El que da el grito o voz de partida en las carreras de caballos a la chilena.

Mandra. (Del lat. *mandra,* y éste del gr. μάνδρα.) f. ant. Majada donde se recogen los pastores.

Mandrache. m. **Mandracho.**

Mandrachero. (De *mandracho.*) m. En algunas partes, garitero que tiene juego público en su casa.

Mandracho. (despect. de *mandra.*) m. En algunas partes, casa de juego público o tablaje.

Mandrágora. (Del lat. *mandragŏra,* y éste del gr. μανδραγόρας.) f. Planta herbácea de la familia de las solanáceas, sin tallo, con muchas hojas pecioladas, muy grandes, ovaladas, rugosas, ondeadas por el margen y de color verde obscuro; flores de mal olor en figura de campanilla, blanquecinas y rojizas, en grupo colocado en el centro de las hojas; fruto en baya semejante a una manzana pequeña, redondo, liso, carnoso y de olor fétido, y raíz gruesa, fusiforme y a menudo bifurcada. Se ha usado en medicina como narcótico, y acerca de sus propiedades corrían en la antigüedad muchas fábulas.

Mandrágula. f. fam. **Mandrágora.**

Mandria. (De *mandra.*) adj. Apocado, inútil y de escaso o ningún valor. Ú. t. c. s. || **2.** *Ar.* **Holgazán.** Ú. t. c. s.

Mandrial. (De *mandra.*) m. ant. **Madrigal.**

Mandriez. (De *mandria.*) f. ant. Flaqueza, debilidad, falta de ánimo.

Mandril. (Voz de la Guinea.) m. Cuadrumano de unos ocho decímetros desde lo alto de la cabeza al arranque de la cola, y cuatro de altura cuando camina a cuatro patas; cabeza pequeña, hocico largo, pelaje espeso, pardo en la parte superior y azulado en las inferiores; nariz roja, chata, con alas largas, arrugadas, eréctiles y de color azul obscuro, y cola corta y levantada. Vive cerca de las costas occidentales de África.

Mandril. (En fr. *mandrin;* en ingl. *mandrel.*) m. Pieza de madera o metal, de forma cilíndrica, en que se asegura lo que se ha de tornear. || **2.** *Cir.* Vástago de madera, metal, etc., que, introducido en ciertos instrumentos huecos, sirve para facilitar la penetración de éstos en determinadas cavidades.

Mandrón. m. Bola grande de madera o piedra, que se arrojaba con la mano, como proyectil de guerra. || **2.** Máquina o instrumento bélico que servía en la guerra para arrojar piedras. || **3.** ant. Primer golpe que da la bola o piedra cuando se arroja de la mano. || **Arrojar mandrón** a uno. fr. ant. Injuriarle o insultarle.

Manducación. (Del lat. *manducatĭo, -ōnis.*) f. fam. Acción de manducar.

Manducar. (Del lat. *manducāre.*) intr. fam. **Comer,** 2.ª acep. || **2.** tr. fam. **Comer,** 4.ª acep.

Manducatoria. (De *manducar.*) f. fam. Comida, sustento.

Mandurria. f. ant. **Bandurria.** Ú. en *Al.* y en *Ar.*

Manea. (De *manear.*) f. **Maniota.**

Manear. (De un der. del lat. *manus,* mano.) tr. Poner maneas a una caballería. || **2. Manejar.**

Manecilla. f. d. de **Mano.** || **2.** Broche con que se cierran algunas cosas, particularmente los libros de devoción. || **3.** Signo, en figura de mano, con el índice extendido, que suele ponerse en los impresos y manuscritos para llamar la atención. || **4.** Saetilla que en el reloj y en otros instrumentos sirve para señalar las horas, los minutos, segundos, grados, etc. || **5.** *Bot.* **Zarcillo,** 1.er art., 3.ª acep.

Manejable. adj. Que se maneja fácilmente.

Manejado, da. p. p. de **Manejar.** || **2.** adj. *Pint.* Con los advs. *bien* o *mal* y otros semejantes, pintado con soltura o sin ella.

Manejar. (Del lat. *manĭca,* de *manus,* mano.) tr. Usar o traer entre las manos una cosa. || **2.** Gobernar los caballos, o usar de ellos según arte. || **3.** fig. Gobernar, dirigir. *El agente* MANEJÓ *esta pretensión; el criado* MANEJA *a su amo.* Ú. t. c. r. *Luciano* SE MANEJÓ *bien en este negocio.* || **4.** *Amér.* Conducir, guiar un coche automóvil. || **5.** r. Moverse, adquirir agilidad después de haber tenido algún impedimento.

Manejo. m. Acción y efecto de manejar o manejarse. || **2.** Arte de manejar los caballos. || **3.** fig. Dirección y gobierno de un negocio. || **4.** fig. Maquinación, intriga.

Maneota. (De *manea.*) f. **Maniota.**

Manera. (Del lat. *manuaria,* t. f. de *-rius,* manero.) f. Modo y forma con que se ejecuta o acaece una cosa. || **2.** Porte y modales de una persona. Ú. m. en pl. || **3.** Abertura lateral en las sayas de las mujeres, para que puedan pasar las manos hasta alcanzar las faltriqueras. || **4. Bragueta.** || **5.** Calidad o clase de las personas. || **6.** ant. **Figura,** 1.ª acep. || **7.** ant. **Faltriquera,** 1.ª acep. || **8.** ant. **Maña,** 1.ª y 2.ª aceps. || **9.** ant. Especie o género. || **10.** *Pint.* Modo y carácter que un pintor o escultor da a todas sus obras. || **11.** pl. ant. Costumbres o calidades morales. || **A la manera.** m. adv. A semejanza. || **A manera.** m. adv. Como o semejantemente. || **A manera de telonio.** m. adv. fig. y fam. Sin orden ni mesura. || **De esa manera.** m. adv. Según eso. || **De manera que.** m. conjunt. **De suerte que.** || **De todas maneras, aguaderas.** ref. que expresa que un asunto no tiene solución plausible, o que, aun en el caso más favorable, el quebranto posible no tiene importancia. || **En gran manera.** m. adv. En alto grado, mucho, muy. || **En manera que.** m. adv. ant. **De manera que.** || **Mal y de mala manera.** loc. adv. fam. Sin orden ni concierto alguno, de mala gana, torpe y atropelladamente. || **Por manera que.** m. adv. **De manera que.** || **Sobre manera.** m. adv. Excesivamente, en extremo.

Manero, ra. (Del lat. *manuarius,* de *manus,* mano.) adj. ant. Decíase del deudor que se substituía para pagar o cumplir la obligación de otro. || **2.** Manuable, fácil de manejar. || **3.** *Cetr.* Dícese del azor o el halcón enseñados a venir a la mano.

Manes. (Del lat. *manes.*) m. pl. *Mit.* Dioses infernales que purificaban las almas de diversos modos. || **2.** fig. Sombras o almas de los muertos.

Manezuela. f. d. de **Mano.** || **2. Manecilla,** 2.ª acep. || **3. Manija,** 1.ª acep.

Mánfanos. m. pl. *León.* Trozos de pan que se echan en la salsa de los guisos para apurarla.

Manferidor. (De *manferir.*) m. ant. **Contraste,** 3.ª acep.

Manferir. (Del lat. *manu ferīre,* tocar, sacudir con la mano.) tr. ant. **Maherir.** || **2.** ant. **Contrastar,** 2.ª y 3.ª aceps.

Manfla. (Como las voces dialectales italianas *manfede, maninfide,* etc., oprobioso, del lat. *manus infĭda.*) f. fam. Mujer con quien se tiene trato ilícito. || **2.** *Mancha.* Lechona vieja que ha parido. || **3.** *Germ.* **Burdel.**

Manflota. (De *manfla.*) f. *Germ.* **Burdel.**

Manflotesco, ca. (De *manflota.*) adj. *Germ.* Que frecuenta los burdeles.

Manga. (Del lat. *manĭca.*) f. Parte del vestido en que se mete el brazo. || **2.** En algunos balandranes, pedazo de tela que cuelga desde cada hombro casi hasta los pies. || **3.** Parte del eje de un carruaje, donde entra y voltea la rueda. || **4.** Especie de maleta manual, abierta por los extremos, que se cierran con cordones. || **5.** Tubo largo, de cuero, caucho o lona, que se adapta principalmente a las bombas o bocas de riego, para aspirar o para dirigir el agua. || **6.** Adorno de tela, que, sobre unos aros y con figura de cilindro acabado en cono, cubre parte de la vara de la cruz de algunas parroquias. || **7.** La misma armazón. || **8.** Red de forma cónica que se mantiene abierta con un aro que le sirve de boca. || **9. Esparavel.** || **10.** Tela dispuesta en forma cónica que sirve para colar líquidos. || **11.** Columna de agua que se eleva desde el mar con movimiento giratorio por efecto de un torbellino atmosférico. || **12.** Tubo comúnmente de lienzo por medio del cual se pone en comunicación con el aire libre el que está contenido en un espacio cerrado más bajo, como el sollado de un buque o la galería de una mina, para procurar la ventilación. || **13.** Partida o destacamento de gente armada. || **14.** *Argent., Cuba* y *Chile.* Espacio comprendido entre dos palanqueras o estacadas que van convergiendo hasta la entrada de un corral en las estancias, o hasta un embarcadero en las costas. || **15.** *Méj.* **Capote de monte.** || **16.** *Mar.* Anchura mayor de un buque. || **17.** *Mont.* Gente que en las batidas forma línea para dirigir la caza a un paraje determinado. || **18.** pl. Adehalas, utilidades. || **Manga arrocada. Manga** que se usó en lo antiguo y que por su figura y por tener cuchilladas parecidas a las costillas de la rueca, tomó este nombre. || **boba.** La que es ancha y abierta y no tiene puño ni se ajusta al brazo. || **corta.** La que en los vestidos de mujer no llega al codo. || **de agua. Turbión,** 1.ª acep. || **de ángel.** En las batas de las mujeres, la que tenía vuelos grandes. || **de viento. Torbellino,** 1.ª acep. || **perdida. Manga** abierta y pendiente del hombro. || **Andar manga por hombro.** fr. fig. y fam. Haber gran abandono y desorden en el gobierno de las cosas domésticas. || **Buenas son mangas después de pascua.** ref. que advierte que lo útil siempre viene bien, aunque venga tarde. || **Debajo de manga.** m. adv. ant. **Bajo mano.** || **Echar de manga** a uno. fr. Valerse de él con destreza y disimulo para conseguir por su medio lo que se desea, sin darlo a entender. || **En mangas de camisa.** loc. adv. Vestido de medio cuerpo abajo, y de la cintura arriba con sólo la camisa o con la camisa y el chaleco. || **Entra por la manga y sale por el cabezón.** ref. que reprende a los que, viéndose favorecidos de uno, abusan de él, tomando más autoridad de la que debieran y les corresponde. || **Estar de manga.** fr. fig. y fam. Estar convenidos dos o más personas para un mismo fin. Tómase, por lo regular, en mala parte. || **Hacer mangas y capirotes.** fr. fig. y fam. Resolver y ejecutar con prontitud y caprichosamente una cosa, sin detenerse en inconvenientes ni dificultades. || **Hacerse,** o **ir, de manga.** fr. fig. y fam. **Estar de manga.** || **Pegar mangas.** fr. fig. y fam. Introducirse a participar de una cosa. || **Ser de manga ancha,** o **tener manga ancha.** fr. fig. y fam. que se dice de confesor que tiene demasiada lenidad con los penitentes, y también de cualquier sujeto que no da gran importancia a las faltas de los demás o a las suyas propias. || **Traer** una cosa **en la manga.** fr. fig. y fam. Tenerla pronta y a la mano.

Manga. (Voz malaya.) f. Árbol de los países intertropicales, variedad del mango, con el fruto sin escotadura. || **2.** Fruto de este árbol.

Mangachapuy. m. *Bot.* Árbol de Filipinas, de la familia de las dipterocarpáceas, de unos 20 metros de altura, con hojas alternas, flores grandes en racimo, y por fruto una nuez coronada con dos alas. Su madera es muy resinosa y se emplea en la construcción naval.

Mangada. (De *manga.*) f. *Sal.* Prado o pedazo de tierra labrantía, largo y estrecho.

Mangado, da. (Del lat. *manicātus.*) adj. ant. Que tenía mangas largas.

Mangajarro. m. fam. Manga desaseada y que cae encima de las manos.

Mangajón, na. (De *manga.*) adj. *Sal.* **Destrozón.**

Mangana. (Del lat. *mangănum,* y éste del gr. μάγγανον.) f. Lazo que se arroja a las manos de un caballo o toro cuando va corriendo, para hacerle caer y sujetarlo.

Manganear. tr. Echar manganas.

Manganeo. m. Fiesta en que se juntan muchas personas para divertirse a su modo en manganear.

Manganesa. (Del al. *manganerz,* mineral de manganeso.) f. Mineral de color negro, pardo o gris azulado; textura terrosa, concrecionada o fibrosa; poco más duro que el yeso, y muy empleado en la industria para la obtención del oxígeno, preparación del cloro, fabricación del acero y del vidrio, etc. Es el peróxido de manganeso y la mena más abundante de este metal.

Manganesia. f. **Manganesa.**

Manganeso. (De *manganesa.*) m. Metal muy refractario, de color y brillo acerados, quebradizo, casi tan pesado como el cobre, poco menos duro que el cuarzo y tan oxidable, que sólo se conserva sumergido en nafta o petróleo. Se obtiene de la manganesa, y aleado con el hierro tiene gran aplicación en la fabricación del acero.

Manganeta. (d. de *mangana.*) f. *Ar.* Red para cazar pájaros. || **2.** *Hond.* **Manganilla,** 1.ª acep.

Manganilla. (d. de *mangana.*) f. Engaño, treta, ardid de guerra, sutileza de manos. || **2. Almajaneque.** || **3.** *Extr.* Vara muy larga, a la cual se asegura con una cuerda otra vara menor que queda suelta, y sirve para varear las encinas y echar abajo las bellotas.

Manganzón, na. adj. *Cuba, Perú* y *Venez.* **Maganzón.** Ú. m. c. s.

Mangla. (Del lat. *macŭla,* mancha.) f. ant. **Tizón,** 2.ª acep. || **2.** En Sierra Morena, **Ládano.**

Manglar. m. Terreno que en la zona tropical cubren de agua las grandes mareas, lleno de esteros, que lo cortan, formando muchas islas bajas, donde crecen los árboles que viven en el agua salada.

Mangle. (Voz caribe.) m. *Bot.* Arbusto de la familia de las rizoforáceas, de tres a cuatro metros de altura, cuyas ramas, largas y extendidas, dan unos vástagos que descienden hasta tocar el suelo y arraigar en él; hojas pecioladas, opuestas, enteras, elípticas, obtusas y gruesas; flores axilares de cuatro pétalos amarillentos; fruto seco de corteza coriácea, pequeño y casi redondo, y muchas raíces aéreas en parte. Es propio de los países tropicales, y las hojas, frutos y corteza se emplean en las tenerías. || **blanco.** Árbol americano de la familia de las verbenáceas, muy corpulento, con hojas semejantes a las del peral, pero más gruesas, más largas y más agudas; echa renuevos como el anterior y tiene por fruto una caja prolongada llena de pulpa algo amarga, pero comestible.

Mango. (Del lat. *manĭcus.*) m. Parte por donde se coge con la mano un instru mento o utensilio para usar de él. || **de cuchillo. Muergo.**

Mango. (De *manga*, 2.° art.) m. *Bot.* Árbol de la familia de las anacardiáceas, originario de la India y muy propagado en América y todos los países intertropicales, que crece hasta 15 metros de altura, con tronco recto de corteza negra y rugosa, copa grande y espesa, hojas persistentes, duras y lanceoladas, flores pequeñas, amarillentas y en panoja, y fruto oval, arriñonado, amarillo, de corteza delgada y correosa, aromático y de sabor agradable. || **2.** Fruto de este árbol.

Mangón. (Del lat. *mango, -ōnis.*) m. **Revendedor.**

Mangón, na. (De *manga*, 1.er art.) adj. *Murc.* **Grandillón,** 2.ª acep. || **2.** *Murc.* Holgazán, remolón.

Mangonada. f. Golpe que se da con el brazo y la manga.

Mangonear. (De *mangón*, 2.° art.) intr. fam. Andar uno vagueando sin saber qué hacerse. || **2.** fam. Entremeterse uno en cosas que no le incumben, ostentando autoridad e influencia en su manejo.

Mangoneo. m. fam. Acción y efecto de mangonear, 2.ª acep.

Mangonero, ra. (De *mangón*, 2.° art.) adj. ant. Aplicábase al mes en que había muchas fiestas y no se trabajaba. || **2.** fam. Aficionado a mangonear, 2.ª acep.

Mangorrero, ra. (De *manga*, 1.er art.) adj. V. **Cuchillo mangorrero.** || **2.** fam. Que anda comúnmente entre las manos. || **3.** fig. y fam. Inútil o de poca estimación.

Mangorrillo. (De *mango*.) m. **Mancera.**

Mangosta. (Como el fr. *mangouste*, del indo *mangūs*.) f. Cuadrúpedo semejante a la civeta, con pelaje de color ceniciento obscuro. El cuerpo tiene unos cuatro decímetros de largo y otro tanto la cola. Habita en África, es carnívoro, y los antiguos egipcios llegaron a adorarlo como principal destructor de los huevos de cocodrilo.

Mangostán. (Voz malaya.) m. Arbusto de las Molucas, de la familia de las gutíferas, con hojas opuestas, agudas, coriáceas y lustrosas; flores terminales, solitarias, con cuatro pétalos rojos, y fruto carnoso, comestible y muy estimado. || **2.** Este fruto.

Mangote. m. fam. Manga ancha y larga. || **2.** Cada una de las mangas postizas de tela negra que usan durante el trabajo algunos oficinistas para que no se manchen o deterioren con el roce las de la ropa que llevan puesta.

Mangual. (Del lat. *manuālis*, manual.) m. Arma ofensiva usada en la Edad Media, compuesta de unas cadenillas de hierro terminadas por un extremo con bolas del mismo metal, y sujetas por el otro a un anillo fijo en un mango de madera como de medio metro de longitud: heríase con ella jugándola como látigo. || **2.** En algunas provincias del norte de España, instrumento formado por un palo, que sirve de mango, y otro más corto unido a éste por una correa. Se usa para desgranar a golpes cereales y legumbres.

Manguardia. f. ant. **Vanguardia.** Ú. en *Méj.* || **2.** *Arq.* Cualquiera de las dos paredes o murallones que refuerzan por los lados los estribos de un puente.

Manguear. tr. *Argent.* Acosar al ganado mayor o menor para que entre en la manga, 1.er art., 14.ª acep.

Manguera. (De *manga*.) f. **Manga,** 1.er art., 5.ª acep. || **2.** p. us. *Argent.* En las estancias, mataderos, etc., corral grande cercado de postes o de piedra. || **3.** *Mar.* Pedazo de lona alquitranada, en figura de manga, que sirve para sacar el agua de las embarcaciones. || **4.** *Mar.* **Manga,** 1.er art., 11.ª y 12.ª aceps.

Manguero. m. El que tiene el cargo u oficio de manejar las mangas de las bombas o de las bocas de riego. || **2.** ant. *Mont.* Cada uno de los monteros que en los ojeos mataba la caza que caía en las redes huyendo de las mangas de gente que la acosaban.

Mangueta. (d. de *manga*, 1.er art.) f. Vejiga o bolsa de cuero u otra materia, que, con su pitón correspondiente, sirve para echar ayudas. || **2.** Listón de madera en que se aseguran con goznes las puertas vidrieras, celosías, etc. || **3.** Madero que enlaza el par con el tirante, o con un puente, en la armadura de tejado. || **4.** Instrumento de que se sirven los fundidores para evitar que la tijera vaya demasiado de prisa. || **5. Palanca,** 1.ª acep. || **6.** Tubo que en los retretes inodoros une la parte inferior del bombillo con el conducto de bajada. || **7.** *Mec.* Cada uno de los extremos del eje de un vehículo. || **8.** *Mec.* En algunos vehículos automóviles, cada una de las piezas que corresponden a los extremos del eje delantero, articuladas de manera que permiten el cambio de dirección de la rueda.

Manguilla. f. d. de **Manga,** 1.er art. || **2.** *Chile.* **Mangote,** 2.ª acep.

Manguita. (De *manga*, 1.er art.) f. **Funda.**

Manguitería. (De *manguitero*.) f. **Peletería.**

Manguitero. (De *manguito*.) m. **Peletero.**

Manguito. (De *manga*, 1.er art.) m. Rollo o bolsa, con aberturas en ambos lados, comúnmente de piel fina y peluda y algodonado por dentro, de que usan las señoras para llevar abrigadas las manos. || **2.** Media manga de punto de que usan las mujeres ajustada desde el codo a la muñeca. || **3.** Bizcocho grande en figura de rosca. || **4. Mangote,** 2.ª acep. || **5.** Anillo de hierro o acero con que se refuerzan los cañones, vergas, etc. || **6.** *Mec.* Cilindro hueco que sirve para sostener o empalmar dos piezas cilíndricas iguales unidas al tope en una máquina.

Maní. (Voz caribe.) m. **Cacahuete.**

Manía. (Del lat. *manĭa*, y éste del gr. μανία.) f. Especie de locura, caracterizada por delirio general, agitación y tendencia al furor. || **2.** Extravagancia, preocupación caprichosa por un tema o cosa determinada. || **3.** Afecto o deseo desordenado. *Tiene* MANÍA *por las modas.* || **4.** fam. **Ojeriza.** || **persecutoria.** Preocupación maniática de ser objeto de la mala voluntad de una o varias personas.

Maniaco, ca [~ **níaco, ca**]. adj. Enajenado, que padece manía. Ú. t. c. s.

Manialbo, ba. (De *mano* y *albo*.) adj. Dícese del caballo o yegua calzados de ambas manos.

Maniatar. tr. Atar las manos.

Maniático, ca. adj. Que tiene manías. Ú. t. c. s.

Maniblaj. m. *Germ.* **Mandilandín.**

Maniblanco, ca. (De *mano* y *blanco*.) adj. **Manialbo.**

Manicomio. (Del gr. μανία, locura, y κομέω, cuidar.) m. Hospital para locos.

Manicordio. m. **Monacordio.**

Manicorto, ta. (De *mano* y *corto*.) adj. fig. y fam. Poco generoso o dadivoso. Ú. t. c. s.

Manicuro, ra. (De *mano* y *curar*.) m. y f. Persona que tiene por oficio cuidar las manos y principalmente cortar y pulir las uñas.

Manida. (Del lat. *manēre*, parar, permanecer.) f. Lugar o paraje donde un hombre o animal se recoge y hace mansión. || **2.** *Germ.* **Casa,** 1.ª acep.

Manido, da. p. p. de **Manir,** 2.° art. || **2.** adj. Sobado, ajado; pasado de sazón.

Maniego, ga. (De *mano*.) adj. p. us. **Ambidextro.**

Manifacero, ra. (Del lat. *manus*, mano, y *facĕre*, hacer.) adj. fam. Revoltoso y que se mete en todo. Ú. t. c. s.

Manifactura. f. **Manufactura.** || **2.** Hechura y forma de las cosas.

Manifecero. adj. *Ar.* **Manifacero.**

Manifestación. (Del lat. *manifestatĭo, -ōnis*.) f. Acción y efecto de manifestar o manifestarse. || **2.** Despacho o provisión que libraban los lugartenientes del justicia de Aragón a las personas que imploraban este auxilio, para que se les guardase justicia y se procediese en las causas según derecho. || **3.** Nombre con que se distinguió en Zaragoza la cárcel llamada también de la libertad, donde se custodiaban los presos acogidos al fuero de Aragón. || **4.** Reunión pública que generalmente se celebra al aire libre y en la cual las personas que a ella concurren dan a conocer, sólo con su asistencia, sus deseos o sentimientos. || **naval.** Acto de presencia que los buques de guerra de una nación suelen hacer, por lo común con significado conminatorio, en tiempo de paz, para apoyar reclamaciones o gestiones que siguen la vía diplomática.

Manifestador, ra. (Del lat. *manifestātor*.) adj. Que manifiesta. Ú. t. c. s. || **2.** m. Dosel o templete donde se expone el Santísimo Sacramento a la adoración de los fieles.

Manifestamiento. (De *manifestar*.) m. ant. **Manifestación.**

Manifestante. (De *manifestar*.) com. Persona que toma parte en una manifestación, 4.ª acep.

Manifestar. (Del lat. *manifestāre*.) tr. Declarar, dar a conocer. Ú. t. c. r. || **2.** Descubrir, poner a la vista. Ú. t. c. r. || **3.** Exponer públicamente el Santísimo Sacramento a la adoración de los fieles. || **4.** Poner en libertad y de manifiesto, en virtud del despacho del justicia mayor de Aragón, a los que imploraban este auxilio para ser juzgados.

Manifestativo, va. adj. Que lleva en sí el poder de manifestar.

Manificencia. f. ant. **Magnificencia.**

Manifiestamente. adv. m. Con claridad y evidencia.

Manifiesto, ta. (Del lat. *manifestus*.) p. p. irreg. de **Manifestar.** || **2.** adj. Descubierto, patente, claro. || **3.** Dícese del Santísimo Sacramento cuando se halla expuesto o patente a la adoración de los fieles. Ú. t. c. s. *Mañana habrá* MANIFIESTO. || **4.** m. Escrito en que se hace pública declaración de doctrinas o propósitos de interés general. || **5.** Documento que subscribe y presenta en la aduana del punto de llegada el capitán de todo buque procedente del extranjero, y en el cual expone la clase, cantidad, destino y demás circunstancias de todas las mercancías que conduce. || **Poner de manifiesto** una cosa. fr. Manifestarla, exponerla al público. || **2.** *For.* Dejar los autos sobre la mesa de secretaría para que las partes puedan instruirse de ellos.

Manigero. (Del b. lat. *menagerius*, y éste del lat. *mināre*, conducir.) m. Capataz de una cuadrilla de trabajadores del campo. || **2.** *And.* El encargado de contratar obreros para ciertas faenas del campo.

Manigordo. (De *mano* y *gordo*.) m. *C. Rica.* **Ocelote.**

Manigua. f. Terreno de la isla de Cuba cubierto de malezas.

Manigueta. (d. de *manija*, 2.° art.) f. **Manija,** 2.° art., 1.ª acep.

Manija. (Del lat. *monīlia*, pl. n. de *monīle*, pulsera.) f. **Maniota.** || **2.** Abrazadera de metal con que se asegura alguna cosa. || **3.** ant. **Manilla.**

Manija. (Del lat. *manĭcŭla*, manecita y mango.) f. Mango, puño o manubrio de ciertos utensilios y herramientas.

|| **2.** Especie de guante de cuero que los segadores de algunas provincias se ponen en la mano izquierda para no lastimársela con la mies ni con la hoz.

Manila. n. p. V. **Cáñamo, mantón de Manila.**

Manilargo, ga. adj. Que tiene largas las manos. || **2.** fig. **Largo de manos.** || **3.** fig. **Liberal,** 1.ª acep.

Manilense. adj. **Manileño.** Apl. a pers. ú. t. c. s.

Manileño, ña. adj. Natural de Manila. Ú. t. c. s. || **2.** Perteneciente a esta ciudad.

Maniluvio. (Del lat. *manus*, mano, y *luĕre*, bañar.) m. Baño de la mano, tomado por medicina. Ú. m. en pl.

Manilla. (Del lat. *monilĭa*, pl. de *-le*, por influencia de *manus*, mano.) f. **Pulsera,** 3.ª acep. || **2.** Anillo de hierro que por prisión se echa a la muñeca.

Manillar. m. Pieza de la bicicleta encorvada por sus extremos para formar un doble mango en el que se apoyan las manos, y sirve para dar dirección a la máquina.

Maniobra. (De *mano* y *obra*.) f. Cualquier operación material que se ejecuta con las manos. || **2.** fig. Artificio y manejo con que uno entiende en un negocio. Suele tomarse en mala parte. || **3.** *Mar.* Arte que enseña a dar a las embarcaciones todos sus movimientos por medio del timón, de las velas o de otro cualquier agente. || **4.** *Mar.* Faena y operación que se hace a bordo de los buques con su aparejo, velas, anclas, etc. || **5.** *Mar.* Conjunto de los cabos o aparejos de una embarcación, de uno de los palos, de una de las vergas, etc. || **6.** *Mil.* Evoluciones y simulacros en que se ejercita la tropa. || **7.** pl. Operaciones que se hacen en las estaciones y cruces de las vías férreas, utilizando generalmente las locomotoras para la formación, división o paso de los trenes. || **8.** Operaciones que se hacen con otros vehículos para cambiar de rumbo.

Maniobrar. intr. Ejecutar maniobras.

Maniobrero, ra. adj. Que maniobra. Dícese comúnmente de las tropas que se ocupan de ordinario en el ejercicio de las evoluciones militares, y en particular de los escuadrones de caballería. || **2.** Dícese especialmente de la tropa que maniobra con soltura, y del jefe que la manda.

Maniobrista. adj. *Mar.* Dícese del que sabe y ejecuta maniobras. Ú. t. c. s.

Maniota. (De *maneota*.) f. Cuerda con que se atan las manos de una bestia para que no se huya. || **2.** Cadena de hierro con su llave, que se usa en algunas partes para el mismo fin.

Manipulación. f. Acción y efecto de manipular.

Manipulador, ra. adj. Que manipula. Ú. t. c. s. || **2.** m. Aparato de forma varia, destinado a abrir y cerrar el circuito en las líneas telegráficas, para transmitir por tal medio, de una estación a otra, los signos convenidos.

Manipulante. p. a. de **Manipular.** Que manipula. Ú. t. c. s.

Manipular. (Del lat. *manipŭlus*, de *manus*, mano.) tr. Operar con las manos. Ú. en varias ciencias, artes y oficios. || **2.** fig. y fam. Manejar uno los negocios a su modo, o mezclarse en los ajenos.

Manipuleo. m. fig. y fam. Acción y efecto de manipular, 2.ª acep.

Manípulo. (Del lat. *manipŭlus*.) m. Ornamento sagrado de la misma hechura de la estola, pero más corto, que por medio de un fiador se sujeta al antebrazo izquierdo sobre la manga del alba. || **2.** Enseña de los soldados romanos, que en los primeros tiempos consistió en un manojo de hierba atado en la punta de un palo, substituido después por un estandarte con una mano abierta en lo alto del asta. || **3.** Cada una de las 25 secciones o compañías en que se dividía la cohorte romana. || **4.** *Med.* **Puñado,** 1.ª acep.

Maniqueísmo. m. Secta de los maniqueos.

Maniqueo, a. (Del lat. *manichaeus*.) adj. Aplícase al que sigue los errores de Maniqueo o Manes, que admitía dos principios creadores, uno para el bien y otro para el mal. Ú. t. c. s.

Maniquete. (Del lat. *manĭca*, manga.) m. Mitón de tul negro con calados y labores, que cubre desde medio brazo hasta la mitad de los dedos. || **2.** Manija que cubre la mano del segador hasta la mitad de los dedos. || **3.** **Mitón.**

Maniquí. (Del flam. *mannekin*, hombrecito.) m. Figura movible que puede ser colocada en diversas actitudes. Tiene varios usos, y en el arte de la pintura sirve especialmente para el estudio de los ropajes. || **2.** Armazón en figura de cuerpo humano, que se usa para probar y arreglar prendas de ropa. || **3.** fig. y fam. Persona débil y pacata que se deja gobernar por los demás.

Manir. (Del lat. *manēre*.) intr. ant. Permanecer, quedar.

Manir. (Del gót. *manvjan*, preparar, adobar.) tr. Ablandar, y más especialmente hacer que las carnes y algunos otros manjares se pongan más tiernos y sazonados, dejando pasar el tiempo necesario antes de condimentarlos o comerlos.

Manirroto, ta. (De *mano* y *roto*.) adj. Demasiado liberal, pródigo. Ú. t. c. s.

Manirrotura. (De *manirroto*.) f. ant. Liberalidad excesiva, o prodigalidad.

Manita. f. Substancia sacaroidea que se encuentra en el maná.

Manito. m. Maná convertido en un cuerpo muy blando y muy ligero que se usa como purgante para los niños.

Manivacío, a. adj. fam. Que viene o se va con las manos vacías, sin llevar alguna cosa en ellas; como presente, don, ofrenda, etc.

Manivela. (Del fr. *manivelle*.) f. Manubrio, cigüeña.

Manjar. (Del cat. *menjar*, y éste del lat. *manducāre*, comer.) m. Cualquier comestible. || **2.** ant. Cualquiera de los cuatro palos de que se compone la baraja de naipes. || **3.** fig. Recreo o deleite que fortalece y da vigor al espíritu. || **blanco.** Plato compuesto de pechugas de gallinas cocidas, deshechas y mezcladas con azúcar, leche y harina de arroz. || **2.** Plato de postre que se hace con leche, almendras, azúcar y harina de arroz. || **de ángeles.** Cierto plato compuesto de leche y azúcar. || **imperial.** Cierto plato compuesto de leche, yemas de huevo y harina de arroz. || **lento.** Especie de plato compuesto de leche, yemas de huevo batidas y azúcar. || **principal.** Plato compuesto de queso, leche colada, yemas de huevo batidas y pan rallado. || **real.** Plato hecho como el **manjar** blanco, 1.ª acep., pero con pierna de carnero en lugar de pechugas de gallina, y colorido con azafrán. || **suave. Manjar lento.** || **No hay manjar que no empalague, ni vicio que no enfade.** ref. que enseña que así como los **manjares,** aunque sean sabrosos, llegan a fastidiar, así los vicios, aunque al principio parezcan deleitables, llegan a causar pena y hastío.

Manjarejo. m. d. de **Manjar.**

Manjarete. m. d. de **Manjar.** || **2.** *Cuba* y *Venez.* Dulce hecho de maíz tierno rallado, leche y azúcar, que se cuece y se cuaja al enfriarse.

Manjelín. m. Peso de 254 miligramos, usado en la India Oriental para apreciar los diamantes.

Manjolar. (De *mano* y *jaula*.) tr. *Cetr.* Llevar el ave sujeta en jaula, en cesta o en la mano.

Manjorrada. (De *manjar*.) f. despect. Gran cantidad de manjares ordinarios.

Manjúa. f. *Sant.* **Cardumen,** 1.ª acep. || **2.** *Zool. Cuba.* Pececillo teleósteo del suborden de los fisóstomos, de unos 10 centímetros de longitud, de color plateado y boca muy abierta, que nada en grandes bandadas.

Manlevar. (Del lat. *manum levāre*, alzar la mano [para jurar].) tr. ant. Cargarse de deudas o contraerlas.

Manlieva. (De *manlevar*.) f. Tributo que se recogía efectiva y prontamente de casa en casa o de mano en mano. || **2.** ant. Gasto o expensas. || **3.** ant. Empréstito con fianza o garantía.

Manlieve. m. ant. **Manlieva.**

Mano. (Del lat. *manus*.) f. Parte del cuerpo humano unida a la extremidad del antebrazo y que comprende desde la muñeca inclusive hasta la punta de los dedos. || **2.** En algunos animales, extremidad cuyo dedo pulgar puede oponerse a los otros. || **3.** En los animales cuadrúpedos, cualquiera de los dos pies delanteros. || **4.** En las reses de carnicería, cualquiera de los cuatro pies o extremos después de cortados. || **5.** Trompa del elefante. || **6.** Cada uno de los dos lados, derecho e izquierdo, a que cae o en que sucede una cosa respecto de la situación local de otra. *El río pasa a* MANO *izquierda de la ciudad.* || **7. Manecilla,** 4.ª acep. || **8.** Majadero o instrumento de madera, hierro u otra materia, que sirve para moler o desmenuzar una cosa. || **9.** Rodillo de piedra que sirve para quebrantar y hacer masa el cacao, el maíz, etc. || **10.** Capa de color, barniz, etc., que se da sobre lienzo, pared, etc. || **11.** En el obraje de paños, cardas unidas y aparejadas para cardarlos. || **12.** En el arte de la seda, porción de seis u ocho cadejos de pelo. || **13.** Entre tahoneros, número de 34 panecillos que componen la cuarta parte de una fanega de pan. || **14.** Conjunto de cinco cuadernillos de papel, o sea vigésima parte de la resma. || **15.** Lance entero de varios juegos. *Vamos a echar una* MANO *de dominó, de ajedrez.* || **16.** En el juego, el primero en orden de los que juegan. *Yo soy* MANO. En esta acep. es de género común. || **17.** En la caza, cada una de las vueltas que dan los cazadores reconociendo un sitio para buscarla. || **18.** fig. Vez o vuelta en una labor material. || **19.** fig. Número de personas unidas para un fin. || **20.** fig. Medio para hacer o alcanzar una cosa. || **21.** fig. Persona que ejecuta una cosa. *En buenas* MANOS *está el negocio; de tal* MANO *no podía temerse mal éxito.* || **22.** fig. Tratándose de casamiento, la mujer pretendida por esposa. *Pedir la* MANO, *aspirar a la* MANO *de María.* || **23.** fig. Habilidad, destreza. || **24.** fig. Poder, imperio, mando, facultades. Ú. comúnmente con los verbos *dar* y *tener.* || **25.** fig. Patrocinio, favor, piedad. || **26.** fig. Auxilio, socorro. || **27.** fig. Represión, castigo. *Sobre esto le dio el prelado una* MANO. || **28.** ant. Garra del ave de rapiña. || **29.** ant. **Palmo,** 2.ª acep. || **30.** *Chile.* Conjunto de cuatro objetos de una misma clase. || **31.** *Cant.* Cada uno de los asideros que se dejan en los paramentos de un sillar para poder levantarlo con facilidad, y que se cortan después de sentado. || **32.** *Mús.* **Escala,** 9.ª acep. || **33.** pl. Trabajo manual que se emplea para hacer una obra, independiente de los materiales y de la traza y dirección. || **Mano apalmada.** *Blas.* **Mano** abierta, cuando se ve su palma. || **de azotes, coces,** etc. fig. Vuelta de azotes, de coces, etc. || **de cazo.** fig. y fam. Persona zurda. || **de gato.** fig. y fam. Aliño y compostura del cutis, principalmente el de la cara. || **2.** fig. Corrección de una obra, hecha por persona más diestra que el autor. *En este cuadro,* o *en este escrito, ha andado la* MANO DE GATO. ‖ **3.** Utensilio de tocador consistente en un palito recubierto de piel de gato u otra análoga, que usaban las mujeres para aplicarse al rostro ciertos afeites, como los polvos y el colorete. ‖ **de jabón.** Baño que se da a la ropa con agua de jabón para lavarla. ‖ **de Judas.** fig. Cierta especie de matacandelas, en forma de **mano,** que en la palma tiene una esponja empapada en agua, con la cual se apagan las velas. ‖ **de la brida. Mano de la rienda.** ‖ **de la lanza,** o **de lanza.** En los caballos, la derecha que tiene una señal blanca. ‖ **de la rienda. Mano de rienda.** ‖ **de obra. Mano,** 33.ª acep. ‖ **derecha.** La que corresponde a la parte del oriente cuando el cuerpo mira de cara al polo norte. ‖ **de rienda.** En los caballos, la izquierda que tiene señal blanca. ‖ **de santo.** fig. y fam. Remedio que consigue del todo o prontamente su efecto. *La quina ha sido para mí* MANO DE SANTO. ‖ **diestra. Mano derecha.** ‖ **fuerte.** *For.* Gente armada para hacer cumplir lo que el juez manda, y también la que el juez secular manda dar al eclesiástico cuando éste implora su auxilio. ‖ **izquierda.** La que corresponde al lado opuesto al de la derecha. ‖ **oculta.** fig. Persona que interviene secretamente en un asunto. ‖ **perdida.** *Impr.* **Perdido,** 5.ª acep. ‖ **rienda. Mano de rienda.** ‖ **siniestra, zoca,** o **zurda. Mano izquierda.** ‖ **Buena mano.** fig. **Acierto.** BUENA MANO *tuvo en esto.* ‖ **2.** fig. **Buenas manos.** ‖ **Mala mano.** fig. Falta de habilidad y destreza. ‖ **2.** Desacierto o desgracia. ‖ **Manos largas.** Persona que propende a golpear a otra. ‖ **Manos libres.** Emolumentos de algunas diligencias u ocupaciones en que puede emplearse el que está asalariado por otro cargo u oficio. ‖ **2.** Poseedores de bienes no vinculados ni amortizados. ‖ **limpias.** fig. y fam. Integridad y pureza con que se ejerce o administra un cargo. ‖ **2.** fig. Ciertos emolumentos que se perciben justamente en un empleo además del sueldo. ‖ **muertas.** *For.* Poseedores de una finca, en quienes se perpetúa el dominio por no poder enajenarla. De esta clase son las comunidades y mayorazgos. ‖ **puercas.** fig. y fam. Utilidades que se perciben ilícitamente en un empleo. ‖ **Buenas manos.** fig. Habilidad, destreza. ‖ **Abrir la mano.** fr. fig. Admitir dádivas y regalos. ‖ **2.** fig. Dar con liberalidad. ‖ **3.** fig. Moderar el rigor. ‖ **Abrir la mano al caballo.** fr. *Equit.* Darle libertad aflojando las riendas. ‖ **Abrir mano** de una persona o cosa, fr. fig. Repudiarla, renunciar a ella. ‖ **Adivina quién te dio, que la mano te cortó.** Juego de muchachos que consiste en pegar a uno que está con los ojos vendados, hasta que acierta quién le dio. ‖ **A dos manos.** m. adv. fig. y fam. Con toda voluntad. *Tomaría ese empleo* A DOS MANOS. ‖ **A la mano.** m. adv. fig. con que se denota ser una cosa llana y fácil de entender o de conseguir. ‖ **2.** fig. **Cerca,** 2.° art., 1.ª acep. ‖ **A la mano de Dios.** expr. que denota la determinación con que se emprende una cosa. ‖ **Alargar la mano.** fr. Presentarla a otro, solicitando la suya. ‖ **2.** Extenderla para coger o alcanzar una cosa. ‖ **Alzar la mano** a uno. fr. fig. Levantarla amenazándole. ‖ **Alzar la mano de** una persona o cosa. fr. fig. **Alzar mano de** una persona o cosa. ‖ **Alzar las manos al cielo.** fr. fig. Levantarlas para pedir a Dios un favor o beneficio. ‖ **Alzar mano de** una persona o cosa. fr. fig. **Levantar mano de una** persona o cosa. ‖ **Álzome a mi mano, ni pierdo ni gano.** ref. con que se denota que quien no está metido en un empeño, puede obrar con libertad lo que le sea más conveniente. Alude al juego de naipes, en donde el que es **mano,** si no gana, puede levantarse sin nota. ‖ **A mano.** m. adv. Con la **mano,** sin otro instrumento ni auxilio. ‖ **2.** fig. **Cerca,** 2.° art., 1.ª acep. ‖ **3.** fig. **Artificialmente.** ‖ **4.** fig. Dícese de las cosas que, aunque parecen casuales, están hechas con estudio. ‖ **A mano abierta.** m. adv. fig. Con gran liberalidad. ‖ **A mano airada.** m. adv. **Violentamente.** Ú. principalmente con los verbos *matar* y *morir.* ‖ **A mano armada.** m. adv. fig. Con todo empeño; con ánimo resuelto. ‖ **A mano real.** m. adv. *For.* Ejecutivamente, de oficio, por los ministros públicos a quienes compete. ‖ **A manos abiertas.** m. adv. fig. **A mano abierta.** ‖ **A mano salva.** m. adv. **A salva mano.** ‖ **A manos llenas.** m. adv. fig. **Liberalmente,** 1.ª acep. ‖ **2.** fig. Colmadamente, con grande abundancia. ‖ **Andar** una cosa **en manos de todos.** fr. fig. Ser vulgar y común. ‖ **Apartar la mano.** fr. ant. fig. Alzarla o levantarla. ‖ **Apretar la mano.** fr. Estrechar la de una persona, por lo regular en muestra de cariño o estimación. ‖ **2.** fig. y fam. Aumentar el rigor. ‖ **3.** fig. y fam. Instar para la pronta ejecución de una cosa. ‖ **A salva mano.** m. adv. **A mansalva.** ‖ **Asentar la mano.** fr. Dar golpes a uno; castigarle o corregirle. ‖ **Atar las manos.** fr. fig. Impedir que se haga una cosa. ‖ **Atarse** uno **las manos.** fr. fig. Quitarse a sí mismo la libertad de obrar en adelante según le convenga, con una palabra que da o promesa que hace. ‖ **A una mano.** m. adv. Con movimiento circular, siempre de derecha a izquierda, o siempre de izquierda a derecha. ‖ **2.** fig. De conformidad. ‖ **Bajar la mano.** fr. fig. Abaratar una mercadería. *Comenzó vendiendo a muy alto precio, y luego tuvo que* BAJAR LA MANO. ‖ **Bajo mano.** m. adv. fig. Oculta o secretamente. ‖ **Besar la mano.** fr. de que se usa, de palabra o por escrito, en señal de urbanidad. ‖ **Caer en manos de** uno. fr. fig. y fam. Caer en su poder; ser preso por él; quedar sometido a su arbitrio. ‖ **Caerse de las manos** un libro. fr. fig. y fam. Ser intolerable o muy enfadosa su lectura, por no ofrecer interés ni deleite alguno. ‖ **Cambiar de mano.** fr. *Equit.* **Cambiar,** 4.ª acep. ‖ **Cantar** uno **en la mano.** fr. fig. y fam. Tener mucha trastienda, sagacidad o picardía. ‖ **Cargar la mano.** fr. fig. Insistir con empeño o eficacia sobre una cosa. ‖ **2.** fig. Llevar más del justo precio por las cosas, o excesivos derechos por un negocio. ‖ **3.** fig. Tener rigor con uno. ‖ **Cargar** uno **la mano en** una cosa. fr. fig. y fam. Echar con exceso algo en un guisado, medicamento u otra composición. ‖ **Cazar en mano.** fr. Buscar la caza menor, andando y con la escopeta preparada, ya una persona sola, ya varias formadas en ala y guardando entre sí las distancias que permita la extensión y figura del cazadero. ‖ **Cerrar** uno **la mano.** fr. fig. Ser miserable y mezquino. ‖ **Comerse las manos tras** una cosa. fr. fig. y fam. que denota el gusto con que se come un manjar, sin dejar nada de él. Dícese también de cualquiera otra cosa que sea de mucho deleite; como el juego, la caza, etc. ‖ **Como con la mano,** o **como por la mano.** loc. adv. fig. Con gran facilidad o ligereza. ‖ **Con franca,** o **larga, mano.** m. adv. fig. Con liberalidad, abundantemente. ‖ **Con las manos cruzadas.** m. adv. fig. **Mano sobre mano.** ‖ **Con las manos en la cabeza.** loc. adv. fig. y fam. Con descalabro, pérdida o desaire en un encuentro, empeño o pretensión. Ú. m. con el verbo *salir.* ‖ **Con las manos en la cinta.** m. adv. ant. fig. **Mano sobre mano.** ‖ **Con las manos en la masa.** loc. adv. fig. y fam. En el acto de estar haciendo una cosa. Ú. m. con los verbos *coger* y *estar.* ‖ **Con las manos vacías.** m. adv. fig. Junto con los verbos *irse, venirse* y *volverse,* no lograr lo que se pretendía. ‖ **2.** fig. Sin presentes ni dádivas. ‖ **Con mano armada.** m. adv. fig. **A mano armada.** ‖ **Con mano escasa.** m. adv. fig. Con escasez. ‖ **Con mano pesada.** m. adv. fig. Con dureza y rigor. ‖ **Conocer** uno una cosa, o a una persona, **como a sus manos.** fr. fam. Conocerla bien. ‖ **Correr la mano.** fr. Ir muy de prisa la del que ejecuta una cosa; como escribir o pintar. ‖ **2.** *Esgr.* Dar una cuchillada retirando la espada hacia el cuerpo, para que con este impulso sea mayor la herida. ‖ **Correr** una cosa **por mano de** uno. fr. fig. Estar encargado de ella. ‖ **Corto de manos.** loc. fig. Dícese del oficial no expedito en el trabajo. ‖ **Cruzar** uno **las manos,** o **cruzarse** uno **de manos.** fr. fig. Estarse quieto. ‖ **Dar de mano** a una cosa. fr. Dejarla, no aceptarla. ‖ **2.** Dicho de persona, abandonarla, no ampararla. ‖ **3.** *Albañ.* **Jaharrar.** ‖ **Dar de manos.** fr. Caer de bruces, echando las **manos** delante. ‖ **2.** fig. Incurrir en un defecto. ‖ **Dar en manos de** uno. fr. fig. Caer, sin percatarse, bajo el poder de una persona. ‖ **Dar la mano.** fr. Servir con puntualidad y a la **mano** los materiales, para que los operarios puedan trabajar continuamente, sin apartarse del sitio en que estén. ‖ **Dar la mano a** uno. fr. fig. Alargársela. ‖ **2.** fig. Ampararle, ayudarle, favorecerle. ‖ **Dar la última mano.** fr. fig. Repasar una obra para corregirla o perfeccionarla. ‖ **Dar mano y palabra.** fr. fig. **Dar palabra y mano.** ‖ **Darse a manos.** fr. fig. Darse, 33.ª acep. de **Dar.** ‖ **2. Comportarse.** ‖ **Darse buena mano en** una cosa. fr. fig. y fam. Proceder en ella con presteza o habilidad. ‖ **Darse la mano** una cosa **a** otra. fr. fig. Fomentarse o ayudarse mutuamente. ‖ **Darse la mano** una cosa **con** otra. fr. fig. Estar inmediata, junta o contigua una cosa a otra, o tener relación con ella. ‖ **Darse las manos.** fr. fig. Unirse o coligarse para una empresa dos o más personas. ‖ **2.** fig. Reconciliarse. ‖ **3.** fig. Guardar entre sí orden y armonía las partes de un todo. ‖ **Dar** uno **una mano por** alguna cosa. fr. fig. y fam. que se emplea para ponderar lo que uno sería capaz de hacer por conseguirla o por que sucediera. ‖ **Debajo de mano.** m. adv. fig. **Bajo mano.** ‖ **De buena mano, buen dado.** ref. que denota que de una persona buena no debe temerse cosa **mala.** ‖ **Dejar de la mano** una cosa. fr. fig. Abandonarla, cesar en su ejecución o dejar de ocuparse en ella. Ú. m. con negación. ‖ **Dejar** una cosa **en manos** de uno. fr. fig. Encomendársela, ponerla a su cuidado y arbitrio. ‖ **De la mano a la boca se pierde la sopa.** ref. que advierte que en un instante pueden quedar destruidas las más fundadas esperanzas de conseguir prontamente una cosa. ‖ **De la mano y pluma.** expr. fig. con que se denota ser autógrafo un escrito de la persona de que se trate. ‖ **De las manos.** m. adv. Asidos de la **mano.** ‖ **De mano.** Dícese de la caballería que va en el tronco al lado derecho de la lanza. ‖ **2.** m. adv. De buenas a primeras; en seguida. ‖ **3.** loc. Dícese de las cosas que se manipulan directamente y de las portátiles a diferencia de las fijas. *Bomba* DE MANO, *escalera* DE MANO. ‖ **De mano a mano.** m. adv. fig. De uno a otro, sin interposición de tercera persona. ‖ **De mano armada.** m. adv. fig. **A mano armada.** ‖

De mano en mano. m. adv. fig. De una persona en otra. Empléase para dar a entender que un objeto pasa sucesivamente por las **manos** de varias personas. *Los cubos de agua pasaban* DE MANO EN MANO *para apagar el incendio.* || **2.** fig. Por tradición o noticia seguida desde nuestros mayores; de gente en gente. || **De manos a boca.** m. adv. fig. y fam. De repente, impensadamente, con proximidad. || **De primera mano.** loc. fig. Del primer vendedor. Ú. m. con los verbos *comprar, tomar,* etc. || **2.** Tomado o aprendido directamente del original o los originales. *Erudición* DE PRIMERA MANO. || **De ruin mano, ruin dado.** ref. con que se manifiesta que las dádivas del miserable forzosamente han de ser mezquinas. || **Descargar la mano sobre** uno. fr. fig. y fam. Castigarle. || **De segunda mano.** loc. fig. Del segundo vendedor. Ú. m. con los verbos *comprar, tomar,* etc. || **2.** Tomado de un trabajo de primera **mano.** || **Desenclavijar la mano.** fr. fam. Desasirla de una cosa que tenga fuertemente agarrada. || **Desenclavijar las manos.** fr. fam. Desprender la una de la otra; separar los dedos que estén unidos y cruzados. || **Deshacerse** una cosa **entre las manos.** fr. fig. y fam. con que se pondera la facilidad con que una cosa se malbarata o desperdicia. || **De tal mano, tal dado.** ref. que, según los casos, se dice del liberal que da con abundancia; del mezquino que da con escasez; del malo que causa algún daño a otra persona, etc. || **De una mano a otra.** m. adv. fig. En breve tiempo. Ú. m. en las compras y ventas. || **Dícente que eres bueno; mete la mano en tu seno.** ref. que aconseja que no se estime uno en más de lo que conozca en sí mismo que vale. || **Echar la mano,** o **las manos,** o **mano,** a una persona o cosa. fr. Asirla, cogerla, prenderla. || **Echar mano a la bolsa.** fr. Sacar dinero de ella. || **Echar mano a la espada.** fr. Hacer ademán de sacarla. || **Echar mano a los arneses.** fr. fam. Echar mano a las armas. || **Echar mano de** una persona o cosa. fr. Echar **mano** a una persona o cosa. || **2.** fig. Valerse de ella para un fin. || **Echar una mano a** una cosa. fr. fig. Ayudar a su ejecución. || **En buena mano está.** fr. fam. con que algunos por cortesía se excusan de beber primero que quien les ofrece el vaso. || **En buenas manos está el pandero,** o **en manos está el pandero que lo sabrán bien tañer.** frs. proverbs. con que se denota que la persona que entiende en un negocio es muy apta para darle cima. || **Ensortijar las manos.** fr. Enlazar los dedos unos con otros en señal de compasión o angustia. || **Ensuciar,** o **ensuciarse,** uno **las manos.** fr. fig. y fam. Robar con disimulo. || **2.** fig. y fam. Dejarse sobornar. || **Entre las manos.** m. adv. fig. De improviso, sin saber cómo. || **Escribir** uno **a la mano.** fr. **Escribir al dictado.** || **Estar** uno **con las manos en el seno.** fr. fig. y fam. **Venir con las manos en el seno.** || **Estar** uno **dejado de la mano de Dios.** fr. Dícese de la persona que comete enormes delitos o notables desaciertos, sin temor de Dios. || **2.** fig. Dícese de la persona que yerra en cuanto emprende. || **Estar** una cosa **en buenas manos.** fr. fig. Tenerla a su cargo persona capaz de manejarla o hacerla bien. || **Estar** una cosa **en la mano.** fr. fig. Ser fácil u obvia. || **Estar** una cosa **en mano de** uno. fr. fig. Pender de su elección; ser libre en elegirla; poder ejecutarla, conseguirla o disponer de ella. || **Estrechar la mano.** fr. Tomar uno en su **mano** la de otra persona, como fórmula de saludo o expresión de afecto. || **Ganar a** uno **por la mano.** fr. fig. Anticipársele en hacer o lograr una cosa. || **Haber a las manos** una cosa. fr. fig. Encontrar o hallar lo que se busca. || **Haber a mano** una cosa. fr. fig. Tenerla. || **Hablar a la mano.** fr. fam. Hablar a uno turbándolo o inquietándolo, cuando hace o va a hacer una cosa. || **Hablar con la mano,** o **con las manos.** fr. **Hablar por la mano.** || **Hablar** uno **de manos.** fr. fig. y fam. Manotear mucho cuando habla. || **2.** fig. y fam. Tenerlas prontas para castigar. || **Hablar por la mano.** fr. Formar varias figuras con los dedos, de las cuales cada una representa una letra del abecedario, y sirve para darse a entender sin hablar. || **Hacer a dos manos,** o **a todas manos.** fr. fig. Manejarse con astucia en un negocio, sacando utilidad de todos los que se interesan en él, aunque estén encontrados. || **Hacer la mano.** fr. *Veter.* Acepillar y limpiar el casco del pie del caballo sobre que ha de sentar la herradura. || **Imponer las manos.** fr. Ejecutar los obispos y demás ministros de la Iglesia, a quienes compete, la ceremonia eclesiástica llamada imposición de **manos.** || **Ir a la mano** a uno. fr. fig. y fam. Contenerle, moderarle. Ú. t. c. r. || **Ir** uno **por su mano.** fr. Transitar por el lado de la vía que le corresponde. || **Irse de la mano** una cosa. fr. Escaparse, caerse de ella. || **Írsele** a uno una cosa **de entre las manos.** fr. Desaparecer y escaparse una cosa con gran velocidad y presteza. || **Írsele** a uno **la mano.** fr. fig. Hacer con ella una acción involuntaria. || **2.** fig. Excederse en la cantidad de una cosa que se da o que se mezcla con otra. *Al cocinero* SE LE FUE LA MANO *en la sal.* || **Jugar de manos.** fr. fam. Retozar o enredar, dándose golpes con ellas. || **La mano cuerda no hace todo lo que dice la lengua.** ref. que denota que el hombre prudente no ejecuta lo que ha dicho con inconsideración. || **Lanzar manos en** uno. fr. ant. Asegurarle, prenderle. || **Largo de manos.** loc. fig. Atrevido en ofender con ellas. || **Las manos del oficial, envueltas en cendal.** ref. que reprende la holgazanería. || **Las manos en la rueca, y los ojos en la puerta.** ref. con que se reprende a los que no tienen el pensamiento en lo que hacen. || **Lavarse** uno **las manos.** fr. fig. Justificarse, echándose fuera de un negocio en que hay inconveniente, o manifestando la repugnancia con que se toma parte en él. || **Levantar** uno **mano,** o **la mano,** de una persona o cosa. fr. fig. Abandonarla, dejarla. || **Limpio de manos.** loc. fig. Íntegro, puro. || **Listo de manos** loc. fig. y fam. Diestro en hurtar o en sacar ilícito provecho de un cargo. || **Llegar a las manos.** fr. fig. Reñir, pelear. || **Llevar la mano a** uno. fr. Guiársela para la ejecución de una cosa. || **Llevar la mano blanda,** o **ligera.** fr. fig. Tratar benignamente, proceder con suavidad. || **Llevar** uno **su mano.** fr. **Ir por su mano.** || **Mal me andarán,** o **me han de andar, las manos.** expr. fig. y fam. con que uno asegura que, a no atravesarse un obstáculo insuperable, cumplirá lo que promete o logrará lo que pretende. || **Mano a mano.** m. adv. fig. En compañía, con familiaridad y confianza, juntamente con otra persona. || **2.** Entre jugadores y luchadores, sin ventaja de uno a otro o con partido igual. || **Manos a la labor,** o **a la obra.** expr. con que se alienta uno a sí mismo, o se excita a los demás, a emprender o proseguir un trabajo. || **Manos besa el hombre que quisiera ver cortadas,** o **quemadas.** ref. con que se da a entender que por razones que puede haber para ello, suele uno obsequiar o servir a la misma persona a quien tiene secretamente mala voluntad. || **Manos blancas no ofenden.** fr. proverb. con que se da a entender que las ofensas o malos tratamientos de las mujeres no lastiman el honor de los hombres. || **Manos duchas, comen truchas. Manos duchas, mondan huevos, que no largos dedos.** refs. que denotan ser la práctica el medio más a propósito para el acierto en los negocios. || **Mano sobre mano.** m. adv. fig. Ociosamente, sin hacer nada. || **Mano sobre mano, como mujer de escribano.** ref. que reprende la ociosidad. || **Manos y vida componen villa.** ref. que da a entender que con el trabajo y el tiempo se hacen grandes cosas. || **Menear** uno **las manos.** fr. fig. y fam. Batallar o pelear con otro. || **2.** fig. y fam. Trabajar pronta y ligeramente. || **Mete la mano en tu seno y no dirás de hado ajeno.** ref. que enseña que aquel que se examina a sí mismo, disimula mejor las faltas ajenas. || **Meter la mano** a uno. fr. fig. y fam. Sentarle la **mano;** emprenderla con él. || **Meter la mano en** una cosa. fr. fig. Apropiarse ilícitamnete parte de ella. || **Meter la mano en el cántaro.** fr. fig. Entrar en suerte para soldado. || **Meter** uno **la mano en el pecho,** o **en el seno.** fr. fig. Considerar, pensar para sí. || **2.** fig. Examinar y tantear lo que pasa en su interior, para juzgar de las acciones ajenas sin injusticia. || **Meter** uno **la mano en un plato con** otro. fr. fig. y fam. Participar de sus mismas preeminencias o alternar con él. || **Meter la mano,** o **las manos, hasta el codo,** o **los codos, en** una cosa. fr. fig. Empeñarse, engolfarse, dedicarse a ella con ahínco. || **2.** fig. Apropiarse ilícitamente gran parte de ella. || **Meter** uno **las manos en** una cosa. fr. fig. Entrar o tomar parte en su ejecución; emprenderla con interés. || **Meter mano** a una cosa. fr. fig. y fam. Cogerla, echar **mano** de ella. Dícese frecuentemente de la espada y otras armas. || **Mirar** a uno **a las manos,** o **las manos.** fr. fig. Observar cuidadosamente su conducta en el manejo de caudales o efectos de valor. || **Mirarse** uno **a las manos.** fr. fig. Poner sumo cuidado en el desempeño de un negocio espinoso o grave. || **Morderse** uno **las manos.** fr. fig. Manifestar grave sentimiento de haber perdido por su omisión o descuido una cosa que deseaba conseguir. || **Mudar de manos.** fr. fig. Pasar una cosa o negocio de una persona a otra. || **No caérsele** a uno una cosa **de entre las manos.** fr. fig. Traerla siempre en ellas. || **No darse manos a** una cosa. fr. fig. Bastar apenas a ejecutarla, aun dedicándose a ella con el mayor afán y apresuramiento. || **No dejar** una cosa **de la mano.** fr. fig. Continuar en ella con empeño y sin intermisión. || **No saber** uno **cuál es,** o **dónde tiene, su mano derecha.** fr. fig. y fam. Ser incapaz y de poco talento. || **No saber** uno **lo que trae entre manos.** fr. fig. y fam. No tener capacidad para aquello en que se ocupa o de que está encargado. || **Pagarse** uno **por su mano.** fr. Cobrar lo que le pertenece, en el mismo caudal que maneja. || **Partir mano.** fr. ant. Apartarse o separarse de una cosa o contienda; dejarla. || **Pasar la mano por el cerro.** fr. fig. y fam. Halagar, acariciar. || **Poner** una cosa **en manos de** uno. fr. fig. **Dejar en** sus **manos.** || **Poner** uno **la mano en** una cosa. fr. fig. Examinarla y reconocerla por experiencia propia. || **2.** fig. **Poner mano en** una cosa. || **Poner** uno **la mano en el pecho,** o **en el seno.** fr. fig. **Meter la mano en el pecho,** o **en el seno.** || **Poner la mano,** o **las manos, en** uno. fr. fig. Maltratarle de obra o castigarle. || **Poner** a uno **la mano en la horcajadura.** fr. fig. y fam. Tratarle con demasiada familiaridad y llaneza. Tomóse de la manera de hacer voltear a los volteadores. || **Poner** uno **las manos en** una cosa. fr. fig. **Poner mano en** una cosa. || **Poner las manos en el fuego.** fr. fig. con que se asegura la verdad y certeza de una cosa. || **Poner las manos en la masa.** fr. fig. y fam. Emprender una cosa; tratar de ella. || **Poner mano a la espada.** fr. **Echar mano a la espada.** || **Poner** uno **mano en** una cosa. fr. fig. Dedicarse a ella, emprenderla, darle principio. || **Poner manos violentas en** uno. fr. fig. *For.* Maltratar de obra a una persona eclesiástica. || **Ponerse en manos de** uno. fr. fig. Someterse a su arbitrio con entera confianza. || **Por debajo de mano.** m. adv. fig. **Bajo mano.** || **Por segunda mano.** loc. fig. **Por tercera mano.** || **Por su mano.** expr. fig. Por sí mismo o por su propia autoridad. *Nadie puede hacerse justicia* POR SU MANO. || **Por tercera mano.** loc. fig. Por medio de otro. || **Probar la mano.** fr. fig. Intentar una cosa para ver si conviene proseguirla. || **Quedar** a uno **la mano sabrosa.** fr. fig. **Quedarle el brazo sabroso.** || **Quedarse** uno **con las manos cruzadas.** fr. fig. **Cruzar las manos.** || **Quedarse** uno **soplando las manos.** fr. fig. Quedar corrido por haber malogrado una ocasión. || **Quien a mano ajena espera, mal yanta y peor cena.** ref. que denota cuán mal hace quien enteramente fía a otro sus propios negocios e intereses. || **Quitarse** unos a otros una cosa **de las manos.** fr. fig. y fam. Haber gran prisa y afán por adquirirla. || **Sacarle** a uno **de entre las manos** una cosa. fr. fig. Quitarle lo que tenía más asegurado. || **Sentar la mano a** uno. fr. fig. y fam. Castigarle con golpes. || **2.** fig. y fam. Reprenderle, castigarle con severidad. || **Señalado de la mano de Dios.** expr. fam. con que se suele zaherir al que tiene un defecto corporal. || **Ser a las manos con** uno. fr. ant. fig. Pelear con él. || **Ser** uno **la mano derecha** de otro. fr. fig. Servirle de auxiliar o de ejecutor indispensable. || **Si a mano viene.** expr. fig. Acaso, por ventura, tal vez. || **Sin levantar mano.** loc. adv. fig. Sin cesar en el trabajo; sin intermisión alguna. || **Si viene a mano.** expr. fig. **Si a mano viene.** || **Soltar** uno **la mano.** fr. Ponerla ágil para un ejercicio. || **Soplarse las manos.** fr. fig. Quedar burlado en la pretensión de una cosa el que no dudaba de conseguirla ciertamente. || **Suelto de manos.** loc. fig. **Largo de manos.** || **Tales manos lo hilaron.** expr. fig. para ponderar el esmero o el primor con que está hecha alguna obra. || **Tender** a uno **la mano,** o **una mano.** fr. Ofrecérsela para estrechar la suya o para darle apoyo. || **2.** fig. Socorrerle. || **Tener a mano.** fr. fig. Refrenar, contener. || **Tener** uno **atadas las manos.** fr. fig. Hallarse con un estorbo o embarazo para ejecutar una cosa. || **Tener** uno a otro **de su mano.** fr. fig. Tenerle propicio. || **Tener** uno **en la mano,** o **en su mano,** una cosa. fr. fig. Poder conseguirla, realizarla o disponer de ella. || **Tener** uno a otro **en su mano,** o **en sus manos.** fr. fig. Tenerle en su poder o sometido a su arbitrio. || **Tener** uno **entre manos** una cosa. fr. fig. **Traer entre manos** una cosa. || **Tener** uno **la mano.** fr. fig. Contenerse, proceder con tiento, pulso y moderación. || **Tener** uno **la mano manca.** fr. fig. y fam. Ser poco dadivoso. || **Tener** uno **las manos largas.** fr. fig. y fam. Ser largo de **manos.** || **Tener mano con** uno. fr. fig. Tener influjo, poder y valimiento con él. || **Tener mano en** una cosa. fr. fig. Intervenir en ella. || **Tener** uno **mano izquierda.** fr. fig. y fam. Poseer habilidad y astucia para resolver situaciones difíciles. || **Tener** uno **muchas manos.** fr. fig. Tener gran valor o destreza. || **Tocar** uno **con la mano** una cosa. fr. fig. **Poner la mano** en una cosa. || **2.** fig. Estar próximo a conseguirla o realizarla. || **3.** fig. Conocerla con evidencia; verla clara y patentemente. || **Tomar la mano.** fr. fig. Comenzar a razonar o discurrir sobre una materia. || **2.** fig. Emprender un negocio. || **Traer a la mano.** fr. Dícese de los perros que vienen fielmente con la caza u otra cosa que sus amos les mandan traer, y no la sueltan hasta ponerla en su **mano.** || **Traer entre manos** una cosa. fr. fig. Manejarla, estar entendiendo actualmente en ella. || **Traer la mano por el cerro.** fr. fig. y fam. **Pasar la mano por el cerro.** || **Trocar,** o **trocarse, las manos.** fr. fig. Mudar, o mudarse, las suertes. || **Una mano lava la otra, y ambas la cara.** ref. con que se da a entender la dependencia que entre sí tienen los hombres, y el recíproco auxilio que deben darse. || **Untar la mano,** o **las manos,** a uno. fr. fig. y fam. Sobornarle. || **Venir** a uno **a la mano,** o **a las manos,** una cosa. fr. fig. Lograrla sin solicitarla. || **Venir** algunos, o uno con otro, **a las manos.** fr. Reñir, batallar. || **Venir** uno **con las manos en el seno.** fr. fig. Estar ocioso. || **2.** fig. Llegar a pretender o a pedir sin poner nada de su parte. || **Venir,** o **venirse,** uno **con sus manos lavadas.** fr. fig. Acudir a pretender el fruto y utilidad de una cosa sin haber trabajado ni hecho la menor diligencia, para su logro. || **Vivir** uno **de,** o **por, sus manos.** fr. fig. y fam. Mantenerse de su trabajo.

Manobra. (De *mano* y *obra.*) f. *Murc.* Material para hacer una obra.

Manobre. (De *mano* y *obrar.*) m. *Murc.* **Peón de mano.**

Manobrero. (De *mano* y *obrero.*) m. Operario que cuida de la limpia y monda de los brazales de las acequias.

Manojar. tr. ant. **Manosear.**

Manojear. tr. *Cuba.* Poner en manojos las hojas del tabaco.

Manojera. f. Conjunto de manojos de sarmientos destinados a la lumbre.

Manojo. (Del lat. **manucŭlus,* por *manipŭlus.*) m. Hacecillo de hierbas o de otras cosas que se puede coger con la mano. || **2.** fig. **Atajo,** 6.ª acep. || **A manojos.** m. adv. fig. **Abundantemente.**

Manojuelo. m. d. de **Manojo.**

Manolo, la. m. y f. Mozo o moza del pueblo bajo de Madrid, que se distinguía por su traje y desenfado.

Manométrico, ca. adj. Perteneciente o relativo al manómetro.

Manómetro. (Del gr. μανός, ligero, poco denso, y μέτρον, medida.) m. *Fís.* Instrumento destinado a medir la tensión de los fluidos aeriformes. Se emplea principalmente en las calderas de las máquinas de vapor.

Manopla. (Del lat. *manupŭla,* por *manipŭla,* t. f. de *-lus;* de *manus,* mano.) f. Pieza de la armadura antigua, con que se guarnecía la mano. || **2.** Látigo corto de que usan los postillones, para avivar a las mulas. || **3.** *Ál.* Manaza o manota. || **4.** *Chile.* **Llave inglesa,** 2.ª acep. || **5.** *Sal.* Tira de suela con que los zapateros se envuelven la palma de la mano para no lastimarse ésta en el trabajo.

Manoseador, ra. adj. Que manosea.

Manosear. (De *mano.*) tr. Tentar o tocar repetidamente una cosa, a veces ajándola o desluciéndola.

Manoseo. m. Acción y efecto de manosear.

Manota. f. aum. de **Mano.**

Manotada. (De *manota.*) f. Golpe dado con la mano.

Manotazo. (De *manota.*) m. **Manotada.**

Manoteado, da. p. p. de **Manotear.** || **2.** m. **Manoteo.**

Manotear. (De *manota.*) tr. Dar golpes con las manos. || **2.** intr. Mover las manos para dar mayor fuerza a lo que se habla, o para mostrar un afecto del ánimo.

Manoteo. m. Acción y efecto de manotear.

Manotón. (De *manota.*) m. **Manotada.**

Manquear. (De *manco.*) intr. Mostrar uno su manquedad, o fingirla.

Manquedad. (De *manco.*) f. Falta de mano o brazo. || **2.** Impedimento en el uso expedito de cualquiera de estos miembros. || **3.** fig. Falta o defecto.

Manquera. (De *manco.*) f. **Manquedad.**

Manresano, na. adj. Natural de Manresa. Ú. t. c. s. || **2.** Perteneciente a esta ciudad.

Mansalva (A). (De *mano* y *salva.*) m. adv. Sin ningún peligro; sobre seguro.

Mansamente. adv. m. Con mansedumbre. || **2.** fig. **Lentamente.** || **3.** fig. Quedito y sin hacer ruido.

Mansedad. (De *manso.*) f. ant. **Mansedumbre.**

Mansedumbre. (Del lat. *mansuetūdo, -ĭnis.*) f. Suavidad y benignidad en la condición o en el trato. || **2.** fig. **Apacibilidad.** Aplícase a los irracionales y a las cosas insensibles.

Mansejón, na. adj. Dícese de los animales que son muy mansos.

Manseque. (Por ser la primera palabra de los versos que se recitan al ejecutar este baile.) m. Baile infantil de Chile.

Mansesor. m. ant. **Testamentario,** 4.ª acep.

Manseza. (De *manso.*) f. ant. **Mansedumbre.**

Mansión. (Del lat. *mansĭo, -ōnis.*) f. Detención o estancia en una parte. || **2.** Morada, albergue. || **Hacer mansión.** fr. Detenerse en una parte.

Mansionario. (Del lat. *mansionarĭus,* huésped.) adj. ant. Aplicábase a los eclesiásticos que vivían dentro del claustro.

Mansito. adj. d. de **Manso,** 2.° art. || **2.** adv. m. **Mansamente,** 3.ª acep.

Manso. (Del lat. *mansum,* t. neutra del p. p. de *manēre,* habitar, permanecer.) m. **Masada.** || **2.** Cada una de las tierras o bienes primordiales que, exentos de toda carga, solían poseer los curatos y algunos monasterios.

Manso, sa. (Del lat. *mansus,* p. p. de *manēre,* permanecer.) adj. Benigno y suave en la condición. || **2.** Aplícase a los animales que no son bravos. || **3.** fig. Apacible, sosegado, suave. Dícese de ciertas cosas insensibles. *Aire* MANSO; *corriente* MANSA. || **4.** V. **Animal, pino manso.** || **5.** fig. y fam. V. **Palabritas mansas.** || **6.** m. En el ganado lanar, cabrío o vacuno, carnero, macho o buey que sirve de guía a los demás.

Mansuefacto, ta. (Del lat. *mansuefactus,* p. p. de *mansuefacĕre,* amansar.) adj. ant. Aplicábase a los animales de su naturaleza bravos, cuando estaban amansados.

Mansueto, ta. (Del lat. *mansuētus.*) adj. ant. **Manso,** 2.° art. || **2.** ant. Aplicábase a los animales de su naturaleza mansos.

Mansuetud. (Del lat. *mansuetūdo.*) f. ant. **Mansedumbre.**

Mansurrón, na. adj. fam. Manso con exceso.

Manta. (De *manto.*) f. Prenda suelta de lana o algodón, tupida y ordinariamente peluda, que sirve para abrigarse en la cama. || **2.** Pieza, por lo común de lana, que sirve para abrigarse ocasionalmente las personas fuera de la cama, y más frecuentemente a la intemperie o en los viajes. || **3.** Ropa suelta que usa la gente del pueblo para abrigarse, y en algunas provincias es considerada como parte del traje y se lleva en todo tiempo. || **4.** Tela ordinaria de algodón, que se fabrica y usa en Méjico. || **5.** Cubierta que sirve de abrigo a las caballerías. || **6.** Costal de pita que se usa en las minas de América para sacar y transportar los minerales. || **7.** Especie de juego del hombre, entre cinco, en que se dan ocho cartas a cada uno, y se descubre la última para que sea triunfo. El que hace más bazas lleva la polla, y el que no hace ninguna la repone. || **8.** fig. **Zurra,** 2.ª acep. || **9.** *Mil.* **Mantelete,** 4.ª acep. || **10.** *Vol.* Cada una de las doce plumas que tiene el ave de rapiña a continuación de las aguaderas. || **de algodón.** Porción de algodón en rama con un ligero baño de goma para que no se deshaga o desparrame. || **de pared.** ant. **Tapiz.** || **real. Manta,** 9.ª acep. || **A manta.** m. adv. Dícese del modo de regar el terreno cubriéndolo con una capa de agua. || **2.** fam. **A manta de Dios.** *Ha llovido* A MANTA. || **A manta de Dios.** m. adv. fam. Con abundancia. *Traen uvas* A MANTA DE DIOS. || **Dar una manta.** fr. fam. **Mantear,** 1.er art. || **Echar mantas.** fr. ant. Echar pestes. || **Liarse** uno **la manta a la cabeza.** fr. fig. Atropellar por todo. || **Poner a manta.** fr. *Agr.* **Poner a almanta.** || **Tirar de la manta.** fr. fig. y fam. Descubrir lo que había interés en mantener secreto. || **Tomar la manta.** fr. fig. y fam. Tomar las unciones.

Mantaterilla. (De *manta* y *tirilla.*) f. Tela de urdimbre de bramante y trama de tirillas de paño, jerga o cosa parecida, que suele usarse en los aparejos de las caballerías menores y a veces como abrigo de las personas.

Mantcador, ra. adj. Que mantea. Ú. t. c. s.

Manteamiento. m. Acción y efecto de mantear.

Mantear. (De *manta.*) tr. Levantar con violencia en el aire a un hombre, mamarracho o bruto, puesto en una manta, tirando a un tiempo de las orillas varias personas.

Mantear. (De *manto.*) intr. *Murc.* Salir mucho de casa las mujeres. || **2.** r. *Chile.* Convertirse en manto una veta de metal.

Manteca. (Del lat. *mantĭca,* saco.) f. Gordura de los animales, especialmente la del cerdo. || **2.** Substancia crasa y oleosa de la leche. || **3. Pomada.** || **4.** Substancia crasa y oleosa de algunos frutos; como la del cacao. || **5.** fig. *And.* **Nata,** 3.ª acep. || **de vaca,** o **de vacas. Mantequilla.** || **Como manteca.** expr. fig. con que se pondera la blandura o suavidad de una cosa. || **El que asó la manteca.** Personaje proverbial que sirve de término de comparación cuando se censura al que obra o discurre neciamente. *Eso no se le ocurre ni* AL QUE ASÓ LA MANTECA. || **Juntársele** a uno **las mantecas.** fr. fig. y fam. Estar en peligro de muerte por exceso de gordura.

Mantecada. f. Rebanada de pan untada con manteca de vaca y azúcar. || **2.** Especie de bollo compuesto de harina de flor, huevos, azúcar y manteca de vacas, que suele cocerse en una cajita cuadrada de papel.

Mantecado, da. adj. ant. **Mantecoso.** || **2.** m. Bollo amasado con manteca de cerdo. || **3.** Compuesto de leche, huevos y azúcar, de que se hace un género de sorbete.

Mantecón. (De *manteca.*) m. fig. y fam. Sujeto regalón y delicado. Ú. t. c. adj.

Mantecoso, sa. adj. Que tiene mucha manteca. || **2.** Que se asemeja a la manteca en alguna de sus propiedades.

Mantehuelo. m. d. de **Manto.**

Manteísta. m. El que asistía a las escuelas públicas vestido de sotana y manteo, cuando los estudiantes usaban este traje. Llamábase así a la generalidad de los escolares, para diferenciarlos de los que tenían beca en los colegios mayores. Aún hoy se da este nombre a los alumnos externos de los seminarios conciliares.

Mantel. (Del lat. *mantēle.*) m. Tejido de lino o de algodón con que se cubre la mesa de comer. || **2.** Lienzo mayor con que se cubre la mesa del altar. || *Blas.* Pieza triangular del escudo cortinado. || **A manteles.** m. adv. En mesa cubierta con **manteles.** || **En mantel.** m. adv. *Blas.* **Mantelado.** Dícese del escudo. || **Levantarse de los manteles.** fr. fig. ant. Levantarse de comer o de la mesa. || **Sobre manteles.** m. adv. **A manteles.**

Mantelado. adj. *Blas.* V. **Escudo mantelado.**

Mantelería. f. Juego de mantel y servilletas.

Manteleta. (De *mantelete.*) f. Especie de esclavina grande, con puntas largas por delante, a manera de chal, de que usan las mujeres para abrigo o como adorno. Las hay de otras varias hechuras.

Mantelete. (De *mantel.*) m. Vestidura con dos aberturas para sacar los brazos, que traen los obispos y prelados encima del roquete, y llega un palmo más abajo de las rodillas. || **2.** *Blas.* Adorno del escudo de armas, que representa el pedazo de tela o de malla que, bajando desde lo alto del casco, protegía el cuello y parte de la espalda del caballero. || **3.** *Mil.* Tabla gruesa que ordinariamente servía para cubrir la boca del petardo después de cargado, cuando se aplicaba contra la pared o puerta que se quería romper. || **4.** *Mil.* Tablero grueso forrado de hoja de lata, y a veces aspillerado, que servía de resguardo contra los tiros del enemigo, bien colocándolo cubierto de tierra delante de los zapadores en trabajos de sitio, bien llevándolo sobre ruedas delante de los soldados que combatían en las calles de una población.

Mantelo. (Del gall. *mantelo,* y éste del lat. *mantellum,* manto.) m. Especie de delantal de paño, sin vuelo ni pliegues, que cubre la saya casi por completo y se abrocha o ata a la cintura, usado por las aldeanas de algunas provincias del norte de España.

Mantellina. f. **Mantilla,** 1.ª acep.

Mantención. f. fam. **Manutención.**

Mantenedor, ra. m. y f. ant. Persona que mantenía o sustentaba a otra. || **2.** m. El encargado de mantener un torneo, justa, etc. || **3.** ant. **Defensor.**

Mantenencia. f. Acción y efecto de mantener. || **2.** Acción y efecto de sostener. || **3.** Alimento, sustento, víveres.

Mantener. (Del lat. *manu tenēre.*) tr. Proveer a uno del alimento necesario. Ú. t. c. r. || **2.** Conservar una cosa en su ser; darle vigor y permanencia. || **3.** Sostener una cosa para que no caiga o se tuerza. || **4.** Proseguir voluntariamente en lo que se está ejecutando. MANTENER *la conversación, el juego.* || **5.** Defender o sustentar una opinión o sistema. || **6.** Sostener un torneo, justa, etc. || **7.** *For.* Amparar a uno en la posesión o goce de una cosa. || **8.** r. Perseverar, no variar de estado o resolución. || **9.** fig. Fomentarse, alimentarse.

Manteniente. (De *mantener.*) adv. t. ant. En el momento, al instante. || **A manteniente.** m. adv. Con toda la fuerza y firmeza de la mano. || **2.** Con ambas manos.

Mantenimiento. m. Efecto de mantener o mantenerse, 1.ª acep. || **2.** Manjar o alimento. || **3.** En las órdenes militares, porción que se asignaba a los caballeros profesos para el pan y el agua que debían gastar en el año. || **4.** pl. **Víveres.**

Manteo. (De *mantear,* 1.er art.) m. **Manteamiento.**

Manteo. (Del fr. *manteau,* y éste del lat. *mantellum,* manto.) m. Capa larga con cuello, que traen los eclesiásticos sobre la sotana, y en otro tiempo usaron los estudiantes. || **2.** Ropa de bayeta o paño que traían las mujeres, de la cintura abajo, ajustada y solapada por delante.

Mantequera. f. La que hace o vende manteca. || **2.** Vasija en que se hace la manteca. || **3.** Vasija en que se sirve la manteca a la mesa.

Mantequero, ra. adj. Perteneciente o relativo a la manteca. || **2.** m. El que hace o vende manteca. || **3. Mantequera,** 3.ª acep. || **4. Corojo.**

Mantequilla. f. d. de **Manteca.** || **2.** Pasta blanda y suave de manteca de vaca batida y mezclada con azúcar. || **3.** Producto obtenido de la leche o de la crema por agitación o por batimiento, ya usando para ello máquinas a propósito, ya mazando la leche en odres.

Mantequillera. f. *Amér.* **Mantequera.**

Mantequillero. m. *Amér.* **Mantequero,** 2.ª y 3.ª aceps.

Mantera. f. Mujer que cortaba y hacía mantos para mujeres. || **2.** La que hace mantas. || **3.** La que las vende.

Mantero. m. El que fabrica mantas o las vende.

Mantés, sa. adj. fam. Pícaro, pillo. Ú. t. c. s.

Mantilla. (Del lat. *mantellum,* manto.) f. Paño de seda, lana u otro tejido, con guarnición de tul o encaje, o sin ella, de que usan las mujeres para cubrirse la cabeza. Hay **mantillas** enteramente de tul, blonda o encaje. || **2.** Pieza de bayeta u otra tela con que se abriga y envuelve por encima de los pañales a los niños, desde que nacen hasta que se sueltan a andar. Ú. m. en pl. || **3.** Paño más o menos adornado con que se cubre el lomo de la cabalgadura. || **4.** *Impr.* Paño o lienzo que, puesto en el tímpano de las prensas de mano, o envolviendo los cilindros de las máquinas de imprimir, sirve para que no padezca la letra y salga bien la impresión. || **5.** pl. Regalo que hace un príncipe a otro a quien le nace un hijo. || **Estar** una cosa **en mantillas.** fr. fig. y fam. Estar un negocio o trabajo muy a los principios o poco adelantado. || **Haber salido** uno **de mantillas.** fr. fig. y fam. Tener ya conocimiento y edad para gobernarse por sí.

Mantilleja. f. d. de **Mantilla,** 1.ª acep.

Mantillo. (De *manta.*) m. Capa superior del suelo, formada en gran parte por la descomposición de materias orgánicas. || **2.** Abono que resulta de la fermentación y putrefacción del estiércol.

Mantillón, na. (De *mantillo.*) adj. *Murc.* Desaliñado, sucio, sin aseo. Ú. t. c. s. || **2.** *Méj.* **Sinvergüenza.**

Mantiniente. adv. t. ant. **Manteniente.** Ú. en *Sal.*

Mantisa. (Del lat. *mantissa,* añadidura.) f. *Mat.* Fracción decimal que sigue a la característica en un logaritmo.

Manto. (Del lat. *mantum.*) m. Ropa suelta, a modo de capa, que llevaban las mujeres sobre el vestido, y con la cual se cubrían de pies a cabeza. Ú. aún en algunas provincias. || **2.** Prenda que les cubría cabeza y cuerpo hasta la cintura, en la cual se ataba. || **3.** Especie de mantilla grande sin guarnición, de que usan las señoras. || **4.** Capa que se usó en algunas naciones. || **5.** La que llevan algunos religiosos sobre la túnica. || **6.** Rica vestidura de ceremonia, que se ata por encima de los hombros en forma de capa y cubre todo el cuerpo hasta arrastrar por tierra. Es insignia de príncipes soberanos y de caballeros de las órdenes militares. || **7.** Prenda del traje de ceremonia, que en actos solemnes llevaban sujeta a la cintura, abierta por delante y formando larga cola, las damas que asistían a la corte. || **8.** Ropa talar de que usan en algunos colegios sus individuos y alumnos, sobre la cual traen comúnmente la beca. || **9.** Fachada de la campana de una chimenea. || **10.** Manteca o sebo en que nace envuelta la criatura. || **11.** fig. Lo que encubre y oculta una cosa. || **12.** *Min.* Capa de mineral, de poco espesor, que yace casi horizontalmente. || **13.** *Zool.* Repliegue cutáneo del cuerpo de los moluscos y de algunos crustáceos, que segregan la concha o el caparazón. || **caballeroso.** Vestidura exterior, que, atada con un nudo sobre el hombro derecho, usaban antiguamente los caballeros. || **capitular.** Vestidura exterior que los caballeros de las órdenes militares usan para juntarse en capítulo. || **de humo.** El de seda negro y transparente que llevaban antiguamente las mujeres en señal de luto. || **de soplillo.** Género de **manto** que hacían antiguamente de tafetán muy feble, que se clareaba mucho, y traían las mujeres por gala. || **ducal.** *Blas.* El de escarlata forrado de armiños y en forma de tapiz, sobre el cual se representan los escudos de armas de los más altos dignatarios. || **Debajo de mi manto, al rey mato.** ref. con que se da a entender que cada uno es dueño de pensar para sus adentros lo que quiera.

Mantón. (aum. de *manto.*) m. Cada una de las dos tiras de tela con que solían guarnecerse los jubones de las mujeres. || **2.** Pañuelo grande y generalmente de abrigo. || **3.** ant. Mozo recién casado. || **4.** ant. Capa o manteo. || **5.** *Vol.* **Manta,** 10.ª acep. || **de Manila.** fam. El de seda y bordado, que procede, de ordinario, de la China.

Mantón, na. adj. **Mantudo.**

Mantornar. (De *mano* y *tornar.*) tr. *Ar.* **Binar,** 1.ª acep.

Mantuano, na. (Del lat. *mantuānus.*) adj. Natural de Mantua. Ú. t. c. s. || **2.** Perteneciente a esta ciudad de Italia.

Mantudo, da. (De *manta.*) adj. Dícese del ave cuando tiene caídas las alas y está como arropada con ellas.

Mantuvión (De). m. adv. ant. **De antuvión.**

Manuable. (Del lat. *manus,* mano.) adj. Fácil de manejar.

Manual. (Del lat. *manuālis.*) adj. Que se ejecuta con las manos. || **2.** V. **Abecedario manual.** || **3. Manuable.** || **4.** Casero, de fácil ejecución. || **5.** ant. V. **Obra manual.** || **6.** ant. Ligero y fácil para alguna cosa. || **7.** fig. Fácil de entender. || **8.** fig. Aplícase a la persona dócil y de condición suave y apacible. || **9.** m. Libro que contiene los ritos con que deben administrarse los sacramentos. || **10.** Libro en que se compendia lo más substancial de una materia. || **11.** Libro en que los hombres de negocios van notando provisionalmente y como en borrador las partidas de cargo o data, para pasarlas después a los libros oficiales, si están obligados a llevarlos, por ejercer el comercio. || **12.** Libro o cuaderno que sirve para hacer apuntamientos. || **13.** pl. Ciertos emolumentos que ganan los eclesiásticos asistiendo al coro. || **14.** ant. Derechos que se daban a los jueces ordinarios por su firma.

Manualmente. adv. m. Con las manos.

Manubrio. (Del lat. *manubrĭum.*) m. Empuñadura o manija de un instrumento. || **2.** Empuñadura o pieza, generalmente de hierro, compuesta de dos ramas en ángulo recto, que se emplea para dar vueltas a una rueda, al eje de una máquina, etc.

Manucodiata. (Del javanés *mānuq dīwāta,* ave de los dioses.) f. **Ave del Paraíso.**

Manuela. f. En Madrid, coche de alquiler, abierto y tirado por un caballo.

Manuelino, na. adj. Dícese del estilo, y principalmente del arquitectónico, usado en Portugal durante el reinado de Manuel I (1469-1521).

Manuella. (Del fr. *manuelle,* y éste del lat. *manuālis,* manual.) f. Barra o palanca del cabrestante.

Manufactura. (Del b. lat. *manufactura,* y éste del lat. *manus,* mano, y *factūra,* hechura.) f. Obra hecha a mano o con auxilio de máquina. || **2. Fábrica,** 2.ª acep.

Manufacturar. (De *manufactura.*) tr. **Fabricar,** 1.ª acep.

Manufacturero, ra. adj. Perteneciente a la manufactura. *Clase* MANUFACTURERA.

Manumisión. (Del lat. *manumissĭo, -ōnis.*) f. Acción y efecto de manumitir.

Manumiso, sa. (Del lat. *manumissus.*) p. p. irreg. de **Manumitir.** || **2.** adj. **Horro,** 1.ª acep.

Manumisor. (Del lat. *manumissor.*) m. *For.* El que manumite.

Manumitir. (Del lat. *manumittĕre.*) tr. *For.* Dar libertad al esclavo.

Manuscribir. (Del lat. *manus,* mano, y *scribĕre,* escribir.) tr. Escribir a mano.

Manuscrito, ta. (Del lat. *manus,* mano, y *scriptus,* escrito.) adj. Escrito a mano. || **2.** m. Papel o libro escrito a mano. || **3.** Particularmente, el que tiene algún valor o antigüedad, o es de mano de un escritor o personaje célebre.

Manutención. (De *manutener.*) f. Acción y efecto de mantener o mantenerse. || **2.** Conservación y amparo.

Manutenencia. f. ant. **Manutención.**

Manutener. (Del lat. *manu,* en la mano, y *tenēre,* guardar, defender.) tr. *For.* Mantener o amparar.

Manutigio. (Del lat. *manutigĭum.*) m. Fricción ligera practicada con la mano.

Manutisa. f. **Minutisa.**

Manvacío, a. adj. **Manivacío.**

Manzana. (De *mazana.*) f. *Bot.* Fruto del manzano, de forma globosa algo hundida por los extremos del eje; de epicarpio delgado, liso y de color verde claro, amarillo pálido o encarnado; mesocarpio con sabor acídulo o ligeramente azucarado, y semillas pequeñas de color de caoba encerradas en un endocarpio coriáceo. || **2.** En las poblaciones, conjunto aislado de varias casas contiguas. || **3.** Pomo de la espada. || **4. Manzanilla,** 6.ª acep. || **5.** *Argent.* y *Chile.* Espacio cuadrado de terreno, con casas o sin ellas, pero circunscrito por calles por sus cuatro lados. || **6.** *Amér.* **Nuez,** 3.ª acep. || **asperiega.** La de forma bastante aplastada, carne granulosa y sabor agrio, que generalmente se emplea para hacer sidra. || **de Adán.** *Chile.* **Manzana,** 6.ª acep. || **de la discordia.** fig. Lo que es ocasión de discrepancia en los ánimos y opiniones. || **meladucha.** Variedad dulce, pero poco substanciosa, que se cría en la vega del río Jalón. || **reineta.** La gruesa, aromosa, de color dorado y carne amarillenta, jugosa y de sabor muy grato. || **La manzana podrida pierde a su compañía.** ref. que denota el estrago que causa el trato y conversación de los malos. || **Sano como una manzana.** loc. fig. y fam. con que se pondera la buena salud de una persona.

Manzanal. m. **Manzanar.** || **2. Manzano.**

Manzanar. m. Terreno plantado de manzanos.

Manzanera. (De *manzana.*) f. **Maguillo.**

Manzanero, ra. adj. Dícese del animal que busca los manzanos para comer su fruto. || **2.** m. *Ecuad.* **Manzano.**

Manzaneta. (d. de *manzana.*) f. *Ál.* **Gayuba.**

Manzanil. adj. Aplícase a algunas frutas parecidas a la manzana en el color o la figura.

Manzanilla. (d. de *manzana.*) f. Hierba de la familia de las compuestas, con tallos débiles, comúnmente echados, ramosos, de dos a tres decímetros de longitud; hojas abundantes partidas en segmentos lineales, agrupados de tres en tres, y flores olorosas en cabezuelas solitarias con centro amarillo y circunferencia blanca. || **2.** Flor de esta planta. || **3.** Infusión de esta flor, que se usa mucho como estomacal, antiespasmódica y febrífuga. || **4.** Especie de aceituna pequeña. || **5.** Parte carnosa y saliente con que terminan por debajo las patas de los mamíferos carniceros. || **6.** Cada uno de los remates, en forma de manzana, con que se adornan las camas, los balcones, etc. || **7.** Parte inferior y redonda de la barba. || **8.** Vino blanco que se hace en Sanlúcar de Barrameda y en otros lugares de Andalucía. || **9.** Cada uno de los botones redondos y forrados de tela con que solía abrocharse la ropilla. || **bastarda.** Planta de la familia de las compuestas, con tallos erguidos, muy ramosos, estriados, verdes y de tres a cuatro decímetros de altura; hojas partidas en segmentos finos, planos por el envés, y flores en cabezuelas, con centro amarillo y circunferencia blanca. Substituye en medicina a la **manzanilla** común. || **común. Manzanilla,** 1.ª acep. || **europea.** Planta de la misma familia y género que la **manzanilla** común, con tallo derecho, ramoso, de tres a cuatro decímetros; hojas vellosas, blanquecinas, como toda la planta, partidas en segmentos lineales de punta roma y con dos o tres dientes en el margen, y flores en cabezuelas terminales con centro amarillo y circunferencia blanca vuelta hacia abajo. Abunda en los campos cultivados. || **fina.** Planta de la familia de las compuestas, con tallos de dos a tres decímetros, hojas perfoliadas, partidas en segmentos filiformes, agudos, enteros o subdivididos, y flores en cabezuelas globosas muy fragantes y de color amarillo fuerte. || **hedionda.** Planta de la misma familia que la **manzanilla** común, de la cual se distingue por ser algo vellosa, tener las hojas partidas en tiras muy finas y puntiagudas y despedir olor desagradable. || **loca.** Planta de la familia de las compuestas, con tallos inclinados, gruesos, y de dos a tres decímetros; hojas alternas, divididas en segmentos dentados, y flores en cabezuelas amarillas. Se ha empleado como la **manzanilla** común y se utiliza en tintorería. || **2. Ojo de buey,** 1.ª acep. || **romana. Manzanilla,** 1.ª acep.

Manzanillero. m. *And.* El que se dedica a coger manzanilla en las alturas de Sierra Nevada, para venderla.

Manzanillo. (d. de *manzano.*) adj. V. **Olivo manzanillo.** Ú. t. c. s. || **2.** Árbol sudamericano, de la familia de las euforbiáceas, que crece hasta seis o siete metros de altura, con tronco delgado, copa irregular y ramas derechas que por incisiones en su corteza dan un látex blanquecino y cáustico; hojas pecioladas, ovales, aserradas, lisas y de color verde obscuro; flores blanquecinas, y fruto drupáceo, semejante a una manzana, como de cinco centímetros de diámetro, con un hueso muy duro. El látex y el fruto son venenosos; al decir de los indígenas del país en que este árbol se cría, basta permanecer a su sombra para sentirse envenenado.

Manzanita. f. d. de **Manzana.** || **de dama.** *Ar.* **Acerola.**

Manzano. (De *manzana.*) m. Árbol de la familia de las rosáceas, de tronco generalmente tortuoso, ramas gruesas y copa ancha poco regular, hojas sencillas, ovaladas, puntiagudas, dentadas, blancas, verdes por la haz, grises y algo vellosas por el envés; flores en umbela, blancas, sonrosadas por fuera y olorosas, y cuyo fruto es la manzana. Espontáneo en España, se cultiva por su fruto y hay muchas variedades. || **2.** V. **Cambur manzano.** || **asperiego.** El que produce las manzanas asperiegas. || **Apartadle del manzano, no sea lo de antaño.** ref. que aconseja que nos guardemos de errar dos veces en una cosa.

Maña. (Del lat. *manus*, mano.) f. Destreza, habilidad. || **2.** Artificio o astucia. || **3.** Vicio o mala costumbre; resabio. Ú. m. en pl. || **4.** Manojo pequeño; como de lino, cáñamo, esparto, etc. || **5.** ant. **Manera,** 1.ª acep. || **Darse** uno **maña.** fr. Ingeniarse, ayudarse, disponer sus negocios con habilidad. || **El que malas mañas ha, tarde o nunca las perderá.** ref. que denota que la mala costumbre, en arraigándose, con dificultad se quita. || **Más vale maña que fuerza.** ref. con que se denota que se saca mejor partido con la suavidad y destreza que con la violencia y el rigor.

Mañana. (Del lat. *mane.*) f. Tiempo que transcurre desde que amanece hasta mediodía. || **2.** Espacio de tiempo desde la medianoche hasta el mediodía. *A las tres de la* MAÑANA. || **3.** m. Tiempo futuro próximo a nosotros. || **4.** adv. t. En el día que seguirá inmediatamente al de hoy. || **5.** fig. En tiempo venidero. || **6.** fig. Presto, o antes de mucho tiempo. || **De gran mañana.** m. adv. ant. **Muy de mañana.** || **De mañana.** m. adv. Al amanecer, a poco de haber amanecido, en las primeras horas del día. || **¡Mañana!** Exclamación con que uno se niega a hacer lo que le piden. || **Muy de mañana.** m. adv. Muy temprano, de madrugada. || **Pasado mañana.** m. adv. En el día que seguirá inmediatamente al de **mañana.** || **Tomar la mañana.** fr. **Madrugar,** 1.ª acep. || **2.** fam. Beber aguardiente por la **mañana** en ayunas la gente del pueblo que tiene esta costumbre.

Mañanear. (De *mañana.*) intr. Madrugar habitualmente.

Mañanero, ra. (De *mañana.*) adj. **Madrugador.** || **2.** Perteneciente o relativo a la mañana.

Mañanica, ta. f. d. de **Mañana,** 1.ª acep. || **2.** Principio de la mañana.

Mañear. tr. Disponer una cosa con maña. || **2.** intr. Proceder mañosamente.

Mañera. (De *mañero*, 2.º art.) f. ant. **Machorra,** 1.ª acep.

Mañería. (De *mañero*, 2.º art.) f. Esterilidad en las hembras o en las tierras. || **2.** Derecho que tenían los reyes y señores de suceder en los bienes a los que morían sin sucesión legítima.

Mañería. (De *mañero*, 1.er art.) f. ant. Astucia, sagacidad y engaño.

Mañero, ra. (De *maña.*) adj. Sagaz, astuto. || **2.** Fácil de tratarse, ejecutarse o manejarse. || **3.** V. **Vecino mañero.** || **4.** ant. Fiador o delegado para pagar por otro.

Mañero, ra. (Del lat. *manus*, mulo.) adj. ant. **Estéril.** || **2.** ant. Muerto sin sucesión legítima.

Mañeruelo, la. adj. d. de **Mañero,** 1.er art.

Mañiú. m. *Chile.* Árbol semejante al alerce, cuya madera es muy apreciada.

Maño, ña. (Del lat. *germānus*, hermano.) m. y f. fig. y fam. **Aragonés, sa,** 1.ª y 2.ª aceps. || **2.** *Ar.* Expresión de cariño entre personas que se quieren bien.

Maño, ña. (Del lat. *magnus.*) adj. ant. **Grande.**

Mañoco. m. **Tapioca.** || **2.** Masa cruda de harina de maíz que servía de manjar a los indios de Venezuela.

Mañosamente. adv. m. Con habilidad y destreza. || **2. Maliciosamente.**

Mañoso, sa. adj. Que tiene maña. || **2.** Que se hace con maña. || **3.** Que tiene mañas o resabios.

Mañuela. f. Maña con astucia y bellaquería. || **2.** pl. com. fig. y fam. Persona astuta y cauta que sabe manejar diestramente los negocios.

Maorí. adj. Dícese del habitante de las dos islas de Nueva Zelandia. Ú. más c. s. m. y en pl.

Mapa. (Del lat. *mappa*, mantel, plano de una finca rústica.) m. Representación geográfica de la Tierra o parte de ella en una superficie plana. || **2.** f. fam. Lo que sobresale en un género, habilidad o producción. *La ciudad de Toro es la* MAPA *de las frutas.* || **mudo.** El que no tiene escritos los nombres de los reinos, provincias, ciudades, etc., y sirve para la enseñanza de la geografía. || **Llevarse la mapa.** fr. fam. Aventajarse en una línea. *En punto de vinos, Jerez* SE LLEVA LA MAPA. || **No estar en el mapa** una cosa. fr. fig. y fam. Ser desusada y extraordinaria.

Mapache. (Del mejic. *mapach.*) m. Mamífero carnicero de la América del Norte, del tamaño y aspecto del tejón, con piel de color gris obscuro muy estimada en el comercio, hocico blanco y cola muy poblada, con anillos blancos.

Mapamundi. (De *mapa*, y del lat. *mundi*, del mundo.) m. Mapa que representa la superficie de la Tierra dividida en dos hemisferios.

Mapanare. f. Culebra de Venezuela, cuyos colores forman una como cadena de negro y amarillo en el lomo y que tiene el vientre amarillo claro. Es muy venenosa y acomete al hombre.

Mapuche. adj. **Araucano.**

Mapurite. (Del caribe *maipuri.*) m. Especie de mofeta de la América Central, con el cuerpo amarillento, pecho y vientre pardos, punta de la cola blanca y una faja obscura a lo largo del lomo.

Maque. m. **Laca,** 2.ª acep. || **2. Zumaque del Japón,** 1.ª acep.

Maquear. tr. Adornar muebles, utensilios u otros varios objetos con pinturas o dorados, usando para ello el maque. Es industria asiática, y las imitaciones se hacen en Europa con barniz blanco de copal.

Maqueta. (Del ital. *machietta*, de *macchiare*, y éste del lat. *maculāre*, manchar.) f. Modelo plástico en tamaño reducido de un monumento, edificio, construcción, etc., hecho generalmente con materiales no preciosos.

Maqui. (Voz araucana.) m. Arbusto chileno, de la familia de las liliáceas, de unos tres metros de altura, hojas aovadas y lanceoladas, flores axilares en racimo, y fruto redondo, de unos cinco milímetros de diámetro, dulce y un poco astringente, que se emplea en confituras y helados. Los indios preparan también con él una especie de chicha.

Maquiavélico, ca. adj. Perteneciente al maquiavelismo. || **2. Maquiavelista.**

Maquiavelismo. m. Doctrina de Maquiavelo, escritor italiano del siglo XVI, que aconseja el empleo de la mala fe cuando sea necesaria para sostener la política de un Estado. || **2.** fig. Modo de proceder con astucia, doblez y perfidia.

Maquiavelista. adj. Que sigue las máximas de Maquiavelo. Ú. t. c. s.

Maquila. (Del ár. *makila*, medida de capacidad.) f. Porción de grano, harina o aceite que corresponde al molinero por la molienda. || **2.** Medida con que se maquila. || **3.** Medio celemín. || **4.** *Hond.* Medida de peso de cinco arrobas.

Maquilar. tr. Cobrar el molinero la maquila.

Maquilero. m. El encargado de cobrar la maquila. || **2.** *Sant.* **Maquila,** 3.ª acep.

Maquilón. m. ant. **Maquilero.**

Máquina. (Del lat. *machĭna*, y este del gr. μηχανή.) f. Artificio para aprovechar, dirigir o regular la acción de una fuerza. || **2.** fig. Agregado de diversas partes ordenadas entre sí y dirigidas a la formación de un todo. || **3.** fig. Traza, proyecto de pura imaginación. || **4.** fig. Intervención de lo maravilloso o sobrenatural en cualquier fábula poética. || **5.** fig. y fam. Edificio grande y suntuoso. *La gran* MÁQUINA *de El Escorial.* || **6.** fig. y fam. Multitud y abundancia. *Tengo una* MÁQUINA *de libros.* || **7.** Por antonom., **Locomotora.** || **8. Tramoya,** 1.er art., 1.ª y 2.ª aceps. || **de vapor.** La que funciona por la fuerza expansiva del vapor de agua. || **eléctrica.** Artificio destinado a producir electricidad o aprovecharla en usos industriales. || **hidráulica.** La que se mueve por la acción del agua. || **2.** La que sirve para elevar agua u otro líquido. || **neumática.** Aparato para extraer de un espacio cerrado aire u otro gas.

Maquinación. (Del lat. *machinatio, -ōnis.*) f. Proyecto o asechanza artificiosa y oculta, dirigida regularmente a mal fin.

Maquinador, ra. (Del lat. *machinātor.*) adj. Que maquina. Ú. t. c. s.

Maquinal. (Del lat. *machinalis.*) adj. Perteneciente a los movimientos y efectos de la máquina. || **2.** fig. Aplícase a los actos y movimientos ejecutados sin deliberación.

Maquinalmente. adv. m. fig. De un modo maquinal; indeliberadamente.

Maquinante. p. a. de **Maquinar.** Que maquina.

Maquinar. (Del lat. *machināri.*) tr. Urdir, tramar algo oculta y artificiosamente.

Maquinaria. f. Arte que enseña a fabricar las máquinas. || **2.** Conjunto de máquinas para un fin determinado. || **3. Mecánica,** 2.ª acep.

Maquinismo. m. Empleo predominante de las máquinas en la industria moderna.

Maquinista. com. Persona que inventa o fabrica máquinas. || **2.** La que las dirige o gobierna, y especialmente si éstas son de vapor, gas o electricidad.

Mar. (Del lat. *mare.*) amb. Masa de agua salada que cubre la mayor parte de la superficie de la Tierra. || **2.** Cada una de las partes en que se considera dividida. MAR *Mediterráneo, Cantábrico, Pacífico, Ártico, de las Antillas, de las Indias.* || **3.** V. **Almirante de la mar.** || **4.** V. **Adelantado, anemone, araña, artillero, azul, barbo, brazo, caballo, cabo, cangrejo, cohombro, criadilla, erizo, espuma, gente, golondrina, golpe, hombre, liebre, lobo, matrícula, ortiga, perejil, piojo, protesta, trucha, unicornio de mar.** || **5.** V. **Creciente del mar.** || **6.** fig. Llámanse así algunos lagos, como el Caspio, el Muerto. || **7.** fig. Marejada u oleaje alto que se mueve en el mar con los vientos fuertes o tempestades. || **8.** fig. Abundancia extraordinaria de alguna cosa. *Lloró un* MAR *de lágrimas.* || **ancha. Alta mar.** || **bonanza.** *Mar.* **Mar en calma.** || **cerrada.** La que comunica con el Océano por un canal o estrecho que puede ser defendido desde las orillas. || **de batalla. Mar** o paraje de él donde han combatido algunas escuadras o embarcaciones. || **de donas.** ant. *Mar.* **Mar en calma.** || **de fondo, o de leva.** *Mar.* Agitación de las aguas causada en alta **mar** por los temporales o vientos tormentosos, la cual forma una marejada que viene a romper sobre las costas, aun cuando en ellas no se experimentan aquellos malos tiempos. || **de leche. Mar**

en leche. || en bonanza, en calma, o en leche. El que está sosegado y sin agitación. || en lecho. ant. Mar en leche. || jurisdiccional. Aguas jurisdiccionales. || larga. *Mar.* Mar ancha. || tendida. La formada por grandes olas de mucho seno y de movimiento lento que no llegan a reventar. || territorial. Mar jurisdiccional. || Alta mar. Parte del mar que está a bastante distancia de la costa. || A mares. m. adv. Abundantemente. Ú. con los verbos *llorar, llover* y *sudar.* || Arar en el mar. fr. fig. con que se denota la inutilidad aun de los mayores esfuerzos para conseguir un fin determinado. || Arrojarse uno a la mar. fr. fig. Aventurarse a un grave riesgo. || Del mar, el mero, y de la tierra, el carnero. ref. con que se da a entender que la carne de estos animales es más apetitosa que la de los demás. || De mar a mar. m. adv. fig. que denota la abundancia de algunas cosas que ocupan determinado sitio. *Venía el río* DE MAR A MAR; *estaba la plaza llena de fruta* DE MAR A MAR. || 2. fig. y fam. Aplícase al lujo o exceso en los adornos. *Juan iba* DE MAR A MAR. || Do va la mar, vayan las arenas, o las ondas. ref. con que se denota que a veces conviene aventurar lo menos, cuando peligra o se ha perdido lo más. || Hablar de la mar. fr. fig. y fam. con que vulgarmente se significa ser imposible la ejecución o la inteligencia de una cosa. || 2. fig. y fam. También se usa para denotar que hay mucho que tratar y hablar de una especie o asunto. || Hacerse a la mar. fr. *Mar.* Separarse de la costa y entrar en mar ancha. || La mar. loc. adv. Mucho, abundantemente. || La mar de. loc. adv. Mucho. || La mar que se parte, arroyos se hace. ref. que da a entender que aun de las cosas más grandes resultan porciones pequeñas, si se dividen entre muchos. || Meter la mar en un pozo. fr. fig. con que se pondera la dificultad de reducir a estrechos límites una cosa de mucha extensión. || Picarse el mar, o la mar. fr. Comenzar a alterarse. || Quebrar el mar. fr. Romperse el mar. || Quien no se aventura no pasa la mar. ref. con que se advierte ser preciso arriesgarse para conseguir cosas difíciles. || Romperse el mar. fr. Estrellarse las olas contra un peñasco, playa, etc. || Sobre mar. expr. ant. En la mar o embarcado.

Marabú. (Del ár. *marbūṭ*, santo, ermitaño, persona profesa en una rábida.) m. Ave zancuda, semejante a la cigüeña, de metro y medio de alto y tres metros y medio de envergadura; cabeza, cuello y buche desnudos; plumaje de color negro verdoso en el dorso, ceniciento en el vientre y blanco y muy fino debajo de las alas; pico amarillo, grande y grueso y tarsos fuertes de color negruzco. Vive en África, donde se le considera como animal sagrado por los servicios que presta devorando multitud de insectos, reptiles y carroñas, y sus plumas blancas son muy apreciadas para adorno. || 2. Adorno hecho de esta pluma.

Marabuto. m. Morabito, 2.ª acep.

Maraca. (Del guaraní *mbaracá.*) f. *Ant., Colomb. y Venez.* Instrumento músico de los guaraníes, que consiste en una calabaza seca con granos de maíz o chinas en su interior, para acompañar el canto. || 2. *Chile* y *Perú.* Juego de azar, que se juega con tres dados que, en vez de puntos, tienen figurados un sol, un oro, una copa, una estrella, una luna y una ancla. || 3. fig. *Chile.* Ramera, prostituta.

Maracaná. (Voz guaraní.) m. *Argent.* Guacamayo.

Maracayá. m. *Amér.* Tigrillo.

Maracucho, cha. adj. *Venez.* Dícese del natural de Maracaibo. Ú. t. c. s. || 2. Perteneciente o relativo a esta ciudad de Venezuela.

Maracure. m. Bejuco de Venezuela, del cual se extrae el curare.

Maragatería. f. Conjunto de maragatos.

Maragato, ta. adj. Natural de la Maragatería. Ú. t. c. s. || 2. Perteneciente a esta comarca del reino de León, al sur de Astorga, cuyos habitantes tienen por principal ejercicio la arriería. || 3. m. Especie de adorno que antiguamente traían las mujeres en los escotes, parecido a la valona que usaban los maragatos.

Marantáceo, a. (De *maranta*, nombre de un género de plantas.) adj. *Bot.* Dícese de plantas angiospermas monocotiledóneas, herbáceas, con hojas asimétricas y pecioladas; flores hermafroditas irregulares, con cáliz y corola, completamente asimétricas y reunidas en inflorescencias compuestas; fruto en cápsula, baya o nuez y semillas con arilo; como el sagú, 2.ª acep. Ú. t. c. s. f. || 2. f. pl. *Bot.* Familia de estas plantas.

Maraña. (Del lat. *vorago, -ĭnis*, abismo.) f. Maleza, 2.ª acep. || 2. Conjunto de hebras bastas enredadas y de grueso desigual que forman la parte exterior de los capullos de seda, que es preciso apartar al hacer el hilado, y las cuales se emplean en ciertos tejidos de inferior calidad. || 3. Tejido hecho con esta maraña. || 4. Coscoja, 1.ª acep. || 5. fig. Enredo de los hilos o del cabello. || 6. fig. Embuste inventado para enredar o descomponer un negocio. || 7. fig. Lance intrincado y de difícil salida. || 8. *Germ.* Mujer pública.

Marañal. (De *maraña.*) m. Coscojar.

Marañar. (De *maraña.*) tr. Enmarañar. Ú. t. c. r.

Marañero, ra. adj. Amigo de marañas, enredador. Ú. t. c. s.

Marañón. m. *Bot.* Árbol de las Antillas y de la América Central, de la familia de las anacardiáceas, de cuatro a cinco metros de altura; de tronco torcido y madera blanca; hojas ovaladas, de color amarillo rojizo, lisas y coriáceas; flores en panojas terminales, y cuyo fruto, sostenido por un pedúnculo grueso en forma de pera, es una nuez de cubierta cáustica y almendra comestible.

Marañoso, sa. adj. Marañero. Ú. t. c. s. || 2. p. us. Enmarañado, enredado.

Marasmo. (Del gr. μαρασμός; en b. lat. *marasmus.*) m. *Med.* Extremado enflaquecimiento del cuerpo humano. || 2. fig. Suspensión, paralización, inmovilidad, en lo moral o en lo físico.

Maravedí. (Del ár. *murābiṭī*, perteneciente o relativo a los almorávides.) m. Moneda española, efectiva unas veces y otras imaginaria, que ha tenido diferentes valores y calificativos. El que últimamente corrió era de cobre y valía la trigésima cuarta parte del real de vellón. Se han dado a este nombre hasta tres plurales diferentes; a saber: maravedís, maravedises y maravedíes. El tercero apenas tiene ya uso. || 2. Tributo que de siete en siete años pagaban al rey los aragoneses cuya hacienda valiese 10 maravedís de oro, o siete sueldos, que era su equivalencia en tiempo del rey don Jaime el Conquistador. || alfonsí, o blanco. Maravedí de plata. || burgalés. Moneda de vellón con tres partes de cobre y una de plata, que mandó labrar en Burgos el rey don Alfonso el Sabio, y valía la sexta parte del maravedí de plata. || cobreño. Moneda antigua que valía dos blancas. || de la buena moneda, o de los buenos. De los de cobre, el que tenía más liga de plata. || 2. Maravedí de oro. || de oro. Moneda con ley de 16 quilates de oro, que don Alfonso el Sabio tasó en seis maravedís de plata. || de plata. Moneda anterior a los Reyes Católicos, cuyo valor era la tercera parte de un real de plata antiguo, o sea 20 céntimos de peseta próximamente. || novén. Maravedí viejo. || nuevo. Antigua moneda de vellón, que equivalía a la séptima parte de un real de plata. || prieto. Moneda antigua, de menos valor que la blanca. || viejo. Moneda de vellón que corrió en Castilla desde el tiempo de don Fernando IV hasta el de los Reyes Católicos, y valía la tercera parte de un real de plata. || Do el maravedí se deja hallar, otro debes allí buscar. ref. que enseña que donde hemos obtenido algún provecho, es donde debemos procurar volver a obtenerlo.

Maravedinada. f. Cierta medida antigua de áridos.

Maravetino. m. ant. Maravedí.

Maravilla. (Del lat. *mirabilia*, cosas admirables.) f. Suceso o cosa extraordinarios que causan admiración. || 2. Admiración, 1.ª acep. || 3. Planta herbácea de la familia de las compuestas, de tres a cuatro decímetros de altura, con hojas abrazadoras y lanceoladas, flores terminales con pedúnculo hinchado, circulares y de color anaranjado. El cocimiento de las flores se ha usado en medicina como antiespasmódico. || 4. Especie de enredadera, originaria de América, que se cultiva en los jardines y tiene la flor azul con listas purpúreas. || 5. Dondiego. || 6. V. Flor de la maravilla. || del mundo. Cada una de las siete grandes obras de arquitectura o de estatuaria que en la antigüedad se reputaron más admirables. || A las maravillas, o a las mil maravillas. m. adv. fig. De un modo exquisito y primoroso; muy bien, perfectamente. || A maravilla. m. adv. Maravillosamente. || Decir, o hacer, maravillas. fr. fig. y fam. Exponer algún concepto o ejecutar alguna acción con extraordinario primor. || Por maravilla. m. adv. Rara vez, por casualidad. || Ser una cosa la octava maravilla. fr. fig. Ser muy extraordinaria y admirable. || Ser una cosa una maravilla. fr. fig. Ser singular y excelente.

Maravillar. (De *maravilla.*) tr. Admirar. Ú. t. c. r. || 2. intr. ant. Maravillarse.

Maravillosa. f. *Astron.* Mira, 2.° art.

Maravillosamente. adv. m. De un modo maravilloso.

Maravilloso, sa. (De *maravilla.*) adj. Extraordinario, excelente, admirable.

Marbete. (Del ár. *marbaṭ* o *marbiṭ*, lo que se ata a algo.) m. Cédula que por lo común se adhiere a las piezas de tela, cajas, botellas, frascos u otros objetos, y en que se suele manuscribir o imprimir la marca de fábrica, o expresar en un rótulo lo que dentro se contiene, y a veces sus cualidades, uso, precio, etc. || 2. Cédula que en los ferrocarriles se pega en los bultos de equipaje, fardos, etc., y en la cual van anotados el punto a que se envían y el número del registro. || 3. Orilla, perfil, filete.

Marca. (Del medio alto al. *mark*, señal.) f. Provincia, distrito fronterizo. MARCA *de Ancona, de Brandeburgo.* || 2. Instrumento para medir la estatura de las personas. Lo hay también para medir la alzada de los caballos. || 3. Medida cierta y segura del tamaño que debe tener una cosa. *Caballo de* MARCA. || 4. V. Carta, espada, papel de marca. || 5. Instrumento con que se marca o señala una cosa para diferenciarla de otras, o para denotar su calidad, peso o tamaño. || 6. Acción de marcar. || 7. Señal hecha en una persona, animal o cosa, para distinguirla de otra, o denotar calidad o pertenencia. || 8. *Germ.* Mujer pública. || 9. *Mar.* Punto fijo en la costa, población, bajo, etc., que sirve a bordo de señal para saber la situación de la nave. || **de fábrica.** Distintivo o señal que el fabricante pone a los productos de su industria, y cuyo uso le pertenece exclusivamente. || **De marca.** expr. fig. con que se explica que una cosa es sobresaliente en su línea. || **De marca mayor,** o **de más de marca.** expr. fig. con que se declara que una cosa es excesiva en su línea, y que sobrepuja a lo común.

Marcación. f. *Mar.* Acción y efecto de marcar o marcarse. || **2.** *Mar.* Ángulo que la visual dirigida a una marca o a un astro forma con el rumbo que lleva el buque o con otro determinado.

Marcadamente. adv. m. **Señaladamente.**

Marcador, ra. adj. Que marca. Ú. t. c. s. || **2.** m. Muestra o dechado que hacen las niñas en cañamazo, en prueba de su habilidad para marcar. || **3. Contraste,** 3.ª acep. || **4.** *Impr.* Operario encargado de colocar uno tras otro los pliegos de papel en las máquinas. || **mayor.** Título que se daba en Castilla al jefe de los marcadores o contrastes.

Marcar. tr. Señalar y poner la marca a una cosa o persona para que se distinga de otras, o se conozca la calidad o pertenencia de la misma. || **2.** Bordar en la ropa las iniciales y alguna vez los blasones de su dueño. || **3.** fig. Señalar a uno, o advertir en él una calidad digna de notarse. || **4.** fig. Aplicar, destinar. || **5.** *Impr.* Ajustar el pliego a los tacones al imprimir el blanco, y apuntarlo para la retiración. || **6.** *Mar.* Determinar una marcación, 2.ª acep. || **7.** intr. Tratándose de géneros de comercio, poner en los mismos la indicación de su precio. || **8.** fig. En los deportes en que luchan equipos combinados, contrarrestar eficazmente un jugador el juego de su contrario respectivo. || **9.** r. *Mar.* Determinar un buque su situación por medio de marcaciones, 2.ª acep.

Marcasita. (Del ár. *marqašītā*.) f. **Pirita.**

Marceador, ra. adj. Que marcea.

Marcear. tr. Esquilar las bestias, operación que en algunos climas suele hacerse en el mes de marzo. || **2.** intr. Hacer el tiempo propio del mes de marzo.

Marcelianista. adj. Partidario de la herejía atribuida a Marcelo, obispo de Ancira, en el siglo IV, acusado de confundir las tres personas de la Trinidad. Ú. t. c. s.

Marcelino, na. adj. ant. **Marzal.**

Márcena. (Del lat. *margo, -inis*.) f. *Ál.* y *Logr.* **Margen,** 1.ª acep. || **2. Amelga.**

Marcenar. (De *márcena*.) tr. **Amelgar.**

Marceño, ña. adj. Propio del mes de marzo.

Marceo. (De *marcear*.) m. Corte que hacen los colmeneros al entrar la primavera, para quitar a los panales lo reseco y sucio que suelen tener en la parte inferior.

Marcero, ra. adj. **Marceador.**

Marcescente. (Del lat. *marcescens, -entis*, que se deseca.) adj. *Bot.* Aplícase a los cálices y corolas que después de marchitarse persisten alrededor del ovario, y a las hojas que permanecen secas en la planta hasta que brotan las nuevas.

Marcial. (Del lat. *martiālis*, de Marte.) adj. Perteneciente a la guerra. || **2.** V. **Flamen, ley, pirita marcial.** || **3.** fig. Bizarro, varonil, desembarazado, franco. || **4.** *Farm.* Dícese de los medicamentos en que entra el hierro, metal dedicado por los alquimistas al dios Marte. || **5.** m. Porción de polvos aromáticos con que antiguamente se aderezaban los guantes.

Marcialidad. f. Calidad de marcial.

Marciano, na. adj. Relativo al planeta Marte, o propio de él. || **2.** m. Supuesto habitante del planeta Marte.

Marcio, cia. (Del lat. *martius*.) adj. ant. **Marcial.** || **2.** m. ant. **Marzo.**

Marcionista. adj. Dícese del sectario de Marción, heresiarca del Asia Menor, que vivió en el siglo II y sostuvo, entre otros errores, la existencia de dos espíritus, uno bueno y otro malo, y que este último es el verdadero creador del mundo. Ú. t. c. s.

Marco. (Del germ. *mark*.) m. Peso de media libra, ó 230 gramos, que ha venido usándose para el oro y la plata. El del oro se dividía en 50 castellanos, y el de la plata en ocho onzas. || **2.** Patrón o tipo por el cual deben regularse o contrastarse las pesas y medidas. || **3.** Moneda alemana de plata, que a la par equivale a una peseta y 25 céntimos. || **4.** Medida determinada del largo, ancho y grueso que, según sus clases, deben tener los maderos. || **5.** Cerco que rodea, ciñe o guarnece algunas cosas, y aquel en donde se encaja una puerta, ventana, pintura, etc. || **6. Cartabón,** 2.ª acep. || **hidráulico.** Arqueta sin tapa, que lleva en una de sus paredes varios cañitos de distintos diámetros, calculados de modo que salga por cada uno determinada cantidad de agua cuando su nivel se mantiene en una línea señalada en la parte interior. || **real.** Medida superficial de 400 estadales cuadrados.

Márcola. (Del lat. *marcŭlus*, martillo.) f. Asta de unos dos metros y medio de largo, que lleva en la punta un hierro a manera de formón, con un gancho lateral en figura de hocino, y sirve en la Andalucía Baja para limpiar y desmarojar los olivos.

Marcolador, ra. m. y f. Persona que desmaroja y limpia con la márcola.

Marcomano, na. (Del lat. *marcomānnus*.) adj. Natural de Marcomania. Ú. t. c. s. || **2.** Perteneciente a este país de la Europa antigua, que comprendía la mayor parte de Bohemia.

Marconigrama. m. **Radiograma.**

Marcha. f. Acción de marchar. || **2.** Grado de celeridad en el andar de un buque, locomotora, etc. || **3.** Hoguera de leña que se hace en la Rioja a las puertas de las casas como señal de regocijo. || **4.** *Mar.* V. **Orden de marcha.** || **5.** *Mil.* Toque de caja o de clarín para que marche la tropa o para hacer los honores supremos militares. || **6.** *Mús.* Pieza de música, de ritmo muy determinado, destinada a indicar el paso reglamentario de la tropa, o de un numeroso cortejo en ciertas solemnidades. || **del juego.** Carácter propio de él y leyes que lo rigen para el movimiento de sus piezas o el valor de los naipes. || **real.** La que se toca en honor del Santísimo Sacramento, del rey o de alguna representación de análoga majestad. || **real fusilera.** Antigua **marcha** real, usada después en los actos palatinos. || **A largas marchas.** m. adv. fig. Con mucha celeridad y prisa. || **A marchas forzadas.** m. adv. *Mil.* Caminando en determinado tiempo más de lo que se acostumbra, o haciendo jornadas más largas que las regulares. || **Batir la marcha,** o **batir marcha.** fr. *Mil.* Tocarla con el clarín o con la caja. || **Doblar las marchas.** fr. Caminar en un día la jornada de dos, o andar más de lo ordinario. Ú. m. en la milicia. || **Sobre la marcha.** m. adv. De prisa, inmediatamente, en el acto.

Marchamador. m. ant. **Marchamero.**

Marchamar. (De *marchamo*.) tr. Señalar o marcar los géneros o fardos en las aduanas.

Marchamero. m. El que tiene el oficio de marchamar.

Marchamo. (Del ár. *maršam*.) m. Señal o marca que se pone en los fardos o bultos en las aduanas, en prueba de que están despachados o reconocidos.

Marchante. (Del fr. *marchand*, y éste del m. or. que *mercante*.) adj. **Mercantil.** || **2.** m. **Traficante.** || **3.** *And.* y *Amér.* Parroquiano o persona que acostumbra comprar en una misma tienda.

Marchantería. f. p. us. **Marchantía.**

Marchantía. (De *marchante*.) f. p. us. **Mercancía.**

Marchapié. (Del fr. *marchepied*.) m. *Mar.* Cabo pendiente a lo largo de las vergas que sirve para sostener a la marinería que trabaja en ellas.

Marchar. (Del fr. *marcher*, y éste del germ. *marhan*.) intr. Caminar, hacer viaje, ir o partir de un lugar. Ú. t. c. r. || **2. Andar,** 1.er art., 3.ª acep. *El reloj* MARCHA. || **3.** fig. Caminar, funcionar o desenvolverse una cosa. *La acción del drama* MARCHA *bien; la cosa* MARCHA; *esto no* MARCHA. || **4.** *Mil.* Ir o caminar la tropa con cierto orden y compás.

Marcharipé. m. *And.* Pintura o afeite en el rostro de las mujeres.

Marchitable. adj. Que puede marchitarse.

Marchitamiento. m. Acción y efecto de marchitar o marchitarse.

Marchitar. (De un der. del lat. *marcĭdus*, marchito.) tr. Ajar, deslucir y quitar el jugo y frescura a las hierbas, flores y otras cosas, haciéndoles perder su vigor y lozanía. Ú. t. c. r. || **2.** fig. Enflaquecer, debilitar, quitar el vigor, la robustez, la hermosura. Ú. t. c. r.

Marchitez. f. Calidad de marchito.

Marchito, ta. (De *marchitar*.) adj. Ajado, falto de vigor y lozanía.

Marchitura. f. ant. **Marchitez.**

Marchoso, sa. (De *marcha*.) adj. *And.* Dícese del que en su porte y andares muestra gallardía, generalmente con plebeya afectación. || **2.** Entre el pueblo bajo andaluz, dícese del que se distingue por sus galanteos, juergas y lances de la vida airada. Ú. t. c. s.

Mardal. (Del m. or. que *maridal*.) m. *Murc.* **Morueco.**

Mardano. (Del lat. *marītus*, marido.) m. *Ar.* **Morueco.**

Marea. (De *marear*.) f. Movimiento periódico y alternativo de ascenso y descenso de las aguas del mar, producido por las acciones atractivas del Sol y de la Luna. || **2.** Aquella parte de la ribera del mar que invaden las aguas de éste en el flujo o pleamar. || **3.** Viento blando y suave que sopla del mar. || **4.** Por ext., el que sopla en las cuencas de los ríos, o en los barrancos. || **5.** Rocío, llovizna. || **6.** Conjunto de la inmundicia o bascosidad que se barre y limpia de las calles y se lleva por ellas, facilitando su arrastre con agua. || **7.** *Mar.* V. **Establecimiento de las mareas.** || **muerta.** *Mar.* **Aguas muertas.** || **viva.** *Mar.* **Aguas vivas.**

Mareador. (De *marear*.) m. *Germ.* Ladrón que trueca la mala moneda por la buena.

Mareaje. m. *Mar.* Arte o profesión de marear o navegar. || **2.** *Mar.* Rumbo o derrota que llevan las embarcaciones en su navegación.

Mareamiento. m. Acción y efecto de marear o marearse.

Mareante. p. a. de **Marear.** Que marea. || **2.** adj. Que profesa el arte de la navegación. Ú. t. c. s. || **3.** m. ant. Comerciante o traficante por mar.

Marear. (De *mar*.) tr. Poner en movimiento una embarcación en el mar; gobernarla o dirigirla. || **2.** Vender en público o despachar las mercaderías. || **3.** fig. y fam. Enfadar, molestar. Ú. t. c. intr. || **4.** *And.* **Rehogar.** || **5.** intr. ant. **Navegar,** 1.ª acep. Usáb. t. c. tr. || **6.** r. Desazonarse uno, turbársele la cabeza, revolviéndosele el estómago; lo cual suele suceder con el movimiento de la embarcación o del carruaje y también en el principio o el curso de algunas enfermedades. || **7.** Averiarse los géneros en el mar.

Marejada. (De *marea.*) f. Movimiento tumultuoso de grandes olas, aunque no haya borrasca. || **2.** fig. Exaltación de los ánimos y señal de disgusto, murmuración o censura, manifestada sordamente por varias personas. Suele preceder al verdadero alboroto.

Maremagno. m. fam. **Mare mágnum.**

Mare mágnum. (Lit., *mar grande.*) expr. lat. fig. y fam. Abundancia, grandeza o confusión. || **2.** fig. y fam. Muchedumbre confusa de personas o cosas.

Maremoto. (Formado a imitación de *terremoto;* del lat. *mare,* mar, y *motus,* movimiento.) m. Agitación violenta de las aguas del mar a consecuencia de una sacudida del fondo. A veces se propaga hasta las costas dando lugar a inundaciones.

Marengo. (De *mar.*) m. *And.* **Jabegote.**

Mareo. m. Efecto de marearse. || **2.** fig. y fam. Molestia, enfado, ajetreo.

Mareógrafo. (De *marea,* y e lgr. γράφω, escribir.) m. Instrumento que puesto en comunicación con el mar, va notando por medio de un lápiz movido por un flotador, sobre una tira de papel sin fin, una curva cuyas abscisas indican las horas del día, y las coordenadas la altura que en cada una de ellas alcanza el nivel de las aguas por efecto de las mareas.

Mareoso, sa. adj. Que marea, 3.ª acep.

Marero. (De *mar.*) adj. *Mar.* V. **Viento marero.**

Mareta. f. Movimiento de las olas del mar cuando empiezan a levantarse con el viento o a sosegarse después de la borrasca. || **2.** fig. Rumor de muchedumbre que empieza a agitarse, o bien a sosegarse después de agitación violenta. || **3.** fig. Alteración del ánimo antes de agitarse violentamente, o cuando ya se va calmando. || **sorda.** Alteración de las olas no causada por viento grande ni impetuoso en el paraje en que se siente. || **2.** fig. **Marejada,** 2.ª acep.

Maretazo. m. **Golpe de mar.**

Márfaga. (De *márfega.*) f. **Marga,** 2.° art. || **2.** *Rioja.* Cobertor de cama.

Márfega. (Del ár. *mirfaqa,* cojín en que uno se acoda, cabecera de cama.) f. *Ar.* **Jergón,** 1.er art., 1.ª acep. || **2.** *Ar.* **Márfaga,** 1.ª acep.

Marfil. (Del ár. *'azm al-fīl,* el hueso de elefante.) m. *Zool.* Materia dura, compacta y blanca de que principalmente están formados los dientes de los vertebrados, que en la corona está cubierta por el esmalte y en la raíz por el cemento. En la industria se utiliza, para la fabricación de numerosos objetos, el de los colmillos de los elefantes. || **2.** ant. **Elefante.** || **vegetal. Tagua,** 2.ª acep.

Marfileño, ña. adj. De marfil. || **2.** Perteneciente o semejante al marfil.

Marfuz, za. (Del ár. *marfūḍ,* desechable.) adj. Repudiado, desechado. || **2.** Falaz, engañoso.

Marga. (Del lat. *marga.*) f. Roca más o menos dura, de color gris y compuesta principalmente de carbonato de cal y arcilla en proporciones casi iguales. Se emplea como abono de los terrenos en que escasea la cal o la arcilla.

Marga. (De *márfega.*) f. Jerga que se emplea para sacas, jergones y otras cosas semejantes, y antiguamente se llevó como luto muy riguroso.

Margajita. f. **Marcasita.**

Margal. m. Terreno en que abunda la marga.

Margallón. (Del lat. *margăris,* dátil del palmito.) m. **Palmito,** 1.er art.

Margar. tr. Abonar las tierras con marga.

Margarina. (Del gr. μάργαρον, perla, por el color.) f. *Quím.* Substancia grasa de consistencia blanda, que se encuentra en los aceites y mantecas.

Margarita. (Del lat *margarīta,* y éste del gr. μαργαρίτης.) f. **Perla,** 1.ª acep. || **2.** *Zool.* Molusco gasterópodo marino, con concha de 10 a 12 milímetros de largo y sección oval, muy convexa por encima, casi plana por debajo, rayada finamente al través y con la boca reducida a una rajita que corre a lo largo de la parte plana. Es de color róseo y a veces tiene en la convexidad dos o tres manchitas negras. || **3.** Por ext., cualquier caracol chico, descortezado y anacarado. || **4.** Planta herbácea de la familia de las compuestas, de cuatro a seis decímetros de altura, con hojas casi abrazadoras, oblongas, festoneadas, hendidas en la base, y flores terminales de centro amarillo y corola blanca. Es muy común en los sembrados. || **5. Maya,** 1.er art., 1.ª acep. || **Echar margaritas a puercos.** fr fig. Emplear el discurso, generosidad o delicadeza en quien no los conoce o no sabe apreciarlos.

Margariteño, ña. adj. Natural de Santa Margarita. Ú. t. c. s. || **2.** Perteneciente a esta isla del Mediterráneo.

Margen. (Del lat. *margo, -ĭnis.*) amb. Extremidad y orilla de una cosa. MARGEN *del río, del campo.* || **2.** Espacio que queda en blanco a cada uno de los cuatro lados de una página manuscrita o impresa, y más particularmente el de la derecha o el de la izquierda. || **3. Apostilla.** || **4.** fig. Ocasión, oportunidad, motivo para un acto o suceso. || **5.** *Com.* Cuantía del beneficio que se puede obtener en un negocio teniendo en cuenta el precio de coste y el de venta. || **A media margen.** m. adv. Con espacio en blanco que comprenda la mitad longitudinal de la plana impresa o manuscrita. || **Andarse** uno **por las márgenes.** fr. fig. **Andarse** uno **por las ramas.**

Margenar. (De *margen.*) tr. **Marginar.**

Marginado, da. p. p. de **Marginar.** || **2.** adj. *Bot.* Que tiene reborde.

Marginal. adj. Perteneciente al margen. || **2.** Que está al margen. || **3.** V. **Decreto, nota marginal.**

Marginar. (Del lat. *margo, -ĭnis,* margen.) tr. **Apostillar.** || **2.** Hacer o dejar márgenes en el papel u otra materia en que se escribe o imprime.

Margomar. (Palabra formada sobre el ár. *marqūm,* bordado, recamado.) tr. ant. **Bordar.**

Margoso, sa. adj. Dícese del terreno o de la roca en cuya composición entra la marga.

Margrave. (Del al. *mark-graf;* de *mark,* marca, frontera, y *graf,* conde.) m. Título de dignidad de algunos príncipes de Alemania.

Margraviato. m. Dignidad de margrave. || **2.** Territorio del margrave.

Marguera. f. Barrera o veta de marga. || **2.** Sitio donde se tiene depositada la marga.

María. (Del hebr. *Miriam.*) f. Nombre de la Madre de Dios. || **2.** V. **Baño de María.** || **3.** Moneda de plata, de valor de 12 reales de vellón, que mandó labrar la reina doña Mariana de Austria durante la menor edad de Carlos II. || **4.** fam. Vela blanca que se pone en lo alto del tenebrario. || **5.** pl. **Las tres Marías.** El **Cinturón de Orión.** || **Después de María casada, tengan las otras malas hadas.** ref. que se aplica al que únicamente atiende a su negocio, mirando con absoluta indiferencia el interés ajeno.

Marial. adj. Aplícase comúnmente a algunos libros que contienen alabanzas de la Santísima Virgen María. Ú. t. c. s.

Mariano, na. adj. Perteneciente a la Santísima Virgen María, y señaladamente a su culto. || **2.** V. **Cardo mariano.**

Marica. n. p. fam. f. d. de **María.** || **2. Urraca.** || **3.** En el juego del truque, sota de oros. || **4.** m. fig. y fam. Hombre afeminado y de poco ánimo y esfuerzo. || **¿De cuándo acá Marica con guantes?** expr. de extrañeza. **¿De cuándo acá?**

Maricastaña. n. p. Personaje proverbial, símbolo de antigüedad muy remota. Empléase generalmente en las frases: **los tiempos de Maricastaña; en tiempo,** o **en tiempos, de Maricastaña; ser del tiempo de Maricastaña.**

Maricón. m. fig. y fam. **Marica,** 4.ª acep. Ú. t. c. adj. || **2.** fig. y fam. **Sodomita,** 3.ª acep. Ú. t. c. adj.

Maridable. adj. Aplícase a la vida y unión que debe haber entre marido y mujer, y a lo que a ellos corresponde.

Maridablemente. adv. m. Con vida, unión o afecto maridable.

Maridaje. (De *maridar.*) m. Enlace, unión y conformidad de los casados. || **2.** Unión, analogía o conformidad con que unas cosas se enlazan o corresponden entre sí; como la unión de la vid y el olmo, la buena correspondencia de dos o más colores, etc.

Maridal. (Del lat. *maritālis;* de *marītus,* marido.) adj. ant. **Maridable.**

Maridanza. f. *Extr.* Vida que da el marido a la mujer. Ú. con los adjetivos *buena* o *mala.*

Maridar. (Del lat. *maritāre.*) intr. **Casar,** 3.er art., 1.ª acep. || **2.** Unirse carnalmente o hacer vida maridable. || **3.** tr. fig. Unir o enlazar.

Maridazo. (aum. despect. de *marido.*) m. fam. **Gurrumino,** 2.ª acep.

Maridillo. (d. de *marido.*) m. **Rejuela,** 2.ª acep.

Marido. (Del lat. *marītus.*) m. Hombre casado, con respecto a su mujer. || **A la que a su marido encornuda, Señor y tú la ayuda.** ref. que explica ser necesario el auxilio de Dios y las exhortaciones de los buenos para que la adúltera conozca su pecado y se arrepienta. || **Al marido malo, ceballo con las gallinas de par del gallo.** ref. que aconseja a las mujeres que tienen **maridos** de mala condición que para sosegarlos procuren servirlos con más cuidado y regalarlos. || **Llevad vos, marido, la artesa, que yo llevaré el cedazo, que pesa como el diablo.** ref. que denota que las cosas más difíciles se suelen encargar a otros, reservándose uno para sí las más fáciles. || **Marido tras del lar, dolor de ijar.** ref. que muestra cuán perjudicial es para la hacienda familiar que el **marido** esté ocioso. || **Mi marido es tamborilero; Dios me lo dio y así me lo quiero.** ref. que persuade estar uno contento con su suerte. || **Mi marido va a la mar, chirlos mirlos va a buscar.** ref. que zahiere a los noveleros que se huelgan de mentir. || **No es nada, que matan a mi marido.** ref. con que se zahiere a la persona que no da importancia a cosas graves. || **Pensé que no tenía marido, y comíme la olla.** ref. contra los que, haciéndose los distraídos, sólo procuran su provecho.

Mariguana [~ **huana**]. f. En Méjico y otros países americanos, nombre del cáñamo común, cuyas hojas, fumadas como el tabaco, producen un terrible efecto narcótico.

Marimacho. (De *Mari,* apócope de *María,* y de *macho.*) m. fam. Mujer que en su corpulencia o acciones parece hombre.

Marimandona. (De *Mari,* apócope de *María,* y de *mandón.*) f. Mujer voluntariosa y autoritaria.

Marimanta. (De *Mari,* apócope de *María,* y de *manta.*) f. fam. Fantasma o figura con que se pone miedo a los niños.

Marimarica. m. fam. **Marica,** 4.ª acep.

Marimba. (Voz africana.) f. Especie de tambor que usan los negros de algunas partes de África. || **2.** *Amér.* **Tímpano,** 2.ª acep.

Marimoña. f. **Francesilla,** 1.ª acep.

Marimorena. f. fam. **Camorra,** 1.ª acep.

Marina. n. p. **A Marina duélele el tobillo, y sánanle el colodrillo.** ref. con que se denota la desproporción de algunos medios para conseguir los fines que se desean. || **Si Marina bailó, tome lo que halló.** ref. que advierte el riesgo a que se exponen las mujeres en los bailes.

Marina. (Del lat. *marina,* t. f. de *-nus,* marino.) f. Parte de tierra junto al mar. || **2.** Cuadro o pintura que representa el mar. || **3.** Arte o profesión que enseña a navegar o a gobernar las embarcaciones. || **4.** Conjunto de los buques de una nación. || **5.** Conjunto de las personas que sirven en la **marina** de guerra. || **6.** V. **Auditor, infantería, ingeniero de marina.** || **de guerra. Armada,** 3.ª acep. || **mercante.** Conjunto de los buques de una nación que se emplean en el comercio.

Marinaje. m. Ejercicio de la marinería. || **2.** Conjunto de los marineros.

Marinante. (De *marinar.*) m. desus. **Marinero.**

Marinar. (De *marino.*) tr. Dar cierta sazón al pescado para conservarlo. || **2.** Poner marineros del buque apresador en el apresado. || **3.** Tripular de nuevo un buque.

Marinear. intr. Ejercitar el oficio de marinero.

Marinera. f. Prenda del vestido, a modo de blusa, abotonada por delante y ajustada a la cintura por medio de una jareta, de que usan los marineros. || **2.** Baile popular de Chile, el Ecuador y el Perú.

Marinerado, da. (De *marinero.*) adj. Tripulado o equipado.

Marinerazo. (aum. de *marinero.*) m. El muy práctico o experimentado en las cosas de mar.

Marinería. (De *marinero.*) f. Profesión o ejercicio de hombre de mar. || **2.** Conjunto de marineros.

Marinero, ra. (De *marina.*) adj. Dícese del buque que obedece a las maniobras con facilidad y seguridad. || **2.** Dícese también de lo que pertenece a la marina o a los marineros, y de lo que se asemeja a cosa de marina o de marinero. || **3.** m. Hombre de mar que sirve en las maniobras de las embarcaciones. || **4.** Sujeto inteligente en marinería. || **5. Argonauta,** 2.ª acep. || **A la marinera.** m. adv. **A la marinesca.**

Marinesco, ca. (De *marino.*) adj. Perteneciente a los marineros. || **A la marinesca.** m. adv. Conforme a la moda o costumbre de los marineros.

Marinismo. m. Gusto poético conceptuoso, recargado de imágenes y figuras extravagantes, que se propagó por Europa al comenzar el siglo XVII y cuyo iniciador fué el poeta italiano Marini, que falleció en 1628.

Marinista. adj. Dícese del pintor de marinas. Ú. t. c. s.

Marino, na. (Del lat. *marīnus.*) adj. Perteneciente al mar. || **2.** V. **Alacrán, azul, becerro, buey, caballo, carnero, cerdo, cuervo, diablo, dragón, elefante, erizo, halcón, hinojo, león, lobo, musgo, ombligo, oso, pavo, perejil, perro, puerco, pulmón, reloj, sapo, telégrafo, unicornio, vítulo, zorzal marino.** || **3.** V. **Guardia, haba, legua, liebre, mielga, oreja, picaza, rana, sal, trompa, uva, vaca marina.** || **4.** *Blas.* Aplícase a ciertos animales fabulosos que terminan en cola de pescado; como las sirenas. || **5.** m. El que se ejercita en la náutica. || **6.** El que sirve en la marina.

Mariol. (Del cat. *mariol,* y éste de *Maria.*) m. p. us. **Maricón.**

Mariología. f. Tratado de lo referente a la Virgen María.

Marión. m. **Esturión.**

Marión. (De *María.*) m. ant. **Mariol.**

Mariona. f. Especie de danza antigua. || **2.** Tañido de la misma.

Marioso. adj. p. us. **Amaricado.**

Maripérez. (De *María* y *Pérez.*) f. **Moza,** 4.ª acep.

Mariposa. f. Insecto lepidóptero. || **2.** Pájaro común en la isla de Cuba, de unos 14 centímetros de longitud total, con el vientre y rabadilla rojos, lomo de color verde claro y alas aceitunadas. Se cría en domesticidad por su belleza y lo agradable de su canto. || **3.** Especie de candelilla que, afirmada en una ruedecita de corcho o en otra piececita flotante, se pone en un vaso, plato o vasija con aceite y, encendida, sirve para conservar luz de noche. || **4.** Luz encendida a este efecto. || **5.** *Hond.* **Tronera,** 3.ª acep. || **de la muerte. Calavera,** 2.ª acep. || **de la seda.** Aquella cuya oruga produce la seda que se utiliza en la industria más comúnmente, y en general todas las que tienen orugas productoras de seda.

Mariposado. adj. *Blas.* **Papelonado.**

Mariposeador, ra. adj. *Perú.* Que mariposea.

Mariposear. (De *mariposa,* por alusión a la veleidad de este insecto.) intr. fig. Variar con frecuencia de aficiones y caprichos. || **2.** fig. Andar o vagar insistentemente en torno de alguien.

Mariquita. (d. de *Marica.*) f. *Zool.* Insecto coleóptero del suborden de los trímeros, de cuerpo semiesférico, de unos siete milímetros de largo, con antenas engrosadas hacia la punta, cabeza pequeña, alas membranosas muy desarrolladas y patas muy cortas. Es negruzco por debajo y encarnado brillante por encima, con varios puntos negros en los élitros y en el dorso del metatórax. El insecto adulto y su larva se alimentan de pulgones, por lo cual son útiles al agricultor. Abunda en España y se le halla con frecuencia entre las uvas. || **2.** Insecto hemíptero, sin alas membranosas, con el cuerpo aplastado, estrecho, oval, y de un centímetro próximamente de largo; cabeza pequeña, triangular y pegada al coselete; antenas de cuatro artejos, élitros que cubren todo el abdomen, y patas bastante largas y muy finas. Es por debajo de color pardo obscuro y por encima encarnado con tres manchitas negras, cuyo conjunto se asemeja al tao de San Antón o al escudo de la orden del Carmen. Es abundante en España y se alimenta de plantas. || **3. Perico,** 2.ª acep. || **4.** m. fam. Hombre afeminado.

Marisabidilla. (De *Mari,* contracc. de *María,* y de *sabidilla.*) f. fam. Mujer presumida de sabia.

Mariscador, ra. adj. Que tiene por oficio **mariscar,** 1.ª acep. Ú. m. c. s.

Mariscal. (Del germ. *marahskalk;* de *marah,* caballo, y *skalk,* el que cuida.) m. Oficial muy preeminente en la milicia antigua, inferior al condestable. Era juez del ejército; estaba a su cargo el castigo de los delitos y el gobierno económico. Conservóse luego este título en los sucesores de los que antiguamente lo fueron de los reinos de Castilla, Andalucía, etc. || **2.** El que antiguamente tenía el cargo de aposentar la caballería. Este oficio se redujo a mera dignidad hereditaria, y después le substituyó en su ejercicio el **mariscal** de logis. || **3. Albéitar.** || **de campo.** Oficial general, llamado hoy general de división, inmediatamente inferior en el grado y en las funciones al teniente general. || **de logis.** El que en los ejércitos tenía el cargo de alojar la tropa de caballería y arreglar su servicio. || **2.** Oficial palatino en cuyas manos prestaban juramento los aposentadores de la casa real, según la etiqueta de la de Borgoña.

Mariscala. f. Mujer del mariscal.

Mariscalato. m. **Mariscalía.**

Mariscalía. f. Dignidad o empleo de mariscal.

Mariscante. adj. *Germ.* Que marisca, 2.ª acep.

Mariscar. tr. Coger mariscos. || **2.** *Germ.* **Hurtar,** 1.ª acep.

Marisco. (Del lat. *mare, -is,* el mar.) m. Cualquier animal marino invertebrado, y especialmente el crustáceo o molusco comestible. || **2.** *Germ.* Lo que se hurta.

Marisma. (Del lat. *marĭtĭma;* de *mare,* el mar.) f. Terreno bajo y pantanoso que se inunda por las aguas del mar.

Marismeño, ña. adj. Perteneciente o relativo a la marisma, o propio de ella.

Marismo. (De *marisma.*) m. **Orzaga.**

Marisquero, ra. m. y f. Persona que pesca mariscos. || **2.** La que los vende.

Marista. adj. Dícese del religioso que pertenece a la congregación de los sacerdotes de María, fundada por el abate Colin, en Lyón, en el siglo XIX para la enseñanza de la juventud. Ú. t. c. s. || **2.** Perteneciente o relativo a dicha congregación.

Marital. (Del lat. *maritālis.*) adj. Perteneciente al marido o a la vida conyugal. || **2.** V. **Teas maritales.**

Maritata. (Voz aimará.) f. *Chile.* Canal de 8 a 10 metros de largo y unos 50 centímetros de ancho, con el fondo cubierto de pellejos de carnero, para que haciendo pasar por él una corriente de agua a la cual se han echado minerales pulverizados, deposite ésta sobre aquéllos el polvo metalífero que arrastra. || **2.** *Chile.* Cedazo de tela metálica usado en los establecimientos mineros. || **3.** pl. *And., Guat.* y *Hond.* Trebejos, chismes, baratijas.

Marítimo, ma. (Del lat. *maritĭmus.*) adj. Perteneciente al mar; o por su naturaleza, como pez, concha; o por su cercanía, como costa, puerto, población; o por su relación política, como poder, comercio, etc. || **2.** V. **Día, oso, pino, testamento marítimo.** || **3.** V. **Legua, sanidad marítima.**

Maritornes. (Por alusión a la moza de venta del *Quijote.*) f. fig. y fam. Moza de servicio, ordinaria, fea y hombruna.

Marizarse. (Del lat. *mas, maris,* macho.) r. *Sal.* **Amarizarse.** Ú. t. c. intr.

Marjal. (Del ár. *marŷ,* pradera.) m. Terreno bajo y pantanoso.

Marjal. (Del ár. *marŷa',* medida agraria.) m. Medida agraria equivalente a 100 estadales granadinos ó 5 áreas y 25 centiáreas.

Marjoleta. f. Fruto del marjoleto.

Marjoleto. (De *majoleto.*) m. Espino arbóreo de unos ocho metros de altura, con las ramas inferiores muy espinosas, hojas de borde velloso, flores en corimbos muy ralos y con un solo estilo, cáliz lampiño, fruto aovado y de pedúnculo muy largo, corteza nítida y madera dura. Abunda en Sierra Nevada. || **2. Majuelo,** 1.er art.

Marlota. (Del ár. *mallūṭa* o *mullūṭa,* y éste del gr. μηλωτή, variedad del vestido.) f. Vestidura morisca, a modo de sayo baquero, con que se ciñe y ajusta el cuerpo.

Marlotar. tr. p. us. Metát. de **Malrotar.**

Marmárico, ca. (Del lat. *marmarĭcus.*) adj. Perteneciente a la Marmárica, región de África antigua que estaba situada al oeste de Egipto y se extendía desde la costa del Mediterráneo hasta el desierto.

Marmella. f. **Mamella.**

Marmellado, da. adj. **Mamellado.**

Marmesor. (Del b. lat. *manumissor,* y éste del lat. *manumittĕre,* manumitir.) m. ant. **Albacea.**

Marmita. (Del fr. *marmite.*) f. Olla de metal, con tapadera ajustada y una o dos asas.

Marmitón. (De *marmita.*) m. **Galopín de cocina.**

Mármol. (De *mármor.*) m. Piedra caliza metamórfica, de textura compacta y cristalina, susceptible de buen pulimento y mezclada frecuentemente con substancias que le dan colores diversos o figuran manchas o vetas. || **2.** fig. Obra artística de **mármol.** || **3.** En los hornos y fábricas de vidrio, plancha de hierro en que se labran las piezas y se trabaja la materia para formarlas. || **4.** V. **Piedra mármol.** || **brecha.** El formado con fragmentos irregulares angulosos y a veces de colores distintos, fuertemente trabados por una pasta homogénea. || **brocatel.** El que presenta manchas y vetas de colores variados. || **estatuario.** El blanco, sacaroideo y muy homogéneo, que se emplea para hacer estatuas. || **lumaquela.** El que contiene multitud de fragmentos de conchas y otros fósiles, y con el pulimento adquiere mucho brillo. || **serpentino.** El que tiene parte de serpentina, o el que es verde abigarrado del mismo color.

Marmolejo. (d. de *mármol.*) m. Columna pequeña.

Marmoleño, ña. adj. **Marmóreo.**

Marmolería. (De *mármol.*) f. Conjunto de mármoles que hay en un edificio. || **2.** Obra de mármol. || **3.** Taller donde se trabaja.

Marmolillo. (d. de *mármol.*) m. **Guardacantón,** 1.ª y 2.ª aceps. || **2.** fig. **Zote.**

Marmolista. m. Artífice que trabaja en mármoles, o los vende.

Mármor. (Del lat. *marmor.*) m. ant. **Mármol.**

Marmoración. (Del lat. *marmoratĭo, -ōnis,* obra de mármol.) f. **Estuco.**

Marmóreo, a. (Del lat. *marmorĕus.*) adj. Que es de mármol. || **2.** Semejante al mármol en alguna de sus cualidades.

Marmoroso, sa. (Del lat. *marmorōsus.*) adj. **Marmóreo.**

Marmosa. f. Especie de zarigüeya no mayor que un lirón, y cuyas crías cuando nacen tienen apenas el tamaño de un guisante.

Marmosete. (Tal vez del fr. *marmouset,* monigote.) m. *Impr.* Grabado alegórico que suele ponerse al fin de un capítulo, libro o tratado.

Marmota. (Del ár. *marbūḍa,* acurrucada, tumbada.) f. Mamífero roedor, de unos cinco decímetros de longitud desde el hocico hasta la cola, y poco más de dos de altura; cabeza gruesa y aplastada por encima, orejas pequeñas, cuerpo recio, pelaje muy espeso, largo, de color pardo rojizo por el lomo y blanquecino por el vientre, y cola larga de unos dos decímetros de longitud, con pelo pardo abundante y terminada por un mechón negro. Vive en los montes más elevados de Europa, es herbívora, pasa el invierno dormida en su madriguera y se la domestica fácilmente. || **2.** Gorra de abrigo, generalmente hecha de estambre, que han usado las mujeres y los niños. || **3.** fig. Persona que duerme mucho.

Marmotear. intr. *Ar.* **Barbotar.**

Maro. (Del lat. *marum,* y éste del gr. μᾶρον.) m. Planta herbácea de la familia de las labiadas, con tallos erguidos, duros, pelosos, de tres a cuatro decímetros de altura y muy ramosos; hojas pequeñas, enteras, lanceoladas, con vello blanco por el envés; flores de corola purpúrea en racimos axilares, y fruto seco con semillas menudas. Es de olor muy fuerte y de sabor amargo, y se usa en medicina como excitante y antiespasmódico. || **2.** **Amaro,** 1.er art.

Marocha. f. *Hond.* Muchacha sin juicio, locuela.

Marojal. m. Sitio poblado de marojos o melojos.

Marojo. (Del lat. *malum folium,* mala hoja.) m. Hojas inútiles o que sólo se aprovechan para el ganado, etc. || **2.** Planta muy parecida al muérdago, del cual se diferencia por ser rojas las bayas del fruto y reunirse las semillas en verticilos múltiples. || **3.** **Melojo.**

Marola. f. **Marejada,** 1.ª acep.

Maroma. (Del ár. *mabrūma,* cuerda trenzada, retorcida.) f. Cuerda gruesa de esparto o cáñamo. || **Andar** uno **en la maroma.** fr. fig. Tener partido o favor para una cosa.

Marón. (De *marión,* 1.er art.) m. **Esturión.**

Marón. (Del lat. *mas, maris,* macho.) m. **Morueco.**

Maronita. (Del lat. *maronīta.*) adj. Cristiano del monte Líbano. Ú. t. c. s.

Marqués. (De *marca,* distrito fronterizo.) m. Señor de una tierra que estaba en la comarca del reino. || **2.** Título de honor o de dignidad con que se condecora a uno, en remuneración de sus servicios o por su distinguida nobleza.

Marquesa. f. Mujer o viuda del marqués, o la que por sí goza este título. || **2.** **Marquesina,** 1.ª acep.

Marquesado. m. Título o dignidad de marqués. || **2.** Territorio o lugar sobre que recaía este título o en que ejercía jurisdicción un marqués.

Marquesina. (De *marquesa.*) f. Cubierta o pabellón que se pone sobre la tienda de campaña para guardarse de la lluvia. || **2.** Cobertizo, generalmente de cristal y hierro, que avanza sobre una puerta, escalinata o andén, para resguardarlos de la lluvia.

Marquesita. f. **Marcasita.**

Marquesota. (De *marqués.*) f. Cuello alto de tela blanca, que, muy almidonado y hueco, usaban los hombres como prenda de adorno. || **A la marquesota.** loc. que se decía de una hechura especial de los vestidos.

Marquesote. m. aum. despect. de **Marqués.** || **2.** *Hond.* Torta de figura de rombo, hecha de harina de arroz o de maíz, con huevo, azúcar, etc., y cocida al horno.

Marqueta. (De *marca.*) f. Pan o porción de cera sin labrar. Las hay de varios pesos y figuras.

Marquetería. (Del fr. *marqueterie.*) f. **Ebanistería.** || **2.** **Taracea.**

Maquiartife. m. *Germ.* **Artife.**

Marquida. f. *Germ.* **Mujer pública.**

Marquilla. (d. de *marca.*) f. V. **Papel de marquilla.**

Marquisa. f. *Germ.* **Marquida.**

Marquista. m. En Jerez, el que siendo propietario de una o más marcas de vino, se dedica al comercio de este líquido, pero sin tener bodega.

Marra. (De *marrar.*) f. Falta de una cosa donde debiera estar. Se usa frecuentemente hablando de viñas, olivares, etc., en cuyos liños faltan cepas, olivos, etc.

Marra. (Del lat. *marra.*) f. **Almádena.**

Márraga. (De *márfega.*) f. **Marga,** 2.° art.

Marragón. (De *márraga.*) m. *Rioja.* **Jergón,** 1.er art., 1.ª acep.

Marraguero. m. *Ál.* **Colchonero.**

Marrajo, ja. adj. Aplícase al toro o buey malicioso que no arremete sino a golpe seguro. || **2.** fig. Cauto, astuto, difícil de engañar y que encubre dañada intención. || **3.** m. *Zool.* Tiburón que alcanza frecuentemente dos o tres metros de longitud, con el dorso y costados de color azul o gris de pizarra, la raíz de la cola estrecha y provista de una quilla longitudinal a cada lado, aleta caudal más o menos semilunar, dientes muy desarrollados y agudos. Es animal peligroso y muy abundante en las costas meridionales de España y en las de Marruecos.

Marramao. m. Onomatopeya del maullido del gato en la época del celo.

Marramáu. m. **Marramao.**

Marramizar. intr. Hacer marramao el gato.

Marrana. f. Hembra del marrano. || **2.** fig. y fam. Mujer sucia y desaseada o que no hace las cosas con limpieza. Ú. t. c. adj. || **3.** fig. y fam. La que procede o se porta mal o bajamente. Ú. t. c. adj.

Marrana. (De *marrano,* 2.° art.) f. Eje de la rueda de la noria.

Marranada. (De *marrano,* 1.er art.) f. fig. y fam. **Cochinada.**

Marranalla. (De *marrano,* 1.er art.) f. fig. y fam. **Canalla,** 2.ª acep.

Marrancho. m. *Nav.* **Marrano,** 1.er art.

Marranchón, na. m. y f. Marrano o lechón.

Marranería. f. fig. y fam. **Marranada.**

Marranillo. (d. de *marrano.*) m. **Cochinillo.**

Marrano. (Del ár. *muḥarram,* vedado, prohibido, aplicado al cerdo.) m. **Puerco.** || **2.** fig. y fam. Hombre sucio y desaseado o que no hace las cosas con limpieza. Ú. t. c. adj. || **3.** fig. y fam. El que procede o se porta mal o bajamente. Ú. t. c. adj. || **4.** fig. Aplicábase como despectivo al converso que judaizaba ocultamente. || **5.** m. y f. ant. Persona maldita o descomulgada.

Marrano. (Del b. lat. *marrenum.*) m. Cada uno de los maderos que en las ruedas hidráulicas traban con el eje la pieza circular en que están colocados los álabes. || **2.** Cada uno de los maderos que forman la cadena del fondo de un pozo. || **3.** Pieza fuerte de madera, colocada sobre el tablero de las prensas de torre de los molinos de aceite, que sirve para igualar la presión.

Marraqueta. f. *Chile.* Pan de forma parecida a la de la bizcochada. || **2.** *Chile.* Conjunto de varios panes pequeños que se cuecen en una sola pieza, en la cual van señalados por incisiones, de suerte que puedan después cortarse con facilidad.

Marrar. (Del germ. *marrjan,* errar, frustrar.) intr. Faltar, errar. Ú. t. c. tr. || **2.** fig. Desviarse de lo recto.

Marras. (pl. español del ár. *marra,* vez.) adv. t. Antaño, en tiempo antiguo. || **De marras.** loc que, precedida de un substantivo o del artículo neutro *lo,* denota que lo significado por éstos ocurrió en tiempo u ocasión pasada a la que se alude. *La aventura* DE MARRAS; *¿volvemos a lo* DE MARRAS?

Marrasquino. (Del ital. *maraschino;* de *marasca,* cereza amarga, y éste del lat. *amārus* amargo.) m. Licor hecho con el zumo de cierta variedad de cerezas amargas y gran cantidad de azúcar.

Marrazo. (De *marra,* almádena.) m. Hacha de dos bocas, que usaban los soldados para hacer leña.

Marrear. tr. Dar golpes con la marra, 2.° art.

Márrega. f. *Ar.* **Márfega.** || **2.** *Rioja.* **Jergón,** 1.er art., 1.ª acep.

Marrido, da. (Del germ. *marrjan,* molestar, afligir.) adj. ant. **Amarrido.**

Marrillo. (d. de *marro.*) m. Palo corto y algo grueso.

Marro. (De *marrar.*) m. Juego que se ejecuta hincando en el suelo un bolo u otra cosa, y, tirando con el marrón, gana el que lo pone más cerca. || **2.** Regate o ladeo del cuerpo, que se hace para no ser cogido y burlar al que persigue. Dícese frecuentemente de los animales acosados. || **3.** Falta, yerro. *Antonio ha hecho algunos* MARROS *a la tertulia.* || **4.** Juego en que, colocados los jugadores en dos bandos, uno enfrente de otro, dejando suficiente campo en medio, sale cada individuo hasta la mitad de él a coger a su contrario; y el arte consiste en huir el cuerpo, no dejándose coger ni tocar, retirándose a su bando. Este juego se conoce con otros varios nombres. || **5.** Palo con que se juega a la tala.

Marrón. m. Piedra con que se juega al marro, 1.ª acep.

Marronazo. m. *Taurom.* Acción de marrar alguna suerte del toreo. Dícese principalmente de la de varas, cuando el picador no logra colocar bien la garrocha y ésta resbala sobre el lomo del toro.

Marroquí. (Del ár. *marrākušī*, perteneciente o relativo a *Marrākuš* o *Marrūkuš*, nombre de la ciudad que designa, en Europa, el país de Marruecos.) adj. Natural de Marruecos. Ú. t. c. s. || **2.** Perteneciente a este imperio de África. || **3.** m. **Tafilete.**

Marroquín, na. adj. **Marroquí,** 1.ª y 2.ª aceps. Apl. a pers., ú. t. c. s.

Marrubial. m. Terreno cubierto de marrubios.

Marrubio. (Del lat. *marrubium.*) m. Planta herbácea de la familia de las labiadas, con tallos erguidos, blanquecinos, pelosos, cuadrangulares, y de cuatro a seis decímetros de altura; hojas ovaladas, rugosas, con ondas en el margen, vellosas y más o menos pecioladas; flores blancas en espiga, y fruto seco con semillas menudas. Es planta muy abundante en parajes secos y sus flores se usan en medicina.

Marrueco. m. *Chile.* Bragueta, portañuela.

Marrueco, ca. adj. **Marroquí,** 1.ª y 2.ª aceps. Apl. a pers., ú. t. c. s.

Marrulla. f. **Marrullería.**

Marrullería. (De *marrullero.*) f. Astucia con que halagando a uno se pretende alucinarle.

Marrullero, ra. adj. Que usa de marrullerías. Ú. t. c. s.

Marsellés, sa. adj. Natural de Marsella. Ú. t. c. s. || **2.** Perteneciente a esta ciudad de Francia. || **3.** m. Chaquetón de paño burdo, con adornos sobrepuestos de pana o pañete.

Marsellesa. f. Himno patriótico francés que en 1793 popularizaron los federales marselleses.

Mársico, ca. (Del lat. *marsĭcus.*) adj. Perteneciente o relativo a los marsos. *Guerra* MÁRSICA.

Marso, sa. (Del lat. *marsus.*) adj. Dícese del individuo de un pueblo de la Italia antigua, que habitaba cerca del lago Tucino. Ú. m. c. s. || **2.** Dícese también del individuo de un antiguo pueblo germano. Ú. m. c. s. || **3.** Perteneciente a los **marsos.**

Marsopa. (Del lat. *marsŭppa*, y éste del gr. μάρσιππος, saco.) f. Cetáceo parecido al delfín, que se encuentra en todos los mares y suele penetrar en los ríos persiguiendo a los salmones y lampreas. Tiene cerca de metro y medio de largo, cabeza redondeada con ojos pequeños y las narices en la parte más alta; boca grande de hocico obtuso y 24 dientes en cada lado de las mandíbulas; cuerpo grueso, liso, de color negro azulado por encima y blanco por debajo; dos aletas pectorales, una sola dorsal y cola grande, robusta y ahorquillada.

Marsopla. f. **Marsopa.**

Marsupial. (Del lat. *marsupium*, bolsa.) adj. *Zool.* **Didelfo.** Ú. t. c. s.

Marta. n. p. **Marta la piadosa.** fig. Mujer hipócrita y gazmoña; y así dice el refrán antiguo: **Marta la piadosa, que mascaba la miel a los enfermos.** || **2.** *Chile.* Mujer o niña piadosa que vive en una congregación de religiosas y ayuda a éstas en los quehaceres domésticos. || **Allá se lo haya Marta con sus pollos.** ref. que enseña que es muy conveniente no meterse en negocios o dependencias ajenas. || **Bien canta, o bien parla, Marta después de harta, o cuando está harta.** ref. que explica la alegría que tiene el que logra lo que ha menester y está satisfecho en lo que desea. || **Muera Marta, y muera harta.** ref. con que se censura a los que no se detienen en hacer su gusto, por grave perjuicio que esto les haya de ocasionar.

Marta. (Del gót. *martus.*) f. Mamífero carnicero de unos 25 centímetros de altura y 50 desde la cabeza hasta el arranque de la cola, que tiene cerca de 30; cabeza pequeña, hocico agudo, cuerpo delgado, patas cortas y pelaje espeso, suave, leonado, más obscuro por el lomo que por el vientre. Hállase en España, y se la persigue por la piel y para evitar el daño que hace a la caza. || **2.** Piel de este animal. || **cebellina.** Especie de **marta** algo menor que la común, de color pardo negruzco por encima, con una mancha amarillenta en la garganta, cubierta de pelos hasta los extremos de los dedos y con la cola más corta que los pies traseros. Críase en las regiones septentrionales del antiguo continente, y su piel es de las más estimadas por su finura. || **2.** Piel de este animal.

Martagón. (En fr. *martagon;* en ital. *martagone.*) m. Planta herbácea de la familia de las liliáceas, con hojas radicales en verticilos, lanceoladas, casi pecioladas, y flores de color róseo con puntos purpúreos, en racimos terminales sobre un escapo de seis a ocho decímetros de altura, muy laxo en la punta. Abunda en España, suele cultivarse en los jardines, y su raíz, que es bulbosa, se emplea como emoliente.

Martagón, na. m. y f. fam. Persona astuta, reservada y difícil de engañar.

Marte. (Del lat. *Mars, -tis.*) m. Planeta conocido de muy antiguo, cuya distancia al Sol es vez y media la de la Tierra, y su diámetro la mitad del de ésta; tiene brillo rojizo y dos satélites. || **2.** Entre los antiguos romanos, el dios de la guerra. || **3.** Entre los alquimistas y los químicos antiguos, **hierro,** 1.ª acep. || **4.** fig. La guerra. || **5.** *Farm.* V. **Azafrán de Marte.** || **6.** *Quím.* V. **Árbol de Marte.**

Martel. (Del fr. *martel*, y éste del lat. *martellus*, martillo.) m. ant. **Martelo.**

Martelo. (Del ital. *martelo*, y éste del lat. *martellus*, martillo.) m. **Celos.** || **2.** Pena y aflicción que nace de ellos. || **3.** Enamoramiento, galanteo.

Martellina. (Del ant. fr. *marteline*, de *martel*, y éste del lat. *martellus*, martillo.) f. Martillo de cantero con las dos bocas guarnecidas de dientes prismáticos.

Martes. (Del lat. *Martis dies*, día consagrado a Marte.) m. Tercer día de la semana. || **Dar** a uno **con la del martes.** fr. fig. y fam. Zaherirle echándole en cara o publicando algún defecto. || **En martes, ni te cases ni te embarques.** ref. en que, supersticiosamente, se considera el **martes** como día aciago.

Martillada. f. Golpe que se da con el martillo.

Martillado, da. p. p. de **Martillar.** || **2.** m. *Germ.* **Camino,** 1.ª acep. || **Coger,** o **tomar, las del martillado.** fr. *Germ.* **Coger las de Villadiego.**

Martillador, ra. adj. Que martilla. Ú. t. c. s.

Martillar. tr. Batir y dar golpes con el martillo. || **2.** fig. Oprimir, atormentar. Ú. t. c. r. || **3.** intr. *Germ.* **Caminar.**

Martillazo. m. Golpe fuerte dado con el martillo.

Martillear. tr. **Martillar,** 1.ª acep.

Martillejo. m. d. de **Martillo.** || **2.** ant. **Martillo,** 2.ª acep.

Martilleo. m. Acción y efecto de martillear. || **2.** fig. Cualquier ruido parecido al que producen los golpes repetidos del martillo.

Martillero. m. *Chile.* Dueño de un martillo, 6.ª acep., o persona que está al frente de él.

Martillo. (Del lat. *martellus.*) m. Herramienta de percusión, compuesta de una cabeza, por lo común de hierro, y un mango. || **2. Templador,** 2.ª acep. || **3.** V. **Pez martillo.** || **4.** fig. Cruz de la religión de San Juan, quitado el brazo derecho. || **5.** fig. El que persigue una cosa con el fin de sofocarla o acabar con ella. MARTILLO *de las herejías, de los vicios.* || **6.** fig. Establecimiento autorizado, donde se venden efectos en pública subasta; y dícese así porque ordinariamente se da un martillazo para denotar que queda hecha o firme la venta. || **7.** *Germ.* **Martillado.** || **8.** *Zool.* Uno de los tres huesecillos que hay en la parte media del oído de los mamíferos, situado entre el tímpano y el yunque. || **pilón.** Máquina que consiste principalmente en un bloque pesado de acero que se eleva por medios mecánicos a la altura conveniente y se deja caer sobre la pieza colocada en el yunque. || **A macha martillo.** m. adv. fig. con que se expresa que una cosa está construida con más solidez que primor. || **2.** fig. Con firmeza. || **A martillo.** m. adv. A golpes de **martillo.** || **De martillo.** loc. Dícese de los metales labrados a golpe de **martillo.**

Martín. n. p. **San Martín.** fam. Temporada en que se matan los cerdos. || **2.** *Murc.* V. **Arco de San Martín.** **Llegarle,** o **venirle,** a uno su **San Martín.** fr. fig. y fam. con que se da a entender que al que vive en placeres le llegará día en que tenga que sufrir y padecer.

Martina. f. *Zool.* Pez teleósteo del suborden de los fisóstomos, muy parecido al congrio, de unos ocho decímetros de largo, cuerpo cilíndrico, hocico puntiagudo, aletas pectorales pequeñas, y muy grandes la dorsal y anal, que se reúnen con la cola. La piel es lisa, de color amarillento por el dorso, blanquecina por el vientre, con manchas negras en las aletas y blancas alrededor de la boca. Vive en el Mediterráneo y es comestible.

Martín del río. m. **Martinete,** 1.er art., 1.ª acep. || **2. Martín pescador.** m. *Zool.* Ave del orden de los pájaros, de unos 15 centímetros desde la punta del pico hasta la extremidad de la cola y 30 de envergadura; cabeza gruesa, pico negro, largo y recto; patas cortas, alas redondeadas y plumaje de color verde brillante en la cabeza, lados del cuello y cobijas de las alas; azul en el dorso, las penas y la cola; castaño en las mejillas, blanco en la garganta y rojo en el pecho y abdomen. Vive a orillas de los ríos y lagunas, se alimenta de pececillos, que coge con gran destreza, y de los países fríos emigra por San Martín.

Martinenco. (De *San Martín*, por la época en que maduran.) adj. *Murc.* Dícese de una variedad de higos, más pequeños y mucho más tardíos que los ordinarios.

Martinete. (d. de *martín* [*del río*].) m. Ave del orden de las zancudas, de unos seis decímetros desde la punta del pico hasta la extremidad de la cola y un metro de envergadura; cabeza pequeña, pico negruzco, largo, grueso y algo encorvado en la punta; alas obtusas, cola corta, piernas largas, tarsos amarillentos y desnudos, plumaje de color gris verdoso en la cabeza y cuerpo, blanco en el pecho y abdomen, ceniciento en las alas y cola, y blanco puro en el penacho que adorna su occipucio. Vive cerca de los ríos y lagos, se alimenta de peces y sabandijas, viene a España por la primavera y emigra por San Martín. || **2.** Penacho de plumas de esta ave.

Martinete. (De *martillo.*) m. **Macillo,** 2.ª acep. || **2.** Mazo, generalmente de gran peso, para batir algunos metales, abatanar los paños, etc. || **3.** Edificio industrial u oficina metalúrgica en que hay estos mazos o martillos. || **4.** Máquina que sirve para clavar estacas, principalmente en el mar y en los ríos, por medio de un mazo que levantan en alto para dejarlo caer sobre la cabeza de la estaca. || **5.** Cante de los gitanos andaluces que no necesita de acompañamiento de guitarra. || **Picar de martinete.** fr. *Equit.* Volver el talón contra los ijares del caballo para picarle.

Martingala. (Del fr. *martingale,* y éste del prov. *martegalo;* de *Martigue,* ciudad de Provenza.) f. Cada una de las calzas que llevaban los hombres de armas debajo de los quijotes. Ú. m. en pl. || **2.** Lance en el juego del monte, que consiste en apuntar simultáneamente a tres de las cartas del albur y el gallo contra la restante. Si sale ésta, se pierde toda la apuesta, y se gana la tercera parte cuando sale una cualquiera de las apuntadas. || **3. Artimaña,** 2.ª acep.

Martiniano, na. adj. Perteneciente o relativo al patriota cubano José Martí, así como a su obra y doctrina.

Martinico. m. fam. **Duende,** 1.ª acep.

Martiniega. f. Tributo o contribución que se debía pagar el día de San Martín.

Mártir. (Del lat. *martyr,* y éste del gr. μάρτυρ.) com. Persona que padece muerte por amor de Jesucristo y en defensa de la verdadera religión. || **2.** Por ext., persona que muere o padece mucho en defensa de otras creencias, convicciones o causas. || **3.** fig. Persona que padece grandes afanes y trabajos. || **Antes mártir que confesor.** fr. fig. y fam. con que se explica la dificultad y resistencia que algunos muestran para declarar lo que se pretende saber de ellos.

Martirial. adj. Perteneciente o relativo a los mártires. *Actas* MARTIRIALES.

Martiriar. (De *martirio.*) tr. ant. **Martirizar.**

Martirio. (Del lat. *martyrium.*) m. Muerte o tormentos padecidos por causa de la verdadera religión, y también por otro ideal u otra causa. || **2.** fig. Cualquier trabajo largo y muy penoso.

Martirizador, ra. adj. Que martiriza. Ú. t. c. s.

Martirizar. (Del lat. *martyrizāre.*) tr. Atormentar a uno o quitarle la vida por causa de la verdadera religión. || **2.** fig. Afligir, atormentar. Ú. t. c. r.

Martirologio. (Del gr. μάρτυρ, mártir, y λόγος, tratado.) m. Libro o catálogo de los mártires. || **2.** Por ext., el de todos los santos conocidos.

Marucho. m. *Chile.* Capón o pollo castrado que cría la pollada. || **2.** fig. *Chile.* Mozo que va montado en la madrina o yegua caponera.

Marullo. m. **Mareta,** 1.ª acep.

Marxismo. m. Doctrina de Carlos Marx y sus secuaces, que se funda en la interpretación materialista de la dialéctica de Hegel aplicada al proceso histórico y económico de la humanidad, y es la base teórica del socialismo y del comunismo contemporáneos. || **2.** Movimiento político y social que en nombre de esa doctrina pretende imponer en el mundo la dictadura proletaria.

Marxista. adj. Partidario de Carlos Marx o que profesa su doctrina. Ú. t. c. s. || **2.** Perteneciente o relativo al marxismo.

Marzadga. f. Tributo o contribución que se pagaba en el mes de marzo.

Marzal. adj. Perteneciente al mes de marzo. || **2.** V. **Trigo marzal.**

Marzante. m. Mozo que canta marzas. Ú. casi siempre en pl.

Marzapán. (Del ital. *marzapane.*) m. ant. **Mazapán.**

Marzas. (De *marzo.*) f. pl. Coplas que los mozos santanderinos van cantando de noche, por las casas de las aldeas, en alabanza de la primavera, de los dueños de la casa, etc. || **2.** Obsequio de manteca, morcilla, etc., que se da en cada casa a los marzantes.

Marzo. (Del lat. *martius.*) m. Tercer mes del año, según nuestro cómputo: tiene treinta y un días. || **2.** V. **Buey, trigo de marzo.** || **Cuando marzo mayea, mayo marcea.** ref. con el cual se da a entender que cuando en **marzo** hace buen tiempo, lo hace malo en mayo. || **La que en marzo veló, tarde acordó.** ref. que denota que el que deja pasar la sazón, se expone a no lograr lo que pretende. || **Marzo marceador, que de noche llueve y de día hace sol. Marzo marcero: por la mañana, rostro de perro; por la tarde, valiente mancebo.** refs. con que se alude a la inconstancia del temporal en dicho mes. || **Marzo pardo, señal de buen año. Marzo ventoso y abril lluvioso hacen el año, o sacan a mayo, florido y hermoso.** refs. que enseñan cómo conviene que sea el tiempo en dichos meses. || **Si marzo vuelve de rabo, ni deja cordero con cencerro, u oveja con pelleja, ni pastor enzamarrado.** ref. que denota la inconstancia de este mes y lo perjudiciales que suelen ser los temporales y hielos en él.

Marzoleta. f. Fruto del marzoleto.

Marzoleto. m. **Marjoleto,** 2.ª acep.

Mas. m. Peso de metales preciosos que se usa en Filipinas, décima parte del tael, igual a 10 condrines o a 75 granos del marco de Castilla y 47 céntimos de grano. Su equivalencia métrica, 3 gramos y 622 miligramos.

Mas. (Del cat. *mas,* y éste del lat. *mansum,* p. p. de *manēre,* permanecer.) m. En algunas partes, **masada.**

Mas. (De *maes.*) conj. advers. **Pero,** 3.er art., 1.ª a 3.ª aceps.

Más. (De *maes.*) adv. comp. con que se denota idea de exceso, aumento, ampliación o superioridad en comparación expresa o sobrentendida. *No te detengas* MÁS; *sé* MÁS *prudente; yo tengo* MÁS *paciencia que tú; Juan es* MÁS *entendido que su hermano; hacer es* MÁS *que decir;* MÁS *lejos;* MÁS *a propósito.* Como se ve por estos ejemplos, se une al nombre, al adjetivo, al verbo, a otros adverbios y a modos adverbiales, y cuando la comparación se expresa pide la conjunción *que.* También se construye con el artículo determinado en todos sus géneros y números. *Antonio es el* MÁS *apreciable de mis amigos; Matilde es la* MÁS *hacendosa de mis hermanas; esto es lo* MÁS *cierto; los* MÁS *de los días; las* MÁS *de las noches.* || **2.** Denota a veces aumento indeterminado de cantidad expresa. *En esta batalla murieron* MÁS *de dos mil hombres; son* MÁS *de las diez.* || **3.** Denota asimismo idea de preferencia. MÁS *quiero perder el caudal que perder la honra.* || **4.** Ú. como substantivo. *El* MÁS *y el menos.* || **5.** m. *Álg.* y *Arit.* Signo de la suma o adición, que se representa por una crucecita (+). || **A lo más, o a lo más, más.** m. adv. A lo sumo, en el mayor grado posible. *En ese estante cabrán* A LO MÁS *cien volúmenes.* || **A más.** m. adv. que denota idea de aumento o adición. *Tiene tres mil pesetas de sueldo, y* A MÁS *otras tres mil de renta; algo debo decirte hoy* A MÁS *de lo que ayer te dije.* || **A más y mejor.** m. adv. con que se denota intensidad o plenitud de acción. *Dormir* A MÁS Y MEJOR; *llover* A MÁS Y MEJOR. || **De más.** loc. adv. De sobra o demasía. *Me han dado una peseta* DE MÁS. || **De más a más.** m. adv. **A más.** *Es pobre y* DE MÁS A MÁS *está enfermo.* || **En más.** m. adv. En mayor grado o cantidad. *Aprecio mi virtud* EN MÁS *que mi vida; le multaron* EN MÁS *de cien pesetas.* || **Los, o las, más.** loc. La mayor parte de las personas o cosas a que se hace referencia. || **Más bien.** m. adv. y conjunt. **Antes bien.** || **Más que.** m. conjunt. **Sino,** 2.° art., 2.ª acep. *Nadie lo sabe* MÁS QUE *Anselmo.* || **2. Aunque.** MÁS QUE *nunca vuelva.* || **Más tarde o más temprano.** loc. adv. Alguna vez, al cabo. || **Más y más.** m. adv. con que se denota aumento continuado y progresivo. *Viendo que no podía alcanzarle, corrí* MÁS Y MÁS. || **Ni más ni menos.** loc. adv. En el mismo grado; justa y cabalmente; sin faltar ni sobrar. *Yo cumplí fielmente mi encargo, y tú* NI MÁS NI MENOS *el tuyo. Esto es,* NI MÁS NI MENOS, *lo que yo tenía pensado.* || **Por más que.** loc. adv. que se usa para ponderar la dificultad de ejecutar o conseguir una cosa, aunque se esfuercen las diligencias para su logro. || **2. Aunque.** || **Sin más acá ni más allá.** loc. adv. fam. Desnudamente, sin rebozo ni rodeos. || **2.** fam. Sin causa justa, atropelladamente. SIN MÁS ACÁ NI MÁS ALLÁ, *se metió donde no le llamaban.* || **Sin más ni más.** m. adv. fam. Sin reparo ni consideración; precipitadamente. || **Sus más y sus menos.** loc. fam. Dificultades, complicaciones o altercados a que da lugar un asunto. Ú. por lo común con el verbo *haber.*

Masa. (Del lat. *massa.*) f. Mezcla que proviene de la incorporación de un líquido con una materia pulverizada, de la cual resulta un todo espeso, blando y consistente. || **2.** La que resulta de la harina con agua y levadura, para hacer el pan. || **3.** Volumen, conjunto, reunión. *El peso en* MASA; *la* MASA *imponible; el pueblo en* MASA. || **4.** fig. Cuerpo o todo de una hacienda y otra cosa tomada en grueso. MASA *de bienes, de la herencia, de la quiebra.* || **5.** fig. Conjunto o concurrencia de algunas cosas. || **6.** fig. Muchedumbre o conjunto numeroso de personas. *Las* MASAS *populares.* || **7.** fig. Natural dócil o genio blando. Ú. siempre con un epíteto que exprese esta calidad. || **8.** *Fís.* Cantidad de materia que contiene un cuerpo. || **9.** *Mil.* **Masita.** || **coral. Orfeón.** || **de claro,** o **de obscuro.** *Pint.* Conjunto del color claro, o del obscuro, que se nota en una figura pintada o en la composición de un cuadro. || **de la sangre.** El todo de la sangre del cuerpo, encerrada en sus vasos. || **Gran masa.** *Mil.* **Masa,** 9.ª acep. || **De mala masa, un bollo basta.** ref. que enseña que cuando se compra por necesidad una cosa que no sea del todo buena, solamente se tome lo preciso. || **En la masa de la sangre.** loc. adv. fig. En la índole, condición o naturaleza de la persona. Ú. con los verbos *estar, tener, llevar,* etc. || **La masa y el niño en verano han frío.** ref. que enseña el cuidado con que ha de evitarse que dé el aire a la **masa,** porque se agría con facilidad, y el que en general ha de tenerse con las cosas que por su naturaleza son delicadas. || **Pegársele** a uno **algo de la masa.** fr. fig. y fam. **Quien anda entre la miel, algo se le pega.**

Masa. (Del b. lat. *mansa,* mansión, y éste del lat. *mansus,* p. p. de *manēre,* permanecer.) f. *Ar.* **Masada.**

Masada. (Del b. lat. *mansata,* y éste del m. or. que *masa,* 2.° art.) f. Casa de campo y de labor, con tierras, apero y ganados.

Masadero. m. Vecino o colono de una masada.

Masageta. (Del lat. *massagēta.*) adj. Dícese del individuo de un antiguo pueblo de Escitia. Ú. m. c. s. y en pl.

Masaje. (Del fr. *massage*, de *masser*, amasar.) m. Operación que consiste en presionar con intensidad adecuada determinadas regiones del cuerpo, principalmente las masas musculares, con distintos fines terapéuticos.

Masajista. (De *masaje.*) com. Profesional que aplica el masaje.

Masamuda. (Del ár. *Maṣmūda*, nombre de una tribu berberisca.) adj. Dícese del individuo de la tribu berberisca de Masmuda, una de las más antiguas y principales del África Septentrional, y de cuyo seno salieron los almohades. Ú. t. c. s.

Masar. (Del lat. *massāre.*) tr. **Amasar.**

Mascabado, da. adj. V. **Azúcar mascabado.**

Mascada. f. **Mascadura.** || **2.** *Chile.* **Bocado,** 1.ª acep.

Mascadijo. m. Substancia aromática, comúnmente vegetal, que se lleva en la boca mascándola para perfumar el aliento.

Mascador, ra. adj. Que masca. Ú. t. c. s.

Mascadura. f. Acción de mascar.

Mascar. (Del lat. *masticāre*, masticar.) tr. Partir y desmenuzar el manjar con la dentadura. || **2.** fig. y fam. **Mascullar.** || **3.** r. *Mar.* Dicho de un cabo, **rozar,** 4.ª acep. || **Mal mascado y bien remojado.** ref. con que se zahiere a los bebedores viejos.

Máscara. (Del ár. *masjara*, bufonada, antifaz.) f. Figura, a veces ridícula, hecha de cartón, tela o alambre, con que una persona puede taparse el rostro para no ser conocida. || **2.** Traje singular o extravagante con que alguno se disfraza. || **3.** Careta de colmenero. || **4.** Careta que se usa para impedir la entrada de gases nocivos en las vías respiratorias. || **5.** fig. Pretexto, disfraz, velo. || **6.** com. fig. Persona enmascarada. *Al salir del baile encontré dos* MÁSCARAS. || **7.** *Ar.* **Tizne.** || **8.** pl. Reunión de gentes vestidas de **máscara,** y sitio en que se reúnen. *Voy a las* MÁSCARAS; *nos veremos en las* MÁSCARAS. || **9. Mojiganga,** 1.ª acep. || **10. Mascarada.** || **11.** Festejo de nobles a caballo, con vestidos y libreas vistosas, que se ejecutaba de noche, con hachas, corriendo parejas. || **Quitar** a uno **la máscara.** fr. fig. **Desenmascarar,** 2.ª acep. || **Quitarse** uno **la máscara.** fr. fig. Dejar el disimulo y decir lo que siente, o mostrarse tal como es.

Mascarada. f. Festín o sarao de personas enmascaradas. || **2.** Comparsa de máscaras.

Mascarar. (De *máscara.*) tr. ant. **Enmascarar.** || **2.** *Ar.* **Tiznar,** 1.ª acep.

Mascarero, ra. m. y f. Persona que vende o alquila los vestidos de máscara.

Mascareta. f. d. de **Máscara.**

Mascarilla. (d. de *máscara.*) f. Máscara que sólo cubre el rostro desde la frente hasta el labio superior. || **2.** Vaciado que se saca sobre el rostro de una persona o escultura, y particularmente de un cadáver. || **Quitarse uno la mascarilla.** fr. fig. **Quitarse la máscara.**

Mascarón. m. aum. de **Máscara.** || **2.** Cara disforme o fantástica que se usa como adorno en ciertas obras de arquitectura. || **de proa.** Figura colocada como adorno en lo alto del tajamar de los barcos.

Mascujada. f. Acción de mascujar.

Mascujador, ra. adj. p. us. Que mascuja.

Mascujar. (despect. de *mascar.*) tr. fam. Mascar mal o con dificultad. || **2.** fig. y fam. **Mascullar.**

Masculillo. (De *batir* y *culo.*) m. Juego de muchachos en que dos cogen a otros dos y los mueven de modo que el trasero del uno dé contra el del otro. || **2.** fig. Porrazo, golpe.

Masculinidad. f. *For.* Calidad del sexo masculino, o lo que es propio exclusivamente de él. Aplícase al derecho y naturaleza de ciertas fundaciones. || **2.** *For.* V. **Mayorazgo de masculinidad.**

Masculino, na. (Del lat. *masculīnus.*) adj. Dícese del ser que está dotado de órganos para fecundar. || **2.** Perteneciente o relativo a este ser. || **3.** fig. Varonil, enérgico. || **4.** *Gram.* V. **Género masculino.**

Másculo, la. (Del lat. *mascŭlus.*) adj. ant. **Masculino.** || **2.** m. ant. Varón, o macho en cualquiera especie de animal.

Mascullar. (despect. de *mascar.*) tr. fam. Hablar entre dientes o pronunciar tan mal las palabras, que con dificultad puedan entenderse.

Masecoral. m. **Maese Coral.**

Masejicomar. m. **Masecoral.**

Maselucas. m. pl. *Germ.* Los naipes.

Masera. (De *masa.*) f. Artesa grande que sirve para amasar. || **2.** Piel de carnero o lienzo en que se amasa la torta. || **3.** Paño de lienzo con que se abriga la masa para que fermente. || **4.** Crustáceo marino, de cuerpo transverso más de vez y media tan ancho como largo y apenas convexo por delante; tiene cinco dientes redondeados y pinzas gruesas. Es común en el Cantábrico.

Masería. f. **Masada.**

Masetero. (Del gr. μαστητήρ, masticador.) adj. *Zool.* Dícese del músculo que sirve para elevar la mandíbula inferior de los vertebrados. Ú. t. c. s.

Masía. (De *mas*, 2.° art.) f. *Ar.* **Masada.**

Másico. (Del lat. *massĭcum.*) m. Vino famoso en la antigua Roma, así llamado porque procedía del monte Másico, en la Campania.

Masicoral. m. **Masecoral.**

Masicote. (Del fr. *massicot*, y éste del español *mazacote.*) m. Óxido de plomo que se obtiene haciendo pasar una corriente de aire sobre el metal fundido. Es de color amarillo y ha sido muy usado como pintura.

Masieno, na. (Del lat. *massiēnus.*) adj. Dícese del individuo de un pueblo antiguo de la Bética. Ú. t. c. s. || **2.** Perteneciente a este pueblo.

Masílico, ca. adj. Perteneciente al país de los masilos o masilios. *Campos* MASÍLICOS.

Masiliense. (Del lat. *massiliensis.*) adj. **Marsellés,** 1.ª y 2.ª aceps. Apl. a pers., ú. t. c. s.

Masilio, lia. (Del lat. *massylius.*) adj. Dícese del individuo de un pueblo de África antigua. Ú. t. c. s. || **2.** Perteneciente a este pueblo. || **3.** Por ext., **mauritano.** Apl. a pers., ú. t. c. s.

Masilo, la. adj. **Masilio.** Apl. a pers., ú. t. c. s.

Masilla. (d. de *masa.*) f. Pasta hecha de tiza y aceite de linaza, que usan los vidrieros para sujetar los cristales.

Masita. (d. de *masa.*) f. *Mil.* Corta cantidad de dinero que del haber de los soldados y los cabos retenía el capitán para proveerlos de zapatos y de ropa interior.

Masivo, va. (Del fr. *massif.*) adj. *Med.* Dícese de la dosis de un medicamento cuando se acerca al límite máximo de tolerancia del organismo. Por ext., se aplica a los venenos, infecciones, etc.

Maslo. (Del lat. *mascŭlus.*) m. Tronco de la cola de los cuadrúpedos. || **2.** ant. **Macho,** 1.er art., 1.ª acep. || **3.** Astil o tallo de una planta.

Masón. m. aum. de **Masa,** 1.er art. || **2.** Bollo hecho de harina y agua, sin cocer, que sirve para cebar las aves.

Masón, na. (Del fr. *maçon*, y éste del lat. *machĭo, -ōnis*, albañil.) m. y f. **Francmasón, na.**

Masonería. (De *masón*, 2.° art.) f. **Francmasonería.**

Masónico, ca. (De *masón*, 2.° art.) adj. Perteneciente a la masonería. *Signos* MASÓNICOS.

Masoquismo. (Del nombre del novelista austriaco, *Sacher-Masoch.*) m. Perversión sexual del que goza con verse humillado o maltratado por una persona de otro sexo.

Masora. (Del hebr. *masōrah*, tradición.) f. Doctrina crítica de los rabinos acerca del sagrado texto hebreo, para conservar su genuina lectura e inteligencia.

Masoreta. (De *masora.*) m. Cada uno de los gramáticos hebreos que, recogiendo las seculares tradiciones precristianas, se ocuparon asiduamente, en los siglos VI a X de nuestra era, en fijar, por medio de vocales que añadieron, la verdadera lectura de la Biblia, en dividir y estudiar los libros, partes, secciones, versículos, palabras, letras y mociones del texto sagrado hebreo, fijando los caracteres gramaticales de cada una de las materias clasificadas, su número, su posición y sus concordancias y diferencias.

Masorético, ca. adj. Perteneciente a la masora o debido a los trabajos de los masoretas.

Masovero. (Del b. lat. *masoverius*, y éste del lat. *mansĭo*, mansión.) m. *Ar.* **Masadero.** || **2.** En Cataluña, labrador que, viviendo en masía ajena, cultiva las tierras anejas a la misma a cambio de una retribución o de hacer suya una parte de los frutos.

Maste. (Del germ. *mast*, mástil.) m. ant. **Mástil.**

Mástel. (Del ant. fr. *mastel*, y éste del germ. *mast*, mástil.) m. ant. **Maslo,** 1.ª acep. || **2.** ant. **Mastelero.** || **3.** Palo derecho que sirve para mantener una cosa.

Masteleo. (Del ant. fr. *mastereau, masterel*, y éste del ant. fr. *mast*, del germ. *mast*, mástil.) m. ant. **Mastelero.**

Mastelerillo. (d. de *mastelero.*) m. *Mar.* Palo menor o percha que se coloca en muchas embarcaciones sobre los masteleros. || **de juanete.** *Mar.* Cada uno de los dos que se ponen sobre los masteleros de gavia y sostienen los juanetes. || **de juanete de popa.** *Mar.* El que va sobre el mastelero de gavia. || **de juanete de proa.** *Mar.* El que va sobre el mastelero de velacho. || **de juanete mayor.** *Mar.* **Mastelerillo de juanete de popa.** || **de perico.** *Mar.* El que se pone sobre el mastelero de sobremesana y sostiene el perico.

Mastelero. (De *masteleo.*) m. *Mar.* Palo menor que se pone en los navíos y demás embarcaciones de vela redonda sobre cada uno de los mayores, asegurado en la cabeza de éste. || **2.** V. **Barcón mastelero.** || **de gavia.** *Mar.* El que va sobre el palo mayor, y sirve para sostener la verga y vela de gavia. || **de juanete.** *Mar.* **Mastelerillo de juanete.** || **de perico.** *Mar.* **Mastelerillo de perico.** || **de popa.** *Mar.* **Mastelero de gavia.** || **de proa.** *Mar.* **Mastelero de velacho.** || **de sobremesana.** *Mar.* El que va sobre el palo mesana, y sostiene la verga y vela de sobremesana. || **de velacho.** *Mar.* El que va sobre el palo trinquete, y sostiene el velacho y su verga. || **mayor.** *Mar.* **Mastelero de gavia.** || **Masteleros de gavia.** *Mar.* El de gavia y el de velacho.

Masticación. (Del lat. *masticatĭo, -ōnis.*) f. Acción y efecto de masticar.

Masticador. (De *masticar.*) m. **Mastigador.** || **2.** Instrumento con que se tritura la comida destinada a persona que tiene dificultad para masticarla. || **3.** *Zool.* Dícese del aparato bucal apto para la masticación y del animal que tiene este aparato.

Masticar. (Del lat. *masticāre.*) tr. **Mascar.** || **2.** fig. Rumiar o meditar.

Masticatorio, ria. adj. Que sirve para ser masticado. Dícese especialmente de lo que se mastica con un fin medicinal. Ú. t. c. s. m. || **2.** Que sirve para masticar.

Masticino, na. (Del lat. *mastichīnus.*) adj. Perteneciente o relativo al mástique.

Másticis. (Del lat. *mastĭce.*) m. ant. **Mástique.**

Mastigador. (De *mastigar.*) m. Filete de tres anillas sueltas que se pone al caballo para excitarle la salivación y el apetito.

Mastigar. (Del lat. *masticāre*, mascar.) tr. ant. **Masticar.**

Mástil. (De *mástel.*) m. **Palo,** 3.ª acep. || **2. Mastelero.** || **3.** Cualquiera de los palos derechos que sirven para mantener una cosa; como cama, coche, etc. || **4.** Pie o tallo de una planta cuando se hace grueso y leñoso. || **5.** Parte del astil de la pluma, en cuyos costados nacen las barbas. || **6.** Faja ancha de que usan los indios en lugar de calzones. || **7.** Parte más estrecha de la guitarra y de otros instrumentos de cuerda, que es donde en aquélla están los trates.

Mastín, na. (Del lat. *mansuetīnus*, de *mansuētus*, domesticado.) adj. V. **Perro mastín.** Ú. t. c. s. || **2.** *Germ.* Criado de justicia.

Mástique. (Del lat. *mastĭche*, y éste del gr. μαστίχη.) m. **Almáciga,** 1.er art. || **2.** Pasta de yeso mate y agua de cola que sirve para igualar las superficies que se han de pintar o decorar.

Masto. (De *maste.*) m. *Ar.* **Patrón,** 10.ª acep. || **2.** *Ar.* Animal macho, principalmente entre las aves de corral.

Mastodonte. (Del gr. μαστός, pezón, y ὀδών, ὀδόντος, diente; dientes con pezones.) m. Mamífero fósil, parecido al elefante, con dos dientes incisivos en cada mandíbula, que llegan a tener la longitud de más de un metro, y molares en los que sobresalen puntas redondeadas a manera de pezones de teta. Se encuentran sus restos en los terrenos terciarios.

Mastoides. (Del gr. μαστοειδής; de μαστός, mama, y εἶδος, forma.) adj. *Zool.* De forma de pezón. Dícese de la apófisis del hueso temporal de los mamíferos, situada detrás y debajo de la oreja. Ú. t. c. s. m.

Mastranto. (Del lat. *mentastrum.*) m. **Mastranzo.**

Mastranzo. (De *mastranto.*) m. Planta herbácea anual, de la familia de las labiadas, con tallos erguidos, ramosos, de cuatro a seis decímetros de altura; hojas sentadas, elípticas, casi redondas, festoneadas, rugosas, verdes por la haz, blancas y muy vellosas por el envés; flores pequeñas en espiga terminal, de corola blanca, rósea o violácea, y fruto seco encerrado en el cáliz y con cuatro semillas. Es muy común a orillas de las corrientes de agua, tiene olor fuerte aromático y se usa algo en medicina y contra los insectos parásitos.

Mastuerzo. (De *nastuerzo.*) m. Planta herbácea anual, hortense, de la familia de las crucíferas, con tallos de unos cuatro decímetros, torcidos y divergentes; hojas glaucas, las inferiores recortadas, y lineales las superiores; flores en racimo, blancas y de pétalos iguales, y fruto seco, capsular, con dos semillas. Es de sabor picante y se come en ensalada. || **2. Berro.** || **3.** fig. Hombre necio, torpe, majadero. Ú. t. c. adj.

Masturbación. (Del lat. *masturbatĭo, -ōnis.*) f. Acción y efecto de masturbarse.

Masturbarse. (Del lat. *masturbāre.*) r. Procurarse solitariamente goce sensual.

Masvale. m. **Malvasía.**

Mata. (Del lat. *matta*, cubierta.) f. Planta que vive varios años y tiene tallo bajo, ramificado y leñoso. || **2.** Ramito o pie de una hierba; como de la hierbabuena o la albahaca. || **3.** Porción de terreno poblado de árboles de una misma especie. *Tiene una* MATA *de olivos excelente.* || **4. Lentisco.** || **de la seda.** *Bot.* Arbustillo de la familia de las asclepiadáceas, de uno a dos metros de altura, de hojas lineares y lanceoladas y flores blancas en umbela, que se abren en estío. Vive en África y en la Arabia y suele hallarse en el Mediterráneo. || **de pelo.** Conjunto o gran porción del cabello suelto de la mujer. || **parda. Chaparro,** 1.ª acep. || **rubia. Coscoja,** 1.ª acep. || **De mala mata, nunca buena caza,** o **buena zarza.** ref. que enseña que de ruines y viciosos principios no deben esperarse buenos y virtuosos fines. || **Saltar** uno **de la mata.** fr. fig. y fam. Darse a conocer el que estaba oculto. || **Seguir** a uno **hasta la mata.** fr. fig. y fam. Perseguirle y acosarle con ahínco y empeño. || **Ser todo matas y por rozar.** fr. fig. y fam. que se dice del negocio enmarañado que dificultosamente se puede desenredar o aclarar.

Mata. (Del fr. *matte.*) f. *Min.* Sulfuro múltiple que se forma al fundir menas azufrosas, crudas o incompletamente calcinadas. Es un producto metalúrgico que es necesario fundir de nuevo para obtener el metal o los metales que contiene.

Mata. (De *matar.*) f. **Matarrata.** || **2.** En el juego de la matarrata, siete de espadas y de oros. || **3.** ant. Matanza, mortandad, destrozo.

Matabuey. (De *matar* y *buey.*) f. **Amarguera.**

Matacabras. (De *matar* y *cabra.*) m. **Bóreas,** especialmente cuando es muy fuerte y frío.

Matacallos. (De *matar* y *callo.*) m. Planta de Chile y del Ecuador, semejante a la siempreviva, y cuyas hojas se emplean para curar los callos.

Matacán. (De *matar* y *can.*) m. Composición venenosa para matar los perros. || **2. Nuez vómica.** || **3.** Liebre que ha sido ya corrida de los perros. || **4.** Piedra grande de ripio, que se puede coger cómodamente con la mano. || **5.** Dos de bastos, en el juego de naipes llamado cuca y **matacán.** || **6.** *Murc.* Encina nueva. || **7.** *Fort.* Obra voladiza en lo alto de un muro, de una torre o de una puerta fortificada, con parapeto y con suelo aspillerado, para observar y hostilizar al enemigo.

Matacandelas. (De *matar* y *candela.*) m. Instrumento por lo común de hojalata, en forma de cucurucho, que, fijo en el extremo de una caña o vara, sirve para apagar las velas o cirios colocados en alto. || **2.** V. **Excomunión a matacandelas.**

Matacandil. (De *matar* y *candil.*) m. Planta herbácea anual, de la familia de las crucíferas, con tallos lisos de dos a tres decímetros de altura, hojas pecioladas, partidas en lóbulos irregularmente dentados; flores pedunculadas, de pétalos pequeños y amarillos, y fruto en vainillas con semillas elipsoidales, parduscas y lustrosas. Es común en terrenos algo húmedos y se ha usado contra el escorbuto. || **2.** *Murc.* **Langosta,** 2.ª acep.

Matacandiles. (De *matacandil.*) m. Planta herbácea de la familia de las liliáceas, con hojas radicales, largas, estrechas, acanaladas y laxas; flores olorosas, moradas, en espiga alrededor de un escapo central de 12 a 15 centímetros, y fruto capsular de envoltura membranosa y con semillas esféricas. Es muy común en terrenos secos y sueltos.

Matacía. (De *matar.*) f. *Ar.* Matanza de animales para el consumo.

Matación. f. p. us. **Matanza.**

Matachín. (Del ár. *mutawaŷŷihīn*, enmascarados.) m. En lo antiguo, hombre disfrazado ridículamente, con carátula y vestido de varios colores ajustado al cuerpo desde la cabeza a los pies. De estas figuras solían formarse danzas en que, al son de un tañido alegre, hacían muecas y se daban golpes con espadas de palo y vejigas llenas de aire. || **2.** Esta danza. || **3.** Juego usado entre los **matachines,** haciendo movimientos y dándose golpes. || **Dejar** a uno **hecho un matachín.** fr. fig. y fam. Avergonzarle.

Matachín. (De *matar.*) m. **Jifero,** 4.ª acep. || **2.** fig. y fam. Hombre pendenciero, camorrista.

Matadero. m. Sitio donde se mata y desuella el ganado destinado para el abasto público. || **2.** fig. y fam. Trabajo o afán de grave incomodidad. *El ir tan lejos todos los días es un* MATADERO. || **Ir,** o **venir,** uno, o **llevar** a otro, **al matadero.** fr. fig. y fam. Meterse, o poner a otro, en peligro inminente de perder la vida.

Matador, ra. adj. Que mata. Ú. t. c. s. || **2.** m. En el juego del hombre, cualquiera de las tres cartas del estuche. || **3. Espada,** 2.ª acep.

Matadura. (De *matar*, 3.ª acep.) f. Llaga o herida que se hace la bestia por ludirle el aparejo. || **Dar** a uno **en las mataduras.** fr. fig. y fam. Zaherirle con aquello que siente más o que le causa más enojo y pesadumbre.

Matafalúa. (Del ár. [*al-ḥa*]*bbat al-ḥaluwa*, el grano dulce, el anís.) f. ant. **Matalahúva.** Ú. en *Ar.*

Matafuego. (De *matar* y *fuego.*) m. Instrumento o aparato para apagar los fuegos. || **2.** Oficial destinado para acudir a apagar los incendios.

Matagallegos. (Porque molesta mucho con sus espinas a los segadores.) m. **Arzolla,** 4.ª acep.

Matagallina. (De *matar* y *gallina.*) f. *Logr.* **Torvisco.**

Matagallos. m. **Aguavientos.**

Matahambre. (De *matar* y *hambre.*) m. *Cuba.* Especie de mazapán hecho con harina de yuca, azúcar y otros ingredientes.

Matahombres. (De *matar* y *hombre.*) m. *Murc.* **Carraleja,** 1.er art., 1.ª acep.

Matahúmos. (De *matar* y *humo.*) m. ant. **Despabiladeras.**

Matajudío. (De *matar* y *judío.*) m. **Mújol.**

Matalahúga. (Del m. or. que *matafalúa.*) f. **Matalahúva.**

Matalahúva. (Del m. or. que *matafalúa.*) f. **Anís,** 1.ª y 2.ª aceps.

Matalobos. (De *matar* y *lobo.*) m. **Acónito.**

Matalón, na. adj. Dícese de la caballería flaca, endeble y que rara vez se halla libre de mataduras. Ú. t. c. s.

Matalotaje. (Del fr. *matelotage*, marinería.) m. Prevención de comida que se lleva en una embarcación. || **2.** fig. y fam. Conjunto de muchas cosas diversas y mal ordenadas.

Matalote. adj. **Matalón.** Ú. t. c. s.

Matalote. (Del fr. *matelot.*) m. *Mar.* Buque anterior y buque posterior a cada uno de los que forman una columna, los cuales se denominan de proa y de popa respectivamente.

Matambre. m. *Argent.* Capa de carne y grasa que se saca de entre el cuero y el costillar de los animales vacunos.

Matamiento. m. ant. Acción de matar o matarse.

Matamoros. (De *matar* y *moro.*) adj. **Valentón.**

Matamoscas. m. Instrumento para matar moscas, compuesto de un enrejado de hilos metálicos con un mango.

Matancero, ra. adj. Natural de Matanzas. Ú. t. c. s. || **2.** Perteneciente a esta ciudad.

Matante. p. a. ant. de **Matar.** Que mata. Usáb. t. c. s.

Matanza. f. Acción y efecto de matar. || **2.** Mortandad de personas ejecutada en una batalla, asalto, etc. || **3.** Faena de matar los cerdos y las de salar el tocino, aprovechar los lomos y los despojos del animal y hacer las morcillas, chorizos, etc. || **4.** Época del año en que ordinariamente se matan los cerdos. *Vendrá Antón para la* MATANZA. || **5.** Porción de ganado de cerda destinado para matar. || **6.** Conjunto de cosas del cerdo muerto y adobado para el consumo doméstico. || **7.** fig. y fam. Instancia y porfía de una pretensión u otro negocio. *Toda mi* MATANZA *es que él se corrija.*

Matapalo. m. *Bot.* Árbol americano de la familia de las anacardiáceas, que da caucho, y de cuya corteza se hacen sacos.

Mataperrada. f. fam. Acción propia del mataperros.

Mataperros. (De *matar* y *perro.*) m. fig. y fam. Muchacho callejero y travieso.

Matapiojos. (De *matar* y *piojo.*) m. *Colomb.* y *Chile.* **Caballito del diablo.**

Matapolvo. (De *matar* y *polvo.*) m. Lluvia o riego tan pasajero y menudo, que apenas baña la superficie del suelo.

Matapollo. (De *matar* y *pollo.*) m. *Murc.* **Torvisco.**

Matapulgas. (De *matar* y *pulga.*) f. **Mastranzo.**

Matar. (Del lat. *mactāre*, sacrificar.) tr. Quitar la vida. Ú. t. c. s. || **2. Apagar,** 1.ª acep. MATAR *la luz, el fuego.* || **3.** Herir y llagar la bestia por ludirle el aparejo u otra cosa. Ú. t. c. r. || **4.** Hablando de la cal o el yeso, quitarles la fuerza echándoles agua. || **5.** En los juegos de cartas, echar una superior a la que ha jugado el contrario. || **6.** Tratándose de las barajas, marcar o señalar con las uñas, cuando se está barajando, los filos de algunos naipes, para hacer fullerías en el juego. || **7.** Apagar el brillo de los metales. || **8.** Tratándose de aristas, esquinas, vértices, etc., redondearlos o achaflanarlos. || **9.** fig. Desazonar o incomodar a uno con necedades y pesadeces. *Ese hombre me* MATA *con tantas preguntas.* || **10.** fig. Estrechar, violentar. || **11.** fig. Extinguir, aniquilar. || **12.** *Pint.* Rebajar un color o tono fuerte o desapacible. || **13.** r. fig. Acongojarse de no poder conseguir un intento. || **14.** fig. Trabajar con afán y sin descanso, ya corporal, ya intelectualmente. || **Al matar de los puercos, placeres y juegos; al comer de las morcillas, placeres y risas; al pagar de los dineros, pesares y duelos.** ref. **Al freir será el reir, y al pagar será el llorar.** || **Entre todos la mataron y ella sola se murió.** ref. que censura el achacar a una sola persona o causa el daño ocasionado por muchas y que nadie remedia. || **Estar a matar con** uno. fr. fig. Estar muy enemistado o irritado con él. || **Mátalas callando.** com. fig. y fam. Persona que con maña y secreto procura conseguir su intento. || **Matarse con** uno. fr. fig. Reñir, pelear con él. || **Matarse por** una cosa. fr. fig. Hacer vivas diligencias para conseguirla. || **¡Que me maten!** expr. fam. de que se usa para asegurar la verdad de una cosa. || **Todos la matamos.** expr. fig. y fam. con que se nota o redarguye al que reprende un defecto en que él mismo incurre.

Matarife. (De *matar.*) m. **Jifero,** 4.ª acep.

Mataronés, sa. adj. Natural de Mataró, ciudad de Cataluña. Ú. t. c. s. || **2.** Perteneciente a esta ciudad o a su comarca.

Matarrata. f. Juego de naipes, especie de truque.

Matarratas. m. fam. Aguardiente de ínfima calidad y muy fuerte.

Matarrubia. f. **Mata rubia.**

Matasanos. (De *matar* y *sano.*) m. fig. y fam. Curandero o mal médico.

Matasapo. m. *Chile.* Juego de muchachos parecido al de la apatusca.

Matasellos. (De *matar* y *sello.*) m. Estampilla con que se inutilizan en las oficinas de correos los sellos de las cartas.

Matasiete. (De *matar* y *siete.*) m. fig. y fam. Fanfarrón, hombre preciado de valiente.

Matazón. f. *Amér.* **Matanza,** 2.ª acep.

Mate. (Por *jaque mate*, y éste del persa árabe *šāh māt*, el rey murió.) m. Lance que pone término al juego de ajedrez, porque el rey de uno de los jugadores no puede salvarse de las piezas que le amenazan. || **2.** En algunos juegos de naipes, **matador,** 2.ª acep. || **3.** adj. Amortiguado, apagado, sin brillo. *Oro* MATE, *sonido* MATE. || **Dar mate** a uno. fr. fig. Zumbarse, burlarse de él con risa. || **Dar mate ahogado.** fr. En el juego de ajedrez, estrechar al rey sin darle jaque, de manera que no tenga donde moverse. || **2.** fig. y fam. Querer las cosas al punto, inmediatamente, y sin dejar tomar acuerdo.

Mate. (Voz quichua.) m. *Chile* y *Perú.* Calabaza que, seca, vaciada y convenientemente abierta o cortada, sirve para muchísimos usos domésticos. || **2.** *Chile* y *Perú.* Lo que cabe en uno de estos **mates.** || **3.** *Amér. Merid.* Jícara o vasija de **mate,** y también de coco o de otro fruto semejante. || **4.** fig. Infusión de hojas de hierba del Paraguay, que se prepara tostando aquéllas y echándolas en una cáscara de calabaza o **mate** con agua caliente y azúcar, para sorber el líquido con una bombilla generalmente de plata. En el Brasil suele tomarse en taza como el té, y en toda la América Meridional se considera esta bebida como estomacal, excitante y nutritiva. || **5.** fig. **Hierba del Paraguay.** || **6.** fig. *Chile.* **Calvatrueno,** 1.ª acep. || **Cebar el mate.** fr. *Amér. Merid.* Echar en el **mate,** puesta ya en él la hierba y azúcar, el agua caliente necesaria para la infusión.

Matear. tr. Sembrar las simientes o plantar las matas a cierta distancia unas de otras. || **2.** intr. Extenderse los panes o matas de trigo y de otros cereales echando muchos hijuelos. Ú. t. c. r. || **3.** Registrar las matas el perro o el ojeador, en busca de la caza.

Matemática. (Del lat. *mathematĭca*, y éste del gr. μαθηματική, t. f. de -κός, matemático.) f. Ciencia que trata de la cantidad. Ú. m. en pl. || **Matemáticas aplicadas, o mixtas.** Estudio de la cantidad considerada en relación con ciertos fenómenos físicos. || **puras.** Estudio de la cantidad considerada en abstracto.

Matemáticamente. adv. m. Conforme a las reglas de las matemáticas; exactamente.

Matemático, ca. (Del lat. *mathematĭcus*, y éste del gr. μαθηματικός; de μάθημα, ciencia.) adj. Perteneciente o relativo a las matemáticas. *Regla* MATEMÁTICA; *instrumento* MATEMÁTICO. || **2.** fig. Exacto, preciso. || **3.** m. El que sabe o profesa las matemáticas. || **4.** ant. **Astrólogo,** 2.ª acep.

Matematismo. m. Tendencia de algunos filósofos modernos a tratar los problemas filosóficos según el espíritu y método propios de la matemática, o sea, en términos cuantitativos de masa y movimiento.

Matercaria. f. ant. **Matricaria.**

Materia. (Del lat. *materĭa.*) f. Substancia extensa e impenetrable, capaz de recibir toda especie de formas. || **2.** Substancia de las cosas, consideradas con respecto a un agente determinado. *La leña es* MATERIA *del fuego.* || **3.** Muestra de letra que en la escuela imitan o copian los niños para aprender a escribir. || **4. Pus.** || **5.** fig. Cualquier punto o negocio de que se trata. *Ésa es* MATERIA *larga.* || **6.** Asunto de que se compone una obra literaria, científica, etc. || **7.** fig. Causa, ocasión, motivo. || **de Estado.** Todo o que pertenece al gobierno, conservación, aumento y reputación de los Estados. || **del sacramento.** La cosa y la acción, casi siempre sensibles, a las que el ministro aplica las palabras rituales que constituyen la forma del sacramento; como en el bautismo, el agua y la ablución. || **médica.** Conjunto de los cuerpos orgánicos e inorgánicos de los cuales se sacan los medicamentos. || **2.** Parte de la terapéutica, que estudia los medicamentos. || **parva. Parvedad,** 2.ª acep. || **prima. Primera materia.** || **2.** *Fil.* Principio puramente potencial y pasivo que en unión con la forma substancial constituye la esencia de todo cuerpo, y en las transmutaciones substanciales permanece bajo cada una de las formas que se suceden. || **próxima del sacramento.** Acción de aplicar a la **materia** remota de éste las palabras rituales que constituyen su forma; como en el bautismo, la ablución. || **remota del sacramento.** Cosa sobre la cual recae la acción o **materia** próxima del mismo; como en el bautismo, el agua. || **Primera materia.** La que una industria o fabricación necesita emplear en sus labores, aunque provenga, cual proviene frecuentemente, de otras operaciones industriales. || **Cocer, o cocerse, las materias.** fr. Llegar a corromperse del todo los humores que hay en las heridas, llagas o apostemas, hasta ponerse en estado de reventar o de poderse abrir. || **Entrar en materia.** fr. Empezar a tratar de ella después de algún preliminar.

Material. (Del lat. *materiālis.*) adj. Perteneciente o relativo a la materia. || **2.** Opuesto a lo espiritual. || **3.** Opuesto a la forma. *Esta alhaja en lo* MATERIAL *es de poco valor.* || **4.** fig. Grosero, sin ingenio ni agudeza. || **5.** *Teol.* V. **Pecado material.** || **6.** m. **Ingrediente.** || **7.** Cualquiera de las materias que se necesitan para una obra, o el conjunto de ellas. Ú. m. en pl. || **8.** Conjunto de máquinas, herramientas u objetos de cualquier clase, necesario para el desempeño de un servicio o el ejercicio de una profesión. MATERIAL *de artillería, de incendios, de oficina, de una fábrica.* || **Es material.** expr. fam. Lo mismo da; es indiferente.

Materialidad. f. Calidad de material. *La* MATERIALIDAD *del alma es contraria a la fe.* || **2.** Superficie exterior o apariencia de las cosas. || **3.** Sonido de las palabras. *No atiende sino a la* MATERIALIDAD *de lo que oye.* || **4.** *Teol.* Física y material substancia de las acciones, ejecutadas con ignorancia inculpable o falta del conocimiento necesario para que sean buenas o malas moralmente.

Materialismo. (De *material.*) m. Doctrina de algunos filósofos antiguos y modernos, que consiste en admitir como única substancia la materia, negando, en su consecuencia, la espiritualidad y la inmortalidad del alma humana, así como la causa primera y las leyes metafísicas.

Materialista. adj. Dícese del sectario del materialismo. Ú. t. c. s. || **2.** m. Persona que se dedica a la venta de materiales de construcción.

Materializar. tr. Considerar como material una cosa que no lo es. || **2.** r. Ir dejando uno que prepondere en sí mismo la materia sobre el espíritu.

Materialmente. adv. m. Con materialidad. || **2.** *Teol.* Sin el conocimiento y advertencia que constituyen buenas o malas las acciones.

Maternal. adj. **Materno.** Dícese ordinariamente de las cosas del espíritu.

Maternalmente. adv. m. Con afecto de madre.

Maternidad. (De *materno.*) f. Estado o calidad de madre. Tiene uso principalmente hablando de la Santísima Virgen

La MATERNIDAD *no destruyó en María la virginidad.* || **2.** V. **Casa de maternidad.**

Materno, na. (Del lat. *maternus.*) adj. Perteneciente a la madre. *Amor* MATERNO; *línea* MATERNA. || **2.** V. **Lengua materna.**

Matero, ra. adj. *Amér. Merid.* Aficionado a tomar mate. Ú. t. c. s.

Matico. m. Planta de la familia de as piperáceas, originaria de la América Meridional, cuyas hojas contienen un aceite esencial aromático y balsámico, y se usan interior y exteriormente como astringentes.

Matidez. f. Calidad de mate. || **2.** *Med.* Sonido mate que se percibe en la percusión.

Matiego, ga. adj. ant. Criado entre matas, rústico, grosero. || **A la matiega.** m. adv. Rudamente, toscamente.

Matihuelo. (d. de *Matías.*) m. **Dominguillo.**

Matina. f. ant. **Matino.**

Matinal. adj. **Matutinal.**

Matines. m. pl. ant. **Maitines.**

Matino. (Del lat. *matutinum.*) m. ant. **Mañana,** 1.ª acep.

Matiz. (En port. *matiz.*) m. Unión de diversos colores mezclados con proporción en las pinturas, bordados y otras cosas. || **2.** Cada una de las gradaciones que puede recibir un color sin perder el nombre que lo distingue de los demás. || **3.** fig. Rasgo y tono de especial colorido y expresión en las obras literarias; y en lo inmaterial, grado o variedad que no altera la substancia o esencia de una cosa.

Matizar. (De *matiz.*) tr. Juntar, casar con hermosa proporción diversos colores, de suerte que sean agradables a la vista. || **2.** Dar a un color determinado matiz. || **3.** fig. Graduar con delicadeza sonidos, o expresiones de conceptos espirituales.

Mato. m. **Matorral.**

Matojo. m. despect. de **Mata,** 1.er art., 1.ª acep. || **2.** Mata de la familia de las quenopodiáceas, con tallos muy ramosos, articulados, de cuatro a seis decímetros de altura y algo lanuginosos; hojas garzas, estrechas, crasas y puntiagudas, y flores verduscas, axilares y solitarias, o en espiga terminal, con cáliz persistente de color róseo. Se cría en España y es planta barrillera.

Matón. (De *matar.*) m. fig. y fam. Guapetón, espadachín y pendenciero.

Matonismo. (De *matón.*) m. Conducta del que quiere imponer su voluntad por la amenaza o el terror.

Matorral. m. Campo inculto lleno de matas y malezas.

Matorralejo. m. d. de **Matorral.**

Matorro. m. *Sant.* **Matojo,** 1.ª acep.

Matoso, sa. adj. Lleno y cubierto de matas.

Matraca. (Del ár. *miṭraqa*, martillo.) f. Rueda de tablas fijas en forma de aspa, entre las que cuelgan mazos que al girar ella producen ruido grande y desapacible. Ú. en algunos conventos para convocar a maitines, y en Semana Santa en lugar de campanas. || **2.** Instrumento de madera compuesto de un tablero y una o más aldabas o mazos, que al sacudirlo produce ruido desapacible. || **3.** fig. y fam. Burla y chasco con que se zahiere o reprende. Ú. por lo común con el verbo *dar.* || **4.** fig. y fam. Importunación, insistencia molesta en una tema o pretensión.

Matracalada. f. Revuelta muchedumbre de gente.

Matraco, ca. adj. fam. *Ar.* **Baturro.** Ú. t. c. s.

Matraquear. intr. fam. Hacer ruido continuado y molesto con la matraca. || **2.** fig. y fam. Dar matraca, 3.ª y 4.ª aceps.

Matraqueo. m. fam. Acción y efecto de matraquear.

Matraquista. com. fig. y fam. Persona que da matraca, 3.ª y 4.ª aceps.

Matraz. (Tal vez del ár. *maṭara*, vasija, del gr. μετρητής, medida ordinaria para los líquidos, en lat. *metreta.*) m. Vasija de vidrio o de cristal, de figura esférica y que termina en un tubo angosto y recto; se emplea para varios usos en los laboratorios químicos. También los hay de fondo plano.

Matreramente. adv. m. Con matrería.

Matrería. (De *matrero.*) f. Perspicacia astuta y suspicaz.

Matrero, ra. adj. Astuto, diestro y experimentado. || **2.** *Amér.* Suspicaz, receloso.

Matriarcado. (Del lat. *mater, -tris*, y el gr. ἄρχω, mandar.) m. Época y sistema de organización social primitivas, basadas principalmente en la primacía del parentesco por línea materna.

Matricaria. (Del lat. *matricāris herba.*) f. Planta herbácea anual, de la familia de las compuestas, con tallo ramoso, de cuatro a seis decímetros de altura; hojas en forma de corazón, pecioladas, partidas en gajos de margen serrado y contornos redondeados; flores de centro amarillo y circunferencia blanca en ramilletes terminales, y fruto seco y anguloso con una sola semilla. Es olorosa, común en España, y el cocimiento de las flores suele emplearse como antiespasmódico y emenagogo.

Matricida. (Del lat. *matricīda*; de *mater*, madre, y *caedĕre*, matar.) com. Persona que mata a su madre.

Matricidio. (Del lat. *matricidĭum.*) m. Delito de matar uno a su madre.

Matrícula. (Del lat. *matricŭla.*) f. Lista o catálogo de los nombres de las personas que se asientan para un fin determinado por las leyes o reglamentos. || **2.** Documento en que se acredita este asiento. || **de buques.** Registro que se lleva en las oficinas de las comandancias de marina, en el cual constan los dueños, clases, portes, dimensiones, etc., de las embarcaciones mercantes adscritas a cada una de ellas. || **de mar.** Alistamiento de marineros y demás gente de mar, que se hace en las provincias marítimas para el servicio de la marina de guerra y el ejercicio de las profesiones marineras. || **2.** Conjunto de la gente matriculada.

Matriculado, da. p. p. de **Matricular.** || **2.** adj. Dícese del que se halla inscrito en una matrícula o registro, y especialmente en la matrícula de mar. Ú. t. c. s.

Matriculador. m. El que matricula.

Matricular. tr. Inscribir o hacer inscribir el nombre de uno en la matrícula. || **2.** *Mar.* Inscribir las embarcaciones mercantes nacionales en el registro propio del distrito marítimo a que pertenecen. || **3.** r. Hacer uno que inscriban su nombre en la matrícula.

Matrimonesco, ca. adj. fest. **Matrimonial.**

Matrimonial. (Del lat. *matrimoniālis.*) adj. Perteneciente o relativo al matrimonio. *Promesa* MATRIMONIAL. || **2.** V. **Capítulos matrimoniales.**

Matrimonialmente. adv. m. Según el uso y costumbre de los casados.

Matrimoniar. intr. **Casar,** 3.er art., 1.ª acep. En *Chile* ú. sólo como r.

Matrimonio. (Del lat. *matrimonium.*) m. Unión de hombre y mujer concertada de por vida mediante determinados ritos o formalidades legales. || **2.** Sacramento propio de legos, por el cual hombre y mujer se ligan perpetuamente con arreglo a las prescripciones de la Iglesia. || **3.** V. **Palabra de matrimonio.** || **4.** fam. Marido y mujer. *En este cuarto vive un* MATRIMONIO. || **a yuras. Matrimonio clandestino.** || **civil.** El que se contrae según la ley civil, sin intervención del párroco. || **clandestino.** El que se celebraba sin presencia del propio párroco y testigos. Después del concilio de Trento, tal unión dejó de reputarse como **matrimonio** en España. || **de conciencia.** El que por motivos graves se celebra y tiene en secreto con autorización del ordinario. || **de la mano izquierda.** El contraído entre un príncipe y una mujer de linaje inferior, o viceversa, en el cual cada cónyuge conserva su condición anterior. Llámase así porque en la ceremonia nupcial el esposo da a la esposa la mano izquierda. || **in artículo mortis,** o **in extremis.** El que se efectúa cuando uno de los contrayentes está en peligro de muerte o próximo a ella. || **morganático. Matrimonio de la mano izquierda.** || **por sorpresa.** El que se celebraba expresando su consentimiento los contrayentes ante testigos aptos y un sacerdote con jurisdicción, pero no requerido para ello. Siguió siendo válido, aunque nunca lícito, hasta principios del siglo XX. || **rato.** El celebrado legítima y solemnemente que no ha llegado aún a consumarse. || **Constante el matrimonio.** loc. adv. *For.* Durante el **matrimonio.** || **Consumar el matrimonio.** fr. Tener los legítimamente casados el primer acto en que se pagan el débito conyugal. || **Consumir el matrimonio,** o **matrimonio.** fr. ant. **Consumar el matrimonio.** || **Contraer matrimonio.** fr. Celebrar el contrato matrimonial. || **Matrimonio ni señorío no quieren furia ni brío.** ref. que advierte que los casamientos se han de hacer a gusto y a voluntad de los contrayentes, y que los superiores deben tratar benigna y suavemente a sus súbditos. || **Matrimonio y mortaja, del cielo baja.** ref. con que se da a entender cuán poco valen los propósitos humanos con relación al casamiento y a la muerte.

Matrimoño. m. ant. **Matrimonio.** Ú. en *Ecuad.*

Matritense. (De *Matritum*, forma latina dada al nombre de Madrid.) adj. **Madrileño.** Apl. a pers., ú. t. c. s.

Matriz. (Del lat. *matrix, -īcis.*) f. Víscera hueca, de forma de redoma, situada en lo interior de la pelvis de la mujer y de las hembras de los mamíferos; en ella se produce la hemorragia menstrual, y se desarrolla el feto hasta el momento del parto. || **2.** V. **Mola matriz.** || **3.** Molde en que se funden cualesquiera objetos de metal que han de ser idénticos; como las letras para imprimir, los botones, ciertos cuños, etc. || **4. Tuerca,** 1.ª acep. || **5. Rey de codornices.** || **6.** Parte del libro talonario que queda encuadernada al cortar o separar los talones, cheques, títulos, etc., que lo forman. || **7.** *Min.* Roca en cuyo interior se ha formado un mineral. || **8.** adj. fig. Principal, materna, generadora. *Iglesia, lengua* MATRIZ. || **9.** fig. Aplícase a la escritura o instrumento que queda en el oficio o protocolo para que con ella, en caso de duda, se cotejen el original y los traslados.

Matrona. (Del lat. *matrōna.*) f. Madre de familia, noble y virtuosa. || **2.** Comadre, y con especialidad la que se halla legalmente autorizada para asistir a las parturientas. || **3.** Mujer encargada de registrar a las personas de su sexo, en los fielatos y oficinas semejantes.

Matronal. (Del lat. *matronālis.*) adj. Perteneciente o relativo a la matrona.

Matronaza. (De *matrona.*) f. Madre de familia, corpulenta y grave.

Matula. f. p. us. **Torcida,** 1.ª acep.

Matungo, ga. adj. *Argent.* y *Cuba.* **Matalón.**

Maturranga. f. Treta, marrullería. Ú. m. en pl. || **2.** *Germ.* **Ramera.**

Maturrango, ga. adj. *Amér. Merid.* Dícese del mal jinete. Ú. t. c. s. || **2.** *Chile.* Dícese de la persona pesada y tosca en sus movimientos.

Matusalén. (Por alusión a la longevidad del patriarca de este nombre.) m. Hombre de mucha edad.

Matusaleno, na. (De *Matusalén.*) adj. desus. **Longevo.** || **2.** desus. Muy antiguo.

Matute. m. Introducción de géneros en una población eludiendo el impuesto de consumos. || **2.** Género así introducido. || **3.** Casa de juegos prohibidos.

Matutear. intr. Introducir matute.

Matutero, ra. m. y f. Persona que se dedica a matutear.

Matutinal. (Del lat. *matutinālis.*) adj. **Matutino.**

Matutino, na. (Del lat. *matutīnus.*) adj. Perteneciente o relativo a las horas de la mañana. || **2.** Que ocurre o se hace por la mañana.

Maula. f. Cosa inútil y despreciable. || **2. Retal.** || **3.** Engaño o artificio encubierto. || **4.** ant. Propina o agasajo que se da a los criados ajenos. || **5.** com. fig. y fam. Persona tramposa o mala pagadora. || **6.** fig. y fam. Persona perezosa y mala cumplidora de sus obligaciones. || **Ser uno buena maula.** fr. fig. y fam. Ser taimado y bellaco.

Maular. intr. **Maullar.** Ú. sólo en lenguaje festivo, unido al verbo *paular.*

Maulería. (De *maulero.*) f. Puesto en que se venden retazos de diferentes telas. || **2.** Hábito o condición del que tiene y emplea maulas o artificios para engañar.

Maulero, ra. (De *maula.*) m. y f. Persona que vende retales de diferentes telas. || **2.** Persona embustera y engañadora con artificio y disimulo.

Maulón. m. aum. de **Maula,** 5.ª y 6.ª aceps.

Maullador, ra. adj. Que maúlla mucho.

Maullar. intr. Dar maullidos el gato.

Maullido. m. Voz del gato, parecida a la palabra miau.

Maúllo. m. **Maullido.**

Mauraca. f. *And.* **Moraga,** 2.ª acep.

Maure. m. **Chumbe.**

Mauritano, na. adj. Natural de Mauritania. Ú. t. c. s. || **2.** Perteneciente a esta región de África antigua.

Mauro, ra. (Del lat. *maurus.*) adj. desus. **Moro,** 1.ª acep.

Mauseolo. m. **Mausoleo.**

Máuser. m. Especie de fusil de repetición, inventado por el armero alemán Guillermo Mauser.

Mausoleo. (Del lat. *mausolēum,* sepulcro de Mausolo, rey de Caria, mandado erigir por su mujer Artemisa.) m. Sepulcro magnífico y suntuoso.

Mavorcio, cia. (Del lat. *mavortĭus.*) adj. poét. Perteneciente a la guerra.

Mavorte. (Del lat. *Mavors, -tis.*) m. poét. **Marte,** 2.ª y 4.ª aceps.

Maxilar. (Del lat. *maxillāris;* de *maxilla,* quijada.) adj. Perteneciente o relativo a la quijada o mandíbula. *Arterias, venas* MAXILARES. || **2.** V. **Hueso maxilar.** Ú. t. c. s.

Máxima. (Del lat. *maxĭma.*) f. Regla, principio o proposición generalmente admitida por todos los que profesan una facultad o ciencia. || **2.** Sentencia, apotegma o doctrina buena para dirección de las acciones morales. || **3.** Idea, norma o designio a que se ajusta la manera de obrar. || **4.** *Mús.* Nota de la música antigua equivalente a dos longas.

Máximamente. adv. m. En primer lugar, principalmente.

Máxime. (Del lat. *maxĭme.*) adv. m. **Principalmente.**

Máximo, ma. (Del lat. *maxĭmus.*) adj. sup. de **Grande.** || **2.** Dícese de lo que es tan grande en su especie, que no lo hay mayor ni igual. || **3.** *Arit.* V. **Máximo común divisor.** || **4.** *Astrol.* V. **Conjunción máxima.** || **5.** *Geom.* V. **Círculo máximo.** || **6.** m. Límite superior o extremo a que puede llegar una cosa.

Máximum. (Del lat. *maxĭmum,* lo más grande.) m. **Máximo,** 6.ª acep.

Maxmordón. m. desus. Hombre de poca estima, tardo, pasmado y sin discurso. || **2.** desus. Hombre taimado y solapado.

Maya. (De *mayo,* época de la floración.) f. Planta herbácea perenne, de la familia de las compuestas, con hojas radicales, tumbadas, en círculo, gruesas, algo vellosas, estrechas en la base, anchas y redondeadas en el extremo opuesto y con pocos dientes en el margen; flor única, terminal, sobre un escapo de uno o dos decímetros, con el centro amarillo y la corola blanca o matizada de rojo por la cara inferior, y fruto seco, casi esférico, con una sola semilla. Es común en los prados, y por el cultivo se han conseguido algunas variedades de flores completamente blancas o rojizas. || **2.** Niña que en algunos pueblos visten galanamente el día de la Cruz, en el mes de mayo, para que pida dinero a los transeúntes, o lo pidan otras muchachas mientras ella está sentada en una especie de trono. || **3.** Persona que se vestía con cierto disfraz ridículo, para divertir y hacer reir al pueblo en las funciones públicas.

Maya. f. Juego de muchachos en la provincia de Álava: consiste en esconderse todos, menos uno que queda al cuidado de un objeto, generalmente una piedra, al cual se da el nombre de **maya.** El lance está en llegar a la **maya** antes que el encargado de cuidarla, cuando éste se separa de ella para descubrir a los escondidos.

Maya. adj. Dícese del individuo de cualquiera de las tribus indias que hoy habitan principalmente el Yucatán y otras regiones adyacentes. Ú. t. c. s. || **2.** Perteneciente o relativo a estas tribus. || **3.** m. Lengua hablada por los mayas.

Mayador, ra. (De *mayar.*) adj. **Maullador.**

Mayal. (Dialectal por *mallal,* de *mallar,* del lat. **malleāre,* golpear.) m. Palo del cual tira la caballería que mueve los molinos de aceite, tahonas y malacates. || **2.** Instrumento compuesto de dos palos, uno más largo que otro, unidos por medio de una cuerda, con el cual se desgrana el centeno dando golpes sobre él.

Mayar. intr. **Maullar.**

Mayear. intr. Hacer el tiempo propio del mes de mayo.

Mayestático, ca. adj. Propio o relativo a la majestad.

Mayetad. (Del lat. *mediĕtas, -ātis.*) f. ant. **Mitad.**

Mayeto. m. *Cád.* Viñador de escaso caudal.

Mayido. (De *mayar.*) m. **Maullido.**

Mayo. (Del lat. *maius.*) m. Quinto mes del año, según nuestro cómputo: tiene treinta y un días. || **2.** V. **Flores de mayo.** || **3.** Árbol o palo alto, adornado de cintas, frutas y otras cosas, que se pone en los pueblos en un lugar público, adonde durante el mes de **mayo** concurren los mozos y mozas a divertirse con bailes y otros festejos. || **4.** Ramos o enramadas que ponen los novios a las puertas de sus novias. || **5.** pl. Música y canto con que en la noche del último día de abril obsequian los mozos a las solteras. || **Are quien aró, que ya mayo entró.** ref. que advierte deber hacerse las labores antes de **mayo.** || **Mayo, cual lo encuentro, o lo hallo, tal lo grano.** ref. que enseña que ya en aquel mes granan los sembrados tal como se hallan. || **Mayo hortelano, mucha paja y poco grano.** ref. que indica ser éste ordinariamente el resultado de la cosecha cuando en **mayo** llueve mucho. || **Mayo mangonero, pon la rueca en el humero.** ref. que se decía por las muchas fiestas que había en **mayo** y con alusión a las mangas de las parroquias. || **Para mayo.** loc. fig. y fam. *Chile.* Para las calendas griegas. || **Ser como el mayo de Portugal, que lo cargaron de joyas y se alzó con todas.** ref. con que se da a entender cuán arriesgado es el fiar a otros prendas o cosas de valor.

Mayólica. (Del ital. *majolica,* y éste del lat. *Maiorĭca,* Mallorca, donde tuvo principio esta manufactura.) f. Loza común con esmalte metálico, fabricada antiguamente por los árabes y españoles, que la introdujeron y generalizaron en Italia.

Mayonesa. (Del fr. *mayonnaise,* y éste de *mahonesa,* de *Mahón.*) f. **Mahonesa,** 2.ª acep.

Mayor. (Del lat. *maior, -ōris.*) adj. comp. de **Grande.** Que excede a una cosa en cantidad o calidad. || **2.** V. **Mayor de edad.** Ú. t. c. s. || **3.** V. **Aciano, adalid, adelantado, alcalde, alférez, alguacil, altar, armero, arresto, bagaje, balsamita, ballestero, basílica, cabeza, cacho, camarera, camarero, canciller, capellán, capilla, carga, carro, caza, cazador, centaura, cerero, colegial, colegio, correo, despensero, excomunión, facultad, ganado, guarda, halconero, hombre, iglesia, libro, llantén, maestro, marcador, mayordomo, merino, mes, misa, montero, mundo, necesidad, oficio, orden, palafrenero, penitenciero, pimpinela, pregonero, premisa, prestamero, repostero, sacristán, sanguinaria, sargentía, semana, señor, señora, séptima, sexta, siempreviva, tambor, tapicero, tercera, tordo mayor.** || **4.** V. **Aguas, causas, estudios, ferias, meses, órdenes, palabras mayores.** || **5.** V. **Alcalde mayor entregador.** || **6.** V. **Alférez mayor de Castilla, de los peones, del pendón de la divisa, del rey.** || **7.** V. **Almirante mayor de la mar.** || **8.** V. **Aposentador mayor de casa y corte, de palacio.** || **9.** V. **Arte de maestría mayor.** || **10.** V. **Caballerizo mayor del rey.** || **11.** V. **Canciller mayor de Castilla.** || **12.** V. **Capellán mayor de los ejércitos, del rey.** || **13.** V. **Contaduría mayor de Cuentas.** || **14.** V. **Copero mayor de la reina,** o **del rey.** || **15.** V. **Copla de arte mayor.** || **16.** V. **En cuarto mayor.** || **17.** V. **Guarda mayor del cuerpo real, del rey.** || **18.** V. **Justicia mayor de Aragón, de Castilla, de la casa del rey, del reino.** || **19.** V. **Juez mayor de Vizcaya.** || **20.** V. **Letanías mayores.** || **21.** V. **Naipe de mayor.** || **22.** V. **Notario mayor de los reinos.** || **23.** V. **Papel de marca mayor.** || **24.** V. **Pertiguero mayor de Santiago.** || **25.** V. **Mayor edad, mayor postor.** || **26.** V. **Sargento mayor.** Ú. t. c. s. || **27.** V. **Sargento mayor de brigada, de la plaza, de provincia.** || **28.** V. **Verso de arte mayor, de redondilla mayor.** || **29.** *Astron.* V. **Can, Osa Mayor.** || **30.** *Com.* V. **Libro mayor.** || **31.** *For.* V. **Testigo mayor de toda excepción.** || **32.** *Mar.* V. **Aguas, velas mayores.** || **33.** *Mar.* V. **Árbol, mastelero, palo mayor.** || **34.** *Mar.* V. **Vela mayor.** Ú. t. c. s. || **35.** *Mil.* V. **Estado, plana, ronda mayor.** || **36.** *Mil.* V. **Estado mayor general.** || **37.** *Mús.* V. **Compás, hexacordo, modo, proporción, semitono, séptima, sexta, tercera, tono mayor.** || **38.** *Pint.* V. **Obscuro mayor.** || **39.** *Germ.* V. **Mina mayor.** || **40.** m. Superior o jefe de una comunidad o cuerpo. || **41.** Oficial primero de una secretaría u oficina. Aplícase especialmente a los de cada una de las secciones del Consejo de Estado, al de las Cortes y al primer jefe permanente de cada ministerio. || **42.** ant. Caudillo, capitán, jefe de guerra. Se usa todavía en algunos ejércitos como denominación de empleo equivalente al de comandante. || **43.** pl. Abuelos y demás progenitores de una persona. || **44.** Antepasados, sean o no progenitores del que habla o de otra persona determinada. || **45.** En algunos estudios de gramática, clase superior en que se estudiaba la prosodia. || **46.** f. *Lóg.* Primera proposición del silogismo. || **Mayor de brigada. Sargento mayor de brigada.** || **general.** En un ejército reunido, oficial general encargado del detalle del servicio. || **2.** En los departamentos, apostaderos y escuadras, jefe que desempeña funciones semejantes a las del estado mayor en el ejército. || **que.** *Mat.* Signo matemático que tiene esta figura (>), y colocado entre dos cantidades, indica ser **mayor** la primera que la segunda. || **Alzarse, levantarse,** o **subirse,** uno **a mayores.** fr. fig. Ensoberbecerse, elevándose más de lo que le corresponde. || **Por mayor.** m. adv. Sumariamente o sin especificar las circunstancias. || **2.** En cantidad grande. *Vender* POR MAYOR.

Mayora. f. Mujer del mayor. || **2.** *Ar.* V. **Señora y mayora.**

Mayoradgo. (Del lat. **maioratĭcus*, de *maior.*) m. ant. **Mayorazgo.**

Mayoral. (De *mayor.*) m. Pastor principal que cuida de los rebaños o cabañas. || **2.** En las galeras, diligencias y otros carruajes, el que gobierna el tiro de mulas o caballos. || **3.** En las cuadrillas de cavadores o de segadores, el que hace de cabeza o capataz. || **4.** En las labranzas y en las cabañas de mulas, cabeza o capataz que manda a los otros mozos. || **5. Mampostero,** 2.ª acep. || **6.** En los hospitales de San Lázaro, el que los administra o gobierna. || **7.** ant. **Mayor,** 40.ª acep. || **8.** *Germ.* **Alguacil,** 1.ª acep. || **9.** *Germ.* **Corregidor,** 2.ª acep.

Mayorala. f. Mujer del mayoral. || **2.** ant. **Superiora.**

Mayoralía. f. Rebaño que pastoreaba un mayoral, y se componía de cierto número de ovejas. || **2.** Salario o precio que llevaba el mayoral por su trabajo de pastoreo.

Mayorana. (Tal vez del lat. *amarăcus;* en b. lat. *maioraca* y *maiorana.*) f. **Mejorana.**

Mayorar. tr. ant. Dar en mayor o mejor porción.

Mayorazga. f. La que goza y posee un mayorazgo. || **2.** La sucesora en él. || **3.** Mujer del mayorazgo.

Mayorazgo. (De *mayoradgo.*) m. Institución del derecho civil, que por las leyes desvinculadoras del siglo XIX quedó circunscrita en España a títulos y derechos honoríficos, y que tiene por objeto perpetuar en la familia la propiedad de ciertos bienes con arreglo a las condiciones que se dicten al establecerla, o, a falta de ellas, a las prescritas por la ley. || **2.** Conjunto o agregación de estos bienes vinculados. || **3.** Poseedor de los bienes vinculados. || **4.** Hijo mayor de una persona que goza y posee **mayorazgo.** || **5.** fam. Hijo primogénito de cualquiera persona. || **6.** fam. **Primogenitura.** || **alternativo.** Aquel en que el fundador establece que en la sucesión alternen las líneas por él designadas. || **de agnación artificial, artificiosa** o **fingida.** *For.* Aquel en que, llamando el fundador a la sucesión varones de varones, establece que si no tiene agnación propia o si se rompe en el transcurso del tiempo, entre a poseer un cognado o una hembra, o un extraño, y de allí en adelante se suceda de varón en varón, con exclusión de las hembras y de sus líneas. || **de agnación rigurosa** o **verdadera.** *For.* Aquel en que suceden sólo los varones de varones por línea masculina. || **de femineidad.** *For.* Aquel en que solamente suceden las hembras, o por lo menos son preferidas a los varones. || **de masculinidad.** *For.* Aquel que sólo admite a los varones, ya sean descendientes de varón o de hembra. || **de segundogenitura.** *For.* Aquel a cuya sucesión son siempre llamados los segundogénitos. || **electivo.** *For.* Aquel en que el poseedor tiene facultad para elegir por sucesor a cualquiera de sus hijos, y, a falta de éstos, a un pariente descendiente del fundador. || **incompatible.** *For.* El que no puede estar juntamente con otro en una misma persona. || **irregular.** *For.* El que se aparta de las reglas del **mayorazgo** regular y tiene por ley la voluntad del fundador. || **regular.** *For.* En Castilla, aquel en que se sucede prefiriendo el varón a la hembra, y el mayor al menor en cada línea. || **saltuario.** *For.* El que sin atender a la línea busca para la sucesión al sujeto que tiene las calidades prevenidas en los llamamientos.

Mayorazgüelo, la. m. y f. d. de **Mayorazgo.**

Mayorazguete, ta. m. y f. d. despect. de **Mayorazgo.**

Mayorazguista. m. *For.* Autor que trata o escribe de la materia de mayorazgos.

Mayordoma. f. Mujer del mayordomo. || **2.** Mujer que ejerce funciones de mayordomo.

Mayordomadgo. (De *mayordomo.*) m. ant. **Mayordomía.**

Mayordomazgo. (De *mayordomadgo.*) m. ant. **Mayordomía.**

Mayordombre. (De *mayor, de* y *hombre.*) m. ant. *Ar.* **Prohombre.**

Mayordombría. (De *mayordombre.*) f. ant. *Ar.* Oficio de prohombre.

Mayordomear. (De *mayordomo.*) tr. Administrar o gobernar una hacienda o casa.

Mayordomía. f. Cargo y empleo de mayordomo o administrador. || **2.** Oficina del mayordomo. || **3.** ant. **Préstamo,** 2.ª acep.

Mayordomo. (Del lat. *maior*, mayor, y *domus*, de casa.) m. Criado principal a cuyo cargo está el gobierno económico de una casa o hacienda. || **2.** Oficial que se nombra en las congregaciones o cofradías para la satisfacción de los gastos y el cuidado y gobierno de las funciones. || **3.** Cada uno de los individuos de ciertas cofradías religiosas. || **de Estado.** Persona a cuyo cargo estaba en la casa real el cuidado de la servidumbre del estado de los caballeros. || **de fábrica.** El que recauda el derecho de fábrica. || **de propios.** Administrador de los caudales y propios de un pueblo. || **de semana.** Persona que en la casa real servía, la semana que le tocaba, bajo las órdenes del **mayordomo** mayor, y en su ausencia le suplía. || **mayor.** Jefe principal de palacio, a cuyo cargo estaba el cuidado y gobierno de la casa del rey.

Mayoría. f. Calidad de mayor. || **2. Mayor edad.** || **3.** Mayor número de votos conformes en una votación. *Manuel tuvo seis votos de* MAYORÍA. || **4.** Parte mayor de los individuos que componen una nación, ciudad o cuerpo. *Seguir la opinión de la* MAYORÍA. || **5.** *Mar.* Oficina del mayor general. || **6.** *Mil.* Oficina del sargento mayor. || **absoluta.** La que consta de más de la mitad de los votos. || **de cantidad.** Aquella en que se computan los votos en razón del interés respectivo que representa cada votante, como en las juntas de acreedores. || **relativa.** La formada por el mayor número de votos, no con relación al total de éstos, sino al número que obtiene cada una de las personas o cuestiones que se votan a la vez.

Mayoridad. (Del lat. *majorĭtas, -ātis.*) f. **Mayoría,** 1.ª y 2.ª aceps.

Mayorino. (Del lat. *maiorīnus.*) m. ant. **Merino,** 4.ª acep.

Mayorista. m. En los estudios de gramática, el que estaba en la clase de mayores. || **2.** Comerciante que vende por mayor. || **3.** adj. Aplícase al comercio en que se vende o compra por mayor.

Mayormente. adv. m. Principalmente, con especialidad.

Mayormientre. adv. m. ant. **Mayormente.**

Mayueta. f. *Sant.* Fresa silvestre.

Mayúsculo, la. (Del lat. *majuscŭlus.*) adj. Algo mayor que lo ordinario en su especie. || **2.** V. **Letra mayúscula.** Ú. t. c. s.

Maza. (Del lat. *mattĕa.*) f. Arma antigua, hecha de palo guarnecido de hierro, o toda de hierro, con la cabeza gruesa. || **2.** Insignia que llevan los maceros delante de los reyes o gobernadores. También usan de ella las ciudades, universidades y otros cuerpos en los actos públicos. || **3.** V. **Ballestero de maza.** || **4.** Instrumento de madera dura, parecido a la **maza** antigua de combate, y que sirve para machacar el esparto y el lino, y para otros usos. || **5.** Pelota gruesa forrada de cuero y con mango de madera, que sirve para tocar el bombo. || **6.** Pieza de madera o hierro que en el martinete sirve para golpear sobre las cabezas de los pilotes. || **7.** Tronco u otra cosa pesada, en que se prende y asegura la cadena a los monos o a los micos para que no se huyan. || **8.** Palo, hueso u otra cosa que por diversión se solía poner en las carnestolendas atado a la cola de los perros. || **9.** Trapo u otra cosa que se prende en los vestidos para burlarse de los que los llevan. || **10.** En los juegos de billar y trucos, extremo más grueso de los tacos. || **11.** ant. Cubo de la rueda. Ú. en *Chile.* || **12.** ant. Especería, droga. || **13.** fig. y fam. Persona pesada y molesta en su conversación y trato. || **de Fraga. Martinete,** 2.º art., 4.ª acep. || **2.** fig. y fam. Persona que tiene grande autoridad en todo lo que dice. || **3.** fig. y fam. Ciertas palabras sentenciosas o verdades desnudas, que hacen grande impresión en quien las oye. || **sorda. Espadaña,** 1.ª acep. || **La maza de Fraga saca polvo debajo del agua.** ref. que enseña que algunos con su pesadez e importunidad logran hasta lo que parecía imposible. || **La maza y la mona.** fr. fig. y fam. con que se califican dos personas que andan siempre juntas.

Mazacote. (aum. despect. de *masa*, 1.ª acep.) m. **Barrilla,** 2.ª acep. || **2. Hormigón,** 1.er art. || **3.** *Argent.* Pasta hecha de los residuos del azúcar que, después de refinada, quedan adheridos al fondo y paredes de la caldera. Por ext., masa espesa y pegajosa como la del dulce. || **4.** fig. Cualquier objeto de arte no bien concluido y en el cual se ha procurado más la solidez que la elegancia. || **5.** fig. y fam. Guisado u otra vianda o cosa de masa, que está seca, dura y pegajosa. || **6.** fig. y fam. Hombre molesto y pesado.

Mazada. f. Golpe que se da con maza o mazo. || **Dar mazada** a uno. fr. fig. y fam. Hacerle o causarle daño o perjuicio grave.

Mazagatos. (De *maza*, 8.ª acep., y *gato.*) n. p. **Andar,** o **haber, la de Mazagatos.** fr. fig. y fam. Haber gran ruido, pendencia o riña.

Mazamorra. (despect. de *masa.*) f. Comida compuesta de harina de maíz con azúcar o miel, semejante a las poleadas, de que se usa mucho en el Perú, especialmente entre la gente pobre. || **2.** Bizcocho averiado, o fragmento o reliquias que quedan de él. || **3.** Galleta rota que queda en el fondo de los sacos de provisión y se aprovecha para hacer la calandraca. || **4.** *Argent.* Maíz blanco partido y hervido que, una vez frío, se come con leche o sin ella y a veces con azúcar. || **5.** fig. Cosa desmoronada y reducida a piezas menudas, aunque no sea comestible.

Mazana. (Del lat. *matiāna mala*, una especie de manzanas.) f. ant. **Manzana.**

Mazaneta. (De *mazana.*) f. Pieza de figura de manzana, que antiguamente se ponía en las joyas.

Mazapán. (De *marzapán.*) m. Pasta hecha con almendras molidas y azúcar y cocida al horno. || **2.** Pedazo de miga de pan con que los obispos se enjugan los dedos untados del óleo que han usado al administrar el bautismo a los príncipes. Por lo regular está aquélla revestida o envuelta en una tela rica o en un bizcocho o **mazapán** cilíndrico y perforado en el centro.

Mazar. (De *maza.*) tr. Golpear la leche dentro de un odre para que se separe la manteca. || **2.** ant. **Machacar,** 1.ª acep.

Mazarí. (Del ár. *maṣrī*, egipcio.) adj. Dícese del ladrillo cuadrado o baldosa que se usa para solados. Ú. t. c. s. m.

Mazarota. (Del fr. *masselotte;* de *masse*, masa.) f. Masa de metal, que, cuando se funden grandes piezas en moldes verticales, se deja sobrante en la parte superior.

Mazarrón. adj. *Ar.* Decíase del que defraudaba al fisco, dejando de pagar el peaje u otro derecho de pasaje. Usáb. t. c. s. || **2.** *Ar.* Pena en que los mismos incurrían, y que era la pérdida de lo que transportaban.

Mazazo. m. **Mazada.**

Mazdeísmo. (Del persa *Mazda*, sobrenombre del rey del cielo, o principio del bien.) m. Religión de los antiguos persas, que creían en la existencia de dos principios divinos: uno bueno, Ormuz, creador del mundo, y otro malo, Ahrimán, destructor.

Mazmodina. (Del ár. *maṣmūdiyya*, perteneciente o relativo a la tribu berberisca de los *Maṣmūda* o *Masamudas.*) f. Moneda de oro, acuñada por los almohades, y que corrió en los reinos cristianos.

Mazmorra. (Del ár. *maṭmūra*, sima, caverna, calabozo.) f. Prisión subterránea.

Maznar. tr. Amasar, ablandar o estrujar una cosa con las manos. || **2.** Machacar el hierro cuando está caliente.

Mazo. (De *maza.*) m. Martillo grande de madera. || **2.** Cierta porción de mercaderías u otras cosas juntas, atadas o unidas formando grupo. MAZO *de cintas, de plumas.* || **3.** En el juego de la primera, suerte en que concurren el seis, el siete y el as de un palo, que vale 55 puntos. || **4.** fig. Hombre molesto, fastidioso y pesado. || **5.** *Ar.* Badajo de la campana. || **rodero.** *Mar.* El de forma prismática y bocas redondeadas, con mango de un metro de largo, usado principalmente en los barcos para hacer estopa machacando cabos. || **A macha mazo.** m. adv. ant. **A macha martillo.** || **A mazo y escoplo.** m. adv. Firme, indeleblemente.

Mazonado, da. p. p. de **Mazonar.** || **2.** adj. *Blas.* Dícese de la figura que representa en el escudo la obra de sillería.

Mazonadura. f. ant. Acción de mazonar.

Mazonar. (Del ant. *mazón*, y éste del lat. *machio, -ōnis*, albañil, en San Isidoro, 19, 8.) tr. ant. Hacer obras de mazonería.

Mazonear. tr. p. us. Macerar o apisonar.

Mazonera. (De *mazonar.*) f. ant. *Arq.* **Recuadro.**

Mazonería. (De *mazonar.*) f. Fábrica de cal y canto. || **2.** Obra de relieve. || **3.** ant. Bordado de oro y plata de realce. || **4.** ant. Conjunto de varias piezas de plata u oro que se hacen para el servicio de las iglesias.

Mazonero. (De *mazonar.*) m. *Ar.* **Albañil.**

Mazorca. f. **Husada.** || **2.** Espiga densa o apretada en que se crían algunos frutos muy juntos, como sucede en el maíz. || **3.** Baya del cacao. || **4.** Entre los herreros, labor que tienen los balaustres de algunos balcones en la mitad, por donde son más gruesos, y desde allí van adelgazando hasta los extremos. || **5.** fig. *Chile.* Junta de personas que forman un gobierno despótico.

Mazorgano. adj. V. **Cámbaro mazorgano.**

Mazorquero. m. *Chile.* Individuo que forma parte de una mazorca, 5.ª acep.

Mazorral. adj. Grosero, rudo, basto. || **2.** *Impr.* Dícese de la composición que carece de cuadrados.

Mazorralmente. adv. m. Grosera, rudamente.

Mazuelo. m. d. de **Mazo.** || **2.** Mango o mano como de almirez, con que se toca el morterete.

Mazurca. (Del polaco *mazurca*, de *Mazuria, Massuria.*) f. Danza moderna de origen polaco, de movimiento moderado y compás ternario. || **2.** Música de esta danza.

Me. (Del lat. *me*, acus. de *ego*, yo.) Dativo o acusativo del pronombre personal de primera persona en género masculino o femenino y número singular. No admite preposición y se puede usar como sufijo: ME *oyó; óye*ME.

Mea. (De *mear.*) f. fam. Voz con que el niño indica querer orinar. *Pedir la* MEA.

Meada. (De *mear.*) f. Porción de orina que se expele de una vez. || **2.** Sitio que moja o señal que hace una **meada.** *Aquí hay una* MEADA *de gato.*

Meadero. (De *mear.*) m. Lugar destinado o usado para orinar.

Meados. (De *mear.*) m. pl. **Orines,** 2.° art.

Meadura. f. desus. **Meada,** 1.ª acep.

Meaja. (Del lat. *medialia*, pl. n. de *medialis*, medio.) f. Moneda de vellón que corrió antiguamente en Castilla y valía la sexta parte de un dinero, o medio maravedí burgalés. || **2.** Cierto derecho que los jueces exigían de las partes en las ejecuciones. || **de huevo. Galladura.**

Meaja. (De *miaja*, 2.° art.) f. **Migaja.**

Meajuela. f. d. de **Meaja,** 2.° art. || **2.** Cada una de las piezas pequeñas que se ponen pendientes en los sabores o en la montada del freno, para que, moviéndola, segregue más saliva el caballo.

Meandro. (Del lat. *Meandros*, y éste del gr. Μαίανδρος, nombre de un río del Asia Menor, célebre por lo tortuoso de su curso.) m. Recoveco de un camino o río. || **2.** *Arq.* Adorno formado por enlaces sinuosos y complicados.

Mear. (Del lat. *meiāre.*) intr. **Orinar.** Ú. t. c. tr. y c. r.

Meatad. f. ant. **Mitad.**

Meato. (Del lat. *meātus.*) m. *Bot.* Cada uno de los diminutos espacios huecos intercelulares que hay en los tejidos parenquimatosos de las plantas. || **2.** *Zool.* Cada uno de ciertos orificios o conductos del cuerpo. MEATO *urinario, auditivo.*

Meauca. (Del franco *mauwe*, gaviota.) f. Especie de gaviota, de unos cinco decímetros de largo y nueve de envergadura, con plumaje agrisado en el dorso y las alas, blanco en el pecho y vientre, pico amarillo con la punta encarnada, y pies pajizos. Es común en las costas de España.

Meca. (Del ár. *Makka*, n. p. de la famosa ciudad.) f. V. **Ceca,** 2.° art. || **2.** V. **Bálsamo de la Meca.** || **3.** V. **Paja de Meca.**

Mecánica. (Del lat. *mechanĭca*, y éste del gr. μηχανική, sobrentendiéndose τέχνη, arte.) f. Parte de la física, que trata del movimiento y de las fuerzas que pueden producirlo, consideradas con toda generalidad, así como del efecto que producen en las máquinas. || **2.** Aparato o resorte interior que da movimiento a un ingenio o artefacto. || **3.** fig. y fam. Cosa despreciable y ruin. || **4.** fig. y fam. Acción mezquina e indecorosa. || **5.** *Mil.* Policía interior y manejo por menudo de los intereses y efectos de los soldados. || **celeste.** *Astron.* Ciencia que estudia los movimientos de los astros.

Mecánicamente. adv. m. De un modo mecánico.

Mecanicismo. m. Sistema biológico y médico que pretende explicar los fenómenos vitales por las leyes de la mecánica de los cuerpos inorgánicos.

Mecánico, ca. (Del lat. *mechanĭcus*, y éste del gr. μηχανικός; de μηχανή, máquina.) adj. Perteneciente a la mecánica. *Principios* MECÁNICOS. || **2.** Que se ejecuta por un mecanismo o máquina. || **3.** Perteneciente a los oficios u obras de los menestrales. || **4.** fig. Bajo e indecoroso. || **5.** m. El que profesa la mecánica. || **6.** Obrero dedicado al manejo y arreglo de las máquinas, y en especial el conductor de vehículos automóviles.

Mecanismo. (Del lat. *mechanisma*, y éste del gr. μηχανή, máquina.) m. Artificio o estructura de un cuerpo natural o artificial, y combinación de sus partes constitutivas. || **2.** Medios prácticos que se emplean en las artes.

Mecano, na. adj. Natural de la Meca. Ú. t. c. s. || **2.** Perteneciente a esta ciudad de Arabia.

Mecanografía. (De *mecanógrafo.*) f. Arte de escribir con máquina.

Mecanografiar. tr. Escribir con máquina.

Mecanográfico, ca. adj. Perteneciente o relativo a la mecanografía.

Mecanógrafo, fa. (Del gr. μηχανή, máquina, y γράφω, escribir.) m. y f. Persona diestra en la mecanografía, y especialmente quien la tiene por oficio.

Mecanoterapia. (Del gr. μηχανή, máquina, y θεραπεία, cuidado, curación.) f. Empleo de aparatos especiales para producir movimientos activos o pasivos en el cuerpo humano, con objeto de curar o aliviar ciertas enfermedades.

Mecapal. (Del mejic. *mecapalli.*) m. Faja de cuero con dos cuerdas en los extremos, de que en Méjico se sirven los mozos de cordel y los indios para llevar carga a cuestas, poniendo la faja de cuero en la frente y pasando las cuerdas por debajo de la carga.

Mecate. (Del mejic. *mecatl.*) m. *Filip., Hond.* y *Méj.* Bramante, cordel o cuerda de pita.

Mecedero. m. **Mecedor,** 2.ª acep.

Mecedor, ra. adj. Que mece o puede fácilmente mecer o servir para mecer. || **2.** m. Instrumento de madera que sirve para mecer el vino en las cubas o el jabón en la caldera y para otras cosas semejantes. || **3. Columpio.**

Mecedora. f. Silla de brazos que por lo común tiene el respaldo y el asiento de rejilla o lona, cuyos pies descansan sobre dos arcos o terminan en forma circular, en la cual puede mecerse el que se sienta.

Mecedura. f. Acción de mecer o mecerse.

Mecenas. (Por alusión a Cayo Cilnio *Mecenas*, amigo de Augusto y protector de las letras y de los literatos.) m. fig. Príncipe o persona poderosa que patrocina a los literatos o artistas.

Mecenazgo. m. Calidad de mecenas. ‖ **2.** Protección dispensada por una persona a un escritor o artista.

Mecer. (Del lat. *miscēre*, mezclar.) tr. Menear y mover un líquido de una parte a otra, para que se mezcle o incorpore. ‖ **2.** Mover una cosa compasadamente de un lado a otro sin que mude de lugar, como la cuna de los niños. Ú. t. c. r. ‖ **3.** *Ast.* **Ordeñar,** 1.ª acep.

Meco, ca. adj. *Méj.* Dícese de ciertos animales cuando tienen color bermejo con mezcla de negro. ‖ **2.** m. y f. *Méj.* Indio salvaje.

Meconio. (Del lat. *meconium*, y éste del gr. μηκώνιον.) m. **Alhorre,** 1.ª acep. ‖ **2.** *Farm.* Jugo que se saca de las cabezas de las adormideras.

Mecha. (Del lat. *myxa*, y éste del gr. μύξα.) f. Cuerda retorcida o cinta tejida hecha de filamentos combustibles, generalmente de algodón, que se pone en las piqueras o mecheros de algunos aparatos del alumbrado y dentro de las velas y bujías. ‖ **2.** Tubo de algodón, trapo o papel, relleno de pólvora, y a propósito para dar fuego a minas y barrenos. ‖ **3.** Cuerda de cáñamo que, encendida, servía para prender la carga en las antiguas armas de fuego. ‖ **4.** Tejido de algodón que, impregnado de una composición química, arde con mucha facilidad y se usaba para encender cigarros. ‖ **5.** Porción de hilas atadas por en medio, que se emplea para la curación de enfermedades externas y operaciones quirúrgicas. ‖ **6.** Lonjilla de tocino gordo para mechar aves, carne y otras cosas. ‖ **7. Mechón,** 2.ª acep. ‖ **8.** *Mar.* Especie de espiga de forma prismático-cuadrangular en que terminan por su parte inferior los árboles y otras piezas, y que se encaja y asegura en la carlinga respectiva. ‖ **9.** *Mar.* Pieza principal y central, o sea el alma de un palo macho, sobre la que se adaptan o amadrinan otras para su refuerzo y forma conveniente. ‖ **de seguridad.** La de cáñamo embreado, con pólvora en la parte interior, y que, encendida por un extremo, propaga lentamente el fuego al otro, que se introduce en la carga del barreno. ‖ **Aguantar** uno **la mecha.** fr. fig. y fam. Sufrir o sobrellevar resignado una reprimenda, contrariedad o peligro. ‖ **Alargar** uno **la mecha.** fr. fig. y fam. Aumentar la paga. ‖ **2.** fig. y fam. Alargar una gestión o negocio voluntariamente por un fin particular. ‖ **A toda mecha.** loc. fig. y fam. Con gran rapidez.

Mechar. tr. Introducir mechas de tocino gordo en la carne de las aves o de otras viandas que se han de asar o empanar.

Mechazo. m. *Min.* Combustión de una mecha sin inflamar el barreno. Ú. por lo común en la frase **dar mechazo.**

Mechera. (De *mechar.*) adj. V. **Aguja mechera.** Ú. t. c. s. ‖ **2.** f. Ladrona de tiendas que oculta entre las faldas lo hurtado.

Mechero. m. Cañutillo o canalita en donde se pone la mecha o torcida para alumbrar o para encender lumbre. ‖ **2.** Cañón de los candeleros, en donde se coloca la vela. ‖ **3. Boquilla,** 9.ª acep. ‖ **4. Encendedor de bolsillo.**

Mechinal. (De *mecha*, 8.ª acep.) m. Agujero cuadrado que se deja en las paredes cuando se fabrica un edificio, para meter en él un palo horizontal del andamio. ‖ **2.** fig. y fam. Habitación o cuarto muy reducido.

Mechoacán. (De *Michoacán*, Estado de Méjico.) m. Raíz de una planta vivaz de la familia de las convolvuláceas, oriunda de Méjico, parecida a la enredadera de campanillas: es blanca, gruesa, fusiforme y harinosa, y su fécula se ha usado en medicina como purgante. ‖ **negro. Jalapa.**

Mechón. m. aum. de **Mecha.** ‖ **2.** Porción de pelos, hebras o hilos, separada de un conjunto de la misma clase.

Mechoso, sa. adj. Que tiene mechas en abundancia.

Mechusa. (De *mecha.*) f. *Germ.* **Cabeza,** 1.ª acep.

Meda. (Del lat. *mēta*, montón.) f. *Gal.* y *Zam.* **Almiar.**

Medalla. (Del lat *metallum*, metal.) f. Pieza de metal batida o acuñada, comúnmente redonda, con alguna figura, inscripción, símbolo o emblema. ‖ **2. Medallón,** 2.ª acep. ‖ **3.** Distinción honorífica o premio que suele concederse en exposiciones o certámenes. ‖ **4.** fig. y fam. **Doblón de a ocho.** ‖ **5.** *Numism.* Moneda antigua fuera de uso.

Medallón. m. aum. de **Medalla.** ‖ **2.** Bajorrelieve de figura redonda o elíptica. ‖ **3.** Joya en forma de caja pequeña y chata, donde generalmente se colocan retratos, pinturas, rizos u otros objetos de recuerdo.

Médano. (Del lat. *mĕtŭla*, con cambio de sufijo.) m. **Duna.** ‖ **2.** Montón de arena casi a flor de agua, en paraje en que el mar tiene poco fondo.

Medanoso, sa. adj. Que tiene médanos.

Medaño. (De *meda.*) m. **Médano.**

Media. (De *media*, supliendo *calza.*) f. Calzado de punto que cubre el pie y la pierna hasta la rodilla o poco más arriba. ‖ **2.** V. **Aguja de media.** ‖ **asnal.** fig. **Media** usada antiguamente, mayor y más fuerte que las regulares. ‖ **de arrugar.** La larga y estrecha que se usaba antiguamente, y se ponía de modo que hiciese arrugas, teniendo esto por gala. ‖ **de peso.** La de seda que tenía un peso determinado por la ley. ‖ **diferencial.** Cantidad que en una equidiferencia o proporción aritmética responde al mismo concepto que la **media proporcional** en la geométrica. ‖ **proporcional.** *Mat.* Cantidad que puede formar proporción geométrica con otras dos, sirviendo de consecuente a la una en la primera razón, y de antecedente a la otra en la segunda razón; como el 4 respecto del 2 y del 8. ‖ **Tener medias.** loc. En el juego del mus, reunir tres naipes del mismo valor; como tres reyes, tres cincos, etc.

Mediacaña. (De *media* y *caña.*) f. Moldura cóncava, cuyo perfil es, por lo regular, un semicírculo. ‖ **2.** Listón de madera con algunas molduras lisas, doradas o pintadas, con el cual se guarnecen las orillas de las colgaduras de las salas, frisos, etc. ‖ **3.** Formón de boca arqueada. ‖ **4.** Lima cuya figura es la de medio cilindro macizo terminado en punta. ‖ **5. Tenacillas,** 5.ª acep. ‖ **6.** Taco de punta semicircular que se ha usado en el juego de trucos. ‖ **7.** Pieza curva de la serreta, que se apoya encima de la nariz del caballo. ‖ **8.** *Impr.* Filete de dos rayas, una fina y otra gruesa.

Mediación. (Del lat. *mediatĭo*, -ōnis.) f. Acción y efecto de mediar.

Mediado, da. p. p. de **Mediar.** ‖ **2.** adj. Dícese de lo que sólo contiene la mitad, poco más o menos, de su cabida. *La vasija está* MEDIADA; *el teatro está* MEDIADO. ‖ **A mediados** del mes, del año, etc. loc. adv. Hacia la mitad del tiempo que se indica. ‖ **Pedir sobrado por salir con lo mediado.** ref. que advierte que para conseguir algo suele convenir pedir mucho.

Mediador, ra. (Del lat. *mediātor.*) adj. Que media. Ú. t. c. s.

Medial. (De *medio.*) adj. Dícese de la consonante que se halla en el interior de una palabra.

Mediana. (Del lat. *mediana*, t. f. de *-nus*, mediano.) f. En el juego de billar, taco algo mayor que los comunes, que sirve para jugar las bolas distantes de las barandas. ‖ **2.** Correa fuerte con que se ata el barzón al yugo de las yuntas. ‖ **3.** *Extr.* Caña muy delgada que se pone por punta al extremo de la caña de pescar.

Medianamente. adv. m. Sin tocar en los extremos. ‖ **2.** No muy bien; de manera mediana.

Medianedo. (De *mediano.*) m. ant. Línea donde se pone el mojón divisorio de un término.

Medianejo, ja. adj. fam. d. de **Mediano.** Menos que mediano.

Medianería. (De *medianero.*) f. ant. **Medianía.** ‖ **2.** Pared común a dos casas u otras construcciones contiguas. ‖ **3.** Cerca, vallado o seto vivo común a dos predios rústicos que deslinda. ‖ **Por medianería.** m. adv. ant. **De por medio,** 2.ª acep.

Medianero, ra. (De *mediano.*) adj. Dícese de la cosa que está en medio de otras dos. ‖ **2.** V. **Pared medianera.** ‖ **3.** Dícese de la persona que media e intercede para que otra consiga una cosa o para un arreglo o trato. Ú. m. c. s. ‖ **4.** ant. Aplicábase a la persona que tenía medianas conveniencias. ‖ **5.** ant. **Medio.** ‖ **6.** m. Dueño de una casa que tiene medianería con otra u otras. ‖ **7. Mediero,** 3.ª acep.

Medianeza. (De *mediano.*) f. ant. **Medianía.**

Medianía. (De *mediano.*) f. Término medio entre dos extremos; como entre la opulencia y la pobreza, entre el rigor y la blandura. ‖ **2.** fig. Persona que carece de prendas relevantes.

Medianidad. f. **Medianía.**

Medianil. (De *mediano.*) m. Parte de una haza de tierra que está entre la cabezada y la hondonada. ‖ **2. Medianería,** 2.ª acep. ‖ **3.** *Impr.* El crucero más angosto de la forma o molde, que deja el espacio blanco de las márgenes interiores.

Medianista. m. En los estudios de gramática, estudiante de la clase de medianos.

Mediano, na. (Del lat. *mediānus*, del medio.) adj. De calidad intermedia. ‖ **2.** Moderado; ni muy grande ni muy pequeño. ‖ **3.** fig. y fam. Casi nulo, y aun malo de todo punto. ‖ **4.** ant. *Arq.* V. **Pared mediana.** ‖ **5.** m. pl. Clase de la gramática, en la que se trataba del uso y construcción de las partes de la oración.

Medianoche. (De *media* y *noche.*) f. Hora en que el Sol está en el punto opuesto al de mediodía. ‖ **2.** fig. Bollo pequeño relleno de carne.

Mediante. (Del lat. *medĭans*, *-antis.*) p. a. de **Mediar.** Que media. ‖ **2.** adv. m. Respecto, en atención, por razón.

Mediar. (Del lat. *mediāre.*) intr. Llegar a la mitad de una cosa, real o figuradamente. ‖ **2.** Interceder o rogar por uno. ‖ **3.** Interponerse entre dos o más que riñen o contienden, procurando reconciliarlos y unirlos en amistad. ‖ **4.** Existir o estar una cosa en medio de otras. ‖ **5.** Dicho del tiempo, **transcurrir.** ‖ **6.** Ocurrir entremedias alguna cosa. ‖ **7.** tr. ant. Tomar un término medio entre dos extremos.

Mediastino. (Del lat. *mediastīnus*; de *medĭus*, en medio, y *stāre*, estar.) m. *Zool.* Espacio irregular comprendido entre una y otra pleura y que divide el pecho en dos partes laterales.

Mediatamente. adv. l. y t. Con intermisión o mediación de una cosa.

Mediatización. f. Acción y efecto de mediatizar.

Mediatizar. (De *mediato.*) tr. Privar al gobierno de un Estado de la autoridad suprema que pasa a otro Estado, pero conservando aquél la soberanía nominal.

Mediato, ta. (Del lat. *mediātus*, p. p. de *mediāre*, mediar.) adj. Dícese de lo que en tiempo, lugar o grado está próximo a una cosa, mediando otra entre las dos; como el nieto respecto del abuelo.

Mediator. (Del lat. *mediātor*, mediador.) m. **Hombre,** 7.ª acep.

Médica. f. Mujer que se halla legalmente autorizada para profesar y ejercer la medicina. || **2.** Mujer del médico.

Medicable. (Del lat. *medicabĭlis*.) adj. Capaz de curarse con medicinas.

Medicación. (Del lat. *medicatio, -ōnis*.) f. Administración metódica de uno o más medicamentos con un fin terapéutico determinado. || **2.** *Med.* Conjunto de medicamentos y medios curativos que tienden a un mismo fin.

Medicamento. (Del lat. *medicamentum*.) m. Cualquiera substancia, simple o compuesta, que, aplicada interior o exteriormente al cuerpo del hombre o del animal, puede producir un efecto curativo. || **heroico. Remedio heroico,** 1.ª acep.

Medicamentoso, sa. (Del lat. *medicamentōsus*.) adj. Que tiene virtud de medicamento. *La leche es un líquido* MEDICAMENTOSO. || **2.** V. **Vino medicamentoso.**

Medicar. (Del lat. *medicāre*.) tr. ant. **Medicinar.** Usáb. t. c. r.

Medicastro. (despect. de *médico*.) m. Médico indocto. || **2. Curandero.**

Medicina. (Del lat. *medicīna*.) f. Ciencia y arte de precaver y curar las enfermedades del cuerpo humano. || **2. Medicamento.** || **legal.** *For.* Las ciencias médicas en su aplicación a ilustrar pericialmente a los tribunales.

Medicinable. adj. desus. **Medicinal.**

Medicinal. (Del lat. *medicinālis*.) adj. Perteneciente a la medicina. Dícese propiamente de aquellas cosas que tienen virtud saludable y contraria a un mal o achaque. || **2.** V. **Libra, vino medicinal.**

Medicinalmente. adv. m. Conforme lo requiere la medicina.

Medicinamiento. m. Acción y efecto de medicinar.

Medicinante. (De *medicinar*.) m. **Curandero.** || **2.** Estudiante de medicina que se anticipa a visitar enfermos sin tener todavía el título.

Medicinar. (Del lat. *medicināre*.) tr. Administrar o dar medicinas al enfermo. Ú. t. c. r.

Medición. f. Acción y efecto de medir.

Médico, ca. (Del lat. *medĭcus*.) adj. Perteneciente o relativo a la medicina. || **2.** V. **Dedo médico.** || **3.** V. **Hidrología, materia médica.** || **4.** m. El que se halla legalmente autorizado para profesar y ejercer la medicina. || **de apelación.** Aquel a quien se llama para las consultas y casos graves. || **de cabecera.** El que asiste especialmente y de continuo al enfermo. || **de cámara.** El que presta servicio en el palacio de los reyes. || **espiritual.** Persona que dirige y gobierna la conciencia y espíritu de otra. || **forense.** El oficialmente adscrito a un juzgado de instrucción.

Médico, ca. (Del gr. μηδικός.) adj. **Medo,** 2.ª acep.

Medicucho. (despect. de *médico*.) m. **Medicastro.**

Medida. (De *medir*.) f. Expresión comparativa de las dimensiones o cantidades. || **2.** Lo que sirve para medir. || **3.** Acción de medir. MEDIDA *de las tierras, del vino.* || **4.** Número y clase de sílabas que ha de tener el verso para que conste. || **5.** Cinta que se corta igual a la altura de la imagen o estatua de un santo, en que se suele estampar su figura y las letras de su nombre con plata u oro. Se usa por devoción. || **6.** Proporción o correspondencia de una cosa con otra. *Se paga el jornal a* MEDIDA *del trabajo.* || **7.** Disposición, prevención. Ú. m. en pl. y con los verbos *tomar, adoptar,* etc. || **8.** Cordura, prudencia. *Habló con* MEDIDA. || **común.** Cantidad que cabe exactamente cierto número de veces en cada una de otras dos o más de la misma especie que se comparan entre sí. || **Ajustadme,** o **ajústeme usted, esas medidas.** fr. fig. y fam. de que se usa cuando uno habla sin concierto, contradiciéndose en lo que dice, o cuando las cosas que se hacen no tienen la debida proporción. || **A medida del deseo.** m. adv. con que se explica que a uno le salen las cosas según apetecía. || **A medida de su paladar.** m. adv. fig. Según el gusto o deseo de uno. || **A medida que.** loc. **Al paso que.** || **Colmarse la medida.** fr. fig. **Llenarse la medida.** || **Desconcertársele** a uno **las medidas.** fr. fig. Desbaratársele los medios que iba poniendo para conseguir un fin. || **Henchir,** o **llenar, las medidas.** fr. fig. Decir uno su sentimiento a otro claramente y sin rebozo ni adulación. || **2.** fig. Adular excesivamente. || **Llenarse la medida.** fr. fig. Agotarse el sufrimiento en quien recibe continuamente agravios o disgustos. || **Tomarle** a uno **las medidas.** fr. fig. Hacer entero juicio de lo que es un sujeto. || **Tomarle** a uno **medidas de las espaldas.** fr. fig. y fam. **Medirle las espaldas.** || **Tomar** uno sus **medidas.** fr. fig. Premeditar y tantear una dependencia o negocio para el mayor acierto y que no se malogre.

Medidamente. adv. m. Con medida, con cuidado, con prevención.

Medidor, ra. (Del lat. *metītor, -ōris*.) adj. Que mide una cosa. Apl. a pers., ú. t. c. s. || **2.** m. **Fiel medidor.**

Mediero, ra. m. y f. Persona que hace medias. || **2.** Persona que las vende. || **3.** Cada una de las personas que van a medias en la explotación de tierras, crías de ganados u otras granjerías del campo.

Medieval. (De *medio* y *evo*.) adj. Perteneciente o relativo a la Edad Media de la historia.

Medievalidad. f. Calidad o carácter de medieval.

Medievalista. com. Persona versada en el conocimiento de lo medieval.

Medievo. (De *medio* y *evo*.) m. Edad Media.

Medinés, sa. adj. Natural de Medina. Ú. t. c. s. || **2.** Perteneciente a cualquiera de las poblaciones así llamadas.

Medio, dia. (Del lat. *medius*.) adj. Igual a la mitad de una cosa. MEDIO *real;* MEDIA *naranja.* || **2.** Aplícase al estilo exornado y elegante, pero no tan expresivo y elevado o vehemente como el sublime. || **3.** V. **Clase, edad media.** || **4.** V. **Día, mediodía, término medio.** || **5.** V. **Medio aderezo, medio doblero, medio galope, medio hermano, medio juez, medio luto, medio madero, medio pespunte, medio queso, medio rostrillo, medio término, medio tiempo, medio vecino, medio viento.** || **6.** V. **Media anata, media bata, media cama, media coleta, media colonia, media china, media espada, media firma, media gamarra, media lanza, media lengua, media luna, media luz, media mesa, media noche, media onza, media parte, media pasta, media ración, media rima, media vecindad, media vida, media vuelta.** || **7.** V. **Medias calzas, medias palabras.** || **8.** V. **Siglos medios.** || **9.** V. **Medios términos.** || **10.** fig. y fam. V. **Media cuchara, media naranja.** || **11.** fig. y fam. V. **Medias tintas.** || **12.** *Ar.* V. **Media paleta.** || **13.** *Arq.* V. **Medio bocel, medio punto.** || **14.** *Arq.* V. **Media naranja.** || **15.** *Astron.* V. **Medio cielo.** || **16.** *Astron.* V. **Sol, tiempo medio.** || **17.** *Esc.* V. **Medio relieve.** || **18.** *Esc.* V. **Media talla.** || **19.** *Fort.* V. **Media luna.** || **20.** *Mat.* y *Mús.* V. **Término medio.** || **21.** *Pint.* V. **Medio perfil.** || **22.** *Pint.* V. **Media tinta.** || **23.** *Teol.* V. **Necesidad de medio.** || **24.** *Zool.* V. **Ventrículo medio.** || **25.** m. Parte que en una cosa equidista de sus extremos. || **26.** Persona que en el magnetismo animal o en el espiritismo reúne condiciones a propósito para que en ella se manifiesten los fenómenos magnéticos o para comunicar con los espíritus. || **27.** Corte o sesgo que se toma en un negocio o dependencia. || **28.** Diligencia o acción conveniente para conseguir una cosa. || **29.** Elemento en que vive o se mueve una persona, animal o cosa. || **30.** p. us. Mellizo, gemelo. || **31.** Moderación entre los extremos en lo físico o en lo moral. || **32.** Antigua moneda mejicana, mitad de un real fuerte, y equivalente a 31 céntimos de peseta. || **33.** fig. Conjunto de personas y circunstancias entre las cuales vive un individuo. || **34.** *Arit.* Quebrado que tiene por denominador el número 2 y que, por consiguiente, supone la unidad dividida también en dos partes iguales. || **35.** *Lóg.* En el silogismo, razón con que se prueba una cosa. || **36.** pl. Caudal, rentas o hacienda que uno posee o goza. || **37.** *Taurom.* Tercio correspondiente al centro del ruedo. || **38.** *Biol.* Conjunto de circunstancias o condiciones físicas y químicas exteriores a un ser vivo y que influyen en el desarrollo y en las actividades fisiológicas del mismo. || **39.** adv. m. No del todo, no enteramente, no por completo. MEDIO *asado;* MEDIO *vestido.* Con verbos en infinitivo va precedido de la preposición *a.* A MEDIO *asar;* A MEDIO *vestir.* || **Medio de proporción.** *Esgr.* Distancia conveniente a que debe colocarse el diestro respecto de su contrario, para herir o evitar la herida. *Buscar, elegir el* MEDIO DE PROPORCIÓN; *salirse de él.* || **A medias.** m. adv. Por mitad; tanto a uno como a otro. *Dueño* A MEDIAS; *labramos* A MEDIAS. || **2.** Algo, pero no del todo, ni la mitad exactamente. *Dormido* A MEDIAS; *literato* A MEDIAS. || **Atrasado de medios.** loc. Dícese del que está pobre, y señaladamente del que antes fue rico. || **Coger en medio.** fr. fam. Tener en medio o estar dos o más cosas a los lados de otra. || **Corto de medios.** loc. Escaso de caudal. || **De medio a medio.** loc. adv. En la mitad o en el centro. *La pedrada le acertó* DE MEDIO A MEDIO. || **2.** Completamente, enteramente, de todo punto. *Se engaña usted* DE MEDIO A MEDIO. || **De por medio.** m. adv. **A medias.** *Pagar una deuda* DE POR MEDIO. || **2. En medio,** o **entre.** *Poner tierra* DE POR MEDIO. || **Echar por en medio.** fr. fig. y fam. Tomar una resolución o **medio** extraordinario para salir de una dificultad, sin reparar en obstáculos o inconvenientes. || **En este medio.** m. adv. **En medio,** 3.ª acep. || **En medio.** m. adv. En lugar igualmente distante de los extremos, o entre dos cosas. || **2.** No obstante, sin embargo. EN MEDIO *de eso.* || **3. Entre tanto.** || **Entrar de por medio.** fr. Mediar entre discordes o desavenidos. || **Entre medias.** m. adv. ant. **En medio,** 1.ª acep. || **Estar de por medio.** fr. Mediar en un negocio. || **Estrecho de medios.** loc. **Corto de medios.** || **Media con limpio.** expr. que se usaba en Madrid, cuando uno se ajustaba en una posada, para que le dieran solamente por la noche **media** cama, y por compañero uno que estuviese limpio de sarna, tiña u otro achaque contagioso. || **Meterse de por medio,** o **en medio.**

fr. Interponerse para componer una pendencia o sosegar una riña. || **Partir por en medio,** o **por medio.** fr. fig. **Echar por en medio.** || **Quitar de en medio** a uno. fr. fig. y fam. Apartarlo de delante, matándolo o alejándolo. || **Quitarse** uno **de en medio.** fr. fig. y fam. Apartarse de un lugar o salirse de un negocio para evitar un lance, disgusto o compromiso. || **Tomar el medio,** o **los medios.** fr. Usar o aprovecharse de ellos, poniéndolos en práctica para el logro de lo que se intenta.

Mediocre. (Del lat. *mediŏcris.*) adj. **Mediano.**

Mediocremente. adj. **Medianamente,** 2.ª acep.

Mediocridad. (Del lat. *mediocrĭtas, -ātis.*) f. Estado de una cosa entre grande y pequeño, entre bueno y malo.

Mediodía. (De *medio* y *día.*) m. Hora en que está el Sol en el más alto punto de su elevación sobre el horizonte. || **2.** V. **Hilo de mediodía.** || **3.** *Geogr.* **Sur,** 1.ª acep. || **medio.** Momento en que queda dividido en dos partes iguales el día civil medio. || **verdadero. Mediodía,** 1.ª acep. || **Hacer mediodía.** fr. Detenerse en un paraje para comer el que camina o va de viaje.

Medioeval. adj. **Medieval.**

Medioevo. m. **Medievo.**

Mediomundo. (De *medio* y *mundo.*) m. **Velo,** 13.ª acep.

Mediopaño. (De *medio* y *paño.*) m. Tejido de lana semejante al paño, pero más delgado y de menos duración.

Mediquillo. m. **Medicucho.** || **2.** En Filipinas, persona habilitada para ejercer la medicina sin tener título facultativo.

Medir. (Del lat. *metīri.*) tr. Examinar y determinar la longitud, extensión, volumen o capacidad de alguna cosa. || **2.** Tratándose de versos, examinar si tienen la medida correspondiente a los de su clase. || **3.** fig. Igualar y comparar una cosa no material con otra. MEDIR *las fuerzas, el ingenio.* || **4.** r. fig. Contenerse o moderarse en decir o ejecutar una cosa. || **Medirse** uno **consigo mismo.** fr. fig. Conocerse bien y ajustarse a sus facultades.

Meditabundo, da. (Del lat. *meditabundus.*) adj. Que medita, cavila, o reflexiona en silencio.

Meditación. (Del lat. *meditatĭo, -ōnis.*) f. Acción y efecto de meditar.

Meditador, ra. adj. Que medita.

Meditar. (Del lat. *meditāri.*) tr. Aplicar con profunda atención el pensamiento a la consideración de una cosa, o discurrir sobre los medios de conocerla o conseguirla.

Meditativo, va. (Del lat. *meditatīvus.*) adj. Propio de la meditación o referente a ella.

Mediterráneo, a. (Del lat. *mediterranĕus;* de *medĭus,* medio, y *terra,* tierra.) adj. Dícese de lo que está rodeado de tierra. *Mar* MEDITERRÁNEO. Ú. t. c. s. m. || **2.** p. us. Dícese también de lo que está en lo interior de un territorio. *Ciudad* MEDITERRÁNEA. || **3.** Perteneciente al mar **Mediterráneo,** o a los territorios que baña. || **4.** V. **Fiebre mediterránea.**

Médium. (Del lat. *medĭum,* medio.) com. **Medio,** 26.ª acep.

Medo, da. (Del lat. *medus.*) adj. Natural de Media. Ú. t. c. s. || **2.** Perteneciente a esta región de Asia antigua.

Medra. (De *medrar.*) f. Aumento, mejora, adelantamiento o progreso de una cosa.

Medrana. f. fam. **Miedo,** 1.ª acep.

Medranza. (De *medrar.*) f. ant. **Medra.**

Medrar. (Del lat. *meliorāre,* mejorar, acrecentar.) intr. Crecer, tener aumento los animales y plantas. || **2.** fig. Mejorar uno de fortuna aumentando sus bienes, reputación, etc. || **¡Medrados estamos!** expr. irón. ¡Lucidos estamos!; ¡pues estamos bien! Ú. para significar el disgusto que nos resulta de una cosa inesperada.

Medriñaque. m. Tejido filipino hecho con las fibras del abacá, del burí y de algunas otras plantas, y que se usa en Europa y América para forrar y ahuecar los vestidos de las mujeres. || **2.** Especie de zagalejo corto.

Medro. m. **Medra.** || **2.** pl. Progresos, adelantamientos, disposición de crecer.

Medrosamente. adv. m. Temerosamente, con miedo.

Medrosía. (De *medroso.*) f. ant. Miedo permanente.

Medroso, sa. (De **medoroso,* del lat. **metor, -ōris,* de *metus,* sobre el modelo de *timor, -ōris.*) adj. Temeroso, pusilánime, que de cualquiera cosa tiene **miedo.** Ú. t. c. s. || **2.** Que infunde o causa miedo.

Medula [Médula]. (Del lat. *medulla.*) f. Substancia grasa, blanquecina o amarillenta, que se halla dentro de algunos huesos de los animales. || **2.** *Bot.* Parte interior de las raíces y tallos de las plantas fanerógamas, constituida principalmente por tejido parenquimatoso y rodeada por haces de vasos leñosos y cribosos. || **3.** fig. Substancia principal de una cosa no material. || **espinal.** *Zool.* Prolongación del encéfalo, la cual ocupa el conducto vertebral, desde el agujero occipital hasta la región lumbar. || **oblongada,** u **oblongada.** *Zool.* Parte anterior, superior en el hombre, de la **medula** espinal, así llamada por su forma.

Medular. (Del lat. *medullāris.*) adj. Perteneciente o relativo a la medula.

Meduloso, sa. (Del lat. *medullōsus.*) adj. Que tiene medula.

Medusa. (De *Medusa,* por la cabellera.) f. Animal marino de la clase de los acalefos, con el cuerpo en forma de campana o de casquete esférico, provisto de tentáculos y adornado por lo común de colores vivos. || **2.** *Zool.* Cualquier individuo adulto de la clase de los celentéreos acalefos. || **3.** V. **Cabeza de Medusa.**

Meduseo, a. (Del lat. *medusaeus.*) adj. Perteneciente o relativo a Medusa, famosa hechicera que, según la fábula, tenía serpientes por cabellos. *Cabello* MEDUSEO.

Mefistofélico, ca. adj. Perteneciente o relativo a Mefistófeles. || **2.** Digno o propio de él. || **3.** Diabólico, perverso.

Mefítico, ca. (Del lat. *mephitĭcus.*) adj. Dícese de lo que, respirado, puede causar daño, y especialmente cuando es fétido. *Aire, gas* MEFÍTICO; *emanación* MEFÍTICA.

Megáfono. (Del gr. μέγας, grande, y φωνέω, elevar la voz.) m. Especie de bocina de gran tamaño usada para reforzar la voz cuando hay que hablar a gran distancia.

Megalítico, ca. adj. Propio del megalito o perteneciente a él.

Megalito. (Del gr. μέγας, grande, y λίθος, piedra.) m. Monumento construido con grandes piedras sin labrar, muy común en la remotísima antigüedad.

Megalomanía. (Del gr. μεγάλον [de μέγας, grande], y μανία, locura.) f. Manía o delirio de grandezas.

Megalómano, na. adj. Que padece megalomanía.

Mégano. m. **Médano.**

Megarense. (Del lat. *megarensis.*) adj. Natural de Mégara. Ú. t. c. s. || **2.** Perteneciente a esta ciudad de la Grecia antigua.

Megaterio. (Del gr. μέγας, grande, y θήριον, bestia.) m. Mamífero del orden de los desdentados, fósil, de unos seis metros de longitud y dos de altura, con huesos más robustos que los del elefante; cabeza relativamente pequeña, sin dientes ni colmillos y con sólo cuatro muelas en cada lado de las dos mandíbulas; cuerpo muy grueso, patas cortas, pies grandísimos, con dedos armados de uñas fuertes y corvas, y cola de medio metro de diámetro en su arranque. Vivía en América del Sur al comienzo del período cuaternario y su régimen alimenticio era herbívoro, como demuestra su dentición. De las pampas argentinas proceden los principales esqueletos de este animal que hoy se conservan en los museos.

Mege. (Del cat. *metge,* y éste del lat. *medĭcus.*) m. ant. **Médico,** 1.er art., 4.ª acep.

Mego, ga. (Del lat. *magĭcus.*) adj. Manso, apacible, tratable y halagüeño.

Meguez. (De *mego.*) f. p. us. Caricia, halago.

Mehala. (Del ár. *maḥalla,* campamento.) f. En Marruecos, cuerpo de ejército regular.

Meigo, ga. (Del gall. y leon. *meigo,* y éste del lat. *magĭcus.*) m. y f. *León.* **Brujo, ja.**

Meísmo. (Del ant. *meesmo,* y éste del lat. *metipsĭmus.*) adj. ant. **Mismo.**

Meitad. (Del lat. *medĭĕtas, -ātis.*) f. ant. **Mitad.**

Mejana. (Del lat. *mediānus,* lo que está en medio.) f. Isleta en un río.

Mejedor. (De *mejer.*) m. *Zam.* **Mecedor,** 2.ª acep.

Mejer. (Del dialect. *mejer,* y éste del lat. *miscēre,* mezclar.) tr. *Zam.* **Mecer,** 1.ª acep.

Mejicanismo. m. Vocablo, giro o modo de hablar propio de los mejicanos.

Mejicano, na. adj. Natural de Méjico. Ú. t. c. s. || **2.** Perteneciente a esta república de América. || **3.** V. **Toro mejicano.** || **4.** V. **Plata mejicana.** || **5.** m. **Azteca,** 3.ª acep.

Méjico. n. p. V. **Anona, té, unto de Méjico.**

Mejido, da. p. p. de **Mejer.** || **2.** adj. V. **Huevo mejido.** || **3.** V. **Yema mejida.**

Mejilla. (Del lat. *maxilla.*) f. Cada una de las dos prominencias que hay en el rostro humano debajo de los ojos. || **2.** desus. **Carrillo,** 1.ª acep. || **3.** ant. **Quijada.**

Mejillón. (Del lat. *mytĭlus,* almeja.) m. *Zool.* Molusco lamelibranquio marino, con la concha formada por dos valvas simétricas, convexas, casi triangulares, de color negro azulado por fuera, algo anacaradas por dentro, y de unos cuatro centímetros de longitud; tiene dos músculos aductores para cerrar la concha, pero el anterior es rudimentario. Vive asido a las rocas por medio de los filamentos del biso. Es muy apreciado como comestible.

Mejor. (Del lat. *melĭor.*) adj. comp. de **Bueno.** Superior a otra cosa y que la excede en una cualidad natural o moral. || **2.** V. **Mejor postor.** || **3.** V. **Medio rostrillo mejor.** || **4.** adv. m. comp. de **Bien.** Más bien, de manera más conforme a lo bueno o lo conveniente. || **5.** Antes o más, denotando idea de preferencia. MEJOR *quiero pedir limosna que cometer una villanía.* || **A lo mejor.** loc. adv. fam. con que se anuncia un hecho o dicho inesperado, y por lo común infausto o desagradable. || **En mejor.** m. adv. Más bueno, más bien. || **Lo mejor es enemigo de lo bueno.** fr. proverb. que indica que muchas veces por querer mejorar, perdemos el bien que tenemos o el que podemos conseguir. || **Mejor que mejor.** expr. Mucho **mejor.** || **Tanto mejor,** o **tanto que mejor.** exprs. **Mejor** todavía.

Mejora. (De *mejorar.*) f. **Medra,** adelantamiento y aumento de una cosa. || **2. Puja,** 2.º art. || **3.** *For.* Porción que de sus bienes deja el testador a alguno o algunos de sus hijos o nietos además de la legítima estricta. Suele llamarse también vulgarmente a la parte que el ascendiente deja a un descendiente, tomándola del tercio de libre disposición. || **4.** *For.* Escrito que en el antiguo procedimiento formulaba el apelante ante el tribunal superior, razonando el recurso que había interpuesto. || **5.** *For.* Gastos útiles y reproductivos que con determinados efectos legales hace en propiedad ajena quien tiene respecto de ella algún derecho similar o limitativo del dominio; como la posesión, el usufructo o el arrendamiento.

Mejorable. adj. Que se puede mejorar.

Mejoramiento. m. Acción y efecto de mejorar.

Mejorana. (De *mayorana.*) f. Hierba vivaz de la familia de las labiadas, con tallos de tres a cuatro decímetros de altura, algo leñosos en la base; hojas aovadas, enteras, blanquecinas y lanuginosas; flores en espiga, pequeñas y blancas, y fruto seco con semillas redondas, menudas y rojizas. Es originaria de Oriente, se cultiva en los jardines por su excelente olor, y suele usarse en medicina como antiespasmódica. || **silvestre.** Planta de la familia de las labiadas, con tallos de dos a cinco decímetros, hojas pecioladas, aovadas y angostas en la base; flores en grupos axilares de cáliz velloso y corola blanca. Es de olor muy agradable.

Mejorar. (Del lat. *meliorāre.*) tr. Adelantar, acrecentar una cosa, haciéndola pasar de un estado bueno a otro mejor. || **2.** Poner mejor, hacer recobrar la salud perdida. || **3. Pujar,** 2.° art. || **4.** *For.* Dejar en el testamento mejora a uno o a varios de los hijos o nietos. || **5.** intr. Ir cobrando la salud perdida; restablecerse. Ú. t. c. r. || **6.** Ponerse el tiempo más favorable o benigno. Ú. t. c. r. || **7.** Ponerse en lugar o grado ventajoso respecto del que antes se tenía. Ú. t. c. r.

Mejoría. (De *mejora.*) f. **Mejora,** 1.ª acep. || **2.** Alivio en una dolencia, padecimiento o enfermedad. || **3.** Ventaja o superioridad de una cosa respecto de otra. || **4.** ant. **Mejora,** 3.ª acep. || **Por mejoría, mi casa dejaría.** ref. que denota la inclinación que tenemos a mejorar de fortuna.

Mejunje. (Del ár. *ma'yūn*, amasado, para designar un electuario o pasta medicinal.) m. Cosmético o medicamento formado por la mezcla de varios ingredientes.

Mela. f. *Vall.* Instrumento que sirve para melar, 3.ª acep.

Melada. (De *melar.*) f. Rebanada de pan tostado empapada en miel al modo de las torrijas. || **2.** Pedazos de mermelada seca.

Melado, da. adj. De color de miel. *Caballo* MELADO; *ojos* MELADOS. || **2.** m. *Amér.* En la fabricación del azúcar de caña, jarabe que se obtiene por evaporación del jugo purificado de la caña antes de concentrarlo al punto de cristalización en los tachos. || **3.** Torta pequeña de forma rectangular hecha con miel y cañamones.

Meladucha. (De *melado.*) adj. V. **Manzana meladucha.** Ú. t. c. s.

Meladura. f. Melado, 2.ª acep.

Meláfido. (Del gr. μέλας, negro, y *fido*, terminación de la palabra *pórfido.*) m. Roca compuesta de feldespato y augita con algo de hierro magnético. Empléase en construcción.

Melampo. m. En el teatro, candelero con pantalla, de que se sirve el traspunte.

Melancolía. (Del lat. *melancholĭa*, y éste del gr. μελαγχολία, negra bilis.) f. Tristeza vaga, profunda, sosegada y permanente, nacida de causas físicas o morales, que hace que no encuentre el que la padece gusto ni diversión en ninguna cosa. || **2.** Monomanía en que dominan las afecciones morales tristes. || **3.** ant. Bilis negra o atrabilis.

Melancólicamente. adv. m. Con melancolía.

Melancólico, ca. (Del lat. *melancholĭcus*, y éste del gr. μελαγχολικός.) adj. Perteneciente o relativo a la melancolía. || **2.** Que tiene melancolía. Ú. t. c. s. || **3.** *Astrol.* V. **Cuadrante melancólico.**

Melancolizar. (De *melancólico.*) tr. Entristecer y desanimar a uno dándole una mala nueva, o haciendo cosa que le cause pena o sentimiento. Ú. t. c. r.

Melanconía. f. ant. **Melancolía.**

Melanconioso, sa. (De *melanconía.*) adj. desus. **Melancólico.**

Melandro. (Del lat. *meles*, tejón.) m. *Ast.* **Tejón,** 1.er art.

Melanina. (Del gr. μέλας, μέλανος, negro.) f. *Zool.* Pigmento de color negro o pardo negruzco que existe en forma de gránulos en el protoplasma de ciertas células de los vertebrados y al cual deben su coloración especial la piel, los pelos, la coroides, etc.

Melanita. (Del gr. μέλας, μέλανος, negro.) f. Variedad del granate, muy brillante, negra y opaca.

Melanóforo. (Del gr. μέλας, μέλανος, negro, y φορός, el que lleva.) m. *Zool.* Célula que contiene melanina.

Melanosis. (Del gr. μελάνωσις, negrura.) f. *Med.* Alteración de los tejidos orgánicos, caracterizada por el color obscuro que presentan.

Melanuria. (Del gr. μέλας, μέλανος, negro, y οὐρέω, orinar.) f. Enfermedad que se manifiesta principalmente por el color negro de la orina.

Melapia. (Del lat. *melapĭum*, y éste del gr. μῆλον, manzana, y ἄπιον, pera.) f. Variedad de la manzana común, que puede considerarse media entre la camuesa y la asperiega.

Melar. (De *miel.*) adj. Que sabe a miel. *Trigo* MELAR. Ú. t. c. s., y hablando de los trigos, ú. m. en pl. || **2.** V. **Caña, higo melar.**

Melar. (Del lat. *mellāre.*) intr. En los ingenios de azúcar, dar la segunda cochura al zumo de la caña, hasta que se pone en consistencia de miel. || **2.** Hacer las abejas la miel y ponerla en los vasillos de los panales. Ú. t. c. tr. || **3.** *Vallad.* tr. Marcar el ganado lanar después de esquilado, con instrumento apropiado impregnado en pez derretida.

Melarquía. f. desus. **Melancolía.**

Melastomatáceo, a. (Del gr. μέλας, negro, y στόμα, boca.) adj. *Bot.* Dícese de plantas leñosas o herbáceas, angiospermas dicotiledóneas, vivientes en los países intertropicales, principalmente en América del Sur, que se asemejan a las mirtáceas por muchos de sus caracteres, pero difieren de ellas por carecer de glándulas productoras de aceite esencial en los órganos vegetativos; como el cordobán. Ú. t. c. s. f. || **2.** f. pl. *Bot.* Familia de estas plantas.

Melaza. (aum. despect. de *miel.*) f. Líquido más o menos viscoso, de color pardo obscuro y sabor muy dulce, que queda como residuo de la fabricación del azúcar de caña o de remolacha. || **2.** *Murc.* Heces de la miel.

Melca. (Del lat. [*herba*] *melica*, por *medica.*) f. **Zahína.**

Melcocha. (De *miel* y *cocha.*) f. Miel que, estando muy concentrada y caliente, se echa en agua fría, y sobándola después, queda muy correosa. || **2.** Cualquier pasta comestible compuesta principalmente de esta miel elaborada.

Melcochero. m. El que hace o vende melcocha.

Meldar. tr. ant. Leer, aprender. || **2.** ant. Decir, enseñar.

Meldense. adj. Natural de Melde, hoy Meaux. Ú. t. c. s. || **2.** Perteneciente a esta ciudad de las Galias.

Melecina. f. ant. y hoy vulg. **Medicina.** Ú. en *León*, *Méj.* y *Sal.* || **2.** ant. **Lavativa,** 1.ª acep.

Melecinar. tr. ant. **Medicinar.**

Melecinero, ra. (De *melecina.*) m. y f. ant. **Curandero, ra.**

Melena. f. Cabello que desciende por junto al rostro y especialmente el que cae sobre los ojos. || **2.** El que cae por atrás y cuelga sobre los hombros. || **3.** Cabello suelto. *Estar en* MELENA. || **4.** Crin del león. || **5. Melenera,** 2.ª acep. || **Andar a la melena.** fr. fig. y fam. **Andar a la greña.** || **Hacer venir,** o **traer,** a uno **a la melena.** fr. fig. y fam. Obligarle o precisarle a que ejecute una cosa que no quería hacer. || **Venir a la melena.** fr. fig. y fam. Sujetarse.

Melena. (Del gr. μέλαινα, negra.) f. *Med.* Fenómeno morboso que consiste en arrojar sangre negra por cámaras, bien sola o bien mezclada con excrementos, y como consecuencia de una hemorragia del estómago, de los intestinos o de otros órganos.

Melenera. (De *melena*, 1.er art.) f. Parte superior del testuz de los bueyes, en la cual se asienta el yugo. || **2.** Almohadilla o piel que se pone a los bueyes en la frente para que no les roce la cuerda o correa con que se les sujeta el yugo.

Meleno. adj. Aplícase al toro que en su testuz y cayendo sobre su frente, tiene una melena o mechón grande de pelo. || **2.** m. fam. Payo, hombre del campo.

Melenudo, da. (De *melena*, cabello largo.) adj. Que tiene abundante y largo el cabello.

Melera. f. La que vende miel. || **2.** Daño que sufren los melones cuando son muy abundantes las lluvias o hay granizadas, y que se manifiesta por manchas negras en la corteza, al propio tiempo que la carne se pudre y toma gusto amargo. || **3. Lengua de buey.**

Melero. (Del lat. *mellarĭus*, colmenero.) m. El que vende miel o trata en este género. || **2.** Sitio o paraje donde se guarda la miel.

Melga. f. *Colomb.* y *Chile.* **Amelga.**

Melgacho. (despect. de *mielga*, 2.° art.) m. **Lija,** 1.ª acep.

Melgar. m. Campo abundante en mielgas.

Melgar. tr. *Chile.* **Amelgar.**

Melgo, ga. adj. **Mielgo.**

Meliáceo, a. (Del gr. μελία, fresno.) adj. *Bot.* Aplícase a árboles y arbustos angiospermos dicotiledóneos, de climas cálidos, con hojas alternas, rara vez sencillas, flores en panoja, casi siempre axilares, y fruto capsular con semillas de albumen carnoso o sin él; como la caoba y el cinamomo. Ú. t. c. s. f. || **2.** f. pl. *Bot.* Familia de estas plantas.

Mélico, ca. (Del lat. *melĭcus*, y éste del gr. μελικός.) adj. Perteneciente al canto. || **2.** Perteneciente a la poesía lírica.

Melífero, ra. (Del lat. *mellĭfer*, *-ĕri*; de *mel*, *mellis*, miel, y *ferre*, llevar.) adj. poét. Que lleva o tiene miel.

Melificado, da. p. p. de **Melificar.** || **2.** adj. **Melifluo.**

Melificador. (De *melificar.*) m. *Chile.* Cajón de lata con tapa de vidrio, para extraer la miel de abeja separada de la cera.

Melificar. (Del lat. *mellificāre*; de *mel*, *mellis*, miel, y *facĕre*, hacer.) tr. Hacer las abejas la miel o sacarla de las flores. Ú. t. c. intr.

Melifluamente. adv. m. fig. Dulcemente, con grandísima suavidad y delicadeza.

Melifluencia. f. **Melifluidad.**

Melifluidad. f. fig. Calidad de melifluo.

Melifluo, flua. (Del lat. *mellĭflŭus*; de *mel*, *mellis*, miel, y *fluĕre*, fluir, destilar.) adj. Que tiene miel o es parecido a ella en sus propiedades. || **2.** fig. Dulce, suave, delicado y tierno o en el trato o en la explicación.

Meliloto. (Del lat. *melilōtos*, y éste del gr. μελίλωτος.) m. *Bot.* Planta de la familia de las papilionáceas, de tallo derecho de cuatro a ocho decímetros de altura y ramoso; hojas de tres en tres, lanceoladas, obtusas y dentadas; flores amarillentas y olorosas, de cáliz persistente, y fruto en legumbre oval, indehiscente, que contiene de una a cuatro semillas. Es planta espontánea en los sembrados, y sus flores se usan en medicina como emolientes.

Meliloto, ta. adj. Dícese de la persona insensata y abobada. Ú. t. c. s.

Melillense. adj. Natural de Melilla. Ú. t. c. s. || **2.** Perteneciente a esta ciudad de África.

Melindre. (Del lat. *mellitŭlus*, d. de *mellitus*, dulce como la miel.) m. Fruta de sartén, hecha con miel y harina. || **2.** Dulce de pasta de mazapán con baño espeso de azúcar blanco, generalmente en forma de rosquilla muy pequeña. || **3. Bocadillo,** 2.ª acep. || **4.** fig. Afectada y demasiada delicadeza en palabras, acciones y ademanes.

Melindrear. intr. Hacer melindres, 4.ª acep.

Melindrería. (De *melindrero*.) f. Hábito de melindrear.

Melindrero, ra. adj. **Melindroso.** Ú. t. c. s.

Melindrillo. (d. de *melindre*.) m. *Murc.* Melindre, 3.ª acep.

Melindrizar. intr. **Melindrear.**

Melindrosamente. adv. m. Con melindre, con afectación.

Melindroso, sa. (De *melindre*, 4.ª acep.) adj. Que afecta demasiada delicadeza en acciones y palabras. Ú. t. c. s.

Melinita. (Del lat. *melīnus*, y éste del gr. μήλινος, amarillento.) f. Substancia explosiva cuyo componente principal es el ácido pícrico.

Melino, na. (Del lat. *melīnus*.) adj. Natural de Melo, hoy Milo. Ú. t. c. s. || **2.** Perteneciente a esta isla del Archipiélago. || **3.** Dícese de la tierra de alumbre que se sacaba de la isla de Milo, y se empleaba para preparar algunas pinturas.

Melión. m. **Pigargo,** 2.ª acep.

Melis. adj. V. **Pino melis.** Ú. t. c. s. *Madera de* MELIS.

Melisa. (Del gr. μέλισσα, abeja, por ser planta de que gustan estos insectos.) f. **Toronjil.**

Melisma. (Del gr. μέλισμα, canto.) m. *Mús.* Canción o melodía breve. || **2.** pl. *Mús.* Sucesión de varias notas cantadas sobre una misma clave, a modo de gorjeo.

Melito. (Del gr. μελίτιον, bebida hecha con miel.) m. *Farm.* Jarabe hecho con miel y una substancia medicamentosa.

Melocotón. (Del lat. *malum cotonium*, membrillo, en cuyo tronco suele injertarse el pérsico para obtener las mejores variedades del melocotonero.) m. **Melocotonero.** || **2.** Fruto de este árbol. Es una drupa de olor agradable, esférica, de seis a ocho centímetros de diámetro, con un surco profundo que ocupa media circunferencia; epicarpio delgado, velloso, de color amarillo con manchas encarnadas; mesocarpio amarillento, de sabor agradable y adherido a un hueso pardo, duro y rugoso que encierra una almendra muy amarga. || **romano.** El muy grande y sabroso que tiene el hueso colorado.

Melocotonar. m. Campo plantado de melocotoneros.

Melocotonero. m. Árbol, variedad del pérsico, cuyo fruto es el melocotón.

Melodía. (Del lat. *melodĭa*, y éste del gr. μελῳδία; de μέλος, música, y ᾠδή, canto.) f. Dulzura y suavidad de la voz cuando se canta, o del sonido de un instrumento músico cuando se toca. || **2.** *Mús.* Parte de la música, que trata del tiempo con relación al canto, y de la elección y número de sones con que han de formarse en cada género de composición los períodos musicales, ya sobre un tono dado, ya modulando para que el canto agrade al oído. || **3.** *Mús.* Composición en que se desarrolla una idea musical, simple o compuesta, con independencia de su acompañamiento. Ú. en oposición a **armonía,** 1.ª acep. || **4.** *Mús.* Cualidad del canto por la cual, estando compuesto según las reglas de esta parte de la música, agrada al oído.

Melódico, ca. adj. Perteneciente o relativo a la melodía.

Melodiosamente. adv. m. De manera melodiosa.

Melodioso, sa. (De *melodía*.) adj. Dulce y agradable al oído.

Melodrama. (Del gr. μέλος, canto con acompañamiento de música, y δρᾶμα, drama, tragedia.) m. Drama puesto en música; ópera. || **2.** Drama compuesto para este fin, letra de la ópera. || **3.** Especie de drama, de acción ordinariamente complicada y jocoseria, y cuyo principal objeto es despertar en el auditorio cierto linaje de vulgar curiosidad y emoción. Representábase acompañado de música instrumental en varios pasajes u ocasiones, y de aquí tomó la denominación con que es conocido, y la cual no deja de dársele aunque se represente sin música.

Melodramáticamente. adv. m. De manera melodramática: con las condiciones propias del melodrama.

Melodramático, ca. adj. Perteneciente o relativo al melodrama. || **2.** Aplícase también a lo que en composiciones literarias de otro género, y aun en la vida real, participa de las malas cualidades del melodrama. *Héroe, personaje, efecto* MELODRAMÁTICO.

Melodreña. (De *amoladera*.) adj. V. **Piedra melodreña.**

Melografía. (Del gr. μέλος, canto acompañado de música, y γράφω, escribir.) f. Arte de escribir música.

Meloja. f. Lavaduras de miel.

Melojar. m. Sitio poblado de melojos.

Melojo. (Del lat. *malum folium*, hoja mala.) m. *Bot.* Árbol de la familia de las fagáceas, semejante al roble albar, con raíces profundas y acompañadas de otras superficiales, de que nacen muchos brotes; tronco irregular y bajo, copa ancha, hojas aovadas, unidas al pecíolo por su parte más estrecha, vellosas en el envés y con pelos en la haz, y bellota solitaria o en grupos de dos a cuatro. Se cría en España.

Melolonta. (Del gr. μηλολόνθη, especie de escarabajo.) m. *Zool.* Insecto coleóptero pentámero, del que se conocen varias especies, casi todas propias del antiguo continente, a una de las cuales pertenece el **abejorro,** 2.ª acep.

Melomanía. (Del gr. μέλος, canto con acompañamiento de música, y μανία, manía.) f. Amor desordenado a la música.

Melómano, na. (De *melomanía*.) m. y f. Persona fanática por la música.

Melón. (Del lat. *melo, -ōnis*.) m. Planta herbácea anual, de la familia de las cucurbitáceas, con tallos tendidos, ramosos, ásperos, con zarcillos, y de tres a cuatro metros de longitud; hojas pecioladas, partidas en cinco lóbulos obtusos; flores solitarias de corola amarilla, y fruto elipsoidal de dos a tres decímetros de largo, con cáscara blanca, amarilla, verde o manchada de estos colores; carne olorosa, abundante, dulce, blanda, aguanosa, y que deja en el interior un hueco donde hay muchas pepitas de corteza amarilla y almendra blanca. Es planta originaria de Oriente y muy estimada. || **2.** Fruto de esta planta. || **chino. Melón de la China.** || **de agua.** En algunas partes, **sandía.** || **de Indias,** o **de la China.** Variedad de **melón,** cuyo fruto es esférico, de unos nueve centímetros de diámetro, de corteza amarilla, sumamente lisa, delgada y quebradiza, y de carne muy dulce. || **Catar el melón.** fr. fig. y fam. Tantear o sondear a una persona o cosa. || **Decentar el melón.** fr. fig. con que se alude al riesgo que se corre de que una cosa salga mal, una vez empezada. || **El melón y el casamiento ha de ser acertamiento.** ref. en que se advierte que el acierto en estas dos cosas más suele depender de la casualidad que de la elección.

Melón. (Del lat. *meles*, tejón.) m. **Meloncillo,** 2.° art.

Melonar. m. Terreno sembrado de melones.

Meloncete. m. d. de **Melón,** 1.er art.

Meloncillo. m. d. de **Melón,** 1.er art. || **de olor. Melón de Indias.**

Meloncillo. (De *melón*, 2.° art.) m. Mamífero carnicero nocturno, del mismo género que la mangosta, de unos cuatro decímetros de longitud desde el hocico hasta el arranque de la cola, la cual es tan larga como el cuerpo; cabeza redonda y de hocico saliente, orejas pequeñas, cuerpo rechoncho, patas cortas, dedos bien separados y con uñas grandes; pelaje largo, fuerte y de color ceniciento obscuro, con anillos más claros en la cola, terminada en un mechón de pelos, de que se hacen pinceles. Vive en España y se alimenta con preferencia de roedores pequeños.

Melonero, ra. m. y f. Persona que siembra o guarda melones, o los vende.

Melopea. f. **Melopeya.** || **2. Canturía,** 3.ª acep. || **3.** vulg. **Borrachera,** 1.ª acep.

Melopeya. (Del lat. *melopoeia*, y éste de gr. μελοποιΐα, de μελοποιός; de μέλος, canto, y ποιεῖν, hacer.) f. Arte de producir melodías. || **2.** Entonación rítmica con que puede recitarse algo en verso o en prosa.

Melosidad. f. Calidad de meloso. || **2.** Materia melosa. || **3.** fig. Dulzura, suavidad y blandura de una cosa no material.

Melosilla. f. Enfermedad de la encina, que daña a la bellota y hace que se desprenda del árbol.

Meloso, sa. (Del lat. *mellōsus*.) adj. De calidad o naturaleza de miel. || **2.** fig. Blando, suave y dulce. Aplícase regularmente al razonamiento, discurso u oración.

Melote. m. Residuo que queda después de cocer el guarapo, y que contiene el azúcar de quebrados y el mascabado. || **2.** *Murc.* Conserva hecha con miel.

Melquisedeciano, na. adj. Dícese del individuo de una antigua secta que creía a Melquisedec superior a Jesucristo. Ú. t. c. s. || **2.** Perteneciente a esta secta.

Melsa. (Del ant. alto al. *milzi*.) f. *Ar.* **Bazo,** 3.ª acep. || **2.** fig. *Ar.* Flema, espacio o lentitud con que se hacen las cosas.

Melva. f. *Zool.* Pez muy parecido al bonito, del cual se distingue por tener las dos aletas dorsales muy separadas una de otra.

Mella. (De *mellar*.) f. Rotura o hendedura en el filo de una arma o herramienta, o en el borde o en cualquier ángulo saliente de otro objeto, de resultas de un golpe o por otra causa. || **2.** Vacío o hueco que queda en una cosa por haber faltado lo que la ocupaba o henchía; como en la encía cuando falta un diente. || **3.** fig. Menoscabo, merma, aun en cosa no material. || **Hacer mella.** fr. fig. Causar efecto en uno la reprensión, el consejo o la súplica. || **2.** fig. Ocasionar pérdida o menoscabo.

Mellado, da. p. p. de **Mellar.** || **2.** adj. Falto de uno o más dientes. Ú. t. c. s.

Melladura. (De *mellar*.) f. *Chile.* **Mella.**

Mellar. (Del lat. **gemĕllare*, igualar, de *gemĕllus*, gemelo.) tr. Hacer mellas. MELLAR *la espada, el plato.* Ú. t. c. r. || **2.** fig. Menoscabar, disminuir, minorar una cosa no material. MELLAR *la honra, el crédito.* Ú. t. c. r.

Melliza. (Del lat. *mel, mellis,* miel.) f. Cierto género de salchichón hecho con miel.

Mellizo, za. (Del lat. **gemellicius,* de *gemellus,* gemelo.) adj. **Gemelo,** 1.ª acep. Ú. t. c. s. || **2.** *Bot.* **Hermanado,** 2.ª acep.

Melloco. m. *Bot.* Planta de la familia de las baseláceas, que vive en los parajes fríos de la sierra ecuatoriana y cuya raíz tiene tubérculos feculentos y comestibles. || **2.** Tubérculo de esta planta.

Mellón. (Del lat. *malleŏlus,* manojo de esparto u otra materia inflamable untada con pez.) m. Manojo de paja encendida, a manera de hachón.

Membrado, da. p. p. ant. de **Membrar.** || **2.** adj. ant. Célebre, famoso, digno de memoria. || **3.** ant. Cuerdo, astuto, prudente.

Membrado, da. (Del fr. *membré,* y éste del lat. *membrum,* miembro.) adj. *Blas.* Aplícase a las piernas de las águilas y otras aves, que son de diferente esmalte que el cuerpo.

Membrana. (Del lat. *membrāna.*) f. Piel delgada o túnica, a modo de pergamino. || **2.** *Bot.* y *Zool.* Cualquier tejido o agregado de tejidos que en conjunto presenta forma laminar y es de consistencia blanda. || **alantoides.** *Zool.* **Alantoides.** || **caduca.** *Zool.* **Membrana** blanda que durante la preñez tapiza la cavidad interna y envuelve el feto. || **celular.** *Biol.* Capa muy tenue de protoplasma condensado que rodea una célula y a través de la cual se efectúa el cambio de substancias entre el cuerpo celular y el medio exterior a éste. || **mucosa.** *Zool.* La que tapiza cavidades del cuerpo de los animales que tienen comunicación con el exterior; está provista de numerosas glándulas unicelulares que segregan moco. Ú. t. c. s. || **nictitante.** *Zool.* Túnica casi transparente que forma el tercer párpado de las aves. || **pituitaria.** *Zool.* Mucosa que reviste la cavidad de las fosas nasales y en la cual existen elementos nerviosos que en conjunto actúan como órgano del sentido del olfato. || **serosa.** La que reviste cavidades del cuerpo de los animales que están incomunicadas con el exterior; se halla lubricada por líquidos albuminoideos. || **Falsa membrana.** Producción patológica, no organizada, que cubre ciertos tejidos lesionados en contacto con el exterior y que no tiene de **membrana** más que la apariencia; está constituida, las más veces, de fibrina y detrito de elementos celulares.

Membranáceo, a. (Del lat. *membranacĕus.*) adj. *Bot.* y *Zool.* **Membranoso,** 2.ª acep.

Membranoso, sa. adj. Compuesto de membranas. || **2.** Parecido a la membrana.

Membranza. (De *membrar.*) f. ant. Memoria o recuerdo.

Membrar. (Del lat. *memorāre.*) tr. ant. **Acordar,** 5.ª acep. Usáb. m. c. r.

Membrete. (Del ant. fr. *membret,* de *membrer,* y éste del lat. *memorāre,* recordar.) m. Memoria o anotación que se hace de una cosa, poniendo sólo lo substancial y preciso, para copiarlo y extenderlo después con todas sus formalidades y requisitos. || **2.** Aviso por escrito o nota en que se hace un convite o se recomienda o recuerda una pretensión. || **3.** Nombre o título de una persona o corporación puesto al final del escrito que a esta misma persona o corporación se dirige. || **4.** Este mismo nombre o título puesto a la cabeza de la primera plana. || **5.** Nombre o título de una persona, oficina o corporación, estampado en la parte superior del papel de escribir.

Membrilla. f. Variedad de membrillo que se cría en Murcia, achatado, con cáscara de color blanco amarillento cubierta de pelusa que desaparece por el roce, pedúnculo grueso y muy adherente y carne jugosa, fina y dulce.

Membrillar. m. Terreno plantado de membrillos. || **2.** **Membrillo,** 1.ª acep.

Membrillate. m. **Carne de membrillo.**

Membrillero. m. Membrillo, 1.ª acep.

Membrillo. (Del lat. *melimēlum,* pera dulce, y éste del gr. μελίμηλον.) m. Arbusto de la familia de las rosáceas, de tres a cuatro metros de altura, muy ramoso, con hojas pecioladas, enteras, aovadas o casi redondas, verdes por la haz y lanuginosas por el envés; flores róseas, solitarias, casi sentadas y de cáliz persistente, y fruto en poma, de 10 a 12 centímetros de diámetro, amarillo, muy aromático, de carne áspera y granujienta, que contiene varias pepitas mucilaginosas. Es originario del Asia Menor; el fruto se come asado o en conserva y las semillas sirven para hacer bandolina. || **2.** Fruto de este arbusto. || **3.** V. **Carne de membrillo.** || **Crecerá el membrillo y mudará el pelillo.** ref. que da a entender que algunas cosas se mudan, perfeccionándose con el tiempo.

Membrudamente. adv. m. Con fuerza y robustez.

Membrudo, da. adj. Fornido y robusto de cuerpo y miembros.

Memela. f. *Hond.* Tortilla de masa de maíz con cuajada y dulce, cocida en hojas frescas de plátano. || **2.** *Méj.* Tortilla delgada de maíz.

Memento. (Del lat. *memento,* acuérdate.) m. Cada una de las dos partes del canon de la misa, en que se hace conmemoración de los fieles y difuntos. || **Hacer** uno sus **mementos.** fr. fig. Detenerse a discurrir con particular atención y estudio lo que le importa.

Memez. (De *memo.*) f. Simpleza, tontuna, mentecatez.

Memnónida. (Del lat. *memnonĭdes.*) f. *Mit.* Cada una de las aves famosas que, según la fábula, iban desde Egipto a Troya, al sepulcro de Memnón, y volaban alrededor de él, y al tercer día se maltrataban y herían unas a otras. Ú. m. en pl.

Memo, ma. adj. Tonto, simple, mentecato. Ú. t. c. s.

Memorable. (Del lat. *memorabĭlis.*) adj. Digno de memoria.

Memorando, da. (Del lat. *memorandus.*) adj. **Memorable.**

Memorándum. (Del lat. *memorandum,* cosa que debe tenerse en la memoria.) m. Librito o cartera en que se apuntan las cosas de que uno tiene que acordarse. || **2.** Comunicación diplomática, menos solemne que la memoria y la nota, por lo común no firmada, en que se recapitulan hechos y razones para que se tengan presentes en un asunto grave. || **3.** *Chile.* Resguardo bancario.

Memorar. (Del lat. *memorāre.*) tr. Recordar una cosa; hacer memoria de ella. Ú. t. c. r.

Memoratísimo, ma. (Del lat. *memoratissĭmus.*) adj. sup. Celebradísimo y digno de eterna memoria.

Memorativo, va. adj. **Conmemorativo.**

Memoria. (Del lat. *memorĭa.*) f. Potencia del alma, por medio de la cual se retiene y recuerda lo pasado. || **2. Recuerdo,** 1.ª acep. || **3.** Monumento que queda a la posteridad para recuerdo o gloria de una cosa. || **4.** Obra pía o aniversario que instituye o funda uno y en que se conserva su **memoria.** || **5.** Relación de gastos hechos en una dependencia o negociado, o apuntamiento de otras cosas, como una especie de inventario sin formalidad. || **6.** Escrito simple a que se remitía el testador, para que fuese reputado y cumplido como parte integrante del testamento, según la legislación anterior al código civil. || **7.** Exposición de hechos, datos o motivos referentes a determinado asunto. || **8.** Estudio, o disertación escrita, sobre alguna materia. || **9.** pl. Saludo o recado cortés o afectuoso a un ausente, por escrito o por medio de tercera persona. || **10.** Libro, cuaderno o papel en que se apunta una cosa para tenerla presente; como para escribir una historia. || **11.** Relaciones de algunos acaecimientos particulares, que se escriben para ilustrar la historia. || **12.** Dos o más anillos que se traen y ponen en el dedo con el objeto de que sirvan de recuerdo y aviso para la ejecución de una cosa, soltando uno de ellos para que cuelgue del dedo. || **Memoria artificial. Mnemotecnia.** || **de gallo,** o **de grillo.** fig. y fam. Persona de poca **memoria.** || **Borrar,** o **borrarse, de la memoria** una cosa. fr. fig. Olvidarla del todo. || **Caerse** una cosa **de la memoria.** fr. fig. Olvidarse uno de ella. || **Conservar la memoria de** una cosa. fr. fig. Acordarse de ella, tenerla presente. || **De memoria.** m. adv. Reteniendo en ella puntualmente lo que se leyó u oyó. *Tomar* DE MEMORIA, *decir algo* DE MEMORIA. || **2.** *Ar.* y *Murc.* **Boca arriba.** *Dormir* DE MEMORIA. || **Encomendar** una cosa **a la memoria.** fr. Aprenderla o tomarla de **memoria.** || **Flaco de memoria.** loc. Olvidadizo, de **memoria** poco firme. || **Hablar de memoria.** fr. fig. y fam. Decir sin reflexión ni fundamento lo primero que ocurre. || **Hacer memoria.** fr. Recordar, acordarse. || **Huirse de la memoria** una cosa. fr. fig. Olvidarse enteramente de ella. || **Irse,** o **pasársele** a uno, una cosa **de la memoria.** fr. fig. Olvidarla. || **Raer de la memoria.** fr. fig. Olvidarse de la especie que se va a decir. || **Recorrer la memoria.** fr. Hacer reflexión para acordarse de lo que pasó. || **Reducir a la memoria.** fr. fig. **Traer a la memoria.** || **Refrescar la memoria.** fr. fig. Renovar las especies de una cosa que se tenía olvidada. || **Renovar la memoria.** fr. Hacer recuerdo de las especies ya pasadas. || **Tener en memoria.** fr. con que uno ofrece a otro su protección. || **Traer a la memoria.** fr. **Hacer memoria.** || **Venir a la memoria** una cosa. fr. fig. Recordarla.

Memorial. (Del lat. *memoriālis.*) m. Libro o cuaderno en que se apunta o nota una cosa para un fin. || **2.** Papel o escrito en que se pide una merced o gracia, alegando los méritos o motivos en que se funda la solicitud. || **3.** Boletín o publicación oficial de algunas colectividades. || **ajustado.** *For.* Apuntamiento en que se hacía constar todo el hecho de un pleito o causa. || **Haber perdido** uno **los memoriales.** fr. fig. y fam. Haber perdido la memoria de una cosa y no saber dar razón de ella.

Memorialesco, ca. adj. fest. Perteneciente o relativo al memorial. *Estilo* MEMORIALESCO.

Memorialista. m. El que por oficio se ocupa en escribir memoriales o cualesquiera otros documentos que se le pidan.

Memorión. m. aum. de **Memoria.** || **2.** adj. **Memorioso.** Ú. t. c. s.

Memorioso, sa. (Del lat. *memoriōsus.*) adj. Que tiene feliz memoria. Ú. t. c. s.

Memorismo. m. Práctica pedagógica en que se da más importancia a la memoria que a la inteligencia.

Memorista. adj. **Memorioso.** || **2.** Perteneciente o relativo al memorismo. || **3.** m. Partidario de esta práctica pedagógica.

Memoroso, sa. adj. ant. Memorioso.

Mena. (Del m. or. que *mina*, 2.° art.) f. *Min.* Mineral metalífero, principalmente el de hierro, tal como se extrae del criadero y antes de limpiarlo.

Mena. (Del lat. *maena*, anchoa, y éste del gr. μαίνη.) f. Pez marino teleósteo del suborden de los acantopterigios, de 15 centímetros de largo, comprimido por los lados, muy convexo por el abdomen, de color plomizo por el lomo, plateado y con manchas negras en los costados, aletas dorsales pardas, y rojizas las demás lo mismo que la cola. Se halla en las costas del Mediterráneo y es comestible poco estimado.

Mena. (Del lat. *minae*, almenas.) f. ant. **Almena.**

Mena. f. *Filip.* **Vitola,** 2.ª acep. || **2.** *Mar.* Grueso de un cabo medido por la circunferencia.

Ménade. (Del lat. *maenas, -ădis*, y éste del gr. μαινάς, furiosa.) f. Cada una de ciertas sacerdotisas de Baco que en la celebración de los misterios daban muestras de frenesí. || **2.** fig. Mujer descompuesta y frenética.

Menador, ra. (De *menar.*) m. y f. *Murc.* Persona que da vueltas a la rueda para recoger la seda.

Menaje. (Del fr. *ménage.*) m. Muebles de una casa. || **2.** Material pedagógico de una escuela.

Menar. (Del lat. *mĭnāri*, llevar, conducir. tr. *Murc.* Recoger la seda en la rueda.

Menaza. (Del lat. *minaciae*, amenazas.) f. ant. **Amenaza.**

Menazar. (De *menaza.*) tr. ant. **Amenazar.**

Mención. (Del lat. *mentĭo, -ōnis.*) f. Recuerdo o memoria que se hace de una persona o cosa, nombrándola, contándola o refiriéndola. || **honorífica.** Distinción o recompensa de menos importancia que el premio y el accésit. || **Hacer mención.** fr. Nombrar a una persona o cosa, hablando o escribiendo.

Mencionar. tr. Hacer mención de una persona. || **2.** Referir, recordar y contar una cosa para que se tenga noticia de ella.

Mendacidad. (Del lat. *mendacĭtas, -ātis.*) f. Hábito o costumbre de mentir.

Mendacio. (Del lat. *mendacĭum.*) m. ant. **Mentira,** 1.ª y 2.ª aceps.

Mendaz. (Del lat. *mendax, -ācis.*) adj. **Mentiroso.** Ú. t. c. s.

Mendeliano, na. adj. Perteneciente o relativo al mendelismo.

Mendelismo. m. Conjunto de leyes acerca de la herencia de los caracteres de los seres orgánicos, derivadas de los experimentos del fraile agustino Mendel sobre el cruzamiento de variedades de guisantes.

Mendicación. (Del lat. *mendicatĭo, -ōnis.*) f. **Mendiguez.**

Mendicante. (Del lat. *mendĭcans, -antis*, p. a. de *mendicāre*, mendigar.) adj. Que mendiga o pide limosna de puerta en puerta. Ú. t. c. s. || **2.** Dícese de las religiones que tienen por instituto pedir limosna, y de las que por privilegio gozan de sus inmunidades.

Mendicidad. (Del lat. *mendicĭtas, -ātis.*) f. Estado y situación de mendigo. || **2.** Acción de mendigar, por necesidad o por vicio.

Mendiganta. (De *mendigante.*) f. **Mendiga.**

Mendigante. p. a. de **Mendigar.** Que mendiga. Ú. t. c. s. || **2.** adj. **Mendicante.** Ú. t. c. s.

Mendigar. (Del lat. *mendicāre.*) tr. Pedir limosna de puerta en puerta. || **2.** fig. Solicitar el favor de uno con importunidad y hasta con humillación.

Mendigo, ga. (Del lat. *mendīcus.*) m. y f. Persona que habitualmente pide limosna.

Mendiguez. f. **Mendicidad,** 2.ª acep.

Mendocino, na. adj. desus. Que cree en agüeros; supersticioso.

Mendosamente. adv. m. Errada y mentirosamente, o con equivocación.

Mendoso, sa. (Del lat. *mendōsus.*) adj. Errado, equivocado o mentiroso.

Mendrugo. m. Pedazo de pan duro o desechado, y especialmente el sobrante que se suele dar a los mendigos. || **2.** adj. fig. y fam. Rudo, tonto, zoquete. || **Buscar uno mendrugos en cama de galgos.** fr. fig. y fam. Acudir en su necesidad a otro más necesitado.

Meneador, ra. adj. Que menea. Ú. t. c. s.

Menear. (Del lat. *mĭnāre*, conducir.) tr. Mover una cosa de una parte a otra. Ú. t. c. r. || **2.** fig. Manejar, dirigir, gobernar o guiar una dependencia o negocio. || **3.** r. fig. y fam. Hacer con prontitud y diligencia una cosa, o andar de prisa. || **Peor es meneallo.** fr. fig. y fam. con que se denota ser peligroso hacer memoria o hablar o tratar de cosas de que se originaron disgustos o desavenencias, o a que no se ha de hallar remedio, disculpa o explicación satisfactoria.

Menegilda. (Aféresis del n. p. *Hermenegilda.*) f. fam. En Madrid y otras regiones, criada de servicio.

Meneo. m. Acción y efecto de menear o menearse. || **2.** ant. Trato y comercio. || **3.** fig. y fam. **Vapuleo.**

Menés, sa. adj. Natural de Mena. Ú. t. c. s. || **2.** Perteneciente a este valle de la provincia de Burgos.

Menester. (Del prov. *menestier*, y éste del lat. *ministĕrium.*) m. Falta o necesidad de una cosa. || **2.** Ejercicio, empleo o ministerio. || **3.** pl. Necesidades corporales precisas a la naturaleza. || **4.** fam. Instrumentos o cosas necesarias para los oficios u otros usos. || **Compra lo que no has menester, y venderás lo que no podrás excusar.** ref. que reprende los gastos superfluos. || **Haber menester** una cosa. fr. Necesitarla; y así, dice la adivinanza popular: **No lo ha menester ni puede estar sin él,** con alusión al ruido de las máquinas, molinos, etc. || **No haber uno menester andadores.** fr. fig. y fam. **Poder andar sin andadores.** || **Ser menester.** fr. Ser precisa una cosa o haber necesidad de ella. || **Ser menester la cruz y los ciriales.** fr. fig. y fam. Ser necesarias muchas diligencias para lograr una cosa. || **Todo es menester: migar y sorber.** ref. que enseña que no se debe omitir medio alguno, aunque parezca de poca utilidad, para la consecución de lo que se intenta.

Menesteroso, sa. (De *menester.*) adj. Falto, necesitado, que carece de una cosa o de muchas. Ú. t. c. s.

Menestra. (Del lat. *ministrāre*, servir a la mesa.) f. Guisado compuesto con diferentes hortalizas y trozos pequeños de carne o jamón. || **2.** Legumbre seca. Ú. m. en pl. || **3.** Ración de legumbres secas, guisadas o cocidas, que se suministra a la tropa, a los presidiarios, etc.

Menestral, la. (Del lat. *ministeriālis*, de *ministerĭum*, servicio.) m. y f. Persona que gana de comer en un oficio mecánico.

Menestralería. f. Calidad de menestral.

Menestralía. f. Cuerpo o conjunto de menestrales.

Menestrete. (De *ministro*, corchete.) m. *Mar.* Instrumento de hierro para arrancar clavos.

Menestril. m. ant. **Ministril,** 2.ª acep.

Menfita. (Del lat. *memphītes*, y éste del gr. μεμφίτης.) adj. Natural de Menfis, ciudad del antiguo Egipto. Ú. t. c. s. || **2.** f. Ónice de capas blancas y negras muy a propósito para camafeos.

Menfítico, ca. adj. Perteneciente a la ciudad de Menfis.

Menga. (De *Dominga.*) n. p. **¿Si encontrará Menga cosa que le venga?** fr. proverb. con que se zahiere al descontentadizo.

Mengajo. (De *pingajo.*) m. *Murc.* Jirón o pedazo de la ropa, que va arrastrando o colgando.

Mengano, na. (Del ár. *man hān*, quien sea, cualquiera.) m. y f. Voz que se usa en la misma acepción que *fulano* y *zutano*, pero siempre después del primero, y antes o después del segundo cuando se aplica a una tercera persona, ya sea existente, ya imaginaria.

Menge. (Del cat. o prov. *menge, metge*, y éste del lat. *medĭcus.*) m. ant. **Médico,** 1.er art., 4.ª acep.

Mengía. (De *menge.*) f. ant. Medicamento o remedio.

Mengua. f. Acción y efecto de menguar. || **2.** Falta que padece una cosa para estar cabal y perfecta. || **3.** Pobreza, necesidad y escasez que se padece de una cosa. || **4.** fig. Descrédito, deshonra, especialmente cuando procede de falta de valor o espíritu.

Menguadamente. adv. m. Deshonrada o cobardemente; sin crédito ni reputación.

Menguado, da. p. p. de **Menguar.** || **2.** Cobarde, pusilánime, de poco ánimo y espíritu. Ú. t. c. s. || **3.** Tonto, falto de juicio. Ú. t. c. s. || **4.** Miserable, ruin o mezquino. Ú. t. c. s. || **5.** V. **Hora menguada.** || **6.** m. Cada uno de aquellos puntos que van embebiendo las mujeres que hacen media, reduciendo cada dos a uno, a fin de estrechar la media o calceta en el lugar que lo necesita, como es en el tercio y en la caña.

Menguamiento. (De *menguar.*) m. **Mengua.**

Menguante. p. a. de **Menguar.** Que mengua. || **2.** adj. *Astron.* V. **Cuarto, luna menguante.** || **3.** *Mar.* V. **Aguas de menguante.** || **4.** f. Mengua y escasez que padecen los ríos o arroyos por el calor o sequedad. || **5.** Descenso del agua del mar por efecto de la marea. || **6.** Tiempo que dura. || **7.** fig. Decadencia o decremento de una cosa. || **de la Luna.** Intervalo que media entre el plenilunio y el novilunio, durante el cual va siempre disminuyendo la parte iluminada del satélite, visible desde la Tierra.

Menguar. (Del lat. **minuāre*, por *mĭnuĕre*, disminuir.) intr. Disminuirse o irse consumiendo física o moralmente una cosa; decaer del estado que antes tenía. || **2.** Hacer los menguados en las medias o calcetas. || **3.** Hablando de la Luna, disminuir la parte iluminada del astro, visible desde la Tierra. || **4.** ant. **Faltar,** 1.ª acep. || **5.** tr. **Amenguar.**

Mengue. m. fam. **Diablo.**

Menhir. (Del célt. *men*, piedra, e *hir*, larga.) m. Monumento megalítico que consiste en una piedra larga hincada verticalmente en el suelo por uno de sus extremos.

Menina. (De *menino.*) f. Señora de corta edad que entraba a servir a la reina o a las infantas niñas.

Meninge. (Del lat. *meninga*, y éste del gr. μῆνιγξ, -ιγγος, membrana.) f. *Zool.* Cada una de las membranas de naturaleza conjuntiva, que envuelven el encéfalo y la medula espinal. Son dos en los peces y tres en los otros vertebrados, que se conocen con los nombres de duramadre, aracnoides y piamadre.

Meníngeo, a. adj. Propio de las meninges, o perteneciente a ellas.

Meningitis. (De *meninge* y el sufijo *itis*, inflamación.) f. *Med.* Inflamación de las meninges.

Meningococo. (Del gr. μῆνιγξ, -ιγγος, membrana, y κόκκος, grano.) m. *Med.* Microorganismo, en forma de diplococo, que es causa de diversas enfermedades y principalmente de una forma de meningitis llamada cerebroespinal epidémica.

Menino. (Del b. lat. *meninus*, y éste del lat. *minor*, menor.) m. Caballero que desde niño entraba en palacio a servir a la reina o a los príncipes niños. || **2.** *Murc.* Sujeto pequeño y remilgado.

Menipeo, a. adj. Perteneciente o relativo a Menipo, escritor satírico de la antigua Grecia.

Menique. adj. **Meñique.** Ú. t. c. s.

Menisco. (Del gr. μηνίσκος, media luna; de μήνη, luna.) m. Vidrio cóncavo por una cara y convexo por la otra. || **2.** *Fís.* Superficie libre, cóncava o convexa, del líquido contenido en un tubo estrecho. El **menisco** es cóncavo si el líquido moja las paredes del tubo, y convexo si no las moja. || **3.** *Anat.* Cartílago de forma semilunar y de espesor que disminuye de la periferia al centro; forma parte de la articulación de la rodilla y sirve para adaptar las superficies óseas de dicha articulación y para facilitar el juego de ésta.

Menispermáceo, a. (De gr. μήνη, luna, y σπέρμα, semilla, por la figura de las semillas de estas plantas.) adj. *Bot.* Dícese de arbustos angiospermos dicotiledóneos, sarmentosos, flexibles, con hojas alternas, simples o compuestas, y provistas de rejoncitos en el ápice; flores pequeñas, por lo común en racimo; frutos capsulares, abayados y raras veces drupáceos, y semillas de albumen nulo, o pequeño y carnoso; como la coca de Levante. Ú. t. c. s. f. || **2.** f. pl. *Bot.* Familia de estas plantas.

Menjuí. m. **Benjuí.**

Menjunje. m. **Menjurje.**

Menjurje. m. **Mejunje.**

Menologio. (Del gr. μηνολόγιον; de μήν, mes, y λόγιον, cuadro.) m. Martirologio de los cristianos griegos ordenado por meses.

Menonia. f. *Mit.* **Memnónida.**

Menonita. adj. Dícese del hereje disidente de los anabaptistas que acepta la doctrina de Mennón, reformador holandés del siglo XVI.

Menopausia. (Del gr. μήν, mes, y παῦσις, cesación.) f. Cesación natural de la menstruación en la mujer, cuando ésta llega a la edad crítica, que suele ser en el décimo lustro de su vida.

Menor. (Del lat. *minor, -ōris.*) adj. comp. de **Pequeño.** Que tiene menos cantidad que otra cosa de la misma especie. || **2. Menor de edad.** Ú. t. c. s. || **3.** V. **Aciano, arresto, avutarda, bagaje, bardana, basílica, cabeza, carga, carro, caza, celidonia, centaura, cicuta, colegial, colegio, consuelda, embarcación, excomunión, ganado, llantén, merino, mundo, necesidad, orden, ortiga, palmo, pimpinela, premisa, sanguinaria, séptima, sexta, siempreviva, sueldo menor.** || **4.** V. **Aguas, clérigos, letanías, paños menores.** || **5.** V. **En cuarto menor.** || **6.** V. **Menor edad.** || **7.** V. **Verso de arte menor.** || **8.** V. **Verso de redondilla menor.** || **9.** *Astron.* V. **Can, Osa Menor.** || **10.** *Geom.* V. **Círculo menor.** || **11.** *Mar.* V. **Aguas menores.** || **12.** *Mús.* V. **Compás, hexacordo, modo, proporción, semitono, séptima, sexta, tercera, tono menor.** || **13.** *Germ.* V. **Cuatro, tres de menor.** || **14.** *Germ.* V. **Mina menor.** || **15.** m. Religioso de la orden de San Francisco. || **16.** V. **Clérigo de menores.** || **17.** *Arq.* Sillar cuyo paramento es más corto que la entrega. || **18.** pl. En los estudios de gramática, clase tercera, en que se enseñaban las oraciones y construcciones más fáciles de la lengua latina. || **19.** f. *Lóg.* Segunda proposición de un silogismo. || **que.** Signo matemático que tiene esta figura (<), y colocado entre dos cantidades, indica ser **menor** la primera que la segunda. || **Por menor.** m. adv. que se usa cuando las cosas se venden menudamente y no en grueso. || **2.** Menudamente, por partes, por extenso. *Referir* POR MENOR *las circunstancias de un suceso.*

Menoración. f. ant. **Minoración.**

Menorar. (Del lat. *minorāre*, disminuir.) tr. ant. **Minorar.**

Menoreta. (De *menor.*) f. ant. Monja franciscana.

Menorete. adj. fam. d. de **Menor,** que sólo se usa en los modos adverbiales familiares **al menorete,** o **por el menorete,** que valen lo mismo que **a lo menos,** o **por lo menos.**

Menorgar. (Del lat. **minoricāre*, de *minorāre*, disminuir.) tr. ant. **Menorar.**

Menoría. (De *menor.*) f. Inferioridad y subordinación con que uno está sujeto a otro, y en grado inferior a él. || **2. Menor edad.** || **3.** fig. Tiempo de la menor edad de una persona.

Menoridad. (De *menor.*) f. ant. **Menoría,** 2.ª y 3.ª aceps.

Menorista. m. En los estudios de gramática, el que estaba en la clase de menores.

Menorqués, sa. adj. ant. **Menorquín.** Apl. a pers., usab. t. c. s.

Menorquín, na. adj. Natural de Menorca. Ú. t. c. s. || **2.** Perteneciente a esta isla.

Menorragia. (Del gr. μήν, mes, y ῥήγνυμι, romper, brotar.) f. *Med.* Hemorragia de la matriz durante el período menstrual, o sea menstruación excesiva.

Menos. (Del lat. *minŭs.*) adv. comp. con que se denota la idea de falta, disminución, restricción o inferioridad en comparación expresa o sobrentendida. *Gasta* MENOS; *sé* MENOS *altivo; yo tengo* MENOS *entendimiento que tú; Juan es* MENOS *prudente que su hermano; decir es* MENOS *que hacer;* MENOS *lejos;* MENOS *a propósito.* Como se ve por estos ejemplos, se une al nombre, al adjetivo, al verbo, a otros adverbios y a modos adverbiales, y cuando la comparación es expresa, pide la conjunción *que.* También se construye con el artículo determinado en todos sus géneros y números. *Ambrosio es el* MENOS *apreciable de mis amigos; Matilde es la* MENOS *hacendosa de mis hermanas; esto es lo* MENOS *cierto; los* MENOS *de los días; las* MENOS *de las noches.* || **2.** Denota a veces limitación indeterminada de cantidad expresa. *En esta importante batalla murieron* MENOS *de cien hombres; son* MENOS *de las diez.* || **3.** Denota asimismo idea opuesta a la de preferencia. MENOS *quiero perder la honra que perder el caudal.* || **4.** Ú. t. c. s. *El más y el* MENOS. || **5.** m. *Álg.* y *Arit.* Signo de substracción o resta, que se representa por una rayita horizontal (—). || **6.** adv. m. **Excepto,** 3.ª acep. *Todo* MENOS *eso.* || **Al, a lo,** o **por lo, menos.** m. adv. con que se denota una excepción o salvedad. *Nadie ha venido,* AL, A LO, *o* POR LO, MENOS *que yo sepa.* || **2.** Ya que no sea otra cosa, o que no sea más. *Permítaseme* A LO, *o* POR LO, MENOS *decir mi opinión; valdrá* A LO, *o* POR LO MENOS *cinco mil pesetas.* || **A menos que.** m. adv. A no ser que. || **De menos.** loc. adv. que denota falta de número, peso o medida. *Te han dado una peseta* DE MENOS. || **En menos.** m. adv. En menor grado o cantidad. *Aprecio mi vida* EN MENOS *que mi virtud; le han multado* EN MENOS *de cien pesetas.* || **Lo menos.** expr. Igualmente, tan o tanto, en comparación de otra persona o cosa.

Menoscabador, ra. adj. Que menoscaba.

Menoscabar. (De *menos* y *cabo*, 1.er art.) tr. Disminuir las cosas, quitándoles una parte; acortarlas, reducirlas a menos. Ú. t. c. r. || **2.** fig. Deteriorar y deslustrar una cosa, quitándole parte de la estimación o lucimiento que antes tenía. || **3.** fig. Causar mengua o descrédito en la honra o en la fama.

Menoscabo. m. Efecto de menoscabar o menoscabarse.

Menoscuenta. (De *menos* y *cuenta.*) f. Descuento, satisfacción de parte de una deuda.

Menospreciable. adj. Digno de menosprecio.

Menospreciablemente. adv. m. Con menosprecio.

Menospreciador, ra. adj. Que menosprecia. Ú. t. c. s.

Menospreciamiento. (De *menospreciar.*) m. ant. **Menosprecio.**

Menospreciante. p. a. ant. de **Menospreciar.** Que menosprecia.

Menospreciar. (De *menos* y *preciar.*) tr. Tener una cosa o a una persona en menos de lo que merece. || **2. Despreciar.**

Menospreciativo, va. adj. Que implica o denota menosprecio.

Menosprecio. (De *menospreciar.*) m. Poco aprecio, poca estimación. || **2.** Desprecio, desdén.

Menostasia. (Del gr. μήν, mes, y στάσις, detención.) f. *Med.* Retención de la regla en la mujer, por obstáculo mecánico a su salida.

Mensaje. (Del prov. *messatge*, y éste del lat. **missatĭcum*, de *missus*, enviado.) m. Recado de palabra que envía una persona a otra. || **2.** Comunicación oficial entre el poder legislativo y el ejecutivo, o entre dos asambleas legislativas. || **3.** Comunicación escrita de carácter político social, que una colectividad dirige al monarca o a elevados dignatarios. || **de la corona.** Bajo la monarquía constitucional, discurso que el rey, reina propietaria o regente del reino, leen ante las Cámaras reunidas en el recinto de una de ellas.

Mensajería. (De *mensajero.*) f. ant. **Mensaje.** || **2.** Carruaje que para servicio público hace viajes periódicos a puntos determinados. || **3.** Empresa o sociedad que los tiene establecidos. Ú. en esta acepción en pl. y aplícase también a los buques que periódicamente navegan entre puertos determinados.

Mensajero, ra. (De *mensaje.*) adj. V. **Carta, letra, paloma mensajera.** || **2.** m. y f. Persona que lleva un recado, despacho o noticia a otra. || **Mensajero frío, tarda mucho y vuelve vacío.** ref. que enseña la diligencia y cuidado que se deben poner en los negocios y dependencias para lograr el fin.

Mensil. adj. ant. **Mensual.**

Menstruación. f. Acción de menstruar. || **2. Menstruo,** 4.ª acep.

Menstrual. (Del lat. *menstruālis.*) adj. Perteneciente o relativo al menstruo.

Menstrualmente. adv. m. Mensualmente o con evacuación menstrual.

Menstruante. (Del lat. *menstrŭans, -antis.*) p. a. de **Menstruar.** Que menstrua o está con el menstruo. Ú. t. c. s.

Menstruar. (De *menstruo.*) intr. Evacuar el menstruo.

Menstruo, trua. (Del lat. *menstrŭus*, de *mensis*, mes.) adj. **Menstruoso,** 1.ª acep. *Sangre* MENSTRUA. || **2.** ant. **Mensual.** || **3.** m. **Menstruación,** 1.ª acep. || **4.** Sangre que todos los meses evacuan naturalmente las mujeres y las hembras de ciertos animales. || **5.** *Quím.* Disolvente o excipiente líquido.

Menstruoso, sa. adj. Perteneciente o relativo al menstruo. || **2.** Aplícase a la mujer que está con el menstruo. Ú. t. c. s.

Mensual. (Del lat. *mensuālis.*) adj. Que sucede o se repite cada mes. || **2.** Que dura un mes.

Mensualidad. (De *mensual.*) f. Sueldo o salario que corresponde en cada mes a cada individuo de los que lo devengan o a todos los que sirven en una misma dependencia.

Mensualmente. adv. m. Por meses o cada mes.

Ménsula. (Del lat. *mensŭla*, mesita.) f. *Arq.* Miembro de arquitectura perfilado con diversas molduras, que sobresale de un plano vertical y sirve para recibir o sostener alguna cosa.

Mensura. (Del lat. *mensūra.*) f. **Medida.**

Mensurabilidad. (De *mensurable.*) f. *Geom.* Aptitud de un cuerpo para ser medido.

Mensurable. (Del lat. *mensurabĭlis.*) adj. Que se puede medir. ‖ **2.** V. **Canto, música mensurable.**

Mensurador, ra. (Del lat. *mensurātor.*) adj. Que mensura. Ú. t. c. s.

Mensural. (Del lat. *mensurālis.*) adj. Que sirve para medir.

Mensurar. (Del lat. *mensurāre.*) tr. **Medir.** ‖ **2.** ant. fig. Juzgar, contemplar.

Menta. (Del lat. *menta.*) f. **Hierbabuena.** ‖ **Jurado tiene la menta que al estómago nunca mienta.** ref. que enseña que la hierbabuena sienta bien al estómago.

Mentado, da. p. p. de **Mentar.** ‖ **2.** adj. Que tiene fama o nombre; célebre, famoso.

Mental. (Del lat. *mentālis.*) adj. Perteneciente o relativo a la mente. ‖ **2.** V. **Enajenación, oración, restricción mental.**

Mentalidad. f. Capacidad, actividad mental. ‖ **2.** Cultura y modo de pensar que caracteriza a una persona, a un pueblo, a una generación, etc.

Mentalmente. adv. m. Sólo con el pensamiento.

Mentar. (De *mente.*) tr. Nombrar o mencionar una cosa.

Mentastro. (Del lat. *mentastrum.*) m. **Mastranzo.**

Mente. (Del lat. *mens, mentis.*) f. Potencia intelectual del alma. ‖ **2.** Designio, pensamiento, propósito, voluntad. ‖ **De buena mente.** m. adv. ant. De buena voluntad, de buena gana. ‖ **Tener en la mente** una cosa. fr. Tenerla pensada o prevenida.

Mentecapto, ta. (Del lat. *mente captus*, falto de mente.) adj. ant. **Mentecato.** Usáb. t. c. s.

Mentecatada. f. **Mentecatería.**

Mentecatería. (De *mentecato.*) f. Necedad, tontería, falta de juicio.

Mentecatez. f. **Mentecatería.**

Mentecato, ta. (De *mentecapto.*) adj. Tonto, fatuo, falto de juicio, privado de razón. Ú. t. c. s. ‖ **2.** De escaso juicio y flaco de entendimiento. Ú. t. c. s.

Mentesano, na. (Del lat. *mentesānus.*) adj. Natural de Mentesa. Ú. t. c. s. ‖ **2.** Perteneciente a las ciudades de este nombre en la España antigua, una en la Oretania y otra en la Bastetania.

Mentidero. (De *mentir.*) m. fam. Sitio o lugar donde para conversar se junta la gente ociosa.

Mentido, da. p. p. de **Mentir.** ‖ **2.** adj. Mentiroso, engañoso. MENTIDA *esperanza;* MENTIDA *fortaleza.*

Mentir. (Del lat. *mentiri.*) intr. Decir o manifestar lo contrario de lo que se sabe, cree o piensa. ‖ **2.** Inducir a error. MENTIR *a uno los indicios, las esperanzas.* ‖ **3.** Falsificar una cosa. ‖ **4.** Fingir, mudar o disfrazar una cosa, haciendo que por las señas exteriores parezca otra. Ú. m. en poesía. ‖ **5.** Desdecir una cosa de otra o no conformar con ella. ‖ **6.** tr. Faltar a lo prometido; quebrantar un pacto. ‖ **El mentir pide memoria.** ref. que enseña la facilidad con que se descubre la mentira en el que tiene la costumbre de decirla, por las inconsecuencias en que es fácil que incurra. ‖ **El mentir y el compadrar, ambos andan a la par.** ref. que enseña que en las amistades afectadas conspiran todos a engañarse unos a otros. ‖ **Miente más que departe.** expr. ant. **Miente más que habla.** ‖ **Miente más que habla.** expr. que se emplea para ponderar lo mucho que uno **miente.** ‖ **¡Miento!** exclam. que se emplea para corregirse uno a sí propio cuando advierte que ha errado o se ha equivocado. ‖ **Quien siempre me miente, nunca me engaña.** ref. que advierte que al mentiroso no se le da crédito, aun cuando diga la verdad.

Mentira. (De *mentir.*) f. Expresión o manifestación contraria a lo que se sabe, cree o piensa. ‖ **2.** Errata o equivocación material en escritos o impresos. Dícese más tratándose de lo manuscrito. ‖ **3.** fig. y fam. Manchita blanca que suele aparecer en las uñas. ‖ **oficiosa.** La que se dice con el fin de servir o agradar a uno. ‖ **Al que quiere saber, mentiras en él.** ref. con que se indica que merecen tal castigo los curiosos y escudriñadores de cosas ajenas. ‖ **Coger** a uno **en mentira.** fr. fam. Hallar o verificar que ha mentido. ‖ **Decir mentira por sacar verdad.** fr. Fingir que se sabe una cosa, para hacer que la manifieste otro que tiene noticia de ella. ‖ **La mentira no tiene pies. La mentira presto es vencida.** refs. que significan cuán fácil es descubrirla. ‖ **Parece mentira.** expr. hiperbólica con que se da a entender la extrañeza, sorpresa o admiración que causa alguna cosa.

Mentirijillas (De). m. adv. **De mentirillas.**

Mentirilla. f. d. de **Mentira.** ‖ **De mentirillas.** m. adv. **De burlas.**

Mentirón. m. aum. de **Mentira.**

Mentirosamente. adv. m. Fingidamente; con falsedad, engaño y cautela.

Mentiroso, sa. (De *mentira.*) adj. Que tiene costumbre de mentir. Ú. t. c. s. ‖ **2.** Dícese del libro o escrito que tiene muchos errores o erratas. ‖ **3.** Engañoso, aparente, fingido y falso. *Bienes* MENTIROSOS. ‖ **Más presto se coge al mentiroso que al cojo.** ref. que enseña la facilidad con que suelen descubrirse las mentiras.

Mentís. (2.ª pers. de pl. del pres. de indic. del verbo *mentir.*) m. Voz injuriosa y denigrativa con que se desmiente a una persona. ‖ **2.** Hecho o demostración que contradice o niega categóricamente un aserto.

Mentol. m. Parte sólida de la esencia de menta que puede considerarse como un alcohol secundario.

Mentón. (Del fr. *menton*, y éste del lat. *mentum*, barba.) m. Barbilla o prominencia de la mandíbula inferior.

Mentor. (Por alusión a *Méntor*, amigo de Ulises, cuya figura tomó Minerva, según Homero, para guiar e instruir a Telémaco.) m. fig. Consejero o guía de otro. ‖ **2.** fig. El que sirve de ayo.

Menuceles. (Del lat. *minutiae*, menudencias.) m. pl. *Ar.* Minucias, 2.ª acep. de **Minucia.**

Menucia. f. ant. y vulgar. **Minucia.**

Menudamente. adv. m. Con suma pequeñez. ‖ **2.** Circunstanciadamente, con distinción y menudencia.

Menudear. (De *menudo.*) tr. Hacer y ejecutar una cosa muchas veces, repetidamente, con frecuencia. ‖ **2.** intr. Caer o suceder una cosa con frecuencia. MENUDEAN *las gotas, los trabajos.* ‖ **3.** Contar y referir las cosas menudamente o muy por menor. ‖ **4.** Contar o escribir menudencias o cosas de poca entidad y despreciables.

Menudencia. (De *menudo.*) f. Pequeñez de una cosa. ‖ **2.** Exactitud, esmero y escrupulosidad con que se considera y reconoce una cosa, sin perdonar lo más menudo y leve. ‖ **3.** Cosa de poco aprecio y estimación, y de que no se debe hacer caso. ‖ **4.** pl. Despojos y partes pequeñas que quedan de las canales del tocino después de destrozadas. ‖ **5.** Morcillas, longanizas y otros despojos semejantes que se sacan del cerdo.

Menudeo. m. Acción de menudear. ‖ **2.** Venta por menor.

Menudero, ra. m. y f. Persona que trata en menudos, 10.ª y 11.ª aceps., los vende o arrienda.

Menudillo. (d. de *menudo.*) m. En los cuadrúpedos, articulación entre la caña y la cuartilla. ‖ **2.** *Ar.* **Moyuelo.** ‖ **3.** pl. Interior de las aves, que se reduce a higadillo, molleja, sangre, madrecilla y yemas.

Menudo, da. (Del lat. *minūtus*, p. p. de *minuĕre*, reducir, achicar.) adj. Pequeño, chico o delgado. ‖ **2.** Despreciable, de poca o ninguna importancia. ‖ **3.** Plebeyo o vulgar. ‖ **4.** Aplícase al dinero, y en especial a la plata en monedas pequeñas; como pesetas u otras menores. *Dinero* MENUDO; *plata* o *moneda* MENUDA. ‖ **5.** Dícese del carbón mineral lavado cuyos trozos han de tener un tamaño reglamentario que no exceda de 12 milímetros. Ú. t. c. s. ‖ **6.** Exacto y que con gran cuidado y menudencia examina y reconoce las cosas. ‖ **7.** V. **Ganado, hombre, rostrillo menudo.** ‖ **8.** fig. y fam. V. **Gente, letra menuda.** ‖ **9.** ant. Miserable, escaso, apocado. ‖ **10.** m. pl. Vientre, manos y sangre de las reses que se matan. ‖ **11.** En las aves, pescuezo, alones, pies, intestinos, higadillo, molleja, madrecilla, etc. ‖ **12.** Diezmo de los frutos menores, como son hortalizas, frutas, miel, cera y otros semejantes, que se arrendaban y recaudaban con el nombre de renta de **menudos.** ‖ **13.** Monedas de cobre que suelen traerse sueltas. ‖ **14.** adv. m. ant. **Menudamente.** ‖ **A la menuda.** m. adv. **Por menudo.** ‖ **A menudo.** m. adv. Muchas veces, frecuentemente y con continuación. ‖ **Por menudo.** m. adv. Particularmente, con mucha distinción y menudencia. ‖ **2.** En las compras y ventas, por mínimas partes.

Menuza. (Del lat. *minutia*, minucia.) f. ant. Pedazo o trozo pequeño de una cosa que se quiebra o rompe.

Menuzar. (De *menuza.*) tr. ant. **Desmenuzar.**

Menuzo. (De *menuza.*) m. Pedazo menudo.

Meñique. (Del lat. *minimus*, el menor de todos.) adj. V. **Dedo meñique.** Ú. t. c. s. ‖ **2.** fam. Muy pequeño.

Meollada. (De *meollo.*) f. *And.* Sesos de una res.

Meollar. (De *meollo.*) m. *Mar.* Especie de cordel que se forma torciendo tres o más filásticas, y sirve para hacer cajeta o badernas, aforrar cabos, etc.

Meollo. (Del lat. *medulla.*) m. **Seso,** 1.er art., 2.ª acep. ‖ **2. Medula.** ‖ **3.** fig. Substancia o lo más principal de una cosa; fondo de ella. ‖ **4.** fig. Juicio o entendimiento. ‖ **No tener meollo** una cosa. fr. fig. y fam. No tener substancia.

Meolludo, da. adj. Que tiene mucho meollo.

Meón, na. adj. Que mea mucho o frecuentemente. Ú. t. c. s. ‖ **2.** V. **Hierba meona.** Ú. t. c. s. ‖ **3.** V. **Niebla meona.** ‖ **4.** f. fam. Mujer, y más comúnmente niña recién nacida.

Mequetrefe. (Del ár. *muqaṭraf*, orgulloso, petulante.) m. fam. Hombre entremetido, bullicioso y de poco provecho.

Meramente. adv. m. Solamente, simplemente, sin mezcla de otra cosa.

Merar. (Del lat. *merum*, vino puro.) tr. Mezclar un licor con otro, o para aumentarle la virtud y calidad, o para templársela. Dícese particularmente del agua que se mezcla con vino.

Merca. (De *mercar.*) f. fam. **Compra.**

Mercachifle. m. **Buhonero.** ‖ **2.** despect. Mercader de poca importancia.

Mercadante. (Del ital. *mercadante.*) m. **Mercader,** 1.ª acep.

Mercadantesco, ca. (De *mercadante.*) adj. ant. **Mercantil.**

Mercadantía. (De *mercadante.*) f. ant. **Mercancía.**

Mercadear. (De *mercado.*) intr. Hacer trato o comercio de mercancías.

Mercader. (De *mercadero.*) m. El que trata o comercia con géneros vendibles. MERCADER *de libros, de hierro.* ‖ **2.** *Germ.* Ladrón que anda siempre donde hay trato. ‖ **de grueso.** El que comercia en géneros por mayor. ‖ **Mercader que su trato no entienda, cierre la tienda.** ref. contra los que no saben bien su oficio, y los que tratan en materia que no entienden.

Mercadera. f. Mujer que tiene tienda de comercio. ‖ **2.** Mujer del mercader.

Mercadería. (De *mercader.*) f. **Mercancía.** ‖ **2.** *Germ.* **Hurto,** 2.ª acep. ‖ **Mercadería cara, debajo del agua mana.** ref. que enseña que cuando sube el precio de los géneros, es menor su consumo y consiguientemente mayor su abundancia.

Mercaderil. adj. Perteneciente o relativo al mercader.

Mercadero. (Del lat. *mercatorius.*) m. ant. **Mercader.**

Mercado. (Del lat. *mercātus.*) m. Contratación pública en paraje destinado al efecto y en días señalados. *En este pueblo habrá* MERCADO *el mes que viene.* ‖ **2.** Sitio público destinado permanentemente o en días señalados, para vender, comprar o permutar géneros o mercaderías. ‖ **3.** Concurrencia de gente en un **mercado.** *El* MERCADO *se alborotó.* ‖ **4.** Plaza o país de especial importancia o significación en un orden comercial cualquiera. ‖ **5.** Cosa o cantidad que se compra. Ú. siempre precedido de los adjetivos *bueno* o *malo,* en sentido de *abundante* o *escaso.* ‖ **Poder vender** uno **en un buen mercado.** fr. fig. Ser sagaz y astuto.

Mercador. (Del lat. *mercātor.*) m. ant. **Mercader.**

Mercadoría. f. ant. **Mercancía.**

Mercadura. (Del lat. *mercatūra.*) f. ant. **Mercancía.**

Mercaduría. f. **Mercadería,** 1.ª acep.

Mercal. m. **Metical.**

Mercancear. (De *mercancía.*) intr. ant. **Comerciar.**

Mercancía. (De *mercar.*) f. Trato de vender y comprar comerciando en géneros. ‖ **2.** Todo género vendible. ‖ **3.** Cualquiera cosa mueble que se hace objeto de trato o venta.

Mercante. (Del lat. *mercans, -antis.*) p. a. de **Mercar.** Que merca. Ú. t. c. s. ‖ **2.** adj. **Mercantil.** ‖ **3.** V. **Buque, navío mercante.** ‖ **4.** m. **Mercader.**

Mercantesco, ca. adj. ant. **Mercantil.**

Mercantil. (De *mercante.*) adj. Perteneciente o relativo al mercader, a la mercancía o al comercio. ‖ **2.** V. **Derecho, navío mercantil.**

Mercantilismo. m. Espíritu mercantil aplicado a cosas que no deben ser objeto de comercio. ‖ **2.** Sistema económico que atiende en primer término al desarrollo del comercio, principalmente al de exportación, y considera la posesión de metales preciosos como signo característico de riqueza.

Mercantilista. adj. Partidario del mercantilismo. ‖ **2.** Experto en materia de derecho mercantil. Ú. t. c. s.

Mercantilizar. tr. Infundir el mercantilismo.

Mercantilmente. adv. m. Según la forma, modo u ordenanzas del comercio.

Mercantivo, va. adj. **Mercantil.**

Mercantivol. (De *mercantivo.*) adj. V. **Letra mercantivol.**

Mercar. (Del lat. *mĕrcāri,* comprar.) tr. **Comprar.** Ú. t. c. r.

Merced. (Del lat. *merces, -ēdis.*) f. Premio o galardón que se da por el trabajo, especialmente el jornalero. ‖ **2.** Dádiva o gracia que los reyes o señores hacen a sus vasallos, de empleos o dignidades, rentas, etc. ‖ **3.** Cualquier beneficio gracioso que se hace a uno, aunque sea de igual a igual. ‖ **4.** Voluntad o arbitrio de uno. *Está a* MERCED *de su amigo.* ‖ **5.** Tratamiento o título de cortesía que se usaba con aquellos que no tenían título o grado por donde se les debían otros tratamientos superiores. ‖ **6.** Religión real y militar, instituida por el rey don Jaime el Conquistador, y fundada por San Pedro Nolasco, cuyo principal instituto era redimir cautivos. ‖ **7.** V. **Pena de la nuestra merced.** ‖ **8.** ant. Misericordia, perdón. ‖ **9.** *For.* Renta o precio, en el contrato de arrendamiento. ‖ **de agua.** Repartimiento que se hace de ella en algunos pueblos para el uso de cada vecino. ‖ **A merced,** o **a mercedes.** m. adv. Sin salario conocido; a voluntad de un señor o amo. Ú. con los verbos *estar, ir, servir, venir,* etc. ‖ **Darse,** o **entregarse, a merced.** fr. **Darse,** o **entregarse, a discreción.** ‖ **Entre merced y señoría.** loc. adv. fig. y fam. que se usa para significar que una cosa es mediana; ni sobresaliente ni despreciable. ‖ **Estar** uno **a merced de** otro. fr. Estar enteramente a sus expensas. ‖ **Estar** uno **para hacer mercedes.** fr. fig. y fam. Estar de gusto o de buena condición. ‖ **La merced de Dios.** expr. con que se designaba la fritada de huevos y torreznos con miel. ‖ **¡Merced!,** o **¡Muchas mercedes!** expr. **¡Gracias!** ‖ **Merced a.** m. adv. **Gracias a.**

Mercedario, ria. (Del lat. *mercedarius.*) adj. Dícese del religioso o religiosa de la real y militar orden de la Merced. Ú. t. c. s.

Mercenario, ria. (Del lat. *mercenarius.*) adj. Aplícase a la tropa que sirve en la guerra a un príncipe extranjero por cierto estipendio. ‖ **2. Mercedario.** Ú. t. c. s. ‖ **3. Asalariado,** 2.ª acep. Ú. t. c. s. ‖ **4.** m. Trabajador o jornalero que por su estipendio o jornal trabaja en el campo. ‖ **5.** El que sirve por estipendio. ‖ **6.** El que sirve por otro un empleo o ministerio por el salario que le da.

Mercendear. tr. ant. Hacer gracia o merced.

Mercendero, ra. (De *mercendear.*) adj. ant. El que hacía merced y también el que la recibía. ‖ **2.** m. ant. **Mercader,** 1.ª acep.

Mercería. (De *mercero.*) f. Trato y comercio de cosas menudas y de poco valor o entidad; como alfileres, botones, cintas, etc. ‖ **2.** Conjunto de artículos de esta clase. ‖ **3.** Tienda en que se venden.

Mercerizar. (Del nombre del químico inglés, *John Mercer,* inventor del procedimiento.) tr. Tratar los hilos y tejidos de algodón con una solución de sosa cáustica para que resulten brillantes.

Mercero. (Como el fr. *mercier,* del lat. **merciarius,* der. de *merx,* mercancía.) m. El que ejercita la mercería vendiendo y comerciando en cosas menudas y de poco valor.

Merculino, na. adj. ant. Perteneciente o relativo al miércoles.

Mercurial. (Del lat. *mercuriālis.*) adj. Perteneciente al dios mitológico o al planeta Mercurio. ‖ **2.** Perteneciente al mercurio. ‖ **3.** f. Planta herbácea anual, de la familia de las euforbiáceas, con tallo de tres a cinco decímetros de altura, nudoso, ahorquillado y de ramos divergentes; hojas de color verde amarillento con pecíolo corto, lanceoladas y de margen dentado; flores verdosas, separadas las femeninas de las masculinas, las primeras axilares, casi sentadas y solitarias, y las segundas en espiga, sobre un pedúnculo largo y delgado. Es común en España y su zumo se ha empleado como purgante.

Mercúrico, ca. adj. *Quím.* Perteneciente o relativo al mercurio.

Mercurio. (Del lat. *Mercurius.*) m. Planeta conocido de muy antiguo, el más próximo al Sol de los que hasta ahora se han observado, y que, como Venus, presenta fases y brilla algunas veces como lucero de la mañana y de la tarde. ‖ **2. Azogue,** 1.er art., 1.ª acep. ‖ **3.** V. **Barómetro de mercurio.** ‖ **dulce. Calomelanos.**

Merchán. (Del fr. *marchand,* comerciante.) adj. desus. Apócope de **Merchante.**

Merchandía. f. ant. **Mercancía.**

Merchaniego, ga. adj. ant. Aplicábase al ganado que se llevaba a vender a las ferias o mercados.

Merchante. (Del fr. *marchand,* comerciante.) adj. **Mercante.** ‖ **2.** m. El que compra y vende algunos géneros sin tener tienda fija.

Merchantería. f. ant. Empleo u oficio de merchante. ‖ **2.** ant. **Mercancía,** 1.ª acep.

Merdellón, na. (De *mierda.*) m. y f. fam. Criado o criada que sirve con desaseo.

Merdoso, sa. (De *mierda.*) adj. Asqueroso, sucio, lleno de inmundicia.

Mere. (Del lat. *mere.*) adv. m. **Meramente.**

Merecedor, ra. adj. Que merece.

Merecer. (Del lat. *merēre.*) tr. Hacerse uno digno de premio o de castigo. ‖ **2. Lograr,** 1.ª acep. ‖ **3.** Tener cierto grado o estimación una cosa. *Eso no* MERECE *cien pesetas.* ‖ **4.** intr. Hacer méritos, buenas obras, ser digno de premio. ‖ **Merecer bien de** uno. fr. Ser acreedor a su gratitud. ‖ **No merecer** uno **descalzar** a otro. fr. fig. y fam. **No servir** uno **para descalzar** a otro.

Merecidamente. adv. m. Dignamente, con razón y justicia.

Merecido, da. p. p. de **Merecer.** ‖ **2.** m. Castigo de que se juzga digno a uno. *Llevó su* MERECIDO.

Mereciente. p. a. de **Merecer.** Que merece.

Merecimiento. m. Acción y efecto de merecer. ‖ **2. Mérito,** 1.er art.

Merendar. (Del lat. *mĕrĕndāre.*) intr. Tomar la merienda. ‖ **2.** En algunas partes, comer al mediodía. ‖ **3.** Registrar y acechar con curiosidad lo que otro escribe o hace. En el juego se dice del compañero que ve las cartas del otro. ‖ **4.** tr. Tomar en la merienda una u otra cosa. MERENDAR *fruta y almíbar.* ‖ **Merendarse** uno una cosa. fr. fig. y fam. Lograrla o hacerla suya.

Merendero, ra. adj. V. **Cuervo merendero.** ‖ **2.** m. Sitio en que se merienda. ‖ **3.** Establecimiento adonde concurre la gente del pueblo a merendar o comer por su dinero.

Merendilla, ta. f. d. de **Merienda.**

Merendillar. intr. *Extr.* **Merendar.**

Merendola. f. *Ar.* y *Murc.* **Merendona.**

Merendona. f. aum. de **Merienda.** ‖ **2.** fig. Merienda espléndida y abundante.

Merengue. (Del fr. *meringue.*) m. Dulce, por lo común de figura aovada, hecho con claras de huevo y azúcar y cocido al horno. ‖ **2.** fig. *Chile.* **Alfeñique,** 1.er art., 2.ª acep.

Meretricio, cia. (Del lat. *meretricius.*) adj. Perteneciente o relativo a las meretrices. ‖ **2.** m. Pecado carnal cometido con una meretriz.

Meretriz. (Del lat. *merĕtrix, -icis.*) f. **Ramera.**

Merey. m. **Marañón.**

Mergánsar. (Del lat. *mergus ānser.*) m. **Mergo.**

Mergo. (Del lat. *mergus.*) m. **Cuervo marino.**

Merideño, ña. adj. **Emeritense.** Apl. a pers., ú. t. c. s. || **2.** Natural de Mérida, ciudad de Venezuela. Ú. t. c. s.

Meridiana. (Del lat. *meridiāna*, t. f. de *-nus*, meridiano.) f. **Camilla,** 1.ª acep. || **2.** Especie de sofá sin respaldo ni brazos que se utiliza como asiento y también para tenderse en él. || **3. Siesta,** 3.ª acep.

Meridiano, na. (Del lat. *meridiānus*; de *meridies*, el mediodía.) adj. Perteneciente o relativo a la hora del mediodía. || **2.** *Astrol.* V. **Anteojo, cuadrante meridiano.** || **3.** *Astron.* V. **Altura, línea meridiana.** || **4.** *Gnom.* V. **Línea meridiana.** Ú. t. c. s. || **5.** fig. Clarísimo, luminosísimo. *Luz* MERIDIANA. || **6.** m. *Astron.* Círculo máximo de la esfera celeste, que pasa por los polos del mundo y por el cenit y nadir del punto de la Tierra a que se refiere. || **7.** *Geogr.* Cualquiera de los círculos máximos de la esfera terrestre que pasan por los dos polos. || **8.** *Geogr.* Cualquier semicírculo de la esfera terrestre, que va de polo a polo. || **9.** *Geom.* Línea de intersección de una superficie de revolución con un plano que pasa por su eje. || **inferior.** *Astron.* Semicírculo máximo que pasa por el nadir del observador y cuyo diámetro va de polo a polo. || **superior.** *Astron.* Semicírculo máximo que pasa por el cenit del observador y cuyo diámetro va de polo a polo. || **Primer meridiano.** *Geogr.* El que arbitrariamente se toma como principio para contar sobre el Ecuador los grados de longitud geográfica de cada lugar de la Tierra. || **A la meridiana.** m. adv. A la hora del mediodía.

Meridión. (Del lat. *meridies.*) m. ant. **Mediodía.**

Meridional. (Del lat. *meridionālis.*) adj. Perteneciente o relativo al Sur o Mediodía. Apl. a pers., ú. t. c. s.

Merienda. (Del lat. *merĕnda*, lo que se merece.) f. Comida ligera que se hace por la tarde antes de la cena. || **2.** En algunas partes, comida que se toma al mediodía. || **3.** fig. y fam. **Corcova.** || **de negros.** fig. y fam. Confusión y desorden en que nadie se entiende. || **Juntar meriendas.** fr. fig. y fam. Unir los intereses.

Merindad. f. Sitio o territorio de la jurisdicción del merino. || **2.** Oficio de merino. || **3.** Distrito con una ciudad o villa importante que defendía y dirigía los intereses de los pueblos y caseríos sitos en su demarcación.

Merinero, ra. adj. Perteneciente o relativo a los rebaños trashumantes formados principalmente por ganado merino. *Pastor* MERINERO, *perro* MERINERO.

Merino, na. (Del lat. *maiorīnus*, algo mayor.) adj. Dícese de los carneros y ovejas que tienen el hocico grueso y ancho, la nariz con arrugas transversas, y la cabeza y las extremidades cubiertas, como todo el cuerpo, de lana muy fina, corta y rizada. Ú. t. c. s. || **2.** V. **Aulaga merina.** || **3.** V. **Cabello merino.** || **4.** m. Juez que se ponía por el rey en un territorio en donde tenía jurisdicción amplia; y éste se llamaba **merino mayor,** a diferencia del **menor,** nombrado por aquél o por el adelantado, con jurisdicción limitada. || **5.** El que cuida del ganado y de sus pastos y divisiones de ellos. || **6.** Tejido de cordoncillo fino, en que la trama y urdimbre son de lana escogida y peinada. || **chico.** ant. **Alguacil,** 1.ª acep.

Meriñaque. (De *medriñaque.*)m. **Miriñaque.**

Méritamente. adv. m. Merecidamente.

Meritar. intr. p. us. Hacer méritos.

Meritísimo, ma. (Del lat. *meritissĭmus.*) adj. sup. de **Mérito.** Dignísimo de una cosa.

Mérito. (Del lat. *merĭtum.*) m. Acción que hace al hombre digno de premio o de castigo. || **2.** Resultado de las buenas acciones que hacen digno de aprecio a un hombre. || **3.** Hablándose de las cosas, lo que les hace tener valor. || **de condigno.** *Teol.* Merecimiento de las buenas obras sobrenaturales ejercitadas por el que está en gracia de Dios. || **de congruo.** *Teol.* Merecimiento de las buenas obras sobrenaturales ejercitadas por el que está en pecado mortal, a quien, aunque no pueden dar derecho a la gloria, por faltarle la gracia, suelen servir de congruencia para que Dios misericordiosamente le confiera auxilios con que salga del infeliz estado en que se halla. || **Méritos del proceso.** *For.* Conjunto de pruebas y razones que resultan de él, y que sirven al juez para dar su fallo. || **De mérito.** loc. Notable y recomendable. *Cuadro* DE MÉRITO. || **Hacer mérito.** fr. fig. **Hacer mención.** || **Hacer méritos.** fr. fig. Preparar o procurar el logro de una pretensión con servicios, diligencias u obsequios adecuados.

Mérito, ta. (Del lat. *merĭtus.*) adj. ant. Digno, merecedor, benemérito.

Meritoriamente. adv. m. Merecidamente, por méritos, de una manera digna.

Meritorio, ria. (Del lat. *meritorĭus.*) adj. Digno de premio o galardón. || **2.** m. Empleado que trabaja sin sueldo y sólo por hacer méritos para entrar en plaza remunerada.

Merla. (Del lat. *merŭla.*) f. **Mirlo,** 1.ª acep.

Merleta. (Del fr. *merlette*, d. de *merle*, y éste del lat. *merŭla*, mirlo.) f. *Blas.* Cada una de las figuras de pájaros que se representan en los escudos.

Merlín. n. p. **Saber más que Merlín.** fr. proverb. **Saber más que Lepe.** Dícese por alusión a **Merlín,** encantador legendario que, según la tradición, vivía en Inglaterra a principios del siglo VI.

Merlín. (Del neerl. *marlijn*, *marling*, o *meerling.*) m. *Mar.* Cabo delgado de cáñamo alquitranado, que se emplea a bordo en cosiduras y otros usos semejantes.

Merlo. (Del lat. *merŭlus.*) m. **Zorzal marino.**

Merlo. m. ant. *Fort.* **Merlón.**

Merlón. (Del ital. *merlone.*) m. *Fort.* Cada uno de los trozos de parapeto que hay entre cañonera y cañonera.

Merluza. (Del lat. *maris lucĭus.*) f. *Zool.* Pez teleósteo marino, del suborden de los anacantos, de cuerpo simétrico, con la primera aleta dorsal corta y la segunda larga, tanto como la anal. Alcanza hasta un metro de longitud y es muy apreciado por su carne. Abunda en las costas de España; en los países del Norte, lo salan y secan, siendo conocido con el nombre de bacalao de Escocia. || **2.** fig. y fam. **Borrachera,** 1.ª acep.

Merma. (Del ár. *marmī*, lo que se desecha o descuenta de las mercancías, como envases, etc.) f. Acción y efecto de mermar || **2.** Porción que se consume naturalmente o se substrae o sisa de una cosa.

Mermador, ra. adj. Que merma.

Mermar. (De *merma.*) intr. Bajar o disminuirse una cosa o consumirse una parte de lo que antes tenía, siendo esto por efecto natural, como evaporación u otro semejante. Ú. t. c. r. || **2.** tr. Quitar a uno parte de cierta cantidad que de derecho le corresponde. MERMAR *la paga, la ración.*

Mermelada. (Del lat. *melimēlum*, membrillo.) f. Conserva de membrillos con miel o azúcar. Hácese también de otras frutas. || **Brava mermelada.** expr. fig. y fam. con que se nota de despropósito una cosa mal hecha o mal dicha.

Mero. (Del lat. *merŭlus.*) m. *Zool.* Pez teleósteo marino del suborden de los acantopterigios, que llega a tener un metro de largo; cuerpo casi oval, achatado, de color amarillento obscuro por el lomo y blanco por el vientre; cabeza grande, algo rojiza; boca armada de muchos dientes, agallas con puntas en el margen y guarnecidas de tres aguijones, once radios espinosos en la aleta dorsal, y cola robusta. Vive principalmente en el Mediterráneo, y su carne pasa por una de las más delicadas.

Mero, ra. (Del lat. *merus.*) adj. Puro, simple y que no tiene mezcla de otra cosa. Ú. hoy en sentido moral e intelectual. || **2.** V. **Mero imperio.**

Merode. m. ant. **Merodeo.**

Merodeador, ra. adj. Que merodea. Ú. t. c. s.

Merodear. (De *merode.*) intr. *Mil.* Apartarse algunos soldados del cuerpo en que marchan, a reconocer en los caseríos y el campo lo que pueden coger o robar. || **2.** Por ext., vagar por el campo cualquier persona o cuadrilla, viviendo de lo que coge o roba.

Merodeo. m. Acción y efecto de merodear.

Merodista. com. Persona que merodea.

Merovingio, gia. adj. Perteneciente a la familia o a la dinastía de los primeros reyes de Francia, el tercero de los cuales fué Meroveo. Aplicado a los reyes de esta dinastía, ú. t. c. s. *Los* MEROVINGIOS.

Merquén. (Del arauc. *medquén.*) m. *Chile.* Ají con sal que se lleva preparado para condimentar la comida durante los viajes.

Meruéndano. m. *Ast. León.* **Arándano.**

Mes. (Del lat. *mēnsis.*) m. Cada una de las doce partes en que se divide el año. || **2.** Número de días consecutivos desde uno señalado hasta otro de igual fecha en el **mes** siguiente. *Se le han dado dos* MESES *de término, contados desde el 15 de mayo.* || **3.** Menstruo de las mujeres. || **4. Mensualidad.** || **anomalístico.** *Astron.* Tiempo que pasa desde que la Luna está en su apogeo hasta que vuelve a él. Este **mes** es algo mayor que el periódico. || **apostólico.** Cada uno de aquellos en que tocaba a la dataría romana la presentación de los beneficios y prebendas eclesiásticas de España, antes de que, por el concordato celebrado en 1753 con la corte de Roma, pasara al rey este derecho. || **del obispo. Mes ordinario.** || **del rey. Mes apostólico.** || **lunar periódico.** *Astron.* Tiempo que invierte la Luna en dar una vuelta completa alrededor de la Tierra. || **lunar sinódico.** *Astron.* Tiempo que gasta la Luna desde una conjunción con el Sol hasta la conjunción siguiente. Éste es el que absolutamente se llama **mes lunar** o lunación, por ser manifiesto y algo mayor que el **mes** periódico. || **mayor.** El último del embarazo de la mujer. || **ordinario.** Aquel en que correspondía al ordinario la presentación de las prebendas y beneficios eclesiásticos. || **solar astronómico.** *Astron.* Tiempo que gasta el Sol en recorrer con su movimiento propio aparente un signo del Zodiaco. || **Meses mayores.** Los últimos del embarazo de la mujer. || **2.** Entre labradores, los anteriores e inmediatos a la cosecha. || **Caer** uno **en el mes del obispo.** fr. fig. y fam. Llegar a tiempo oportuno para lograr lo que deseaba. || **Cuando un mes demedia, a otro semeja.** ref. que da a entender que según fuere el tiempo, húmedo o seco, en la última mitad del **mes,** así será en la primera del venidero.

Mesa. (Del lat. *mĕnsa.*) f. Mueble por lo común de madera, que se compone de una tabla lisa sostenida por uno o varios pies, y que sirve para comer, escribir, jugar u otros usos. || **2.** En lo místico, sagrado manjar del cuerpo de Nuestro Señor Jesucristo sacramentado, que liberalmente se nos franquea en la **mesa** del altar. || **3.** En las asambleas políticas, colegios electorales y otras corporaciones, conjunto de las personas que las dirigen con diferentes cargos, como los de presidente, secretario, etc. || **4.** En las secretarías y oficinas, conjunto de negocios que pertenecen a un oficial. *Juan tiene la* MESA *de la infantería; Pedro está en la* MESA *de la casa real.* || **5.** Terreno elevado y llano, de gran extensión, rodeado de valles o barrancos. || **6. Meseta,** 1.ª acep. || **7.** Cúmulo de las rentas de las iglesias, prelados y dignidades, o de las órdenes militares. || **8.** Plano principal del labrado de las piedras preciosas y que, al engastarlas, ocupa la parte más visible. || **9.** Cualquiera de los planos que tienen las hojas de las armas blancas. || **10.** Cada uno de los dos largueros que forman la armazón del ingenio de encuadernador. || **11.** Partida del juego de trucos o de billar. || **12.** Tanto que se paga por ella, en estos y otros juegos. || **13.** fig. **Comida,** 2.ª acep. || **de altar. Altar,** 3.ª acep. || **de batalla.** En las oficinas de correos, la que sirve para clasificar y distribuir las cartas. || **de cambios. Banco de comercio.** || **de Estado.** Aquella en que por cuenta del rey se servía la comida a los caballeros de su servidumbre y a otros personajes. || **de gallegos.** fig. y fam. **Mesa gallega.** || **de guarnición.** *Mar.* Especie de plataforma que se coloca en los costados de los buques, frente a cada uno de los tres palos principales y en la que se afirman las tablas de jarcia respectivas. || **de la vaca.** En el juego, partido inferior donde hay otro de mayor cantidad o autoridad. || **de lavar.** *Min.* Tablero inclinado y con borde en tres de sus lados, en el cual se coloca el mineral para separar de él la ganga por medio de una corriente de agua que entra por la parte superior. || **del Sol.** ant. **Zona tórrida.** || **de milanos.** fig. y fam. Aquella en que siempre falta o es muy escasa la comida. || **de noche.** Mueble pequeño, con cajones, que se coloca al lado de la cama, para los servicios necesarios. || **franca.** Aquella en que se da de comer a todos cuantos llegan, sin distinción de personas. || **gallega.** fig. y fam. Aquella en que falta pan. || **maestral.** En las órdenes militares, encomienda respectiva al maestre o a cualquiera ciudad, villa o pertenencia suya. || **redonda.** La que no tiene ceremonia, preferencia o diferencia en los asientos. || **2.** La que en fondas, paradores, etc., está dispuesta para los que llegan a comer a cierta hora por un precio determinado. || **revuelta.** Dibujo o trabajo caligráfico en que se representan varios objetos en estudiado desorden. || **traviesa.** La que en el refectorio y sala de juntas de una comunidad está en el testero, y es donde se sientan los superiores. || **2.** fig. Conjunto de los que se sientan en ella. || **Media,** o **segunda mesa.** La redonda que a precio más reducido que el de la principal suele haber en algunas fondas o casas de comidas. || **Alzar la mesa.** fr. fig. y fam. Levantar los manteles de la **mesa** después de haber comido. || **A mesa puesta.** m. adv. Sin trabajo, gasto ni cuidado. Ú. m. con los verbos *estar, venir, vivir,* etc. || **Cubrir la mesa.** fr. fig. Poner por orden en ella las viandas o platos que se sirven. *En el banquete se* CUBRIÓ *dos veces* LA MESA. || **Dar** uno **la mesa,** o **mesa,** a otro. fr. fig. Darle asiento en su **mesa,** para que le acompañe a comer. || **De sobre mesa.** m. adv. **De sobremesa.** || **Estar** uno **a mesa y mantel de** otro. fr. Comer diariamente con él y a su costa. || **Hacer mesa gallega.** fr. fig. Llevarse todo el dinero del contrario en el juego. || **Levantar la mesa.** fr. fig. **Alzar la mesa.** || **Levantarse** uno **de la mesa.** fr. Abandonar el sitio que ocupa en la **mesa** de comer. || **Ni mesa que se ande, ni piedra en el escarpe.** ref. que aconseja evitar todo lo que es instable o inseguro. || **Ni mesa sin pan, ni ejército sin capitán.** ref. que aconseja no prescindir de lo principal. || **Poner la mesa.** r. Cubrirla con los manteles, poniendo sobre ellos los cubiertos y demás adherentes necesarios para comer. || **Sentarse** uno **a la mesa.** fr. Sentarse, para comer, junto a la **mesa** destinada al efecto. || **Sobre mesa.** m. adv. **De sobre mesa.** || **Tener** a uno **a mesa y mantel.** fr. fig. Darle diariamente de comer.

Mesada. f. Porción de dinero u otra cosa que se da o paga todos los meses. || **de supervivencia.** Haber pasivo, fijado tradicionalmente en dos pagas y elevado luego en algunos casos hasta cinco del sueldo mensual del causante, para las familias de los funcionarios que no dejan otro derecho a pensión. || **eclesiástica.** Derecho o regalía que la Corona cobraba en las Indias cada vez que presentaba eclesiásticos para un beneficio, calculando los ingresos de un mes por los del quinquenio anterior y cobrándola transcurrido un cuatrimestre desde la toma de posesión.

Mesadura. f. Acción de mesar o mesarse.

Mesalina. (Por alusión a *Mesalina,* esposa de Claudio, emperador romano.) f. fig. Mujer poderosa o aristócrata y de costumbres disolutas.

Mesana. (Del ital. *mezzana.*) f. *Mar.* Mástil que está más a popa en el buque de tres palos. || **2.** *Mar.* Vela que va contra este mástil envergada en un cangrejo.

Mesar. (Del lat. *messum,* supino de *metĕre,* segar, cercenar.) tr. Arrancar los cabellos o barbas con las manos. Ú. m. c. r.

Mescabar. tr. ant. **Menoscabar.**

Mescabo. m. ant. **Menoscabo.**

Mesclador, ra. (De *mesclar.*) adj. ant. **Calumniador.** Usáb. t. c. s.

Mesclamiento. (De *mesclar.*) m. ant. **Mezcla.**

Mesclar. (Del b. lat. *misculāre,* y éste del lat. *miscēre.*) tr. ant. **Mezclar.** Usáb. t. c. r. || **2.** ant. **Calumniar.**

Mescolanza. (Del ital. *mescolanza.*) f. fam. **Mezcolanza.**

Mese. f. ant. **Mies.**

Meseguería. (De *meseguero.*) f. Guarda de las mieses. || **2.** Repartimiento que se hace entre los labradores para pagar la guarda de las mieses. || **3.** Tanto que a cada uno de ellos corresponde.

Meseguero, ra. (Del lat. **messicārius,* de *mĕssis,* mies.) adj. Perteneciente a las mieses. || **2.** m. El que guarda las mieses. || **3.** *Ar.* El que guarda las viñas.

Mesentérico, ca. adj. Perteneciente o relativo al mesenterio.

Mesenterio. (Del gr. μεσεντέριον; de μέσος, medio, y ἔντερον, intestino.) m. *Zool.* Repliegue del peritoneo, formado principalmente por tejido conjuntivo que contiene numerosos vasos sanguíneos y linfáticos y que une el estómago y el intestino con las paredes abdominales. En él se acumula a veces una enorme cantidad de células adiposas.

Meseraico, ca. (Del gr. μέσος, medio, y ἀραιὰ γαστήρ, intestino delgado.) adj. *Zool.* **Mesentérico.**

Mesero. (De *mes.*) m. El que después de haber salido de aprendiz de un oficio se ajusta con el maestro a trabajar, dándole éste de comer y pagándole por meses.

Meseta. (d. de *mesa.*) f. Porción de piso horizontal en que termina un tramo de escalera. || **2. Mesa,** 5.ª acep.

Mesiado. m. **Mesiazgo.**

Mesiánico, ca. adj. Perteneciente al Mesías.

Mesianismo. m. Doctrina relativa al Mesías, 1.ª acep. || **2.** fig. Confianza inmotivada o desmedida en un agente bienhechor que se espera.

Mesías. (Del lat. *messias,* y éste del hebr. *masīḥ,* ungido.) m. El Hijo de Dios, Salvador y Rey descendiente de David, prometido por los profetas al pueblo hebreo. || **2.** fig. Sujeto real o imaginario en cuyo advenimiento hay puesta confianza inmotivada o desmedida. || **Esperar** uno **al Mesías.** fr. fig. Esperar a una persona que ya llegó. Dícese por alusión a los judíos, que no reconocen al **Mesías** en Jesucristo.

Mesiazgo. m. Dignidad de Mesías.

Mesidor. (Del fr. *messidor,* y éste del lat. *messis,* mies, y el gr. δωρέω, dar.) m. Décimo mes del calendario republicano francés, cuyos días primero y último coincidían, respectivamente, con el 19 de junio y el 18 de julio.

Mesilla. f. d. de **Mesa.** || **2.** Porción diaria de dinero que daba el rey a sus criados cuando estaba en jornada, en lugar de darles mesa de estado. || **3.** fig. Reprensión dada a uno, advirtiéndole de un yerro o falta con poca seriedad o por modo de chanza. Se usaba en los colegios de las universidades. || **4.** *Arq.* **Meseta,** 1.ª acep. || **5.** *Arq.* Losa que se sienta en la parte superior de los antepechos de las ventanas y encima de las balaustradas. || **6.** *Arq.* V. **Alero de mesilla.** || **corrida.** *Arq.* Mesa de escalera, que está entre dos tramos cuyas direcciones son paralelas. || **quebrantada.** *Arq.* La que está entre dos tramos contiguos de escalera, y es generalmente cuadrada.

Mesillo. (d. de *mes.*) m. Primer menstruo que baja a las mujeres después del parto.

Mesinés, sa. adj. Natural de Mesina. Ú. t. c. s. || **2.** Perteneciente a esta ciudad de Sicilia.

Mesingo, ga. adj. *Sal.* Débil, delicado. || **2.** *Sal.* **Melindroso.**

Mesmedad. (De *mesmo.*) f. fam. Naturaleza, virtualidad. Ú. sólo en la locución pleonástica **por su misma mesmedad,** para dar a entender que tal o cual cosa llegará natural y necesariamente a determinado fin, sin ayuda ni intervención de nadie.

Mesmerismo. m. Doctrina del magnetismo animal, expuesta en la segunda mitad del siglo XVIII por el médico alemán Mésmer.

Mesmo, ma. (De *meismo.*) adj. ant. y fam. **Mismo.** || **Eso mesmo.** loc. ant. También, igualmente, del mismo modo.

Mesnada. (Del prov. *maisnada,* y éste del lat. **mansionāta,* de *mansio, -ōnis,* mansión.) f. Compañía de gente de armas, que en lo antiguo servía debajo del mando del rey o de un ricohombre o caballero principal. || **2.** fig. Compañía, junta, congregación.

Mesnadería. f. Sueldo del mesnadero.

Mesnadero. adj. V. **Caballero mesnadero.** || **2.** m. El que servía en la mesnada.

Mesocarpio. (Del gr. μέσος, medio, y καρπός, fruto.) m. *Bot.* Capa media de las tres que forman el pericarpio de los frutos; como la parte carnosa del melocotón.

Mesocefalia. f. Calidad de mesocéfalo.

Mesocéfalo. (Del gr. μέσος, medio, y κεφαλή, cabeza.) adj. Dícese de la persona cuyo cráneo tiene las proporciones intermedias entre la braquicefalia y la dolicocefalia.

Mesocracia. (Del gr. μέσος, medio, y κράτος, fuerza, poder.) f. Forma de gobierno en que la clase media tiene preponderancia. || **2.** fig. **Burguesía.**

Mesocrático, ca. adj. Perteneciente o relativo a la mesocracia.

Mesodérmico, ca. adj. *Zool.* Perteneciente o relativo al mesodermo.

Mesodermo. (Del gr. μέσος, medio, y δέρμα, piel.) m. *Zool.* La capa u hoja media de las tres en que se disponen las células del blastodermo después de haberse efectuado la segmentación.

Mesón. (Del lat. *mansio, -ōnis.*) m. Casa pública donde por dinero se da albergue a viajeros, caballerías y carruajes. || **Estar** una casa **como mesón,** o **parecer un mesón.** fr. Tener concurrencia extraordinaria de huéspedes o gentes extrañas.

Mesonaje. m. Sitio o calle en que hay muchos mesones.

Mesonero, ra. adj. Perteneciente o relativo al mesón. || **2.** m. y f. Patrón o dueño de un mesón.

Mesonil. adj. Relativo o perteneciente al mesón o al mesonero.

Mesonista. adj. Mesonero, 1.ª acep.

Mesotórax. (Del gr. μέσος, medio, y θώραξ, pecho.) m. *Anat.* Parte media del pecho. || **2.** *Zool.* Segmento medio del tórax de los insectos.

Mesquino, na. adj. ant. **Mezquino.**

Mesta. (Del lat. *mixta,* p. p. de *miscēre,* mezclar.) f. Agregado o reunión de los dueños de ganados mayores y menores, que cuidaban de su crianza y pasto, y vendían para el común abastecimiento. || **2. Concejo de la Mesta.** || **3.** V. **Alcalde de la Mesta.** || **4.** pl. Aguas de dos o más corrientes en el punto en que confluyen.

Mestal. m. Sitio poblado de mestos y otros arbustos.

Mestenco, ca. (De *mesta.*) adj. ant. **Mostrenco.**

Mesteño, ña. adj. Perteneciente o relativo a la mesta, 1.ª acep. || **2. Mostrenco.**

Mester. m. ant. **Menester.** Ú. en *Sal.* || **2.** ant. Arte, oficio. || **de clerecía.** Género de literatura cultivado por los clérigos o personas doctas de la Edad Media, por oposición al de juglaría. || **2.** Especialmente, género de poesía de Gonzalo de Berceo y sus discípulos. || **de juglaría.** Poesía de los juglares o cantores populares en la Edad Media.

Mesticia. (Del lat. *moestitĭa.*) f. **Tristeza.**

Mestizar. (De *mestizo.*) tr. Corromper o adulterar las castas por el ayuntamiento o cópula de individuos que no pertenecen a una misma.

Mestizo, za. (Del lat. *misticĭus;* de *mixtus,* mixto.) adj. Aplícase a la persona nacida de padre y madre de raza diferente, y con especialidad al hijo de hombre blanco e india, o de indio y mujer blanca. Ú. t. c. s. || **2.** Aplícase al animal o vegetal que resulta de haberse cruzado dos razas distintas.

Mesto. (Del lat. *mixtus,* mixto, mestizo.) m. Vegetal mestizo, producto del alcornoque y la encina, parecido al primero en la corteza y a la segunda en el aspecto. || **2. Rebollo,** 1.ª acep. || **3. Aladierna.** || **4.** *Ál.* Mezcla de varias semillas, como habas, yeros, titos, etc.

Mestrual. adj. ant. **Menstrual.**

Mestruo. m. ant. **Menstruo.**

Mestuerzo. m. ant. **Mastuerzo.**

Mestura. (Del lat. *mistūra.*) f. ant. **Mezcla.** || **2.** *Ar.* Trigo mezclado con centeno.

Mesturar. (De *mestura.*) tr. ant. **Misturar.** || **2.** ant. Revelar, descubrir o publicar uno el secreto que se le ha confiado. || **3.** ant. Denunciar o delatar.

Mesturero, ra. (De *mestura.*) adj. ant. Que descubría, revelaba o publicaba el secreto que se le había confiado o debía guardar. Usáb. t. c. s.

Mesura. (Del lat. *mensūra.*) f. Gravedad y compostura en la actitud y el semblante. || **2.** Reverencia, cortesía, demostración exterior de sumisión y respeto. || **3.** Moderación, comedimiento. || **4.** ant. Virtud de la templanza. || **5.** ant. **Medida.**

Mesuradamente. adv. m. Poco a poco; con circunspección y prudencia.

Mesurado, da. p. p. de **Mesurar.** || **2.** adj. Mirado, moderado, modesto, circunspecto. || **3.** Reglado, templado o parco. || **4.** ant. Proporcionado, arreglado de modo que nada le sobra ni le falta. || **5.** ant. **Mediano,** 1.ª acep.

Mesuramiento. (De *mesurar.*) m. ant. **Mesura,** 3.ª acep.

Mesurante. p. a. ant. de **Mesurar.** Que mide o da igualdad a las cosas.

Mesurar. (Del lat. *mensurāre.*) tr. Infundir mesura. || **2.** ant. **Medir.** Ú. en *Ecuad.* || **3.** ant. fig. **Considerar.** || **4.** r. Contenerse, moderarse.

Meta. (Del lat. *meta.*) f. Pilar cónico que señalaba en el circo romano cada uno de los dos extremos de la espina. || **2.** Término señalado a una carrera. || **3.** fig. Fin a que se dirigen las acciones o deseos de una persona.

Meta. f. *Sant.* **Mayueta.**

Meta. (Del gr. μετά.) prep. griega que con la significación de *junto a, después, entre* o *con* se usa en la formación de compuestos castellanos, como META*centro,* META*tórax.*

Metabólico, ca. adj. *Biol.* Perteneciente o relativo al metabolismo.

Metabolismo. (Del gr. μεταβολή, cambio.) m. *Biol.* Conjunto de transformaciones materiales que se efectúan constantemente en las células del organismo vivo y que se manifiestan en dos fases diferentes: una de carácter constructor, anabólico, y otra de carácter destructor, catabólico.

Metacarpiano. adj. Dícese de cada uno de los cinco huesos del metacarpo.

Metacarpo. (Del gr. μετακάρπιον; de μετά, después, y καρπός, carpo.) m. *Zool.* Conjunto de varios huesos largos que forman parte del esqueleto de los miembros anteriores de los batracios, reptiles y mamíferos y están articulados con los del carpo por uno de sus extremos y con las falanges de los dedos de la mano por el otro. En el hombre constituye el esqueleto de la parte de la mano comprendida entre la muñeca y los dedos y está formado por cinco huesos.

Metacéntrico, ca. adj. Perteneciente o relativo al metacentro.

Metacentro. (Del gr. μετά, más allá, y κέντρον, centro.) m. En un cuerpo simétrico flotante, punto en que la vertical que pasa por el centro de empuje de las aguas, corta, cuando aquél se inclina un poco, a la dirección que toma en tal caso la línea que pasaba por los centros de gravedad y de presión, y que era vertical cuando el cuerpo estaba en reposo y adrizado. Cuando el **metacentro** está más alto que el centro de gravedad, el equilibrio es estable.

Metad. f. ant. **Mitad.**

Metafísica. (Del gr. μετά φυσικά, después de la Física.) f. Parte de la filosofía, que trata del ser en cuanto tal, y de sus propiedades, principios y causas primeras. || **2.** fig. Modo de discurrir con demasiada sutileza en cualquiera materia. || **3.** fig. Lo que así se discurre.

Metafísicamente. adv. m. De modo metafísico.

Metafísico, ca. adj. Perteneciente o relativo a la metafísica. || **2.** V. **Imposibilidad metafísica.** || **3.** fig. Obscuro y difícil de comprender. || **4.** m. El que profesa la metafísica.

Metáfora. (Del lat. *metaphŏra,* y este del gr. μεταφορά, traslación; de μετά, más allá, y φέρω, llevar.) f. *Ret.* Tropo que consiste en trasladar el sentido recto de las voces en otro figurado, en virtud de una comparación tácita; v. gr.: *Las perlas del rocío; la primavera de la vida; refrenar las pasiones.* || **continuada.** *Ret.* Alegoría en que unas palabras se toman en sentido recto y otras en sentido figurado.

Metafóricamente. adv. m. De manera metafórica; por medio de metáfora.

Metafórico, ca. (Del gr. μεταφορικός.) adj. Concerniente a la metáfora, que la incluye o contiene, o que abunda en tropos de esta clase.

Metaforizar. tr. Usar de metáforas o alegorías.

Metagoge. (Del gr. μεταγωγή, traslación.) f. *Ret.* Tropo, especie de metafora, que consiste en aplicar voces significativas de cualidades o propiedades del sentido a cosas inanimadas; como *reirse el campo.*

Metal. (Del fr. *métal,* y éste del lat. *metallum.*) m. Cuerpo simple, sólido a la temperatura ordinaria, a excepción del mercurio, conductor del calor y de la electricidad, y que se distingue de los demás sólidos por su brillo especial. || **2.** Azófar o latón. || **3.** fig. Timbre de la voz. || **4.** fig. Calidad o condición de una cosa. *Eso es de otro* METAL. || **5.** *Blas.* Oro o plata, que respectivamente suelen representarse con los colores amarillo y blanco. || **blanco.** Aleación de color, brillo y dureza semejantes a los de la plata, que ordinariamente se obtiene mezclando cobre, níquel y cinc. || **campanil.** Bronce de campanas. || **de imprenta.** Aleación, generalmente compuesta de cuatro partes de plomo y una de antimonio, que se usa para los caracteres de imprenta y planchas de estereotipia. || **machacado.** *Min.* Oro o plata nativos que en hojas delgadas suelen hallarse entre las rocas de los filones. || || **precioso. Oro o plata.** || **Acostarse el metal.** fr. *Min.* **Acostarse la vena.** || **El vil metal.** loc. fam. El dinero.

Metal. m. ant. **Metical.**

Metalada. f. *Chile.* Cantidad de metal explotable contenida en una veta.

Metalado, da. (De *metal,* 1.er art.) adj. ant. **Metálico.** || **2.** fig. Mezclado, impuro.

Metalario. (Del lat. *metallarĭus.*) m. Artífice que trata y trabaja en metales.

Metalepsis. (Del gr. μετάληψις, cambio.) f. *Ret.* Tropo, especie de metonimia, que consiste en tomar el antecedente por el consiguiente, o al contrario. Por esta figura se traslada a veces el sentido, no de una sola palabra, como por la metonimia, sino de toda una oración; v. gr.: *Acuérdate de lo que me ofreciste,* por *cúmplelo.*

Metalero. m. **Metalario.**

Metálica. (De *metálico.*) f. **Metalurgia.**

Metálico, ca. (Del lat. *metallĭcus.*) adj. De metal o perteneciente a él. || **2.** Perteneciente a medallas. *Historia* METÁLICA. || **3.** V. **Arte, moneda metálica.** || **4.** V. **Barómetro metálico.** || **5.** *Geom.* V. **Línea metálica.** || **6.** m. **Metalario.** || **7.** Dinero en oro, plata, cobre u otro metal, esto es, en su propia especie, a diferencia del papel moneda.

Metalífero, ra. (Del lat. *metallĭfer, -ĕri;* de *metallum,* metal, y *ferre,* llevar.) adj. Que contiene metal.

Metalino, na. adj. ant. De metal.

Metalista. (De *metal,* 1.er art.) m. **Metalario.**

Metalistería. (De *metalista.*) f. Arte de trabajar en metales.

Metalización. f. Acción y efecto de metalizar o metalizarse.

Metalizar. tr. *Quím.* Hacer que un cuerpo adquiera propiedades metálicas. || **2.** r. Convertirse una cosa en metal, o impregnarse de él. || **3.** fig. Ponerse uno en tal estado de ánimo, que sólo se deja llevar en propósitos y acciones por el amor al dinero.

Metaloide. (De *metal*, y el gr. εἶδος, forma.) m. *Quím.* Cuerpo simple, mal conductor del calor y de la electricidad, y de poco peso específico en general, que combinado con el oxígeno no produce bases salificables, sino compuestos ácidos o neutros.

Metaloterapia. (Del gr. μέταλλον, metal, y θεραπεία, curación.) f. *Med.* Aplicación terapéutica externa de los metales.

Metalurgia. (Del gr. μεταλλουργός, minero; de μέταλλον, metal, y ἔργον, trabajo.) f. Arte de beneficiar los minerales y de extraer los metales que contienen, para ponerlos en disposición de ser elaborados.

Metalúrgico, ca. adj. Perteneciente a la metalurgia. || **2.** m. El que profesa este arte.

Metalurgista. m. **Metalúrgico,** 2.ª acep.

Metalla. (Del lat. *metalla*, metales.) f. Pedazos pequeños de oro con que los doradores sanean en el dorado las partes que quedan descubiertas.

Metamórfico, ca. adj. *Geol.* Dícese del mineral o de la roca en que ha habido metamorfismo.

Metamorfismo. (De *metamorfosis*.) m. *Geol.* Transformación natural ocurrida en un mineral o en una roca después de su consolidación primitiva.

Metamorfosear. (De *metamorfosis*.) tr. **Transformar.** Ú. t. c. r.

Metamorfóseos. m. desus. **Metamorfosis.**

Metamorfosi. f. **Metamorfosis.**

Metamorfosis. (Del lat. *metamorphōsis*, y éste del gr. μεταμόρφωσις; de μεταμορφόω, transformar.) f. Transformación de una cosa en otra. || **2.** fig. Mudanza que hace una persona o cosa de un estado a otro; como de la avaricia a la liberalidad, de la pobreza a la riqueza. || **3.** *Zool.* Cambio que experimentan muchos animales durante su desarrollo, y que se manifiesta no sólo en la variación de forma, sino también en las funciones y en el género de vida. Llámase sencilla cuando la forma del animal se mantiene constante, pero adquiere nuevos órganos, como las alas en los grillos; complicada, cuando la forma del animal al nacer no tiene ningún parecido con la que tiene en su estado adulto, como en las mariposas.

Metano. (Del gr. μέθυ, vino.) m. Hidrocarburo gaseoso e incoloro, producido por la descomposición de substancias vegetales, y que se desprende del cieno de algunos pantanos, del fondo de las minas de carbón de piedra, etc. Mezclado con el aire es inflamable.

Metaplasmo. (Del lat. *metaplasmos*, y éste del gr. μεταπλασμός, transformación.) m. *Gram.* Nombre genérico de las figuras de dicción.

Metapsíquica. (Del gr. μετά, después, más allá, y ψυχική, t. f. de -κός, psíquico.) f. *Fil.* Estudio de los fenómenos que exceden de los límites de la conciencia normal y común, de los que hasta ahora no se ha dado una explicación satisfactoria.

Metástasis. (Del gr. μετάστασις, cambio de lugar.) f. *Med.* Reproducción de un padecimiento en órganos distintos de aquel en que se presentó primero, con desaparición o no de su manifestación primordial.

Metatarsiano. adj. Dícese de cada uno de los cinco huesos del metatarso.

Metatarso. (Del gr. μετά, después, y τάρσος, tarso.) m. *Zool.* Conjunto de huesos largos que forman parte de las extremidades posteriores de los batracios, reptiles y mamíferos, y que por un lado están articulados con el tarso y por el otro con las falanges de los dedos del pie. En el hombre está formado por cinco huesos y constituye el esqueleto de la planta del pie.

Metate. (Del mejic. *metatl*.) m. Piedra cuadrilonga y algo abarquillada en su cara superior, sostenida en tres pies, de modo que forma un plano inclinado, sobre la cual y estando arrodilladas, muelen ordinariamente las mujeres en Méjico, con un cilindro, también de piedra, el maíz y otros granos. Se usa en España para hacer el chocolate a brazo.

Metátesis. (Del lat. *metathĕsis*, y éste del gr. μετάθεσις; de μετά, en otro lugar, y θέσις, colocación.) f. *Gram.* Cambio de lugar de algún sonido en un vocablo, como en *perlado* por *prelado*. Era figura de dicción según la preceptiva tradicional.

Metatizar. (Del gr. μετατίθημι, poner en otro lugar.) tr. Pronunciar o escribir una palabra cambiando de lugar uno o más de sus sonidos o letras.

Metatórax. (De *meta*, 2.º art., y *tórax*.) m. *Zool.* Parte posterior del tórax de los insectos, situada entre el mesotórax y el abdomen.

Metazoo. (De *meta*, 2.º art., y ζῷον, animal.) adj. *Zool.* Dícese de los animales cuyo cuerpo está constituido por un grandísimo número de células diferenciadas y agrupadas en forma de tejidos, órganos y aparatos; como los vertebrados, los moluscos y los gusanos. Ú. t. c. s. m. || **2.** m. pl. *Zool.* Subreino de estos animales.

Meteco. (Del gr. μέτοικος, extranjero.) adj. En la antigua Grecia, extranjero que se establecía en Atenas y que no gozaba de todos los derechos de ciudadanía. Usáb. t. c. s. || **2. Advenedizo,** 1.ª y 2.ª aceps. Ú. t. c. s.

Metedor, ra. (De *meter*.) m. y f. Persona que introduce o incorpora una cosa en otra. || **2.** Persona que mete contrabando. || **3.** m. Paño de lienzo que suele ponerse debajo del pañal a los niños pequeños. || **4.** *Impr.* Tablero en que se pone el papel que va a imprimirse.

Metedura. (De *metedor*.) f. Acción de meter o introducir contrabando.

Metempsicosis [~ **psicosis**]. (Del lat. *metempsichōsis*, y éste del gr. μετεμψύχωσις; de μετεμψυχόω, hacer pasar una alma a distinto cuerpo.) f. Doctrina religiosa y filosófica de varias escuelas orientales, y renovada por otras de Occidente, según la cual transmigran las almas después de la muerte a otros cuerpos más o menos perfectos, conforme a los merecimientos alcanzados en la existencia anterior.

Metemuertos. (De *meter* y *muerto*.) m. Racionista que en los teatros tenía la obligación de retirar los muebles en las mutaciones escénicas. || **2.** fig. Entremetido, servidor oficioso e impertinente.

Meteórico, ca. adj. Perteneciente a los meteoros. || **2.** V. **Piedra meteórica.**

Meteorismo. (De *meteoro*.) m. *Med.* Abultamiento del vientre por gases acumulados en el tubo digestivo.

Meteorito. (De *meteoro*.) m. **Aerolito.**

Meteorización. f. *Agr.* Acción y efecto de meteorizarse la tierra.

Meteorizar. tr. *Med.* Causar meteorismo. || **2.** r. *Agr.* Recibir la tierra la influencia de los meteoros. || **3.** *Med.* Padecer meteorismo.

Meteoro [**Metéoro**]. (Del gr. μετέωρος, elevado, en el aire.) m. Fenómeno atmosférico: aéreo, como los vientos; acuoso, como la lluvia, la nieve; luminoso, como el arco iris, el parhelio, la paraselene; eléctrico, como el rayo y el fuego de Santelmo

Meteorología. (Del gr. μετεωρολογία.) f. Ciencia que trata de la atmósfera y de los meteoros.

Meteorológico, ca. (Del gr. μετεωρολογικός.) adj. Perteneciente a la meteorología o a los meteoros.

Meteorologista. com. Persona que profesa la meteorología o en ella tiene especiales conocimientos.

Meter. (Del lat. *mittĕre*.) tr. Encerrar, introducir o incluir una cosa dentro de otra o en alguna parte. Ú. t. c. r. || **2.** Introducir algún género defraudando las rentas públicas. || **3.** Tratándose de chismes, enredos, etc., promoverlos o levantarlos. || **4.** Con voces como *miedo, ruido*, etc., **ocasionar.** || **5.** Inducir o mover a uno a determinado fin. *Le* METIÓ *en este negocio, en el cuento.* || **6.** En el juego del hombre, atravesar triunfo. METIÓ *la malilla.* || **7.** En cualquier juego, poner el dinero que se ha de jugar o atravesarlo a la suerte. || **8.** Embeber o encoger en las costuras de una prenda de ropa la tela que sobra, por si en adelante hubiere necesidad de ensancharla o alargarla. || **9.** Con las palabras *memorial, solicitud*, etc., presentarlos. || **10.** Engañar o hacer creer una especie falsa. || **11.** Estrechar o apretar las cosas, colocándolas de modo que en poco espacio quepa más de lo que ordinariamente cabría. METER *el pan en harina;* METER *letra, renglones.* || **12. Poner,** 1.ª acep. || **13.** ant. Emplear, destinar, dedicar. || **14.** ant. Gastar, invertir. || **15.** fam. Hablando de puñetazos, bofetadas y otros golpes, **dar,** 17.ª acep. || **16.** *Mar.* Dicho de las velas, cargarlas, o cargarlas y aferrarlas. || **17.** r. Introducirse en una parte o en una dependencia sin ser llamado. || **18.** Introducirse en el trato y comunicación con una persona, frecuentando su casa y conversación. || **19.** Dejarse llevar con pasión de una cosa o cebarse en ella. METERSE *en los vicios, en enredos, en aventuras.* || **20.** Hablando de ríos y arroyos, desembocar uno en otro o en el mar. || **21.** Arrojarse al contrario o a los enemigos con las armas en la mano. || **22.** En el juego de la cascarela, ceder la polla, conviniéndose a reponerla antes de elegir palo. || **23.** Junto con nombres que significan profesión, oficio o estado, seguirlo. METERSE *fraile, soldado.* || **24.** Con la preposición *a* y algunos nombres que significan condición, estado o profesión, abrazarla, aparentarla o afectarla uno en su porte. METERSE *a labrador, a caballero.* || **25.** Con la misma prep., arrogarse alguna capacidad o facultades que no se tiene. METERSE *a juzgar, a enseñar*, etc. || **26.** Hablando de un cabo, promontorio o lengua de tierra, o de una ensenada, introducirse mucho en el mar o entrarse éste largo trecho por la tierra. || **Estar** uno **muy metido con** una persona. fr. fig. Tener grande intimidad con ella. || **Estar** uno **muy metido en** una cosa. fr. fig. Estar muy empeñado en su logro y consecución. || **Mete dos y saca cinco.** Acción de **meter** el ratero dos dedos de la mano en la bolsa ajena para robar. || **Meter a** uno **con** otro. fr. Ponerle en su compañía para que le ayude en el desempeño de sus obligaciones. || **Meterse** uno **con otro.** fr. Darle motivo de inquietud; armarle camorra. || **Meterse** uno **donde no le llaman,** o **en lo que no le toca,** o **en lo que no le va ni le viene.** fr. fam. Entremeterse, mezclarse, introducirse en lo que no le incumbe o no es de su inspección. || **Meterse** uno **en sí,** o **en sí mismo.** fr. fig. Pensar o meditar por sí solo las cosas, sin darse a partido de pedir consejo o explicar lo que siente. || **Meterse** uno **en todo.** fr. fig. y fam. Introducirse inoportunamente en cualquier negocio, dando su dictamen sin que se le pida. || **No me meto en nada.** expr. con que uno se sincera de que no tiene parte en una cosa cuyas consecuencias teme.

Metesillas y sacamuertos. (De *meter* y *silla*, y de *sacar* y *muerto*.) m. **Metemuertos.**

Metical. (Del ár. *miṭqāl*, peso, nombre de la más antigua unidad del sistema ponderal árabe, equivalente a cuatro gramos y cuarto, y sinónimo de dinar.) m. Moneda de vellón, que corrió en España en el siglo XIII. || **2.** Moneda de Marruecos, que a la par equivale a 40 céntimos de peseta.

Meticulosamente. adv. m. De manera meticulosa.

Meticulosidad. f. Calidad de meticuloso.

Meticuloso, sa. (Del lat. *meticulōsus*.) adj. **Medroso,** 1.ª acep. Ú. t. c. s. || **2.** Nimiamente puntual; escrupuloso, concienzudo.

Metidillo. m. **Metedor,** 3.ª acep.

Metido, da. p. p. de **Meter.** || **2.** adj. Abundante en ciertas cosas. METIDO *en harina, en carnes.* || **3.** V. **Letra metida.** || **4.** m. Golpe que con el puño da uno a otro en el arca del cuerpo, arremetiéndole. || **5.** Lejía amoniacal que hacían las lavanderas con orines o con excrementos de aves. || **6.** Tela sobrante que suele dejarse metida en las costuras de una prenda de ropa. || **7. Metedor,** 3.ª acep. || **8.** fig. y fam. Reprensión, refutación o impugnación hecha vigorosa o desconsideradamente.

Metílico, ca. (De *metilo*.) adj. *Quím.* Dícese de los compuestos que contienen metilo. || **2.** V. **Alcohol metílico.**

Metilo. (Del gr. μέθυ, vino, y ὕλη, madera.) m. *Quím.* Radical hipotético, componente del alcohol metílico y de otros cuerpos y que está constituido por un átomo de carbono y tres de hidrógeno.

Metimiento. m. Acción y efecto de meter o introducir una cosa en otra. || **2.** fam. Privanza, influencia, ascendiente.

Metódicamente. adv. m. Con método, con orden.

Metódico, ca. (Del lat. *methodĭcus*.) adj. Hecho con método. || **2.** Que usa de método.

Metodismo. m. Doctrina de una secta de protestantes que afecta gran rigidez de principios; y se llama así porque pretende haber descubierto un método o vía nueva para la salvación. || **2.** *Med.* Sistema que desechaba la fuerza vital y atribuía todas las enfermedades a la estrechez o dilatación de los poros del cuerpo humano.

Metodista. adj. Que profesa el metodismo. Ú. t. c. s. || **2.** Perteneciente a él.

Metodizar. tr. Poner orden y método en una cosa.

Método. (Del lat. *methŏdus*, y éste del gr. μέθοδος.) m. Modo de decir o hacer con orden una cosa. || **2.** Modo de obrar o proceder; hábito o costumbre que cada uno tiene y observa. || **3.** *Fil.* Procedimiento que se sigue en las ciencias para hallar la verdad y enseñarla; es de dos maneras: analítico y sintético. || **real.** Vía administrativa del Estado para la tramitación de las preces de los fieles a la Santa Sede.

Metodología. (De lgr. μέθοδος, método, y λόγος, tratado.) f. Ciencia del método.

Metomentodo. com. fam. Persona que se mete en todo, entrometida.

Metonimia. (Del lat. *metonymĭa*, y éste del gr. μετωνυμία; de μετά, cambio, y ὄνομα, nombre.) f. *Ret.* Tropo que consiste en designar una cosa con el nombre de otra tomando el efecto por la causa o viceversa, el autor por sus obras, el signo por la cosa significada, etc.; v. gr.: *las canas,* por *la vejez; leer a Virgilio,* por *leer las obras de Virgilio; el laurel,* por *la gloria,* etc.

Metonímico, ca. (Del lat. *metonymĭcus*, y éste del gr. μετωνυμικός.) adj. Perteneciente a la metonimia, o que la incluye o contiene.

Metopa [Métopa]. (Del lat. *metŏpa*, y éste del gr. μετόπη; de μετά, entre, y ὀπή, agujero.) f. *Arq.* Espacio que media entre triglifo y triglifo en el friso dórico.

Metoposcopia. (Del gr. μετωποσκόπος, fisonomista; de μέτωπον, frente, y σκοπέω, examinar.) f. Arte de adivinar el porvenir por las líneas del rostro.

Metra. f. *Ál.* y *Sant.* Fresa silvestre o de monte.

Metralla. (Del fr. *mitraille*.) f. V. **Bote de metralla.** || **2.** *Art.* Munición menuda con que se cargan las piezas de artillería, y suele ser de pedazos de clavos, hierros y balas. || **3.** *Min.* Conjunto de pedazos menudos de hierro colado que saltan fuera de los moldes al hacer los lingotes.

Metrallazo. m. Disparo hecho con metralla por una pieza de artillería.

Metreta. (Del lat. *metrēta*, y éste del gr. μετρητής.) f. Medida para líquidos usada por los griegos y después por los romanos, equivalente a 12 congios. || **2.** Vasija en que guardaban el vino o el aceite.

Métrica. (Del lat. *metrĭca*.) f. Arte que trata de la medida o estructura de los versos, de sus varias especies y de las distintas combinaciones que con ellos pueden formarse.

Métricamente. adv. m. Con sujeción a las reglas del metro.

Métrico, ca. (Del lat. *metrĭcus*, y éste del gr. μετρικός; de μέτρον, medida.) adj. Perteneciente o relativo al metro o medida. *Sistema* MÉTRICO. || **2.** Perteneciente al metro o medida del verso. *Arte* MÉTRICA. || **3.** V. **Acento, quintal, sistema métrico.** || **4.** V. **Arte métrica.** || **5.** V. **Sistema métrico decimal.** || **6.** V. **Tonelada métrica de arqueo.** || **7.** V. **Tonelada métrica de peso.**

Metrificación. (De *metrificar*.) f. **Versificación.**

Metrificador, ra. (De *metrificar*.) m. y f. **Versificador, ra.**

Metrificar. (Del lat. *metrum*, metro, verso, y *facĕre*, hacer.) intr. **Versificar.** Ú. t. c. tr.

Metrificatura. (De *metrificar*.) f. ant. Medida de versos. || **2.** ant. **Metrificación.**

Metrista. (De *metro*.) com. **Metrificador, ra.**

Metritis. (Del gr. μέτρα, matriz, y el sufijo, *itis*, inflamación.) f. *Med.* Inflamación de la matriz.

Metro. (Del gr. μέτρον, medida.) m. Verso, con relación a la medida peculiar que a cada especie de versos corresponde. *Mudar de* METRO; *comedia en variedad de* METROS. || **2.** Unidad de longitud, base del sistema métrico decimal, la cual se determinó dividiendo en diez millones de partes iguales la longitud calculada para el cuadrante de meridiano que pasa por París, y equivale a unas 43 pulgadas castellanas, o sea 3 pies y 59 centésimas. || **3.** desus. Norma, modelo. || **cuadrado.** Cuadrado cuyo lado es un **metro:** tiene 100 decímetros cuadrados, y vale 12 pies superficiales y 88 centésimas. || **cúbico.** Cubo cuyo lado es un **metro:** tiene la capacidad de 1.000 litros, y vale algo más de 46 pies cúbicos.

Metro. m. Apócope de **metropolitano,** 5.ª acep.

Metrología. (Del gr. μέτρον, medida, y λόγος, tratado.) f. Ciencia que tiene por objeto el estudio de los sistemas de pesas y medidas.

Metrónomo. (Del gr. μέτρον, medida, y νόμος, regla.) m. Máquina, a manera de reloj, para medir el tiempo e indicar el compás de las composiciones musicales. El sonido del péndulo que oscila en el **metrónomo** cuando se le pone en movimiento, señala exactamente la rapidez o lentitud que corresponde al aire de las piezas que se ejecutan.

Metrópoli. (Del lat. *metropŏlis*, y éste del gr. μητρόπολις; de μήτηρ, madre, y πόλις, ciudad.) f. Ciudad principal, cabeza de provincia o Estado. || **2.** Iglesia arzobispal que tiene dependientes otras sufragáneas. || **3.** La nación, respecto de sus colonias.

Metrópolis. f. ant. **Metrópoli.**

Metropolitano, na. (Del lat. *metropolitānus*.) adj. Perteneciente o relativo a la metrópoli. || **2. Arzobispal.** || **3.** V. **Iglesia metropolitana.** || **4.** m. El arzobispo, respecto de los obispos sus sufragáneos. || **5.** Tranvía o ferrocarril subterráneo o aéreo que pone en comunicación los barrios extremos de las grandes ciudades.

Metrorragia. (Del gr. μήτρα, matriz, y ῥήγνυμι, romper, brotar.) f. *Med.* Hemorragia de la matriz, fuera del período menstrual.

Meya. f. **Noca.**

Meyor. adj. comp. ant. **Mejor.**

Meyoramiento. m. ant. **Mejoramiento.**

Mezcal. (Del mejic. *mexcalli*.) m. Variedad de pita. || **2.** Aguardiente que se saca de esta planta.

Mezcla. f. Acción y efecto de mezclar o mezclarse. || **2.** Agregación o incorporación de varias substancias o cuerpos que no tienen entre sí acción química. || **3.** Tejido hecho de hilos de diferentes clases y colores. || **4.** ant. fig. Cuento o chisme con que se intentaba hacer daño o incomodar a alguno. || **5.** *Albañ.* **Argamasa,** 1.ª acep.

Mezclable. adj. Que se puede mezclar.

Mezcladamente. adv. m. Unidamente, con mezcla de unas y otras cosas.

Mezclado, da. p. p. de **Mezclar.** || **2.** adj. ant. **Epiceno.** || **3.** m. Género de tela o paño que antiguamente se hacía con mezclas.

Mezclador, ra. m. y f. Persona que mezcla, une e incorpora una cosa con otra. || **2.** ant. fig. Persona chismosa, cuentista, cizañera. || **3.** f. Máquina que sirve para mezclar.

Mezcladura. (De *mezclar*.) f. **Mezcla.**

Mezclamiento. (De *mezclar*.) m. **Mezcla.**

Mezclar. (De *mesclar*.) tr. Juntar, unir, incorporar una cosa con otra. Ú. t. c. r. || **2.** ant. fig. Enredar, poner división y enemistad entre las personas con chismes o cuentos. || **3.** r. Introducirse o meterse uno entre otros. || **4.** Hablando de familias o linajes, enlazarse unos con otros. || **Mezclarse** uno **en** una cosa. fr. fig. Introducirse o tomar parte en su manejo o dirección. || **Mezclarse** una cosa **en** otra. fr. fig. Introducirse en ella; participar de ella.

Mezclilla. (d. de *mezcla*.) f. Tejido hecho como la mezcla, pero de menos cuerpo.

Mezcolanza. (De *mescolanza*.) f. fam. Mezcla extraña y confusa, y algunas veces ridícula.

Meznada. f. ant. **Mesnada.**

Mezquinamente. adv. m. Pobre, miserablemente. || **2.** Con avaricia.

Mezquindad. f. Calidad de mezquino. || **2.** Cosa mezquina.

Mezquino, na. (Del ár. *miskīn*, pobre, desgraciado.) adj. Pobre, necesitado, falto de lo necesario. || **2.** Avaro, escaso, miserable. || **3.** Pequeño, diminuto. || **4.** Desdichado, desgraciado, infeliz. || **5.** m. En la Edad Media, siervo de la gleba, de raza española, a diferencia del exarico, que era de origen moro.

Mezquita. (Del ár. *masŷid*, templo u oratorio musulmán.) f. Edificio en que los mahometanos practican las ceremonias religiosas de su secta.

Mezquital. m. Sitio poblado de mezquites.

Mezquite. m. *Bot.* Árbol de América, de la familia de las mimosáceas, parecido a la acacia, que produce una goma, y de cuyas hojas se saca un extracto que se emplea en las oftalmías, lo mismo que el zumo de la planta.

Mi. (V. *Fa.*) m. *Mús.* Tercera voz de la escala música.

Mí. (Del lat. *mihi*, dat. de *ego*, yo.) Forma de genitivo, dativo y acusativo del pronombre personal de primera persona en género masculino o femenino y número singular. Ú. siempre con preposición.

Mi, mis. pron. poses. Apócope de **mío, mía, míos, mías.** No se emplea sino antepuesto al nombre.

Mía. (Del ár. *mi'a*, centenar.) f. Grupo de tropa regular indígena al servicio de España en Marruecos, compuesto de cien soldados moros de infantería y otros tantos de caballería.

Miador, ra. (De *miar.*) adj. **Maullador.**

Miagar. intr. *Sant.* **Miar.**

Miaja. f. **Meaja,** 1.er art., 1.ª acep.

Miaja. f. **Migaja.**

Mialgia. (Del gr. μῦς, μυός, músculo, y ἄλγος, dolor.) f. *Med.* Dolor muscular, miodinia.

Mialmas (Como unas). (De *mi* y *alma.*) expr. fam. de agrado y satisfacción, que se aplica a personas y cosas.

Miañar. intr. **Miar.**

Miar. (De *miau.*) intr. **Maullar.**

Miasma. (Del gr. μίασμα; de μιαίνω, manchar.) m. Efluvio maligno que se desprende de cuerpos enfermos, materias corruptas o aguas estancadas. Ú. m. en pl.

Miasmático, ca. adj. Que produce o contiene miasmas. *Laguna, atmósfera* MIASMÁTICA. || **2.** Ocasionado por los miasmas. *Enfermedad* MIASMÁTICA.

Miau. Onomatopeya del maúllo del gato. || **2.** m. **Maullido.**

Mica. (Del lat. *mica.*) f. Mineral compuesto de hojuelas brillantes, elásticas, sumamente delgadas, que se rayan con la uña. Es un silicato múltiple con colores muy diversos y que forma parte integrante de varias rocas.

Mica. f. Hembra del mico. || **2.** *Guat.* **Coqueta,** 1.er art.

Micáceo, a. adj. Que contiene mica o se asemeja a ella.

Micacita. f. Roca compuesta de cuarzo granujiento y mica, de textura pizarrosa y colores verdosos. Se emplea en el firme de los caminos, y dividida en placas delgadas, se usa, como las tejas, en los techos de los edificios.

Micado. (Del japonés *mi*, sublime, y *cado*, puerta.) m. Nombre que se da al emperador del Japón.

Micción. (Del lat. *mictio, -ōnis.*) f. Acción de mear.

Micelio. (Del gr. μύκη, hongo.) m. *Bot.* Talo de los hongos, formado comúnmente por filamentos muy ramificados y que constituye el aparato de nutrición de aquellas plantas.

Micénico, ca. adj. Perteneciente o relativo a Micenas, antigua ciudad de Argólida, en el Peloponeso.

Micer. (Del ital. *messer*, mi señor.) m. Título antiguo honorífico de la corona de Aragón, que se aplicó también a los letrados en las islas Baleares.

Micetología. f. **Micología.**

Mico. (Voz cumanagota.) m. Mono de cola larga. || **2.** fig. y fam. Hombre lujurioso. || **capuchino.** *Colomb.* **Mono capuchino.** || **maicero.** *Colomb.* **Carablanca.** || **Dar mico.** fr. fig. y fam. **Hacer mico.** || **Dejar** a uno **hecho un mico.** fr. fig. y fam. Dejarle corrido o avergonzado. || **Hacer mico.** fr. fig. y fam. Faltar a una cita o a un compromiso adquirido. || **Quedarse** uno **hecho un mico.** fr. fig. y fam. Quedar corrido, avergonzado.

Micología. (Del gr. μύκη, hongo, y λόγος, tratado.) f. Parte de la botánica, que trata de los hongos.

Micólogo, ga. m. y f. Persona que se dedica al estudio de la micología o tiene en ella especiales conocimientos.

Micosis. (Del gr. μύκη, hongo.) f. *Med.* Infección producida por ciertos hongos en alguna parte del organismo.

Micra. (Del gr. μικρός, pequeño.) f. Medida de longitud; es la millonésima parte de un metro. Ú. especialmente en las observaciones microscópicas.

Microbio. (Del gr. μικρόβιος; de μικρός, pequeño, y βίος, vida.) m. Nombre genérico que designa a los seres organizados, sólo visibles al microscopio, como bacterias, infusorios, levaduras, etc.

Microbiología. (De *microbio* y el gr. λόγος, tratado.) f. Estudio de los microbios.

Microbiológico, ca. adj. Perteneciente o relativo a la microbiología.

Microcefalia. f. Calidad de microcéfalo.

Microcéfalo, la. (Del gr. μικροκέφαλος; de μικρός, pequeño, y κεφαλή, cabeza.) adj. Dícese del animal que tiene la cabeza de tamaño menor del normal en la especie a que pertenece; y en general, que tiene la cabeza desproporcionada por lo pequeña, con relación al cuerpo. Ú. t. c. s.

Micrococo. (Del gr. μικρός, pequeño, y κόκκος, grano.) m. *Bot.* Bacteria de forma esférica.

Microcopia. f. Copia fotográfica de tamaño muy reducido que se ha de leer o examinar mediante un aparato óptico que amplía considerablemente la imagen. || **2.** Reproducción de textos por este procedimiento.

Microcosmo. (Del gr. μικρόκοσμος; de μικρός, pequeño, y κόσμος, mundo.) m. Según ciertos filósofos herméticos y místicos, el hombre, que es, en su sentir, espejo fiel y resumen completo del universo o macrocosmo.

Micrófito. (Del gr. μικρός, pequeño, y φυτόν, planta.) m. *Bot.* Microbio de naturaleza vegetal.

Micrófono. (Del gr. μικρός, pequeño, y φωνή, voz.) m. Aparato que tiene por objeto hacer ondulatorias las corrientes eléctricas en relación con las vibraciones sonoras, y que sirve también para aumentar la intensidad de los sonidos.

Micrografía. (De *micrógrafo.*) f. Descripción de objetos vistos con el microscopio.

Micrográfico, ca. adj. Perteneciente o relativo a la micrografía.

Micrógrafo. (Del gr. μικρός, pequeño, y γράφω, describir.) m. El que profesa la micrografía o tiene en ella especiales conocimientos.

Micrométrico, ca. adj. Perteneciente o relativo al micrómetro. *Tornillo* MICROMÉTRICO.

Micrómetro. (Del gr. μικρός, pequeño, y μέτρον, medida.) m. Instrumento, aparato o artificio óptico y mecánico destinado a medir cantidades lineales o angulares muy pequeñas.

Micromilímetro. (Del gr. μικρός, pequeño, y de *milímetro.*) m. Medida micrométrica, que tiene de longitud la milésima parte de un milímetro.

Micrón. (Del gr. μικρόν, neutro de μικρός, pequeño.) m. **Micromilímetro.**

Microorganismo. (Del gr. μικρός, pequeño, y *organismo.*) m. **Microbio.**

Micrópilo. (Del gr. μικρός, pequeño, y πύλη, puerta.) m. *Bot.* Orificio que perfora las membranas envolventes de la nuececilla, por el cual penetra en el óvulo vegetal el elemento masculino que ha de unirse con la oosfera en el momento de la fecundación. || **2.** *Zool.* Orificio, único o múltiple, que existe en la cubierta del óvulo de algunos animales, como insectos y peces, por el cual penetra el espermatozoide.

Microscópico, ca. adj. Perteneciente o relativo al microscopio. || **2.** Hecho con ayuda del microscopio. *Vistas, observaciones* MICROSCÓPICAS. || **3.** Tan pequeño, que no puede verse sino con el microscopio. || **4.** Dícese, por extensión, de lo que es muy pequeño.

Microscopio. (Del gr. μικρός, pequeño, y σκοπέω, ver examinar.) m. Instrumento óptico destinado a observar de cerca objetos extremadamente diminutos. La combinación de sus lentes produce el efecto de que lo que se mira aparezca con dimensiones extraordinariamente aumentadas, haciéndose perceptible lo que no lo es a la simple vista. || **solar.** El que en un cuarto obscuro hace aparecer sobre una superficie blanca la imagen muy agrandada de un objeto, mediante la luz del Sol, reflejada por un espejo y concentrada por uno o más lentes.

Micrótomo. (Del gr. μικρός, pequeño, y τέμνω, cortar.) m. Instrumento que sirve para cortar los objetos que se han de observar con el microscopio.

Micuré. m. Especie de zarigüeya descubierta por Azara en el Paraguay a fines del siglo XVIII. Tiene medio metro de longitud sin contar la cola, que mide otro tanto, con grandes orejas y el pelaje negruzco y amarillo sucio.

Micha. (De *miza.*) f. fam. **Gata,** 1.ª acep.

Michino, na. m. y f. **Gato, gata.**

Micho. (De *mizo.*) m. fam. **Gato,** 1.ª acep.

Mida. (Del gr. μίδας.) m. **Brugo.**

Mida. (De *medir.*) f. ant. **Medida.** Ú. en *Ar.*

Midriasis. (Del gr. μυδρίασις.) f. *Med.* Dilatación anormal de la pupila con inmovilidad del iris.

Miedo. (De lat. *mĕtus.* m. Perturbación angustiosa del ánimo por un riesgo o mal que realmente amenaza o que se finge la imaginación. || **2.** Recelo o aprensión que uno tiene de que le suceda una cosa contraria a lo que deseaba. || **cerval.** fig. El grande o excesivo. || **insuperable.** *For.* El que imponiéndose a la voluntad de uno, con amenaza de un mal igual o mayor, le impulsa a ejecutar un delito; es circunstancia eximente de responsabilidad criminal. || **Al que de miedo se muere, de cagajones le hacen la sepultura.** ref. que aconseja no se han de rendir los hombres a los contratiempos, sino que se deben esforzar para superarlos. || **Al que mal vive, el miedo le sigue.** ref. que significa que al hombre de mala vida le está siempre acusando la conciencia, y que teme le llegue el castigo que merece. || **A miedo,** o **a miedos.** m. adv. ant. **Por miedo, de miedo,** o **con miedo.** || **A quien miedo han, lo suyo le dan.** ref. que enseña cuánto conviene hacerse uno temer y respetar para que no le atropellen. || **Ciscarse** uno **de miedo.** fr. fig. y fam. **Morirse de miedo.** || **El miedo guarda la viña. Miedo guarda viña, que no viñadero.** refs. que explican que el temor del castigo suele ser eficaz para evitar los delitos. || **Miedo ha Payo, que reza.** ref. que advierte que en las adversidades aun los menos devotos imploran el divino auxilio. || **Morirse** uno **de miedo.** fr. fig. Padecer gran **miedo** por recelo de cosa adversa, o por ser pusilánime. || **Mucho miedo y poca vergüenza.** expr. con que se reprende al que teme mucho el castigo y comete sin recelo el delito que lo merece. || **No haya,** o **no hayas, miedo.** expr. que se usa para asegurar que no sucederá alguna cosa. || **Por miedo de gorriones no se dejan de sembrar cañamones.** ref. que advierte que las cosas útiles y necesarias no se deben omitir porque haya dificultad en su ejecución.

Miedoso, sa. (De *miedo.*) adj. fam. **Medroso,** 1.ª acep. Ú. t. c. s.

Miel. (Del lat. *mĕl, mĕllis.*) f. Substancia viscosa, amarillenta y muy dulce, que producen las abejas transformando en su estómago el jugo de las flores, y devolviéndolo por la boca para llenar con él los panales y que sirva de alimento a las crías. || **2.** En la fabricación de azúcar, jarabe saturado obtenido entre dos cristalizaciones o cocciones sucesivas. || **3.** fig. V. **Dedada, luna de miel.** || **blanca.** *And.* **Miel,** 1.ª acep. || **de barrillos.** La que sale del pan de azúcar después de puesto el barro para blanquearlo. || **de caña,** o **de cañas.** Licor espeso que destila del zumo de las cañas dulces cuando se echa en las formas o bocoyes para cuajar los pilones de azúcar. || **de caras.** La última que destila el azúcar después de seco el barro. || **de claros.** La que se hace cociendo de nuevo las espumas del azúcar. || **de furos.** Melaza que escurre del azúcar por la abertura que tienen en la parte inferior los moldes de los pilones. || **de prima. Miel de caña.** || **negra.** *And.* **Miel de caña.** || **nueva. Miel,** 2.ª acep. || **rosada.** Preparación farmacéutica de **miel** batida con agua de rosas y hervida después hasta que adquiere consistencia de jarabe. Es un colutorio muy usado. || **silvestre.** La que labran las abejas en los huecos de los árboles o de las peñas. || **2.** En las Indias, la que labran en los árboles unas avispas negras, del tamaño de las moscas, y sale muy obscura. || **virgen.** La más pura, que naturalmente fluye de los panales sacados de las colmenas sin prensarlos ni derretirlos. || **Dejar** a uno **con la miel en los labios.** fr. fig. y fam. Privarle de lo que empezaba a gustar y disfrutar. || **Haceos miel, y paparos han moscas,** o **y os comerán las moscas.** ref. con que se da a entender que de la persona demasiado blanda o condescendiente se abusa con facilidad. || **Hacerse** uno **de miel.** fr. fig. Portarse más blanda y suavemente de lo que conviene. || **Miel en la boca, y guarda la bolsa.** ref. que aconseja que ya que uno no dé lo que le pidan, se excuse con buenas palabras. || **Miel sobre hojuelas.** expr. fig. y fam. de que se usa para expresar que una cosa viene o recae muy bien sobre otra, o le añade nuevo realce. || **No es la miel para la boca del asno.** ref. **No se hizo la miel,** etc. || **No hay miel sin hiel.** ref. que enseña la inconstancia y poca duración de los bienes humanos; pues tras un suceso próspero y feliz, viene regularmente otro triste y desgraciado. || **No se hizo la miel para la boca del asno.** ref. que reprende a los que eligen lo peor entre lo que se les presenta, despreciando lo mejor. || **Quedarse** uno **a media miel.** fr. fig. y fam. Empezar a gustar un manjar o a satisfacer un deseo, y verse repentinamente interrumpido antes de quedar satisfecho. || **2.** fig. y fam. No poder oir o entender sino a medias una conversación, canto o discurso interesante. || **Quien anda entre la miel, algo se le pega. Quien la miel trata, siempre se le pega de ella.** refs. **Quien el aceite mesura, las manos se unta.** || **Ser de mieles** una cosa. fr. fig. y fam. Ser muy gustosa, suave, dulce y deleitable. || **Vender miel al colmenero.** fr. que se dice del que vende sus géneros a quien está sobrado de ellos, o pretende dar noticias a quien está mejor enterado que él.

Mielga. (Del lat. *melica,* de *medica* [*herba*], hierba de la medicina.) f. Planta herbácea anual, de la familia de las papilionáceas, de raíz larga y recia, vástagos de seis a ocho decímetros de altura, hojas compuestas de otras ovaladas y aserradas por su margen, flores azules en espiga, y por fruto una vaina en espiral con simientes amarillas en forma de riñón. Abunda en los sembrados. || **azafranada,** o **de flor amarilla.** Especie que se diferencia de la común principalmente en tener rastreros los tallos; las flores, de color azafranado, y las vainas, en forma de media luna. || **marina.** Especie que se diferencia de la común en ser de vástagos leñosos, en tener las hojas en forma de cuña y cubiertas de borra, y las vainas con aguijones.

Mielga. f. *Zool.* Pez selacio del suborden de los escuálidos, de cuerpo casi plano por el vientre, aquillado por el lomo, y cuya longitud no suele pasar de un metro; cabeza pequeña, boca con muchos dientes puntiagudos, piel gruesa, pardusca, sin escamas y cuajada de gruesos tubérculos córneos; dos aletas dorsales armadas de una púa muy dura y aguzada, y cola gruesa y corta. Vive en casi todos los mares tropicales y templados y es abundantísimo en todo el litoral español. La carne es comestible, aunque dura y fibrosa, y la piel se emplea como la de la lija.

Mielga. (De *amelga.*) f. *Agr.* **Amelga.**

Mielga. (Del lat. *mĕrga,* horca.) f. *Agr.* **Bielgo.**

Mielgo, ga. (Del lat. **gemĕllĭcus,* de *gemĕllus,* gemelo.) adj. **Mellizo.**

Mielítico, ca. adj. Que padece mielitis.

Mielitis. (Del gr. μυελός, medula, y el sufijo *itis,* que significa inflamación.) f. *Med.* Inflamación de la medula espinal.

Mielsa. f. *Ar.* **Melsa.**

Miembro. (Del lat. *membrum.*) m. Cualquiera de las extremidades del hombre o de los animales, articuladas con el tronco. || **2.** Órgano de la generación en el hombre y en algunos animales. || **3.** Individuo que forma parte de una comunidad o cuerpo moral. || **4.** Parte de un todo unida con él. || **5.** Parte o pedazo de una cosa separada de ella. || **6.** *Arq.* Cada una de las partes principales de un orden arquitectónico o de un edificio. || **7.** *Mat.* Cualquiera de las dos cantidades de una ecuación separadas por el signo de igualdad (=), o de una desigualdad separadas por los signos (>) o (<). Llámase **primer miembro** a la cantidad escrita a la izquierda, y **segundo miembro** a la otra. || **podrido.** fig. Sujeto separado de una comunidad o indigno de ella por sus culpas. || **viril.** En el hombre, **miembro,** 2.ª acep.

Mienta. f. *Ast.* y *Sant.* **Menta.**

Miente. (Del lat. *mens, mentis.*) f. ant. **Pensamiento,** 1.ª acep. Ú. hoy en pl. en algunas frases. || **2.** ant. Gana o voluntad. || **Caer en mientes,** o **en las mientes.** fr. Caer en la imaginación, imaginarse una cosa. || **Meter mientes** fr. ant. **Poner mientes.** || **Parar,** o **poner, mientes en** una cosa. fr. Considerarla, meditar y recapacitar sobre ella con particular cuidado y atención. || **Traer** una cosa **a las mientes.** fr. Recordarla. || **Venírsele** a uno una cosa **a las mientes.** fr. Ocurrírsele.

Mientra. (De *demientra.*) adv. t. **Mientras.** || **De mientra.** m. adv. ant. **Mientras.** || **En mientra.** m. adv. ant. **Mientras.**

Mientras. (De *mientra.*) adv. t. y conj. Durante el tiempo en que. MIENTRAS *yo estudio, él juega.* Ú. t. antepuesto a la conjunción *que.* MIENTRAS *que yo estudio,* etc. **Mientras más.** m. adv. **Cuanto más.** MIENTRAS MÁS *tiene, más desea.* || **Mientras tanto.** m. adv. **Mientras.**

Mientre. (De *demientre.*) adv. m. ant. **Mientras.**

Miera. (Del lat. [*pix*] *mĕra,* pez líquida.) f. Aceite espeso, muy amargo y de color obscuro, que se obtiene destilando bayas y ramas de enebro. Se emplea algo en medicina como sudorífico y depurativo, y lo usan regularmente los pastores para curar la roña del ganado. || **2.** Trementina del pino. || **3.** V. **Enebro de la miera.**

Miércoles. (Del lat. *Mĕrcŭri* [*dies*], con el acento y la terminación de *jueves.*) m. Cuarto día de la semana. || **corvillo.** fam. **Miércoles de ceniza.** || **de ceniza.** Primer día de la cuaresma y cuadragésimo sexto anterior al domingo de Pascua de Resurrección. Se llama así, porque en él se toma la ceniza, y cae entre el 4 de febrero y el 10 de marzo.

Mierda. (Del lat. *mĕrda.*) f. Excremento humano. || **2.** Por ext., el de algunos animales. || **3.** fig. y fam. Grasa, suciedad o porquería que se pega a la ropa u otra cosa.

Mierla. (Del lat. *merŭla.*) f. desus. **Mirla,** 1.ª acep.

Mierra. f. **Narria,** 1.ª acep.

Mies. (Del lat. *mĕssis.*) f. Planta madura de cuya semilla se hace el pan. || **2.** En nuestras provincias montañesas de España, valles cerrados en donde los vecinos tienen sus sembrados. || **3.** Tiempo de la siega y cosecha de granos. || **4.** fig. Muchedumbre de gentes convertida a la fe cristiana, o pronta a su conversión. || **5.** pl. Los sembrados.

Miga. (Del lat. *mica.*) f. **Migaja,** 2.ª acep. || **2.** Parte interior y más blanda del pan, que está rodeada y cubierta de la corteza. || **3.** ant. Papilla para los niños. || **4.** fig. y fam. Substancia y virtud interior de las cosas físicas. || **5.** fig. y fam. Entidad, gravedad y principal substancia de una cosa moral. *Discurso de* MIGA; *hombre de* MIGA. || **6.** pl. Pan desmenuzado, humedecido con agua, y frito en aceite o grasa. || **Hacer buenas,** o **malas, migas** dos o más personas. fr. fig. y fam. Avenirse bien en su trato y amistad, o al contrario. || **Hacerle** a uno **migas.** fr. fig. y fam. **Hacerle** a uno **polvo.** || **Helársele** a uno **las migas entre la boca y la mano.** fr. fig. y fam. Malogrársele algún negocio o pretensión, cuando tiene mayores fundamentos para prometerse feliz resultado. || **No estar** uno, o **no ser, para dar migas a un gato.** fr. fig. y fam. Ser o servir para muy poco, por endeblez o inhabilidad.

Miga. (Aféresis de *amiga,* 3.ª acep.) f. *And.* Escuela de niñas.

Migaja. (d. de *miga.*) f. Parte más pequeña y menuda del pan, que suele saltar o desmenuzarse al partirlo. || **2.** Porción pequeña y menuda de cualquier cosa. || **3.** fig. Parte pequeña de una cosa no material. || **4.** fig. Nada o casi nada. || **5.** pl. Las de pan, que caen de la mesa o quedan en ella. || **6.** fig. Desperdicios o sobras de uno, de que se utilizan otros. || **Las migajas del fardel a veces saben bien.** ref. que enseña que las cosas que por de poca monta se desprecian, suelen aprovechar en ocasiones. || **Reparar** uno **en migajas.** fr. fig. y fam. Detenerse, cuando se trata de cosas de importancia, a reparar en las que son de poca monta, y escasearlas o escatimarlas.

Migajada. f. **Migaja,** 2.ª acep.

Migajón. (aum. de *migaja.*) m. Miga de pan o parte de ella. || **2.** fig. y fam. Substancia y virtud interior de una cosa.

Migajuela. f. d. de **Migaja.**

Migar. tr. Desmenuzar o partir el pan en pedazos muy pequeños para hacer migas u otra cosa semejante. || **2.** Echar estos pedazos en un líquido. MIGAR *la leche.*

Migración. (Del lat. *migratĭo, -ōnis.*) f. **Emigración.** || **2.** Acción y efecto de pasar de un país a otro para establecerse en él. Dícese hablando de las históricas que han hecho las razas o los pueblos enteros. || **3.** Viaje periódico de las aves migratorias.

Migraña. (Del lat. *hemicranĭa,* y éste del gr. ἡμικρανία; de ἡμι, medio, y κρανίον, cráneo.) f. **Jaqueca.**

Migratorio, ria. (Del lat. *migrātor,* el que emigra.) adj. Perteneciente o relativo a los viajes periódicos de ciertas aves. || **2.** Perteneciente o relativo a estas aves.

Miguelete. (De *miquelete.*) m. Antiguo fusilero de montaña en Cataluña. || **2.** Individuo perteneciente a la milicia foral de la provincia de Guipúzcoa.

Miguero, ra. adj. Relativo a las migas; y así, los pastores llaman al lucero de la mañana el *lucero* MIGUERO, porque hacen las migas cuando asoma.

Mihrab. (Del ár. *miḥrāb,* nicho de oratorio.) m. Nicho u hornacina que en las mezquitas señala el sitio adonde han de mirar los que oran.

Mijero. (Del lat. *milliarĭum.*) m. ant. **Milla,** 1.ª acep. || **2.** ant. Poste o columna que señalaba y fijaba en los caminos la distancia de cada milla.

Mijo. (Del lat. *milĭum.*) m. Planta de la familia de las gramíneas, originaria de la India, con los tallos de unos seis decímetros de longitud, hojas planas, largas y puntiagudas, y flores en panojas terminales, encorvadas en el ápice. || **2.** Semilla de esta planta. Es pequeña, redonda, brillante y de color blanco amarillento. || **3.** En algunas partes, **maíz.** || **ceburro. Trigo candeal.**

Mil. (Del lat. *mille.*) adj. Diez veces ciento. || **2. Milésimo,** 1.ª acep. *Número* MIL; *año* MIL. || **3.** V. **Sala de mil y quinientas.** || **4.** fig. Dícese del número o cantidad grande indefinidamente. || **5.** *For.* V. **Recurso de mil y quinientas.** || **6.** m. Signo o conjunto de signos con que se representa el número **mil.** || **7. Millar,** 1.ª acep. Ú. m. en pl. *Ganó en el comercio muchos* MILES *de pesos.* || **Las mil y quinientas.** fig. y fam. Las lentejas, por la multitud de ellas que entran en una escudilla de potaje. || **2.** fig. y fam. Hora demasiado tardía. *Vendrá* A LAS MIL Y QUINIENTAS.

Milagrería. (De *milagrero.*) f. Narración o cuento de hechos maravillosos que el vulgo suele tomar como milagros.

Milagrero, ra. adj. Dícese de la persona que tiene con facilidad por milagros las cosas que naturalmente acaecen, y las publica por tales. || **2.** Dícese también de la que finge milagros. || **3.** fam. **Milagroso,** 2.ª acep.

Milagro. (De *miraglo.*) m. Acto del poder divino, superior al orden natural y a las fuerzas humanas. || **2.** Cualquier suceso o cosa rara, extraordinaria y maravillosa. || **3. Presentalla.** || **4.** V. **Trigo del milagro.** || **Colgar a uno el milagro.** fr. fig. Atribuirle o imputarle un hecho reprensible o vituperable. || **Dícese el milagro, pero no el santo.** ref. **Di tu razón, y no señales autor.** || **Hacer uno milagros.** fr. fig. Hacer mucho más de lo que se puede hacer comúnmente en cualquiera clase de industria o habilidad. || **Hágase el milagro, y hágalo el diablo.** ref. que da a entender que lo importante y bueno no desmerece por obscuro o insignificante que sea quien lo haya hecho. || **2.** También denota que en el mundo no se suele cuidar mucho de los medios, con tal de lograr el fin. || **¡Milagro!** exclam. que se usa para denotar la extrañeza que causa alguna cosa. || **Vivir uno de milagro.** fr. fig. Mantenerse con mucha dificultad. || **2.** fig. Haber escapado de una gran peligro.

Milagrón. (aum. de *milagro.*) m. fam. Aspaviento, extremo.

Milagrosamente. adv. m. Por milagro, sobre el orden natural y ordinario de las cosas. || **2.** De una manera que admira y suspende.

Milagroso, sa. (De *milagro.*) adj. Que excede a las fuerzas y facultades de la naturaleza. || **2.** Que obra o hace milagros; y se dice regularmente de Cristo, Señor nuestro, de su Santísima Madre, de los santos y, por traslación, de las imágenes. || **3.** Maravilloso, asombroso, pasmoso.

Milamores. (De *mil* y *amor.*) f. Hierba anual de la familia de las valerianáceas, con tallo ramoso de seis a ocho decímetros de altura; hojas garzas, lanceoladas y enteras, con pecíolo las inferiores, y sentadas, con algún diente en el margen, las superiores; flores pequeñas, en corimbos terminales, rojas o blancas, y cuya corola se prolonga con un espolón delgado, y fruto seco de tres celdillas, dos estériles y una con semilla sin albumen. Es espontánea en lugares pedregosos, se cultiva en los jardines, y en Italia se come en ensalada.

Milán. m. Tela de lino que se fabricaba en Milán. || **2.** V. **Hoja, mosca de Milán.**

Milanés, sa. adj. Natural de Milán. Ú. t. c. s. || **2.** Perteneciente a esta ciudad de Italia. || **3.** m. *Germ.* **Pistolete.**

Milano. (Del lat. *milus,* por *milvus.*) m. Ave diurna del orden de las rapaces, que tiene unos siete decímetros desde el pico hasta la extremidad de la cola y metro y medio de envergadura; plumaje del cuerpo rojizo, gris claro en la cabeza, leonado en la cola y casi negro en las penas de las alas; pico y tarsos cortos, y cola y alas muy largas, por lo cual tiene el vuelo facilísimo y sostenido. Es sedentaria en España y se alimenta con preferencia de roedores pequeños, insectos y carroñas. || **2. Azor,** 1.er art., 1.ª acep. || **3.** *Zool.* Pez marino, teleósteo, del suborden de los acantopterigios, de unos 25 centímetros de largo, fusiforme, de lomo rojizo y vientre blanquecino con manchas obscuras, cabeza pequeña y mandíbula superior profundamente hendida por el medio, tres apéndices largos y cilíndricos junto a las aletas pectorales, y éstas tan desarrolladas, que le sirven al animal para los saltos que da elevándose sobre la superficie del agua. || **4. Vilano,** 2.ª y 3.ª aceps. || **5.** V. **Cola de milano.** || **6.** fig. y fam. V. **Mesa de milanos.**

Mildeu. m. **Mildiu.**

Mildiu. (Del ingl. *mildew.*) m. Enfermedad de la vid, producida por un hongo microscópico que se desarrolla en el interior de las hojas, y también en los tallos y en el fruto.

Milenario, ria. (Del lat. *millenarĭus.*) adj. Perteneciente al número mil o al millar. || **2.** Dícese de los que creían que Jesucristo reinaría sobre la tierra con sus santos en una nueva Jerusalén por tiempo de mil años antes del día del juicio. Ú. t. c. s. || **3.** Dícese de los que creían que el juicio final y el fin del mundo acaecerían en el año 1000 de la era cristiana. Ú. t. c. s. || **4.** m. Espacio de mil años. || **5.** Milésimo aniversario de algún acontecimiento notable.

Milenarismo. m. Doctrina o creencia de los milenarios, 2.ª y 3.ª aceps.

Milenio. m. Período de mil años.

Mileno, na. (Del lat. *millēnus.*) adj. Dícese de las telas cuya urdimbre se compone de mil hilos.

Milenrama. (De *mil, en* y *rama.*) f. Planta herbácea de la familia de las compuestas, con tallo de cuatro a seis decímetros de altura; hojas dos veces divididas en lacinias muy estrechas y algo vellosas; flores en corimbos apretados, blancas y a veces rojizas, y fruto seco con una semilla suelta. Es común en España, y el cocimiento de sus flores se ha usado como tónico y astringente.

Milenta. (Del lat. *mille.*) adj. ant. **Mil.** || **2.** m. fam. **Millar.**

Mileón. m. **Águila ratera.**

Milésima. (Del lat. *millesĭma,* t. f. de *-mus,* milésimo.) f. Milésima parte de la unidad monetaria.

Milésimo, ma. (Del lat. *millesĭmus.*) adj. Que sigue inmediatamente en orden al o a lo noningentésimo nonagésimo nono. || **2.** Dícese de cada una de las mil partes iguales en que se divide un todo. Ú. t. c. s.

Milesio, sia. (Del lat. *milesĭus.*) adj. Natural de Mileto. Ú. t. c. s. || **2.** Perteneciente a esta antigua ciudad de Jonia. || **3.** V. **Fábula milesia.**

Milgrana. (Del lat. *mille grāna,* mil granos.) f. ant. **Granada,** 1.ª acep.

Milgranar. (De *milgrana.*) m. Campo plantado de granados.

Milhojas. (De *mil* y *hoja.*) f. **Milenrama.**

Mili. (Del lat. *mille,* mil.) Voz que sólo tiene uso como prefijo de vocablos compuestos, en el sistema métrico decimal, con la significación de milésima parte; v. gr.: MILÍ*metro.*

Miliar. (Del lat. *miliarĭus;* de *milĭum* mijo.) adj. Que tiene el tamaño y la forma de un grano de mijo. || **2.** *Med.* Dícese de una erupción de vejiguillas del tamaño de granos de mijo, y también de la fiebre acompañada de erupción de esta clase. Ú. frecuentemente c. s. f.

Miliar. (Del lat. *miliāre;* de *mille,* mil.) adj. Dícese de la columna, piedra, etc., que antiguamente indicaba la distancia de mil pasos.

Miliario, ria. (Del lat. *milliarĭus.*) adj. Perteneciente o relativo a la milla. || **2. Miliar,** 2.° art.

Milicia. (Del lat. *militĭa.*) f. Arte de hacer la guerra ofensiva y defensiva, y de disciplinar a los soldados para ella. || **2.** Servicio o profesión militar. || **3.** Tropa o gente de guerra. || **4.** Coros de los ángeles. *La* MILICIA *angélica.* || **nacional.** Conjunto de los cuerpos sedentarios de organización militar, compuestos de individuos del orden civil e instituidos en España durante las luchas políticas del siglo XIX, para defensa del sistema constitucional. || **provincial.** Cada uno de ciertos cuerpos militares destinados a servicio menos activo que los del ejército. Ú. m. en pl. || **urbana.** En cierta época, **milicia nacional.**

Miliciano, na. adj. Perteneciente a la milicia. || **2.** m. Individuo de una milicia.

Miligramo. (De *mili* y *gramo.*) m. Milésima parte de un gramo.

Mililitro. (De *mili* y *litro.*) m. Medida de capacidad; es la milésima parte de un litro, o sea un centímetro cúbico.

Milímetro. (De *mili* y *metro.*) m. Medida de longitud; es la milésima parte de un metro.

Militante. (Del lat. *militans, -antis.*) p. a. de **Militar.** Que milita. Ú. t. c. s. || **2.** adj. V. **Iglesia militante.**

Militar. (Del lat. *militāri.*) adj. Perteneciente o relativo a la milicia o a la guerra, por contraposición a civil. || **2.** V. **Administración, agregado, arquitectura, arte, colegial, colegio, ingeniero, orden, sanidad, testamento, tribuno militar.** || **3.** Aplicábase al vestido seglar de casaca. || **4.** m. El que profesa la milicia.

Militar. (Del lat. *militāris.*) intr. Servir en la guerra o profesar la milicia. || **2.** fig. Figurar en un partido o en una colectividad. || **3.** fig. Haber o concurrir en una cosa alguna razón o circunstancia particular.

Militara. f. fam. Esposa, viuda o hija de militar.

Militarismo. m. Predominio del elemento militar en el gobierno del Estado.

Militarista. adj. Perteneciente o relativo al militarismo. || **2.** Partidario del militarismo. Ú. t. c. s.

Militarización. f. Acción y efecto de militarizar.

Militarizar. tr. Infundir la disciplina o el espíritu militar. || **2.** Someter a la disciplina militar.
Militarmente. adv. m. Conforme al estilo o leyes de la milicia.
Mílite. (Del lat. *miles, -ĭtis.*) m. **Soldado,** 1.ª acep.
Milmillonésimo, ma. adj. Dícese de cada una de las mil millones de partes iguales en que se divide un todo. Ú. t. c. s.
Milo. m. *Ast.* **Lombriz,** 1.ª acep.
Miloca. (despect. de *milano.*) f. Ave rapaz y nocturna, muy parecida al búho en forma y tamaño, de color leonado con manchas pardas alargadas por encima y finamente rayadas las del pecho y abdomen. Vive de ordinario en las peñas y se alimenta de animales pequeños.
Milocha. (De *miloca.*) f. En algunas partes, **cometa,** 2.ª acep.
Milonga. f. Tonada popular del Río de la Plata que se canta al son de la guitarra y danza que se ejecuta con este son.
Milonguero, ra. m. y f. Cantor de milongas. || **2.** Persona que las baila. || **3.** *Argent.* Aficionado o concurrente asiduo a los bailes populares.
Milord. (Del ingl. *my,* mi, y *lord,* señor.) m. Tratamiento que se da en España a los *lores,* o señores de la nobleza inglesa. En plural, **milores.** || **2.** Birlocho con capota, muy bajo y ligero.
Milpa. (Del mejic. *milli,* heredad, y *pan,* en, sobre.) f. *Amér. Central* y *Méj.* Tierra destinada al cultivo del maíz y a veces de otras semillas.
Milpiés. (De *mil* y *pie.*) m. **Cochinilla,** 1.er art.
Milla. (Del prov. *milha,* y éste del lat. *mīlia,* pl. de *mille.*) f. Medida itineraria, usada principalmente por los marinos y equivalente a la tercera parte de la legua, o sea 1.852 metros. || **2.** Medida para las vías romanas, de 8 estadios ó 1.000 pasos de 5 pies romanos, equivalente a cerca de un cuarto de legua.
Millaca. f. **Cañota.**
Millar. (Del lat. *milliāre.*) m. Conjunto de mil unidades. || **2.** Signo (ↀ) usado para indicar que son **millares** los guarismos colocados delante de él. || **3.** Cantidad de cacao, que en unas partes es tres libras y media y en otras más. || **4.** En las dehesas, espacio de terreno en que se pueden mantener mil ovejas o dos hatos de ganado. || **5.** Número grande indeterminado. Ú. m. en pl. || **cerrado.** Signo del **millar** que, con una raya horizontal delante y otra detrás, se ponía antiguamente en las cuentas para señalar las partidas fallidas. || **en blanco.** Signo del **millar,** sin cosa alguna delante ni detrás, que se ponía antiguamente en las cuentas para señalar las partidas dudosas.
Millarada. (De *millar.*) f. Cantidad como de mil. Ú. m. por jactancia u ostentación de hacienda, dinero u otra cosa. *Echar* MILLARADAS. || **A millaradas.** m. adv. fig. A millares; innumerables veces.
Millo. (Del dialect. *millo,* y éste del lat. *milĭum,* mijo.) m. **Mijo.** || **2.** *Can.* y *Sal.* **Maíz.**
Millón. (Del ital. *milione,* y éste del lat. *mille,* mil.) m. Mil millares. *Un* MILLÓN *de pesetas, de habitantes.* || **2.** fig. Número muy grande indeterminado. || **3.** pl. Servicio que los reinos tenían concedido al rey sobre el consumo de las seis especies, vino, vinagre, aceite, carne, jabón y velas de sebo, el cual se renovaba de seis en seis años. || **4.** V. **Contaduría general de Millones.** || **5.** V. **Sala de Millones.**
Millonada. f. Cantidad como de un millón.
Millonario, ria. (De *millón.*) adj. Ricazo, poderoso, muy acaudalado. Ú. t. c. s.
Millonésimo, ma. adj. Dícese de cada una del millón de partes iguales en que se divide un todo. Ú. t. c. s. || **2.** Que ocupa en una serie el lugar al cual preceden 999.999 lugares.
Mimador, ra. adj. Que mima.
Mimar. (De *mimo.*) tr. Hacer caricias y halagos. || **2.** Tratar con excesivo regalo, caricia y condescendencia a uno, y en especial a los niños.
Mimbral. (De *mimbre.*) m. **Mimbreral.**
Mimbrar. (De *mimbre.*) tr. Abrumar, molestar, humillar. Ú. t. c. r.
Mimbre. (De *vimbre.*) amb. **Mimbrera,** 1.ª acep. || **2.** Cada una de las varitas correosas y flexibles que produce la mimbrera.
Mimbrear. intr. Moverse o agitarse con flexibilidad, como el mimbre. Ú. t. c. r.
Mimbreño, ña. adj. De naturaleza de mimbre.
Mimbrera. (De *mimbre.*) f. *Bot.* Arbusto de la familia de las salicáceas, cuyo tronco, de dos a tres metros de altura, se puebla desde el suelo de ramillas largas delgadas, flexibles, de corteza agrisada que se quita con facilidad, y madera blanca; hojas enteras, lanceoladas y muy estrechas; flores en amentos apretados, precoces, de anteras amarillas, y fruto capsular, velloso, cónico, con muchas semillas. Es común en España a orillas de los ríos, y sus ramas se emplean en obras de cestería. || **2. Mimbreral.** || **3.** Nombre vulgar de varias especies de sauces.
Mimbreral. m. Sitio poblado de mimbreras.
Mimbrón. m. **Mimbre,** 1.ª acep.
Mimbroso, sa. adj. Perteneciente al mimbre. || **2.** Hecho de mimbres. || **3.** Abundante en mimbreras.
Mimesis. (Del lat. *mimēsis,* y éste del gr. μίμησις; de μιμέομαι, imitar, remedar.) f. *Ret.* Imitación que se hace de una persona, repitiendo lo que ha dicho, y remedándola en el modo de hablar y en gestos y ademanes, ordinariamente con el fin de burlarse de ella.
Mimético, ca. adj. *Biol.* Perteneciente o relativo al mimetismo.
Mimetismo. (Del gr. μιμέομαι, imitar.) m. Propiedad que poseen algunos animales y plantas de asemejarse, principalmente en el color, a los seres u objetos inanimados entre los cuales viven.
Mímica. (Del lat. *mimĭca,* t. f. de *-cus,* mímico.) f. Arte de imitar, representar o darse a entender por medio de gestos, ademanes o actitudes.
Mímico, ca. (Del lat. *mimĭcus.*) adj. Perteneciente al mimo y a la representación de sus fábulas. || **2.** Perteneciente a la mímica. || **3. Imitativo.** *Lenguaje* MÍMICO; *signos* MÍMICOS.
Mimo. (Del lat. *mimus,* y éste del gr. μῖμος.) m. Entre griegos y romanos, farsante del género cómico más bajo; bufón hábil en gesticular y en imitar a otras personas en la escena o fuera de ella. || **2.** Entre griegos y romanos, farsa, representación teatral ligera, festiva y generalmente obscena. || **3.** Cariño, halago o demostración expresiva de ternura. || **4.** Cariño, regalo o condescendencia excesiva con que se suele tratar especialmente a los niños.
Mimógrafo. (Del lat. *mimogrăphus,* y éste del gr. μιμογράφος.) m. Autor de mimos, 2.ª acep.
Mimosa. (Del lat. *mimus,* y éste del gr. μῖμος, imitador, aludiendo a la aparente sensibilidad de algunas de estas plantas.) f. Género de plantas exóticas, de la familia de las mimosáceas, que comprende muchas especies, algunas de ellas notables por los movimientos de contracción que experimentan sus hojas cuando se las toca o agita. || **púdica,** o **vergonzosa. Sensitiva.**
Mimosáceo, a. (De *mimosa.*) adj. *Bot.* Dícese de matas, arbustos o árboles angiospermos dicotiledóneos, con fruto en legumbre, hojas compuestas y flores regulares con estambres libres y comúnmente ramificados; como la sensitiva y la acacia. Ú. t. c. s. f. || **2.** f. pl. *Bot.* Familia de estas plantas.
Mimosamente. adv. m. Con mimo y cariño.
Mimoso, sa. (De *mimo.*) adj. Melindroso, muy dado a caricias, delicado y regalón.
Mina. (Del lat. *mina,* y éste del gr. μνᾶ.) f. Unidad de peso, y moneda teórica griega antigua, equivalente a 100 dracmas.
Mina. (Del célt. *mein,* metal en bruto.) f. **Criadero,** 4.ª acep. || **2.** Excavación que se hace por pozos, galerías y socavones, o a cielo abierto, para extraer un mineral. || **3.** Paso subterráneo, abierto artificialmente, para alumbrar o conducir aguas o establecer otra comunicación. || **4.** V. **Arena, pólvora de mina.** || **5.** fig. Oficio, empleo o negocio de que con poco trabajo se obtiene mucho interés y ganancia. || **6.** fig. Aquello que abunda en cosas dignas de aprecio, o de que puede sacarse algún provecho o utilidad. *Este libro es una* MINA *de noticias curiosas.* || **7.** *Méj.* V. **Real de minas.** || **8.** *Fort.* Galería subterránea que se abre en los sitios de las plazas, poniendo al fin de ella una recámara llena de pólvora u otro explosivo, para que dándole fuego arruine las fortificaciones de la plaza. || **9.** *Mar.* **Mina submarina.** || **ludia.** *Germ.* **Cobre,** 1.er art., 1.ª acep. || **mayor.** *Germ.* **Oro,** 1.ª y 2.ª aceps. || **menor.** *Germ.* **Plata,** 1.ª y 2.ª aceps. || **submarina.** Torpedo fijo que se emplea para la defensa de puertos, radas y canales, contra los buques enemigos. Se llama *eléctrica, electromagnética* y *de contacto,* según el agente o procedimiento empleado para provocar la explosión. || **Denunciar una mina.** fr. Acudir a la autoridad competente el que cree haberla descubierto, o se propone beneficiar la que está caducada, para que se registre su nombre y denuncia, y quede asegurado con esto su derecho a obtener la concesión de aquella **mina.** || **Encontrar** uno **una mina.** fr. fig. Hallar medios de vivir o de enriquecerse con poco trabajo. || **Volar la mina.** fr. fig. Descubrirse una cosa que estaba oculta y secreta. || **2.** fig. Romper y explicar su sentimiento el que ha estado callándolo mucho tiempo.
Minada. (Del lat. *mināre,* llevar.) f. *Ál.* Conjunto de reses vacunas que se destinan a la labranza en un pueblo o localidad. || **2.** *Ál.* Sociedad en que se aseguran las reses de la **minada.**
Minador, ra. adj. Que mina. || **2.** Dícese del buque destinado a colocar minas submarinas. Ú. t. c. s. m. || **3.** m. Ingeniero o artífice que abre minas, 2.° art.
Minal. adj. Perteneciente a la mina. 2.° art.
Minar. (De *mina,* 2.° art.) tr. Abrir caminos o galerías por debajo de tierra. || **2.** fig. Hacer grandes diligencias para conseguir alguna cosa. || **3.** fig. Consumir, destruir poco a poco. || **4.** *Mil.* Hacer y fabricar minas cavando la tierra y poniendo artificios explosivos para **minar** y derribar muros, edificios, etc., o para contener el avance del enemigo. || **5.** *Mar.* Colocar minas submarinas para impedir el paso de buques enemigos.
Minaz. (Del lat. *minax, -ācis.*) adj. ant. Que amenaza.
Mincio. m. ant. **Minción,** 1.er art.
Minción. (Del lat. *minutio, -ōnis,* disminución.) f. ant. **Luctuosa.**
Minción. f. ant. **Mención.**
Mindango, ga. (Variante de *pendanga* o *pindonga.*) adj. *Murc.* Despreocupado, camandulero, socarrón.

Mindanguear. (De *mindango.*) intr. *Murc.* Gandulear, pindonguear.

Mindoniense. adj. Natural de Mondoñedo. Ú. t. c. s. || **2.** Perteneciente a esta ciudad.

Minera. f. ant. **Mina,** 2.° art., 1.ª acep. || **2.** *And.* Cante de los mineros, de ritmo arrastrado y triste.

Mineraje. m. Labor y beneficio de las minas.

Mineral. (De *minero.*) adj. Perteneciente al grupo o reunión numerosa de las substancias inorgánicas o a alguna de sus partes. *Reino* MINERAL; *substancias* MINERALES. || **2.** V. **Aceite, agárico, agua, alquitrán, bezoárico, brea, carbón, turbit mineral.** || **3.** m. Substancia inorgánica que se halla en la superficie o en las diversas capas de la corteza del globo, y principalmente aquella cuya explotación ofrece interés. || **4.** Origen y principio de las fuentes. || **5.** Parte útil de una explotación minera. || **6.** fig. Principio, origen y fundamento que produce abundantemente alguna cosa. || **dormido.** Entre los antiguos mineros del Perú, el de las vetas que estaban sin explotar o beneficiar.

Mineralización. f. Acción y efecto de mineralizar o mineralizarse.

Mineralizar. tr. *Min.* Comunicar a una substancia en el seno de la tierra las condiciones de mineral o mena. *En este filón el azufre* MINERALIZA *el hierro.* Ú. t. c. r. || **2.** r. Cargarse las aguas de substancias minerales en su curso subterráneo.

Mineralogía. (De *mineral* y el gr. λόγος, tratado.) f. Parte de la historia natural, que trata de los minerales.

Mineralógico, ca. adj. Perteneciente o relativo a la mineralogía.

Mineralogista. m. El que profesa la mineralogía o tiene en ella especiales conocimientos.

Minería. (De *minero.*) f. Arte de laborear las minas. || **2.** Conjunto de los individuos que se dedican a este trabajo. || **3.** El de los facultativos que forman cuerpo para entender en cuanto concierne al mismo. || **4.** Conjunto de las minas y explotaciones mineras de una nación o comarca.

Minerista. m. desus. El que busca minas.

Minero, ra. (De *mina,* 2.° art.) adj. Perteneciente a la minería. || **2.** m. El que trabaja en las minas. || **3.** El que las beneficia por su cuenta o especula en ellas. || **4. Mina,** 2.° art., 1.ª y 2.ª aceps. || **5.** fig. Origen, principio o nacimiento de una cosa. || **6.** fig. *Argent.* **Ratón,** 1.ª acep.

Mineromedicinal. adj. V. **Agua mineromedicinal.**

Minerva. (Del lat. *Minerva.*) f. Mente, inteligencia que se supone residir en la cabeza, de la cual, según la fábula, nació armada **Minerva,** diosa de la sabiduría. Ú. sólo en la locución **de propia minerva,** de propia invención, y en alguna frase latina. || **2.** En Madrid y otros puntos, procesión del Santísimo, que en las domínicas después del Corpus sale sucesivamente de cada parroquia. El origen de este nombre proviene de la congregación que, con el título del *Santísimo Cuerpo de Cristo,* aprobó Paulo III para promover el culto exterior a Nuestro Señor sacramentado, y se estableció en la iglesia de Santa María *sobre* **Minerva,** de Roma, así llamada porque ocupa el mismo sitio que el antiguo templo pagano de **Minerva.** || **3.** *Impr.* Máquina de cortas dimensiones, movida por pedal o eléctricamente, y que sirve para tirar prospectos, facturas, membretes y demás impresos pequeños.

Minga. (Del quichua *minc'ay,* alquilar gente.) f. *Chile.* **Mingaco.** || **2.** *Perú.* Chapuza que en día festivo hacen los peones en las haciendas a cambio de un poco de chicha, coca o aguardiente.

Mingaco. (Del quichua *minc'acuy,* alquilar para el trabajo.) m. En Chile, reunión de amigos o vecinos para hacer algún trabajo en común, sin más remuneración que la comilona que les paga el dueño cuando lo terminan.

Mingitorio, ria. (Del lat. *mingĕre,* mear.) adj. Perteneciente o relativo a la micción. || **2.** m. Urinario en forma de columna.

Minglana. (De *mingrana.*) f. ant. **Granada,** 1.ª acep.

Mingo. (De *Domingo.*) n. p. **Más galán que Mingo.** expr. fig. y fam. Dícese del hombre muy compuesto o ataviado.

Mingo. m. Bola que, al empezarse cada mano del juego de billar, o cuando entra en una tronera, se coloca en el punto determinado de la cabecera de la mesa, y con la cual no tira ninguno de los jugadores, a no ser que jueguen tres, y cada uno por su cuenta.

Mingrana. (De *milgrana.*) f. ant. **Granada,** 1.ª acep.

Mingua. f. ant. **Mengua.**

Minguado, da. p. p. del ant. **Minguar.** || **2.** adj. ant. **Menguado,** 2.ª, 3.ª y 4.ª aceps.

Minguar. intr. ant. **Menguar.**

Miniar. (Del lat. *miniāre,* pintar con minio o bermellón.) tr. *Pint.* Pintar de miniatura.

Miniatura. (De *miniar.*) f. Pintura de pequeñas dimensiones, por lo común hecha sobre vitela, marfil u otra superficie sutil o delicada, con colores desleídos en agua de goma.

Miniaturista. com. Pintor de miniatura.

Minifundio. (Contracc. del lat. *minĭmus,* y *fundus,* fundo, heredad.) m. Finca rústica, que, por su reducida extensión, no puede ser objeto por sí misma de cultivo en condiciones remuneradoras.

Mínima. (Del lat. *minĭma,* t. f. de *-mus,* mínimo.) f. Cosa o parte mínima. *Cuéntamelo todo; no se te quede en el tintero una* MÍNIMA. || **2.** *Mús.* Nota cuyo valor es la mitad de la semibreve.

Minimista. m. Antiguamente, el estudiante de la clase de mínimos en el estudio de gramática.

Mínimo, ma. (Del lat. *minĭmus.*) adj. sup. de **Pequeño.** || **2.** Dícese de lo que es tan pequeño en su especie, que no lo hay menor ni igual. || **3. Minucioso.** || **4.** Dícese del religioso o religiosa de San Francisco de Paula. Ú. t. c. s. || **5.** V. **Acto mínimo.** || **6.** m. Límite inferior, o extremo a que se puede reducir una cosa. || **7.** pl. Segunda de las clases en que se dividía la enseñanza de la gramática, y en la cual se enseñaban los géneros de los nombres y las primeras oraciones.

Mínimum. (Del lat. *minĭmum,* la menor parte.) m. **Mínimo,** 6.ª acep.

Minina. f. fam. **Gata,** 1.ª acep.

Minino. m. fam. **Gato,** 1.er art., 1.ª acep.

Minio. (Del lat. *minĭum.*) m. Cuerpo pulverulento, de color rojo algo anaranjado, que se emplea mucho como pintura. Es un óxido de plomo; se halla nativo alguna vez y se prepara calcinando masicote en hornos especiales.

Ministerial. adj. Perteneciente al ministerio o gobierno del Estado, o a alguno de los ministros encargados de su despacho. || **2.** Dícese del que en las Cortes o en la prensa apoya habitualmente a un ministerio. *Diputado* MINISTERIAL. Ú. t. c. s. || **3.** V. **Crisis ministerial.**

Ministerialismo. m. Condición de ministerial, 2.ª acep.

Ministerialmente. adv. m. Con ministerio o facultades y oficios de ministro.

Ministerio. (Del lat. *ministerĭum.*) m. Gobierno del Estado, considerado en el conjunto de los varios departamentos en que se divide. || **2.** Empleo de ministro. || **3.** Tiempo que dura su ejercicio. || **4.** Cuerpo de ministros del Estado. || **5.** Cada uno de los departamentos en que se divide la gobernación del Estado. Con arreglo a la índole de las materias que le están encomendadas, llevan diversos títulos. MINISTERIO *de Agricultura, de Comunicaciones, de Hacienda, de Industria, de Marina, de Obras Públicas, de Trabajo,* etc. || **6.** Edificio en que se halla la oficina o secretaría de cada departamento ministerial. || **7.** Cargo, empleo, oficio u ocupación. || **8.** Uso o destino que tiene alguna cosa. || **de Asuntos Exteriores.** El que entiende en todo lo concerniente a negocios o relaciones con otras potencias. || **de Estado.** El que hoy se llama de **Asuntos Exteriores.** || **de Fomento.** El que tuvo a su cargo promover adelantos y mejoras en la agricultura, la industria, el comercio y las obras públicas. Hasta el año 1900 tuvo también a su cargo el fomento de la instrucción pública. || **de Gracia y Justicia.** El que tenía a su cargo los asuntos eclesiásticos y cuanto concernía a la fe pública y a la administración de justicia. Actualmente **Ministerio de Justicia.** || **de Justicia. Ministerio de Gracia y Justicia.** || **de la Gobernación.** El que tiene a su cargo los ramos de administración local, y demás concernientes al orden interior del Estado. || **de la Guerra.** El que dirige y organiza la fuerza armada y cuida del abastecimiento y guarnición de las plazas y de cuanto concierne a la defensa del Estado. Hoy se llama MINISTERIO *del Ejército.* || **de lo Interior.** En cierta época, **Ministerio de la Gobernación.** || **de Ultramar.** El que tenía a su cargo la administración y gobierno de los territorios ultramarinos españoles. || **público.** Representación de la ley y de la causa del bien público, que está atribuida al fiscal ante los tribunales de justicia.

Ministra. (Del lat. *ministra.*) f. La que ministra alguna cosa. || **2.** Mujer del ministro. || **3.** Prelada de las monjas trinitarias.

Ministrable. adj. Dícese de la persona en quien, sin haber sido ministro, 4.ª acep., se aprecian probabilidades y aptitud para serlo.

Ministración. f. ant. Acción de ministrar. || **2.** ant. **Ministerio,** 7.ª acep.

Ministrador, ra. (Del lat. *ministrātor.*) adj. Que ministra. Ú. t. c. s.

Ministrante. p. a. de **Ministrar.** Que ministra. || **2.** m. **Practicante,** 4.ª acep.

Ministrar. (Del lat. *ministrāre.*) tr. Servir o ejercitar un oficio, empleo o ministerio. Ú. t. c. intr. || **2.** Dar, suministrar a uno una cosa. MINISTRAR *dinero, especies.* || **3.** ant. **Administrar.**

Ministrer. m. **Ministril,** 3.ª acep.

Ministril. m. Ministro inferior de poca autoridad o respeto, que se ocupa en los más ínfimos ministerios de justicia. || **2.** El que en funciones de iglesia y otras solemnidades tocaba algún instrumento de viento. || **3.** El que por oficio tañía instrumentos de cuerda o de viento.

Ministro. (Del lat. *minister, -tri.*) m. El que ministra alguna cosa. || **2.** Juez que se emplea en la administración de justicia. || **3.** El que está empleado en el gobierno para la resolución de los negocios políticos y económicos. || **4.** Jefe de cada uno de los departamentos en que se divide la gobernación del Estado, el cual es, en el régimen constitucional, responsable de todo lo que en su respectivo ramo se ordena. Nómbralo el jefe del Estado, cuyos decretos refrenda, para que se estimen válidos y legítimos. || **5. Enviado,** 2.ª acep.

|| **6.** Cualquier representante o agente diplomático. || **7.** En algunas religiones, prelado ordinario de cada convento. || **8.** En la Compañía de Jesús, religioso que cuida del gobierno económico de las casas y colegios. || **9.** Alguacil o cualquiera de los oficiales inferiores que ejecuta los mandatos y autos de los jueces. || **10.** El que ayuda a misa. || **11.** En las misas cantadas, el diácono y el subdiácono. || **12.** fig. Persona o cosa que ejecuta lo que otra persona quiere o dispone. || **consultante.** El del Consejo, que en las consultas del viernes proponía el caso consultado y el dictamen del Consejo, o al rey cuando estaba en Madrid y recibía a este tribunal, o al Consejo pleno cuando el rey estaba ausente u ocupado. || **de capa y espada.** En los tribunales reales, consejero que no era letrado, por lo que no tenía voto en los negocios de justicia, sino sólo en los consultivos y de gobierno. || **de Dios. Sacerdote,** 2.ª acep. || **de la Corona.** En régimen monárquico, **ministro,** 4.ª acep. || **de la Orden Tercera.** Superior de ella a cuyo cargo está todo el gobierno de los negocios y encargos de la orden. || **de la Tabla.** Cada uno de los que componían el tribunal de la Tabla del Consejo. || **del sacramento.** La persona o personas que en nombre de Cristo y haciendo sus veces lo realizan o lo administran. || **del Señor. Ministro de Dios.** || **general.** En la orden de San Francisco, **general,** 6.ª acep. || **plenipotenciario.** El que llevando este título, precedido por lo común del de **Enviado extraordinario,** ocupa la segunda categoría de los reconocidos por el derecho internacional moderno, siendo la primera la de los embajadores, legados y nuncios. Se distingue de éstos en que presenta sus credenciales al monarca o jefe del Estado cerca del cual se le acredita, pero sólo puede tratar con sus ministros. || **residente.** Agente diplomático cuya categoría es inmediatamente inferior a la de **ministro** plenipotenciario. || **sin cartera.** El que participa de la responsabilidad general política del Gobierno, pero no tiene a su cargo la dirección de ningún departamento. || **Primer ministro. Ministro** superior que el rey solía nombrar para que le aliviase en parte el trabajo del despacho, cometiéndole ciertos negocios con jurisdicción de despacharlos por sí solo. || **2.** El jefe del Gobierno o presidente del consejo de ministros.

Mino. Voz que se usa para llamar al gato, 1.er art., 1.ª acep.

Minoración. (Del lat. *minoratio, -ōnis.*) f. Acción y efecto de minorar o minorarse.

Minorar. (Del lat. *minorāre;* de *minor,* menor.) tr. Disminuir, acortar o reducir a menos una cosa. Ú. t. c. r.

Minorativo, va. adj. Que minora o tiene virtud de minorar. || **2.** *Med.* Dícese del remedio o medicina que purga suavemente. Ú. t. c. s. m. y f.

Minoría. (Del lat. *minor,* menor.) f. En las juntas, asambleas, etc., conjunto de votos dados en contra de lo que opina el mayor número de los votantes. *La proposición tuvo trece votos de* MINORÍA. || **2.** Fracción de un cuerpo deliberante, que de ordinario vota contra el mayor número de sus individuos. *Lorenzo pertenece a la* MINORÍA. || **3.** Parte menor de los individuos que componen una nación, ciudad o cuerpo. || **4. Menoría,** 2.ª acep. || **5.** En materia internacional, parte de la población de un Estado que difiere de la mayoría de la misma población, por la raza, la lengua o la religión.

Minoridad. (De *minoría.*) f. **Minoría,** 4.ª acep.

Minorista. m. **Clérigo de menores.** || **2.** Comerciante por menor. || **3.** adj. Aplícase al comercio por menor.

Minorita. m. **Menor,** 15.ª acep.

Minstral. adj. **Maestral,** 4.ª acep. Ú. t. c. s.

Mintroso, sa. adj. desus. **Mentiroso.**

Minucia. (Del lat. *minutia;* de *minūtus,* pequeño.) f. Menudencia, cortedad, cosa de poco valor y entidad. || **2.** pl. Diezmo que como pie de altar se pagaba de las frutas y producciones de poca importancia.

Minuciosamente. adv. m. Con minuciosidad, circunstanciadamente.

Minuciosidad. f. Calidad de minucioso.

Minucioso, sa. (De *minucia,* menudencia.) adj. Que se detiene en las cosas más pequeñas.

Minué. (Del fr. *menuet.*) m. Baile francés para dos personas, que ejecutan diversas figuras y mudanzas, y que estuvo de moda en el siglo XVIII. || **2.** Composición musical de compás ternario, que se canta y se toca para acompañar este baile.

Minuendo. (Del lat. *minuendus,* p. p. de fut. de *minuĕre,* disminuir.) m. *Álg.* y *Arit.* Cantidad de que ha de restarse otra.

Minuete. m. **Minué.**

Minúsculo, la. (Del lat. *minuscŭlus.*) adj. Que es de muy pequeñas dimensiones, o de muy poca entidad. || **2.** V. **Letra minúscula.** Ú. t. c. s.

Minuta. (Del lat. *minūta,* pequeña, ligera.) f. Extracto o borrador que se hace de un contrato u otra cosa, anotando las cláusulas o partes esenciales, para copiarlo después y extenderlo con todas las formalidades necesarias a su perfección. || **2.** Borrador de un oficio, exposición, orden, etc., para copiarlo en limpio. || **3.** Borrador original que en una oficina queda de cada orden o comunicación que por ella se expide. || **4.** Apuntación que por escrito se hace de una cosa para tenerla presente. || **5.** Cuenta que de sus honorarios o derechos presentan los abogados y curiales. || **6.** Lista o catálogo de personas o cosas, como los empleados de una dependencia o los manjares que se han de servir en una comida. || **rubricada.** La que rubrica el ministro o funcionario público que manda extenderla, y no es resultado de trámites preparatorios del acuerdo.

Minutar. (De *minuta.*) tr. Hacer el borrador de una consulta, o poner en extracto un instrumento o contrato.

Minutario. m. Cuaderno en que el escribano o el notario pone los borradores o minutas de las escrituras o instrumentos públicos que se otorgan ante él.

Minutero. m. Manecilla que señala los minutos en el reloj.

Minutisa. (Del lat. *minūtus,* pequeño, diminuto.) f. Planta herbácea de la familia de las cariofiláceas, con tallos de cuatro a cinco decímetros de altura, derechos y nudosos; hojas sentadas, blandas, lanceoladas y puntiagudas; flores olorosas, terminales, de colores variados del blanco al rojo, rodeadas por celdillas que salen de las escamas del cáliz, y fruto capsular con semillas menudas. Se cultiva en los jardines por la belleza de sus flores.

Minuto, ta. (Del lat. *minūtus,* pequeño.) adj. **Menudo.** || **2.** V. **Cambio minuto.** || **3.** m. Cada una de las 60 partes iguales en que se divide una grado de círculo. || **4.** Cada una de las 60 partes iguales en que se divide una hora. || **primero. Minuto,** 3.ª y 4.ª aceps. || **segundo. Segundo,** 16.ª acep. || **tercero. Tercero,** 12.ª acep.

Miñarse. (De *eliminarse.*) r. *Germ.* Irse, marcharse.

Miñón. (Del fr. *mignon.*) m. Soldado de tropa ligera destinado a la persecución de ladrones y contrabandistas, o a la custodia de los bosques reales. || **2.** Individuo perteneciente a la milicia fora de las provincias de Álava y Vizcaya.

Miñón. (Del lat. *minium,* minio.) m. En algunas provincias, escoria del hierro. || **2.** *Min. Vizc.* Mena de hierro, de aspecto terroso.

Miñona. (Del fr. *mignonne.*) f. *Impr.* Carácter de letra de siete puntos tipográficos.

Miñosa. f. En algunas partes, **lombriz.**

Mío, mía, míos, mías. (Del lat. *meus.*) Pronombre posesivo de primera persona en género masculino y femenino y ambos números singular y plural. Con la terminación del masculino en singular, ú. t. c. neutro. || **A mía sobre tuya.** m. adv. A golpes, a porfía; apresuradamente. || **Con lo mío me ayude Dios.** fr. proverb. con que se manifiesta que sólo contamos y queremos contar con lo que legítimamente nos corresponde. || **De mío.** m. adv. Sin valerme de ajena industria; de mi propio caudal; con sólo mi ingenio y discurso. || **2.** Por mi naturaleza. || **Ésta es la mía.** fr. fig. y fam. Tener ocasión para lograr lo que se pretende. || **Lo mío, mío, y lo tuyo, de entrambos.** ref. con que se reprende la desordenada avaricia de algunos, que quieren tener parte en los bienes de otros sin padecer el menor quebranto ni mengua en los suyos.

Mio. Voz con que se llama al gato, 1.er art., 1.ª acep.

Miocardio. (Del gr. μῦς, μυός, músculo, y καρδία, corazón.) m. *Zool.* Parte musculosa del corazón de los vertebrados, situada entre el pericardio y el endocardio.

Miocarditis. f. *Med.* Inflamación del miocardio.

Mioceno. (Del gr. μεῖον, menos, y καινός, reciente.) adj. *Geol.* Dícese del terreno intermedio del terciario y que sigue inmediatamente en edad al oligoceno. Ú. t. c. s. || **2.** *Geol.* Perteneciente a este terreno.

Miodinia. (Del gr. μῦς, μυός, músculo, y ὀδύνη, dolor.) f. *Med.* Dolor de los músculos.

Miografía. (Del gr. μῦς, μυός, músculo, y γράφω, describir.) f. Parte de la anatomía, que tiene por objeto la descripción de los músculos.

Miolema. (Del gr. μῦς, μυός, músculo, y λέμμα, túnica.) m. *Zool.* **Sarcolema.**

Miología. (Del gr. μῦς, μυός, músculo, y λόγος, tratado.) f. Parte de la anatomía descriptiva, que trata de los músculos.

Mioma. (Del gr. μῦς, μυός, y la terminación *-oma,* tumor.) m. *Med.* Tumor formado por elementos musculares.

Miope. (Del lat. *myops,* y éste del gr. μύωψ; de μύω, cerrar, y ὤψ, ojo.) adj. Que por exceso de refracción de la luz en el ojo, necesita aproximarse mucho a los objetos para verlos. Ú. t. c. s.

Miopía. f. Defecto o imperfección del miope.

Miosis. (Del gr. μύω, guiñar los ojos.) f. *Med.* Contracción permanente de la pupila del ojo.

Miosota. (Del lat. *myosōta,* y éste del gr. μυοσωτή, oreja de ratón.) f. **Raspilla.**

Miquelete. (d. de *Miquelot de Prats,* antiguo jefe de esta tropa.) m. **Miguelete.**

Miquero. (De *mico,* porque trepa por las ramas de los árboles persiguiendo a los monos.) adj. V. **León miquero.**

Miquis (Con). (Del b. lat. *michi,* por el lat. *mihi,* dat. de *ego,* yo.) loc. fam. de forma pleonástica. **Conmigo.**

Mira. (De *mirar.*) f. Toda pieza que en ciertos instrumentos sirve para dirigir la vista o tirar visuales. || **2.** En las armas de fuego, pieza que se coloca convenientemente para asegurar por su medio la puntería. || **3.** Ángulo que tiene la adarga en la parte superior. || **4.** En las fortalezas antiguas, obra que por su elevación permitía ver bien el terreno. || **5.** En las fortalezas antiguas, obra avanzada. || **6.** fig. Intención, reparo o advertencia que observa uno para el arreglo de su conducta, o en la ejecución de alguna cosa. || **7.** *Albañ.* Cada uno de los reglones que al levantar un muro se fijan verticalmente para asegurar en ellos la cuerda que va indicando las hiladas. || **8.** *Topogr.* Regla graduada que se coloca verticalmente en los puntos del terreno que se quiere nivelar. || **9.** pl. *Mar.* Cañones que se ponen en dos portas, mayores que las de los costados, que están en el castillo a uno y otro lado del bauprés. Llámanse regularmente **miras** de proa. || **A la mira y a la maravilla.** loc. adv. con que se pondera la excelencia de una cosa. || **Andar, estar,** o **quedar,** uno **a la mira.** fr. fig. Observar con particular cuidado y atención los pasos y lances de un negocio o dependencia. *Ya* ESTOY A LA MIRA *de que este mozo no se extravíe.* || **Poner la mira en** una cosa. fr. fig. Hacer la elección de ella, poniendo los medios necesarios para conseguirla.

Mira. (Del lat. *mira*, maravillosa.) f. *Astron.* Estrella variable, muy importante, de la constelación de la Ballena.

Mirabel. (Del fr. *mirabelle.*) m. Planta herbácea de la familia de las quenopodiáceas, con tallo ramoso de seis a ocho decímetros de altura; hojas alternas, enteras, muy menudas, y flores pequeñas, verdosas, en grupos axilares. Es planta de forma piramidal que se cultiva en los jardines por su hermoso aspecto y por su verdura, que persiste durante todo el verano. || **2. Girasol,** 1.ª acep.

Mirable. (Del lat. *mirabĭlis.*) adj. ant. **Admirable.**

Mirabolano. m. **Mirobálano.**

Mirabolanos. m. **Mirobálanos.**

Miraclo. m. ant. **Milagro.**

Miraculosamente. adv. m. ant. **Milagrosamente.**

Miraculoso, sa. (Del lat. *miraculōsus.*) adj. ant. **Milagroso.**

Mirada. f. Acción de mirar. || **2.** Modo de mirar.

Miradero. (De *mirar.*) m. Persona o cosa que es objeto de la atención pública. || **2.** Lugar desde donde se mira.

Mirado, da. p. p. de **Mirar.** || **2.** adj. Dícese de la persona cauta, circunspecta y reflexiva. No suele usarse sin preceder algún adverbio, y especialmente *muy, tan, más, menos.* || **3.** Merecedor de buen o mal concepto. En este sentido sigue siempre a los adverbios *bien, mal, mejor, peor.* || **4.** m. ant. **Mirada.**

Mirador, ra. (Del lat. *mirātor.*) adj. Que mira. || **2.** m. Corredor, galería, pabellón o terrado para explayar la vista. || **3.** Balcón cerrado de cristales o persianas y cubierto con un tejadillo.

Miradura. (De *mirar.*) f. **Mirada.**

Miraglo. (Del lat. *miracŭlum.*) m. ant. **Milagro.**

Miraguano. m. Palmera de poca altura, que crece en las regiones cálidas de América y Oceanía, y tiene hojas grandes en forma de abanico, flores axilares en racimo, y por fruto una baya seca llena de una materia semejante al algodón, pero más fina, que envuelve la semilla y se emplea para rellenar almohadas.

Miramamolín. (Del ár. *amīr al-mu'minīn*, príncipe de los creyentes, título del califa.) m. **Califa.** En España esta forma se empleó casi exclusivamente para designar a los califas almohades.

Miramelindos. m. **Balsamina,** 2.ª acep.

Miramiento. m. Acción de mirar, atender o considerar una cosa. || **2.** Respeto, atención y circunspección que se debe observar en la ejecución de una cosa.

Miranda. (De *mirar.*) f. Paraje alto desde el cual se descubre gran extensión de terreno.

Mirandés, sa. adj. Natural de Miranda de Ebro, villa de la provincia de Burgos. Ú. t. c. s. || **2.** Perteneciente a esta villa.

Mirante. p. a. de **Mirar.** Que mira.

Mirar. (Del lat. *mirāre.*) tr. Fijar la vista en un objeto, aplicando juntamente la atención. Ú. t. c. r. || **2.** Tener o llevar uno por fin u objeto alguna cosa en lo que ejecuta. *Sólo* MIRA *a su provecho.* || **3.** Observar las acciones de uno. || **4.** Apreciar, atender, estimar una cosa. || **5.** Estar situado, puesto o colocado un edificio o cualquier cosa enfrente de otra. || **6.** Concernir, pertenecer, tocar. || **7.** fig. Pensar, juzgar. || **8.** fig. Cuidar, atender, proteger, amparar o defender a una persona o cosa. || **9.** fig. Inquirir, reconocer, buscar una cosa; informarse de ella. || **Bien mirado.** m. adv. Si se piensa o considera con exactitud o detenimiento. *Bien* MIRADO, *no tienes razón.* || **¡Mira!** interj. para avisar o amenazar a uno. || **Mira lo que haces.** expr. con que se avisa al que va a ejecutar una cosa mala o arriesgada, para que reflexione sobre ella y la evite. || **Mírame y no me toques.** expr. fig. y fam. Aplícase a las personas nimiamente delicadas de genio o de salud, y también a las cosas quebradizas y de poca resistencia. || **Mira qué ates, que desates.** ref. que advierte que no se entre en las cosas sin considerar bien antes el fin que pueden tener. || **¡Mira quién habla!** expr. con que se nota a uno del mismo defecto de que él habla contra otro, o con que se le advierte que no debe hablar en las circunstancias o en la materia de que se trata. || **Mirar bien** a uno. fr. fig. Tenerle afecto. || **Mirar en ello.** fr. **Mirarse en ello.** || **Mirar mal** a uno. fr. fig. Tenerle aversión. || **Mirar** uno **para lo que ha nacido.** fr. fig. con que se le amenaza para que haga o deje de hacer una cosa. || **Mirar por** una persona o cosa. fr. Ampararla, cuidar de ella. || **Mirar** una cosa **por encima.** fr. fig. **Mirarla ligeramente.** || **Mirarse** uno **a sí.** fr. fig. Atender a quién es, para no ejecutar una cosa ajena de su estado. || **Mirarse** uno **en** otro. fr. fig. Complacerse en su persona y cualidades por el grande amor que le tiene. || **Mirarse en** una cosa, o **en ello.** fr. fig. Considerar un asunto y meditar antes de tomar una resolución. || **Mirarse unos a otros.** fr. fig. con que se explica la suspensión o extrañeza que causa una especie que obliga a semejante acción, como esperando cada uno por dónde se determinan los demás. || **¡Mire a quién se lo cuenta!** expr. con que se denota que de un suceso sabe más quien lo oye que quien lo refiere. || **Mire cómo habla,** o **con quién habla,** o **lo que habla.** fr. de enojo con que se advierte a uno que ofende con lo que dice, o que le puede causar perjuicio. || **Miren si es parda.** expr. fig. y fam. con que explica que uno miente o pondera mucho lo que dice. || **Quien adelante no mira, atrás se queda.** ref. que advierte cuán conveniente es premeditar o prevenir las contingencias que pueden tener las cosas, antes de emprenderlas. || **Quien más mira, menos ve.** ref. con que se advierte que la excesiva suspicacia induce muchas veces a error.

Mirasol. (De *mirar* y *sol.*) m. **Girasol,** 1.ª acep.

Miria. (Del gr. μυρία, pl. n. de μυρίος, innumerable, diez mil.) Voz que sólo tiene uso como prefijo de vocablos compuestos con la significación de diez mil, en el sistema métrico decimal. MIRIÁ*metro.*

Miríada. (Del gr. μυριάς, άδος.) f. Cantidad muy grande, pero indefinida.

Miriámetro. (De *miria* y *metro.*) m. Medida de longitud, equivalente a diez mil metros.

Miriápodo. adj. *Zool.* **Miriópodo.** Ú. t. c. s.

Mirificar. (Del lat. *mirificāre.*) tr. p. us. Hacer asombroso o admirable; enaltecer, ensalzar.

Mirífico, ca. (Del lat. *mirifĭcus.*) adj. poét. Admirable, maravilloso.

Mirilla. f. d. de **Mira,** 1.er art. || **2.** Abertura practicada en el suelo o en la pared que corresponde al portal o a la escalera de la casa, para observar quién es la persona que llama a la puerta. || **3. Ventanillo,** 3.ª acep. || **4.** Pequeña abertura circular o longitudinal que tienen algunos instrumentos topográficos, y sirve para dirigir visuales.

Miriñaque. m. Alhajuela de poco valor que sirve para adorno o diversión.

Miriñaque. (De *meriñaque.*) m. Zagalejo interior de tela rígida o muy almidonada y a veces con aros, que han solido usar las mujeres.

Miriópodo. (Del gr. μυριόπους, -ποδος; de μυρίοι, innumerables, y πούς, ποδός, pie.) adj. *Zool.* Dícese de animales artrópodos terrestres, con respiración traqueal, dos antenas y cuerpo largo y dividido en numerosos anillos, cada uno de los cuales lleva uno o dos pares de patas; como el ciempiés. Ú. t. c. s. || **2.** m. pl. *Zool.* Clase de estos animales.

Mirística. (Del gr. μυριστικός, oloroso; de μυρίζω, perfumar.) f. *Bot.* Árbol de la India, de la familia de las miristicáceas, que crece hasta 10 metros de altura, con tronco recto, de corteza negruzca y copa espesa y redondeada; hojas alternas, lanceoladas, agudas, enteras, coriáceas, de color verde obscuro por la haz, lanuginosas y blanquecinas por el envés; flores monoicas, blancas, inodoras, y fruto amarillento en baya globosa cuya semilla es la nuez moscada.

Miristicáceo, a. (De *myristica*, nombre de un género de plantas.) adj. *Bot.* Dícese de árboles angiospermos dicotiledóneos, dioicos, casi todos originarios de países tropicales, que tienen hojas esparcidas, sencillas y enteras, flores irregulares y apétalas, y fruto carnoso con arilo también carnoso; como la mirística. Ú. t. c. s. f. || **2.** f. pl. *Bot.* Familia de estas plantas.

Mirla. (De *mierla.*) f. **Mirlo,** 1.ª acep. || **2.** *Germ.* **Oreja,** 2.ª acep.

Mirlamiento. m. Acción de mirlarse.

Mirlar. tr. ant. **Embalsamar.**

Mirlarse. (De *mirlo.*) r. fam. Entonarse afectando gravedad y señorío en el rostro.

Mirlo. (De *mirla.*) m. Pájaro de unos 25 centímetros de largo. El macho es enteramente negro, con el pico amarillo, y la hembra de color pardo obscuro con la pechuga algo rojiza, manchada de negro, y el pico igualmente pardo obscuro. Se alimenta de frutos, semillas e insectos, se domestica con facilidad, y aprende a repetir sonidos y aun la voz humana. || **2.** fig. y fam. Gravedad y afectación en el rostro. || **Ser** una cosa o persona **un mirlo blanco.** Ser de rareza extraordinaria. || **Soltar** uno **el mirlo.** fr. fig. y fam. Empezar a charlar.

Mirobálano. (Del lat. *mirobalănum*, y éste del gr. μυροβάλανος; de μύρον, perfume, y βάλανος, bellota.) m. Árbol de la India, de la familia de las combretáceas, del cual hay varias especies, cuyos frutos, negros, rojos o amarillos y parecidos en figura y tamaño unos a la ciruela y otros a la aceituna, se usan en medicina y en tintorería. || **2.** Fruto de este árbol.

Mirobálanos. m. **Mirobálano.**

Mirobrigense. (Del lat. *mirobrigensis.*) adj. Natural de la antigua Miróbriga hoy Ciudad Rodrigo. Ú. t. c. s. || **2.** Perteneciente a esta ciudad de la antigua Lusitania.

Mirón, na. adj. Que mira, y más particularmente, que mira demasiado o con curiosidad. Ú. m. c. s. || **2.** Dícese especialmente del que, sin jugar, presencia una partida de juego.

Mirra. (Del lat. *myrrha*, y éste del gr. μύρρα.) f. Gomorresina en forma de lágrimas, de gusto amargo, aromática, roja, semitransparente, frágil y brillante en su estructura. Proviene de un árbol de la familia de las burseráceas, que crece en Arabia y Abisinia. || **líquida.** Licor gomoso y oloroso que sale de los árboles nuevos que producen la **mirra** ordinaria. Los antiguos la tenían por un bálsamo muy precioso.

Mirrado, da. (Del lat. *myrrhātus.*) adj. Compuesto o mezclado con mirra.

Mirrast. m. ant. **Mirrauste.**

Mirrauste. (Del ant. fr. *mi-rost*, medio tostado.) m. Salsa que generalmente se hacía de leche de almendras, pan rallado, azúcar y canela; y que, espesada toda, se ponía a cocer con palominos ya medio asados y cortados en pequeños pedazos.

Mirrino, na. (Del lat. *myrrhĭnus.*) adj. De mirra o parecido a ella.

Mirsináceo, a. (Del gr. μυρσίνη, mirto.) adj. *Bot.* Dícese de plantas angiospermas dicotiledóneas, comúnmente leñosas, a menudo dioicas, con hojas esparcidas, sin estípulas, y fruto en drupa o baya. Viven en los países intertropicales. Ú. t. c. s. f. || **2.** f. pl. *Bot.* Familia de estas plantas.

Mirtáceo, a. (Del lat. *myrtacĕus.*) adj. *Bot.* Dícese de árboles y arbustos angiospermos dicotiledóneos, casi todos tropicales, de hojas generalmente opuestas, en las cuales, lo mismo que en la corteza de las ramas, suele haber glándulas pequeñas y transparentes llenas de aceite esencial; flores blancas o encarnadas, jamás amarillas ni azules, y cáliz persistente en el fruto, que es capsular y contiene diversas semillas sin albumen; como el arrayán, el clavero y el eucalipto. Ú. t. c. s. f. || **2.** f. pl. *Bot.* Familia de estos árboles y arbustos.

Mirtídano. (Del lat. *myrtidănum.*) m. Pimpollo que nace al pie del mirto.

Mirtino, na. (Del lat. *myrtĭnus.*) adj. De mirto o parecido a él.

Mirto. (Del lat. *myrtus*, y éste del gr. μύρτος.) m. **Arrayán.**

Miruella. (Del lat. *merŭla.*) f. *Ast.* y *Sant.* **Mirla,** 1.ª acep.

Miruello. (Del lat. *merŭlus.*) m. *Ast.* y *Sant.* **Mirlo,** 1.ª acep.

Mirza. (Del persa *mîrza* o *mirzā*, abreviación de *amîr-zāda*, hijo de príncipe, calificación aplicada luego a los nobles y personas instruidas.) m. Título honorífico entre los persas, equivalente al de señor entre nosotros.

Misa. (Del lat. *missa.*) f. Sacrifico incruento de la ley de gracia, en que bajo las especies de pan y vino ofrece el sacerdote al Eterno Padre el cuerpo y sangre de Jesucristo. || **2.** Orden del presbiterado. *Juan está ordenado de* MISA. || **3.** V. **Clérigo, día de misa.** || **4.** V. **Fraile de misa y olla.** || **cantada.** La que celebra con canto un sacerdote, sin diácono ni subdiácono. || **conventual.** La mayor que se dice en los conventos. || **de campaña.** La que se celebra al aire libre para fuerzas armadas y, por ext., para un gran concurso de gente. || **de cuerpo presente.** La que se dice por lo regular estando presente el cadáver, aunque algunas veces, por embarazo que ocurre, se dice en otro día no impedido. || **de difuntos.** La señalada por la Iglesia para que se diga por ellos. || **del alba.** La que se celebra en algunos templos al romper el día. || **del gallo.** La que se dice a medianoche de la víspera, o al comenzar la madrugada de Navidad. || **de los cazadores.** **Misa del alba.** || **de parida,** o **de purificación.** La que se dice cuando una mujer va por primera vez a la iglesia después del parto. || **de réquiem.** **Misa de difuntos.** || **en seco.** La que se dice sin consagrar, como la del que se adiestra e impone para celebrar. || **mayor.** La que se canta a determinada hora del día para que concurra todo el pueblo. || **nueva.** La primera que dice o canta el sacerdote. || **parroquial.** La que se celebra en las parroquias los domingos y fiestas de guardar, a la hora de mayor concurso: se aplica por todos los feligreses y generalmente la celebra el párroco. || **privada,** o **rezada.** La que se celebra sin canto. || **solemne.** La cantada en que acompañan al sacerdote el diácono y el subdiácono. || **votiva.** La que no siendo propia del día se puede decir en ciertos días por devoción. || **Misas gregorianas.** Las que en sufragio de un difunto se dicen durante 30 días seguidos y por lo común inmediatos al del entierro. || **Allá se,** o **te, lo dirán de misas.** fr. fam. con que se amenaza a uno de que pagará en la otra vida lo mal que obrare en ésta, o que pagará en otro tiempo lo que obrare mal de presente. || **Ayudar a misa.** fr. Cooperar al santo sacrificio, respondiendo y sirviendo al celebrante. || **Cantar misa.** fr. Decir la primera **misa** un nuevo sacerdote, aun cuando sea rezada. || **Como en misa.** loc. fig. En profundo o en completo silencio. || **Decir misa.** fr. Celebrar el sacerdote este santo sacrificio. || **De misa. y olla.** loc. que se dice del clérigo o fraile de cortos estudios y poca autoridad. || **¡En qué pararán estas misas!** fr. fam. con que se expresa el temor de un mal resultado en negocio irregular. || **La misa, dígala el cura.** ref. con que se reprende a los que se meten a hablar de lo que no entienden, o a hacer oficios que no son de su profesión. || **No entra en misa la campana, y a todos llama.** ref. contra los que persuaden a otros a hacer lo que ellos no hacen. || **No saber uno de la misa la media.** fr. fig. y fam. Ignorar una cosa o no poder dar razón de ella. || **Oir misa.** fr. Asistir y estar presente a ella. || **Por oir misa y dar cebada, nunca se perdió jornada.** ref. con que se advierte que el cumplimiento de la obligación o prudente devoción nunca es impedimento para el logro de lo que se intenta justamente. || **Quien se levanta tarde, ni oye misa ni come, o toma, carne.** ref. que reprende a los perezosos a quienes la desidia priva regularmente de los frutos que podían conseguir con la diligencia. || **Ser misas de salud.** fr. fig. con que por desprecio se califican las maldiciones o malos deseos de uno contra otro. || **Ya se,** o **te, lo dirán de misas.** fr. fig. y fam. **Allá se,** o **te, lo dirán de misas.**

Misacantano. (De *misa* y *cantar.*) m. Clérigo que está ordenado de todas órdenes y celebra misa. || **2.** Sacerdote que dice o canta la primera misa. || **3.** *Germ.* **Gallo,** 1.ª acep.

Misal. (Del b. lat. *missālis*, y éste del lat. *missa*, misa.) adj. Aplícase al libro en que se contiene el orden y modo de celebrar la misa. Ú. m. c. s. || **2.** m. *Impr.* Grado de letra entre peticano y parangona.

Misantropía. (Del gr. μισανθρωπία.) f. Calidad de misántropo.

Misantrópico, ca. adj. Perteneciente o relativo a la misantropía.

Misántropo. (Del gr. μισάνθρωπος; de μισέω, odiar, y ἄνθρωπος, hombre.) m. El que, por su humor tétrico y desapacible con todos, manifiesta aversión al trato humano.

Misar. intr. fam. **Decir misa.** || **2.** fam. **Oir misa.**

Misario. m. Acólito o muchacho destinado en las iglesias para ayudar a misa.

Miscelánea. (Del lat. *miscellanĕa.*) f. Mezcla, unión y entretejimiento de unas cosas con otras. || **2.** Obra o escrito en que se tratan muchas materias inconexas y mezcladas.

Misceláneo, a. (Del lat. *miscellanĕus.*) adj. Mixto, vario, compuesto de cosas distintas o de géneros diferentes.

Miscible. (Del lat. *miscēre*, mezclar.) adj. **Mezclable.**

Miserabilísimo, ma. adj. sup. de **Miserable.**

Miserable. (Del lat. *miserabĭlis.*) adj. Desdichado, infeliz. || **2.** Abatido, sin valor ni fuerza. || **3.** Avariento, económico en demasía, mezquino. || **4.** Perverso, abyecto, canalla. || **5.** *For.* V. **Depósito miserable.**

Miserablemente. adv. m. Desgraciada y lastimosamente; con desdicha e infelicidad. || **2.** Escasamente; con avaricia, poquedad y miseria.

Miseración. (Del lat. *miseratĭo, -ōnis.*) f. **Misericordia,** 1.ª acep.

Miseraico, ca. adj. *Zool.* **Meseraico.**

Míseramente. adv. m. **Miserablemente.**

Miserando, da. (Del lat. *miserandus.*) adj. Digno de miseración.

Miserear. (De *mísero.*) intr. fam. Portarse o gastar con escasez y miseria.

Miserere. (Del lat. *miserēre*, ten compasión.) m. Salmo cincuenta, que empieza con esta palabra. || **2.** Canto solemne que se hace del mismo en las tinieblas de la Semana Santa. || **3.** Fiesta o función que se hace en cuaresma a alguna imagen de Cristo, por cantarse en ella dicho salmo. || **4.** *Med.* **Cólico miserere.**

Miseria. (Del lat. *miserĭa.*) f. Desgracia, trabajo, infortunio. || **2.** Estrechez, falta de lo necesario para el sustento u otra cosa; pobreza extremada. || **3.** Avaricia, mezquindad y demasiada parsimonia. || **4.** Plaga pedicular producida de ordinario por el sumo desaseo de la persona a quien mortifica. || **5.** fig. y fam. Cosa corta. *Me envió una* MISERIA. || **Comerse uno de miseria.** fr. fig. y fam. Padecer gran pobreza y vivir miserablemente.

Misericordia. (Del lat. *misericordĭa.*) f. Virtud que inclina el ánimo a compadecerse de los trabajos y miserias ajenos. || **2.** V. **Obra de misericordia.** || **3.** Atributo de Dios, en cuya virtud, sin sentir tristeza o compasión por los pecados y miserias de sus criaturas, los perdona y remedia. || **4.** Porción pequeña de alguna cosa, como la que suele darse de caridad o limosna. || **5.** Puñal con que solían ir armados los caballeros de la Edad Media para dar el golpe de gracia al enemigo. || **6.** Pieza en los asientos de los coros de las iglesias para descansar disimuladamente, medio sentado sobre ella, cuando se debe estar en pie.

Misericordiosamente. adv. m. Piadosamente; con misericordia y clemencia.

Misericordioso, sa. (De *misericordia.*) adj. Dícese del que se conduele y lastima de los trabajos y miserias ajenos. Ú. t. c. s.

Miseriuca. f. d. despect. de **Miseria.**

Mísero, ra. (Del lat. *miser, -a.*) adj. **Miserable,** 1.ª, 2.ª y 3.ª aceps.

Misero, ra. adj. fam. Aplícase a la persona que gusta de oir muchas misas. || **2.** fam. Dícese del sacerdote que no tiene más obvención que el estipendio de la misa.

Misérrimo, ma. (Del lat. *miserrĭmus.*) adj. sup. de **Mísero.**

Misio, sia. (Del lat. *mysius.*) adj. Natural de Misia. Ú. t. c. s. || **2.** Perteneciente a esta región de Asia antigua.

Misión. (Del lat. *missio, -ōnis.*) f. Acción de enviar. || **2.** Poder, facultad que se da a una persona de ir a desempeñar algún cometido. || **3.** Salida, jornada o peregrinación que hacen los religiosos y varones apostólicos de pueblo en pueblo o de provincia en provincia, predicando el Evangelio. || **4.** Serie o conjunto de sermones fervorosos que predican los misioneros y varones apostólicos en las peregrinaciones evangélicas. || **5.** Cada uno de estos sermones o actos. *Voy a la* MISIÓN. || **6.** Comisión temporal dada por un gobierno a un diplomático o agente especial para determinado fin. || **7.** Tierra, provincia o reino en que predican los misioneros. || **8.** Lo que se señala a los segadores para sustento, de pan, carne y vino, por cierta cantidad de trabajo o tiempo. || **9.** ant. Gasto, costa o expensas que se hacen en una cosa.

Misional. adj. Perteneciente o relativo a los misioneros o a las misiones.

Misionar. intr. Predicar o dar misiones, 4.ª y 5.ª aceps. Ú. t. c. tr.

Misionario. m. Misionero. 1.er art., 2.ª acep. || **2.** Persona enviada de una parte a otra con un encargo. *La diputación y ciudad despedían* MISIONARIOS *o embajadores.*

Misionero, ra. adj. Perteneciente o relativo a la misión evangélica. || **2.** m. Eclesiástico que en tierra de infieles enseña y predica la religión cristiana. || **3.** m. y f. Persona que predica el Evangelio en las misiones.

Misionero, ra. adj. Natural de Misiones, territorio de la República Argentina. Ú. t. c. s. || **2.** Perteneciente o relativo a este territorio.

Misiones. n. p. *Argent.* V. **Cedro de Misiones.**

Misivo, va. (Del lat. *missum*, supino de *mittĕre*, enviar.) adj. Aplícase al papel, billete o carta que se envía a uno. Ú. m. c. s. f.

Mismamente. adv. m. fam. Cabalmente, precisamente.

Mismísimo, ma. adj. sup. fam. de **Mismo.**

Mismo, ma. (De *meismo.*) adj. que denota ser una persona o cosa la que se ha visto o de que se hace mérito, y no otra. *Este pobre es el* MISMO *a quien ayer socorrí; esa espada es la* MISMA *que sirvió a mi padre.* || **2.** Semejante o igual. *De la* MISMA *naturaleza; del* MISMO *color.* || **3.** Por pleonasmo se añade a los pronombres personales y a algunos adverbios para dar más aseveración y energía a lo que se dice. *Yo* MISMO *lo haré; ella* MISMA *se condena; hoy* MISMO *le veré; aquí* MISMO *te espero.* || **Así mismo.** m. adv. De este o del mismo modo. || **2. También.** || **Por lo mismo.** m. adj. A causa de ello; por esta razón.

Misoginia. (Del gr. μισογυνία.) f. Aversión u odio a las mujeres.

Misógino. (Del gr. μισόγυνος; de μισέω, odiar, y γυνή, mujer.) adj. Que odia a las mujeres. Ú. t. c. s.

Misoneísmo. (Del gr. μισέω, odiar, y νέος, nuevo.) m. Aversión a las novedades.

Misoneísta. adj. Partidario del misoneísmo.

Míspero. (Del ant. *niéspero*, del lat. *mĕspĭlus* y *mĕspĭlum.*) m. *Ál.*, *Burg.* y *Logr.* **Níspero,** 1.ª y 2.ª aceps.

Mistagógico, ca. (Del lat. *mystagogĭcus.*) adj. Perteneciente al mistagogo. || **2.** Por ext., dícese también del discurso o escrito que pretende revelar alguna doctrina oculta o maravillosa.

Mistagogo. (Del lat. *mystagōgus*, y éste del gr. μυσταγωγός.) m. Sacerdote de la gentilidad grecorromana, que iniciaba en los misterios. || **2.** Catequista que explica los misterios sagrados, especialmente los Santos Sacramentos.

Mistamente. (De *misto*, 2.º art.) adv. m. *For.* **Mixtamente.**

Mistar. tr. **Musitar.** Ú. m. con negación.

Mistela. f. Bebida que se hace con aguardiente, agua, azúcar y algo de canela. || **2.** Líquido resultante de la adición de alcohol al mosto de uva en cantidad suficiente para que no se produzca al fermentación de aquél, y sin adición de ninguna otra substancia.

Misterial. adj. ant. **Misterioso.**

Misterialmente. adv. m. ant. **Misteriosamente.**

Misterio. (Del lat. *mysterĭum.*) m. Arcano o cosa secreta en cualquier religión. || **2.** En la religión cristiana, cosa inaccesible a la razón y que debe ser objeto de fe. || **3.** Cualquier cosa arcana o muy recóndita, que no se puede comprender o explicar. || **4.** Negocio secreto o muy reservado. || **5.** Cada uno de los pasos de la sagrada vida, pasión y muerte de Nuestro Señor Jesucristo, cuando se consideran con separación. *Los* MISTERIOS *del Rosario.* || **6.** Cualquier paso de éstos o de la Sagrada Escritura, cuando se representan con imágenes. || **7.** pl. Ceremonias secretas del culto de algunas falsas divinidades. || **Hablar uno de misterio.** fr. Hablar cautelosa y reservadamente, o afectar obscuridad en lo que dice, para dar en que entender y que discurrir a los que oyen. || **Hacer uno misterio.** fr. **Hablar de misterio.** || **No ser una cosa sin misterio.** fr. fig. No haber sido hecha por acaso y sin premeditación, sino con motivos justos y reservados. || **Que canta el misterio.** fr. **Que canta el credo.**

Misteriosamente. adv. m. Secreta y escondidamente; con misterio.

Misterioso, sa. adj. Que encierra o incluye en sí misterio. || **2.** Aplícase al que hace misterios y da a entender cosas recónditas donde no las hay.

Mística. (Del lat. *mystĭca*, t. f. de *-cus*, místico, 2.º art.) f. Parte de la teología, que trata de la vida espiritual y contemplativa y del conocimiento y dirección de los espíritus.

Místicamente. adv. m. De un modo místico. || **2.** Figurada o misteriosamente. || **3. Espiritualmente.**

Misticismo. (De *místico*, 2.º art.) m. Estado de la persona que se dedica mucho a Dios o a las cosas espirituales. || **2.** Estado extraordinario de perfección religiosa, que consiste esencialmente en cierta unión inefable del alma con Dios por el amor, y que va acompañado accidentalmente de éxtasis y revelaciones. || **3.** Doctrina religiosa o filosófica que enseña la comunicación inmediata y directa entre el hombre y la divinidad, en la visión intuitiva o en el éxtasis.

Místico. (Quizá del ár. *musaṭṭaḥ*, barco con cubierta en forma de azotea.) m. Embarcación costanera de tres palos, y algunas veces de dos, con velas latinas, que se usa en el Mediterráneo.

Místico, ca. (Del lat. *mystĭcus*, y éste del gr. μυστικός.) adj. Que incluye misterio o razón oculta. || **2.** Perteneciente a la mística. || **3.** Que se dedica a la vida espiritual. Ú. t. c. s. || **4.** Que escribe o trata de mística. Ú. t. c. s. || **5.** V. **Teología mística.**

Misticón, na. adj. fam. Que afecta mística y santidad. Ú. t. c. s.

Misti fori. loc. lat. **Mixti fori.**

Mistifori. m. **Mixtifori.**

Mistilíneo, a. (De *misto* y *línea.*) adj. *Geom.* Mixtilíneo.

Mistión. (Del lat. *mistĭo, -ōnis.*) f. **Mixtión.**

Misto. (Del gr. μύστης, iniciado en los misterios.) m. Llamábase así al iniciado en los Pequeños Misterios del culto esotérico eleusino, en Grecia y en Roma.

Misto, ta. (Del lat. *mistus.*) adj. **Mixto.** Ú. t. c. s.

Mistral. (Del prov. *mistral*, y éste del lat. *magistrālis.*) adj. **Minstral.** Ú. t. c. s.

Mistura. (Del lat. *mistura.*) f. **Mixtura.**

Misturar. (De *mistura.*) tr. **Mixturar.**

Misturero, ra. (De *misturar.*) adj. **Mixturero.** Ú. t. c. s.

Mita. f. Repartimiento que en América se hacía por sorteo en los pueblos de indios, para sacar el número correspondiente de vecinos que debían emplearse en los trabajos públicos. || **2.** Tributo que pagaban los indios del Perú.

Mitad. (De *meitad.*) f. Cada una de las dos partes iguales en que se divide un todo. || **2. Medio,** 25.ª acep. || **Cara mitad.** fam. **Consorte,** 2.ª acep. Ú. m. con algún pronombre posesivo. || **Engañarse en la mitad del justo precio.** fr. fig. Padecer engaño grave. || **La mitad del año, con arte y engaño, y la otra parte, con engaño y arte.** ref. que reprende el modo de vivir de algunos que sin tener cosa propia gastan y campan en fuerza de su habilidad y maña. || **La mitad y otro tanto.** expr. fam. que se usa para excusarse de responder derechamente a lo que se pregunta, especialmente hablando de cantidad o número. || **Mentir por la mitad de la barba.** fr. fig. y fam. Mentir con descaro. || **Mitad y mitad.** m. adv. Por partes iguales. || **Plantar,** o **poner, a uno en mitad del arroyo.** fr. fig. y fam. **Plantarle,** o **ponerle, en la calle.**

Mitadenco. adj. Dícese del censo frumentario, que se paga en dos especies, mitad y mitad. || **2.** m. Mezcla de trigo y centeno, mitad y mitad próximamente.

Mitán. m. **Holandilla,** 1.ª acep.

Mitayo. (De *mita.*) m. Indio que en América daban por sorteo y repartimiento los pueblos para el trabajo. || **2.** Indio que llevaba lo recaudado de la mita.

Mítico, ca. (Del lat. *mythĭcus*, y éste del gr. μυθικός.) adj. Perteneciente o relativo al mito.

Mitigación. (Del lat. *mitigatĭo, -ōnis.*) f. Acción y efecto de mitigar o mitigarse.

Mitigadamente. adv. m. De manera mitigada.

Mitigador, ra. (Del lat. *mitigātor.*) adj. Que mitiga. Ú. t. c. s.

Mitigante. p. a. de **Mitigar.** Que mitiga.

Mitigar. (Del lat. *mitigāre*; de *mitis*, apacible, suave, y *agĕre*, hacer.) tr. Moderar, aplacar, disminuir o suavizar una cosa rigurosa o áspera. Ú. t. c. r.

Mitigativo, va. (Del lat. *mitigatīvus.*) adj. Que mitiga o tiene virtud de mitigar.

Mitigatorio, ria. (Del lat. *mitigatorĭus.*) adj. **Mitigativo.**

Mitin. (Del ingl. *meeting.*) m. Reunión donde se discuten públicamente asuntos políticos o sociales.

Mito. (Del gr. μῦθος.) m. Fábula, ficción alegórica, especialmente en materia religiosa.

Mitógrafo, fa. (Del gr. μῦθος, mito, y γράφω, escribir.) m. y f. Persona que escribe acerca de los mitos, supersticiones, etc.

Mitología. (Del lat. *mythologĭa*, y éste del gr. μυθολογία; de μῦθος, fábula, y λόγος, tratado.) f. Historia de los fabulosos dioses y héroes de la gentilidad.

Mitológico, ca. (Del lat. *mythologĭcus*, y éste del gr. μυθολογικός.) adj. Perteneciente a la mitología. || **2.** m. **Mitologista.**

Mitologista. m. Autor de una obra mitológica, o sujeto versado en la mitología.

Mitólogo. (Del gr. μυθολόγος.) m. **Mitologista.**

Mitón. (Del fr. *miton.*) m. Especie de guante de punto, que sólo cubre desde la muñeca inclusive hasta la mitad del pulgar y el nacimiento de los demás dedos.

Mitosis. f. *Biol.* Modalidad de la división de la célula, que se caracteriza esencialmente porque en el núcleo se hacen ostensibles los cromosomas y cada uno de éstos se divide logitudinalmente en dos mitades que pasan a formar parte respectivamente de cada una de las dos porciones en que queda dividido el núcleo; a continuación, el citoplasma se divide en dos mitades en la misma forma que en la amitosis, quedando constituidas así las dos células hijas.

Mitote. (Del mejic. *mitotl.*) m. Especie de baile o danza que usaban los indios, en que entraba gran número de ellos adornados vistosamente, y, asidos de las manos, formaban un gran corro, en medio del cual ponían una bandera, y junto a ella una vasija con bebida: así iban haciendo sus mudanzas al son de un tamboril, y bebiendo de rato en rato hasta que se embriagaban y privaban de sentido. || **2.** *Amér.* Fiesta casera. || **3.** *Amér.* Melindre, aspaviento. || **4.** Bulla, pendencia, alboroto.

Mitotero, ra. adj. fig. *Amér.* Que hace mitotes o melindres. Ú. t. c. s. || **2.** fig. *Amér.* Bullanguero, amigo de diversiones. Ú. t. c. s.

Mitótico, ca. adj. *Biol.* Perteneciente o relativo a la mitosis.

Mitra. (Del lat. *mitra,* y éste del gr. μίτρα.) f. Toca o adorno de la cabeza, que usaban los persas, de quienes lo tomaron otras naciones; actualmente la usan aún los parsis. || **2.** Toca alta y apuntada con que en las grandes solemnidades se cubren la cabeza los arzobispos, obispos y algunas otras personas eclesiásticas que como honor disfrutan este privilegio. || **3.** fig. Dignidad de arzobispo u obispo. || **4.** fig. En algunas partes, territorio de su jurisdicción. || **5.** fig. Cúmulo de las rentas de una diócesis o archidiócesis, de un obispo o arzobispo. || **6.** fig. **Obispillo,** 4.ª acep.

Mitrado, da. p. p. de **Mitrar.** || **2.** adj. Dícese de la persona que puede usar mitra. || **3.** m. Arzobispo u obispo.

Mitral. (De *mitra.*) adj. *Zool.* V. **Válvula mitral.**

Mitrar. (De *mitra.*) intr. fam. Obtener un obispado.

Mitridatismo. (Por alusión a la inmunidad atribuida a Mitridates, rey del Ponto.) m. *Med.* Resistencia a los efectos de un veneno, adquirida mediante la administración prolongada y progresiva del mismo, empezando por dosis inofensivas.

Mitridato. (De *Mitridates,* rey del Ponto, muerto en el año 65 a. de J. C., que desde joven se dedicó al estudio de los venenos.) m. *Farm.* Electuario compuesto de gran número de ingredientes, que se usó como remedio contra la peste, las fiebres malignas y las mordeduras de los animales venenosos.

Mítulo. (Del lat. *mitŭlus.*) m. **Mejillón.**

Mixedema. (Del gr. μύξα, moco, y οἴδημα, hinchazón.) f. *Med.* Edema producido por infiltración de substancia mucosa en la piel, y a veces en los órganos internos, a consecuencia del funcionamiento deficiente de la glándula tiroidea.

Mixtamente. (De *mixto.*) adv. m. *For.* Correspondiendo a los dos fueros, eclesiástico y civil.

Mixtela. (De *mixto.*) f. **Mistela.**

Mixti fori. (Del lat. *mixtus,* mezclado, y *forum,* tribunal.) loc. lat. *For.* Aplicábase a los delitos de que podían conocer el tribunal eclesiástico y el seglar. || **2.** fig. Dícese de las cosas o hechos cuya naturaleza no se puede deslindar con suficiente claridad.

Mixtifori. (De *mixti fori.*) m. fam. Embrollo o mezcla de cosas heterogéneas.

Mixtilíneo, a. (De *mixto* y *línea.*) adj. *Geom.* V. **Ángulo mixtilíneo.** || **2.** *Geom.* Dícese de toda figura cuyos lados son rectos unos y curvos otros.

Mixtión. (Del lat. *mixtĭo, -ōnis.*) f. Mezcla, mixtura. || **2.** *Blas.* **Púrpura,** 8.ª acep.

Mixto, ta. (Del lat. *mixtus.*) adj. Mezclado e incorporado con una cosa. || **2.** Compuesto de varios simples. Ú. m. c. s. m. || **3.** Mestizo, 2.ª acep. || **4.** V. **Censo, fuero mixto.** || **5.** V. **Mixto imperio.** || **6.** V. **Matemáticas mixtas.** || **7.** V. **Tren mixto.** Ú. t. c. s. || **8.** *Arit.* V. **Número mixto.** || **9.** *Esgr.* V. **Compás mixto.** || **10.** *For.* V. **Obligación mixta.** || **11.** *Geom.* V. **Ángulo mixto.** || **12.** *Gram.* V. **Vocal mixta.** || **13.** *Mar.* V. **Buque mixto.** || **14.** m. **Fósforo,** 2.ª acep. || **15.** *Art.* Cualquiera de las mezclas inflamables que se usan en la guerra para los artificios incendiarios, explosivos o de iluminación.

Mixtura. (Del lat. *mixtūra.*) f. Mezcla, juntura o incorporación de varias cosas. || **2.** Pan de varias semillas. || **3.** *Farm.* Poción compuesta de varios ingredientes.

Mixturar. (De *mixtura.*) tr. Mezclar, incorporar o confundir una cosa con otra.

Mixturero, ra. adj. Que mixtura. Ú. t. c. s. || **2.** ant. Revolvedor, cizañero. Usáb. t. c. s.

Miz. Voz de que se usa para llamar al gato, 1.er art., 1.ª acep. || **2. Mizo,** 1.er art.

Miza. (De *miz.*) f. fam. **Micha.**

Mizar. (Del ár. *mizār.*) f. *Astron.* Estrella notable en la constelación de la Osa Mayor.

Mizcal. m. En Marruecos, **metical,** 2.ª acep.

Mízcalo. (De *almizcle.*) m. Hongo comestible, muy jugoso, de sabor almizclado, que suele hallarse en los pinares y es fácil de distinguir por el color verde obscuro que toma cuando se corta en pedazos.

Mizo. (De *miz.*) m. fam. **Micho.**

Mizo, za. adj. *Germ.* Manco o izquierdo.

Mnemónica. (Del lat. *mnemonĭca,* y éste del gr. μνημονική.) f. **Mnemotecnia.**

Mnemotecnia. (Del gr. μνήμη, memoria, y τέχνη, arte.) f. Arte que procura por medio de varias reglas aumentar las facultades y alcance de la memoria. || **2.** Método por medio del cual se forma una memoria artificial.

Mnemotécnica. f. **Mnemotecnia.**

Mnemotécnico, ca. adj. Perteneciente a la mnemotecnia. || **2.** Que sirve para auxiliar a la memoria.

Moa. f. *Germ.* **Moneda.**

Moabita. (Del lat. *moabīta,* y éste del hebr. *mō'abī,* perteneciente a *Moab,* hijo de Lot.) adj. Natural de la región de Moab, en la Arabia Pétrea, al oriente del mar Muerto. Ú. t. c. s. || **2.** Perteneciente a esta región. || **3.** ant. **Almorávide.** Usáb. t. c. s.

Moaré. m. **Muaré.**

Mobiliario, ria. (Del fr. *mobiliaire.*) adj. **Mueble.** Aplícase por lo común a los efectos públicos al portador o transferibles por endoso. || **2.** m. **Moblaje.**

Moblaje. m. Conjunto de muebles de una casa.

Moblar. (De *mueble.*) tr. **Amueblar.**

Moble. (Del lat. *mobĭlis.*) adj. **Móvil.**

Mocadero. m. ant. **Mocador.**

Mocador. (De *mocar.*) m. **Moquero.**

Mocante. m. *Germ.* **Mocador.**

Mocar. (De *moco.*) tr. **Sonar,** 7.ª acep. Ú. m. c. r.

Mocárabe. m. **Almocárabe.**

Mocarra. com. fam. **Mocoso, sa.** 2.ª acep.

Mocarro. m. fam. Moco que por descuido cuelga de las narices sin limpiar. || **2.** fam. V. **Santo mocarro.**

Mocear. intr. Ejecutar acciones propias de gente moza. || **2.** Desmandarse en travesuras deshonestas.

Mocedad. (De *mozo.*) f. Época de la vida humana que comprende desde la pubertad hasta la edad adulta. En el modo común de hablar se suele extender hasta llegar a la vejez. || **2.** Travesura o desorden con que suelen vivir los mozos por su poca experiencia. || **3.** Diversión deshonesta y licenciosa. || **Quien viejo engorda, dos mocedades goza.** ref. que significa que el hombre que engorda llegando a viejo, disimula la edad y parece tan robusto como si fuera mozo.

Mocejón. m. *Zool.* Molusco lamelibranquio, cuya concha tiene las valvas casi negras y más largas que anchas. Vive adherido a las peñas de la costa.

Moceña. f. desus. **Morceña.**

Moceril. (De *mocero.*) adj. **Mocil.**

Mocerío. m. Agregado o conjunto de mozos o de mozas, 1.ª y 2.ª aceps.

Mocero. (De *moza.*) adj. Dado a la lascivia y trato de las mujeres. Ú. t. c. s.

Mocete (De *mozo.*) m. *Ar.* y *Rioja.* **Mozalbete.**

Mocetón, na. (aum. de *mozo.*) m. y f. Persona joven, alta, corpulenta y membruda.

Mocil. adj. Propio de gente moza.

Moción. (Del lat. *motĭo, -ōnis.*) f. Acción y efecto de moverse o ser movido. || **2.** fig. Alteración del ánimo, que se mueve e inclina a una especie que le han sugerido. || **3.** Inspiración interior que Dios ocasiona en el alma en orden a las cosas espirituales. || **4.** Proposición que se hace o sugiere en una junta que delibera. || **5.** Nombre que se da a las vocales y a otros signos que acompañan a las consonantes en las lenguas semíticas. || **6.** ant. *Mar.* Tiempo en que corre el viento favorable para una navegación.

Mocito, ta. (d. de *mozo.*) adj. Que está en el principio de la mocedad. Ú. t. c. s.

Moco. (Del lat. *mūccus.*) m. Humor espeso y pegajoso que segregan las membranas mucosas, y especialmente el que fluye por las ventanas de la nariz. || **2.** Materia pegajosa y medio fluida que forma grumos dentro de un líquido, por descomponerse las substancias que estaban en disolución. || **3.** Dilatación candente de la extremidad del pabilo en una luz encendida. || **4.** Escoria que sale del hierro encendido en la fragua cuando se martilla y apura. || **5.** Porción derretida de las velas, que corre y se va cuajando a lo largo de ellas. || **6.** *Mar.* Cada una de las perchas pequeñas que penden de la cabeza del bauprés y sirven de guía a los cabos que aseguran el botalón. || **de herrero. Moco,** 4.ª acep. || **de pavo.** Apéndice carnoso y eréctil que esta ave tiene sobre el pico. || **2.** Planta herbácea de adorno, de la familia de las amarantáceas, con tallo grueso, verde, ramoso, de algo más de un metro de altura; hojas aovadas lampiñas, y flores generalmente purpúreas, dispuestas en grupos de espigas colgantes alrededor de otra central más larga. || **3.** *Méj.* **Amaranto.** || **A moco de candil.** m. adv. A la luz del candil. || **Buscar** una cosa **a moco de candil.** fr. fig. y fam. **Escogerla a moco de candil.** || **Caérsele** a uno **el moco.** fr. fig. y fam. Ser simple o poco advertido. || **Escoger** una cosa **a moco de candil.** fr. fig. y fam. Escogerla con mucho examen y cuidado, esto es, como aproximándola a la luz para verla bien. || **¿Es moco de pavo?** expr. fig. y fam. con que se da a entender a uno la estimación o entidad de una cosa que éste tiene en poco. Ú. m. preguntando, o con fórmula negativa. || **Haber quitado** a uno **los mocos.** fr. fig. y fam. Haberlo criado o cuidado de él desde pequeño. Ú. m. para reconvenir al que se olvida de los beneficios que recibió en su niñez. || **Llorar a moco tendido.** fr. fig. y fam. Llorar sin tregua. || **No saber** uno **quitarse los mocos.** fr. fig. y fam. con que se nota la suma ignorancia de uno, y se le censura que se meta en lo que no entiende. || **No ser** una cosa **moco de pavo.** fr. fig. y fam. No ser despreciable. || **Quitar** a uno **los mocos.** fr. fig. y fam. Darle de bofetadas.

Mocoso, sa. (Del lat. *mūccōsus.*) adj. Que tiene las narices llenas de mocos. || **2.** fig. Aplícase, en son de censura o desprecio, al niño atrevido o malmandado, y también al mozo a quien se quiere notar de poco experimentado o advertido. Ú. m. c. s. || **3.** Insignificante, de ningún valor ni importancia.

Mocosuelo, la. adj. d. de **Mocoso,** 2.ª acep. Ú. m. c. s.

Mocha. (De *mocho.*) f. Reverencia que se hacía bajando la cabeza. || **2.** *Ál.* **Cabeza,** 1.ª acep.

Mochacho, cha. (De *mocho.*) m. y f. ant. **Muchacho.**

Mochada. (De *mocha.*) f. **Topetada.**

Mochar. (De *mocho.*) tr. Dar mochadas o topetadas. || **2.** desus. **Desmochar.**

Mochazo. m. Golpe dado con el mocho de la escopeta u otra arma semejante.

Moche. V. **A troche y moche.**

Mocheta. (De *mocho.*) f. Extremo grueso, romo y contundente opuesto a la parte punzante o cortante de ciertas herramientas; como azadones, hachas, etc. || **2.** Rebajo en el marco de las puertas y ventanas, donde encaja el renvalso. || **3.** *Arq.* Ángulo diedro entrante, que se deja o se abre en la esquina de una pared, o resulta al encontrarse el plano superior de un miembro arquitectónico con un paramento vertical. || **4.** *Arq.* **Telar,** 4.ª acep.

Mochete. m. **Cernícalo,** 1.ª acep.

Mochil. (De *mocho.*) m. Muchacho que sirve a los labradores para llevar o traer recados a los mozos del campo.

Mochila. (De *mochil.*) f. Cierto género de caparazón que en la jineta se lleva escotado de los dos arzones. || **2.** Caja de tabla delgada, forrada de cuero, que usan los soldados para llevar el equipo, poniéndosela a la espalda, sujeta con correas y afianzada en los hombros. || **3. Morral,** 2.ª acep. || **4.** Provisión de víveres que cada soldado llevaba consigo en campaña para determinado número de días, y también el forraje para su caballo. || **Hacer mochila.** fr. fig. Prevenirse los cazadores y caminantes de comida y merienda para el camino.

Mochilero. m. El que servía en el ejército llevando las mochilas. || **2.** El que viaja a pie con mochila.

Mochillero. m. **Mochilero.**

Mochín. (De *bochín.*) m. **Verdugo,** 5.ª acep.

Mocho, cha. (Del lat. *mŭtĭlus.*) adj. Dícese de todo aquello a que falta la punta o la debida terminación, como el animal cornudo que carece de astas, el árbol mondado de ramas y copa, la torre sin chapitel, etc. || **2.** fig. y fam. Pelado o cortado el pelo. || **3.** V. **Trigo mocho.** || **4.** fig. *Chile.* Dícese del religioso motilón y de la religiosa lega. Ú. t. c. s. || **5.** m. Remate grueso y romo de un instrumento o utensilio largo; como la culata de una arma de fuego. || **Váyase mocha por cornuda.** expr. fig. y fam. que se dice cuando el defecto o imperfección de una cosa se recompensa con la bondad o perfección de otra.

Mochuelo. (De *mocho.*) m. Ave rapaz y nocturna de unos dos decímetros desde lo alto de la cabeza hasta la extremidad de la cola y medio metro próximamente de envergadura, con plumaje muy suave, de color leonado, con pintas pardas en las partes superiores, y amarillento claro con manchas alargadas grises en el pecho y vientre; cuerpo erguido, cabeza redonda, pico corto y encorvado, ojos grandes de iris amarillo, cara circular, alas redondeadas, cola corta y tarsos y dedos cubiertos de plumas blanquecinas y sedosas. Es común en España y se alimenta ordinariamente de roedores y reptiles. || **2.** fig. y fam. Asunto o trabajo difícil o enojoso, de que nadie quiere encargarse. Ú. m. en las frases **cargar** uno **con el mochuelo; echarle,** o **tocarle,** a uno **el mochuelo.** || **3.** *Impr.* Omisión de una o más palabras, miembro del discurso, frase, etc., que al componer comete el cajista. || **Cada mochuelo a su olivo.** fr. proverb. con que se indica que ya es hora de recogerse o tiempo de que cada cual se esté en su puesto cumpliendo con su deber.

Mochuelo. (Del lat. *modiŏlus,* herrada.) m. Cierta vasija usada antiguamente en el servicio doméstico.

Moda. (Del lat. *modus,* modo, manera.) f. Uso, modo o costumbre que está en boga durante algún tiempo, o en determinado país, con especialidad en los trajes, telas y adornos. Entiéndese principalmente de los recién introducidos. || **2.** V. **Tienda de modas.** || **Entrar** uno **en las modas.** fr. Seguir la que se estila y practica por otros, o adoptar los usos y costumbres del país o pueblo donde reside. || **Estar de moda** una cosa. fr. Usarse o estilarse una prenda de vestir, tela, color, etc., o practicarse generalmente una cosa. || **Salir una moda.** fr. Empezar a usarse. || **Ser moda,** o **de moda,** una cosa. fr. **Estar de moda.**

Modal. adj. Que comprende o incluye modo o determinación particular. || **2.** m. pl. Acciones externas de cada persona, con que se hace reparar y se singulariza entre las demás, dando a conocer su buena o mala educación. Antes era nombre ambiguo.

Modalidad. (De *modal.*) f. Modo de ser o de manifestarse una cosa.

Modéjar. adj. desus. **Mudéjar.**

Modelado, da. p. p. de **Modelar.** || **2.** m. Acción y efecto de modelar.

Modelador, ra. adj. Que modela.

Modelar. (De *modelo.*) tr. Formar de cera, barro u otra materia una figura o adorno. || **2.** *Pint.* Presentar con exactitud el relieve de las figuras. || **3.** r. fig. Ajustarse a un modelo.

Modelista. m. Operario encargado de los moldes para el vaciado de piezas de metal, cemento, etc.

Modelo. (Del ital. *modello,* y éste del lat. *modŭlus,* molde.) m. Ejemplar o forma que uno se propone y sigue en la ejecución de una obra artística o en otra cosa. || **2.** En las obras de ingenio y en las acciones morales, ejemplar que por su perfección se debe seguir e imitar. || **3.** Representación en pequeño de alguna cosa. || **4.** *Esc.* Figura de barro, yeso o cera, que después se ha de reproducir en madera, mármol o metal. || **vivo.** Persona, por lo común desnuda, que sirve para el estudio en el dibujo.

Modenés, sa. adj. Natural de Módena. Ú. t. c. s. || **2.** Perteneciente a esta ciudad de Italia.

Moderación. (Del lat. *moderatĭo, -ōnis.*) f. Acción y efecto de moderar o moderarse. || **2.** Cordura, sensatez, templanza en las palabras o acciones.

Moderadamente. adv. m. Con moderación o templanza; sin exceso. || **2.** Mediana y razonablemente.

Moderado, da. p. p. de **Moderar.** || **2.** adj. Que tiene moderación. || **3.** Que guarda el medio entre los extremos. || **4.** Aplícase a un partido liberal de España que tenía por mira proceder con moderación en las reformas y principalmente mantener el orden público y el principio de autoridad. || **5.** Perteneciente o relativo a este partido. *Senador, periódico* MODERADO. Apl. a pers., ú. t. c. s. *Un* MODERADO; *los* MODERADOS.

Moderador, ra. (Del lat. *moderātor.*) adj. Que modera. Ú. t. c. s. || **2.** V. **Poder moderador.**

Moderamiento. (Del lat. *moderamentum.*) m. ant. **Moderación.**

Moderante. p. a. de **Moderar.** Que modera. || **2.** m. En algunas universidades, el que presidía y dirigía las academias en que los estudiantes se adiestraban en los ejercicios escolásticos.

Moderantismo. m. Partido de los moderados.

Moderar. (Del lat. *moderāre.*) tr. Templar, ajustar, arreglar, una cosa, evitando el exceso. MODERAR *las pasiones, el precio, el calor.* Ú. t. c. r.

Moderativo, va. adj. Que modera o tiene virtud para moderar.

Moderatorio, ria. (De *moderar.*) adj. Que templa o reduce a lo justo las cosas que tienen exceso.

Modernamente. adv. m. Recientemente; de poco tiempo a esta parte.

Modernidad. f. Calidad de moderno.

Modernismo. m. Afición excesiva a las cosas modernas con menosprecio de las antiguas, especialmente en artes y literatura. || **2.** *Relig.* Cúmulo de errores religiosos propalados como conquista de la ciencia moderna, basados en el agnosticismo y subjetivismo kantianos, en el pragmatismo y la exégesis bíblica racionalista; fue condenado por Pío X en 1907 (Encíclica *Pascendi*).

Modernista. adj. Perteneciente o relativo al modernismo. Apl. a pers., ú. t. c. s.

Modernizar. tr. Dar forma o aspecto moderno a cosas antiguas.

Moderno, na. (Del lat. de Casiodoro, *modernus,* y éste de *modo,* poco ha, sobre el modelo *hodiernus.*) adj. Que existe desde hace poco tiempo. || **2.** V. **Edad Moderna.** || **3.** Que ha sucedido recientemente. || **4.** Dícese de la persona que lleva poco tiempo ejerciendo un empleo. || **5.** m. En los colegios y otras comunidades, el que es nuevo, o no de los más antiguos. || **6.** pl. Los que viven en la actualidad o han vivido hace poco tiempo. || **A la moderna,** o **a lo moderno.** m. adv. Según costumbre o uso **moderno.**

Modestamente. adv. m. Con modestia y compostura o templanza en el modo.

Modestia. (Del lat. *modestia.*) f. Virtud que modera, templa y regla las acciones externas, conteniendo al hombre en los límites de su estado, según lo conveniente a él. || **2.** Recato que observa uno en su porte y en la estimación que muestra de sí mismo. || **3.** Honestidad, decencia y recato en las acciones o palabras.

Modesto, ta. (Del lat. *modestus.*) adj. Que tiene modestia. Ú. t. c. s.

Módicamente. adv. m. Con escasez o estrechez; con moderación.

Modicidad. (Del lat. *modicĭtas, -ātis.*) f. Calidad de módico.

Módico, ca. (Del lat. *modĭcus.*) adj. Moderado, escaso, limitado.

Modificable. adj. Que puede modificarse.

Modificación. (Del lat. *modificatĭo, -ōnis.*) f. Acción y efecto de modificar o modificarse. || **2.** *Biol.* Cualquier cambio que por influencia del medio se produce en los caracteres anatómicos o fisiológicos de un ser vivo y que no se transmite por herencia a los descendientes.

Modificador, ra. (Del lat. *modificātor.*) adj. Que modifica. Ú. t. c. s.

Modificante. p. a. de **Modificar.** Que modifica. Ú. t. c. s.

Modificar. (Del lat. *modificāre.*) tr. Limitar, determinar o restringir las cosas a un cierto estado o calidad en que se singularicen y distingan unas de otras. Ú. t. c. r. || **2.** Reducir las cosas a los términos justos, templando el exceso o exorbitancia. Ú. t. c. r. || **3.** Transformar o cambiar una cosa mudando alguno de sus accidentes. || **4.** *Fil.* Dar un nuevo modo de existir a la substancia material. Ú. t. en sentido moral.

Modificativo, va. adj. Que modifica o sirve para modificar.

Modificatorio, ria. adj. Que modifica.

Modillón. (Del ital. *modiglione*, y éste del lat. **mūtilio, -ōnis*, aum. de *mŭtŭlus*, mojón.) m. *Arq.* Saliente, con frecuencia en forma de ménsula, con que se adorna por la parte inferior el vuelo de una cornisa, simulando un verdadero sostén.

Modio. (Del lat. *modĭus*, y éste del gr. μόδιος.) m. Medida para áridos, que usaron los romanos y equivalía próximamente a dos celemines castellanos.

Modismo. m. Modo particular de hablar propio y privativo de una lengua, que se suele apartar en algo de las reglas generales de la gramática.

Modista. (De *moda*.) com. Persona que tiene por oficio hacer trajes y otras prendas de vestir para señoras. ‖ **2.** f. La que tiene tienda de modas. ‖ **3.** com. ant. Persona que adoptaba, seguía o inventaba las modas.

Modistilla. (d. de *modista*.) fam. Modista de poco valer en su arte. ‖ **2.** fam. Oficiala o aprendiza de modista.

Modo. (Del lat. *modus*.) m. Forma variable y determinada que puede recibir o no un ser, sin que por recibirla se cambie o destruya su esencia. ‖ **2.** Moderación o templanza en las acciones o palabras. ‖ **3.** Urbanidad, cortesanía o decencia en el porte o trato. Ú. m. en pl. ‖ **4.** Forma o manera particular de hacer una cosa. ‖ **5.** *Gram.* Cada una de las distintas maneras generales de manifestarse la significación del verbo. Los **modos** del verbo castellano son cinco: **infinitivo, indicativo, potencial, imperativo** y **subjuntivo.** ‖ **6.** *Mús.* Disposición o arreglo de los sonidos que forman una escala musical. ‖ **adverbial.** *Gram.* Cada una de ciertas locuciones o inalterables maneras de decir que tienen significación y hacen oficio de adverbios; como *a sabiendas, con todo, en efecto, entre dos luces, por último, sin embargo, sobre seguro.* ‖ **auténtico.** *Mús.* Cada uno de los cuatro primitivos del canto ambrosiano, cuya dominante era la quinta sobre la tónica. ‖ **conjuntivo.** *Gram.* Cada una de ciertas locuciones o inalterables maneras de decir que tienen significación y hacen oficio de conjunciones; v. gr.: *bien como, con tal que.* ‖ **deprecativo.** *Gram.* Según algunos gramáticos, el imperativo, cuando su oficio es rogar o suplicar. ‖ **discípulo.** *Mús.* **Modo plagal.** ‖ **imperativo.** *Gram.* El del verbo, que en castellano tiene un tiempo solamente y con el cual se manda, exhorta, ruega, anima o disuade. ‖ **indicativo.** *Gram.* El del verbo, con que se indica o denota afirmación sencilla y absoluta. ‖ **infinitivo.** *Gram.* El del verbo, que no expresa números ni personas ni tiempo determinado sin juntarse a otro verbo. Consta, según el tecnicismo gramatical, de presente, pretérito y futuro; v. gr.: *amar, haber amado, haber de amar*, y en él se consideran comprendidos, como formas o modificaciones suyas, el gerundio y el participio. El presente acaba siempre, en nuestra lengua, en *ar, er* o *ir;* v. gr.: *amar, temer* y *partir*, y es la voz que da nombre al verbo. ‖ **maestro.** *Mús.* **Modo auténtico.** ‖ **mayor.** *Mús.* Disposición de los sonidos de una escala musical, cuya tercera nota sólo se diferencia dos tonos de la primera. ‖ **menor.** *Mús.* Disposición de los sonidos de una escala musical, cuya tercera nota sólo se diferencia tono y medio de la primera. ‖ **optativo.** *Gram.* En la conjugación griega y la sánscrita, el que indica deseo de que se verifique lo significado por el verbo. En latín se refundió con el subjuntivo. ‖ **plagal.** *Mús.* Cada uno de los cuatro añadidos en el canto gregoriano, y cuya dominante era la tercera por bajo de la tónica. ‖ **potencial.** *Gram.* El que expresa la acción del verbo como posible. ‖ **subjuntivo.** *Gram.* El del verbo, que generalmente necesita juntarse a otro verbo para tener significación determinada y cabal. ‖ **Al,** o **a, modo.** m. adv. Como o semejantemente. ‖ **A mi, tu, su, nuestro, vuestro modo.** loc. adv. Según puede, sabe o acostumbra la persona de que se trate. ‖ **Cada uno tiene su modo de matar pulgas.** fr. proverb. con que se explica la variedad de genios y **modos** particulares que tienen las personas para discurrir u obrar. ‖ **De modo que.** m. conjunt. **De suerte que.** ‖ **Por modo de juego.** loc. adv. **Por juego.** ‖ **Sobre modo.** m. adv. En extremo, sobremanera.

Modorra. (De *modorro*.) f. Sueño muy pesado. ‖ **2. Hora de la modorra.** ‖ **3.** *Mil.* Segundo de los cuartos en que para las centinelas se dividía la noche, comprendido entre el cuarto de prima y el de la modorrilla. ‖ **4.** *Veter.* Aturdimiento que sobreviene al ganado lanar por la presencia de los huevos de cierto helminto en el cerebro de las reses.

Modorrar. tr. Causar modorra. Es usado entre pastores. ‖ **2.** r. Ponerse la fruta blanda y mudar de color, como para pudrirse.

Modorrilla. (De *modorra*.) f. fam. *Mil.* Tercero de los cuartos en que para las centinelas se dividía la noche, comprendido entre el de la modorra y el del alba.

Modorrillo. m. Cierta clase de vasija usada antiguamente.

Modorro, rra. (En port. *modorro*.) adj. Que padece el accidente de modorra. ‖ **2.** Dícese del operario que se ha azogado en las minas. Ú. t. c. s. ‖ **3.** Dícese de la fruta que pierde el color y empieza a fermentar. ‖ **4.** fig. Inadvertido, ignorante, que no hace distinción de las cosas. Ú. t. c. s.

Modosidad. f. Calidad de modoso.

Modoso, sa. adj. Que guarda modo y compostura en su conducta y ademanes.

Modrego. m. fam. Sujeto desmañado y que no tiene habilidad ni gracia para nada.

Modulación. (Del lat. *modulatio, -ōnis*.) f. *Mús.* Acción y efecto de modular. ‖ **2.** *Electr.* Modificación de la frecuencia o amplitud de las ondas eléctricas para la mejor transmisión de las señales.

Modulador, ra. (Del lat. *modulātor*.) adj. Que modula. Ú. t. c. s.

Modulante. (Del lat. *modŭlans, -antis*.) p. a. de **Modular.** Que modula.

Modular. (Del lat. *modulāre*.) intr. Variar de modos en el habla o en el canto, dando con afinación, facilidad y suavidad los tonos correspondientes.

Módulo. (Del lat. *modŭlus*.) m. *Antrop.* Medida comparativa de las partes del cuerpo humano en los tipos étnicos de cada raza. ‖ **2.** *Arq.* Medida que se usa para las proporciones de los cuerpos arquitectónicos, y suele ser el semidiámetro de la parte inferior de la columna. ‖ **3.** *Hidrául.* Obra o aparato dispuesto para regular la cantidad de agua que se introduce en una acequia o canal, o que pasa por un caño u orificio. ‖ **4.** *Mat.* Cantidad que sirve de medida o tipo de comparación en determinados cálculos. ‖ **5.** *Mat.* Divisor entero necesario entre números congruentes para que éstos lo sean. ‖ **6.** *Mat.* Razón constante entre los logaritmos de un mismo número tomados en bases diferentes. ‖ **7.** *Mús.* **Modulación,** 1.ª acep. ‖ **8.** *Numism.* Diámetro de una medalla o moneda.

Moduloso, sa. (De *módulo*.) adj. p. us. Cadencioso, armonioso.

Modurria. (De *modorra*.) f. ant. Bobería.

Modus vivendi. loc. lat. Modo de vivir, base o regla de conducta, arreglo, ajuste o transacción entre dos partes. Dícese especialmente de pactos internacionales, o acuerdos diplomáticos de carácter interino.

Moer. m. **Muaré.**

Mofa. (De *mofar*.) f. Burla y escarnio que se hace de una persona o cosa con palabras, acciones o señales exteriores.

Mofador, ra. adj. Que se mofa. Ú. t. c. s.

Mofadura. (De *mofar*.) f. **Mofa.**

Mofante. p. a. de **Mofar.** Que se mofa. Ú. t. c. s.

Mofar. intr. Hacer mofa. Ú. m. c. r. Usáb. t. c. tr.

Mofeta. (Del neerl. *muf*, que huele a moho.) f. Cualquiera de los gases perniciosos que se desprenden de las minas y otros sitios subterráneos, ordinariamente el ácido carbónico o un carburo de hidrógeno. ‖ **2.** Mamífero carnicero de unos cinco decímetros de largo, comprendida la cola, que es de dos, y parecido exteriormente a la comadreja, de la cual se diferencia por su tamaño y el pelaje, pardo en el lomo y en el vientre, y blanco en los costados y la cola. Es propio de América y lanza un líquido fétido que segregan dos glándulas situadas cerca del ano.

Moflete. m. fam. Carrillo demasiadamente grueso y carnoso que parece que está hinchado.

Mofletudo, da. adj. Que tiene mofletes.

Moflir. tr. ant. Comer, mascar.

Mogataz. (Del ár. *mugaṭṭas*, bautizado.) adj. V. **Moro mogataz.** Ú. t. c. s.

Mogate. (Del ár. *mugaṭṭī*, que cubre, cubierta.) m. Baño que cubre alguna cosa, y particularmente el barniz que usan los alfareros. ‖ **A,** o **de, medio mogate.** m. adv. Díjose de las vasijas de barro sólo vidriadas interior o exteriormente. ‖ **2.** fig. y fam. Con descuido o poca advertencia en lo que se ejecuta; sin la perfección debida.

Mogato, ta. adj. **Mojigato.** Ú. t. c. s.

Mogo. m. ant. y hoy vulg. **Moho.**

Mogol, la. (Del turco *mugal*.) adj. **Mongol.** ‖ **Gran mogol.** Título de los soberanos de una dinastía mahometana en la India.

Mogólico, ca. adj. **Mongólico.** ‖ **2.** Perteneciente al gran mogol.

Mogollón, na. adj. p. us. Holgazán, vago, gorrón. ‖ **2.** m. Entremetimiento de uno donde no le llaman o no es convidado. ‖ **De mogollón.** fr. fam. **De gorra.** ‖ **2.** De balde, gratuitamente.

Mogón, na. (De un der. del lat. *mutĭlus* y *muticus*, mutilado.) adj. Dícese de la res vacuna a la cual falta una asta, o la tiene rota por la punta.

Mogote. (Del vasc. *muga*, mojón.) m. Montículo aislado, de forma cónica y rematado en punta roma. ‖ **2.** Hacina o montón de haces en forma piramidal. ‖ **3.** Cada una de las dos cuernas de los gamos y venados, desde que les comienzan a nacer hasta que tienen como un palmo de largo.

Mogrollo. (De *mogollón*.) m. **Gorrista.** ‖ **2.** fam. Sujeto tosco y que no tiene cortesía.

Mohada. f. **Mojada,** 2.° art.

Moharra. (Quizá del ár. *muḥarrab*, aguzado.) f. Punta de la lanza, que comprende la cuchilla y el cubo con que se asegura en el asta.

Moharrache. m. **Moharracho.**

Moharracho. (Del ár. *muharraŷ*, risible, bufón.) m. Persona que se disfraza ridículamente en una función para alegrar o entretener a las demás, haciendo gestos y ademanes ridículos. ‖ **2.** fig. y fam. **Mamarracho.**

Mohatra. (Del ár. *mujāṭara*, venta con riesgo.) f. Venta fingida o simulada que se hace, o cuando se vende teniendo prevenido quien compre aquello mismo a menos precio, o cuando se da a precio muy alto para volverlo a comprar a precio ínfimo, o cuando se da o presta a precio exorbitante. || **2.** Fraude, engaño. || **3.** V. **Caballero de mohatra.**

Mohatrante. p. a. de **Mohatrar.** Que mohatra.

Mohatrar. intr. Hacer mohatras. || **Antes que mohatres, no te alabes.** ref. que denota que el que intenta engañar a otro no puede jactarse de ello hasta haberlo conseguido.

Mohatrero, ra. m. y f. Persona que hace mohatras.

Mohatrón, na. m. y f. **Mohatrero, ra.**

Mohecer. (De *moho.*) tr. **Enmohecer.** Ú. t. c. r.

Moheda. (Del ár. *magīda*, espesura, herbazal.) f. Monte alto con jarales y maleza.

Mohedal. m. **Moheda.**

Moheña. adj. V. **Ortiga moheña.**

Mohiento, ta. adj. **Mohoso.**

Mohín. (De *mofa.*) m. Mueca o gesto.

Mohína. (De *mohín.*) f. Enojo o enfado contra alguno.

Mohindad. f. **Mohína.**

Mohíno, na. (De *mohín.*) adj. Triste, melancólico, disgustado. || **2.** Dícese del macho o mula hijos de caballo y burra. || **3.** Dícese de las caballerías y reses vacunas que tienen el pelo, y sobre todo el hocico, de color muy negro. Ú. t. c. s. || **4.** m. **Rabilargo,** 3.ª acep. || **5.** En el juego, aquel contra quien van los demás que juegan. || **6.** En el juego del revesino, partido que se hace a aquel contra quien van los demás, dándole algunas ventajas o exenciones. || **Tres al, o contra el, mohíno.** expr. fig. con que se significa la conjuración o unión de algunos contra otros.

Moho. (Del alto al. *muff.*) m. *Bot.* Cualquiera de los hongos de tamaño muy pequeño que viven en los medios orgánicos ricos en materias nutritivas, provistos de un micelio filamentoso y ramificado del cual sale un vástago que termina en un esporangio esférico, a manera de cabezuela. || **2.** Capa que se forma en la superficie de un cuerpo metálico por alteración química de su materia; como la herrumbre o el cardenillo. || **3.** fig. Desidia o dificultad de trabajar, ocasionada del demasiado ocio y descanso. || **No criar moho** una cosa. fr. fig. y fam. Traerla en continuo movimiento, o usar de ella de modo que no esté ociosa ni parada. || **No dejar criar moho** a una cosa. fr. fig. y fam. Tenerla en continuo ejercicio. || **2.** fig. y fam. Gastarla prontamente.

Mohoso, sa. adj. Cubierto de moho, 1.ª y 2.ª aceps.

Mohúr. m. Moneda de oro de la India inglesa, equivalente a 15 rupias de plata.

Moisés. n. p. V. **Ley de Moisés.** || **2.** fig. y fam. V. **Lágrimas de Moisés.**

Mojábana. f. **Almojábana.**

Mojada. f. Acción y efecto de mojar o mojarse. || **2.** fam. Herida con arma punzante. || **3.** *Murc.* Sopa que se moja y empapa en cualquier licor.

Mojada. (Del b. lat. *modiata*, y éste del lat. *modius*, modio.) f. Medida agraria usada en Cataluña, que tiene 2.025 canas cuadradas y equivale a cerca de 49 áreas.

Mojado, da. p. p. de **Mojar.** || **2.** adj. fig. V. **Papel mojado.** || **3.** *Gram.* Dícese del sonido pronunciado con un contacto relativamente amplio del dorso de la lengua contra el paladar. *La* CH *puede ser más o menos* MOJADA.

Mojador, ra. adj. Que moja. Ú. t. c. s. || **2.** m. Tacita o receptáculo pequeño de vidrio o de metal con una esponja empapada de agua, para mojarse la punta de los dedos el que cuenta billetes o maneja papeles, y también para mojar los sellos antes de pegarlos en los sobres. || **3.** *Impr.* Depósito de agua limpia en que se moja el papel antes de la impresión.

Mojadura. f. Acción y efecto de mojar o mojarse.

Mojama. (Del m. or. que *almojama.*) f. Cecina de atún.

Mojar. (Del lat. **mŏlliāre*, por *mŏllīre*, ablandar.) tr. Humedecer una cosa con agua u otro líquido. Ú. t. c. r. || **2.** fig. y fam. Dar de puñaladas a uno. || **3.** intr. fig. Introducirse o tener parte en una dependencia o negocio.

Mojarra. (De *moharra.*) f. Pez teleósteo del suborden de los acantopterigios, de unos dos centímetros de largo, con el cuerpo ovalado, comprimido lateralmente, de color obscuro con tres manchas negras, una junto a la cola y las otras dos en las agallas; cabeza ancha y ojos grandes. Se pesca en las costas de España y es de carne estimada. || **2.** Lancha pequeña al servicio de las almadrabas. || **3.** *Amér.* y *And.* Cuchillo ancho y corto.

Mojarrilla. (d. de *mojarra.*) com. fam. Persona que siempre está alegre y de chanza.

Moje. (De *mojar.*) m. Caldo de cualquier guisado.

Mojel. (Del ital. *morsello*, rebenque, y éste d. del lat. *morsus*, mordisco.) m. *Mar.* Cualquiera de las cajetas hechas de meollar, del largo de braza y media, las cuales van hacia los chicotes en disminución, y sirven para dar vueltas al cable y al virador cuando se zarpa el ancla.

Mojera. f. **Mostajo.**

Mojete. (De *mojar.*) m. *Ar.* y *Murc.* **Salsa.**

Mojí. (Del ár. *muḥšà*, con imela *muḥšī*, relleno de varias cosas.) adj. V. **Cazuela mojí.**

Mojí. m. **Mojicón,** 3.ª acep.

Mojicón. (Del m. or. que *mojí*, 1.er art.) m. Especie de bizcocho, hecho regularmente de mazapán y azúcar, cortado en trozos y bañado. || **2.** Especie de bollo fino que se usa principalmente para tomar chocolate. || **3.** fam. Golpe que se da en la cara con el puño.

Mojiganga. f. Fiesta pública que se hace con varios disfraces ridículos, enmascarados los hombres, especialmente en figuras de animales. || **2.** Obrilla dramática muy breve, para hacer reír, en que se introducen figuras ridículas y extravagantes. || **3.** fig. Cualquiera cosa ridícula con que parece que uno se burla de otro.

Mojigatería. f. Calidad de mojigato. || **2.** Acción propia de él.

Mojigatez. f. **Mojigatería,** 1.ª acep.

Mojigato, ta. adj. Disimulado, que afecta humildad o cobardía para lograr su intento en la ocasión. Ú. t. c. s. || **2.** Beato hazañero que hace escrúpulo de todo. Ú. m. c. s.

Mojil. adj. **Mojí,** 1.er art.

Mojinete. m. **Albardilla,** 6.ª acep. || **2. Caballete,** 2.ª acep. || **3.** *Argent.* Frontón o remate triangular de la fachada principal de un rancho, galpón o cualquiera otra construcción semejante.

Mojinete. (d. sincopado de *mojicón.*) m. p. us. Golpe suave dado en la cara a los niños para acariciarlos.

Mojino, na. (De *mojí*, 1.er art.) adj. V. **Cazuela mojina.**

Mojo. (De *mojar.*) m. **Moje.** || **2.** ant. **Remojo.** Ú. en *Sal.*

Mojón. (Del lat. **mŭtŭlo, -ōnis*, aum. de *mŭtŭlus*, montón.) m. Señal permanente que se pone para fijar los linderos de heredades, términos y fronteras. || **2.** Por ext., señal que se coloca en despoblado para que sirva de guía. || **3. Chito,** 1.er art., 1.ª acep. || **4. Montón,** 1.ª acep. || **5.** Porción compacta de excremento humano que se expele de una vez.

Mojón. (De *mojar.*) m. **Catavinos,** 1.ª acep. || **2.** ant. **Mojonero.**

Mojona. (De *mojonar.*) f. Acción de medir o amojonar las tierras.

Mojona. (De *mojón*, 2.° art.) f. Renta que se arrendaba en los lugares, y consistía en el tributo que se pagaba por la medida del vino o de otra especie.

Mojonación. (De *mojonar.*) f. **Amojonamiento.**

Mojonar. (De *mojón*, 1.er art.) tr. **Amojonar.**

Mojonera. f. Lugar o sitio donde se ponen los mojones, 1.er art., 1.ª acep. || **2.** Serie de mojones, 1.er art., 1.ª acep. que señalan la confrontación de dos términos o jurisdicciones.

Mojonero. (De *mojón*, 2.° art.) m. **Aforador.**

Mol. adj. ant. **Mole,** 1.er art.

Mola. (Del lat. *mola.*) f. Harina de cebada, tostada y mezclada con sal, de que usaban los gentiles en sus sacrificios, echándola en la frente de la res y en la hoguera en que ésta había de ser quemada.

Mola. (Del lat. *mola*, masa carnosa de la matriz.) f. Masa carnosa e informe que en algunos casos se produce dentro de la matriz, ocasionando las apariencias de la preñez. Dícese también **mola matriz.**

Molada. (De *muela.*) f. Porción de color que se muele de una vez con la moleta. || **2.** *Ar.* Cantidad de aceituna que se muele de una vez.

Molar. (Del lat. *molāris.*) adj. Perteneciente o relativo a la muela. || **2.** Apto para moler. || **3.** V. **Diente molar.** Ú. m. c. s.

Molcajete. (Del mejic. *mulcaxitl*, escudilla.) m. Mortero grande de piedra o de barro cocido, con tres pies cortos y resistentes.

Moldar. (Del lat. *modŭlāre*, medir.) tr. **Amoldar.** || **2. Moldurar.**

Moldavo, va. adj. Natural de Moldavia. Ú. t. c. s. || **2.** Perteneciente a este antiguo principado danubiano.

Molde. (De *moldar.*) m. Pieza o conjunto de piezas acopladas, en la que se hace en hueco la figura que en sólido quiere darse a la materia fundida, fluida o blanda, que en él se vacía; como, por ejemplo, un metal, la cera, etc. || **2.** Cualquier instrumento, aunque no sea hueco, que sirve para estampar o para dar forma o cuerpo a una cosa; y en este sentido se llaman **moldes** las letras de imprenta, las agujas de hacer media, los palillos de hacer encajes, etc. || **3.** V. **Letra de molde.** || **4.** fig. Persona que por llegar al sumo grado en una cosa, puede servir de regla o norma en ella. || **5.** ant. V. **Escribano de molde.** || **6.** *Impr.* Conjunto de letras o forma ya dispuesta para imprimir. || **de tontos.** fig. Persona a quien cansan y fatigan con impertinencia y pesadez. || **De molde.** loc. Dícese de lo impreso, a distinción de lo manuscrito. || **2.** m. adv. fig. A propósito, con oportunidad. || **3.** fig. Bien, perfectamente, con maestría.

Moldeado, da. p. p. de **Moldear.** || **2.** m. Acción y efecto de moldear.

Moldeador, ra. adj. Que moldea. Ú. t. c. s.

Moldeamiento. m. Acción y efecto de moldear.

Moldear. (De *molde.*) tr. **Moldurar.** || **2.** Sacar el molde de una figura. || **3. Vaciar,** 3.ª acep.

Moldero. (De *molde.*) m. ant. Impresor o estampador.

Moldura. (De *molde.*) f. Parte saliente de perfil uniforme, que sirve para adornar obras de arquitectura, carpintería y otras artes.

Moldura. (Del lat. *mōlītūra*, de *mōlĕre*, moler.) f. *Ál.* **Moltura,** 2.ª acep.

Moldurar. tr. Hacer molduras en una cosa.

Mole. (Del lat. *mollis.*) adj. **Muelle,** 1.er art., 1.ª acep. || **2.** V. **Huevos moles.**

Mole. (Del lat. *moles.*) f. Cosa de gran bulto o corpulencia. || **2.** Corpulencia o bulto grande.

Mole. (Del mejic. *mulli.*) m. Guisado de carne usado en Méjico, cuya salsa se hace con chile colorado, ajonjolí y otros ingredientes que suelen variar según el gusto de las personas. Es guisado propio del guajolote o pavo. || **verde.** El que se hace con salsa de chiles y tomates verdes.

Molécula. (d. del lat. *moles,* mole.) f. Agrupación definida y ordenada de átomos, de volumen pequeñísimo, que se considera como primer elemento inmediato de la composición de los cuerpos.

Molecular. adj. Perteneciente o relativo a las moléculas. || **2.** *Fís.* V. **Atracción molecular.**

Moledera. (De *moler.*) f. Piedra en que se muele. || **2.** fig. y fam. **Cansera,** 1.ª acep.

Moledero, ra. adj. Que se ha de moler o puede molerse. || **2.** m. ant. **Molendero,** 1.ª acep.

Moledor, ra. adj. Que muele. Ú. t. c. s. || **2.** fig. y fam. Dícese de la persona necia que cansa o fatiga con su pesadez. Ú. t. c. s. || **3.** m. Cada uno de los cilindros del trapiche o molino en que se machacan las cañas en los ingenios de azúcar. || **4.** ant. **Molendero,** 1.ª acep.

Moledura. (Del lat. *molitūra.*) f. **Molienda,** 1.ª y 5.ª aceps.

Moleja. (Del lat. *molicŭla, d. de *mola,* carnosidad.) f. ant. **Molleja,** 3.ª acep.

Molejón. (aum. de *moleja.*) m. **Mollejón,** 1.er art. || **2.** *Cuba.* **Farallón,** 1.ª acep.

Molendero, ra. (De *molienda.*) m. y f. Persona que muele o lleva que moler a los molinos. || **2.** m. El que muele y labra el chocolate.

Moleña. (De *moleño.*) f. **Pedernal,** 1.ª acep.

Moleño, ña. (De *muela.*) adj. Dícese de la roca a propósito para hacer piedras de molino.

Moler. (Del lat. *mŏlĕre.*) tr. Quebrantar un cuerpo, reduciéndolo a menudísimas partes, o hasta hacerlo polvo. || **2.** *Cuba.* Exprimir la caña del azúcar en el trapiche. || **3.** fig. Cansar o fatigar mucho materialmente. *Estoy* MOLIDO *de tanto trabajar.* || **4.** fig. Destruir, maltratar. *Este cepillo* MUELE *la ropa; te he de* MOLER *a palos.* || **5.** fig. Molestar gravemente y con impertinencia. || **A todo moler.** m. adv. fig. **A toda vela,** 2.ª acep.

Molero. (Del lat. *molarius.*) m. El que hace o vende muelas de molino.

Molestador, ra. adj. Que molesta. Ú. t. c. s.

Molestamente. adv. m. Con molestia, insistencia y pesadez.

Molestar. (Del lat. *molestāre.*) tr. Causar molestia. Ú. t. c. r.

Molestia. (Del lat. *molestĭa.*) f. Fatiga, perturbación, extorsión. || **2.** Enfado, fastidio, desazón o inquietud del ánimo. || **3.** Desazón originada de leve daño físico o falta de salud. || **4.** Falta de comodidad o impedimento para los libres movimientos del cuerpo, originada de cosa que le oprima o lastime en alguna parte.

Molesto, ta. (Del lat. *molestus.*) adj. Que causa molestia. || **2.** fig. Que la siente.

Molestoso, sa. adj. ant. **Molesto,** 1.ª acep. Ú. en *And.* y *Amér.*

Moleta. f. d. de **Muela.** || **2.** Piedra o guijarro, comúnmente de mármol, que se emplea para moler drogas, colores, etc. || **3.** En la fábrica de cristales, aparato que sirve para alisarlos y pulirlos. || **4.** *Blas.* Figura de estrella con un círculo en su interior. || **5.** *Impr.* Instrumento para moler la tinta en el tintero.

Molibdeno. (Del lat. *molybdaena,* y éste del gr. μολύβδαινα; de μόλυβδος, plomo.) m. Metal de color y brillo plomizos, pesado como el cobre, quebradizo y difícil de fundir; empléase en los laboratorios, para preparar ciertos reactivos, y en la industria, en la fabricación de aceros.

Molicie. (Del lat. *mollities;* de *mollis,* blando.) f. **Blandura,** 1.ª acep. || **2.** fig. Afición al regalo, nimia delicadeza, afeminación.

Molido, da. p. p. de **Moler.** || **2.** adj. V. **Oro molido.**

Molienda. (Del lat. *molenda,* cosas que se han de moler.) f. Acción de moler. || **2.** Porción o cantidad de caña de azúcar, trigo, aceituna, chocolate, etc., que se muele de una vez. || **3.** El mismo molino. || **4.** Temporada que dura la operación de moler la aceituna o la caña de azúcar. || **5.** fig. y fam. **Molimiento,** 2.ª acep. || **6.** fig. y fam. Cosa que causa molestia. *Esto es una* MOLIENDA.

Moliente. p. a. de **Moler.** Que muele. || **Moliente y corriente.** expr. **Corriente y moliente.**

Molificable. adj. Suceptible de molificarse.

Molificación. f. Acción y efecto de molificar o molificarse.

Molificante. p. a. de **Molificar.** Que molifica.

Molificar. (Del lat. *mollificāre;* de *mollis,* blando, y *facĕre,* hacer.) tr. Ablandar o suavizar. Ú. t. c. r.

Molificativo, va. adj. Que molifica o tiene virtud de molificar.

Molimiento. m. Acción de moler. || **2.** fig. Fatiga, cansancio y molestia.

Molinada. (De *molino.*) f. fam. Molienda que se hace de una vez del trigo que se calcula necesario en una casa para pasar una temporada.

Molinaje. m. *Murc.* Lo que se paga en el molino para moler.

Molinar. m. Sitio donde están los molinos.

Molinejo. m. d. de **Molino.**

Molinera. f. Mujer del molinero. || **2.** La que tiene a su cargo un molino. || **3.** La que trabaja en él.

Molinería. f. Conjunto de molinos. || **2.** Industria molinera.

Molinero, ra. (Del lat. *molinarĭus.*) adj. Perteneciente al molino o a la molinería. || **2.** m. El que tiene a su cargo un molino. || **3.** El que trabaja en él. || **4.** V. **Espaldas de molinero.**

Molinés, sa. adj. Natural de Molina de Aragón. Ú. t. c. s. || **2.** Perteneciente a esta ciudad.

Molinete. m. d. de **Molino.** || **2.** Ruedecilla con aspas, generalmente de hojalata, que se pone en las vidrieras de una habitación para que girando renueve el aire de ésta. || **3.** Juguete de niños: consiste en una varilla en cuya punta hay una cruz o una estrella de papel que giran movidos por el viento. || **4.** *Danza.* Figura de baile en que todos, asidos de las manos, formaban círculo girando en diferentes direcciones. || **5.** *Esgr.* Movimiento circular que se hace con la lanza, sable, etc., alrededor de la cabeza, para defenderse uno a sí propio y a su caballo de los golpes del enemigo. || **6.** *Mar.* Especie de torno dispuesto horizontalmente y de babor a estribor, a proa del palo trinquete.

Molinillo. (d. de *molino.*) m. Instrumento pequeño para moler. || **2.** Platillo cilíndrico con una rueda gruesa y dentada en su extremo inferior, y el cual se hace girar a un lado y otro entre las manos extendidas, para batir el chocolate u otras cosas. || **3.** Guarnición de que se usaba antiguamente en los vestidos. || **4.** V. **Cerradura de molinillo.** || **Molinillo, casado te veas, que así rabeas.** ref. que enseña cuánto aquietan los cuidados y penalidades del matrimonio aun al más fuerte y bullicioso. || **Traer uno picado el molinillo.** fr. fig. Tener gana de comer.

Molinismo. m. Doctrina sobre el libre albedrío y la gracia, del padre Luis Molina, jesuita español.

Molinista. adj. Partidario del molinismo. Apl. a pers., ú. t. c. s. || **2.** Perteneciente a él. || **3.** Hállase también usado por **molinosista.**

Molino. (Del lat. *molinum.*) m. Máquina para moler, compuesta de una muela, una solera y los mecanismos necesarios para transmitir y regularizar el movimiento producido por una fuerza motriz; como el agua, el viento, el vapor u otro agente mecánico. || **2.** Artefacto con que, por un procedimiento cualquiera, se quebranta, machaca, lamina o estruja alguna cosa. MOLINO *del papel, de la moneda.* || **3.** Casa o edificio en que hay **molino.** || **4.** V. **Asiento, rueda de molino.** || **5.** fig. Persona sumamente inquieta y bulliciosa, y que parece que nunca para. || **6.** fig. La muy molesta. || **7.** fig. y fam. La boca, porque en ella se muele la comida. || **8.** *Germ.* **Tormento,** 3.ª acep. || **arrocero.** El que sirve para limpiar el grano de arroz de la película que lo cubre. || **de sangre.** El movido por fuerza animal. || **de viento.** El movido por el viento, cuyo impulso recibe en lonas tendidas sobre unas aspas grandes colocadas en la parte exterior del edificio. || **Molinos de viento.** fig. Enemigos fantásticos o imaginarios. || **Empatársele a uno el molino.** fr. fig. y fam. Tropezar con inconvenientes o dificultades; entorpecérsele o paralizársele un negocio. || **Estar picado el molino.** fr. fig. y fam. Ser la ocasión oportuna para hacer alguna cosa. || **Ir al molino.** fr. fig. y fam. Convenirse para obrar contra uno, especialmente en el juego. || **Tener uno picado el molino.** fr. fig. y fam. **Traer picado el molinillo.**

Molinosismo. m. Especie de quietismo, doctrina herética de Miguel Molinos, sacerdote español del siglo XVII.

Molinosista. adj. Partidario del molinosismo. Apl. a pers., ú. t. c. s. || **2.** Perteneciente a él.

Molitivo, va. (Del lat. *mollītum,* supino de *mollīre,* ablandar, suavizar.) adj. Dícese de lo que molifica o tiene virtud de molificar.

Molo. m. *Chile.* **Malecón.**

Molón. (De *muela.*) m. *Ál.* Piedra grande de figura irregular, aproximada a la esférica, que se desprende de la cantera al barrenar. || **2.** *Ál.* Trozo de piedra sin labrar. || **3.** *Nav.* **Rueda de molino.**

Molondra. (De *mole.*) f. *Ál.* y *Murc.* Cabeza grande.

Molondro. (Del m. or. que *molón.*) m. fam. Hombre poltrón, perezoso y falto de enseñanza.

Molondrón. m. fam. **Molondro.** || **2.** *Ál.* Golpe dado en la cabeza, o con la cabeza.

Moloso, sa. (Del lat. *molossus.*) adj. Natural de la antigua Molosia. Ú. t. c. s. || **2.** Perteneciente a esta ciudad de Epiro. || **3.** Dícese de cierta casta de perros procedente de Molosia. Ú. t. c. s. || **4.** m. Pie de la poesía griega y latina, compuesto de tres sílabas largas.

Molsa. f. ant. Lana o pluma de colchón.

Molso, sa. adj. *Ál.* y *Vizc.* Abultado y deforme. || **2.** Desgarbado, desaseado, sucio.

Moltura. (Del lat. *molitūra.*) f. **Molienda.** || **2.** *Ar.* **Maquila,** 1.ª acep.

Molturador. m. El que moltura.

Molturación. f. Acción y efecto de molturar.

Molturar. (De *moltura*.) tr. Moler, 1.ª acep.

Molusco. (Del lat. *molluscus*, blando, mollar.) adj. *Zool.* Dícese de animales metazoos con tegumentos blandos, de cuerpo no segmentado en los adultos, desnudo o revestido de una concha, y con simetría bilateral, que no siempre es perfecta; como la linaza, el caracol y la jibia. Ú. t. c. s. m. || **2.** m. pl. *Zool.* Tipo de estos animales.

Molla. (Del lat. *mollis*, blando.) f. Parte magra de la carne. || **2.** *Murc.* **Molledo,** 2.ª acep.

Mollar. (De *molla*.) adj. Blando y fácil de partir o quebrantar. || **2.** V. **Almendra, carne, cereza mollar.** || **3.** fig. Dícese de las cosas que dan mucha utilidad, sin carga considerable. || **4.** fig. y fam. Aplícase al que es fácil de engañar o de dejarse persuadir.

Molle. (Del quichua *molli*.) m. *Bot.* Árbol de mediano tamaño, de la familia de las anacardiáceas, propio de América Central y Meridional, que tiene hojas fragantes, coriáceas y muy poco dentadas; flores en espigas axilares, más cortas que las hojas, y frutos rojizos. Su corteza y resina se estiman como nervinas y antiespasmódicas. || **2.** Árbol de Bolivia, el Ecuador y Perú, de la misma familia que el anterior y cuyos frutos se emplean para fabricar una especie de chicha.

Mollear. (De *molla*.) intr. Ceder una cosa a la fuerza o presión. || **2.** Doblarse por su blandura.

Molledo. (De *molla*.) m. Parte carnosa y redonda de un miembro, especialmente la de los brazos, muslos y pantorrillas. || **2.** Miga del pan.

Molleja. (Por *moleja*, del lat. **molicŭla*, d. de *mola*, carnosidad interior.) f. d. de **Molla.** || **2.** Apéndice carnoso, formado las más veces por infarto de las glándulas. || **3.** *Zool.* Estómago muscular que tienen las aves, muy robusto especialmente en las granívoras, y que les sirve para triturar y ablandar por medio de una presión mecánica los alimentos, que llegan a este órgano mezclados con los jugos digestivos. || **Criar** uno **molleja.** fr. fig. y fam. Empezar a hacerse holgazán y poltrón.

Mollejón. (De *molejón*.) m. Piedra de amolar, redonda y colocada en un eje horizontal sobre una artesa con agua, donde se moja a medida que da vueltas.

Mollejón. (De *molleja*.) m. fam. Hombre muy gordo y flojo. || **2.** fig. y fam. Hombre muy blando de genio.

Mollejuela. f. d. de **Molleja.**

Mollentar. (Del lat. *molliens, -entis*, p. a. de *mollīre*, ablandar.) tr. ant. **Amollentar.** Usáb. t. c. r.

Mollera. (De *molla*.) f. Parte más alta del casco de la cabeza, junto a la comisura coronal. || **2.** fig. Caletre, seso. || **3.** *Zool.* Fontanela situada en la parte más alta de la frente. || **Cerrado de mollera.** loc. fig. Rudo e incapaz. || **Cerrar,** o **cerrarse,** o **tener** uno **cerrada, la mollera.** fr. Endurecerse u osificarse la fontanela mayor, situada, en el feto y niños de poco tiempo, entre el hueso frontal y los dos parietales. || **2.** fig. y fam. Tener ya juicio. || **Ser** uno **duro de mollera.** fr. fig. y fam. Ser porfiado o temoso. || **2.** fig. y fam. Ser rudo para aprender. || **Tener** uno **ya dura la mollera.** fr. fig. y fam. No estar ya en estado de aprender.

Mollero. m. fam. **Molledo,** 1.ª acep.

Mollerón. (De *mollera*.) m. *Germ.* Casco de acero.

Mollescer. (Del lat. *mollescĕre*.) tr. ant. **Ablandar.**

Mollesciente. p. a. ant. de **Mollescer.** Que ablanda.

Molleta. (De *mollete*, 1.er art.) f. Torta de pan de la flor de la harina, que algunas veces suele amasarse con leche. || **2.** En algunas partes, pan moreno y de inferior calidad.

Molletas. f. pl. **Despabiladeras.**

Mollete. (Del lat. *mollis*, blando, tierno.) m. Panecillo de forma ovalada, esponjado y de poca cochura, ordinariamente blanco. || **2.** En algunas partes, molledo del brazo.

Mollete. m. **Moflete.**

Molletero, ra. m. y f. Persona que hace o vende molletes.

Molletudo, da. adj. **Mofletudo.**

Mollez. f. ant. **Molleza.**

Molleza. (Del lat. *mollitia*.) f. ant. **Molicie.**

Mollicio, cia. (Del lat. *mollis*.) adj. **Muelle,** 1.er art., 1.ª acep.

Mollidura. (De *mollir*.) f. ant. **Molicie.**

Mollificar. tr. **Molificar.**

Mollino, na. (De *muelle*, 1.er art.) adj. Dícese del agua lluvia que cae menuda y blandamente. || **2.** f. **Mollizna.**

Mollir. (Del lat. *mollīre*.) tr. ant. **Amollentar.**

Mollizna. (De *mollina*.) f. **Llovizna.**

Molliznar. (De *mollizna*.) intr. **Lloviznar.**

Molliznear. intr. **Molliznar.**

Moma. f. *Méj.* **Gallina ciega,** 1.ª acep.

Momeador, ra. adj. Que momea.

Momear. intr. Hacer momos.

Momentáneamente. adv. m. Inmediatamente, sin detención alguna. || **2.** Por muy breve tiempo.

Momentáneo, a. (Del lat. *momentanĕus*.) adj. Que se pasa luego; que no dura o no tiene permanencia. || **2.** Que prontamente y sin dilación se ejecuta.

Momento. (Del lat. *momentum*.) m. Mínimo espacio en que se divide el tiempo. || **2.** Por ext., importancia, entidad o peso. *Cosa de poco* MOMENTO. || **3.** *Mec.* Producto de la intensidad de una fuerza por su distancia a un punto o a una línea, o por la distancia de su punto de aplicación a un plano. || **de inercia.** *Mec.* Suma de los productos que resultan de multiplicar el volumen de cada elemento de un cuerpo por el cuadrado de su distancia a una línea fija. || **virtual.** *Mec.* Producto de una fuerza por el camino que puede recorrer su punto de aplicación en un tiempo infinitamente pequeño. || **Al momento.** m. adv. Al instante, sin dilación e inmediatamente. || **A cada momento,** o **cada momento.** m. adv. A cada paso, con frecuencia, continuamente. || **De momento,** o **por el momento.** m. adv. **Por de pronto.** || **De un momento a otro.** m. adv. Pronto, sin tardanza. Ú. con verbos que denotan una acción futura. || **Por momentos.** m. adv. Sucesiva y continuadamente; sin intermisión en lo que se ejecuta o se espera; progresivamente.

Momería. (De *momero*.) f. Ejecución de cosas o acciones burlescas con gestos y figuras.

Momero, ra. (De *momo*.) adj. Que hace momerías, gestos o figuras. Ú. t. c. s.

Momia. (Del ár. *mūmiyā*, amalgama o betún con que los egipcios embalsamaban los cadáveres.) f. Cadáver que naturalmente o por preparación artificial se deseca con el transcurso del tiempo sin entrar en putrefacción. || **2.** fig. Persona muy seca y morena.

Momificación. f. Acción y efecto de momificar o momificarse.

Momificar. tr. Convertir en momia un cadáver. Ú. m. c. r.

Momio, mia. (De *momia*.) adj. Magro y sin gordura. Ú. t. c. s. m. || **2.** V. **Carne momia.** || **3.** m. fig. Lo que se da u obtiene sobre lo que corresponde legítimamente. || **4.** fig. **Ganga,** 2.º art., 2.ª acep. || **De momio.** m. adv. fig. y fam. **De balde.**

Momo. (Del lat. *momus*.) m. Gesto, figura o mofa. Ejecútase regularmente para divertir en juegos, mojigangas y danzas.

Momórdiga. (Del lat. *momordi*, pret. de *mordēre*, morder, por la escotadura que tiene la hoja.) f. **Balsamina,** 1.ª acep.

Momperada. adj. V. **Lamparilla momperada.**

Mona. f. Hembra del mono. || **2.** Mamífero cuadrumano de unos seis decímetros de altura, con pelaje de color pardo amarillento, grandes abazones, nalgas sin pelo y callosas, y cola muy corta. Se cría en África y en el Peñón de Gibraltar y se domestica fácilmente. || **3.** fig. y fam. Persona que hace las cosas por imitar a otra. || **4.** fig. y fam. **Borrachera,** 1.ª acep. || **5.** fig. y fam. Persona ebria. || **6.** Juego de naipes, en que se reparten entre todos los jugadores las cartas de la baraja, menos una que queda oculta. Cambiando sus cartas mutuamente, los jugadores van deshaciéndose de las que forman pareja, y el que queda al final sin poder hacerla, pierde el juego. || **7.** Cierto refuerzo que se ponen los lidiadores de a caballo en la pierna derecha, por ser la más expuesta a los golpes del toro. || **8.** *Ar.* y *Murc.* Gusano de seda que no hila. || **Aunque la mona se vista de seda, mona se queda.** ref. que enseña que la mudanza de fortuna y estado nunca puede ocultar los principios bajos sin mucho estudio y cautela. || **Corrido como una mona.** loc. fig. y fam. **Hecho una mona.** || **Dormir** uno **la mona.** fr. fig. y fam. Dormir estando borracho. || **Eso se quiere la mona: piñoncitos mondados.** ref. con que se nota o zahiere al que apetece el premio sin que le cueste trabajo o fatiga. || **Hecho una mona.** loc. fig. y fam. Dícese de la persona que ha quedado burlada y avergonzada. || **Pillar** uno **una mona.** fr. fig. y fam. Embriagarse.

Mona. (Del ár. *mu'na*, provisiones de boca.) f. **Hornazo,** 1.ª acep. || **de Pascua.** La que es costumbre regalar en algunos pueblos en la Pascua de Resurrección.

Monacal. (Del lat. *monachālis*.) adj. Perteneciente o relativo a los monjes.

Monacato. (Del lat. *monăchus*, monje.) m. Estado o profesión de monje. || **2.** Institución monástica.

Monacillo. (d. del lat. *monăchus*, monje.) m. Niño que sirve en los monasterios e iglesias para ayudar a misa y otros ministerios del altar.

Monacordio. (De *monocordio*.) m. Instrumento músico de teclado, parecido a la espineta, pero de mayor extensión.

Monada. f. Acción propia de mono. || **2.** Gesto o figura afectada y enfadosa. || **3.** Cosa pequeña, delicada y primorosa. || **4.** fig. Acción impropia de persona cuerda y formal. || **5.** fig. Halago, zalamería. || **6.** fig. **Monería,** 2.ª y 3.ª aceps.

Mónada. (Del lat. *monas, -ădis*, y éste del gr. μονάς, unidad.) f. Cada uno de los seres indivisibles, pero de naturaleza distinta, que componen el universo, según el sistema de Leibniz, sabio alemán que vivió a fines del siglo XVII y principios del XVIII. || **2.** *Zool.* Cualquiera de los protozoos flagelados, de pequeño tamaño, vivientes en las aguas estancadas y provistos de dos o tres flagelos que les sirven para nadar.

Monadelfos. adj. pl. *Bot.* Dícese de los estambres de una flor que están soldados entre sí por sus filamentos, formando un solo haz. Ú. sólo en pl.

Monadología. (De *mónada*, y del gr. λόγος, doctrina.) f. Teoría de las mónadas.

Monago. (Del lat. *monăchus*.) m. fam. **Monaguillo.**

Monaguillo. (d. de *monago*.) m. **Monacillo.**

Monaquismo. (Del lat. *monăchus*, monje.) m. **Monacato.**

Monarca. (Del lat. *monarcha*, y éste del gr. μονάρχης; de μόνος, único, y ἄρχω, reinar.) m. Príncipe soberano de un Estado.

Monarquía. (Del lat. *monarchĭa*, y éste del gr. μοναρχία.) f. Estado regido por un monarca. || **2.** Forma de gobierno en que el poder supremo corresponde con carácter vitalicio a un príncipe, designado generalmente según orden hereditario y a veces por elección. || **3.** fig. Tiempo durante el cual ha perdurado este régimen político en un país.

Monárquicamente. adv. m. Según el sistema monárquico; con arreglo a él.

Monárquico, ca. (Del gr. μοναρχικός.) adj. Perteneciente o relativo al monarca o a la monarquía. || **2.** Partidario de la monarquía. Ú. t. c. s.

Monarquismo. m. Adhesión a la monarquía.

Monasterial. (Del lat. *monasteriālis*.) adj. Perteneciente al monasterio.

Monasterio. (Del lat. *monasterĭum*, y éste del gr. μοναστήριον.) m. Casa o convento, ordinariamente fuera de poblado, donde viven en comunidad los monjes. || **2.** Por ext., cualquier casa de religiosos o religiosas.

Monásticamente. adv. m. Según las reglas monásticas.

Monástico, ca. (Del lat. *monastĭcus*, y éste del gr. μοναστικός.) adj. Perteneciente al estado de los monjes o al monasterio.

Monda. f. Acción y efecto de mondar. || **2.** Tiempo a propósito para la limpia de los árboles. || **3. Mondadura**, 2.ª acep. || **4.** Exhumación de huesos que de tiempo en tiempo se hacía en las parroquias de Madrid, cuando se enterraba en ellas a los fieles difuntos. || **5.** La que se hace en un cementerio en el tiempo prefijado, conduciendo los restos humanos a la fosa o al osario.

Monda. (Del lat. *mundus Cerĕris*, cesta que se llevaba a los sacrificios de Ceres, llena de panes.) f. Ofrenda de cera que varios pueblos circunvecinos a Talavera de la Reina, hacen con ciertas ceremonias a la imagen de Nuestra Señora del Prado de dicha ciudad, el tercer día de Pascua de Resurrección || **2.** pl. Fiestas públicas que se celebran con dicho motivo.

Mondaderas. (De *mondar*.) f. pl. **Despabiladeras.**

Mondadientes. (De *mondar* y *diente*.) m. Instrumento de oro, plata, madera u otra materia, pequeño y rematado en punta, que sirve para limpiar los dientes y sacar lo que se mete entre ellos.

Mondador, ra. adj. Que monda. Ú. t. c. s.

Mondadura. (De *mondar*.) f. **Monda**, 1.er art., 1.ª acep. || **2.** Despojo, cáscara o desperdicio de las cosas que se mondan. Ú. m. en pl.

Mondaoídos. (De *mondar* y *oído*.) m. **Mondaorejas.**

Mondaorejas. (De *mondar* y *oreja*.) m. **Escarbaorejas.**

Mondapozos. m. Pocero que monda o limpia pozos.

Mondar. (Del lat. *mŭndāre*.) tr. Limpiar o purificar una cosa quitándole lo superfluo o extraño que está mezclado con ella. || **2.** Limpiar el cauce de un río, canal o acequia. || **3.** Podar, escamondar. || **4.** Quitar la cáscara a las frutas, la corteza o piel a los tubérculos, o la vaina a las legumbres. || **5.** Cortar a uno el pelo. || **6.** fig. y fam. Quitar a uno lo que tiene, especialmente el dinero. || **7.** Hablando del pecho o de la garganta, carraspear o toser repetidas veces para limpiarlos de mucosidad antes de hablar o cantar.

Mondarajas. (De *mondar*.) f. pl. fam. Mondaduras, hablando de patatas principalmente, o de naranjas, manzanas o frutas análogas.

Mondaria. f. **Mundaria.**

Mondejo. (Quizá de *bandujo*.) m. Cierto relleno de la panza del puerco o del carnero.

Mondo, da. (Del lat. *mŭndus*.) adj. Limpio y libre de cosas superfluas, mezcladas, añadidas o adherentes. || **Mondo y lirondo.** loc. fig. y fam. Limpio, sin añadidura alguna.

Mondón. (De *mondar*.) m. Tronco de árbol sin corteza.

Mondonga. f. despect. Criada zafia.

Mondongo. (De *mondejo*.) m. Intestinos y panza de las reses, y especialmente los del cerdo. || **2.** fam. Los del hombre. || **3.** fig. *Guat.* **Adefesio**, 2.ª acep. || **Hacer el mondongo.** fr. Emplearlo en hacer morcillas, chorizos, longanizas, etc.

Mondonguería. (De *mondonguero*.) f. Tienda, paraje o barrio en que se venden mondongos.

Mondonguero, ra. m. y f. Persona que vende mondongos. || **2.** Persona que tiene por oficio componerlos o guisarlos.

Mondonguil. adj. fam. Perteneciente o relativo al mondongo.

Monear. (De *mono*.) intr. fam. Hacer monadas.

Monecillo. m. ant. **Monacillo.** Ú. en *And.* y *Murc.*

Moneda. (Del lat. *monēta*.) f. Signo representativo del precio de las cosas para hacer efectivos los contratos y cambios. || **2.** Pieza de oro, plata, cobre u otro metal, regularmente en figura de disco y acuñada con el busto del soberano o el sello del gobierno que tiene la prerrogativa de fabricarla, y que, bien por su valor efectivo, o bien por el que se le atribuye, sirve de medida común para el precio de las cosas y para facilitar los cambios. || **3.** fig. y fam. Dinero, caudal. || **4.** *Econ.* Conjunto de signos representativos del dinero circulante en cada país. || **amonedada,** o **contante y sonante. Moneda metálica.** || **corriente.** La legal y usual. || **cortada.** La que no tiene cordoncillo, ni adorno ni leyenda en el canto. || **2.** La que no tiene forma circular o está realmente cortada. || **de soplillo.** La de cobre, de corto valor, que circuló en España durante los reinados de Felipe IV y Carlos II. || **de vellón.** La acuñada con liga, en proporciones variables, de plata y cobre, y sólo de cobre desde el reinado de Felipe V. || || **divisionaria.** La que equivale a una fracción exacta de la unidad monetaria legal. || **fiduciaria.** La que representa un valor que intrínsecamente no tiene. || **forera.** Tributo que de siete en siete años se pagaba al rey en reconocimiento del señorío real. || **imaginaria.** La que no ha existido o no existe ya y, sin embargo, se usa como unidad de cuenta para algunos contratos y cambios; como el ducado de plata. || **jaquesa.** La acuñada por los reyes de Aragón, primeramente en Jaca y después en otras partes de aquel reino, con cuño, peso y ley siempre determinados. || **metálica.** Dinero en especie, para distinguirlo del papel representativo de valor. || **obsidional.** La especial que se bate en una plaza sitiada. || **sonante. Moneda metálica.** || **trabucante.** La que tiene algo más del peso legal. || **Buena moneda.** La de oro o plata. || **Acuñar moneda.** fr. **Labrar moneda.** || **Alterar la moneda.** fr. Alterar su valor, peso o ley. || **Batir moneda.** fr. **Labrar moneda.** || **Correr la moneda.** fr. fig. Pasar sin dificultad en el comercio. || **2.** fig. Haber abundancia de dinero en el público. || **Labrar moneda.** fr. Fabricarla y acuñarla. Dícese de los que la hacen, pero más frecuentemente de los que la mandan hacer. || **No hacemos moneda falsa.** expr. fig. y fam. de que usan algunos para manifestar a otros que no hay inconveniente en que oigan lo que están tratando. || **Pagar en buena moneda.** fr. fig. Dar entera satisfacción en cualquier materia. || **Pagar en la misma moneda.** fr. fig. Ejecutar una acción por correspondencia a otra, o por venganza. || **Ser una cosa moneda corriente.** fr. fig. y fam. Estar admitida, o no causar ya sorpresa a nadie, por ocurrir con mucha frecuencia.

Monedado, da. p. p. de **Monedar.** || **2.** adj. ant. V. **Haber monedado.**

Monedaje. m. Derecho que se pagaba al soberano por la fabricación de moneda. || **2.** Servicio o tributo de doce dineros por libra que impuso en Aragón y Cataluña sobre los bienes muebles y raíces el rey don Pedro II.

Monedar. (De *moneda*.) tr. **Amonedar.**

Monedear. (De *moneda*.) tr. **Amonedar.**

Monedería. f. Oficio de monedero.

Monedero. adj. V. **Sobre monedero.** || **2.** m. El que fabrica moneda. || **falso.** El que acuña moneda falsa o subrepticia, o le da curso a sabiendas.

Mónera. (Del gr. μονήρης, de estructura sencilla, único, solitario.) f. *Zool.* Nombre con que se designó un microorganismo que fué considerado, erróneamente, como carente de núcleo.

Monería. (De *mono*, 2.º art.) f. **Monada**, 1.ª acep. || **2.** fig. Gesto, ademán o acción graciosa de los niños. || **3.** fig. Cualquier cosa fútil y de poca importancia o que suele ser enfadosa en personas mayores.

Monesco, ca. adj. fam. Propio de los monos o de las monas, o parecido a sus gestos y visajes.

Monesterial. adj. ant. **Monasterial.**

Monesterio. m. ant. **Monasterio.**

Monetario, ria. (Del lat. *monetarĭus*.) adj. Perteneciente o relativo a la moneda. *Sistema* MONETARIO; *crisis* MONETARIA. || **2.** m. Colección ordenada de monedas y medallas. || **3.** Conjunto de estantes, cajones o tablas en que están ordenadamente colocadas las monedas y medallas. || **4.** Pieza o sitio donde se colocan y conservan los cajones que contienen las series de las monedas y medallas.

Monetización. f. Acción y efecto de monetizar.

Monetizar. (Del lat. *monēta*, moneda.) tr. Dar curso legal como moneda a billetes de banco u otros signos pecuniarios. || **2. Amonedar.**

Monfí. (Del ár. *munfí*, por *munfá*, desterrado, bandido.) m. Moro o morisco que formaba parte de las cuadrillas de salteadores de Andalucía, después de la Reconquista. Ú. m. en pl.

Monfortino, na. adj. Natural de Monforte, ciudad de la provincia de Lugo. Ú. t. c. s. || **2.** Perteneciente a esta ciudad.

Mongo. m. Especie de judía cuya semilla es más pequeña que una lenteja y tiene el mismo sabor que ésta. Se cultiva en Filipinas, donde sirve de principal alimento en varios pueblos.

Mongol. (De *mogol*.) adj. Natural de Mongolia. Ú. t. c. s. || **2.** Perteneciente a este país de la Tartaria china. || **3.** m. Lengua de los **mongoles.**

Mongólico, ca. adj. **Mongol**, 2.ª acep.

Mongolismo. m. Enfermedad que se inicia durante la vida embrionaria y que luego se manifiesta en el aspecto mongoloide del rostro. Suele ir acompañada de un retraso mental que puede llegar a la idiotez.

Mongoloide. adj. Dícese de las personas pertenecientes a la raza blanca que recuerdan por alguno de sus rasgos físicos, y especialmente por la oblicuidad de los ojos, a los individuos de las razas mongólicas. Ú. t. c. s.

Moniato. m. Boniato.

Monicaco. m. despect. **Hominicaco.**

Monición. (Del lat. *monitĭo, -ōnis.*) f. Admonición.

Monigote. (despect. der. de *monăchus*, monje.) m. Lego de convento. || **2.** fig. y fam. Persona ignorante y ruda, de ninguna representación ni valer. || **3.** fig. y fam. Muñeco o figura ridícula hecha de trapo o cosa semejante. || **4.** fig. y fam. Pintura o estatua mal hecha.

Monillo. m. Jubón de mujer, sin faldillas ni mangas.

Monimiáceo, a. adj. *Bot.* Dícese de plantas leñosas angiospermas dicotiledóneas, con hojas opuestas o verticiladas, rara vez esparcidas, flores comúnmente unisexuales, carpelos con un solo óvulo, y fruto indehiscente; como el boldo. Ú. t. c. s. f. || **2.** f. pl. *Bot.* Familia de estas plantas.

Monín, na. adj. d. de **Mono, na.** Ú. t. c. s.

Monipodio. (De *monopolio.*) m. Convenio de personas que se asocian y confabulan para fines ilícitos.

Monís. f. Cosa pequeña o pulida || **2.** *Ar.* Especie de masa que se hace de huevos y azúcar, como los melindres. || **3.** m. fam. **Pecunia.** Ú. m. en pl. *Tener* MONISES.

Monismo. (Del gr. μόνος, solo, único.) m. Concepción común a todos los sistemas filosóficos que tratan de reducir los seres y fenómenos del Universo a una idea o substancia única de la cual derivan y con la cual se identifican. Llámase así por antonomasia el materialismo evolucionista de Haeckel.

Monista. m. Partidario del monismo.

Mónita. (Del libro apócrifo de advertimientos a los jesuitas, titulado *Monita privata Societatis Iesu.*) f. Artificio, astucia, con suavidad y halago.

Monitor. (Del lat. *monĭtor, -ōris.*) m. El que amonesta o avisa. || **2.** Cierto subalterno que acompañaba en el foro al orador romano, con el encargo de recordarle y presentarle los documentos y objetos de que debía servirse en su peroración. || **3.** Esclavo que acompañaba a su señor en las calles para recordarle los nombres de las personas a quienes iba encontrando. || **4.** Barco de guerra, artillado, acorazado y con espolón de acero a proa, que navega casi sumergido para ofrecer menos blanco vulnerable, y cuyo pequeño calado le permite hacer el servicio de exploración por vías fluviales. Fué inventado a fines del siglo XVIII en los Estados Unidos de la América del Norte, y empleado en la guerra de Secesión. Actualmente ha caído en desuso por los progresos de la arquitectura naval.

Monitoria. f. **Monitorio,** 2.ª acep.

Monitorio, ria. (Del lat. *monitorĭus.*) adj. Dícese de lo que sirve para avisar o amonestar, y de la persona que lo hace. || **2.** m. Monición, amonestación o advertencia que el Papa, los obispos y prelados dirigen a todos los fieles en general para la averiguación de ciertos hechos que en la misma se expresan, o para señalarles normas de conducta, principalmente en relación con circunstancias de actualidad.

Monja. (Del lat. *monăcha.*) f. Religiosa de alguna de las órdenes aprobadas por la Iglesia, que se liga por votos solemnes, y generalmente está sujeta a clausura. || **2.** V. **Besico, escrúpulo, pellizco de monja.** || **3.** pl. fig. Partículas encendidas que quedan cuando se quema un papel, y se van apagando poco a poco. || **4.** V. **Devoción, hilo, vicario de monjas.**

Monje. (Del lat. *monăchus*, y éste del gr. μοναχός, solitario.) m. Solitario o anacoreta. || **2.** Individuo de una de las órdenes religiosas que está sujeto a una regla común, y vive en monasterios establecidos fuera de población. || **3.** Religioso de una de las órdenes monacales. || **4.** **Paro carbonero.** || **5.** V. **Oreja de monje.**

Monjía. (De *monje.*) f. Derecho, emolumento, prebenda, beneficio o plaza que el monje, como tal, tiene en su monasterio. || **2.** ant. **Monacato,** 1.ª acep.

Monjil. adj. Propio de las monjas, o relativo a ellas. || **2.** V. **Paloma monjil.** || **3.** m. Hábito o túnica de monja. || **4.** Traje de lana que usaban por luto las mujeres. || **5.** Manga perdida propia de este traje y de algunos otros usados antiguamente.

Monjío. m. Estado de monja. || **2.** Entrada de una monja en religión.

Monjita. f. d. de **Monja.** || **2.** Avecilla de la Argentina, que tiene de color gris blanquecino el lomo, las alas y la cola; blanco el pecho, y negra la cabeza, de forma que parece llevar en ella una toca.

Mono. (Del gr. μόνος.) Voz que en castellano sólo tiene uso como prefijo de vocablos compuestos, con la significación de único o uno solo; como en MONO*manía*.

Mono, na. adj. fig. y fam. Pulido, delicado o gracioso. || **2.** m. *Zool.* Nombre genérico con que se designa a cualquiera de los animales del suborden de los simios. || **3.** fig. Persona que hace gestos o figuras parecidas a las del **mono.** || **4.** fig. Joven de poco seso y afectado en sus modales. || **5.** fig. Figura humana o de animal, hecha de cualquier materia, o pintada, o dibujada. || **6.** fig. Traje de faena de tela fuerte y de color sufrido que, para proteger el vestido corriente, usan los mecánicos, motoristas y muchas clases de obreros, aviadores, etc., y también para ciertos menesteres las mujeres y los niños. Consta de cuerpo y pantalones en una pieza. || **araña.** Mono de la América Meridional, de cuerpo delgado y patas muy largas, así como la cola; la longitud de sus patas le da cierta semejanza con la araña. || **aullador.** Mono de la América Meridional, de cola prensil y con el hueso hioides, grande y hueco, en comunicación con la laringe, lo que le permite lanzar sonidos que se oyen a gran distancia. || **capuchino.** Especie fácil de distinguir entre los demás **monos** americanos, porque su cola no es prensil: tiene la cabeza redondeada, ojos grandes, como de animal nocturno, y cuerpo cubierto de largos y abundantes pelos, sobre todo en la cola. || **negro.** *Colomb.* **Mono capuchino.** || **sabio.** El adiestrado en varios ejercicios para exhibirlo en circos y barracas. || **2.** *Taurom.* Mozo que cuida del caballo del picador y le presta servicio en la plaza. || **Estar de monos** dos o más personas. fr. fig. y fam. Estar enojadas o reñidas. Dícese comúnmente de los novios. || **Meterle los monos** a uno. fr. fig. *Colomb.* **Meterle** a uno **las cabras en el corral.** || **Quedarse** uno **hecho un mono.** fr. fig. Quedarse corrido o avergonzado.

Monoceronte. m. **Monocerote.**

Monocerote. (Del lat. *monocĕros, -ōtis*, y éste del gr. μονόκερως; de μόνος, único, y κέρας, cuerno.) m. **Unicornio,** 1.ª acep.

Monoclamídeo, a. (Del gr. μόνος, único, y χλαμύς, -ύδος, clámide, manto.) adj. *Bot.* Dícese de las plantas angiospermas dicotiledóneas cuyas flores tienen cáliz pero carecen de corola; como las urticáceas. Ú. t. c. s. f.

Monocordio. (Del gr. μονόχορδον; de μόνος, único, y χορδή, cuerda.) m. Instrumento antiguo de caja armónica, como la guitarra, y una sola cuerda tendida sobre varios puentecillos fijos o movibles que la dividen en porciones desiguales, correspondientes con las notas de la escala. Se tocaba con una púa de cañón de pluma y servía de diapasón.

Monocotiledón. (Del gr. μόνος, único, y κοτυληδών, cavidad.) adj. *Bot.* **Monocotiledóneo.**

Monocotiledóneo, a. (De *monocotiledón.*) adj. *Bot.* Dícese del vegetal o planta cuyo embrión posee un solo cotiledón. Ú. t. c. s. f. || **2.** f. pl. *Bot.* Grupo taxonómico constituido por las plantas angiospermas cuyo embrión tiene un solo cotiledón, como la palmera y el azafrán.

Monocromo, ma. (Del gr. μονόχρωμος.) adj. De un solo color.

Monóculo, la. (Del lat. *monocŭlus.*) adj. Que tiene un solo ojo. Ú. t. c. s. || **2.** m. Lente para un solo ojo. || **3.** *Cir.* Vendaje que se aplica a uno solo de los dos ojos.

Monodia. (Del gr. μονῳδία; de μόνος, solo, único, y ᾠδή, canto.) f. *Mús.* Canto en que interviene una sola voz con acompañamiento musical.

Monódico, ca. adj. Perteneciente o relativo a la monodia.

Monofásico, ca. (Del gr. μόνος, único, y de *fase.*) adj. *Fís.* Se dice de la corriente eléctrica alterna, es decir, que cambia periódicamente de sentido, alcanzando valores iguales.

Monofilo, la. (Del gr. μονόφυλλος; de μόνος, uno solo, y φύλλον, hoja.) adj. *Bot.* Dícese de los órganos de las plantas que constan de una sola hojuela o de varias soldadas entre sí.

Monofisismo. m. Herejía de los monofisitas.

Monofisita. (Del gr. μόνος, único, y φύσις, naturaleza.) adj. Dícese del hereje que negaba que en Jesucristo hay dos naturalezas. Ú. m. c. s. y en pl. || **2.** Perteneciente o relativo a estos herejes o a su doctrina.

Monogamia. (Del lat. *monogamĭa*, y éste del gr. μονογαμία.) f. Calidad de monógamo. || **2.** Régimen familiar que veda la pluralidad de esposas.

Monógamo, ma. (Del lat. *monogămus*, y éste del gr. μονόγαμος; de μόνος, único, y γάμος, matrimonio.) adj. Casado con una sola mujer. Ú. t. c. s. || **2.** Que se ha casado una sola vez. Ú. t. c. s. || **3.** *Zool.* Dícese de los animales en que el macho sólo se aparea con una hembra.

Monogenismo. (Del gr. μονογενής, de una sola especie; de μόνος, único, y γένος, origen.) m. Doctrina antropológica, según la cual todas las razas humanas descienden de un tipo primitivo y único.

Monogenista. m. Partidario del monogenismo.

Monografía. (Del gr. μόνος, único, y γράφω, escribir.) f. Descripción o tratado especial de determinada parte de una ciencia, o de algún asunto en particular.

Monográfico, ca. adj. Perteneciente o relativo a la monografía.

Monografista. com. Persona que escribe monografías.

Monograma. (Del lat. *monogramma*, y éste del gr. μόνος, único, y γράμμα, letra.) m. **Cifra,** 3.ª acep.

Monoico, ca. (Del gr. μόνος, único, y οἶκος, casa.) adj. *Bot.* Aplícase a las plantas que tienen separadas las flores de cada sexo, pero en un mismo pie.

Monolítico, ca. adj. Perteneciente o relativo al monolito. || **2.** Que está hecho de una sola piedra.

Monolito. (Del lat. *monolĭthus*, y éste del gr. μονόλιθος; de μόνος, único, y λίθος, piedra.) m. Monumento de piedra de una sola pieza.

Monologar. intr. Recitar soliloquios o monólogos.

Monólogo. (Del gr. μονολόγος; de μόνος, único, y λόγος, discurso, narración.) m. **Soliloquio.** || **2.** Especie de obra dramática en que habla un solo personaje.

Monomanía. (Del gr. μόνος, único, y μανία, manía.) f. Locura o delirio parcial sobre una sola idea o un solo orden de ideas. || **2.** Preocupación o afición desmedida que se reprende o afea en persona de cabal juicio.

Monomaniaco, ca [~**níaco, ca**]. adj. Que padece monomanía. Ú. t. c. s.

Monomaniático, ca. adj. **Monomaniaco.**

Monomaquia. (Del lat. *monomachia*, y éste del gr. μονομαχία.) f. Duelo o desafío singular, o de uno a uno.

Monometalismo. (Del gr. μόνος, único, y de *metal.*) m. Sistema monetario en que rige un patrón único.

Monometalista. (Del gr. μόνος, único, y μετάλλον, metal.) com. Partidario del monometalismo. Ú. t. c. adj.

Monomiario. (Del gr. μόνος, único, y μυάριον, músculo.) adj. *Zool.* Dícese de los moluscos lamelibranquios que tienen un solo músculo aductor para cerrar la concha; como las ostras.

Monomio. Del gr. μόνος, único, y νομός, división.) m. *Álg.* Expresión algebraica que consta de un solo término.

Monona. (De *mona.*) adj. fam. con que se encarece el donaire y gracia de una mujer, especialmente siendo niña o muy joven.

Monopastos. (De *monospastos.*) m. **Garrucha simple.**

Monopétalo, la. (Del gr. μόνος, único, y πέταλον, pétalo.) adj. *Bot.* De un solo pétalo. Dícese de las flores o de sus corolas.

Monoplano. (Del gr. μόνος, único, y de *plano.*) m. Aeroplano con sólo un par de alas que forman un mismo plano.

Monopolio. (Del lat. *monopolĭum*, y éste del gr. μονοπώλιον; de μόνος, solo, y πωλέω, vender.) m. Aprovechamiento exclusivo de alguna industria o comercio, bien provenga de un privilegio, bien de otra causa cualquiera. || **2.** Convenio hecho entre los mercaderes de vender los géneros a un determinado precio.

Monopolista. com. Persona que ejerce monopolio.

Monopolizador, ra. adj. Que monopoliza. Ú. t. c. s.

Monopolizar. (De *monopolio.*) tr. Adquirir, usurpar o atribuirse uno el exclusivo aprovechamiento de una industria, facultad o negocio.

Monóptero, ra. (Del lat. *monoptĕros*, y éste del gr. μονόπτερος; de μόνος, único, y πτερόν, ala.) adj. *Arq.* Aplícase al templo, u otro edificio redondo, que tiene, en vez de muros, un círculo de columnas que sustentan el techo.

Monorquidia. (Del gr. μόνορχις; de μόνος, único, y ὄρχις, testículo.) f. *Med.* Existencia de un solo testículo en el escroto.

Monorrimo, ma. (Del gr. μονόρρυθμος; de μόνος, único, y ῥυθμός, ritmo.) adj. De una sola rima.

Monorrítmico, ca. adj. De un solo ritmo.

Monosabio. m. **Mono sabio,** 2.ª acep.

Monosépalo, la. (Del gr. μόνος, único, y de *sépalo.*) adj. *Bot.* De un solo sépalo. Dícese de las flores o de sus cálices.

Monosilábico, ca. adj. *Gram.* Perteneciente o relativo al monosílabo.

Monosílabo, ba. (Del lat. *monosyllăbus*, y éste del gr. μονοσύλλαβος; de μόνος, único, y συλλαβή, sílaba.) adj. *Gram.* Aplícase a la palabra de una sola sílaba. Ú. t. c. s. m.

Monospastos. (Del gr. μόνος, único, y σπάω, traer, tirar.) m. **Monopastos.**

Monospermo, ma. (Del gr. μόνος, único, y σπέρμα, semilla.) adj. *Bot.* Aplícase al fruto que sólo contiene una semilla.

Monóstrofe. (Del lat. *monostrŏphus*, y éste del gr. μονόστροφος; de μόνος, único, y στροφή, estrofa.) f. Composición poética de una sola estrofa o estancia.

Monostrófico, ca. adj. Perteneciente o relativo a la monóstrofe.

Monote. (De *mono*, 2.° art.) m. fam. Persona que parece no oir, ver ni entender y está fija en un punto como un hito. || **2.** Riña, alboroto, motín.

Monoteísmo. (Del gr. μόνος, único, y Θεός, Dios.) m. Doctrina teológica de los que reconocen un solo Dios.

Monoteísta. adj. Que profesa el monoteísmo. Ú. t. c. s. || **2.** Perteneciente o relativo al monoteísmo.

Monotelismo. (De *monotelita.*) m. Herejía del siglo VII, que admitía en Cristo las dos naturalezas divina y humana, pero sólo una voluntad divina.

Monotelita. (Del gr. μονοθελῆται; de μόνος, uno solo, y θέλω, querer.) adj. Partidario del monotelismo. Ú. t. c. s. || **2.** Perteneciente o relativo al monotelismo.

Monotipia. (De *monotipo.*) f. *Impr.* Procedimiento de composición tipográfica por medio del monotipo.

Monotipo. (Del gr. μόνος, único, y τύπος, tipo, letra.) m. *Impr.* Máquina para componer que funde los caracteres uno a uno a medida que son necesarios.

Monótonamente. adv. m. Con monotonía.

Monotonía. (Del lat. *monotonĭa*, y éste del gr. μονοτονία.) f. Uniformidad, igualdad de tono en el que habla, en la voz, en la música, etc. || **2.** fig. Falta de variedad en el estilo, en los escritos, en las obras literarias o artísticas, en un paisaje, en la manera de vivir, etc.

Monótono, na. (Del lat. *monotŏnos*, y éste del gr. μονότονος; de μόνος, único, y τόνος, sonido.) adj. Que adolece de monotonía. *Paisaje, orador* MONÓTONO.

Monotrema. (Del gr. μόνος, único, y τρῆμα, orificio.) adj. *Zool.* Dícese de los mamíferos que tienen cloaca como la de las aves, y, por tanto, con una sola abertura en la parte posterior del cuerpo; tienen, como éstas, pico y huesos coracoides, ponen huevos, y las crías que nacen de éstos chupan la leche que se derrama de las mamas, que carecen de pezón; como el ornitorrinco. Ú. t. c. s. || **2.** m. pl. *Zool.* Orden de estos animales.

Monovero, ra. adj. Natural de Monóvar, villa de la provincia de Alicante. Apl. a pers., ú. t. c. s. || **2.** Perteneciente o relativo a esta villa.

Monóxilo. (Del gr. μονόξυλος; de μόνος, único, y ξύλον, leño.) m. Barco hecho de un solo tronco o leño.

Monseñor. (Del ital. *monsignore*). m. Título de honor que se da en Italia a los prelados eclesiásticos y de dignidad. En Francia se daba absolutamente al delfín, y por extensión o cortesanía a otros sujetos de alta dignidad; como duques, pares o presidentes de consejos.

Monserga. (Como el fr. *mensonge*, mentira, del lat. **mentionica*, ficción, de *mentĭo, -ōnis.*) f. fam. Lenguaje confuso y embrollado.

Monstro. m. desus. **Monstruo.**

Monstruo. (Del lat. *monstrum.*) m. Producción contra el orden regular de la naturaleza. || **2.** Cosa excesivamente grande o extraordinaria en cualquier línea. || **3.** Persona o cosa muy fea. || **4.** Persona muy cruel y perversa. || **5.** Versos sin sentido que el maestro compositor escribe para indicar al libretista dónde ha de colocar el acento en los cantables.

Monstruosamente. adv. m. Con monstruosidad.

Monstruosidad. (De *monstruoso.*) f. Desorden grave en la proporción que deben tener las cosas, según lo natural o regular. || **2.** Suma fealdad o desproporción en lo físico o en lo moral.

Monstruoso, sa. (Del lat. *monstruōsus.*) adj. Que es contra el orden de la naturaleza. || **2.** Excesivamente grande o extraordinario en cualquier línea. || **3.** Enormemente vituperable o execrable.

Monta. f. Acción y efecto de montar. || **2. Acaballadero.** || **3.** Suma de varias partidas. || **4.** Valor, calidad y estimación intrínseca de una cosa. || **5.** *Mil.* Señal que se hace en la guerra para que monte la caballería al especial toque de clarín.

Montacargas. (De *montar* y *carga*, a imitación del fr. *monte-charge.*) m. Ascensor destinado para elevar pesos.

Montada. (De *montar.*) f. **Desveno.**

Montadero. m. **Montador,** 2.ª acep.

Montadgar. (De *montadgo.*) tr. ant. **Montazgar.**

Montadgo. (Del b. lat. *montaticum*, y éste del lat. *mons, montis*, monte.) m. ant. **Montazgo.**

Montado, da. p. p. de **Montar.** || **2.** adj. Dícese del soldado que el caballero de orden militar enviaba a la guerra para que sirviese en su lugar. Ú. t. c. s. || **3.** Aplícase al que sirve en la guerra a caballo. Ú. t. c. s. || **4.** Dícese del caballo dispuesto y con todos los arreos y aparejos para poderlo montar. || **5.** V. **Artillería, plaza montada.** || **6.** V. **Plato montado.**

Montador. m. El que monta. || **2.** Poyo en el zaguán o a la puerta de una casa, para montar fácilmente en las caballerías. || **3.** Cualquier cosa que sirve a este fin. || **4.** Operario especializado en el montaje de máquinas o aparatos.

Montadura. f. Acción y efecto de montar o montarse. || **2. Montura,** 2.ª acep. || **3. Engaste,** 2.ª acep.

Montaje. m. Acción y efecto de montar, 8.ª acep. || **2.** pl. Cureña o afuste de las piezas de artillería.

Montambanco. (De *montar, en* y *banco.*) m. ant. **Saltaembanco.**

Montanear. intr. Pastar bellota o hayuco el ganado de cerda en montes o dehesas.

Montanera. (De *montano.*) f. Pasto de bellota o hayuco que el ganado de cerda tiene en los montes o dehesas. || **2.** Tiempo en que está pastando. || **Estar uno en montanera.** fr. fig. y fam. Tener buen alimento y muy abundante durante una temporada.

Montanero. m. Guarda de monte o dehesa.

Montanismo. m. Herejía de Montano, heresiarca del siglo II, que se decía enviado de Dios para perfeccionar la religión y la moral.

Montanista. (Del lat. *montanistae*, de *Montanus*, nombre propio.) adj. Partidario del montanismo. Apl. a pers., ú. t. c. s. || **2.** Perteneciente a él.

Montano, na. (Del lat. *montānus.*) adj. Perteneciente o relativo al monte. || **2.** V. **Halcón, pimiento montano.**

Montantada. (De *montante.*) f. Jactancia vana. || **2.** Muchedumbre, excesivo número.

Montante. (De *montar.*) adj. *Blas.* Aplícase a los crecientes cuyas puntas están hacia el jefe del escudo, y a las abejas y mariposas que se figuran en éste, volando hacia lo alto. || **2.** m. Espadón de grandes gavilanes, que es preciso esgrimir con ambas manos. Hoy sólo se usa por los maestros de armas para separar las batallas demasiado empeñadas. || **3.** Pie derecho de una máquina o armazón. || **4.** *Arq.* Listón o columnita que divide el vano de una ventana. || **5.** *Arq.* Ventana sobre la puerta de una habitación. || **6.** f. *Mar.* Flujo o pleamar. || **Meter el montante.** fr. *Esgr.* Separar con él las batallas el maestro de armas. || **2.** fig. Ponerse uno de por medio en una disputa o riña para cortarla o suspenderla.

Montantear. intr. Gobernar o jugar el montante en el juego de la esgrima. || **2.** fig. Hablar con jactancia, y querer manejar con superioridad las cosas y dependencias de otros.

Montantero. m. El que peleaba con montante.

Montaña. (Del lat. **montanĕa*, de *mons, montis.*) f. **Monte,** 1.ª acep. || **2.** Territorio cubierto y erizado de montes. || **3.** ant. **Monte,** 2.ª acep. Ú. en *Chile* y *Perú.* || **4.** V. **Artillería, azul, fusilero, tabaco, verde de montaña.** || **de pinos.** *Germ.* **Mancebía,** 1.ª acep. || **rusa.** Montículo en que se practica un camino ondulado, recto o tortuoso, por el cual, merced al declive, se desliza sobre rieles un carrito que ocupan las personas que gustan de este ejercicio como deporte o diversión.

Montañero, ra. m. y f. Persona que practica el montañismo.

Montañés, sa. adj. Natural de una montaña. Ú. t. c. s. || **2.** Perteneciente o relativo a la montaña. || **3.** Natural de la Montaña. Ú. t. c. s. || **4.** Perteneciente a esta región de la antigua tierra de Burgos, en la parte que es hoy provincia de Santander. || **5. m.** *And.* Por ext., vendedor de vinos por menor.

Montañesismo. m. Amor y apego a las cosas características de la Montaña.

Montañeta. f. d. de **Montaña.**

Montañismo. m. **Alpinismo.**

Montañoso, sa. (De *montaña.*) adj. Perteneciente o relativo a las montañas. *Superficie* MONTAÑOSA. || **2.** Abundante en ellas. *Terreno* MONTAÑOSO.

Montañuela. f. d. de **Montaña.**

Montar. (Del lat. **montāre*, de *mons, montis,* monte.) intr. Ponerse o subirse encima de una cosa. Ú. t. c. r. || **2.** Subir en un caballo u otra cabalgadura. Ú. t. c. tr. y c. r. || **3. Cabalgar,** 1.ª acep. *Juan* MONTA *bien.* Ú. t. c. tr. *Pedro* MONTABA *un alazán.* || **4.** fig. Ser una cosa de importancia, consideración o entidad. || **5.** tr. Multar, exigir multa por haber entrado en el monte ganados, caballerías, etc. || **6. Acaballar.** || **7.** En las cuentas, importar o subir a una cantidad total las partidas diversas, unidas y juntas. || **8.** Armar, o poner en su lugar, las piezas de cualquier aparato o máquina. || **9.** Tratándose de piedras preciosas, **engastar.** || **10.** Hablando de armas de fuego portátiles, amartillarlas o ponerlas en condiciones de disparar. || **11. Amartillar,** 2.ª acep. || **12.** *Mar.* Aplicado a un buque, mandarlo. || **13.** *Mar.* Tener un buque, o poder llevar en sus baterías, tantos o cuantos cañones. || **14.** *Mar.* Tratándose de un cabo, promontorio, etc., **doblar,** 10.ª acep. || **¡Monta! ¡Montas!** interj. fam. **¡Anda!** || **Tanto monta.** expr. con que se significa que una cosa es equivalente a otra.

Montaraz. adj. Que anda o está hecho a andar por los montes o se ha criado en ellos. || **2.** fig. Aplícase al genio y propiedades agrestes, groseras y feroces. || **3.** m. Guarda de montes o heredades. || **4.** *Sal.* Mayordomo de campo, capataz que tiene a su cargo las labores y los ganados.

Montaraza. f. *Sal.* Guardesa de montes o heredades. || **2.** *Sal.* Mujer del montaraz.

Montazgar. (De *montadgar.*) tr. Cobrar y percibir el montazgo.

Montazgo. (Del lat. **montatĭcum*, de *mons, montis.*) m. Tributo pagado por el tránsito de ganado por un monte.

Monte. (Del lat. *mŭns, mŭntis,* por *mons, montis.*) m. Grande elevación natural de terreno. || **2.** Tierra inculta cubierta de árboles, arbustos o matas. || **3.** ant. **Montería.** || **4.** fig. Grave estorbo o inconveniente que se halla en los negocios, difícil de vencer o superar. || **5.** fig. y fam. Cabellera muy espesa y desaseada. || **6.** Cartas que en ciertos juegos de naipes, o fichas que en el del dominó, quedan para robar después de haber repartido a cada uno de los jugadores las que le tocan. || **7.** Juego de envite y azar, en el cual la persona que talla saca de la baraja dos naipes por abajo y forma el albur, otros dos por arriba con que hace el gallo, y apuntadas a estas cartas las cantidades que se juegan, se vuelve la baraja y se va descubriendo naipe por naipe hasta que sale alguno de número igual a otro de los que están apuntados, el cual de este modo gana sobre su pareja. || **8. Banca,** 5.ª acep. || **9.** V. **Arta, corneta, cuchillo, perejil de monte.** || **10.** fam. **Monte de piedad.** || **11.** *Chile.* **Capote de monte.** || **12.** *Germ.* **Mancebía,** 1.ª acep. || **alto.** El poblado de árboles grandes; como pinos, hayas, encinas, etc. || **2.** Estos mismos árboles. || **bajo.** El poblado de arbustos, matas o hierbas. || **2.** Estas matas o hierbas. || **blanco. Monte** descuajado que se destina a la repoblación. || **cerrado. Moheda.** || **de piedad.** Establecimiento benéfico, combinado generalmente con una caja de ahorros, que dedica éstos y su propio capital a préstamos, generalmente pignoraticios con interés módico. || **de Venus.** Pubis de la mujer. || **2.** Pequeña eminencia en la palma de la mano a la raíz de cada uno de los dedos. || **hueco. Oquedal.** || **pardo. Encinar.** || **pío. Montepío.** || **público.** Terreno inculto, poblado principalmente de árboles y otras plantas, perteneciente al Estado, provincia o municipio. || **Andar** uno **a monte.** fr. fig. Andar fuera de poblado, huyendo de la justicia. || **2.** fig. y fam. Dejar de concurrir por algún tiempo, sin motivo conocido, a donde solía ir con frecuencia. || **3.** fig. y fam. Andar en malos pasos. || **Apostar un monte.** fr. *Extr.* Entresacar, limpiar y podar las matas bajas de un **monte** guiándolas convenientemente para que formen un **monte** alto. || **Batir,** o **correr,** el **monte. Correr montes.** frs. Ir de montería. || **Del monte sale quien el monte quema.** ref. que avisa que los daños que se experimentan suelen provenir de los domésticos y parciales. || **Montes de oro,** o **montes y maravillas.** expr. fig. y fam. con que se exagera la magnitud o importancia de lo que se promete o se espera. || **No todo el monte es orégano.** fr. fig. **No es orégano todo el monte.** || **Poner a monte una nave.** fr. *Mar.* Ponerla en tierra para carenarla. || **Ser uno de monte y ribera.** fr. fig. y fam. Servir para todo.

Montea. f. Acción de montear, 1.er art., 1.ª acep. || **2.** *Arq.* Dibujo de tamaño natural que en el suelo o en una pared se hace del todo o parte de una obra, como arco, escalera o cuchillo de armadura, para hacer el despiezo, sacar las plantillas y señalar los cortes. || **3.** *Arq.* **Estereotomía.** || **4.** *Arq.* Sagita de un arco o bóveda.

Monteador. m. El que montea, 2.° art.

Montear. (De *monte.*) tr. Buscar y perseguir la caza en los montes, u ojearla hacia un sitio o paraje donde la esperan los cazadores.

Montear. tr. *Arq.* Trazar la montea de una obra. || **2.** *Arq.* Voltear o formar arcos.

Monteleva. (De *montar* y *levar.*) f. V. **Almadraba de monteleva.**

Montenegrino, na. adj. Natural de Montenegro. Ú. t. c. s. || **2.** Perteneciente a este país de Europa, incorporado hoy a Yugoslavia.

Montepío. (De *monte pío.*) m. Depósito de dinero, formado ordinariamente de los descuentos hechos a los individuos de un cuerpo, o de otras contribuciones de los mismos, para socorrer a sus viudas y huérfanos o para facilitarles auxilios en sus necesidades. || **2.** Establecimiento público o particular fundado con el propio objeto.

Montera. (De *monte.*) f. Prenda para abrigo de la cabeza, que generalmente se hace de paño: se forma de varias hechuras, según el uso de cada provincia. || **2.** Cubierta de cristales sobre un patio, galería, etc. || **3.** Cubierta convexa que tapa la caldera de un alambique y reúne los vapores de la destilación para que entren en el serpentín. || **4.** *Mar.* **Monterilla,** 3.ª acep.

Montera. f. Mujer del montero.

Montería. f. Sitio donde se hacen monteras. || **2.** Tienda o sitio donde se venden.

Monterero, ra. m. y f. Persona que hace o vende monteras.

Montería. (De *montero.*) f. Caza de jabalíes, venados y otras fieras que llaman caza mayor. || **2.** Arte de cazar, o conjunto de reglas y avisos que se dan para la caza. || **3.** V. **Alguacil de la montería.**

Monterilla. f. d. de **Montera.** || **2.** *Mar.* Vela triangular que en tiempo bonancible se larga sobre los últimos juanetes. || **3.** m. **Alcalde de monterilla.**

Montero, ra. adj. ant. **Montés.** || **2.** m. y f. Persona que busca y persigue la caza en el monte, o la ojea hacia el sitio en que la esperan para tirarle. || **de cámara,** o **de Espinosa.** Criado distinguido de la casa real de Castilla, cuyo oficio era quedarse por la noche en la pieza inmediata a la cámara donde dormían personas reales, para guardarlas desde que se acostaban hasta la mañana. Debía ser hidalgo y natural u originario de la villa de Espinosa. || **de lebrel.** El que tiene a su cuidado los lebreles que han de servir en los puntos de espera. || **de traílla.** El que tiene a su cargo y cuidado los sabuesos de traílla. || **mayor.** Uno de los jefes de palacio, a cuyo cargo estaba dirigir las batidas cuando iba a caza el rey, y mandar a los **monteros** y demás ministros y oficiales de la montería.

Monterón. m. aum. de **Montera,** 1.er art., 1.ª acep.

Monterrey. m. Especie de pastel como el fajardo, de figura abarquillada.

Monteruca. f. despec. de **Montera,** 1.er art., 1.ª acep.

Montés. adj. Que anda, está o se cría en el monte. || **2.** V. **Cabra, gato, puerco, rosa montés.**

Montesa. adj. f. poét. **Montés.**

Montesa. n. p. V. **Cruz de Montesa.**

Montesco. m. Individuo de una familia de Verona, célebre en la tradición por su enconada rivalidad con la de los Capeletes. Ú. m. en pl. || **Haber Montescos y Capeletes.** fr. fig. y fam. **Haber moros y cristianos.**

Montesino, na. adj. **Montés.** || **2.** V. **Trigo montesino.** || **3.** ant. fig. Agreste, huraño.

Montevideano, na. adj. Natural de Montevideo. Ú. t. c. s. || **2.** Perteneciente a esta ciudad del Uruguay.

Montículo. (Del lat. *monticŭlus.*) m. Monte pequeño, por lo común aislado, y obra, ya de la naturaleza, ya de la mano del hombre.

Montilla. m. fig. Vino de Montilla.

Montillano, na. adj. Natural de Montilla, ciudad de la provincia de Córdoba. Ú. t. c. s. || **2.** Perteneciente a esta ciudad.

Montiña. f. ant. **Montaña.**

Monto. m. **Monta,** 3.ª acep.

Montón. (De *monte.*) m. Conjunto de cosas puestas sin orden unas encima de otras. || **2.** fig. y fam. Número considerable, en frases como la siguiente: *Tengo que decirte un* MONTÓN *de cosas.* || **3.** *Agr.* V. **Cara del montón.** || **de tierra.** fig. y fam. Persona muy anciana, débil o achacosa. || **A montón.** m. adv. fig. **A bulto.** || **2.** *Ar.* **A montones.** || **A, de,** o **en,**

montón. m. adv. fig. y fam. Juntamente; sin separación o distinción. || **A montones.** m. adv. fig. y fam. Abundantemente, sobrada y excesivamente. || **Ser uno del montón.** fr. fig. y fam. Ser adocenado y vulgar, en su persona o condición social.

Montonera. (De *montón*.) f. Grupo o pelotón de gente de a caballo, que guerrea contra las tropas del gobierno en algunos de los Estados de la América del Sur. || **2.** *Colomb.* **Almiar.**

Montonero. (De *montón*.) m. El encargado de apuntar en las eras lo que cada labrador recolectaba, para saber el diezmo que le correspondía pagar. || **2.** El que no teniendo valor para sostener una lucha cuerpo a cuerpo, la provoca cuando está rodeado de sus partidarios. || **3.** Individuo de la montonera. || **4.** *Chile* y *Perú.* **Guerrillero.**

Montoreño, ña. adj. Natural de Montoro. Ú. t. c. s. || **2.** Perteneciente a esta ciudad.

Montoso, sa. (Del lat. *montōsus*.) adj. **Montuoso.**

Montuno, na. adj. Perteneciente o relativo al monte. || **2.** *Cuba* y *Venez.* **Rústico,** 3.ª acep.

Montuosidad. f. Calidad de montuoso.

Montuoso, sa. (Del lat. *montuōsus*.) adj. Relativo a los montes. || **2.** Abundante en ellos. *Región* MONTUOSA.

Montura. (De *montar*.) f. **Cabalgadura,** 1.ª acep. || **2.** Conjunto de los arreos de una caballería de silla. || **3. Montaje,** 1.ª acep. || **4.** Soporte mecánico de los instrumentos astronómicos destinados a la observación celeste. || **acimutal.** *Astron.* La que permite mover el instrumento horizontal y verticalmente. || **ecuatorial.** *Astron.* La paraláctica que tiene círculos graduados para medir diferencialmente las coordenadas del astro observado, y, además, aparato de relojería muchas veces. || **paraláctica.** *Astron.* La que permite seguir el movimiento diurno de los astros mediante un solo movimiento rotatorio del telescopio, refractor o reflector.

Monuelo, la. adj. d. de **Mono,** 2.° art. || **2.** Aplícase generalmente al mozalbete afectado y sin seso. Ú. t. c. s.

Monumental. (Del lat. *monumentālis*.) adj. Perteneciente o relativo al monumento, 1.ª y 3.ª aceps. || **2.** fig. y fam. Muy excelente o señalado en su línea.

Monumento. (Del lat. *monumentum*.) m. Obra pública y patente, como estatua, inscripción o sepulcro, puesta en memoria de una acción heroica u otra cosa singular. || **2.** Túmulo, altar o aparato que el Jueves Santo se forma en las iglesias, colocando en él, en una arquita a manera de sepulcro, la segunda hostia que se consagra en la misa de aquel día, para reservarla hasta los oficios del Viernes Santo, en que se consume. || **3.** Objeto o documento de utilidad para la historia, o para la averiguación de cualquier hecho. || **4.** Obra científica, artística o literaria que se hace memorable por su mérito excepcional. || **5. Sepulcro,** 1.ª acep.

Monviedrés. adj. ant. **Murviedrés.** Apl. a pers., usáb. t. c. s.

Monzón. (Del ár. *mawsim*, estación del año propicia para navegar.) amb. Viento periódico que sopla en ciertos mares, particularmente en el océano Índico, algunos meses en una dirección y otros en la opuesta.

Moña. f. **Muñeca,** 2.ª y 3.ª aceps.

Moña. (De *moño*.) f. Lazo con que suelen adornarse la cabeza las mujeres, singularmente en Andalucía. || **2.** Adorno de cintas, plumas o flores que suele colocarse en lo alto de la divisa de los toros. || **3.** Lazo grande de cintas negras que, sujeto con la coleta, se ponen los toreros en la parte posterior de la cabeza cuando salen a lidiar, y sirve no sólo de adorno, sino también para amortiguar los golpes en las caídas. || **4.** *And.* Gorro muy adornado con que se cubre la cabeza de los niños de pecho.

Moña. (De *mohína*.) f. ant. Enfado, desazón o tristeza. || **2.** fig. y fam. **Borrachera,** 1.ª acep.

Moñajo. m. despect. de **Moño.**

Moño. (Del lat. *mundus*, adorno de mujer.) m. Castaña, atado o rodete que se hace con el cabello para tenerlo recogido o por adorno. Dícese particularmente del de las mujeres. || **2.** Lazo de cintas. || **3.** Grupo de plumas que sobresale en la cabeza de algunas aves. || **4.** V. **Paloma de moño.** || **5.** pl. Adornos superfluos o de mal gusto que usan las mujeres. || **Hacerse una el moño.** fr. fig. y fam. Peinarse. || **Ponérsele** a uno una cosa **en el moño.** fr. fig. y fam. Antojársele, tomar una resolución caprichosa, sosteniéndola con empeño. || **Ponerse** uno **moños.** fr. Atribuirse méritos, alardear, presumir.

Moñón, na. adj. **Moñudo.**

Moñudo, da. adj. Que tiene moño, 3.ª acep. Dícese regularmente de las gallinas, palomas y otras aves.

Moquear. intr. Echar mocos.

Moqueo. (De *moquear*.) m. Secreción nasal abundante.

Moquero. m. Pañuelo para limpiarse los mocos.

Moqueta. (Del fr. *moquette*.) f. Tela fuerte de lana, cuya trama es de cáñamo, y de la cual se hacen alfombras y tapices.

Moquete. (De *moco*.) m. Puñada dada en el rostro, especialmente en las narices.

Moquetear. intr. fam. Moquear frecuentemente.

Moquetear. tr. Dar moquetes.

Moquillo. (d. de *moco*.) m. Enfermedad catarral de algunos animales, y señaladamente de los perros y gatos jóvenes. || **2. Pepita,** 1.er art. || **3.** *Ecuad.* Nudo corredizo con que se sujeta el labio superior del caballo para domarlo.

Moquita. f. Moco claro que fluye de la nariz.

Mor. m. Aféresis de **Amor.** || **Por mor de.** loc. **Por amor de.**

Mora. (Del lat. *mora*.) f. *For.* Dilación o tardanza en cumplir una obligación; por lo común, la de pagar cantidad líquida y vencida. || **2.** *For.* **Demora,** 3.ª acep.

Mora. (Del lat. *mōra*, pl. n. de *mōrum*.) f. Fruto del moral, de unos dos centímetros de largo, con figura ovalada, y que está formado por la agregación de globulillos carnosos, blandos, agridulces y de color morado. || **2.** Fruto de la morera, muy parecido al anterior, pero de la mitad de su tamaño, de color blanco amarillento y enteramente dulce. || **3. Zarzamora,** 1.ª acep. || **4.** *Hond.* **Frambuesa.** || **Cuando la mora envera, cerca está la cencivera.** ref. de sentido claro y recto, que puede aplicarse a lo moral cuando de un hecho se infiere otro. || **Lo que tiñe la mora, otra verde lo descolora.** ref. que enseña que ciertos males se curan con un remedio semejante a lo que los causó.

Morabetino. m. ant. **Maravedí.** || **2.** Moneda almorávide, de plata, muy pequeña.

Morabito. (Del ár. *murābiṭ*, ermitaño, religioso profeso en una rábida.) m. Mahometano que profesa cierto estado religioso a su manera, muy parecido en su forma exterior al de los anacoretas o ermitaños cristianos. || **2.** Especie de ermita, situada en despoblado, en que vive un **morabito.**

Morabuto. m. **Morabito.**

Moráceo, a. (Del lat. *morus*, moral.) adj. *Bot.* Dícese de árboles y arbustos angiospermos dicotiledóneos, que tienen hojas alternas con estípulas, flores unisexuales en cimas espiciformes, cada una de éstas con flores de un solo sexo, o sentadas sobre un receptáculo carnoso; los frutos son aquenios o pequeñas drupas que están empotradas en los tejidos carnosos del receptáculo; como el moral, la higuera y el árbol del pan. Ú. t. c. s. f. || **2.** f. pl. *Bot.* Familia de estas plantas.

Moracho, cha. (De *mora*, 2.° art.) adj. Morado bajo. Ú. t. c. s.

Morada. (De *morar*.) f. Casa o habitación. || **2.** Estancia de asiento o residencia algo continuada en un paraje o lugar.

Morado, da. (De *mora*.) adj. De color entre carmín y azul. Ú. t. c. s. || **2.** V. **Berenjena, grana morada.** || **3.** V. **Cambur morado.**

Morador, ra. (Del lat. *morātor*.) adj. Que habita o está de asiento en un paraje. Ú. t. c. s. || **2.** *Murc.* V. **Casa de moradores.**

Moradura. (De *morado*.) f. *Ar.* **Equimosis.**

Moradux. m. **Almoradux.**

Moraga. (Quizá del ár. *muḥraqa*, cosa quemada, fuego, holocausto.) f. Manojo o maña que forman las espigaderas. || **2.** *And.* Acto de asar con fuego de leña y al aire libre frutas secas, sardinas u otros peces. || **3.** *Rioja.* **Matanza,** 3.ª acep.

Morago. m. **Moraga,** 1.ª acep. || **2.** *Rioja.* Tajada del lomo del cerdo que en las moragas o matanzas se come tostada a la lumbre.

Moral. (Del lat. *morālis*.) adj. Perteneciente o relativo a la moral. || **2.** Que no cae bajo la jurisdicción de los sentidos, por ser de la apreciación del entendimiento o de la conciencia. *Prueba, certidumbre* MORAL. || **3.** V. **Evidencia, figura, filosofía, imposibilidad, libro, teología, verdad, virtud moral.** || **4.** Que no concierne al orden jurídico, sino al fuero interno o al respeto humano. *Aunque el pago no era exigible, tenía obligación* MORAL *de hacerlo.* || **5.** f. Ciencia que trata del bien en general, y de las acciones humanas en orden a su bondad o malicia. || **6.** Conjunto de facultades del espíritu, por contraposición a físico.

Moral. (De *mora*.) m. *Bot.* Árbol de la familia de las moráceas, de cinco a seis metros de altura, con tronco grueso y derecho, copa hermosa, hojas ásperas, lanuginosas, acorazonadas, dentadas o lobuladas por el margen, y flores unisexuales en amentos espiciformes, separadas las masculinas de las femeninas. Su fruto es la mora. || **2.** V. **Higuera moral.** || **3.** *Bot.* Árbol ecuatoriano tropical, de la familia de las moráceas, de madera incorruptible muy empleada en la construcción de casas.

Moraleja. (De *moral*, 1.er art.) f. Lección o enseñanza provechosa que se deduce de un cuento, fábula, ejemplo, anécdota, etc.

Moralidad. (Del lat. *moralĭtas, -ātis*.) f. Conformidad de una acción o doctrina con los preceptos de la sana moral. || **2.** Cualidad de las acciones humanas que las hace buenas. || **3. Moraleja.**

Moralista. m. Profesor de moral. || **2.** Autor de obras de moral. || **3.** El que estudia moral. || **4.** Clérigo que se ordena sin haber estudiado más que latín y moral.

Moralización. f. Acción y efecto de moralizar o moralizarse.

Moralizador, ra. adj. Que moraliza. Ú. t. c. s.

Moralizar. (De *moral*.) tr. Reformar las malas costumbres enseñando las buenas. Ú. t. c. r. || **2.** intr. Discurrir sobre un asunto con aplicación a la enseñanza de las buenas costumbres.

Moralmente. adv. m. Según las reglas y documentos morales, o con moralidad. || **2.** Según el juicio general y el común sentir de los hombres.

Moranza. (De *morar.*) f. **Morada.**

Morapio. m. **Vino tinto.**

Morar. (Del lat. *morāre.*) intr. Habitar o residir de asiento en un lugar.

Moratiniano, na. adj. Propio y característico de cualquiera de los dos Moratines como escritores, o que tiene semejanza con las dotes o calidades por que se distinguen sus obras.

Morato. (De *moro.*) adj. V. **Trigo morato.**

Moratoria. (Del lat. *moratoria*, t. f. de *-rius*, dilatorio.) f. Plazo que se otorga para solventar una deuda vencida. Se dice especialmente de la disposición que difiere el pago de impuestos o contribuciones, y también, por ext., de las deudas civiles.

Moravedí [~ **vedín**, ~ **vidí**]. m. ant. **Maravedí.**

Moravo, va. adj. Natural de Moravia. Ú. t. c. s. || **2.** Perteneciente a esta región que fué provincia del imperio austriaco. || **3.** m. Idioma **moravo.**

Morbí. m. ant. **Maravedí.**

Morbidez. f. Calidad de mórbido, 2.ª acep.

Morbideza. f. desus. **Morbidez.**

Morbididad. f. Número proporcional de personas que enferman en población y tiempo determinados.

Morbidil. m. ant. **Maravedí.**

Mórbido, da. (Del lat. *morbĭdus.*) adj. Que padece enfermedad o la ocasiona. || **2.** Blando, muelle, delicado, suave.

Morbífico, ca. (Del lat. *morbifĭcus*, de *morbus*, enfermedad, y *facĕre*, hacer.) adj. Que lleva consigo el germen de las enfermedades, o las ocasiona y produce.

Morbilidad. f. **Morbididad.**

Morbo. (Del lat. *morbus.*) m. **Enfermedad.** || **comicial.** *Med.* **Epilepsia.** || **gálico.** *Med.* Bubas o gálico. || **regio.** *Med.* **Ictericia.**

Morbosidad. f. Calidad de morboso. || **2.** Conjunto de casos patológicos que caracterizan el estado sanitario de un país.

Morboso, sa. (Del lat. *morbōsus.*) adj. **Enfermo.** || **2.** Que causa enfermedad, o concierne a ella.

Morca. (Del lat. *amŭrca.*) f. *Ar.* Hez del aceite.

Morcacho. m. *Ar.* **Morcajo.**

Morcajo. m. **Tranquillón.**

Morcar. (De *morueco.*) tr. **Amurcar.**

Morceguila. f. Excremento o estiércol de los murciélagos.

Morcella. (De *moscella.*) f. Chispa que salta del pabilo de una luz.

Morceña. f. ant. **Morcella.** Ú. en *Sal.*

Morciguillo. (Del dial. *morciego, murciego*, y este del lat. *mus, muris* y *caecus.*) m. **Murciélago.**

Morcilla. (De *morcón.*) f. Trozo de tripa de cerdo, carnero o vaca, rellena de sangre cocida y condimentada con cebolla y especias. A veces se le añaden otros ingredientes, como arroz, piñones, miga de pan, etc. || **2.** Tripa o piltrafa envenenada que se usaba para matar los perros callejeros. || **3.** fig. y fam. Añadidura abusiva de palabras o cláusulas de su invención, que hacen los comediantes. || **ciega.** La que se hace con la parte cerrada del intestino ciego.

Morcillero, ra. m. y f. Persona que hace o vende morcillas. || **2.** fig. y fam. Actor que tiene el vicio de añadir palabras o cláusulas de su invención a las del papel que representa.

Morcillo. (De *murecillo.*) m. Parte carnosa del brazo, desde el hombro hasta cerca del codo.

Morcillo, lla. (Del b. lat. *mauricellus*, d. de *maurus*, moro, con referencia al color negro.) adj. Aplícase al caballo o yegua de color negro con viso rojizo.

Morcillón. m. aum. de **Morcilla.** || **2.** Estómago del cerdo, carnero u otro animal, relleno como la morcilla.

Morcón. (Del vasc. *morcoa*, tripa hinchada.) m. Morcilla hecha del intestino ciego o parte más gruesa de las tripas del animal. || **2. Bandujo,** 1.ª acep. || **3.** fig. y fam. Persona gruesa, pequeña y floja. || **4.** fig. y fam. Persona sucia y desaseada.

Morcuero. m. **Majano.**

Mordacidad. (Del lat. *mordacĭtas, -ātis.*) f. Calidad de mordaz.

Mordante. (Del fr. *mordant;* de *mordre*, morder.) m. *Impr.* Regla doble que han usado los cajistas para sujetar el original en el divisorio, y señalar la línea que iban componiendo.

Mordaz. (Del lat. *mordax, -ācis.*) adj. Que corroe o tiene acrimonia y actividad corrosiva. || **2.** Áspero, picante y acre al gusto o paladar. || **3.** fig. Que murmura o critica con acritud o malignidad. || **4.** fig. Que hiere u ofende con maledicencia acre y punzante. *Plática, escrito, estilo, lenguaje, pluma* MORDAZ. || **5.** fig. Propenso a la mordacidad.

Mordaza. (De *morder.*) f. Instrumento que se pone en la boca para impedir el hablar. || **2.** *Art.* Aparato empleado en algunos montajes con objeto de disminuir el retroceso de las piezas de artillería. || **3.** *Mar.* Máquina sencilla de hierro colocada en la cubierta del buque y que, cerrando sobre el canto de la gatera, detiene e impide la salida de la cadena del ancla. || **4.** *Veter.* Instrumento compuesto de dos piezas semicilíndricas de madera dura, entre las cuales se sujeta convenientemente la parte alta del escroto, para evitar derrames en la castración.

Mordazmente. adv. m. Con mordacidad, acrimonia o murmuración.

Mordedor, ra. adj. Que muerde. || **2.** fig. Que satiriza o murmura.

Mordedura. f. Acción de morder. || **2.** Daño ocasionado con ella.

Mordente. (Del ital. *mordente;* de *mordere*, morder.) m. **Mordiente,** 2.ª acep. || **2.** *Mús.* Adorno del canto, que consiste en una doble apoyatura. Se suele indicar en el pentágrama con una especie de saetilla horizontal. || **3.** *Mús.* **Quiebro,** 2.ª acep.

Morder. (Del lat. *mordēre.*) tr. Asir y apretar con los dientes una cosa clavándolos en ella. || **2. Mordicar.** || **3.** Asir una cosa a otra, haciendo presa en ella. || **4.** Gastar insensiblemente, o poco a poco, quitando o desfalcando partes muy pequeñas, como hace la **lima.** || **5.** Corroer el agua fuerte la parte dibujada de la plancha o lámina que se somete a la acción de ella. || **6.** fig. Murmurar o satirizar, hiriendo y ofendiendo en la fama o crédito. || **7.** *Impr.* Impedir uno o más bordes de la frasqueta que se efectúe la impresión, por cubrir una parte del molde o interponerse entre éste y el papel que se ha de imprimir. || **A muerde y sorbe.** loc. con que se indica la manera de tomar los manjares que tienen a la par de sólidos y líquidos, y los que no son enteramente lo uno ni lo otro.

Mordicación. (Del lat. *mordicatĭo, -ōnis.*) f. Acción y efecto de mordicar.

Mordicante. (Del lat. *mordĭcans, -antis.*) p. a. de **Mordicar.** Que mordica. || **2.** adj. Acre, corrosivo, que causa picazón. || **3.** fig. Dícese de la persona que suele morder en las costumbres, figura, gustos, aficiones o extravagancias de las demás, pero nunca o rara vez en la honra.

Mordicar. (Del lat. *mordicāre.*) tr. Picar o punzar como mordiendo.

Mordicativo, va. (Del lat. *mordicatīvus.*) adj. Que mordica o tiene virtud de mordicar.

Mordido, da. p. p. de **Morder.** || **2.** adj. fig. Menoscabado, escaso, desfalcado.

Mordiente. p. a. de **Morder.** Que muerde. || **2.** m. Substancia que en tintorería y otras artes sirve de intermedio eficaz para fijar los colores o los panes de oro. || **3.** Agua fuerte con que se muerde una lámina o plancha para grabarla. || **4.** pl. *Germ.* Las tijeras.

Mordihuí. (De *morder.*) m. **Gorgojo,** 1.ª acep.

Mordimiento. (De *morder.*) m. **Mordedura.**

Mordiscar. tr. Morder frecuente o ligeramente, sin hacer presa. || **2. Morder,** 1.ª a 6.ª aceps.

Mordisco. m. Acción y efecto de mordiscar. || **2.** Mordedura que se hace en un cuerpo vivo sin causar grave lesión. || **3.** Pedazo que se saca de una cosa mordiéndola.

Mordisquear. tr. **Mordiscar.**

Moreda. (Del lat. *morēta*, pl. n. de *-tum*, de *morus*, moral.) f. **Moral,** 2.° art. || **2. Moreral.**

Morel de sal. (De *mora*, 2.° art.) m. *Pint.* Cierto color morado carmesí, hecho a fuego, que sirve para pintar al fresco.

Morellano, na. adj. Natural de Morella. Ú. t. c. s. || **2.** Perteneciente a esta ciudad.

Morena. (De *murena.*) f. *Zool.* Pez teleósteo marino, del suborden de los fisóstomos, parecido a la anguila, de un metro próximamente de longitud, casi cilíndrico, sin aletas pectorales y con la dorsal y la anal unidas con la cola; cabeza de hocico prolongado, con dientes fuertes y puntiagudos, branquias reducidas a dos agujeros pequeños, y cuerpo viscoso y sin escamas, amarillento y con manchas de color castaño. La carne es comestible, pero hoy no se la estima como en la antigüedad.

Morena. f. Hogaza o pan de la harina que, por tener mucho salvado, hace el pan moreno.

Morena. (Del vasc. *muru*, montón.) f. Montón de mieses que los segadores, después de segarlas, hacen en las tierras. || **2.** Montón formado por acumulación de piedras y barro transportados por un glaciar.

Morenero. (De *moreno*, 6.ª acep.) m. Muchacho que en el rancho de esquileo lleva el plato o la cazuela del morenillo.

Morenillo. (De *moreno*, por el color.) m. Masa de carbón molido y vinagre, de que usan los esquiladores para curar las cortaduras.

Morenito. (De *moreno.*) m. *And.* Bebida compuesta de café, ron y azúcar.

Moreno, na. (De *moro.*) adj. Aplícase al color oscuro que tira a negro. || **2.** Hablando del color del cuerpo, el menos claro en la raza blanca. || **3.** fig. y fam. **Negro,** 2.ª acep. Ú. m. c. s. || **4.** V. **Azúcar moreno, o morena.** || **5.** V. **Ganado, trigo moreno.** || **6.** *Cuba.* **Mulato,** 1.ª acep. Ú. t. c. s. || **7.** m. **Morenillo.** || **Sobre ello, o sobre eso, morena.** expr. fam. que declara la resolución de sostener lo que se quiere, con todo empeño y a cualquiera costa.

Morenote, ta. adj. aum. de **Moreno.**

Móreo, a. (Del lat. *morus*, el moral.) adj. *Bot.* **Moráceo.**

Morera. (De *mora*, 2.° art.) f. *Bot.* Árbol de la familia de las moráceas, con tronco recto no muy grueso, de cuatro a seis metros de altura, copa abierta, hojas ovales, obtusas, dentadas o lobuladas, y flores verdosas, separadas las masculinas de las femeninas. Su fruto es la mora. Este árbol, originario del Asia, se cultiva mucho en España para aprovechar la hoja, que sirve de alimento al gusano de seda. || **blanca. Morera.** || **negra. Moral,** 2.° art.

Moreral. m. Sitio plantado de moreras.

Morería. f. Barrio que se destinaba en algunos pueblos para habitación de los moros. || **2.** País o territorio propio de moros.

Moretón. (De *morado.*) m. fam. **Equimosis.**

Morfa. (De *morfea.*).) f. Hongo parásito que en forma de manchas fungosas y negruzcas ataca y destruye las hojas y ramas de los naranjos y limoneros.

Morfea. (Del b. lat. *morphea.*) adj. *Veter.* V. **Blanca morfea.**

Morfeo. (Del lat. *Morpheus,* y éste del gr. Μορφεύς.) m. Dios del sueño en la mitología griega y romana.

Morfina. (De *Morfeo,* dios del sueño, a causa de la virtud soporífera de esta substancia.) f. Alcaloide sólido, muy amargo y venenoso, que cristaliza en prismas rectos e incoloros; se extrae del opio, y sus sales, en dosis pequeñas, se emplean en medicina como medicamento soporífero y anestésico.

Morfinismo. m. Estado morboso producido por el abuso o empleo prolongado de la morfina o del opio.

Morfinomanía. f. Uso indebido y persistente de la morfina o del opio.

Morfinómano, na. adj. Que tiene el hábito de abusar de la morfina. Ú. t. c. s.

Morfología. (Del gr. μορφή, forma, y λόγος, tratado.) f. Parte de la biología, que trata de la forma de los seres orgánicos y de las modificaciones o transformaciones que experimenta. || **2.** *Gram.* Tratado de las formas de las palabras.

Morfológico, ca. adj. Perteneciente o relativo a la morfología.

Morga. (Del lat. *amurca.*) f. **Alpechín,** || **2. Coca de Levante.**

Morganático, ca. (Del gót. *morgjan,* restringir.) adj. V. **Matrimonio morganático.** || **2.** Dícese del que contrae este matrimonio.

Morgaño. m. *Ar.* **Musgaño.**

Moriángano. m. *Can.* **Fresa,** 1.er art.

Moribundo, da. (Del lat. *moribundus.*) adj. Que está muriendo o muy cercano a morir. Apl. a pers., ú. t. c. s.

Morichal. m. Terreno poblado de moriches.

Moriche. m. Árbol de la América intertropical, de la familia de las palmas, con tronco liso, recto, de unos ocho decímetros de diámetro y gran elevación; hojas con pecíolos muy largos y hojuelas grandes y crespas, espádices de dos a tres metros, y fruto en baya aovada, algo mayor que un huevo de gallina. Del tronco se saca un licor azucarado potable y una fécula alimenticia, y de la corteza se hacen cuerdas muy fuertes. || **2.** Pájaro americano, domesticable, más pequeño que el turupial, de pluma negra y luciente y muy estimado por su canto.

Moriego, ga. (De *moro.*) adj. **Moruno.** || **2.** *Ar.* V. **Tierra moriega.**

Morigeración. (Del lat. *morigeratio, -ōnis.*) f. Templanza o moderación en las costumbres y modo de vida.

Morigerado, da. p. p. de **Morigerar.** || **2.** adj. Bien criado; de buenas costumbres.

Morigerar. (Del lat. *morigerāre;* de *mos, moris,* costumbre, y *gerĕre,* hacer.) tr. Templar o moderar los excesos de los afectos y acciones. Ú. t. c. r.

Morilla. (d. de *maura.*) n. p. **Arremangóse,** o **arremetió, Morilla, y comiéronla los lobos.** ref. que reprende a los que se meten en riesgos superiores a sus fuerzas.

Morilla. (Del ant. alto al. *morhila.*) f. **Cagarria.**

Morillero. m. **Mochil.**

Morillo. (d. de *moro,* por las figuras con que suelen estar adornados.) m. Caballete de hierro que se pone en el hogar para sustentar la leña. Se usan dos generalmente.

Moringa. f. *Bot.* **Ben,** 1.er art.

Moringáceo, a. (De *moringa.*) adj. *Bot.* Dícese de plantas leñosas angiospermas dicotiledóneas, pertenecientes al mismo orden que las crucíferas, que tienen hojas pinadas y flores pentámeras y cigomorfas; como el ben. Ú. t. c. s. f. || **2.** f. pl. *Bot.* Familia de estas plantas.

Moriondo, da. (Del lat. *mus, maris,* el morueco.) adj. Dícese de la oveja en celo.

Morir. (Del lat. **mŏrīre,* por *mŏri.*) intr. Acabar o fenecer la vida. || **2.** fig. Fenecer o acabar del todo cualquier cosa, aunque no sea viviente ni material. || **3.** fig. Padecer o sentir violentamente algún afecto, pasión u otra cosa. MORIR *de frío, de hambre, de sed, de risa.* || **4.** fig. Hablando del fuego, la luz, la llama, etc., apagarse o dejar de arder o lucir. Ú. t. c. r. || **5.** fig. Cesar una cosa en su curso, movimiento o acción. MORIR *los ríos, la saeta.* || **6.** fig. En algunos juegos se dice de los lances o manos que, por no saber quién los gana, se dan por no ejecutados. || **7.** fig. En el juego de la oca, dar con los puntos del dado a la casilla donde está pintada la muerte, lo que precisa a que vuelva a empezar el juego aquel que **muere.** || **8.** r. **Morir,** 1.ª acep. || **9.** fig. Entorpecerse o quedarse insensible un miembro del cuerpo, como si estuviera muerto. || **Morir** uno **civilmente.** fr. desus. Quedar separado del trato, comercio o sociedad humanos, o imposibilitado de obtenerlos. || **Morir,** o **morirse,** uno **por** una persona. fr. fig. Amarla en extremo. || **Morir,** o **morirse,** uno **por** una cosa. fr. fig. Ser muy aficionado a ella o desearla vehementemente. || **Morir uno vestido.** fr. fig. y fam. **Morir** violentamente. MORIRÁ VESTIDO. || **¡Muera!** interj. con que se manifiesta aversión a una persona o cosa, o el propósito de acabar con ella. Empléase generalmente en motines y asonadas. Ú. t. c. s.

Morisco, ca. adj. **Moruno.** || **2.** Dícese de los moros que al tiempo de la restauración de España se quedaron en ella bautizados. Ú. t. c. s. || **3.** Perteneciente a ellos. || **4.** ant. V. **Alquinal morisco.** || **5.** *Cád.* V. **Avena morisca.** || **6.** *Méj.* Dícese del descendiente de mulato y europea o de mulata y europeo. Ú. t. c. s.

Morisma. f. Secta de los moros. || **2.** Multitud de moros. || **A la morisma.** m. adv. A la manera de los moros.

Morisqueta. f. Ardid o treta propia de moros. || **2.** fig. y fam. Acción con que uno pretende engañar, burlar o despreciar a otro. || **3.** Arroz cocido con agua y sin sal, que es el alimento ordinario de los naturales de Filipinas.

Morito. m. **Falcinelo.**

Morlaco, ca. adj. Natural de Morlaquia. Ú. t. c. s. || **2.** Perteneciente a este país de la orilla oriental del Adriático. || **3.** Que finge tontería o ignorancia. Ú. t. c. s. || **4.** m. *Amér.* **Patacón,** 2.ª acep.

Morlés. m. Tela de lino, no muy fina, fabricada en Morlés, ciudad de Bretaña. || **Morlés de Morlés.** loc. fig. y fam. con que se da a entender que una cosa se diferencia poco o nada de otra.

Morlón, na. adj. **Morlaco,** 3.ª acep. Ú. t. c. s.

Mormón, na. m. y f. Persona que profesa el mormonismo.

Mormónico, ca. adj. Perteneciente o relativo al mormonismo.

Mormonismo. m. Secta religiosa establecida en los Estados Unidos, que se distingue principalmente por la profesión y práctica de la poligamia. || **2.** Conjunto de máximas, ritos y costumbres de esta secta.

Mormullar. intr. **Murmurar.**

Mormullo. m. **Murmullo.**

Mormurar. intr. ant. **Murmurar.** Ú. en *Méj.*

Moro, ra. (Del lat. *maurus.*) adj. Natural de la parte del África Septentrional, frontera a España, donde estaba la antigua provincia de la Mauritania. Ú. t. c. s. || **2.** Perteneciente a esta parte de África o a sus naturales. || **3.** Dícese del indígena de Mindanao y de otras islas de la Malasia. Ú. m. c. m. || **4.** Dícese del caballo o yegua de pelo negro con una estrella o mancha blanca en la frente y calzado de una o de dos extremidades. || **5.** Por ext., **mahometano.** Ú. t. c. s. || **6.** fig. y fam. Aplícase al vino que no está aguado, en contraposición del cristiano o aguado. || **7.** fig. y fam. Dícese del párvulo o adulto que no ha sido bautizado. || **8.** V. **Hierba, reina mora.** || **9.** V. **Trigo moro.** Ú. t. c. s. || **10.** V. **Raíz del moro.** || **de paz. Moro** marroquí que servía de intermediario para tratar con los demás **moros** en los presidios españoles de África. || **2.** fig. Persona que tiene disposiciones pacíficas y de quien nada hay que temer o recelar. || **de rey.** Soldado de a caballo del ejército regular del imperio marroquí. || **mogataz.** Soldado indígena al servicio de España en los presidios de África. || **Moros y cristianos.** Fiesta pública que se ejecuta vistiéndose algunos con trajes de **moros** y fingiendo lid o batalla con los cristianos. || **A más moros, más ganancia.** expr. fig. tomada de las guerras españolas con los **moros,** con la cual se desprecian los riesgos, afirmando que a mayor dificultad es mayor la gloria del triunfo. || **A moro muerto, gran lanzada.** ref. con que se hace burla de los que se jactan de su valor cuando ya no hay riesgo. || **Como moros sin señor.** loc. fig. que se dice de toda reunión o junta de personas en que reina gran confusión y desorden. || **Haber moros en la costa.** fr. fig. y fam. con que se recomienda la precaución y cautela. || **Haber moros y cristianos.** fr. fig. y fam. Haber gran pendencia, riña o discordia. || **Moros van, moros vienen.** loc. fig. y fam. que se dice de aquel a quien le falta poco para estar enteramente borracho. || **No es lo mismo oir decir moros vienen, que verlos venir.** ref. que enseña a desconfiar o rebajar algo de la intrepidez de que muchos hacen alarde cuando se anuncian peligros todavía remotos.

Morocada. (De *morueco.*) f. Topetada de carnero.

Morocho, cha. (Del quichua *muruchu.*) adj. V. **Maíz morocho.** Ú. t. c. s. || **2.** fig. y fam. *Amér.* Tratándose de personas, robusto, fresco, bien conservado. || **3.** fig. *Argent.* y *Urug.* **Moreno,** 1.ª acep.

Morojo. m. **Madroño,** 2.ª acep.

Morón. (Del vasc. *muru,* montón.) m. Montecillo de tierra.

Moroncho, cha. adj. **Morondo.**

Morondanga. f. fam. Mezcla de cosas inútiles y de poca entidad.

Morondo, da. adj. Pelado o mondado de cabellos o de hojas.

Moronía. f. **Alboronía.**

Morosamente. adv. m. Con tardanza, dilación o morosidad.

Morosidad. (Del lat. *morosĭtas, -ātis.*) f. Lentitud, dilación, demora. || **2.** Falta de actividad o puntualidad.

Moroso, sa. (Del lat. *morōsus.*) adj. Que incurre en morosidad. *Deudor* MOROSO. || **2.** Que la denota o implica. || **3.** V. **Delectación morosa.** || **4.** V. **Juro moroso.**

Morquera. f. **Hisopillo,** 2.ª acep.

Morra. (Del m. or. que *morro,* 1.er art.) f. Parte superior de la cabeza. || **Andar a la morra.** fr. fig. y fam. **Andar al morro.**

Morra. (Del ital. *morra.*) f. Juego vulgar entre dos personas que a un mismo tiempo dicen cada una un número que no pase de 10 e indican otro con los dedos de la mano, y gana el que acierta el número que coincide con el que resulta de la suma de los indicados por los dedos. || **2.** El puño, que en este juego vale por cero para la cuenta. || **muda.** El mismo juego cuando se hace simplemente a pares o nones.

Morra. (De *morro*, 2.° art.) Voz de que se suele usar para llamar a la gata.

Morrada. (De *morra*, 1.er art.) f. Golpe dado con la cabeza, especialmente cuando topan dos, una con otra. || **2.** fig. Guantada, bofetada.

Morral. (De *morro*, 1.er art.) m. Talego que contiene el pienso y se cuelga de la cabeza de las bestias, para que coman cuando no están en el pesebre. || **2.** Saco que usan los cazadores, soldados y viandantes, colgado por lo común a la espalda, para echar la caza, llevar provisiones o transportar alguna ropa. || **3.** fig. y fam. Hombre zote y grosero. || **4.** *Mar.* Vela rastrera, de lienzo más fino, que largan los jabeques en la punta del botalón, con vientos flojos, cuando van en popa.

Morralla. f. **Boliche,** 2.° art., 2.ª acep. || **2.** fig. Multitud de gente de escaso valer. || **3.** fig. Conjunto o mezcla de cosas inútiles y despreciables.

Morrena. f. *Geol.* **Morena,** 3.er art., 2.ª acep.

Morreo. (De *morro*, 1.er art.) m. Juego de muchachos en que el que pierde queda obligado a sacar con la boca un palillo clavado en la tierra.

Morreras. (De *morro*.) f. pl. *Ar.* **Pupa,** 1.ª acep.

Morrilla. (d. de *morra*, cabeza.) f. En algunas partes, **alcaucil,** 1.ª acep.

Morrillo. (d. de *morro*.) m. Porción carnosa que tienen las reses en la parte superior y anterior del cuello. || **2.** fam. Por ext., cogote abultado. || **3. Canto rodado.**

Morriña. (De *murria*, 1.er art.) f. **Comalia.** || **2.** fig. y fam. Tristeza o melancolía.

Morriñoso, sa. adj. Que tiene morriña. || **2.** Raquítico, enteco.

Morrión. (De *morra*.) m. Armadura de la parte superior de la cabeza, hecha en forma de casco, y que en lo alto suele tener un plumaje o adorno. || **2.** Prenda del uniforme militar, a manera de sombrero de copa sin alas y con visera, que se ha usado para cubrir la cabeza. || **3.** *Cetr.* Especie de vahído o vértigo que padecen las aves de altanería.

Morro. (En port. *morro*; en ant. fr. *mourre*.) m. Cualquier cosa redonda cuya figura sea semejante a la de la cabeza. MORRO *de la pistola.* || **2.** Monte o peñasco pequeño y redondo. || **3.** Guijarro pequeño y redondo. || **4.** Monte o peñasco escarpado que sirve de marca a los navegantes en la costa. || **5.** Saliente que forman los labios, especialmente los que son abultados o gruesos. || **Andar al morro.** fr. fig. y fam. **Andar al pelo.** || **Estar de morro, o de morros,** dos o más personas. fr. fig. y fam. **Estar de monos.** || **Jugar al morro con** uno. fr. fig. y fam. Engañarle, no cumpliendo lo que se le promete.

Morro. Voz de que se suele usar para llamar al gato, por imitación del ruido o murmullo que forma cuando le acarician.

Morrocotudo, da. adj. fam. De mucha importancia o dificultad.

Morrocoy. (Voz cumanagota.) m. **Morrocoyo.**

Morrocoyo. (De *morrocoy*.) m. Galápago americano, común en la isla de Cuba, con el carapacho muy convexo, rugoso, de color obscuro y con cuadros amarillos.

Morrón. (De *morro*, 1.er art.) adj. V. **Pimiento morrón.** || **2.** *Mar.* V. **Bandera morrón.**

Morrón. m. fam. **Golpe.**

Morroncho, cha. adj. *Murc.* **Manso,** 2.° art.

Morronga. f. fam. **Gata,** 1.ª acep.

Morrongo. m. fam. **Gato,** 1.er art. 1.ª acep.

Morroña. f. fam. **Morronga.**

Morroño. m. fam. **Morrongo.**

Morrudo, da. adj. Que tiene morro. || **2.** Bezudo, hocicudo. || **3.** *Ar.* **Goloso,** 1.ª acep.

Morsa. (Del dinamarqués *mar*, mar, y *ros*, caballo: caballo de mar.) f. Mamífero carnicero muy parecido a la foca, que, como ella, vive por lo común en el mar, y de la cual se distingue principalmente por dos caninos que se prolongan fuera de la mandíbula superior más de medio metro.

Morsana. f. Arbolillo de Asia y África, de la familia de las cigofiláceas, con hojas opuestas, apareadas, pecioladas y compuestas de hojuelas trasovadas; flores con cáliz dividido en cinco partes, corola de cinco pétalos iguales y enteros, diez estambres y un pistilo y fruto en cápsula con muchas semillas. Sus brotes tiernos se comen encurtidos.

Mortadela. (Del ital. *mortadella*, y éste del lat. *myrtātum* [*farcimen*], sazonado con bayas de mirto.) f. Embutido muy grueso que se hace con carne de cerdo y de vaca muy picada con tocino.

Mortaja. (Del lat. *mortualia*; de *mortŭus*, muerto.) f. Vestidura, sábana u otra cosa en que se envuelve el cadáver para el sepulcro. || **2.** fig. *Amér.* Hoja de papel con que se lía el tabaco del cigarrillo. || **de esparto.** fig. **Petate,** 1.ª acep.

Mortaja. (En fr. *mortaise*.) f. **Muesca,** 1.ª acep.

Mortajar. tr. desus. **Amortajar.**

Mortal. (Del lat. *mortālis*.) adj. Que ha de morir, o sujeto a la muerte. || **2.** Por antonom., dícese del hombre. Ú. m. c. s. || **3.** Que ocasiona o puede ocasionar muerte espiritual o corporal. || **4.** V. **Pecado mortal.** || **5.** Aplícase también a aquellas pasiones que mueven a desear a uno la muerte. *Odio* MORTAL; *enemistad* MORTAL. || **6.** Que tiene o está con señas o apariencias de muerto. *Quedarse* MORTAL *del susto.* || **7.** V. **Restos mortales.** || **8.** Muy cercano a morir o que parece estarlo. *Enrique está* MORTAL. || **9.** fig. Fatigoso, abrumador. *De Madrid a Alcalá hay cuatro leguas* MORTALES. || **10.** fig. Decisivo, concluyente. *Las señas son* MORTALES. || **11.** fig. V. **Salto mortal.**

Mortaldad. (Del lat. *mortālitas, ātis*.) f. ant. **Mortandad.**

Mortalidad. (Del lat. *mortālitas, -ātis*.) f. Calidad de mortal. || **2.** Número proporcional de defunciones en población o tiempo determinados.

Mortalmente. adv. m. De muerte. || **2.** Con deseo de ella; de modo que la cause espiritual o corporalmente.

Mortandad. (De *mortaldad*.) f. Multitud de muertes causadas por epidemia, cataclismo, peste o guerra. || **Ni mueras en mortandad, ni juegues en Navidad.** ref. que alude a lo inadvertidos que pasan estos hechos en tales ocasiones.

Mortecino, na. (Del lat. *morticīnus*.) adj. Dícese del animal muerto naturalmente y de su carne. || **2.** fig. Bajo, apagado y sin vigor. || **3.** fig. Que está casi muriendo o apagándose. || **Hacer la mortecina.** fr. fig. y fam. Fingirse muerto.

Mortera. (De *mortero*.) f. Especie de cuenco de madera que sirve para beber o llevar la merienda.

Morterada. f. Porción de vianda, condimento o salsa que de una vez se prepara en el mortero. || **2.** *Art.* Porción de piedras u otros proyectiles que se disparaban de una vez con el mortero.

Morterete. m. d. de **Mortero**. || **2.** Pieza pequeña de artillería, de la cual usaban frecuentemente en las salvas. || **3.** Pieza pequeña de hierro, con su fogoncillo, que usan en las festividades, atacándola de pólvora y cuyo disparo imita la salva de artillería. || **4.** Pieza de cera hecha en forma de vaso con su mecha, que servía para iluminar los altares o teatros de perspectiva poniéndola en un vaso con agua. || **5.** Escopleadura en forma de cono truncado inverso y oblicuo, que tenían las cureñas antiguas de artillería en las teleras de contera. || **6.** El almirez o algún utensilio parecido, a cuyo son baila la gente rústica.

Mortero. (Del lat. *mortarĭum*.) m. Utensilio de madera, piedra o metal, a manera de vaso, que sirve para machacar en él especias, semillas, drogas, etc. || **2.** Pieza de artillería destinada a proyectar bombas. Es de gran calibre y corta longitud. || **3.** Piedra plana, circular y de grande espesor, que en el suelo del alfarje de los molinos de aceite constituye la parte céntrica y resistente sobre la cual se echa la aceituna para molerla y ruedan las piedras voladoras o el rulo. || **4.** *Albañ.* Argamasa o mezcla. || **5.** *Blas.* Bonete redondo de terciopelo que usaron ciertos ministros de justicia de categoría superior, y que colocaban en vez de corona sobre el escudo de sus armas. || **6.** ant. *Mar.* Émbolo o pistón de bomba.

Morteruelo. m. d. de **Mortero.** || **2.** Juguete que usan los muchachos para diversión, y es una media esferilla hueca, que ponen en la palma de la mano y la hieren con un bolillo, haciendo varios sones con la compresión del aire y el movimiento de la mano. || **3.** Guisado que se hace de hígado de cerdo machacado y desleído con especias y pan rallado.

Mortífero, ra. (Del lat. *mortifĕrus*; de *mors, mortis*, muerte, y *ferre*, llevar.) adj. Que ocasiona o puede ocasionar la muerte.

Mortificación. (Del lat. *mortificatĭo, -ōnis*.) f. Acción y efecto de mortificar o mortificarse. || **2.** Lo que mortifica.

Mortificador, ra. (Del lat. *mortificātor*.) adj. Que mortifica.

Mortificante. p. a. de **Mortificar.** Que mortifica.

Mortificar. (Del lat. *mortificāre*.) tr. *Med.* Privar de vitalidad alguna parte del cuerpo. Ú. t. c. r. || **2.** fig. Domar las pasiones castigando el cuerpo y refrenando la voluntad. Ú. t. c. r. || **3.** fig. Afligir, desazonar o causar pesadumbre o molestia. Ú. t. c. r.

Mortiguar. (Del lat. *mortificāre*.) tr. ant. Amortiguar, mortificar.

Mortinato. adj. Dícese de la criatura que nace muerta. Ú. t. c. s.

Mortis causa. (loc. lat. que significa *por causa de muerte*.) loc. lat. *For.* V. **Donación mortis causa.** || **2.** *For.* Aplícase al testamento y a ciertos actos de liberalidad, cuyo fin está determinado por la muerte y sucesión del causante.

Mortuorio, ria. (Del lat. *mortŭus*, muerto.) adj. Perteneciente o relativo al muerto o a las honras que por él se hacen. || **2.** V. **Cámara, casa mortuoria.** || **3.** m. Preparativos y actos convenientes para enterrar los muertos. || **4.** *Al.* Lugar en el cual hubo una población que ha desaparecido por completo.

Morucho. m. Novillo embolado para que los aficionados lo lidien en la plaza de toros.

Morueco. (Del lat. *mas, maris*, macho.) m. Carnero padre o que ha servido para la propagación.

Mórula. (Del lat. *morŭla*, d. de *mora*.) f. ant. Demora o detención muy breve.

Moruno, na. adj. Moro, 2.ª acep. *Alfanje* MORUNO. || **2.** V. **Arrayán, ocha-**

vo, tabaco, trigo moruno. ‖ **3.** V. **Berenjena, cabeza moruna.**

Moruro. m. Especie de acacia de la isla de Cuba, cuya corteza sirve para curtir pieles.

Morusa. f. fam. **Dinero,** 1.ª y 2.ª aceps.

Mosaico, ca. (Del lat. *Moses,* Moisés.) adj. Perteneciente a Moisés. ‖ **2.** *Arq.* **Salomónico,** 2.ª acep.

Mosaico, ca. (Del gr. μουσεῖον, propio de las musas.) adj. Aplícase a la obra taraceada de piedras o vidrios, generalmente de varios colores. Ú. t. c. s. m. ‖ **de madera,** o **vegetal. Taracea.**

Mosaísmo. m. **Ley de Moisés.** ‖ **2.** Civilización mosaica.

Mosca. (Del lat. *mŭsca.*) f. Insecto díptero, muy común y molesto, de unos seis milímetros de largo, de cuerpo negro, cabeza elíptica, más ancha que larga, ojos salientes, alas transparentes cruzadas de nervios, patas largas con uñas y ventosas, y boca en forma de trompa, con la cual chupa las substancias de que se alimenta. ‖ **2.** Pelo que nace al hombre entre el labio inferior y el comienzo de la barba, y que algunos dejan crecer aun no llevando pera. ‖ **3.** fam. **Dinero,** 1.ª y 3.ª aceps. ‖ **4.** fig. y fam. Persona molesta, impertinente y pesada. ‖ **5.** fig. y fam. Desazón picante que inquieta y molesta. *Andrés está con* MOSCA. ‖ **6.** *Astron.* Constelación celeste cerca del polo antártico. ‖ **7.** *Zool.* Cualquiera de los insectos dípteros del suborden de los braquíceros. ‖ **8.** pl. fig. y fam. Chispas que saltan de la lumbre. ‖ **Mosca de burro.** Insecto díptero, de unos ocho milímetros de largo, de color pardo amarillento, cuerpo oval y aplastado, revestido de una piel coriácea muy dura, alas grandes, horizontales y cruzadas cuando el animal está parado, y patas cortas y fuertes. Vive parásito sobre las caballerías en aquella parte donde el pellejo es más débil, particularmente alrededor del ano. ‖ **de España. Cantárida,** 1.ª acep. ‖ **de la carne. Moscarda,** 1.ª acep. ‖ **de Milán.** Parche pequeño de cantáridas. ‖ **de mula. Mosca de burro.** ‖ **en leche.** fig. y fam. Mujer morena vestida de blanco. ‖ **muerta.** fig. y fam. Persona, al parecer, de ánimo o genio apagado, pero que no pierde la ocasión de su provecho, o no deja de explicarse en lo que siente. ‖ **Moscas blancas.** fig. y fam. Copos de nieve que van cayendo por el aire. ‖ **volantes.** *Med.* Enfermedad de la vista, por efecto de la cual se cree ver cruzar delante de los ojos motas brillantes, opacas o diversamente coloridas. ‖ **Aflojar** uno **la mosca.** fr. fig. y fam. **Soltar la mosca.** ‖ **Aramos, dijo la mosca al buey.** ref. que se aplica a los que se jactan de la participación que tienen en el trabajo de una cosa cuando en realidad poca o ninguna les corresponde. ‖ **Cazar moscas.** fr. fig. y fam. Ocuparse en cosas inútiles o vanas. ‖ **Con la mosca en la oreja.** fr. fig. y fam. que se aplica al que está receloso y prevenido para evitar alguna cosa. ‖ **Más moscas se cogen con miel que con hiel.** ref. que enseña que la dulzura y la indulgencia son los mejores medios para atraerse las voluntades. ‖ **¡Moscas!** interj. de que se usa para alejar una cosa que pica y molesta, o quejarse de ella. ‖ **Papar moscas.** fr. fig. y fam. Estar embelesado o sin hacer nada, con la boca abierta. ‖ **Picarle** a uno **la mosca.** fr. fig. y fam. Sentir o venirle a la memoria una especie que le inquieta, desazona y molesta. ‖ **Sacudir** uno **las moscas.** fr. fig. y fam. **Mosquear,** 4.ª acep. ‖ **Ser una mosca blanca.** fr. **Ser** uno **mirlo blanco.** ‖ **Soltar** uno **la mosca.** fr. fig. y fam. Dar o gastar dinero a disgusto.

Moscabado, da. adj. **Mascabado.**

Moscada. (Del lat. *muscum,* almizcle.) adj. V. **Nuez moscada.**

Moscadero. (De *mosca.*) m. ant. **Mosqueador,** 1.ª acep.

Moscarda. f. Especie de mosca de unos ocho milímetros de largo, de color ceniciento, con una mancha dorada en la parte anterior de la cabeza, ojos encarnados, rayas negras en el tórax, y pintado el abdomen con unos cuadros parduscos. Se alimenta de carne muerta, sobre la cual deposita la hembra las larvas ya nacidas. ‖ **2.** En algunas partes, cresa o huevecillos que pone la reina de las abejas.

Moscardear. intr. En algunas partes, poner la reina de las abejas la cresa o moscarda en los alveolos.

Moscardón. (De *moscarda.*) m. Especie de mosca de 12 a 13 milímetros de largo, de color pardo obscuro, muy vellosa, que deposita sus huevos entre el pelo de los rumiantes y solípedos en los puntos en que el animal se puede lamer, para que así pasen aquéllos al estómago y engendren larvas que sólo salen con los excrementos y caen a tierra cuando van a cambiarse en ninfas, antes de pasar a insectos perfectos. ‖ **2. Moscón,** 2.ª acep. ‖ **3. Avispón,** 2.ª acep. ‖ **4. Abejón,** 3.ª acep. ‖ **5.** fig. y fam. Hombre impertinente que molesta con pesadez y picardía.

Moscareta. (De *mosca.*) f. Pájaro de unos 14 centímetros desde la punta del pico hasta la extremidad de la cola y 27 de envergadura, pico delgado, poco más corto que la cabeza y encorvado en la punta; plumaje negruzco en el lomo, rojizo en la pechuga y blanco junto a la rabadilla, en los costados del cuello y en una mancha de las alas. Es común en España, tiene canto agradable, rara vez está quieto y se alimenta de moscas y otros insectos que caza al vuelo. ‖ **2.** *Murc.* **Papamoscas,** 1.ª acep.

Moscarrón. m. fam. **Moscardón.**

Moscatel. (Del lat. *muscum,* almizcle.) adj. V. **Uva moscatel.** Ú. t. c. s. m. ‖ **2.** Aplícase también al viñedo que la produce y al vino que se hace de ella, después de solearla durante varios días.

Moscatel. (De *mosca,* 4.ª acep.) m. fig. y fam. Hombre pesado e importuno. ‖ **2.** En algunas partes, **zagalón.** ‖ **3.** Tonto, pazguato.

Moscella. (Del lat. *myxa,* mecha, infl. por *centella.*) f. **Morcella.**

Mosco, ca. (De *mosca.*) adj. *Chile.* Dícese del caballo o yegua de color muy negro y algún que otro pelo blanco entremezclado entre los negros. ‖ **2.** m. **Mosquito,** 1.ª acep.

Moscón. m. Especie de mosca, que se diferencia de la común en ser algo mayor que ella y en tener las alas manchadas de rojo. ‖ **2.** Especie de mosca zumbadora, de un centímetro de largo, de cabeza leonada y cuerpo azul obscuro con reflejos brillantes, que deposita sus huevos en las carnes frescas, donde se cambian en larvas o cresa en 12 ó 14 horas. ‖ **3. Arce,** 1.er art. ‖ **4.** V. **Pájaro moscón.** ‖ **5.** fig. y fam. Hombre que con porfía logra lo que desea, fingiendo ignorancia. ‖ **6.** fig. y fam. **Mosca,** 4.ª acep.

Moscona. (De *moscón.*) f. Mujer desvergonzada.

Mosconear. (De *moscón.*) tr. Importunar, molestar con impertinencia y pesadez. ‖ **2.** intr. Porfiar para lograr un propósito fingiendo ignorancia.

Mosconeo. m. Acción de mosconear.

Moscovita. adj. Natural de Moscovia. Ú. t. c. s. ‖ **2.** Perteneciente a esta región rusa. ‖ **3. Ruso.** Apl. a pers., ú. t. c. s.

Moscovítico, ca. adj. Perteneciente o relativo a los moscovitas.

Mosén. (Del cat. *mosen,* mi señor.) m. Título que se daba a los nobles de segunda clase en la antigua corona de Aragón. ‖ **2.** Título que se daba a los clérigos en la antigua corona de Aragón.

Mosolina. f. *Sant.* **Aguardiente.**

Mosqueado, da. (De *mosca.*) adj. Sembrado de pintas.

Mosqueador. m. Instrumento, especie de abanico, para espantar o ahuyentar las moscas. ‖ **2.** fig. y fam. Cola de una caballería o de una res vacuna.

Mosquear. tr. Espantar o ahuyentar las moscas. Ú. t. c. r. ‖ **2.** fig. Responder y redargüir uno resentido y como picado de alguna especie. ‖ **3.** fig. Azotar, vapulear. ‖ **4.** r. fig. Apartar de sí violentamente los embarazos o estorbos. ‖ **5.** fig. Resentirse uno por el dicho de otro, creyendo que lo profirió para ofenderle.

Mosqueo. m. Acción de mosquear o mosquearse.

Mosquero. (Del lat. *muscarium.*) m. Ramo o haz de hierba o conjunto de tiras de papel que se ata a la punta de un palo para espantar las moscas, o que se cuelga del techo para recogerlas y matarlas. ‖ **2.** *And.* Fleco de correílas o cordones que se pone en las cabezadas y jáquimas para que las caballerías se espanten las moscas. ‖ **3.** *Chile.* Hervidero o gran copia de moscas.

Mosquerola. adj. **Mosqueruela.** Ú. t. c. s.

Mosqueruela. (Del lat. *muscum,* almizcle.) adj. V. **Pera mosqueruela.** Ú. t. c. s.

Mosqueta. (Del lat. *muscum.*) f. Rosal con tallos flexibles, muy espinosos, de tres a cuatro metros de longitud, hojas lustrosas, compuestas de siete hojuelas ovales de color verde claro, y flores blancas, pequeñas, de olor almizclado, en panojas espesas y terminales. ‖ **silvestre. Escaramujo,** 1.ª y 2.ª aceps.

Mosquetazo. m. Tiro que sale del mosquete. ‖ **2.** Herida hecha con este tiro.

Mosquete. (Del fr. *mousquet,* d. del lat. *musca,* mosca.) m. Arma de fuego antigua, mucho más larga y de mayor calibre que el fusil, la cual se disparaba apoyándola sobre una horquilla.

Mosquetería. f. Tropa formada de mosqueteros. ‖ **2.** En los antiguos corrales de comedias, conjunto de mosqueteros, 2.ª acep.

Mosqueteril. adj. fam. Perteneciente a la mosquetería de los antiguos corrales de comedias.

Mosquetero. m. Soldado armado de mosquete. ‖ **2.** En los antiguos corrales de comedias, el que las veía de pie desde la parte posterior del patio.

Mosquetón. (De *mosquete.*) m. Carabina corta que usaron algunos cuerpos militares. ‖ **2.** Anilla que se abre y cierra mediante un muelle.

Mosquil. adj. Perteneciente o relativo a la mosca. ‖ **2.** m. *Sal.* Sitio donde se recogen las caballerías huyendo de las moscas, en las horas del resistero estival.

Mosquillón. m. ant. **Moscón,** 5.ª acep.

Mosquino, na. adj. **Mosquil,** 1.ª acep.

Mosquita. (d. de *mosca.*) f. Pájaro muy parecido a la curruca, que vive todo el año en Cerdeña, es poco común en España y tiene el lomo de color ceniciento obscuro y el vientre blanco que tira a rojizo. ‖ **muerta.** fig. y fam. **Mosca muerta.**

Mosquitera. f. **Mosquitero.**

Mosquitero. m. Pabellón o colgadura de cama hecho de gasa, para impedir que entren a molestar los mosquitos.

Mosquito. (De *mosco.*) m. Insecto díptero, de tres a cuatro milímetros de largo, cuerpo cilíndrico de color pardusco, cabeza con dos antenas, dos palpos en forma de pluma y una trompa recta armada interiormente de un aguijón; pies largos y muy finos, y dos alas transparentes que con su rápido movimiento producen un zumbido agudo parecido al sonido de una trompetilla. El macho vive de los jugos de las flores, y la hembra chupa la sangre de las personas y de los animales de piel fina, produciendo con la picadura inflamación rápida acompañada de picor. Las larvas son acuáticas. || **2.** *Zool.* Cualquiera de los insectos dípteros del suborden de los nematóceros. || **3.** Larva de la langosta. || **4.** fig. y fam. El que acude frecuentemente a la taberna.

Mostacera. f. Tarro o frasco en que se prepara y sirve la mostaza para la mesa.

Mostacero. m. **Mostacera.**

Mostacilla. (d. de *mostaza.*) f. Munición del tamaño de la semilla de mostaza, que se emplea para la caza de pájaros y otros animales pequeños. || **2.** Abalorio de cuentecillas muy menudas.

Mostacho. (Del ital. *mostacchio,* y éste del gr. μύσταξ, el labio superior.) m. **Bigote,** 1.ª acep. || **2.** fig. y fam. Mancha o chafarrinada en el rostro. || **3.** *Mar.* Cada uno de los cabos gruesos con que se asegura el bauprés a una y otra banda.

Mostachón. m. Bollo pequeño hecho con pasta de almendra, azúcar y canela u otra especia fina.

Mostachoso, sa. adj. Adornado de mostachos.

Mostagán. (De *mosto.*) m. fam. **Vino,** 1.ª acep.

Mostajo. (Del lat. *mustāce.*) m. **Mostellar.**

Mostaza. (De *mosto.*) f. Planta anual de la familia de las crucíferas, con tallo algo velloso, de un metro de altura próximamente; hojas alternas, grandes, lanuginosas, divididas por el margen en varios segmentos dentellados; flores pequeñas, amarillas, en espigas, y fruto en silicuas de unos tres centímetros de longitud, con varias semillas de un milímetro de diámetro, negras por fuera, amarillas en lo interior, y de sabor picante. Abunda en los campos, y la harina de la semilla es, por sus propiedades estimulantes, de frecuente empleo en condimentos y medicina. || **2.** Semilla de esta planta. || **3.** Salsa que se hace de esta semilla preparada de diversas maneras. || **4. Mostacilla,** 1.ª acep. || **blanca.** Planta semejante a la **mostaza** común, de la cual se distingue principalmente por ser las vainillas del fruto más anchas, terminadas en una punta bastante larga, y con semillas de color blanco amarillento y de casi dos milímetros de diámetro. || **negra. Mostaza,** 1.ª acep. || **silvestre.** Planta común en los campos, muy parecida a la **mostaza** negra y a la blanca, y cuyas semillas, aunque menos excitantes, se emplean para adulterar la primera. || **Hacer la mostaza.** fr. fig. y fam. Entre muchachos, hacer salir sangre de las narices uno a otro cuando andan a puñadas. || **Subírsele** a uno **la mostaza a las narices.** fr. fig. y fam. Irritarse, enojarse.

Mostazal. m. Terreno poblado de mostaza, 1.ª acep.

Mostazo. m. Mosto fuerte y pegajoso. || **2. Mostaza,** 1.ª acep.

¡Moste! interj. **¡Moxte!**

Mostear. intr. Arrojar o destilar las uvas el mosto. || **2.** Llevar o echar el mosto en las tinajas o cubas. || **3. Remostar,** 1.ª acep. Ú. t. c. tr.

Mostela. (d. del cat. *mosta,* manojo, ambuesta, y éste del célt. *ambibosta.*) f. Haz o gavilla.

Mostelera. f. Lugar o sitio donde se guardan o hacinan las mostelas.

Mostellar. (Del cat. *mostell,* y éste del lat. *mūstum.*) m. Árbol de la familia de las rosáceas, de 8 a 10 metros de altura, con tronco liso, ramas gruesas y copa abierta; hojas de pecíolo corto y lanuginoso, elípticas, enteras hacia la base, aserradas en lo demás del margen, verdes por encima, blanquecinas y vellosas por el envés, de 8 a 10 centímetros de largo y 6 a 7 de ancho; flores blancas, pedunculadas y en corimbos pequeños, y fruto ovoide, pequeño, carnoso, de color rojo y sabor dulce. Es común en los bosques de España, y su madera, blanquecina, se emplea en ebanistería y tornería.

Mostén. adj. Apócope de **Mostense.**

Mostense. adj. fam. **Premostratense.** Apl. a pers., ú. t. c. s.

Mostillo. (d. de *mosto.*) m. Masa de mosto cocido, que suele condimentarse con anís, canela o clavo. || **2. Mosto agustín.** || **3.** Salsa que se hace de mosto y mostaza.

Mosto. (Del lat. *mūstum.*) m. Zumo exprimido de la uva, antes de fermentar y hacerse vino. || **agustín.** Masa de **mosto** cocido con harina y especia fina, a la cual suelen agregarse algunos trozos de diversas frutas. || **Desliar el mosto.** fr. Separar el **mosto** de la lía.

Mostrable. (Del lat. *mostrabilis.*) adj. Que se puede mostrar.

Mostración. (Del lat. *monstratio, -ōnis.*) f. ant. Acción de mostrar.

Mostrado, da. p. p. de **Mostrar.** || **2.** adj. Hecho, acostumbrado o habituado a una cosa.

Mostrador, ra. (Del lat. *monstrātor.*) adj. Que muestra. Ú. t. c. s. || **2.** V. **Dedo mostrador.** || **3.** m. Mesa o tablero que hay en las tiendas para presentar los géneros. || **4.** Esfera de reloj.

Mostranza. (De *mostrar.*) f. ant. **Muestra.**

Mostrar. (Del lat. *monstrāre.*) tr. Manifestar o exponer a la vista una cosa; enseñarla o señalarla para que se vea. || **2.** Explicar, dar a conocer una cosa o convencer de su certidumbre. || **3.** Hacer patente un afecto real o simulado. || **4.** Dar a entender o conocer con las acciones una calidad del ánimo. MOSTRAR *valor, liberalidad.* || **5.** r. Portarse uno como corresponde a su oficio, dignidad o calidad, o darse a conocer de alguna manera. MOSTRARSE *amigo, príncipe.*

Mostrenco, ca. (De *mestenco.*) adj. V. **Bienes mostrencos.** || **2.** fig. y fam. Dícese del que no tiene casa ni hogar, ni señor o amo conocido. || **3.** fig. y fam. Ignorante o tardo en el discurrir o aprender. Ú. t. c. s. || **4.** fig. y fam. Dícese del sujeto muy gordo y pesado. Ú. t. c. s.

Mostro. m. desus. **Monstruo.**

Mota. (En fr. *motte.*) f. Nudillo o granillo que se forma en el paño, y se quita o corta con pinzas o tijeras. || **2.** Partícula de hilo u otra cosa semejante que se pega a los vestidos o a otras partes. || **3.** fig. Defecto muy ligero o de poca entidad que se halla en las cosas inmateriales. || **4.** Pella de tierra con que se cierra o ataja el paso del agua en una acequia. || **5.** Eminencia de poca altura, natural o artificial, que se levanta sola en un llano. || **6.** Ribazo o linde de tierra con que se detiene el agua o se cierra un campo. || **7.** fig. *And.* Moneda de cobre.

Motacén. m. *Ar.* **Almotacén.**

Motacila. (Del lat. *motacilla.*) f. **Aguzanieves.**

Motar. (De *escamotar.*) tr. *Germ.* **Hurtar,** 1.ª acep.

Mote. (Del cat. o del fr. *mot,* y éste del b. lat. *mūttum,* gruñido.) m. Sentencia breve que incluye un secreto o misterio que necesita explicación. || **2.** La que llevaban como empresa los antiguos caballeros en las justas y torneos. || **3.** Frase o tema inicial de un pasatiempo literario, generalmente dialogado y cortesano, que era frecuente entre damas y galanes de los siglos XVI y XVII y consistía en glosar y ampliar dicha frase, también llamada cabeza de **mote,** con donaires y requiebros a los que servía como de pie forzado. || **4.** El pasatiempo mismo y sus glosas. || **5. Apodo,** 1.ª acep. || **6.** pl. Aleluyas o versillos que por sorteo acompañan a los nombres de los participantes en el juego de los estrechos.

Mote. (Del quichua *mutti,* maíz cocido.) m. Maíz desgranado y cocido con sal, que se emplea como alimento en algunas partes de América. || **2.** *Chile.* Guiso o postre de trigo quebrantado o triturado, después de haber sido cocido en lejía y deshollejado.

Motear. tr. Salpicar de motas una tela, para darle variedad y hermosura.

Motejador, ra. adj. Que moteja. Ú. t. c. s.

Motejar. tr. Notar, censurar las acciones de uno con motes o apodos.

Motejo. m. Acción de motejar.

Motero, ra. adj. *Chile.* Que vende mote, 2.° art. Ú. m. c. s. m. || **2.** *Chile.* Aficionado a comer mote, 2.° art. || **3.** *Chile.* Perteneciente o relativo al mote, 2.° art.

Motete. (Del fr. *motet,* y éste de *mot,* del lat. *mūttum,* gruñido.) m. Breve composición musical para cantar en las iglesias, que regularmente se forma sobre algunas cláusulas de la Escritura. || **2.** Apodo, baldón, denuesto.

Motil. (De *motilar.*) m. **Mochil.**

Motilar. (Del lat. *mutilāre,* cercenar.) tr. Cortar el pelo o raparlo.

Motilón, na. (De *motil.*) adj. **Pelón,** 1.ª acep. Ú. t. c. s. || **2.** m. fig. y fam. **Lego,** 4.ª acep. || **3.** desus. **Alguacil.**

Motilona. (De *motilón.*) f. fig. y fam. **Lega.**

Motín. (Del fr. *mutin,* y éste de *meute,* del lat. **movita,* movimiento.) m. Movimiento desordenado de una muchedumbre, por lo común contra la autoridad constituida.

Motivación. f. Acción y efecto de motivar, 2.ª acep.

Motivador, ra. adj. Que motiva.

Motivar. tr. Dar causa o motivo para una cosa. || **2.** Dar o explicar la razón o motivo que se ha tenido para hacer una cosa.

Motivo, va. (Del lat. *motīvus;* de *motum,* supino de *movēre,* mover.) adj. Que mueve o tiene eficacia o virtud para mover. || **2.** V. **Causa motiva.** || **3.** m. Causa o razón que mueve para una cosa. || **4.** *Mús.* Tema o asunto de una composición. || **De** mi, tu, su, nuestro, vuestro **motivo propio.** m. adv. Con resolución o intención libre y voluntaria.

Moto. (Tal vez de *mota.*) m. Hito o mojón.

Moto. f. Apócope de **Motocicleta.**

Motocicleta. (Del lat. *motus,* movido, y *cyclus,* círculo, con aféresis del gr. αὐτός, mismo.) f. Bicicleta automóvil. Algunas arrastran un pequeño vehículo unido a su costado.

Motociclista. com. Persona que gobierna una motocicleta.

Motolita. (De *motacila.*) f. **Aguzanieves.**

Motolito, ta. adj. Necio, bobalicón, poco avisado. Ú. t. c. s. || **Vivir** uno **de motolito.** fr. fig. Mantenerse a expensas de otro.

Motón. m. *Mar.* Garrucha de diversas formas y tamaños, por donde pasan los cabos.

Motonave. f. Nave de motor.

Motonería. (De *motón.*) f. *Mar.* Conjunto de cuadernales y motones para el laboreo de los cabos de un buque.

Motor. (Del lat. *motor.*) adj. Que produce movimiento. Ú. t. c. s. || **2.** m. Máquina destinada a producir movimiento a expensas de otra fuente de energía. Según la clase de ésta, el **motor** se llama eléctrico, térmico, hidráulico, etc. || **El primer motor.** Por antonom., **Dios,** 1.ª acep.

Motora. f. Embarcación menor provista de motor.

Motorismo. m. Deporte de los aficionados a viajar en vehículo automóvil, y especialmente en motocicleta.

Motorista. com. Persona que guía un vehículo automóvil y cuida del motor. || **2.** Persona aficionada al motorismo.

Motorizar. tr. Dotar de medios mecánicos de tracción o transporte a un ejército, industria, etc.

Motril. (De *motil.*) m. Muchacho del servicio de una tienda. || **2. Mochil.**

Motriz. (De *motor.*) adj. f. **Motora.** *Causa* MOTRIZ.

Motu proprio. (Lit., *de motivo propio.*) m. adv. lat. Voluntariamente; de propia, libre y espontánea voluntad. || **2.** m. Bula pontificia o cédula real expedida de este modo.

Movedizo, za. adj. Fácil de moverse o ser movido. || **2.** Inseguro, que no está firme. || **3.** fig. Inconstante o fácil en mudar de dictamen o intento.

Movedor, ra. adj. Que mueve. Ú. t. c. s.

Movedura. (De *mover.*) f. p. us. **Movimiento,** 1.ª acep. || **2. Aborto,** 1.ª acep.

Movente. (Del lat. *movens, -entis.*) p. a. ant. de **Mover. Moviente.**

Mover. (Del lat. *mŏvēre.*) tr. Hacer que un cuerpo deje el lugar o espacio que ocupa y pase a ocupar otro. Ú. t. c. r. || **2.** Por ext., menear o agitar una cosa o parte de algún cuerpo. MOVER *la cabeza.* || **3.** fig. Dar motivo para una cosa; persuadir, inducir o incitar a ella; y por extensión dícese de los afectos del ánimo que inclinan o persuaden a hacer una cosa. || **4.** fig. Seguido de la preposición *a,* causar u ocasionar. MOVER *a dolor, a piedad, a lágrimas.* || **5.** fig. Alterar, conmover. || **6.** fig. Excitar o dar principio a una cosa en lo moral. MOVER *guerra, discordia, trato.* || **7.** fig. **Abortar,** 1.ª acep. Ú. t. c. intr. || **8.** intr. desus. Echar a andar, irse. Ú. t. c. r. || **9.** *Agr.* Empezar a echar o brotar las plantas por la primavera. || **10.** *Arq.* **Arrancar,** 15.ª acep.

Movible. adj. Que por sí puede moverse, o es capaz de recibir movimiento por ajeno impulso. || **2.** V. **Fiesta, garrucha, gnomon, polea movible.** || **3.** fig. Variable, voluble. || **4.** *Astrol.* Dícese de cualquiera de los cuatro signos cardinales, Aries, Cáncer, Libra y Capricornio, por hacer en ellos mudanza el tiempo de una estación del año a otra.

Movición. f. fam. Acción de moverse; movimiento. || **2.** vulg. **Aborto.** 1.ª acep.

Movido, da. p. p. de **Mover.** || **2.** adj. *Chile.* Dícese del huevo puesto en fárfara. || **3.** *Guat.* y *Hond.* Enteco, raquítico.

Moviente. p. a. de **Mover.** Que mueve. || **2.** adj. Aplícase al territorio o Estado que en lo antiguo rendía vasallaje a otro. || **3.** *Blas.* Dícese de la pieza que arranca de cualquiera de los bordes del escudo y se dirige hacia la parte interior, como si el resto de ella estuviera oculto.

Móvil. (Del lat. *mobĭlis.*) adj. **Movible,** 1.ª acep. || **2.** Que no tiene estabilidad o permanencia. || **3.** *Astron.* V. **Día del primer móvil.** || **4.** m. Lo que mueve material o moralmente a una cosa.

Movilidad. (Del lat. *mobilĭtas, -ātis.*) f. Calidad de movible.

Movilización. f. Acción y efecto de movilizar.

Movilizar. (De *móvil.*) tr. Poner en actividad o movimiento tropas, etc. || **2.** Convocar, incorporar a filas, poner en pie de guerra tropas u otros elementos militares.

Movimiento. (De *mover.*) m. Acción y efecto de mover o moverse. || **2.** Estado de los cuerpos cuando cambian de lugar de una manera continuada o sucesiva. || **3.** En las artes del dibujo, variedad bien ordenada de las líneas y el claroscuro de una figura o composición. || **4.** En los cómputos mercantiles y en algunas estadísticas, alteración numérica en el estado o cuenta durante un tiempo determinado. || **5.** fig. Alteración, inquietud o conmoción. || **6.** fig. Primera manifestación de un afecto, pasión o sentimiento; como celos, risa, ira, etc. || **7.** fig. Variedad y animación en el estilo, o en la composición poética o literaria. || **8.** *Astron.* Adelanto o atraso de un reloj en un intervalo fijo. || **9.** *Esgr.* Cambio rápido en la posición del arma. || **10.** *Mús.* Velocidad del compás. || **acelerado.** *Mec.* Aquel en que la velocidad aumenta en cada instante de su duración. || **compuesto.** *Mec.* El que resulta de la concurrencia de dos o más fuerzas en diverso sentido. || **continuo.** El que se pretende hacer durar por tiempo indefinido sin gasto de fuerza motriz. || **de reducción.** *Esgr.* El que se hace dirigiendo el sable o la espada desde los lados al centro. Es contrario al remiso. || **de rotación.** *Mec.* Aquel en que un cuerpo se mueve alrededor de un eje. || **de traslación.** *Astron.* El de los astros a lo largo de sus órbitas. MOVIMIENTO *de traslación de la Tierra.* || **2.** *Mec.* El de los cuerpos que siguen curvas de gran radio con relación a sus propias dimensiones. MOVIMIENTO *de traslación de un proyectil.* || **directo.** *Astron.* El de traslación o el de rotación de los astros, cuando se verifica en el mismo sentido que los de la Tierra, o sea en el orden de los signos del Zodíaco. || **diurno.** *Astron.* El de rotación aparente de la bóveda celeste, de levante a poniente, producido por el verdadero o real de la Tierra, de sentido contrario, en el término de un día sidéreo. || **extraño.** *Esgr.* El que se hace retirando el sable o la espada. Es contrario a la estocada. || **natural.** *Esgr.* El que se hace dirigiendo el sable o la espada hacia abajo. || **oratorio.** Arranque o arrebato del orador, excitado por la pasión. || **paraláctico.** *Astron.* El que pueden ejecutar ciertos aparatos, como los ecuatoriales, en ascensión recta y en declinación. || **primario.** *Astron.* **Movimiento diurno.** || **propio.** *Astron.* El de un astro cualquiera en su órbita o alrededor de su eje. || **radial.** *Astron.* El que siguen determinados astros en la dirección del rayo visual, acercándose o alejándose de la Tierra. || **remiso.** *Esgr.* El que se hace dirigiendo el sable o la espada desde el centro hacia los lados. || **retardado.** *Mec.* Aquel en que la velocidad va disminuyendo. || **retrógrado.** *Astron.* El real o aparente de un astro en sentido contrario al directo. || **simple.** *Mec.* El que resulta del impulso de una sola fuerza. || **uniforme.** *Mec.* Aquel en que es igual y constante la velocidad. || **uniformemente acelerado.** *Mec.* Aquel en que la velocidad aumenta proporcionalmente al tiempo transcurrido. || **uniformemente retardado.** *Mec.* Aquel en que la velocidad disminuye proporcionalmente al tiempo transcurrido. || **variado.** *Mec.* Aquel en que no es constante la velocidad. || **verdadero.** *Astron.* El que es real y distinto del aparente de algunos astros. || **violento.** *Esgr.* El que se hace dirigiendo el sable o la espada hacia arriba. Es contrario del natural. || **Primer movimiento.** fig. Repentino o involuntario ímpetu de una pasión. || **Hacer movimiento.** fr. *Arq.* Dícese de una obra cuando toda o una parte de ella se separa levemente de su posición natural de equilibrio.

Moxa. (Del chino *mok-sa.*) f. *Med.* Mecha de algodón, estopa u otra substancia inflamable, que con objeto medicinal se quema sobre la piel. || **2.** *Med.* Cauterización de la piel por este medio.

¡Moxte! interj. V. **¡Oxte!**

Moya. (De *Moya,* apellido español.) m. *Chile.* Fulano, o Perico el de los palotes.

Moyana. (Del fr. *moyenne,* y éste del lat. *mediānus.*) f. Pieza antigua de artillería, semejante a la culebrina, pero de calibre mayor. || **2.** fig. y fam. Mentira o ficción.

Moyana. (Del m. or. que *moyuelo.*) f. Pan hecho con salvado, que suele darse a los perros de ganado.

Moyo. (Del lat. *modĭus.*) m. Medida de capacidad de 16 cántaras, equivalente a 258 litros, que se usa para el vino, y en Galicia, también para áridos.

Moyuelo. m. Salvado muy fino, el último que se separa al apurar la harina.

Moza. (De *mozo.*) f. Criada que sirve en menesteres humildes y de tráfago. || **2.** Mujer que mantiene trato ilícito con alguno. || **3.** Pala con que las lavanderas golpean la ropa, especialmente la gruesa, para poderla lavar más fácilmente. || **4.** Pieza de las trébedes, en forma de horquilla, en que se asegura el rabo de la sartén. || **5.** En algunos juegos, última mano. || **de cámara.** La que sirve en los oficios de la casa en grado inferior al de la doncella. || **de cántaro.** Criada que se tiene en casa con la obligación de traer agua y de ocuparse en otras haciendas domésticas. || **de fortuna,** o **del partido. Ramera.** || **Buena moza.** Mujer de aventajada estatura y gallarda presencia. || **A la moza, con el moco, y al mozo, con el bozo.** ref. que da a entender que no se debe retardar mucho el casarlos. || **Bien parece la moza lozana cabe la barba cana.** ref. que aconseja lo conveniente que es en los matrimonios que el marido sea mayor en edad que la mujer. || **Como la moza del abad, que no cuece y tiene pan.** ref. que reprende a los que quieren mantenerse sin trabajar. || **La moza mala hace al ama brava.** ref. que advierte que el mal proceder del súbdito hace irritar al superior, por pacífico que sea. || **La moza que con viejo se casa, trátese como anciana.** ref. que aconseja a las mujeres casadas la conformidad en el porte, con el de sus maridos, para la paz y quietud del matrimonio. || **Ni moza de mesonero, ni costal de carbonero.** ref. que advierte que con el roce de ambos corre peligro la limpieza. || **Ni moza fea, ni obra de oro que tosca sea.** ref. que muestra el atractivo inherente a la juventud, y que lo rico de la materia da estima aun a la obra más imperfecta.

Mozalbete. m. d. de **Mozo.** || **2.** Mozo de pocos años, mocito, mozuelo.

Mozalbillo. m. d. de **Mozo.** || **2. Mozalbete.**

Mozallón, na. m. y f. Persona moza y robusta.

Mozancón, na. m. y f. Persona moza, alta y fornida.

Mozárabe. (Del ár. *musta'rab,* arabizado.) adj. Aplícase al cristiano que vivió antiguamente entre los moros de España y mezclado con ellos. Ú. t. c. s. || **2.** Perteneciente o relativo a los **mozárabes.** || **3.** Aplícase particularmente al oficio y misa que usaron los **mozárabes,** y aún se conservan en una capilla de la catedral de Toledo y en otra de Salamanca.

Mozarabía. f. Gente mozárabe de una ciudad o región.

Mozarrón, na. m. y f. aum. de **Mozo, za.**

Mozcorra. f. fam. **Ramera.**

Mozo, za. (Del m. or. que *mocho.*) adj. **Joven.** Ú. t. c. s. || **2. Soltero,** 1.ª acep.

Ú. t. c. s. || **3. Mocero.** || **4.** m. Hombre que sirve en las casas o al público en oficios humildes. Denótase el lugar y el ministerio en que se ocupa por medio de un substantivo regido de la preposición *de*. MOZO *de café, de comedor, de cocina.* || **5.** Individuo sometido a servicio militar, desde que es alistado hasta que ingresa en la caja de reclutamiento. || **6. Cuelgacapas.** || **7. Gato,** 1.ª acep. || **8. Tentemozo,** 1.ª acep. || **9.** *And.* **Moza,** 4.ª acep. || **10.** *Germ.* **Garabato,** 1.ª acep. || **11.** *Min.* Sostén sobre que gira la palanca de un fuelle. || **de caballos.** Criado que cuida de ellos. || **de campo y plaza.** El que lo mismo sirve para las labores del campo que para las domésticas. || **de cordel,** o **de cuerda.** El que se pone en los parajes públicos con un cordel al hombro, a fin de que cualquiera pueda servirse de él para llevar cosas de carga o para hacer algún otro mandado. || **de escuadra.** Individuo de una milicia formada en Cataluña de **mozos** del campo, contra malhechores y forajidos. || **de espuela. Espolique,** 1.ª acep. || **de esquina. Mozo de cordel.** || **de estoques.** El que cuida de las espadas del matador de toros y le sirve como criado de confianza. || **de mulas.** El que en las casas cuida de las mulas de coche o labranza. || **2. Mozo de espuela.** || **de oficio.** En palacio, persona que empezaba a servir en un oficio de la casa o caballeriza, para ascender después a ayuda. || **2.** En otras oficinas, persona destinada para el servicio mecánico de ellas. || **de paja y cebada.** El que en las posadas y mesones lleva cuenta de lo que cada pasajero toma para el ganado. || **Buen mozo.** Hombre de aventajada estatura y gallarda presencia. || **Al mozo amañado, la mujer al lado.** ref. que advierte que al **mozo** industrioso o aplicado conviene casarle para que no se vicie. || **Al mozo malmandado, ponerle la mesa y enviarle al recado.** ref. que enseña que la esperanza del premio estimula y mueve para avivar en las diligencias aun al menos diligente. || **A mozo alcucero, amo roncero.** ref. que aconseja que el criado goloso conviene que tenga un amo regañón y poco indulgente. || **De mozo, a palacio; de viejo, a beato.** ref. que da a entender lo que regularmente acaece a los hombres, que cuando jóvenes apetecen honras y diversiones, y sólo en la vejez se dan a la virtud. || **El mozo del gallego, que andaba todo el año descalzo, y por un día quería matar al zapatero.** ref. con que se zahiere al que, habiendo tenido tiempo para encargar que le hagan una cosa, por flojedad lo va dejando hasta la forzosa, y entonces hostiga con la prisa que mete, sin dar tiempo suficiente a quien la ha de hacer. || **El mozo vergonzoso, el diablo lo trajo a palacio.** ref. **Al hombre vergonzoso,** etc. || **El mozo y el gallo, un año.** ref. que denota que suele ser conveniente mudar a menudo de gallo y de criado: el primero, porque pierde pronto el vigor, y el segundo, porque con el tiempo adquiere excesiva familiaridad y confianza. || **Mozo bueno, mozo malo, quince días después del año.** ref. que advierte que es menester tratar a uno bastante tiempo para conocerle. || **Mozo de quince años, tiene papo y no tiene manos.** ref. que advierte que los de esta edad comen mucho y trabajan poco. || **Ni mozo dormidor, ni gato maullador.** ref. que advierte la inutilidad del primero y la molestia que causa el segundo. || **Ni mozo pariente ni mozo rogado, no lo tomes por criado.** ref. que advierte la poca libertad con que se manda a los criados que se hallan en estos casos.

Mozuelo, la. m. y f. d. de **Mozo.** || **2.** En algunas partes, **muchacho.** || **de la primera tijera.** El que está en el principio de la mocedad.

Mu. Onomatopeya con que se representa la voz del toro y de la vaca. || **2.** m. **Mugido.**

Mu. f. **Sueño,** 1.ª acep. Es voz que usan las nodrizas cuando quieren que se duerman los niños, diciéndoles: *Vamos a la* MU.

Muaré. (Del fr. *moiré.*) m. Tela fuerte de seda, lana o algodón, labrada o tejida de manera que forma aguas.

Mucama. f. *Amér.* **Sirvienta.**

Mucamo. m. *Amér.* **Servidor,** 1.ª acep.

Múcara. f. *Mar.* Conjunto o reunión de bajos que no velan.

Muceta. (Del ital. *mozzetta*, y éste del al. *mütze*, bonete.) f. Esclavina que cubre el pecho y la espalda, y que, abotonada por delante, usan como señal de su dignidad los prelados, doctores, licenciados y ciertos eclesiásticos. Suele ser de seda, pero se hacen algunas de pieles.

Mucilaginoso, sa. adj. Que contiene mucilago o tiene algunas de sus propiedades.

Mucilago [Mucílago]. (Del lat. *mucilāgo.*) m. Substancia viscosa de mayor o menor transparencia, que se halla en ciertas partes de algunos vegetales, o se prepara disolviendo en agua materias gomosas.

Mucosidad. (De *mucoso.*) f. Materia glutinosa de la misma naturaleza que el moco y semejante a éste.

Mucoso, sa. (Del lat. *muccōsus.*) adj. Semejante al moco. || **2.** Que tiene mucosidad o la produce. || **3.** V. **Membrana mucosa.** Ú. t. c. s. f. || **4.** V. **Tiña mucosa.**

Mucronato, ta. (Del lat. *mucronātus*; de *mucro, -ōnis*, punta.) adj. Terminado en punta. Empléase en el tecnicismo de varias ciencias. || **2.** *Zool.* **Xifoides.**

Múcura. (Voz cumanagota.) m. Ánfora de barro usada por los venezolanos para tomar agua de los ríos y conservarla fresca.

Muchachada. f. Acción propia de muchachos, reprensible en los adultos, 1.ª acep.

Muchachear. intr. Hacer o ejecutar cosas propias de muchachos.

Muchachería. f. **Muchachada.** || **2.** Muchedumbre de muchachos que meten ruido.

Muchachez. f. Estado y propiedades de muchacho.

Muchachil. adj. De muchachos, o propio de ellos.

Muchacho, cha. (De *mochacho.*) m. y f. Niño o niña que mama. || **2.** Niño o niña que no ha llegado a la adolescencia. || **3.** Mozo o moza que sirve de criado. || **4.** fam. Persona que se halla en la mocedad. Ú. t. c. adj.

Muchachuelo, la. m. y f. d. de **Muchacho.**

Muchedumbre. (Del lat. *multitūdo, -ĭnis.*) f. Abundancia, copia y multitud de personas o cosas.

Muchiguar. (Del lat. **multificāre.*) tr. ant. **Amuchiguar.**

Mucho, cha. (Del lat. *multus.*) adj. Abundante, numeroso, o que excede a lo ordinario, regular o preciso. || **2.** adv. c. Con abundancia, en alto grado, en gran número o cantidad; más de lo regular, ordinario o preciso. || **3.** Antepónese a otros adverbios denotando idea de comparación. MUCHO *antes;* MUCHO *después;* MUCHO *más;* MUCHO *menos.* || **4.** En estilo familiar hace veces de adverbio de afirmación, equivalente a **sí** o **ciertamente.** *¿Ha visto usted la comedia nueva?* MUCHO. || **5.** Con los tiempos del verbo *ser*, o en cláusulas interrogativas, admirativas o exclamativas, precedido de la partícula *que* y a veces seguido también de la misma, denota idea de dificultad o extrañeza. MUCHO *será que no llueva esta tarde; ¿qué* MUCHO *que haya preferido la pobreza a la deshonra?* || **6.** Empleado con verbos expresivos de tiempo, denota larga duración. *Aún tardará* MUCHO *en llegar.* || **Mucho que sí.** m. adv. fam. **Mucho,** 4.ª acep. || **Ni con mucho.** loc. que expresa la gran diferencia que hay de una cosa a otra. *El talento de Pedro no llega* NI CON MUCHO *al de Juan.* || **Ni mucho menos.** loc. con que se niega una cosa o se encarece su inconveniencia. || **Por mucho que.** loc. adv. **Por más que.**

Muda. f. Acción de mudar una cosa. || **2.** Conjunto de ropa que se muda de una vez, y se toma regularmente por la ropa blanca. || **3.** Cierto afeite para el rostro. || **4.** Tiempo o acto de mudar las aves sus plumas. || **5.** Acto de mudar, 5.ª acep. || **6.** Cámara o cuarto en que se ponen las aves de caza para que muden sus plumas. || **7.** Nido para las aves de caza. || **8.** Tránsito o paso de un timbre de voz a otro que experimentan los muchachos regularmente cuando entran en la pubertad. *Estar de* MUDA. || **Estar uno en muda.** fr. fig. y fam. Callar demasiado en una conversación.

Mudable. (Del lat. *mutabĭlis.*) adj. Que con gran facilidad se muda.

Mudada. f. *And.* Mudanza de casa.

Mudadizo, za. adj. Mudable, inconstante.

Mudamente. adv. m. Callada y silenciosamente; sin hablar palabra.

Mudamiento. (De *mudar.*) m. **Mudanza.**

Mudancia. f. ant. **Mudanza.** Ú. en *Sal.*

Mudanza. (De *mudar.*) f. Acción y efecto de mudar o mudarse. || **2.** Traslación que se hace de una casa o de una habitación a otra. || **3.** Cierto número de movimientos que se hacen a compás en los bailes y danzas. || **4.** Inconstancia o variedad de los afectos o de los dictámenes. || **5.** *Mús.* Cambio convencional del nombre de las notas en el solfeo antiguo, para poder representar el *si* cuando aún no tenía nombre. || **Deshacer la mudanza.** fr. *Danza.* Hacer al contrario en el baile toda la **mudanza** ya ejecutada. || **Hacer mudanza,** o **mudanzas.** fr. fig. Portarse con inconsecuencia; ser inconstante en amores. || **Mudanza de tiempos, bordón de necios.** ref. contra los flojos y descuidados, que sin poner de su parte los medios esperan en la **mudanza** del tiempo la de su fortuna. || **2.** También se aplica a los que no aciertan a hablar sino del tiempo.

Mudar. m. *Bot.* Arbusto de la India, de la familia de las asclepiadáceas, cuya raíz, de corteza rojiza por fuera y blanca por dentro, tiene un jugo muy usado por los naturales del país como emético y contraveneno.

Mudar. (Del lat. *mūtāre.*) tr. Dar o tomar otro ser o naturaleza, otro estado, figura, lugar, etc. || **2.** Dejar una cosa que antes se tenía, y tomar en su lugar otra. MUDAR *casa, vestido.* || **3.** Remover o apartar de un sitio o empleo. || **4.** Efectuar una ave la muda de la pluma. || **5.** Soltar periódicamente la epidermis y producir otra nueva, como lo hacen los gusanos de seda, las culebras y algunos otros animales. || **6.** Efectuar un muchacho la muda de la voz. || **7.** fig. Variar, cambiar, MUDAR *de dictamen, de parecer.* || **8.** r. Dejar el modo de vida o el afecto que antes se tenía, trocándolo en otro. || **9.** Tomar otra ropa o vestido, dejando el que antes se usaba. Regularmente se entiende de la ropa blanca. || **10.** Dejar la casa que se habita y pasar a vivir en otra. || **11.** fam. Irse uno del lugar, sitio o concurrencia en que estaba. ‖ **12.** fam. **Proveer,** 6.ª acep.

Mudéjar. (Del ár. *mudaŷŷan*, musulmán a quien se consentía seguir viviendo entre los vencedores cristianos, a cambio de un tributo.) adj. Dícese del mahometano que, rendido un lugar, quedaba, sin mudar de religión, por vasallo de los reyes cristianos. Ú. t. c. s. ‖ **2.** Perteneciente a los **mudéjares.** ‖ **3.** Dícese del estilo arquitectónico que floreció desde el siglo XIII hasta el XVI, caracterizado por la conservación de elementos del arte cristiano y el empleo de la ornamentación árabe.

Mudez. (De *mudo.*) f. Imposibilidad física de hablar. ‖ **2.** fig. Silencio deliberado y persistente.

Mudo, da. (Del lat. *mūtus.*) adj. Privado físicamente de la facultad de hablar. Ú. t. c. s. ‖ **2.** Muy silencioso o callado. ‖ **3.** V. **Mapa, perro mudo.** ‖ **4.** V. **Letra, morra muda.** ‖ **5.** *Astrol.* Dícese de los signos Cáncer, Escorpión y Piscis. ‖ **A la muda.** m. adv. **A la sorda.** ‖ **Hacer** una cosa **hablar a los mudos.** fr. fig. con que se pondera la eficacia o viveza de una especie, que precisa a responder a ella.

Mué. m. **Muaré.**

Muebda. (Del lat. **mŏvĭta*, de *mŏvēre.*) f. ant. Movimiento, impulso.

Mueblaje. m. **Moblaje.**

Mueblar. tr. **Amueblar.**

Mueble. (Del ant. *moeble*, del lat. *movĭbĭle.*) adj. V. **Bienes muebles.** Ú. m. c. s. ‖ **2.** m. Cada uno de los enseres, efectos o alhajas que sirven para la comodidad o adorno en las casas. ‖ **3.** *Blas.* Cada una de las piezas pequeñas que se representan en el escudo, tales como anillos, lises o besantes.

Mueblería. f. Taller en que se hacen muebles. ‖ **2.** Tienda en que se venden.

Mueblista. com. Persona que hace o vende muebles. Ú. t. c. adj.

Mueca. (Como el fr. *moquer*, burlarse, de la onomat. *moc.*) f. Contorsión del rostro, generalmente burlesca.

Muecín. m. **Almuecín.**

Muela. (Del lat. *mŏla.*) f. Disco de piedra que se hace girar rápidamente alrededor de un eje y sobre la solera, para moler lo que entre ambas piedras se interpone. ‖ **2.** Piedra de asperón en forma de disco, que, haciéndola girar, se usa para afilar cualquier clase de herramientas. ‖ **3.** Cada uno de los dientes posteriores a los caninos y que sirven para moler o triturar los alimentos. ‖ **4.** Cerro escarpado en lo alto y con cima plana. ‖ **5.** Cerro artificial. ‖ **6. Almorta.** ‖ **7.** Cantidad de agua que basta para hacer andar una rueda de molino. *Una* MUELA *de agua.* ‖ **8.** Unidad de medida que sirve para apreciar la cantidad de agua que llevan las acequias, y en Aragón suele equivaler a 260 litros por segundo. ‖ **9.** fig. Rueda o corro. ‖ **cordal.** Cada una de las que en la edad viril nacen en las extremidades de las mandíbulas del hombre. ‖ **de dados.** Conjunto de nueve pares de ellos. ‖ **del juicio. Muela cordal.** ‖ **Muelas de gallo.** fig. y fam. Persona que no tiene **muelas** o dientes, o los tiene malos o separados. ‖ **Al que le duele la muela, que se la saque.** fr. proverb. de que se suele usar para excusarse de tomar parte en negocios ajenos. ‖ **Echar** uno **las muelas.** fr. fam. que además de su sentido recto, tiene el fig. de sentir vivo disgusto o contrariedad. ‖ **Entre dos muelas cordales,** o **molares, nunca metas,** o **pongas, tus pulgares.** ref. que aconseja no despartir ni meterse a poner paz entre parientes muy cercanos. ‖ **Haberle salido** a uno **la muela del juicio.** fr. fig. Ser prudente, mirado en sus acciones.

Muelar. m. Tierra sembrada de muelas o almortas.

Muelo. (De *muela.*) m. Montón, y especialmente el de forma cónica, en que se recoge el grano después de limpio en la era.

Muellaje. m. Derecho o impuesto que se cobra a toda embarcación que da fondo, y se suele aplicar a la conservación de los muelles y limpieza de los puertos.

Muelle. (Del lat. *mŏllis.*) adj. Delicado, suave, blando. ‖ **2. Voluptuoso.** ‖ **3.** m. Pieza elástica, ordinariamente de metal, colocada de modo que pueda utilizarse la fuerza que hace para recobrar su posición natural cuando ha sido separada de ella. ‖ **4.** V. **Colchón, sombrero de muelles.** ‖ **5.** Adorno compuesto de varios relicarios o dijes, que las mujeres de distinción traían pendiente a un lado de la cintura. ‖ **6.** pl. Tenazas grandes que usan en las casas de moneda para agarrar los rieles y tejos durante la fundición y echarlos en la copela. ‖ **Muelle real.** El que con su fuerza elástica mueve las ruedas de los relojes que no son de pesas; como los de bolsillo, sobremesa, etc. ‖ **2.** Pieza interior de la llave de las armas de fuego, que sirve para dar fuerza a las demás y hacer caer con violencia el pie de gato. ‖ **Flojo de muelles.** loc. fig. y fam. Dícese de la persona o animal que no aguanta la necesidad de hacer aguas mayores o menores.

Muelle. (Del lat. *moles*, dique, murallón.) m. Obra de piedra, hierro o madera, construida en dirección conveniente en la orilla del mar o de un río navegable, y que sirve para facilitar el embarque y desembarque de cosas y personas y aun, a veces, para abrigo de las embarcaciones. ‖ **2.** V. **Cortina de muelle.** ‖ **3.** Andén alto, cubierto o descubierto, que en las estaciones de ferrocarriles se destina para la carga y descarga de mercancías.

Muellemente. adv. m. Delicada y suavemente; con blandura.

Muer. m. **Muaré.**

Muera. (Del lat. *mŭria*, sal.) f. **Sal,** 1.ª acep.

Muérdago. (Del lat. *mŏrdĭcus*, mordaz.) m. Planta parásita, siempre verde, de la familia de las lorantáceas, que vive sobre los troncos y ramas de los árboles. Sus tallos se dividen desde la base en varios ramos, desparramados, ahorquillados, cilíndricos y divididos por nudos, armados de púas pequeñas. Sus hojas son lanceoladas, crasas y carnosas; sus flores, dioicas y de color amarillo, y el fruto una baya pequeña, translúcida, de color blanco rosado, cuyo mesocarpio contiene una substancia viscosa.

Muerdisorbe (A). m. adv. **A muerde y sorbe.**

Muerdo. m. fam. Acción y efecto de morder. ‖ **2.** fam. **Bocado,** 1.ª, 2.ª, 3.ª y 4.ª aceps.

Muérgano. (De *órgano.*) m. desus. **Órgano,** 1.ª acep. ‖ **2.** *Colomb.* Objeto inútil, antigualla.

Muérgano. (De **mūrĭcus*, de *murex, -ĭcis*, molusco de la púrpura.) m. desus. **Muergo.**

Muergo. (Del lat. **mūrĭcus*, de *murex, -ĭcis.*) m. *Zool.* **Navaja,** 2.ª acep.

Muermo. (Del lat. *morbus*, enfermedad.) m. *Veter.* Enfermedad virulenta y contagiosa de las caballerías, caracterizada principalmente por ulceración y flujo de la mucosa nasal e infarto de los ganglios linfáticos próximos. Es transmisible al hombre. ‖ **común.** ant. **Papera.**

Muermoso, sa. adj. Aplícase a la caballería que tiene muermo.

Muerte. (Del lat. *mŏrs, mŏrtĭs.*) f. Cesación o término de la vida. ‖ **2.** Separación del cuerpo y del alma, que es uno de los cuatro novísimos o postrimerías del hombre. ‖ **3. Homicidio,** 1.ª y 2.ª aceps. ‖ **4.** Figura del esqueleto humano como símbolo de la **muerte.** Suele llevar una guadaña. ‖ **5.** V. **Artículo de la muerte.** ‖ **6.** V. **Cerdo de muerte.** ‖ **7.** fig. y desus. Afecto o pasión violenta que inmuta gravemente o parece que pone en peligro de morir, por no poderse tolerar. MUERTE *de risa, de amor.* ‖ **8.** fig. Destrucción, aniquilamiento, ruina. *La* MUERTE *de un imperio.* ‖ **9.** fig. V. **Herradura, hilo de la muerte.** ‖ **a mano airada. Muerte violenta.** ‖ **civil.** *For.* Mutación de estado por la cual la persona en quien acontecía se consideraba como si no existiese para el ejercicio o la ordenación de ciertos derechos. Hoy tales efectos, muy atenuados, se conocen con el nombre de interdicción civil. ‖ **chiquita.** fig. y fam. Estremecimiento nervioso o convulsión instantánea que suele sobrevenir a algunas personas. ‖ **natural.** La que viene por enfermedad y no por lesión ninguna traumática. ‖ **pelada.** fig. y fam. Persona muy rapada de pelo o demasiadamente calva. ‖ **senil.** La que viene por pura vejez o decrepitud, sin accidente ni enfermedad, por lo menos en apariencia. ‖ **violenta.** La que se ejecuta privando de la vida a uno con hierro, veneno u otra cosa. ‖ **Buena muerte.** La contrita y cristiana. ‖ **Acusar a muerte.** fr. ant. Acusar de delito a que correspondía pena capital. ‖ **A muerte.** m. adv. Hasta morir uno de los contendientes. *Duelo* A MUERTE. ‖ **2.** Sin dar cuartel. *Guerra* A MUERTE. ‖ **3. De muerte.** ‖ **A muerte o a vida.** m. adv. con que se denota el peligro de una medicina que se aplica, o el de una operación quirúrgica que se hace en caso difícil y dudoso. ‖ **2.** fig. Se usa para demostrar el riesgo de cualquier cosa que se ha determinado intentar o ejecutar, dudando de la eficacia del medio que se elige. ‖ **De mala muerte.** loc. fig. y fam. De poco valor o importancia; baladí, despreciable. *Un empleillo* DE MALA MUERTE. ‖ **De muerte.** m. adv. fig. Implacablemente, con ferocidad. Ú. con los verbos *odiar, perseguir*, etc. ‖ **2.** V. **Toro de muerte.** ‖ **Estar** uno **a la muerte.** fr. Hallarse en peligro inminente de morir. ‖ **Hasta la muerte.** loc. con que se explica la firme resolución e inalterable ánimo en que se está de ejecutar una cosa y permanecer constante. ‖ **Luchar** uno **con la muerte.** fr. fig. Estar por mucho tiempo en agonía. ‖ **Más vale dejar en la muerte al enemigo, que pedir en la vida al amigo.** ref. que demuestra cuánto contribuye una justa economía para libertarse del rubor y pena que ocasionan las deudas. ‖ **Muerte no venga que achaque no tenga.** ref. con que se da a entender que nunca faltan disculpas o pretextos para cualquier suceso desagradable. ‖ **Sentir de muerte.** fr. con que se explica el sumo sentimiento o dolor de una cosa, parecido al de la **muerte.** ‖ **Ser** una cosa **una muerte.** fr. fig. y fam. Ser en extremo molesta, insufrible o enfadosa. ‖ **Tomarse** uno **la muerte por** su **mano.** fr. fig. Ejecutar alguna cosa voluntariamente contra la vida, la salud o el bienestar, despreciando las advertencias o consejos que se le dan en contra de lo que hace. ‖ **Volver** uno **de la muerte a la vida.** fr. fig. Restablecerse de una enfermedad gravísima.

Muerto, ta. (Del lat. *mŏrtŭus.*) p. p. irreg. de **Morir.** ‖ **2.** fam. Ú. con significación transitiva, como si procediese del verbo **matar.** *He* MUERTO *una liebre.* ‖ **3.** adj. Que está sin vida. Apl. a pers., ú. t. c. s. ‖ **4.** V. **Diente, flores de muerto.** ‖ **5.** Aplícase al yeso o a la cal apagados con agua. ‖ **6.** V. **Agua, arena, lengua, leña, letra, mosca, mosquita, obra, ortiga muerta.** ‖ **7.** V. **Censo, fondo, fuego muerto.** ‖ **8.** V. **Horas muertas.** ‖ **9.** Apagado, desvaído, poco activo o marchito. Dícese de los colores y de los genios. || **10.** *For.* V. **Manos muertas.** || **11.** *Fort.* V. **Ángulo muerto.** || **12.** *Mar.* V. **Cuerpo muerto.** || **13.** *Mar.* V. **Jarcia, marea muerta.** || **14.** *Mar.* V. **Aguas muertas.** || **15.** *Pint.* V. **Naturaleza muerta.** || **16.** ant. *Mil.* V. **Plaza muerta.** || **17.** m. pl. ant. Golpes dados a uno. Ú. en *And.* || **Al muerto dicen: ¿queréis?** ref. que censura a los que ofrecen protección y ayuda cuando ya no aprovecha. || **A muertos e idos,** o **y a idos, no hay amigos,** o **no hay más amigos.** ref. con que se significa que la muerte y la ausencia dan ocasión al olvido. || **Contar** a uno **con los muertos.** fr. fig. No hacerle caso; despreciarle enteramente u olvidarse de él. || **Dar** a uno **un muerto.** fr. *Germ.* Ganarle con trampa en el juego lo que tiene. || **Desenterrar los muertos.** fr. fig. y fam. Murmurar de ellos; descubrir las faltas y defectos que tuvieron. || **Echarle** a uno **el muerto.** fr. fig. Atribuirle la culpa de una cosa. || **El muerto, al hoyo, y el vivo, al bollo.** ref. que indica que, a pesar del sentimiento de la muerte de las personas más amadas, es preciso alimentarse y volver a los afanes de la vida. || **2.** Ú. t. para censurar a los que olvidan demasiado pronto al **muerto.** || **Espantóse la muerta de la degollada.** fr. fig. y fam. con que se reprende al que nota los defectos de otros, teniéndolos él mayores tal vez y de la misma especie. || **Estar** uno **muerto por** una persona o cosa. fr. fig. y fam. Amarla o desearla con vehemencia. || **Hacerse** uno **el muerto.** fr. fig. Permanecer inactivo o silencioso, para pasar inadvertido. || **Levantar un muerto.** fr. fig. Dícese del que en el juego cobra una puesta que no ha hecho. || **Más muerto que vivo.** loc. con que se explica el susto, temor o espanto de uno, que le deja como privado de acción vital. Ú. con los verbos *estar, quedarse,* etc. || **Ni muerto ni vivo.** loc. ponderativa que se usa para significar que una persona o cosa no parece, por más diligencias que se han hecho para encontrarla.

Muesca. (De **moscar,* y éste del lat. *morsĭcāre,* morder.) f. Concavidad o hueco que hay o se hace en una cosa para encajar otra. || **2.** Corte que en forma semicircular se hace al ganado vacuno en la oreja para que sirva de señal.

Muescar. tr. *Sal.* Hacer muescas al ganado vacuno.

Mueso. (Del lat. *mŏrsus.* m. ant. **Bocado,** 1.ª, 2.ª, 3.ª, 4.ª y 7.ª aceps. || **2.** fig. y fam. Cierto dolor de vientre que durante el puerperio suelen tener las paridas.

Mueso, sa. (Del lat. *morsus,* p. p. de *mordēre,* morder.) adj. V. **Cordero mueso.**

Muestra. (De *mostrar.*) f. Rótulo que, en madera, metal u otra materia, anuncia con caracteres gruesos, sobre las puertas de las tiendas, la clase de mercancía que en cada una se despacha, o el oficio o profesión de los que las ocupan. Suelen colocarse también sobre los hierros de los balcones y en otras formas. || **2.** Signo convencional que se pone en una tienda, establecimiento, etc., que denota lo que se vende; como un ramo en las tabernas. || **3.** Trozo de tela o porción de un producto o mercancía, que sirve para conocer la calidad del género. || **4.** Ejemplar o modelo que se ha de copiar o imitar; como el de escritura que en las escuelas copian los niños. || **5.** Parte extrema de una pieza de paño, donde entre dos listas de lana ordinaria va la marca de fábrica. || **6.** Porte, ademán, apostura. || **7. Esfera,** 2.ª acep. || **8.** desus. Cualquier reloj, especialmente el de faltriquera. || **9.** En algunos juegos de naipes, carta que se vuelve y enseña para indicar el palo de triunfo. || **10.** fig. Señal, indicio, demostración o prueba de una cosa. || **11.** *Agr.* Primera señal de fruto que se advierte en las plantas. *Hay mucha* MUESTRA *de uva, de fruta.* || **12.** *Cineg.* Detención que hace el perro en acecho de la caza para levantarla a su tiempo. || **13.** *Mil.* **Revista,** 4.ª acep. || **Hacer muestra.** fr. Manifestar, aparentar. || **Para muestra, basta un botón.** fr. con que se denota que en prueba de lo que se dice, basta aducir un solo hecho, caso o argumento de entre los muchos que se podrían citar. || **Pasar muestra.** fr. *Mil.* **Pasar revista.** || **2.** fig. Registrar una cosa para reconocerla. || **Por la muestra se conoce el paño.** expr. fig. y fam. con que se da a entender que una cosa es indicio por el cual se discurre cómo son las demás de su especie. || **2.** fig. y fam. Dícese de las personas cuando se las juzga únicamente por alguno de sus actos. || **Tomar muestra.** fr. ant. *Mil.* **Pasar muestra.**

Muestrario. m. Colección de muestras de mercaderías.

Muévedo. (Del lat. vulg. *movĭtus;* de *movēre,* mover.) m. Feto abortado o expelido antes de tiempo.

Mufla. (Del fr. *moufle,* y éste de la raíz *muf,* soplar.) f. Hornillo semicilíndrico, o en forma de copa, que se coloca dentro de un horno para reconcentrar el calor y conseguir la fusión de diversos cuerpos.

Muflir. tr. *Germ.* **Moflir.**

Muftí. (Del ár. *mufti,* que da fetuas, jurisconsulto.) m. Jurisconsulto musulmán con autoridad pública, cuyas decisiones son consideradas como leyes, y hacen veces del *responsa prudéntum* de los latinos.

Muga. (Del vasc. *muga,* mojón.) f. Mojón, término o límite.

Muga. (De *mugar.*) f. **Desove.** || **2.** Fecundación de las huevas, en los peces y anfibios.

Mugar. (Del lat. *mūcāre,* de *mūcus,* moco.) intr. **Desovar.** || **2.** Fecundar las huevas.

Mugido. (Del lat. *mugītus.*) m. Voz del toro y de la vaca.

Mugidor, ra. adj. Que muge.

Mugiente. p. a. de **Mugir.** Que muge.

Múgil. (Del lat. *mugil.*) m. **Mújol.**

Mugir. (Del lat. *mugīre.*) intr. Dar mugidos la res vacuna. || **2.** fig. **Bramar,** 2.ª y 3.ª aceps.

Mugre. (der. regres. de *mugriento.*) f. Grasa o suciedad de la lana, vestidos, etc.

Mugriento, ta. (Del lat. **mūcorentus,* de *mūcor, -ōris.*) adj. Lleno de mugre.

Mugrón. (Del lat. *mergus,* mugrón de la vid.) m. Sarmiento que sin cortarlo de la vid se entierra para que arraigue y produzca nueva planta. || **2.** Vástago de otras plantas.

Mugroso, sa. (Del lat. **mūcorōsus,* de *mūcor, -ōris,* mugre.) adj. **Mugriento.**

Muguete. (Del fr. *muguet, muguette,* y éste del lat. *muscum,* almizcle.) m. Planta vivaz de la familia de las liliáceas, con sólo dos hojas radicales, elípticas, de pecíolo largo, que abraza el escapo, el cual tiene dos decímetros de altura próximamente y sostiene un racimo terminal de seis a diez flores blancas, globosas, algo colgantes, de olor almizclado muy suave. Abunda en los montes más elevados de España, y por el cultivo pierde casi por completo el olor de las flores. La infusión de éstas se usa en medicina contra las enfermedades cardiacas.

Muharra. f. **Moharra.**

Muir. (Del lat. *mulgēre.*) tr. *Ar.* **Ordeñar,** 1.ª acep.

Muito, ta. adj. ant. **Mucho.**

Mujada. f. **Mojada,** 2.º art.

Mujalata. (Del ár. *mujālaṭa,* mezcla, asociación.) f. En Marruecos, asociación agrícola, principalmente la constituida por un musulmán con un cristiano o judío.

Mujer. (Del lat. *mulier, -ĕris.*) f. Persona del sexo femenino. || **2.** La que ha llegado a la edad de la pubertad. || **3.** La casada, con relación al marido. || **4.** V. **Pez mujer.** || **de digo y hago.** Mujer fuerte, resuelta y osada. || **de gobierno.** Criada que tiene a su cargo el gobierno económico de la casa. || **del arte, de la vida, airada, del partido, de mala vida, de mal vivir,** o **de punto. Ramera.** || **de su casa.** La que tiene gobierno y disposición para mandar y ejecutar los quehaceres domésticos, y cuida de su hacienda y familia con mucha exactitud y diligencia. || **mundana, perdida,** o **pública. Ramera.** || **A la mujer brava, dalle la soga larga.** ref. que aconseja disimular con prudencia lo que no se puede remediar prontamente, aguardando ocasión y coyuntura a propósito para reprenderlo o castigarlo. || **A la mujer casada, el marido le basta.** ref. que da a entender que la **mujer** buena no debe complacer sino a su marido. || **A la mujer casta, Dios le basta.** ref. que enseña que Dios cuida particularmente de las **mujeres** honestas. || **A la mujer loca, más le agrada el pandero que la toca.** ref. que censura en la **mujer** el afán inmoderado de divertirse. || **A la mujer y a la mula, por el pico les entra la hermosura.** ref. que significa que la conveniencia y buen trato se manifiestan exteriormente en la hermosura y brío. || **A la mujer y a la picaza, lo que vieres en la plaza.** ref. que acusa a las **mujeres** de poco aptas para guardar secretos. || **A la mujer y a la viña, el hombre la hace garrida.** ref. que da a entender que en la galanura y buen porte de la **mujer** se conoce la estimación que hace de ella su marido, así como se conoce en la lozanía de la viña el cuidado del amo. || **A mujer parida y tela urdida, nunca le falta guarida.** ref. que expresa que así acontece a la primera, por consideración, y a la segunda, porque dondequiera es útil. || **Compuesta, no hay mujer fea.** ref. que denota que el aseo y compostura encubren la fealdad. || **Con la mujer y el dinero no te burles, compañero.** ref. que enseña el recato y cuidado que se debe tener con el uno y con la otra. || **De tu mujer y de tu amigo experto, no creas sino lo que supieres de cierto.** ref. que enseña que no todo lo que se oye se debe creer, aunque se tenga buen concepto de quien lo dice. || **La mujer algarera, nunca hace larga tela.** ref. que advierte que la **mujer** que habla mucho, trabaja poco. || **La mujer artera, el marido por delantera.** ref. que enseña que la **mujer** astuta se excusa con su marido para dejar de hacer lo que no le conviene. || **La mujer buena, de la casa vacía hace llena.** ref. que ensalza, por lo que hace prosperar la casa, el orden y economía de la buena madre de familia. || **La mujer casada, en el monte es albergada.** ref. en que se advierte que la **mujer** casada que tiene la honestidad y recato correspondiente a su estado, se hospeda y recoge con seguridad en cualquier parte. || **La mujer compuesta quita al marido de otra puerta.** ref. que recomienda a la **mujer** el aseo y aliño moderados. || **La mujer del ciego, ¿para quién se afeita?** ref. que vitupera el demasiado adorno de las **mujeres** con el fin de agradar a otros más que a sus maridos. || **La mujer del escudero, grande bolsa y poco dinero.** ref. contra los que ostentan más de lo que pueden. || **La mujer del viñadero, buen otoño y mal invierno.** ref. que da a entender que como la subsistencia de las **mujeres** depende comúnmente del oficio u ocupación de sus maridos, lo pasa bien la del viñadero en la época en que éste gana. || **La mujer honrada, la pierna quebrada, y en casa.** ref. que aconseja el recato y recogimiento que deben observar las **mujeres.** || **La mujer loca, por la vista compra la toca.** ref. que reprende la ligereza e indiscreción de los que entran en negocios sin examinar sus circunstancias. || **La mujer placera dice de todos, y todos de ella.** ref. que expresa los vicios y peligros de las **mujeres** que paran poco en casa. || **La mujer pulida, la casa sucia y la puerta barrida.** ref. que alude al descuido con que suelen mirar sus casas las **mujeres** muy dadas a componerse. || **La mujer que poco hila, siempre trae mala camisa.** ref. que advierte que no medra el que trabaja poco. || **La mujer, rogada; y la olla, reposada.** ref. que enseña cuánto realza a la **mujer** el recato. || **La mujer y el vidrio siempre están en peligro.** ref. que pondera el cuidado que la **mujer** ha de tener de su honestidad y recato. || **La mujer y el vino sacan al hombre de tino.** ref. que encarece la necesidad de no dejarse dominar por la liviandad ni por la embriaguez. || **La mujer y la camuesa, o la cereza, por su mal se afeitan.** ref. que advierte que se hacen víctimas del apetito, la primera por los afeites y adorno de su rostro, y la segunda por los colores que indican su madurez. || **La mujer y la cibera,** o **la tela, no la cates a la candela.** ref. que enseña la precaución con que uno ha de escoger estas cosas para no quedar engañado. || **La mujer y la galga, en la manga.** ref. que elogia festivamente a la **mujer** pequeña. || **La mujer y la gallina, hasta la casa de la vecina,** o **por andar se pierden aína.** ref. que advierte a las **mujeres** los riesgos a que se exponen por no estar recogidas en su casa. || **La mujer y la pera, la que calla es buena,** o **la que no suena.** ref. que alaba el silencio en las **mujeres.** || **La mujer y la sardina, de rostros en la ceniza.** ref. que recomienda a las **mujeres** las ocupaciones domésticas propias de ellas. || **La primera mujer, escoba, y la segunda, señora.** ref. que enseña que los que se casan dos veces suelen tratar mejor a la segunda **mujer** que a la primera. || **Muéstrame tu mujer, decirte he qué marido tien.** ref. que da a entender que en el porte de los inferiores se conoce el gobierno del superior. || **Mujer, viento y ventura, pronto se mudan.** ref. que indica la instabilidad de estas tres cosas. || **Ni mujer de otro, ni coces de potro.** ref. que advierte los peligros de tener tratos con **mujer ajena.** || **Ser mujer.** fr. haber llegado una moza a estado de menstruar. || **Tomar mujer.** fr. Contraer matrimonio con ella. || **Yendo las mujeres al hilandero, van al mentidero.** ref. que advierte que cuando se reúnen muchas **mujeres,** suelen hablar mucho y con ligereza.

Mujercilla. (d. de *mujer.*) f. Mujer de poca estimación y porte. Aplícase a la que se ha echado al mundo.

Mujerero. adj. *Amér.* Mujeriego, 2.ª acep.

Mujeriego, ga. adj. **Mujeril.** || **2.** Dícese del hombre dado a mujeres. || **3.** m. Agregado o conjunto de mujeres. *En este lugar hay muy buen* MUJERIEGO. || **A la mujeriega,** o **a mujeriegas.** ms. advs. Cabalgando como ordinariamente lo hacen las mujeres, sentadas en la silla, sillón o albarda, y no a horcajadas como los hombres.

Mujeril. adj. Perteneciente o relativo a la mujer. || **2.** Adamado, afeminado.

Mujerilmente. adv. m. Afeminadamente; a modo de mujer.

Mujerío. m. **Mujeriego,** 3.ª acep.

Mujerona. f. aum. de **Mujer.** Aplícase a la que es muy alta y corpulenta, y también a la matrona respetable.

Mujeruca. f. despect. de **Mujer.**

Mujerzuela. f. d. de **Mujer.** || **2. Mujercilla.**

Mújol. (Del lat. *mugil.*) m. *Zool.* Pez teleósteo, del suborden de los acantopterigios, de unos siete decímetros de largo, con cabeza aplastada por encima, hocico corto, dientes muy pequeños y ojos medio cubiertos por una membrana translúcida; cuerpo casi cilíndrico, lomo parduzco, con dos aletas, la primera de sólo cuatro espinas, costados grises, y a lo largo seis o siete listas más obscuras, y vientre plateado. Abunda principalmente en el Mediterráneo, y su carne y sus huevas son muy estimadas.

Mula. (Del lat. *mula.*) f. Hembra del mulo. || **2.** V. **Mosca de mula.** || **cabañil.** La de cabaña. || **de paso.** La destinada a servir de cabalgadura, a diferencia de la de tiro, y amaestrada a caminar generalmente al paso de andadura. || **Hacer** uno **la mula.** fr. fig. y fam. Hacerse el remolón. || **En la mula de San Francisco.** loc. adv. **A pie.** || **Írsele** a uno **la mula.** fr. fig. y fam. **Írsele la lengua.** || **Mula que hace hin y mujer que parla latín, nunca hicieron buen fin.** ref. que condena como defecto la emisión de este sonido en las **mulas** y las ocupaciones impropias en las mujeres. || **Ni mula con tacha, ni mujer sin raza.** ref. que advierte la ventaja de que la mujer venga de buena madre, y que lo sean, si es posible, todas las de su familia. || **Quien endura, caballero va en buena mula.** ref. que recomienda la economía. || **Quien quisiere mula sin tacha, ándese a pata.** ref. que enseña que se deben tolerar y suplir algunos defectos de las cosas que por su naturaleza no pueden ser enteramente perfectas.

Mula. f. **Múleo.** || **2.** Calzado que usan hoy los papas, semejante al múleo.

Mulada. f. Hato de ganado mular.

Muladar. (De *muradal.*) m. Lugar o sitio donde se echa el estiércol o basura de las casas. || **2.** fig. Lo que ensucia o inficiona material o moralmente.

Muladí. (Del ár. *muwalladī*, mestizo de árabe y extranjera.) adj. Dícese del cristiano español que durante la dominación de los árabes en España, abrazaba el islamismo y vivía entre los mahometanos. Ú. t. c. s.

Mulante. m. desus. **Mozo de mulas.**

Mular. (Del lat. *mulāris.*) adj. Perteneciente o relativo al mulo o la mula.

Mulata. (De *mulato.*) f. *Zool.* Crustáceo decápodo, braquiuro, de color pardo, casi negro, muy común en las costas del Cantábrico, donde se le ve andar de lado sobre las peñas en la bajamar. Su cuerpo es casi cuadrado y muy deprimido; las patas anteriores cortas, con pinzas gruesas, y las restantes terminan con una uña fuerte y espinosa.

Mulatear. (De *mulato.*) intr. *Chile.* Empezar a negrear o a ponerse morena la fruta que cuando madura es negra.

Mulatero. m. El que alquila mulas. || **2. Mozo de mulas.**

Mulatizar. intr. Tener el color del mulato.

Mulato, ta. (Del ár. *muwallad*, mestizo; véase *muladí.*) adj. Aplícase a la persona que ha nacido de negra y blanco, o al contrario. Ú. t. c. s. || **2.** De color moreno. || **3.** Por ext., dícese de lo que es moreno en su línea. || **4.** m. y f. ant. **Muleto, ta.** || **5.** m. *Amér.* Mineral de plata de color obscuro o verde cobrizo.

Múleo. (Del lat. *mullĕus calcĕus.*) m. Calzado que usaban los patricios romanos; era de color purpúreo, puntiagudo, con la punta vuelta hacia el empeine y por el talón subía hasta la mitad de la pierna.

Muléolo. (Del lat. *mulleŏlus.*) m. **Múleo.**

Muleque. m. *Cuba.* Nombre que se daba al esclavo africano de siete a diez años de edad.

Mulero. adj. V. **Caballo mulero.** || **2.** m. Entre labradores, **mozo de mulas.**

Muleta. (De *mula.*) f. Palo con un travesaño en uno de sus extremos, el cual sirve para afirmarse y apoyarse el que tiene dificultad de andar. || **2.** Bastón o palo que lleva pendiente a lo largo un paño o capa, comúnmente encarnada, de que se sirve el torero para engañar al toro y hacerle bajar la cabeza cuando va a matarlo. || **3.** fig. Cosa que ayuda en parte a mantener otra. || **4.** fig. Porción pequeña de alimento que se suele tomar antes de la comida regular. || **Pasar de muleta al toro.** fr. Burlarlo con la **muleta,** 2.ª acep. || **Tener muletas** una cosa. fr. fig. y fam. Ser, por antigua, muy sabida.

Muletada. (De *muleto.*) f. Hato o piara de ganado mular, generalmente cerril y de poca edad.

Muletero. m. **Mulatero.**

Muletilla. (d. de *muleta.*) f. **Muleta,** 2.ª acep. || **2.** Especie de botón largo de pasamanería, para sujetar o ceñir la ropa. || **3.** Bastón cuyo puño forma travesaño. || **4.** fig. **Bordón,** 3.ª acep. || **5.** Travesaño en el extremo de un palo, como el que lleva la muleta. || **6.** *Min.* Clavo con cabeza en forma de cruz, que se fija en un hastial para atar las cuerdas necesarias en el levantamiento del plano de una mina.

Muletillero, ra. m. y f. Persona que usa muletillas o bordones en la conversación.

Muleto, ta. m. y f. Mulo pequeño, de poca edad o cerril.

Muletón. (Del fr. *molleton*, y éste del lat. *mollis*, muelle.) m. Tela suave y afelpada, de algodón o lana, usada para prendas de vestir y abrigo.

Mulier. f. ant. **Mujer.**

Mulilla. (De *mula*, 2.° art.) f. **Múleo.**

Mulo. (Del lat. *mūlus.*) m. *Zool.* Híbrido resultante del apareamiento del asno con la yegua o del caballo con la burra. Es menos ágil que el caballo y más que el asno, y excede a entrambos en fuerza y sufrimiento: machos y hembras son, con rara excepción, infecundos. || **castellano.** El que nace de garañón y yegua. || **Mulo cojo e hijo bobo lo sufren todo.** ref. con que se da a entender que a las cosas que son menos apreciadas se las expone a mayor trabajo.

Mulquía. (Del ár. *mulkiyya*, cosa relativa a la propiedad.) f. En Marruecos, documento autorizado por testigos, que acredita la legítima posesión de un terreno y se convierte en título de propiedad cuando aquélla se ha ejercido por más de diez años.

Mulso, sa. (Del lat. *mulsus*, p. p. de *mulcēre*, endulzar.) adj. Mezclado con miel o azúcar.

Multa. (Del lat. *multa.*) f. Pena pecuniaria que se impone por una falta, exceso o delito, o por contravenir a lo que con esta condición se ha pactado.

Multar. (Del lat. *multāre.*) tr. Imponer a uno pena pecuniaria por un exceso o delito que ha cometido.

Multi. (Del lat. *multus*, mucho.) Voz que en castellano sólo tiene uso como prefijo de vocablos compuestos, para expresar la idea de multiplicidad; como en MULTI*color.*

Multicaule. (Del lat. *multicaulis;* de *multus*, mucho, y *caulis*, tallo.) adj. *Bot.* Dícese de la planta que amacolla mucho.

Multicolor. (Del lat. *multicŏlor, -ōris;* de *multus*, mucho, y *color*, color.) adj. De muchos colores.

Multifloro, ra. (Del lat. *multiflōrus;* de *multus*, mucho, y *flos, floris*, flor.) adj. *Bot.* Que produce o encierra muchas flores.

Multiforme. (Del lat. *multiformis;* de *multus*, mucho, y *forma*, figura.) adj. Que tiene muchas o varias figuras o formas.

Multilátero, ra. (Del lat. *multilatĕrus*; de *multus*, mucho, y *latus, -ĕris*, lado.) adj. *Geom.* Aplícase a los polígonos de más de cuatro lados.

Multimillonario, ria. adj. Dícese de la persona cuya fortuna asciende a muchos millones de pesos, pesetas, etc., según la unidad monetaria del país.

Multípara. (Del lat. *multum*, mucho, y *parĕre*, parir.) adj. Dícese de las hembras que tienen varios hijos de un solo parto. || **2.** *Obst.* Dícese de la mujer que ha tenido más de un parto.

Múltiple. (Del lat. *multĭplex*.) adj. Vario, de muchas maneras; opuesto a simple. || **2.** V. **Eco, estrella múltiple.**

Multiplicable. (Del lat. *multiplicabĭlis*.) adj. Que se puede multiplicar.

Multiplicación. (Del lat. *multiplicatĭo, -ōnis*.) f. Acción y efecto de multiplicar o multiplicarse. || **2.** *Álg.* y *Arit.* Operación de multiplicar.

Multiplicador, ra. (Del lat. *multiplicātor*.) adj. Que multiplica. Ú. t. c. s. || **2.** *Álg.* y *Arit.* Aplícase al factor que indica las veces que el otro, o multiplicando, se ha de tomar como sumando. Ú. m. c. s.

Multiplicando. (Del lat. *multiplicandus*.) adj. *Álg.* y *Arit.* Aplícase al factor que ha de ser multiplicado. Ú. m. c. s.

Multiplicar. (Del lat. *multiplicāre*.) tr. Aumentar en número considerablemente los individuos de una especie. Ú. t. c. r. y muchas veces c. intr., especialmente hablando de lo que se multiplica por generación. || **2.** *Álg.* y *Arit.* Hallar el producto de dos factores, tomando uno de ellos, que se llama multiplicando, tantas veces por sumando como unidades contiene el otro, llamado multiplicador. || **3.** r. Afanarse, desvelarse.

Multiplicativo, va. adj. Que multiplica o aumenta. || **2.** *Germ.* **Múltiplo.** Ú. t. c. s.

Multíplice. (Del lat. *multĭplex, -ĭcis*.) adj. **Múltiple.**

Multiplicidad. (Del lat. *multiplicĭtas, -ātis*.) f. Calidad de múltiple. || **2.** Muchedumbre, abundancia excesiva de algunos hechos, especies o individuos.

Multiplico. m. ant. Efecto de multiplicar o acrecentarse una cosa.

Múltiplo, pla. (Del lat. *multĭplus*.) adj. *Mat.* Dícese del número o cantidad que contiene a otro u otra varias veces exactamente. Ú. t. c. s.

Multitud. (Del lat. *multitūdo, -ĭnis*.) f. Número grande de personas o cosas. || **2.** fig. **Vulgo,** 1.ª acep.

Mulla. f. ant. Acción de mullir, 2.° art.

Mullicar. (Del lat. **mollicāre*, de *mollīre*, ablandar.) tr. *Sal.* **Mullir,** 1.er art., 3.ª acep.

Mullida. (De *mullir*, 1.er art.) f. Montón de rozo, juncos, paja, etc., que suele haber en los corrales para cama del ganado. Ú. t. c. adj.

Mullido, da. p. p. de **Mullir.** || **2.** m. Cosa blanda que se puede mullir y es a propósito para rellenar colchones, asientos, aparejos, etc.

Mullidor. (De *mullir*, 2.° art.) m. ant. **Muñidor.**

Mullidor, ra. adj. Que mulle, 1.er art. Ú. t. c. s.

Mullir. (Del lat. *mollīre*, ablandar.) tr. Ahuecar y esponjar una cosa para que esté blanda y suave. || **2.** fig. Tratar y disponer las cosas industriosamente para conseguir un intento. || **3.** *Agr.* Cavar alrededor de las cepas, ahuecando la tierra. || **Haber quien** se **las mulla** a uno. fr. fig. y fam. con que se le da a entender que hay otro que le conoce sus ideas o intentos, y tiene habilidad para rechazarlos o resistirlos. || **Mullírselas** a uno. fr. fig. y fam. Castigarle, mortificarle.

Mullir. tr. ant. **Muñir.**

Mullo. (Del lat. *mullus*.) m. **Salmonete.**

Mullo. m. *Amér.* **Abalorio.**

Muna. (Del m. or. que *mona*, 2.° art.) f. En Marruecos, suministro de víveres que tienen obligación de dar a los enviados del sultán o de un gobernador, las ciudades, los aduares y las tribus del campo.

Muncho, cha. adj. ant. y hoy vulg. **Mucho.**

Mundanal. adj. **Mundano.**

Mundanalidad. f. **Mundanería,** 1.ª acep.

Mundanamente. adv. m. De modo mundano.

Mundanear. (De *mundano*.) intr. Atender demasiado a las cosas del mundo, a sus pompas y placeres.

Mundanería. f. Calidad de mundano. || **2.** Acción mundana.

Mundano, na. (Del lat. *mundānus*.) adj. Perteneciente o relativo al mundo. || **2.** Dícese de la persona que atiende demasiadamente a las cosas del mundo, a sus pompas y placeres. || **3.** V. **Mujer mundana.**

Mundaria. f. ant. **Mujer mundana.** Usáb. t. c. adj.

Mundial. (Del lat. *mundiālis*.) adj. Perteneciente o relativo a todo el mundo. || **2.** ant. **Mundano.**

Mundicia. (Del lat. *munditĭa*.) f. **Limpieza.**

Mundificación. f. Acción y efecto de mundificar.

Mundificante. (Del lat. *mundifĭcans, -antis*.) p. a. de **Mundificar.** Que mundifica.

Mundificar. (Del lat. *mundificāre*; de *mundus*, limpio, y *facĕre*, hacer.) tr. Limpiar, purgar, purificar una cosa. Ú. t. c. r.

Mundificativo, va. adj. Aplícase al medicamento que tiene virtud o facultad de mundificar.

Mundillo. (d. de *mundo*, por la forma.) m. Género de enjugador que por arriba remata en arcos de madera en lugar de cuerdas. También sirve para calentar la cama. || **2.** Almohadilla cilíndrica de seis a siete decímetros de largo y unos dos de diámetro, que usan las mujeres para hacer encaje. || **3.** Arbusto de la familia de las caprifoliáceas, muy ramoso, de dos a tres metros de altura, con hojas divididas en tres o cinco lóbulos agudos y dentados, flores blancas agrupadas formando a manera de globos bastante grandes, y fruto en baya carnosa de color rojo y con una sola semilla. Es espontáneo en España y se cultiva en los jardines. || **4.** Cada uno de los grupos de flores de este arbusto.

Mundinovi. (Del ital. *mundi nuovi*, mundos nuevos.) m. **Mundonuevo.**

Mundo. (Del lat. *mundus*.) m. Conjunto de todas las cosas creadas. || **2. Tierra,** 1.ª acep. || **3.** Totalidad de los hombres; género humano. || **4.** Sociedad humana. *El comercio del* MUNDO; *burlarse del* MUNDO; *el Redentor del* MUNDO. || **5.** Parte de la sociedad humana, caracterizada por alguna cualidad o circunstancia común a todos sus individuos. *El* MUNDO *pagano, cristiano, sabio.* || **6.** Vida secular, en contraposición a la monástica. *Dejar el* MUNDO. || **7.** En sentido ascético y moral, uno de los enemigos del alma, que son las delicias, pompas y vanidades terrenas, que nos apartan de la ley de Dios. || **8.** Esfera con que se representa el globo terráqueo. || **9. Baúl mundo.** || **10.** *Germ.* **Cara,** 1.ª acep. || **11.** *Bot.* **Mundillo,** 3.ª y 4.ª aceps. || **antiguo.** Porción del globo conocida de los antiguos, y que comprendía la mayor parte de Europa, Asia y África. || **2.** Sociedad humana, durante el período histórico de la Edad Antigua. || **centrado.** *Blas.* Esfera rodeada de un círculo máximo horizontal y un semicírculo vertical en la parte superior, y que lleva encima una cruz, signo de majestad. || **mayor.** Macrocosmo. || **menor.** Microcosmo. || **El Nuevo Mundo.** Aquella parte del globo en que están las dos Américas, no descubiertas hasta fines del siglo XV. || **El otro mundo.** La otra vida que esperamos después de ésta, adonde van las almas de los que mueren. || **Este mundo y el otro.** loc. fig. y fam. Abundancia grande y copia de dinero, riquezas u otra cosa semejante. *Tomás le prometió* ESTE MUNDO Y EL OTRO. || **Medio mundo.** loc. fig. y fam. Mucha gente. *Había allí* MEDIO MUNDO. || **Todo el mundo.** loc. fig. La generalidad de las personas. TODO EL MUNDO *lo sabe; a vista de* TODO EL MUNDO. || **Un mundo.** fig. y fam. Muchedumbre, multitud. *Salió en su seguimiento* UN MUNDO *de muchachos.* || **Andar el mundo al revés.** fr. fig. y fam. Estar las cosas trocadas de como deben ser. || **Dar el mundo un estallido.** fr. fig. de que se usa para significar que las cosas están tan desconcertadas, que parece que está para acabarse el **mundo.** || **Desde que el mundo es mundo.** expr. fig. y fam. para explicar la antigüedad de una cosa o la continuación en la ejecución de ella. || **Desterrar del mundo.** fr. fig. y fam. con que se explica que una persona o cosa es tan mala, que no debe ser admitida en parte alguna. || **Echar al mundo.** fr. Criar Dios a uno en el **mundo.** || **2.** Producir uno una cosa nueva. || **Echar del mundo** a uno. fr. Separarle del trato y comunicación de las gentes. || **Echarse al mundo.** fr. fig. Seguir las malas costumbres y placeres. || **2.** fig. Prostituirse la mujer. || **En este mundo cansado, ni hay bien cumplido ni mal acabado.** ref. que advierte la inconstancia y volubilidad de las cosas terrenas. || **Entrar** uno **en el mundo.** fr. Presentarse en la sociedad alternando en su trato y comunicación. || **Estar el mundo al revés.** fr. fig. y fam. **Andar el mundo al revés.** || **Este mundo es golfo redondo; quien no sabe nadar vase al hondo.** ref. que advierte los muchos riesgos que hay en el **mundo,** y cuán necesarias son la cautela y destreza para librarse de ellos. || **Haber mundo nuevo.** fr. fig. Ocurrir novedades o alguna novedad. || **Hacer mundo nuevo.** fr. fig. Introducir novedades. || **Hundirse el mundo.** fr. fig. Ocurrir un cataclismo. *Parecía que* SE HUNDÍA EL MUNDO; *lo haré, aunque* SE HUNDA EL MUNDO. || **Irse por el mundo adelante,** o **por esos mundos.** fr. con que se denota el despecho o sentimiento por una cosa que obliga a retirarse o ausentarse inconsideradamente. || **Morir al mundo.** fr. Apartarse de él enteramente, renunciando a sus bienes y placeres. || **¡Mundo mundillo, nacer en Granada, morir en Bustillo!** expr. con que se significan las mudanzas y altibajos que se pasan en la vida. || **No ser** uno **de este mundo.** fr. fig. Estar totalmente abstraído de las cosas terrenas. || **Ponerse** uno **el mundo por montera.** fr. fig. y fam. No tener en cuenta para nada la opinión de los hombres; no hacer caso del qué dirán. || **¿Qué mundo corre?** expr. ¿Qué hay de nuevo? || **Rodar mundo,** o **por el mundo.** fr. fig. y fam. Caminar por muchas tierras sin hacer mansión en ninguna o sin determinado motivo. || **Salir** uno **de este mundo.** fr. **Morir,** 1.ª acep. || **Tener mundo,** o **mucho mundo.** fr. fam. Saber por experiencia lo bastante para no dejarse llevar de exterioridades ni de las primeras impresiones. || **Todo el mundo es país,** o **es uno.** expr. que disculpa el vicio o defecto que se pone a un determinado lugar, por ser común en todas partes. || **Venir** uno **al mundo.** fr. **Nacer,** 1.ª acep. || **Ver mundo.** fr. fig. Viajar por varias tierras y países.

Mundonuevo. (De *mundo* y *nuevo*, a semejanza de *mundinovi*.) m. Cajón que contiene un cosmorama portátil o una colección de figuras de movimiento, y se lleva por las calles para diversión de la gente.

Munición. (Del lat. *munitio, -ōnis*.) f. Pertrechos y bastimentos necesarios en un ejército o en una plaza de guerra. || **2.** Pedazos de plomo de forma esférica con que se cargan las escopetas para caza menor. Los hay de diversos calibres. || **3.** Carga que se pone en las armas de fuego. || **Municiones de boca.** *Mil.* Víveres y forraje para la manutención de hombres y caballerías. || **de guerra.** *Mil.* Todo género de armas ofensivas y defensivas, pólvora, balas y demás pertrechos. || **De munición.** loc. Dícese de lo que el Estado suministra por contrata a la tropa para su manutención y equipo, a diferencia de lo que el soldado compra de su bolsillo. *Prenda* DE MUNICIÓN; *pan* DE MUNICIÓN. || **2.** fig. y fam. Dícese de lo que está hecho de prisa y sin esmero.

Municionamiento. m. Acción de municionar.

Municionar. tr. Proveer y abastecer de municiones una plaza o castillo, o a los soldados para su defensa o manutención.

Municionero, ra. (De *munición*.) m. y f. **Proveedor, ra.**

Municipal. (Del lat. *municipālis*.) adj. Perteneciente o relativo al municipio. *Ley, cargo* MUNICIPAL. || **2.** V. **Administración, derecho, guardia municipal.** || **3.** m. **Guardia municipal,** 2.ª acep.

Municipalidad. (De *municipal*.) f. **Municipio,** 3.ª acep.

Municipalización. f. Acción y efecto de municipalizar.

Municipalizar. tr. Asignar al municipio un servicio público de los que han solido estar a cargo de empresas privadas.

Munícipe. (Del lat. *munĭceps, -ĭpis*.) m. Vecino de un municipio.

Municipio. (Del lat. *municipĭum*.) m. Entre los romanos, ciudad principal y libre que se gobernaba por sus propias leyes y cuyos vecinos podían obtener los privilegios y gozar los derechos de la ciudad de Roma. || **2.** Conjunto de habitantes de un mismo término jurisdiccional, regido en sus intereses vecinales por un ayuntamiento. || **3.** El mismo ayuntamiento. || **4.** El término municipal.

Munificencia. (Del lat. *munificentĭa*.) f. Generosidad espléndida. || **2.** Largueza, liberalidad del rey o de un magnate.

Munificentísimo, ma. (Del lat. *munificentissĭmus*.) adj. sup. de **Munífico.**

Munífico, ca. (Del lat. *munifĭcus*.) adj. Que ejerce la liberalidad con magnificencia.

Munitoria. (Del lat. *munītum*, supino de *munīre*, fortalecer, defender.) f. Arte de fortalecer una plaza, de suerte que pueda resistir a las máquinas de guerra, y que pocos puedan defenderse de muchos.

Munúsculo. (Del lat. *munuscŭlum*.) m. Don o regalo pequeño e insignificante.

Muñeca. f. Parte del cuerpo humano, en donde se articula la mano con el antebrazo. || **2.** Figurilla de mujer, que sirve de juguete a las niñas. || **3.** Maniquí para trajes y vestidos de mujer. || **4.** Pieza pequeña de trapo que, ceñida con un hilo por las puntas, encierra algún ingrediente, como polvos para estarcir, o una substancia medicinal, como la zaragatona o el salvado, que no se debe mezclar con el líquido en que se cuece o empapa. || **5.** Lío de trapo, de forma redondeada, que se embebe de un líquido para barnizar maderas y metales, para refrescar la boca de un enfermo o para cualquier otro uso. || **6. Hito,** 1.er art., 4.ª acep. || **7.** fig. y fam. Mozuela frívola y presumida. || **Menear** uno **las muñecas.** fr. fig. y fam. Trabajar mucho y con viveza en una obra.

Muñeco. (De *muñeca*.) m. Figurilla de hombre hecha de pasta, madera, trapos u otra cosa. || **2.** fig. y fam. Mozuelo afeminado e insubstancial. || **Tener muñecos en la cabeza.** fr. fig. Abrigar pretensiones superiores al propio valer. || **2.** Forjarse ilusiones desmedidas atribuyéndoles el valor de realidades.

Muñeira. (Del gall. *muiñeira*, molinera.) f. Baile popular de Galicia. || **2.** Son con que se baila.

Muñequear. intr. *Esgr.* Jugar las muñecas meneando la mano a una parte y a otra. || **2.** *Chile.* Empezar a echar la muñequilla el maíz y plantas semejantes.

Muñequera. (De *muñeca*, 1.ª acep.) f. ant. **Manilla,** 1.ª acep. || **2.** Manilla, por lo común de cuero, en la cual se lleva sujeto un reloj.

Muñequería. (De *muñeca*.) f. fam. Exceso o demasía en los adornos, trajes y vestidos afeminados.

Muñequilla. f. d. de **Muñeca.** || **2.** *Chile.* Mazorca tierna del maíz, morocho y plantas semejantes, cuando empieza a formarse.

Muñidor. (De *muñir*.) m. Criado de cofradía, que sirve para avisar a los hermanos las fiestas, entierros y otros ejercicios a que deben concurrir. || **2.** Persona que gestiona activamente para concertar tratos o fraguar intrigas, o con cualquiera otro fin semejante.

Muñir. (Del lat. *monēre*, amonestar, avisar.) tr. Llamar o convocar a las juntas o a otra cosa. || **2.** Concertar, disponer, manejar.

Muñón. (En fr. *moignon*.) m. Parte de un miembro cortado que permanece adherida al cuerpo. || **2.** El músculo deltoides y la región del hombro limitada por él. || **3.** *Art.* Cada una de las dos piezas cilíndricas que a uno y otro lado tiene el cañón, y le sirven para sostenerse en la cureña, permitiéndole girar en un plano vertical a fin de arreglar la puntería.

Muñonera. f. *Art.* Rebajo semicircular que tiene cada una de las gualderas de la cureña, para alojar el muñón correspondiente de la pieza de artillería.

Muquición. (De *muquir*.) f. *Germ.* **Comida,** 1.ª, 2.ª y 4.ª aceps.

Muquir. (De *comer*.) tr. *Germ.* **Comer,** 1.ª y 2.ª aceps.

Mur. (Del lat. *mus, mūris*.) m. ant. **Ratón,** 1.ª acep. || **Lo que has de dar al mur, dalo al gato, y sacarte ha de cuidado.** ref. que aconseja que hagamos con prudencia lo que habríamos de hacer a la fuerza o sin poder evitarlo.

Mura. f. Aféresis de **Amura.**

Muradal. (Del lat. **mūrātāle*, de *mūrātus*.) m. **Muladar.**

Murador, ra. (Del lat. *mus, mūris*, el ratón.) adj. ant. Decíase del gato diestro en cazar ratones. *Gato maullador nunca buen* MURADOR.

Murajes. (En fr. *mouron*; en cat. *morrons*.) m. pl. Hierba de la familia de las primuláceas, con tallos tumbados de tres a cinco decímetros de largo; ramos abundantes, hojas opuestas, aovadas, lampiñas y sentadas; flores pedunculadas, axilares, solitarias, de corolas rojas en una variedad y azules en otra, y fruto capsular, pequeño, membranoso y con muchas semillas. Se usó antiguamente en medicina contra la hidropesía, la rabia y las mordeduras de animales venenosos.

Mural (Del lat. *murālis*.) adj. Perteneciente o relativo al muro. || **2.** Aplícase a las cosas que, extendidas, ocupan una buena parte de pared o muro. *Mapa* MURAL. || **3.** V. **Corona mural.**

Muralla. (Del lat. *muralĭa*, pl. n. de *murālis*, mural.) f. Muro u obra defensiva que rodea una plaza fuerte o protege un territorio. || **2.** V. **Contramaestre de muralla.**

Murallón. m. aum. de **Muralla.** || **2.** Muro robusto.

Murar. (Del lat. *murāre*.) tr. Cercar y guarnecer con muro una ciudad, fortaleza o cualquier recinto.

Murar. tr. Cazar el gato a los ratones. || **2.** *Ast.*, *León* y *Pal.* Acechar el gato al ratón.

Murceguillo. (d. del dialect. *murciego*, del lat. *mus, mūris*, y *caecus*, ratón ciego.) m. **Murciélago.**

Murceo. m. *Germ.* **Tocino,** 1.ª acep.

Murciano, na. adj. Natural de Murcia. Ú. t. c. s. || **2.** Perteneciente a esta ciudad y antiguo reino.

Murciar. (De *murcio*.) tr. *Germ.* **Hurtar,** 1.ª acep.

Murciégalo. (Del lat. *mus, mūris*, ratón, y *caecŭlus*, cieguecito.) m. **Murciélago.**

Murciélago. (De *murciégalo*.) m. Quiróptero insectívoro que tiene fuertes caninos y los molares con puntas cónicas; tiene formado el dedo índice de las extremidades torácicas por sólo una o a lo más dos falanges y sin uña. Es nocturno y pasa el día colgado cabeza abajo, por medio de las garras de las extremidades posteriores, de cualquier objeto de los desvanes o de otros lugares escondidos. Cuando la hembra que cría lleva colgado del pezón al hijuelo, se cuelga ella por medio del pulgar de las extremidades torácicas. Hay varias especies.

Murcielaguina. f. Estiércol de los murciélagos, que se acumula en las cuevas en que se albergan estos animales durante el día. Es uno de los abonos más apreciados.

Murcigallero. (De *murciégalo*.) m. *Germ.* Ladrón que hurta a prima noche.

Murciglero. (De *murciégalo*.) m. *Germ.* Ladrón que hurta a los que están durmiendo.

Murcio. (De *murciégalo*.) m. *Germ.* **Ladrón,** 1.ª acep.

Murecillo. (Del lat. **muricĕllus*, de *mus, mūris*, ratón.) m. *Zool.* **Músculo,** 1.ª acep.

Murena. (Del lat. *muraena*, y éste del gr. μύραινα.) f. **Morena,** 1.er art.

Mureño. (Del vasc. *muru*, montón.) m. *Ar.* **Majano.**

Murete. m. d. de **Muro.**

Murga. (Del lat. *amurca*.) f. **Alpechín.**

Murga. f. fam. Compañía de músicos malos, que a pretexto de pascuas, cumpleaños, etc., toca a las puertas de las casas acomodadas, con la esperanza de recibir algún obsequio.

Murgón. m. **Esguín.**

Murguista. m. Músico que forma parte de una murga.

Muria. (Del vasc. *muru*, montón.) m. *León.* Montones de cantos; especie de majanos.

Muriacita. (Del m. or. que *muriato*.) f. **Anhidrita.**

Muriático, ca. (De *muriato*.) adj. *Quím.* **Clorhídrico.**

Muriato. (Del lat. *murĭa*, salmuera.) m. *Quím.* **Clorhidrato.**

Múrice. (Del lat. *murex, -ĭcis*.) m. *Zool.* Molusco gasterópodo marino con pie deprimido que en la base de la abertura de la concha tiene una canal de longitud variable. Segrega, como la púrpura, un licor muy usado en tintorería por los antiguos. || **2.** poét. Color de púrpura.

Múrido. (Del lat. *mus, mūris*, ratón.) adj. *Zool.* Dícese de mamíferos del orden de los roedores, que tienen clavículas, los incisivos inferiores agudos y tres o cuatro molares tuberculosos y con raíces a cada lado de ambas mandíbulas, el hocico largo y puntiagudo y la cola larga y escamosa. Ú. t. c. s. m. || **2.** m. pl. *Zool.* Familia de estos roedores.

Murmujear. intr. fig. y fam. Murmurar o hablar quedo. Ú. t. c. tr.

Murmullar. (De *murmullo.*) intr. Murmurar.

Murmullo. (De *murmurio.*) m. Ruido que se hace hablando, especialmente cuando no se percibe lo que se dice. ‖ **2.** Murmurio.

Murmuración. (Del lat. *murmuratĭo, -ōnis.*) f. Conversación en perjuicio de un ausente.

Murmurador, ra. (Del lat. *murmurātor.*) adj. Que murmura. Ú. t. c. s.

Murmurante. p. a. de **Murmurar.** Que murmura.

Murmurar. (Del lat. *murmurāre.*) intr. Hacer ruido blando y apacible la corriente de las aguas. ‖ **2.** Hacer ruido blando y apacible otras cosas; como el viento, las hojas de los árboles, etc. ‖ **3.** fig. Hablar entre dientes, manifestando queja o disgusto por alguna cosa. Ú. t. c. tr. *¿Qué está usted* MURMURANDO? ‖ **4.** fig. y fam. Conversar en perjuicio de un ausente, censurando sus acciones. Ú. t. c. tr.

Murmurear. intr. ant. **Murmurar.**

Murmureo. (De *murmurear.*) m. Murmurio continuado.

Murmurio. (Del lat. *murmur.*) m. Acción y efecto de murmurar.

Muro. (Del lat. *murus.*) m. Pared o tapia. ‖ **2. Muralla.** ‖ **3.** *Germ.* Broquel o escudo. ‖ **Por el muro se saca la villa.** ref. **Por el hilo se saca el ovillo.**

Murria. (De *murrio.*) f. fam. Especie de tristeza y cargazón de cabeza que hace andar cabizbajo y melancólico al que la padece.

Murria. (Del lat. *muria,* salmuera.) f. Medicamento sumamente astringente, compuesto de ajos, vinagre y sal, de que se usó en los hospitales para evitar la putrefacción de las llagas.

Múrrino, na. (Del lat. *murrhĭnus.*) adj. Aplícase a una especie de copa, taza o vaso muy estimado en la antigüedad, y cuya materia es todavía objeto de duda.

Murrio, rria. adj. Que tiene murria, 1.er art.

Murta. (Del lat. *mŭrta.*) f. **Arrayán.** ‖ **2. Murtón.** ‖ **3.** *Germ.* **Aceituna.**

Murtal. m. Sitio poblado de murtas.

Murtilla. (d. de *murta.*) f. Arbusto chileno de la familia de las mirtáceas, como de un metro de altura, con las ramas opuestas, las hojas pequeñas, ovaladas, lustrosas y duras, las flores blancas, y por fruto una baya roja, casi redonda, de unos tres centímetros de diámetro, coronada por los cuatro dientes del cáliz, de olor agradable e intenso y sabor grato, y con tres huesecillos aplastados y parduscos. ‖ **2.** Fruto de este arbusto. ‖ **3.** Licor fermentado que se hace con este fruto. Es de color rojo claro, de olor y gusto muy agradables y sumamente estomacal.

Murtina. f. **Murtilla.**

Murtón. (De *murta.*) m. Fruto del arrayán.

Murucuyá. (Del guaraní *mburucuñá.*) f. Granadilla o pasionaria.

Murueco. m. **Morueco.** ‖ **2.** ant. **Ariete,** 1.ª acep.

Murviedrés, sa. adj. Natural de Murviedro. Ú. t. c. s. ‖ **2.** Perteneciente a esta ciudad.

Mus. (Voz vasca.) m. Cierto juego de naipes y de envite. ‖ **No hay mus.** fr. con que se niega lo que se pide.

Mus. V. **Tus.**

Musa. (Del lat. *musa,* y éste del gr. μοῦσα.) f. Cada una de las deidades que, según la fábula, habitaban, presididas por Apolo, en el Parnaso o en el Helicón, y protegían las ciencias y las artes liberales, especialmente la poesía. Su número es vario en la mitología, pero más ordinariamente se creyó que eran nueve. ‖ **2.** fig. Numen o inspiración del poeta. ‖ **3.** fig. Ingenio poético propio y peculiar de cada poeta. *La* MUSA *de Píndaro, de Virgilio, de fray Luis de León.* ‖ **4.** fig. Poesía. *La* MUSA *latina; la* MUSA *española.* ‖ **5.** pl. fig. Ciencias y artes liberales, especialmente humanidades o poesía. ‖ **Entender la musa de** uno. fr. fig. Conocer su intención o malicia. ‖ **Soplarle** a uno **la musa.** fr. fig. y fam. Estar inspirado para componer versos; acudirle con afluencia y fecundidad las especies. ‖ **2.** fig. y fam. Tener buena suerte en el juego.

Musáceo, a. (De *Musa,* célebre médico de Augusto, a quien se han dedicado estas plantas.) adj. *Bot.* Dícese de hierbas angiospermas monocotiledóneas, perennes, algunas gigantescas, con tallo aparente formado por los pecíolos envainadores de las hojas caídas, y ya elevado a manera de tronco, ya corto o casi nulo; hojas alternas, simples y enteras con pecíolos envainadores y un fuerte nervio; flores irregulares con pedúnculos axilares o radicales, y por frutos bayas o drupas con semillas amiláceas o carnosas; como el banano y el abacá. Ú. t. c. s. f. ‖ **2.** f. pl. *Bot.* Familia de estas plantas.

Musaico, ca. adj. desus. **Mosaico,** 2.° art.

Musar. (Del ital. *musare,* estar ocioso.) intr. ant. Esperar, aguardar.

Musaraña. (Del lat. *musaranĕus.*) f. **Musgaño.** ‖ **2.** Por ext., cualquiera sabandija, insecto o animal pequeño. ‖ **3.** fig. y fam. Figura contrahecha o fingida de una persona. ‖ **4.** fig. y fam. Especie de nubecilla que se suele poner delante de los ojos. ‖ **Mirar** uno **a las musarañas.** fr. fig. y fam. Mirar a otra parte que a la que debe, por estar distraído. ‖ **Pensar** uno **en las musarañas.** fr. fig. y fam. No atender a lo que él mismo u otro hace o dice.

Muscaria. (Del lat. *muscaria* sobrentendiéndose *avis.*). f. **Moscareta.**

Muscícapa. (Del lat. *musca,* mosca, y *capĕre,* coger.) f. **Moscareta.**

Musco. m. **Musgo,** 1.er art.

Musco, ca. (Del persa *musk,* lat. *muscus,* y éste del ár. *misk,* almizcle.) adj. De color pardo obscuro. ‖ **2.** m. ant. **Almizcle,** 1.ª acep. ‖ **3.** ant. **Almizclera.**

Muscular. adj. Perteneciente a los músculos.

Musculatura. f. Conjunto y disposición de los músculos.

Músculo. (Del lat. *muscŭlus.*) m. *Zool.* Cualquiera de los órganos compuestos principalmente de fibras dotadas de la propiedad específica de contraerse. ‖ **2. Rorcual.** ‖ **abductor.** *Zool.* El capaz de ejecutar una abducción; como el que sirve para mover el ojo humano hacia la sien. ‖ **aductor.** *Zool.* El capaz de ejecutar una aducción; como el que sirve para mover el ojo humano hacia la nariz. ‖ **complexo.** *Zool.* Uno de los principales para el movimiento de la cabeza, compuesto de fibras y tendones entrelazados, que se extiende desde las apófisis transversas de las vértebras de la cerviz hasta el hueso occipital. ‖ **del sastre.** *Anat.* **Músculo sartorio.** ‖ **estriado.** El que está formado por fibras musculares estriadas. ‖ **gemelo.** *Zool.* Cada uno de los dos que concurren al movimiento de la pierna. Ú. m. en pl. ‖ **glúteo.** *Zool.* Cada uno de los tres que forman la nalga. ‖ **liso.** El que está formado por fibras musculares lisas. ‖ **lumbrical.** *Anat.* Cada uno de los cuatro de forma de lombriz, que en la mano y en el pie sirven para el movimiento de todos sus dedos menos el pulgar. ‖ **sartorio.** *Anat.* Uno de los del muslo, que se extiende oblicuamente a lo largo de sus caras anterior e interna. ‖ **serrato.** *Zool.* El que tiene dientes a modo de sierra. ‖ **subscapular.** *Zool.* El que está debajo de la escápula y aprieta el brazo contra las costillas.

Musculoso, sa. (Del lat. *musculōsus.*) adj. Aplícase a la parte del cuerpo que tiene músculos. ‖ **2.** Que tiene los músculos muy abultados y visibles.

Muselina. (Del fr. *mousseline,* y éste de *Mosul,* ciudad de la Mesopotamia.) f. Tela de algodón fina y poco tupida. También la hay de lana, seda, etc.

Museo. (Del lat. *museum,* y éste del gr. μουσεῖον.) m. Edificio o lugar destinado para el estudio de las ciencias, letras humanas y artes liberales. ‖ **2.** Lugar en que se guardan objetos notables pertenecientes a las ciencias y artes; como pinturas, medallas, máquinas, armas, etc.

Museografía. (Del gr. μουσεῖον, museo, y γράφω, escribir.) f. Estudio de la construcción, organización, catalogación, instalación e historia de los museos.

Musequí. (Del fr. *musequin.*) m. ant. **Espaldar,** 2.ª acep.

Muserola. (Del fr. *muserolle.*) f. Correa de la brida, que da vuelta al hocico del caballo por encima de la nariz, y sirve para asegurar la posición del bocado.

Musgaño. (De *musgo,* 2.° art.) m. Pequeño mamífero insectívoro, semejante a un ratón, pero con el hocico largo y puntiagudo. Varias de sus especies son propias de Europa. En España se conoce el **musgaño** común que habita en las huertas, y el enano, de unos siete centímetros, de los que corresponden cuatro al cuerpo y tres a la cola. El vulgo le atribuye falsamente propiedades venenosas.

Musgo. (Del lat. *muscus.*) m. Cada una de las plantas briofitas, con hojas bien desarrolladas y provistas de pelos rizoides o absorbentes, que tienen un tallo parenquimatoso en el cual se inicia una diferenciación en dos regiones: central y periférica. Estas plantas crecen abundantemente en lugares sombríos sobre las piedras, cortezas de árboles, el suelo y aun dentro del agua corriente o estancada. ‖ **2.** Conjunto de estas plantas que cubren una determinada superficie, y así se dice: *está tendido sobre el* MUSGO; *roca cubierta de* MUSGO. ‖ **3.** pl. *Bot.* Clase de estas plantas. ‖ **Musgo marino. Coralina,** 2.ª acep.

Musgo, ga. adj. **Musco,** 2.° art.

Musgoso, sa. (Del lat. *muscōsus.*) adj. Perteneciente o relativo al musgo, 1.er art. ‖ **2.** Cubierto de musgo, 1.er art.

Música. (Del lat. *musĭca,* de *musa,* musa.) f. Melodía y armonía, y las dos combinadas. ‖ **2.** Sucesión de sonidos modulados para recrear el oído. ‖ **3.** Concierto de instrumentos o voces, o de ambas cosas a la vez. ‖ **4.** Arte de combinar los sonidos de la voz humana o de los instrumentos, o de unos y otros a la vez, de suerte que produzca deleite el escucharlos, conmoviendo la sensibilidad, ya sea alegre, ya tristemente. ‖ **5.** Compañía de músicos que cantan o tocan juntos. *La* MÚSICA *de la Capilla Real.* ‖ **6.** Composición musical. *La* MÚSICA *de esta ópera es de tal autor.* ‖ **7.** Colección de papeles en que están escritas las composiciones musicales. *En esta papelera se guarda la* MÚSICA *de la capilla.* ‖ **8.** Por antífrasis, ruido desagradable. ‖ **9.** fig. **Música celestial.** ‖ **10.** V. **Caja, libro, papel, reloj de música.** ‖ **armónica. Música vocal.** ‖ **celestial.** fig. y fam. Palabras elegantes y promesas vanas y que no tienen substancia ni utilidad. ‖ **instrumental.** La compuesta sólo para instrumentos. ‖ **llana. Canto llano.** ‖ **mensurable. Canto mensurable.** ‖ **ratonera.** fig. y fam. La mala o compuesta de malas voces o instrumentos. ‖ **rítmica.** La de instrumentos de cuerdas. ‖ **vocal.** La compuesta para voces, solas o acompañadas de instrumentos. ‖ **y acompañamiento.** loc. fig. y fam. Gente de menor suerte o calidad en un concurso, a distinción de la primera o principal. ‖ **Con buena música se viene.**

expr. fig. y fam. con que se nota al que pide una impertinencia o cosa que no da gusto a la persona de quien se solicita. || **Con la música a otra parte.** expr. fig. y fam. con que se despide y reprende al que viene a incomodar o con impertinencias. || **Dar música a un sordo.** fr. fig. y fam. Trabajar en vano para persuadir a uno. || **Ir la música por dentro.** fr. fig. **Andar,** o **ir, por dentro la procesión.** || **No entender** uno **la música.** fr. fig. y fam. Hacerse el desentendido de lo que no le tiene cuenta oir. || **Para música vamos, dijo la zorra.** ref. con que se nota al que, fuera de propósito y con pretexto de diversión, embaraza al que está ocupado en asunto serio.

Musical. adj. Perteneciente o relativo a la música. || **2.** V. **Frase, punto musical.**

Musicalidad. f. Calidad o carácter musical.

Musicalmente. adv. m. Conforme a las reglas de la música.

Musicastro. m. despect. de **Músico,** 2.ª acep.

Músico, ca. (Del lat. *musĭcus,* y éste del gr. μουσικός.) adj. Perteneciente o relativo a la música. *Instrumento* MÚSICO; *composición* MÚSICA. || **2.** m. y f. Persona que ejerce, profesa o sabe el arte de la música.

Musicógrafo, fa. (Del gr. μουσικός, música, y γράφω, escribir.) m. y f. Persona que se dedica a escribir obras acerca de la música.

Musicología. f. Estudio científico de la teoría y de la historia de la música.

Musicólogo, ga. m. y f. Persona versada en la musicología.

Musicomanía. f. **Melomanía.**

Musicómano, na. m. y f. **Melómano, na.**

Musiquero. m. Mueble a propósito para colocar en él partituras y libros de música.

Musirse. (Del lat. *mucēre.*) r. *Al.* **Enmohecerse.**

Musitar. (Del lat. *mussitāre.*) intr. Susurrar o hablar entre dientes.

Musivo. (Del lat. *musīvus,* de mosaico.) adj. V. **Oro musivo.**

Muslime. (Del ár. *muslim,* que se entrega a Dios, que profesa el islam.) adj. **Musulmán.** Apl. a pers., ú. t. c. s.

Muslímico, ca. adj. Perteneciente a los muslimes.

Muslo. (Del lat. *mūscŭlus.*) m. Parte de la pierna, desde el cuadril o desde la juntura de las caderas hasta la rodilla.

Musmón. (Del lat. *musmo, -ōnis.*) m. *Zool.* Especie de carnero, que vive en Córcega y Cerdeña y suele ser considerado como el antecesor salvaje del carnero doméstico.

Musquerola. adj. **Mosquerola.** Ú. t. c. s.

Mustaco. (De *mosto.*) m. Bollo o torta de harina amasada con mosto, manteca y otras cosas.

¡Muste! interj. V. **¡Uste!**

Mustela. (Del lat. *mūstēla.*) f. ant. **Comadreja,** 1.ª acep. || **2.** *Zool.* Tiburón muy parecido al cazón, de poco más de un metro de largo, cuerpo casi cilíndrico, cabeza pequeña, hocico prolongado, piel de color ceniciento obscuro por el lomo y blanco por el abdomen, sin escamas, pero llena de tuberculillos córneos que la hacen muy áspera; aletas pectorales cortas, y cola gruesa y escotada. Su carne es comestible y su piel se utiliza como lija.

Mustiamente. adv. m. Tristemente, con melancolía y desmayo.

Mustiarse. r. **Marchitarse.**

Mustio, tia. (Del lat. **mūstidus* por *mūsteus.*) adj. Melancólico, triste. || **2.** Lánguido, marchito. Dícese especialmente de las plantas, flores y hojas.

Musulmán, na. (Del turco y persa *muslimān,* y éste del ár. *muslim,* que profesa el islam.) adj. **Mahometano.** Apl. a pers., ú. t. c. s

Muta. (Del fr. *meute.*) f. **Jauría.**

Mutabilidad. (Del lat. *mutabilĭtas, -ātis.*) f. Calidad de mudable.

Mutable. (Del lat. *mūtabĭlis.*) adj. ant. **Mudable.**

Mutación. (Del lat. *mutatĭo, -ōnis.*) f. **Mudanza,** 1.ª acep. || **2.** Cada una de las diversas perspectivas que se forman en el teatro, variando el telón y los bastidores para mudar la escena en que se supone la representación. || **3.** Destemple de la estación en determinado tiempo del año, que se padece sensiblemente en algunos países. || **4.** *Biol.* Cualquiera de los cambios que aparecen bruscamente en el fenotipo de un ser vivo y que se transmiten por herencia a los descendientes.

Mutanza. (Del lat. *mutāre.*) f. ant. **Mudanza.**

Mutatis mutandis. loc. lat. Cambiando lo que se debe cambiar.

Mutilación. (Del lat. *mutilatĭo, -ōnis.*) f. Acción y efecto de mutilar o mutilarse.

Mutilador, ra. adj. Que mutila.

Mutilado, da. p. p. de **Mutilar.** Apl. a pers., ú. t. c. s.

Mutilar. (Del lat. *mutilāre.*) tr. Cortar o cercenar una parte del cuerpo, y más particularmente del cuerpo viviente. Ú. t. c. r. || **2.** Cortar o quitar una parte o porción de otra cualquier cosa. MUTILAR *el rezo, el ejército.*

Mútilo, la. (Del lat. *mutĭlus.*) adj. Dícese de lo que está mutilado.

Mutis. (Del lat. *mutāre,* mudar de lugar.) m. Voz que se usa en el teatro para hacer que un actor se retire de la escena. || **2.** El acto de retirarse. || **Hacer mutis.** fr. **Callar.**

Mutismo. (Del lat. *mutus,* mudo.) m. Silencio voluntario o impuesto.

Mutual. adj. **Mutuo.**

Mutualidad. f. Calidad de mutual. || **2.** Régimen de prestaciones mutuas, que sirve de base a determinadas asociaciones. || **3.** Denominación que suelen adoptar algunas de estas asociaciones. MUTUALIDAD *obrera,* MUTUALIDAD *escolar.*

Mutualista. adj. Perteneciente o relativo a la mutualidad. || **2.** com. Accionista de una mutualidad o sociedad de socorros mutuos.

Mutuamente. adv. m. Con recíproca correspondencia.

Mutuante. (Del lat. *mutŭans, -antis,* p. a. de *mutuāre,* prestar.) com. Persona que da el préstamo.

Mutuario, ria. m. y f. **Mutuatario, ria.**

Mutuatario, ria. (Del lat. *mutuātus,* p. p. de *mutuāri,* tomar prestado.) m. y f. Persona que recibe el préstamo.

Mutuo, tua. (Del lat. *mutŭus.*) adj. Aplícase a lo que recíprocamente se hace entre dos o más personas, animales o cosas. Ú. t. c. s. || **2.** V. **Enseñanza mutua.** || **3.** V. **Giro mutuo.** || **4.** m. *For.* Contrato real en que se da dinero, aceite, granos u otra cosa fungible, con tal ley que la haga suya aquel que la recibe, obligándose a restituir otra tanta cantidad de igual género en día señalado. En el derecho romano no tenía interés o rédito alguno, pero sí en el derecho español.

Muy. (Del lat. *multum.*) adv. que se antepone a nombres adjetivados, adjetivos, participios, adverbios y modos adverbiales, para denotar en ellos grado sumo o superlativo de significación. MUY *hombre;* MUY *docto;* MUY *desengañado;* MUY *tarde;* MUY *de prisa.*

Muz. (Del ital. *muso,* hocico.) m. *Mar.* Extremidad superior y más avanzada del tajamar.

Muza. f. ant. **Muceta.**

Muzárabe. adj. **Mozárabe.** Apl. a pers., ú. t. c. s.

Muzo, za. (Quizá del lat. *morsus,* p. p. de *mordēre,* morder.) adj. V. **Lima muza.** Ú. t. c. s. f.

My. (Del gr. μῦ.) f. Duodécima letra del alfabeto griego, que corresponde a la que en el nuestro se llama *eme.*

N

N. f. Decimosexta letra del abecedario español, y decimotercia de sus consonantes. Su nombre es **ene.** || **2.** Signo con que se suple en lo escrito el nombre propio de persona que no se sabe o no se quiere expresar. || **3.** *Álg.* y *Arit.* Exponente de una potencia indeterminada.

Na. (Del ant. *enna* por *en la.*) ant. En la.

Naba. (Del lat. *napa,* nabo.) f. Planta bienal de la familia de las crucíferas, de cuatro a seis decímetros de altura, con hojas grandes, ásperas, gruesas, rugosas, las radicales partidas en tres lóbulos oblongos, y enteras y lanceoladas las superiores; flores pequeñas, amarillas, en espiga; fruto seco en vainillas cilíndricas con muchas semillas menudas, esféricas, de color pardusco y sabor picante, y raíz carnosa, muy grande, amarillenta o rojiza, esferoidal o ahusada, según las variedades, que se emplea para alimento de las personas y ganados en las provincias del norte de España, donde se cultiva mucho. || **2.** Raíz de esta planta.

Nabab. (Del ár. *nawāb,* por *nawwāb,* corrección purista de *nūwāb,* pl. de dignidad de *nā'ib,* delegado, título de los virreyes de la India nombrados por los soberanos mongoles; palabra llegada al español a través del francés.) m. Gobernador de una provincia en la India mahometana. || **2.** fig. Hombre sumamente rico.

Nababo. m. **Nabab.**

Nabal. adj. **Nabar.** || **2.** m. **Nabar.**

Nabar. adj. Perteneciente a los nabos, o que se hace con ellos. || **2.** m. Tierra sembrada de nabos.

Nabateo, a. (Del lat. *nabathaeus.*) adj. Dícese del individuo de un pueblo nómada de la Arabia Pétrea, entre el mar Rojo y el río Éufrates. Ú. t. c. s. || **2.** Perteneciente a este pueblo.

Nabato. m. *Germ.* **Espinazo,** 1.ª acep.

Nabería. f. Conjunto de nabos. || **2.** Potaje hecho con ellos.

Nabí. (Del ár. *nabī,* profeta.) m. Entre los árabes, **profeta.**

Nabicol. (De *nabo* y *col.*) m. *Bot.* **Naba.**

Nabina. f. Semilla del nabo. Es redonda, pardusca, de dos milímetros de diámetro, picante al gusto, y tan pingüe, que por presión da un aceite semejante al de colza.

Nabiza. f. Hoja tierna del nabo, cuando empieza a crecer. Ú. m. en pl. *Caldo, ensalada de* NABIZAS. || **2.** Raicillas tiernas de la naba.

Nabla. (Del lat. *nabla,* y éste del gr. νάβλα.) f. Instrumento músico muy antiguo, semejante a la lira, pero de marco rectangular y diez cuerdas de alambre que se pulsaban con ambas manos.

Nabo. (Del lat. *napus.*) m. Planta anual de la familia de las crucíferas, de cinco a seis decímetros de altura, con hojas glaucas, rugosas, lampiñas, grandes, partidas en tres lóbulos oblongos las radicales, y enteras, lanceoladas y algo envainadoras las superiores; flores en espiga terminal, pequeñas y amarillas; fruto seco en vainillas cilíndricas con 15 ó 20 semillas, y raíz carnosa, comestible, ahusada, blanca o amarillenta. Se cree procedente de la China y se cultiva mucho en las huertas y viñas. || **2.** Raíz de esta planta. || **3.** Cualquiera raíz gruesa y principal. || **4.** fig. Tronco de la cola de las caballerías. || **5.** *Germ.* **Embargo,** 4.ª acep. || **6.** *Arq.* Cilindro vertical colocado en el centro de una armazón, y en el cual se apoyan las diversas piezas que la componen; como los peldaños de una escalera de caracol o los medios cuchillos de una armadura de chapitel. || **7.** *Mar.* **Palo,** 3.ª acep. || **8.** *Mar.* **Cebolla,** 6.ª acep. || **gallego. Naba.** || **Arráncate, nabo.** Cierto juego que usan los muchachos.

Naborí. com. Indio libre que en América se empleaba en el servicio doméstico.

Naboría. f. Repartimiento que en América se hacía al principio de la conquista, adjudicando cierto número de indios, en calidad de criados, para el servicio personal. || **2. Naborí.**

Nácar. m. Capa interna de las tres que forman la concha de los moluscos, constituida por la mezcla de carbonato cálcico y una substancia orgánica y dispuesta en láminas paralelas entre sí; cuando éstas son lo bastante delgadas para que la luz se difracte al atravesarlas, producen reflejos irisados característicos.

Nácara. (Del ár. *naqqāra,* tambor o timbal.) f. Timbal usado en la antigua caballería.

Nácara. f. ant. **Nácar.** Ú. en *León.*

Nacarado, da. adj. Del color y brillo del nácar. || **2.** Adornado con nácar.

Nacáreo, a. adj. **Nacarino.**

Nacarigüe. m. *Hond.* Potaje de carne y pinole.

Nacarino, na. adj. Propio del nácar o parecido a él.

Nacarón. m. Nácar de inferior calidad.

Nacascolo. (Del mejic. *nacazcolotl.*) m. *Amér. Centr.* **Dividivi.**

Nacatamal. m. *Hond.* Tamal relleno de carne de cerdo.

Nacatamalera. f. *Hond.* La que hace y vende nacatamales.

Nacatete. m. *Méj.* Pollo que aún no ha echado la pluma.

Nacela. (Del fr. *nacelle,* y éste del b. lat. *navicella,* de *navis,* nave.) f. *Arq.* Escocia, moldura cóncava.

Nacencia. (Del lat. *nascentia,* nacimiento.) f. ant. **Nacimiento.** Ú. en *León* y *Sal.* || **2.** fig. Bulto o tumor que sin causa manifiesta nace en cualquier parte del cuerpo.

Nacer. (Del lat. *nascĕre.*) intr. Salir el animal del vientre materno. || **2.** Salir del huevo un animal ovíparo. || **3.** Empezar a salir un vegetal de su semilla. || **4.** Salir el vello, pelo o pluma en el cuerpo del animal, o aparecer las hojas, flores, frutos o brotes en la planta. || **5.** Descender de una familia o linaje. || **6.** fig. Empezar a dejarse ver un astro en el horizonte. || **7.** fig. Tomar principio una cosa de otra; originarse en lo físico o en lo moral. || **8.** fig. Prorrumpir o brotar. NACER *las fuentes, los ríos.* || **9.** fig. Criarse en un hábito o costumbre. || **10.** fig. Empezar una cosa desde otra, como saliendo de ella. || **11.** fig. Inferirse una cosa de otra. || **12.** fig. Dejarse ver o sobrevenir de repente una cosa que estaba oculta, que se ignoraba o no se esperaba. || **13.** fig. Junto con las preposiciones *a* o *para,* tener una cosa o persona propensión natural o estar destinada para un fin. || **14.** r. Entallecerse una raíz o semilla al aire libre. || **15.** Dícese de la ropa cosida, cuando, por estar muy al borde de la tela la costura, se abre por ésta, desprendiéndose los hilos de la orilla. || **Desnudo nací, desnudo me hallo: ni pierdo ni gano.** ref. con que se denota que el que no tiene ambición, se conforma fácilmente, aunque pierda o deje de adquirir algunos bienes. || **Haber nacido uno en tal día.** fr. fig. y fam. Haberse librado en aquel día de un peligro de muerte. || **Haber nacido uno tarde.** fr. fig. y fam. con que se le nota la falta de experiencia, inteligencia o noticias, especialmente cuando se introduce a dar su dictamen entre hombres de edad madura. || **No con quien naces, sino con quien paces.** ref. que enseña que el trato y comunicación hacen más que la crianza y linaje en orden a las costumbres. || **Quien antes nace, antes pace.** ref. que advierte que los hijos primogénitos, especialmente los mayorazgos, se llevaban lo principal de la hacienda. || **Yo nací primero.** expr. con que se amonesta o nota a uno para contenerle cuando se adelanta o se prefiere en una acción o elección a otro que tiene más años.

Nacianceno, na. adj. Natural de Nacianzo. Ú. t. c. s. || **2.** Perteneciente a esta ciudad de Asia antigua.

Nacida. (De *nacer.*) f. Nacencia o landre.

Nacido, da. p. p. de **Nacer.** || **2.** adj. Connatural y propio de una cosa; que lo tiene por sí misma, sin dependencia de otras. || **3.** Propio, apto y a propósito para una cosa. || **4.** Dícese de cualquiera de los seres humanos que han pasado, o de los que al presente existen. Ú. m. c. s. y en pl. || **5.** V. **Alma nacida.** || **6.** Dícese del feto con figura humana que vive, al menos veinticuatro horas, desprendido enteramente del seno materno. || **7.** m. Divieso o nacencia. || **Bien nacido.** De noble linaje. Dícese frecuentemente del que lo da a entender con sus obras o modo de portarse. || **Mal nacido.** Dícese del que en sus acciones manifiesta su obscuro y bajo nacimiento, o su condición aviesa.

Naciencia. (Del lat. *nascentia,* nacimiento.) f. ant. **Nacencia,** 1.ª acep.

Naciente. (Del lat. *nascens, -entis.*) p. a. de **Nacer.** Que nace. || **2.** adj. fig. Muy reciente; que principia a ser o manifestarse. || **3.** *Blas.* Dícese del animal cuya cabeza o cuello salen por encima de una pieza del escudo. || **4.** m. **Oriente,** 2.ª acep.

Nacimiento. m. Acción y efecto de nacer. || **2.** Por antonom., el de Jesucristo. || **3.** Lugar o sitio donde brota un manantial. || **4.** El manantial mismo. || **5.** Lugar o sitio donde tiene uno su origen o principio. || **6.** Principio de una cosa o tiempo en que empieza. || **7.** Representación del de Nuestro Señor Jesucristo en el portal de Belén, la cual suele hacerse formando un portalito y adornándolo con las imágenes de los que se hallaron en él y con las figuras correspondientes a este misterio. || **8.** Origen y descendencia de una persona en orden a su calidad. || **De nacimiento.** expr. adv. que explica que un defecto de sentido o miembro se padece porque se nació con él, y no por contingencia o enfermedad que sobreviniese. *Ciego, manco* DE NACIMIENTO.

Nación. (Del lat. *natio, -ōnis.*) f. Conjunto de los habitantes de un país regido por el mismo gobierno. || **2.** Territorio de ese mismo país. || **3.** fam. **Nacimiento,** 1.ª acep. *Ciego de* NACIÓN. || **4.** Conjunto de personas de un mismo origen étnico y que generalmente hablan un mismo idioma y tienen una tradición común. || **5.** m. ant. **Extranjero,** 2.ª acep. Ú. en *Bol.* || **De nación.** loc. con que se da a entender la naturaleza de uno, o de dónde es natural.

Nacional. adj. Perteneciente o relativo a una nación. || **2.** Natural de una nación, en contraposición a extranjero. Ú. t. c. s. || **3.** V. **Bienes nacionales.** || **4.** V. **Concilio, milicia nacional.** || **5.** m. Individuo de la milicia **nacional.**

Nacionalidad. (De *nacional.*) f. Condición y carácter peculiar de los pueblos e individuos de una nación. || **2.** Estado propio de la persona nacida o naturalizada en una nación.

Nacionalismo. (De *nacional.*) m. Apego de los naturales de una nación a ella propia y a cuanto le pertenece. || **2.** Doctrina que exalta en todos los órdenes la personalidad nacional completa, o lo que reputan como tal los partidarios de ella.

Nacionalista. adj. Partidario del nacionalismo. Ú. t. c. s.

Nacionalización. f. Acción y efecto de nacionalizar.

Nacionalizar. (De *nación.*) tr. **Naturalizar,** 1.ª, 2.ª y 3.ª aceps.

Nacionalmente. adv. m. Según la índole o costumbre de una nación.

Naco. m. *Amér.* Andullo de tabaco.

Nacre. m. ant. **Nácar.**

Nacrita. (Del fr. *nacrite.*) f. Variedad de talco, de brillo igual al del nácar y susceptible de cristalización.

Nacho, cha. (Del lat. *nasus,* nariz.) adj. *Ast.* Chato o romo de nariz. Ú. t. c. s. || **2.** f. pl. *Germ.* **Nares.**

Nada. (Del lat. [*res*] *nata.*) f. El no ser, o la carencia absoluta de todo ser. Se ha usado alguna vez c. m. || **2.** Cosa mínima o de muy escasa entidad. || **3.** pron. indet. Ninguna cosa, la negación absoluta de las cosas, a distinción de la de las personas. || **4.** Poco o muy poco en cualquier línea. NADA *hace que vino o pasó.* || **5.** V. **Hombre de nada.** || **5.** adv. neg. De ninguna manera, de ningún modo. || **¡Ahí es nada! ¡Ahí que no es nada!** exprs. figs. y fams. **¡No es nada!** || **En nada.** m. adv. fig. En muy poco. EN NADA *estuvo que riñésemos.* || **Nada más.** loc. **No más.** || **Nada menos.** loc. **No menos.** || **Nada menos,** o **nada menos que eso.** m. adv. con que se niega particularmente una cosa, encareciendo la negativa. || **¡No es nada!** expr. fig. y fam. que se usa para ponderar por antífrasis una cosa que causa extrañeza o que no se juzgaba tan grande. || **No ser nada.** fr. fig. con que se pretende minorar el daño que ha sucedido en un lance o disgusto. || **Por nada.** loc. Por ninguna cosa, con negación absoluta. POR NADA *del mundo haría yo eso.* || **2.** fig. Por cualquier cosa, por mínima que sea. *Anda, que* POR NADA *lloras.*

Nadadera. (Del lat. *natatoria,* f. de *natatorius.*) f. Cada una de las calabazas o vejigas de que se suele usar para aprender a nadar.

Nadadero. (Del lat. *natatorium.*) m. Lugar a propósito para nadar.

Nadador, ra. (Del lat. *natātor.*) adj. Que nada. Ú. t. c. s. || **2.** m. y f. Persona diestra en nadar. || **El mejor nadador es del agua,** o **se ahoga.** ref. con que se significa que el que frecuentemente se expone a los riesgos, fiado de su destreza o habilidad, regularmente perece en ellos.

Nadadura. (Del lat. *natatūra.*) f. ant. Acción de nadar.

Nadal. (Del lat. *natālis.*) m. ant. **Navidad.** || **2.** ant. *Ast.* Tiempo inmediato a ella. || **Nadal, frío cordial.** ref. que expresa la excesiva intensidad del frío en este tiempo.

Nadante. (Del lat. *natans, -antis.*) p. a. de **Nadar.** Que nada. Ú. m. en poesía.

Nadar. (Del lat. *natāre.*) intr. Mantenerse una persona o un animal sobre el agua, o ir por ella sin tocar el fondo. || **2.** Flotar en un líquido cualquiera. || **3.** **Sobrenadar.** || **4.** fig. Abundar en una cosa. || **5.** fig. y fam. Estar una cosa muy holgada dentro de otra que le debiera venir ajustada. Dícese regularmente con relación al vestido y al calzado.

Nadería. (De *nada.*) f. Cosa de poca entidad o importancia.

Nadgada. (Del lat. **natica,* nalga.) f. ant. **Nalgada,** 2.ª y 3.ª aceps.

Nadi. (Del lat. *nati,* los nacidos.) pron. indet. ant. **Nadie.**

Nadie. (De *nadi.*) pron. indet. Ninguna persona. || **2.** m. fig. Persona insignificante.

Nadilla. pron. indet. d. fam. de **Nada.** || **2.** m. fig. **Hombre de nada.**

Nádir. (Del ár. *nāẓir,* veedor, inspector.) m. En Marruecos, funcionario administrador de los bienes de una fundación pía.

Nadir. (Del ár. *naẓīr,* correspondiente u opuesto [al cenit].) m. *Astron.* Punto de la esfera celeste diametralmente opuesto al cenit. || **del Sol.** *Astron.* Punto de la esfera celeste diametralmente opuesto al que ocupa en ella el centro del astro.

Nado, da. (Del lat. *natus.*) p. p. irreg. ant. de **Nacer.**

Nado (A). m. adv. Nadando.

Nafa. (Del ár. *nafḥa,* soplo aromático, olor.) f. *Murc.* **Azahar.** Ú. sólo en la locución **agua de nafa.**

Nafra. (De *nafrar.*) f. *Ar.* **Matadura.**

Nafrar. (Del ant. alto al. *narva,* cicatriz.) tr. *Ar.* **Matar,** 3.ª acep.

Nafta. (Del ár. *naft,* betún, y éste del lat. *naphta.*) f. Líquido incoloro, volátil, empireumático, más ligero que el agua y muy combustible. Se halla rara vez puro en la naturaleza, y comúnmente se obtiene del petróleo. Es un carburo de hidrógeno, muy usado como disolvente del caucho.

Naftalina. (De *nafta.*) f. Hidrocarburo sólido, procedente del alquitrán de la hulla, muy usado como desinfectante.

Nagua. f. **Enagua.** Ú. m. en pl.

Nagual. m. *Méj.* Brujo, hechicero. || **2.** *Hond.* El animal que una persona tiene de compañero inseparable.

Naguapate. m. *Hond.* Planta crucífera cuyo cocimiento se usa contra las enfermedades venéreas.

Naguatlato, ta. adj. Dícese del indio mejicano que sabía hablar la lengua naguatle y servía de intérprete entre españoles e indígenas. Ú. t. c. s.

Naguatle. adj. **Nahuatle.**

Nagüela. (Del ár. *nawwāla,* y éste derivado de una palabra púnica de que los romanos hicieron *magalia.*) f. ant. Casa pajiza o pobre.

Nahuatle. adj. Aplícase a la lengua principalmente hablada por los indios mejicanos. Ú. t. c. s. m.

Naife. (Del ár. *nā'if,* excelente.) m. Cierto diamante de calidad superior.

Naipe. (Del ár. *nā'ib,* el que representa, o del ár. *lā'ib,* el que juega.) m. Cada una de las cartulinas rectangulares, de un decímetro próximamente de alto, y seis a siete centímetros de ancho; están cubiertas de un dibujo uniforme por una cara y llevan pintados en la otra cierto número de objetos, de uno a nueve en la baraja española y de uno a diez en la francesa, o una de las tres figuras correspondientes a cada uno de los cuatro palos de la baraja. || **2.** fig. **Baraja,** 1.ª acep. || **de mayor.** Cada uno de los que, algo más largos que los demás de la baraja, preparan los fulleros para hacer sus trampas. || **de tercio.** Cada uno de los que, cortados de propósito algo oblicuamente, quedan como terciados entre los demás de la baraja y sirven al fullero para hacer sus trampas. || **Acudir el naipe** a uno. fr. **Acudirle el juego.** || **Dar bien el naipe.** fr. Ser favorable la suerte. || **Dar el naipe.** fr. Tener buena suerte en el juego. || **Dar el naipe** a uno **para** una cosa. fr. fig. Tener habilidad o destreza para hacerla. || **Dar mal el naipe.** fr. Ser contraria la suerte. || **Estar como el naipe.** fr. fig. y fam. Estar uno muy flaco y seco. || **2.** fig. y fam. Estar una cosa muy blanda o floja por haberla manoseado mucho. || **Florear el naipe.** fr. fig. Disponer la baraja para hacer fullerías. || **Peinar los naipes.** fr. fig. Barajarlos cogiendo sucesivamente y a la vez, de modo que se junten, el de encima y el de debajo de la baraja o de los que se tengan en la mano. || **Tener buen,** o **mal, naipe.** fr. fig. Tener buena, o mala, suerte en el juego.

Naipera. f. *Ál.* Mujer que trabaja en la fabricación de naipes.

Naipesco, ca. adj. Perteneciente o relativo a los naipes.

Naire. (Del sánscrito *nêtra*, conductor; de *nî*, guiar.) m. El que cuida los elefantes y los adiestra. || **2.** Título de dignidad entre los malabares.

Naja. (Voz sánscrita.) f. Género de ofidios venenosos, al que pertenecen la cobra y el áspid de Cleopatra. Tienen los dientes con surco para la salida del veneno, la cabeza con placas y las primeras costillas dispuestas de modo que pueden dar al cuerpo, a continuación de la cabeza, la forma de disco.

Naja. (Del ar. *nahà*, encaminarse, dirigirse a un lugar.) f. *Germ.* Ú. en la fr. fig. y fam. **Salir de naja.** Marcharse precipitadamente.

¡Najencia! (De *naja*, 2.° art.) interj. *Germ.* ¡Largo!

Najerano, na. adj. Natural de Nájera. Ú. t. c. s. || **2.** Perteneciente a esta ciudad.

Najerino, na. adj. **Najerano.** Apl. a pers., ú. t. c. s.

Nalca. f. *Chile.* El pecíolo del pangue.

Nalga. (Del lat. **natica*, de *nates*.) f. Cada una de las dos porciones carnosas y redondeadas que constituyen el trasero. Ú. m. en pl.

Nalgada. f. **Pernil,** 2.ª acep. || **2.** Golpe dado con las nalgas. || **3.** Golpe recibido en ellas.

Nalgar. adj. Perteneciente o relativo a las nalgas.

Nalgatorio. m. fam. Conjunto de ambas nalgas.

Nalgón, na. adj. *Hond.* **Nalgudo.**

Nalgudo, da. adj. Que tiene gruesas las nalgas.

Nalguear. intr. Mover exageradamente las nalgas al andar.

Nambimba. f. *Méj.* Pozole muy espumoso, hecho de masa de maíz, miel, cacao y chile.

Nambira. f. *Hond.* Mitad de una calabaza que, quitada la pulpa, sirve para usos domésticos.

Namorar. tr. ant. Aféresis de **Enamorar.**

Nana. (Voz infantil.) f. ant. Mujer casada, madre. || **2.** fam. **Abuela.** || **3.** En algunas partes, canto con que se arrulla a los niños. || **4.** *Méj.* **Niñera.** || **5.** *Méj.* **Nodriza.**

Nana. (Del quichua *nanay*, dolor.) f. *Argent.* y *Chile.* **Pupa,** 3.ª acep.

Nanacate. m. *Méj.* Hongo, seta.

Nance. m. *Bot. Hond.* Arbusto de la familia de las malpigiáceas, que da un fruto pequeño, sabroso y aromático. || **2.** *Bot.* Fruto de este arbusto.

Nancear. (Por **enancear*, de *enanzar*, avanzar.) intr. *Hond.* **Coger.**

Nancer. m. *Cuba.* **Nance.**

Nanear. (De *nano*.) intr. **Anadear.**

Nango, ga. adj. *Méj.* Forastero; tonto, necio.

Nanita. f. V. **El año de la nanita.**

Nanjea. f. *Bot.* Árbol de Filipinas, de la familia de las moráceas, que crece hasta cinco o seis metros de altura. Su fruto es de forma oval, de unos 40 centímetros de largo por 30 de grueso; y su madera, fina y de color amarillo, se usa para construir escritorios e instrumentos de música.

Nano, na. (Del lat. *nanus*.) adj. ant. **Enano.** Usáb. t. c. s. Ú. en *León* y *Sal.*

Nanquín. m. Tela fina de algodón, de color amarillento, muy usada en el siglo XVIII y aun en el XIX, que se fabricaba en la población china del mismo nombre.

Nansa. f. **Nasa.** || **2.** Estanque pequeño para tener peces.

Nansú. m. Tela de algodón, blanca o de color, superior al lienzo, pero inferior a la batista. La usan las mujeres para blusas, pañuelos, ropa interior, etc.

Nantar. (Por *enantar*, de *enante*, del lat. *in ante*.) tr. ant. *Ast.* Aumentar o acrecentar.

Nao. (Del cat. *nau*, y éste del lat. *navis*.) f. **Nave.**

Naochero. m. ant. **Nauclero.**

Naonato, ta. (De *nao* y *nato*, nacido.) adj. Dícese de la persona nacida en una embarcación que navega. Ú. t. c. s.

Napa. f. *Germ.* **Nalga.**

Napea. (Del lat. *napaea*, y éste del gr. ναπαῖος, perteneciente a los bosques.) f. *Mit.* Cualquiera de las ninfas que, según los gentiles, residían en los bosques.

Napelo. (Del lat. dialect. *napĕllus*, d. de *napus*, nabo.) m. **Anapelo.**

Napeo, a. adj. Propio de las napeas o relativo a ellas.

Napias. (Del germ. **nabja* pico.) f. pl. fam. Narices, 1.ª acep. de **Nariz.**

Napoleón. (Por el busto de *Napoleón* que llevaban las primeras monedas de esta clase que circularon en España.) m. Moneda francesa de plata de 5 francos, que tuvo curso en España con el valor de 19 reales.

Napoleónico, ca. adj. Perteneciente o relativo a Napoleón, o a su imperio, política, etc.

Napolitana. (De *napolitano*.) f. En el juego de naipes de los tres sietes, conjunto de as, dos y tres de un mismo palo. || **2.** En el del revesino, conjunto de los cuatro ases, o de tres ases y el caballo de copas.

Napolitano, na. (Del lat. *napolitānus*.) adj. Natural de Nápoles. Ú. t. c. s. || **2.** Perteneciente a esta ciudad y antiguo reino de Italia. || **3.** Dícese de una especie de higos, muy sabrosos y de piel negra, que se crían en Murcia y Valencia, y de la higuera que los produce.

Naque. m. Compañía antigua de cómicos que constaba de sólo dos hombres.

Narango. m. *Amér. Central.* **Moringa.**

Naranja. (Del ár. *nāranŷā*, y éste del persa.) f. Fruto del naranjo, de forma globosa, de seis a ocho centímetros de diámetro; corteza rugosa, de color entre rojo y amarillo, como el de la pulpa, que está dividida en gajos, y es comestible, jugosa y de sabor agridulce muy agradable. || **2.** Bala de cañón usada antiguamente, del tamaño de una **naranja.** || **agria.** Variedad que se distingue en tener la corteza más dura y menos lisa que las otras, y el gusto entre agrio y amargo. || **cajel. Naranja zajarí.** || **china.** Variedad cuya piel tira más a amarillo y es más lisa y delgada que todas las otras. || **dulce.** Variedad que se diferencia de la común en ser casi encarnada y de gusto agridulce muy delicado. || **mandarina,** o **tangerina.** Variedad que se distingue en ser pequeña, aplastada, de cáscara muy fácil de separar y pulpa muy dulce. || **zajarí.** Variedad producida del injerto del naranjo dulce sobre el borde. Tiene el gusto agridulce, y la corteza interior, así como la pielecilla que divide los gajos de la pulpa, duras y sumamente tenaces. || **Media naranja.** fig. y fam. Persona que se adapta tan perfectamente al gusto y carácter de otra, que ésta la mira como la mitad de sí propia. || **2.** *Arq.* **Cúpula,** 1.ª acep. || **¡Naranjas!** interj. con que se denota asombro, extrañeza, desahogo, etc. Sirve también para negar, caso en que equivale a **nones.** Dícese también **¡naranjas chinas!** y **¡naranjas de la China!** || **No se ha de exprimir tanto la naranja que amargue el zumo.** ref. que enseña la prudencia y moderación con que se debe proceder para evitar las malas resultas que suele causar el llevar las cosas al extremo.

Naranjada. f. Agua de naranja. || **2.** ant. Conserva de naranja. || **3.** fig. y fam. Dicho o hecho grosero.

Naranjado, da. adj. **Anaranjado.**

Naranjal. m. Sitio plantado de naranjos, 1.ª acep.

Naranjazo. m. Golpe dado con una naranja.

Naranjera. f. **Trabuco naranjero.**

Naranjero, ra. adj. Perteneciente o relativo a la naranja. || **2.** V. **Bala, cañón, trabuco naranjero.** || **3.** Dícese del caño o cañería cuya luz o diámetro interior es de 8 a 10 centímetros. || **4.** m. y f. Persona que vende naranjas. || **5.** m. En algunas partes, **naranjo,** 1.ª acep.

Naranjilla. (d. de *naranja*.) f. Naranja verde y pequeña de que se suele hacer conserva.

Naranjillada. f. *Ecuad.* Bebida que se prepara con el jugo de la naranjilla.

Naranjo. (De *naranja*.) m. *Bot.* Árbol de la familia de las rutáceas, de cuatro a seis metros de altura, siempre verde, florido y con fruto, tronco liso y ramoso; copa abierta, hojas alternas, ovaladas, duras, lustrosas, pecioladas y de un hermoso color verde. Es originario del Asia y se cultiva mucho en España. Su flor es el azahar y su fruto la naranja. || **2.** Madera de este árbol. || **3.** fig. y fam. Hombre rudo o ignorante.

Narbonense. (Del lat. *narbonensis*.) adj. **Narbonés,** 2.ª acep.

Narbonés, sa. adj. Natural de Narbona. Ú. t. c. s. || **2.** Perteneciente a esta ciudad de Francia.

Narceína. (Del gr. νάρκη, entorpecimiento.) f. Alcaloide que se obtiene del opio; es uno de los mejores medicamentos hipnóticos.

Narcisismo. m. Manía del que presume de **narciso,** 2.° art.

Narciso. (Del lat. *narcissus*, y éste del gr. νάρκισσος.) m. Planta herbácea, anual, exótica, de la familia de las amarilidáceas, con hojas radicales largas, estrechas y puntiagudas; flores agrupadas en el extremo de un bohordo grueso de dos a tres centímetros de alto, blancas o amarillas, olorosas, con perigonio partido en seis lóbulos iguales y corona central acampanada; fruto capsular y raíz bulbosa. Se cultiva en los jardines por la belleza de sus flores. || **2.** Flor de esta planta.

Narciso. (Por alusión a *Narciso*, personaje mitológico.) m. fig. El que cuida demasiadamente de su adorno y compostura, o se precia de galán y hermoso, como enamorado de sí mismo.

Narcosis. (Del gr. νάρκωσις.) f. Producción del narcotismo; modorra, embotamiento de la sensibilidad.

Narcótico, ca. (Del gr. ναρκωτικός; de ναρκόω, adormecer.) adj. *Med.* Dícese de las substancias que producen sopor, relajación muscular y embotamiento de la sensibilidad; como el cloroformo, el opio, la belladona, etc. Ú. t. c. s. m.

Narcotina. (De *narcótico*.) f. Alcaloide que se extrae del opio por medio del éter sulfúrico, y es una substancia sólida, transparente, inodora, insoluble en el agua y que cristaliza en prismas rectos de base rombal. Su acción narcótica es muy débil, y dudosos sus efectos terapéuticos.

Narcotismo. m. Estado más o menos profundo de adormecimiento, que procede del uso de los narcóticos. || **2.** *Med.* Conjunto de efectos producidos por el narcótico.

Narcotización. f. Acción y efecto de narcotizar.

Narcotizador, ra. adj. Que narcotiza.

Narcotizar. tr. Producir narcotismo. Ú. t. c. r.

Nardino, na. (Del lat. *nardīnus*.) adj. Compuesto con nardo, o que participa de sus calidades.

Nardo. (Del lat. *nardus*, y éste del gr. νάρδος.) m. **Espicanardo.** || **2.** Planta de la familia de las liliáceas, con tallo sencillo y derecho, hojas radicales, lineares y prolongadas, las del tallo a modo de escamas, y flores blancas, muy olorosas, especialmente de noche, dispuestas en espigas con el perigonio en forma de embudo y dividido en seis lacinias. Es originaria de los países intertropicales, se cultiva en los jardines y se emplea en perfumería. || **3.** Confección aromática que se preparaba antiguamente con el extracto de las raíces del **nardo** índico. || **índico. Nardo,** 1.ª acep.

Nares. (Del lat. *nares.*) f. pl. *Germ.* Las narices.

Narguile. (Del ár. *nāraŷīla;* el nombre significa nuez de coco, por hacerse de ella la cápsula que contiene el tabaco.) m. Pipa para fumar, que usan mucho los orientales, compuesta de un largo tubo flexible, del recipiente en que se quema el tabaco y de un vaso lleno de agua perfumada, al través de la cual se aspira el humo.

Narigada. f. *Ecuad.* Polvo o pulgarada.

Narigón, na. adj. **Narigudo.** Ú. t. c. s. || **2.** m. aum. de **Nariz.** || **3.** Agujero en la ternilla de la nariz.

Narigudo, da. adj. Que tiene grandes las narices. Ú. t. c. s. || **2.** De figura de nariz.

Nariguera. f. Pendiente que se ponen algunos indios en la ternilla que divide las dos ventanas de la nariz.

Narigueta. f. d. de **Nariz.**

Nariguilla. f. d. de **Nariz.**

Nariz. (Del lat. *naris.*) f. Facción saliente del rostro humano, entre la frente y la boca, con dos orificios que comunican con la membrana pituitaria y el aparato de la respiración. Ú. frecuentemente en plural. || **2.** Parte de la cabeza de muchos animales vertebrados, poco o nada saliente por lo común, que tiene la misma situación y oficio que la **nariz** del hombre. || **3.** Cada uno de los dos orificios que hay en la base de la **nariz.** || **4.** fig. Sentido del olfato. || **5.** fig. Olor fragante y delicado que exhalan los vinos generosos. *Este vino tiene buena* NARIZ. || **6.** fig. Hierro en figura de **nariz,** donde encaja el picaporte o pestillo de las puertas o ventanas. || **7.** fig. Extremidad aguda o en punta, que se forma en algunas obras para cortar el aire o el agua; como en las embarcaciones, en los estribos de los puentes y en otras fábricas. || **8.** fig. Cañón del alambique, de la retorta y de otros aparatos. || **aguileña.** La que es delgada y algo corva, a semejanza del pico del águila. || **perfilada.** La que es perfecta y bien formada. || **respingona.** Aquella cuya punta tira hacia arriba. || **Narices remachadas.** Las que están llanas o chatas. || **Darle** a uno **en la nariz** una cosa. fr. fig. Percibir el olor de ella. LE DIO EN LA NARIZ *lo que había de comer.* || **2.** fig. y fam. Sospechar, barruntar lo que otro intenta ejecutar. || **Dejar** a uno **con tantas narices.** fr. fig. y fam. **Dejar** a uno **con un palmo de narices.** || **Hablar** uno **por las narices.** fr. fig. Ganguear o hablar de modo que parece que la voz sale por ellas. || **Hacerle** a uno **las narices.** fr. fig. y fam. Maltratarlo. || **Hacer nariz.** fr. *Carp.* Perder un bastidor o un marco la exactitud de la forma rectangular. || **Hacerse** uno **las narices.** fr. fig. y fam. Recibir un golpe grande en ellas, de suerte que se las deshace. || **2.** fig. y fam. Suceder una cosa en contra o en perjuicio de lo que pretende. || **Hinchársele** a uno **las narices.** fr. fig. y fam. Enojarse o enfadarse en demasía. || **2.** fig. y fam. Dícese, hablando del mar o de los ríos, cuando éstos crecen mucho o aquél se altera. || **Llenársele** a uno **las narices de mostaza.** fr. fig. y fam. **Hinchársele** a uno **las narices.** 1.ª acep. || **Meter** uno **las narices en** una cosa. fr. fig. y fam. Curiosear, entremeterse, sin ser llamado, a saberla o entenderla. || **No saber** uno **¡dónde tiene las narices.** fr. fig. y fam. *And.* **No saber** uno **cuál es su mano derecha.** || **No ver** uno **más allá de sus narices.** fr. fig. y fam. Ser poco avisado, corto de alcances. || **Tener** uno a otro **agarrado por las narices.** fr. fig. y fam. Dominarle, tenerle subordinado o sujeto a su voluntad. || **Tener** uno **largas narices,** o **narices de perro perdiguero.** fr. fig. y fam. Tener viveza en el olfato. || **2.** fig. y fam. Prever o presentir una cosa que está próxima a suceder. || **Tener** a uno **montado en las narices.** fr. fig. y fam. Padecer constantemente sus impertinencias y molestias. || **Torcer** uno **las narices.** fr. fig. y fam. Repugnar o no admitir una cosa que se dice o se propone.

Narizón, na. adj. fam. **Narigudo.**

Narizota. f. aum. de **Nariz.**

Narizudo, da. adj. fam. *Méj.* **Narigudo.**

Narra. (Voz tagala.) m. *Bot.* Árbol de Filipinas, de la familia de las papilionáceas, de unos 20 metros de altura, con tronco recto y copa espaciosa; hojas alternas, compuestas de hojuelas lanceoladas, enteras, lampiñas y muy agudas por el ápice; flores blancas en racimos axilares, y fruto en vaina casi circular, muy aplastada, con una ala membranosa en toda la circunferencia y dos o tres divisiones, cada cual con una semilla negruzca y arriñonada. Las raíces y corteza dan un tinte encarnado, y la madera, que es dura, de grano fino, color rojo vivo y susceptible de hermoso pulimento, es muy usada en Manila para objetos de ebanistería, y su infusión produce una agua azul que se tiene por diurética. || **2.** Madera de este árbol.

Narra. f. *Ál.* Galga del carro.

Narrable. (Del lat. *narrabĭlis.*) adj. Que puede ser narrado o contado.

Narración. (Del lat. *narratĭo, -ōnis.*) f. Acción y efecto de narrar. || **2.** *Ret.* Una de las partes en que suele considerarse dividido el discurso retórico, o sea aquella en que se refieren los hechos para esclarecimiento del asunto de que se trata y para facilitar el logro de los fines del orador.

Narrador, ra. (Del lat. *narrātor.*) adj. Que narra. Ú. t. c. s.

Narrar. (Del lat. *narrāre.*) tr. Contar, referir lo sucedido.

Narrativa. (Del lat. *narratīva,* t. f. de *-vus,* narrativo.) f. **Narración,** 1.ª acep. || **2.** Habilidad o destreza en referir o contar las cosas. *Tiene gran* NARRATIVA.

Narrativo, va. (Del lat. *narratīvus.*) adj. Perteneciente o relativo a la narración. *Género, estilo* NARRATIVO.

Narratorio, ria. adj. **Narrativo.**

Narria. (Del vasc. *narria.*) f. Cajón o escalera de carro, a propósito para llevar arrastrando cosas de gran peso. || **2.** fig. y fam. Mujer gruesa y pesada, que con dificultad se mueve. || **3.** fig. y fam. Mujer que por llevar muchos guardapiés iba hueca y abultada.

Narval. (Del sueco *narhval.*) m. Cetáceo de unos seis metros de largo, con cabeza grande, hocico obtuso, boca pequeña, sin más dientes que dos incisivos superiores, uno corto y otro que se prolonga horizontalmente hasta cerca de tres metros; cuerpo robusto, liso, brillante, blanco y con vetas pardas por el lomo; dos aletas pectorales y cola grande y ahorquillada. Se utilizan su grasa y el marfil de su diente mayor.

Narvaso. m. *Ast.* y *Sant.* Caña del maíz con su follaje, que después de separada la mazorca, se guarda en haces para alimento del ganado vacuno.

Nasa. (Del lat. *nassa.*) f. Arte de pesca que consiste en un cilindro de juncos entretejidos, con una especie de embudo dirigido hacia adentro en una de sus bases y cerrado con una tapadera en la otra para poder vaciarlo. || **2.** Arte parecido al anterior, formado por una manga de red y ahuecado por aros de madera. || **3.** Cesta de boca estrecha que llevan los pescadores para echar la pesca. || **4.** Cesto o vasija, a manera de tinaja, para guardar pan, harina o cosas semejantes.

Nasal. (Del lat. *nasālis;* de *nasus,* nariz.) adj. Perteneciente o relativo a la nariz. *Cavidad* NASAL, *fosas* NASALES. || **2.** *Gram.* Dícese del sonido en cuya pronunciación la corriente espirada sale total o parcialmente por la nariz. || **3.** *Gram.* Dícese de la letra que representa este sonido como la *n.* Ú. t. c. s. f.

Nasalidad. f. Calidad de nasal.

Nasalización. f. Acción de nasalizar.

Nasalizar. tr. *Fon.* Producir en determinadas circunstancias con articulación nasal sonidos del lenguaje que ordinariamente se pronuncian emitiendo sólo por la boca el aire espirado.

Nasardo. (Del lat. *nasus,* nariz.) m. Uno de los registros del órgano, así llamado porque imita la voz de un hombre gangoso o porque produce un sonido nasal.

Nascencia. (Del lat. *nascentĭa.*) f. ant. **Nacencia.**

Nascer. (Del lat. *nascĕre.*) intr. ant. **Nacer.**

Nascimiento. m. ant. **Nacimiento.**

Naso. (Del lat. *nasus.*) m. fam. y fest. Nariz grande.

Nasofaríngeo, a. adj. *Med.* Dícese de lo que está situado en la faringe por encima del velo del paladar y detrás de las fosas nasales.

Nasón. m. aum. de **Nasa.**

Nastuerzo. (Del lat. *nasturtĭum.*) m. **Mastuerzo.**

Nasudo, da. adj. p. us. **Narigudo.**

Nata. (Del lat. *matta,* manta.) f. Substancia espesa, untuosa, blanca, un tanto amarillenta, que forma una capa sobre la leche que se deja en reposo. Batida, produce la manteca. || **2.** Substancia espesa de algunos licores que sobrenada en ellos. || **3.** fig. Lo principal y más estimado en cualquier línea. || **4.** *Min. Amér.* Escoria de la copelación. || **5.** pl. **Nata** batida con azúcar. || **6. Natillas.**

Nata. (Del lat. *[res] nata,* cosa nacida.) pron. indet. ant. **Nada.**

Natación. (Del lat. *natatĭo, -ōnis.*) f. Acción y efecto de nadar. || **2.** Arte de nadar.

Natal. (Del lat. *natālis.*) adj. Perteneciente al nacimiento. || **2.** V. **Suelo natal.** || **3. Nativo,** 2.ª acep. || **4.** m. **Nacimiento.** || **5.** Día del nacimiento de una persona. || **6.** ant. **Navidad.**

Natalicio, cia. (Del lat. *natalitĭus.*) adj. Perteneciente al día del nacimiento. Aplícase frecuentemente a las fiestas y regocijos que se hacen en él. Ú. t. c. s. m.

Natalidad. (De *natal.*) f. Número proporcional de nacimientos en población y tiempo determinados.

Natátil. (Del lat. *natatĭlis.*) adj. Capaz de nadar o flotar sobre las aguas.

Natatorio, ria. (Del lat. *natatorĭus.*) adj. Perteneciente a la natación. || **2.** Que sirve para nadar. || **3.** V. **Vejiga natatoria.** || **4.** Aplícase al lugar destinado para nadar o bañarse.

Naterón. (De *nata,* 1.er art.) m. **Requesón,** 2.ª acep.

Natillas. (d. de *natas.*) f. pl. Plato de dulce que se obtiene mezclando yemas de huevo, leche y azúcar, y haciendo cocer este compuesto hasta que tome consistencia. Suele componerse además de harina o almidón.

Natío, a. (Del lat. *natīvus.*) adj. Natural, nativo. *Oro* NATÍO. || **2.** m. Nacimiento, naturaleza. || **De su natío.** m. adv. **Naturalmente.**

Natividad. (Del lat. *nativĭtas, -ātis.*) f. **Nacimiento,** y especialmente el de Jesucristo, el de la Virgen María y el de San Juan Bautista, que son los tres que celebra la Iglesia. || **2. Navidad,** 3.ª acep.

Nativo, va. (Del lat. *nativus.*) adj. Que nace naturalmente. || **2.** Perteneciente al país o lugar en que uno ha nacido. *Suelo* NATIVO; *aires* NATIVOS. || **3.** Natural, nacido. || **4.** Innato, propio y conforme a la naturaleza de cada cosa. || **5.** Dícese de los metales y algunas otras substancias minerales que se encuentran en sus menas exentos de toda combinación.

Nato, ta. (Del lat. *natus.*) p. p. irreg. de **Nacer.** || **2.** adj. Aplícase al título de honor o al cargo que está anejo a un empleo o a la calidad de un sujeto.

Natral. m. *Chile.* Terreno poblado de natris.

Natri. (Voz araucana.) m. Arbusto de la familia de las solanáceas, de dos a tres metros de altura, ramoso, con tallos pubescentes, hojas aovadas, oblongas y puntiagudas, y flores blancas. Es natural de Chile; el cocimiento de sus hojas se ha usado en medicina como febrífugo, y con su jugo, que es amargo, se untan el pecho las mujeres para destetar a los niños.

Natrón. (Del ár. *natrun,* nitro, y éste del gr. νίτρον.) m. Sal blanca, translúcida, cristalizable, eflorescente, que se halla en la naturaleza o se obtiene artificialmente. Es el carbonato sódico usado en las fábricas de jabón, vidrio y tintes. || **2. Barrilla,** 2.ª acep.

Natura. (Del lat. *natūra.*) f. **Naturaleza.** || **2.** Partes genitales. || **3.** ant. **Especie,** 1.ª acep. || **4.** *Mús.* Escala natural del modo mayor. || **A,** o **de, natura.** m. adv. **Naturalmente.**

Natural. (Del lat. *naturālis.*) adj. Perteneciente a la naturaleza o conforme a la calidad o propiedad de las cosas. || **2.** Nativo, originario de un pueblo o nación. Ú. t. c. s. || **3.** Hecho con verdad, sin artificio, mezcla ni composición alguna. || **4.** Ingenuo y sin doblez en su modo de proceder. || **5.** Dícese también de las cosas que imitan a la naturaleza con propiedad. || **6.** Regular y que comúnmente sucede, y por eso, fácilmente creíble. || **7.** Que se produce por solas las fuerzas de la naturaleza, como contrapuesto a sobrenatural y milagroso. || **8.** Aplícase a los señores de vasallos, o a los que por su linaje tenían derecho al señorío, aunque no fuesen de la tierra. || **9.** V. **Ayuno, bálsamo, calor, derecho, filosofía, hijo, historia, lengua, ley, lógica, luz, magia, muerte, razón, religión, signo, teología natural.** || **10.** V. **Ciencias, partes naturales.** || **11.** *Filip.* Dícese del hijo de padre y madre indígenas, para diferenciarlo del mestizo. || **12.** *Astron.* V. **Día natural.** || **13.** *Esgr.* V. **Movimiento natural.** || **14.** *For.* V. **Obligación, posesión natural.** || **15.** *Mar.* V. **Orden natural.** || **16.** *Mús.* Dícese de la nota no modificada por sostenido ni bemol. || **17.** m. Genio, índole, temperamento, complexión o inclinación propia de cada uno. || **18.** Instinto e inclinación de los animales irracionales. || **19.** ant. Patria o lugar donde se nace. || **20.** ant. Físico, astrólogo o naturalista. || **21.** *Esc.* y *Pint.* Forma exterior de una cosa que se toma por modelo y ejemplar para la pintura y escultura. *Copiar del* NATURAL *las ropas; pintar un país del* NATURAL. || **Al natural.** m. adv. Sin arte, composición, pulimento o variación. || **2.** *Blas.* Dícese de las flores y animales que están con sus colores propios, y no con los esmaltes ordinarios del blasón. || **Copiar del natural.** fr. *Esc.* y *Pint.* Copiar el modelo vivo. || **Natural y figura, hasta la sepultura.** ref. **Genio y figura, hasta la sepultura.** || **Quebrarle** a uno **el natural.** fr. fig. **Quebrarle la condición.**

Naturaleza. (De *natural.*) f. Esencia y propiedad característica de cada ser. || **2.** En teología, estado natural del hombre, por oposición al estado de gracia. *El bautismo nos hace pasar del estado de la* NATURALEZA *al estado de gracia.* || **3.** En sentido moral, luz que nace con el hombre y le hace capaz de discernir el bien del mal. || **4.** Conjunto, orden y disposición de todas las entidades que componen el universo. || **5.** Principio universal de todas las operaciones naturales e independientes del artificio. En este sentido la contraponen los filósofos al arte. || **6.** Virtud, calidad o propiedad de las cosas. || **7.** Por ext., calidad, orden y disposición de los negocios y dependencias. || **8.** Instinto, propensión o inclinación de las cosas, con que pretenden su conservación y aumento. || **9.** Fuerza o actividad natural, como contrapuesta a la sobrenatural y milagrosa. || **10.** Sexo, especialmente en las hembras. || **11.** Origen que uno tiene según la ciudad o país en que ha nacido. || **12. Natural,** 17.ª acep. || **13.** Calidad que da derecho a ser tenido por natural de un pueblo para ciertos efectos civiles. || **14.** Privilegio que concede el soberano a los extranjeros para gozar de los derechos propios de los naturales. || **15.** Especie, género, clase. *No he visto árboles de tal* NATURALEZA. || **16.** Complexión o temperamento de cualidades en el cuerpo animal. *Ser de* NATURALEZA *seca, fría.* || **17.** Señorío de vasallos o derecho adquirido a él por el linaje. || **18.** V. **Carta, secreto de naturaleza.** || **19.** ant. Parentesco, linaje. || **20.** *Fil.* V. **Prioridad de naturaleza.** || **21.** *Esc.* y *Pint.* **Natural,** 21.ª acep. || **humana.** Conjunto de todos los hombres. *En toda la* NATURALEZA HUMANA *no se hallará hombre como éste.* || **muerta.** *Pint.* Cuadro que representa animales muertos o cosas inanimadas. || **Ser** uno **desfavorecido,** o **poco favorecido, de la naturaleza.** fr. Hallarse desnudo de las gracias y dotes naturales.

Naturalidad. (Del lat. *naturalĭtas, -ātis.*) f. Calidad de natural. || **2.** Ingenuidad, sencillez y lisura en el trato y modo de proceder. || **3.** Conformidad de las cosas con las leyes ordinarias y comunes. *Dios dispone los sucesos con admirable* NATURALIDAD. || **4. Naturaleza.** 11.ª acep. || **5.** Derecho inherente a los naturales de un país.

Naturalismo. (De *natural.*) m. Sistema filosófico que consiste en atribuir todas las cosas a la naturaleza como primer principio. || **2.** Escuela literaria del siglo XIX, opuesta al romanticismo: es determinista en su carácter y experimental en el método.

Naturalista. adj. Perteneciente o relativo al naturalismo. || **2.** Que profesa este sistema filosófico. Ú. t. c. s. || **3.** com. Persona que profesa las ciencias naturales o tiene en ellas especiales conocimientos.

Naturalización. f. Acción y efecto de naturalizar o naturalizarse.

Naturalizar. (De *natural.*) tr. Admitir en un país, como si de él fuera natural, a persona extranjera. || **2.** Conceder oficialmente a un extranjero, en todo o en parte, los derechos y privilegios de los naturales del país en que obtiene esta gracia. || **3.** Introducir y emplear en un país, como si fueran naturales o propias de él, cosas de otros países. NATURALIZAR *costumbres, vocablos.* Ú. t. c. r. || **4.** Hacer que una especie animal o vegetal adquiera las condiciones necesarias para vivir y perpetuarse en país distinto de aquel de donde procede. Ú. t. c. r. || **5.** r. Vivir en un país persona extranjera como si de él fuera natural. || **6.** Adquirir los derechos y privilegios de los naturales de un país.

Naturalmente. adv. m. Probablemente, consecuentemente. || **2.** Por naturaleza. || **3.** Con naturalidad. *Hablar* NATURALMENTE. || **4.** De conformidad con las leyes de la naturaleza.

Naturismo. (De *natura.*) m. Doctrina que preconiza el empleo de los agentes naturales para la conservación de la salud y el tratamiento de las enfermedades.

Naturista. com. Persona que profesa y practica el naturismo.

Nauclero. (Del lat. *nauclērus,* y éste del gr. ναύκληρος.) m. ant. Patrón o piloto de la nave.

Nauchel. (De *naucher.*) m. ant. **Nauclero.**

Naucher. (Del prov. *naucher,* y éste del lat. *nauclērus,* piloto.) m. ant. **Nauclero.**

Naufragante. p. a. de **Naufragar.** Que naufraga.

Naufragar. (Del lat. *naufragāre.*) intr. Irse a pique o perderse la embarcación. Dícese también de las personas que van en ella. || **2.** fig. Perderse o salir mal un intento o negocio.

Naufragio. (Del lat. *naufragĭum.*) m. Pérdida o ruina de la embarcación en el mar o en río o lago navegables. || **2.** *Mar.* Buque naufragado, cuya situación ofrece peligro para los navegantes. || **3.** fig. Pérdida grande; desgracia o desastre.

Náufrago, ga. (Del lat. *naufrăgus.*) adj. Que ha padecido naufragio o tormenta. Apl. a pers., ú. t. c. s. || **2.** m. **Tiburón.**

Naumaquia. (Del lat. *naumachĭa,* y éste del gr. ναυμαχία.) f. Combate naval que como espectáculo se daba entre los antiguos romanos en un estanque o lago. || **2.** Lugar destinado a este espectáculo. *La* NAUMAQUIA *de Mérida.*

Náusea. (Del lat. *nausĕa.*) f. Basca, ansia de vomitar. Ú. m. en pl. || **2.** fig. Repugnancia o aversión que causa una cosa. Ú. m. en pl.

Nauseabundo, da. (Del lat. *nauseabundus.*) adj. Que causa o produce náuseas. || **2.** Propenso a vómito.

Nauseante. p. a. de **Nausear.** Que nausea.

Nausear. (Del lat. *nauseāre.*) intr. Tener bascas o estar provocado a vómito.

Nauseativo, va. (De *nausear.*) adj. **Nauseabundo.**

Nauseoso, sa. (Del lat. *nauseōsus.*) adj. Que muestra propensión a las náuseas.

Nauta. (Del lat. *nauta.*) m. **Hombre de mar.**

Náutica. (Del lat. *nautĭca,* t. f. de *-cus,* náutico.) f. Ciencia o arte de navegar.

Náutico, ca. (Del lat. *nautĭcus.*) adj. Perteneciente o relativo a la navegación. || **2.** V. **Rosa náutica.**

Nautilo. (Del lat. *nautĭlus,* y éste del gr. ναυτίλος.) m. *Zool.* Molusco cefalópodo tetrabranquial, con numerosos tentáculos que no tienen ventosas, provisto de una concha que está dividida interiormente en celdas, en la última de las cuales se aloja el cuerpo del animal. Es propio del Océano Índico.

Nava. (Del vasc. *nava,* tierra llana.) f. Tierra baja y llana, a veces pantanosa, situada generalmente entre montañas.

Navacero, ra. m. y f. Persona que forma y cultiva los navazos, 2.ª acep.

Navaja. (Del lat. *novacŭla.*) f. Cuchillo cuya hoja puede doblarse sobre el mango para que el filo quede guardado entre dos cachas o en una hendedura a propósito. || **2.** *Zool.* Molusco lamelibranquio marino, cuya concha se compone de dos valvas simétricas, lisas, de color verdoso con visos blancos y azulados, de 10 a 12 centímetros de longitud y 2 de anchura, y unidas por uno de los lados mayores para formar a modo de las cachas de la **navaja.** La carne es comestible poco apreciado. || **3.** fig. Colmillo de jabalí y de algunos otros animales. || **4.** fig. Aguijón cortante de algunos insectos. || **5.** fig. y fam. Lengua de los maldicientes y murmuradores, porque con ella hieren y lastiman el crédito y la honra. || **6.** Cada uno de los dos hierros laterales de la gafa que ruedan sobre los fieles al armar la ballesta. || **cabritera.** La que sirve para despellejar las reses. || **de afeitar.** La de filo agudísimo, hecha de acero muy templado, que puede girar fácilmente entre sus cachas y sirve para hacer la barba.

Navajada. f. Golpe que se da con la navaja. || **2.** Herida que resulta de este golpe.

Navajazo. m. **Navajada.**

Navajero. m. Estuche o bolsa en que se guardan las navajas, especialmente las de afeitar. || **2.** Paño en que se limpia la navaja al afeitar. || **3.** Especie de taza con el borde de caucho, que sirve para este mismo fin.

Navajo. (De *nava.*) m. despect. de **Nava.**

Navajo. (De *lavajo.*) m. **Lavajo.**

Navajón. m. aum. de **Navaja,** 1.ª acep.

Navajonazo. m. Corte o herida hecha con navajón.

Navajudo, da. adj. *Méj.* Marrullero, taimado.

Navajuela. f. d. de **Navaja.**

Naval. Del lat. *navālis.*) adj. Perteneciente o relativo a las naves y a la navegación. || **2.** V. **Agregado, arquitectura, corona, ingeniero, pez, táctica, tercio naval.** || **3.** m. ant. **Morlés.**

Navarca. (Del b. gr. ναυάρχης; de ναῦς, nave, y ἄρχω, mandar.) m. Jefe o comandante de una armada griega. || **2.** El de un buque romano.

Navarrisco, ca. adj. desus. **Navarro.**

Navarro, rra. adj. Natural de Navarra. Ú. t. c. s. || **2.** Perteneciente a esta región de España. || **3.** V. **Libra navarra.** || **4.** m. *Germ.* **Ansarón.**

Navazo. m. **Navajo,** 1.er art. || **2.** Huerto que se forma en algunos puntos de Andalucía, en los arenales inmediatos a las playas.

Nave. (Del lat. *navis.*) f. **Barco,** 1.ª acep. || **2.** Embarcación de cubierta y con velas, en lo cual se distinguía de las barcas; y de las galeras, en que no tenía remos. Las había de guerra y mercantes. || **3.** *Arq.* Cada uno de los espacios que entre muros o filas de arcadas se extienden a lo largo de los templos u otros edificios importantes. || **4.** Por ext., cuerpo, o crujía seguida de un edificio, como almacén, fábrica, etc. || **de San Pedro.** fig. Iglesia católica. || **principal.** *Arq.* La que ocupa el centro del templo desde la puerta de ingreso hasta el crucero o el prebisterio, generalmente con mayor elevación y más anchura que las laterales a ella paralelas. || **Quemar las naves.** fr. fig. Tomar una determinación extrema. Dícese con alusión a las naves destruidas por Hernán Cortés al comenzar la conquista de Méjico.

Navecilla. f. d. de **Nave.** || **2. Naveta,** 2.ª acep.

Navegable. (Del lat. *navigabĭlis.*) adj. Dícese del río, lago, canal, etc., donde se puede navegar.

Navegación. (Del lat. *navigatĭo, -ōnis.*) f. Acción de navegar. || **2.** Viaje que se hace con la nave. || **3.** Tiempo que éste dura. || **4. Náutica.** || **5.** V. **Patente de navegación.** || **aérea.** Acción de navegar por el aire en globo, avión u otro vehículo. || **de altura.** La que se hace por mar fuera de la vista de la tierra, y en la que se utiliza, para determinar la situación de la nave, la altura de los astros.

Navegador, ra. (Del lat. *navigātor.*) adj. Que navega. Ú. t. c. s.

Navegante. (Del lat. *navigans, -antis.*) p. a. de **Navegar.** Que navega. Ú. t. c. s.

Navegar. (Del lat. *navigāre.*) intr. Hacer viaje o andar por el agua con embarcación o nave. Ú. t. c. tr. || **2.** Andar el buque o embarcación. *El bergantín* NAVEGA *cinco millas por hora.* || **3.** Por analogía, hacer viaje o andar por el aire en globo, avión u otro vehículo. || **4.** fig. Andar de una parte a otra tratando y comerciando. || **5.** fig. Transitar o trajinar de una parte a otra. || **6.** tr. p. us. Conducir las mercaderías por mar de unas partes a otras para comerciar con ellas.

Naveta. f. d. de **Nave.** || **2.** Vaso o cajita que, en figura regularmente de una navecilla, sirve en la iglesia para ministrar el incienso en la ceremonia de incensar. || **3. Gaveta,** 1.ª acep.

Navícula. (Del lat. *navicŭla.*) f. d. de **Nave.** || **2.** *Bot.* Diatomea muy abundante en las aguas dulces y marinas, cuyo caparazón tiene forma de navecilla.

Navicular. (Del lat. *naviculāris.*) adj. De forma abarquillada o de navecilla. *Hojas, tallos* NAVICULARES. || **2.** *Zool.* V. **Fosa navicular.** || **3.** *Zool.* V. **Hueso navicular.** Ú. t. c. s.

Naviculario. (Del lat. *naviculārius.*) m. Propietario o capitán de un buque mercante romano.

Navichuela. f. d. de **Nave.**

Navichuelo. m. **Navichuela.**

Navidad. (Contracc. de *natividad.*) f. Natividad de Nuestro Señor Jesucristo. || **2.** Día en que se celebra. || **3.** Tiempo inmediato a este día. Ú. t. en pl. *Se harán los pagos por* NAVIDADES *y por San Juan.* || **4.** fig. **Año,** 3.ª acep. Ú. m. en pl. *José tiene muchas* NAVIDADES. || **No alabes ni desalabes hasta siete navidades.** ref. que advierte que se suspenda el juicio acerca de las personas o cosas hasta que la experiencia las dé a conocer enteramente.

Navideño, ña. adj. Perteneciente al tiempo de Navidad. Dícese de algunas frutas, como melones, etc., que se conservan y guardan para este tiempo.

Naviero, ra. (De *navío.*) adj. Concerniente a naves o a navegación. *Acciones* NAVIERAS; *empresas* NAVIERAS. || **2.** m. Dueño de un navío u otra embarcación capaz de navegar en alta mar. || **3.** m. El que avitualla un buque mercante, ya sea propietario del mismo, ya gestor o gerente de la empresa propietaria.

Navigación. f. ant. **Navegación.**

Navigar. intr. ant. **Navegar.**

Navío. (Del lat. *navigĭum.*) m. Bajel de guerra, de tres palos y velas cuadras, con dos o tres cubiertas o puentes y otras tantas baterías de cañones. || **2.** V. **Capitán de navío.** || **3.** Bajel grande, de cubierta, con velas y muy fortificado, aunque no sea de guerra y se aplique para el comercio, correos, etc. || **4.** *Germ.* **Cuerpo,** 2.ª acep. || **Argos.** *Astron.* Constelación del hemisferio austral, situada cerca y al occidente del Centauro y debajo del Can Mayor. || **de alto bordo.** El que tiene muy altos los costados desde la línea de flotación a las bordas. || **de aviso. Aviso,** 6.ª acep. || **de carga. Navío de transporte.** || **de guerra. Navío,** 1.ª acep. || **de línea.** El que por su fortaleza y armamento puede combatir con otros en batalla ordenada o en formaciones de escuadra. || **de transporte.** El que sólo sirve para conducir mercaderías, tropas, municiones o víveres. || **mercante, mercantil,** o **particular.** El que sirve para conducir mercaderías de unos puertos a otros. || **Montar un navío.** fr. Mandarlo. || **Quien no tuviere que hacer, arme navío o tome mujer.** ref. que da a entender que el que estuviere ocioso, con cualquiera de estas dos cosas tendrá mucho en que ocuparse.

Náyade. (Del lat. *naïas, -ădis,* y éste del gr. ναιάς.) f. *Mit.* Cualquiera de las ninfas que, según los gentiles, residían en los ríos y en las fuentes.

Nayuribe. f. Planta herbácea de la familia de las amarantáceas, que crece hasta seis o siete decímetros de altura, con tallos ramosos, hojas opuestas y flores moradas en espigas. Sus cenizas se emplean en tintorería para teñir de encarnado.

Nazareno, na. (Del lat. *nazarēnus.*) adj. Natural de Nazaret. Ú. t. c. s. || **2.** Perteneciente a esta ciudad de Galilea. || **3.** Dícese del que entre los hebreos se consagraba particularmente al culto de Dios: no bebía licor ninguno que pudiera embriagar, y no se cortaba la barba ni el cabello. Ú. t. c. s. || **4.** Imagen de Jesucristo vistiendo un ropón morado. || **5.** fig. **Cristiano,** 2.ª acep. Ú. t. c. s. || **6.** m. Penitente que en las procesiones de Semana Santa va vestido con túnica, por lo común morada. || **7.** *Bot.* Árbol americano de la familia de las ramnáceas, cuya madera, cocida en agua, da un tinte amarillo muy duradero, y por ser de grano fino con hermoso color morado, de vetas claras y obscuras, tiene gran estima en ebanistería. || **El Divino Nazareno. Jesucristo.** || **El Nazareno.** Por antonom., **Jesucristo.** || **Cuando vengan los nazarenos.** expr. fig. y fam. con que se da a entender la imposibilidad de que suceda una cosa. || **Estar hecho un nazareno.** fr. que se dice de la persona maltrecha, lacerada y afligida.

Nazareo, a. (Del lat. *nazaraeus.*) adj. **Nazareno,** 1.ª 2.ª, y 3.ª aceps. Apl. a pers., ú. t. c. s.

Nazarí. (Del ár. *naṣrī,* perteneciente o relativo a *Naṣr,* en español *Názar.*) adj. Dícese de los descendientes de Yúsuf ben Názar, fundador de la dinastía musulmana que reinó en Granada desde el siglo XIII al XV. Ú. t. c. s. y m. en pl. || **2.** Perteneciente o relativo a esta dinastía.

Nazarita. adj. **Nazarí.**

Nazora. f. ant. **Nata,** 1.er art.

Názula. (De *nata,* 1.er art.) f. En algunas partes, **requesón,** 2.ª acep.

Ne. (Del lat. *nec.*) conj. ant. **Ni.**

Nea. Aféresis de **Anea.**

Neapolitano, na. adj. ant. **Napolitano.** Apl. a pers., usáb. t. c. s.

Nearca. m. **Navarca.**

Nébeda. (Del lat. *nepĕta.*) f. Planta herbácea de la familia de las labiadas, con tallos torcidos, velludos y ramosos, de cuatro a seis decímetros de longitud; hojas pecioladas, rugosas, ovales, aserradas por el margen, lanuginosas, de color verdinegro por encima y blanquecino por debajo; flores blancas o purpurinas en racimos colgantes, y fruto seco y capsular. Su olor y sabor son parecidos a los de la menta y tiene las mismas propiedades excitantes.

Nebel. m. **Nabla.**

Nebí. m. **Neblí.**

Nebladura. f. Daño que con la niebla reciben los sembrados. || **2. Modorra,** 3.ª acep.

Neblí. (Del ár. *lablī,* perteneciente a la ciudad de *Labla,* la antigua *Ilipula,* hoy *Niebla.*) m. Ave de rapiña que mide 24 centímetros desde el pico hasta la extremidad de la cola y 60 de envergadura; de plumaje pardo azulado en el lomo, blanco con manchas grises en el vientre y pardo en la cola, que termina con una banda negra de borde blanco; pico azulado y pies amarillos. Es originario de los países del norte de Europa, donde anida durante el verano, y accidentalmente se le ve en España por el invierno. Por su valor y rápido vuelo era muy estimado para la caza de cetrería.

Neblina. f. Niebla espesa y baja.

Neblinear. intr. *Chile.* **Garuar.**

Neblinoso, sa. adj. Se dice del día o de la atmósfera en que abunda y es baja la niebla.

Nebral. m. Aféresis de **Enebral.**

Nebreda. (De *nebro.*) f. **Enebral.**

Nebrina. (De *nebro.*) f. Fruto del enebro.

Nebrisense. (Del lat. *nebrissensis.*) adj. **Lebrijano.** Apl. a pers., ú. t. c. s.

Nebro. m. **Enebro.**

Nebulón. (Del lat. *nebŭlo, -ōnis.*) m. Hombre taimado e hipócrita.

Nebulosa. (Del lat. *nebulōsa,* t. f. de *-sus,* nebuloso.) f. *Astron.* Materia cósmica celeste, difusa y luminosa que ofrece diversas formas, en general de contorno impreciso.

Nebulosamente. adv. m. Con nebulosidad.

Nebulosidad. (Del lat. *nebulosĭtas, -ātis.*) f. Calidad de nebuloso. || **2.** Pequeña obscuridad, sombra.

Nebuloso, sa. (Del lat. *nebulōsus.*) adj. Que abunda de nieblas, o cubierto de ellas. || **2.** Obscurecido por las nubes. || **3.** fig. Sombrío, tétrico. || **4.** fig. Falto de lucidez y claridad. || **5.** fig. Difícil de comprender.

Necear. (De *necio.*) intr. Decir necedades. || **2.** Porfiar neciamente en una cosa.

Necedad. f. Calidad de necio. || **2.** Dicho o hecho necio. || **Las necedades del rico pasan por sentencias en el mundo.** fr. proverb. que pondera la importancia que suele darse a la riqueza.

Necesaria. (Del lat. *necessaria,* t. f. de *-rius,* necesario.) f. **Letrina,** 1.ª acep.

Necesariamente. adv. m. Con o por necesidad o precisión.

Necesario, ria. (Del lat. *necessarius.*) adj. Que precisa, forzosa o inevitablemente ha de ser o suceder. En este sentido, se contrapone a contingente. || **2.** Dícese de lo que se hace y ejecuta obligado de otra cosa, como opuesto a voluntario y espontáneo, y también de las causas que obran sin libertad y por determinación de su naturaleza. || **3.** Que es menester indispensablemente, o hace falta para un fin. En este sentido, se contrapone a superfluo. || **4.** *For.* En el derecho antiguo, decíase del heredero obligado a aceptar la herencia, y especialmente cuando era esclavo o siervo del testador. || **5.** *Astron.* V. **Términos necesarios.** || **6.** *For.* V. **Condición necesaria.** || **7.** adv. m. ant. **Necesariamente.** || **Hacerse** uno **el necesario.** fr. Hacerse de rogar, o, afectando celo, persuadir que hace indispensable falta.

Neceser. (Del fr. *nécessaire,* y éste del lat. *necessarius.*) m. Caja o estuche con diversos objetos de tocador, costura, etc.

Necesidad. (Del lat. *necessĭtas, -ātis.*) f. Impulso irresistible que hace que las causas obren infaliblemente en cierto sentido. || **2.** Todo aquello a lo cual es imposible substraerse, faltar o resistir. || **3.** Falta de las cosas que son menester para la conservación de la vida. || **4.** Falta continuada de alimento que hace desfallecer. *Caerse de* NECESIDAD. || **5.** Especial riesgo o peligro que se padece, y en que se necesita de pronto auxilio. || **6.** Evacuación corporal por cámara u orina. || **de medio.** *Teol.* Precisión absoluta de una cosa, sin la cual no se puede conseguir la salvación. *El bautismo es necesario con* NECESIDAD DE MEDIO. || **de precepto.** Obligación fundada en una ley eclesiástica, y cuyo cumplimiento es conducente, pero no indispensable a la salvación. *La eucaristía es necesaria con* NECESIDAD DE PRECEPTO. || **extrema.** Estado en que ciertamente perderá uno la vida si no se le socorre o sale de él. || **grave.** *Teol.* Estado en que uno está expuesto a perder la vida temporal o eterna. Esta última llámase **necesidad grave espiritual.** || **mayor.** Evacuación por cámara. || **menor.** Evacuación por orina. || **De necesidad.** m. adv. **Necesariamente.** *Herida mortal* DE NECESIDAD. || **Hacer de la necesidad virtud.** fr. Afectar que se ejecuta de buena gana y voluntariamente lo que por precisión se había de hacer. || **2.** Tolerar con ánimo constante y conforme lo que no se puede evitar. || **La necesidad carece de ley.** fr. proverb. con que se explica que el que padece urgente **necesidad** se juzga dispensado de las leyes u obligaciones comunes. || **La necesidad hace a la vieja trotar.** ref. con que se pondera cuánto aviva e incita al trabajo y a la diligencia la **necesidad** de adquirir lo preciso para conservar la vida. || **La necesidad hace maestro.** ref. con que se da a entender que la falta de lo que se ha menester, o la inminencia del riesgo, hace ejecutar con habilidad y destreza lo que parece que no se sabía o lo que no se había aprendido. || **La necesidad tiene cara de hereje.** expr. que se usa para denotar que generalmente se huye del necesitado, y también que la **necesidad** obliga a cualquiera penalidad o trabajo con el objeto de evitarla. Esta expresión puede ser traducción burlesca de la latina *Necéssitas cáret lege.* || **Obedecer a la necesidad.** fr. fig. Obrar como exigen las circunstancias. || **Por necesidad.** m. adv. Necesariamente; por un motivo o causa irresistible. *Ha sentado plaza* POR NECESIDAD.

Necesitado, da. p. p. de **Necesitar.** || **2.** adj. Pobre, que carece de lo necesario. Ú. t. c. s.

Necesitar. (Del lat. *necesse,* necesario.) tr. Obligar y precisar a ejecutar una cosa. || **2.** intr. Haber menester o tener precisión o necesidad de una persona o cosa. Ú. t. c. tr.

Necezuelo, la. adj. d. de **Necio.**

Neciamente. adv. m. Con necedad.

Necio, cia. (Del lat. *nescius.*) adj. Ignorante y que no sabe lo que podía o debía saber. Ú. t. c. s. || **2.** Imprudente o falto de razón; terco y porfiado en lo que hace o dice. Ú. t. c. s. || **3.** Aplícase también a las cosas ejecutadas con ignorancia, imprudencia o presunción. || **A cada necio agrada su porrada.** ref. que enseña lo mucho que puede el amor propio y el afecto o pasión con que cada cual mira sus cosas. || **Al necio, del diestro; al loco, del cabestro.** ref. que enseña el modo de tratar con ambos y que al uno basta guiarle y al otro es preciso llevarle por fuerza. || **A necias.** m. adv. **Neciamente.** || **Cuando el necio es acordado, el mercado es ya pasado.** ref. que advierte cuán conveniente es hacer las cosas en tiempo oportuno. || **El necio hace al fin lo que el discreto al principio.** ref. que aconseja hacer pronto y de grado lo que al fin habrá de hacerse por fuerza. || **Más sabe el necio en su casa que el cuerdo en la ajena.** ref. **Más sabe el loco,** etc. || **Más vale ser necio que porfiado.** fr. con que los prudentes excusan las altercaciones y porfías. || **Necios y porfiados hacen ricos a los letrados.** ref. que advierte la poca razón con que suelen moverse muchos pleitos, y que se siguen más por tenacidad que por justicia.

Necrófago, ga. (Del gr. νεκρός, muerto, y φάγομαι, comer.) adj. Que se alimenta de cadáveres.

Necróforo, ra. (Del gr. νεκρός, muerto, y φορός, que lleva.) adj. *Zool.* Dícese de los insectos coleópteros que entierran los cadáveres de otros animales para depositar en ellos sus huevos. Ú. t. c. s.

Necrología. (Del gr. νεκρός, muerto, y λόγος, discurso, relación.) f. Noticia o biografía de una persona visible o notable, muerta hace poco tiempo. || **2.** Lista o noticia de muertos.

Necrológico, ca. adj. Perteneciente o relativo a la necrología.

Necromancia [~ **mancía**]. f. **Nigromancia.**

Necrópolis. (Del gr. νεκρόπολις; de νεκρός, muerto, y πόλις, ciudad: ciudad de los muertos.) f. Cementerio de gran extensión, en que abundan los monumentos fúnebres.

Necropsia. (Del gr. νεκρός, muerto, y ὄψις, vista.) f. **Necroscopia.**

Necroscopia. (Del gr. νεκρός, muerto, y σκοπέω, examinar.) f. Autopsia o examen de los cadáveres.

Necroscópico, ca. adj. Perteneciente o relativo a la necroscopia.

Necrosis. (Del lat. *necrōsis,* y éste del gr. νέκρωσις, mortificación.) f. *Med.* Mortificación o gangrena de los tejidos del organismo. Se dice principalmente del tejido óseo. || **2.** Por ext., destrucción íntima de un tejido.

Néctar. (Del lat. *nectar,* y éste del gr. νέκταρ, bebida de los dioses.) m. *Mit.* Licor suavísimo que se fingía destinado para el uso y regalo de las deidades del gentilismo. || **2.** fig. Cualquier licor deliciosamente suave y gustoso. || **3.** *Bot.* Jugo azucarado, producido por los nectarios, que chupan las abejas y otros insectos.

Nectáreo, a. (Del lat. *nectarĕus.*) adj. Que destila néctar o sabe a él.

Nectarino, na. adj. **Nectáreo.**

Nectario. (De *néctar.*) m. *Bot.* Glándula de las flores de ciertas plantas que segrega un jugo azucarado.

Neerlandés, sa. adj. **Holandés.** Apl. a pers., ú. t. c. s. || **2.** m. Lengua germánica hablada por los habitantes de los Países Bajos, y de la cual son dialectos el flamenco y el holandés.

Nefandamente. adv. m. De modo nefando.

Nefandario, ria. (Del lat. *nefandarius.*) adj. Aplícase a la persona que comete pecado nefando.

Nefando, da. (Del lat. *nefandus.*) adj. Indigno, torpe, de que no se puede hablar sin repugnancia u horror. || **2.** V. **Pecado nefando.**

Nefariamente. adv. m. De modo nefario.

Nefario, ria. (Del lat. *nefarius.*) adj. Sumamente malvado, impío e indigno del trato humano.

Nefas. (Del lat. *nefas,* injusto.) V. **Por fas o por nefas.**

Nefasto, ta. (Del lat. *nefastus.*) adj. V. **Día nefasto.** || **2.** Aplicado a día o a cualquier otra división del tiempo, triste, funesto, ominoso.

Nefelismo. (Del gr. νεφέλη, nube.) m. Conjunto de caracteres con que se nos presentan las nubes: tales como forma, clase, altura, coloración, dirección y velocidad de sus movimientos.

Nefrítico, ca. (Del lat. *nephriticus,* y éste del gr. νεφριτικός; de νεφρός, riñón.) adj. Renal, perteneciente o relativo a los riñones. *Absceso* NEFRÍTICO. || **2.** Que padece de nefritis. Ú. t. c. s. || **3.** V. **Cólico, dolor nefrítico.** || **4.** m. **Palo nefrítico.** || **5. Piedra nefrítica.**

Nefritis. (Del lat. *nephritis,* y éste del gr. νεφρῖτις; de νεφρός, riñón.) f. *Med.* Inflamación de los riñones.

Negable. adj. Que se puede negar.

Negación. (Del lat. *negatĭo, -ōnis.*) f. Acción y efecto de negar. || **2.** Carencia o falta total de una cosa. || **3.** *Gram.* Partícula o voz que sirve para negar.

Negado, da. p. p. de **Negar.** || **2.** adj. Incapaz o totalmente inepto para una cosa. Ú. t. c. s. || **3.** Dícese de los primitivos cristianos que renegaban de la fe. Ú. t. c. s.

Negador, ra. (Del lat. *negātor.*) adj. Que niega. Ú. t. c. s.

Negamiento. (De *negar.*) m. **Negación.**

Negante. (Del lat. *negans, -antis.*) p. a. de **Negar.** Que niega.

Negar. (Del lat. *negāre.*) tr. Decir uno que no es verdad, que no es cierta una cosa acerca de la cual se le pregunta. ‖ **2.** Dejar de reconocer alguna cosa, no admitir su existencia. ‖ **3.** Decir que no a lo que se pretende o se pide, o no concederlo. ‖ **4.** Prohibir o vedar, impedir o estorbar. ‖ **5.** Olvidarse o retirarse de lo que antes se estimaba y se frecuentaba. ‖ **6.** No confesar uno el delito de que se le hace cargo. Dícese regularmente de los reos preguntados jurídicamente acerca de él. ‖ **7.** Desdeñar, esquivar una cosa o no reconocerla como propia. ‖ **8.** Ocultar, disimular. ‖ **9.** r. Excusarse de hacer una cosa, o repugnar el introducirse o mezclarse en ella. ‖ **10.** No admitir uno al que va a buscarle a su casa, haciendo decir que está fuera. ‖ **Negarse** uno **a sí mismo.** fr. No condescender con sus deseos y apetitos, sujetándose enteramente a la ley, y gobernándose, no por su juicio, sino por el dictamen ajeno, conforme a la doctrina del Evangelio. ‖ **Quien todo lo niega, todo lo confiesa.** ref. con que se da a entender que se sospecha culpable al que, habiéndose averiguado que tuvo parte en una cosa, lo **niega** todo.

Negativa. (Del lat. *negatīva*, t. f. de *-vus*, negativo.) f. Negación o denegación, o lo que la contiene. ‖ **2.** Repulsa o no concesión de lo que se pide.

Negativamente. adv. m. Con negación.

Negativo, va. (Del lat. *negatīvus.*) adj. Que incluye o contiene negación o contradicción. ‖ **2.** Perteneciente a la negación. ‖ **3.** V. **Argumento, precepto, signo, término negativo.** ‖ **4.** V. **Cantidad, electricidad, proposición, prueba negativa.** ‖ **5.** *For.* Aplícase al reo o testigo que, preguntado jurídicamente, no confiesa el delito o niega lo que se le pregunta.

Negligencia. (Del lat. *negligentĭa.*) f. Descuido, omisión. ‖ **2.** Falta de aplicación.

Negligente. (Del lat. *negligens, -entis*, p. a. de *negligĕre*, mirar con indiferencia.) adj. Descuidado, omiso. Ú. t. c. s. ‖ **2.** Falto de aplicación. Ú. t. c. s.

Negligentemente. adv. m. Con negligencia.

Negociable. adj. Que se puede negociar.

Negociación. (Del lat. *negotiatĭo, -ōnis.*) f. Acción y efecto de negociar.

Negociado, da. p. p. de **Negociar.** ‖ **2.** m. Cada una de las dependencias que, en una organización administrativa, está destinada para despachar determinadas clases de asuntos. ‖ **3. Negocio.**

Negociador, ra. (Del lat. *negotiātor.*) adj. Que negocia. Ú. t. c. s. ‖ **2.** Dícese del ministro o agente diplomático que gestiona un negocio importante. Ú. t. c. s.

Negociante. (Del lat. *negotĭans, -antis.*) p. a. de **Negociar.** Que negocia. Ú. m. c. s. ‖ **2.** m. **Comerciante.**

Negociar. (Del lat. *negotiāri.*) intr. Tratar y comerciar, comprando y vendiendo o cambiando géneros, mercaderías o valores para aumentar el caudal. ‖ **2.** Ajustar el traspaso, cesión o endoso de un vale, efecto o letra. ‖ **3.** Tratándose de valores, descontarlos. ‖ **4.** Tratar asuntos públicos o privados procurando su mejor logro. ‖ **5.** Tratar por la vía diplomática, de potencia a potencia, un asunto; como un tratado de alianza, de comercio, etc.

Negocio. (Del lat. *negotĭum.*) m. Cualquier ocupación, empleo o trabajo. ‖ **2.** Dependencia, pretensión, tratado o agencia. ‖ **3.** Todo lo que es objeto o materia de una ocupación lucrativa o de interés. ‖ **4. Negociación.** ‖ **5.** Utilidad o interés que se logra en lo que se trata, comercia o pretende. ‖ **6.** V. **Agente, encargado, hombre de negocios.** ‖ **7.** fig. V. **Alma del negocio.** ‖ **8.** *For.* V. **Gestor de negocios.** ‖ **de mala digestión.** fig. y fam. El que es dificultoso de componer. ‖ **redondo.** fig. y fam. El muy ventajoso y que sale a medida del deseo. ‖ **Agitarse un negocio.** fr. **Agitarse una cuestión.** ‖ **Desempatar un negocio.** fr. fig. y fam. Ponerlo corriente, aclarando las dudas y dificultades que tenía. ‖ **Evacuar** uno **un negocio.** fr. fam. Finalizarlo, salir de él, concluirlo. ‖ **Hacer** uno **su negocio.** fr. Sacar de un asunto el provecho que puede, sin otra mira que el interés propio. ‖ **2.** Hacer un lucro indebido en los asuntos de otro que le están encomendados.

Negocioso, sa. (Del lat. *negotiōsus.*) adj. Diligente, pronto y cuidadoso de sus negocios.

Negozuelo. m. d. de **Negocio.**

Negra. f. **Espada negra.** ‖ **2.** *Germ.* **Caldera,** 1.ª acep. ‖ **3.** *Mús.* **Semínima,** 1.ª acep.

Negrada. f. *Cuba.* Conjunto o reunión de negros esclavos que constituía la dotación de una finca.

Negral. adj. Que tira a negro. ‖ **2.** V. **Pino, roble negral.** ‖ **3.** m. **Equimosis.**

Negrear. (De *negro.*) intr. Mostrar una cosa la negrura que en sí tiene. ‖ **2.** Tirar a negro.

Negrecer. (Del lat. *nigrescĕre.*) intr. Ponerse negro. Ú. t. c. r.

Negreguear. intr. **Negrear.**

Negregura. f. **Negrura.**

Negrería. f. Conjunto o muchedumbre de negros, y especialmente de los dedicados al cultivo en las haciendas del Perú.

Negrero, ra. adj. Dedicado a la trata de negros. Apl. a pers., ú. t. c. s. ‖ **2.** m. y f. fig. Persona de condición dura, cruel para sus subordinados.

Negrestino, na. adj. p. us. **Negral.**

Negreta. (De *negra.*) f. Ave palmípeda de medio metro de largo, que habita en las orillas del mar y se alimenta de pececillos. El macho es negro; la hembra, parda; entrambos tienen el pico manchado de negro y rojo, los pies encarnados, las uñas negras y los dedos reunidos por una membrana. El macho, además del color, se distingue por un bulto o callo que tiene en el arranque del pico.

Negrete. m. Individuo de cierto bando de la montaña de Santander en el siglo xv, adversario del de los Giles.

Negrilla. (d. de *negra.*) f. Especie de congrio que tiene el lomo de color obscuro. ‖ **2.** *Bot.* Hongo microscópico, con el talo formado por filamentos ramificados, que vive parásito en las hojas del olivo y de otras plantas.

Negrillera. f. Sitio poblado de negrillos, 3.ª acep.

Negrillo, lla. adj. d. de **Negro.** ‖ **2.** V. **Letra negrilla.** Ú. t. c. s. ‖ **3.** m. **Olmo.** ‖ **4.** *Murc.* **Tizón,** 2.ª acep. ‖ **5.** *Min. Amér.* Mena de plata cuprífera cuyo color es muy obscuro.

Negrito. (d. de *negro.*) m. Pájaro de la isla de Cuba, del tamaño del canario y de canto parecido al de éste. Es de color negro, con algunas plumas blancas en el borde de las alas.

Negrizco, ca. adj. **Negruzco.**

Negro, gra. (Del lat. *nĭger, nĭgri.*) adj. De color totalmente obscuro, como el carbón, y en realidad falto de todo color. Ú. t. c. s. ‖ **2.** Dícese del individuo cuya piel es de color **negro.** Ú. t. c. s. ‖ **3.** Moreno, o que no tiene la blancura que le corresponde. *Este pan es* NEGRO. ‖ **4.** Obscuro u obscurecido y deslucido, o que ha perdido o mudado el color que le corresponde. *Está* NEGRO *el cielo; están* NEGRAS *las nubes.* ‖ **5.** V. **Álamo, aliso, amate, ámbar, azúcar, beleño, espino, maíz, mechoacán, oso, panizo, pato, pino, pozo, salado, salsifí, tabaco, té, vómito negro.** ‖ **6.** V. **Cabos negros.** ‖ **7.** V. **Arma, azúcar, capilla, escopeta, espada, estepa, gente de capa, hombre de capa, jara, lista, magia, miel, morera, mostaza, nueza, pez, pimienta, retama negra.** ‖ **8.** V. **Grabado en negro.** ‖ **9.** V. **Boda, merienda de negros.** ‖ **10.** fig. Sumamente triste y melancólico. ‖ **11.** fig. Infeliz, infausto y desventurado. ‖ **12.** *Germ.* Astuto y taimado. ‖ **animal. Carbón animal.** ‖ **de humo.** Polvo que se recoge de los humos de materias resinosas y se emplea en la confección de algunas tintas, en el betún para el calzado y en otras preparaciones. ‖ **de la uña.** Parte extrema de la uña cuando está sucia. ‖ **2.** fig. Lo mínimo de cualquier cosa. ‖ **Como negra en baño.** loc. fig. Con entono y afectada gravedad. ‖ **Ésa es más negra,** o **ésa sí que es negra.** fr. fig. y fam. con que se encarece el apuro o dificultad de una cosa. ‖ **Fue la negra al baño y tuvo que contar un año.** ref. que advierte lo mucho que da que hablar a la gente sencilla cualquier cosa cuando no la ha visto otra vez. ‖ **No somos negros.** expr. fam. con que se reprende al que trata a otros desconsiderada y ásperamente. ‖ **¿Para qué va la negra al baño, si blanca no puede ser?** ref. **¿Para qué va al baño la negra, si negra se queda?** ‖ **Sacar lo que el negro del sermón.** fr. con que se denota el poco provecho que uno saca de los consejos que le dan, o advertencias que le hacen. ‖ **Yo me era negra y vistiéronme de verde.** ref. que reprende a los que empeoran las cosas queriéndolas componer o adornar.

Negrófilo, la. m. y f. Enemigo de la esclavitud y trata de negros.

Negroide. adj. Dícese de lo que presenta alguno de los caracteres de la raza negra o de su cultura. Apl. a pers., ú. t. c. s.

Negror. (Del lat. *nigror.*) m. **Negrura.**

Negrota. f. *Germ.* **Negra,** 2.ª acep.

Negrura. f. Calidad de negro.

Negruzco, ca. adj. De color moreno algo negro.

Neguijón. (De *neguillón.*) m. Enfermedad de los dientes, que los carcome y pone negros.

Neguilla. (Del lat. *nigella*, negruzca.) f. Planta herbácea anual, de la familia de las cariofiláceas, lanuginosa, fosforescente, con tallo ramoso de seis a ocho decímetros de altura; hojas lineales y agudas; flores rojizas terminales y solitarias, y fruto capsular con muchas semillas negras, menudas, esquinadas y ásperas. Es muy abundante en los sembrados, y cuando sus semillas se mezclan con el trigo, se supone sin fundamento que la harina resultante es nociva. ‖ **2.** Semilla de esta planta. ‖ **3. Arañuela,** 3.ª acep. ‖ **4.** Mancha negra en la cavidad de los dientes de las caballerías, que sirve para conocer la edad del animal. ‖ **5.** Como juego de palabras entra, con la significación de **negativa,** en el ref. *Más vale celemín de* NEGUILLA *que fanega de trigo.* ‖ **6.** pl. *Sal.* Picardía, astucia.

Neguillón. m. **Neguilla,** 1.ª acep.

Negundo. m. *Bot.* Árbol de la familia de las aceráceas, próximo del arce, pero con las flores dioicas y sin pétalos; coloración verde, excepto la variedad abigarrada, que es verde claro y blanquecino. Se cultiva como adorno para los paseos y en jardines. Procede de América del Norte, y en España florece en mayo.

Negus. (Voz abisinia.) m. Emperador de Abisinia.

Neis. m. **Gneis.**

Néisico, ca. adj. **Gnéisico.**

Neja. f. *Méj.* Tortilla hecha de maíz cocido.

Nejayote. m. *Méj.* Agua amarillenta en que se ha cocido el maíz.

Neldo. m. Aféresis de **Eneldo.**

Nelumbio. (Del singalés *nelumbu.*) m. Planta ninfeácea, de flores blancas o amarillas y de hojas aovadas.

Nema. (Del lat. *nēma,* y éste del gr. νῆμα, hilo, porque antiguamente se cerraban las cartas con un hilo antes de sellarlas.) f. Cierre o sello de una carta.

Nematelminto. (Del gr. νῆμα, -ατος, hilo, y ἕλμινς, -ινθος, gusano.) adj. *Zool.* Dícese de gusanos de cuerpo fusiforme o cilíndrico y no segmentado, desprovistos de apéndices locomotores y con tegumentos impregnados de quitina, que en su mayoría son parásitos de otros animales; como la lombriz intestinal. Ú. m. c. s. ‖ **2.** m. pl. *Zool.* Clase de estos gusanos.

Nematócero. (Del gr. νῆμα, -ατος, hilo, y κέρας, antena.) adj. *Zool.* Dícese de los insectos dípteros que tienen cuerpo esbelto, alas estrechas y largas, patas delgadas y antenas largas. Ú. t. c. s. ‖ **2.** m. pl. *Zool.* Suborden de estos animales, que se conocen con el nombre de mosquitos.

Nematodo. (Del gr. νῆμα, -ατος, hilo.) adj. *Zool.* Dícese de los nematelmintos que tienen aparato digestivo, el cual consiste en un tubo recto que se extiende a lo largo del cuerpo, entre la boca y el ano. Ú. m. c. s. ‖ **2.** m. pl. *Zool.* Orden de estos nematelmintos.

Nembrar. tr. ant. **Membrar.** Usáb. m. c. r.

Neme. m. *Colomb.* Betún o asfalto.

Nemeo, a. (Del lat. *nemeaeus.*) adj. Natural de Nemea. Ú. t. c. s. ‖ **2.** Perteneciente a esta ciudad de Grecia antigua. ‖ **3.** Aplícase comúnmente a los juegos que se celebraban en honor de Hércules, por haber muerto al león que habitaba la montaña y selva próximas a esta ciudad.

Nemiga. f. ant. **Enemiga.**

Némine discrepante. expr. lat. Sin contradicción, discordancia ni oposición alguna. ‖ **2.** Por unanimidad; por todos los votos, sin faltar uno.

Nemon. m. ant. **Gnomon.**

Nemónica. f. **Mnemónica.**

Nemoroso, sa. (Del lat. *nemorōsus;* de *nemus, -ŏris,* bosque, selva.) adj. poét. Perteneciente o relativo al bosque. ‖ **2.** poét. Cubierto de bosques.

Nemotecnia. f. **Mnemotecnia.**

Nemotécnica. f. **Mnemotécnica.**

Nemotécnico, ca. adj. **Mnemotécnico.**

Nen. (Del lat. *nec.*) conj. ant. **Ni.**

Nene, na. (Voz infantil.) m. y f. fam. Niño pequeñito. ‖ **2.** Suele usarse como expresión de cariño para personas de más edad, sobre todo en la terminación femenina. ‖ **3.** m. fig. irón. Hombre muy temible por sus fechorías.

Neneque. m. *Hond.* Persona muy débil, que no puede valerse por sí misma.

Nengún. adj. ant. Apócope de **Nenguno.** Ú. entre los campesinos.

Nenguno, na. (Del lat. *nec ūnus,* ni uno.) adj. ant. **Ninguno.**

Nenia. (Del lat. *nenĭa.*) f. Composición poética que en la antigüedad gentílica se cantaba en las exequias de una persona. ‖ **2.** La que se hace en alabanza de una persona después de muerta.

Nenúfar. (Del ár. persa *nīlūfar,* loto azulado.) m. Planta acuática de la familia de las ninfeáceas, con rizoma largo, nudoso y feculento; hojas enteras, casi redondas, de pecíolo central y tan largo que, saliendo del rizoma, llega a la superficie del agua, donde flota la hoja; flores blancas, terminales y solitarias, y fruto globoso, capsular, con muchas semillas pequeñas, elipsoidales y negruzcas. Es común en España en as aguas de poca corriente, y se cultiva en los estanques de los jardines. ‖ **amarillo.** Planta de la misma familia que la anterior, y de hojas acorazonadas y flores amarillas. Suele hallarse en las lagunas de España.

Neo. (Del gr. νέος, nuevo.) Partícula inseparable que se emplea como prefijo con la significación de reciente o nuevo. ‖ **2.** m. *Quím.* Elemento gaseoso, contenido en proporción muy pequeña en el aire atmosférico. Se usa en tubos para el alumbrado, por la luz roja que produce al paso de la chispa eléctrica.

Neo, a. adj. Apócope de **Neocatólico.** ‖ **2.** m. **Ultramontano.**

Neocatolicismo. (De *neocatólico.*) m. Doctrina político-religiosa que aspira a restablecer en todo su rigor las tradiciones católicas en la vida social y en el gobierno del Estado. Empléase principalmente este nombre para significar que tal doctrina es retrógrada.

Neocatólico, ca. (Del gr. νέος, nuevo, y de *católico.*) adj. Perteneciente o relativo al neocatolicismo. Ú. t. c. s.

Neocelandés, sa. adj. Natural de Nueva Zelandia, isla de la Australasia, cuyos indígenas tienen el nombre de maoríes. Ú. t. c. s. ‖ **2.** Perteneciente a este país.

Neoclasicismo. m. Corriente literaria y artística, dominante en Europa en la segunda mitad del siglo XVIII, la cual aspira a restaurar el gusto y normas del clasicismo.

Neoclásico, ca. adj. Perteneciente o relativo al neoclasicismo. ‖ **2.** Partidario del neoclasicismo. Ú. t. c. s. ‖ **3.** Dícese del arte o estilo modernos que tratan de imitar los usados antiguamente en Grecia o en Roma.

Neófito, ta. (Del lat. *neophy̆tus,* y éste del gr. νεόφυτος; de νέος, nuevo, y φύω, hacer.) m. y f. Persona recién convertida a una religión. ‖ **2.** Persona recién admitida al estado eclesiástico o religioso. ‖ **3.** Por ext., persona recientemente adherida a una causa, o incorporada a una agrupación o colectividad.

Neogranadino, na. adj. Natural de Nueva Granada. Ú. t. c. s. ‖ **2.** Perteneciente a este país de América, hoy Estados Unidos de Colombia.

Neolatino, na. (Del gr. νέος, nuevo, y de *latino.*) adj. Que procede o se deriva de los latinos o de la lengua latina. *Raza* NEOLATINA, *idioma* NEOLATINO.

Neolítico, ca. (Del gr. νέος, nuevo, y λίθος, piedra.) adj. Perteneciente o relativo a la segunda edad de piedra, o sea la de la piedra pulimentada.

Neológico, ca. adj. Perteneciente o relativo al neologismo.

Neologismo. (Del gr. νέος, nuevo, y λογισμός, razonamiento.) m. Vocablo, acepción o giro nuevo en una lengua. ‖ **2.** Uso de estos vocablos o giros nuevos.

Neólogo, ga. m. y f. Persona que emplea neologismos.

Neomenia. (Del lat. *neomenĭa,* y éste del gr. νεομηνία; de νέος, nuevo, y μήνη, Luna.) f. Primer día de la Luna.

Neón. (Del gr. νέος, nuevo.) m. *Quím.* Elemento gaseoso constitutivo de la atmósfera, descubierto en 1898 por Ramsay y Travers. Es incoloro y se halla mezclado con el argón.

Neoplasia. (Del gr. νέος, nuevo, y πλάσις, formación.) f. *Med.* Formación, en alguna parte del cuerpo, de un tejido, cuyos elementos sustituyen a los de los tejidos normales. Se aplica principalmente a los tumores cancerosos.

Neoplatonicismo. (De *neoplatónico.*) m. Escuela filosófica que floreció principalmente en Alejandría en los primeros siglos de la era cristiana, y cuyas doctrinas eran una renovación de la filosofía platónica transformada bajo la influencia del pensamiento oriental.

Neoplatónico, ca. (Del gr. νέος, nuevo, y de *platónico.*) adj. Perteneciente o relativo al neoplatonicismo. ‖ **2.** Dícese del que sigue esta doctrina. Ú. t. c. s.

Neoráceo, a. adj. *Bot.* **Cneoráceo.**

Neorama. (Del gr. νέως, templo, y ὅραμα, vista.) m. Especie de panorama, en el cual el espectador, colocado en el centro, ve pintado y alumbrado en un cilindro hueco lo interior de un templo o palacio, un paisaje, etc.

Neotérico, ca. (Del lat. *neoterĭcus,* y éste del gr. νεωτερικός.) adj. desus. Nuevo, reciente, moderno. Díjose especialmente de los médicos y filósofos.

Neoyorquino, na. adj. Natural de Nueva York. Ú. t. c. s. ‖ **2.** Perteneciente a esta ciudad de los Estados Unidos.

Neozelandés, sa. adj. **Neocelandés.**

Nepentáceo, a. (De *nepente.*) adj. *Bot.* Dícese de arbustos angiospermos dicotiledóneos, casi todos de la Malasia, con hojas esparcidas cuyos pecíolos, muy ensanchados, se encorvan para formar una especie de pequeño odre al que el limbo foliar sirve de tapa. En este receptáculo hay glándulas secretoras de un líquido que digiere el cuerpo de los insectos y otros animalillos que han penetrado en aquél. Ú. t. c. s. f. ‖ **2.** f. pl. *Bot.* Familia de estas plantas.

Nepente. (Del gr. νηπενθής, exento de dolor.) m. *Bot.* Planta tipo de la familia de las nepentáceas. ‖ **2.** *Mit.* Bebida que los dioses usaban para curarse las heridas o dolores y que además producía olvido, como las aguas del Leteo.

Neperiano, na. adj. Perteneciente o relativo al matemático inglés Juan Néper. ‖ **2.** V. **Tablillas neperianas.**

Nepote. (Del ital. *nepote,* sobrino, y éste del lat. *nepos, -ōtis.*) m. Pariente y privado del papa.

Nepotismo. (De *nepote.*) m. Desmedida preferencia que algunos dan a sus parientes para las gracias o empleos públicos.

Neptúneo, a. adj. poét. Perteneciente o relativo a Neptuno o al mar.

Neptuniano, na. adj. *Geol.* **Neptúnico.**

Neptúnico, ca. adj. *Geol.* Dícese de los terrenos y de las rocas de formación sedimentaria.

Neptunismo. m. *Geol.* Hipótesis que atribuye exclusivamente a la acción del agua la formación de la corteza terrestre.

Neptunista. adj. Partidario del neptunismo. Ú. t. c. s.

Neptuno. (Del lat. *Neptūnus,* el dios de las aguas.) m. Planeta descubierto a mediados del siglo XIX, mucho mayor que la Tierra y distante del Sol 30 veces más que ella, no perceptible a simple vista y acompañado de un satélite. ‖ **2.** poét. El mar.

Nequáquam. (Del lat. *nequaquam.*) adv. neg. fam. En ninguna manera, de ningún modo.

Nequicia. (Del lat. *nequitĭa.*) f. Maldad, perversidad.

Ne quid nimis. expr. lat. que significa *nada con demasía,* y que se usa aconsejando sobriedad y moderación en todo.

Nereida. (Del lat. *Nereĭdes,* y éste del gr. Νηρεΐς, hija de Nereo.) f. *Mit.* Cualquiera de las ninfas que la antigüedad fingió que residían en el mar, pintándolas como jóvenes hermosas de medio cuerpo arriba y como peces en lo restante.

Nerita. (Del lat. *nerĭtes,* y éste del gr. νηρίτης.) f. Molusco gasterópodo marino, de concha gruesa, redonda, con boca o abertura semicircular y espira casi plana. Hay diversas especies, todas comestibles.

Nerón. (Por alusión al emperador romano, último de la familia de los Césares.) m. fig. Hombre muy cruel.

Neroniano, na. adj. Perteneciente o relativo al emperador Nerón, o que participa de alguna de sus cualidades. ‖ **2.** fig. Cruel, sanguinario.

Nervadura. (De *nervio.*) f. *Arq.* Moldura saliente. ‖ **2.** *Bot.* Conjunto de los nervios de una hoja.

Nérveo, a. adj. Perteneciente a los nervios. ‖ **2.** Semejante a ellos.

Nervezuelo. m. d. de **Nervio.**

Nerviar. tr. ant. Trabar con nervios.

Nerviecillo. m. d. de **Nervio.**

Nervino, na. (Del lat. *nervīnus.*) adj. Dícese del remedio que se considera útil para curar ciertas enfermedades, dando tono a los nervios y estimulando su acción.

Nervio. (De *nîervo.*) m. Cada uno de los cordones blanquecinos, compuestos de muchos filamentos o fibras nerviosas, que partiendo del cerebro, la medula espinal u otros centros, se distribuyen por todas las partes del cuerpo. Son los órganos conductores de los impulsos nerviosos. ‖ **2.** Aponeurosis, o cualquier tendón o tejido blanco, duro y resistente. ‖ **3.** Cuerda de los instrumentos músicos. ‖ **4.** Haz fibroso que, en forma de hilo o cordoncillo, corre a lo largo de las hojas de las plantas por su envés, comúnmente más elevado que la superficie de ellas. ‖ **5.** Cada una de las cuerdas que se colocan al través en el lomo de un libro para encuadernarlo. ‖ **6.** Género de prisión que usaban los antiguos, a modo de cepo, en que ataban al reo por los pies y el cuello con una cadena. ‖ **7.** fig. Fuerza y vigor. ‖ **8.** fig. Eficacia o vigor de la razón. ‖ **9.** *Arq.* Arco saliente en el intradós de una bóveda. ‖ **10.** *Mar.* Cabo firme en la cara alta de una verga, y al cual se asegura la relinga de grátil de una vela, por medio de unos cabos delgados llamados envergues. ‖ **ciático.** El más grueso del cuerpo, terminación del plexo sacro, que se distribuye en los músculos posteriores del muslo, en los de la pierna y en la piel de ésta y del pie. ‖ **de buey. Vergajo.** ‖ **maestro. Tendón,** 2.ª acep. ‖ **óptico.** *Zool.* El que desde el ojo transmite al cerebro las impresiones luminosas. ‖ **vago.** *Zool.* **Nervio** par que nace del bulbo de la medula espinal, desciende por las partes laterales del cuello, penetra en las cavidades del pecho y vientre, y termina en el estómago y plexo solar. Forma en su trayecto diversos plexos y da muchos ramos que se distribuyen por los órganos siguientes: faringe, esófago, laringe, tráquea, bronquios, corazón, estómago e hígado.

Nerviosamente. adv. m. Con excitación nerviosa.

Nerviosidad. (De *nervio.*) f. **Nervosidad.** ‖ **2.** Estado pasajero de excitación nerviosa.

Nerviosismo. m. **Nerviosidad,** 2.ª acep.

Nervioso, sa. adj. Que tiene nervios. ‖ **2.** Perteneciente o relativo a los nervios. ‖ **3.** Aplícase a la persona cuyos nervios se excitan fácilmente. ‖ **4.** fig. Fuerte y vigoroso. ‖ **5.** *Bot.* V. **Hoja nerviosa.** ‖ **6.** *Zool.* V. **Filete nervioso.** ‖ **7.** *Zool.* V. **Centros nerviosos.**

Nervosamente. adv. m. Con vigor, eficacia y actividad.

Nervosidad. (Del lat. *nervosĭtas, -ātis.*) f. Fuerza y actividad de los nervios. ‖ **2.** Propiedad que tienen algunos metales de textura fibrosa de dejarse doblar sin romperse ni agrietarse. ‖ **3.** fig. Fuerza y eficacia de las razones y argumentos.

Nervoso, sa. (Del lat. *nervōsus.*) adj. **Nervioso.**

Nervudo, da. adj. Que tiene fuertes y robustos nervios.

Nervura. f. Conjunto de las partes salientes que en el lomo de un libro forman los nervios o cuerdas que sirven para encuadernar.

Nescedad. f. ant. **Necedad.**

Nesciencia. (Del lat. *nescentia.*) f. Ignorancia, necedad, falta de ciencia.

Nesciente. (Del lat. *nesciens, -entis.*) adj. Que no sabe.

Nescientemente. adv. m. Ignorantemente. ‖ **2.** Sin saber.

Nescio, cia. (Del lat. *nescius.*) adj. ant. **Necio.** Usáb. t. c. s.

Nesga. (De *nesgar.*) f. Tira o pieza de lienzo o paño, cortada en figura triangular, la cual se añade o entreteje a las ropas o vestidos para darles vuelo o el ancho que necesitan. ‖ **2.** fig. Pieza de cualquier cosa, cortada o formada en figura triangular y unida con otras.

Nesgado, da. p. p. de **Nesgar.** ‖ **2.** adj. Que tiene nesgas.

Nesgar. (Del lat. **nexicāre,* de *nexāre,* unir.) tr. Cortar una tela en dirección oblicua a la de sus hilos.

Néspera. (Del lat. *mĕspĭla,* pl. n. de *mĕspĭlum.*) f. **Níspero,** 1.ª acep.

Néspilo. (Del lat. *mĕspĭlus* y *-um.*) m. ant. **Níspola.**

Nestóreo, a. adj. Propio del héroe griego Néstor, o relativo a él.

Nestorianismo. (De *nestoriano.*) m. Herejía del siglo v de la Iglesia, inventada por Nestorio, patriarca de Constantinopla, que profesaba la división de la unidad del Redentor en dos personas, separando en Él la naturaleza divina de la humana.

Nestoriano, na. (Del lat. *nestoriānus.*) adj. Partidario del nestorianismo. Apl. a pers., ú. t. c. s.

Netáceo, a. adj. **Gnetáceo.**

Netamente. adv. m. Con limpieza y distinción.

Netezuelo, la. m. y f. d. de **Nieto.**

Neto, ta. (Del lat. *nitĭdus.*) adj. Limpio y puro. ‖ **2.** Que resulta líquido en cuenta, después de comparar el cargo con la data; o en el precio, después de deducir los gastos. ‖ **3.** m. *Arq.* Pedestal de la columna, considerándolo desnudo de las molduras alta y baja. ‖ **En neto.** m. adv. En limpio, líquidamente.

Neuma. (Del gr. πνεῦμα, espíritu, soplo, aliento.) m. *Mús.* Signo que se empleaba para escribir la música antes del sistema actual. ‖ **2.** *Mús.* Grupo de notas de adorno con que solían concluir las composiciones musicales de canto llano y que se vocalizaba con sólo la última sílaba de la palabra final. Ú. m. en pl.

Neuma. (Del gr. νεῦμα, movimiento de cabeza.) amb. *Ret.* Declaración de lo que se siente o quiere, por medio de movimiento o señas, como cuando se inclina la cabeza para conceder, o se mueve de uno a otro lado para negar, o bien por medio de una interjección o de voces de sentido imperfecto.

Neumático, ca. (Del lat. *pneumatĭcus,* y éste del gr. πνευματικός, relativo a la respiración.) adj. *Fís.* Aplícase a varios aparatos destinados a operar con el aire. *Tubo* NEUMÁTICO. ‖ **2.** V. **Bomba, máquina neumática.** ‖ **3.** m. Llanta de caucho que se aplica a las ruedas de los automóviles, bicicletas, etc. Consta generalmente de un anillo tubular de goma elástica llamado cámara, que se llena de aire a presión, y de una cubierta de caucho vulcanizado muy resistente.

Neumococo. (Del gr. πνεύμων, pulmón, y κόκκος, grano.) m. *Med.* Microorganismo de forma lanceolada, que es el agente patógeno de ciertas pulmonías.

Neumoconiosis. (Del gr. πνεῦμα, aire, y κόνις, polvo.) f. *Med.* Género de enfermedades crónicas producidas por la infiltración en el aparato respiratorio del polvo de diversas substancias minerales, como el carbón, sílice, hierro y calcio. La padecen principalmente los mineros, canteros, picapedreros, etc.

Neumogástrico. (Del gr. πνεύμων, pulmón, y γαστήρ, vientre.) m. *Med.* Nervio que forma el décimo par craneal, llamado también vago. Se extiende desde el bulbo a las cavidades del tórax y el abdomen.

Neumonía. (Del gr. πνευμονία, de πνεύμων, pulmón.) f. *Med.* **Pulmonía.**

Neumónico, ca. (Del gr. πνευμονικός.) adj. *Med.* Perteneciente o relativo al pulmón. ‖ **2.** *Med.* Que padece neumonía. Ú. t. c. s.

Neumotórax. (Del gr. πνεῦμα, aire, y θώραξ, pecho.) m. *Med.* Enfermedad producida por la entrada del aire exterior o del aire pulmonar en la cavidad de la pleura. ‖ **artificial.** *Med.* El producido para fines terapéuticos mediante la inyección de aire u otro gas, con el fin de inmovilizar el pulmón.

Neuralgia. (Del gr. νεῦρον, nervio, y ἄλγος, dolor.) f. *Med.* Dolor continuo a lo largo de un nervio y de sus ramificaciones, por lo común sin fenómenos inflamatorios.

Neurálgico, ca. adj. *Med.* Perteneciente o relativo a la neuralgia.

Neurastenia. (Del gr. νεῦρον, nervio, y ἀσθένεια, debilidad.) f. *Med.* Conjunto de estados nerviosos, mal definidos, caracterizados por síntomas muy diversos, entre los que son constantes la tristeza, el cansancio, el temor y la emotividad.

Neurasténico, ca. adj. *Med.* Perteneciente o relativo a la neurastenia. ‖ **2.** *Med.* Que padece neurastenia. Ú. t. c. s.

Neurisma. f. **Aneurisma.**

Neurita. (Del gr. νεῦρον, nervio.) f. *Zool.* Prolongación filiforme que arranca de la célula nerviosa y después de dar ramas laterales en número variable, termina a mayor o menor distancia de la célula de que procede, generalmente formando una ramificación terminal más o menos abundante, que se pone en contacto con células musculares, glandulares, etc., o con el cuerpo de otra célula nerviosa.

Neuritis. (Del gr. νεῦρον, nervio, y el sufijo *itis,* inflamación.) f. *Med.* Inflamación de un nervio y de sus ramificaciones, generalmente acompañada de neuralgia, atrofia muscular y otros fenómenos patológicos.

Neuroepitelio. (Del gr. νεῦρον, nervio, y *epitelio.*) m. *Zool.* **Epitelio sensorial.**

Neuroesqueleto. (Del gr. νεῦρον, nervio, y σκελετός, seco). m. *Zool.* Esqueleto interno, formado por piezas óseas o cartilaginosas, de los animales vertebrados.

Neuroglia. (Del gr. νεῦρον, nervio, y γλία, liga.) f. *Zool.* Conjunto de células provistas de largas prolongaciones ramificadas, que están situadas entre las células y fibras nerviosas, tanto en la substancia gris como en la blanca, y que, al parecer, desempeñan una función trópica.

Neurología. (Del gr. νεῦρον, nervio, y λόγος, tratado.) f. Tratado del sistema nervioso, en su doble aspecto morfológico y fisiológico.

Neurólogo. (Del gr. νεῦρον, nervio, y λέγω, decir, tratar.) m. Médico u otra persona dedicados especialmente al estudio del sistema nervioso.

Neuroma. (Del gr. νεῦρον, nervio.) m. *Med.* Tumor más o menos voluminoso, circunscrito y acompañado de intenso dolor, que se forma en el espesor del tejido de los nervios.

Neurona. (Del gr. νεῦρον, nervio.) f. *Zool.* Célula nerviosa, que generalmente consta de un cuerpo de forma variable y provisto de diversas prolongaciones, una de las cuales, de aspecto filiforme y más larga que las demás, es la neurita.

Neurópata. (Del gr. νεῦρον, nervio, y πάθος, enfermedad.) com. Persona que padece enfermedades nerviosas, principalmente neurosis.

Neuróptero. (Del gr. νεῦρον, nervio, y πτερόν, ala.) adj. *Zool.* Dícese de insectos con metamorfosis complicadas, que tienen boca dispuesta para masticar, cabeza redonda, cuerpo prolongado y no muy consistente, y cuatro alas membranosas y reticulares; como la hormiga león. Ú. t. c. s. || **2.** m. pl. *Zool.* Orden de estos insectos.

Neurosis. (Del gr. νεῦρον, nervio.) f. *Med.* Conjunto de enfermedades cuyos síntomas indican un trastorno del sistema nervioso, sin que el examen anatómico descubra lesiones de dicho sistema.

Neurótico, ca. adj. *Med.* Que padece neurosis. Ú. t. c. s. || **2.** *Med.* Perteneciente o relativo a la neurosis.

Neurótomo. (Del gr. νεῦρον, nervio, y τέμνω, cortar.) m. Instrumento de dos cortes, largo y estrecho, que principalmente se usa para disecar los nervios.

Neutral. (Del lat. *neutrālis.*) adj. Que no es ni de uno ni de otro; que entre dos partes que contienden, permanece sin inclinarse a ninguna de ellas. Dícese de personas y cosas. Apl. a pers., ú. t. c. s. || **2.** Hablando de nación o Estado, que no toma parte en la guerra movida por otros y se acoge al sistema de obligaciones y derechos inherentes a tal actitud. Ú. t. c. s.

Neutralidad. f. Calidad de neutral.

Neutralización. f. Acción y efecto de neutralizar o neutralizarse.

Neutralizar. tr. Hacer neutral. Ú. t. c. r. || **2.** *Quím.* Hacer neutra una substancia o una disolución de ella. || **3.** fig. Debilitar el efecto de una causa, por la concurrencia de otra diferente u opuesta. Ú. t. c. r.

Neutro, tra. (Del lat. *neuter, neutra,* ni uno ni otro.) adj. V. **Abeja, línea, reacción neutra.** || **2.** *Gram.* V. **Género, verbo neutro.** || **3.** Indiferente en política o que se abstiene de intervenir en ella. *Masa* NEUTRA. || **4.** *Quím.* Dícese del compuesto que no tiene carácter ácido ni básico, y, por ext., del líquido en que está disuelto. || **5.** *Zool.* Aplícase a ciertos animales que no tienen sexo.

Neutrón. m. *Fís.* Elemento que forma parte de los átomos, salvo en el caso del hidrógeno ordinario. Su masa es ligeramente mayor que la del protón y carece de carga eléctrica.

Nevada. f. Acción y efecto de nevar. || **2.** Porción o cantidad de nieve que ha caído de una vez y sin interrupción sobre la tierra.

Nevadilla. (De *nevada,* por el aspecto de las brácteas.) f. *Bot.* Planta herbácea anual, de la familia de las cariofiláceas, con tallos tumbados, vellosos, de tres a cuatro decímetros de longitud; hojas elípticas, estrechas y puntiagudas; flores pequeñas, verdosas, en cabezuelas apretadas y ocultas por brácteas anchas, membranosas y plateadas, y fruto seco con una sola semilla de albumen harinoso. Abunda en los parajes áridos; el cocimiento de las flores, con sus brácteas, se suele emplear como refrescante, y toda la planta se ha usado en cataplasmas para curar los panadizos. || **2.** *Bot.* **Aladierna.**

Nevado, da. (Del lat. *nivātus.*) adj. Cubierto de nieve. || **2.** fig. Blanco como la nieve.

Nevar. (De *nieve.*) intr. Caer nieve. || **2.** tr. fig. Poner blanca una cosa, o dándole este color o esparciendo en ella cosas blancas.

Nevasca. f. **Nevada.** || **2. Ventisca.**

Nevatilla. f. **Aguzanieves.**

Nevazo. (De *nieve.*) m. **Nevada.**

Nevazón. f. *Argent., Chile* y *Ecuad.* Nevasca o temporal de nieve.

Nevera. (Del lat. *nivarĭa,* t. f. de *-rĭus,* nevero.) f. La que vende nieve. || **2.** Sitio en que se guarda o conserva nieve. || **3.** Armario revestido con una materia aisladora y provisto de un depósito de hielo para el enfriamiento o conservación de alimentos y bebidas. || **4.** fig. Pieza o habitación demasiadamente fría.

Nevereta. f. **Nevatilla.**

Nevería. f. Tienda donde se vende nieve o refrescos helados. || **2.** desus. **Botillería,** 1.ª acep.

Nevero. (Del lat. *nivarĭus.*) m. El que vende nieve o refrescos helados. || **2.** Paraje de las montañas elevadas, donde se conserva la nieve todo el año. || **3.** Esta misma nieve.

Nevisca. f. Nevada corta de copos menudos.

Neviscar. intr. Nevar ligeramente o en corta cantidad.

Nevoso, sa. (Del lat. *nivōsus.*) adj. Que frecuentemente tiene nieve. || **2.** Dícese también del temporal que está dispuesto para nevar.

Nexo. (Del lat. *nexus.*) m. Nudo, unión o vínculo de una cosa con otra.

Nexo. adv. neg. *Germ.* **No.**

Ni. (Del lat. *nic,* por *nec.*) conj. copulat. que enlaza vocablos o frases denotando negación, precedida o seguida de otra u otras. *No como* NI *duermo; nada hizo* NI *dejó hacer a los demás; nunca faltes a tu deber* NI *prefieras a la honra el provecho; a nadie quiso recibir,* NI *a sus más íntimos amigos;* NI *lo sé* NI *quiero saberlo;* NI *Juan* NI *Pedro* NI *Felipe te darán la razón.* || **2.** En cláusula que empieza con verbo precedido del adverbio *no* y en que hay que negar dos o más terminos, igualmente puede omitirse o expresarse delante del primero esta conjunción. *No descansa de día* NI *de noche; no descansa* NI *de día* NI *de noche.* Colocado el verbo al fin de cláusulas como ésta, necesariamente han de expresarse con la conjunción **ni** así la primera como las demás negaciones. NI *de día* NI *de noche descansa.* || **3.** Toma a veces el carácter de conjunción disyuntiva, equivalente a **o.** *¿Te hablé yo* NI *te vi?* || **4.** adv. neg. Y no. *Perdió el caudal y la honra;* NI *podía esperarse otra cosa de su conducta.* || **Ni bien.** m. adv. No del todo, en frases de sentido contrapuesto. NI BIEN *de corte,* NI BIEN *de aldea.* || **Ni que.** loc. que en algunas frases exclamativas y elípticas equivale a *como si.* ¡NI QUE *fuera yo tonto!*

Nía. (Por **henia,* del lat. *foenum,* heno.) f. *Burg.* y *Pal.* Manojo de mies cortada y tendida en el suelo para formar gavillas. Ú. m. en pl.

Nial. (De *nia.*) m. **Almiar.**

Niara. (De *nia.*) f. **Almiar.**

Niazo. (De *henazo.*) m. *Sal.* **Nial.**

Nicaragua. (Del Estado americano de este nombre.) f. *Bot.* **Balsamina,** 2.ª acep. Ú. m. en pl.

Nicaragüense. adj. **Nicaragüeño.** Apl. a pers., ú. t. c. s.

Nicaragüeño, ña. adj. Natural de Nicaragua. Ú. t. c. s. || **2.** Perteneciente a esta república de América.

Niceno, na. (Del lat. *nicaenus.*) adj. Natural de Nicea. Ú. t. c. s. || **2.** Perteneciente a esta antigua ciudad de Bitinia.

Nicerobino. (Del lat. *Nicĕros,* Nicerote, célebre confeccionador de perfumes.) adj. V. **Ungüento nicerobino.**

Nicle. (Del b. lat. *nichilus.*) m. Calcedonia con listas, unas más obscuras que las otras.

Nicociana. (Del fr. *nicotiane,* de Juan *Nicot,* que por primera vez introdujo esta planta en Francia en 1560.) f. **Tabaco,** 1.ª acep.

Nicomediense. (Del lat. *nicomediensis.*) adj. Natural de Nicomedia. Ú. t. c. s. || **2.** Perteneciente a esta antigua ciudad de Bitinia.

Nicótico, ca. (De *Nicot.*) adj. Referente al nicotismo.

Nicotina. (Del fr. *nicotine,* y éste de *Nicot.*) f. *Quím.* Alcaloide sin oxígeno, líquido, oleaginoso, incoloro, que se pone amarillo y después pardo obscuro en contacto con el aire, desprende vapores muy acres y se disuelve fácilmente en agua o alcohol. Se extrae del tabaco y es un veneno violento.

Nicotinismo. (De *nicotina.*) m. *Med.* **Nicotismo.**

Nicotismo. (De *Nicot.*) m. *Med.* Conjunto de trastornos morbosos causados por el abuso del tabaco.

Nictagináceo, a. (De *nictagíneo.*) adj. *Bot.* Dícese de hierbas y plantas leñosas angiospermas dicotiledóneas, casi todas originarias de países tropicales, con hojas generalmente opuestas, enteras y pecioladas, flores rodeadas en su base por un involucro de brácteas que a veces tienen colores vivos, y fruto indehiscente con una sola semilla de albumen amiláceo; como el dondiego. Ú. t. c. s. f. || **2.** f. pl. *Bot.* Familia de estas plantas.

Nictagíneo, a. (De *nyctago, -ĭnis,* nombre genérico del dondiego de noche, y éste del gr. νύξ, νυκτός, noche.) adj. *Bot.* **Nictagináceo.**

Nictálope. (Del lat. *nyctălops, -ōpis,* y éste del gr. νυκτάλωψ.) adj. Dícese de la persona o animal que ve mejor de noche que de día. Ú. t. c. s.

Nictalopía. (Del lat. *nyctalopĭa,* y éste del gr. νυκταλωπία.) f. Defecto del nictálope.

Nictitante. (Del lat. *nictitāre,* de *nictēre,* guiñar.) adj. *Zool.* V. **Membrana nictitante.**

Nicho. (Del fr. *niche.*) m. Concavidad en el espesor de un muro, generalmente en forma de semicilindro y terminada por un cuarto de esfera, para colocar dentro una estatua, un jarrón u otra cosa. || **2.** Por ext., cualquier concavidad formada para colocar una cosa; como en los cementerios o bóvedas un cadáver.

Nidada. f. Conjunto de los huevos puestos en el nido. || **2.** Conjunto de los pajarillos mientras están en el nido.

Nidal. (De *nido.*) m. Lugar señalado donde la gallina u otra ave doméstica va a poner sus huevos. || **2.** Huevo que se deja en un paraje señalado para que la gallina acuda a poner allí. || **3.** fig. Sitio o paraje donde uno acude con frecuencia y le sirve de acogida, o en donde reserva o esconde una cosa. || **4.** fig. Principio, fundamento o motivo de que suceda o prosiga una cosa.

Nidificar. (Del lat. *nidificāre;* de *nidus,* nido, y *facĕre,* hacer.) intr. Hacer nidos las aves.

Nidio, dia. (Del lat. *nitĭdus.*) adj. *Ast.* Resbaladizo escurridizo, compacto. || **2.** *Sal.* Limpio, terso, liso.

Nido. (Del lat. *nīdus.*) m. Especie de lecho que forman las aves con hierbecillas, pajas, plumas u otros materiales blandos, para poner sus huevos y criar los pollos. Unas utilizan con tal fin los agujeros de las peñas, ribazos, troncos o edificios; otras lo construyen de ramas, o de barro, o de substancias gelatinosas, dándole forma cóncava, y lo suspenden de los árboles, de las rocas o de las paredes, y algunas prefieren el suelo sin otro abrigo que la hierba y el polvo. || **2.** Por ext., cavidad, agujero o conjunto de celdillas donde procrean diversos animales. || **3. Nidal,** 1.ª, 3.ª y 4.ª aceps. || **4.** fig. Casa, patria o habitación de uno. *El patrio* NIDO. || **5.** fig. Lugar donde se juntan gentes de mala conducta y se acaban de pervertir unos con otros. *Esa casa es un* NIDO *de bribones y de pícaros.* || **6.** fig. Lugar originario de ciertas cosas inmateriales. NIDO *de herejías, de discordias, de difamaciones,* etc. || **de urraca.** *Fort.* Trinchera circular muy reducida, que construye el sitiador de una plaza al extremo de los aproches, para adelantar y proteger sus trabajos. || **En los nidos de antaño no hay pájaros hogaño.** ref. alusivo a la instabilidad de las cosas terrenas. || **No hallar nidos donde se piensa hallar pájaros.** ref. con que se explica haber salido enteramente vanas las esperanzas de lo que se pretendía o se buscaba.

Nidrio, dria. adj. *Ál.* Lívido, cárdeno, hablando de contusiones.

Niebla. (Del lat. *nĕbŭla.*) f. Nube en contacto con la Tierra y que obscurece más o menos la atmósfera. || **2. Nube,** 6.ª acep. || **3. Añublo.** || **4.** fig. Confusión y obscuridad que no deja percibir y apreciar debidamente las cosas o negocios. || **5.** fig. Munición, para armas de caza, consistente en perdigones menudísimos. || **6.** *Germ.* **Madrugada,** 1.ª acep. || **7.** *Med.* Grumos que en ciertas enfermedades suele formar la orina después de fría y en reposo. || **meona.** Aquella de la cual se desprenden gotas menudas que no llegan a ser llovizna.

Niego. (Del ant. y vulg. *nío,* y éste del lat. *nīdus.*) adj. V. **Halcón niego.**

Niel. (Del lat. *nigellus,* d. de *niger,* negro.) m. Labor en hueco sobre metales preciosos, rellena con un esmalte negro hecho de plata y plomo fundidos con azufre.

Nielado, da. p. p. de **Nielar.** || **2.** m. Acción y efecto de nielar.

Nielar. tr. Adornar con nieles.

Niervo. (Del lat. *nĕrvus.*) m. desus. **Nervio.** Hoy es un vulgarismo.

Niéspera. (Del lat. *mĕspĭlus.*) f. **Níspola.**

Niéspola. (Del lat. *mĕspĭlus.*) f. *Ar.* **Níspola.**

Nietastro, tra. m. y f. Respecto de una persona, hijo o hija de su hijastro o de su hijastra.

Nietecito, ta. m. y f. d. de **Nieto, ta.**

Nietezuelo, la. m. y f. d. de **Nieto, ta.**

Nieto, ta. (*Nieta,* del lat. *nĕptis,* y *nieto,* de *nieta.*) m. y f. Respecto de una persona, hijo o hija de su hijo o de su hija. || **2.** Por ext., descendiente de una línea en las terceras, cuartas y demás generaciones. Ú. t. con los adjetivos *segundo, tercero,* etc.

Nietro. m. *Ar.* Medida para vino, de 16 cántaros, que en la provincia de Huesca equivale a 159 litros y 68 centilitros.

Nieve. (Del lat. *nix, nivis.*) f. Agua helada que se desprende de las nubes en cristales sumamente pequeños, los cuales, agrupándose al caer, llegan al suelo en copos blancos. || **2.** Temporal en que nieva mucho. Ú. comúnmente en pl. *En tiempo de* NIEVES. || **3.** V. **Avecilla, pajarita de las nieves.** || **4.** V. **Agua, bola, pozo de nieve.** || **5.** V. **Agua nieve.** || **6.** ant. **Nevada.** || **7.** fig. Suma blancura de cualquier cosa. Ú. frecuentemente en poesía.

Nigola. f. *Mar.* **Flechaste.**

Nigromancia [∼ **mancía**]. (Del lat. *necromantīa,* y éste del gr. νεκρομαντεία; de νεκρός, muerto, y μαντεία, adivinación.) f. Arte vano y supersticioso de adivinar lo futuro evocando a los muertos. || **2.** fam. Magia negra o diabólica.

Nigromante. (Del gr. νεκρόμαντις.) m. El que ejerce la nigromancia.

Nigromántico, ca. adj. Perteneciente a la nigromancia. || **2.** m. **Nigromante.**

Nigua. (Voz caribe.) f. *Zool.* Insecto díptero originario de América y muy extendido también en África, del suborden de los afanípteros, parecido a la pulga, pero mucho más pequeño y de trompa más larga. Las hembras fecundadas penetran bajo la piel de los animales y del hombre, principalmente en los pies, y allí depositan la cría, que ocasiona mucha picazón y úlceras graves.

Nihilismo. (Del lat. *nihil,* nada.) m. *Fil.* Negación de toda creencia. || **2.** Negación de todo principio religioso, político y social.

Nihilista. adj. Que profesa el nihilismo. Ú. t. c. s. || **2.** Perteneciente al nihilismo.

Nilad. (Voz tagala.) m. Arbusto de Filipinas, de la familia de las rubiáceas, con tallos ramosos de unos dos metros de altura; hojas aovadas, opuestas, gruesas, enteras y lampiñas; flores blancas, axilares, en ramilletes poco apretados, y fruto en drupa elipsoidal del tamaño de un guisante, coronada por el cáliz y con dos semillas. Abunda en los contornos de la ciudad de Manila, nombre que significa terreno poblado de este arbusto.

Nimbar. tr. Circuir de nimbo o aureola una figura o imagen.

Nimbo. (Del lat. *nimbus.*) m. **Aureola,** 1.ª acep. || **2.** *Meteor.* Capa de nubes formada por cúmulos tan confundidos, que presenta un aspecto casi uniforme. || **3.** *Numism.* Círculo que en ciertas medallas, y particularmente en las del Bajo Imperio, rodea la cabeza de algunos emperadores.

Nimiamente. adv. m. Con nimiedad. || **2.** Con poquedad o cortedad.

Nimiedad. (Del lat. *nimiĕtas, -ātis.*) f. Exceso, demasía. || **2.** Prolijidad, minuciosidad. || **3.** Pequeñez, insignificancia.

Nimio, mia. (Del lat. *nimĭus.*) adj. **Excesivo.** || **2.** Prolijo, minucioso. || **3. Insignificante.**

Nin. conj. ant. **Ni.**

Ninfa. (Del lat. *nympha,* y éste del gr. νύμφη.) f. *Mit.* Cualquiera de las fabulosas deidades de las aguas, bosques, selvas, etc., llamadas con varios nombres, como dríada, nereida, etc. || **2.** fig. Joven hermosa. Tómase a veces en mala parte. || **3.** *Zool.* Insecto que ha pasado ya del estado de larva y prepara su última metamorfosis. En algunos casos la **ninfa** es móvil y parecida al insecto perfecto, pero en los más permanece quieta dentro de una envoltura. Las **ninfas** de los lepidópteros o mariposas se llaman *crisálidas.* || **4.** pl. Labios pequeños de la vulva. || **Ninfa Egeria.** fig. Consejero o director de una persona, a quien impulsa de manera sigilosa o poco ostensible. Dícese por alusión a la **ninfa** que se supone inspiraba a Numa Pompilio sus resoluciones.

Ninfea. (Del lat. *nymphaea,* y éste del gr. νυμφαία.) m. **Nenúfar.**

Ninfeáceo, a. (De *ninfea.*) adj. *Bot.* Dícese de plantas angiospermas dicotiledóneas, acuáticas, de rizoma rastrero y carnoso; hojas flotantes, grandes y de pedúnculo largo; flores regulares, terminales, con muchos pétalos en series concéntricas, de colores brillantes y fruto globoso; como el nenúfar y el loto. Ú. t. c. s. || **2.** f. pl. *Bot.* Familia de estas plantas.

Ninfo. (De *ninfa.*) m. fig. y fam. **Narciso,** 2.° art.

Ninfomanía. (De *ninfa* y *manía.*) f. *Med.* **Furor uterino.**

Ningún. adj. Apócope de **Ninguno.** No se emplea sino antepuesto a nombres masculinos. NINGÚN *hombre;* NINGÚN *tiempo.*

Ninguno, na. (Del lat. *nec unus,* ni uno.) adj. Ni uno solo. || **2.** pron. indet. Nulo y sin valor. || **3. Nadie,** 1.ª acep. *No ha venido* NINGUNO. || **4.** V. **Bienes de ninguno.**

Ninivita. (Del lat. *ninivīta.*) adj. Natural de Nínive. Ú. t. c. s. || **2.** Perteneciente a esta ciudad de Asia antigua.

Niña. (De la voz infantil *ninna.*) f. **Pupila,** 3.ª acep. Dícese generalmente **niña del ojo.** || **Niñas de los ojos.** fig. y fam. Persona o cosa del mayor cariño o aprecio de uno. || **Saltársele** a uno **las niñas de los ojos.** fr. fig. **Saltársele los ojos.** || **Sobre las niñas de los ojos.** loc. fig. **Sobre los ojos.** || **Tocar** a uno **en las niñas de los ojos.** fr. fig. Sentir por extremo la pérdida o el daño que sucede a aquello que se ama o estima mucho.

Niñada. f. Hecho o dicho impropio de la edad varonil, y semejante a lo que suelen ejecutar los niños, que no tienen advertencia ni reflexión.

Niñato. m. Becerrillo que se halla en el vientre de la vaca cuando la matan estando preñada.

Niñear. intr. Ejecutar niñadas o portarse uno como si fuera niño.

Niñera. f. Criada destinada a cuidar niños.

Niñería. f. Acción de niños o propia de ellos. Dícese regularmente de sus divertimientos y juegos. || **2.** Poquedad o cortedad de las cosas, que las hace poco estimadas de los hombres. || **3.** fig. Hecho o dicho de poca entidad o substancia.

Niñero, ra. adj. Que gusta de niños o de niñerías.

Niñeta. f. **Niña del ojo.**

Niñez. (De *niño.*) f. Período de la vida humana, que se extiende desde el nacimiento hasta la adolescencia. || **2.** fig. Principio o primer tiempo de cualquier cosa. || **3.** fig. **Niñería,** 1.ª acep. Ú. m. en pl.

Niño, ña. (De *niña.*) adj. Que se halla en la niñez. Ú. t. c. s. || **2.** Por ext., que tiene pocos años. Ú. t. c. s. || **3.** V. **Pájaro niño.** || **4.** fig. Que tiene poca experiencia. Ú. t. c. s. || **5.** fig. En sent. despect., que obra con poca reflexión y advertencia. Ú. t. c. s. || **6.** V. **Juego, madre, maestro de niños.** || **7.** V. **Limbo de los niños.** || **8.** m. y f. *And.* Persona soltera, aunque tenga muchos años. || **9.** *Cuba.* Tratamiento que los negros y mulatos daban a sus amos, y en general a todo blanco. || **Niño bitongo.** fam. **Niño zangolotino.** || **de coro.** El que en las catedrales canta con otros en los oficios divinos. || **de la bola.** Por antonom., el **Niño** Jesús, aludiendo al mundo, puesto en su mano o debajo de sus pies, con que representan su imagen. || **2.** fig. y fam. El que es afortunado. || **de la doctrina. Doctrino.** || **de la piedra. Expósito.** || **de la rollona.** El que siendo ya de edad, tiene propiedades y modales de **niño.** || **de teta.** El que aún está en la lactancia. || **2.** fig. y fam. El que es muy inferior en alguna de sus cualidades. || **Jesús.** Simulacro o imagen que representa a Cristo en la edad de **niño;** y también se usa de esta expresión considerándole en dicha edad. || **zangolotino.** fam. Muchacho que quiere o a quien se quiere hacer pasar por **niño.** || **A anda, niño.** loc. adv. Manera de transportar a una distancia corta un sillar, un mueble pesado u otro objeto análogo, y consiste en inclinarlo ligeramente ora a un lado, ora al opuesto, y hacerle girar cada vez sobre la parte que se apoya en el suelo. || **Al niño y al mulo, en el culo.** ref. que enseña que el castigo se debe ejecutar del modo y con la cautela de que sea escarmiento y no daño. || **Ara con niños, segarás cadillos.** ref. que advierte la necesidad que hay de servirse de gente hábil y experta en cualquier negocio, especialmente en la labranza, para coger buen fruto. || **Como niño con zapatos nuevos.** expr. fig. y fam. que se dice de la persona que por algo que acaba de obtener o lograr se muestra muy satisfecha y regocijada. || **Desde niño.** m. adv. Desde el tiempo de la niñez. || **Dicen los niños en el solejar lo que oyen a sus padres en el hogar.** ref. que enseña el cuidado y cautela que deben observar los padres delante de los hijos en acciones y palabras; porque éstos las aprenden incautamente, y las dicen y usan sin reparo ni reflexión. || **¿Dónde perdió la niña su honor? — Donde habló mal y oyó peor.** ref. que aconseja el gran recato con que se debe hablar, para no dar motivo a oir lo que no es razón. || **Los niños, de pequeños; que no hay cas-**

tigo después para ellos. ref. que enseña que se deben corregir y castigar las malas inclinaciones que suelen mostrar los **niños;** porque con la edad se hacen incorregibles o es difícil el castigo. ‖ **Los niños y los locos dicen las verdades.** ref. que advierte que la verdad se halla frecuentemente en las personas que no son capaces de reflexión, de artificio ni disimulo. ‖ **Ni al niño el bollo, ni al santo el voto.** ref. que enseña que se debe cumplir todo lo que se promete. ‖ **¿Qué niño envuelto, o muerto?** expr. fig. y fam. **¿Qué alforja?** ‖ **Quien con niños se acuesta, cagado amanece.** ref. que enseña que quien fía el manejo de los negocios a personas ineptas y de poco seso, se verá después chasqueado. ‖ **Si el niño llorare, acállelo su madre; y si no quiere callar, déjelo llorar.** ref. que aconseja que cada uno cumpla con lo que le toca y hasta donde alcancen sus medios, sin cuidarse de lo demás. ‖ **Si eres niño y has amor, ¿qué harás cuando mayor?** ref. con que se da a entender que si no se corrigen las inclinaciones que se advierten en los **niños,** después crecen y se aumentan con la edad y se hace difícil la enmienda.

Niobio. (De *Niobe*, hija de Tántalo.) m. Metal pulverulento de color gris, que se asemeja al tantalio y le acompaña en ciertos minerales. Es sumamente raro.

Nioto. m. **Cazón,** 1.er art.

Nipa. (Del malayo *nipah*.) f. Planta de la familia de las palmas, de unos tres metros de altura, con tronco recto y nudoso; hojas casi circulares, de un metro próximamente de diámetro, partidas en lacinias ensiformes reunidas por los ápices; flores verdosas, separadas las masculinas de las femeninas, pero todas en un mismo pedúnculo, y fruto en drupa aovada, de corteza negruzca, dura por fuera y estoposa por dentro, que cubre una nuez muy consistente. Abunda en las marismas de las islas de la Oceanía intertropical; de ella se saca la tuba y de sus hojas se hacen tejidos ordinarios y muy especialmente techumbres para las barracas o casas de caña y tabla de los indígenas. ‖ **2.** Hoja de este árbol. ‖ **3.** V. **Vino de nipa.**

Nipis. (Voz tagala.) m. Tela fina casi transparente y de color amarillento, que tejen en Filipinas con las fibras más tenues sacadas de los pecíolos de las hojas del abacá.

Nipón, na. adj. **Japonés.** Apl. a pers., ú. t. c. s.

Nipos. m. pl. *Germ.* **Dinero,** 1.ª y 3.ª aceps.

Níquel. (Del al. *nickel*, genio de las minas.) m. Metal de color y brillo semejantes a los de la plata, muy duro, magnético, algo más pesado que el hierro, difícil de fundir y de oxidar, pero fácil de forjar y laminar. Combinado con otros cuerpos, forma parte de diversos minerales; entra en las aleaciones llamadas metal blanco, se emplea en algunos países para fabricar moneda que substituye a la de bronce, y sirve principalmente para cubrir metales y preservarlos de la oxidación. ‖ **2.** *Urug.* **Dinero.**

Niquelado, da. p. p. de **Niquelar.** ‖ **2.** m. Acción y efecto de niquelar.

Niquelador. m. El que tiene por oficio niquelar.

Niqueladura. f. **Niquelado.**

Niquelar. tr. Cubrir con un baño de níquel otro metal.

Niquelina. f. Arseniato natural de níquel rojo.

Niquiscocio. (despect. de *negocio*.) m. fam. Negocio de poca importancia, o cosa despreciable que se trae frecuentemente entre manos.

Niquitoso, sa. adj. *Ar.* Dengoso, minucioso.

Nirvana. (Voz sánscrita.) m. En el budismo, bienaventuranza obtenida por la absorción e incorporación del individuo en la esencia divina.

Níscalo. m. **Mízcalo.**

Niscome. m. *Méj.* Olla en que se cuece el maíz dispuesto para tortilla.

Níspero. (De *niéspera*.) m. Árbol de la familia de las rosáceas, de unos tres metros de altura, con tronco tortuoso, delgado y de ramas abiertas y algo espinosas; hojas pecioladas, grandes, elípticas, duras, enteras o dentadas en la mitad superior, verdes por la haz y lanuginosas por el envés; flores blancas, axilares y casi sentadas, y por fruto la níspola. Es espontáneo, pero también se le cultiva. ‖ **2. Níspola.** ‖ **3.** *Amér.* **Chico zapote.** ‖ **del Japón.** Arbusto siempre verde, de la familia de las rosáceas, de uno a dos metros de altura, con hojas ovales, puntiagudas y vellosas por el envés; flores blancas con olor de almendra, y fruto amarillento, casi esférico, de unos tres centímetros de diámetro, con semillas muy gruesas y de sabor agridulce. Originario del Japón, se cultiva en los jardines y fructifica en el levante y mediodía de España. ‖ **espinoso,** o **silvestre. Espino,** 2.ª acep. ‖ **No mondar** uno **nísperos.** fr. fig. y fam. No ser ajeno a la materia de que se trata, o no estar ocioso en determinada ocasión.

Níspola. (De *niéspola*.) f. Fruto del níspero. Es aovado, amarillento, rojizo, de unos tres centímetros de diámetro, coronado por las lacinias del cáliz, duro y acerbo cuando se desprende del árbol; blando, pulposo, dulce y comestible cuando está pasado.

Nispolero. m. *Murc.* **Níspero.**

Nitidez. f. Calidad de nítido.

Nítido, da. (Del lat. *nitĭdus*.) adj. Limpio, terso, claro, puro, resplandeciente. Ú. m. en poesía.

Nito. m. Helecho que se cría en Filipinas, de tallo casi voluble y hojas que nacen sobre un pezoncito, todas ladeadas y divididas en dos. De los pecíolos se saca el filamento que sirve para fabricar sombreros y petacas. ‖ **2.** pl. fam. Ú. como respuesta para ocultar lo que se come o se lleva, cuando alguno con curiosidad lo pregunta.

Nitor. (Del lat. *nitor*.) m. **Nitidez.**

Nitral. m. Criadero de nitro.

Nitrato. (De *nitro*.) m. *Quím.* Compuesto derivado de la combinación del ácido nítrico con un radical.

Nitrería. f. Sitio o lugar donde se recoge y beneficia el nitro.

Nítrico, ca. adj. Perteneciente o relativo al nitro o al nitrógeno. ‖ **2.** *Quím.* V. **Ácido nítrico.** ‖ **3.** *Quím.* V. **Celulosa nítrica.**

Nitrito. m. *Quím.* Sal formada por la combinación del ácido nitroso con una base.

Nitro. (Del lat. *nitrum*, y éste del gr. νίτρον.) m. Nitrato potásico que se encuentra en forma de agujas o de polvillo blanquecino en la superficie de los terrenos húmedos y salados. Cristaliza en prismas casi transparentes, es de sabor fresco un poco amargo, y echado al fuego deflagra con violencia. ‖ **2.** V. **Espuma de nitro.** ‖ **cúbico.** Sal semejante al **nitro,** pero en que la potasa está reemplazada por el sodio y que cristaliza en romboedros casi cúbicos.

Nitrobencina. f. *Quím.* Cuerpo resultante de la combinación del ácido nítrico con la bencina.

Nitrocelulosa. f. Pólvora lenta que se obtiene sometiendo el algodón purificado a la acción de una determinada mezcla de ácidos sulfúrico y nítrico.

Nitrogenado, da. (De *nitrógeno*.) adj. Que contiene nitrógeno.

Nitrógeno. (Del gr. νίτρον, nitro, y γεννάω, engendrar.) m. Metaloide gaseoso, incoloro, transparente, insípido e inodoro, que no sirve para la respiración ni la combustión y que constituye próximamente las cuatro quintas partes del aire atmosférico. Es elemento fundamental en la composición de los seres vivos.

Nitroglicerina. f. Líquido aceitoso, inodoro, más pesado que el agua, que resulta de la acción del ácido nítrico sobre la glicerina. Es un explosivo potente y muy inestable. Mezclado con un cuerpo absorbente, forma la dinamita.

Nitrosidad. f. Calidad de nitroso.

Nitroso, sa. (Del lat. *nitrōsus*.) adj. Que tiene nitro o se le parece en alguna de sus propiedades. ‖ **2.** *Quím.* Dícese en general de los compuestos oxidados del nitrógeno en grado inferior al ácido nítrico.

Nivel. (Del prov. *nivel*, *livel*, y éste del lat. **lībellus* por *lībella*, libra.) m. Instrumento para averiguar la diferencia de altura entre dos puntos o comprobar si tienen la misma. ‖ **2. Horizontalidad.** ‖ **3.** Altura a que llega la superficie de un líquido. *El* NIVEL *de la pleamar, de la riada.* ‖ **4.** V. **Paso a nivel.** ‖ **5.** fig. Altura que una cosa alcanza, o a que está colocada. ‖ **6.** fig. Igualdad o equivalencia en cualquier línea o especie. ‖ **7.** *Arq.* V. **Arco a nivel.** ‖ **8.** *Topogr.* V. **Curva, plano de nivel.** ‖ **de agua.** Tubo de latón u hojalata, montado sobre un trípode y con unos encajes en sus extremidades, donde se aseguran otros dos tubos de cristal. Echando agua en el tubo hasta que el líquido sube por los de cristal, la altura que toma en éstos determina un plano de **nivel.** ‖ **de aire.** Regla metálica que lleva encima un tubo de cristal, cerrado por ambas extremidades, con la superficie interior ligeramente arqueada, y casi lleno de un líquido. Cuando la burbuja de aire que queda dentro se detiene entre dos rayas señaladas en el tubo, la regla está horizontal, y si el instrumento se monta sobre un trípode, añadiéndole pínulas o un anteojo, sirve para nivelaciones topográficas. ‖ **de albañil.** Triángulo rectángulo isósceles con los dos catetos prolongados igualmente, hecho con tres listones de madera o metal, y con una plomada pendiente del vértice opuesto a la hipotenusa, por cuyo punto medio pasa precisamente el hilo de aquélla cuando el instrumento se coloca apoyado sobre un plano horizontal. ‖ **A nivel.** m. adv. En un plano horizontal. ‖ **2. A cordel.** ‖ **Estar a un nivel.** fr. fig. Haber entre dos o más cosas o personas perfecta igualdad en algún concepto.

Nivelación. f. Acción y efecto de nivelar.

Nivelador, ra. adj. Que nivela. Ú. t. c. s.

Nivelar. tr. Echar el nivel para reconocer si existe o falta la horizontalidad. ‖ **2.** Poner un plano en la posición horizontal justa. ‖ **3.** Por ext., poner a igual altura dos o más cosas materiales. ‖ **4.** fig. Igualar una cosa con otra material o inmaterial. Ú. t. c. r. ‖ **5.** *Topogr.* Hallar la diferencia de altura entre dos puntos de un terreno.

Níveo, a. (Del lat. *nivĕus*.) adj. poét. De nieve o semejante a ella.

Nivoso, sa. (Del lat. *nivōsus*.) adj. **Nevoso,** 1.ª acep. ‖ **2.** m. Cuarto mes del calendario republicano francés, cuyos días primero y último coincidían, respectivamente, con el 21 de diciembre y el 19 de enero.

Nizardo, da. adj. Natural de Niza. Ú. t. c. s. ‖ **2.** Perteneciente a esta ciudad de Francia.

No. (Del lat. *non*.) adv. neg. que con este sentido se emplea principalmente respondiendo a pregunta. ‖ **2.** En sentido interrogativo, suele emplearse como reclamando o pidiendo contestación afirmativa. ¿NO *me obedeces?; ¿*NO *querrás al fin cambiar de vida para bien tuyo y mío?* || **3.** Antecede al verbo a que sigue el adverbio *nada* u otro vocablo que expresa negación. *Eso* NO *vale nada;* NO *ha venido nadie.* || **4.** Ú. a veces solamente para avivar la afirmación de la frase a que pertenece, haciendo que la atención se fije en una idea contrapuesta a otra. *Más vale ayunar que* NO *enfermar; él lo podrá decir mejor que* NO *yo;* cláusulas cuyo sentido no se alteraría omitiendo este adverbio. || **5.** En frases en que va seguido de la preposición *sin*, forma con ella sentido afirmativo. *Sirvió,* NO *sin gloria, en la última guerra;* NO *lo dijo sin intención;* esto es, *sirvió con gloria; lo dijo con intención.* || **6.** Ú. repetido para dar más fuerza a la negación. NO, NO *lo haré;* NO *lo haré,* NO. || **7.** En algunos casos toma carácter de substantivo. *Nunca hubo entre nosotros un sí ni un* NO. || **¿A que no?** fr. Especie de reto que se dirige a uno, en sentido de que no puede contradecir a otro. || **No bien.** m. adv. Tan luego como. NO BIEN *amanezca;* NO BIEN *hubo cerrado la noche.* || **No más.** expr. **Solamente.** *Me dio cincuenta pesetas* NO MÁS. || **2.** Equivale a **basta** de en giros elípticos. NO MÁS *rogar inútilmente.* || **3. No menos.** NO MÁS *que por corresponder a tales beneficios;* es igual a NO MENOS, etc. || **No menos.** expr. con que se pondera o exagera que alguna cosa conviene con otra. || **No, que no.** loc. que se usa para afirmar o asegurar lo que se dice y de que se duda, valiéndose para ello de la negación contrapuesta irónicamente. || **No, sino.** loc. con que se da a entender que se tiene por mejor o por más cierto aquello de que se trata, que su contrario o su contradictorio. NO, SINO *pónganme el dedo en la boca.* || **No, sino, no.** loc. **No, que no.** || **No tal.** expr. fam. con que se esfuerza la negación. || **No ya.** m. adv. No solamente. || **¿Pues no?** Modo de hablar con que se contradice o deshace la duda o sentir contrario, acerca de la determinación que se tiene hecha o la opinión en que se está.

Nobiliario, ria. (Del lat. *nobĭlis*, noble.) adj. Perteneciente o relativo a la nobleza. || **2.** Aplícase al libro que trata de la nobleza y genealogía de las familias. Ú. t. c. s.

Nobilísimamente. adv. sup. Con suma nobleza.

Nobilísimo, ma. (Del lat. *nobilissĭmus.*) adj. sup. de **Noble.**

Noble. (Del lat. *nobĭlis*, contracc. de *noscibĭlis*, de *noscĕre*, conocer.) adj. Preclaro, ilustre, generoso. || **2.** Principal en cualquier línea; excelente o aventajado en ella. || **3.** Dícese en sentido restricto de la persona que por su ilustre nacimiento o por gracia del príncipe usa algún título del reino; y por ext., de sus parientes. Ú. t. c. s. || **4.** Aplicado a lo irracional e insensible, singular o particular en su especie, o que se aventaja a los demás individuos de ella. || **5.** Honroso, estimable, como contrapuesto a deshonrado y vil. || **6.** Título de honor que daba el rey de Aragón, como el de duque o marqués, subrogado desde el año 1390 al título de ricohombre. || **7.** V. **Arte, granate, ópalo noble.** || **8.** m. Moneda de oro que se usó en España, dos quilates más fina que el escudo. || **veneciano.** Título de honor con que en la república de Venecia se distinguieron los descendientes de las 16 familias que dieron principio a su aristocrático gobierno.

Noblecer. (De *noble.*) tr. ant. **Ennoblecer.**

Noblemente. adv. m. Con nobleza.

Nobleza. f. Calidad de noble. || **2.** Conjunto o cuerpo de los nobles de un Estado o de una región. || **3.** V. **Brazo de la nobleza.** || **4.** Tela de seda, especie de damasco sin labores.

Noblote, ta. adj. Que procede con nobleza.

Noca. (Del lat. **nauca*, de **navĭca*, *navicŭla.*) f. Crustáceo marino, parecido a la centolla; pero de carapacho liso, fuerte, muy convexo, elíptico, y de unos 25 centímetros de ancho. Es comestible y vive en las costas de España.

Noceda. f. **Nogueral.**

Nocedal. (Del lat. *nucētum.*) m. **Nogueral.**

Nocente. (Del lat. *nocens, -entis.*) adj. Que daña. || **2. Culpado,** 2.ª acep. Ú. t. c. s.

Nocible. (Del lat. *nocibĭlis.*) adj. **Nocivo.**

Nocimiento. (De *nocir.*) m. ant. Daño o perjuicio.

Noción. (Del lat. *notĭo, -ōnis.*) f. Conocimiento o idea que se tiene de una cosa. Ú. en teología para explicar el misterio de la Santísima Trinidad y la distinción de personas. || **2.** Conocimiento elemental. Ú. m. en pl.

Nocional. adj. *Teol.* Perteneciente a la noción.

Nocir. (Del lat. *nocēre.*) tr. ant. Dañar, ofender o perjudicar.

Nocividad. f. Cualidad de dañoso o nocivo.

Nocivo, va. (Del lat. *nocīvus.*) adj. Dañoso, pernicioso, perjudicial u ofensivo.

Nocla. (Del lat. *naucŭla*, por *navicŭla*, navecilla.) f. **Noca.**

Noctambular. intr. Andar vagando de noche.

Noctambulismo. (De *noctámbulo.*) m. Cualidad de noctámbulo.

Noctámbulo, la. (Del lat. *nox, nŏctis*, noche, y *ambulāre*, andar.) adj. **Noctívago.**

Noctiluca. (Del lat. *noctilūca;* de *nox, nŏctis*, noche, y *lucēre*, lucir.) f. **Luciérnaga.** || **2.** *Zool.* Protozoo flagelado, marino, de cuerpo voluminoso y esférico y con un solo flagelo, cuyo protoplasma contiene numerosas gotitas de grasa que al oxidarse producen fosforescencia. A la presencia de este flagelado se debe frecuentemente la luminosidad que se observa en las aguas del mar durante la noche.

Noctívago, ga. (Del lat. *noctivăgus.*) adj. poét. Que anda vagando durante la noche. Ú. t. c. s.

Nocturnal. (Del lat. *nocturnālis.*) adj. **Nocturno.**

Nocturnancia. (De *nocturno.*) f. ant. Tiempo de la noche muy entrada, que es desde las nueve a las doce.

Nocturnidad. (De *nocturno.*) f. *For.* Circunstancia agravante de responsabilidad, resultante de ejecutarse de noche ciertos delitos.

Nocturnino, na. adj. p. us. **Nocturno.**

Nocturno, na. (Del lat. *nocturnus.*) adj. Perteneciente a la noche, o que se hace en ella. || **2.** fig. Que anda siempre solo, melancólico y triste. || **3.** *Bot.* y *Zool.* Aplícase a los animales que de día están ocultos y buscan el alimento durante la noche, y a las plantas que sólo de noche tienen abiertas sus flores. || **4.** m. Cada una de las tres partes del oficio de maitines, compuesta de antífonas, salmos y lecciones. || **5.** *Mús.* Pieza de música vocal o instrumental, de melodía dulce, propia para recordar los sentimientos apacibles de una noche tranquila. || **6.** *Mús.* Serenata en que se cantan o tocan composiciones de carácter sentimental.

Nocharniego, ga. adj. ant. **Nocherniego.**

Noche. (Del lat. *nox, nŏctis.*) f. Tiempo en que falta sobre el horizonte la claridad del Sol. || **2.** Tiempo que hace durante la **noche** o gran parte de ella. NOCHE *lluviosa, cubierta, despejada.* || **3.** V. **Alcalde, anteojo, dama, dondiego, mesa, papagayo, saco de noche.** || **4.** fig. Confusión, obscuridad o tristeza en cualquiera línea, por ser éstos los efectos de la **noche.** || **5.** *Germ.* Sentencia de muerte. || **buena. Nochebuena.** || **de verbena. Verbena,** 2.ª acep. || **intempesta.** poét. **Noche** muy entrada. || **toledana.** fig. y fam. La que uno pasa sin dormir. || **vieja.** fam. La última del año. || **Buena,** o **mala, noche.** Además del sentido recto, se llama así a la que se ha pasado con diversión, con quietud, descanso y sosiego; o al contrario, con desvelo, inquietud o desazón. || **Media noche. Medianoche,** 1.ª acep. || **2.** V. **Hilo de media noche.** || **Primera noche.** Horas primeras de la **noche.** || **A buenas noches.** m. adv. fig. y fam. **A obscuras.** Ú. con los verbos *estar, dejar* y *quedarse.* || **A la noche, chichirimoche, y a la mañana, chichirinada.** ref. que reprende la informalidad de los que a cada momento mudan de propósito. || **A prima noche.** m. adv. A primera **noche.** || **Ayer noche.** m. adv. **Anoche.** || **Buenas noches.** expr. fam. que se emplea como salutación y despedida durante la **noche** o al irse a acostar. || **Buenas noches, cuarta.** fr. fig. y fam. Esto se acabó. || **Cada uno se entiende, y trastejaba de noche.** ref. con que se moteja al que hace algún despropósito, estando persuadido de que procede con acierto. || **Cerrar la noche.** fr. Pasar del crepúsculo vespertino cuando falta ya totalmente la luz del día. || **De la noche a la mañana.** fr. fig. Inopinadamente, de pronto, en muy breve espacio de tiempo. || **De noche.** m. adv. Después del crepúsculo vespertino. || **De noche todos los gatos son pardos.** expr. fig. y fam. con que se explica que con la obscuridad de la **noche** o con la falta de luz es fácil disimular las tachas de lo que se hace, vende o comercia. || **Grand noche.** expr. adv. ant. Muy de **noche.** || **Hacer uno noche** alguna cosa. fr. fig. y fam. Hurtarla o hacerla desaparecer. || **Hacer uno noche en** alguna parte. fr. Detenerse y parar en un lugar o posada para dormir. || **Hacerse de noche.** fr. **Anochecer,** 1.er art., 1.ª acep. || **Hacerse noche** una cosa. fr. fig. Desaparecer o faltar de entre las manos, o ser hurtada. || **La noche es capa de pecadores.** fr. proverb. con que se explica que el que obra mal, se vale de la obscuridad y las tinieblas para ocultar sus hechos y no ser conocido. || **Lo que de noche se hace, a la mañana parece.** ref. con que se advierte el yerro de fiarse del sigilo para obrar mal. || **2.** También se usa para exhortar a prevenir el trabajo cuando hay mucho que hacer al otro día. || **Mala noche, y parir hija.** ref. que denota tener mal éxito un negocio o pretensión, después de haber aplicado el mayor trabajo y cuidado para conseguirlos. || **Noche y día.** expr. fig. Siempre o continuamente. || **Pasar de claro en claro,** o **en claro, la noche.** fr. fig. Pasarla sin dormir. || **Temprano es noche.** expr. fig. y fam. con que se denota que se hace o pide una cosa antes de tiempo.

Nochebuena. (De *noche* y *buena.*) f. Noche de la vigilia de Navidad.

Nochebueno. m. Torta grande amasada con aceite, almendras, piñones y otras cosas para la colación de nochebuena. En algunas partes se suele hacer con sólo aceite, huevos y miel. || **2.** Tronco grande de leña que ponen en el fuego la noche de Navidad.

Nocherniego, ga. (Del lat. *nocturnālis;* de *nox, nŏctis*, noche.) adj. Que anda de noche.

Nochielo, la. (Del lat. *nux, nucis*, nuez.) adj. ant. Aplicábase al color obscuro o negro mal teñido.

Nochizo. (Del lat. *nux, nucis.*) m. Avellano silvestre.

Nodación. (Del lat. *nodatĭo, -ōnis.*) f. *Med.* Impedimento ocasionado por un nodo en el juego de una articulación o en la movilidad de los tendones o los ligamentos.

Nodal. adj. Perteneciente o relativo al nodo.

Nodátil. (Del lat. *nodus*, nudo.) adj. *Zool.* V. **Juntura nodátil.**

Nodo. (Del lat. *nodus.*) m. *Astron.* Cada uno de los dos puntos opuestos en que la órbita de un astro corta la Eclíptica. ‖ **2.** *Astron.* V. **Línea de los nodos.** ‖ **3.** *Fís.* Punto de intersección de dos ondulaciones en el movimiento vibratorio. ‖ **4.** *Med.* Tumor producido por el depósito del ácido úrico en los huesos, tendones o ligamentos. Es característicos de la gota. ‖ **ascendente.** *Astron.* Aquel en que el planeta pasa de la parte austral a la boreal de la esfera celeste. ‖ **austral.** *Astron.* **Nodo descendente.** ‖ **boreal.** *Astron.* **Nodo ascendente.** ‖ **descendente.** *Astron.* Aquel en que el planeta pasa de la parte boreal a la austral de la esfera celeste.

Nodriza. (Del lat. *nūtris, -īcis.*) f. **Ama de cría.**

Nódulo. (Del lat. *nodŭlus.*) m. Concreción de poco volumen. ‖ **linfático.** Cada uno de los órganos, de pequeño tamaño y forma esferoidal, constituídos por la acumulación de linfocitos que se encuentran principalmente en el tejido conjuntivo de las mucosas.

Noé. n. p. V. **Arca de Noé.**

Nogada. (Del lat. *nux, nucis*, nuez.) f. Salsa hecha de nueces y especias, con que regularmente se suelen guisar algunos pescados.

Nogal. (Del lat. *nucālis;* de *nux*, nuez.) m. *Bot.* Árbol de la familia de las yuglandáceas, de unos 15 metros de altura, con tronco corto y robusto del cual salen gruesas y vigorosas ramas para formar una copa grande y redondeada; hojas compuestas de hojuelas ovales, puntiagudas, dentadas, gruesas y de olor aromático; flores blan[illegible]ecinas de sexos separados, y por fruto la nuez. Su madera es dura, homogénea, de color pardo rojizo, veteada, capaz de hermoso pulimento y muy apreciada en ebanistería, y el cocimiento de las hojas se usa en medicina como astringente y contra las escrófulas. ‖ **2.** Madera de este árbol.

Nogalina. f. Color de la cáscara de la nuez, usado para pintar imitando el color del nogal.

Noguera. (Del lat. [*arbor*] *nŭcaria.*) f. **Nogal.**

Noguerado, da. (De *noguera.*) adj. Aplícase al color pardo obscuro, como el de la madera de nogal.

Nogueral. (De *noguera.*) m. Sitio plantado de nogales.

Noguerón. m. aum. de **Noguera.**

Nogueruela. f. Nombre usual de una planta euforbiácea que se usa en medicina.

Noli. m. *Colomb.* Yesca que se obtiene de una clase de liquen.

Nolición. (Del lat. *nolle*, no querer.) f. *Fil.* Acto de no querer.

Noli me tángere. (fr. lat. que equivale a no me toques.) m. *Med.* Úlcera maligna que no se puede tocar sin peligro. ‖ **2.** Cosa que se considera o se trata como exenta de contradicción o examen. Con frecuencia se usa en sentido irónico.

Nolit. (Del cat. *nolit*, y éste del lat. *naulum*, flete.) m. ant. **Flete,** 1.ª acep.

Nolito. m. ant. **Nolit.**

Noluntad. (De *nolle* más *voluntad.*) f. *Fil.* **Nolición.**

Noma. (Del gr. νομή, pasto.) f. *Med.* Gangrena de la boca y de la cara. Aparece principalmente en los niños débiles en el curso de las enfermedades infecciosas.

Nómada. (Del lat. *nomas, -ădis*, y éste del gr. νομάς, de νέμω, apacentar.) adj. Aplícase a la familia o pueblo que anda vagando sin domicilio fijo, y a la persona en quien concurren estas circunstancias.

Nómade. adj. **Nómada.**

Nomadismo. m. *Etnol.* Estado social de las épocas primitivas o de los pueblos poco civilizados, consistente en cambiar de lugar con frecuencia.

Nombradamente. adv. m. Con distinción del nombre, expresamente.

Nombradía. (De *nombrado.*) f. **Nombre,** 3.ª acep.

Nombrado, da. adj. Célebre, famoso.

Nombramiento. m. Acción y efecto de nombrar. ‖ **2.** Cédula o despacho en que se designa a uno para un cargo u oficio.

Nombrar. (Del lat. *nōmināre.*) tr. Decir el nombre de una persona o cosa. ‖ **2.** Hacer mención particular, generalmente honorífica, de una persona o cosa. ‖ **3.** Elegir o señalar a uno para un cargo, empleo u otra cosa.

Nombre. (Del lat. *nōmen, -ĭnis.*) m. Palabra que se apropia o se da a los objetos y a sus calidades para hacerlos conocer y distinguirlos de otros. ‖ **2.** Título de una cosa por el cual es conocida. ‖ **3.** Fama, opinión, reputación o crédito. ‖ **4.** Autoridad, poder o virtud con que uno ejecuta una cosa por otro, como si éste mismo la hiciera. ‖ **5.** **Apodo,** 1.ª acep. ‖ **6.** V. **Cuestión de nombre.** ‖ **7.** *Gram.* Parte de la oración con que se designan o dan a conocer las personas o cosas por su naturaleza, esencia o substancia, y no por los atributos, accidentes, cualidades o propiedades variables, que se expresan con el adjetivo. ‖ **8.** *Mil.* Palabra que se daba por señal secreta para reconocer durante la noche a los amigos, haciéndosela decir. ‖ **abstracto.** El que no designa una cosa real, sino alguna cualidad de los seres. ‖ **adjetivo.** *Gram.* Parte de la oración que se junta al substantivo para calificarlo o para determinarlo. ‖ **apelativo.** **Sobrenombre.** v. gr.: *El caballero de los Leones.* ‖ **2.** *Gram.* El que conviene a todas las personas o cosas de una misma clase, o idénticas por alguna razón; como *hombre, caballo, ciudad.* ‖ **colectivo.** *Gram.* El que en singular expresa número determinado de cosas de una misma especie, o muchedumbre o conjunto: v. gr.: *docena, enjambre.* ‖ **comercial.** Denominación distintiva de un establecimiento, registrada como propiedad industrial. ‖ **común.** *Gram.* **Nombre apelativo.** ‖ **de pila.** El que se da a la criatura cuando se bautiza. ‖ **genérico.** *Gram.* **Nombre apelativo.** ‖ **numeral.** *Gram.* El que significa número; como *par, decena, millar.* ‖ **postizo.** **Nombre,** 5.ª acep. ‖ **propio.** *Gram.* El que se da a persona o cosa determinada para distinguirla de las demás de su especie o clase; v. gr.: *Antonio*, un hombre que se llama así; *Rocinante*, el caballo de don Quijote; *Madrid*, la capital de España. Un mismo **nombre** propio puede aplicarse a varias o muchas personas o cosas diferentes; pero siempre designa una determinada, y no denota, como el apelativo, que entre todas las que con él se designen haya identidad o semejanza en virtud de la cual se les dé una misma denominación. ‖ **substantivo.** *Gram.* **Nombre,** 7.ª acep. ‖ **Mal nombre.** **Nombre,** 5.ª acep. ‖ **Dar el nombre.** fr. ant. *Mil.* Decir el santo a los centinelas. ‖ *Decirse* uno a otro **los nombres de las fiestas,** o **de las pascuas.** fr. fig. y fam. Injuriarse recíprocamente; echarse en cara sus defectos, con ocasión de una quimera o riña. ‖ **En el nombre.** m. adv. con que, a manera de deprecación, se implora el auxilio y favor de Dios o de sus santos para dar principio a una cosa. ‖ **Hacer nombre de Dios.** fr. fig. y fam. Dar principio a una cosa, especialmente en las que hay ganancia, con alusión a la deprecación que se suele hacer del **nombre** de Dios para empezarlas. ‖ **Lo firmaré de mi nombre.** expr. con que uno encarece la seguridad que tiene de la verdad que ha dicho, por ser la firma la más segura testificación de lo que se propone. ‖ **No tener nombre** una cosa. fr. fam. Ser tan vituperable, que no se quiere o no se puede calificar. ‖ **Poner nombre.** fr. fig. Señalar o determinar un precio en los ajustes o compras. ‖ **Por nombre** fulano. expr. elípt. que equivale a decir que tiene por **nombre** fulano. ‖ **Romper el nombre.** fr. *Mil.* Cesar, al llegar la aurora, el que se había dado para reconocerse en el tiempo de la noche. ‖ **Tener a nombre** de uno una plaza. fr. **Tenerla por** uno.

Nome. m. ant. **Nombre.**

Nomenclador. (Del lat. *nomenclātor.*) m. Catálogo de nombres, ya de pueblos, ya de sujetos, ya de voces técnicas de una ciencia o facultad. ‖ **2.** El que contiene la nomenclatura de una ciencia.

Nomenclátor. m. **Nomenclador.**

Nomenclatura. (Del lat. *nomenclatūra.*) f. **Nómina,** 1.ª acep. ‖ **2.** Conjunto de las voces técnicas y propias de una facultad. NOMENCLATURA *química.*

Nomeolvides. (De *no, me* y *olvides.*) f. Flor de la raspilla.

Nómico, ca. adj. **Gnómico.**

Nómina. (Del lat. *nomĭna*, nombres.) f. Lista o catálogo de nombres de personas o cosas. ‖ **2.** Relación nominal de los individuos que en una oficina pública o particular han de percibir haberes, justificando con su firma haberlos recibido. ‖ **3.** Estos haberes. *Cobrar la* NÓMINA. ‖ **4.** En lo antiguo, reliquia en que estaban escritos nombres de santos. Hoy se llama así a ciertos amuletos ridículos y supersticiosos.

Nominación. (Del lat. *nominatĭo, -ōnis.*) f. **Nombramiento.**

Nominador, ra. (Del lat. *nomināto̅r.*) adj. Que elige y nombra para un empleo o comisión. Ú. t. c. s.

Nominal. (Del lat. *nominālis.*) adj. Perteneciente al nombre. ‖ **2.** Que tiene nombre de una cosa y le falta la realidad de ella en todo o en parte. *Sueldo, empleo, valor* NOMINAL. ‖ **3.** **Nominalista.** Apl. a pers., ú. t. c. s.

Nominalismo. (De *nominal.*) m. *Fil.* Tendencia a negar la existencia objetiva de los universales, considerándolos como meras convenciones o nombres. Se opone a realismo y a idealismo.

Nominalista. adj. Partidario del nominalismo. Ú. t. c. s. ‖ **2.** Perteneciente o relativo a este sistema.

Nominalmente. adv. m. Por su nombre o por sus nombres. ‖ **2.** Sólo de nombre, y no real o efectivamente.

Nominar. (Del lat. *nomināre.*) tr. **Nombrar.**

Nominátim. *For.* adv. latino con que se denota estar designadas por sus nombres las personas favorecidas en disposiciones de última voluntad.

Nominativo, va. (Del lat. *nominatīvus.*) adj. *Com.* Aplícase a los títulos e inscripciones, ya del Estado, ya de sociedades mercantiles, que precisamente han de extenderse a nombre o a favor de uno y han de seguir teniendo poseedor designado por el nombre, en oposición a los que son al portador. ‖ **2.** m. *Gram.* Caso de la declinación que designa el sujeto de la significación del verbo y no lleva preposición. ‖ **3.** pl. En los estudios de gramática latina, parte de la analogía que precedía a los verbos. ‖ **4.** fig. y fam. Rudimentos o principios de cualquier facultad o arte.

Nominilla. (d. de *nómina.*) f. En las oficinas, apunte o nota autorizada que se entrega a los que cobran como pasivos, para que, presentándola, puedan percibir su haber.

Nómino. (De *nominar.*) m. Sujeto capaz de ejercer en la república los empleos y cargos honoríficos por nominación que se hace para ellos de su persona.

Nomo. m. **Gnomo.**

Nomon. m. **Gnomon.**

Nomónica. f. **Gnomónica.**

Nomónico, ca. adj. **Gnomónico.**

Nomparell. (Del fr. *non pareille.*) m. *Impr.* Carácter de letra de seis puntos tipográficos.

Non. (Del lat. *non.*) adj. **Impar.** Ú. t. c. s. || **2.** adv. ant. **No.** || **3.** m. pl. Negación repetida de una cosa, o el decir que no, e insistir con pertinacia en este dictamen. Ú. frecuentemente con el verbo *decir.* || **Andar de nones.** fr. fig. y fam. No tener ocupación u oficio, o andar desocupado y libre. || **2.** fig. y fam. En algunas partes se usa para ponderar la singularidad o rareza de una cosa, tal que no se halla otra igual. || **De non.** loc. adv. Sin pareja. || **Estar de non.** fr. fig. y fam. No tener pareja o ser único. || **Quedar de non.** fr. fam. Quedar solo o sin compañero en ocasión de ir otros apareados.

Nona. (Del lat. *nona hora,* hora novena del día entre los antiguos.) f. Última de las cuatro partes iguales en que dividían los romanos el día artificial, y comprendía desde el fin de la novena hora temporal, a media tarde, hasta el fin de la duodécima y última, a la puesta del Sol. || **2.** En el rezo eclesiástico, última de las horas menores, que se dice antes de vísperas. || **3.** pl. En el antiguo cómputo romano y en el eclesiástico, el día 7 de marzo, mayo, julio y octubre, y el 5 de los demás meses.

Nonada. (De *no* y *nada.*) f. Poco o muy poco.

Nonagenario, ria. (Del lat. *nonagenarius.*) adj. Que ha cumplido la edad de noventa años y no llega a la de ciento. Ú. t. c. s.

Nonagésimo, ma. (Del lat. *nonagesĭmus.*) adj. Que sigue inmediatamente en orden al o a lo octogésimo nono. || **2.** Dícese de cada una de las 90 partes iguales en que se divide un todo. Ú. t. c. s. || **de la Eclíptica.** *Astron.* Punto de ella que dista 90 grados del otro en que corta al horizonte.

Nonagonal. adj. Perteneciente al nonágono.

Nonágono, na. (Del lat. *nonus,* noveno, y el gr. γωνία, ángulo.) adj. *Geom.* **Eneágono.** Ú. t. c. s. m.

Nonato, ta. (Del lat. *non natus,* no nacido.) adj. No nacido naturalmente, sino sacado del claustro materno mediante la operación cesárea. || **2.** fig. Dícese de la cosa no acaecida o no existente aún.

Noningentésimo, ma. (Del lat. *noningentesĭmus.*) adj. Que sigue inmediatamente en orden al o a lo octingentésimo nonagésimo nono. || **2.** Dícese de cada una de las 900 partes iguales en que se divide un todo. Ú. t. c. s.

Nonio. (De *Nonius,* forma latinizada de *Núñez,* apellido del inventor.) m. Pieza que forma parte de varios instrumentos matemáticos y se aplica contra una regla o un limbo graduados, para apreciar fracciones pequeñas de las divisiones menores.

Non numerata pecunia. expr. lat. *For.* Nombre de la excepción que el confesante del recibo de dinero oponía, negando que éste le hubiese sido entregado.

Nono, na. (Del lat. *nonus.*) adj. **Noveno.**

Non plus ultra. (Lit., *no más allá.*) expr. lat. que se usa en castellano como substantivo masculino para ponderar las cosas, exagerándolas y levantándolas a lo más a que pueden llegar.

Non sancta. (Lit., *no santa.*) expr. fam. V. **Gente non sancta.**

Nopal. (Del mejic. *nopalli.*) m. *Bot.* Planta de la familia de las cactáceas, de unos tres metros de altura, con tallos aplastados, carnosos, formados por una serie de paletas ovales de tres a cuatro decímetros de largo y dos de ancho, erizadas de espinas que representan las hojas; flores grandes, sentadas, en el borde de los tallos, con muchos pétalos encarnados o amarillos, y por fruto el higo chumbo, elipsoidal, algo mayor que un huevo de gallina, de corteza verde amarillenta y pulpa comestible, anaranjada, abundante, dulce y llena de semillas blancas y menudas. Procedente de Méjico, se ha hecho casi espontáneo en el mediodía de España, donde sirve para formar setos vivos. || **de la cochinilla.** Variedad que se diferencia de la planta anterior por tener muy pocas espinas en las palas, sobre las cuales vive la cochinilla.

Nopaleda. f. **Nopalera.**

Nopalera. f. Terreno poblado de nopales.

Nopalito. m. *Méj.* Hoja tierna de tuna que suele comerse guisada.

Noque. (Del ár. *nuqā'a,* agua en que se macera algo.) m. Pequeño estanque o pozuelo en que se ponen a curtir las pieles. || **2.** Pie que en los molinos de aceite se hace de varios capachos llenos de aceituna molida, para que cargue sobre ellos la viga.

Noquero. (De *noque.*) m. **Curtidor.**

Norabuena. f. **Enhorabuena.** || **2.** adv. m. **En hora buena.**

Noramala. adv. m. **En hora mala.**

Nora tal, o **en tal.** adv. m. **Noramala.**

Noray. (En fr. *auray.*) m. *Mar.* **Proís,** 1.ª acep.

Nordestal. adj. Que está en el Nordeste o viene de la parte del Nordeste.

Nordeste. m. Punto del horizonte entre el Norte y el Este, a igual distancia de ambos. || **2.** Viento que sopla de esta parte.

Nordestear. intr. *Mar.* Declinar o apartarse la brújula del Norte o Septentrión hacia el Este o Levante.

Nórdico, ca. adj. Perteneciente o relativo a los pueblos germánicos del Norte de Europa; como los escandinavos e islandeses. || **2. Nórtico.** || **3.** m. Grupo de las lenguas germánicas del Norte; como el noruego, el sueco y el danés.

Noria. (Del ár. *nā'ūra,* rueda hidráulica.) f. Máquina compuesta generalmente de dos grandes ruedas, una horizontal a manera de linterna, movida con una palanca de que tira una caballería, y otra vertical que engrana en la primera y lleva colgada una maroma con arcaduces para sacar agua de un pozo. || **2.** Pozo formado en figura comúnmente ovalada, del cual sacan el agua con la máquina. || **3.** fig. y fam. Cualquier cosa, dependencia o negocio en que, sin adelantar nada, se trabaja mucho y se anda como dando vueltas.

Norial. adj. Perteneciente a la noria.

Norma. (Del lat. *norma.*) f. Escuadra de que usan los artífices para arreglar y ajustar los maderos, piedras y otras cosas. || **2.** fig. Regla que se debe seguir o a que se deben ajustar las operaciones.

Normal. (Del lat. *normālis.*) adj. Dícese de lo que se halla en su natural estado. || **2.** Que sirve de norma o regla. || **3.** Dícese de lo que por su naturaleza, forma o magnitud se ajusta a ciertas normas fijadas de antemano. || **4.** V. **Escuela normal.** Ú. t. c. s. f. || **5.** *Geom.* Aplícase a la línea recta o al plano perpendiculares a la recta o al plano tangentes, en el punto de contacto. || **6.** *Mús.* V. **Diapasón normal.**

Normalidad. f. Calidad o condición de normal. *Volver a la* NORMALIDAD.

Normalista. adj. Perteneciente o relativo a la escuela normal. || **2.** com. Alumno o alumna de una escuela normal.

Normalización. f. Acción y efecto de normalizar.

Normalizar. tr. Regularizar o poner en buen orden lo que no lo estaba. || **2.** Hacer que una cosa sea normal.

Normalmente. adv. m. De manera normal.

Normando, da. adj. Aplícase a los individuos de ciertas naciones del norte de Europa que desde el siglo IX hicieron incursiones en varios países del antiguo imperio romano y se establecieron en ellos. Ú. t. c. s. || **2.** Natural de Normandía. Ú. t. c. s. || **3.** Perteneciente a esta antigua provincia de Francia.

Normano, na. adj. **Normando.** Apl. a pers., ú. t. c. s.

Normativo, va. adj. **Normal,** 2.ª acep.

Nornordeste. m. Punto del horizonte entre el Norte y el Nordeste, a igual distancia de ambos. || **2.** Viento que sopla de esta parte.

Nornoroeste. m. **Nornorueste.**

Nornorueste. m. Punto del horizonte entre el Norte y el Norueste, a igual distancia de ambos. || **2.** Viento que sopla de esta parte.

Noroeste. m. Punto del horizonte entre el Norte y el Oeste, a igual distancia de ambos. || **2.** Viento que sopla de esta parte.

Noroestear. intr. *Mar.* Declinar o apartarse la brújula del Norte hacia el Noroeste, o inclinarse a soplar de este rumbo el viento reinante.

Nortada. f. Continuación de viento norte fresco que sopla por algún tiempo seguido.

Norte. (Del anglosajón *nord.*) m. **Polo ártico.** || **2.** Lugar de la Tierra o de la esfera celeste, que cae del lado del polo ártico, respecto de otro con el cual se compara. || **3.** Punto cardinal del horizonte, que cae frente a un observador a cuya derecha esté el Oriente. || **4.** Viento que sopla de esta parte. || **5. Estrella polar.** || **6.** V. **Abeto, grama del Norte.** || **7.** fig. Dirección, guía, con alusión a la estrella polar que sirve de guía a los navegantes. || **8.** *Astron.* V. **Estrella del Norte.** || **magnético.** Dirección a que demora el polo del mismo nombre.

Norteamericano, na. adj. Natural de un país de la América del Norte, y especialmente de los Estados Unidos de ella. Ú. t. c. s. || **2.** Perteneciente a la América del Norte.

Nortear. tr. Observar el Norte para la dirección del viaje, especialmente por mar. || **2.** intr. Declinar hacia el Norte el viento reinante.

Norteño, ña. adj. Perteneciente o relativo a gentes, tierras o cosas situadas hacia el Norte, especialmente a las de España.

Nórtico, ca. adj. Perteneciente o relativo al Norte.

Noruego, ga. adj. Natural de Noruega. Ú. t. c. s. || **2.** Perteneciente a esta nación de Europa. || **3.** m. Lengua **noruega.**

Norueste. m. **Noroeste.**

Noruestear. (De *norueste.*) intr. *Mar.* **Noroestar.**

Nos. (Del lat. *nos,* pl. de *ego,* yo.) Una de las dos formas del dativo y el acusativo del pronombre personal de primera persona en género masculino o femenino y número plural. No admite preposición y se puede usar como sufijo: NOS *miró; mira*NOS. En las primeras personas de verbo en plural a que se pospone como sufijo, pierden estas personas su *s* final; v. gr.: *sentémonos.* Empleado en vez de **nosotros,** puede estar en cualquier caso de la declinación, excepto el vocativo, y en los oblicuos pide preposición, como esta última palabra; v. gr.: *venga a* NOS *el tu reino; ruega por* NOS, *Santa Madre de Dios.* Este modo de hablar es anticuado; pero suele emplearse aún la forma **nos** con oficio diverso del que generalmente le corresponde, cuando por ficción, que el uso autoriza, se aplican a sí propias el número plural algunas personas de elevada categoría. NOS, *don fray Francisco Jiménez de Cisneros, arzobispo de Toledo.*

Nosocomio. (Del gr. νόσος, enfermedad, y κομέω, cuidar.) m. *Med.* **Hospital.**

Nosogenia. (Del gr. νόσος, enfermedad, y γεννάω, engendrar.) f. *Med.* Origen y desarrollo de las enfermedades. || **2.** *Med.* Parte de la nosología, que se ocupa en estudiar estos fenómenos.

Nosografía. (Del gr. νόσος, enfermedad, y γράφω, describir.) f. *Med.* Parte de la nosología, que trata de la clasificación y descripción de las enfermedades.

Nosología. (Del gr. νόσος, enfermedad, y λόγος, tratado.) f. *Med.* Parte de la medicina, que tiene por objeto describir, diferenciar y clasificar las enfermedades.

Nosológico, ca. adj. Perteneciente o relativo a la nosología.

Nosomántica. (Del gr. νόσος, enfermedad, y μαντική (τέχνη), el arte de la adivinación.) f. Modo de curar por encantamiento o ensalmo.

Nosotros, tras. (De *nos* y *otros.*) Nominativos masculino y femenino del pronombre personal de primera persona en número plural. Con preposición empléase también en los casos oblicuos. Por ficción, que el uso autoriza, suelen algunos escritores aplicarse el número plural, diciendo **nosotros,** en vez de **yo.**

Nostalgia. (Del gr. νόστος, regreso, y ἄλγος, dolor, mal.) f. Pena de verse ausente de la patria o de los deudos o amigos. || **2.** fig. Pesar que causa el recuerdo de algún bien perdido.

Nostálgico, ca. adj. Perteneciente o relativo a la nostalgia. || **2.** Que padece de nostalgia. Ú. t. c. s.

Nosticismo. m. **Gnosticismo.**

Nóstico, ca. adj. **Gnóstico.**

Nostramo, ma. m. y f. **Nuestramo, ma.** || **2.** m. *Mar.* Tratamiento propio de los contramaestres.

Nostras. (Del lat. *nostras*, de nuestra tierra.) adj. *Med.* Aplícase a ciertas enfermedades propias de los países europeos, en oposición a las originarias de otras regiones. || **2.** *Med.* V. **Cólera nostras.**

Nota. (Del lat. *nota.*) f. Marca o señal que se pone en una cosa para darla a conocer. || **2.** Reparo que se hace a un libro o escrito, que por lo regular se suele poner en las márgenes. || **3.** Advertencia, explicación, comentario o noticia de cualquiera clase que en impresos o manuscritos va fuera del texto, ya al pie o al margen de los folios, ya al fin de la obra o de cada una de sus divisiones, con oportuna llamada en el lugar del texto a que corresponda. || **4.** Reparo o censura desfavorable que se hace de las acciones y porte de una persona. || **5.** Fama, concepto, crédito. *Escritor de* NOTA. || **6.** Calificación de un tribunal de examen. || **7.** p. us. Estilo de un escritor. || **8.** Apuntamiento de algunas especies o materias para extenderlas después o acordarse de ellas. *Tomar* NOTA. || **9.** Comunicación diplomática que dirigen, en nombre de sus respectivos gobiernos, ya el ministerio de asuntos exteriores a los representantes extranjeros, ya éstos a aquél, o que cruzan unos y otros entre **sí.** || **10.** *For.* Especie de apuntamiento muy sucinto que se forma acerca de los recursos de casación civil por infracción de ley. || **11.** *Mús.* Cualquiera de los signos de que usan los músicos para representar los sonidos. || **marginal.** Uno de los asientos que, en los registros públicos, acreditan circunstancias que atañen a la inscripción principal o al instrumento matriz. || **oficiosa.** Noticia de los proyectos o acuerdos del gobierno u otras autoridades que se comunica a la prensa antes de su publicación oficial. || **verbal.** Comunicación diplomática, sin firma, sin autoridad obligatoria y sin los requisitos formales ordinarios, que por vía de simple observación o recuerdo se dirigen entre sí el ministro de asuntos exteriores y los representantes extranjeros. || **Caer en nota.** fr. fam. Dar motivo de escándalo o murmuración.

Nota bene. loc. lat. que se emplea en castellano con su propia significación de *nota, observa* o *repara bien*, especialmente en impresos o manuscritos, para llamar la atención hacia alguna particularidad.

Notabilidad. f. Calidad de notable. || **2.** Persona muy notable por sus buenas cualidades o por sus méritos.

Notabilísimo, ma. adj. sup. de **Notable.**

Notable. (Del lat. *notabĭlis.*) adj. Digno de nota, reparo, atención o cuidado. || **2.** Dícese de lo que es grande y excesivo, por lo cual se hace reparar en su línea. || **3.** Una de las calificaciones usadas en los exámenes de alumnos en los establecimientos de enseñanza. || **4.** m. pl. Personas principales en una localidad o en una colectividad. *Reunión de* NOTABLES.

Notablemente. adv. m. Reparablemente o de un modo no común y vulgar.

Notación. (Del lat. *notatĭo, ōnis.*) f. **Anotación.** || **2.** Escritura musical. || **3.** *Mat.* Sistema de signos convencionales que se adopta para expresar ciertos conceptos matemáticos.

Notar. (Del lat. *notāre.*) tr. Señalar una cosa para que se conozca o se advierta. || **2.** Reparar, observar o advertir. || **3.** Apuntar brevemente una cosa para extenderla después o acordarse de ella. || **4.** Poner notas, advertencias o reparos a los escritos o libros. || **5.** Dictar uno para que otro escriba. || **6.** Censurar, reprender las acciones de uno. || **7.** Causar descrédito o infamia.

Notaría. f. Oficio de notario. || **2.** Oficina donde despacha el notario.

Notariado, da. adj. Dícese de lo que está autorizado ante notario o abonado con fe notarial. || **2.** m. Carrera, profesión o ejercicio de notario. || **3.** Colectividad de notarios.

Notarial. adj. Perteneciente o relativo al notario. || **2.** Hecho o autorizado por notario. || **3.** V. **Acta notarial.**

Notariato. m. Título o nombramiento de notario. || **2.** Ejercicio de este cargo.

Notario. (Del lat. *notarĭus.*) m. En lo antiguo, **escribano,** 1.ª acep. Después se dio este nombre exclusivamente a los que actuaban en negocios eclesiásticos. Hoy es el funcionario público autorizado para dar fe de los contratos, testamentos y otros actos extrajudiciales, conforme a las leyes. || **2.** El que en lo antiguo escribía con abreviaturas. || **3.** **Amanuense.** || **de caja.** *Ar.* **Notario** del número de Zaragoza. Es oficio honorífico. || **de diligencias.** El que sólo estaba habilitado para practicar las correspondientes a la ejecución de autos, acuerdos o decretos judiciales. || **Notario mayor de los reinos.** Ministro de Justicia.

Noticia. (Del lat. *notitĭa.*) f. **Noción,** 2.ª acep. || **2.** Suceso o novedad que se comunica en cualquier arte o ciencia, que hacen docto o erudito a alguno. || **Noticia remota.** Recuerdo confuso de lo que se supo o sucedió. || **Atrasado de noticias.** loc. Que ignora lo que saben todos o lo que es muy común.

Noticiar. tr. Dar noticia o hacer saber una cosa.

Noticiario. m. Película cinematográfica en que se ilustran brevemente los sucesos de actualidad.

Noticiero, ra. adj. Que da noticias. *Periódico* NOTICIERO. || **2.** m. y f. Persona que da noticias como por oficio.

Notición. m. aum. de **Noticia.** || **2.** fam. Noticia extraordinaria o poco digna de crédito.

Noticioso, sa. adj. Sabedor o que tiene noticia de una cosa. || **2.** Erudito y que tiene conocimientos de varias materias.

Notificación. f. Acción y efecto de notificar. || **2.** Documento en que se hace constar.

Notificado, da. p. p. de **Notificar.** || **2.** adj. *For.* Aplícase al sujeto a quien se ha hecho la notificación. Ú. t. c. s.

Notificante. p. a. de **Notificar.** Que notifica.

Notificar. (Del lat. *notificāre;* de *notus*, conocido, y *facĕre*, hacer.) tr. Hacer saber una resolución de la autoridad con las formalidades preceptuadas para el caso. || **2.** Por ext., dar extrajudicialmente, con propósito cierto, noticia de una cosa.

Notificativo, va. adj. Que sirve para notificar.

Noto. (Del lat. *notus*, y éste del gr. νότος.) m. **Austro.** || **bóreo.** Movimiento del mar en que sus aguas se mueven del austro hacia el septentrión, o al contrario, esto es, del nacimiento del viento **noto** hacia el bóreas, o al contrario.

Noto, ta. (Del lat. *notus*, p. p. de *noscĕre*, conocer.) adj. Sabido, publicado y notorio.

Noto, ta. (Del lat. *nothus*, y éste del gr. νόθος.) adj. Bastardo o ilegítimo. *Hijo* NOTO.

Notocordio. (Del gr. νῶτον, dorso, y χορδή, cuerda.) m. *Zool.* Cordón celular macizo dispuesto a lo largo del cuerpo de los animales cordados, debajo de la medula espinal, a la que sirve de sostén; constituye el eje primordial del neuroesqueleto y a su alrededor se forma la columna vertebral en los vertebrados.

Notomía. f. ant. **Anatomía.** || **2.** ant. **Esqueleto,** 1.ª acep.

Notoriamente. adv. m. Manifiestamente, con notoria publicidad.

Notoriedad. f. Calidad de notorio. || **2.** Nombradía, fama.

Notorio, ria. (Del lat. *notorĭus.*) adj. Público y sabido de todos. || **2.** V. **Arte notoria.** || **3.** V. **Delito notorio.** || **4.** *For.* V. **Recurso de injusticia notoria.**

Notro. (Del arauc. *notu*, ciruelo.) m. *Chile.* Árbol de la familia de las proteáceas, de hojas oblongas, flores numerosas de un rojo vivo, dispuestas en corimbos flojos. Su madera es buena para obras de ornato.

Noúmeno. (Del gr. νοούμενον, cosa pensada; de νοέω, pensar.) m. *Fil.* Esencia o causa hipotética de los fenómenos, según las noticias que el entendimiento recibe de los sentidos o de la propia conciencia.

Nova. (Del lat. *nŏva*, nueva.) f. *Astron.* **Estrella temporaria.**

Novaciano, na. adj. Partidario de la herejía de Novato, que negaba a la Iglesia la facultad de remitir los pecados cometidos después del bautismo. Ú. m. c. s.

Novación. (Del lat. *novatĭo, -ōnis.*) f. *For.* Acción y efecto de novar.

Novador, ra. (Del lat. *novātor.*) m. y f. Persona inventora de novedades. Tómase regularmente por la que las inventa peligrosas en materias de doctrina.

Noval. (Del lat. *novālis.*) adj. Aplícase a la tierra que se cultiva de nuevo, y también a las plantas y frutos que ésta produce.

Novallo, lla. adj. ant. **Noval.**

Novar. (Del lat. *novāre.*) tr. *For.* Substituir una obligación a otra otorgada anteriormente, la cual queda anulada en este acto.

Novatada. (De *novato.*) f. Vejamen y molestias causados por los alumnos de ciertos colegios y academias a sus compañeros de nuevo ingreso. || **2.** Por ext., contrariedad o tropiezo que proviene de inexperiencia en algún asunto o negocio.

Novato, ta. (Del lat. *novātus.*) adj. Nuevo o principiante en cualquier facultad o materia. Ú. t. c. s.

Novator, ra. m. y f. **Novador, ra.**

Novecientos, tas. adj. Nueve veces ciento. || **2. Noningentésimo,** 1.ª acep. *Número* NOVECIENTOS; *año* NOVECIENTOS. || **3.** m. Conjunto de signos con que se representa el número **novecientos.**

Novedad. (Del lat. *novĭtas, -ātis.*) f. Estado de las cosas recién hechas o discurridas, o nuevamente vistas, oídas o descubiertas. || **2.** Mutación de las cosas que por lo común tienen estado fijo, o se creía que lo debían tener. || **3.** Ocurrencia reciente, noticia. || **4.** Alteración en la salud. || **5.** fig. Extrañeza o admiración que causan las cosas antes no vistas ni oídas. || **6.** pl. Géneros o mercaderías adecuadas a la moda. || **Hacer novedad.** fr. Causar una cosa extrañeza, por no esperada. || **2.** Innovar uno en algo lo que ya estaba en práctica.

Novedoso, sa. Que implica novedad. Ú. m. en Amér. || **2.** p. us. **Novelero,** 1.ª y 2.ª aceps.

Novel. (Del cat. y prov. *novel,* y éste del lat. *novellus,* de *novus,* nuevo.) adj. Nuevo, principiante o sin experiencia en las cosas. Se aplica sólo a personas, y de éstas, únicamente a los varones. || **2.** V. **Caballero novel.**

Novela. (Del ital. *novella,* y éste del lat. *novella,* de *novus,* nuevo.) f. Obra literaria en que se narra una acción fingida en todo o en parte, y cuyo fin es causar placer estético a los lectores por medio de la descripción o pintura de sucesos o lances interesantes, de caracteres, de pasiones y de costumbres. || **2.** fig. Ficción o mentira en cualquiera materia. || **3.** *For.* Cualquiera de las leyes nuevas o constituciones imperiales, que dieron Teodosio II y sus inmediatos sucesores después de la publicación del Código teodosiano; Justiniano después de sus compilaciones legales, y los demás emperadores bizantinos posteriores al derecho justinianeo. || **4.** *Mar.* V. **Orza de novela.**

Novelador, ra. m. y f. **Novelista.**

Novelar. tr. Referir un suceso con forma o apariencia de novela. || **2.** intr. Componer o escribir novelas. || **3.** fig. Contar, publicar cuentos y patrañas.

Novelería. (De *novelero.*) f. Afición o inclinación a novedades. || **2.** Afición o inclinación a fábulas o novelas, a leerlas o a escribirlas. || **3.** Cuentos, fábulas o novedades fútiles.

Novelero, ra. (De *novela,* ficción.) adj. Amigo de novedades, ficciones y cuentos. Ú. t. c. s. || **2.** Deseoso de novedades, o que las esparce. Ú. t. c. s. || **3.** Inconstante y vario en el modo de proceder. Ú. t. c. s. || **4.** m. *Germ.* Criado de rufián, que lleva o trae nuevas.

Novelesco, ca. adj. Propio o característico de las novelas. || **2.** Tómase generalmente por fingido o de pura invención, como *historia* NOVELESCA; por singular e interesante, como *lance* NOVELESCO; o por exaltado, sentimental, soñador, dado a lo ideal o fantástico; v. gr.: *persona, imaginación* NOVELESCA.

Novelista. com. Persona que escribe novelas, 1.ª acep.

Novelística. f. Tratado histórico o preceptivo de la novela. || **2.** Literatura novelesca.

Novelístico, ca. adj. Perteneciente o relativo a la novela.

Novelizar. tr. Dar a alguna narración forma y condiciones novelescas.

Novelo. (Del port. y gall. *novelo, lovelo,* y éste del lat. *globellus,* globillo.) m. *Can.* **Ovillo.**

Novelón. m. Novela extensa, y por lo común dramática y mal escrita.

Novén. (De *noveno.*) m. **Maravedí novén.**

Novena. (Del lat. *novēna,* t. f. de *-nus,* noveno.) f. Ejercicio devoto que se practica durante nueve días, por lo común seguidos, con oraciones, lecturas, letanías y otros actos piadosos, dirigidos a Dios, la Virgen o los santos. || **2.** Libro en que se contienen las oraciones y preces de una **novena.** || **3.** Sufragios y ofrendas por los difuntos, aunque se cumpla en uno o dos días lo que se había de ejecutar en los nueve. || **Andar novenas.** fr. Frecuentar este piadoso ejercicio.

Novenario. (De *novena.*) m. Espacio de nueve días que se emplea en los pésames, lutos y devociones entre los parientes inmediatos de un difunto. || **2.** El que se emplea en el culto de un santo, con sermones. || **3.** Exequias o sufragios celebrados generalmente en el noveno día después de una defunción.

Novendial. (Del lat. *novendiālis.*) adj. Aplícase a cualquiera de los días del novenario celebrado por los difuntos.

Noveno, na. (Del lat. *novēnus.*) adj. Que sigue inmediatamente en orden al o a lo octavo. || **2.** Dícese de cada una de las nueve partes iguales en que se divide un todo. Ú. t. c. s. || **3.** m. Cada una de las nueve partes en que se dividía todo el cúmulo de los diezmos, para distribuirlas según la disposición pontificia. || **4.** Canon o renta territorial que paga el cultivador al dueño, cuando consiste en la **novena** parte de los frutos.

Noventa. (Del lat. *nonaginta,* infl. por *nueve.*) adj. Nueve veces diez. || **2. Nonagésimo,** 1.ª acep. *Número* NOVENTA; *año* NOVENTA. || **3.** m. Conjunto de signos con que se representa el número **noventa.**

Noventavo, va. (De *noventa.*) adj. *Arit.* **Nonagésimo,** 2.ª acep.

Noventón, na. (De *noventa.*) adj. **Nonagenario.** Ú. t. c. s.

Noviazgo. m. Condición o estado de novio o novia. || **2.** Tiempo que dura.

Noviciado. (De *novicio.*) m. Tiempo destinado para la probación en las religiones, antes de profesar. || **2.** Casa o cuarto en que habitan los novicios. || **3.** Conjunto de novicios. || **4.** Régimen y ejercicio de los novicios. || **5.** fig. Tiempo primero que se gasta en aprender cualquier facultad y en experimentar los ejercicios y actos de ella, y las ventajas y daños que puede traer.

Novicio, cia. (Del lat. *novitĭus.*) m. y f. Persona que, en la religión donde tomó el hábito, no ha profesado todavía. || **2.** V. **Maestro de novicios.** || **3.** fig. Principiante en cualquier arte o facultad. Ú. t. c. adj. || **4.** fig. Persona muy compuesta y arreglada en sus acciones, especialmente en la modestia, por ser esto lo que de ordinario se ve en los **novicios** de las religiones. || **Sacar la novicia a libertad.** fr. **Sacar a libertad la novicia.**

Noviciote. m. fam. Novicio entrado en años o muy alto de cuerpo.

Noviembre. (Del lat. *novembris.*) m. Noveno mes del año, según la cuenta de los antiguos romanos, y undécimo del calendario que actualmente usan la Iglesia y casi todas las naciones de Europa y América; tiene treinta días.

Novilunio. (Del lat. *novilunĭum;* de *novus*' nuevo, y *Luna,* Luna.) m. Conjunción de la Luna con el Sol.

Novillada. f. Conjunto de novillos. || **2.** Lidia o corrida de novillos.

Novillejo, ja. m. y f. d. de **Novillo, lla,** 1.ª acep.

Novillero. m. El que cuida de los novillos cuando los separan de la vaca. || **2.** Lidiador de novillos. || **3.** Corral o cobertizo donde separan y encierran los novillos. || **4.** Parte de dehesa, muy abundante de hierba, que se separa o sirve para pastar los novillos, y también para paridera de las vacas. || **5.** fam. El que hace novillos o se huye.

Novillo, lla. (Del lat. *novellus, -lla,* nuevo, joven.) m. y f. Res vacuna de dos o tres años, en especial cuando no está domada. || **2.** m. fig. y fam. Sujeto a quien hace traición su mujer. || **3.** *Chile* y *Méj.* Ternero castrado. || **4.** pl. **Novillada,** 2.ª acep. || **Novillo terzón.** *Ar.* El de tres años. || **Hacer novillos.** fr. fam. Dejar uno de asistir a alguna parte contra lo debido o acostumbrado, especialmente los escolares.

Novio, via. (Del lat. **novĭus,* de *nŏvus,* nuevo.) m. y f. Persona recién casada. || **2.** La que está próxima a casarse. || **3.** La que mantiene relaciones amorosas en expectativa de futuro matrimonio. || **4.** m. fig. El que entra de nuevo en una dignidad o estado. || **5.** *Mont.* El que por vez primera mata una res. || **La novia, de contado, y el dote, de prometido.** fr. proverb. con que se significa el riesgo que puede haber en diferir el cumplimiento de una promesa favorable, cuando se recibe la carga que le es aneja. || **Pedir** uno **la novia.** fr. Ir a pedirla con solemnidad y públicamente por lo común, a casa de sus padres. || **Quedarse** una **aderezada,** o **compuesta, y sin novio.** fr. fig. y fam. No lograr lo que deseaba o esperaba, después de haber hecho gastos o preparativos, creyéndolo indefectible. || **Sacar la novia por el vicario.** fr. Conseguir el **novio** que el juez saque la **novia** de casa de sus padres y la deposite donde libremente pueda declarar su voluntad.

Novísima. (Del lat. *novissĭma,* t. f. de *-mus,* novísimo.) f. **Novísima Recopilación.**

Novísimo, ma. (Del lat. *novissĭmus.*) adj. sup. de **Nuevo.** || **2.** Último en el orden de las cosas. || **3.** m. Cada una de las cuatro postrimerías del hombre, que son muerte, juicio, infierno y gloria. Ú. m. en pl.

Noxa. (Del lat. *noxa.*) f. ant. **Daño.** || **2.** *For.* Dimisión hecha del esclavo o del animal que había causado daño, por medio de la cual, según el derecho romano, el dueño se eximía de la obligación de indemnizar al damnificado.

Noyó. (Del fr. *noyau,* hueso de fruta.) m. Licor compuesto de aguardiente, azúcar y almendras amargas.

Nubada. f. Golpe abundante de agua que cae de una nube en paraje determinado, a distinción de la lluvia general. || **2.** fig. Concurso abundante de algunas cosas.

Nubado, da. adj. **Nubarrado.**

Nubarrada. f. **Nubada.**

Nubarrado, da. adj. Aplícase a las telas coloridas en figura de nubes.

Nubarrón. m. Nube grande y densa separada de las otras.

Nube. (Del lat. *nūbes.*) f. Masa de vapor acuoso suspendida en la atmósfera y que por la acción de la luz aparece de color ya blanco, ya obscuro o de diverso matiz. || **2.** Agrupación de cosas, como el polvo, el humo, gran número de aves o insectos, que obscurece el Sol, a semejanza de las **nubes.** || **3.** fig. Cualquier cosa que obscurece o encubre otra, como lo hacen las **nubes** con el Sol. || **4.** Entre los lapidarios, sombra que aparece en las piedras preciosas, obscureciendo sus luces. || **5.** Especie de chal muy ligero, hecho de punto, con que las señoras se envolvían la cabeza al salir de noche. || **6.** Pequeña mancha blanquecina que se forma en la capa exterior de la córnea, o sea de la parte transparente del ojo, obscureciendo la vista como si pasaran los rayos luminosos a través de una **nube.** || **7.** *Germ.* **Capa,** 1.ª acep. || **de lluvia. Nimbo,** 2.ª acep. || **de verano. Nube** tempestuosa que suele presentarse en el verano con lluvia fuerte y repentina, y que pasa presto. || **2.** fig. Disturbio o disgusto pasajero. || **Nubes de Magallanes.** *Astron.* Cúmulos estelares visibles a simple vista cerca del polo austral. Son dos y se distinguen con los apelativos de *Mayor* y *Menor.* || **Andar por las nubes.** fr. fig. **Estar por las nubes.** || **Como caído de las nubes.** expr. adv. fig. De súbito y sin ser esperado. || **Descargar la nube.** fr. Desatarse en agua o granizo. || **2.** fig. Desahogar uno su cólera o enojo. || **Estar por las nubes.** fr. fig. **Subir** una cosa **a las nubes.** || **Levantar a,** o **hasta, las nubes** a una persona o cosa. fr. fig. **Ponerla en,** o **sobre, las nubes.** || **Levantarse** uno **a las nubes.** fr. fig. **Levantarse a las estrellas.** || **Poner en,** o **sobre, las nubes** a una persona o cosa. fr. fig. Alabarla, encarecerla hasta más no poder. || **Ponerse** uno **por las nubes.** fr. fig. Estar sumamente enojado. || **Remontarse** uno **a las nubes.** fr. fig. Levantar muy alto el concepto o el estilo. || **Subir a,** o **hasta, las nubes** a una persona o cosa. fr. fig. **Ponerla en;** o **sobre, las nubes.** || **Subir** una cosa **a las nubes.** fr. fig. Encarecer, aumentar mucho su precio.

Nubiense. adj. Natural de Nubia. Ú. t. c. s. || **2.** Perteneciente a este país de África.

Nubífero, ra. (Del lat. *nubĭfer, -ĕra;* de *nūbes,* nube, y *ferre,* llevar.) adj. poét. Que trae nubes.

Núbil. (Del lat. *nubĭlis.*) adj. Dícese de la persona que ha llegado a la edad en que es apta para el matrimonio, y más propiamente de la mujer.

Nubilidad. f. Calidad de núbil. || **2.** Edad en que hay aptitud para contraer matrimonio.

Nubiloso, sa. (Del lat. *nūbĭlis,* nublado.) adj. poét. **Nubloso.**

Nublado. (De *nublar.*) m. **Nube.** Tómase regularmente por la que amenaza tempestad. || **2.** fig. Suceso que produce riesgo inminente de adversidad o daño, o especie que causa turbación en el ánimo. || **3.** fig. Multitud, abundancia, copia excesiva de cosas que caen o se ven reunidas. || **4.** *Germ.* **Capa,** 1.ª acep. || **Descargar el nublado.** fr. Llover, nevar o granizar copiosamente. || **2.** fig. Desahogarse la cólera o enojo de uno con expresiones vehementes.

Nublar. (Del lat *nūbĭlāre.*) tr. **Anublar.** Ú. t. c. r.

Nublo, bla. (Del lat. *nūbĭlus.*) adj. **Nubloso.** || **2.** m. **Nublado.** || **3. Tizón,** 2.ª acep.

Nubloso, sa. (Del lat. *nūbĭlōsus.*) adj. Cubierto de nubes. || **2.** fig. Desgraciado, adverso, contrario.

Nubosidad. f. Estado o condición de nuboso.

Nuboso, sa. (De *nube.*) adj. **Nubloso.**

Nuca. (Del ár. *nuqrat* [*ar-raqaba*], el hoyo [del cuello].) f. Parte alta de la cerviz, correspondiente al lugar en que se une el espinazo con la cabeza.

Nuciente. p. a. de **Nucir.** Que daña.

Nucir. (Del lat. *nocēre.*) tr. ant. **Dañar.**

Nuclear. adj. **Nucleario.** || **2.** *Fís.* Perteneciente o relativo al núcleo de los átomos. *Energía* NUCLEAR.

Nucleario, ria. adj. Perteneciente o relativo al núcleo.

Núcleo. (Del lat. *nuclĕus.*) m. Almendra o parte mollar de los frutos que, como la nuez, tienen cáscara dura. || **2.** Hueso de las frutas. || **3.** fig. Elemento primordial al cual se van agregando otros para formar un todo. || **4.** fig. Parte o punto central de alguna cosa material o inmaterial. || **5.** *Astron.* Parte más densa y luminosa de un astro. || **6.** *Biol.* Corpúsculo contenido en el citoplasma de las células y constituido esencialmente por cromatina; actúa como órgano rector de las funciones de nutrición y de reproducción de la célula, por lo cual es indispensable para la vida de ésta. || **7.** *Fís.* Parte central del átomo que contiene la mayor porción de su masa y posee una carga eléctrica positiva correspondiente al número atómico del respectivo cuerpo simple.

Nucléolo. m. *Biol.* Corpúsculo diminuto, único o múltiple, situado en el interior del núcleo celular y que, a diferencia de la cromatina, se tiñe por los colorantes ácidos de anilina.

Nuco. (Del mapuche *nucu,* pájaro de mal agüero.) m. *Chile.* Ave de rapiña, nocturna, semejante a la lechuza.

Nuche. m. *Colomb.* Larva que se introduce en la piel de los animales.

Nudamente. adv. m. **Desnudamente.**

Nudillo. (d. de *nudo,* 1.er art.) m. Parte exterior de cualquiera de las junturas de los dedos, que es por donde se unen los huesos de que se componen. || **2.** Cada uno de los puntos que forman la costura de las medias, los cuales se hacen dando una vuelta a la hebra del derecho y otra en sentido contrario, con lo cual queda al revés la carrera. || **3.** V. **Jubón de nudillos.** || **4.** ant. Billete doblado y cerrado en forma de nudo. || **5.** *Arq.* Zoquete o pedazo corto y grueso de madera, que se empotra en la fábrica para clavar en él una cosa; como las vigas de techo, marcos de ventana, etc.

Nudo. (Del lat. *nūdus, por *nōdus.*) m. Lazo que se estrecha y cierra de modo que con dificultad se pueda soltar, y que mientras más se tira de cualquiera de los dos cabos, más se aprieta. || **2.** En los árboles y plantas, parte del tronco por la cual salen las ramas, y en éstas, parte por donde arrojan los vástagos, que es siempre más dura y firme que lo demás de la madera, por lo que se distingue en ella, y tiene por lo regular figura redondeada. || **3.** En algunas plantas y raíces de ellas, parte que sobresale algo y por donde parece que están unidas las partes de que se compone; como en las cañas, bejucos, etc. || **4.** Bulto o tumor que suele producirse en los tendones o en los huesos, por enfermedad de aquéllos, o por rotura de éstos cuando se vuelven a unir. || **5.** En los animales, unión de unas partes con otras, especialmente de los huesos, como se ve en la cola de algunos. || **6. Ligamen.** || **7.** Enlace o trabazón de los sucesos que preceden a la catástrofe o el desenlace, en los poemas épico y dramático y en la novela. || **8.** fig. Principal dificultad o duda en algunas materias. || **9.** fig. Unión, lazo, vínculo. *El* NUDO *del matrimonio; el* NUDO *de las voluntades.* || **10.** *Geogr.* Lugar en donde se unen o cruzan dos o más sistemas de montañas. || **11.** *Mar.* Cada uno de los puntos de división de la corredera. || **12.** *Mar.* Trayecto de navegación que se mide con cada una de estas divisiones. || **13.** *Mar.* Refiriéndose a la velocidad de una nave, equivale a milla. *Navegábamos a tantos* NUDOS *por hora.* || **ciego.** El difícil de desatar, o por muy apretado, o por su forma especial. || **de tejedor.** El que se hace uniendo los dos cabos y formando con ellos dos lazos encontrados; y, apretándolos, es **nudo** que no se puede desatar. || **de tripas. Miserere,** 4.ª acep. || **en la garganta.** Impedimento que se suele sentir en ella, y estorba el tragar, hablar y algunas veces respirar. || **2.** fig. Aflicción o congoja que impide el explicarse o el hablar. || **gordiano.** El que ataba al yugo la lanza del carro de Gordio, antiguo rey de Frigia, el cual dicen que estaba hecho con tal artificio que no se podían descubrir los dos cabos. || **2.** fig. Cierto juego de sortijas. || **3.** fig. Cualquier **nudo** muy enredado o imposible de desatar. || **4.** fig. Dificultad insoluble. || **Atravesársele** a uno **un nudo en la garganta.** fr. fig. No poder hablar por susto, pena o vergüenza. || **Dar,** o **echar, otro nudo a la bolsa.** fr. con que se denota la resistencia para soltar dinero. || **Quien no da nudo, pierde punto.** ref. que enseña que el querer atropellar o abreviar demasiadamente las cosas suele retardarlas.

Nudo, da. (Del lat. *nūdus.*) adj. **Desnudo.** || **2.** V. **Nuda propiedad.**

Nudosidad. f. *Med.* Tumefacción o induración circunscrita en forma de nudo.

Nudoso, sa. (De *nudo.*) adj. Que tiene nudos. || **2.** *Zool.* V. **Juntura nudosa.**

Nudrimento. m. ant. **Nutrimento.**

Nudrir. (Del lat. *nutrīre.*) tr. ant. **Nutrir.**

Nuececilla. f. d. de **Nuez.** || **2.** *Bot.* Masa parenquimatosa que está rodeada por dos membranas y constituye la mayor parte del óvulo de los vegetales.

Nuecero, ra. m. y f. Persona que vende nueces.

Nuégado. (Del lat. *nux, nŭcis,* nuez.) m. Pasta cocida al horno, hecha con harina, miel y nueces, y que también suele hacerse de piñones, almendras, avellanas, cañamones, etc. Ú. m. en pl. || **2. Hormigo,** 3.ª acep. || **3. Hormigón,** 1.er art.

Nuera. (Del lat. *nurus.*) f. Respecto de una persona, mujer de su hijo. || **Arremangóse mi nuera, y volcó en el fuego la caldera.** ref. que se aplica a los ociosos o dejados, que cuando quieren hacer algo, lo echan todo a perder por su torpeza y falta de práctica.

Nuerza. (De *anorza.*) f. *Gran.* **Nueza.**

Nueso, sa. pron. ant. **Nuestro.**

Nuestramo, ma. Contracción de pronombre y substantivo masculino y femenino. Nuestro amo, nuestra ama. || **2.** m. *Germ.* **Escribano,** 1.ª acep.

Nuestro, tra, tros, tras. (Del lat. *nōster, nŏstra.*) Pronombre posesivo de primera persona en género masculino y femenino. Con la terminación del primero de estos dos géneros en singular, empléase también como neutro. **Nuestro, nuestra** conciertan en género con la persona o cosa poseída, la cual ha de estar en singular, y se refieren a dos o más poseedores. **Nuestros, nuestras** piden sean dos o más, así los poseedores como las personas o cosas poseídas; en sus cuatro formas suele referirse este pronombre a un solo poseedor cuando una persona de elevada jerarquía o un escritor se aplican a sí mismos, por ficción que el uso autoriza, el número plural, y dicen **nuestro, nuestra, nuestros, nuestras,** en vez de *mi* o *mis.* NUESTRO *Consejo,* hablando un monarca; NUESTRA *conducta,* NUESTRAS *opiniones,* hablando un escritor. || **Los nuestros.** Los que son del mismo partido, profesión o naturaleza del que habla.

Nueva. (Del lat. *nŏva,* t. f. de *nŏvus.*) f. Especie o noticia de una cosa que no se ha dicho o no se ha oído antes. || **2.** V. **Correo de malas nuevas.** || **Cogerle** a uno **de nuevas** alguna cosa. fr. fam. Saberla inopinadamente. || **De nuevas no os curedes, que hacerse han viejas y saberlas hedes.** ref. que reprende la demasiada prisa de saber lo que inmediatamente no nos atañe. || **Dormiré, dormiré; buenas nuevas hallaré.** ref. contra los que, siendo perezosos y negligentes, se prometen buenos sucesos. || **Hacerse** uno **de nuevas.** fr. Dar a entender con afectación y disimulo que no ha llegado a su noticia aquello que le dice otro, siendo cierto que ya lo sabía. || **Las malas nuevas siempre son ciertas.** ref. que expresa el natural temor a la adversidad, antes que la esperanza del bien.

Nuevamente. adv. m. **De nuevo.** || **2. Recientemente.**

Nueve. (Del lat. *nŏvem.*) adj. Ocho y uno. || **2. Noveno,** 1.ª acep. *Número* NUEVE; *año* NUEVE. Apl. a los días del mes, ú. t. c. s. *El* NUEVE *de octubre.* || **3.** m. Signo o cifra con que se representa el número **nueve.** || **4.** Carta o naipe que tiene **nueve** señales. *El* NUEVE *de copas.*

Nuevo, va. (Del lat. *nŏvus.*). adj. Recién hecho o fabricado. || **2.** Que se ve o se oye por la primera vez. || **3.** Repetido o reiterado para renovarlo. || **4.** Distinto o diferente de lo que antes había o se tenía aprendido. || **5.** Que sobreviene o se añade a una cosa que había antes. || **6.** Recién llegado a un país o lugar. *Diego es* NUEVO *en Madrid.* || **7. Novicio,** 3.ª acep. || **8.** fig. En oposición a viejo, se dice de lo que está poco o nada usado. || **9.** V. **Año, calendario, colegial, cristiano, estilo, maravedí nuevo.** || **10.** V. **Carne, fruta, ley, miel, misa nueva.** || **11.** V. **Nueva Academia, Nueva Recopilación.** || **12.** V. **Nuevo Testamento.** || **13.** *Astron.* V. **Luna nueva.** || **14.** V. **El Nuevo Mundo.** || **De nuevo.** m. adv. **Reiteradamente.**

Nuez. (Del lat. *nux, nŭcis.*) f. *Bot.* Fruto del nogal. Es una drupa ovoide, de tres o cuatro centímetros de diámetro, con el epicarpio fino y liso, de color verde con pintas negruzcas, el mesocarpio correoso y caedizo, y el endocarpio duro, pardusco, rugoso y dividido en dos mitades simétricas que encierran la semilla, desprovista de albumen y con dos cotiledones gruesos, muy oleaginosos y comestibles. || **2.** *Bot.* Fruto de otros árboles que tiene alguna semejanza con el del nogal por la naturaleza de su pericarpio. NUEZ *de coco, de areca, de burí, de nipa, moscada.* || **3.** Prominencia que forma el cartílago tiroides en la parte anterior del cuello del varón adulto. || **4.** Hueso sujeto al tablero de la ballesta para afirmar o armar la cuerda y que solía hacerse con la parte inferior de un mogote de ciervo. || **5.** V. **Cascarón, pierna de nuez.** || **6.** *Mús.* Pieza movible que en el extremo inferior del arco del violín e instrumentos análogos sirve para dar, por medio de un tornillo, más o menos tensión a las crines. || **de ciprés. Piña de ciprés.** || **de cola.** *Bot.* **Cola,** 3.er art. || **de especia. Nuez moscada,** 1.ª acep. || **ferreña.** La desmedrada y muy dura. || **moscada.** Fruto de la mirística, de forma ovoide, cubierto por la macis y con una almendra pardusca por fuera y blanquecina por dentro. Se emplea como condimento y para sacar el aceite que contiene en abundancia. || **2.** La común que, cogida en verde antes de cuajar la cáscara y conservada en almíbar, se cubre después con alcorza. || **vómica.** Semilla de un árbol de Oceanía, de la familia de las loganiáceas; aplastada, dura, redondeada, como de dos centímetros de diámetro y tres milímetros de grueso, de color gris, de sabor acre e inodora. Es muy venenosa; pero en cortas dosis se emplea en medicina como emética y febrífuga. || **Apretar** a uno **la nuez.** fr. fig. y fam. Matarle ahogándole. || **Cascarle** a uno **las nueces.** fr. fig. y fam. **Cascarle las liendres.** || **Volver las nueces al cántaro.** fr. fig. y fam. Suscitar de nuevo una especie después de muy disputada y concluida. || **2.** fig. Restituir las cosas a su anterior estado, especialmente las relaciones personales.

Nueza. (De *nuerza.*) f. Planta herbácea vivaz, de la familia de las cucurbitáceas, con tallos de dos a tres metros de largo, trepadores, vellosos y con zarcillos en espiral; hojas ásperas, pecioladas, grandes y partidas en cinco gajos, como las de la parra; flores dioicas, de color verde amarillento, axilares y pedunculadas, y por fruto bayas encarnadas. Es común en nuestro país. || **blanca.** Planta semejante a la anterior, pero con flores blancas y monoicas y bayas negras. Es la especie más abundante en el norte de Europa. || **negra.** *Bot.* Planta herbácea de la familia de las dioscoreáceas, con tallos trepadores de tres a cuatro metros de largo; hojas alternas, acorazonadas y de borde partido; flores dioicas, verdosas en racimos axilares, y por fruto bayas rojizas. Es común en España.

Nugatorio, ria. (Del lat. *nugatorĭus.*) adj. Engañoso, frustráneo; que burla la esperanza que se había concebido o el juicio que se tenía hecho.

Nulamente. adv. m. Inválidamente; sin valor ni efecto.

Nulidad. f. Calidad de nulo. || **2.** Vicio que disminuye o anula la estimación de una cosa. || **3.** Incapacidad, ineptitud. || **4.** Persona incapaz, inepta. *Rufino es una* NULIDAD. || **5.** *For.* V. **Recurso de nulidad.**

Nulo, la. (Del lat. *nullus.*) adj. Falto de valor y fuerza para obligar o tener efecto, por ser contrario a las leyes, o por carecer de las solemnidades que se requieren en la substancia o en el modo. || **2.** Incapaz, física o moralmente, para una cosa. || **3. Ninguno,** 1.ª acep.

Nullíus. (Del lat. *nullius,* genit. de *nullus.*) adj. *For.* V. **Bienes nullíus.**

Numantino, na. (Del lat. *numantīnus.*) adj. Natural de Numancia. Ú. t. c. s. || **2.** Perteneciente a esta antigua ciudad de la España Citerior.

Numen. (Del lat. *numen.*) m. Cualquiera de los dioses fabulosos adorados por los gentiles. || **2. Inspiración,** 3.ª acep.

Numerable. (Del lat. *numerabĭlis.*) adj. Que se puede reducir a número.

Numeración. (Del lat. *numeratio, -ōnis.*) f. Acción y efecto de numerar. || **2.** *Arit.* Arte de expresar de palabra o por escrito todos los números con una cantidad limitada de vocablos y de caracteres o guarismos. || **arábiga,** o **decimal.** Sistema, hoy casi universal, que con el valor absoluto y la posición relativa de los diez signos introducidos por los árabes en Europa, puede expresar cualquier cantidad. || **romana.** La que usaban los romanos y que expresa los números por medio de siete letras del alfabeto latino, que son I, V, X, L, C, D y M.

Numerador. (Del lat. *numerātor.*) m. *Arit.* Guarismo que señala el número de partes iguales de la unidad, que contiene un quebrado. || **2.** Aparato con que se marca la numeración correlativa.

Numeradora. f. *Impr.* Máquina para numerar correlativamente los ejemplares de un modelo u obra.

Numeral. (Del lat. *numerālis.*) adj. Perteneciente o relativo al número. || **2.** V. **Letra numeral.** || **3.** *Gram.* V. **Adjetivo, nombre numeral.**

Numerar. (Del lat. *numerāre.*) tr. Contar por el orden de los números. || **2.** Expresar **numéricamente** la cantidad. || **3.** Marcar con números.

Numerario, ria. (Del lat. *numerarĭus.*) adj. Que es del número o perteneciente a él. || **2.** m. Moneda acuñada o dinero efectivo.

Numéricamente. adv. m. Con determinación a individuo; individualmente. || **2.** Con relación al número.

Numérico, ca. (Del lat. *numerĭcus.* adj. Perteneciente o relativo a los números. || **2.** Compuesto o ejecutado con ellos. *Cálculo* NUMÉRICO.

Número. (Del lat. *numĕrus.*) m. *Arit.* Expresión de la cantidad computada con relación a una unidad. || **2.** Signo o conjunto de signos con que se representa el **número.** || **3.** Cantidad de personas o cosas de determinada especie. || **4.** Condición, categoría o clase de personas o cosas. || **5.** Tratándose de publicaciones periódicas, cada una de las hojas o cuadernos correspondientes a distinta fecha de edición, en la serie cronológica respectiva. || **6.** Cada una de las partes, actos o ejercicios del programa de un espectáculo u otra función destinada al público. || **7.** Determinada medida proporcional o cadencia, que hace armoniosos los períodos músicos y los de poesía y retórica, y por eso agradables y gustosos al oído. || **8. Verso,** 1.er art., 1.ª acep., por constar de determinado **número** de sílabas. || **9.** *Gram.* Accidente gramatical que expresa, por medio de cierta diferencia en la terminación de las palabras, si éstas se refieren a una sola persona o cosa o a más de una. || **10.** pl. Cuarto libro del Pentateuco de Moisés, llamado así porque contiene en primer lugar el censo o numeración de los israelitas. || **Número abstracto.** *Arit.* El que no se refiere a unidad de especie determinada. || **arábigo.** Cifra o guarismo perteneciente a la numeración arábiga. || **atómico.** *Quím.* El que se determina experimentalmente y denota el lugar que ocupa un cuerpo simple en el cuadro de la clasificación periódica de los elementos. || **cardinal.** Cada uno de los **números** enteros en abstracto, como *diez, mil.* || **complejo.** *Arit.* El que se compone de varios **números** concretos de diferente especie, pero del mismo género. || **compuesto.** *Arit.* El que se expresa con dos o más guarismos. || **concreto.** *Arit.* El que expresa cantidad de especie determinada. || **cósico.** *Arit.* El que es potencia exacta de otro. || **deficiente.** *Arit.* El que es inferior a la suma de sus partes alícuotas. || **de guarismo. Número arábigo.** || **denominado.** *Arit.* **Número complejo.** || **dígito.** *Arit.* El que puede expresarse con un solo guarismo; en la numeración decimal lo son los comprendidos desde el uno al nueve, ambos inclusive. || **dual.** *Gram.* El que, además del singular y del plural, tienen algunas lenguas para significar el conjunto de dos. || **entero.** *Arit.* El que consta exclusivamente de una o más unidades, a diferencia de los quebrados y de los mixtos. || **fraccionario.** *Arit.* **Número quebrado.** || **impar.** *Arit.* El que no es exactamente divisible por dos. || **incomplejo. Número** concreto que expresa unidades de una sola especie. || **llano. Número romano.** || **mixto.** *Arit.* El compuesto de entero y de quebrado. || **ordinal.** *Arit.* El que expresa ideas de orden o sucesión; como *segundo, tercero.* || **par.** *Arit.* El que es exactamente divisible por dos. || **perfecto.** *Arit.* El que es igual a la suma de sus partes alícuotas. || **plano.** *Arit.* El que procede de la multiplicación de dos **números** enteros. || **plural.** *Gram.* El de la palabra que se refiere a dos o más personas o cosas. || **primero,** o **primo.** *Arit.* El que sólo es exactamente divisible por sí mismo y por la unidad; como 5, 7, etc. || **quebrado.** *Arit.* El que expresa una o varias partes alícuotas de la unidad. || **redondo.** El aproximado, que no expresa más que las unidades completas de cierto orden de una determinada cantidad. || **romano.** El que se significa con letras del alfabeto latino; a saber: I (uno), V (cinco), X (diez), L (cincuenta), C (ciento), D (quinientos) y M (mil). || **sim-**

ple. *Arit.* **Número primo.** || **2.** *Arit.* El que se expresa con un solo guarismo. || **singular.** *Gram.* El de la palabra que se refiere a una sola persona o cosa. || **sólido.** *Arit.* El que procede de la multiplicación de tres **números** enteros. || **sordo.** *Arit.* El que no tiene raíz exacta. || **superante.** *Arit.* El que es superior a la suma de sus partes alícuotas. || **Áureo número.** *Cronol.* **Número** que se escribía con caracteres de oro en los sitios públicos de Atenas. || **2.** *Cronol.* **Ciclo decemnovenal.** || **Números amigos.** *Arit.* Dícese del par de **números** en que cada uno de ellos es igual a la suma de las partes alícuotas del otro. No se conocen más que tres pares en que se verifique esta propiedad, y son: el 284 y 220; el 17296 y 18415, y el 9363538 y 9437056. || **congruentes.** *Mat.* Dícese del par de **números** enteros que divididos por un tercer **número** llamado módulo, dan restos iguales. || **De número.** loc. Dícese de cada uno de los individuos de una corporación compuesta de limitado **número** de personas. *Académico, escribano* DE NÚMERO. || **Hacer número** una persona o cosa. fr. No servir o ser útil más que para aumentar el **número** de su especie. || **2.** Ú. también cortesanamente cuando una persona se ofrece al servicio de otra. *Para* HACER NÚMERO *entre los servidores de usted.* || **Llenar el número** de una cosa. fr. Completarlo. *Juan* LLENÓ EL NÚMERO *de los regidores.* || **Número uno.** expr. fig. y fam. Una persona o cosa, considerada con preferencia a todas las demás. *Mirar por el* NÚMERO UNO. || **Sin número.** loc. fig. con que se significa una muchedumbre casi innumerable. *Había gente* SIN NÚMERO.

Numerosamente. adv. m. En gran número. || **2.** Con cadencia, medida y proporción.

Numerosidad. (Del lat. *numerosĭtas, -ātis.*) f. Multitud numerosa.

Numeroso, sa. (Del lat. *numerōsus.*) adj. Que incluye gran número o muchedumbre de cosas. || **2.** Armonioso, o que tiene proporción, cadencia o medida.

Númida. (Del lat. *numĭda.*) adj. Natural de Numidia. Ú. t. c. s. || **2.** Perteneciente a esta región de África antigua.

Numídico, ca. (Del lat. *numidĭcus.*) adj. **Númida,** 2.ª acep.

Numisma. (Del lat. *numisma,* y éste del gr. νόμισμα.) m. *Numism.* **Moneda,** 2.ª acep.

Numismática. (De *numisma.*) f. Ciencia que trata del conocimiento de las monedas y medallas, principalmente de las antiguas.

Numismático, ca. (De *numisma.*) adj. Perteneciente o relativo a la numismática. || **2.** m. El que profesa esta ciencia o tiene en ella especiales conocimientos.

Numo. (Del lat. *nummus.*) m. p. us. Moneda o dinero.

Numular. adj. Dícese del esputo extendido y redondo como una moneda.

Numulario, ria. (Del lat. *nummularĭus.*) adj. V. **Tabla numularia.** || **2.** m. El que comercia o trata con dinero.

Numulita. (Del lat. *nummus,* moneda, y el gr. λίθος, piedra.) f. *Zool.* Protozoo foraminífero fósil, que vivió en el período eoceno, con caparazón calcáreo semejante por su aspecto a una moneda, cuyo diámetro alcanza a veces varios centímetros, y dividido en celdas dispuestas en espiral, de tal modo que cada espira envuelve a las precedentes. La acumulación de estos caparazones en inmenso número ha originado la formación de grandes depósitos geológicos.

Nunca. (Del lat. *nunquam.*) adv. t. En ningún tiempo. || **2.** Ninguna vez. || **Nunca jamás.** m. adv. **Nunca,** con sentido enfático.

Nunciar. (Del lat. *nuntiāre.*) tr. ant. **Anunciar.**

Nunciatura. f. Cargo o dignidad de nuncio. || **2.** Tribunal de la Rota de la **nunciatura** apostólica en España. || **3.** Casa en que vive el nuncio y está su tribunal. || **4.** V. **Auditor de la nunciatura.** || **5.** V. **Rota de la nunciatura apostólica.**

Nuncio. (Del lat *nuntĭus.*) m. El que lleva aviso, noticia o encargo de un sujeto a otro, enviado a él para este efecto. || **2.** Representante diplomático del Papa, que ejerce además, como legado, ciertas facultades pontificias. || **3.** fig. Anuncio o señal. *El viento del Sur suele ser en Madrid* NUNCIO *de lluvia.* || **apostólico. Nuncio,** 2.ª acep.

Nuncupativo. (Del lat. *nuncupatīvus.*) adj. V. **Testamento nuncupativo.**

Nuncupatorio, ria. (Del lat. *nuncupātor, -ōris,* que pone o da nombre a una cosa.) adj. Aplícase a las cartas o escritos con que se dedica una obra, o en que se nombra e instituye a uno por heredero o se le confiere un empleo.

Nuño. (Del arauc. *nuyu.*) m. *Bot. Chile.* Planta de la familia de las iridáceas, de raíces fibrosas, bastante drásticas, y flores rosadas.

Nupcial. (Del lat. *nuptiālis.*) adj. Perteneciente o relativo a las bodas. || **2.** V. **Bendiciones, teas nupciales.**

Nupcialidad. f. Número proporcional de nupcias o matrimonios en un tiempo y lugar determinados.

Nupcias. (Del lat. *nuptĭas,* acus. de *nuptĭae.*) f. pl. **Boda.**

Nutación. (Del lat. *nutatĭo, -ōnis,* bamboleo.) f. *Astron.* Oscilación periódica del eje de la Tierra, causada principalmente por la atracción lunar.

Nutra. (Del lat. *lutra.*) f. **Nutria.**

Nutria. (Del lat. **lutrĕa,* de *lutra.*) f. Mamífero carnicero de tres a cuatro decímetros de altura y unos nueve desde el hocico hasta el arranque de la cola, que tiene cerca de seis; cabeza ancha y aplastada, orejas pequeñas y redondas, cuerpo delgado, patas cortas, con los dedos de los pies unidos por una membrana, y pelaje espeso, muy suave y de color pardo rojizo. Vive a orillas de los ríos y arroyos, se alimenta de peces, y se la busca por su piel, muy apreciada en manguitería. || **de mar.** Especie de **nutria** que vive en las costas y de cuya piel se hace importante ramo de comercio en la China.

Nutricio, cia. (Del lat. *nutritĭus.*) adj. **Nutritivo.** || **2.** Que procura alimento para otra persona.

Nutrición. (Del lat. *nutritĭo, -ōnis.*) f. Acción y efecto de nutrir o nutrirse. || **2.** *Farm.* Preparación de los medicamentos, mezclándolos con otros para aumentarles la virtud y darles mayor fuerza.

Nutrido, da. p. p. de **Nutrir.** || **2.** adj. fig. Lleno, abundante. *Estudio* NUTRIDO *de ideas; biografía muy* NUTRIDA *de datos.* || **3.** *Mil.* V. **Fuego nutrido.**

Nutrimental. (Del lat. *nutrimentālis.*) adj. Que sirve de sustento o alimento.

Nutrimento. (Del lat. *nutrimentum.*) m. **Nutrición,** 1.ª acep. || **2.** Substancia de los alimentos. || **3.** fig. Materia o causa del aumento, actividad o fuerza de una cosa en cualquier línea, especialmente en lo moral.

Nutrimiento. m. **Nutrimento.**

Nutrir. (Del lat. *nutrire.*) tr. Aumentar la substancia del cuerpo animal o vegetal por medio del alimento, reparando las partes que se van perdiendo en virtud de las acciones catabólicas. || **2.** fig. Aumentar o dar nuevas fuerzas en cualquier línea, pero especialmente en lo moral. || **3.** fig. **Llenar,** 5.ª acep.

Nutritivo, va. adj. Capaz de nutrir.

Nutriz. (Del lat. *nutrix, -īcis.*) f. **Nodriza.**

Nutual. (Del lat. *nutus,* voluntad.) adj. Dícese de las capellanías y otros cargos, eclesiásticos o civiles, que son amovibles a voluntad del que los confiere.

Ny. (Del gr. νῦ.) f. Decimotercera letra del alfabeto griego, que corresponde a la que en el nuestro se llama *ene.*

Ñ

Ñ. f. Decimoséptima letra del abecedario español, y decimocuarta de sus consonantes. Su nombre es **eñe.**

Ña. f. En algunas partes de América y como tratamiento vulgar, **doña,** 2.° art., 1.ª acep.

Ñacanina. f. *Argent.* Víbora grande y venenosa.

Ñacurutú. m. *Amér.* Ave nocturna, especie de lechuza, de color amarillento y gris, uñas y pico corvos. Es domesticable.

Ñafrar. tr. *Germ.* **Hilar,** 1.ª acep.

Ñagaza. f. **Añagaza.**

Ñame. (Voz del Congo.) m. *Bot.* Planta herbácea de la familia de las dioscoráceas, con tallos endebles, volubles, de tres a cuatro metros de largo; hojas grandes y acorazonadas; flores pequeñas y verdosas en espigas axilares, y raíz grande, tuberculosa, de corteza casi negra y carne parecida a la de la batata, que cocida o asada es comestible muy usual en los países intertropicales. || **2.** Raíz de esta planta. || **3. Aje,** 2.° art.

Ñandú. m. Avestruz de América, que se diferencia principalmente del africano por tener tres dedos en cada pie y ser algo más pequeño y de plumaje gris poco fino.

Ñandubay. m. *Bot.* Árbol americano de la familia de las mimosáceas, de madera rojiza muy dura e incorruptible.

Ñandutí. m. *Amér. Merid.* Tejido muy fino que hacían principalmente las mujeres del Paraguay, hoy muy generalizado en la América del Sur para toda clase de ropa blanca.

Ñangué. m. *Cuba.* **Túnica de Cristo.**

Ñaña. f. *Chile.* **Niñera.** || **2.** *Argent.* y *Chile.* Hermana mayor.

Ñáñigo, ga. adj. Dícese del individuo afiliado a una sociedad secreta formada por negros en la isla de Cuba. Ú. m. c. s.

Ñaño, ña. adj. *Colomb.* Consentido, mimado en demasía. || **2.** *Perú.* Unido por amistad íntima. || **3.** m. *Chile.* Hermano mayor.

Ñapa. f. *Colomb.* Adehala, añadidura.

Ñapango, ga. adj. *Colomb.* Mestizo, mulato.

Ñapindá. m. *Bot. R. de la Plata.* Planta de la familia de las mimosáceas; especie de acacia muy espinosa, con flores amarillentas y de grato aroma.

Ñaque. m. Conjunto o montón de cosas inútiles y ridículas. || **2. Naque.**

Ñaruso, sa. adj. *Ecuad.* Dícese de la persona picada de viruelas.

Ñato, ta. adj. *Amér.* **Chato.**

Ñeque. adj. *C. Rica.* Fuerte, vigoroso. || **2.** m. *Chile* y *Perú.* Fuerza, energía.

Ñipe. m. *Bot. Chile.* Arbusto de la familia de las mirtáceas, cuyas ramas se emplean para teñir.

Ñiquiñaque. m. fam. Sujeto o cosa muy despreciable

Ñire. (Voz araucana.) m. *Bot. Chile.* Árbol de unos 20 metros de altura, de la familia de las fagáceas, con flores solitarias y hojas elípticas, obtusas y profundamente aserradas.

Ñisñil. m. *Chile.* Especie de enea que crece en los pantanos y con cuyas hojas tejen canastillos y se cubren ranchos. También las comen los animales.

Ño. m. En algunas partes de América y como tratamiento vulgar, **señor.**

Ñoclo. (Del lat. *nuclĕus,* nuez.) m. Especie de melindre hecho de masa de harina, azúcar, manteca de vacas, huevos, vino y anís, de que se forman unos panecitos del tamaño de nueces, los cuales se cuecen en el horno sobre papeles polvoreados de harina.

Ñocha. f. *Chile.* Hierba bromeliácea, cuyas hojas sirven para hacer sogas, canastos, sombreros, esteras y aventadores.

Ñoñería. f. Acción o dicho propio de persona ñoña.

Ñoñez. f. Calidad de ñoño. || **2. Ñoñería.**

Ñoño, ña. (Del lat. *nonnus,* anciano, preceptor, ayo.) adj. fam. Dícese de la persona sumamente apocada y de corto ingenio. || **2.** Dicho de las cosas, soso, de poca sustancia. || **3.** ant. Caduco, chocho.

Ñora. f. *Murc.* **Noria,** 1.ª acep.

Ñora. (De *Nora,* comarca murciana.) f. *Murc.* Pimiento muy picante, guindilla.

Ñorbo. m. *Ecuad.* y *Perú.* Flor pequeña, muy fragante, de una pasionaria muy común como adorno en las ventanas.

Ñoro. m. *Murc.* **Ñora,** 2.° art.

Ñu. m. *Zool.* Antílope propio del África del Sur, que parece un caballito con cabeza de toro.

Ñublado. m. ant. **Nublado.**

Ñublar. (De *nublar,* con la *ñ* de *añublar.*) tr. ant. **Nublar.**

Ñublo. (De *nublo,* con la *ñ* de *añublar.*) m. ant. **Nublo.**

Ñubloso, sa. (De *nubloso,* con la *ñ* de *añublar.*) adj. **Nubloso,** 1.ª acep.

Ñudillo. m. **Nudillo.**

Ñudo. (De *nudo,* con la *ñ* de *añudar.*) m. **Nudo.** || **Un ñudo a la bolsa y dos a la boca.** ref. que recomienda ahorrar dineros y palabras.

Ñudoso, sa. (De *nudoso,* con la *ñ* de *añudar.*) adj. **Nudoso.**

Ñuto, ta. adj. *Ecuad.* Dícese de lo que está molido o convertido en polvo.

O

O. f. Decimoctava letra del abecedario español, cuarta de sus vocales, y la más sonora después de la *a*. Pronúnciase emitiendo la voz con los labios un poco sacados hacia fuera en forma redonda, y libre la cavidad de la boca por retraimiento de la lengua. || **2.** *Dial.* Signo de la proposición particular negativa.

O. (Del lat. *ubi.*) adv. l. ant. **Do,** 2.° art.

O. (Del lat. *aut.*) conj. disyunt. que denota diferencia, separación o alternativa entre dos o más personas, cosas o ideas. *Antonio* o *Francisco; blanco* o *negro; herrar* o *quitar el banco; vencer* o *morir.* || **2.** Suele preceder a cada uno de dos o más términos contrapuestos. *Lo harás* o *de grado* o *por fuerza.* || **3.** Denota además idea de equivalencia, significando **o sea, o lo que es lo mismo.** *El protagonista,* o *el personaje principal de la fábula, es Hércules.*

¡O! interj. ant. **¡Oh!**

Oasis. (Del lat. *oăsis*, y éste del gr. ὄασις.) m. Sitio con vegetación y a veces con manantiales, que se encuentra aislado en los desiertos arenales de África y Asia. || **2.** fig. Tregua, descanso, refugio en las penalidades o contratiempos de la vida.

Ob. (Del lat. *ob.*) prep. insep. que significa por causa, o en virtud, o en fuerza, de; v. gr.: OB*cecación.*

Obcecación. (Del lat. *obcaecatĭo, -ōnis.*) f. Ofuscación tenaz y persistente. || **2.** *For.* V. **Arrebato y obcecación.**

Obcecadamente. adv. m. Con obcecación.

Obcecar. (Del lat. *obcaecāre.*) tr. Cegar, deslumbrar u ofuscar. Ú. t. c. r.

Obcegar. (Del lat. *obcaecāre.*) tr. ant. Obcecar.

Obduración. (Del lat. *obduratĭo, -ōnis.*) f. Porfía en resistir lo que conviene; obstinación y terquedad.

Obedecedor, ra. adj. Que obedece. Ú. t. c. s.

Obedecer. (Del lat. *obedīre.*) tr. Cumplir la voluntad de quien manda. || **2.** Ceder un animal con docilidad a la dirección que se le da. *El caballo* OBEDECE *al freno, a la mano.* || **3.** fig. Ceder una cosa inanimada al esfuerzo que se hace para cambiar su forma o su estado. *El oro* OBEDECE *al martillo; la enfermedad* OBEDECE *a los remedios.* || **4.** intr. fig. **Dimanar,** 2.ª acep. || **Más vale obedecer que sacrificar.** fr. proverb., tomada de la Sagrada Escritura, que enseña la obligación que se tiene de **obedecer** en primer lugar y ante todas cosas el precepto del superior.

Obedecible. adj. Que puede o debe ser obedecido.

Obedeciente. p. a. ant. de **Obedecer. Obediente.**

Obedecimiento. m. Acción de obedecer, 1.ª acep.

Obediencia. (Del lat. *obedientia.*) f. Acción de obedecer. || **2.** Precepto del superior, especialmente en las órdenes regulares. || **3.** En las mismas órdenes, permiso que da el superior a un súbdito para ir a predicar, o asignación de oficio para otro convento, o para hacer un viaje. || **4.** En las dichas órdenes, oficio o empleo de comunidad, que sirve o desempeña un religioso por orden de sus superiores. || **5.** V. **Precepto formal de obediencia.** || **ciega.** fig. La que se presta sin examinar los motivos o razones del que manda. || **debida.** *For.* La que se rinde al superior jerárquico y es circunstancia eximente de responsabilidad en los delitos. || **Acatar obediencia.** fr. ant. Tenerla o rendirla. || **A la obediencia.** expr. cortesana con que uno se somete al gusto de otro. || **Dar la obediencia** a uno. fr. Sujetarse a él; reconocerle por superior.

Obediencial. adj. Perteneciente o relativo a la obediencia. || **2.** V. **Letras obedienciales.**

Obediente. (Del lat. *obedĭens, -entis.*) p. a. de **Obedecer.** Que obedece. || **2.** adj. Propenso a obedecer.

Obedientemente. adv. m. Con obediencia.

Obelisco. (Del lat. *obeliscus*, y éste del gr. ὀβελίσκος.) m. Pilar muy alto, de cuatro caras iguales un poco convergentes, y terminado por una punta piramidal muy achatada, el cual sirve de adorno en lugares públicos, y lo emplearon principalmente los egipcios cubierto de inscripciones jeroglíficas. || **2.** Señal que se solía poner en la margen de los libros para anotar una cosa particular.

Obelo. (Del lat. *obelus*, y éste del gr. ὀβελός.) m. **Obelisco.**

Obencadura. f. *Mar.* Conjunto de los obenques.

Obenque. (Del neerl. *hobant;* de *hoofd*, principal, y *bant*, cordaje.) m. *Mar.* Cada uno de los cabos gruesos que sujetan la cabeza de un palo o de un mastelero a la mesa de guarnición o a la cofa correspondiente.

Obertura. (Del fr. *ouverture*, y éste del lat. *apertūra.*) f. Pieza de música instrumental con que se da principio a una ópera, oratorio u otra composición lírica.

Obesidad. (Del lat. *obesĭtas, -ātis.*) f. Calidad de obeso.

Obeso, sa. (Del lat. *obēsus.*) adj. Dícese de la persona que tiene gordura en demasía.

Óbice. (Del lat. *obex, -ĭcis.*) m. Obstáculo, embarazo, estorbo, impedimento.

Obispado. m. Dignidad de obispo. || **2.** Territorio o distrito asignado a un obispo para ejercer sus funciones y jurisdicción.

Obispal. (De *obispo.*) adj. **Episcopal.**

Obispalía. (De *obispal.*) f. Palacio o casa del obispo. || **2. Obispado.**

Obispar. intr. Obtener un obispado; ser nombrado para él.

Obispillo. (d. de *obispo.*) m. Muchacho que en algunas catedrales visten de obispo la víspera y día de San Nicolás de Bari, y le hacen asistir a vísperas y misa mayor. || **2.** En las universidades, estudiante nuevo a quien ponían una mitra de papel y le tributaban burlesco acatamiento. || **3.** Morcilla grande y gruesa que se hace cuando se matan los puercos. Algunos acostumbran hacerla de carne picada con huevos, almendras y especias. || **4.** Rabadilla de las aves.

Obispo. (Del lat. *episcŏpus*, y éste del gr. ἐπίσκοπος, de ἐπισκέπτομαι, inspeccionar.) m. Prelado superior de una diócesis, a cuyo cargo está la cura espiritual y la dirección y el gobierno eclesiástico de los diocesanos. || **2.** V. **Mes del obispo.** || **3.** *Zool.* Pez selacio del suborden de los ráyidos, de más de dos metros y medio de largo, con cabeza abultada, ojos prominentes, cola muy larga con dos carreras de espinas, y hocico prolongado en una especie de visera cuyo perfil recuerda la forma de una mitra. || **4. Obispillo,** 3.ª acep. || **5.** *Germ.* **Gallo,** 1.ª acep. || **auxiliar.** Prelado sin jurisdicción propia, con título in pártibus, que se nombra algunas veces para que ayude en sus funciones a algún **obispo** o arzobispo. || **comprovincial. Coepíscopo.** || **de anillo. Obispo in pártibus infidélium.** || **2. Obispo auxiliar.** || **de la primera silla. Metropolitano.** || **de título. Obispo in pártibus infidélium.** || **2. Obispo auxiliar.** || **electo.** El que sólo tenía el nombramiento del rey, sin estar aún consagrado ni confirmado. || **in pártibus,** o **in pártibus infidélium.** El que toma título de país o territorio ocupado por los infieles y en el cual no reside. || **regionario.** El que no tenía silla determinada e iba a predicar en diferentes lugares o a ejercer su ministerio donde le llamaba la necesidad. || **sufragáneo.** El de una diócesis que con otra u otras compone la provincia del metropolitano. || **titular. Obispo de título.** || **Trabajar para el obispo.** fr. fig. y fam. Trabajar sin recompensa.

Óbito. (Del lat. *obĭtus;* de *obīre,* morir.) m. Fallecimiento de una persona.

Obituario. (De *óbito.*) m. Libro parroquial en que anotan las partidas de defunción y de entierro. || **2.** Registro de las fundaciones de aniversario de óbitos.

Obiubi. m. *Venez.* Mono de color negro, que duerme de día con la cabeza metida entre las piernas.

Objeción. (Del lat. *obiectĭo, -ōnis.*) f. Razón que se propone o dificultad que se presenta en contrario de una opinión o designio, o para impugnar una proposición.

Objecto. (Del lat. *obiectus.*) m. ant. Objeción, tacha, reparo.

Objetante. p. a. de **Objetar.** Que objeta. Ú. t. c. s.

Objetar. (Del lat. *obiectāre.*) tr. Oponer reparo a una opinión o designio; proponer una razón contraria a lo que se ha dicho o intentado.

Objetivamente. adv. m. En cuanto al objeto, o por razón del objeto.

Objetividad. f. Calidad de objetivo, 1.ª acep.

Objetivo, va. adj. Perteneciente o relativo al objeto en sí y no a nuestro modo de pensar o de sentir. || **2.** Desinteresado, desapasionado. || **3.** *Fil.* Dícese de lo que existe realmente, fuera del sujeto que lo conoce. || **4.** *Med.* Dícese del síntoma que está al alcance de los sentidos del médico. || **5.** m. Lente, o sistema de lentes, colocadas en los anteojos y otros aparatos de óptica en la parte que se dirige hacia los objetos. || **6. Objeto,** 4.ª acep. || **7.** *Mil.* **Blanco,** 13.ª y 14.ª aceps.

Objeto. (Del lat. *obiectus.*) m. Todo lo que puede ser materia de conocimiento o sensibilidad de parte del sujeto, incluso éste mismo. || **2.** Lo que sirve de materia o asunto al ejercicio de las facultades mentales. || **3.** Término o fin de los actos de las potencias. || **4.** Fin o intento a que se dirige o encamina una acción u operación. || **5.** Materia y sujeto de una ciencia. *El* OBJETO *de la teología es Dios.* Puede ser material o formal. El material es el mismo sujeto o materia de la facultad, y el formal el fin de ella; así, en la medicina el **objeto** material es la enfermedad, y el formal la curación. || **6. Cosa.** || **7.** ant. Objeción, tacha o reparo. || **de atribución. Objeto,** 3.ª acep.

Oblación. (Del lat. *oblatĭo, -ōnis.*) f. Ofrenda y sacrificio que se hace a Dios. || **a la curia.** Modo de legitimar a los hijos naturales, introducido en el derecho romano por los emperadores Teodosio y Valentiniano como atractivo hacia los cargos curiales, que eran gravosos y de día en día menos aceptos.

Oblada. (Del lat. *oblāta,* oblata.) f. Ofrenda que se lleva a la iglesia y se da por los difuntos, que regularmente es un pan o rosca. En otro tiempo solía ponerse encima de la piedra que cubría la sepultura, antes de dársela al cura, y estar allí mientras se decía la misa. || **Quien lleva las obladas, que taña las campanas.** ref. que enseña que el que lleva la utilidad debe llevar el trabajo.

Oblata. (Del lat. *oblāta,* ofrecida.) f. Porción de dinero que se da al sacristán o a la fábrica de la iglesia por razón del gasto de vino, hostias, cera u ornamentos para decir las misas. || **2.** En la misa, la hostia ofrecida y puesta sobre la patena, y el vino en el cáliz, antes de ser consagrados. *Incensar la* OBLATA. || **3.** Religiosa perteneciente a la congregación del Santísimo Redentor, fundada en España en el siglo XVI para librar a las jóvenes del peligro de la prostitución. Ú. t. c. adj.

Oblativo, va. adj. Perteneciente o relativo a la oblación.

Oblato. (Del lat. *oblātus,* ofrecido.) adj. Dícese de la persona que pertenece a la congregación de clérigos seculares, fundada en el siglo XIX, en Italia, por San Carlos Borromeo. Ú. t. c. s. || **2.** Aplícase también a los miembros de la congregación fundada en Marsella, en el siglo XIX, por Eugenio Mazenod. Ú. t. c. s.

Oblea. (Del ant. fr. *oublée,* y éste del lat. *oblāta,* ofrecida.) f. Hoja muy delgada de masa de harina y agua, cocida en molde, y cuyos trozos, cuadrados o circulares, servían más generalmente para pegar sobres o cubiertas de oficios o cartas. || **2.** Cada uno de estos trozos. || **3.** Trocito por lo común circular, hecho de goma arábiga preparada en láminas y usado también para cerrar cartas. || **4.** fig. y fam. Persona o animal extremadamente escuálidos o desmedrados. *Salir de la enfermedad hecho una* OBLEA.

Obleera. f. Vaso o caja para obleas.

Oblicuamente. adv. m. Con oblicuidad.

Oblicuángulo. (De *oblicuo* y *ángulo.*) adj. *Geom.* Se dice de la figura o del poliedro en que no es recto ninguno de sus ángulos.

Oblicuar. (Del lat. *obliquāre.*) tr. Dar a una cosa dirección oblicua con relación a otra. || **2.** intr. *Mil.* Marchar con dirección diagonal por cualquiera de los flancos sin perder el frente de formación.

Oblicuidad. (Del lat. *obliquĭtas, -ātis.*) f. Dirección al sesgo, al través, con inclinación. || **2.** *Geom.* Inclinación que aparta del ángulo recto la línea o el plano que se considera respecto de otra u otro. || **de la Eclíptica.** *Astron.* Ángulo que forma la Eclíptica con el Ecuador, y que en la actualidad es de 23 grados y 27 minutos.

Oblicuo, cua. (Del lat. *oblīquus.*) adj. Sesgado, inclinado al través o desviado de la horizontal. || **2.** V. **Ángulo, caso, cilindro, compás, cono, fuego oblicuo.** || **3.** V. **Ascensión, esfera oblicua.** || **4.** *Geom.* Dícese del plano o línea que se encuentra con otro u otra, y hace con él o ella ángulo que no es recto.

Obligación. (Del lat. *obligatĭo, -ōnis.*) f. Imposición o exigencia moral que debe regir la voluntad libre. || **2.** Vínculo que sujeta a hacer o abstenerse de hacer una cosa, establecido por precepto de ley, por voluntario otorgamiento o por derivación recta de ciertos actos. || **3.** Correspondencia que uno debe tener y manifestar al beneficio que ha recibido de otro. || **4.** Documento notarial o privado en que se reconoce una deuda o se promete su pago u otra prestación o entrega. || **5.** Título, comúnmente amortizable, al portador y con interés fijo, que representa una suma prestada o exigible por otro concepto a la persona o entidad que lo emitió. || **6.** Casa donde el obligado vende el género que está de su cargo. || **7.** Carga, miramiento, reserva o incumbencia inherentes al estado, a la dignidad o a la condición de una persona. || **8.** pl. Familia que cada uno tiene que mantener, y particularmente la de los hijos y parientes. *Estar cargado de* OBLIGACIONES. || **Obligación alternativa.** *For.* Aquella que, entre varias prestaciones, puede pagarse con una sola y completa, correspondiendo la elección, por regla general, al deudor. || **civil.** Por contraposición a la natural, aquella cuyo cumplimiento es exigible legalmente aunque no siempre sea valedera en conciencia. || **de probar.** *For.* Deber que impone la ley a una de las partes litigantes, generalmente al que afirma, de aportar las pruebas de sus asertos o alegaciones. || **mancomunada.** *For.* Aquella cuyo cumplimiento es exigible a dos o más deudores, o por dos o más acreedores, cada uno en su parte correspondiente. || **natural.** *For.* La que, siendo lícita en conciencia, no es, sin embargo, legalmente exigible por el acreedor, aunque puede producir algunos efectos jurídicos; como las deudas de menores, de mujer casada, las de juego o las ya prescritas. || **pura.** *For.* La que es perfecta y exigible desde luego, sin condición ni plazo. || **solidaria.** *For.* Aquella en que cada uno de los acreedores puede reclamar por sí la totalidad del crédito, o en que cada uno de los deudores está obligado a satisfacer la deuda entera, sin perjuicio del posterior abono o resarcimiento que el cobro o el plazo determinen entre el que lo realiza y sus cointeresados. || **Constituirse** uno **en obligación de** una cosa. fr. Obligarse a ella. || **Correr obligación** a uno. fr. Estar obligado. || **Primero es la obligación que la devoción.** ref. que enseña que no se debe anteponer cosa ninguna al cumplimiento de los deberes.

Obligacionista. com. Portador o tenedor de una o varias obligaciones negociables.

Obligado. (Del lat. *obligātus.*) m. Persona a cuya cuenta corre el abastecer a un pueblo o ciudad de algún género; como carne, carbón, etc. || **2.** *Mús.* Lo que canta o toca un músico como principal, acompañándole las demás voces e instrumentos.

Obligamiento. (Del lat. *obligamentum.*) m. ant. **Obligación.**

Obligante. (Del lat. *obligans, -antis.*) p. a. de **Obligar.** Que obliga.

Obligar. (Del lat. *obligāre.*) tr. Mover e impulsar a hacer o cumplir una cosa; compeler, ligar. || **2.** Ganar la voluntad de uno con beneficio u obsequios. || **3.** Hacer fuerza en una cosa para conseguir un efecto. *Esta mecha no entra en la muesca sino* OBLIGÁNDOLA. || **4.** *For.* Sujetar los bienes al pago de deudas o al cumplimiento de otras prestaciones exigibles. || **5.** r. Comprometerse a cumplir una cosa.

Obligativo, va. adj. **Obligatorio.**

Obligatoriedad. f. Calidad de obligatorio.

Obligatorio, ria. (Del lat. *obligatorĭus.*) adj. Dícese de lo que obliga a su cumplimiento y ejecución.

Obliteración. (Del lat. *oblitteratĭo, -ōnis.*) f. *Med.* Acción y efecto de obliterar u obliterarse.

Obliterador, ra. adj. Que cierra u oblitera.

Obliterar. (Del lat. *oblitterāre,* borrar, abolir.) tr. *Med.* Obstruir o cerrar un conducto o cavidad de un cuerpo organizado. Ú. t. c. r.

Oblongada. (De *oblongo.*) adj. V. **Medula oblongada.**

Oblongo, ga. (Del lat. *oblongus.*) adj. Más largo que ancho. || **2.** V. **Medula oblonga.**

Obnoxio, xia. (Del lat. *obnoxĭus.*) adj. ant. Expuesto a contingencia o peligro.

Obnubilación. f. **Ofuscamiento.** || **2.** *Med.* Visión de los objetos como al través de una nube.

Oboe. (Del fr. *hautbois;* de *haut,* alto, y *bois,* madera.) m. Instrumento músico de viento, semejante a la dulzaina, de cinco a seis decímetros de largo, con seis agujeros y desde dos hasta trece llaves. Consta de tres trozos; el primero tiene en su extremidad superior un tudel que remata en una boquilla o lengüeta de caña; el tercero va ensanchando hasta terminar en figura de campana. ‖ **2.** Persona que ejerce o profesa el arte de tocar este instrumento.

Óbolo. (Del lat. *obŏlus*, y éste del gr. ὀβολός.) m. Peso que se usó en la antigua Grecia y era la sexta parte del dracma, equivalente a cerca de seis decigramos. ‖ **2.** Moneda de plata de los antiguos griegos, equivalente a unos 14 céntimos de peseta. ‖ **3.** fig. Cantidad exigua con que se contribuye para un fin determinado. ‖ **4.** *Farm.* Medio escrúpulo, o sea 12 gramos.

Obra. (Del lat. *ŏpĕra.*) f. Cosa hecha o producida por un agente. ‖ **2.** Cualquiera producción del entendimiento en ciencias, letras o artes, y con particularidad la que es de alguna importancia. ‖ **3.** Tratándose de libros, volumen o volúmenes que contienen un trabajo literario completo. ‖ **4.** Edificio en construcción. *En este lugar hay muchas* OBRAS. ‖ **5.** Compostura o innovación que se hace en un edificio. *En casa de Pedro hay* OBRA. ‖ **6.** Medio, virtud o poder. *Por* OBRA *del Espíritu Santo.* ‖ **7.** Trabajo que cuesta, o tiempo que requiere, la ejecución de una cosa. *Esta pieza tiene mucha* OBRA. ‖ **8.** Labor que tiene que hacer un artesano. ‖ **9.** Acción moral, y principalmente la que se encamina al provecho del alma, o la que le hace daño. ‖ **10.** Derecho de fábrica. ‖ **11.** V. **Plomo de obra.** ‖ **12.** V. **Carpintero de obra de afuera.** ‖ **13.** V. **Maestro de obras.** ‖ **14.** V. **Maestro de altas obras.** ‖ **15.** V. **Alcalde de obras y bosques.** ‖ **16.** *Metal.* Parte estrecha y prismática de un horno alto situada inmediatamente encima del crisol. ‖ **coronada.** *Fort.* Una de las exteriores, que consta de dos medios baluartes y uno entero, trabados con dos cortinas. ‖ **de caridad.** La que se hace en bien del prójimo. ‖ **de El Escorial.** fig. y fam. Cosa que tarda mucho en terminarse. ‖ **de fábrica.** Puente, viaducto, alcantarilla u otra de las construcciones semejantes que se ejecutan en una vía de comunicación, acueducto, etc., diferentes de las explanaciones. ‖ **de manos.** La que se ejecuta interviniendo principalmente el trabajo manual. ‖ **de misericordia.** Cada uno de aquellos actos con que se socorre al necesitado, corporal o espiritualmente. Llámase **de misericordia,** porque no obliga de justicia sino en casos graves. ‖ **de romanos.** fig. Cualquier cosa que cuesta mucho trabajo y tiempo, o que es grande, perfecta y acabada en su línea. ‖ **en pecado mortal.** fig. y fam. La que, o no consigue el fin que se intenta, o no tiene la correspondencia debida. ‖ **exterior.** *Fort.* La, que se hace de la contraescarpa afuera para mayor defensa. ‖ **manual.** ant. Operación quirúrgica. ‖ **muerta.** *Mar.* Parte del casco de un barco, que está por encima de la línea de flotación. ‖ **2.** fig. Acción buena en sí, pero que por estar en pecado mortal el que la ejecuta, no es meritoria de la vida eterna. ‖ **pía.** Establecimiento piadoso para el culto de Dios o el ejercicio de la caridad con el prójimo. ‖ **2.** fig. y fam. Cualquier cosa en que se halla utilidad. ‖ **prima.** Obra de zapatería que se hace nueva, a distinción de la de componer y remendar el calzado. ‖ **2.** V. **Maestro de obra prima.** ‖ **pública.** La que es de interés general y se destina a uso público; como camino, puerto, faro, etc. ‖ **2.** V. **Ayudante de obras públicas.** ‖ **viva.** fig. Acción buena que se ejecuta en estado de gracia. ‖ **2.** *Mar.* **Fondo,** 23.ª acep. ‖ **Buena obra. Obra de caridad.** ‖ **Alzar de obra.** fr. Entre obreros y trabajadores, suspender el trabajo. ‖ **De obra.** m. adv. que con algunos verbos significa que la acción de éstos se efectúa de manera material y corpórea, por oposición a la verbal o inmaterial. *Maltratar de palabra y* DE OBRA. ‖ **¡Es obra!** exclam. con que se encarece la dificultad, trabajo o molestia de una cosa. ‖ **Hacer mala obra.** fr. Causar incomodidad o perjuicio. ‖ **Las obras, con las sobras.** ref. que aconseja no gastar en edificios sino el sobrante de las rentas. ‖ **Meter en obra** una cosa. fr. **Ponerla por obra.** ‖ **Ni obra buena, ni palabra mala.** fr. proverb. con que se moteja a los que ofrecen mucho y nada cumplen. ‖ **Obra comenzada, no te la vea suegra ni cuñada.** ref. que aconseja que lo que uno quiere que llegue a efecto, lo procure ocultar de quien se lo impida. ‖ **Obra de.** m. adv. que sirve para determinar una cantidad sobre poco más o menos, cuando no se puede señalar a punto fijo. *En* OBRA DE *un mes se acaba la vendimia.* ‖ **Obra del común, obra de ningún.** ref. que da a entender que lo que está a cargo de muchos no se perfecciona, porque todos echan fuera de sí el trabajo. ‖ **Obra empezada, medio acabada.** ref. que denota que la mayor dificultad en cualquier cosa consiste por lo común en los principios. ‖ **Obra hecha, dinero, o venta, espera.** ref. que enseña que donde se trabaja se asegura la utilidad y el provecho. ‖ **Obra saca obra.** ref. que manifiesta que, ejecutada una **obra,** suele quedar la precisión de hacer otra. ‖ **Obras son amores, que no buenas razones.** ref. que recomienda confirmar con hechos las buenas palabras, porque ellas solas no acreditan el cariño y buena voluntad. ‖ **Poner por obra** una cosa. fr. Emprenderla; dar principio a ella. ‖ **Seca está la obra.** expr. fam. y fest. con que los artífices u oficiales dan a entender al dueño de una **obra** que es menestar remojarla dándoles para refrescar. ‖ **Sentarse la obra.** fr. *Arq.* Enjugarse la humedad de la fábrica, y adquirir ésta la unión y firmeza necesarias. ‖ **Tomar** uno **una obra.** fr. Encargarse de ella, concertándola para ponerla en ejecución. ‖ **¡Ya es obra!** exclam. **¡Es obra!**

Obrada. (De *obrar.*) f. Labor que en un día hace un hombre cavando la tierra, o una yunta arándola. ‖ **2.** Medida agraria usada en las provincias de Palencia, Segovia y Valladolid, en equivalencia, respectivamente, de 53 áreas y 832 miliáreas, de 39 áreas y 303 miliáreas y de 46 áreas y 582 miliáreas.

Obrador, ra. (Del lat. *operātor.*) adj. Que obra. Ú. t. c. s. ‖ **2.** m. **Taller,** 1.er art., 1.ª acep.

Obradura. (De *obrar.*) f. Lo que de cada vez se exprime en el molino de aceite en cada prensa.

Obraje. (De *obrar.*) m. **Manufactura.** ‖ **2.** Oficina o paraje donde se labran paños y otras cosas para el uso común. ‖ **3.** Prestación de trabajo que se imponía a los indios de América, y que las leyes procuraron extinguir.

Obrajero. (De *obraje.*) m. Capataz o jefe que gobierna la gente que trabaja en una obra.

Obrante. p. a. de **Obrar.** Que obra.

Obrar. (Del lat. *operāre.*) tr. Hacer una cosa, trabajar en ella. ‖ **2.** Ejecutar o practicar una cosa no material. ‖ **3.** Causar, producir o hacer efecto una cosa. ‖ **4.** Construir, edificar, hacer una obra. ‖ **5.** intr. **Exonerar el vientre.** ‖ **6.** Existir una cosa en sitio determinado. *El expediente* OBRA *en poder del fiscal.*

Obregón. m. Cada uno de los miembros de la congregación de hospitalarios fundada en Madrid por don Bernardino de Obregón, en el año 1565. Ú. m. en pl.

Obrepción. (Del lat. *obreptĭo, -ōnis,* introducción furtiva.) f. *For.* Falsa narración de un hecho, que se hace al superior para sacar o conseguir de él un rescripto, empleo o dignidad, de modo que oculta el impedimento que haya para su logro.

Obrepticiamente. adv. m. De manera obrepticia.

Obrepticio, cia. (Del lat. *obreptitĭus.*) adj. *For.* Que se pretende o consigue mediante obrepción.

Obrería. f. Cargo de obrero. ‖ **2.** Renta destinada para la fábrica de la iglesia o de otras comunidades. ‖ **3.** Cuidado de ella. ‖ **4.** Sitio u oficina destinada para este despacho.

Obrerismo. m. Régimen económico fundado en el predominio del trabajo obrero como elemento de producción y creador de riqueza. ‖ **2.** Conjunto de los obreros, considerado como entidad económica.

Obrerista. adj. Dícese de lo que se relaciona o pertenece al obrerismo.

Obrero, ra. (Del lat. *operarĭus.*) adj. Que trabaja. Ú. t. c. s. ‖ **2.** V. **Abeja obrera.** ‖ **3.** m. y f. Trabajador manual retribuido. ‖ **4.** m. El que cuida de las obras en las iglesias o comunidades; en algunas catedrales es dignidad. ‖ **5.** Dignidad de las órdenes militares que asiste a las juntas; en lo antiguo cuidaba del convento, y, en defecto de los comendadores mayores, era capitán de lanzas. ‖ **6.** Dezmero que en algunas partes pagaba directamente su cuota a la obrería de la iglesia catedral. ‖ **7.** ant. **Maestro de obras.** ‖ **8.** ant. El que cobra o hace una cosa. ‖ **de villa. Albañil.** ‖ **Obreros a no ver, dineros a perder.** ref. que enseña que en las obras a cuya vista no están sus dueños, suele gastarse el dinero inútilmente. ‖ **Quien mal hace, obrero coge.** ref. que reprende al holgazán, que por no trabajar paga a quien ejecute algo por él.

Obrizo. (Del lat. *obrўzum,* oro afinado, y éste del gr. ὄβρυζον.) adj. V. **Oro obrizo.**

Obscenamente. adv. m. Impuramente, con torpeza y lascivia.

Obscenidad. (Del lat. *obscenĭtas, -ātis.*) f. Calidad de obsceno. ‖ **2.** Cosa obscena. *Decir* OBSCENIDADES; *libro lleno de* OBSCENIDADES.

Obsceno, na. (Del lat. *obscēnus.*) adj. Impúdico, torpe, ofensivo al pudor. *Hombre, poeta* OBSCENO; *canción, pintura* OBSCENA.

Obscuración. (Del lat. *obscuratĭo, -ōnis.*) f. **Obscuridad.**

Obscuramente. adv. m. Con obscuridad.

Obscurantismo. (Del lat. *obscūrans, -antis,* que obscurece.) m. Oposición sistemática a que se difunda la instrucción en las clases populares.

Obscurantista. adj. Partidario del obscurantismo. Apl. a pers., ú. t. c. s.

Obscurar. (Del lat. *obscurāre.*) tr. e intr. ant. **Obscurecer.** Usáb. t. c. r.

Obscurecer. (De *obscuro.*) tr. Privar de luz y claridad. ‖ **2.** fig. Disminuir la estimación y esplendor de las cosas; deslustrarlas y abatirlas. ‖ **3.** fig. Ofuscar la razón, alterando y confundiendo la realidad de las cosas, para que o no se conozcan o parezcan diversas. ‖ **4.** fig. Dificultar la inteligencia del concepto, por los términos empleados para expresarlo. ‖ **5.** *Pint.* Dar mucha sombra a una parte de la composición para que otras resalten. ‖ **6.** intr. Ir anocheciendo, faltar la luz y claridad desde que el Sol empieza a ocultarse. ‖ **7.** r. Aplicado al día, a la mañana, al cielo, etc., nublarse. ‖ **8.** fig. y fam. No parecer una cosa, por haberla hurtado u ocultado.

Obscurecimiento. m. Acción y efecto de obscurecer u obscurecerse.

Obscuridad. (Del lat. *obscurĭtas, -ātis.*) f. Falta de luz y claridad para percibir las cosas. ‖ **2.** Densidad muy sombría; como la de los bosques altos y cerrados. ‖ **3.** fig. Humildad, bajeza en la condición social. ‖ **4.** fig. Falta de luz y conocimiento en el alma o en las potencias intelectuales. || **5.** fig. Falta de claridad en lo escrito o hablado. || **6.** Carencia de noticias acerca de un hecho o de sus causas y circunstancias.

Obscuro, ra. (Del lat. *obscūrus.*) adj. Que carece de luz o claridad. || **2.** Dícese del color que casi llega a ser negro, y del que se contrapone a otro más claro de su misma clase. *Azul* OBSCURO; *verde* OBSCURO. Ú. t. c. s. || **3.** V. **Cámara obscura.** || **4.** fig. Humilde, bajo o poco conocido. Aplícase comúnmente a los linajes. || **5.** fig. Confuso, falto de claridad, poco inteligible. Dícese del lenguaje y de las personas. || **6.** fig. Incierto, peligroso, temeroso. *Porvenir* OBSCURO. || **7.** m. *Pint.* Parte en que se representan las sombras. || **8.** *Pint.* V. **Masa, toque de obscuro.** || **A obscuras.** m. adv. Sin luz. || **2.** fig. Sin vista. || **3.** fig. Sin conocimiento de una cosa; sin comprender lo que se oye o se lee. || **Estar,** o **hacer, obscuro.** fr. Faltar claridad en el cielo por estar nublado, y especialmente cuando es de noche.

Obsecración. (Del lat. *obsecratĭo,* deprecación.) f. Ruego, instancia.

Obsecuencia. (Del lat. *obsĕquentĭa.*) f. Sumisión, amabilidad, condescendencia.

Obsecuente. (Del lat. *obsequens, -entis.*) adj. Obediente, rendido, sumiso.

Obsequiador, ra. adj. Que obsequia. Ú. t. c. s.

Obsequiante. p. a. de **Obsequiar.** Que obsequia. Ú. t. c. s.

Obsequiar. (De *obsequio.*) tr. Agasajar a uno con atenciones, servicios o regalos. || **2. Galantear,** 2.ª acep.

Obsequias. (Del lat. *obsequĭas,* acus. pl. de *-ae.*) f. pl. ant. **Exequias.** || **2.** ant. Canto fúnebre en alabanza o memoria de un difunto.

Obsequio. (Del lat. *obsequĭum.*) m. Acción de obsequiar. || **2. Regalo,** 1.ª acep. || **3.** Rendimiento, deferencia, afabilidad.

Obsequiosamente. adv. m. Con reverencia, cortejo y acatamiento.

Obsequiosidad. f. Calidad de obsequioso.

Obsequioso, sa. (Del lat. *obsequiōsus.*) adj. Rendido, cortesano y dispuesto a hacer la voluntad de uno.

Observable. (Del lat. *observabĭlis.*) adj. Que se puede observar.

Observación. (Del lat. *observatĭo, -ōnis.*) f. Acción y efecto de observar. || **2.** *Mar.* V. **Punto de observación.**

Observador, ra. (Del lat. *observātor.*) adj. Que observa. Ú. t. c. s.

Observancia. (Del lat. *observantĭa.*) f. Cumplimiento exacto y puntual de lo que se manda ejecutar; como ley, religión, estatuto o regla. || **2.** En algunas órdenes religiosas se denomina así el estado antiguo de ellas, a distinción de la reforma. || **3.** Reverencia, honor, acatamiento que hacemos a los mayores y a las personas superiores y constituidas en dignidad. || **4.** *For.* En el antiguo derecho aragonés, práctica, uso o costumbre recogida y autorizada con fuerza de ley por compilación oficial. || **Regular observancia. Observancia,** 2.ª acep. || **Poner en observancia** una cosa. fr. Hacer ejecutar puntualmente y que se observe con todo rigor lo que se manda, impone y ordena.

Observante. (Del lat. *observans, -antis.*) p. a. de **Observar.** Que observa, 2.ª acep. || **2.** Dícese del religioso de ciertas familias de la orden de San Francisco, y de estas mismas familias. Apl. a pers., ú. t. c. s. || **3.** Dícese también de algunas religiones, a diferencia de las reformadas.

Observar. (Del lat. *observāre.*) tr. Examinar atentamente. OBSERVAR *los síntomas de una enfermedad;* OBSERVAR *la conducta de uno.* || **2.** Guardar y cumplir exactamente lo que se manda y ordena. || **3.** Advertir, reparar. || **4.** Atisbar. || **5.** *Astron.* Contemplar atentamente a la simple vista, o con el auxilio de instrumentos, los astros, con objeto de determinar su naturaleza física y las leyes de su movimiento. || **6.** *Meteor.* Estudiar los fenómenos meteorológicos con fines científicos o útiles para la vida.

Observatorio. (De *observar.*) m. Lugar o posición que sirve para hacer observaciones. || **2.** Edificio con inclusión del personal e instrumentos apropiados y dedicados a observaciones, por lo común astronómicas o meteorológicas.

Obsesión. (Del lat. *obsessĭo, -ōnis,* asedio.) f. fig. Preocupación que influye moralmente en una persona coartando su libertad.

Obsesionar. tr. Causar obsesión. Ú. t. c. r.

Obsesivo, va. adj. Perteneciente o relativo a la obsesión.

Obseso, sa. (Del lat. *obsessus.* p. p. de *obsidēre,* cercar, asediar.) adj. Que padece obsesión.

Obsidiana. (Del lat. *obsidiānum vitrum.*) f. Mineral volcánico vítreo, de color negro o verde muy obscuro. Es un feldespato fundido naturalmente, y los indios americanos hacían de él armas cortantes, flechas y espejos.

Obsidional. (Del lat. *obsidionālis.*) adj. Perteneciente al sitio de una plaza. || **2.** V. **Corona, línea, moneda obsidional.**

Obsoleto, ta. (Del lat. *obsolētus.*) adj. ant. Anticuado o poco usado.

Obstáculo. (Del lat. *obstacŭlum.*) m. Impedimento, embarazo, inconveniente.

Obstancia. (Del lat. *obstantĭa.*) f. ant. **Objeción.**

Obstante. p. a. de **Obstar.** Que obsta. || **No obstante.** m. adv. Sin embargo, sin que estorbe ni perjudique para una cosa.

Obstar. (Del lat. *obstāre.*) intr. Impedir, estorbar, hacer contradicción y repugnancia. || **2.** impers. Oponerse o ser contraria una cosa a otra.

Obstetricia. (Del lat. *obstetricĭa.*) f. *Med.* Parte de la medicina, que trata de la gestación, el parto y el puerperio.

Obstinación. (Del lat. *obstinatĭo, -ōnis.*) f. Pertinacia, porfía, terquedad.

Obstinadamente. adv. m. Terca y porfiadamente; con pertinacia y tenacidad en el ánimo.

Obstinarse. (Del lat. *obstināri.*) r. Mantenerse uno en su resolución y tema; porfiar con necedad y pertinacia, sin dejarse vencer por los ruegos y amonestaciones razonables, ni por obstáculos o reveses. || **2.** Negarse el pecador a las persuasiones cristianas.

Obstrucción. (Del lat *obstructĭo, -ōnis.*) f. Acción y efecto de obstruir u obstruirse. || **2.** En asambleas políticas u otros cuerpos deliberantes, táctica enderezada a impedir o retardar los acuerdos. || **3.** *Med.* Impedimento para el paso de las materias sólidas, líquidas o gaseosas en las vías del cuerpo.

Obstruccionismo. (De *obstrucción.*) m. Ejercicio de la obstrucción, 2.ª acep.

Obstruccionista. (De *obstrucción.*) adj. Que practica el obstruccionismo. Apl. a pers., ú. t. c. s. || **2.** Perteneciente o relativo al obstruccionismo.

Obstructor, ra. adj. Que obstruye. Ú. t. c. s.

Obstruir. (Del lat. *obstruěre.*) tr. Estorbar el paso, cerrar un conducto o camino. || **2.** Impedir la acción. || **3.** fig. Impedir la operación de un agente, sea en lo físico, sea en lo inmaterial. || **4.** r. Cerrarse o taparse un agujero, grieta, conducto, etc.

Obtemperar. (Del lat. *obtemperāre.*) tr. Obedecer, asentir.

Obtención. f. Acción y efecto de obtener.

Obtener. (Del lat. *obtinēre.*) tr. Alcanzar, conseguir y lograr una cosa que se merece, solicita o pretende. || **2.** Tener, conservar y mantener.

Obtenible. adj. Que puede obtenerse.

Obtento. (Del lat. *obtentus,* poseído, ocupado.) m. En la cancelaría, renta eclesiástica, como beneficio, curato, préstamo, canonjía, etc., que sirve de congrua.

Obtentor. (De *obtento.*) adj. Dícese del que obtiene o ha obtenido una cosa, y especialmente del que posee un beneficio eclesiástico.

Obtestación. (Del lat. *obtestatĭo, -ōnis.*) f. *Ret.* Figura que consiste en poner por testigo de una cosa a Dios, a los hombres, a la naturaleza, a las cosas inanimadas, etc.

Obturación. (Del lat. *obturatĭo, -ōnis.*) f. Acción y efecto de obturar.

Obturador. adj. Dícese de lo que sirve para obturar. Ú. t. c. s.

Obturar. (Del lat. *obturāre.*) tr. Tapar o cerrar una abertura o conducto introduciendo o aplicando un cuerpo.

Obtusángulo. (De *obtuso* y *ángulo.*) adj. *Geom.* V. **Triángulo obtusángulo.**

Obtuso, sa. (Del lat. *obtūsus,* p. p. de *obtundĕre,* despuntar, embotar.) adj. Romo, sin punta. || **2.** fig. Torpe, tardo de comprensión. || **3.** *Geom.* V. **Ángulo obtuso.**

Obué. m. **Oboe.**

Obús. (Del fr. *obus,* y éste del germ. *haubizte.*) m. *Mil.* Pieza de artillería para disparar granadas y cuya longitud, relativamente al diámetro de su ánima, es mayor que la del mortero y menor que la del cañón de iguales calibres. Está montada sobre afuste con ruedas para la facilidad del transporte. || **2.** V. **Cañón obús.** || **3.** *Automov.* Piececita que sirve de cierre a la válvula del neumático, y está formada principalmente de un obturador cónico y de un resorte.

Obusera. (De *obús.*) adj. V. **Lancha obusera.** Ú. t. c. s.

Obvención. (Del lat. *obventĭo, -ōnis.*) f. Utilidad, fija o eventual, además del sueldo que se disfruta. Ú. m. en pl.

Obvencional. adj. Perteneciente o relativo a la obvención.

Obviar. (Del lat. *obviāre.*) tr. Evitar, rehuir, apartar y quitar de en medio obstáculos o inconvenientes. || **2.** intr. p. us. Obstar, estorbar, oponerse.

Obvio, via. (Del lat. *obvĭus.*) adj. Que se encuentra o pone delante de los ojos. || **2.** fig. Muy claro o que no tiene dificultad.

Obyecto, ta. (Del lat. *obiectus,* p. p. de *obiicĕre,* poner delante.) adj. ant. Interpuesto, intermedio, puesto delante. || **2.** m. Objeción o réplica.

Oc. (Del prov. *oc,* sí, y éste del lat. *hoc,* neutro de *hic.*) V. **Lengua de oc.**

Oca. (Del lat. *auca.*) f. **Ánsar.** || **2.** Juego que consiste en una serie de 63 casillas, ordenadas en espiral, pintadas sobre un cartón o tabla. Estas casillas representan objetos diversos: cada nueve, desde el uno, representa un ganso u **oca,** y algunas de ellas ríos, pozos y otros puntos de azar: los dados deciden la suerte.

Oca. (Voz americana.) f. *Bot.* Planta anual de la familia de las oxalidáceas, con tallo herbáceo, erguido y ramoso; hojas compuestas de tres hojuelas ovales; flores pedunculadas, amarillas, con estrías rojas y pétalos dentados, y raíz con tubérculos feculentos, casi cilíndricos, de color amarillo y sabor parecido al de la castaña, que en el Perú se comen cocidos. || **2.** Raíz de esta planta.

Ocal. adj. Dícese de ciertas peras y manzanas muy gustosas y delicadas, de otras frutas y de cierta especie de rosas. || **2.** V. **Capullo ocal.** Ú. t. c. s. || **3.** V. **Seda ocal.** Ú. t. c. s.

Ocalear. intr. Hacer los gusanos los capullos ocales.

Ocarina. (Del ital. *ocarina*, der. de *oca*, del lat. *auca*.) f. Instrumento músico de forma ovoide más o menos alargada y de varios tamaños, con ocho agujeros que modifican el sonido según se tapan con los dedos. Es de timbre muy dulce.

Ocasión. (Del lat. *occasĭo, -ōnis*.) f. Oportunidad o comodidad de tiempo o lugar, que se ofrece para ejecutar o conseguir una cosa. || **2.** Causa o motivo por que se hace o acaece una cosa. || **3.** Peligro o riesgo. || **4.** ant. Defecto o vicio corporal. || **próxima.** *Teol.* Aquella en que siempre o casi siempre se cae en la culpa, por lo cual en conciencia induce grave obligación de evitarla. || **remota.** *Teol.* Aquella que de suyo no induce a pecado, por lo cual no hay obligación grave de evitarla. || **A la ocasión la pintan calva.** ref. que recomienda actividad y diligencia para aprovechar las buenas coyunturas. || **Asir, coger,** o **tomar, la ocasión por el copete, por la melena,** o **por los cabellos.** fr. fig. y fam. Aprovechar con avidez una ocasión o coyuntura. || **De ocasión.** m. adv. **De lance.** || **La ocasión hace al ladrón.** ref. que significa que muchas veces se hacen cosas malas que no se habían pensado, por verse en oportunidad para ejecutarlas. || **Quien quita la ocasión, quita el pecado.** ref. que aconseja se huya de los tropiezos para evitar los daños.

Ocasionadamente. adv. m. Con tal motivo.

Ocasionado, da. (De *ocasionar*.) adj. Provocativo, molesto y mal acondicionado; que por su naturaleza y genio da fácilmente causa a desazones y riñas. || **2.** Expuesto a contingencias y peligros. || **3.** ant. Defectuoso, imperfecto, o que tiene un vicio corporal.

Ocasionador, ra. adj. Dícese del que ocasiona. Ú. t. c. s.

Ocasional. adj. Dícese de lo que ocasiona. || **2.** Que sobreviene por una ocasión o accidentalmente.

Ocasionalmente. adv. m. Por ocasión o contingencia.

Ocasionar. (De *ocasión*.) tr. Ser causa o motivo para que suceda una cosa. || **2.** Mover o excitar. || **3.** Poner en riesgo o peligro.

Ocaso. (Del lat. *occāsus*.) m. Puesta del Sol al transponer el horizonte. || **2. Occidente,** 1.ª acep. || **3.** fig. Decadencia, declinación, acabamiento.

Occidental. (Del lat. *occidentālis*.) adj. Perteneciente al occidente. || **2.** V. **Bezoar, cuadrante, hemisferio, jacinto, turquesa occidental.** || **3.** *Astron.* Dícese del planeta que se pone después de puesto el Sol.

Occidente. (Del lat. *occĭdens, -entis*, p. a. de *occidĕre*, caer.) m. Punto cardinal del horizonte por donde se pone el Sol en los días equinocciales. || **2.** Lugar de la Tierra o de la esfera celeste que, respecto de otro con el cual se compara, cae hacia donde se pone el Sol. || **3.** fig. Conjunto de naciones de la parte occidental de Europa, de su civilización y de su poderío político, en oposición a los pueblos situados al este, principalmente asiáticos, y a su civilización o su poderío.

Occiduo, dua. (Del lat. *occidŭus*.) adj. Perteneciente o relativo al ocaso.

Occipital. (Del lat. *occĭput, -ĭtis*, nuca.) adj. Perteneciente o relativo al occipucio. || **2.** *Zool.* V. **Ángulo occipital.** || **3.** *Zool.* V. **Hueso occipital.** Ú. t. c. s.

Occipucio. (Del lat. *occipitĭum*.) m. Parte de la cabeza por donde ésta se une con las vértebras del cuello.

Occisión. (Del lat. *occisĭo, -ōnis*.) f. Muerte violenta.

Occiso, sa. (Del lat. *occīsus*, p. a. de *occidĕre*, morir.) adj. Muerto violentamente.

Occitánico, ca. adj. **Occitano,** 2.ª acep.

Occitano, na. adj. Natural de Occitania. Ú. t. c. s. || **2.** Perteneciente a esta antigua región del mediodía de Francia.

Oceánico, ca. adj. Perteneciente o relativo al océano.

Oceánidas. f. pl. Ninfas del mar, hijas del dios Océano.

Océano. (Del lat. *oceănus*.) m. Grande y dilatado mar que cubre la mayor parte de la superficie terrestre. || **2.** Cada una de las grandes subdivisiones de este mar. OCÉANO *Atlántico, Pacífico, Índico, Boreal, Austral.* || **3.** fig. Ú. para ponderar la extensión o inmensidad de algunas cosas.

Oceanografía. (De *océano*, y el gr. γράφω, describir.) f. Ciencia que estudia los mares y sus fenómenos, así como la fauna y la flora marinas.

Oceanográfico, ca. adj. Perteneciente o relativo a la oceanografía.

Ocelado, da. adj. Que tiene ocelos.

Ocelo. (Del lat. *ocellus*, ojito.) m. Ojo simple de los insectos. || **2.** Mancha redonda y bicolor en las alas de algunos insectos o en las plumas de ciertas aves.

Ocelote. (Del azteca, *ocelotl*, tigre.) m. *Zool.* Mamífero carnívoro americano, de la familia de los félidos, de pequeño tamaño y poco temible. Mide poco más de un metro del hocico a la cola y apenas 50 centímetros de alto; su cuerpo es proporcionado y esbelto, su pelo brillante, suave y con dibujos de varios matices. Vive en los bosques más espesos, caza de noche y se alimenta de aves y mamíferos pequeños, monos, ratas, etc. Puede domesticarse.

Ocena. (Del lat. *ozaena*, y éste del gr. ὄζαινα, hedor.) f. Enfermedad de la mucosa nasal que se caracteriza por un olor fétido peculiar producido por la atrofia de la misma y del hueso subyacente, con formación de costras.

Ociar. (Del lat. *otiāri*.) tr. ant. Divertir a uno del trabajo en que está empleado, haciéndole que se entretenga en otra cosa que le deleite. || **2.** intr. Dejar el trabajo, darse al ocio. Ú. t. c. r.

Ocio. (Del lat. *otĭum*.) m. Cesación del trabajo, inacción o total omisión de la actividad. || **2.** Diversión u ocupación reposada, especialmente en obras de ingenio, porque éstas se toman regularmente por descanso de otras tareas. || **3.** pl. Obras de ingenio que uno forma en los ratos que le dejan libres sus principales ocupaciones.

Ociosamente. adv. m. Sin ocupación o ejercicio. || **2.** Sin fruto ni utilidad. || **3.** Sin necesidad.

Ociosidad. (Del lat. *otiosĭtas, -ātis*.) f. Vicio de no trabajar; perder el tiempo o gastarlo inútilmente. || **2.** Efecto del ocio; como son palabras ociosas, juegos y otras diversiones. || **La ociosidad es madre de los vicios,** o **de todos los vicios.** ref. que enseña cuán conveniente es vivir ocupado para no contraer vicios.

Ocioso, sa. (Del lat. *otiōsus*.) adj. Dícese de la persona que está sin trabajar o sin hacer alguna cosa. Ú. t. c. s. || **2.** Que no tiene uso ni ejercicio de aquello a que está destinado. || **3.** Desocupado o exento de hacer cosa que le obligue. Ú. t. c. s. || **4.** Inútil, sin fruto, provecho ni substancia. || **5.** V. **Palabra ociosa.**

Ocle. f. *Ast.* Alga, sargazo.

Oclocracia. (Del gr. ὀχλοκρατία; de ὄχλος, turba, multitud, y κρατέω, dominar.) f. Gobierno de la muchedumbre o de la plebe.

Ocluir. (Del lat. *occludĕre*, cerrar.) tr. *Med.* Cerrar un conducto, como un intestino, con algo que lo obstruya, o un orificio, como el de los párpados, de modo que no se pueda abrir naturalmente. Ú. t. c. r.

Oclusión. f. Acción y efecto de ocluir u ocluirse.

Oclusivo, va. (Del lat. *occlusus*.) adj. Perteneciente o relativo a la oclusión. || **2.** Que la produce. || **3.** *Fon.* Dícese del sonido en cuya articulación los órganos de la palabra forman en algún punto del canal vocal un contacto que interrumpe la salida del aire aspirado. || **4.** *Fon.* Dícese de la letra que representa este sonido; como *p, t, k.* Ú. t. c. s. f.

Ocosial. m. *Perú.* Terreno deprimido, húmedo y con alguna vegetación.

Ocotal. m. Sitio poblado de ocotes.

Ocote. (Del azteca *ocotl*, tea.) m. *Méj.* Especie de pino muy resinoso, cuya madera, hecha rajas, sirve para encender los hornos, hacer luminarias y alumbrar las chozas de los indios.

Ocozoal. (Del mejic. *o*, esa, y *coatl*, serpiente.) m. Culebra de cascabel de Méjico, de unos dos metros de longitud, lomo pardo con manchas irregulares negruzcas y vientre amarillento rojizo.

Ocozol. (Voz mejicana.) m. *Zool.* Árbol norteamericano de la familia de las hamamelidáceas, de unos 15 metros de altura, con tronco grueso y liso, copa grande y espesa, hojas alternas, pecioladas y partidas en cinco lóbulos dentellados; flores verdosas unisexuales, apétalas, y fruto capsular. El tronco y las ramas exudan el liquidámbar.

Ocre. (Del lat. *ochra*, y éste del gr. ὤχρα, de ὠχρός, amarillo.) m. Mineral terroso, deleznable, de color amarillo, que es un óxido de hierro hidratado, frecuentemente mezclado con arcilla. Sirve como mena de hierro y se emplea en pintura. || **2.** Cualquier mineral terroso que tiene color amarillo. OCRE *de antimonio, de bismuto, de níquel.* || **calcinado,** o **quemado.** El que por la acción del fuego se convierte en almagre artificial. || **rojo. Almagre,** 1.ª acep. || **tostado. Ocre calcinado.**

Octacordio. (Del lat. *octăchordŏs*.) m. Instrumento músico griego antiguo que tenía ocho cuerdas. || **2.** Sistema musical compuesto de ocho sonidos.

Octaédrico, ca. adj. Perteneciente al octaedro o de su figura.

Octaedro. (Del lat. *octaĕdros*, y éste del gr. ὀκτάεδρος; de ὀκτώ, ocho, y ἕδρα, faz.) m. *Geom.* Sólido de ocho caras o planos, que son otros tantos triángulos.

Octagonal. adj. Perteneciente al octágono.

Octágono, na. (Del lat. *octagōnos*, y éste del gr. ὀκτάγωνος; de ὀκτώ, ocho, y γωνία, ángulo.) adj. *Geom.* Aplícase al polígono de ocho ángulos y ocho lados. Ú. t. c. s. m.

Octante. (Del lat. *octans, -antis*, la octava parte.) m. Instrumento astronómico de la especie del quintante y del sextante, y de análoga aplicación, cuyo sector comprende sólo 45 grados o la octava parte del círculo.

Octava. (Del lat. *octāva*.) f. Espacio de ocho días, durante los cuales celebra la Iglesia una fiesta solemne o hace conmemoración del objeto de ella. || **2.** Último de los ocho días. || **3.** Librito en que se contiene el rezo de una **octava;** como la de Pentecostés, Epifanía, etc. || **4.** Combinación métrica de ocho versos endecasílabos, de los cuales riman entre sí el primero, tercero y quinto; el segundo, cuarto y sexto, y el séptimo y octavo. || **5.** Toda combinación de ocho versos, cualquiera que sea el número de sílabas de que éstos se compongan y el modo de estar en ella ordenados los consonantes. || **6.** Impuesto que por consumos se cobraba antiguamente y era de una azumbre por cada arroba de vino, aceite o vinagre. || **7.** *Mús.* Sonido que forma la consonancia más sencilla y perfecta con otro, y en la **octava** alta es producido por un número exactamente doble de vibraciones que éste. || **8.** *Mús.* Serie diatónica en que se incluyen los siete sonidos constitutivos de una escala y la repetición del primero de ellos. ‖ **cerrada.** Entre los eclesiásticos, la que no admite ni da lugar al rezo de otro santo o festividad alguna; como la de Pentecostés. ‖ **de culebrina. Falconete.** ‖ **real. Octava,** 4.ª acep.

Octavar. intr. Deducir la octava parte de las especies sujetas al servicio de millones. ‖ **2.** *Mús.* Formar octavas o diapasones en los instrumentos de cuerdas.

Octavario. m. Período de ocho días. ‖ **2.** Fiesta que se hace en los ocho días de una octava.

Octaviano, na. (Del lat. *octaviānus.*) adj. Perteneciente o relativo a Octavio César Augusto. ‖ **2.** V. **Paz octaviana.**

Octavilla. (d. de *octava.*) f. Octava parte de un pliego de papel. ‖ **2.** Impuesto que por consumos se cobraba antiguamente en las ventas por menor, y era de medio cuartillo por cada azumbre de vino, aceite o vinagre. ‖ **3.** Estrofa de ocho versos cortos; la más común se compone de versos octosílabos, rimados de muy diversas maneras, según las épocas o los autores.

Octavín. (De *octava.*) m. **Flautín.**

Octavo, va. (Del lat. *octāvus.*) adj. Que sigue inmediatamente en orden al o a lo séptimo. ‖ **2.** Dícese de cada una de las ocho partes iguales en que se divide un todo. Ú. t. c. s. ‖ **3.** V. **Octava rima.** ‖ **En octavo.** loc. Dícese del libro, folleto, etc., cuyo tamaño iguala a la **octava** parte de un pliego de papel sellado. ‖ **En octavo mayor.** loc. En **octavo** que excede a la marca ordinaria de este tamaño. ‖ **En octavo menor.** loc. En **octavo** más pequeño que la dicha marca.

Octingentésimo, ma. (Del lat. *octingentesĭmus.*) adj. Que sigue inmediatamente en orden al o a lo septingentésimo nonagésimo nono. ‖ **2.** Dícese de cada una de las 800 partes iguales en que se divide un todo. Ú. t. c. s.

Octocoralario. adj. *Zool.* Dícese de los celentéreos antozoos cuya boca está rodeada por ocho tentáculos; como el alción. Ú. t. c. s. ‖ **2.** m. pl. *Zool.* Orden de estos animales.

Octogenario, ria. (Del lat. *octogenarĭus,* de *octogēni,* ochenta.) adj. Que ha cumplido la edad de ochenta años y no llega a la de noventa. Ú. t. c. s.

Octogésimo, ma. (Del lat. *octogesĭmus.*) adj. Que sigue inmediatamente en orden al o a lo septuagésimo nono. ‖ **2.** Dícese de cada una de las 80 partes iguales en que se divide un todo. Ú. t. c. s.

Octogonal. adj. Perteneciente o relativo al octógono.

Octógono, na. (Del lat. *octogōnus.*) adj. *Geom.* **Octágono.** Ú. t. c. s. m.

Octópodo, da. adj. *Zool.* Dícese de los moluscos cefalópodos dibranquiales que, como el pulpo, tienen ocho tentáculos provistos de ventosas, todos aproximadamente iguales. Ú. t. c. s. ‖ **2.** m. pl. *Zool.* Orden de estos animales.

Octosilábico, ca. (De *octosílabo.*) adj. De ocho sílabas.

Octosílabo, ba. (Del lat. *octosyllăbus.*) adj. **Octosilábico.** ‖ **2.** m. Verso que tiene ocho sílabas.

Octóstilo, la. (Del lat. *octo* y *stylus,* columna.) adj. *Arq.* Que tiene ocho columnas.

Octubre. (Del lat. *octōber, -bris.*) m. Octavo mes del año, según la cuenta de los antiguos romanos, y décimo del calendario que actualmente usan la Iglesia y casi todas las naciones de Europa y América: tiene treinta y un días.

Óctuple. adj. Que contiene ocho veces una cantidad.

Óctuplo, pla. adj. **Óctuple.**

Ocuje. m. *Cuba.* **Calambuco.**

Ocular. (Del lat. *oculāris.*) adj. Perteneciente a los ojos o que se hace por medio de ellos. ‖ **2.** V. **Inspección, testigo ocular.** ‖ **3.** m. Lente o combinación de cristales que los anteojos y otros aparatos de óptica tienen en la parte por donde mira o aplica el ojo el observador. ‖ **celeste.** El que invierte la imagen de los objetos. ‖ **del alza.** *Art.* Pieza metálica, móvil o fija, en el extremo superior del alza, con un taladro en su parte media, por el cual se dirigen las visuales que, pasando por la mira, han de terminar en el objeto que se pretende batir. ‖ **negativo.** *Astron.* El que aumenta la imagen objetiva formada dentro de su sistema óptico. ‖ **positivo.** *Astron.* El que aumenta la imagen objetiva formada delante de su sistema óptico. ‖ **terrestre.** El que, constituido por dos o más lentes, endereza la imagen invertida en los anteojos y telescopios.

Ocularmente. adv. m. Con inspección material de la vista.

Oculista. (Del lat. *ocŭlus,* ojo.) com. Médico que se dedica especialmente a las enfermedades de los ojos.

Ocultación. (Del lat. *occultatĭo, -ōnis.*) f. Acción y efecto de ocultar u ocultarse.

Ocultador, ra. adj. Que oculta. Ú. t. c. s.

Ocultamente. adv. m. Con secreto, y sin que se entienda ni perciba. ‖ **2.** Escondidamente, sin ser visto ni oído.

Ocultar. (Del lat. *occultāre.*) tr. Esconder, tapar, disfrazar, encubrir a la vista. Ú. t. c. r. ‖ **2. Reservar,** 9.ª acep. ‖ **3.** Callar advertidamente lo que se pudiera o debiera decir, o disfrazar la verdad.

Ocultis (De). m. adv. fam. Oculta, disimuladamente o en secreto.

Ocultismo. m. Doctrina que pretende conocer y utilizar todos los secretos y misterios de la naturaleza.

Ocultista. adj. Perteneciente o relativo al ocultismo. ‖ **2.** com. Persona que practica el ocultismo.

Oculto, ta. (Del lat. *occultus.*) adj. Escondido, ignorado, que no se da a conocer ni se deja ver ni sentir. ‖ **2.** fig. V. **Mano oculta.** ‖ **De oculto.** m. adv. **De incógnito.** ‖ **2. Ocultamente.** ‖ **En oculto.** m. adv. En secreto, sin publicidad.

Ocumo. m. *Bot. Venez.* Planta de la familia de las aráceas, con tallo corto, hojas triangulares, flores amarillas y rizoma casi esférico con mucha fécula. Es comestible.

Ocupación. (Del lat. *occupatĭo, -ōnis.*) f. Acción y efecto de ocupar. ‖ **2.** Trabajo o cuidado que impide emplear el tiempo en otra cosa. ‖ **3.** Empleo, oficio o dignidad. ‖ **4.** *For.* Modo natural y originario de adquirir la propiedad de ciertas cosas que carecen de dueño. ‖ **5.** *Ret.* **Anticipación,** 2.ª acep. ‖ **militar.** Permanencia en un territorio de ejércitos de otro Estado que, sin anexionarse aquél, interviene en su vida pública y la dirige.

Ocupada. (De *ocupar.*) adj. Dícese de la mujer preñada.

Ocupador, ra. adj. Que ocupa o toma una cosa. Ú. t. c. s.

Ocupante. p. a. de **Ocupar.** Que ocupa. Ú. t. c. s.

Ocupar. (Del lat. *occupāre.*) tr. Tomar posesión, apoderarse de una cosa. ‖ **2.** Obtener, gozar un empleo, dignidad, mayorazgo, etc. ‖ **3.** Llenar un espacio o lugar. ‖ **4.** Habitar una casa. ‖ **5.** Dar que hacer o en qué trabajar, especialmente en un oficio o arte. ‖ **6.** Embarazar o estorbar a uno. ‖ **7.** fig. Llamar la atención de uno; darle en qué pensar. ‖ **8.** r. Emplearse en un trabajo, ejercicio o tarea. ‖ **9.** Poner la consideración en un asunto o negocio.

Ocurrencia. (De *ocurrir.*) f. Encuentro, suceso casual, ocasión o coyuntura. ‖ **2.** Especie inesperada, pensamiento, dicho agudo u original que ocurre a la imaginación. ‖ **de acreedores.** *For.* Denominación antigua de alguno de los litigios que hoy se llaman concurso de acreedores o quiebra, y también tercería de mejor derecho.

Ocurrente. p. a. de **Ocurrir.** Que ocurre. ‖ **2.** adj. Dícese del que tiene ocurrencias. 2.ª acep.

Ocurrir. (Del lat. *occurrĕre.*) intr. Prevenir, anticiparse o salir al encuentro. ‖ **2.** Acaecer, acontecer, suceder una cosa. ‖ **3. Recurrir,** 1.ª acep. ‖ **4.** En el rezo eclesiástico, caer juntamente o en el mismo día una fiesta con otra de mayor o menor clase de rito. ‖ **5.** Venir a la mente una especie, de repente y sin esperarla. Ú. t. c. r. ‖ **6.** Acudir, concurrir.

Ocurso. (Del lat. *occursus.*) m. ant. Concurso, copia.

Ochava. (Del lat. *octāva.*) f. Octava parte de un todo. ‖ **2. Octava,** 1.ª y 2.ª aceps. ‖ **3.** Octava parte del marco de la plata, equivalente a 75 gramos, o sea 359 centigramos.

Ochavado, da. (De *ochavar.*) adj. Dícese de cada figura con ocho ángulos iguales y cuyo contorno tiene ocho lados, cuatro alternados iguales y los otros cuatro también iguales entre sí, por lo común desiguales a los primeros.

Ochavar. (De *ochava.*) tr. Dar figura ochavada a una cosa.

Ochavario. (Del lat. *octavarĭus.*) m. ant. **Octavario.**

Ochavero. (Del lat. *octavarĭus,* de *octāvus,* octavo.) adj. *Sor.* Dícese del madero escuadrado que tiene el largo de 18 pies, canto de tres pulgadas y tabla de seis dedos, o sea la octava parte de la vara. Ú. m. c. s.

Ochavo, va. (Del lat. *octāvus.*) adj. ant. **Octavo.** Ú. t. c. s. ‖ **2.** m. Moneda de cobre con peso de un octavo de onza y valor de dos maravedís, mandada labrar por Felipe III y que, conservando el valor primitivo, pero disminuyendo en peso, se ha seguido acuñando hasta mediados del siglo XIX. ‖ **3.** Edificio o lugar que tiene figura ochavada. ‖ **4.** V. **Clavo de a ochavo.** ‖ **moruno.** Moneda pequeña de cobre sin acuñación española o muy borrosa, que se supone procede de Marruecos: valía un **ochavo** ordinario. ‖ **El que nace para ochavo, no puede llegar a cuarto.** ref. que indica lo difícil que es para los humildes salir de su condición.

Ochavón, na. (De *ochavo.*) adj. *Cuba.* Aplícase al mestizo nacido de blanco y cuarterona o de cuarterón y blanca.

Ochenta. (Del lat. *octoginta.*) adj. Ocho veces diez. ‖ **2. Octogésimo,** 1.ª acep. *Número* OCHENTA, *año* OCHENTA. ‖ **3.** m. Conjunto de signos con que se representa el número **ochenta.**

Ochental. (De *ochenta.*) adj. ant. **Octogenario.** Usáb. t. c. s.

Ochentanario, ria. (De *ochenta.*) adj. ant. **Octogenario.** Usáb. t. c. s.

Ochentañal. (De *ochenta* y *año.*) adj. ant. **Octogenario.** Usáb. t. c. s.

Ochentavo, va. (De *ochenta.*) adj. *Arit.* **Octogésimo,** 2.ª acep. Ú. t. c. s.

Ochenteno, na. adj. **Octogésimo,** 1.ª acep.

Ochentón, na. (De *ochenta.*) adj. fam. **Octogenario.** Ú. t. c. s.

Ocho. (Del lat. *octo.*) adj. Siete y uno. ‖ **2. Octavo,** 1.ª acep. *Número* OCHO, *año* OCHO. Apl. a los días del mes, ú. t. c. s. *El* OCHO *de octubre.* ‖ **3.** m. Signo o cifra con que se representa el número **ocho.** ‖ **4.** Carta o naipe que tiene **ocho** señales. *El* OCHO *de oros.* ‖ **5.** V. **Doblón, madero, real de a ocho.** ‖ **6.** *Sev.* Cuarta parte de un cuartillo de vino. ‖ **Dar,** o **echar,** a uno **con los ochos y los nueves.** fr. fig. y fam. Decirle cuanto se ofrece sobre una queja que se tiene de él, explicándola con palabras sensibles.

Ochocientos, tas. adj. Ocho veces ciento. || **2. Octingentésimo,** 1.ª acep. *Número* OCHOCIENTOS, *año* OCHOCIENTOS. || **3.** m. Conjunto de signos con que se representa el número **ochocientos.**

Ochosén. m. Moneda de cobre del antiguo reino de Aragón, que valía un dinero y dos meajas, o sea ocho meajas, y era el sueldo menor.

Oda. (Del lat. *oda,* y éste del gr. ᾠδή.) f. Composición poética del género lírico, que admite asuntos muy diversos y muy varios tonos y formas, y se divide frecuentemente en estrofas o partes iguales. Por sus distintos fines y caracteres, toma los calificativos de sagrada, heroica, filosófica o moral, anacreóntica, etc. Esta voz, sin embargo, significa más generalmente composición poética de grande elevación y arrebato.

Odalisca. (Del turco *ódah liq,* concubina.) f. Esclava dedicada al servicio del harén del gran turco. || **2.** Concubina turca.

Odeón. m. *Arqueol.* Teatro o lugar destinado en Grecia para los espectáculos musicales. Por analogía se llaman así algunos teatros modernos de canto.

Odiar. tr. Tener odio.

Odio. (Del lat. *odĭum.*) m. Antipatía y aversión hacia alguna cosa o persona cuyo mal se desea.

Odiosamente. adv. m. Con odio. || **2.** De modo que merece odio.

Odiosidad. f. Calidad de odioso. || **2.** Aversión procedente de causa determinada.

Odioso, sa. (Del lat. *odiōsus.*) adj. Digno de odio. || **2.** V. **Privilegio odioso.** || **3.** *For.* Dícese de lo que contraría los designios o las presunciones que las leyes favorecen; razón por la cual es axioma jurídico que lo **odioso** debe aplicarse e interpretarse restringiéndolo.

Odisea. (De *Odisea,* título de un poema homérico.) f. fig. Viaje largo y en el cual abundan las aventuras adversas y favorables al viajero.

Odómetro. (Del gr. ὁδός, camino, y μέτρον, medida.) m. **Podómetro.** || **2. Taxímetro,** 1.ª acep.

Odontalgia. (Del gr. ὀδονταλγία; de ὀδών, ὀδόντος, diente, y ἄλγος, dolor.) f. *Med.* Dolor de dientes o de muelas.

Odontálgico, ca. adj. Relativo a la odontalgia o que sirve para curarla.

Odontología. (Del gr. ὀδών, ὀδόντος, diente, y λόγος, tratado.) f. Estudio de los dientes y del tratamiento de sus dolencias.

Odontológico, ca. adj. Perteneciente o relativo a la odontología.

Odontólogo. m. Perito en odontología.

Odorable. (Del lat. *odorabĭlis.*) adj. ant. Que despide olor o puede ser olido.

Odorante. (Del lat. *odōrans, -antis.*) adj. Oloroso, fragante.

Odoratísimo, ma. (Del lat. *odoratissĭmus.*) adj. sup. ant. Muy oloroso.

Odorato. (Del lat. *odorātus.*) m. ant. **Olfato,** 1.ª acep.

Odorífero, ra. (Del lat. *odorĭfer, -ĕri;* de *odor,* olor, y *ferre,* llevar.) adj. Que huele bien, que tiene buen olor o fragancia.

Odorífico, ca. (Del lat. *ŏdōrifico, -ās, -āre,* perfumar.) adj. **Odorífero.**

Odre. (Del lat. *ŭter, ŭtris.*) m. Cuero, generalmente de cabra, que cosido y empegado por todas partes menos por la correspondiente al cuello del animal, sirve para contener líquidos, como vino o aceite. || **2.** fig. y fam. Persona borracha o muy bebedora.

Odrería. f. Taller donde se hacen odres. || **2.** Tienda donde se venden.

Odrero. m. El que hace o vende odres.

Odrezuelo. m. d. de **Odre.**

Odrina. f. Odre hecho con el cuero de un buey. || **Estar uno hecho una odrina.** fr. fig. Estar lleno de enfermedades y llagas, como el cuero lleno de botanas.

Odrisio, sia. (Del lat. *odrysĭus.*) adj. Dícese del individuo de un antiguo pueblo de Tracia. Ú. t. c. s. || **2.** Perteneciente a este pueblo. || **3. Tracio.** Apl. a pers., ú. t. c. s.

Oenoteráceo, a. (De *oenothera,* nombre de un género de plantas.) adj. *Bot.* Dícese de matas o arbustos angiospermos dicotiledóneos, con hojas simples, alternas u opuestas, enteras o dentadas, flores axilares o terminales en espiga o en racimo, fruto capsular abayado o drupáceo, casi siempre con muchas semillas sin albumen; como la fucsia. Ú. t. c. s. f. || **2.** f. pl. *Bot.* Familia de estas plantas.

Oesnoroeste. m. **Oesnorueste.**

Oesnorueste. m. Punto del horizonte entre el Oeste y el Norueste, a igual distancia de ambos. || **2.** Viento que sopla de esta parte.

Oessudoeste. m. **Oessudueste.**

Oessudueste. m. Punto del horizonte entre el Oeste y el Sudoeste, a igual distancia de ambos. || **2.** Viento que sopla de esta parte.

Oeste. (Del al. *west.*) m. **Occidente,** 1.ª acep. || **2.** Viento que sopla de esta parte.

Ofendedor, ra. (De *ofender.*) adj. **Ofensor.** Ú. t. c. s.

Ofender. (Del lat. *offendĕre.*) tr. Hacer daño a uno físicamente, hiriéndole o maltratándole. || **2.** Injuriar de palabra o denostar. || **3.** Fastidiar, enfadar y desplacer. *Hay olores que* OFENDEN. || **4.** r. Picarse o enfadarse por un dicho o hecho.

Ofendículo. m. p. us. Obstáculo, tropiezo.

Ofendido, da. p. p. de **Ofender.** || **2.** adj. Que ha recibido alguna ofensa. Ú. t. c. s.

Ofendiente. p. a. ant. de **Ofender.** Que ofende.

Ofensa. (Del lat. *offensa.*) f. Acción y efecto de ofender u ofenderse.

Ofensador, ra. (Del lat. *offensātor.*) adj. ant. **Ofensor.**

Ofensar. (Del lat. *offensāre.*) tr. ant. **Ofender.**

Ofensión. (Del lat. *offensĭo, -ōnis.*) f. Daño, molestia o agravio.

Ofensiva. (De *ofensivo.*) f. Situación o estado del que trata de ofender o atacar. || **Tomar uno la ofensiva.** fr. Prepararse para acometer al enemigo, y acometerle de hecho. || **2.** fig. Ser el primero en alguna competencia, pugna, etc.

Ofensivamente. adv. m. Con daño, ofensa o injuria.

Ofensivo, va. (Del lat. *offensum,* supino de *offendĕre,* ofender.) adj. Que ofende o puede ofender. || **2.** V. **Arma, polémica ofensiva.**

Ofensor, ra. (Del lat. *offensor.*) adj. Que ofende. Ú. t. c. s.

Oferente. (Del lat. *offĕrens, -entis,* p. a. de *offerre,* ofrecer.) adj. Que ofrece. Ú. m. c. s.

Oferta. (Del lat. *offerre,* ofrecer.) f. Promesa que se hace de dar, cumplir o ejecutar una cosa. || **2.** Don que se presenta a uno para que lo acepte. || **3.** Propuesta para contratar. || **4.** *Com.* Presentación de mercancías en solicitud de venta.

Ofertorio. (Del lat. *offertorĭum,* acción de ofrecer.) m. Parte de la misa, en la cual, antes de consagrar, ofrece a Dios el sacerdote la hostia y el vino del cáliz. || **2.** Antífona que dice el sacerdote antes de ofrecer la hostia y el cáliz. || **3.** **Velo ofertorio.**

Oficial. (Del lat. *officiālis.*) adj. Que es de oficio, o sea que tiene autenticidad y emana de la autoridad derivada del Estado, y no particular o privado. *Documento, noticia* OFICIAL. || **2.** En el estilo cortesano se ha solido tomar alguna vez por **oficioso,** 1.ª acep. || **3.** m. El que se ocupa o trabaja en un oficio. || **4.** El que en un oficio manual ha terminado el aprendizaje y no es maestro todavía. || **5.** Empleado que bajo las órdenes de un jefe estudia y prepara el despacho de los negocios en una oficina. || **6. Verdugo,** 5.ª acep. || **7.** En algunas partes, carnicero que corta y pesa la carne. || **8.** En concejo o municipio, el que tiene cargo; como alcalde, regidor, etc. || **9. Provisor,** 2.ª acep. || **10.** *Mil.* Militar que posee un grado o empleo, desde alférez o segundo teniente, en adelante, hasta capitán, inclusive. || **de la sala.** *For.* En Madrid, escribano que actuaba en las causas criminales. || **2.** *For.* Auxiliar de los tribunales colegiados, de grado jerárquico inferior al de secretario. || **de secretaría.** Empleado de un ministerio, que tiene a su cargo el despacho de un negociado. || **general.** Cada uno de los generales de brigada, de división o tenientes generales. || **real.** *For.* Cierto ministro de capa y espada en diferentes lugares de las Indias, el cual con otros formaba tribunal y era su cuidado atender a la cuenta y razón de los caudales del rey. || **Ser uno buen oficial.** fr. fig. y fam. Tener habilidad o inteligencia en cualquier materia.

Oficiala. (De *oficial.*) f. La que se ocupa o trabaja en un oficio. || **2.** La que en un oficio manual ha terminado el aprendizaje y no es maestra todavía. || **3.** Empleada que bajo las órdenes de un jefe estudia y prepara el despacho de los negocios de una oficina.

Oficialía. f. Empleo de oficial de contaduría, secretaría o cosa semejante. || **2.** Calidad de oficial que adquirían los artesanos después de haber pasado por las categorías de aprendices y meseros, que los facultaba para trabajar libre y privativamente en su oficio.

Oficialidad. f. Conjunto de oficiales de ejército o de parte de él. || **2.** Goce del carácter o calidad de cosa oficial.

Oficialmente. adv. m. Con carácter oficial. || **2.** fig. En el orden privado, **autorizadamente,** 2.ª acep. *Esos novios tienen relaciones* OFICIALMENTE.

Oficiante. p. a. de **Oficiar.** Que oficia. || **2.** m. El que oficia en las iglesias; preste.

Oficiar. (De *oficio.*) tr. Ayudar a cantar las misas y demás oficios divinos. || **2.** Celebrar de preste la misa y demás oficios divinos. || **3.** Comunicar una cosa oficialmente y por escrito. || **4.** intr. fig. y fam. Con la preposición *de,* obrar con el carácter que seguidamente se determina. OFICIAR *de conciliador.*

Oficina. (Del lat. *officīna.*) f. Sitio donde se hace, se ordena o trabaja una cosa. || **2.** Departamento donde trabajan los empleados públicos o particulares. || **3.** Laboratorio de farmacia. || **4.** fig. Parte o paraje donde se fragua y dispone una cosa no material. || **5.** pl. Piezas bajas de las casas, como bóvedas y sótanos, que sirven para ciertos menesteres domésticos.

Oficinal. (De *oficina,* 3.ª acep.) adj. *Farm.* y *Med.* Dícese de cualquier planta que se use como medicina. || **2.** *Farm.* y *Med.* Dícese del medicamento que se halla en las boticas preparado según las reglas de la farmacopea.

Oficinesco, ca. adj. Perteneciente a las oficinas del Estado, o propio y característico de ellas. Tómase generalmente en mala parte.

Oficinista. m. El que está empleado en una oficina, 2.ª acep.

Oficio. (Del lat. *officĭum.*) m. Ocupación habitual. || **2.** Cargo, ministerio. || **3.** Profesión de algún arte mecánica. || **4.** Función propia de alguna cosa. || **5.** Acción o gestión en beneficio o en daño de alguno. ‖ **6.** Cualquiera de los cuartos que en palacio estaban destinados a preparar el servicio de los reyes. ‖ **7.** Comunicación escrita, referente a los asuntos del servicio público en las dependencias del Estado, y por ext., la que media entre individuos de varias corporaciones particulares sobre asuntos concernientes a ellas. ‖ **8. Oficina,** 2.ª acep. ‖ **9.** Rezo diario a que los eclesiásticos están obligados, compuesto de maitines, laudes, etc. ‖ **10** V. **Gajes, percances del oficio.** ‖ **11.** V. **Mozo, prebenda de oficio.** ‖ **12.** *For.* V. **Auto de oficio.** ‖ **13.** pl. Funciones de iglesia, y más particularmente las de Semana Santa. ‖ **Oficio de boca.** En palacio, cualquiera de los cargos que tenían relación con la mesa de los reyes. ‖ **de difuntos.** El que tiene destinado la Iglesia para rogar por los muertos. ‖ **de escribano.** Cargo de tal. ‖ **2.** Su despacho. ‖ **de la boca. Oficio de boca.** ‖ **de república.** Cualquiera de los cargos municipales o provinciales que son electivos. ‖ **enajenado.** Empleo o destino cuya provisión por una o más veces vendía la Corona hasta principios del siglo XIX, como fuente de ingresos. Solían ser cargos que no tenían jurisdicción directa, propia e importante. ‖ **mayor. Oficio,** 9.ª acep. ‖ **parvo.** El que la Iglesia ha establecido en honra y alabanza de Nuestra Señora, semejante al cotidiano de los eclesiásticos. ‖ **servil.** El mecánico o bajo, en oposición a las artes liberales o nobles. ‖ **Santo Oficio. Inquisición,** 2.ª acep. ‖ **2.** V. **Calificador, comisario, consultor del Santo Oficio.** ‖ **Buenos oficios.** fr. Diligencias eficaces en pro de otro. ‖ **Correr bien el oficio.** fr. fam. Sacar el partido posible del cargo, **oficio** o profesión que se ejerce. Comúnmente se toma en mala parte. ‖ **De oficio.** m. adv. **Oficialmente,** 1.ª acep. ‖ **2.** *For.* Dícese de las diligencias que se practican judicialmente sin instancia de parte, y de las costas que, según lo sentenciado, nadie debe pagar. ‖ **Estar** uno **sin oficio ni beneficio.** fr. fig. y fam. Estar ocioso, sin carrera ni ocupación. ‖ **Haber aprendido buen oficio.** fr. fam. que se aplica irónicamente al que se ha dedicado a alguno de más utilidad que honra. ‖ **Hacer** uno **su oficio.** fr. Desempeñarlo bien. ‖ **No tener** uno **oficio ni beneficio.** fr. fig. y fam. **Estar sin oficio ni beneficio.** ‖ **Oficio de concejo, honra sin provecho.** ref. que aconseja el desinterés en el ejercicio de los cargos públicos. ‖ **Oficio de manos, no le parten hermanos.** ref. que aconseja procurarse cada cual el sustento en el ejercicio de su arte, sin confiar en auxilio ajeno. ‖ **¿Qué oficio tenéis? —Este que veis.** ref. para burlarse de los holgazanes. ‖ **Quien ha,** o **tiene, oficio, ha,** o **tiene, beneficio.** ref. que advierte que generalmente al trabajo sigue la utilidad. ‖ **Tomar** uno **por oficio** una cosa. fr. fig. y fam. Hacerla con frecuencia.

Oficionario. m. Libro en que se contiene el oficio canónico.

Oficiosamente. adv. m. Con oficiosidad. ‖ **2.** Sin usar del carácter oficial que tiene el que actúa.

Oficiosidad. (Del lat. *officiosĭtas, -ātis.*) f. Diligencia y aplicación al trabajo. ‖ **2.** Diligencia y cuidado en los oficios de amistad. ‖ **3.** Importunidad y hazañería del que se entremete en oficio o negocio que no le incumbe.

Oficioso, sa. (Del lat. *officiōsus.*) adj. Aplícase a la persona hacendosa y solícita en ejecutar lo que está a su cuidado. ‖ **2.** Que se manifiesta solícito por ser agradable y útil a uno. ‖ **3.** Que se entremete en oficio o negocio que no le incumbe. ‖ **4.** Provechoso, eficaz para determinado fin. ‖ **5.** Aplícase en diplomacia a la benévola mediación de una tercera potencia que practica amistosas diligencias en pro de la armonía entre otras. ‖ **6.** Por contraposición a oficial, dícese de lo que hace o dice alguno sin formal ejercicio del cargo público que se tiene. ‖ **7.** Aplícase al periódico ministerial a quien se atribuye cierta conexión con los gobernantes. ‖ **8.** V. **Mentira, nota oficiosa.**

Ofidio. (Del gr. ὀφίδιον, d. de ὄφις, serpiente.) adj. *Zool.* Dícese de reptiles que carecen de extremidades, con boca dilatable y cuerpo largo y estrecho revestido de epidermis escamosa que se muda todos los años. Algunos tienen en su mandíbula superior, además de dientes ordinarios, uno o varios provistos de un canal que da paso a un humor venenoso; como la boa y la víbora. Ú. t. c. s. m. ‖ **2.** m. pl. *Zool.* Orden de estos reptiles.

Ofiolatría. (Del gr. ὄφις, serpiente, y λατρεία, adoración.) f. Culto de las serpientes.

Ofiómaco. (Del lat. *ophiomăchus*, y éste del gr. ὀφιομάχος; de ὄφις, reptil, y μάχομαι, combatir.) m. Especie de langosta.

Ofita. (Del lat. *ophītes*, y éste del gr. ὀφίτης; de ὄφις, serpiente.) f. Roca compuesta de feldespato, piroxena y nódulos calizos o cuarzosos, y de color y textura variables. Se emplea como piedra de adorno.

Ofiuco. (Del lat. *ophiŭchus*, y éste del gr. ὀφιοῦχος, el que tiene asida una serpiente.) m. *Astron.* **Serpentario.**

Ofrecedor, ra. adj. Que ofrece. Ú. t. c. s.

Ofrecer. (De un der. del lat. *offerre.*) tr. **Prometer,** 1.ª acep. ‖ **2.** Presentar y dar voluntariamente una cosa. OFRECER *dones a los santos.* ‖ **3.** Manifestar y poner patente una cosa para que todos la vean. ‖ **4.** Dedicar o consagrar a Dios o a un santo la obra buena que se hace; un objeto piadoso o símbolo de gratitud, y también el daño que se recibe o padece, sufriendo resignadamente como en descuento de culpas cometidas y como testimonio de amor o respeto a la divinidad. ‖ **5.** Dar una limosna, dedicándola a Dios en la misa o en otras funciones eclesiásticas. ‖ **6.** fig. y fam. Entrar a beber en la taberna. ‖ **7.** r. Venirse impensadamente una cosa a la imaginación. ‖ **8.** Ocurrir o sobrevenir. ‖ **9.** Entregarse voluntariamente a otro para ejecutar alguna cosa.

Ofreciente. p. a. de **Ofrecer. Oferente.** Ú. t. c. s.

Ofrecimiento. m. Acción y efecto de ofrecer u ofrecerse.

Ofrenda. (Del lat. *offerenda*, cosas que se han de ofrecer.) f. Don que se dedica a Dios o a los santos, para implorar su auxilio o una cosa que se desea, y también para cumplir con un voto u obligación. ‖ **2.** Pan, vino u otras cosas que llevan los fieles a la iglesia por sufragio a los difuntos, al tiempo de la misa y en otras ocasiones. ‖ **3.** Lo que se da en algunos pueblos al tiempo de los entierros, para la manutención de los ministros de la Iglesia. ‖ **4.** Ofrecimiento de dinero que se da a los sacerdotes pobres cuando celebran la primera misa, para lo cual convida el padrino a sus conocidos; y así, se suele decir al tiempo de la citación si hay o no **ofrenda.** ‖ **5.** Por ext., dádiva o servicio en muestra de gratitud o amor.

Ofrendar. (De *ofrenda.*) tr. Ofrecer dones y sacrificios a Dios por un beneficio recibido o en señal de rendimiento y adoración. ‖ **2.** Contribuir con dinero u otros dones para un fin.

Oftalmía. (Del lat. *ophthalmĭa*, y éste del gr. ὀφθαλμία; de ὀφθαλμός, ojo.) f. *Med.* Inflamación de los ojos.

Oftálmico, ca. (Del lat. *ophthalmĭcus*, y éste el gr. ὀφθαλμικός.) adj. *Med.* Perteneciente o relativo a los ojos. ‖ **2.** *Med.* Perteneciente o relativo a la oftalmía.

Oftalmología. (Del gr. ὀφθαλμός, ojo, y λόγος, tratado.) f. *Med.* Parte de la patología, que trata de las enfermedades de los ojos.

Oftalmológico, ca. adj. Perteneciente o relativo a la oftalmología.

Oftalmólogo. (Del m. or. que *oftalmología.*) m. **Oculista.**

Oftalmoscopia. f. *Med.* Exploración del interior del ojo por medio del oftalmoscopio.

Oftalmoscopio. (Del gr. ὀφθαλμός, ojo, y σκοπέω, examinar.) m. *Med.* Instrumento para reconocer las partes interiores del ojo.

Ofuscación. (Del lat. *offuscatĭo, -ōnis.*) f. **Ofuscamiento.**

Ofuscador, ra. adj. Que ofusca o causa ofuscación. Ú. t. c. s.

Ofuscamiento. (De *ofuscar.*) m. Turbación que padece la vista por un reflejo grande de luz que da en los ojos, o por vapores o fluxiones que embarazan el ver. ‖ **2.** fig. Obscuridad de la razón, que confunde las ideas.

Ofuscar. (Del lat. *offuscāre.*) tr. Deslumbrar, turbar la vista. Ú. t. c. r. ‖ **2.** Obscurecer y hacer sombra. ‖ **3.** fig. Trastornar, conturbar o confundir las ideas; alucinar. Ú. t. c. r.

Ogaño. adv. t. **Hogaño.**

Ogro. m. Gigante que, según las mitologías y consejas de los pueblos del norte de Europa, se alimentaba de carne humana.

¡Oh! interj. de que se usa para manifestar muchos y muy diversos movimientos del ánimo, y más ordinariamente asombro, pena o alegría.

Ohm. m. *Fís.* Nombre del **ohmio,** en la nomenclatura internacional.

Óhmico, ca. adj. Perteneciente o relativo al ohmio.

Ohmio. (De *Ohm*, físico alemán, muerto en 1854.) m. Resistencia que, a la temperatura de cero grados, opone al paso de una corriente eléctrica una columna de mercurio de un milímetro cuadrado de sección y 1.063 milímetros de longitud.

Oíble. (Del lat. *audibĭlis.*) adj. Que se puede oír.

Oída. f. Acción y efecto de oír. ‖ **De,** o **por, oídas.** m. adv. que se usa hablando de las cosas que uno sabe sin haberlas visto y sólo por noticia o relación de otro.

Oídio. (Del lat. mod. *oidium*, y éste del gr. ᾠόν, huevo.) m. *Bot.* Hongo de pequeño tamaño que vive parásito sobre las hojas de la vid y produce en esta planta una grave enfermedad.

Oído. (Del lat. *audītus.*) m. Sentido que permite percibir los sonidos. ‖ **2.** *Zool.* Cada uno de los órganos que sirven para la audición, que en los insectos están situados debajo del tegumento del abdomen o de las patas y en los vertebrados a uno y otro lado de la cabeza. En las aves y mamíferos consta de tres partes: la externa, constituida por la oreja (sólo en los mamíferos) y el conducto auditivo externo; la media, formada por la caja del tímpano y sus dependencias; y la interna o laberinto, que comprende el vestíbulo, el caracol y tres conductos semicirculares, llamados así por estar encorvados en forma de arco. En los batracios anuros, reptiles y aves falta la oreja, y en los peces y urodelos no existe más que el laberinto. ‖ **4.** Aptitud para percibir y reproducir con exactitud la altura relativa de los sonidos musicales. *Fulano tiene buen* OÍDO. ‖ **5.** V. **Cera de los oídos.** ‖ **6.** V. **Silbido de oídos.** ‖ **7.** Agujero que en la recámara tienen algunas armas de fuego para comunicar éste a la carga. ‖ **8.** Orificio que se deja en el taco de un barreno para colocar la mecha. ‖ **interno.** *Zool.* Parte interna del **oído** de los vertebrados. || **medio.** *Zool.* Parte media del **oído** de los vertebrados. || **Abrir** uno **los oídos.** fr. fig. Escuchar con atención. || **Abrir** uno **tanto oído,** o **tanto el oído.** fr. fig. Escuchar con mucha atención o curiosidad lo que otro propone o refiere. || **Aguzar** uno **los oídos.** fr. fig. **Aguzar las orejas,** 2.ª acep. || **Al oído.** loc. adv. Dícese de lo que se aprende oyendo, sin otro estudio y sin más auxilio que la memoria. || **2.** Bajo reserva, confidencialmente. || **Aplicar** uno **el oído.** fr. Oir con atención. || **Cerrarle** a uno **los oídos.** fr. fig. Alucinarle para que no oiga lo que le conviene. || **Cerrar** uno **los oídos.** fr. fig. Negarse a oir razones o excusas. || **Dar oídos.** fr. Dar crédito a lo que se dice, o a lo menos escucharlo con gusto y aprecio. || **De oído.** m. adv. que indica la manera de aprender alguna cosa, o a cantar o tocar un instrumento sin conocer las reglas del arte. || **Duro de oído.** loc. Dícese del que es algo sordo y, en sentido restricto, del que carece de facilidad para percibir la medida y armonía de los versos. || **Entrar,** o **entrarle,** a uno una cosa **por un oído, y salir,** o **salirle, por el otro.** fr. fig. No hacer caso ni aprecio de lo que le dicen; desatender y no estimar el aviso, noticia o consejo que le dan. || **Hacer** uno **oídos de mercader.** fr. fig. Hacerse sordo y no querer oir lo que le dicen. || **Ladrar** a uno **al oído.** fr. fig. Estarle sugiriendo continua y fuertemente una especie. || **Llegar** una cosa **a oídos de** uno. fr. fig. Venir a su noticia. || **Negar** uno **los oídos. No dar oídos.** frs. figs. No permitir que se le vea para hablarle sobre una cosa que se le propone o que se solicita de él. || **¡Oídos que tal oyen!** expr. fam. para explicar la extrañeza que causa un despropósito. || **2.** fam. Suélese decir también cuando se oye una cosa de gran gusto o que sorprende. || **Regalar** a uno **el oído.** fr. fig. y fam. Lisonjearle, diciéndole cosas que le agraden. || **Taparse** uno **los oídos.** fr. fig. que denota repugnancia en escuchar una cosa por ser disonante o porque desagrada. || **Tener** uno **oído,** o **buen oído.** fr. Tener disposición para la música. || **Tener** uno **oídos de mercader.** fr. fig. **Hacer oídos de mercader.**

Oidor, ra. (Del lat. *auditor.*) adj. Que oye. Ú. t. c. s. || **2.** m. Ministro togado que en las audiencias del reino oía y sentenciaba las causas y pleitos.

Oidoría. f. Empleo o dignidad de oidor.

Oíl. (Del ant. fr. *oïl,* sí, y éste del lat. *hoc illud.*) V. **Lengua de oíl.**

Oimiento. m. ant. Acción de oir. || **2.** ant. *For.* Audiencia que se daba a cualquier actor o reo.

Oir. (Del lat. *audīre.*) tr. Percibir los sonidos. || **2.** Atender los ruegos, súplicas o avisos de uno. || **3.** Hacerse uno cargo, o darse por entendido, de aquello de que le hablan. || **4.** Asistir a la explicación que el maestro hace de una facultad para aprenderla. OYÓ *a Juan;* OYÓ *teología.* || **5.** *For.* Admitir la autoridad peticiones, razonamientos o pruebas de las partes antes de resolver. || **¡Ahora lo oigo!** expr. fam. con que se da a entender la novedad que causa una cosa que se dice y de que no se tenía noticia. || **Como quien oye llover.** expr. fig. y fam. con que se denota el poco aprecio que se hace de lo que se escucha o sucede. || **¡Oiga! ¡Oigan!** interjs. que denotan extrañeza o enfado, y que también se emplean en tono de reprensión. || **Oir bien.** fr. fig. Escuchar favorablemente, con agrado. || **Oir, ver y callar.** fr. con que se advierte o aconseja a uno que no se entremeta en lo que no le toca, ni hable cuando no le pidan consejo. || **¡Oye!** interj. **¡Oiga!** Ú. t. repetida. || **¿Oyes? ¿Oye usted?** exprs. que se usan para llamar al que está distante, y también para dar más fuerza a lo que se previene o manda. || **Ser** uno **bien oído.** fr. Lograr estimación o aceptación en lo que dice.

Oíslo. (De *oís,* 2.ª pers. de pl. del pres. de indic. de *oir,* y el pron. *lo.*) com. fam. Persona querida y estimada, principalmente la mujer respecto del marido.

Ojal. (De *ojo.*) m. Hendedura ordinariamente reforzada en sus bordes y a propósito para abrochar un botón, una muletilla u otra cosa semejante. || **2.** Agujero que atraviesa de parte a parte algunas cosas. || **3.** *Min.* Lazada que se hace en la punta del cintero de un torno para meter la pierna el que sube o baja colgado.

¡Ojalá! (Del ár. *wa-šā' Allāh,* y quiera Dios.) interj. con que se denota vivo deseo de que suceda una cosa.

Ojaladera. f. **Ojaladora.**

Ojalado, da. adj. *Veter.* Aplícase a la res vacuna que alrededor de los ojos tiene, formando líneas circulares, el pelo más obscuro que el resto de la cabeza.

Ojalador, ra. m. y f. Persona que tiene por oficio hacer ojales. || **2.** m. Instrumento para hacerlos.

Ojaladura. f. Conjunto de ojales de un vestido.

Ojalar. tr. Hacer y formar ojales.

Ojalatero. (De *¡ojalá!*) adj. fam. Aplícase al que, en las contiendas civiles, se limita a desear el triunfo de su partido. Ú. t. c. s.

Ojanco. (aum. despect. de *ojo.*) m. **Cíclope.**

Ojar. (De *ojo.*) tr. ant. **Ojear,** 1.er art.

Ojaranzo. (Del ár. *al-jarinŷ,* o *al-jabanŷ,* el brezo.) m. Variedad de jara de metro y medio de altura próximamente, ramosa, de tallos algo rojizos, hojas pecioladas, acorazonadas, lampiñas y grandes; flores en pedúnculos axilares de corola grande y blanca, y fruto capsular. || **2. Adelfa.** || **3.** *And.* **Rododendro.**

Ojeada. (De *ojear,* 1.er art.) f. Mirada pronta y ligera.

Ojeador. m. El que ojea o espanta con voces la caza.

Ojear. tr. Dirigir los ojos y mirar con atención a determinada parte. || **2. Aojar,** 1.er art., 1.ª acep.

Ojear. (De *oxear.*) tr. Espantar la caza con voces, tiros, golpes o ruido, para que se levante, acosándola hasta que llega al sitio donde se la ha de tirar o coger con redes, lazos, etc. || **2.** fig. Espantar y ahuyentar de cualquiera suerte.

Ojén. (De *Ojén,* villa de la provincia de Málaga.) m. Aguardiente preparado con anís y azúcar hasta la saturación.

Ojeo. m. Acción y efecto de ojear, 2.° art. || **Echar un ojeo.** fr. Cazar ojeando. || **Irse** uno **a ojeo.** fr. fig. y fam. Buscar con cuidado una cosa que desea o pretende.

Ojera. f. Mancha más o menos lívida, perenne o accidental, alrededor de la base del párpado inferior. Ú. m. en pl. || **2.** ant. **Lavaojos.**

Ojeriza. (De *ojo.*) f. Enojo y mala voluntad contra uno.

Ojeroso, sa. adj. Que tiene ojeras.

Ojerudo, da. adj. Aplícase a la persona que tiene habitualmente grandes ojeras.

Ojete. m. d. de **Ojo.** || **2.** Abertura pequeña y redonda, ordinariamente reforzada en su contorno con cordoncillo o con anillos de metal, para meter por ella un cordón o cualquier otra cosa que afiance. || **3.** Agujero redondo u oval con que se adornan algunos bordados. || **4.** fam. **Ano.**

Ojeteado, da. p. p. de **Ojetear.** || **2.** adj. V. **Jubón ojeteado.**

Ojetear. tr. Hacer ojetes en alguna cosa.

Ojetera. f. Parte del corsé o jubón, en la cual van colocados los ojetes, 2.ª acep.

Ojialegre. adj. fam. Que tiene los ojos alegres, vivos y bulliciosos.

Ojienjuto, ta. (De *ojo* y *enjuto.*) adj. fam. Que tiene dificultad para llorar.

Ojigarzo, za. adj. **Ojizarco.**

Ojimel. m. **Ojimiel.**

Ojimiel. (Del lat. *oxymĕli,* y éste del gr. ὀξύμελι; de ὄξος, vinagre, y μέλι, miel.) m. Composición farmacéutica que se prepara cociendo juntas dos partes de miel y una de vinagre, hasta que tengan punto de jarabe. Algunas veces se le añaden otros ingredientes.

Ojimoreno, na. (De *ojo* y *moreno.*) adj. fam. Que tiene los ojos pardos.

Ojinegro, gra. adj. fam. Que tiene los ojos negros.

Ojiprieto, ta. adj. fam. **Ojinegro.**

Ojituerto, ta. (De *ojo* y *tuerto.*) adj. **Bisojo.**

Ojiva. (Del fr. *ogive,* y éste del ár. *al-ŷibb,* que dio también *aljibe.*) f. Figura formada por dos arcos de círculo iguales, que se cortan en uno de sus extremos y volviendo la concavidad el uno al otro. || **2.** *Arq.* Arco que tiene esta figura.

Ojival. adj. De figura de ojiva. || **2.** *Arq.* Aplícase al estilo arquitectónico que dominó en Europa durante los tres últimos siglos de la Edad Media, y cuyo fundamento consistía en el empleo de la ojiva para toda clase de arcos.

Ojizaino, na. (De *ojo* y *zaino.*) adj. fam. Que mira atravesado y con malos ojos.

Ojizarco, ca. (De *ojo* y *zarco.*) adj. fam. Que tiene los ojos azules.

Ojo. (Del lat. *ocŭlus.*) m. Órgano de la vista en el hombre y en los animales. || **2.** Agujero que tiene la aguja para que entre el hilo. || **3.** Abertura o agujero que atraviesa de parte a parte alguna cosa. || **4.** Anillo que tienen las herramientas para que entren por él los dedos, el astil o mango con que se manejan para trabajar; como el del azadón, el del martillo, el del hacha, etc. || **5.** Anillo, generalmente elíptico, por donde se agarra y hace fuerza en la llave para mover el pestillo de la cerradura. || **6.** Agujero por donde se mete la llave en la cerradura. || **7.** Abertura que tienen algunas letras cuando en todo o en parte llevan una curva cerrada. || **8.** Manantial que surge en un llano. || **9.** Cada una de las gotas de aceite o grasa que nadan en otro licor. || **10.** Círculo de colores que tiene el pavo real en la extremidad de cada una de las plumas de la cola. || **11.** Espacio entre dos estribos o pilas de un puente. || **12.** Boca abierta en el muro de ciertos molinos para dar entrada al agua que pone en movimiento la rueda. || **13.** Mano que se da a la ropa con el jabón cuando se lava. || **14.** Palabra que se pone como señal al margen de manuscritos o impresos para llamar la atención hacia una cosa. || **15.** Atención, cuidado o advertencia que se pone en una cosa. || **16.** Cada uno de los huecos o cavidades que tienen dentro de sí el pan, el queso y otras cosas esponjosas. || **17.** Agujero redondo o alargado que en la parte superior del pie tienen algunas balanzas para ver al través si el fiel está perpendicular o caído. Algunas tienen dos **ojos.** || **18. Malla,** 1.ª acep. || **19.** fig. Aptitud singular para apreciar rápidamente las circunstancias que concurren en algún caso. OJO *clínico, médico, marinero.* || **20.** *Impr.* Grueso en los caracteres tipográficos, que puede ser distinto en los de un mismo cuerpo. || **21.** *Impr.* Relieve de los tipos, que impregnado en tinta produce la impresión. || **22.** V. **Candelero, mal de ojo.** || **23.** V. **Ángulo, blancura, cámara anterior, cámara posterior, niña del**

ojo. ‖ **24.** V. **Sangre en el ojo.** ‖ **25.** V. **Lo blanco del ojo.** ‖ **26.** V. **Caída, vista de ojos.** ‖ **27.** V. **Claridad, niñas de los ojos.** ‖ **28.** pl. Anillos de la tijera en los cuales entran los dedos. ‖ **29.** Se toma por expresión de gran cariño o por el objeto de él, y úsase regularmente diciendo: *mis* OJOS, *sus* OJOS, OJOS *míos*, etc. ‖ **Ojo de besugo.** fig. y fam. El que está medio vuelto, porque se parece a los del besugo cocido. ‖ **de boticario.** Sitio en las boticas, donde se guardan las esencias y medicamentos de más valor. ‖ **de breque.** fig. y fam. El pitarroso y remellado. Ú. t. por nota de desprecio. ‖ **de buey.** Planta herbácea de la familia de las compuestas, de cuatro a seis decímetros de altura, con hojas garzas, casi abrazadoras, oblongas y festoneadas; flores terminales, redondas y amarillas, y fruto seco, menudo, con semilla suelta en su interior. Es común en los sembrados. ‖ **2.** fam. Doblón de a ocho, u onza de oro. ‖ **3.** Ventana o claraboya circular. ‖ **4.** *Mar.* Farol pequeño de aceite, con una lente que sirve a bordo para leer la graduación del sextante, y otros usos. ‖ **de gallo.** Color que tienen algunos vinos, parecido al **ojo** del gallo. ‖ **2.** Callo redondo y algo cóncavo hacia el centro, que suele formarse en los dedos de los pies. ‖ **de gato.** Ágata de forma orbicular y color blanco amarillento, con fibras de asbesto y amianto. ‖ **de la escalera.** Espacio vacío que queda dentro de las vueltas de los tramos, cuando los peldaños no están adheridos a una alma central. ‖ **de la tempestad.** Rotura de las nubes que cubren el vórtice de los ciclones, por la cual suele verse el azul del cielo. ‖ **del Toro.** *Astron.* **Aldebarán.** ‖ **de patio.** Hueco sin techumbre comprendido entre las paredes o galerías que forman el patio, y más particularmente abertura superior por donde le entra la luz y se ve el cielo. ‖ **de perdiz.** Labor de pasamanería que en el cruce de los hilos forma unos nudos lenticulares. ‖ **2.** Punto obscuro que se presenta en el centro de los nudos de las maderas, y que suele ser indicio de la existencia de la hupe. ‖ **de pollo. Ojo de gallo,** 2.ª acep. ‖ **overo.** fam. El que, por abundar o resaltar mucho en él lo blanco, parece que no tiene niña. ‖ **regañado.** fig. El que tiene un frunce que lo desfigura y le impide cerrarse por completo. ‖ **Ojos blandos.** fig. y fam. **Ojos tiernos.** ‖ **de bitoque.** fig. y fam. Los que miran atravesado. ‖ **de cangrejo.** Ciertas piedrezuelas calcáreas, convexas por un lado y planas por otro, que crían interiormente los cangrejos, y que sólo se ven en ellos al tiempo de la muda. ‖ **de gato.** fig. y fam. Persona que los tiene de color agrisado o incierto. ‖ **de sapo.** fig. y fam. Persona que los tiene muy hinchados, reventones y tiernos. ‖ **rasgados.** Los que tienen muy prolongada la comisura de los párpados. ‖ **reventones,** o **saltones.** Los que son muy abultados y parecen estar fuera de su órbita. ‖ **tiernos.** fig. Los que padecen alguna fluxión ligera y continua. ‖ **turnios.** Los torcidos. ‖ **vivos.** Los muy brillantes y animados. ‖ **Cuatro ojos.** fig. y fam. Persona que trae anteojos. ‖ **Abre el ojo, que asan carne.** fr. proverb. con que se advierte a uno que se aproveche de la ocasión cuando ésta se presenta. ‖ **2.** También denota haber un riesgo inminente. ‖ **Abrir** uno **el ojo.** fr. fig. y fam. Estar advertido para que no le engañen. ‖ **Abrir** uno **los ojos.** fr. fig. Conocer las cosas como ellas son, para sacar aprovechamiento y evitar las que pueden causar perjuicio o ruina. ‖ **Abrir los ojos** a uno. fr. fig. Desengañarle en cosas que le pueden importar. ‖ **2.** Descubrirle algo de que estaba ajeno. ‖ **Abrir** uno **tanto ojo.** fr. fig. y fam. Asentir con alegría a lo que se le promete, o desear con ansia aquello de que se está hablando. ‖ **A cierra ojos.** m. adv. A medio dormir, a duermevela. ‖ **2.** fig. Sin reparar en inconvenientes ni detenerse a mirar los riesgos que pueden ofrecerse. ‖ **3.** fig. Sin examen ni reparo, precipitadamente. ‖ **Alegrársele** a uno **los ojos.** fr. Manifestar en ellos el regocijo extraordinario que ha causado un objeto, noticia o especie agradable. ‖ **Al ojo.** m. adv. Cercanamente o a la vista. ‖ **Alzar** uno **los ojos al cielo.** fr. fig. Levantar el corazón a Dios implorando su favor. ‖ **Andar** uno **con cien ojos.** fr. fig. y fam. **Estar con cien ojos.** ‖ **A ojo.** m. adv. Sin peso, sin medida, a bulto. ‖ **2.** fig. A juicio, arbitrio o discreción de uno. A OJO *de buen varón.* ‖ **A ojo de buen cubero.** expr. fig. y fam. Sin medida, sin peso y a bulto. ‖ **A ojos cegarritas.** m. adv. fam. Entornándolos para dirigir la mirada. ‖ **A ojos cerrados.** m. adv. **A cierra ojos.** ‖ **A ojos vistas.** m. adv. Visible, clara, patente, palpablemente. ‖ **A quien tanto ve, con un ojo le basta.** fr. que se usa para reprender al que es muy curioso y se mete a registrar lo que no quieren que vea o entienda. ‖ **Arrasársele** a uno **los ojos de,** o **en, agua,** o **lágrimas.** fr. fig. Llenarse los **ojos** de lágrimas antes de romper a llorar. ‖ **Avivar** uno **los ojos.** fr. Andar con cuidado y diligencia para no dejarse engañar ni sorprender. ‖ **Bailarle** a uno **los ojos.** fr. fig. Ser bullicioso, alegre y vivo. ‖ **Bajar** uno **los ojos.** fr. fig. Ruborizarse, y también humillarse y obedecer prontamente lo que le mandan. ‖ **Cerrar** uno **el ojo.** fr. fig. y fam. **Cerrar los ojos,** 2.ª acep. ‖ **Cerrar** uno **los ojos.** fr. fig. **Dormir,** 1.ª acep. Ú. frecuentemente con negación. ‖ **2.** fig. Expirar o morir. ‖ **3.** fig. Sujetar el entendimiento al dictamen de otro. ‖ **4.** fig. Obedecer sin examen ni réplica. ‖ **5.** fig. Arrojarse temerariamente a hacer una cosa sin reparar en inconvenientes. ‖ **Cerrarle** a uno **los ojos.** fr. fig. No apartarse de un enfermo hasta que expire. ‖ **2.** fig. **Cerrarle los oídos.** ‖ **Clavar** uno **los ojos en** una persona o cosa. fr. fig. Mirarla con particular cuidado y atención. ‖ **Comer** uno **con los ojos.** fr. fig. y fam. No apetecer los manjares sino cuando están servidos con limpieza y primor. ‖ **Comerse con los ojos** a una persona o cosa. fr. fig. y fam. Mostrar en las miradas el incentivo vehemente de una pasión; como codicia, amor, odio, envidia. ‖ **Como los ojos de la cara.** expr. fam. que se usa para ponderar el aprecio que se hace de una cosa o el cariño y cuidado con que se trata, aludiendo al que cada viviente tiene con sus **ojos.** ‖ **Con el ojo tan largo.** m. adv. fig. Con cuidado, atención y vigilancia. ‖ **Costar** una cosa **los ojos,** o **un ojo, de la cara.** fr. fig. y fam. Ser excesivo su precio, o mucho el gasto que se ha tenido en ella. ‖ **Dar** uno **de ojos.** fr. fig. y fam. Caer de pechos en el suelo. ‖ **2.** fig. y fam. Encontrarse con una persona. ‖ **3.** fig. Caer en un error. ‖ **Dar en los ojos** una cosa. fr. fig. Ser tan clara y patente, que por sí misma se hace conocer a la primera vista. ‖ **Dar en los ojos con** una cosa. fr. fig. Ejecutarla con propósito de enfadar o disgustar a uno. ‖ **Dar en ojos** a uno. fr. fig. **Dar en los ojos con** una cosa. ‖ **Darse de,** o **del, ojo.** fr. **Hacerse del ojo.** ‖ **Delante de los ojos de** uno. m. adv. En su presencia, a su vista. ‖ **De medio ojo.** m. adv. fig. y fam. No enteramente descubierto o en público. ‖ **De quien pone los ojos en el suelo, no fíes tu dinero.** ref. que aconseja que nos guardemos de los hipócritas. ‖ **Desencapotar los ojos.** fr. fig. y fam. Deponer el ceño y enojo y mirar con agrado. ‖ **Despabilar,** o **despabilarse, los ojos.** fr. fig. y fam. Vivir con cuidado y advertencia. ‖ **Dichosos los ojos que ven a usted.** expr. que se usa cuando se encuentra a una persona después de largo tiempo que no se la ve. ‖ **Dormir** uno **con los ojos abiertos.** fr. fig. y fam. Estar o vivir con precaución y cuidado para no dejarse sorprender ni engañar. ‖ **Dormir** uno **los ojos.** fr. fig. con que se expresa la afectación y el melindre de la persona que los cierra y entreabre para que parezcan mejor, o para dar a entender un afecto interior. ‖ **Echar el ojo,** o **tanto ojo,** a una cosa. fr. fig. y fam. Mirarla con atención, mostrando deseo de ella. ‖ **El ojo del amo engorda al caballo.** ref. que advierte cuánto conviene que cada uno cuide de su hacienda. ‖ **El ojo, límpiale con el codo.** ref. con que se da a entender que daña a los **ojos** el hurgarlos. ‖ **Encima de los ojos.** m. adv. fig. **Sobre los ojos.** ‖ **Enclavar los ojos.** fr. fig. **Clavar los ojos.** ‖ **En los ojos de** uno. m. adv. **Delante de los ojos de** uno. ‖ **Ensortijar los ojos** el caballo. fr. Revolverlos por lozanía al entrar en el combate. ‖ **Entrar a ojos cerrados.** fr. fig. Meterse en un negocio o admitir una cosa sin examen ni reflexión. ‖ **En un abrir,** o **en un abrir y cerrar,** o **en un volver, de ojos.** fr. fig. y fam. En un instante, con extraordinaria brevedad. ‖ **Estar** uno **con cien ojos.** fr. fig. Vivir prevenido o receloso. ‖ **Estar** una cosa **tan en los ojos.** fr. fig. Ser vista con mucha frecuencia. ‖ **Estimar sobre los ojos** una cosa. fr. fig. usada cortesanamente para mostrar que uno agradece el beneficio u oferta que se le hace. ‖ **Hablar con los ojos.** fr. fig. Dar a entender con una mirada o guiñada lo que se quiere decir a otro. ‖ **Hacer del ojo.** fr. Hacer uno a otro señas guiñando el **ojo,** para que le entienda sin que otros lo noten. ‖ **2.** fig. y fam. Estar dos personas de un mismo parecer y dictamen en una cosa, sin habérselo comunicado la una a la otra. ‖ **Hacer los ojos telarañas.** fr. fig. Turbarse la vista. ‖ **Hacer ojo.** fr. fig. Inclinarse la balanza a un lado, por estar desequilibrada. ‖ **Hacerse del ojo.** fr. **Hacer del ojo.** ‖ **Hacerse ojos** uno. fr. fig. Estar solícito y atento para conseguir o ejecutar una cosa que desea, o para verla y examinarla. ‖ **Hasta los ojos.** m. adv. fig. para ponderar el exceso de una cosa en que uno se halla metido, o de una pasión que padece. *Empeñado, enamorado,* HASTA LOS OJOS. ‖ **Henchirle** a uno **el ojo** una cosa. fr. fig. **Llenarle el ojo.** ‖ **Írsele** a uno **los ojos por,** o **tras,** una cosa. fr. fig. Desearla con vehemencia. ‖ **Levantar** uno **los ojos al cielo.** fr. fig. **Alzar los ojos al cielo.** ‖ **Lo que con el ojo,** o **con los ojos, veo, con el dedo lo señalo.** ref. que da a entender que no es necesaria mucha advertencia para conocer lo que es patente y notorio. ‖ **Los ojos se abalanzan, los pies se cansan, las manos no alcanzan.** ref. con que se explica el deseo de una cosa que no se puede lograr. ‖ **Llenarle** a uno **el ojo** una cosa. fr. fig. y fam. Contentarle mucho, por parecer perfecta y aventajada en su especie. ‖ **Llevar,** o **llevarse,** una cosa **los ojos.** fr. fig. Atraer la atención. ‖ **Llevar** uno **los ojos clavados en el suelo.** fr. fig. y fam. de que se usa para denotar la modestia y compostura de una persona. ‖ **Llorar** uno **con ambos ojos.** fr. fig. con que se pondera una pérdida grande o un contratiempo que le sucede. ‖ **Llorar** uno **con un ojo.** fr. fig. con que se moteja al que en una desgracia aparenta más sentimiento del que realmente tiene. || **Más ven cuatro ojos que dos.** fr. fig. con que se da a entender que las resoluciones salen mejor conferidas y consultadas que tomadas por sólo un dictamen. || **Mentir** a uno **el ojo.** fr. fig. y fam. Equivocarse, engañarse en una cosa o precio por algunas señales exteriores. || **Meter** una cosa **por los ojos.** fr. fig. Encarecerla, brindando con ella insistentemente a fin de que uno la compre o acepte. || **Meterse** uno **por el ojo de una aguja.** fr. fig. y fam. Ser bullicioso y entremetido; introducirse aprovechando cualquiera ocasión para conseguir lo que desea. || **Mirar con buenos,** o **malos, ojos** a una persona o cosa. fr. fig. Mirarla con afición o cariño, o al contrario. || **Mirar** a uno **con otros ojos.** fr. fig. Hacer de él diferente concepto, estimación y aprecio del que antes se hacía o del que otros hacen. || **Mirar de mal ojo.** fr. fig. Mostrar desafecto o desagrado. || **¡Mucho ojo!** expr. de aviso, para que se mire bien, se oiga o considere atentamente lo que pasa o se dice. || **¡Mucho ojo, que la vista engaña!** expr. con que se advierte a uno que viva prevenido, sin fiarse de apariencias. || **Ni ojo en la carta, ni mano en el arca;** o **ni los ojos a las cartas, ni las manos a las arcas.** ref. que reprende a los que intentan averiguar lo que no deben y a los que toman lo ajeno. Otros dicen **ni las manos a las barbas,** reprendiendo a los que ponen las manos en otro. || **No decir** a uno **«buenos ojos tienes».** fr. fig. y fam. No dirigirle la palabra; no hacerle caso. || **No es nada lo del ojo, y lo llevaba en la mano.** ref. con que se significa que alguno no da importancia a una cosa, siendo así que la tiene, y mucha. || **No hay más que abrir ojos y mirar.** fr. con que se pondera la perfección, grandeza o estimación de una cosa. || **No levantar** uno **los ojos.** fr. fig. Mirar al suelo por humildad, modestia, etc. || **No pegar el ojo,** o **los ojos.** fr. fig. y fam. No poder dormir en toda la noche. || **No pegar ojo.** fr. fig. y fam. No poder dormir. || **No quitar los ojos de** una persona o cosa. fr. fig. y fam. Poner en ella atención grande y persistente. || **No saber** uno **donde tiene los ojos.** fr. fig. y fam. Ser muy ignorante o inhábil en las cosas más claras y triviales. || **No tener** uno **adonde volver los ojos.** fr. fig. y fam. que se usa hablando de la persona desvalida. || **Ofender los ojos.** fr. fig. Servir de escándalo, o dárselo a una persona. || **¡Ojo!** interj. para llamar la atención sobre alguna cosa. || **Ojo a la margen.** expr. fig. que se usa para encargar que se ponga advertencia en una cosa. || **Ojo al cristo, que es de plata.** expr. fig. y fam. con que se advierte a uno que tenga cuidado con una cosa, por el riesgo que hay de que la hurten. || **Ojo alerta.** expr. fam. con que se advierte a uno que esté con cuidado para evitar un riesgo o fraude. || **Ojo avizor.** expr. Alerta, con cuidado. || **Ojos hay que de legañas se enamoran,** o **se pagan.** ref. que enseña que el gusto no siempre se gobierna por la razón. || **Ojos malos, a quien los mira pegan su malatía.** ref. que advierte que el llegarse a las malas compañías siempre es peligroso, porque regularmente comunican y pegan sus malas costumbres. || **Ojos que no ven, corazón que no llora, quiebra,** o **siente.** ref. que da a entender que las lástimas que están lejos, se sienten menos que las que se tienen a la vista. || **Ojos que te vieron ir.** expr. con que se significa que la ocasión que se perdió una vez, no suele volver. || **2.** exclam. con que uno muestra el temor de no volver a ver a una persona ausente y amada, o de no recobrar el dinero o alhaja de que se ha desprendido. || **Pasar los ojos por** un escrito. fr. fig. Leerlo ligeramente. || **Pasar por ojo.** fr. *Mar.* Embestir de proa un buque a otro y echarlo a pique. || **2.** fig. Destruir a uno, arruinarle. || **Poner** a uno **delante de los ojos** una cosa. fr. fig. y fam. Convencerle con la razón o con la experiencia para que deponga el dictamen errado en que está. || **Poner los ojos en** una persona o cosa. fr. fig. Escogerla para algún designio. || **2.** fig. Denotar afición o cariño a ella. || **Poner** uno **los ojos en albo.** fr. ant. **Poner los ojos en blanco.** || **Poner** uno **los ojos en blanco.** fr. Volverlos de modo que apenas se descubra más que lo blanco de ellos. || **Por sus ojos bellidos.** loc. adv. Por su buena cara, de balde y sin costar trabajo alguno. || **Quebrar el ojo al diablo.** fr. fig. y fam. Hacer lo mejor, más justo y razonable. || **Quebrar los ojos** a uno. fr. fig. y fam. Desplacerle o desagradarle en lo que se conoce ser de su gusto. || **2.** fig. Dícese también de la luz cuando es muy activa, que no se puede mirar a ella sin que se ofenda la vista; como sucede cuando se quiere mirar al Sol. || **Quebrarse** uno **los ojos.** fr. fig. Cansarse los **ojos** por la mucha fatiga que se toma en una cosa; como en leer o estudiar. || **2.** fig. Dícese también de los moribundos cuando se les turba la vista, que es señal de estar ya a los últimos. || **Rasársele** a uno **los ojos de,** o **en, agua,** o **lágrimas.** fr. fig. **Arrasársele los ojos de agua.** || **Revolver** uno **los ojos.** fr. Volver la vista en redondo, vaga y desatentadamente, por efecto de una violenta pasión o accidente. || **Sacar los ojos** a uno. fr. fig. y fam. Apretarle e instarle con molestia a que haga una cosa. || **2.** fig. y fam. Hacerle gastar mucho dinero por antojo o con peticiones importunas. || **Sacarse los ojos.** fr. fig. que exagera el enojo y cólera con que dos o más personas riñen y altercan sobre una materia o negocio. || **Salirle** a uno **a los ojos** alguna cosa. fr. fig. **Salirle a la cara,** 2.ª acep. || **Saltar a los ojos** una cosa. fr. fig. Ser muy clara. || **2.** fig. Ser vistosa y sobresaliente por su primor. || **Saltarle** uno **a los ojos** a otro. fr. fig. y fam. Tener contra él grande irritación y enojo. || **Saltársele** a uno **los ojos.** fr. fig. con que se significa la grande ansia o deseo con que apetece una cosa, infiriéndolo de la tenaz atención con que mira. Dícese regularmente de los niños cuando ven comer. || **Saltar** a uno **un ojo.** fr. Herírselo, cegárselo. || **Ser** uno **el ojo derecho de** otro. fr. fig. y fam. Ser de su mayor confianza y cariño. || **Sobre los ojos.** fr. fig. que con el verbo *poner* y otros se usa para ponderar la estimación que se hace de una cosa. || **Taparse de medio ojo.** fr. Decíase de las mujeres cuando se tapaban la cara con la mantilla, sin descubrir más que un ojo, para ver sin ser conocidas. || **Tener el ojo tan largo.** fr. fig. y fam. Estar observando o vigilando con mucha atención. || **Tener entre ojos,** o **sobre ojo,** a uno. fr. fig. y fam. Aborrecerle, tenerle mala voluntad. || **Tener** uno **los ojos clavados en el suelo.** fr. fig. y fam. **Llevar los ojos clavados en el suelo.** || **Tener los ojos en** una cosa. fr. Mirarla con grande atención, y observarla con todo cuidado. || **Tener** uno **malos ojos.** fr. fig. Ser aciago o desgraciado en las cosas que mira o examina. || **Tener ojo** a una cosa. fr. fig. Atender, poner la mira en ella. || **Tierno de ojos.** loc. Dícese del que en ellos padece una fluxión ligera y continua. || **Torcer los ojos.** fr. Volverlos hacia un lado, apartándolos de la línea recta. || **Tornar** uno **los ojos en albo.** fr. ant. **Poner los ojos en albo.** || **Traer al ojo** una cosa. fr. fig. Cuidar atentamente de un negocio o persona sin dejarla olvidar. || **Traer entre ojos.** fr. fig. Observar a uno, por el recelo que se tiene de él. || **Traer** a uno **sobre ojo.** fr. fig. **Traer entre ojos.** || **2.** fig. y fam. Estar enojado con él. || **Un ojo a** una cosa **y otro a** otra. expr. fig. con que se explica la concurrencia de diversas intenciones a un tiempo. UN OJO A *la sartén* Y OTRO A *la gata.* || **Valer** una cosa **un ojo de la cara.** fr. fig. y fam. Ser de mucha estimación o aprecio. || **Vendarse** uno **los ojos.** fr. fig. No querer asentir ni sujetarse a la razón por clara que sea. || **Venirse a los ojos** una cosa. fr. fig. y fam. **Saltar a los ojos,** 1.ª acep. || **2.** fig. y fam. Llamar fuertemente la atención por sus vivos colores o por otras calidades o circunstancias. || **Vidriarse los ojos.** fr. Tomar la apariencia o semejanza del vidrio, que es señal de cercana muerte en los enfermos. || **Volver los ojos.** fr. Torcerlos al tiempo de mirar, lo cual hacen muy comúnmente los niños, por debilidad o por vicio. || **Volver los ojos** a uno. fr. fig. Atenderle, interesarse por él.

Ojoche. m. *C. Rica.* Árbol de gran altura que se cubre de flores casi por completo, y cuyo fruto sirve de alimento al ganado.

Ojoso, sa. adj. Que tiene muchos ojos; como el pan, el queso, etc.

Ojota. (Del quichua *uxuta.*) f. *Amér. Merid.* Calzado a manera de sandalia, hecho de cuero o de filamento vegetal, que usaban los indios del Perú y de Chile, y que todavía usan los campesinos de algunas regiones de la América del Sur.

Ojuelo. m. d. de **Ojo.** Ú. frecuentemente en plural, por los ojos risueños, alegres y agraciados. || **2.** pl. En algunas partes, anteojos para leer.

Ola. (Del bretón *houl,* pl. de *houlenn,* onda.) f. Onda de gran amplitud que se forma en la superficie de las aguas. || **2.** Fenómeno atmosférico que produce variación repentina en la temperatura de un lugar. OLA *de fuego,* OLA *de frío.* || **3.** fig. **Oleada,** 1.er art., 3.ª acep. || **Quebrar,** o **romperse, las olas.** fr. **Quebrar,** o **romperse, el mar.**

Olaje. m. Oleaje.

Alambre. f. **Olambrilla.**

Olambrilla. f. azulejo decorativo de unos siete centímetros de lado, que se combina con baldosas rectangulares, generalmente rojas, para formar pavimentos y revestir zócalos.

¡Ole! (De *¡olé!*) interj. **¡Olé!** || **2.** m. Cierto baile andaluz. || **3.** Son de este baile.

¡Olé! (Del ár. *wa-llāh,* ¡por Dios!, que se emplea en sentido admirativo.) interj. con que se anima y aplaude. Ú. t. c. s. y en pl.

Oleáceo, a. (Del lat. *oleacĕus.*) adj. *Bot.* Dícese de árboles y arbustos angiospermos dicotiledóneos, que tienen hojas opuestas o alternas, flores hermafroditas, algunas veces unisexuales y casi siempre tetrámeras, fruto en drupa o en baya y semillas generalmente sin albumen; como el olivo, el fresno y el jazmín. Ú. t. c. s. f. || **2.** f. pl. *Bot.* Familia de estas plantas.

Oleada. f. Ola grande. || **2.** Embate y golpe de la ola. || **3.** fig. Movimiento impetuoso de mucha gente apiñada.

Oleada. (De *óleo.*) f. Cosecha abundante de aceite.

Oleado, da. adj. Dícese de la persona que ha recibido los santos óleos. Ú. t. c. s.

Oleaginosidad. f. Calidad de oleaginoso.

Oleaginoso, sa. (Del lat. *oleago, -inis;* de *olea,* aceituna.) adj. **Aceitoso.**

Oleaje. m. Sucesión continuada de olas.

Olear. (De *óleo.*) tr. Dar a un enfermo el sacramento de la extremaunción.

Olear. intr. Hacer o producir olas, como el mar.

Oleario, ria. (Del lat. *olearĭus.*) adj. **Oleoso.**

Oleastro. (Del lat. *oleaster, -tri.*) m. **Acebuche.**

Oleaza. (De *óleo.*) f. *Ar.* Agua que queda en el fondo de las pilas de los molinos de aceite después de apartar éste.

Oledero, ra. (De *oler.*) adj. Que despide olor.

Oledor, ra. adj. Que exhala olor o lo percibe. Ú. t. c. s. || **2.** m. ant. **Bujeta,** 3.ª acep.

Oleícola. adj. Perteneciente o relativo a la oleicultura.

Oleicultura. f. Arte de cultivar el olivo y mejorar la producción del aceite.

Oleífero, ra. adj. Se dice de la planta que contiene aceite.

Oleína. (Del lat. *olĕum,* aceite.) f. *Quím.* Substancia líquida, ligeramente amarillenta, que entra en la composición de las grasas y mantecas y más en la de los aceites.

Óleo. (Del lat. *olĕum.*) m. **Aceite,** 1.ª acep. || **2.** Por antonom., el que usa la Iglesia en los sacramentos y otras ceremonias. Ú. m. en pl. *Los santos* ÓLEOS. || **3.** Acción de olear. || **Santo óleo.** El de la extremaunción. || **Al óleo.** m. adv. *Pint.* V. **Pintura al óleo.** || **Andar al óleo.** fr. fig. y fam. Estar una cosa muy adornada y compuesta. || **¡Bueno va el óleo!** expr. fig. e irón. que se usa para explicar que una cosa no va como debe ir. || **Estar al óleo.** fr. fig. y fam. **Andar al óleo.**

Oleoducto. (Del lat. *oleum,* aceite, y *ductus,* conducido.) m. Tubería provista de bombas y otros aparatos para conducir el petróleo a larga distancia.

Oleografía. f. Cromo que imita la pintura al óleo.

Oleómetro. m. Instrumento usado para medir la densidad de los aceites.

Oleorresina. f. Jugo líquido, o casi líquido, procedente de varias plantas, formado por resina disuelta en aceite volátil.

Oleosidad. f. Calidad de oleoso.

Oleoso, sa. (Del lat. *oleōsus.*) adj. **Aceitoso.**

Oler. (Del lat. *olēre.*) tr. Percibir los olores. || **2.** fig. Conocer o adivinar una cosa que se juzgaba oculta. || **3.** fig. Inquirir con curiosidad y diligencia lo que hacen otros, para aprovecharse de ello o con algún otro fin. || **4.** intr. Exhalar y echar de sí fragancia que deleita el sentido del olfato, o hedor que le molesta. || **5.** fig. Parecerse o tener señas y visos de una cosa, que por lo regular es mala. *Este hombre me* HUELE *a hereje.* || **No oler bien** una cosa. fr. fig. Dar sospecha de que encubre un daño o fraude. || **Oler donde guisan.** expr. fig. y fam. Buscar ocasiones favorables para satisfacer los gustos y provechos. Ú. m. con los verbos *andar, estar,* etc.

Olfacción. (Del lat. *olfactĭo ,-ōnis.*) f. Acción de oler.

Olfatear. (De *olfato.*) tr. Oler con ahínco y persistentemente. || **2.** fig. y fam. Indagar, averiguar con viva curiosidad y empeño.

Olfateo. m. Acción y efecto de olfatear.

Olfativo, va. adj. Perteneciente o relativo al sentido del olfato. *Nervio* OLFATIVO.

Olfato. (Del lat. *olfactus.*) m. *Zool.* Sentido con que los animales perciben los olores. En los vertebrados está constituido el órgano olfativo por células especiales situadas en la membrana pituitaria, y en los invertebrados suele estar formado por elementos tegumentarios de las antenas, palpos, etc. || **2.** fig. Sagacidad para descubrir o entender lo que está disimulado o encubierto.

Olfatorio, ria. adj. Perteneciente al olfato.

Olíbano. (Del ár. *al-lubnà,* el estoraque.) m. **Incienso,** 1.ª acep.

Oliente. (Del lat. *olens, olentis.*) p. a. de **Oler.** Que huele.

Oliera. (De *olio.*) f. Vaso en que se guarda el santo óleo o crisma.

Oligarca. (Del gr. ὀλιγάρχης; de ὀλίγος, poco, y ἀρχή, mando, poder.) m. Cada uno de los individuos que componen una oligarquía.

Oligarquía. (Del gr. ὀλιγαρχία.) f. Gobierno de pocos. || **2.** Forma de gobierno en la cual el poder supremo es ejercido por un reducido grupo de personas que pertenecen a una misma clase social. || **3.** fig. Conjunto de algunos poderosos negociantes que se aúnan para que todos los negocios dependan de su arbitrio.

Oligárquico, ca. (Del gr. ὀλιγαρχικός.) adj. Perteneciente a la oligarquía.

Oligisto. (Del gr. ὀλίγιστος, muy poco, porque da menos metal que otra mena parecida.) m. Mineral opaco, de color gris negruzco o pardo rojizo, muy duro y pesado, de textura compacta, concrecionada, granujienta o terrosa. Es un óxido de hierro, y por su riqueza en metal es muy apreciado en siderurgia. || **rojo. Hematites.**

Oligoceno. (Del gr. ὀλίγος, poco, y καινός, reciente.) adj. *Geol.* Dícese del terreno que en la base del terciario sigue inmediatamente al eoceno. Ú. t. c. s. || **2.** *Geol.* Perteneciente a este terreno.

Olimpiaco, ca [~ **píaco, ca**]. (Del lat. *olympiăcus.*) adj. ant. **Olímpico.**

Olimpiada [~ **píada**]. (Del lat. *olympĭas, -ădis,* y éste del gr. Ὀλυμπιάς, de Ὀλύμπια, juegos olímpicos.) f. Fiesta o juego que se hacía cada cuatro años en la antigua ciudad de Olimpia. || **2.** Competición universal de juegos atléticos que se celebra modernamente cada cuatro años en lugar señalado de antemano y con exclusión de los profesionales del deporte. || **3.** Período de cuatro años comprendido entre dos celebraciones consecutivas de juegos olímpicos. Fué costumbre entre los griegos contar el tiempo por **olimpiadas** a partir del solsticio de verano del año 776 antes de Jesucristo, en que se fijó la primera.

Olimpiade. f. ant. **Olimpiada.**

Olímpico, ca. (De lat. *olympicus,* y éste del gr. Ὀλυμπικός.) adj. Perteneciente al Olimpo. || **2.** Perteneciente a Olimpia, ciudad de Grecia antigua. || **3.** Perteneciente a los juegos de las olimpiadas. || **4.** V. **Corona olímpica.** || **5.** fig. Altanero, soberbio. OLÍMPICO *desdén.*

Olimpo. (Del gr. Ὄλυμπος.) m. Morada de los dioses del paganismo.

Olingo. m. *Hond.* Mono de los llamados aulladores y cuya voz es de gran potencia.

Olio. m. **Óleo.**

Oliscar. tr. Oler con cuidado y persistencia, y buscar por el olfato una cosa. || **2.** fig. Averiguar, inquirir o procurar saber un acaecimiento o noticia. || **3.** intr. Empezar a oler mal una cosa, lo cual regularmente se dice de las carnes. || **4. Oler,** 5.ª acep.

Oliva. (Del lat. *olīva.*) f. **Olivo.** || **2. Aceituna.** || **3. Lechuza,** 1.ª acep. || **4.** fig. **Paz.**

Olivar. m. Sitio plantado de olivos.

Olivar. tr. Enfaldar o podar las ramas bajas de los árboles para que las superiores formen buena copa, como se hace a los olivos.

Olivarda. (De *oliva,* por el color del ave.) f. Ave, variedad del neblí, que se distingue en ser más pequeña y en tener el cuerpo de color amarillo verdoso.

Olivarda. (Del neerl. *alantswortel* énula campana.) f. Planta de la familia de las compuestas, de cinco decímetros a un metro de altura, de tronco leñoso, bastante ramosa, con hojas lanceoladas, sentadas, abrazadoras por la base, con dientes en el margen y pobladas de pelillos glandulosos que segregan una especie de resina viscosa; flores en cabezuelas amarillas, de pedúnculos desiguales para formar ramo piramidal, y fruto seco con una sola semilla, suelta y menuda. Es común en España y se ha empleado como astringente y cicatrizante.

Olivarero, ra. adj. Perteneciente o relativo al cultivo del olivo y a sus industrias derivadas. || **2.** Que se dedica a este cultivo. Ú. t. c. s.

Olivarse. r. Levantarse ampollas en el pan al ser cocido, a consecuencia de haberse enfriado la masa antes de entrar en el horno.

Olivastro de Rodas. m. **Áloe,** 1.ª acep.

Olivera. (Del lat. *olivarĭa.*) f. **Olivo.**

Olivero. m. Sitio donde se coloca la oliva o aceituna en la recolección hasta que se lleva al trujal.

Olivícola. adj. Perteneciente o relativo a la olivicultura.

Oliviculto r, ra. m. y f. Persona que se dedica a la olivicultura.

Olivicultura. f. Cultivo y mejoramiento del olivo.

Olivífero, ra. (Del lat. *olivĭfer, -ĕri;* de *oliva,* oliva, y *ferre,* llevar.) adj. poét. Abundante en olivos.

Olivillo. (d. de *olivo.*) m. *Bot.* Arbusto de la familia de las cneoráceas, de dos a tres metros de altura, con hojas ovales, sentadas, lustrosas y persistentes; flores axilares amarillas, y por fruto bayas de color pardo rojizo.

Olivino. (De *oliva,* aceituna, por el color.) m. **Peridoto.**

Olivo. (Del lat. *olīvum.*) m. Árbol de la familia de las oleáceas, con tronco corto, grueso y torcido; copa ancha y ramosa que se eleva hasta cuatro o cinco metros, hojas persistentes coriáceas, opuestas, elípticas, enteras, estrechas, puntiagudas, verdes y lustrosas por la haz y blanquecinas por el envés; flores blancas, pequeñas, en ramitos axilares, y por fruto la aceituna, que es drupa ovoide de dos a cuatro centímetros de eje mayor, según las castas, de sabor algo amargo, color verde amarillento, morado en algunas variedades, y con un hueso grande y muy duro que encierra la semilla. Originario de Oriente, es muy cultivado en España para extraer del fruto el aceite común. || **2.** Madera de este árbol. || **acebucheno.** El que bastardea y da, como el acebuche, fruto escaso y pequeño, por falta de cuidado o por mala calidad del terreno. || **arbequín.** El muy cultivado en Cataluña y que produce fruto pequeño, como la aceituna manzanilla, pero bueno, y aceite muy apreciado. El árbol es de tamaño mediano, frondoso y de buen aspecto cuando lleva el fruto. || **manzanillo.** El que da aceituna manzanilla. || **silvestre.** El menos ramoso que el cultivado y de hojas más pequeñas. Su fruto es la acebuchina. || **Olivo y aceituno, todo es uno.** ref. que suele decirse a los que gastan el tiempo buscando diferencias en las cosas que substancialmente no las tienen; y también a los que con impertinencia repiten una cosa, aunque con diferente nombre o diversas palabras. || **Tomar el olivo.** fr. *Taurom.* Guarecerse en la barrera.

Olivoso, sa. adj. poét. **Olivífero.**

Olma. f. Olmo muy corpulento y frondoso.

Olmeda. (Del lat. *ulmēta,* pl. n. de *-tum.*) f. Sitio plantado de olmos.

Olmedano, na. adj. Natural de Olmedo. Ú. t. c. s. || **2.** Perteneciente a alguna de las villas de este nombre.

Olmedo. (Del lat. *ulmētum.*) m. **Olmeda.**

Olmo. (Del lat. *ulmus.*) m. Árbol de la familia de la sulmáceas, que crece hasta la altura de 20 metros, con tronco robusto y derecho, de corteza gruesa y resquebrajada; copa ancha y espesa; hojas elípticas o trasovadas, aserradas por el margen, ásperas y lampiñas por la haz, lisas y vellosas por el envés y verdes por ambas caras; flores precoces, de color blanco rojizo, en hacecillos sobre las ramas, y frutos secos, con una semilla oval, aplastada, de ala membranosa en todo su contorno, verde al principio y amarillenta después, tan abundante y de tan rápido desarrollo, que el árbol parece cubierto de hojas, siendo así que éstas nacen después de caerse las semillas. Abunda en España, es buen árbol de sombra y de excelente madera.

Ológrafo, fa. (De *hológrafo.*) adj. Aplícase al testamento o a la memoria testamentaria de puño y letra del testador. Ú. t. c. s. m. ‖ **2. Autógrafo.**

Olomina. f. *C. Rica.* Pececillo muy abundante en todos los ríos y arroyos; no es comestible.

Olopopo. m. *C. Rica.* Especie de mochuelo de gran tamaño, que abunda en la costa del Pacífico. Su nombre procede de su grito habitual.

Olor. (Del lat. *olor, -ōris.*) m. Impresión que los efluvios de los cuerpos producen en el olfato. ‖ **2.** Lo que es capaz de producir esa impresión. ‖ **3.** V. **Agua, grama, guisante, jabón, jabonete, meloncillo, retama, rosal de olor.** ‖ **4.** fig. Esperanza, promesa u oferta de una cosa. ‖ **5.** fig. Lo que causa o motiva una sospecha en cosa que está oculta o por suceder. ‖ **6.** fig. Fama, opinión y reputación. *Morir en* OLOR *de santidad.* ‖ **7.** ant. **Olfato,** 1.ª acep. ‖ **Estar al olor.** fr. fig. y fam. **Estar al husmo.**

Olorizar. tr. Esparcir olor, perfumar.

Oloroso, sa. (De *olor.*) adj. Que exhala de sí fragancia. ‖ **2.** V. **Asa, uña olorosa.** ‖ **3.** V. **Junco, perifollo oloroso.** ‖ **4.** m. Vino de Jerez de color dorado obscuro y mucho aroma, de dieciocho o veinte grados y que, al envejecer, puede llegar a veinticuatro o veinticinco.

Olura. (Del lat. *olus, -ĕris.*) f. ant. Verdura, hortaliza.

Olvidadero, ra. adj. ant. **Olvidadizo,** 1.ª acep.

Olvidadizo, za. adj. Que con facilidad se olvida de las cosas. ‖ **2.** fig. **Desconocido,** 2.ª acep.

Olvidado, da. p. p. de **Olvidar.** ‖ **2.** adj. Dícese del que olvida. ‖ **3. Olvidadizo,** 2.ª acep.

Olvidanza. (De *olvidar.*) f. ant. **Olvido.**

Olvidar. (De *olvido.*) tr. Apartar de la memoria una cosa. Ú. t. c. tr. y r. ‖ **2.** Dejar el cariño que antes se tenía. Ú. t. c. r. ‖ **3.** p. us. Hacer perder la memoria de una cosa. ‖ **Estar olvidada** una cosa. fr. fig. Hacer mucho tiempo que se hizo o sucedió.

Olvido. (Del lat. *oblītus,* p. p. de *oblivisci,* olvidarse.) m. Falta de memoria o cesación de la que se tenía de una cosa. ‖ **2.** Cesación del cariño que antes se tenía. ‖ **3.** Descuido de una cosa que se debía tener presente. ‖ **Dar,** o **echar, al olvido,** o **en olvido.** fr. **Olvidar,** 1.ª acep. ‖ **Enterrar en el olvido.** fr. fig. Olvidar para siempre. ‖ **Entregar al olvido.** fr. fig. **Olvidar,** 1.ª acep. ‖ **No tener en olvido** a una persona o cosa. fr. Tenerla presente. ‖ **Poner en olvido.** fr. **Olvidar.** ‖ **2.** Hacer olvidar.

Olvidoso, sa. adj. ant. **Olvidadizo,** 1.ª acep.

Olla. (Del lat. *olla.*) f. Vasija redonda de barro o metal, que comúnmente forma barriga, con cuello y boca anchos y con una o dos asas, la cual sirve para cocer manjares, calentar agua, etc. ‖ **2.** Vianda preparada con carne, tocino, legumbres y hortalizas, principalmente garbanzos y patatas, a lo que se añade a veces algún embuchado y todo junto se cuece y sazona. Es en España el plato principal de la comida diaria. ‖ **3.** Remolino que forman las aguas de un río en ciertos parajes. ‖ **4.** V. **Cabeza, tumbo de olla.** ‖ **carnicera.** Aquella en que, por su tamaño, se puede cocer mucha carne; como suelen ser las que se ponen para dar de comer a los segadores. ‖ **ciega. Alcancía,** 1.ª acep. ‖ **de campaña.** Marmita que sirve para cocer el rancho de la tropa, tanto en campaña como en guarnición. ‖ **de cohetes.** fig. y fam. Grave riesgo, sumo peligro. ‖ **de fuego. Olla** de barro llena de materias inflamables y explosivas, que con mechas encendidas se arrojaba con la mano a un foso o al campo enemigo próximo, y rompiéndose al caer, iluminaba o incendiaba. ‖ **de grillos.** fig. y fam. Lugar en que hay gran desorden y confusión y nadie se entiende. ‖ **podrida.** La que, además de la carne, tocino y legumbres, tiene en abundancia jamón, aves, embutidos y otras cosas suculentas. ‖ **Las ollas de Egipto.** fig. Vida regalona que se tuvo en otro tiempo. Ú. con los verbos *recordar, desear, volver,* etc. ‖ **Acá, que hay olla.** expr. fig. y fam. con que se llama a uno y se da a entender que le conviene acudir. ‖ **A la olla que hierve, ninguna mosca se atreve.** ref. con que se da a entender que a riesgo conocido no hay quien se arroje fácilmente. ‖ **A las ollas de Miguel.** Juego que los muchachos hacen formando una rueda, y dadas las manos, dicen una coplilla que empieza: A LAS OLLAS DE MIGUEL, *que están cargadas de miel;* y acabada, va volviendo uno de ellos la espalda hacia dentro de la rueda, y en acabándose de volver todos, repiten la copla, dándose unos a otros con las asentaderas, sin soltarse las manos. ‖ **Donde buenas ollas quiebran, buenos cascos quedan.** ref. que indica que de buenos padres suelen nacer tales hijos o descendientes. ‖ **Estar uno a la olla de** otro. fr. Mantenerse a su costa, comiendo en su casa. ‖ **Hacer** a uno **la olla gorda.** fr. fig. y fam. **Hacerle el caldo gordo.** ‖ **No hay buena olla con agua sola.** ref. que da a entender que para que una cosa sea buena es necesario que tenga todo lo que le corresponde. ‖ **No hay olla sin tocino.** fr. fig. que se usa para explicar que si falta algo de lo substancial no está perfecta una cosa. ‖ **2.** fig. Sirve también para motejar al que siempre habla de lo mismo. ‖ **No hay olla tan fea, que no tenga su cobertera.** ref. con que se da a entender que no hay persona o cosa tan despreciable, que no tenga quien la estime para algo. ‖ **Olla cabe tizones, ha menester cobertera, y la moza do hay garzones, la madre sobre ella.** ref. que encarece el cuidado que se debe poner para evitar las ocasiones peligrosas, especialmente a la juventud. ‖ **Olla de muchos, mal mejida y peor cocida.** ref. que expresa ser mal gobernado el negocio en que muchos tienen parte. ‖ **Olla que mucho hierve, sabor pierde.** ref. que aconseja no dejar perder la sazón de las cosas. ‖ **Olla reposada no la come toda barba.** ref. que enseña que el que tiene muchos cuidados y dependencias, difícilmente logra descanso aun para comer. ‖ **Olla sin sal, haz cuenta que no tienes manjar.** ref. que enseña que las cosas que no tienen lo necesario no aprovechan, o que para la perfección se requiere que no falte calidad alguna. ‖ **Quien quisiere probar la olla de su vecino, tenga la suya sin cobertera.** ref. que se aplica a los que quieren disfrutar de lo ajeno sin ofrecer lo suyo.

Ollado. (Del gall. y port. *ollado,* de *ollo,* y éste del lat. *ocŭlus.*) m. *Mar.* **Ollao.**

Ollao. (De *ollado.*) m. *Mar.* Cualquiera de los ojetes que se abren en las velas, toldos, fundas, etc., y que, reforzados como los ojales de la ropa, sirven para que por ellos pasen cabos.

Ollar. m. Cada uno de los dos orificios de la nariz de las caballerías.

Ollar. (De *olla.*) adj. V. **Piedra ollar.**

Ollaza. f. aum. de **Olla.** ‖ **A cada ollaza su coberteraza.** ref. que explica que a cada cosa se le ha de proporcionar aquello que le corresponde o que ha menester.

Ollera. (De *olla.*) f. **Herrerillo,** 2.ª acep.

Ollería. (De *ollero.*) f. Fábrica donde se hacen ollas y otras vasijas de barro. ‖ **2.** Tienda o barrio donde se venden. ‖ **3.** Conjunto de ollas y otras vasijas de barro.

Ollero, ra. (Del lat. *ollarĭus.*) m. y f. Persona que hace y vende ollas y todas las demás cosas de barro que sirven para los usos comunes. ‖ **Cada ollero alaba su puchero.** ref. que da a entender que todos celebramos nuestras cosas, aunque no lo merezcan. ‖ **Cada ollero su olla alaba, y más si la trae quebrada.** ref. que enseña que se debe desconfiar del que alaba mucho sus propias cosas, y más cuando las quiere hacer valer.

Olleta. f. *Venez.* Guiso de maíz.

Olluco. m. *Bot. Perú.* **Melloco.**

Olluela. f. d. de **Olla.**

Omagua. m. Nombre de una de las tribus de indios del Perú.

Ombligada. f. Parte que en los cueros corresponde al ombligo.

Ombligo. (Del lat. *umbilĭcus.*) m. Cicatriz redonda y arrugada que se forma en medio del vientre, después de romperse y secarse el cordón umbilical. ‖ **2.** Cordón que va desde el vientre del feto a la placenta o pares. ‖ **3.** fig. Medio o centro de cualquier cosa. ‖ **de Venus.** Planta herbácea anual de la familia de las crasuláceas, con hojas radicales, pecioladas, carnosas, redondas y umbilicadas; tallo de tres a cuatro decímetros, con algunas hojuelas puntiagudas, y flores amarillentas en espiga, pequeñas y colgantes. Es común en los tejados, y sus hojas, machacadas, se han empleado como emoliente. ‖ **2.** Pieza calcárea de forma elíptica, pequeña, plana y blanca por una cara, rugosa como el **ombligo** de un animal, y de color entre rojo y dorado por la otra, que sirve de opérculo a la concha de ciertos múrices. Llevado en sortijas, pendientes o botones, tiénese vulgarmente como preservativo del dolor de cabeza. ‖ **marino. Ombligo de Venus,** 2.ª acep. ‖ **Encogérsele** a uno **el ombligo.** fr. fig. y fam. Amedrentarse o desalentarse. ‖ **Haberle cortado el ombligo** a uno fr. fig. y fam. Tener captada su voluntad.

Ombliguero. m. Venda que se pone a los niños recién nacidos para sujetar el pañito o cabezal que cubre el ombligo, ínterin éste se seca.

Ombría. (Del lat. *umbra,* sombra.) f. **Umbría.**

Ombú. m. Árbol de la América Meridional, de la familia de las fitolacáceas, con la corteza gruesa y blanda, madera fofa, copa muy densa, hojas alternas, elípticas, acuminadas, con pecíolos largos, y flores dioicas en racimos más largos que las hojas.

Omecillo. m. ant. **Homicidio.** ‖ **2.** ant. **Odio.**

Omega. (Del gr. ὦ μέγα, o grande.) f. O larga y letra última del alfabeto griego.

Omental. adj. *Zool.* Perteneciente al omento.

Omento. (Del lat. *omentum.*) m. *Zool.* Redaño.

Omero. m. Aliso, 1.ª acep.

Omeya. (Del ár. *Umayya,* n. p. del antepasado de los califas cuya dinastía tomó su nombre.) adj. Dícese de cada uno de los descendientes del jefe árabe de este nombre, fundadores del Califato de Damasco, sustituido en el siglo VIII por la dinastía abasí. Ú. t. c. s. || **2.** Perteneciente o relativo a este linaje y dinastía.

Ómicron. (Del gr. ὂ μικρόν, *o* pequeña.) f. O breve del alfabeto griego.

Ominar. (Del lat. *ominări.*) tr. **Agorar.**

Ominoso, sa. (Del lat. *ominōsus.*) adj. Azaroso, de mal agüero, abominable, vitando.

Omisión. (Del lat. *omissĭo, -ōnis.*) f. Abstención de hacer o decir. || **2.** Falta por haber dejado de hacer algo necesario o conveniente en la ejecución de una cosa o por no haberla ejecutado. || **3.** Flojedad o descuido del que está encargado de un asunto. || **4.** V. **Pecado de omisión.**

Omiso, sa. (Del lat. *omissus.*) p. p. irreg. de **Omitir.** || **2.** adj. Flojo y descuidado.

Omitir. (Del lat. *omittĕre.*) tr. Dejar de hacer una cosa. || **2.** Pasar en silencio una cosa. Ú. t. c. r.

Ommiada. adj. **Omeya.**

Ómnibus. (Del lat. *omnĭbus,* para todos.) m. Carruaje de gran capacidad, que sirve para transportar personas, generalmente dentro de las poblaciones, por precio módico. || **2.** V. **Tren ómnibus.**

Omnímodamente. adv. m. De todos modos, por completo.

Omnímodo, da. (Del lat. *omnimŏdus;* de *omnis,* todo, y *modus,* modo.) adj. Que lo abraza y comprende todo.

Omnipotencia. (Del lat. *omnipotentĭa.*) f. Poder omnímodo, atributo únicamente de Dios. || **2.** fig. Poder muy grande.

Omnipotente. (Del lat. *omnipŏtens, -entis;* de *omnis,* todo, y *potens,* poderoso.) adj. Que todo lo puede. Es atributo sólo de Dios. || **2.** fig. Que puede muchísimo.

Omnipotentemente. adv. m. Con omnipotencia.

Omnipresencia. (Del lat. *omnis,* todo, y *praesentĭa,* presencia.) f. **Ubicuidad.**

Omnipresente. adj. **Ubicuo.**

Omnisapiente. (Del lat. *omnis,* todo, y *sapiens, -entis,* sabio.) adj. **Omniscio.**

Omnisciencia. (Del lat. *omnis,* todo, y *scientĭa,* ciencia.) f. Atributo exclusivo de Dios, que consiste en el conocimiento de todas las cosas reales y posibles.

Omnisciente. (Del lat. *omnis,* todo, y *sciens, -entis,* que sabe.) adj. **Omniscio.**

Omniscio, cia. adj. Que tiene omnisciencia. || **2.** fig. Dícese del que tiene sabiduría o conocimiento de muchas cosas.

Omnívoro, ra. (Del lat. *omnivŏrus;* de *omnis,* todo, y *vorāre,* comer.) adj. *Zool.* Aplícase a los animales que se alimentan de toda clase de substancias orgánicas. Ú. t. c. s.

Omóplato [Omoplato]. (Del gr. ὠμοπλάτη; de ὦμος, espalda, y πλατύς, llano, aplastado.) m. *Zool.* Cada uno de los dos huesos anchos, casi planos, situados a uno y otro lado de la espalda, donde se articulan los húmeros y las clavículas. En el hombre tiene forma próximamente triangular.

Onagra. (Del gr. οἰνάγρα; de οἶνος, vino, y ἄγρα, caza.) f. *Bot.* Arbusto de la familia de las oenoteráceas, con tallo derecho, raíz blanca, que una vez seca, despide un olor como a vino, hojas abrazadoras y aovadas y flores de forma de rosas.

Onagrarieo, a. (De *onagra.*) adj. *Bot.* **Oenoteráceo.**

Onagro. (Del gr. ὄναγρος; de ὄνος, asno, y ἄγριος, silvestre.) m. **Asno silvestre.** || **2.** Máquina antigua de guerra, parecida a la ballesta, pero con el extremo de la palanca donde se ponía la piedra arrojadiza bastante cóncavo y con figura parecida a la de una oreja de asno.

Onanismo. (De *Onán,* personaje bíblico.) m. **Masturbación.**

Once. (Del lat. *undĕcim.*) adj. Diez y uno. || **2. Undécimo,** 1.ª acep. *Número* ONCE, *año* ONCE. Apl. a los días del mes, ú. t. c. s. *El* ONCE *de octubre.* || **3.** m. Conjunto de signos con que se representa el número **once.** || **4.** Equipo de jugadores de fútbol, dicho así por constar de **once** individuos. || **Con sus once de oveja.** m. adv. fig. y fam. que se usa para dar a entender que uno se entremete en lo que no le toca. || **Estar** una cosa **a las once.** fr. fam. Estar ladeada y sin la rectitud que debe. Dícese regularmente de la parte del vestido que se lleva mal puesta. || **Hacer,** o **tomar,** uno **las once.** fr. fig. y fam. Tomar un corto refrigerio entre **once** y doce de la mañana, o entre el almuerzo y la comida.

Oncear. tr. Pesar o dar por onzas.

Oncejera. (De *oncejo.*) f. Lazo para cazar oncejos y otros pájaros pequeños.

Oncejo. m. **Vencejo,** 2.ª acep.

Oncemil. m. *Germ.* Cota de malla.

Onceno, na. (De *once.*) adj. **Undécimo.** Ú. t. c. s. || **El onceno, no estorbar.** expr. fam. con que se da a entender, como queriendo añadir un mandamiento a los diez del Decálogo, cuán importuno es hacer mala obra y estorbar a uno que haga lo que tiene que hacer.

Oncijera. f. **Oncejera.**

Oncología. (Del gr. ὄγκος, tumor, y λόγος, discurso.) f. Parte de la medicina, que trata de los tumores.

Onda. (Del lat. *unda.*) f. Porción de agua que alternativamente se eleva y deprime en la superficie del mar, de un río o de un lago, por la impulsión del aire u otra causa, y aparentemente se mueve formando círculos concéntricos o líneas paralelas. || **2. Ondulación,** 2.ª acep. || **3.** Reverberación y movimiento de la llama. || **4.** Cada una de las curvas, a manera de eses, que se forman natural o artificialmente en algunas cosas flexibles; como el pelo, las telas, etc. Ú. m. en pl. || **5.** Cada uno de los recortes, a manera de semicírculo, más o menos prolongados o variados, con que se adornan las guarniciones de vestidos u otras prendas. || **6.** *Fís.* Forma especial del movimiento vibratorio de un medio elástico. || **7.** V. **Longitud de onda.** || **corta.** *Radio.* La que tiene una longitud comprendida entre 10 y 50 metros. || **eléctrica.** *Fís.* Movimiento vibratorio del éter que se origina al producirse una chispa eléctrica. Se utiliza especialmente en la telegrafía sin hilos. || **etérea.** *Fís.* La que se origina en el éter y produce, según su amplitud, que varía desde una cienmilésima de milímetro hasta varios kilómetros, los rayos X, los rayos luminosos y las radiaciones aplicadas en la telegrafía sin hilos. || **hertziana.** *Fís.* **Onda eléctrica.** || **larga.** *Radio.* La que tiene una longitud de mil metros o menos. || **luminosa.** *Fís.* La que se origina de un cuerpo luminoso y transmite su luz. || **normal.** *Radio.* La que tiene una longitud comprendida entre 200 y 550 metros. || **sonora.** *Fís.* La que se origina en un cuerpo elástico y transmite el sonido. || **Cortar las ondas.** fr. Cortar el agua.

Onde. (Del lat. *unde.*) conj. caus. ant. Por lo cual, por cuya razón. || **2.** adv. l. ant. En donde. || **3.** adv. l. ant. De donde.

Ondeado. m. Cualquiera cosa hecha en ondas o que las tiene.

Ondeante. p. a. de **Ondear.** Que ondea.

Ondear. intr. Hacer ondas el agua impelida del aire. || **2. Ondular.** || **3.** fig. Formar ondas los dobleces que se hacen en una cosa; como el pelo, el vestido, la ropa blanca, etc. || **4.** r. Mecerse en el aire, sostenido de alguna cosa; columpiarse.

Ondeo. m. Acción de ondear.

Ondina. (De *onda.*) f. Ninfa, ser fantástico o espíritu elemental del agua, según algunas mitologías.

Ondisonante. (De *onda* y *sonante.*) adj. **Undísono.**

Ondoso, sa. (Del lat. *undōsus.*) adj. Que tiene ondas o se mueve haciéndolas.

Ondra. f. ant. **Honra.**

Ondrar. tr. ant. **Honrar.**

Ondulación. f. Acción y efecto de ondular. || **2.** Movimiento que se propaga en un fluido o en un medio elástico sin traslación permanente de sus moléculas.

Ondulado, da. p. p. de **Ondular.** || **2.** adj. Aplícase a los cuerpos cuya superficie o cuyo perímetro forma ondas pequeñas.

Ondulante. p. a. de **Ondular.** Que ondula.

Ondular. (Del lat. *undŭla,* ola pequeña.) intr. Moverse una cosa formando giros en figura de eses; como las culebras cuando caminan o como las banderas agitadas por el viento. || **2.** tr. Hacer ondas en el pelo.

Ondulatorio, ria. adj. Que se extiende en forma de ondulaciones. || **2. Ondulante.**

Onecer. (De *adonecer,* del lat. *adolescĕre,* crecer.) intr. *Sal.* **Aprovechar.**

Onerario, ria. (Del lat. *onerarĭus.*) adj. Aplícase a las naves y bastimentos de carga de que usaban los antiguos.

Oneroso, sa. (Del lat. *onerōsus.*) adj. Pesado, molesto o gravoso. || **2.** V. **Causa onerosa.** || **3.** *For.* Que incluye conmutación de prestaciones recíprocas, a diferencia de lo que se adquiere a título lucrativo.

Onfacino. (Del lat. *omphacĭnus,* y éste del gr. ὀμφάκινος, de agraz.) adj. V. **Aceite onfacino.**

Onfacomeli. (Del lat. *omphacŏmel, -ellis,* y éste del gr. ὀμφακόμελι; de ὄμφαξ, agraz, y μέλι, miel.) m. Bebida medicinal que se hacía antiguamente dejando fermentar al sol el zumo del agraz mezclado con miel.

Ónice. (Del lat. *onyx,* y éste del gr. ὄνυξ.) f. Ágata listada de colores alternativamente claros y muy obscuros, que suele emplearse para hacer camafeos.

Onicomancia [~mancía]. (Del gr. ὄνυξ, -υχος, uña, y μαντεία, adivinación.) f. Práctica supersticiosa de adivinar el porvenir, particularmente de los niños, por medio del examen de los trazos o figuras que les quedan señalados en las uñas, untadas previamente con aceite y hollín.

Ónique. f. **Ónice.**

Oniquina. (De *ónique.*) adj. V. **Piedra oniquina.**

Onírico, ca. (Del gr. ὄνειρος, ensueño.) adj. *Med.* Perteneciente o relativo a los sueños.

Oniromancia [~mancía]. (Del gr. ὄνειρος, ensueño, y μαντεία, adivinación.) f. Arte supersticioso de adivinar lo porvenir interpretando los sueños.

Ónix. f. **Ónice.**

Onocrótalo. (Del lat. *onocrotălus,* y éste del gr. ὀνοκρόταλος.) m. **Alcatraz,** 2.º art.

Onomancia [~mancía]. (Del gr. ὄνομα, nombre, y μαντεία, adivinación.) f. Arte falso y supersticioso de adivinar por el nombre de una persona la dicha o desgracia que le ha de suceder.

Onomástico, ca. (Del gr. ὀνομαστικός; de ὄνομα, nombre.) adj. Perteneciente o relativo a los nombres y especialmente a los propios. *Día* ONOMÁSTICO (el del santo de una persona); *lista* ONOMÁSTICA *de los reyes de Egipto.* || **2.** f. Ciencia que trata de la catalogación y estudio de los nombres propios.

Onomatopeya. (Del lat. *onomatopoeĭa*, y éste del gr. ὀνοματοποιΐα; de ὄνομα, nombre, y ποιέω, hacer.) f. Imitación del sonido de una cosa en el vocablo que se forma para significarla. *Muchas palabras han sido formadas por* ONOMATOPEYA. || **2.** El mismo vocablo que imita el sonido de la cosa nombrada con él. || **3.** *Ret.* Empleo de vocablos onomatopéyicos para imitar el sonido de las cosas con ellos significadas.

Onomatopéyico, ca. adj. Perteneciente a la onomatopeya; formado por onomatopeya.

Onoquiles. (Del lat. *onochīles*, y éste del gr. ὀνοχειλές; de ὄνος, asno, y χεῖλος, labio, aludiendo a la forma de las hojas.) f. Planta herbácea anual, de la familia de las borragináceas, de dos a tres decímetros de altura, vellosa y erizada de pelos ásperos, con tallos gruesos y carnosos; hojas inferiores lanceoladas y acorazonadas por la base y abrazadoras las superiores; flores acampanadas, de color azul purpúreo, en ramos terminales y pareados; fruto seco formado por cuatro aquenios en el fondo del cáliz, y raíz gruesa, de que se saca una tintura roja muy estimada por perfumistas y confiteros. Es común en España, donde se ha cultivado por sus aplicaciones a la tintorería, y su infusión en aceite se emplea en algunas partes como vulneraria.

Onosma. (Del lat. *onosma*, y este del gr. ὄνοσμα.) f. **Orcaneta amarilla.**

Onoto. m. *Venez.* **Bija.**

Ontina. f. Planta de la familia de las compuestas, con tallos de cuatro a seis decímetros de altura, erguidos, leñosos, cubiertos de hojas pequeñas, aovadas y carnosas. Las flores nacen en racimos, en la extremidad de los vástagos, y son amarillentas y sumamente pequeñas. Toda la planta exhala un olor agradable.

Ontogenia. (Del gr. ὤν, ὄντος, el ser, y γένος, origen.) f. *Fisiol.* Formación y desarrollo del individuo considerado con independencia de la especie.

Ontogénico, ca. adj. Perteneciente o relativo a la ontogenia.

Ontología. (Del gr. ὤν, ὄντος, el ser, y λόγος, doctrina.) f. Parte de la metafísica, que trata del ser en general y de sus propiedades trascendentales.

Ontológico, ca. adj. Perteneciente a la ontología. || **2.** V. **Argumento ontológico.**

Ontologismo. m. *Fil.* Teoría de Gioberti, filósofo italiano del siglo XIX, que pretende explicar el origen de las ideas mediante la adecuada intuición del Ser absoluto.

Ontólogo. m. El que profesa o sabe la ontología.

Ontrón. m. *León.* Charco que suele haber en las montañas, cubierto de un césped resistente y grueso.

Onubense. (Del lat. *onubensis.*) adj. Natural de la antigua Ónuba, hoy Huelva. Ú. t. c. s. || **2.** Perteneciente a esta antigua ciudad de los turdetanos. || **3. Huelveño.** Apl. a pers., ú. t. c. s.

Onusto, ta. (Del lat. *onustus.*) adj. ant. Cargado, pesado.

Onza. (Del lat. *uncĭa.*) f. Peso que consta de 16 adarmes y equivale a 287 decigramos. Es una de las 16 partes iguales del peso de la libra, y la del marco de la plata se divide en ocho ochavas. || **2.** Duodécima parte del as o libra romana. || **3.** Por ext., duodécima parte de varias medidas antiguas. || **4.** V. **Cinto de onzas.** || **de oro.** Moneda de este metal, con peso de una **onza** próximamente, que se acuñó desde el tiempo de Felipe III hasta el de Fernando VII, y valía 320 reales, o sea ochenta pesetas. || **Media onza.** Moneda de oro de la mitad del peso y valor que la **onza.** || **¡Buenas cuatro onzas!** expr. irón. con que se explica el peso de una persona que otra carga sobre sí. || **Más vale onza de sangre que libra de amistad.** ref. que denota que la influencia del parentesco suele prevalecer sobre la de la amistad. || **Más vale onza que libra.** fr. para expresar que la calidad se estima en más que la cantidad de una cosa. || **Por onzas.** m. adv. fig. y fam. **Escasamente.** *Parece que le dan a comer* POR ONZAS.

Onza. (Como el ital. *lonza*, del lat. *lynx, lyncis.*) f. Mamífero carnicero, semejante a la pantera, de unos seis decímetros de altura y cerca de un metro de largo, sin contar la cola, que tiene otro tanto, con pelaje como el del leopardo y aspecto de perro. Vive en los desiertos de las regiones meridionales de Asia, es domesticable, y en Persia se empleaba para la caza de gacelas.

Onzavo, va. (De *once.*) adj. **Undécimo,** 2.ª acep. Ú. t. c. s. m.

Oolítico, ca. adj. *Geol.* Dícese de los terrenos formados de oolitos.

Oolito. (Del gr. ᾠόν, huevo, y λίθος, piedra.) m. *Geol.* Caliza compuesta de concreciones semejantes a las huevas de pescado.

Oosfera. (Del gr. ᾠόν, huevo, y σφαῖρα, globo.) f. *Bot.* Célula sexual femenina que se produce en el óvulo de los vegetales en virtud de una transformación del tejido parenquimatoso de la nuececilla, y que en el momento de la fecundación se une con el elemento masculino para dar origen a un nuevo individuo.

Opa. adj. *Colomb.* y *Perú.* Tonto, idiota.

Opacamente. adv. m. En estado de opacidad.

Opacidad. (Del lat. *opacĭtas, -ātis.*) f. Calidad de opaco.

Opaco, ca. (Del lat. *opăcus.*) adj. Que impide el paso a la luz, a diferencia de diáfano. || **2.** Obscuro, sombrío. || **3.** fig. Triste y melancólico. || **4.** *Zool.* V. **Córnea opaca.**

Opado, da. adj. **Hinchado,** 2.ª y 3.ª aceps.

Opalescencia. f. Reflejos de ópalo.

Opalescente. adj. Que parece de ópalo o irisado como él.

Opalino, na. adj. Perteneciente o relativo al ópalo. || **2.** De color entre blanco y azulado con reflejos irisados.

Ópalo. (Del lat. *opălus*, y éste del gr. ὀπάλλιος.) m. Mineral silíceo con algo de agua, lustre resinoso, translúcido u opaco, duro, pero quebradizo y de colores diversos. || **de fuego.** El de color rojo muy encendido, brillante y translúcido, que suele encontrarse en Méjico. || **girasol.** El que amarillea y no destella sino algunos de los colores del arco iris. || **noble.** El que es casi transparente, con juego interior de variados reflejos y bellísimos colores.

Opción. (Del lat. *optĭo, -ōnis.*) f. Libertad o facultad de elegir. || **2.** La elección misma. || **3.** Derecho que se tiene a un oficio, dignidad, etc. || **4.** *For.* Convenio en que, bajo condiciones, se deja al arbitrio de una de las partes ejercitar un derecho o adquirir una cosa.

Ópera. (Del lat. *opĕra*, obra.) f. Poema dramático puesto en música todo él. || **2.** Poema dramático escrito para este fin; letra de la **ópera.** || **3.** Música de la **ópera.** || **4.** ant. Cualquiera obra enredosa o larga, ya sea de manos o de ingenio.

Operable. (Del lat. *operabĭlis.*) adj. Que puede obrarse o es factible. || **2.** Que tiene virtud de operar o hace operación o efecto. || **3.** *Cir.* Que puede ser operado.

Operación. (Del lat. *operatĭo, -ōnis.*) f. Acción y efecto de operar. || **2.** Ejecución de una cosa. || **3.** *Com.* Negociación o contrato sobre valores o mercaderías. OPERACIÓN *de Bolsa, de descuento,* etc. || **4.** *Mil.* V. **Base de operaciones.** || **cesárea.** *Cir.* La que se hace abriendo la matriz para extraer el feto.

Operador, ra. (Del lat. *operātor.*) adj. *Cir.* Que opera. Ú. t. c. s.

Operante. (Del lat. *opĕrans, -antis.*) p. a. de **Operar.** Que opera. Ú. t. c. s. || **2.** V. **Gracia operante.**

Operar. (Del lat. *operāre.*) tr. *Cir.* Ejecutar sobre el cuerpo animal vivo, por medio de la mano o de instrumentos, algún trabajo importante para curar una enfermedad, suplir la acción de la naturaleza o corregir un defecto físico. || **2.** intr. Obrar una cosa, especialmente las medicinas, y hacer el efecto para que se destina. || **3. Maniobrar.** || **4.** *Com.* Especular sobre valores, negociar a crédito, o por mayor sobre mercaderías.

Operario, ria. (Del lat. *operarĭus.*) m. y f. **Obrero, ra,** 3.ª acep. || **2.** m. En algunas religiones, religioso que se destina para cuidar de lo espiritual, confesando y asistiendo a los enfermos y moribundos cuando es llamado.

Operativo, va. (Del lat. *operātus.*) adj. Dícese de lo que obra y hace su efecto.

Operatorio, ria. (Del lat. *operātus.*) adj. Que puede operar. || **2.** Relativo a las operaciones quirúrgicas. *Medicina* OPERATORIA.

Opercular. adj. Que sirve de opérculo.

Opérculo. (Del lat. *opercŭlum*, tapadera.) m. Pieza generalmente redonda, que, a modo de tapadera, sirve para cerrar ciertas aberturas; como las de las agallas de la mayor parte de los peces, la concha de muchos moluscos univalvos o las cápsulas de varios frutos.

Opereta. (Del ital. *operetta.*) f. Ópera musical de poca extensión.

Operista. com. Actor que canta en las óperas.

Operístico, ca. adj. Perteneciente o relativo a la ópera.

Operoso, sa. (Del lat. *operōsus.*) adj. Dícese de la persona que trabaja mucho y afanosamente. || **2.** Dícese de las cosas que cuestan mucho trabajo o fatiga.

Opiáceo, a. adj. Dícese de los compuestos de opio. || **2.** fig. Que calma como el opio.

Opiado, da. adj. Compuesto con opio.

Opiata. f. Electuario en cuya composición entra el opio. || **2.** Electuario en que no entra el opio, formado por la mezcla de algunos polvos aglomerados con jarabe o miel.

Opiato, ta. adj. **Opiado.** || **2.** m. **Opiata.**

Opilación. (Del lat. *oppilatĭo, -ōnis.*) f. **Obstrucción,** 3.ª acep. || **2. Amenorrea.** || **3. Hidropesía.**

Opilar. (Del lat. *oppilāre.*) tr. ant. **Obstruir,** 1.ª acep. || **2.** r. Contraer las mujeres opilación, 2.ª acep.

Opilativo, va. adj. Que opila u obstruye.

Ópimo, ma. (Del lat. *opīmus.*) adj. Rico, fértil, abundante.

Opinable. (Del lat. *opinabĭlis.*) adj. Que puede ser defendido en pro y en contra.

Opinante. (Del lat. *opīnans, -antis.*) p. a. de **Opinar.** Que opina. Ú. t. c. s.

Opinar. (Del lat. *opināre.*) intr. Formar o tener opinión. || **2.** Expresarla de palabra o por escrito. || **3.** Discurrir sobre las razones, probabilidades o conjeturas referentes a la verdad o certeza de una cosa.

Opinión. (Del lat. *opinĭo, -ōnis.*) f. Concepto o parecer que se forma de una cosa cuestionable. || **2.** Fama o concepto en que se tiene a una persona o cosa. || **pública.** Sentir o estimación en que coincide la generalidad de las personas acerca de asuntos determinados. || **Andar uno en opiniones.** fr. Estar puesto en duda su crédito o estimación. || **Casar-**

se uno con su opinión. fr. fig. y fam. Aferrarse al juicio propio.

Opio. (Del lat. *opĭum*, y éste del gr. ὄπιον.) m. Resultado de la desecación del jugo que se hace fluir por incisiones de las cabezas de adormideras verdes. Es opaco, moreno, amargo y de olor fuerte característico, y se emplea como narcótico.

Opíparamente. adv. m. De manera opípara.

Opíparo, ra. (Del lat. *opipărus*.) adj. Copioso y espléndido, tratándose de banquete, comida, etc.

Opitulación. (Del lat. *opitulatĭo, -ōnis*.) f. p. us. Auxilio, ayuda, socorro.

Oploteca. (Del gr. ὅπλον, arma, y θήκη, estante.) f. Galería o museo de armas antiguas, preciosas o raras.

Opobálsamo. (Del lat. *opobalsămum*, y éste del gr. ὀποβάλσαμον; de ὀπός, zumo, y βάλσαμον, bálsamo.) m. *Bot.* Resina verde amarillenta, ligera, amarga, olorosa, y astringente, que fluye de un árbol indígena de Siria, Somalia y Arabia, de la familia de las burseráceas, y se emplea en medicina.

Oponer. (Del lat. *opponĕre*.) tr. Poner una cosa contra otra para estorbarle o impedirle su efecto. Ú. t. c. r. || **2.** Proponer una razón o discurso contra lo que otro dice o siente. || **3.** ant. Imputar, achacar, atribuir una cosa a uno. || **4.** r. Ser una cosa contraria o repugnante a otra. || **5.** Estar una cosa situada o colocada enfrente de otra. || **6.** Impugnar, estorbar, contradecir un designio. || **7.** Pretender un cargo o empleo por los medios de la suficiencia, en concurso con otros aspirantes. OPONERSE *a una cátedra, a una canonjía.*

Oponible. adj. Que se puede oponer.

Opopánax. (Del lat. *opopănax*, y éste del gr. ὀποπάναξ; de ὀπός, jugo, y πάναξ, pastinaca.) m. **Opopónaco.**

Opopónace. (Del lat. *opopănax*, opopónaco.) f. **Pánace.**

Opopónaco. (De *opopánax*.) m. Gomorresina rojiza por fuera y amarilla veteada de rojo por dentro, de sabor acre y amargo y de olor aromático muy fuerte, que se saca de la pánace y algunas otras umbelíferas muy parecidas a ella. Tiene uso en farmacia y en perfumería.

Oporto. m. Vino tinto fabricado principalmente en Oporto, ciudad de Portugal, y de mucha fama por su excelencia.

Oportunamente. adv. m. Convenientemente, a su tiempo y sazón.

Oportunidad. (Del lat. *opportunĭtas, -ātis*.) f. Sazón, coyuntura, conveniencia de tiempo y de lugar.

Oportunismo. (De *oportuno*.) m. Sistema político que prescinde en cierta medida de los principios fundamentales, tomando en cuenta las circunstancias de tiempo y lugar.

Oportunista. adj. Perteneciente o relativo al oportunismo. || **2.** m. Partidario del oportunismo.

Oportuno, na. (Del lat. *opportūnus*.) adj. Que se hace o sucede en tiempo a propósito y cuando conviene. || **2.** Dícese también del que es ocurrente y pronto en la conversación.

Oposición. (Del lat. *oppositĭo, -ōnis*.) f. Acción y efecto de oponer u oponerse. || **2.** Disposición de algunas cosas, de modo que estén unas enfrente de otras. || **3.** Contrariedad o repugnancia de una cosa con otra. || **4.** Concurso de los pretendientes a una cátedra, prebenda u otro empleo o destino, por medio de los ejercicios en que demuestran su suficiencia para conseguir por ella su pretensión. || **5.** Contradicción o resistencia a lo que uno hace o dice. || **6.** Minoría que en los cuerpos legislativos impugna habitualmente los actos y las doctrinas del gobierno. || **7.** Por ext., minoría de otros cuerpos deliberantes. || **8.** *Astrol.* Aspecto de dos astros que ocupan casas celestes diametralmente opuestas. || **9.** *Astron.* Situación relativa de dos o más planetas u otros cuerpos celestes cuando tienen longitudes que difieren en dos ángulos rectos. || **Leer uno de oposición.** fr. Explicar oral y públicamente una lección en las **oposiciones.** || **Poder uno leer de oposición.** fr. fig. **Poder poner cátedra.**

Oposicionista. adj. Perteneciente o relativo a la oposición. || **2.** m. Persona que pertenece o es adicta a la oposición política.

Opósito, ta. (Del lat. *oppositus*.) p. p. irreg. de **Oponer.** || **2.** m. ant. Defensa, posición, impedimento o embarazo puesto en contra. || **Al opósito.** m. adv. ant. Por contraposición u oposición; en contra; contra.

Opositor, ra. (Del lat. *oppositum*, supino de *opponĕre*, oponer.) m. y f. Persona que se opone a otra en cualquier materia. || **2.** Pretendiente a una prebenda u otro empleo que se ha de proveer por oposición, 4.ª acep.

Opoterapia. (Del gr. ὀπός, savia, y θεραπεία, curación.) f. Procedimiento curativo por el empleo de órganos animales crudos, de sus extractos o de las hormonas aisladas de las glándulas endocrinas.

Opoterápico, ca. adj. Relativo o perteneciente a la opoterapia.

Opresar. (De *opreso*.) tr. ant. **Oprimir.**

Opresión. (Del lat. *oppressĭo, -ōnis*.) f. Acción y efecto de oprimir. || **de pecho.** Dificultad de respirar.

Opresivamente. adv. m. Con opresión.

Opresivo, va. (De *opreso*.) adj. Que oprime.

Opreso, sa. (Del lat. *oppressus*.) p. p. irreg. de **Oprimir.**

Opresor, ra. (Del lat. *oppressor*.) adj. Que violenta a alguno, le aprieta y obliga con vejación o molestia. Ú. t. c. s.

Oprimir. (Del lat. *opprimĕre*.) tr. Ejercer presión sobre una cosa. || **2.** fig. Sujetar demasiadamente a alguno, vejándolo, afligiéndolo o tiranizándolo.

Oprobiar. (Del lat. *opprobriāre*.) tr. Vilipendiar, infamar, causar oprobio.

Oprobio. (De *oprobrio*.) m. Ignominia, afrenta, deshonra.

Oprobiosamente. adv. m. Con oprobio.

Oprobioso, sa. (De *oprobrioso*.) adj. Que causa oprobio.

Oprobriar. (De *oprobrio*.) tr. ant. **Oprobiar.**

Oprobrio. (Del lat. *opprobrĭum*.) m. ant. **Oprobio.**

Oprobrioso, sa. (Del lat. *opprobriōsus*.) adj. ant. **Oprobioso.**

Optación. (Del lat. *optatĭo, -ōnis*.) f. *Ret.* Figura que consiste en manifestar vehemente deseo de lograr o de que suceda una cosa.

Optante. p. a. de **Optar.** Que opta.

Optar. (Del lat. *optāre*.) tr. Entrar en la dignidad, empleo u otra cosa a que se tiene derecho. || **2.** Escoger una cosa entre varias. Ú. t. c. intr.

Optativo, va. (Del lat. *optatīvus*.) adj. Que pende de opción o la admite. || **2.** *Gram.* V. **Modo optativo.** Ú. t. c. s.

Óptica. (Del gr. ὀπτική, t. f. de -κός, óptico.) f. Parte de la física, que estudia las leyes y los fenómenos de la luz. || **2.** Aparato compuesto de lentes y espejos, que sirve para ver estampas y dibujos agrandados y como de bulto.

Óptico, ca. (Del gr. ὀπτικός, de ὀπτός, visible.) adj. Perteneciente o relativo a la óptica. || **2.** V. **Ángulo, nervio, plano, rayo, telégrafo óptico.** || **3.** V. **Pirámide óptica.** || **4.** m. Comerciante de objetos de óptica, particularmente de anteojos. || **5. Óptica,** 2.ª acep.

Óptimamente. adv. m. Con suma bondad y perfección.

Optimate. (Del lat. *optimātes*.) m. **Prócer.** Ú. m. en pl.

Optimismo. (De *óptimo*.) m. Sistema filosófico que consiste en atribuir al universo la mayor perfección posible, como obra de un ser infinitamente perfecto. || **2.** Propensión a ver y juzgar las cosas en su aspecto más favorable.

Optimista. adj. Que profesa el optimismo, 1.ª acep. Ú. t. c. s. || **2.** Que propende a ver y juzgar las cosas en su aspecto más favorable. Ú. t. c. s.

Óptimo, ma. (Del lat. *optĭmus*.) adj. sup. de **Bueno.** Sumamente bueno; que no puede ser mejor.

Optómetro. (Del gr. ὀπτεύω, ver, y μέτρον, medida.) m. Instrumento para medir el límite de la visión distinta, calcular la dirección de los rayos luminosos en el ojo y elegir cristales.

Opuestamente. adv. m. Con oposición y contrariedad.

Opuesto, ta. (Del lat. *oppositus*.) p. p. irreg. de **Oponer.** || **2.** adj. Enemigo o contrario. || **3.** *Bot.* Dícese de las hojas, flores, ramas y otras partes de la planta, cuando están encontradas o las unas nacen enfrente de las otras. || **4.** *Geom.* V. **Ángulos opuestos por el vértice.**

Opugnación. (Del lat. *oppugnatĭo, -ōnis*.) f. Oposición con fuerza y violencia. || **2.** Contradicción por fuerza de razones

Opugnador. (Del lat. *oppugnātor*.) m. El que hace oposición con fuerza y violencia.

Opugnar. (Del lat. *oppugnāre*.) tr. Hacer oposición con fuerza y violencia. || **2.** Asaltar o combatir una plaza o ejército. || **3.** Contradecir y repugnar.

Opulencia. (Del lat. *opulentĭa*.) f. Abundancia, riqueza y sobra de bienes. || **2.** fig. Sobreabundancia de cualquiera otra cosa.

Opulentamente. adv. m. Con opulencia.

Opulento, ta. (Del lat. *opulentus*.) adj. Que tiene opulencia.

Opuncia. (Del lat. *opuntĭa* [*herba*].) f. *Bot.* **Nopal.**

Opúsculo. (Del lat. *opuscŭlum*, d. de *opus*, obra.) m. Obra científica o literaria de poca extensión.

Oque (De). m. adv. **De balde.**

Oquedad. (De *hueco*.) f. Espacio que en un cuerpo sólido queda vacío, natural o artificialmente. || **2.** fig. Insubstancialidad de lo que se habla o escribe.

Oquedal. (De *hueco*.) m. Monte sólo de árboles altos, limpio de hierba y de matas.

Oqueruela. f. Lazadilla que la hebra forma por sí sola al tiempo de coser, cuando el hilo está muy retorcido.

Ora. conj. distrib., aféresis de **Ahora.** *Tomando* ORA *la espada,* ORA *la pluma.*

Oración. (Del lat. *oratĭo, -ōnis*.) f. Obra de elocuencia, razonamiento pronunciado en público a fin de persuadir a los oyentes o mover su ánimo. Algunas **oraciones** toman nombre de su asunto o de la ocasión en que se pronuncian. ORACIÓN *deprecatoria, fúnebre, inaugural.* || **2.** Súplica, deprecación, ruego que se hace a Dios y a los santos. || **3.** Elevación de la mente a Dios para alabarle o pedirle mercedes. || **4.** En la misa, en el rezo eclesiástico y rogaciones públicas, deprecación particular que empieza o se distingue con la voz *Oremus* e incluye la conmemoración del santo o de la festividad del día. En la misa se dice antes de la epístola, al ofertorio y después de la comunión, y en el rezo se dice al fin de cada hora. || **5.** Hora de las **oraciones.** || **6.** V. **Casa de oración.** || **7.** *Gram.* Palabra o conjunto de palabras con que se expresa un concepto cabal. || **8.** *Gram.* V. **Parte de la oración.** || **9.** pl. Primera parte de la doctrina cristiana que se enseña a los niños, y es el padrenuestro, el avemaría, etc. ‖ **10.** Punto del día cuando va a anochecer, porque en aquel tiempo se toca en las iglesias la campana para que recen los fieles el avemaría. ‖ **11.** El mismo toque de la campana, que en algunas partes se repite al amanecer y al mediodía. ‖ **Oración de ciego.** Composición poética y religiosa que de memoria saben los ciegos, y dicen o cantan por las calles para sacar limosna. ‖ **2.** fig. Razonamiento dicho sin gracia ni calor y en un mismo tono. ‖ **dominical.** La del padre nuestro, llamada así porque empieza con dichas palabras. ‖ **jaculatoria. Jaculatoria.** ‖ **mental.** Recogimiento interior del alma, que eleva la mente a Dios meditando en Él. ‖ **vocal.** Deprecación que se hace a Dios con palabras. ‖ **La oración breve sube al cielo.** fr. proverb. que da a entender que el que va a pedir una gracia no ha de ser molesto ni gastar muchas razones. ‖ **Oración de perro no va al cielo.** fr. proverb. que explica que lo que se hace de mala gana o se pide con mal modo, regularmente no se estima o no se consigue. ‖ **Romper las oraciones.** fr. Interrumpir la plática con alguna impertinencia.

Oracional. (Del lat. *orationālis.*) adj. Concerniente a la oración gramatical. ‖ **2.** m. Libro compuesto de oraciones o que trata de ellas.

Oráculo. (Del lat. *oracŭlum.*) m. Respuesta que da Dios o por sí o por sus ministros. ‖ **2.** Contestación que las pitonisas y sacerdotes de la gentilidad pronunciaban como dada por los dioses a las consultas que ante sus ídolos se hacían. ‖ **3.** Lugar, estatua o simulacro que representaba la deidad cuyas respuestas se pedían. ‖ **4. Juego del oráculo.** ‖ **5.** fig. Persona a quien todos escuchan con respeto y veneración por su mucha sabiduría y doctrina. ‖ **6.** fig. V. **Palabras de oráculo.** ‖ **del campo. Manzanilla,** 1.ª y 2.ª aceps.

Orador, ra. (Del lat. *orātor.*) m. y f. Persona que ejerce la oratoria; que habla en público para persuadir a los oyentes o mover su ánimo. Dícese en sentido absoluto del que por su naturaleza y estudio tiene las cualidades que hacen al hombre apto para lograr los fines de la oratoria. ‖ **2.** Persona que pide y ruega ‖ **3.** m. **Predicador,** 3.ª acep.

Oraje. (Del fr. *orage*, cat. *oratge*, y éste del lat. **auratĭcum*, de *aura.*) m. Tiempo muy crudo de lluvias, nieve o piedra, y también de vientos recios.

Oral. (Del lat. *orāre*, hablar, decir.) adj. Expresado con la boca o con la palabra, a diferencia de escrito. *Lección, tradición* ORAL.

Oral. (Del lat. *aura*, aire.) m. *Ast.* Viento fresco y suave que sopla en las cuencas de los ríos y en las playas del mar.

Oralmente. adv. m. **Verbalmente.**

Oranés, sa. adj. Natural de Orán. Ú. t. c. s. ‖ **2.** Perteneciente a esta ciudad y provincia de Argelia.

Orangista. adj. Partidario de la casa de Orange. Apl. a pers., ú. t. c. s. ‖ **2.** Perteneciente o relativo a la política de esos partidarios.

Orangután. (Del malayo *orang*, hombre, y *hūtan*, bosque, hombre de los bosques.) m. Mono antropomorfo que llega a unos dos metros de altura, con cabeza gruesa, frente estrecha, nariz chata, hocico saliente, cuerpo robusto, piernas cortas, brazos y manos tan desarrollados, que aun estando erguido llegan hasta los tobillos, piel negra y pelaje espeso y rojizo. Vive en las selvas de Sumatra y Borneo; de joven es dócil e inteligente, pero se hace feroz cuando adulto.

Orante. p. a. de **Orar.** Que ora. Aplícase, por lo común, a la figura humana que pintores y escultores representan en actitud de orar.

Orar. (Del lat. *orāre.*) intr. Hablar en público para persuadir y convencer a los oyentes o mover su ánimo. ‖ **2.** Hacer oración a Dios, vocal o mentalmente. ‖ **3.** tr. Rogar, pedir, suplicar.

Orario. (Del lat. *orarĭum*; de *ora*, fimbria.) m. Banda que los antiguos romanos se ponían en el cuello, y cuyas puntas bajaban por el pecho. Es el origen de la estola. ‖ **2.** Estola grande y preciosa que usa el papa.

Orate. (Del gr. ὁρατής, el que ve.) com. Persona que ha perdido el juicio. ‖ **2.** V. **Casa de orates.** ‖ **3.** fig. y fam. Persona de poco juicio, moderación y prudencia.

Oratoria. (Del lat. *oratorĭa.*) f. Arte de hablar con elocuencia; de deleitar, persuadir y conmover por medio de la palabra.

Oratoriamente. adv. m. Con estilo oratorio.

Oratoriano. adj. Perteneciente o relativo a la congregación del Oratorio. ‖ **2.** m. Presbítero de dicha congregación.

Oratorio. (Del lat. *oratorĭum.*) m. Lugar destinado para retirarse a hacer oración a Dios. ‖ **2.** Sitio que hay en las casas particulares, donde por privilegio se celebra el santo sacrificio de la misa. ‖ **3.** Congregación de presbíteros fundada por San Felipe Neri. ‖ **4.** Composición dramática y música sobre asunto sagrado, que solía cantarse en cuaresma. ‖ **5.** V. **Ayuda de oratorio.** ‖ **festivo.** En los colegios de los Salesianos, lugar en que se reúne la juventud los días de fiesta para cumplir con sus deberes religiosos y divertirse honestamente. ‖ **Ser un oratorio.** fr. fig. que se dice del convento o casa en que se practica mucho la virtud y hay gran recogimiento.

Oratorio, ria. (Del lat. *oratorĭus.*) adj. Perteneciente o relativo a la oratoria, a la elocuencia o al orador. ‖ **2.** V. **Movimiento oratorio.** ‖ **3.** V. **Lugares oratorios.**

Orbe. (Del lat. *orbis.*) m. Redondez o círculo. ‖ **2.** Esfera celeste o terrestre. ‖ **3. Mundo,** 1.ª acep. ‖ **4.** *Zool.* Pez teleósteo del suborden de los plectognatos, de forma casi esférica, con unos tres decímetros de diámetro, cubierto de espinas largas, fuertes y erizadas, sobre todo cuando se siente en peligro; la cabeza se confunde con el resto del cuerpo, y la boca es pequeña y sin dientes, pero con mandíbulas huesosas muy fuertes. Vive en el mar de las Antillas, se alimenta de moluscos y crustáceos y no es comestible. ‖ **5.** *Astron.* Cada una de las esferas cristalinas imaginadas en los antiguos sistemas astronómicos, que se suponía corresponder a un planeta cualquiera y servirle de sustentáculo y vehículo.

Orbedad. (Del lat. *orbĭtas, -ātis*, privación. f. ant. **Orfandad.**

Orbicular. (Del lat. *orbiculāris.*) adj. Redondo o circular.

Orbicularmente. adv. m. De un modo orbicular.

Órbita. (Del lat. *orbĭta.*) f. *Astron.* Curva elíptica que describen los astros en torno de su centro de gravitación, como los planetas alrededor del Sol, o las estrellas de un sistema binario. ‖ **2.** fig. **Esfera,** 5.ª acep. ‖ **3.** *Zool.* Cuenca del ojo.

Orbital. adj. V. **Hueso orbital.** ‖ **2.** Relativo a la órbita.

Orbitario, ria. adj. Perteneciente o relativo a la órbita.

Orca. (Del lat. *orca.*) f. Cetáceo que llega a unos diez metros de largo, con cabeza redondeada, cuerpo robusto, boca rasgada, con 20 ó 25 dientes rectos en cada mandíbula; aletas pectorales muy largas, alta, grande y triangular la dorsal; cola de más de un metro de anchura; color azul obscuro por el lomo y blanco por el vientre. Vive en los mares del Norte y persigue las focas y ballenas; a veces llega a las costas del Cantábrico y aun al Mediterráneo.

Orcaneta. (Del ár. *irqān*, alheña, azafrán, con diminutivo español.) f. **Onoquiles.** ‖ **amarilla.** Planta herbácea anual, de la familia de las borragináceas, muy vellosa, con tallos derechos de uno a dos decímetros; hojas lanceoladas, pecioladas las inferiores y sentadas las de encima; flores acampanadas, de color amarillo, en ramos terminales; fruto seco, formado por cuatro aquenios en el fondo del cáliz, y raíz gruesa, de que se saca una tintura roja. Es común en España.

Orcina. f. Materia colorante de ciertos líquenes.

Orco. m. **Orca.**

Orcheliano. (De *Orchell*, n. p.) adj. V. **Triángulo orcheliano.**

Orchilla. f. *Bot. Ecuad.* **Urchilla.**

Órdago. (Voz vasca.) m. Envite del resto en el juego del mus. ‖ **De órdago.** loc. fam. Excelente, de superior calidad.

Ordalías. (Del b. lat. *ordalia*, y éste del anglosajón *ordāl*, juicio.) f. pl. Pruebas diversas que en la Edad Media hacían los acusados, llamadas comúnmente juicios de Dios.

Orden. (Del lat. *ordo, -ĭnis.*) amb. Colocación de las cosas en el lugar que les corresponde. ‖ **2.** Concierto, buena disposición de las cosas entre sí. ‖ **3.** Regla o modo que se observa para hacer las cosas. ‖ **4.** Serie o sucesión de las cosas. ‖ **5.** Sexto de los siete sacramentos de la Iglesia, por el cual son instituidos los sacerdotes y los ministros del culto. ‖ **6.** Relación o respecto de una cosa a otra. ‖ **7.** Instituto religioso aprobado por el Papa y cuyos individuos viven bajo las reglas establecidas por su fundador o por sus reformadores. ‖ **8.** *Arq.* Cierta disposición y proporción de los cuerpos principales que componen un edificio. ‖ **9.** *Geom.* Calificación que se da a una línea según el grado de la ecuación que la representa. ‖ **10.** *Bot.* y *Zool.* Cada uno de los grupos taxonómicos en que se dividen las clases y que se subdividen en familias. ORDEN *de los artiodáctilos.* ‖ **11.** f. Mandato que se debe obedecer, observar y ejecutar. ‖ **12.** V. **Carta orden.** ‖ **13.** Cada uno de los institutos civiles o militares creados para premiar por medio de condecoraciones a las personas beneméritas. ORDEN *de Carlos III, de Cristo*, etc. ‖ **14.** *Teol.* **Coro,** 14.ª acep. ‖ **15.** amb. Cada uno de los grados del sacramento de este nombre, que se van recibiendo sucesivamente y constituyen ministros de la Iglesia; como ostiario, lector, exorcista y acólito; subdiácono, diácono y sacerdote. ‖ **16.** V. **Administrador, hombre de orden.** ‖ **17.** V. **Corneta de órdenes.** ‖ **abierto.** *Mil.* Formación en que la tropa se dispersa para ofrecer menor blanco vulnerable y cubrir mayor espacio de terreno. ‖ **atlántico.** *Arq.* El que en vez de columnas o pilastras lleva atlantes para sostener los arquitrabes. ‖ **cerrado.** *Mil.* Formación en que la tropa se agrupa para ocupar menor espacio. ‖ **compuesto.** *Arq.* El que en el capitel de sus columnas reúne las volutas del jónico con las dos filas de hojas de acanto del corintio, guarda las proporciones de éste para lo demás y lleva en la cornisa dentículos y modillones sencillos. ‖ **corintio.** *Arq.* El que tiene la columna de unos diez módulos o diámetros de altura, el capitel adornado con hojas de acanto y caulículos, y la cornisa con modillones. ‖ **de batalla.** *Mil.* y *Mar.* Situación o formación de las tropas o de una escuadra del modo más favorable, para poder hacer fuego contra el enemigo o para otros fines. ‖ **de caballería.** Dignidad, título de honor que con varias ceremonias y ritos se daba a los hombres nobles o a los esforzados que prometían vivir justa y honestamente, y defender con las armas la religión, al rey, la patria y a los agraviados y menesterosos. Dase ahora a los novicios de la **órdenes** militares cuando se les arma caballeros. ‖ **2.** Conjunto, cuerpo y sociedad de los caballeros que profesaban las armas con autoridad pública bajo las leyes universales dictadas por el pundonor de las gentes y aprobadas por el uso de las naciones. ‖ **3. Orden militar.** ‖ **4.** ant. Destreza militar y enseñanza de las cosas de la guerra. ‖ **de la Banda.** Orden de caballería fundada en España por el rey don Alfonso XI de Castilla por los años de 1330, y cuya particular divisa era una banda roja o faja carmesí de cuatro dedos de ancho, que traían los caballeros sobre el hombro derecho, desde donde pasaba cruzando por espalda y pecho al lado izquierdo. ‖ **de la Visitación. Salesas.** ‖ **del día.** Determinación de lo que en el día de que se trata deba ser objeto de las discusiones o tareas de una asamblea o corporación. ‖ **2.** *Mil.* La que diariamente se da a los cuerpos de un ejército o guarnición señalando el servicio que han de prestar las tropas. ‖ **de marcha.** *Mar.* Disposición en que se colocan los diferentes buques de una escuadra para navegar evitando abordajes. ‖ **de parada.** *Mil.* Situación o formación de un batallón, regimiento, etc., en que, colocada la tropa con mucho frente y poco fondo, como en el **orden** de batalla, están las banderas y los oficiales como unos tres pasos más adelantados hacia el frente. ‖ **dórico.** *Arq.* El que tiene la columna de ocho módulos o diámetros a lo más de altura, el capitel sencillo y el friso adornado con metopas y triglifos. ‖ **jónico.** *Arq.* El que tiene la columna de unos nueve módulos o diámetros de altura, el capitel adornado con grandes volutas, y dentículos en la cornisa. ‖ **mayor.** Cada uno de los grados de subdiácono, diácono y sacerdote. Ú. m. en pl. ‖ **menor.** Cada uno de los grados de ostiario, lector, exorcista y acólito. Ú. m. en pl. ‖ **militar.** Cualquiera de las de caballeros fundadas en diferentes tiempos y con varias reglas y constituciones, las cuales se establecieron, por lo regular, para hacer guerra a los infieles, y cada una tiene su insignia que la distingue. En España hay cuatro, que son: las de Santiago, Calatrava, Alcántara y Montesa. ‖ **natural.** *Mar.* El de navegación de una escuadra o división cuando cada uno de sus buques sigue al matalote de proa que previamente le ha sido designado. ‖ **paraninfico.** *Arq.* El que tiene estatuas de ninfas en lugar de columnas. ‖ **público.** Situación y estado de legalidad normal en que las autoridades ejercen sus atribuciones propias y los ciudadanos las respetan y obedecen sin protesta. ‖ **sacerdotal. Orden,** 5.ª acep. ‖ **Tercera.** V. **Ministro de la Orden Tercera.** ‖ **toscano.** *Arq.* El que se distingue por ser más sólido y sencillo que el dórico. ‖ **A la orden,** o **a las órdenes.** expr. de cortesía con que uno se ofrece a la disposición de otro. ‖ **A la orden.** *Com.* Expresión que denota ser transferible, por endoso, un valor comercial. ‖ **Consignar las órdenes.** fr. *Mil.* Dar al centinela la **orden** de lo que ha de hacer. ‖ **Dar órdenes.** fr. Conferir el obispo las **órdenes** sagradas a los eclesiásticos. ‖ **En orden.** m. adv. Ordenadamente u observando el **orden.** ‖ **2.** En cuanto, o por lo que mira a una cosa. ‖ **Estar a la orden del día** una cosa. fr. Estar de moda, en boga; llamar la atención, andar al uso. ‖ **Hacer órdenes.** fr. **Dar órdenes.** ‖ **Llamar** a uno **al orden.** fr. Advertirle con autoridad que se atenga al asunto que ha de tratar, o que guarde en sus palabras o en su conducta el decoro debido. ‖ **Poner** una cosa **en orden.** fr. Reducirla a método y regla, quitando y enmendando la imperfección o los abusos que se han introducido o la confusión y desconcierto que padece. ‖ **2.** fig. Reglar y concordar una cosa para que tenga su debida proporción, forma o régimen. ‖ **Por su orden.** m. adv. Sucesivamente y como se van siguiendo las cosas.

Ordenación. (Del lat. *ordinatĭo, -ōnis.*) f. Disposición, prevención. ‖ **2.** Acción y efecto de ordenar u ordenarse. *En la* ORDENACIÓN *de los presbíteros hay muchas ceremonias.* ‖ **3. Orden,** 1.ª, 2.ª y 3.ª aceps. ‖ **4.** Mandato, orden, precepto. ‖ **5.** Cierta oficina de cuenta y razón; como la **ordenación** de pagos en algunos ministerios. ‖ **6.** Parte de la arquitectura, que trata de la capacidad que debe tener cada pieza del edificio, según su destino. ‖ **7.** *Pint.* Parte de la composición de un cuadro, según la cual se arreglan y distribuyen las figuras del modo conveniente. ‖ **de montes,** o **forestal. Dasocracia.**

Ordenada. (Del lat. *ordinātae [linĕae]*, líneas paralelas.) adj. *Geom.* Aplícase a la coordenada vertical en el sistema cartesiano. Ú. m. c. s.

Ordenadamente. adv. m. Concertadamente, con método y proporción.

Ordenado, da. p. p. de **Ordenar.** ‖ **2.** adj. Dícese de la persona que guarda orden y método en sus acciones.

Ordenador, ra. (Del lat. *ordinātor.*) adj. Que ordena. Ú. t. c. s. ‖ **2.** V. **Comisario ordenador.** ‖ **3.** m. Jefe de una ordenación, 5.ª acep.

Ordenamiento. m. Acción y efecto de ordenar. ‖ **2.** Ley, pragmática u ordenanza que da el superior para que se observe una cosa. ‖ **3.** Breve código de leyes promulgadas al mismo tiempo, o colección de disposiciones referentes a determinada materia. ‖ **real,** o **de Alcalá.** Colección de leyes de Castilla, promulgadas en el siglo XIV en las Cortes de Alcalá de Henares.

Ordenancista. adj. Dícese del jefe u oficial que cumple y aplica con rigor la ordenanza. ‖ **2.** Aplícase por ext. a los superiores en cualquier orden que exigen de los subordinados el riguroso cumplimiento de sus deberes.

Ordenando. (Del lat. *ordinandus*, que ha de ser ordenado.) m. El que está para recibir alguna de las órdenes sagradas.

Ordenante. p. a. de **Ordenar.** Que ordena. ‖ **2.** m. **Ordenando.**

Ordenanza. (De *ordenar.*) f. Método, orden y concierto en las cosas que se ejecutan. ‖ **2.** Conjunto de preceptos referentes a una materia. Ú. m. en pl. ‖ **3.** La que está hecha para el régimen de los militares y buen gobierno en las tropas, o para el de una ciudad o comunidad. Ú. t. en pl. ‖ **4.** Mandato, disposición, arbitrio y voluntad de uno. ‖ **5.** ant. **Escuadrón.** ‖ **6.** *Arq.* y *Pint.* **Ordenación,** 6.ª y 7.ª aceps. ‖ **7.** *Mil.* Soldado que está a las órdenes de un oficial o de un jefe para los asuntos del servicio. Ú. m. c. s. m. ‖ **8.** m. Empleado subalterno que en ciertas oficinas tiene el especial encargo de llevar órdenes.

Ordenar. (Del lat. *ordināre.*) tr. Poner en orden, concierto y buena disposición una cosa. ‖ **2.** Mandar y prevenir que se haga una cosa. ‖ **3.** Encaminar y dirigir a un fin. ‖ **4.** Conferir las órdenes a uno. ‖ **5.** r. Recibir la tonsura, los grados o las órdenes sagradas.

Ordeñadero. m. Vasija en que cae la leche cuando se ordeña.

Ordeñador, ra. adj. Que ordeña. Ú. t. c. s.

Ordeñar. (Del lat. **ordiniāre*, de *ordināre.*) tr. Extraer la leche exprimiendo la ubre. ‖ **2.** fig. Coger la aceituna, llevando la mano rodeada al ramo para que éste las vaya soltando. También se dice de otras operaciones análogas; como cuando de esa manera se coge hoja de ciertos árboles para cebo del ganado.

Ordeño. (Del lat. **ordinium*, de *ordināre.*) m. Acción y efecto de ordeñar. ‖ **A ordeño.** m. adv. Ordeñando, en la 2.ª acep. de ordeñar.

Ordinación. f. ant. Orden o disposición. ‖ **2.** *Ar.* **Ordenanza,** 2.ª acep.

Ordinal. (Del lat. *ordinālis.*) adj. Atinente al orden. ‖ **2.** *Arit.* V. **Número ordinal.** Ú. t. c. s. ‖ **3.** *Gram.* V. **Adjetivo ordinal.** Ú. t. c. s.

Ordinar. tr. ant. **Ordenar.**

Ordinariamente. adv. m. Frecuentemente, regularmente, por lo común. ‖ **2.** Sin cultura o urbanidad, groseramente.

Ordinariez. (De *ordinario.*) f. Falta de urbanidad y cultura.

Ordinario, ria. (Del lat. *ordinarius.*) adj. Común, regular y que acontece las más veces. ‖ **2.** Contrapuesto a noble, **plebeyo.** ‖ **3.** Bajo, basto, vulgar y de poca estimación. ‖ **4.** Que no tiene grado o distinción en su línea. ‖ **5.** Dícese del gasto de cada día que tiene cualquiera en su casa, y también de lo que acostumbra comer. Ú. t. c. s. ‖ **6.** Dícese del juez o tribunal de la justicia civil en oposición a los del fuero privilegiado; y también del obispo diocesano Ú. t. c. s. ‖ **7.** Decíase del correo que venía en períodos fijos y determinados, a distinción del extraordinario, que se despachaba cuando convenía. Ú. t. c. s. ‖ **8.** V. **Alcalde, inquisidor, juez, mes, paso, pleito, tren ordinario.** ‖ **9.** V. **Jurisdicción, justicia, mampostería, pena, vía ordinaria.** ‖ **10.** *For.* Aplícase este nombre al despacho corriente con providencias de tramitación en los negocios. ‖ **11.** m. Arriero o carretero que habitualmente conduce personas, géneros u otras cosas de un pueblo a otro. También se da el mismo nombre al que desempeña comisiones de esta clase viajando en ferrocarril. ‖ **De ordinario.** m. adv. Común y regularmente; con frecuencia; muchas veces.

Ordinativo, va. (Del lat. *ordinatīvus.*) adj. Perteneciente a la ordenación o arreglo de una cosa.

Orea. f. **Oréade.**

Oréada. f. **Oréade.**

Oréade. (Del lat. *orēas, -ădis*, y éste del gr. ὀρειάς, que vive en los montes.) f. *Mit.* Cualquiera de las ninfas que, según los gentiles, residían en los bosques y montes.

Oreante. p. a. de **Orear.** Que orea.

Orear. (Del lat. *aura*, aire.) tr. Dar el viento en una cosa, refrescándola. ‖ **2.** Dar en una cosa el aire para que se seque o se le quite la humedad o el olor que ha contraído. Ú. m. c. r. *Los campos* SE HAN OREADO. ‖ **3.** r. Salir uno a tomar el aire.

Orebce. (Del lat. *aurĭfex, -fĭcis.*) m. ant. **Orífice.**

Orecer. (Del lat. *aurescĕre;* de *aurum*, oro.) tr. ant. Convertir en oro una cosa.

Orégano. (Del lat. *origănus.*) m. Planta herbácea vivaz, de la familia de las labiadas, con tallos erguidos, prismáticos, vellosos, de cuatro a seis decímetros de altura; hojas pequeñas, ovaladas, verdes por la haz y lanuginosas por el envés; flores purpúreas en espigas terminales, y fruto seco y globoso. Es aromático, abunda en los montes de España, y las hojas y flores se usan como tónicas y en condimentos. ‖ **No es orégano todo el monte.** fr. fig. con que se denota que no todo es fácil o placentero en un asunto cualquiera. || **Orégano sea.** expr. fig. y fam. con que se expresa el temor de que un negocio o empresa tenga mal resultado.

Oreja. (Del lat. *oricla, auricula.*) f. **Oído,** 1.ª y 2.ª aceps. || **2.** Ternilla que en el hombre y en muchos animales forma la parte externa del órgano del oído. || **3.** Parte del zapato que, sobresaliendo a un lado y otro, sirve para ajustarlo al empeine del pie por medio de cintas, botones o hebillas. || **4.** Cada una de las dos partes simétricas que suelen llevar en la punta o en la boca ciertas armas y herramientas. Ú. m. en pl. || **5.** Cada una de las vertederas del arado romano. Ú. m. en pl. || **6.** Cada una de las asas o agarraderos de una vasija, bandeja, etc. || **7.** V. **Corredor de oreja.** || **8.** V. **Pabellón, perilla de la oreja.** || **9.** V. **Vino de dos orejas.** || **10.** fig. Persona aduladora que lleva chismes y cuentos y lo tiene por oficio. || **de abad.** Fruta de sartén que se hace en forma de hojuela. || **2. Ombligo de Venus,** 1.ª acep. || **de fraile. Ásaro.** || **de mar. Oreja marina.** || **de monje. Ombligo de Venus,** 1.ª acep. || **de negro.** *Argent.* **Timbó.** || **de oso.** Planta herbácea vivaz, de la familia de las primuláceas, con hojas poco elevadas sobre el suelo, grandes, ovales, casi redondas, carnosas y velludas por el envés; flores en umbela, amarillas, olorosas, sobre un bohordo de dos a tres decímetros, y fruto capsular con muchas semillas. Es originaria de los Alpes y se cultiva en los jardines. || **de ratón. Vellosilla.** || **marina.** Molusco gasterópodo cuya concha es ovalada, de espira muy baja, borde delgado en la mitad de su contorno, con una especie de labio en la otra mitad, donde hay una serie de agujeros que van cerrándose a medida que el animal crece; arrugada y parduscа por fuera y brillantemente nacarada por dentro. Vive en los mares de España. || **Cuatro orejas.** fig. y fam. Hombre que, según moda antigua, llevaba grandes tufos y muy pelada la cabeza por encima y por detrás. || **Aguzar las orejas.** fr. fig. Levantarlas las caballerías, poniéndolas tiesas. || **2.** fig. Prestar mucha atención; poner gran cuidado. || **Amusgar las orejas.** fr. ant. fig. **Dar oídos.** || **Apearse uno por las orejas.** fr. fig. y fam. Caerse uno de la cabalgadura. || **2.** fig. y fam. **Apearse por la cola.** || **Bajar uno las orejas.** fr. fig. y fam. Ceder con humildad en una disputa o réplica. || **Calentar** a uno **las orejas.** fr. fig. y fam. Reprenderle severamente. || **Cerrar uno la oreja.** fr. ant. fig. **Cerrar los oídos.** || **Con las orejas caídas,** o **gachas.** m. adv. fig. y fam. Con tristeza y sin haber conseguido lo que se deseaba. || **Con las orejas tan largas.** m. adv. fig. que significa la atención o curiosidad con que uno oye o desea oír una cosa. || **Dar orejas.** fr. ant. fig. **Dar oídos.** || **De cuatro orejas.** loc. fig. y fam. con que se designa al animal que tiene cuernos y principalmente al toro. || **Descubrir uno la oreja.** fr. fig. y fam. Dejar ver su interior o el vicio o defecto moral de que adolece. || **Desencapotar las orejas.** fr. fig. Dicho de algunos animales, enderezarlas, ponerlas tiesas. || **Enseñar uno la oreja.** fr. fig. y fam. **Descubrir la oreja.** || **Estar a la oreja.** fr. fig. Estar siempre con otro, sin apartarse de él ni dar lugar a que se le hable reservadamente. || **2.** fig. Estar instando y porfiando sobre una pretensión. || **Hacer uno orejas de mercader.** fr. fig. Darse por desentendido, hacer que no oye. || **Ladrar** a uno **a la oreja.** fr. fig. **Ladrarle al oído.** || **La oreja, junto a la teja.** ref. que advierte que no es sano dormir en piso bajo, por razón de la humedad. || **Mojar la oreja.** fr. fig. Buscar pendencia, insultar. || **No hay orejas para cada martes.** expr. fig. y fam. con que se advierte que no es fácil salir de los riesgos cuando frecuentemente se repiten o se buscan. || **No valer uno sus orejas llenas de agua.** fr. fig. y fam. Ser muy despreciable. || **O en la oreja o en el rabo, la mula es asno.** ref. que advierte cómo los malos instintos se revelan de uno u otro modo. || **Poner** a uno **las orejas coloradas.** fr. fig. y fam. Decirle palabras desagradables o darle una severa reprensión. || **Repartir orejas.** fr. fig. Suplantar testigos de oídas de una cosa que no oyeron. || **Retiñir las orejas.** fr. fig. Perjudicar, ser nocivo y en extremo opuesto a un sujeto aquello que oye, de suerte que quisiera no haberlo oído. || **Taparse las orejas.** fr. fig. con que se pondera la disonancia o escándalo que causa una cosa que se dice, y que para no oírla se debían tapar los oídos. || **Tener** uno **de la oreja** a otro. fr. fig. Tenerle a su arbitrio para que haga lo que le pide o le manda. || **Tirar** uno **la oreja,** o **las orejas.** fr. fig. y fam. Jugar a los naipes; porque cuando se brujulea, parece que se tira de las **orejas** (esto es, de las puntas, extremos o ángulos) a las cartas. También, y más comúnmente, dícese en este sentido: **Tirar de la oreja a Jorge.** || **Tirarse uno de una oreja, y no alcanzarse a la otra.** fr. fig. con que se explica el sentimiento del que no consiguió lo que deseaba, o lo perdió por no haber sido solícito y prudente para lograrlo. || **Ver uno las orejas al lobo.** fr. fig. Hallarse en gran riesgo o peligro próximo.

Orejano, na. adj. Dícese de la res que no tiene marca en las orejas ni en otra parte alguna del cuerpo. Ú. t. c. s.

Orejeado, da. (De *oreja,* oído.) adj. Dícese del que está prevenido o avisado para que cuando otro le hable pueda responderle o no crea lo que oiga.

Orejear. intr. Mover las orejas un animal. || **2.** fig. Hacer una cosa de mala gana y con violencia.

Orejera. f. Cada una de las dos piezas de la gorra o montera que cubren las orejas y se atan debajo de la barba. || **2.** Cada una de las dos piezas de acero que a uno y otro lado tenían ciertos cascos antiguos para defender las orejas. || **3.** Cada una de las dos piezas o palos que el arado común lleva introducidos oblicuamente a uno y otro lado del dental y que sirve para ensanchar el surco. Modernamente estas piezas se hacen de hierro. || **4.** Rodaja que se metían los indios en un agujero abierto en la parte inferior de la oreja.

Orejeta. f. d. de **Oreja.**

Orejisano, na. adj. Dícese de la res que carece de marca en las orejas y, por ext., que no la tiene en ninguna parte del cuerpo.

Orejón. (De *oreja.*) m. Pedazo de melocotón, albaricoque y aun pera en forma de cinta secado al aire y al sol. Ú. m. en pl. || **2.** Tirón de orejas. || **3.** Entre los antiguos peruanos, persona noble que, después de varias ceremonias y pruebas, una de las cuales consistía en horadarle las orejas, ensanchándoselas por medio de una rodaja, entraba en un cuerpo privilegiado y podía aspirar a los primeros puestos del imperio. || **4.** Nombre que se dió en la conquista a varias tribus de América. || **5.** *Colomb.* Sabanero de Bogotá, y por ext., persona zafia y tosca. || **6.** *Fort.* Cuerpo que sale fuera del flanco de un baluarte cuyo frente se ha prolongado.

Orejudo, da. adj. Que tiene orejas grandes o largas. || **2.** m. *Zool.* Murciélago insectívoro, cuyas orejas son muy grandes en relación con el pequeño tamaño del animal.

Orejuela. f. d. de **Oreja.** || **2.** Cada una de las dos asas pequeñas que suelen tener las escudillas, bandejas u otros utensilios semejantes.

Orenga. f. *Mar.* **Varenga.** || **2.** *Mar.* **Cuaderna,** 4.ª acep.

Orensano, na. adj. Natural de Orense. Ú. t. c. s. || **2.** Perteneciente a esta ciudad.

Orenza. f. *Ar.* **Tolva,** 1.ª acep.

Oreo. (De *orear.*) m. Soplo del aire que da suavemente en una cosa.

Oreoselino. (Del lat. *oreoselinum,* y éste del gr. ὀρεοσέλινον; de ὄρος, montaña, y σέλινον, perejil.) m. Planta herbácea de la familia de las umbelíferas, con tallo erguido, fistuloso, estriado, de seis a ocho decímetros de altura; hojas grandes, anchas y divididas en gajos; flores en umbela, pequeñas y blanquecinas; raíces unidas a un cuerpo globoso e interiormente blancas, y semilla pequeña, ovalada, chata, surcada y ribeteada.

Orespe. m. ant. **Orebce.**

Oretano, na. (Del lat. *oretānus.*) adj. Natural de Oreto o de la Oretania. Ú. t. c. s. || **2.** Perteneciente a esta región de la España Tarraconense, que ocupaba la provincia de Ciudad Real y parte de la de Toledo, y tenía por capital a Oreto, ciudad cuyo asiento estaba cerca de Granátula, en aquella provincia.

Orfanato. (De *orphănus,* huérfano.) m. Asilo de huérfanos.

Orfandad. (Del lat. *orphanĭtas, -ātis.*) f. Estado en que quedan los hijos por la muerte de sus padres, o sólo del padre. || **2.** Pensión que por derecho o por otro motivo disfrutan algunos huérfanos. || **3.** fig. Falta de ayuda, favor o valimiento en que una persona o cosa se encuentran.

Orfanidad. f. ant. **Orfandad.**

Orfebre. (Del lat. *auri faber,* artífice de oro.) m. El que labra objetos artísticos de oro o plata.

Orfebrería. (De *orfebre.*) f. Arte del orfebre.

Orfeón. (De *Orfeo,* personaje mitológico muy diestro en la música.) m. Sociedad de cantantes en coro, sin instrumentos que los acompañen.

Orfeonista. m. Individuo de un orfeón.

Órfico, ca. adj. Perteneciente o relativo a Orfeo.

Orfo. m. Pescado semejante al besugo, de color rubio, ojos grandes y dientes como de sierra.

Orfre. (Del lat. *auri faber.*) m. ant. **Orfebrería.**

Organdí. (Del fr. *organdi.*) m. Tela blanca de algodón muy fina y transparente.

Organero. m. El que fabrica y compone órganos.

Organicismo. (De *orgánico.*) m. Doctrina médica que atribuye todas las enfermedades a lesión material de un órgano.

Organicista. adj. Que sigue la doctrina del organicismo. Ú. t. c. s.

Orgánico, ca. (Del lat. *organĭcus.*) adj. Aplícase al cuerpo que está con disposición o aptitud para vivir. || **2.** Que tiene armonía y consonancia. || **3.** V. **Ley orgánica.** || **4.** fig. Dícese de lo que atañe a la constitución de corporaciones o entidades colectivas o a sus funciones o ejercicios. || **5.** *Quím.* Dícese de la substancia cuyo componente constante es el carbono, en combinación con el hidrógeno o con el nitrógeno, ya separados o juntos, y también con otros elementos.

Organillero, ra. m. y f. Persona que tiene por ocupación tocar el organillo.

Organillo. (d. de *órgano.*) m. Órgano pequeño o piano que se hace sonar por medio de un cilindro con púas movido por un manubrio, y encerrado en un cajón portátil.

Organismo. m. Conjunto de órganos del cuerpo animal o vegetal y de las leyes por que se rige. || **2.** fig. Conjunto de leyes, usos y costumbres por que se rige un cuerpo o institución social. || **3.** fig. Conjunto de oficinas, dependencias o empleos que forman un cuerpo o institución.

Organista. com. Persona que ejerce o profesa el arte de tocar el órgano.

Organización. f. Acción y efecto de organizar u organizarse. || **2.** Disposición de los órganos de la vida, o manera de estar organizado el cuerpo animal o vegetal. || **3.** fig. Disposición, arreglo, orden.

Organizado, da. adj. **Orgánico,** 1.ª acep. || **2.** *Biol.* Dícese de la materia o substancia que tiene la estructura peculiar de los seres vivientes.

Organizador, ra. adj. Que organiza o tiene especial aptitud para organizar.

Organizar. tr. Disponer el órgano para que esté acorde y templado. || **2.** fig. Establecer o reformar una cosa, sujetando a reglas el número, orden, armonía y dependencia de las partes que la componen o han de componerla. Ú. t. c. r.

Órgano. (Del lat. *orgănum,* y éste del gr. ὄργανον.) m. Instrumento músico de viento, compuesto de muchos tubos donde se produce el sonido, unos fuelles que impulsan el aire y un teclado y varios registros ordenados para modificar el timbre de las voces. || **2.** V. **Canto de órgano.** || **3.** Aparato refrigerante formado con una serie de tubos de estaño, alrededor de los cuales se pone nieve o hielo y dentro el líquido que se trata de enfriar. Se usaba antiguamente en las alojerías y tabernas. || **4.** Cualquiera de las partes del cuerpo animal o vegetal que ejercen una función. || **5.** fig. Medio o conducto que pone en comunicación dos cosas. || **6.** fig. Persona o cosa que sirve para la ejecución de un acto o un designio. || **de manubrio. Organillo.** || **expresivo.** *Mús.* **Armonio.** || **Los órganos de Móstoles.** loc. fig. y fam. Personas, dichos, hechos, opiniones, ideas, etc., que debieran compadecerse o convenir en una relación de semejanza, conformidad o armonía, y son, por el contrario, muy disonantes o incongruentes entre sí.

Organogenia. (Del gr. ὄργανον, órgano, y γένος, origen.) f. Estudio de la formación y desarrollo de los órganos.

Organografía. (Del gr. ὄργανον, órgano, y γράφω, describir.) f. Parte de la zoología y de la botánica, que tiene por objeto la descripción de los órganos de los animales o de los vegetales. En el primer caso se llama animal; en el segundo, vegetal.

Organográfico, ca. adj. Perteneciente o relativo a la organografía.

Organología. (Del gr. ὄργανον, órgano, y λόγος, tratado.) f. Tratado de los órganos de los animales o de los vegetales.

Orgasmo. (Del gr. ὀργασμός; de ὀργάω, estar lleno de ardor.) m. Culminación del placer sexual. || **2. Eretismo.**

Orgia. (Del lat. *orgĭa,* y éste del gr. ὄργια, fiestas de Baco.) f. **Orgía.**

Orgía. (De *orgia.*) f. Festín en que se come y bebe inmoderadamente y se cometen otros excesos. || **2.** fig. Satisfacción viciosa de apetitos o pasiones desenfrenadas.

Orgiástico, ca. (De *orgía.*) adj. Perteneciente o relativo a la orgía.

Orgivense. adj. Natural de Órgiva. Ú. t. c. s. || **2.** Perteneciente a esta villa de las Alpujarras, en Granada.

Orgullecer. intr. ant. Cobrar orgullo, ensoberbecerse.

Orgulleza. f. ant. **Orgullo.**

Orgullo. (Del germ. *urgoli.*) m. Arrogancia, vanidad, exceso de estimación propia, que a veces es disimulable por nacer de causas nobles y virtuosas.

Orgullosamente. adv. m. Con orgullo.

Orgulloso, sa. (De *orgullo.*) adj. Que tiene orgullo. Ú. t. c. s.

¡Ori! interj. *Germ.* **¡Hola!**

Oribe. (Del lat. *aurĭfex, -ĭcis.*) m. **Orive.**

Oricalco. (Del lat. *orichalcum.*) m. ant. **Auricalco.**

Orientación. f. Acción y efecto de orientar u orientarse.

Orientador, ra. adj. Que orienta.

Oriental. (Del lat. *orientālis.*) adj. Perteneciente al Oriente. || **2.** Natural de Oriente. Ú. t. c. s. || **3.** Perteneciente a las regiones de Oriente. || **4.** V. **Alabastro, amatista, bezoar, crisolito, cuadrante, esmeralda, granate, hemisferio, iglesia, jacinto, rubí, topacio, turquesa, zafiro oriental.** || **5.** *Astron.* Aplícase al planeta Venus, porque sale por la mañana antes de nacer el Sol.

Orientalismo. m. Conocimiento de la civilización y costumbres de los pueblos orientales. || **2.** Predilección por las cosas de Oriente. || **3.** Carácter oriental.

Orientalista. (De *oriental.*) com. Perteneciente o relativo al orientalismo. || **2.** Persona que cultiva las lenguas, literaturas, historia, etc., de los países de Oriente.

Orientar. (De *oriente.*) tr. Colocar una cosa en posición determinada respecto a los puntos cardinales. || **2.** Determinar la posición de una cosa respecto de los puntos cardinales. || **3.** Informar a uno de lo que ignora y desea saber, del estado de un asunto o negocio, para que sepa manejarse en él. Ú. t. c. r. || **4.** fig. Dirigir o encaminar una cosa hacia un fin determinado. || **5.** *Geogr.* Designar en un mapa por medio de una flecha u otro signo el punto septentrional, para que se venga en conocimiento de la situación de los objetos que comprende. || **6.** *Mar.* Disponer las velas de un buque de manera que reciban el viento de lleno, en cuanto lo permita el rumbo que lleva.

Oriente. (Del lat. *orĭens, -entis,* p. a. de *orīri,* aparecer, nacer.) m. Nacimiento de una cosa. || **2.** Punto cardinal del horizonte, por donde nace o aparece el Sol en los equinoccios. || **3.** Lugar de la Tierra o de la esfera celeste que, respecto de otro con el cual se compara, cae hacia donde sale el Sol. || **4.** Asia y las regiones inmediatas a ella de Europa y África. || **5.** Viento que sopla de la parte de **oriente.** || **6.** Brillo especial de las perlas. || **7.** fig. Mocedad o edad temprana del hombre. || **8.** *Astrol.* Horóscopo o casa primera del tema celeste. || **9.** *Med.* V. **Tifo de Oriente.**

Orificación. f. Acción y efecto de orificar.

Orificador. m. Instrumento que sirve para orificar.

Orificar. (Del lat. *aurum,* oro, y *facĕre,* hacer.) tr. Rellenar con oro la picadura de una muela o de un diente.

Orífice. (Del lat. *aurĭfex, -ĭcis;* de *aurum,* oro, y *facĕre,* hacer.) m. Artífice que trabaja en oro.

Orificia. (De *orifice.*) f. ant. Arte de trabajar en cosas de oro; como joyas, vasijas, etc.

Orificio. (Del lat. *orificĭum.*) m. Boca o agujero. || **2.** *Zool.* Abertura de ciertos conductos, y más comúnmente **ano.**

Oriflama. (Del lat. *aurum,* oro, y *flamma,* llama.) f. Estandarte de la abadía de San Dionisio, de seda encarnada y bordado de oro, que como pendón guerrero usaban los antiguos reyes de Francia. || **2.** Por ext., cualquiera estandarte, pendón o bandera de colores que se despliega al viento.

Orifrés. (Del b. lat. *aurifresus.*) m. Galón de oro o plata.

Origen. (Del lat. *orīgo, -ĭnis.*) m. Principio, nacimiento, manantial, raíz y causa de una cosa. || **2.** Patria, país donde uno ha nacido o tuvo principio la familia o de donde una cosa proviene. || **3.** Ascendencia o familia. || **4.** fig. Principio, motivo o causa moral de una cosa. || **5.** *Teol.* V. **Prioridad de origen.** || **de las coordenadas.** *Geom.* Punto de intersección de los ejes coordenados.

Origenismo. m. Conjunto de las doctrinas heréticas atribuidas a Orígenes. || **2.** Secta que las profesaba.

Origenista. adj. Partidario del origenismo. Apl. a pers., ú. t. c. s. || **2.** Perteneciente o relativo a esta secta.

Original. (Del lat. *originālis.*) adj. Perteneciente al origen. || **2.** Dícese de la obra científica, artística, literaria o de cualquier otro género producida directamente por su autor sin ser copia, imitación o traducción de otra. *Escritura, cuadro* ORIGINAL. Ú. t. c. s. *El* ORIGINAL *de una escritura, de una estatua.* || **3.** Se dice asimismo de la lengua en que se escribió una obra, a diferencia del idioma o idiomas a que se ha traducido. *Sólo conociendo en la lengua* ORIGINAL *una obra, puede formarse de ella juicio cabal y exacto.* || **4.** Dícese igualmente de lo que en letras y artes no denota estudio de imitación, y se distingue de lo vulgar o conocido por cierto carácter de novedad, fruto de la creación espontánea. || **5.** También se aplica al escritor o al artista que da a sus obras este carácter de novedad. || **6.** V. **Gracia, justicia, pecado original.** || **7.** Aplicado a personas o a cosas de la vida real, singular, extraño, contrario a lo acostumbrado, general o común. *Es un hombre muy* ORIGINAL; *tiene cosas* ORIGINALES; *capricho* ORIGINAL; *¡qué idea tan* ORIGINAL! Tómase ordinariamente en mala parte, y apl. a pers., ú. t. c. s. *Es un* ORIGINAL. || **8.** m. Manuscrito o impreso que se da a la imprenta para que con arreglo a él se haga impresión o reimpresión de una obra. || **9.** Cualquier escrito que se tiene a la vista para sacar de él una copia. || **10.** Persona retratada, respecto del retrato. || **Saber uno de buen original una cosa.** fr. fig. **Saberla de buena tinta.**

Originalidad. f. Calidad de original.

Originalmente. adv. m. Radicalmente, por su principio, desde su nacimiento y origen. || **2.** En su original o según el original. || **3.** De un modo original; con originalidad.

Originar. (De *origen.*) tr. Ser instrumento, motivo, principio u origen de una cosa. || **2.** r. Traer una cosa su principio u origen de otra.

Originariamente. adv. m. Por origen y procedencia; originalmente.

Originario, ria. (Del lat. *originarĭus.*) adj. Que da origen a una persona o cosa. || **2.** Que trae su origen de algún lugar, persona o cosa.

Origíneo, a. adj. ant. **Original.**

Orilla. (De un d. del lat. *ora.*) f. Término, límite o extremo de la extensión superficial de algunas cosas. || **2.** Extremo o remate de una tela de lana, seda o lino, o de otra cosa que se teje, y el de los vestidos. || **3.** Límite de la tierra que la separa del mar, lago, río, etc.; faja de tierra que está más inmediata al agua. || **4.** Aquella senda que en las calles se toma para poder andar por ella, arrimado a las casas, sin enlodarse. || **5.** fig. Límite, término o fin de una cosa no material. || **6.** *And.* Estado atmosférico del tiempo. *Hace buena* ORILLA. || **A la orilla.** m. adv. fig. Cercanamente o con inmediación. || **Nadar, nadar, y a la orilla ahogar.** ref. que se dice del que se fatiga por conseguir una cosa y la ve desaparecer al considerarla segura. || **2.** Aplícase también al enfermo que perece cuando había concebido esperanzas de pronta curación. || **Salir uno a la orilla.** fr. fig. Haber vencido, aunque con trabajo, las dificultades o riesgos que ofrecía un negocio.

Orilla. (De un d. del lat. *aura*, aura.) f. Vientecillo fresco.

Orillar. (De *orilla*, 1.er art.) tr. fig. Concluir, arreglar, ordenar, desenredar un asunto. HE ORILLADO *todas mis cosas.* || **2.** intr. Llegarse o arrimarse a las orillas. Ú. t. c. r. || **3.** Dejar orillas al paño o a otra tela. || **4.** Guarnecer la orilla de una tela o ropa.

Orillero. m. Persona que caza junto a los límites exteriores de un coto. || **2.** *Venez.* **Arrabalero.**

Orillo. m. Orilla del paño, la cual regularmente se hace de la lana más basta, y de uno o más colores. || **2.** V. **Zapatilla de orillo.**

Orín. (Del lat. *aerūgo, -ĭnis.*) m. Óxido rojizo que se forma en la superficie del hierro por la acción del aire húmedo.

Orín. m. **Orina,** 1.ª acep. Ú. m. en pl.

Orina. (Del lat. *urīna.*) f. Líquido excrementicio, por lo común de color amarillo cetrino, que secretado en los riñones pasa a la vejiga, de donde es expelido fuera del cuerpo por la uretra. || **2.** V. **Incontinencia, mal de orina.** || **3.** V. **Vejiga de la orina.**

Orinal. (Del lat. *urinālis.*) m. Vaso de vidrio, loza, barro o metal, para recoger la orina. || **del cielo.** fig. y fam. Paraje donde llueve con mucha frecuencia.

Orinar. (Del lat. *urināre.*) intr. Expeler naturalmente la orina. Ú. t. c. r. || **2.** tr. Expeler por la uretra algún otro líquido. ORINAR *sangre.*

Orinecer. intr. ant. Enmohecerse, cubrirse de orín. Usáb. t. c. r.

Oriniento, ta. adj. Tomado de orín o moho. || **2.** fig. Entorpecido por no usarse.

Orinque. (Como el fr. *orin*, del neerl. *oorring.*) m. *Mar.* Cabo que une y sujeta una boya a una ancla fondeada.

Oriol. (Del cat. *oriol*, y éste del lat. *aureŏlus*, oropéndola.) m. **Oropéndola.**

Oriolano, na. adj. Natural de Orihuela. Ú. t. c. s. || **2.** Perteneciente a esta ciudad.

Orión. (Del lat. *Orīon, -ōnis.*) m. *Astron.* Constelación ecuatorial, una de las más hermosas del cielo, situada al oriente del Toro y al occidente del Can Menor y del Mayor.

Oriónidas. f. pl. *Astron.* Estrellas fugaces cuyo punto radiante esta en la constelación de Orión.

Oripié. m. *Murc.* Pie de un monte. *Tengo un campo en el* ORIPIÉ.

Oriundez. f. Origen, procedencia, ascendencia.

Oriundo, da. (Del lat. *oriundus*, de *orīri*, nacer.) adj. **Originario,** 2.ª acep.

Orive. m. **Orífice.**

Orla. (Del lat. *orŭla*, d. de *ora*, borde.) f. Orilla de paños, telas, vestidos u otras cosas, con algún adorno que la distingue. || **2.** Adorno que se dibuja, pinta, graba o imprime en las orillas de una hoja de papel, vitela o pergamino, en torno de lo escrito o impreso, o rodeando un retrato, viñeta, cifra, etc. || **3.** *Blas.* Pieza hecha en forma de filete y puesta dentro del escudo, aunque separada de sus extremos otra tanta distancia como ella tiene de ancho, que por lo ordinario es la duodécima parte de la mitad del escudo, que corresponde a la mitad de la bordura.

Orlador, ra. adj. Que hace orlas. Ú. t. c. s.

Orladura. f. Juego y adorno de toda la orla. || **2. Orla,** 1.ª acep.

Orlar. (De *orla.*) tr. Adornar un vestido u otra cosa con guarniciones al canto. || **2.** *Blas.* Poner la orla en el escudo.

Orleanista. adj. Partidario de la casa de Orleáns. Apl. a pers., ú. t. c. s. || **2.** Perteneciente o relativo a esta casa.

Orlo. (Tal vez del al. *horn*, cuerno.) m. Oboe rústico usado en los Alpes, de unos dos metros de largo, boca ancha y encorvada y sonido intenso y monótono. || **2.** Registro por medio del cual da el órgano un sonido semejante al del **orlo.**

Orlo. (De *orla.*) m. **Plinto.**

Ormesí. (Del ital. *ormesino.*) m. Tela fuerte de seda, muy tupida y prensada, que hace visos y aguas.

Ormino. (Del lat. *hormĭnum*, y éste del gr. ὅρμινον.) m. **Gallocresta,** 1.ª acep.

Ornadamente. adv. m. Con ornato y compostura.

Ornamentación. f. Acción y efecto de ornamentar.

Ornamental. adj. Perteneciente o relativo a la ornamentación o adorno.

Ornamentar. (De *ornamento.*) tr. Adornar, 1.ª acep.

Ornamento. (Del lat. *ornamentum.*) m. Adorno, compostura, atavío que hace vistosa una cosa. || **2.** fig. Calidades y prendas morales del sujeto, que lo hacen más recomendable. || **3.** *Arq.* y *Esc.* Ciertas piezas que se ponen para acompañar a las obras principales. || **4.** pl. Vestiduras sagradas que usan los sacerdotes cuando celebran, y también los adornos del altar, que son de lino o seda; como los manteles, el frontal, etc.

Ornar. (Del lat. *ornāre.*) tr. **Adornar.** Ú. t. c. r.

Ornatísimo, ma. (Del lat. *ornatissimus.*) adj. sup. ant. Muy adornado.

Ornato. (Del lat. *ornātus.*) m. Adorno, atavío, aparato.

Ornear. intr. *Gal.* y *León.* **Rebuznar.**

Ornitodelfo, fa. (Del gr. ὄρνις, -ιθος, pájaro, y δελφύς, matriz.) adj. *Zool.* **Monotrema.**

Ornitología. (Del gr. ὄρνις, -ιθος, pájaro, y λόγος, tratado.) f. *Zool.* Parte de la zoología, que trata de las aves.

Ornitológico, ca. adj. Perteneciente o relativo a la ornitología.

Ornitólogo. m. El que profesa la ornitología o tiene en ella especiales conocimientos.

Ornitomancia [$\sim$ **mancía**]. (Del gr. ὄρνις, -ιθος, pájaro, y μαντεία, adivinación.) f. Adivinación por el vuelo y canto de las aves.

Ornitorrinco. (Del gr. ὄρνις, -ιθος, pájaro, y ῥύγχος, pico.) m. *Zool.* Mamífero del orden de los monotremas, del tamaño próximamente de un conejo, de cabeza casi redonda y mandíbulas ensanchadas y cubiertas por una lámina córnea, por lo cual su boca se asemeja al pico de un pato; pies palmeados, sobre todo en las extremidades torácicas, y cuerpo y cola cubiertos de pelo gris muy fino. Vive en Australia y se alimenta de larvas, de insectos y de pececillos.

Oro. (Del lat. *aurum.*) m. Metal amarillo, el más dúctil y maleable de todos y uno de los más pesados, sólo atacable por el cloro, el bromo y el agua regia; se encuentra siempre nativo en la naturaleza. || **2.** Moneda o monedas de **oro.** *No tengo más que* ORO; *pagar en* ORO. || **3.** V. **Ascua, batidor, boca, bodas, botón, bula, carro, castellana, dineral, doblón, ducado, edad, librillo, libro, litargirio, maravedí, onza, pesante, pico, pino, platero, siglo, sueldo, tirador, toisón de oro.** || **4.** Joyas y otros adornos mujeriles de esta especie. || **5.** fig. Caudal, riquezas. || **6.** Cualquiera de los naipes del palo de **oros.** *Juegue usted un* ORO; *he robado tres* OROS. || **7.** *Blas.* Uno de los dos metales heráldicos. En pintura se expresa por el color dorado o el amarillo, y en el grabado común por un puntillado menudo sobre blanco o sobre el fondo del dibujo. || **8.** pl. Uno de los cuatro palos de la baraja española, en cuyos naipes se representan una o varias monedas de **oro.** || **Oro batido.** El adelgazado y reducido a hojas sutilísimas, que sirve para dorar. || **coronario.** El que es muy fino y subido de quilates. || **de copela.** El obtenido por copelación. || **de tíbar.** El muy acendrado. || **en polvo.** El que se halla naturalmente en arenillas. || **fulminante.** El precipitado del agua regia por la acción del amoniaco, y que por frotamiento o percusión causa explosión de mayor fuerza y estruendo que la de la pólvora. || **mate.** El que no está bruñido. || **molido.** El que se preparaba para las iluminaciones de libros y miniaturas, mezclando con miel el metal batido en hojas muy delgadas o panes, moliéndolo todo y lavándolo después repetidamente para recoger el polvo fino que resultaba. || **2.** El que resulta de disolver el metal en agua regia y empapar en el líquido obtenido trapos de hilo, que después se queman para recoger las cenizas, donde se encuentra el **oro** en polvo. || **3.** fig. Cosa excelente en su línea. || **musivo.** Bisulfuro de estaño, de color de **oro,** que se emplea en pintura y para algunos otros usos. || **nativo.** El que en estado natural y casi puro se halla en algunos terrenos. || **obrizo.** El muy puro, acendrado y subido de quilates. || **potable.** Cada una de las varias preparaciones líquidas del **oro** que hacían los alquimistas con el objeto de que pudiera beberse este metal, que creían era de grande provecho en algunas enfermedades. || **verde. Electro,** 2.ª acep. || **Como mil oros.** loc. adv. fig. **Como un oro.** || **Como oro en paño.** loc. adv. fig. que explica el aprecio que se hace de una cosa por el cuidado que se tiene con ella. || **Como un oro.** loc. adv. fig. que se emplea para ponderar la hermosura, aseo y limpieza de una persona o cosa. || **De oro.** loc. fig. Precioso, inmejorable, floreciente, feliz. *Corazón* DE ORO, *edad* DE ORO. || **De oro y azul.** loc. fig. Dícese de una persona muy compuesta y adornada. || **El oro y el moro.** loc. fig. y fam. con que se ponderan ciertas ofertas ilusorias, y que expresa también el exagerado aprecio de lo que se espera o posee. || **Es como un oro, patitas y todo.** expr. fig. y fam. que se usa para burlarse de uno o dar a entender que está conocido por astuto y bellaco. || **Es otro tanto oro.** expr. fig. y fam. **Valer tanto oro como pesa.** || **Hacerse** uno **de oro.** fr. fig. Adquirir muchas riquezas con su industria y modo de vivir. || **No es oro todo lo que reluce.** ref. que aconseja no fiarse de apariencias, porque no todo lo que parece bueno lo es en realidad. || **Oro es lo que oro vale.** fr. proverb. con que se significa que el valor de las cosas no está exclusivamente representado por el dinero. || **Oro, majado luce.** expr. fig. que enseña que las cosas cobran más estimación cuando están más experimentadas y probadas. || **Oro molido que fuese.** fr. fig. y fam. ponderativa de asentimiento o confianza. || **Oros son triunfos.** fr. proverb. que, sugerida sin duda por los juegos de naipes, denota la propensión harto general a dejarse dominar por el interés. || **Pesar** a uno **a,** o **en, oro.** fr. fig. Pagar espléndidamente a aquel de quien se ha recibido o se espera recibir algún servicio o favor. || **Poner** a uno **de oro y azul.** fr. fig. y fam. **Ponerle como chupa de dómine.** || **Valer** uno o una cosa **tanto oro como pesa.** fr.

fig. y fam. con que se pondera su excelencia.

Orobanca. (Del lat. *orobanche*, y éste del gr. ὀροβάγχη; de ὄροβος, algarroba, y ἄγχω, ahogar.) f. Planta anua de la familia de las orobancáceas, que vive parásita sobre las raíces de algunas leguminosas y tiene el tallo erguido, grueso, sencillo, escamoso, de unos cuatro decímetros de alto, con flores de corola personada, blanca o gris, que nacen en las axilas de las escamas y forman en la extremidad del tallo un grupo como cabezuela.

Orobancáceo, a. (De *orobanca*.) adj. *Bot.* Dícese de plantas angiospermas dicotiledóneas, herbáceas, que viven parásitas sobre las raíces de otras plantas; algo carnosas, con escamas en lugar de hojas, flores terminales solitarias o en espiga, y fruto capsular con multitud de semillas muy menudas y de albumen carnoso; como la orobanca o hierba tora. Ú. t. c. s. || **2.** f. pl. *Bot.* Familia de estas plantas.

Orobias. (Del lat. *orobias*, y éste del gr. ὀροβίας; de ὄρο ος, algarroba.) m. Incienso en granos menudos del tamaño de la algarroba.

Orofrés. (Del ant. fr. *orfreis*, y éste del lat. *aurum phrygium*, oro frigio.) m. ant. **Orifrés.**

Orogenia. (Del gr. ὄρος, montaña, y γένος, origen.) f. Parte de la geología, que estudia la formación de las montañas.

Orogénico, ca. adj. Perteneciente o relativo a la orogenia.

Orografía. (Del gr. ὄρος, montaña, y γράφω, describir.) f. Parte de la geografía física, que trata de la descripción de las montañas.

Orográfico, ca. adj. Perteneciente o relativo a la orografía.

Orón. m. Serón grande y redondo. || **2.** *Murc.* Sitio en que se guarda el trigo en las casas de la huerta. || **3.** *Murc.* Especie de tubo de grandes dimensiones, hecho de pleita, para contener grano.

Orondado, da. (Del lat. *ŭndŭlatus*, ondulado.) adj. ant. Ensortijado, enroscado, que va variando en ondas.

Orondadura. (De *orondado*.) f. ant. Diversidad de color en forma de ondas.

Orondo, da. (De *orondado*.) adj. Aplícase a las vasijas de mucha concavidad, hueco o barriga. || **2.** fam. Hueco, hinchado, esponjado. || **3.** fig. y fam. Lleno de presunción y muy contento de sí mismo.

Oropel. (Del lat. *auri pellis*, hoja de oro.) m. Lámina de latón, muy batida y adelgazada, que imita al oro. || **2.** fig. Cosa de poco valor y mucha apariencia. || **3.** fig. Adorno o requisito de una persona. || **Gastar** uno **mucho oropel.** fr. fig. y fam. Ostentar gran vanidad y fausto, sin tener posibles para ello.

Oropelero. m. El que fabrica o vende oropel, 1.ª acep.

Oropéndola. (Del lat. *aurĕus*, dorado, y *pinnŭla*, pluma.) f. Ave del orden de los pájaros, de unos 25 centímetros desde la punta del pico hasta la extremidad de la cola y 43 de envergadura; plumaje amarillo, con las alas y la cola negras; así como el pico y las patas. Es uno de los pájaros más hermosos de nuestros climas, abunda en España durante el verano, se alimenta de insectos, gusanos y frutas y hace el nido colgándolo, con hebras de esparto o lana, en las ramas horizontales de los árboles, de modo que se mueva al impulso del viento.

Oropimente. (Del lat. *auripigmentum*.) m. Mineral compuesto de arsénico y azufre, de color de limón, de textura laminar o fibrosa y brillo craso anacarado. Es venenoso y se emplea en pintura y tintorería.

Oroya. f. Cesta o cajón del andarivel.

Orozuz. (Del ár. *'urūq sūs*, raíces de [la planta llamada] *sūs*, regaliz.) m. P anta herbácea vivaz de la familia de las papilionáceas, con tallos casi leñosos, de un metro próximamente de altura; hojas compuestas de hojuelas elípticas, puntiagudas, glaucas y algo viscosas por el envés; flores pequeñas, azuladas, en racimos axilares, flojos y pedunculados; fruto con pocas semillas, y rizomas largos, cilíndricos, pardos por fuera y amarillos por dentro. Es común en España a orillas de muchos ríos, de donde es casi imposible extirpar los rizomas, cuyo jugo, dulce y mucilaginoso, se usa mucho en medicina como pectoral y emoliente.

Orquesta. (De *orquestra*.) f. Conjunto de instrumentos, principalmente de cuerda y de viento, que tocan unidos en los teatros y otros lugares. || **2.** Conjunto de músicos que no son de banda y tocan en el teatro o en un concierto. || **3.** Lugar destinado para los músicos, y comprendido entre la escena y las lunetas o butacas.

Orquestación. f. Acción y efecto de orquestar.

Orquestal. adj. Perteneciente o relativo a la orquesta.

Orquestar. tr. Instrumentar para orquesta.

Orquestra. (Del lat. *orchestra*, y éste del gr. ὀρχήστρα.) f. **Orquesta.**

Orquidáceo, a. (De *orchis*, nombre de un género de plantas.) adj. *Bot.* Dícese de hierbas angiospermas monocotiledóneas, vivaces, de hojas radicales y envainadoras, con flores de forma y coloración muy raras, fruto en cápsula y semillas sin albumen, y raíz con dos tubérculos elipsoidales y simétricos; como el compañón de perro, el satirión y la vainilla. Ú. t. c. s. f. || **2.** f. pl. *Bot.* Familia de estas plantas.

Orquídeo, a. (Del lat. *orchis*, y éste del gr. ὄρχις, testículo, planta bulbosa.) adj. *Bot.* **Orquidáceo.**

Orquitis. (Del gr. ὄρχις, testículo, y el sufijo *itis*.) f. *Pat.* Inflamación del testículo.

Ortega. (Del lat. *ortyx, -ȳgis*, y éste del gr. ὄρτυξ.) f. Ave del orden de las gallináceas, poco mayor que la perdiz, con las alas cortas, el plumaje de color ceniciento rojizo en general, blanco en la garganta y en la punta de la cola, negro en el abdomen y en el centro de las plumas mayores, y mucho más obscuro en el collar del macho que en el de la hembra. Es común en España, corre más que vuela, y su carne es muy estimada.

Ortiga. (Del lat. *urtīca*.) f. Planta herbácea de la familia de las urticáceas, con tallos prismáticos de seis a ocho decímetros de altura; hojas opuestas, elípticas, agudas, aserradas por el margen y cubiertas de pelos que segregan un líquido urente; flores verdosas en racimos axilares y colgantes, las masculinas en distinto pie que las femeninas, y fruto seco y comprimido. Es muy común en España. || **de mar. Acalefo.** || **de pelotillas. Ortiga romana.** || **menor,** o **moheña.** Especie que se distingue de la común en que sus hojas son ovales, y en tener en un mismo pie o planta las flores masculinas y femeninas, aunque unas y otras forman racimos separados. || **muerta.** Planta herbácea de la familia de las labiadas, con tallos vellosos de tres a cuatro decímetros de altura; hojas pecioladas, puntiagudas, acorazonadas en la base y desigualmente dentadas por el margen; flores en grupos axilares, de corola blanca o purpúrea, y fruto seco, indehiscente, con una sola semilla. Es común en los sitios húmedos. || **romana.** Especie muy parecida a la moheña, de la que se distingue principalmente por las cabezuelas, de dos milímetros de diámetro, formadas por sus flores femeninas. || **Ser** uno **como unas ortigas.** fr. fig. y fam. Ser áspero y desapacible en su trato y en sus palabras.

Ortigal. m. Terreno cubierto de ortigas.

Ortivo, va. (Del lat. *ortīvus*.) adj. *Astron.* Perteneciente o relativo al orto. *Amplitud* ORTIVA.

Orto. (Del lat. *ortus*.) m. Salida o aparición del Sol o de otro astro por el horizonte.

Ortodoncia. (Del gr. ὀρθός, recto, y ὀδών, diente.) f. *Cir.* Rama de la odontología que procura corregir las malformaciones y defectos de la dentadura.

Ortodoxia. (Del lat. *orthodoxĭa*, y éste del gr. ὀρθοδοξία.) f. Rectitud dogmática o conformidad con el dogma católico. || **2.** Por ext., conformidad con la doctrina fundamental de cualquiera secta o sistema.

Ortodoxo, xa. (Del lat. *orthodoxus*, y éste del gr. ὀρθόδοξος; de ὀρθός, recto, y δόξα, opinión.) adj. Conforme con el dogma católico. *Escritor* ORTODOXO, *opinión* ORTODOXA. Apl. a pers., ú. t. c. s. *Un* ORTODOXO, *los* ORTODOXOS. || **2.** Por ext., conforme con la doctrina fundamental de cualquiera secta o sistema. || **3.** Calificativo que sus adeptos dan a ciertas religiones de la Europa oriental, que niegan que el Espíritu Santo proceda del Hijo; como la griega y la rumana. || **4.** Perteneciente o relativo a estas religiones. Apl. a pers., ú. t. c. s.

Ortodromia. (Del gr. ὀρθόδρομος, que corre derechamente.) f. *Mar.* Arco de círculo máximo, camino más corto que puede seguirse en la navegación entre dos puntos.

Ortodrómico, ca. adj. *Mar.* Perteneciente o relativo a la ortodromia. *Línea, navegación,* ORTODRÓMICA.

Ortoepía. (Del gr. ὀρθός, recto, y ἔπος, palabra.) f. Arte de pronunciar correctamente.

Ortogonal. (Del lat. *orthogōnus*, rectángulo.) adj. Dícese de lo que está en ángulo recto. || **2.** *Geom.* V. **Proyección ortogonal.**

Ortogonio. (Del lat. *orthogonĭus*, y éste del gr. ὀρθογώνιος; de ὀρθός, recto, y γωνία, ángulo.) adj. *Geom.* V. **Triángulo ortogonio.**

Ortografía. (Del lat. *orthographĭa*, y éste del gr. ὀρθογραφία.) f. *Geom.* Delineación del alzado de un edificio u otro objeto. || **2.** *Gram.* Parte de la gramática, que enseña a escribir correctamente por el acertado empleo de las letras y de los signos auxiliares de la escritura. || **degradada,** o **en perspectiva.** *Geom.* **Ortografía proyecta.** || **geométrica.** *Geom.* Proyección ortogonal en un plano vertical. || **proyecta.** *Geom.* **Perspectiva lineal.**

Ortográfico, ca. adj. Perteneciente o relativo a la ortografía.

Ortógrafo, fa. (Del lat. *orthogrăphus*, y éste del gr. ὀρθογράφος; de ὀρθός, recto, y γράφω, escribir.) m. y f. Persona que sabe o profesa la ortografía.

Ortología. (Del gr. ὀρθολογία; de ὀρθός, recto, justo, y λόγος, lenguaje.) f. Arte de pronunciar correctamente y, en sentido más general, de hablar con propiedad.

Ortológico, ca. adj. Perteneciente o relativo a la ortología.

Ortólogo, ga. m. y f. Persona versada en ortología.

Ortopedia. (Del gr. ὀρθός, recto, y παῖς, παιδός, niño.) f. Arte de corregir o de evitar las deformidades del cuerpo humano, por medio de ciertos aparatos o de ejercicios corporales.

Ortopédico, ca. adj. Perteneciente o relativo a la ortopedia. || **2.** m. y f. **Ortopedista.**

Ortopedista. com. Persona que ejerce o profesa la ortopedia.

Ortóptero. (Del gr. ὀρθός, recto, y πτερόν, ala.) adj. *Zool.* Dícese de insectos masticadores, de metamorfosis sencillas, que tienen un par de élitros consistentes y otro de alas membranosas plegadas longitudinalmente; como los saltamontes y los grillos. Ú. t. c. s. || **2.** m. pl. *Zool.* Orden de estos insectos.

Ortosa. (Del gr. ὀρθός, recto.) f. Feldespato de estructura laminar, de color blanco o gris amarillento, opaco, de cruceros en ángulo recto y muy abundante en las rocas hipogénicas. Es un silicato de alúmina y potasa.

Oruga. (Del lat. *urūca, erūca.*) f. Planta herbácea anual, de la familia de las crucíferas, con tallos vellosos de cuatro a cinco decímetros de altura, hojas lanceoladas y partidas en varios gajos puntiagudos, flores axilares y terminales de pétalos blancos con venas moradas, y fruto en vainilla cilíndrica, con semillas globosas, amarillentas y menudas. Es común en los linderos de los campos cultivados, y las hojas se usan como condimento por su sabor picante. || **2.** Salsa gustosa que se hace de esta planta, con azúcar o miel, vinagre y pan tostado, y se distingue llamándola **oruga** de azúcar o de miel. || **3.** *Zool.* Larva de los insectos lepidópteros que es vermiforme, con doce anillos casi iguales y de colores muy variados, según las especies; su boca está provista de un aparato masticador con el que tritura los alimentos, que son principalmente hojas vegetales. || **4.** *Mec.* Llanta articulada, a manera de cadena sin fin, que se aplica a las ruedas de cada lado del vehículo y permite a éste avanzar por terreno escabroso. || **Oruga le dio.** expr. fig. y fam. que se dice cuando una cosa se ha perdido o desperdiciado.

Orujo. (Quizá de *borujo.*) m. Hollejo de la uva, después de exprimida y sacada toda la substancia. || **2.** Residuo de la aceituna molida y prensada, del cual se saca aceite de calidad inferior. || **De orujo exprimido, nunca mosto corrido.** ref. que da a entender que no se puede sacar mucho fruto de donde no hay substancia.

Orvallar. (Del port. *orvalhar.*) intr. En algunas partes, **lloviznar.**

Orvalle. (En fr. *orvale.*) m. **Gallocresta,** 1.ª acep.

Orvallo. (Del port. *orvalho.*) m. En algunas partes, **llovizna.**

Orza. (Del lat. *urcĕus.*) f. Vasija vidriada de barro, alta y sin asas, que sirve por lo común para guardar conserva.

Orza. (Del neerl. *lurz,* izquierda.) f. *Mar.* Acción y efecto de orzar. || **2.** *Mar.* Pieza suplementaria metálica y de forma aproximadamente de triángulo rectángulo, cuyo cateto mayor se aplica y asegura exteriormente a la quilla de los balandros de regata, a fin de aumentar su calado y procurar su mayor estabilidad y mejor gobierno para ceñir. || **a popa.** Cabo con que se lleva a popa el car de la entena. || **de avante, o de novela.** *Mar.* **Orza** a popa del trinquete. || **A orza.** m. adv. *Mar.* Dícese cuando el buque navega poniendo la proa hacia la parte de donde viene el viento; y porque suele tumbarse o ladearse cuando navega así, se dice, por semejanza, de las cosas que están torcidas o ladeadas.

Orzaga. (Del ár. *'uššāqa,* y éste del lat. *oxalĭca,* de acederas.) f. Planta fruticosa de la familia de las quenopodiáceas, que crece hasta metro y medio de altura, con tallos herbáceos, hojas alternas, pecioladas, elípticas, algo arrugadas, de color blanquecino; flores pequeñas, verdosas, en grupos axilares, separadas las masculinas de las femeninas, y fruto esférico, casi leñoso. Es planta barrillera, común en nuestras costas.

Orzar. (De *orza.*) intr. *Mar.* Inclinar la proa hacia la parte de donde viene el viento.

Orzaya. (Del vasc. *aurrzaya;* de *aurr,* niño, y *zaya,* guarda.) f. **Niñera.**

Orzoyo. (De *oro obrizo.*) m. Pelo o hebra de la seda dispuesto para labrar el terciopelo.

Orzuela. f. d. de **Orza,** 1.er art.

Orzuelo. (Del lat. *hordeŏlus.*) m. Divieso pequeño que nace en el borde de uno de los párpados.

Orzuelo. m. Trampa oscilante, a modo de ratonera, para coger perdices vivas. || **2.** Especie de cepo para prender las fieras por los pies.

Os. (Del lat. *vos.*) Dativo y acusativo del pronombre de segunda persona en género masculino o femenino y número plural. No admite preposición y puede usarse como sufijo. os *amé; ama*os. En el tratamiento de *vos* hace indistintamente oficio de singular o plural. *Yo* os *perdono* (dirigiéndose a una sola persona, o a dos o mas). Cuando se emplea como sufijo con las segundas personas de plural del imperativo de los verbos, pierden estas personas su *d* final. *Detene*os. Exceptúase únicamente *id.*

¡Os! interj. **¡Ox!**

Osa. (Del lat. *ŭrsa.*) f. Hembra del oso. || **Mayor.** *Astron.* Constelación siempre visible en el hemisferio boreal, y fácil de conocer por el brillo de siete de sus estrellas, cuatro que forman cuadrilátero, y las otras tres un arco de círculo que parte de uno de los vértices del mismo cuadrilátero, semejando en junto un carro sin ruedas. || **Menor.** *Astron.* Constelación boreal de forma semejante a la de la **Osa** Mayor, pero menor y con disposición inversa y estrellas menos brillantes, una de las cuales, la más separada del cuadrilátero, es la polar, que dista menos de grado y medio del polo ártico.

Osadamente. adv. m. Atrevidamente, con intrepidez o sin conocimiento o reflexión.

Osadía. (De *osado.*) f. Atrevimiento, audacia, resolución.

Osado, da. p. p. de **Osar.** || **2.** adj. Que tiene osadía. || **A osadas.** m. adv. ant. **Osadamente.** || **2.** ant. Ciertamente, en verdad, a fe.

Osambre. m. **Osamenta.**

Osamenta. (Del lat. *ossa,* huesos.) f. **Esqueleto,** 1.ª acep. || **2.** Conjunto de huesos de que se compone el esqueleto.

Osar. (De *hueso.*) m. **Osario,** 1.er art.

Osar. (Del lat. **ausāre,* de *ausus,* atrevido.) intr. Atreverse; emprender alguna cosa con audacia.

Osario. (Del lat. *ossarium.*) m. Lugar destinado en las iglesias o en los cementerios para reunir los huesos que se sacan de las sepulturas a fin de volver a enterrar en ellas. || **2.** Cualquier lugar donde se hallan huesos.

Osario. (Del lat. *fossa.*) m. ant. Lugar donde se enterraban en España los moros y judíos.

Oscense. (Del lat. *oscensis.*) adj. Natural de Osca, hoy Huesca. Ú. t. c. s. || **2.** Perteneciente a esta antigua ciudad de la España Tarraconense. || **3.** Natural de Huesca. Ú. t. c. s. || **4.** Perteneciente a esta ciudad.

Oscilación. (Del lat. *oscillatĭo, -ōnis.*) f. Acción y efecto de oscilar. || **2.** Espacio recorrido por el cuerpo oscilante, entre sus dos posiciones extremas.

Oscilador. m. *Fís.* Aparato destinado a producir oscilaciones eléctricas o mecánicas.

Oscilante. (Del lat. *oscillans, -antis.*) p. a. de **Oscilar.** Que oscila. || **2.** adj. V. **Piedra oscilante.**

Oscilar. (Del lat. *oscillāre.*) intr. Moverse alternativamente de un lado para otro; describir, moviéndose en opuestos sentidos, la misma línea. || **2.** fig. Crecer y disminuir alternativamente, con más o menos regularidad, la intensidad de algunas manifestaciones o fenómenos. OSCILAR *el precio de las mercancías, la presión atmosférica,* etc. **3.** fig. **Vacilar,** 3.ª acep.

Oscilatorio, ria. adj. Aplícase al movimiento de los cuerpos que oscilan, y a su aptitud o disposición para oscilar.

Oscilógrafo. m. Aparato registrador de oscilaciones.

Oscitancia. (Del lat. *oscĭtans, -antis,* descuidado, negligente.) f. Inadvertencia que proviene de descuido.

Osco, ca. (Del lat. *oscus.*) adj. Dícese del individuo de uno de los antiguos pueblos de la Italia central. Ú. t. c. s. || **2.** Perteneciente a los **oscos.** || **3.** m. Lengua **osca.**

Ósculo. (Del lat. *oscŭlum.*) m. **Beso,** 1.ª acep.

Oscuramente. adv. m. **Obscuramente.**

Oscurantismo. m. **Obscurantismo.**

Oscurantista. adj. **Obscurantista.** Apl. a pers., ú. t. c. s.

Oscurecer. tr. **Obscurecer.** Ú. t. c. r.

Oscurecimiento. m. **Obscurecimiento.**

Oscuridad. f. **Obscuridad.**

Oscuro, ra. adj. **Obscuro.** || **2.** *Pint.* V. **Claro oscuro.** || **A oscuras.** m. adv. **A obscuras.**

Osear. (De *¡Ox!*) tr. **Oxear.**

Osecico, llo, to, m. d. de **Hueso.**

Óseo, a. (Del lat. *ossĕus.*) adj. De hueso. || **2.** De la naturaleza del hueso.

Osera. f. Cueva donde se recoge el oso para abrigarse y para criar sus hijuelos.

Osería. f. ant. Cacería de osos.

Oscro. (Del lat. *ossarium.*) m. **Osario,** 1.er art., 1.ª y 2.ª aceps.

Oseta. (De *osar.*) f. *Germ.* Lo que pertenece a la rufianesca. || **Echar de la oseta.** fr. *Germ.* Hablar recio, jurando y perjurando, y diciendo con enfado cuanto se viene a la boca.

Osezno. m. Cachorro del oso.

Osezuelo. m. d. de **Hueso.**

Osiánico, ca. adj. Perteneciente o relativo a Osián, supuesto bardo escocés, y a las poesías que se le atribuyen.

Osificación. f. Acción y efecto de osificarse.

Osificarse. (Del lat. *os, ossis,* hueso, y *facĕre,* hacer.) r. Volverse, convertirse en hueso o adquirir la consistencia de tal una materia orgánica.

Osífraga. (Del lat. *ossifrăga.*) f. **Osífrago.**

Osífrago. (Del lat. *ossifrăgus;* de *os, ossis,* hueso, y *frangĕre,* quebrantar.) m. **Quebrantahuesos,** 1.ª acep.

Osmanlí. (Del turco *'uṯmānlī,* otomano.) adj. **Otomano.** Apl. a pers., ú. t. c. s.

Osmazomo. (Del gr. ὀσμή, olor, y ζωμός, jugo.) m. Mezcla de varios principios azoados procedentes de la carne, a los que debe el caldo su olor y sabor característicos.

Osmio. (Del gr. ὀσμή, olor.) m. Metal semejante al platino, fácilmente atacable por los ácidos, y que forma con el oxígeno un ácido de olor muy fuerte y desagradable.

Ósmosis [Osmosis]. (Del gr. ὠσμός, acción de empujar, impulso.) f. *Fís.* Paso recíproco de líquidos de distinta densidad a través de una membrana que los separa.

Osmótico, ca. adj. Perteneciente o relativo a la ósmosis.

Oso. (Del lat. *ŭrsus.*) m. Mamífero carnicero plantígrado, que llega a tener un metro de altura en la cruz y metro y medio desde la punta del hocico hasta la cola; pelaje pardo, abundante, largo y lacio; cabeza grande, ojos pequeños, extremidades fuertes y gruesas, cinco dedos en cada una, con uñas recias y ganchosas, y cola muy corta. Vive en lo más espeso de los montes del norte de España, se alimenta con preferencia de vegetales, si bien, acosado por el hambre, ataca a toda clase de ganados y aun al hombre; es de andar perezoso, trepa a los árboles y se pone en dos pies para acometer y defenderse. || **2.** V. **Oreja de oso.** || **blanco.** Especie mayor que la común, con cabeza aplastada, hocico puntiagudo y pelaje blanco y liso. Habita en los países marítimos más septentrionales, es muy feroz, y aventurándose sobre los témpanos de hielo, persigue y devora las focas, morsas y peces que puede coger zambulléndose en el mar. || **colmenero.** El que tiene por costumbre robar colmenas para comerse la miel. || **hormiguero.** Mamífero desdentado de América, que se alimenta de hormigas, recogiéndolas con su lengua larga, delgada y casi cilíndrica, cuando alarmadas acuden atropelladamente a la salida del hormiguero que el **oso** deshace con sus uñas. Tiene más de un metro de largo desde el hocico hasta la raíz del maslo, y su pelo es áspero y tieso, de color agrisado y con listas negras de bordes blancos que van desde la nuca a la pierna por los lados del pescuezo y del lomo. || **marino.** Especie de foca de dos metros próximamente de largo, cabeza parecida a la del **oso**, ojos prominentes, orejas puntiagudas y pelaje pardo rojizo muy suave. Habita en el océano polar Antártico. || **marítimo. Oso blanco.** || **marsupial.** Mamífero marsupial australiano semejante a un **oso** pequeño. Carece de cola, y su pelaje es muy tupido, blando, suave y de color ceniciento. Es inofensivo y se alimenta de las partes verdes de los eucaliptos. || **negro.** Especie de **oso** mayor que el común, con el hocico más prolongado, pelaje más liso, de color negro, y que come hormigas con preferencia a otros alimentos. || **pardo. Oso,** 1.ª acep. || **Hacer** uno **el oso.** fr. fig. y fam. Exponerse a la burla o lástima de las gentes, haciendo o diciendo tonterías. || **2.** fig. y fam. Galantear, cortejar sin reparo ni disimulo.

Ososo, sa. (Del lat. *ossuōsus.*) adj. Perteneciente al hueso. || **2.** Que tiene hueso o huesos. || **3. Óseo.**

Osta. (Del b. lat. *hosta* y *osta.*) f. *Mar.* Cabos o aparejos que mantienen firmes los picos cangrejos en los balances o cuando van orientadas sus velas, y que sirven también para guiarlos cuando se izan o arrían.

Ostaga. (De *ustaga.*) f. *Mar.* Cabo que pasa por el montón situado en la cruz de las vergas de gavia y por el de la cabeza del mastelero, y sirve para izar dichas vergas.

¡Oste! interj. **¡Oxte!** || **No decir oste ni moste.** fr. **Sin decir oxte ni moxte.**

Osteítis. (Del gr. ὀστέον, hueso, y el sufijo *itis*, inflamación.) f. *Med.* Inflamación de los huesos.

Ostensible. (Del lat. *ostensum*, supino de *ostendĕre*, mostrar.) adj. Que puede manifestarse o mostrarse. || **2. Manifiesto,** 2.ª acep.

Ostensiblemente. adv. m. De un modo ostensible.

Ostensión. (Del lat. *ostensĭo, -ōnis.*) f. Manifestación de una cosa.

Ostensivo, va. (Del lat. *ostensum*, supino de *ostendĕre*, mostrar.) adj. Que muestra u ostenta una cosa.

Ostentación. (Del lat. *ostentatĭo, -ōnis.*) f. Acción y efecto de ostentar. || **2.** Jactancia y vanagloria. || **3.** Magnificencia exterior y visible.

Ostentador, ra. (Del lat. *ostentātor.*) adj. Que ostenta. Ú. t. c. s.

Ostentar. (Del lat. *ostentāre.*) tr. Mostrar o hacer patente una cosa. || **2.** Hacer gala de grandeza, lucimiento y boato.

Ostentativo, va. adj. Que hace ostentación de una cosa.

Ostento. (Del lat. *ostentum.*) m. Apariencia que denota prodigio de la naturaleza o cosa milagrosa o monstruosa.

Ostentosamente. adv. m. Con ostentación.

Ostentoso, sa. (Del lat. *ostentuōsus.*) adj. Magnífico, suntuoso, aparatoso y digno de verse.

Osteolito. m. *Paleont.* Hueso fósil.

Osteología. (Del gr. ὀστεολογία; de ὀστέον, hueso, y λόγος, tratado.) f. Parte de la anatomía, que trata de los huesos.

Osteológico, ca. adj. Perteneciente o relativo a la osteología.

Osteoma. (Del gr. ὀστέον, hueso, y el sufijo ωμα, tumor.) m. *Med.* Tumor de naturaleza ósea o con elementos de tejido óseo.

Osteomalacia. (Del lat. *osteomalacĭa*, y éste del gr. ὀστέον, hueso, y μαλακός, blando.) f. *Med.* Proceso morboso consistente en el reblandecimiento de los huesos por la pérdida de sus sales calcáreas.

Osteomielitis. f. Inflamación simultánea del hueso y de la medula ósea.

Osteotomía. f. *Cir.* Resección de un hueso.

Ostia. (Del lat. *ostrĕa.*) f. **Ostra.**

Ostiario. (Del lat. *ostiarĭus; de ostium*, puerta.) m. Clérigo que había obtenido uno de los cuatro grados menores, cuyas funciones eran abrir y cerrar la iglesia, llamar a los dignos a tomar la comunión y repeler a los indignos.

Ostión. (De *ostia.*) m. **Ostrón.**

Ostra. (Del lat. *ostrĕa.*) f. *Zool.* Molusco lamelibranquio marino, monomiario, con concha de valvas desiguales, ásperas, de color pardo verdoso por fuera, lisas, blanco y algo anacaradas por dentro, de las cuales la mayor es más convexa que la otra y está adherida a las rocas. Es comestible muy apreciado. || **2.** *Zool.* Concha de la madreperla.

Ostracismo. (Del lat. *ostracismus*, y éste del gr. ὀστρακισμός; de ὀστρακίζω, condenar a ostracismo; de ὄστρακον, concha, tejuelo en forma de concha en que los atenienses escribían el nombre del condenado a destierro.) m. Destierro político acostumbrado entre los atenienses. || **2.** fig. Exclusión voluntaria o forzosa de los oficios públicos, a la cual suelen dar ocasión los trastornos políticos.

Ostral. m. **Ostrero,** 3.ª y 4.ª aceps.

Ostrera. f. En las costas del Cantábrico, **ostrero,** 3.ª acep.

Ostrero, ra. adj. Perteneciente o relativo a las ostras. || **2.** m. y f. Persona que vende ostras. || **3.** m. Lugar donde se crían y conservan vivas las ostras. || **4.** Lugar en que se crían las perlas.

Ostrícola. (De *ostra*, y el lat. *colĕre*, cultivar.) adj. Perteneciente o relativo a la cría y conservación de las ostras.

Ostricultura. (De *ostra.*) f. Arte de criar ostras.

Ostrífero, ra. (Del lat. *ostrĭfer; de ostrĕa*, ostra, y *ferre*, llevar.) adj. Que cría ostras o abunda en ellas.

Ostro. (Del lat. *ostrĕum.*) m. **Ostrón.**

Ostro. (Del lat. *ostrum.*) m. Cualquiera de los moluscos cuya tinta servía en lo antiguo para dar a las telas el famoso color de púrpura. || **2.** fig. **Púrpura,** 2.ª acep.

Ostro. m. **Austro.** || **2. Sur,** 1.ª acep.

Ostrogodo, da. (Del germ. *ost*, el oriente, y *got*, godo.) adj. Dícese del individuo de aquella parte del pueblo godo que después de abandonar éste a Escandinavia, estuvo establecida al oriente de Dniéper, y la cual fundó un reino en Italia. Ú. t. c. s. || **2.** Perteneciente o relativo a los **ostrogodos.**

Ostrón. (aum. de *ostra.*) m. Especie de ostra, mayor y más basta que la común.

Ostugo. m. **Rincón.** || **2. Pizca.**

Osudo, da. adj. **Huesudo.**

Osuno, na. adj. Perteneciente al oso.

Otacusta. (Del lat. *otacusta*, y éste del gr. ὠτακουστής; de οὖς, ὠτός, oreja, y ἀκούω, oír.) m. ant. Espía o escucha. || **2.** ant. fig. Persona que vive de traer y llevar cuentos, chismes y enredos.

Otacústico, ca. (De *otacusta.*) adj. Dícese del aparato que ayuda y perfecciona el sentido del oído.

Otalgia. (Del lat. *otalgĭa*, y éste del gr. ὠταλγία; de οὖς, ὠτός, oído, y ἄλγος, dolor.) f. *Med.* Dolor de oídos.

Otar. (Del ant. *oto*, y éste del lat. *altus.*) tr. ant. **Otear.**

Otario, ria. adj. *Argent.* Tonto, necio, fácil de embaucar.

Oteador, ra. adj. Que otea. Ú. t. c. s.

Otear. (Del ant. *oto*, y éste del lat. *altus.*) tr. Registrar desde lugar alto lo que está abajo. || **2.** Escudriñar, registrar o mirar con cuidado.

Otero. (Del lat. *altarĭum*, altar.) m. Cerro aislado que domina un llano.

Oteruelo. m. d. de **Otero.**

Otilar. intr. *Ar.* Aullar el lobo.

Otitis. (Del gr. οὖς, ὠτός, oído, y el sufijo *itis.*) f. *Med.* Inflamación del órgano del oído. || **externa.** *Med.* La que no pasa más allá de la membrana del tambor. || **interna.** *Med.* La que afecta la caja del tímpano y la trompa de Eustaquio.

Oto. (Del lat. *otus*, búho.) m. **Autillo,** 2.° art.

Otoba. f. Árbol de la América tropical, semejante a la mirística, y cuyo fruto es muy parecido a la nuez moscada.

Otología. (Del gr. οὖς, ὠτός, oído, y λόγος, tratado.) f. *Med.* Parte de la patología, que estudia las enfermedades del oído.

Otológico, ca. adj. Perteneciente o relativo a la otología.

Otólogo. (De *otologia.*) m. Médico que se dedica especialmente al estudio y tratamiento de las enfermedades del oído.

Otomán. m. Tela de tejido acordonado que se usa principalmente para vestidos de mujer.

Otomana. f. Sofá otomano, o sea al estilo de los que usan los turcos o los árabes.

Otománico, ca. (De *otomano.*) adj. ant. **Turco,** 3.ª acep.

Otomano, na. (Del ár. *'Uṯmān*, n. p. del fundador de la dinastía que de él tomó nombre.) adj. **Turco.** Apl. a pers., ú. t. c. s.

Otoñada. f. Tiempo o estación del otoño. || **2. Otoño,** 1.ª acep. || **3.** Sazón de la tierra y abundancia de pastos en el otoño. *Con estas lluvias tendremos buena* OTOÑADA.

Otoñal. adj. Propio del otoño o perteneciente a él. || **2.** V. **Trigo otoñal.**

Otoñar. (Del lat. *autŭmnāre.*) intr. Pasar el otoño. || **2.** Brotar la hierba en el otoño. || **3.** r. Sazonarse, adquirir tempero la tierra, por llover suficientemente en el otoño.

Otoñizo, za. adj. **Otoñal,** 1.ª acep.

Otoño. (Del lat. *autŭmnus.*) m. Estación del año que, astronómicamente, principia en el equinoccio del mismo nombre y termina en el solsticio de invierno. || **2.** Época templada del año, que en el hemisferio boreal corresponde a los meses de septiembre, octubre y noviembre, y en el austral a nuestra primavera. || **3.** Segunda hierba o heno que producen los prados en la estación del **otoño.**

Otor. (De *autor*) m. ant. *For.* Persona señalada en juicio por poseedora o autora de una cosa para poder ser demandada.

Otorgadero, ra. adj. Que se puede o debe otorgar.

Otorgador, ra. adj. Que otorga. Ú. t. c. s.

Otorgamiento. (De *otorgar.*) m. Permiso, consentimiento, licencia, parecer favorable. || **2.** Acción de otorgar un instrumento; como poder, testamento, etc. || **3.** Escritura de contrato o de última voluntad. || **4.** Parte final del documento, especialmente del notarial, en que éste se aprueba, cierra y solemniza.

Otorgante. p. a. de **Otorgar.** Que otorga. Ú. t. c. s.

Otorgar. (Del lat. **auctoricāre*, de *auctorāre.*) tr. Consentir, condescender o conceder una cosa que se pide o se pregunta. || **2.** *For.* Disponer, establecer, ofrecer, estipular o prometer una cosa. Dícese por lo común cuando interviene solemnemente la fe notarial.

Otorgo. (De *otorgar.*) m. ant. **Otorgamiento.** || **2.** Contrato esponsalicio y capitulaciones matrimoniales.

Otoría. (De *otor.*) f. ant. *For.* Designación o nombramiento que hacía en juicio aquel a quien demandaban una cosa o le atribuían haberla hecho, determinando otra persona contra quien, como responsable o autor de ella, se debía dirigir la acción, demanda o inquisición.

Otorrea. (Del gr. οὖς, ὠτός, oído, y ῥέω, fluir.) f. *Med.* Flujo mucoso o purulento procedente del conducto auditivo externo, y también de la caja del tambor cuando, a consecuencia de enfermedad, se ha perforado la membrana timpánica.

Otorrinolaringología. (Del gr. οὖς, ὠτός, oído; ῥίς, ῥινός, nariz; λάρυγξ, -γγος, laringe, y λογία, de λόγος, tratado.) f. Parte de la patología, que trata de las enfermedades del oído, nariz y laringe.

Otorrinolaringólogo. m. Médico que se dedica especialmente a la otorrinolaringología.

Otoscopia. (De *otoscopio.*) f. *Med.* Exploración del órgano del oído.

Otoscopio. (Del gr. οὖς, ὠτός, oído, y σκοπέω, examinar.) m. *Med.* Instrumento para reconocer el órgano del oído.

Otramente. adv. m. De otra suerte.

Otre. (De *otri.*) adj. ant. **Otro.**

Otri. (De *otro*, infl. por *qui.*) adj. ant. **Otro.** Usáb. t. c. s. Las formas **otre** y **otri** se usan aún en algunos pueblos de Navarra, Soria y Logroño.

Otro, tra. (Del lat. *altĕrum*, acus. de *alter.*) adj. Aplícase a la persona o cosa distinta de aquella de que se habla. Ú. t. c. s. || **2.** Ú. muchas veces para explicar la suma semejanza entre dos cosas o personas distintas. *Es* OTRO *Cid.* || **3.** V. **El otro mundo.** || **4.** V. **La otra vida.** || **Ésa es otra.** expr. con que se explica que lo que se dice es nuevo despropósito, impertinencia o dificultad. || **¡Otra!** Voz con que se pide en espectáculos públicos la inmediata repetición de un pasaje, canto, etc., que ha agradado extraordinariamente. || **2.** interj. que denota la impaciencia causada por la pesadez o los errores del interlocutor. || **Otra, u otro, que tal.** expr. fam. con que se da a entender la semejanza de cualidades de algunas personas o cosas. Tómase por lo común en mala parte. || **Otra te pego.** expr. fig. y fam. que denota la continuación en la impertinencia de los dichos o en la adversidad de los hechos. || **2.** Desagrado que causa dicha impertinencia. || **3. Dale bola.**

Otrora. (De *otra hora.*) adv. m. En otro tiempo.

Otrosí. (Del lat. *altĕrum*, otro, y *sic*, así.) adv. c. Demás de esto, además. Ú. por lo común en lenguaje forense. || **2.** m. *For.* Cada una de las peticiones o pretensiones que se ponen después de la principal.

Otubre. m. ant. **Octubre.**

Ova. (Del lat. *ŭlva.*) f. *Bot.* Cualquiera de las algas unicelulares, de color verde, cuyo tallo está dividido en filamentos sencillos o ramificados, o bien en láminas grandes y foliáceas o estrechas a modo de cintas, y que se crían en el mar o en los ríos y estanques, flotantes en el agua o fijas al fondo por apéndices radicosos. Ú. m. en pl. || **de río. Ajomate.** || **marina.** La que tiene expansiones laminares huecas, tubulosas, casi siempre ramificadas y que vive en aguas marinas y salobres.

Ovación. (Del lat. *ovatĭo, -ōnis.*) f. Uno de los triunfos menores que concedían los romanos por haber vencido a los enemigos sin derramar sangre, o por alguna victoria de no mucha consideración. El que triunfaba de este modo, entraba en Roma a pie o a caballo y sacrificaba una oveja; a diferencia del triunfador en los triunfos mayores, que entraba en un carro y sacrificaba un toro. || **2.** V. **Corona de ovación.** || **3.** fig. Aplauso ruidoso que colectivamente se tributa a una persona o cosa.

Ovacionar. tr. Aclamar, tributar una ovación, 3.ª acep.

Ovado, da. (Del lat. *ovātus.*) adj. Aplícase al ave después de haber sido sus huevos fecundados por el macho. || **2. Aovado,** 2.ª acep. || **3. Ovalado.**

Oval. (Del lat. *ovum*, huevo.) adj. De figura de óvalo.

Oval. (Del lat. *ovālis.*) adj. V. **Corona oval.**

Ovalado, da. p. p. de **Ovalar.** || **2.** adj. **Oval,** 1.er art.

Ovalar. tr. Dar a una cosa figura de óvalo.

Óvalo. (Del lat. *ovum*, huevo, por la forma.) m. Cualquiera curva cerrada, con la convexidad vuelta siempre a la parte de afuera, como en la elipse, y simétrica respecto de uno o de dos ejes.

Ovante. (Del lat. *ovans, -antis*, p. a. de *ovare*, triunfar.) adj. Aplícase al que entre los romanos conseguía el honor de la ovación. || **2.** Victorioso o triunfante.

Ovar. (Del lat. *ovum*, huevo.) intr. **Aovar.**

Ovárico, ca. adj. *Bot.* y *Zool.* Perteneciente o relativo al ovario. || **2.** *Zool.* V. **Vesícula ovárica.**

Ovario. (Del lat. *ovarius.*) m. *Arq.* Moldura adornada con óvalos. || **2.** *Bot.* Parte inferior del pistilo, que contiene los óvulos. || **3.** *Zool.* Cada uno de los órganos de que se forman los óvulos, que en las hembras de la mayoría de los animales existen en número de dos.

Ovariotomía. (De *ovario*, y del gr. τομή, sección, corte.) f. *Cir.* Operación que consiste en la extirpación de uno o de ambos ovarios.

Ovaritis. (De *ovario* y el sufijo *itis.*) f. *Pat.* Inflamación de los ovarios.

Ovas. (Del lat. *ova*, huevos.) f. pl. En algunas partes, **hueva.**

Ovecico. m. d. de **Huevo.**

Oveja. (Del lat. *ovicŭla.*) f. Hembra del carnero. || **2.** fig. y fam. V. **Panza de oveja.** || **3.** *Amér. Merid.* **Llama,** 3.er art. || **negra.** fig. Persona que, en una familia o colectividad poco numerosa, difiere desfavorablemente de las demás. || **renil.** La machorra o castrada. || **Cada oveja con su pareja.** ref. que enseña que cada uno se contenga en su estado, igualándose sólo con los de su esfera. || **Encomendar las ovejas al lobo.** fr. fig. Encargar los negocios, hacienda u otras cosas a quien las pierda o destruya. || **La más ruin oveja se ensucia en la colodra.** ref. con que se denota que las personas más inútiles suelen ser las más perjudiciales. || **Oveja chiquita, cada año es corderita.** ref. que da a entender que las personas de pequeña estatura suelen disimular bien la edad. || **Oveja duenda, mama a su madre y a la ajena.** ref. que enseña que la afabilidad y buen trato se concilian el agrado y benevolencia en general. || **Oveja harta, de su rabo se espanta.** ref. que habla contra los regalones y acomodados, a quienes cualquier suceso les causa recelo. || **Oveja que bala, bocado pierde.** ref. que enseña que el que se divierte fuera de su intento, se atrasa o pierde en lo principal. || **Ovejas bobas, por do va una van todas.** ref. que enseña el poder que tienen el ejemplo y la mala compañía. || **Ovejas y abejas, en tus dehesas.** ref. que indica la conveniencia de tener estas dos granjerías en tierras propias, porque en las ajenas dan poca utilidad. || **Quien tiene ovejas tiene pellejas.** ref. que advierte que el que está a la utilidad, también está expuesto al daño.

Ovejería. f. *Amér. Merid.* Ganado ovejuno y hacienda destinada a su crianza. || **2.** *Chile.* Crianza de ovejas.

Ovejero, ra. adj. Que cuida de las ovejas. Ú. t. c. s.

Ovejuela. f. d. de **Oveja.**

Ovejuno, na. adj. Perteneciente o relativo a las ovejas.

Overa. (Del lat. *ovum*, huevo.) f. Ovario de las aves.

Overo, ra. (De *hovero.*) adj. Aplícase a los animales de color parecido al del melocotón, y especialmente al caballo. Ú. t. c. s.

Overo. (Del lat. *ovum*, huevo.) adj. V. **Ojo overo.**

Ovetense. adj. Natural de Oviedo. Ú. t. c. s. || **2.** Perteneciente a esta ciudad.

Ovezuelo. m. d. de **Huevo.**

Ovidiano, na. adj. Propio y característico de Ovidio como escritor, o que tiene semejanza con su estilo.

Óvido. (Del lat. *ovis*, oveja.) adj. *Zool* Dícese de mamíferos rumiantes de la familia de los bóvidos, muchos de ellos cubiertos de abundante lana, con cuernos de sección triangular y retorcidos en espiral o encorvados hacia atrás; como los carneros y cabras. Ú. t. c. s. m.

Oviducto. (Del lat. *ovum*, huevo, y *ductus*, conducto.) m. *Zool.* Conducto por el que los óvulos de los animales salen del ovario para ser fecundados. En la especie humana se llama trompa de Falopio.

Ovil. (Del lat. *ovīle*; de *ovis*, oveja.) m. Redil, aprisco. || **2.** *Germ.* Cama, lecho.

Ovillar. intr. Hacer ovillos. || **2.** r. Encogerse y recogerse haciéndose un ovillo.

Ovillejo. m. d. de **Ovillo.** || **2.** Combinación métrica que consta de tres versos octosílabos, seguidos cada uno de ellos de un pie quebrado que con él forma consonancia, y de una redondilla cuyo último verso se compone de los tres pies quebrados. Antiguamente se dio el mismo nombre a otras combinaciones métricas. || **Decir de ovillejo.** fr. Decir coplas de repente dos o más sujetos, de modo que con el último verso de la que uno de ellos dice, forme consonante el primero de la que dice otro.

Ovillo. (Por el [l]*obillo*, del lat. *globellus.*) m. Bola o lío que se forma devanando hilo de lino, de algodón, seda, lana, etc. || **2.** fig. Cosa enredada y de figura redonda. || **3.** fig. Montón o multitud confusa de cosas, sin trabazón ni arte. || **4.** *Germ.* Lío de ropa. || **Hacerse** uno **un ovillo.** fr. fig. y fam. Encogerse, contraerse, acurrucarse por miedo, dolor u otra causa natural. || **2.** fig. y fam. Embrollarse, confundirse hablando o discurriendo.

Ovino, na. (Del lat. *ovis*, oveja.) adj. Se aplica al ganado lanar.

Ovio, via. adj. **Obvio.**

Ovíparo, ra. (Del lat. *ovipărus*; de *ovum*, huevo, y *parĕre*, engendrar.) adj. *Zool.* Dícese de los animales que ponen huevos en los que la segmentación no ha comenzado o no está todavía muy adelantada; como las aves, moluscos, insectos, etc. Ú. t. c. s.

Oviscapto. (Del lat. *ovum*, huevo, y *captāre*, tomar.) m. *Zool.* Órgano perforador que llevan en el extremo del abdomen las hembras de muchos insectos, con el que abren lugar en la tierra o al través de los tejidos vegetales y aun animales, en que depositar con seguridad los huevos que han de poner.

Ovo. (Del lat. *ovum*, huevo.) m. *Arq.* Ornamento en forma de huevo.

Ovoide. (Del lat. *ovum*, huevo, y del gr. εἶδος, forma.) adj. **Aovado,** 2.ª acep. Ú. t. c. s. || **2.** m. Conglomerado de carbón u otra substancia que tiene dicha forma.

Ovoideo, a. (De *ovoide*.) adj. **Aovado,** 2.ª acep.

Óvolo. (d. del lat. *ovum*, huevo.) m. *Arq.* **Cuarto bocel.** || **2.** *Arq.* Adorno en figura de huevo, rodeado por un cascarón y con puntas de flecha intercaladas entre cada dos.

Ovoso, sa. adj. Que tiene ovas.

Ovovivíparo, ra. (De lat. *ovum*, huevo, y *vivipărus*, vivíparo.) adj. *Zool.* Dícese del animal de generación ovípara cuyos huevos se detienen durante algún tiempo en las vías genitales, no saliendo del cuerpo materno hasta que está muy adelantado su desarrollo embrionario; como la víbora. Ú. t. c. s.

Ovulación. (De *óvulo*.) f. *Fisiol.* Desprendimiento natural de un óvulo, en el ovario, para que pueda recorrer su camino y ser fecundado.

Óvulo. (Del lat. *ovum*, huevo.) m. *Zool.* Cada una de las células sexuales femeninas que se forman en el ovario de los animales y que casi siempre necesitan unirse a gametos masculinos para dar origen a nuevos individuos. || **2.** *Bot.* Cada uno de los cuerpos esferoidales en el ovario de la flor, en que se produce la oosfera, rodeados por una doble membrana provista de un orificio o micrópilo.

¡Ox! (Del ár. *uš*.) interj. que se usa para espantar las aves domésticas.

Oxalato. m. *Quím.* Combinación del ácido oxálico y un radical. || **potásico.** *Quím.* Sal compuesta de ácido oxálico y de potasio.

Oxálico, ca. (Del lat. *oxălis*, acedera.) adj. *Quím.* Perteneciente o relativo a las acederas o productos análogos.

Oxalidáceo, a. (Del lat. *oxălis*, *-ĭdis* acedera.) adj. *Bot.* Dícese de plantas angiospermas dicotiledóneas, herbáceas, rara vez leñosas, que tienen hojas alternas, simples o compuestas, flores actinomorfas pentámeras, solitarias o en umbela, y fruto en cápsula con semillas de albumen carnoso; como la aleluya y el carambolo. Ú. t. c. s. f. || **2.** f. pl. *Bot.* Familia de estas plantas.

Oxalídeo, a. (Del lat. *oxălis*, *-ĭdis*, acedera, y éste del gr. ὀξαλίς.) adj. *Bot.* **Oxalidáceo.**

Oxalme. (Del lat. *oxalme*, y éste del gr. ὀξάλμη; de ὀξύς, ácido, y ἅλμη, salmuera.) m. Salmuera con vinagre.

¡Oxe! interj. **¡Ox!**

Oxear. (De *¡ox!*) tr. Espantar las gallinas u otras aves domésticas.

Oxiacanta. (Del gr. ὀξυάκανθα; de ὀξύς, agudo, y ἄκανθα, espina.) f. **Espino,** 2.ª acep.

Oxidable. adj. Que se puede oxidar.

Oxidación. f. Acción y efecto de oxidar u oxidarse.

Oxidante. p. a. de **Oxidar.** Que oxida o sirve para oxidar. Ú. t. c. s. m.

Oxidar. (De *óxido*.) tr. Transformar un cuerpo por la acción del oxígeno o de un oxidante. Ú. t. c. r.

Óxido. (Del gr. ὀξύς, ácido.) m. *Quím.* Combinación del oxígeno con un metal, generalmente, y a veces con un metaloide, la cual se distingue de los ácidos por no ejercer acción sobre la tintura de tornasol, en unos casos, y en otros, por devolver el color azul a la que previamente fué enrojecida.

Oxidrilo. m. *Quím.* **Hidroxilo.**

Oxigenado, da. p. p. de **Oxigenar.** || **2.** adj. Que contiene oxígeno.

Oxigenar. tr. *Quím.* Combinar el oxígeno formando óxidos. Ú. t. c. r. || **2.** r. fig. Airearse, respirar el aire libre.

Oxígeno. (Del gr. ὀξύς, ácido, y γεννάω, engendrar.) m. Metaloide gaseoso, esencial a la respiración, algo más pesado que el aire y parte integrante de él, del agua, de los óxidos, de casi todos los ácidos y de la mayoría de las substancias orgánicas.

Oxigonio. (Del gr. ὀξύς, agudo, y γωνία, ángulo.) adj. *Geom.* V. **Triángulo oxigonio.**

Oximel. m. **Ojimel.**

Oximiel. m. **Ojimiel.**

Oxipétalo. (Del gr. ὀξύς, agudo, y πέταλον, hoja.) m. *Bot.* Planta trepadora del Brasil, de la familia de las asclepiadáceas, de hojas acorazonadas y flores azules dispuestas en racimo, que sirve de adorno en los jardines.

Oxítono. (Del gr. ὀξύς, agudo, y τόνος, intensidad.) adj. *Gram.* **Agudo,** 13.ª acep.

Oxiuro. (Del gr. ὀξύς, agudo, y οὐρά, cola.) m. *Zool.* Cualquiera de los gusanos filiformes, de tres a diez milímetros de longitud, que cuando son jóvenes habitan en el intestino delgado del hombre, descendiendo al intestino grueso cuando son adultos; las hembras llegan hasta el ano, donde causan con sus mordeduras un molestísimo prurito.

Oxizacre. (Del gr. ὀξύς, ácido, y σάκχαρ, azúcar.) m. Bebida que se hacía antiguamente con zumo de granadas agrias y azúcar. || **2.** Por ext., bebida ácida y dulce que se hacía con otros ingredientes.

Oxoniense. (Del lat. *Oxonium*.) adj. Natural o vecino de Oxford. Ú. t. c. s. || **2.** Perteneciente a esta ciudad inglesa.

¡Oxte! interj. que se emplea para rechazar a persona o cosa que molesta, ofende o daña. || **Sin decir oxte ni moxte.** expr. adv. fig. y fam. Sin pedir licencia, sin hablar palabra, sin desplegar los labios.

Oyente. p. a. de **Oír.** Que oye. Ú. t. c. s. || **2.** m. Asistente a una aula, no matriculado como alumno.

Ozona. f. *Quím.* **Ozono.**

Ozono. (Del gr. ὄζω, tener olor.) m. *Quím.* Estado alotrópico del oxígeno, producido por la electricidad, de cuya acción resulta un gas muy oxidante, de olor fuerte a marisco y de color azul cuando se liquida. Se encuentra en muy pequeñas proporciones en la atmósfera después de las tempestades.

Ozonómetro. (De *ozono*, y del gr. μέτρον, medida.) m. *Quím.* Reactivo preparado para graduar el ozono existente en el aire: consiste en una tira de papel de filtro impregnada de engrudo hecho con una parte de yoduro de potasio, diez de almidón y doscientas de agua, que se vuelve más o menos azul según la cantidad de oxígeno electrizado que hay en la atmósfera.

P

P. f. Decimonona letra del abecedario español, y decimoquinta de sus consonantes. Su nombre es **pe.**

Pabellón. (Del fr. *pavillon*, y éste del lat. *papilio, -ōnis*, mariposa.) m. Tienda de campaña en forma de cono, sostenida interiormente por un palo grueso hincado en el suelo, y sujeta al terreno alrededor de la base con cuerdas y estacas. || **2.** Colgadura plegadiza que cobija y adorna una cama, un trono, altar, etc. || **3.** Bandera nacional. || **4.** Pirámide truncada que en las piedras preciosas forman las facetas del tallado. || **5.** Ensanche cónico con que termina la boca de algunos instrumentos de viento; como la corneta y el clarinete. || **6.** Grupo de fusiles que se forma enlazándolos por las bayonetas y apoyando las culatas en el suelo. || **7.** Edificio, por lo común aislado, pero que forma parte de otro o está contiguo a él. || **8.** Cada una de las habitaciones donde se alojan en los cuarteles los jefes y oficiales. || **9.** fig. Nación a que pertenecen las naves mercantes. || **10.** fig. Patrocinio, protección que se dispensa, o a la que uno se acoge. || **11.** poét. fig. Cosa que cobija a manera de bóveda. || **12.** *Arq.* Resalto de una fachada en medio de ella o en algún ángulo, que suele coronarse de ático o frontispicio. || **de la oreja. Oreja,** 2.ª acep. || **El pabellón cubre la mercancía.** Norma del derecho de gentes que cuando fué respetada por los beligerantes, protegió el tráfico de los buques neutrales. || **2.** fr. fig. con que se denota que una autoridad o un prestigio ampara cosas viciosas o culpables.

Pabilo [Pábilo]. (Del lat. *papy̆rus*, y éste del gr. πάπυρος.) m. Torcida o cordón de hilo, algodón, etc., que está en el centro de la vela o antorcha, para que, encendida, alumbre. || **2.** Parte carbonizada de esta torcida.

Pabilón. (De *pabilo.*) m. Mecha o parte de seda, lana o estopa que pende algo separada del copo de la rueca.

Pabiloso, sa. adj. Se dice de los cirios o velas que tienen exceso de pabilo quemado y dan poca luz.

Pablar. (Del lat. *fabulāri.*) intr. Parlar o hablar. Sólo tiene uso en lenguaje festivo, unido al verbo *hablar* para darle consonante y esforzar su sentido.

Pablo. n. p. **¡Guarda, Pablo!** expr. fam. con que se advierte un peligro o contingencia.

Pábulo. (Del lat. *pabŭlum.*) m. Pasto, comida, alimento para la subsistencia o conservación. || **2.** fig. Cualquier sustento o mantenimiento en las cosas inmateriales. || **Dar pábulo.** fr. **Echar leña al fuego.**

Paca. (Del quichua *paco*, rojizo.) f. Mamífero roedor, de unos cinco decímetros de largo, con pelaje espeso y lacio, pardo por el lomo y rojizo por el cuello, vientre y costados; cola y pies muy cortos, hocico agudo y orejas pequeñas y redondas. Es propio de la América del Sur, en cuyos montes vive en madrigueras; se alimenta de vegetales, gruñe como el cerdo, se domestica con facilidad y su carne es muy estimada.

Paca. (Del ingl. *pack.*) f. Fardo o lío, especialmente de lana o de algodón en rama.

Pacado, da. (Del lat. *pacātus*, pacato.) adj. ant. Decíase de lo que estaba apaciguado.

Pacana. (Voz azteca.) f. *Bot.* Árbol de la familia de las yuglandáceas, propio de la América del Norte, de unos 30 metros de altura, con tronco grueso y copa magnífica; hojas compuestas de hojuelas ovales y dentadas; flores verdosas en amentos largos, y fruto seco del tamaño de una nuez, de cáscara lisa y forma de aceituna, con almendra comestible. La madera de este árbol, semejante al nogal, es muy apreciada. || **2.** Fruto de este árbol.

Pacato, ta. (Del lat. *pacātus*, p. p. de *pacāre*, pacificar.) adj. De condición nimiamente pacífica, tranquila y moderada. Ú. t. c. s.

Pacay. m. *Amér. Merid.* **Guamo.** || **2.** Fruto de este árbol. Plural, **pacayes** o **pacaes.**

Pacaya. f. *Bot. C. Rica.* y *Hond.* Arbusto de la familia de las palmas, cuyas hojas sirven para alfombrar las calles en las festividades públicas y cuyos cogollos se toman como legumbre.

Pacayar. m. *Perú.* Plantío de pacayes.

Pacción. (Del lat. *pactĭo, -ōnis.*) f. ant. **Pacto.**

Paccionar. (De *pacción.*) tr. ant. **Pactar.** Ú. en el p. p.

Pacedero, ra. (De *pacer.*) adj. Que tiene hierba a propósito para pasto. *Terreno* PACEDERO.

Pacedura. (De *pacer.*) f. Apacentamiento o pasto del ganado.

Pacense. (Del lat. *pacensis.*) adj. Natural de Beja. Ú. t. c. s. || **2.** Perteneciente a esta ciudad de Portugal.

Paceño, ña. adj. Natural de La Paz. Ú. t. c. s. || **2.** Perteneciente a esta ciudad de Bolivia.

Pacer. (Del lat. *pascĕre.*) intr. Comer el ganado la hierba en los campos, prados, montes y dehesas. Ú. t. c. tr. || **2.** tr. Comer, roer o gastar una cosa. || **3. Apacentar,** 1.ª acep.

Paciencia. (Del lat. *patientĭa.*) f. Virtud que consiste en sufrir sin perturbación del ánimo los infortunios y trabajos. || **2.** Virtud cristiana que se opone a la ira. || **3.** Espera y sosiego en las cosas que se desean mucho. || **4.** Lentitud o tardanza en las cosas que se debían ejecutar prontamente. || **5.** Bollo redondo y muy pequeño hecho con harina, huevo, almendra y azúcar y cocido en el horno. || **6.** V. **Banco de la paciencia.** || **7.** fig. Tolerancia o consentimiento en mengua del honor. || **Acabar, consumir,** o **gastar,** a uno **la paciencia.** fr. Apurársela; hacerle sufrir mucho. || **Con paciencia se gana el cielo.** fr. proverb. con que se exhorta a no atropellar las pretensiones con la demasiada viveza y deseo de conseguirlas. || **Paciencia y barajar.** fr. proverb. con que se exhorta o excita a otro, o uno a sí mismo, a tener **paciencia,** sin dejar de perseverar en un intento o propósito. || **Probar** uno **la paciencia** a otro. fr. Ejecutar acciones que le disgustan, de suerte que llegue el caso de no poderlo sufrir. || **Tentar de,** o **la, paciencia** a uno. fr. Darle frecuentes o repetidos motivos para que se irrite o enoje.

Paciente. (Del lat. *patiens, -entis*, p. a. de *pati*, padecer, sufrir.) adj. Que sufre y tolera los trabajos y adversidades sin perturbación del ánimo. || **2.** fig. Sufrido, que tolera y consiente que su mujer le ofenda. || **3.** com. Persona que padece física y corporalmente; el doliente, el enfermo. || **4.** m. *Fil.* Sujeto que recibe o padece la acción del agente. || **5.** *Gram.* **Persona paciente.**

Pacientemente. adv. m. Con paciencia.

Pacienzudo, da. adj. Que tiene mucha paciencia.

Pacificación. (Del lat. *pacificatĭo, -ōnis.*) f. Acción y efecto de pacificar. || **2. Paz,** 2.ª, 3.ª y 5.ª aceps.

Pacificador, ra. (Del lat. *pacificātor.*) adj. Que pacifica un país afligido de guerras y disturbios. Ú. t. c. s. || **2.** Que pone paz entre los que están opuestos y enemistados. Ú. t. c. s.

Pacíficamente. adv. m. Con paz y quietud; sin oposición o contradicción.

Pacificar. (Del lat. *pacificāre.*) tr. Establecer la paz donde había guerra o discordia; reconciliar a los que están opuestos y discordes. || **2.** intr. Tratar de asentar paces, pidiéndolas o deseándolas. || **3.** r. fig. Sosegarse y aquietarse las cosas insensibles turbadas o alteradas. PACIFICARSE *los vientos.*

Pacífico, ca. (Del lat. *pacificus.*) adj. Quieto, sosegado y amigo de paz. || **2.** Que no tiene o no halla oposición, contradicción o alteración en su estado. || **3.** Dícese del sacrificio que ofrecían los gentiles por la paz y la salud; y por ext., del mismo sacrificio en la ley antigua de Moisés.

Pacifismo. m. Conjunto de doctrinas encaminadas a mantener la paz entre las naciones.

Pacifista. adj. Dícese del partidario del pacifismo. Ú. t. c. s.

Pación. (Del lat. *pastio, -ōnis.*) f. *Ast.* y *Sant.* Pasto que de tiempo en tiempo cría un prado desde que se le siega por el verano hasta que se vuelve a dejar crecer su hierba para segarlo otra vez.

Paco. (Del quichua *paco,* rojizo.) m. **Alpaca,** 1.er art., 1.ª acep. || **2.** *Amér.* Mineral de plata con ganga ferruginosa. || **llama. Paco,** 1.er art., 1.ª acep.

Paco. (De la onomat. *pac.*) m. Nombre que se daba al moro de las posesiones españolas de África que, aislado y escondido, disparaba sobre los soldados.

Pacón. m. *Hond.* Árbol llamado también del jabón, porque sus raíces hacen oficio de tal, que produce unos frutos esféricos, negros y lustrosos con que juegan los muchachos.

Pacotilla. (De *paca,* 2.° art.) f. Porción de géneros que los marineros u oficiales de un barco pueden embarcar por su cuenta libres de flete. || **Hacer** uno **su pacotilla.** fr. fig. Reunir un caudal más o menos grande con una especulación, empleo o trabajo cualquiera. || **Ser de pacotilla** una cosa. fr. fig. Ser de inferior calidad; estar hecha sin esmero.

Pacotillero, ra. adj. Que negocia con pacotillas. Ú. m. c. s. || **2.** m. y f. *Amér.* Buhonero o mercader ambulante.

Pactar. (De *pacto.*) tr. Asentar, poner condiciones o conseguir estipulaciones, para concluir un negocio u otra cosa entre partes, obligándose mutuamente a su observancia. || **2.** Contemporizar una autoridad con los sometidos a ella.

Pacto. (Del lat. *pactum.*) m. Concierto o asiento en que se convienen dos o más personas o entidades, que se obligan a su observancia. || **2.** Lo estatuido por tal concierto. || **3.** Consentimiento o convenio que se supone hecho con el demonio para obrar por medio de él cosas extraordinarias, embustes y sortilegios. || **comisorio.** *For.* El prohibido en derecho y por el que se faculta al acreedor con prenda o hipoteca para quedarse, en pago, con éstas a su voluntad, sin venta de la cosa ni otra garantía de equidad. || **de cuotalitis.** El reprobado en derecho, que celebra el abogado con su cliente convirtiendo los honorarios en una parte de la ganancia obtenida en el litigio. || **de no agresión.** Convenio temporal entre dos o más Estados de respetarse mutuamente, sin apelar a las armas en la solución de sus conflictos mutuos. || **de retro.** Estipulación por la cual el comprador se obliga a devolver la cosa al vendedor por su precio. || **sucesorio.** El relativo a herencia futura, de licitud dudosa, y al cual es en general contrario el derecho español. || **Renunciar el pacto.** fr. Apartarse del que se supone hecho con el demonio.

Pacú. m. *Argent.* Pez de río, de gran tamaño y muy estimado por su carne.

Pácul. m. Plátano silvestre que se cría en Filipinas y del cual se saca un filamento útil para tejidos, pero de calidad inferior al del abacá.

Pachacho, cha. adj. *Chile.* Se dice de la persona o animal de piernas demasiado cortas.

Pachamanca. f. Carne que se asa entre piedras caldeadas o en un agujero que se abre en la tierra y se cubre con piedras calientes. Condiméntase con ají y se usa en la América del Sur.

Pachón, na. (Del m. or. que *pachorra.*) adj. V. **Perro pachón.** Ú. t. c. s. || **2.** m. fam. Hombre de genio pausado y flemático.

Pachorra. (En port. *pachorra.*) f. fam. Flema, tardanza, indolencia.

Pachorrudo, da. adj. fam. Que gasta mucha pachorra; que en todo procede con demasiada lentitud y flema.

Pachucho, cha. adj. Pasado de puro maduro. || **2.** fig. Flojo, alicaído, desmadejado.

Pachulí. m. Planta labiada, perenne, procedente del Asia y Oceanía tropicales; muy olorosa, semejante al almizcle, y de la que por destilación de sus tallos y hojas se obtiene un perfume muy conocido y usado. || **2.** Perfume de esta planta.

Padecer. (Del lat. *patescĕre, de pati.) tr. Sentir física y corporalmente un daño, dolor, enfermedad, pena o castigo. || **2.** Sentir los agravios, injurias, pesares, etc., que se experimentan. || **3.** Estar poseído de una cosa nociva o desventajosa. PADECER *engaño, error, equivocación.* || **4. Soportar,** 2.ª acep. || **5.** fig. Recibir daño las cosas.

Padeciente. p. a. ant. de **Padecer.** Que padece.

Padecimiento. m. Acción de padecer o sufrir daño, injuria, enfermedad, etc.

Padilla. (Del lat. *patella,* plato en que se cocía la vianda y se servía a la mesa.) f. Sartén pequeña. || **2.** Horno para cocer pan, con una abertura en el centro de la plaza, por donde entra el aire para la combustión y se saca después la ceniza.

Padrastro. (Del lat. *patraster, -tri;* despect. de *pater,* padre.) m. Marido de la madre, respecto de los hijos habidos antes por ella. || **2.** fig. Mal padre. || **3.** fig. Cualquier obstáculo, impedimento o inconveniente que estorba o hace daño en una materia. || **4.** fig. Pedacito de pellejo que se levanta de la carne inmediata a las uñas de las manos, y causa dolor y estorbo. || **5.** fig. **Dominación,** 3.ª acep. || **6.** *Germ.* **Fiscal,** 5.ª acep. || **7.** *Germ.* Procurador en contra.

Padrazo. (aum. de *padre.*) m. fam. Padre muy indulgente con sus hijos.

Padre. (Del lat. *pater, -tris.*) m. Varón o macho que ha engendrado. || **2.** *Teol.* Primera persona de la Santísima Trinidad, que engendró y eternamente engendra a su unigénito Hijo. || **3.** Varón o macho, respecto de sus hijos. || **4.** Macho destinado en el ganado para la generación y procreación. || **5.** Principal y cabeza de una descendencia, familia o pueblo. *Abrahán fue* PADRE *de los creyentes.* || **6.** Religioso o sacerdote, en señal de veneración y respeto. || **7. Santo Padre.** || **8.** V. **Hermano de padre.** || **9.** fig. Cualquier cosa de quien proviene o procede otra como de principio suyo. || **10.** fig. Autor de una obra de ingenio o inventor de otra cualquier cosa. || **11.** fig. El que ha creado o adelantado notablemente una ciencia o facultad. *Homero es el* PADRE *de la poesía.* || **12.** *Germ.* **Sayo.** || **13.** pl. El padre y la madre. || **14.** Abuelos y demás progenitores de una familia. || **Padre apostólico.** Cada uno de los **padres** de la Iglesia que conversaron con los apóstoles y discípulos de Jesucristo. || **conscripto.** Entre los romanos, el que estaba escrito y anotado como **padre** en el Senado. || **de almas.** Prelado, eclesiástico o cura a cuyo cargo está la dirección espiritual de sus feligreses. || **de concilio.** fig. El muy docto en materias teológicas. || **2.** fig. y fam. El que habla en materias arduas y difíciles que no puede saber ni resolver. || **de familia,** o **de familias.** Jefe o cabeza de una casa o familia, tenga o no tenga hijos. || **de la patria.** Sujeto venerable en ella por su calidad, respeto o ancianidad, o por los especiales servicios que hizo al pueblo. || **2.** Título de honor concedido a los emperadores romanos y después a otros monarcas, por su mérito o por adulación. || **3.** fam. Dictado que irónicamente suele darse a cada uno de los diputados a Cortes. || **del yermo. Anacoreta.** || **de mancebía.** El que tenía a su cargo el cuidado y gobierno de la mancebía. || **de pila.** Padrino en el bautismo. || **de pobres.** fig. Sujeto muy caritativo y limosnero. || **de provincia.** En algunas religiones, sujeto que ha sido provincial o ha tenido puesto equivalente. || **2.** Título que durante el régimen foral se concedía en las provincias vascongadas al que había sido diputado en las juntas generales del país o había prestado a éste algún servicio eminente. Los padres de provincia formaban un cuerpo consultivo para los asuntos forales. || **de su patria. Padre de la patria.** || **espiritual.** Confesor que cuida y dirige el espíritu y conciencia del penitente. || **Eterno.** *Teol.* **Padre,** 2.ª acep. || **nuestro.** Oración dominical, enseñada por Jesucristo, y que empieza con dichas palabras. || **2.** Cada una de las cuentas del rosario más gruesas que las demás o que se diferencian de ellas de alguna otra manera, para advertir cuándo se ha de rezar un **padre** nuestro. || **Santo.** Por antonom., Sumo Pontífice. || **Beatísimo Padre.** Tratamiento que se da al Sumo Pontífice. || **Nuestros primeros padres.** Adán y Eva, progenitores del linaje humano. || **Santo Padre.** Cada uno de los primeros doctores de la Iglesia griega y latina, que escribieron sobre los misterios y sobre la doctrina de la religión; como San Juan Crisóstomo, San Agustín, San Gregorio, etc. || **A padre endurador, hijo gastador. A padre ganador, hijo despendedor. A padre guardador, hijo gastador.** refs. que, además del sentido recto (por el que significan que frecuentemente sucede a un **padre** avaro o económico un hijo pródigo), advierten también cuán contrarios en otras cosas suelen ser los genios de los **padres** y de los hijos. || **A,** o **para, quien es padre, bástale madre.** ref. que indica que el que vale poco no puede aspirar a mucho. || **Dejemos padres y abuelos, por nosotros seamos buenos.** ref. que advierte que no hagamos vanidad de la gloria heredada, sino que procuremos adquirirla por nosotros mismos. || **De padre cojo, hijo renco.** ref. que explica que los hijos regularmente sacan las costumbres y resabios de sus **padres.** || **De padre santo, hijo diablo.** ref. con que se da a entender que no siempre aprovecha la buena crianza de los hijos si éstos son de mal natural. || **De padre y muy señor mío.** fr. fam. con que se encarece la gran intensidad o magnitud de alguna cosa. || **¿De qué murió mi padre? —De achaque.** ref. que reprende a los que se olvidan de la muerte, aun avisados de las que ven en los otros, y siempre les buscan un motivo particular. || **Dormir** uno **con sus padres.** fr. Haber muerto. || **Do tu padre fue con tinta, no vayas tú con quilma.** ref. que aconseja que no se espere bien donde se hizo mal. || **Entre padres y hermanos no metas tus manos.**

ref. que aconseja no tomar parte en los disturbios entre parientes, porque éstos fácilmente se componen y después se pierde la amistad con unos y con otros. || **Hallar** uno **padre y madre.** fr. fig. Hallar quien le cuide y favorezca, como lo pudieran hacer sus **padres,** en todo lo que necesite. || **Los padres, a yugadas, y los hijos, a pulgadas.** ref. que explica que cuando la herencia se ha de partir entre muchos hijos, por ricos que sean los **padres,** siempre caben a poco. || **Miente el padre al hijo, y no el hielo al granizo.** ref. con que se quiere dar a entender que rara vez falta hielo después del granizo. || **Mi padre es Dios.** expr. con que nos ponemos, en los trabajos o desamparos, debajo de su paternal protección divina. || **Mi padre las guardará.** expr. fig. que reprende al que echa el trabajo y cuidado a otros, aun debiendo aliviarlos de ellos por respeto u otra obligación. || **Mi padre se llama hogaza, y yo me muero de hambre.** ref. con que se moteja a los que ostentan tener parientes muy ricos, o haberlo sido sus antepasados, estando ellos en suma pobreza. || **No ahorrarse** uno **con nadie, ni con su padre.** fr. fam. Atender sólo a su propio interés. || **2.** fam. Decir libremente su sentir, sin guardar respeto a nadie. || **Nuestros padres, a pulgadas, y nosotros, a brazadas.** ref. que advierte que lo que algunos juntan con trabajo, sus herederos suelen disiparlo en breve tiempo. || **Padre no tuviste, madre no temiste; hijo, mal despereciste,** o **diablo te hiciste.** ref. que advierte la falta que hace el **padre** para la buena crianza de los hijos. || **Padre, que me ahorcan. —Hijo, a eso se tira.** ref. con que se zahiere a los que se quejan de que se pongan los medios para llevar a cabo lo que se trata de hacer. || **Preguntadlo a vuestro padre, que vuestro abuelo no lo sabe.** ref. con que se nota al que pregunta a quien no puede saber las cosas, especialmente cuando ha preguntado al que era natural que lo supiese y no le ha dado razón de lo que intenta saber. || **Quien el padre tiene alcalde, seguro va a juicio.** ref. que enseña que algunas veces los respetos de amistad o parentesco hacen torcer la justicia. || **Quiere mi padre Muñoz lo que no quiere Dios.** ref. con que se reprende al que se empeña en lograr su antojo o su voluntad de cualquier modo que sea, justo o injusto. || **Sin padre ni madre, ni perro que me ladre.** loc. fig. y fam. de que se usa para manifestar la total independencia o desamparo en que se halla uno. || **Sobre padre no hay compadre.** ref. que enseña cuánto más vale y aprovecha el amor del **padre,** que el que proviene de cualquier título. || **Tener el padre alcalde.** fr. fig. Contar en cualquiera solicitud con un decidido y poderoso protector. || **Tiraos, padre, y pasarse ha mi madre.** ref. que reprende a las mujeres que quieren mandar las casas y cargan todo el trabajo al marido, estando ellas ociosas. || **Un padre para cien hijos, y no cien hijos para un padre.** ref. que denota el verdadero y seguro amor de los **padres** para con los hijos, y la ingratitud con que éstos suelen corresponderles.

Padrear. intr. Parecerse uno a su padre en las facciones o en las costumbres. || **2.** Ejercer el macho las funciones de la generación. Dícese de los animales, y por ext., de los mozos de vida licenciosa.

Padrejón. m. Histerismo en el hombre.

Padrenuestro. m. **Padre nuestro.**

Padrina. (De *padrino.*) f. **Madrina.**

Padrinazgo. m. Acto de asistir como padrino a un bautismo o a una función pública. || **2.** Título o cargo de padrino. || **3.** fig. Protección, favor que uno dispensa a otro.

Padrino. (Del lat. **patrīnus,* de *pater, patris.*) m. El que tiene, presenta o asiste a otra persona que recibe el sacramento del bautismo, de la confirmación, del matrimonio o del orden si es varón, o que profesa, si se trata de una religiosa. || **2.** El que presenta y acompaña a otro que recibe algún honor, grado, etc. || **3.** El que acompaña o asiste a otro para sostener sus derechos y evitar lo que no sea justo o procedente, en actos como certámenes literarios, torneos, juegos de cañas, desafíos, etc. || **4.** fig. El que favorece o protege a otro en sus pretensiones, adelantamientos o designios. || **5.** pl. El **padrino** y la madrina.

Padrón. (Del lat. *patrōnus;* de *pater,* padre.) m. Nómina o lista que se hace en los pueblos para saber por sus nombres el número de vecinos o moradores. || **2.** Patrón o dechado. || **3.** Columna o pilar con una lápida o inscripción que recuerda un suceso notable. || **4.** Nota pública de infamia o desdoro que queda en la memoria por una mala acción. || **5.** fam. **Padrazo.**

Padronazgo. m. ant. **Patronato.**

Padronero. m. ant. **Patrono,** 2.ª acep.

Padronés, sa. adj. Natural de Padrón. Ú. t. c. s. || **2.** Perteneciente a esta villa.

Paduano, na. adj. Natural de Padua. Ú. t. c. s. || **2.** Perteneciente a esta ciudad de Italia.

Paella. (Del valenciano *paella,* y éste del lat. *patella,* sartén.) f. Plato de arroz seco, con carne, legumbres, etc., que se usa mucho en la región valenciana.

¡Paf! Voz onomatopéyica con que se expresa el ruido que hace una persona o cosa al caer o chocar contra algún objeto.

Pafio, fia. (Del lat. *paphius.*) adj. Natural de Pafos. Ú. t. c. s. || **2.** Perteneciente a esta ciudad de Chipre antigua.

Paflón. (De *plafón.*) m. *Arq.* **Sofito.**

Paga. f. Acción de pagar o satisfacer una cosa. || **2.** Cantidad de dinero que se da en pago. || **3.** Satisfacción de la culpa, delito o yerro, por medio de la pena correspondiente. || **4.** Cantidad con que se paga la culpa, o pena con que se satisface. || **5.** Entre empleados y militares, sueldo de un mes. || **6.** Correspondencia del amor u otro beneficio. || **de tocas.** Mesada de supervivencia. Ú. m. en pl. || **indebida,** o **de lo indebido.** *For.* Cuasicontrato dimanado del acto de entregar erróneamente cantidad no debida ni exigible. Es más frecuente decir **cobro de lo indebido.** || **viciosa.** La que tiene un defecto que la invalida. || **Buena,** o **mala, paga.** fig. Persona que prontamente y sin dificultad paga lo que debe o lo que se libra contra ella, o al contrario. || **En tres pagas.** m. adv. fig. con que se nota al mal pagador. Algunos añaden: **tarde, mal y nunca.** || **La mala paga, aunque sea,** o **siquiera, en paja.** ref. que enseña que se ha de tomar aquello que se pueda, por no perderlo todo. || **Paga adelantada, paga viciosa.** ref. con que se da a entender que suelen cumplir mal sus compromisos los que cobran por adelantado. || **Ver la paga al ojo.** fr. fig. y fam. con que se explica la facilidad con que se ejecutan las cosas y se hace el trabajo cuando hay seguridad de la pronta recompensa.

Pagable. adj. **Pagadero.**

Pagadero, ra. adj. Que se ha de pagar y satisfacer a cierto tiempo señalado. || **2.** Que puede pagarse fácilmente. || **3.** m. Tiempo, ocasión o plazo en que uno ha de pagar lo que debe, o satisfacer con la pena lo que ha hecho.

Pagador, ra. adj. Que paga. Ú. t. c. s. || **2.** Persona encargada por el Estado, una corporación o un particular, de satisfacer sueldos, pensiones, créditos, etc. || **Al buen pagador no le duelen prendas.** ref. que da a entender que el que quiere cumplir con lo que debe, no repugna dar cualquiera seguridad que le pidan. || **Del mal pagador, aunque sea, o siquiera, en paja.** ref. **La mala paga, aunque sea,** o **siquiera, en paja.** || **El buen pagador es señor de lo ajeno.** ref. que aconseja la puntualidad de la paga, con lo cual se gana crédito.

Pagaduría. (De *pagador.*) f. Casa, sitio o lugar público donde se paga.

Pagamento. (De *pagar.*) m. **Paga,** 1.ª acep. || **A pagamento.** m. adv. ant. A contento, a satisfacción.

Pagamiento. m. **Pagamento.**

Pagana. f. *Ast.* Pieza de madera de roble, de 30 pies de longitud y con una escuadría de 12 pulgadas de tabla por 10 de canto.

Paganía. (De *pagano.*) f. p. us. **Paganismo.**

Paganismo. (Del lat. *paganismus.*) m. **Gentilidad.**

Paganizar. intr. Profesar el paganismo el que no era pagano.

Pagano. (De *pagar.*) m. fam. El que paga. Por lo común se da este nombre al pagador de quien otros abusan, y al que sufre perjuicio por culpa ajena aun cuando no desembolse dinero.

Pagano, na. (Del lat. *pagānus.*) adj. Aplícase a los idólatras y politeístas, especialmente a los antiguos griegos y romanos. Ú. t. c. s. || **2.** Por ext., aplícase a los mahometanos y a otros sectarios monoteístas, y aun a todo infiel no bautizado. Ú. t. c. s.

Pagar. (Del lat. *pacāre,* apaciguar, calmar. satisfacer.) tr. Dar uno a otro, o satisfacer, lo que le debe. || **2.** Adeudar derechos los géneros que se introducen. || **3.** fig. Satisfacer el delito, falta o yerro por medio de la pena correspondiente. || **4.** fig. Corresponder al afecto, cariño u otro beneficio. || **5.** r. Prendarse, aficionarse. || **6.** Ufanarse de una cosa; hacer estimación de ella. || **A luego pagar.** m. adv. **Al contado.** || **Estamos pagados.** expr. que se usa para dar a entender que se corresponde por una parte a lo que se merece de otra. || **Paga lo que debes, sabrás lo que tienes.** ref. que aconseja la prontitud en la paga de lo ajeno, para gozar con quietud de lo propio. || **Pagarla, o pagarlas.** expr. fam. Sufrir el culpable su condigno castigo o la venganza de que se hizo más o menos merecedor. Muchas veces se usa en son de amenaza. *Me* LA PAGARÁS; *me* LAS HAS DE PAGAR. || **Pagarla doble.** fr. Recibir agravado el castigo que se merecía, por haberlo rehuido la primera vez.

Pagaré. (1.ª pers. de sing. del fut. del verbo *pagar,* palabra con que suelen dar principio estos documentos.) m. Papel de obligación por una cantidad que ha de pagarse a tiempo determinado. || **a la orden.** *Com.* El que es transmisible por endoso, sin nuevo consentimiento del deudor.

Pagaya. f. Remo filipino, especie de zagual, pero más largo y de pala mayor, sobrepuesta y atada con bejuco. Sirve indistintamente para bogar y substituir al timón, como la espadilla.

Pagel. (Del cat. *pagell,* y éste del lat. **pagellus,* d. de *pagrus.*) m. *Zool.* Pez teleósteo, del suborden de los acantopterigios, común en los mares de España, de unos dos decímetros de largo, con cabeza y ojos grandes, rojizo por el lomo, plateado por el vientre y con las aletas y cola encarnadas. Su carne es blanca, comestible y bastante estimada.

Página. (Del lat. *pagĭna.*) f. Cada una de las dos haces o planas de la hoja de un libro o cuaderno. || **2.** Lo escrito o impreso en cada **página.** *No he podido* *leer más que dos* PÁGINAS *de este libro.* || **3.** fig. Suceso, lance o episodio en el curso de una vida o de una empresa. PÁGINA *gloriosa; triste* PÁGINA.

Paginación. f. Acción y efecto de paginar. || **2.** Serie de las páginas de un escrito o impreso.

Paginar. tr. Numerar páginas o planas.

Pago. (De *pagar.*) m. Entrega de un dinero o especie que se debe. || **2.** Satisfacción, premio o recompensa. || **3.** V. **Carta de pago.** || **4.** V. **Papel de pagos.** || **5.** V. **Dación en pago.** || **Dar el pago.** fr. fig. que se usa para avisar a uno que le sobrevendrá o sobrevino el daño correspondiente o que naturalmente se sigue a los vicios o imprudencias. || **2.** fig. Corresponder mal al beneficio o servicio recibido. || **En pago.** m. adv. fig. En satisfacción, descuento o recompensa. || **Hacer pago.** fr. fig. Cumplir, satisfacer.

Pago. (Del lat. *pagus.*) m. Distrito determinado de tierras o heredades, especialmente de viñas u olivares. || **2.** Aldea. || **En cada pago su viña, y en cada barrio su tía.** ref. que indica cuán útil es tener hacienda y buenas relaciones en partes diversas.

Pago. (Forma ant. del p. p. de *pagar.*) adj. fam. Dícese de aquel a quien se ha pagado. *Ya está usted* PAGO.

Pagoda. (Del persa *putkuda'*, templo de ídolos.) f. Templo de los ídolos en algunos pueblos de Oriente. || **2.** Cualquiera de los ídolos que en ellos se adoran.

Pagote. (De *pagar.*) m. fam. **Pagano,** 1.er art. || **2.** *Germ.* Aprendiz de rufián.

Pagro. (Del lat. *pagrus.*) m. *Zool.* Pez teleósteo, del suborden de los acantopterigios, común en los mares de España, muy semejante al pagel, de doble largo que éste y con el hocico obtuso.

Paguro. (Del lat. *pagūrus*, y éste del gr. πάγουρος.) m. **Ermitaño,** 3.ª acep.

Paico. m. *Chile.* **Pazote.**

Paidología. (Del gr. παῖς, παιδός, niño, y λόγος, discurso.) f. Ciencia que estudia todo lo relativo a la infancia y su buen desarrollo físico e intelectual.

Paidológico, ca. adj. Perteneciente o relativo a la paidología.

Paila. (Del lat. *patella*, padilla.) f. Vasija grande de metal, redonda y poco profunda. || **2.** V. **Casa de pailas.**

Pailebot. (Del ingl. *pilot's boat*, bote del piloto.) m. **Pailebote.**

Pailebote. (De *pailebot.*) m. Goleta pequeña, sin gavias, muy rasa y fina.

Pailero. m. *Colomb.* El que adoba pailas y sartenes. || **2.** *Cuba.* El que maneja las pailas en los ingenios.

Pailón. m. aum. de **Paila.** || **2.** *Hond.* Hondonada de fondo redondeado.

Painel. m. **Panel.**

Paipai. m. Abanico de palma en forma de pala y con mango, muy usado en Filipinas, y a su ejemplo en otras partes.

Pairar. (Del gall. port. *pairar*, y éste del lat. **pariāre*, de *parāre.*) intr. *Mar.* Estar quieta la nave con las velas tendidas y largas las escotas.

Pairo. (De *pairar.*) m. *Mar.* Acción de pairar la nave. Ú. comúnmente en el m. adv. **al pairo.**

País. (Del fr. *pays*, y éste del lat. *pagensis* campestre.) m. Región, reino, provincia, o territorio. || **2.** Pintura o dibujo que representa cierta extensión de terreno. || **3.** Papel, piel o tela que cubre la parte superior del varillaje del abanico. || **Vivir sobre el país.** fr. *Mil.* Mantenerse las tropas a expensas de los que habitan el territorio que dominan. || **2.** fig. Vivir a costa ajena, valiéndose de estafas, fullerías y otras malas artes.

Paisaje. m. **País,** 2.ª acep. || **2.** Porción de terreno considerada en su aspecto artístico.

Paisajista. (De *paisaje.*) adj. **Paisista.** Ú. t. c. s.

Paisajístico, ca. adj. Perteneciente o relativo al paisaje, 2.ª acep.

Paisana. (De *paisano.*) f. Tañido y danza llamada así porque se baila al modo de los campesinos.

Paisanaje. (De *paisano.*) m. Conjunto de paisanos. || **2.** Circunstancia de ser de un mismo país dos o más personas, y especie de conexión o vínculo que de ella procede.

Paisano, na. adj. Que es del mismo país, provincia o lugar que otro. Ú. t. c. s. || **2.** m. y f. **Campesino,** 2.ª acep. || **3.** m. El que no es militar.

Paisista. adj. Dícese del pintor de paisajes. Ú. t. c. s.

Paja. (Del lat. *palĕa.*) f. Caña de trigo, cebada, centeno y otras gramíneas, después de seca y separada del grano. || **2.** Conjunto de estas cañas. || **3.** Arista o parte pequeña y delgada de una hierba o cosa semejante. || **4.** V. **Mozo de paja y cebada.** || **5.** fig. Cosa ligera, de poca consistencia o entidad. || **6.** fig. Lo inútil y desechado en cualquier materia, a distinción de lo escogido de ella. || **brava.** Hierba de la familia de las gramíneas, que crece hasta tres o cuatro decímetros de altura, con hojas radicales, delgadas, casi cilíndricas, a modo del esparto, y de color amarillento verdoso. Es propia de las tierras de gran altitud en la América Meridional, y se estima como pasto de gran fuerza. Se usa también para combustible en los hornos de minerales. || **cebadaza.** La de cebada. || **centenaza.** La de centeno. || **de agua.** Medida antigua de aforo, que equivalía a la decimosexta parte del real de agua, o poco más de dos centímetros cúbicos por segundo. || **de camello, de esquinanto,** o **de Meca. Esquenanto.** || **larga.** La de cebada que no se trilla, sino que se quebranta, humedeciéndola para que no se corte. || **2.** fig. y fam. Persona en exceso alta, delgada y desairada. || **pelaza.** La de la cebada machacada en las eras con cilindros de piedra en vez de trillos, para que resulte larga y hebrosa. || **trigaza.** La de trigo. || **Alzar** uno **las pajas con la cabeza.** fr. fig. y fam. Haber caído de espaldas. || **Buscar** uno **la paja en el oído.** fr. fig. y fam. Buscar ocasión o corto motivo para hacer mal a otro, reñir o descomponerse con él. || **De paja o heno, el pancho,** o **el vientre lleno.** ref. que indica que lo que importa es satisfacer el apetito sea como quiera, a falta de lo que se apetece. || **Echar pajas.** fr. con que se explica un género de sorteo que se hace ocultando entre los dedos tantas **pajas** o palillos desiguales cuantos son los sujetos que sortean, y el que saca la menor pierde la suerte. || **En alza allá esas pajas. En daca las pajas. En quítame allá esas pajas.** locs. fams. con que se da a entender la brevedad o facilidad con que se puede hacer una cosa. || **No dormirse** uno **en las pajas.** fr. fig. y fam. Estar con vigilancia y aprovecharse bien de las ocasiones. || **No haberle echado** uno a otro **paja ni cebada.** fr. fig. y despect. No conocer o no haber tratado al sujeto de quien se habla o se pide informe. || **No importar,** o **no montar,** una cosa **una paja.** fr. fig. con que se la desprecia por inútil o de poca entidad. || **No pesar** una cosa **una paja.** fr. fig. con que se da a entender su ligereza o poca importancia o substancia. || **¡Pajas!** interj. de que se usa para dar a entender que en una cosa no quedará uno inferior a otro. *Pedro es muy valiente. —Pues Juan,* ¡PAJAS! || **Por quítame allá esas pajas.** loc. fig. y fam. Por cosa de poca importancia; sin fundamento o razón. || **Quitar** uno **la paja.** fr. fig. y fam. Ser el primero que bebió del vino que había en una vasija. || **Quitar pajas.** fr. **Sacar cartas.** || **Quitar, o sacar, pajas de una albarda.** fr. fig. y fam. con que se manifiesta que una cosa es muy fácil y no tiene qué hacer. || **Sacar** uno **la paja.** fr. fig. y fam. **Quitar la paja.** || **Tomar** uno **las pajas con el cogote.** fr. fig. y fam. **Alzar las pajas con la cabeza.** || **Ver la paja en el ojo ajeno, y no la viga en el nuestro,** o **en el propio.** ref. que explica con cuánta facilidad reparamos en los defectos ajenos y no en los propios, aunque sean mayores.

Pajada. f. Paja mojada y revuelta con salvado, que se suele dar a las caballerías.

Pajado, da. (De *paja.*) adj. **Pajizo,** 2.ª acep.

Pajar. (Del lat. *palearĭum.*) m. Sitio o lugar donde se encierra y conserva paja. || **El pajar viejo, cuando se enciende, malo es de apagar. Pajar viejo arde más presto. Pajar viejo presto se enciende.** refs. que advierten que cuando una pasión se llega a apoderar de un viejo, con dificultad la vence.

Pájara. f. **Pájaro,** 1.ª acep. || **2.** *And.* Hembra de la perdiz. || **3. Cometa,** 2.ª acep. || **4.** Papel cuadrado que dándole varios dobleces viene a quedar con cierta figura como de pájaro. || **5.** fig. Mujer astuta, sagaz y cautelosa. Ú. t. c. adj. || **pinta.** Especie de juego de prendas.

Pajarear. intr. Cazar pájaros. || **2.** fig. Andar vagando, sin trabajar o sin ocuparse en cosa útil.

Pajarel. (d. del lat. *passer*, pájaro.) m. Pardillo, 6.ª acep.

Pajarera. f. Jaula grande o aposento donde se crían pájaros.

Pajarería. (De *pajarera.*) f. Abundancia o muchedumbre de pájaros.

Pajarero, ra. (De *pájaro.*) adj. Relativo o perteneciente a los pájaros. *Redes* PAJARERAS. || **2.** fam. Aplícase a la persona de genio excesivamente festivo y chancero. || **3.** fam. Dícese de las telas, adornos o pinturas cuyos colores son demasiado fuertes y mal casados. || **4.** m. El que se emplea en cazar, criar o vender pájaros.

Pajarete. (Porque se elabora en *Pajarete*, antiguo monasterio situado a seis kilómetros de Jerez.) m. Vino licoroso, muy fino y delicado.

Pajarico. m. d. de **Pájaro.** || **Pajarico que escucha el reclamo, escucha su daño.** ref. que enseña que el que procura indagar la opinión que de él se tiene, suele oír cosas que le desagradan.

Pajaril (Hacer). fr. *Mar.* Amarrar el puño de la vela con un cabo y cargarlo hacia abajo, para que aquélla esté fija y tiesa cuando el viento es largo.

Pajarilla. (d. de *pájara.*) f. **Aguileña.** || **2. Bazo,** y más particularmente el del cerdo. || **3.** *Ar.* **Palomilla,** 1.ª acep. || **Abrasarse las pajarillas.** fr. fig. y fam. Hacer mucho calor. || **Alegrársele** a uno **la pajarilla,** o **las pajarillas.** fr. fig. y fam. Tener grandísimo gusto y satisfacción con la vista o el recuerdo de un objeto agradable. || **Asarse,** o **caerse, las pajarillas.** fr. fig. y fam. **Abrasarse las pajarillas.** || **Hacer temblar la pajarilla** a uno. fr. fig. Causarle miedo. || **Pajarilla que en erial se cría, siempre por él pía.** ref. que pondera lo fuerte del amor a la tierra nativa. || **Traerle** a uno **las pajarillas volando.** fr. fig. y fam. Darle gusto y complacerle en todo cuanto apetece, por difícil que sea.

Pajarillo. m. d. de **Pájaro.** || **A chico pajarillo, chico nidillo.** ref. que enseña que se debe medir con la calidad o dignidad de los sujetos el porte y trato. || **El mal pajarillo la lengua tiene por cuchillo.** ref. que enseña que el maldiciente se daña a sí mismo.

Pajarita. (d. de *pájara.*) f. **Pájara,** 4.ª acep. || **2.** V. **Cuello de pajarita.** || **de las nieves. Aguzanieves.**

Pajarito. m. d. de **Pájaro.** || **Cada pajarito tiene su higadito.** ref. que denota que toda persona, por quieta y mansa que sea, se irrita y enfada algunas veces. || **Quedarse** uno **como un pajarito.** fr. fig. y fam. Morir con sosiego, sin hacer gestos ni ademanes.

Pájaro. (Del lat. *passar, -ăris,* de *passer, -ĕris.*) m. Nombre genérico que comprende toda especie de aves, aunque más especialmente se suele entender por las pequeñas. || **2. Perdigón,** 1.er art., 3.ª acep. || **3.** V. **Leche de pájaro.** || **4.** V. **Red de pájaros.** || **5.** fig. Hombre astuto, sagaz y cauteloso. Ú. t. c. adj. || **6.** fig. El que sobresale o es especial en una materia, particularmente en las de política. || **7.** *Zool.* Cualquiera de las aves terrestres, voladoras, con pico recto, no muy fuerte, tarsos cortos y delgados, tres dedos dirigidos hacia adelante y uno hacia atrás, y tamaño generalmente pequeño; como el tordo, la golondrina, el canario y la abubilla. || **8.** pl. *Zool.* Orden de estas aves. || **Pájaro arañero.** Ave del orden de las trepadoras, de unos 15 centímetros de longitud desde la punta del pico hasta la extremidad de la cola y próximamente el doble de envergadura; cabeza pequeña, pico fino, largo y arqueado por la punta; plumaje ceniciento, algo azulado en el lomo, negro en la cara y garganta, encarnado en los bordes de las alas y con manchas blancas en las cuatro remeras principales. Se alimenta de insectos y arañas, que caza trepando por las rocas, y suele hallarse en las sierras más altas de España. || **bitango. Cometa,** 2.ª acep. || **bobo.** Ave del orden de las palmípedas, de unos cuatro decímetros de largo, con el pico negro, comprimido y alesnado, el lomo negro, y el pecho y vientre blancos, así como la extremidad de las remeras. Anida en las costas, y por sus malas condiciones para andar y volar se deja coger fácilmente. || **burro. Rabihorcado.** || **carpintero.** Ave del orden de las trepadoras, de unos 22 centímetros de largo desde la punta del pico hasta la extremidad de la cola y 50 de envergadura; plumaje general negro, manchado de blanco en las alas y cuello, gris en el pecho y encarnado en lo alto de la cabeza y en la región anal; pico largo y delgado, pero muy fuerte, y lengua también larga, cilíndrica y llena de aguijones en su extremidad. Se alimenta de insectos, que caza entre las cortezas de los árboles, picándolas con gran fuerza y celeridad. Habita en los bosques y anida en los agujeros que hace en los troncos viejos y dañados. || **de cuenta.** fig. y fam. Hombre a quien por sus condiciones o por su valer hay que tratar con cautela o con respeto. || **del sol. Ave del Paraíso.** || **diablo.** Ave marina del orden de las palmípedas, de unos 45 centímetros de largo desde la punta del pico hasta la extremidad de la cola y cerca de un metro de envergadura; pico delgado, negruzco, poco menor que la cabeza, comprimido y ganchudo en la punta; plumaje negro y brillante en las partes superiores, blanco en las inferiores; alas largas y estrechas y pies amarillentos. Es ave de gran vuelo que suele hallarse en alta mar rasando la superficie de las aguas, para coger los moluscos, crustáceos y peces con que se alimenta. || **gordo.** fig. y fam. Persona de mucha importancia o muy acaudalada. || **loco. Pájaro solitario.** || **mosca.** Ave del orden de los **pájaros,** propia de la América intertropical, tan pequeña, que su longitud total es de tres centímetros y de cinco la envergadura; pico recto, negro y afilado; plumaje brillante de color verde dorado con cambiantes bermejos en la cabeza, cuello y cuerpo, gris claro en el pecho y vientre, y negro rojizo en las alas y cola. Se alimenta del néctar de las flores, cuelga el nido de las ramas más flexibles de los árboles y permanece aletargado e inmóvil durante el invierno, volviendo a reanimarse al llegar la primavera. Hay varias especies, de tamaños diversos, pero todas pequeñas y de precioso plumaje. || **moscón.** Ave del orden de los **pájaros,** de unos 12 centímetros de largo desde la punta del pico hasta la extremidad de la cola y 17 de envergadura; plumaje ceniciento en las partes superiores de la cabeza, cuello y pecho, rojizo en la espalda, alas y cola, gris en el abdomen y negro en la frente y en una lista de cada ala; pico pequeño, agudo y ceniciento y pies rojizos con uñas negras. Se alimenta de insectos y semillas, fabrica el nido en forma de bolsa con una abertura estrecha en la parte inferior y lo cuelga de una rama flexible, generalmente encima del agua; la parte exterior es de hojas y raíces, y por dentro está formado con vilanos y filamentos vegetales entretejidos como fieltro. Es común en España. || **niño.** Ave del orden de las palmípedas, de unos seis decímetros de largo desde la punta del pico hasta la extremidad de la cola, y con plumas tan finas que parecen verdadero pelo. Tiene el lomo, los pies y la cabeza negros, el vientre blanco, el pecho ceniciento, y las alas negras, manchadas de blanco por debajo, cubiertas de plumón y semejantes a unas aletas. Habita en los mares polares, en donde nada con mucha ligereza, y cuando sale a tierra, como tiene los pies muy cortos y cerca de la rabadilla, anda empinada con la cabeza erguida y balanceándose como un niño que comienza a andar; no vuela, por la cortedad de sus alas, y si se ve perseguida se arrastra rápidamente ayudándose con patas y alas hasta llegar al agua. || **polilla. Martín pescador.** Diósele este nombre porque se supone que después de muerto ahuyenta la polilla. || **resucitado. Pájaro mosca.** || **solitario.** Ave del orden de los **pájaros,** de unos dos centímetros de largo desde la punta del pico hasta la extremidad de la cola y tres de envergadura; plumaje general azulado obscuro, negro en las alas y pardo en la cola; pico, pies y uñas negros. La hembra es agrisada con manchas cenicientas y rojizas, y los individuos jóvenes son pardos. Se alimenta de insectos, anida en las torres y en las hendeduras de las rocas más escarpadas, tiene el canto del mirlo común y no es raro en España, donde se halla en parejas o solitario. || **tonto. Ave tonta.** || **trapaza.** Ave del orden de los **pájaros,** de unos 13 centímetros de largo desde la punta del pico hasta la extremidad de la cola y 22 de envergadura; plumaje general rojizo, blanco en el pecho, abdomen y lados de la cola, negro en las alas y timoneras centrales; pico y pies negros. Se alimenta de insectos, anida en tierra y es común en España durante el verano. || **Cazar el pájaro.** fr. Reclamar con perdigón las perdices del campo. || **Chico pájaro para tan gran jaula.** expr. fig. y fam. con que se nota y zahiere al que fabrica o habita casa que no es correspondiente, por excesiva, a su estado o dignidad. || **2.** fig. y fam. Significa también el poco mérito o prendas de uno para el empleo o dignidad que posee o pretende. || **El pájaro voló, o ya voló.** expr. fig. **Voló el golondrino.** || **Más vale pájaro en mano que buitre volando.** ref. que aconseja no dejar las cosas seguras, aunque sean cortas, por la esperanza de otras mayores que son inseguras. || **Matar dos pájaros de una pedrada, o de un tiro.** fr. fig. y fam. Hacer o lograr dos cosas con una sola diligencia. || **Pájaro de mal natío, el que se ensucia en el nido.** ref. que moteja al hombre que desacredita aquello mismo que más debería apreciar. || **Pájaro triguero, no entres en mi granero.** ref. que enseña lo poco que se debe fiar de los que están habituados al vicio. || **Pájaro viejo no entra en jaula.** fr. proverb. que enseña que a los versados o experimentados en una cosa, no es fácil engañarlos. || **Quien pájaro ha de tomar, no ha de oxear.** ref. que enseña que para conseguir los fines no se han de tomar los medios contrarios a ellos. || **Saltar el pájaro del nido.** fr. fig. Huir uno del sitio o paraje donde se pensaba hallarle y se le buscaba con cuidado.

Pajarota. (De *pájara.*) f. fam. Noticia que se reputa falsa y engañosa.

Pajarotada. f. fam. **Pajarota.**

Pajarote. m. aum. de **Pájaro.**

Pajarraco. m. despect. Pájaro grande desconocido, o cuyo nombre no se sabe. || **2.** fig. y fam. Hombre disimulado y astuto.

Pajaruco. m. despect. **Pajarraco.**

Pajaza. f. Desecho que los caballos dejan de la paja larga que comen.

Pajazo. (De *paja.*) m. Mancha a modo de cicatriz en la córnea transparente de las caballerías, que se ha creído procedente de algún golpe de las cañas de las rastrojeras.

Paje. (Del fr. *page,* y éste del gr. παιδίον, muchacho.) m. Criado cuyo ejercicio es acompañar a sus amos, asistir en las antesalas, servir a la mesa y otros ministerios decentes y domésticos. || **2.** Cualquiera de los muchachos destinados en las embarcaciones para su limpieza y aseo y para aprender el oficio de marinero, optando a plazas de grumete cuando tienen más edad. || **3. Familiar,** 8.ª acep. || **4.** fig. Pinzas pendientes de un cordón o de una cinta, con que las señoras sujetaban y suspendían la cola del vestido para no arrastrarla. || **5.** fig. Mueble formado por un espejo con pie alto y una mesilla para utensilios de tocador. || **de armas.** El que llevaba las armas, como la espada, la lanza, etc., para servírselas a su amo cuando las necesitaba. || **de bolsa.** El del secretario del despacho universal y de los tribunales reales, que llevaba la bolsa o cartera de los papeles. || **de cámara.** El que sirve dentro de ella a su señor. || **de escoba. Paje,** 2.ª acep. || **de guión.** El que llevaba el estandarte o pendón del jefe militar. Siendo el del rey se llamaba alférez. || **de hacha.** El que iba delante de las personas principales alumbrándoles el camino. || **de jineta.** El que acompañaba al capitán llevando la lancilla, distintivo de aquel empleo. || **de lanza. Paje de armas.** || **Donde fuiste paje, no seas escudero.** ref. que enseña que se deben evitar los motivos de envidia que causan a los que han sido sus compañeros los que asciendan a clase más elevada.

Pajea. f. **Ajea.**

Pajear. intr. Comer bien mucha paja las caballerías. || **2.** fam. Portarse, conducirse. Ú. por lo común en la fr. *cada uno tiene su modo de* PAJEAR.

Pajecillo. (d. de *paje.*) m. **Palanganero.** || **2.** *And.* Bufete pequeño en que se ponen los velones y candeleros.

Pajel. m. **Pagel.**

Pajera. adj. V. **Horca pajera.** || **2.** f. Pajar pequeño que suele haber en las caballerizas para servirse prontamente de la paja.

Pajería. f. Tienda donde se vende paja.

Pajero. m. El que conduce o lleva paja a vender de un lugar a otro.

Pajil. adj. Perteneciente o relativo a los pajes.

Pajilla. (d. de *paja.*) f. Cigarrillo hecho de una hoja de maíz.

Pajizo, za. adj. Hecho o cubierto de paja. ‖ **2.** De color de paja.

Pajo. m. Especie de mango filipino, pero mucho menor, del que se hace dulce, y puesto en salmuera sirve en lugar de aceitunas.

Pajolero, ra. adj. Se dice de toda cosa despreciable y molesta a la persona que habla.

Pajón. (aum. de *paja.*) m. Caña alta y gruesa de las rastrojeras. ‖ **2.** *Cuba.* Hierba silvestre de la familia de las gramíneas: es una especie de esparto fino, sin la consistencia de éste, y de muy poco alimento para el ganado, que solamente la come cuando no encuentra otra cosa.

Pajonal. m. Terreno cubierto de pajón.

Pajoso, sa. adj. Que tiene mucha paja. ‖ **2.** De paja o semejante a ella.

Pajote. m. Estera de cañas y paja con que cubren ciertas plantas los agricultores.

Pajucero. m. *Ar.* Lugar en que se pone a pudrir el pajuz.

Pajuela. f. d. de **Paja.** ‖ **2.** Paja de centeno, tira de cañaheja o torcida de algodón, cubierta de azufre y que arrimada a una brasa arde con llama.

Pajuncio. m. despect. **Paje.**

Pajuno, na. adj. **Pajil.**

Pajuz. m. *Ar.* Paja a medio pudrir y desechada de los pesebres. ‖ **2.** *Ar.* Paja muy menuda que los labradores abandonan en la era y destinan para estiércol.

Pajuzo. m. *Ar.* **Pajuz.**

Pal. (Del fr. *pal,* y éste del lat. *palus.*) m. *Blas.* **Palo,** 10.ª acep.

Pala. (Del lat. *pala.*) f. Instrumento compuesto de una tabla de madera o una plancha de hierro, comúnmente de forma rectangular o redondeada, y un mango grueso, cilíndrico y más o menos largo, según los usos a que se destina. Empléase para trasladar el trigo y otras semillas de uno a otro montón, para mover la tierra, para echar carbón en los hogares, para meter el pan en el horno y para otros usos muy diversos. ‖ **2.** Hoja de hierro en figura de trapecio por lo común, con filo por un lado y un ojo en el opuesto para enastarla, que forma parte de los azadones, azadas, hachas y otras herramientas. ‖ **3.** Parte ancha de diversos objetos, siempre que tenga alguna semejanza con las **palas** de madera o hierro usadas en la industria. ‖ **4.** Tabla de madera fuerte, de figura elíptica, con un mango por donde se empuña, forrada de pergamino por una de sus caras y a propósito para jugar a la pelota. ‖ **5.** Especie de cucharón de madera con que se coge y lanza la bola en el juego de la argolla. ‖ **6. Raqueta,** 1.ª acep. ‖ **7.** Parte ancha del remo, con la cual se hace fuerza en el agua. ‖ **8.** Asiento de metal en que el lapidario engasta las piedras. ‖ **9.** Cuchilla rectangular con mango corto y perpendicular al dorso, que sirve a los curtidores para descarnar las pieles. ‖ **10.** Parte superior del calzado, que abraza el pie por encima. ‖ **11.** Lo ancho y plano de los dientes. ‖ **12.** Cada uno de los cuatro dientes que muda el potro a los treinta meses de edad. ‖ **13.** Cada una de las divisiones del tallo del nopal. ‖ **14.** Cada una de las chapas de que se compone una bisagra. ‖ **15.** Parte lisa de la charretera, de la cual pende el fleco. ‖ **16.** V. **Cabe, cofrade, higo, higuera de pala.** ‖ **17.** fig. y fam. Astucia o artificio para conseguir o averiguar una cosa. ‖ **18.** fig. y fam. Destreza o habilidad de un sujeto, con alusión a los diestros jugadores de pelota. ‖ **19.** *Mar.* **Ala,** 15.ª acep. ‖ **20.** *Mús.* En los instrumentos de viento, parte ancha y redondeada de las llaves que tapan los agujeros del aire. ‖ **de cuchara,** o **del timón. Pala,** 3.ª acep. ‖ **Corta pala.** fig. y fam. Persona poco inteligente en una cosa. ‖ **Eso lo acabará,** o **lo apartará, la pala y el azadón.** ref. con que se da a entender que sólo la muerte puede desarraigar una costumbre o un afecto. ‖ **Hacer pala.** fr. Entre los jugadores de pelota, poner la **pala** de firme para recibirla y que se rebata con su mismo impulso. ‖ **2.** *Germ.* Ponerse un ladrón delante de uno a quien se quiere robar, para ocuparle la vista. ‖ **Meter la pala.** fr. fig. y fam. Engañar con disimulo y habilidad. ‖ **Meter** uno su **media pala.** fr. fig. y fam. Concurrir en parte o con algún oficio a la consecución de un intento.

Palabra. (Del lat. *parabŏla.*) f. Sonido o conjunto de sonidos articulados que expresan una idea. ‖ **2.** Representación gráfica de estos sonidos. ‖ **3.** Facultad de hablar. ‖ **4.** Aptitud oratoria. ‖ **5.** Empeño que hace uno de su fe y probidad en testimonio de la certeza de lo que refiere o asegura. ‖ **6.** Promesa u oferta. ‖ **7.** Derecho, turno para hablar en las asambleas políticas y otras corporaciones. *Pedir, conceder, tener, retirar la* PALABRA; *usar de la* PALABRA. ‖ **8.** Junta esta voz con las partículas *no* o *ni* y un verbo, sirve para dar más fuerza a la negación de lo que el verbo significa. Con la partícula *no* se pospone al verbo, y con la partícula *ni* algunas veces se antepone. NO *entiendo* PALABRA; NI PALABRA *entiendo.* ‖ **9.** ant. Dicho, razón, sentencia, parábola. ‖ **10.** ant. Metal de la voz. ‖ **11.** *Teol.* **Verbo,** 1.ª acep. ‖ **12.** pl. Dicciones o voces supersticiosas, regularmente extrañas y muchas veces de ninguna significación, que usan los sortílegos y las hechiceras en sus embustes. ‖ **13.** Pasaje o texto de un autor o escrito. ‖ **14.** Las que constituyen la forma de los sacramentos. ‖ **Palabra de Dios.** El Evangelio, la Escritura, los sermones y doctrina de los predicadores evangélicos. ‖ **de honor. Palabra,** 5.ª acep. ‖ **de matrimonio.** La que se da recíprocamente de contraerlo y se acepta, por la cual quedan moralmente obligados a su cumplimiento los que la dan. ‖ **de rey.** fig. y fam. Ú. para encarecer o ponderar la seguridad y certeza de la **palabra** que se da o de la oferta que se hace. ‖ **divina. Palabra de Dios.** ‖ **ociosa.** La que no tiene fin determinado y se dice por diversión o pasatiempo. ‖ **pesada.** La injuriosa o sensible. Ú. m. en pl. ‖ **picante.** La que hiere o mortifica a la persona a quien se dice. ‖ **preñada.** fig. Dicho que incluye en sí más sentido que el que manifiesta, y se deja al discurso del que lo oye. Ú. m. en pl. ‖ **Santa palabra.** Dicho u oferta que complace. Ú. particularmente cuando se llama a comer. ‖ **Palabras al aire.** fig. y fam. Las que no merecen aprecio por la insubstancialidad del que las dice o por el poco fundamento en que se apoyan. ‖ **de buena crianza.** Expresiones de cortesía o de cumplimiento. ‖ **de la ley,** o **del duelo.** Las que las leyes dan y señalan por gravemente injuriosas, y que ofenden y piden satisfacción. ‖ **de oráculo.** fig. Aquellas respuestas anfibológicas que algunas personas dan a lo que se les pregunta, disfrazando lo que quieren decir. ‖ **de presente.** Las que recíprocamente se dan los esposos en el acto de casarse. ‖ **libres.** Las deshonestas. ‖ **mayores.** Las injuriosas y ofensivas. ‖ **Las siete palabras.** Las que Cristo dijo en la cruz. ‖ **Medias palabras.** Las que no se pronuncian enteramente por defecto de la lengua. ‖ **2.** fig. Insinuación embozada, reticencia, aquello que por alguna razón no se dice del todo, sino incompleta y confusamente. ‖ **A dos palabras tres porradas.** ref. que reprende a los habladores necios o ignorantes. ‖ **Ahorrar palabras.** fr. con que se insta a uno para que finalice un negocio o ejecute lo que se dice, dejándose de proponer excusas. ‖ **A la primera palabra.** m. adv. fig. con que se explica la prontitud en la inteligencia de lo que se dice o en el conocimiento del que habla. ‖ **2.** Dícese también hablando de los mercaderes, cuando desde luego piden por lo que venden un precio excesivo. A LA PRIMERA PALABRA *me pidió tanto por la vara de paño.* ‖ **Alzar la palabra.** fr. **Soltar la palabra.** ‖ **A media palabra.** m. adv. fig. con que se pondera la eficacia de persuadir, o por la amistad o por la autoridad que se tiene con otro. ‖ **A palabras locas, orejas sordas.** ref. con que se denota que las cosas se toman según quien las dice, no haciendo caso del que habla sin razón. ‖ **Atravesar una palabra con** uno. fr. ant. fig. Hablar con él. ‖ **Bajo** su **palabra.** m. adv. Sin otra seguridad que la **palabra** que uno da de hacer una cosa. ‖ **2.** fig. y fam. Dícese de las cosas materiales que están con poca seguridad y consistencia y amenazando ruina. ‖ **Beber las palabras** a uno. fr. Escucharle o atenderle con sumo cuidado. ‖ **2.** fig. Servirle con esmero. ‖ **Coger la palabra.** fr. fig. Valerse de ella, o reconvenir con ella, o hacer prenda de ella, para obligar al cumplimiento de la oferta o promesa. ‖ **Coger las palabras.** fr. fig. Observar cuidadosamente las que uno dice, o para notarlas de impropias y bárbaras, o porque puedan importar. ‖ **Comerse las palabras.** fr. fig. y fam. Hablar precipitada o confusamente omitiendo sílabas o letras. ‖ **2.** Omitir en lo escrito alguna **palabra** o parte de ella. ‖ **Correr la palabra.** fr. *Mil.* Avisarse sucesivamente unas a otras las centinelas de una muralla o cordón, para que estén toda la noche alerta. ‖ **Cuatro palabras.** fr. Conversación corta. ‖ **Dar la palabra.** fr. fig. Conceder el uso de ella en un debate. ‖ **Dar** uno **palabra,** o su **palabra.** fr. **Ofrecer,** 1.ª acep. ‖ **Dar palabra y mano.** fr. fig. Contraer esponsales. Algunas veces se usa para asegurar más el cumplimiento de una promesa. ‖ **Decir** uno **la última palabra** en un asunto. fr. Resolverlo o esclarecerlo de manera definitiva. ‖ **Dejar** a uno **con la palabra en la boca.** fr. Volverle la espalda sin escuchar lo que va a decir. ‖ **De palabra.** m. adv. Por medio de la expresión oral. ‖ **De palabra en palabra.** m. adv. De una razón o de un dicho en otro. Ú. para explicar que por grados se va encendiendo una contienda o disputa. ‖ **Dirigir la palabra** a uno. fr. Hablar singular y determinadamente con él. ‖ **Dos palabras.** fr. **Cuatro palabras.** ‖ **Empeñar** uno **la palabra.** fr. **Dar palabra.** ‖ **En dos palabras.** expr. fig. y fam. **En dos paletas.** ‖ **En dos,** o **en pocas, palabras. En una palabra.** exprs. figs. con que se significa la brevedad o concisión con que se expresa o se dice una cosa. ‖ **Escapársele** a uno **una palabra.** fr. Proferir, por descuido o falta de reparo, una voz o expresión disonante o que puede ser sensible. ‖ **Estar colgado,** o **pendiente, de las palabras** de uno. fr. fig. Oírle con suma atención. ‖ **Faltar** uno **a la,** o **a su, palabra.** fr. Dejar de hacer lo que ha prometido u ofrecido. ‖ **Faltar palabras.** fr. fig. con que se pondera una cosa cuya bondad o maldad extrema la hace inexplicable. ‖ **Gastar palabras.** fr. fig. Hablar inútilmente. ‖ **Írsele** a uno **una palabra.** fr. **Escapársele una palabra.** ‖ **Llevar la palabra.** fr. Hablar una persona en nombre de otras que la acompañan. ‖ **Mantener** uno su **palabra.** fr. fig. Perseverar en lo ofrecido. ‖ **Medir** uno **las palabras.** fr. fig. Hablar con cuidado para no decir sino lo que convenga. || **Mi palabra es prenda de oro.** expr. fig. con que se pondera la seguridad que el que oye debe tener en la oferta que se le hace. || **Mudar las palabras.** fr. **Torcer las palabras.** || **Ni palabra mala, ni obra buena.** fr. proverb. **Ni obra buena, ni palabra mala.** || **No decir,** o **no hablar, palabra.** fr. Callar o guardar silencio, o no repugnar ni contradecir lo que se propone o pide. || **2.** fig. No responder a propósito o no dar razón suficiente en lo que se habla. || **No hay palabra mal dicha si no fuese mal entendida.** fr. proverb. que reprende a los maliciosos y malintencionados que ordinariamente interpretan y echan a mala parte lo que se dijo sin malicia o con buena intención. || **No ser más que palabras** una cosa. fr. fig. No haber en una disputa o altercación cosa substancial ni que merezca particular sentimiento, cuidado o atención. || **No tener** uno **más que palabras.** fr. fig. Ser baladrón o jactarse de valiente, no correspondiendo en las ocasiones. || **No tener** uno **más que una palabra.** fr. fig. Ser formal y sincero en lo que dice. || **No tener** uno **palabra.** fr. fig. Faltar fácilmente a lo que ofrece o contrata. || **No tener** uno **palabras.** fr. fig. No explicarse en una materia, o por sufrimiento o por ignorancia. Suele añadirse en esta forma: **No tener palabras hechas.** || **Oír dos palabras,** o **una palabra.** fr. fig. que se usa para pedir uno a otro que le escuche, que dirá brevemente lo que quiere que le oiga. || **¡Palabra!** Especie de interjección que se usa para llamar a uno a conversación. || **Palabra de boca, piedra de honda.** ref. **Palabra y piedra suelta no tienen vuelta.** || **Palabra por palabra.** loc. adv. **Al pie de la letra.** || **Palabras de santo, uñas de gato.** ref. con que se nota a uno de hipócrita. || **Palabras señaladas no quieren testigos.** ref. que enseña el cuidado que se debe tener en hablar, especialmente de cosas de que puede resultar perjuicio. || **Palabras y plumas el viento las lleva,** o **las tumba.** ref. que enseña el poco caso y seguridad que se debe tener en las **palabras** que se dan, por la facilidad con que se quiebran o no se cumplen. || **Palabra y piedra suelta no tienen vuelta.** ref. que enseña la reflexión y cautela que se debe tener en proferir las **palabras,** especialmente las que pueden herir, porque una vez dichas no se pueden recoger. || **Pasar la palabra.** fr. *Mil.* **Correr la palabra.** || **Pedir la palabra.** fr. que se usa como fórmula para solicitar, el que la dice, que se le permita hablar. || **2.** Demandar o exigir que se cumpla lo prometido. || **Quitarle** a uno **la palabra,** o **las palabras, de la boca.** fr. fig. Decir uno lo mismo que estaba a punto de expresar su interlocutor. || **Quitarle** a uno **las palabras de la boca.** fr. fig. y fam. Tomar uno la **palabra,** interrumpiendo al que habla y no dejándole continuar. || **Remojar la palabra.** fr. fig. y fam. Echar un trago. || **Sin decir,** o **hablar, palabra.** loc. adv. Callando o guardando silencio; sin repugnar ni contradecir lo que se propone o pide. || **Sobre su palabra.** m. adv. **Bajo** su **palabra.** || **Soltar la palabra.** fr. fig. Absolver, libertar o dispensar a uno de la obligación en que se constituyó por la **palabra.** || **2.** fig. Dar **palabra** de hacer una cosa. *Ya* HE SOLTADO LA PALABRA; *es preciso cumplirla.* || **Tener palabras.** fr. fig. Decirse dos o más personas **palabras** desagradables. || **Tomar la palabra.** fr. fig. **Coger la palabra.** || **2.** fig. Empezar a hablar. || **Torcer las palabras.** fr. fig. Darles otro sentido del que ellas propiamente tienen, o de aquel en que se dicen naturalmente. || **Trabarse de palabras.** fr. fig. **Tener palabras.** || **Traer en palabras** a uno. fr. Entretenerle con ofertas o promesas, sin llegar al cumplimiento de lo que pretende. || **Tratar mal de palabra** a uno. fr. Injuriarle con un dicho ofensivo. || **Trocar las palabras.** fr. **Torcer las palabras.** || **¡Una palabra!** expr. **¡Palabra!** || **Vender palabras.** fr. fig. Engañar o traer entretenido a uno con ellas. || **Venir** uno **contra** su **palabra.** fr. fig. Faltar a ella. || **Volverle** a uno **las palabras al cuerpo.** fr. fig. y fam. Obligarle a que se desdiga, o convencerle de que ha faltado a la verdad.

Palabrada. f. **Palabrota.**

Palabreja. f. d. despect. Palabra de escasa importancia o interés en el discurso.

Palabreo. m. Acción y efecto de hablar mucho y en vano.

Palabrería. f. Abundancia de palabras vanas y ociosas.

Palabrero, ra. (De *palabra.*) adj. Que habla mucho. Ú. t. c. s. || **2.** Que ofrece fácilmente y sin reparo, no cumpliendo nada. Ú. t. c. s.

Palabrimujer. adj. Dícese del hombre que tiene el tono de la voz como de mujer. Ú. t. c. s.

Palabrista. adj. **Palabrero.** Ú. t. c. s.

Palabrita. (d. de *palabra.*) f. Palabra sensible o que lleva mucha intención. *Le dije cuatro* PALABRITAS *al oído.* || **Palabritas mansas.** fig. y fam. Persona que tiene suavidad en la persuasiva o modo de hablar, reservando segunda intención en el ánimo.

Palabrón, na. adj. **Palabrero.**

Palabrota. f. despect. Dicho ofensivo, indecente o grosero.

Palacete. m. Casa de recreo construida y alhajada como un palacio, pero más pequeña.

Palaciano, na. adj. **Palaciego.** || **2.** m. *Nav.* Dueño de un palacio en Navarra.

Palaciego, ga. adj. Perteneciente o relativo a palacio. || **2.** Dícese del que servía o asistía en palacio y sabía sus estilos y modas. Ú. t. c. s. || **3.** fig. **Cortesano.** Ú. t. c. s.

Palacio. (Del lat. *palatium.*) m. Casa destinada para residencia de los reyes. || **2.** Cualquiera casa suntuosa, destinada a habitación de grandes personajes, o para las juntas de corporaciones elevadas. || **3.** Casa solariega de una familia noble. || **4.** En el antiguo reino de Toledo y en Andalucía, sala principal en una casa particular. || **5.** V. **Maestro del sacro palacio.** || **6.** ant. Sitio donde el rey daba audiencia pública. || **Dar palacio.** fr. Entre los tiradores de oro y plata, hacer pasar los alambres por alguno de los agujeros de la hilera. || **Echar a palacio** una cosa. fr. fig. y fam. No hacer caso de ella. || **Estar** uno **embargado para palacio.** fr. fig. y fam. con que se excusa de hacer una cosa por suponer ocupación precisa. || **Hacer** uno **palacio.** fr. Hacer público lo escondido o secreto. || **Hacer, mantener,** o **tener, palacio.** fr. Conversar festivamente por pasatiempo y corrección.

Palacra. (Voz de la primitiva lengua española, adoptada por los latinos.) f. Pepita de oro.

Palacrana. (Voz de la primitiva lengua española.) f. **Palacra.**

Palada. f. Porción que la pala puede coger de una vez. || **2.** Golpe que se da al agua con la pala del remo.

Paladar. (Del lat. *palātum.*) m. *Zool.* Parte interior y superior de la boca del animal vertebrado. || **2.** V. **Aguja paladar.** || **3.** fig. Gusto y sabor que se percibe de los manjares. || **4.** fig. Gusto, sensibilidad para discernir, aficionarse o repugnar alguna cosa en lo inmaterial o espiritual. || **Hablar al paladar.** fr. fig. **Hablar al gusto.**

Paladear. (De *paladar.*) tr. Tomar poco a poco el gusto de una cosa. Ú. t. c. r. || **2.** Limpiar la boca o el paladar a los animales para que apetezcan el alimento, cuando por un accidente que padecen en ella lo han aborrecido o no pueden comer. || **3.** Poner en el paladar al recién nacido miel u otra cosa suave, para que con este dulce o sabor se aficione al pecho y mame sin repugnancia. || **4.** fig. Aficionar a una cosa o quitar el deseo de ella por medio de otra que dé gusto y entretenga. || **5.** intr. Empezar el niño recién nacido a dar, con algunos movimientos de la boca, señas de que quiere mamar.

Paladeo. m. Acción de paladear o paladearse.

Paladial. adj. Perteneciente o relativo al paladar. || **2. Palatal,** 2.ª acep.

Paladín. (De *paladino.*) m. Caballero fuerte y valeroso que, voluntario en la guerra, se distingue por sus hazañas. || **2.** fig. Defensor denodado de alguna persona o cosa.

Paladinamente. adv. m. Públicamente, claramente, sin rebozo.

Paladino, na. (Del lat. *palatinus;* de *palatium,* palacio.) adj. Público, claro y patente. || **2.** m. **Paladín.** || **A paladinas.** m. adv. ant. **Paladinamente.**

Paladio. (Del lat. *Palladium,* y éste del gr. Παλλάδιον, estatua de Palas que hubo en Troya.) m. Metal bastante raro cuyas cualidades participan de las de la plata y el platino. Sólo se ha empleado para las escalas y círculos graduados de algunos instrumentos de matemáticas y en una aleación usada por los dentistas.

Paladión. (Del m. or. que *paladio.*) m. fig. Objeto en que estriba o se cree que consiste la defensa y seguridad de una cosa.

Palado, da. adj. *Blas.* Dícese del escudo y de las figuras cargadas de palos; entendiéndose simplemente la voz **palado** de la figura compuesta de seis palos.

Palafito. (Del ital. *palafitta.*) m. Vivienda primitiva construida por lo común dentro de un lago, sobre estacas o pies derechos.

Palafrén. (Del lat. *paraverēdus,* caballo de posta.) m. Caballo manso en que solían montar las damas y señoras en las funciones públicas o en las cacerías, y muchas veces los reyes y príncipes para hacer sus entradas. || **2.** Caballo en que va montado el criado o lacayo que acompaña a su amo cuando éste va a caballo.

Palafrenero. (De *palafrén.*) m. Criado que lleva del freno el caballo. || **2.** Mozo de caballos. || **3.** Criado que monta el palafrén. || **mayor.** En las caballerizas reales, picador, jefe de la regalada, que tenía de la cabezada el caballo cuando montaba el rey.

Palahierro. (De *palo* y *hierro.*) m. Rangua o tejuelo encajado en la solera del molino, para que sobre él gire el gorrón de la muela.

Palamallo. (Del ital. *pala a maglio.*) m. Juego semejante al del mallo.

Palamenta. (De *pala.*) f. Conjunto de los remos en la embarcación que usa de ellos. || **Estar** uno **debajo de la palamenta.** fr. fig. Estar sujeto a que hagan de él lo que quisieren.

Palanca. (Del lat. *p(h)alanga,* y éste del gr. φάλαγξ.) f. Barra inflexible, recta, angular o curva, que se apoya y puede girar sobre un punto, y sirve para remover o levantar pesos. || **2.** Pértiga o palo de que se sirven los ganapanes o palanquines para llevar entre dos un gran peso. || **3.** fig. Valimiento, intercesión poderosa o influencia que se emplea para lograr algún fin. || **4.** *Fort.* Fortín construido de estacas y tierra.

Por lo regular es obra exterior, que sirve para defender la campaña. || **5.** *Mar.* **Palanquín,** 4.ª acep.

Palancada. f. Golpe dado con la palanca.

Palancana. f. **Palangana.**

Palanciano, na. adj. ant. **Palaciego.** Usáb. t. c. s.

Palangana. f. **Jofaina.**

Palanganero. m. Mueble de madera o hierro, por lo común de tres pies, donde se coloca la palangana para lavarse, y a veces un jarro con agua, el jabón y otras cosas para el aseo de la persona.

Palangre. (En fr. y port. *palangre.*) m. Cordel largo y grueso del cual penden a trechos unos ramales con anzuelos en sus extremos y que se cala en parajes de mucho fondo donde no se puede pescar con redes.

Palangrero. m. Barco de pesca con palangre. || **2.** Pescador que usa este aparejo.

Palanquera. (De *palanca.*) f. Valla de madera.

Palanquero. m. El que apalanca. || **2.** Operario que movía el fuelle en las ferrerías.

Palanqueta. f. d. de **Palanca.** || **2.** Barreta de hierro que sirve para forzar las puertas o las cerraduras. || **3.** Barreta de hierro con dos cabezas gruesas, que en lugar de bala se empleaba en la carga de la artillería de marina para romper las jarcias y arboladura de los buques enemigos.

Palanquilla. (d. de *palanca.*) f. V. **Hierro palanquilla.**

Palanquín. (De *palanca.*) m. Ganapán o mozo de cordel que lleva cargas de una parte a otra. || **2.** Especie de andas usadas en Oriente para llevar en ellas a los personajes. || **3.** *Germ.* **Ladrón,** 1.ª acep. || **4.** *Mar.* Cada uno de los cabos que sirven para cargar los puños de las velas mayores, llevándolos a la cruz de sus vergas respectivas. || **5.** *Mar.* Aparejo que se usa a bordo para meter los cañones en batería, después de hecha la carga. || **de retenida.** *Mar.* Aparejo cuyos motones se afirman, uno en la parte trasera de la cureña de las piezas de artillería y otro en una argolla firme en la cubierta, inmediata a la crujía, y que sirve para asegurar aquéllas contra los balances.

Palas. m. *Astron.* Nombre del segundo de los asteroides, descubierto por Olbers en 1802.

Palasan. (Voz tagala.) m. **Rota,** 3.er art.

Palastro. (De *pala.*) m. Chapa o planchita sobre que se coloca el pestillo de una cerradura. || **2.** Hierro o acero laminado.

Palatal. (Del lat. *palātum,* paladar.) adj. Perteneciente o relativo al paladar. || **2.** *Fon.* Dícese del sonido cuya articulación se forma en cualquier punto del paladar, y más propiamente de la vocal o consonante que se pronuncia aplicando o acercando el dorso de la lengua a la parte correspondiente al paladar duro, como la *i* y la *ñ*. || **3.** f. Letra que representa este sonido.

Palatalizar. tr. Dar a una letra sonido paladial.

Palatina. (De la princesa *Palatina,* segunda esposa del duque de Orleáns, hermano de Luis XIV.) f. Adorno de martas o seda, plumas, etc., usado por las mujeres para cubrir y abrigar la garganta y el pecho en el invierno, al modo de una corbata ancha y tendida.

Palatinado. m. Dignidad o título de uno de los príncipes palatinos de Alemania. || **2.** Territorio de los príncipes palatinos.

Palatino, na. (Del lat. *palātus,* paladar.) adj. Perteneciente al paladar. || **2.** *Zool.* Dícese especialmente del hueso par que contribuye a formar la bóveda del paladar. Ú. t. c. s. || **3.** *Zool.* V. **Bóveda palatina.**

Palatino, na. (Del lat. *palatīnus.*) adj. Perteneciente a palacio o propio de los palacios. || **2.** Dícese de los que antiguamente tenían oficio principal en los palacios de los príncipes. Después en Alemania, Francia y Polonia fué dignidad de gran consideración, que correspondía a virreyes y capitanes generales. Ú. t. c. s.

Palay. m. *Filip.* Arroz con cáscara.

Palazo. m. Golpe dado con la pala.

Palazón. f. Conjunto de palos de que se compone una fábrica; como casa, barraca, embarcación, etc.

Palca. f. *Bol.* Cruce de dos ríos o de dos caminos. || **2.** *Bol.* Horquilla formada por una rama.

Palco. (Del germ. *balko.*) m. Localidad independiente con balcón, en los teatros y otros lugares de recreo. || **2.** En lo antiguo, **aposento,** 4.ª acep. || **3.** Tabladillo o palenque donde se coloca la gente para ver una función. || **de platea.** El que está al nivel o casi al nivel del piso del teatro alrededor de la platea. || **escénico. Escena,** 1.ª acep.

Paleación. f. ant. **Paliación.**

Paleador. m. El que trabaja con la pala o usa de ella.

Palear. (De *pala.*) tr. **Apalear,** 2.° art.

Palear. tr. ant. **Paliar.**

Palencia. (De *pala,* por influencia del nombre de la ciudad de *Palencia.*) n. p. V. **Jabón de Palencia.**

Palenque. (Del b. lat. *pallanca,* y éste del lat. *palus,* palo.) m. Valla de madera o estacada que se hace para la defensa de un puesto, para cerrar el terreno en que se ha de hacer una fiesta pública, o para otros fines. || **2.** Camino de tablas que desde el suelo se elevaba hasta el tablado del teatro, cuando había entrada de torneo u otra función semejante. || **3.** Terreno cercado por una estacada para celebrar algún acto solemne.

Palense. adj. Natural de Palos de Moguer. Ú. t. c. s. || **2.** Perteneciente a esta villa.

Palente. (Del lat. *pallens, -entis,* p. a. de *pallēre,* palidecer.) adj. ant. **Pálido.**

Palentino, na. adj. Natural de Palencia. Ú. t. c. s. || **2.** Perteneciente a esta ciudad.

Paleografía. (De *paleógrafo.*) f. Arte de leer la escritura y signos de los libros y documentos antiguos.

Paleográfico, ca. adj. Perteneciente a la paleografía.

Paleógrafo. (Del gr. παλαιός, antiguo, y γράφω, escribir.) m. El que profesa la paleografía o tiene en ella especiales conocimientos.

Paleolítico, ca. (Del gr. παλαιός, antiguo, y λίθος, piedra.) adj. *Geol.* Perteneciente o relativo a la primitiva edad de la piedra, o sea de la piedra tallada. Ú. t. c. s.

Paleólogo, ga. adj. Que conoce los idiomas antiguos. Ú. t. c. s.

Paleontografía. (Del gr. παλαιός, antiguo, ὤν, ὄντος, ente, ser, y γράφω, describir.) f. Descripción de los seres orgánicos cuyos restos o vestigios se encuentran fósiles.

Paleontográfico, ca. adj. Perteneciente o relativo a la paleontografía.

Paleontología. (De *paleontólogo.*) f. Tratado de los seres orgánicos cuyos restos o vestigios se encuentran fósiles.

Paleontológico, ca. adj. Perteneciente o relativo a la paleontología.

Paleontólogo. (Del gr. παλαιός, antiguo, ὤν, ὄντος, ente, ser, y λέγω, decir, tratar.) m. El que profesa la paleontología o tiene en ella especiales conocimientos.

Paleoterio. (Del gr. παλαιός, antiguo, y θηρίον, bestia.) m. *Paleont.* Mamífero perisodáctilo que vivió en el período oligoceno, al que se considera como uno de los antepasados del caballo.

Paleozoico, ca. (Del gr. παλαιός, antiguo, y ζῷον, animal.) adj. *Geol.* Dícese del segundo de los períodos de la historia de la Tierra, o sea el más antiguo de los sedimentarios.

Palera. f. *Murc.* **Nopal.**

Palería. (De *palero.*) f. Arte u oficio de formar o limpiar las madres e hijuelas para desaguar las tierras bajas y húmedas.

Palermitano, na. adj. **Panormitano.** Apl. a pers., ú. t. c. s.

Palero. m. El que hace o vende palas. || **2.** El que ejerce el arte u oficio de la palería. || **3.** *Mil.* Soldado que trabajaba con pala, como ahora los gastadores.

Palestino, na. (Del lat. *palaestīnus.*) adj. Natural de Palestina. Ú. t. c. s. || **2.** Perteneciente a este país de Asia.

Palestra. (Del lat. *palaestra,* y éste del gr. παλαίστρα; de παλαίω, pelear, luchar.) f. Sitio o lugar donde se lidia o lucha. || **2.** fig. poét. La misma lucha. || **3.** fig. Sitio o paraje en que se celebran ejercicios literarios públicos o se discute o controvierte sobre cualquier asunto.

Paléstrico, ca. (Del lat. *palaestrĭcus.*) adj. Perteneciente a la palestra.

Palestrita. (Del lat. *palaestrīta.*) m. El que se ejercita en la palestra.

Paleta. f. d. de **Pala.** || **2.** Tabla pequeña sin mango y con un agujero a un extremo de ella, por donde para sostenerla mete el pintor el dedo pulgar izquierdo y en la cual tiene ordenados los colores. || **3.** Instrumento de hierro que consta de un platillo redondo y un astil largo, y sirve en las cocinas, especialmente de comunidades, para repartir la vianda. || **4.** Badil u otro instrumento semejante con que se remueve la lumbre. || **5.** Utensilio de palastro, de figura triangular y mango de madera, que usan los albañiles para manejar la mezcla o mortero. || **6. Paletilla,** 1.ª acep. || **7.** Cada una de las tablas de madera o planchas metálicas, planas o curvas, que se fijan en las ruedas hidráulicas para recibir la acción del agua. || **8.** Cada una de las piezas análogas de los ventiladores y de otros aparatos que reciben y utilizan el choque o la resistencia del aire, o sirven para ponerlo en movimiento, girando ellos a impulso de otra fuerza. || **9.** V. **Cabe a, o de, paleta.** || **10.** *Mar.* Cada una de las piezas, en número variable y de diversa forma y curvatura, que, unidas a un núcleo central, constituyen la hélice marina, en la que hacen oficio análogo al de los filetes en el tornillo ordinario. || **Media paleta.** *Ar.* Oficial de albañil que sale de aprendiz y aún no gana gajes de oficial. || **De paleta.** m. adv. fig. Oportunamente, a la mano, a pedir de boca. || **En dos paletas.** m. adv. fig. y fam. Brevemente, en un instante.

Paletada. f. Porción que la paleta puede coger de una vez. || **2.** Golpe que se da con la paleta. || **3.** Trabajo que hace el albañil cada vez que aplica el material con la paleta. || **En dos paletadas.** m. adv. fig. y fam. **En dos paletas.**

Paletazo. (De *paleta.*) m. **Varetazo.**

Paletear. (De *paleta.*) intr. *Mar.* Remar mal, metiendo y sacando la pala del remo en el agua sin adelantar nada. || **2.** *Mar.* Golpear el agua con las paletas de las ruedas sin arrancar del sitio, debido a la poca fuerza del vapor o a algún accidente del buque.

Paleteo. m. Acción de paletear.

Paletero. (De *paleto.*) m. *Germ.* Ladrón que ayuda a hacer pala. || **2.** *Mont.* Gamo de dos años.

Paletilla. (d. de *paleta.*) f. **Omóplato.** || **2.** Ternilla en que termina el esternón y que corresponde a la región llamada boca del estómago. || **3. Palmatoria,** 2.ª acep. || **4.** *Esc.* y *Pint.* V. **Encarnación de paletilla.** || **Caerse la paletilla.** fr. fam. Relajarse esta ternilla. || **Levantarle** a uno **la paletilla.** fr. fig. y fam. Darle una grave pesadumbre, o decirle palabras de sentimiento. || **Ponerle** a uno **la paletilla en su lugar.** fr. fig. y fam. Reprenderle agriamente.

Paleto. (De *pala,* por la que forman sus astas.) m. **Gamo.** || **2.** m. fig. Persona rústica y zafia.

Paletó. (Del fr. *paletot.*) m. Gabán de paño grueso, largo y entallado, pero sin faldas como el levitón.

Paletón. (De *paleta.*) m. Parte de la llave en que se forman los dientes y guardas de ella.

Paletoque. (Del ant. fr. *paltoque.*) m. Género de capotillo de dos haldas como escapulario, largo hasta las rodillas y sin mangas. Lo usan en varias serranías, y antiguamente lo usaron sobre las armas los soldados.

Palhuén. (Voz de origen araucano.) m. *Chile.* Arbusto de la familia de las papilionáceas, de más de dos metros de altura y menos de tres y muy espinoso.

Pali. (Del sánscrito *pâli,* serie, colección, por la de los libros búdicos.) adj. Dícese de una lengua hermana de la sánscrita, pero menos antigua, que empezó a usarse en la provincia de Magada, en la India oriental, y en la que predicó Buda su doctrina. Ú. t. c. s. m.

Palia. (Del lat. *pallium,* cubierta, colgadura.) f. Lienzo sobre que se extienden los corporales para decir misa. || **2.** Cortina o mampara exterior que se pone delante del sagrario en que está reservado el Santísimo. || **3. Hijuela,** 5.ª acep.

Paliación. f. Acción y efecto de paliar.

Paliadamente. (De *paliar.*) adv. m. Disimulada o encubiertamente.

Paliar. (Del lat. *palliāre;* de *pallium,* capa.) tr. Encubrir, disimular, cohonestar. || **2.** Mitigar la violencia de ciertas enfermedades, principalmente de las crónicas e incurables, haciéndolas más llevaderas.

Paliativo, va. (Del lat. *palliātum,* supino de *palliāre,* encubrir, disimular.) adj. Dícese de los remedios que se aplican a las enfermedades incurables para mitigar su violencia y refrenar su rapidez. Ú. t. c. s. m. || **2.** fig. **Paliatorio.** Ú. m. c. s.

Paliatorio, ria. (De *paliar.*) adj. Capaz de encubrir, disimular o cohonestar una cosa.

Palidecer. intr. Ponerse pálido. || **2.** fig. Padecer una cosa disminución o atenuación de su importancia o esplendor.

Palidez. (De *pálido.*) f. Amarillez, descaecimiento del color natural.

Pálido, da. (Del lat. *pallĭdus.*) adj. Amarillo, macilento o descaecido de su color natural. || **2. Desvaído,** 2.ª acep. || **3.** fig. Desanimado, falto de expresión y colorido. Dícese especialmente hablando de obras literarias.

Paliducho, cha. adj. Dícese de la persona de quebrado color.

Palier. (Del fr. *palier.*) m. *Mec.* En algunos vehículos automóviles, cada una de las dos mitades en que se divide el eje de las ruedas motrices.

Palillero, ra. m. y f. Persona que hace o vende palillos para mondar los dientes. || **2.** m. Cañuto, cajita o cosa semejante en que se guardan los palillos para limpiarse los dientes. || **3.** Pieza de una u otra materia y de figura varia y caprichosa, con muchos agujeritos en que se colocan los palillos o mondadientes para ponerlos en la mesa.

Palillo. (d. de *palo.*) m. Varilla, por la parte inferior aguda y por la superior redonda y hueca, donde se encaja la aguja para hacer media: tiene de largo dos decímetros, poco más o menos, y se afirma en la cintura. || **2.** Mondadientes de madera. || **3. Bolillo,** 1.ª acep. || **4.** Cualquiera de las dos varitas redondas y de grueso proporcionado, que rematan en forma de perilla y sirven para tocar el tambor: las que se usan para tocar los atabales tienen el remate a manera de rodaja. || **5.** Vena gruesa de la hoja del tabaco. || **6.** fig. **Palique.** || **7.** V. **Tabaco de palillos.** || **8.** pl. Bolillos que se ponen en el billar en ciertos juegos. || **9.** Palitos de boj u otra madera dura que emplean los escultores para modelar el barro. || **10.** fig. y fam. Aquellos primeros principios o reglas menudas de las artes o ciencias. || **11.** fig. y fam. Lo insubstancial y poco importante o despreciable de una cosa. || **12.** *And.* Castañuelas. || **Palillo de barquillero, o de suplicaciones.** Tablilla angosta señalada en un extremo, que colocada sobre un perno en la tapa de la arquilla o cesta del barquillero, se hace girar e indica, según el sitio en que para, quién gana la suerte. || **Como palillo de barquillero,** o **de suplicaciones.** loc. adv. fig. y fam. Yendo y viniendo sin punto de reposo. || **Tocar todos los palillos.** fr. fam. Tantear todos los medios para un fin.

Palimpsesto. (Del lat. *palimpsestus,* y éste del gr. παλίμψηστος; de πάλιν, nuevamente, ψάω, borrar.) m. Manuscrito antiguo que conserva huellas de una escritura anterior borrada artificialmente. || **2.** Tablilla antigua en que se podía borrar lo escrito para volver a escribir.

Palíndromo. (Del gr. πάλιν, de nuevo, y δρόμος, carrera.) m. Palabra o frase que se lee igual de izquierda a derecha, que de derecha a izquierda. *Anilina; dábale arroz a la zorra el abad.*

Palingenesia. (Del gr. παλιγγενεσία; de πάλιν, de nuevo, y γένεσις, nacimiento.) f. Regeneración, renacimiento de los seres.

Palingenésico, ca. adj. Perteneciente o relativo a la palingenesia.

Palinodia. (Del lat. *palinodĭa,* y éste del gr. παλινῳδία.) f. Retractación pública de lo que se había dicho. Ú. m. en la fr. **cantar la palinodia,** que significa retractarse públicamente, y, por extensión, reconocer el yerro propio, aunque sea en privado.

Palio. (Del lat. *pallium.*) m. Prenda principal, exterior, del traje griego, cuadrada o cuadrilonga, a manera de manto, sujeta al pecho por una hebilla o broche. Se usaba indistintamente por hombres y mujeres, alguna vez como vestido único sobre el cuerpo, pero comúnmente, para mayor abrigo, sobre la túnica. || **2.** Capa o balandrán. || **3.** Insignia pontifical que da el papa a los arzobispos y a algunos obispos, la cual es como una faja blanca con cruces negras, que pende de los hombros sobre el pecho. || **4.** Especie de dosel colocado sobre cuatro o más varas largas, que sirve en las procesiones para que el sacerdote que lleva en sus manos el Santísimo Sacramento, o una imagen, vaya a cubierto de las injurias del tiempo y de otros accidentes. Usan también de él los jefes de Estado, el Papa y algunos prelados. || **5.** Paño de seda o tela preciosa, que se ofrecía como premio al vencedor en determinados juegos de carrera. || **6.** Cualquier cosa que forma una manera de dosel o cubre como él. || **Correr el palio.** fr. Participar en los juegos de carrera en cuya meta se ponía como premio un **palio** de seda. || **Recibir con,** o **bajo, palio.** fr. que se usa para significar la demostración que sólo se hace con el Sumo Pontífice, jefes de Estado, emperadores, reyes y prelados cuando entran en una ciudad o villa de sus dominios o en los templos. || **2.** fig. Hacer singular estimación de la venida muy deseada de uno.

Palique. (De *palo;* véase *palillo,* 6.ª acep.) m. fam. Conversación de poca importancia.

Paliquear. intr. Estar de palique, charlar.

Palisandro. m. Madera del guayabo, compacta y de hermoso color rojo obscuro, muy estimada para la construcción de muebles de lujo.

Palitoque. m. **Palitroque.**

Palitroque. m. Palo pequeño, tosco o mal labrado.

Paliza. f. Zurra de golpes dados con palo. || **2.** fig. y fam. Disputa en que uno queda confundido o maltrecho.

Palizada. (De *palo.*) f. Sitio cercado de estacas. || **2.** Defensa hecha de estacas y terraplenada para impedir la salida de los ríos o dirigir su corriente. || **3.** *Blas.* Conjunto de piezas en forma de palos, o fajas punteadas o agudas, encajadas las unas en las otras. || **4.** *Fort.* **Empalizada.**

Palma. (Del lat. *palma.*) f. **Palmera.** || **2.** Hoja de la palmera, principalmente si, por haber estado atada con otras en el árbol, se ha conseguido que las lacinias queden juntas y que por falta de luz se pierda el color verde, volviéndose amarillo. || **3. Datilera.** || **4. Palmito,** 1.er art., 1.ª acep. || **5.** Parte inferior y algo cóncava de la mano, desde la muñeca hasta los dedos. || **6.** V. **Cera de palma.** || **7.** fig. **Mano,** 1.ª acep. || **8.** fig. Gloria, triunfo. || **9.** fig. Victoria del mártir contra las potestades infernales. || **10.** *Bot.* Cualquiera de las plantas angiospermas monocotiledóneas, siempre verdes, de tallo leñoso, sin ramas, recto y coronado por un penacho de grandes hojas que se parten en lacinias y se renuevan anualmente, dejando sobre el tronco la base del pecíolo; flores axilares en espádice ramoso, generalmente dioicas y muy numerosas, y fruto en drupa o baya con una semilla; como la palmera, el cocotero, el burí y el palmito. || **11.** *Veter.* Parte inferior del casco de las caballerías. || **12.** pl. Palmadas de aplausos. || **13.** *Bot.* Familia de las plantas de este nombre. || **Palma brava.** *Bot.* Árbol de Filipinas, de la familia de las **palmas,** que se diferencia muy poco del burí: tiene las hojas en forma de abanico y con pliegues puntiagudos. La madera del tronco, que es durísima, sirve para hacer estacadas, canales y zumbilines y para otros varios usos, y con las hojas se cubren los techos de las casas. || **cana.** *Cuba.* Una de las variedades del guano silvestre, parecido al coco y cuyo tronco se emplea para hacer cercas. || **enana. Palmito,** 1.er art., 1.ª acep. || **indiana. Coco,** 1.er art., 1.ª acep. || **negra.** *Amér.* **Caranday.** || **real.** Árbol de la familia de las **palmas,** muy abundante en la isla de Cuba, de unos 15 metros de altura, con tronco limpio y liso, de cerca de medio metro de diámetro, duro en la parte exterior, filamentoso y blando en lo interior; hojas pecioladas, de cuatro a cinco metros de longitud, con lacinias de un metro; flores blancas y menudas en grandes racimos, y fruto redondo, del tamaño de la avellana, colorado, con hueso que envuelve una almendra muy apetecida por los cerdos. || **Andar** uno **en palmas.** fr. Ser estimado y aplaudido de todos. || **Como por la palma de la mano.** loc. adv. fig. y fam. con que se significa la facilidad de ejecutar o conseguir una cosa. || **Enterrar con palma** a una persona. fr. fig. Enterrarla en estado de virginidad. || **Ganar** uno **la palma.** fr. fig. **Llevarse la palma.** || **2.** fig. **Ganar la palmeta.** || **Liso,** o **llano, como la palma de la mano.** loc. adv. fig. y fam. con que se exagera y pondera que una cosa es muy llana y sin embarazo ni tropiezo. || **Llevar en palmas** a uno. fr. fig. Complacerle y darle gusto en todo. || **Llevarse** uno **la palma.** fr. fig. Sobresalir o exceder en competencia de otros, mereciendo el aplauso general. || **Raso como la palma de la mano.** loc. adv. fig. y fam. **Liso,** o **llano,** etc. || **Recibir,** o **traer, en palmas** a uno. fr. fig. **Llevarle en palmas.**

Palmacristi. (Del lat. *palma*, palma, y *Christi*, de Cristo.) f. **Ricino.**

Palmada. f. Golpe dado con la palma de la mano. || **2.** Ruido que se hace golpeando una con otra las palmas de las manos. Ú. m. en pl. || **Darse** uno **una palmada en la frente.** fr. fig. Esforzarse por hacer memoria de una cosa, para lo cual se suele ejecutar naturalmente esta acción.

Palmadilla. (d. de *palmada*.) f. Baile llamado así por la palmada que aquel a quien toca sacar a bailar a otro, da a éste en las manos, bailando delante de él, en señal de haberle elegido.

Palmado, da. (De *palma*.) adj. **Palmeado.** || **2.** V. **Toga, túnica palmada.**

Palmar. (Del lat. *palmāris*.) adj. Dícese de las cosas de palma. || **2.** Perteneciente a la palma de la mano y a la palma del casco de los animales. || **3.** Perteneciente al palmo o que consta de un palmo. || **4.** fig. Claro, patente y manifiesto, y que fácilmente puede saberse. || **5.** m. Sitio o lugar donde se crían palmas. || **6.** En la fábrica de paños, instrumento formado de la cabeza de la cardencha, o la misma cardencha, para sacar el pelo suavemente al paño. || **Ser** uno **más viejo que un palmar.** fr. fam. con que se pondera la vejez o antigüedad de una persona o cosa.

Palmar. intr. fam. **Morir,** 1.ª acep. || **2.** tr. *Germ.* Dar por fuerza una cosa.

Palmariamente. adv. m. De modo muy patente y claro.

Palmario, ria. (Del lat. *palmarĭus*.) adj. **Palmar,** 1.er art., 4.ª acep.

Palmatoria. (Del lat. *palmatorĭa*.) f. **Palmeta,** 1.ª acep. || **2.** Especie de candelero bajo, con mango y pie, generalmente de forma de platillo. || **Ganar** uno **la palmatoria.** fr. fig. **Ganar la palmeta.**

Palmeado, da. p. p. de **Palmear.** || **2.** adj. De figura de palma. || **3.** V. **Piedra palmeada.** || **4.** *Bot.* Aplícase a las hojas, raíces, etc., que semejan una mano abierta. || **5.** *Zool.* Dícese de los dedos de aquellos animales que los tienen ligados entre sí por una membrana.

Palmear. intr. Dar golpes con las palmas de las manos una con otra y más especialmente cuando se dan en señal de regocijo o aplauso. || **2.** tr. *Germ.* **Azotar,** 1.ª acep. || **3.** *Impr.* Nivelar el molde o forma con el tamborilete y el mazo. || **4.** *Mar.* Trasladar una embarcación de un punto a otro haciendo fuerza o tirando con las manos, aseguradas alternativamente, en objetos fijos inmediatos. || **5.** r. *Mar.* Asirse de un cabo o cable fijo por sus dos extremos o pendiente de uno de ellos, y avanzar valiéndose de las manos. Ú. t. c. intr.

Palmejar. (De *palma;* véase *empalmar*.) m. *Mar.* Tablón que interiormente, y de popa a proa, va endentado y clavado a las varengas del navío, para ligar entre sí las cuadernas e impedir las flexiones del casco.

Palmenta. f. *Germ.* **Carta mensajera.**

Palmentero. (De *palmenta*.) m. *Germ.* Cartero o correo.

Palmeo. m. Medida por palmos.

Palmera. (Del lat. *palmarĭa*, t. f. de *-rĭus;* de *palma*, palma.) f. Árbol de la familia de las palmas, que crece hasta 20 metros de altura, con tronco áspero, cilíndrico y de unos tres decímetros de diámetro; copa sin ramas y formada por las hojas, que son pecioladas, de tres a cuatro metros de largo, con el nervio central recio, leñoso, de sección triangular y partidas en muchas lacinias, duras, correosas, puntiagudas, de unos 30 centímetros de largo y dos de ancho; flores amarillentas, dioicas, y por fruto los dátiles, en grandes racimos que penden a los lados del tronco, debajo de las hojas.

Palmeral. m. Bosque de palmeras.

Palmero. (Del lat. *palmarĭus*.) m. Peregrino de Tierra Santa que traía palma, como los de Santiago llevaban conchas en señal de su romería. || **2.** El que cuida de las palmas, 2.ª acep.

Palmero, ra. adj. Natural de Santa Cruz de la Palma. Ú. t. c. s. || **2.** Perteneciente a esta isla.

Palmesano, na. adj. Natural de Palma de Mallorca. Ú. t. c. s. || **2.** Perteneciente a esta ciudad.

Palmeta. (d. de *palma*.) f. Instrumento usado por los maestros de escuela para castigar a los muchachos. Era una tabla pequeña, redonda, en que regularmente había unos agujeros o unos nudos con un mango proporcionado, y servía para dar golpes en la palma de la mano. || **2. Palmetazo,** 1.ª acep. || **Ganar la palmeta.** fr. fig. Llegar un niño a la escuela antes que los demás. || **2.** fig. Llegar una persona antes que otra a una parte. || **3.** fig. Anticiparse una persona a otra en la ejecución de una cosa.

Palmetazo. m. Golpe dado con la palmeta. || **2.** fig. Corrección hecha con desabrimiento o descortesía.

Palmiche. (De *palma*.) m. **Palma real.** || **2.** Fruto de este árbol. || **3.** Palma propia de grandes altitudes, de tronco muy delgado, de unos seis metros de altura, cuya madera, en astillas, sirve para alumbrar a los indios americanos en la caza de pájaros nocturnos. || **4.** *And.* Fruto del palmito, 1.er art., 1.ª acep.

Palmiche. f. *Cuba.* Tela ligera para trajes de hombre, en el verano.

Palmífero, ra. (Del lat. *palmĭfer, -ĕri;* de *palma*, palma, y *ferre*, llevar.) adj. poét. Que lleva palmas o abunda en ellas.

Palmilla. f. Cierto género de paño, que particularmente se labraba en Cuenca. El más estimado era de color azul. || **2.** Plantilla del zapato.

Palmípedo, da. (Del lat. *palmĭpes, -ĕdis;* de *palma*, palma, y *pes*, pie.) adj. *Zool.* Dícese de las aves que tienen los dedos palmeados, a propósito para la natación; como el ganso, el pelícano, la gaviota y el pájaro bobo. Ú. t. c. s. || **2.** f. pl. *Zool.* Orden de estas aves.

Palmita. f. d. de **Palma.** || **Llevar, recibir** o **traer** a uno **en palmitas.** fr. fig. **Llevar en palmas.**

Palmitera. f. *Murc.* **Palmito,** 1.er art., 1.ª acep.

Palmitieso, sa. (De *palma* y *tieso*.) adj. Dícese de la caballería que tiene los cascos con la palma plana o convexa, en vez de cóncava, que es lo ordinario.

Palmito. (De *palma*.) m. Planta de la familia de las palmas, con tronco subterráneo o apenas saliente, que sin embargo se alza a dos y tres metros de altura en los individuos cultivados, hojas en figura de abanico, formadas por 15 ó 20 lacinias estrechas, fuertes, correosas y de unos tres decímetros, que parten de un pecíolo largo, casi leñoso, comprimido y armado de aguijones; flores amarillas, en panoja ramosa, ceñida por una espata coriácea, y fruto rojizo, elipsoidal, de dos centímetros de largo, comestible y con hueso muy duro. Es común en los terrenos incultos de Andalucía y de las provincias de Levante, donde se aprovechan las hojas para hacer escobas, esteras y serijos. || **2.** *Bot.* Cogollo de la planta anterior, blanco, casi cilíndrico, de tres a cuatro centímetros de largo y uno de grueso. Es comestible. || **Como un palmito.** loc. fig. y fam. con que se da a entender que uno está curiosa y limpiamente vestido.

Palmito. (d. de *palmo*.) m. fig. y fam. Cara de mujer. *Buen* PALMITO. || **2.** fig. y fam. Talle esbelto de la mujer.

Palmo. (Del lat. *palmus*.) m. Medida de longitud, cuarta parte de la vara, dividida en 12 partes iguales o dedos, equivalente a unos 21 centímetros, y se supone que es el largo de la mano de un hombre abierta y extendida desde el extremo del pulgar hasta el del meñique. || **2. Palmo menor.** || **3.** Juego que usan los muchachos tirando unas monedas contra una pared, y el que acierta a hacer caer la suya un **palmo** o menos de la del otro, gana la moneda. || **de tierra.** fig. Espacio muy pequeño de ella. || **menor.** Ancho que dan unidos los cuatro dedos, índice, mayor, anular y meñique. || **Con un palmo de lengua,** o **con un palmo de lengua fuera.** m. adv. fig. y fam. **Con la lengua de un palmo.** || **Crecer a palmos.** fr. fig. y fam. Crecer mucho una cosa en poco tiempo. || **Dejar** a uno **con un palmo de narices.** fr. fig. y fam. Chasquearle, privándole de lo que esperaba conseguir. || **De rico a soberbio no hay palmo entero.** ref. que aconseja el buen uso de las riquezas para huir del engreimiento que suele seguirles de cerca. || **No adelantar,** o **no ganar, un palmo de terreno,** o **de tierra, en** una cosa. fr. fig. y fam. Adelantar muy poco o casi nada en ella. || **Palmo a palmo.** m. adv. fig. con que se expresa la dificultad o lentitud en la consecución de una cosa. || **Tener medido a palmos.** fr. fig. Tener conocimiento práctico de un terreno o lugar.

Palmotear. (De *palma*.) intr. **Palmear,** 1.ª acep.

Palmoteo. m. Acción de palmotear. || **2.** Acción de dar con la palmeta.

Palo. (Del lat. *palus*.) m. Trozo de madera mucho más largo que grueso, generalmente cilíndrico y manuable. || **2. Madera,** 1.ª acep. PALO *de Campeche, del Brasil.* || **3.** Cada uno de los maderos redondos y más gruesos por la parte inferior que por la superior, fijos en una embarcación, más o menos perpendicularmente a su quilla, a los cuales se agregan los masteleros; todos destinados a sostener las vergas, a que están unidas las velas, para comunicar al casco el impulso del viento. || **4.** Golpe que se da con un palo. || **5.** Último suplicio que se ejecuta en un instrumento de **palo;** como la horca, el garrote, etc. || **6.** Cada una de las cuatro series en que se divide la baraja de naipes, y que en la española se denominan, respectivamente, oros, copas, espadas y bastos. || **7.** Pezoncillo por donde una fruta pende del árbol. || **8.** Trazo de algunas letras que sobresale de las demás por arriba o por abajo, como el de la *d* y la *p*. || **9.** fig. y fam. **Varapalo,** 3.ª acep. Ú. m. con los verbos *dar, llevar* o *recibir*. || **10.** *Blas.* Pieza heráldica en forma de rectángulo que desciende desde el jefe a la punta del escudo, y ocupa en su medio la tercera parte del ancho total. Representa la lanza del caballero y también la estacada o palenque de los campamentos. Siendo más estrecho, puede haber dos o tres en el escudo. || **11.** *Cetr.* **Alcándara.** || **12.** pl. **Palillo,** 8.ª acep. || **13.** Una de las principales suertes del juego de billar, que consiste en derribar los **palos** con las bolas. || **14.** *Med.* Nombre primitivo de la quina en España. || **Palo áloe.** Madera del agáloco, muy resinosa, amarga y purgante como el acíbar, empleada en farmacia y como sahumerio en Oriente.

|| **2.** Madera del calambac, muy parecida a la anterior. || **3. Palo del águila.** || **blanco.** *Bot. Cuba.* Árbol de la familia de las simarubáceas, con corteza elástica y amarga, de hojas oblongas, redondeadas en el ápice y flores en panículas con pétalos amarillos. Se cría en los montes y es medicinal. || **2.** *Chile.* **Testaferro.** || **brasil.** Madera dura, compacta, de color encendido como brasas, capaz de hermoso pulimento, que sirve principalmente para teñir de encarnado, y procede del árbol del mismo nombre. || **cajá.** *Bot. Cuba.* Árbol silvestre, de la familia de las sapindáceas, de unos cuatro metros de altura, hojas trifoliadas, elípticas, dentadas, de color castaño en el envés, flores de cuatro pétalos en racimos axilares y madera de color anaranjado, usada en carpintería. || **campeche. Palo de Campeche.** || **cochino.** *Bot. Cuba.* Árbol silvestre, de la familia de las burseráceas, de corteza blanquecina, brillante en las ramas, flores de cuatro pétalos y fruto parecido a la aceituna. Segrega una resina de color rojizo, olor fuerte y sabor amargo, y la madera se aprovecha para toneles. || **codal.** El de tamaño o medida de un codo, que se colgaba al cuello en señal de penitencia pública. Aún hoy se usa este género de penitencia en algunas comunidades religiosas. || **de áloe. Palo áloe.** || **de bañón. Aladierna.** || **de Campeche.** *Bot.* Madera dura, negruzca, de olor agradable, que sirve principalmente para teñir de encarnado, y que procede de un árbol americano de la familia de las papilionáceas. || **de ciego.** fig. Golpe que se da desatentadamente y sin duelo, como lo daría quien no viese. || **2.** Daño o injuria que se hace por desconocimiento o por irreflexión. || **de esteva.** Esteva en los coches. || **de favor.** En algunos juegos de naipes, el que se elige para que, cuando sea triunfo, tenga preferencia y se duplique el interés. || **de Fernambuco.** Especie de **palo** del Brasil, de color menos encarnado. || **de hule.** Uno de los árboles que producen la goma elástica o caucho. || **de jabón.** Líber de un árbol de la familia de las rosáceas, que se cría en la América tropical. Es de color blanquecino fibroso, de superficies lisas, de seis a ocho milímetros de grueso, y macerado en agua da un líquido espumoso que puede reemplazar al jabón para quitar manchas en las telas. || **del águila.** *Bot.* Madera de un árbol de la familia de las timeleáceas, algo parecido al **palo** áloe. || **de la rosa. Alarguez.** || **2. Palo de rosa.** || **de las Indias. Palo santo.** || **del Brasil. Palo de Fernambuco.** || **2. Palo brasil.** || **del pastor.** Unidad de medida agraria usada en Navarra y aplicada a terrenos de pastos. || **de Pernambuco. Palo de Fernambuco.** || **de planchar.** Tablero grueso, estrecho con relación a su ancho, y por lo común de nogal u otra madera dura, de que se sirven los sastres para planchar las perneras de los calzones o pantalones y las mangas de ciertas prendas de vestir, y para sentar las costuras rectas. || **de rosa.** *Bot.* Madera de un árbol americano de la familia de las borragináceas, que es muy compacta, olorosa, roja con vetas negras, y muy estimada en ebanistería, sobre todo para muebles pequeños. || **2.** *Farm.* Parte leñosa, amarilla rojiza y muy olorosa, de la raíz de una convolvulácea de Canarias. || **dulce.** Raíz del orozuz. || **duz. Paloduz.** || **macho.** *Mar.* Cada una de las perchas principales que constituyen la arboladura de un buque. Según su situación, se distinguen con los nombres de bauprés, trinquete, mayor y mesana. || **mayor.** *Mar.* El más alto del buque y que sostiene la vela principal. || **nefrítico.** *Bot.* Madera del ben, de color blanco rojizo y algo olorosa, cuya infusión se ha empleado contra las enfermedades de las vías urinarias. || **santo.** Madera del guayaco. || **Palos flamantes.** *Blas.* Los ondeados y piramidales en forma de llamas. || **A palo seco.** m. adv. *Mar.* Dícese de una embarcación cuando camina recogidas las velas. || **2.** fig. Dícese de ciertos actos o funciones en que se omiten adornos o complementos usuales. || **Cada palo aguante su vela.** ref. con que se da a entender que cada uno debe sufrir lo que le corresponda o merezca. || **Caérsele** a uno **los palos del sombrajo.** fr. fig. y fam. Abatirse, desanimarse. || **Correr a palo seco.** fr. *Mar.* Navegar en tiempo de borrasca sin vela ninguna. || **Dar palo.** fr. fig. y fam. Salir o suceder una especie al contrario de como se esperaba o se deseaba. || **De tal palo, tal astilla.** fr. proverb. que da a entender que comúnmente todos tienen las propiedades o inclinaciones conforme a su principio u origen. || **Derrengar,** o **doblar,** a uno **a palos.** fr. fig. y fam. Darle muchos **palos** en las costillas. || **Ello dirá si es palo o pedrada.** expr. fig. y fam. **Ello dirá.** || **Estar del mismo palo.** fr. fig. con que se significa que uno está en el mismo estado o disposición que otro. || **Meter el palo en candela.** fr. fig. y fam. Promover una especie de que puede resultar pendencia. || **No se dan palos de balde.** expr. fig. y fam. con que se explica que ninguno obra sin interés y que de balde nada se consigue. || **Poner** a uno **en un palo.** fr. fig. Ahorcarle, castigarle con otro género de muerte, o ponerle a la vergüenza en la argolla. || **Terciar** uno **el palo.** fr. Levantarlo en alto para dar un golpe con él.

Paloduz. m. Palo dulce, orozuz.

Paloma. (Del lat. *palŭmba.*) f. Ave domesticada que provino de la **paloma** silvestre. Hay muchas variedades o castas, que se diferencian principalmente por el tamaño o el color. || **2.** V. **Pie de paloma.** || **3.** fam. Bebida compuesta de agua y aguardiente anisado. || **4.** fig. Persona de genio apacible y quieto. || **5.** *Germ.* **Sábana,** 1.ª acep. || **6.** *Astron.* Constelación austral compuesta de 15 estrellas pequeñas y dos más brillantes, que alcanzan a verse desde España en los meses de enero y febrero. || **7.** *Mar.* Parte media o cruz de una verga, entre los galápagos, en la cual se fijan los cuadernales o motones de las drizas. || **8.** *Zool.* Cualquiera de las aves que tienen la mandíbula superior abovedada en la punta y los dedos libres; como la **paloma** propiamente dicha y la tórtola. || **9.** pl. *Mar.* Ondas espumosas que se forman en el mar cuando empieza a soplar viento fresco. || **10.** *Zool.* Orden de las **palomas.** || **Paloma brava. Paloma silvestre.** || **calzada.** Variedad doméstica que se distingue por tener el tarso y los dedos cubiertos de pluma. || **de moño.** Variedad doméstica que se distingue por tener largas y vueltas en la punta las plumas del colodrillo. || **de toca.** Variedad de color regularmente blanco, que tiene sobre la cabeza una porción de plumas largas que caen por los lados de ella. || **duenda.** La doméstica o casera. || **mensajera.** Variedad que se distingue por su instinto de volver al palomar desde largas distancias, y se utiliza para enviar de una parte a otra escritos de corta extensión. || **monjil. Paloma de toca.** || **moñuda. Paloma de moño.** || **palomariega.** La que está criada en el palomar y sale al campo. || **real.** La mayor de todas las variedades de la **paloma** doméstica, de las cuales se diferencia en tener el arranque del pico de un hermoso color de azufre. || **rizada.** Variedad que se distingue por tener las plumas rizadas. || **silvestre.** Especie de **paloma** que mide unos 36 centímetros desde la punta del pico hasta el extremo de la cola y 70 de envergadura, con plumaje general apizarrado, de reflejos verdosos en el cuello y morados en el pecho, blanco en el obispillo y ceniciento en el borde externo de las alas, que están cruzadas por dos fajas negras; pico azulado obscuro y pies de color pardo rojizo. Es muy común en España, anida tanto en los montes como en las torres de las poblaciones, y se considera como el origen de las castas domésticas. || **sin hiel.** fig. **Paloma,** 3.ª acep. || **torcaz.** Especie de **paloma** que mide desde el pico hasta el extremo de la cola unos 40 centímetros y 75 de envergadura; tiene la cabeza, dorso y cola de color gris azulado, el cuello verdoso y cortado por un collar incompleto muy blanco; alas apizarradas con el borde exterior blanco, pecho rojo cobrizo, lo inferior del vientre blanquecino, pico castaño y patas moradas. Habita en el campo y anida en los árboles más elevados. || **tripolina.** Variedad de **paloma** doméstica, pequeña de cuerpo, con los pies calzados de plumas y la cabeza ceñida por varias plumas levantadas en forma de diadema. || **zorita, zura, zurana,** o **zurita.** Especie de **paloma** que mide 34 centímetros desde la punta del pico hasta el extremo de la cola y 68 de envergadura, con plumaje general ceniciento azulado, más obscuro en las partes superiores que en las inferiores, de reflejos metálicos verdes en el cuello y morados en el pecho, alas con una mancha y el borde exterior negros, pico amarillo y patas de color negro rojizo. Es común en España y vive en los bosques.

Palomadura. (De *palomar,* 2.° art.) f. *Mar.* Ligadura con que de trecho en trecho, y a falta de costuras, se sujeta la relinga a su vela.

Palomar. m. Edificio donde se recogen y crían las palomas campesinas, o aposento o paraje donde se crían y tienen las caseras. || **Alborotar el palomar.** fr. fig. y fam. **Alborotar el cortijo.**

Palomar. adj. Aplícase a una especie de hilo bramante más delgado y retorcido que el regular.

Palomariega. (De *palomar.*) adj. V. **Paloma palomariega.**

Palomear. intr. Andar a caza de palomas. || **2.** Ocuparse mucho tiempo en cuidarlas.

Palomera. f. Palomar pequeño de palomas domésticas. || **2.** Páramo de corta extensión. || **3.** *And.* Casilla en que anidan y crían las palomas.

Palomería. f. Caza de las palomas que van de paso.

Palomero, ra. adj. V. **Virote palomero.** || **2.** m. y f. Persona que trata en la venta y compra de palomas. || **3.** Persona aficionada a la cría de estas aves.

Palometa. f. Pez comestible, parecido al jurel, aunque algo mayor que éste.

Palomilla. (d. de *paloma.*) f. Mariposa nocturna de un centímetro de largo, cenicienta, de alas horizontales y estrechas y antenas verticales. Habita en los graneros y causa en ellos grandes daños. || **2.** Cualquier mariposa muy pequeña. || **3. Fumaria.** || **4. Onoquiles.** || **5.** Parte anterior de la grupa de las caballerías. *Este caballo es alto de* PALOMILLA. || **6.** Caballo de color muy blanco y semejante al de la paloma. || **7.** Punta que sobresale en el remate de algunas albardas. || **8.** Armazón de tres piezas en forma de triángulo rectángulo, que sirve para sostener tablas, estantes u otras cosas. || **9. Chumacera,** 1.ª acep. || **10.** En los coches de cuatro ruedas, cada uno de los dos trozos de hierro que van de la caja a las ballestas del juego trasero, y sobre los cuales, cuando la hay, se apoya la tabla que sirve de zaga. || **11. Ninfa,** 3.ª acep. || **12.** pl. *Mar.* **Paloma,** 9.ª acep. || **Palomilla de tintes. Palomilla,** 4.ª acep.

Palomina. adj. V. **Uva palomina.** || **2.** f. Excremento de las palomas. || **3. Fumaria.**

Palomino. (Del lat. *palumbīnus.*) m. Pollo de la paloma brava. || **2.** fam. Mancha de excremento en la parte posterior de la camisa.

Palomita. f. Roseta de maíz tostado o reventado.

Palomo. (Del lat. *palŭmbus.*) m. Macho de la paloma. || **2. Paloma torcaz.** || **3.** fam. V. **Juan Palomo.** || **4.** fig. Propagandista o muñidor muy diestro en estos oficios. || **5.** *Germ.* Hombre necio o simple. || **ladrón.** El que con arrullos y caricias lleva las palomas ajenas al palomar propio. || **zarandalí.** *And.* El pintado de negro. || **zumbón.** *And.* El que tiene el buche pequeño y alto.

Palón. (De *palo.*) m. *Blas.* Insignia semejante a la bandera, de la cual se distingue en ser una cuarta parte más larga que ancha, con cuatro farpas o puntas redondas en el extremo.

Palor. (Del lat. *pallor.*) m. **Palidez.**

Palotada. f. Golpe que se da con el palote o palillo. || **No dar palotada** uno. fr. fig. y fam. No acertar en cosa alguna de las que dice o hace. || **2.** fig. y fam. No haber empezado a hacer aún una cosa que le estaba encargada o encomendada.

Palotazo. m. *And.* **Varetazo.**

Palote. m. Palo mediano, como las baquetas con que se tocan los tambores. || **2.** Cada uno de los trazos que los niños hacen en el papel pautado, siguiendo los caídos, como primer ejercicio para aprender a escribir. || **3.** V. **Perico de,** o **el de, los palotes.**

Paloteado, da. p. p. de **Palotear.** || **2.** m. Danza en que los bailarines hacen figuras, paloteando a compás de la música. || **3.** fig. y fam. Riña o contienda ruidosa o en que hay golpes.

Palotear. (De *palote.*) intr. Herir unos palos con otros o hacer ruido con ellos. || **2.** fig. Hablar mucho y contender sobre una especie.

Paloteo. (De *palotear.*) m. **Paloteado.**

Palpable. (Del lat. *palpabĭlis.*) adj. Que puede tocarse con las manos. || **2.** fig. Patente, evidente y tan claro, que parece que se puede tocar.

Palpablemente. adv. m. Patente o claramente, sin duda y con evidencia, y como si se tocara con las manos.

Palpación. (Del lat. *palpatĭo, -ōnis,* tocamiento.) f. **Palpamiento.** || **2.** *Med.* Método exploratorio que se ejecuta aplicando los dedos o la mano sobre las partes externas del cuerpo o las cavidades accesibles.

Palpadura. (De *palpar.*) f. **Palpamiento.**

Palpallén. (Voz de origen araucano.) m. *Bot. Chile.* Arbusto de la familia de las compuestas, que alcanza a dos metros de altura, con hojas aovadas, dentadas y cubiertas de un tomento blanquecino, y flores amarillas.

Palpamiento. (Del lat. *palpamentum.*) m. Acción de palpar.

Palpar. (Del lat. *palpāre.*) tr. Tocar con las manos una cosa para percibirla o reconocerla por el sentido del tacto. || **2.** Andar a tientas o a obscuras, valiéndose de las manos para no caer o tropezar. || **3.** fig. Conocer una cosa tan claramente como si se tocara.

Pálpebra. (Del lat. *palpĕbra.*) f. *Zool.* **Párpado.**

Palpebral. (Del lat. *palpebrālis.*) adj. *Zool.* Perteneciente o relativo a los párpados.

Palpi. (Del araucano *pal-pud.*) m. *Chile.* Arbusto de la familia de las escrofulariáceas, de unos 30 centímetros de alto, hojas angostas, casi lineares, aserradas y flores amarillas, dispuestas en forma de un tirso alargado.

Palpitación. (Del lat. *palpitatĭo, -ōnis.*) f. Acción y efecto de palpitar. || **2.** *Med.* Movimiento interior, involuntario y trémulo de algunas partes del cuerpo. || **3.** *Med.* Latido del corazón, sensible e incómodo para el enfermo, y más frecuente que el normal.

Palpitante. (Del lat. *palpĭtans, -āntis.*) p. a. de **Palpitar.** Que palpita.

Palpitar. (Del lat. *palpitāre.*) intr. Contraerse y dilatarse alternativamente el corazón; movimiento natural que se aumenta por causas físicas o por fuertes emociones. || **2.** Aumentarse la palpitación natural del corazón por un afecto del ánimo. || **3.** Moverse o agitarse una parte del cuerpo interiormente con movimiento trémulo e involuntario. || **4.** fig. Manifestar con vehemencia un afecto. *En sus gestos y palabras* PALPITA *el rencor.*

Palpo. (Del lat. *palpum.*) m. *Zool.* Cada uno de los apéndices articulados y movibles que en forma y número diferentes tienen los artrópodos alrededor de la boca para palpar y sujetar lo que comen.

Palqui. (Voz araucana.) m. Arbusto americano de la familia de las solanáceas, de olor fétido, con muchos tallos erguidos, hojas enteras, lampiñas, algo ondeadas, estrechas y terminadas en punta por ambos extremos, y flores en panojas terminales con brácteas. Su cocimiento se emplea en Chile contra la tiña, y como sudorífico; y la planta, para hacer jabón.

Palta. f. *Amér. Merid.* **Aguacate,** 2.ª acep.

Palto. m. *Amér. Merid.* **Aguacate,** 1.ª acep.

Paludamento. (Del lat. *paludamentum.*) m. Manto de púrpura bordado de oro, que usaban en campaña los emperadores y caudillos romanos.

Palude. (Del lat. *palus, -ŭdis.*) f. ant. **Laguna,** 1.ª acep.

Palúdico, ca. (Del lat. *palus, -ŭdis,* laguna.) adj. **Palustre,** 2.° art. || **2.** Por ext., perteneciente a terreno pantanoso. || **3.** Dícese de la fiebre causada por el microbio procedente de estos terrenos e inoculado por ciertos insectos. || **4.** Persona que padece esta enfermedad. Ú. t. c. s.

Paludismo. (Del lat. *palus, -ŭdis,* laguna.) m. Enfermedad febril e infecciosa producida por un germen que se desarrolla en el agua estancada y que se inocula casi siempre por la picadura de ciertos mosquitos.

Palumbario. (Del lat. *palumbarĭus.*) adj. V. **Halcón palumbario.**

Palurdo, da. (Del fr. *balourd.*) adj. Tosco, grosero. Dícese por lo común de la gente del campo y de las aldeas. Ú. t. c. s.

Palustre. (De *pala.*) m. **Paleta,** 5.ª acep.

Palustre. (Del lat. *palustris.*) adj. Perteneciente a laguna o pantano. || **2.** V. **Ácoro palustre.**

Pallaco. m. *Chile.* Mineral bueno que se recoge entre los escombros de una mina abandonada.

Pallador (Del quichua *paclla,* campesino.) m. Coplero y cantor popular y errante, en la América del Sur.

Pallaquear. tr. *Perú.* **Pallar,** 2.° art.

Pallar. m. Judía del Perú, gruesa como una haba, casi redonda y muy blanca.

Pallar. tr. Entresacar o escoger la parte metálica o más rica de los minerales.

Pallas. (Del quichua *paclla,* campesino.) f. Baile de los indígenas del Perú.

Pallete. (Del fr. *paillet.*) m. *Mar.* Tejido que se hace a bordo con hilos o cordones de cabos y sirve de defensa contra el roce o golpeo sobre ciertas obras o partes del buque.

Pallón. (Del fr. *paillon,* y éste de *paille,* del lat. *palĕa,* paja.) m. Esferilla de oro o plata que resulta en la copela al hacer el ensayo de menas auríferas o argentíferas. || **2.** Ensaye de oro, luego que se le ha incorporado la plata en la copelación, y antes de apartarlo por el agua fuerte.

Pamandabuán. m. Embarcación filipina semejante a la banca, pero mucho mayor. Lleva remos y a veces un palo con vela de estera.

Pambil. m. *Ecuad.* Palma más pequeña que la real, pero con tronco esbelto y follaje ancho. Los troncos se usan en construcción enteros o en tablas.

Pamela. (Nombre propio.) f. Sombrero de paja, bajo de copa y ancho de alas, que usan las mujeres, especialmente en el verano.

Pamema. f. fam. Hecho o dicho fútil y de poca entidad, a que se ha querido dar importancia.

Pampa. (Del quichua *pampa,* campo raso.) f. Cualquiera de las llanuras extensas de la América Meridional que no tienen vegetación arbórea.

Pámpana. (De *pámpano.*) f. Hoja de la vid. || **Tocar,** o **zurrar, la pámpana** a uno. fr. fig. y fam. Golpearle, azotarle, castigarle.

Pampanada. f. Zumo que se saca de los pámpanos para suplir el del agraz, porque casi tiene el mismo sabor.

Pampanaje. m. Copia de pámpanos. || **2.** fig. **Hojarasca,** 3.ª acep.

Pampango, ga. adj. Natural o habitante de Pampanga. Ú. t. c. s. || **2.** Perteneciente o relativo a esta provincia de la isla de Luzón.

Pampanilla. (De *pámpana.*) f. **Taparrabo,** 1.ª acep.

Pámpano. (Del lat. *pampĭnus.*) m. Sarmiento verde, tierno y delgado, o pimpollo de la vid. || **2. Pámpana.** || **3.** *Zool.* **Salpa,** 1.ª acep.

Pampanoso, sa. adj. Que tiene muchos pámpanos.

Pampeano, na. adj. *Amér. Merid.* **Pampero,** 1.ª acep.

Pampear. intr. *Amér. Merid.* Recorrer la pampa.

Pampero, ra. adj. Perteneciente o relativo a las pampas. Ú. t. c. s. || **2.** Dícese del viento impetuoso procedente de la región de las pampas, que suele soplar en el Río de la Plata. Ú. t. c. s.

Pampino, na. adj. Dícese de la persona que trabaja en la pampa salitrera.

Pampirolada. f. Salsa que se hace con pan y ajos machacados en el mortero y desleídos en agua. || **2.** fig. y fam. Cualquiera necedad o cosa insubstancial.

Pamplina. f. **Álsine.** || **2.** Planta herbácea anual, de la familia de las papaveráceas, con tallos de dos a tres decímetros; hojas partidas en lacinias muy estrechas y agudas; flores de cuatro pétalos amarillos, en panojas pequeñas, y fruto seco en vainillas con muchas simientes. Infesta los sembrados de suelo arenisco, que en la primavera parecen teñidos de amarillo por la abundancia de flores. || **3.** fig. y fam. Cosa de poca entidad, fundamento o utilidad. *¡Con buena* PAMPLINA *te vienes!* || **de agua.** Planta herbácea anual, de la familia de las primuláceas, con tallo sencillo o ramoso de dos a tres decímetros de altura; hojas pequeñas, garzas, trasovadas y enteras, algo pecioladas las inferiores; flores blancas en panojas terminales, y fruto seco, capsular, con bastantes semillas. Es común en los sitios húmedos, y su cocimiento, de sabor amargo, se ha empleado como aperitivo. || **de canarios. Pamplina,** 1.ª acep.

Pamplinada. f. **Pamplina,** 3.ª acep.

Pamplinero, ra. adj. **Pamplinoso.**

Pamplinoso, sa. adj. Propenso a decir pamplinas.

Pamplonés, sa. adj. Natural de Pamplona. Ú. t. c. s. ‖ **2.** Perteneciente a esta ciudad.

Pampón. m. *Perú.* Corral grande.

Pamporcino. (De *pan* y *porcino.*) m. Planta herbácea, vivaz, de la familia de las primuláceas, con rizoma grande y en forma de torta, del que parten muchas raicillas; hojas radicales, de largos pecíolos, acorazonadas, obtusas, abigarradas de verde en la haz y rojizas en el envés; flores elegantes, aisladas, de corola con tubo purpurino y divisiones róseas, pendientes de un pedúnculo. primero erguido, y arrollado en espiral después de la fecundación, para esconder en tierra el fruto, que es seco, capsular y redondo, con varias semillas negras, menudas y esquinadas. Es espontánea en toda Europa, y el rizoma, que buscan y comen los cerdos, se emplea como purgante, generalmente en pomadas, pues es peligroso su uso interno. ‖ **2.** Fruto de esta planta.

Pamposado, da. (De *pan* y *posado.*) adj. Desidioso, flojo y poltrón.

Pampringada. f. **Pringada.** ‖ **2.** fig. y fam. Cosa de poca substancia o fuera de propósito.

Pamue. adj. Se dice del indígena del África Occidental perteneciente a los territorios de la Guinea española y al norte del Congo francés. Ú. t. c. s.

Pan. (Del lat. *pānis.*) m. Porción de masa de harina y agua, que después de fermentada y cocida en horno sirve de principal alimento al hombre, entendiéndose que es de trigo cuando no se expresa otro grano. Se hace de varias formas que toman nombres especiales; pero se llama **pan** a la pieza grande, redonda y achatada. ‖ **2.** Masa muy sobada y delicada, dispuesta con manteca o aceite, de que usan en las pastelerías y cocinas para pasteles y empanadas. ‖ **3.** V. **Árbol, arca del pan.** ‖ **4.** V. **Canto, cornero, pedazo de pan.** ‖ **5.** V. **Tierra de pan llevar.** ‖ **6.** fig. Masa de otras cosas, en figura de **pan.** PAN *de higos, de jabón, de sal.* ‖ **7.** fig. Todo lo que en general sirve para el sustento diario, por ser el **pan** lo principal. ‖ **8.** fig. **Trigo.** *Este año hay mucho* PAN. ‖ **9.** fig. Hoja de harina cocida entre dos hierros a la llama, que sirve para hostias, obleas y otras cosas semejantes. ‖ **10.** fig. Hoja muy delicada que forman los batidores de oro, plata u otros metales a fuerza de martillo, y cortada después, la guardan o mantienen entre hojas de papel, y sirve para dorar o platear. ‖ **11.** En Galicia, cada una de las semillas de que se hace **pan,** menos el trigo. ‖ **12.** pl. Los trigos, centenos, cebadas, etc., desde que nacen hasta que se siegan. ‖ **Pan aflorado. Pan floreado.** ‖ **agradecido.** fig. Persona agradecida al beneficio. ‖ **ázimo.** El que se ha hecho sin poner levadura en la masa. ‖ **bazo.** El que se hace de moyuelo y una parte de salvado. ‖ **bendito.** El que suele bendecirse en la misa y se reparte al pueblo. ‖ **2.** fig. y fam. Cualquier cosa que, cuando se reparte entre muchos, es recibida con gran aceptación. ‖ **candeal.** El que se hace con harina de trigo candeal. ‖ **cenceño. Pan ázimo.** ‖ **de azúcar. Pilón,** 1.er art., 1.ª acep. ‖ **de flor.** El que se hace con la flor de la harina de trigo. ‖ **de la boda.** fig. Regalos, agasajos, parabienes, diversiones y alegrías de que gozan los recién casados. ‖ **de munición.** El que se da a los soldados, penados, presos, etc., fabricado por lo común en grandes cantidades. ‖ **de perro. Perruna,** 1.ª acep. ‖ **2.** fig. Daño y castigo que se hace o da a uno. Dícese por alusión al **pan** con zarazas, que suele darse a los perros para matarlos. ‖ **de pistola. Pan** largo y duro que se usa especialmente en la sopa. ‖ **de poya.** Aquel con que se contribuía en los hornos públicos por precio de la cochura. ‖ **de proposición.** El que se ofrecía todos los sábados en la ley antigua, y se ponía en el tabernáculo. Eran doce, en memoria de las doce tribus; no se cocían en los hornos comunes, sino en vasos hechos a propósito, y sólo los podían comer los sacerdotes y levitas. ‖ **de tierra.** *Amér.* **Cazabe.** ‖ **de trastrigo.** fig. y fam. Ú. sólo en la loc. **buscar pan de trastrigo,** que significa pretender uno cosas fuera de tiempo o mezclarse en las que sólo daños pueden ocasionarle. ‖ **eucarístico.** Hostia consagrada. ‖ **fermentado. Pan,** 1.ª acep. ‖ **floreado. Pan de flor.** ‖ **mal conocido.** fig. Favor o beneficio no agradecido. ‖ **mediado. Pan por mitad.** ‖ **mollete. Mollete.** 1.er art., 1.ª acep. ‖ **o vino.** Especie de juego semejante al de las chapas, que se hace con una tejilla o cosa parecida mojada por una cara, que llaman vino, así como a la otra la llaman **pan.** ‖ **perdido.** fig. Persona que ha dejado su casa y se ha metido a holgazana y vagabunda. ‖ **pintado.** El que se hace para las bodas y otras funciones, adornándolo por la parte superior con unas labores. ‖ **porcino. Pamporcino.** ‖ **por mitad.** Entre labradores, arrendamiento de tierras pagado en granos, por igual porción de trigo y cebada. ‖ **regañado.** El que se abre en el horno, o por la fuerza del fuego, o por la incisión que se le hace al tiempo de echarlo a cocer. ‖ **seco. Pan** solo, sin otra vianda o manjar. ‖ **sentado.** El muy metido en harina, cuando pasa un día después de su cochura y mientras permanece correoso. ‖ **sobornado.** El que en el tendido se pone en el hueco de dos hileras, por lo que queda de diferente figura. ‖ **subcinericio.** El cocido en el rescoldo o debajo de la ceniza. ‖ **supersubstancial. Pan eucarístico.** ‖ **terciado.** Renta de las tierras que se paga en granos, siendo las dos terceras partes de trigo y la otra de cebada. ‖ **y agua.** Cierta cantidad limitada de maravedís que daban las órdenes militares a sus caballeros por razón de alimentos. ‖ **y quesillo.** Planta herbácea de la familia de las crucíferas, con tallo de tres a cuatro decímetros de altura; hojas estrechas, recortadas o enteras, pecioladas las radicales y abrazadoras las superiores; flores blancas, pequeñas, en panojas, y fruto seco en vainilla triangular, con muchas semillas menudas, redondas, aplastadas y de color amarillento. Es abundantísima en todos los terrenos incultos y aun encima de las tapias y tejados. Su cocimiento es astringente y se ha empleado contra las hemorragias. ‖ **Al que come bien el pan, pecado es el ajo que le dan.** ref. que advierte que con las personas que comen con gana las viandas comunes, es superfluo gastar en salsas y manjares delicados. ‖ **A pan duro, diente agudo.** ref. que aconseja la actividad y diligencia que se debe poner para superar la dificultad en las cosas arduas y dificultosas. ‖ **A pan y agua.** fr. Sin otro alimento que **pan** y agua. Aplícase comúnmente a ayunos y castigos. ‖ **A pan y cuchillo, o a pan y manteles.** ms. advs. que se dicen del que mantiene a otro dentro de su misma casa y a su misma mesa. ‖ **A quien no le sobra pan, no críe can.** ref. que enseña que todos deben arreglarse a sus rentas, y no contraer empeños indebidos por gastos excesivos. ‖ **Ara bien y hondo, y cogerás pan en abondo.** ref. que enseña que la tierra bien labrada produce sus frutos con mayor abundancia. ‖ **Aun ahora se come el pan de la boda.** ref. que muestra que el peso y cargas del matrimonio no se sienten en sus principios, como tampoco los de los cargos y empleos mientras dura el gozo de haberlos adquirido. ‖ **Coger** a uno **el pan bajo el sobaco.** fr. fig. y fam. Ganarle la voluntad, dominarle. ‖ **Comer el pan de** uno. fr. fig. y fam. Ser su familiar o doméstico, o estar mantenido por él. ‖ **Comer** uno **el pan de los niños.** fr. fig. Ser ya muy viejo. Dícese para dar a entender que está de más o estorba ya en el mundo. ‖ **Comer pan con corteza.** fr. fig. y fam. Ser una persona adulta y valerse por sí misma sin la ayuda de otra. ‖ **2.** fig. y fam. Estar ya bueno un enfermo. ‖ **Con pan y vino se anda el camino.** ref. que enseña que es menester cuidar del sustento de los que trabajan, si se quiere que cumplan con su ogligación. ‖ **Con su pan se lo coma.** expr. fig. con que uno da a entender la indiferencia con que mira el medro, la conducta o resolución de otra persona. ‖ **Contigo, pan y cebolla.** expr. fig. con que ponderan su desinterés los enamorados. ‖ **Dame pan y dime,** o **llámame, tonto.** ref. con que se zahiere al que perdona las malas razones a cambio de los beneficios que recibe. ‖ **Del pan de mi compadre, gran zatico a mi ahijado.** ref. con que se advierte que de los bienes ajenos solemos ser muy liberales, aunque seamos escasos en dar de los nuestros. ‖ **Del pan y del palo.** expr. fig. y fam. que enseña que no se debe usar de excesivo rigor, sino mezclar la suavidad y el agasajo con el castigo. ‖ **2.** fig. También significa que con lo útil y provechoso se suele recompensar el trabajo y la fatiga. ‖ **Dura el pan con migas de ál.** ref. con que se explica que no es mucho que uno ahorre en una cosa, cuando para su manutención y sustento puede recurrir a otras. ‖ **Echarse los panes.** fr. Inclinarse o caerse las mieses. ‖ **El pan bien ahechado, dos veces es floreado.** ref. que expresa la mejora y perfección de las cosas según el esmero en la ejecución de ellas. ‖ **El pan bien escardado hinche la troj a su amo.** ref. que denota las ventajas que se logran cuando se ponen en cualquier negocio la actividad y diligencia debidas. ‖ **El pan comido, y la compañía deshecha.** ref. **Comida hecha, compañía deshecha.** ‖ **¡El pan de cada día!** expr. fig. con que se censura al que repite de continuo consejos, peticiones o quejas. ‖ **El pan, pan, y el vino, vino.** ref. con que se denota que se debe proceder con ingenuidad y franqueza. ‖ **Engañar el pan.** fr. fig. y fam. Comer con el **pan** una cosa de gusto, para que sepa mejor y no se desperdicie. ‖ **Escalfar el pan.** fr. Cocerlo con demasiado fuego, de suerte que saca en la corteza unas ampollas. ‖ **Ganar pan.** fr. fig. Adquirir caudal. ‖ **Hacer un pan como unas hostias.** fr. fig. y fam. con que se lamenta el desacierto o mal éxito de una acción. ‖ **Más vale pan con amor, que gallina con dolor.** ref. que enseña que cuando no hay amor entre casados u otras personas, sirve de poco la riqueza y el regalo; y que, al contrario, se lleva bien la pobreza cuando lo hay. ‖ **Ni tu pan en tortas, ni tu vino en botas.** ref. que explica que es regla de economía el que ninguno emplee su caudal en cosas que brevemente y con facilidad se consumen. ‖ **No cocérsele** a uno **el pan.** fr. fig. y fam. con que se explica la inquietud que se tiene hasta hacer, decir o saber lo que se desea. ‖ **No comer** uno **el pan de balde.** fr. fig. No recibir de gracia una cosa, sino por su fatiga y trabajo. ‖ **No comer pan.** fr. fig. que se dice de las cosas que pueden ser útiles, cuando no hay daño en conservarlas porque no ocasionan costa alguna. ‖ **No haber pan partido.** fr. fig. con que se da a entender la amistad y estrecha confianza que hay entre dos o más personas. || **No hay para pan, y compraremos musco.** ref. con que se zahiere al que, careciendo de lo necesario, gasta el dinero en cosas superfluas. || **No le comerán el pan las gallinas.** expr. fig. y fam. que significa que uno llegará tarde al paraje adonde camina. || **Pan ajeno, caro cuesta.** ref. que advierte que los beneficios que se reciben, además del empacho de la necesidad, dejan a uno obligado a la correspondencia. || **Pan con pan, comida de tontos.** ref. que condena la unión de dos o más cosas que, por ser de índole semejante, forman conjunto insulso y monótono. || **Pan por pan, vino por vino.** expr. fig. y fam. con que se da a entender que uno ha dicho a otro una cosa llanamente, sin rodeos y con claridad. || **Pan y callejuela.** expr. con que se explica que a uno se le deja el paso libre para que vaya donde quisiere. || **Pan, y pan con ello, y pan para comello.** expr. fig. que explica que una cosa es la misma que otra, y no tiene nueva utilidad, aunque se signifique como diversa. || **Pan y vino, un año, tuyo, y otro, de tu vecino.** ref. con que se denota la desigualdad de las cosechas, aun en tierras poco distantes entre sí. || **Por mucho pan, nunca mal año.** ref. **Por mucho trigo nunca es mal año.** || **Quien da pan a perro ajeno, pierde el pan y pierde el perro.** ref. que enseña que el que hace beneficios a personas desconocidas y con fin interesado, comúnmente los pierde. || **Repartir como pan bendito** una cosa. fr. fig. y fam. Distribuirla en porciones muy pequeñas; con alusión al **pan** bendito que se suele dar en la iglesia. || **Ser** una cosa **el pan nuestro de cada día.** fr. fig. y fam. Ocurrir cada día o frecuentemente. || **Ser** una cosa **pan y miel.** fr. fig. Ser muy buena y agradable. || **Valerle** a uno **un pan por ciento.** fr. fig. y fam. Obtener, material o moralmente, considerable ventaja de hacer alguna cosa.

Pana. (Del fr. *panne*, y éste del lat. *penna*, pluma.) f. Tela gruesa, semejante en el tejido al terciopelo. || **2.** *Mar.* Cada una de las tablas levadizas que forman el suelo de una embarcación menor.

Pánace. (Del lat. *panăces*, y éste del gr. πανακές; de πᾶν, todo, y ἄκος, remedio.) f. Planta herbácea, vivaz, de la familia de las umbelíferas, con tallo estriado, poco ramoso, velludo en la base, de uno a dos metros de altura; hojas de pecíolos lanuginosos, partidas en lóbulos acorazonados; flores amarillas en umbelas muy pobladas, semillas aovadas y menudas, y raíz gruesa y jugosa, de que se saca el opopónaco.

Panacea. (Del lat. *panacēa*, y éste del gr. πανάκεια; de πανακές, pánace.) f. Medicamento a que se atribuye eficacia para curar diversas enfermedades. **universal.** Remedio que buscaban los antiguos alquimistas para curar todas las enfermedades.

Panadear. tr. Hacer pan para venderlo.

Panadeo. m. Acción de panadear.

Panadería. f. Oficio de panadero. || **2.** Sitio, casa o lugar donde se hace o vende el pan.

Panadero, ra. (Del b. lat. *panaterius*, y éste del lat. *panis*, pan.) m. y f. Persona que tiene por oficio hacer o vender pan. || **2.** m. pl. Baile español semejante al zapateado. || **Panadera érades antes, aunque ahora traéis guantes.** ref. que reprende a los que se olvidan de sus humildes principios en viéndose en alta fortuna, y desprecian a sus iguales.

Panadizo. (De *panarizo*.) m. Inflamación aguda del tejido celular de los dedos, principalmente de su primera falange, desde donde puede propagarse con intensidad variable. || **2.** fig. y fam. Persona que tiene el color muy pálido, y que anda continuamente enferma.

Panado, da. (De *pan*.) adj. Dícese del líquido en que se pone en infusión pan tostado, con lo cual en ocasiones se substituyen los caldos.

Panal. (De *pan*.) m. Conjunto de celdillas prismáticas hexagonales de cera, colocadas en series paralelas, que las abejas forman dentro de la colmena para depositar la miel. || **2.** Cuerpo de estructura semejante, que fabrican las avispas. || **3. Azucarillo.** || **longar.** El que está trabajado a lo largo de la colmena. || **saetero.** El labrado de través, de un témpano al otro de la colmena.

Panamá. (De *Panamá*, n. p.) m. Sombrero de pita, con el ala recogida o encorvada, pero que suele bajarse sobre los ojos.

Panameño, ña. adj. Natural de Panamá. Ú. t. c. s. || **2.** Perteneciente a esta república de América.

Panamericanismo. m. Tendencia a fomentar las relaciones de todo orden entre los países del Hemisferio Occidental, principalmente entre los Estados Unidos de Norteamérica y los países hispanoamericanos.

Panamericanista. com. Persona que profesa ideas de panamericanismo.

Panamericano, na. adj. Perteneciente o relativo al panamericanismo. Ú. t. c. s.

Panarizo. (Del lat. *panarĭcium*.) m. **Panadizo.**

Panarra. (De *pan*.) m. fam. Hombre simple, mentecato, dejado y flojo.

Panatela. (Del ital. *panattella*, del lat. *panis*.) f. Especie de bizcocho grande y delgado.

Panateneas. (Del gr. Παναθήναια.) f. pl. Fiestas, las más famosas, que se celebraban en Atenas en honor de la diosa Atenea o Minerva, patrona de la ciudad.

Panática. (Del b. lat. *panatica*.) f. Provisión de pan en las embarcaciones.

Panatier. (Del fr. *panetier*, y éste der. del lat. *panis*.) m. **Panetero.**

Panca. f. Embarcación filipina, especie de banca, que lleva realzadas las bordas con unas tablas, por debajo de las cuales pasan los palos donde se sujetan las batangas volantes. Se gobierna con la pagaya; tiene bancadas fijas y zaguales en vez de remos, y se destina comúnmente a la pesca.

Panca. (Voz quichua.) f. *Amér.* **Perfolla.**

Pancada. (Del port. *pancada*, golpe, y éste del m. or. que *palanca*.) f. Contrato, muy usado en Indias, de vender las mercaderías por junto y en montón, especialmente las menudas. || **2.** *Gal.* Golpe brusco.

Pancarpia. (Del lat. *pancarpĭae [coronae]*, y éste del gr. παγκάρπιος; de πᾶν, todo, y καρπός, fruto.) f. Corona compuesta de diversas flores.

Pancarta. (Del b. lat. *pancharta*, y éste del gr. πᾶν, todo, y χάρτης, hoja, papel.) f. Pergamino que contiene copiados varios documentos.

Pancellar. m. **Pancera.**

Pancera. (De *panza*.) f. Pieza de la armadura antigua, que cubría el vientre.

Pancilla. (d. de *panza*.) f. V. **Letra pancilla.**

Pancista. (De *panza*.) adj. fam. Dícese del que mirando solamente a su interés personal, procura no pertenecer a ningún partido político o de otra clase, para poder medrar o estar en paz con todos. Ú. t. c. s.

Panclastita. (Del gr. πᾶν, todo, y κλαστός, roto.) f. Explosivo muy violento, derivado del ácido pícrico.

Panco. m. Embarcación filipina de cabotaje, algo semejante al pontín y de construcción parecida a la europea. Tiene cubierta, cuadernas, aforros, popa cuadrada y costados de buena forma, y es ancha de amuras por arriba. Algunos **pancos** suelen estar forrados en cobre. Destinados al comercio, cargan 30 toneladas; y a la piratería, admiten una tripulación de 50 hombres cuando menos.

Pancraciasta. m. Atleta dedicado a los ejercicios del pancracio.

Pancracio. (Del lat. *pancratĭum*, y éste del gr. παγκράτιον; de πᾶν, todo, y κράτος, poder.) m. Combate gímnico de origen griego, que estuvo muy en moda entre los romanos. La lucha, el pugilato y toda clase de medios, como la zancadilla y los puntapiés, eran lícitos en este combate para derribar o vencer al contrario.

Pancrático, ca. adj. *Zool.* **Pancreático.**

Páncreas. (Del gr. πάγκρεας; de πᾶν, todo, y κρέας, carne.) m. *Zool.* Glándula propia de los animales vertebrados, que en la mayoría de ellos es compacta o lobulada, está situada junto al intestino delgado y tiene uno o varios conductos excretores que desembocan en el duodeno. Consta de una parte exocrina, la cual elabora un jugo que vierte en el intestino y contribuye a la digestión porque contiene varios fermentos, y otra endocrina, que produce una hormona, la insulina, cuya misión es impedir que pase de un cierto límite la cantidad de glucosa existente en la sangre.

Pancreático, ca. adj. *Zool.* Perteneciente al páncreas.

Pancromático, ca. (Del gr. πᾶν, todo, y χρωματικός, de color.) adj. *Fotogr.* Dícese de las placas y películas cuya sensibilidad es aproximadamente igual para los diversos colores.

Pancho. m. Cría del besugo.

Pancho. (Del lat. *pantex, -icis*, panza.) m. fam. **Panza.**

Panchón. m. *Ast.* Pan moreno hecho con harina poco cernida.

Panda. (De *banda*, lado.) f. Cada una de las galerías o corredores de un claustro.

Pandanáceo, a. (De *pandanus*, nombre de un género de plantas.) adj. *Bot.* Dícese de plantas angiospermas monocotiledóneas, vivaces, de tallo sarmentoso y rastrero, con hojas largas y estrechas, semillas frecuentemente dentadas y espinosas, flores reunidas en espádice y frutos en baya o drupa con semillas de albumen carnoso; como el bombonaje. Ú. t. c. s. f. || **2.** f. pl. *Bot.* Familia de estas plantas.

Pandáneo, a. adj. *Bot.* **Pandanáceo.**

Pandar. (De *banda*.) tr. *Germ.* **Apandillar,** 2.ª acep.

Pandear. (De *pando*.) intr. Torcerse una cosa encorvándose, especialmente en el medio. Dícese de las paredes, vigas y otras cosas. Ú. m. c. r.

Pandectas. (Del lat. *pandectae*, y éste del gr. πανδέκτης; de πᾶν, todo, y δέχομαι, aceptar, comprender.) f. pl. Recopilación de varias obras, especialmente las del derecho civil que el emperador Justiniano puso en los 50 libros del Digesto. || **2.** Código del mismo emperador, con las Novelas y demás constituciones que lo componen. || **3.** Conjunto del Digesto y del Código. || **4.** Entre los hombres de negocios, cuaderno en que se forma un abecedario, poniendo una letra en cada hoja, para escribir los nombres de las personas con quienes se tiene correspondencia, y notar el folio en que está la cuenta de cada uno en el libro mayor.

Pandemia. (Del gr. πανδημία, reunión del pueblo.) f. *Med.* Enfermedad epidémica que se extiende a muchos países o que ataca a casi todos los individuos de una localidad o región.

Pandemónium. (Del gr. πᾶν, todo, y δαίμονιον, demonio.) m. Capital imaginaria del reino infernal. || **2.** fig. y fam. Lugar en que hay mucho ruido y confusión.

Pandeo. m. Acción y efecto de pandear o pandearse.

Pandera. f. **Pandero,** 1.ª acep.

Panderada. f. Conjunto de muchos panderos. || **2.** fig. y fam. Necedad, dicho insubstancial o fuera de propósito.

Panderazo. m. Golpe dado con el pandero o la pandera.

Pandereta. f. d. de **Pandera** || **2. Pandero,** 1.ª acep.

Panderetazo. m. Golpe dado con la pandereta.

Panderete. m. d. de **Pandero.** || **2.** V. **Tabique de panderete.**

Panderete. (De *pandar.*) m. *Germ.* Encuentro de dos naipes preparado con fullería.

Panderetear. (De *pandereta.*) intr. Tocar el pandero en bulla y alegría, o festejarse y bailar al son de él.

Pandereteo. m. Acción y efecto de panderetear. || **2.** Regocijo y bulla al son del pandero.

Panderetero, ra. (De *pandereta.*) m. y f. Persona que toca el pandero. || **2.** Persona aficionada a tocarlo. || **3.** Persona que hace o vende panderos.

Panderetólogo. m. fest. Entre estudiantes, persona diestra en tocar la pandereta.

Pandero. (Del lat. *pandorĭum.*) m. Instrumento rústico formado por uno o dos aros superpuestos, de un centímetro o menos de ancho, provistos de sonajas o cascabeles y cuyo vano está cubierto por uno de sus cantos o por los dos con piel muy lisa y estirada. Tócase haciendo resbalar uno o más dedos por ella o golpeándola con ellos o con toda la mano. || **2.** fig. y fam. Persona necia y que habla mucho con poca substancia. || **3. Cometa,** 2.ª acep. || **Está el pandero en manos que lo sabrán bien tañer,** o **tocar.** fr. proverb. **En buenas manos está el pandero.** || **No todo es vero lo que suena el pandero.** ref. que exhorta a no creer ligeramente lo que se oye, especialmente al vulgo, que por lo común habla sin reflexión ni reparo.

Panderón. m. *And.* Plano inclinado, de superficie lisa y suave, formado por grandes hojas de pizarra de color acerado y bruñido aspecto, que forma la parte convexa de algunas lomas de Sierra Nevada. PANDERONES *del Veleta, del Mulhacén,* etc.

Pandiculación. (Del lat. *pandiculāri,* desperezarse.) f. **Desperezo.**

Pandilla. (De *banda.*) f. Liga o unión. || **2.** La que forman algunos para engañar a otros o hacerles daño. || **3.** Cualquier reunión de gente, y en especial la que se forma con el objeto de divertirse en el campo.

Pandillaje. m. Influjo de personas reunidas en pandilla para fines poco lícitos.

Pandillero [~**dillista**]. m. El que forma o fomenta pandillas.

Pando, da. (Del lat. *pandus.*) adj. Que pandea. || **2.** Dícese de lo que se mueve lentamente, como los ríos cuando van por tierra llana. || **3.** fig. Dícese del sujeto pausado y espacioso. || **4.** m. Terreno casi llano situado entre dos montañas.

Pandorga. f. Figurón a modo de estafermo, que en cierto juego antiguo daba con el brazo al jugador poco diestro. || **2.** Este mismo juego. || **3. Cometa,** 2.ª acep. || **4.** fig. y fam. Mujer muy gorda y pesada, o floja en sus acciones. || **5.** *Murc.* **Zambomba,** 1.ª acep.

Panecillo. (d. de *pan.*) m. Pan pequeño equivalente en peso a la mitad de una libreta. || **2.** Mollete esponjado, que se usa principalmente para el desayuno. || **3.** Lo que tiene forma de un pan pequeño.

Panegírico, ca. (Del lat. *panegyrĭcus.* y éste del gr. πανηγυρικός.) adj. Perteneciente o relativo a la oración o discurso en alabanza de una persona; laudatorio, encomiástico. *Discurso* PANEGÍRICO, *oración* PANEGÍRICA. || **2.** m. Discurso oratorio en alabanza de una persona. || **3.** Elogio de alguna persona, hecho por escrito.

Panegirista. (Del lat. *panegyrista,* y éste del gr. πανηγυριστής.) m. Orador que pronuncia el panegírico. || **2.** fig. El que alaba a otro de palabra o por escrito.

Panegirizar. (Del gr. πανηγυρίζω.) tr. p. us. Hacer el panegírico de una persona.

Panel. (Del ant. fr. *panel,* y éste del lat. *pannellus,* paño.) m. Cada uno de los compartimientos, limitados comúnmente por fajas o molduras, en que para su ornamentación se dividen los lienzos de pared, las hojas de puertas, etc.

Panela. (De *pan.*) f. Bizcochuelo de figura prismática. || **2.** *Colomb.* y *Hond.* **Chancaca,** 1.ª acep. || **3.** *Blas.* Hoja de álamo puesta como mueble en el escudo.

Pane lucrando. (De *panis,* pan, y *lucrāri,* ganar, obtener; ganando el pan; para ganar el pan.) expr. lat. que, precedida de la preposición *de,* se aplica a las obras artísticas o literarias que no se hacen con el esmero debido, ni por amor al arte y a la gloria, sino descuidadamente y con el exclusivo fin de ganarse la vida.

Panenteísmo. (Del gr. πᾶν, todo; ἐν, en, y θεός, Dios.) m. *Fil.* **Krausismo.**

Panera. (Del lat. *panarĭa,* t. f. de *-rĭus,* panero.) f. Troje o cámara donde se guardan los cereales, el pan o la harina. || **2.** Cesta grande sin asa, generalmente de esparto, que sirve para transportar pan. || **3. Nasa,** 4.ª acep.

Panero. (Del lat. *panarĭum.*) m. Canasta redonda que sirve en las tahonas para echar el pan que se va sacando del horno. || **2. Ruedo,** 4.ª acep.

Paneslavismo. (Del gr. πᾶν, todo, y de *eslavo.*) m. Tendencia política que aspira a la confederación de todos los pueblos de origen eslavo.

Paneslavista. adj. Perteneciente o relativo al paneslavismo. || **2.** Partidario del paneslavismo. Ú. t. c. s.

Panetela. (Del lat. *panis,* pan.) f. Especie de papas que se hacen con caldo muy substancioso y pan rallado, a lo cual se suele agregar gallina picada, yemas de huevo, azúcar u otros ingredientes. || **2.** Cigarro puro largo y delgado.

Panetería. (De *panetero.*) f. Oficina o lugar destinado en palacio para la distribución del pan y para el cuidado de la ropa de mesa.

Panetero, ra. (Del fr. *panetier,* panadero.) m. y f. Persona encargada de la panetería.

Panfilismo. (De *pánfilo.*) m. Benignidad extremada.

Pánfilo, la. (Del lat. *Pamphĭlus,* n. p., y éste del gr. πάμφιλος, bondadoso.) adj. Muy pausado, desidioso, flojo y tardo en obrar. Ú. t. c. s. || **2.** m. Juego de burla que consistía en apagar una cerilla con que querían quemar a uno, y el apagarla había de ser soplando y pronunciando a un tiempo la palabra **pánfilo.**

Pangal. (De *pangue.*) m. *Chile.* Terreno en que abundan los pangues.

Pangasinán, na. adj. Natural o habitante de Pangasinán. Ú. t. c. s. || **2.** Perteneciente o relativo a esta provincia de las islas Filipinas.

Pangelín. (Del port. *angelim.*) m. *Bot.* Árbol leguminoso del Brasil, que crece hasta 12 ó 14 metros de altura, con tronco recto y grueso, copa espaciosa, hojas semejantes a las del nogal, flores pequeñas y dispuestas en racimos, y fruto aovado, de cuatro a cinco centímetros de largo, con una sutura elevada y longitudinal: contiene una almendra dura y rojiza llena de un meollo de gusto entre amargo y agrio, muy desagradable, que se usa en medicina como antihelmíntico.

Pange lingua. m. Himno que empieza con estas palabras y se canta en honor y alabanza del Santísimo Sacramento.

Pangermanismo. (Del gr. πᾶν, todo, y de *Germania.*) m. Doctrina que proclama y procura la unión y predominio de todos los pueblos de origen germánico.

Pangermanista. adj. Perteneciente o relativo al pangermanismo. || **2.** Partidario de esta doctrina. Ú. t. c. s.

Pangolín. (Del malayo *pangguling,* rodillo.) m. Mamífero del orden de los desdentados, parecido al largarto, y cubierto todo, desde la cabeza hasta los pies y la cola, de escamas duras y puntiagudas, que el animal puede erizar, sobre todo al arrollarse en bola, como lo hace para defenderse. Hay varias especies propias del centro de África y del sur de Asia, y varían en tamaño, desde seis a ocho decímetros de largo hasta el arranque de la cola, que es casi tan larga como el cuerpo.

Pangue. (Del araucano *panque.*) m. *Bot. Chile.* Planta acaule, de la familia de las gunneráceas, con grandes hojas de más de un metro de largo y cerca de medio de ancho, orbiculares y lobuladas. De su centro nace un bohordo cilíndrico que lleva muchas espigas de flores. El fruto parece una drupa pequeña porque su cáliz se vuelve carnoso, y el rizoma, que es astringente, se usa en medicina y para teñir y curtir. Es frecuente en los lugares pantanosos y a lo largo de los arroyos.

Paniaguado. (De *paniguado.*) m. Servidor de una casa, que recibe del dueño de ella habitación, alimento y salario. || **2.** fig. El allegado a una persona y favorecido por ella.

Pánico, ca. (Del lat. *panĭcus,* y éste del gr. Πανικός, de Πάν, el dios Pan, a quien atribuían los ruidos que retumbaban en montes y valles.) adj. Aplícase al miedo grande o temor excesivo, sin causa justificada. Ú. t. c. s. m.

Panícula. f. *Bot.* Panoja o espiga de flores.

Paniculado, da. adj. En forma de panícula.

Panicular. (De *panículo.*) adj. *Zool.* Perteneciente o relativo al panículo.

Panículo. (Del lat. *panniculus,* tela fina.) m. *Zool.* Capa de tejido adiposo situada debajo de la piel de los vertebrados. || **adiposo.** *Zool.* **Panículo.**

Paniego, ga. adj. Que come mucho pan, o es muy aficionado a él. *Gente honrada no es* PANIEGA. || **2.** Dícese del terreno que rinde y lleva panes, o sea trigo. || **3.** m. *Sal.* Saco o costal para llevar y vender el carbón.

Panificable. adj. Que se puede panificar.

Panificación. f. Acción y efecto de panificar.

Panificar. (Del lat. *panis,* pan, y *facĕre,* hacer.) tr. **Panadear.** || **2.** Romper las dehesas y tierras eriales, arándolas, cultivándolas y haciéndolas de pan llevar.

Paniguado, da. (De *paniguar,* del lat. *panificāre.*) adj. **Paniaguado.**

Panilla. (Del b. lat. *panellus,* cierta medida de capacidad.) f. Medida que se usa sólo para el aceite y es la cuarta parte de una libra. || **2.** *And.* **Abacería.**

Panique. m. Murciélago de Oceanía, del tamaño del conejo, con la cabeza parecida a la del perro, cola corta y pelo obscuro que tira a rojizo. Es herbívoro, su carne se come, y su piel se utiliza en manguitería.

Panislamismo. (Del gr. πᾶν, todo, e *islamismo.*) m. Moderna tendencia de los pueblos musulmanes a lograr, mediante la unión de todos ellos, su independencia política, religiosa y cultural respecto de las demás naciones.

Panizal. m. *Ast.* Espuma ligera que forma la sidra cuando se echa en el vaso. Sirve para apreciar la buena calidad del líquido. *Formar buen* PANIZAL.

Panizo. (Del lat. *panicum.*) m. Planta anua de la familia de las gramíneas, originaria de Oriente, de cuya raíz salen varios tallos redondos como de un metro de altura, con hojas planas, largas, estrechas y ásperas, y flores en panojas grandes, terminales y apretadas. || **2.** Grano de esta planta. Es redondo, de tres milímetros de diámetro, reluciente y de color entre amarillo y rojo. Empléase en varias partes para alimento del hombre y de los animales, especialmente de las aves. || **3. Maíz.** || **4.** *Chile.* Criadero de minerales. || **de Daimiel.** Planta de la familia de las gramíneas, que tiene las hojas planas con nervios gruesos y flores en panoja con ramos ticilados terminados por dos espiguillas. || **5.** *Chile.* Persona de la que se obtiene, o se piensa obtener, gran provecho. || **negro. Zahína,** 1.ª y 2.ª aceps. || **2. Panizo de Daimiel.**

Panjí. m. **Árbol del Paraíso.**

Panocha. (Del lat. *panucŭla,* ovillo, espiga.) f. **Panoja.**

Panocho, cha. adj. *Murc.* Perteneciente o relativo a la huerta de Murcia. || **2.** m. y f. Habitante de la huerta. || **3.** m. Habla o lenguaje huertano.

Panoja. (Del lat. *panucŭla,* ovillo, espiga.) f. Mazorca del maíz, del panizo o del mijo. || **2. Colgajo,** 2.ª acep. || **3.** Conjunto de tres o más boquerones u otros pescados pequeños, que se fríen pegados por las colas. || **4.** *Bot.* Conjunto de espigas, simples o compuestas, que nacen de un eje o pedúnculo común; como en la grama y en la avena.

Panol. (Del lat. *penarius;* de *penus,* víveres.) m. *Mar.* **Pañol.**

Panoli. adj. vulg. Dícese de la persona simple y sin voluntad. Ú. t. c. s.

Panonio, nia. (Del lat. *pannonĭus.*) adj. Natural de la Panonia. Ú. t. c. s. || **2.** Perteneciente a esta antigua región de Europa.

Panoplia. (Del gr. πανοπλία; de πᾶν, todo, y ὅπλα, armas.) f. Armadura de todas piezas. || **2.** Colección de armas ordenadamente colocadas. || **3.** Parte de la arqueología, que estudia las armas de mano y las armaduras antiguas. || **4.** Tabla, generalmente en forma de escudo, donde se colocan floretes, sables y otras armas de esgrima.

Panóptico, ca. (Del gr. πᾶν, todo, y ὀπτικός, óptico.) adj. Aplícase al edificio construido de modo que toda su parte interior se pueda ver desde un solo punto. Ú. t. c. s. m.

Panorama. (Del gr. πᾶν, todo, y ὅραμα, vista.) m. Vista pintada en un gran cilindro hueco, en cuyo centro hay una plataforma circular, aislada, para los espectadores, y cubierta por lo alto a fin de hacer invisible la luz cenital. || **2.** Por ext., vista de un horizonte muy dilatado.

Panorámico, ca. adj. Perteneciente o relativo al panorama.

Panormitano, na. (Del lat. *panormitānus;* de *Panormus,* Palermo.) adj. Natural de Palermo. Ú. t. c. s. || **2.** Perteneciente a esta ciudad de Sicilia.

Panoso, sa. (Del lat. *panōsus.*) adj. **Harinoso.** || **2.** V. **Haba panosa.**

Panque. m. *Bot.* **Pangue.**

Pansa. (Del lat. *pansa,* tendida.) f. *Ar.* **Pasa,** 1.er art., 1.ª acep.

Pansido, da. (Del cat. *pansir,* de *pansa,* y éste del lat. *pansa,* pasa.) adj. *Murc.* Pasado, con referencia a las frutas, como uvas y ciruelas.

Panspermia. (Del gr. πανσπερμία, mezcla de semillas de todas especies.) f. Doctrina que sostiene hallarse difundidos por todas partes gérmenes de seres organizados que no se desarrollan hasta encontrar circunstancias favorables para ello.

Pantagruélico, ca. (De *Pantagruel,* personaje y título de una obra de Rabelais.) adj. Dícese, hablando de comidas, de las de cantidades excesivas. *Festín* PANTAGRUÉLICO.

Pantalán. m. En Filipinas, muelle de madera o cañas que avanza en el mar.

Pantalón. (Del veneciano *pantalon,* máscara, y éste de *San Pantaleón.*) m. Prenda de vestir del hombre, que se ciñe al cuerpo en la cintura y baja cubriendo cada pierna hasta los tobillos. Ú. m. en pl. || **2.** Prenda interior del traje de la mujer, más ancha y corta que el **pantalón** de los hombres. || **abotinado.** Aquel cuyos perniles se estrechan en la parte inferior ajustándose al calzado. || **bombacho. Pantalón** ancho cuyos perniles terminan en forma de campana abierta por el costado y con botones y ojales para cerrarla. || **Ponerse** una mujer **los pantalones.** fr. fig. y fam. **Ponerse los calzones.**

Pantalonero, ra. m. y f. Persona especialmente dedicada a coser pantalones.

Pantalla. (En port. *pantalha.*) f. Lámina de una u otra forma y materia, que se sujeta delante o alrededor de la luz artificial, para que no ofenda a los ojos o para dirigirla hacia donde se quiera. || **2.** Especie de mampara que se pone delante de las chimeneas para resguardarse del resplandor de la llama o del exceso del calor. || **3.** Telón puesto verticalmente, sobre el que se proyectan las figuras del cinematógrafo u otro aparato de proyecciones. || **4.** fig. Persona o cosa que, puesta delante de otra, la oculta o le hace sombra. || **5.** fig. Persona que, a sabiendas o sin conocerlo, llama hacia sí la atención en tanto que otra hace o logra secretamente una cosa. Ú. m. en la fr. **servir de pantalla.**

Pantana. f. Especie de calabacín de las islas Canarias.

Pantanal. f. Tierra pantanosa.

Pantano. (Del lat. *Pantānus,* cierto lago de Italia antigua.) m. Hondonada donde se recogen y naturalmente se detienen las aguas, con fondo más o menos cenagoso. || **2.** Gran depósito de agua, que se forma generalmente cerrando la boca de un valle, y sirve para alimentar las acequias de riego. || **3.** fig. Dificultad, óbice, estorbo grande.

Pantanoso, sa. adj. Dícese del terreno donde hay pantanos. || **2.** Dícese del terreno donde abundan charcos y cenagales. || **3.** fig. Lleno de inconvenientes, dificultades o embarazos.

Pantasana. f. Arte de pesca que consiste en un cerco de redes caladas a plomo, rodeadas de otras redes horizontales, en la cual quedan presos los peces que ahuyentados saltan por cima del cerco.

Panteísmo. (Del gr. πᾶν, todo, y Θεός, Dios.) m. Sistema de los que creen que la totalidad del universo es el único Dios.

Panteísta. adj. Que sigue la doctrina del panteísmo. Ú. t. c. s. || **2. Panteístico.**

Panteístico, ca. adj. Perteneciente o relativo al panteísmo.

Panteón. (Del lat. *Panthĕon,* y éste del gr. Πάνθεον; de πᾶν, todo, y θεός, dios, nombre del templo dedicado en Roma antigua al culto de todos los dioses.) m. Monumento funerario destinado a enterramiento de varias personas.

Pantera. (Del lat. *panthēra,* y éste del gr. πάνθηρ; de πᾶν, todo, y θηρίον, fiera.) f. Leopardo cuyas manchas circulares de la piel son todas anilladas. || **2.** Ágata amarilla, mosqueada de pardo o rojo, imitando la piel de la **pan era.**

Pantógrafo. (Del gr. πᾶς, παντός, todo, y γράφω, escribir.) m. Instrumento que sirve para copiar, ampliar o reducir un plano o dibujo. Consiste en un paralelogramo articulado, con dos de sus lados adyacentes prolongados; uno de éstos se fija por un solo punto en la mesa, en otro se coloca un estilo con el cual se siguen las líneas del dibujo, y un lápiz sujeto a un tercer lado traza la copia, ampliación o reducción que se desea. Aplícase más comúnmente a este último objeto.

Pantómetra. (Del gr. πᾶς, παντός, todo, y μέτρον, medida.) f. Especie de compás de proporción, cuyas piernas llevan marcadas en sus caras diversas escalas divididas en partes iguales o proporcionales, y se emplea en la resolución de algunos problemas matemáticos. || **2.** Instrumento de topografía para medir ángulos horizontales, compuesto de un cilindro de metal que se mantiene fijo y lleva una graduación en su borde superior, y otro cilindro igual con miras para dirigir visuales, que va sobre el primero y puede girar a uno y otro lado.

Pantomima. (Del lat. *pantomīma.*) f. Representación por figura y gestos sin que intervengan palabras.

Pantomímico, ca. (Del lat. *pantomimĭcus.*) adj. Perteneciente a la pantomima o al pantomimo.

Pantomimo. (Del lat. *pantomīmus,* y éste del gr. παντόμιμος, que lo imita todo.) m. Truhán, bufón o representante que en los teatros remeda o imita diversas figuras.

Pantoque. m. *Mar.* Parte casi plana del casco de un barco, que forma el fondo junto a la quilla. || **2.** *Mar.* V. **Aguas del pantoque.**

Pantorra. (En port. *panturra.*) f. fam. **Pantorrilla.** Ú. m. en pl.

Pantorrilla. (De *pantorra.*) f. Parte carnosa y abultada de la pierna, por debajo de la corva.

Pantorrillera. f. Género de calceta gruesa para abultar las pantorrillas.

Pantorrilludo, da. adj. Que tiene muy gordas las pantorrillas.

Pantufla. f. **Pantuflo.**

Pantuflazo. m. Golpe que se da con el pantuflo.

Pantuflo. (Del fr. *pantoufle.*) m. Calzado, especie de chinela o zapato sin orejas ni talón, que para mayor comodidad se usa en casa.

Panucho. m. *Méj.* Tortilla de maíz rellena con fréjoles y carne de cazón.

Panudo. (De *pan.*) adj. *Cuba.* Aplícase al fruto del aguacate, cuando su carne es consistente, que es como más se aprecia.

Panul. (Voz araucana.) m. *Chile.* **Apio.**

Panza. (Del lat. *pantex, -icis.*) f. Barriga o vientre. Aplícase comúnmente al muy abultado. || **2.** Parte convexa y más saliente de ciertas vasijas o de otras cosas. || **3.** *Zool.* Primera de las cuatro cavidades en que se divide el estómago de los rumiantes. || **al trote.** fig. y fam. Persona que anda siempre comiendo a costa ajena o donde halla ocasión de entrarse, y que ordinariamente padece hambre y necesidad. || **de burra.** fig. y fam. Pergamino en que se daba el título del grado en las universidades. || **2.** fig. y fam. Nombre que se da al cielo uniformemente entoldado y de color gris obscuro. || **de oveja.** fig. y fam. **Panza de burra,** 1.ª acep. || **en gloria.** fig. y fam. Persona muy sosegada de suyo y a quien alteran poco las cosas. || **De la panza sale la danza.** ref. que declara ser consecuencia del buen mantenimiento corporal la alegría del ánimo.

Panzada. f. Golpe que se da con la panza. || **2.** fam. **Hartazgo.**

Panzón, na. adj. **Panzudo.** || **2.** m. aum. de **Panza.**

Panzudo, da. adj. Que tiene mucha panza.

Pañal. (De *paño.*) m. Sabanilla o pedazo de lienzo en que se envuelve a los niños de teta. || **2.** Faldón o caídas de la camisa del hombre. || **3.** pl. Envoltura de los niños de teta. || **4.** fig. Primeros principios de la crianza y nacimiento, especialmente en orden a la calidad. || **5.** fig. **Niñez,** 1.ª y 2.ª aceps. || **Estar** uno **en pañales.** fr. fig. y fam. Tener poco o ningún conocimiento de una cosa. || **Haber salido** uno **de pañales.** fr. fig. y fam. **Haber salido de mantillas.** || **Sacar de pañales** a uno. fr. fig. y fam. Libertarlo de la miseria; ponerlo en mejor fortuna.

Pañalón. (aum. de *pañal.*) m. fig. y fam. Persona que por desaliño o negligencia trae colgando a veces las caídas de la camisa.

Pañería. f. Comercio o tienda de paños. || **2.** Conjunto de los mismos paños.

Pañero, ra. adj. Perteneciente o relativo a los paños. *Industria* PAÑERA. || **2.** m. y f. Persona que vende paños. || **3.** f. Mujer del **pañero.**

Pañete. m. d. de **Paño.** || **2.** Paño de inferior calidad. || **3.** Paño de poco cuerpo. || **4.** pl. Cierto género de calzoncillos de que usan por honestidad los pescadores y curtidores que trabajan desnudos. También usan de ellos los religiosos descalzos que no traen camisa. || **5.** Enagüillas o paño ceñido que ponen a las imágenes de Cristo desnudo en la cruz. || **6.** *Colomb.* **Enlucido,** 3.ª acep.

Pañí. f. *Germ.* **Agua,** 1.ª acep.

Pañil. (Del arauc. *pagil.*) m. *Chile.* Árbol de la familia de las escrofulariáceas, de unos tres metros de alto, con hojas grandes, oblongas, almenadas, arrugadas, con vello amarillento en su cara inferior, y flores anaranjadas dispuestas en cabezuelas globosas. Sus hojas se usan en medicina para la curación de úlceras.

Pañizuelo. m. **Pañuelo.**

Paño. (Del lat. *pannus.*) m. Tela de lana muy tupida y con pelo tanto más corto cuanto más fino es el tejido. || **2. Tela,** 1.ª acep. || **3.** Ancho de una tela cuando varias piezas de ella se cosen unas al lado de otras. || **4.** Tapiz u otra colgadura. || **5.** Cualquier pedazo de lienzo u otra tela, particularmente los que sirven para curar llagas. || **6.** Mancha obscura que varía el color natural del cuerpo, especialmente del rostro. || **7.** Excrecencia membranosa que desde el ángulo interno del ojo se extiende a la córnea, interrumpiendo la vista. || **8.** Accidente que disminuye el brillo o la transparencia de algunas cosas. || **9. Enlucido,** 3.ª acep. || **10.** Lienzo de pared. || **11.** *Mar.* Velas que lleva desplegadas el navío. *Va con poco* PAÑO. || **12.** pl. Cualquier género de vestiduras. || **13.** *Esc.* y *Pint.* Ropas de amplio corte que forman pliegues. || **Paño berbí.** El que antiguamente se fabricaba con trama y urdimbre sin peinar. || **buriel. Paño** pardo del color natural de la lana. || **catorceno.** Cierta especie de **paño** basto, cuya urdimbre consta de 14 centenares de hilos. || **de altar. Mantel,** 2.ª acep. || **de Arrás.** Tapiz hecho en aquella ciudad, antiguamente flamenca y hoy francesa. || **de cáliz.** Cuadrado de tela con que se cubre el cáliz, regularmente del mismo género y color que la casulla. || **de hombros. Humeral,** 3.ª acep. || **de lágrimas.** fig. Persona en quien se encuentra frecuentemente atención, consuelo o ayuda. || **de lampazo.** Tapiz que sólo representa vegetales. || **de manos. Toalla,** 1.ª acep. || **de mesa. Mantel,** 1.ª acep. || **de púlpito.** Paramento con que se adorna exteriormente el púlpito cuando se ha de predicar, que regularmente es de tela rica y de color litúrgico correspondiente al día. || **de ras. Paño de Arrás.** || **de tumba.** Cubierta negra que se pone o se tiende para las exequias. || **dieciocheno.** Aquel cuya urdimbre consta de 18 centenares de hilos. || **dieciseiseno.** Aquel cuya urdimbre consta de 16 centenares de hilos. || **pardillo.** El más tosco, grueso y basto que se hace, de color pardo, sin tinte, de que viste la gente humilde y pobre. || **treintaidoseno.** Aquel cuya urdimbre consta de 32 centenares de hilos. || **veinteno.** Aquel cuya urdimbre consta de 20 centenares de hilos. || **veinticuatreno.** Aquel cuya urdimbre consta de 24 centenares de hilos. || **veintidoseno.** Aquel cuya urdimbre consta de 22 centenares de hilos. || **veintiocheno.** Aquel cuya urdimbre consta de 28 centenares de hilos. || **veintiseiseno.** Aquel cuya urdimbre consta de 26 centenares de hilos. || **Paños calientes.** fig. p. us. Diligencias e instancias que se hacen para avivar a uno en orden a que ejecute lo que le está encomendado. || **2.** fig. y fam. Diligencias y buenos oficios que se aplican para templar el rigor o aspereza con que se ha de proceder en una materia. || **3.** fig. y fam. Remedios paliativos e ineficaces. || **de corte.** Tapices con que se adornan y abrigan los aposentos en el invierno. || **de escusa.** Especie de bata o ropa de cámara, usada antiguamente. || **menores.** Vestidos que se ponen debajo de los que de ordinario se traen exteriormente. || **Adoba tu paño y pasarás tu año.** ref. **Remienda tu paño,** etc. || **Al paño.** loc. adv. En lenguaje teatral, detrás de un telón o bastidor, o asomado a cualquiera de los intersticios o vanos de la decoración. Dícese del actor que así colocado observa o habla en la representación escénica. || **Conocer** uno **el paño.** fr. fig. y fam. Estar bien enterado del asunto de que se trata. || **Dar un paño.** fr. En el lenguaje teatral, decir el traspunte a un actor lo que éste ha de hablar al **paño.** || **El buen paño en el arca se vende.** ref. que enseña que las buenas prendas por sí mismas son apetecibles y se dan a conocer sin necesidad de ostentarlas ni examinarlas. || **Haber paño de que cortar.** fr. fig. y fam. Haber materia abundante de que disponer o de que hablar. || **Paños lucen en palacio, que no hijosdalgo.** ref. que advierte que muchas veces se hace más aprecio de los sujetos por el vestido y pompa exterior que por la calidad y las prendas. || **Poner el paño al púlpito.** fr. fig. y fam. Hablar profusamente y con afectada solemnidad. || **Quien se viste de ruin paño, dos veces se viste al año.** ref. que advierte que es ahorro comprar los géneros de mejor calidad, aunque sean más caros que los ordinarios. || **Remienda tu paño y pasarás tu año.** ref. que aconseja la economía y cuidado que se debe tener en las cosas de uso propio para que duren. || **Ser** una cosa **del mismo paño que otra.** fr. fig. y fam. Ser de la misma materia, origen o calidad. || **Tender el paño del púlpito.** fr. fig. y fam. **Poner el paño al púlpito.**

Pañol. (De *panol.*) m. *Mar.* Cualquiera de los compartimientos que se hacen en diversos lugares del buque, para guardar víveres, municiones, pertrechos, herramientas, etc.

Pañolera. f. La que vende pañuelos. || **2.** Mujer del pañolero.

Pañolería. f. Tienda de pañuelos. || **2.** Comercio o tráfico de pañuelos.

Pañolero. m. El que vende pañuelos.

Pañolero. m. *Mar.* Marinero encargado de uno o más pañoles.

Pañoleta. f. Prenda triangular, a modo de medio pañuelo, que como adorno o abrigo usan las mujeres al cuello y que baja de la cintura. || **2.** Corbata estrecha de nudo, y del color de la faja, que se ponen al cuello los toreros con el traje de luces.

Pañolito. m. d. de **Pañuelo.**

Pañolón. (De *pañuelo.*) m. **Mantón,** 1.er art., 2.ª acep.

Pañosa. f. fam. Capa de paño.

Pañoso, sa. (Del lat. *pannōsus.*) adj. Dícese de la persona asquerosa y vestida de remiendos y arambeles.

Pañuelo. (d. de *paño.*) m. Pedazo de tela cuadrado y de una sola pieza, con guarnición o fleco o sin él. Los hay de hilo, algodón, seda o lana y sirven para diferentes usos. || **2.** El que sirve y se usa para limpiarse el sudor y las narices. Generalmente es de hilo o de algodón, pero los hay de seda, de pita, etc., y las mujeres suelen llevarlos guarnecidos de encajes. || **de bolsillo,** o **de la mano. Pañuelo,** 2.ª acep. || **de hierbas.** El de tela basta, tamaño algo mayor que el ordinario y con dibujos estampados en colores comúnmente obscuros.

Papa. (De la voz infantil *pappa.*) m. Sumo Pontífice romano, vicario de Cristo, sucesor de San Pedro en el gobierno universal de la Iglesia católica, de la cual es cabeza visible, y padre espiritual de todos los fieles. || **2.** fam. **Padre,** 1.ª acep. || **Ser** uno **más papista que el papa.** fr. Mostrar en un asunto más celo que el directamente interesado en el mismo.

Papa. (Del quichua *papa.*) f. **Patata.** || **de caña. Patata de caña.**

Papa. (Del lat. *papa,* comida.) f. fam. **Paparrucha.** || **2.** pl. fig. y fam. Cualquier especie de comida. || **3.** Sopas blandas que se dan a los niños. || **4.** Por ext., cualesquiera sopas muy blandas. || **5. Gacha,** 3.ª acep.

Papá. (Del fr. *papá,* y éste de la voz infantil *pappa.*) m. fam. **Papa,** 1.er art., 2.ª acep. Ú. m. por las clases cultas de la sociedad.

Papable. (Del ital. *papabile.*) adj. Se dice del cardenal a quien se reputa merecedor de la tiara. || **2.** fig. Se aplica al que se designa como sujeto probable para obtener un empleo.

Papachar. tr. *Méj.* Hacer papachos.

Papacho. m. *Méj.* Caricia, en especial la que se hace con las manos.

Papada. (De *papo,* 1.er art.) f. Abultamiento carnoso anormal que se forma debajo de la barba, o entre ella y el cuello. || **2.** Pliegue cutáneo que sobresale en el borde inferior del cuello de ciertos animales, y se extiende hasta el pecho.

Papadgo. m. ant. **Papado.**

Papadilla. (d. de *papada.*) f. Parte de carne que hay debajo de la barba.

Papado. m. Dignidad de papa. || **2.** Tiempo que dura.

Papafigo. (De *papar* y *figo.*) m. Ave del orden de los pájaros, de unos 14 centímetros de largo desde la punta del pico hasta la extremidad de la cola y 25 de envergadura; plumaje de color pardo verdoso en la espalda, alas y cola, ceniciento en el vientre, plomizo en el cuello, negro en la cabeza del macho y rojizo en la de la hembra, y pardo obscuro en los pies y el pico. Abunda en España, se alimenta principalmente de insectos y a veces de frutas, sobre todo de higos, canta muy bien y enjaulado vive bastantes años. || **2.** En algunas partes, **oropéndola.** || **3.** *Mar.* **Papahígo,** 3.ª acep.

Papagaya. f. Hembra del papagayo, 1.ª acep.

Papagayo. (Del ár. *babbagā',* loro.) m. *Zool.* Ave del orden de las prensoras, de unos 35 centímetros desde lo alto de la cabeza hasta la extremidad de la cola y seis decímetros de envergadura; pico fuerte, grueso y muy encorvado; de patas de tarsos delgados y dedos muy largos, con los cuales coge el alimento para llevarlo a la boca, y plumaje amarillento en la cabeza, verde en el cuerpo, encarnado en el encuentro de las alas y en el extremo de las dos remeras principales. Es propio de los países tropicales, pero en domesticidad vive en los climas templados y aprende a repetir palabras y frases enteras, por lo cual se le aprecia mucho. Hay diversas especies con plumaje muy distinto, pero siempre con colores brillantes. || **2.** Pez marino del orden de los acantopterigios, que llega a tener cuatro decímetros de largo; cabeza de hocico saliente, con dobles labios carnosos; cuerpo oblongo, cubierto de escamas delgadas y de colores rojo, verde, azul y amarillo, más obscuros por el lomo que en los costados; vientre plateado; una sola aleta dorsal, de color verde azulado, con el borde negro, y cola rojiza. Vive entre las rocas de las costas y su carne es comestible. || **3.** Planta herbácea anual, de la familia de las amarantáceas, con tallo derecho, lampiño y ramoso; hojas alternas, entre lanceoladas y aovadas, de tres colores, manchadas de encarnado en su base, de amarillo en el medio y de verde en su extremidad; flores chicas y poco vistosas, y semilla menuda y negra. Originaria de China, sirve de adorno en nuestros jardines, donde crece hasta la altura de un metro próximamente. || **4.** *Bot.* Planta vivaz de la familia de las aráceas, con hojas radicales, grandes, de pecíolos largos y empinados, forma de escudo y colores muy vivos, róseos en el centro y verdes en el margen; flores sobre un escapo delgado; de espata blanca y espádice amarillento, y fruto en baya rojiza, con pocas semillas. Procede del Brasil, y en Europa se cultiva en estufas. || **5.** Víbora muy venenosa, de color verde, que vive en las ramas de los árboles tropicales del Ecuador. || **6.** *Germ.* Criado de justicia, o soplón. || **de noche.** *Zool.* **Guácharo,** 6.ª acep. || **Hablar como el,** o **como un, papagayo.** fr. fig. Decir algunas cosas buenas y discretas, sin inteligencia ni conocimiento. || **2.** fig. Hablar mucho.

Papahígo. m. Especie de montera que puede cubrir toda la cabeza hasta el cuello, salvo los ojos y la nariz, y que se usa para defenderse del frío. || **2. Papafigo,** 1.ª acep. || **3.** *Mar.* Cualquiera de las velas mayores, excepto la mesana, cuando se navega con ellas solas.

Papahuevos. (De *papar* y *huevo.*) m. fig y fam. **Papanatas.**

Papaína. (De *papayo.*) f. *Quím.* Fermento, capaz de digerir las materias albuminoideas, que existe en el látex del papayo.

Papaíto. m. fam. d. de **Papá.**

Papal. adj. Perteneciente o relativo al papa. || **2.** V. **Iglesia, vida papal.** || **3.** V. **Zapatos papales.**

Papal. m. *Amér.* **Patatal.**

Papalina. (De *papal,* 1.er art.) f. Gorra o birrete con dos puntas, que cubre las orejas. || **2.** Cofia de mujer, generalmente de tela ligera y con adornos.

Papalina. (De *papelina,* 1.er art.) f. fam. **Borrachera,** 1.ª acep.

Papalino, na. adj. Papal, 1.er art.

Papalmente. adv. m. Como papa; con autoridad y poder pontificio.

Papalote. (Del azteca *papalotl,* mariposa.) m. *Cuba* y *Méj.* Especie de cometa, 2.ª acep.

Papamoscas. (De *papar* y *mosca.*) m. Pájaro de unos 15 centímetros de largo desde el pico hasta la extremidad de la cola, de color gris por encima, blanquecino por debajo con algunas manchas pardas en el pecho, y cerdas negras y largas en la comisura del pico. Se domestica con facilidad y sirve para limpiar de moscas las habitaciones. || **2.** fig. y fam. **Papanatas.**

Papanatas. (De *papar* y *nata,* 1.er art.) m. fig. y fam. Hombre simple y crédulo o demasiado cándido y fácil de engañar.

Papandujo, ja. adj. fam. Flojo o pasado de maduro, como sucede a las frutas y otras cosas.

Papar. (Del lat. *pappāre,* comer.) tr. Comer cosas blandas sin mascar; como sopas, papas y otras semejantes. || **2.** fam. **Comer.** || **3.** fig. y fam. Ú. en exclamaciones para llamar la atención de otro sobre algo en que no reparaba como debía, o para indicarle que recibe su merecido. ¡PÁPATE *ésa!*

Páparo, ra. adj. Dícese del individuo de una tribu, ya extinguida, del istmo de Panamá. Ú. t. c. s. || **2.** m. Aldeano u hombre del campo, simple e ignorante, que de cualquier cosa que ve, para él extraordinaria, se queda admirado y pasmado.

Paparote, ta. (De *páparo.*) m. y f. **Bobalicón.**

Paparrabias. (De *papar* y *rabia.*) com. fam. **Cascarrabias.**

Paparrasolla. f. Ente imaginario con que se amedrenta a los niños a fin de que callen cuando lloran.

Paparrucha. (despect. de *papa,* 3.er art., 1.ª acep.) f. fam. Noticia falsa y desatinada de un suceso, esparcida entre el vulgo. || **2.** fam. Especie, obra literaria, etc., insubstancial y desatinada.

Papasal. m. Juego con que se divierten los niños, haciendo unas rayas en la ceniza, y al que lo yerra, en castigo se le da un golpe dabajo del papo o de la barba con un paño relleno de ceniza. || **2.** Este mismo paño. || **3.** fig. Friolera, bagatela, cosa insubstancial o que sirve de entretenimiento.

Papatoste. m. **Papanatas.**

Papaveráceo, a. (Del lat. *papāver,* adormidera.) adj. *Bot.* Dícese de plantas angiospermas dicotiledóneas, con jugo acre y de olor fétido; hojas alternas, más o menos divididas y sin estípulas; flores regulares nunca azules, y fruto capsular con muchas semillas menudas, oleaginosas y de albumen carnoso; como la adormidera, la amapola y la zadorija. Ú. t. c. s. || **2.** f. pl. *Bot.* Familia de estas plantas.

Papaverina. f. *Quím.* Alcaloide cristalino contenido en el opio, y que tiene acción antiespasmódica.

Papaya. f. Fruto del papayo, generalmente de forma oblonga, hueco y que encierra las semillas en su concavidad; la parte mollar, semejante a la del melón, es amarilla y dulce, y de él se hace, cuando verde, una confitura muy estimada.

Papayáceo, a. (De *papayo,* nombre de una planta.) adj. *Bot.* **Caricáceo.**

Papayo. m. *Bot.* Árbol de la familia de las caricáceas, propio de los países cálidos, con tronco fibroso y de poca consistencia, coronado por grandes hojas palmeadas. Tiene un látex abundante que, por contener un fermento parecido a la pepsina, actúa sobre las materias albuminoideas, descomponiéndolas en peptonas.

Pápaz. (Del gr. mod. παπᾶς, presbítero.) m. Nombre que dan los moros de las costas de África a los sacerdotes cristianos.

Papazgo. m. **Papado.**

Papel. (Del fr. *papier,* y éste del lat. *papy̆rus.*) m. Hoja delgada hecha con pasta de trapos molidos, blanqueados y desleídos en agua, que después se hace secar y endurecer por procedimientos especiales. También se prepara la pasta de **papel** con pulpa de cáñamo, esparto, paja de arroz y madera de todas clases. Sus aplicaciones son muy varias, pues en él se escribe, se imprime, se dibuja, se pinta, etc., y tiene otros muchos usos más o menos importantes. || **2.** V. **Balón, cigarro, pólvora de papel.** || **3.** Pliego, hoja o pedazo de **papel** en blanco, manuscrito o impreso. || **4.** Conjunto de resmas, cuadernos o pliegos de **papel.** || **5.** Carta, credencial, título, documento o manuscrito de cualquier clase. || **6.** V. **Bloqueo en el papel.** || **7.** Impreso que no llega a formar libro. || **8.** Parte de la obra dramática que ha de representar cada actor, y la cual se le da para que la estudie. || **9.** Personaje de la obra dramática representado por el actor. *Representar o hacer primeros o segundos* PAPELES; PAPELES *de galán, de barba, de gracioso; el* PAPEL *de Segismundo, de doña Irene.* || **10.** fig. Carácter, representación, encargo o ministerio con que se interviene en los negocios de la vida. *Representar un gran* PAPEL *o un* PAPEL *desairado; hacer mal, o bien, su* PAPEL. || **11.** *Com.* Documento que contiene la obligación del pago de una cantidad; como libranza, billete de banco, pagaré, etc. *Mil duros en metálico y ciento en* PAPEL. || **12.** *Com.* Conjunto de valores mobiliarios que salen a negociación en el mercado. || **13.** pl. Documentos con que se acredita el estado civil o la calidad de una persona. || **Papel ahuesado.** El fabricado con pasta que imita el color del hueso. || **atlántico.** *Impr.* **Folio atlántico.** || **blanco.** El que no está escrito ni impreso, por contraposición al que lo está. || **comercial.** El de cartas de tamaño holandesa, rayado con pauta estrecha. || **continuo.** El que se hace a máquina en piezas de mucha longitud. || **costero. Papel quebrado.** || **cuché.** El muy satinado y barnizado, que se emplea principalmente en revistas y obras que llevan grabados o fotograbados. || **de añafea. Papel de estraza.** || **de barba** o **de barbas.** El de tina, que no está recortado por los bordes. || **de culebrilla. Papel** fino de escribir, usado en los siglos XVI y XVII, llamado así por la que representaba su filigrana. || **2. Papel de seda.** || **de cúrcuma.** *Quím.* El impregnado en la tinta de cúrcuma, que sirve como reactivo para reconocer los álcalis. || **de China.** El que se fabrica con la parte interior de la corteza de la caña del bambú, y por su fibra larga es muy consistente a pesar de su extremada delgadez. || **de estaño.** Lámina muy delgada de este metal, en forma de **papel,** que se usa para envolver algunos productos que conviene preservar del aire. || **de estracilla. Estracilla,** 2.ª acep. || **de estraza. Papel** muy basto, áspero, sin cola y sin blanquear. || **de filtro.** El poroso y sin cola, hecho con trapos de algodón lavados con ácidos diluidos y que se usa para filtrar. || **de fumar.** El que se usa para liar cigarrillos. || **del Estado.** Diferentes documentos que emite el Estado reconociendo créditos, sean o no reembolsados o amortizables, a favor de sus tenedores. || **de lija.** Hoja de **papel** fuerte, con vidrio molido, arena cuarzosa o polvos de esmeril, encolados en una de sus caras, que se emplea en lugar de la piel de lija. || **de luto.** El que en señal de duelo se usa con orla negra. || **de mano. Papel de tina.** || **de marca.** El de tina, del tamaño que tiene ordinariamente el **papel** sellado. || **de marca mayor.** El de tina, de longitud y latitud dobles que el de marca; ordinariamente sirve para estampar mapas y libros grandes. || **de marquilla.** El de tina, de tamaño medio entre el de marca y el de marca mayor. || **2.** El de tina, grueso, lustroso y muy blanco, que se emplea ordinariamente para dibujar. || **de música.** El rayado para escribir música. || **de pagos.** Hoja timbrada, que expende la Hacienda, para hacer pagos al Estado. El valor, el número y la clase se repiten en la parte superior, que se une al expediente respectivo, y en la inferior, que se devuelve al interesado como comprobante. || **de seda.** El muy fino, transparente y flexible que se asemeja en algo a la tela de seda. || **de tina.** El de hilo que se hace en molde pliego a pliego. || **de tornasol.** *Quím.* El impregnado en la tintura de tornasol, que sirve como reactivo para reconocer los ácidos. || **en blanco. Papel blanco.** || **en derecho.** *For.* **Alegación en derecho.** || **florete.** El de primera suerte, así llamado por ser más blanco y lustroso. || **japonés.** El fabricado con la parte interior de la corteza del moral hecha pasta, a la cual se añade una pequeña porción de harina de arroz. Es satinado, de grueso regular, fibra larga, flexible y de color amarillento. || **mojado.** fig. El de poca importancia o que prueba poco para un asunto. || **2.** fig. y fam. Cualquier cosa inútil o inconsistente. || **moneda.** El que por autoridad pública substituye al dinero en metálico y tiene curso como tal. || **pautado.** El que tiene pauta para aprender a escribir o pentágrama para la música. || **pintado.** El de varios colores y dibujos que se emplea en adornar con él las paredes de las habitaciones y en otros usos. || **pluma.** El fabricado con pasta muy ligera y esponjosa. || **quebrado.** El que se rompe, mancha o arruga durante la fabricación, del cual se forman las costeras. || **rayado.** El que, después de recortado en pliegos, recibe rayas sutiles de lápiz o tinta pálida, a fin de escribir sobre ellas. || **secante.** El esponjoso y sin cola, que se emplea para enjugar lo escrito a fin de que no se emborrone. || **sellado.** El que tiene estampadas las armas de la nación, con el precio de cada pliego, y clase, como impuesto de timbre, y sirve para formalizar documentos y para otros usos oficiales. || **tela.** Tejido de algodón, muy fino, engomado por las dos caras y transparente, que se emplea para calcar dibujos. || **vergé, verguetеado,** o **verjurado.** El que lleva una filigrana de rayitas o puntizones muy menudos y otros más separados que los cortan perpendicularmente. || **volante.** Impreso de muy reducida extensión, cuyos ejemplares se venden o distribuyen con facilidad. || **El papel, que se rompa él.** ref. que aconseja no apresurarse a inutilizar cartas u otros escritos que pueden alguna vez ser de provecho. || **Embadurnar,** o **embarrar,** o **emborronar, papel.** fr. fig. y fam. Escribir cosas inútiles o despreciables. || **Hacer** uno **buen,** o **mal, papel.** fr. fig. Estar o salir lucida o desairadamente en algún acto o negocio. || **Hacer el papel.** fr. fig. Fingir diestramente una cosa; representar al vivo. || **Hacer papel.** fr. fig. **Hacer figura.** || **2.** fig. **Hacer el papel.** || **Hacer** uno **su papel.** fr. fig. Cumplir con su cargo o ministerio o ser de provecho para una cosa. || **Manchar papel.** fr. fig. y fam. **Embadurnar papel.** || **Tener** uno **buenos papeles.** fr. fig. Tener instrumentos legales y certificaciones que prueban su nobleza o sus méritos. || **2.** fig. Tener razón o justificación en lo que propone o disputa. || **Traer** uno **los papeles mojados.** fr. fig. y fam. Ser falsas o sin fundamento las noticias que da.

Papelear. intr. Revolver papeles, buscando en ellos una noticia u otra cosa. || **2.** fig. y fam. **Hacer papel.**

Papeleo. m. Acción y efecto de papelear o revolver papeles.

Papelera. f. Escritorio, mueble para guardar papeles. || **2.** Abundancia o exceso de papel escrito. || **3.** Fábrica de papel.

Papelería. f. Conjunto de papeles esparcidos y sin orden, y por lo común rotos y desechados. || **2.** Tienda en que se vende papel.

Papelero, ra. adj. Dícese de la persona vana, ostentosa, y amiga de hacer lo que no le corresponde. Ú. t. c. s. || **2.** m. y f. Persona que fabrica o vende papel. Ú. t. c. adj. *Asociación* PAPELERA.

Papeleta. (De *papel.*) f. **Cédula.** || **2.** p. us. Cucurucho de papel en que se incluye una cosa, y especialmente aquel en que se pone dinero de propina. || **3.** fig. y fam. Asunto difícil de resolver. || **de empeño.** Resguardo que se da al que empeña una cosa para que pueda rescatarla mediante el pago de la cantidad convenida. || **del monte. Papeleta de empeño.**

Papeletear. tr. Anotar en papeletas los datos que interesan para algún fin, o escudriñar un texto con este propósito.

Papelillo. m. d. de **Papel.** || **2.** Cigarro de papel. || **3.** Paquete de papel que contiene una pequeña dosis medicinal en polvo.

Papelina. (Del b. lat. *papelina,* ración extraordinaria de vino que se daba en ciertos cabildos.) f. Vaso para beber, estrecho por el pie y ancho por la boca.

Papelina. (Del fr. *papeline,* y éste del ital. *papalina,* papal.) f. Tela muy delgada, de urdimbre de seda fina con trama de seda basta.

Papelista. m. El que maneja papeles y tiene inteligencia en ellos. || **2.** Fabricante de papel. || **3.** Almacenista de papel. || **4.** Oficial que empapela habitaciones.

Papelón, na. (De *papel.*) adj. fam. Dícese de la persona que ostenta y aparenta más que es. Ú. t. c. s. || **2.** m. Papel en que se ha escrito acerca de algún asunto o negocio, y que se desprecia por algún motivo. || **3.** Cartón delgado hecho de dos papeles pegados. || **4.** *Amér.* Meladura ya cuajada en una horma cónica. Diferénciase del azúcar en que no se le ha extraído la melaza, y su color, más o menos amarillo, varía según la calidad de la caña y su elaboración.

Papelonado. (Del fr. *papelonné.*) adj. *Blas.* Dícese del escudo ornado de varias filas superpuestas, a modo de las escamas de los peces, de medios aros delgados que dejan ver entre unos y otros el color del fondo.

Papelonear. (De *papelón.*) intr. fam. Ostentar vanamente autoridad o valimiento.

Papelorio. m. despect. Fárrago de papel o de papeles.

Papelote. m. despect. **Papelucho.** || **2.** Desperdicios de papel y papel usado, que se emplean para fabricar nueva pasta.

Papelucho. m. despect. Papel o escrito despreciable.

Papera. (De *papo,* 1.er art.) f. **Bocio.** || **2. Parótida,** 2.ª acep. || **3.** Tumor inflamatorio y contagioso que en los caballos jóvenes se produce a la entrada del conducto respiratorio o en los ganglios submaxilares. || **4.** pl. Escrófulas, lamparones.

Papero. m. Puchero en que se hacen las papas para los niños. || **2. Papilla,** 1.ª acep.

Papialbillo. (De *papo,* 1.er art., 1.ª acep. y *albillo,* d. de *albo.*) m. **Jineta,** 1.er art.

Papiamento, ta. adj. Dícese del idioma o lengua criolla de Curazao. Ú. t. c. s.

Papila. (Del lat. *papilla,* pezón de la teta.) f. *Bot.* Cada una de las pequeñas prominencias cónicas que tienen ciertos órganos de algunos vegetales. || **2.** *Zool.* Cada una de las pequeñas prominencias cónicas formadas en la piel y en las membranas mucosas, especialmente de la lengua, por las ramificaciones de los nervios y de los vasos. || **3.** Prominencia que forma el nervio óptico en el fondo del ojo y desde donde se extiende la retina.

Papilar. adj. *Bot.* y *Zool.* Perteneciente o relativo a las papilas.

Papilionáceo, a. (Del lat. *papilio, -ōnis.*) adj. **Amariposado.** || **2.** *Bot.* Dícese de plantas angiospermas dicotiledóneas, hierbas, matas, arbustos o árboles, con fruto casi siempre en legumbre; flores con corola amariposada en inflorescencias de tipo de racimo o espiga y con diez estambres, todos libres o todos unidos por sus filamentos, o bien uno libre y nueve unidos por sus filamentos; como el guisante, la retama y el algarrobo. Ú. t. c. s. f. || **3.** f. pl. *Bot.* Familia de estas plantas.

Papiloma. (De *papila* y el sufijo gr. ωμα, tumor.) m. *Med.* Variedad de epitelioma caracterizada por el aumento de volumen de las papilas de la piel o de las mucosas, con induración de la dermis subyacente. || **2.** Tumor pediculado en forma de botón o cabezuela. || **3.** Excrecencia de la piel por hipertrofia de sus elementos normales.

Papilla. f. Papas que se dan a los niños, sazonadas por lo común con miel o azúcar. || **2.** fig. Cautela o astucia halagüeña para engañar a uno. || **Dar papilla** a uno. fr. fig. y fam. Engañarle con cautela o astucia. || **Echar** uno **la primera papilla.** fr. fig. y fam. con que se encarece la intensidad del vómito. Varíase algunas veces la forma de la frase, diciendo: **echar,** o **arrojar, hasta la papilla.**

Papillote. (Del fr. *papillot, papillon,* y éste del lat. *papilio, -ōnis.*) m. Rizo de pelo formado y sujeto con un papel. || **A la papillote.** m. adv. Asado de carne o pescado con manteca o aceite y envuelto en un papel.

Papín. m. Especie de dulce casero.

Papión. m. **Zambo,** 3.ª acep.

Papiro. (Del lat. *papyrus,* y éste del gr. πάπυρος.) m. Planta vivaz, indígena de Oriente, de la familia de las ciperáceas, con hojas radicales, largas, muy estrechas y enteras; cañas de dos a tres metros de altura y un decímetro de grueso, cilíndricas, lisas, completamente desnudas y terminadas por un penacho de espigas con muchas flores pequeñas y verdosas, y toda ella rodeada de brácteas lineales que se encorvan hacia abajo, como el varillaje de un paraguas. || **2.** Lámina sacada del tallo de esta planta y que empleaban los antiguos para escribir en ella.

Papirolada. f. fam. **Pampirolada.**

Papirotada. f. **Capirotazo.**

Papirotazo. (De *papirote.*) m. **Capirotazo.**

Papirote. m. **Capirotazo.** || **2.** fig. y fam. **Tonto,** 1.ª acep.

Papisa. f. Voz sin verdadera aplicación, que quiere significar *mujer papa,* y que se inventó y se ha usado únicamente para designar al personaje fabuloso llamado la **papisa** Juana.

Papismo. m. Nombre que los protestantes y cismáticos dan a la Iglesia católica, a sus organismos y doctrinas.

Papista. adj. Nombre que herejes y cismáticos dan al católico romano porque obedece al Papa y así lo confiesa. Ú. t. c. s. || **2.** fam. Partidario de la rigurosa observancia de las disposiciones del Sumo Pontífice. Ú. t. c. s.

Papo. (De *papar.*) m. Parte abultada del animal entre la barba y el cuello. || **2.** Buche de las aves. || **3.** Nombre vulgar del bocio en las regiones donde es endémico. || **4.** Cada uno de los pedazos de tela ahuecada o en figura de bollo, que sobresalía por entre las cuchilladas en trajes antiguos. || **5.** *Vol.* Porción de comida que se da de una vez al ave de rapiña. || **6.** pl. Moda de tocado que usaron las mujeres, con unos huecos o bollos que cubrían las orejas. || **Papo de viento.** *Mar.* Seno formado por el viento en una vela que no está completamente extendida. || **Estar** una cosa **en papo de buitre.** fr. fig. y fam. con que se explica que ha caído en poder de quien o no la soltará de la mano, o será difícil recobrarla. || **Hablar de papo.**

fr. fig. y fam. Hablar con presunción o vanidad. || **Hablar,** o **ponerse, papo a papo** con uno. fr. Hablarle cara a cara, con desenfado y claridad, lo que se le ofrece. || **Una en el papo y otra en el saco.** ref. con que se nota al que no se contenta con lo que le dan, y pide o quiere llevar más para otra ocasión.

Papo. (Del lat. *pappus.*) m. **Vilano,** 3.ª acep.

Papón. m. Bu, coco, 4.° art., 1.ª acep.

Paporrear. tr. **Vapulear.**

Papú. (Del malayo *papua,* crespo.) adj. Natural de la Papuasia. Ú. t. c. s. || **2.** Perteneciente a esta región de la Nueva Guinea.

Papudo, da. adj. Que tiene crecido y grueso papo. Dícese comúnmente de las aves.

Papujado, da. adj. Aplícase a las aves, especialmente a las gallinas, que tienen mucha pluma y carne en el papo. || **2.** fig. Abultado, elevado o sobresaliente y hueco.

Pápula. (Del lat. *papŭla.*) f. *Med.* Tumorcillo eruptivo que se presenta en la piel sin pus ni serosidad.

Papuloso, sa. adj. Que tiene los caracteres de la pápula.

Paquear. (De la onomat. *pac.*) tr. Disparar como los pacos, 2.° art.

Paquebot. m. **Paquebote.**

Paquebote. (Del ingl. *packet-boat;* de *packet,* paquete, y *boat,* buque.) m. Embarcación que lleva la correspondencia pública, y generalmente pasajeros también, de un puerto a otro.

Paqueo. m. Acción y efecto de paquear.

Paquete. (Del ingl. *packet.*) m. Lío o envoltorio bien dispuesto y no muy abultado de cosas de una misma o distinta clase. || **2.** Conjunto de cartas o papeles formando mazo, o contenidos en un mismo sobre o cubierta. || **3. Paquebote.** || **4.** fam. Hombre que sigue rigurosamente las modas y va muy compuesto. Ú. t. c. adj. || **5.** *Impr.* Trozo de composición tipográfica en que entran próximamente mil letras. || **ciego.** El que contiene correspondencia que, por falta de tiempo u otra causa, no se incluyó en el especial del punto a que va destinado. || **postal.** El que se ajusta a las condiciones establecidas para ser enviado por correo.

Paquetería. (De *paquetero.*) f. Género menudo de comercio que se guarda o vende en paquetes. || **2.** Comercio de este género.

Paquetero, ra. adj. Que hace paquetes. Ú. t. c. s. || **2.** m. y f. Persona que se encarga de los paquetes de los periódicos para repartirlos entre los vendedores. || **3.** m. *Ar.* Contrabandista que introduce contrabando en pequeñas porciones.

Paquidermia. (Del gr. παχύς, denso, y δέρμα, piel.) f. *Med.* Espesamiento patológico de la piel, por causas diversas, como edemas o inflamaciones crónicas. || **2.** *Med.* **Mixedema.**

Paquidermo. (Del gr. παχύς, denso, y δέρμα, piel.) adj. *Zool.* Dícese del mamífero artiodáctilo, omnívoro o herbívoro, de piel muy gruesa y dura; como el jabalí y el hipopótamo. Ú. t. c. s. m. || **2.** m. pl. *Zool.* Suborden de estos animales.

Par. (Del lat. *par.*) adj. Igual o semejante totalmente. || **2.** V. **Tiro par.** || **3.** *Arit.* V. **Número par.** || **4.** *Zool.* Dícese del órgano que corresponde simétricamente a otro igual. || **5.** m. Conjunto de dos personas o dos cosas de una misma especie. || **6.** Conjunto de dos mulas o bueyes de labranza. *Juan tiene ocho* PARES *de labor.* || **7.** Título de alta dignidad en algunos Estados. || **8.** *Arq.* Cada uno de los dos maderos que en un cuchillo de armadura tienen la inclinación del tejado. || **9.** *Fís.* Conjunto de dos cuerpos heterogéneos que en condiciones determinadas producen una corriente eléctrica. || **10.** f. pl. **Placenta,** 1.ª acep. || **A la par.** m. adv. Juntamente o a un tiempo. || **2.** Igualmente, sin distinción o separación. || **3.** Tratándose de monedas, efectos públicos u otros negociables, con igualdad entre su valor nominal y el que obtienen en cambio. || **A la par es negar y tarde dar.** ref. que enseña cuánto desmerece la dádiva con la tardanza. || **Al par.** m. adv. **A la par,** 1.ª y 2.ª aceps. || **A par.** m. adv. Cerca o inmediatamente a una cosa o junto a ella. || **2.** Con semejanza o igualdad. || **3. A la par,** 1.ª y 2.ª aceps. || **A pares.** m. adv. **De dos en dos.** || **De par en par.** m. adv. con que se significa estar abiertas enteramente las puertas o ventanas. || **2.** fig. Sin impedimento ni embarazo que estorbe; clara o patentemente. || **Echar a pares y nones.** fr. **Jugar a pares y nones.** || **Ir a la par.** fr. En el juego o en el comercio, ir de compañía a partir igualmente la ganancia o la pérdida. || **Jugar a pares y nones** una cosa. fr. Sortearla teniendo uno en el puño cerrado un número, el que quiere, de garbanzos u otra cualquier cosa, y preguntando al otro: **¿Pares o nones?** Si responde **pares,** siendo nones los garbanzos, o nones, siendo **pares,** pierde; pero si acierta, gana lo que se juega. || **Sentir a par de muerte.** fr. **Sentir de muerte.** || **Sin par.** expr. fig. Singular, que no tiene igual o semejante. Ú. para ponderar la excelencia de alguna persona o cosa.

Par. (Del lat. *per.*) prep. **Por,** en fórmulas de juramento. ¡PAR *Dios!*

Para. (Del lat. *per ad.*) prep. con que se denota el fin o término a que se encamina una acción. || **2.** Hacia, denotando el lugar que es el término de un viaje o movimiento o la situación de aquél. || **3.** Se usa indicando el lugar o tiempo a que se difiere o determina el ejecutar una cosa o finalizarla. *Pagaré* PARA *San Juan.* || **4.** Se usa también determinando el uso que conviene o puede darse a una cosa. *Esto es bueno* PARA *las mangas del vestido.* || **5.** Se usa como partícula adversativa, significando el estado en que se halla actualmente una cosa, contraponiéndolo a lo que se quiere aplicar o se dice de ella. *Con buena calma te vienes* PARA *la prisa que yo tengo.* || **6.** Denota la relación de una cosa con otra, o lo que es propio o le toca respecto de sí misma. *Poco le alaban* PARA *lo que merece.* || **7.** Significando el motivo o causa de una cosa, por que, o por lo que. ¿PARA *qué madrugas tanto?* || **8.** Por, o a fin de. PARA *acabar la pendencia, me llevé a uno de los que reñían.* || **9.** Significa la aptitud y capacidad de un sujeto. *Antonio es* PARA *todo,* PARA *mucho,* PARA *nada.* || **10.** Junto con verbo, significa unas veces la resolución, disposición o aptitud de hacer lo que el verbo denota, y otras la proximidad o inmediación a hacerlo, y en este último sentido se junta con el verbo *estar. Estoy* PARA *marchar de un momento a otro; estuve* PARA *responderle una fresca.* || **11.** Junto con los pronombres personales *mí, sí,* etc., y con algunos verbos, denota la particularidad de la persona, o que la acción del verbo es interior, secreta y no se comunica a otro. PARA *sí hace; leer* PARA *sí;* PARA *mí tengo.* || **12.** Junto con algunos nombres, se usa supliendo el verbo *comprar. Dar* PARA *vestirse,* PARA *fruta.* || **13.** Usado con la partícula *con,* explica la comparación de una cosa con otra. *¿Quién es usted* PARA *conmigo?* || **Para con.** loc. Respecto de. || **Para eso.** loc. que se usa despreciando una cosa, o por fácil o por inútil. PARA ESO *no me hubiera molestado en venir.* || **Para que.** m. conjunt. final que se usa en sentido interrogativo o afirmativo, y vale respectivamente: **para** cuál fin u objeto, y **para** el fin u objeto de que. En sentido interrogativo lleva acento la partícula *que.* ¿PARA QUÉ *sirve ese instrumento?; le riño* PARA QUE *se enmiende.*

Para. (Del gr. παρά.) prep. insep. que significa junto a, a un lado. PARÁ*metro,* PARÁ*frasis.*

Paraba. f. *Bol.* Especie de papagayo.

Parabién. (De la frase *para bien sea,* que se suele dirigir al favorecido por un suceso próspero.) m. **Felicitación.**

Parábola. (Del lat. *parabŏla,* y éste del gr. παραβολή.) f. Narración de un suceso fingido, de que se deduce, por comparación o semejanza, una verdad importante o una enseñanza moral. || **2.** *Geom.* Curva abierta, simétrica respecto de un eje, con un solo foco, y que resulta de cortar un cono circular recto por un plano paralelo a una generatriz que encuentra todas las otras en una sola hoja.

Parabolano. (De *parábola.*) m. Clérigo de la primitiva iglesia oriental, cuyos oficios eran asistir a los enfermos de los hospitales y cuidar del enterramiento de los que morían dentro de la ortodoxia. || **2.** El que usa de parábolas o ficciones. || **3.** fig. y fam. El que inventa o propaga noticias falsas o exageradas. || **4. Embustero.**

Parabólico, ca. (Del lat. *parabolĭcus,* y éste del gr. παραβολικός.) adj. Perteneciente o relativo a la parábola, o que encierra o incluye ficción doctrinal. || **2.** *Geom.* Perteneciente a la parábola. || **3.** *Geom.* De figura de parábola o parecido a ella.

Parabolizar. tr. Representar, ejemplificar, simbolizar. Ú. t. c. intr.

Paraboloide. (De *parábola* y del gr. εἶδος, forma.) m. *Geom.* Superficie que puede dar una sección parabólica en cualquiera de sus puntos. || **2.** *Geom.* Sólido limitado por un **paraboloide** elíptico y un plano perpendicular a su eje. || **de revolución.** *Geom.* El que resulta del giro de una parábola alrededor de su eje. || **elíptico.** *Geom.* Superficie convexa y cerrada por una parte, abierta e indefinida por la opuesta, cuyas secciones planas son todas parábolas o elipses. || **hiperbólico.** *Geom.* Superficie alabeada, que se extiende indefinidamente en todos sentidos, de curvaturas contrarias como una silla de caballo, y cuyas secciones planas son todas parábolas e hipérbolas.

Parabrisas. m. **Guardabrisa,** 2.ª acep.

Paraca. f. *Amér.* Brisa muy fuerte del Pacífico.

Paracaídas. (De *parar* y *caída.*) m. Artefacto hecho de tela resistente que, al extenderse en el aire, toma la forma de una sombrilla grande. Se usa para moderar la velocidad de caída de los cuerpos que se arrojan desde las aeronaves. || **2.** Por ext., lo que sirve para evitar o disminuir el golpe en una caída desde un sitio elevado.

Paracaidista. m. Persona adiestrada en el manejo del paracaídas, y más especialmente el soldado que desciende en el campo de batalla por este medio.

Paracentesis. (Del lat. *paracentēsis,* y éste del gr. παρακέντησις.) f. *Cir.* Punción que se hace en el vientre para evacuar la serosidad acumulada anormalmente en la cavidad del peritoneo.

Paracleto. (Del lat. *paraclētus,* y éste del gr. παράκλητος, abogado, intercesor.) m. **Paráclito.**

Paráclito. (Del lat. *părăclītus,* paracleto.) m. Nombre que se da al Espíritu Santo, enviado para consolador de los fieles.

Paracronismo. (Del gr. παρά, contra, y χρόνος, tiempo.) m. Anacronismo que consiste en suponer acaecido un hecho después del tiempo en que sucedió.

Parachoques. m. Pieza o aparato que llevan exteriormente los automóviles y otros carruajes, en la parte delantera y trasera, para amortiguar los efectos de un choque.

Parada. f. Acción de parar o detenerse. ‖ **2.** Lugar o sitio donde se para. ‖ **3.** Fin o término del movimiento de una cosa, especialmente de la carrera. ‖ **4.** Suspensión o pausa, especialmente en la música. ‖ **5.** Sitio o lugar donde se recogen o juntan las reses. ‖ **6. Acaballadero.** ‖ **7.** Tiro de mulas o caballos, o un caballo solo, que se previenen a cierta distancia y se mudan para hacer la jornada o viaje con mayor brevedad. ‖ **8.** Punto en que los tiros de relevo están apostados. ‖ **9. Azud,** 2.ª acep. ‖ **10.** Cantidad de dinero que en el juego se expone a una sola suerte. ‖ **11.** ant. Número, porción o cantidad dispuesta o prevenida para un fin. ‖ **12.** *Esgr.* **Quite,** 2.ª acep. ‖ **13.** *Mil.* Formación de tropas para pasarles revista o hacer alarde de ellas en una solemnidad. ‖ **14.** *Mil.* Reunión de la tropa que entra de guardia. ‖ **15.** *Mil.* Paraje donde esta tropa se reúne, para partir cada sección o grupo a su respectivo destino. ‖ **16.** *Mil.* V. **Orden de parada.** ‖ **de coches.** Lugar asignado en las ordenanzas municipales para que en él se estacionen los coches de alquiler. ‖ **en firme.** *Equit.* La del caballo que, refrenado en su carrera, se contiene de pronto y queda como clavado en aquel mismo punto. ‖ **2.** fig. Interrupción repentina en un negocio o en un razonamiento. ‖ **general.** *Esgr.* Movimiento circular y rapidísimo de la espada, que recorre todas las líneas. ‖ **Doblar la parada.** fr. En los juegos de envite, poner cantidad doble de la que estaba puesta antes. ‖ **2.** Pujar una cosa doblando la anterior licitación. ‖ **Llamar de parada.** fr. *Mont.* Dícese cuando el perro topa con el jabalí, venado o gamo, y la pieza se está quieta. ‖ **Salirle** a uno **a la parada.** fr. fig. **Salirle al encuentro,** 3.ª acep.

Paradera. (De *parada.*) f. Compuerta con que se quita el agua al caz del molino. ‖ **2.** Clase de red que está siempre parada o dispuesta esperando la pesca a imitación de una almadraba. Hay red de **paradera** ciega o espesa y de **paradera** clara, según el tamaño de sus mallas.

Paradero. m. Lugar o sitio donde se para o se va a parar. ‖ **2.** fig. Fin o término de una cosa. ‖ **3.** *Cuba.* **Estación,** 8.ª acep.

Paradeta. f. d. de **Parada.** ‖ **2.** pl. Especie de danza de la escuela española, en que se hacían unas breves paradas en el movimiento, a consonancia del tañido.

Paradiástole. (Del lat. *paradiastŏle,* y éste del gr. παραδιαστολή.) f. *Ret.* Figura que consiste en usar en la cláusula voces, al parecer de significación semejante, dando a entender que la tienen diversa.

Paradigma. (Del lat. *paradīgma,* y éste del gr. παράδειγμα; de παραδείκνυμι, mostrar, manifestar.) m. Ejemplo o ejemplar.

Paradina. (Como *pardina,* del lat. **parietina,* de *paries, -ĕtis.*) f. Monte bajo de pasto, donde suele haber corrales para el ganado lanar.

Paradisiaco, ca [~**disíaco, ca**]. (Del lat. *paradisiăcus.*) adj. Perteneciente o relativo al Paraíso.

Paradislero. (De *parada,* 5.ª acep.) m. Cazador a espera o a pie quedo. ‖ **2.** fig. El que anda como a caza de noticias, o las finge o inventa.

Parado, da. p. p. de **Parar.** ‖ **2.** adj. Remiso, tímido o flojo en palabras, acciones o movimientos. ‖ **3.** Desocupado, o sin ejercicio o empleo. Ú. t. c. s. m. pl. ‖ **4.** V. **Coche parado.** ‖ **5.** *Amér.* Derecho o en pie. ‖ **6.** *Chile* y *P. Rico.* Orgulloso, engreído. ‖ **A lo bien parado.** expr. con que se nota que uno desecha lo que puede servir o aprovechar aún, por gustar de lo mejor y más nuevo. ‖ **Lo mejor parado.** fr. que denota lo más selecto, seguro o provechoso. LO MEJOR PARADO *de su hacienda.*

Paradoja. (Del lat. *paradoxa,* t. f. de *-xus,* paradojo.) f. Especie extraña u opuesta a la común opinión y al sentir de los hombres. ‖ **2.** Aserción inverosímil o absurda, que se presenta con apariencias de verdadera. ‖ **3.** *Ret.* Figura de pensamiento que consiste en emplear expresiones o frases que envuelven contradicción. *Mira al avaro, en sus* RIQUEZAS, POBRE.

Paradójico, ca. adj. Que incluye paradoja o que usa de ella.

Paradojo, ja. (Del lat. *paradoxus,* y éste del gr. παράδοξος; de παρά, contra, y δόξα, opinión, creencia.) adj. **Paradójico.**

Parador, ra. adj. Que para o se para. ‖ **2.** Dícese del caballo o yegua que se para con facilidad, y del que lo hace bien, es decir, quedando cuadrado y en buena postura. ‖ **3.** Dícese del jugador que para mucho. Ú. t. c. s. ‖ **4.** m. **Mesón.**

Parafernales. (Del pl. gr. παράφερνα; de παρά, a un lado, y φερνή, dote.) adj. pl. *For.* V. **Bienes parafernales.**

Parafina. (Del lat. *parum affinis,* que tiene poca afinidad.) f. *Quím.* Substancia sólida, blanca, translúcida, inodora, menos densa que el agua y fácilmente fusible. Se obtiene destilando petróleo o materias bituminosas naturales; es una mezcla de carburos de hidrógeno, y se emplea para fabricar bujías.

Parafraseador, ra. adj. Que parafrasea. Ú. t. c. s.

Parafrasear. (De *paráfrasis.*) tr. Hacer la paráfrasis de un texto o escrito.

Paráfrasis. (Del lat. *paraphrăsis,* y éste del gr. παράφρασις.) f. Explicación o interpretación amplificativa de un texto para ilustrarlo o hacerlo más claro o inteligible. ‖ **2.** Traducción en verso en la cual se imita el original, sin verterlo con escrupulosa exactitud.

Parafraste. (Del lat. *paraphrastes,* y éste del gr. παραφραστής; de παραφράζω, comentar.) m. Autor de paráfrasis. ‖ **2.** El que interpreta textos por medio de paráfrasis.

Parafrastes. m. ant. **Parafraste.**

Parafrásticamente. adv. m. Con paráfrasis, de modo parafrástico.

Parafrástico, ca. (Del gr. παραφραστικός.) adj. Perteneciente a la paráfrasis; propio de ella, que la encierra o incluye.

Paragoge. (Del lat. *paragōge,* y éste del gr. παραγωγή.) f. *Gram.* Adición de algún sonido al fin de un vocablo, como en *fraque* por *frac.* Era figura de dicción según la preceptiva tradicional.

Paragógico, ca. adj. Que se añade por paragoge.

Paragón. (Del ital. *paragone,* y éste del gr. παρακόνη, piedra de toque.) m. desus. **Parangón.**

Paragonar. (De *paragón.*) tr. **Parangonar.**

Parágrafo. (Del lat. *paragrăphus,* y éste del gr. παράγραφος.) m. **Párrafo.**

Paragranizo. m. *Agr.* Cobertizo de tela basta o de hule que se coloca sobre ciertos sembrados o frutos que el granizo puede malograr.

Paraguas. (De *parar* y *agua.*) m. Utensilio portátil para resguardarse de la lluvia, compuesto de un bastón y un varillaje cubierto de tela que puede extenderse o plegarse.

Paraguatán. m. *Amér. Central.* Árbol de la familia de las rubiáceas, que se da profusamente en el territorio venezolano. Es de madera rosada, que admite pulimento, y de su corteza se hace una tinta roja.

Paraguay. m. Papagayo del Paraguay, de plumaje verde, manchado de amarillo en el cuerpo, de azul y rojo en las alas, encarnado en la parte anterior de la cabeza, azul y ceniciento junto a los oídos y anaranjado en el colodrillo. ‖ **2.** V. **Hierba, té del Paraguay.**

Paraguaya. (De *Paraguay.*) f. *Amér.* Fruta de hueso semejante al pérsico y de sabor también parecido, de forma aplastada y de mucho consumo en Europa.

Paraguayano, na. adj. **Paraguayo.** Ú. t. c. s. ‖ **2.** Perteneciente a la república del Paraguay.

Paraguayo, ya. adj. Natural del Paraguay. Ú. t. c. s.

Paragüería. (De *paragüero.*) f. Tienda de paraguas.

Paragüero, ra. m. y f. Persona que hace o vende paraguas. ‖ **2.** m. Mueble dispuesto para colocar los paraguas y bastones.

Parahusar. tr. Taladrar con el parahuso.

Parahúso. (De *par a huso,* igual a huso.) m. Instrumento manual usado por los cerrajeros y otros artífices para taladrar, y que consiste en una barrena cilíndrica que recibe el movimiento de rotación de dos cuerdas o correas que se arrollan y desenrollan alternativamente, al subir y bajar un travesaño al cual están atadas.

Paraíso. (Del lat. *paradīsus;* éste del gr. παράδεισος, y éste del persa *farădīs,* pl. de *firdaws,* jardín.) m. Lugar amenísimo en donde Dios puso a nuestro primer padre Adán luego que lo crió. ‖ **2. Cielo,** 4.ª acep. ‖ **3.** V. **Árbol, ave, grana, granos del Paraíso.** ‖ **4.** Conjunto de asientos del piso más alto de algunos teatros. ‖ **5.** fig. Cualquier sitio o lugar muy ameno. ‖ **de los bobos.** fig. y fam. Imaginaciones alegres con que cada uno se finge a su arbitrio conveniencias o gustos. ‖ **terrenal. Paraíso,** 1.ª acep.

Paraje. (De *parar.*) m. Lugar, sitio o estancia. ‖ **2.** Estado, ocasión y disposición de una cosa.

Parajismero, ra. adj. **Gestero.**

Parajismo. m. Mueca, visaje, gesticulación exagerada.

Paral. (Del lat. *parāre.*) m. Madero que sale de un mechinal o hueco de una fábrica y sostiene el extremo de un tablón de andamio. ‖ **2.** Madero que se aplica oblicuo a una pared y sirve para asegurar el puente de un andamio. ‖ **3.** *Mar.* Madero o palo que tiene en medio una muesca que se unta con sebo para que, encajada en ella la quilla de una embarcación, se deslice y corra al botarla al agua.

Paraláctico, ca. adj. *Astron.* Perteneciente a la paralaje. *Triángulo* PARALÁCTICO. ‖ **2.** *Astron.* Aplícase al dispositivo astronómico que permite seguir con un solo movimiento el aparente de los astros. ‖ **3.** *Astron.* V. **Movimiento paraláctico.** ‖ **4.** *Astron.* V. **Montura paraláctica.**

Paralaje. (Del gr. παράλλαξις, cambio, diferencia.) f. *Astron.* Diferencia entre las posiciones aparentes que en la bóveda celeste tiene un astro, según el punto desde donde se supone observado ‖ **anua.** *Astron.* Diferencia de los ángulos que con el radio de la órbita terrestre hacen dos líneas dirigidas a un astro desde sus dos extremos. ‖ **de altura.** *Astron.* Diferencia de los ángulos que forman con la vertical las líneas dirigidas a un astro desde el punto de observación y desde el centro de la Tierra. ‖ **horizontal.** *Astron.* La de altura, cuando el astro está en el horizonte.

Paralasis. f. **Paralaje.**

Paralaxi. (Del gr. παράλλαξις, cambio.) f. Paralaje.

Paralela. (Del lat. *parallēla*, t. f. de *-lus*, paralelo.) f. *Fort.* Trinchera con parapeto, que abre el sitiador paralelamente a las defensas de una plaza. || **2.** pl. Barras paralelas en que se hacen ejercicios gimnásticos.

Paralelamente. adv. m. Con paralelismo.

Paralelar. tr. Parangonar, comparar, hacer paralelo.

Paralelepípedo. (Del lat. *parallelepipĕdus*, y éste del gr. παραλληλεπίπεδον; de παράλληλος, paralelo, y ἐπίπεδον, plano.) m. *Geom.* Sólido terminado por seis paralelogramos, siendo iguales y paralelos cada dos opuestos entre sí.

Paralelismo. (Del gr. παραλληλισμός.) m. Calidad de paralelo o continuada igualdad de distancia entre líneas o planos.

Paralelo, la. (Del lat. *parallēlus*, y éste del gr. παράλληλος; de παρά, al lado, y ἀλλήλων, uno de otro.) adj. *Geom.* Aplícase a las líneas o planos equidistantes entre sí y que por más que se prolonguen no pueden encontrarse. || **2.** Correspondiente o semejante. || **3.** V. **Esfera paralela.** || **4.** m. Cotejo o comparación de una cosa con otra. || **5.** Comparación de una persona con otra, por escrito o de palabra. || **6.** *Geogr.* Cada uno de los círculos menores **paralelos** al Ecuador, que se suponen descritos en el globo terráqueo y que sirven para determinar la latitud de cualquiera de sus puntos o lugares. || **7.** *Geom.* Cada uno de los círculos que en una superficie de revolución resultan de cortarla por planos perpendiculares a su eje.

Paralelogramo. (Del lat. *parallelogrammum*, y éste del gr. παραλληλόγραμμος, de παράλληλος, paralelo, y γραμμή, línea.) m. *Geom.* Cuadrilátero cuyos lados opuestos son paralelos entre sí.

Paralipómenos. (Del lat. *paralipomĕna*, y éste del gr. παραλειπόμενα, cosas omitidas.) m. pl. Dos libros canónicos del Antiguo Testamento, que son como el suplemento de los cuatro de los Reyes.

Parálisis. (Del lat. *paralȳsis*, y éste del gr. παράλυσις; de παραλύω, disolver, aflojar.) f. Privación o disminución del movimiento de una o varias partes del cuerpo. || **infantil.** Enfermedad infecciosa, contagiosa, que ataca de modo preferente, aunque no exclusivo, a los niños, y cuya manifestación principal es la **parálisis** fláccida e indolora de los músculos, especialmente los de los miembros.

Paraliticado, da. (De *paralítico*.) adj. Impedido por la parálisis o tocado de ella.

Paraliticarse. r. Ponerse paralítico, paralizarse.

Paralítico, ca. (Del lat. *paralytĭcus*, y éste del gr. παραλυτικός.) adj. Enfermo de parálisis. Ú. t. c. s.

Paralización. f. fig. Detención que experimenta una cosa dotada de acción o de movimiento.

Paralizador, ra. adj. Que paraliza.

Paralizar. tr. Causar parálisis. Ú. t. c. r. || **2.** fig. Detener, entorpecer, impedir la acción y movimiento de una cosa. Ú. t. c. r.

Paralogismo. (Del lat. *paralogismus*, y éste del gr. παραλογισμός; de παρά, contra, y λογισμός, razonamiento.) m. Razonamiento falso.

Paralogizar. (Del lat. *paralogizāre*, y éste del gr. παραλογίζομαι.) tr. Intentar persuadir con discursos falaces y razones aparentes. Ú. t. c. r.

Paramentar. (De *paramento*.) tr. Adornar o ataviar una cosa.

Paramento. (Del lat. *paramentum*.) m. Adorno o atavío con que se cubre una cosa. || **2.** Sobrecubiertas o mantillas del caballo. || **3.** *Arq.* Cualquiera de las dos caras de una pared. || **4.** *Cant.* Cualquiera de las seis caras de un sillar labrado. || **Paramentos sacerdotales.** Vestiduras y demás adornos que usan los sacerdotes para celebrar misa y otros divinos oficios. || **2.** Adornos del altar.

Paramera. f. Región, o vasta extensión de territorio, donde abundan los páramos.

Parámetro. (Del gr. παρά, a un lado, y μέτρον, medida.) m. *Geom.* Línea constante e invariable que entra en la ecuación de algunas curvas, y muy señaladamente en la de la parábola.

Páramo. (Del lat. *parāmus*.) m. Terreno yermo, raso y desabrigado. || **2.** fig. Cualquier lugar sumamente frío y desamparado.

Parancero. (De *paranza*.) m. Cazador que caza con lazos, perchas u otras invenciones.

Parangón. (De *paragón*.) m. Comparación o semejanza.

Parangona. (De *paragón*.) f. *Impr.* Grado de letra, la mayor después del gran canon, peticano y misal.

Parangonar. (De *paragonar*.) tr. Hacer comparación de una cosa con otra. || **2.** *Impr.* Justificar en una línea las letras, adornos, etc., de cuerpos desiguales.

Parangonizar. tr. ant. **Parangonar.**

Paranínfico. adj. *Arq.* V. **Orden paranínfico.**

Paraninfo. (Del lat. *paranymphus*, y éste del gr. παράνυμφος; de παρά, al lado de, y νύμφη, novia.) m. Padrino de las bodas. || **2.** El que anuncia una felicidad. || **3.** En las universidades, el que anunciaba la entrada del curso, estimulando al estudio con una oración retórica. || **4.** Salón de actos académicos en algunas universidades.

Paranoia. (Del gr. παράνοια; de παρά, al lado, contra, y νόυς, espíritu.) f. **Monomanía.**

Paranoico, ca. adj. Perteneciente o relativo a la paranoia. || **2.** Que la padece. Ú. t. c. s.

Paranomasia. f. **Paronomasia.**

Paranza. (De *parar*, 2.° art.) f. Tollo, chozo o puesto donde el cazador de montería se oculta para esperar y tirar a las reses. || **2.** Pequeño corral de cañizo que en las golas del Mar Menor de Cartagena se dispone para coger los peces, que entran fácilmente y no pueden salir sin gran dificultad.

Parao. (Del malayo *prahū*, embarcación.) m. Embarcación grande filipina, muy semejante al casco, del cual se diferencia en ser de mayor tamaño y llevar a popa una cámara muy alta y bastante adornada. Conduce carga y pasajeros y se usa principalmente en la laguna de Bay y en la navegación del Pasig.

Parapara. f. Fruto del paraparo. Es negro y redondo.

Paraparo. m. *Amér.* Árbol de la familia de las sapindáceas, cuya corteza y parte exterior del fruto usa en Venezuela la gente pobre en vez de jabón.

Parapetarse. r. *Fort.* Resguardarse con parapetos u otra cosa que supla la falta de éstos. Ú. t. c. tr. || **2.** fig. Precaverse de un riesgo por algún medio de defensa.

Parapeto. (Del ital. *parapetto*, y éste del lat. *parāre*, defender, y *pectus*, pecho.) m. *Arq.* Pared o baranda que se pone para evitar caídas, en los puentes, escaleras, etc. || **2.** *Fort.* Terraplén corto, formado sobre el principal, hacia la parte de la campaña, el cual defiende de los golpes enemigos el pecho de los soldados.

Paraplejía. (Del lat. *paraplexia*, y éste del gr. παραπληξία.) f. *Med.* Parálisis de la mitad inferior del cuerpo.

Parapléjico, ca. adj. Perteneciente o relativo a la paraplejía. || **2.** Que la padece. Ú. t. c. s.

Parapoco. (De *para* y *poco*.) com. fig. y fam. Persona poco avisada y corta de genio.

Parar. (De *parar*, 2.° art., 8.ª acep.) m. Juego de cartas en que se saca una para los puntos y otra para el banquero, y de ellas gana la primera que hace pareja con las que van saliendo de la baraja.

Parar. (Del lat. *parāre*.) intr. Cesar en el movimiento o en la acción; no pasar adelante en ella. Ú. t. c. r. || **2.** Ir a dar a un término o llegar al fin. || **3.** Recaer, venir o estar en dominio o propiedad de alguna cosa, después de otros dueños que la han poseído o por los cuales ha pasado. || **4.** Reducirse o convertirse una cosa en otra distinta de la que se juzgaba o esperaba. || **5.** Habitar, hospedarse. *No sabemos dónde* PARA *Ramón;* PARARÉ *en casa de mi tío.* || **6.** tr. Detener e impedir el movimiento o acción de uno. || **7.** Prevenir o preparar. || **8.** Arriesgar dinero u otra cosa de valor a una suerte del juego. || **9.** Hablando de los perros de caza, mostrarla, suspendiéndose al verla o descubrirla, o con alguna otra señal. || **10.** Poner a uno en estado diferente del que tenía. *Tal me* HAN PARADO, *que no puedo valerme.* Ú. t. c. r. *Al oír esto, la doncella* SE PARÓ *colorada.* || **11.** ant. Adornar, componer o ataviar una cosa. || **12.** ant. Ordenar, mandar, disponer. || **13.** *Esgr.* Quitar con la espada el golpe del contrario. Por ext., se dice en otros juegos y deportes. || **14.** r. Estar pronto o aparejado a exponerse a un peligro. || **15.** fig. Detenerse o suspender la ejecución de un designio por algún obstáculo o reparo que se presenta. || **16.** Construido con la preposición *a* y el infinitivo de algunos verbos que significan acción del entendimiento, ejecutar dicha acción con atención y sosiego. || **17.** *Amér.* Ponerse en pie. || **No parar.** fr. fig. con que se pondera la eficacia, viveza o instancia con que se ejecuta una cosa o se solicita hasta conseguirla. || **Parar mal** fr. **Malparar.** || **Sin parar.** m. adv. Luego, al punto; sin dilación ni tardanza, detención o sosiego.

Pararrayo. m. **Pararrayos.**

Pararrayos. (De *parar*, detener, y *rayo*.) m. Artificio compuesto de una o más varillas de hierro terminadas en punta y unidas entre sí y con la tierra húmeda y profunda, o con el agua, por medio de conductores metálicos, el cual se coloca sobre los edificios o los buques para preservarlos de los efectos de la electricidad de las nubes.

Parasanga. (Del grecolat. *parasanga*, y éste del persa *farsang*, en ár. *farsaj*, medida itineraria equivalente poco más o menos a la marcha de una hora de caballo.) f. Medida itineraria equivalente a 5.250 metros, usada por los persas desde tiempos muy remotos.

Parasceve. (Del lat. *parascēve*, y éste del gr. παρασκευή, preparación.) f. Tomábase por el viernes, día en que los judíos preparaban las viandas para el sábado; por excelencia se aplica al Viernes Santo, en que murió Cristo, y que era la **parasceve** o preparación para la Pascua.

Paraselene. (Del gr. παρά, al lado, y Σελήνη, Luna.) f. *Meteor.* Imagen de la Luna, que se representa en una nube.

Parasemo. (Del lat. *parasēmum*, y éste del gr. παράσημον.) f. Mascarón de proa de las galeras de los antiguos griegos y romanos.

Parasíntesis. (Del gr. παρασύνθεσις.) f. *Gram.* Formación de vocablos en que intervienen la composición y la derivación; como *encañonar.*

Parasintético, ca. adj. Dícese de los vocablos compuestos que se forman por parasíntesis.

Parasismo. (De *paroxismo.*) m. **Paroxismo.**

Parasitario, ria. adj. Perteneciente o relativo a los parásitos.

Parasiticida. (De *parásito,* y *-cida,* de *homicida.*) adj. Dícese de la substancia que se emplea para destruir los parásitos.

Parasítico, ca. (Del lat. *parasitĭcus.*) adj. **Parasitario.**

Parasitismo. m. fig. Costumbre o hábito de los que viven a costa de otros a manera de parásitos.

Parásito, ta [Parasito, ta]. (Del lat. *parasītus,* y éste del gr. παράσιτος; de παρά, al lado, y σῖτος, comida.) adj. *Biol.* Dícese del animal o planta que se alimenta a costa de las substancias orgánicas contenidas en el cuerpo de otro ser vivo, en contacto con el cual vive temporal o permanentemente. Ú. t. c. s. || **2.** fig. Dícese de los ruidos que perturban las transmisiones radi eléctricas. Ú. t. c. m. pl. || **3.** m. fig. El que se arrima a otro para comer a costa ajena.

Parasitología. (De *parásito* y el gr. λόγος, tratado.) f. Parte de la biología, que trata de los seres parásitos.

Parasol. (De *parar,* 2.° art., y *sol.*) m. **Quitasol.**

Parástade. (Del lat. *parastas, -ădis,* y éste del gr. παραστάς; de παρίστημι, arrimar.) m. *Arq.* Pilastra colocada junto a una columna y detrás de ella para sostener mejor el peso de la techumbre.

Parata. (Del lat. *parāta,* t. f. de *-tus,* preparado.) f. Bancal pequeño y estrecho, formado en un terreno pendiente, cortándolo y allanándolo, para sembrar o hacer plantaciones en él.

Paratífico, ca. adj. Perteneciente o relativo a la paratifoidea.

Paratifoidea. (De *para,* 2.° art., y *tifoidea.*) f. Infección intestinal que ofrece la mayoría de los síntomas de la fiebre tifoidea y se diferencia de ella en originarse por un microbio distinto del específico de la tifoidea.

Paratiroides. (Del gr. παρά, al lado, y *tiroides.*) adj. *Anat.* Dícese de cada una o de todas las glándulas de secreción interna situadas en torno del tiroides, de muy pequeño tamaño y cuya lesión produce la tetania. Ú. t. c. s. f.

Paraulata. f. *Venez.* Ave semejante al tordo y del mismo tamaño.

Parazonio. (Del lat. *parazonĭum,* y éste del gr. παραζώνιον.) m. Espada ancha y sin punta, que como señal de distinción llevaban sujeta con una correa en el lado izquierdo de la cintura los jefes de las milicias griegas y romanas.

Parca. (Del lat. *parca.*) f. *Mit.* Cada una de las tres deidades hermanas, Cloto, Láquesis y Átropos, con figura de viejas, de las cuales la primera hilaba, la segunda devanaba y la tercera cortaba el hilo de la vida del hombre. || **2.** fig. poét. La muerte.

Parcamente. adv. m. Con parquedad o escasez.

Parce. (Del lat. *parce,* 2.ª pers. de sing. del imper. de *parcĕre,* perdonar.) m. Cédula que por premio daban los maestros de gramática a sus discípulos y les servía de absolución para alguna falta ulterior. || **2.** Primera palabra de la primera de las Lecciones de Job, que se cantan en el oficio de difuntos y designa esta oración ritual. *Entré en la iglesia al acabarse el* PARCE.

Parcela. (Del fr. *parcelle,* y éste del lat. **particĕlla.*) f. Porción pequeña de terreno, de ordinario sobrante de otra mayor que se ha comprado, expropiado o adjudicado. || **2.** En el catastro, cada una de las tierras de distinto dueño que constituyen un pago o término. || **3. Partícula,** 1.ª acep.

Parcelación. f. Acción y efecto de parcelar o dividir en parcelas.

Parcelar. tr. Medir, señalar las parcelas para el catastro. || **2.** Dividir una finca grande para venderla o arrendarla en porciones más pequeñas.

Parcelario, ria. adj. Perteneciente o relativo a la parcela, 2.ª acep.

Parcial (Del lat. *partiālis;* de *pars, partis,* parte.) adj. Relativo a una parte del todo. || **2.** No cabal o completo. *Eclipse* PARCIAL. || **3.** Que juzga o procede con parcialidad, o que la incluye o denota. *Escritor* PARCIAL, *juicio* PARCIAL. || **4.** Que sigue el partido de otro, o está siempre de su parte. Ú. t. c. s. || **5. Partícipe.** || **6.** V. **Indulgencia parcial.**

Parcialidad. (De *parcial.*) f. Unión de algunos que se confederan para un fin, separándose del común y formando cuerpo aparte. || **2.** Conjunto de muchos, que componen una familia o facción separada del común. || **3.** Amistad, estrechez, familiaridad en el trato. || **4.** Designio anticipado o prevención en favor o en contra de personas o cosas, de que resulta falta de neutralidad o insegura rectitud en el modo de juzgar o de proceder. || **5.** ant. Sociabilidad, afabilidad en el genio, para tratar con otros y ser tratado por ellos.

Parcializar. (De *parcial.*) tr. ant. Aplicar una cosa más a uno que a otro, por especial afecto o parcialidad.

Parcialmente. adv. m. En cuanto a una o más partes. || **2.** Apasionadamente, sin la debida equidad. || **3.** ant. Amigable y familiarmente.

Parcidad. (Del lat. *parcĭtas, -ātis.*) f. **Parquedad.**

Parcionero, ra. (Del ant. *parción,* y éste del lat. *partitĭo, -ōnis.*) adj. **Partícipe.** Ú. t. c. s.

Parcir. (Del lat. *parcĕre.*) tr. ant. **Perdonar.**

Parcísimo, ma. (Del lat. *parcissĭmus.*) adj. sup. de **Parco.**

Parco. (Del lat. *parco,* 1.ª pers. de sing. del pres. de indic. de *parcĕre,* perdonar.) m. **Parce,** 1.ª acep.

Parco, ca. (Del lat. *parcus.*) adj. Corto, escaso o moderado en el uso o concesión de las cosas. || **2.** Sobrio, templado y moderado en la comida o bebida.

Parcha. (Voz americana.) f. Nombre genérico con que se conocen en algunas partes de América diversas plantas de la familia de las pasifloráceas. || **granadilla.** Planta de la familia de las pasifloráceas, propia de la América tropical, con tallos sarmentosos y trepadores, de 18 a 20 metros de longitud, cuadrangulares y ramosos; hojas gruesas, acorazonadas, puntiagudas, lisas y enteras; flores muy grandes, olorosas, encarnadas por dentro, con los filamentos externos manchados de blanco, púrpura y violeta, y fruto ovoide, amarillento, liso, del tamaño de un melón y con pulpa sabrosa y agridulce.

Parchazo. (aum. de *parche.*) m. *Mar.* Golpazo que pega una vela contra su palo o mastelero, ya por un cambio súbito del viento, ya por un descuido en el gobierno del buque. || **2.** fig. y fam. Burla o chasco. || **Pegar un parchazo** a uno. fr. fig. y fam. **Pegarle un parche.**

Parche. (Del fr. *parche,* y éste del lat. [*pellis*] *parthĭca,* pergamino.) m. Pedazo de lienzo u otra cosa, en que se pega un ungüento, bálsamo u otra confección y se pone en una herida o parte enferma del cuerpo. || **2.** Pedazo de tela, papel, piel, etc., que por medio de un aglutinante se pega sobre una cosa. || **3.** Círculo de papel untado con pez o trementina y adornado de cintas, que como suerte de lidia se ponía en la frente del toro. || **4.** Cada una de las dos pieles del tambor. || **5.** fig. **Tambor,** 1.ª acep. || **6.** fig. Cualquier cosa sobrepuesta a otra y como pegada, que desdice de la principal. || **7.** fig. Pegote o retoque mal hecho, especialmente en la pintura. || **Pegar un parche** a uno. fr. fig. y fam. Engañarle sacándole dinero u otra cosa, pidiéndoselo prestado o de otro modo, con ánimo de no volvérselo.

Parchista. (De *parche.*) m. fig. y fam. **Sablista.**

Pardal. (Del lat. *pardălis,* y éste del gr. πάρδαλις.) adj. Aplícase a la gente de las aldeas, por andar regularmente vestidas de pardo. || **2.** m. **Leopardo.** || **3. Camello pardal.** || **4. Gorrión.** || **5. Pardillo,** 6.ª acep. || **6. Anapelo.** || **7.** fig. y fam. Hombre bellaco, astuto.

Pardear. intr. Sobresalir o distinguirse el color pardo.

Pardela. f. Ave acuática, palmípeda, parecida a la gaviota, pero más pequeña.

¡Pardiez! (Del fr. *par Dieu,* por Dios. interj. fam. **¡Par Dios!**

Pardilla. f. **Pardillo,** 6.ª acep.

Pardillo, lla. (d. de *pardo.*) adj. **Pardal,** 1.ª acep. Ú. t. c. s. || **2.** V. **Paño pardillo.** Ú. t. c. s. *Gente del* PARDILLO. || **3.** V. **Vino pardillo.** Ú. t. c. s. || **4.** V. **Perdiz pardilla.** || **5.** V. **Ámbar pardillo.** || **6.** m. Ave del orden de los pájaros, de unos 14 centímetros desde la punta del pico hasta el extremo de la cola y dos decímetros y medio de envergadura; plumaje de color pardo rojizo en general, negruzco en las alas y la cola, manchado de blanco en el arranque de ésta y en las remeras extremas, carmesí en la cabeza y en el pecho, y blanco en el abdomen. La hembra tiene colores menos vivos. Es uno de los pájaros más lindos de España, se alimenta de semillas, principalmente de linaza y cañamones, canta bien y se domestica con facilidad.

Pardina. (Del lat. **parietīna,* de *parĭes, -ĕtis.*) f. *Ar.* **Paradina.**

¡Pardiobre! (De *par,* o *por,* Dios.) interj. ant. **¡Pardiez!**

Pardisco, ca. adj. **Pardusco.**

Pardo, da. (Del lat. *pardus,* leopardo, por el color.) adj. Del color de la tierra, o de la piel del oso común, intermedio entre blanco y negro, con tinte rojo amarillento, y más obscuro que el gris. || **2. Obscuro,** especialmente hablando de las nubes o del día nublado. || **3.** Aplícase a la voz que no tiene timbre claro y que es poco vibrante. || **4.** V. **Caballero, día, león, monte, oso pardo.** || **5.** V. **Águila, gramática, lógica, mata, voz parda.** || **6.** *Cuba* y *P. Rico.* **Mulato,** 1.ª acep. Ú. m. c. s. || **7.** m. **Leopardo.**

Pardomonte. m. Cierta clase de paño ordinario que en el siglo XVIII se usaba para capas de la gente artesana.

Pardusco, ca. adj. De color que tira a pardo.

Pareado, da. p. p. de **Parear.** || **2.** adj. V. **Versos pareados.**

Parear. (De *par.*) tr. Juntar, igualar dos cosas comparándolas entre sí. || **2.** Formar pares de las cosas, poniéndolas de dos en dos. || **3.** *Taurom.* **Banderillear.**

Parecencia. f. Parecido, semejanza.

Parecer. (infinit. de *parecer.*) m. Opinión, juicio o dictamen. || **2.** Orden de las facciones del rostro y disposición del cuerpo. || **Arrimarse al parecer de** uno. fr. fig. Seguir su dictamen o adherirse a él. || **Casarse uno con su parecer.** fr. fig. **Casarse con su opinión.** || **Después de beber, cada uno dice su parecer.** ref. que advierte que el exceso en el vino arriesga el secreto. || **Tomar parecer de uno.** fr. **Tomar consejo de uno.**

Parecer. (Del lat. *parēre.*) intr. Aparecer o dejarse ver alguna cosa. || **2.** Opinar, creer. Ú. m. c. impers. || **3.** Hallarse o encontrarse lo que se tenía por perdido. || **4.** Tener determinada apariencia o aspecto. || **5.** r. **Asemejarse.** || **A lo que parece. Al parecer.** ms. advs. con que se explica el juicio o dictamen que se forma en una materia, según lo que ella propia muestra o la idea que suscita. || **Parece que se cae, y se agarra.** expr. fig. y fam. que se aplica al que a lo tonto hace su negocio. || **Parecer bien,** o **mal.** fr. Tener las cosas buena disposición, simetría, adorno y hermosura, de modo que ocasione gusto el mirarlas, o al contrario. || **2.** Ser o no ser acertada o plausible una cosa. || **Por el bien parecer.** loc. adv. con que se da a entender que uno obra por atención y respeto a lo que pueden decir o juzgar de él, y no según su propia inclinación o genio. || **Quien no parece, perece.** fr. proverb. con que se explica que entre muchos que tienen interés en una cosa, por lo común sale perjudicado el que no se halla presente.

Parecido, da. p. p. de **Parecer.** || **2.** adj. Dícese del que se parece a otro. || **3.** Con los adverbios *bien* o *mal*, que tiene buena o mala disposición de facciones o aire de cuerpo. || **4.** Con el verbo *ser* y los adverbios *bien* o *mal*, bien o mal visto. || **5.** m. **Semejanza,** 1.ª acep.

Pareciente. p. a. de **Parecer.** Que parece o se parece.

Pared. (Del lat. *paries, ĕtis.*) f. Obra de fábrica levantada a plomo, con grueso, longitud y altura proporcionados para cerrar un espacio o sostener las techumbres. || **2. Tabique.** || **3.** V. **Calendario, manta de pared.** || **4.** fig. Superficie plana y alta que forman las cebadas y los trigos cuando están bastante crecidos y cerrados. || **5.** fig. Conjunto de cosas o personas que se aprietan o unen estrechamente. || **6.** *Fís.* Cara o superficie lateral de un cuerpo. || **7.** *Min.* **Hastial,** 3.ª acep. || **horma. Horma,** 2.ª acep. || **maestra.** *Arq.* Cualquiera de las principales y más gruesas que mantienen y sostienen el edificio. || **mediana.** ant. *Arq.* **Pared medianera.** || **medianera. Medianería,** 2.ª acep. || **Andar a tienta paredes.** fr. fam. Andar a tientas. || **2.** fig. y fam. Seguir una conducta vacilante, sin rumbo ni idea fija. || **Arrimarse** uno **a las paredes.** fr. fig. y fam. Estar ebrio, porque el borracho suele hacer esta acción para no caer. || **Coserse** uno **con la pared.** fr. fig. y fam. Estar o andar muy junto a ella. || **Darse** uno **contra una pared.** fr. fig. Tener gran despecho o cólera, que le saca fuera de sí. || **Darse** uno **contra,** o **por, las paredes.** fr. fig. y fam. Apurarse y fatigarse sin acertar con lo que desea. || **De pared.** loc. Dícese de los objetos destinados a estar adosados a una **pared** o pendientes de ella. *Reloj* DE PARED, *almanaque* DE PARED. || **Descargar las paredes.** fr. *Arq.* Aligerar su peso por medio de arcos o de estribos. || **Entre cuatro paredes.** m. adv. fig. con que se explica que uno está retirado del trato de las gentes, o encerrado en su casa o cuarto. || **Hablar las paredes.** fr. fig. con que se denota la posibilidad de que se descubran cosas que se dicen o hacen con mucho secreto. || **Hasta la pared de enfrente.** fr. fig. y fam. Resueltamente, sin titubeo ni cortapisa. || **Las paredes oyen.** expr. fig. que aconseja tener muy en cuenta dónde y a quién se dice una cosa que importa que esté secreta, por el riesgo que puede haber de que se publique o sepa. || **Las paredes tienen ojos.** expr. fig. con que se advierte que no se ejecute lo que es malo, fiándose en que no se descubrirá por el secreto del retiro en que se ejecuta. || **Pared en,** o **por, medio.** m. adv. con que se explica la inmediación y contigüidad de una casa o habitación respecto de otra, cuando sólo las divide una **pared.** || **2.** fig. Denota la inmediación o cercanía de una cosa. || **Pegado a la pared.** loc. fig. y fam. Avergonzado, confuso, como privado de acción o sin saber qué contestar. Ú. con los verbos *dejar* y *quedarse.*

Paredaño, ña. adj. Que está pared por medio del lugar a que se alude.

Paredón. m. aum. de **Pared.** || **2.** Pared que queda en pie, como ruina de un edificio antiguo.

Pareja. (De *parejo.*) f. Conjunto de dos personas o cosas que tienen alguna correlación o semejanza. || **2.** En las fiestas, unión de dos caballeros de un mismo traje, librea, adornos y jaeces de caballos, que corren juntos y unidos, y el primor consiste en ir iguales, por lo que se le dió este nombre: las fiestas se componen de varias **parejas** y diversas cuadrillas. || **3.** Compañero o compañera en los bailes. || **4.** pl. En el juego de dados, los dos números o puntos iguales que salen de una tirada; como seises, cincos, etc. || **5.** En los naipes, dos cartas iguales en número o semejantes en figura; como dos reyes, dos seises. || **6.** *Equit.* Carrera que dan dos jinetes juntos, sin adelantarse ninguno, por lo cual suelen ir dadas las manos. || **Correr parejas,** o **a las parejas.** fr. fig. Ir iguales o sobrevenir juntas algunas cosas, o ser semejantes dos o más personas en una prenda o habilidad.

Parejero, ra. (De *pareja.*) adj. Que corría parejas. || **2.** Se aplicaba al caballo o yegua adiestrado para correrlas. || **3.** *Amér. Merid.* Dícese del caballo de carrera y en general de todo caballo excelente y veloz. Ú. t. c. s. || **4.** *Venez.* Dícese de quien procura andar siempre acompañado de alguna persona calificada.

Parejo, ja. (Del lat. **parĭcŭlus,* d. de *par, paris,* igual.) adj. Igual o semejante. || **2.** Liso, llano. || **Por parejo,** o **por un parejo.** m. adv. Por igual, o de un mismo modo.

Parejuelo. (De *parejo.*) m. *And.* Madero de menor escuadría que la común en los pares con que se forma la pendiente de las armaduras de los edificios, y que tiene igual aplicación.

Parejura. (De *parejo.*) f. Igualdad o semejanza.

Parella. f. *Murc.* Rodilla, paño de limpiar.

Paremia. (Del gr. παροιμία, proverbio.) f. Refrán, proverbio, adagio, sentencia.

Paremiología. (De *paremiólogo.*) f. Tratado de refranes.

Paremiológico, ca. adj. Perteneciente o relativo a la paremiología.

Paremiólogo. (Del gr. παροιμία, proverbio, y λέγω, decir.) m. El que profesa la paremiología o tiene en ella especiales conocimientos.

Parénesis. (Del gr. παραίνεσις; de παραινέω, exhortar.) f. Exhortación o amonestación.

Parenético, ca. (Del gr. παραινετικός.) adj. Perteneciente o relativo a la parénesis.

Parénquima. (Del gr. παρέγχυμα, substancia de los órganos.) m. *Bot.* Cualquiera de los tejidos vegetales constituidos por células de forma aproximadamente esférica o cúbica y separadas entre sí por meatos. || **2.** *Zool.* Tejido de los órganos glandulares.

Parenquimatoso, sa. adj. Perteneciente o relativo al parénquima.

Parentación. (Del lat. *parentatĭo, -ōnis.*) f. p. us. Solemnidad fúnebre.

Parentado. m. ant. **Parentela,** 2.ª acep.

Parental. (Del lat. *parentālis.*) adj. ant. Perteneciente a los padres o parientes.

Parentela. (Del lat. *parentēla.*) f. Conjunto de todo género de parientes. || **2.** ant. **Parentesco,** 1.ª acep.

Parentesco. (De *pariente.*) m. Vínculo, conexión, enlace por consanguinidad o afinidad. || **2.** fig. Unión, vínculo o liga que tienen las cosas. || **espiritual.** Vínculo que contraen en los sacramentos del bautismo y de la confirmación el ministrante y los padrinos con el bautizado o confirmado. Cuando es por bautismo constituye impedimento dirimente del matrimonio. || **Contraer parentesco.** fr. Emparentar, ligarse con una persona con afinidad espiritual o legal.

Paréntesis. (Del lat. *parenthĕsis,* y éste del gr. παρένθεσις, interposición, inserción.) m. Oración o frase incidental, sin enlace necesario con los demás miembros del período, cuyo sentido interrumpe y no altera. || **2.** Signo ortográfico ( ) en que suele encerrarse esta oración o frase. || **3.** fig. Suspensión o interrupción. || **Abrir el paréntesis.** fr. *Gram.* Poner la primera mitad de este signo ortográfico al principio de la oración o frase que se injiere en un período. || **Cerrar el paréntesis.** fr. *Gram.* Poner la segunda mitad de este signo ortográfico al fin de la oración o frase que se injiere en un período. || **Entre,** o **por, paréntesis.** expr. fig. de que se usa para suspender el discurso o conversación, interponiendo una especie ajena a ellos.

Parentético, ca. adj. *Gram.* Perteneciente o relativo al paréntesis.

Pareo. m. Acción y efecto de parear o unir una cosa con otra.

Parergon. (Del lat. *parergon,* y éste del gr. πάρεργον; de παρά, cerca de, y ἔργον, obra.) m. Aditamento a una cosa, que le sirve de ornato.

Paresa. f. Mujer del par, 7.ª acep.

Paresia. (Del gr. πάρεσις, debilitación.) f. *Med.* Parálisis leve que consiste en la debilidad de las contracciones musculares.

Parestesia. (Del gr. παρά, fuera de y αἴσθησις, sensación.) f. *Med.* Sensación o conjunto de sensaciones anormales y especialmente el hormigueo, adormecimiento o ardor que experimentan en la piel ciertos enfermos del sistema nervioso o circulatorio.

Pargo. m. **Pagro.**

Parhelia. f. *Meteor.* **Parhelio.**

Parhelio. (Del gr. παρήλιος; de παρά, al lado, y ἥλιος, Sol.) m. *Meteor.* Fenómeno luminoso poco común, que consiste en la aparición simultánea de varias imágenes del Sol reflejadas en las nubes y por lo general dispuestas simétricamente sobre un halo.

Parhilera. (De *par* e *hilera.*) f. *Arq.* Madero en que se afirman los pares y que forma el lomo de la armadura.

Paria. (Del sánscr. *paráyatta,* sometido a la voluntad de otro.) com. Persona de la casta ínfima de los indios que siguen la ley de Brahma. Esta casta es reputada infame por las leyes. || **2.** fig. Persona a quien se tiene por vil y excluida de las ventajas de que gozan las demás, y aun del trato de ellas.

Pariambo. (Del lat. *pariambus,* y éste del gr. παρίαμβος.) m. **Pirriquio.** || **2.** Pie de la poesía griega y latina, que consta, como el baquio, de una sílaba breve y dos largas. || **3.** Pie de la poesía griega y latina, que consta de una sílaba larga y cuatro breves.

Parias. (Del lat. *parĭa,* pl. de *par,* igual, par.) f. pl. **Placenta,** 1.ª acep. || **2.** Tributo que paga un príncipe a otro en reconocimiento de superioridad. || **Dar,** o **rendir, parias** a uno. fr. fig. Someterse a él, prestarle obsequio.

Parición. f. Tiempo de parir el ganado. || **2.** ant. **Parto.**

Parida. adj. Dícese de la hembra que ha poco tiempo que parió. Ú. t. c. s. || **2.** V. **Misa de parida.** || **3.** fig. y fam. V. **Gata parida.** || **Salga la parida.** Juego de muchachos, que consiste en arrimarse en hilera unos a otros y apretarse hasta echar fuera a uno de ellos, que entonces va a colocarse a un extremo de la fila para empujar a los demás.

Paridad. (Del lat. *parĭtas, -ātis.*) f. Comparación de una cosa con otra por ejemplo o símil. || **2.** Igualdad de las cosas entre sí. || **Correr la paridad.** fr. Correr la comparación.

Paridera. adj. Dícese de la hembra fecunda de cualquier especie. || **2.** f. Sitio en que pare el ganado, especialmente el lanar. || **3.** Acción de parir el ganado. || **4.** Tiempo en que pare.

Paridora. adj. Dícese de la mujer u otra hembra muy fecunda.

Pariente, ta. (Del lat. *parens, -entis.*) adj. Respecto de una persona, dícese de cada uno de los ascendientes, descendientes y colaterales de su misma familia, por consanguinidad o afinidad. Ú. m. c. s. || **2.** fig. y fam. Allegado, semejante o parecido. || **3.** m. y f. fam. El marido respecto de la mujer, y la mujer respecto del marido. || **4.** Nombre que daba por escrito el rey de España a los títulos de Castilla sin grandeza. || **mayor.** El que representa la línea primogénita o principal de un linaje.

Parietal. (Del lat. *parietālis*, de *paries, -ĕtis*, pared.) adj. Perteneciente o relativo a la pared. || **2.** *Zool.* V. **Hueso parietal.** Ú. m. c. s.

Parietaria. (Del lat. *parietaria.*) f. Planta herbácea anual, de la familia de las urticáceas, con tallos rojizos, erguidos, de cuatro a seis decímetros, sencillos o con ramas muy cortas; hojas alternas, enteras, pecioladas, ásperas y lanceoladas; flores en grupos axilares, pequeñas y verdosas, y fruto seco, envuelto por el perigonio. Crece ordinariamente junto a las paredes y se ha usado en cataplasmas.

Parificación. f. Acción y efecto de parificar.

Parificar. (Del lat. *parificāre*; de *par*, igual, y *facĕre*, hacer.) tr. Probar o apoyar con una paridad o ejemplo lo que se ha dicho o propuesto.

Parigual. (De *par* e *igual.*) adj. Igual o muy semejante.

Parihuela. (d. de *par.*) f. Artefacto compuesto de dos varas gruesas como las de la silla de manos, pero más cortas, con unas tablas atravesadas en medio en forma de mesa o cajón, en el cual colocan el peso o carga para llevarla entre dos. Ú. m. en pl. || **2. Camilla,** 3.ª acep. Ú. t. en pl.

Parima. f. *Argent.* Garza grande y de color violado.

Parimiento. (Del lat. *par, paris*, igual, conforme.) m. ant. Convenio o ajuste hecho a prevención.

Pario, ria. (Del lat. *parius.*) adj. Natural de Paros. Ú. t. c. s. || **2.** Perteneciente a esta isla del Archipiélago.

Paripé (Hacer el). fr. fam. Presumir, darse tono.

Parir. (Del lat. *parĕre.*) intr. Expeler en tiempo oportuno, la hembra de cualquier especie vivípara, el feto que tenía concebido. Ú. t. c. tr. || **2. Aovar.** || **3.** tr. fig. Producir o causar una cosa otra, de cualquier modo que sea. || **4.** fig. Explicar bien y con acierto el concepto del entendimiento. || **5.** fig. Salir a luz o a público lo que estaba oculto o ignorado. || **No parir.** fr. fig. No dar más de sí una cuenta, por más que se examine o repase. || **Parir a medias.** fr. fig. y fam. Ayudar uno a otro en un trabajo dificultoso.

París. n. p. V. **Alfiler, punta de París.**

Parisiena. (Del fr. *parisienne*, de París.) f. *Impr.* Carácter de letra de cinco puntos.

Parisiense. (Del lat. *parisiensis.*) adj. Natural de París. Ú. t. c. s. || **2.** Perteneciente a esta ciudad, capital de Francia.

Parisilábico, ca. adj. Parisílabo.

Parisílabo, ba. (Del lat. *par, paris*, igual, y *sĭlaba.*) adj. Se aplica al vocablo o al verso que consta de igual número de sílabas que otro.

Paritario, ria. (Del lat. *parĭtas, -ātis.*) adj. Dícese principalmente de los organismos de carácter social constituidos por representantes de patronos y obreros en número igual y con los mismos derechos.

Parla. f. Acción de parlar, 1.ª y 2.ª aceps. || **2. Labia.** || **3.** Verbosidad insubstancial. *Todo cuanto dijo no fue más que* PARLA.

Parlador, ra. (De *parlar.*) adj. **Hablador.** Ú. t. c. s.

Parladuría. (De *parlador.*) f. **Habladuría.**

Parlaembalde. (De *parlar en balde.*) com. fig. y fam. Persona que habla mucho y sin substancia.

Parlamentar. (De *parlamento.*) intr. Hablar o conversar unos con otros. || **2.** Tratar de ajustes; capitular para la rendición de una fuerza o plaza o para un contrato.

Parlamentariamente. adv. m. En forma parlamentaria; según las normas prácticas del parlamento.

Parlamentario, ria. adj. Perteneciente al parlamento judicial o político. || **2.** V. **Información, inmunidad parlamentaria.** || **3.** V. **Interregno parlamentario.** || **4.** m. Persona que va a parlamentar. || **5.** Ministro o individuo de un parlamento.

Parlamentarismo. m. Doctrina, sistema parlamentario.

Parlamentear. (De *parlamento.*) intr. ant. **Parlamentar.**

Parlamento. (De *parlar.*) m. Asamblea de los grandes del reino, que bajo los primeros reyes de Francia se convocaba para tratar negocios importantes. || **2.** Cada uno de los tribunales superiores de justicia que en Francia tenían además atribuciones políticas y de policía. || **3.** La Cámara de los Lores y la de los Comunes en Inglaterra. || **4.** Por ext., asamblea legislativa. || **5.** Razonamiento u oración que se dirigía a un congreso o junta. || **6.** Entre actores, relación larga en verso o prosa. || **7.** Acción de parlamentar.

Parlanchín, na. (De *parlar.*) adj. fam. Que habla mucho y sin oportunidad, o que dice lo que debía callar. Ú. t. c. s.

Parlante. p. a. de **Parlar.** Que parla. || **2.** adj. *Blas.* V. **Armas parlantes.**

Parlar. (Del lat. **parabŏlāre*, de *parabŏla.*) intr. Hablar con desembarazo o expedición. Ú. t. c. tr. || **2.** Hablar mucho y sin substancia. || **3. Hablar,** 2.ª acep. || **4.** tr. Revelar y decir lo que se debe callar o lo que no hay necesidad de que se sepa.

Parlatorio. m. Acto de hablar o parlar con otros. || **2.** Lugar destinado para hablar y recibir visitas. || **3. Locutorio,** 1.ª acep.

Parlería. (De *parlero.*) f. Flujo de hablar o parlar. || **2.** Chisme, cuento o hablilla.

Parlero, ra. (De *parlar.*) adj. Que habla mucho. || **2.** Que lleva chismes o cuentos de una parte a otra, o dice lo que debiera callar, o guarda poco secreto en materia importante. || **3.** Aplícase también al ave cantora. || **4.** fig. Dícese de las cosas que de alguna manera dan a entender los afectos del ánimo o descubren lo que se ignoraba. *Ojos* PARLEROS. || **5.** fig. Dícese igualmente de cosas que hacen ruido armonioso. *Fuente* PARLERA, *arroyo* PARLERO.

Parleruelo, la. adj. d. de **Parlero.**

Parleta. (De *parla.*) f. fam. Conversación, por diversión o pasatiempo, en materia varia e indiferente o de poca importancia.

Parlón, na. (De *parlar.*) adj. fam. Que habla mucho. Ú. t. c. s.

Parlotear. (frecuent. de *parlar.*) intr. fam. Hablar mucho y sin substancia unos con otros, por diversión o pasatiempo.

Parloteo. m. Acción y efecto de parlotear.

Parmesano, na. adj. Natural de Parma. Ú. t. c. s. || **2.** Perteneciente a esta ciudad y antiguo ducado de Italia.

Parnasiano, na. adj. Perteneciente o relativo a la escuela poética llamada del Parnaso, que floreció en Francia en el último tercio del siglo XIX. La poesía **parnasiana** se caracteriza por la más serena objetividad en el fondo y la más clásica perfección de la forma. Apl. a pers., ú. t. c. s.

Parnaso. (Del lat. *Parnasus*, y éste del gr. Παρνασός, monte de Fócida, morada principal de las musas, según la fábula.) m. fig. Conjunto de todos los poetas, o de los de un pueblo o tiempo determinado. || **2.** fig. Colección de poesías de varios autores.

Parné. m. *Germ.* **Dinero,** 1.ª y 3.ª aceps.

Paro. (Del lat. *parus.*) m. Nombre genérico de diversos pájaros con pico recto y fuerte, alas redondeadas, cola larga y tarsos fuertes; como el alionín, el herrerillo y el pájaro moscón. || **carbonero.** Ave del orden de los pájaros, que tiene unos 16 centímetros desde la punta del pico hasta la extremidad de la cola y tres decímetros de envergadura, con plumaje de color pardo verdoso en las partes superiores del cuerpo, negro en la cabeza, cuello, cola y bandas laterales del abdomen, bermejizo en el pecho y vientre, y blanco a uno y otro lado del pico y debajo de la cola. Se alimenta de insectos y frutos, canta regularmente, y es pájaro abundante y sedentario en España, muy inquieto y atrevido.

Paro. (De *parar.*) m. fam. Suspensión o término de la jornada industrial o agrícola. || **2.** Interrupción de un ejercicio o de una explotación industrial o agrícola por parte de los empresarios o patronos, en contraposición a la huelga de operarios. || **forzoso.** Carencia de trabajo por causa independiente de la voluntad del obrero y de la del patrono o empresario.

Paro, ra. adj. ant. **Pario.**

Parodia. (Del lat. *parodĭa*, y éste del gr. παρῳδία.) f. Imitación burlesca, escrita las más de las veces en verso, de una obra seria de literatura. La **parodia** puede también serlo del estilo de un escritor o de todo un género de poemas literarios. || **2.** Cualquier imitación burlesca de una cosa seria. || **3.** *Mús.* Imitación burlesca de una música seria, o aplicación de una letra burlesca a una melodía seria.

Parodiador, ra. adj. Que parodia, 2.ª acep. Ú. t. c. s.

Parodiar. (De *parodia.*) tr. Hacer una parodia; poner algo en parodia. || **2.** Remedar, imitar.

Paródico, ca. adj. Perteneciente o relativo a la parodia; que la encierra o incluye.

Parodista. com. Autor o autora de parodias.

Parola. (Del ital. *parola*, y éste del lat. *parabŏla.*) f. fam. Labia, verbosidad. || **2.** fam. Conversación larga y de poca substancia.

Parolero, ra. adj. fam. **Parlanchín.**

Pároli. (Del ital. *paroli*, de *parola*, y éste del lat. *parabŏla.*) m. En varios juegos, especialmente en el del monte, jugada que se hace no cobrando la suerte ganada, para cobrar triplicado si se gana segunda vez.

Parolina. (Del ital. *parolina*, de *parola*, y éste del lat. *parabŏla.*) f. fam. **Parola.**

Paronimia. (Del gr. παρωνυμία.) f. Circunstancia de ser parónimos dos o más vocablos.

Parónimo, ma. (Del lat. *paronȳmus*, y éste del gr. παρώνυμος; de παρά, al lado, y ὄνομα, nombre.) adj. Aplícase a cada uno de dos o más vocablos que tienen entre sí relación o semejanza, o por su etimología o solamente por su forma o sonido.

Paroniquieo, a. (Del lat. *paronychĭa*, y éste del gr. παρωνυχία, panadizo, porque la nevadilla, que corresponde a estas plantas, se usó para curar aquellos abscesos.) adj. *Bot.* Dícese de plantas pertenecientes a la familia de las cariofiláceas, herbáceas, ramosas y rastreras, con hojas opuestas las más veces y por lo común con estípulas; flores regulares, hermafroditas, poco vistosas, y fruto seco encerrado en el cáliz, con muchas semillas de albumen amiláceo; como la nevadilla y la quebrantapiedras. Ú. t. c. s.

Paronomasia. (Del lat. *paronomasĭa*, y éste del gr. παρονομασία; de παρά, al lado, y ὄνομα, nombre.) f. Semejanza entre dos o más vocablos que no se diferencian sino por la vocal acentuada en cada uno de ellos; v. gr.: *azar* y *azor; lago, lego* y *Lugo; jácara* y *jícara.* ‖ **2.** Semejanza de distinta clase que entre sí tienen otros vocablos; como *adaptar* y *adoptar; acera* y *acero; Marte* y *mártir.* ‖ **3.** Conjunto de dos o más vocablos que forman **paronomasia.** ‖ **4.** *Ret.* Figura que se comete usando adrede en la cláusula voces de este género. Rara vez puede ser oportuna en estilo grave o elevado.

Paronomásticamente. adv. m. Por paronomasia.

Paronomástico, ca. adj. Perteneciente o relativo a la paronomasia.

Parótida. (Del lat. *parōtis, -ĭdis*, y éste del gr. παρωτίς; de παρά, junto a, y οὖς, ὠτός, oreja.) f. *Zool.* Cada una de las dos glándulas situadas debajo del oído y detrás de la mandíbula inferior, en el hombre y los animales mamíferos, con un conducto excretorio que vierte en la boca la saliva que segrega. ‖ **2.** *Med.* Tumor inflamatorio en la glándula del mismo nombre.

Paroxismal. adj. *Med.* Perteneciente o relativo al paroxismo.

Paroxismo. (Del gr. παροξυσμός; de παροξύνω, irritar.) m. *Med.* Exacerbación o acceso violento de una enfermedad. ‖ **2.** *Med.* Accidente peligroso o casi mortal, en que el paciente pierde el sentido y la acción por largo tiempo. ‖ **3.** fig. Exaltación extrema de los afectos y pasiones.

Paroxístico, ca. adj. **Paroxismal.**

Paroxítono, na. (Del gr. παροξύτονος.) adj. Dícese del vocablo llano o grave que lleva su acento tónico en la penúltima sílaba.

Parpadear. intr. Menear los párpados, o abrir y cerrar los ojos.

Parpadeo. m. Acción de parpadear.

Párpado. (Del lat. **palpĕtra*, por *palpĕbra.*) m. Cada una de las membranas movibles, cubiertas de piel y con armazón cartilaginosa, que sirven para resguardar el ojo en el hombre, los mamíferos, las aves y muchos reptiles.

Parpalla. (Del ital. *parpagliola*, moneda antigua de poco valor.) f. Moneda de cobre que valía dos cuartos.

Parpallota. f. **Parpalla.**

Parpar. (Voz onomatopéyica.) intr. Gritar el pato.

Parpayuela. (De la onomat. *paspallás.*) f. *Ast.* **Codorniz.**

Parque. (Del fr. *parc.*) m. Terreno o sitio cercado y con plantas, para caza o para recreo, generalmente inmediato a un palacio o a una población. ‖ **2.** Conjunto de instrumentos, aparatos o materiales destinados a un servicio público. PARQUE *de incendios, de aviación, sanitario.* ‖ **3.** Paraje destinado en las ciudades para estacionar transitoriamente automóviles y otros vehículos. ‖ **4.** *Mil.* Sitio o paraje donde se colocan las municiones de guerra en los campamentos, y también aquel en que se sitúan los víveres y vivanderos. ‖ **de artillería.** Paraje en que se reúnen las piezas, carruajes, máquinas y demás efectos pertenecientes a la artillería. ‖ **nacional.** Paraje extenso y agreste que el Estado acota para que en él se conserve la fauna y la flora y para evitar que las bellezas naturales se desfiguren con aprovechamientos utilitarios. ‖ **zoológico.** Lugar en que se conservan, cuidan y a veces se crían fieras y otros animales no comunes, para el conocimiento de la zoología.

Parquedad. (De *parco.*) f. Moderación económica y prudente en el uso de las cosas. ‖ **2. Parsimonia,** 2.ª acep.

Parqui. m. **Palqui.**

Parra. (En port. *parra.*) f. Vid, y en especial la que está levantada artificialmente y extiende mucho sus vástagos. ‖ **2.** *Amér. Central.* Especie de bejuco que destila una agua que beben los caminantes. ‖ **de Corinto.** Casta de vid originaria de Corinto, cuya uva no tiene granillos y hecha pasa es muy apreciada en el comercio.‖ **Subirse** uno **a la parra.** fr. fig. y fam. **Montar en cólera.**

Parra. f. Vaso de barro bajo y ancho, con dos asas, que regularmente sirve para echar miel.

Parrado, da. (De *parrar.*) adj. **Aparrado,** 2.ª acep.

Parrafada. f. fam. Conversación detenida y confidencial entre dos o más personas.

Parrafear. intr. Hablar sin gran necesidad y con carácter confidencial una persona con otra.

Parrafeo. m. Conversación ligera y confidencial.

Párrafo. (De *parágrafo.*) m. Cada una de las divisiones de un escrito señaladas por letra mayúscula al principio del renglón y punto y aparte al final del trozo de escritura. ‖ **2.** *Gram.* Signo ortográfico (§) con que se denota cada una de estas divisiones. ‖ **Echar párrafos.** fr. fig. y fam. Hablar mucho, mezclando inoportunamente lo que se ha leído u oído. ‖ **Echar un párrafo.** fr. fig. y fam. Conversar amigable y familiarmente. ‖ **Párrafo aparte.** expr. fig. y fam. de que se usa para mudar de asunto en la conversación.

Parragón. (Tal vez de *parangón.*) m. Barra de plata de ley, que los ensayadores tienen prevenida para rayar en la piedra de toque y deducir por comparación la calidad de los objetos que han de contrastar.

Parral. m. Conjunto de parras sostenidas con armazón de madera u otro artificio. ‖ **2.** Sitio donde hay parras. ‖ **3.** Viña que se ha quedado sin podar y cría muchos vástagos.

Parral. (De *parra*, 2.° art.) m. Vaso grande de barro, semejante a la parra, que sirve también para contener miel.

Parrancas (A). m. adv. *Vallad.* **A horcajadas.**

Parranda. f. fam. Holgorio, fiesta, jarana. Ú. m. en la fr. **andar de parranda.** ‖ **2.** Cuadrilla de músicos o aficionados que salen de noche tocando instrumentos de música o cantando para divertirse.

Parrandear. intr. **Andar de parranda.**

Parrandeo. m. Acción y efecto de parrandear.

Parrandero, ra. adj. Que parrandea. Ú. t. c. s.

Parrandista. m. Individuo de una parranda.

Parrar. intr. Extender mucho sus ramas los árboles y plantas, al modo de las parras.

Parrel. (De *parra*, 1.er art.) adj. *Ar.* y *Murc.* Variedad de uva, de hollejo tierno y color subido casi negro.

Parresia. (Del lat. *parrhesĭa*, y éste del gr. παρρησία.) f. *Ret.* Figura que consiste en aparentar que se habla audaz y libremente al decir cosas, ofensivas al parecer, y en realidad gratas o halagüeñas para aquel a quien se le dicen.

Parricida. (Del lat. *parricīda; de pater*, padre, y *caedĕre*, matar.) com. Persona que mata a su padre, o a su madre, o a su cónyuge. ‖ **2.** Por ext., persona que mata a alguno de sus parientes o de los que son tenidos por padres, además de los naturales.

Parricidio. (Del lat. *parricidĭum.*) m. En significación estricta y por extensión, reciprocidad o equiparación legal, muerte violenta que uno da a su ascendiente, descendiente o cónyuge.

Parrilla. (De *parra*, 2.° art.) f. Botija ancha de asiento y estrecha de boca.

Parrilla. (De *parra*, 1.er art.) f. Utensilio de hierro en figura de rejilla, con mango y pies, y a propósito para poner a la lumbre lo que se ha de asar o tostar. Ú. m. en pl. ‖ **2.** Armazón de barras de hierro donde, en el hogar de los hornos de reverbero y de las máquinas de vapor, se quema el combustible. ‖ **3.** pl. *Germ.* **Potro,** 2.ª acep.

Parriza. (De *parra*, 1.er art.) f. **Labrusca.**

Parro. (Voz imitativa.) m. **Pato.**

Párroco. (Del lat. *parŏchus*, y éste del gr. πάροχος; de παρέχω, proveer.) m. **Cura,** 1.ª acep. Ú. t. c. adj.

Parrocha. f. *Zool.* Sardina joven.

Parrón. (De *parra*, 1.er art.) m. **Parriza.** ‖ **2.** *Chile.* Parral, emparrado.

Parroquia. (Del lat. *parochĭa.*) f. Iglesia en que se administran los sacramentos y se da pasto espiritual a los fieles de una feligresía. ‖ **2. Feligresía,** 1.ª acep. ‖ **3.** Territorio que está bajo la jurisdicción espiritual del cura de almas. ‖ **4.** V. **Ayuda de parroquia.** ‖ **5.** Clero destinado al culto y administración de sacramentos en una feligresía. *En la procesión del Corpus van todas las* PARROQUIAS. ‖ **6.** Conjunto de personas que acuden a surtirse de una misma tienda, que se sirven del mismo sastre, que se valen del mismo facultativo, etc. ‖ **7.** *Gal.* Demarcación administrativa local, dentro del municipio. ‖ **Cumplir con la parroquia.** fr. **Cumplir con la Iglesia.**

Parroquial. (Del lat. *parochiālis.*) adj. Perteneciente o relativo a la parroquia. ‖ **2.** V. **Iglesia parroquial.** Ú. t. c. s. ‖ **3.** V. **Derecho, misa parroquial.**

Parroquialidad. (De *parroquial.*) f. Asignación o pertenencia a determinada parroquia.

Parroquiano, na. adj. Perteneciente a determinada parroquia. Ú. t. c. s. ‖ **2.** m. y f. Persona que acostumbra comprar en una misma tienda lo que necesita, o servirse siempre de un artesano, oficial, etc., con preferencia a otros.

Parsi. (Del nuevo persa *fārsī*, en pelvi *fārsik*, habitante de la provincia llamada *Fārs.*) m. Pueblo de la antigua Persia, que ocupaba la región conocida hoy con el nombre de Farsistán, y tenía lengua, literatura y religión propias. ‖ **2.** Pueblo del mismo origen, que habita actualmente parte de la India. ‖ **3.** Idioma hablado por los parsis.

Parsimonia. (Del lat. *parsimonĭa.*) f. Frugalidad y moderación en los gastos. ‖ **2.** Circunspección, templanza.

Parsimonioso, sa. adj. Escaso, cicatero, ahorrativo.

Parsismo. (De *parsi.*) m. **Mazdeísmo.**

Parte. (Del lat. *pars, partis.*) f. Porción indeterminada de un todo. ‖ **2.** Cantidad o porción especial o determinada de un agregado numeroso. ‖ **3.** Porción que se da a uno en repartimiento o cuota que le corresponde en cualquiera comunidad o distribución. || **4.** Sitio o lugar. || **5.** Cada una de las divisiones principales, comprensivas de otras menores, que suele haber en una obra científica o literaria. || **6.** En ciertos géneros literarios, obra entera, pero relacionada con otra u otras que también se llaman **partes;** v. gr.: *una trilogía.* || **7.** Cada uno de los ejércitos, facciones, sectas, banderías, etc., que se oponen, luchan o contienden. || **8.** Cada una de las personas que contratan entre sí o que tienen participación o interés en un mismo negocio. || **9.** Cada una de las personas o de los grupos de ellas que contienden, discuten o dialogan. || **10.** Cada una de las palabras de que se compone un renglón. || **11.** Usado con la preposición *a* y el pronombre *esta,* significa el tiempo presente o la época de que se trata, con relación a tiempo pasado. *De poco tiempo a esta* PARTE, *muchos se quejan de los nervios.* || **12.** Lado a que uno se inclina o se opone en cuestión, riña o pendencia. || **13.** Papel representado por un actor en una obra dramática. || **14.** Cada uno de los actores o cantantes de que se compone una compañía. || **15.** *For.* **Litigante.** || **16.** m. Correo que se establecía cuando el soberano estaba fuera de su corte, entre ésta y el sitio en que aquél se hallaba, para recibir sus órdenes y darle cuenta de lo que ocurría. || **17.** Casa donde iba a parar el **parte.** || **18.** Despacho o cédula que se entregaba a los correos que iban de posta, en que se daba noticia de la **parte** donde se encaminaban, del día y hora en que habían partido y por orden de quién iban. || **19.** Escrito, ordinariamente breve, que por el correo o por otro medio cualquiera se envía a una persona para darle aviso o noticia urgente. || **20.** Comunicación de cualquiera clase transmitida por el telégrafo o el teléfono. || **21.** Usado como adverbio, sirve para distribuir en la oración los extremos de ella. || **22.** Con la preposición *de* indica procedencia u origen. DE PARTE *de padre era pariente del conde.* || **23.** f. pl. Prendas y dotes naturales que adornan a una persona. || **24.** Facción o partido. || **25.** Órganos de la generación. || **Parte actora.** *For.* **Actor,** 1.er art., 3.ª acep. || **alicuanta.** La **parte** que no mide exactamente a su todo: 3 es **parte** alicuanta de 11. || **alícuota.** La que mide exactamente a su todo; como 2 respecto de 4. || **de fortuna.** *Astrol.* Cierto punto del cielo, que los astrólogos señalaban en el tema celeste, y del cual hacían mucho caso; y es aquel que dista del ascendiente tanto como la Luna del Sol. || **de la oración.** *Gram.* Cada una de las distintas clases de palabras que tienen en la oración diferente oficio. En español suelen contarse nueve, a saber: artículo, nombre, adjetivo, pronombre, verbo, adverbio, preposición, conjunción e interjección. || **del mundo.** Cada una de las grandes divisiones en que los geógrafos consideran comprendidos todos los continentes e islas del globo terráqueo, y que hoy son cinco: Europa, Asia, África, América y Oceanía. || **de por medio.** Actor que representa papeles de ínfima importancia. || **de rosario.** Una de las tres **partes** del salterio de la Virgen, la cual consta de cinco dieces. || **esencial.** La que constituye la esencia de un compuesto, de modo que, faltando ella, falta él. || **inferior.** Hablando del hombre, el cuerpo con todas sus potencias activas y pasivas, por contraposición al alma o **parte** superior. || **integral,** o **integrante.** La que es necesaria para la integridad o totalidad del compuesto, pero no su esencia. *El brazo o la pierna son* PARTES INTEGRANTES *del hombre.* || **superior.** Alma racional con sus potencias y actos, por contraposición al cuerpo o **parte** inferior. || **Media parte.** Porción del sueldo contratado dada a buena cuenta a los cómicos por el empresario. || **Partes naturales, pudendas,** o **vergonzosas.** Las de la generación. || **Tercera,** o **tercia, parte.** Tributo que antiguamente satisfacían las casas de Madrid en equivalencia de la regalía de aposento y que ascendía a la tercera **parte** de la renta. || **A partes.** m. adv. **A trechos.** || **Cargar a,** o **sobre,** una **parte.** fr. Encaminarse, dirigirse a ella. || **2.** Aglomerarse, inclinarse, hacer peso a un lado. || **Dar parte.** fr. Noticiar, dar cuenta a uno de lo que ha sucedido; avisarle para que llegue a su noticia. Por ext., se dice del aviso dado a la autoridad. || **2.** Dar participación en un negocio; admitir en él a alguien. || **Dar parte sin novedad.** fr. Decir a un superior que no ha ocurrido ninguna. || **De mi parte.** m. adv. **Por mi parte.** || **De parte a parte.** m. adv. Desde un lado al extremo opuesto. || **2.** De una persona o de un partido a otro. DE PARTE A PARTE *se enviaron regalos.* || **De parte de.** m. adv. **A favor de.** *La justicia no está* DE PARTE DE *Narciso; está* DE *mi* PARTE. || **2.** En nombre o de orden de. DE PARTE *del rey.* || **Echar a mala parte.** fr. Interpretar desfavorablemente o atribuir a mal fin las acciones ajenas. || **2.** Interpretar o usar una palabra o frase en concepto desfavorable, como contraria a la razón, a la justicia, a la urbanidad o a la decencia. || **Echar** uno **por otra parte.** fr. Seguir distinto rumbo u opinión que otro, o dejar la que él mismo había adoptado, para seguir otra diferente. || **En parte.** m. adv. En algo de lo que pertenece a un todo; no enteramente. EN PARTE *tiene razón.* || **En partes.** m. adv. **A partes.** || **En todas partes cuecen habas, y en mi casa a calderadas.** ref. que advierte que las flaquezas humanas no son exclusivas de ningún país o lugar. || **Entrar** uno **a la parte.** fr. **Ir a la parte.** || **Hacer** uno **de su parte.** fr. Aplicar los medios que están en su arbitrio, posibilidad o comprensión, para el logro de un fin. || **Hacer las partes.** fr. Dividir, distribuir, partir un todo en **partes.** || **Hacer las partes de** uno. fr. Obrar o ejecutar una cosa por él o en su nombre, interesándose en su favor. || **Ir** uno **a la parte.** fr. Interesarse o tener **parte** con otra u otras personas en un negocio, trato o comercio. || **Juntar partes.** fr. **Juntar cabos.** || **La parte del león.** expr. fig. con que, por reminiscencia de una fábula de Esopo, se denotan el abuso de la fuerza y la falta de equidad en el reparto o en la ordenación de las cosas. || **Llamarse** uno **a la parte.** fr. Reclamar intervención o participación en un asunto. || **Llevar** uno **la mejor,** o **la peor, parte.** fr. Estar próximo a vencer, o ser vencido. || **Meterse a parte.** fr. ant. Ponerse de **parte** de uno, tomar interés por él. || **Mostrarse parte.** fr. *For.* **Apersonarse,** 3.ª acep. || **Nombrar partes.** fr. Explicar o referir en conversación los sujetos que se debieran encubrir o disimular, por ser autores de una culpa. Ú. por lo regular con negación. *Sin* NOMBRAR PARTES. || **No parar en ninguna parte.** fr. Mudar de habitación con frecuencia o viajar de continuo. || **2.** fig. Sentir o mostrar inquietud y desasosiego. || **No ser parte de la oración.** fr. fig. Estar uno excluido de lo que se trata, o no venir una cosa a propósito de ello. || **No ser parte** en una cosa. fr. No tener influjo en ella. || **Parte por parte.** m. adv. Distinta y completamente; sin omitir nada. || **Poner** uno **de su parte.** fr. **Hacer de su parte.** || **Ponerse de parte de** uno. fr. Adherirse a su opinión o sentir. || **Por la mayor parte.** m. adv. En el mayor número, o en lo más de una cosa, o comúnmente. || **Por mi parte.** m. adv. Por lo que a mí toca o yo puedo hacer. Ú. con los demás pronombres posesivos o con nombres substantivos. || **Por partes.** m. adv. Con distinción y separación de los puntos o circunstancias de la materia que se trata. || **Por todas partes se va a Roma.** ref. con que se explica la posibilidad de ir al mismo fin por diversos caminos. || **Quien da parte de sus cohechos, de sus tuertos hace derechos.** ref. que denota que el que regala o soborna suele lograr sus pretensiones, aunque no sean justas. || **Quien desparte lleva la peor parte.** ref. que advierte a los mediadores la prudencia con que deben proceder. || **Saber** uno **de buena parte** una cosa. fr. **Saberla de buena tinta.** || **Salva sea la parte.** expr. fam. que se usa cuando uno señala en sí mismo la **parte** del cuerpo en la cual aconteció a otra persona lo que él refiere. || **Ser parte a,** o **para, que.** fr. Contribuir o dar ocasión a, o para, que. || **Ser parte en** una cosa. fr. **Tener parte en** ella. || **Tener** uno **de su parte** a otro. fr. Contar con su favor. || **Tener parte con** una mujer. fr. Tener trato y comunicación carnal con ella. || **Tener parte en** una cosa. fr. Tener participación en ella. || **2. Tomar parte en** una cosa. || **Tomar en mala parte.** fr. **Echar a mala parte.** || **Tomar parte en** una cosa. fr. Interesarse activamente en ella.

Partear. tr. Asistir el facultativo o la comadre a la mujer que está de parto.

Parteluz. (De *partir* y *luz.*) m. *Arq.* Mainel o columna delgada que divide en dos un hueco de ventana.

Partencia. f. Acto de partir, marcha.

Partenogénesis. (Del gr. παρθένος, virgen, y γένεσις, generación.) f. *Biol.* Modo de reproducción de algunos animales y plantas, que consiste en la formación de un nuevo ser por división reiterada de células sexuales femeninas que no se han unido previamente con gametos masculinos. || **artificial** o **experimental.** *Zool.* Desarrollo de animales a partir de óvulos que no han sido fecundados por espermatozoides, provocado por la acción de ciertos factores químicos o físicos.

Partenogenético, ca. (De *partenogénesis.*) adj. *Biol.* Dícese de la reproducción que se verifica por partenogénesis y del animal o de la planta que tienen este modo de reproducción.

Partenopeo, a. (Del lat. *parthenopēius.*) adj. Natural de Parténope, o sea Nápoles. || **2.** Relativo o perteneciente a esta ciudad de Italia.

Partera. f. Mujer que tiene por oficio asistir a la que está de parto.

Partería. f. Oficio de partear.

Partero. m. **Comadrón.**

Parterre. (Del fr. *parterre.*) m. Jardín o parte de él con césped, flores y anchos paseos.

Partesana. (Del b. lat. *partesana,* y éste del lat. *pertŭsus,* p. p. de *pertundĕre,* atravesar.) f. Arma ofensiva, a modo de alabarda, con el hierro muy grande, ancho, cortante por ambos lados, adornado en la base con dos aletas puntiagudas o en forma de media luna, y encajado en una asta de madera fuerte y regatón de hierro. Fué durante algún tiempo insignia de los cabos de escuadra de infantería.

Partible. (Del lat. *partibĭlis.*) adj. Que se puede o se debe partir.

Partición. (Del lat. *partitio, -ōnis.*) f. División o repartimiento que se hace entre algunas personas, de hacienda, herencia o cosa semejante. || **2.** *Álg.* y *Arit.* **División,** 3.ª acep.

Particionero, ra. (De *partición.*) adj. Partícipe.

Participación. (Del lat. *participatio, -ōnis.*) f. Acción y efecto de participar. ‖ **2.** Aviso, parte o noticia que se da a uno. ‖ **3.** V. **Cuentas en participación.** ‖ **4.** ant. Comunicación o trato.

Participante. p. a. de **Participar.** Que participa. Ú. t. c. s. ‖ **2.** V. **Excomunión de participantes.**

Participar. (Del lat. *participāre.*) intr. Tener uno parte en una cosa o tocarle algo de ella. ‖ **2.** tr. Dar parte, noticiar, comunicar.

Partícipe. (Del lat. *partĭceps, -ĭpis.*) adj. Que tiene parte en una cosa, o entra con otros a la parte en la distribución de ella. Ú. t. c. s.

Participial. (Del lat. *participiālis.*) adj. *Gram.* Perteneciente al participio.

Participio. (Del lat. *participĭum.*) m. *Gram.* Forma del verbo, llamada así porque en sus varias aplicaciones participa, ya de la índole del verbo, ya de la del adjetivo. Como tal, hace a veces oficio de nombre. Divídese en **activo** y **pasivo,** denotando aquél acción y éste pasión, en sentido gramatical. También suele llamarse **de presente** al primero y **de pretérito** al segundo. Algunos de los pasivos toman a veces significación activa; como *callado,* el que calla; *atrevido,* el que se atreve. Son **regulares** los que acaban en *ado* o en *ido,* según pertenezcan a la primera conjugación o a la segunda y la tercera; como *amado,* de *amar,* y *temido* y *partido,* de *temer* y *partir.* Son **irregulares** los que tienen cualquiera otra terminación; como *escrito, impreso.* ‖ **2.** ant. **Participación,** 4.ª acep.

Partícula. (Del lat. *particŭla.*) f. Parte pequeña. ‖ **2.** *Gram.* Parte indeclinable de la oración. No suele darse este nombre sino a las que son monosilábicas o muy breves; y aplícase con especialidad a las que sólo tienen uso como partes componentes de otros vocablos; v. gr.: *ab* (AB*jurar*), *abs* (ABS*traer*), *di* (DI*sentir*), etc. ‖ **adversativa.** *Gram.* La que expresa contraposición entre lo que significa rectamente y el sentido en que se emplea. ‖ **prepositiva.** *Gram.* La castellana o latina que antepuesta a otra palabra forma con ella un vocablo compuesto. SOBRE*llevar,* SUB*rayar,* IN*ofensivo.*

Particular. (Del lat. *particulāris.*) adj. Propio y privativo de una cosa, o que le pertenece con singularidad. ‖ **2.** Especial, extraordinario, o pocas veces visto en su línea. ‖ **3.** Singular o individual, como contrapuesto a universal o general. ‖ **4.** Dícese, en las comunidades y repúblicas, del que no tiene título o empleo que lo distinga de los demás. Ú. t. c. s. ‖ **5.** Dícese del acto extraoficial o privado que ejecuta la persona que tiene oficio o carácter público. ‖ **6.** V. **Juicio, navío, proposición, secretario, voto particular.** ‖ **7.** m. Representación privada que solían hacer uno o más actores o aficionados para muestra de su habilidad, cuando se formaban las compañías, o con otro motivo. ‖ **8.** Punto o materia de que se trata. *Hablemos de este* PARTICULAR. ‖ **En particular.** m. adv. Distinta, separada, singular o especialmente.

Particularidad. (Del lat. *particularĭtas, -ātis.*) f. Singularidad, especialidad, individualidad. ‖ **2.** Distinción que en el trato o cariño se hace de una persona respecto de otras. ‖ **3.** Cada una de las circunstancias o partes menudas de una cosa.

Particularismo. m. Preferencia excesiva que se da al interés particular sobre el general. ‖ **2. Individualismo,** 3.ª acep.

Particularizar. (De *particular.*) tr. Expresar una cosa con todas sus circunstancias y particularidades. ‖ **2.** Hacer distinción especial de una persona en el afecto, atención o correspondencia. ‖ **3.** r. Distinguirse, singularizarse en una cosa.

Particularmente. adv. m. Singular o especialmente, con particularidad. ‖ **2.** Con individualidad y distinción. ‖ **3.** Con carácter particular, 5.ª acep.

Partida. (Del lat. *partīta,* t. f. de *partītus,* partido.) f. Acción de partir o salir de un punto para ir a otro. ‖ **2.** Registro o asiento de bautismo, confirmación, matrimonio o entierro, que se escribe en los libros de las parroquias o del registro civil. ‖ **3.** Copia certificada de alguno de estos registros o asientos. ‖ **4.** Cada uno de los artículos y cantidades parciales que contiene una cuenta. ‖ **5.** Cantidad o porción de un género de comercio; como trigo, aceite, madera, lencería. ‖ **6. Guerrilla,** 2.ª y 3.ª aceps. ‖ **7.** Conjunto poco numeroso de gente armada, con organización militar u otra semejante. ‖ **8. Cuadrilla,** 1.ª acep. ‖ **9.** Cada una de las manos de un juego, o conjunto de ellas previamente convenido. ‖ **10.** Cantidad de dinero que se atraviesa en ellas. ‖ **11. Partido,** 8.ª acep. ‖ **12.** Número de manos de un mismo juego necesarias para que cada uno de los jugadores gane o pierda definitivamente. ‖ **13.** fam. Comportamiento o proceder. Ú. generalmente con calificativo, o en tono exclamatorio. *Buena* PARTIDA; *mala* PARTIDA; *¡qué* PARTIDA! ‖ **14.** Parte o lugar. ‖ **15.** ant. Parte litigante. ‖ **16.** fig. **Muerte,** 1.ª acep. ‖ **de campo.** Excursión de varias personas para solazarse en el campo. ‖ **de caza.** Excursión de varias personas para cazar. ‖ **doble.** Método de cuenta y razón, en que se llevan a la par el cargo y la data. ‖ **serrana.** fig. y fam. Comportamiento o proceder injusto y desleal. ‖ **Las siete Partidas.** Las leyes compiladas por don Alfonso el Sabio, que las dividió en siete partes. ‖ **Andar** uno **las siete partidas.** fr. fig. Andar mucho y por muchas partes. ‖ **Comerse,** o **tragarse,** uno **la partida.** fr. fig. y fam. Darse cuenta de la intención disimulada y capciosa de otro, aparentando no haberla comprendido.

Partidamente. adv. m. Separadamente, con división.

Partidario, ria. adj. Que sigue un partido o bando, o entra en él. Ú. t. c. s. ‖ **2.** Dícese del médico o cirujano encargado de la asistencia o curación de los enfermos de un partido, 15.ª acep. Ú. t. c. s. ‖ **3.** Adicto a una persona o idea. Ú. t. c. s. ‖ **4.** m. **Guerrillero.** ‖ **5.** En algunas zonas mineras, el que contrata o arrienda un modo especial de laboreo.

Partidismo. m. Celo exagerado a favor de un partido, tendencia u opinión.

Partido, da. p. p. de **Partir.** ‖ **2.** adj. Franco, liberal y que reparte con otros lo que tiene. ‖ **3.** *Blas.* Dícese del escudo, pieza o animal heráldico divididos de arriba abajo en dos partes iguales. ‖ **4.** *Blas.* V. **Escudo partido en, o por, banda.** ‖ **5.** m. Parcialidad o coligación entre los que siguen una misma opinión o interés. ‖ **6.** Provecho, ventaja o conveniencia. *Sacar* PARTIDO. ‖ **7.** Amparo, favor o protección de que se goza. *Blas tiene* PARTIDO *para el logro de su pretensión.* ‖ **8.** En el juego, conjunto o agregado de varios que entran en él como compañeros, contra otros tantos. ‖ **9.** En el juego, ventaja que se da al que juega menos, como para compensar o igualar la habilidad del otro. ‖ **10.** Trato, convenio o concierto. ‖ **11.** V. **Moza, mujer del partido.** ‖ **12.** Medio apto y proporcionado que se adopta para conseguir una cosa. *En este apuro es indispensable tomar otro* PARTIDO. ‖ **13.** Distrito o territorio de una jurisdicción o administración que tiene por cabeza un pueblo principal. ‖ **14.** V. **Cabeza, capitán de partido.** ‖ **15.** Territorio o lugar en que el médico o cirujano tiene obligación de asistir a los enfermos por el sueldo que se le señala. ‖ **16.** Conjunto o agregado de personas que siguen y defienden una misma facción, opinión o causa. ‖ **17.** En ciertos juegos, competencia concertada entre los jugadores. PARTIDO *de pelota.* ‖ **18.** *And.* **Cuarto,** 5.ª acep. ‖ **judicial.** Distrito o territorio que comprende varios pueblos de una provincia, en que, para la administración de justicia, ejerce jurisdicción un juez de primera instancia. ‖ **robado.** En los juegos, el que es tan ventajoso para una de las partes, que no tiene defensa la otra. ‖ **Darse** uno **a partido.** fr. fig. Ceder de su empeño u opinión. ‖ **Formar partido** uno. fr. Solicitar a otros, inducirlos y alentarlos para que juntos coadyuven a un fin. ‖ **Tomar partido.** fr. *Mil.* Alistarse para servir en las tropas de un general o de un ejército los que eran del contrario. ‖ **2.** Hacerse de una bandería. ‖ **3.** Determinarse o resolverse el que estaba suspenso o dudoso en decidirse.

Partidor. (Del lat. *partītor.*) m. El que divide o reparte una cosa. ‖ **2.** El que parte una cosa, rompiéndola. PARTIDOR *de leña.* ‖ **3.** Instrumento con que se parte o rompe. ‖ **4.** Obra destinada para repartir por medio de compuertas en diferentes conductos las aguas que corren por un cauce. ‖ **5.** Sitio donde se hace esta división o repartimiento. ‖ **6.** Varilla o púa que empleaban las mujeres para abrirse la raya del pelo. ‖ **7.** *Arit.* **Divisor.**

Partidura. f. Crencha, raya.

Partija. (Del lat. *particŭla.*) f. d. de **Parte.** ‖ **2. Partición,** 1.ª acep.

Partil. (Del lat. *partĭlis.*) adj. *Astrol.* V. **Aspecto partil.**

Partimiento. (De *partir.*) m. **Partición.** ‖ **2.** ant. Partida o salida.

Partiquino, na. (Del ital. *particina,* d. de *parte,* parte.) m. y f. Cantante que ejecuta en las óperas parte muy breve o de muy escasa importancia.

Partir. (Del lat. *partīri.*) tr. Dividir una cosa en dos o más partes. ‖ **2.** Hender, rajar. PARTIR *la cabeza.* ‖ **3.** Repartir o distribuir una cosa entre varios. ‖ **4.** Romper o cascar los huesos de algunas frutas, o las cáscaras duras, para sacar su almendra. ‖ **5.** Distinguir o separar una cosa de otra, determinando lo que a cada uno pertenece. PARTIR *los términos de un lugar.* ‖ **6.** Distribuir o dividir en clases. ‖ **7.** Acometer en pelea, batalla o conflicto de armas. ‖ **8.** Entre colmeneros, hacer de una colmena dos, sacando del peón que está en disposición para ello la mitad de las abejas con su reina, para poblar otro, dejando en el peón antiguo la reina en embrión; de modo que así se hace enjambrar por fuerza. ‖ **9.** *Álg.* y *Arit.* **Dividir,** 4.ª acep. ‖ **10.** ant. **Departir,** 3.ª acep. Usáb. t. c. r. ‖ **11.** ant. Finalizar, concluir o acabar una cosa. ‖ **12.** intr. Tomar un hecho, una fecha o cualquier otro antecedente como base para un razonamiento o cómputo. PARTIR *de un supuesto falso; a* PARTIR *de ese día.* ‖ **13.** fig. Resolver o determinarse el que estaba suspenso o dudoso. ‖ **14.** Empezar a caminar, ponerse en camino. Ú. t. c. r. ‖ **15.** fig. y fam. Desbaratar, desconcertar, anonadar a uno. ‖ **16.** r. Dividirse en opiniones o parcialidades. ‖ **Medio partir.** fr. *Arit.* Dividir una cantidad por un número dígito. ‖ **Partir abierto.** fr. Entre colmeneros, dejar abierto, al tiempo de enjambrar, el vaso sin témpano, y con un lienzo que cuelga como una saya de la cintura de una mujer; llámase **abierto** este modo de **partir,** a distinción del cerrado. || **Partir cerrado.** fr. Entre colmeneros, cuando en el acto de **partir** las colmenas juzgan y discurren prudentemente que del vaso que se parte han pasado las suficientes al que se está poblando; y entonces dicen **partir** cerrado, porque no se puede distinguir bien, pues sobre el peón lleno sólo sienta un rincón del vacío, por el que han de subir las abejas. || **Partir por a, b, c.** fr. Tratando de instrumentos antiguos, era escribir dos iguales en pergamino, poniendo en medio de ellos las letras del abecedario que el canciller quería, y luego se cortaban, ya en una línea recta, ya en forma de ondas o de arpón, para que cuando llegase el caso de presentar una parte del documento, se juntase con la otra y le diese nueva fe la unión de los caracteres cortados y divididos. Este estilo duró hasta el tiempo del rey don Pedro I de Castilla, en que se fué olvidando; pero modernamente se ha establecido en el comercio uno semejante, que es el uso de los talones.

Partitivo, va. (Del lat. *partitum,* supino de *partīre,* partir.) adj. Que puede partirse o dividirse. || **2.** *Gram.* Dícese del nombre y del adjetivo numeral que expresan división de un todo en partes; como *mitad, medio, tercia, cuarto.*

Partitura. (Del ital. *partitura.*) f. Texto completo de una obra musical para varias voces o instrumentos.

Parto. (Del lat. *partus.*) m. Acción de parir. || **2.** El ser que ha nacido. || **3.** fig. Cualquiera producción física. || **4.** fig. Producción del entendimiento o ingenio humano, y cualquiera de sus conceptos declarados o dados a luz. || **5.** fig. Cualquier cosa especial que puede suceder y se espera que sea de importancia. || **revesado.** El que es difícil o fuera del modo regular. || **El parto de los montes.** fig. Cualquier cosa fútil y ridícula que sucede o sobreviene cuando se esperaba o se anunciaba una grande o de consideración. || **Venir el parto derecho.** fr. fig. Suceder una cosa favorablemente o como se deseaba.

Parto, ta. adj. Natural de Partia, región del Asia antigua. Ú. t. c. s.

Partura. f. ant. Concierto o apuesta.

Parturienta. (Del lat. *parturiens, -entis,* p. a. de *parturīre,* estar de parto.) adj. Aplícase a la mujer que está de parto o recién parida. Ú. t. c. s.

Parturiente. adj. **Parturienta.** Ú. t. c. s.

Párulis. (Del lat. *parūlis,* y éste del gr. παρουλίς, de παρά, cerca de, y οὖλις, encía.) m. *Med.* **Flemón,** 2.° art., 1.ª acep.

Parva. (Del lat. *parva,* pequeña.) f. **Parvedad,** 2.ª acep. || **2.** Mies tendida en la era para trillarla, o después de trillada, antes de separar el grano. || **3.** Desayuno, entre la gente trabajadora. || **4.** fig. Montón o cantidad grande de una cosa. || **Afrailar la parva.** fr. fig. *And.* Amontonarla después de trillada, para aventarla cuando haya viento a propósito. || **Estierca y escarda, y cogerás buena parva.** ref. que enseña que poniendo los medios convenientes, fácilmente se logra el fin deseado. || **Salirse uno de la parva.** fr. fig. y fam. Apartarse del intento o del asunto.

Parvada. f. *Agr.* Conjunto de parvas. || **2. Pollada,** 1.ª acep.

Parvedad. (Del lat. *parvĭtas, -ātis.*) f. Pequeñez, poquedad, cortedad o tenuidad. || **2.** Corta porción de alimento que se toma por la mañana en los días de ayuno.

Parvero. m. Montón largo que se forma de la parva para aventarla.

Parvidad. f. **Parvedad.**

Parvificar. tr. **Achicar,** 1.ª acep. || **2.** Empequeñecer, escasear, atenuar. Ú. t. c. r.

Parvificencia. (De *parvífico.*) f. Escasez o cortedad en el porte y gasto.

Parvífico, ca. (Del lat. *parvus,* escaso, corto, y *facĕre,* hacer.) adj. Escaso, corto y miserable en el gastar.

Parvo, va. (Del lat. *parvus.*) adj. Pequeño. || **2.** V. **Materia parva.** || **3.** V. **Oficio parvo.**

Parvulez. (De *párvulo.*) f. **Pequeñez.** || **2. Simplicidad,** 1.ª acep.

Párvulo, la. (Del lat. *parvŭlus,* d. de *parvus,* pequeño.) adj. **Pequeño,** 2.ª acep. || **2. Niño,** 1.ª acep. Ú. m. c. s. || **3.** fig. Inocente, que sabe poco o es fácil de engañar. || **4.** fig. Humilde, cuitado.

Pasa. (Del lat. *passa,* f. de *passus,* tendida, secada al sol, sobrentendiéndose *uva,* uva.) f. Uva seca enjugada naturalmente en la vid, o artificialmente al sol, o cociéndola en lejía. Ú. t. c. adj. || **2.** Especie de afeite que usaron las mujeres, llamado así porque se hacía con **pasas.** || **3.** fig. Cada uno de los mechones de cabellos cortos, crespos y ensortijados de los negros. || **de Corinto.** La que procede de uvas propias de esta región griega y se distingue por su pequeño tamaño. || **gorrona.** La de gran tamaño, desecada al sol. || **Estar uno hecho una pasa,** o **quedarse como una pasa.** fr. fig. y fam. Estar o volverse una persona muy seca de cuerpo y arrugada de rostro.

Pasa. (De *pasar.*) f. Canalizo entre bajos por el cual pueden pasar los barcos. || **2.** ant. *Vol.* **Paso,** 30.ª acep.

Pasacaballo. (De *pasar* y *caballo.*) m. Embarcación antigua, sin palos, muy aplanada en sus fondos.

Pasacalle. (De *pasar* y *calle.*) m. *Mús.* Marcha popular de compás muy vivo.

Pasacólica. f. *Med.* **Cólica.**

Pasada. f. Acción de pasar de una parte a otra. || **2. Paso geométrico.** || **3.** Congrua suficiente para mantenerse y pasar la vida. || **4.** Partida de juego. || **5.** fig. y fam. Mal comportamiento de una persona con otra. Ú. generalmente acompañada del adjetivo *mala.* || **6. Paso,** 6.ª y 23.ª aceps. || **Dar pasada.** fr. Tolerar, disimular, dejar pasar una cosa. || **De pasada.** m. adv. **De paso.**

Pasadera. (De *pasar.*) f. Cada una de las piedras que se ponen para atravesar a pie enjuto charcos, arroyos, etc. || **2.** Cualquier cosa convenientemente colocada para que, caminando sobre ella, pueda atravesarse una corriente de agua. || **3.** *Mar.* **Meollar.**

Pasaderamente. adv. m. Medianamente, de un modo pasadero.

Pasadero, ra. (De *pasar.*) adj. Que se puede pasar con facilidad. || **2.** Medianamente bueno de salud. || **3.** Dícese de la cosa que es tolerable y puede pasar, aunque tenga defecto o tacha. || **4.** ant. fig. Transitorio, perecedero. || **5.** m. **Pasadera,** 1.ª y 2.ª aceps.

Pasadía. f. **Pasada,** 3.ª acep.

Pasadillo. (De *pasado.*) m. Especie de bordadura que pasa por ambos lados de la tela.

Pasadizo. m. Paso estrecho que en las casas o calles sirve para ir de una parte a otra atajando camino. || **2.** fig. Cualquier otro medio que sirve para pasar de una parte a otra.

Pasado, da. p. p. de **Pasar.** || **2.** adj. V. **Capitán pasado.** || **3.** V. **Tela pasada.** || **4.** V. **La vida pasada.** || **5.** *Veter.* V. **Clavo pasado.** || **6.** m. Tiempo que pasó; cosas que sucedieron en él. || **7.** Militar que ha desertado de un ejército y sirve en el enemigo. || **8.** V. **Bordado al,** o **de, pasado.** || **9.** pl. Ascendientes o antepasados.

Pasador, ra. adj. Que pasa de una parte a otra. Dícese frecuentemente del que pasa contrabando de un país a otro. Ú. t. c. s. || **2.** m. Cierto género de flecha o saeta muy aguda, que se disparaba con ballesta. || **3.** Barreta de hierro sujeta con grapas a una hoja de puerta o ventana, o a una tapa, y que sirve para cerrar corriéndola hasta hacerla entrar en una hembrilla fija en el marco. || **4.** Varilla de metal que en las bisagras, charnelas y piezas semejantes une las palas pasando por los anillos y sirve de eje para el movimiento de estas piezas. || **5.** Aguja grande de metal, concha u otra materia, que usan las mujeres para sujetar el pelo recogido o algún adorno de la cabeza. || **6.** Sortija que se pasa por las puntas de una corbata para mantenerla ceñida al cuello. || **7.** Género de broche que usaban las mujeres para mantener la falda en la cintura. || **8.** Imperdible que se clava en el pecho de los uniformes, y al cual se sujetan una o más condecoraciones pequeñas y medallas. || **9.** Utensilio, generalmente cónico y de hojalata, con fondo agujereado de la misma materia o de tela metálica y que se usa para colar. || **10. Coladero,** 1.ª acep. || **11.** Botón suelto con que se abrochan dos o más ojales. || **12.** *Mar.* Instrumento de hierro, a modo de punzón, que sirve para abrir los cordones de los cabos cuando se empalman uno con otro.

Pasadura. (De *pasar.*) f. Tránsito o pasaje de una parte a otra. || **2.** fig. Llanto convulsivo de algunos niños que llega a privarles, aunque brevemente, de la respiración.

Pasagonzalo. (De *pasar* y el n. p. *Gonzalo.*) m. fam. Pequeño golpe dado con la mano, y particularmente, en las narices.

Pasaje. m. Acción de pasar de una parte a otra. || **2.** Derecho que se paga por pasar por un paraje. || **3.** Sitio o lugar por donde se pasa. || **4.** Precio que se paga en los viajes marítimos por el transporte de una o más personas. || **5.** Totalidad de los viajeros que van en un mismo buque. || **6.** Estrecho que está entre dos islas o entre una isla y la tierra firme. || **7.** Trozo o lugar de un libro o escrito, oración o discurso; texto de un autor. || **8.** Acogida que se hace a uno o trato que se le da. || **9.** En la religión de San Juan, derecho que pagan al tesoro los caballeros que han de profesar en ella. || **10.** Paso público entre dos calles, algunas veces cubierto. || **11.** *Mús.* Tránsito o mutación hecha con arte, de una voz o de un tono a otro.

Pasajero, ra. (De *pasaje.*) adj. Aplícase al lugar o sitio por donde pasa continuamente mucha gente. || **2.** Que pasa presto o dura poco. || **3.** Que pasa o va de camino de un lugar a otro, sin tener cargo en el vehículo. Ú. t. c. s. || **4.** V. **Ave pasajera.**

Pasajuego. m. En el juego de pelota, rechazo que a ésta se le da desde el resto, lanzándola en dirección contraria hasta el saque.

Pasamanar. tr. Fabricar o disponer una cosa con pasamanos.

Pasamanería. f. Obra o fábrica de pasamanos. || **2.** Oficio de pasamanero. || **3.** Taller donde se fabrican pasamanos. || **4.** Tienda donde se venden.

Pasamanero. m. El que hace pasamanos, franjas, etc. || **2.** El que los vende.

Pasamano. (De *pasar* y *mano.*) m. Género de galón o trencilla, cordones, borlas, flecos y demás adornos de oro, plata, seda, algodón o lana, que se hace y sirve para guarnecer y adornar los vestidos y otras cosas. || **2. Barandal,** 2.ª acep. || **3.** *Mar.* Paso que hay en los navíos de popa a proa, junto a la borda.

Pasamento. m. ant. **Pasamiento.**

Pasamiento. (De *pasar.*) m. Paso o tránsito. || **2.** ant. **Muerte,** 1.ª acep.

Pasante. p. a. de **Pasar.** Que pasa. || **2.** adj. *Blas.* Aplícase al lobo, zorro, corzo u otro animal que se pinta en el escudo en actitud de andar o pasar. ‖ **3.** m. El que asiste y acompaña al maestro de una facultad en el ejercicio de ella, para imponerse enteramente en su práctica. PASANTE *de abogado, de médico.* ‖ **4.** Profesor, en algunas facultades, con quien van a estudiar los que están para examinarse. ‖ **5.** El que pasa o explica la lección a otro. ‖ **6.** En algunas religiones, religioso estudiante que acabados los años de sus estudios, espera, imponiéndose en los ejercicios escolásticos, para entrar a las lecturas, cátedras o púlpito. ‖ **de pluma.** El que pasa con un abogado y tiene la incumbencia de escribir lo que le dictare.

Pasantía. f. Ejercicio del pasante en las facultades y profesiones. ‖ **2.** Tiempo que dura este ejercicio.

Pasanza. (De *pasar.*) f. ant. Exención de derecho de portazgo o peaje.

Pasapán. (De *pasar* y *pan.*) m. fam. **Garguero.**

Pasapasa. m. **Juego de pasa pasa.**

Pasaperro (Coser a). (De *pasar* y *perro.*) fr. fig. Encuadernar en pergamino libros de poco volumen, haciéndoles dos taladros con un punzón por el borde del lomo y pasando por ellos una correhuela que sujeta hojas y tapas.

Pasaportar. tr. Dar o expedir pasaporte.

Pasaporte. (Del fr. *passeport.*) m. Licencia o despacho por escrito que se da para poder pasar libre y seguramente de un pueblo o país a otro. ‖ **2.** Licencia que se da a los militares, con itinerario para que en los lugares se les asista con alojamiento y bagajes. ‖ **3.** fig. Licencia franca o libertad de ejecutar una cosa.

Pasar. (Del lat. **passāre*, de *passus*, paso.) tr. Llevar, conducir de un lugar a otro. ‖ **2.** Mudar, trasladar a uno de un lugar o de una clase a otros. Ú. t. c. intr. y c. r. ‖ **3. Atravesar,** 6.ª acep. PASAR *la sierra, un río.* ‖ **4. Enviar,** 2.ª acep. PASAR *un recado, los autos.* ‖ **5.** Junto con ciertos nombres que indican un punto limitado o determinado, ir más allá de él. PASAR *la raya;* PASAR *el término.* ‖ **6.** Penetrar o traspasar. ‖ **7.** Hablando de géneros prohibidos o que adeudan derechos, introducirlos o extraerlos sin registro. ‖ **8.** Exceder, aventajar, superar. Ú. t. c. r. ‖ **9.** Transferir o trasladar una cosa de un sujeto a otro. Ú. t. c. intr. ‖ **10.** Sufrir, tolerar. ‖ **11.** Llevar una cosa por encima de otra, de modo que la vaya tocando. PASAR *la mano, el peine, el cepillo.* ‖ **12.** Introducir una cosa por el hueco de otra. PASAR *una hebra por el ojo de una aguja.* ‖ **13. Colar,** 2.° art., 1.ª acep. PASAR *por manga.* ‖ **14. Cerner,** 1.ª acep. PASAR *por tamiz.* ‖ **15.** Hablando de comida o bebida, **tragar,** 1.ª acep. ‖ **16.** No poner reparo, censura o tacha en una cosa. ‖ **17.** Dar o conceder el poder temporal el pase a las bulas, breves o decretos pontificios. ‖ **18.** Callar u omitir algo de lo que se debía decir o tratar. ‖ **19.** Disimular o no darse por entendido de una cosa. *Ya te* HE PASADO *muchas.* ‖ **20.** Estudiar privadamente con uno una ciencia o facultad. ‖ **21.** Asistir al estudio de un abogado o acompañar al médico en sus visitas para adiestrarse en la práctica. ‖ **22.** Explicar privadamente una facultad o ciencia a un discípulo. ‖ **23.** Recorrer el estudiante la lección, o repasarla, para decirla. ‖ **24.** Recorrer, leyendo o estudiando, un libro o tratado. ‖ **25.** Leer o estudiar sin reflexión, o rezar sin devoción o sin atención. ‖ **26.** Desecar una cosa al sol, o al aire o con lejía. ‖ **27.** ant. Hablando de leyes, ordenanzas, preceptos, etc., traspasar, quebrantar. ‖ **28.** Moverse, trasladarse de un lugar a otro. ‖ **29.** intr. Extenderse o comunicarse una cosa de unos en otros, como se dice de los contagios, y a su semejanza, de otras cosas. ‖ **30.** Mudarse, trocarse o convertirse una cosa en otra, mejorándose o empeorándose. ‖ **31.** Tener lo necesario para vivir. ‖ **32.** En algunos juegos de naipes, no entrar, y en el dominó, dejar de poner ficha por no tener ninguna adecuada. ‖ **33. Dar de barato.** ‖ **34.** Hablando de cosas inmateriales, tener movimiento o correr de una parte a otra. *La noticia* PASÓ *de uno a otro pueblo.* ‖ **35.** Con la preposición *a* y los infinitivos de algunos verbos y con algunos substantivos, proceder a la acción de lo que significan tales verbos o nombres. PASAR *a almorzar;* PASAR *a la sala de espera.* ‖ **36.** Con referencia al tiempo, ocuparlo bien o mal. PASAR *la tarde en los toros, en la iglesia; la noche en un grito, el verano en Vizcaya.* ‖ **37. Morir,** 1.ª acep. Júntase siempre con alguna otra voz que determina la significación. PASAR *su carrera;* PASAR *a mejor vida.* ‖ **38.** Hablando de las mercaderías y géneros vendibles, valer o tener precio. ‖ **39.** Vivir, tener salud. ‖ **40.** Hablando de la moneda, ser admitida sin reparo o por el valor que le está señalado. ‖ **41.** Durar o mantenerse aquellas cosas que se podrían gastar. *Este vestido puede* PASAR *este verano.* ‖ **42.** Cesar, acabarse una cosa. PASAR *la cólera, el enojo.* Ú. t. c. r. ‖ **43.** Ser tratado o manejado por uno un asunto. Dícese de los escribanos y notarios ante quienes se otorgan los instrumentos. ‖ **44.** fig. Ofrecerse ligeramente una cosa al discurso o a la imaginación. ‖ **45.** Seguido de la preposición *por*, tener concepto u opinión de. PASAR POR *discreto,* POR *tonto.* ‖ **46.** Con la preposición *sin* y algunos nombres, no necesitar la cosa significada por ellos. *Bien podemos* PASAR SIN *coche.* Ú. t. c. r. ‖ **47.** impers. Ocurrir, acontecer, suceder. ‖ **48.** r. Tomar un partido contrario al que antes se tenía, o ponerse de la parte opuesta. ‖ **49.** Acabarse o dejar de ser. ‖ **50.** Olvidarse o borrarse de la memoria una cosa. ‖ **51.** Perder la sazón o empezarse a pudrir las frutas, carnes o cosas semejantes. ‖ **52.** Perderse en algunas cosas la ocasión o el tiempo de que logren su actividad en el efecto. PASARSE *la lumbre, la nieve, el arroz.* ‖ **53.** Hablando de la lumbre de carbón, encenderse bien. ‖ **54.** Exceder en una calidad o propiedad, o usar de ella con demasía. PASARSE *de bueno;* PASARSE *de cortés.* ‖ **55. Filtrar,** 3.ª acep. PASARSE *un cántaro, el papel.* ‖ **56.** Entre los profesores de facultades, exponerse al examen o prueba en el consejo, juntas o universidades, para poder ejercitarlas. ‖ **57.** En ciertos juegos, hacer más puntos de los que se han fijado para ganar, y en consecuencia perder la partida. ‖ **58.** Hablando de aquellas cosas que encajan en otras, las aseguran o cierran, estar flojas o no alcanzar el efecto que se pretende. PASARSE *el pestillo en la cerradura.* ‖ **Lo pasado, pasado.** expr. con que se exhorta a olvidar o perdonar los motivos de queja o de enojo, como si no hubieran existido. ‖ **Pasar de largo.** fr. Ir o atravesar por una parte sin detenerse. ‖ **2.** fig. No hacer reparo o reflexión en lo que se lee o trata. ‖ **Pasar en blanco,** o **en claro,** una cosa. fr. Omitirla, no hacer mención de ella, o dejar de advertirla. ‖ **Pasarlo.** loc. con que se denota el estado de salud o de fortuna de una persona. *¿Cómo* LO PASA *usted?* ‖ **Pasar** uno **por** una casa, oficina, etc. fr. Ir al punto que se designa, para cumplir un encargo o enterarse de un asunto. ‖ **Pasar** uno **por** alguna cosa. fr. Sufrirla, tolerarla. ‖ **Pasar** uno **por alto** alguna cosa. fr. fig. Omitir o dejar de decir una especie que se debió o se pudo tratar; olvidarse de ella; no tenerla presente; no echar de ver una cosa por inadvertencia o descuido, o prescindir de ella deliberadamente. ‖ **Pasar** uno **por encima.** fr. fig. Atropellar por los inconvenientes que se proponen o que ocurren en un intento. ‖ **2.** fig. Anticiparse en un empleo el menos antiguo al que, según su grado o categoría, tocaba entrar en él. ‖ **Pasarse de listo.** fr. fig. Errar, equivocarse por exceso de malicia. ‖ **Por donde pasa, moja.** expr. fig. y fam. que se usa, con relación a ciertas bebidas, frutas y condimentos, para dar a entender que si no tienen las condiciones de frescura o bondad que fueran de apetecer, satisfacen, al menos, de algún modo la sed o el apetito. ‖ **2.** Se usa también para denotar que los que manejan caudales ajenos suelen aprovecharlos lícita o ilícitamente. ‖ **Un buen pasar.** Modo de hablar con que se explica que uno goza de medianas comodidades.

Pasarela. (Del ital. *passerella.*) f. Puente pequeño o provisional. ‖ **2.** En los buques de vapor, puentecillo transversal colocado delante de la chimenea.

Pasatiempo. (De *pasar* y *tiempo.*) m. Diversión y entretenimiento en que se pasa el rato.

Pasatoro (A). m. adv. *Taurom.* Dícese de la manera de dar la estocada al pasar el toro, y no recibiéndolo ni a volapié.

Pasaturo. m. desus. El que pasaba con otro una ciencia o facultad, atendiendo a su explicación. Usáb. entre los estudiantes.

Pasavante. (De *pasar* y *avante.*) m. *Mar.* Documento que da a un buque el jefe de las fuerzas navales enemigas para que no sea molestado en su navegación. ‖ **2.** *Mar.* Documento que, con carácter provisional, da un cónsul al buque mercante adquirido en el extranjero, para que pueda venir a abanderarse y matricularse en un puerto español. ‖ **3.** ant. *Mil.* **Parlamentario,** 4.ª acep.

Pasavolante. (De *pasar* y *volante.*) m. Acción ejecutada ligeramente, o con brevedad y sin reparo. ‖ **2.** Especie de culebrina de muy poco calibre, ya en desuso.

Pasavoleo. (De *pasar* y *voleo.*) m. Lance del juego de pelota, que consiste en que el que vuelve la pelota la pasa por encima de la cuerda hasta más allá del saque.

Pascasio. (Del lat. *pascha*, pascua.) m. fig. y fam. En las universidades, estudiante que se iba a pasar las pascuas fuera de la ciudad.

Pasco. (Del lat. *pascŭum.*) m. ant. **Pasto.**

Pascua. (Del lat. *pascha*, y éste del hebr. *peṣaḥ*, sacrificio por la inmunidad del pueblo.) f. Fiesta la más solemne de los hebreos, que celebraban a la mitad de la luna de marzo, en memoria de la libertad del cautiverio de Egipto. ‖ **2.** En la Iglesia católica, fiesta solemne de la Resurrección del Señor, que se celebra el domingo siguiente al plenilunio posterior al 20 de marzo. Oscila entre el 22 de marzo y el 25 de abril. ‖ **3.** Cualquiera de las solemnidades del nacimiento de Cristo, del reconocimiento y adoración de los Reyes Magos y de la venida del Espíritu Santo sobre el Colegio apostólico. ‖ **4.** V. **Mona de Pascua.** ‖ **5.** fig. y fam. V. **Cara de pascua.** ‖ **6.** pl. Tiempo desde la Natividad de Nuestro Señor Jesucristo hasta el día de Reyes inclusive. ‖ **Pascua de flores,** o **florida.** La de Resurrección. ‖ **del Espíritu Santo. Pentecostés,** 2.ª acep. ‖ **Dar las pascuas.** fr. Felicitar a uno en ellas. ‖ **De Pascuas a Ramos.** loc. adv. fig. y fam. **De tarde en tarde.** ‖ **Estar** uno **como una pascua,** o **como unas pascuas.** fr. fig. y fam. Estar alegre y regocijado. ‖ **Hacer pascua.** fr. Empezar a comer carne en la cuaresma. ‖ **Pascua de antruejo,** pas-

cua bona; cuanto sobra a mi señora, tanto dona: pascua de flores, pascua mala; cuanto sobra a mi señora, tanto guarda. ref. con que se censura a los que sólo dan las cosas cuando no les pueden servir. || **Santas pascuas.** loc. fam. con que se da a entender que es forzoso conformarse con lo que sucede, se hace o se dice.

Pascual. (Del lat. *paschālis.*) adj. Perteneciente o relativo a la pascua. || **2.** V. **Ciclo, cirio, cordero pascual.**

Pascuala. n. p. **Tal para cual, Pascuala con Pascual.** ref. **Tal para cual, Pedro para Juan.**

Pascuero. adj. V. **Estudiante pascuero.**

Pascuilla. (d. de *pascua.*) f. Primer domingo después del de Pascua de Resurrección.

Pase. (imper. del verbo *pasar*, palabra con que por lo común empiezan esta clase de documentos.) m. Permiso que da un tribunal o superior para que se use de un privilegio, licencia o gracia. || **2.** Dado por escrito, se suele tomar por pasaporte en algunos países ultramarinos. || **3.** Licencia por escrito, para pasar algunos géneros de un lugar a otro; para transitar por algún sitio, para penetrar en un local; para viajar gratuitamente, etc. || **4.** Acción y efecto de pasar en el juego. || **5.** Cada uno de los movimientos que hace con las manos el magnetizador, ya a distancia, ya tocando ligeramente el cuerpo de la persona que quiere someter a su influencia. || **6. Exequátur.** || **7.** *Esgr.* **Finta,** 2.° art., 2.ª acep. || **8.** *Taurom.* Cada una de las veces que el torero, después de haber llamado o citado al toro con la muleta, lo deja pasar, sin intentar clavarle la espada. || **de muleta.** *Taurom.* **Pase,** 8.ª acep.

Paseadero. (De *pasear.*) m. **Paseo,** 2.ª acep.

Paseador, ra. adj. Que se pasea mucho y continuamente. || **2.** m. **Paseo,** 2.ª acep.

Paseana. f. *Argent.* Etapa, descanso o parada en un viaje. || **2.** *Ecuad.* Tambo, mesón.

Paseante. p. a. de **Pasear.** Que pasea o se pasea. Ú. t. c. s. || **en corte.** fig. y fam. Decíase del que no tiene destino ni se emplea en alguna ocupación útil u honesta.

Pasear. (De *paso.*) intr. Andar por diversión o por hacer ejercicio o para tomar el aire. Ú. t. c. tr. y c. r. || **2.** Ir con iguales fines, ya a caballo, en carruaje, etc., ya por agua en una embarcación. Ú. t. c. r. || **3.** Andar el caballo con movimiento o paso natural. || **4.** tr. Hacer **pasear.** PASEAR *a un niño;* PASEAR *a un caballo.* || **5.** fig. Llevar una cosa de una parte a otra, o hacerla ver acá y allá. || **6.** r. fig. Discurrir acerca de una materia sin hacer pie en ella, o vagamente. || **7.** fig. Dicho de otras cosas que no son materiales, andar vagando. || **8.** fig. Estar ocioso. Dícese así porque quien lo está tiene más holgura para **pasear.**

Paseata. f. **Paseo.**

Paseo. (De *pasear.*) m. Acción de pasear o pasearse. || **2.** Lugar o sitio público para pasearse. || **3.** Acción de ir uno con pompa o acompañamiento por determinada carrera. || **4.** Distancia corta, que puede recorrerse paseando. || **Anda,** o **andad, a paseo.** expr. fig. y fam. que por eufemismo se emplea para despedir a una o varias personas con enfado, desprecio o disgusto, o por burla, o para rehusar o denegar alguna cosa. || **Dar un paseo.** fr. **Pasear,** 1.ª y 2.ª aceps. || **Echar,** o **enviar, a paseo** a uno. fr. fig. y fam. con que se manifiesta el desagrado o la desaprobación de lo que propone, dice o hace. || **Vete,** o **idos, a paseo.** expr. fig. y fam. **Anda,** o **andad, a paseo.**

Pasera. (De *pasa,* 1.er art.) f. Lugar donde se ponen a desecar las frutas para que se hagan pasas. || **2.** Operación de pasar algunas frutas.

Pasero, ra. adj. Dícese de la caballería enseñada al paso.

Pasero, ra. m. y f. Persona que vende pasas.

Pasibilidad. (Del lat. *passibilĭtas, -ātis.*) f. Calidad de pasible.

Pasible. (Del lat. *passibĭlis.*) adj. Que puede o es capaz de padecer.

Pasicorto, ta. adj. Que tiene corto el paso.

Pasiego, ga. adj. Natural de Pas. Ú. t. c. s. || **2.** Perteneciente o relativo a este valle de la provincia de Santander. || **3.** f. **Ama de cría.**

Pasiflora. (Del lat. *passĭo, -onis,* pasión, y *flos, floris,* flor.) f. **Pasionaria.**

Pasifloráceo, a. (De *passiflora,* nombre de un género de plantas.) adj. *Bot.* Dícese de hierbas o arbustos angiospermos dicotiledóneos, trepadores, originarios de países cálidos, principalmente de América del Sur, con hojas alternas, sencillas o compuestas, flores regulares, casi siempre hermafroditas y pentámeras, solitarias o en racimos, y fruto en baya, o capsular con muchas semillas; como la pasionaria. Ú. t. c. s. f. || **2.** f. pl. *Bot.* Familia de estas plantas.

Pasiflóreo, a. (Del lat. *passĭo,* pasión, y *flos,* flor, por igual motivo que la pasionaria.) adj. *Bot.* **Pasifloráceo.**

Pasilargo, ga. adj. Que tiene largo el paso.

Pasillo. (d. de *paso.*) m. Pieza de paso, larga y angosta, de cualquier edificio. || **2.** Cada una de las puntadas largas sobre que se forman los ojales y ciertos bordados. || **3.** Cláusula de la Pasión de Cristo, cantada a muchas voces en los oficios solemnes de Semana Santa. || **4. Paso,** 26.ª acep.

Pasión. (Del lat. *passĭo, -ōnis.*) f. Acción de padecer. || **2.** Por antonom., la de Nuestro Señor Jesucristo. || **3.** Lo contrario a la acción. || **4.** Estado pasivo en el sujeto. || **5.** Cualquiera perturbación o afecto desordenado del ánimo. || **6.** Inclinación o preferencia muy vivas de una persona a otra. || **7.** Apetito o afición vehemente a una cosa. || **8.** Sermón sobre los tormentos y muerte de Jesucristo, que se predica el Jueves y Viernes Santo. || **9.** Parte de cada uno de los cuatro Evangelios, que describe la **Pasión** de Cristo, Nuestro Señor. || **10.** ant. *Med.* Afecto o dolor sensible de alguna de las partes del cuerpo enfermo. || **de ánimo. Nostalgia,** 2.ª acep. || **Pasión no quita conocimiento.** fr. proverb. que suele emplearse cuando se confiesan los defectos o faltas de persona querida.

Pasional. adj. Perteneciente o relativo a la pasión, especialmente amorosa.

Pasionaria. (De *pasión,* por la semejanza que parece existir entre las diferentes partes de la flor y los atributos de la Pasión de Jesucristo.) f. *Bot.* Planta originaria del Brasil, de la familia de las pasifloráceas, con tallos ramosos, trepadores y de 15 a 20 metros de largo; hojas pecioladas, verdes por la haz, glaucas por el envés, partidas en tres, cinco o siete lóbulos enteros y con dos largas estípulas; flores olorosas, pedunculadas, axilares, solitarias, de seis a siete centímetros de diámetro, con las lacinias del cáliz verdes por fuera, azuladas por dentro, y figura de hierro de lanza; corola de filamentos purpurinos y blancos, formando círculo como una corona de espinas, cinco estambres con anteras elípticas, tres estigmas en forma de clavo, y fruto amarillo del tamaño y figura de un huevo de paloma, y con muchas semillas. Se cultiva en jardines. || **2. Granadilla,** 1.ª acep.

Pasionario. m. Libro de canto por donde se canta la Pasión en Semana Santa.

Pasioncilla. (d. de *pasión.*) f. Pasión pasajera o leve. || **2.** despect. Movimiento ruin del ánimo en contra de alguna persona.

Pasionera. f. *Murc.* **Pasionaria.**

Pasionero. m. El que canta la Pasión en los oficios divinos de la Semana Santa. || **2.** Cada uno de los sacerdotes destinados en algunos hospitales a la asistencia espiritual de los enfermos.

Pasionista. m. **Pasionero,** 1.ª acep.

Pasitamente. adv. m. **Pasito,** 2.ª acep.

Pasito. m. d. de **Paso,** 1.er art. || **2.** adv. m. Con gran tiento, blandamente, en voz baja.

Pasitrote. (De *paso,* 1.er art., y *trote.*) m. Trote corto que naturalmente suelen tomar las caballerías no amaestradas.

Pasivamente. adv. m. Con pasividad, sin operación ni acción de su parte. || **2.** fig. De un modo pasivo; dejando, el que tiene interés en un asunto, obrar a los otros, sin hacer por sí cosa alguna. || **3.** *Gram.* En sentido pasivo.

Pasividad. (Del lat. *passivĭtas, -ātis.*) f. Calidad de pasivo.

Pasivo, va. (Del lat. *passīvus.*) adj. Aplícase al sujeto que recibe la acción del agente, sin cooperar a ella. || **2.** Aplícase al que deja obrar a los otros, sin hacer por sí cosa alguna. || **3.** Aplícase al haber o pensión que disfrutan algunas personas en virtud de servicios que prestaron o del derecho ganado con ellos y que les fue transmitido. || **4.** V. **Dividendo, escándalo, voto pasivo.** || **5.** V. **Situación, voz pasiva.** || **6.** V. **Clases pasivas.** || **7.** *Mec.* V. **Resistencia pasiva.** || **8.** *For.* Aplícase a los juicios, tanto civiles como criminales, con relación al reo o persona que es demandada. || **9.** *Gram.* Que implica o denota pasión, en sentido gramatical. *Participio, verbo* PASIVO. || **10.** *Gram.* V. **Voz pasiva.** Ú. t. c. s. || **11.** m. *Com.* Importe total de los débitos y gravámenes que tiene contra sí una persona o entidad, y también el coste o riesgo que contrapesa los provechos de un negocio; todo lo cual se considera como disminución de su activo.

Pasmado, da. p. p. de **Pasmar.** || **2.** adj. V. **Madera pasmada.** || **3.** *Blas.* Se dice de ciertos peces que se representan con la boca abierta y sin lengua, aletas ni barbas. || **4.** *Blas.* V. **Águila pasmada.** || **5.** *Blas.* V. **Delfín pasmado.**

Pasmar. (De *pasmo.*) tr. Enfriar mucho o bruscamente. Ú. t. c. r. || **2.** Hablando de las plantas, helarlas en tanto grado, que se quedan secas y abrasadas. Ú. t. c. r. || **3.** Ocasionar o causar suspensión o pérdida de los sentidos y del movimiento. Ú. m. c. r. || **4.** fig. Asombrar con extremo. Ú. t. c. intr. y c. r. || **5.** r. Contraer la enfermedad llamada pasmo. || **6.** *Chile.* **Encanijarse.** || **7.** *Pint.* Empañarse los colores o los barnices.

Pasmarota. f. fam. Cualquiera de los ademanes o demostraciones con que se aparenta la enfermedad del pasmo u otra. || **2.** fam. Cualquiera de los ademanes con que se aparenta admiración o extrañeza de una cosa que no lo merece.

Pasmarotada. f. **Pasmarota.**

Pasmarote. (De *pasmar.*) m. fam. **Estafermo,** 2.ª acep.

Pasmo. (Del lat. *spasmus,* y éste del gr. σπασμός.) m. Efecto de un enfriamiento que se manifiesta por romadizo, dolor de huesos y otras molestias. || **2. Tétanos.** || **3.** fig. Admiración y asombro extremados, que dejan como en suspenso la razón y el discurso. || **4.** fig. Objeto mismo que ocasiona esta admiración o asombro. || **De pasmo.** m. adv. **Pasmosamente.**

Pasmón, na. m. y f. Persona torpe de entendimiento y voluntad, que parece estar en continua suspensión y asombro. Ú. t. c. adj.

Pasmosamente. adv. m. De una manera pasmosa.

Pasmoso, sa. adj. fig. Que causa pasmo o grande admiración y asombro. || **2.** ant. *Med.* **Espasmódico.**

Paso. (Del lat. *passus.*) m. Movimiento de cada uno de los pies para ir de una parte a otra. || **2.** Espacio que comprende la longitud de un pie y la distancia entre éste y el talón del que se ha movido hacia adelante para ir de una parte a otra. || **3. Peldaño.** || **4.** Movimiento regular y cómodo con que camina una caballería, teniendo sólo un pie en el aire y los otros tres sentados. || **5.** Acción de pasar. || **6.** Lugar o sitio por donde se pasa de una parte a otra. || **7.** Diligencia que se hace en solicitud de una cosa. Ú. m. en pl. || **8.** Estampa o huella que queda impresa al andar. || **9.** Licencia o concesión de poder pasar sin estorbo. || **10.** Licencia o facultad de transferir a otro la gracia, merced, empleo o dignidad que uno tiene. || **11. Exequátur.** || **12.** En los estudios, especialmente de gramática, ascenso de una clase a otra. || **13.** Repaso o explicación que hace el pasante a sus discípulos, o conferencia de éstos entre sí sobre las materias que estudian. || **14.** Lance o suceso digno de reparo. || **15.** Adelantamiento que se hace en cualquiera especie, de ingenio, virtud, estado, ocupación, empleo, etc. || **16.** Movimiento seguido con que anda un ser animado. || **17.** Trance de la muerte o cualquier otro grave conflicto. || **18.** Cualquiera de los sucesos más notables de la Pasión de Jesucristo. || **19.** Efigie o grupo que representa un suceso de la Pasión de Cristo, y se saca en procesión por la Semana Santa. || **20.** Lucha o combate que en determinado lugar de tránsito se obligaban a mantener uno o más caballeros contra todos los que acudieran a su reto. || **21.** Cada una de las mudanzas que se hacen en los bailes. || **22.** Cláusula o pasaje de un libro o escrito. || **23.** Puntada larga que se da en la ropa cuando, por usada, está clara y próxima a romperse. || **24.** Puntada larga que se da para apuntar o hilvanar. || **25.** Acción o acto de la vida o conducta del hombre. || **26.** Pieza dramática muy breve; como, por ejemplo, el de *Las aceitunas,* de Lope de Rueda. || **27.** *Geogr.* Estrecho de mar. PASO *de Calais.* || **28.** *Mec.* Distancia entre dos resaltes sucesivos en la hélice de un tornillo. || **29.** *Mont.* Sitio del monte, por donde acostumbra pasar la caza. || **30.** *Vol.* Tránsito de las aves de una región a otra para invernar o estar en el verano o primavera. || **31.** V. **Ave, mula de paso.** || **32.** adv. m. Blandamente, quedo, en voz baja. || **a nivel.** Sitio en que un ferrocarril se cruza con otro camino al mismo nivel. || **atrás.** *Mil.* Movimiento retrógrado con la velocidad del **paso** ordinario y longitud de 33 centímetros. || **castellano.** En las bestias caballares, **paso** largo y sentado. || **corto.** *Mil.* El de marcha a razón de 120 por minuto y longitud de 33 centímetros. || **de ambladura,** o **andadura.** En las caballerías, **portante.** || **de ataque,** o **de carga.** *Mil.* **Paso ligero.** || **de comedia.** Lance, suceso o pasaje de un poema dramático, y especialmente el elegido para considerarlo o representarlo suelto. || **2.** fig. Lance o suceso de la vida real, que divierte o causa cierta novedad o extrañeza. || **de gallina.** fig. y fam. Diligencia insuficiente para el logro y consecución de un intento. || **de garganta.** Inflexión de la voz, o gorjeo, en el canto. || **de la hélice.** Distancia entre dos puntos de esta curva, correspondientes a la misma generatriz, o sea entre las dos extremidades de una espira. || **de la madre.** fam. **Pasitrote.** || **de papeles.** Lectura que al comenzar los ensayos de una obra teatral dan los actores a sus papeles respectivos, con el fin de cotejarlos con el ejemplar del apuntador y limpiarlos de posibles errores. || **doble.** *Mús.* Marcha a cuyo compás puede llevar la tropa el **paso** ordinario. || **geométrico.** Medida de cinco pies, equivalente a un metro y 393 milímetros. || **grave.** *Danza.* Aquel en que un pie se aparta del otro describiendo un semicírculo. || **largo.** *Mil.* El de la marcha con velocidad de 120 por minuto y longitud de 75 centímetros. || **lateral.** *Mil.* El de longitud indeterminada, que se da a derecha o a izquierda y cuyo compás es el del **paso** ordinario. || **lento.** *Mil.* El de la marcha a razón de 76 por minuto y longitud de 55 centímetros. || **libre.** El que está desembarazado de obstáculos, peligros o enemigos. *Le dejaron el* PASO LIBRE *para seguir su viaje.* || **ligero.** *Mil.* El de la marcha con velocidad de 180 por minuto y longitud de 83 centímetros. || **ordinario.** *Mil.* El de la marcha a razón de 120 por minuto y longitud de 65 centímetros. || **redoblado.** *Mil.* El ordinario, según la táctica moderna. || **regular.** *Mil.* **Paso lento.** || **Buen paso.** fr. Vida regalada. || **Abrir paso.** fr. **Abrir camino.** || **A buen paso.** m. adv. Aceleradamente, de prisa. || **A cada paso.** m. adv. fig. Repetida, continuada, frecuentemente, a menudo. || **Acortar los pasos.** fr. fig. Contener, embarazar los progresos de uno. || **A dos pasos.** m. adv. fig. A corta distancia. *Fuencarral está* A DOS PASOS *de Madrid.* || **A ese paso.** m. adv. fig. Según eso, de ese modo. || **A ese paso, el día, o la vida, es un soplo.** expr. fig. con que se reprende al que gasta sin reparo ni moderación. || **Alargar el paso.** fr. fam. Andar o ir de prisa. || **Al paso.** m. adv. Sin detenerse. || **2.** Al pasar por una parte yendo a otra. || **Al paso que.** loc. fig. Al modo, a imitación, como. || **2.** fig. Al mismo tiempo, a la vez. AL PASO QUE *yo le hacía beneficios, me correspondía con ingratitudes.* || **Andar en malos pasos.** fr. fig. Tener mala conducta. || **A paso de buey.** m. adv. fig. Con mucha lentitud, o con mucha consideración y tiento. || **A paso de carga.** m. adv. fig. Precipitadamente, sin detenerse. || **A paso de tortuga.** m. adv. fig. **A paso de buey.** || **A paso largo.** m. adv. Aceleradamente, de prisa. || **A paso llano.** m. adv. fig. Sin tropiezo ni dificultad. || **A paso tirado.** m. adv. **A paso largo.** || **A pocos pasos.** m. adv. A poca distancia. || **2.** fig. Con corta o poca diligencia. || **Apretar el paso.** fr. fam. **Alargar el paso.** || **Asentar uno el paso.** fr. fig. y fam. Vivir con quietud y prudencia. || **Avivar el paso.** fr. fam. **Alargar el paso.** || **Cada paso es un gazapo,** o **un tropiezo.** expr. fig. y fam. con que se alude a las repetidas faltas que uno comete en el desempeño de su cargo. || **Cambiar el paso.** fr. *Mil.* Sentar un pie en tierra, cargar el cuerpo rápidamente sobre el otro colocándolo junto al primero, y con éste, y sin perder el compás, dar el **paso** siguiente. || **Ceder el paso.** fr. Dejar una persona, por cortesía, que otra pase antes que ella. || **Cerrar el paso.** fr. Embarazarlo o cortarlo. || **2.** fig. Impedir el progreso de un negocio. || **Coger a uno al paso.** fr. fig. y fam. Encontrarle y detenerle para tratar con él una cosa. || **Coger al paso.** fr. En el juego de ajedrez, comerse un peón que pasó dos casas sin pedir permiso. || **Coger los pasos.** fr. Ocupar los caminos por donde se recela que puede venir un daño o que alguien puede escaparse. || **Contar los pasos** a **uno.** fr. fig. Observar o averiguar todo lo que hace. || **Cortar los pasos** a uno. fr. fig. Impedirle la ejecución de lo que intenta. || **Dar pasos.** fr. fig. **Gestionar.** || **De paso.** m. adv. Al ir a otra parte. || **2.** fig. Al tratar de otro asunto. || **3.** fig. Ligeramente, sin detención, de corrida. || **De paso en paso.** m. adv. **Paso a paso.** || **Hacer** uno **el paso.** fr. fig. y fam. Ponerse en ridículo. || **Llevar el paso.** fr. Seguirlo en una forma regular, acomodándolo a compás y medida, o bien al de la persona con quien se va. || **Marcar el paso.** fr. *Mil* Figurarlo en su compás y duración sin avanzar ni retroceder. || **Más que de paso.** m. adv. fig. De prisa, precipitadamente, con violencia. || **No dar paso.** fr. fig. No hacer gestiones para el despacho de un negocio. || **No poder dar paso,** o **un paso.** fr. fig. No poder andar, o no poder adelantar en algún intento. || **Para el paso en que estoy.** expr. **Por el paso en que estoy.** || **¡Paso!** interj. que se emplea para contener a uno o para poner paz entre los que riñen. || **Paso ante paso.** m. adv. **Paso entre paso.** || **Paso a paso.** m. adv. Poco a poco, despacio o por grados. || **Paso entre paso.** m. adv. Lentamente, poco a poco. || **Paso por paso.** m. adv. fig. Ú. para denotar la exactitud con que se mide un terreno o la dificultad y lentitud con que se hace o adquiere una cosa. || **Por el paso en que estoy,** o **en que me hallo.** expr. con que uno asegura la verdad de sus palabras. Dícese con alusión al trance de la muerte, en que regularmente se habla con ingenuidad. || **Por los mismos pasos.** m. adv. fig. Siguiendo las huellas de uno o utilizando sus procedimientos. || **Por sus pasos contados.** m. adv. fig. Por su orden o curso regular. || **Sacar de su paso** a uno. fr. fig. y fam. Hacerle obrar fuera de su costumbre u orden regular. || **Salir** uno **del paso.** fr. fig. y fam. Desembarazarse de cualquier manera de un asunto, compromiso, dificultad, apuro o trabajo. || **Salir** uno **de su paso.** fr. fig. y fam. Variar la costumbre regular en las acciones y modo de obrar. || **Salirle** a uno **al paso.** fr. Encontrarle de improviso o deliberadamente, deteniéndole en su marcha. || **2.** fig. Contrariarle, atajarle en lo que dice o intenta. || **Seguir los pasos** a uno. fr. fig. Observar su conducta para averiguar si es fundada una sospecha que se tiene de él. || **Seguir los pasos de** uno. fr. fig. Imitarle en sus acciones. || **Sentar el paso.** fr. Hablando de las caballerías, caminar con **paso** tranquilo y sosegado. || **Tomar los pasos.** fr. fig. **Coger los pasos.** || **Tomar paso.** fr. Habituarse las caballerías, o a seguir el modo de andar que les enseñan, o a volver a éste, dejando el trote o el galope con que caminaban. || **Tomar** uno **un paso.** fr. fig. con que se pondera la prisa o celeridad con que camina o anda. || **Volver** uno **sobre sus pasos.** fr. fig. Desdecirse, rectificar su dictamen o su conducta.

Paso, sa. (Del lat. *pansus* o *passus,* extendido.) adj. Dícese de la fruta extendida al sol para secarse, y también de la desecada por otro cualquier procedimiento. *Higo* PASO; *uva* PASA.

Pasote. m. **Pazote.**

Paspié. (Del fr. *passe-pied.*) m. Danza que tiene los pasos del minué, con variedad de mudanzas.

Pasquín. (Del ital. *Pasquino,* nombre de una estatua en Roma, en la cual solían fijarse los libelos o escritos satíricos.) m. Escrito anónimo que se fija en sitio público, con expresiones satíricas contra el gobierno o contra una persona particular o corporación determinada.

Pasquinada. (Del ital. *pasquinata.*) f. Dicho agudo y satírico que se divulga.

Pasquinar. tr. Satirizar con pasquines o pasquinadas.

Pássim. adv. lat. Aquí y allí, en una y otra parte, en lugares diversos. Ú. en las anotaciones de impresos y manuscritos castellanos.

Pasta. (Del lat. *pasta*, y éste del gr. πάστη.) f. Masa hecha de una o diversas cosas machacadas. || **2.** Masa trabajada con manteca o aceite y otras cosas, que sirve para hacer pasteles, hojaldres, empanadas, etc. || **3.** Masa de harina de trigo, de que se hacen fideos, tallarines y otras cosas que sirven para sopa. || **4.** Porción de oro, plata u otro metal fundido y sin labrar. || **5.** Cartón que se hace de papel deshecho y machacado. || **6.** Masa que resulta de macerar y machacar el trapo, madera y otras materias para hacer papel. || **7.** Encuadernación de los libros que se hace de cartones cubiertos con pieles bruñidas y por lo común jaspeadas. || **8.** ant. Hoja, lámina o plancha de metal. || **9.** *Pint.* **Empaste,** 3.ª acep. || **de chocolate.** Masa de cacao molido y mezclado con poco azúcar para su consistencia, que se traía de América para mezclar en las moliendas. || **española.** Pasta, 7.ª acep. || **italiana.** Encuadernación de los libros que se hace de cartones cubiertos con pergamino muy fino o avitelado. || **Buena pasta.** fig. Índole apacible; genio blando o pacífico. || **Media pasta.** Encuadernación a la holandesa.

Pastadero. m. Terreno donde pasta el ganado.

Pastaflora. (Del ital. *pasta frolla.*) f. Pasta hecha con harina, azúcar y huevo, tan delicada que se deshace en la boca. || **Ser** uno **de pastaflora.** fr. fig. Ser de carácter blando y demasiado condescendiente.

Pastar. tr. Llevar o conducir el ganado al pasto. || **2.** intr. **Pacer,** 1.ª acep.

Paste. m. *C. Rica* y *Hond.* Planta cucurbitácea cuyo fruto contiene un tejido poroso usado como esponja. || **2.** *Hond.* Planta parásita que vive sobre los árboles.

Pasteca. (En ital. *pastecca.*) f. *Mar.* Especie de motón herrado, con una abertura en uno de los lados de su caja, para que pase el cabo con que se ha de trabajar.

Pastel. (Del fr. o prov. *pastel*, y éste del lat. *pastillum.*) m. Masa de harina y manteca, en que ordinariamente se envuelve crema o dulce, y a veces carne, fruta o pescado, cociéndose después al horno. || **2. Hierba pastel.** || **3.** Pasta en forma de bolas o tabletas hecha con las hojas verdes de la hierba **pastel,** que da un hermoso color azul y sirve también para teñir de negro y otros colores. || **4.** Lápiz compuesto de una materia colorante y agua de goma. || **5. Pintura al pastel.** || **6.** En el juego, fullería que consiste en barajar y disponer los naipes de modo que se tome el que los reparte lo principal del juego, o se lo dé a otro su parcial. || **7.** fig. y fam. Convenio secreto entre algunos con malos fines, o con excesiva transigencia. || **8.** fig. y fam. Persona pequeña de cuerpo y muy gorda. || **9.** *Fort.* Reducto irregular de cualquiera figura acomodada al terreno. || **10.** *Impr.* Defecto que sale por haber dado demasiada tinta o estar ésta muy espesa. || **11.** *Impr.* Conjunto de letra inútil destinada para fundirse de nuevo. || **12.** *Impr.* Conjunto de líneas o planas desordenadas. || **en bote.** Guisado de pierna de carnero picada con tocino y cocida con grasa de la olla, sazonado con especias y espesado con pan y queso rallados. || **2.** fig. y fam. **Pastel,** 8.ª acep. || **Descubrirse el pastel.** fr. fig. y fam. Hacerse pública y manifiesta una cosa que se procuraba ocultar o disimular.

Pastelear. (De *pastel*, 7.ª acep.) intr. fig. y fam. Contemporizar por miras interesadas.

Pastelejo. m. d. de **Pastel.**

Pasteleo. m. Acción y efecto de pastelear.

Pastelería. (De *pastelero.*) f. Local donde se hacen pasteles o pastas. || **2.** Tienda donde se venden. || **3.** Arte de trabajar pasteles, pastas, etc. || **4.** Conjunto de pasteles o pastas.

Pastelero, ra. adj. V. **Calabaza pastelera.** || **2.** m. y f. Persona que tiene por oficio hacer o vender pasteles. || **3.** fig. y fam. Persona acomodadiza en demasía, que elude las decisiones vigorosas.

Pastelillo. (d. de *pastel.*) m. Especie de dulce hecho de masa de mazapán u otra muy delicada y relleno de conservas.

Pastelista. com. Pintor o pintora que practica la pintura al pastel.

Pastelón. (aum. de *pastel.*) m. Pastel en que se ponen otros ingredientes además de la carne picada; como pichones, pollos, despojos de aves, etc.

Pastenco, ca. adj. Aplícase a la res recién destetada que se echa al pasto. Ú. t. c. s.

Pasterización. f. Acción y efecto de pasterizar.

Pasterizar. tr. Esterilizar la leche, el vino y otros líquidos, según el procedimiento de Pasteur.

Pastero. m. El que echa en los capachos la pasta de la aceituna molida.

Pastilla. (d. de *pasta.*) f. Porción de pasta de uno u otro tamaño y figura, y ordinariamente pequeña y cuadrangular o redonda. PASTILLA *de olor, de jabón, de chocolate.* || **2.** En sentido restricto, porción muy pequeña de pasta compuesta de azúcar y alguna substancia medicinal o meramente agradable. PASTILLA *de menta, de café con leche, de goma, de malvavisco.* || **Gastar** uno **pastillas de boca.** fr. fig. y fam. Hablar suavemente y ofrecer mucho, cumpliendo poco.

Pastinaca. (Del lat. *pastināca.*) f. **Chirivía,** 1.ª acep. || **2.** *Zool.* Pez selacio marino del suborden de los ráyidos, de cabeza puntiaguda, cuerpo aplastado, redondo, liso y como de medio metro de diámetro, sin aletas; de color amarillento con manchas obscuras por el lomo y blanquecino por el vientre; cola delgada, larga, cónica y armada con un aguijón muy fuerte, a manera de anzuelo, con los bordes aserrados y con el cual hiere el animal para defenderse. Vive en los mares de España y su carne es comestible. || **3.** desus. **Zanahoria.**

Pastizal. m. Terreno de abundante pasto.

Pasto. (Del lat. *pastus.*) m. Acción de pastar. || **2.** Hierba que el ganado pace en el mismo terreno donde se cría. || **3.** Cualquier cosa que sirve para el sustento del animal. || **4.** Sitio en que pasta el ganado. Ú. m. en pl. *Galicia tiene buenos* PASTOS. || **5.** fig. Materia que sirve a la actividad de los agentes que consumen las cosas; como el combustible, la hacienda del jugador o del pródigo, etc. || **6.** fig. Hecho, noticia u ocasión que sirve para fomentar alguna cosa. *Dar* PASTO *a la murmuración.* || **7.** *Cetr.* Porción de comida que se da de una vez a las aves. || **espiritual.** Doctrina o enseñanza que se da a los fieles. || **seco.** El que se da en el invierno a los ganados. Consiste en paja o frutos secos. || **verde.** El que en primavera y parte del verano se da a las caballerías y al ganado o lo toman directamente en el campo. || **A pasto.** m. adv. Hablando de la comida o bebida, hasta saciarse, hasta más no querer. || **A todo pasto.** m. adv. con que se da a entender que el uso de una cosa se puede hacer o se hace copiosamente y sin restricciones. || **De pasto.** loc. De uso diario y frecuente. *Vino* DE PASTO.

Pastoforio. (Del lat. *pastophorium*, y éste del gr. παστοφόριον.) m. Habitación o celda que tenían en los templos los sumos sacerdotes de la gentilidad.

Pastón. m. *Ast.* Pedazo de tierra de mala calidad que se deja para pasto.

Pastor, ra. (Del lat. *pastor.*) m. y f. Persona que guarda, guía y apacienta el ganado. Por lo común se entiende el de ovejas. || **2.** m. Prelado o cualquier otro eclesiástico que tiene súbditos y obligación de cuidar de ellos. || **3.** V. **Aguja, asiento, berza de pastor.** || **4.** V. **Palo del pastor.** || **protestante.** Sacerdote de esta iglesia o secta. || **El Buen Pastor.** Atributo que se da a Cristo, nuestro Redentor, porque se dió a sí mismo ese dictado. *Ego sum pástor bonus.* || **El pastor sumo,** o **universal.** El Sumo Pontífice, por tener el cuidado de los demás **pastores** eclesiásticos y el gobierno de todo el rebaño de Cristo, que es la Iglesia. || **Pastor carabero, hace al lobo carnicero.** ref. que muestra cuán perjudicial es el descuido en la guarda de nuestras cosas.

Pastoral. (Del lat. *pastorālis.*) adj. **Pastoril.** || **2.** Perteneciente a los prelados. || **3.** V. **Anillo, báculo, carta, teología pastoral.** || **4.** Perteneciente o relativo a la poesía en que se pinta la vida de los pastores. || **5.** f. Especie de drama bucólico, cuyos interlocutores son pastores y pastoras. || **6. Carta pastoral.**

Pastoralmente. adv. m. Como pastor, al modo o manera de los pastores.

Pastorear. (De *pastor.*) tr. Llevar los ganados al campo y cuidar de ellos mientras pacen. || **2.** fig. Cuidar los prelados vigilantemente de sus súbditos; dirigirlos y gobernarlos.

Pastorela. (Del ital. *pastorella.*) f. Tañido y canto sencillo y alegre a modo del que usan los pastores. || **2.** Composición poética de los provenzales, especie de égloga o de idilio, usada aún hoy en la literatura gallega.

Pastoreo. m. Ejercicio o acción de pastorear el ganado.

Pastoría. f. Oficio de pastor. || **2. Pastoreo.** || **3.** Conjunto de pastores.

Pastoricio, cia. (Del lat. *pastoricius.*) adj. **Pastoril.**

Pastoril. (De *pastor.*) adj. Propio o característico de los pastores.

Pastorilmente. adv. m. Al modo o manera de los pastores.

Pastosidad. f. Calidad de pastoso.

Pastoso, sa. (De *pasta.*) adj. Aplícase a las cosas que al tacto son suaves y blandas a semejanza de la masa. || **2.** Dícese de la voz que sin resonancias metálicas es agradable al oído. || **3.** *Pint.* Pintado con buena masa y pasta de color.

Pastoso, sa. (De *pasto.*) adj. *Amér.* Dícese del terreno que tiene buenos pastos.

Pastueño. adj. *Taurom.* Dícese del toro de lidia que acude sin recelo al engaño.

Pastura. (Del lat. *pastūra.*) f. Pasto o hierba de que se alimentan los animales. || **2.** Porción de comida que se da de una vez a los bueyes. || **3. Pasto,** 4.ª acep.

Pasturaje. (De *pasturar.*) m. Lugar de pasto abierto o común. || **2.** Derechos con que se contribuye para poder pastar los ganados.

Pasturar. (De *pastura.*) tr. ant. Apacentar, alimentar el ganado.

Pasudo, da. adj. *Méj.* y *Venez.* Dícese del pelo ensortijado como el de los negros y de la persona que tiene este pelo. Ú. t. c. s.

Pata. (Como el fr. *patte*, de la raíz indoeuropea *pat.*) f. Pie y pierna de los animales. || **2.** Pie, 3.ª y 25.ª aceps. || **3.** Hembra del pato. || **4.** En las prendas de vestir, cartera, golpe, portezuela. || **5.** fam. **Pierna.** || **de banco.** fig. y fam. **Pata de gallo,** 2.ª acep. || **de cabra.** Instrumento de boj o de hueso, algo parecido a la **pata** de una cabra, con que los zapateros alisan los bordes de las suelas después de desvirarlas. || **de gallina.** Daño que tienen algunos árboles y consiste en grietas que, partiendo del corazón del tronco, se dirigen en sentido radial a la periferia. Es principio de pudrición. || **de gallo.** Planta anua de la familia de las gramíneas, con las cañas dobladas por la parte inferior, de unos seis decímetros de altura, hojas largas y flores en espigas que forman panoja, con aristas muy cortas. || **2.** fig. y fam. Despropósito, dicho necio e impertinente. Ú. generalmente con el verbo *salir* y la preposición *con.* || **3.** fig. Arruga con tres surcos divergentes, como los dedos de la **pata** de gallo, que con los años se forma en el ángulo externo de cada ojo. || **de león.** **Pie de león.** || **de palo.** Pieza de madera, convenientemente adaptada, con que se suple la falta de la pierna de una persona. || **de pobre.** fig. y fam. Pierna hinchada y con llagas y parches. || **galana.** fig. y fam. **Pata** coja. || **2.** fig. y fam. Persona coja o que tiene una pierna encogida. || **Patas de perdiz.** fig. y fam. Persona que trae medias coloradas. || **A cuatro patas.** loc. adv. fam. **A gatas.** || **A la pata coja.** Juego con que los muchachos se divierten, llevando un pie en el aire y saltando con el otro. || **A la pata la llana,** o **a la pata llana,** o **a pata llana.** m. adv. Llanamente, sin afectación. || **Ancorar a pata de ganso.** fr. *Mar.* Echar tres áncoras al navío en forma de triángulo, una a estribor, otra a babor y otra hacia la parte de donde viene el viento. || **A pata.** m. adv. fam. **A pie.** || **Echar la pata.** fr. fig. y fam. Aventajarse. || **Echar** uno **las patas por alto.** fr. fig. y fam. **Despotricar.** || **Enseñar** uno **la,** o **su, pata.** fr. fig. y fam. **Enseñar la oreja.** || **Estirar la pata.** fr. fig. y fam. **Estirar la pierna.** || **Hacer la pata.** fr. fig. y fam. *Chile.* Adular, lisonjear. || **Meter** uno **la pata.** fr. fig. y fam. Intervenir en alguna cosa con dichos o hechos inoportunos. || **Patas arriba.** m. adv. fig. y fam. Al revés, o vuelto lo de abajo hacia arriba. || **2.** fig. y fam. con que se da a entender el desconcierto o trastorno de una cosa. || **Poner de patas en la calle** a uno. fr. fig. y fam. **Ponerle de patitas en la calle.** || **Sacar** uno **la,** o **su, pata.** fr. fig. y fam. **Enseñar la,** o **su, pata.** || **Salir con una pata de gallo.** fr. fig. y fam. **Salir por peteneras.** || **Tener** uno **mala pata.** fr. fam. Tener poca o mala suerte.

Pata. (Del ital. *patta* y *pattar*, quedar en paz en los juegos, y éste del lat. *pactāre.*) f. Empate en los juegos. Se usa sobre todo con los verbos *quedar, ser* y *salir.*

Patabán. m. *Cuba.* Árbol de la familia de las combretáceas, que se cría en las ciénagas y da una madera dura y de color obscuro, que se emplea para postes y otros usos. Es una variedad del mangle.

Pataca. (Del ár. *abū ṭāqa*, el de la ventana, por haber tomado los árabes por una ventana las columnas de Hércules representadas en una moneda.) f. ant. **Patacón,** 2.ª acep. || **2. Parpalla.**

Pataca. (De *patata.*) f. **Aguaturma.** || **2.** Tubérculo de la raíz de esta planta, que es de color rojizo o amarillento, fusiforme, de seis a siete centímetros de longitud y cuatro o cinco de diámetro por la parte más gruesa, carne acuosa algo azucarada y buen comestible para el ganado.

Pataco, ca. (De *pata*, 1.er art.) adj. **Patán.** Ú. t. c. s.

Patacón. (De *pataca*, 1.er art.) m. Moneda de plata, de peso de una onza, y cortada con tijeras. || **2.** fam. **Peso duro.** || **3.** Moneda de cobre de valor de dos cuartos, y hoy la de diez céntimos.

Patache. (Del fr. o del cat. *patache*, y éste del gr. πέτακνον.) m. Embarcación que antiguamente era de guerra, y se destinaba en las escuadras para llevar avisos, reconocer las costas y guardar las entradas de los puertos. Hoy sólo se usa de esta embarcación en la marina mercante.

Patada. (De *pata*, 1.er art.) f. Golpe dado con la planta del pie o con lo llano de la pata del animal. || **2.** fam. **Paso,** 1.ª acep. *Me ha costado esto muchas* PATADAS. || **3.** fig. y fam. Estampa, pista, huella. || **A patadas.** m. adv. fig. y fam. Con excesiva abundancia y por todas partes.

Patadión. m. Tira muy ancha de tela de diferentes colores, que las mujeres de algunas islas filipinas usan en vez de falda, ciñéndola y sujetándola a la cintura.

Patagón, na. adj. Natural de Patagonia. Ú. t. c. s. || **2.** Perteneciente a esta región de la América Meridional.

Patagónico, ca. adj. Perteneciente a Patagonia o a los patagones.

Patagorrilla. f. **Patagorrillo.**

Patagorrillo. m. Guisado que se hace de la asadura picada del puerco u otro animal.

Patagua. (Voz mapuche.) f. Árbol de Chile, correspondiente a la familia de las tiliáceas, con tronco recto y liso de seis a ocho metros de altura, copa frondosa, hojas alternas, partidas en tres lóbulos agudos, flores blancas axilares, fruto esférico capsular, y madera blanca, ligera y útil para carpintería.

Pataje. m. **Patache.**

Patajú. m. *Amér.* Planta de tallo herbáceo, con largas y anchas hojas que recogen y filtran en el tronco el agua de la lluvia, la cual, mediante un pinchazo, puede beber el viajero.

Patalear. intr. Mover las piernas o patas violentamente y con ligereza, o para herir con ellas, o en fuerza de un accidente o dolor. || **2.** Dar patadas en el suelo violentamente y con prisa por enfado o pesar.

Pataleo. m. Acción de patalear. || **2.** Ruido hecho con las patas o los pies. || **3.** fig. y fam. V. **Derecho de pataleo.**

Pataleta. (De *patalear.*) f. fam. Convulsión, especialmente cuando se cree que es fingida.

Pataletilla. (d. de *pataleta.*) f. Baile antiguo en que se levantaban los pies alternativamente en cadencia al compás de la música, moviéndolos en el aire.

Patán. (De *pata.*) m. fam. Aldeano o rústico. || **2.** fig. y fam. Hombre zafio y tosco. Ú. t. c. adj.

Patanco. m. *Cuba.* Planta silvestre, de color verde claro, así como el fruto, flores blancas y fruto pardo. Es espinosa y maligno el pinchazo de sus púas.

Patanería. (De *patán.*) f. fam. Grosería, rustiquez, simpleza, ignorancia.

Patao. m. *Cuba.* Pez, como de unos 30 centímetros de largo, de color plateado, lomo abultado a modo de corcova, hocico cónico, boca grande y cola muy ahorquillada. Es comestible.

Patarata. f. Cosa ridícula y despreciable. || **2.** Expresión, demostración afectada y ridícula de un sentimiento o cuidado, o exceso en cortesías y cumplimientos.

Pataratero, ra. adj. Que usa de pataratas en el trato o conversación. Ú. t. c. s.

Patarra. f. *And.* **Guasa,** 1.ª acep.

Patarráez. (Del ital. *paterassi.*) m. *Mar.* Cabo grueso que se emplea para reforzar la obencadura.

Patarroso, sa. adj. *And.* Que tiene patarra. Ú. t. c. s.

Patas. m. fam. Pateta, el diablo.

Patasca. f. *Argent.* Guiso de cerdo cocido con maíz. || **2.** *Perú.* Disputa, pendencia.

Patata. (Voz americana.) f. Planta herbácea anual, de la familia de las solanáceas, originaria de América y cultivada hoy en casi todo el mundo, con tallos ramosos de cuatro a seis decímetros de altura, hojas desigual y profundamente partidas, flores blancas o moradas en corimbos terminales, fruto en baya carnosa, amarillenta, con muchas semillas blanquecinas, y raíces fibrosas que en sus extremos llevan gruesos tubérculos redondeados, carnosos, muy feculentos, pardos por fuera, amarillentos o rojizos por dentro y que son uno de los alimentos más útiles para el hombre. || **2.** Cada uno de los tubérculos de esta planta. || **3. Batata,** 2.ª acep. || **de caña. Pataca,** 2.º art.

Patatal. m. Terreno plantado de patatas.

Patatar. m. **Patatal.**

Patatero, ra. adj. Perteneciente o relativo a la patata. || **2.** Que se dedica al comercio de patatas. Ú. t. c. s. || **3.** Dícese de la persona que con frecuencia se alimenta o se supone que se alimenta con patatas. || **4.** fig. y fam. Se aplicaba al oficial o jefe de ejército que había ascendido desde soldado raso.

Patatín-patatán (Que). fr. fam. Argucias, disculpas del que no quiere entrar en razones.

Patatús. (De *pata*, 1.er art.) m. fam. Congoja o accidente leve.

Patavino, na. (Del lat. *patavīnus;* de *Patavium*, Padua.) adj. **Paduano.** Apl. a pers., ú. t. c. s.

Patax. m. desus. **Patache.**

Patay. m. *Amér. Merid.* Pasta seca hecha del fruto del algarrobo.

Pate. m. *Hond.* Árbol corpulento, de corteza amarga y cáustica que se usa como medicamento.

Paté. (Del fr. *patté*, y éste del ant. *pastée*, del lat. *pasta*, del gr. πάστη.) adj. *Blas.* Dícese de la cruz cuyos extremos se ensanchan un poco.

Pateadura. f. Acción de patear. || **2.** fig. y fam. Represión o refutación violenta y abrumadora.

Pateamiento. (De *patear.*) m. **Pateadura.**

Patear. (De *pata*, 1.er art.) tr. fam. Dar golpes con los pies. || **2.** fig. y fam. Tratar desconsiderada y rudamente a uno, al reprenderle, al reprobar sus obras o al discutir con él. || **3.** intr. fam. Dar patadas en señal de enojo, dolor o desagrado. || **4.** fig. y fam. Andar mucho, haciendo diligencias para conseguir una cosa. || **5.** fig. y fam. Estar sumamente encolerizado o enfadado.

Patena. (Del lat. *patēna.*) f. Lámina o medalla grande, con una imagen esculpida, que se pone al pecho, y la usan para adorno las labradoras. || **2.** Platillo de oro o plata o de otro metal, dorado, en el cual se pone la hostia en la misa, desde acabado el paternóster hasta el momento de consumir. || **Limpio como una patena,** o **más limpio que una patena.** locs. figs. Muy aseado y pulcro.

Patentar. tr. Conceder y expedir patentes. || **2.** Obtenerlas, tratándose de las de propiedad industrial.

Patente. (Del lat. *patens, -entis*, p. a. de *patēre*, estar descubierto, manifiesto.) adj. Manifiesto, visible. || **2.** fig. Claro, perceptible. || **3.** V. **Letras patentes.** || **4.** f. Título o despacho real para el goce de un empleo o privilegio. || **5.** Cédula que dan algunas cofradías o sociedades a sus individuos para que conste que lo son, y para el goce de los privilegios o ventajas de ellas. || **6.** Cédula o despacho que dan los superiores a los religiosos cuando los mudan de un convento a otro o les dan licencia para ir a alguna parte. || **7.** Comida o refresco que hacen pagar por estilo los más antiguos al que entra de nuevo en un empleo u ocupación. Era común entre los estudiantes en las universidades, y de ahí se extendió a otras cosas. || **8.** Documento expedido por la hacienda pública, que acredita haber satisfecho determinada persona la cantidad que la ley exige para el ejercicio de algunas profesiones o industrias. || **9.** Por ext., cualquier testimonio que acredita una cualidad o mérito. || **de contramarca. Carta de contramarca.** || **de corso.** Cédula o despacho con que el gobierno de un Estado autoriza a un sujeto para hacer el corso contra los enemigos de la nación. || **2.** fig. Autorización que se tiene o se supone para realizar actos prohibidos a los demás. || **de invención.** Documento en que oficialmente se otorga un privilegio de invención y propiedad industrial de lo que el documento acredita. || **de navegación.** Despacho expedido a favor de un buque para autorizar su bandera y su navegación y acreditar su nacionalidad. || **de sanidad.** Certificación que llevan las embarcaciones que van de un puerto a otro, de haber o no haber peste o contagio en el paraje de su salida. En el primer caso se llama **patente sucia**, y en el segundo, **patente limpia.** || **en blanco. Cédula en blanco.**

Patentemente. adv. m. Visiblemente, claramente, llanamente.

Patentizar. tr. Hacer patente o manifiesta una cosa.

Pateo. m. fam. Acción de patear, 3.ª acep.

Pátera. (Del lat. *patĕra*) f. Plato de poco fondo de que se usaba en los sacrificios antiguos.

Paternal. (De *paterno*.) adj. Propio del afecto, cariño o solicitud de padre.

Paternalmente. adv. m. De modo propio o digno de un padre.

Paternidad. (Del lat. *paternĭtas, -ātis*.) f. Calidad de padre. || **2.** Tratamiento que en algunas religiones dan los religiosos inferiores a los padres condecorados de su orden, y que los seculares dan por reverencia a todos los religiosos en general, considerándolos como padres espirituales.

Paterno, na. (Del lat. *paternus*.) adj. Perteneciente al padre, o propio suyo, o derivado de él. || **2.** V. **Casa paterna.**

Paternóster. (Del lat. *Pater noster*, Padre nuestro, palabras con que principia la oración dominical.) m. **Padrenuestro.** || **2.** Padre nuestro que se dice en la misa y es una de las partes de ella. || **3.** fig. y fam. Nudo gordo y muy apretado.

Patero, ra. adj. *Chile.* Adulador, lisonjeador. Ú. t. c. s.

Pateta. (De *pata*, 1.er art.) m. fam. Patillas o el diablo. Ú. en frases como ésta: *Ya se lo llevó* PATETA; *no lo hiciera* PATETA. || **2.** fam. Persona que tiene un vicio en la conformación de los pies o de las piernas.

Patéticamente. adv. m. De modo patético.

Patético, ca. (Del lat. *patheticus*, y éste del gr. παθητικός, que impresiona, sensible.) adj. Dícese de lo que es capaz de mover y agitar el ánimo infundiéndole afectos vehementes, y con particularidad dolor, tristeza o melancolía.

Patetismo. m. Cualidad de patético.

Patiabierto, ta. (De *pata*, 1.er art., y *abierto*.) adj. fam. Que tiene las piernas torcidas e irregulares, y separadas una de otra.

Patialbillo. (De *pata*, 1.er art., y *albillo*.) m. **Papialbillo.**

Patialbo, ba. (De *pata*, 1.er art., y *albo*.) adj. **Patiblanco.**

Patiblanco, ca. adj. Dícese del animal que tiene blancas las patas. || **2.** V. **Perdiz patiblanca.**

Patibulario, ria. adj. Que por su repugnante aspecto o aviesa condición produce horror y espanto, como en general los condenados al patíbulo. *Cara* PATIBULARIA, *drama* PATIBULARIO.

Patíbulo. (Del lat. *patibŭlum*.) m. Tablado o lugar en que se ejecuta la pena de muerte.

Paticojo, ja. (De *pata*, 1.er art., y *cojo*.) adj. fam. **Cojo.** Ú. t. c. s.

Patidifuso, sa. (De *pata*, 1.er art., y *difuso*.) adj. fig. y fam. **Patitieso,** 2.ª acep.

Patiecillo. m. d. de **Patio.**

Patiestevado, da. adj. **Estevado.** Ú. t. c. s.

Patihendido, da. (De *pata*, 1.er art., y *hendido*.) adj. Aplícase al animal que tiene los pies hendidos o divididos en partes.

Patilla. (d. de *pata*, 1.er art.) f. Cierta postura de la mano izquierda en los trastes de la vihuela. || **2.** En algunas llaves de las armas de fuego, pieza que descansa sobre el punto para disparar. || **3.** Porción de barba que se deja crecer en cada uno de los carrillos. || **4.** Gozne de las hebillas. || **5. Pata,** 1.er art., 4.ª acep. || **6.** *Arq.* Hierro plano y estrecho, terminado en punta por uno de sus extremos y ensanchado en el otro, para sujetar, por medio de clavos, algún madero o hierro. || **7.** *Carp.* Parte saliente de un madero para encajar en otro. || **8.** *Mar.* **Aguja,** 28.ª acep. || **9.** pl. El diablo. *Válgate* PATILLAS. || **Levantar** a uno **de patilla.** fr. fig. y fam. Exasperarle, hacer que pierda la paciencia. || **Patilla y cruzado, y vuelta a empezar.** expr. fig. y fam. con que se reprende la repetición de actos inútiles.

Patilludo, da. adj. Persona que tiene exageradas patillas.

Patimuleño, ña. adj. Que tiene el casco a modo de mula. Dícese principalmente del caballo.

Patín. m. d. de **Patio.**

Patín. (De *pato*.) m. *Zool.* **Petrel.**

Patín. (Del fr. *patin*, y éste de *patte*, pata.) m. Aparato de patinar que consiste en una plancha que se adapta a la suela del calzado y lleva una especie de cuchilla o dos pares de ruedas, según sirva para ir sobre el hielo o sobre un pavimento duro, liso y muy llano. En el segundo caso se llama **patín de ruedas.**

Pátina. (Del lat. *patĭna*, plato, por el barniz de que están revestidos los platos antiguos.) f. Especie de barniz duro, de color aceitunado y reluciente, que por la acción de la humedad se forma en los objetos antiguos de bronce. || **2.** Tono sentado y suave que da el tiempo a las pinturas al óleo. Se aplica también a otros objetos antiguos. || **3.** Este mismo tono obtenido artificialmente.

Patinadero. m. Lugar donde se patina sobre hielo artificial o sobre un pavimento duro y muy liso.

Patinador, ra. adj. Que patina. Ú. t. c. s.

Patinar. (De *patín*, 3.er art.) intr. Deslizarse o ir resbalando con patines sobre el hielo o sobre un pavimento duro, llano y muy liso. || **2.** Deslizarse o resbalar las ruedas de un carruaje de cualquier especie, sin rodar, o dar vueltas y sin avanzar, por falta de adherencia con el suelo o por defecto en el libre movimiento de las ruedas sobre los ejes.

Patinar. tr. Dar pátina a un objeto.

Patinazo. m. Acción y efecto de patinar bruscamente una o más ruedas de un coche.

Patinejo. m. d. de **Patín,** 1.er art.

Patinillo. m. d. de **Patín,** 1.er art.

Patinillo. m. d. de **Patio.**

Patio. (De un der. del lat. *patēre*, estar abierto.) m. Espacio cerrado con paredes o galerías, que en las casas y otros edificios se deja al descubierto. || **2.** En los teatros, planta baja que ocupan las butacas o lunetas y que en los antiguos corrales de comedias carecía de asientos casi toda ella. || **3.** Espacio que media entre las líneas de árboles y el término o margen de un campo. || **4.** V. **Ojo de patio.**

Patiquebrar. (De *pata*, 1.er art., y *quebrar*.) tr. Romper una o más patas a un animal. Ú. t. c. r.

Patita. f. d. de **Pata,** 1.er art. || **Poner** a uno **de patitas en la calle.** fr. fig. y fam. Despedirle, echándole fuera de casa.

Patitieso, sa. (De *pata*, 1.er art., y *tieso*.) adj. fam. Dícese del que, por un accidente repentino, se queda sin sentido ni movimiento en las piernas o pies. || **2.** fig. y fam. Que se queda sorprendido por la novedad o extrañeza que le causa una cosa. || **3.** fig. y fam. Que por presunción o afectación anda muy erguido y tieso.

Patituerto, ta. (De *pata*, 1.er art., y *tuerto*.) adj. Que tiene torcidas las piernas o patas. || **2.** fig. y fam. Dícese de lo que se desvía de la línea que debe seguir, por estar mal hecho o torcido.

Patizambo, ba. (De *pata*, 1.er art., y *zambo*.) adj. Que tiene las piernas torcidas hacia afuera y junta mucho las rodillas. Ú. t. c. s.

Patizuelo. m. d. de **Patio,** 1.ª acep.

Pato. (Del ár. *baṭṭ*, ánsar.) m. Ave palmípeda, con el pico más ancho en la punta que en la base y en ésta más ancho que alto; su cuello es corto, y también los tarsos, por lo que anda con dificultad. Tiene una mancha de color verde metálico en cada ala; la cabeza del macho es también verde, y el resto del plumaje blanco y ceniciento; la hembra es de color rojizo. Se encuentra en abundancia en estado salvaje y se domestica con facilidad; su carne es menos estimada que la de la gallina. || **2.** V. **Cola de pato.** || **cuchara. Cuchareta,** 5.ª acep. || **de flojel.** Especie de gran tamaño, muy apreciada por su excelente plumón, del que se despoja la hembra para tapizar el nido, y con el cual se fabrican colchas ligerísimas y de mucho abrigo. || **negro.** Ave del orden de las palmípedas, especie de **pato** con pico ancho y robusto, plumaje negro o pardo en general, pero blancas algunas plumas de las alas y dos manchas simétricas de la cabeza; tarsos y dedos rojos, y verdoso el pico. Tiene unos cinco decímetros desde la cabeza hasta la punta de la cola y muy cerca de un metro de envergadura. || **El pato y el lechón, del cuchillo al asador.** ref. que denota la facilidad con que se corrompe la carne de estos animales. || **Estar** uno **hecho un pato, o un pato de agua.** fr. fig. y fam. Estar muy mojado o sudado. || **Pato, ganso y ansarón, tres cosas suenan y una son.** ref. que reprende a los que usan de muchas palabras para decir una misma cosa. || **Salga pato o gallareta.** expr. fig. y fam. **Salga lo que saliere.**

Pato (Pagar uno **el).** fr. fig. y fam. Padecer o llevar pena o castigo no merecido, o que ha merecido otro.

Patochada. (De *pata*, 1.er art.) f. Disparate, despropósito, dicho necio o grosero.

Patogenia. (Del gr. πάθος, dolencia, y γεννάω, engendrar.) f. Parte de la patología, que estudia el modo de engendrarse un estado morboso.

Patogénico, ca. adj. Perteneciente o relativo a la patogenia.

Patógeno, na. (Del gr. πάθος, dolencia, y γεννάω, engendrar.) adj. Dícese de los elementos y medios que originan y desarrollan las enfermedades. *Gérmenes* PATÓGENOS.

Patognomónico, ca. (Del gr. πάθος, enfermedad, y γνωμονικός, que indica.) adj. *Med.* Se dice del síntoma que caracteriza y define una determinada enfermedad.

Patojera. f. Deformidad que tienen los patojos.

Patojo, ja. (De *pato.*) adj. Que tiene las piernas o pies torcidos o desproporcionados, e imita al pato en andar meneando el cuerpo de un lado a otro.

Patología. (Del gr. πάθος, afección, enfermedad, y λόγος, tratado.) f. Parte de la medicina, que trata del estudio de las enfermedades.

Patológico, ca. (Del gr. παθολογικός.) adj. Perteneciente a la patología.

Patólogo. m. Profesor que ejerce especialmente la patología.

Patón, na. adj. fam. **Patudo,** 1.ª acep.

Patoso, sa. adj. Se dice de la persona que, sin serlo, presume de chistosa y aguda.

Patraña. f. Mentira o noticia fabulosa, de pura invención.

Patrañero, ra. adj. Que suele contar o inventar patrañas. Ú. t. c. s.

Patrañuela. f. d. de **Patraña.**

Patria. (Del lat. *patria.*) f. Nación propia nuestra, con la suma de cosas materiales e inmateriales, pasadas, presentes y futuras que cautivan la amorosa adhesión de los patriotas. || **2.** Lugar, ciudad o país en que se ha nacido. || **3.** V. **Padre de la,** o **de su, patria.** || **celestial.** Cielo o gloria. || **común.** *For.* Llamábase así a Madrid, cuando se permitía practicar en la capital diligencias que no se podían hacer en el lugar de naturaleza o vecindad del interesado. || **Merecer uno bien de la patria.** fr. Hacerse acreedor a su gratitud por relevantes hechos o beneficios.

Patriarca. (Del lat. *patriarcha,* y éste del gr. πατριάρχης; de πατριά, descendencia, familia, y ἄρχω, mandar.) m. Nombre que se da a algunos personajes del Antiguo Testamento, por haber sido cabezas de dilatadas y numerosas familias. || **2.** Título de dignidad concedido a los obispos de algunas iglesias principales, como las de Alejandría, Jerusalén y Constantinopla. || **3.** Título de dignidad concedido por el Papa a algunos prelados sin ejercicio ni jurisdicción. PATRIARCA *de las Indias.* || **4.** Cualquiera de los fundadores de las órdenes religiosas. || **5.** fig. Persona que por su edad y sabiduría ejerce autoridad moral en una familia o en una colectividad. || **Como un patriarca.** expr. fig. de que se usa para ponderar las comodidades o descanso de una persona. *Tiene una vida* COMO UN PATRIARCA.

Patriarcadgo. (De *patriarca.*) m. ant. **Patriarcado.**

Patriarcado. m. Dignidad de patriarca. || **2.** Territorio de la jurisdicción de un patriarca. || **3.** Tiempo que dura la dignidad de un patriarca. || **4.** Gobierno o autoridad del patriarca, 2.ª acep. || **5.** *Sociol.* Organización social primitiva en que la autoridad se ejerce por un varón jefe de cada familia, extendiéndose este poder a los parientes aun lejanos de un mismo linaje. || **6.** *Sociol.* Período de tiempo en que predomina este sistema.

Patriarcal. (Del lat. *patriarchālis.*) adj. Perteneciente o relativo al patriarca y a su autoridad y gobierno. || **2.** V. **Cruz, iglesia patriarcal.** || **3.** fig. Dícese de la autoridad y gobierno ejercidos con sencillez y benevolencia. || **4.** f. Iglesia del patriarca. || **5. Patriarcado,** 2.ª acep.

Patriarcazgo. (De *patriarcadgo.*) m. ant. **Patriarcado.**

Patriciado. (Del lat. *patriciātus.*) m. Dignidad o condición de patricio. Desde Constantino, esta dignidad se consideró la primera después de la imperial. || **2.** Conjunto o clase de los patricios.

Patriciano, na. (Del lat. *patriciānus.*) adj. Dícese de ciertos herejes que seguían los errores del heresiarca Patricio. Ú. t. c. s. || **2.** Perteneciente a su secta.

Patriciano, na. adj. ant. **Patricio.** Apl. a pers., usáb. t. c. s.

Patricida. (Del lat. *patricīda.*) com. ant. **Parricida.**

Patricidio. (De *patricida.*) m. ant. **Parricidio.**

Patricio, cia. (Del lat. *patricius.*) adj. Descendiente de los primeros senadores establecidos por Rómulo. Ú. t. c. s. || **2.** Dícese del que obtenía la dignidad del patriciado. Ú. m. c. s. || **3.** Perteneciente o relativo a los **patricios.** || **4.** m. Individuo que por su nacimiento, riqueza o virtudes descuella entre sus conciudadanos.

Patriedad. (De *patria.*) f. ant. **Patrimonialidad.**

Patrimonial. (Del lat. *patrimoniālis.*) adj. Perteneciente al patrimonio. || **2.** Perteneciente a uno por razón de su patria, padre o antepasados.

Patrimonialidad. (De *patrimonial.*) f. Derecho del natural de un país a obtener los beneficios eclesiásticos reservados a los oriundos de él.

Patrimonio. (Del lat. *patrimonĭum.*) m. Hacienda que una persona ha heredado de sus ascendientes. || **2.** fig. Bienes propios adquiridos por cualquier título. || **3.** Bienes propios, antes espiritualizados y hoy capitalizados y adscritos a un ordenando, como título para su ordenación. || **4. Patrimonialidad.** || **real.** Bienes pertenecientes a la corona o dignidad real. || **Constituir patrimonio.** fr. Sujetar u obligar una porción determinada de bienes para congrua sustentación del ordenando, con aprobación del ordinario eclesiástico.

Patrio, tria. (Del lat. *patrĭus.*) adj. Perteneciente a la patria. || **2.** Perteneciente al padre o que proviene de él. || **3.** V. **Patria potestad.**

Patriota. (Del lat. *patriōta,* y éste del gr. πατριώτης, compatriota; de πατριά, raza, tribu.) com. Persona que tiene amor a su patria y procura todo su bien. || **2.** p. us. **Compatriota.**

Patriotería. f. fam. Alarde propio del patriotero.

Patriotero, ra. adj. fam. Que alardea excesiva e inoportunamente de patriotismo. Ú. t. c. s.

Patriótico, ca. (Del lat. *patriotĭcus.*) adj. Perteneciente al patriota o a la patria. *Sus intenciones son benéficas y* PATRIÓTICAS.

Patriotismo. (De *patriota.*) m. Amor a la patria.

Patrística. (Del lat. *patres,* padres.) f. Ciencia que tiene por objeto el conocimiento de la doctrina, obras y vidas de los Santos Padres.

Patrístico, ca. adj. Perteneciente o relativo a la patrística.

Patrocinador, ra. adj. Que patrocina. Ú. t. c. s.

Patrocinar. (Del lat. *patrocināre.*) tr. Defender, proteger, amparar, favorecer.

Patrocinio. (Del lat. *patrocinĭum.*) m. Amparo, protección, auxilio. || **de Nuestra Señora.** Título de una fiesta de la Santísima Virgen, concedida a la Iglesia de España por el papa Alejandro VII y extendida a toda la cristiandad por Benedicto XIII, que se celebra en una de las domínicas de noviembre. || **de San José.** Título que se da a una fiesta del patriarca San José, celebrada con autoridad de la Santa Sede por los carmelitas descalzos, desde el principio de su reforma, extendida por la Sagrada Congregación de Ritos en el año de 1700 a la orden de San Agustín y propagada después por casi toda la cristiandad. Celébrase por lo común en la tercera domínica después de la Pascua de Resurrección.

Patrología. (Del gr. πατήρ, πατρός, padre, y λόγος, tratado.) f. **Patrística.** || **2.** Tratado sobre los Santos Padres. || **3.** Colección de sus escritos.

Patrón, na. (De *patrono.*) m. y f. **Patrono,** 1.ª, 2.ª y 3.ª aceps. || **2.** Santo titular de una iglesia. || **3.** Protector escogido por un pueblo o congregación, ya sea un santo, ya la Virgen o Jesucristo en alguna de sus advocaciones. || **4.** Dueño de la casa donde uno se aloja u hospeda. || **5.** Amo, señor. || **6.** m. El que manda y dirige un pequeño buque mercante. || **7.** V. **Baratería de patrón.** || **8.** Dechado que sirve de muestra para sacar otra cosa igual. || **9.** Metal que se toma como tipo para la evaluación de la moneda en un sistema monetario. || **10.** Planta en que se hace un injerto. || **de bote,** o **lancha.** *Mar.* Hombre de mar encargado del gobierno de una embarcación menor. || **Cortado por el mismo patrón.** loc. Dícese de una persona o cosa que representa gran semejanza con otra. || **Donde hay patrón no manda marinero.** ref. con que se advierte que donde hay superior no puede mandar el inferior.

Patrona. (De *patrón.*) f. Galera inmediatamente inferior en dignidad a la capitana de una escuadra.

Patronado, da. adj. Aplícase a las iglesias y beneficios que tienen patrono. || **2.** m. *Ar.* **Patronato.**

Patronal. adj. Perteneciente al patrono o al patronato.

Patronato. (Del lat. *patronātus.*) m. Derecho, poder o facultad que tienen el patrono o patronos. || **2.** Corporación que forman los patronos. || **3.** Fundación de una obra pía. || **4.** Cargo de cumplir algunas obras pías, que tienen las personas designadas por el fundador. || **5.** V. **Derecho de patronato.** || **de legos.** Vínculo fundado con el gravamen de una obra pía. || **real.** Derecho que tenía el rey de presentar sujetos idóneos para los obispados, prelacías seculares y regulares, dignidades y prebendas en las catedrales o colegiatas, y otros beneficios.

Patronazgo. m. **Patronato.**

Patronear. tr. Ejercer el cargo de patrón en una embarcación.

Patronero. m. **Patrono,** 2.ª acep.

Patronímico, ca. (Del lat. *patronymĭcus,* y éste del gr. πατρωνυμικός; de πατήρ, padre, y ὄνομα, nombre.) adj. Entre los griegos y romanos, decíase del nombre que, derivado del perteneciente al padre u otro antecesor, y aplicado al hijo u otro descendiente, denotaba en éstos la calidad de tales. || **2.** Aplícase al apellido que antiguamente se daba en España a los hijos, formado del nombre de sus padres; v. gr.: *Fernández,* de *Fernando; Martínez,* de *Martín.* Ú. t. c. s.

Patrono, na. (Del lat. *patrōnus.*) m. y f. Defensor, protector, amparador. || **2.** El que tiene derecho o cargo de patronato. || **3.** El último dueño de un esclavo manumitido. || **4. Patrón,** 2.ª, 3.ª y 5.ª aceps. || **5.** Señor del directo dominio en los feudos. || **6.** Persona que emplea obreros en trabajo u obra de manos.

Patrulla. (De *patrullar.*) f. Partida de soldados u otra gente armada, en corto número, que ronda para mantener el orden y seguridad en las plazas y campamentos. || **2.** Grupo de buques o aviones que prestan servicio en una costa, paraje de mar, o campo minado, para la defensa contra ataques submarinos o aéreos, o para observaciones meteorológicas. || **3.** Este mismo servicio. || **4.** fig. Corto número de personas que van acuadrilladas.

Patrullar. (Del fr. *patrouiller*, de *patouiller*, rondar.) intr. Rondar una patrulla. ‖ **2.** Prestar servicio de patrulla, 3.ª acep.

Patrullero, ra. adj. Dícese del buque o avión destinado a patrullar, 2.ª acep. Ú. t. c. s. m.

Patudo, da. adj. fam. Que tiene grandes patas o pies. ‖ **2.** fig. y fam. V. **Ángel patudo.**

Patulea. (De *patullar*.) f. fam. Soldadesca desordenada. ‖ **2.** fam. Gente desbandada y maleante.

Patullar. (Del fr. *patouiller*.) intr. Pisar con fuerza y desatentadamente. ‖ **2.** fig. y fam. Dar muchos pasos o hacer muchas diligencias para conseguir una cosa. ‖ **3.** fam. **Conversar.**

Paturro, rra. adj. *Colomb.* Rechoncho, chaparro.

Paují. (Voz quichua.) m. Ave del Perú, perteneciente al orden de las gallináceas, del tamaño de un pavo, de plumaje negro, con manchas blancas en el vientre y en la extremidad de la cola; pico grande, grueso y con un tubérculo encima, de forma ovoide, casi tan grande como la cabeza del animal, de color azulado y duro como una piedra. Es ave muy confiada que se domestica con facilidad; se alimenta de frutos y semillas y su carne se parece mucho a la del faisán. ‖ **de copete. Guaco,** 2.ª acep. ‖ ‖ **de piedra. Paují.**

Paujil. m. **Paují.**

Paúl. (Del lat. *palus, -ūdis*, laguna, pantano.) m. Sitio pantanoso cubierto de hierbas.

Paúl. (Del fr. *Paul*, n. p. de lugar.) adj. Dícese del clérigo regular que pertenece a la congregación de misioneros fundada en Francia por San Vicente de Paúl en el siglo XVII. Ú. m. en pl. y t. c. s.

Paular. (De *paúl*, 1.er art.) m. Pantano o atolladero.

Paular. (De *pablar*.) intr. Parlar o hablar. Sólo tiene uso en lenguaje festivo unido al verbo *maular*. *Sin* PAULAR *ni maular; ni* PAULA *ni maula.*

Paulatinamente. adv. m. Poco a poco, despacio, lentamente.

Paulatino, na. (Del lat. *paulātim*, despacio.) adj. Que procede u obra despacio o lentamente.

Paulilla. (Del lat. **papilĕlla*, de *papilio*, mariposa.) f. **Palomilla,** 1.ª acep.

Paulina. (Del nombre del papa *Paulo* III.) f. Carta o despacho de excomunión que se expide en los tribunales pontificios para el descubrimiento de algunas cosas que se sospecha haber sido robadas u ocultadas maliciosamente. ‖ **2.** fig. y fam. Reprensión áspera y fuerte. ‖ **3.** fig. y fam. Carta ofensiva anónima.

Paulinia. (De Simón *Paulli*, botánico dinamarqués del siglo XVII, a quien se dedicó esta planta.) f. Arbusto de la familia de las sapindáceas, con tallos sarmentosos de tres a cuatro metros de longitud, hojas persistentes y alternas, flores blancas y fruto capsular ovoide, de tres divisiones, cada una con su semilla del tamaño de un guisante, color negro por fuera y almendra amarillenta, que después de tostada se usa en el Brasil, donde se cría la planta, para preparar una bebida refrescante y febrífuga.

Paulonia. (De la princesa Ana *Paulowna*, hija del zar Pablo I, a la cual fué dedicada esta planta.) f. Árbol de la familia de las escrofulariáceas, con hojas grandes, opuestas y acorazonadas; flores azules, olorosas y dispuestas en panojas; cáliz con cinco divisiones, tubo de la corola largo y encorvado, y su limbo oblicuo y laciniado; cuatro estambres, caja leñosa y semillas aladas. Se cría en el Japón y se cultiva en los jardines de Europa, donde suele alcanzar la altura de 10 a 12 metros.

Pauperismo. (Del lat. *pauper, -ĕris*, pobre.) m. Existencia de gran número de pobres en un Estado, en particular cuando procede de causas permanentes.

Paupérrimo, ma. (Del lat. *pauperrĭmus*.) adj. sup. Muy pobre.

Pausa. (Del lat. *pausa*.) f. Breve interrupción del movimiento, acción o ejercicio. ‖ **2.** Tardanza, lentitud. *Hablar con* PAUSA. ‖ **3.** *Mús.* Breve intervalo en que se deja de cantar o tocar. ‖ **4.** *Mús.* Signo de la **pausa** en la música escrita. ‖ **A pausas.** m. adv. Interrumpidamente, por intervalos.

Pausadamente. adv. m. Con lentitud, tardanza o pausa.

Pausado, da. p. p. de **Pausar.** ‖ **2.** adj. Que obra con pausa o lentitud. ‖ **3.** Que se ejecuta o acaece de este modo. ‖ **4.** adv. m. **Pausadamente.**

Pausar. (Del lat. *pausāre*.) intr. Interrumpir o retardar un movimiento, ejercicio o acción.

Pauta. (Del lat. *pactum*, regla.) f. Instrumento o aparato para rayar el papel en que los niños aprenden a escribir. Se llama también la raya o conjunto de rayas hechas con este instrumento. ‖ **2.** fig. Cualquier instrumento o norma que sirve para gobernarse en la ejecución de una cosa. ‖ **3.** fig. Dechado o modelo. *La vida de los santos es nuestra* PAUTA.

Pautado, da. p. p. de **Pautar.** ‖ **2.** adj. V. **Papel pautado.** ‖ **3.** f. **Pentágrama.**

Pautador. m. El que pauta o hace pautas.

Pautar. tr. Rayar el papel con la pauta. ‖ **2.** fig. Dar reglas o determinar el modo de ejecutar una acción. ‖ **3.** *Mús.* Señalar en el papel las rayas necesarias para escribir las notas musicales.

Pava. (Del lat. *pava*.) f. Hembra del pavo. ‖ **2.** fig. y fam. Mujer sosa y desgarbada. Ú. t. c. adj. ‖ **Andallo, pavas,** o **andallo, pavas, y eran gansos todos.** expr. fig. y fam. que se usa para significar el gusto y complacencia en lo que se ve o se oye; y también, por ironía, sirve para reprenderlo cuando es reparable.

Pava. (Del ingl. *pipe*, tubo.) f. Fuelle grande usado en ciertos hornos metalúrgicos. ‖ **2.** V. **Horno de pava.** ‖ **3.** *Argent.* Recipiente de metal con tapa y pico para calentar agua. ‖ **Pelar la pava.** fr. fig. y fam. Tener amorosas pláticas los mozos con las mozas: ellos, desde la calle, y ellas, asomadas a rejas o balcones.

Pavada. f. Manada de pavos. ‖ **2.** Juego de niños, que se hace sentándose todos en corro con las piernas extendidas, menos uno, que recitando ciertas palabras cuenta sucesivamente los pies hasta llegar al octavo, que hace esconder, y continuando del mismo modo hasta que uno sólo quede descubierto, pierde el niño a quien éste pertenece. ‖ **3.** fig. y fam. Sosería, insulsez.

Pavana. (De *pava*, 1.er art.) f. Danza española, grave y seria y de movimientos pausados. ‖ **2.** Tañido de esta danza. ‖ **3.** Especie de esclavina que usaron las mujeres. ‖ **4.** V. **Entrada, salida de pavana.**

Pavero, ra. m. y f. Persona que cuida de las manadas de pavos o anda vendiéndolos. ‖ **2.** m. Sombrero de ala ancha y recta y copa cónica, que usan los andaluces.

Pavés. (Del lat. *[scutum] pavense*, de Pavía.) m. Escudo oblongo y de suficiente tamaño para cubrir casi todo el cuerpo del combatiente. ‖ **Alzar,** o **levantar,** a uno **sobre el pavés.** fr. fig. Erigirle en caudillo, encumbrarle, ensalzarle.

Pavesa. f. Partecilla ligera que salta de una materia inflamada o de una vela encendida, y acaba por convertirse en ceniza. ‖ **Estar** uno **hecho una pavesa.** fr. fig. y fam. Estar muy extenuado y débil. ‖ **Ser** uno **una pavesa.** fr. fig. y fam. Ser muy débil y apacible.

Pavesada. (De *pavés*.) f. **Empavesada.**

Pavesina. f. Pavés pequeño.

Pavezno. (De *pavo*.) m. **Pavipollo.**

Pavía. n. p. **Echar por las de Pavía.** fr. fig. y fam. Hablar o responder con alteración, despecho o descomedimiento.

Pavía. (De *Pavía*, ciudad de Italia, de donde procede esta fruta.) f. Variedad del pérsico, cuyo fruto tiene la piel lisa y la carne jugosa y pegada al hueso. ‖ **2.** Fruto de este árbol.

Paviano, na. adj. Natural de Pavía. Ú. t. c. s. ‖ **2.** Perteneciente a esta ciudad de Italia.

Pávido, da. (Del lat. *pavĭdus*.) adj. Tímido, medroso o lleno de pavor. Ú. m. en poesía.

Pavimentación. f. Acción y efecto de pavimentar.

Pavimentar. (De *pavimento*.) tr. **Solar,** 3.er art.

Pavimento. (Del lat. *pavimentum*.) m. **Suelo,** 5.ª acep.

Pavimiento. m. ant. **Pavimento.**

Paviota. f. **Gaviota.**

Pavipollo. m. Pollo del pavo.

Pavisoso, sa. (De *pavo* y *soso*.) adj. Bobo, sin gracia ni arte.

Pavitonto, ta. adj. Necio, estúpido.

Pavo. (Del lat. *pavus*, el pavo real.) m. Ave del orden de las gallináceas, oriunda de la América del Norte, donde en estado salvaje llega a tener un metro de alto, 13 decímetros desde la punta del pico hasta el extremo de la cola, dos metros de envergadura y 20 kilogramos de peso; plumaje de color pardo verdoso con reflejos cobrizos y manchas blanquecinas en los extremos de las alas y de la cola; cabeza y cuello cubiertos de carúnculas rojas, así como la membrana eréctil que lleva encima del pico; tarsos negruzcos muy fuertes, dedos largos, y en el pecho un mechón de cerdas de tres a cuatro centímetros de longitud. La hembra es algo menor, pero semejante al macho en todo lo demás. En domesticidad, el ave ha disminuído de tamaño y ha cambiado el color del plumaje, habiendo variedades negras, rubias y blancas. ‖ **2.** V. **Moco de pavo.** ‖ **3.** fig. y fam. Hombre soso o incauto. Ú. t. c. adj. ‖ **4.** fig. *Chile.* Pasajero clandestino, polizón. ‖ **marino.** Ave del orden de las zancudas, que tiene unos 28 centímetros desde la punta del pico hasta la extremidad de la cola, próximamente igual altura y el doble de envergadura; de color pardo obscuro en el lomo, negruzco en las alas y cola, blanco en el pecho y abdomen, amarillento rojizo en los pies y el pico, y negro en las uñas. El macho, en la época del celo, se viste el cuello de plumas largas y pierde las de la cabeza, que en lugar de ellas se llena de tubérculos encarnados. ‖ **real.** Ave del orden de las gallináceas, oriunda de Asia y domesticada en Europa, que tiene unos siete decímetros desde la punta del pico hasta el arranque de la cola, la cual por sí sola llega hasta metro y medio de largo en el macho. Éste tiene la cabeza y el cuello azul con cambiantes verdes y violados, matizados de oro, y sobre aquélla un penacho de plumas verdes con cambiantes de oro; el cuerpo, de color de rosa, anubarrado de verde y dorado; las alas y la cola, encarnadas; en la época del celo extiende y endereza en círculo su larga cola de plumas verdes, con cambiantes de oro y azul y una mancha oval a su extremo, de varios colores y matices. La hembra es algo más pequeña, de color ceniciento, con cambiantes verdes en el cuello, y nunca tiene la hermosa cola que el macho. Hay también pavos reales blancos del todo, aunque son menos comunes. || **ruán. Pavo real.** || **ruante.** *Blas.* Pavón que tiene extendidas las plumas de la cola formando la rueda. || **Comer pavo.** fr. fam. En un baile, quedarse sin bailar una mujer, por no haber sido invitada a ello. || **De toma un pavo a daca un pavo, van dos pavos.** expr. que indica que, entre obtener una cosa y perderla, la diferencia es doblada. || **Subírsele** a uno **el pavo.** fr. fig. y fam. **Ruborizarse.**

Pavón. (Del lat. *pavo, -ōnis.*) m. **Pavo real.** || **2.** Nombre de algunas mariposas, así llamadas por las manchas redondeadas de sus alas. || **3.** Color azul, negro o de café, con que a modo de barniz se cubre la superficie de los objetos de hierro y acero para preservarlos de la oxidación. || **4.** *Astron.* Constelación celeste que está cerca del polo antártico. || **diurno.** Mariposa diurna que tiene dos manchas redondas en las alas posteriores y otras dos menos perfectas en las anteriores. No hace capullo. || **nocturno.** Mariposa nocturna de gran tamaño, la mayor de las especies españolas. Es de color pardo con manchas grises y cuatro ojos en las alas. Hace capullo abierto por un extremo. Se alimenta de las hojas de los olmos y de otros árboles. Hay otra variedad de menor tamaño.

Pavonada. (De *pavón.*) f. fam. Paseo u otra diversión semejante, que se toma por poco tiempo. || **2.** fig. Ostentación o pompa con que uno se deja ver. || **Darse** uno **una pavonada.** fr. fam. Ir a recrearse o divertirse.

Pavonado, da. p. p. de **Pavonar.** || **2.** adj. Azulado obscuro. || **3.** m. **Pavón,** 3.ª acep.

Pavonador, ra. adj. Que pavona. Ú. t. c. s.

Pavonar. (De *pavón,* por el color del plumaje.) tr. Dar pavón al hierro o al acero.

Pavonazo. (Del ital. *pavonazzo.*) m. *Pint.* Color mineral rojo obscuro con que se suple el carmín en la pintura al fresco. Es un peróxido de hierro, aluminoso.

Pavonear. (De *pavón.*) intr. Hacer uno vana ostentación de su gallardía o de otras prendas. Ú. m. c. r. || **2.** fig. y fam. Traer a uno entretenido o hacerle desear una cosa.

Pavoneo. m. Acción de pavonear o pavonearse.

Pavor. (Del lat. *pavor.*) m. Temor, con espanto o sobresalto. || **2.** *Murc.* **Bochorno,** 5.ª acep.

Pavorde. (Del cat. *pavorde,* y éste del lat. *praepositus.*) m. Prepósito eclesiástico de ciertas comunidades. || **2.** En la iglesia metropolitana y en la universidad de Valencia, título de honor que se da a algunos catedráticos de teología, cánones o derecho civil, que tienen silla en el coro después de los canónigos y usan hábitos canonicales.

Pavordear. intr. **Jabardear.**

Pavordía. f. Dignidad de pavorde. || **2.** Derecho de percibir los frutos de esta dignidad. || **3.** Territorio en que goza de este derecho el pavorde.

Pavorido, da. (De *pavor.*) adj. **Despavorido,** 2.ª acep.

Pavorosamente. adv. m. Con pavor, 1.ª acep.

Pavoroso, sa. adj. Que causa pavor, 1.ª acep.

Pavura. f. **Pavor,** 1.ª acep.

Payacate. m. *Méj.* Pañuelo grande, pañuelo de narices.

Payada. f. *Amér.* Canto del payador. || **de contrapunto.** *Amér.* Certamen poético y musical de dos payadores.

Payador. m. *Amér.* **Pallador.**

Payagua. m. Indio indígena del Paraguay.

Payar. intr. *Argent.* y *Chile.* Cantar payadas.

Payasada. f. Acción o dicho propio de payaso.

Payaso. (Del ital. *pagliaccio.*) m. Titiritero que hace de gracioso, con traje, ademanes y gestos ridículos.

Payés, sa. (Del lat. *pagensis.*) m. y f. Campesino o campesina de Cataluña o de las islas Baleares.

Payo, ya. (Forma regres. de *payés.*) adj. **Aldeano.** Ú. t. c. s. m. || **2.** m. Campesino ignorante y rudo. || **3.** *Germ.* **Pastor,** 2.ª acep. || **4.** *Germ.* V. **Red de payo.**

Payuelas. f. pl. **Viruelas locas.**

Paz. (Del lat. *pax, pacis.*) f. Virtud que pone en el ánimo tranquilidad y sosiego, opuestos a la turbación y las pasiones. Es uno de los frutos del Espíritu Santo. || **2.** Pública tranquilidad y quietud de los Estados, en contraposición a la guerra. || **3.** Sosiego y buena correspondencia de unos con otros, especialmente en las familias, en contraposición a las disensiones, riñas y pleitos. || **4.** Genio pacífico, sosegado y apacible. || **5.** Ajuste o convenio que se concuerda entre los príncipes para dar la quietud a sus pueblos, especialmente después de las guerras. || **6.** V. **Bandera, beso, iris, juez, moro de paz.** || **7.** En la misa, ceremonia en que el celebrante besa el altar y luego abraza al diácono y éste al subdiácono, y en las catedrales se da a besar al coro y a los que hacen cabeza del pueblo una imagen o reliquia. || **8.** Esta misma reliquia o imagen. || **9.** Salutación que se hace dándose un beso en el rostro los que se encuentran cuando ha mucho tiempo que no se han visto. || **octaviana.** fig. Quietud y sosiego generales, como se gozaban en el imperio romano en la época de Octavio Augusto, al tiempo de la Encarnación del Verbo Divino. || **A la paz de Dios.** loc. fam. con que se despide uno de otro o de una conversación. || **Andar la paz por el coro.** fr. fig. e irón. Haber riñas y desazones en una comunidad o familia. || **Aquí paz y después gloria.** fr. **Aquí gracia y después gloria.** || **Con paz sea dicho.** expr. Con beneplácito y permiso, o sin ofensa. || **Dar la paz** a uno. fr. Darle un abrazo, o darle a besar una imagen, en señal de **paz** y fraternidad, como se hace en las misas solemnes. || **2.** ant. **Dar paz.** || **Dar paz** a uno. fr. Saludarle besándole en el rostro en señal de amistad. || **Dejar en paz** a uno. fr. No inquietarle ni molestarle. || **Descansar en paz.** fr. Morir y salvarse; conseguir la bienaventuranza. Piadosamente se dice de todos los que mueren en la religión católica. || **En paz y en haz.** loc. adv. Con vista y consentimiento. || **Estar en paz.** fr. En el juego, se toma por la igualdad de caudal o del dinero que se ha expuesto, de modo que no hay pérdida ni ganancia, o por la igualdad del número de tantos de una parte u otra. || **2.** Dícese por la igualdad en las cuentas cuando se paga enteramente el alcance o deuda. || **3.** fig. Aplícase también al desquite o correspondencia en las acciones o palabras que intervienen de un sujeto a otro. || **Ir en paz,** o **con la paz de Dios.** fr. con que cortesanamente despide uno al que estaba en su compañía o conversación. || **Meter paz.** fr. **Poner paz.** || **¡Paz!** interj. que se usa para ponerla o solicitarla entre los que riñen. || **Paz sea en esta casa.** expr. con que se saluda generalmente cuando se entra en una casa. || **Paz y paciencia, y muerte con penitencia.** ref. que comprende las reglas de vivir y de morir bien. || **Paz y pan.** expr. con que se significa que estas dos cosas son la causa y fundamento principal de la quietud pública. || **Poner en paz** a dos o más personas, o **poner paz** entre ellas. frs. **Mediar,** 3.ª acep. || **Quedar en paz.** fr. **Estar en paz.** || **Reposar en paz.** fr. **Descansar en paz.** || **Sacar a paz y a salvo** a uno. fr. Librarle de todo peligro o riesgo. || **Vaya,** o **vete, en paz,** o **con la paz de Dios.** fr. **Vaya,** o **vete, con Dios.** || **Venir** uno **de paz.** fr. Venir sin ánimo de reñir, cuando se temía lo contrario.

Pazguatería. f. Calidad de pazguato. || **2.** Acción propia de él.

Pazguato, ta. (Del lat. *pacificātus.*) adj. Simple, que se pasma y admira de lo que ve u oye. Ú. t. c. s.

Pazo. (Del lat. *palatium.*) m. En Galicia, casa solariega, y especialmente la edificada en el campo.

Pazote. (Voz americana.) m. *Bot.* Planta herbácea anual, de la familia de las quenopodiáceas, cuyo tallo, asurcado y muy ramoso, se levanta hasta un metro de altura; tiene las hojas lanceoladas, algo dentadas y de color verde obscuro; las flores, aglomeradas en racimos laxos y sencillos, y las semillas, nítidas y de margen obtusa. Toda la planta despide olor aromático, y se toman en infusión, a manera de té, las flores y las hojas. Oriunda de América, se ha extendido mucho por el mediodía y centro de Europa, donde se encuentra como si fuese espontánea entre los escombros de los edificios.

Pazpuerca. adj. fam. Dícese de la mujer sucia y grosera. Ú. t. c. s.

Pche o **Pchs.** interj. que denota indiferencia, displicencia o reserva.

Pe. f. Nombre de la letra *p.* || **De pe a pa.** m. adv. fig. y fam. Enteramente, desde el principio al fin.

Pea. f. vulg. Embriaguez, borrachera.

Peaje. (De *pedaje.*) m. Derecho de tránsito.

Peajero. m. El que cobra el peaje.

Peal. (Del lat. *pedāle.*) m. Parte de la media que cubre el pie. || **2.** Media sin pie que se sujeta a éste con una trabilla. || **3.** Paño con que se cubre el pie. || **4.** fig. y fam. Persona inútil, torpe, despreciable.

Peana. (Del lat. *pedāna;* de *pes, pedis,* pie.) f. Basa, apoyo o pie para colocar encima una figura u otra cosa. || **2.** Tarima que hay delante del altar, arrimada a él. || **Por la peana se adora,** o **se besa, al santo.** expr. fig. y fam. con que se denota que uno hace la corte u obsequia a una persona por ganarse la voluntad de otra que tiene con ella íntima relación o dependencia.

Peaña. (Del lat. *pedanĕa;* de *pes, pedis,* pie.) f. **Peana.**

Peatón. (Del fr. *piéton,* soldado de a pie, y éste del lat. **pedĭto, -ōnis,* de *pedes, -ĭtis,* infante.) m. **Peón,** 1.er art., 1.ª acep. || **2.** Valijero o correo de a pie encargado de la conducción de la correspondencia entre pueblos cercanos.

Pebete. m. Pasta hecha con polvos aromáticos, regularmente en figura de varilla, que encendida exhala un humo muy fragante. || **2.** Cañutillo formado de una masa de pólvora y otros ingredientes, que sirve para encender los artificios de fuego. || **3.** fig. y fam. Cualquier cosa que tiene mal olor. || **4.** *Urug.* Niño, chiquillo.

Pebetero. (De *pebete.*) m. **Perfumador,** 2.ª acep., y especialmente el que tiene cubierta agujereada.

Pebrada. (Del lat. *piperāta,* pl. n. de *-tum;* de *piper,* pimienta.) f. **Pebre,** 1.er art., 1.ª acep.

Pebre. (Del lat. *piper, -ĕris,* pimienta.) amb. Salsa en que entran pimienta, ajo, perejil y vinagre, y con la cual se sazonan diversas viandas. || **2.** En algunas partes, **pimienta,** 1.ª acep.

Pebre. m. *Chile.* Puré de patatas.

Peca. (De *pecar,* 6.ª acep.) f. Cualquiera de las manchas amarillo-rojizas, que suelen salir en el cutis y aumentan generalmente por efecto del sol y del aire.

Pecable. adj. Capaz de pecar. || **2.** Aplícase a la materia misma en que se puede pecar.

Pecado. p. p. de **Pecar.** || **2.** m. Hecho, dicho, deseo, pensamiento u omisión contra la ley de Dios y sus preceptos. || **3.** Cualquier cosa que se aparta de lo recto y justo, o que falta a lo que es debido. || **4.** Exceso o defecto en cualquier línea. || **5.** fig. y fam. El diablo. *Eres el* PECADO. || **6.** Juego de naipes y de envite en que la suerte preferente es la de nueve puntos, cometiéndose **pecado** en pasar de este número. || **7.** fig. y fam. V. **El costal de los pecados.** || **actual.** Acto con que el hombre peca voluntariamente. || **capital. Pecado mortal.** || **contra natura,** o **contra naturaleza.** Sodomía o cualquier otro carnal contrario a la generación. || **de bestialidad. Bestialidad,** 2.ª acep. || **de comisión.** Obra, palabra o deseo que prohibe la ley de Dios. || **de omisión.** El en que se incurre dejando de hacer aquello a que uno está obligado por ley moral. || **grave. Pecado mortal.** || **habitual.** Acto continuado o costumbre de pecar. || **material.** *Teol.* Acción contraria a la ley, cuando el que la ejecuta ignora inculpablemente esa cualidad. || **mortal.** Culpa que priva al hombre de la vida espiritual de la gracia, y le hace enemigo de Dios y digno de la pena eterna. || **2.** fig. y fam. V. **Obra en pecado mortal.** || **nefando.** El de sodomía, por su torpeza y obscenidad. || **original.** Aquel en que es concebido el hombre por descender de Adán. || **2.** fig. y fam. Desgracia de que participa uno por la relación que tiene con otra persona o con algún cuerpo. || **venial.** El que levemente se opone a la ley de Dios, o por la parvedad de la materia, o por falta de plena advertencia. || **El pecado de la lenteja.** fig. y fam. Defecto leve que uno pondera o exagera mucho. || **Conocer uno su pecado.** fr. Confesarlo. || **De mis pecados.** loc. con que se significa un afecto particular acerca del sujeto o cosa de que se habla. *Estas cuentas* DE MIS PECADOS. || **Estar en pecado.** fr. fig. Estar mal o sumamente desazonado con un sujeto o especie. || **Estar hecho un pecado.** fr. fig. con que se significa el mal éxito de una cosa, o el efecto contrario a lo que se pretendía. || **Pagar uno su pecado.** fr. con que se explica que uno padeció la pena correspondiente a una mala acción, aunque por la dilación parecía estar olvidada. || **Pecado encelado, es medio perdonado.** ref. que encarece lo perjudicial del escándalo, sobre todo en vicios y defectos. || **Por mis pecados,** o **por malos,** o **por negros, de mis pecados.** expr. Por mis culpas o en castigo de ellas.

Pecador, ra. (Del lat. *peccātor, -ōris.*) adj. Que peca. Ú. t. c. s. || **2.** Sujeto al pecado o que puede cometerlo. Ú. t. c. s. || **3.** f. fam. **Ramera.** || **¡Pecador,** o **pecadora, de mí!** expr. fam., a modo de interjección, con que se explica la extrañeza o sentimiento en lo que se ejecuta, se ve, se oye o sucede.

Pecadriz. adj. f. ant. **Pecatriz.** Usáb. t. c. s.

Pecaminoso, sa. (Del lat. *peccāmen, -ĭnis,* pecado.) adj. Perteneciente o relativo al pecado o al pecador. || **2.** fig. Se aplica a las cosas que están o parecen contaminadas de pecado.

Pecante. (Del lat. *peccans, -antis.*) p. a. de **Pecar.** Que peca. Ú. t. c. s. || **2.** Dícese de lo que es excesivo en su línea. || **3.** V. **Humor pecante.**

Pecar. (Del lat. *peccāre.*) intr. Quebrantar la ley de Dios. || **2.** Faltar absolutamente a cualquier obligación y a lo que es debido y justo, o a las reglas del arte o política. || **3.** Faltar a la reglas en cualquier línea. || **4.** Dejarse llevar de la afición a una cosa. *Desde niño* PECÓ *por espadachín; en viendo dulces, no puedo menos de* PECAR; *el joven* PECA *de confiado.* || **5.** Dar motivo para un castigo o pena. *¿En qué* HA PECADO *Joaquín?* || **6.** *Med.* Predominar o exceder un humor en las enfermedades. || **Aquí que no peco.** expr. fam. con que se da a entender el propósito de cometer una demasía en ocasión propicia para eludir la responsabilidad o el castigo.

Pécari. m. *Amér. Merid.* **Báquira.**

Pecatriz. (Del lat. *peccātrix.*) adj. f. ant. **Pecadora.** Usáb. t. c. s.

Pecblenda. (Del al. *pech,* pez, resina, y *blende,* mezcla.) f. *Min.* Mineral de uranio, de composición muy compleja, en la que entran ordinariamente varios metales raros y entre ellos el radio.

Peccata minuta. (Del lat. *peccāta,* pecados, faltas, y *minūta,* pequeños.) expr. fam. Error, falta o vicio leve.

Pece. (Del lat. *piscis.*) m. ant. **Pez,** 1.er art. || **2.** Lomo de tierra que queda entre cada dos surcos. || **El pece, para quien lo merece.** ref. que enseña que el premio corresponde al mérito, y a él se le debe dar.

Pece. (Del lat. *pix, pĭcis,* la pez.) f. Tierra o mortero amasados para hacer tapias u otras fábricas.

Pececillo. m. d. de **Pez.**

Peceño, ña. adj. Que tiene el color de la pez. Aplícase ordinariamente al caballo de este pelo. || **2.** Que sabe a la pez.

Pecera. f. Vasija o globo de cristal, que se llena de agua y sirve para tener a la vista uno o varios peces.

Pecezuela. f. d. de **Pieza.**

Pecezuelo. m. d. de **Pie.**

Pecezuelo. m. d. de **Pez.**

Peciento, ta. adj. Del color de la pez.

Pecilgar. tr. ant. **Pellizcar.**

Pecilgo. m. **Pellizco.**

Peciluengo, ga. (De *pezón* y *luengo.*) adj. Aplícase a la fruta que tiene largo el pezón del cual pende en el árbol.

Pecina. f. **Piscina,** 1.ª acep.

Pecina. (Del lat. *picīna,* t. f. de *-nus;* de *pix, pĭcis,* la pez.) f. Cieno negruzco que se forma en los charcos o cauces donde hay materias orgánicas en descomposición.

Pecinal. m. Charco de agua estancada o alguna que tiene mucha pecina.

Pecinoso, sa. adj. Que tiene pecina.

Pecio. (Del b. lat. *petius,* y éste del m. or. que el lat. *pittacium,* pedazo.) m. Pedazo o fragmento de la nave que ha naufragado o porción de lo que ella contiene. || **2.** Derechos que el señor del puerto de mar exigía de las naves que naufragaban en sus marinas y costas.

Peciolado, da. adj. *Bot.* Dícese de las hojas que tienen pecíolo.

Pecíolo [Peciolo]. (Del lat. *petiŏlus.*) m. *Bot.* Pezón de la hoja.

Pécora. (Del lat. *pecŏra,* pl. de *pecus.*) f. Res o cabeza de ganado lanar. || **2.** V. **Carta pécora.** || **Mala pécora.** fig. y fam. Persona astuta, taimada y viciosa, y más comúnmente siendo mujer.

Pecorea. (De *pecorear.*) f. Hurto o pillaje que salen a hacer algunos soldados, desbandados del cuartel o campamento. || **2.** fig. Diversión ociosa y fuera de casa, andando de aquí para allí.

Pecorear. (De *pécora.*) tr. Hurtar o robar ganado. || **2.** intr. Andar los soldados a la desbandada hurtando y saqueando.

Pecoso, sa. adj. Que tiene pecas.

Pectar. (Del lat. *pactum,* pecho, 2.° art.) tr. ant. **Pechar,** 1.er art., 1.ª y 2.ª aceps.

Pectina. (Del gr. πηκτός, coagulado.) f. *Quím.* Producto ternario, semejante a los hidratos de carbono, que está disuelto en el jugo de muchos frutos maduros.

Pectíneo. m. *Zool.* Músculo del muslo que hace girar el fémur.

Pectiniforme. (Del lat. *pecten, -ĭnis,* peine, y de *forma.*) adj. *Bot.* y *Zool.* De figura de peine o dentado como él.

Pectoral. (Del lat. *pectorālis.*) adj. Perteneciente o relativo al pecho. *Cavidad* PECTORAL. || **2.** Útil y provechoso para el pecho. Ú. t. c. s. m. || **3.** m. Cruz que por insignia pontifical traen sobre el pecho los obispos y otros prelados. || **4.** Racional del sumo sacerdote en la ley antigua.

Pectosa. (Del gr. πηκτός, coagulado.) f. *Quím.* Substancia parecida a la pectina, que está unida a la celulosa en la membrana de las células vegetales; es insoluble en el agua y se disuelve fácilmente en los álcalis diluidos.

Pecuario, ria. (Del lat. *pecuarius.*) adj. Perteneciente al ganado.

Peculado. (Del lat. *peculātus;* de *pecullum,* caudal.) m. *For.* Delito que consiste en el hurto de caudales del erario público, hecho por aquel a quien está confiada su administración.

Peculiar. (Del lat. *peculiāris.*) adj. Propio o privativo de cada persona o cosa.

Peculiaridad. f. Calidad de peculiar.

Peculiarmente. adv. m. Propiamente, especialmente, con particularidad.

Peculio. (Del lat. *pecullum.*) m. Hacienda o caudal que el padre o señor permitía al hijo o siervo para su uso y comercio. || **2.** fig. Dinero que particularmente tiene cada uno, sea o no hijo de familia. || **adventicio.** *For.* **Bienes adventicios.** || **castrense.** *For.* **Bienes castrenses.** || **cuasi castrense.** *For.* **Bienes cuasi castrenses.** || **profecticio.** *For.* **Bienes profecticios.**

Pecunia. (Del lat. *pecunia.*) f. fam. Moneda o dinero.

Pecunial. (Del lat. *pecuniālis.*) adj. ant. **Pecuniario.**

Pecuniariamente. adv. m. En dinero efectivo. || **2.** Mirando al aspecto pecuniario de lo que se trata o dice. *Tal cosa me convendría* PECUNIARIAMENTE, *pero me enemistaría con Fulano.*

Pecuniario, ria. (Del lat. *pecuniarius.*) adj. Perteneciente al dinero efectivo. || **2.** V. **Pena pecuniaria.**

Pecha. f. ant. **Pecho,** 2.° art.

Pechada. f. fam. *Argent.* **Sablazo,** 3.ª acep.

Pechar. tr. Pagar pecho o tributo. || **2.** ant. Pagar una multa. || **3.** intr. Asumir una carga o sujetarse a su perjuicio. Lleva generalmente la prep. *con.*

Pechar. (De *pecho,* 3.er art.) tr. *Gal., León* y *Sal.* Cerrar con llave o cerrojo.

Pechardino de manga. m. *Germ.* Engaño que uno hace a otro, obligándole a que pague algo por ambos.

Pechblenda. f. **Pecblenda.**

Peche. (Del lat. *pecten, -ĭnis,* peine.) m. **Pechina.**

Pechelingue. m. p. us. **Pirata.**

Pechera. f. Pedazo de lienzo o paño que se pone en el pecho para abrigarlo. || **2. Chorrera,** 4.ª acep. || **3.** Parte de la camisa y otras prendas de vestir, que cubre el pecho. || **4.** Pedazo de vaqueta forrado en cordobán y relleno de borra o cerdas, que puesto a los caballos y mulas en el pecho, les sirve de apoyo para que tiren. || **5.** fam. Parte exterior del pecho, especialmente en las mujeres.

Pechera. f. ant. **Pecho,** 2.° art.

Pechería. f. Conjunto de toda clase de pechos o tributos. || **2.** Padrón o repartimiento de lo que deben pagar los pecheros.

Pechero. (De *pecho,* 1.er art.) m. **Babador.**

Pechero, ra. adj. Obligado a pagar o contribuir con pecho o tributo. Ú. t. c. s. || **2. Plebeyo,** por contraposición a noble. Ú. t. c. s.

Pechiblanco, ca. adj. Aplícase al animal que tiene el pecho blanco.

Pechicolorado. (De *pecho*, 1.er art., y *colorado*.) m. **Pechirrojo.**

Pechiche. m. *Bot. Ecuad.* Árbol de la familia de las verbenáceas, que da una madera fina e incorruptible y una frutilla como la cereza, pero de color negro cuando está madura y se emplea para hacer dulce.

Pechigonga. f. Juego de naipes en que se dan nueve cartas a cada jugador en tres veces, las dos primeras a cuatro y la tercera a una: se puede envidar según se van recibiendo. El mejor punto es 55, y el que llega a juntar las nueve cartas seguidas, desde el as hasta el nueve, tiene **pechigonga.**

Pechil. (De *pecho*, 3.er art., y éste del lat. *pestŭlum*.) m. *Sal.* **Cerradura,** 2.ª acep.

Pechina. (Del lat. *pecten, -ĭnis*, peine.) f. **Venera,** 1.er art., 1.ª acep. || **2.** *Arq.* Cada uno de los cuatro triángulos curvilíneos que forman el anillo de la cúpula con los arcos torales sobre que estriba.

Pechirrojo. (De *pecho*, 1.er art., y *rojo*.) m. **Pardillo,** 6.ª acep.

Pechisacado, da. (De *pecho*, 1.er art., y *sacar*.) adj. fig. y fam. Engreído, arrogante.

Pecho. (Del lat. *pectus*.) m. Parte del cuerpo humano, que se extiende desde el cuello hasta el vientre, y en cuya cavidad se contienen el corazón y los pulmones. || **2.** Lo exterior de esta misma parte. || **3.** Parte anterior del tronco de los cuadrúpedos entre el cuello y las patas anteriores. || **4.** V. **Angina, do, opresión de pecho.** || **5.** V. **Golpe de pechos.** || **6.** Cada una de las mamas de la mujer. || **7. Repecho.** || **8.** fig. Interior del hombre. || **9.** fig. Valor, esfuerzo, fortaleza y constancia. || **10.** fig. Calidad de la voz, o su duración, y sostenimiento para cantar o perorar. || **Abierto de pechos.** expr. Dícese del caballo o yegua que al tiempo de andar dirige con exceso la mano hacia afuera, formando una especie de semicírculo y cojeando mucho. || **Abrir** uno su **pecho a,** o **con,** otro. fr. fig. Descubrirle o declararle su secreto. || **A lo hecho, pecho.** ref. que aconseja tener fortaleza para arrostrar las consecuencias de una desgracia o de un error que ya son irremediables. || **A pecho descubierto.** m. adv. Sin armas defensivas, sin resguardo. || **2.** fig. Con sinceridad y nobleza. || **¡Buen pecho!** expr. que se usa como interj. **¡Buen ánimo!** || **Criar** a uno **a los pechos.** fr. fig. Instruirlo, educarlo o tenerlo muy conocido. || **Criar** uno **a** sus **pechos** a otro. fr. fig. y fam. Protegerlo, fomentarlo, hacerlo a sus maneras, darle la mano para su establecimiento o sus progresos. || **Dar el pecho.** fr. Dar de mamar. || **Declarar** uno su **pecho.** fr. **Declarar** su **corazón.** || **De pechos.** m. adv. Con el **pecho** apoyado en o sobre una cosa. Ú. con los verbos *caer, echarse, estar*, etc. || **Descubrir** uno **su pecho** a otro. fr. fig. Hacer entera confianza de él o comunicarle lo más secreto del corazón. || **Echar el pecho al agua.** fr. fig. Emprender con resolución u osadamente una cosa de mucho peligro o dificultad. || **Echarse** uno **a pechos** una cosa. fr. fig. Intentarla o tomarla a su cargo con empeño o actividad, sin reparo de los inconvenientes o dificultades. || **Echarse** uno **a pechos** un vaso, taza, etc. fr. Beber con ansia y en grande cantidad. || **Entre pecho y espalda.** loc. fig. y fam. En el estómago. || **Fiar el pecho.** fr. fig. **Abrir** uno su **pecho.** || **No caber** a uno una cosa **en el pecho.** fr. fig. Sentir ansia de manifestarla, descubrir lo que no era necesario decir. || **No podrírsele** a uno una cosa **en el pecho.** fr. fig. y fam. No tardar en decirla. || **No quedarse** uno **con nada en el pecho.** fr. fig. y fam. **No quedarse con nada en el cuerpo.** || **¡Pecho al agua!** expr. fig. y fam. que denota arrojo y resolución. || **Pecho arriba.** m. adv. **A repecho.** || **Pecho por el suelo,** o **por tierra.** m. adv. Humildemente, con mucha sumisión. || **2.** *Cetr.* Dícese de las aves que vuelan muy bajas y cerca del suelo. || **Poner a los pechos** una pistola, etc. fr. fig. Amenazar con un daño inmediato para cohibir la voluntad ajena. || **Poner** uno **el pecho a** una cosa. fr. Arrostrarla. || **Quedarse** uno **con** una cosa **en el pecho.** fr. fig. y fam. **Quedarse con** una cosa **en el cuerpo.** || **Tener pecho.** fr. fig. Tener paciencia y ánimo. || **Tomar** uno **a pechos** una cosa. fr. fig. Tomarla con mucha eficacia y empeño; hacer de ella grande asunto. || **Tomar el pecho.** fr. Coger el niño con la boca el pezón del **pecho,** para mamar.

Pecho. (De *pactum*, pacto.) m. Tributo que se pagaba al rey o señor territorial por razón de los bienes o haciendas. || **2.** fig. Contribución o censo que se paga por obligación a cualquier otro sujeto, aunque no sea rey.

Pecho. (Del lat. *pestŭlum*, pestillo, cerradura.) m. *Ast., León* y *Sal.* Pestillo, cerradura.

Pechuelo. m. d. de **Pecho,** 1.er art.

Pechuga. f. Pecho del ave, que está como dividido en dos, a una y otra parte del caballete. Ú. frecuentemente en plural. || **2.** Cada una de estas dos partes del pecho del ave. || **3.** fig. y fam. Pecho de hombre o de mujer. || **4.** fig. y fam. **Cuesta,** 1.er art., 1.ª acep.

Pechugón. (De *pechuga*.) m. Golpe fuerte que se da con la mano en el pecho de otro. || **2.** Caída o encuentro de pechos. || **3.** fig. Esfuerzo extremado o impulso fuerte.

Pechuguera. (De *pechuga*.) f. Tos pectoral y tenaz.

Pedagogía. (Del gr. παιδαγωγία.) f. Arte de enseñar o educar a los niños. || **2.** Por ext. y en general, lo que enseña y educa por doctrina o ejemplos.

Pedagógicamente. adv. m. Con arreglo a la pedagogía; de una manera pedagógica.

Pedagógico, ca. (Del gr. παιδαγωγικός.) adj. Perteneciente o relativo a la pedagogía.

Pedagogo. (Del lat. *paedagōgus*, y éste del gr. παιδαγωγός; de παῖς, παιδός, niño; y ἄγω, conducir.) m. **Ayo.** || **2. Maestro de escuela.** || **3.** Perito en pedagogía. || **4.** fig. El que anda siempre con otro, y lo lleva a donde quiere o le dice lo que ha de hacer.

Pedaje. (Del b. lat. *pedatĭcum*, y éste del lat. *pes, pedis*, pie.) m. **Peaje.**

Pedal. (Del lat. *pedālis*, del pie.) m. Palanca que pone en movimiento un mecanismo oprimiéndola con el pie. || **2.** *Mús.* En la armonía, sonido prolongado sobre el cual se suceden diferentes acordes. || **3.** *Mús.* Cada uno de los juegos mecánicos y de voces, que se mueven con los pies y se corresponden con las teclas del órgano o del piano para reforzar o debilitar la intensidad del sonido.

Pedalear. intr. Poner en movimiento un pedal. Dícese especialmente con referencia al de los velocípedos y bicicletas.

Pedaliáceo, a. adj. *Bot.* Dícese de hierbas angiospermas dicotiledóneas, bastante difundidas en África, Asia sudoccidental y Australia, con raíz blanca y fusiforme, hojas opuestas o alternas, casi siempre sencillas, flores axilares, solitarias, de cáliz persistente y corola tubular, y frutos capsulares con semillas sin albumen; como la alegría. Ú. t. c. s. f. || **2.** f. pl. *Bot.* Familia de estas plantas.

Pedáneo. (Del lat. *pedanĕus*.) adj. V. **Alcalde pedáneo.** Ú. t. c. s. || **2.** V. **Juez pedáneo.** Ú. t. c. s.

Pedante. (Del ital. *pedante*, y éste de un der. del gr. παῖς, παιδός, niño.) adj. Aplícase al que por ridículo engreimiento se complace en hacer inoportuno y vano alarde de erudición, téngala o no en realidad. Ú. t. c. s. || **2.** m. Maestro que enseña a los niños la gramática yendo a las casas.

Pedantear. (De *pedante*.) intr. Hacer, por ridículo engreimiento, inoportuno y vano alarde de erudición.

Pedantería. f. Vicio de pedante.

Pedantescamente. adv. m. Con pedantería.

Pedantesco, ca. (Del ital. *pedantesco*.) adj. Perteneciente o relativo a los pedantes o a su estilo y modo de hablar.

Pedantismo. m. **Pedantería.**

Pedazar. (De *pedazo*.) tr. ant. **Despedazar.**

Pedazo. (Del lat. *pittacium*, y éste del gr. πιττάκιον.) m. Parte o porción de una cosa separada del todo. || **2.** Cualquiera parte de un todo físico o moral. || **de alcornoque, de animal,** o **de bruto.** fig. y fam. Persona incapaz o necia. || **del alma, de las entrañas,** o **del corazón.** fig. y fam. Persona muy querida. Usan frecuentemente estas expresiones las madres respecto de los hijos pequeños. || **de pan.** fig. Lo más preciso para mantenerse. *Ganar un* PEDAZO DE PAN. || **2.** fig. Precio bajo o interés muy corto. *He comprado esto por un* PEDAZO DE PAN. || **A pedazos.** m. adv. Por partes, en porciones. || **Caerse** uno **a pedazos.** fr. fig. y fam. Andar tan desgarbado, que parece que se va cayendo. || **2.** fig. y fam. Estar muy cansado de un trabajo corporal. || **3.** fig. y fam. Ser muy bonachón y sin malicia. || **En pedazos.** m. adv. **A pedazos.** || **Estar** uno **hecho pedazos.** fr. fig. y fam. **Caerse a pedazos,** 2.ª acep. || **Hacerse** uno **pedazos.** fr. fig. y fam. Poner excesivo empeño o actividad en algún ejercicio físico que se toma por recreo. || **2.** fig. y fam. **Hacerse añicos.** || **Morirse por** sus **pedazos.** fr. fig. y fam. con que se explica que una persona está muy apasionada de otra. || **Ser** uno **un pedazo de pan.** fr. fig. y fam. Ser de condición afable y bondadosa.

Pedazuelo. m. d. de **Pedazo.**

Pederasta. (Del gr. παιδεραστής; de παῖς, παιδός, niño, y ἐραστής, amante.) m. El que comete pederastia.

Pederastia. (Del gr. παιδεραστία.) f. Abuso deshonesto cometido contra los niños. || **2. Sodomía.**

Pedernal. (Del lat. *petrīnālē, de *petrīnus*.) m. Variedad de cuarzo, que se compone de sílice con muy pequeñas cantidades de agua y alúmina. Es compacto, de fractura concoidea, translúcido en los bordes, lustroso como la cera y por lo general de color gris amarillento más o menos obscuro. Da chispas herido por el eslabón. || **2.** fig. Suma dureza en cualquier especie.

Pedernalino, na. adj. De pedernal o que participa de sus propiedades. Ú. t. en sent. fig. *Entrañas* PEDERNALINAS.

Pedestal. (Del lat. *pes, pedis*, pie, y el ant. alto al. *stal*, situación, asiento.) m. Cuerpo sólido, generalmente en figura de paralelepípedo rectangular, con basa y cornisa, que sostiene una columna, estatua, etc. || **2. Peana,** 1.ª acep., especialmente la de cruces y cosas semejantes. || **3.** fig. Fundamento en que se asegura o afirma una cosa, o la que sirve de medio para alcanzarla.

Pedestre. (Del lat. *pedestris*.) adj. Que anda a pie. || **2.** Dícese del deporte que consiste principalmente en andar y correr. || **3.** fig. Llano, vulgar, inculto, bajo.

Pedestrismo. m. Conjunto de deportes pedestres.

Pedíatra [Pediatra]. (Del gr. παῖς-παιδός, niño, y ἰατήρ, médico.) m. Médico de niños.

Pediatría. (Del gr. παῖς, παιδός, niño, y ἰατρεία, curación.) f. *Med.* Medicina de los niños.

Pedicelo. (Del lat. *pedicellus.*) m. *Bot.* Columna carnosa que sostiene el sombrerillo de las setas.

Pedicoj. (Del lat. *pes, pedis,* pie, y de *cojo.*) m. Salto que se da con un pie solo.

Pedicular. (Del lat. *pediculāris.*) adj. Se aplicó a la supuesta enfermedad en que el enfermo se plagaba de piojos. || **2.** Perteneciente o relativo al piojo.

Pedículo. (Del lat. *pedicŭlus.*) m. *Bot.* **Pedúnculo,** 1.ª acep.

Pediculosis. f. *Med.* Enfermedad de la piel producida por el insistente rascamiento que motiva la abundancia de piojos, sobre todo de los piojos del cuerpo. Sus caracteres principales son las estrías del rascamiento y un color obscuro del tegumento que se denomina *piel de vagabundo.*

Pedicuro, ra. (Del lat. *pes, pedis,* pie, y *curāre,* curar.) m. **Callista.**

Pedido. (Del lat. *petĭtum.*) m. Donativo o concesión que pedían los soberanos a sus vasallos y súbditos en caso de necesidad. || **2.** Tributo que se pagaba en los lugares. || **3.** Encargo hecho a un fabricante o vendedor, de géneros de su tráfico. || **4. Petición,** 1.ª acep.

Pedidor, ra. (Del lat. *petītor.*) adj. Que pide, y especialmente que lo hace con impertinencia. Ú. t. c. s.

Pedidura. (Del lat. *petitūra.*) f. Acción de pedir.

Pediente. p. a. ant. de **Pedir.** Que pide. Ú. t. c. s.

Pedigón, na. (De *pedir.*) adj. fam. **Pedidor.** Ú. t. c. s. || **2.** fam. **Pedigüeño.** Ú. t. c. s.

Pedigüeño, ña. adj. Que pide con frecuencia e importunidad. Ú. t. c. s.

Pediluvio. (Del lat. *pes, pedis,* pie, y *luĕre,* lavar.) m. Baño de pies tomado por medicina. Ú. m. en pl.

Pedimento. (De *pedir.*) m. **Petición,** 1.ª acep. || **2.** *For.* Escrito que se presenta ante un juez. || **3.** *For.* Cada una de las solicitudes o pretensiones que en el escrito se formulan. || **A pedimento.** m. adv. A instancia, a solicitud, a petición.

Pedimiento. m. ant. **Pedimento.**

Pedir. (Del lat. *petĕre.*) tr. Rogar o demandar a uno que dé o haga una cosa, de gracia o de justicia. || **2.** Por antonom., **pedir** limosna. || **3.** Deducir uno ante el juez su derecho o acción contra otro. PEDIR *en justicia.* || **4.** Poner precio a la mercadería el que vende. || **5.** Requerir una cosa, exigirla como necesaria o conveniente. || **6.** Querer, desear o apetecer. || **7.** Proponer uno a los padres o parientes de una mujer el deseo o intento de que la concedan por esposa para sí o para otro. || **8.** En el juego de pelota y otros, preguntar a los que miran si el lance o jugada se ha hecho según las reglas o leyes del juego, constituyéndolos en jueces de la acción. || **9.** En el juego de naipes, obligar a servir la carta del palo que se ha jugado. || **10.** En el mismo juego, exigir o reclamar una o más cartas cuando es potestativo hacerlo. || **11.** desus. **Preguntar,** 1.ª acep. || **12.** desus. Consentir, tolerar. || **Ni pidas a quien pidió, ni sirvas a quien sirvió.** ref. que advierte la mudanza que suele hacer en los ánimos la del estado o fortuna.

Pedo. (Del lat. *pedĭtum.*) m. Ventosidad que se expele del vientre por el ano. || **de lobo. Bejín,** 1.ª acep.

Pedorrera. (De *pedorro.*) f. Frecuencia o muchedumbre de ventosidades expelidas del vientre. || **2.** pl. Calzones ajustados, llamados escuderiles porque usaban de ellos los escuderos.

Pedorrero, ra. (De *pedorro.*) adj. Que frecuentemente o sin reparo expele las ventosidades del vientre. Ú. t. c. s.

Pedorreta. f. Sonido que se hace con la boca, imitando el pedo.

Pedorro, rra. (De *pedo.*) adj. **Pedorrero.** Ú. t. c. s.

Pedrada. f. Acción de despedir o arrojar con impulso la piedra dirigida a una parte. || **2.** Golpe que se da con la piedra tirada. || **3.** Señal que deja. || **4.** Adorno de cinta, que antiguamente usaban los soldados para llevar plegada el ala del sombrero. || **5.** Lazo que solían ponerse las mujeres a un lado de la cabeza. || **6.** fig. y fam. Expresión dicha con intención de que otro la sienta o se dé por entendido de ella. || **Como pedrada en ojo de boticario.** loc. fig. y fam. que expresa que una cosa viene muy a propósito de lo que se está tratando. || **Pedrada contada, nunca ganada.** ref. que enseña que por lo común la jactancia en las cosas arguye que no son ciertas ni seguras.

Pedral. m. *Mar.* Piedra que atada a un cabo o a una red sirve para mantenerlos en posición vertical dentro del agua. Ú. m. en pl.

Pedrea. f. Acción de apedrear o apedrearse. || **2.** Combate a pedradas. || **3.** Acto de caer piedras de las nubes.

Pedrecilla. f. d. fam. de **Piedra.**

Pedregal. (Del lat. **petrĭcāle,* de *petra.*) m. Sitio o terreno cubierto casi todo él de piedras sueltas.

Pedregoso, sa. (Del lat. *petrĭcōsus,* de *petra.*) adj. Aplícase al terreno naturalmente cubierto de piedras. || **2.** Que padece mal de piedra. Ú. t. c. s.

Pedrejón. m. Piedra grande o suelta.

Pedreñal. (De **pedreño,* del lat. **petrĭnĕus,* por *petrĭnus.*) m. Especie de trabuco que se disparaba con chispa de pedernal.

Pedrera. (Del lat. **petraria,* de *petra.*) f. Cantera, sitio o lugar de donde se sacan las piedras.

Pedreral. m. Especie de artolas de madera para conducir a lomo piedras o cosas semejantes.

Pedrería. f. Conjunto de piedras preciosas; como diamantes, esmeraldas, rubíes, etc.

Pedrero. (Del lat. *petrarius,* de *petra.*) m. **Cantero,** 1.ª acep. || **2.** Boca de fuego antigua, especialmente destinada a disparar pelotas de piedra. || **3. Hondero.** || **4.** ant. **Lapidario,** 3.ª y 4.ª aceps. || **5.** *Ast.* Pequeño entrante de la costa cubierto de cantos rodados. || **6.** *Tol.* **Niño de la piedra.**

Pedrés. (Del lat. *petrensis,* de piedra.) adj. V. **Sal pedrés.**

Pedreta. f. d. de **Piedra.** || **2.** Cantillo o pitón.

Pedrezuela. f. d. de **Piedra.**

Pedrisca. f. **Pedrisco.**

Pedriscal. (De *pedrisco.*) m. **Pedregal.**

Pedrisco. m. Piedra o granizo muy crecido que cae de las nubes en abundancia. || **2.** Multitud o copia de piedras arrojadas o tiradas. || **3.** Conjunto o multitud de piedras sueltas.

Pedrisquero. m. **Pedrisco,** 1.ª acep.

Pedrizo, za. adj. **Pedregoso,** 1.ª acep. || **2.** f. p. us. **Pedregal.**

Pedro. m. *Germ.* Vestido afelpado que usaban los ladrones. || **2.** *Germ.* Capote o tudesquillo. || **3.** *Germ.* **Cerrojo.** || **Jiménez. Pedrojiménez.** || **Acertádole ha Pedro a la cogujada, que el rabo lleva tuerto.** ref. con que irónicamente se reprende a los que se jactan de lo que no han hecho. || **Algo va de Pedro a Pedro.** ref. con que se da a entender que hay diferencia de un sujeto a otro. || **Bien está, o se está, San Pedro en Roma.** fr. proverb. que se dice contra cua quier mudanza que se propone a uno, si él juzga que no es conveniente. || **Como Pedro por su casa.** loc. fig. y fam. Con entera libertad o llaneza, sin miramiento alguno. Dícese del que entra o se mete de este modo en una parte, sin título ni razón para ello. || **Mucho os quiero, Pedro; no os digo lo medio.** ref. que reprende la afectada ponderación del cariño cuando se pretende algo o cuando las obras no corresponden. || **Mucho va de Pedro a Pedro.** ref. **Algo va,** etc. || **Pedro de Urdemalas, o todo el monte, o nada.** ref. que enseña que la fuerza del genio no se contiene por la razón, ni se contenta con medianías en lo que hace. || **Pedro, ¿por qué atiza? —Por gozar de la ceniza.** ref. que advierte lo mucho que suele influir el interés en las acciones humanas. || **Pedro, por ti poco medro. —Menos medrarás si yo puedo.** ref. que enseña cuán difícil es contrarrestar la envidia y la venganza. || **Pícame, Pedro, que picarte quiero.** ref. con que se reprende y procura contener a los que riñen y contienden tenazmente. || **2.** Aplícase también al que con ademanes o palabras incita a otro a disputar. || **Tal para cual, Pedro para Juan.** ref. que explica la relación o igualdad entre dos personas o cosas despreciables. || **Tan bueno es Pedro como su compañero.** ref. con que se denota que entre dos sujetos tanto motivo hay para desconfiar del uno como del otro. || **Viejo es, o ya es duro, Pedro para cabrero.** fr. proverb. que indica ser poco a propósito para el estudio o para el trabajo la persona ya muy entrada en años.

Pedroche. (De *piedra.*) m. **Pedregal.**

Pedrojiménez. m. Variedad de uva propia de algunos pagos de Andalucía, y especialmente Jerez de la Frontera, cuyos racimos son grandes, algo ralos y de granos esféricos, muy lisos, translúcidos y de color dorado. || **2.** Vino dulce hecho de esta uva después de solearla durante quince o veinte días.

Pedroso, sa. (Del lat. *petrōsus.*) adj. ant. **Pedregoso.**

Pedrusco. m. fam. Pedazo de piedra sin labrar.

Pedunculado, da. adj. *Bot.* Dícese de las flores y de los frutos que tienen pedúnculo.

Pedúnculo. (Del lat. *pedunculus.*) m. *Bot.* **Pezón,** 1.ª acep. || **2.** *Zool.* Prolongación del cuerpo, mediante la cual están fijos al suelo algunos animales de vida sedentaria, como los percebes.

Peer. (Del lat. *pedĕre.*) intr. Arrojar o expeler la ventosidad del vientre por el ano. Ú. t. c. r.

Pega. f. Acción de pegar o conglutinar una cosa con otra. || **2.** Baño que se da con la pez a los vasos o vasijas; como son tinajas, ollas, cántaros, pellejos, etc. || **3.** fam. **Chasco,** 1.ª acep. Dícese más comúnmente de los que se dan en carnaval. || **4.** Entre estudiantes, pregunta difícil de contestar en exámenes. || **5.** fam. **Zurra,** 2.ª acep. *Le dio una* PEGA *de patadas.* || **6.** *Min.* Acción de pegar fuego a un barreno. || **Saber uno a la pega.** fr. fig. y fam. Imitar y seguir las malas costumbres y resabios de su mala educación o de su trato con malas compañías. || **Ser uno de la pega.** fr. fam. Pertenecer a cuadrilla de gente viciosa y estragada.

Pega. (Del lat. *pica.*) f. **Urraca.** || **reborda. Alcaudón.** || **Dame pega sin mancha, darte he moza sin tacha.** ref. que enseña cuán difícil es hallar mujer que no tenga algún defecto. || **Quien anda a tomar pegas, toma unas blancas y otras negras.** ref. que enseña que no siempre se consigue cumplidamente lo que se quiere o se busca. || **Tanto pica la pega en la raíz del torvisco, hasta que quebrante el pico.**

ref. que enseña que las cosas no se deben llevar hasta el extremo.

Pegadillo. m. d. de **Pegado.** || **de mal de madre.** fig. y fam. Hombre pesado en la conversación, molesto y entremetido.

Pegadizo, za. adj. **Pegajoso,** 1.ª y 2.ª aceps. || **2.** Aplícase a la persona que se arrima a otra o se introduce con ella para comer o divertirse a costa suya. || **3. Postizo,** 1.ª acep. || **4.** fig. y fam. V. **Piojo pegadizo.**

Pegado. m. Parche, bizma o emplasto compuesto de cosas que se pegan.

Pegador. (De *pegar.*) m. *Min.* Operario que en las minas y canteras está encargado de pegar fuego a las mechas de los barrenos. || **2.** *And.* **Rémora,** 1.ª acep.

Pegadura. f. Acción de pegar. || **2.** Unión física o costura que resulta de haberse pegado una cosa con otra.

Pegajosidad. f. **Glutinosidad.**

Pegajoso, sa. adj. Que con facilidad se pega. || **2.** Contagioso o que con facilidad se comunica. || **3.** V. **Artemisa pegajosa.** || **4.** fig. y fam. Suave, atractivo, meloso. || **5.** fig. y fam. **Sobón,** 1.ª acep. || **6.** fig. y fam. Aplícase a los vicios que fácilmente se comunican, o cuyo atractivo con dificultad se desecha o resiste. || **7.** fig. y fam. Dícese de los oficios y empleos en que se manejan intereses, de los que fácilmente puede abusarse.

Pegamiento. m. Acción de pegar o pegarse una cosa con otra.

Pegamoide. m. Celulosa disuelta con que se impregna una tela o papel y se obtiene una especie de hule resistente.

Pegamoscas. f. *Bot.* Planta cariofilácea, cuya flor tiene el cáliz cubierto de pelos pegajosos, en los cuales quedan pegados los insectos que llegan a tocarlos o se posan en ellos.

Pegante. p. a. de **Pegar.** Que pega o se pega.

Pegar. (Del lat. *picāre;* de *pix, picis,* la pez.) tr. Adherir, conglutinar una cosa con otra. || **2.** Unir o juntar una cosa con otra, atándola, cosiéndola o encadenándola con ella. PEGAR *un botón.* || **3.** Arrimar o aplicar una cosa a otra, de modo que entre las dos no quede espacio alguno. || **4.** Comunicar uno a otro una cosa por el contacto, trato, etc. Dícese comúnmente de enfermedades contagiosas, vicios, costumbres u opiniones. Ú. t. c. r. || **5.** fig. Castigar o maltratar dando golpes. || **6.** fig. **Dar,** 17.ª acep. PEGAR *un bofetón, un puntapié, una paliza, un sablazo, un tiro.* || **7.** fig. Junto con algunos nombres, tiene la significación de los verbos neutros que de éstos se forman. PEGAR *voces;* PEGAR *saltos.* || **8.** intr. Asir o prender. PEGAR *una planta;* PEGAR *el fuego.* || **9.** Tener efecto una cosa o hacer impresión en el ánimo. || **10.** Caer bien una cosa; ser de oportunidad, venir al caso. || **11.** Estar una cosa próxima o contigua a otra. || **12.** Dar o tropezar en una cosa con fuerte impulso. || **13.** Asirse o unirse por su naturaleza una cosa a otra, de modo que sea dificultoso separarla. || **14.** r. Hablando de guisos, quemarse por haberse adherido a la olla, cazuela, etc., alguna parte sólida de lo que se cuece. || **15.** fig. Introducirse o agregarse uno a donde no es llamado o no tiene motivo para ello. || **16.** fig. Insinuarse una cosa en el ánimo, de modo que produzca en él complacencia o afición. || **17.** fig. Aficionarse o inclinarse mucho a una cosa, de modo que sea muy difícil dejarla o separarse de ella. || **Pegar,** o **pegarla, con** uno. fr. fig. Arremeterle, y también trabarse con él de palabras. || **Pegar con** uno. fr. fig. Decir o hacer una cosa que cause sentimiento o pesadumbre. || **Pegársela** a uno. fr. fam. Chasquearle, burlar su buena fe o confianza. || **Pegársele** a uno una cosa. fr. fig. y fam. Sacar éste utilidad de lo que maneja o trata. || **2.** fig. y fam. Quedar perjudicado en el manejo de los intereses ajenos.

Pegaseo, a. (Del lat. *pegasēius.*) adj. Perteneciente al caballo Pegaso o a las musas.

Pegásides. (Del lat. *pegasĭdes.*) f. pl. Las musas.

Pegaso. (Del lat. *Pegăsus,* y éste del gr. Πήγασος.) m. *Astron.* Constelación septentrional notable situada a continuación y al occidente de Andrómeda.

Pegata. (De *pegar,* chasquear.) f. fam. Engaño con que a uno se le estafa o se le burla en una materia.

Pegatoste. m. p. us. **Pegote,** 1.ª acep.

Pegmatita. (Del gr. πῆγμα, conglomerado.) f. Roca de color claro y textura laminar, compuesta de feldespato y algo de cuarzo.

Pego. (De *pegar.*) m. Fullería que consiste en pegar disimuladamente dos naipes para que salgan como uno solo, cuando le convenga al tramposo. || **Dar,** o **tirar, el pego.** fr. Ganar con baraja preparada para esta fullería. || **2.** fig. y fam. Engañar con ficciones o artificios.

Pegollo. (Del lat. *pedŭcŭlus,* pie, de *pes, pedis.*) m. *Ast.* Cada uno de los pilares de piedra o madera sobre los cuales descansan los hórreos.

Pegote. (De *pegar.*) m. Emplasto o bizma que se hace de pez u otra cosa pegajosa. || **2.** fig. y fam. Cualquier guisado u otra cosa que está muy espesa y se pega. || **3.** fig. y fam. Persona impertinente que no se aparta de otra, particularmente en las horas y ocasiones en que se suele comer. || **4.** fig. y fam. **Parche,** 6.ª acep. || **5.** Adición o intercalación inútil e impertinente hecha en alguna obra literaria o artística.

Pegotear. (De *pegote.*) intr. fam. Introducirse uno en las casas a las horas de comer, sin ser convidado.

Pegotería. f. fam. Acción y efecto de pegotear.

Pegual. (De *pihuela,* por intermedio del chilenismo *apegualar,* apiolar.) m. *Amér. Merid.* Cincha con argollas para sujetar los animales cogidos con lazo o para transportar objetos pesados.

Peguera. (Del lat. **picaria;* de *pix, picis.*) f. Hoyo donde se quema leña de pino para sacar de ella alquitrán y pez. || **2.** En los esquileos, paraje donde se calienta la pez para marcar el ganado.

Peguero. (De *peguera.*) m. El que por oficio saca o fabrica la pez. || **2.** El que trata con ella.

Pegujal. (De *pegujar.*) m. **Peculio.** || **2.** fig. Corta porción de siembra, ganado o caudal. || **3.** Pequeña porción de terreno que el dueño de una finca agrícola cede al guarda o al encargado para que la cultive por su cuenta como parte de su remuneración anual.

Pegujalejo. m. d. de **Pegujal.**

Pegujalero. (De *pegujal.*) m. Labrador que tiene poca siembra o labor. || **2.** Ganadero que tiene poco ganado.

Pegujar. (Del lat. *peculiāris;* de *pecŭlium,* peculio.) m. **Pegujal.**

Pegujarero. (De *pegujar.*) m. **Pegujalero.**

Pegujón. (De *pegar.*) m. Conjunto de lanas o pelos que se aprietan y pegan unos con otros a manera de ovillo o pelotón.

Pegullo. (Del lat. *pecŭlium,* peculio.) m. *Ar.* **Rebaño.**

Pegullón. m. **Pegujón.**

Pegunta. (De *peguntar.*) f. Señal o marca que se pone con pez derretida al ganado, especialmente al lanar.

Peguntar. (De *pegar* y *untar.*) tr. Marcar o señalar las reses con pez derretida.

Pegunte. m. Substancia o mezcla pegajosa. Ú. m. en *And.*

Peguntoso, sa. adj. **Pegajoso,** 1.ª acep. Ú. m. en *And.*

Pehuén. (Voz araucana.) m. *Chile.* **Araucaria.**

Pehuenche. (De *pehuén.*) adj. *Chile.* Aplícase al habitante de una parte de la cordillera de los Andes, generalmente como despectivo. Ú. t. c. s.

Peina. (De *peine.*) f. **Peineta,** 1.ª acep.

Peinada. (De *peinar.*) f. **Peinadura,** 1.ª acep. *Voy a darme una* PEINADA.

Peinado, da. p. p. de **Peinar.** || **2.** adj. fam. Dícese del hombre que se adorna con esmero mujeril. || **3.** fig. Dícese del estilo nimiamente cuidado. || **4.** m. Adorno y compostura del pelo.

Peinador, ra. adj. Que peina. Ú. t. c. s. || **2.** m. Toalla o lienzo con tirilla ajustada, que puesto al cuello cubre el cuerpo del que se peina o afeita. || **3.** Especie de bata corta de tela ligera, que usan sobre el vestido las señoras para peinarse.

Peinadura. f. Acción de peinar o peinarse. || **2.** Cabellos que salen o se arrancan con el peine.

Peinar. (Del lat. *pectināre.*) tr. Desenredar, limpiar o componer el cabello. Ú. t. c. r. || **2.** fig. Desenredar o limpiar el pelo o lana de algunos animales. || **3.** Tocar o rozar ligeramente una cosa a otra. Ú. m. entre carpinteros. || **4.** Cortar o quitar parte de piedra o tierra de una roca o montaña, escarpándola. || **5.** V. **Peinar los naipes.** || **No peinarse** una mujer **para** uno. fr. fig. y fam. No ser para el hombre que la solicita.

Peinar. (Del ant. **peino[s],* peños, del lat. *pignus,* prenda.) tr. ant. **Empeñar,** 1.ª acep.

Peinazo. (De *peine.*) m. *Carp.* Listón o madero que atraviesa entre los largueros de puertas y ventanas para formar los cuarterones.

Peindra. (Del lat. *pignĕra,* pl. de *pignus,* prenda.) f. ant. **Prenda.** || **2.** ant. **Embargo,** 4.ª acep.

Peindrar. (Del lat. *pignerāre.*) tr. ant. Prendar, sacar prenda.

Peine. (Del lat. *pecten, -ĭnis.*) m. Utensilio de madera, marfil, concha u otra materia, que tiene muchos dientes espesos, con el cual se limpia y compone el pelo. || **2. Carda,** 3.ª acep. || **3.** Barra que, como los **peines,** tiene una serie de púas, entre las cuales pasan en el telar los hilos de la urdimbre. || **4.** Instrumento de puntas aceradas que se usó para dar tormento. || **5.** En los teatros, enrejado con poleas situado en el telar de los escenarios, de donde se cuelgan las decoraciones. || **6. Empeine,** 1.er art., 2.ª acep. || **7.** fig. y fam. **Púa,** 9.ª acep. Tómase ordinariamente en mala parte. *Mariano es un buen* PEINE. || **A sobre peine.** m. adv. fig. A medias, a la ligera, imperfectamente. || **Peine encorvado, cabello enhebrado.** ref. que enseña que estando dispuestos los medios para una cosa, pueden darse por casi conseguidos los fines. || **Sobre peine.** m. adv. Por encima del cabello y sin ahondar mucho. Regularmente se dice cuando se corta. || **2.** fig. Ligeramente o sin especial reflexión o cuidado. || **Ya pareció el peine.** expr. fig. y fam. que se emplea cuando es descubierto el presunto autor de una fechoría.

Peinecillo. m. Peineta pequeña.

Peinería. (De *peinero.*) f. Taller donde se fabrican peines. || **2.** Tienda donde se venden.

Peinero. (Del lat. *pectinarĭus.*) m. El que fabrica o vende peines.

Peineta. f. Peine convexo que usan las mujeres por adorno o para asegurar el peinado. || **2.** Borrén trasero de la silla vaquera. || **de teja.** La que por su forma y dimensiones recuerda una teja, 1.ª acep.

Peinetero. (De *peineta.*) m. Peinero.

Peje. (Del dialect. *peje* [*Sant.*], y éste del lat. *piscis.*) m. Pez, 1.er art. ‖ **2.** fig. Hombre astuto, sagaz e industrioso. ‖ **ángel.** Angelote, 5.ª acep. ‖ **araña.** *Zool.* Pez teleósteo marino del suborden de los acantopterigios, que llega a tener unos 25 centímetros de largo; cuerpo comprimido y liso, de color amarillento obscuro por el lomo, más claro y con manchas negras en los costados y plateado por el vientre; cabeza casi cónica, boca oblicua, ojos muy juntos y dos aletas dorsales, una que corre a todo lo largo del cuerpo, y la otra, sita en el arranque de la cabeza, pequeña y de espinas muy fuertes, sobre todo la primera, que es movible y hueca y sirve al animal para atacar y defenderse, lanzando por ella un líquido venenoso que segrega una glándula situada en su base. Vive en el Mediterráneo, medio enterrado en la arena, y su carne es comestible. ‖ **diablo.** Escorpina.

Pejegallo. (De *peje* y *gallo.*) m. *Chile.* Pez de unos 80 centímetros de largo, de cuerpo redondeado, sin escama y con pellejo azulado. Tiene una especie de cresta carnosa que le baja hasta la boca, y de ahí su nombre.

Pejemuller. (De *peje* y el dialect. *muller*, mujer.) m. Pez mujer.

Pejepalo. (De *peje* y *palo.*) m. Abadejo sin aplastar y curado al humo.

Pejerrey. (De *peje* y *rey.*) m. *Zool.* Pez marino del orden de los teleósteos, acantopterigio, que no suele pasar de 12 a 14 centímetros de largo; cuerpo fusiforme, de color plateado y reluciente, con dos bandas más obscuras a lo largo de cada costado, cabeza casi cónica, aletas pequeñas y cola ahorquillada. Abunda en todas las aguas costeras españolas y en las lagunas litorales, incluso en las salobres, pudiendo entrar en los ríos y llegar a vivir en el agua dulce. Vive formando cardumes y es pesca bastante estimada. ‖ **2.** *Argent.* Pez parecido al precedente, pero de tamaño mayor.

Pejesapo. (De *peje* y *sapo.*) m. *Zool.* Pez teleósteo marino del suborden de los acantopterigios, que llega a un metro de longitud, con cabeza enorme, redonda, aplastada y con tres apéndices superiores largos y movibles; boca grandísima, colocada, así como los ojos, en la parte superior de la cabeza; cuerpo pequeño y fusiforme, aletas pectorales muy grandes, y pequeñas las del dorso y cola. Carece de escamas; es de color obscuro por el lomo y blanco por el vientre, y tiene por todo el borde del cuerpo como unas barbillas carnosas.

Pejibaye. m. *C. Rica.* Pijibay.

Pejiguera. (Del lat. **persicaria*, de *persicus.*) f. fam. Cualquier cosa que sin traernos gran provecho nos pone en embarazo y dificultad. ‖ **2.** V. **Hierba pejiguera.**

Pejín. (De *peje.*) adj. *Sant.* Pejino.

Pejina. (De *pejín.*) f. *Sant.* Mujer del pueblo bajo de la ciudad de Santander o de otros puertos de mar de su provincia.

Pejino, na. adj. *Sant.* Dícese del lenguaje y modales de las pejinas.

Pel. f. ant. Piel.

Pela. (De *pelar.*) f. Peladura.

Pelada. (Del lat. *pilāta*, t. f. de *-tus*, pelado.) f. Piel de carnero u oveja, a la cual se le arranca la lana después de muerta la res. ‖ **2.** Chula.

Peladera. (De *pelar.*) f. Alopecia.

Peladero. m. Sitio donde se pelan los cerdos o las aves. ‖ **2.** fig. y fam. Sitio donde se juega con fullerías.

Peladero. m. *Amér.* Terreno pelado, desprovisto de vegetación.

Peladilla. (d. de *pelada.*) f. Almendra confitada. ‖ **2.** Canto rodado pequeño.

Peladillo. (d. de *pelado.*) m. Variedad del pérsico, cuyo fruto tiene la piel lustrosa y la carne dura y pegada al hueso. ‖ **2.** Fruto de este árbol. ‖ **3.** pl. Lana de peladas.

Pelado, da. p. p. de **Pelar.** ‖ **2.** adj. fig. Dícese de las cosas principales o fundamentales que carecen de aquellas otras que naturalmente las visten, adornan, cubren o rodean; como *monte, peñasco, campo* PELADO, el que está sin árboles o hierbas; *hueso* PELADO, el que no tiene carne; *discurso* PELADO, el que trata lisa y llanamente del asunto a que se dirige; *canto* PELADO, el guijarro o pedacillo de piedra liso y sin esquinas. ‖ **3.** Dícese del número que consta de decenas, centenas o millares justos. *El veinte* PELADO. ‖ **4.** V. **Letra, muerte pelada.** ‖ **5.** m. Acción y efecto de pelar o cortar el cabello. ‖ **Bailar** uno **el pelado.** fr. fig. y fam. Estar sin dinero.

Pelador. m. El que pela o descorteza una cosa.

Peladura. f. Acción y efecto de pelar o descortezar una cosa. ‖ **2.** Mondadura, 2.ª acep.

Pelafustán, na. (De *pelar* y *fustán.*) m. y f. fam. Persona holgazana, perdida y pobretona.

Pelagallos. (De *pelar* y *gallo.*) m. fig. y fam. Hombre bajo y que no tiene oficio honrado ni ocupación honesta.

Pelagartar. m. *Murc.* Terreno impropio para el cultivo, pues sólo contiene piedras.

Pelagatos. (De *pelar* y *gato.*) m. fig. y fam. Hombre pobre y desvalido, y a veces despreciable.

Pelagianismo. (De *pelagiano.*) m. Secta de Pelagio. ‖ **2.** Conjunto de los sectarios de este hereje.

Pelagiano, na. (Del lat. *pelagiānus.*) adj. Sectario de Pelagio, heresiarca del siglo V, cuyo error fundamental consistía en negar que el pecado de Adán se hubiese transmitido a su descendencia. Ú. t. c. s. ‖ **2.** Perteneciente a la doctrina o secta de Pelagio.

Pelágico, ca. (Del lat. *pelagicus.*) adj. Perteneciente al piélago. ‖ **2.** *Biol.* Dícese de los animales y plantas que flotan o nadan en el mar, a diferencia de los bentónicos.

Pelagoscopio. m. *Fís.* Aparato que sirve para estudiar el fondo del mar.

Pelagra. (Del lat. *pellis*, piel, y el gr. ἄγρα, acción de coger.) f. *Med.* Enfermedad crónica, con manifestaciones cutáneas y perturbaciones digestivas y nerviosas, producida por defectos de la alimentación, sobre todo de ciertas vitaminas.

Pelagroso, sa. adj. Perteneciente o relativo a la pelagra. ‖ **2.** Que padece pelagra. Ú. t. c. s.

Pelaire. (Del cat. *pellayre*, y éste del lat. *pellarius*; de *pellis*, piel.) m. Cardador de paños.

Pelairía. f. Oficio u ocupación del pelaire.

Pelaje. m. Naturaleza y calidad del pelo o de la lana que tiene un animal. ‖ **2.** fig. y fam. Disposición y calidad de una persona o cosa, especialmente del vestido. Ú. por lo común con calificación despectiva.

Pelambrar. De *pelambre.*) tr. Apelambrar.

Pelambre. (De *pelo.*) m. Porción de pieles que se apelambran. ‖ **2.** Conjunto de pelo en todo el cuerpo o en algunas partes de él. Por lo regular se entiende el arrancado o quitado, y singularmente el que quitan los curtidores a las pieles. ‖ **3.** Mezcla de agua y cal con que se pelan los pellejos en los noques de las tenerías. ‖ **4.** Falta de pelo en las partes donde es natural tenerlo.

Pelambrera. (De *pelambrar.*) f. Sitio donde se apelambran las pieles. ‖ **2.** Porción de pelo o de vello espeso y crecido. ‖ **3.** Alopecia.

Pelambrero. (De *pelambrar.*) m. Oficial que apelambra las pieles.

Pelamen. m. fam. Pelambre, 2.ª acep.

Pelamesa. (De *pelar* y *mesar.*) f. Riña o pelea en que los contendientes se asen y mesan los cabellos o barba. ‖ **2.** Porción de pelo que se puede asir o mesar.

Pelandusca. f. Ramera.

Pelantrín. (De *pelado.*) m. Labrantín, pegujalero.

Pelar. (Del lat. *pilāre.*) tr. Cortar, arrancar, quitar o raer el pelo. Ú. t. c. r. ‖ **2.** Desplumar, 1.ª acep. ‖ **3.** fig. Quitar la piel, la película o la corteza a una cosa; como una fruta o un tronco de árbol. ‖ **4.** fig. Mondar, 4.ª acep. ‖ **5.** fig. Quitar con engaño, arte o violencia los bienes a otro. ‖ **6.** fig. y fam. En el juego, ganar a uno todo el dinero. ‖ **7.** fig. Criticar, murmurar, despellejar. ‖ **8.** *Cetr.* Comer el halcón una ave que todavía tiene pluma. ‖ **9.** r. Perder el pelo por enfermedad u otro accidente. ‖ **Duro de pelar.** loc. fig. y fam. Difícil de conseguir o ejecutar. ‖ **Pelarse** uno **de fino.** fr. fig. y fam. Ser demasiadamente astuto, con alusión a los perrillos, que se **pelan** mucho cuando son muy finos. ‖ **Pelárselas.** expr. fig. y fam. con que se da a entender que uno apetece o ejecuta una cosa con vehemencia, actividad o eficacia.

Pelarela. (De *pelar.*) f. Alopecia.

Pelargonio. (Del gr. πελαργός, cigüeña.) m. *Bot.* Planta de la familia de las geraniáceas, de flores cigomorfas con diez estambres, algunos sin antenas, que vive en África y en los países asiáticos y europeos de la zona mediterránea y comprende muchas especies cultivadas en los jardines como ornamentales, que suelen ser designadas impropiamente con el nombre de geranios.

Pelarruecas. (De *pelar* y *rueca.*) f. fig. y fam. Mujer pobre que vive de hilar.

Pelásgico, ca. (Del lat. *pelasgicus.*) adj. Perteneciente o relativo a los pelasgos.

Pelasgo, ga. (Del lat. *pelasgus.*) adj. Dícese del individuo de un pueblo de incierto origen que en muy remota antigüedad se estableció en territorios de Grecia y de Italia. Ú. t. c. s. ‖ **2.** Perteneciente a él. ‖ **3.** Natural de Pelasgia o de cualquier otro territorio del Peloponeso. Ú. t. c. s. ‖ **4.** Perteneciente a una u otra de estas dos regiones de la Grecia antigua. ‖ **5.** Natural de la Grecia antigua. Ú. t. c. s. ‖ **6.** Perteneciente a ella.

Pelaza. (De *pelo.*) adj. V. **Paja pelaza.** ‖ **2.** f. **Pelazga.**

Pelazga. (De *pelar.*) f. fam. Pendencia, riña, disputa.

Peldaño. (Del lat. *pedanĕus*, perteneciente al pie.) m. Cada una de las partes de un tramo de escalera, que sirven para apoyar el pie al subir o bajar por ella.

Pelde. f. Apelde.

Peldefebre. (Del fr. *poil de chèvre*, pelo de cabra.) m. Cierto género antiguo de tela de lana y pelo de cabra, a modo del llamado pelo de camello.

Pelea. (De *pelear.*) f. Combate, batalla, contienda. ‖ **2.** Contienda o riña particular, aunque sea sin armas o consista sólo en palabras injuriosas. ‖ **3.** fig. Riña de los animales. ‖ **4.** fig. Cuidado, fuerza o diligencia que se pone en vencer los apetitos y pasiones. ‖ **5.** fig. Afán, fatiga o trabajo en la ejecución o consecución de una cosa. ‖ **Pelea de hermanos, alheña en manos.** ref. que aconseja evitar las contiendas entre parientes.

Peleador, ra. adj. Que pelea, combate, contiende o lidia. ‖ **2.** Que propende o es aficionado a pelear.

Peleante. p. a. de **Pelear.** Que pelea.

Pelear. (De *pelo.*) intr. Batallar, combatir o contender con armas. ‖ **2.** Contender o reñir, aunque sea sin armas o sólo de palabra. ‖ **3.** fig. Luchar los brutos entre sí. || **4.** fig. Combatir entre sí u oponerse las cosas unas a otras. Dícese frecuentemente de los elementos. || **5.** fig. Resistir y trabajar por vencer las pasiones y apetitos, o combatir éstos entre sí. || **6.** fig. Afanarse, resistir o trabajar continuadamente por conseguir una cosa, o para vencerla o sujetarla. || **7.** r. Reñir dos o más personas a puñadas o de otro modo semejante, lo cual se dice frecuentemente de los muchachos. || **8.** fig. Desavenirse, enemistarse, separarse en discordia.

Pelechar. intr. Echar los animales pelo o pluma. || **2.** fig. y fam. Comenzar a medrar, a mejorar de fortuna o a recobrar la salud.

Pelegrinar. intr. ant. **Peregrinar.**

Pelegrino. m. ant. **Peregrino.** Aún se dice entre los aldeanos de Burgos y Soria, y como vulgarismo en casi toda España.

Pelel. (Del ingl. *pale-ale.*) m. Cerveza clara.

Pelele. m. Figura humana de paja o trapos que se suele poner en los balcones o que mantea el pueblo bajo en las carnestolendas. || **2.** Traje de punto de una pieza que se pone a los niños para dormir. || **3.** fig. y fam. Persona simple o inútil.

Pelendengue. m. **Perendengue.**

Peleón. (De *pelea.*) adj. fam. V. **Vino peleón.** Ú. t. c. s.

Peleona. (De *pelea.*) f. fam. Pendencia, cuestión, riña o contienda.

Pelete. (De *pelo.*) m. En el juego de la banca y otros semejantes, el que apunta estando de pie. || **2.** fig. y fam. Hombre pobre, de pocos haberes, pelón. || **En pelete.** m. adv. Enteramente desnudo, en cueros.

Peletería. (De *peletero.*) f. Oficio de adobar y componer las pieles finas o de hacer con ellas prendas de abrigo, y también de emplearlas como forros y adornos en ciertos trajes. || **2.** Comercio de pieles finas; conjunto o surtido de ellas. || **3.** Tienda donde se venden.

Peletero. (De *piel.*) m. El que tiene por oficio trabajar en pieles finas o venderlas.

Pelgar. m. fam. **Pelagallos.**

Peliagudo, da. (De *pelo* y *agudo.*) adj. Dícese del animal que tiene el pelo largo y delgado; como el conejo, el cabrito, etc. || **2.** fig. y fam. Dícese del negocio o cosa que tiene gran dificultad en su inteligencia o resolución. || **3.** fig. y fam. Aplícase al sujeto sutil o mañoso.

Peliblanco, ca. adj. Que tiene blanco el pelo.

Peliblando, da. adj. Que tiene el pelo blando y suave.

Pelícano [Pelicano]. (Del lat. *pelicānus,* y éste del gr. πελεκάν.) m. Ave acuática del orden de las palmípedas, que llega a tener 13 decímetros desde la punta del pico hasta la extremidad de la cola y dos metros de envergadura, con plumaje blanco, algo bermejo en el lomo y buche, negro en las remeras y amarillento en el penacho que cubre la cabeza; pico muy largo y ancho, que en la mandíbula inferior lleva una membrana grande y rojiza, la cual forma una especie de bolsa donde deposita los alimentos; alas agudas, cola pequeña y redonda, tarsos cortos y fuertes, y pies palmeados. El modo como abre la bolsa para dar alimento a sus polluelos ha ocasionado la fábula de que se abría el pecho con el pico para alimentarlos con su sangre. || **2.** *Cir.* **Gatillo,** 1.ª acep. || **3.** pl. **Aguileña.**

Pelicano, na. adj. Que tiene cano el pelo.

Pelicorto, ta. adj. Que tiene corto el pelo.

Película. (Del lat. *pellicŭla.*) f. Piel delgada y delicada. || **2.** Telilla que a veces cubre ciertas heridas y úlceras. || **3.** Hollejo. || **4.** Cinta de celuloide que contiene una serie continua de imágenes fotográficas para reproducirlas proyectándolas en la pantalla del cinematógrafo o en otra superficie adecuada. || **5.** Asunto representado en dicha cinta.

Pelicular. adj. Perteneciente o relativo a la película.

Peliforra. (Del lat. *pellex,* concubina, y de *forra,* libre.) f. fam. **Ramera.**

Peligno, na. (Del lat. *pelignus.*) adj. Natural de un territorio de la Italia antigua comprendido en el que ahora se llama de los Abruzos. Ú. t. c. s. || **2.** Perteneciente a él.

Peligrar. intr. Estar en peligro.

Peligro. (Del lat. *pericŭlum.*) m. Riesgo o contingencia inminente de que suceda algún mal. || **2.** Paraje, paso, obstáculo u ocasión en que aumenta la inminencia del daño. || **3.** *Germ.* Tormento de justicia. || **Al peligro, con tiento, y al remedio, con tiempo.** ref. que enseña que en las cosas peligrosas se ha de proceder con detención, y en las que piden remedio, con prevención y actividad. || **Correr peligro.** fr. Estar expuesto a él. || **Quien ama,** o **busca, el peligro, en él perece.** fr. proverb. con que se amonesta a los temerarios.

Peligrosamente. adv. m. Arriesgadamente; con contingencia o peligro.

Peligroso, sa. (Del lat. *pericŭlōsus.*) adj. Que tiene riesgo o puede ocasionar daño. || **2.** fig. Aplícase a la persona ocasionada y de genio turbulento y arriesgado.

Pelilargo, ga. adj. Que tiene largo el pelo.

Pelillo. (d. de *pelo.*) m. fig. y fam. Causa o motivo muy leve de desazón, y que se debe despreciar. Ú. m. en pl. || **Echar pelillos a la mar.** fr. fig. y fam. Reconciliarse dos o más personas. || **No tener** uno **pelillos en la lengua.** fr. fig. y fam. **No tener frenillo en la lengua.** || **Pararse** uno **en pelillos.** fr. fig. y fam. Notar las cosas más leves; tomar ocasión de ellas para desazón o enojo; detenerse o embarazarse en cosas de poca substancia. Ú. m. con neg. || **Pelillos a la mar.** Modo que tienen los muchachos de afirmar que no faltarán a lo que han tratado y convenido, lo cual hacen arrancándose cada uno un pelo de la cabeza, y soplándolos dicen: PELILLOS A LA MAR. || **2.** Olvido de agravios y restablecimiento del trato amistoso. || **Reparar** uno **en pelillos.** fr. fig. y fam. **Pararse en pelillos.** Ú. m. con neg.

Pelilloso, sa. adj. fig. y fam. Quisquilloso, delicado en el trato con los demás; que repara en pelillos.

Pelinegro, gra. adj. Que tiene negro el pelo.

Pelirrojo, ja. adj. Que tiene rojo el pelo.

Pelirrubio, bia. adj. Que tiene rubio el pelo.

Pelitieso, sa. adj. Que tiene el pelo tieso y erizado.

Pelitre. (Del prov. y cat. *pelitre,* y éste del lat. *pyrĕthrum.*) m. Planta herbácea anual de la familia de las compuestas, con tallos inclinados, de tres a cuatro decímetros de longitud; hojas partidas en lacinias muy estrechas; flores terminales con centro amarillo y circunferencia blanca por encima y roja por el envés, y raíz casi cilíndrica, de dos a tres decímetros de largo y un centímetro de grueso, parda por fuera, blanquecina por dentro, de sabor salino muy fuerte y que se ha usado en medicina como masticatorio para provocar la salivación. Es planta propia del norte de África y se cultiva en los jardines. || **2.** Raíz de esta planta.

Pelitrique. (De *pelo.*) m. fam. Cualquier cosa de poca entidad o valor, y por lo común, adorno inútil del vestido, tocado, etc.

Pelma. (Del gr. πῆγμα, -ατος, conglomerado.) m. fam. **Pelmazo,** 1.ª y 2.ª aceps. || **2.** com. fam. **Pelmazo,** 3.ª acep.

Pelmacería. (De *pelmazo.*) f. fam. Tardanza o pesadez en las acciones.

Pelmazo. m. Cualquier cosa apretada o aplastada más de lo conveniente. || **2.** Manjar o comida que se asienta en el estómago. || **3.** fig. y fam. Persona tarda o pesada en sus acciones.

Pelo. (Del lat. *pĭlus.*) m. Filamento cilíndrico, sutil, de naturaleza córnea, que nace y crece entre los poros de la piel de casi todos los mamíferos y de algunos otros animales de distinta clase. || **2.** Conjunto de estos filamentos. || **3.** **Cabello.** || **4.** **Plumón,** 1.ª acep. || **5.** Vello que tienen algunas frutas en la cáscara o pellejo; como los melocotones y algunas plantas en hojas y tallos. || **6.** Cualquier hebra delgada de lana, seda u otra cosa semejante. || **7.** Brizna o raspilla que, desprendida en parte del cañón de la pluma de ave para escribir, impedía formar las letras limpiamente. || **8.** Cuerpo extraño que se agarra a los puntos de la pluma de escribir y hace que la letra salga borrosa. || **9.** Muelle de poquísimo resalto en que descansa el gatillo de algunas armas de fuego cuando están montadas. || **10.** En los tejidos, parte que queda en su superficie y sobresale en la haz y cubre el hilo. *Caérsele el* PELO *a un vestido.* || **11.** **Capa,** 7.ª acep. || **12.** Seda en crudo. || **13.** Raya opaca en las piedras preciosas, que les quita valor. || **14.** Raya o grieta por donde con facilidad saltan las piedras, el vidrio y los metales. || **15.** Enfermedad que padecen las mujeres en los pechos, cuando están criando, por obstrucción de los conductos de la leche. || **16.** Parte fibrosa de la madera, que se separa de las demás al cortarla o labrarla. || **17.** En el juego de trucos y de billar, levedad del contacto de una bola con otra cuando chocan oblicuamente. || **18.** fig. Cualquier cosa mínima o de poca importancia o entidad. || **19.** V. **Camelote, carne, gente, mata de pelo.** || **20.** *Veter.* Enfermedad que padecen las caballerías en los cascos, con que se les abren y se les levanta o desune una parte de ellos. || **de aire.** fig. Viento casi imperceptible. *No hace ni corre un* PELO DE AIRE. || **de camello.** Tejido hecho con pelo de este animal o imitado con el pelote del macho cabrío. || **de cofre,** o **de Judas.** fig. y fam. **Pelo** bermejo. || **2.** fig. y fam. Persona que lo tiene de este color. || **de la dehesa.** fig. y fam. Resabios que conservan las gentes rústicas. || **malo. Plumón,** 1.ª acep. || **Pelos y señales.** fig. y fam. Pormenores y circunstancias de una cosa. *Contar un suceso con todos sus* PELOS Y SEÑALES. || **Agarrarse** uno **de un pelo.** fr. fig. y fam. **Asirse de un pelo.** || **Al pelo.** m. adv. Según o hacia el lado a que se inclina el **pelo**; como en las pieles, en los paños, etc. || **2.** fig. y fam. A punto, con toda exactitud, a medida del deseo. || **A medios pelos.** m. adv. fig. y fam. Medio embriagado. || **Andar al pelo.** fr. fig. y fam. Andar a golpes. || **A pelo.** m. adv. fam. Con la cabeza descubierta. || **2. Al pelo,** 2.ª acep. || **3.** fig. y fam. A tiempo, a propósito o a ocasión. || **Asirse** uno **de un pelo.** fr. fig. y fam. **Asirse de un cabello.** || **Buscar el pelo al huevo.** fr. fig. y fam. Andar buscando motivos ridículos para reñir y enfadarse. || **Como el pelo de la masa.** loc. fig. y fam. Llano, liso y mondo. || **Contra pelo.** m. adv. **A contrapelo.** || **2.** fig. y fam. Fuera de tiempo, fuera de propósito. || **Cortar un pelo en el aire.** fr. fig. **Hender un cabello en el aire.** || **Cuando el pelo enrasa y el raso empela, con mal**

anda la seda. ref. que enseña que todas las cosas que salen de su estado son viciosas o están cerca de perderse. || **Cuando tuvieres un pelo más que él, pelo a pelo te pela con él.** ref. que enseña que se eviten los pleitos, en cuanto sea posible, con quien tiene más caudal o poder. || **De medio pelo.** loc. fig. y fam. con que se zahiere a las personas que quieren aparentar más de lo que son, o a cosa de poco mérito o importancia. || **De pelo en pecho.** loc. fig. y fam. Dícese de la persona vigorosa, robusta y denodada. || **De poco pelo.** loc. fig. De poca importancia. || **Echar buen pelo.** fr. fig. y fam. **Pelechar,** 2.ª acep. || **Echar pelos a la mar.** fr. fig. y fam. **Echar pelillos a la mar.** || **En pelo.** m. adv. Hablando de las caballerías, sin ningún aderezo, adorno o aparejo. || **2.** fig. y fam. Desnudamente, sin los adherentes que de ordinario suelen acompañar. || **Estar** una cosa **en un pelo.** loc. fam. **Estar a punto** de. || **Estar** uno **hasta los pelos.** fr. fig. y fam. Estar harto o cansado de alguna persona o de algún asunto. || **Hacer el pelo.** fr. Aderezarlo. || **Largo como pelo de huevo,** o **de rata.** loc. fig. y fam. Tacaño, miserable. || **Montar al pelo.** fr. Dícese de las armas de fuego cuando se construyen de manera que, por sobresalir o resaltar muy poco el disparador donde se sostiene la patilla de la llave, ésta cae apenas se toca al gatillo. || **No cubrirle pelo** a uno. fr. fig. No poder medrar o hacer fortuna. || **No tener** uno **pelo de tonto.** fr. fig. y fam. Ser listo y avisado. || **No tener** uno **pelos en la lengua.** fr. fig. y fam. **No tener frenillo en la lengua.** || **No tocar** a uno **al pelo,** o **al pelo de la ropa.** fr. fig. **No tocarle a la ropa.** || **Pelo a pelo.** m. adv. fig. y fam. Sin adehala o añadidura en los trueques o cambios de una cosa por otra. || **Pelo arriba.** m. adv. **Contra pelo.** *Peinarse* PELO ARRIBA. || **Pelo por pelo.** m. adv. fig. y fam. **Pelo a pelo.** || **Poner al pelo.** fr. **Montar al pelo.** || **Ponérsele** a uno **los pelos de punta.** fr. fig. y fam. Erizársele el cabello; sentir gran pavor. || **Rascarse** uno **pelo arriba.** fr. fig. y fam. Sacar dinero de la faltriquera. Dícese especialmente del que lo siente y tiene dificultad en hacerlo. || **Relucirle** a uno **el pelo.** fr. fig. y fam. Estar gordo y bien tratado. Dícese también frecuentemente de los caballos y otros animales. || **Salir de pelo** una cosa. fr. Hacerla según el genio natural de cada uno. || **Ser capaz de contarle los pelos al diablo.** fr. fig. y fam. Ser muy hábil o diestro. || **Ser** uno **de buen pelo.** fr. irón. Tener mala índole. || **Soltarse** uno **el pelo.** fr. fig. y fam. Decidirse a hablar u obrar sin miramiento. || **¿Son pelos de cochino?** expr. que se usa para significar que uno no da a una cosa la estimación y valor que merece. || **Tener pelos** un negocio. fr. fig. y fam. Ofrecer dificultad, ser enredoso o embarazoso. || **Tener** uno **pelos en el corazón.** fr. fig. y fam. Tener grande esfuerzo y ánimo. || **2.** fig. y fam. Ser inhumano, poco sensible a los males ajenos. || **Tomar el pelo** a uno. fr. fig. y fam. Burlarse de él aparentando elogiarle.

Pelón, na. adj. Que no tiene pelo o tiene muy poco. Ú. t. c. s. || **2.** V. **Trigo pelón.** || **3.** fig. y fam. Que tiene muy escasos recursos económicos. Ú. t. c. s.

Pelona. (De *pelón.*) f. **Alopecia.**

Pelonería. (De *pelón.*) f. fam. Pobreza, o escasez y miseria.

Pelonía. (De *pelón.*) f. **Pelona.**

Peloponense. (Del lat. *peloponnensis.*) adj. Natural del Peloponeso. Ú. t. c. s. || **2.** Perteneciente a esta península de la Grecia antigua.

Peloponesiaco, ca [~ **síaco, ca**]. (Del lat. *peloponnesiăcus.*) adj. Perteneciente al Peloponeso.

Pelosa. (De *pelo.*) f. *Germ.* Saya, capa, frazada.

Pelosilla. (De *peloso.*) f. **Vellosilla.**

Peloso, sa. (Del lat. *pilōsus.*) adj. Que tiene pelo.

Pelota. (Del prov. *pelota,* y éste del lat. *pila.*) f. Bola pequeña de lana o pelote, a veces con goma elástica dentro, apretada con hilo o cuerda y generalmente forrada de cuero o paño. También se hace de una esfera hueca de caucho. || **2.** Juego que se hace con ella. || **3.** Bola de materia blanda, como nieve, barro, etc., que se amasa fácilmente. || **4.** Bala de piedra, plomo o hierro, con que se cargaban los arcabuces, mosquetes, cañones y otras armas de fuego. || **5.** Batea de piel de vaca que usan en América para pasar los ríos personas y cargas. || **6.** fig. y fam. **Ramera.** || **7.** Acumulación de deudas o desazones que, siendo una por una de escasa entidad, juntas resultan graves. || **de viento.** Vejiga llena de aire y cubierta de cuero, que sirve también para el juego. || **Estar la pelota en el tejado.** fr. fig. y fam. Ser todavía dudoso el éxito de un negocio cualquiera. || **Hacerse** uno **una pelota.** fr. fig. y fam. **Hacerse un ovillo.** || **Jugar a la pelota con** uno. fr. fig. y fam. Traerle engañado con razones, haciéndole ir y venir inútilmente o andar de una parte a otra sin efecto. || **No tocar pelota.** fr. fig. y fam. No dar uno en el punto de la dificultad. || **Rechazar** uno **la pelota.** fr. fig. Rebatir lo que otro dice, con sus mismas razones o fundamentos. || **Sacar** uno **pelotas de una alcuza.** fr. fig. y fam. Ser muy astuto o agudo para conseguir lo que desea. || **Volver** uno **la pelota.** fr. fig. **Rechazar la pelota.**

Pelota (En). (De *pelo.*) m. adv. **En cueros.** || **Dejar** a uno **en pelota.** fr. fig. y fam. Quitarle o robarle todo lo que tiene. || **2.** Desnudarle de la ropa exterior o de toda ella.

Pelotari. (Voz vasca, de *pelota,* 1.er art.) com. Persona que tiene por oficio jugar a la pelota.

Pelotazo. m. Golpe dado con la pelota, 1.ª acep.

Pelote. m. Pelo de cabra, que se emplea para rellenar muebles de tapicería y sirve también para otros usos industriales. || **2.** ant. **Pelliza,** 1.ª acep.

Pelotear. tr. Repasar y señalar las partidas de una cuenta, y cotejarlas con sus justificantes respectivos. || **2.** intr. Jugar a la pelota por entretenimiento, sin la formalidad de haber hecho partido. || **3.** fig. Arrojar una cosa de una parte a otra. || **4.** fig. Reñir dos o más personas entre sí. || **5.** fig. Disputar, controvertir o contender sobre una cosa. || **6.** *Amér. Merid.* Pasar un río en la batea llamada pelota. Ú. t. c. tr.

Pelotera. (De *pelote,* de *pelo.*) f. fam. Riña, contienda o revuelta, y particularmente la que se origina o sostiene entre mujeres.

Pelotería. f. Conjunto o copia de pelotas, 1.ª acep.

Pelotería. f. Conjunto de pelote.

Pelotero. adj. V. **Escarabajo pelotero.** || **2.** m. El que tiene por oficio hacer pelotas, 1.ª acep. || **3.** El que las ministra en el juego. || **4.** fam. **Pelotera.** || **Traer** a uno **al pelotero.** fr. fig. y fam. **Traerle al retortero.**

Pelotilla. (d. de *pelota.*) f. Bolita de cera, armada de puntas de vidrio, de que usaban los disciplinantes. || **2.** V. **Ortiga de pelotillas.** || **Darse** uno **con la pelotilla.** fr. Azotarse con ella el disciplinante. || **2.** fig. y fam. Beber vino en abundancia. || **Hacer la pelotilla** a una persona. fr. fig. y fam. Adularla con miras interesadas.

Pelotillero, ra. adj. **Adulador,** que hace la pelotilla.

Peloto. (De *pelo.*) adj. V. **Trigo peloto.** Ú. t. c. s.

Pelotón. m. aum. de **Pelota.** || **2.** Conjunto de pelos o de cabellos unidos, apretados o enredados. || **3.** fig. Conjunto de personas sin orden y como en tropel. || **4.** *Mil.* Cuerpo de soldados, menor que una sección y que suele mandar un cabo o un sargento.

Pelta. (Del lat. *pelta,* y éste del gr. πέλτη.) f. Adarga asiática que usaron los griegos y romanos.

Peltraba. f. *Germ.* **Morral,** 2.ª acep.

Peltre. (En ital. *peltro;* en port. *peltre.*) m. Aleación de cinc, plomo y estaño.

Peltrero. m. El que trabaja en cosas de peltre.

Pelú. (Del arauc. *pulu.*) m. *Bot. Chile.* Árbol leguminoso, con hojas de 10 a 20 pares de pinas, orbiculares, flores muy hermosas de color dorado, legumbre con cuatro alas longitudinales denticuladas, y madera dura y preciosa.

Peluca. (De *pelo.*) f. Cabellera postiza. || **2.** fig. y fam. Persona que la trae o la usa. || **3.** fig. y fam. Reprensión acre y severa dada a un inferior.

Pelucón. m. aum. de **Peluca.**

Pelucona. (Por alusión a la *peluca* o cabellera larga del busto en estas monedas.) f. fam. Onza de oro, y especialmente cualquiera de las acuñadas con el busto de uno de los reyes de la casa de Borbón, hasta Carlos IV inclusive.

Peludo, da. adj. Que tiene mucho pelo. || **2.** m. Ruedo afelpado que tiene los espartos largos y majados. || **3.** *R. de la Plata.* **Armadillo.**

Peluquería. f. Tienda del peluquero. || **2.** Oficio de peluquero.

Peluquero, ra. (De *peluca.*) m. y f. Persona que tiene por oficio peinar, cortar el pelo o hacer y vender pelucas, rizos, etc. || **2.** Dueño de una peluquería || **3.** f. Mujer del peluquero.

Peluquín. (d. de *peluca.*) m. Peluca pequeña o que sólo cubre parte de la cabeza. || **2.** Peluca con bucles y coleta que se usó a fines del siglo XVIII y a principios del XIX.

Pelusa. (despect. de *pelo.*) f. Vello, 2.ª acep. || **2.** Pelo menudo que con el uso se desprende de las telas. || **3.** fig. y fam. V. **Gente de pelusa.** || **4.** fig. y fam. Envidia propia de los niños.

Pelusilla. (d. de *pelusa.*) f. **Vellosilla.**

Pelvi. (Del persa *pahlawī,* heroico.) adj. Aplícase a la lengua de los parsis y a lo que se escribió en ella. Ú. t. c. s. m.

Pelviano, na. adj. *Zool.* Perteneciente o relativo a la pelvis. *Cavidad* PELVIANA.

Pelvímetro. (De *pelvis,* y el gr. μέτρον, medida.) m. Instrumento en forma de compás de piernas curvas, que se emplea para apreciar la forma y amplitud de la pelvis y deducir la facilidad o dificultad con que ha de verificarse el parto.

Pelvis. (Del lat. *pelvis,* lebrillo.) f. *Zool.* Cavidad del cuerpo de los mamíferos, situada en la parte posterior del tronco, inferior en el hombre, y en cuya formación entran los huesos sacro, cóccix e innominados. Contiene la porción final del tubo digestivo, la vejiga urinaria y algunos órganos, correspondientes al aparato genital, principalmente en las hembras. || **2.** *Zool.* Cavidad en forma de embudo, que está situada en cada uno de los riñones de los mamíferos y se continúa con el uréter.

Pella. (Del lat. *pilŭla,* pelotita.) f. Masa que se une y aprieta, regularmente en forma redonda. || **2.** Conjunto de los tallitos de la coliflor y otras plantas semejantes, antes de florecer, que son la parte más delicada y que más se aprecia. || **3.** Especie de pelota compuesta de mixtos, que en la artillería antigua se arrojaba para incendiar. || **4.** Masas de los metales fundidos o sin labrar. || **5.** Manteca del puerco tal como se quita de él. || **6.** Porción pequeña y redondeada de manjar blanco, merengue, etc., con que se adornan algunos platos de postre. || **7.** ant. Conjunto o multitud de personas. || **8.** fig. y fam. Cantidad o suma de dinero, y más comúnmente la que se debe o defrauda. || **9.** *Min.* Masa de amalgama de plata que se obtiene al beneficiar con azogue minerales argentíferos.

Pellada. (De *pella.*) f. Porción de yeso o argamasa que un peón de albañil puede sostener en la mano, o con la llana, para darla al oficial que está trabajando. || **2. Pella,** 1.ª acep. || **No dar pellada.** fr. Estar parada una obra de albañilería, o no trabajarse en ella. || **No dar pellada en** una cosa. fr. fig. Tener suspensa su ejecución.

Pelleja. (Del lat. *pellicŭla.*) f. Piel quitada del cuerpo del animal. || **2. Vellón,** 1.er art., 2.ª acep. || **3. Zalea.** || **4. Pellejo,** 1.ª acep. || **5.** fam. **Ramera.** || **6.** *Germ.* **Saya,** 1.ª acep. || **Dar, dejar,** o **perder,** uno **la pelleja.** fr. fig. y fam. **Dar, dejar,** o **perder, el pellejo.** || **Salvar** uno **la pelleja.** fr. fig. y fam. **Salvar el pellejo.** || **Soltar** uno **la pelleja.** fr. fig. y fam. **Soltar el pellejo.**

Pellejería. (De *pellejero.*) f. Casa, tienda, calle o barrio donde se adoban o venden pellejos. || **2.** Oficio o comercio de pellejero. || **3.** Conjunto de pieles o pellejos.

Pellejero, ra. (De *pellejo.*) m. y f. Persona que tiene por oficio adobar o vender pieles.

Pellejina. f. Pelleja pequeña.

Pellejo. (De *pelleja.*) m. **Piel.** || **2. Odre.** || **3.** fig. y fam. Persona ebria. || **4.** *Germ.* **Sayo.** || **Dar, dejar,** o **perder,** uno **el pellejo.** fr. fig. y fam. **Morir,** 1.ª acep. || **Estar,** o **hallarse,** uno **en el pellejo** de otro. fr. fig. y fam. Estar o hallarse en las mismas circunstancias o situación moral que otro. Ú. por lo común en sentido condicional. *Si yo me* HALLARA EN *su* PELLEJO; *si usted* ESTUVIERA EN *mi* PELLEJO. || **Mudar** uno **el pellejo.** fr. fig. y fam. Mudar de condición o costumbres. || **No caber** uno **en el pellejo.** fr. fig. y fam. Estar muy gordo. || **2.** fig. y fam. Estar muy contento, satisfecho o envanecido. || **No tener** uno **más que el pellejo.** fr. fig. y fam. Estar sumamente flaco. || **Pagar** uno **con el pellejo.** fr. fig. y fam. Pagar con la vida. || **Quitar** a uno **el pellejo.** fr. fig. y fam. Quitarle la vida. || **2.** fig. y fam. Murmurar, hablando muy mal de él. || **3.** fig. y fam. Tomarle con maña e industria lo que tiene o la mayor parte. || **Salvar** uno **el pellejo.** fr. fig. y fam. Librar la vida de un peligro. || **Soltar** uno **el pellejo.** fr. fig. y fam. **Dar el pellejo.**

Pellejudo, da. adj. Que tiene la piel floja o sobrada.

Pellejuela. f. d. de **Pelleja.**

Pellejuelo. m. d. de **Pellejo.**

Pelleta. (Del lat. *pellis,* piel.) f. **Pelleja.**

Pelletería. (De *pelletero.*) f. **Pellejería.**

Pelletero. (De *pelleta.*) m. **Pellejero.**

Pellica. (Del lat. *pellis,* piel.) f. Cubierta o cobertor de cama hecho de pellejos finos. || **2.** Pellico hecho de pieles finas y adobadas. || **3.** Piel pequeña adobada.

Pellico. (De *pellica.*) m. Zamarra de pastor. || **2.** Vestido de pieles que se le parece.

Pellijero. m. **Pellejero.**

Pellín. (Del arauc. *pelliñ.*) m. *Bot. Chile.* Especie de haya cuya madera es muy dura e incorruptible. || **2.** *Chile.* Corazón o cerno de ese mismo árbol. || **3.** *Chile.* fig. Persona o cosa muy fuerte y de gran resistencia.

Pelliquero. m. El que hace o vende pellicas.

Pelliza. (Del lat. *pellicia,* t. f. de *-cius,* hecho de pieles.) f. Prenda de abrigo hecha o forrada de pieles finas. || **2.** Chaqueta de abrigo con el cuello y las bocamangas reforzadas de otra tela, que usan por lo común los trabajadores. || **3.** *Mil.* Parte del uniforme del cuerpo de cazadores, consistente en una chaqueta de paño azul con las orillas, el cuello y las bocamangas revestidos de astracán y con trencillas de estambre negro para cerrarla sobre el pecho. || **4.** *Mil.* **Dormán.**

Pellizcador, ra. adj. Que pellizca.

Pellizcar. (Del lat. *pellis,* piel.) tr. Asir con el dedo pulgar y cualquiera de los otros una pequeña porción de piel y carne, apretándola de suerte que cause dolor. Ú. t. c. r. || **2.** Asir y herir leve o sutilmente una cosa. || **3.** Tomar o quitar pequeña cantidad de una cosa. || **4.** r. fig. y fam. **Perecerse.**

Pellizco. m. Acción y efecto de pellizcar. || **2.** Porción pequeña de una cosa, que se toma o se quita. || **de monja.** Bocadito de masa con azúcar.

Pello. (Del lat. *pellis,* piel.) m. Especie de zamarra fina.

Pellón. (Del lat. *pellis,* piel.) m. Vestido talar antiguo, que se hacía regularmente de pieles. || **2.** *Amér.* Pelleja curtida que a modo de caparazón forma parte del recado de montar.

Pellote. m. **Pellón,** 1.ª acep.

Pelluzgón. (Tal vez de *pellizco.*) m. Porción de pelo, lana o estopa que se coge de una vez con todos los dedos. || **2. Mechón,** 2.ª acep. Ú. en la fr. *Tener la barba a* PELLUZGONES.

Pena. (Del lat. *poena,* y éste del gr. ποινή.) f. Castigo impuesto por autoridad legítima al que ha cometido un delito o falta. || **2.** Cuidado, aflicción o sentimiento interior grande. || **3.** Dolor, tormento o sentimiento corporal. || **4.** Dificultad, trabajo. *Con mucha* PENA *he terminado este negocio.* || **5.** V. **Alma en pena.** || **6.** V. **Siervo de la pena.** || **7.** Cinta adornada con una joya en cada punta, que usaban las mujeres anudándola al cuello y dejando los cabos pendientes sobre el pecho. || **8.** *For.* V. **Conmutación de pena.** || **9.** pl. *Germ.* Galeras. || **Pena accesoria.** *For.* La que se impone según ley, como inherente, en ciertos casos, a la principal. || **aflictiva.** *For.* La de mayor gravedad, entre las de la clase primera, que señalaba el código penal. || **capital.** La de muerte. || **correccional.** *For.* La de segunda clase, entre las de diversa gravedad, que el código penal determinaba. || **de daño.** Privación perpetua de la vista de Dios en la otra vida. || **de la nuestra merced.** Conminación que los reyes usaban para amenazar con su indignación o castigo al que contraviniera a sus mandatos. || **de la vida. Pena capital.** || **del homicillo. Homicillo,** 1.ª acep. || **del sentido.** La que atormenta los sentidos o el cuerpo de los condenados. || **del talión.** La que imponía al reo un daño igual al que él había causado. || **2.** fig. Perjuicio o daño, de intereses o moral, que sufre el que causó otro semejante. || **grave.** *For.* Por oposición a las leves, cualquiera de las de mayor severidad señaladas en la ley para castigar los delitos. || **leve.** *For.* Cualquiera de las de menos rigor, como reprensión privada, arresto menor o multa pequeña, que la ley señala como castigo de las faltas. || **ordinaria.** *For.* Se llamaba así, en la legislación antigua, a la pena capital. || **pecuniaria. Multa.** || **Penas de cámara.** *For.* Condenaciones pecuniarias que los jueces y tribunales imponían a las partes con aplicación a la cámara real o fisco. || **Acusar a pena.** fr. ant. Acusar criminalmente, pidiendo el castigo. || **A duras, graves,** o **malas, penas.** m. adv. Con gran dificultad o trabajo. || **A penas.** m. adv. **Apenas.** || **Merecer la pena** una cosa. fr. **Valer la pena.** || **Ni pena ni gloria.** expr. fig. que manifiesta la insensibilidad con que uno ve u oye las cosas. || **Pasar** uno **la pena negra.** fr. fig. Padecer aflicción grave física o moral. || **Pasar** uno **las penas del purgatorio.** fr. fig. Padecer continuas molestias o aflicciones. || **So pena.** m. adv. Bajo la **pena** o castigo adecuado. Frase conminatoria, hoy anticuada. || **Súfrase quien penas tiene, que tiempo tras tiempo viene.** ref. que aconseja que no se pierda la esperanza ni en los mayores ahogos. || **Valer la pena** una cosa. fr. con que se encarece su importancia o denota que se puede dar por bien empleado el trabajo que cuesta. Ú. también con negación.

Pena. (Del lat. *penna.*) f. Cada una de las plumas mayores del ave, que situadas en las extremidades de las alas o en el arranque de la cola, sirven principalmente para dirigir el vuelo. || **2.** ant. **Pluma,** 1.ª y 3.ª aceps. || **3.** *Mar.* Parte extrema y más delgada de una entena.

Penable. (De *penar.*) adj. Que puede recibir pena o ser penado.

Penachera. f. **Penacho.**

Penacho. (Del lat. *penna,* pluma.) m. Grupo de plumas que tienen algunas aves en la parte superior de la cabeza. || **2.** Adorno de plumas que sobresale en los cascos o morriones, en el tocado de las mujeres, en la cabeza de las caballerías engalanadas para fiestas reales u otras solemnidades, etc. || **3.** fig. Lo que tiene forma o figura de tal. || **4.** fig. y fam. Vanidad, presunción o soberbia.

Penachudo, da. adj. Que tiene o lleva penacho.

Penachuelo. m. d. de **Penacho.**

Penadamente. adv. m. **Penosamente.**

Penadilla. f. **Penado,** 4.ª acep.

Penado, da. p. p. de **Penar.** || **2.** adj. Penoso o lleno de penas. || **3.** Difícil, trabajoso. || **4.** Dícese de una especie de vasija usada antiguamente en España para beber, la cual se hacía muy estrecha de boca a fin de que fuese dando en corta cantidad la bebida. Ú. t. c. s. || **5.** m. y f. Delincuente condenado a una pena.

Penador. (De *penar.*) adj. V. **Libro penador.**

Penal. (Del lat. *poenālis.*) adj. Perteneciente o relativo a la pena, o que la incluye. || **2.** *For.* **Criminal,** 1.ª y 2.ª aceps. || **3.** V. **Derecho penal.** || **4.** m. Lugar en que los penados cumplen condenas superiores a las del arresto. *El* PENAL *de Ocaña o de Cartagena.*

Penalidad. (De *penal.*) f. Trabajo aflictivo, molestia, incomodidad. || **2.** *For.* Calidad de penable. || **3.** *For.* Sanción impuesta por la ley penal, las ordenanzas, etc.

Penalista. adj. Dícese del jurisconsulto que se dedica con preferencia al estudio de la ciencia o derecho penal. Ú. t. c. s.

Péname. (3.ª pers. de sing. del pres. de indic. del verbo *penar* y el pron. *me;* me pena.) m. *Ar.* **Pésame.**

Penante. p. a. de **Penar.** Que sufre pena. || **2.** adj. **Penado,** 3.ª acep.

Penar. tr. Imponer pena. || **2.** *For.* Señalar la ley castigo para un acto u omisión. || **3.** intr. Padecer, sufrir, tolerar un dolor o pena. || **4.** Padecer las penas de la otra vida en el purgatorio. || **5.** Agonizar mucho tiempo. || **6.** r. Afligirse, acongojarse, padecer una pena o sentimiento. || **Penar** uno **por** una cosa. fr. fig. Desearla con ansia.

Penates. (Del lat. *penātes.*) m. pl. Dioses domésticos a quienes daba culto la gentilidad.

Penca. (En cat. y en port. *penca.*) f. Hoja carnosa de ciertas plantas; como la del nopal, la pita y ciertas hortalizas. || **2.** Parte carnosa de ciertas hojas cuando en su totalidad no lo son; como las de la berza. || **3.** fig. Tira de cuero o vaqueta con que el verdugo azotaba a los delincuentes. || **4.** fig. *Venez.* **Maslo,** 1.ª acep. || **5.** *Germ.* V. **Disciplinante de penca.** || **Hacerse uno de pencas.** fr. fig. y fam. No consentir fácilmente en lo que se pide, aun cuando lo desee el que lo ha de conceder.

Pencar. (De *penca,* azote.) tr. *Germ.* Azotar el verdugo.

Pencazo. m. Golpe dado con la penca, 3.ª acep.

Penco. (De *penca.*) m. fam. **Jamelgo.**

Pencudo, da. adj. Que tiene pencas, 1.ª y 2.ª aceps.

Pencuria. (De *penca.*) f. *Germ.* **Ramera.**

Penchicarda. f. *Germ.* Ardid que ejecutan algunos ladrones o rufianes en el bodegón, donde, después de comer o cenar, revuelven una pendencia para salirse sin pagar.

Pendanga. f. En el juego de quínolas, la sota de oros. || **2.** fam. **Ramera.**

Pendejo. (De *pender.*) m. Pelo que nace en el pubis y en las ingles. || **2.** fig. y fam. Hombre cobarde y pusilánime.

Pendencia. (De *pender.*) f. Contienda, riña de palabras o de obras. || **2.** ant. Calidad de lo que está por decidir. || **3.** *For.* **Litispendencia.** || **4.** *Germ.* **Rufián.**

Pendenciar. intr. Reñir o tener pendencia.

Pendenciero, ra. adj. Propenso a riñas o pendencias.

Pendenzuela. f. d. de **Pendencia.**

Pender. (Del lat. *pendēre.*) intr. Estar colgada, suspendida o inclinada alguna cosa. || **2. Depender.** || **3.** fig. Estar por resolverse o terminarse un pleito o negocio.

Pendiente. (Del lat. *pendens, -entis.*) p. a. de **Pender.** Que pende. || **2.** adj. fig. Que está por resolverse o terminarse. || **3.** m. Arete con adorno colgante o sin él. || **4. Pinjante,** 1.ª acep. || **5.** *Blas.* Parte inferior de los estandartes y banderas. || **6.** *Carp.* Inclinación de las armaduras de los techos para el desagüe. || **7.** *Min.* Cara superior de un criadero. || **8.** f. Cuesta o declive de un terreno.

Pendil. (De *pender.*) m. Manto de mujer. || **2.** *And.* **Candil.** 1.ª acep. || **Tomar el pendil.** fr. fig. y fam. Marcharse o ausentarse. || **Tomar el pendil y la media manta.** fr. fig. y fam. *And.* Irse a dormir.

Pendingue (Tomar el). fr. fig. y fam. **Tomar el pendil.**

Pendol. (Del lat. *pendŭlus;* de *pendēre,* pender.) m. *Mar.* Operación que hacen los marineros con objeto de limpiar los fondos de una embarcación, cargando peso a una banda o lado y descubriendo así el fondo del costado opuesto. Ú. m. en pl.

Péndola. (Del lat. *pennŭla,* d. de *penna,* pluma.) f. **Pluma,** 1.ª y 3.ª aceps.

Péndola. (De *péndulo.*) f. Varilla o varillas metálicas con una lenteja u otro adorno semejante en su parte inferior y que con sus oscilaciones regula el movimiento de los relojes finos, como los de pared y sobremesa. || **2.** fig. Reloj que tiene **péndola.** || **3.** *Arq.* Cualquiera de los maderos de un faldón de armadura que van desde la solera a la lima tesa. || **4.** *Arq.* Cualquiera de las varillas verticales que sostienen el piso de un puente colgante o tienen oficio parecido en otras obras.

Pendolaje. m. Derecho de apropiarse en las presas de mar todos los géneros que están sobre cubierta, aunque pertenezcan a los individuos de la embarcación apresada.

Pendolario. m. **Pendolista.**

Pendolista. (De *péndola,* 1.er art.) com. Persona que escribe diestra y gallardamente.

Pendolón. m. aum. de **Péndola,** 2.º art., 1.ª acep. || **2.** *Arq.* Madero de armadura en situación vertical que va desde la hilera a la puente.

Pendón. (Del b. lat. *penno, -onis,* y éste del lat. *penna,* pluma.) m. Insignia militar propia principalmente de las diversas mesnadas que componían un ejército, y que consistía en una bandera más larga que ancha. || **2.** Insignia militar, que era una bandera o estandarte pequeño, y se usaba en la milicia para distinguir los regimientos, batallones y demás cuerpos del ejército que iban a la guerra. Hoy usan de banderas o estandartes, según sus institutos. || **3.** Divisa o insignia que tienen las iglesias y cofradías para guiar las procesiones, y consiste en una asta de donde pende un pedazo largo de tela que remata en dos puntas. || **4.** Vástago que sale del tronco principal del árbol. || **5.** fig. y fam. Persona, especialmente mujer, muy alta, desvaída y desaliñada. || **6.** fig. y fam. Mujer de vida licenciosa. || **7.** *Blas.* Insignia semejante a la bandera, de la cual se distingue en el tamaño, pues es un tercio más larga que ella, y redonda por el pendiente. || **8.** pl. Riendas para gobernar las mulas de guías. || **Pendón caballeril.** El rectangular, de un tercio más de longitud que de anchura, usado como insignia por los señores que llevaban más de 10 caballeros y menos de 50. || **de Castilla,** o **morado.** Insignia personal del monarca. || **posadero.** El largo y rematado en punta, que se plantaba para designar los lugares donde debían posar o acampar las huestes, y usaban como insignia propia los señores que llevaban bajo sus órdenes más de 50 caballeros y menos de 100. || **puñal. Pendón caballeril.** || **y caldera.** Privilegio que daban los reyes a los ricoshombres de Castilla cuando venían en su socorro con sus gentes a la guerra, que era traer como divisa propia un **pendón** o estandarte en señal de que podían levantar gente, y la caldera significando que la mantenían a su costa. || **Alzar pendón,** o **pendones.** fr. **Alzar bandera,** o **banderas.** || **A pendón herido.** m. adv. fig. Con toda fuerza, unión y diligencia para socorrer una necesidad, cual es ver el estandarte o bandera en peligro de que lo ganen los enemigos. || **Levantar pendón,** o **pendones.** fr. **Alzar pendón,** o **pendones.** || **Seguir el pendón de** uno. fr. *Mil.* Alistarse bajo sus banderas.

Pendonear. (De *pendón.*) intr. **Pindonguear.**

Pendoneta. (d. de *pendón.*) f. Pendón pequeño o estandarte.

Pendonista. adj. Dícese de la persona que en una procesión lleva el pendón o lo acompaña. Ú. t. c. s.

Pendrar. (Del lat. *pignerāre,* de *pignus,* prenda.) tr. ant. **Embargar,** 3.ª acep.

Pendular. adj. Propio del péndulo o relativo a él.

Péndulo, la. (Del lat. *pendŭlus,* pendiente.) adj. **Pendiente,** 1.ª acep. || **2.** m. *Mec.* Cuerpo grave que puede oscilar suspendido de un punto por un hilo o varilla. || **de compensación.** El que se hace de metales de dilatación diferente, para evitar que los agentes atmosféricos alteren la regularidad de sus movimientos. || **eléctrico.** *Fís.* Esferilla de una substancia muy ligera, como la medula de saúco, que colgada en un hilo de seda indica que un cuerpo está electrizado, si al aproximarlo a ella la desvía de su posición. || **sidéreo.** *Astron.* Reloj magistral que en los observatorios se emplea para marcar el tiempo sidéreo.

Pendura (A la). (De *pender.*) m. adv. *Mar.* Dícese de todo lo que cuelga, y muy especialmente del ancla cuando pende de la serviola.

Pene. (Del lat. *penis.*) m. **Miembro viril.**

Peneca. m. *Chile.* Niño, chiquillo.

Penedo. m. ant. **Peñedo.**

Peneque. adj. fam. **Borracho,** 1.ª acep. Ú. comúnmente con los verbos *estar, ir* o *ponerse.* || **2.** fam. *And.* Dícese de la persona o del animal que al andar se tambalea. Ú. como la acepción anterior.

Penetrabilidad. f. Calidad de penetrable.

Penetrable. (Del lat. *penetrabĭlis.*) adj. Que se puede penetrar. || **2.** fig. Que fácilmente se penetra o se entiende.

Penetración. (Del lat. *penetratio, -ōnis.*) f. Acción y efecto de penetrar. || **2.** Inteligencia cabal de una cosa difícil. || **3.** Perspicacia de ingenio, agudeza. || **pacífica.** Influjo económico y político que una nación ejerce en país extraño, sin imponerlo por fuerza de armas.

Penetrador, ra. (Del lat. *penetrātor.*) adj. Agudo, perspicaz, sutil, de vivo ingenio.

Penetral. (Del lat. *penetralis.*) m. p. us. Estancia interior de un edificio, o parte retirada o recóndita de una cosa. Ú. m. en pl.

Penetrante. p. a. de **Penetrar.** Que penetra. || **2.** adj. **Profundo,** 4.ª acep. || **3.** fig. Agudo, alto, subido o elevado, hablando de la voz, del grito, etc. || **4.** *Cir.* V. **Herida penetrante.**

Penetrar. (Del lat. *penetrāre.*) tr. Introducir un cuerpo en otro por sus poros. || **2.** Introducirse en lo interior de un espacio, aunque haya dificultad o estorbo. || **3.** Hacerse sentir con violencia y demasiada eficacia una cosa; como el frío, los gritos, etc. || **4.** fig. Llegar lo agudo del dolor, sentimiento u otro afecto a lo interior del alma. || **5.** fig. Comprender el interior de uno, o una cosa dificultosa. Ú. t. c. intr. y c. r.

Penetrativo, va. adj. Que penetra, es capaz o tiene virtud de penetrar.

Pénfigo. (Del gr. πέμφιξ -ιγος, ampolla.) m. *Med.* Enfermedad cutánea caracterizada por ampollas cuyo volumen varía desde el de una lenteja hasta el de un huevo de paloma, transparentes, a veces amarillentas, y llenas de un líquido seroso que fluye por la abertura que espontáneamente se hace en ellas.

Penibético, ca. adj. Dícese de lo perteneciente al sistema de cordilleras que, partiendo del estrecho de Gibraltar, continúan hasta el cabo de La Nao, en la provincia de Alicante.

Penicilina. f. *Med.* Substancia antibiótica extraída de los cultivos del moho *penicillium notatum,* que actúa sobre los estafilococos, estreptococos, neumococos, meningococos y otros microorganismos. Se usa con gran eficacia, en forma de sales sódicas o cálcicas, para combatir las enfermedades causadas por estos gérmenes.

Penígero, ra. (Del lat. *pennĭger, -ĕri;* de *penna,* ala, y *gerĕre,* llevar.) adj. poét. Alado, que tiene alas o plumas.

Península. (Del lat. *paeninsŭla;* de *paene,* casi, e *insŭla,* isla.) f. Tierra cercada por el agua, y que sólo por una parte relativamente estrecha está unida y tiene comunicación con otra tierra de extensión mayor.

Peninsular. adj. Natural de una península. Ú. t. c. s. || **2.** Perteneciente a una península. || **3.** V. **Tabaco peninsular.** || **4.** Por antonom., se dice de lo relativo a la península ibérica, en oposición a lo perteneciente a las islas y a las tierras españolas de África.

Penique. (Del anglosajón *penig,* dinero.) m. Moneda inglesa de cobre, que a la par vale la duodécima parte del chelín, o sean diez céntimos y medio de peseta próximamente.

Penisla. f. **Península.**

Penitencia. (Del lat. *poenitentia.*) f. Sacramento en el cual, por la absolución del sacerdote, se perdonan los pecados cometidos después del bautismo al que los confiesa con el dolor, propósito de la enmienda y demás circunstancias debidas. || **2.** Virtud que consiste en el dolor de haber pecado y el propósito de no pecar más. || **3.** Serie de ejercicios penosos con que uno procura la mortificación de sus pasiones y sentidos para satisfacer a la justicia divina. || **4.** Cualquier acto de mortificación interior o exterior. || **5.** Pena que impone el confesor al penitente para satisfacción del pecado o para preservación de él, y ésta se llama medicinal, y es parte integral del sacramento. || **6.** Dolor y arrepentimiento que se tiene de una mala acción, o sentimiento de haber ejecutado una cosa que no se quisiera haber hecho. || **7.** Castigo público que imponía el tribunal de la Inquisición a algunos reos. || **8.** Casa donde vivían estos PENITENCIADOS. || **9.** V. **Hábito de penitencia.** || **canónica,** o **pública.** Serie de ejercicios laboriosos o públicos impuestos por los sagrados cánones al culpable de ciertos delitos. || **Cumplir** uno **la penitencia.** fr. Practicar aquellos actos de devoción o mortificación que le prescribe el confesor, en satisfacción de sus pecados. || **Hacer penitencia.** fr. fig. Comer parcamente. Dícelo por modestia, a veces afectada, el que convida a otro a comer con él. || **Oir de penitencia.** fr. **Oir de confesión.**

Penitenciado, da. (De *penitenciar.*) adj. Castigado por la Inquisición. Ú. t. c. s.

Penitencial. (Del lat. *poenitentiālis.*) adj. Perteneciente a la penitencia o que la incluye.

Penitenciar. tr. Imponer penitencia.

Penitenciaría. (De *penitenciario.*) f. Tribunal eclesiástico de la corte de Roma, compuesto de varios individuos y un cardenal presidente, para acordar y despachar las bulas y gracias de dispensaciones pertenecientes a materias de conciencia. || **2.** Dignidad, oficio o cargo de penitenciario. || **3.** Establecimiento penitenciario en que sufren sus condenas los penados, sujetos a un régimen que, haciéndoles expiar sus delitos, va enderezado a su enmienda y mejora.

Penitenciario, ria. (De *penitencia.*) adj. Aplícase al presbítero secular o regular que tiene la obligación de confesar a los penitentes en una iglesia determinada. Ú. t. c. s. || **2.** Dícese de la canonjía o beneficio que lleva aneja esta obligación. || **3.** Aplícase a cualquiera de los sistemas modernamente adoptados para castigo y corrección de los penados, y al régimen o al servicio de los establecimientos destinados a este objeto. || **4.** m. Cardenal presidente del Tribunal de la Penitenciaría en Roma.

Penitenciería. f. ant. Penitenciaría, 1.ª acep.

Penitenciero. m. ant. Penitenciario. || **mayor.** Penitenciario, 4.ª acep.

Penitenta. f. Mujer que se confiesa sacramentalmente.

Penitente. (Del lat. *poenĭtens, -entis.*) adj. Perteneciente a la penitencia. || **2.** Que tiene penitencia. || **3.** com. Persona que hace penitencia. || **4.** Persona que se confiesa sacramentalmente con un sacerdote. || **5.** Persona que en las procesiones o rogativas públicas va vestida de túnica en señal de penitencia.

Peno, na. (Del lat. *poenus.*) adj. **Cartaginés.** Apl. a pers., ú. t. c. s.

Penol. (Del lat. *pennus,* agudo.) m. *Mar.* Punta o extremo de las vergas. || **A toca penoles.** m. adv. *Mar.* Ú. para dar a entender que una embarcación pasa tan inmediata a otra, que casi se roza con ella.

Penosamente. adv. m. Con pena y trabajo.

Penoso, sa. adj. Trabajoso; que causa pena o tiene gran dificultad. || **2.** Que padece una aflicción o pena. || **3.** fam. Presumido de lindo o de galán.

Pensado, da. p. p. de **Pensar.** || **2.** adj. Con el adverbio *mal,* propenso a echar a mal o interpretar desfavorablemente las acciones, intenciones o palabras ajenas. Ú. también con el adverbio *peor.* || **De pensado.** m. adv. De intento, con previa meditación y estudio.

Pensador, ra. adj. Que piensa. || **2.** Que piensa, medita o reflexiona con intensidad y eficacia. *Un hombre* PENSADOR *no dejará de conocer los males que nos amenazan.* || **3.** m. Hombre que se dedica a estudios muy elevados y profundiza mucho en ellos.

Pensador. m. En los cortijos de Andalucía, mozo encargado de dar los piensos al ganado de labor.

Pensamiento. m. Potencia o facultad de pensar. || **2.** Acción y efecto de pensar. || **3.** Idea inicial o capital de una obra cualquiera. || **4.** Cada una de las ideas o sentencias notables de un escrito. || **5.** fig. Sospecha, malicia, recelo. || **6.** **Trinitaria.** || **7.** *Germ.* **Bodegón,** 1.ª y 2.ª aceps. || **8.** *Esc.* y *Pint.* Bosquejo de la primera idea o invención, que forman los profesores de las bellas artes para componer una obra. || **Beberle** a uno **los pensamientos.** fr. fig. y fam. Adivinárselos para ponerlos prontamente en ejecución. || **Como el pensamiento.** m. adv. fig. Con suma ligereza o prontitud. || **Derramar el pensamiento.** fr. fig. Divertirlo, ocuparlo con especies diversas y cosas diferentes. || **Encontrarse con,** o **en, los pensamientos.** fr. fig. Pensar a la vez dos o más personas una misma cosa sin habérsela comunicado recíprocamente. || **En un pensamiento.** m. adv. fig. Brevísima e instantáneamente. || **Ni por pensamiento.** expr. fig. con que se explica que una cosa ha estado tan lejos de ejecutarse, que ni aun se ha ofrecido a la imaginación. || **No pasarle** a uno **por el pensamiento** una cosa. fr. fig. No ocurrírsele, no pensar en ella.

Pensar. (Del lat. *pensāre.*) tr. Imaginar, considerar o discurrir. || **2.** Reflexionar, examinar con cuidado una cosa para formar dictamen. || **3.** Intentar o formar ánimo de hacer una cosa. || **Pensar mal.** fr. Ser mal pensado. || **Piensa mal y acertarás.** ref. con que se quiere dar a entender que para no equivocarse hay que tener mala opinión de los hombres. || **Sin pensar.** m. adv. De improviso o inesperadamente.

Pensar. (De *pienso,* 1.er art.) tr. Echar pienso a los animales.

Pensativo, va. (De *pensar,* 1.er art.) adj. Que medita intensamente y está absorto y embelesado.

Pensel. (De *pensier.*) m. Flor que se vuelve al sol como los girasoles.

Penseque. (De la fr. *pensé que...*) m. fam. Error nacido de ligereza, descuido o falta de meditación.

Pensier. (Del prov. *pensier,* la flor pensamiento.) m. ant. **Trinitaria.**

Pensil. (Del lat. *pensĭlis,* pendiente.) adj. Pendiente o colgado en el aire. || **2.** m. fig. Jardín delicioso.

Pensilvano, na. adj. Natural de Pensilvania. Ú. t. c. s. || **2.** Perteneciente a este país, que es uno de los Estados Unidos de la América Septentrional.

Pensión. (Del lat. *pensio, -ōnis.*) f. Renta o canon anual que perpetua o temporalmente se impone sobre una finca. || **2.** Cantidad anual que se asigna a uno por méritos o servicios propios o extraños, o bien por pura gracia del que la concede. || **3.** **Pupilaje,** 4.ª acep. || **4.** Auxilio pecuniario que bajo ciertas condiciones se concede para estimular o ampliar estudios o conocimientos científicos, artísticos o literarios. || **5.** fig. Trabajo, molestia o cuidado que lleva consigo la posesión o goce de una cosa. || **Casar la pensión.** fr. *For.* Libertar el beneficio sobre que está impuesta la carga de la **pensión,** ajustándose a pagar de una vez la renta de cierto número de años o una cantidad alzada.

Pensionado, da. adj. Que tiene o cobra una pensión. Ú. t. c. s.

Pensionar. tr. Imponer una pensión o un gravamen. || **2.** Conceder pensión a una persona o establecimiento.

Pensionario. m. El que paga una pensión. || **2.** Consejero, abogado o dignidad de letras en una república.

Pensionista. com. Persona que tiene derecho a percibir y cobrar una pensión. || **2.** Persona que está en un colegio o casa particular y paga cierta pensión por sus alimentos y enseñanza.

Pensoso, sa. adj. ant. **Pensativo.**

Pentacordio. m. *Arqueol.* Lira antigua de cinco cuerdas.

Pentadecágono. adj. **Pentedecágono.**

Pentaedro. (Del gr. πέντε, y ἕδρα, cara.) m. *Geom.* Sólido que tiene cinco caras.

Pentagonal. adj. *Geom.* **Pentágono.**

Pentágono, na. (Del lat. *pentagōnus,* y éste del gr. πεντάγωνος; de πέντε, cinco, y γωνία, ángulo.) adj. *Geom.* Aplícase al polígono de cinco ángulos y cinco lados. Ú. m. c. s. m.

Pentágrama [Pentagrama]. (Del gr. πέντε, cinco, y γραμμή, línea.) m. *Mús.* Renglonadura formada con cinco rectas paralelas y equidistantes, sobre la cual se escribe la música.

Pentámero, ra. (Del gr. πενταμερής, compuesto de cinco partes.) adj. *Bot.* Dícese del verticilo que consta de cinco piezas y de la flor que tiene corola y cáliz con este carácter. || **2.** *Zool.* Se dice de los insectos coleópteros que tienen cinco artejos en cada tarso; como el cárabo. Ú. t. c. s. m. || **3.** m. pl. *Zool.* Suborden de estos animales.

Pentámetro. (Del lat. *pentamĕtrus,* y éste del gr. πεντάμετρος; de πέντε, cinco, y μέτρον, medida.) adj. V. **Verso pentámetro.** Ú. t. c. s.

Pentapolitano, na. (Del lat. *pentapolitānus.*) adj. Natural de una de las comarcas o provincias compuestas de cinco ciudades a que los antiguos daban el nombre de Pentápolis. Ú. t. c. s. || **2.** Perteneciente a ella.

Pentarquía. (Del gr. πενταρχία.) f. Gobierno formado por cinco personas.

Pentasílabo, ba. (Del gr. πέντε, cinco, y συλλαβή, sílaba.) adj. Que consta de cinco sílabas. *Verso* PENTASÍLABO. Ú. t. c. s.

Pentateuco. (Del lat. *pentateuchus,* y éste del gr. πεντάτευχος; de πέντε, cinco, y τεῦχος, volumen.) m. Parte de la Biblia, que comprende los cinco primeros libros canónicos del Antiguo Testamento, escritos por Moisés, y son el Génesis, el Éxodo, el Levítico, los Números y el Deuteronomio.

Pentecostés. (Del lat. *pentecoste,* y éste del gr. πεντηκοστή, t. f. de -τός, quincuagésimo.) m. Fiesta de los judíos instituida en memoria de la ley que Dios les dio en el monte Sinaí, que se celebraba cincuenta días después de la Pascua del Cordero. || **2.** Festividad de la Venida del Espíritu Santo que celebra la Iglesia el domingo, quincuagésimo día que sigue al de Pascua de Resurrección, contando ambos, y fluctúa entre el 10 de mayo y el 13 de junio.

Pentedecágono, na. (Del gr. πέντε, cinco, y δεκάγωνος, decágono.) adj. Aplícase al polígono de quince ángulos y quince lados. Ú. m. c. s. m.

Pentélico, ca. adj. Perteneciente o relativo al monte Pentélico de Grecia.

Penúltimo, ma. (Del lat. *paenultĭmus;* de *paene,* casi, y *ultĭmus,* último.) adj. Inmediatamente anterior a lo último o postrero. Ú. t. c. s.

Penumbra. (Del lat. *paene*, casi, y *umbra*, sombra.) f. Sombra débil entre la luz y la obscuridad, que no deja percibir dónde empieza la una o acaba la otra. || **2.** *Astron.* En los eclipses, sombra parcial que hay entre los espacios enteramente obscuros y los enteramente iluminados.

Penumbroso, sa. adj. Que está en la penumbra.

Penuria. (Del lat. *penuria*.) f. Escasez, falta de las cosas más precisas o de alguna de ellas.

Peña. (Del lat. *pinna*, pico, peña y punta de las alas.) f. Piedra grande sin labrar, según la produce la naturaleza. || **2.** Monte o cerro peñascoso. || **3.** Corro o grupo de amigos o camaradas. || **4.** Nombre que toman algunos círculos de recreo. || || **5.** ant. Piel para forro o guarnición. || **viva.** La que está adherida naturalmente al terreno. || **Durar por peñas** una cosa. fr. fig. Durar por largo tiempo. *Este lienzo* DURA POR PEÑAS. || **¡Peñas!** *Germ.* Especie de interjección con que se avisa a uno para que huya o se aleje. || **¡Peñas y buen tiempo! ¡Peñas y longares!** exprs. fams. *Germ.* **¡Peñas!** || **Ser** uno **peña,** o **una peña.** fr. fig. Ser insensible.

Peñado. (De *peña*, 1.er art.) m. ant. **Peñedo.**

Peñaranda. f. Vulgarismo por **casa de empeños.** || **Estar** una cosa **en Peñaranda.** fr. fam. Estar empeñada.

Peñarse. r. *Germ.* Irse huyendo.

Peñascal. m. Sitio cubierto de peñascos.

Peñascaró. m. *Germ.* **Aguardiente.**

Peñascazo. m. *And.* **Pedrada,** 2.ª acep.

Peñasco. m. Peña grande y elevada. || **2.** Tela llamada así por ser de mucha duración. || **3. Múrice,** 1.ª acep. || **4.** *Zool.* Porción del hueso temporal de los mamíferos que es muy dura y encierra el oído interno.

Peñascoso, sa. adj. Aplícase al sitio, lugar o montaña donde hay muchos peñascos.

Peñedo. (Del lat. **pinnētum*, de *pinna*, almena.) m. ant. Peñasco aislado.

Peñera. (De *peña*.) f. *Ast.* Cedazo fino.

Peñerar. (De *peñera*.) tr. *Ast.* **Cerner,** 1.ª acep.

Peñíscola. (Del lat. **paeniscŭla*, por *paeninsŭla*.) f. ant. **Península.**

Peño. (Del lat. *pignus*.) m. En algunas partes, **expósito.** || **2.** ant. **Prenda.**

Peñol. m. **Peñón.**

Peñol. m. *Mar.* ant. **Penol.**

Péñola. (Del lat. *pĕnnŭla*, pluma.) f. **Pluma,** 3.ª acep.

Peñolada. (De *péñola*.) f. **Plumada,** 1.ª acep. || **Peñoladas, y no puñaladas.** ref. que aconseja encargar la satisfacción de los agravios a los tribunales y no tomarse la justicia por la mano.

Peñón. m. aum. de **Peña.** || **2.** Monte peñascoso.

Péñora. (Del lat. *pignŏra*, pl. n. de *pignus*.) f. ant. **Prenda.**

Peñorar. (Del lat. *pignorāre*.) tr. ant. **Pignorar.**

Peñuela. f. d. de **Peña,** 1.er art.

Peón. (Del lat. *pedo, -ōnis;* de *pes*, pie.) m. El que camina o anda a pie. || **2.** Jornalero que trabaja en cosas materiales que no requieren arte ni habilidad. || **3.** Infante o soldado de a pie. || **4.** Juguete de madera, de figura cónica y terminado en una púa de hierro, al cual se arrolla una cuerda para lanzarlo y hacerle bailar. || **5.** Cualquiera de las piezas del juego de damas; de las ocho negras y ocho blancas, respectivamente iguales, del ajedrez, y de algunas de otros juegos también de tablero. || **6.** Árbol de la noria o de cualquiera otra máquina que gira como ella. || **7. Colmena,** 1.ª acep. || **8.** V. **Alférez mayor de los peones.** || **caminero.** Obrero destinado a la conservación y reparo de los caminos públicos. || **de brega.** Torero subalterno que ayuda al matador durante la lidia. || **de mano.** *Albañ.* Operario que ayuda al oficial de albañil para emplear los materiales. || **A peón.** m. adv. fam. **A pie.** || **A torna peón.** m. adv **A torna punta.** || **Contra peón hecho dama, no para pieza en tabla.** ref. que, además de su sentido recto en el juego de damas, enseña que por lo común el que desde estado humilde ha pasado a superior, intenta supeditar a los demás.

Peón. (Del lat. *paeon*, y éste del gr. παιών.) m. Pie de la poesía griega y latina, que se compone de cuatro sílabas, cualquiera de ellas larga y las demás breves. Por los varios lugares que en él puede ocupar la sílaba larga, considérasele dividido en cuatro diferentes clases.

Peonada. f. Obra que un peón o jornalero hace en un día. || **2.** Medida agraria usada en algunas provincias y equivalente a tres áreas y 804 miliáreas. || **3. Peonaje,** 2.ª acep. || **4.** ant. **Peonaje,** 1.ª acep. || **Pagar** uno **la peonada.** fr. fig. y fam. Corresponder ejecutando una acción como en pago de otra semejante.

Peonaje. m. Conjunto de peones o soldados de infantería. || **2.** Conjunto de peones que trabajan en una obra.

Peonería. (De *peonero*.) f. Tierra que un hombre labra ordinariamente en un día. || **2.** ant. **Peonaje,** 1.ª acep.

Peonero. m. ant. **Peón,** 1.er art., 3.ª acep.

Peonía. (Del lat. *paeonia*, y éste del gr. παιωνία.) f. **Saltaojos.** || **2.** *Amér. Merid.* y *Cuba.* Planta leguminosa, especie de bejuco trepador, medicinal toda ella, tallo, flores, semillas y raíces; tiene flores pequeñas, blancas o rojas, en espiga, y semillas en vaina, gruesas, duras, esféricas y de un rojo vivo con un lunar negro. Se usan para collares, pulseras y rosarios.

Peonía. (De *peón*, 1.er art.) f. Porción de tierra o heredad que, después de hecha la conquista de un país, se solía asignar a cada soldado de a pie para que se estableciese en él. || **2.** En Indias, lo que se podía labrar en un día. || **3.** *Ar.* **Peonada,** 1.ª acep.

Peonio, nia. adj. Natural de Peonia. Ú. t. c. s. || **2.** Perteneciente o relativo a esta región de la Grecia antigua.

Peonza. (De *peón*, 1.er art.) f. Juguete de madera, semejante al peón, pero sin punta de hierro, y que se hace bailar azotándolo con un látigo. || **2.** fig. y fam. Persona chiquita y bulliciosa. || **A peonza.** m. adv. fam. **A pie.**

Peor. (Del lat. *peior, -ōris*.) adj. comp. de **Malo.** De mala condición o de inferior calidad respecto de otra cosa con que se compara. || **2.** adv. m. comp. de **Mal.** Más mal, de manera más contraria a lo bueno o lo conveniente. || **Peor que peor.** expr. que se usa para significar que lo que se propone por remedio o disculpa de una cosa, la empeora. || **Tanto peor.** expr. **Peor** todavía.

Peorar. (Del lat. *peiorāre*.) tr. ant. **Empeorar.** Usáb. t. c. r.

Peoría. f. Calidad de peor. || **2. Empeoramiento.**

Pepa. (Del n. p. *Josefa*.) f. Se usa en la frase irónica **¡Viva la Pepa!**

Pepe. m. Vulgarismo, por melón malo como pepino. || **2** *Bol.* **Lechuguino,** 4.ª acep.

Pepián. m. **Pipián.**

Pepinar. m. Sitio o terreno sembrado de pepinos.

Pepino. (d. del lat. *pepo, -ōnis*, melón, y éste del gr. πέπων.) m. Planta herbácea anual, de la familia de las cucurbitáceas, con tallos blandos, rastreros, vellosos y de dos a tres metros de longitud; hojas pecioladas, pelosas, partidas en lóbulos agudos; flores amarillas, separadas las masculinas de las femeninas, y fruto pulposo, cilíndrico, de seis a doce centímetros de largo y dos a cinco de grueso, amarillo cuando está maduro, y antes verde más o menos claro por la parte exterior, interiormente blanco y con multitud de semillas ovaladas y puntiagudas por uno de sus extremos, chatas y pequeñas. Es comestible. || **2.** Fruto de esta planta. || **del diablo. Cohombrillo.** || **No dársele** a uno **un pepino de,** o **por,** una cosa. fr. fig. y fam. No importarle nada; no hacer caso de ella.

Pepión. (Del b. lat. *pipĭo, -ōnis*.) m. Moneda menuda usada en Castilla en el siglo XIII, y cuyo valor fijó don Alfonso el Sabio en la decimoctava parte de un metical.

Pepita. (Del lat. *pituīta*.) f. Enfermedad que las gallinas suelen tener en la lengua, y es un tumorcillo que no las deja cacarear. || **No tener** uno **pepita en la lengua.** fr. fig. y fam. Hablar con libertad y desahogo.

Pepita. (Del lat. *pepo*, melón.) f. Simiente de algunas frutas; como el melón, la pera, la manzana, etc. || **2.** Trozo rodado de oro u otros metales nativos, que suele hallarse en los terrenos de aluvión. || **de San Ignacio. Haba de San Ignacio,** 2.ª acep.

Pepitoria. (Del b. lat. *piperitoria*, y éste del lat. *piper*, pimienta.) f. Guisado que se hace con todas las partes comestibles del ave, o sólo con los despojos, y cuya salsa tiene yema de huevo. || **2.** fig. Conjunto de cosas diversas y sin orden.

Pepitoso, sa. adj. Abundante en pepitas. || **2.** Aplícase a la gallina que padece pepita, 1.er art.

Peplo. (Del lat. *peplum*, y éste del gr. πέπλον.) m. Especie de vestidura exterior, amplia y suelta, sin mangas, y que bajaba de los hombros a la cintura, formando de ordinario caídas en punta por delante. Usáronla las mujeres en la Grecia antigua.

Pepón. (Del lat. *pepo, -ōnis*, melón, y éste del gr. πέπων.) m. **Sandía.**

Pepona. f. Muñeca grande de cartón, que sirve de juguete a las niñas.

Pepónide. (Del lat. *pepo, -ōnis*, melón.) f. *Bot.* Fruto carnoso unido al cáliz, con una sola celda y muchas semillas adheridas a tres placentas; como la calabaza, el pepino y el melón.

Pepsina. (Del gr. πέψις, digestión, de πέσσω, cocer.) f. *Zool.* Fermento segregado por las glándulas gástricas que es capaz de digerir las substancias albuminoideas. Extraída del estómago de algunos animales, especialmente del cerdo, que es omnívoro como el hombre, se usa como medicamento opoterápico.

Peptona. (Del gr. πεπτός, cocido, digerido.) f. *Zool.* Cualquiera de las substancias producidas por transformación de los principios albuminoideos, mediante la acción de la pepsina contenida en el jugo gástrico.

Pepú. m. *Cuba.* **Colonia,** 2.° art. 2.ª acep.

Pequén. (Del arauc. *pequeñ*.) m. *Chile.* Ave rapaz, diurna, del tamaño de un palomo, muy semejante a la lechuza; pero que habita en cuevas a campo raso, de las cuales despoja a algún roedor. Su graznido es lúgubre y muy frecuente.

Pequeñamente. adv. m. p. us. Con pequeñez.

Pequeñarra. com. fam. Persona pequeña y desmedrada.

Pequeñez. f. Calidad de pequeño. || **2.** Infancia, corta edad. || **3.** Cosa de poco momento, de leve importancia. || **4.** Mezquindad, ruindad, bajeza de ánimo.

Pequeñeza. f. ant. **Pequeñez.**

Pequeñín, na. adj. d. de **Pequeño.** Apl. a pers., ú. t. c. s.

Pequeño, ña. (Del lat. *pitzinnus.*) adj. Corto, limitado. ‖ **2.** De muy corta edad. ‖ **3.** V. **Balancín pequeño.** ‖ **4.** fig. Bajo, abatido y humilde, como contrapuesto a poderoso y soberbio. ‖ **5.** fig. Corto, breve o de poca importancia, aunque no sea corpóreo. ‖ **En pequeño.** m. adv. Con proporciones reducidas.

Pequeñuelo, la. adj. d. de **Pequeño.** Ú. t. c. s.

Pequín. (De *Pequin*, capital del antiguo imperio chino.) m. Tela de seda, parecida a la sarga, generalmente pintada de varios colores, y que antiguamente se traía de China.

Per. (Del lat. *per.*) prep. insep. que esfuerza o aumenta la significación de las voces españolas simples a que se halla unida. PER*durable;* PER*turbar.* En el compuesto PER*jurar* denota falsedad e infracción.

Pera. (Del lat. *pira*, pl. de *pirum.*) f. Fruto del peral, carnoso, y de tamaño, piel y forma que varían según las castas. Contiene unas semillas ovaladas, chatas y negras. Es comestible y más o menos dulce, aguanoso, áspero, etc., según la multitud de variedades o castas que se cultivan. ‖ **2.** fig. **Perilla,** 3.ª acep. ‖ **3.** fig. Renta o destino lucrativo o descansado. ‖ **4.** *Veter.* Inflamación de la membrana que tiene el ganado lanar entre las dos pezuñas de la patas anteriores, que le fuerza a cojear. ‖ **ahogadiza.** Especie de **pera** muy áspera. ‖ **almizcleña. Pera mosqueruela.** ‖ **bergamota. Bergamota,** 1.ª acep. ‖ **calabacil.** Cualquier casta de **peras** parecidas en su figura a la calabaza vinatera. ‖ **mosquerola, mosqueruela,** o **musquerola.** Especie de **pera** enteramente redonda, de tres a cuatro centímetros de diámetro, de color encarnado obscuro en la parte donde le da el sol y verde amarillento en el resto, de carne granujienta y de gusto dulce; tiene el pezón largo y como enclavado en ella. ‖ **verdiñal.** La que tiene la piel verde aun después de madura. ‖ **Como pera,** o **peras, en tabaque.** expr. fig. y fam. que se dice de aquellas cosas que se cuidan o presentan con delicadeza y esmero. ‖ **Dar para peras** a uno. fr. fig. y fam. con que se amenaza que se le ha de maltratar o castigar. ‖ **Escoger** uno **como entre peras.** fr. fig. y fam. Elegir cuidadosamente para sí lo mejor. ‖ **La pera y la doncella, la que calla es buena.** ref. **La mujer y la pera, la que calla es buena.** ‖ **Partir peras con** uno. fr. fig. y fam. Tratarle con familiaridad y llaneza. Ú. m. con neg. ‖ **Pedir peras al olmo.** fr. fig. y fam. que se usa para explicar que en vano se esperaría de uno lo que naturalmente no puede provenir de su educación, de su carácter o de su conducta. ‖ **Poner** a uno **las peras a cuarto, o a ocho.** fr. fig. y fam. Estrecharle obligándole a ejecutar o conceder lo que no quería. ‖ **Quien dice mal de la pera, ése la lleva.** ref. con que se zahiere al que disimula la voluntad o gana que tiene de una cosa, poniéndole afectadamente defectos.

Perada. f. Conserva que se hace de la pera rallada. ‖ **2.** Bebida alcohólica que se obtiene por fermentación del zumo de la pera.

Peragrar. (Del lat. *peragrāre.*) intr. ant. Ir viajando de una parte a otra.

Peraile. m. ant. **Pelaire.**

Peral. (De *pera.*) m. Árbol de la familia de las rosáceas, cuya altura varía entre tres y catorce metros, según las distintas variedades o castas, con tronco recto, liso y copa bien poblada; hojas pecioladas, lampiñas, aovadas y puntiagudas; flores blancas en corimbos terminales, y por fruto la pera. Se cultiva mucho en las huertas, y su madera, de color blanco rojizo y de fibra fina y homogénea, que no se alabea ni hiende, se aprecia mucho para escuadras, reglas y plantillas de dibujo. ‖ **2.** Madera de este árbol.

Peraleda. f. Terreno poblado de perales.

Peralejo. (De *peral.*) m. Árbol de la familia de las malpigiáceas, con hojas ovales, lampiñas y brillantes por encima, tomentosas y rojizas por el envés; racimo terminal erguido, largo, con vello rojo; flores amarillas y fruto esférico, seco, con tres semillas. Crece en las regiones cálidas de América y su corteza se emplea como curtiente.

Peraltar. (De *peralto.*) tr. *Arq.* Levantar la curva de un arco, bóveda o armadura más de lo que corresponde al semicírculo. ‖ **2.** *Tecn.* Levantar el carril exterior en las curvas de ferrocarriles.

Peralte. (De *peraltar.*) m. *Arq.* Lo que en la altura de un arco, bóveda o armadura excede del semicírculo. ‖ **2.** *Arq.* Elevación de una armadura sobre el ángulo recto o cartabón, o la de una cúpula sobre el semicírculo. ‖ **3.** *Tecn.* Desnivel entre el carril exterior y el interior en las curvas de los ferrocarriles.

Peralto. (Del lat. *peraltus*, muy alto.) m. **Altura,** 10.ª acep.

Perantón. (aum. de *peralto.*) m. **Mirabel,** 1.ª acep. ‖ **2. Pericón,** 3.ª acep. ‖ **3.** fig. y fam. Persona muy alta.

Perborato. m. *Quím.* Sal producida por la oxidación del borato.

Perca. (Del lat. *perca.*) f. *Zool.* Pez teleósteo fluvial, del suborden de los acantopterigios, que llega a tener seis decímetros de largo, de cuerpo oblongo, cubierto de escamas duras y ásperas, verdoso en el lomo, plateado en el vientre y dorado, con seis o siete fajas negruzcas en los costados. Es de carne comestible y delicada. ‖ **2. Raño,** 1.ª acep.

Percador. (De *perca*, 2.ª acep.) m. *Germ.* Ladrón que emplea la ganzúa.

Percal. (Del persa *pargal*, tela ligera.) m. Tela de algodón, blanca o pintada y más o menos fina, que sirve para vestidos de mujer y otros varios usos.

Percalina. f. Percal de un color solo, que sirve para forros de vestidos y otros usos.

Percance. (De *percanzar.*) m. Utilidad o provecho eventual sobre el sueldo o salario. Ú. m. en pl. ‖ **2.** Contratiempo, daño, perjuicio imprevistos. ‖ **Percances del oficio.** loc. irón. **Gajes del oficio.**

Percanzar. tr. ant. Alcanzar, tocar, comprender.

Percatar. (De *per* y *catar*, examinar, considerar). intr. Advertir, considerar, cuidar. Ú. m. c. r.

Percebe. (Del lat. *pollicipes.*) m. *Zool.* Crustáceo cirrópodo, que tiene un caparazón compuesto de cinco piezas y un pedúnculo carnoso con el cual se adhiere a los peñascos de las costas. Se cría formando grupos y es comestible. Ú. m. en pl.

Percebimiento. (De *percibir.*) m. **Apercibimiento,** 1.ª acep.

Percepción. (Del lat. *perceptĭo, -ōnis.*) f. Acción y efecto de percibir. ‖ **2.** Sensación interior que resulta de una impresión material hecha en nuestros sentidos. ‖ **3. Idea,** 1.ª acep.

Perceptibilidad. f. Calidad de perceptible.

Perceptible. (Del lat. *perceptibĭlis.*) adj. Que se puede comprender o percibir. ‖ **2.** Que se puede recibir o cobrar.

Perceptiblemente. adv. m. Conocidamente, de un modo sensible o perceptible.

Perceptivo, va. (Del lat. *perceptum*, supino de *percipĕre*, percibir.) adj. Que tiene virtud de percibir.

Perceptor, ra. adj. Que percibe. Ú. t. c. s.

Percibir. (Del lat. *percipĕre.*) tr. Recibir una cosa y entregarse de ella. PERCIBIR *el dinero, la renta.* ‖ **2.** Recibir por uno de los sentidos las especies o impresiones del objeto. ‖ **3.** Comprender o conocer una cosa.

Percibo. m. Acción y efecto de percibir, 1.ª acep.

Percloruro. m. *Quím.* Cloruro que contiene la cantidad máxima de cloro.

Percocería. (De *percocero.*) f. Profesión y ejercicio del percocero.

Percocero. (Del lat. *percutĭo*, golpe.) m. El que labra a martillo obra menuda de platería.

Percollar. tr. *Germ.* **Hurtar.**

Percontear. (Del lat. *per*, intens., y *cŏntus*, cuento, 2.° art.) tr. *Ast.* Poner percontеos. ‖ **2.** intr. *Ast.* Servir de perconteo.

Perconteo. (De *percontear.*) m. *Ast.* **Cuento,** 2.° art., 2.ª acep.

Percuciente. (Del lat. *percutiens, -entis*, p. a. de *percutĕre*, herir.) adj. Que hiere o golpea.

Percudir. (Del lat. *percutĕre.*) tr. Maltratar o ajar la tez o el lustre de las cosas. ‖ **2.** Penetrar la suciedad en alguna cosa.

Percusión. (Del lat. *percussĭo, -ōnis.*) f. Acción y efecto de percutir. ‖ **2.** V. **Arma, instrumento, llave de percusión.**

Percusor. (Del lat. *percussor.*) m. El que hiere. Se usa de esta voz en el derecho canónico, donde se conminan censuras contra los **percusores** de los clérigos. ‖ **2.** Pieza que golpea en cualquiera máquina. Dícese especialmente de la llave o martillo con que se hace detonar el cebo fulminante en algunas armas de fuego.

Percutir. (Del lat. *percutĕre.*) tr. **Golpear,** 1.ª acep.

Percutor. (De *percutir.*) m. *Mil.* **Percusor,** 2.ª acep.

Percha. (Del fr. *perche*, o del cat. *perxa*, y éste del lat. *pertĭca.*) f. Madero o estaca larga y delgada, que regularmente se atraviesa en otras para sostener una cosa; como parras, etc. ‖ **2.** Pieza o mueble de madera o metal con colgaderos en que se pone ropa, sombreros u otros objetos. ‖ **3.** Palo largo, con pie para que estribe en el suelo, y colgaderos en la parte superior. ‖ **4.** Acción y efecto de perchar el paño. ‖ **5.** Lazo de cazar perdices u otras aves. ‖ **6.** Especie de banderola que usan los cazadores para colgar en ella las piezas que matan. ‖ **7. Alcándara,** 1.ª acep. ‖ **8.** Pescante de madera o hierro, de que los barberos cuelgan las bacías en la puerta de la tienda, como muestra de su oficio. ‖ **9.** *Germ.* Posada o casa. ‖ **10.** *Mar.* Tronco enterizo de árbol, descortezado o no, que por su especial tamaño sirve para la construcción de piezas de arboladura, vergas, botalones, palancas, etc. ‖ **11.** *Mar.* **Brazal,** 8.ª acep. ‖ **Estar en percha** una cosa. fr. fig. Estar ya asido y asegurado lo que se deseaba coger y asegurar.

Percha. (Del fr. *perche*, y éste del lat. *perca.*) f. **Perca.**

Perchado, da. adj. *Blas.* Aplícase a las aves puestas en ramas o perchas.

Perchar. (De *percha.*) tr. Colgar el paño y sacarle el pelo con la carda.

Perchel. (Del cat. *perxell*, y éste de *perxa*, del lat. *pertĭca.*) m. Aparejo de pesca, consistente en uno o varios palos dispuestos para colgar las redes. ‖ **2.** Lugar en que se colocan.

Perchelero, ra. adj. Dícese de la persona que vive o frecuenta el Perchel de Málaga y participa de sus peculiares caracteres en modales y lenguaje.

Perchero. m. Conjunto de perchas o lugar en que las hay.

Percherón, na. (Del fr. *percheron*, natural del Perche, antigua provincia de Francia.) adj. Dícese del caballo o yegua perteneciente a una raza francesa que por su fuerza y corpulencia es muy a propósito para arrastrar grandes pesos. Ú. t. c. s.

Perchón. (De *percha*, vara.) m. Pulgar de la vid en el cual ha dejado el podador más yemas de las convenientes.

Perchonar. intr. Dejar perchones en las vides. ‖ **2.** Armar perchas o lazos en el paraje donde concurre la caza.

Perchufar. intr. ant. **Chufar.**

Perdedero. m. Ocasión o motivo de perder. ‖ **2.** Lugar por donde se zafa la liebre perseguida.

Perdedor, ra. (Del lat. *perditor*.) adj. Que pierde. Ú. t. c. s.

Perder. (Del lat. *perdĕre*.) tr. Dejar de tener, o no hallar, uno la cosa que poseía, sea por culpa o descuido del poseedor, sea por contingencia o desgracia. ‖ **2.** Desperdiciar, disipar o malgastar una cosa. ‖ **3.** No conseguir lo que se espera, desea o ama. ‖ **4.** Ocasionar un daño a las cosas, desmejorándolas o desluciéndolas. ‖ **5.** Ocasionar a uno ruina o daño en la honra o en la hacienda. ‖ **6.** Dicho de juegos, batallas, oposiciones, pleitos, etc., no obtener lo que en ellos se disputa. ‖ **7.** Padecer un daño, ruina o disminución en lo material, inmaterial o espiritual. PERDER *una batalla.* ‖ **8.** Decaer del concepto, crédito o estimación en que se estaba. ‖ **9.** Junto con algunos nombres, faltar a la obligación de lo que significan o hacer una cosa en contrario. PERDER *el respeto, la cortesía.* ‖ **10.** intr. Decaer uno del concepto, crédito o situación en que estaba. ‖ **11.** Tratándose de una tela, desteñirse, bajar de color cuando se lava. ‖ **12.** r. Errar uno el camino o rumbo que llevaba. ‖ **13.** No hallar camino ni salida. PERDERSE *en un bosque, en un laberinto.* ‖ **14.** fig. No hallar modo de salir de una dificultad. ‖ **15.** fig. Conturbarse o arrebatarse sumamente por un accidente, sobresalto o pasión, de modo que no pueda darse razón de sí. ‖ **16.** fig. Entregarse ciegamente a los vicios. ‖ **17.** fig. Borrarse la especie o ilación en un discurso. ‖ **18.** fig. No percibirse una cosa por el sentido que a ella concierne, especialmente el oído y la vista. ‖ **19.** fig. No aprovecharse una cosa que podía y debía ser útil, o aplicarse mal para otro fin. Ú. t. c. tr. ‖ **20.** fig. Naufragar o irse a pique. ‖ **21.** fig. Ponerse a riesgo de **perder** la vida o sufrir otro grave daño. ‖ **22.** fig. Amar mucho o con ciega pasión a una persona o cosa. ‖ **23.** fig. Dejar de tener uso o estimación las cosas que se apreciaban o se ejercitaban. ‖ **24.** fig. Padecer un daño o ruina espiritual o corporal, y especialmente quedar sin honra una mujer. ‖ **25.** Hablando de las aguas corrientes, ocultarse o filtrarse debajo de tierra o entre peñas o hierbas. ‖ **No pierde por delgado, sino por gordo y mal hilado.** ref. que da a entender que no siempre lo más grueso y basto es de más duración. ‖ **No se perderá.** expr. con que se explica que uno es inteligente y no se descuida en lo que es de utilidad y provecho.

Perdición. (Del lat. *perditĭo, ōnis*.) f. Acción de perder o perderse. ‖ **2.** fig. Ruina o daño grave en lo temporal o espiritual. ‖ **3.** fig. Pasión desenfrenada de amor. ‖ **4.** fig. Condenación eterna. ‖ **5.** fig. Desbarate o desarreglo en las costumbres o en el uso de los bienes temporales. ‖ **6.** fig. Causa o sujeto que ocasiona un grave daño.

Pérdida. (Del lat. *perdĭta*, perdida.) f. Carencia, privación de lo que se poseía. ‖ **2.** Daño o menoscabo que se recibe en una cosa. ‖ **3.** Cantidad o cosa perdida. ‖ **4.** Billa limpia. ‖ **A pérdidas y ganancias.** m. adv. Con los verbos *ir* y *estar*, exponer en compañía de otros una cantidad de dinero, llevando parte en el monoscabo o utilidad que resulte ‖ **No tener pérdida** una cosa. fr. fig. y fam. Ser fácil de hallar.

Perdidamente. adv. m. Con exceso, con vehemencia, con abandono e inconsideradamente. ‖ **2.** Inútilmente, sin provecho.

Perdidizo, za. adj. Dícese de lo que se finge que se pierde, y de la persona que se escabulle. ‖ **Hacer perdidiza** una cosa. fr. fam. Ocultarla. ‖ **Hacerse** uno **el perdidizo.** fr. fam. Ausentarse o retraerse disimuladamente. ‖ **Hacerse perdidizo.** fr. Disponer voluntariamente un jugador el perder por complacer al contrario, a quien debe respeto por una atención o por otro motivo.

Perdido, da. (De *perder*.) adj. Que no tiene o no lleva destino determinado. ‖ **2.** V. **Fondo, pan perdido.** ‖ **3.** V. **Centinela, gente, manga, mano, mujer perdida.** ‖ **4.** V. **Ratos perdidos.** ‖ **5.** m. *Impr.* Cierto número de ejemplares que se tiran de más en cada pliego, para que supliendo con ellos los que salgan de la prensa imperfectos o inútiles, no resulte incompleta la edición. ‖ **Perdido por** una persona. fig. Ciegamente enamorado de ella. ‖ **Perdido por** una cosa. fig. Muy aficionado a ella. ‖ **Ser** uno **un perdido.** fr. Ser demasiado franco o pródigo. ‖ **2.** fig. Estar destituido de estimación y crédito.

Perdidoso, sa. (De *perdido*.) adj. Que pierde o padece una pérdida. ‖ **2.** Que es fácil de perder o perderse.

Perdigana. f. *Ar.* y *Rioja.* **Perdigón,** 1.er art., 2.ª acep.

Perdigar. (Del lat. *perdix, -īcis*.) tr. Soasar la perdiz o cualquier otra ave o vianda para que se conserve algún tiempo sin dañarse. ‖ **2.** Preparar la carne en cazuela con alguna grasa para que esté más substanciosa. ‖ **3.** fig. y fam. Disponer o preparar una cosa para un fin.

Perdigón. (d. del lat. *perdix, īcis*.) m. Pollo de la perdiz. ‖ **2.** Perdiz nueva. ‖ **3.** Perdiz macho que emplean los cazadores como reclamo. ‖ **4.** Cada uno de los granos de plomo que forman la munición de caza. ‖ **5.** V. **Cartucho de perdigones.** ‖ **zorrero.** El más grueso que el ordinario. ‖ **Cazar** uno **con perdigones de plata.** fr. fig. y fam. Comprar la caza para pasar por cazador.

Perdigón. m. fam. El que pierde mucho en el juego. ‖ **2.** fig. y fam. Mozo desatentado y de poco juicio, que malbarata su hacienda.

Perdigonada. f. Tiro de perdigones. ‖ **2.** Herida que produce.

Perdigonera. f. Bolsa en que los cazadores llevaban los perdigones.

Perdiguero, ra. adj. Dícese del animal que caza perdices. ‖ **2.** V. **Perro perdiguero.** Ú. t. c. s. ‖ **3.** V. **Águila perdiguera.** ‖ **4.** m. Recovero que compra de los cazadores la caza para revenderla.

Perdimiento. (De *perder*.) m. Perdición o pérdida.

Perdis. (De *perdido*.) m. fam. **Calavera,** 3.ª acep. Ú. m. en las frases *ser un* PERDIS, o *estar hecho un* PERDIS.

Perdiz. (Del lat. *perdix, -īcis*, y éste del gr. πέρδιξ.) f. Ave del orden de las gallináceas, que llega a 38 centímetros de longitud desde la punta del pico hasta la extremidad de la cola y 52 de envergadura, con cuerpo grueso, cuello corto, cabeza pequeña, pico y pies encarnados, y plumaje de color ceniciento rojizo en las partes superiores, más vivo en la cabeza y cuello, blanco con un collar negro en la garganta, azulado con manchas negras en el pecho y rojo amarillento en el abdomen. Es abundante en España. Anda más que vuela, se mantiene de semillas silvestres, y su carne es muy estimada. ‖ **2.** V. **Ojo, patas de perdiz.** ‖ **blanca.** Ave del orden de las gallináceas, poco mayor que la **perdiz** común, de la cual se distingue por el pico ceniciento, las patas del mismo color y con plumas hasta las uñas, y el plumaje blanco en el cuerpo y negro en la cola y alas, aunque los extremos de éstas también son blancos. Vive en las regiones altas y frías, y en verano toma color gris amarillento con manchas negras. ‖ **blancal.** La patiblanca, que en los países fríos toma en el invierno el color blanco, distinguiéndose entonces de la blanca tan solamente en los pies, que no tienen pluma. ‖ **cordillerana.** *Chile.* Especie de **perdiz** muy distinta de la europea, más pequeña, de alas puntiagudas y tarsos robustos y reticulares por delante. No es comestible y habita en lo alto de la cordillera de los Andes. ‖ **pardilla.** Ave del orden de las gallináceas, que llega a medir 33 centímetros desde la punta del pico hasta la extremidad de la cola y 55 de envergadura: es muy parecida a la **perdiz** común, pero tiene el pico y las patas de color gris verdoso, y el plumaje, que en su aspecto general es de color pardo obscuro, lo tiene amarillento rojizo en la cabeza, gris con rayas negras en el cuello y pecho, y manchado de pardo castaño en medio del abdomen. Es la especie más común en Europa y la que más abunda en el norte de España. ‖ **patiblanca.** Especie de **perdiz,** que se diferencia de la común principalmente en tener las piernas manchadas de negro, y el pico, las alas y los pies de color blanco que tira a verde. ‖ **real. Perdiz.** ‖ **Oler a perdices.** fr. fam. con que, jugando del vocablo, se advierte el gran riesgo de que resulte pérdida donde se busca ganancia. ‖ **Perdices en campo raso.** expr. fig. con que se da a entender que una cosa es difícil de conseguir, por alusión a la dificultad que hay en cazar las **perdices** fuera del monte. ‖ **Perdiz azorada, medio asada.** ref. que se decía porque estaba más tierna la **perdiz** después de fatigada por el azor. ‖ **Perdiz, o no comerla.** expr. con que se da a entender que por ser buen bocado la **perdiz,** no se satisfacen con menos de una entera los aficionados a este manjar. ‖ **2.** fig. y fam. Todo o nada.

Perdón. (De *perdonar*.) m. Remisión de la pena merecida, de la ofensa recibida o de alguna deuda u obligación pendiente. ‖ **2.** V. **Cuenta de perdón.** ‖ **3. Indulgencia,** 2.ª acep. ‖ **4.** fam. Gota de aceite, cera u otra cosa que cae ardiendo. ‖ **5.** pl. Obsequios que se traen de una romería, tales como frutas secas, dulces y otras golosinas. ‖ **Con perdón.** m. adv. Con licencia o sin nota ni reparo.

Perdonable. adj. Que puede ser perdonado o merece perdón.

Perdonador, ra. adj. Que perdona o remite. Ú. t. c. s.

Perdonamiento. m. ant. **Perdón.**

Perdonante. p. a. de **Perdonar.** Que perdona.

Perdonanza. (De *perdonar*.) f. ant. **Perdón.** ‖ **2.** ant. **Disimulo,** 1.ª y 2.ª aceps.

Perdonar. (Del lat. *per* y *donāre*, dar.) tr. Remitir la deuda, ofensa, falta, delito u otra cosa que toque al que remite. ‖ **2.** Exceptuar a uno de lo que comúnmente se hace con todos, y de la obligación que tendría por la ley general. ‖ **3.** Precedido del adverbio *no*, atribuye gran intensidad a la acción del verbo que seguidamente se expresa o se supone. NO PERDONAR *modo o medio de conseguir una cosa;* NO PERDONAR *ocasión de lucirse;* NO PERDONAR *un baile* (asistir a todos); NO PERDONAR *ni un pormenor del suceso* (referirlo ce por be). || **4.** fig. Renunciar a un derecho, goce o disfrute. || **Perdonar hecho y por hacer.** fr. con que se nota la excesiva y culpable indulgencia de uno.

Perdonavidas. (De *perdonar* y *vida.*) m. fig. y fam. Baladrón que ostenta guapezas y se jacta de valentías o atrocidades.

Perdulario, ria. (De *perder.*) adj. Sumamente descuidado en sus intereses o en su persona. Ú. t. c. s. || **2.** Vicioso incorregible. Ú. t. c. s.

Perdurabilidad. f. Calidad de perdurable, 1.ª y 2.ª aceps.

Perdurable. (Del lat. *perdurabĭlis.*) adj. Perpetuo o que dura siempre. || **2.** Que dura mucho tiempo. || **3.** f. **Sempiterna,** 1.ª acep.

Perdurablemente. adv. m. Eternamente, perennemente, sin fin.

Perduración. f. Acción y efecto de perdurar o durar mucho.

Perdurar. (Del lat. *perdurāre.*) intr. Durar mucho, subsistir, mantenerse en un mismo estado.

Perecear. (De *pereza.*) tr. fam. Dilatar, retardar, diferir una cosa por flojedad, negligencia o pereza.

Perecedero, ra. adj. Poco durable; que ha de perecer o acabarse. || **2.** m. fam. Necesidad, estrechez o miseria en las cosas precisas para el sustento humano.

Perecer. (Del lat. **perescĕre,* de *perire.*) intr. Acabar, fenecer o dejar de ser. || **2.** fig. Padecer un daño, trabajo, fatiga o molestia de una pasión que reduce al último extremo. || **3.** fig. Padecer una ruina espiritual, especialmente la extrema de la eterna condenación. || **4.** fig. Tener suma pobreza; carecer de lo necesario para la manutención de la vida. || **5.** r. fig. Desear o apetecer con ansia una cosa. Ú. construida con la prep. *por.* || **6.** fig. Padecer con violencia un afecto o pasión.

Pereciendo. ger. de **Perecer.** || **2.** fam. V. **Don Pereciendo.**

Pereciente. p. a. de **Perecer.** Que perece.

Perecimiento. m. Acción de perecer.

Pereda. (De *pera.*) f. **Peraleda.**

Peregrina. f. *Cuba.* Arbusto euforbiáceo que da unas flores rojas. Hay variedades.

Peregrinación. (Del lat. *peregrinatĭo, -ōnis.*) f. Viaje por tierras extrañas. || **2.** Viaje que se hace a un santuario por devoción o por voto. || **3.** fig. La vida humana considerada como paso para la eterna.

Peregrinaje. m. **Peregrinación.**

Peregrinamente. adv. m. De un modo raro, extraño, extraordinario, rara vez visto. || **2.** Con gran primor.

Peregrinante. p. a. de **Peregrinar.** Que peregrina.

Peregrinar. (Del lat. *peregrināre.*) intr. Andar uno por tierras extrañas. || **2.** Ir en romería a un santuario por devoción o por voto. || **3.** fig. Estar en esta vida, en que se camina a la patria celestial.

Peregrinidad. (Del lat. *peregrinĭtas, -ātis.*) f. Calidad de peregrino, 4.ª acep.

Peregrino, na. (Del lat. *peregrīnus.*) adj. Aplícase al que anda por tierras extrañas. || **2.** Dícese de la persona que por devoción o por voto va a visitar un santuario; y más propiamente si lleva el traje de tal, que es el bordón y la esclavina. Ú. m. c. s. || **3.** Hablando de aves, **pasajero,** 3.ª acep. || **4.** Dícese de los animales o cosas que proceden de un país extraño. || **5.** fig. Extraño, especial, raro o pocas veces visto. || **6.** fig. Adornado de singular hermosura, perfección o excelencia. || **7.** fig. Que está en esta vida mortal y pasa a la eterna.

Pereion. (Del gr. περαιῶν, el que atraviesa.) m. *Zool.* Cefalotórax de los crustáceos comúnmente cubierto por un caparazón y en el cual hay, en general, un par de ojos, dos pares de antenas, tres de piezas bucales y cinco de patas locomotoras.

Perejil. (Del lat. *petroselinum,* y éste del gr. πετροσέλινον; de πέτρα, piedra, y σέλινον, perejil.) m. Planta herbácea vivaz, de la familia de las umbelíferas, que crece hasta siete decímetros de altura, con tallos angulosos y ramificados, hojas pecioladas, lustrosas, de color verde obscuro, partidas en tres gajos dentados; flores blancas o verdosas y semillas menudas, parduscas, aovadas y con venas muy finas. Espontánea en algunas partes, se cultiva mucho en las huertas, por ser un condimento muy usado. || **2.** fig. y fam. Adorno o compostura demasiada, especialmente la que usan las mujeres en los vestidos y tocados. Ú. m. en pl. || **3.** pl. fig. y fam. Títulos o signos de dignidad o empleos que, juntos con uno más principal, condecoran a un sujeto. || **Perejil de mar. Perejil marino.** || **de monte. Oreoselino.** || **de perro. Cicuta menor.** || **macedonio. Apio caballar.** || **mal sembrado.** fig. y fam. Barba rala. || **marino. Hinojo marino.** || **Huyendo del perejil, le nació en la frente.** ref. que da a entender el gran cuidado que se debe tener en la elección, para que, huyendo de una cosa mala, no se elija otra peor.

Perejila. f. Juego de naipes que consiste en hacer 31 tantos, con otras varias suertes, y en el cual el siete de oros es comodín. || **2.** Siete de oros en este juego.

Perenal. adj. **Perennal.**

Perencejo. m. **Perengano.**

Perención. (Del lat. *peremptĭo, -ōnis;* de *perimĕre,* destruir.) f. *For.* Prescripción que anulaba el procedimiento, cuando transcurría cierto número de años sin haber hecho gestiones las partes. Hoy se llama **caducidad de la instancia.**

Perendeca. f. fam. **Ramera.**

Perendengue. (Del lat. *pendēre,* colgar.) m. **Pendiente,** 3.ª acep. || **2.** Por ext., cualquier otro adorno mujeril de poco valor. || **3.** Moneda de vellón, con valor de cuatro maravedís, que se acuñó en tiempo de Felipe IV.

Perene. adj. **Perenne.**

Perengano, na. (De *per* y *mengano.*) m. y f. Voz de que se usa para aludir a persona cuyo nombre se ignora o no se quiere expresar después de haber aludido a otra u otras con palabras de igual indeterminación, como *fulano, mengano, zutano.*

Perennal. adj. **Perenne.**

Perennalmente. adv. m. y t. **Perennemente.**

Perenne. (Del lat. *perennis.*) adj. Continuo, incesante, que no tiene intermisión. || **2.** V. **Loco perenne.** || **3.** *Bot.* **Vivaz,** 4.ª acep.

Perennemente. adv. m. y t. Incesantemente, continuamente.

Perennidad. (Del lat. *perennĭtas, -ātis.*) f. Perpetuidad, continuación incesable.

Perenquén. m. *Can.* **Salamanquesa.**

Perentoriamente. adv. m. Con término perentorio. || **2.** Con urgencia.

Perentoriedad. f. Calidad de perentorio. || **2. Urgencia.**

Perentorio, ria. (Del lat. *peremptorĭus.*) adj. Dícese del último plazo que se concede, o de la final resolución que se toma en cualquier asunto. || **2.** Concluyente, decisivo, determinante. || **3.** Urgente, apremiante. || **4.** *For.* V. **Excepción perentoria.** || **5.** *For.* V. **Término perentorio.**

Perero. m. Instrumento de que se usaba antiguamente para ayudar a mondar peras, membrillos, manzanas y otras frutas.

Pereta. f. *Murc.* Clase de pera pequeñita y temprana.

Peretero. m. *Murc.* Árbol que produce peretas.

Pereza. (Del lat. *pigritĭa.*) f. Negligencia, tedio o descuido en las cosas a que estamos obligados. || **2.** Flojedad, descuido o tardanza en las acciones o movimientos. || **Pereza, ¿quieres sopas?** expr. fam. con que se reprende al que por desidia o negligencia deja o pierde aquello que le conviene. || **Sacudir la pereza.** fr. Vencerla. || **2.** Emprender o continuar con buen ánimo una tarea o diligencia.

Perezosamente. adv. m. Lentamente, flojamente, con pereza y tardanza.

Perezoso, sa. (De *pereza.*) adj. Negligente, descuidado o flojo en hacer lo que debe o necesita ejecutar. Ú. t. c. s. || **2.** Tardo, lento o pesado en el movimiento o en la acción. || **3.** Que por demasiada afición a dormir se levanta de la cama tarde o con repugnancia. Ú. t. c. s. || **4.** m. Mamífero desdentado, propio de la América tropical, que tiene unos 60 centímetros de largo y 25 de altura, cabeza pequeña, ojos obscuros, pelaje pardo, áspero y largo, piernas cortas, pies sin dedos aparentes, armados de tres uñas muy largas y fuertes, y cola rudimentaria. Es de andar muy lento, trepa con dificultad a los árboles, de cuyas hojas se alimenta, y para bajar se deja caer hecho una bola. || **5.** f. *León* y *Sant.* Mesa que se forma haciendo girar sobre sus goznes un tablero adosado a la pared hasta que descansa por la otra parte con un pie o tentemozo.

Perfección. (Del lat. *perfectĭo, -ōnis.*) f. Acción de perfeccionar o perfeccionarse. || **2.** Calidad de perfecto. || **3.** Cosa perfecta. || **4.** *For.* En los actos jurídicos, fase y momento en que, al concurrir todos los requisitos, nacen los derechos y obligaciones. || **A la perfección.** m. adv. **Perfectamente.**

Perfeccionador, ra. adj. Que perfecciona o da perfección a una cosa.

Perfeccionamiento. (De *perfeccionar.*) m. **Perfección,** 1.ª acep.

Perfeccionar. (De *perfección.*) tr. Acabar enteramente una obra, dándole el mayor grado posible de bondad o excelencia. Ú. t. c. r. || **2.** *For.* Completar los requisitos para que un acto civil, especialmente un contrato, tenga plena fuerza jurídica. Ú. t. c. r.

Perfectamente. adv. m. Cabalmente, sin falta, con perfección, pulidez o esmero. || **¡Perfectamente!** exclam. de asentimiento o cabal conformidad.

Perfectibilidad. f. Calidad de perfectible.

Perfectible. (De *perfecto.*) adj. Capaz de perfeccionarse o de ser perfeccionado.

Perfectivo, va. (Del lat. *perfectīvus.*) adj. Que da o puede dar perfección.

Perfecto, ta. (Del lat. *perfectus.*) adj. Que tiene el mayor grado posible de bondad o excelencia en su línea. || **2.** V. **Codo, colon, contrato perfecto.** || **3.** V. **Rima perfecta.** || **4.** *Arit.* V. **Número perfecto.** || **5.** *For.* De plena eficacia jurídica. || **6.** *Gram.* V. **Futuro, pretérito perfecto.**

Perfeto, ta. adj. desus. **Perfecto.**

Perficiente. (Del lat. *perficiens, -entis,* p. a. de *perficĕre,* perfeccionar.) adj. Que perfecciona.

Pérfidamente. adv. m. Con perfidia o infidelidad.

Perfidia. (Del lat. *perfidĭa.*) f. Deslealtad, traición o quebrantamiento de la fe debida.

Pérfido, da. (Del lat. *perfĭdus.*) adj. Desleal, infiel o traidor; que falta a la fe que debe. Ú. t. c. s.

Perfil. (Del lat. *per,* por, y *filum,* línea.) m. Adorno sutil y delicado, especialmente el que se pone al canto o extremo de una cosa. || **2.** Cada una de las rayas delgadas que se hacen con la pluma llevada de manera conveniente. || **3.** Postura en que no se deja ver sino una sola de las dos mitades laterales del cuerpo. || **4.** *Geom.* Figura que representa un cuerpo cortado real o imaginariamente por un plano vertical. || **5.** *Pint.* Contorno aparente de la figura, representado por líneas que determinan la forma de aquélla. || **6.** pl. Complementos y retoques con que se remata una obra o una cosa. || **7.** fig. Miramientos en la conducta o en el trato social. || **Medio perfil.** *Pint.* Postura o figura del cuerpo que no está enteramente ladeado. || **Corromper los perfiles.** fr. *Pint.* No ajustarse el aprendiz al dibujo del maestro. || **De perfil.** loc. De lado. || **Pasar perfiles.** fr. *Pint.* Afianzar el dibujo estarcido, pasándolo con lápiz, pluma o cosa semejante. || **Tomar perfiles.** fr. *Pint.* Señalar con lápiz, en un papel transparente puesto sobre una pintura o estampa, los contornos de ella.

Perfilado, da. p. p. de **Perfilar.** || **2.** adj. Dícese del rostro adelgazado y largo en proporción. || **3.** V. **Nariz perfilada.**

Perfiladura. f. Acción de perfilar una cosa. || **2.** El mismo perfil.

Perfilar. tr. Dar, presentar el perfil o sacar los perfiles a una cosa. || **2.** fig. Afinar, hacer con primor, rematar esmeradamente una cosa. || **3.** r. Colocarse de perfil. || **4.** fig. y fam. Aderezarse, componerse.

Perfoliada. (De *perfoliata.*) f. Planta herbácea de la familia de las umbelíferas, con las hojas del tallo perfoliadas, redondas por la base y aovadas por la punta, umbelas de cinco radios y costillas del fruto muy tenues.

Perfoliado, da. (Del lat. *per*, intens., y *foliātus*, de muchas hojas.) adj. *Bot.* V. **Hoja perfoliada.**

Perfoliata. (Del lat. *per*, intens., y *foliāta*, la que tiene muchas hojas.) f. **Perfoliada.**

Perfolla. (Por *marfolla*, del lat. *mala folia*, hojas malas.) f. *Murc.* Hoja que cubre el fruto del maíz, cuando está seca.

Perforación. f. Acción y efecto de perforar.

Perforador, ra. adj. Que perfora u horada. Ú. t. c. s.

Perforar. (Del lat. *perforāre.*) tr. **Horadar.**

Perfumadero. m. **Perfumador,** 2.ª acep.

Perfumador, ra. adj. Que confecciona o compone cosas olorosas para perfumar. Ú. t. c. s. || **2.** m. Vaso o aparato para quemar perfumes y esparcirlos.

Perfumar. (Del lat. *per*, por, y *fumāre*, producir humo.) tr. Sahumar, aromatizar una cosa, quemando materias olorosas. Ú. t. c. r. || **2.** fig. Dar o esparcir cualquier olor bueno. || **3.** intr. Exhalar perfume, fragancia, olor agradable.

Perfume. (De *perfumar.*) m. Materia odorífica y aromática que puesta al fuego echa de sí un humo fragante y oloroso, como sucede con el benjuí, el estoraque, el ámbar y otras cosas semejantes. || **2.** El mismo humo u olor que exhalan las materias olorosas. || **3.** fig. Cualquier materia que exhala buen olor. || **4.** fig. Cualquier olor bueno o muy agradable.

Perfumear. (De *perfume.*) tr. **Perfumar.**

Perfumería. (De *perfumero.*) f. Oficina donde se preparan perfumes, o se adoban las ropas o pieles con olores, como se usaba antiguamente en España. || **2.** Arte de fabricar perfumes. || **3.** Tienda donde se venden. || **4.** Conjunto de productos y materias de esta industria.

Perfumero, ra. m. y f. **Perfumista.**

Perfumista. com. Persona que prepara o vende perfumes.

Perfunctoriamente. adv. m. p. us. De manera perfunctoria.

Perfunctorio, ria. (Del lat. *perfunctorius.*) adj. p. us. Hecho sin cuidado, a la ligera.

Perfusión. f. Baño, untura.

Pergal. (Del lat. *pellicăle*; de *pellis*, piel.) m. Recorte de las pieles de que se hacen las túrdigas para abarcas.

Pergaminero. m. El que trabaja en pergaminos o los vende.

Pergamino. (Del lat. *pergamēnus*; de *Pergamum*, ciudad de la Misia, donde se usó por primera vez.) m. Piel de la res, limpia del vellón o del pelo, raída, adobada y estirada, que sirve para diferentes usos; como para escribir en ella privilegios, cubrir libros y otras cosas. || **2.** Título o documento escrito en **pergamino.** || **3.** pl. fig. Antecedentes nobiliarios de una familia o de una persona. || **Pergamino de paño.** ant. **Papel,** 1.ª acep. || **En pergamino.** m. adv. Dícese de la encuadernación en que las cubiertas del libro son de **pergamino.**

Pergenio. m. **Pergeño.**

Pergeñar. (De *pergeño.*) tr. fam. Disponer o ejecutar una cosa con más o menos habilidad.

Pergeño. (Del lat. *per*, por, y *genium*, disposición.) m. fam. Traza, apariencia, disposición exterior de una persona o cosa.

Pérgola. (Del ital. *pergola*, y éste del lat. *pergŭla*, balcón.) f. **Emparrado,** 2.ª acep. || **2.** Jardín que tienen algunas casas sobre la techumbre.

Peri. (Del persa *peri*, hada.) f. Hada hermosa y bienhechora de la mitología pérsica.

Peri. (Del gr. περί.) prep. insep. que significa **alrededor.** PERI*cráneo.*

Periambo. (Del lat. *periambus.*) m. **Pariambo,** 1.ª acep.

Periantio. (Del gr. περί, alrededor, y ἄνθος, flor.) m. *Bot.* **Perigonio.**

Pericardio. (Del gr. περικάρδιον; de περί, alrededor, y καρδία, corazón.) m. *Zool.* Envoltura del corazón, que está formada por dos membranas: una externa y fibrosa, y otra interna y serosa.

Pericarditis. (De *pericardio* y el sufijo *itis*, inflamación.) f. *Med.* Inflamación aguda o crónica del pericardio.

Pericarpio. (Del gr. περικάρπιον; de περί, alrededor, y καρπός, fruto.) m. *Bot.* Parte exterior del fruto de las plantas, que cubre las semillas y puede tener hasta tres capas.

Pericia. (Del lat. *peritĭa.*) f. Sabiduría, práctica, experiencia y habilidad en una ciencia o arte.

Pericial. (De *pericia.*) adj. Perteneciente o relativo al perito. *Juicio, tasación* PERICIAL. || **2.** m. Funcionario del cuerpo de aduanas.

Pericialmente. adv. m. Con pericia.

Periclitar. (Del lat. *periclitāri.*) intr. Peligrar, estar en peligro; decaer, declinar.

Perico. (d. de *Pero*, Pedro.) m. Especie de tocado que se usó antiguamente, y se hacía de pelo postizo y adornaba la parte delantera de la cabeza. || **2.** Ave del orden de las trepadoras, especie de papagayo, de unos 25 centímetros de altura, con pico róseo, ojos encarnados de contorno blanco, manchas rojizas, diseminadas en el cuello, lomo verdinegro y vientre verde pálido, plumas remeras de color verde azulado en el lado externo y amarillo en el interno, y mástil negro; plumas timoneras verdosas y su mástil negro por encima y amarillento por debajo, y pies de color gris. Es indígena de Cuba y de la América Meridional, vive en los bosques durante el celo y la cría, y pasa el resto del año en las tierras cultivadas, donde destruye la flor y el fruto del naranjo, las siembras del maíz y la pulpa del café. Da gritos agudos y desagradables y se domestica fácilmente. || **3.** En el juego del truque, caballo de bastos. || **4.** fig. Abanico grande. || **5.** fig. Espárrago de gran tamaño. || **6.** fig. **Sillico.** || **7.** *Mar.* Juanete del palo de mesana que se cruza sobre el mastelero de sobremesana. || **8.** *Mar.* Vela que se larga en él. || **9.** *Mar.* V. **Mastelerillo, mastelero de perico.** || **de,** o **el de, los palotes.** Personaje proverbial. Persona indeterminada, un sujeto cualquiera. || **entre ellas.** fam. Hombre que gusta de estar siempre entre mujeres. || **ligero. Perezoso,** 4.ª acep. || **¿De cuándo acá Perico con guantes?** expr. fig. y fam. **¿De cuándo acá?**

Pericón, na. (De *perico.*) adj. Aplícase al que suple por todos, y más comúnmente hablando del caballo o mula que en el tiro hace a todos los puestos. Ú. t. c. s. || **2.** m. En el juego de quínolas, caballo de bastos, porque se puede hacer que valga lo que cualquiera otra carta y del palo que se quiere. || **3.** Abanico muy grande. || **4.** *Argent.* Baile popular en cinco partes que ejecutan con acompañamiento de guitarras varias parejas en número par, y que se suele interrumpir con pausas para que un bailarín diga una copla, o un dicho, al que replica su compañero de pareja.

Pericote. m. *Amér. Merid.* Rata grande del campo.

Pericráneo. (Del gr. περικράνιον; de περί, alrededor, y κρανίον, cráneo.) m. *Zool.* Membrana fibrosa que cubre exteriormente los huesos del cráneo.

Peridoto. (Como el fr. *péridot* y *péritot*, de origen incierto.) m. Mineral granujiento o cristalino, silicato de magnesia y hierro, de color verde amarillento, brillo fuerte, poco menos duro que el cuarzo y que suele encontrarse entre las rocas volcánicas. Los cristales de color más uniforme y transparentes se emplean en Oriente como piedras finas de poco valor.

Perieco, ca. (Del gr. περίοικος; de περί, alrededor, y οἶκος, casa.) adj. *Geogr.* Aplícase al morador del globo terrestre con relación a otro que ocupa un punto del mismo paralelo que el primero y diametralmente opuesto a él. Ú. t. c. s. y más comúnmente en plural.

Periferia. (Del lat. *peripherĭa*, y éste de gr. περιφέρεια; de περιφέρω, llevar alrededor.) f. **Circunferencia.** || **2.** Término o contorno de una figura curvilínea. || **3.** fig. Espacio que rodea un núcleo cualquiera.

Periférico, ca. adj. Perteneciente o relativo a la periferia.

Perifollo. (Del lat. *caerefolium*, con cambio de las sílabas *caere* en *peri*, por analogía con *perejil.*) m. Planta herbácea anual, de la familia de las umbelíferas, con tallos de tres a cuatro decímetros de altura, finos, ramosos, huecos y estriados; hojas muy recortadas en lóbulos lanceolados; flores blancas en umbelas pequeñas, y semilla menuda, negra, aovada, puntiaguda y estriada. Se cultiva en las huertas por usarse como condimento las hojas, que son aromáticas y de gusto agradable. || **2.** pl. fig. y fam. Adornos de mujer en el traje y peinado, y especialmente los que son excesivos o de mal gusto. || **Perifollo oloroso.** Planta herbácea vivaz, de la familia de las umbelíferas, con tallos ramosos, velludos, huecos, y de seis a ocho decímetros de altura; hojas grandes, pelosas, de color verde claro, algunas veces manchadas de blanco, partidas en lóbulos recortados, ovales, puntiagudos y dentados; flores blancas en parasoles ralos, y semilla comprimida de un centímetro de largo, asurcada profundamente y con pico algo curvo. Es espontáneo en el norte de España, tiene olor de anís y se ha cultivado para condimento.

Perifonear. (De *perífono.*) tr. p. us. Transmitir por medio del teléfono sin hilos una pieza de música, un discurso o una noticia en condiciones determinadas y a hora fija.

Perifonía. (De *perífono.*) f. p. us. Acción y efecto de perifonear. || **2.** p. us. Arte de construir, instalar y manejar el perífono.

Perífono. (Del gr. περί, alrededor, y φωνή, voz.) m. p. us. Aparato que sirve para perifonear.

Periforme. adj. **Piriforme.**

Perifrasear. intr. Usar de perífrasis.

Perífrasi. f. **Perífrasis.**

Perífrasis. (Del lat. *periphrăsis,* y éste del gr. περίφρασις.) f. *Ret.* **Circunlocución.**

Perifrástico, ca. (Del gr. περιφραστικός.) adj. Perteneciente o relativo a la perífrasis; abundante en ellas. *Estilo* PERIFRÁSTICO.

Perigallo. m. Pellejo que con exceso pende de la barba o de la garganta y que suele proceder de la mucha vejez o suma flacura. || **2.** Cinta de color llamativo, que llevaban las mujeres en la parte superior de la cabeza. || **3.** Especie de honda hecha de un simple bramante. || **4.** fig. y fam. Persona alta y delgada. || **5.** *Mar.* Aparejo de varias formas que sirve para mantener suspendida una cosa.

Perigeo. (Del gr. περίγειον; de περί, alrededor, y γῆ, la Tierra.) m. *Astron.* Punto en que la Luna se halla más próxima a la Tierra.

Perigonio. (Del gr. περί, alrededor, y γόνος, semen.) m. *Bot.* Envoltura sencilla o doble de los órganos sexuales de una planta.

Perihelio. (Del gr. περί, cerca de, y ἥλιος, el Sol.) m. *Astron.* Punto en que un planeta se halla más inmediato al Sol.

Perilustre. (Del lat. *perillustris.*) adj. Muy ilustre.

Perilla. (d. de *pera.*) f. Adorno en figura de pera. || **2.** Parte superior del arco que forman por delante los fustes de la silla de montar. || **3.** Porción de pelo que se deja crecer en la punta de la barba. || **4.** Extremo del cigarro puro, por donde se fuma. || **de la oreja.** Parte inferior no cartilaginosa de la oreja. || **De perilla,** o **de perillas.** m. adv. fig. y fam. A propósito o a tiempo.

Perillán, na. (De las antiguas formas castellanas *Per,* Pedro, e *Illán,* Julián.) m. y f. fam. Persona pícara, astuta. El femenino es poco usado. Ú. t. c. adj.

Perillo. (d. de *pero.*) m. Panecillo de masa dulce, muy pequeño y con piquitos alrededor.

Perimétrico, ca. adj. Perteneciente o relativo al perímetro.

Perímetro. (Del lat. *perimetros,* y éste del gr. περίμετρος; de περί, alrededor, y μέτρον, medida.) m. **Ámbito.** || **2.** *Geom.* Contorno de una figura.

Períncli to, ta. (De *per* e *inclito.*) adj. Grande, heroico, ínclito en sumo grado.

Perineal. adj. Perteneciente o relativo al perineo. *Región* PERINEAL.

Perineo. (Del lat. *perinaeon,* y éste del gr. περίναιος.) m. *Zool.* Espacio que media entre el ano y las partes sexuales.

Perineumonía. (Del gr. περί, alrededor, y πνευμονία, pulmonía.) f. *Med.* **Pulmonía.**

Perineumónico, ca. (De *perineumonía.*) adj. *Med.* **Pulmoniaco.** Ú. t. c. s.

Perinola. (Del lat. *pirŭla,* d. de *pirum,* pera.) f. Peonza pequeña que baila cuando se hace girar rápidamente con dos dedos un manguillo que tiene en la parte superior. El cuerpo de este juguete es a veces un prisma de cuatro caras marcadas con letras y sirve entonces para jugar a interés. || **2. Perilla,** 1.ª acep. || **3.** fig. y fam. Mujer pequeña de cuerpo y vivaracha.

Perinquina. f. **Inquina.**

Perinquinoso, sa. adj. Que tiene perinquina.

Períoca. (Del lat. *periŏcha,* y éste del gr. περιοχή.) f. Sumario, argumento de un libro o tratado.

Periódicamente. adv. m. Con periodicidad.

Periodicidad. f. Calidad de periódico.

Periódico, ca. (Del lat. *periodĭcus,* y éste del gr. περιοδικός.) adj. Que guarda período determinado. || **2.** Dícese del impreso que se publica periódicamente. Ú. m. c. s. m. || **3.** V. **Cometa, mes lunar periódico.** || **4.** *Arit.* Dícese de la fracción decimal que tiene período.

Periodicucho. m. despect. de **Periódico.** Periódico despreciable y de pocos lectores.

Periodismo. m. Ejercicio o profesión de periodista.

Periodista. com. Persona que compone, escribe o edita un periódico. || **2.** La que tiene por oficio escribir en periódicos.

Periodístico, ca. (De *periodista.*) adj. Perteneciente o relativo a periódicos y periodistas. *Lenguaje, estilo* PERIODÍSTICO.

Período [~ **iodo**]. (Del lat. *periŏdus,* y éste del gr. περίοδος.) m. Tiempo que una cosa tarda en volver al estado o posición que tenía al principio; como el de la revolución de los astros. || **2.** Espacio de determinado tiempo que incluye toda la duración de una cosa. || **3. Menstruación,** 1.ª acep. || **4.** *Arit.* Cifra o grupo de cifras que se repiten indefinidamente, después del cociente entero, en las divisiones inexactas. || **5.** *Cronol.* **Ciclo,** 1.ª acep. PERÍODO *juliano, de Metón.* || **6.** *Fís.* Tiempo que tarda un fenómeno periódico en recorrer todas sus fases; el que emplea un péndulo en su movimiento de vaivén, o la Tierra en su movimiento alrededor del Sol; el que transcurre entre dos pleamares, o entre dos máximos de la intensidad de una corriente alterna. || **7.** *Gram.* Conjunto de oraciones que, enlazadas unas con otras gramaticalmente, forman sentido cabal. || **8.** *Med.* Tiempo que duran ciertos fenómenos que se observan en el curso de las enfermedades.

Periostio. (Del lat. *periostēum,* y éste del gr. περιόστεον; de περί, alrededor, y ὀστέον, hueso.) m. *Zool.* Membrana fibrosa adherida a los huesos, que sirve para su nutrición y renovación.

Periostitis. (De *periostio,* y el sufijo *itis,* inflamación.) f. *Med.* Inflamación del periostio.

Peripatético, ca. (Del lat. *peripatetĭcus,* y éste del gr. περιπατητικός.) adj. Que sigue la filosofía o doctrina de Aristóteles. Ú. t. c. s. || **2.** Perteneciente a este sistema o secta. || **3.** fig. y fam. Ridículo o extravagante en sus dictámenes o máximas.

Peripato. (Del gr. περίπατος, paseo, porque paseando enseñaba Aristóteles.) m. Sistema filosófico de Aristóteles. || **2.** Conjunto de los que profesan las doctrinas de Aristóteles.

Peripecia. (Del gr. περιπέτεια.) f. En el drama o cualquier otra composición análoga, mudanza repentina de situación; accidente imprevisto que cambia el estado de las cosas. || **2.** fig. Accidente de esta misma clase en la vida real.

Periplo. (Del lat. *periplus,* y éste del gr. περίπλους; de περιπλέω, circunnavegar.) m. **Circunnavegación.** Empléase únicamente como término de geografía antigua. || **2.** Obra antigua en que se cuenta o refiere un viaje de circunnavegación. *El* PERIPLO *de Hannón.*

Períptero, ra. (Del lat. *peripterŏs,* y éste del gr. περίπτερος; de περί, alrededor, y πτερόν, ala.) adj. *Arq.* Dícese del edificio rodeado de columnas. Ú. t. c. s. m.

Peripuesto, ta. (De *peri* y *puesto.*) adj. fam. Que se adereza y viste con demasiado esmero y afectación.

Periquear. intr. Usar las mujeres de excesiva libertad. Ú. m. en ger. con el verbo *andar.*

Periquete. m. fam. Brevísimo espacio de tiempo. Ú. m. en el m. adv. **en un periquete.**

Periquillo. m. d. de **Perico.** || **2.** Especie de dulce de sólo azúcar, y delicado como melindre. || **3.** Nombre que festivamente dieron al copete postizo.

Periquín. m. *Sant.* Baile popular.

Periquito. (d. de *Perico.*) m. **Perico,** 2.ª acep. || **entre ellas.** fig. y fam. **Perico entre ellas.** || **Cátate,** o **ya tenemos, a Periquito hecho fraile.** fr. fam. que se aplica al que alcanza una dignidad muy deseada aunque poco merecida.

Perís. m. *León.* En el juego de bolos, el bolo llamado también **diez de bolos.**

Periscio, cia. (Del gr. περίσκιος; de περί, alrededor, y σκιά, sombra.) adj. *Geogr.* Dícese del habitante de las zonas polares, en torno del cual gira su sombra cada veinticuatro horas en la época del año en que no se pone el Sol en dichas zonas. Ú. t. c. s. y más comúnmente en plural.

Periscópico, ca. adj. Perteneciente o relativo al periscopio.

Periscopio. (Del gr. περισκοπέω, mirar en torno.) m. Cámara lúcida instalada en la parte superior de un tubo metálico que sobresale del casco del buque submarino, y de la superficie del mar cuando navega sumergido, y que sirve para ver los objetos exteriores.

Perisodáctilo. (Del gr. περισσός, desigual, y δάκτυλος, dedo.) adj. *Zool.* Dícese de los mamíferos, en general corpulentos, que tienen los dedos en número impar, por lo menos en las extremidades abdominales, y terminados en pesuños, estando el dedo central más desarrollado que los demás; como el tapir, el rinoceronte y el caballo. Ú. t. c. s. m. || **2.** m. pl. *Zool.* Orden de estos animales.

Perisología. (Del lat. *perissologĭa,* y éste del gr. περισσολογία.) f. *Ret.* Vicio de la elocución, que consiste en repetir o amplificar inútilmente los conceptos, o en expresarlos con verbosidad superflua y enojosa.

Perista. m. *Germ.* Comprador de cosas robadas.

Peristáltico, ca. (Del gr. περισταλτικός; de περιστέλλω, comprimir.) adj. *Zool.* Que tiene la propiedad de contraerse. Dícese principalmente del movimiento de contracción que hacen los intestinos para impulsar los materiales de la digestión y expeler los excrementos.

Per ístam. Voces latinas de la frase *Per ístam sánctam unctiónem,* que en lenguaje familiar equivalen en castellano a en blanco o en ayunas. Úsanse con los verbos *dejar, estar* y *quedarse,* y el que las dice suele hacerse al mismo tiempo la señal de la cruz en la boca.

Perístasis. (Del lat. *peristăsis.*) f. *Ret.* Tema, asunto o argumento del discurso.

Peristilo. (Del lat. *peristȳlum,* y éste del gr. περίστυλος; de περί, alrededor, y στῦλος, columna.) m. Entre los antiguos, lugar o sitio rodeado de columnas por la parte interior, como los atrios. || **2.** Galería de columnas que rodea un edificio o parte de él.

Perístole. (Del gr. περιστολή, compresión del vientre.) f. *Fisiol.* Acción peristáltica del conducto intestinal.

Peritación. f. Trabajo o estudio que hace un perito.

Peritaje. m. **Peritación.**

Perito, ta. (Del lat. *perītus.*) adj. Sabio, experimentado, hábil, práctico en una ciencia o arte. Ú. t. c. s. || **2.** m. El que en alguna materia tiene título de tal, conferido por el Estado. || **3.** *For.* El que, poseyendo especiales conocimientos teóricos o prácticos, informa, bajo juramento, al juzgador sobre puntos litigiosos en cuanto se relacionan con su especial saber o experiencia.

Peritoneal. adj. *Zool.* Perteneciente o relativo al peritoneo.

Peritoneo. (Del lat. *peritonaeum,* y éste del gr. περιτόναιον; de περιτείνω, extender alrededor.) m. *Zool.* Membrana serosa, propia de los vertebrados y de otros animales, que reviste la cavidad abdominal y forma pliegues que envuelven las vísceras situadas en esta cavidad.

Peritonitis. (De *peritoneo* y el sufijo *itis,* inflamación.) f. *Med.* Inflamación del peritoneo.

Perjudicado, da. p. p. de **perjudicar.** Ú. t. c. s. || **2.** adj. *For.* Dícese de efectos o títulos de crédito, en especial de las letras de cambio, cuya eficacia se disminuye por la omisión de formalidades que deben amparar las respectivas acciones.

Perjudicador, ra. adj. Que perjudica. Ú. t. c. s.

Perjudicante. p. a. de **Perjudicar.** Que perjudica.

Perjudicar. (Del lat. *praeiudicāre.*) tr. Ocasionar daño o menoscabo material o moral. Ú. t. c. r.

Perjudiciable. adj. ant. **Perjudicial.**

Perjudicial. (De *perjuicio.*) adj. Que perjudica o puede perjudicar.

Perjudicialmente. adv. m. Con perjuicio.

Perjuicio. (Del lat. *praeiudicium.*) m. Efecto de perjudicar o perjudicarse. || **2.** *For.* Ganancia lícita que deja de obtenerse, o deméritos o gastos que se ocasionan por acto u omisión de otro, y que éste debe indemnizar, a más del daño o detrimento material causado por modo directo. || **Sin perjuicio.** m. adv. Dejando a salvo.

Perjurador, ra. (De *perjurar.*) adj. **Perjuro.** Ú. t. c. s.

Perjurar. (Del lat. *periurāre.*) intr. Jurar en falso. Ú. t. c. r. || **2.** Jurar mucho o por vicio, o por añadir fuerza al juramento, como maldiciéndose. || **3.** r. Faltar a la fe ofrecida en el juramento.

Perjurio. (Del lat. *periurium.*) m. Delito de jurar en falso. || **2.** Acción de perjurarse.

Perjuro, ra. (Del lat. *periūrus.*) adj. Que jura en falso. Ú. t. c. s. || **2.** Que quebranta maliciosamente el juramento que ha hecho. Ú. t. c. s. || **3.** m. p. us. **Perjurio.**

Perla. (Quizá del lat. *pirŭla,* d. de *pirum,* pera.) f. Concreción nacarada, generalmente de color blanco agrisado, reflejos brillantes y figura más o menos esferoidal, que suele formarse en lo interior de las conchas de diversos moluscos, sobre todo en las madreperlas. Se estima mucho en joyería cuando tiene buen oriente y es de figura regular. || **2.** V. **Té perla.** || **3.** V. **Concha de perla.** || **4.** V. **Hilo de perlas.** || **5.** fig. Persona de excelentes prendas, o cosa preciosa o exquisita en su clase. || **6.** fig. Especie de píldora, a veces hueca y llena de substancia. También las hay alimenticias. || **7.** fig. En el juego del tresillo, reunión de la espada, la malilla y el rey o el punto. || **8.** *Blas.* Pieza principal formada por media banda, media barra y medio palo, algo menores, reunidos por uno de sus extremos en el centro del escudo, formando una Y griega. También se llama palio por su parecido a la insignia de los metropolitanos. || **9.** *Impr.* Carácter de letra de cuatro puntos tipográficos. || **De perlas.** m. adv. Perfectamente, de molde.

Perlada. (De *perla.*) adj. **Perlina.** || **2.** V. **Cebada perlada.**

Perlático, ca. (De *paralítico.*) adj. Que padece perlesía. Apl. a pers., ú. t. c. s.

Perlería. f. Conjunto de muchas perlas.

Perlero, ra. adj. Perteneciente o relativo a la perla. *Industria* PERLERA.

Perlesía. (Del lat. **paralisia,* de *paralysis.*) f. **Parálisis.** || **2.** Debilidad muscular producida por la mucha edad o por otras causas, y acompañada de temblor.

Perlezuela. f. d. de **Perla.**

Perlino, na. adj. De color de perla.

Perlita. (De *perla.*) f. **Fonolita.**

Perlongar. (Del lat. **perlongāre,* de *perlongus.*) intr. *Mar.* Ir navegando a lo largo de una costa. || **2.** *Mar.* Extender un cabo para que se pueda tirar de él.

Permaná. m. *Bol.* Chicha cruceña de primera calidad.

Permanecer. (Del lat. *permanēre.*) intr. Mantenerse sin mutación en un mismo lugar, estado o calidad.

Permaneciente. p. a. de **Permanecer.** Que permanece. || **2.** adj. **Permanente.**

Permanencia. (Del lat. *permănens, -entis,* permanente.) f. Duración firme, constancia, perseverancia, estabilidad, inmutabilidad.

Permanente. (Del lat. *permănens, -entis.*) adj. Que permanece. || **2.** fam. Dícese de la ondulación artificial del cabello que se mantiene durante largo tiempo. Ú. t. c. f. || **3.** V. **Fortificación, gas permanente.**

Permanentemente. adv. m. Con permanencia.

Permanganato. m. *Quím.* Sal formada por la combinación del ácido derivado del manganeso con una base.

Permansión. (Del lat. *permansĭo, -ōnis.*) f. **Permanencia.**

Permeabilidad. f. Calidad de permeable.

Permeable. (Del lat. *permeabĭlis,* penetrable.) adj. Que puede ser penetrado por el agua u otro fluido.

Pérmico, ca. adj. *Geol.* Se dice de la capa o terreno superior y más moderno que el carbonífero. || **2.** m. Período o tiempo de formación de dicho terreno. Es el más moderno de la edad primaria.

Permisible. (De *permiso.*) adj. Que se puede permitir.

Permisión. (Del lat. *permissĭo, -ōnis.*) f. Acción de permitir. || **2.** **Permiso.** || **3.** *Ret.* Figura que se comete cuando el que habla finge permitir o dejar al arbitrio ajeno una cosa.

Permisivamente. adv. m. Con consentimiento tácito, sin licencia expresa.

Permisivo, va. (Del lat. *permissum,* supino de *permittĕre,* permitir.) adj. Que incluye la facultad o licencia de hacer una cosa, sin preceptuarla.

Permiso, sa. (Del lat. *permissum.*) p. p. irreg. ant. de **Permitir.** || **2.** m. Licencia o consentimiento para hacer o decir una cosa. || **3.** En las monedas, diferencia consentida entre su ley o peso efectivo y el que exactamente se les supone. Si la diferencia es en más, se llama **en fuerte,** y si en menos, se dice **en feble.**

Permisor, ra. (Del lat. *permissor.*) adj. **Permitidor.** Ú. t. c. s.

Permistión. (Del lat. *permistĭo, -ōnis.*) f. Mezcla de algunas cosas, por lo común líquidas.

Permitente. p. a. de **Permitir.** Que permite.

Permitidero, ra. adj. **Permisible.**

Permitidor, ra. adj. Que permite. Ú. t. c. s.

Permitir. (Del lat. *permittĕre.*) tr. Dar su consentimiento, el que tenga autoridad competente, para que otros hagan o dejen de hacer una cosa. Ú. t. c. r. || **2.** No impedir lo que se pudiera y debiera evitar. || **3.** En las escuelas y en la oratoria, conceder una cosa como si fuese verdadera, o por no hacer al caso de la cuestión o asunto principal, o por la facilidad con que se comprende su respuesta o solución. || **4.** *Teol.* No impedir Dios una cosa mala; aunque sin voluntad directa de ella. *Dios* PERMITE *los pecados.*

Permuta. (De *permutar.*) f. Acción y efecto de permutar, 1.ª acep. || **2.** Resignación o renuncia que dos eclesiásticos hacen de sus beneficios en manos del ordinario, con súplica recíproca para que dé libremente al uno el beneficio del otro. || **3.** Cambio, entre dos beneficiados u oficiales públicos, de los empleos que respectivamente tienen.

Permutabilidad. f. Calidad de permutable.

Permutable. (Del lat. *permutabĭlis.*) adj. Que se puede permutar.

Permutación. (Del lat. *permutatĭo, -ōnis.*) f. Acción y efecto de permutar.

Permutar. (Del lat. *permutāre.*) tr. Cambiar una cosa por otra, sin que en el cambio entre dinero a no ser el necesario para igualar el valor de las cosas cambiadas y transfiriéndose los contratantes recíprocamente el dominio de ellas. || **2.** Cambiar entre sí dos eclesiásticos los beneficios que poseen o dos oficiales públicos los empleos que sirven. || **3.** Variar la disposición u orden en que estaban dos o más cosas.

Perna. (Del lat. *perna.*) f. Molusco acéfalo propio de los mares tropicales, y cuya concha, rugosa y negruzca en lo exterior y nacarada por dentro, tiene forma algo semejante a un pernil.

Pernada. f. Golpe que se da con la pierna, o movimiento violento que se hace con ella. || **2.** V. **Derecho de pernada.** || **3.** *Mar.* Rama, ramal o pierna de algún objeto.

Pernales. (De *pierna.*) m. pl. *León.* Estacas largas que se ponen en los bordes del carro para sujetar y aumentar la altura de los cañizos y lograr que cargue mucha paja o heno.

Pernambuco. n. p. V. **Palo de Pernambuco.**

Pernaza. f. aum. de **Pierna.**

Perneador, ra. (De *pernear.*) adj. Que tiene muchas fuerzas en las piernas y puede andar mucho.

Pernear. intr. Mover violentamente las piernas. || **2.** fig. y fam. Andar mucho y con fatiga en la solicitud o diligencia de un negocio. || **3.** fig. y fam. Impacientarse e irritarse por no lograr lo que se desea. || **4.** tr. *And.* Poner a vender por cabezas, en la feria, el ganado de cerda.

Perneo. (De *pernear.*) m. *And.* Mercado del ganado de cerda.

Pernera. f. **Pernil,** 3.ª acep.

Pernería. f. *Mar.* Conjunto o provisión de pernos.

Perneta. f. d. de **Pierna.** || **En pernetas.** m. adv. Con las piernas desnudas.

Pernete. m. d. de **Perno.**

Pernezuela. f. d. de **Pierna.**

Perniabierto, ta. adj. Que tiene las piernas abiertas o apartadas una de otra.

Pernicie. (Del lat. *pernicies.*) f. ant. Perdición, daño, ruina.

Perniciosamente. adv. m. Perjudicialmente, con muy grave daño.

Pernicioso, sa. (Del lat. *perniciōsus.*) adj. Gravemente dañoso y perjudicial. || **2.** V. **Fiebre perniciosa.**

Pernicote. m. *Sal.* Hueso del pernil, 2.ª acep.

Pernicho. (De *perno.*) m. *Germ.* **Postigo.**

Pernigón. (Del ital. *pernicone.*) m. Especie de ciruela redonda y tierna, que venía de Génova en dulce.

Pernil. (Del lat. *perna,* pernil de puerco.) m. Anca y muslo del animal. || **2.** Por antonom., el del puerco. || **3.** Parte de calzón o pantalón, que cubre cada pierna

Pernio. (Del lat. *perna*, pierna.) m. Gozne que se pone en las puertas y ventanas para que giren las hojas.

Perniquebrar. tr. Romper, quebrar una pierna o las dos. Ú. t. c. r.

Pernituerto, ta. (De *pierna* y *tuerto*.) adj. Que tiene torcidas las piernas.

Perno. (Del lat. *perna*, pierna.) m. Pieza de hierro u otro metal, larga, cilíndrica, con cabeza redonda por un extremo y que por el otro se asegura con una chaveta o una tuerca, y más generalmente aún por medio del remache. Se usa para afirmar piezas de gran volumen. || **2.** Pieza del pernio o gozne, en que está la espiga.

Pernoctar. (Del lat. *pernoctāre*.) intr. Pasar la noche en alguna parte, fuera del propio domicilio, y especialmente viajando.

Pernochar. intr. ant. **Pernoctar.**

Pernotar. tr. **Notar,** 2.ª acep.

Pero. (Del lat. *pirum*.) m. Variedad de manzano, cuyo fruto es más largo que grueso. || **2.** Fruto de este árbol. || **Ese pero no está maduro.** expr. fig. con que se previene a uno para que no prosiga en lo que emprende, por no ser ocasión u ofrecer inconveniente.

Pero. (De *Pedro*.) n. p. **Botero.** V. **Las calderas de Pero Botero.** || **Jimén. Perojimén.** || **Jiménez. Perojiménez.**

Pero. (Del lat. *per hoc*.) conj. advers. con que a un concepto se contrapone otro diverso o ampliativo del anterior. *El dinero hace ricos a los hombres,* PERO *no dichosos; le injurié con efecto,* PERO *él primero me había injuriado a mí.* || **2.** Empléase a principio de cláusula sin referirse a otra anterior, sólo para dar énfasis o fuerza de expresión a lo que se dice. PERO *¿dónde vas a meter tantos libros?;* PERO *¡qué hermosa noche!* || **3. Sino,** 2.° art., 1.ª acep. || **4.** m. fam. Defecto o dificultad. *Este cuadro no tiene* PERO; *es tan poco amigo de hacer favores, que nunca deja de poner algún* PERO *a todo lo que se le pide.*

Perogrullada. (De *Perogrullo*.) f. fam. Verdad o especie que por notoriamente sabida es necedad o simpleza el decirla.

Perogrullesco, ca. adj. Perteneciente o relativo a la perogrullada.

Perogrullo. (De *Pero*, n. p., y *grullo*.) n. p. V. **Verdad de Perogrullo.**

Perojimén. m. **Perojiménez.**

Perojiménez. m. **Pedrojiménez.**

Perojo. m. *Sant.* Pera pequeña y redonda que madura temprano.

Perol. (Como el ital. *paiuolo*, del celtolat. **pariolum*.) m. Vasija de metal, de figura como de media esfera, que sirve para cocer diferentes cosas. || **Ir de perol.** fr. *And.* Salir al campo de jira.

Perola. (Como el ital. *paiuola*, del celtolat. **pariolum*.) f. *Mur.* Especie de perol, más pequeño que el ordinario.

Peroné. (Del gr. περόνη, corchete, clave.) m. *Zool.* Hueso largo y delgado de la pierna, detrás de la tibia, con la cual se articula.

Peroración. (Del lat. *peroratĭo, -ōnis*.) f. Acción y efecto de perorar. || **2.** *Ret.* Última parte del discurso, en que se hace la enumeración de las pruebas y se trata de mover con más eficacia que antes el ánimo del auditorio. || **3.** *Ret.* En sentido restricto, parte exclusivamente patética de la **peroración.**

Perorar. (Del lat. *perorāre*.) intr. Pronunciar un discurso u oración. || **2.** fam. Hablar uno en la conversación familiar como si estuviera pronunciando un discurso. || **3.** fig. Pedir con instancia.

Perorata. (Del lat. *perorāta*, hablada.) f. Oración o razonamiento molesto o inoportuno.

Perote. m. *And.* Natural o vecino de Álora, en la provincia de Málaga. Es voz despectiva.

Peróxido. (De *per* y *óxido*.) m. *Quím.* En la serie de los óxidos, el que tiene la mayor cantidad posible de oxígeno.

Perpalo. m. *Ar.* **Palanca,** 1.ª acep.

Perpejana. f. **Parpalla.**

Perpendicular. (Del lat. *perpendiculāris*.) adj. *Geom.* Aplícase a la línea o al plano que forma ángulo recto con otra línea o con otro plano. Apl. a línea, ú. t. c. s. f.

Perpendicularidad. f. Calidad de perpendicular.

Perpendicularmente. adv. m. Rectamente, derechamente, sin torcerse a un lado ni a otro.

Perpendículo. (Del lat. *perpendicŭlum*.) m. **Plomada,** 2.ª acep. || **2.** *Geom.* Altura de un triángulo. || **3.** *Mec.* **Péndulo,** 2.ª acep.

Perpetración. (Del lat. *perpetratĭo, -ōnis*.) f. Acción y efecto de perpetrar.

Perpetrador, ra. (Del lat. *perpetrātor*.) adj. Que perpetra. Ú. t. c. s.

Perpetrar. (Del lat. *perpetrāre*.) tr. Cometer, consumar. Aplícase sólo a delito o culpa grave.

Perpetua. (Del lat. *perpetŭa*, t. f. de *-tŭus*, perpetuo, por serlo el color de la flor aun después de arrancada.) f. Planta herbácea anual, de la familia de las amarantáceas, con tallo derecho, articulado y ramoso; hojas opuestas, aovadas y vellosas; flores reunidas en cabezuela globosa, solitarias y terminales, con tres brácteas, perigonio dividido en cinco partes, tres estambres, y el fruto en forma de caja que encierra una sola semilla. Las flores son pequeñas, moradas o anacaradas, o jaspeadas de estos dos colores, y cogidas poco antes de granar la simiente, persisten meses enteros sin padecer alteración, por lo cual sirven para hacer guirnaldas, coronas y otros adornos semejantes. Se cría en la India y se cultiva en los jardines, donde llega a tener la altura de cuatro a seis decímetros. || **2.** Flor de esta planta. || **amarilla.** Planta herbácea vivaz, de la familia de las compuestas, con tallos algo ramosos, blanquecinos, duros y leñosos en la parte inferior; hojas sentadas, lineales, blanquecinas y vellosas, y flores pequeñas y amarillas que forman corimbo terminal y convexo. Estas flores, separadas de la planta poco antes de abrirse del todo, se conservan meses enteros sin alteración. Es espontánea en España y se cultiva en los jardines, donde llega a tener la altura de seis a siete decímetros. || **2.** Flor de esta planta. || **3.** Planta de la familia de las compuestas, muy parecida a la anterior, con hojas lineales y persistentes y flores de mayor tamaño y de color amarillo más vivo y hermoso. Es originaria de Oriente y se cultiva en los jardines, donde llega a tener la altura de tres a cuatro decímetros. || **4.** Flor de esta planta. || **5.** Planta de la familia de las compuestas, parecida a las dos anteriores, con hojas lineales y lanceoladas, flores de color de azufre y escamas plateadas en la base de las cabezuelas. Es originaria de Virginia, se cultiva en los jardines, llega a tener cinco o seis decímetros de altura, y se ha usado algo en medicina. || **6.** Flor de esta planta. || **encarnada. Perpetua.**

Perpetuación. f. Acción de perpetuar o perpetuarse una cosa.

Perpetual. (Del lat. *perpetuālis*.) adj. ant. **Perpetuo.**

Perpetualidad. (De *perpetual*.) f. ant. **Perpetuidad.**

Perpetualmente. adv. m. ant. **Perpetuamente.**

Perpetuamente. adv. m. Perdurablemente, para siempre.

Perpetuán. (De *perpetuo*.) m. **Sempiterna,** 1.ª acep.

Perpetuar. (Del lat. *perpetuāre*.) tr. Hacer perpetua o perdurable una cosa. Ú. t. c. r. || **2.** Dar a las cosas una larga duración. Ú. t. c. r.

Perpetuidad. (Del lat. *perpetuĭtas, -ātis*.) f. Duración sin fin. || **2.** fig. Duración muy larga o incesante.

Perpetuo, tua. (Del lat. *perpetŭus*.) adj. Que dura y permanece para siempre. || **2.** Aplícase a ciertos cargos vitalicios, ya se obtengan por herencia, ya por elección. || **3.** V. **Calendario, censo, vicario perpetuo.** || **4.** V. **Vicaría perpetua.** || **5.** *For.* V. **Perpetuo silencio.**

Perpiaño. (En fr. *parpaing*.) adj. *Arq.* V. **Arco perpiaño.** || **2.** m. Piedra que atraviesa toda la pared.

Perplejamente. adv. m. Confusamente, dudosamente, con irresolución.

Perplejidad. (Del lat. *perplexĭtas, -ātis*.) f. Irresolución, confusión, duda de lo que se debe hacer en una cosa.

Perplejo, ja. (Del lat. *perplĕxus*.) adj. Dudoso, incierto, irresoluto, confuso.

Perpunte. (Del lat. *perpunctus*, punzado profundamente.) m. Jubón fuerte, colchado con algodón y pespuntado, para preservar y guardar de las armas blancas el cuerpo; como los jubones ojeteados.

Perqué. (Del ital. *perchè*, porqué.) m. Antigua composición poética, caracterizada por el empleo de la pregunta y respuesta *¿por qué?, porque.* || **2.** Libelo infamatorio, escrito en la misma forma de pregunta y respuesta.

Perquirir. (Del lat. *perquirĕre*.) tr. Investigar, buscar una cosa con cuidado y diligencia.

Perra. f. Hembra del perro. || **2.** fig. y fam. **Borrachera,** 1.ª acep. || **3.** fam. Rabieta de niño. || **chica.** fig. y fam. **Perro chico.** || **gorda,** o **grande.** fig. y fam. **Perro grande.** || **La perra le parirá lechones.** expr. fig. y fam. **A quien Dios quiere bien, la perra le pare puercos.** || **Soltar** uno **la perra.** fr. fig. y fam. Gloriarse o jactarse de una cosa antes de lograrla, especialmente cuando está expuesta a perderse o no conseguirse.

Perrada. f. Conjunto de perros. || **2.** fig. y fam. Acción villana que se comete faltando bajamente a la fe prometida o a la debida correspondencia.

Perramente. adv. m. fig. y fam. Muy mal.

Perreda. f. ant. **Perrera,** 3.ª acep.

Perrengue. (De *perro*.) m. fam. El que con facilidad y vehemencia se enoja, encoleriza o emperra. || **2.** fig. y fam. El negro, o porque se encoleriza con facilidad, o por llamarle perro disimuladamente.

Perrera. f. Lugar o sitio donde se guardan o encierran los perros. || **2.** Departamento que hay en los trenes, destinado para llevar perros. || **3.** Empleo u ocupación que tiene mucho trabajo o molestia y poca utilidad. || **4.** fam. Mal pagador. || **5.** fam. **Perra,** 3.ª acep.

Perrería. f. Muchedumbre de perros. || **2.** fig. Conjunto o agregado de personas malvadas. || **3.** fig. Expresión o demostración de enojo, enfado o ira. || **4. Perrada,** 2.ª acep.

Perrero. m. El que en las iglesias catedrales tiene cuidado de echar fuera de ellas los perros. || **2.** El que cuida o tiene a su cargo los perros de caza. || **3.** El que es muy aficionado a tener o criar perros.

Perrezno. m. Perrillo o cachorro.

Perrillo. (d. de *perro*.) m. **Gatillo,** 2.ª acep. || **2.** Pieza de hierro, en forma de mediacaña arqueada y con dientes finos en la parte interior, que en substitución de la cadenilla de barbada se pone a las caballerías muy duras de boca. || **de falda. Perro faldero.** || **de todas bodas.** fig. y fam. El que gusta de hallarse en todas las fiestas y concursos de diversión. || **Perrillo de muchas bodas, no come en ninguna por**

comer en todas. ref. que enseña que todo lo pierde el que con codicia quiere abarcar muchas cosas.

Perro, rra. adj. fig. y fam. Muy malo, indigno.

Perro. m. *Zool.* Mamífero doméstico de la familia de los cánidos, de tamaño, forma y pelaje muy diversos, según las razas, pero siempre con la cola de menor longitud que las patas posteriores. Tiene olfato muy fino y es inteligente y muy leal al hombre. || **2.** V. **Berza, cabeza, cara, compañón, diente, lengua, pan, perejil, vejiga de perro.** || **3.** fig. Nombre que se daba por afrenta y desprecio, especialmente a moros y judíos. || **4.** fig. Hombre tenaz, firme y constante en alguna opinión o empresa. Ú. t. c. adj. || **5.** fig. Engaño o daño que se irroga a uno en un ajuste o contrato, o incomodidad y desconveniencia que se le ocasiona haciéndole esperar mucho tiempo o causándole otra vejación. || **6.** fig. y fam. V. **Vida de perros.** || **alano.** El de raza cruzada, que se considera producida por la unión del dogo y el lebrel. Es corpulento y fuerte; tiene grande la cabeza, las orejas caídas, el hocico romo y arremangado, la cola larga y el pelo corto y suave. || **albarraniego.** En algunas partes, **perro** de ganado trashumante. || **alforjero. Perro** de caza enseñado a quedarse en el rancho guardando las alforjas. || **ardero.** El que caza ardillas. || **braco. Perro perdiguero.** || **2.** El pequeño y fino con el hocico quebrado. || **bucero.** Sabueso de hocico negro. || **cobrador.** El que tiene la habilidad de traer a su amo el animal que cae al tiro, o de coger el que huye malherido. || **chico.** fig. y fam. Moneda de cobre que valía cinco céntimos de peseta; y por ext., la que con el mismo valor se acuña hoy con una aleación de aluminio. || **chino.** Casta o variedad de **perro** que carece completamente de pelo y tiene las orejas pequeñas y rectas, el hocico pequeño y puntiagudo y el cuerpo gordo y de color obscuro. Es estúpido y quieto, y está siempre como tiritando. || **danés.** El que participa de los caracteres de lebrel y mastín. || **de aguas.** El de una raza que se cree originaria de España, con cuerpo grueso, cuello corto, cabeza redonda, hocico agudo, orejas caídas, y pelo largo, abundante, rizado y generalmente blanco. Es muy inteligente y se distingue por su aptitud para nadar. || **de ajeo.** El perdiguero acostumbrado a acosar tanto las perdices, que las hace ajear antes de levantar el vuelo. || **de ayuda.** El enseñado a socorrer y defender a su amo. || **de busca.** *Mont.* Especie de **perro** que sirve para seguir la caza. || **de casta.** El que no es cruzado. || **de engarro. Perro** pequeño, semejante al de ajeo, que también sirve para cazar perdices. || **de lanas. Perro de aguas.** || **2. Perro faldero.** || **de muestra.** El que se para al ver u olfatear la pieza de caza, como mostrándosela al cazador. || **de presa. Perro dogo.** || **de punta y vuelta.** Entre cazadores, el que hace punta o muestra la caza y toma después la vuelta para cogerla cara a cara. || **de Terranova.** Especie de **perro** de aguas, de gran tamaño, pelo largo, sedoso y ondulado, de color blanco con grandes manchas negras, y cola algo encorvada hacia arriba. Tiene los pies palmeados a propósito para nadar, y es muy inteligente. || **dogo.** El de cuerpo y cuello gruesos y cortos, pecho ancho, cabeza redonda, frente cóncava, hocico obtuso, labios gordos, cortos en el centro y colgantes por ambos lados, orejas pequeñas con la punta doblada, patas muy robustas, y pelaje generalmente leonado, corto y recio. Es animal pesado, de fuerza y valor extraordinarios, y se utiliza para la defensa de las propiedades, para las cazas peligrosas y para luchar contra las fieras. Hay variedades de diferentes tamaños. || **faldero.** El que por ser pequeño puede estar en las faldas de las mujeres. || **galgo.** Casta de **perro** muy ligero, con la cabeza pequeña, los ojos grandes, el hocico puntiagudo, las orejas delgadas y colgantes, el cuerpo delgado y el cuello, la cola y las patas largas. || **gozque. Perro** pequeño muy sentido y ladrador. || **grande.** fig. y fam. Moneda de cobre que valía 10 céntimos de peseta. || **guión. Perro** delantero de la jauría. || **jateo. Perro raposero.** || **lebrel.** Variedad de **perro** que se distingue en tener el labio superior y las orejas caídas, el hocico recio, el lomo recto, el cuerpo largo y las piernas retiradas atrás. Diósele este nombre por ser muy a propósito para la caza de las liebres. || **lebrero.** El que sirve para cazar liebres. || **lucharniego.** El adiestrado para cazar de noche. || **marino. Cazón,** 1.er art. || **mastín.** El grande, fornido, de cabeza redonda, orejas pequeñas y caídas, ojos encendidos, boca rasgada, dientes fuertes, cuello corto y grueso, pecho ancho y robusto, manos y pies recios y nervudos, y pelo largo, algo lanoso. Es muy valiente y leal, y el mejor para la guarda de los ganados. || **mudo.** *Zool.* Nombre de una variedad de **perro** que existía en las Antillas y que fué extendida por los primeros naturalistas españoles que visitaron estas islas. || **pachón.** El de raza muy parecida a la del perdiguero, pero con las piernas más cortas y torcidas, la cabeza redonda y la boca muy grande. || **perdiguero.** El de talla mediana, con cuerpo recio, cuello ancho y fuerte, cabeza fina, hocico saliente, labios colgantes, orejas muy grandes y caídas, patas altas y nervudas, cola larga y pelaje corto y fino. Es muy apreciado para la caza por lo bien que olfatea y sigue las pistas. || **podenco.** El de cuerpo algo menor, pero más robusto que el del lebrel, con la cabeza redonda, las orejas tiesas, el lomo recto, el pelo medianamente largo, la cola enroscada y las manos y pies pequeños, pero muy fuertes. Es poco ladrador y sumamente sagaz y ágil para la caza, por su gran vista, olfato y resistencia. || **quitador.** El que está enseñado a quitar la caza a los otros para que no la despedacen o se la coman, y traerla a la mano. || **raposero. Perro** de unos dos pies de altura, de pelo corto y de orejas grandes, caídas y muy dobladas. Se emplea en la caza de montería y especialmente en la de zorras. || **rastrero.** El de caza, que la busca por el rastro. || **sabueso.** Variedad de podenco, algo mayor que el común y de olfato muy fino. || **tomador.** El que coge bien la pieza. || **ventor.** El de caza, que sigue a ésta por el olfato y viento. || **viejo.** fig. y fam. Hombre sumamente cauto, advertido y prevenido por la experiencia. || **zarcero.** Casta de **perro** pequeño y corto de pies, que entra con facilidad en las zarzas a buscar la caza. || **zorrero. Perro raposero.** || **A espeta perros.** m. adv. fig. y fam. De estampía, súbitamente y con mucha precipitación. || **A otro perro con ese hueso.** expr. fig. y fam. con que se repele al que propone artificiosamente una cosa incómoda o desagradable, o cuenta algo que no debe creerse. || **A perro flaco todas son pulgas.** ref. **El perro flaco todo es pulgas.** || **A perro viejo, nunca cuz cuz,** o **no hay tus tus.** ref. que enseña que es muy difícil engañar al hombre experimentado y cuerdo. || **Atar los perros con longaniza.** fr. fig. y fam. con que se encarece, casi siempre con ironía, la abundancia o la esplendidez. || **Como perro con cencerro, con cuerno, con maza,** o **con vejiga.** locs. advs. figs. fams. con que se explica que uno se ausentó sentido de una especie, con precipitación, sonrojo y prisa. || **Como perros y gatos.** loc. adv. fig. y fam. con que se explica el aborrecimiento que algunos se tienen. || **Dar perro** a uno. fr. fig. y fam. Hacerle esperar mucho tiempo o causarle otra vejación. || **Dar perro muerto.** fr. Hacer alguna burla o engaño bastante pesado, como ofrecer dinero y no darlo. || **Darse** uno **a perros.** fr. fig. y fam. Irritarse mucho. || **Echar a perros** una cosa. fr. fig. y fam. Emplearla mal o malbaratarla. || **Echéme a dormir y espulgóme el perro, no la cabeza, sino el esquero.** ref. que reprende a los que por abandono o demasiada confianza, no cuidan de sus intereses. || **El perro con rabia, de su amo traba.** ref. que muestra cómo el que está encolerizado o airado, como fuera de razón, no conoce ni respeta a nadie. || **El perro del herrero duerme a las martilladas y despierta a las dentelladas.** ref. que reprende a los que sólo se presentan en las casas cuando hay un motivo de placer o interés. || **El perro del hortelano, que ni come las berzas ni las deja comer al amo.** ref. que reprende al que ni se aprovecha de las cosas ni deja que los otros hagan uso de ellas. || **El perro flaco todo es pulgas.** ref. que da a entender que al pobre, mísero y abatido, suelen afligirle todas las adversidades. || **En dando en que el perro ha de rabiar, rabia.** fr. proverb. que advierte el riesgo de que caiga en un vicio o falta aquel a quien se le atribuye con insistencia. || **Ládreme el perro, y no me muerda.** ref. que enseña que no son temibles las amenazas cuando hay seguridad de que no tendrán cumplimiento. || **Los perros de Zurita, no teniendo a quien morder, uno a otro se mordían.** ref. con que se significa que los maldicientes, cuando no tienen de quien decir mal, de sí mismos lo dicen; y que los perversos se dañan mutuamente cuando no pueden dañar a otros. || **Morir** uno **como un perro.** fr. fig. Morir sin dar señales de arrepentimiento. || **Muerto el perro, se acabó la rabia.** fr. proverb. con que se da a entender que cesando una causa cesan con ella sus efectos. || **No quiero perro con cencerro.** expr. fig. y fam. con que uno explica que no quiere ciertas cosas que traen consigo más perjuicio que comodidad. || **Perro alcucero, nunca buen conejero.** ref. que denota que la persona que se ha criado con regalo, no es a propósito para el trabajo. || **Perro ladrador, poco mordedor,** o **nunca buen mordedor.** ref. que enseña que de ordinario los que hablan mucho hacen poco. || **Todo junto, como al perro los palos.** expr. fig. que se emplea para significar que todos los males le han venido a uno de una vez. || **2.** Significa también que vendrá ocasión en que pagará juntos todos los daños o males que hubiere hecho. || **Tratar** a uno **como a un perro.** fr. fig. y fam. Maltratarle, despreciarle. || **Vióse el perro en bragas de cerro, y no conoció a su compañero.** ref. **Vióse el villano en bragas de cerro, y él, fierro que fierro.**

Perrona. f. *Ast.* Perra gorda, moneda de 10 céntimos.

Perroquete. (Del fr. *perroquet,* d. del lat. *Petrus,* Pedro.) m. *Mar.* **Mastelerillo de juanete.**

Perruna. (De *perruno.*) f. Pan muy moreno hecho de harina sin cerner, que ordinariamente se da a los perros. || **2. Torta perruna.**

Perruno, na. adj. Perteneciente o relativo al perro. || **2.** V. **Berza, sarna, torta perruna.**

Persa. adj. Natural de Persia. Ú. t. c. s. || **2.** Perteneciente a esta nación de Asia. || **3.** m. Idioma que se habla en dicha nación.

Per se. expr. lat. Por sí o por sí mismo. Ú. en lenguaje filosófico.

Persecución. (Del lat. *persecutĭo, -ōnis.*) f. Acción de perseguir o insistencia en hacer o procurar daño. || **2.** Por antonom., cada una de las crueles y sangrientas que ordenaron algunos emperadores romanos contra los cristianos en los tres primeros siglos de la Iglesia. || **3.** fig. Instancia enfadosa y continua con que se acosa a uno a fin de que condescienda a lo que de él se solicita.

Persecutorio, ria. adj. Que persigue, 1.ª y 3.ª aceps.

Perseguidor, ra. adj. Que persigue, 1.ª y 3.ª aceps. Ú. t. c. s.

Perseguimiento. (De *perseguir.*) m. Persecución.

Perseguir. (Del lat. *persĕqui.*) tr. Seguir al que va huyendo, con ánimo de alcanzarle. || **2.** fig. Seguir o buscar a uno en todas partes con frecuencia e importunidad. || **3.** fig. Molestar, fatigar, dar que padecer o sufrir a uno; procurar hacerle el daño posible. || **4.** fig. Solicitar o pretender con frecuencia, instancia o molestia. || **5.** *For.* Proceder judicialmente contra uno. Por ext., se aplica a las faltas y delitos. PERSEGUIR *las infracciones.*

Perseidas. f. pl. *Astron.* Estrellas fugaces cuyo punto radiante está en la constelación de Perseo. Suelen observarse hacia el 10 de agosto.

Perseo. (De *Perseo,* hijo de Júpiter y de Dánae, según la mitología.) m. *Astron.* Constelación septentrional cerca y al oriente de Andrómeda.

Persevante. (Del fr. *poursuivant.*) m. Oficial de armas, según la orden o regla de la caballería, inferior al faraute, como éste lo es al rey de armas.

Perseverancia. (Del lat. *perseverantĭa.*) f. Firmeza y constancia en la ejecución de los propósitos y en las resoluciones del ánimo. || **2.** Duración permanente o continua de una cosa. || **final.** Constancia en la virtud y en mantener la gracia hasta la muerte.

Perseverante. (Del lat. *persevĕrans, -antis.*) p. a. de **Perseverar.** Que persevera.

Perseverantemente. adv. m. Con perseverancia.

Perseveranza. f. ant. **Perseverancia.**

Perseverar. (Del lat. *perseverāre.*) intr. Mantenerse constante en la prosecución de lo comenzado. || **2.** Durar permanentemente o por largo tiempo.

Persiana. (De *persiano.*) f. Especie de celosía, formada de tablillas fijas o movibles y colocadas de forma que dejen paso al aire y no al sol. || **2.** Tela de seda con varias flores grandes tejidas, y diversidad de matices.

Persiano, na. (Del lat. *persiānus,* de *Persia,* Persia.) adj. **Persa.** Apl. a pers., ú. t. c. s.

Persicaria. (Porque las hojas de la planta son parecidas a las del *pérsico.*) f. **Duraznillo.**

Pérsico, ca. (Del lat. *persĭcus.*) adj. **Persa,** 2.ª acep. || **2.** V. **Albaricoque, fuego pérsico.** || **3.** m. *Bot.* Árbol frutal de la familia de las rosáceas, originario de Persia y cultivado en varias provincias de España. Tiene las hojas aovadas y aserradas, las flores de color de rosa claro y el fruto es una drupa con el hueso lleno de arrugas asurcadas. || **4.** Fruto de este árbol.

Persignar. (Del lat. *persignāre.*) tr. **Signar,** 3.ª acep. Ú. t. c. r. || **2.** Signar y santiguar a continuación. Ú. t. c. r. || **3.** r. fig. y fam. Manifestar uno, haciéndose cruces, admiración, sorpresa o extrañeza. || **4.** fig. y fam. Comenzar a vender.

Pérsigo. m. **Pérsico,** 3.ª y 4.ª aceps.

Persistencia. (De *persistir.*) f. Insistencia, constancia en el intento o ejecución de una cosa. || **2.** Duración permanente de una cosa.

Persistente. p. a. de **Persistir.** Que persiste.

Persistir. (Del lat. *persistĕre.*) intr. Mantenerse firme o constante en una cosa. || **2.** Durar por largo tiempo.

Persona. (Del lat. *persōna.*) f. Individuo de la especie humana. || **2.** Hombre o mujer cuyo nombre se ignora o se omite. || **3.** Hombre distinguido en la república con un empleo muy honorífico o poderoso. || **4.** Hombre de prendas, capacidad, disposición y prudencia. || **5.** **Personaje,** 2.ª acep. || **6.** V. **Acepción, aceptación, aceptador, aceptor de personas.** || **7.** *Fil.* Supuesto inteligente. || **8.** *For.* V. **Identidad de persona.** || **9.** *Gram.* Accidente gramatical que consiste en las distintas inflexiones con que el verbo denota si el sujeto de la oración es el que habla, o aquel a quien se habla, o aquel de que se habla. Las **personas** se llaman, respectivamente, primera, segunda y tercera, y las tres constan de singular y plural. || **10.** *Gram.* Nombre substantivo relacionado mediata o inmediatamente con la acción del verbo. || **11.** *Teol.* El Padre, el Hijo o el Espíritu Santo, que son tres **personas** distintas con una misma esencia. || **agente.** *Gram.* La que ejecuta la acción del verbo. || **grata.** La que es acepta. Dícese más comúnmente en estilo o lenguaje diplomático. || **jurídica.** Ser o entidad capaz de derechos y obligaciones aunque no tiene existencia individual física; como las corporaciones, asociaciones, sociedades y fundaciones. || **paciente.** *Gram.* La que recibe la acción del verbo. || **social. Persona jurídica.** || **torpe.** *For.* En el antiguo derecho, la que por su mala fama o por su vileza no podía ser preferida en las herencias a los hermanos del testador que no tenía herederos forzosos. || **Primera persona.** *Gram.* La que habla de sí misma en el discurso. || **Segunda persona.** *Gram.* Aquella a quien se dirige el discurso. || **Tercera persona.** La que media entre otras. *Llegó a mi noticia por* TERCERA PERSONA; *se valió de* TERCERA PERSONA. || **2.** *Gram.* La **persona** o cosa de que se habla. || **3. Tercero,** 2.ª acep. *Sin perjuicio de* TERCERA PERSONA; *sin intervención de* TERCERA PERSONA. || **Aceptar personas.** fr. Distinguir o favorecer a unos más que a otros por un motivo o afecto particular, sin atender al mérito ni a la razón. || **De persona a persona.** m. adv. Estando uno solo con otro; entre ambos y sin intervención de tercero. || **De persona beoda no fíes tu bolsa.** ref. que enseña que nadie debe fiar sus intereses a **personas** a quienes los vicios perturban la razón. || **En persona.** m. adv. Por uno mismo o estando presente. || **Hacer** uno **de persona.** fr. fam. Afectar poder o mérito sin tenerlo; jactarse vanamente. || **Hacer** uno **de su persona.** fr. fam. Proveerse, 6.ª acep. de **Proveer.** || **Hacerse** uno **persona.** fr. fig. **Hacer de persona.** || **Por su persona.** m. adv. **En persona.**

Personada. (Del lat. *personāta,* enmascarada.) adj. *Bot.* Dícese de la corola gamopétala irregular, labiada, cuyo labio inferior tiene una protuberancia que se junta con el labio superior.

Personado. (Del lat. *personātus.*) m. Prerrogativa que uno tiene en la Iglesia, sin jurisdicción alguna, pero con silla en el coro, superior y más honorífica que otras, y con renta eclesiástica, sin oficio alguno. Tómase también por dignidad eclesiástica, aunque se distingue de ella en que no tiene jurisdicción ni oficio. || **2.** Persona que tiene esta prerrogativa. || **3.** En Cataluña, beneficio cuyo goce es compatible con otros.

Personaje. (De *persona.*) m. Sujeto de distinción, calidad o representación en la república. || **2.** Cada uno de los seres humanos, sobrenaturales o simbólicos, ideados por el escritor, y que como dotados de vida propia toman parte en la acción de una obra literaria. || **3. Personado,** 3.ª acep.

Personal. (Del lat. *personālis.*) adj. Perteneciente a la persona o propio o particular de ella. || **2.** V. **Alusión, carga, cédula, derecho, estatuto, privilegio, pronombre personal.** || **3.** m. Tributo que pagaban en algunas partes los cabezas de familia que eran del estado general; como en Cataluña, etc. || **4.** Conjunto de las personas que pertenecen a determinada clase, corporación o dependencia. || **5.** Capítulo de las cuentas de ciertas oficinas, en que se consigna el gasto del **personal** de ellas.

Personalidad. (De *personal.*) f. Diferencia individual que constituye a cada persona y la distingue de otra. || **2.** Inclinación o aversión que se tiene a una persona, con preferencia o exclusión de las demás. || **3.** Dicho o escrito que se contrae a determinadas personas, en ofensa o perjuicio de las mismas. || **4.** *Fil.* Conjunto de cualidades que constituyen a la persona o supuesto inteligente. || **5.** *For.* Aptitud legal para intervenir en un negocio o para comparecer en juicio. || **6.** *For.* Representación legal y bastante con que uno interviene en él.

Personalismo. m. Sátira o agravio dirigidos a una persona que se designa expresamente.

Personalizar. (De *persona.*) tr. Incurrir en personalidades hablando o escribiendo. || **2.** *Gram.* Usar como personales algunos verbos que generalmente son impersonales; v. gr.: *Hasta que Dios* AMANEZCA; ANOCHECIMOS *en Alcalá.*

Personalmente. adv. m. En persona o por sí mismo.

Personarse. (De *persona.*) r. **Avistarse.** || **2.** Presentarse personalmente en una parte. || **3.** *For.* **Apersonarse,** 3.ª acep.

Personera. f. *Seg.* La que, en unión de otras mujeres que ostentan cargos representativos, auxilia a la alcaldesa en las fiestas anuales en honra de Santa Águeda. Hay también dos alguacilas.

Personería. f. Cargo o ministerio de personero. || **2.** ant. V. **Carta de personería.** || **3.** *For.* **Personalidad,** 5.ª y 6.ª aceps.

Personero. (De *persona.*) m. p. us. El constituido procurador para entender o solicitar negocios ajenos.

Personificación. f. Acción y efecto de personificar. || **2.** *Ret.* **Prosopopeya,** 1.ª acep.

Personificar. (De *persona* y el lat. *facĕre,* hacer.) tr. Atribuir vida o acciones o cualidades propias del ser racional al irracional, o a las cosas inanimadas, incorpóreas o abstractas. || **2.** Representar persona determinada un suceso, sistema, opinión, etc. *Lutero* PERSONIFICA *la Reforma.* || **3.** Representar en los discursos o escritos, bajo alusiones o nombres supuestos, personas determinadas. Ú. t. c. r.

Personilla. (d. de *persona.*) f. despect. Persona muy pequeña de cuerpo o de mala traza, o condición.

Personudo, da. adj. Persona de buena estatura y corpulencia.

Perspectiva. (Del lat. *perspectīva.*) f. Arte que enseña el modo de representar en una superficie los objetos, en la forma y disposición con que aparecen a la vista. || **2.** Obra o representación ejecutada con este arte. || **3.** fig. Conjunto de objetos que desde un punto determinado se presentan a la vista del espectador, especialmente cuando están lejanos y llaman la atención por el efecto agradable o melancólico que producen. || **4.** fig. Apariencia o representación engañosa y falaz de las cosas. || **5.** fig. Contingencia que puede preverse en el curso de algún negocio. Ú. m. en pl. || **6.** *Geom.* V. **Ortografía en perspectiva.** || **aérea.** Aquella que por la disminución de tamaños y la graduación de tonos representa el alejamiento de las figuras y objetos, conservando éstos su aspecto de corporeidad en su ambiente. || **caballera.** Modo convencional de representar los objetos en un plano y como si se vieran desde lo alto, conservando en la proporción debida sus formas y las distancias que los separan. || **lineal.** Aquella en que sólo se representan los objetos por las líneas de sus contornos.

Perspectivo. m. p. us. El que profesa la perspectiva.

Perspicacia. (Del lat. *perspicacia.*) f. Agudeza y penetración de la vista. || **2.** fig. Penetración de ingenio o entendimiento.

Perspicacidad. (Del lat. *perspicacĭtas, -ātis.*) f. **Perspicacia.**

Perspicaz. (Del lat. *perspĭcax, -ācis.*) adj. Dícese de la vista, la mirada, etc., muy aguda y que alcanza mucho. || **2.** fig. Aplícase al ingenio agudo y penetrativo y al que lo tiene.

Perspicuidad. (Del lat. *perspicuĭtas, -ātis.*) f. Calidad de perspicuo.

Perspicuo, cua. (Del lat. *perspicŭus.*) adj. Claro, transparente y terso. || **2.** fig. Dícese de la persona que se explica con claridad, y del mismo estilo inteligible.

Persuadidor, ra. adj. Que persuade. Ú. t. c. s.

Persuadir. (Del lat. *persuadēre.*) tr. Inducir, mover, obligar a uno con razones a creer o hacer una cosa. Ú. t. c. r.

Persuasible. (Del lat. *persuasibĭlis.*) adj. Dícese de lo que puede hacerse creer o puede creerse en fuerza de las razones o fundamentos que lo apoyan.

Persuasión. (Del lat. *persuasĭo, -ōnis.*) f. Acción y efecto de persuadir o persuadirse. || **2.** Aprehensión o juicio que se forma en virtud de un fundamento.

Persuasiva. (De *persuasivo.*) f. Facultad, virtud o eficacia para persuadir.

Persuasivo, va. (Del lat. *persuāsum,* supino de *persuadēre.*) adj. Que tiene fuerza y eficacia para persuadir.

Persuasor, ra. (Del lat. *persuāsor.*) adj. Que persuade. Ú. t. c. s.

Perta. (Del lat. *perdĭta.*) f. *Ál., Logr.* y *Sor.* **Pérdida.**

Pertenecer. (Del lat. *pertinēre.*) intr. Tocar a uno o ser propia de él una cosa, o serle debida. || **2.** Ser una cosa del cargo, ministerio u obligación de uno. || **3.** Referirse o hacer relación una cosa a otra, o ser parte integrante de ella.

Pertenecido. m. **Pertenencia.**

Perteneciente. p. a. de **Pertenecer.** Que pertenece.

Pertenencia. (Del lat. *pertinentia.*) f. Acción o derecho que uno tiene a la propiedad de una cosa. || **2.** Espacio o término que toca a uno por jurisdicción o propiedad. || **3.** Unidad de medida superficial para las concesiones mineras, cuya extensión ha variado con las leyes y hoy está reducida a un cuadro de una hectárea. || **4.** Cosa accesoria o consiguiente a la principal, y que entra con ella en la propiedad. *Francisco compró la hacienda con todas sus* PERTENENCIAS.

Pértica. (Del lat. *pertĭca.*) f. Medida agraria de longitud que consta de dos pasos o diez pies geométricos y equivale aproximadamente a dos metros y 70 centímetros.

Pértiga. (Del lat. *pertĭca.*) f. Vara larga. || **2.** ant. **Pértica.**

Pertigal. (Del lat. *pertĭcālis.*) m. **Pértiga.**

Pértigo. (De *pértiga.*) m. Lanza del carro.

Pertigueño. (De *pértiga.*) adj. *And.* Dícese del madero en rollo con más de ocho varas de longitud y diez o doce pulgadas de diámetro. Ú. t. c. s. || **2.** *Huelva.* V. **Cuartón de pertigueño.**

Pertiguería. f. Empleo de pertiguero.

Pertiguero. (Del lat. *perticarĭus.*) m. Ministro secular en las iglesias catedrales, que asiste acompañando a los que ofician en el altar, coro, púlpito y otros ministerios, llevando en la mano una pértiga o vara larga guarnecida de plata. || **mayor de Santiago.** Dignidad en esta iglesia, de gran autoridad y representación, que es como protector o patrono de ella, y siempre la han tenido personas de la primera nobleza.

Pertinace. adj. ant. **Pertinaz.**

Pertinacia. (Del lat. *pertinacĭa.*) f. Obstinación, terquedad o tenacidad en mantener una opinión, una doctrina o la resolución que se ha tomado. || **2.** fig. Grande duración o persistencia.

Pertinaz. (Del lat. *pertĭnax, -ācis.*) adj. Obstinado, terco o muy tenaz en su dictamen o resolución. || **2.** fig. Muy duradero o persistente. *Enfermedad* PERTINAZ.

Pertinazmente. adv. m. Con pertinacia.

Pertinencia. f. Calidad de pertinente. || **2.** ant. **Pertenencia.**

Pertinente. (Del lat. *pertĭnens, entis,* p. a. de *pertinēre,* pertenecer.) adj. Perteneciente a una cosa. || **2.** Dícese de lo que viene a propósito. *En la lógica hay términos* PERTINENTES *e impertinentes.* || **3.** *For.* Conducente o concerniente al pleito.

Pertinentemente. adv. m. Oportunamente, a propósito.

Pertrechar. (De *pertrecho.*) tr. Abastecer de pertrechos. || **2.** fig. Disponer o preparar lo necesario para la ejecución de una cosa. Ú. t. c. r.

Pertrechos. (Del lat. *pertractus,* acarreado.) m. pl. Municiones, armas y demás instrumentos, máquinas, etc., necesarios para el uso de los soldados y defensa de las fortificaciones o de los buques de guerra. Ú. t. en sing. || **2.** Por ext., instrumentos necesarios para cualquiera operación.

Perturbable. adj. Que se puede perturbar.

Perturbación. (Del lat. *perturbatĭo, -ōnis.*) f. Acción y efecto de perturbar o perturbarse. || **de la aguja.** *Mar.* Desviación que se produce en la dirección de la aguja magnética por la acción combinada del hierro del buque.

Perturbadamente. adv. m. Con perturbación o desorden.

Perturbador, ra. (Del lat. *perturbātor.*) adj. Que perturba. Ú. t. c. s.

Perturbar. (Del lat. *perturbāre.*) tr. Inmutar, trastornar el orden y concierto de las cosas o su quietud y sosiego. Ú. t. c. r. || **2.** Impedir el orden del discurso al que va hablando.

Perú. n. p. V. **Anona, bálsamo, lentisco del Perú.** || **Valer** una cosa **un Perú.** fr. fig. y fam. Ser de mucho precio o estimación.

Peruanismo. m. Vocablo, giro o modo de hablar propio de los peruanos.

Peruano, na. adj. Natural del Perú. Ú. t. c. s. || **2.** Perteneciente a este país de América.

Peruétano. (Del lat. *pirus,* peral.) m. Peral silvestre, cuyo fruto es pequeño, aovado, de corteza verde y sabor acerbo. || **2.** Fruto de este árbol. || **3.** fig. Porción saliente y puntiaguda de una cosa.

Perulero. (Del m. or. que *perol.*) m. Vasija de barro, angosta de suelo, ancha de barriga y estrecha de boca.

Perulero, ra. adj. **Peruano.** Apl. a pers., ú. t. c. s. || **2.** m. y f. Persona que ha venido desde el Perú a España, y especialmente la adinerada.

Perusino, na. (Del lat. *perusīnus.*) adj. Natural de Perusa. Ú. t. c. s. || **2.** Perteneciente a esta ciudad de Italia.

Peruviano, na. adj. **Peruano.** Apl. a pers., ú. t. c. s. || **2.** V. **Corteza peruviana.**

Perversamente. adv. m. Con perversidad.

Perversidad. (Del lat. *perversĭtas, -ātis.*) f. Suma maldad o corrupción de las costumbres o de la calidad o estado debido.

Perversión. (Del lat. *perversĭo, -ōnis.*) f. Acción de pervertir o pervertirse. || **2.** Estado de error o corrupción de costumbres.

Perverso, sa. (Del lat. *perversus.*) adj. Sumamente malo, depravado en las costumbres u obligaciones de su estado. Ú. t. c. s.

Pervertidor, ra. adj. Que pervierte. Ú. t. c. s.

Pervertimiento. (De *pervertir.*) m. **Perversión,** 1.ª acep.

Pervertir. (Del lat. *pervertĕre.*) tr. Perturbar el orden o estado de las cosas. || **2.** Viciar con malas doctrinas o ejemplos las costumbres, la fe, el gusto, etc. Ú. t. c. r.

Pervigilio. (Del lat. *pervigilĭum.*) m. Falta y privación de sueño; vela o vigilia continua.

Pervivir. (Del lat. *pervivĕre.*) intr. Seguir viviendo a pesar del tiempo o de las dificultades.

Pervulgar. (Del lat. *pervulgāre.*) tr. Divulgar, hacer público y notorio. || **2. Promulgar,** 1.ª y 2.ª aceps.

Pesa. (De *pesar.*) f. Pieza de determinado peso, que sirve para cerciorarse del que tienen las cosas, equilibrándolas con ella en una balanza. || **2.** Pieza de peso suficiente que, colgada de una cuerda, se emplea para dar movimiento a ciertos relojes, o de contrapeso para subir y bajar lámparas, etc. || **dineral.** Cualquiera de las piezas con que se pesan las monedas de oro y plata. || **Como, conforme,** o **según, caigan,** o **cayeren, las pesas.** loc. adv. fig. con que se da a entender que una cosa se hará o no, según las circunstancias.

Pesacartas. m. Balanza delicada con un platillo para pesar las cartas.

Pesada. f. Cantidad que se pesa de una vez. || **2.** ant. **Pesadilla,** 1.ª y 2.ª aceps.

Pesadamente. adv. m. Con pesadez. || **2.** Con pesar, molestia o desazón; de mala gana. || **3.** Gravemente o con exceso. || **4.** Con tardanza o demasiada lentitud en el movimiento o en la acción.

Pesadez. f. Calidad de pesado. || **2. Pesantez.** || **3.** fig. **Obesidad.** || **4.** fig. Terquedad o impertinencia propia del que es de suyo molesto y enfadoso. || **5.** fig. Cargazón, exceso, duración desmedida. PESADEZ *del tiempo, de cabeza.* || **6.** fig. Molestia, trabajo, fatiga.

Pesadilla. (De *pesada.*) f. Opresión del corazón y dificultad de respirar durante el sueño. || **2.** Ensueño angustioso y tenaz. || **3.** fig. Preocupación grave y continua que en el ánimo causa la resolución de un asunto importante o el peligro inminente o el temor de alguna adversidad.

Pesado, da. adj. Que pesa mucho. || **2.** V. **Día, espato, sueño pesado.** || **3.** V. **Palabra pesada.** || **4.** fig. **Obeso.** || **5.** fig. Intenso, profundo, hablando del sueño. || **6.** fig. Cargado de humores, vapores o cosa semejante. *Tiempo* PESADO, *cabeza* PESADA. || **7.** fig. Tardo o muy lento. || **8.** fig. Molesto, enfadoso, impertinente. || **9.** fig. Ofensivo, sensible. || **10.** fig. Duro, áspero e insufrible; fuerte, violento o dañoso.

Pesador, ra. adj. Que pesa. Ú. t. c. s.

Pesadumbre. f. Pesadez, 1.ª y 2.ª aceps. || **2.** Injuria, agravio. || **3.** fig. Molestia, o desazón; sentimiento y disgusto en lo físico o moral. || **4.** fig. Motivo o causa del pesar, desazón o sentimiento en acciones o palabras. || **5.** fig. Riña o contienda con uno, que ocasiona desazón o disgusto.

Pesadura. f. ant. **Pesadez,** 1.ª y 2.ª aceps.

Pesalicores. (De *pesar*, 2.º art. y *licor*.) m. Areómetro para líquidos menos densos que el agua.

Pésame. (3.ª pers. de sing. del pres. de indic. del verbo *pesar*, doler, y el pron. *me:* me pesa.) m. Expresión con que se significa a uno el sentimiento que se tiene de su pena o aflicción.

Pesamedello. (De la fr. *pésame de ello.*) m. Baile y cantar español de los siglos XVI y XVII.

Pesante. p. a. de **Pesar.** Que pesa. || **2.** adj. **Pesaroso.** || **3.** m. Pesa de medio adarme. || **de oro. Castellano,** 7.ª acep.

Pesantez. (De *pesante*.) f. **Gravedad,** 1.ª acep.

Pesar. (De *pesar*, 2.º art.) m. Sentimiento o dolor interior que molesta y fatiga el ánimo. || **2.** Dicho o hecho que causa sentimiento o disgusto. || **3.** Arrepentimiento o dolor de los pecados o de otra cosa mal hecha. || **A pesar.** m. adv. Contra la voluntad o gusto de las personas y, por extensión, contra la fuerza o resistencia de las cosas; no obstante. Pide la preposición *de* cuando la voz que inmediatamente le sigue no es un pronombre posesivo. *Lo haré* A PESAR *tuyo;* DE *cuantos quieran impedirlo;* DEL *cariño que te profeso;* DE *ser ya muy anciano.*

Pesar. (Del lat. *pensāre*.) intr. Tener gravedad o peso. || **2.** Tener mucho peso. || **3.** fig. Tener una cosa estimación o valor; ser digna de mucho aprecio. || **4.** fig. Causar un hecho o dicho arrepentimiento o dolor. Ú. sólo en las terceras personas con los pronombres *me, te, se, le,* etc. || **5.** fig. Hacer fuerza en el ánimo la razón o el motivo de una cosa. || **6.** tr. Determinar el peso de una cosa por medio de una balanza o de otro instrumento equivalente. || **7.** fig. Examinar con atención o considerar con prudencia las razones de una cosa para hacer juicio de ella. || **Mal que** me, te, le, nos, os, les **pese.** loc. adv. **Mal de** mi, **de** tu, **de** su, **de** nuestro, **de** vuestro **grado.** || **No pesarle** a uno **de haber nacido.** fr. fig. Presumir de gentileza, hermosura y otras prendas. || **Pese a.** loc. adv. **A pesar.** || **Pese a quien pese.** fr. fig. A todo trance, a pesar de todos los obstáculos o daños resultantes.

Pesario. (Del lat. *pessarium;* de *pessum*, tapón.) m. Aparato que se coloca en la vagina para corregir el descenso de la matriz.

Pesaroso, sa. (De *pesar*, sentimiento.) adj. Sentido o arrepentido de lo que se ha dicho o hecho. || **2.** Que por causa ajena tiene pesadumbre o sentimiento.

Pesca. (De *pescar*.) f. Acción y efecto de pescar. || **2.** Oficio y arte de pescar. || **3.** Lo que se pesca o se ha pescado. *Sitio abundante en* PESCA. || **¡Brava, buena,** o **linda, pesca!** fig. y fam. Persona muy sagaz, industriosa o artificiosa. || **2.** fig. y fam. Persona de malas costumbres.

Pescada. (De *pescar*.) f. **Merluza,** 1.ª acep. || **2.** En algunas partes, **cecial.** || **3.** *Germ.* **Ganzúa,** 1.ª acep. || **en rollo,** o **fresca. Merluza,** 1.ª acep.

Pescadería. (De *pescadero*.) f. Sitio, puesto o tienda donde se vende pescado.

Pescadero, ra. (Del lat. *piscatorius*.) m. y f. Persona que vende pescado, especialmente por menor.

Pescadilla. (De *pescada*.) f. Cría de la merluza.

Pescado. (Del lat. *piscātus*.) m. Pez comestible sacado del agua por cualquiera de los procedimientos de pesca. || **2.** Abadejo salado. || **3.** V. **Cola, comida, día, espina de pescado.** || **De los pescados, el mero; de las carnes, el carnero.** ref. **Del mar, el mero, y de la tierra, el carnero.**

Pescador, ra. (Del lat. *piscātor*.) adj. Que pesca. Ú. m. c. s. || **2.** V. **Anillo del Pescador.** || **3.** V. **Martín pescador.** || **4.** V. **Águila, rana pescadora.** || **5.** m. **Pejesapo.** || **Pescador de caña, más come que gana.** ref. que se dice contra los que por holgazanería buscan ejercicio de poco trabajo y escasa utilidad. || **Pescador que pesca un pez, pescador es.** ref. con que se consuela la persona cuya diligencia consigue alguna parte de lo que solicita.

Pescante. (De *pescar*, por semejanza.) m. Pieza saliente de madera o hierro sujeta a una pared, a un poste o al costado de un buque, etc., y que sirve para sostener o colgar de ella alguna cosa. || **2.** En los coches, asiento exterior desde donde el cochero gobierna las mulas o caballos. || **3.** Delantera del vehículo automóvil desde donde lo dirige el mecánico o conductor. || **4.** En los teatros, tramoya que sirve para hacer bajar o subir en el escenario personas o figuras.

Pescar. (Del lat. *piscāri*.) tr. Coger peces con redes, anzuelos, aparejos u otros instrumentos a propósito. || **2.** fig. y fam. Coger, agarrar o tomar cualquier cosa. || **3.** fig. y fam. Coger a uno en las palabras o en los hechos, cuando no lo esperaba, o sin prevención. || **4.** fig. y fam. Lograr o conseguir astutamente lo que se pretendía o anhelaba. || **5.** *Mar.* Sacar alguna cosa del fondo del mar o de un río.

Pesce. (Del lat. *piscis*.) m. ant. **Pez,** 1.er art., 1.ª acep.

Pescozada. (De *pescuezo*.) f. **Pescozón.**

Pescozón. m. Golpe que se da con la mano en el pescuezo o en la cabeza.

Pescozudo, da. adj. Que tiene muy grueso el pescuezo.

Pescuda. (De *pescudar*.) f. desus. **Pregunta,** 1.ª acep.

Pescudar. (Del lat. *perscrūtāri*.) tr. desus. **Preguntar,** 1.ª acep.

Pescuezo. (Como el port. *pescoço*, del lat. *post*, después, y tal vez un der. de *coca*, cabeza.) m. Parte del cuerpo del animal desde la nuca hasta el tronco. || **2.** fig. Altanería, vanidad o soberbia. *Tener* PESCUEZO; *sacar el* PESCUEZO. || **Andar al pescuezo .** fr. fig. y fam. Andar a golpes. || **Apretar,** o **estirar,** a uno **el pescuezo.** fr. fig. y fam. Ahorcarle. || **Torcer el pescuezo.** fr. fam. Matar una ave retorciéndole el **pescuezo.** || **Torcer** uno **el pescuezo.** fr. fig. y fam. **Morir,** 1.ª acep. || **Torcer** a uno **el pescuezo.** fr. fig. y fam. Matarle ahorcándole o con otro género de muerte semejante.

Pescuño. (Del lat. *post*, detrás, y *cunĕus*, cuña.) m. Cuña gruesa y larga con que se aprietan la esteva, reja y dental que tiene la cama del arado.

Pesebre. (Del lat. *praesēpe*.) m. Especie de cajón donde comen las bestias. || **2.** Sitio destinado para este fin. || **3.** Notable cúmulo de estrellas situadas en la constelación del Cangrejo. || **Conocer el pesebre.** fr. fig. y fam. con que se nota al que asiste con frecuencia y facilidad donde le dan de comer.

Pesebrejo. m. d. de **Pesebre,** 1.ª y 2.ª aceps. || **2.** Cada uno de los alveolos en las quijadas de las caballerías.

Pesebrera. f. Disposición u orden de los pesebres en las caballerizas. || **2.** Conjunto de ellos.

Pesebrón. (aum. de *pesebre*.) m. En los coches, cajón que tienen debajo del suelo en que se asientan los pies. || **2.** En los calesines y calesas, el mismo suelo.

Peseta. (d. de *peso*, moneda.) f. Moneda cuyo peso y ley han variado según los tiempos. Es la unidad monetaria en España. || **columnaria.** La labrada en América, que tiene el escudo de las armas reales entre columnas, y valía cinco reales de vellón. || **Cambiar la peseta.** fr. fig. y fam. Vomitar a consecuencia de haberse mareado o emborrachado.

Pésete. (3.ª pers. de sing. del pres. de subj. del verbo *pesar*, 4.ª acep., y el pron. *te*.) m. Especie de juramento, maldición o execración.

Pesetero, ra. adj. despect. Se dice de lo que cuesta o vale una peseta. *Coche* PESETERO.

Pesga. (Del ant. *pesgar*, pesar, y éste del lat. **pensicāre*, de *pensāre*.) f. desus. **Pesa.**

Pesgua. f. *Venez.* Árbol semejante al madroño, cuyas hojas secas son aromáticas y se usan para perfumar los templos esparciéndolas por el suelo, particularmente en Caracas.

¡Pesia! (Contracc. de *pese a;* de *pesar*, 2.º art.) interj. de desazón o enfado. || **¡Pesia tal!** interj. **¡Pesia!**

Pesiar. (De *¡pesia!*) intr. Echar maldiciones y reniegos.

Pésicos. m. pl. Antiguos habitantes de una parte de la región de los astures, en la España primitiva.

Pesillo. m. d. de **Peso.** || **2.** Balanza pequeña y muy exacta que sirve para pesar monedas.

Pésimamente. adv. m. Muy mal, rematadamente mal, del modo peor.

Pesimismo. (De *pésimo*.) m. Sistema filosófico que consiste en atribuir al universo la mayor imperfección posible. || **2.** Propensión a ver y juzgar las cosas en su aspecto más desfavorable.

Pesimista. adj. Que profesa el pesimismo. || **2.** Que propende a ver y juzgar las cosas por el lado más desfavorable. Ú. t. c. s.

Pésimo, ma. (Del lat. *pessimus*.) adj. sup. de **Malo.** Sumamente malo, que no puede ser peor.

Peso. (Del lat. *pensum*.) m. **Pesantez.** || **2.** Fuerza de gravitación ejercida sobre una materia. || **3.** El que por ley o convenio debe tener una cosa. *Pan falto de* PESO; *dar buen* PESO. || **4.** El de la pesa o conjunto de pesas que se necesitan para equilibrar en la balanza un cuerpo determinado. || **5.** Cosa pesada. || **6.** El que arroja en la báscula cada boxeador antes de una competición deportiva y con arreglo al cual se le clasifica en la categoría que le corresponde. || **7. Peso duro.** || **8.** Moneda imaginaria que en el uso común se suponía valer 15 reales de vellón. || **9. Balanza,** 1.ª acep. || **10.** Puesto o sitio público donde se vendían por mayor varias especies comestibles, principalmente de despensa; como tocino, legumbres, etc. || **11.** V. **Media, tonelada de peso.** || **12.** V. **Corredor del peso.** || **13.** *Amér.* Moneda de plata de mayor tamaño y cuyo valor oscila según los cambios, pero que no llega a las cinco pesetas del duro español. || **14.** fig. Entidad, substancia e importancia de una cosa. || **15.** fig. Fuerza y eficacia de las cosas no materiales. || **16.** fig. Carga o gravamen que uno tiene a su cuidado. || **17.** fig. Cargazón o abundancia de humores en una parte del cuerpo. || **18.** *Germ.* **Embargo,** 4.ª acep. || **atómico.** *Quím.* El correspondiente al átomo de cada cuerpo simple, referido al del hidrógeno tomado como unidad. || **bruto.** El total, inclusa la tara. || **corrido. Peso** algo mayor que el justo. || **de artifara.** *Germ.* Pan, 1.ª acep. || **de cruz.** La balanza de brazos iguales. || **duro.** Moneda de plata de **peso** de una onza y que valía ocho reales fuertes o 20 de vellón. || **2. Duro,** 16.ª acep. || **ensayado.** Moneda imaginaria que se tomaba como unidad en las casas de moneda de América para apreciar las barras de plata, y que excedía al **peso** fuerte en el importe de los gastos de braceaje y señoreaje. || **específico.** *Fís.* El de un cuerpo en comparación con el de otro de igual volumen tomado como unidad. || **fuerte. Peso duro.** || **gallo.** En categoría inferior a la de **peso** pluma, el boxeador profesional que pesa menos de 53 kilos 524 gramos, y el no profesional que no pasa de los 54 kilos. || **ligero.** En categoría superior a la de **peso** pluma, el boxeador profesional que pesa menos de 61 kilos 235 gramos, y el no profesional que no pasa de los 62 kilos. || **neto.** El que resta del **peso** bruto, deducida la tara. || **pesado.** El boxeador profesional que pesa más de 79 kilos 378 gramos, y el no profesional que rebasa los 80 kilos. || **pluma.** En categoría superior a la de **peso** gallo, el boxeador profesional que pesa menos de 57 kilos 152 gramos, y el no profesional que no pasa de los 58 kilos. || **real. Peso,** 10.ª acep. || **sencillo. Peso,** 8.ª acep. || **A peso de dinero, oro,** o **plata.** m. adv. fig. A precio muy subido. || **Caerse** una cosa **de su peso.** fr. fig. con que se denota su mucha razón o la evidencia de su verdad || **De peso.** loc. Con el **peso** cabal que debe tener una cosa por su ley. || **2.** fig. Dícese de la persona juiciosa y sensata. || **De su peso.** m. adv. Naturalmente o de su propio movimiento. || **En peso.** m. adv. En el aire, o sin que el cuerpo grave descanse sobre otro que el de la persona o cosa que le sujeta. || **2.** Enteramente o del todo. *La noche o el día* EN PESO. || **3.** fig. En duda, sin inclinarse a una parte o a otra. || **Llevar** uno **en peso** una cosa. fr. fig. Tenerla a su solo cargo y cuidado. || **No valer a peso de oveja** una cosa. fr. fig. y fam. Ser muy despreciable. || **Peso y medida quitan al hombre fatiga.** ref. que aconseja el buen régimen que se debe tener en las acciones de la vida humana. || **Tomar** uno **a peso** una cosa. fr. Sopesarla. || **2.** fig. Examinar o considerar con cuidado su entidad o substancia, haciéndose cargo de ella.

Pésol. (Del cat. *pésol*, y éste del lat. *pisŭlum.*) m. **Guisante.**

Pespuntador, ra. adj. Que pespunta. Ú. t. c. s.

Pespuntar. (Del lat. *post*, después, detrás, y *punctus*, punto.) tr. Coser o labrar de pespunte, o hacer pespuntes.

Pespunte. (De *pespuntar.*) m. Labor de costura, con puntadas unidas, que se hacen volviendo la aguja hacia atrás después de cada punto, para meter la hebra en el mismo sitio por donde pasó antes. || **Medio pespunte.** Labor que se ejecuta dejando la mitad de los hilos que se habían de coger en cada puntada, de suerte que entre **pespunte** y **pespunte** queden tantos hilos de hueco como lleva cada puntada.

Pespuntear. (De *pespunte.*) tr. **Pespuntar.**

Pesquera. (Del lat. *piscarĭa.*) f. Sitio o lugar donde frecuentemente se pesca. || **2.** *Pal.* **Presa,** 4.ª acep.

Pesquería. (De *pesquera.*) f. Trato o ejercicio de los pescadores. || **2.** Acción de pescar. || **3. Pesquera,** 1.ª acep.

Pesqueridor, ra. (De *pesquerir.*) adj. ant. **Pesquisidor.** Usáb. t. c. s.

Pesquerir. tr. ant. **Pesquirir.**

Pesquero, ra. adj. Que pesca. Aplícase a las embarcaciones y a las industrias con ella relacionadas.

Pesquirir. tr. ant. **Perquirir.**

Pesquis. (De *pesquisar.*) m. **Cacumen,** 2.ª acep.

Pesquisa. (Del lat. **perquīsus*, por *perquisītus*, de *perquirĕre*, buscar.) f. Información o indagación que se hace de una cosa para averiguar la realidad de ella o sus circunstancias. || **2.** m. ant. **Testigo,** 1.ª acep.

Pesquisante. p. a. de **Pesquisar.** Que pesquisa.

Pesquisar. tr. Hacer pesquisa de una cosa.

Pesquisidor, ra. (Del lat. *perquisītor.*) adj. Que pesquisa. Ú. t. c. s. || **2.** V. **Juez pesquisidor.**

Pestalociano, na. adj. Perteneciente o relativo a Pestalozzi, célebre pedagogo suizo, y a su método de enseñanza.

Pestano, na. (Del lat. *paestānus.*) adj. Natural de Pesto. Ú. t. c. s. || **2.** Perteneciente a esta ciudad de la Italia antigua.

Pestaña. (En ital. *pistagna;* en port. *pestana.*) f. Cada uno de los pelos que hay en los bordes de los párpados, para defensa de los ojos. || **2.** Adorno angosto que se pone al canto de las telas o vestidos, de fleco, encaje o cosa semejante, que sobresale algo. || **3.** Orilla o extremidad del lienzo, que dejan las costureras para que no se vayan los hilos en la costura. || **4.** Parte saliente y angosta en el borde de alguna cosa; como en la llanta de una rueda de locomotora, en la orilla de un papel o una plancha de metal, etc. || **5.** pl. *Bot.* Pelos rígidos que están colocados en el borde de dos superficies opuestas, sin hacer parte ni de una ni de otra. || **vibrátil.** *Biol.* **Cilio.** || **No mover pestaña.** fr. fig. **No pestañear.** || **No pegar pestaña.** fr. fig. y fam. **No pegar ojo.**

Pestañear. intr. Mover los párpados. || **2.** fig. Tener vida. || **No pestañear. Sin pestañear.** frs. figs. que denotan la suma atención con que se está mirando una cosa, o la serenidad con que se arrostra un peligro inesperado.

Pestañeo. (De *pestañear.*) m. Movimiento rápido y repetido de los párpados.

Pestañoso, sa. adj. Que tiene grandes pestañas. || **2.** Que tiene pestañas, como algunas plantas.

Peste. (Del lat. *pestis.*) f. Enfermedad contagiosa y grave que causa gran mortandad en los hombres o en los brutos. || **2.** Por ext., cualquiera enfermedad, aunque no sea contagiosa, que causa grande mortandad. || **3.** Mal olor. || **4.** fig. Cualquier cosa mala o de mala calidad en su línea, o que puede ocasionar daño grave. || **5.** fig. Corrupción de las costumbres y desórdenes de los vicios, por la ruina escandalosa que ocasionan . || **6.** fig. y fam. Excesiva abundancia de cosas en cualquier línea. || **7.** *Germ.* Dado de jugar. || **8.** pl. Palabras de enojo o amenaza y execración. *Echar* PESTES. || **Peste bubónica,** o **levantina.** *Med.* Enfermedad infecciosa epidémica y febril, caracterizada por bubones en diferentes partes del cuerpo y que produce con frecuencia la muerte. Se llama levantina por haber provenido las más de las veces de los países orientales. || **Decir,** o **hablar, pestes** de una persona. fr. fig. y fam. Hablar mal de ella.

Pestíferamente. adv. m. Muy mal o de un modo dañoso y pernicioso.

Pestífero, ra. (Del lat. *pestifer, -ĕri;* de *pestis*, peste, y *ferre*, llevar.) adj. Que puede ocasionar peste o daño grave, o que es muy malo en su línea. || **2.** Que tiene muy mal olor.

Pestilencia. (Del lat. *pestilentĭa.*) f. **Peste,** 1.ª a 4.ª aceps.

Pestilencial. (De *pestilencia.*) adj. **Pestífero.**

Pestilencialmente. adv. m. **Pestíferamente.**

Pestilencioso, sa. (Del lat. *pestilentiōsus.*) adj. Perteneciente a la pestilencia.

Pestilente. (Del lat. *pestĭlens, -entis.*) adj. **Pestífero.**

Pestillo. (Del lat. **pestellum*, por el clásico *pessŭlum.*) m. Pasador con que se asegura una puerta, corriéndolo a modo de cerrojo. || **2.** Pieza prismática que sale de la cerradura por la acción de la llave o a impulso de un muelle y entra en el cerradero. || **de golpe.** El de algunas cerraduras, dispuesto de modo que, dando un golpe a la puerta, queda cerrada y no se puede abrir sin llave.

Pestiño. (Del lat. *pistus*, majado, batido.) m. Fruta de sartén, hecha con porciones pequeñas de masa de harina y huevos batidos, que después de fritas en aceite se bañan con miel.

Pestorejazo. m. **Pestorejón.**

Pestorejo. (Del lat. *post auricŭlam*, detrás de la oreja.) m. **Cerviguillo.**

Pestorejón. m. Golpe dado en el pestorejo.

Pestuga. f. *And.* Fusta con ojal de cuero en el extremo, que sirve para avivar el caballo.

Pesuña. (Del lat. *pes, pedis*, el pie, y *ungŭla*, uña.) f. **Pezuña.**

Pesuño. (De *pesuña.*) m. Cada uno de los dedos, cubierto con su uña, de los animales de pata hendida.

Petaca. (Del mejic. *petlacalli*, sera o baúl.) f. Arca de cuero, o de madera o mimbres con cubierta de piel, y a propósito para formar el tercio de la carga de una caballería. Se ha usado mucho en América. || **2.** Estuche de cuero, metal u otra materia adecuada, que sirve para llevar cigarros o tabaco picado.

Petalismo. (Del gr. πεταλισμός; de πεταλίζω, desterrar; de πέταλον, hoja, por escribirse el voto en una hoja de olivo.) m. Especie de destierro usado entre los siracusanos.

Pétalo. (Del gr. πέταλον.) m. *Bot.* Cada una de las piezas que forman la corola de la flor.

Petalla. f. *Sal. Albañ.* Especie de alcotana que por uno de sus extremos termina en un martillo.

Petanque. m. *Min.* Mineral de plata nativa.

Petaquita. f. *Colomb.* Enredadera de flores rosadas.

Petar. intr. fam. Agradar, complacer.

Petar. intr. *Gal.* y *León.* Golpear en el suelo, llamar a la puerta.

Petardear. tr. *Mil.* Batir una puerta con petardos. || **2.** fig. Estafar, engañar, pedir algo de prestado con ánimo de no volverlo.

Petardero. m. Soldado que aplica y dispara el petardo. || **2.** fig. **Petardista.**

Petardista. com. Persona que estafa o pega petardos.

Petardo. (Del ital. *petardo;* de *peto*, pedo.) m. *Mil.* Morterete que, afianzado en una plancha de bronce, se sujeta a una puerta después de cargado, y se le da fuego para hacerla saltar con la explosión. || **2.** Hueso, cañuto o cosa semejante, que se llena de pólvora y se ataca y liga fuertemente para que, prendiéndole fuego, produzca una gran detonación. || **3.** fig. Estafa, engaño, petición de una cosa con ánimo de no volverla. || **Pegar un petardo** a uno. fr. fig. y fam. Pedirle dinero prestado y no volvérselo, o ejecutar alguna otra estafa o engaño semejante.

Petarte. (Del fr. *pétard.*) m. ant. **Petardo.**

Petaso. (Del lat. *petassus.*) m. *Arqueol.* Sombrero para viaje, que usaban los romanos.

Petate. (Del mejic. *petlatl*, estera.) m. Esterilla de palma, que se usa en los países cálidos para dormir sobre ella. || **2.** Lío de la cama, y la ropa de cada marinero, de cada soldado en el cuartel y de cada penado en su prisión. || **3.** fam. Equipaje de cualquiera de las personas que van a bordo. || **4.** fig. y fam. Hombre embustero y estafador. || **5.** fig. y fam. Hombre despreciable. || **Liar uno el petate.** fr. fig. y fam. Mudar de vivienda, y especialmente cuando es despedido. || **2.** fig. y fam. **Morir,** 1.ª acep.

Petenera. f. Aire popular parecido a la malagueña, con que se cantan coplas de cuatro versos octosílabos. || **Salir por peteneras.** fr. fig. y fam. Hacer o decir alguna cosa fuera de propósito.

Petequia. (Del gr. πιττάκια, pl. de πιττάκιον, emplasto.) f. *Med.* Mancha parecida a la picadura de la pulga, que no desaparece por la presión del dedo. Se observa en enfermedades agudas, ordinariamente graves.

Petequial. adj. Referente a la petequia. || **2.** Que tiene petequias. || **3.** V. **Tifus petequial.**

Petera. f. fam. **Pelotera.** || **2.** fam. Obstinación y cólera en la expresión de algún deseo, y principalmente terquedad y rabieta de los niños temosos.

Peteretes. (De *petar.*) m. pl. Golosinas, bocados apetitosos.

Peticano. (De *peticanon.*) m. *Impr.* Carácter de letra de 26 puntos.

Peticanon. (Del fr. *petit canon.*) m. *Impr.* **Peticano.**

Petición. (Del lat. *petitĭo, -ōnis.*) f. Acción de pedir. || **2.** Cláusula u oración con que se pide. *Las* PETICIONES *del padrenuestro.* || **3.** *For.* **Pedimento,** 2.ª acep. || **de principio.** *Lóg.* Vicio del razonamiento que consiste en poner por antecedente lo mismo que se quiere probar.

Peticionario, ria. (De *petición.*) adj. Que pide o solicita oficialmente una cosa. Ú. t. c. s.

Petifoque. (Del fr. *petit foc.*) m. *Mar.* Foque mucho más pequeño que el principal, de lona más delgada, y que se orienta por fuera de él.

Petigrís. (Del fr. *petit-gris.*) m. Ardilla común. Es nombre sólo usado en el comercio de pieles.

Petillo. (d. de *peto.*) m. Pedazo de tela cortado en triángulo, que las mujeres usaron por adorno delante del pecho. || **2.** Joya de la misma figura.

Petimetre, tra. (Del fr. *petit maître,* pequeño señor, señorito.) m. y f. Persona que cuida demasiadamente de su compostura y de seguir las modas.

Petirrojo. (De *peto* y *rojo.*) m. Pájaro del tamaño del pardillo, con las partes superiores aceitunadas, cuello, frente, garganta y pecho de color rojo vivo uniforme, y el resto de las partes inferiores blanco brillante.

Petitoria. (Del lat. *petitoria,* t. f. de *-rius,* petitorio.) f. fam. **Petición,** 1.ª y 2.ª aceps.

Petitorio, ria. (Del lat. *petitorĭus.*) adj. Perteneciente o relativo a petición o súplica, o que la contiene. || **2.** *For.* V. **Juicio petitorio.** || **3.** m. fam. Petición repetida e impertinente. || **4.** *Farm.* Cuaderno impreso de los medicamentos simples y compuestos de que debe haber surtido en las boticas.

Peto. (Del lat. *pectus,* pecho.) m. Armadura del pecho. || **2.** Adorno o vestidura que se pone en el pecho para entallarse. || **3.** Parte opuesta a la pala y en el otro lado del ojo, afilada o sin afilar, que tienen algunas herramientas; como el hacha, la podadera y el azadón. || **4.** V. **Azadón de peto.** || **5.** *Cuba.* Pez de gran tamaño, de color azul por el lomo y pálido por el vientre; es comestible. || **6.** *Zool.* Parte inferior de la coraza de los quelonios. || **volante.** El que llevaban los hombres de armas sobre el **peto** principal.

Petra. (Del arauc. *pütha.*) f. *Chile.* Mirtácea de unos tres metros de alto, con muchas ramas, cubiertas de un vello rojizo las más tiernas; hojas anchas, elípticas, muy variables, y flores blancas, dispuestas en panículo a lo largo de las ramas. La baya es negra, semejante a la del arrayán, comestible y de sabor agradable. Sus hojas y corteza son medicinales, y el polvo de ellas se usa en agricultura como insecticida y constituye un importante ramo de comercio.

Petral. (Del lat. *pectorāle.*) m. Correa o faja que, asida por ambos lados a la parte delantera de la silla de montar, ciñe y rodea el pecho de la cabalgadura. || **2.** *Mil.* V. **Carga de petral.**

Petraria. (Del lat. *pĕtra,* piedra.) f. **Balista.**

Petrarquesco, ca. adj. Propio y característico del Petrarca. || **2.** Parecido a cualquiera de las dotes o calidades por que se distingue este insigne poeta.

Petrarquista. adj. Admirador del Petrarca, o imitador de su estilo poético. Ú. t. c. s.

Petrel. (Del lat. *Petrus,* por alusión a San Pedro andando sobre las aguas.) m. Ave del orden de las palmípedas, muy voladora, del tamaño de una alondra, común en todos los mares, donde se la ve a enormes distancias de la tierra, nadando en las crestas de las olas, para coger los huevos de peces, moluscos y crustáceos, con que se alimenta. Es de plumaje pardo negruzco, con el arranque de la cola blanco, y vive en bandadas, que anidan entre las rocas de las costas desiertas.

Pétreo, a. (Del lat. *petrĕus.*) adj. De piedra, roca o peñasco. || **2.** Pedregoso, cubierto de muchas piedras. || **3.** De la calidad de la piedra.

Petrera. (Del lat. *pĕtra,* piedra.) f. **Pedrea,** 2.ª acep. || **2.** ant. Riña en que había mucho ruido y voces.

Petrificación. (De *petrificar.*) f. Acción y efecto de petrificar o petrificarse.

Petrificante. p. a. de **Petrificar.** Que petrifica.

Petrificar. (Del lat. *pĕtra,* piedra, y *facĕre,* hacer.) tr. Transformar o convertir en piedra, o endurecer una cosa de modo que lo parezca. Ú. t. c. r. || **2.** fig. Dejar a uno inmóvil de asombro.

Petrífico, ca. adj. Que petrifica o que tiene virtud de petrificar.

Petrografía. (Del gr. πέτρα, roca, y γράφω, describir.) f. Parte de la historia natural, que trata del estudio de las rocas.

Petróleo. (Del b. lat. *petrolĕum,* y éste del lat. *pĕtra,* piedra, y *olĕum,* aceite.) m. Líquido oleoso, más ligero que el agua y de color obscuro y olor fuerte, que se encuentra nativo en lo interior de la tierra y a veces forma grandes manantiales. Es una mezcla de carburos de hidrógeno, que arde con facilidad, y después de refinado tiene diversas aplicaciones.

Petrolero, ra. adj. Perteneciente o relativo al petróleo. || **2.** Dícese de la persona que con fines subversivos, sistemáticamente incendia o trata de incendiar por medio del petróleo. Ú. t. c. s. || **3.** m. y f. Persona que vende petróleo por menor.

Petrolífero, ra. (De *petróleo,* y el lat. *ferre,* llevar.) adj. Que contiene petróleo.

Petroso, sa. (Del lat. *petrōsus.*) adj. Aplícase al sitio o paraje en que hay muchas piedras. || **2.** *Zool.* Dícese también de cierta porción del hueso temporal.

Petrus in cunctis. (Lit., *Pedro en todo.*) loc. lat. con que se moteja al muy entremetido.

Petulancia. (Del lat. *petulantĭa.*) f. Insolencia, atrevimiento o descaro. || **2.** Vana y ridícula presunción.

Petulante. (Del lat. *petŭlans, -antis.*) adj. Que tiene petulancia. Ú. t. c. s.

Petulantemente. adv. m. Con petulancia.

Petunia. (De *petún,* nombre dado al tabaco en el Brasil.) f. Planta de la familia de las solanáceas, muy ramosa, con las hojas aovadas y enteras, y las flores infundibuliformes, grandes, olorosas y de color blanquecino.

Peucédano. (Del lat. *peucedănnum,* y éste del gr. πευκέδανον; de πευκεδανός, amargo como la resina.) m. **Servato.**

Peuco. (Del arauc. *peucu.*) m. *Chile.* Ave de rapiña, diurna, semejante al gavilán, aunque el color varía según la edad y el sexo del animal, dominando el gris ceniciento. Se alimenta de pajarillos, palomas y aun de pollos de otras aves, y a falta de ellos, come lagartijas y otros reptiles. || **bailarín.** *Chile.* Nombre vulgar del **peuco** blanco. || **blanco.** *Chile.* Ave de rapiña muy parecida al cernícalo hasta en el modo de mantenerse en el aire; pero el color es negro por el lomo y muy blanco por el vientre; por la cabeza, gris claro.

Peumo. (Del arauc. *pegu.*) m. *Bot.* **Boldo.**

Peyorar. (Del lat. *peiorāre;* de *peior,* peor.) tr. ant. **Empeorar**

Peyorativo, va. adj. Que empeora. Dícese principalmente de los conceptos morales.

Pez. (Del lat. *piscis.*) m. Animal vertebrado acuático, de respiración branquial y temperatura variable, con extremidades en forma de aletas aptas para la natación; piel cubierta por lo común de escamas; generación ovípara. En el estado embrionario carece de amnios y alantoides. || **2.** Pescado de río. || **3.** fig. Montón prolongado de trigo en la era, u otro cualquier bulto de la misma figura. || **4.** fig. y fam. Cosa que se adquiere con utilidad y provecho, especialmente cuando ha costado mucho trabajo o solicitud, con alusión a la pesca. *Caer el* PEZ. || **5.** pl. *Astron.* **Piscis.** || **6.** *Zool.* Clase de los **peces.** || **Pez austral.** *Astron.* Constelación muy notable situada debajo de Acuario. || **ballesta.** *Zool.* **Pez** plectognato, con la piel cubierta de escudetes, cuerpo deprimido y la primera aleta dorsal sostenida por fuertes radios espinosos. Es intertropical, pero hay una especie en el Mediterráneo. || **de colores.** El de forma y tamaño semejantes a los de la carpa, pero de colores vivos; rojo y dorado. Procede del Asia. || **del diablo.** Es una especie de gobio. || **de San Pedro. Gallo,** 2.ª acep. || **emperador. Pez espada.** || **espada. Pez** teleósteo marino del suborden de los acantopterigios, que llega a tener cuatro metros de longitud; de piel áspera, sin escamas, negruzca por el lomo y blanca por el vientre; cuerpo rollizo, cabeza apuntada, con la mandíbula superior en forma de espada de dos cortes y como de un metro de largo. Se alimenta de plantas marinas y su carne es muy estimada. || **luna.** *Zool.* **Pez** teleósteo marino, del suborden de los plectognatos, de cuerpo comprimido y truncado por detrás, algo más largo que alto, de color plateado, con las aletas dorsal, anal y caudal unidas entre sí. Vive en el Mediterráneo y puede alcanzar hasta dos metros de largo. || **martillo.** *Zool.* **Pez** selacio del suborden de los escualidos, cuya longitud suele ser de dos a tres metros, pero puede llegar a cinco y medio; su cabeza tiene dos grandes prolongaciones laterales, que dan al animal el aspecto de un martillo. Vive en los mares tropicales y en los templados, siendo frecuente en las costas meridionales de España y en las del norte de África. || **mujer. Manatí,** 1.ª acep. || **reverso. Rémora,** 1.ª acep. || **sierra. Priste.** || **volante. Volador,** 6.ª acep. || **2.** *Astron.* Constelación austral cercana al polo antártico. || **El pez que busca el anzuelo, busca su duelo.** ref. que enseña que es error grave dejarse engañar de la apariencia de las cosas o de una conveniencia ilusoria en que suele estar escondido algún daño. || **Estar uno como el pez en el agua.** fr. fig. y fam. Disfrutar comodidades y conveniencias. || **Picar el pez.** fr. fig. y fam. Dejarse engañar una persona, cayendo incautamente en algún ardid o trampa que se prepara a este fin. || **2.** fig. y fam. Ganar al juego. || **Salga pez o salga rana.** expr. fig. y fam. Dícese de los que emprenden a ciegas una cosa de dudoso éxito. || **Salga pez o salga rana, a la capacha.** ref. que reprende la codicia y ansia de los que recogen cuanto encuentran, por poco que valga.

Pez. (Del lat. *pix, picis.*) f. Substancia resinosa, sólida, lustrosa quebradiza y de color pardo amarillento, que se obtiene echando en agua fría el residuo que deja la trementina al acabar de sacarle el aguarrás. || **2. Alhorre,** 1.ª acep. || **blanca,** o **de Borgoña.** Trementina desecada al aire. || **elástica.** Mineral semejante al asfalto, pero menos duro y bastante elástico. || **griega. Colofonia.** || **naval.** Mixto de varios ingredientes, como son **pez** común, sebo de vacas, etc., derretidos al fuego. || **negra.** La que resulta de la destilación de las trementinas impuras, y es de color muy obscuro, por quedar mezclada con negro de humo. || **Dar** uno **la pez.** fr. fig. y fam. Llegar al último extremo de cualquier cosa, por alusión a la **pez** que suele hallarse en el interior de las corambres. || **Pez con pez.** m. adv. fig. Totalmente desocupado, desembarazado o vacío, por alusión a lo que sucede en los pellejos empegados cuando no tienen nada dentro.

Pezolada. (De *pezuelo.*) f. Porción de hilos sueltos sin tejer que están en los principios y fines de las piezas de paño.

Pezón. (Del lat. *petiŏlus,* con el suf. *-ón.*) m. *Bot.* Ramita que sostiene la hoja, la inflorescencia o el fruto en las plantas. || **2.** Botoncito que sobresale en los pechos o tetas de las hembras, por donde los hijos chupan la leche. || **3.** Extremo del eje, que sobresale de la rueda en los carros y coches. || **4.** Palo de unos 40 centímetros de largo por cinco de grueso, que se encaja perpendicularmente en el extremo del pértigo y en el cual se ata el yugo. || **5.** En los molinos de papel, extremo y remate del árbol. || **6.** fig. Punta o cabo de tierra o de cosa semejante. || **7.** fig. Parte saliente de ciertas frutas, como el limón, así llamada porque semeja el **pezón** de las hembras. || **8.** *Germ.* Asidero de la bolsa.

Pezonera. (De *pezón.*) f. Pieza de hierro que en los carruajes atraviesa la punta del eje para que no se salga la rueda. || **2.** Pieza redonda de plomo, estaño, boj, cristal o goma elástica, con un hueco en el centro, que usan las mujeres para formar los pezones cuando crían.

Pezpalo. (De *pez,* 1.er art., y *palo.*) m. **Pejepalo.**

Pezpita. (De *pizpita.*) f. **Aguzanieves.**

Pezpítalo. m. **Pezpita.**

Pezuelo. (Del lat. *petiŏlus,* de *pes,* pie.) m. Principio o fundamento del lienzo, que es una especie de fleco de muchos hilos, en los cuales se va atando con un nudo cada hebra de las de la urdimbre de la tela que se va a tejer.

Pezuña. (De *pesuña.*) f. Conjunto de los pesuños de una misma pata en los animales de pata hendida.

Phi. (Del gr. φῖ.) f. Vigésima primera letra del alfabeto griego, que se pronuncia *fi.* En el latín represéntase con *ph,* y en los idiomas neolatinos con estas mismas letras, o sólo con *f,* como acontece en el nuestro, según su ortografía moderna; v. gr.: *Falange, filosofía.*

Pi. (Del gr. πῖ.) f. Decimosexta letra del alfabeto griego, que corresponde a la que en el nuestro se llama *pe.*

Piache. (Del gall. *tarde piache,* tarde piaste, que, según el cuento, dijo un soldado que al tragarse un huevo empollado oyó piar al polluelo.) Voz que sólo tiene uso en la expresión familiar **tarde piache,** que significa que uno llegó tarde, o no se halló a tiempo en un negocio o pretensión.

Piada. f. Acción o modo de piar. || **2.** fig. y fam. Expresión de uno, parecida a la que otro suele usar. *Salvador tiene muchas* PIADAS *de su maestro.*

Piador, ra. adj. Que pía. || **2.** m. *Germ.* **Bebedor,** 2.ª acep.

Piadosamente. adv. m. Misericordiosamente, con lástima y piedad. || **2.** Según la piedad y las creencias cristianas.

Piadoso, sa. (Del lat. *pietōsus.*) adj. Benigno, blando, misericordioso, que se inclina a la piedad y conmiseración. || **2.** Aplícase a las cosas que mueven a compasión o se originan de ella. || **3.** Religioso, devoto.

Piafar. (En fr. *piaffer.*) intr. Alzar el caballo, ya una mano, ya otra, dejándolas caer con fuerza y rapidez casi en el mismo sitio de donde las levantó.

Pialar. (De *peal.*) tr. *Amér.* **Apealar.**

Piamadre. f. *Zool.* Meninge interna de las tres que tienen los batracios, reptiles, aves y mamíferos. Es tenue, muy rica en vasos y está en contacto con el tejido nervioso del encéfalo y de la medula espinal.

Piamáter. (Del lat. *pia mater,* madre piadosa.) f. *Zool.* **Piamadre.**

Piamente. adv. m. **Piadosamente.**

Piamontés, sa. adj. Natural del Piamonte. Ú. t. c. s. || **2.** Perteneciente a este país de Italia.

Pianista. com. Fabricante de pianos. || **2.** Persona que los vende. || **3.** Persona que profesa o ejercita el arte de tocar este instrumento.

Piano. (Del ital. *piano,* dulce, suave, y éste del lat. *planus,* llano.) adv. m. *Mús.* Con sonido suave y poco intenso. *Tocar* PIANO. || **2.** m. Instrumento músico de teclado y percusión. Compónese principalmente de cuerdas metálicas, de diferente longitud y diámetro, que ordenadas de mayor a menor en una caja sonora, y heridas por macillos, producen sonidos claros y vibrantes, tanto más o menos intensos cuanto es más o menos fuerte la pulsación de las teclas. Según su forma y dimensión, los hay de mesa, de cola y media cola, verticales, diagonales, etc. || **de manubrio. Organillo.**

Pianoforte. (Del ital. *pianoforte;* de *piano,* suave, dulce, y *forte,* fuerte.) m. **Piano.**

Pianola. (Nombre comercial registrado.) f. Piano que puede tocarse mecánicamente por pedales o por medio de corriente eléctrica. || **2.** Aparato que se une al piano y sirve para ejecutar mecánicamente las piezas preparadas al objeto.

Pian, pian. m. adv. fam. **Pian, piano.**

Pian, piano. (Del ital. *piano, piano,* despacio, despacio, y éste del lat. *planus,* llano.) m. adv. fam. Poco a poco, a paso lento.

Piante. p. a. de **Piar.** Que pía. Ú. sólo en la expresión familiar **piante ni mamante,** que, junta con los verbos *quedar, dejar* y otros, precedidos de negación, da a entender que no queda viviente alguno.

Piar. (Voz onomatopéyica.) intr. Emitir algunas aves, y especialmente el pollo, cierto género de sonido o voz. || **2.** fig. y fam. Llamar, clamar con anhelo, deseo e insistencia por una cosa. || **3.** *Germ.* **Beber,** 2.° art., 1.ª acep. Ú. t. c. tr.

Piara. f. Manada de cerdos, y por ext., la de yeguas, mulas, etc. || **2.** ant. Rebaño de ovejas.

Piarcón, na. (De *piar.*) m. y f. *Germ.* El que es gran bebedor.

Piariego, ga. adj. Aplícase al sujeto que tiene piara de yeguas, mulas o puercos.

Piastra. (Del ital. *piastra.*) f. Moneda de plata, de valor variable según los países que la usan. En lo general se aproxima a 25 céntimos de peseta.

Pica. (Como el fr. *pique,* el ital. *picca,* y el al. *pike;* de la raíz *pic-,* punta.) f. Especie de lanza larga, compuesta de una asta con hierro pequeño y agudo en el extremo superior. Usaron de ella los soldados de infantería. || **2.** Garrocha del picador de toros. || **3.** Escoda con puntas piramidales en los cortes, que usan los canteros para labrar piedra no muy dura. || **4.** Medida para profundidades, equivalente a 14 pies, o sea tres metros y ochenta y nueve centímetros. || **5.** Soldado armado de pica. || **6.** *Murc.* Época en que principia el celo de las perdices, o sea el tiempo en que se desbandan. || **seca.** Soldado que en lo antiguo servía en la milicia con la **pica,** sin ventaja o grado. || **suelta.** Soldado que servía con ella en la guerra y no iba armado de coselete. || **A pica seca.** m. adv. fig. Con trabajo y sin utilidad o graduación. || **Calar la pica.** fr. fig. Prepararla, ponerla en disposición de servirse de ella. || **Pasar por las picas.** fr. fig. Pasar muchos trabajos e incomodidades. || **Poder pasar por las picas de Flandes.** fr. fig. con que se pondera que una cosa tiene toda su perfección y que puede pasar por cualquier censura y vencer toda dificultad. || **Poner una pica en Flandes.** fr. fig. y fam. con que se explica la dificultad que cuesta conseguir una cosa. || **Saltar por las picas de Flandes.** fr. fig. y fam. Atropellar por cualesquiera respetos o inconvenientes. || **2.** fig. y fam. **Poner una pica en Flandes.**

Pica. (Del lat. *pica,* urraca.) f. *Med.* **Malacia.**

Picacero, ra. adj. Aplícase a las aves de rapiña, como el halcón, el azor, etc., que cazan picazas.

Picacho. m. Punta aguda, a modo de pico, que tienen algunos montes y riscos.

Picada. (De *picar.*) f. **Picotazo.** || **2. Picadura,** 4.ª acep. || **A picada de mosca, pierna,** o **pieza, de sábana.** ref. con que se moteja a las personas delicadas, particularmente cuando piden un gran remedio para un pequeño daño.

Picadero. (De *picar.*) m. Lugar o sitio donde los picadores adiestran y trabajan los caballos, y las personas aprenden a montar. || **2.** Madero de corto tamaño con una muesca en medio donde los carpinteros aseguran las cuñas u otros palos que adelgazan con la azuela. || **3.** Hoyo que hacen los gamos escarbando el suelo con las manos, al mismo tiempo que se aguzan los cuernos contra los árboles en la época del celo o ronca. || **4.** *Mar.* Cada uno de los maderos cortos que se colocan a lo largo del eje longitudinal de un dique o grada, y en sentido perpendicular al mismo, para que sobre ellos descanse la quilla del buque en construcción o en carena.

Picadillo. (De *picado.*) m. Cierto género de guisado que se hace picando carne cruda con tocino, verduras y ajos, y cociéndolo y sazonándolo todo con especias y huevos batidos. || **2.** Lomo de cerdo, picado, que se adoba para hacer chorizos. || **Estar,** o **venir,** uno **de picadillo.** fr. fig. y fam. Estar, o venir, enfadado y deseoso de que se ofrezca la más leve ocasión para dar a entender su sentimiento.

Picado, da. p. p. de **Picar.** || **2.** adj. Dícese del patrón que se traza con picaduras para señalar el dibujo, principalmente entre las encajeras. || **3.** Aplícase a lo que está labrado con picaduras o sutiles agujerillos puestos en orden. *Zapato, tafetán* PICADO. || **4.** m. **Picadillo,** 1.ª acep. || **5.** Acción y efecto de picar la bola de billar. || **6.** *Mús.* Modo de ejecutar una serie de notas interrumpiendo momentáneamente el sonido entre unas y otras, por contraposición al ligado.

Picador. (De *picar.*) m. El que tiene el oficio de domar y adiestrar caballos. ‖ **2.** Torero de a caballo que pica con garrocha a los toros. ‖ **3.** Tajo de cocina. ‖ **4.** *Germ.* Ladrón que usa de ganzúa. ‖ **5.** *Min.* El que tiene por oficio arrancar el mineral por medio del pico u otro instrumento semejante.

Picadura. f. Acción y efecto de picar una cosa. ‖ **2. Pinchazo,** 1.ª acep. ‖ **3.** En los vestidos o calzado, cisura que artificiosamente se hace para adorno o para conveniencia. ‖ **4.** Mordedura o punzada de una ave o un insecto o de ciertos reptiles. ‖ **5.** Tabaco picado para fumar, que, según lo esté en filamentos o en partículas informes, se llama en hebra o al cuadrado. ‖ **6.** Principio de caries en la dentadura.

Picafigo. (De *picar* y *figo.*) m. **Papafigo,** 1.ª acep.

Picaflor. (De *picar* y *flor.*) m. **Pájaro mosca.**

Picagallina. (De *picar* y *gallina.*) f. **Álsine.**

Picagrega. f. **Pega reborda.**

Picajón, na. adj. fam. **Picajoso.** Ú. t. c. s.

Picajoso, sa. adj. Que fácilmente se pica o da por ofendido. Ú. t. c. s.

Pical. m. En varias comarcas de España, sitio de confluencia o cruce de diferentes caminos vecinales.

Picamaderos. (De *picar* y *madero.*) m. **Pájaro carpintero.**

Picamulo. (De *picar* y *mulo.*) m. *Germ.* **Arriero.**

Picana. (De *picar.*) f. *Amér. Merid.* **Aguijada,** 1.ª acep.

Picanear. (De *picana.*) tr. *Amér. Merid.* **Aguijar,** 1.ª acep.

Picante. p. a. de **Picar.** Que pica. ‖ **2.** adj. V. **Palabra picante.** ‖ **3.** fig. Aplícase a lo dicho con cierta acrimonia o mordacidad, que, por tener en el modo alguna gracia, se suele escuchar con gusto, o a lo que expresa ideas o conceptos un tanto libres. ‖ **4.** m. Acerbidad o acrimonia que tienen algunas cosas, que avivan el sentido del gusto. ‖ **5.** fig. Acrimonia o mordacidad en el decir. ‖ **6.** *Germ.* **Pimienta,** 1.ª acep.

Picantemente. adv. m. Con intención de picar o herir.

Picaño. (De *pico.*) m. Remiendo que se echa al zapato.

Picaño, ña. (De *picar.*) adj. Pícaro, holgazán, andrajoso y de poca vergüenza.

Picapedrero. m. **Cantero,** 1.ª acep.

Picapica. f. Polvos, hojas o pelusilla vegetales que, aplicados sobre la piel de las personas, causan una gran comezón. Proceden de varias clases de árboles americanos.

Picapleitos. (De *picar* y *pleito.*) m. fam. **Pleitista.** ‖ **2.** fam. Abogado sin pleitos, que anda buscándolos. ‖ **3.** fam. Abogado enredador y rutinario. ‖ **4.** ant. Hombre embustero, trapisondista.

Picaporte. (De *picar* y *puerta.*) m. Instrumento para cerrar de golpe las puertas y ventanas. Se compone de una barrita de hierro movible que se clava por un extremo en el peinazo y se sostiene por una grapa con holgura para moverse lo necesario, y por el otro extremo encaja en una nariz de hierro que está clavada en el cerco. ‖ **2.** Llave con que se abre el **picaporte.** ‖ **3.** Llamador, aldaba. ‖ **de resbalón.** Especie de cerradura cuyo pestillo entra en el cerradero y queda encajado por la presión de un resorte.

Picaposte. m. **Picamaderos.**

Picapuerco. (De *picar* y *puerco.*) m. Ave del orden de las trepadoras, de unos 16 centímetros de longitud desde la punta del pico hasta la extremidad de la cola y 35 de envergadura, con plumaje negro brillante en las partes superiores, manchado de blanco en las alas, ceniciento en los lados de la cabeza y el cuello, sonrosado en el pecho y rojo vivo en la nuca y el abdomen. Es común en España y se alimenta de insectos que saca del estiércol.

Picar. (De *pico,* 1.er art.) tr. Herir leve y superficialmente con instrumento punzante. ‖ **2.** Herir el picador al toro en el morrillo con la garrocha, procurando detenerlo cuando acomete al caballo. ‖ **3.** Punzar o morder las aves, los insectos y ciertos reptiles. ‖ **4.** Cortar o dividir en trozos muy menudos. ‖ **5.** Tomar las aves la comida con el pico. ‖ **6.** Morder el pez el cebo puesto en el anzuelo para pescarlo; y por ext., acudir a un engaño o caer en él. ‖ **7.** Causar o producir escozor o comezón en alguna parte del cuerpo. Ú. t. c. intr. ‖ **8.** Enardecer el paladar ciertas cosas excitantes; como la pimienta, la guindilla, etc. Ú. t. c. intr. ‖ **9.** Comer uvas de un racimo tomándolas grano a grano. Ú. m. c. intr. ‖ **10. Espolear.** ‖ **11.** Adiestrar el picador al caballo. ‖ **12.** Herir con el taco la bola de billar fuera de su centro para imprimirle un movimiento giratorio, distinto del de traslación. ‖ **13.** Recortar o agujerear papel o tela haciendo dibujos. ‖ **14.** Golpear con pico, piqueta u otro instrumento adecuado, la superficie de las piedras para labrarlas, o la de las paredes para revocarlas. ‖ **15.** Restablecer las asperezas de las caras de la muela de molino, cuando se han desgastado por el uso. ‖ **16.** fig. Mover, excitar o estimular. Ú. t. c. intr. ‖ **17.** fig. Enojar y provocar a otro con palabras o acciones. ‖ **18.** fig. Desazonar, inquietar, estimular. Dícese regularmente de los juegos. ‖ **19.** En el juego de los cientos, contar el que es mano 60 puntos cuando según las jugadas debía contar 30, por no tener todavía ninguno el contrario. ‖ **20.** *Murc.* Moler o desmenuzar una cosa. ‖ **21.** *Mar.* Cortar a golpe de hacha o de otro instrumento cortante. ‖ **22.** *Mar.* Precipitar la boga, 2.° art., 1.ª acep. ‖ **23.** *Mar.* Hacer funcionar una bomba. ‖ **24.** *Mil.* Seguir al enemigo que se retira, atacando la retaguardia de su ejército. ‖ **25.** *Mús.* Hacer sonar una nota de manera muy clara, dejando un cortísimo silencio que la desligue de la siguiente. ‖ **26.** *Pint.* Concluir con algunos golpecitos graciosos y oportunos una cosa pintada. ‖ **27.** intr. Calentar mucho el sol. ‖ **28.** Tomar una ligera porción de un manjar o cosa comestible. ‖ **29.** Abrir un libro a la ventura para disertar sobre el punto que aparezca a la vista. ‖ **30.** fig. Empezar a concurrir compradores. ‖ **31.** fig. Empezar a obrar o tener su efecto algunas cosas no materiales. PICAR *la peste.* ‖ **32.** fig. Tener ligeras o superficiales noticias de las facultades, ciencias, etc. ‖ **33.** fig. Junto con la preposición *en,* tocar, llegar, rayar. PICAR EN *valiente,* EN *poeta.* ‖ **34.** r. Agujerearse la ropa por la acción de la polilla. ‖ **35.** Dañarse o empezar a pudrirse una cosa, y también avinagrarse el vino o carcomerse las semillas. ‖ **36.** Dícese también de los animales que están en celo por haber conocido hembra. ‖ **37.** Agitarse la superficie del mar formando olas pequeñas a impulso del viento. ‖ **38.** fig. Ofenderse, enfadarse o enojarse, a causa de alguna palabra o acción ofensiva o indecorosa. ‖ **39.** fig. Preciarse, jactarse de alguna cualidad o habilidad que se tiene. PICARSE *de caballero.* ‖ **40.** fig. Dejarse llevar de la vanidad, creyendo poder ejecutar lo mismo o más que otro en cualquiera línea. ‖ **Picar** uno **más alto,** o **muy alto.** fr. fig. con que se da a entender que se jacta con demasía de las calidades o partes que tiene, o que pretende y solicita una cosa muy exquisita y elevada, desigual a sus méritos y calidad.

Pícaramente. adv. m. Ruin e infamemente, con vileza y picardía.

Picaraza. f. **Picaza,** 1.er art.

Picardear. tr. Enseñar a alguno a hacer o decir picardías. ‖ **2.** intr. Decirlas o ejecutarlas. ‖ **3.** Retozar, enredar, travesear. ‖ **4.** r. Resabiarse, adquirir algún vicio o mala costumbre.

Picardía. (De *pícaro.*) f. Acción baja, ruindad, vileza, engaño o maldad. ‖ **2.** Bellaquería, astucia o disimulo en decir o hacer una cosa. ‖ **3.** Travesura de muchachos, chasco, burla inocente. ‖ **4.** Intención o acción deshonesta o impúdica. ‖ **5.** Junta o gavilla de pícaros. ‖ **6.** pl. Dichos injuriosos, denuestos.

Picardihuela. f. d. de **Picardía.**

Picardo, da. adj. Natural de Picardía. Ú. t. c. s. ‖ **2.** Perteneciente a esta provincia de Francia.

Picaresca. f. Junta de pícaros. ‖ **2.** Profesión de pícaros.

Picarescamente. adv. m. De modo picaresco.

Picaresco, ca. adj. Perteneciente o relativo a los pícaros. ‖ **2.** Aplícase a las producciones literarias en que se pinta la vida de los pícaros, y a este género de literatura.

Picaril. adj. **Picaresco,** 1.ª acep.

Picarizar. tr. **Picardear,** 1.ª acep.

Pícaro, ra. (Tal vez de *picar;* en port. *picaro.*) adj. Bajo, ruin, doloso, falto de honra y vergüenza. Ú. t. c. s. ‖ **2.** Astuto, taimado. Ú. t. c. s. ‖ **3.** fig. Dañoso y malicioso en su línea. *Hace un aire* PÍCARO. ‖ **4.** m. Tipo de persona descarada, traviesa, bufona y de mal vivir, que figura en obras magistrales de la literatura española. ‖ **de cocina. Pinche.** ‖ **Ni a pícaro descalzo, ni a hombre callado, ni a mujer barbada, no le des posada.** ref. que advierte el riesgo de admitir en casa, sin cautela, a persona de las cualidades que en él se expresan.

Picarón, na. adj. aum. de **Pícaro.** Ú. t. c. s.

Picaronazo, za. adj. aum. de **Picarón.**

Picarote. adj. aum. de **Pícaro.**

Picarrelincho. (De *picar* y *relinchar.*) m. **Picamaderos.**

Picarro. m. **Pico,** 2.° art.

Picarúa. f. *Murc.* **Becada.**

Picatoste. (De *picar,* cortar, y *tostar.*) m. Rebanadilla de pan tostada con manteca o frita.

Pica y huye. f. *Venez.* Insecto himenóptero, especie de hormiga muy pequeña, pero maligna, pues su picadura es dolorosa y produce calentura. En cuanto pica se va a todo correr, y de ahí su nombre.

Picaza. (Del lat. *pica.*) f. **Urraca.** ‖ **chillona,** o **manchada. Pega reborda.** ‖ **marina. Flamenco,** 10.ª acep.

Picaza. (De *pico,* 1.er, art.) f. *Murc.* Azada o legón pequeño que sirve para cavar la tierra superficialmente y limpiarla de las hierbas.

Picazo. m. Golpe que se da con la pica o con alguna cosa puntiaguda y punzante. ‖ **2.** Señal que queda de este golpe.

Picazo. (De *pico.,* 1.er art.) m. **Picotazo.** ‖ **2.** Pollo de la picaza.

Picazo, za. (De *picaza,* urraca.) adj. Dícese del caballo o yegua de color blanco y negro mezclados en forma irregular y manchas grandes. Ú. t. c. s. m.

Picazón. f. Desazón y molestia que causa una cosa que pica en alguna parte del cuerpo. ‖ **2.** fig. Enojo, desabrimiento o disgusto.

Picazuroba. (Del guaraní *pie* o *pic,* paloma; *azu,* grande, y *rob,* amarga, por el gusto de su carne.) f. Ave del orden de las gallináceas, semejante en el tamaño, forma y plumaje a la tórtola, pero con el pico y los pies de color negro rojizo, el pecho carmesí y el vientre encarnado.

Se encuentra en América desde el Brasil hasta los Estados Unidos.

Picea. (Del lat. *picĕa.*) f. Árbol parecido al abeto común, del cual se distingue por tener las hojas puntiagudas y las piñas más delgadas y colgantes al extremo de las ramas superiores. No la hay silvestre en España.

Píceo, a. (Del lat. *picĕus.*) adj. De pez o parecido a ella.

Picio. n. p. **Más feo que Picio.** expr. fig. y fam. Dícese de la persona excesivamente fea.

Pico. (Del m. or. que *pica*, 1.er art.) m. Parte saliente de la cabeza de las aves, compuesta de dos piezas córneas, una superior y otra inferior, que terminan generalmente en punta y les sirven para tomar el alimento. || **2.** Parte puntiaguda que sobresale en la superficie o en el borde o límite de alguna cosa. || **3.** Herramienta de cantero, con dos puntas opuestas aguzadas y enastada en un mango largo de madera, que sirve principalmente para desbastar la piedra. || **4.** Instrumento formado por una barra de hierro o acero, de unos 60 centímetros de largo y cinco de grueso, algo encorvada, aguda por un extremo y con un ojo en el otro para enastarla en un mango de madera. Es muy usado para cavar en tierras duras, remover piedras, etc. || **5.** Punta acanalada que tienen en el borde algunas vasijas, para que se vierta con facilidad el líquido que contengan, y en los candiles y velones, para que la mecha no arda más que lo necesario. || **6.** Cúspide aguda de una montaña. || **7.** Montaña de cumbre puntiaguda. || **8.** Parte pequeña en que una cantidad excede a un número redondo. *Mil pesetas y tres de* PICO. || **9.** Esta misma parte cuando se ignora cuál sea o no se quiere expresar. *Cien pesetas y* PICO. || **10.** Cantidad indeterminada de dinero. Se usa generalmente en sentido ponderativo. || **11.** V. **Azadón de pico.** || **12.** V. **Sombrero de tres picos.** || **13.** fig. y fam. **Boca,** 1.a y 2.a aceps. || **14.** fig. y fam. Facundia, expedición y facilidad en el decir. || **15. Punta,** 4.a acep. || **16.** *Chile.* Crustáceo del género bálano, de figura semejante a la cabeza del ave de su nombre y de carne blanca y sabrosa. || **17.** *Zool.* Órgano chupador de los hemípteros, el cual consiste en un tubo que contiene cuatro cerdas largas y punzantes con las que el animal perfora los tejidos vegetales o animales, haciendo salir de ellos los líquidos de que se alimenta. || **cangrejo.** *Mar.* **Cangrejo,** 6.a acep. || **de cigüeña.** Planta herbácea anual, de la familia de las geraniáceas, con tallos velludos y ramosos de cuatro a seis decímetros de altura; hojas pecioladas, grandes y recortadas en segmentos dentados por el margen; flores pequeñas, amoratadas, en grupillos sobre un largo pedúnculo, y fruto seco, abultado en la base y lo demás de forma cónica muy prolongada, el cual contiene cinco semillas. Es común en España en terrenos incultos y hay diversas especies. || **de oro.** fig. Persona que habla bien. || **Andar** uno **a picos pardos.** fr. fig. y fam. con que se da a entender que pudiendo aplicarse a cosas útiles y provechosas, se entrega a las inútiles o torpes, por no trabajar y por andarse a la briba. || **A pico de jarro.** m. adv. con que se explica la acción de beber sin medida. || **Callar** uno **el, o su, pico.** fr. fig. y fam. **Callar.** || **2.** fig. y fam. Disimular, o no darse por entendido de lo que sabe. || **De pico.** m. adv. fig. y fam. Sin obras; esto es, no queriendo o no pudiendo ejecutar lo que con las palabras se dice o promete. || **2.** Se dice del ave que vuela hacia el cazador. || **Donde otro mete el pico, mete tú el hocico.** ref. que aconseja entrar a la parte en las cosas de provecho cuando son comunes. || **Ese te hizo rico, que te hizo el pico.** ref. con que se da a entender la facilidad de hacer ahorros cuando no hay que costear la manutención. || **Hacer el pico** a uno. fr. fig. Mantenerle de comida. || **Hincar el pico.** fr. fam. **Morir,** 1.a acep. || **Irse** uno **a picos pardos.** fr. fig. y fam. **Andar a picos pardos.** || **Llevarse** a uno **en el pico.** fr. fig. y fam. Hacerle gran ventaja en la ejecución o comprensión de una cosa, y más regularmente en materia de ciencia. || **No perderá por su pico.** expr. fig. y fam. con que se nota al que se alaba jactanciosamente. || **Perder,** o **perderse,** uno **por el pico.** fr. fig. y fam. Venirle daño por haber hablado lo que no debía. || **Pico a viento.** m. adv. Con el viento en la cara. Ú. entre cazadores. || **Pico por sí.** m. adv. *Cetr.* Sin embarazo alguno de capirote ni de otra cosa en el **pico** del ave de rapiña. || **Poner en pico** a uno alguna cosa. fr. fig. y fam. Parlar, o dar noticia, de lo que sería mejor tener callado. || **Tener** una cosa **en el pico de la lengua.** fr. fig. y fam. **Tenerla en la punta de la lengua.** || **Tener** uno **mucho pico.** fr. fig. y fam. Descubrir todo lo que sabe o hablar más de lo regular.

Pico. (Del lat. *picus.*) m. **Picamaderos.** || **barreno,** o **carpintero. Pájaro carpintero.** || **de frasco.** *Venez.* **Tucán,** 1.a acep. || **verde.** Ave del orden de las trepadoras, semejante al pájaro carpintero, pero con plumaje verdoso y muy encarnado en el moño de la cabeza. Es común en España.

Pico. m. Peso usado en Filipinas, igual a 10 chinantas, y equivalente a 63 kilogramos y 262 gramos.

Picoa. (Del vasc. *lapicúa*, olla.) f. *Germ.* **Olla.**

Picofeo. (De *pico*, 1.er art., y *feo.*) m. *Colomb.* **Tucán,** 1.a acep.

Picol. (Del ital. *piccolo*, pequeño.) adv. c. *Germ.* Poco, en pequeña cantidad.

Picola. f. Especie de pico, 1.er art., 3.a acep., pequeño que tiene uso especial.

Picoleta. f. *Ál.* **Pistero.** || **2.** *Ar.* y *Murc.* Piqueta de albañil.

Picolete. (Del fr. *picolet.*) m. Grapa dentro de la cerradura, para sostener el pestillo.

Picón, na. (De *picar.*) adj. Dícese del caballo, mulo o asno cuyos dientes incisivos superiores sobresalen de los inferiores, por lo cual no pueden cortar bien la hierba. || **2.** m. Chasco, zumba o burla que se hace a uno para picarle e incitarle a que ejecute una cosa. || **3.** *Zool.* Pez pequeño de agua dulce, especie de barbo, que tiene la cabeza alargada y el hocico puntiagudo. || **4.** Especie de carbón muy menudo, hecho de ramas de encina, jara o pino, que sólo sirve para los braseros. || **5.** En algunas partes, arroz quebrantado. || **6.** *Germ.* **Piojo,** 1.a acep.

Piconero, ra. m. y f. Persona que fabrica o vende el carbón llamado picón. || **2.** m. Picador de toros.

Picor. m. Escozor que resulta en el paladar por haber comido alguna cosa picante. || **2. Picazón,** 1.a acep.

Picosa. (De *picar.*) f. *Germ.* **Paja,** 1.a y 2.a aceps.

Picoso, sa. (De *picar.*) adj. Aplícase al que está muy picado o señalado de viruelas.

Picota. (De *pica*, 1.er art.) f. Rollo o columna de piedra o de fábrica, que había a la entrada de algunos lugares, donde se exponían las cabezas de los ajusticiados, o los reos a la vergüenza. || **2.** Juego de muchachos, en que cada jugador tira un palo puntiagudo para clavarlo en el suelo y derribar el del contrario. || **3.** fig. Parte superior, en punta, de una torre o montaña muy alta. || **4.** *Mar.* Barra ahorquillada donde descansa el perno sobre el cual gira el guimbalete. || **Beba la picota de lo puro, que el tabernero medirá seguro.** ref. que advierte que cuando la justicia anda derecha, nadie se tuerce.

Picotada. f. **Picotazo.**

Picotazo. m. Golpe que dan las aves con el pico, o punzada repentina y dolorosa de un insecto. || **2.** Señal que queda de ellos.

Picote. (En port. *picoto* y *picote.*) m. Tela áspera y basta de pelo de cabra. || **2.** Cierta tela de seda muy lustrosa de que se hacían vestidos. || **3. Saco,** 3.a acep.

Picoteado, da. adj. Que tiene picos.

Picotear. tr. Golpear o herir las aves con el pico. || **2.** intr. fig. Mover de continuo la cabeza el caballo, de arriba hacia abajo y viceversa. || **3.** fig. y fam. Hablar mucho y de cosas inútiles e insubstanciales. || **4.** r. fig. y fam. Contender o reñir las mujeres entre sí, diciéndose palabras más o menos desagradables.

Picotería. (De *picotero.*) f. fam. Prurito de hablar.

Picotero, ra. (De *picotear*, hablar.) adj. fam. Que habla mucho y sin substancia ni razón, o dice lo que debía callar. Ú. t. c. s.

Picotillo. m. Picote de inferior calidad.

Picotín. m. Cuarta parte del cuartal, 4.a acep.

Picrato. (Del gr. πικρός, amargo.) m. *Quím.* Sal formada por el ácido pícrico.

Pícrico. (Del gr. πικρός, amargo.) adj. *Quím.* V. **Ácido pícrico.**

Picta. adj. lat. V. **Toga picta.**

Pictografía. (Del lat. *pictum*, supino de *pingĕre*, pintar, y el gr. γράφω, dibujar.) f. Escritura ideográfica que consiste en dibujar toscamente los objetos que han de explicarse con palabras.

Pictográfico, ca. adj. Perteneciente o relativo a la pictografía.

Pictórico, ca. (Del lat. *pictor*, pintor.) adj. Perteneciente o relativo a la pintura. || **2.** Adecuado para ser representado en pintura.

Picuda. f. *Cuba.* Pez semejante a la aguja, con manchas negras en los costados. Es comestible, pero suele causar ciguatera.

Picudilla. (De *picudillo.*) f. Ave del orden de las zancudas, de unos 20 centímetros de longitud desde la punta del pico hasta la extremidad de la cola y 35 de envergadura; con pico delgado, largo y negruzco, cabeza pequeña, alas agudas, cola corta y redonda; plumaje de color pardo obscuro en la cabeza, lomo y alas, blanquecino en el pecho y vientre y transversalmente rayado de blanco y negro en la cola; tarsos largos, finos y de color verde muy obscuro, lo mismo que los pies. Prefiere los parajes húmedos, se alimenta de insectos y gusanos, que busca entre la tierra, y es ave de paso en España.

Picudillo, lla. adj. d. de **Picudo.** || **2.** V. **Aceituna picudilla.** Ú. t. c. s.

Picudo, da. adj. Que tiene pico. || **2. Hocicudo.** || **3.** fig. y fam. Aplícase a la persona que habla mucho e insubstancialmente. || **4.** m. **Espetón,** 1.a acep.

Pichagua. f. *Venez.* Fruto del pichagüero.

Pichagüero. m. *Venez.* Especie de calabaza.

Pichana. f. *Argent.* Escoba rústica hecha con un manojo de ramillas.

Pichanga. f. *Colomb.* **Escoba.**

Piche. adj. V. **Trigo piche.** Ú. t. c. s.

Pichel. (Del b. lat. *picarium* y *bicarium*, y éste del gr. βῖκος.) m. Vaso alto y redondo, ordinariamente de estaño, algo más ancho del suelo que de la boca y con su tapa engoznada en el remate del asa.

Pichelería. f. Oficio de pichelero.

Pichelero. m. El que hace picheles.

Pichelingue. m. Pechelingue.

Pichella. (De *pichel.*) m. *Ar.* Jarro o vasija para medir vino, y cuya cabida es por término medio la mitad de un litro.

Pichi. (Voz araucana.) m. *Chile.* Arbusto de la familia de las solanáceas, con hermosas flores blancas, solitarias y muy numerosas en el extremo de los ramos tiernos. Se usa en medicina como diurético.

Pichihuén. (Del arauc. *pichi,* pequeño, y *huenu,* arriba.) m. Pez acantopterigio, muy estimado por su carne y que suele tener unos 40 centímetros de largo.

Pichiruche. m. *Chile.* Dícese de la persona insignificante.

Pichoa. f. *Chile.* Planta de la familia de las euforbiáceas, de raíz gruesa, con muchos tallos, largos de un decímetro o más, poblados de hojas alternas, ovaladas y oblongas que se terminan en umbelas trífidas con radios dicótomos. Es hierba muy purgante.

Pichola. (De *pichel.*) f. Medida de vino usada en Galicia y equivalente a poco más de un cuartillo.

Pichón. (Del fr. *pigeon,* y éste del lat. *pipio, -ōnis.*) m. Pollo de la paloma casera. ‖ **2.** fig. y fam. Nombre que suele darse a las personas del sexo masculino en señal de cariño.

Pichona. (De *pichón,* 2.ª acep.) f. fam. Nombre que suele darse a las personas del sexo femenino en señal de cariño. ‖ **2.** *Murc.* Juego de naipes usado entre gente del pueblo.

Pidén. (Del arauc. *pideñ.*) m. *Chile.* Ave parecida a la gallareta o foja española; es de color aceitunado por encima y rojizo por el vientre; pico rojo en la base, que se va tornando azulado y verdoso en el extremo; ojos purpúreos y tarsos y pies rojos. Frecuenta las riberas y se alimenta de gusanos y vegetales. Es muy tímida, y se domestica por su canto, que es melodioso.

Pidientero. (De *pedir.*) m. **Pordiosero.**

Pidón, na. (De *pedir.*) adj. fam. **Pedigüeño.** Ú. t. c. s.

Pie. (Del lat. *pes, pedis.*) m. Extremidad de cualquiera de los dos miembros inferiores del hombre, que sirve para sostener el cuerpo y andar. ‖ **2.** Parte análoga en muchos animales. ‖ **3.** Base o parte en que se apoya alguna cosa. ‖ **4.** Tallo de las plantas. ‖ **5.** La planta entera. ‖ **6.** Poso, hez, sedimento. ‖ **7.** Masa cilíndrica de uva pisada ya en el lagar y que, ceñida apretadamente con una tira de pleita, se coloca debajo de la prensa para exprimirla y sacar el mosto. ‖ **8.** Lana estambrada para las urdimbres. ‖ **9.** Imprimación que se usa en los tintes para asegurar y dar permanencia al color que definitivamente se emplea. ‖ **10.** En las medias, calcetas o botas, parte que cubre el **pie.** ‖ **11.** Cada una de las partes, de dos, tres o más sílabas, de que se compone y con que se mide un verso en aquellas poesías que, como la griega, la latina y las orientales, atienden a la cantidad. ‖ **12.** Cada uno de los metros que se usan para versificar en la poesía castellana. ‖ **13.** En el juego, el último en orden de los que juegan, a distinción del primero, llamado mano. ‖ **14.** Palabra con que termina lo que dice un personaje en una representación dramática, cada vez que a otro le toca hablar. ‖ **15.** Medida de longitud usada en muchos países, aunque con varia dimensión. El **pie** de Castilla, tercera parte de la vara, se divide en 12 pulgadas y equivale próximamente a 28 centímetros. ‖ **16.** Regla, planta, uso o estilo. *Se puso sobre el* PIE *antiguo.* ‖ **17.** Parte final de un escrito, y espacio en blanco que queda en la parte inferior del papel, después de terminado. *Al* PIE *de la carta. Cabeza y* PIE *del testamento.* ‖ **18. Membrete,** 3.ª acep. ‖ **19.** Parte, especialmente la primera, sobre que se forma una cosa. PIE *de librería, de ejército.* ‖ **20.** Parte opuesta en algunas cosas a la que es principal en ellas, que llaman cabecera. Ú. m. en pl. *Los* PIES *de la iglesia; a los* PIES *de la cama.* ‖ **21.** Fundamento, principio o base para alguna cosa. ‖ **22.** Ocasión o motivo de hacerse o decirse una cosa. *Dar* PIE; *tomar* PIE. ‖ **23.** V. **Aceite, agua, clavo de pie.** ‖ **24.** V. **Llave del pie.** ‖ **25.** *Carp.* Cada una de las partes inferiores de un mueble, que lo sustentan. ‖ **26.** pl. Con los adjetivos *muchos, buenos* y otros semejantes, agilidad y ligereza en el caminar. ‖ **Pie ambulacral.** *Zool.* Cada uno de los tubitos eréctiles, con aspecto de tentáculos y terminados en una pequeña ventosa, que salen por diminutos orificios del caparazón de los equinodermos; están dispuestos en filas que parten de la boca en sentido radial y sirven como órganos de locomoción del animal. ‖ **columbino. Pie de paloma.** ‖ **cuadrado.** Medida superficial de un cuadrado cuyo lado es un **pie** y equivale a 776 centímetros cuadrados. ‖ **cúbico.** Volumen de un cubo de un **pie** de lado, equivalente a 21 decímetros cúbicos y 63 centésimas de decímetro cúbico. ‖ **de altar.** Emolumentos que se dan a los curas y otros ministros eclesiásticos por las funciones que ejercen, además de la congrua o renta que tienen por sus prebendas o beneficios. ‖ **de amigo.** Todo aquello que sirve para afirmar y fortalecer otra cosa. ‖ **2.** Instrumento de hierro a modo de horquilla, que se ponía debajo de la barba a los reos a quienes se azotaba o sacaba a la vergüenza, para impedirles que bajasen la cabeza y ocultasen el rostro. ‖ **de banco.** fig. y fam. **Pata de gallo,** 2.ª acep. ‖ **2.** fig. y fam. V. **Razón, salida de pie de banco.** ‖ **de becerro. Aron.** ‖ **de burro. Bálano,** 2.ª acep. ‖ **de cabalgar. Pie** izquierdo del jinete. ‖ **2. Pie** izquierdo de la cabalgadura. ‖ **de cabra.** Palanqueta hendida por uno de sus extremos en forma de dos uñas u orejas. ‖ **2. Percebe.** ‖ **de carnero.** *Mar.* Cualquiera de los dos puntales que hay desde la escotilla hasta la sobrequilla, y tienen a trechos unos pedazos de madera, por donde baja la gente de mar a la bodega. ‖ **de gallina. Quijones.** ‖ **de gallo.** Lance en el juego de damas, que se hace cuando uno de los jugadores tiene tres damas y la calle mayor, y el otro sólo una dama; y el que tiene las tres las pone en una figura que se asemeja al **pie** de gallo, para que el contrario pierda la suya sin pasar de 12 jugadas. ‖ **2.** Armadura de hierro de donde colgaban las sopandas o correones de los antiguos coches. ‖ **3. Pata de gallina.** ‖ **4. Pata de gallo,** 2.ª acep. ‖ **de gato. Patilla,** 2.ª acep. ‖ **de gibao.** Danza aristocrática que tuvo uso en España hasta mediar el siglo XVII. ‖ **de imprenta.** Expresión de la oficina, lugar y año de la impresión, que suele ponerse al principio o al fin de los libros y otras publicaciones. ‖ **de león.** Planta herbácea anual, de la familia de las rosáceas, con tallos erguidos, ramosos, de cuatro a cinco decímetros; hojas algo abrazadoras, plegadas y hendidas en cinco lóbulos dentados, algo parecidos al **pie** del león, y flores pequeñas y verdosas, en corimbos terminales. Es común en España y se ha empleado en cocimientos como tónica y astringente. ‖ **de liebre.** Especie de trébol muy común en terrenos arenosos de España. Tiene el tallo derecho, de dos decímetros y medio de alto, delgado, muy ramoso y lleno de vello blanco, así como las hojas, que son pequeñas y puntiagudas. Las flores son encarnadas, pequeñas, muy vellosas y suaves, y nacen formando una espiga de figura oval, blanquizca. ‖ **de montar. Pie de cabalgar.** ‖ **de Orión.** *Astron.* **Rigel.** ‖ **de paliza. Vuelta,** 11.ª acep. ‖ **de paloma. Onoquiles.** ‖ **derecho.** *Arq.* Madero que en los edificios se pone verticalmente para que cargue sobre él una cosa. ‖ **2.** Cualquier madero que se usa en posición vertical. ‖ **de tierra.** fig. **Palmo de tierra.** ‖ **forzado.** Verso o cada uno de los consonantes o asonantes fijados de antemano para una composición que haya de acabar necesariamente en dicho verso, o que necesariamente haya de tener la rima prefijada. ‖ **geométrico. Pie** romano antiguo, que tiene con el de Castilla la relación de 1.000 a 923. ‖ **quebrado.** Verso corto, de cinco sílabas a lo más, y de cuatro generalmente, que alterna con otros más largos en ciertas combinaciones métricas llamadas coplas de **pie** quebrado. ‖ **2.** V. **Copla de pie quebrado.** ‖ **Siete pies de tierra.** fig. **Sepultura,** 2.ª y 3.ª aceps. ‖ **A cuatro pies.** m. adv. **A gatas.** ‖ **A los pies** de uno. fr. fig. Con los verbos *estar, quedar* o *ponerse,* expresos o sobrentendidos, **besar los pies.** ‖ **Al pie.** m. adv. Cercano, próximo, inmediato a una cosa. AL PIE *del árbol.* ‖ **2.** fig. Cerca o casi. *Me dio* AL PIE *de mil pesetas.* ‖ **Al pie de fábrica.** m. adv. de que se usa hablando del valor primitivo que tiene una cosa en el sitio donde se fabrica. ‖ **Al pie de la cuesta.** m. adv. fig. Al principio de una empresa o carrera larga o difícil. ‖ **Al pie de la letra.** m. adv. **A la letra.** ‖ **Al pie de la obra.** m. adv. que se emplea a propósito del valor que tienen, ya puestos en el sitio donde se construye una casa u otra obra análoga, los materiales que en ella se han de emplear. ‖ **Andar** uno **de pie quebrado.** fr. fig. y fam. **Andar de capa caída.** ‖ **Andar** uno **en un pie,** o **en un pie como grulla,** o **como las grullas** fr. fig. y fam. Hacer las cosas con diligencia y presteza. ‖ **A pie** m. adv. con que se explica el modo de caminar uno sin caballería ni en carruaje. ‖ **A pie enjuto.** m. adv. Sin mojarse los **pies** al andar por sitio donde hay o debiera haber agua. ‖ **2.** fig. Sin zozobras ni peligros. ‖ **3.** fig. Sin fatiga ni trabajo. ‖ **A pie firme** m. adv. Sin moverse o apartarse del sitio que se ocupaba. ‖ **2.** fig. Constante o firmemente, o con seguridad. ‖ **A pie juntillas,** o **juntillo,** o **a pies juntillas.** m. adv. Con los **pies** juntos. *Saltó* A PIE JUNTILLAS. ‖ **2.** fig. Firmemente, con gran porfía y terquedad. *Creer* A PIE JUNTILLAS; *negar* A PIE JUNTILLO. ‖ **A pie llano.** m. adv. Sin escalones. ‖ **2.** fig. Fácilmente, sin embarazo ni impedimento. ‖ **A pie quedo.** m. adv. Sin mover los **pies;** sin andar. ‖ **2.** fig. Sin trabajo o diligencia propia. ‖ **Arrastrar** uno **los pies.** fr. fig. y fam. Estar ya muy viejo. ‖ **Asentar** uno **el pie.** fr. Pisar seguro, sentar el **pie** con firmeza. ‖ **2.** fig. Proceder con tiento y madurez en sus operaciones, por la experiencia o escarmiento que ya tiene. ‖ **Besar los pies** a uno. fr. fig. que de palabra o por escrito se usa hablando, con personas reales, por respeto y sumisión, y con damas, por cortesanía y rendimiento. ‖ **Buscar** uno **cinco,** o **tres, pies al gato.** fr. fig. y fam. Empeñarse temerariamente en cosas que pueden acarrearle daño. ‖ **Caer de pies** uno. fr. fig. Tener felicidad en aquellas cosas en que hay peligro. ‖ **Cerrado como pie de muleto.** expr. fig. y fam. De genio duro y obstinado; que no da oídos a las razones. ‖ **Cojear uno del**

mismo pie que otro. fr. fig. y fam. Adolecer del mismo vicio o defecto que él. || **Comerle** a uno **los pies.** fr. fig. Tener prisa por ir a alguna parte. || **Comer por los pies** a uno. fr. fig. Ocasionarle gastos excesivos; serle muy gravoso. || **Con buen pie.** m. adv. fig. Con felicidad, con dicha. || **Con mal pie.** m. adv. fig. Con infelicidad o desdicha. || **Con pie, o pies, de plomo.** m. adv. fig. y fam. Despacio, con cautela y prudencia. Ú. comúnmente con el verbo *ir.* || **Con pie derecho.** m. adv. fig. Con buen agüero, con buena fortuna. || **Con un pie en el hoyo, el sepulcro,** o **la sepultura.** m. adv. fig. y fam. Cercano a la muerte, por vejez o por enfermedad. || **Cortar por el pie.** fr. Echar abajo los árboles, cortándolos a ras de la tierra. || **Dar con el pie** a una cosa. fr. fig. Tratarla con desprecio o poca estimación. || **Dar el pie** a uno. fr. Servirle de apoyo para subir a un lugar alto, tomándole un **pie** para ayudarle. || **Dar** a uno **el pie y tomarse la mano.** fr. fig. y fam. con que se moteja al que se propasa tomándose otras libertades con ocasión de la que se le permite. || **Dar pie.** fr. fig. Ofrecer ocasión o motivo para una cosa. || **Dar por el pie** a una cosa. fr. Derribarla o destruirla del todo. || **De a pie.** loc. Dícese de los soldados, guardas, monteros y otros, que para sus ocupaciones no usan de caballo, por contraposición a los que lo tienen. || **2.** V. **Escudero, lanzada de a pie.** || **Dejar** a uno **a pie.** fr. fig. Quitarle la conveniencia o empleo que tenía; dejarle desacomodado. || **Del pie a la mano.** expr. fig. De un instante para otro. || **De pie. De pies.** ms. advs. **En pie.** || **De pies a cabeza.** m. adv. **Enteramente.** || **Donde pongo los pies, pongo los ojos.** expr. fig. con que uno explica el dolor que tiene en los **pies,** y que le lastiman como si lo tuviera en los ojos. || **Echar el pie adelante** a uno. fr. fig. y fam. Aventajarle, excederle en una cosa. || **Echar el pie atrás.** fr. fig. y fam. No mantenerse firme en el puesto que se ocupaba o en la resolución que se tenía. || **Echar pie a tierra.** fr. Descabalgar o bajarse del coche, etc. || **Echarse a los pies de** uno. fr. fig. Pedirle con acatamiento y sumisión una cosa. || **El pie del dueño, estiércol es para la heredad.** ref. que significa cuánto importa la presencia del señor para que vayan bien sus cosas o se adelanten. || **El que está en pie, mire no caiga.** fr. proverb. que enseña el cuidado que se debe tener en la prosperidad, por lo inconstante que es la fortuna. || **En buen pie.** m. adv. fig. En buen estado, en el orden debido. || **2.** fig. **Con buen pie.** || **En pie.** m. adv. con que se denota que uno se ha levantado ya de la cama restablecido de una enfermedad, o que no hace cama por ella. Ú. con los verbos *andar, estar,* etc. || **2.** Empléase también para explicar la forma de estar o ponerse uno derecho, erguido o afirmado sobre los **pies.** || **3.** fig. Con permanencia y duración, sin destruirse ni acabarse. || **4.** fig. Constante y firmemente. || **En pie de guerra.** loc. adv. Dícese del ejército que en tiempo de paz se halla apercibido y preparado como si fuese a entrar en campaña. Ú. con los verbos *estar, poner* y algún otro, y suele aplicarse también a la plaza, comarca o nación que se arma y pertrecha de todo lo necesario para combatir. || **Entrar con buen pie,** o **con el pie derecho,** o **con pie derecho.** frs. figs. Empezar a dar acertadamente los primeros pasos en un negocio. || **Estar a los pies de** uno. fr. fig. **Besar los pies.** || **Estar** uno **al pie del cañón.** loc. fam. No desatender ni por un momento un deber, ocupación, etc. || **Estar** uno **a los pies de los caballos.** fr. fig. Estar muy abatido y despreciado. || **Estar** uno **con el pie en el estribo.** fr. fig. Estar dispuesto y próximo a hacer un viaje. || **Estar** uno **con un pie en el aire.** fr. fig. y fam. No estar de asiento en una parte o estar próximo a hacer un viaje. || **Estar** uno **con un pie en la sepultura.** fr. fig. Estar muy próximo a morir, por sus años o por enfermedad grave que padece. || **Estar en pie** una cosa. fr. fig. Permanecer, durar, existir. || **Estar** uno **en un pie,** o **en un pie como grulla,** o **como las grullas.** fr. fig. y fam. **Andar en un pie,** etc. || **Faltarle** a uno **los pies.** fr. fig. Perder el equilibrio a punto de caer o estar para caer. || **Hacer** una cosa **con los pies.** fr. fig. Hacerla mal. || **Hacer** a uno **levantar los pies del suelo.** fr. fig. Inquietarle, obligándole a ejecutar lo que no pensaba. || **Hacer pie.** fr. fig. Hallar fondo en que sentar los **pies,** sin necesidad de nadar, el que entra en un río, lago, etc. || **2.** En los lagares, preparar el montón de uva o de aceituna que se ha de pisar. || **3.** fig. Dícese del que se afirma o va con seguridad en una especie o intento. || **4.** fig. Pararse o estar de asiento en una parte o lugar. || **Herir de pie y de mano.** fr. Temblar violentamente por cualquier causa. || **Ir** uno **por su pie.** fr. Ir andando. || **2.** Valerse por sí mismo. || **Ir** uno **por su pie a la pila.** fr. fig. con que se le motejaba de cristiano nuevo, por lo tardío de su bautismo. || **Írsele los pies** a uno. fr. **Resbalar,** 1.ª acep. || **2.** fig. Cometer por imprudencia una falta o desacierto. || **Irse** uno **por pies,** o **por sus pies.** fr. Huir, escapar, por la ventaja que hace en la carrera al que le sigue. || **Juntos los pies.** m. adv. **A pie juntillas,** 1.ª acep. || **Los pies del hortelano no echan a perder la huerta.** ref. que enseña que el que entiende las cosas que maneja, evita fácilmente los yerros que comete el que se introduce en ellas sin inteligencia. || **Más viejo que andar a pie.** expr. fig. **Más viejo que la sarna.** || **Meter el pie.** fr. fig. y fam. Introducirse en una casa, o bien en un negocio o dependencia. || **Meter un pie.** fr. fig. y fam. con que se explica que uno ha empezado a experimentar adelantamiento en el logro de su pretensión. || **Mirarse** uno **a los pies.** fr. fig. Reconocer las faltas o defectos que tiene, para no envanecerse; abatir su presunción. || **Nacer** uno **de pie,** o **de pies.** fr. fig. y fam. Tener buena fortuna. || **No bullir** uno **pie ni mano.** fr. Permanecer inmóvil, como muerto. || **No caber de pies.** fr. fig. y fam. con que se da a entender la estrechez con que se está en una parte por el demasiado concurso de gente. || **No dar** uno **pie con bola.** fr. fig. y fam. Equivocarse muchas veces seguidas. || **No dar pie ni patada.** fr. fig. y fam. No hacer en una materia diligencia alguna. || **No dejar** a uno **sentar el pie en el suelo.** fr. fig. y fam. Traerle continuamente ejercitado y ocupado, sin permitirle rato de ocio o descanso. || **No irse** una cosa **por pies.** fr. fig. Tenerla asegurada; no ser fácil que deje de lograrse. || **No llegarle** a uno **al pie.** fr. fig. **No llegarle a la suela del zapato.** || **No llevar** una cosa **pies ni cabeza.** fr. fig. y fam. **No tener pies ni cabeza.** || **No poderse tener** uno **en pie.** fr. con que se explica la debilidad que padece por enfermedad o por descaecimiento originado de cansancio, etc. || **No poner** uno **los pies en el suelo.** fr. fig. con que se pondera la ligereza o velocidad con que corre o camina. || **No tener** una cosa **pies ni cabeza.** fr. fig. y fam. No tener orden ni concierto. || **Pasar del pie a la mano.** fr. que se dice de las bestias que tienen el paso tan largo, que con el **pie** pisan más adelante de donde pisaron con la mano. || **Perder pie.** fr. fig. No encontrar el fondo en el agua el que entra en un río, lago, etc. || **2.** fig. Confundirse y no hallar salida en el discurso. || **Pie adelante.** m. adv. fig. Con adelantamiento o mejora en lo que se pretende. Ú. más en frases negativas. *No he podido ir* PIE ADELANTE. || **Pie ante pie.** m. adv. **Paso a paso.** || **Pie a tierra.** expr. que se usa para mandar a uno que se apee de la caballería. || **2.** Se extiende al que está en un lugar alto para decirle que baje. || **3.** loc. Desmontado del caballo. || **Pie atrás.** m. adv. fig. con que se explica la pérdida, detención o atraso en lo que se intenta. || **Pie con bola.** expr. fam. Justamente, sin sobrar ni faltar nada. || **Pie con pie.** m. adv. fig. Muy de cerca y como tocándose una persona a otra con los **pies.** || **Pies, ¿para qué os quiero?** expr. que denota la resolución de huir de un peligro. || **Poner** a uno **a los pies de los caballos.** fr. fig. y fam. Tratarle o hablar de él con el mayor desprecio. || **Poner** a uno **el pie sobre el cuello, o el pescuezo.** fr. fig. Humillarle o sujetarle. || **Poner los pies en** una parte. fr. Ir a ella. Ú. más con negación. || **Poner** uno **los pies en el suelo.** fr. fig. y fam. Levantarse de la cama. || **Poner pies con cabeza** las cosas. fr. fig. y fam. Confundirlas, trastornarlas, contra el orden regular. || **Poner** uno **pies en pared.** fr. fig. y fam. Mantenerse con tenacidad en su opinión o dictamen; insistir con empeño y tesón. || **Poner pies en polvorosa.** fr. fig. y fam. Huir, escapar. || **Ponerse** uno **de pies en la dificultad.** fr. fig. Haberla entendido y penetrado. || **Ponerse de pies en un negocio.** fr. fig. y fam. Entenderlo o comprenderlo; hacerse cargo de él. || **Quedarse** uno **a pie.** fr. fam. No haber podido servirse del vehículo en que se proponía viajar. || **Quedar,** o **quedarse, en pie la dificultad.** fr. fig. con que se da a entender que subsiste o que volverá a ocurrir. || **Recalcarse el pie.** fr. Lastimarse por haberse torcido en un movimiento violento. || **Saber de qué pie cojea** uno. fr. fig. y fam. Conocer a fondo el vicio o defecto moral de que adolece. || **Sacar con los pies adelante** a uno. fr. fig. y fam. Llevarle a enterrar. || **Sacar** a uno **el pie del lodo.** fr. fig. y fam. Sacarle de un apuro. || **Sacar los pies** a un niño. fr. fig. y fam. Vestirle de corto, ponerle a andar. || **Sacar los pies de las alforjas,** o **del plato.** fr. fig. y fam. que se dice del que habiendo estado tímido, vergonzoso o comedido, empieza a atreverse a hablar o a hacer algunas cosas. || **Salvarse** uno **por los pies,** o **por pies.** fr. Acudir a la huida. || **Ser pies y manos de** uno. fr. fig. Servirle de alivio y descanso en todos sus asuntos. || **Sin pies ni cabeza.** fr. fig. y fam. **No tener** una cosa **pies ni cabeza.** || **Tener** a uno **debajo de los pies.** fr. fig. **Tenerle el pie sobre el cuello.** || **Tener** uno **el pie en dos zapatos.** fr. fig. Solicitar o esperar dos o más conveniencias para lograr la que antes pudiere. || **Tener** uno **el pie en el estribo.** fr. fig. **Estar con el pie en el estribo.** || **Tener** a uno **el pie sobre el cuello,** o **el pescuezo.** fr. fig. Tenerle humillado o sujeto. || **Tener pies.** fr. fig. Dícese del que anda o corre mucho, ligero y veloz. || **Tener un pie dentro.** fr. fig. y fam. **Meter un pie.** || **Tomar pie** una cosa. fr. fig. Arraigarse o coger fuerza. || **Tomar** uno **pie de** una cosa. fr. fig. Valerse o tomar ocasión y pretexto de ella. || **Traer** a uno **debajo de los pies.** fr. fig. **Tenerle debajo de los pies.** || **Tres pies,** o **un pie, a la francesa.** m. adv. fam. De prisa, inmediatamente. Ú. con verbos de movimiento, como *ir, salir, escapar, marcharse.* || **Un pie tras otro.** m. adv.

con que a uno se le despide o se le dice que se vaya, recordándole festivamente el modo de andar. ‖ **Vestirse** uno **por los pies.** fr. fig. y fam. Ser del sexo masculino. ‖ **Volver pie atrás** uno. fr. fig. Retroceder del camino o propósito que seguía.

Piecezuela. f. d. de **Pieza.**

Piecezuelo. m. d. de **Pie.**

Piedad. (Del lat. *pĭĕtas, -ātis.*) f. Virtud que inspira por el amor a Dios tierna devoción a las cosas santas; y por el amor al prójimo, actos de abnegación y compasión. ‖ **2.** Amor entrañable que consagramos a los padres y a objetos venerandos. ‖ **3.** Lástima, misericordia, conmiseración. ‖ **4.** V. **Monte de piedad.** ‖ **5.** Representación en pintura o escultura del dolor de la Virgen Santísima al sostener el cadáver de su divino Hijo descendido de la cruz.

Piedra. (Del lat. *pĕtra.*) f. Substancia mineral, más o menos dura y compacta, que no es terrosa ni de aspecto metálico. ‖ **2.** Piedra labrada con alguna inscripción o figura. *Hállanse escrituras,* PIEDRAS *y otros vestigios que aseguran esta verdad.* ‖ **3. Cálculo,** 3.ª acep. ‖ **4.** Granizo grueso. ‖ **5.** Lugar o sitio destinado para dejar los niños expósitos. ‖ **6.** En ciertos juegos, tanto que se gana cada mano, hasta que se concluye el partido. ‖ **7.** Pedernal asegurado en el pie de gato de las armas de chispa para que al disparar choque con el rastrillo y dé fuego. ‖ **8. Muela,** 1.ª acep. ‖ **9.** V. **Azúcar, cartón, sal piedra.** ‖ **10.** V. **Banco, carbón, jabón, mal, paují de piedra.** ‖ **11.** V. **Hijo, niño de la piedra.** ‖ **12.** *Germ.* **Gallina,** 1.ª acep. ‖ **afiladera,** o **aguzadera. Piedra amoladera.** ‖ **alumbre. Alumbre.** ‖ **amoladera. Piedra de amolar.** ‖ **angular.** La que en los edificios hace esquina, juntando y sosteniendo dos paredes. ‖ **2.** fig. Base o fundamento principal de una cosa. ‖ **azufre. Azufre.** ‖ **berroqueña. Granito,** 2.ª acep. ‖ **bezar. Bezar.** ‖ **bornera. Piedra** negra de que en algunas partes se hacen muelas de molino. ‖ **calaminar. Calamina,** 1.ª acep. ‖ **ciega.** La preciosa que no tiene transparencia. ‖ **de afilar,** o **de amolar. Asperón,** 1.er art. ‖ **de cal. Caliza.** ‖ **de chispa. Pedernal,** 1.ª acep. ‖ **de escándalo.** fig. Origen o motivo de escándalo. ‖ **de escopeta,** o **de fusil. Pedernal,** 1.ª acep. ‖ **del águila. Etites.** ‖ **de la luna,** o **de las Amazonas. Labradorita.** ‖ **del escándalo.** fig. **Piedra de escándalo.** ‖ **del Labrador,** o **del sol. Labradorita.** ‖ **de lumbre. Pedernal,** 1.ª acep. ‖ **de Moca.** Calcedonia con dendritas. ‖ **de pipas. Espuma de mar.** ‖ **de rayo.** Hacha de **piedra** pulimentada, que cree el vulgo proceder de la caída de un rayo. ‖ **de toque.** Jaspe granoso, generalmente negro, que emplean los plateros para toque. ‖ **2.** fig. Lo que conduce al conocimiento de la bondad o malicia de una cosa. ‖ **divina.** *Farm.* Mezcla de alumbre, vitriolo azul, nitro y alcanfor, que se usa como colirio. ‖ **dura.** Toda **piedra** de naturaleza del pedernal; como la calcedonia, el ópalo y otras. ‖ **falsa.** La natural o artificial que imita las preciosas. ‖ **filosofal.** La materia con que los alquimistas pretendían hacer oro artificialmente. ‖ **fina. Piedra preciosa.** ‖ **franca.** La que es fácil de labrar. ‖ **fundamental.** La primera que se pone en los edificios. ‖ **2.** fig. Origen y principio de donde dimana una cosa, o que le sirve como de base y fundamento. ‖ **imán. Imán,** 1.er art., 1.ª acep. ‖ **infernal.** Nitrato de plata. Se emplea en cirugía para quemar y destruir carnosidades. ‖ **inga. Pirita.** ‖ **jabaluna.** *And.* **Piedra** caliza de color obscuro, como el del jabalí, cuando está mojada. ‖ **jaspe. Jaspe.** ‖ **judaica. Judaica.** ‖ **lipes. Vitriolo azul.** ‖ **litográfica.** Mármol algo arcilloso, de grano fino, en cuya superficie alisada se dibuja o graba lo que se quiere estampar. ‖ **loca. Espuma de mar.** ‖ **mármol. Mármol,** 1.ª acep. ‖ **melodreña. Piedra amoladera.** ‖ **meteórica. Aerolito.** ‖ **nefrítica. Jade.** Llámase así porque con ella se hacían antiguamenre amuletos para curar el mal de riñones. ‖ **ollar.** Variedad de serpentina compuesta principalmente de talco y clorita, de la cual se tallan vasijas en algunos países. ‖ **oniquina. Ónique.** ‖ **oscilante.** La de gran tamaño y forma comúnmente redondeada que con facilidad se mueve, por estar en equilibrio sobre otra. ‖ **palmeada.** La que en su fractura presenta estrías parecidas a hojas de palma. ‖ **pómez. Piedra** volcánica, esponjosa, frágil, de color agrisado y textura fibrosa, que raya el vidrio y el acero y es muy usada para desgastar y pulir. ‖ **preciosa.** La que es fina, dura, rara y por lo común transparente, o al menos translúcida, y que tallada se emplea en adornos de lujo. ‖ **rodada. Canto rodado.** ‖ **seca.** La que se emplea en la mampostería en seco. ‖ **viva. Peña viva.** ‖ **voladora.** Rueda de **piedra,** sujeta por un eje horizontal que gira con movimientos de rotación y traslación alrededor del árbol del alfarje en los molinos de aceite. Algunos alfarjes tienen dos o tres de diferente tamaño y colocadas en escala gradual para que puedan producir los efectos del rulo. ‖ **Ablandar las piedras.** fr. fig. con que se exagera la compasión que excita un caso lastimoso. ‖ **A piedra y lodo.** m. adv. fig. Completamente cerrado. Dícese de puertas, ventanas, etc. ‖ **Bien está la piedra en el agujero.** fr. fig. y fam. que advierte que las personas o las cosas no se deben sacar del lugar que les corresponde. ‖ **Echar a,** o **en, la piedra.** fr. fig. Poner a criar los hijos en una casa de expósitos, también llamada de la **piedra,** por la que hay en un nicho para que allí los pongan. ‖ **Echar la primera piedra.** fr. **Poner la primera piedra.** ‖ **Échese una piedra en la manga.** expr. fig. con que se reconviene a uno por haber caído en la misma culpa que reprende. ‖ **Hablar las piedras.** fr. fig. **Hablar las paredes.** ‖ **Hallar** uno **la piedra filosofal.** fr. fig. Hallar modo oculto de hacer caudal o de ser rico. ‖ **Hasta las piedras.** expr. fig. Todos sin excepción. ‖ **Levantarse las piedras contra** uno. fr. fig. con que se ponderan las muchas desgracias que acaecen a una persona, o con que se denota su mala reputación. ‖ **Menos da una piedra.** fr. fig. y fam. con que se aconseja a uno que se conforme con lo que pueda obtener, aunque sea muy poco. ‖ **No dejar** uno **piedra por mover.** fr. fig. Poner todas las diligencias y medios para conseguir un fin; no omitir diligencia ninguna para ello. ‖ **No dejar piedra sobre piedra.** fr. fig. con que se da a entender la completa destrucción y ruina de un edificio, ciudad o fortaleza. ‖ **No hay piedra berroqueña que dende a un año no ande lisa al pasamano,** ref. que da a entender que por más áspera y fuerte que sea una cosa, viene con el mucho uso a suavizarse. ‖ **No quedarle** a uno **piedra por mover.** fr. fig. **No dejar piedra por mover.** ‖ **No quedar piedra sobre piedra.** fr. fig. **No dejar piedra sobre piedra.** ‖ **Picar la piedra.** fr. Desigualar la superficie de la **piedra** de molino o tahona con un instrumento cortante o punzante, para que más fácilmente muela. ‖ **2.** *Cant.* Labrarla. ‖ **Piedra movediza, nunca moho la cobija.** ref. que aconseja la actividad para mejorar la condición. ‖ **Piedra sin agua, no aguza en la fragua.** ref. que enseña que para conseguir lo que se intenta es menester ayudarse, o que a uno le ayuden. ‖ **Poner la primera piedra.** fr. Ejecutar la ceremonia de asentar la **piedra** fundamental en un edificio notable que se quiere construir. ‖ **2.** fig. y fam. Dar principio a una pretensión o negocio. ‖ **Quien calla, piedras apaña.** ref. que se aplica al que en una conversación observa, sin hablar, lo que se dice, para usar de ello a su tiempo. ‖ **Señalar con piedra blanca,** o **negra.** fr. fig. Celebrar con aplauso y regocijo el día feliz y dichoso, o, por el contrario, lamentar y llorar el aciago y desdichado. Es tomado de que los antiguos señalaban los días afortunados con una **piedra** blanca, y los desgraciados con una negra. ‖ **Ser la piedra del escándalo.** fr. fig. con que se da a entender que una persona o cosa es el motivo u origen de una disensión, cuestión o pendencia, y por eso es el blanco de la indignación y ojeriza de todos. ‖ **Tener** uno **su piedra en el rollo.** fr. fig. Ser persona de distinción en el pueblo y corresponderle lugar en las cosas de atención y honra. ‖ **Tirar** uno **la piedra y esconder la mano.** fr. fig. Hacer daño a otro, ocultando que se lo hace. ‖ **Tirar** uno **piedras.** fr. fig. y fam. Estar loco o muy irritado.

Piedrezuela. f. d. de **Piedra.**

Piejo. (Del lat. *pedicŭlus.*) m. vulg. **Piojo.**

Piel. (Del lat. *pellis.*) f. *Zool.* Tegumento extendido sobre todo el cuerpo del animal, que en los vertebrados está formado por una capa externa o epidermis y otra interna o dermis. ‖ **2. Cuero,** 2.ª acep. ‖ **3.** Cuero curtido de modo que se conserve por fuera su pelo natural. Sirve para forros y adornos y para prendas de abrigo. ‖ **4.** *Bot.* Epicarpio de ciertos frutos; como ciruelas, peras, etc. ‖ **de rata.** Capa del ganado caballar, de color gris ceniciento, semejante al del pelo del ratón. ‖ **de Rusia. Piel** adobada a la cual se da olor agradable y permanente por medio de un aceite sacado de la corteza del abedul. ‖ **roja.** Indio indígena de la América del Norte. ‖ **Dar** uno **la piel.** fr. fig. y fam. **Morir,** 1.ª acep. ‖ **Ser** uno **de la,** o **la, piel del diablo.** fr. fig. y fam. Ser muy travieso, enredador y revoltoso, y no admitir sujeción. ‖ **Soltar** uno **la piel.** fr. fig. y fam. **Dar la piel.**

Piélago. (Del lat. *pelăgus,* y éste del gr. πέλαγος.) m. Parte del mar, que dista mucho de la tierra. ‖ **2. Mar.** ‖ **3.** ant. Balsa, estanque. ‖ **4.** fig. Lo que por su abundancia y copia es dificultoso de enumerar y contar.

Pielero. m. El que compra pieles crudas o comercia con ellas.

Pielga. (Del lat. **pedĭca,* de *pes, pedis.*) f. *Sal.* Madero de unos 30 centímetros de largo y convenientemente horadado para que, al formar la corraliza, entren los cañizos enhiestos, que se atan por arriba con vilortas.

Pielgo. (Dialectal de lat. **pedĭcus,* de *pes, pedis.*) m. **Piezgo.**

Pienso. (Del lat. *pensum;* de *pendĕre,* pesar.) m. Porción de alimento seco que se da al ganado. ‖ **A pienso.** expr. adv. Tomando alimentos secos el animal que ordinariamente pasta en el campo.

Pienso. (Del lat. *pensāre.*) m. ant. **Pensamiento.** ‖ **Ni por pienso.** m. adv. **Ni por sueños.**

Piérides. (Del lat. *pierĭdes.*) f. pl. Las musas.

Pierio, ria. (Del lat. *pierĭus.*) adj. poét. Perteneciente o relativo a las musas.

Pierna. (Del lat. *perna.*) f. Parte del animal, que está entre el pie y la rodilla, y también se dice comprendiendo además el muslo. ‖ **2.** En los cuadrúpedos y aves, **muslo.** ‖ **3.** Cada una de las dos piezas, agudas por uno de sus extremos, que forman el compás. || **4.** fig. Tratando de ciertas cosas, la que junta con otras forma o compone un todo. PIERNA *de sábana.* || **5.** En los tejidos, desigualdad o falta de rectitud en las orillas o en el corte. || **6.** Especie de cantarilla larga y angosta que desde la parte inferior va ensanchando muy poco hasta cerca de la boca, donde se vuelve a estrechar algo, al modo de la **pierna** del hombre. || **7.** En el arte de escribir, trazo que en algunas letras, como la *M* y la *N*, va de arriba abajo. || **8.** *Impr.* Cada uno de los dos maderos o pies derechos que se ponían a un lado y otro de la prensa, para ceñir y asegurar toda la máquina. || **de nuez.** *Bot.* Cada uno de los cuatro lóbulos en que está dividida la semilla de una nuez común. || **A la pierna.** m. adv. *Equit.* Dícese del caballo cuando anda de costado. || **A pierna suelta,** o **tendida.** m. adv. fig. y fam. con que se explica que uno goza, posee o disfruta una cosa con quietud y sin cuidado. || **Como pierna de nuez.** loc. fig. y fam. que explica que una cosa no se hace con la rectitud que le corresponde. || **Cortar** a uno **las piernas.** fr. fig. y fam. Imposibilitarle para una cosa. Ú. t. c. r. || **Echar** a uno **la pierna encima.** fr. fig. y fam. Excederle o sobrepujarle. || **Echar piernas.** fr. fig. y fam. Preciarse o jactarse de galán o valiente. || **En piernas.** m. adv. Con las **piernas** desnudas. || **Estirar** uno **la pierna.** fr. fig. y fam. **Morir,** 1.ª acep. || **Estirar,** o **extender,** uno **las piernas.** fr. fig. y fam. **Pasear,** 1.ª acep. || **Extender la pierna hasta donde llega la sábana.** ref. que aconseja que, en los gastos, ninguno exceda su posibilidad, ni en las pretensiones solicite sino lo que corresponde a su calidad y estado. || **Hacer piernas.** fr. fig. Dícese de los caballos cuando se afirman en ellas y las juegan bien. || **2.** fig. Dícese de los hombres que presumen de galanes y bien formados. || **3.** fig. Estar firme y constante en un propósito. || **La pierna en el lecho, y el brazo en el pecho.** ref. que aconseja que para el remedio de algún daño se pongan los medios proporcionados a su logro. || **Meter,** o **poner, piernas** al caballo. fr. Avivarle o apretarle para que corra o salga con prontitud. || **Ponerse sobre las piernas** el caballo. fr. Suspenderse con buen aire sobre ellas. || **Traer las piernas** a uno. fr. Darle friegas en ellas.

Piernitendido, da. adj. Extendido de piernas.

Pietismo. m. Secta de los pietistas.

Pietista. (Del lat. *pietas, -ātis,* piedad.) adj. Se aplica a ciertos protestantes que practican o aconsejan el ascetismo más riguroso. Ú. t. c. s. || **2.** Perteneciente o relativo al pietismo.

Pieza. (Del célt. **pettia.*) f. Pedazo o parte de una cosa. || **2. Moneda,** 2.ª acep. || **3.** Alhaja, herramienta, utensilio o mueble trabajados con arte. PIEZA *de plata.* || **4.** Cada una de las partes que suelen componer un artefacto. || **5.** Porción de tejido que se fabrica de una vez. || **6.** Tira de papel continuo que se hace de una vez. || **7.** Cualquiera sala o aposento de una casa. || **8.** Espacio de tiempo o lugar. || **9.** Animal de caza o pesca. || **10.** Bolillo o figura de madera, marfil u otra materia, que sirve para jugar a las damas, al ajedrez y a otros juegos. || **11.** Obra dramática y con particularidad la que no tiene más que un acto. || **12.** Composición suelta de música vocal o instrumental. || **13.** Con calificativo encomiástico, cosa sobresaliente. || **14.** V. **Crujía de piezas.** || **15.** ant. Cantidad o porción. || **16.** *Blas.* Cualquiera de las figuras que se forman en el escudo y que, como la banda, el palo, el sotuer, etc., no representan objetos naturales o artificiales. || **de artillería.** Cualquier arma de fuego que no es portátil para un solo hombre. || **de autos.** *For.* Conjunto de papeles cosidos, pertenecientes a una causa o pleito. || **de batir.** Antigua boca de fuego que servía para embestir murallas y otros lugares fuertes. || **de examen.** Obra dificultosa con que el artífice acredita su habilidad, cuando se examina de maestro. || **2.** fig. Obra de mérito relevante. || **de leva.** *Mar.* Cañonazo que se tira al tiempo de zarpar las embarcaciones. || **de recibo.** La que en la casa está destinada para admitir visitas. || **eclesiástica. Beneficio,** 6.ª acep. || **honorable.** *Blas.* La que ocupa el tercio de la anchura del escudo. || **honorable disminuida.** *Blas.* La que tiene la misma figura y menos ancho que la honorable. || **tocada.** fig. Aquella especie que particularmente pertenece o hiere a uno, o la que no puede tocarse sin inconveniente. || **¡Buena, gentil,** o **linda pieza!** loc. irón. **¡Buena alhaja!** || **Hacer piezas.** fr. Despedazar y hacer trozos una cosa. || **Hacerse** uno **piezas.** fr. fig. y fam. **Hacerse pedazos.** || **Jugar una pieza.** fr. fig. Ejecutar contra otro una acción, que le lastime y haga resentirse. Dícese por alusión a los juegos de damas y ajedrez. || **Pieza por pieza.** m. adv. fig. Parte por parte, con gran cuidado y exactitud, sin reservar circunstancia. || **Quedarse** uno **en una pieza,** o **hecho una pieza.** fr. fig. y fam. Quedarse sorprendido, suspenso o admirado, por haber visto u oído una cosa extraordinaria o no esperada. || **Terciar una pieza.** fr. *Art.* Reconocerla y examinar su calidad. || **Tocar pieza.** fr. fig. Hablar o discurrir sobre una materia determinada, o verter una especie en concurrencia de otros para que discurran sobre ella.

Piezgo. (Del m. or. que *piélgo.*) m. Parte correspondiente a cualquiera de las extremidades del animal de cuyo cuero se ha hecho el odre. || **2.** fig. Todo cuero adobado, aderezado para transportar líquidos.

Piezoelectricidad. (Del gr. πιέζω, comprimir, y *electricidad.*) f. Conjunto de fenómenos eléctricos que se manifiestan en algunos cuerpos sometidos a presión u otra acción mecánica.

Piezoeléctrico, ca. adj. Perteneciente o relativo a la piezoelectricidad.

Piezómetro. (Del gr. πιέζω, comprimir, y μέτρον, medida.) m. *Fís.* Instrumento que sirve para medir el grado de compresibilidad de los líquidos.

Pífano. (Del al. *pfeife,* silbato.) m. Flautín de tono muy agudo, usado en las bandas militares. || **2.** Persona que toca este instrumento.

Pifar. tr. *Germ.* Picar al caballo para que camine.

Pífaro. m. ant. **Pífano.**

Pifia. (De *pifiar.*) f. Golpe en falso que se da con el taco en la bola de billar o de trucos. || **2.** fig. y fam. Error, descuido, paso o dicho desacertado. || **3.** *Chile* y *Perú.* Burla, escarnio o rechifla.

Pifiar. (Del al. *pfeifen,* silbar.) intr. Hacer que se oiga demasiado el soplo del que toca la flauta travesera, que es un defecto muy notable. || **2.** Hacer una pifia en el billar o en los trucos.

Pifo. m. *Germ.* Capote o tudesquillo.

Pigargo. (Del lat. *pygargus,* y éste del gr. πύγαργος; de πυγή, trasera, y ἀργός, blanco.) m. Ave del orden de las rapaces, que llega a tener próximamente un metro desde la punta del pico hasta la extremidad de la cola, y dos metros y medio de envergadura; cuerpo grueso, pico fuerte y corvo, plumaje leonado, cola blanca, y pies, ojos y pico amarillos. Vive de ordinario en las costas y se alimenta de peces y aves acuáticas. || **2.** Ave del orden de las rapaces, de unos 60 centímetros de longitud desde lo alto de la cabeza hasta la extremidad de la cola y 13 decímetros de envergadura, con plumaje de color ceniciento obscuro en las partes superiores, blanco con manchas parduscas en las inferiores, y cola blanca con tres bandas grises muy desvanecidas. No es rara en España y se alimenta ordinariamente de reptiles, pero en ocasiones ataca a las aves de corral.

Pigmentario, ria. (Del lat. *pigmentarius.*) adj. Perteneciente o relativo al pigmento. || **2.** V. **Capa, célula pigmentaria.**

Pigmento. (Del lat. *pigmentum.*) m. *Biol.* Materia colorante que, disuelta o en forma de gránulos, se encuentra en el protoplasma de muchas células vegetales y animales.

Pigmeo, a. (Del lat. *pygmaeus,* y éste del gr. πυγμαῖος; de πυγμή, puño.) adj. Dícese de cierto pueblo fabuloso y de cada uno de sus individuos, los cuales, según la antigua poesía griega, no tenían más de un codo de alto, si bien eran muy belicosos y hábiles flecheros. || **2.** fig. Muy pequeño. Apl. a pers., ú. t. c. s. || **3.** V. **Cambur pigmeo.**

Pignoración. (Del lat. *pignoratio, -ōnis.*) f. Acción y efecto de pignorar.

Pignorar. (Del lat. *pignorāre.*) tr. **Empeñar,** 1.ª acep.

Pignoraticio, cia. (Del lat. *pignoratitius.*) adj. Perteneciente o relativo a la pignoración.

Pigre. (Del m. or. que *pigro.*) adj. Tardo, negligente, desidioso.

Pigricia. (Del lat. *pigritia.*) f. Pereza, ociosidad, negligencia, descuido.

Pigro, gra. (Del lat. *piger, pigra.*) adj. **Pigre.**

Píhua. (Del lat. *pedica,* traba.) f. **Coriza,** 1.er art.

Pihuela. (Del lat. **pediŏla,* de *pes, pedis.*) f. Correa con que se guarnecen y aseguran los pies de los halcones y otras aves. || **2.** fig. Embarazo o estorbo que impide la ejecución de una cosa. || **3.** pl. fig. Grillos con que se aprisiona a los reos.

Pijama. m. Traje de casa, ligero y de tela lavable, compuesto de chaqueta y pantalón. Con ligeras modificaciones, se usa también para dormir. El de las mujeres tiene forma distinta.

Pije. m. *Chile.* **Cursi.**

Pijibay. m. *C. Rica* y *Hond.* Variedad del corojo, de fruta amarilla, de sabor muy dulce y de hojas que sirven para cubrir techos de edificios.

Pijije. m. *Zool. Amér. Central.* Ave de la familia de las zancudas, que vive en lugares pantanosos; de color acanelado; canta bien, por lo común de noche, y su carne se estima como buen alimento.

Pijojo. m. *Cuba.* Árbol silvestre que da una madera de color amarillento, dura, pesada y de grano fino.

Pijota. (De *peje.*) f. **Pescadilla.**

Pijote. m. **Esmeril,** 2.° art.

Pijotería. f. Menudencia molesta; dicho o pretensión desagradable.

Pijotero, ra. adj. Se dice despectivamente de lo que produce hastío, cansancio u otras cosas, según el substantivo a que se aplica.

Pila. (Del lat. *pila,* columna, rimero.) f. Montón, rimero o cúmulo que se hace poniendo una sobre otra las piezas o porciones de que consta una cosa. PILA *de lana, de tocino.* || **2.** Conjunto de toda la lana que se corta cada año, perteneciente a un dueño. || **3.** *Arq.* Cada uno de los machones que sostienen dos arcos contiguos o los tramos metálicos de un puente. || **4.** *Blas.* Pieza en figura de triángulo, cuya base, de dos tercios de la anchura del escudo, está en el jefe, y el vértice opuesto, en la parte inferior, muy cerca de la punta.

Pila. (Del lat. *pila,* mortero.) f. Pieza grande de piedra o de otra materia, cóncava y profunda, donde cae o se echa el agua para varios usos. || **2.** Pieza de piedra, cóncava, con su pedestal de lo mismo, y tapa de madera, que hay en las iglesias parroquiales para administrar el sacramento del bautismo. || **3.** V. **Nombre, padre de pila.** || **4.** fig. Parroquia o feligresía. || **5.** *Fís.* Generador de corriente eléctrica, producida por el contacto de materiales heterogéneos o por transformación en energía de la afinidad química de ciertas substancias. || **6.** *Metal.* Receptáculo en la delantera de los hornos de fundición, en el cual cae el metal fundido. || **atómica.** La que mediante una reacción en cadena, regulada por un elemento moderador, produce energía **atómica.** || **bautismal. Pila,** 2.° art., 2.ª acep. || **Sacar de pila,** o **tener en la pila,** a uno. fr. Ser padrino de una criatura en el bautismo.

Pilada. (De *pila,* 1.er art.) f. Porción de paño que se abatana de una vez. || **2. Pila,** 1.er art., 1.ª acep.

Pilada. (De *pila,* 2.° art.) f. Mezcla de cal y arena que se amasa de una vez.

Pilapila. (Voz araucana.) f. *Chile.* Planta de la familia de las malváceas, de tallo por lo común rastrero, rollizo, ramoso, de 60 a 80 centímetros de largo y con nuevas raíces junto al pecíolo de cada hoja inferior. Se usa en medicina como atemperante de la sangre.

Pilar. (De *pila,* 1.er art.) m. Hito o mojón que se pone para señalar los caminos. || **2.** Especie de pilastra, sin proporción fija entre su grueso y altura, que se pone aislada en los edificios, o sirve para sostener otra fábrica o armazón cualquiera. || **3.** fig. **Columna,** 5.ª acep. || **del velo del paladar.** Cada uno de los repliegues musculares que unen los bordes laterales de aquella membrana a las paredes de la laringe.

Pilar. (De *pila,* 2.° art.) m. **Pilón,** 2.° art., 2.ª acep.

Pilar. (Del lat. *pilāre;* de *pila,* mortero.) tr. Descargar los granos en el pilón, golpeándolos con una o las dos manos o con majaderos largos de madera o de metal.

Pilarejo. m. d. de **Pilar.**

Pilastra. (Del ital. *pilastro,* y éste de lat. *pila,* pilar.) f. Columna cuadrada.

Pilastrón. m. aum. de **Pilastra.**

Pilatero. (Del cat. y arag. *pilater,* y éste del lat. *pila.*) m. Batanero que en el obraje de paños asiste a las pilas del batán para deslavazarlos y enfurtirlos.

Pilatuna. f. *Colomb.* y *Chile.* Acción indecorosa, jugarreta, pillería.

Pilca. f. *Amér. Merid.* Tapia hecha con piedras y barro.

Pilche. (De *pichel.*) m. *Perú.* Jícara o vasija de madera.

Píldora. (Del lat. *pilŭla.*) f. Bolita que se hace mezclando un medicamento con un excipiente, y que a veces se cubre con pan de plata o de oro. || **2.** Bola o mecha de estopas, hilas u otra materia que, mojada en algún medicamento, se ponía antiguamente en las heridas o llagas. || **3.** fig. y fam. Pesadumbre o mala nueva que se da a uno. || **alefangina.** *Farm.* **Píldora** purgante en cuya composición entran áloe, nuez moscada, cinamomo y otras substancias aromáticas. || **Dorar la píldora.** fr. fig. y fam. Suavizar con artificio y blandura la mala noticia que se da a uno o la contrariedad que se le causa. || **Tragarse** uno **la píldora.** fr. fig. y fam. Creer una patraña.

Pildorero. m. *Farm.* Aparato para hacer píldoras.

Píleo. (Del lat. *pilĕus.*) m. Especie de sombrero o gorra que entre los romanos traían los hombres libres, y ponían a los esclavos cuando les daban libertad. || **2.** Capelo de los cardenales.

Pilero. (De *pila,* 2.° art.) m. Peón que amasa con los pies el barro destinado a la fabricación de adobes y objetos de alfarería.

Pileta. (De *pila,* 2.° art.) f. d. de **Pila.** || **2.** Pila pequeña que suele haber en las casas para tomar agua bendita. || **3.** *And.* **Alcorque,** 2.° art. || **4.** *Min.* Sitio en que se recogen las aguas dentro de las minas.

Pililo. m. *Argent.* y *Chile.* Persona andrajosa, sucia.

Pilme. (Del arauc. *pulmi.*) m. *Chile.* Coleóptero del género cantárida, negro, con los muslos rojos, muy pequeño, pero que causa mucho daño en las huertas.

Pilo. (Del lat. *pilum.*) m. Arma arrojadiza, a modo de lanza o venablo, usada en lo antiguo.

Pilo. m. *Chile.* Arbusto que vive en sitios húmedos; tiene hojas menudas y flores amarillas, y su cáscara es un vomitivo muy enérgico.

Pilocarpina. (Del lat. mod. *pilocarpus,* nombre genérico del jaborandi.) f. Alcaloide que se obtiene de las hojas del jaborandi.

Pilón. (De *pila,* 1.er art.) m. Pan de azúcar refinado, de figura cónica. || **2.** Pesa que, pendiente del brazo mayor del astil de la romana, puede libremente moverse a cualquier punto de los en él marcados, y determinar, según su mayor o menor distancia del de apoyo, el peso de las cosas, cuando se equilibra con ellas. || **3.** Piedra grande, pendiente de los husillos, en los molinos de aceite o en los lagares, que sirve de contrapeso para que la viga apriete. || **4.** Montón o pila de cal mezclada con arena y amasada con agua, que se deja algún tiempo en figura piramidal, para que fragüe mejor cuando se llegue a gastar o emplear. || **5.** V. **Azúcar de pilón.**

Pilón. (De *pila,* 2.° art.) m. aum. de **Pila.** || **2.** Receptáculo de piedra, que se construye en las fuentes para que, cayendo el agua en él, sirva de abrevadero, de lavadero o para otros usos. || **3.** Especie de mortero de madera o de metal, que sirve para majar granos u otras cosas. || **Beber del pilón** uno. fr. fig. y fam. Recibir y publicar las noticias del vulgo. || **Haber bebido del pilón.** fr. fig. y fam. Haber cedido ya de su rigor un juez o ministro, riguroso a su entrada. || **Llevar** a uno **al pilón.** fr. fig. y fam. Hacer de él cuanto se quiere.

Pilón. (Del gr. πυλών, puerta, portal.) m. Portada de los templos del antiguo Egipto.

Pilonero, ra. (De *pilón,* 2.° art.) adj. fig. y fam. Aplícase a las noticias vulgares o al que las publica.

Pilongo, ga. (De *pelar.*) adj. Flaco, extenuado y macilento. || **2.** V. **Castaña pilonga.** Ú. t. c. s.

Pilongo, ga. (De *pila,* 2°. art.) adj. En algunas partes aplícase al beneficio eclesiástico destinado a personas bautizadas en ciertas y determinadas pilas o parroquias.

Pilórico, ca. adj. *Zool.* Perteneciente o relativo al píloro.

Píloro. (Del lat. *pylōrus,* y éste del gr. πυλωρός, portero; de πύλη, puerta, y ὤρα, vigilancia.) m. *Zool.* Abertura posterior, inferior en el hombre, del estómago de los batracios, reptiles, aves y mamíferos, por la cual pasan los alimentos al intestino.

Piloso, sa. (Del lat. *pilōsus.*) adj. Peludo. || **2.** *Anat.* V. **Bulbo piloso.**

Pilotaje. m. Ciencia y arte que enseñan el oficio de piloto. || **2.** Cierto derecho que pagan las embarcaciones en algunos puertos y entradas de ríos, en que se necesita de pilotos prácticos.

Pilotaje. m. Conjunto de pilotes hincados en tierra para consolidar los cimientos.

Pilotar. tr. Dirigir un buque, especialmente a la entrada o salida de puertos, barras, etc. || **2.** Dirigir un automóvil, globo, aeroplano, etc.

Pilote. (Del lat. *pīla,* pilar.) m. Madero rollizo armado frecuentemente de una punta de hierro, que se hinca en tierra para consolidar los cimientos.

Pilotear. (De *piloto.*) tr. **Pilotar.**

Pilotín. m. d. de **Piloto.** || **2.** El que servía en los buques como ayudante del piloto.

Piloto. (Del ital. *piloto;* éste del ant. *pedotto,* y éste del gr. πηδόν, gobernalle.) m. El que gobierna y dirige un buque en la navegación. || **2.** El segundo de un buque mercante. || **3.** El que dirige un automóvil, un globo o un avión. || **4.** fig. El que guía la acción o el discurso en una empresa o en investigaciones o estudios. || **5.** *Germ.* Ladrón que va delante de otros, guiándolos para hacer el hurto. || **de altura.** El que sabe dirigir la navegación en alta mar por las observaciones de los astros.

Pilpil. m. *Chile.* Bejuco de hojas trifoliadas y flores blancas que produce el cóguil.

Pilpilén. (Voz araucana.) m. *Chile.* Ave zancuda y ribereña, de pico rojo y largo, que le sirve para abrir las valvas de los mariscos de que se alimenta. Tiene tres dedos en cada pie, sin pulgar, tarsos rojos y plumaje negro y blanco, con grandes manchas de cada color.

Piltra. (De *piltro.*) f. *Germ.* **Cama,** 1.er art., 1.ª acep.

Piltraca. f. **Piltrafa.**

Piltrafa. (De *piel* y *trefe,* 1.ª acep.) f. Parte de carne flaca, que casi no tiene más que el pellejo. || **2.** pl. Por ext., residuos menudos de viandas y desechos de otras cosas, aunque no sean comestibles.

Piltro. m. *Germ.* **Aposento,** 1.ª acep. || **2.** *Germ.* Mozo del rufián.

Pilvén. (Voz araucana.) m. *Chile.* Pez de agua dulce, que tiene unos 10 centímetros de largo y anda siempre en cardumen.

Pilla. (De *pillar.*) f. *Ar.* **Pillaje.**

Pillabán. m. *Ast.* y *León.* Pillastre, granuja.

Pillada. f. fam. Acción propia de un pillo.

Pillador, ra. (De *pillar.*) adj. Que hurta o toma por fuerza una cosa. Ú. t. c. s. || **2.** m. *Germ.* **Jugador.**

Pillaje. (De *pillar.*) m. Hurto, latrocinio, rapiña. || **2.** *Mil.* Robo, despojo, saqueo hecho por los soldados en país enemigo.

Pillar. (Del lat. **pīleāre,* de *pīlāre,* robar.) tr. Hurtar, robar, tomar por fuerza una cosa. || **2.** Coger, agarrar o aprehender una cosa. || **3.** fam. **Coger,** 7.ª acep. || **4.** *Germ.* **Jugar,** 4.ª acep. || **Quien pilla, pilla.** expr. fam. con que se moteja a los que procuran sólo su utilidad y aprovechamiento, sin atender a respeto ni miramiento alguno.

Pillastre. m. fam. **Pillo,** 2.° art.

Pillastrón. m. aum. de **Pillastre.**

Pillear. intr. fam. Hacer vida de pillo, o proceder habitualmente como tal.

Pillería. f. fam. Gavilla de pillos, 2.° art. || **2.** fam. Calidad de **pillo,** 2.° art., 1.ª acep. || **3.** fam. **Pillada.**

Pillete. m. d. de **Pillo,** 2.° art.

Pillín. m. d. de **Pillo,** 2.° art.

Pillo. (Del arauc. *pillu.*) m. Ave zancuda, especie de ibis, de color blanco con manchas negras, patas muy largas en proporción del cuerpo del ave, así como el cuello, que tiene unos 60 centímetros y del cual pende una bolsita o papo; el pico es grueso, convexo y puntiagudo, de un decímetro de largo y desnudo de plumas hasta la frente. Tiene cuatro dedos en cada pie, unidos por una membranita, y la cola corta. Vive en los lugares húmedos y se alimenta de reptiles.

Pillo, lla. (De *pillar.*) adj. fam. Dícese del pícaro que no tiene crianza ni buenos modales. Ú. m. c. s. m. || **2.** fam. Sagaz, astuto. Ú. m. c. s. m.

Pillopillo. (Del arauc. *pillupillu.*) m. *Chile.* Árbol, especie de laurel, de forma piramidal y flores blanquecinas dioicas. Su corteza interior es purgante y vomitiva.

Pilluelo, la. adj. fam. d. de **Pillo,** 2.° art. Ú. m. c. s. m.

Pimental. m. Terreno sembrado de pimientos.

Pimentero. (De *pimienta.*) m. Arbusto trepador, de la familia de las piperáceas, con tallos ramosos que llegan a 10 metros de longitud, leñosos en las partes viejas, herbáceos en las recientes, y con nudos gruesos de trecho en trecho, de donde nacen raíces adventicias; hojas alternas, pecioladas, gruesas, enteras, nerviosas, aovadas y de color verde obscuro; flores en espigas, pequeñas y verdosas, y cuyo fruto es la pimienta. Es planta tropical y hay varias especies. || **2.** Vasija en que se pone la pimienta molida, para servirse de ella en la mesa. || **falso. Turbinto.**

Pimentón. m. aum. de **Pimiento.** || **2.** Polvo que se obtiene moliendo pimientos encarnados secos. || **3.** En algunas partes, **pimiento,** 2.ª acep.

Pimentonero. m. Vendedor de pimentón. || **2.** Pájaro castellano cuyas plumas son de color negruzco, salvo las del pecho, que son rojas.

Pimienta. (De *pimiento.*) f. Fruto del pimentero. Es una baya redonda, carnosa, rojiza, de unos cuatro milímetros de diámetro, que toma, cuando seca, color pardo o negruzco; se arruga algo y contiene una semilla esférica, córnea y blanca. Es aromática, ardiente, de gusto picante, y muy usada para condimento. || **2.** Cosecha de pimientos. || **blanca.** Aquella a que se le ha quitado la corteza y queda de color casi blanco. || **de Chiapa,** o **de Tabasco. Malagueta,** 1.ª acep. || **falsa.** Fruto del turbinto. Es una baya redonda, de seis a ocho milímetros de diámetro, negra y de un olor y gusto parecidos al de la **pimienta** común. || **inglesa.** Malagueta seca y molida, después de haberle quitado la corteza y semillas. || **larga.** Fruto de un pimentero asiático, de hojas largas, estrechas, poco simétricas, y flores amarillentas. Es de forma elipsoidal, algo mayor y de color más claro que la común. Se ha usado en medicina. || **loca. Pimienta silvestre.** || **negra.** Aquella que conserva la película o corteza. || **silvestre. Sauzgatillo.** || **2.** Fruto de esta planta. || **Comer** uno **pimienta.** fr. fig. y fam. Enojarse, picarse. || **Hacer pimienta.** fr. fig. y fam. *Ar.* **Hacer novillos.** || **Ser** uno **como una,** o **una pimienta.** fr. fig. y fam. Ser muy vivo, agudo y pronto en comprender y obrar. || **Tener mucha pimienta.** fr. fig. y fam. Estar muy alto el precio de un género o mercancía.

Pimientilla. f. *Hond.* Arbusto de la familia de las verbenáceas, que segrega la cera vegetal.

Pimiento. (Del lat. *pigmentum,* color para pintar.) m. Planta herbácea anual, de la familia de las solanáceas, con tallos ramosos de cuatro a seis decímetros de altura; hojas lanceoladas, enteras y lampiñas; flores blancas, pequeñas, axilares, y fruto en baya hueca, muy variable en forma y tamaño, según las castas, pero generalmente cónico, de punta obtusa, terso en la superficie, primeramente verde, después rojo o amarillo, y con multitud de semillas planas, circulares, amarillentas, sujetas en una expansión interior del pedúnculo. Es planta americana muy cultivada en España. || **2.** Fruto de esta planta, muy usado como alimento por su sabor, picante en algunas variedades. || **3. Pimentero,** 1.ª acep. || **4. Pimentón,** 2.ª acep. || **5. Roya,** 1.ª acep. || **de bonete. Pimiento de hocico de buey.** || **de cerecilla. Pimiento de las Indias.** || **de cornetilla.** Variedad del **pimiento,** que tiene la forma de un cucurucho con la punta encorvada. Es de gusto picante. || **de hocico de buey.** Variedad del **pimiento,** que se diferencia en ser más grueso que el de las otras castas. Es el más dulce de todos. || **de las Indias. Guindilla,** 1.ª acep. || **loco,** o **montano. Sauzgatillo.** || **morrón. Pimiento de hocico de buey.** || **silvestre. Pimiento loco.**

Pimpido. m. Pez muy parecido a la mielga y cuya carne es más sabrosa que la de ésta.

Pimpín. (Voz onomatopéyica.) m. Juego de muchachos, semejante al de la pizpirigaña.

Pimpina. f. *Venez.* Botella de barro, de cuerpo esférico y cuello largo, que se usa para enfriar el agua, como el botijo poroso de España.

Pimpinela. (En fr. *pimprenelle;* en ital. *pimpinella.*) f. Planta herbácea vivaz, de la familia de las rosáceas, con tallos erguidos, rojizos, esquinados, ramosos, de cuatro a seis decímetros de altura; hojas compuestas de un número impar de hojuelas pecioladas, elípticas, dentadas en el margen y muy lisas; flores terminales, en espigas apretadas, en que las femeninas ocupan lo alto del grupo y las masculinas la base, sin corola y con cáliz purpurino, que se hincha, endurece y convierte en fruto elipsoidal, con cuatro aristas a lo largo, y que encierra dos o tres semillas pequeñas, alargadas, de color pardo. Abunda en España y se ha empleado en medicina como tónica y diaforética. || **mayor.** Planta que se diferencia de la anterior en llegar a un metro de altura, tener las hojuelas sin pecíolo, ser más elipsoidal la espiga de las flores, que son hermafroditas, con el cáliz negro rojizo y una sola semilla en el fruto. Es común en España y se empleó en medicina como vulneraria y contra las hemorragias. || **menor. Pimpinela.**

Pimplar. tr. fam. Beber vino. Ú. t. c. r.

Pimpleo, a. (Del lat. *pimplēus.*) adj. Perteneciente o relativo a las musas.

Pimplón. (Voz onomatopéyica.) m. *Ast.* y *Sant.* **Salto de agua.**

Pimpollada. (De *pimpollo.*) f. **Pimpollar.**

Pimpollar. m. Sitio poblado de pimpollos.

Pimpollear. intr. **Pimpollecer.**

Pimpollecer. intr. Arrojar, brotar, echar renuevos o pimpollos.

Pimpollejo. m. d. de **Pimpollo.**

Pimpollo. (De *pino* y *pollo.*) m. Pino nuevo. || **2.** Árbol nuevo. || **3.** Vástago o tallo nuevo de las plantas. || **4.** Rosa por abrir. || **5.** fig. y fam. Niño o niña, y también el joven o la joven, que se distingue por su belleza, gallardía y donosura. || **de oro.** fig. y fam. **Pimpollo,** 5.ª acep.

Pimpolludo, da. adj. Que tiene muchos pimpollos.

Pina. (Del lat. *pinna,* almena.) f. Mojón terminado en punta. || **2.** Cada uno de los trozos curvos de madera que forman en círculo la rueda del coche o carro, donde encajan por la parte interior los rayos y por la exterior se asientan las llantas de hierro. || **3.** ant. **Almena.**

Pinabete. (De *pino* y *abeto.*) m. **Abeto,** 1.ª acep.

Pinacate. m. *Méj.* Escarabajo de color negruzco y hediondo que suele criarse en lugares húmedos.

Pinacoteca. (Del lat. *pinacothēca,* y éste del gr. πινακοθήκη; de πίναξ, cuadro, y θήκη, depósito.) f. Galería o museo de pinturas.

Pináculo. (Del lat. *pinnacŭlum.*) m. Parte superior y más alta de un edificio magnífico o templo. || **2.** fig. Parte más sublime de una ciencia o de otra cosa inmaterial.

Pinada. (Del lat. *pinnāta,* t. f. de *-tus;* de *pinna,* pluma.) adj. *Bot.* Dícese de la hoja compuesta de hojuelas insertas a uno y otro lado del pecíolo, como las barbas de una pluma.

Pinar. m. Sitio o lugar poblado de pinos.

Pinarejo. m. d. de **Pinar.**

Pinariego, ga. adj. Perteneciente al pino.

Pinastro. (Del lat. *pinaster, -tri.*) m. **Pino rodeno.**

Pinatero. m. *Cuba.* **Cao.**

Pinatífido, da. (Del lat. *pinnātus,* alado, y *findĕre,* dividir.) adj. *Bot.* Hendido al través en tiras largas.

Pinato. m. *Murc.* Pino tierno y de poca altura, cuyas ramas tocan al suelo.

Pinaza. (De *pino.*) f. Embarcación pequeña de remo y de vela. Es estrecha, ligera, y se usó en la marina mercante.

Pincarrasca. f. **Pincarrasco.**

Pincarrascal. m. Sitio poblado de pincarrascos.

Pincarrasco. (De *pino* y *carrasco.*) m. Especie de pino de tronco tortuoso, corteza resquebrajada y de color pardo rojizo, copa clara e irregular, hojas largas, delgadas y poco rígidas, y piñas de color de canela, con piñones pequeños. Es propio de los terrenos áridos del litoral mediterráneo.

Pincel. (Del prov. *pinsel,* y cat. *pinsell,* y éste del lat. *penicillus.*) m. Instrumento con que el pintor asienta los colores en el lienzo, etc. Hácese de un cañón de pluma, madera o metal, metiéndole dentro pelos de la cola de las ardillas, fuinas, martas u otros animales, ajustándolos o puliéndolos. || **2.** Cualquiera de las plumas que los vencejos tienen debajo de la segunda pluma del ala, llamadas así porque solas suelen servir de **pincel.** || **3.** fig. Mano o sujeto que pinta. || **4.** fig. Obra pintada. || **5.** fig. Modo de pintar. || **6.** *Mar.* Palo largo y delgado, con una escobilla, con que se da alquitrán a los costados y palos de la nave.

Pincelada. f. Trazo o golpe que el pintor da con el pincel. || **2.** fig. Expresión compendiosa de una idea o de un rasgo muy característico. || **Dar la última pincelada.** fr. fig. Perfeccionar o concluir una obra, negocio o dependencia.

Pincelar. (De *pincel.*) tr. **Pintar,** 1.ª y 2.ª aceps. || **2. Retratar,** 1.ª acep.

Pincelero, ra. m. y f. Persona que hace o vende pinceles. || **2.** m. **Brucero.** || **3.** Caja en que los pintores al óleo guardan los pinceles.

Pincelote. m. aum. de **Pincel.**

Pincerna. (Del lat. *pincerna.*) com. **Copero,** 1.ª acep.

Pinciano, na. (Del lat. *pintiānus,* de *Pintia,* mansión romana en la región de los Vacceos, cuyo sitio se ha creído equivocadamente que ocupa la ciudad de Valladolid.) adj. **Vallisoletano.** Apl. a pers., ú. t. c. s.

Pincha. (De *pinchar.*) f. **Pincho,** 1.ª acep.

Pinchadura. f. Acción y efecto de pinchar o pincharse.

Pinchar. (Del lat. **pinctiāre.*) tr. Picar, punzar o herir con una cosa aguda o punzante; como espina, alfiler, etc. Ú. t. c. r. || **2.** fig. **Picar,** 16.ª y 17.ª aceps. || **Ni pincha ni corta.** fr. fig. y fam. que se aplica a lo que tiene poco valimiento o influjo en un asunto.

Pinchaúvas. (De *pinchar* y *uva.*) m. fig. y fam. Pillete que en los mercados come la granuja, picándola con un alfiler, palillo u otro instrumento. || **2.** fig. y fam. Hombre despreciable.

Pinchazo. m. Punzadura o herida que se hace con instrumento o cosa que pincha. || **2.** fig. Hecho o dicho con que se mortifica a uno, o se le incita a que tome una determinación.

Pinche. (De *pinchar.*) m. Mozo ordinario o galopín de cocina.

Pincho. (De *pinchar.*) m. Aguijón o punta aguda de hierro u otra materia. || **2.** Varilla de acero, como de un metro de longitud, con mango en un extremo y punta a veces dentada en el otro, con que los consumeros reconocen las cargas.

Pinchón. m. **Pinzón,** 1.ª acep.

Pinchudo, da. adj. Que tiene pinchos o fuertes púas.

Pindárico, ca. (Del lat. *pindarĭcus.*) adj. Propio y característico del poeta griego Píndaro, o que tiene semejanza con cualquiera de las dotes o calidades por que se distinguen sus producciones.

Pindonga. f. fam. Mujer callejera.

Pindonguear. (De *pindonga.*) intr. fam. **Callejear.**

Pineal. (Del lat. *pinĕa,* piña.) adj. V. **Glándula pineal.**

Pineda. (Del lat. *pinēta,* pl. de *pinētŭm.*) f. **Pinar.**

Pineda. f. Especie de cinta de hilo y estambre, tejida o variada de diversos colores, que más comúnmente se llama cinta manchega, y servía regularmente para ligas.

Pinedo. (Del lat. *pinētŭm.*) m. *Amér. Merid.* **Pinar.**

Pinga. (De *pingar.*) f. Percha, por lo común de metro y medio de largo, que sirve para conducir al hombro toda carga que se puede llevar colgada en las dos extremidades del palo. Es voz usada en Filipinas.

Pingajo. (De *pingo.*) m. fam. Harapo o jirón que cuelga de alguna parte.

Pingajoso, sa. adj. **Haraposo.**

Pinganello. (De *pingo.*) m. **Calamoco.**

Pinganillo. m. *León.* **Pinganello.**

Pinganitos (En). (De *pingar.*) m. adv. fam. En fortuna próspera o en puestos elevados. *Poner a uno* EN PINGANITOS.

Pingar. (Del lat. **pendĭcāre,* de *pendēre.*) intr. Pender, colgar. || **2.** Gotear lo que está empapado en algún líquido. || **3.** Brincar, saltar. || **4.** *Ar.* Alzar la bota para beber. || **5.** tr. **Inclinar,** 1.ª acep.

Pingo. (De *pingar.*) m. fam. **Pingajo.** || **2.** pl. fam. Vestidos de mujer cuando son de poco precio, aunque estén en buen uso o sean nuevos. || **Andar, estar, o ir, de pingo.** fr. fig. y fam. con que se moteja a las mujeres más aficionadas a visitas y paseos que al recogimiento y a las labores de su casa.

Pingopingo. m. *Bot. Chile.* Arbusto de la familia de las efedráceas, que a veces alcanza cinco metros de altura; con ramas articuladas y hojas opuestas a manera de escamas; flores pequeñas y por fruto unas nuececitas que, así como sus hojas, son diuréticas y depurativas.

Pingorota. f. La parte más alta y aguda de las montañas y otras cosas elevadas.

Pingorote. m. fam. **Peruétano,** 3.ª acep.

Pingorotudo, da. (De *pingorote.*) adj. fam. Empinado, alto o elevado.

Pingue. (Del hol. *pink.*) m. Embarcación de carga, cuyas medidas aumentan en la bodega para que quepan más géneros.

Pingüe. (Del lat. *pinguis.*) adj. Craso, gordo, mantecoso. || **2.** fig. Abundante, copioso, fértil.

Pingüedinoso, sa. (Del lat. *pinguēdo, -dĭnis,* grasa, manteca.) adj. Que tiene gordura.

Pingüino. (Del fr. *pingouin.*) m. **Pájaro bobo.**

Pinguosidad. (De *pingüe.*) f. Grasa, crasitud, untuosidad.

Pinífero, ra. (Del lat. *pinĭfer, -ĕri;* de *pinus,* pino, y *ferre,* llevar.) adj. poét. Abundante en pinos.

Pinillo. (d. de *pino,* 1.er art.) m. Planta herbácea anual, de la familia de las labiadas, con tallos tendidos, velludos, ramosos y de uno a dos decímetros de largo; hojas perfoliadas, oblongas, partidas en dos o tres lacinias, y flores pequeñas, amarillas, solitarias y axilares. Toda la planta es viscosa, frecuente en la zona mediterránea de España, y despide un olor parecido al del pino. || **2. Mirabel,** 1.ª acep.

Pinito. (d. de *pino,* 2.° art.) m. **Pino,** 2.° art., 2.ª acep. Ú. m. en pl. y con el verbo *hacer.*

Pinjado, da. p. p. de **Pinjar.** || **2.** adj. ant. V. **Banco pinjado.**

Pinjante. (De *pinjar.*) adj. Dícese de la joya o pieza de oro, plata u otra materia, que se trae colgando para adorno. Ú. m. c. s. || **2.** *Arq.* Aplícase al adorno que cuelga de lo superior de la fábrica. Ú. m. c. s.

Pinjar. (Del cat. *penjar, pinjar,* y éste del lat. **pendĭcāre,* de *pendēre.*) intr. ant. **Colgar,** 6.ª acep.

Pinnípedo. (Del lat. *pinna,* aleta, y *pes, pĕdis,* pie.) adj. *Zool.* Dícese de mamíferos marinos que se alimentan exclusivamente de peces, con cuerpo algo pisciforme, las patas anteriores provistas de membranas interdigitales, y las posteriores ensanchadas en forma de aletas, a propósito para la natación, pero con uñas; la piel está revestida de un pelaje espeso y el tejido adiposo subcutáneo es muy abundante; como la foca. Ú. t. c. s. m. || **2.** m. pl. *Zool.* Orden de estos animales.

Pino. (Del lat. *pinus.*) m. *Bot.* Árbol de la familia de las abietáceas, con las flores masculinas y femeninas separadas en distintas ramas; por fruto la piña, y por semilla el piñón; su tronco, elevado y recto, contiene más o menos cantidad de trementina; las hojas son muy estrechas, puntiagudas y punzantes casi siempre por su extremidad, persisten durante el invierno y están reunidas por la base en hacecillos de a dos, tres o cinco. De las muchas especies que se conocen, sólo seis hay silvestres en España, todas con las hojas reunidas de dos en dos. || **2.** fig. poét. Nave o embarcación. || **3.** *Germ.* V. **Campo, montaña de pinos.** || **albar.** Especie de **pino** que crece hasta la altura de 20 a 30 metros, con la corteza rojiza en lo alto del tronco y ramas gruesas, piñas pequeñas y hojas cortas. Su madera es muy estimada en construcción. || **2. Pino piñonero.** || **alerce. Alerce.** || **blanco.** *Gran.* **Pino negral,** 1.ª acep. || **blanquillo.** En Madrid, **pino albar,** 1.ª acep. || **bravo.** En Galicia, **pino rodeno.** || **carrasco,** o **carrasqueño. Pincarrasco.** || **cascalbo. Pino negral,** 1.ª acep. || **de cargo.** Pieza de madera de hilo, de 10 varas de longitud con una escuadría de 18 pulgadas de tabla por 12 de canto. || **de Cuenca.** En Madrid, **pino negral,** 1.ª acep. || **de oro.** fig. Especie de adorno que antiguamente usaban las mujeres en el tocado. || **de Valsaín. Pino albar,** 1.ª acep. || **doncel,** o **manso. Pino piñonero.** || **marítimo. Pino rodeno.** || **melis.** Variedad del pino negral muy estimada para entarimados, puertas y otras obras de carpintería. || **negral.** Especie de **pino** que llega a más de 40 metros de altura, con la corteza de un blanco ceniciento, hojas largas y fuertes y piñas pequeñas. Su madera es muy elástica y bastante rica en resina. || **2.** *Áv.* **Pino rodeno.** || **negro.** Especie de **pino** de 10 a 20 metros de altura, corteza bastante lisa, de color pardo obscuro, hojas cortas y piñas pequeñas. || **piñonero.** Especie de **pino** que llega a 30 metros de altura, de tronco muy derecho y copa ancha, casi aparasolada, hojas largas y piñas aovadas, con piñones comestibles. || **pudio. Pino negral,** 1.ª acep. || **real.** *And.* **Pino piñonero.** || **rodeno.** Especie de **pino** de mediana altura, corteza áspera, parduzca y a trechos rojiza; hojas muy largas, gruesas y rígidas, y piñas grandes, puntiagudas y un poco encorvadas. Su madera es la más abundante en resina. || **royo.** *Ar.* **Pino albar,** 1.ª acep. || **salgareño. Pino negral,** 1.ª acep. || **tea.** Especie de **pino** cuya madera es muy resinosa, de color rojizo, compacta y dura. Se usa para suelos, puertas, balcones y obras semejantes. || **Ser uno como un, o un, pino de oro.** fr. fig. y fam. Ser bien dispuesto, airoso y bizarro.

Pino, na. (De *pina* o de *pino.*) adj. Muy pendiente o muy derecho. *La cuesta del monte es muy* PINA. || **2.** m. fam. Aquel primer paso que empiezan a dar los niños cuando se quieren soltar, o los convalecientes cuando empiezan a levantarse. Ú. m. en pl. y con el verbo *hacer.* || **A pino.** m. adv. con que se explica el modo de tocar las campanas, levantándolas en alto y haciéndolas dar vueltas. || **En pino.** m. adv. En pie, derecho, sin caer.

Pinocha. f. Hoja del pino.

Pinocha. (De *panocha.*) f. *Ar.* Panoja del maíz y del panizo.

Pinochera. (De *pinocha,* 2.° art.) f. *Ar.* Espata que cubre la panoja del maíz y del panizo.

Pinocho. (De *pino,* 1.er art.) m. *Cuen.* **Pimpollo,** 1.ª acep. || **2.** *Cuen.* Piña de pino rodeno.

Pinol. m. *C. Rica, Ecuad.* y *Guat.* **Pinole.** || **2.** *Guat.* y *Hond.* Harina de maíz tostado, a la que se añade cidrayote, cacao y azúcar.

Pinolate. m. *Guat.* Bebida de pinole, agua y azúcar.

Pinole. (Del mejic. *pinolli.*) m. Mezcla de polvos de vainilla y otras especies aromáticas, que venía de América y servía para echarla en el chocolate, al cual daba exquisito olor y sabor.

Pinolillo. m. *Méj.* Insecto de color rojo y muy pequeño, que parece polvo de pinole. || **2.** *C. Rica* y *Hond.* Pinol con azúcar y cacao, con lo que se hace una bebida refrescante.

Pinoso, sa. adj. Que tiene pinos.

Pinrel. m. *Germ.* El pie de las personas. Ú. m. en pl.

Pinsapar. m. Sitio poblado de pinsapos.

Pinsapo. (Del lat. *pinus,* pino, y *sapīnus,* sabino.) m. *Bot.* Árbol del género del abeto, de 20 a 25 metros de altura, corteza blanquecina, flores monoicas, hojas cortas, esparcidas y casi punzantes, que persisten durante muchos años, y piñas derechas, más gruesas que las del abeto. Aunque extendido como árbol de adorno por toda Europa, sólo es espontáneo en una parte de la serranía de Ronda.

Pinta. (De *pintar.*) f. Mancha o señal pequeña en el plumaje, pelo o piel de los animales y en la masa de los minerales. || **2.** Adorno en forma de lunar o mota, con que se matiza alguna cosa. || **3. Gota,** 1.ª acep. || **4.** Señal que tienen los naipes en sus extremos, por donde se conoce, antes de descubrirlos, de qué palo son. El naipe de oros tiene sólo una raya, el de copas dos, el de espadas tres y el de bastos cuatro. || **5.** fig. Señal o muestra exterior por donde se conoce la calidad buena o mala de personas o cosas. También se aplica a la muestra de ciertas cosechas. || **6.** pl. Juego de naipes, especie del que se llama del parar. Juégase volviendo a la cara toda la baraja junta, y la primera carta que se descubre es del contrario, y la segunda del que tiene la baraja, y estas dos se llaman **pintas.** Vanse sacando cartas hasta encontrar una de número igual al de cualquiera de las dos que salieron al principio, y gana aquel que encuentra con la suya tantos puntos cuantas cartas puede contar desde ella hasta dar con azar, que son el tres, el cuatro, el cinco y el seis, si no es cuando son **pintas**, o cuando hacen encaje al tiempo de ir contando; como será si la cuarta carta es un cuatro que, entonces, no es azar, sino encaje. El que lleva el naipe ha de querer los envites que le hace el contrario, o dejar el naipe. || **7. Tabardillo,** 1.ª acep. || **Descubrir** a uno **por la pinta.** fr. **Sacarle por la pinta.** || **No quitar pinta.** fr. fig. y fam. Parecerse con grandísima semejanza a otro, no sólo en la apariencia exterior, sino también en el genio y acciones. || **Sacar** a uno **por la pinta.** fr. fig. y fam. Conocerle por alguna señal.

Pinta. (Del ingl. *pint.*) f. Medida de líquidos de que se usa en algunas partes, y equivale a media azumbre escasa.

Pintacilgo. (De *pinta,* 1.er art., y *cilgo,* del lat. *silybum,* cardo.) m. **Jilguero.**

Pintada. (De *pintado.*) f. **Gallina de Guinea.**

Pintadera. (De *pintar.*) f. Instrumento que se emplea para adornar con ciertas labores la cara superior del pan u otras cosas.

Pintadillo. (De *pintado.*) m. **Jilguero.**

Pintado, da. (De *pintar.*) adj. Naturalmente matizado de diversos colores. || **2.** V. **Pan, papel, tabardillo pintado.** || **3. Pintojo.** || **Pintado,** o **como pintado.** fig. Con los verbos *estar, venir* y otros, ajustado y medido; muy a propósito. || **El más pintado.** loc. fam. El más hábil, prudente o experimentado. || **2.** fig. El de más valer.

Pintamonas. (De *pintar* y *mona.*) com. fig. y fam. Pintor de corta habilidad.

Pintar. (Del lat.***pictāre,* de *pictus,* con la *n* de *pingĕre.*) tr. Representar o figurar un objeto en una superficie, con las líneas y los colores convenientes. || **2.** Cubrir con un color la superficie de las cosas; como persianas, puertas, etc. || **3.** Hacer labores con la pintadera. || **4.** Escribir, formar la letra, y también señalar o trazar un signo ortográfico. PINTAR *el acento.* || **5.** fig. Describir o representar viva y animadamente personas o cosas por medio de la palabra. || **6.** fig. Fingir, engrandecer, ponderar o exagerar una cosa. || **7.** *Min.* **Emboquillar,** 2.ª acep. || **8.** intr. Empezar a tomar color y madurar ciertos frutos. Ú. t. c. r. || **9.** Mostrarse la pinta de las cartas cuando se talla. || **10.** fig. y fam. Empezar a mostrarse la cantidad o la calidad buena o mala de una cosa. || **11.** fig. En frases negativas o interrogativas que envuelven negación, importar, significar, valer. *¿Qué* PINTAS *tú aquí? Yo aquí no* PINTO *nada, y por tanto, me voy.* || **12.** *Ast., León* y *Sor.* Probarle bien una cosa a uno; sentarle bien. || **13.** r. Darse colores y afeites en el rostro. || **Pintar como querer.** expr. fig. Presentar las cosas, no como son o han de ser, sino conforme al capricho o la conveniencia de quien las presenta. || **Pintar de,** o **de la, primera.** fr. Dejar desde luego concluido lo que se **pinta,** sin bosquejar ni retocar. || **Pintarla.** fr. fig. y fam. Afectar uno en porte y modales autoridad, distinción, elegancia o gentileza. || **Pintarse** uno **solo para** una cosa. fr. fig. y fam. Ser muy apto o tener mucha habilidad para ella.

Pintarrajar. tr. fam. **Pintorrear.**

Pintarrajear. tr. fam. **Pintarrajar.** Ú. t. c. r.

Pintarrajo. m. fam. Pintura mal trazada y de colores impropios.

Pintarroja. (De *pinta,* 1.er art., y *roja.*) f. **Lija,** 1.ª acep.

Pintarrojo. (De *pinta* y *rojo.*) m. *Gal.* **Pardillo,** 6.ª acep.

Pintear. intr. **Lloviznar.**

Pinteño, ña. adj. Natural de Pinto. Ú. t. c. s. || **2.** Perteneciente a esta villa.

Pintiparado, da. (De *pintiparar.*) adj. Parecido, semejante a otro; que en nada difiere de él. || **2.** Dícese de lo que viene justo y medido a otra cosa, o es a propósito para el fin propuesto.

Pintiparar. (De *pinto,* 2.° art., y *parar.*) tr. Asemejar, hacer parecida una cosa a otra. || **2.** fam. Comparar una cosa con otra.

Pinto. n. p. **Estar** uno **entre Pinto y Valdemoro.** fr. fig. y fam. Estar medio borracho.

Pinto, ta. (Del lat. *pictus,* con la *n* de *pingĕre.*) adj. ant. **Pintado.** || **2.** V. **Pájara pinta.**

Pintojo, ja. adj. Que tiene pintas o manchas.

Pintón, na. (De *pintar.*) adj. Dícese de las uvas y otros frutos cuando van tomando color al madurar. || **2.** Aplícase al ladrillo que no está perfecta e igualmente cocido. || **3.** m. Gusanillo que pica el tallo del maíz para penetrar en él y deja la planta lacia y amarillenta. || **4.** Enfermedad de la planta de maíz, causada por el referido gusanillo.

Pintonear. (De *pintón,* 1.ª acep.) intr. Enverar las frutas.

Pintor. (Del lat. *pictor, -ōris,* con la *n* de *pingĕre.*) m. y f. Persona que profesa o ejercita el arte de la pintura. || **2.** f. Mujer del pintor.

Pintoresco, ca. (De *pintor.*) adj. Aplícase a las cosas que presentan una imagen agradable, deliciosa y digna de ser pintada. || **2.** fig. Dícese del lenguaje, estilo, etc., con que se pintan viva y animadamente las cosas.

Pintorrear. (De *pintar.*) tr. fam. Manchar de varios colores y sin arte una cosa. Ú. t. c. r.

Pintura. (Del lat. *pictūra,* con la *n* de *pingĕre.*) f. Arte de pintar. || **2.** Tabla, lámina o lienzo en que está pintada una cosa. || **3.** La misma obra pintada. || **4.** Color preparado para pintar. || **5.** fig. Descripción o representación viva y animada de personas o cosas por medio de la palabra. || **a dos visos.** La que se forma artificialmente, de suerte que mirada de un modo representa una figura, y mirada de otro, otra distinta. || **a la aguada. Aguada,** 6.ª acep. || **a la chamberga.** Manera de pintar esculturas de madera, puertas, ventanas, paredes y otras cosas no expuestas a la intemperie, usando colores preparados con barniz de pez griega y aguarrás. || **al encausto.** La que se hace empleando colores mezclados con cera y se aplica en caliente. Tuvo uso principalmente en la antigüedad. || **al fresco.** La que se hace en paredes y techos con colores disueltos en agua de cal y extendidos sobre una capa de estuco fresco. || **al óleo.** La hecha con colores desleídos en aceite secante. || **al pastel.** La que se hace sobre papel con lápices blandos, pastosos y de colores variados. || **al temple.** La hecha con colores preparados con líquidos glutinosos y calientes; como agua de cola, etc. || **bordada.** La que se hace con sedas de varios colores, mediante la aguja, sobre piel o tejido. || **cerífica. Pintura** al encausto hecha con cera de varios colores. || **de aguazo. Aguazo.** || **de miniatura. Miniatura.** || **de mosaico. Mosaico,** 2.° art. || **de porcelana.** La hecha de esmalte, usando de colores minerales y uniéndolos y endureciéndolos con el fuego. || **embutida.** La que imita objetos de la naturaleza, embutiendo fragmentos de varias materias con la debida unión, según conviene a lo que se intenta representar. Divídese en metálica, marmórea o lapídea, lignaria y plástica, según la calidad de los fragmentos que se embuten. || **figulina.** La hecha con colores metálicos sobre vasijas de barro, perfeccionándolos con el fuego. || **rupestre.** La prehistórica, que se encuentra en rocas o en cavernas. || **tejida.** La que se hace en la tela, imitando objetos de la naturaleza por medio del tejido. || **vítrea.** La hecha con colores preparados, usando del pincel y endureciéndolos al fuego. || **Hacer pinturas** un caballo. fr. fig. y fam. Hacer escarceos y gallardear, o por sí mismo, o excitado por el jinete. || **La pintura y la pelea, desde lejos me la otea.** ref. que aconseja no mezclarse en reyertas ajenas. || **No poder ver** a uno **ni en pintura.** fr. fam. con que se denota grande aversión.

Pinturero, ra. (De *pintura.*) adj. fam. Dícese de la persona que alardea ridícula o afectadamente de bien parecida, fina o elegante. Ú. t. c. s.

Pinuca. f. *Chile.* Marisco de cerca de un decímetro de largo y dos centímetros de ancho, de piel gruesa, coriácea, blanco, pardusco y arrugado. Es comestible.

Pínula. (Del lat. *pinnŭla.*) f. Tablilla metálica que en los instrumentos topográficos y astronómicos sirve para dirigir visuales por una abertura circular o longitudinal que la misma tiene.

Pinza. f. *Zool.* Último artejo de algunas patas de ciertos artrópodos, como el cangrejo, el alacrán, etc., formado con dos piezas que pueden aproximarse entre sí y sirven como órgano prensores.

Pinzas. (En fr. *pince;* en ital. *pinzette.*) f. pl. Instrumento de metal, a manera de tenacillas, que sirve para coger o sujetar cosas menudas. || **2.** V. **Compás de pinzas.** || **No se lo sacarán ni con pinzas.** expr. fig. y fam. con que se expresa la dificultad de averiguar de una persona reservada o cauta lo que se desea saber.

Pinzón. (De ***pinzar,* y éste del lat. ***pinctiāre,* origen del fr. *pincer,* y del cast. *pinchar.*) m. Ave del orden de los pájaros, del tamaño de un gorrión, con plumaje de color rojo obscuro en la cara, pecho y abdomen, ceniciento en lo alto de la cabeza y del cuello, pardo rojizo en el lomo, verde amarillento en la rabadilla, negro en la frente, pardo con dos franjas transversales, una blanca y otra amarilla, en las alas, y negro con manchas blancas en la cola. Abunda en España, se alimenta principalmente de insectos, canta bien y la hembra es de color pardo. || **2.** *Mar.* **Guimbalete.** || **real.** El de pico muy grueso y robusto, que se alimenta principalmente de piñones.

Pinzote. (Quizá de *pinzas.*) m. *Mar.* Barra o palanca que se encajaba en la cabeza del timón y, mediante un laboreo adecuado, servía para moverlo antes de usarse la rueda con que se gobierna en la actualidad. || **2.** *Mar.* Hierro acodillado en forma de escarpia que se clava para servir de gozne o macho, como los del timón donde se enganchan las correspondientes hembras.

Piña. (Del lat. *pinĕa.*) f. Fruto del pino y otros árboles. Es de figura aovada, más o menos aguda, de tamaño que varía, según las especies, desde dos hasta 20 centímetros de largo y próximamente la mitad de grueso, y se compone de varias piezas leñosas, triangulares, delgadas en la parte inferior, por donde están asidas, y recias por la superior, colocadas en forma de escama a lo largo de un eje común, y cada una con dos piñones y rara vez uno. || **2. Ananás.** || **3.** Tejido blanco mate, transparente y finísimo, que los indígenas de Filipinas fabrican con los filamentos de las hojas del ananás. Sirve para hacer pañuelos, toallas, fajas, camisas y vestidos de niños y señoras. || **4.** fig. Conjunto de personas o cosas unidas o agregadas estrechamente. || **5.** *Sal.* Cresta del pavo. || **6.** *Mar.* Especie de nudo, generalmente redondeado, que se teje con los chicotes descolchados de un cabo. || **7.** *Min.* Masa esponjosa de plata, de figura cónica, que queda en los moldes, donde se destila en los hornos la pella sacada de minerales argentíferos. || **8.** V. **Plata de piña.** || **de América. Ananás.** || **de ciprés.** *Bot.* Fruto de este árbol, que es una gálbula redonda, leñosa, con superficie desigual, color bronceado, de unos tres centímetros de diámetro, y en lo interior con muchas semillas negras y menudas. || **de incienso.** Cada una de las cinco figuras de **piña** que se clavan en el cirio pascual.

Piñal. m. *Amér.* Plantío de piñas o ananás.

Piñata. (Del ital. *pignatta.*) f. **Olla,** 1.ª acep. || **2.** Olla o cosa semejante, llena de dulces, que en el baile de máscaras del primer domingo de cuaresma suele colgarse del techo para que algunos de los concurrentes, con los ojos vendados, procuren romperla de un palo o bastonazo; de donde provino llamarse de **piñata** este baile.

Piño. (Como el fr. *pignon,* muela, del lat. *pinna,* saliente, punta.) m. **Diente.** Ú. m. en pl.

Piñón. (De *piña.*) m. Simiente del pino. Es de tamaños diferentes, según las especies, desde dos a 20 milímetros de largo y uno a cinco de grueso, elipsoidal, con tres aristas obtusas, cubierta leñosa muy dura y almendra blanca, dulce y comestible en el pino piñonero. || **2.** Almendra comestible de la semilla del pino piñonero. || **3.** Burro más trasero de la recua, en el cual suele ir montado el arriero. || **4.** Arbusto de la familia de las euforbiáceas, de dos a cinco metros de altura, con hojas acorazonadas, divididas casi siempre en lóbulos y pecioladas; flores en cima y fruto carnoso con semillas crasas. Se cría en las regiones cálidas de América, sus semillas se emplean en medicina como purgantes, y en la industria para extraer su aceite, y las raíces sirven para teñir de color violado. || **5.** En las armas de fuego, pieza en que estriba la patilla de la llave cuando está para disparar. || **6.** *Cetr.* Huesecillo último de las alas del ave. || **Comer los piñones en** alguna parte. fr. fig. y fam. Hacer nochebuena en ella. *Ese criado no* COMERÁ *aquí* LOS PIÑONES. || **Estar** uno **a partir un piñón con** otro. fr. fig. y fam. Haber unidad de miras y estrecha unión entre ambos. || **Hacer piñones.** fr. Piñonear el macho de la perdiz. Ú. entre cazadores.

Piñón. (Como el fr. *pignon,* de un der. del lat. *pinna,* almena.) m. Rueda pequeña y dentada que engrana con otra mayor en una máquina.

Piñón. (Del lat. *penna,* pluma.) m. *Cetr.* Cualquiera de las plumas pequeñas, en forma de segunda ala, que los halcones tienen debajo de las alas.

Piñonata. (De *piñonate.*) f. Género de conserva que se hace de almendra raspada y sacada como en hojas, y azúcar en punto para que se incorpore.

Piñonate. (Del cat. *pinyonat,* de *pinyó,* piñón.) m. Cierto género de pasta que se compone de piñones y azúcar. || **2.** Masa de harina frita cortada en pedacitos que, rebozados con miel o almíbar, se unen unos a otros, formando por lo común una piña.

Piñoncillo. (d. de *piñón.*) m. *Cetr.* **Piñón,** 3.er art.

Piñonear. intr. Sonar con el roce el piñón y la patilla de la llave de algunas armas de fuego cuando éstas se montan. || **2.** Castañetear el macho de la perdiz cuando está en celo. || **3.** fig. y fam. Dar muestras, en las costumbres e inclinaciones, de que se ha pasado ya de la niñez a la mocedad. || **4.** fig. y fam. Dícese en tono burlesco de los hombres ya muy maduros que galantean aún a las mujeres, como si fueran mozos.

Piñoneo. m. Acción y efecto de piñonear.

Piñonero. (De *piñón,* 1.er art.) adj. V. **Pino piñonero.** || **2.** m. **Pinzón real.**

Piñorar. (Del lat. *pignorāre;* de *pignus, -ŏris,* prenda.) tr. ant. **Pignorar.**

Piñuela. (d. de *piña.*) f. Tela o estofa de seda. || **2.** *Bot.* Gálbula del ciprés. || **3.** *Ecuad.* Planta bromeliácea, algo parecida al cacto, que se emplea mucho para cercar potreros o fincas rústicas.

Piñuelo. (De *piña.*) m. **Erraj.** || **2.** *Murc.* Granillo o simiente de la uva y de algunos otros frutos.

Pío. m. Voz que forma el pollo de cualquier ave. Ú. también de esta voz para llamarlos a comer. || **2.** fam. Deseo vivo y ansioso de una cosa. || **3.** *Germ.* **Vino,** 1.ª acep.

Pío, a. (Del lat. *pius.*) adj. Devoto, inclinado a la piedad, dado al culto de la religión y a las cosas pertenecientes al servicio de Dios y de los santos. || **2.** Benigno, blando, misericordioso, compasivo. || **3.** V. **Acervo, monte, pósito pío.** || **4.** V. **Obra pía.**

Pío, a. (Del fr. *pie,* y éste del lat. *pica,* urraca, por semejanza en los colores.) adj. Dícese del caballo, mulo o asno cuyo pelo, blanco en su fondo, presenta manchas más o menos extensas de otro color cualquiera, negro, castaño, alazán, etc.

Piocha. (Del ital. *pioggia,* y éste del lat. *pluvia,* lluvia.) f. Joya de varias figuras que usan las mujeres para adorno de la cabeza. || **2.** Flor de mano, hecha de plumas delicadas de aves.

Piocha. (Del fr. *pioche.*) f. *Albañ.* Herramienta con una boca cortante, que sirve para desprender los revoques de las paredes y para escafilar los ladrillos.

Piogenia. (Del gr. πῦον, pus, y γεννάω, producir.) f. *Med.* Formación de pus.

Piojento, ta. adj. Perteneciente o relativo a los piojos. || **2.** Que tiene piojos. || **3.** V. **Hierba piojenta.**

Piojera. (De *piojo.*) adj. V. **Hierba piojera.**

Piojería. f. Abundancia de piojos. || **2.** fig. y fam. Miseria, escasez, menudencia o poquedad.

Piojillo. (d. de *piojo.*) m. *Zool.* Insecto anopluro, que vive parásito sobre las aves y se alimenta de materias córneas de la piel y plumas de estos animales. || **Matar** uno **el piojillo.** fr. fig. y fam. Ir sacando adelante su negocio mañosa o disimuladamente.

Piojo. (Del lat. *pedūcŭlus.*) m. *Zool.* Insecto hemíptero, anopluro, de dos a tres milímetros de largo, con piel flexible, resistente y de color pardo amarillento; cuerpo ovalado y chato, sin alas, con las patas terminadas en uñas y antenas muy cortas, filiformes y con cinco articulaciones, y boca con tubo a manera de trompa que le sirve para chupar. Vive parásito sobre los mamíferos, de cuya sangre se alimenta; su fecundidad es extraordinaria, y hay diversas especies. || **2. Piojillo.** || **3.** *Min.* Partícula que a los golpes del martillo suele saltar de la cabeza de la barrena, y que clavándose en las manos del operario, le produce la sensación de una picadura. || **de mar.** *Zool.* Crustáceo de tres a cuatro centímetros de largo, de figura ovalada, cabeza cónica, seis segmentos torácicos, seis pares de patas y abdomen rudimentario. Vive como parásito sobre la piel de la ballena y de otros grandes mamíferos marinos. || **pegadizo.** fig. y fam. Persona importuna y molesta que no puede uno apartar de sí. || **resucitado.** fig. y fam. Persona de humilde origen, que logra elevarse por malos medios. || **Como piojo,** o **piojos, en costura.** loc. adv. fig. y fam. de que se usa para denotar que se está con mucha estrechez y apretura en un paraje.

Piojoso, sa. adj. Que tiene muchos piojos. Ú. t. c. s. || **2.** fig. Miserable, mezquino. Ú. t. c. s.

Piojuelo. m. d. de **Piojo.** || **2. Pulgón.**

Piola. (De *pihuela.*) f. *Mar.* Cabito formado de dos o tres filásticas. || **2.** *Murc.* **Triquitraque,** 3.ª acep.

Piolar. intr. Pipiar los pollos o los pajaritos.

Pión, na. adj. Que pía mucho o con exceso.

Pionía. f. Semilla del bucare, que es parecida a la alubia, si bien más redonda, muy dura y de brillante y hermosísimo color encarnado con manchitas negras en ambos extremos. En Venezuela los antiguos indios, y hoy la gente del campo, se valían y valen aún de estas semillas para muy vistosos collares y pulseras.

Piopollo. (Voz imitativa del sonido del instrumento.) m. *And.* **Birimbao.**

Piornal. m. **Piorneda.**

Piorneda. f. Terreno poblado de piornos.

Piorno. (Del lat. *viburnus.*) m. **Gayomba.** || **2. Codeso.**

Piorno. (De *piar.*) m. *Germ.* **Borracho,** 1.ª y 2.ª aceps.

Piorrea. (Del gr. πυόρροια; de πῦον, pus, y ῥέω, fluir.) f. *Med.* Flujo de pus y especialmente en las encías.

Pipa. (Del lat. *pipāre,* piar.) f. Tonel o candiota que sirve para transportar o guardar vino u otros licores. || **2.** Utensilio de uso común para fumar tabaco de hoja; consiste en un cañón terminado en un recipiente, en que se coloca el tabaco picado, encendido el cual se aspira el humo por una boquilla que hay en el extremo opuesto. Las hay de varias materias y tamaños. || **3.** V. **Piedra de pipas.** || **4.** V. **Tabaco de pipa.** || **5.** Lengüeta de las chirimías, por donde se echa el aire. || **6. Pipiritaña.** || **7. Espoleta,** 1.er art. || **Tomar pipa.** fr. fam. Marcharse, irse, huir.

Pipa. f. **Pepita,** 2.° art., 1.ª acep.

Pipar. intr. Fumar en pipa.

Piperáceo, a. (De *piper,* nombre latino de la pimienta.) adj. *Bot.* Dícese de plantas angiospermas dicotiledóneas, herbáceas o leñosas, de hojas gruesas, enteras o aserradas, flores hermafroditas en espigas o en racimos y fruto en baya, cápsula o drupa con semillas de albumen córneo o carnoso; como el betel, la cubeba y el pimentero. Ú. t. c. s. || **2.** f. pl. *Bot.* Familia de estas plantas.

Pipería. f. Conjunto o provisión de pipas. || **2.** *Mar.* Conjunto de pipas en que se lleva la aguada y otros géneros. || **Abatir la pipería.** fr. *Mar.* Deshacer o desbaratar las pipas o barriles que en las embarcaciones sirven para llevar el agua dulce.

Piperina. f. *Quím.* Alcaloide extraído de la pimienta.

Pipeta. (d. de *pipa,* 1.er art.) f. Tubo de cristal ensanchado en su parte media, que sirve para trasladar pequeñas porciones de líquido de un vaso a otro, para lo cual se introduce en el líquido y antes de sacar el aparato, se tapa su orificio superior hasta que se quiere que salga el contenido. || **2.** Tubo de varias formas, cuyo orificio superior se tapa a fin de que la presión atmosférica impida la salida del líquido.

Pipí. m. **Pitpit.**

Pipián. m. Guiso americano que se compone de carnero, gallina, pavo u otra ave, con tocino gordo y almendra machacada.

Pipiar. (Del lat. *pipiāre.*) intr. Dar voces las aves cuando son pequeñas.

Pipiola. f. *Méj.* Especie de abeja muy pequeña.

Pipiolo. (d. del lat. *pipio*, pichón, polluelo.) m. fam. El principiante, novato o inexperto.

Pipión. m. ant. **Pepión.**

Pipirigallo. m. *Bot.* Planta herbácea vivaz, de la familia de las papilionáceas, con tallos torcidos, de unos cuatro decímetros de altura; hojas compuestas de un número impar de hojuelas enteras y elípticas; flores encarnadas, olorosas, en espigas axilares y cuyo conjunto semeja la cresta y carúnculas del gallo, y fruto seco, cubierto de puntitas y con una sola semilla. Es común en España, se considera como una de las plantas mejores para prados, y una de sus variedades se cultiva en los jardines por la belleza de la flor.

Pipirigaña. f. **Pizpirigaña.**

Pipirijaina. f. fam. Compañía de cómicos de la legua.

Pipiripao. m. fam. Convite espléndido y magnífico. Entiéndese regularmente de los que se van haciendo un día en una casa y otro en otra. || **2.** fam. V. **Tierra del pipiripao.**

Pipiritaña. f. Flautilla que suelen hacer los muchachos con las cañas del alcacer.

Pipirrana. f. *And.* Ensaladilla hecha con pepino y tomate principalmente, y preparada de una manera especial.

Pipita. (Voz onomatopéyica.) f. *And.* **Nevatilla.**

Pipitaña. f. **Pipiritaña.**

Pipo. (Del gr. πῖπος.) m. Ave del orden de las trepadoras, de unos 12 centímetros de longitud desde la punta del pico hasta la extremidad de la cola y 20 de envergadura, con plumaje negro manchado de blanco, menos la parte inferior del arranque de la cola, que es de color ceniciento, y la parte superior del lomo, que es rojizo. Anida sobre los árboles y se alimenta de los insectos que viven en ellos.

Piporro. (aum. despect. de *pipa*, 1.er art., 5.ª acep.) m. fam. **Bajón,** 1.er art., 1.ª y 2.ª aceps.

Pipote. m. Pipa pequeña que sirve para encerrar y transportar licores, pescados y otras cosas.

Pique. (De *picar*.) m. Resentimiento, desazón o disgusto ocasionado de una disputa u otra cosa semejante. || **2.** Empeño en hacer una cosa por amor propio o por rivalidad. || **3.** Acción y efecto de picar poniendo señales en un libro, etc. || **4.** En el juego de los cientos, lance en que el que es mano cuenta 60 puntos antes que el contrario cuente uno; y esto sucede cuando va jugando y contando y llega al número de 30, que en su lugar cuenta 60. || **5. Nigua.** || **A pique.** m. adv. Cerca, a riesgo, en contingencia. || **2.** *Mar.* Dícese de la costa que forma como una pared, o cuya orilla está cortada a plomo. || **Echar a pique.** fr. *Mar.* Hacer que un buque se sumerja en el mar. || **2.** fig. Destruir y acabar una cosa. ECHAR A PIQUE *la hacienda*. || **Estar,** o **ponerse, a pique.** fr. *Mar.* Con relación al ancla fondeada, estar o colocar el buque verticalmente sobre ella, teniendo teso su cable. || **Irse a pique.** fr. *Mar.* Hundirse en el agua una embarcación u otro objeto flotante.

Pique. (De *pica*, 1.er art.) m. *Mar.* Varenga en forma de horquilla, que se coloca a la parte de proa.

Piqué. (Del fr. *piqué*, picado.) m. Tela de de algodón que forma cañutillo, grano u otro género de labrado, y se emplea en prendas de vestir y otras cosas.

Piquera. (De *pico*.) f. Agujero o puertecita que se hace en las colmenas para que las abejas puedan entrar y salir. || **2.** Agujero que tienen en uno de sus dos frentes los toneles y alambiques, para que abriéndolo pueda salir el líquido. || **3.** Agujero que en la parte inferior de los hornos altos sirve para dar salida al metal fundido. || **4. Mechero,** 1.ª acep. || **5. Herida,** 1.ª acep.

Piquería. f. Tropa de piqueros.

Piquero. m. Soldado que servía en el ejército con la pica. || **2.** *Chile* y *Perú.* Ave palmípeda, de pico recto puntiagudo; anda en grandes bandadas y se alimenta de peces. De ella procede en gran parte el guano de las islas de Chincha.

Piqueta. (d. de *pica*, 1.er art.) f. **Zapapico.** || **2.** Herramienta de albañilería, con mango de madera y dos bocas opuestas, una plana como de martillo, y otra aguzada como de pico.

Piquete. (De *pico*, 1.er art.) m. Golpe o herida de poca importancia hecha con instrumento agudo o punzante. || **2.** Agujero pequeño que se hace en las ropas u otras cosas. || **3.** Jalón pequeño. || **4.** *Mil.* Grupo poco numeroso de soldados que se emplea en diferentes servicios extraordinarios. || **5.** *Colomb.* Merienda campestre.

Piquetero. m. Muchacho que lleva de una parte a otra las piquetas a los trabajadores de las minas.

Piquetilla. (d. de *piqueta*.) f. Piqueta pequeña que en lugar de la punta tiene el remate ancho y afilado, y sirve a los albañiles sólo para hacer agujeros pequeños en paredes delgadas.

Piquillín. m. *Bot. Argent.* Árbol de la familia de las ramnáceas, que da una frutilla rojiza de la que se hace arrope y aguardiente, y cuya madera, de buena calidad, se emplea para muebles y herramientas. También se utiliza la raíz para teñir de morado.

Piquituerto. (De *pico* y *tuerto*.) m. Pájaro de mandíbulas muy encorvadas, con las cuales separa las escamas de las piñas, saca los piñones y los parte.

Pira. (Del lat. *pyra*, y éste del gr. πυρά; de πῦρ, fuego.) f. Hoguera en que antiguamente se quemaban los cuerpos de los difuntos y las víctimas de los sacrificios. || **2.** fig. **Hoguera.** || **3.** fig. *Germ.* Huelga, fuga, huida. || **4.** *Blas.* **Punta,** 19.ª acep. || **Ir de pira.** fr. En la jerga estudiantil, no entrar en la clase. || **2.** fig. y fam. Ir de parranda, 1.ª acep.

Piragón. (De *pira*.) m. **Pirausta.**

Piragua. (Voz caribe.) f. Embarcación larga y estrecha, mayor que la canoa, hecha generalmente de una pieza o con bordas de tabla o cañas. Navega a remo y vela, y la usan los indios de América y Oceanía. || **2.** *Bot.* Planta trepadora sudamericana, de la familia de las aráceas, con tallos escamosos, hojas grandes, muy verdes, lanceoladas, con aberturas ovaladas en su disco y espata axilar de color blanco amarillento.

Piragüero. m. El que gobierna la piragua.

Piral. (Del lat. *pyrălis*, y éste del gr. πυραλίς.) m. **Pirausta.**

Piramidal. adj. De figura de pirámide. || **2.** *Zool.* V. **Hueso piramidal.** || **3.** *Zool.* Dícese de cada uno de dos músculos pares, situados el uno en la parte anterior e inferior del vientre, y el otro en la posterior de la pelvis y superior del muslo.

Piramidalmente. adv. m. En forma o figura de pirámide.

Pirámide. (Del lat. *pyrămis, -ĭdis*, y éste del gr. πυραμίς.) f. *Geom.* Sólido que tiene por base un polígono cualquiera, siendo sus caras (tantas en número como los lados de aquél) triángulos que se juntan en un solo punto, llamado vértice, y forman un ángulo poliedro. Si la base es un cuadrilátero, la **pirámide** se llama cuadrangular; si un pentágono, pentagonal, etc. || **cónica.** ant. *Geom.* **Cono,** 2.ª acep. || **óptica.** La que forman los rayos ópticos principales, que tiene por base el objeto y por vértice el punto impresionado en la retina. || **regular.** *Geom.* La que tiene por base un polígono regular y por caras triángulos isósceles iguales.

Pirandón. m. Persona aficionada a ir de pira, 2.ª acep.

Pirata. (Del lat. *pirāta*, y éste del gr. πειρατής; de πειράω, ensayar, emprender.) adj. **Pirático.** || **2.** m. Ladrón que anda robando por el mar. || **3.** fig. Sujeto cruel y despiadado que no se compadece de los trabajos de otro.

Piratear. (De *pirata*.) intr. Apresar o robar embarcaciones, más comúnmente cuando navegan.

Piratería. (De *piratear*.) f. Ejercicio de pirata. || **2.** Robo o presa que hace el pirata. || **3.** fig. Robo o destrucción de los bienes de otro.

Pirático, ca. (Del lat. *piratĭcus*.) adj. Perteneciente al pirata o a la piratería.

Pirausta. (Del lat. *pyrausta*, y éste del gr. πυραύστης; de πῦρ, fuego, y αὔομαι, arder.) f. Mariposilla que los antiguos suponían vivía en el fuego y que moría si se apartaba de él.

Pirca. (Del quichua *pirca*, pared.) f. *Amér. Merid.* Pared de piedra en seco.

Pircar. tr. *Amér. Merid.* Cerrar un paraje con muro de piedra en seco.

Pirco. (Del arauc. *pidco*.) m. Guiso chileno de fréjoles, maíz y calabaza.

Pircún. (Voz araucana.) m. *Chile.* Arbustillo muy conocido por su raíz en forma de nabo grueso, que es en extremo purgante y emética. Pertenece a la familia de las fitolacáceas y se conocen diversas especies.

Pirenaico, ca. (Del lat. *pyrenaĭcus*.) adj. Perteneciente o relativo a los montes Pirineos.

Piretología. (Del gr. πυρετός, fiebre, y λόγος, tratado.) f. Parte de la patología, que trata de las fiebres denominadas esenciales.

Pirexia. (Del gr. πῦρ, fuego, y ἕξις, estado.) f. *Med.* **Fiebre esencial.**

Pirgüín. (Voz araucana.) m. *Chile.* Especie de sanguijuela, de una pulgada de largo, que vive en los remansos de los ríos y aguas dulces estancadas y penetra en el hígado e intestinos del ganado, al que suele causar la muerte. || **2.** Enfermedad causada por este parásito.

Pirhuín. (Voz araucana.) m. **Pirgüín.**

Pírico, ca. (Del gr. πῦρ, fuego.) adj. Perteneciente o relativo al fuego, y especialmente a los fuegos artificiales.

Piriforme. (Del lat. *pirum*, pera, y *forma*.) adj. Que tiene figura de pera.

Pirineo, a. (Del lat. *pyrenaeus*.) adj. **Pirenaico.**

Pirita. (Del lat. *pyrītes*, y éste del gr. πυρίτης; de πῦρ, fuego.) f. Mineral brillante, de color amarillo de oro. Es un sulfuro de hierro. || **arsenical.** La que se compone de azufre, arsénico y hierro. || **cobriza,** o **de cobre.** La que se compone de azufre, hierro y cobre. || **de hierro. Pirita.** || **magnética.** Mineral compuesto de protosulfuro y bisulfuro de hierro, de color amarillo de bronce con visos pardos o rojizos, magnético y fusible. || **marcial. Pirita de hierro.**

Piritoso, sa. adj. Que contiene pirita.

Pirlitero. m. **Majuelo,** 1.er art.

Pirobolista. (Del pl. gr. πυροβόλα, máquinas para lanzar proyectiles incendiarios.) m. *Mil.* Ingeniero dedicado especialmente a la construcción de minas militares.

Pirofilacio. (Del gr. πῦρ, fuego, y φύλαξ, guarda, custodia.) m. Caverna dilatada que en otro tiempo se suponía existir, llena de fuego, en lo interior de la Tierra.

Pirograbado. (Del gr. πῦρ, fuego, y *grabado*.) m. Especie de dibujo o talla en madera, que se hace mediante un instrumento incandescente.

Pirofórico. adj. V. **Hierro pirofórico.**

Piróforo. (Del gr. πυροφόρος; de πῦρ, fuego, y φόρος, que lleva.) m. Cierto cuerpo que se inflama al contacto del aire.

Pirolusita. (Del gr. πῦρ, πυρός, fuego, y λύσις, descomposición.) f. **Manganesa.**

Piromancia [~ **mancía**]. (Del lat. *pyromantia*, y éste del gr. πυρομαντεία; de πῦρ, fuego, y μαντεία, adivinación.) f. Adivinación supersticiosa por el color, chasquido y disposición de la llama.

Piromántico, ca. adj. Perteneciente a la piromancia. || **2.** m. El que la profesa.

Pirómetro. (Del gr. πῦρ, πυρός, fuego, y μέτρον, medida.) m. Instrumento para medir temperaturas muy elevadas. El más conocido consiste en dos reglas graduadas y convergentes, entre las cuales un cilindro de arcilla puede avanzar tanto más cuanto mayor sea la temperatura a que se ha sometido antes de graduarlo.

Pirón. m. *Argent.* Pasta de cazabe y caldo, que se suele comer con el puchero a guisa de pan.

Piropear. tr. fam. Decir piropos.

Piropo. (Del lat. *pyrōpus*, y éste del gr. πυρωπός; de πῦρ, fuego, y ὤψ, vista, aspecto.) m. Variedad de granate, de color rojo de fuego, muy apreciada como piedra fina. || **2. Carbúnculo.** || **3.** fam. Lisonja, requiebro.

Piróscafo. (Del gr. πῦρ, fuego, y σκάφη, barco.) m. **Buque de vapor.**

Piroscopio. (Del gr. πῦρ, fuego, y σκοπέω, examinar.) m. *Fís.* Termómetro diferencial, con una de sus bolas plateadas, que se emplea en el estudio de los fenómenos de reflexión y de radiación del calor.

Pirosfera. (Del gr. πῦρ, fuego, y σφαῖρα, esfera.) f. *Geol.* Masa candente que, según se cree, ocupa el centro de la Tierra.

Pirosis. (Del gr. πύρωσις, acción de arder.) f. *Med.* Sensación como de quemadura, que sube desde el estómago hasta la faringe, acompañada de flatos y excreción de saliva clara.

Pirotecnia. (Del gr. πῦρ, fuego, y τέχνη, arte.) f. Arte que trata de todo género de invenciones de fuego, en máquinas militares y en otros artificios para diversión y festejo.

Pirotécnico, ca. adj. Perteneciente a la piroctenia. || **2.** m. El que conoce y practica el arte de la pirotecnia.

Piroxena. (Del gr. πῦρ, fuego, y ξένος, huésped.) f. Mineral de color blanco, verde o negruzco, brillo vítreo y fractura concoidea, que forma parte integrante de diversas rocas y es un silicato de hierro, cal y magnesia, con dureza comparable a la del acero.

Piroxilina. (Del gr. πῦρ, fuego, y el pl. gr. ξύλινα (λίνα), hilos de algodón.) f. **Pólvora de algodón.**

Piróxilo. (Del gr. πῦρ, fuego, y ξύλον, madera.) m. Producto de la acción del ácido nítrico sobre una materia semejante a la celulosa, como madera, algodón, etc. *El algodón pólvora es un* PIRÓXILO.

Pirquén. (Del arauc. *pilquén*, trapos.) m. *Chile.* Sólo se emplea en las frases **dar a pirquén y trabajar al pirquén,** con aplicación a las minas, y quiere decir trabajar sin condiciones ni sistema determinados, sino en la forma que el operario quiera, pagando lo convenido al dueño de la mina.

Pirquinear. (De *pirquén*.) intr. *Chile.* **Trabajar al pirquén.**

Pirquinero. (De *pirquinear*.) m. *Chile.* El que trabaja al pirquén. || **2.** Persona mezquina o ruin.

Pirrarse. r. fam. Desear con vehemencia una cosa. Sólo se usa con la preposición *por*.

Pírrico, ca. (Del lat. *pyrrhĭchus*, y éste del gr. πυρρίχη.) adj. Aplícase a una danza usada en la Grecia antigua, y en la cual se imitaba un combate. Ú. t. c. s. f.

Pirriquio. (Del lat. *pyrrhichius*, y éste del gr. πυρρίχιος.) m. Pie de la poesía griega y latina, compuesto de dos sílabas breves.

Pirroniano, na. adj. **Pirrónico.**

Pirrónico, ca. (De *Pirrón*, filósofo escéptico.) adj. **Escéptico.** Apl. a pers., ú. t. c. s.

Pirronismo. (Del m. or. que *pirrónico*.) m. **Escepticismo.**

Pirueta. (Del fr. *pirouette*.) f. **Cabriola,** 1.ª y 2.ª aceps. || **2.** *Equit.* Vuelta rápida que se hace dar al caballo, obligándole a alzarse de manos y a girar apoyado sobre los pies.

Piruétano. m. **Peruétano.**

Piruetear. intr. Hacer piruetas.

Piruja. f. Mujer joven, libre y desenvuelta.

Pirulo. m. *Ar.* Perinola pequeña. || **2. Botijo.**

Pisa. f. Acción de pisar. || **2.** Porción de aceituna o uva que se estruja de una vez en el molino o lagar. || **3.** fam. Zurra o vuelta de patadas o coces que se da a uno. || **4.** *Germ.* **Mancebía,** 1.ª acep.

Pisada. f. Acción y efecto de pisar. || **2.** Huella o señal que deja estampada el pie en la tierra. || **3. Patada,** 1.ª acep. || **Seguir las pisadas de** uno. fr. fig. Imitarle, seguir su ejemplo.

Pisador, ra. adj. Que pisa. || **2.** Dícese del caballo que levanta mucho los brazos y pisa con violencia y estrépito. || **3.** m. El que pisa la uva.

Pisadura. (De *pisar*.) f. **Pisada.**

Pisano, na. (Del lat. *pisānus*.) adj. Natural de Pisa. Ú. t. c. s. || **2.** Perteneciente a esta ciudad de Italia.

Pisante. (De *pisar*.) m. *Germ.* **Pie,** 1.ª y 2.ª aceps. || **2.** *Germ.* **Zapato.**

Pisapapeles. (De *pisar* y *papel*.) m. Utensilio que en las mesas de escritorio, mostradores, etc., se pone sobre los papeles para que no se muevan.

Pisar. (Del lat. *pinsāre, pisāre*.) tr. Poner el pie sobre alguna cosa. || **2.** Apretar o estrujar una cosa con los pies o a golpe de pisón o maza. PISAR *la tierra, los paños, las uvas.* || **3.** En las aves, especialmente en las palomas, cubrir el macho a la hembra. || **4.** Cubrir en parte una cosa a otra. || **5.** Tratándose de teclas o de cuerdas de instrumentos de música, apretarlas con los dedos. || **6.** fig. Hollar, conculcar. || **7.** fig. **Pisotear,** 2.ª acep. || **8.** intr. En los edificios, estar el suelo o piso de una habitación fabricado sobre otra.

Pisasfalto. (Del lat. *pissasphaltos*, y éste del gr. πισσάσφαλτος; de πίσσα, pez, y ἄσφαλτος, asfalto.) m. Variedad de asfalto de consistencia parecida a la de la pez.

Pisaúvas. (De *pisar* y *uva*.) m. **Pisador,** 3.ª acep.

Pisaverde. (De *pisar* y *verde*.) m. fig. y fam. Hombre presumido y afeminado, que no conoce más ocupación que la de acicalarse, perfumarse y andar vagando todo el día en busca de galanteos.

Piscator. (Título que llevaban los antiguos calendarios milaneses.) m. Especie de almanaque con pronósticos meteorológicos.

Piscatorio, ria. (Del lat. *piscatorĭus*.) adj. Perteneciente o relativo a la pesca o a los pescadores. || **2.** Aplícase a la égloga o composición poética en que se pinta la vida de los pescadores. Ú. t. c. s. f.

Piscicultor, ra. (Del lat. *piscis*, pez, y *cultor*, el que cultiva.) m. y f. Persona dedicada a la piscicultura.

Piscicultura. (Del lat. *piscis*, pez, y *cultūra*, cultivo.) f. Arte de repoblar de peces los ríos y los estanques; de dirigir y fomentar la reproducción de los peces y mariscos.

Piscifactoría. (Del lat. *piscis*, pez, y de *factoría*.) f. Establecimiento de piscicultura.

Pisciforme. (Del lat. *piscis*, pez, y *forma*, forma.) adj. De forma de pez.

Piscina. (Del lat. *piscīna*.) f. Estanque que se suele hacer en los jardines para tener peces. || **2.** Lugar en que se echan y sumen algunas materias sacramentales; como el agua del bautismo, las cenizas de los lienzos que han servido para los óleos, etc. || **3.** Estanque donde pueden bañarse a la vez diversas personas. || **probática.** La que había en Jerusalén, inmediata al templo de Salomón, y servía para lavar y purificar las reses destinadas a los sacrificios.

Piscis. (Del lat. *Piscis*.) m. *Astron.* Duodécimo y último signo o parte del Zodiaco, de 30 grados de amplitud, que el Sol recorre aparentemente al terminar el invierno. || **2.** *Astron.* Constelación zodiacal que en otro tiempo debió de coincidir con el signo de este nombre, pero que actualmente, por resultado del movimiento retrógrado de los puntos equinocciales, se halla delante del mismo signo y un poco hacia el oriente.

Piscívoro, ra. (Del lat. *piscis*, pez, y *vorāre*, comer.) adj. *Zool.* **Ictiófago.** Ú. t. c. s.

Pisco. m. *Chile* y *Perú.* Aguardiente superior fabricado en Pisco, lugar peruano. || **2.** Botija en que se exporta este aguardiente.

Piscolabis. m. fam. Ligera refacción que se toma, no tanto por necesidad como por ocasión o por regalo. || **2.** fig. En algunos juegos de naipes, como el tresillo, acción de echar un triunfo superior al que ya está en la mesa, con lo cual se gana baza.

Pisiforme. (Del lat. *pisum*, guisante, y *forma*.) adj. Que tiene la figura de guisante. || **2.** *Zool.* Dícese de uno de los huesos del carpo, que en el hombre es el cuarto de la primera fila. Ú. t. c. s. m.

Piso. m. Acción y efecto de pisar. || **2.** desus. Nivel o altura uniforme del suelo de las habitaciones de una casa. *Todas las piezas están en un* PISO. || **3.** Pavimento natural o artificial de las habitaciones, calles, caminos, etc. || **4.** Conjunto de habitaciones que constituyen vivienda independiente en una casa de varios altos. || **5.** Habitación de un seglar en un monasterio mediante ciertos convenios con los superiores. *Dama de* PISO; *estar de* PISO. || **6.** Convite que ha de pagar a los mozos del pueblo el forastero que corteja a una joven. || **7.** *Min.* Conjunto de labores subterráneas situadas a una misma profundidad.

Pisón. (De *pisar*, apretar.) m. Instrumento de madera pesado y grueso, de figura por lo común de cono truncado y con su mango. Sirve para apretar la tierra, piedras, etc. || **A pisón.** m. adv. A golpe de **pisón.**

Pisonear. (De *pisón*.) tr. **Apisonar.**

Pisotear. tr. Pisar repetidamente, maltratando o ajando una cosa. || **2.** fig. Humillar, maltratar de palabra a una o más personas.

Pisoteo. m. Acción de pisotear.

Pisotón. m. Pisada fuerte sobre el pie de otro.

Pispa. f. *Can.* Pájaro de este nombre. || **2.** Muchachita vivaracha.

Pista. (De *pistar*.) f. Huella o rastro que dejan los animales en la tierra por donde han pasado. || **2.** Sitio dedicado a las carreras y demás ejercicios, en los picaderos, circos, velódromos e hipódromos. || **3.** Camino carretero que se construye provisionalmente para fines militares. || **4.** fig. Conjunto de indicios o señales que puede conducir a la averiguación de un hecho. || **Seguir la pista** a uno. fr. fig. y fam. Perseguirle, espiarle.

Pistache. m. Dulce o helado que se prepara con el fruto del pistachero.

Pistachero. (De *pistacho*.) m. **Alfóncigo,** 1.ª acep.

Pistacho. (Del lat. *pistacĭum*.) m. **Alfóncigo,** 2.ª acep.

Pistadero. m. Instrumento de madera u otra materia, con que se pista.

Pistar. (Del lat. *pistāre.*) tr. Machacar, aprensar una cosa o sacarle el jugo.

Pistero. (De *pisto.*) m. Vasija, por lo común en forma de jarro pequeño o taza, con un cañoncito que le sirve de pico y una asa en la parte opuesta. Se usa para dar caldo u otro líquido a los enfermos que no pueden incorporarse para beber.

Pistilo. (Del lat. *pistillum*, mano de almirez, por semejanza en su forma.) m. *Bot.* Órgano femenino de la flor, que ordinariamente ocupa su centro, y consta de ovario, estilo y estigma, aunque la segunda de estas partes no siempre existe.

Pisto. (Del lat. *pistus*, machacado.) m. Jugo o substancia que se saca de la carne de ave, especialmente de la de gallina o perdiz, machacándola o aprensándola, y se ministra caliente al enfermo que no puede tragar cosa que no sea líquida, para que se alimente y cobre fuerzas. ‖ **2.** Fritada de pimientos, tomates, huevo, cebolla o de otros manjares, picados y revueltos. ‖ **3.** fig. Mezcla confusa de especies en una oración o en un escrito. ‖ **A pistos.** m. adv. fig. y fam. Poco a poco, con escasez y miseria. ‖ **Darse pisto.** fr. fam. Darse importancia.

Pistola. (Del germ. *pistole.*) f. Arma de fuego, corta y con la culata arqueada, que se amartilla, apunta y dispara con una sola mano. ‖ **de arzón.** Cada una de las dos que, guardadas en las pistoleras, se llevan en el arzón de la silla de montar. ‖ **de bolsillo. Cachorrillo.** ‖ **de cinto.** La que se lleva enganchada en la cintura.

Pistolera. f. Estuche de cuero en que se guarda una pistola y que comúnmente se pone en el arzón de la silla de montar.

Pistolero. m. El que utiliza de ordinario la pistola para atracar, asaltar, o, mercenariamente, realizar atentados personales.

Pistoletazo. (De *pistolete.*) m. Tiro de pistola. ‖ **2.** Herida que resulta de él.

Pistolete. (Del fr. *pistolet.*) m. Arma de fuego más corta que la pistola. ‖ **2. Cachorrillo.**

Pistón. (De *pistar.*) m. **Émbolo.** ‖ **2.** Parte o pieza central de la cápsula, donde está colocado el fulminante. ‖ **3.** Llave en forma de émbolo que tienen diversos instrumentos músicos. ‖ **4.** V. **Escopeta, fusil, llave de pistón.**

Pistoresa. (Del ital. *pistolese*, de *Pistoya*, ciudad de Italia donde fabricaban estas armas.) f. Arma corta de acero, a manera de puñal o daga.

Pistraje. (despect. de *pisto.*) m. fam. Licor, condimento o bodrio desabrido o de mal gusto.

Pistraque. m. fam. **Pistraje.**

Pistura. (Del lat. *pistūra.*) f. Acción o efecto de pistar.

Pita. f. Planta vivaz, oriunda de Méjico, de la familia de las amarilidáceas, con hojas o pencas radicales, carnosas, en pirámide triangular, con espinas en el margen y en la punta, color verde claro, de 15 a 20 centímetros de anchura en la base y de 12 a 14 decímetros de largo; flores amarillentas, en ramilletes, sobre un bohordo central que no se desarrolla hasta que la planta tiene 20 ó 30 años, pero entonces se eleva en pocos días a la altura de seis o siete metros. Es muy útil para hacer setos vivos en terrenos secos y cálidos; se ha naturalizado en las costas del Mediterráneo; de las hojas se saca buena hilaza, y una variedad de esta planta produce, por incisiones en su tronco, un líquido azucarado, de que se hace el pulque. ‖ **2.** Hilo que se hace de las hojas de esta planta.

Pita. f. Voz que se usa repetida para llamar a las gallinas. ‖ **2. Gallina,** 1.ª acep.

Pita. f. Bolita de cristal; cantillo o pitón. ‖ **2.** pl. **Juego de los cantillos.**

Pita. (De *pito.*) f. **Silba.**

Pitaco. (Del m. or. que *pitón.*) m. Bohordo de la pita.

Pitada. f. Sonido o golpe de pito. ‖ **2.** fig. Salida de tono, o concepto inoportuno o extravagante. Ú. m. en la fr. **dar una pitada.**

Pitaflo. m. *Germ.* **Jarro,** 1.ª acep.

Pitagórico, ca. (Del lat. *pythagorĭcus.*) adj. Que sigue la escuela, opinión o filosofía de Pitágoras. Ú. t. c. s. ‖ **2.** Perteneciente a ellas. ‖ **3.** V. **Letra, tabla pitagórica.**

Pitahaya. f. *Amér.* Planta de la familia de los cactos, trepadora y de hermosas flores encarnadas o blancas según sus variedades. También algunas dan fruto comestible.

Pitajaña. f. *Amér. Merid.* Planta de la familia de las cactáceas, cuyos tallos sin hojas serpean ciñéndose a otras plantas; con flores amarillas, grandes y hermosas, que se abren al anochecer, despiden suavísimo olor como de vainilla y se marchitan al salir el Sol.

Pitancería. f. Sitio o lugar donde se reparten, distribuyen o apuntan las pitanzas. ‖ **2.** Distribución que se hace por pitanzas. ‖ **3.** Lo destinado a ellas. ‖ **4.** Empleo de pitancero.

Pitancero. m. El que está destinado para repartir las pitanzas. ‖ **2.** En algunas iglesias catedrales, ministro que tiene el cuidado de apuntar o avisar las faltas en el coro. ‖ **3.** En los conventos de las órdenes militares, religioso refitolero o mayordomo.

Pitanga. f. *Bot. Argent.* Árbol de la familia de las mirtáceas, de hojas olorosas, fruto comestible, semejante a una guinda negra, y cuya corteza se usa como astringente. ‖ **2.** Fruto de este árbol.

Pitanza. (Del fr. *pitance*, y éste der. de *pitié*, caridad, del lat. *piĕtas, -ātis.*) f. Distribución que se hace diariamente de una cosa, ya sea comestible o pecuniaria. ‖ **2.** Ración de comida que se distribuye a los que viven en comunidad o a los pobres. ‖ **3.** fam. Alimento cotidiano. ‖ **4.** fam. Precio o estipendio que se da por una cosa.

Pitaña. (Del lat. *lippitūdo, -ĭnis.*) f. **Legaña.**

Pitañoso, sa. (De *pitaña.*) adj. **Pitarroso.**

Pitao. (Del arauc. *pithau*, callo.) m. *Bot. Chile.* Árbol de la familia de las rutáceas, de cinco a siete metros de altura, siempre verde, con hojas oblongas, aovadas, lampiñas, algo aserradas y grandes; flores blancas, dioicas, y fruto compuesto de cuatro drupas monospermas. Sus hojas son resolutivas y antihelmínticas.

Pitar. intr. Tocar o sonar el pito. ‖ **2.** tr. **Pagar,** 1.ª acep. ‖ **3.** *Amér. Merid.* **Fumar,** 2.ª acep. ‖ **4.** *Chile.* Engañar a uno, chasquearlo, burlarse de él.

Pitar. (Del ant. fr. *piteer*, dar limosna.) tr. Distribuir, repartir o dar las pitanzas.

Pitarque. m. *Murc.* **Acequia.**

Pitarra. f. **Pitaña.**

Pitarro. m. *León.* Chorizo pequeño que en las matanzas caseras se hace para los niños.

Pitarroso, sa. (De *pitarra.*) adj. **Legañoso.**

Pitecántropo. (Del gr. πίθηκος, mono, y ἄνθρωπος, hombre.) m. *Paleont.* Animal, cuyos restos fósiles han sido descubiertos en Java, que vivió en el período pleistoceno y al que los partidarios de la doctrina transformista consideran como uno de los antepasados del hombre.

Pitera. f. *Murc.* **Pita,** 1.er art., 1.ª acep.

Pitezna. f. Pestillo de hierro que tienen los cepos y que al más leve contacto se dispara y hace que se junten los zoquetes en que queda preso el animal.

Pítico, ca. (Del lat. *pythĭcus.*) adj. **Pitio.**

Pitido. m. Silbido del pito o de los pájaros.

Pitihué. (Del arauc. *pitiu*, sonido del grito del ave.) m. *Chile.* Ave trepadora, variedad del pico, 2.° art.; habita en los bosques y matorrales, se nutre de insectos y fabrica su nido en los huecos de los árboles.

Pitillera. f. Cigarrera que se ocupa en hacer pitillos. ‖ **2.** Petaca para guardar pitillos.

Pitillo. (d. de *pito.*) m. **Cigarrillo.** ‖ **2.** *Cuba.* **Cañutillo,** 4.ª acep.

Pítima. (De *epitema.*) f. Socrocio que se aplica sobre el corazón. ‖ **2.** fig. y fam. **Borrachera,** 1.ª acep.

Pitiminí. (Del fr. *petit*, pequeño, y *menu*, menudo.) m. V. **Rosal de pitiminí.**

Pitio, tia. (Del lat. *pythĭus.*) adj. Perteneciente a Apolo, considerado como vencedor de la serpiente Pitón. ‖ **2.** Dícese más ordinariamente de ciertos juegos o certámenes que se celebraban en Delfos en honra de Apolo.

Pitipié. (Del fr. *petit pied*, pie pequeño.) m. **Escala,** 3.ª acep.

Pitiriasis. (Del gr. πίτυρον, salvado.) f. *Med.* **Pediculosis.**

Pitirre. (Voz semejante al grito de esta ave.) m. *Cuba.* Pájaro algo más pequeño que el gorrión, pero de cola más larga; de color obscuro; anida en los árboles y se alimenta de insectos.

Pito. (Voz imitativa.) m. Flauta pequeña, como un silbato, de sonido agudo. ‖ **2.** Persona que toca este instrumento. ‖ **3.** Vasija pequeña de barro, a modo de cantarillo, que produce un sonido semejante al gorjeo de los pájaros cuando, llena de agua hasta cierta altura, se sopla por el pico. ‖ **4.** Garrapata casi circular, de tres a cuatro milímetros de diámetro, de color amarillento y con una mancha encarnada en el dorso. Es muy común en las sabanas de la América Meridional, ataca al hombre y le produce con su picadura una comezón insoportable. ‖ **5.** Taba con que juegan los muchachos. ‖ **6.** Cigarrillo de papel. ‖ **7.** *Ast.* Pollo de gallina. ‖ **8.** *Murc.* Capullo de seda abierto por una punta. ‖ **Pitos flautos.** fam. Devaneos, entretenimientos frívolos y vanos. ‖ **Cuando pitos, flautas, o flautos; cuando flautas, o flautos, pitos.** expr. fig. y fam. con que se explica que las cosas suelen suceder al revés de lo que se deseaba o podía esperarse. ‖ **No dársele,** o **no importarle, a uno un pito de una cosa.** fr. fig. y fam. Hacer desprecio de ella. ‖ **No tocar pito.** fr. fig. y fam. No tener parte en una dependencia o negocio. ‖ **No valer un pito** una persona o cosa. fr. fig. y fam. Ser inútil o de ningún valor o importancia.

Pito. (Como el lat. *picus*, de la raíz *pic-*: véase *pica*, 1.er art.) m. **Pico,** 2.° art. ‖ **real. Pico verde.**

Pito, ta. adj. *Ar.* Dicho de personas, tieso, 2.ª y 4.ª aceps.

Pitoche. m. despect. de **Pito,** 1.er art. ‖ **No importar un pitoche.** fr. **No importar un pito.** ‖ **No valer un pitoche.** fr. **No valer un pito.**

Pitoflero, ra. (De *pito*, 1.er art., y el lat. *flare*, soplar.) m. y f. fam. Músico de corta habilidad. ‖ **2.** fig. Persona chismosa, entremetida o chocarrera.

Pitoitoy. (Voz onomatopéyica.) m. *Amér.* Ave zancuda de las costas; de plumaje compacto, obscuro por el lomo y blanco con manchas por el vientre, pico corto y tarsos altos. Al emprender el vuelo lanza el grito especial de que proviene su nombre.

Pitón. (Del m. or. que *pito*, 2.° art.) m. Cuerno que empieza a salir a los animales; como al cordero, cabrito, etc., y también la punta del cuerno del toro. ‖ **2.** Tubo recto o curvo, pero siempre cónico, que arranca de la parte inferior del cuello en los botijos, pisteros y porrones, y sirve para moderar la salida del líquido que en ellos se contiene. ‖ **3.** fig. Bulto pequeño que sobresale en punta en la superficie de una cosa. ‖ **4.** Renuevo del árbol cuando empieza a abotonar. ‖ **5. Pitaco.** ‖ **6.** *Ar.* **Cantillo,** 1.ª acep.

Pitón. (Del gr. πύθων, dragón, demonio, adivino.) m. Adivino, mago, hechicero. ‖ **2. Serpiente pitón.**

Pitonisa. (Del lat. *pythonissa*, y éste del gr. πυθώνισσα.) f. Sacerdotisa de Apolo, que daba los oráculos en el templo de Delfos sentada en el trípode. ‖ **2.** Encantadora, hechicera. Ú. en la traducción de algunos lugares de la Escritura. *La* PITONISA *de Endor.*

Pitora. f. *Colomb.* Serpiente muy venenosa.

Pitorra. (De *pita*, gallina.) f. **Chochaperdiz.**

Pitorrearse. r. Guasearse o burlarse de otro.

Pitorreo. m. Acción y efecto de pitorrearse.

Pitorro. m. **Pitón,** 1.er art., 2.ª acep.

Pitpit. (Voz onomatopéyica.) m. Ave del orden de los pájaros, que mide 18 centímetros desde la punta del pico hasta la extremidad de la cola y 30 de envergadura, con plumaje de aspecto general ceniciento verdoso y con manchas pardas, pero amarillento en la garganta y el pecho, y blanco en el abdomen. Es bastante común en España y se alimenta de insectos.

Pitreo. m. **Pitaco.**

Pituita. (Del lat. *pituīta*.) f. *Zool.* **Moco,** 1.ª acep.

Pituitario, ria. adj. Que contiene o segrega pituita. ‖ **2.** V. **Glándula, membrana pituitaria.**

Pituitoso, sa. (Del lat. *pituitōsus*.) adj. Que abunda en pituita. ‖ **2. Pituitario.**

Pituso, sa. adj. Pequeño, gracioso, lindo, refiriéndose a niños. Ú. t. c. s.

Piular. intr. **Piar,** 1.ª y 2.ª aceps.

Piulido. m. Acción de **piular.**

Piune. (Del arauc. *piune*, romerillo.) m. *Bot. Chile.* Arbolillo de la familia de las proteáceas, de hojas grandes, hermosas, cubiertas de un vello color de orín por debajo y con racimos flojos de flores amarillas. Se cría en los montes y se usa como medicamento.

Piuquén. (Del arauc. *piuqueñ*.) m. *Chile.* Especie de avutarda, mayor que la europea, de color blanco, menos la cabeza, que es cenicienta, así como los cuchillos de las alas, y negras las primeras guías. La cola es corta y tiene 18 plumas blancas. Se alimenta de hierbas y no se reproduce hasta los dos años; es mansa y se domestica con facilidad. Su carne es más estimada que la del pavo.

Piure. (Del arauc. *piur*.) m. *Zool. Chile.* Animal procordado, de la clase de los tunicados, sedentario, cuyo cuerpo, de color rojo y de cuatro a seis centímetros de longitud, tiene la forma de un saco con dos aberturas, que son, respectivamente, la boca y el ano. Es comestible muy apreciado.

Píxide. (Del lat. *pyxis, -ĭdis*, y éste del gr. πυξίς, caja pequeña.) f. Copón o caja pequeña en que se guarda el Santísimo Sacramento o se lleva a los enfermos.

Piyama. m. **Pijama.**

Pizarra. (Voz vascongada.) f. Roca homogénea, de grano muy fino, comúnmente de color negro azulado, opaca, tenaz, y que se divide con facilidad en hojas planas y delgadas. Procede de una arcilla metamorfoseada por las acciones telúricas. Se usa en las construcciones, principalmente para cubiertas y solados. ‖ **2.** Trozo de **pizarra** obscura, algo pulimentado, de forma rectangular y ordinariamente con marco de madera, en que se escribe o dibuja con el pizarrín, y a falta de éste, con yeso o lápiz blanco.

Pizarral. m. Lugar o sitio en que se hallan las pizarras.

Pizarreño, ña. adj. Perteneciente a la pizarra, o parecido a ella.

Pizarrería. f. Sitio donde se extraen y labran pizarras.

Pizarrero. m. Artífice que labra, pule y asienta las pizarras en los edificios.

Pizarrín. m. Barrita de lápiz o de pizarra no muy dura, generalmente cilíndrica, que se usa para escribir o dibujar en las pizarras de piedra.

Pizarroso, sa. adj. Abundante en pizarra. ‖ **2.** Que tiene apariencia de pizarra.

Pizate. m. **Pazote.**

Pizca. (De *pizco*, 1.er art.) f. fam. Porción mínima o muy pequeña de una cosa.

Pizcar. tr. fam. **Pellizcar.**

Pizco. m. fam. **Pellizco.**

Pizco. (Del lat. *piscis*.) m. *Sant.* **Jaramugo.**

Pizmiento, ta. (Del lat. *pix, picis*, la pez.) adj. Atezado, de color de pez.

Pizote. m. *C. Rica, Guat.* y *Hond.* Plantígrado de color pardo, semejante a la ardilla, pero mucho mayor y muy glotón, que anda en manadas. Puede domesticarse.

Pizpereta. (De *pizpireta*.) adj. fam. **Pizpireta.**

Pizpierno. m. *León.* **Lacón,** 2.° art.

Pizpireta. (Quizá de *pizpita*, por lo mucho que se mueve.) adj. fam. Aplícase a la mujer viva, pronta y aguda.

Pizpirigaña. f. Juego con que se divierten los muchachos, pellizcándose suavemente en las manos unos a otros.

Pizpita. (De *pezpita*.) f. **Aguzanieves.**

Pizpitillo. m. **Pizpita.**

Pizzicato. (Voz ital., de *pizzicare*, pellizcar.) adj. *Mús.* Dícese del sonido que se obtiene en los instrumentos de arco pellizcando las cuerdas con los dedos. ‖ **2.** m. *Mús.* Trozo de música que se ejecuta en esta forma.

Placa. (Del neerl. *plak*, disco.) f. Moneda antigua de los Países Bajos, que corrió en los demás dominios españoles, y valía próximamente la cuarta parte de un real de plata vieja. ‖ **2.** Insignia de alguna de las órdenes caballerescas, que se lleva bordada o sobrepuesta en el vestido. *La* PLACA *de la orden de Carlos III.* ‖ **3.** Lámina, plancha o película que se forma o está superpuesta en un objeto. ‖ **4.** *Fotogr.* Planchuela de metal yodurada sobre la que se hacía la daguerrotipia. ‖ **5.** *Fotogr.* Vidrio cubierto en una de sus caras por una capa de substancia alterable por la luz y en la que puede obtenerse una prueba negativa. ‖ **giratoria.** Armazón circular de hierro, giratoria y cubierta de planchas con carriles que forman dos o más vías cruzadas, y que sirve en las estaciones de los caminos de hierro para hacer que los carruajes cambien de vía.

Placabilidad. (Del lat. *placabilĭtas, -ātis*.) f. Facilidad o disposición de aplacarse una cosa; como la ira, el calor, etc.

Placable. (Del lat. *placabĭlis*.) adj. **Aplacable.**

Placación. (Del lat. *placatio, -ōnis*.) f. ant. **Aplacamiento.**

Placar. (Del lat. *placāre*.) tr. ant. **Aplacar.**

Placarte. (Del fr. *placard*, y éste del m. or. que *placa*.) m. p. us. Cartel, edicto u ordenanza que se fijaba en las esquinas para noticia del público.

Placativo, va. (Del lat. *placātum*, supino de *placāre*, apaciguar, calmar.) adj. Capaz de aplacar.

Placear. (De *plaza*.) tr. Destinar algunos géneros comestibles a la venta por menor en el mercado. ‖ **2.** Publicar o hacer manifiesta una cosa.

Placel. m. *Mar.* **Placer,** 1.er art.

Pláceme. (3.ª pers. de sing. del pres. de indic. del verbo *placer* y el pron. *me:* me place.) m. **Felicitación.**

Placemiento. (De *placer*, agradar.) m. ant. Agrado, placer, gusto.

Placenta. (Del lat. *placenta*, torta.) f. *Zool.* Órgano redondeado y aplastado como una torta, intermediario durante la gestación entre la madre y el feto, que por una de sus caras, algo convexa, se adhiere a la superficie interior del útero, y de la opuesta, plana, nace el cordón umbilical. ‖ **2.** *Bot.* Parte vascular del fruto a la que están unidos los huevecillos o semillas. ‖ **3.** *Bot.* Borde del carpelo, generalmente engrosado, en el que se insertan los óvulos.

Placentación. (De *placenta*.) f. *Bot.* Disposición de las placentas, y por consiguiente de los óvulos, en el ovario de los vegetales.

Placentario, ria. adj. Perteneciente a la placenta.

Placenteramente. adv. m. Alegremente, con regocijo y agrado.

Placentería. (De *placentero*.) f. ant. **Placer,** 2.° art., 1.ª y 2.ª aceps.

Placentero, ra. (Del lat. *placens, -entis*, p. a. de *placēre*, agradar.) adj. Agradable, apacible, alegre.

Placentín. adj. **Placentino.** Apl. a pers., ú. t. c. s.

Placentino, na. (Del lat. *placentīnus*.) adj. Natural de Plasencia. Ú. t. c. s. ‖ **2.** Perteneciente a cualquiera de las dos ciudades de este nombre, de España e Italia.

Placer. (Del cat. *placel*, de *plaza*.) m. Banco de arena o piedra en el fondo del mar, llano y de bastante extensión. ‖ **2.** Arenal donde la corriente de las aguas depositó partículas de oro. ‖ **3.** Pesquería de perlas en las costas de América. ‖ **4.** *Cuba.* Campo yermo, o terreno plano y descubierto, en el interior o en las inmediaciones de una ciudad. ‖ **5.** *Mar.* V. **Agua de placer.**

Placer. (Infinit. substantivado.) m. Contento del ánimo. ‖ **2.** Sensación agradable. ‖ **3.** Voluntad, consentimiento, beneplácito. ‖ **4.** Diversión, entretenimiento. ‖ **5.** V. **Casa, gentilhombre de placer.** ‖ **A placer.** m. adv. Con todo gusto, a toda satisfacción, sin impedimento ni embarazo alguno. ‖ **2.** *Ar.* **Despacio,** 1.ª acep. ‖ **A placeres acelerados, dones acrecentados.** ref. que se dijo porque las noticias gustosas, cuando se anticipan, suelen premiarse con dádivas más crecidas. ‖ **Los placeres son por onzas, y los males por arrobas.** ref. que advierte que en esta vida son más frecuentes los disgustos y pesares que los gustos y satisfacciones.

Placer. (Del lat. *placēre*.) tr. Agradar o dar gusto. ‖ **Que me place.** expr. con que se denota que agrada o se aprueba una cosa.

Placeramente. adv. m. ant. Públicamente, sin rebozo.

Placero, ra. adj. Perteneciente a la plaza o propio de ella. ‖ **2.** Aplícase a la persona que vende en la plaza los géneros y cosas comestibles; como frutera, verdulera, etc. Ú. t. c. s. ‖ **3.** fig. Dícese de la persona ociosa que se anda en conversación por las plazas. Ú. t. c. s.

Placeta. f. d. de **Plaza.**

Placetuela. f. d. de **Placeta.**

Placibilidad. f. Calidad de placible.

Placible. (Del lat. *placibĭlis*.) adj. Agradable, que da gusto y satisfacción.

Placiblemente. adv. m. ant. **Apaciblemente.** || **2.** ant. Con agrado y placer.

Plácidamente. adv. m. Con sosiego y tranquilidad.

Placidez. f. Calidad de plácido.

Plácido, da. (Del lat. *placĭdus.*) adj. Quieto, sosegado y sin perturbación. || **2.** Grato, apacible.

Placiente. p. a. de **Placer.** Que place. || **2.** adj. Agradable, gustoso y bien visto.

Placimiento. (De *placer,* agradar.) m. ant. Agrado, gusto, voluntad.

Plácito. (Del lat. *placĭtum,* opinión.) m. Parecer, dictamen, sentido.

Plafón. (Del fr. *plafond,* y éste del al. *platt,* llano, y el lat. *fundus,* fondo.) m. *Arq.* **Paflón.**

Plaga. (Del lat. *plaga,* llaga.) f. Calamidad grande que aflige a un pueblo. || **2.** Daño grave o enfermedad que sobreviene a una persona. || **3. Llaga,** 1.ª acep. || **4.** fig. Cualquier infortunio, trabajo, pesar o contratiempo. || **5.** fig. Copia o abundancia de una cosa nociva. Suele decirse también, aunque impropiamente, de las que no lo son. *Este año ha habido* PLAGA *de albaricoques.* || **6.** fig. Azote que aflige a la agricultura; como la langosta, la filoxera, etc.

Plaga. (Del lat. *plaga,* espacio de terreno.) f. **Clima,** 5.ª acep. || **2. Rumbo,** 1.er art., 1.ª acep.

Plagado, da. p. p. de **Plagar.** || **2.** adj. Herido o castigado.

Plagal. (Del b. lat. *plaga,* modo musical.) adj. *Mús.* V. **Modo plagal.**

Plagar. (Del lat. *plagāre.*) tr. Llenar o cubrir a alguna persona o cosa de algo nocivo o no conveniente. Ú. t. c. r. || **2.** ant. **Llagar.** Ú. t. c. r.

Plagiar. (Del lat. *plagiāre.*) tr. Entre los antiguos romanos, comprar a un hombre libre sabiendo que lo era y retenerlo en servidumbre, o utilizar un siervo ajeno como si fuera propio. || **2.** fig. Copiar en lo substancial obras ajenas, dándolas como propias. || **3.** *Amér.* Apoderarse de una persona para obtener rescate por su libertad.

Plagiario, ria. (Del lat. *plagiarius.*) adj. Que plagia. Ú. m. c. s.

Plagio. (Del lat. *plagium.*) m. Acción y efecto de plagiar.

Plagióstomo. (Del gr. πλάγιος, oblicuo, y στόμα, boca.) m. *Zool.* **Selacio.**

Plagoso, sa. (Del lat. *plagōsus.*) adj. ant. Que hace llagas.

Plan. (De *plano.*) m. Altitud o nivel. || **2.** Intento, proyecto, estructura. || **3.** Extracto o escrito en que por mayor se apunta una cosa. || **4.** p. us. Descripción que por lista, nombres o partidas se hace de un ejército, rentas o cosa semejante. || **5. Plano,** 8.ª acep. || **6.** *Mar.* Parte inferior y más ancha del fondo de un buque en la bodega; o bien la que de cada lado de la quilla es casi horizontal y está formada por la primera sección, o sea la más inferior de las varengas. || **7.** *Mar.* V. **Agua de plan.** || **8.** *Min.* **Piso,** 7.ª acep.

Plana. (Del lat. *plana.*) f. **Llana,** 1.er art.

Plana. (Del lat. *plana,* t. f. de *-nus,* llano.) f. Cada una de las dos caras o haces de una hoja de papel. || **2.** Escrito que hacen los niños en una cara del papel en que aprenden a escribir. || **3.** Porción extensa de país llano. *La* PLANA *de Urgel.* || **4.** *Impr.* Conjunto de líneas ya ajustadas, de que se compone cada página. || **mayor.** *Mar.* En una escuadra, el conjunto de generales, jefes, oficiales y marinería que, sin formar parte de la dotación en ninguno de sus buques, está afecto al de la insignia. || **2.** *Mil.* Conjunto y agregado de los jefes y otros individuos de un batallón o regimiento, que no pertenecen a ninguna compañía; como coronel, teniente coronel, tambor mayor o cabo de tambores, etc. || **A plana renglón, o a plana y renglón.** m. adv. con que se denota la circunstancia de haberse hecho o haberse de hacer una copia manuscrita, o una reimpresión, de modo que tenga en cada una de sus **planas** los mismos renglones, y en cada uno de sus renglones las mismas palabras que el escrito o impreso que ha servido de original. || **2.** fig. Dícese de una cosa que viene totalmente ajustada a lo que se necesita, sin sobrar ni faltar. *El tiempo me vino* A PLANA RENGLÓN, *o* A PLANA Y RENGLÓN. || **Cerrar la plana.** fr. fig. Concluir o finalizar una cosa. || **Corregir,** o **enmendar, la plana** a uno. fr. fig. Advertir o notar persona de más inteligencia, o que presume tenerla, algún defecto en lo que otra ha ejecutado. || **2.** fig. Exceder una persona a otra, haciendo una cosa mejor que ella.

Planada. (De *plano.*) f. **Llanada.**

Planador. (Del lat. *planātor,* que allana.) m. Oficial de platero que con el martillo aplana sobre el tas la vajilla y piezas lisas. || **2.** El que aplana y pule las planchas para grabar.

Planco. (Del lat. *plancus.*) m. **Planga.**

Plancton. (Del gr. πλαγκτός, errante.) m. *Biol.* Conjunto de los seres pelágicos.

Plancha. (Del fr. *planche,* y éste del lat. *planca.*) f. Lámina o pedazo de metal llano y delgado respecto de su tamaño. || **2.** Utensilio de hierro, ordinariamente triangular y muy liso y acerado por su cara inferior, y que en la superior tiene una asa por donde se coge para planchar. A veces la superficie inferior es convexa, más adecuada para dar brillo. || **3.** Acción y efecto de planchar la ropa. *Mañana es día de* PLANCHA. || **4.** Conjunto de ropa planchada. || **5.** Trozo de hierro que, sujeto por una cadena al juego trasero de las diligencias, se coloca delante de una de las ruedas posteriores, la cual queda inmóvil al encajarse en él y le sirve de freno en las bajadas muy pendientes. || **6.** Postura horizontal del cuerpo en el aire, sin más apoyo que el de las manos asidas a un barrote; o bien la misma posición del cuerpo flotando de espaldas. || **7.** fig. y fam. Desacierto o error por el cual la persona que lo comete queda en situación desairada o ridícula. Ú. m. en la frase **hacer una plancha.** || **8.** *Mál.* Madero en rollo, de tres a ocho varas de longitud y de nueve a quince pulgadas de diámetro. || **9.** *Impr.* Reproducción estereotípica o galvanoplástica preparada para la impresión. || **10.** *Mar.* Tablón con tojinos o travesaños clavados de trecho en trecho, que se pone como puente entre la tierra y una embarcación, o entre dos embarcaciones. Por ext., se da este nombre a los puentes provisionales para diversos usos. || **de agua.** *Mar.* Entablado flotante sobre el que se coloca la maestranza para hacer ciertos trabajos en los buques a flote. || **de blindaje.** Cada una de las piezas metálicas, de gran dureza y resistencia, con las cuales se protegen contra los proyectiles los navíos de guerra y otros artefactos militares. || **de viento.** *Mar.* Andamio que se cuelga del costado de un buque para que puedan trabajar los pintores, calafates o cualesquiera otros operarios.

Planchada. (De *plancha.*) f. Tablazón que, apoyada en la costa del mar o de un río u otro receptáculo, y sostenida por un caballete introducido en el agua, sirve para el embarco y desembarco y otros usos de la navegación. || **2.** *Mar.* Explanada que se disponía para procurar a la artillería de los barcos asiento horizontal en las cubiertas de mucha curvatura.

Planchado. m. Acción y efecto de planchar. *Mañana es día de* PLANCHADO. || **2.** Conjunto de ropa blanca que se ha de planchar o se tiene ya planchada.

Planchador, ra. m. y f. Persona que plancha o tiene por oficio planchar

Planchar. tr. Pasar la plancha caliente sobre la ropa blanca algo húmeda o sobre otras prendas, para estirarlas, asentarlas o darles brillo.

Planchear. tr. Cubrir una cosa con planchas o láminas de metal.

Plancheta. (De *plancha.*) f. Instrumento de topografía, que consiste en un tablero montado horizontalmente sobre un trípode, y en cuya superficie se trazan con lápiz las visuales dirigidas por medio de una alidada a los diferentes puntos del terreno. || **Echarla** uno **de plancheta.** fr. fam. Hacer alarde de valiente o de aventajado en cualquier línea.

Planchete. m. ant. **Blanchete,** 1.ª acep.

Planchón. m. aum. de **Plancha.**

Planchuela. f. d. de **Plancha.** || **2.** V. **Hierro planchuela.**

Planeador. m. Avión sin motor.

Planear. tr. Trazar o formar el plan de una obra. || **2.** Hacer o forjar planes. || **3.** intr. *Aviac.* Descender un avión en planeo.

Planeo. (De *planear.*) m. *Aviac.* Descenso de un avión sin la acción del motor y en condiciones normales.

Planeta. (Del lat. *planēta,* y éste del gr. πλανήτης, errante.) f. Especie de casulla que se diferencia de las ordinarias en ser más corta la hoja de delante, que pasa poco de la cintura. || **2.** m. *Astron.* Cada uno de los siete astros que, según el sistema de Tolomeo, se creía que giraban alrededor de la Tierra; a saber: la Luna, Mercurio, Venus, el Sol, Marte, Júpiter y Saturno. || **3.** *Astron.* Cuerpo celeste, opaco, que sólo brilla por la luz refleja del Sol, alrededor del cual describe su órbita con movimiento propio y periódico. En nuestro sistema solar son los siguientes: Mercurio, Venus, la Tierra, Marte, Júpiter, Saturno, Urano Neptuno y Plutón. || **4.** *Astron.* **Satélite,** 1.ª acep. || **5.** *Germ.* **Candela,** 1.ª acep. || **exterior.** *Astron.* **Planeta superior.** || **inferior,** o **interior.** *Astron.* Aquel cuya órbita es menor que la de la Tierra y, por tanto, dista menos del Sol; como Venus. || **primario.** *Astron.* **Planeta,** 3.ª acep. || **secundario.** *Astron.* **Planeta,** 4.ª acep. || **superior.** *Astron.* Aquel cuya órbita es mayor que la de la Tierra y, por tanto, dista del Sol más que ésta; como Marte.

Planetario, ria. (Del lat. *planetarius.*) adj. Perteneciente o relativo a los planetas. || **2.** m. Aparato que representa los planetas del sistema solar y reproduce sus movimientos respectivos.

Planetícola. (Del lat. *planēta,* y *colĕre,* habitar.) com. Supuesto habitador de cualquiera de los planetas, exceptuada la Tierra.

Planga. (De *planco.*) f. Ave del orden de las rapaces diurnas, que tiene unos seis decímetros desde la punta del pico hasta la extremidad de la cola y 17 de envergadura, con plumaje de color blanco negruzco y algunas manchas blancas redondeadas. Es una águila que ordinariamente se halla en los montes con arbolado, viviendo de la caza, pero que temporalmente acude a las lagunas en busca de peces.

Planicie. (Del lat. *planities.*) f. **Llanura,** 2.ª acep.

Planimetría. (De *planímetro.*) f. Parte de la topografía, que enseña a representar en una superficie plana una porción de la terrestre.

Planímetro. (De *plano* y del gr. μέτρον, medida.) m. Instrumento que sirve para medir áreas de figuras planas.

Planisferio. (De *plano* y *esfera.*) m. Carta en que la esfera celeste o la terrestre está representada en un plano.

Plano, na. (Del lat. *planus.*) adj. Llano, liso, sin estorbos ni tropiezos. || **2.** *Arit.* V. **Número plano.** || **3.** *Geom.* Perteneciente o relativo al **plano.** || **4.** *Geom.* V. **Ángulo, triángulo plano.** || **5.** *Geom.* V. **Epicicloide, superficie plana.** || **6.** *Mat.* V. **Geometría, trigonometría plana.** || **7.** m. *Geom.* **Superficie plana.** || **8.** *Topogr.* Representación gráfica en una superficie y mediante procedimientos técnicos, de un terreno o de la planta de un campamento, plaza, fortaleza o cualquiera otra cosa semejante. || **coordenado.** *Geom.* Cada uno de los tres planos que se cortan en un punto y sirven para determinar la posición de los demás puntos del espacio por medio de las líneas coordenadas paralelas a sus intersecciones mutuas. || **de nivel.** *Topogr.* El paralelo al nivel del mar, que se elige para contar desde él las alturas de los diversos puntos del terreno. || **geométrico.** *Persp.* Superficie **plana** paralela al horizonte, colocada en la parte inferior del cuadro, donde se proyectan los objetos, para construir después, según ciertas reglas, su perspectiva. || **horizontal.** *Persp.* Superficie **plana** que, pasando por la vista, es perpendicular a la tabla o **plano** óptico, y por consiguiente paralela al horizonte. || **inclinado.** *Mec.* Superficie **plana,** resistente, que forma ángulo agudo con el horizonte, y por medio de la cual se facilita la elevación o el descenso de pesos y otras cosas. || **óptico.** *Persp.* **Tabla,** 22.ª acep. || **vertical.** *Persp.* Superficie **plana** que, pasando por la vista, es perpendicular a la vez al **plano** horizontal y al **plano** óptico. || **Dar de plano.** fr. Dar con lo ancho de un instrumento cortante o con la mano abierta. || **De plano.** m. adv. fig. Enteramente, clara y manifiestamente. || **2.** *For.* Dícese de la resolución judicial adoptada sin trámites. Fórmula dimanada de las providencias incidentales que el pretor romano dictaba en la planicie del pretorio, antes o después de ocupar su sitial. || **Levantar un plano.** fr. *Topogr.* Proceder a formarlo y dibujarlo según las reglas del arte.

Planta. (Del lat. *planta.*) f. Parte inferior del pie, con que se huella y pisa, y sobre la cual se sostiene el cuerpo. || **2. Vegetal,** 4.ª acep. || **3.** Árbol u hortaliza que, sembrada y nacida en alguna parte, está dispuesta para trasplantarse en otra. || **4. Plantío,** 3.ª acep. || **5.** Diseño en que se da idea para la fábrica o formación de una cosa. PLANTA *de un edificio.* || **6.** Especial y artificiosa postura de los pies para esgrimir, danzar o andar, la cual se varía según los ejercicios en que se usa. || **7.** Proyecto o disposición que se hace para asegurar el acierto y buen logro de un negocio o pretensión. || **8.** Plan que determina y especifica las diversas dependencias y empleados de una oficina, universidad u otro establecimiento. || **9.** *Arq.* Figura que forman sobre el terreno los cimientos de un edificio o la sección horizontal de las paredes en cada uno de los diferentes pisos. || **10.** *Arq.* Diseño de esta figura. || **11.** *Esgr.* Combinación de líneas trazadas real o imaginariamente en el suelo para fijar la dirección de los compases. || **12.** *Min.* **Piso,** 6.ª acep. || **13.** *Persp.* Pie de la perpendicular bajada desde un punto al plano horizontal. || **baja.** Piso bajo de un edificio. || **Buena planta.** fam. Buena presencia. || **De planta,** o **de nueva planta.** m. adv. De nuevo, desde los cimientos; a ras del suelo o poco elevado sobre él. *Hacer* DE PLANTA, O DE NUEVA PLANTA, *un edificio.* || **Echar plantas.** fr. fig. y fam. Echar bravatas y amenazas. || **Fijar** uno **las plantas.** fr. fig. Afirmarse en un concepto u opinión. || **Planta muchas veces traspuesta, ni crece ni medra.** ref. con que se nota la inconstancia de algunos, que en ningún estado se aquietan.

Plantación. (Del lat. *plantatio, -ōnis.*) f. Acción de plantar. || **2.** Conjunto de lo plantado.

Plantado, da. p. p. de **Plantar.** || **Bien plantado.** Que tiene buena planta.

Plantador, ra. (Del lat. *plantātor.*) adj. Que planta. Ú. t. c. s. || **2.** m. Instrumento pequeño de hierro, de una u otra forma, que usan los hortelanos para plantar. || **3.** *Germ.* **Sepulturero.**

Plantagináceo, a. (Del lat. *plantāgo, -ĭnis,* llantén.) adj. *Bot.* Dícese de plantas angiospermas dicotiledóneas, herbáceas, con hojas sencillas, enteras o dentadas, rara vez laciniadas, y sin estípulas; flores hermafroditas o monoicas, actinomorfas, tetrámeras y dispuestas en espigas; fruto en caja; como el llantén y la zaragotana. Ú. t. c. s. f. || **2.** f. pl. *Bot.* Familia de estas plantas.

Plantaina. (Del lat. *plantāgo, -ĭnis.*) f. **Llantén.**

Plantaje. m. Conjunto de plantas.

Plantaje. (Del cat. *plantatge,* y éste del lat. *plantāgo, -ĭnis,* llantén.) m. *Murc.* **Plantaina.**

Plantamiento. (De *plantar,* 2.° art.) m. ant. **Plantío.**

Plantar. (Del lat. *plantāris.*) adj. *Zool.* Perteneciente a la planta del pie.

Plantar. (Del lat. *plantāre.*) tr. Meter en tierra una planta o un vástago, esqueje, etc., para que arraigue. || **2.** Poblar de plantas un terreno. || **3.** fig. Fijar y poner derecha y enhiesta una cosa. PLANTAR *una cruz.* || **4.** fig. Asentar o colocar una cosa en el lugar en que debe estar para usar de ella. || **5.** fig. **Plantear,** 1.er art., 2.ª acep. || **6.** fig. Fundar, establecer. PLANTAR *la fe.* || **7.** fig. y fam. Tratándose de golpes, darlos. || **8.** fig. y fam. Poner o introducir a uno en una parte contra su voluntad. PLANTAR *en la calle, en la cárcel.* || **9.** fig. y fam. Dejar a uno burlado o abandonarle. || **10.** fig. y fam. Decir a uno tales claridades o injurias, que se quede aturdido y sin acertar a responder. || **11.** *Germ.* **Enterrar,** 2.ª acep. || **12.** r. fig. y fam. Ponerse de pie firme ocupando un lugar o sitio. || **13.** fig. y fam. Llegar con brevedad a un lugar, o en menos tiempo del que regularmente se gasta. *En dos horas* SE PLANTÓ *en Alcalá.* || **14.** fig. y fam. Pararse un animal en términos de que cuesta mucho trabajo hacerle salir del punto en que lo hace. || **15.** fig. y fam. En algunos juegos de cartas, no querer más de las que se tienen. Ú. t. c. intr. || **16.** fig. Resolverse a no hacer o a resistir alguna cosa.

Plantario. (Del lat. *plantarium.*) m. **Almáciga,** 2.° art.

Plante. (De *plantarse.*) m. Concierto entre varias personas que hacen vida común, para exigir o rechazar airadamente alguna cosa. PLANTE *en una cárcel.*

Planteamiento. m. Acción y efecto de plantear, 1.er art.

Plantear. (De *planta.*) tr. Tantear, trazar o hacer planta de una cosa para procurar el acierto en ella. || **2.** fig. Tratándose de sistemas, instituciones, reformas, etc., establecerlos o ponerlos en ejecución. || **3.** fig. Tratándose de temas o cuestiones o dudas, proponerlos, suscitarlos o exponerlos.

Plantear. (De *planto.*) intr. ant. Llorar, sollozar o gemir. Usáb. t. c. tr.

Plantel. (De *planta.*) m. **Criadero,** 2.ª acep. || **2.** fig. Establecimiento, lugar o reunión de gente, en que se forman personas hábiles o capaces en algún ramo del saber, profesión, ejercicio, etc.

Plantía. f. ant. **Plantío.**

Plantificación. f. Acción y efecto de plantificar.

Plantificar. (Del lat. *planta,* planta, y *facĕre,* hacer.) tr. **Plantear,** 1.er art., 2.ª acep. || **2.** fig. y fam. **Plantar,** 7.ª y 8.ª aceps. || **3.** r. fig. y fam. Plantarse, 13.ª acep. de **Plantar.**

Plantígrado, da. (Del lat. *planta,* planta del pie, y *gradus,* marcha.) adj. *Zool.* Dícese de los cuadrúpedos que al andar apoyan en el suelo toda la planta de los pies y las manos; como el oso, el tejón, etc. Ú. t. c. s.

Plantilla. (d. de *planta.*) f. Suela sobre la cual los zapateros arman el calzado. || **2.** Pieza de badana, tela, corcho o palma con que interiormente se cubre la planta del calzado. || **3.** Soleta de lienzo u otra tela, que se echa en la parte inferior de los pies de las medias y calcetines cuando están rotos. || **4.** Pieza principal donde se fijaban y guarnecían todos los demás hierros de la llave del arcabuz y de otras armas de fuego. || **5.** Pieza de hierro terminada en arco de círculo, que sirve de patrón para dar a las llantas de los carruajes la curvatura conveniente. || **6.** Tabla o plancha cortada con los mismos ángulos, figuras y tamaños que ha de tener la superficie de una pieza, y puesta sobre ella, sirve en varios oficios de regla para cortarla y labrarla. || **7.** Plano reducido, o porción del plano total, de una obra. || **8. Planta,** 8.ª acep. || **9.** fig. y fam. **Fanfarronería.** || **10.** *Adm.* Resumen, ordenado por categorías, de los puestos que deben estar provistos en cada uno de los servicios públicos y cuerpos que los desempeñan. || **11.** *Astrol.* Figura o tema celeste. || **12.** *Carp.* **Montea,** 2.ª acep.

Plantillar. tr. Echar plantillas al calzado.

Plantillero, ra. adj. **Plantista,** 2.ª acep. Ú. t. c. s.

Plantiniano, na. adj. Aplícase a la oficina y a las ediciones del famoso impresor de Amberes Cristóbal Plantín y sus sucesores.

Plantío, a. (De *plantar,* 2.° art.) adj. Aplícase a la tierra o sitio plantado o que se puede plantar. || **2.** m. Acción de plantar. || **3.** Lugar plantado recientemente de vegetales. || **4.** Conjunto de estos vegetales.

Plantista. m. Entre jardineros, el que está destinado para cuidar de la cría y plantío de los árboles y otras plantas. || **2.** fam. El que echa fieros y plantas.

Planto. (Del lat. *planctus.*) m. ant. Llanto con gemidos y sollozos.

Plantón. (De *planta.*) m. Pimpollo o arbolito nuevo que ha de ser trasplantado. || **2.** Estaca o rama de árbol plantada para que arraigue. || **3.** Soldado a quien se obligaba a estar de guardia en un puesto, sin relevarlo a hora regular, por castigo de un exceso. || **4.** Persona destinada a guardar la puerta exterior de una casa, oficina, etc. || **5. Comisionado de apremio.** || **Dar un plantón.** fr. Retrasarse uno mucho en acudir a donde otro le espera. || **Estar uno de,** o **en, plantón.** fr. fam. Estar parado y fijo en una parte por mucho tiempo.

Plantonar. (De *plantón.*) m. *Murc.* Plantío de olivos nuevos.

Plantosa. f. *Germ.* Taza o vaso para beber.

Planudo, da. adj. *Mar.* Aplícase al buque que puede navegar en poca agua por tener adecuado su plan.

Planura. (De *plano.*) f. ant. **Llanura.**

Plañidera. (De *plañidero.*) f. Mujer llamada y pagada que iba llorando en los entierros.

Plañidero, ra. (De *plañido.*) adj. Lloroso y lastimero.

Plañido, da. p. p. de **Plañir.** || **2.** m. Lamento, queja y llanto.

Plañimiento. m. Acción y efecto de plañir.

Plañir. (Del lat. *plangĕre.*) intr. Gemir y llorar, sollozando o clamando. Ú. t. c. tr.

Plaqué. (Del fr. *plaqué*, chapeado.) m. Chapa muy delgada, de oro o de plata, sobrepuesta y fuertemente adherida a la superficie de otro metal de menos valor.

Plaqueta. (d. de *placa.*) f. *Zool.* Cualquiera de los numerosos corpúsculos de pequeñísimo tamaño, de forma discoidal u ovalada, que se encuentran en la sangre de los mamíferos y que, al parecer, proceden de la fragmentación de ciertas células e intervienen en el fenómeno de la coagulación sanguínea.

Plaquín. (De *placa.*) m. Cota de armas larga, ancha de cuerpo y de mangas.

Plasenciano, na. (De *Plasencia.*) adj. **Placentino.** Apl. a pers., ú. t. c. s.

Plasma. (Del lat. *plasma*, y éste del gr. πλάσμα, formación.) m. *Zool.* Parte líquida de la sangre y de la linfa, donde se encuentran las substancias que sirven para la nutrición de los tejidos orgánicos y las de desecho producidas por la actividad vital de las células.

Plasma. f. **Prasma.**

Plasmador, ra. (Del lat. *plasmātor.*) adj. **Creador.** Aplícase especialmente a Dios. Ú. t. c. s.

Plasmante. p. a. de **Plasmar.** Que plasma.

Plasmar. (Del lat. *plasmāre.*) tr. Figurar, hacer o formar una cosa, particularmente de barro; como son los vasos que hace el alfarero.

Plasmático, ca. (Del gr. πλασματικός.) adj. Perteneciente o relativo al plasma.

Plasta. (De *plaste.*) f. Cualquiera cosa que está blanda; como la masa, el barro, etc. || **2.** Cosa aplastada. || **3.** fig. y fam. Lo que está hecho sin regla ni método. *La fachada de este edificio es una* PLASTA; *el discurso de aquel orador fue una* PLASTA.

Plaste. (Del gr. πλαστή, modelada.) m. Masa hecha de yeso mate y agua de cola, para llenar los agujeros y hendeduras de una cosa que se ha de pintar.

Plastecer. tr. Llenar, cerrar, tapar con plaste.

Plastecido. m. Acción y efecto de plastecer.

Plástica. (Del lat. *plastĭca*, y éste del gr. πλαστική, t. f. de -κός, plástico.) f. Arte de plasmar, o formar cosas de barro, yeso, etc.

Plasticidad. f. Calidad de plástico.

Plástico, ca. (Del lat. *plastĭcus*, y éste del gr. πλαστικός; de πλάσσω, formar.) adj. Perteneciente a la plástica. || **2.** Dúctil, blando. *Arcilla* PLÁSTICA. || **3.** Dícese de ciertos materiales sintéticos que pueden moldearse fácilmente y en cuya composición entran principalmente derivados de la celulosa, proteínas y resinas. Ú. t. c. m. *Una caja de* PLÁSTICO. || **4.** **Formativo.** *Fuerza* PLÁSTICA; *virtud* PLÁSTICA. || **5.** V. **Alimento plástico.** || **6.** fig. Aplícase al estilo o a la frase que por su concisión, exactitud y fuerza expresiva da mucho realce a las ideas o especies mentales.

Plata. (Del lat. **plattus* **platus*, plano, del gr. πλάτος.) f. Metal blanco, brillante, sonoro, dúctil y maleable, más pesado que el cobre y menos que el plomo. Se usa en la moneda y es uno de los metales preciosos. || **2.** fig. Moneda o monedas de **plata.** *No tengo* PLATA; *pagar en* PLATA. || **3.** Dinero en general; riqueza. || **4.** V. **Batidor, bodas, dineral, ducado, edad, librillo, litargirio, maestre, maravedí, real, siglo de plata.** || **5.** fig. Alhaja que conserva su valor intrínseco, aunque pierda la hechura o adorno. || **6.** fig. Lo que sin ser gravoso es de valor y utilidad en cualquier tiempo que se use de ello. || **7.** *Blas.* Uno de los dos metales de que se usa en el blasón y se significa por el fondo blanco del escudo o de la partición en que se pone. || **agria.** Mineral muy friable, de color gris y brillo metálico, que se compone de **plata,** azufre y antimonio. || **bruneta.** ant. Cierta especie de **plata** sin labrar. || **córnea.** Mineral de color amarillento, dúctil y de aspecto córneo, que se compone de cloro y **plata.** || **de piña.** *Min.* **Piña,** 7.ª acep. || **encantada.** Obsidiana de color verde aceitunado, algo translúcida por los bordes y cubierta la superficie de una substancia vítrea de color blanco nacarado que ha dado origen a su nombre. || **gris.** Mineral cristalino, brillante y de color gris obscuro, que se compone de **plata** y azufre. || **labrada.** Conjunto de piezas de este metal destinadas al uso doméstico o al servicio de un templo, etc. || **mejicana.** La acuñada fuera de las casas de la moneda, aunque de ley igual a la legítima. || **nativa.** La que en estado natural y casi pura se halla en algunos terrenos. || **quebrada.** Moneda de **plata** a cuyo valor, respecto de otra de su clase, se agregaba un quebrado; como el realito columnario. || **roja.** Mineral de color y brillo de rubí, que se compone de azufre, arsénico y **plata.** || **seca.** Mineral de **plata** que en la amalgamación no se junta con el azogue. || **Como una plata.** loc. fig. y fam. Limpio y hermoso, reluciente. || **En plata.** m. adv. fig. y fam. Brevemente, sin rodeos ni circunloquios. || **2.** fig. y fam. En substancia, en resolución, en resumen.

Plataforma. (Del fr. *plate-forme*, y éste del lat. **plattus*, del gr. πλάτος.) f. Máquina que sirve para señalar y cortar los dientes de las ruedas de engranaje, especialmente las de los aparatos de relojería. || **2.** Tablero horizontal, descubierto y elevado sobre el suelo, donde se colocan personas o cosas. || **3.** Suelo superior, a modo de azotea, de las torres, reductos y otras obras. || **4.** Vagón descubierto y con bordes de poca altura en sus cuatro lados. || **5.** Parte anterior y posterior de los tranvías, en que van de pie el conductor, el cobrador y determinado número de viajeros. || **6.** Pieza de madera, de forma circular, que en el molino arrocero se mantiene fija y a conveniente distancia sobre la volandera. || **7.** fig. Apariencia, pretexto, colorido. || **8.** fig. Causa o ideal cuya representación toma un sujeto para algún fin, generalmente interesado. || **9.** *Fort.* Obra interior que se levanta sobre el terraplén de la cortina, como el caballero sobre el del baluarte.

Platal. m. **Dineral,** 2.ª acep.

Platalea. (Del lat. *platalĕa.*) f. *Zool.* **Espátula,** 2.ª acep.

Platanal. m. **Platanar.**

Platanar. m. Sitio poblado de plátanos.

Platanáceo, a. (De *platanus*, nombre de un género de plantas.) adj. *Bot.* Dícese de árboles angiospermos dicotiledóneos, que tienen hojas alternas palmeadas y lobuladas, sin estípulas, flores monoicas sobre receptáculos globosos, y fruto en baya o drupa, generalmente con una semilla que contiene abundante albumen córneo o carnoso; como el plátano, 1.ª acep. Ú. t. c. s. f. || **2.** f. pl. *Bot.* Familia de estos árboles.

Platáneo, a. adj. *Bot.* **Platanáceo.**

Platanero, ra. adj. *Cuba.* Dícese del viento huracanado que llega a abatir las matas de plátanos. || **2.** m. **Plátano,** 2.ª acep.

Plátano. (Del lat. *platănus*, y éste del gr. πλάτανος.) m. *Bot.* Árbol de la familia de las platanáceas, que crece hasta la altura de 11 metros, y tiene el tronco recto, redondo y sin ramas en la parte baja; la corteza, correosa, blanca y caediza; las hojas, grandes, tiesas, orbiculares, hendidas en gajos puntiagudos y de color verde claro, y las flores y frutos, que son pequeños, nacen reunidos en un cuerpo redondo de dos centímetros de diámetro y pendiente de un piececillo largo. Su madera es ligera, blanca y fibrosa. || **2.** *Bot.* Planta arbórea de la familia de las musáceas, con tronco aparente, recto, de tres a cuatro metros de altura, formado por los pecíolos envainadores de las hojas caídas, que quedan aplicados al escapo. El tallo produce una espata cónica, la cual se despliega en otras varias, formando un racimo que en los terrenos pingües sostiene hasta doscientas flores rojizas y olorosas. El fruto es largo, triangular y blando, y está cubierto de una piel correosa de color amarillento. Interiormente es carnoso, y por lo común sin semillas ni huesos. Despide un olor agradable, y es de gusto suave y delicado. || **3.** Fruto de esta planta. || **falso.** *Bot.* Árbol de ancha copa, de la familia de las aceráceas, con hojas grandes, opuestas, divididas en cinco lóbulos agudos, de color verde obscuro por encima y amarillentas por el envés, y flores en racimos colgantes. || **guineo.** Variedad de **plátano** de fruto pequeño, cilíndrico y de pulpa muy dulce.

Platea. (Del lat. *platĕa*, y éste del gr. πλατεῖα.) f. **Patio,** 2.ª acep. || **2.** V. **Palco de platea.**

Plateado, da. p. p. de **Platear.** || **2.** adj. Bañado de plata. || **3.** De color semejante al de la plata.

Plateador. m. Obrero que platea alguna cosa.

Plateadura. f. Acción y efecto de platear. || **2.** Plata que se emplea en esta operación.

Platear. tr. Dar o cubrir de plata una cosa; como un retablo, un marco, etc.

Platel. m. Especie de plato o bandeja.

Platelminto. (Del gr. πλατύς, ancho, y ἕλμινς, ινθος, gusano.) adj. *Zool.* Dícese de gusanos, parásitos en su mayoría y casi todos hermafroditas, de cuerpo comúnmente aplanado, sin aparato circulatorio ni respiratorio; el aparato digestivo falta en muchas especies parásitas, y cuando existe carece de ano; como la tenia y la duela. Ú. t. c. s. || **2.** m. pl. *Zool.* Clase de estos animales.

Platense. adj. Perteneciente o relativo a la ciudad argentina de La Plata. || **2.** **Rioplatense.** Ú. t. c. s.

Plateresco, ca. (De *platero.*) adj. *Arq.* y *Esc.* Aplícase al estilo español de ornamentación empleado por los plateros del siglo XVI, aprovechando elementos de las arquitecturas clásica y ojival. || **2.** Dícese del estilo arquitectónico en que se emplean estos adornos.

Platería. f. Arte y oficio de platero. || **2.** Obrador en que trabaja el platero. || **3.** Tienda en que se venden obras de plata u oro.

Platero. m. Artífice que labra la plata. || **2.** El que vende objetos labrados de plata u oro, o joyas con pedrería. || **3.** *Germ.* V. **Juan Platero.** || **4.** adj. *Murc.* Se dice de los asnos cuyo color es gris plateado. Ú. t. c. s. || **de oro. Orífice.**

Plática. (Del lat. *platĭca.*) f. Conversación; acto de hablar una o varias personas con otra u otras. || **2.** Razonamiento o discurso que hacen los predicadores, superiores o prelados, para exhortar a los actos de virtud, instruir en la doctrina cristiana, o reprender los vicios, abusos o faltas de los súbditos o fieles. || **A libre plática.** loc. adv. *Mar.* Aplícase a un buque cuando es admitido a comunicación, pasada la cuarentena o dispensado de ésta. || **De plática en plática.** m. adv. fig. **De palabra en palabra.**

Plática. f. ant. **Práctica.**

Platicable. adj. ant. **Practicable.**

Platicar. (De *plática.*) tr. Conversar, hablar unos con otros, conferir o tratar de un negocio o materia. Ú. m. c. intr.

Platija. (Del lat. *platessa.*) f. *Zool.* Pez teleósteo marino, del suborden de los anacantos, semejante al lenguado, pero de escamas más fuertes y unidas, y color pardo con manchas amarillentas en la cara superior. Vive en el fondo de las desembocaduras de los ríos al norte de España y su carne es poco apreciada.

Platilla. (Del fr. *platille.*) f. **Bocadillo,** 1.ª acep.

Platillo. (d. de *plato.*) m. Pieza pequeña de figura semejate al plato, cualquiera que sea su uso y la materia de que esté formada. || **2.** Cualquiera pieza de figura semejante al **plato,** 1.ª acep., bien se use suelta o bien esté fija como parte de un artefacto, mueble o máquina. || **3.** Cada una de las dos piezas, por lo común en forma de plato o de disco, que tiene la balanza. || **4.** En ciertos juegos de naipes, recipiente, por lo común de forma circular, donde los jugadores ponen, en moneda o en fichas, la cantidad que se atraviesa en cada mano. || **5.** Esta misma cantidad. || **6.** Guisado compuesto de carne y verduras picadas. || **7.** Extraordinario que comen los religiosos en sus comunidades los días festivos, además de la porción ordinaria. || **8.** V. **Dulce de platillo.** || **9.** fig. Objeto o asunto de murmuración. Ú. m. con los verbos *hacer* y *ser.* || **10.** *Mús.* Cada una de las dos chapas metálicas circulares, de unos 30 centímetros de diámetro y tres o cuatro milímetros de grueso, que componen el instrumento de percusión llamado **platillos** y que tienen en el centro una pequeña concavidad con un agujero en que se introduce una correa doblada, por la cual se pasan las manos para sujetar dichas chapas y hacerlas chocar una con otra por el lado cóncavo. Sirve en las músicas, especialmente en las militares, para acompañamiento.

Platina. (De *plata.*) f. **Platino.**

Platina. (Del fr. *platine,* y éste del m. or. que *plato.*) f. Parte del microscopio, en que se coloca el objeto que se quiere observar. || **2.** Disco de vidrio deslustrado o de metal, y perfectamente plano para que ajuste en su superficie el borde del recipiente de la máquina neumática. En su centro tiene un agujero en el que se adapta el tubo por el cual se extrae el aire para hacer el vacío. || **3.** *Impr.* Mesa fuerte y ancha, forrada de una plancha bien lisa de hierro, bronce o cinc, que sirve para ajustar, imponer y acuñar las formas. || **4.** *Impr.* Superficie plana de la prensa o máquina de imprimir, sobre la cual se coloca la forma.

Platinado. p. p. de **Platinar.** || **2.** m. Acción y efecto de platinar.

Platinar. tr. Cubrir un objeto con una capa de platino.

Platinífero, ra. adj. Que contiene platino.

Platinista. m. Obrero que trabaja en platino.

Platino. (De *platina,* 1.er art.) m. Metal de color de plata, aunque menos vivo y brillante, muy pesado, difícilmente fusible e inatacable por los ácidos, excepto el agua regia. En estado de pureza es relativamente blando, lo que permite estirarlo en finos hilos y extenderlo en delgadas láminas, pero es más duro cuando está mezclado con una pequeña cantidad de iridio.

Platinoide. m. Liga de diversos metales para fabricar bobinas eléctricas de gran resistencia.

Platinotipia. (De *platino* y *tipo.*) f. *Fotogr.* Procedimiento que da imágenes positivas sobre papel sensibilizado con sales de platino. || **2.** Cada una de las pruebas así obtenidas.

Platirrinia. (De *platirrino.*) f. Anchura exagerada de la nariz.

Platirrino. (Del gr. πλατύς, ancho, y ῥίς, ῥινός, nariz.) adj. *Zool.* Dícese de simios indígenas de América, cuyas fosas nasales están separadas por un tabique cartilaginoso, tan ancho que las ventanas de la nariz miran a los lados. Ú. t. c. s. || **2.** m. pl. *Zool.* Grupo de estos animales.

Plato. (Como *plata,* del lat. **plattus,* **platus,* plano, del gr. πλάτος.) m. Vasija baja y redonda, con una concavidad en medio y borde comúnmente plano alrededor. Se le emplea en las mesas para servir las viandas y comer en él y para otros usos. || **2. Platillo,** 3.ª acep. || **3.** Vianda o manjar que se sirve en los **platos.** || **4.** Manjar preparado para ser comido. || **5.** fig. Comida, u ordinario que cada día se gasta en comer. || **6.** fig. **Platillo,** 9.ª acep. Ú. m. con los verbos *hacer* y *ser.* || **7.** fig. Tema de murmuración o de hablillas. || **8.** *Arq.* Ornato que se pone en el friso del orden dórico sobre la metopa y entre los triglifos. || **compuesto.** El que se hace de variedad de dulces, o de leche, huevos y otros ingredientes semejantes; como la bizcochada, los huevos moles, etc. || **de segunda mesa.** fig. y fam. Persona o cosa cuya posesión no lisonjea por pertenecer o haber pertenecido a otro. || **montado.** Cualquier manjar que para mayor lucimiento se presenta sobre una base, canastillo o templete, a veces comestible y con frecuencia vistosamente adornado. || **sopero.** **Plato** hondo que sirve para comer en él la sopa. || **trinchero.** El que sirve para trinchar en él los manjares. || **2.** Aquel menos hondo que el sopero, en que se come cualquier manjar que no sea la sopa o cosa parecida, ni los postres. || **Comer en un mismo plato.** fr. fig. y fam. Tener dos o más personas grande amistad o confianza. || **Entre dos platos.** loc. fig. que expresa el aparato, ostentación o ceremonia con que se hace u ofrece una fineza. || **Hacer el plato** a uno. fr. fig. y fam. Mantenerlo, darle de comer. || **Hacer plato.** fr. Servir o distribuir a otros en la mesa la comida. || **Nada entre dos platos.** loc. fig. y fam. que se usa para apocar una cosa que se daba a entender ser grande o de estimación. || **No haber quebrado** uno **un plato.** fr. fig. y fam. No haber cometido ninguna falta. || **Poner el plato** a uno. fr. fig. Ponerle en ocasión de hacer o decir lo que no pensara. ME PUSO EL PLATO *para que le dijese mi sentir.* || **Ser,** o **no ser, plato del gusto** de uno. fr. fig. y fam. Serle o no grata una persona o cosa. || **Ser** uno **plato de segunda mesa.** fr. fig. y fam. Ser o sentirse uno postergado o desconsiderado.

Platón. n. p. V. **Ideas de Platón.**

Platónicamente. adv. m. Idealmente, con desinterés, de honesto modo.

Platónico, ca. (Del lat. *platonĭcus.*) adj. Que sigue la escuela y filosofía de Platón. Ú. t. c. s. || **2.** Perteneciente a ella. || **3.** Desinteresado, honesto.

Platonismo. m. Escuela y doctrina filosófica de Platón.

Platuja. f. **Platija.**

Plausibilidad. f. Calidad de plausible.

Plausible. (Del lat. *plausibĭlis.*) adj. Digno o merecedor de aplauso. || **2.** Atendible, admisible, recomendable. *Hubo para ello motivos* PLAUSIBLES.

Plausiblemente. adv. m. Con aplauso.

Plausivo, va. (De *plauso.*) adj. Que aplaude.

Plauso. (Del lat. *plausus.*) m. **Aplauso.**

Plaustro. (Del lat. *plaustrum*) m. poét. **Carro,** 1.er art., 1.ª acep.

Plautino, na. (Del lat. *plautīnus.*) adj. Propio y característico del poeta latino Plauto, o que tiene semejanza con alguna de las dotes y calidades distintivas de sus obras.

Playa. (Del prov. *playa,* y éste del lat. *plagĭa,* del gr. πλάγιος, curvo.) f. Ribera del mar o de un río grande, formada de arenales en superficie casi plana. || **2.** V. **Uva de playa.**

Playado, da. adj. Dícese del río, mar, etc., que tiene playa.

Playazo. m. Playa grande y extendida.

Playera. (De *playa.*) f. Cierto aire o canto popular andaluz. Ú. m. en pl.

Playero, ra. m. y f. Persona que conduce de la playa el pescado para venderlo. Ú. m. en pl.

Playón. m. aum de **Playa.**

Playuela. f. d. de **Playa.**

Plaza. (Del arag. y cat. *plaza,* y éste del lat. *platĕa.*) f. Lugar ancho y espacioso dentro de poblado. || **2.** Aquel donde se venden los mantenimientos y se tiene el trato común de los vecinos y comarcanos, y donde se celebran las ferias, los mercados y fiestas públicas. || **3.** Cualquier lugar fortificado con muros, reparos, baluartes, etc., para que la gente se pueda defender del enemigo. || **4.** Sitio determinado para una persona o cosa, en el que cabe, con otras de su especie. PLAZA *de colegial; caballeriza de siete* PLAZAS. || **5.** Espacio, sitio o lugar. || **6.** Oficio, ministerio, puesto o empleo. || **7.** Asiento que se hace en los libros acerca del que voluntariamente se presenta para servir de soldado. || **8.** Población en que se hacen operaciones considerables de comercio por mayor, y principalmente de giro. || **9.** Gremio o reunión de negociantes de una **plaza** de comercio. || **10.** Suelo del horno. || **11.** V. **Artillería, coche, gente de plaza.** || **12.** V. **Caballero en plaza.** || **13.** *Fort.* V. **Radio de la plaza.** || **alta.** *Fort.* Fortificación superior al terraplén, no tan alta como el caballero, y que se coloca en la semigola o paralela al flanco. || **baja.** *Fort.* Batería que se pone detrás del orejón, el cual sirve principalmente para cubrirla. || **de abastos. Plaza,** 2.ª acep. || **de armas.** Población fortificada según arte. || **2.** Sitio o lugar en que se acampa y forma el ejército cuando está en campaña, o el en que se forman y hacen el ejercicio las tropas que están de guardia en una **plaza.** || **3.** Ciudad o fortaleza que se elige en el paraje donde se hace la guerra, a fin de poner en ella las armas y demás pertrechos militares para el tiempo de la campaña. || **de capa y espada.** La que obtenía el ministro de esta clase en los antiguos Consejos. || **de soberanía.** Denominación diferenciadora aplicada al territorio nacional de Ceuta y al de Melilla cuando quedaron ambos enclavados dentro de la zona del Protectorado español en Marruecos. || **de toros.** Circo donde lidian toros. || **fuerte. Plaza de armas.** || **montada.** *Mil.* Soldado u oficial que usa caballo. || **muerta.** ant. *Mil.* La que los capitanes tenían sin soldado en sus compañías, aprovechándose del sueldo que éste había de percibir. || **viva.** *Mil.* La del soldado que aunque no esté presente se cuenta como si lo estuviera. || **A la plaza, el mejor mozo de la casa.** ref. que advierte que para los negocios económicos, debe echarse mano del criado de mayor confianza y de más habilidad. || **Asentar plaza.** fr. **Sentar plaza.** || **Atacar bien la plaza.** fr. fig. y fam. Comer mucho. || **Borrar la plaza.** fr. *Mil.* Quitarla, testando el asiento que se hizo de ella. || **Ceñir la plaza.** fr. Cercarla o sitiarla. || **Echar en la plaza,** o **en plaza,** una cosa. fr. fig. y fam. **Sacarla a plaza.** || **En plaza.** m. adv. ant. **En público.** || **En pública plaza.** m. adv. **En público.** || **Estar sobre una plaza.** fr. Tenerla sitiada o asediada. || **Hacer plaza.** fr. Hablando de ciertas cosas, venderlas por menudo públicamente. || **2.** Hacer lugar; despejar un sitio por violencia o mandato. || **3.** fig. y fam. **Sacar a la plaza** una cosa. || **Pasar plaza de.** fr. fig. Ser tenida o reputada una persona o cosa por lo que no es bn realidad. || **¡Plaza!** Voz que se usaba cuando salía el rey o en otras ocaeiones de gran concurso, para mandar a la gente que dejara libre el paso. || **Quien en la plaza a labrar se mete, muchos adestradores tiene.** ref. que advierte que quien hace una cosa en público, se expone a la intromisión o a la censura de muchos. || **Romper plaza.** fr. fig. Ser primero en la lidia un toro, o gozar de tal precedencia una divisa o ganadería. || **Sacar a la plaza,** o **a plaza,** una cosa. fr. fig. y fam. Publicarla. || **Sentar plaza.** fr. Entrar a servir de soldado. || **Socorrer la plaza.** fr. fig. Suministrar socorro a una persona necesitada.

Plazo. (Del lat. *placĭtum,* convenido.) m. Término o tiempo señalado para una cosa. || **2.** Vencimiento del término. || **3.** Cada parte de una cantidad pagadera en dos o más veces. || **4.** ant. **Campo,** 5.ª acep. || **Correr el plazo.** fr. **Correr el término.** || **En tres plazos.** m. adv. fig. y fam. **En tres pagas.** || **No hay plazo que no llegue,** o **que no se cumpla, ni deuda que no se pague.** ref. que reprende la imprudencia del que promete hacer una cosa de difícil ejecución, fiado sólo en lo largo del **plazo** que toma para ello, porque últimamente llega y le es preciso cumplir su promesa. || **2.** También se aplica al que, alentado con la impunidad, persevera y se obstina en la depravación.

Plazoleta. f. d. de **Plazuela.** || **2.** Espacio, a manera de plazuela, que suele haber en jardines y alamedas.

Plazuela. (Del lat. *plateŏla.*) f. d. de **Plaza.**

Ple. (Del ingl. *play,* juego.) m. Juego de pelota, en que se arroja ésta contra la pared.

Pleamar. (De *plenamar.*) f. *Mar.* Fin o término de la creciente del mar. || **2.** Tiempo que ésta dura.

Plébano [Plebano]. (De *plebe.*) m. En algunas partes, **cura párroco.**

Plebe. (Del lat. *plebs, plebis.*) f. **Estado llano.** || **2. Populacho.** || **3.** V. **Tribuno de la plebe.**

Plebeo, a. adj. ant. **Plebeyo.**

Plebeyez. f. Calidad de plebeyo o villano.

Plebeyo, ya. (Del lat. *plebēius.*) adj. Propio de la plebe o perteneciente a ella. || **2.** Dícese de la persona que no es noble ni hidalga. Ú. t. c. s. || **3.** V. **Edil plebeyo.**

Plebezuela. f. d. de **Plebe.**

Plebiscitario, ria. adj. Perteneciente o relativo al plebiscito.

Plebiscito. (Del lat. *plebiscītum.*) m. Ley que la plebe de Roma establecía separadamente de las clases superiores de la república, a propuesta de su tribuno. Por algún tiempo obligaba solamente a los plebeyos, y después fué obligatoria para todo el pueblo. || **2.** Resolución tomada por todo un pueblo a pluralidad de votos. || **3.** Consulta al voto popular directo para que apruebe la política de poderes excepcionales, mediante la votación de las poblaciones interesadas o pertenecientes al Estado cuya aprobación se pretende.

Pleca. f. *Impr.* Filete pequeño y de una sola raya.

Plectognato. (Del gr. πλεκτός, unido, y γνάθος, mandíbula.) adj. *Zool.* Dícese de peces teleósteos que tienen la mandíbula superior fija, de modo que no ejecuta movimientos independientes de los del resto de la cabeza; piel provista de anchas placas óseas, a veces con púas, que forman un verdadero caparazón; carecen de aletas abdominales; como el orbe y el pez luna. || **2.** m. pl. *Zool.* Suborden de estos peces.

Plectro. (Del lat. *plectrum,* y éste del gr. πλῆκτρον.) m. Palillo o púa que usaban los antiguos para tocar instrumentos de cuerda. || **2.** fig. En poesía, inspiración, estilo.

Plegable. adj. Capaz de plegarse.

Plegadamente. adv. m. Confusamente, sin la claridad necesaria; por mayor.

Plegadera. f. Instrumento de madera, hueso, marfil, etc., a manera de cuchillo, a propósito para plegar o cortar papel.

Plegadizo, za. adj. Fácil de plegar o doblarse.

Plegado, da. p. p. de **Plegar.** || **2.** m. **Plegadura.**

Plegador. (Del lat. *precātor,* que implora.) m. *Ar.* El que recoge la limosna para una cofradía o comunidad.

Plegador, ra. adj. Que pliega. Ú. t. c. s. || **2.** m. Instrumento con que se pliega una cosa. || **3.** En el arte de la seda, madero grueso y redondo donde se revuelve la urdimbre para ir tejiendo la tela.

Plegadura. (Del lat. *plicatūra.*) f. Acción y efecto de plegar una cosa.

Plegar. (Del lat. *plicāre.*) tr. Hacer pliegues en una cosa. Ú. t. c. r. || **2.** Doblar e igualar con la debida proporción los pliegos de que se compone un libro que se ha de encuadernar. || **3.** En el arte de la seda, revolver la urdimbre en el plegador para ponerla en el telar. || **4.** r. fig. Doblarse, ceder, someterse.

Plegaria. (Del lat. *precaria;* de *precāri,* suplicar, rogar.) f. Deprecación o súplica humilde y ferviente para pedir una cosa. || **2.** Señal que se hace con la campana en las iglesias al tiempo del mediodía para que todos los fieles hagan oración. || **3.** fig. En Toledo, criado de los prebendados, que acude a asistir a su amo al tiempo de la **plegaria.** || **Hacer plegarias.** fr. Rogar con extremos y demostraciones para que se conceda una cosa que se desea.

Pleguería. f. Conjunto de pliegues, en especial en las obras de arte.

Pleguete. (d. de *pliegue.*) m. Tijereta de las vides y de otras plantas.

Pleistoceno. (Del gr. πλεῖστος, muchísimo, y καινός, nuevo.) adj. *Prehist.* Se dice del período glacial o cuaternario, en que abundan restos humanos y de obras del hombre.

Pleita. (Del lat. *plicĭta,* t. f. de *-tus,* p. p. de *plicare,* plegar.) f. Faja o tira de esparto trenzado en varios ramales, o de pita, palma, etc., que cosida con otras sirve para hacer esteras, sombreros, petacas y otras cosas.

Pleiteador, ra. adj. Que pleitea. Ú. t. c. s. || **2. Pleitista.** Ú. t. c. s.

Pleiteamiento. (De *pleitear.*) m. ant. **Pleito.**

Pleiteante. p. a. de **Pleitear.** Que pleitea.

Pleitear. (De *pleito.*) tr. Litigar o contender judicialmente sobre una cosa. || **2.** ant. Pactar, concertar, ajustar.

Pleiteoso, sa. adj. ant. **Pleitista.**

Pleités. adj. ant. Versado en pleitos y dado a ellos. || **2.** ant. Que media entre dos o más personas para componer sus desavenencias. || **3.** ant. Que en nombre de uno trata, ajusta o litiga un negocio. || **4.** ant. Inteligente en tratar o en ajustar negocios entre personas desavenidas.

Pleitesía. (De *pleités.*) f. ant. Pacto, convenio, concierto, avenencia. || **Cometer,** o **hacer, pleitesía.** fr. ant. Hacer un pacto o concierto con ciertas seguridades de cumplir lo prometido.

Pleitista. adj. Dícese del sujeto revoltoso y que con ligero motivo mueve y ocasiona contiendas y pleitos. Ú. t. c. s.

Pleito. (Del lat. *placĭtum,* decreto, sentencia.) m. ant. Pacto, convenio, ajuste, tratado o negocio. || **2.** Contienda, diferencia, disputa, litigio judicial entre partes. || **3.** Contienda, lid o batalla que se determina por las armas. || **4.** Disputa, riña o pendencia doméstica o privada. || **5.** Proceso o cuerpo de autos sobre cualquier causa. || **civil.** *For.* Aquel en que se litiga sobre una cosa, hacienda, posesión o regalía. || **criminal.** *For.* **Causa,** 5.ª acep. || **de acreedores.** *For.* **Concurso de acreedores.** || **de cédula.** *For.* En las chancillerías, **pleito** que se veía con dos o más salas y con asistencia del presidente en virtud de cédula real. || **de justicia.** ant. **Pleito** o causa criminal. || **homenaje. Homenaje,** 1.ª acep. || **ordinario.** fig. Aquello que se dilata y se hace común y muy frecuente, cediendo del rigor con que comenzó. || **2.** fig. y fam. Disturbio o altercado frecuente. || **3. Juicio declarativo.** || **A pleito.** m. adv. ant. Con condición. || **Arrastrar el pleito.** fr. *For.* **Arrastrar la causa.** || **Cometer pleito.** fr. ant. **Cometer pleitesía.** || **Conocer de un pleito.** fr. *For.* Ser juez de él. || **Contestar** uno **el pleito.** fr. *For.* **Contestar la demanda.** || **Dar el pleito por concluso.** fr. *For.* **Dar la causa por conclusa.** || **En pleito claro no es menester letrado.** ref. que denota que la justicia y la razón, cuando son palpables, no necesitan defensores. || **Ganar** uno **el pleito.** fr. fig. Lograr aquello en que había dificultad. || **¿Hablaba usted de mi pleito?** expr. fig. y fam. con que se zahiere al que no acierta a hablar de otra cosa que de sus cuitas o negocios. || **Pleito bueno o pleito malo, de tu mano el escribano.** ref. **Por bueno o por malo, el escribano de tu mano.** || **Poner a pleito.** fr. fig. Oponerse con ardor y eficacia a una cosa sin tener razón o justo motivo para ello. || **Poner pleito** a uno. fr. Entablarlo contra él. || **Quien mal pleito tiene, a barato, a boruca,** o **a voces, lo mete.** ref. que reprende a los que destituidos de razón procuran confundirla para que no se aclare la verdad. || **Salir con el pleito.** fr. Ganarlo. || **Tener mal pleito.** fr. fig. No tener razón en lo que se pide, o carecer de medios competentes para conseguirlo. || **Ver el pleito.** fr. *For.* Hacerse relación de él hablando las partes o sus abogados ante los juzgadores. || **Ver uno el pleito mal parado.** fr. fig. Reconocer el riesgo, peligro o aprieto en que se halla o la inminencia de perderse una cosa.

Plenamar. (De *plena* y *mar.*) f. **Pleamar.**

Plenamente. adv. m. Llena y enteramente.

Plenariamente. adv. m. **Plenamente.** || **2.** *For.* Con juicio plenario, o sin omitir las formalidades establecidas por las leyes.

Plenario, ria. (Del lat. *plenarius.*) adj. Lleno, entero, cumplido, que no le falte nada. || **2.** V. **Indulgencia plenaria.** || **3.** *For.* Parte del proceso criminal que sigue al sumario hasta la sentencia, y durante el cual se exponen los cargos y las defensas en forma contradictoria. || **4.** *For.* V. **Juicio plenario.**

Pleneramente. adv. m. ant. **Plenariamente.**

Plenero, ra. (De *plenario.*) adj. ant. **Llenero.**

Plenilunio. (Del lat. *plenilunium.*) m. **Luna llena.**

Plenipotencia. (Del lat. *plenus,* pleno, y *potentia,* poder.) f. Poder pleno, que se concede a otro para ejecutar, concluir o resolver una cosa; como es el que los jefes de Estado dan a sus embajadores u otros representantes acreditados cerca de distinto gobierno.

Plenipotenciario, ria. (De *plenipotencia.*) adj. Dícese de la persona que envían los reyes y las repúblicas a los congresos o a otros Estados, con el pleno poder y facultad de tratar, concluir y ajustar las paces u otros intereses. Ú. t. c. s.

Plenitud. (Del lat. *plenitūdo.*) f. Totalidad, integridad o calidad de pleno. ‖ **2.** Abundancia o exceso de un humor en el cuerpo. ‖ **de los tiempos.** Época de la Encarnación del Verbo divino, así llamada porque con ella se cumplieron los vaticinios de la ley antigua, que la anunciaban.

Pleno, na. (Del lat. *plenus.*) adj. **Lleno.** ‖ **2.** V. **Sede plena.** ‖ **3.** V. **Plena cimbra.** ‖ **4.** m. Reunión o junta general de una corporación.

Pleon. (Del gr. πλέω, nadar.) m. *Zool.* Abdomen de los crustáceos, formado por varios segmentos; cada uno de éstos lleva un par de apéndices pequeños y relacionados con la función reproductora.

Pleonasmo. (Del lat. *pleonasmus*, y éste del gr. πλεονασμός; de πλεονάζω, sobreabundar.) m. *Gram.* Figura de construcción, que consiste en emplear en la oración uno o más vocablos innecesarios para el recto y cabal sentido de ella, pero con los cuales se da gracia o vigor a la expresión; v. gr.: *Yo lo vi con mis ojos.* ‖ **2.** Demasía o redundancia viciosa de palabras.

Pleonásticamente. adv. m. Cometiendo pleonasmo.

Pleonástico, ca. (Del gr. πλεοναστικός.) adj. Perteneciente al pleonasmo; que lo encierra o incluye.

Plepa. f. fam. Persona, animal o cosa que tiene muchos defectos en lo físico o en lo moral.

Plesímetro. (Del gr. πλήσσω, golpear, y μέτρον, medida.) m. *Med.* Instrumento, formado por lo común de una chapa de marfil o caucho endurecido, sobre el cual se golpea con los dedos, o con un martillo adecuado, para explorar por percusión las cavidades naturales.

Plesiosauro. (Del gr. πλησίος, próximo, y σαῦρος, lagarto.) m. *Paleont.* Reptil gigantesco perteneciente al período geológico secundario y del que hoy se hallan solamente restos en estado fósil. Se supone que tenía la figura de un enorme lagarto.

Pletina. (Del b. lat. *plata*, lámina de metal, y éste del lat. *platus*, ancho.) f. Pieza de hierro más ancha que gruesa, de dos a cuatro milímetros de espesor.

Plétora. (Del gr. πληθώρα; de πλήθω, estar lleno.) f. *Med.* Plenitud de sangre. ‖ **2.** *Med.* Abundancia de otros humores; pero en este caso se expresa cuál es. ‖ **3.** fig. Abundancia excesiva de alguna cosa.

Pletoría. f. ant. *Med.* **Plétora.**

Pletórico, ca. (Del gr. πληθωρικός.) adj. *Med.* Que tiene plétora.

Pleura. (Del gr. πλευρά, costado.) f. *Zool.* Cada una de las membranas serosas que en ambos lados del pecho de los mamíferos cubren las paredes de la cavidad torácica y la superficie de los pulmones. Llámase **pulmonar** la parte que está adherida a cada pulmón, y **costal** la que cubre las paredes.

Pleural. adj. **Pleurítico,** 2.ª acep.

Pleuresía. (De *pleura.*) f. *Med.* Enfermedad que consiste en la inflamación de la pleura. ‖ **2.** *Med.* **Dolor de costado.** ‖ **falsa.** *Med.* **Pleurodinia.**

Pleurítico, ca. (Del gr. πλευριτικός.) adj. *Med.* Que padece pleuresía. Ú. t. c. s. ‖ **2.** *Zool.* Perteneciente a la pleura.

Pleuritis. (De *pleura.*) f. *Med.* Inflamación de la pleura.

Pleurodinia. (Del gr. πλευρά, costado, y ὀδύνη, dolor.) f. *Med.* Dolor en los músculos de las paredes del pecho.

Pleuronecto. m. *Zool.* **Platija.**

Plexo. (Del lat. *plexus*, tejido, entrelazado.) m. *Zool.* Red formada por varios filamentos nerviosos o vasculares entrelazados. *El* PLEXO *hepático.* ‖ **sacro.** *Zool.* El constituido por las anastomosis que forman entre sí la mayoría de las ramas nerviosas sacras. ‖ **solar.** Red nerviosa que rodea a la arteria aorta ventral, y procede especialmente del gran simpático y del nervio vago.

Pléyadas. f. pl. *Astron.* **Pléyades.**

Pléyade. (Del lat. *Pleiădes.*) f. fig. Grupo de personas señaladas, especialmente en las letras, que florecen por el mismo tiempo.

Pléyades. (Del lat. *Pleiădes*, y éste del gr. Πλειάδες; de πλέω, navegar.) f. pl. *Astron.* Cúmulo de estrellas muy notable en la constelación del Toro, a modo de mancha blanquecina o nube, entre las cuales se perciben a simple vista seis y a veces (según la fuerza visual del observador) siete estrellas principales.

Plica. (Del lat. *plica.*) f. Sobre cerrado y sellado en que se reserva algún documento o noticia que no debe publicarse hasta fecha u ocasión determinada. ‖ **2.** *Med.* Enfermedad que consiste en aglomerarse y pegarse el pelo de modo que no se puede desenredar ni cortar sin que la sangre brote.

Pliego. (De *plegar.*) m. ant. Plegadura o pliegue. ‖ **2.** Porción o pieza de papel de forma cuadrangular, de uno u otro tamaño y doblada por medio, de lo cual toma nombre. En el papel impreso los dobleces son dos o más. ‖ **3.** Por ext., la hoja de papel que no se expende ni se usa doblada, como, por ejemplo, la de papel de marquilla o de marca mayor en que se hacen dibujos, planos, mapas, etc. ‖ **4.** Conjunto de páginas de un libro o folleto cuando, en el tamaño de fábrica, no forman más que un **pliego.** ‖ **5.** Papel o memorial comprensivo de las condiciones o cláusulas que se proponen o se aceptan en un contrato, una concesión gubernativa, una subasta, etc. ‖ **6.** Carta, oficio o documento de cualquier clase que cerrado se envía de una parte a otra. ‖ **7.** Conjunto de papeles contenidos en un mismo sobre o cubierta. ‖ **común.** El que tiene las dimensiones del papel sellado (435 milímetros de largo por 315 de ancho). ‖ **de cargos.** Resumen de las faltas que aparecen en un expediente contra el funcionario a quien se le comunica para que pueda contestar defendiéndose. ‖ **de condiciones. Pliego,** 5.ª acep. Se dice más comúnmente hablando de contrato o concesión en materia de la administración pública. ‖ **prolongado. Pliego** en el cual la proporción del largo con el ancho es diferente de la que corresponde a la marca ordinaria, resultando el **pliego,** ya doblado, más largo que los comunes. ‖ **Pliegos de cordel.** Obras populares, como romances y coplas de ciego, historias y novelas cortas, comedias, vidas de santos y de otras personas famosas, que se imprimen en **pliegos** sueltos y para venderlos se solían colgar de unos bramantes puestos horizontalmente en los portales y tiendas.

Pliegue. (De *plegar.*) m. Doblez, especie de surco o desigualdad que resulta en cualquiera de aquellas partes en que una tela o cosa flexible deja de estar lisa o extendida. ‖ **2.** Doblez hecho artificialmente por adorno o para otro fin en la ropa o en cuaquier cosa flexible.

Plieguecillo. (d. de *pliego.*) m. Medio pliego común doblado por la mitad a lo ancho.

Plinto. (Del lat. *plinthus*, y este del gr. πλίνθος, ladrillo.) m. *Arq.* Parte cuadrada inferior de la basa ‖ **2.** Base cuadrada de poca altura.

Plioceno. (Del gr. πλεῖον, más, y καινός, reciente.) adj. *Geol.* Dícese del terreno que forma la parte superior del terciario y que es inmediatamente más moderno que el mioceno. Ú. t. c. s. ‖ **2.** *Geol.* Perteneciente a este terreno.

Plomada. f. Estilo o barrita de plomo, que sirve a los artífices para señalar o reglar una cosa. ‖ **2.** Pesa de plomo o de otro metal, cilíndrica o cónica, que colgada de una cuerda sirve para señalar la línea vertical. ‖ **3. Sonda,** 2.ª acep. ‖ **4.** Azote hecho de correas, en cuyo remate había unas bolas de plomo. ‖ **5.** Conjunto de plomos que se ponen en la red para pescar. ‖ **6.** ant. **Bala,** 1.ª acep. ‖ **7.** Acción y efecto de plomear. ‖ **8. Plomazo.** ‖ **9.** *Germ.* **Pared,** 1.ª acep. ‖ **10.** *Art.* Plancha de plomo que se colocaba sobre el oído del cañón, para preservar la pólvora de la humedad y evitar que por descuido pudiese inflamarse la carga.

Plomado, da. p. p. de **Plomar.** ‖ **2.** adj. V. **Carta plomada.**

Plomar. (Del lat. *plumbāre.*) tr. Poner un sello de plomo pendiente de hilos en un instrumento, privilegio o diploma.

Plomazo. m. Golpe o herida que causa el perdigón disparado con arma de fuego.

Plomazón. (De *pluma.*) f. Almohadilla de cuero, pequeña, fija en una tabla y rellena de plumón, sobre la cual se cortan los panes para dorar o platear.

Plombagina. (Del fr. *plombagine*, y éste del lat. *plumbāgo, -ĭnis*, mineral con mezcla de plomo.) f. **Grafito.**

Plomear. intr. Cubrir el blanco los perdigones de un tiro con la amplitud, precisión y alcance correspondientes a las características del arma que dispara.

Plomería. f. Cubierta de plomo que se pone en los edificios. ‖ **2.** Almacén o depósito de plomos. ‖ **3.** Taller del plomero.

Plomero. m. El que trabaja o fabrica cosas de plomo.

Plomizo, za. adj. Que tiene plomo. ‖ **2.** De color de plomo. ‖ **3.** Parecido al plomo en alguna de sus cualidades.

Plomo. (Del lat. *plumbum.*) m. Metal pesado, dúctil, maleable, blando, fusible, de color gris que tira ligeramente a azul, que al aire se toma con facilidad y que con los ácidos forma sales venenosas. ‖ **2. Plomada,** 2.ª acep. ‖ **3.** V. **Azúcar, blanco, lápiz, sal, vitriolo de plomo.** ‖ **4.** V. **Lápiz plomo.** ‖ **5.** fig. Cualquiera pieza o pedazo de **plomo,** como son las pesas o los que se ponen en las redes y en otras cosas para darles peso. ‖ **6.** fig. **Bala,** 1.ª acep. ‖ **7.** fig. y fam. Persona pesada y molesta. ‖ **blanco.** Carbonato de **plomo.** ‖ **corto.** El mezclado con arsénico, que se usa en la fabricación de perdigones para que la munición resulte redonda y sin los apéndices o colas que produce el **plomo** puro. ‖ **de obra.** El argentífero. ‖ **dulce.** El refinado. ‖ **pobre.** El escaso de plata. ‖ **rico.** El abundante en plata. ‖ **A plomo.** m. adv. **Verticalmente.** ‖ **2.** fig. A punto, con oportunidad, al pelo. ‖ **Caer a plomo.** fr. fig. y fam. Caer con todo el peso del cuerpo.

Plomoso, sa. (Del lat. *plumbōsus.*) adj. **Plomizo.**

Plorar. (Del lat. *plorāre.*) intr. ant. **Llorar.**

Pluma. (Del lat. *pluma.*) f. Cada una de las piezas de que está cubierto el cuerpo de las aves. Consta de un tubo o cañón inserto en la piel y de un astil guarnecido de barbillas. ‖ **2.** Conjunto de **plumas.** *Un colchón de* PLUMA. ‖ **3. Pluma** de ave que, cortada convenientemente en la extremidad del cañón, sirve para escribir. ‖ **4.** Instrumento de metal, semejante al pico de la **pluma** de ave cortada para escribir, que sirve para el mismo efecto colocado en un mango de madera, hueso u otra materia. || **5. Pluma** preparada para servir de adorno, o adorno hecho de **plumas.** || **6. Pluma** artificial hecha a imitación de la verdadera. || **7.** V. **Alumbre, carne, clavellina, gente, pasante de pluma.** || **8.** V. **Papel pluma.** || **9.** fig. Cada una de las virutas que se sacan al tornear. || **10.** fig. Cualquier instrumento con que se escribe, en forma de **pluma.** || **11.** fig. Habilidad o destreza caligráfica. || **12.** fig. Escritor, autor de libros u otros escritos. *Miguel es la mejor* PLUMA *de su tiempo.* || **13.** fig. Estilo o manera de escribir. *Tal obra se escribió con* PLUMA *elocuente, hábil, torpe, benévola, mordaz,* etc. || **14.** fig. Profesión o ministerio del escritor. *José mancha o vende su* PLUMA. || **15.** fig. y fam. **Pedo.** || **16.** *Germ.* **Remo,** 1.ª acep. || **de agua.** Unidad de medida que sirve para aforar las aguas, y cuya equivalencia varía mucho según los países. En Barcelona equivale a un gasto de 25 milésimas de litro por segundo, y en otras partes es mucho mayor. || **en sangre.** *Cetr.* La de las aves que no tienen el cañón seco, y por el humor rojo que suele tener, se llama así. || **estilográfica.** La de mango hueco lleno de tinta que fluye a los puntos de ella, excusando el empleo del tintero. || **viva.** La que se quita de las aves estando vivas, y sirve para rellenar almohadas, colchones, etc., porque siempre se mantiene hueca. || **Al correr de la pluma. A vuela pluma.** locs. advs. figs. Con los verbos *escribir, componer* y otros semejantes, muy de prisa, a merced de la inspiración, sin detenerse a meditar, sin vacilación ni esfuerzo. || **Dejar correr la pluma.** fr. fig. Escribir con abandono y sin meditación. || **2.** fig. Dilatarse demasiado en la materia o punto que por escrito se va tratando. || **Echar buena pluma.** fr. fig. y fam. **Echar buen pelo.** || **Hacer a pluma y a pelo.** fr. fig. y fam. alusiva a la destreza del buen cazador, con que se denota a la persona dispuesta para faenas o empresas diversas. || **Hacer la pluma.** fr. *Cetr.* **Hacer la plumada.** || **Llevar la pluma** a uno. fr. fig. y fam. Ser su amanuense; escribir lo que dicta. || **Poner** uno **la pluma bien,** o **mal.** fr. fig. Expresar por escrito, bien o mal, las ideas. *¡Qué* BIEN PONE LA PLUMA *el pícaro!* || **Vivir** uno **de su pluma.** fr. fig. Ganarse la vida escribiendo.

Plumada. (De *pluma.*) f. Acción de escribir una cosa corta. || **2.** Rasgo o letra adornada que se hace sin levantar la pluma del papel. || **3.** *Cetr.* Plumas que han comido los halcones y las tienen aún en el buche. || **4.** *Cetr.* Plumas que se preparan para que se las traguen los halcones. || **Hacer la plumada.** fr. *Cetr.* Arrojar el azor las plumas que comió.

Plumado, da. (Del lat. *plumātus.*) adj. Que tiene pluma.

Plumaje. m. Conjunto de plumas que adornan y visten al ave. || **2.** Penacho de plumas que se pone por adorno en los sombreros, morriones y cascos. || **3.** *Cetr.* Clase de pluma con que se distinguen las diversas especies de aves de caza.

Plumajear. tr. ant. Mover una cosa de un lado a otro como si fuera un plumaje.

Plumajería. f. Cúmulo o agregado de plumajes.

Plumajero. m. El que hace o vende plumas o plumajes.

Plumaria. (Del lat. *plumarĭa,* t. f. de *-rĭus,* plumario.) adj. V. **Arte plumaria.**

Plumario. (Del lat. *plumarĭus.*) m. El que ejercita el arte plumaria. || **2.** ant. **Plumista.**

Plumazo. (Del lat. *plumacĭum.*) m. Colchón o almohada grande llena de pluma. || **2.** Trazo fuerte de pluma y especialmente el que se hace para tachar lo escrito. || **De un plumazo.** m. adv. fig. y fam. con que se denota el modo expeditivo de abolir o suprimir una cosa.

Plumazón. (De *pluma.*) f. **Plumajería.** || **2. Plumaje,** 1.ª acep.

Plumbado, da. (Del lat. *plumbātus.*) adj. Con sello cancilleresco de plomo.

Plumbagina. f. **Plombagina.**

Plumbagináceo, a. (De *plumbago,* nombre de un género de plantas.) adj. *Bot.* Dícese de plantas angiospermas dicotiledóneas, fruticosas o herbáceas, con hojas sencillas comúnmente enteras, con estípulas o sin ellas, flores pentámeras y con más frecuencia en espigas o panojas; fruto coriáceo o membranoso con una sola semilla de albumen amiláceo; como la belesa. Ú. t. c. s. || **2.** f. pl. *Bot.* Familia de estas plantas.

Plumbagíneo, a. (Del lat. *plumbāgo, -ĭnis,* belesa.) adj. *Bot.* **Plumbagináceo.**

Plúmbeo, a. (Del lat. *plumbĕus.*) adj. De plomo. || **2.** fig. Que pesa como el plomo.

Plúmbico, ca. adj. *Quím.* Perteneciente o relativo al plomo.

Plumeado. (De *plumear.*) m. *Pint.* Conjunto de rayas semejantes a las que se hacen con la pluma, y que suelen usar algunos en la miniatura.

Plumear. tr. *Pint.* Formar líneas con el lápiz o la pluma, para sombrear un dibujo. || **2.** Escribir con pluma.

Plúmeo, a. (Del lat. *plumĕus.*) adj. Que tiene pluma.

Plumería. (De *plumero.*) f. Conjunto o abundancia de plumas.

Plumerilla. f. *R. de la Plata.* Mimosa de flor roja.

Plumerío. m. **Plumería.**

Plumero. m. Mazo o atado de plumas que sirve para quitar el polvo. De ordinario se ata a un palo torneado que sirve también de mango. || **2.** Vaso o caja donde se ponen las plumas. || **3. Plumaje,** 2.ª acep.

Plumífero, ra. (Del lat. *pluma,* pluma, y *ferre,* llevar.) adj. poét. Que tiene o lleva plumas.

Plumilla. f. d. de **Pluma.** || **2.** *Bot.* **Plúmula.**

Plumión. m. **Plumón,** 1.ª acep.

Plumista. m. El que tiene por ejercicio o profesión escribir, y más regularmente, escribano u otro ministro que entiende en pleitos y negocios judiciales. || **2.** El que hace o vende objetos de pluma.

Plumón. m. Pluma muy delgada, semejante a la seda, que tienen las aves debajo del plumaje exterior. || **2.** Colchón lleno de esta pluma.

Plumoso, sa. (Del lat. *plumōsus.*) adj. Que tiene pluma o mucha pluma.

Plúmula. (Del lat. *plumŭla,* d. de *pluma,* pluma.) f. *Bot.* Yemecilla que en el embrión de la planta es rudimento del tallo.

Plural. (Del lat. *plurālis.*) adj. *Gram.* V. **Número plural.** Ú. t. c. s.

Pluralidad. (Del lat. *pluralĭtas, -ātis.*) f. Multitud, copia y número grande de algunas cosas, o el mayor número de ellas. || **2.** Calidad de ser más de uno. || **A pluralidad de votos.** m. adv. Por mayoría.

Pluralizar. tr. *Gram.* Dar número plural a palabras que ordinariamente no lo tienen; v. gr.: *Los* CIROS; *los* HÉCTORES. || **2.** Referir o atribuir una cosa que es peculiar de uno a dos o más sujetos, pero sin generalizar.

Pluricelular. adj. *Biol.* Dícese de la planta o del animal cuyo cuerpo está formado por muchas células.

Plurilingüe. adj. Dícese del que habla varias lenguas. || **2.** Escrito en diversos idiomas.

Plus. (Del lat. *plus,* más.) m. Gratificación o sobresueldo que suele darse a la tropa en campaña y en otras circunstancias extraordinarias. || **2.** Cualquiera adehala o gaje suplementario u ocasional.

Pluscuamperfecto. (Del lat. *plus,* más; *quam,* que, y *perfectus,* perfecto.) adj. *Gram.* V. **Pretérito pluscuamperfecto.** Ú. t. c. s.

Plus minusve. loc. lat. Más o menos.

Pluspetición. f. *For.* Exceso cuantitativo de la demanda sobre lo exigible o debido, y excepción producida por tal causa.

Plus ultra. loc. lat. Más allá.

Plusvalía. f. **Mayor valía.**

Plúteo. (Del lat. *plutĕus.*) m. Cada uno de los cajones o tablas de un estante o armario de libros.

Plutocracia. (Del gr. πλουτοκρατία, gobierno de los ricos.) f. Preponderancia de los ricos en el gobierno del Estado. || **2.** Predominio de la clase más rica de un país.

Plutócrata. com. Individuo de la plutocracia.

Plutocrático, ca. adj. Perteneciente o relativo a la plutocracia.

Plutón. (Del lat. *Pluto, -ōnis.*) m. *Astron.* Planeta descubierto en 1930, menor que la Tierra y distante del Sol cuarenta y nueve veces más que ella. Es invisible a simple vista.

Plutoniano, na. adj. **Plutónico.** Aplícase más comúnmente a personas. Ú. t. c. s.

Plutónico, ca. adj. *Geol.* Perteneciente o relativo al plutonismo.

Plutonio. m. *Quím.* Cuerpo simple radiactivo que se encuentra en pequeñas porciones en algunas variedades de blenda.

Plutonismo. (De *Plutón,* dios mitológico de las regiones subterráneas.) m. *Geol.* Sistema que atribuye la formación del globo a la acción del fuego interior, del cual son efecto los volcanes.

Plutonista. adj. *Geol.* Partidario del plutonismo. Ú. t. c. s.

Pluvia. (Del lat. *pluvia.*) f. ant. **Lluvia.** Ú. aún en poesía.

Pluvial. (Del lat. *pluviālis.*) adj. V. **Agua, capa pluvial.**

Pluvímetro. m. **Pluviómetro.**

Pluviométrico, ca. adj. Perteneciente o relativo al pluviómetro.

Pluviómetro. (Del lat. *pluvia,* lluvia, y del gr. μέτρον, medida.) m. Aparato que sirve para medir la lluvia que cae en lugar y tiempo dados.

Pluvioso, sa. (Del lat. *pluviōsus.*) adj. **Lluvioso.** || **2.** m. Quinto mes del calendario republicano francés, cuyos días primero y último coincidían respectivamente con el 20 de enero y el 18 de febrero.

Poa. f. *Mar.* Seno o doble seno de cabo cuyos chicotes se fijan en dos o tres puntos de cada una de las relingas de caída de las velas, y en el cual se hacen firmes las bolinas. || **2.** f. **Espiguilla,** 3.ª acep.

Pobeda. f. Sitio o lugar poblado de pobos.

Población. (Del lat. *populatĭo, -ōnis.*) f. Acción y efecto de poblar. || **2.** Número de personas que componen un pueblo, provincia, nación, etc. || **3.** Ciudad, villa o lugar. || **4.** V. **Casco, densidad, radio de población.**

Poblacho. (De *pueblo.*) m. despect. Pueblo ruin y destartalado. || **2.** ant. **Populacho.**

Poblada. f. *Amér. Merid.* Muchedumbre tumultuosa de gente.

Poblado. (De *poblar.*) m. Población, ciudad, villa o lugar.

Poblador, ra. adj. Que puebla. Ú. t. c. s. || **2.** Fundador de una colonia. Ú. t. c. s.

Poblamiento. (De *poblar.*) m. ant. **Población,** 1.ª acep.

Poblano, na. adj. *Amér.* Lugareño, campesino. Ú. t. c. s.

Poblanza. (De *poblar.*) f. ant. **Población.**

Poblar. (Del lat. *pupŭlus,* pueblo.) tr. Fundar uno o más pueblos. Ú. t. c. intr. ‖ **2.** Ocupar con gente un sitio para que habite o trabaje en él. ‖ **3.** Por ext., se dice de animales y cosas. POBLAR *una colmena, un monte.* ‖ **4.** Procrear mucho. ‖ **5.** r. Hablando de los árboles y otras cosas capaces de aumento, recibirlo en gran cantidad.

Poblazo. m. **Poblacho.**

Poblazón. f. ant. **Población.**

Poblezuelo. m. d. de **Pueblo.**

Pobo. (Del lat. *popŭlus,* álamo.) m. **Álamo blanco.**

Pobra. (De *pobre.*) adj. fam. desus. Decíase de la mujer que pedía limosna de puerta en puerta. Usáb. t. c. s.

Pobrar. tr. ant. **Poblar.**

Pobre. (Del lat. *pauper, -ĕris.*) adj. Necesitado, menesteroso y falto de lo necesario para vivir, o que lo tiene con mucha escasez. Ú. t. c. s. ‖ **2.** V. **Pobre diablo, pobre esguízaro, pobre hombre.** ‖ **3.** Escaso y que carece de alguna cosa para su entero complemento. *Esta lengua es* POBRE *de voces.* ‖ **4.** V. **Plomo pobre.** ‖ **5.** V. **Abogado, padre, procurador de pobres.** ‖ **6.** fig. y fam. V. **Pata de pobre.** ‖ **7.** fig. Humilde, de poco valor o entidad. ‖ **8.** fig. Infeliz, desdichado y triste. ‖ **9.** fig. Pacífico, quieto y de buen genio e intención; corto de ánimo y espíritu. ‖ **10.** *For.* Persona que reúne las circunstancias exigidas por la ley para concederle los beneficios de la defensa gratuita en el enjuiciamiento civil o criminal. ‖ **11.** *For.* V. **Información de pobre.** ‖ **12.** com. **Mendigo, ga.** ‖ **de solemnidad.** El que lo es de notoriedad. ‖ **limosnero. Mendigo.** ‖ **voluntario.** El que voluntariamente se desapropia de todo lo que posee, como hacen los religiosos con el voto de pobreza. ‖ **y soberbio.** El que teniendo necesidad de auxilio o socorro, procura ocultarla no admitiéndolo, o el que no se contenta con lo que le dan o con el favor que le hacen, por creerse merecedor de más. ‖ **Al pobre, el sol se le come.** ref. con que se expresa que al desvalido nadie, o casi nadie, le atiende. ‖ **Del pobre la bolsa, con poco dinero rebosa.** ref. que explica que el **pobre** se alegra con poco, y le parece que tiene mucho. ‖ **No están bien dos pobres a una puerta.** fr. proverb. con que se explica el estorbo que se causan recíprocamente los varios pretendientes de una misma ocupación o empleo. ‖ **¡Pobre de mí!** expr. ¡Triste, infeliz, pecador de mí! ‖ **Pobre importuno,** o **porfiado, saca mendrugo.** ref. que prueba que para lograr lo que se desea, nada sirve tanto como la constancia.

Pobredad. (Del lat. *paupĕrtas, -ātis.*) f. ant. **Pobreza.**

Pobremente. adv. m. Escasamente, con necesidad, estrechez y pobreza.

Pobrería. (De *pobre.*) f. **Pobretería.**

Pobrero. m. El que en las comunidades tiene el encargo de dar limosna a los pobres.

Pobreta. (De *pobre.*) f. fig. y fam. **Ramera.**

Pobrete, ta. adj. d. de **Pobre.** ‖ **2.** Desdichado, infeliz, abatido. Ú. t. c. s. ‖ **3.** fam. Dícese del sujeto inútil y de corta habilidad, ánimo o espíritu, pero de buen natural. Ú. t. c. s.

Pobretear. (De *pobrete.*) intr. Comportarse como pobre.

Pobretería. (De *pobrete.*) f. Conjunto de pobres. ‖ **2.** Escasez o miseria en las cosas.

Pobreto. m. **Pobrete,** 2.ª acep.

Pobretón, na. (aum. de *pobrete.*) adj. Muy pobre. Ú. t. c. s.

Pobreza. (De *pobre.*) f. Necesidad, estrechez, carencia de lo necesario para el sustento de la vida. ‖ **2.** Falta, escasez. ‖ **3.** Dejación voluntaria de todo lo que se posee, y de todo lo que el amor propio puede juzgar necesario, de la cual hacen voto solemne los religiosos el día de su profesión. ‖ **4.** Escaso haber de la gente pobre. ‖ **5.** fig. Falta de magnanimidad, de gallardía, de nobleza del ánimo. ‖ **6.** *For.* V. **Información de pobreza.** ‖ **Ni te abatas por pobreza, ni te ensalces por riqueza.** ref. que denota que en ningún estado o clase se deje de obrar con modestia y decoro. ‖ **Pobreza no es vileza.** ref. que enseña que nadie se debe afrentar ni avergonzar de padecer necesidad, y reprende a los que desprecian a quien la padece. ‖ **Pobreza nunca alza cabeza.** ref. que advierte que del pobre y desvalido nadie suele hacer caso, ni darle la mano para que mejore de fortuna. ‖ **Quien pobreza tien, de sus deudos es desdén, y el rico, de serlo, de todos es deudo.** ref. que significa que así como al pobre le suele desconocer el rico por pariente, así también todos se suelen hacer parientes del poderoso.

Pobrezuelo, la. adj. d. de **Pobre.**

Pobrismo. (De *pobre.*) m. **Pobretería,** 1.ª acep.

Pocero. (Del lat. *puteārĭus.*) m. El que fabrica o hace pozos o trabaja en ellos. ‖ **2.** El que limpia los pozos o depósitos de las inmundicias.

Pocilga. (Del lat. **porcilĭca,* de **porcīle.*) f. Establo para ganado de cerda. ‖ **2.** fig. y fam. Cualquier lugar hediondo y asqueroso.

Pocillo. (Del lat. *pocillum.*) m. Tinaja o vasija empotrada en la tierra para recoger un líquido; como el aceite y vino en los molinos y lagares. ‖ **2. Jícara.**

Pócima. (De *apócima,* y éste de *apócema.*) f. Cocimiento medicinal de materias vegetales. ‖ **2.** fig. Cualquiera bebida medicinal.

Poción. (Del lat. *potĭo, -ōnis;* de *potāre,* beber.) f. **Bebida,** 1.ª y 2.ª aceps. ‖ **2.** *Farm.* Medicamento magistral líquido que se bebe.

Poco, ca. (Del lat. *paucus.*) adj. Escaso, limitado y corto en cantidad o calidad. ‖ **2.** m. Cantidad corta o escasa. *Un* POCO *de agua.* ‖ **3.** adv. c. Con escasez, en corto grado, en reducido número o cantidad, menos de lo regular, ordinario o preciso. ‖ **4.** Empleado con verbos expresivos de tiempo, denota corta duración. *Tardó* POCO *en llegar.* ‖ **5.** Antepónese a otros adverbios, denotando idea de comparación. POCO *antes;* POCO *después;* POCO *más;* POCO *menos.* ‖ **A pocas.** m. adv. ant. **Por poco.** ‖ **A poco.** m. adv. A breve término; corto espacio de tiempo después. ‖ **De lo poco, poco, y de lo mucho, nada.** ref. que se dice por los hombres que en mediana fortuna parecen liberales, y en haciéndose ricos, son miserables; y enseña que en toda suerte de fortuna, contraria o favorable, es menester vivir con igualdad. ‖ **De poco más o menos.** expr. fam. que se aplica a las personas o cosas despreciables o de **poca** estimación. ‖ **En poco.** m. adv. con que se da a entender que estuvo muy a pique de suceder una cosa. EN POCO *estuvo que riñésemos.* ‖ **Goza de tu poco, mientras busca más el loco.** ref. que reprende la desordenada fatiga con que aspiran a enriquecerse los hombres, pudiendo pasar con mayor descanso con lo que les basta y ya poseen. ‖ **Lo poco agrada, y lo mucho enfada.** ref. que advierte que el exceso suele ser molesto aun en las cosas más gratas. ‖ **Muchos pocos hacen un mucho.** expr. proverb. con que se aconseja el cuidado que se debe tener en los desperdicios cortos, porque, continuados, acarrean gran daño, o en no perder las ganancias cortas, porque, repetidas, hacen cúmulo. ‖ **Poco a poco.** m. adv. Despacio, con lentitud. ‖ **2.** De corta en corta cantidad. ‖ **3.** expr. empleada para contener o amenazar al que se va precipitando en obras o palabras, y también para denotar que en aquello de que se trata conviene proceder con orden y detenimiento. ‖ **Poco más o menos.** m. adv. Con corta diferencia. *Habrá en el castillo seiscientos hombres,* POCO MÁS O MENOS. ‖ **Por poco.** m. adv. con que se da a entender que apenas faltó nada para que sucediese una cosa. *Tropezó y* POR POCO *se cae.* ‖ **¡Qué poco!** expr. con que se da a entender la imposibilidad o dificultad de que suceda lo que se supone. ‖ **Sobre poco más o menos.** m. adv. **Poco más o menos.** ‖ **Tener** uno **en poco** a una persona o cosa. fr. Desestimarla, no hacer bastante aprecio de ella.

Póculo. (Del lat. *pocŭlum.*) m. Vaso para beber. ‖ **2.** ant. **Bebida,** 1.ª y 2.ª aceps.

Pocho, cha. adj. Descolorido, quebrado de color.

Pochote. m. *Bot. C. Rica* y *Hond.* **Ceiba,** 1.ª acep.

Poda. f. Acción y efecto de podar. ‖ **2.** Tiempo en que se ejecuta.

Podadera. f. Herramienta acerada, con corte curvo y mango de madera o hierro, que se usa para podar.

Podador, ra. adj. Que poda. Ú. t. c. s.

Podadura. (De *podar.*) f. p. us. **Poda.**

Podagra. (Del lat. *podagra,* y éste del gr. ποδάγρα; de πούς, ποδός, pie, y ἀγρέω, prender, agarrar.) f. *Med.* Enfermedad de gota, y especialmente cuando se padece en los pies.

Podar. (Del lat. *putāre.*) tr. Cortar o quitar las ramas superfluas de los árboles, vides y otras plantas para que fructifiquen con más vigor.

Podatario. m. ant. **Poderhabiente.**

Podazón. f. Tiempo o sazón de podar los árboles. ‖ **2.** ant. **Poda.**

Podenco, ca. adj. V. **Perro podenco.** Ú. t. c. s. ‖ **2.** fig. y fam. V. **Vuelta de podenco.** ‖ **3.** fig. y fam. V. **Cama de podencos.** ‖ **¡Guarda, que es podenco!** expr. fam. **¡Guarda, Pablo!**

Podenquero. m. Entre cazadores, el que cuida o tiene a su cargo los podencos.

Poder. (De *poder,* 2.° art.) m. Dominio, imperio, facultad y jurisdicción que uno tiene para mandar o ejecutar una cosa. ‖ **2.** Fuerzas de un Estado, en especial las militares. ‖ **3.** Acto o instrumento en que consta la facultad que uno da a otro para que en lugar suyo y representándole pueda ejecutar una cosa. Ú. frecuentemente en pl. ‖ **4.** Posesión actual o tenencia de una cosa. *Los autos están en* PODER *del relator.* ‖ **5.** Fuerza, vigor, capacidad, posibilidad, poderío. ‖ **6.** Suprema potestad rectora y coactiva del Estado. ‖ **7.** pl. fig. Facultades, autorización para hacer una cosa. ‖ **Poder absoluto,** o **arbitrario. Despotismo,** 1.ª acep. ‖ **constituyente.** El que corresponde al Estado para organizarse, dictando y reformando sus constituciones. ‖ **ejecutivo.** En los gobiernos representativos, el que tiene a su cargo gobernar el Estado y hacer observar las leyes. ‖ **judicial.** El que ejerce la administración de justicia. ‖ **legislativo.** Aquel en que reside la potestad de hacer y reformar las leyes. ‖ **liberatorio. Fuerza liberatoria.** ‖ **moderador.** El que ejerce el jefe supremo del Estado, sea rey o presidente. ‖ **real.** Autoridad real. ‖ **A poder de.** m. adv. A fuerza de, o con repetición de actos. A PODER DE *ruegos logró su intento.* ‖ **2.** A fuerza de, con copia, con abundancia de una cosa. A PODER DE *dinero ha logrado el empleo.* ‖ **A su poder.** m. adv. Con todo su **poder,** fuerzas, capacidad, posibilidad o poderío. || **A todo poder.** m. adv. Con todo el vigor o esfuerzo posible. || **A todo su poder.** m. adv. **A su poder.** || **Caer debajo del poder de** uno. fr. fig. y fam. Estar sujeto a su dominio o voluntad. || **Caer** uno **en poder de las lenguas.** fr. fig. ant. Exponerse, dar motivo a que se hable mal de él con libertad. || **De poder absoluto.** m. adv. **Despóticamente.** || **De poder a poder.** m. adv. con que se da a entender que una cosa se ha disputado o contendido de una parte y otra con todas las fuerzas disponibles para el caso. *Los ejércitos dieron la batalla* DE PODER A PODER. || **Hacer un poder.** fr. fig. y fam. con que se incita a hacer un esfuerzo al que se excusa de hacer una cosa que le mandan, diciendo que no puede. || **¡Poder de Dios!** exclam. que sirve para exagerar el mérito, grandeza o abundancia de una cosa. || **Por poder.** m. adv. Con intervención de un apoderado. *Casarse* POR PODER.

Poder. (Del lat. **pŏtēre*, formado según *potes*, etc.) tr. Tener expeditas la facultad o potencia de hacer una cosa. || **2.** Tener facilidad, tiempo o lugar de hacer una cosa. Ú. m. con negación. || **3.** impers. Ser contingente o posible que suceda una cosa. PUEDE *que llueva mañana.* || **A más no poder.** m. adv. con que se explica que uno ejecuta una cosa impelido y forzado y sin poder excusarlo ni resistirlo. || **2. Hasta más no poder.** || **3. No poder más.** || **Hasta más no poder.** fr. Todo lo posible. *Alabar una cosa* HASTA MÁS NO PODER. || **No poder con** uno. fr. No poder sujetarlo ni reducirlo a la razón. || **No poder** uno **consigo mismo.** fr. fig. Aburrirse, fastidiarse aun de sí propio. || **No poder más.** fr. con que se explica la precisión de ejecutar una cosa. || **2.** Estar sumamente fatigado o rendido de hacer una cosa, o no **poder** continuar su ejecución. || **3.** No tener tiempo y lugar suficientes para concluir lo que se está haciendo. || **No poder menos.** fr. Ser necesario o preciso. || **No poder parar.** fr. ponderativa con que se explica el desasosiego o inquietud que causa un dolor o especie molesta. || **No poderse tener.** fr. con que se explica la debilidad o flaqueza de una persona o cosa. || **No poderse valer.** fr. Hallarse uno en estado de no **poder** remediar el daño que le amenaza o evitar una acción. || **2.** No tener expedito el uso de un miembro. || **No poderse valer con** uno. fr. No poder reducirlo a su intento o a lo que debe ejecutar. || **No poder tragar** a uno. fr. fig. Tenerle aversión. || **No poder ver** a uno. fr. fig. Aborrecerle. || **No poder ver** a uno **pintado,** o **ni pintado.** fr. Aborrecerle con tanto extremo, que ofende el verle u oírle. || **Poder** a uno. fr. fam. Tener más fuerza que él; vencerle luchando cuerpo a cuerpo. || **Poder** uno **leer.** fr. fig. **Poder poner cátedra.** || **Por lo que pudiere tronar.** fr. Por lo que sucediere o acaeciere; y dícese cuando uno se previene o trata de prevenirse contra un riesgo o contingencia. || **Quien no pueda andar, que corra.** ref. que se dice cuando se manda lo que es difícil a quien no **puede** ejecutar ni aun lo fácil. || **Si no puedes lo que quieres, quiere lo que puedes.** ref. que encarece la limitación justa de los deseos.

Poderdante. (De *poder* y *dante.*) com. Persona que da poder o facultades a otra para que la represente en juicio o fuera de él.

Poderhabiente. (De *poder* y *habiente.*) com. Persona que tiene poder o facultad de otra para representarla, administrar una hacienda o ejecutar otra cualquier cosa.

Poderío. (De *poder,* 1.er art.) m. Facultad de hacer o impedir una cosa. || **2.** Hacienda, bienes y riquezas. || **3.** Poder, dominio, señorío, imperio. || **4.** Potestad, facultad, jurisdicción. || **5.** Vigor, facultad o fuerza grande.

Poderosamente. adv. m. Vigorosa y fuertemente, con potencia.

Poderoso, sa. adj. Que tiene poder. Ú. t. c. s. || **2.** Muy rico; colmado de bienes de fortuna. Ú. t. c. s. || **3.** Grande, excelente, o magnífico en su línea. || **4.** Activo, eficaz, que tiene virtud para una cosa. *Remedio* PODEROSO. || **5.** ant. Que tiene en su poder una cosa.

Podíatra [Podiatra]. (Del gr. πούς, ποδός, pie, y ἰατρός, médico.) m. *Amér.* Médico especializado en las enfermedades de los pies.

Podiente. p. a. ant. de **Poder.** Que puede.

Podio. (Del lat. *podĭum*, y éste del gr. πόδιον.) m. *Arq.* Pedestal largo en que estriban varias columnas.

Podo. m. desus. **Poda.**

Podómetro. (De gr. πούς, ποδός, pie, y μέτρον, medida.) m. Aparato en forma de reloj de bolsillo, para contar el número de pasos que da la persona que lo lleva y la distancia recorrida.

Podón. m. Podadera grande y fuerte usada para podar y rozar. || **2.** Herramienta para podar, con mango a modo de martillo y una boca en forma de hacha y la otra en forma de cuchillo.

Podre. (Del lat. *putris*, podrido.) f. **Pus.**

Podrecer. (Del lat. *putrescĕre.*) tr. **Pudrir.** Ú. t. c. intr. y c. r.

Podrecimiento. (De *podrecer.*) m. **Podredura.**

Podredumbre. f. Calidad dañosa que toman las cosas y las pudre. || **2. Podre.** || **3.** fig. Sentimiento hondo y no comunicado.

Podredura. (De *podrir.*) f. Putrefacción, corrupción.

Podrición. (De *podrir.*) f. **Podredura.**

Podridero. m. **Pudridero.**

Podrido, da. p. p. de **Podrir.** || **2.** adj. V. **Olla podrida.** || **3.** fig. V. **Miembro podrido.**

Podrigorio. (De *podrir.*) m. fam. Persona llena de achaques y dolencias.

Podrimiento. m. **Pudrimiento.**

Podrir. (Del lat. *putrēre.*) tr. **Pudrir.** Ú. t. c. r.

Poema. (Del lat. *poēma*, y éste del gr. ποίημα.) m. Obra en verso, o perteneciente por su género, aunque esté escrita en prosa, a la esfera de la poesía. Principalmente se da este nombre a las que son de alguna extensión. POEMA *épico, dramático.* || **2.** Suele también tomarse por **poema** épico. || **sinfónico.** Composición para orquesta de forma libre y desarrollo sugerido por una idea poética u obra literaria, expresa en el título y a veces también explicada en un breve programa o argumento.

Poemático, ca. adj. Perteneciente o relativo al poema.

Poesía. (Del lat. *poēsis*, y éste del gr. ποίησις.) f. Expresión artística de la belleza por medio de la palabra sujeta a la medida y cadencia, de que resulta el verso. || **2.** Arte de componer obras poéticas. || **3.** Arte de componer versos y obras en verso. || **4.** Género de producciones del entendimiento humano, cuyo fin inmediato es expresar lo bello por medio del lenguaje, y cada una de las distintas especies o variedades de este género. POESÍA *lírica, épica, dramática, bucólica, religiosa, profana.* || **5.** Fuerza de invención, fogoso arrebato, sorprendente originalidad y osadía, exquisita sensibilidad, elevación o gracia, riqueza y novedad de expresión, encanto indefinible, o sea conjunto de cualidades que deben caracterizar el fondo de este género de producción del entendimiento humano, independientemente de la forma externa, o sea de la estructura material del lenguaje, de que resulta el verso. *Esta obra en prosa está llena de* POESÍA; *aquélla en verso carece de ella.* || **6.** Obra o composición en verso, y especialmente la que pertenece al género lírico. *Las* POESÍAS *de Garcilaso; una* POESÍA *de fray Luis de León.* || **7.** Cierto indefinible encanto que en personas, en obras de arte y aun en cosas de la naturaleza física, halaga y suspende el ánimo, infundiéndole suave y puro deleite.

Poeta. (Del lat. *poēta.*) m. El que compone obras poéticas y está dotado de las facultades necesarias para componerlas. || **2.** El que hace versos.

Poetar. (Del lat. *poetāre.*) intr. ant. **Poetizar.**

Poetastro. m. Mal poeta.

Poética. (Del lat. *poetĭca*, y éste del gr. ποιητική, t. f. de -κός, poético.) f. **Poesía,** 2.ª acep. || **2.** Obra o tratado sobre los principios y reglas de la poesía, en cuanto a su forma y esencia.

Poéticamente. adv. m. Con poesía, de manera poética.

Poético, ca. (Del lat. *poetĭcus*, y éste del gr. ποιητικός; de ποιέω, crear, producir.) adj. Perteneciente o relativo a la poesía. || **2.** Propio o característico de la poesía; apto o conveniente para ella. *Lenguaje, estilo* POÉTICO. || **3.** V. **Arte, licencia poética.**

Poetisa. (Del lat. *poetissa.*) f. Mujer que compone obras poéticas y está dotada de las facultades necesarias para componerlas. || **2.** Mujer que hace versos.

Poetización. f. Acción y efecto de poetizar.

Poetizar. (De *poeta.*) intr. Hacer o componer versos u obras poéticas. || **2.** tr. Embellecer alguna cosa con el encanto de la poesía; darle carácter poético.

Poetría. (Del lat. *poetrĭa*, y éste del gr. ποιήτρια.) f. ant. **Poesía.**

Poino. (De *poyo.*) m. Codal que sirve de encaje y sustenta las cubas en las bodegas.

Poisa. (Del lat. *pŭlsus*, arrojado.) f. *León.* Cáscara que envuelve los granos de los cereales.

Pola. (Del lat. *popŭlus*, pueblo.) f. ant. **Puebla,** 1.ª acep.

Polaca. f. Prenda de vestir que usaron algunas clases militares.

Polacada. f. Acto despótico o de favoritismo. Tuvo origen este nombre, aplicado por sus enemigos, a los actos buenos y malos del partido polaco que gobernó en España.

Polaco, ca. adj. Natural de Polonia. Ú. t. c. s. || **2.** Perteneciente a este país de Europa. || **3.** Dícese del partido político que gobernó en España, desde 1850 a 1854. Ú. t. c. s. || **4.** m. Lengua de los **polacos,** una de las eslavas.

Polacra. (Del lat. *polacra.*) f. Buque de cruz, de dos o tres palos enterizos y sin cofas.

Polaina. (Del fr. *poulaine*, calzado, y éste del ant. fr. *poulanne*, piel de Polonia.) f. Especie de media calza, hecha regularmente de paño o cuero, que cubre la pierna hasta la rodilla y a veces se abotona o abrocha por la parte de afuera.

Polar. adj. Perteneciente o relativo a los polos. || **2.** V. **Círculo, coordenada, estrella polar.**

Polaridad. (De *polar.*) f. *Fís.* Propiedad que tienen los agentes físicos de acumularse en los polos de un cuerpo y de polarizarse.

Polarímetro. (De *polaridad* y *metro.*) m. *Fís.* Aparato destinado a medir el sentido y la extensión del poder rotatorio de un cuerpo sobre la luz polarizada.

Polariscopio. m. *Fís.* Instrumento para averiguar si un rayo de luz emana directamente de un foco o está ya polarizado.

Polarización. f. *Fís.* Acción y efecto de polarizar o polarizarse.

Polarizar. (De *polar.*) tr. *Fís.* Modificar los rayos luminosos por medio de refracción o reflexión, de tal manera que queden incapaces de refractarse o reflejarse de nuevo en ciertas direcciones. Ú. t. c. r. || **2.** r. *Fís.* Hablando de una pila eléctrica, disminuir la corriente que produce, por aumentar la resistencia del circuito a consecuencia del depósito de hidrógeno sobre uno de los electrodos. || **3.** Concentrar la atención o el ánimo en una cosa.

Polca. f. Danza de origen bohemio de movimiento rápido y en compás de dos por cuatro. || **2.** Música de esta danza. || **alemana. Chotis.**

Polcar. intr. Bailar la polca.

Pólder. m. En los Países Bajos, terreno pantanoso ganado al mar y que una vez desecado se dedica al cultivo.

Polea. (Del fr. *poulie.*) f. Rueda acanalada en su circunferencia y móvil alrededor de un eje. Por la canal o garganta pasa una cuerda o cadena en cuyos dos extremos actúan, respectivamente, la potencia y la resistencia. || **2.** Rueda metálica de llanta plana que se usa en las transmisiones por correas. || **3.** V. **Garganta de polea.** || **4.** *Mar.* Motón doble, o sea de dos cuerpos, uno prolongación del otro, y cuyas roldanas están en el mismo plano. || **combinada.** La que forma parte de su sistema de **poleas;** como los cuadernales y aparejos. || **fija.** La que no muda de sitio, y en este caso la resistencia se halla en un extremo de la cuerda. || **movible.** La que cambia de sitio bajando y subiendo, y entonces un extremo de la cuerda está asegurado a un punto fijo, y la resistencia se sujeta a la armadura de la misma **polea.** || **simple.** La que funciona sola e independiente.

Poleadas. (De *polenta.*) f. pl. Gachas o puches. || **Haced poleadas y ahorraréis hogazas.** ref. que recomienda contentarse con lo mediano no pudiendo o no debiendo aspirar a lo mejor.

Poleame. m. Conjunto o acopio de poleas para una o más embarcaciones.

Polemarca. m. En la antigua Grecia, uno de los arcontes que era, a la vez, general del ejército.

Polémica. (Del gr. πολεμική, t. f. de -κός, polémico.) f. Arte que enseña los ardides con que se debe ofender y defender cualquier plaza. Puede ser **ofensiva y defensiva.** La ofensiva es la que enseña a abrir trincheras, disponer baterías, dirigir minas y todo lo demás que conduce al sitio de una plaza. La defensiva es el arte con que los sitiados deben defenderse a sí y a la plaza. || **2. Teología dogmática.** || **3.** Controversia por escrito sobre materias teológicas, políticas, literarias o cualesquiera otras.

Polémico, ca. (Del gr. πολεμικός; de πόλεμος, guerra.) adj. Perteneciente o relativo a la polémica. || **2.** *Fort.* V. **Zona polémica.**

Polemista. (Del gr. πολεμιστής, combatiente.) com. Escritor que sostiene polémicas.

Polemizar. intr. Sostener o entablar una polémica.

Polemoniáceo, a. (De *polemonio.*) adj. *Bot.* Dícese de plantas angiospermas dicotiledóneas, arbustos o hierbas, de hojas generalmente alternas, enteras o profundamente partidas y sin estípulas; flores casi siempre en corimbo, de corola con cinco pétalos soldados por la base, y fruto capsular, con tres divisiones y muchas semillas menudas de albumen carnoso; como el polemonio. Ú. t. c. s. f. || **2.** f. pl. *Bot.* Familia de estas plantas.

Polemonio. (Del gr. πολεμώνιον.) m. Planta herbácea de la familia de las polemoniáceas, de siete a ocho decímetros de altura, con tallos rollizos, asurcados, algo encarnados y ramosos; hojas sentadas, partidas en gajos estrechos y lanceolados; flores olorosas, de corola azul, morada o blanca, y fruto de tres celdas que encierran muchas simientes pequeñas y puntiagudas. Es originaria del Asia Menor, sus raíces son fibrosas y perennes, fué usada antiguamente en medicina como sudorífica, y hoy se cultiva en los jardines porque conserva las hojas durante el invierno y da en verano y otoño muchas y hermosas flores.

Polen. (Del lat. *pollen,* flor de la harina.) m. *Bot.* Conjunto de granos diminutos contenidos en las anteras de las flores, cada uno de los cuales está constituido por dos células rodeadas en común por dos membranas resistentes; una de estas células se divide en el momento de la fecundación, dando origen a dos células hijas, que son gametos masculinos o espermatozoides.

Polenta. (Del lat. *polenta,* torta de harina.) f. Puches de harina de maíz.

Poleo. (Del lat. *puleium.*) m. Planta herbácea anual, de la familia de las labiadas, con tallos tendidos, ramosos, velludos y algo esquinados; hojas descoloridas, pequeñas, pecioladas, casi redondas y dentadas, y flores azuladas o moradas en verticilos bien separados. Toda la planta tiene olor agradable, se usa en infusión como estomacal y abunda en España a orillas de los arroyos. || **2.** fam. Jactancia y vanidad en el andar o hablar. || **3.** fam. Viento frío o recio. *Corre un buen* POLEO. || **4.** *Germ.* **Polinche.**

Poleví. m. **Ponleví.**

Pólex. (Del lat. *pollex.*) m. ant. **Pólice.**

Poli. (Del gr. πολύς, numeroso.) pref. que denota pluralidad. POLI*gamia,* POLI*nomio,* POLI*fonía.*

Poliadelfos. adj. *Bot.* Dícese de los estambres de una flor cuando están soldados entre sí por sus filamentos, formando tres o más haces distintos. Ú. sólo en pl.

Poliandria. (Del gr. πολύς, mucho, y ἀνήρ, ἀνδρός, varón.) f. Estado de la mujer casada simultáneamente con dos o más hombres. || **2.** *Bot.* Condición de la flor que tiene muchos estambres.

Poliantea. (Del gr. πολυανθής; de πολύς, mucho, y ἄνθος, flor.) f. Colección o agregado de noticias en materias diferentes y de distintas clases.

Poliarquía. (Del gr. πολυαρχία.) f. Gobierno de muchos.

Poliárquico, ca. adj. Perteneciente o relativo a la poliarquía.

Pólice. (Del lat. *pollex, -icis.*) m. **Pulgar,** 1.ª acep.

Policía. (Del lat. *politīa,* y éste del gr. πολιτεία.) f. Buen orden que se observa y guarda en las ciudades y repúblicas, cumpliéndose las leyes u ordenanzas establecidas para su mejor gobierno. || **2.** Cuerpo encargado de velar por el mantenimiento del orden público y la seguridad de los ciudadanos, a las órdenes de las autoridades políticas. || **3.** Cortesía, buena crianza y urbanidad en el trato y costumbres. || **4.** Limpieza, aseo. || **5.** m. **Agente de policía.** || **6.** V. **Juez de policía.** || **gubernativa. Policía,** 2.ª acep. || **judicial.** La que tiene por objeto la averiguación de los delitos públicos y la persecución de los delincuentes, encomendada a los juzgados y tribunales. || **secreta.** Aquella cuyos individuos no gastan uniforme a fin de pasar inadvertidos. || **urbana.** La que se refiere al cuidado de la vía pública en general: limpieza, higiene, salubridad y ornato de los pueblos. Está hoy encomendada a los ayuntamientos y a los alcaldes.

Policiaco, ca [~ **cíaco, ca**]. adj. Relativo o perteneciente a la policía. Ú. a veces en sentido despectivo.

Policial. adj. Perteneciente o relativo a la policía.

Policitación. (Del lat. *pollicitatĭo, -ōnis.*) f. Promesa que no ha sido aceptada todavía.

Policlínica. (Del gr. πολύς, numeroso, y *clínica.*) f. **Consultorio,** 2.ª acep.

Policopia. f. Aparato para sacar varias copias de un escrito; copiador.

Policroísmo. (Del gr. πολύχροια, gran variedad de colores.) m. *Mineral.* Propiedad de ciertos minerales, que ofrecen distinto color según se miren por reflexión o por refracción.

Policromía. f. Cualidad de policromo.

Policromo, ma. (Del gr. πολύχρωμος.) adj. De varios colores.

Polichinela. m. **Pulchinela.**

Polidamente. adv. m. ant. **Pulidamente.**

Polidero. m. ant. Pulidero o pulidor.

Polideza. f. ant. **Pulidez.**

Polidipsia. (Del gr. πολυδίψιος, sediento.) f. Necesidad de beber con frecuencia y abundantemente.

Polido, da. adj. ant. **Pulido.**

Polidor. m. ant. **Pulidor.** || **2.** *Germ.* Ladrón que vende lo que han hurtado otros.

Poliédrico, ca. adj. *Geom.* Perteneciente o relativo al poliedro.

Poliedro. (Del gr. πολύεδρος; de πολύς, mucho, y ἕδρα, cara.) adj. *Geom.* V. **Ángulo poliedro.** || **2.** m. *Geom.* Sólido terminado por superficies planas.

Polifagia. (Del gr. πολυφαγία, voracidad.) f. **Hambre canina,** 1.ª acep.

Polífago, ga. (Del gr. πολυφάγος, voraz.) adj. Que tiene polifagia.

Polifarmacia. (Del gr. πολύς, numeroso, y φάρμακον, medicamento.) f. Prescripción de gran número de medicamentos o abuso de ellos.

Polifásica. (Del gr. πολύς, mucho, y *fase.*) adj. *Electr.* Se dice de la corriente eléctrica alterna, constituida por la combinación de varias corrientes monofásicas del mismo período, pero cuyas fases no concuerdan.

Polifonía. (Del gr. πολυφωνία, mucha voz.) f. *Mús.* Conjunto de sonidos simultáneos en que cada uno expresa su idea musical, pero formando con los demás un todo armónico.

Polifónico, ca. adj. Perteneciente o relativo a la polifonía.

Polífono, na. adj. **Polifónico.**

Polígala. (Del lat. *polygăla,* y éste del gr. πολύγαλον; de πολύς, mucho, y γάλα, leche, porque su pasto da la leche abundante a las vacas.) f. *Bot.* Planta herbácea de la familia de las poligaláceas, con tallos delgados, de uno a dos decímetros de largo; hojas opuestas, ovaladas, enteras, más pequeñas las inferiores que las superiores; flores en espigas laxas, azules, violáceas o róseas; fruto capsular, aplastado, con simientes alargadas, y raíz perenne, de dos a tres milímetros de diámetro y cinco centímetros de longitud, cilíndrica, tortuosa, dura y de sabor amargo algo aromático. Se encuentra en los prados, y el cocimiento de la raíz se usa en medicina contra el reumatismo.

Poligaláceo, a. (De *polígala.*) adj. *Bot.* Dícese de plantas angiospermas dicotiledóneas, leñosas o herbáceas, que tienen hojas sencillas, esparcidas u opuestas, con estípulas o sin ellas, flores hermafroditas en grupos terminales, y fruto en cápsula o en drupa con semillas de albumen carnoso o nulo; como la polígala y la ratania. Ú. t. c. s. f. || **2.** f. pl. *Bot.* Familia de estas plantas.

Poligáleo, a. (De *polígala.*) adj. *Bot.* **Poligaláceo.**

Poligalia. (Del gr. πολύς, mucho, y γάλα, leche.) f. *Med.* Exceso de secreción láctea en las paridas.

Poligamia. (Del lat. *polygamĭa,* y éste del gr. πολυγαμία.) f. Estado o calidad de polígamo. || **2.** Régimen familiar en que se permite al varón tener pluralidad de esposas.

Polígamo, ma. (Del gr. πολύγαμος; de πολύς, mucho, y γαμέω, casarse.) adj. Dícese del hombre que tiene a un tiempo muchas mujeres en calidad de esposas. Ú. t. c. s. || **2.** Por ext. y p. us., dícese del que sucesivamente las tuvo. || **3.** *Bot.* Aplícase a las plantas que tienen en uno o más pies flores masculinas, femeninas y hermafroditas; como la parietaria, el fresno y el almez. || **4.** *Zool.* Dícese del animal que se junta con varias hembras, y de la especie a que pertenece.

Poligenismo. (Del gr. πολύς, numeroso, y γένεσις, generación.) m. Doctrina que admite variedad de orígenes en la especie humana, en contraposición al monogenismo.

Poligenista. m. El que profesa el poligenismo.

Poliginia. f. Condición de la flor que tiene muchos pistilos.

Poliglotía. (De *polígloto.*) f. Conocimiento práctico de diversos idiomas.

Polígloto, ta [Poligloto, ta]. (Del gr. πολύγλωττος; de πολύς, mucho, y γλῶττα, lengua.) adj. Escrito en varias lenguas. || **2.** Aplícase también a la persona versada en varias lenguas. Ú. m. c. s. com. || **3.** f. La Sagrada Biblia impresa en varios idiomas. *La* POLÍGLOTA *de Arias Montano.*

Poligonáceo, a. (Del lat. *polygŏnus,* y éste del gr. πολύγονον; de πολύς, mucho, y γόνυ, nudo.) adj. *Bot.* Dícese de plantas angiospermas dicotiledóneas, arbustos o hierbas, de tallos y ramos nudosos, hojas sencillas y alternas; flores hermafroditas, o unisexuales por aborto, cuyos frutos son cariópsides o aquenios con una sola semilla de albumen amiláceo; como el alforfón, la sanguinaria mayor, el ruibarbo y la acedera. Ú. t. c. s. f. || **2.** f. pl. *Bot.* Familia de estas plantas.

Poligonal. adj. *Geom.* Perteneciente o relativo al polígono. || **2.** *Geom.* Dícese del prisma o pirámide cuyas bases son polígonos.

Polígono, na. (Del gr. πολύγωνος; de πολύς, mucho, y γωνία, ángulo.) adj. *Geom.* **Poligonal.** || **2.** m. *Geom.* Porción de plano limitado por líneas rectas. || **3.** *Geom.* V. **Línea de los polígonos.** || **exterior.** *Fort.* El que se forma tirando líneas rectas de punta a punta de todos los baluartes de una plaza. || **interior.** *Fort.* Figura compuesta de las líneas que forman las cortinas y semigolas.

Poligrafía. (Del gr. πολυγραφία.) f. Arte de escribir por diferentes modos secretos o extraordinarios, de suerte que lo escrito no sea inteligible sino para quien pueda descifrarlo. || **2.** Arte de descifrar los escritos de esta clase. || **3.** Ciencia del polígrafo.

Poligráfico, ca. adj. Perteneciente o relativo a la poligrafía.

Polígrafo. (Del gr. πολυγράφος; de πολύς, mucho, y γράφω, escribir.) m. El que se dedica al estudio y cultivo de la poligrafía. || **2.** Autor que ha escrito sobre materias diferentes.

Polilla. (Del lat. **papilella,* de *papilio,* como *paulilla.*) f. Mariposa nocturna de un centímetro de largo, cenicienta, con una mancha negra en las alas, que son horizontales y estrechas, cabeza amarillenta y antenas casi verticales. Su larva, de unos dos milímetros de longitud, se alimenta de borra y hace una especie de capullo, destruyendo para ello la materia en donde anida, que suele ser de lana, tejidos, pieles, papel, etc. || **2.** Larva de este insecto. || **3.** V. **Pájaro polilla.** || **4.** fig. Lo que menoscaba o destruye insensiblemente una cosa. || **Comerse** uno **de polilla.** fr. fig. y fam. con que se da a entender que lo van consumiendo los cuidados o pasiones insensiblemente. || **No tener** uno **polilla en la lengua.** fr. fig. y fam. Hablar con libertad o decir francamente su sentir.

Polimatía. f. Sabiduría que abarca conocimientos diversos.

Polimento. m. ant. **Pulimento.**

Polimetría. (Del gr. πολύς, mucho, y μέτρον, medida.) f. *Ret.* Variedad de metros en una misma composición.

Polimétrico, ca. adj. Dícese de la composición poética escrita en diversas clases de metro.

Polímita. (Del lat. *polymita,* t. f. de *-tus,* y éste del gr. πολύμιτος; de πολύς, mucho, y μίτος, hilo.) adj. Aplícase a la ropa tejida de hilos de varios colores.

Polimorfismo. (De *polimorfo.*) m. *Quím.* Propiedad de los cuerpos que pueden cambiar de forma sin variar su naturaleza.

Polimorfo, fa. (Del gr. πολύμορφος; de πολύς, numeroso, y μορφή, forma.) adj. *Quím.* Que puede tener varias formas.

Polín. m. **Rodillo,** 1.ª acep. || **2.** Trozo de madera prismático, de longitud variable, que sirve en los almacenes para levantar del suelo diversos objetos.

Polinche. m. *Germ.* El que encubre ladrones o los abona o fía.

Polinesio, sia. adj. Perteneciente o relativo a la Polinesia. || **2.** Dícese de los habitantes de este país. Ú. t. c. s.

Polineuritis. (Del gr. πολύς, mucho, y νεῦρον, nervio.) f. *Med.* Inflamación simultánea de varios nervios periféricos.

Polinización. (Del lat. *pollen, -inis.*) f. *Bot.* Paso o tránsito del polen desde el estambre en que se ha producido hasta el pistilo en que ha de germinar.

Polinomio. (Del gr. πολύς, mucho, y νόμος, división.) m. *Álg.* Expresión que consta de más de un término; pero generalmente no se dice más que de aquellas que exceden de dos.

Polio. (Del lat. *polion,* y éste del gr. πόλιον.) m. **Zamarrilla.**

Poliomielitis. (Del gr. πολιός, gris, y μιελός, medula.) f. *Med.* Grupo de enfermedades, agudas o crónicas, producidas por la lesión de las astas anteriores de la medula. Sus síntomas principales son la atrofia y parálisis de los músculos correspondientes a las lesiones medulares. || **aguda. Parálisis infantil.**

Poliorcética. (Del gr. πολιορκητική.) f. Arte de atacar y defender las plazas fuertes.

Polipasto. m. **Polispasto.**

Polipero. (De *pólipo,* 1.ª acep.) m. *Zool.* Masa de naturaleza quitinosa o calcárea, generalmente ramificada, producida por los pólipos de una misma colonia de antozoos y en la cual están implantados aquéllos. La acumulación de poliperos calcáreos, en cantidades enormes, llega a formar en los mares tropicales escollos, arrecifes y aun islas de considerable extensión.

Polipétala. (Del gr. πολύς, mucho, y de *pétalo.*) adj. *Bot.* Dícese de las corolas con muchos pétalos y de las flores cuyas corolas tienen este carácter.

Pólipo. (Del lat. *polȳpus,* y éste del gr. πολύπους; de πολύς, mucho, y ποῦς, pie.) m. *Zool.* Una de las dos formas que aparecen en la generación alternante de muchos celentéreos, la cual vive fija en el fondo de las aguas por uno de sus extremos, llevando en el otro la boca, que está rodeada de tentáculos || **2. Pulpo.** || **3.** *Med.* Tumor de estructura diversa, pero de forma pediculada, que se forma y crece en las membranas mucosas de diferentes cavidades y principalmente de la nariz y de la vagina y la matriz en la mujer. || **4.** *Zool.* Cualquier individuo adulto de la clase de los celentéreos antozoos.

Polipodiáceo, a. (De *polypodium,* nombre de un género de plantas.) adj. *Bot.* Dícese de helechos no arborescentes con rizomas ramificados lateralmente, provistos por lo común de frondas pinadas que llevan esporangios en el envés; como el polipodio. Ú. t. c. s. f. || **2.** f. pl. *Bot.* Familia de estas plantas.

Polipodio. (Del lat. *polypodium,* y éste del gr. πολυπόδιον, d. de πολύπους, de muchos pies.) m. *Bot.* Planta considerada como tipo de la familia de las polipodiáceas.

Poliptoton. (Del lat. *polyptōton,* y éste del gr. πολύπτωτον, que tiene muchos casos.) f. *Ret.* **Traducción,** 4.ª acep.

Polir. tr. ant. **Pulir.**

Polisarcia. (Del lat. *polysarcia,* y éste del gr. πολυσαρκία.) f. *Med.* **Obesidad.**

Polisemia. (Del gr. πολύς, vario, y σῆμα, significación.) f. *Gram.* Pluralidad de significados de una palabra.

Polisépalo, la. (Del gr. πολύς, mucho, y de *sépalo.*) adj. *Bot.* De muchos sépalos. Dícese de las flores o de sus cálices.

Polisílabo, ba. (Del lat. *polysyllăbus,* y éste del gr. πολυσύλλαβος; de πολύς, mucho, y συλλαβή, sílaba.) adj. Aplícase a la palabra que consta de varias sílabas. Ú. t. c. s. m.

Polisíndeton. (Del lat. *polysyndĕton,* y éste del gr. πολυσύνδετον; de πολύς, mucho, y συνδέω, atar.) m. *Ret.* Figura que consiste en emplear repetidamente las conjunciones para dar fuerza o energía a la expresión de los conceptos.

Polisintético, ca. (Del gr. πολύς, mucho, y *sintético.*) adj. Dícese del idioma en que se unen diversas partes de la frase formando palabras de muchas sílabas.

Polisón. m. Armazón que, atada a la cintura, se ponían las mujeres para que abultasen los vestidos por detrás.

Polispasto. (Del lat. *polyspaston,* y éste del gr. πολύσπαστον; de πολύς, mucho, y σπάω, tirar.) m. **Aparejo,** 5.ª acep.

Polista. (De *polo,* 3.er art.) m. Indígena o mestizo de Filipinas, que presta servicio en los trabajos comunales.

Polista. com. Jugador de polo. Ú. t. c. adj.

Polistilo, la. (Del gr. πολύστυλος; de πολύς, mucho, y στῦλος, columna.) adj. *Arq.* Que tiene muchas columnas. *Pórtico* POLISTILO. || **2.** *Bot.* Que tiene muchos estilos.

Politécnico, ca. (Del gr. πολύτεχνος; de πολύς, mucho, y τέχνη, arte.) adj. Que abraza muchas ciencias o artes.

Politeísmo. (Del gr. πολύς, mucho, y θεός, dios.) m. Doctrina de los que creen en la existencia de muchos dioses.

Politeísta. adj. Perteneciente o relativo al politeísmo. || **2.** Que profesa el politeísmo. Ú. t. c. s.

Política. (Del lat. *politĭce,* y éste del gr. πολιτική, t. f. de -κός, político.) f. Arte, doctrina u opinión referente al gobierno de los Estados. || **2.** Actividad de los que rigen o aspiran a regir los asuntos públicos. || **3.** Cortesía y buen modo de portarse. || **4.** Por ext., arte o traza con que se conduce un asunto o se emplean los medios para alcanzar un fin determinado.

Políticamente. adv. m. Conforme a las leyes o reglas de la política.

Politicastro. m. despect. El que politiquea.

Político, ca. (Del lat. *politĭcus,* y éste del gr. πολιτικός; de πόλις, ciudad.) adj. Perteneciente o relativo a la política, 1.ª y 2.ª aceps. || **2.** Cortés, urbano. || **3.** Versado en las cosas del gobierno y negocios del Estado. Ú. t. c. s. || **4.** V. **Año, derecho, jefe político.** || **5.** V. **Economía, geografía política.** || **6.** Aplicado a un nombre significativo de parentesco por consanguinidad, denota el correspondiente parentesco por afinidad. *Padre* POLÍTICO (suegro); *hermano* POLÍTICO (cuñado).

Politicón, na. (aum. de *político.*) adj. Que se distingue por su exagerada y ceremoniosa cortesanía. Ú. t. c. s. || **2.** Que muestra extremada afición a los asuntos públicos.

Politiquear. tr. Bastardear los fines de la actuación política o envilecer sus modos.

Politiqueo. m. fam. Acción y efecto de politiquear.

Politiquería. f. **Politiqueo.**

Poliuria. (Del gr. πολύς, mucho, y οὖρον, orina.) f. *Med.* Secreción y excreción de gran cantidad de orina.

Polivalente. (Del gr. πολύς, mucho, y el lat. *valens, -entis.*) adj. *Med.* Dotado de varias valencias o eficacias. Se aplica principalmente a los sueros y vacunas curativos cuando poseen acción contra varios microbios.

Polivalvo, va. (Del gr. πολύς, mucho, y de *valva.*) adj. *Zool.* Aplícase a los testáceos cuya concha tiene más de dos valvas.

Póliza. (En ital. *polizza,* y éste del gr. ἀπόδειξις, indicación.) f. Libranza o instrumento en que se da orden para percibir o cobrar algún dinero. || **2.** Guía o instrumento que acredita ser legítimos, y no de contrabando, los géneros y mercancías que se llevan. || **3.** Papeleta de entrada para alguna función religiosa o seglar. || **4.** Pasquín, papel anónimo o cartel clandestino. || **5.** Documento justificativo del contrato en seguros, fletamentos, operaciones de bolsa y otras negociaciones comerciales. || **6.** Sello suelto con que se satisface el impuesto del timbre en determinados documentos.

Polizón. (Del fr. *polisson,* vagabundo, y éste del lat. *politio, -ōnis.*) m. Sujeto ocioso y sin destino, que anda de corrillo en corrillo. || **2.** El que se embarca clandestinamente.

Polizonte. m. despect. **Policía,** 5.ª acep.

Polo. (Del lat. *polus,* y éste del gr. πόλος.) m. Cualquiera de los dos extremos del eje de rotación de una esfera o cuerpo redondeado dotado de este movimiento en realidad o imaginariamente. || **2.** fig. Aquello en que estriba una cosa y sirve como de fundamento a otra. || **3.** *Astron.* V. **Altura de polo.** || **4.** *Fís.* Cualquiera de los dos puntos opuestos de un cuerpo, en los cuales se acumula en mayor cantidad la energía de un agente físico; como el magnetismo en los extremos de un imán. || **5.** *Geom.* En las coordenadas polares, punto que se escoge para trazar desde él los radios vectores. || **antártico.** *Astron.* y *Geogr.* El opuesto al ártico. || **ártico.** *Astron.* y *Geogr.* El de la esfera celeste inmediato a la Osa Menor, y el correspondiente del globo terráqueo. || **austral.** *Astron.* y *Geogr.* **Polo antártico.** || **boreal.** *Astron.* y *Geogr.* **Polo ártico.** || **de un círculo en la esfera.** *Geom.* Cualquiera de los dos extremos del diámetro perpendicular al plano del círculo mismo. || **gnomónico.** Punto determinado en la superficie o faz del reloj de sol por la intersección con ella de la línea paralela al eje del mundo, tirada por la extremidad del gnomon. || **magnético.** Cada uno de los dos puntos del globo terrestre situados en las regiones polares, adonde se dirige naturalmente la aguja imantada. || **De polo a polo.** m. adv. fig. con que se pondera la distancia grande que hay de una parte a otra, o entre dos opiniones, doctrinas, sistemas, etc.

Polo. m. Cierto baile y canto popular de Andalucía.

Polo. m. Prestación personal redimible en metálico, impuesta en Filipinas a los varones de cierta edad y condiciones.

Polo. m. Juego entre grupos de jinetes que, con mazas de astiles largos, lanzan sobre el césped del terreno una bola, observando ciertas reglas. Es una especie de chueca a caballo.

Pololear. (De *pololo.*) tr. *Amér.* Molestar, importunar. || **2.** *Chile.* Galantear, requebrar.

Pololo. (Voz araucana.) m. *Chile.* Insecto, como de centímetro y medio, fitófago, y que al volar produce un zumbido como el moscardón. Tiene la cabeza pequeña; el cuerpo con un surco por encima y verrugas; los élitros cortos y de un hermoso color verde; el vientre ceniciento; las patas anteriores rojizas, y las posteriores verdes.

Polonés, sa. adj. **Polaco.** Apl. a pers., ú. t. c. s.

Polonesa. (De *polonés.*) f. Prenda de vestir de la mujer, a modo de gabán corto ceñido a la cintura y guarnecido con pieles. || **2.** *Mús.* Composición que imita cierto aire de danza y canto polacos, y se caracteriza por sincopar las dos primeras notas de cada compás, lo cual imprime un ritmo especial a esta música.

Polonia. n. p. V. **Trigo de Polonia.**

Polonio. m. Metal raro semejante al bismuto y considerado como un producto de la desintegración del radio. Es radiactivo.

Polono, na. adj. ant. **Polaco.** Apl. a pers., usáb. t. c. s.

Poltrón, na. (Del ital. *poltrone.*) adj. Flojo, perezoso, haragán, enemigo del trabajo. || **2.** V. **Silla poltrona.** Ú. t. c. s.

Poltronería. (De *poltrón.*) f. Pereza, haraganería, flojedad o aversión al trabajo.

Poltronizarse. r. Hacerse poltrón.

Polución. (Del lat. *pollutio, -ōnis.*) f. Efusión del semen.

Poluto, ta. (Del lat. *pollūtus,* p. p. de *pollŭere,* profanar, manchar.) adj. Sucio, inmundo.

Pólux. (Del lat. *Pollux,* héroe mitológico, hermano de Cástor.) m. *Astron.* Estrella de primera magnitud en la constelación de los Gemelos.

Polvareda. (De *pólvora,* polvo.) f. Cantidad de polvo que se levanta de la tierra, agitada por el viento o por otra causa cualquiera. || **2.** fig. Efecto causado entre las gentes por dichos o hechos que las alteran o apasionan. || **Armar, levantar,** o **mover, polvareda,** o **una polvareda.** fr. fig. y fam. **Armar levantar,** o **mover, una cantera,** 2.ª acep.

Polvera. f. Vaso de tocador, que sirve para contener los polvos y la borla con que suelen aplicarse.

Polverío. m. *And.* **Polvareda,** 1.ª acep.

Polvificar. (De *polvo* y el sufijo *ficar,* a semejanza de *santificar,* etc.) tr. fam. **Pulverizar.**

Polvillo. f. d. de **Polvo.** || **2.** *Amér.* Nombre común de los hongos que atacan a los cereales, como el tizón.

Polvo. (Del lat. *pulvus,* por *pulvis.*) m. Parte más menuda y deshecha de la tierra muy seca, que con cualquier movimiento se levanta en el aire. || **2.** Lo que queda de otras cosas sólidas, moliéndolas hasta reducirlas a partes muy menudas. || **3.** Porción de cualquier cosa menuda o reducida a **polvo,** que se puede tomar de una vez con las yemas de los dedos pulgar e índice. || **4.** V. **Batata, oro en polvo.** || **5.** V. **Tabaco de polvo.** || **6.** Partículas de sólidos que flotan en el aire y se posan sobre los objetos. || **7.** pl. Los que se hacen de almidón, de harina, de cascarilla de huevo, etc., y se usan para el pelo o la peluca y como afeite. Generalmente son blancos, pero los hay de otros colores, como el de rosa, y también dorados. || **Polvo de arroz.** El obtenido de esta semilla, muy usado en el tocador femenino. || **de batata.** Conserva dulce que se hace con la batata desmenuzada. || **de capuchino.** El de las semillas de la cebadilla. || **de tierra. Cola de caballo.** || **Polvos de cartas. Arenilla,** 1.ª acep. || **de Juanes.** Mercurio precipitado rojo, inventado por el célebre cirujano español Juan de Vigo. || **de la madre Celestina.** fig. y fam. Modo secreto y maravilloso con que se hace una cosa. || **de salvadera. Arenilla,** 1.ª acep. || **de Soconusco. Pinole.** || **De aquellos polvos vienen estos lodos.** ref. con que se denota que muchos males que se padecen provienen de errores o desórdenes cometidos anteriormente. || **El polvo de la oveja alcohol es para el lobo.** ref. que denota lo poco que se repara en el daño y perjuicio que se puede seguir, cuando se logra el gusto que se pretende. || **Escribir en el polvo.** fr. fig. **Escribir en la arena.** || **Hacerle** a uno **polvo.** fr. fig. y fam. Aniquilarle, arruinarle, vencerle en una contienda. || **Hacer morder el polvo** a uno. fr. fig. Rendirle, vencerle en la pelea, matándole o derribándole. || **Levantar del polvo,** o **del polvo de la tierra,** a uno. fr. fig. Elevarlo de la infelicidad y abatimiento a una dignidad o empleo. || **Limpio de polvo y paja.** expr. fig. y fam. Dado o recibido sin trabajo o gravamen. || **2.** fig. y fam. Dícese del producto líquido, descontadas las expensas. || **Matar el polvo.** fr. fig. Regar el suelo para que no se levante **polvo.** || **No verse de polvo.** fr. fig. que se usa para denotar las muchas palabras ásperas o injuriosas con que se ha maltratado u ofendido a uno. || **Sacar del polvo** a uno. fr. fig. **Levantarlo del polvo.** || **Sacar polvo debajo del agua.** fr. fig. y fam. con que se pondera la sagacidad o viveza de una persona. || **Sacudir el polvo** a uno. fr. fig. y fam. Darle de golpes. || **2.** fig. y fam. Impugnarle, rebatirle fuertemente. || **Sacudir el polvo de los pies,** o **de los zapatos.** fr. fig. Apartarse de un lugar digno de castigo y aborrecimiento.

Pólvora. (Del lat. *pulvis, -ĕris,* polvo.) f. Mezcla, por lo común de salitre, azufre y carbón, que a cierto grado de calor se inflama, desprendiendo bruscamente gran cantidad de gases. Empléase casi siempre en granos, y es el principal agente de la pirotecnia. Hoy varía mucho la composición de este explosivo. || **2.** Conjunto de fuegos artificiales que se disparan en una celebridad. *Hubo* PÓLVORA *en aquella festividad.* || **3.** fig. Mal genio de uno, que con ligero motivo u ocasión se irrita y enfada. || **4.** V. **Árbol, fiesta de pólvora.** || **5.** fig. Viveza, actividad y vehemencia de una cosa. || **6.** ant. **Polvo,** 2.ª y 6.ª aceps. || **de algodón.** La que se hace con la borra de esta planta, impregnada de los ácidos nítrico y sulfúrico. || **de cañón.** La de grano grueso, con que se cargan las piezas de artillería. || **de caza.** La de grano menudo, usada en las escopetas de los cazadores. || **de fusil.** La de grano mediano, que se emplea en las cargas de los fusiles. || **de guerra.** La que se destina a usos militares. || **de mina.** La de grano muy grueso, con que se rellenan los barrenos para hacer saltar rocas y piedras. || **de papel.** La que consiste en hojas de papel bañadas de diversas composiciones, inflamable a un alto grado de calor. || **detonante,** o **fulminante.** La que es inflamable al choque y aun al rozamiento con un cuerpo duro. || **lenta.** La que necesita un tiempo apreciable, aunque siempre corto, para convertirse totalmente en gases. || **prismática.** La de cañón lenta, cuyos granos son de forma prismática y más o menos irregulares. || **progresiva. Pólvora lenta.** || **sorda.** fig. Sujeto que hace daño a otro u otros sin estrépito y con gran disimulo. || **viva.** Aquella cuya inflamación total es casi instantánea. || **Pólvoras de duque. Polvoraduque.** || **Correr la pólvora.** fr. Ejecutar varias maniobras corriendo a escape a caballo y disparando las armas, ejercicio muy usado por los moros como diversión o festejo. || **Gastar la pólvora en salvas.** fr. fig. Poner medios inútiles y fuera de tiempo para un fin. || **Mojar la pólvora** a uno. fr. fig. Templar al que estaba colérico o enojado sin motivo justo, dándole una razón que le convence y le da a conocer su engaño. || **No haber inventado** uno **la pólvora.** fr. fig. y fam. Ser muy corto de alcances. || **Pólvora, poca, y munición, hasta la boca.** ref. que aconseja que para el logro de un intento se pongan todos los medios que sean conducentes y seguros, procurando omitir o moderar los que puedan tener algún riesgo. || **Ser uno una pólvora.** fr. fig. Ser muy vivo, pronto y eficaz. || **Tirar** uno **con pólvora ajena.** fr. fig. y fam. Gastar o jugar con dinero ajeno o ganado a otro en el juego. || **Volar con pólvora.** fr. fig. que se usa para explicar el grave castigo que merece alguno, o amenazar con él.

Polvoraduque. (De *pólvoras de duque.*) f. Salsa que se hacía de clavo, jengibre, azúcar y canela.

Polvoreamiento. m. Acción de polvorear.

Polvorear. (De *pólvora,* 6.ª acep.) tr. Echar, esparcir o derramar polvo o polvos sobre una cosa.

Polvoriento, ta. (De *pólvora,* 6.ª acep.) adj. Lleno o cubierto de polvo.

Polvorín. m. Pólvora muy menuda y otros explosivos, que sirven para cebar las armas de fuego. || **2. Cebador,** 2.ª acep. || **3.** Lugar o edificio convenientemente dispuesto para guardar pólvora y otros explosivos.

Polvorista. (De *pólvora.*) m. **Pirotécnico,** 2.ª acep.

Polvorizable. adj. **Pulverizable.**

Polvorización. f. **Pulverización.**

Polvorizar. tr. **Polvorear.** || **2. Pulverizar.**

Polvorón. m. Torta, comúnmente pequeña, de harina, manteca y azúcar, cocida en horno fuerte y que se deshace en polvo al comerla.

Polvoroso, sa. adj. **Polvoriento.**

Polla. (De *pollo.*) f. Gallina nueva, mediananamente crecida, que no pone huevos o que hace poco tiempo que ha empezado a ponerlos. || **2.** En algunos juegos de naipes, **puesta,** 2.ª acep. || **3.** fig. y fam. **Mocita.** || **de agua. Rey de codornices.** || **2. Fúlica.** || **3.** Ave del orden de las zancudas, de unos 25 centímetros de longitud desde la punta del pico hasta la extremidad de la cola y 50 de envergadura, con plumaje rojizo, verdoso en las partes superiores y ceniciento azulado en las inferiores. Vive en parajes pantanosos y se alimenta de animalillos acuáticos. || **Alábate, polla, que has puesto un huevo, y ése, huero.** ref. con que se moteja a los que se alaban de haber hecho cosas de poca entidad e importancia.

Pollada. f. Conjunto de pollos que de una vez sacan las aves, particularmente las gallinas. || **2.** *Art.* Multitud de granadas que se disparaban de un mortero al mismo tiempo.

Pollancón, na. (De *pollo.*) m. y f. **Pollastro.** || **2.** fig. y fam. El que apenas entrado en la adolescencia, es ya tan corpulento como los jóvenes de mucha más edad.

Pollastre. m. **Pollastro.**

Pollastro, tra. (Del lat. *pullaster, -tra;* de *pullus,* pollo.) m. y f. Pollo o polla algo crecidos. || **2.** m. fig. y fam. Hombre muy astuto y sagaz.

Pollazón. (Del lat. *pullatĭo, -ōnis,* cría de pollos.) f. Echadura de huevos que de una vez empollan las aves. || **2. Pollada,** 1.ª acep.

Pollera. (Del lat. *pullarĭa,* t. f. de *-rĭus,* pollero.) f. La que tiene por oficio criar o vender pollos. || **2.** Lugar o sitio en que se crían los pollos. || **3.** Especie de cesto de mimbres o red, angosto de arriba y ancho de abajo, que sirve para criar los pollos y tenerlos guardados. || **4.** Artificio en figura de campana, hecho de mimbres, que se pone a los niños para que aprendan a andar sin caerse. || **5.** Falda que las mujeres se ponían sobre el guardainfante y encima de la cual se asentaba la basquiña o la saya. || **6.** *Amér.* Falda externa del vestido femenino. || **7.** *Astron.* **Pléyades.**

Pollería. (De *pollero.*) f. Sitio, casa o calle donde se venden gallinas, pollos o pollas y otras aves comestibles.

Pollero, ra. (Del lat. *pullarĭus;* de *pŭllus,* pollo.) m. y f. Persona que tiene por oficio criar o vender pollos. || **2. Pollera,** 2.ª acep.

Pollerón. m. *Argent.* Falda de amazona.

Pollez. (De *pollo.*) f. *Cetr.* Tiempo que se mantienen sin mudar la pluma los azores, halcones y otras aves de rapiña.

Pollezno. m. ant. **Pollo,** 1.ª acep.

Pollinarmente. adv. m. **Asnalmente,** 1.ª acep.

Pollinejo, ja. m. y f. d. de **Pollino.**

Pollino, na. (Del lat. *pullinus;* de *pullus,* pollo.) m. y f. Asno joven y cerril. || **2.** Por ext., cualquier borrico. || **3.** ant. Hijo o cría de aves o cuadrúpedos. || **4.** fig. Persona simple, ignorante o ruda. Ú. t. c. adj.

Pollito, ta. (d. de *pollo.*) m. y f. fig. y fam. Niño o niña de corta edad.

Pollo. (Del lat. *pullus.*) m. Cría que sacan de cada huevo las aves y particularmente las gallinas. || **2.** Cría de las abejas. || **3.** V. **Culo, ojo de pollo.** || **4.** V. **Echadura de pollos.** || **5.** ant. Cría de cualquier animal. || **6.** fig. y fam. Persona de pocos años. || **7.** fig. y fam. Hombre astuto y sagaz. || **8.** *Ar.* En las viñas de regadío, una como margen que levantan a trechos los cavadores para que se estanque el agua cuando las riegan. || **9.** *Cetr.* Ave que no ha mudado aún la pluma. || **tomatero.** El de gallina, cuando sale de la segunda muda o pelecho. || **El pollo, cada año, y el pato, madrigado.** ref. que aconseja que el **pollo** se coma antes que llegue a ser gallo, y, al contrario, el pato, después que haya padreado. || **El pollo de enero, a San Juan es comedero.** ref. que denota que los **pollos** que nacen por enero están en sazón de comerse por San Juan. || **El pollo de enero sube con su madre al gallinero; y el de San Juan, va al muladar.** ref. que da a entender que es más a propósito el frío para criarse este género de animales, que el tiempo templado o caluroso. || **Estar** uno **hecho un pollo de agua.** fr. fig. y fam. **Estar hecho una agua.** || **Pollo con pollo.** loc. *Cetr.* Explica que los azores **pollos** no deben cebar con perdigoncillos. || **Pollo de enero, cada pluma vale un dinero.** ref. con que se pondera lo apreciables que son los **pollos** de este tiempo. || **Sacar pollos.** fr. Fomentar los huevos y darles el calor correspondiente y continuado para que se vaya formando el **pollo** y a su tiempo salga, rompiendo el cascarón. || **Voló el pollo.** expr. fig. y fam. **Voló el golondrino.**

Polluelo, la. (Del lat. *pullŭlus.*) m. y f. d. de **Pollo.**

Poma. (Del lat. *poma,* pl. n. de *pomum.*) f. **Manzana,** 1.ª acep. || **2.** Casta de manzana pequeña y chata, de color verdoso y de buen gusto. || **3. Perfumador,** 2.ª acep. || **4. Bujeta,** 2.ª y 3.ª aceps. || **5.** Especie de bola que se compone de varios simples, por lo común odoríferos.

Pomáceo, a. (De *poma.*) adj. *Bot.* Dícese de plantas pertenecientes a la familia de las rosáceas, que tienen hojas por lo común alternas, flores hermafroditas, en corimbos terminales, pentámeras, fruto en pomo y semillas sin albumen; como el peral y el manzano. Ú. t. c. s. f.

Pomada. (De *poma.*) f. Mixtura de una substancia grasa y otros ingredientes, que se emplea como afeite o medicamento.

Pomar. (De *poma.*) m. Sitio, lugar o huerta donde hay árboles frutales, especialmente manzanos.

Pomarada. (De *pomar.*) f. **Manzanar.**

Pomarrosa. (De *poma* y *rosa.*) f. Fruto del yambo, semejante en su forma a una manzana pequeña, de color amarillento con partes rosadas, sabor dulce, olor de rosa y una sola semilla.

Pomelo. (De *pomo.*) En algunas partes, toronja.

Pomerano, na. adj. Natural de Pomerania. Ú. t. c. s. || **2.** Perteneciente a esta provincia de Prusia.

Pómez. (Del lat. *pumex.*) f. **Piedra pómez.**

Pomífero, ra. (Del lat. *pomĭfer, -ĕri;* de *pomum,* fruta, y *ferre,* llevar.) adj. poét. Que lleva o da pomas o manzanas. || **2.** ant. **Frutal.**

Pomo. (Del lat. *pomum.*) m. *Bot.* Fruto con mesocarpio carnoso y endocarpio coriáceo que contiene varias semillas o pepitas; como la manzana y la pera. || **2. Poma,** 5.ª acep. || **3.** Frasco o vaso pequeño de vidrio, cristal, porcelana o metal, que sirve para contener y conservar los licores y confecciones olorosas. || **4.** Extremo de la guarnición de la espada, que está encima del puño y sirve para tenerla unida y firme con la hoja. || **5.** *Murc.* Ramillete de flores.

Pomol. m. *Méj.* Tortilla de harina de maíz que suele servir de desayuno a cierta clase de personas.

Pomología. (Del lat. *pomum,* fruto, y del gr. λόγος, tratado.) f. Parte de la agricultura, que trata de los frutos comestibles.

Pompa. (Del lat. *pompa.*) f. Acompañamiento suntuoso, numeroso y de gran aparato, que se hace en una función, ya sea de regocijo o fúnebre. || **2.** Fausto, vanidad y grandeza. || **3.** Procesión solemne. || **4.** Ampolla que forma el agua por el aire que se le introduce. || **5.** Fuelle hueco o ahuecamiento que se forma con la ropa, cuando toma aire. || **6.** Rueda que hace el pavo real, extendiendo y levantando la cola. || **7.** *Mar.* **Bomba,** 1.ª acep. || **de jabón.** Vesícula que por juego forman los muchachos insuflando aire en agua saturada de jabón. || **Hacer pompa.** fr. fig. que se dice de los árboles que se extienden con follaje hacia todas partes. || **2.** fig. Dícese de las mujeres que ahuecan las faldas, cogiendo aire y sentándose de repente. || **3.** fig. Hacer vana ostentación de una cosa.

Pompático, ca. adj. **Pomposo.**

Pompear. intr. Hacer pompa u ostentación de algo. || **2.** r. fam. Tratarse con desvanecimiento y vanidad; ir con grande comitiva, pompa y acompañamiento. || **3.** fam. **Pavonearse.**

Pompeyano, na. (Del lat. *pompeiānus.*) adj. Perteneciente a Pompeyo el Magno o a sus hijos. || **2.** Partidario de aquél o de éstos. Ú. t. c. s. || **3.** Natural de Pompeya. Ú. t. c. s. || **4.** Perteneciente a esta ciudad de la Italia antigua. || **5.** Dícese en sentido restricto del estilo o gusto por que se distinguen las pinturas y otros objetos de arte hallados en Pompeya y los que se han hecho modernamente a imitación de los antiguos.

Pompo, pa. adj. *Colomb.* Romo, sin filo.

Pompón. (Voz francesa.) m. *Mil.* Esfera metálica o bola de estambre o seda con que se adornaba la parte anterior y superior de los morriones y chacós militares en el ejército español a principios del siglo XIX.

Pomponearse. r. fam. **Pompearse.**

Pomposamente. adv. m. Con pompa, con ostentación, con autoridad y aparato.

Pomposidad. f. Calidad de pomposo.

Pomposo, sa. (Del lat. *pompōsus.*) adj. Ostentoso, magnífico, grave y autorizado. || **2.** Hueco, hinchado y extendido circularmente. || **3.** fig. Dícese del lenguaje, estilo etc., ostentosamente exornado.

Pómulo. (Del lat. *pomŭlum*, manzanita, por la forma.) m. Hueso de cada una de las mejillas.

Ponasí. m. *Cuba.* Arbusto silvestre, de hojas elípticas y puntiagudas y flores de color rojo obscuro. Es venenoso, pero se usa en medicina convenientemente preparado.

Poncela. f. ant. **Poncella.**

Poncella. (Del lat. *pullicella*, d. de *pullus*, pollo.) f. ant. **Doncella,** 1.ª acep.

Ponceño, ña. adj. Natural de Ponce. Ú. t. c. s. || **2.** Perteneciente a esta ciudad.

Poncí. adj. **Poncil.**

Poncidre. (Del cat. *poncidre*, y éste del lat. *pomum citrĕum*.) adj. **Poncil.**

Poncil. (Del prov. *poncir*, y éste del lat. *pomum citrĕum*.) adj. Dícese de una especie de limón o cidra agria y de corteza muy gruesa. Ú. t. c. s. m.

Poncillero. m. *Murc.* **Poncil.**

Ponchada. f. Cantidad de ponche dispuesta para beberla juntas varias personas.

Ponche. (Del ingl. *punch*, y éste del sánscrito *pancha*, cinco, por los cinco ingredientes de que se compone.) m. Bebida que se hace mezclando ron u otro licor espiritoso con agua, limón y azúcar. A veces se le añade té. || **de huevo.** El que se hace mezclando ron con leche, clara de huevo y azúcar.

Ponchera. f. Vaso, generalmente semiesférico, con pie y dimensiones proporcionadas, en el cual se prepara el ponche.

Poncho. (Del arauc. *pontho*, ruana.) m. *Amér.* Especie de capote para montar a caballo, sin mangas, pero sujeto a los hombros, que ciñe y cae a lo largo del cuerpo. || **2. Capote de monte.** || **3.** Capote militar con mangas y esclavina, ceñido al cuerpo con cinturón.

Poncho, cha. adj. Manso, perezoso, dejado y flojo.

Ponderable. (Del lat. *ponderabĭlis*.) adj. Que se puede pesar. || **2.** Digno de ponderación.

Ponderación. (Del lat. *ponderatĭo, -ōnis*.) f. Atención, consideración, peso y cuidado con que se dice o hace una cosa. || **2.** Exageración o encarecimiento de una cosa. || **3.** Acción de pesar una cosa. || **4.** Compensación o equilibrio entre dos pesos.

Ponderadamente. adv. m. Con ponderación.

Ponderado, da. adj. Dícese de la persona que procede con tacto y prudencia.

Ponderador, ra. (Del lat. *ponderātor*.) adj. Que pondera o exagera. Ú. t. c. s. || **2.** Que pesa o examina. Ú. t. c. s. || **3.** Que compensa o favorece el equilibrio.

Ponderal. (Del lat. *ponderāle*, peso.) adj. Perteneciente a peso.

Ponderar. (Del lat. *ponderāre*; de *pondus, -ĕris*, peso.) tr. **Pesar,** 2.° art., 6.ª y 7.ª aceps. || **2.** Exagerar, encarecer. || **3.** Contrapesar, equilibrar.

Ponderativo, va. (Del lat. *ponderātum*, supino de *ponderāre*, pesar.) adj. Que pondera o encarece una cosa. || **2.** Dícese de la persona que tiene por hábito ponderar o encarecer mucho las cosas.

Ponderosamente. adv. m. **Pesadamente.** || **2.** Atenta y cuidadosamente, con medida y circunspección.

Ponderosidad. f. Calidad de ponderoso.

Ponderoso, sa. (Del lat. *ponderōsus*.) adj. **Pesado,** 1.ª acep. || **2.** fig. Grave, circunspecto y bien considerado.

Pondo. m. *Ecuad.* **Tinaja.**

Ponedero, ra. adj. Que se puede poner o está para ponerse. || **2.** Dícese de las aves que ya ponen huevos. || **3.** m. **Nidal,** 1.ª y 2.ª aceps. || **4.** Parte o lugar en que se halla el nidal de la gallina.

Ponedor, ra. adj. Que pone. || **2.** Aplícase al caballo o yegua enseñado a levantarse de manos, sosteniéndose con aire sobre las piernas. || **3. Ponedero,** 2.ª acep. || **4.** m. **Postor.**

Ponencia. f. Cargo de ponente. || **2.** Informe o dictamen dado por el ponente.

Ponente. (Del lat. *ponens, -entis*, p. a. de *ponĕre*, poner.) adj. Aplícase al magistrado, funcionario o miembro de un cuerpo colegiado a quien toca hacer relación de un asunto y proponer la resolución. Ú. t. c. s.

Ponentino, na. adj. **Ponentisco.** Ú. t. c. s.

Ponentisco, ca. (De *poniente*.) adj. **Occidental.** Ú. t. c. s.

Poner. (Del lat. *ponĕre*.) tr. Colocar en un sitio o lugar una persona o cosa, o disponerla en el lugar o grado que debe tener. Ú. t. c. r. || **2.** Disponer o prevenir una cosa con lo que ha menester para algún fin. PONER *la olla, la mesa.* || **3.** Contar o determinar. *De Madrid a Toledo* PONEN *doce leguas.* || **4. Suponer,** 1.ª acep. PONGAMOS *que esto sucedió así.* || **5. Apostar,** 1.ª acep. PONGO *cien reales a que Pedro no viene mañana.* || **6.** Reducir, estrechar o precisar a uno a que ejecute una cosa contra su voluntad. PONER *en empeño, en ocasión.* || **7.** Dejar una cosa a la resolución, arbitrio o disposición de otro. *Yo lo* PONGO *en ti.* || **8.** Escribir una cosa en el papel. || **9.** Soltar o deponer el huevo las aves. || **10.** Dedicar a uno a un empleo u oficio. Ú. t. c. r. || **11.** Representar una obra de teatro. || **12.** En el juego, **parar,** 8.ª acep. || **13.** Aplicar, adaptar. || **14.** Tratándose de nombres, motes, etc., aplicarlos a personas o cosas. || **15.** Trabajar para un fin determinado. PONER *de su parte.* || **16. Exponer,** 4.ª acep. *Le* PUSE *a un peligro, a un desaire.* Ú. t. c. r. || **17.** Escotar o concurrir con otros, dando cierta cantidad. || **18.** Añadir voluntariamente una cosa a la narración. *Eso lo* PONE *de su cosecha.* || **19.** En algunos juegos de naipes, tener un jugador la obligación de meter en el fondo una cantidad igual a la que había de percibir si ganara. || **20.** Tratar a uno mal de palabra. *Le* PUSO *de oro y azul. ¡Cómo se* PUSIERON! || **21.** Con la preposición *a* y el infinitivo de otro verbo, empezar a ejecutar la acción de lo que el verbo significa. PONER A *asar;* PONERSE A *escribir.* || **22.** Con la preposición *en* y algunos nombres, ejercer la acción de los verbos a que los nombres corresponden. PONER EN *duda*, dudar; PONER EN *disputa*, disputar. Algunas veces se usa sin la preposición *en.* || **23.** Con la preposición *por* y algunos nombres, valerse o usar para un fin de lo que el nombre significa. PONER POR *intercesor,* POR *medianero.* || **24.** Con algunos nombres, causar lo que los nombres significan. PONER *miedo.* || **25.** Con los nombres *ley, contribución* u otros semejantes, establecer, imponer o mandar lo que los nombres significan. || **26.** Con algunos nombres precedidos de las palabras *de, por, cual, como*, tratar a uno como expresan los mismos nombres, que unas veces se toman en sentido recto y otras en el irónico. PONER *a uno* DE *ladrón,* POR *embustero,* CUAL *digan dueñas,* COMO *chupa de dómine.* || **27.** Con ciertos adjetivos o expresiones calificativas, hacer adquirir a una persona la condición o estado que estos adjetivos o expresiones significan. PONER *colorado;* PONER *de mal humor.* Ú. t. c. r. PONERSE *pálido.* || **28.** r. Oponerse a uno; hacerle frente o reñir con él. || **29.** Vestirse o ataviarse. PONTE *bien, que es día de fiesta.* || **30.** Mancharse o llenarse. PONERSE *de lodo, de tinta.* || **31.** Compararse, competir con otro, ME PONGO *con el más pintado.* || **32.** Hablando de los astros, ocultarse debajo del horizonte. || **33.** Llegar a un lugar determinado. SE PUSO *en Toledo en seis horas de viaje.* || **No ponérsele** a uno **nada por delante.** fr. fig. **No ponérsele cosa por delante.** || **Poner** a uno **ante** el alcalde, el juez, etc. fr. Demandarle, querellarse de él. || **Poner** a uno **a parir.** fr. fig. y fam. Estrecharle fuertemente para obligarle a una cosa. || **Poner bien** a uno. fr. fig. Darle estimación y crédito en la opinión de otro, o deshacer la mala opinión que se tenía de él. || **2.** fig. Suministrarle medios, caudal o empleo con que viva holgadamente. || **Poner colorado** a uno. fr. fig. y fam. Avergonzarle. Ú. t. c. r. || **Poner como nuevo** a uno. fr. fig. y fam. Maltratarle de obra o de palabra; sonrojarle, zaherirle. || **Poner en** tal cantidad. fr. En las subastas, ofrecerla, hacer postura de ella. || **Poner en claro.** fr. Averiguar o explicar con claridad alguna cosa intrincada o confusa. || **Poner mal** a uno. fr. Enemistarle, perjudicarle, haciéndole perder la estimación con chismes y malos informes. || **Poner por delante** a uno alguna cosa. fr. Suscitarle obstáculos o hacerle reflexiones para disuadirle de un propósito. || **Poner por encima.** fr. Preferir, anteponer una cosa, subordinar a ella otra u otras. || **2.** En los juegos de envite, **poner** o parar a una suerte los que están fuera de ellos. || **Ponerse al corriente.** fr. Enterarse, adquirir el conocimiento necesario. || **Ponerse** uno **bien.** fr. fig. Adelantarse en conveniencias y medios para mantener su estado. || **Ponerse** uno **tan alto.** fr. fig. Ofenderse, resentirse, dando muestras de superioridad.

Pongo. (Del malayo *pongo*.) m. *Zool.* **Orangután.**

Pongo. (Del quichua *punco*.) m. *Bol.* y *Perú.* Indio que hace oficios de criado. || **2.** *Ecuad.* y *Perú.* Paso angosto y peligroso de un río.

Ponientada. f. Viento duradero de poniente.

Poniente. (Del lat. *ponens, -entis*, p. a. de *ponĕre*, poner, por ser la parte por donde se pone el Sol.) m. **Occidente,** 1.ª acep. || **2.** Viento que sopla de la parte occidental. || **3.** *Germ.* **Sombrero,** 1.ª acep.

Ponimiento. m. Acción y efecto de poner o ponerse. || **2.** ant. Impuesto o tributo, contribución. || **3.** ant. **Libranza.**

Ponleví. (Del fr. *pont-levis*, puente levadizo, por la curva de la suela y el hueco que resultaba entre la punta del calzado y el tacón.) m. Forma especial que se dio a los zapatos y chapines, según moda traída de Francia. El tacón era de madera, muy alto, inclinado hacia adelante y con disminución progresiva por su parte semicircular, desde su arranque hasta abajo. || **A la ponleví.** loc. Dícese del calzado que tiene dicha forma. || **2.** Dícese del tacón de esta clase de calzado.

Ponqué. m. *Venez.* Especie de torta hecha con harina, manteca, huevos y azúcar.

Pontadgo. (Del b. lat. *pontatĭcum*.) m. ant. **Pontazgo.**

Pontaje. m. **Pontazgo.**

Pontana. (Del lat. *pontana*, t. f. de *-nus;* de *pons*, puente.) f. Cada una de las losas que cubren el cauce de un arroyo o de una acequia.

Pontazgo. (De *pontadgo*.) m. Derechos que se pagan en algunas partes para pasar por los puentes.

Pontazguero, ra. m. y f. Persona encargada de cobrar el pontazgo.

Pontear. (Del lat. *pons, pontis*, puente.) tr. Fabricar o hacer un puente, o echarlo en un río o brazo de mar para pasarlos.

Pontecilla. f. ant. d. de **Puente.**

Pontederiáceo, a. (De *pontederia*, nombre científico de un género de plantas dedicado a Pontedera, botánico italiano.) adj. *Bot.* Dícese de plantas angiospermas monocotiledóneas, acuáticas, perennes, con rizoma rastrero, hojas radicales, anchas, enteras y de pecíolos envainadores; flores amarillas o azules, solitarias o en espiga, racimo o umbela, y frutos en cajas indehiscentes con semillas de albumen amiláceo; como el camalote. Ú. t. c. s. || **2.** f. pl. *Bot.* Familia de estas plantas.

Pontevedrés, sa. adj. Natural de Pontevedra. Ú. t. c. s. || **2.** Perteneciente a esta ciudad.

Pontezuelo, la. m. y f. d. de **Puente.**

Póntico, ca. (Del lat. *ponticus*.) adj. Perteneciente al Ponto Euxino, hoy mar Negro. || **2.** Perteneciente al Ponto, región de Asia antigua. || **3.** V. **Cereza póntica.** || **4.** ant. *Med.* De sabor áspero y austero.

Pontificado. (Del lat. *pontificātus*.) m. Dignidad de pontífice. || **2.** Tiempo en que cada uno de los sumos pontífices ostenta esta dignidad. || **3.** Aquel en que un obispo o arzobispo permanece en el gobierno de su iglesia.

Pontifical. (Del lat. *pontificālis*.) adj. Perteneciente o relativo al sumo pontífice. || **2.** Perteneciente o relativo a un obispo o arzobispo. || **3.** V. **Bendición pontifical.** || **4.** m. Conjunto o agregado de ornamentos que sirven al obispo para la celebración de los oficios divinos. Ú. t. en pl. || **5.** Libro que contiene las ceremonias pontificias y las de las funciones episcopales. || **6.** Renta de diezmos eclesiásticos que corresponde a cada parroquia. || **De pontifical.** m. adv. fig. y fam. En traje de ceremonia o de etiqueta. Ú. m. con los verbos *estar* y *ponerse*.

Pontificalmente. adv. m. Según la práctica y estilos de los obispos o pontífices.

Pontificar. intr. Celebrar funciones litúrgicas con rito pontifical. || **2.** fig. **Dogmatizar,** 2.ª acep.

Pontífice. (Del lat. *pontĭfex, -ĭcis*.) m. Magistrado sacerdotal que presidía los ritos y ceremonias religiosas en la antigua Roma. || **2.** Obispo o arzobispo de una diócesis. || **3.** Por antonom., prelado supremo de la Iglesia católica romana. Ú. comúnmente con los calificativos *sumo* o *romano*.

Pontificio, cia. (Del lat. *pontificius*.) adj. Perteneciente o relativo al pontífice. || **2.** V. **Derecho, rescripto pontificio.**

Pontín. (De *pontón*.) m. Embarcación filipina de cabotaje, mayor que el panco. Está aparejado de pailebote con velas de lona, y se tendría por un buque europeo si no fuera por lo enorme de sus gambotas y brazales, porque tiene anclas de madera, son de abacá las jarcias y de bejuco los zunchos de la arboladura, y lleva un baroto en lugar de bote.

Ponto. (Del lat. *pontus*, y éste del gr. πόντος.) m. poét. **Mar,** 1.ª acep.

Pontocón. m. **Puntillón.**

Pontón. (Del lat. *ponto, -ōnis*.) m. Barco chato, para pasar los ríos o construir puentes, y en los puertos para limpiar su fondo con el auxilio de algunas máquinas. || **2.** Buque viejo que, amarrado de firme en los puertos, sirve de almacén, de hospital o de depósito de prisioneros. || **3.** Pieza de madera de hilo, que tiene tres pulgadas de canto por tres o cuatro de tabla en los marcos de Galicia, y seis por seis en los de Asturias. || **4.** Puente formado de maderos o de una sola tabla. || **flotante.** Barca hecha de maderos unidos, para pasar un río, etc.

Pontonero. m. El que está empleado en el manejo de los pontones.

Ponzoña. (De *ponzoñar*.) f. Substancia que tiene en sí cualidades nocivas a la salud, o destructivas de la vida. || **2.** fig. Doctrina o práctica nociva y perjudicial a las buenas costumbres.

Ponzoñar. (Del lat. *potionāre*; de *potio, -ōnis*, bebida.) tr. ant. **Emponzoñar.**

Ponzoñosamente. adv. m. Con ponzoña.

Ponzoñoso, sa. adj. Que tiene o encierra en sí ponzoña. || **2.** fig. Nocivo a la salud espiritual, o perjudicial a las buenas costumbres.

Popa. (Del lat. *puppis*, con la *a* de *prora*.) f. Parte posterior de las naves, donde se coloca el timón y están las cámaras o habitaciones principales. || **2.** ant. En los coches, **testera,** 2.ª acep. || **3.** V. **Castillo, espejo, mastelero de popa.** || **4.** *Mar.* V. **Viento en popa.** || **5.** V. **Orza a popa.** || **Amollar en popa.** fr. *Mar.* Arribar hasta ponerse viento en popa. || **De popa a proa.** m. adv. fig. Entera o totalmente.

Popal. m. V. **Sarco de popal.**

Popamiento. m. Acción y efecto de popar.

Popar. (Del lat. *palpāre*, acariciar, halagar.) tr. Despreciar o tener en poco a uno, ejecutando con él acciones de desprecio. || **2.** Acariciar o halagar. || **3.** fig. Tratar con blandura y regalo; cuidar mucho.

Pope. m. Sacerdote de la Iglesia cismática griega.

Popel. adj. *Mar.* Dícese de la cosa que está situada más a popa que otra u otras con que se compara.

Popelina. (Del fr. *popeline*, y éste del ital. *papalina*, papal.) f. Cierta tela delgada, distinta de la papelina.

Popés. (De *popa*.) m. *Mar.* Cualquiera de los dos cabos muy gruesos que en ayuda de los obenques se colocaban uno por cada banda en el palo mayor y en el trinquete.

Poplíteo, a. (Del lat. *poples, -ĭtis*, la corva.) adj. *Zool.* Perteneciente a la corva. *Músculo* POPLÍTEO; *arteria* POPLÍTEA.

Popocho, cha. adj. *Colomb.* Repleto, harto.

Popotal. m. *Méj.* Sitio en que se cría el popote.

Popote. (Del mejic. *popotl*.) m. Especie de paja de que en Méjico hacen comúnmente escobas, semejante al bálago, aunque su caña es más corta y el color tira a dorado.

Populación. (Del lat. *populatio, -ōnis*.) f. **Población,** 1.ª acep.

Populachería. (De *populachero*.) f. Fácil popularidad que se alcanza entre el vulgo, halagando sus pasiones.

Populachero, ra. adj. Perteneciente o relativo al populacho. *Costumbres, demostraciones* POPULACHERAS. || **2.** Propio para halagar al populacho, o para ser comprendido y estimado por él. *Héroe* POPULACHERO; *drama, discurso* POPULACHERO.

Populacho. (despect. del lat. *popŭlus*, pueblo.) m. Lo ínfimo de la plebe.

Popular. (Del lat. *populāris*.) adj. Perteneciente o relativo al pueblo. || **2.** Del pueblo o de la plebe. Ú. t. c. s. || **3.** Que es acepto y grato al pueblo. || **4.** V. **Aire, lengua popular.**

Popular. tr. ant. **Poblar.**

Popularidad. (Del lat. *popularĭtas, -ātis*.) f. Aceptación y aplauso que uno tiene en el pueblo.

Popularización. f. Acción y efecto de popularizar, 2.ª acep.

Popularizar. (De *popular*.) tr. Acreditar a una persona o cosa, extender su estimación en el concepto público. Ú. t. c. r. || **2.** Dar carácter popular a una cosa. Ú. t. c. r.

Popularmente. adv. m. De manera grata a la multitud. || **2.** Tumultuosamente; en gran multitud.

Populazo. m. Populacho.

Populeón. (Del lat. *popŭlus*, álamo.) m. Ungüento calmante, compuesto de manteca de cerdo, hojas de adormidera, belladona y otros simples, entre los cuales figuran como base principal las yemas del chopo o álamo negro.

Populetano, na. (Del lat. *populētum*, alameda.) adj. Perteneciente o relativo al monasterio de Poblet, en la provincia de Tarragona.

Populista. adj. Perteneciente o relativo al pueblo. *Partido* POPULISTA.

Pópulo. (Del lat. *popŭlus*.) m. **Pueblo.** Ú. únicamente en la frase familiar **hacer una de pópulo bárbaro,** que significa poner por obra una resolución violenta o desatinada, sin reparar en inconvenientes.

Populoso, sa. (Del lat. *populōsus*.) adj. Aplícase a la provincia, ciudad, villa o lugar que abunda de gente. || **2.** ant. Poblado o lleno.

Popurrí. (Del fr. *pot pourri*.) m. *Mús.* Composición formada de fragmentos o temas de obras musicales de un mismo autor.

Popusa. f. *Bol., El Salv.* y *Guat.* Tortilla de maíz rellena de queso o de trocitos de carne.

Poquedad. (De *poco*.) f. Escasez, cortedad o miseria; corta porción o cantidad de una cosa. || **2.** Timidez, pusilanimidad y falta de espíritu. || **3.** Cosa de ningún valor o de poca entidad.

Poquedumbre. f. ant. **Poquedad.**

Póquer. (Del ingl. *poker*.) m. Juego de naipes en que cada jugador recibe cinco; es juego de envite y gana el que reúne la combinación superior de las varias establecidas.

Poqueza. f. ant. **Poquedad.**

Póquil. (Del arauc. *pocull*.) m. *Bot. Chile.* Hierba de la familia de las compuestas, con hojas superiores angostas, cabezuelas globosas, flores hermafroditas hinchadas, cortas y casi cerradas, que se emplean para teñir de amarillo.

Poquito, ta. adj. d. de **Poco.** || **A poquito.** m. adv. **Poco a poco.** || **A poquitos.** m. adv. En pequeñas y repetidas porciones. || **De poquito.** loc. fam. Dícese del que es pusilánime o tiene corta habilidad en lo que maneja.

Por. (Del lat. *pro*, infl. por *per*.) prep. con que se indica la persona agente en las oraciones en pasiva. || **2.** Se junta con los nombres de lugar para determinar tránsito por ellos. *Ir a Toledo* POR *Illescas.* || **3.** Se junta con los nombres de tiempo, determinándolo. POR *San Juan;* POR *agosto.* || **4.** En clase o calidad de. *Recibir* POR *esposa.* || **5.** Ú. para denotar la causa. POR *mí quedó, se hizo.* || **6.** Ú. para denotar el medio de ejecutar una cosa. POR *señas;* POR *escrito.* || **7.** Denota el modo de ejecutar una cosa. POR *fuerza;* POR *bien;* POR *mal.* || **8.** Ú. para denotar el precio o cuantía. POR *cien duros lo compré;* POR *la casa me ofrece la huerta.* || **9.** A favor o en defensa de alguno. POR *él daré la vida.* || **10.** **En lugar de.** *Tiene sus maestros* POR *padres.* || **11.** En juicio u opinión de. *Tener* POR *santo; dar* POR *buen soldado.* || **12.** Junto con algunos nombres, denota que se da o reparte con igualdad una cosa. *A pichón* POR *barba; a peseta* POR *persona.* || **13.** Denota multiplicación de números. *Tres* POR *cuatro, doce.* || **14.** También denota proporción. *A tanto* POR *ciento.* || **15.** Úsase para comparar entre sí dos o más cosas. *Villa* POR *villa, Valladolid en Castilla.* || **16.** En orden a, o acerca de. *Se alegaron varias razones* POR *una y otra sentencia.* || **17.** Sin, 1.er art., 3.ª acep. *Esto está* POR *pulir.* || **18.** Se pone muchas veces en lugar de la preposición *a* y el verbo *traer* u otro, supliendo su significación. *Ir* POR *leña,* POR *vino,* POR *pan.* || **19.** Con el infinitivo de algunos verbos, **para.** POR *no incurrir en la censura.* ‖ **20.** Con el infinitivo de otros verbos, denota la acción futura de estos mismos verbos. *Está* POR *venir,* POR *llegar; la sala está* POR *barrer.* ‖ **Por donde.** m. adv. Por lo cual. ‖ **Por que.** conj. causal. **Porque.** ‖ **2.** m. conjunt. final. **Para que.** *Hice cuanto pude* POR QUE *no llegara este caso.* ‖ **Por qué.** m. conjunt. Por cuál razón, causa o motivo. Úsase con interrogación y sin ella. ¿POR QUÉ *te agrada la compañía de un hombre como ése? No acierto a explicarme* POR QUÉ *le tengo tanto cariño.*

Pora. (Del lat. *pro ad.*) prep. ant. **Para,** 1.er art.

Porcachón, na. m. y f. fam. aum. de **Puerco.** Ú. t. c. adj.

Porcal. (De *porco.*) adj. V. **Ciruela porcal.**

Porcallón, na. m. y f. fam. aum. de **Puerco.** Ú. t. c. adj.

Porcariza. f. ant. **Porqueriza.**

Porcarizo. m. ant. **Porquerizo.**

Porcel. (Del cat. *porcell,* y éste del lat. *porcellus,* cerdito.) m. *Murc.* **Porcino,** 4.ª acep.

Porcelana. (Del ital. *porcellana,* y éste del lat. *porcellus,* cerdito.) f. Especie de loza fina, transparente, clara y lustrosa, inventada en la China e imitada en Europa. ‖ **2.** Vasija de **porcelana.** ‖ **3.** Esmalte blanco con una mezcla de azul con que los plateros adornan las joyas y piezas de oro. ‖ **4.** Color blanco mezclado de azul. ‖ **5.** V. **Pintura de porcelana.**

Porcelanita. (De *porcelana.*) f. Roca compacta, frágil, brillante y listada de diversos colores, que procede de arcillas o pizarras tostadas por el calor de las minas de carbón incendiadas y por la influencia de las rocas volcánicas.

Porcentaje. m. Tanto por ciento; cantidad de rendimiento útil que dan cien unidades de alguna cosa en su estado normal.

Porcino, na. (Del lat. *porcīnus.*) adj. Perteneciente al puerco. ‖ **2.** V. **Pan porcino.** ‖ **3.** m. Puerco pequeño. ‖ **4. Chichón.**

Porción. (Del lat. *portĭo, -ōnis.*) f. Cantidad segregada de otra mayor. ‖ **2.** fig. Cantidad de vianda que diariamente se da a uno para su alimento, y con especialidad la que se da en las comunidades. ‖ **3.** En algunas catedrales, **ración,** 4.ª acep. ‖ **4.** fam. Número considerable e indeterminado de personas o cosas. ‖ **5.** Cuota individual en cosa que se distribuye entre varios partícipes. ‖ **congrua.** Aquella parte que se da al eclesiástico que tiene cura de almas y no percibe los diezmos por estar unidos a una comunidad o dignidad o por estar secularizados. ‖ **2.** Cuota que se considera estrictamente necesaria para sustento de los eclesiásticos.

Porcionero, ra. (De *porción.*) adj. **Partícipe.** Ú. t. c. s.

Porcionista. com. Persona que tiene acción o derecho a una porción. ‖ **2.** En los colegios y otras comunidades, **pensionista,** 2.ª acep.

Porcipelo. (Del lat. *porcus, porci,* puerco, y de *pelo.*) m. fam. Cerda fuerte y aguda del puerco.

Porciúncula. (Del lat. *portiuncŭla,* d. de *portĭo,* porción.) f. Primer convento de la orden de San Francisco, de que toma nombre el jubileo que se gana el día 2 de agosto en las iglesias de dicha orden.

Porco. m. ant. **Puerco.**

Porcuno, na. adj. Perteneciente o relativo al puerco. ‖ **2. Cochinero,** 1.ª acep.

Porche. (Del cat. *porche,* y éste del lat. *porticus.*) m. Soportal, cobertizo. ‖ **2. Atrio,** 2.ª acep.

Pordiosear. (De *por Dios,* fórmula que se emplea para pedir limosna.) intr. Mendigar o pedir limosna de puerta en puerta. ‖ **2.** fig. Pedir porfiadamente y con humildad una cosa.

Pordioseo. m. Acción de pordiosear.

Pordiosería. (De *pordiosero.*) f. **Pordioseo.**

Pordiosero, ra. (De *pordiosear.*) adj. Dícese del pobre mendigo que pide limosna implorando el nombre de Dios. Ú. t. c. s. ‖ **2.** V. **Hierba de los pordioseros.**

Porfía. (Del lat. *perfidĭa.*) f. Acción de porfiar. ‖ **A porfía.** m. adv. Con emulación, a competencia. ‖ **En porfías bravas, desquícianse las palabras.** ref. que enseña la atención y cuidado que se debe poner en no altercar ni contender con otro, y, en caso de hacerlo, la moderación que se debe observar en las palabras. ‖ **Porfía mata la caza,** o **mata venado.** ref. que enseña que para el logro de las cosas difíciles se necesita constancia.

Porfiadamente. adv. m. Obstinada, tenazmente, con porfía y ahínco.

Porfiado, da. (De *porfiar.*) adj. Dícese del sujeto terco y obstinado en su dictamen y parecer, que se mantiene en él con tesón y necedad. Ú. t. c. s.

Porfiador, ra. adj. Que porfía mucho. Ú. t. c. s.

Porfiar. (De *porfía.*) intr. Disputar y altercar obstinadamente y con tenacidad. ‖ **2.** Importunar y hacer instancia con repetición y porfía por el logro de una cosa. ‖ **3.** Continuar insistentemente una acción para el logro de un intento en que se halla resistencia. PORFIAR *en abrir la puerta.* ‖ **Porfiar, mas no apostar.** ref. que aconseja que de dos males se evite el mayor.

Porfídico, ca. adj. Perteneciente o relativo al pórfido. ‖ **2.** Parecido al pórfido.

Pórfido. (Del ital. *porfido,* y éste del gr. πόρφυρος, purpúreo; en fr. *porphyre.*) m. Roca compacta y dura, formada por una substancia amorfa, ordinariamente de color obscuro y con cristales de feldespato y cuarzo. Es muy estimada para decoración de edificios.

Porfijar. (De *por* y *fijo.*) tr. ant. **Prohijar.**

Porfiosamente. adv. m. ant. **Porfiadamente.**

Porfioso, sa. (De *porfía.*) adj. **Porfiado.**

Porfirizar. tr. *Farm.* Reducir un cuerpo a polvo finísimo, desmenuzándolo sobre una losa de materia mineral de gran dureza con moleta de la misma materia.

Porfolio. (De *portar* y *folio.*) m. Conjunto de fotografías o grabados de diferentes clases que forman un tomo o volumen encuadernable.

Porgadero. (De *porgar.*) m. *Ar.* Harnero, cedazo, criba.

Porgar. (Del lat. *purgāre,* limpiar.) tr. *Ar.* **Ahechar.**

Porhijar. (De *porfijar.*) tr. ant. **Prohijar.**

Poridad. f. ant. **Puridad.** ‖ **En poridad.** m. adv. ant. **En puridad.**

Pormenor. (De *por* y *menor.*) m. Reunión de circunstancias menudas y particulares de una cosa. Ú. m. en pl. *No entro en los* PORMENORES *de esta acción.* ‖ **2.** Cosa o circunstancia secundaria en un asunto.

Pormenorizar. tr. Describir o enumerar minuciosamente.

Pornografía. (De *pornógrafo.*) f. Tratado acerca de la prostitución. ‖ **2.** Carácter obsceno de obras literarias o artísticas. ‖ **3.** Obra literaria o artística de este carácter.

Pornográfico, ca. adj. Dícese del autor de obras obscenas. ‖ **2.** Perteneciente o relativo a la pornografía.

Pornógrafo. (Del gr. πορνογράφος; de πόρνη, prostituta, y γράφω, escribir.) m. El que escribe acerca de la prostitución. ‖ **2.** Autor de obras pornográficas.

Poro. (Del lat. *porus,* y éste del gr. πόρος, vía, pasaje.) m. Espacio que hay entre las moléculas de los cuerpos. ‖ **2.** Intersticio que hay entre las partículas de los sólidos de estructura discontinua. ‖ **3.** Orificio, por su pequeñez invisible a simple vista, que hay en la superficie de los animales y de los vegetales.

Pororó. m. *Amér. Merid.* Rosetas, 7.ª acep. de **Roseta.**

Pororoca. (Del tupí *poreoca.*) m. *R. de la Plata.* **Macareo.**

Porosidad. (De *poroso.*) f. Calidad de poroso.

Poroso, sa. adj. Que tiene poros.

Poroto. (Del quichua *purutu.*) m. *Amér. Merid.* Especie de alubia de que se conocen muchas variedades en color y tamaño. ‖ **2.** *Amér. Merid.* Guiso que se hace con este vegetal.

Porque. (De *por* y *que.*) conj. causal. Por causa o razón de que. *No pudo asistir* PORQUE *estaba ausente;* PORQUE *es rico no quiere estudiar.* ‖ **2.** conj. final. **Para que.**

Porqué. (De *por qué.*) m. fam. Causa, razón o motivo. ‖ **2.** fam. Cantidad, porción.

Porquecilla. f. d. de **Puerca.**

Porquera. (Del lat. *porcaria,* t. f. de *-rĭus;* de *porcus,* puerco.) adj. V. **Lanza porquera.** Ú. t. c. s. ‖ **2.** f. Lugar o sitio en que se encaman y habitan los jabalíes en el monte.

Porquería. (De *porquera.*) f. fam. Suciedad, inmundicia o basura. ‖ **2.** fam. Acción sucia o indecente. ‖ **3.** fam. Grosería, desatención y falta de crianza o respeto. ‖ **4.** fam. Cualquier cortedad o cosa de poco valor. ‖ **5.** fam. Golosina, fruta o legumbre dañosa a la salud. ‖ **Porquería son sopas.** expr. fam. con que se reconviene al que desprecia o desdeña una cosa digna de aprecio.

Porqueriza. (De *porquera.*) f. Sitio o pocilga donde se crían y recogen los puercos.

Porquerizo. (De *porquero.*) m. El que guarda los puercos.

Porquero. (Del lat. *porcarĭus.*) m. **Porquerizo.**

Porquerón. m. fam. Corchete o ministro de justicia que prende a los delincuentes y malhechores y los lleva a la cárcel.

Porqueta. (d. de *puerca.*) f. **Cochinilla,** 1.er art.

Porquezuelo, la. m. y f. d. de **Puerco.** ‖ **2.** f. desus. **Tuerca.**

Porra. (Del lat. *porrum,* puerro, por la figura de esta planta.) f. **Clava,** 1.ª acep. ‖ **2. Cachiporra.** ‖ **3.** Martillo de bocas iguales y mango largo algo flexible, que se maneja con las dos manos a la vez. ‖ **4.** fig. Entre muchachos, el último en el orden de jugar. ‖ **5.** fig. y fam. Vanidad, jactancia o presunción. *Juan gasta mucha* PORRA. ‖ **6.** fig. y fam. Sujeto pesado, molesto o porfiado. ‖ **7.** *Germ.* **Cara,** 1.ª acep. ‖ **Hacer porra.** fr. fig. y fam. Pararse sin poder o querer pasar adelante en una cosa. ‖ **¡Porra!** interj. fam. de disgusto o enfado.

Porráceo, a. (Del lat. *porracĕus.*) adj. De color verdinegro, semejante al del puerro. Ú. m. en medicina, hablando de la cólera y del vómito.

Porrada. f. **Porrazo,** 1.ª acep. ‖ **2.** Por ext., el que se da con la mano o con un instrumento. ‖ **3.** fig. **Porrazo,** 3.ª acep. ‖ **4.** fig. y fam. Necedad, disparate. ‖ **5.** Conjunto o montón de cosas, cuando es muy abundante.

Porral. m. Terreno plantado de puerros.

Porrazo. m. Golpe que se da con la porra. ‖ **2.** Por ext., cualquier golpe que se da con otro instrumento. ‖ **3.** fig.

El que se recibe por una caída, o por topar con un cuerpo duro.

Porrear. (De *porra.*) intr. fam. Insistir con pesadez en una cosa; machacar, molestar a uno.

Porrería. (De *porra.*) f. fam. Necedad, tontería. || **2.** fam. Tardanza, pesadez.

Porreta. f. Hojas verdes del puerro. || **2.** Por ext., las de ajos y cebollas, y las primeras que brotan de los cereales antes de formarse la caña. || **En porreta.** m. adv. fam. **En cueros.**

Porretada. f. Conjunto o montón de cosas de una misma especie.

Porrilla. (d. de *porra.*) f. Martillo con que los herradores labran los clavos, y es de dos brazos o hierros algo arqueados, con su mango de madera; su peso es de uno y medio a dos kilogramos. || **2.** *Veter.* Tumor duro, de naturaleza huesosa, que se forma en las articulaciones de los menudillos de las caballerías y bueyes, privando de flexibilidad y movimiento a la parte enferma.

Porrillo (A). m. adv. fam. En abundancia, copiosamente.

Porrina. (Del lat. *porrīna.*) adj. *Murc.* V. **Seda porrina.** || **2.** f. Estado de las mieses o sembrados cuando están muy pequeños y verdes. || **3. Porreta.**

Porrino. (Del lat. *porrīna.*) m. Simiente de los puerros. || **2.** Planta del puerro criada en sementero, cuando está en disposición de trasplantarse.

Porro. (Del lat. *porrum.*) m. **Puerro.** || **2.** V. **Ajo porro.**

Porro. (De *porra.*) adj. fig. y fam. Aplícase al sujeto torpe, rudo y necio. Ú. t. c. s. m.

Porrón. (Quizá del ár. *burūn*, cántaro, vasija.) m. **Botijo.** || **2.** Redoma de vidrio muy usada en algunas provincias para beber vino a chorro por el largo pitón que tiene en la panza.

Porrón, na. (aum. de *porro*, 2.° art.) adj. fig. y fam. Pelmazo, pachorrudo, tardo.

Porrudo, da. (De *porra.*) m. *Murc.* Palo o cayado con que el pastor guía su ganado.

Porrudo, da. (De *porro*, 2.° art.) adj. *And.* Testarudo, tozudo.

Porsiacaso. m. *Argent.* y *Venez.* Alforja o saco pequeño en que se llevan provisiones de viaje.

Porta. f. ant. **Puerta.** || **2.** *Art.* **Mandilete.** || **3.** *Mar.* Cada una de las aberturas, a modo de ventanas, que se dejan o practican en los costados y la popa de los buques, para dar luz y ventilación al interior de los mismos, para verificar su carga y descarga, y muy principalmente para el juego de la artillería. || **4.** *Zool.* V. **Vena porta.**

Portaalmizcle. (De *portar* y *almizcle.*) m. **Almizclero,** 3.ª acep.

Portaaviones. m. Buque de guerra dotado de las instalaciones necesarias para conducir y lanzar al aire aparatos de aviación.

Portabandera. (De *portar* y *bandera.*) f. Especie de bandolera con un seno a manera de cuja, donde se mete el regatón del asta de la bandera para llevarla cómodamente.

Portacaja. (De *portar* y *caja.*) f. *Mil.* Correa a modo de tahalí, de donde se cuelga el tambor o caja para poderlo tocar.

Portacarabina. (De *portar* y *carabina.*) f. *Mil.* Bolsa pequeña, hecha de vaqueta, pendiente de dos correas que bajan de la silla, en donde entra la boca de la carabina y se afirma para que no cabecee.

Portacartas. (De *portar* y *carta.*) m. Bolsa, cartera o valija en que se llevan las cartas. || **2.** ant. El que tiene por oficio llevar y traer las cartas de un lugar a otro.

Portachuelo. (De *porta.*) m. Boquete abierto en la convergencia de dos montes.

Portada. (De *porta.*) f. Ornato de arquitectura que se hace en las fachadas principales de los edificios suntuosos. || **2.** Primera plana de los libros impresos, en que se pone el título del libro, el nombre del autor y el lugar y año de la impresión. || **3.** En el arte de la seda, división que de cierto número de hilos se hace para formar la urdimbre. *Esta tela lleva ochenta* PORTADAS. || **4.** Pieza de madera de sierra, de nueve o más pies de longitud, con una escuadría de veinticuatro dedos de tabla por tres de canto. || **5.** fig. Frontispicio o cara principal de cualquier cosa. || **La buena portada honra la casa.** expr. fig. y fam. que se suele decir al que tiene grande la boca.

Portadera. (De *portar.*) f. **Aportadera.**

Portadgo. (Del b. lat. *portatĭcum*, y éste del lat. *porta*, puerta.) m. ant. **Portazgo.**

Portadguero. (De *portadgo.*) m. ant. **Portazguero.**

Portadilla. (De *portada*, 4.ª acep.) adj. V. **Tabla portadilla.** Ú. t. c. s. || **2.** f. *Impr.* **Anteportada.**

Portado, da. (De *portar.*) adj. Con los adverbios *bien* y *mal*, dícese de la persona que se trata y viste con decoro, o al contrario.

Portador, ra. (Del lat. *portātor.*) adj. Que lleva o trae una cosa de una parte a otra. Ú. t. c. s. || **2.** m. Tabla redonda con su borde y un mango en medio para cogerla, sobre la cual se llevan los platos de vianda u otra cosa. || **3.** *Com.* Tenedor de efectos públicos o valores comerciales que no son nominativos, sino transmisibles sin endoso, por estar emitidos a favor de quienquiera que sea poseedor de ellos. || **de gérmenes.** *Med.* Individuo sano que es vehículo de microbios contagiosos para los demás.

Portaestandarte. (De *portar* y *estandarte.*) m. Oficial destinado a llevar el estandarte de un regimiento de caballería.

Portafusil. (De *portar* y *fusil.*) m. Correa que pasa por dos anillos que tienen el fusil y otras armas de fuego semejantes y sirve para echarlas a la espalda, dejándolas colgadas del hombro.

Portaguión. (De *portar* y *guión.*) m. En los antiguos regimientos de dragones, oficial destinado a llevar el guión.

Portaherramientas. m. En las máquinas de labrar metales, pieza que sujeta la herramienta.

Portaje. m. **Portazgo.** || **2.** ant. **Puerto.**

Portal. (De *porta.*) m. Zaguán o primera pieza de la casa, por donde se entra a las demás, y en la cual está la puerta principal. || **2. Soportal,** 2.ª acep. || **3. Pórtico,** 1.ª acep. || **4.** En algunas partes, puerta de la ciudad.

Portalada. (De *portal.*) f. Portada, de uno o más huecos, comúnmente monumental, situada en el muro de cerramiento, y que da acceso al patio en que tienen su portal las casas señoriales.

Portalápiz. m. Estuche o tubo de metal para resguardar la punta afilada de los lápices.

Portalejo. m. d. de **Portal.**

Portaleña. (De *portal.*) adj. **Portadilla.** Ú. t. c. s. || **2.** f. *Mar.* **Portañola.**

Portalero. (De *portal.*) m. Guarda que está a la entrada de una población para registrar los géneros que entran y de que se deben pagar derechos.

Portalibros. (De *portar* y *libros.*) m. Correas, con tablas o sin ellas, en que los escolares llevan sus libros y cuadernos.

Portalón. (aum. de *portal.*) m. Puerta grande que hay en los palacios antiguos y cierra no la casa, sino un patio descubierto. || **2.** *Mar.* Abertura a manera de puerta, hecha en el costado del buque y que sirve para la entrada y salida de personas y cosas.

Portamantas. (De *portar* y *manta.*) m. Par de correas enlazadas por un travesaño de cuero o metal, con las que se sujetan y llevan a la mano las mantas o abrigos para viaje.

Portamanteo. (De *portar* y *manteo.*) m. **Manga,** 1.er art., 4.ª acep.

Portamira. (De *portar* y *mira.*) m. *Topogr.* El que en los trabajos topográficos de nivelación conduce la mira o regla graduada.

Portamonedas. (De *portar* y *moneda.*) m. Bolsita o cartera, comúnmente con cierre, para llevar dinero a mano.

Portanario. (Del b. lat. *portanarius*, portero, y éste del lat. *porta*, puerta.) m. *Zool.* **Píloro.**

Portante. (De *portar.*) adj. Dícese del paso de las caballerías en el cual mueven a un tiempo la mano y el pie del mismo lado. Ú. t. c. s. || **Tomar** uno **el portante.** fr. fig. y fam. Irse, marcharse. || **Tomar** uno **un portante.** fr. fig. **Tomar un paso.**

Portantillo. (d. de *portante.*) m. Paso menudo y apresurado de un animal, y particularmente del pollino.

Portanuevas. (De *portar* y *nueva.*) com. Persona que trae o da noticias.

Portanveces. (Del lat. *portans*, que lleva, y *vices*, veces.) m. *Ar.* Teniente o vicario de otro y que tiene sus veces.

Portañola. (d. de *porta.*) f. *Mar.* Cañonera, tronera.

Portañuela. (d. de *porta.*) f. Tira de tela con que se tapa la bragueta o abertura que tienen los calzones o pantalones por delante.

Portaobjeto. m. Pieza del microscopio, o lámina adicional en que se coloca el objeto para observarlo.

Portapaz. (De *portar* y *paz.*) amb. Utensilio de forma plana, comúnmente de materia preciosa y esmerado adorno, con que en las iglesias se da paz a los fieles.

Portapliegos. (De *portar* y *pliego.*) m. Cartera pendiente del hombro o de la cintura, que sirve para llevar pliegos.

Portaplumas. (De *portar* y *pluma.*) m. Mango en que se coloca la pluma metálica para escribir.

Portar. (Del lat. *portāre.*) tr. ant. Llevar o traer. || **2.** Traer el perro al cazador la pieza cobrada, herida o muerta. || **3.** r. Con los adverbios *bien, mal* u otros semejantes, gobernarse en un negocio o en otras ocasiones con acierto, cordura y lealtad, o, por el contrario, con necedad, falsedad o engaño. || **4.** Tratarse con decencia y lucimiento en el ornato de su persona y casa, o usar de liberalidad y franqueza en las ocasiones de lucimiento. || **5.** Por ext., distinguirse, quedar con lucimiento en cualquier empeño. || **6.** intr. *Mar.* Recibir bien el viento. Dícese de las velas y del aparejo.

Portátil. (Del lat. *portātum*, supino de *portāre*, llevar.) adj. Movible y fácil de transportar de una parte a otra.

Portaventanero. m. Carpintero que hace puertas y ventanas.

Portaviandas. (De *portar* y *vianda.*) m. **Fiambrera,** 3.ª acep.

Portavoz. (De *portar* y *voz.*) m. *Mil.* Bocina que usan los jefes para mandar la maniobra al tender los puentes militares. || **2.** fig. El que por tener autoridad en una escuela, secta u otra colectividad suele representarla o llevar su voz. || **3.** fig. Funcionario autorizado para divulgar de manera oficiosa, lo que piensa un gobierno acerca de un asunto determinado.

Portazgar. tr. Cobrar el portazgo.

Portazgo. (De *portadgo.*) m. Derechos que se pagan por pasar por un sitio determinado de un camino. || **2.** Edificio donde se cobran.

Portazguero. m. Encargado de cobrar el portazgo.

Portazo. m. Golpe recio que se da con la puerta, o el que ésta da movida del viento. ‖ **2.** Acción de cerrar la puerta para desairar a uno y despreciarle.

Porte. (De *portar.*) m. Acción de portear, 1.er art. ‖ **2.** Cantidad que se da o paga por llevar o transportar una cosa de un lugar a otro. ‖ **3.** Modo de gobernarse y portarse en conducta y acciones. ‖ **4.** Buena o mala disposición de una persona, y mayor o menor decencia o lucimiento con que se presenta o se trata. ‖ **5.** Calidad, nobleza o lustre de la sangre. ‖ **6.** Grandeza, buque o capacidad de una cosa.

Porteador, ra. adj. Que portea o tiene por oficio portear. Ú. t. c. s.

Portear. tr. Conducir o llevar de una parte a otra una cosa por el porte o precio convenido o señalado. ‖ **2.** r. Pasarse de una parte a otra, y se dice particularmente de las aves pasajeras.

Portear. intr. Dar golpes las puertas y ventanas o darlos con ellas.

Portecica, lla, ta. f. ant. d. de **Puerta.**

Portegado. (Del lat. *portĭcātus.*) m. ant. Pórtico, atrio. ‖ **2.** *Ál.* Tejavana, cobertizo.

Portento. (Del lat. *portentum.*) m. Cualquiera cosa, acción o suceso singular que por su extrañeza o novedad causa admiración o terror.

Portentosamente. adv. m. De modo portentoso.

Portentoso, sa. (Del lat. *portentōsus.*) adj. Singular, extraño y que por su novedad causa admiración, terror o pasmo.

Porteño, ña. adj. Natural del Puerto de Santa María. Ú. t. c. s. ‖ **2.** Perteneciente a esta ciudad. ‖ **3. Bonaerense,** 1.ª acep. Ú. t. c. s.

Porteo. m. Acción y efecto de portear.

Porterejo. m. d. de **Portero.**

Portería. (De *portero.*) f. Pabellón, garita o pieza del zaguán de los edificios o establecimientos públicos o particulares, desde donde el portero vigila la entrada y salida de las personas, carruajes, etc. ‖ **2.** Empleo u oficio de portero. ‖ **3.** Su habitación. ‖ **de damas.** En los palacios y algunas casas muy principales, puerta que tienen destinada para servicio de las mujeres.

Portería. f. *Mar.* Conjunto de todas las portas de un buque.

Porteril. adj. Relativo o perteneciente al portero o a la portería. *Tabuco* PORTERIL.

Portero, ra. (Del lat. *portarĭus.*) adj. Aplícase al ladrillo que no se ha cocido bastante. ‖ **2.** m. y f. Persona que tiene a su cuidado el guardar, cerrar y abrir las puertas, el aseo del portal o de otras habitaciones, etc. ‖ **3.** Jugador que en algunos deportes defiende la meta de su bando. ‖ **Portero de cadenas.** Oficio de palacio, cuya ocupación era vigilar la entrada exterior y descorrer las cadenas para franquear el acceso a las personas que tenían derecho de apearse ante la puerta. ‖ **de damas.** Oficio de palacio, cuya ocupación era guardar la entrada de las habitaciones que en otro tiempo ocupaban las damas solteras y después las camaristas. ‖ **de estrados.** El que sirve en tribunal o consejo para que el público y los que hayan de asistir a las juntas o actos guarden respeto y compostura. También solía haberlos en ciertas casas principales privadas. ‖ **de golpe.** El que en la cárcel cuida de una segunda puerta, que suele tener pestillo de ruido para notar cuándo se mueve. ‖ **de sala.** El que en palacio presta servicio en los aposentos principales. ‖ **de vara.** Ministro de justicia, inferior al alguacil.

Portezuela. f. d. de **Puerta.** ‖ **2.** Puerta de carruaje. ‖ **3.** Entre sastres, cartera, golpe.

Portezuelo. m. d. de **Puerto.**

Pórtico. (Del lat. *portĭcus.*) m. Sitio cubierto y con columnas que se construye delante de los templos u otros edificios suntuosos. ‖ **2.** Galería con arcadas o columnas a lo largo de un muro de fachada o de patio.

Portichuelo. m. d. de **Puerto.** ‖ **2.** Puerto bajo en las estribaciones de una montaña.

Portier. (Del fr. *portière,* y éste del lat. *portarĭus.*) m. Cortina de tejido grueso que se pone ante las puertas de habitaciones que dan a los pasillos, escaleras y otras partes menos interiores de las casas.

Portilla. (De *puerta.*) f. Paso, en los cerramientos de las fincas rústicas, para carros, ganados o peatones. Tiene a veces barrera o bances con que interceptar el tránsito. ‖ **2.** *Mar.* Cada una de las aberturas pequeñas y de forma varia que se hacen en los costados de los buques, las cuales, cerradas con un cristal grueso, sirven para dar claridad y ventilación a pañoles, alojamientos, etc.

Portillera. f. **Portilla,** 1.ª acep.

Portillo. (De *puerta.*) m. Abertura que hay en las murallas, paredes o tapias. ‖ **2.** Postigo o puerta chica en otra mayor. ‖ **3.** En algunas poblaciones, puerta no principal por donde no puede entrar cosa que haya de adeudar derechos. ‖ **4.** Camino angosto entre dos alturas. ‖ **5.** fig. Cualquier paso o entrada que se abre en un muro, vallado, etc. ‖ **6.** fig. Mella o hueco que queda en una cosa quebrada; como plato, escudilla, etc. ‖ **7.** fig. Entrada o salida que, para la consecución de alguna cosa, queda abierta por falta de cuidado o de medios. ‖ **Diezmar a portillo.** fr. Diezmar el ganado lanar o cabrío al tiempo de desfilar uno a uno por una puerta estrecha o portillo.

Pórtland. m. V. **Cemento de Pórtland.**

Portón. m. aum. de **Puerta.** ‖ **2.** Puerta que divide el zaguán de lo demás de la casa.

Portorriqueño, ña. adj. **Puertorriqueño.** Apl. a pers., ú. t. c. s.

Portrecho. (Del lat. *protractus.*) m. ant. Espacio, distancia.

Portuario, ria. adj. Perteneciente o relativo al puerto de mar o a las obras del mismo.

Portuense. (Del lat. *portuensis.*) adj. Natural de cualquiera población denominada Puerto. Ú. t. c. s. ‖ **2.** Perteneciente a ella. ‖ **3.** Del puerto de Ostia, en Italia. *Obispo* PORTUENSE.

Portugalés, sa. (Del lat. *portucalensis.*) adj. ant. **Portugués,** 1.ª y 2.ª aceps. Apl. a pers., usáb. t. c. s. ‖ **2.** Dícese de una facción que luchaba en Badajoz con la de los bejaranos en tiempo de don Sancho IV de Castilla, y de los individuos de este bando. Apl. a pers., ú. t. c. s.

Portugués, sa. (Del port. *português,* y éste del lat. *portucalensis.*) adj. Natural de Portugal. Ú. t. c. s. ‖ **2.** Perteneciente a esta nación ibérica. ‖ **3.** m. Lengua que se habla en Portugal. ‖ **4.** Moneda de oro que circulaba en España hacia 1570 y valía 10 ducados, o sean 110 reales.

Portuguesada. (De *portugués.*) f. Dicho o hecho en que se exagera la importancia de una cosa.

Portuguesismo. (De *portugués.*) m. **Lusitanismo.**

Portulacáceo, a. (De *portulaca,* nombre de un género de plantas.) adj. *Bot.* Dícese de plantas angiospermas dicotiledóneas, herbáceas o fruticosas, con hojas carnosas provistas de estípulas que a veces están transformadas en manojitos de pelos, flores hermafroditas tetrámeras o pentámeras y fruto en cápsula; como la verdolaga. Ú. t. c. s. f. ‖ **2.** f. pl. *Bot.* Familia de estas plantas.

Portulano. (Del ital. *portolano,* y éste del lat. *portus,* puerto.) m. Colección de planos de varios puertos, encuadernada en forma de atlas.

Porvenir. (De *por* y *venir.*) m. Suceso o tiempo futuro.

¡Porvida! interj. de ira o amenaza que se emplea para jurar por la vida de Dios, de los santos o de una persona. Ú. t. c. s.

Pos. (Del lat. *post.*) prep. insep. que significa **detrás** o **después de.** POS*poner,* POS*data.* En esta última voz y en algunas otras suele escribirse como en latín. POST*data,* POST*diluviano.* ‖ **2.** Ú. como adv. con igual significación en el m. adv. **en pos.** ‖ **3.** m. **Postre,** 2.ª acep.

Posa. (De *posar.*) f. Clamor de campanas por los difuntos. ‖ **2.** Parada que hace el clero cuando se lleva a enterrar un cadáver, para cantar el responso. ‖ **3.** ant. Descanso, quietud, reposo. ‖ **4.** ant. **Pausa.** ‖ **5.** pl. **Asentaderas.**

Posada. (De *posar.*) f. Casa propia de cada uno, donde habita o mora. ‖ **2. Mesón.** ‖ **3. Casa de huéspedes,** o **de posadas.** ‖ **4. Campamento.** ‖ **5.** Estuche compuesto de cuchara, tenedor y cuchillo, que se lleva en la faltriquera cuando se va de camino. ‖ **6. Hospedaje.** ‖ **7.** ant. En palacio y en las casas de los señores, cuarto destinado a la habitación de las mujeres sirvientes. ‖ **de colmenas. Asiento de colmenas.** ‖ **franca.** Hospedaje que se hace sin interés en alguna ocasión. ‖ **El salir de la posada es la mayor jornada.** ref. que advierte que la mayor dificultad de las cosas consiste en principiarlas. ‖ **Hacer posada.** fr. **Hacer venta.** ‖ **Más acá hay posada.** expr. fig. y fam. con que se moteja al que exagera o sube de punto una cosa.

Posaderas. (De *posar.*) f. pl. Nalgas.

Posadería. (De *posadero.*) f. ant. **Posada,** 2.ª acep.

Posadero, ra. adj. V. **Pendón posadero.** ‖ **2.** m. y f. Persona que tiene casa de posadas y hospeda en ella a los que se lo pagan. ‖ **3.** m. Cierta especie de asiento que se hace de espadaña o de soga de esparto, de unos cuatro decímetros de alto, de hechura cilíndrica y de que se sirven comúnmente en tierra de Toledo y en la Mancha. ‖ **4. Sieso.**

Posado, da. (De *posar,* descansar.) adj. ant. **Difunto.** Usáb. t. c. s.

Posador, ra. (De *posar.*) adj. ant. **Aposentador.** Usáb. m. c. s.

Posante. p. a. de **Posar.** Que posa. ‖ **2.** adj. *Mar.* Dícese del buque quieto y descansado; esto es, de aquel cuyos movimientos y balances no son violentos.

Posar. (Del lat. *pausāre.*) intr. Alojarse u hospedarse en una posada o casa particular. ‖ **2.** Descansar, asentarse o reposar. ‖ **3.** Hablando de las aves u otros animales que vuelan, pararse, asentarse en un sitio o lugar o sobre una cosa después de haber volado. Ú. t. c. r. ‖ **4.** ant. Morar, habitar. ‖ **5.** tr. Soltar la carga que se trae a cuestas, para descansar o tomar aliento. ‖ **6.** r. Depositarse en el fondo las partículas sólidas que están en suspensión en un líquido, o caer el polvo sobre las cosas o en el suelo.

Posarmo. m. *Sant.* Especie de berza.

Posaverga. (De *posar* y *verga.*) f. *Mar.* Palo largo que llevaban a prevención los buques, para reemplazar o componer un mastelero o verga que les faltase o se rompiese. Amarrábase sobre la borda, y servía entonces de resguardo para que la gente no cayese al mar.

Posca. (Del lat. *pōsca.*) f. Mezcla de agua y vinagre que empleaban los romanos como refresco y para otros usos.

Poscomunión. (Del lat. *postcommunio, -ōnis.*) f. Oración que se dice en la misa después de la comunión.

Posdata. (De *postdata.*) f. Lo que se añade a una carta ya concluída y firmada. Díjose así porque la fecha o data se ponía al fin de la carta.

Poseedor, ra. adj. Que posee. Ú. t. c. s. || **de buena fe.** *For.* El que ignora que sea vicioso su título o modo de adquirir. || **Tercer,** o **tercero, poseedor.** *For.* A los efectos de sufrir o no, según proceda en justicia, los de un embargo o litigio promovido entre extraños sobre cosas o bienes, quien adquirió éstos por título singular del demandado o condenado. A los efectos de soportar las consecuencias de una hipoteca, quien adquirió por título también singular bienes gravados previa y eficazmente con aquélla.

Poseer. (Del lat. *possidēre.*) tr. Tener uno en su poder una cosa. || **2.** Saber suficientemente una cosa; como arte, doctrina, idioma, etc. || **3.** *For.* Tener una cosa con ánimo de dueño, y no a sabiendas de que pertenezca a otro ni por cesión o tolerancia del propietario. || **4.** r. Dominarse uno a sí mismo; refrenar sus ímpetus y pasiones. || **Estar poseído** uno. fr. Estar penetrado de una idea o pasión.

Poseído, da. p. p. de **Poseer.** || **2.** adj. **Poseso.** Ú. t. c. s. || **3.** fig. Dícese del que ejecuta acciones furiosas o malas. Ú. t. c. s.

Posentador, ra. adj. ant. **Aposentador.** Usáb. m. c. s.

Posesión. (Del lat. *possessĭo, -ōnis.*) f. Acto de poseer o tener una cosa corporal con ánimo de conservarla para sí o para otro; y por extensión se dice también de las cosas incorpóreas, las cuales en rigor no se poseen. || **2.** Apoderamiento del espíritu del hombre por otro espíritu que obra en él como agente interno y unido con él. || **3.** Cosa poseída. Dícese principalmente de las fincas rústicas. *Antonio tiene muchas* POSESIONES. || **4.** V. **Acto de posesión.** || **civil.** *For.* La que uno tiene con justa causa y buena fe y con ánimo y creencia de señor; esta **posesión** civil siempre es justa y se contrapone a la natural, en cuanto ésta, o no es justa, o no tiene los efectos del derecho. || **clandestina.** *For.* La que se toma o se tiene furtiva u ocultamente. || **de buena fe.** *For.* La que uno tiene ignorando que sea vicioso el título o modo de adquirir la cosa. || **de mala fe.** *For.* La que se tiene careciendo a sabiendas de título o modo legítimo de adquisición de la cosa poseída. || **natural.** *For.* Real aprehensión o tenencia de una cosa corporal. || **pretoria.** *For.* La que era constituida por decisión judicial, con facultad de disfrute en pago de un crédito o alcance. || **turbativa.** *For.* La que uno adquiere violentando la que pacíficamente tenía otro. || **vel cuasi.** *For.* loc. lat. con que se ha solido denotar que una **posesión** es, no tan sólo real y corporal, sino además comprensiva de los derechos y demás bienes inmateriales objeto de la cuasi **posesión.** || **violenta.** *For.* La viciada por el uso de fuerza, en oposición a la que se denomina pacífica. || **Amparar** a uno **en la posesión.** fr. *For.* Mantenerle en la que tiene. || **Aprehender la posesión.** fr. *For.* **Tomar posesión.** || **Dar posesión** a uno. fr. *For.* Poner real y efectivamente a su disposición la cosa corporal, entregarle u otorgar un instrumento como símbolo de la tradición real, que se excusa, o bien dar señal con algún acto u objeto de transferirle derechos o cosas incorporales. || **Recobrar,** o **retener, la posesión.** fr. *For.* Ser uno amparado judicialmente, por vía sumaria de interdicto, ante el peligro inminente de verse turbado en el goce de una cosa o contra el despojo consumado de ella. || **Tomar posesión.** fr. Ejecutar algún acto que muestre ejercicio del derecho, uso o libre disposición de la cosa que se entra a poseer.

Posesional. adj. Perteneciente a la posesión o que la incluye. *Acto* POSESIONAL.

Posesionar. tr. Poner en posesión de una cosa. Ú. m. c. r.

Posesionero. m. Ganadero que ha adquirido la posesión de los pastos arrendados.

Posesivo, va. (Del lat. *possessīvus.*) adj. Que denota posesión. || **2. Posesorio,** 1.ª acep. || **3.** *Gram.* V. **Pronombre posesivo.** Ú. t. c. s.

Poseso, sa. (Del lat. *possessus.*) p. p. irreg. de **Poseer.** || **2.** adj. Dícese de la persona que padece posesión, 2.ª acep. Ú. t. c. s.

Posesor, ra. (Del lat. *possessor.*) adj. **Poseedor.** Ú. t. c. s.

Posesorio, ria. (Del lat. *possessorĭus.*) adj. Perteneciente o relativo a la posesión, o que la denota. *Interdicto, acto* POSESORIO. || **2.** *For.* V. **Juicio posesorio.**

Posete. (De *posar.*) m. *Murc.* Destilador o pie de jarra.

Poseyente. p. a. de **Poseer.** Que posee.

Posfecha. (De *pos* y *fecha.*) f. Fecha posterior a la verdadera.

Posfijo. m. **Postfijo.**

Posguerra. f. Tiempo inmediato a la terminación de una guerra y durante el cual subsisten las perturbaciones ocasionadas por la misma.

Posibilidad. (Del lat. *possibilĭtas, -ātis.*) f. Aptitud, potencia u ocasión para ser o existir las cosas. || **2.** Aptitud o facultad para hacer o no hacer una cosa. || **3.** Medios adecuados para la consecución de un fin, señaladamente bienes, caudal disponible. Ú. m. en pl. || **Hacer** uno **su posibilidad.** fr. ant. **Hacer lo posible.**

Posibilitar. tr. Facilitar y hacer posible una cosa dificultosa y ardua.

Posible. (Del lat. *possibĭlis.*) adj. Que puede ser o suceder; que se puede ejecutar. || **2.** *Astron.* V. **Términos posibles.** || **3.** m. Posibilidad, facultad, medios disponibles para hacer algo. || **4.** pl. Bienes, rentas o medios que uno posee o goza. *Mis* POSIBLES *no alcanzan a eso.* Ú. t. en sing. || **¿Es posible?** expr. con que se explica la extrañeza y admiración que causa una cosa extraordinaria. || **2.** También se usa de ella para reprender o afear un delito o cosa mal hecha. || **Hacer** uno **lo posible,** o **todo lo posible.** fr. No omitir circunstancia ni diligencia alguna para el logro de lo que intenta o le ha sido encargado. || **No ser posible** una cosa. fr. fig. con que se pondera la dificultad de ejecutarla, o de conceder lo que se pide.

Posición. (Del lat. *positĭo, -ōnis.*) f. **Postura,** 1.ª acep. || **2.** Acción de poner. || **3.** Categoría o condición social de cada persona respecto de las demás. || **4. Suposición,** 1.ª acep. *La regla de falsa* POSICIÓN. || **5.** Situación o disposición. *Las* POSICIONES *de la esfera.* || **6.** *For.* Estado que en el juicio determinan, para el demandante como para el demandado, las acciones y las excepciones o defensas utilizadas respectivamente. || **7.** *For.* Cada una de las preguntas que cualquiera de los litigantes ha de absolver o contestar bajo juramento, ante el juzgador, estando citadas para este acto las otras partes. || **8.** *Mil.* Punto fortificado o naturalmente ventajoso para los lances de la guerra. || **militar.** *Mil.* La del soldado cuando se cuadra al frente a la voz táctica de ¡firmes! || **Falsa posición.** *Arit.* Suposición que se hace de uno o más números para resolver una cuestión. || **Absolver posiciones.** fr. *For.* Contestarlas.

Positivamente. adv. m. Cierta y efectivamente; sin duda alguna.

Positivismo. m. Calidad de atenerse a lo positivo. || **2.** Demasiada afición a comodidades y goces materiales. || **3.** Sistema filosófico que admite únicamente el método experimental y rechaza toda noción a priori y todo concepto universal y absoluto.

Positivista. adj. Perteneciente o relativo al positivismo. *Doctrina* POSITIVISTA. || **2.** Partidario del positivismo. Ú. t. c. s.

Positivo, va. (Del lat. *positīvus.*) adj. Cierto, efectivo, verdadero y que no ofrece duda. || **2.** Aplícase al derecho o ley divina o humana promulgados, en contraposición principalmente del natural. || **3.** Dícese del que busca la realidad de las cosas, sobre todo en cuanto a los goces de la vida, por contraposición al que se paga de esperanzas, aplausos y lisonjas. *Estoy por lo* POSITIVO; *Juan es muy* POSITIVO. || **4.** V. **Adjetivo, derecho, ocular, signo, término positivo.** || **5.** V. **Cantidad, electricidad, prueba, teología positiva.** || **6.** V. **Actos positivos.** || **7.** *Lóg.* **Afirmativo,** en contraposición de negativo. || **De positivo.** m. adv. Ciertamente, sin duda.

Pósito. (Del lat. *positus,* depósito, establecimiento.) m. Instituto de carácter municipal y de muy antiguo origen, destinado a mantener acopio de granos, principalmente de trigo, y prestarlos en condiciones módicas a los labradores y vecinos durante los meses de menos abundancia. || **2.** Casa en que se guarda el grano de dicho instituto. || **3.** Por ext., ciertas asociaciones formadas para cooperación o mutuo auxilio entre personas de clase humilde. PÓSITO *de pescadores.* || **pío.** El que está erigido con cláusulas de carácter caritativo o benéfico.

Positura. (Del lat. *positūra.*) f. **Postura.** || **2.** Estado o disposición de una cosa.

Posliminio. m. **Postliminio.**

Posma. f. fam. Pesadez, flema, cachaza. || **2.** com. fig. y fam. Persona lenta y pesada en su modo de obrar. Ú. t. c. adj.

Posmeridiano. m. **Postmeridiano.**

Poso. (De *posar.*) m. Sedimento del líquido contenido en una vasija. || **2.** Descanso, quietud, reposo. || **3.** ant. Lugar para descansar o detenerse.

Posó. m. Moño en forma de nudo grande, atravesado por dos o más alfileres de plata u oro, que con el pelo se hacen las mujeres filipinas en la parte posterior de la cabeza.

Posología. (Del gr. πόσον, cuánto, qué cantidad, y λόγος, tratado.) f. *Med.* Parte de la terapéutica, que trata de las dosis en que deben administrarse los medicamentos.

Posón. (De *posar.*) m. **Posadero,** 3.ª acep.

Pospalatal. f. **Postpalatal.**

Pospelo (A). (De *pos* y *pelo.*) m. adv. **A contrapelo.** || **2.** fig. y fam. **Al,** o **a, redopelo.**

Pospierna. (De *pos* y *pierna.*) f. En las caballerías, **muslo.**

Posponer. (Del lat. *postponĕre;* de *post,* después de, y *ponĕre,* poner.) tr. Poner o colocar a una persona o cosa después de otra. || **2.** fig. Apreciar a una persona o cosa menos que a otra; darle inferior lugar en el juicio y la estimación.

Posposición. f. Acción de posponer.

Pospositivo, va. (Del lat. *postpositīvus.*) adj. *Gram.* Que se pospone.

Pospuesto, ta. (Del lat. *postposĭtus.*) p. p. irreg. de **Posponer.**

Post. prep. **Pos.**

Posta. (Del ital. *posta,* y éste del lat. *posĭta,* t. f. de *posĭtus.*) f. Conjunto de caballerías prevenidas o apostadas en los caminos a distancia de dos o tres leguas, para que, mudando los tiros, los correos y otras personas caminen con toda diligencia.

|| **2.** Casa o lugar donde están las **postas.** || **3.** Distancia que hay de una **posta** a otra. || **4.** Tajada o pedazo de carne, pescado u otra cosa. || **5.** Bala pequeña de plomo, mayor que los perdigones, que sirve de munición para cargar las armas de fuego. || **6.** En los juegos de envite, porción de dinero que se envida y pone sobre la mesa. || **7.** Tarjetón con un letrero conmemorativo. || **8.** V. **Corneta, legua, silla de posta.** || **9.** V. **Casa, maestro de postas.** || **10.** *Arq.* Dibujo de ornamentación compuesto de líneas curvas en forma de ondas, volutas o eses unidas y que, a semejanza de la greca, se emplea principalmente en frisos y espacios análogos de mucha longitud. || **11.** ant. *Mil.* Gente apostada; y en tal sentido se solía dar este nombre al soldado que estaba de centinela. || **12.** ant. *Mil.* Apostadero o puesto militar. || **13.** ant. *Mil.* Puesto o sitio donde está apostado o puede apostarse un centinela. || **14.** m. Persona que corre y va por la **posta** a una diligencia, propia o ajena. || **15.** *Germ.* **Alguacil,** 1.ª acep. || **A posta.** m. adv. fam. **Aposta.** || **A su posta.** m. adv. ant. A su propósito, a su voluntad. || **Correr** uno **la posta.** fr. Caminar con celeridad en caballos a propósito para este ministerio, que están prevenidos a ciertas distancias. También se corre en carruaje. || **Hacer posta.** fr. ant. *Mil.* Estar de centinela. || **Por la posta.** m. adv. Corriendo la **posta.** || **2.** fig. y fam. Con prisa, presteza o velocidad.

Postal. (De *posta.*) adj. Concerniente al ramo de correos. *Servicio* POSTAL. || **2.** V. **Tarjeta postal.** Ú. t. c. s. f. || **3.** V. **Casilla, giro postal.**

Postar. tr. ant. **Apostar.**

Postdata. (Del lat. *post* y *data.*) f. **Posdata.**

Postdiluviano, na. (Del lat. *post,* después de, y de *diluviano.*) adj. Posterior al diluvio universal.

Postdorsal. adj. *Fon.* Dícese del sonido cuya articulación se forma principalmente con la parte posterior del dorso de la lengua. || **2.** *Fon.* Dícese de la letra que representa este sonido, como la *h.* Ú. t. c. s. f.

Poste. (Del lat. *postis.*) m. Madero, piedra o columna colocada verticalmente para servir de apoyo o de señal. || **2.** fig. Mortificación o castigo que en los colegios se da a los colegiales poniéndolos en pie durante algún tiempo en un lugar señalado. || **3.** ant. **Puntal,** 1.ª acep. || **Asistir al poste.** fr. En algunas universidades, ponerse el catedrático, después de bajarse de la cátedra, a esperar por cierto tiempo si a los discípulos se les ofrece alguna dificultad, para desatársela. || **Dar poste.** fr. fig. Hacer que uno espere en sitio determinado más del tiempo regular o en que había convenido. || **Llevar poste.** fr. fig. y fam. Aguardar a uno que falta a la cita. || **Oler** uno **el poste.** fr. fig. y fam. Prever y evitar el daño que podría sucederle. || **Quedarse al poste.** fr. **Asistir al poste.** || **Ser** uno **un poste.** fr. fig. y fam. Ser muy lerdo. || **2.** fig. y fam. Estar muy sordo.

Postear. intr. ant. **Correr la posta.**

Postelero. (De *poste.*) m. *Mar.* Puntal que sostiene y sujeta las mesas de guarnición, desde su canto al costado, para que no padezcan en los balances.

Postema. (De *apostema.*) f. Absceso supurado. || **2.** fig. Persona pesada o molesta. || **No criarle,** o **no hacérsele,** a uno **postema** una cosa. fr. fig. y fam. que se aplica al que fácilmente descubre a otros lo que sabe, y con especialidad cuando es cosa secreta. || **2.** fig. y fam. Dícese del que sin dilación y con franqueza manifiesta a otro las quejas o resentimientos que tiene de él.

Postemación. f. ant. **Apostemación.**

Postemero. m. Instrumento de cirugía, como una lanceta grande, que sirve para abrir las postemas.

Pósteramente. adv. m. ant. Posterior, últimamente, al fin.

Postergación. f. Acción y efecto de postergar.

Postergar. (Del lat. *postergāre;* de *post,* después de, y *tergum,* espalda.) tr. Hacer sufrir atraso, dejar atrasada una cosa, ya sea respecto del lugar que debe ocupar, ya del tiempo en que había de tener su efecto. || **2.** Perjudicar a un empleado dando a otro más moderno el ascenso u otra recompensa que por su antigüedad correspondía al primero.

Posteridad. (Del lat. *posterĭtas, -ātis.*) f. Descendencia o generación venidera. || **2.** Fama póstuma.

Posterior. (Del lat. *posterĭor.*) adj. Que fue o viene después, o está o queda detrás. || **2.** V. **Cámara posterior de la boca.** || **3.** V. **Cámara posterior del ojo.**

Posterioridad. f. Calidad de posterior.

Posteriormente. adv. de orden y de t. Después, detrás, por contraposición a delante.

Posteta. f. Porción de pliegos que baten de una vez los encuadernadores. || **2.** *Impr.* Agregado o conjunto de pliegos de papel que los impresores meten unos dentro de otros para empaquetar las impresiones.

Postfijo, ja. (Del lat. *post,* después de, y *fijo.*) adj. **Sufijo.** Ú. m. c. s. m.

Postigo. (Del lat. *postĭcum.*) m. Puerta falsa que ordinariamente está colocada en sitio excusado de la casa. || **2.** Puerta que está fabricada en una pieza sin tener división ni más de una hoja, la cual se asegura con llave, cerrojo, picaporte, etc. || **3.** Puerta chica abierta en otra mayor. || **4.** Cada una de las puertecillas que hay en las ventanas o puertaventanas. || **5.** Tablero sujeto con bisagras o goznes en el marco de una puerta o ventana para cubrir cuando conviene la parte encristalada. || **6.** Cualquiera de las puertas no principales de una ciudad o villa.

Postila. (Del lat. *post illa.*) f. **Apostilla.**

Postilación. f. Acción de postilar.

Postilador. m. El que postila.

Postilar. tr. **Apostillar.**

Postilla. (Del lat. **pustĕlla,* por *pustŭla.*) f. Costra que se cría en las llagas o granos cuando se van secando.

Postilla. (Del lat. *post illa.*) f. **Postila.**

Postillón. (De *posta.*) m. Mozo que va a caballo delante de los que corren la posta, o montado en una caballería de las delanteras del tiro de un carruaje, y sirve en el primer caso para guiar a los caminantes y en el segundo para llevar en buena dirección el ganado.

Postilloso, sa. adj. Que tiene postillas, 1.er art.

Postín. m. Entono, boato, importancia afectados o sin fundamento. || **Darse postín.** fr. **Darse tono.**

Postinero, ra. adj. Dícese de la persona que se da postín.

Postiza. (De *postizo.*) f. **Castañuela,** 1.ª acep., y por lo común la más fina y pequeña que las regulares. Ú. m. en pl. || **2.** *Mar.* Obra muerta que se ponía exteriormente a las galeras y galeotas desde su cubierta principal en ambos costados, para aumentar la manga y colocar los remos en la posición más ventajosa.

Postizo, za. (Del lat. **positicĭus,* de *posĭtus,* puesto.) adj. Que no es natural ni propio, sino agregado, imitado, fingido o sobrepuesto. || **2.** V. **Nombre postizo.** || **3.** m. Entre peluqueros, añadido o tejido de pelo que sirve para suplir la falta o escasez de éste.

Postliminio. (Del lat. *postliminĭum.*) m. Ficción del derecho romano, por la cual los que en la guerra quedaban prisioneros de los enemigos, en restituyéndose a la ciudad, se reintegraban en los derechos de ciudadanos (de que en aquel ínterin no gozaban) como si nunca hubiesen faltado de la ciudad, enlazando en la consideración legal el instante antes de la prisión con el instante de la libertad.

Postmeridiano, na. (Del lat. *postmeridiānus.*) adj. Perteneciente o relativo a la tarde, o que es después de mediodía. || **2.** m. *Astron.* Cualquiera de los puntos del paralelo de declinación de un astro, a occidente del meridiano del observador.

Postónico, ca. (Del lat. *post,* después de, y de *tónico.*) adj. V. **Sílaba postónica.**

Postor. (Del lat. *posĭtor.*) m. **Licitador.** || **Mayor,** o **mejor, postor.** Licitador que hace la postura más ventajosa en una subasta.

Postpalatal. (Del lat. *post,* y *palatal.*) adj. *Fon.* Dícese del sonido para cuya pronunciación choca la raíz de la lengua contra el velo del paladar. || **2.** *Fon.* Dícese de la letra que representa este sonido, como la *k* ante vocal. Ú. t. c. s. f.

Postración. (Del lat. *prostratĭo, -ōnis.*) f. Acción y efecto de postrar o postrarse. || **2.** Abatimiento por enfermedad o aflicción.

Postrador, ra. (Del lat. *prostrātor.*) adj. Que postra. || **2.** m. Tarima baja de madera que se pone al pie de la silla en el coro, para que el religioso se postre sobre ella.

Postrar. (De *prostrar.*) tr. Rendir, humillar o derribar una cosa. || **2.** Enflaquecer, debilitar, quitar el vigor y fuerzas a uno. Ú. t. c. r. || **3.** r. Hincarse de rodillas humillándose por tierra; ponerse a los pies de otro en señal de respeto, veneración o ruego.

Postre. (Del lat. *poster, -ĕri.*) adj. **Postrero.** || **2.** m. Fruta, dulce u otras cosas que se sirven al fin de las comidas o banquetes. || **A la postre,** o **al postre.** m. adv. A lo último, al fin. || **A postre.** adv. l. y t. ant. **A la postre.**

Postremas (A). (De *postremo.*) m. adv. ant. **A la postre.**

Postremero, ra. (De *postremo.*) adj. Postrimero.

Postremo, ma. (Del lat. *postrēmus.*) adj. Postrero o último. || **2.** ant. Sucesor, descendiente.

Postrer. adj. Apócope de **Postrero,** 1.ª acep.

Postreramente. adv. de orden y de t. **A la postre.**

Postrero, ra. (De **postrarĭus,* por *postrĕmus,* infl. por *primarĭus.*) adj. Último en orden. Ú. t. c. s. || **2.** Que está, se queda o viene detrás. Ú. t. c. s.

Postrimer. adj. Apócope de **Postrimero.**

Postrimeramente. adv. de orden y de t. Última y finalmente, a la postre.

Postrimería. (De *postrimero.*) f. Último período o últimos años de la vida. || **2.** *Teol.* **Novísimo,** 3.ª acep. || **3.** Período último de la duración de una cosa. Ú. m. en pl. *En las* POSTRIMERÍAS *del siglo pasado.*

Postrimero, ra. (De *postremero,* con la *i* de *primero.*) adj. **Postrero,** 1.ª acep.

Post scriptum. loc. lat. que se usa como substantivo masculino, equivalente a **posdata.**

Póstula. (De *postular.*) f. **Postulación.**

Postulación. (Del lat. *postulatĭo, -ōnis.*) f. Acción y efecto de postular.

Postulado, da. p. p. de **Postular.** || **2.** m. Proposición cuya verdad se admite sin pruebas y que es necesaria para servir de base en ulteriores razonamientos. || **3.** *Geom.* Supuesto que se establece para fundar una demostración.

Postulador. (Del lat. *postulātor.*) m. En derecho canónico, cada uno de los capitulares que postulan. || **2.** El que por comisión legítima de parte interesada solicita en la curia romana la beatificación y canonización de una persona venerable.

Postulanta. f. Mujer que pide ser admitida en una comunidad religiosa.

Postulante. p. a. de **Postular.** Que postula. Ú. t. c. s.

Postular. (Del lat. *postulāre.*) tr. Pedir, pretender. || **2.** Pedir para prelado de una iglesia sujeto que, según derecho, no puede ser elegido.

Póstumo, ma. (Del lat. *postŭmus.*) adj. Que sale a luz después de la muerte del padre o autor. *Hijo* PÓSTUMO; *obra* PÓSTUMA.

Postura. (Del lat. *positūra.*) f. Planta, acción, figura, situación o modo en que está puesta una persona, animal o cosa. || **2.** Acción de poner o plantar árboles tiernos o plantas. || **3.** Precio que por la justicia se pone a las cosas comestibles. || **4.** Precio que el comprador ofrece por una cosa que se vende o arrienda, particularmente en almoneda o por justicia. || **5.** Pacto o concierto, ajuste o convenio. || **6.** Porción o cantidad que se suele apostar entre dos sobre si una cosa será o no será. || **7.** Huevo del ave. || **8.** Acción de ponerlo. || **9.** Planta o arbolillo tierno que se trasplanta. || **10.** ant. **Adorno.** || **11.** *Ál.* y *Guip.* Medida agraria de unos 34 metros y 26 centímetros cuadrados de superficie. || **del Sol. Ocaso,** 1.ª acep. || **A postura de regidor.** m. adv. con que se explicaba en los abastos públicos que el precio de los géneros no había de ser fijo durante el arrendamiento, sino el que determinare la justicia con arreglo al que sucesivamente fueren tomando los géneros. || **Hacer postura.** fr. Tomar parte como licitador en una puja o subasta. || **Plantar de postura.** fr. Plantar poniendo árboles tiernos, a diferencia de los que se plantan de pepita, de barbado, de garrote, etc.

Postverbal. adj. *Gram.* **Deverbal.** Ú. t. c. s.

Potabilidad. f. Cualidad de potable.

Potable. (Del lat. *potabĭlis.*) adj. Que se puede beber. || **2.** V. **Oro potable.**

Potación. (Del lat. *potatio, -ōnis.*) f. Acción de potar, 2.° art. || **2. Bebida.**

Potado, da. p. p. de **Potar.** || **2.** m. *Germ.* Borracho, 1.ª y 2.ª aceps.

Potador, ra. adj. Que pota, 2.° art. Ú. t. c. s.

Potaje. (De *pote.*) m. Caldo de olla u otro guisado. || **2.** Por antonom., legumbres guisadas para el mantenimiento en los días de abstinencia. || **3.** Legumbres secas. *Provisión de* POTAJES *para la cuaresma.* || **4.** Bebida o brebaje en que entran muchos ingredientes. || **5.** fig. Conjunto de varias cosas inútiles mezcladas y confusas.

Potajera. f. Mujer que vendía antiguamente potajes en los mercados.

Potajería. f. Conjunto o agregado de legumbres secas de que se hacen potajes. || **2.** Lugar en que se guardan y distribuyen las semillas o potajes.

Potajier. (Del fr. *potagier.*) m. Jefe de la potajería de algunas antiguas casas reales.

Potala. f. *Mar.* Piedra que, atada a la extremidad de un cabo, sirve para hacer fondear los botes o embarcaciones menores. || **2.** *Mar.* Buque pesado y poco marinero.

Potámide. (Del gr. ποταμηΐς, -ιδος, del río.) f. *Mit.* Ninfa de los ríos. Ú. m. en pl.

Potar. (De *pote,* 4.ª acep.) tr. Igualar y marcar las pesas y medidas.

Potar. (Del lat. *potāre.*) tr. **Beber.**

Potasa. (Del al. *pottasche;* de *pot,* puchero, olla, y *asche,* ceniza.) f. *Quím.* Óxido de potasio, base salificable, delicuescente al aire.

Potásico, ca. adj. *Quím.* Perteneciente o relativo al potasio. || **2.** *Quím.* V. **Oxalato potásico.**

Potasio. m. Metal que se extrae de la potasa: es de color argentino, más blando que la cera, muy fusible, muy alterable al aire, menos pesado que el agua y capaz de producir llama en contacto con ella.

Pote. (Del lat. **pottus,* por *potus,* bebida.) m. Cierta especie de vaso de barro, alto, y de que se suele usar para beber o guardar los licores y confecciones. || **2.** Tiesto en que se plantan y tienen las flores y hierbas olorosas, hecho en figura de jarra. || **3.** Vasija redonda, generalmente de hierro, con barriga y boca ancha y con tres pies, que suele tener dos asas pequeñas, una a cada lado, y otra grande en forma de semicírculo. Sirve para cocer viandas. || **4.** Medida o pesa que sirve de patrón para arreglar otras. || **5.** Comida equivalente en Galicia y Asturias a la olla de Castilla. || **6.** fig. y fam. **Puchero,** gesto que precede al llanto. || **A pote.** m. adv. fam. **Abundantemente.**

Potencia. (Del lat. *potentia.*) f. Virtud para ejecutar una cosa o producir un efecto; se suele distinguir por los adjetivos que los explican. POTENCIA *auditiva, visiva.* || **2.** Imperio, dominación. || **3.** Virtud generativa. || **4.** Poder y fuerza de un Estado. || **5.** Por antonom., cualquiera de las tres facultades del alma, de conocer, querer y acordarse, que son entendimiento, voluntad y memoria. || **6.** Nación o Estado soberano. || **7.** Cada uno de los grupos de rayos de luz que en número de tres se ponen en la cabeza de las imágenes de Jesucristo, y en número de dos en la frente de las de Moisés. || **8.** *Fil.* Capacidad pasiva para recibir el acto; capacidad de devenir. || **9.** *Fil.* Lo que está **en potencia** y no en acto. || **10.** *Fís.* Fuerza motora de una máquina. || **11.** *Mat.* Producto que resulta de multiplicar una cantidad por sí misma una o más veces. || **Pura potencia.** *Fil.* La que se concibe como carente de toda actualidad, pero capaz de recibir alguna. || **Segunda potencia.** *Álg.* y *Arit.* **Cuadrado,** 14.ª acep. || **Tercera potencia.** *Álg.* y *Arit.* **Cubo,** 2.° art., 1.ª acep. || **De potencia a potencia.** loc. adv. De igual a igual, como dos Estados soberanos. || **Elevar a potencia.** fr. *Álg.* y *Arit.* Multiplicar una cantidad por sí misma tantas veces como su exponente indica. || **En potencia.** m. adv. *Fil.* **Potencialmente.** Ú. m. con el verbo *estar.* || **Lo último de potencia.** loc. Todo el esfuerzo de que uno es capaz.

Potencial. adj. Que tiene o encierra en sí potencia, o perteneciente a ella. || **2.** Aplícase a las cosas que tienen la virtud o eficacia de otras y equivalen a ellas. *Las cosas muy calientes tienen fuego* POTENCIAL. || **3.** Que puede suceder o existir, en contraposición de lo que existe. || **4.** *Cir.* V. **Cauterio, fuego potencial.** || **5.** *Electr.* Energía eléctrica acumulada en un cuerpo conductor y que se mide en unidades de trabajo. || **6.** *Fís.* Función matemática que permite determinar en ciertos casos la duración e intensidad de un campo de fuerzas en cualquier punto dado de éste. || **7.** *Gram.* V. **Modo potencial.**

Potencialidad. (De *potencial.*) f. Capacidad de la potencia, independiente del acto. || **2.** Equivalencia de una cosa respecto de otra en virtud y eficacia.

Potencialmente. adv. m. Equivalente o virtualmente. || **2.** *Fil.* En estado de capacidad, aptitud o disposición para una cosa.

Potenciar. tr. Comunicar potencia a una cosa o incrementar la que ya tiene.

Potentado. (Del lat. *potentātus.*) m. Príncipe o soberano que tiene dominio independiente en una provincia o Estado, pero toma investidura de otro príncipe superior. || **2.** Cualquier monarca, príncipe o persona poderosa y opulenta.

Potente. (Del lat. *potens, -entis.*) adj. Que tiene poder, eficacia o virtud para una cosa. || **2. Poderoso.** || **3.** Dícese del hombre capaz de engendrar. || **4.** fam. Grande, abultado, desmesurado.

Potentemente. adv. m. Poderosamente, con eficacia y vigor.

Potenza. (Del fr. *potence,* y éste del lat. *potentia,* fuerza, poder.) f. *Blas.* Palo que, puesto horizontalmente sobre otro, forma con él la figura de una T.

Potenzado, da. adj. V. **Cruz potenzada.** || **2.** *Blas.* Aplícase a las piezas terminadas en una potenza.

Poterna. (Del fr. *poterne,* y éste del lat. *posterŭla,* puerta secreta.) f. *Fort.* En las fortificaciones, puerta menor que cualquiera de las principales, y mayor que un portillo, que da al foso o al extremo de una rampa.

Potero. (De *pote,* 4.ª acep.) m. En algunas partes, **potador.**

Potestad. (Del lat. *potestas, -ātis.*) f. Dominio, poder, jurisdicción o facultad que se tiene sobre una cosa. || **2.** En algunas poblaciones de Italia, corregidor, juez o gobernador. || **3. Potentado.** || **4.** *Mat.* **Potencia,** 11.ª acep. || **5.** pl. Espíritus bienaventurados que ejercen cierta ordenación en cuanto a las diversas operaciones que los espíritus superiores ejecutan en los inferiores. Forman el sexto coro. || **Potestad tuitiva.** *For.* La del poder real, aplicada al amparo de los súbditos a quienes hacían agravio los jueces eclesiásticos. || **Patria potestad.** Autoridad que los padres tienen, con arreglo a las leyes, sobre sus hijos no emancipados.

Potestativo, va. (Del lat. *potestativus.*) adj. Que está en la facultad o potestad de uno. || **2.** *For.* V. **Condición potestativa.**

Potetería. (De *potetero.*) f. *And.* Halago empalagoso y fingido.

Potetero, ra. adj. *And.* Que hace poteterías. Ú. t. c. s.

Potingue. (De *pote.*) m. fam. y fest. Cualquier bebida de botica.

Potísimo, ma. (Del lat. *potissĭmus.*) adj. Principalísimo, fortísimo.

Potista. (De *potar,* 2.° art.) com. fam. Bebedor con exceso, en especial de líquidos alcohólicos.

Potoco, ca. adj. *Chile.* Bajo, gordo, rechoncho. Ú. t. c. s.

Potorillo. m. Arbusto de vistosas flores encarnadas, de la región seca de la costa ecuatoriana.

Potorro. m. *Ál.* **Salero,** vasija.

Potosí. (De *Potosí,* monte hoy de Bolivia.) m. fig. Riqueza extraordinaria. || **Valer una cosa un Potosí.** fr. fig. y fam. **Valer un Perú.**

Potra. (De *potro.*) f. Yegua desde que nace hasta que muda los dientes mamones o de leche, que, sobre poco más o menos, es a los cuatro años y medio de edad.

Potra. (En port. *potra.*) f. fam. **Hernia.** || **2.** fam. Hernia en el escroto. || **Cantarle a uno la potra.** fr. fig. y fam. Sentir el quebrado algún dolor en la parte lastimada, lo que comúnmente sucede en la mudanza de tiempo. || **Tener potra** uno. fr. fig. y fam. Ser afortunado.

Potrada. f. Reunión de potros de una yeguada o de un dueño.

Potranca. (De *potro.*) f. Yegua que no pasa de tres años.

Potrear. (De *potro.*) intr. Lozanear como los potros. || **2.** tr. fam. Molestar, mortificar a una persona.

Potrera. (De *potro.*) adj. V. **Cabezada potrera.**

Potrero. m. El que cuida de los potros cuando están en la dehesa. ‖ **2.** Sitio destinado a la cría y pasto de ganado caballar. ‖ **3.** *Amér.* Finca rústica, cercada y con árboles, destinada principalmente a la cría y sostenimiento de toda especie de ganado.

Potrero. (De *potra,* 2.° art.) m. fam. Hernista.

Potril. (De *potro.*) adj. V. **Dehesa potril.** Ú. t. c. s.

Potrilla. (d. de *potra,* 2.° art.) m. fig. y fam. Viejo que ostenta verdor y mocedad.

Potro. (Del lat. **pullĭter, -tri,* de *pullus,* cría.) m. Caballo desde que nace hasta que muda los dientes mamones o de leche, que, sobre poco más o menos, es a los cuatro años y medio de edad. ‖ **2.** Aparato de madera en el cual sentaban a los procesados, para obligarles a declarar por medio del tormento. ‖ **3.** Máquina de madera que sirve para sujetar los caballos cuando se resisten a dejarse herrar o curar. ‖ **4.** Sillón para uso de las parturientas en el acto del alumbramiento. ‖ **5.** Hoyo que los colmeneros abren en tierra para partir los peones. ‖ **6.** ant. Orinal de barro. ‖ **7.** fig. Todo aquello que molesta y desazona gravemente. ‖ **de primer bocado.** Caballo desde que muda los cuatro dientes llamados palas, que suele ser a los dos años y medio de edad, hasta que muda los cuatro dientes incisivos inmediatos a las palas, lo que suele suceder al cumplir tres años y medio, sobre poco más o menos. ‖ **de segundo bocado.** Caballo desde que muda los cuatro dientes incisivos inmediatos a las palas, que suele ser a los tres años y medio de edad, hasta que muda los otros cuatro dientes incisivos inmediatos a los colmillos, lo que por lo regular le sucede al cumplir los cuatro años y medio. ‖ **Al potro y al mozo, el ataharre flojo y apretado el bozo.** ref. que enseña que se les ha de dar buen trato y alimentarlos bien, pero que no se les ha de soltar la rienda para que anden a su libertad. ‖ **Dos potros a un can, bien le morderán.** ref. que da a entender las ventajas del mayor número en los combates y peleas. ‖ **El potro, primero de otro,** o **dómele otro.** ref. que aconseja que en las cosas en que hay riesgo es bien valerse de las experiencias ajenas. ‖ **Manda potros y da pocos.** expr. fig. y fam. con que se motеja al que es largo en prometer y corto en cumplir lo prometido. ‖ **Pacen potros como los otros.** ref. que advierte que no debe desestimarse un dictamen por ser la gente moza, pues los jóvenes discurren muchas veces tan acertadamente como los más ancianos y experimentados. ‖ **Potros cayendo y mozos perdiendo, van asesando.** ref. con que se explica que los trabajos y contratiempos hacen cuerdos a los hombres.

Potroso, sa. (De *potra,* 2.° art.) adj. **Hernioso.** Ú. t. c. s. ‖ **2.** fam. Afortunado, que tiene buena suerte.

Povisa. f. *Ast.* Polvo que sueltan el trigo y otras semillas al limpiarlas.

Poya. (De *poyar.*) f. Derecho que se paga en pan o en dinero, en el horno común. ‖ **2.** V. **Forno, horno, pan de poya.** ‖ **3.** Residuo formado por las gárgolas del lino, después de machacadas y separadas de la simiente.

Poyal. m. Paño listado con que en las aldeas y lugares cortos cubren los poyos. ‖ **2. Poyo,** 1.ª acep.

Poyar. (De *poyo.*) intr. Pagar la poya.

Poyata. (Del b. lat. *podiata,* y éste del lat. *podĭum,* poyo.) f. Vasar o anaquel que sirve para poner vasos y otras cosas. ‖ **2. Repisa.**

Poyete. m. d. de **Poyo,** 1.ª acep.

Poyo. (Del lat. *podĭum.*) m. Banco de piedra, yeso u otra materia, que ordinariamente se fabrica arrimado a las paredes, junto a las puertas de las casas, en los zaguanes y otras partes. ‖ **2.** Derecho que se abonaba a los jueces por administrar justicia.

Poza. (De *pozo.*) f. Charca o concavidad en que hay agua detenida. ‖ **2.** Balsa o alberca para empozar y macerar el cáñamo o el lino. ‖ **Lamer la poza.** fr. fig. y fam. Ir poco a poco chupando el dinero a uno con arte y simulación.

Pozal. m. Cubo o zaque con que se saca el agua del pozo. ‖ **2.** Brocal del pozo. ‖ **3. Pocillo,** 1.ª acep.

Pozalero. m. *Murc.* **Tonelero,** 2.ª acep.

Pozanco. m. Poza que queda en las orillas de los ríos al retirarse las aguas después de una avenida.

Pozo. (Del lat. *putĕus.*) m. Hoyo que se hace en la tierra ahondándolo hasta encontrar vena de agua. Suele vestirse de piedra o ladrillo para su mayor subsistencia. ‖ **2.** Sitio o paraje en donde los ríos tienen mayor profundidad. En algunas partes los hacen artificiales, para pescar salmones. ‖ **3.** En el juego de la cascarela y otros, cierto número de pollas, que se va separando para limitar lo que se juega en una mano, y se van jugando una a una hasta apurarlas. El número es arbitrario. ‖ **4.** En el juego de la oca, casa de la cual no sale el jugador que cayó en ella por su suerte hasta que entre en ella otro. ‖ **5.** Hoyo profundo, aunque esté seco. ‖ **6.** fig. Cosa llena, profunda o completa en su línea. *Ser un* POZO *de ciencia.* ‖ **7.** *Mar.* Parte de bodega de un buque, que corresponde verticalmente a cada escotilla. ‖ **8.** *Mar.* Sentina o parte de bodega que corresponde a la caja de bombas. ‖ **9.** *Mar.* Distancia o profundidad que hay desde el canto de la borda hasta la cubierta superior en las embarcaciones que no tienen combés. ‖ **10.** *Mar.* Compartimiento o depósito que en los barcos pesqueros se forma para conservar vivos los peces. ‖ **11.** *Mar.* V. **Buque de pozo.** ‖ **12.** *Min.* Hoyo profundo para bajar a las minas. ‖ **airón. Pozo** o sima de gran profundidad. ‖ **2.** fig. Según opinión vulgar, **pozo** sin fondo, en que lo que cae no vuelve a aparecer. ‖ **artesiano. Pozo** de gran profundidad, para que el agua contenida entre dos capas subterráneas impermeables encuentre salida y suba naturalmente a mayor o menor altura del suelo. ‖ **de la hélice.** *Mar.* Largo conducto rectangular que atraviesa verticalmente la popa de algunas embarcaciones de hélice para suspender ésta. ‖ **de lobo.** Pequeña excavación disimulada con ramaje y con una o varias estacas puntiagudas clavadas en el fondo, que sirve para dificultar el paso de la caballería en la guerra; se emplea también para cazar con trampa algunas fieras. ‖ **de nieve.** Excavación seca donde se guarda y conserva la nieve para el verano. Está vestido de piedra o ladrillo, y tiene sus desaguaderos por la parte inferior. ‖ **negro.** El que para depósito de aguas inmundas se hace junto a las casas, cuando no hay alcantarillas. ‖ **Caer** una cosa **en el pozo airón.** fr. fig. y fam. Desaparecer sin que haya esperanza de recobrarla. ‖ **Caer** una cosa **en un pozo.** fr. fig. Quedar en olvido o en riguroso secreto.

Pozol. m. *C. Rica* y *Hond.* **Pozole.**

Pozole. m. *Méj.* Guiso de maíz tierno, carne y chile con mucho caldo. ‖ **2.** *Méj.* Bebida hecha de maíz morado y azúcar.

Pozuela. f. d. de **Poza.**

Pozuelo. (Del lat. *putĕŏlus.*) m. d. de **Pozo.** ‖ **2. Pocillo,** 1.ª acep.

Pracrito [Prácrito]. (Del sánscr. *prakritas,* común.) m. Idioma vulgar de la India, en oposición al sánscrito o lengua clásica.

Práctica. (Del lat. *practĭca.*) f. Ejercicio de cualquier arte o facultad, conforme a sus reglas. ‖ **2.** Destreza adquirida con este ejercicio. ‖ **3.** Uso continuado, costumbre o estilo de una cosa. ‖ **4.** Modo o método que particularmente observa uno en sus operaciones. ‖ **5.** Ejercicio que bajo la dirección de un maestro y por cierto número de años tienen que hacer algunos para habilitarse y poder ejercer públicamente su profesión. Ú. m. en pl. ‖ **6.** Aplicación de una idea o doctrina; contraste experimental de una teoría.

Practicable. adj. Que se puede practicar o poner en práctica. ‖ **2.** En el decorado teatral, dícese de la puerta u otro accesorio que no es meramente figurado sino que puede usarse.

Practicador, ra. adj. Que practica. Ú. t. c. s.

Practicaje. m. *Mar.* Ejercicio de la profesión de piloto práctico. ‖ **2. Pilotaje,** 1.er art., 2.ª acep. ‖ **3.** *Mar.* Fondo constituido en los puertos con el importe de arbitrios o derechos por servicios a la navegación, destinado a las atenciones de personal y material.

Prácticamente. adv. m. Con uso y ejercicio de una cosa; experimentadamente.

Practicanta. f. **Practicante,** 4.ª y 5.ª aceps.

Practicante. p. a. de **Practicar.** Que practica. ‖ **2.** m. El que posee título para el ejercicio de la cirugía menor. ‖ **3.** El que por tiempo determinado se instruye en la práctica de la cirugía y medicina, al lado y bajo la dirección de un facultativo. ‖ **4.** com. Persona que en los hospitales hace las curaciones o propina a los enfermos las medicinas ordenadas por el facultativo de visita. ‖ **5.** Persona que en las boticas está encargada, bajo la dirección del farmacéutico, de la preparación y despacho de los medicamentos.

Practicar. tr. Ejercitar, poner en práctica una cosa que se ha aprendido y especulado. ‖ **2.** Usar o ejercer continuadamente una cosa. ‖ **3.** Ejercer algunos profesores la práctica, al lado y bajo la dirección de un maestro, por tiempo determinado.

Práctico, ca. (Del lat. *practĭcus,* y éste del gr. πρακτικός.) adj. Perteneciente a la práctica. ‖ **2.** Aplícase a las facultades que enseñan el modo de hacer una cosa. ‖ **3.** Experimentado, versado y diestro en una cosa. ‖ **4.** m. *Mar.* El que por el conocimiento del lugar en que navega dirige a ojo el rumbo de las embarcaciones, llamándose **de costa** o **de puerto,** respectivamente, según sea en una o en otro donde ejerce su profesión.

Practicón, na. (aum. de *práctico.*) m. y f. fam. Persona diestra en una facultad, más por haberla practicado mucho que por ser muy docta en ella.

Pradal. m. **Prado.**

Pradejón. m. Prado de corta extensión.

Pradeño, ña. adj. Perteneciente o relativo al prado.

Pradera. f. **Pradería.** ‖ **2.** Prado grande.

Pradería. f. Conjunto de prados.

Praderoso, sa. (De *pradera.*) adj. Perteneciente al prado.

Pradezuelo. m. d. de **Prado,** 1.ª acep.

Pradial. (De *prado,* a imitación del fr. *prairial.*) m. Noveno mes del calendario republicano francés, cuyos días primero y último coincidían, respectivamente, con el 20 de mayo y el 18 de junio.

Prado. (Del lat. *pratum.*) m. Tierra muy húmeda o de regadío, en la cual se deja crecer o se siembra la hierba para pasto de los ganados. || **2.** Sitio ameno que sirve de paseo en algunas poblaciones. || **3.** V. **Grama de prados.** || **4.** V. **Reina de los prados.** || **de guadaña.** El que se siega anualmente. || **A prado.** expr. adv. Pastando el animal en el campo.

Prae mánibus. m. adv. lat. A la mano o entre las manos.

Pragmática. (Del lat. *pragmatica*, t. f. de *-cus*, pragmático.) f. Ley emanada de competente autoridad, que se diferenciaba de los reales decretos y órdenes generales en las fórmulas de su publicación.

Pragmático. (Del lat. *pragmaticus*, y éste del gr. πραγματικός.) adj. *For.* Aplícase al autor jurista que interpreta o glosa las leyes nacionales. Ú. t. c. s.

Pragmático, ca. adj. Perteneciente o relativo al pragmatismo.

Pragmatismo. m. Método filosófico, divulgado principalmente por el psicólogo norteamericano William James, según el cual el único criterio válido para juzgar de la verdad de toda doctrina científica, moral o religiosa se ha de fundar en sus efectos prácticos.

Pragmatista. adj. Partidario del pragmatismo o perteneciente a él. Apl. a pers., ú. t. c. s.

Prao. (Del malayo *prau*.) m. *Mar.* Embarcación malaya de poco calado, muy larga y estrecha.

Prasio. (Del lat. *prasius*, y éste del gr. πράσιος, de color verde; de πράσον, puerro.) m. Cristal de roca en cuya masa se encierran muchos cristales largos, delgados y verdes, de silicato de magnesia, cal y hierro.

Prasma. (Del gr. πράσιος, de color verde.) m. Ágata de color verde obscuro.

Pratense. (Del lat. *pratensis*.) adj. Que se produce o vive en el prado.

Prática. f. ant. **Práctica.**

Praticultura. (Del lat. *pratum*, prado, y *cultūra*, cultivo.) f. Parte de la agricultura, que trata del cultivo de los prados.

Pravedad. (Del lat. *pravĭtas, -ātis*.) f. Iniquidad, perversidad, corrupción de costumbres.

Praviana. (De *Pravia*, n. p.) f. *Mús.* Canción popular asturiana.

Pravo, va. (Del lat. *pravus*.) adj. Perverso, malvado y de dañadas costumbres.

Praxis. (Del gr. πρᾶξις; de πράσσω, obrar, ejecutar.) f. ant. **Práctica.**

Praza. f. ant. **Plaza.** || **Maridar de praza e parir escondida, gentil sabandija.** ref. que zahiere a los que cometen públicamente alguna falta y tienen que ocultar sus consecuencias.

Pre. (Del fr. *prêt*, préstamo.) m. **Prest.**

Pre. (Del lat. *prae*.) prep. insep. que denota antelación, prioridad o encarecimiento. PRE*fijar*, PRE*suponer*, PRE*ver*, PRE*claro*.

Prea. (Del lat. *praeda*.) f. ant. **Presa.**

Preadamita. m. Supuesto antecesor de Adán. Ú. m. en pl.

Preadamítico, ca. adj. Lo relativo o perteneciente al preadamita. || **2.** m. Tiempo o época de los preadamitas.

Preámbulo. (Del lat. *praeambŭlus*, que va delante.) m. Exordio, prefación, aquello que se dice antes de dar principio a lo que se trata de narrar, probar, mandar, pedir, etc. || **2.** Rodeo o digresión impertinente antes de entrar en materia o de empezar a decir claramente una cosa.

Prear. (Del lat. *praedāri*.) tr. ant. Apresar, saquear, robar.

Prebenda. (Del lat. *praebenda*; de *praebēre*, dar, ofrecer.) f. Renta aneja a un canonicato u otro oficio eclesiástico. || **2.** Cualquiera de los beneficios eclesiásticos superiores de las iglesias catedrales y colegiatas; como dignidad, canonicato, ración, etc. || **3.** Dote que piadosamente se da por una fundación a una mujer para tomar estado de religiosa o casada, o a un estudiante para seguir los estudios. || **4.** fig. y fam. Oficio, empleo o ministerio lucrativo y poco trabajoso. || **de oficio.** Cualquiera de las cuatro canonjías, doctoral, magistral, lectoral y penitenciaria.

Prebendado. (De *prebenda*.) m. Dignidad, canónigo o racionero de alguna iglesia catedral o colegial.

Prebendar. tr. Conferir prebenda a uno. || **2.** intr. Obtenerla. Ú. t. c. r.

Prebestad. f. ant. **Prebostazgo.**

Prebestadgo. m. ant. **Prebostazgo.**

Prebostal. adj. Perteneciente a la jurisdicción del preboste.

Prebostazgo. m. Oficio de preboste.

Preboste. (Del cat. *prebost*, y éste del lat. *praepositus*, superior.) m. Sujeto que es cabeza de una comunidad, y la preside o gobierna. || **2.** *Mil.* **Capitán preboste.**

Precación. (Del lat. *precatio, -ōnis*.) f. ant. **Deprecación.**

Precariamente. adv. m. De modo precario.

Precario, ria. (Del lat. *precarius*.) adj. De poca estabilidad o duración. || **2.** *For.* Que se tiene sin título; por tolerancia o por inadvertencia del dueño.

Precarista. adj. Dícese del que posee, retiene o disfruta en precario cosas ajenas. Ú. t. c. s.

Precaución. (Del lat. *praecautio, -ōnis*.) f. Reserva, cautela para evitar o prevenir los inconvenientes, embarazos o daños que pueden temerse.

Precaucionarse. (De *precaución*.) r. Precaverse, prevenirse, guardarse, cautelarse.

Precautelar. (De *pre* y *cautelar*.) tr. Prevenir y poner los medios necesarios para evitar o impedir un riesgo o peligro.

Precautorio, ria. adj. Dícese de lo que precave o sirve de precaución.

Precaver. (Del lat. *praecavēre*.) tr. Prevenir un riesgo, daño o peligro, para guardarse de él y evitarlo. Ú. t. c. r.

Precavidamente. adv. m. Con precaución.

Precavido, da. adj. Sagaz, cauto, que sabe precaver los riesgos.

Precedencia. (Del lat. *praecedentia*.) f. Anterioridad, prioridad de tiempo; anteposición, antelación en el orden. || **2.** Preeminencia o preferencia en el lugar y asiento y en algunos actos honoríficos. || **3.** Primacía, superioridad.

Precedente. (Del lat. *praecēdens, -entis*.) p. a. de **Preceder.** Que precede o es anterior y primero en el orden de la colocación o de los tiempos. || **2.** m. **Antecedente,** 2.ª acep. || **3.** Resolución anterior en caso igual o semejante; ejemplo; práctica ya iniciada o seguida.

Preceder. (Del lat. *praecēdĕre*.) tr. Ir delante en tiempo, orden o lugar. Ú. t. c. intr. || **2.** Anteceder o estar ante puesto. || **3.** fig. Tener una persona o cosa preferencia, primacía o superioridad sobre otra.

Precelente. (Del lat. *praecellens, -entis*.) adj. p. us. Muy excelente.

Precepción. (Del lat. *praeceptio, -ōnis*.) f. ant. Precepto, instrucción o documento.

Preceptista. adj. Dícese de la persona que da o enseña preceptos y reglas. Ú. t. c. s.

Preceptiva. f. Conjunto de preceptos aplicables a determinada materia. || **literaria.** Tratado normativo de retórica y poética.

Preceptivamente. adv. m. De un modo preceptivo.

Preceptivo, va. (Del lat. *praeceptīvus*.) adj. Que incluye o encierra en sí preceptos.

Precepto. (Del lat. *praeceptum*.) m. Mandato u orden que el superior intima o hace observar y guardar al inferior o súbdito. || **2.** Cada una de las instrucciones o reglas que se dan o establecen para el conocimiento o manejo de un arte o facultad. || **3.** Por antonom., cada uno de los del Decálogo o de los mandamientos de la ley de Dios. || **4.** V. **Día, necesidad de precepto.** || **afirmativo.** Cualquiera de los del Decálogo, en que se manda hacer una cosa. || **formal de obediencia.** El que en las religiones usan los superiores para estrechar a la obediencia en alguna cosa a los súbditos. || **negativo.** Cualquiera de los del Decálogo, en que se prohibe hacer una cosa. || **Cumplir con el precepto.** fr. **Cumplir con la Iglesia.**

Preceptor, ra. (Del lat. *praeceptor*.) m. y f. Maestro o maestra; persona que enseña. || **2.** Persona que enseña gramática latina.

Preceptoril. adj. despect. Propio de un preceptor o relativo a él.

Preceptuar. tr. Dar o dictar preceptos.

Preces. (Del lat. *preces*, pl. de *prex*, súplica.) f. pl. Versículos tomados de la Sagrada Escritura y uso de la Iglesia, con las oraciones destinadas por ella para pedir a Dios socorro en las necesidades públicas o particulares. || **2.** Ruegos, súplicas. || **3.** Oraciones dirigidas a Dios, a la Virgen o a los santos. || **4.** Súplicas o instancias con que se pide y obtiene una bula o despacho de Roma.

Precesión. (Del lat. *praecessio, -ōnis*.) f. *Ret.* **Reticencia,** 2.ª acep. || **de los equinoccios.** *Astron.* Movimiento retrógrado de los puntos equinocciales o de intersección del Ecuador con la Eclíptica, en virtud del cual se anticipan un poco de año en año las épocas de los equinoccios o el principio de las estaciones.

Preciado, da. (De *preciar*.) adj. Precioso, excelente y de mucha estimación. || **2.** Jactancioso, vano.

Preciador, ra. (De *preciar*.) adj. **Apreciador.** Ú. t. c. s.

Preciar. (Del lat. *pretiāre*.) tr. **Apreciar.** || **2.** r. Gloriarse, jactarse y hacer vanidad de una cosa buena o mala.

Precinta. (Del lat. *praecincta*, t. f. de *-tus*, p. p. de *praecingĕre*, ceñir.) f. Pequeña tira, por lo regular de cuero, que se ponía en los cajones a sus esquinas para darles firmeza. || **2.** Tira estampada, de papel, que en las aduanas se aplica a las cajas de tabacos de regalía y hace las veces del marchamo en los tejidos. || **3.** *Mar.* Tira con que se cubren las junturas de las tablas de los buques. || **4.** *Mar.* Tira de lona vieja embreada, que se arrolla en espiral alrededor de un cabo antes de forrarlo con filástica o meollar.

Precintar. (De *precinto*.) tr. Asegurar y fortificar los cajones, poniéndoles por lo ancho y a lo largo precintas que abracen las junturas de las tablas. || **2.** Poner precinto o precinta. || **3.** *Mar.* Poner precintas.

Precinto. (Del lat. *praecinctus*, acción de ceñir.) m. Acción y efecto de precintar. || **2.** Ligadura sellada convenientemente con que se atan a lo largo y a lo ancho cajones, baúles, fardos, paquetes, legajos, etc., a fin de que no se abran sino cuando y por quien corresponda.

Precio. (Del lat. *pretium*.) m. Valor pecuniario en que se estima una cosa. || **2.** Premio o prez que se ganaba en las justas. || **3.** fig. Estimación, importancia o crédito. *Es hombre de gran* PRECIO. || **4.** fig. Esfuerzo, pérdida o sufrimiento que sirve de medio para conseguir una cosa, o que se presta y padece con ocasión de ella. *Al* PRECIO *de su salud va fulano saliendo de apuros.* || **5.** *For.* Prestación consistente en numerario o en valores de inmediata o fácil realización que un contratante da o promete, por conmutación de la cosa, servicio o derecho que adquiere. || **Abrir precio.** fr. Hacer el primer ejemplar de **precio** en la venta de los géneros o mercaderías. || **Alzar el precio** de una cosa. fr. fig. Aumentarlo o subirlo. || **No tener precio** una persona o cosa. fr. fig. Valer mucho. Ú. muchas veces irónicamente. || **Poner a precio.** fr. **Poner talla.** || **Poner en precio** una cosa. fr. Ajustar, concertar el valor que se ha de dar o llevar por ella. || **Poner precio** a una cosa. fr. Apreciar, señalar el valor o tasa que se ha de dar o llevar por ella. || **Romper precio.** fr. **Abrir precio.** || **Tener en precio,** o **en mucho precio,** una cosa. fr. Estimarla, apreciarla.

Preciosa. (Porque se hace la distribución al tiempo de decir el coro: PRETIOSA *in conspectu Domini.*) f. En algunas iglesias catedrales, distribución que se da a los prebendados por asistir a la conmemoración que se dice por el alma de un bienhechor.

Preciosamente. adv. m. Rica o primorosamente, con precio y estimación.

Preciosidad. (Del lat. *pretiosĭtas, -ātis.*) f. Calidad de precioso. || **2.** Cosa preciosa.

Preciosismo. m. Extremado atildamiento del estilo. Échase por lo común a mala parte.

Preciosista. adj. Perteneciente o relativo al preciosismo. Apl. a pers., ú. c. s. m. y f.

Precioso, sa. (Del lat. *pretiōsus.*) adj. Excelente, exquisito, primoroso y digno de estimación y aprecio. || **2.** De mucho valor o de elevado coste. *Metales* PRECIOSOS. || **3.** V. **Piedra preciosa.** || **4.** fig. Chistoso, festivo, decidor, agudo. || **5.** fig. y fam. **Hermoso.** *Esta mujer es* PRECIOSA; *aquel niño es* PRECIOSO.

Precipicio. (Del lat. *praecipitium.*) m. Despeñadero o derrumbadero por cuya proximidad no se puede andar sin riesgo de caer. || **2.** Despeño o caída precipitada y violenta. || **3.** fig. Ruina temporal o espiritual.

Precipitación. (Del lat. *praecipitatio, -ōnis.*) f. Acción y efecto de precipitar o precipitarse. || **2.** *Meteor.* Agua procedente de la atmósfera, y que en forma sólida o líquida se deposita sobre la superficie de la tierra.

Precipitadamente. adv. m. Arrebatadamente, sin consideración ni prudencia.

Precipitadero. (De *precipitar.*) m. **Precipicio.**

Precipitado, da. (De *precipitar.*) adj. Atropellado, atronado, alocado, inconsiderado. || **2.** m. *Quím.* Materia que por resultado de reacciones químicas se separa del líquido en que estaba disuelta y se posa más o menos rápidamente. || **blanco.** *Quím.* Protocloruro de mercurio obtenido por precipitación. || **rojo.** *Quím.* Bióxido de mercurio obtenido por la ebullición de este metal en contacto con el aire, o por la descomposición del nitrato mediante el calor.

Precipitante. (Del lat. *praecipĭtans, -antis.*) p. a. de **Precipitar.** Que precipita. || **2.** m. *Quím.* Cualquiera de los agentes que obran la precipitación.

Precipitar. (Del lat. *praecipitāre.*) tr. Despeñar, arrojar o derribar de un lugar alto. Ú. t. c. r. || **2.** Atropellar, acelerar. || **3.** fig. Exponer a uno o incitarle a una ruina espiritual o temporal. || **4.** *Quím.* Producir en una disolución una materia sólida que cae al fondo de la vasija. || **5.** r. fig. Arrojarse inconsideradamente y sin prudencia a ejecutar o decir una cosa.

Precípite. (Del lat. *praeceps, -ĭtis.*) adj. Puesto en peligro o riesgo de caer o precipitarse.

Precipitosamente. adv. m. **Precipitadamente.**

Precipitoso, sa. adj. Pendiente, resbaladizo y arriesgado para despeñarse o precipitarse. || **2.** fig. **Precipitado,** 1.ª acep.

Precipuamente. adv. m. **Principalmente.**

Precipuo, pua. (Del lat. *praecipŭus.*) adj. Señalado o principal.

Precisamente. adv. m. Justa y determinadamente; con precisión. || **2.** Necesaria, forzosa o indispensablemente; por una necesidad absoluta o sin poderse evitar.

Precisar. tr. Fijar o determinar de modo preciso. || **2.** Obligar, forzar determinadamente y sin excusa a ejecutar una cosa. || **3.** intr. Ser necesario o imprescindible.

Precisión. (Del lat. *praecisĭo, -ōnis.*) f. Obligación o necesidad indispensable que fuerza y precisa a ejecutar una cosa. || **2.** Determinación, exactitud, puntualidad, concisión. || **3.** Tratándose del lenguaje, estilo, etc., concisión y exactitud rigurosa. || **4.** V. **Arma de precisión.** || **5.** *Lóg.* Abstracción o separación mental que hace el entendimiento de dos cosas realmente identificadas, en virtud de la cual se concibe la una como distinta de la otra. || **De precisión.** loc. Dícese de los aparatos, máquinas, instrumentos, etc., construidos con singular esmero para obtener resultados exactos.

Preciso, sa. (Del lat. *praecīsus.*) adj. Necesario, indispensable, que es menester para un fin. || **2.** Puntual, fijo, exacto, cierto, determinado. *Llegar al tiempo* PRECISO. || **3.** Distinto, claro y formal. || **4.** desus. Separado, apartado o cortado. || **5.** Tratándose del lenguaje, estilo, etc., conciso y rigurosamente exacto. || **6.** *Lóg.* Abstraído o separado por el entendimiento.

Precitado, da. adj. Antes citado.

Precito, ta. (Del lat. *praescītus,* sabido de antemano.) adj. Condenado a las penas del infierno. || **2. Réprobo.** Ú. t. c. s.

Preclaramente. adv. m. Con mucho esclarecimiento.

Preclaro, ra. (Del lat. *praeclārus.*) adj. Esclarecido, ilustre, famoso y digno de admiración y respeto.

Preclásico, ca. adj. Dícese de lo que antecede a lo clásico en artes y en letras.

Precocidad. f. Calidad de precoz.

Precognición. (Del lat. *praecognitio, -ōnis.*) f. Conocimiento anterior.

Precolombino, na. (De *pre* y *Colombus.*) adj. Se dice de lo relativo a América, antes de su descubrimiento por Cristóbal Colón.

Preconcebir. tr. Establecer previamente y con sus pormenores algún pensamiento o proyecto que ha de ejecutarse. *Lo hizo con arreglo al plan* PRECONCEBIDO.

Preconización. f. Acción y efecto de preconizar.

Preconizador, ra. adj. Que preconiza. Ú. t. c. s.

Preconizar. (Del lat. *praeconizāre;* de *praeconium,* anuncio.) tr. Encomiar, tributar elogios públicamente a una persona o cosa. || **2.** Hacer relación en el consistorio romano de las prendas y méritos de un sujeto que está presentado por un rey o príncipe soberano para una prelacía.

Preconocer. (Del lat. *praecognoscĕre.*) tr. Prever, conjeturar, conocer anticipadamente una cosa.

Precordial. adj. Se dice de la región o parte del pecho que corresponde al corazón.

Precoz. (Del lat. *praecox, -ŏcis.*) adj. Dícese del fruto temprano, prematuro. || **2.** fig. Aplícase a la persona que en corta edad muestra cualidades morales o físicas que de ordinario son más tardías, y por antonomasia a la que despunta en talento, agudeza, valor de ánimo u otra prenda estimable. También se dice de estas mismas cualidades.

Precursor, ra. (Del lat. *praecursor.*) adj. Que precede o va delante. Ú. t. c. s. || **2.** fig. Que profesa o enseña doctrinas o acomete empresas que no tendrán sazón ni hallarán acogida sino en tiempo venidero. || **3.** m. Por antonom., San Juan Bautista, que nació antes que Cristo y anunció su venida al mundo.

Predecesor, ra. (Del lat. *praedecessor.*) m. y f. **Antecesor,** 2.ª y 3.ª aceps.

Predecir. (Del lat. *praedicĕre.*) tr. Anunciar por revelación, ciencia o conjetura, algo que ha de suceder.

Predefinición. (De *predefinir.*) f. *Teol.* Decreto o determinación de Dios para la existencia de las cosas en un tiempo señalado.

Predefinir. (Del lat. *praedefinire.*) tr. *Teol.* Determinar el tiempo en que han de existir las cosas. || **2. Prefinir.**

Predestinación. (Del lat. *praedestinatĭo, -ōnis.*) f. Destinación anterior de una cosa. || **2.** *Teol.* Por antonom., ordenación de la voluntad divina con que ab aeterno tiene elegidos a los que por medio de su gracia han de lograr la gloria.

Predestinado, da. p. p. de **Predestinar.** || **2.** adj. Elegido por Dios desde la eternidad para lograr la gloria. Ú. t. c. s. || **3.** fig. **Cornudo,** 2.ª acep.

Predestinante. p. a. de **Predestinar.** Que predestina.

Predestinar. (Del lat. *praedestināre.*) tr. Destinar anticipadamente una cosa para un fin. || **2.** *Teol.* Por antonom., destinar y elegir Dios ab aeterno a los que por medio de su gracia han de lograr la gloria.

Predeterminación. f. Acción y efecto de predeterminar.

Predeterminar. (De *pre,* antes, y *determinar.*) tr. Determinar o resolver con anticipación una cosa.

Predial. adj. Perteneciente o relativo al predio. *Servidumbre* PREDIAL.

Prédica. (De *predicar.*) f. Sermón o plática del ministro de la iglesia protestante. || **2.** Por ext., perorata, discurso vehemente.

Predicable. (Del lat. *praedicabilis.*) adj. Digno de ser predicado. Aplícase a los asuntos propios de los sermones. || **2.** m. *Lóg.* Cada una de las clases a que se reducen todas las cosas que se pueden decir o predicar del sujeto. Divídense en cinco, que son: género, especie, diferencia, individuo y propio.

Predicación. (Del lat. *praedicatio, -ōnis.*) f. Acción de predicar. || **2.** Doctrina que se predica o enseñanza que se da con ella.

Predicadera. (De *predicar.*) f. *Ar.* **Púlpito,** 1.ª acep. || **2.** pl. fam. Cualidades o dotes de un predicador.

Predicado, da. p. p. de **Predicar.** || **2.** m. *Lóg.* Lo que se afirma del sujeto en una proposición.

Predicador, ra. (Del lat. *praedicātor.*) adj. Que predica. Ú. t. c. s. || **2.** V. **Diablo predicador.** || **3.** m. Orador evangélico que predica o declara la palabra de Dios.

Predicamental. adj. *Fil.* Perteneciente al predicamento o a una cosa que es raíz de otra.

Predicamento. (Del lat. *praedicamentum.*) m. *Lóg.* Cada una de las clases o categorías a que se reducen todas las cosas y entidades físicas. Regularmente se dividen en diez, que son: substancia, cantidad, cualidad, relación, acción, pasión, lugar, tiempo, situación y hábito. || **2.** Dignidad, opinión, lugar o grado de estimación en que se halla uno y que ha merecido por sus obras.

Predicante. p. a. de **Predicar.** Que predica. Dícese sólo del ministro de una religión no católica. Ú. t. c. s.

Predicar. (Del lat. *praedicāre.*) tr. Publicar, hacer patente y clara una cosa. || **2.** Pronunciar un sermón. || **3.** Alabar con exceso a un sujeto. || **4.** fig. Reprender agriamente a uno de un vicio o defecto. || **5.** fig. y fam. Amonestar o hacer observaciones a uno para persuadirle de una cosa. || **Bien predica quien bien vive.** ref. que denota que ayuda mucho a la persuasión el buen ejemplo.

Predicativo, va. adj. *Gram.* Perteneciente al predicado o que tiene carácter de tal.

Predicatorio. (De *predicar.*) m. ant. **Púlpito,** 1.ª acep.

Predicción. (Del lat. *praedictio, -ōnis.*) f. Acción y efecto de predecir.

Predicho, cha. (Del lat. *praedictus.*) p. p. irreg. de **Predecir.**

Predilección. (Del lat. *prae,* pre, y *dilectio, -ōnis.*) f. Cariño especial con que se distingue a una persona o cosa entre otras.

Predilecto, ta. (Del lat. *prae,* pre, y *dilectus,* amado.) adj. Preferido por amor o afecto especial.

Predio. (Del lat. *praedĭum.*) m. Heredad, hacienda, tierra o posesión inmueble. || **dominante.** *For.* Aquel en cuyo favor está constituida una servidumbre. || **rústico.** El que, fuera de las poblaciones, está dedicado a uso agrícola, pecuario o forestal. || **sirviente.** *For.* El que está gravado con cualquiera servidumbre en favor de alguien o de otro **predio.** || **urbano.** El que está sito en poblado, y el edificio que, fuera de población, se destina a vivienda y no a menesteres campestres.

Predisponer. (De *pre,* antes, y *disponer.*) tr. Preparar, disponer anticipadamente algunas cosas o el ánimo de las personas para un fin determinado. Ú. t. c. r.

Predisposición. f. Acción y efecto de predisponer o predisponerse.

Predominación. f. Acción y efecto de predominar.

Predominancia. f. **Predominación.**

Predominante. p. a. de **Predominar.** Que predomina.

Predominar. (De *pre* y *dominar.*) tr. Prevalecer, preponderar. Ú. m. c. intr. || **2.** fig. Exceder mucho en altura una cosa respecto de otra. *Esta casa* PREDOMINA *a la otra.*

Predominio. (De *pre* y *dominio.*) m. Imperio, poder, superioridad, influjo o fuerza dominante que se tiene sobre una persona o cosa.

Predorsal. adj. *Anat.* Situado en la parte anterior de la espina dorsal. || **2.** *Fon.* Dícese del sonido en cuya articulación interviene principalmente la parte anterior del dorso de la lengua. || **2.** *Fon.* Dícese de la letra que representa este sonido, como la *ch.* Ú. t. c. s. f.

Preelegir. (Del lat. *praeeligĕre.*) tr. Elegir con anticipación; predestinar.

Preeminencia. (Del lat. *praeeminentia.*) f. Privilegio, exención, ventaja o preferencia que goza uno respecto de otro por razón o mérito especial. || **2.** V. **Cédula de preeminencias.**

Preeminente. (Del lat. *praeemĭnens, -entis.*) adj. Sublime, superior, honorífico y que está más elevado.

Preexcelso, sa. (Del lat. *praeexcelsus.*) adj. Sumamente ilustre, grande y excelso.

Preexistencia. (Del lat. *praeexistentia.*) f. *Fil.* Existencia anterior, con alguna de las prioridades de naturaleza u origen. || **2.** *For.* Existencia real de una cosa o de un derecho antes del acto o momento en que haya de tratarse de ella.

Preexistente. (Del lat. *praeexistens, -entis.*) p. a. de **Preexistir.** Que preexiste.

Preexistir. (Del lat. *praeexistĕre.*) intr. *Fil.* Existir antes, o realmente, o con antelación de naturaleza u origen.

Prefacio. (Del lat. *praefatio.*) m. **Prefación.** || **2.** Parte de la misa, que precede inmediatamente al canon.

Prefación. (Del lat. *praefatio, -ōnis.*) f. **Prólogo,** 1.ª acep.

Prefecto. (Del lat. *praefectus.*) m. Entre los romanos, título de varios jefes militares o civiles. || **2.** Ministro que preside y manda en un tribunal, junta o comunidad eclesiástica. || **3.** Persona a quien compete cuidar de que se desempeñen debidamente ciertos cargos. *El* PREFECTO *de los estudios públicos.* || **4.** En Francia, gobernador de un departamento, a semejanza del que en España lo es de una provincia. || **del pretorio,** o **pretorio.** Magistrado que desde el tiempo de Constantino se destinaba para gobernar cualquiera de las provincias o departamentos en que se dividió el imperio romano, con autoridad para administrar justicia y juzgar de los negocios en último recurso o instancia. || **2.** Comandante de la guardia pretoriana de los emperadores romanos, el cual era como su principal ministro.

Prefectura. (Del lat. *praefectūra.*) f. Dignidad, empleo o cargo de prefecto. || **2.** Territorio gobernado por un prefecto. || **3.** Oficina o despacho del prefecto.

Preferencia. (Del lat. *praeferens, -entis,* p. a. de *praeferre,* preferir.) f. Primacía, ventaja o mayoría que una persona o cosa tiene sobre otra, ya en el valor, ya en el merecimiento. || **2.** Elección de una cosa o persona, entre varias; inclinación favorable o predilección hacia ella. || **De preferencia.** m. adv. **Preferentemente.**

Preferente. p. a. de **Preferir.** Que prefiere o se prefiere.

Preferentemente. adv. m. Con preferencia.

Preferible. adj. Digno de preferirse.

Preferiblemente. adv. m. **Preferentemente.**

Preferir. (Del lat. *praeferre,* llevar o poner delante.) tr. Dar la preferencia. Ú. t. c. r. || **2.** Exceder, aventajar. || **3.** r. **Ufanarse.**

Prefiguración. (Del lat. *praefiguratio, -ōnis.*) f. Representación anticipada de una cosa.

Prefigurar. (Del lat. *praefigurāre.*) tr. Representar anticipadamente una cosa.

Prefijación. f. *Gram.* Modo de formar nuevas voces por medio de prefijos.

Prefijar. (De *pre,* antes, y *fijar.*) tr. Determinar, señalar o fijar anticipadamente una cosa.

Prefijo, ja. (Del lat. *praefixus,* p. p. de *praefigere,* colocar delante.) p. p. irreg. de **Prefijar.** || **2.** adj. *Gram.* Dícese del afijo que va antepuesto; como en DES*confiar,* RE*poner.* Ú. m. c. s. m.

Prefinición. (Del lat. *praefinitio, -onis.*) f. Acción de prefinir.

Prefinir. (Del lat. *praefinīre.*) tr. Señalar o fijar el término o tiempo para ejecutar una cosa.

Prefloración. (De *pre,* antes, y *floración.*) f. *Bot.* Disposición de las distintas piezas florales en las flores que aún no se han abierto.

Prefoliación. (De *pre,* antes, y *foliación.*) f. *Bot.* Disposición de unas hojas respecto de otras, antes de abrirse la yema.

Prefulgente. (Del lat. *praefulgens, -entis.*) adj. Muy resplandeciente y lúcido.

Pregar. (De *priego.*) tr. ant. Clavar, afianzar.

Pregón. (Del lat. *praeconium.*) m. Promulgación o publicación que en voz alta se hace en los sitios públicos de una cosa que conviene que todos sepan. || **2.** ant. Alabanza hecha en público de una persona o cosa. || **3.** *Ast.* y *Sant.* Proclama o amonestación canónica de próximo matrimonio, en que se leen los nombres y circunstancias de los que han de casarse. || **Tras cada pregón, azote.** expr. fig. y fest. con que se zahiere al que tras cada bocado quiere beber.

Pregonar. (Del lat. *praeconāre.*) tr. Publicar, hacer notoria en voz alta una cosa para que venga a noticia de todos. || **2.** Decir y publicar a voces uno la mercancía o género que lleva para vender. || **3.** fig. Publicar lo que estaba oculto o lo que debía callarse. || **4.** fig. Alabar en público los hechos, virtudes o cualidades de una persona. || **5. Proscribir.**

Pregonería. f. Oficio o ejercicio del pregonero. || **2.** Cierto derecho o tributo.

Pregonero, ra. (De *pregón.*) adj. Que publica o divulga una cosa que se ignoraba. Ú. t. c. s. || **2.** m. Oficial público que en alta voz da los pregones, publica y hace notorio lo que se quiere hacer saber a todos. || **mayor.** Dignidad o empleo honorífico que percibía ciertos emolumentos por los arriendos de las rentas públicas. || **¡Cómo subo, subo: de pregonero a verdugo!** ref. con que uno se lamenta, o moteja a otro, de haber venido a menos.

Pregunta. (De *preguntar.*) f. Demanda o interrogación que se hace para que uno responda lo que sabe de un negocio u otra cosa. || **2.** pl. **Interrogatorio,** 1.ª acep. || **Absolver las preguntas.** fr. Responder el testigo a las de un interrogatorio o declarar a su tenor bajo juramento. || **Andar, estar,** o **quedar,** uno **a la cuarta pregunta.** fr. fig. y fam. Estar escaso de dinero o no tener ninguno.

Preguntador, ra. adj. Que pregunta. Ú. t. c. s. || **2.** Molesto e impertinente en preguntar. Ú. t. c. s.

Preguntante. p. a. de **Preguntar.** Que pregunta.

Preguntar. (Del lat. *percontāri.*) tr. Demandar, interrogar o hacer preguntas a uno para que diga y responda lo que sabe sobre un asunto. Ú. t. c. r. || **2.** Exponer en forma de interrogación una especie, bien para indicar duda o bien para vigorizar la expresión, cuando se reputa imposible o absurda la respuesta en determinado sentido. Ú. t. c. r. || **Quien pregunta, no yerra.** ref. que aconseja cuán conveniente y provechoso es el informarse con cuidado y aplicación de lo que se ignora, para no aventurar el acierto en lo que se ha de ejecutar.

Pregunteo. m. Acción y efecto de preguntar.

Preguntón, na. adj. fam. **Preguntador,** 2.ª acep. Ú. t. c. s.

Pregustación. f. Acción y efecto de pregustar.

Pregustar. (Del lat. *praegustāre.*) tr. Hacer la salva, 1.ª acep.

Prehelénico, ca. adj. Anterior a la Grecia helénica o Grecia propiamente dicha.

Prehistoria. f. Ciencia que trata de la historia del mundo y del hombre con anterioridad a todo documento de carácter histórico.

Prehistórico, ca. adj. De tiempos a que no alcanza la historia.

Preinserto, ta. (De *pre,* antes, e *inserto.*) adj. Que antes se ha insertado.

Prejudicial. (Del lat. *praeiudiciālis.*) adj. *For.* Que requiere o pide decisión anterior y previa a la sentencia de lo principal. || **2.** *For.* Dícese de la acción o excepción que ante todas cosas se debe examinar y definir. || **3.** *For.* V. **Cuestión prejudicial.**

Prejudicio. (Del lat. *praeiudicium.*) m. **Prejuicio.**

Prejuicio. m. Acción y efecto de prejuzgar.

Prejuzgar. (Del lat. *praeiudicāre.*) tr. Juzgar de las cosas antes del tiempo oportuno, o sin tener de ellas cabal conocimiento.

Prelacía. (Del b. lat. *praelatia.*) f. Dignidad u oficio de prelado.

Prelación. (Del lat. *praelatio, -ōnis.*) f. Antelación o preferencia con que una cosa debe ser atendida respecto de otra con la cual se compara.

Prelada. (Del lat. *praelāta,* t. f. de *-tus,* prelado.) f. Superiora de un convento de religiosas.

Prelado. (Del lat. *praelātus*, puesto delante, preferido.) m. Superior eclesiástico constituido en una de las dignidades de la Iglesia, como abad, obispo, arzobispo, etc. || **2.** Superior de un convento o comunidad eclesiástica. || **consistorial.** Superior de canónigos o monjes que se provee por el consistorio del papa. || **doméstico.** Eclesiástico de la familia del papa.

Prelaticio, cia. adj. Propio del prelado. *Traje* PRELATICIO.

Prelatura. (Del b. lat. *praelatura*.) f. Prelacía.

Preliminar. (Del lat. *prae*, antes, y *liminăris*, del umbral, de la puerta.) adj. Que sirve de preámbulo o proemio para tratar sólidamente una materia. || **2.** fig. Que antecede o se antepone a una acción, a una empresa, a un litigio o a un escrito o a otra cosa. Ú. t. c. s. || **3.** m. Cada uno de los artículos generales que sirven de fundamento para el ajuste y tratado de paz definitivo entre las potencias contratantes o sus ejércitos. Ú. m. en pl.

Preliminarmente. adv. m. Anticipadamente.

Prelucir. (Del lat. *praelucēre*.) intr. Lucir con anticipación.

Preludiar. (De *preludio*.) intr. *Mús.* Probar, ensayar un instrumento o la voz, por medio de escalas, arpegios, etc., antes de comenzar la pieza principal. Ú. t. c. tr. || **2.** tr. fig. Preparar o iniciar una cosa, darle entrada.

Preludio. (Del lat. *praeludĭum*, de *praeludĕre*; de *prae*, antes, y *ludĕre*, jugar.) m. Lo que precede y sirve de entrada, preparación o principio a una cosa. || **2.** *Mús.* Lo que se toca o canta para ensayar la voz, probar los instrumentos o fijar el tono, antes de comenzar la ejecución de una obra musical. || **3.** *Mús.* Composición musical independiente destinada a preceder la ejecución de otras obras. || **4.** *Mús.* Obertura o sinfonía, 3.ª acep.

Prelusión. (Del lat. *praelusĭo*, *-ōnis*.) f. Preludio, introducción de un discurso o tratado.

Prematuramente. adv. t. Antes de tiempo, fuera de sazón.

Prematuro, ra. (Del lat. *praematūrus*.) adj. Que no está en sazón. || **2.** Que ocurre antes de tiempo. || **3.** *For.* Aplícase a la mujer que no ha llegado a edad de admitir varón.

Premeditación. (Del lat. *praemeditatĭo*, *-ōnis*.) f. Acción de premeditar. || **2.** *For.* Una de las circunstancias que agravan la responsabilidad criminal de los delincuentes.

Premeditadamente. adv. m. Con premeditación.

Premeditar. (Del lat. *praemeditāri*.) tr. Pensar reflexivamente una cosa antes de ejecutarla. || **2.** *For.* Proponerse de caso pensado perpetrar un delito, tomando al efecto previas disposiciones.

Premia. (De *premiar*, 2.° art.) f. ant. Apremio, fuerza, coacción. || **2.** ant. Urgencia, necesidad, precisión. || **3.** V. **Caballero de premia.**

Premiador, ra. adj. Que premia. Ú. t. c. s.

Premiar. (Del lat. *praemiāri*.) tr. Remunerar, galardonar con mercedes, privilegios, empleos o rentas los méritos y servicios de uno.

Premiar. (Del lat. *premĕre*.) tr. ant. Apremiar.

Premiativo, va. adj. ant. Decíase de lo que premia o sirve para premiar, 2.° art.

Premidera. f. **Cárcola.**

Premio. (Del lat. *praemĭum*.) m. Recompensa, galardón o remuneración que se da por algún mérito o servicio. || **2.** Vuelta, demasía, cantidad que se añade al precio o valor por vía de compensación o de incentivo. || **3.** Aumento de valor dado a algunas monedas o por el curso del cambio internacional. || **4.** Cada uno de los lotes sorteados en la lotería nacional. || **gordo.** fig. y fam. El lote o **premio** mayor de la lotería pública, y especialmente el correspondiente a la de Navidad. || **A premio.** m. adv. Con interés o rédito.

Premiosamente. adv. m. De manera premiosa.

Premiosidad. f. Calidad de premioso.

Premioso, sa. (De *premiar*, 2.° art.) adj. Tan ajustado o apretado, que dificultosamente se puede mover. || **2.** Gravoso, molesto. || **3.** Que apremia o estrecha. || **4.** fig. Rígido, estricto. || **5.** fig. Dícese de la persona falta de expedición o de agilidad, tarda, embarazada para la acción o la expresión. || **6.** fig. Dícese de la persona que habla o escribe con mucha dificultad. || **7.** fig. Dícese también del lenguaje o estilo que carece de espontaneidad y soltura.

Premisa. (Del lat. *praemissa*, puesta o colocada delante.) f. *Lóg.* Cada una de las dos primeras proposiciones del silogismo, de donde se infiere y saca la conclusión. La más general, que suele ponerse la primera, se llama la **mayor,** y la otra, la **menor.** || **2.** fig. Señal, indicio o especie por donde se infiere una cosa o se viene en conocimiento de ella.

Premiso, sa. (Del lat. *praemissus*, p. p. de *praemittĕre*, enviar delante.) adj. Prevenido, propuesto o enviado con anticipación. || **2.** *For.* Que precede. Sólo tiene uso en algunas fórmulas. PREMISA *la venia necesaria.*

Premitir. (Del lat. *praemittĕre*.) tr. ant. **Anticipar.**

Premoción. (Del lat. *praemotĭo*, *-ōnis*.) f. Moción anterior, que inclina a un afecto u operación. Es de uso escolástico.

Premolar. adj. Dícese de los molares que en la dentición del mamífero adulto han reemplazado a los de la primera dentición; están situados al lado de los caninos y su raíz es más sencilla que la de las otras muelas. En la especie humana hay cuatro en cada mandíbula. Ú. m. c. s.

Premonitorio, ria. (Del lat. *praemonitorius*, que avisa anticipadamente.) adj. *Med.* Se dice del fenómeno o síntoma precursor de alguna enfermedad y del estado de la persona en que se manifiestan.

Premonstratense. (De *Praemonstratum*, nombre dado por San Norberto al lugar donde fundó la primera casa, en 1120, cerca de la ciudad de Laón, en Francia.) adj. Dícese de la orden de canónigos regulares fundada por San Norberto, y de los individuos que la profesan. Apl. a pers., ú. t. c. s.

Premoriencia. (Del lat. *praemoriens*, *-entis*, premoriente.) f. *For.* Muerte anterior a otra.

Premoriente. (Del lat. *praemoriens*, *-entis*.) p. a. de **Premorir.** *For.* Que premuere. Ú. t. c. s.

Premorir. (Del lat. *praemŏri*.) intr. *For.* Morir una persona antes que otra.

Premostrar. tr. Mostrar con anticipación a otra condición o circunstancia.

Premostratense. adj. **Premonstratense.** Apl. a pers., ú. t. c. s.

Premuerto, ta. (Del lat. *praemortŭus*.) p. p. irreg. de **Premorir.** Ú. t. c. s.

Premura. (Del lat. *premĕre*, apretar.) f. Aprieto, apuro, prisa, urgencia, instancia.

Prenda. (Del lat. *pignŏra*, pl. n. de *pignus*.) f. Cosa mueble que se sujeta especialmente a la seguridad o cumplimiento de una obligación. || **2.** Cualquiera de las alhajas, muebles o enseres de uso doméstico, particularmente cuando se dan a vender. || **3.** Cualquiera de las partes que componen el vestido y calzado del hombre o de la mujer. || **4.** Lo que se da o hace en señal, prueba o demostración de una cosa. || **5.** fig. Cualquier cosa no material que sirve de seguridad y firmeza para un objeto. || **6.** fig. Lo que se ama intensamente; como hijos, mujer, amigos, etc. || **7.** fig. Cada una de las buenas partes, cualidades o perfecciones, así del cuerpo como del alma, con que la naturaleza adorna a un sujeto. *Hombre de* PRENDAS. || **8.** pl. **Juego de prendas.** || **Prenda pretoria.** *For.* La constituida por autoridad del juez, comprensiva de los productos de la cosa empeñada o trabada. || **En prenda,** o **en prendas.** m. adv. En empeño o fianza. || **Estar por más la prenda.** fr. fig. y fam. con que se nota que la retribución o recompensa que hace uno para mostrar su agradecimiento es inferior a los beneficios recibidos. || **Hacer prenda.** fr. Retener una alhaja para la seguridad de un crédito. || **2.** fig. Valerse de un dicho o hecho para reconvenir con él y obligar a la ejecución de lo que se ha ofrecido. || **Meter prendas.** fr. fig. Introducirse a participar en un negocio o dependencia. || **No dolerle prendas** a uno. fr. fig. Ser fiel cumplidor de sus obligaciones. || **2.** fig. Ser tan generoso, o tomar tan a pechos un negocio, que no perdona gastos ni diligencia para lograr su intento. || **Prenda que come, nadie la tome.** ref. que aconseja no tomar en **prenda** cosa que ocasiona gastos continuos. || **Sacar prendas.** fr. **Embargar.** || **Soltar prenda** uno. fr. fig. y fam. Decir algo que le deje comprometido a una cosa.

Prendador, ra. adj. Que prenda o saca una prenda. Ú. t. c. s.

Prendamiento. m. Acción y efecto de prendar o prendarse.

Prendar. (De *pendrar*.) tr. Sacar una prenda o alhaja para la seguridad de una deuda o para la satisfacción de un daño recibido. || **2.** Ganar la voluntad y agrado de uno. || **3.** r. Aficionarse, enamorarse de una persona o cosa.

Prendario, ria. adj. Relativo a la prenda. *Mercancía* PRENDARIA.

Prendedero. m. Cualquier instrumento que sirve para prender o asir una cosa. || **2.** Broche con que las mujeres prenden las sayas para enfaldarlas. || **3.** Cinta o tira de tela usada para asegurar el pelo.

Prendedor. m. El que prende. || **2.** Prendedero.

Prendedura. (De *prender*, 4.ª acep.) f. **Galladura.**

Prender. (Del lat. *prendĕre*, *prehendĕre*.) tr. Asir, agarrar, sujetar una cosa. || **2.** Asegurar a una persona privándola de la libertad, y principalmente, ponerla en la cárcel por delito cometido u otra causa. || **3.** Hacer presa una cosa en otra, enredarse. || **4. Cubrir,** 4.ª acep. || **5.** Adornar, ataviar, engalanar a una mujer. Ú. t. c. r. || **6.** ant. Tomar, recibir. || **7.** intr. Arraigar la planta en la tierra. || **8.** Empezar a ejercitar su cualidad o comunicar su virtud una cosa a otra, ya sea material o inmaterial. Dícese regularmente del fuego cuando se empieza a cebar en una materia.

Prendería. (De *prendero*.) f. Tienda en que se compran y venden prendas, alhajas o muebles usados.

Prendero, ra. (De *prenda*.) m. y f. Persona que tiene prendería o trafica en muebles, alhajas o prendas.

Prendido, da. p. p. de **Prender.** || **2.** m. Adorno de las mujeres, especialmente el de la cabeza. || **3.** Patrón o dibujo picado que sirve de regla para hacer los encajes. || **4.** Parte del encaje hecha sobre lo que ocupa el dibujo.

Prendimiento. m. Acción de prender; prisión, captura. || **2.** Por antonom., el de Jesucristo en el Huerto, y la pintura que lo representa.

Prenoción. (Del lat. *praenotio, -ōnis.*) f. *Fil.* Anticipada noción o primer conocimiento de las cosas.

Prenombre. (Del lat. *praenōmen, -ĭnis.*) m. Nombre que entre los romanos precedía al de familia.

Prenotar. (Del lat. *praenotāre.*) tr. Notar con anticipación.

Prensa. (Del lat. *pressa*, t. f. de *-ssus*, p. p. de *premĕre*, oprimir.) f. Máquina que sirve para comprimir, y cuya forma varía según los usos a que se aplica; como estrujar, imprimir, estampar, etc. || **2.** fig. **Imprenta.** || **3.** fig. Conjunto o generalidad de las publicaciones periódicas y especialmente las diarias. || **Dar a la prensa.** fr. Imprimir y publicar una obra. || **Entrar,** o **meter, en prensa.** fr. Comenzar la tirada del impreso. || **Meter en prensa** a uno. fr. fig. Apretarle y estrecharle mucho para obligarle a ejecutar una cosa. || **Sudar la prensa.** fr. fig. Imprimir mucho o continuadamente. || **Tener** uno **buena,** o **mala, prensa.** fr. fig. Serle ésta favorable o adversa.

Prensado, da. p. p. de **Prensar.** || **2.** m. Lustre, lisura o labor que queda en los tejidos o telas por efecto de la prensa.

Prensador, ra. adj. Que prensa. Ú. t. c. s.

Prensadura. f. Acción de prensar.

Prensar. tr. Apretar en la prensa una cosa.

Prensero. m. *Colomb.* Cada uno de los individuos que en los ingenios sirven para introducir la caña en los trapiches.

Prensil. (Del lat. *prensus, prehensus.*) adj. Que sirve para asir o coger. *Cola, trompa* PRENSIL.

Prensión. (Del lat. *prehensio, -ōnis.*) f. Acción y efecto de prender una cosa.

Prensista. m. Oficial que en las imprentas trabaja en la prensa.

Prensora. (Del lat. *prehensus*, p. p. de *prehendĕre*, coger.) adj. *Zool.* Dícese de las aves de mandíbulas robustas, la superior encorvada desde la base, y las patas con dos dedos dirigidos hacia atrás; como el guacamayo y el loro. Ú. t. c. s. || **2.** f. pl. *Zool.* Orden de estas aves.

Prenunciar. (Del lat. *praenuntiāre.*) tr. Anunciar de antemano.

Prenuncio. (Del lat. *praenuntius.*) m. Anuncio anticipado, presagio.

Preñado. (Del lat. *praegnātus*, embarazo.) m. **Embarazo,** 2.ª y 3.ª aceps. || **2.** Feto o criatura en el vientre materno.

Preñado, da. p. p. de **Preñar.** || **2.** adj. Dícese de la mujer, o de la hembra de cualquier especie, que ha concebido y tiene el feto o la criatura en el vientre. || **3.** fig. Dícese de la pared que está desplomada y forma como una barriga, por lo cual amenaza ruina. || **4.** fig. Lleno o cargado. *Nube* PREÑADA *de agua.* || **5.** fig. Que incluye en sí una cosa que no se descubre. || **6.** fig. V. **Palabra preñada.**

Preñar. (Del lat. **praegnāre.*) tr. **Empreñar,** 1.ª acep. || **2.** fig. Llenar, henchir.

Preñez. f. **Preñado,** 1.er art., 1.ª acep. || **2.** fig. Estado de un asunto que no ha llegado a su resolución. || **3.** fig. Confusión, dificultad, obscuridad incluida en una cosa, que la da a conocer de algún modo.

Preocupación. (Del lat. *praeoccupatio, -ōnis.*) f. Anticipación o prevención que una cosa obtiene o merece. || **2.** Juicio o primera impresión que hace una cosa en el ánimo de uno, de modo que estorba para admitir otras especies o asentir a ellas. || **3.** Ofuscación del entendimiento causada por pasión, por error de los sentidos, por educación o por el ejemplo de aquellos con quienes tratamos. || **4.** Cuidado, desvelo, previsión de alguna contingencia azarosa o adversa.

Preocupadamente. adv. m. Con preocupación. *Bien se ve que habla* PREOCUPADAMENTE.

Preocupar. (Del lat. *praeoccupāre.*) tr. Ocupar antes o anticipadamente una cosa, o prevenir a uno en la adquisición de ella. || **2.** fig. Prevenir el ánimo de uno, de modo que dificulte el asentir a otra opinión. || **3.** Poner el ánimo en cuidado, embargarlo, mantenerlo fijo en una especie, un asunto o una contingencia. Ú. t. c. r. || **4.** r. Estar prevenido o encaprichado en favor o en contra de una persona, opinión u otra cosa.

Preopinante. (Del lat. *praeopīnans, -antis*, p. a. de *praeopināri*, pensar de antemano.) adj. Dícese de cualquiera de los que en una discusión han hablado o manifestado su opinión antes que otro. Ú. t. c. s.

Preordinación. (Del lat. *praeordinatio, -ōnis.*) f. *Teol.* Acción y efecto de preordinar.

Preordinadamente. adv. m. *Teol.* Con preordinación.

Preordinar. (Del lat. *praeordināre.*) tr. *Teol.* Determinar Dios y disponer todas las cosas ab aeterno para que tengan su efecto en los tiempos que les pertenecen.

Prepalatal. adj. *Fon.* Dícese del sonido que se pronuncia aplicando o acercando el dorso de la lengua a la parte anterior del paladar. || **2.** Dícese de la letra que representa este sonido, como la *ch.* Ú. t. c. s. f.

Preparación. (Del lat. *praeparatio, -ōnis.*) f. Acción y efecto de preparar o prepararse.

Preparado, da. p. p. de **Preparar.** || **2.** adj. Dícese de la droga o medicamento preparado. Ú. t. c. s.

Preparador, ra. m. y f. Persona que prepara.

Preparamento. m. **Preparamiento.**

Preparamiento. (De *preparar.*) m. Preparación.

Preparar. (Del lat. *praeparāre.*) tr. Prevenir, disponer y aparejar una cosa para que sirva a un efecto. || **2.** Prevenir a un sujeto o disponerle para una acción que se ha de seguir. || **3.** Hacer las operaciones necesarias para obtener un producto; disponer la ejecución o prevenir el advenimiento de un hecho. || **4.** *Farm.* Templar la fuerza del principio activo de las medicinas hasta reducirlas al grado conveniente para la curación. || **5.** r. Disponerse, prevenirse y aparejarse para ejecutar una cosa o con algún otro fin determinado.

Preparativo, va. adj. **Preparatorio.** || **2.** m. Cosa dispuesta y preparada.

Preparatoriamente. adv. m. Con preparación.

Preparatorio, ria. (Del lat. *praeparatorius.*) adj. Dícese de lo que prepara y dispone.

Prepasado, da. (De *pre*, antes, y *pasado.*) adj. ant. **Antepasado,** 2.ª acep. Usáb. t. c. s.

Preponderancia. (De *preponderar.*) f. Exceso del peso, o mayor peso, de una cosa respecto de otra. || **2.** fig. Superioridad de crédito, consideración, autoridad, fuerza, etc.

Preponderante. p. a. de **Preponderar.** Que prepondera.

Preponderar. (Del lat. *praeponderāre.*) intr. Pesar más una cosa respecto de otra. || **2.** fig. Prevalecer o hacer más fuerza una opinión u otra cosa que aquella con la cual se compara. || **3.** fig. Ejercer una persona o un conjunto de ellas influjo dominante o decisivo.

Preponer. (Del lat. *praeponĕre.*) tr. Anteponer o preferir una cosa a otra.

Preposición. (Del lat. *praepositio, -ōnis.*) f. *Gram.* Parte invariable de la oración, cuyo oficio es denotar el régimen o relación que entre sí tienen dos palabras o términos. También se usa como prefijo. || **inseparable.** *Gram.* **Prefijo,** 2.ª acep.

Preposicional. adj. Dícese de la voz que tiene caracteres o calidades propios de las preposiciones o pueden usarse como tales.

Prepositivo, va. (Del lat. *praepositivus.*) adj. Perteneciente o relativo a la preposición. || **2.** *Gram.* V. **Partícula prepositiva.**

Prepósito. (Del lat. *praepositus.*) m. Primero y principal en una junta o comunidad, que preside o manda en ella. Entre los romanos hubo diferentes **prepósitos** en el gobierno civil y militar; como **prepósito** del palacio, de las fábricas, de la milicia, etc.; pero hoy se llaman así sólo los prelados de algunas religiones o comunidades religiosas. En algunas catedrales y colegiales es dignidad.

Prepositura. (Del lat. *praepositūra.*) f. Dignidad, empleo o cargo de prepósito. || **2.** *Val.* **Pavordía.**

Preposteración. f. Acción y efecto de preposterar.

Prepósteramente. adv. m. y t. Fuera de tiempo u orden.

Preposterar. (De lat. *praeposterāre.*) tr. Trastrocar el orden de algunas cosas, poniendo después lo que debía estar antes.

Prepóstero, ra. (Del lat. *praeposterus*; de *prae*, antes, y *posterus*, postrero.) adj. Trastrocado, hecho al revés y sin tiempo.

Prepotencia. (Del lat. *praepotentia.*) f. Poder superior al de otros, o gran poder.

Prepotente. (Del lat. *praepŏtens, -entis.*) adj. Más poderoso que otros, o muy poderoso.

Prepucio. (Del lat. *praeputium.*) m. *Zool.* Piel móvil que cubre el bálano.

Prepuesto, ta. (Del lat. *praepositus.*) p. p. irreg. de **Preponer.**

Prerrafaelismo. m. Arte y estilo pictóricos anteriores a Rafael de Urbino. || **2.** Estilo pictórico que imita el anterior a Rafael de Urbino.

Prerrafaelista. adj. Se dice del arte y estilo de pintura anteriores a Rafael de Urbino. || **2.** Se aplica al estilo que en pintura imita el anterior a Rafael. || **3.** m. Partidario del prerrafaelismo.

Prerrogativa. (Del lat. *praerogativa.*) f. Privilegio, gracia o exención que se concede a uno para que goce de ella, aneja regularmente a una dignidad, empleo o cargo. || **2.** fig. Atributo de excelencia o dignidad muy honrosa en cosa inmaterial. || **3.** Facultad importante de alguno de los poderes supremos del Estado, en orden a su ejercicio o a las relaciones con los demás poderes de clase semejante.

Prerromanticismo. m. Caracteres y condiciones de algunos escritores y sus obras, semejantes a los de la escuela romántica, pero antes de su establecimiento y predominio.

Prerromántico, ca adj. Dícese de la literatura y trabajos literarios publicados o escritos en España antes de 1835.

Presa. (Del lat. *prensa*, p. p. de *prendĕre*, coger, agarrar.) f. Acción de prender o tomar una cosa. || **2.** Cosa apresada o robada. || **3.** **Acequia.** || **4.** Muro grueso de piedra u otros materiales que se construye a través de un río, arroyo o canal, para detener el agua a fin de derivarla fuera del cauce. || **5.** Conducto por donde se lleva el agua para dar movimiento a las ruedas de los molinos u otras máquinas hidráulicas. || **6.** Tajada, pedazo o porción pequeña de una cosa comestible. || **7.** Cada uno de los colmillos o dientes agudos y grandes que tienen en ambas quijadas algunos animales, con los cuales agarran lo que muerden, con tal fuerza, que con gran dificultad lo sueltan. || **8.** V. **Perro de presa.** || **9.** *Ar.* **Puchero de enfermo.** || **10.** *Cetr.* Ave prendida por halcón u otra ave de rapiña. || **11.** *Cetr.* Uña del halcón u otra ave de rapiña. || **de caldo. Pisto,** 1.ª acep. || **y pinta. Parar,** 1.er art. || **Buena,** o **mala, presa.** La que ha sido hecha con arreglo, o en contravención, a las normas jurídicas internacionales de la navegación y del tráfico marítimo. || **Caer a la presa.** fr. *Cetr.* Bajar el halcón a hacer **presa** en el ave que le ponen de muestra para adiestrarlo. || **Hacer presa.** fr. Asir una cosa y asegurarla a fin de que no se escape. || **2.** fig. Aprovechar una circunstancia, acción o especie en perjuicio ajeno y en favor del intento propio.

Presada. (De *presa.*) f. Agua que se junta y retiene en el caz del molino para servir de fuerza motriz durante cierto tiempo, si la corriente no basta para el trabajo continuo.

Presado, da. (Del lat. *prasĭus,* de color verde.) adj. De color verde claro.

Presagiar. (Del lat. *praesagiāre.*) tr. Anunciar o prever una cosa, induciéndola de presagios o conjeturándola por razonable discurso.

Presagio. (Del lat. *praesagĭum.*) m. Señal que indica, previene y anuncia un suceso favorable o contrario. || **2.** Especie de adivinación o conocimiento de las cosas futuras por las señales que se han visto o por movimiento interior del ánimo, que las previene.

Presagioso, sa. adj. Que presagia o contiene presagio.

Présago, ga [**Presago, ga**]. (Del lat. *praesăgus.*) adj. Que anuncia, adivina o presiente algo, favorable o adverso.

Presar. tr. ant. **Apresar.**

Presbicia. f. *Med.* Defecto o imperfección del présbita.

Présbita [**Présbite**]. (Del gr. πρεσβύτης, de πρέσβυς, anciano.) adj. Dícese del que, por defecto de acomodación del ojo, percibe difícilmente los objetos próximos, y con mayor facilidad los lejanos. Depende las más veces de falta de convexidad en los medios transparentes del ojo. Ú. t. c. s.

Presbiterado. (Del lat. *presbyterātus.*) m. Sacerdocio, o dignidad u orden de sacerdote.

Presbiteral. adj. Perteneciente o relativo al presbítero.

Presbiterato. m. **Presbiterado.**

Presbiteriano, na. adj. Dícese del protestante ortodoxo en Inglaterra, Escocia y América que no reconoce la autoridad episcopal sobre los presbíteros. Ú. t. c. s. || **2.** Perteneciente a los **presbiterianos.**

Presbiterio. (Del lat. *presbyterĭum,* y éste del gr. πρεσβυτέριον.) m. Área del altar mayor hasta el pie de las gradas por donde se sube a él, que regularmente suele estar cercada con una reja o barandilla. En lo antiguo sólo tenían asiento en él los presbíteros. || **2.** Reunión de los presbíteros con el obispo.

Presbítero. (Del lat. *presbȳter, -ĕri,* y éste del gr. πρεσβύτερος, más anciano.) m. Clérigo ordenado de misa, o sacerdote.

Presciencia. (Del lat. *praescientĭa.*) f. Conocimiento de las cosas futuras.

Prescindible. adj. Dícese de aquello de que se puede prescindir o hacer abstracción.

Prescindir. (Del lat. *praescindĕre,* cortar por delante.) intr. Hacer abstracción de una persona o cosa; pasarla en silencio, omitirla. || **2.** Abstenerse, privarse de ella, evitarla.

Prescito, ta. adj. **Precito.** Ú. t. c. s.

Prescribir. (Del lat. *praescribĕre.*) tr. Preceptuar, ordenar, determinar una cosa. || **2.** intr. *For.* Adquirir una cosa o un derecho por la virtud jurídica de su posesión continuada durante el tiempo que la ley señala, o caducar un derecho por lapso del tiempo señalado también a este efecto para los diversos casos. Ú. t. c. tr. y c. r. || **3.** fig. Perderse o mermarse, por el transcurso del tiempo, una cosa corporal o inmaterial. || **4.** Concluir o extinguirse una carga, obligación o deuda por el transcurso de cierto tiempo. || **5.** Extinguirse la responsabilidad penal por el transcurso del tiempo, contado desde la comisión del delito o falta o desde la imposición de la pena.

Prescripción. (Del lat. *praescriptĭo, -ōnis.*) f. Acción y efecto de prescribir. || **2.** ant. Introducción, proemio o epígrafe con que se empieza una obra o escrito.

Prescriptible. (De *prescripto.*) adj. Que puede prescribir o prescribirse.

Prescripto, ta. p. p. irreg. **Prescrito.**

Prescrito, ta. (Del lat. *praescriptus.*) p. p. irreg. de **Prescribir.**

Presea. f. Alhaja, joya o cosa preciosa. || **2.** ant. Mueble o utensilio que sirve para el uso y comodidad de las casas.

Presencia. (Del lat. *praesentĭa.*) f. Asistencia personal, o estado de la persona que se halla delante de otra u otras o en el mismo paraje que ellas. || **2.** Por ext., asistencia o estado de una cosa que se halla delante de otra u otras o en el mismo paraje que ellas. || **3.** Talle, figura y disposición del cuerpo. || **4.** Representación, pompa, fausto. || **5.** fig. Actual memoria de una especie, o representación de ella. || **6.** *Quím.* V. **Acción de presencia.** || **de ánimo.** Serenidad o tranquilidad que conserva el ánimo, así en los sucesos adversos como en los prósperos. || **de Dios.** Actual consideración de estar delante del Señor.

Presencial. (Del lat. *praesentiālis.*) adj. Perteneciente o relativo a la presencia.

Presencialmente. adv. m. Con actual presencia o personalmente.

Presenciar. (De *presencia.*) tr. Hallarse presente a un acontecimiento, etc.

Presentable. adj. Que está en condiciones de presentarse o ser presentado.

Presentación. (Del lat. *praesentatĭo, -ōnis.*) f. Acción y efecto de presentar o presentarse. || **2.** Fiesta particular que celebra la Iglesia el día 21 de noviembre, en conmemoración de que fue María Santísima presentada a Dios por sus padres en el templo. || **3.** En las representaciones teatrales, el arte de hacerlas con propiedad y con la mayor perfección. *La* PRESENTACIÓN *de la comedia ha sido buena.* || **4.** V. **Asiento de presentación.** || **5.** *Med.* Parte del feto que se encaja en la pelvis y aparece al exterior en el parto. PRESENTACIÓN *de cara.*

Presentado, da. p. p. de **Presentar.** || **2.** adj. Aplícase en algunas órdenes religiosas al teólogo que ha seguido su carrera y, acabadas sus lecturas, está esperando el grado de maestro. Ú. t. c. s. || **3.** m. Eclesiástico que ha sido propuesto para una dignidad, un oficio o un beneficio en uso del derecho de patronato.

Presentador, ra. adj. Que presenta. Ú. t. c. s.

Presentalla. (De *presentar.*) f. **Exvoto.**

Presentáneamente. adv. t. Luego, al punto, sin intermisión de tiempo.

Presentáneo, a. (Del lat. *praesentanĕus.*) adj. Eficaz de tal modo, que tiene virtud para producir prontamente y sin dilación su efecto.

Presentante. p. a. de **Presentar.** Que presenta.

Presentar. (Del lat. *praesentāre.*) tr. Hacer manifestación de una cosa: ponerla en la presencia de uno. Ú. t. c. r. || **2.** Dar graciosa y voluntariamente a uno una cosa; como alhaja u otro regalo. || **3.** Proponer a un sujeto para una dignidad, oficio o beneficio eclesiástico. || **4.** Introducir a uno en la casa o en el trato de otro, a veces recomendándole personalmente. || **5.** Colocar provisionalmente una cosa para ver el efecto que produciría colocada definitivamente. || **6.** r. Ofrecerse voluntariamente a la disposición de una persona para un fin. || **7.** Comparecer en algún lugar o acto. || **8.** Comparecer ante un jefe o autoridad de quien se depende. || **9.** *For.* Comparecer en juicio.

Presente. (Del lat. *praesens, -entis.*) adj. Que está delante o en presencia de uno, o concurre con él en el mismo sitio. || **2.** Dícese del tiempo en que actualmente está uno cuando refiere una cosa. || **3.** V. **Palabras, participio de presente.** || **4.** *Gram.* V. **Tiempo presente.** Ú. t. c. s. || **5.** m. Don, alhaja o regalo que una persona da a otra en señal de reconocimiento o de afecto. || **Al presente,** o **de presente.** m. adv. Ahora, cuando se está diciendo o tratando. || **2.** En la época actual. || **Mejorando lo presente.** expr. que se emplea por cortesía cuando se alaba a una persona delante de otra. || **Por él, por la,** o **por lo, presente.** m. adv. Por ahora, en este momento.

Presentemente. adv. t. **Al presente.**

Presentero. m. El que presenta para prebendas o beneficios eclesiásticos.

Presentimiento. (De *presentir.*) m. Cierto movimiento del ánimo que hace antever y presagiar lo que ha de acontecer.

Presentir. (Del lat. *praesentīre.*) tr. Antever por cierto movimiento interior del ánimo lo que ha de suceder. || **2.** Adivinar una cosa antes que suceda, por algunos indicios o señales que la preceden.

Presepio. (Del lat. *praesepĭum.*) m. **Pesebre.** || **2. Caballeriza.** || **3. Establo.**

Presera. (De *presa,* por alusión a los aguijones de esta planta.) f. **Amor de hortelano,** 1.ª acep.

Presero. m. Guarda de una presa o acequia.

Preservación. f. Acción y efecto de preservar o preservarse.

Preservador, ra. adj. Que preserva. Ú. t. c. s.

Preservar. (Del lat. *praeservāre;* de *prae,* antes, y *servāre,* guardar.) tr. Poner a cubierto anticipadamente a una persona o cosa, de algún daño o peligro. Ú. t. c. r.

Preservativamente. adv. m. Con preservación, a fin de preservar.

Preservativo, va. adj. Que tiene virtud o eficacia de preservar. Ú. t. c. s. m.

Presidario. m. **Presidiario.**

Presidencia. f. Dignidad, empleo o cargo de presidente. || **2.** Acción de presidir. || **3.** Sitio que ocupa el presidente, o su oficina o morada. || **4.** Tiempo que dura el cargo.

Presidencial. adj. Perteneciente a la presidencia. *Silla* PRESIDENCIAL; *atribuciones* PRESIDENCIALES.

Presidencialismo. m. Sistema de organización política en que el presidente de la República es también jefe del gobierno, sin depender de la confianza de las Cámaras.

Presidencialista. adj. Perteneciente al presidencialismo, o partidario de él.

Presidenta. f. La que preside. || **2.** Mujer del presidente.

Presidente. (Del lat. *praesĭdens, -entis*) p. a. de **Presidir.** Que preside. || **2.** m. El que preside. || **3.** Cabeza o superior de un consejo, tribunal, junta o sociedad. || **4.** En las Repúblicas, el jefe electivo del Estado; normalmente por un plazo fijo, y responsable. Puede serlo también del poder ejecutivo cuando el régimen es presidencialista. || **5.** Entre los romanos, juez gobernador de una provincia. || **6.** En algunas religiones, el que substituye al prelado. || **7.** Maestro que, puesto en la cátedra, asiste al discípulo que sustenta un acto literario.

Presidiable. adj. Que merece estar en presidio, 3.ª acep.

Presidiar. (Del lat. *praesidiāri.*) tr. Guarnecer con soldados un puesto, plaza o castillo para que estén guardados y defendidos.

Presidiario. m. Penado que cumple en presidio su condena.

Presidio. (Del lat. *praesidĭum.*) m. Guarnición de soldados que se pone en las plazas, castillos y fortalezas para su custodia y defensa. || **2.** Ciudad o fortaleza que se puede guarnecer de soldados. || **3.** Establecimiento penitenciario en que cumplen sus condenas los penados por graves delitos. || **4.** Conjunto de presidiarios de un mismo lugar. || **5.** Pena señalada para varios delitos, con diversos grados de rigor y de tiempo. || **6.** fig. Auxilio, ayuda, socorro, amparo.

Presidir. (Del lat. *praesidēre;* de *prae,* antes, y *sedēre,* sentarse.) tr. Tener el primer lugar en una asamblea, corporación, junta o tribunal, o en un acto o una empresa. || **2.** Asistir el maestro, desde la cátedra, al discípulo que sustenta un acto literario. || **3.** Predominar, tener una cosa principal influjo. *Es un instituto en que la caridad lo* PRESIDE *todo.*

Presilla. (d. de *presa.*) f. Cordón pequeño, de seda u otra materia, en forma de lazo, con que se prende o asegura una cosa. || **2.** Cierta especie de lienzo. || **3.** Entre sastres, costurilla de puntos unidos que se pone en los ojales y otras partes para que la tela no se abra.

Presión. (Del lat. *pressĭo, -ōnis.*) f. Acción y efecto de apretar o comprimir. || **2.** ant. **Prisión,** 3.ª acep. || **arterial.** **Tensión arterial.** || **osmótica.** *Fís.* La que ejercen las partículas de un cuerpo disuelto en un líquido sobre las paredes del recipiente que contiene la solución, y que es exactamente igual a la que ejercerían aquellas partículas si estuvieran en forma gaseosa, en idénticas condiciones de volumen y temperatura.

Preso, sa. (Del lat. *prensus.*) p. p. irreg. de **Prender.** Ú. t. c. s. || **Preso por mil, preso por mil y quinientos.** expr. fig. y fam. que advierte que el que llega a excederse en una cosa, se atreve a ejecutar otros muchos excesos, sin temor de la pena o riesgo que le amenaza. || **2.** fig. y fam. Indica también la resolución de llevar a cabo un empeño, aunque sea con mayor coste o sacrificio de lo que se había pensado.

Prest. (Del ant. fr. *prest,* y éste del lat. **praestus,* de *praesto.*) m. Haber diario que se da a los soldados.

Presta. f. *Extr.* **Hierbabuena.**

Prestación. (Del lat. *praestatĭo, -ōnis.*) f. Acción y efecto de prestar. || **2.** Cosa o servicio exigido por una autoridad o convenido en un pacto. || **3.** Cosa o servicio que un contratante da o promete al otro. || **4.** Renta, tributo o servicio pagadero al señor, al propietario o a alguna entidad corporativa. PRESTACIONES *jurisdiccionales, territoriales, enfitéuticas,* etc. || **personal.** Servicio personal obligatorio exigido por la ley a los vecinos de un pueblo para obras o servicios de utilidad común.

Prestadizo, za. (De *prestado.*) adj. Que se puede prestar.

Prestado, da. p. p. de **Prestar.** || **2.** m. ant. **Empréstito.** || **De prestado.** m. adv. De modo precario.

Prestador, ra. (Del lat. *praestātor.*) adj. Que presta. Ú. t. c. s.

Prestamente. adv. m. Pronta y ligeramente, con brevedad y presteza.

Prestamera. (De *préstamo.*) f. Estipendio o pensión procedente de rentas eclesiásticas que se daba temporalmente a los que estudiaban para sacerdotes o a los que militaban por la Iglesia; institución que degeneró con el tiempo y ahora es una especie de beneficio eclesiástico.

Prestamería. f. Dignidad de prestamero. || **2.** Goce de prestamera.

Prestamero. m. El que goza de una prestamera. || **mayor.** Señor o caballero principal que tiene de la Iglesia algunos beneficios desmembrados y secularizados, que se le concedieron para él y sus sucesores en algunas comarcas. PRESTAMERO MAYOR *de Vizcaya, de Castilla.*

Prestamista. com. Persona que da dinero a préstamo.

Préstamo. (De *prestar.*) m. **Empréstito.** || **2.** **Prestamera.** || **3.** V. **Casa de préstamos.** || **4.** Terreno contiguo, por lo general, a un camino donde se excava el volumen necesario para completar con el material de los desmontes el de los terraplenes. || **5.** *For.* Denominación contractual genérica que abarca las dos especies de mutuo o simple **préstamo** y comodato. || **a la gruesa.** *Com.* **Contrato a la gruesa.**

Prestancia. (Del lat. *praestantĭa.*) f. **Excelencia,** 1.ª acep.

Prestante. (Del lat. *praestans, -antis.*) adj. **Excelente,** 1.ª acep.

Prestar. (Del lat. *praestāre.*) tr. Entregar a uno dinero u otra cosa para que por algún tiempo tenga el uso de ella, con la obligación de restituir igual cantidad o la misma cosa. || **2.** Ayudar, asistir o contribuir al logro de una cosa. || **3.** Dar o comunicar. || **4.** Junto con los nombres *atención, paciencia, silencio,* etc., tener u observar lo que estos nombres significan. || **5.** intr. Aprovechar, ser útil o conveniente para la consecución de un intento. || **6.** Dar de sí, extendiéndose. || **7.** r. Ofrecerse, allanarse, avenirse a una cosa.

Prestatario, ria. adj. Que toma dinero a préstamo. Ú. t. c. s.

Preste. (Del ant. fr. *prestre,* y éste del lat. *presbyter.*) m. Sacerdote que celebra la misa cantada asistido del diácono y el subdiácono, o el que con capa pluvial preside en función pública de oficios divinos. || **2.** ant. **Sacerdote,** 2.ª acep. || **Juan.** Título del emperador de los abisinios, y en su lengua vale rey, porque antiguamente eran sacerdotes estos príncipes.

Presteza. (De *presto.*) f. Prontitud, diligencia y brevedad en hacer o decir una cosa.

Prestidigitación. f. Arte o habilidad para hacer juegos de manos y otros embelecos para distracción del público.

Prestidigitador, ra. (De *presto* y el lat. *digĭtus,* dedo; pronto, ágil de dedos.) m. y f. **Jugador de manos.**

Préstido. (Del lat. *prestĭtus,* dado, concedido.) m. ant. **Empréstito.**

Prestigiador, ra. (Del lat. *praestigiātor.*) adj. Que causa prestigio. || **2.** m. y f. Persona embaucadora que con habilidad y artificios fascina a la gente.

Prestigiante. p. a. ant. de **Prestigiar.** Que prestigia.

Prestigiar. (Del lat. *praestigiāre.*) tr. ant. Hacer prestigios, embaucar.

Prestigio. (Del lat. *praestigĭum.*) m. Fascinación que se atribuye a la magia o es causada por medio de un sortilegio. || **2.** Engaño, ilusión o apariencia con que los prestigiadores emboban y embaucan al pueblo. || **3.** Ascendiente, influencia, autoridad.

Prestigioso, sa. (Del lat. *praestigiōsus.*) adj. **Prestigiador,** 1.ª acep. || **2.** Que tiene prestigio.

Prestimonio. (Del b. lat. *praestimonium,* y éste del lat. *praestāre,* proveer.) m. **Préstamo.**

Prestiño. m. **Pestiño.**

Prestir. tr. *Germ.* **Prestar,** 1.ª acep.

Presto, ta. (Del lat. *praestus;* de *praestāre,* estar antes.) adj. Pronto, diligente, ligero en la ejecución de una cosa. || **2.** Aparejado, pronto, preparado o dispuesto para ejecutar una cosa o para un fin. || **3.** adv. t. Luego, al instante, con gran prontitud y brevedad. || **De presto.** m. adv. Prontamente, con presteza.

Presumible. adj. Que se puede presumir.

Presumido, da. p. p. de **Presumir.** || **2.** adj. Que presume; vano, jactancioso. Ú. t. c. s.

Presumir. (Del lat. *praesumĕre.*) tr. Sospechar, juzgar o conjeturar una cosa por tener indicios o señales para ello. || **2.** intr. Vanagloriarse, tener alto concepto de sí mismo.

Presunción. (Del lat. *praesumptĭo, -ōnis.*) f. Acción y efecto de presumir. || **2.** *For.* Cosa que por ministerio de la ley se tiene como verdad. || **de hecho y de derecho.** *For.* La que tiene carácter absoluto o preceptivo, en contra de la cual no vale ni se admite prueba. || **de ley,** o **de solo derecho.** *For.* La que por ordenamiento legal se reputa verdadera, en tanto que no exista prueba en contrario.

Presuncioso, sa. (Del lat. *praesumptiōsus.*) adj. ant. **Presuntuoso.**

Presunta. (Del lat. *praesumpta,* t. f. de *-ptus,* presunto.) f. ant. **Presunción.**

Presuntamente. adv. m. Por presunción.

Presuntivamente. adv. m. Con presunción, sospecha o conjetura.

Presuntivo, va. (Del lat. *praesumptīvus.*) adj. Que se puede presumir o está apoyado en presunción.

Presunto, ta. (Del lat. *praesumptus.*) p. p. irreg. de **Presumir.**

Presuntuosamente. adv. m. Vanamente, con vanagloria y demasiada confianza.

Presuntuosidad. (De *presuntuoso.*) f. Presunción, vanagloria.

Presuntuoso, sa. (Del lat. *praesumptuosus.*) adj. Lleno de presunción y orgullo. Ú. t. c. s.

Presuponer. (De *pre,* antes, y *suponer.*) tr. Dar antecedentemente por sentada, cierta, notoria y constante una cosa para pasar a tratar de otra. || **2.** Formar el cómputo de los gastos o ingresos, o de unos y otros, que necesaria o probablemente han de resultar en un negocio de interés público o privado.

Presuposición. f. Suposición previa. || **2.** **Presupuesto,** 2.ª acep.

Presupuestario, ria. adj. Perteneciente o relativo al presupuesto, 4.ª acep.

Presupuesto, ta. p. p. irreg. de **Presuponer.** || **2.** m. Motivo, causa o pretexto con que se ejecuta una cosa. || **3.** Supuesto o suposición. || **4.** Cómputo anticipado del coste de una obra, y también de los gastos o de las rentas de un hospital, ayuntamiento u otro cuerpo y aun de los generales de un Estado o especiales de un ramo; como de guerra, marina, etc. || **5.** ant. **Designio.** || **Presupuesto que.** m. conjunt. **Supuesto que.**

Presura. (Del lat. *pressūra.*) f. Opresión, aprieto, congoja. || **2.** Prisa, prontitud y ligereza. || **3.** Ahínco, porfía.

Presuranza. (De *presura.*) f. ant. Presteza, apresuración.

Presurosamente. adv. m. Prontamente, con velocidad y apresuración.

Presuroso, sa. (De *presura.*) adj. Pronto, ligero, veloz.

Pretal. m. **Petral.**

Pretendencia. (De *pretender.*) f. **Pretensión.**

Pretender. (Del lat. *praetendĕre.*) tr. Solicitar una cosa, haciendo las diligencias necesarias para su consecución. || **2.** **Procurar,** 1.ª acep. *Antonio* PRETENDE *persuadirme.*

Pretendienta. f. La que pretende o solicita una cosa.

Pretendiente. p. a. de **Pretender.** Que pretende o solicita una cosa. Ú. t. c. s.

Pretensión. (Del lat. *praetensĭo, -ōnis.*) f. Solicitación para conseguir una cosa que se desea. || **2.** Derecho bien o mal fundado que uno juzga tener sobre una cosa. || **Barajarle** a uno una **pretensión.** fr. Ser causa de que se malogre. || **Barajársele** a uno una **pretensión.** fr. Malogrársele.

Pretenso, sa. (Del lat. *praetensus.*) p. p. irreg. de **Pretender.** || **2.** m. p. us. **Pretensión.**

Pretensor, ra. (De *pretenso.*) adj. Que pretende. Ú. t. c. s.

Preterición. (Del lat. *praeteritĭo, -ōnis.*) f. Acción y efecto de preterir. || **2.** En la filosofía antigua, forma de lo que no existe de presente, pero que existió en algún tiempo. || **3.** *For.* Omisión, en la institución de herederos, de uno que ha de suceder forzosamente, según la ley. || **4.** *Ret.* Figura que consiste en aparentar que se quiere omitir o pasar por alto aquello mismo que se dice expresa o encarecidamente.

Preterir. (Del lat. *praeterīre,* pasar adelante.) tr. Hacer caso omiso de una persona o cosa. || **2.** *For.* Omitir en la institución de herederos a los que son forzosos, sin desheredarlos expresamente en el testamento.

Pretérito, ta. (Del lat. *praeterĭtus,* p. p. de *praeterīre,* pasar, dejar atrás.) adj. Dícese de lo que ya ha pasado o sucedió. || **2.** *Gram.* V. **Tiempo pretérito.** Ú. t. c. s. || **3.** *Gram.* V. **Participio de pretérito.** || **imperfecto.** *Gram.* Tiempo que indica haber sido presente la acción del verbo, coincidiendo con otra acción ya pasada. || **perfecto.** *Gram.* Tiempo que denota ser ya pasada la significación del verbo, y se divide en simple y compuesto. || **pluscuamperfecto.** *Gram.* Tiempo que enuncia que una cosa estaba ya hecha, o podía estarlo, cuando otra se hizo.

Pretermisión. (Del lat. *praetermissĭo, -ōnis.*) f. **Omisión,** 2.ª y 3.ª aceps. || **2.** *Ret.* **Preterición,** 4.ª acep.

Pretermitir. (Del lat. *praetermittĕre.*) tr. **Omitir.**

Preternatural. (Del lat. *praeternaturālis;* de *praeter,* fuera de, y *naturālis,* natural.) adj. Que se halla fuera del ser y estado natural de una cosa.

Preternaturalizar. (De *preternatural.*) tr. Alterar, trastornar el ser o estado natural de una cosa. Ú. t. c. r.

Preternaturalmente. adv. m. De modo preternatural.

Pretexta. (Del lat. *praetexta.*) f. Especie de toga o ropa rozagante, orlada por abajo con una lista o tira de púrpura, de que usaban los magistrados romanos, y que también llevaban, hasta salir de la edad pueril, los mancebos y doncellas nobles. Ú. t. c. adj.

Pretextar. tr. Valerse de un pretexto.

Pretexto. (Del lat. *praetextus.*) m. Motivo o causa simulada o aparente que se alega para hacer una cosa o para excusarse de no haberla ejecutado.

Pretil. (Por **petril,* del lat. **pectorīle,* de *pectus,* pecho.) m. Murete o vallado de piedra u otra materia, que se pone en los puentes y en otros parajes para preservar de caídas. || **2.** Por ext., sitio llano, calzada o paseo a lo largo de un **pretil.**

Pretina. (Del vulg. *petrina,* y éste del lat. **pectorina,* de *pectus, -ŏris,* pecho.) f. Correa o cinta con hebilla o broche para sujetar en la cintura ciertas prendas de ropa. || **2.** Cintura donde se ciñe la **pretina.** || **3.** Parte de los calzones, briales, basquiñas y otras ropas, que se ciñe y ajusta a la cintura. || **4.** fig. Lo que ciñe o rodea una cosa. || **Meter,** o **poner,** a uno **en pretina.** fr. fig. y fam. **Meterle en cintura.**

Pretinazo. m. Golpe dado con la pretina, 1.ª acep.

Pretinero. m. Artífice u oficial que fabrica pretinas, 1.ª acep.

Pretinilla. (d. de *pretina.*) f. Cinturón que usaban las mujeres asegurado por delante con una hebilla, y a veces solía estar guarnecido de piedras preciosas.

Pretónico, ca. (De *pre,* 2.° art., y *tónico.*) adj. **Protónico.**

Pretor. (Del lat. *praetor.*) m. Magistrado romano que ejercía jurisdicción en Roma o en las provincias.

Pretor. (De *prieto,* negro.) m. En la pesca de atunes, negrura de las aguas en los parajes donde aquéllos abundan.

Pretoría. (De *pretor,* 1.er art.) f. **Pretura.**

Pretorial. adj. Perteneciente o relativo al pretor. || **2.** V. **Audiencia pretorial.**

Pretorianismo. m. Influencia política abusiva ejercida por algún grupo militar.

Pretoriano, na. (Del lat. *praetoriānus.*) adj. **Pretorial.** || **2.** Aplícase a los soldados de la guardia de los emperadores romanos. Ú. t. c. s.

Pretoriense. adj. Perteneciente al pretorio.

Pretorio, ria. (Del lat. *praetorius.*) adj. **Pretorial.** || **2.** V. **Derecho, edicto, prefecto pretorio.** || **3.** *For.* V. **Posesión, prenda pretoria.** || **4.** m. Palacio donde habitaban y donde juzgaban las causas los pretores romanos o los presidentes de las provincias. || **5.** V. **Prefecto del pretorio.**

Pretura. (Del lat. *praetūra.*) f. Empleo o dignidad de pretor.

Prevalecer. (Del lat. *praevalescĕre.*) intr. Sobresalir una persona o cosa; tener alguna superioridad o ventaja entre otras. || **2.** Conseguir, obtener una cosa en oposición de otros. || **3.** Arraigar las plantas y semillas en la tierra; ir creciendo y aumentando poco a poco. || **4.** fig. Crecer y aumentar una cosa no material.

Prevaleciente. p. a. de **Prevalecer.** Que prevalece.

Prevaler. (Del lat. *praevalēre.*) intr. **Prevalecer.** ||**2**. r. Valerse o servirse de una cosa.

Prevaricación. (Del lat. *praevaricatĭo, -ōnis.*) f. Acción y efecto de prevaricar.

Prevaricador, ra. (Del lat. *praevaricātor.*) adj. Que prevarica. Ú. t. c. s. || **2.** Que pervierte e incita a uno a faltar a las obligaciones de su oficio o religión. Ú. t. c. s.

Prevaricar. (Del lat. *praevaricāre.*) intr. Delinquir los funcionarios públicos dictando o proponiendo a sabiendas o por ignorancia inexcusable, resolución de manifiesta injusticia. || **2.** *For.* Cometer el crimen de prevaricato. || **3.** Por ext., cometer uno cualquier otra falta menos grave en el ejercicio de sus deberes. || **4.** fam. **Desvariar,** 2.ª acep. || **5.** desus. Hacer prevaricar.

Prevaricato. (Del lat. *praevaricātus,* p. p. de *praevaricāre,* prevaricar.) m. Acción de cualquier funcionario que de una manera análoga a la prevaricación falta a los deberes de su cargo. || **2.** *For.* **Prevaricación.**

Prevención. (Del lat. *praeventĭo, -ōnis.*) f. Acción y efecto de prevenir. || **2.** Preparación y disposición que se hace anticipadamente para evitar un riesgo o ejecutar una cosa. || **3.** Provisión de mantenimiento o de otra cosa que sirve para un fin. || **4.** Concepto, por lo común desfavorable, que se tiene de una persona o cosa. || **5.** Puesto de policía o vigilancia de un distrito, donde se lleva preventivamente a las personas que han cometido algún delito o falta. || **6.** *For.* Acción y efecto de prevenir, 7.ª y 8.ª aceps. || **7.** *Mil.* Guardia del cuartel, que cela el orden y policía de la tropa. || **8.** *Mil.* Lugar donde está. || **A prevención.** m. adv. **De prevención.** || **2.** *For.* Ú. para denotar que un juez conoce de una causa con exclusión de otros que eran igualmente competentes, por habérseles anticipado en el conocimiento de ella. || **De prevención.** m. adv. Por si acaso, por **prevención,** para prevenir.

Prevenidamente. adv. m. Anticipadamente, de antemano, con prevención.

Prevenido, da. p. p. de **Prevenir.** || **2.** adj. Apercibido, dispuesto, aparejado para una cosa. || **3.** Provisto, abundante, lleno. *Frasco bien* PREVENIDO. || **4.** Próvido, advertido, cuidadoso.

Preveniente. p. a. de **Prevenir.** Que previene o dispone con anticipación.

Prevenir. (Del lat. *praevenīre.*) tr. Preparar, aparejar y disponer con anticipación las cosas necesarias para un fin. || **2.** Prever, ver, conocer de antemano o con anticipación un daño o perjuicio. || **3.** Precaver, evitar, estorbar o impedir una cosa. || **4.** Advertir, informar o avisar a uno de una cosa. || **5.** Imbuir, impresionar, preocupar el ánimo o voluntad de uno, induciéndole a prejuzgar personas o cosas. || **6.** Ocurrir a un inconveniente, dificultad u objeción. || **7.** *For.* Ordenar y ejecutar un juzgado las diligencias iniciales o preparatorias de un juicio civil o criminal, señaladamente las que por ser urgentes no se deben demorar aunque no esté definida todavía la competencia. || **8.** *For.* Instruir las primeras diligencias para asegurar los bienes y las resultas de un juicio. || **9.** r. Disponer con anticipación; prepararse de antemano para una cosa. || **Prevenírsele** a uno una cosa. fr. Venirle al pensamiento, ocurrirle.

Preventivamente. adv. m. Con, o por, prevención.

Preventivo, va. (Del lat. *praeventum,* supino de *praevenīre,* prevenir.) adj. Dícese de lo que previene. || **2.** V. **Anotación, prisión preventiva.**

Preventorio. m. Establecimiento destinado a prevenir el desarrollo o propagación de ciertas enfermedades, y más especialmente el que tiene por objeto el tratamiento de los niños débiles o amenazados de tuberculosis.

Prever. (Del lat. *praevidēre.*) tr. Ver con anticipación; conocer, conjeturar por algunas señales o indicios lo que ha de suceder.

Previamente. adv. m. Con anticipación o antelación.

Previlejar. tr. ant. **Privilegiar.**

Previo, via. (Del lat. *praevĭus.*) adj. Anticipado, que va delante o que sucede primero. || **2.** V. **Autorización, cuestión previa.**

Previsible. adj. Que puede ser previsto o entra dentro de las previsiones normales.

Previsión. (Del lat. *praevisĭo, -ōnis.*) f. Acción y efecto de prever. || **2.** Acción de disponer lo conveniente para atender a contingencias o necesidades previsibles.

Previsor, ra. (Del lat. *praevīsum,* supino de *praevidēre,* prever.) adj. Que prevé. Ú. t. c. s.

Previsto, ta. (De *pre,* antes, y *visto.*) p. p. irreg. de **Prever.**

Prez. (Del prov. *pretz,* y éste del lat. *pretium.*) amb. Honor, estima o consideración que se adquiere o gana con una acción gloriosa. || **2.** ant. **Fama,** 2.ª y 3.ª aceps.

Priado. adv. t. Pronto, presto, con rapidez.

Priapismo. (Del lat. *priapismus,* y éste del gr. πριαπισμός.) m. *Med.* Erección continua y dolorosa del miembro viril, sin apetito venéreo.

Priego. (Quizá del lat. *epigrus;* en port. *prego.*) m. ant. **Clavo,** 1.ª acep.

Priesa. (Del lat. *pressus,* p. p. de *premĕre,* estrechar.) f. **Prisa.** || **A,** o **de, priesa.** m. adv. **A,** o **de, prisa.** || **En priesa me ves, y doncellez me demandas.** ref. con que se moteja a quien inconsideradamente pide imposibles sabiendo que lo son.

Prietamente. adv. m. ant. **Apretadamente.**

Prieto, ta. (De *apretar.*) adj. Aplícase al color muy obscuro y que casi no se distingue del negro. || **2. Apretado,** 2.ª acep. || **3.** V. **Coco, maravedí, vómito prieto.** || **4.** V. **Carpintero de prieto.** || **5.** fig. Mísero, escaso, codicioso.

Prima. (Del lat. *prima,* primera.) f. Primera de las cuatro partes iguales en que dividían los romanos el día artificial, y que comprendía desde el principio de la primera hora temporal, a la salida del Sol, hasta el fin de la tercera, a media mañana. Usábase en las universidades y estudios. *Lección de* PRIMA; *catedrático de* PRIMA. || **2.** Una de las siete horas canónicas, que se dice después de laudes. Llámase así porque se canta en la primera hora de la mañana. || **3.** En algunos instrumentos de cuerda, la que es primera en orden y la más delgada de todas, que produce un sonido muy agudo. || **4.** V. **Prima tonsura.** || **5.** ant. **Primacía.** || **6.** *Germ.* **Camisa,** 1.ª acep. || **7.** *Cetr.* Halcón hembra. || **8.** Cantidad que el cesionario de un derecho o una cosa da al cedente por añadidura del coste originario. || **9.** Premio concedido, las más veces por el gobierno, a fin de estimular operaciones o empresas que se reputan de conveniencia pública o que interesan al que lo concede. || **10.** *Com.* Suma que en ciertas operaciones de bolsa se obliga el comprador a plazo a pagar al vendedor por el derecho a rescindir el contrato. || **11.** Precio que el asegurado paga al asegurador, de cuantía unas veces fija y otras proporcional. || **12.** *Mil.* Primero de los cuartos en que para las centinelas se dividía la noche, y comprendía desde las ocho a las once.

Primacía. (Del lat. *primas, -ātis;* de *primus,* primero; en b. lat. *primatia.*) f. Superioridad, ventaja o excelencia que una cosa tiene con respecto a otra de su especie. || **2.** Dignidad o empleo de primado.

Primacial. adj. Perteneciente o relativo al primado o a la primacía.

Primada. (De *primo,* simple, incauto.) f. fam. Acción propia del primo o persona incauta.

Primadgo. (De *primado.*) m. ant. **Primazgo.**

Primado. (Del lat. *primātus.*) m. Primer lugar, grado, superioridad o ventaja que una cosa tiene respecto de otras de su especie. || **2.** Primero y más preeminente de todos los arzobispos y obispos de un reino o región, ya ejerza sobre ellos algunos derechos de jurisdicción o potestad, ya sólo goce de ciertas prerrogativas honoríficas. || **3. Primacía,** 2.ª acep.

Primado, da. adj. Perteneciente al **primado.** *Silla* PRIMADA. || **2.** V. **Iglesia primada.**

Prima facie. expr. adv. lat. **A primera vista.** Ú. en estilo forense y en el familiar.

Primal, la. (De *primo,* primero.) adj. Aplícase a la res ovejuna o cabría que tiene más de un año y no llega a dos. Ú. t. c. s. || **2.** m. Cordón o trenza de seda.

Primamente. adv. m. ant. Primorosamente, con esmero y perfección.

Primariamente. adv. m. Principalmente; en primer lugar.

Primario, ria. (Del lat. *primarius.*) adj. Principal o primero en orden o grado. || **2.** V. **Instrucción, luz primaria.** || **3.** V. **Movimiento, planeta, vertical primario.** || **4.** *Electr.* Respecto de una bobina de inducción u otro aparato semejante, dícese de la corriente inductora y del circuito por donde fluye. || **5.** *Geol.* Perteneciente a uno o varios de los terrenos sedimentarios más antiguos. || **6.** m. **Catedrático de prima.**

Primate. (Del lat. *primas, -ātis.*) m. Personaje distinguido; prócer. Ú. m. en pl. || **2.** adj. *Zool.* Aplícase a los mamíferos de superior organización, plantígrados, con extremidades terminadas en cinco dedos provistos de uñas, de los cuales el pulgar es oponible a los demás, por lo menos en los miembros torácicos. Ú. m. c. s. m. || **3.** m. pl. *Zool.* Orden de estos animales.

Primavera. (Del lat. *prima,* primera, y *ver, veris,* primavera.) f. Estación del año, que astronómicamente principia en el equinoccio del mismo nombre y termina en el solsticio de verano. || **2.** Época templada del año, que en el hemisferio boreal corresponde a los meses de marzo, abril y mayo, y en el austral a los meses de septiembre, octubre y noviembre. || **3.** Planta herbácea perenne, de la familia de las primuláceas, con hojas anchas, largas, arrugadas, ásperas al tacto y tendidas sobre la tierra. De entre ellas se elevan varios tallitos desnudos que llevan flores amarillas en figura de quitasol. || **4.** Cierto tejido de seda sembrado y matizado de flores de varios colores. || **5.** fig. Cualquier cosa vistosamente varia y de hermoso colorido. || **6.** fig. Tiempo en que una cosa está en su mayor vigor y hermosura.

Primaveral. adj. Perteneciente o relativo a la primavera.

Primaz. (Del lat. *primas, -ātis.*) m. ant. **Primado,** 1.er art., 2.ª acep.

Primazgo. (De *primadgo.*) m. Parentesco que tienen entre sí los primos. || **2. Primado,** 1.er art., 3.ª acep.

Primearse. r. fam. Darse tratamiento de primos el rey y los grandes, o éstos entre sí.

Primer. adj. Apócope de **Primero.** || **2.** V. **Primer caballerizo del rey.** || **3.** V. **Primer espada, primer meridiano, primer miembro, primer ministro, primer movimiento, primer pronto, primer secretario de Estado y del Despacho, primer teniente, primer vertical.** || **4.** V. **El primer motor.** || **5.** V. **Potro de primer bocado.**

Primera. f. Juego de naipes en que se dan cuatro cartas a cada jugador: el siete vale 21 puntos; el seis, 18; el as, 16; el dos, 12; el tres, 13; el cuatro, 14; el cinco, 15, y la figura, 10. La mejor suerte, y con que se gana todo, es el flux. || **2.** pl. Bazas que, de seguida y bastantes para ganar la partida, hace un jugador antes que los demás hagan ninguna, y que en ciertos juegos dan opción a una ganancia adicional.

Primeramente. adv. t. y orden. Previamente, anticipadamente, antes de todo.

Primería. (De *primero.*) f. ant. **Primacía.** || **2.** ant. **Principio,** 1.ª acep.

Primeridad. (De *primero.*) f. ant. **Primacía.**

Primerizo, za. adj. Que hace por vez primera una cosa, o es novicio o principiante en un arte, profesión o ejercicio. Ú. t. c. s. || **2.** Aplícase especialmente a la hembra que pare por primera vez. Ú. t. c. s.

Primero, ra. (Del lat. *primarius.*) adj. Dícese de la persona o cosa que precede a las demás de su especie en orden, tiempo, lugar, situación, clase o jerarquía. Ú. t. c. s. || **2.** Excelente, grande y que sobresale y excede a otros. || **3.** Antiguo, y que antes se ha poseído y logrado. *Se restituyó al estado* PRIMERO *en que se hallaba.* || **4.** V. **Artículo de primera necesidad.** || **5.** V. **Minuto, número primero.** || **6.** V. **Causa primera.** || **7.** V. **Primera enseñanza, primera espada, primera intención, primera materia.** || **8.** V. **Primeras letras.** || **9.** V. **Obispo de la primera silla.** || **10.** V. **Nuestros primeros padres.** || **11.** adv. t. **Primeramente.** || **12.** Antes, más bien, de mejor gana, con más o mayor gusto. Ú. para contraposición adversativa de una cosa que se pretende o se intenta. PRIMERO *pediría limosna que prestado.* || **A las primeras.** m. adv. **A las primeras de cambio.** || **De primero.** m. adv. Antes o al principio. || **No ser el primero.** fr. con que se pretende excusar la acción de un sujeto, dando a entender que hay otros ejemplares, o que el que la ejecuta lo tiene por costumbre.

Primevo, va. (Del lat. *primaevus;* de *primus,* primero, y *aevum,* tiempo, edad.) adj. ant. Primitivo o primero. || **2.** Dícese de la persona de más edad respecto de otras.

Primicerio, ria. (Del lat. *primicerius.*) adj. Aplícase a la persona que es primera o superior a las demás en su línea. || **2.** m. En algunas iglesias catedrales o colegiales, **chantre.** || **3.** En la universidad de Salamanca, graduado elegido anualmente, alternando entre las facultades, el cual ejercía ciertas funciones económicas y gubernativas referentes a la capilla, y ocupaba el lugar inmediato al rector.

Primicia. (Del lat. *primitiae.*) f. Fruto primero de cualquier cosa. || **2.** Prestación de frutos y ganados que además del diezmo se daba a la Iglesia. || **3.** pl. fig. Principios o primeros frutos que produce cualquier cosa no material.

Primicial. adj. Perteneciente a primicias.

Primiclerio. m. **Primicerio.**

Primichón. (De *primo.*) m. Madejuela de seda torcida que sirve generalmente para los bordados de imaginería.

Primigenio, nia. (Del lat. *primigenius;* de *primus,* primero, y *genĕre,* engendrar.) adj. Primitivo, originario.

Primilla. (d. de *prima,* primera.) f. Perdón de la primera culpa o falta que se comete. || **2.** *And.* **Cernícalo,** 1.ª acep.

Primípara. (Del lat. *primipăra.*) f. *Obst.* **Primeriza,** 2.ª acep.

Primitivamente. adv. m. Originariamente, al principio, en tiempo anterior a cualquier otro.

Primitivo, va. (Del lat. *primitīvus.*) adj. Primero en su línea, o que no tiene ni toma origen de otra cosa. || **2.** V. **Lotería primitiva.** || **3.** *Gram.* Aplícase a la palabra que no se deriva de otra de la misma lengua. || **4.** *Esc.* y *Pint.* Aplícase al artista y a la obra artística anteriores al renacimiento clásico. Ú. t. c. s.

Primo, ma. (Del lat. *primus.*) adj. **Primero.** || **2.** Primoroso, excelente. || **3.** V. **Danza, obra prima.** || **4.** V. **Hilo primo.** || **5.** V. **Prima tonsura.** || **6.** *Arit.* V. **Número primo.** || **7.** m. y f. Respecto de una persona, hijo o hija de su tío o tía. Si es hijo de tío carnal se llama **primo hermano** o **carnal;** si de tío segundo, **primo segundo,** y así sucesivamente hasta el cuarto grado inclusive, canónicamente computado, que equivale al octavo del cómputo civil. || **8.** Tratamiento que daba el rey a los grandes de España en cartas privadas y documentos oficiales. || **9.** fam. **Negro,** 2.ª acep. || **10.** fam. Persona incauta que se deja engañar o explotar fácilmente. || **11.** m. *Germ.* **Jubón,** 1.ª acep. || **12.** adv. m. **En primer lugar.** || **cormano.** ant. **Primo hermano.** || **A primas.** m. adv. ant. Primeramente, al principio. || **Hacer el primo.** fr. fig. y fam. que se aplica al que se deja engañar fácilmente. También se dice en el mismo sentido, **caer,** o **coger, de primo,** cuando se refieren al engañador. || **Ser** una cosa **prima hermana** de otra. fr.

fig. y fam. Ser semejante o muy parecida a ella.

Primogénito, ta. (Del lat. *primogenĭtus.*) adj. Aplícase al hijo que nace primero. Ú. t. c. s.

Primogenitor. (Del lat. *primus*, primero, y *genĭtor*, el que engendra.) m. ant. **Progenitor.**

Primogenitura. f. Dignidad, prerrogativa o derecho del primogénito.

Primor. (De *primo*, excelente.) m. Destreza, habilidad, esmero o excelencia en hacer o decir una cosa. || **2.** Artificio y hermosura de la obra ejecutada con él. || **3.** ant. Primacía, principalidad.

Primordial. (Del lat. *primordiālis.*) adj. Primitivo, primero. Aplícase al principio fundamental de cualquier cosa.

Primorear. intr. Hacer primores. Ú. particularmente entre los que tocan instrumentos, para expresar que ejecutan diestramente cualquier capricho.

Primorosamente. adv. m. Diestra y perfectamente; con delicadeza, excelencia y acierto.

Primoroso, sa. (De *primor.*) adj. Excelente, delicado y perfecto. || **2.** Diestro, experimentado y que hace o dice con perfección alguna cosa.

Prímula. f. **Primavera,** 3.ª acep.

Primuláceo, a. (Del lat. *primŭla*, nombre científico de la primavera, planta.) adj. *Bot.* Dícese de plantas herbáceas angiospermas dicotiledóneas, con hojas radicales o sobre el tallo; flores hermafroditas, regulares, de cáliz persistente y corola de cuatro a cinco pétalos, y fruto capsular, con muchas semillas de albumen carnoso; como el pamporcino, la lisimaquia y la primavera. Ú. t. c. s. || **2.** f. pl. *Bot.* Familia de estas plantas.

Princesa. (Del fr. *princesse*, de *prince*, y éste del lat. *princeps.*) f. Mujer del príncipe. || **2.** La que por sí goza o posee un estado que tiene el título de principado. || **3.** En España, título que se da a la hija del rey, inmediata sucesora del reino. || **de Asturias. Princesa,** 3.ª acep.

Principada. (De *príncipe.*) f. fam. **Alcaldada,** 2.ª acep.

Principadgo. m. ant. **Principado.**

Principado. (Del lat. *principātus.*) m. Título o dignidad de príncipe. || **2.** Territorio o lugar sobre que recae este título. || **3.** Territorio o lugar sujeto a la potestad de un príncipe. || **4.** Primacía, ventaja o superioridad con que una cosa excede en alguna calidad a otra con la cual se compara. || **5.** pl. Espíritus bienaventurados, príncipes de todas las virtudes celestiales, que cumplen los mandatos divinos. Forman el séptimo coro.

Principal. (Del lat. *principālis.*) adj. Dícese de la persona o cosa que tiene el primer lugar en estimación o importancia y se antepone y prefiere a otras. || **2.** Ilustre, esclarecido en nobleza. || **3.** Dícese del que es el primero en un negocio o en cuya cabeza está. || **4.** Esencial o fundamental, por oposición a accesorio. || **5.** Aplicado a edición, **príncipe,** 1.ª acep. || **6.** Dícese de la habitación o cuarto que en los edificios se halla sobre el piso bajo, o sobre el entresuelo cuando lo hay. || **7.** V. **Manjar, nave, punto, rayo principal.** || **8.** V. **Contaduría principal de Marina.** || **9.** m. En las plazas de armas, cuerpo de guardia situado ordinariamente en el centro de la población, para dar pronto auxilio a las providencias de policía o de justicia, y para comunicar la orden y el santo diariamente a los demás puestos de guardia de la guarnición. || **10.** Capital de una obligación o censo, en oposición a rédito, pensión o canon. || **11.** Jefe de una casa de comercio, fábrica, almacén, etc. || **12.** *For.* **Poderdante,** con respecto a su apoderado.

Principalía. (De *principal.*) f. ant. **Principalidad.** || **2.** Colectividad compuesta, en cada pueblo de Filipinas, del gobernadorcillo, que la preside, los tenientes, los jueces de sementeras, de policía y de ganados, los capitanes pasados, los cabezas de barangay y los que han ejercido este cargo sin desfalco por más de diez años.

Principalidad. f. Calidad de principal o de primero en su línea.

Principalmente. adv. m. Primeramente, antes que todo, con antelación o preferencia.

Principante. p. a. ant. de **Principar.** Que manda como príncipe.

Principar. (Del lat. *principāri.*) intr. ant. Mandar, dominar o regir como príncipe.

Príncipe. (Del lat. *princeps, -cĭpis.*) adj. *Bibliogr.* V. **Edición príncipe.** || **2.** m. El primero y más excelente, superior o aventajado en una cosa. || **3.** Por antonomasia, hijo primogénito del rey, heredero de su corona. || **4.** Individuo de familia real o imperial. || **5.** Soberano de un Estado. || **6.** Título de honor que dan los reyes. || **7.** Cualquiera de los grandes de un reino o monarquía. || **8.** Entre colmeneros y en algunas partes, pollo de las abejas de la clase de reinas, que no se halla aún en estado de procrear. || **de Asturias.** Título que se da al hijo del rey, inmediato sucesor de la corona de España. || **de la sangre.** El que era de la familia real de Francia y podía suceder en el reino. || **Portarse** uno **como un príncipe.** fr. fig. Tratarse con fausto y magnificencia o tener rasgos y acciones de tal.

Principela. f. Tejido de lana, semejante a la lamparilla, pero más fino y con cierto granillo, usado antiguamente para vestidos de mujeres y capas de hombres.

Principesa. (De *príncipe.*) f. ant. **Princesa.**

Principesco, ca. adj. Dícese de lo que es o parece propio de un príncipe o princesa.

Principiador, ra. adj. Que principia. Ú. t. c. s.

Principianta. (De *principiante.*) f. Aprendiza de cualquier arte u oficio.

Principiante. p. a. de **Principiar.** Que principia. || **2.** Que empieza a estudiar, aprender o ejercer un oficio, arte, facultad o profesión. Ú. m. c. s.

Principiar. (Del lat. *principiāre.*) tr. Comenzar, dar principio a una cosa. Ú. t. c. r.

Principio. (Del lat. *principĭum.*) m. Primer instante del ser de una cosa. || **2.** Punto que se considera como primero en una extensión o cosa. || **3.** Base, fundamento, origen, razón fundamental sobre la cual se procede discurriendo en cualquier materia. || **4.** Causa primitiva o primera de una cosa, o aquello de que otra cosa procede de cualquier modo. || **5.** Cualquiera de los platos de vianda u otros manjares que se sirven en la comida entre la olla o el cocido y los postres. || **6.** En la universidad de Alcalá, cualquiera de los tres actos que tenían los teólogos de una de las cuatro partes del libro de las sentencias, después de la tentativa, y se llamaban primero, segundo y tercer **principio.** || **7.** Cualquiera de las primeras proposiciones o verdades por donde se empiezan a estudiar las facultades, y son los rudimentos y como fundamentos de ellas. || **8.** Cualquiera cosa que entra con otra en la composición de un cuerpo. || **9.** Cada una de las máximas particulares por donde cada cual se rige para sus operaciones o discursos. || **10.** *Lóg.* V. **Petición de principio.** || **11.** pl. *Impr.* Todo lo que precede al texto de un libro; como aprobaciones, dedicatorias, licencias, etc. || **Principio de contradicción.** *Fil.* Enunciado lógico y metafísico que consiste en decir: Es imposible que una cosa sea y no sea al mismo tiempo. || **de derecho.** *For.* Norma no legal supletoria de ella y constituida por doctrina o aforismos que gozan de general y constante aceptación de jurisconsultos y tribunales. || **inmediato.** *Quím.* Substancia orgánica de composición definida, que entra en la constitución de los seres vivos o de alguno de sus órganos. || **A los principios,** o **al principio.** m. adv. Al empezar una cosa. || **A principios** del mes, año, etc. m. adv. En sus primeros días. || **Del principio al fin.** m. adv. **De todo en todo.** || **En principio.** m. adv. Dícese de lo que se acepta o acoge en esencia, sin que haya entera conformidad en la forma o los detalles. || **Principio quieren las cosas.** fr. proverb. con que se exhorta a resolverse a empezar o proseguir una cosa que se teme o se duda si se conseguirá o logrará. || **Tener, tomar,** o **traer, principio** una cosa **de** otra. fr. Proceder o provenir de ella.

Principote. (De *príncipe.*) m. fam. El que en su tren, fausto y porte hace ostentación de una clase superior a la suya.

Pringado, da. p. p. de **Pringar.** || **2.** f. Rebanada de pan empapada en pringue.

Pringamoza. f. *Bot. Cuba.* Bejuco de la familia de las euforbiáceas, cubierto de una pelusa que produce en la piel gran picazón. || **2.** *Colomb.* y *Hond.* Especie de ortiga.

Pringar. tr. Empapar con pringue el pan u otro alimento. || **2.** Estrujar con pan algún alimento pringoso. || **3.** Echar a uno pringue hirviendo, castigo usado antiguamente. || **4.** Manchar con pringue, 1.ª y 2.ª aceps. Ú. t. c. r. || **5.** fam. Herir haciendo sangre. || **6.** fig. y fam. Denigrar, infamar, poner mala nota en la fama de alguno. || **7.** intr. fig. y fam. Tomar parte en un negocio o dependencia. || **8.** r. fig. y fam. Interesarse uno indebidamente en el caudal, hacienda o negocio que maneja. || **Pringar** uno **en todo.** fr. fig. y fam. Tomar parte a la vez en muchos negocios o asuntos de varia y distinta naturaleza.

Pringón, na. adj. fam. Puerco, sucio, lleno de grasa o pringue. || **2.** m. fam. Acción de mancharse con pringue. || **3.** fam. Mancha de pringue.

Pringoso, sa. adj. Que tiene pringue.

Pringote. (De *pringue.*) m. Amasijo que hacen algunos al comer la olla, mezclando la carne, el tocino y el chorizo.

Pringue. (Del lat. *pinguis*, gordo, adiposo.) amb. Grasa que suelta el tocino u otra cosa semejante sometida a la acción del fuego. || **2.** fig. Suciedad, grasa o porquería que se pega a la ropa o a otra cosa. || **3.** Castigo consistente en pringar, 3.ª acep.

Prionodonte. (Del gr. πρίων, sierra, y ὀδούς, ὀδόντος, diente.) m. *Paleont.* Especie de armadillo fósil de gran tamaño.

Prior. (Del lat. *prior*, el primero.) adj. En lo escolástico, dícese de lo que precede a otra cosa en cualquier orden. || **2.** m. En algunas religiones, superior o prelado ordinario del convento. || **3.** En otras, segundo prelado después del abad. || **4.** Superior de cualquier convento de los canónigos regulares y de las órdenes militares. || **5.** Dignidad que hay en algunas iglesias catedrales. || **6.** En algunos obispados, párroco o cura. || **7.** El cabeza de cualquier consulado, establecido con autoridad legítima para entender en asuntos de comercio. || **Gran prior.** En la religión de San Juan, dignidad superior a las demás de cada lengua. || **Si el prior juega a los naipes, ¿qué harán los frailes?** ref. que reprende a los que dan mal ejemplo, debiendo darlo bueno.

Priora. (De *prior.*) f. Prelada de algunos conventos de religiosas. || **2.** En algunas religiones, segunda prelada, que tiene el gobierno y mando después de la superiora.

Prioradgo. m. ant. **Priorato,** 1.er art.

Prioral. adj. Perteneciente o relativo al prior o a la priora.

Priorato. (Del lat. *priorātus*, preeminencia.) m. Oficio, dignidad o empleo de prior o de priora. || **2.** Distrito o territorio en que tiene jurisdicción el prior. || **3.** En la religión de San Benito, casa en que habitan algunos monjes pertenecientes a un monasterio principal, cuyo abad nombra el superior inmediato, llamado prior, para que los gobierne.

Priorato. (De la comarca catalana de este nombre.) m. Vino tinto muy renombrado en gran parte de España.

Priorazgo. (De *prioradgo.*) m. **Priorato,** 1.er art.

Prioresa. f. desus. **Priora.**

Prioridad. (Del lat. *prior, -ōris*, anterior.) f. Anterioridad de una cosa respecto de otra, o en tiempo o en el orden. || **2.** Anterioridad o precedencia de una cosa a otra que depende o procede de ella, y no al contrario. || **de naturaleza.** *Fil.* Anterioridad o preferencia de una cosa respecto de otra precisamente en cuanto es causa suya, aunque existan en un mismo instante de tiempo. || **de origen.** *Teol.* La que se considera en aquellas personas de la Trinidad que son principio de otra u otras que de ellas proceden: como el Padre, que es principio del Verbo, y ambos principio del Espíritu Santo.

Prioste. (De *preboste.*) m. Mayordomo de una hermandad o cofradía.

Prisa. (De *priesa.*) f. Prontitud y rapidez con que sucede o se ejecuta una cosa. || **2.** Rebato, escaramuza o pelea muy encendida y confusa. || **3.** Concurso grande al despacho de una cosa. || **4.** Entre sastres y otros oficiales, concurrencia de muchas obras. || **5.** ant. Aprieto, conflicto, consternación, ahogo. || **6.** ant. Muchedumbre, tropel. || **A gran prisa, gran,** o **más, vagar. A más prisa, gran** o **más, vagar.** frs. proverbs. con que se da a entender que no se deben atropellar las cosas ni sacarlas de su curso regular, porque de otro modo se tarda más en la ejecución o logro de ellas. || **Andar** uno **de prisa.** fr. fig. Aplícase al que parece que le falta tiempo para cumplir con las ocupaciones y negocios que tiene a su cargo. || **A prisa.** m. adv. **Aprisa.** || **A toda prisa.** m. adv. Con la mayor prontitud. || **Correr prisa** una cosa. fr. Ser urgente. || **Dar prisa.** fr. Instar y obligar a uno a que ejecute una cosa con presteza y brevedad. || **2.** Acometer al contrario con ímpetu, brío y resolución, obligándole a huir. || **Dar prisa** una cosa. fr. **Correr prisa.** || **Darse** uno **prisa.** fr. fam. Acelerarse, apresurarse en la ejecución de una cosa. || **De prisa.** m. adv. **Deprisa.** || **De prisa y corriendo.** m. adv. Con la mayor celeridad, atropelladamente, sin detención o pausa alguna. || **Estar** uno **de prisa.** fr. Tener que hacer una cosa con urgencia. || **Meter** uno **prisa.** fr. Apresurar las cosas. || **Tener** uno **prisa.** fr. **Estar de prisa.** || **Vísteme despacio, que estoy de prisa.** expr. fig. y fam. **A gran prisa, más vagar.** || **Vivir** uno **de prisa.** fr. fig. Trabajar demasiado, o gastar sin reparo la salud.

Priscal. (De *aprisco.*) m. Lugar en el campo, donde se recogen los ganados por la noche.

Priscilianismo. m. Herejía de Prisciliano, heresiarca español del siglo IV, que profesaba algunos de los errores de los gnósticos y maniqueos.

Priscilianista. adj. Sectario del priscilianismo. Ú. t. c. s.

Prisciliano, na. adj. **Priscilianista.** Ú. t. c. s. || **2.** Perteneciente a Prisciliano.

Prisco. (Del ant. *priesco*, y éste del lat. [*pomum*] *persĭcum.*) m. **Albérchigo,** 1.ª y 2.ª aceps.

Prisión. (Del lat. *prehensĭo, -ōnis.*) f. Acción de prender, asir o coger. || **2.** Cárcel o sitio donde se encierra y asegura a los presos. || **3.** Presa que hace el halcón de cetrería, volando a poca altura. || **4.** Atadura con que están presas las aves de caza. || **5.** ant. Toma u ocupación de una cosa. || **6.** fig. Cualquier cosa que ata o detiene físicamente. || **7.** fig. Lo que une estrechamente las voluntades y afectos. || **8.** *For.* Pena de privación de libertad, inferior a la reclusión y superior a la de arresto. || **9.** pl. Grillos, cadenas y otros instrumentos con que en las cárceles se asegura a los delincuentes. || **Prisión de Estado.** Cárcel en que se encierran los reos de Estado. || **mayor.** La que dura desde seis años y un día hasta doce años. || **menor.** La de seis meses y un día a seis años. || **preventiva.** *For.* La que sufre el procesado durante la sustanciación del juicio. || **Reducir** a uno **a prisión.** fr. *For.* Encarcelarle. || **Renunciar la prisión.** fr. **Renunciar la cadena.**

Prisionero, ra. (De *prisión.*) m. y f. Militar u otra persona que en campaña cae en poder del enemigo. || **2.** fig. El que está como cautivo de un afecto o pasión. || **de guerra.** El que se entrega al vencedor precediendo capitulación.

Prisma. (Del lat. *prisma*, y éste del gr. πρῖσμα.) m. *Geom.* Cuerpo terminado por dos caras planas, paralelas e iguales que se llaman bases, y por tantos paralelogramos cuantos lados tenga cada base. Si éstas son triángulos, el **prisma** se llama triangular; si pentágonos, pentagonal, etc. || **2.** *Ópt.* **Prisma** triangular de cristal, que se usa para producir la reflexión, la refracción y la descomposición de la luz. || **cenital.** *Astron.* Sistema óptico cuyo principal elemento es un **prisma** de reflexión adaptable al ocular astronómico para facilitar las observaciones cenitales. || **objetivo.** *Astron.* **Prisma** de poco ángulo y mucho diámetro, que se coloca delante del objetivo de un anteojo para observar muchos espectros a la vez.

Prismático, ca. adj. De figura de prisma. || **2.** V. **Anteojo prismático.** Ú. t. c. s. || **3.** V. **Pólvora prismática.**

Priso, sa. (Del lat. *prensus*, p. p. de *prendĕre.*) p. p. irreg. ant. de **Prender.**

Priste. (Del lat. *pristis*, y éste del gr. πρίστις.) m. *Zool.* **Pez espada.**

Prístino, na. (Del lat. *pristĭnus.*) adj. Antiguo, primero, primitivo, original.

Prisuelo. (De *priso.*) m. Frenillo o bozo que se pone a los hurones para que no puedan chupar la sangre a los conejos al hacerles presa.

Privación. (Del lat. *privatĭo, -ōnis.*) f. Acción de despojar, impedir o privar. || **2.** Carencia o falta de una cosa en sujeto capaz de tenerla. || **3.** Pena con que se despojee a uno del empleo, derecho o dignidad que tenía, por un delito que ha cometido. || **4.** fig. Ausencia del bien que se apetece y desea. || **La privación es causa del apetito.** fr. proverb. con que se pondera el deseo de las cosas que no podemos alcanzar, haciendo poco aprecio de las que poseemos.

Privada. (De *privado.*) f. **Letrina,** 1.ª acep. || **2.** Plasta grande de suciedad o excremento echada en el suelo o en la calle.

Privadamente. adv. m. Familiar o separadamente, en particular.

Privadero. (De *privada.*) m. Pocero, el que limpia los pozos negros.

Privado, da. (Del lat. *privātus.*) adj. Que se ejecuta a vista de pocos, familiar y domésticamente, sin formalidad ni ceremonia alguna. || **2.** Particular y personal de cada uno. || **3.** V. **Higiene, misa privada.** || **4.** m. El que tiene privanza.

Privado. (Del célt. **brigos*, brío.) adv. m. ant. Presto, luego, al punto.

Privanza. (De *privar.*) f. Primer lugar en la gracia y confianza de un príncipe o alto personaje, y por extensión, de cualquiera otra persona.

Privar. (Del lat. *privāre.*) tr. Despojar a uno de una cosa que poseía. || **2.** Destituir a uno de un empleo, ministerio, dignidad, etc. || **3.** Prohibir o vedar. || **4.** Quitar o suspender el sentido, como sucede con un golpe violento u olor sumamente vivo. Ú. m. c. r. || **5.** intr. Tener privanza. || **6.** Tener general aceptación una persona o cosa. || **7.** r. Dejar voluntariamente una cosa de gusto, interés o conveniencia. PRIVARSE *del paseo.*

Privativamente. adv. m. Propia y singularmente, con exclusión de todos los demás.

Privativo, va. (Del lat. *privatīvus*) adj. Que causa privación o la significa. || **2.** Propio y peculiar singularmente de una cosa o persona, y no de otras.

Privilegiadamente. adv. m. De un modo privilegiado.

Privilegiado, da. p. p. de **Privilegiar.** || **2.** adj. V. **Altar privilegiado.**

Privilegiar. tr. Conceder privilegio.

Privilegiativo, va. adj. Que encierra o incluye en sí privilegio.

Privilegio. (Del lat. *privilegĭum.*) m. Gracia o prerrogativa que concede el superior, exceptuando o libertando a uno de una carga o gravamen, o concediéndole una exención de que no gozan otros. || **2.** Documento en que consta la concesión de un **privilegio.** || **3.** V. **Concertador de privilegios.** || **4.** V. **Hidalgo de privilegio.** || **convencional.** El que se da o concede mediante un pacto o convenio con el privilegiado. || **de introducción.** Derecho de goce exclusivo durante plazo fijo de un procedimiento industrial o de una fabricación que se implanta de nuevo en un país. || **de invención.** Derecho de aprovechar exclusivamente, por tiempo determinado, una producción o un procedimiento industrial hasta entonces no conocidos o no usados. || **del canon.** El que gozan las personas del estado clerical y religioso, de que quien impusiere manos violentas en alguna de ellas, incurra ipso facto en la pena de excomunión reservada a Su Santidad. || **del fuero.** El que tienen los eclesiásticos para ser juzgados por sus tribunales. || **favorable.** El que favorece al privilegiado, de suerte que no perjudica a nadie, como el de comer carne o lacticinios en cuaresma. || **gracioso.** El que se da o concede sin atención a los méritos del privilegiado, sino sólo por gracia, beneficencia o parcialidad del superior. || **local.** El que se concede a un lugar determinado, fuera de cuyos límites no se extiende, como el **privilegio** de asilo, que no aprovechaba al que voluntariamente salía de los términos del lugar privilegiado. || **odioso.** El que perjudica a tercero. || **personal.** El que se concede a una persona y no pasa a los sucesores. || **real.** El que está unido a la posesión de una cosa o al ejercicio de un cargo. || **remuneratorio.** El que se concede en premio de una acción meritoria. || **rodado.** El que se expedía con el signo rodado.

Privillejar. tr. ant. **Privilegiar.**

Privillejo. m. ant. **Privilegio.**

Pro. (Del lat. *prode*, provecho.) amb. **Provecho.** || **2.** V. **Hombre de pro.** || **Buena pro.** Modo de hablar con que se saluda al que está comiendo o bebiendo. || **2.** Ú. en los contratos y remates para demostrar que se han perfeccionado o son ya obligatorios. || **El pro y el con-**

tra. fr. con que se denota la confrontación de lo favorable y lo adverso de una cosa. || **En pro.** m. adv. En favor.

Pro. (Del lat. *pro.*) prep. insep. que tiene su recta significación de **por** o **en vez de,** como en PRO*nombre,* o la de **delante,** en sentido figurado, como en PRO*poner;* o denota más ordinariamente publicación, como en PRO*clamar;* continuidad de acción, impulso o movimiento hacia adelante, como en PRO*crear,* PRO*mover,* PRO*pasar;* negación o contradicción, como en PRO*scribir;* substitución, como en PRO*cónsul.*

Proa. (De *prora.*) f. Parte delantera de la nave, con la cual corta las aguas. || **2.** V. **Capitán, mascarón, mastelero, viento de proa.** || **Poner la proa** a una cosa. fr. fig. Fijar la mira en ella, haciendo las diligencias conducentes para su logro y consecución. || **Poner la proa** a uno. fr. fig. Formar el propósito de perjudicarle.

Proal. adj. Perteneciente a la proa.

Probabilidad. (Del lat. *probabilitas, -ātis.*) f. Verosimilitud o fundada apariencia de verdad. || **2.** Calidad de probable, 3.ª acep.

Probabilismo. (Del lat. *probabilis,* probable.) m. *Teol.* Doctrina de ciertos teólogos según los cuales en la calificación de la bondad o malicia de las acciones humanas se puede lícita y seguramente seguir la opinión probable, en contraposición de la más probable.

Probabilista. adj. *Teol.* Que profesa la doctrina del probabilismo. Apl. a pers., ú. t. c. s.

Probable. (Del lat. *probabilis.*) adj. Verosímil, o que se funda en razón prudente. || **2.** Que se puede probar. || **3.** Dícese de aquello que hay buenas razones para creer que se verificará o sucederá.

Probablemente. adv. m. Con verosimilitud o fundada apariencia de verdad.

Probación. (Del lat. *probatio, -ōnis.*) f. **Prueba.** || **2.** En las órdenes regulares, examen y prueba que debe hacerse, a lo menos por tiempo de un año, de la vocación y virtud de los novicios antes de profesar.

Probado, da. p. p. de **Probar.** || **2.** adj. Acreditado por la experiencia. *Es remedio* PROBADO. || **3.** Dícese de la persona que ha sufrido con paciencia grandes tribulaciones o adversidades. || **4.** *For.* Acreditado como verdad en los autos. Dícese *lo alegado y* PROBADO, para denotar la materia que está sometida al juicio. || **5.** *For.* V. **Alegato de bien probado.**

Probador, ra. (Del lat. *probātor.*) adj. Que prueba. Ú. t. c. s. || **2.** m. En los talleres de costura, aposento en que los clientes se prueban los trajes o vestidos. || **3.** ant. Abogado defensor.

Probadura. f. Acción de probar o gustar.

Probanza. (De *probar.*) f. Averiguación o prueba que jurídicamente se hace de una cosa. || **2.** Cosa o conjunto de ellas que acreditan una verdad o un hecho.

Probar. (Del lat. *probāre.*) tr. Hacer examen y experimento de las cualidades de personas o cosas. || **2.** Examinar si una cosa está arreglada a la medida, muestra o proporción de otra a que se debe ajustar. || **3.** Justificar, manifestar y hacer patente la certeza de un hecho o la verdad de una cosa con razones, instrumentos o testigos. || **4.** Gustar una pequeña porción de un manjar o líquido. || **5.** ant. **Aprobar,** 1.ª acep. || **6.** intr. Con la preposición *a* y el infinitivo de otros verbos, hacer prueba, experimentar o intentar una cosa. PROBÓ A *levantarse y no pudo.* || **7.** Ser a propósito o convenir una cosa, o producir el efecto que se necesita. Regularmente se usa con los adverbios *bien* o *mal.*

Probática. (Del lat. *probatica piscina,* y éste del gr. προβατικός, perteneciente a los corderos o a los rebaños.) adj. V. **Piscina probática.**

Probatoria. (Del lat. *probatoria.*) f. *For.* Término concedido por la ley o por el juez para hacer las pruebas.

Probatorio, ria. (Del lat. *probatorius.*) adj. Que sirve para probar o averiguar la verdad de una cosa. || **2.** *For.* V. **Término probatorio.**

Probatura. (De *probar.*) f. fam. Ensayo, prueba.

Probeta. (De *probar.*) f. Manómetro de mercurio, de poca altura, para conocer el grado de enrarecimiento del aire en la máquina neumática. || **2.** Máquina para probar la calidad y violencia de la pólvora. || **3.** Tubo de cristal, con pie o sin él, cerrado por un extremo y destinado a contener líquidos o gases. || **4.** Vasija cuadrilonga y de poco fondo, usada por los fotógrafos en sus operaciones. || **graduada.** La que tiene señales para medir volúmenes.

Probidad. (Del lat. *probitas, -ātis.*) f. Bondad, rectitud de ánimo, hombría de bien, integridad y honradez en el obrar.

Problema. (Del lat. *problēma,* y éste del gr. πρόβλημα; de προβάλλω, lanzar hacia adelante.) m. Cuestión que se trata de aclarar; proposición o dificultad de solución dudosa. || **2.** Conjunto de hechos o circunstancias que dificultan la consecución de algún fin. || **3.** *Mat.* Proposición dirigida a averiguar el modo de obtener un resultado cuando ciertos datos son conocidos. || **determinado.** *Mat.* Aquel que no puede tener sino una solución, o más de una en número fijo. || **indeterminado.** *Mat.* Aquel que puede tener indefinido número de soluciones.

Problemáticamente. adv. m. Con razones por una y otra parte, sin determinar opinión.

Problemático, ca. (Del lat. *problematicus,* y éste del gr. προβληματικός.) adj. Dudoso, incierto, o que se puede defender por una y otra parte.

Probo, ba. (Del lat. *probus.*) adj. Que tiene probidad.

Probóscide. (Del lat. *proboscis, -ĭdis,* trompa.) f. *Zool.* Aparato bucal en forma de trompa o pico, dispuesto para la succión, que es propio de los insectos dípteros.

Proboscidio. (Del lat. *proboscis, -ĭdis,* trompa.) adj. *Zool.* Dícese de los mamíferos que tienen trompa prensil formada por la soldadura de la nariz con el labio superior, y cinco dedos en las extremidades, terminado cada uno de ellos en una pequeña pezuña y englobados en una masa carnosa; como el elefante. Ú. t. c. s. || **2.** m. pl. *Zool.* Orden de estos animales.

Procacidad. (Del lat. *procacĭtas, -ātis.*) f. Desvergüenza, insolencia, atrevimiento.

Procapellán. m. En la antigua capilla real era el primero en dignidad de los capellanes. Casi siempre lo era el obispo de Sión.

Procaz. (Del lat. *procax, ācis.*) adj. Desvergonzado, atrevido.

Procedencia. (Del lat. *procēdens, -entis,* procedente.) f. Origen, principio de donde nace o se deriva una cosa. || **2.** Punto de salida o escala de un barco, cuando llega al término de su viaje. También se usa con relación a otros vehículos y aun a personas. || **3.** Conformidad con la moral, la razón o el derecho. || **4.** *For.* Fundamento legal y oportunidad de una demanda, petición o recurso.

Procedente. (Del lat. *procēdens, -entis.*) p. a. de **Proceder.** Que procede, dimana o trae su origen de una persona o cosa. || **2.** Arreglado a la prudencia, a la razón o al fin que se persigue. || **3.** Conforme a derecho, mandato, práctica o conveniencia. *Demanda, recurso, acuerdo* PROCEDENTE.

Proceder. (infinit. substantivado.) m. Modo, forma y orden de portarse y gobernar uno sus acciones bien o mal.

Proceder. (Del lat. *procedĕre.*) intr. Ir en realidad o figuradamente algunas personas o cosas unas tras otras guardando cierto orden. || **2.** Seguirse, nacer u originarse una cosa de otra, física o moralmente. || **3.** Portarse y gobernar uno sus acciones bien o mal. || **4.** Pasar a poner en ejecución una cosa a la cual precedieron algunas diligencias, PROCEDER *a la elección de papa.* || **5.** Continuar en la ejecución de algunas cosas que piden tracto sucesivo. || **6.** Ser conforme a razón, derecho, mandato, práctica o conveniencia. || **7.** *Teol.* Hablando de la Santísima Trinidad, significa que el Eterno Padre produce al Verbo Divino, engendrándolo con su entendimiento, del cual **procede;** y que amándose el Padre y el Hijo, producen al Espíritu Santo, que **procede** de los dos. || **Proceder contra** uno. fr. *For.* Iniciar o seguir procedimiento criminal contra él. || **Proceder en infinito.** fr. fig. que se usa para ponderar lo dilatado o interminable de una cosa. *Querer referir todas mis desventuras, sería* PROCEDER EN INFINITO.

Procedido, da. p. p. de **Proceder.** || **2.** m. ant. **Producto.**

Procediente. p. a. ant. de **Proceder. Procedente.**

Procedimiento. m. Acción de proceder. || **2.** Método de ejecutar algunas cosas. || **3.** *For.* Actuación por trámites judiciales o administrativos. || **contradictorio.** Dícese del que permite impugnar lo que en él se pretende.

Procela. (Del lat. *procella.*) f. poét. Borrasca, tormenta.

Proceleusmático. (Del lat. *proceleusmaticus pes,* y éste del gr. προκελευσματικός.) m. Pie de la poesía griega y latina, compuesto de dos pirriquios, o sea de cuatro sílabas breves.

Proceloso, sa. (Del lat. *procellōsus.*) adj. Borrascoso, tormentoso, tempestuoso.

Prócer. (Del lat. *procer.*) adj. Alto, eminente o elevado. || **2.** m. Persona de la primera distinción o constituida en alta dignidad. || **3.** Cada uno de los individuos que, por derecho propio o nombramiento del rey, formaban, bajo el régimen del Estatuto Real, el estamento a que daban nombre.

Procerato. m. Dignidad de prócer.

Proceridad. (Del lat. *procerĭtas, -ātis.*) f. Altura, eminencia o elevación. || **2.** Vigor, lozanía, incremento anticipado. Dícese de las personas y de las plantas.

Procero, ra [Prócero, ra]. (Del lat. *procērus.*) adj. **Prócer,** 1.ª acep.

Proceroso, sa. (De *prócer.*) adj. Dícese de la persona de alta estatura, corpulenta y de grave continente.

Procesado, da. adj. Aplícase al escrito y letra de proceso. || **2.** Declarado y tratado como presunto reo en un proceso criminal. Ú. t. c. s. || **3.** V. **Letra procesada.**

Procesal. adj. Perteneciente o relativo al proceso. *Costas* PROCESALES. || **2.** V. **Derecho procesal.**

Procesamiento. m. Acto de procesar.

Procesar. tr. Formar autos y procesos. || **2.** *For.* Declarar y tratar a una persona como presunto reo de delito.

Procesión. (Del lat. *processio, -ōnis.*) f. Acción de proceder una cosa de otra. || **2.** Acto de ir ordenadamente de un lugar a otro muchas personas con algún fin público y solemne, por lo común religioso. || **3.** V. **Cursor de procesiones.** || **4.** fig. y fam. Una o más hileras de personas o animales que van de un lugar a otro. || **5.** *Teol.* Acción eterna con que el Padre produce al Verbo, y acción con que estas dos personas producen al Espíritu Santo. A esta última es a la que más comúnmente se da el nombre de **procesión.** || **Andar, o ir, por dentro la procesión.** fr. fig. y fam. Sentir pena, cólera, inquietud, etc., aparentando serenidad o sin darlo a conocer. || **No hay procesión sin tarasca.** expr. fig. y fam. **No ha y función sin tarasca.** || **No se puede repicar y andar en la procesión.** ref. que enseña que no se pueden hacer a un tiempo y con perfección dos cosas muy diferentes.

Procesional. adj. Ordenado en forma de procesión. || **2.** Perteneciente a ella.

Procesionalmente. adv. m. En forma de procesión.

Procesionaria. f. Nombre común a las orugas de varias especies de lepidópteros que causan grandes estragos en los pinos, encinas y otros árboles.

Procesionario. (De *procesión.*) adj. V. **Libro procesionario.** Ú. t. c. s.

Proceso. (Del lat. *processus.*) m. **Progreso,** 1.ª acep. || **2.** Transcurso del tiempo. || **3.** V. **Cabeza de proceso.** || **4.** Conjunto de las fases sucesivas de un fenómeno. || **5.** *For.* Agregado de los autos y demás escritos en cualquiera causa civil o criminal. || **6.** *For.* Causa criminal. || **7.** *For.* V. **Méritos del proceso.** || **8.** ant. *For.* **Procedimiento,** 3.ª acep. || **en infinito.** Acción de seguir una serie de cosas que no tiene fin. || **Fulminar el proceso.** fr. *For.* Hacerlo y substanciarlo hasta ponerlo en estado de sentencia. || **Vestir el proceso.** fr. *For.* Formarlo con todas las diligencias y solemnidades requeridas por derecho.

Procinto. (Del lat. *procinctus,* preparado.) m. ant. Estado inmediato y próximo de ejecutarse una cosa. Decíase especialmente en la milicia cuando estaba para darse una batalla.

Proción. (Del lat. *Procyon, -ōnis,* y éste del gr. Προκύων; de πρό, delante, y κύων, perro.) m. *Astron.* Estrella muy notable, de primera magnitud, situada en la constelación del Can Menor.

Proclama. (De *proclamar.*) f. Notificación pública. Ú. regularmente hablando de las amonestaciones para los que tratan de casarse u ordenarse. || **2.** Alocución política o militar, de viva voz o por escrito. || **Correr las proclamas.** fr. **Correr las amonestaciones.**

Proclamación. (Del lat. *proclamatio, -ōnis.*) f. Publicación de un decreto, bando o ley, que se hace solemnemente para que llegue a noticia de todos. || **2.** Actos públicos y ceremonias con que se declara e inaugura un nuevo reinado, principado, etc. || **3.** Alabanza pública y común.

Proclamar. (Del lat. *proclamāre.*) tr. Publicar en alta voz una cosa para que se haga notoria a todos. || **2.** Declarar solemnemente el principio o inauguración de un reinado, etc. || **3. Aclamar,** 1.ª y 2.ª aceps. || **4.** fig. Dar señales inequívocas de un afecto, pasión, etc. || **5.** r. Declararse uno investido de un cargo, autoridad o mérito.

Proclisis. f. *Gram.* Unión de una palabra proclítica a la que le sigue.

Proclítico, ca. (A semejanza de *enclítico,* del gr. προκλίνω, inclinarse hacia adelante.) adj. *Gram.* Dícese de la voz monosílaba que, sin acentuación prosódica, se liga en la cláusula con el vocablo subsiguiente. Tales son los artículos, los pronombres posesivos *mi, tu, su,* las preposiciones de una sílaba y otras varias partículas.

Proclive. (Del lat. *proclīvis.*) adj. Inclinado o propenso a una cosa, especialmente a lo malo.

Proclividad. (Del lat. *proclivĭtas, -ātis.*) f. Calidad de proclive.

Proco. (Del lat. *prŏcus,* galán, pretendiente.) m. p. us. El que aspira a los favores de una mujer. || **2.** p. us. El que la demanda en matrimonio o la apadrina en su profesión religiosa.

Procomún. (De *pro,* provecho, y *común.*) m. Utilidad pública.

Procomunal. m. **Procomún.**

Procónsul. (Del lat. *proconsul.*) m. Gobernador de una provincia entre los romanos, con jurisdicción e insignias consulares

Proconsulado. (Del lat. *proconsulātus.*) m. Oficio, dignidad o empleo de procónsul. || **2.** Tiempo que duraba esta dignidad.

Proconsular. (Del lat. *proconsulāris.*) adj. Perteneciente o relativo al procónsul.

Procordado. adj. *Zool.* Dícese de animales cordados que no tienen encéfalo, estando reducido su sistema nervioso central a un cordón que equivale a la medula espinal de los vertebrados; carecen de toda clase de esqueleto y respiran por branquias situadas en la pared de la faringe. Viven en el mar. Ú. t. c. s. m. || **2.** m. pl. *Zool.* Subtipo de estos animales.

Procreación. (Del lat. *procreatio, -ōnis.*) f. Acción y efecto de procrear.

Procreador, ra. (Del lat. *procreātor.*) adj. Que procrea. Ú. t. c. s.

Procreante. p. a. de **Procrear.** Que procrea.

Procrear. (Del lat. *procreāre.*) tr. Engendrar, multiplicar una especie.

Procura. (De *procurar.*) f. **Procuración,** 2.ª acep. || **2. Procuraduría.** || **3.** Cuidado asiduo en los negocios. || **Tras mala procura, viene la mala ventura.** ref. que advierte los perjuicios que ocasiona el descuido o negligencia en los propios asuntos.

Procuración. (Del lat. *procuratio, -ōnis.*) f. Cuidado o diligencia con que se trata y maneja un negocio. || **2.** Comisión o poder que uno da a otro para que en su nombre haga o ejecute una cosa. || **3.** Oficio o cargo de procurador. || **4. Procuraduría,** 2.ª acep. || **5.** Contribución o derechos que los prelados exigen de las iglesias que visitan, para el hospedaje y mantenimiento suyo y de sus familiares durante el tiempo de la visita.

Procurador, ra. (Del lat. *procurātor.*) adj. Que procura. Ú. t. c. s. || **2.** m. El que en virtud de poder o facultad de otro ejecuta en su nombre una cosa. || **3.** El que, con la necesaria habilitación legal, ejerce ante los tribunales la representación de cada interesado en un juicio. || **4.** En las comunidades, sujeto por cuya mano corren las dependencias económicas de la casa, o los negocios y diligencias de su provincia. || **5.** m. y f. En las comunidades religiosas, la persona que tiene a su cargo el gobierno económico del convento. || **Procurador a Cortes. Procurador en Cortes.** || **astricto.** *For. Ar.* El que estaba obligado a seguir ciertas causas, especialmente las criminales, porque en Aragón nunca se procedía de oficio en ellas. || **de Cortes. Procurador en Cortes.** || **del Reino.** Cada uno de los individuos que, elegido por las provincias, formaban, bajo el régimen del Estatuto Real, el estamento a que daban nombre. || **de pobres.** fig. y fam. Sujeto que se mezcla o introduce en negocios o dependencias en que no tiene interés alguno; y si cae en persona de no buen crédito o que perjudica a uno, se suele decir: *¿Quién mete a Judas a ser* PROCURADOR DE POBRES? || **en Cortes.** Cada uno de los individuos que designaban ciertas ciudades para concurrir a las Cortes con voto en éstas. || **síndico general.** Sujeto que en los ayuntamientos o concejos tenía el cargo de promover los intereses de los pueblos, defendía sus derechos y se quejaba de los agravios que se les hacían. || **síndico personero.** El que se nombraba por elección en los pueblos, y principalmente en aquellos en que el oficio de **procurador** síndico general era perpetuo o vitalicio.

Procuraduría. f. Oficio o cargo de procurador o procuradora. || **2.** Oficina donde despacha el procurador.

Procurante. (Del lat. *procūrans, -antis.*) p. a. de **Procurar.** Que procura o solicita una cosa.

Procurar. (Del lat. *procurāre.*) tr. Hacer diligencias o esfuerzos para conseguir lo que se desea. || **2.** Ejercer el oficio de procurador. || **Quien menos procura, alcanza más bien, o más alcanza.** ref. en que se nota cuán dañosa puede ser la demasiada solicitud en los negocios o pretensiones.

Procurrente. (Del lat. *procurrens, -entis,* lo que se extiende o sobresale.) m. *Geogr.* Gran pedazo de tierra que se adelanta y avanza mar adentro; como lo es toda Italia.

Prodición. (Del lat. *proditio, -ōnis.*) f. Alevosía, traición.

Prodigalidad. (Del lat. *prodigalĭtas, -ātis.*) f. Profusión, desperdicio, consumo de la propia hacienda, gastando excesivamente. || **2.** Copia, abundancia o multitud.

Pródigamente. adv. m. Abundante y copiosamente; con grande exceso y prodigalidad.

Prodigar. (De *pródigo.*) tr. Disipar, gastar pródigamente o con exceso y desperdicio una cosa. || **2.** Dar con profusión y abundancia. || **3.** fig. Tratándose de elogios, favores, etc., dispensarlos profusa y repetidamente. || **4.** r. Excederse indiscretamente en la exhibición personal.

Prodigiador. (Del lat. *prodigiātor.*) m. ant. El que por los prodigios o cosas extraordinarias que suceden, pronostica o anuncia lo que ha de suceder.

Prodigio. (Del lat. *prodigium.*) m. Suceso extraño que excede los límites regulares de la naturaleza. || **2.** Cosa especial, rara o primorosa en su línea. || **3. Milagro.**

Prodigiosamente. adv. m. De un modo prodigioso.

Prodigiosidad. f. Calidad de prodigioso.

Prodigioso, sa. (Del lat. *prodigiōsus.*) adj. Maravilloso, extraordinario, que encierra en sí prodigio. || **2.** Excelente, primoroso, exquisito.

Pródigo, ga. (Del lat. *prodĭgus.*) adj. Disipador, gastador, manirroto; que desperdicia y consume su hacienda en gastos inútiles y vanos, sin medida, orden ni razón. Ú. t. c. s. || **2.** Que desprecia generosamente la vida u otra cosa estimable. || **3.** Muy dadivoso.

Proditor. (Del lat. *proditor, -ōris.*) m. ant. **Traidor.**

Proditorio, ria. (De *proditor.*) adj. ant. Que incluye traición o perteneciente a ella.

Pro domo sua. expr. lat. Título de un discurso de Cicerón, que ahora se usa para significar el modo egoísta con que obra alguno.

Prodrómico, ca. adj. *Med.* Perteneciente o relativo al pródromo.

Pródromo. (Del lat. *prodrŏmus,* y éste del gr. πρόδρομος, que precede; de πρό, delante, y δραμεῖν, correr.) m. *Med.* Malestar que precede a una enfermedad.

Producción. (Del lat. *productio, -ōnis.*) f. Acción de producir. || **2.** Cosa producida. || **3.** Acto o modo de producirse. || **4.** Suma de los productos del suelo o de la industria.

Producente. (Del lat. *prodūcens, -entis.*) p. a. de **Producir.** Que produce.

Producibilidad. f. *Fil.* Calidad de producible.

Producible. adj. *Fil.* Que se puede producir.

Producidor, ra. (De *producir.*) adj. **Productor.** Ú. t. c. s.

Producente. p. a. de **Producir.** Que produce.

Producimiento. (De *producir.*) m. ant. **Producción.**

Producir. (Del lat. *producĕre.*) tr. Engendrar, procrear, criar. Dícese propiamente de las obras de la naturaleza, y por extensión, de las del entendimiento. || **2.** Dar, llevar, rendir fruto los terrenos, árboles, etc. || **3.** Rentar, redituar interés, utilidad o beneficio anual una cosa. || **4.** fig. Procurar, originar, ocasionar. || **5.** fig. Fabricar, elaborar cosas útiles. || **6.** *For.* Exhibir, presentar, manifestar uno a la vista y examen aquellas razones o motivos o las pruebas que pueden apoyar su justicia o el derecho que tiene para su pretensión. || **7.** r. Explicarse, darse a entender por medio de la palabra.

Productivo, va. (Del lat. *productīvus.*) adj. Que tiene virtud de producir.

Producto, ta. (Del lat. *productus.*) p. p. irreg. de **Producir.** || **2.** m. Cosa producida. || **3.** Caudal que se obtiene de una cosa que se vende, o el que ella reditúa. || **4.** *Álg.* y *Arit.* Cantidad que resulta de la multiplicación.

Productor, ra. (Del lat. *productor,* el que lleva por delante.) adj. Que produce. U. t. c. s. || **2.** m. En la organización sindical del trabajo, cada una de las personas que intervienen en la producción, desde el jefe o director de la empresa hasta el trabajador manual. || **3.** El que con responsabilidad financiera y comercial, organiza la realización de una obra cinematográfica y aporta el capital necesario.

Proejar. (De *proa.*) intr. Remar contra la corriente o la fuerza del viento que embiste a la embarcación por la proa.

Proel. (Del prov. *proel,* de *proa,* y éste del lat. *prora.*) adj. *Mar.* Aplícase a la parte que está más cerca de la proa en cualquiera de las cosas de que se compone una embarcación. *Extremo* PROEL *de la quilla.* || **2.** m. *Mar.* Marinero que en un bote, lancha, falúa, etc., maneja el remo de proa, maneja el bichero para atracar o desatracar, y hace las veces de patrón a falta de éste. || **3.** *Mar.* Cada uno de los hombres de confianza que ocupaban la proa de una embarcación para dirigir las maniobras de aquella parte, y especialmente para defenderla.

Proemial. adj. Perteneciente al proemio.

Proemio. (Del lat. *prooemĭum,* y éste del gr. προοίμιον.) m. **Prólogo,** 1.ª acep.

Proeza. (Como el fr. *prouesse,* del lat. *prode,* provecho) f. Hazaña, valentía o acción valerosa.

Profanación. (Del lat. *profanatĭo, -ōnis.*) f. Acción y efecto de profanar.

Profanador, ra. (Del lat. *profanātor.*) adj. Que profana. Ú. t. c. s.

Profanamente. adv. m. Con profanidad.

Profanamiento. (De *profanar.*) m. **Profanación.**

Profanar. (Del lat. *profanāre.*) tr. Tratar una cosa sagrada sin el debido respeto, o aplicarla a usos profanos. || **2.** fig. Deslucir, desdorar, deshonrar, prostituir, hacer uso indigno de cosas respetables.

Profanía. (De *profano.*) f. ant. **Profanidad.**

Profanidad. (Del lat. *profanĭtas, -ātis.*) f. Calidad de profano. || **2.** Exceso en el fausto o pompa exterior, que regularmente degenera en vicio o en deshonestidad.

Profano, na. (Del lat. *profānus.*) adj. Que no es sagrado ni sirve a usos sagrados, sino puramente secular. || **2.** Que es contra la reverencia debida a las cosas sagradas. || **3.** Libertino o muy dado a cosas del mundo. Ú. t. c. s. || **4.** Inmodesto, deshonesto en el atavío o compostura. || **5.** Que carece de conocimientos y autoridad en una materia. Ú. t. c. s.

Profazador, ra. (De *profazar.*) adj. ant. Chismoso que con cuentos y enredos procura desavenir a los que se profesan amistad. Usáb. t. c. s.

Profazamiento. (De *profazar.*) m. ant. **Profazo.**

Profazar. (De *pro,* 2.° art., y *faz,* 2.° art.) tr. Abominar, censurar o decir mal de una persona o cosa.

Profazo. (De *profazar.*) m. ant. Abominación, descrédito, mala fama en que cae uno por su mal obrar.

Profecía. (Del lat. *prophetīa,* y éste del gr. προφητεία, de προφητεύω, predecir.) f. Don sobrenatural que consiste en conocer por inspiración divina las cosas distantes o futuras. || **2.** Predicción hecha en virtud de don sobrenatural. || **3.** Cada uno de los libros canónicos del Antiguo Testamento, en que se contienen los escritos de cualquiera de los profetas mayores. *La* PROFECÍA *de Isaías, la de Jeremías, la de Ecequiel, la de Daniel.* || **4.** fig. Juicio o conjetura que se forma de una cosa por las señales que se observan en ella. || **5.** pl. Libro canónico del Antiguo Testamento, en que se contienen los escritos de los doce profetas menores.

Profecticio, cia. (Del lat. *profectitĭus.*) adj. *For.* V. **Bienes profecticios.** || **2.** *For.* V. **Peculio profecticio.**

Proferente. p. a. de **Proferir.** Que profiere.

Proferimiento. (De *proferir.*) m. ant. **Proferta.**

Proferir. (Del lat. *proferre.*) tr. Pronunciar, decir, articular palabras. || **2.** ant. Ofrecer, prometer, proponer. Usáb. t. c. r.

Proferta. (De *proferto.*) f. ant. **Oferta.**

Proferto, ta. p. p. irreg. ant. de **Proferir,** 2.ª acep.

Profesante. p. a. de **Profesar.** Que profesa.

Profesar. (De *profeso.*) tr. Ejercer una ciencia, arte, oficio, etc. || **2.** Enseñar una ciencia o arte. || **3.** Obligarse para toda la vida en una orden religiosa a cumplir los votos propios de su instituto. || **4.** Ejercer una cosa con inclinación voluntaria y continuación en ella. PROFESAR *amistad, el mahometismo.* || **5.** Creer, confesar. PROFESAR *un principio, una doctrina.* || **6.** fig. Sentir algún afecto, inclinación o interés y perseverar voluntariamente en ellos. PROFESAR *amistad, odio,* etc.

Profesión. (Del lat. *professĭo, -ōnis.*) f. Acción y efecto de profesar. || **2.** Empleo, facultad u oficio que cada uno tiene y ejerce públicamente. || **Hacer profesión de** una costumbre o habilidad. fr. Jactarse de ella.

Profesional. adj. Perteneciente a la profesión o magisterio de ciencias y artes. || **2.** com. Persona que hace hábito o profesión de alguna cosa.

Profesionalismo. m. Cultivo o utilización de ciertas disciplinas, artes o deportes, como medio de lucro.

Profeso, sa. (Del lat. *professus,* p. p. de *profitēri,* declarar.) adj. Dícese del religioso que ha profesado. Ú. t. c. s. || **2.** Igualmente se aplica al colegio o casa de los profesos.

Profesor, ra. (Del lat. *professor.*) m. y f. Persona que ejerce o enseña una ciencia o arte. || **2.** V. **Claustro de profesores.**

Profesorado. m. Cargo de profesor. || **2.** Cuerpo de profesores.

Profesoral. adj. Perteneciente o relativo al profesor o al ejercicio del profesorado.

Profeta. (Del lat. *prophēta,* y éste del gr. προφήτης; de πρόφημι, predecir.) m. El que posee el don de profecía. || **2.** fig. El que por señales conjetura y predice acontecimientos futuros.

Profetal. (Del lat. *prophetālis.*) adj. **Profético.**

Profetante. p. a. de **Profetar. Profetizante.**

Profetar. (Del lat. *prophetāre.*) tr. ant. **Profetizar.**

Proféticamente. adv. m. Con espíritu profético, a modo de profeta.

Profético, ca. (Del lat. *prophetĭcus,* y éste del gr. προφητικός.) adj. Perteneciente o relativo a la profecía o al profeta.

Profetisa. (Del lat. *prophetissa.*) f. Mujer que posee el don de profecía.

Profetismo. m. Tendencia de algunos filósofos y escritores de religión, principalmente antiguos, a profetizar. *El* PROFETISMO *de Maimónides.*

Profetizador, ra. adj. Que profetiza. Ú. t. c. s.

Profetizante. p. a. de **Profetizar.** Que profetiza.

Profetizar. (Del lat. *prophetizāre.*) tr. Anunciar o predecir las cosas distantes o futuras, en virtud del don de profecía. || **2.** fig. Conjeturar o hacer juicios del éxito de una cosa por algunas señales que se han observado.

Proficiente. (Del lat. *proficiens, -entis.*) adj. Dícese del que va aprovechando en una cosa.

Proficuo, cua. (Del lat. *proficŭus.*) adj. **Provechoso.**

Profijamiento. m. ant. **Prohijamiento.**

Profijar. (Del lat. *pro,* por, y *filĭus,* hijo.) tr. ant. **Prohijar.**

Profiláctica. (Del gr. προφυλακτική, t. f. de -κός, profiláctico.) f. *Med.* **Higiene,** 1.ª acep.

Profiláctico, ca. (Del gr. προφυλακτικός; de προφυλάσσω, prevenir, precaver.) adj. *Med.* **Preservativo.** Ú. t. c. s. m.

Profilaxis. (Del gr. προφύλαξις.) f. *Med.* **Preservación.**

Profligar. (Del lat. *profligāre.*) tr. desus. Vencer, destruir, desbaratar.

Prófugo, ga. (Del lat. *profŭgus.*) adj. **Fugitivo,** 1.ª acep. Dícese principalmente del que huye de la justicia o de otra autoridad legítima. Ú. t. c. s. || **2.** m. Mozo que se ausenta o se oculta para eludir el servicio militar.

Profundamente. adv. m. Con profundidad. || **2.** fig. Alta, agudamente, de lo íntimo del ánimo.

Profundar. tr. **Profundizar.**

Profundidad. (Del lat. *profundĭtas, -ātis.*) f. Calidad de profundo. || **2. Hondura.** || **3.** *Geom.* Dimensión de los cuerpos perpendicular a una superficie dada.

Profundizar. (De *profundo.*) tr. Cavar una cosa para que esté más honda. || **2.** fig. Discurrir con la mayor atención y examinar o penetrar una cosa para llegar a su perfecto conocimiento. Ú. t. c. intr.

Profundo, da. (Del lat. *profundus.*) adj. Que tiene el fondo muy distante de la boca o borde de la cavidad. || **2.** Más cavado y hondo que lo regular. || **3.** Extendido a lo largo, o que tiene gran fondo. *Selva* PROFUNDA; *esta casa tiene poca fachada, pero es* PROFUNDA. || **4.** Dícese de lo que penetra mucho o va hasta muy adentro. *Raíces* PROFUNDAS; *herida* PROFUNDA. || **5.** fig. Intenso, o muy vivo y eficaz. *Sueño* PROFUNDO; *obscuridad* PROFUNDA; *pena* PROFUNDA. || **6.** fig. Difícil de penetrar o comprender. *Concepto* PROFUNDO. || **7.** fig. Tratándose del entendimiento, de las cosas a él concernientes o de sus producciones, extenso, vasto, que penetra o ahonda mucho. *Talento, saber, pensamiento* PROFUNDO. || **8.** fig. Dícese de la persona cuyo entendimiento ahonda o penetra mucho. *Filósofo, matemático, sabio* PROFUNDO. || **9.** fig. Humilde en sumo grado. PROFUNDA *reverencia.* || **10.** *Mús.* V. **Bajo profundo.** || **11.** m. **Profundidad.** || **12.** poét. **Mar,** 1.ª acep. || **13.** poét. **Infierno,** 1.ª y 4.ª aceps.

Profusamente. adv. m. Con excesiva abundancia, con profusión.

Profusión. (Del lat. *profusĭo, -ōnis.*) f. Abundancia, copia en lo que se da, difunde o derrama. ‖ **2.** Prodigalidad, abundancia excesiva, superfluidad.

Profuso, sa. (Del lat. *profūsus,* p. p. de *profundĕre,* derramar, disipar.) adj. Abundante, copioso. ‖ **2.** Prodigado superfluamente.

Progenie. (Del lat. *progenĭes.*) f. Casta, generación o familia de la cual se origina o desciende una persona.

Progenitor. (Del lat. *progenĭtor.*) m. Pariente en línea recta ascendente de una persona.

Progenitura. (Del lat. *progenĭtum,* supino de *progignĕre,* engendrar.) f. **Progenie.** ‖ **2.** desus. Calidad de primogénito. ‖ **3.** desus. Derecho de primogénito.

Progimnasma. (Del lat. *progymnasma,* y éste del gr. προγύμνασμα; de προγυμνάζω, prepararse para un ejercicio.) m. *Ret.* Ensayo o ejercicio preparatorio, como el que hace un orador para prepararse a hablar en público.

Prognatismo. m. Calidad de prognato.

Prognato, ta. (Del gr. πρό, hacia adelante, y γνάθος, mandíbula.) adj. Dícese de la persona que tiene salientes las mandíbulas. Ú. t. c. s.

Progne. (Del lat. *progne,* y éste del gr. Πρόκνη, la hija de Pandión, rey de Atenas, convertida en golondrina, según la fábula.) f. poét. **Golondrina,** 1.ª acep.

Prognosis. (Del gr. πρόγνωσις.) f. Conocimiento anticipado de algún suceso. Se aplica comúnmente a la previsión meteorológica del tiempo.

Programa. (Del lat. *programma,* y éste del gr. πρόγραμμα; de προγράφω, anunciar por escrito.) m. Edicto, bando o aviso público. ‖ **2.** Previa declaración de lo que se piensa hacer en alguna materia u ocasión. ‖ **3.** Tema que se da para un discurso, diseño, cuadro, etc. ‖ **4.** Sistema y distribución de las materias de un curso o asignatura, que forman y publican los profesores encargados de explicarlas. ‖ **5.** Anuncio o exposición de las partes de que se han de componer ciertas cosas o de las condiciones a que han de sujetarse.

Programático, ca. adj. Perteneciente o relativo al programa, 2.ª acep.

Progresar. intr. Hacer progresos o adelantamientos en una materia.

Progresión. (Del lat. *progressĭo, -ōnis.*) f. Acción de avanzar o de proseguir una cosa. ‖ **2.** *Mat.* Serie de números o términos algebraicos en la cual cada tres consecutivos forman proporción continua. ‖ **aritmética.** *Mat.* Aquella en que cada dos términos consecutivos se diferencian en una misma cantidad. ‖ **ascendente.** *Mat.* Aquella en que cada término tiene mayor valor que el antecedente. ‖ **descendente.** *Mat.* Aquella en que cada término tiene menos valor que el antecedente. ‖ **geométrica.** *Mat.* Aquella en que cada dos términos consecutivos dan un mismo cociente.

Progresismo. m. Ideas y doctrinas progresivas. ‖ **2.** Partido político que pregonaba estas ideas.

Progresista. (De *progreso.*) adj. Aplícase a un partido liberal de España, que tenía por mira principal el más rápido desenvolvimiento de las libertades públicas. ‖ **2.** Perteneciente o relativo a este partido. *Senador, periódico* PROGRESISTA. Apl. a pers., ú. t. c. s. *Un* PROGRESISTA; *los* PROGRESISTAS.

Progresivamente. adv. m. Con progresión.

Progresivo, va. (De *progreso.*) adj. Que avanza, favorece el avance o lo procura. ‖ **2.** Que progresa o aumenta en cantidad o en perfección. ‖ **3.** V. **Pólvora progresiva.**

Progreso. (Del lat. *progressus.*) m. Acción de ir hacia adelante. ‖ **2.** Aumento, adelantamiento, perfeccionamiento.

Prohibente. p. a. de **Prohibir.** Que prohibe.

Prohibición. (Del lat. *prohibitĭo, -ōnis.*) f. Acción y efecto de prohibir.

Prohibir. (Del lat. *prohibēre.*) tr. Vedar o impedir el uso o ejecución de una cosa.

Prohibitivo, va. (De *prohibir.*) adj. Prohibitorio.

Prohibitorio, ria. (Del lat. *prohibitorĭus.*) adj. Dícese de lo que prohíbe.

Prohijación. f. Prohijamiento.

Prohijador, ra. adj. Que prohíja. Ú. t. c. s.

Prohijamiento. m. Acción y efecto de prohijar.

Prohijar. (De *profijar.*) tr. **Adoptar,** 1.ª acep. ‖ **2.** fig. Acoger como propias las opiniones o doctrinas ajenas.

Prohombre. (De *pro,* 1.er art., y *hombre.*) m. En los gremios de los artesanos, veedor o cada uno de los maestros del mismo oficio, que por su probidad y conocimientos se elegía para el gobierno del gremio, según sus ordenanzas particulares. ‖ **2.** El que goza de especial consideración entre los de su clase.

Proindivisión. f. Estado y situación de los bienes pro indiviso.

Pro indiviso. loc. lat. *For.* Dícese de los caudales o de las cosas singulares que están en comunidad, sin dividir.

Proís. (De *proiz.*) m. *Mar.* Piedra u otra cosa en tierra, en que se amarra la embarcación. ‖ **2.** *Mar.* Amarra que se da en tierra para asegurar la embarcación.

Proíz. (De *proiza.*) m. **Proís.**

Proíza. (De *proa,* en b. lat. *prohicius;* en ital. *provesa.*) f. ant. *Mar.* Cierto cable que se ponía a proa para anclar o amarrar el navío.

Prójima. f. fam. Mujer de poca estimación pública o de dudosa conducta.

Prójimo. (Del lat. *proxĭmus.*) m. Cualquier hombre respecto de otro, considerados bajo el concepto de los oficios de caridad y benevolencia que todos recíprocamente nos debemos. ‖ **Al prójimo, contra una esquina.** expr. fig. y fam. con que se moteja a los egoístas. ‖ **No tener prójimo** uno. fr. fig. Ser muy duro de corazón, no lastimarse del mal ajeno.

Prolación. (Del lat. *prolatĭo, -ōnis.*) f. ant. Acción de proferir o pronunciar.

Prolapso. (Del lat. *prolapsus,* p. p. de *prolābi,* deslizarse, caer.) m. *Med.* Caída o descenso de una víscera, o del todo o parte de un órgano.

Prole. (Del lat. *proles.*) f. Linaje, hijos o descendencia de uno.

Prolegómeno. (Del gr. προλεγόμενα, preámbulos; de προλέγω, anunciar anticipadamente.) m. Tratado que se pone al principio de una obra o escrito, para establecer los fundamentos generales de la materia que se ha de tratar después. Ú. m. en pl.

Prolepsis. (Del lat. *prolepsis,* y éste del gr. πρόληψις.) f. *Ret.* **Anticipación,** 2.ª acep.

Proletariado. m. Clase social constituida por los proletarios.

Proletario, ria. (Del lat. *proletarĭus.*) adj. Dícese del que carece de bienes y no está comprendido en las listas vecinales del pueblo en que habita sino por su persona y familia. Ú. t. c. s. m. ‖ **2.** fig. Plebeyo, vulgar. ‖ **3.** m. En la antigua Roma, ciudadano pobre que únicamente con su prole podía servir al Estado. ‖ **4.** Individuo de la clase indigente.

Proliferación. f. Multiplicación de formas similares, especialmente tratando de células y quistes morbosos.

Proliferante. adj. Que se reproduce o multiplica en formas similares.

Prolífico, ca. (Del lat. *proles,* prole, y *facĕre,* hacer.) adj. Que tiene virtud de engendrar.

Prolijamente. adv. m. Con prolijidad.

Prolijidad. (Del lat. *prolixĭtas, -ātis.*) f. Calidad de prolijo.

Prolijo, ja. (Del lat. *prolĭxus.*) adj. Largo, dilatado con exceso. ‖ **2.** Demasiadamente cuidadoso o esmerado. ‖ **3.** Impertinente, pesado, molesto.

Prologal. adj. Perteneciente o relativo al prólogo.

Prologar. tr. Escribir el prólogo de una obra.

Prólogo. (Del lat. *prolŏgus,* y éste del gr. πρόλογος; de πρό, antes, y λόγος, discurso.) m. Discurso antepuesto al cuerpo de la obra en un libro de cualquiera clase, para dar noticia al lector del fin de la misma obra o para hacerle alguna otra advertencia. ‖ **2.** Discurso que en el teatro griego y latino, y también en el antiguo de pueblos modernos, solía preceder al poema dramático, y se recitaba ante el público para dar noticia del argumento de la obra que se iba a representar, para disculpar al poeta de censuras contra él dirigidas, para pedir indulgencia o para otros fines análogos. ‖ **3.** Primera parte de algunas obras dramáticas y novelas, desligada en cierto modo de las posteriores, y en la cual se representa una acción de que es consecuencia la principal, que se desarrolla después. ‖ **4.** fig. Lo que sirve como de exordio o principio para ejecutar una cosa.

Prologuista. com. Persona que ha escrito uno o más prólogos.

Prolonga. (De *prolongar.*) f. *Art.* Cuerda que une el avantrén con la cureña cuando se suelta la clavija para salvar un mal paso.

Prolongable. adj. Que se puede prolongar.

Prolongación. f. Acción y efecto de prolongar o prolongarse. ‖ **2.** Parte prolongada de una cosa.

Prolongadamente. adv. m. y t. Dilatadamente, con extensión o con larga duración.

Prolongado, da. p. p. de **Prolongar.** ‖ **2.** adj. Más largo que ancho. ‖ **3.** V. **En cuarto prolongado.** ‖ **4.** V. **Pliego prolongado.**

Prolongador, ra. adj. Que prolonga. Ú. t. c. s.

Prolongamiento. m. **Prolongación.**

Prolongar. (Del lat. *prolongāre;* de *pro,* adelante, y *longāre,* alargar.) tr. Alargar, dilatar o extender una cosa a lo largo. Ú. t. c. r. ‖ **2.** Hacer que dure una cosa más tiempo de lo regular. Ú. t. c. r.

Proloquio. (Del lat. *proloquĭum.*) m. Proposición, sentencia.

Prolusión. (Del lat. *prolusĭo, -onis.*) f. **Prelusión.**

Promanar. (Del lat. *promanāre.*) intr. **Provenir.**

Promediar. (De *promedio.*) tr. Igualar o repartir una cosa en dos partes iguales o que lo sean con poca diferencia. ‖ **2.** intr. Interponerse entre dos o más personas para ajustar un negocio. ‖ **3.** Llegar a su mitad un espacio de tiempo determinado. *Antes de* PROMEDIAR *el mes de junio.*

Promedio. (De *pro,* por, y *medio.*) m. Punto en que una cosa se divide por mitad o casi por la mitad. ‖ **2. Término medio,** 1.ª acep.

Promesa. (Del lat. *promissa,* pl. de *promissus.*) f. Expresión de la voluntad de dar a uno o hacer por él una cosa. ‖ **2.** Ofrecimiento hecho a Dios o a sus santos de ejecutar una obra piadosa. ‖ **3.** Cantidad que se estampaba en los pagarés de la lotería primitiva, como premio correspondiente a la suma que se había jugado. || **4.** fig. Augurio, indicio o señal que hace esperar algún bien. || **5.** *For.* Ofrecimiento solemne, sin fórmula religiosa, pero equivalente al juramento, de cumplir bien los deberes de un cargo o función que va a ejercerse. || **6.** *For.* Contrato preparatorio de otro más solemne o detallado al cual precede, especialmente al de compraventa. || **Simple promesa.** La que no se confirma con voto o juramento.

Prometedor, ra. adj. Que promete. Ú. t. c. s.

Prometer. (Del lat. *promittĕre.*) tr. Obligarse a hacer, decir o dar alguna cosa. || **2. Asegurar,** 5.ª acep. || **3.** intr. Dar una persona o cosa buenas muestras de sí para lo venidero. *Este mozo* PROMETE. || **4.** r. Esperar una cosa o mostrar gran confianza de lograrla. || **5.** Ofrecerse uno, por devoción o agradecimiento, al servicio o culto de Dios o de sus santos. || **6.** rec. Darse mutuamente palabra de casamiento, por sí o por tercera persona. || **Prometérselas** uno **felices.** fr. fam. Tener, con poco fundamento, halagüeña esperanza de conseguir una cosa.

Prometida. (De *prometer.*) f. **Futura,** 2.ª acep.

Prometido, da. p. p. de **Prometer.** || **2.** m. **Futuro,** 4.ª acep. || **3. Promesa,** 1.ª acep. || **4.** Talla que en los arriendos se ponía de premio a los ponedores o pujadores desde la primera postura hasta el primer remate, y que pagaba el que hacía la mejora.

Prometiente. p. a. de **Prometer.** Que promete.

Prometimiento. (De *prometer.*) m. **Promesa,** 1.ª acep.

Prominencia. (Del lat. *prominentĭa.*) f. Elevación de una cosa sobre lo que está alrededor o cerca de ella.

Prominente. (Del lat. *promĭnens, -entis,* p. a. de *prominēre,* elevarse, sobresalir.) adj. Que se levanta sobre lo que está a su inmediación o alrededores.

Promiscuación. f. Acción de promiscuar.

Promiscuamente. adv. m. Con promiscuidad, sin distinción.

Promiscuar. (De *promiscuo.*) intr. Comer en días de cuaresma y otros en que la Iglesia lo prohíbe, carne y pescado en una misma comida. || **2.** fig. Participar indistintamente en cosas heterogéneas u opuestas, físicas o inmateriales.

Promiscuidad. f. Mezcla, confusión.

Promiscuo, cua. (Del lat. *promiscŭus.*) adj. Mezclado confusa o indiferentemente. || **2.** Que tiene dos sentidos o se puede usar igualmente de un modo o de otro, por ser ambos equivalentes.

Promisión. (Del lat. *promissĭo, -ōnis.*) f. **Promesa,** 1.ª acep. || **2.** V. **Tierra de Promisión.** || **3.** *For.* Oferta o promesa de dar o de hacer, acerca de la cual no ha mediado estipulación o pacto con la persona a quien favorece o interesa.

Promisorio, ria. (Del lat. *promissum,* supino de *promittĕre,* prometer.) adj. Que encierra en sí promesa. *Juramento* PROMISORIO.

Promoción. (Del lat. *promotĭo, -ōnis.*) f. Acción de promover. || **2.** Conjunto de los individuos que al mismo tiempo han obtenido un grado o empleo, principalmente en los cuerpos de escala cerrada.

Promontorio. (Del lat. *promontorĭum.*) m. Altura muy considerable de tierra. || **2.** fig. Cualquiera cosa que hace demasiado bulto y causa grande estorbo. || **3.** Altura considerable de tierra que avanza dentro del mar.

Promotor, ra. (Del lat. *promōtum,* supino de *promovēre,* promover.) adj. Que promueve una cosa, haciendo las diligencias conducentes para su logro. Ú. t. c. s. || **de la fe.** Individuo de la Sagrada Congregación de Ritos, de la clase de consultores natos, que en las causas de beatificación y en las de canonización tiene el deber de suscitar dudas y oponer objeciones, sin perjuicio de votar después en pro con arreglo a su conciencia. || **fiscal.** Funcionario que hasta la vigente organización judicial estuvo encargado en los juzgados de defender la observancia de las leyes, de acusar a los responsables de delitos públicos, y también de sostener los derechos e intereses generales.

Promovedor, ra. (De *promover.*) adj. **Promotor.** Ú. t. c. s.

Promover. (Del lat. *promovēre.*) tr. Iniciar o adelantar una cosa, procurando su logro. || **2.** Levantar o elevar a una persona a una dignidad e empleo superior al que tenía.

Promulgación. (Del lat. *promulgatĭo, -ōnis.*) f. Acción y efecto de promulgar.

Promulgador, ra. (Del lat. *promulgātor.*) adj. Que promulga. Ú. t. c. s.

Promulgar. (Del lat. *promulgāre.*) tr. Publicar una cosa solemnemente; hacerla saber a todos. || **2.** fig. Hacer que una cosa se divulgue y propague mucho en el público. || **3.** *For.* Publicar formalmente una ley u otra disposición de la autoridad, a fin de que sea cumplida y hecha cumplir como obligatoria.

Pronación. (De *prono.*) f. Movimiento del antebrazo que hace girar la mano de fuera a dentro presentando el dorso de ella.

Pronaos. m. *Arq.* En los templos antiguos, pórtico que había delante del santuario o cela.

Prono, na. (Del lat. *pronus.*) adj. Inclinado demasiadamente a una cosa. || **2.** Que está echado sobre el vientre. || **3.** V. **Decúbito prono.**

Pronombre. (Del lat. *pronōmen, -ĭnis.*) m. *Gram.* Parte de la oración, que suple al nombre o lo determina. || **demostrativo.** *Gram.* Aquel con que material o intelectualmente se demuestran o señalan personas, animales o cosas. Los **pronombres** esencialmente demostrativos son tres: *este, ese* y *aquel.* Aplícase el primero a lo que está cerca de la persona que habla; el segundo, a lo que está cerca de la persona a quien se habla, y el tercero, a lo que está lejos de una y otra; o bien se designa con ellos, por este mismo orden, lo que está o se considera presente o más próximo, menos próximo o más distante, ya recaiga la demostración sobre seres o cosas perceptibles por los sentidos, ya sobre cosas inmateriales. Úsanse también como **pronombres** demostrativos otras partes de la oración. || **indeterminado.** *Gram.* El que vagamente alude a personas o cosas; como *alguien, nadie, uno,* etc. || **personal.** *Gram.* El que directamente representa personas, animales o cosas. Consta de las tres personas gramaticales, en cada una de las cuales son respectivamente nominativos *yo, tú, él,* y además tiene las formas esencialmente reflexivas *se, sí,* propias de la tercera persona. El **pronombre** personal es la única parte de la oración que en la lengua española cambia de estructura al declinarse. Antepónese y pospónese al verbo en todas sus formas: las que en el dativo y en el acusativo no admiten preposición, v. gr., *me, nos, te, os, le, lo, les, los, la, las* y *se,* cuando van pospuestas, se emplean como sufijos: *óye*ME, *déja*NOS, etc. *Me, nos, se* y *os* son las únicas que pueden emplearse con verbos reflexivos y recíprocos o usados como tales. || **posesivo.** *Gram.* El que denota posesión o pertenencia. Son los siguientes: *mío, mía* y *nuestro, nuestra,* de primera persona; *tuyo, tuya* y *vuestro, vuestra,* de segunda persona, y *suyo, suya,* de tercera; y respectivamente denotan lo que pertenece a cada una de estas tres personas o es propio de ellas. || **relativo.** *Gram.* El que se refiere a persona, animal o cosa de que anteriormente se ha hecho mención; como *quien, cuyo, cual, que.*

Pronominado, da. adj. *Gram.* V. **Verbo pronominado.**

Pronominal. (Del lat. *pronominālis.*) adj. *Gram.* Perteneciente al pronombre o que participa de su índole o naturaleza. || **2.** *Gram.* **Pronominado.**

Pronosticación. (De *pronosticar.*) f. **Pronóstico,** 1.ª acep.

Pronosticador, ra. adj. Que pronostica. Ú. t. c. s.

Pronosticar. (De *pronóstico.*) tr. Conocer por algunos indicios lo futuro.

Pronóstico. (Del lat. *prognostĭcum,* y éste del gr. προγνωστικόν.) m. Acción y efecto de pronosticar. || **2.** Señal por donde se conjetura o adivina una cosa futura. || || **3.** Calendario en que se incluye el anuncio de los fenómenos astronómicos y meteorológicos. || **4.** *Med.* Juicio que forma el médico respecto a los cambios que pueden sobrevenir durante el curso de una enfermedad, y sobre su duración y terminación por los síntomas que la han precedido o la acompañan. || **reservado.** *Med.* El que se reserva el médico, a causa de las contingencias que prevé en los efectos de una lesión.

Prontamente. adv. t. Con prontitud.

Pronteza. (De *pronto.*) f. ant. **Prontitud.**

Prontitud. (Del lat. *promptitūdo.*) f. Celeridad, presteza o velocidad en ejecutar una cosa. || **2.** Viveza de ingenio o de imaginación. || **3.** Viveza de genio, precipitación.

Pronto, ta. (Del lat. *promptus.*) adj. Veloz, acelerado, ligero. || **2.** Dispuesto, aparejado para la ejecución de una cosa. || **3.** m. fam. Movimiento repentino del ánimo a impulsos de una pasión u ocurrencia inesperada. *Le dio un* PRONTO, *y tomó la capa para salirse de casa.* || **4.** adv. t. Presto, prontamente. || **Primer pronto.** fam. Primer arranque o movimiento del ánimo. || **Al pronto.** m. adv. En el primer momento o a primera vista. || **De pronto.** m. adv. Apresuradamente, sin reflexión. || **2. De repente.** || **Por de, o el, o lo, pronto.** m. adv. Interinamente, en el entretanto, provisionalmente.

Prontuario. (Del lat. *promptuarĭum,* despensa; de *promptus,* pronto.) m. Resumen o apuntamiento en que se notan ligeramente varias cosas a fin de tenerlas presentes cuando se necesiten. || **2.** Compendio de las reglas de una ciencia o arte.

Prónuba. (Del lat. *pronŭba.*) f. poét. Madrina de boda.

Pronuncia. (De *pronunciar.*) f. *For. Ar.* **Pronunciamiento,** 2.ª acep.

Pronunciable. adj. Que se pronuncia fácilmente.

Pronunciación. (Del lat. *pronuntiatĭo, -ōnis.*) f. Acción y efecto de pronunciar. || **2.** Parte de la antigua retórica, que enseñaba a moderar y arreglar el semblante y acción del orador.

Pronunciador, ra. (Del lat. *pronuntiātor.*) adj. Que pronuncia. Ú. t. c. s.

Pronunciamiento. m. Rebelión militar. || **2.** *For.* Cada una de las declaraciones, condenas o mandatos del juzgador. || **De previo y especial pronunciamiento.** loc. *For.* Que califica el asunto judicial que se ha de resolver por separado y antes del fallo principal.

Pronunciar. (Del lat. *pronuntiāre.*) tr. Emitir y articular sonidos para hablar. || **2.** Determinar, resolver. Ú. t. c. r. || **3.** fig. **Levantar,** sublevar. Ú. m. c. r. || **4.** *For.* Publicar la sentencia o auto.

Pronuncio. (De *pro*, 2.° art., y *nuncio*.) m. Eclesiástico investido transitoriamente de las funciones del nuncio pontificio.

Propagación. (Del lat. *propagatio, -ōnis*.) f. Acción y efecto de propagar o propagarse.

Propagador, ra. (Del lat. *propagātor*.) adj. Que propaga. Ú. t. c. s.

Propaganda. (Del lat. *propaganda*, que ha de ser propagada.) f. Congregación de cardenales nominada *De propaganda fide*, para difundir la religión católica. || **2.** Por ext., asociación cuyo fin es propagar doctrinas, opiniones, etc. || **3.** Por ext., trabajo empleado con este fin.

Propagandista. adj. Dícese de la persona que hace propaganda, especialmente en materia política. Ú. t. c. s.

Propagante. (Del lat. *propāgans, -antis*.) p. a. de **Propagar.** Que propaga.

Propagar. (Del lat. *propagāre*.) tr. Multiplicar por generación u otra vía de reproducción. Ú. t. c. r. || **2.** fig. Extender, dilatar o aumentar una cosa. Ú. t. c. r. || **3.** fig. Extender el conocimiento de una cosa o la afición a ella. Ú. t. c. r.

Propagativo, va. adj. Que tiene virtud de propagar.

Propalador, ra. adj. Que propala.

Propalar. (Del lat. *propalāre*.) tr. Divulgar una cosa oculta.

Propao. (Del port. *propau*, y éste del lat. *pro*, y *palus*, palo.) m. *Mar.* Pieza gruesa de madera, atravesada por varias cabillas y empernada horizontalmente a los guindastes, que sirve para amarrar algunos cabos de maniobra y para sujeción de los retornos por donde aquéllos laborean.

Proparoxítono, na. (Del gr. πρό, antes, y παροξύτονος, grave.) adj. *Gram.* **Esdrújulo.**

Propartida. (De *pro*, antes, y *partida*.) f. Tiempo que antecede inmediatamente a la partida.

Propasar. (De *pro*, delante, y *pasar*.) tr. Pasar más adelante de lo debido. Ú. m. c. r. para expresar que uno se excede de lo razonable en lo que hace o dice.

Propedéutica. f. Enseñanza preparatoria para el estudio de una disciplina.

Propedéutico, ca. (Del gr. πρό, antes, y παιδευτικός, referente a la enseñanza.) adj. Perteneciente o relativo a la propedéutica.

Propender. (Del lat. *propendĕre*.) intr. Inclinarse uno a una cosa por especial afición, genialidad u otro motivo.

Propensamente. adv. m. Con inclinación o propensión a un objeto.

Propensión. (Del lat. *propensio, -ōnis*.) f. Inclinación de una persona o cosa a lo que es de su gusto o naturaleza.

Propenso, sa. (Del lat. *propensus*.) p. p. irreg. de **Propender.** || **2.** adj. Con inclinación o afecto a lo que es natural a uno.

Propiamente. adv. m. Con propiedad.

Propiciación. (Del lat. *propitiatio, -ōnis*.) f. Acción agradable a Dios, con que se le mueve a piedad y misericordia. || **2.** Sacrificio que se ofrecía en la ley antigua para aplacar la justicia divina y tener a Dios propicio.

Propiciador, ra. (Del lat. *propitiātor*.) adj. Que propicia. Ú. t. c. s.

Propiciamente. adv. m. Benigna, favorablemente.

Propiciar. (Del lat. *propitiāre*.) tr. Ablandar, aplacar la ira de uno, haciéndole favorable, benigno y propicio.

Propiciatorio, ria. (Del lat. *propitiatorius*.) adj. Que tiene virtud de hacer propicio. || **2.** m. Lámina cuadrada de oro, que en la ley antigua se colocaba sobre el arca del Testamento, de suerte que la cubría toda. || **3.** Templo, santos, imágenes y reliquias, porque con ellas y por su medio alcanzamos las gracias y mercedes de Dios. || **4. Reclinatorio,** 2.ª acep.

Propicio, cia. (Del lat. *propitius*.) adj. Benigno, inclinado a hacer bien.

Propiedad. (De *propriedad*.) f. Derecho o facultad de gozar y disponer de una cosa con exclusión del ajeno arbitrio y de reclamar la devolución de ella si está en poder de otro. || **2.** Cosa que es objeto del dominio, sobre todo si es inmueble o raíz. || **3.** Atributo o cualidad esencial de una persona o cosa. || **4.** fig. Semejanza o imitación perfecta; como en la pintura, música u otras cosas. || **5.** fig. Defecto contrario a la pobreza religiosa, en que incurre el profeso que usa de una cosa como propia. || **6.** *Fil.* **Propio,** 9.ª acep. || **7.** *Gram.* Significado o sentido peculiar y exacto de las voces o frases. || **8.** *Mús.* Cada una de las tres especies de hexacordos que se usaron en el solfeo del canto llano. || **Nuda propiedad.** *For.* Atributos del dominio de una cosa, considerado separadamente y en contraposición del usufructo mientras éste perdura.

Propienda. f. Cada una de las tiras de lienzo que se fijan en los banzos del bastidor para bordar.

Propietariamente. adv. m. Con derecho de propiedad.

Propietario, ria. (Del lat. *proprietarius*.) adj. Que tiene derecho de propiedad sobre una cosa, y especialmente sobre bienes inmuebles. Ú. m. c. s. || **2.** Que tiene cargo u oficio que le pertenece, a diferencia del que sólo transitoriamente desempeña las funciones inherentes a él. || **3.** Dícese del religioso que incurre en el defecto contrario a la pobreza que profesó, usando de los bienes temporales sin la debida licencia o teniéndoles sumo apego. || **Nudo propietario.** *For.* El que tiene la nuda propiedad de una cosa.

Propileo. (Del lat. *propylaeum*, y éste del gr. προπύλαιον, pórtico, vestíbulo; de πρό, delante, y πύλη, puerta.) m. Vestíbulo de un templo; peristilo de columnas.

Propina. (Del lat. *propināre*, convidar a beber.) f. Colación o agasajo que se repartía entre los concurrentes a una junta, y que después se redujo a dinero. || **2.** Agasajo que sobre el precio convenido y como muestra de satisfacción se da por algún servicio. || **3.** Gratificación pequeña con que se recompensa un servicio eventual. || **De propina.** m. adv. fam. **Por añadidura.**

Propinación. (Del lat. *propinatio -ōnis*.) f. Acción y efecto de propinar.

Propinar. (Del lat. *propināre*.) tr. Dar a beber. || **2.** Ordenar, administrar una medicina. || **3.** En sentido satírico y burlesco, pegar, maltratar a uno. PROPINAR *una paliza.*

Propincuidad. (Del lat. *propinquĭtas, -ātis*.) f. Calidad de propincuo.

Propincuo, cua. (Del lat. *propinqŭus*.) adj. Allegado, cercano, próximo.

Propio, pia. (De *proprio*.) adj. Perteneciente a uno que tiene la facultad exclusiva de disponer de ello. || **2.** Característico, peculiar de cada persona o cosa. || **3.** Conveniente y a propósito para un fin. || **4. Natural,** 1.ª acep., en contraposición a postizo o accidental. *Pelo* PROPIO. || **5. Mismo.** || **6.** V. **Amor, cura, feudo, movimiento, nombre, quebrado propio.** || **7.** V. **Bienes propios.** || **8.** V. **Estimación, fracción propia.** || **9.** *Fil.* Dícese del accidente que se sigue necesariamente o es inseparable de la esencia y naturaleza de las cosas. Ú. t. c. s. || **10.** m. Persona que expresamente se envía de un punto a otro con carta o recado. || **11.** Heredad, dehesa, casa u otro cualquier género de hacienda que tiene una ciudad, villa o lugar para satisfacer los gastos públicos. Ú. m. en pl. || **12.** V. **Bienes mayordomo de propios.** || **Al propio.** m. adv. Con propiedad, justa e idénticamente.

Propóleos. (Del lat. *propŏlis*, y éste de gr. πρόπολις; de πρό, antes, y πόλις, ciudad. m. Substancia cérea con que las abejas bañan las colmenas o vasos antes de empezar a obrar.

Proponedor, ra. adj. Que propone Ú. t. c. s.

Proponente. (Del lat. *propōnens, -entis*. p. a. de **Proponer.** Que propone.

Proponer. (Del lat. *proponĕre*.) tr. Manifestar con razones una cosa para conocimiento de uno, o para inducirle a adoptarla. || **2.** Determinar o hacer propósito de ejecutar o no una cosa. Ú. m. c. r. || **3.** En las escuelas, presentar los argumentos en pro y en contra de una cuestión. || **4.** Consultar o presentar a uno para un empleo o beneficio. || **5.** En el juego del ecarté, invitar a tomar nuevas cartas. || **6.** Hacer una propuesta || **7.** *Mat.* Hacer una proposición. PROPONER *un problema.*

Proporción. (Del lat. *proportio, -ōnis*. f. Disposición, conformidad o correspondencia debida de las partes de una cosa con el todo o entre cosas relacionadas entre sí. || **2.** Disposición u oportunidad para hacer o lograr una cosa. || **3.** Coyuntura, conveniencia. || **4. Tamaño.** || **5.** V. **Compás, medio, regla de proporción.** || **6.** *Mat.* Igualdad de dos razones. Llámase **aritmética** o **geométrica,** según sean las razones de una u otra especie. || **armónica.** Serie de tres números, en la que el máximo tiene respecto del mínimo la misma razón que la diferencia entre el máximo y el medio tiene respecto de la diferencia entre e medio y el mínimo; como 6, 4, 3. Los sonidos de altura proporcional a estos números hacen consonancia. || **continua.** *Mat.* La que forman tres términos consecutivos de una progresión. **mayor.** *Mús.* Uno de los tiempos que se usaban en la música y se anotaba a principio del pentágrama, después de la clave y del carácter del compás mayor, con un 3 y un 1 debajo, que significa que de las semibreves, de las cuales en compasillo sólo entra una en el compás, en el ternario mayor entran tres. || **menor.** *Mús.* Otro de los tiempos que se usaban en la música, el cual se anotaba al principio del pentágrama con un 3 y un 2 debajo, después del carácter del compasillo; lo cual significa que de las figuras que en el compasillo entran dos, en este género de tiempo entran tres; y así, porque en el compasillo entran dos mínimas en el compás, en el ternario menor entran tres. || **A proporción.** m. adv. Según, conforme a.

Proporcionable. adj. Que puede proporcionarse.

Proporcionablemente. adv. m. **Proporcionadamente.**

Proporcionadamente. adv. m. Con proporción.

Proporcionado, da. (Del lat. *proportionātus*.) adj. Regular, competente o apto para lo que es menester. || **2.** Que guarda proporción.

Proporcional. (Del lat. *proportionālis*.) adj. Perteneciente a la proporción o que la incluye en sí. || **2.** *Gram.* Dícese del nombre o del adjetivo numeral que expresa cuántas veces una cantidad contiene en sí otra inferior; como *doble, triple.* || **3.** *Mat.* V. **Media proporcional.**

Proporcionalidad. (Del lat. *proportionalitas, -ātis*.) f. **Proporción.**

Proporcionalmente. adv. m. **Proporcionadamente.**

Proporcionar. (De *proporción*.) tr. Disponer y ordenar una cosa con la debida correspondencia en sus partes. || **2.** Poner en aptitud o disposición las cosas, a fin de conseguir lo que se desea. Ú. t. c. r. || **3.** Poner a disposición de uno lo que necesita o le conviene. Ú. t. c. r.

Proposición. (Del lat. *propositĭo, -ōnis.*) f. Acción y efecto de proponer. || **2.** V. **Pan de proposición.** || **3.** *Lóg.* Expresión de un juicio entre dos términos, sujeto y predicado, que afirma o niega éste de aquél, o incluye o excluye el primero respecto del segundo. || **4.** *Mat.* Enunciación de una verdad demostrada o que se trata de demostrar. || **5.** *Ret.* Parte del discurso, en que se anuncia o expone aquello de que se quiere convencer y persuadir a los oyentes. || **afirmativa.** *Dial.* Aquella cuyo sujeto está contenido en la extensión del predicado. || **disyuntiva.** *Dial.* La que expresa la incompatibilidad de dos o más predicados en un sujeto. || **hipotética.** *Dial.* La que afirma o niega condicionalmente. || **negativa.** *Dial.* Aquella cuyo sujeto no está contenido en la expresión del predicado. || **particular.** *Dial.* Aquella cuyo sujeto se toma en una parte de su extensión. || **universal.** *Dial.* Aquella cuyo sujeto se toma en toda su extensión. || **Absolver las proposiciones** de un interrogatorio. fr. *For.* **Absolver posiciones.** || **Barajar una proposición.** fr. Desecharla o no tomarla en consideración. || **Recoger una proposición.** fr. Darla por no dicha.

Propósito. (Del lat. *propositum.*) m. Ánimo o intención de hacer o de no hacer una cosa. || **2.** Objeto, mira. || **3.** Materia de que se trata o en que se está entendiendo. || **A propósito.** m. adv. con que se expresa que una cosa es proporcionada u oportuna para lo que se desea o para el fin a que se destina. || **De propósito.** m. adv. Con intención determinada; voluntaria y deliberadamente. || **Fuera de propósito.** m. adv. Sin venir al caso, sin oportunidad o fuera de tiempo.

Propretor. (Del lat. *propraetor.*) m. Magistrado romano a quien por una razón particular, después del año de la pretura, le volvían a nombrar pretor. || **2.** Pretor que acabado el tiempo de su pretura, pasaba a gobernar una provincia pretorial.

Propriedad. (Del lat. *proprĭĕtas, -ātis.*) f. ant. **Propiedad.**

Proprio, pria. (Del lat. *proprĭus.*) adj. ant. **Propio.**

Própter nuptias. loc. lat. *For.* V. **Donación própter nuptias.**

Propuesta. (Del lat. *proposita,* t. f. de *-tus,* propuesto.) f. Proposición o idea que se manifiesta y ofrece a uno para un fin. || **2.** Consulta de uno o más sujetos hecha al superior para un empleo o beneficio. || **3.** Consulta de un asunto o negocio a la persona, junta o cuerpo que lo ha de resolver.

Propuesto, ta. (Del lat. *propositus.*) p. p. irreg. de **Proponer.**

Propugnación. f. Acción y efecto de propugnar.

Propugnáculo. (Del lat. *propugnacŭlum.*) m. Fortaleza o lugar murado capaz de ser defendido contra el enemigo, peleando desde él. || **2.** fig. Cualquier cosa que defiende a otra, aunque no sea material, contra los que intentan destruirla o menoscabarla.

Propugnar. (Del lat. *propugnāre.*) tr. Defender, amparar.

Propulsa. (De *propulsar.*) f. **Repulsa.**

Propulsar. (Del lat. *propulsāre.*) tr. **Repulsar.** || **2.** Impeler hacia adelante.

Propulsión. (De *propulsar,* a semejanza de *repulsión.*) f. **Propulsa.** || **2.** Acción de propulsar, 2.ª acep.

Propulsor, ra. (Del lat. *propulsor.*) adj. Que propulsa. Ú. t. c. s.

Prora. (Del lat. *prora,* y éste del gr. πρώρα.) f. poét. **Proa.**

Pro rata. loc. lat. **Prorrata.**

Pro rata parte. loc. lat. **Prorrata.**

Prorrata. (Del lat. *pro rata parte,* a parte o porción fija, determinada.) f. Cuota o porción que toca a uno de lo que se reparte entre varios, hecha la cuenta proporcionada a lo más o menos que cada uno debe pagar o percibir. || **A prorrata.** m. adv. Mediante prorrateo.

Prorratear. (De *prorrata.*) tr. Repartir una cantidad entre varios, según la parte que proporcionalmente toca a cada uno.

Prorrateo. (De *prorratear.*) m. Repartición de una cantidad, obligación o carga entre varios, proporcionada a lo que debe tocar a cada uno. || **2.** *For.* Procedimiento de jurisdicción voluntaria para distribuir entre varias fincas forales la carga de la pensión de todas.

Prórroga. (De *prorrogar.*) f. **Prorrogación.**

Prorrogable. adj. Que se puede prorrogar.

Prorrogación. (Del lat. *prorogatĭo, -ōnis.*) f. Continuación de una cosa por un tiempo determinado.

Prorrogar. (Del lat. *prorogāre.*) tr. Continuar, dilatar, extender una cosa por tiempo determinado. || **2.** Suspender, aplazar. || **3.** ant. **Desterrar.**

Prorrogativo, va. adj. Que prorroga.

Prorrumpir. (Del lat. *prorumpĕre.*) intr. Salir con ímpetu una cosa. || **2.** fig. Proferir repentinamente y con fuerza o violencia una voz, suspiro u otra demostración de dolor o pasión vehemente.

Prosa. (Del lat. *prosa.*) f. Estructura o forma que toma naturalmente el lenguaje para expresar los conceptos, y no está sujeta, como el verso, a medida y cadencia determinadas. La **prosa,** considerada como forma artística, está sometida también, sin embargo, a leyes que regulan su acertado empleo. || **2.** Lenguaje prosaico en la poesía. || **3.** En la misa, secuencia que en ciertas solemnidades se dice o canta después de la aleluya o del tracto. || **4.** fig. y fam. Demasía de palabras para decir cosas poco o nada importantes. || **5.** fig. Aspecto o parte de las cosas que se opone al ideal y a la perfección de ellas.

Prosado, da. adj. Que está en prosa, por oposición a lo que está en verso.

Prosador, ra. m. y f. **Prosista.** || **2.** fig. y fam. Hablador impertinente.

Prosaicamente. adv. m. De manera prosaica.

Prosaico, ca. (Del lat. *prosaĭcus.*) adj. Perteneciente o relativo a la prosa, o escrito en prosa. || **2.** Dícese de la obra poética, o de cualquiera de sus partes, que adolece de prosaísmo. || **3.** fig. Dicho de personas y de ciertas cosas, falto de idealidad o elevación; insulso, vulgar. *Hombre, pensamiento, gusto* PROSAICO; *vida* PROSAICA.

Prosaísmo. (De *prosa.*) m. Defecto de la obra en verso, o de cualquiera de sus partes, que consiste en la falta de armonía o entonación poéticas, o en la demasiada llaneza de la expresión, o en la insulsez y trivialidad del concepto. || **2.** fig. Insulsez y trivialidad en el fondo de las obras en prosa.

Prosapia. (Del lat. *prosapia.*) f. Ascendencia, linaje o generación de una persona.

Proscenio. (Del lat. *proscenium,* y éste del gr. προσκήνιον; de πρό, delante, y σκηνή, escena.) m. En el antiguo teatro griego y latino, lugar entre la escena y la orquesta, más bajo que la primera y más alto que la segunda, y en el cual estaba el tablado en que representaban los actores. || **2.** Parte del escenario más inmediata al público, que viene a ser la que media entre el borde del mismo escenario y el primer orden de bastidores.

Proscribir. (Del lat. *proscribĕre.*) tr. Echar a uno del territorio de su patria, comúnmente por causas políticas. || **2.** ant. Declarar a uno público malhechor, dando facultad a cualquiera para que le quite la vida, y a veces ofreciendo premio a quien le entregue vivo o muerto. || **3.** fig. Excluir, prohibir el uso de una cosa.

Proscripción. (Del lat. *proscriptĭo, -ōnis.*) f. Acción y efecto de proscribir.

Proscripto, ta. (Del lat. *proscriptus.*) p. p. irreg. **Proscrito.** Ú. t. c. s.

Proscriptor, ra. (Del lat. *proscriptor.*) adj. Que proscribe. Ú. t. c. s.

Proscrito, ta. p. p. irreg. de **Proscribir.** Ú. t. c. s.

Prosecución. (Del lat. *prosecutĭo, -ōnis.*) f. Acción de proseguir. || **2.** Seguimiento, persecución.

Proseguible. adj. Que se puede proseguir.

Proseguimiento. m. **Prosecución.**

Proseguir. (Del lat. *prosequi.*) tr. Seguir, continuar, llevar adelante lo que se tenía empezado.

Proselitismo. m. Celo de ganar prosélitos.

Prosélito. (Del lat. *proselȳtus,* y éste de gr. προσήλυτος, extranjero domiciliado en un país, convertido.) m. Persona convertida a la religión católica, y en general a cualquier religión. || **2.** fig. Partidario que se gana para una facción, parcialidad o doctrina.

Prosénquima. (Voz formada a imitación de *parénquima;* del gr. πρός, hacia, y ἔγχυμος, lleno de jugo.) m. *Bot.* y *Zool.* Tejido fibroso de los animales y de las plantas.

Prosificación. f. Acción y efecto de prosificar.

Prosificador, ra. adj. Que prosifica.

Prosificar. tr. Poner en prosa una composición poética.

Prosimio. (De *pro,* 2.° art., y *simio.*) adj. *Zool.* Aplícase a ciertos mamíferos primates nocturnos, de pequeño tamaño, con dentición muy parecida a la de los insectívoros, las cuatro extremidades terminadas en mano, cara cubierta de pelo y ojos muy grandes. Viven en los árboles, se alimentan de insectos y otros pequeños animales y se encuentran en las regiones tropicales del antiguo continente, especialmente en Madagascar. Ú. m. c. s. m. || **2.** m. pl. *Zool.* Suborden de estos animales.

Prosinodal. (De *pro,* 2.° art., y *sinodal.*) adj. V. **Juez prosinodal.**

Prosista. com. Escritor o escritora de obras en prosa.

Prosístico, ca. adj. Perteneciente o relativo a la prosa literaria.

Prosita. (d. de *prosa.*) f. Discurso o pedazo corto de una obra en prosa.

Prosodia. (Del lat. *prosodĭa,* y éste del gr. προσῳδία.) f. *Gram.* Parte de la gramática, que enseña la recta pronunciación y acentuación de las letras, sílabas y palabras.

Prosódico, ca. (Del lat. *prosodĭcus,* y éste del gr. προσῳδικός.) adj. *Gram.* Perteneciente o relativo a la prosodia.

Prosopografía. (Del gr. πρόσωπον, aspecto, y γράφω, describir.) f. *Ret.* Descripción del exterior de una persona o de un animal.

Prosopopeya. (Del lat. *prosopopoeia,* y éste del gr. προσωποποιΐα; de πρόσωπον, aspecto de una persona, y ποιέω, hacer.) f. *Ret.* Figura que consiste en atribuir a las cosas inanimadas, incorpóreas o abstractas, acciones y cualidades propias del ser animado y corpóreo, o las del hombre al irracional, o bien en poner el escritor o el orador palabras o discursos en boca de personas verdaderas o fingidas, vivas o muertas. || **2.** fam. Afectación de gravedad y pompa. *Gasta mucha* PROSOPOPEYA.

Prospecto. (Del lat. *prospectus,* de *prospicĕre,* mirar, examinar.) m. Exposición o anuncio breve que se hace al público sobre una obra, escrito, espectáculo, mercancía, etc.

Prosperado, da. adj. Rico, poderoso.

Prósperamente. adv. m. Con prosperidad.

Prosperar. (Del lat. *prosperāre.*) tr. Ocasionar prosperidad. *Dios te* PROSPERE. ‖ **2.** intr. Tener o gozar prosperidad. *El comercio* PROSPERA.

Prosperidad. (Del lat. *prosperĭtas, -ātis.*) f. Curso favorable de las cosas; buena suerte o éxito feliz en lo que se emprende, sucede u ocurre.

Próspero, ra. (Del lat. *prospĕrus.*) adj. Favorable, propicio, venturoso.

Prostaféresis. (Del gr. πρόσθεν, delante, y ἀφαίρεσις, substracción.) f. *Astron.* Diferencia entre la anomalía media y la verdadera de un astro.

Próstata. (Del gr. προστάτης; de προΐσταμαι, estar delante.) f. Glándula pequeña irregular, de color rojizo, que tienen los machos de los mamíferos unida al cuello de la vejiga de la orina y a la uretra, y que segrega un líquido blanquecino y viscoso.

Prostático, ca. adj. Perteneciente o relativo a la próstata.

Prostatitis. (De *próstata,* y el sufijo *itis,* inflamación.) f. *Med.* Inflamación de la próstata.

Prosternación. f. Acción y efecto de prosternarse.

Prosternarse. (Del lat. *prosternĕre.*) r. **Postrarse.**

Próstesis. (Del lat. *prosthĕsis,* y éste del gr. πρόσθεσις.) f. *Gram.* **Prótesis,** 2.ª acep.

Prostético, ca. (Del gr. προσθετικός.) adj. *Gram.* **Protético.**

Prostibulario, ria. adj. Perteneciente o relativo al prostíbulo.

Prostíbulo. (Del lat. *prostibŭlum.*) m. **Mancebía,** 1.ª acep.

Próstilo. (Del lat. *prostȳlos,* y éste del gr. πρόστυλος; de πρό, delante, y στῦλος, columna.) adj. *Arq.* V. **Templo próstilo.**

Prostitución. (Del lat. *prostitutĭo, -ōnis.*) f. Acción y efecto de prostituir o prostituirse.

Prostituir. (Del lat. *prostituĕre.*) tr. Exponer públicamente a todo género de torpeza y sensualidad. Ú. t. c. r. ‖ **2.** Exponer, entregar, abandonar una mujer a la pública deshonra; corromperla. Ú. t. c. r. ‖ **3.** fig. Deshonrar, vender uno su empleo, autoridad, etc., abusando bajamente de ella por interés o por adulación. Ú. t. c. r.

Prostituta. (Del lat. *prostitūta.*) f. **Ramera.**

Prostituto, ta. (Del lat. *prostitūtus.*) p. p. irreg. de **Prostituir.**

Prostrar. (Del lat. *prostrāre.*) tr. ant. **Postrar.** Usáb. t. c. r.

Prosuponer. (De *pro* y *suponer.*) tr. ant. **Presuponer.**

Prosupuesto, ta. p. p. irreg. de **Prosuponer.** ‖ **2.** m. ant. **Presupuesto.**

Protagonista. (Del gr. πρωταγωνιστής; de πρῶτος, primero, y ἀγωνιστής, actor.) com. Personaje principal de cualquier poema en que se represente una acción y del dramático especialmente. ‖ **2.** Por ext., persona que en un suceso cualquiera tiene la parte principal.

Prótasis. (Del lat. *protăsis,* y éste del gr. πρότασις; de προτείνω, proponer.) f. Primera parte del poema dramático; exposición. ‖ **2.** *Ret.* Primera parte del período en que queda pendiente el sentido, que se completa o cierra en la segunda, llamada apódosis.

Protático, ca. (Del lat. *protatĭcus,* y éste del gr. προτατικός.) adj. Perteneciente a la prótasis del poema dramático. Aplícase con particularidad al personaje que sólo figura en ella para hacer la exposición de la obra.

Proteáceo, a. (De *Proteo,* n. p.) adj. *Bot.* Se aplica a plantas angiospermas dicotiledóneas, por lo general árboles y arbustos del hemisferio austral, principalmente de Australia, que tienen sus hojas alternas y dentadas; flores hermafroditas, agrupadas en espiga o racimo, y fruto con semilla sin albumen; como el ciruelillo. Ú. t. c. s. f. ‖ **2.** f. pl. *Bot.* Familia de estas plantas.

Protección. (Del lat. *protectĭo, -ōnis.*) f. Acción y efecto de proteger.

Proteccionismo. m. Doctrina económica según la cual se protege la agricultura y la industria de un país gravando la importación de productos extranjeros y favoreciendo por otros medios a los nacionales. ‖ **2.** Régimen aduanero fundado en esta doctrina y en el trato gubernativo que se da a la producción y al tráfico.

Proteccionista. adj. Partidario del proteccionismo. Ú. t. c. s. ‖ **2.** Perteneciente o relativo al proteccionismo.

Protector, ra. (Del lat. *protector.*) adj. Que protege. Ú. t. c. s. ‖ **2.** Que por oficio cuida de los derechos o intereses de una comunidad. Ú. t. c. s.

Protectorado. m. Dignidad, cargo o virtud de protector y su ejercicio. ‖ **2.** Parte de soberanía que un Estado ejerce, señaladamente sobre las relaciones exteriores, en territorio que no ha sido incorporado plenamente al de su nación y en el cual existen autoridades propias de los pueblos autóctonos. ‖ **3.** Territorio en que se ejerce esta soberanía compartida. ‖ **4.** Alta dirección e inspección que se reserva el poder público sobre las instituciones de beneficencia particular. ‖ **5.** Conjunto de autoridades que ejercen tal potestad.

Protectoría. f. Empleo o ministerio de protector.

Protectorio, ria. (Del lat. *protectorĭus.*) adj. Perteneciente o relativo a la protección.

Protectriz. adj. Forma y terminación femenina de **Protector.** Ú. t. c. s.

Proteger. (Del lat. *protegĕre.*) tr. Amparar, favorecer, defender.

Protegido, da. (De *proteger.*) m. y f. Favorito, ahijado.

Proteico, ca. (De *Proteo.*) adj. Que cambia de formas o de ideas. ‖ **2.** *Quím.* **Proteínico.**

Proteína. f. *Quím.* **Albuminoide.**

Proteínico, ca. (De *proteína.*) adj. *Quím.* Perteneciente o relativo a las proteínas.

Proteo. (Por alusión a este dios fabuloso, al cual se atribuyó la facultad de poder cambiar de forma a su antojo.) m. fig. Hombre que cambia frecuentemente de opiniones y afectos.

Protervamente. adv. m. Con protervia.

Protervia. (Del lat. *protervĭa.*) f. Obstinación en la maldad, perversidad.

Protervidad. (Del lat. *protervĭtas, -ātis.*) f. **Protervia.**

Protervo, va. (Del lat. *protervus.*) adj. Que tiene protervia. Ú. t. c. s.

Prótesis. (Del lat. *prothĕsis,* y éste del gr. πρόθεσις; de προτίθημι, colocar delante.) f. *Cir.* Procedimiento mediante el cual se repara artificialmente la falta de un órgano o parte de él; como la de un diente, un ojo, etc. ‖ **2.** *Gram.* Adición de algún sonido al principio de un vocablo, como en *amatar* por *matar.* Era figura de dicción según la preceptiva tradicional.

Protesta. f. Acción y efecto de protestar. ‖ **2.** Promesa con aseveración o atestación de ejecutar una cosa. ‖ **3.** *For.* Declaración jurídica que se hace para que no se perjudique, antes bien se asegure, el derecho que uno tiene. ‖ **de mar.** Declaración justificada del que manda un buque, para dejar a salvo su responsabilidad en casos fortuitos.

Protestación. (Del lat. *protestatĭo, -ōnis.*) f. **Protesta.** ‖ **de la fe.** Declaración, confesión pública que uno hace de la religión verdadera o de la creencia que profesa. ‖ **2.** Fórmula dispuesta por el concilio de Trento y sumos pontífices para enseñar en público las verdades de la fe católica.

Protestante. p. a. de **Protestar.** Que protesta. ‖ **2.** adj. Que sigue el luteranismo o cualquiera de sus sectas. Ú. t. c. s. ‖ **3.** Perteneciente a estos sectarios.

Protestantismo. m. Creencia religiosa de los protestantes. ‖ **2.** Conjunto de ellos.

Protestar. (Del lat. *protestāri.*) tr. Declarar el ánimo que uno tiene en orden a ejecutar una cosa. ‖ **2.** Confesar públicamente la fe y creencia que uno profesa y en que desea vivir. ‖ **3.** *Com.* Hacer el protesto de una letra de cambio. ‖ **4.** intr. Con la prep. *de,* aseverar con ahínco y con firmeza. ‖ **5.** Con la prep. *contra,* negar la validez o legalidad de un acto, tachándolo de vicioso.

Protestativo, va. adj. Dícese de lo que protesta o declara una cosa o da testimonio de ella.

Protesto. m. **Protesta.** ‖ **2.** *Com.* Diligencia que, por no ser aceptada o pagada una letra de cambio, se practica bajo fe notarial para que no se perjudiquen o amengüen los derechos y acciones entre las personas que han intervenido en el giro o en los endosos de él. ‖ **3.** *Com.* Testimonio por escrito del mismo requerimiento.

Protético, ca. (Del gr. προθετικός.) adj. *Gram.* Perteneciente o relativo a la prótesis. Así, la *e* de *espíritu,* añadida al vocablo latino *spiritus,* se llama **protética.**

Proto. (Del gr. πρῶτος, primero.) Prefijo que significa prioridad, preeminencia o superioridad. PROTO*tipo,* PROTO*médico.*

Protoalbéitar. (De *proto* y *albéitar.*) m. Primero entre los albéitares. ‖ **2.** Vocal del protoalbeiterato.

Protoalbeiterato. (De *protoalbéitar.*) m. Tribunal en que se examinaban y aprobaban los albéitares para poder ejercer su facultad.

Protocloruro. (De *proto* y *cloruro.*) m. *Quím.* Cuerpo resultante de la combinación del cloro con un radical simple o compuesto, en la proporción menor en que aquél puede combinarse con éstos.

Protocolar. tr. **Protocolizar.**

Protocolar. adj. Relativo al protocolo.

Protocolario, ria. adj. fig. Se dice de lo que se hace con solemnidad no indispensable, pero usual.

Protocolización. f. Acción y efecto de protocolizar.

Protocolizar. tr. Incorporar al protocolo una escritura matriz u otro documento que requiera esta formalidad.

Protocolo. (Del b. lat. *protocollum,* y éste del b. gr. πρωτόκολλον, que propiamente significa la primera hoja encolada o pegada; de πρῶτος, primero, y κολλάω, pegar.) m. Ordenada serie de escrituras matrices y otros documentos que un notario o escribano autoriza y custodia con ciertas formalidades. ‖ **2.** Acta o cuaderno de actas relativas a un acuerdo, conferencia o congreso diplomático. ‖ **3.** Por ext., regla ceremonial diplomática o palatina establecida por decreto o por costumbre.

Protohistoria. f. Período histórico en que faltan la cronología y los documentos, basado únicamente en tradiciones o inducciones.

Protohistórico, ca. adj. Perteneciente o relativo a la protohistoria.

Protomártir. (De *proto* y *mártir.*) m. El primero de los mártires. Es nombre que se da a San Esteban por haber sido el primero de los discípulos de Cristo que padeció martirio.

Protomedicato. m. Tribunal formado por los protomédicos y examinadores, que reconocía la suficiencia de los que aspiraban a ser médicos, y concedía las licencias necesarias para el ejercicio de dicha facultad. Hacía también veces de cuerpo consultivo. ‖ **2.** Empleo o título honorífico de protomédico.

Protomédico. (De *proto* y *médico.*) m. Cada uno de los médicos del rey que componían el tribunal del protomedicato.

Protón. (Del gr. πρῶτος, primero.) m. *Fís.* Núcleo del átomo de hidrógeno donde se concentra la casi totalidad de una masa material y que tiene una carga eléctrica positiva numéricamente igual a la negativa del electrón. Debe su nombre a que se le considera el elemento generador de todos los demás átomos.

Protónico, ca. (De *pro,* delante, y de *tónico.*) adj. V. **Sílaba protónica.**

Protonotario. (De *proto* y *notario.*) m. Primero y principal de los notarios y jefe de ellos, o el que despachaba con el príncipe y refrendaba sus despachos, cédulas y privilegios. En Aragón era dignidad que constituía parte del Consejo Supremo. ‖ **apostólico.** Dignidad eclesiástica, con honores de prelacía, que el Papa concede a algunos clérigos.

Protoplasma. (Del gr. πρῶτος, primero, y πλάσμα, formación.) m. *Biol.* Substancia constitutiva de las células, de consistencia más o menos líquida, estructura coloidal y composición química muy compleja; contiene una gran cantidad de agua en la que están disueltos o en suspensión numerosos cuerpos orgánicos y algunas sales inorgánicas.

Protoplasmático, ca. adj. *Biol* y *Bot.* Perteneciente o relativo al protoplasma.

Protórax. m. *Zool.* El primero de los tres segmentos en que se divide el tórax de los insectos.

Protosulfuro. m. *Quím.* Primer grado de combinación de un radical con el azufre.

Prototipo. (Del gr. πρωτότυπος; de πρῶτος, primero, y τύπος, modelo.) m. Original ejemplar o primer molde en que se fabrica una figura u otra cosa. ‖ **2.** fig. El más perfecto ejemplar y modelo de una virtud, vicio o cualidad.

Protóxido. (De *proto* y *óxido.*) m. *Quím.* Cuerpo que resulta de la combinación del oxígeno con un radical simple o compuesto, en su primer grado de oxidación.

Protozoario, ria. (Del gr. πρῶτος, primero, y ζῳάριον, animalillo.) adj. *Zool.* **Protozoo.**

Protozoo. (Del gr. πρῶτος, primero, y ζῷον, animal.) m. *Zool.* Dícese de los animales, casi siempre microscópicos, cuyo cuerpo está formado por una sola célula o por una colonia de células iguales entre sí. Ú. m. c. s. ‖ **2.** m. pl. *Zool.* Subreino o tipo de estos animales.

Protráctil. (Del lat. *protractum.*) adj. Dícese de la lengua de algunos animales que puede proyectarse mucho fuera de la boca, como en algunos reptiles; v. gr.: el camaleón.

Pro tribunali. m. adv. lat. En estrados y audiencia pública o con el traje y aparato de juez. ‖ **2.** fig. y fam. Con tono autoritario.

Protuberancia. (Del lat. *protubĕrans, -antis,* p. a. de *protuberāre,* sobresalir.) f. Prominencia más o menos redonda.

Protutor. (De *pro* y *tutor.*) m. Cargo familiar establecido por el código civil para intervenir las funciones de la tutela y asegurar su recto ejercicio.

Provagar. (De *pro* y *vagar.*) intr. ant. Proseguir en el camino comenzado; pasar adelante en él.

Provecer. (Del lat. *proficĕre.*) tr. ant. **Aumentar.**

Provecto, ta. (Del lat. *provectus.*) adj. Antiguo, adelantado, o que ha aprovechado en una cosa. ‖ **2.** Maduro, entrado en días. ‖ **3.** V. **Edad provecta.**

Provechar. (De *provecho.*) tr. ant. **Aprovechar.**

Provecho. (Del lat. *profectus.*) m. Beneficio o utilidad que se consigue o se origina de una cosa o por algún medio. ‖ **2.** Utilidad o beneficio que se proporciona a otro. ‖ **3.** Aprovechamiento o adelantamiento en las ciencias, artes o virtudes. ‖ **4.** V. **Hombre de provecho.** ‖ **5.** pl. Aquellas utilidades o emolumentos que se adquieren o permiten fuera del sueldo o salario. ‖ **Buen provecho.** expr. fam. con que se explica el deseo de que una cosa sea útil o conveniente a la salud o bienestar de uno. Dícese frecuentemente de la comida o bebida. ‖ **De provecho.** loc. Dícese de la persona o cosa útil o a propósito para lo que se desea o intenta.

Provechosamente. adv. m. Con provecho o utilidad.

Provechoso, sa. adj. Que causa provecho o es de provecho o utilidad.

Proveedor, ra. m. y f. Persona que tiene a su cargo proveer o abastecer de todo lo necesario, especialmente de mantenimiento, a los ejércitos, armadas, casas de comunidad u otras de gran consumo.

Proveeduría. f. Cargo y oficio de proveedor. ‖ **2.** Casa donde se guardan y distribuyen las provisiones.

Proveer. (Del lat. *providēre.*) tr. Prevenir, juntar y tener prontos los mantenimientos u otras cosas necesarias para un fin. Ú. t. c. r. ‖ **2.** Disponer, resolver, dar salida a un negocio. ‖ **3.** Dar o conferir una dignidad, empleo u otra cosa. ‖ **4.** Suministrar o facilitar lo necesario o conveniente para un fin. PROVEER *una plaza de víveres;* PROVEER *a una persona de ropa, de libros.* Ú. t. c. r. ‖ **5.** *For.* Dictar un juez o tribunal una resolución que a veces es la sentencia definitiva. ‖ **6.** r. Desembarazar, exonerar el vientre. ‖ **Para mejor proveer.** expr. *For.* Fórmula con que se designa la resolución que el juez o tribunal dicta de oficio, terminada la sustanciación del asunto y antes de sentenciarlo, reclamando datos o disponiendo pruebas para fallar con mayor conocimiento de causa.

Proveído. (De *proveer.*) m. Resolución judicial interlocutoria o de trámite.

Proveimiento. m. Acción de proveer.

Provena. (Del lat. *propago, -ĭnis.*) f. Mugrón de la vid.

Proveniente. p. a. de **Provenir.** Que proviene.

Provenir. (Del lat. *provenīre,* crecer, desenvolverse.) intr. Nacer, proceder, originarse una cosa de otra como de su principio.

Provento, ta. (Del lat. *proventus.*) p. p. irreg. ant. de **Provenir.** ‖ **2.** m. Producto, renta.

Provenzal. adj. Natural de la Provenza. Ú. t. c. s. ‖ **2.** Perteneciente a esta antigua provincia de Francia. ‖ **3.** m. **Lengua de oc.** ‖ **4.** Lengua de los **provenzales,** tal como ahora la hablan.

Provenzalismo. m. Vocablo, giro o modo de hablar peculiares de la lengua provenzal.

Provenzalista. com. Persona que cultiva la lengua o literatura provenzales.

Proverbiador. (De *proverbiar.*) m. Libro o cuaderno donde se anotan algunas sentencias especiales y otras cosas dignas de traerlas a la memoria.

Proverbial. (Del lat. *proverbiālis.*) adj. Perteneciente o relativo al proverbio o que lo incluye. ‖ **2.** V. **Frase proverbial.** ‖ **3.** Muy notorio.

Proverbialmente. adv. m. En forma de proverbio o como proverbio.

Proverbiar. intr. fam. Usar mucho de proverbios.

Proverbio. (Del lat. *proverbĭum.*) m. Sentencia, adagio o refrán. ‖ **2.** Agüero o superstición que consiste en creer que ciertas palabras, oídas casualmente en determinadas noches del año, y con especialidad en la de San Juan, son oráculos que anuncian la dicha o desdicha de quien las oye. ‖ **3.** Obra dramática cuyo objeto es poner en acción un **proverbio** o refrán. ‖ **4.** pl. Libro de la Sagrada Escritura, que contiene varias sentencias de Salomón.

Proverbista. com. fam. Persona aficionada a decir proverbios o a coleccionarlos o estudiarlos.

Proveza. (De *provecer.*) f. ant. **Provecho.**

Provicero. m. **Vaticinador.**

Próvidamente. adv. m. De manera próvida.

Providencia. (Del lat. *providentĭa.*) f. Disposición anticipada o prevención que mira o conduce al logro de un fin. ‖ **2.** Disposición que se toma en un lance sucedido, para componerlo o remediar el daño que pueda resultar. ‖ **3.** Por antonom., la de Dios. ‖ **4.** fig. **Dios,** 1.ª acep. ‖ **5.** *For.* Resolución judicial a la que no se exigen por la ley fundamentos y que decide cuestiones de trámite o peticiones accidentales y sencillas no sometidas a tramitación de mayor solemnidad. ‖ **6.** *For.* V. **Auto de providencia.** ‖ **A la Providencia.** m. adv. Sin más amparo que el de Dios. ‖ **Tomar uno providencia, o una providencia.** fr. Adoptar una determinación.

Providencial. (Del lat. *providentiālis.*) adj. Perteneciente o relativo a la Providencia.

Providencialismo. m. Doctrina según la cual todo sucede por disposición de la Divina Providencia.

Providencialista. adj. Que profesa la doctrina del providencialismo.

Providencialmente. adv. m. Provisionalmente, por inmediata providencia. ‖ **2.** De manera providencial.

Providenciar. tr. Dictar o tomar providencia, 1.ª, 2.ª y 5.ª aceps.

Providente. (Del lat. *providens, -entis.*) adj. Avisado, prudente. ‖ **2. Próvido,** 1.ª acep.

Próvido, da. (Del lat. *providus.*) adj. Prevenido, cuidadoso y diligente para proveer y acudir con lo necesario al logro de un fin. ‖ **2.** Propicio, benévolo.

Provincia. (Del lat. *provincia.*) f. Cada una de las grandes divisiones de un territorio o Estado, sujeta por lo común a una autoridad administrativa. ‖ **2.** Conjunto de casas o conventos de religiosos que ocupan determinado territorio. ‖ **3.** Antiguo juzgado de los alcaldes de corte, separado de la sala criminal, para conocer de los pleitos y dependencias civiles. ‖ **4.** V. **Contaduría, padre de provincia.**

Provincial. (Del lat. *provinciālis.*) adj. Perteneciente o relativo a una provincia. ‖ **2.** V. **Administración, audiencia, capítulo, concilio, contingente, definidor, diputación, diputado, milicia, renta provincial.** ‖ **3.** m. Religioso que tiene el gobierno y superioridad sobre todas las casas y conventos de una provincia.

Provinciala. f. Superiora religiosa que en ciertas órdenes gobierna las casas religiosas de una provincia.

Provincialato. m. Dignidad, oficio o empleo de provincial o provinciala. ‖ **2.** Tiempo que dura esta dignidad.

Provincialismo. (De *provincial.*) m. Predilección que generalmente se da a los usos, producciones, etc., de la provincia en que se ha nacido. ‖ **2.** Voz o giro que únicamente tiene uso en una provincia o comarca de un país o nación.

Provinciano, na. adj. Dícese del habitante de una provincia, en contraposición al de la capital. Ú. t. c. s. || **2.** Perteneciente o relativo a cualquiera de las provincias vascongadas, Álava, Vizcaya y Guipúzcoa, y especialmente a esta última. Ú. t. c. s.

Provisión. (Del lat. *provisĭo, -ōnis.*) f. Acción y efecto de proveer. || **2.** Prevención de mantenimientos, caudales u otras cosas que se ponen en alguna parte para que no hagan falta ni se echen de menos || **3.** Mantenimientos o cosas que se previenen y tienen prontas para un fin. Ú. m. en pl. || **4.** Despacho o mandamiento que en nombre del rey expedían algunos tribunales, especialmente los consejos y audiencias, para que se ejecutase lo que por ellos se ordenaba y mandaba. || **5.** Providencia o disposición conducente para el logro de una cosa. || **de fondos.** *Com.* Existencia en poder del pagador del valor de una letra, cheque, etc.

Provisional. (De *provisión.*) adj. Dispuesto o mandado interinamente. || **2.** V. **Libertad provisional.**

Provisionalmente. adv. m. De manera provisional.

Proviso (Al). (Del lat. *proviso.*) m. adv. **Al instante.**

Provisor. (Del lat. *provisor.*) m. **Proveedor.** || **2.** Juez diocesano nombrado por el obispo, con quien constituye un mismo tribunal, y que tiene potestad ordinaria para entender en causas eclesiásticas.

Provisora. (De *provisor.*) f. En los conventos de religiosas, la que cuida de la provisión de la casa.

Provisorato. m. Empleo u oficio de provisor. || **2.** Tribunal y oficinas del mismo.

Provisoría. f. **Provisorato,** 1.ª acep. || **2.** En los conventos y otras comunidades, paraje destinado a guardar y distribuir las provisiones.

Provisto, ta. p. p. irreg. de **Proveer.**

Provocación. (Del lat. *provocatĭo, -ōnis.*) f. Acción y efecto de provocar.

Provocador, ra. (Del lat. *provocātor.*) adj. Que provoca, 2.ª acep. Ú. t. c. s.

Provocante. p. a. de **Provocar.** Que provoca.

Provocar. (Del lat. *provocāre.*) tr. Excitar, incitar, inducir a uno a que ejecute una cosa. || **2.** Irritar o estimular a uno con palabras u obras para que se enoje. || **3.** Facilitar, ayudar. || **4.** Mover o incitar. PROVOCAR *a risa, a lástima.* || **5.** fam. **Vomitar,** 1.ª acep.

Provocativo, va. (Del lat. *provocatīvus.*) adj. Que tiene virtud o eficacia de provocar, excitar o precisar a ejecutar una cosa. || **2. Provocador.**

Proxeneta. (Del lat. *proxenēta,* y éste del gr. προξενητής.) com. **Alcahuete,** 1.ª acep.

Proxenético, ca. adj. Perteneciente o relativo al proxeneta.

Proxenetismo. m. Acto u oficio de proxeneta.

Proximal. adj. *Anat.* Dícese de lo que está más próximo al eje o línea media del organismo o del arranque de un miembro u otro órgano, por oposición a distal.

Próximamente. adv. m., l. y t. Con proximidad.

Proximidad. (Del lat. *proximĭtas, -ātis.*) f. Calidad de próximo. || **2. Cercanía,** 2.ª acep. Ú. m. en pl.

Próximo, ma. (Del lat. *proxĭmus.*) adj. Cercano, que dista poco. || **2.** V. **Materia próxima del sacramento.** || **3.** *Teol.* V. **Ocasión próxima.** || **De próximo.** m. adv. **Próximamente,** 1.ª acep.

Proyección. (Del lat. *proiectĭo, -ōnis.*) f. Acción y efecto de proyectar. || **2.** Imagen que por medio de un foco luminoso se arroja o fija temporalmente sobre una superficie plana. || **3.** *Geom.* Figura que resulta en una superficie, de proyectar en ella todos los puntos de un sólido u otra figura. || **cónica.** *Geom.* La que resulta de dirigir todas las líneas proyectantes a un punto de concurso. || **ortogonal.** *Geom.* La que resulta de trazar todas las líneas proyectantes perpendiculares a un plano.

Proyectante. p. a. de **Proyectar.** Que proyecta. || **2.** adj. *Geom.* Dícese de la línea recta que sirve para proyectar un punto en una superficie.

Proyectar. (Del lat. *proiectāre,* intens. de *proiicĕre,* arrojar.) tr. Lanzar, dirigir hacia adelante o a distancia. || **2.** Idear, trazar, disponer o proponer el plan y los medios para la ejecución de una cosa. || **3.** Hacer visible sobre un cuerpo o una superficie la figura o la sombra de otro. Ú. t. c. r. || **4.** *Geom.* Trazar líneas rectas desde todos los puntos de un sólido u otra figura, según determinadas reglas, hasta que encuentren una superficie por lo común plana.

Proyectil. (Del lat. *proiectum,* supino de *proiicĕre,* lanzar.) m. Cualquier cuerpo arrojadizo; como saeta, bala, bomba.

Proyectista. com. Persona dada a hacer proyectos y a facilitarlos.

Proyecto, ta. (Del lat. *proiectus.*) adj. *Geom.* Representado en perspectiva. || **2.** *Geom.* V. **Ortografía proyecta.** || **3.** m. Planta y disposición que se forma para un tratado, o para la ejecución de una cosa de importancia, anotando y extendiendo todas las circunstancias principales que deben concurrir para su logro. || **4.** Designio o pensamiento de ejecutar algo. || **5.** Conjunto de escritos, cálculos y dibujos que se hacen para dar idea de cómo ha de ser y lo que ha de costar una obra de arquitectura o de ingeniería.

Proyectura. (Del lat. *proiectūra.*) f. *Arq.* **Vuelo,** 9.ª acep.

Prudencia. (Del lat. *prudentĭa.*) f. Una de las cuatro virtudes cardinales, que consiste en discernir y distinguir lo que es bueno o malo, para seguirlo o huir de ello. || **2.** Templanza, moderación. || **3.** Discernimiento, buen juicio.

Prudencial. adj. Perteneciente o relativo a la prudencia. || **2.** V. **Cálculo prudencial.**

Prudencialmente. adv. m. Según las reglas y preceptos de la prudencia.

Prudente. (Del lat. *prudens, -entis.*) adj. Que tiene prudencia y obra con circunspección y recato.

Prudentemente. adv. m. Con prudencia, juicio y circunspección.

Prueba. f. Acción y efecto de probar. || **2.** Razón, argumento, instrumento u otro medio con que se pretende mostrar y hacer patente la verdad o falsedad de una cosa. || **3.** Indicio, seña o muestra que se da de una cosa. || **4.** Ensayo o experiencia que se hace de una cosa. || **5.** Cantidad pequeña de un género comestible, que se destina para examinar si es bueno o malo. || **6.** *Arit.* Operación que se ejecuta para averiguar la exactitud de otra ya hecha. || **7.** *For.* Justificación de la verdad de los hechos controvertidos en un juicio, hecha por los medios que autoriza y reconoce por eficaces la ley. || **8.** *Impr.* Muestra de la composición tipográfica, que se saca en papel ordinario para corregir y apuntar en ellas las erratas que tiene, de suerte que se puedan enmendar antes de tirarse el pliego. || **9.** Por ext., se llaman así las muestras del grabado y de la fotografía. || **10.** pl. *For.* Probanzas, y con especialidad las que se hacen de la limpieza o nobleza del linaje de uno. || **Prueba antes de la letra.** *Grab.* **Prueba** tirada por vía de ensayo, cuando aún no se le ha puesto la inscripción que dice lo que el grabado representa. || **de indicios,** o **indiciaria.** *For.* La que se obtiene de los indicios más o menos vehementes relacionados con un hecho, generalmente criminal, que se pretende esclarecer. || **negativa.** *Fotogr.* Imagen que se obtiene en la cámara obscura como primera parte de la operación fotográfica, donde los claros y los obscuros salen invertidos. || **positiva.** *Fotogr.* Última parte de la operación fotográfica, que consiste en invertir los claros y los obscuros de la **prueba** negativa, obteniendo así sobre papel, cristal o metal las imágenes con sus verdaderas luces y sombras. || **semiplena.** *For.* **Prueba** imperfecta o media **prueba,** como la que resulta de la declaración de un solo testigo, siendo éste de toda excepción. || **tasada.** *For.* Sistema de enjuiciamiento antiguo, y en parte aún subsistente, en que la ley, sin dejar la apreciación al criterio del juzgador, mide la fuerza y suficiencia de las **pruebas.** || **A prueba.** m. adv. que denota estar una cosa hecha a toda ley, con perfección. || **2.** Entre vendedores significa que permiten al comprador probar o experimentar aquello que se le vende, antes de efectuar la compra. || **A prueba de agua, de bomba,** etc. ms. advs. Aplícanse a lo que por su perfecta construcción, firmeza y solidez es capaz de resistir al agua, a las bombas, etc. || **A prueba, y estése.** expr. *For.* Antigua fórmula de la providencia para recibir a **prueba** una causa y mantener la prisión preventiva del reo. || **De prueba.** m. adv. con que se explica la consistencia o firmeza de una cosa en lo físico o en lo moral. || **2.** Adecuado para probar el límite de la paciencia de uno. || **Poner a prueba.** fr. Procurar la certidumbre de las condiciones de una persona o de una cosa. || **Recibir a prueba.** fr. *For.* Abrir el período del juicio en que los interesados han de proponer y practicar sus justificaciones o probanzas.

Pruína. (Del lat. *pruīna.*) f. ant. Helada o escarcha.

Pruna. (Del lat. *prūna,* pl. de *prūnum.*) f. En algunas partes, **ciruela.**

Prunela. (Del lat. *pruna,* brasa.) adj. *Quím.* V. **Sal prunela.**

Pruno. (Del lat. *prūnus,* y éste del gr. προύμνη.) m. En algunas partes, **ciruelo,** 1.ª acep.

Prurigo. (Del lat. *prurīgo,* picor, comezón.) m. *Med.* Nombre genérico de ciertas afecciones cutáneas, caracterizadas por pápulas cubiertas frecuentemente de costras negruzcas debidas a excoriaciones producidas al rascarse.

Prurito. (Del lat. *prurītus.*) m. *Med.* Comezón, picazón. || **2.** fig. Deseo persistente y excesivo.

Prusia. n. p. V. **Azul de Prusia.**

Prusiano, na. adj. Natural de Prusia. Ú. t. c. s. || **2.** Perteneciente a este país de Europa.

Prusiato. m. Sal compuesta de ácido prúsico combinado con una base.

Prúsico, ca. (De azul de *Prusia.*) adj. V. **Ácido prúsico.**

Pseudo. (Del gr. ψεῦδος, falsedad.) adj. **Seudo.**

Psi. (Del gr. ψῖ.) f. Vigésima tercera letra del alfabeto griego, que equivale a *ps.*

Psicoanálisis. amb. *Med.* Método de exploración, o tratamiento de ciertas enfermedades nerviosas o mentales, puesto en práctica por el médico vienés S. Freud, y basado en el análisis retrospectivo de las causas morales y afectivas que determinaron el estado morboso. || **2.** Doctrina que sirve de base a este tratamiento, en la que se concede importancia decisiva a la permanencia en lo subconsciente de los impulsos instintivos reprimidos por la conciencia, y en los cuales se ha pretendido ver una explicación de los sueños.

Psicofísica. f. Ciencia que trata de las manifestaciones físicas o fisiológicas que acompañan a los fenómenos psicológicos.

Psicología. (Del gr. ψυχή, alma, y λόγος, tratado, doctrina.) f. Parte de la filosofía, que trata del alma, sus facultades y operaciones. || **2.** Por ext., todo lo que atañe al espíritu. || **3.** Manera de sentir de una persona o de un pueblo. || **4.** Hablando de pueblos o naciones, la síntesis de sus caracteres espirituales y morales.

Psicológico, ca. adj. Perteneciente al alma.

Psicólogo. m. El que profesa la psicología o tiene en ella especiales conocimientos.

Psicópata. (Del gr. ψυχή, alma, y πάθος, dolencia.) com. *Med.* El que padece enfermedades mentales.

Psicopatía. (Del gr. ψυχή, alma, y πάθη, dolencia.) f. Enfermedad mental.

Psicosis. f. *Med.* Nombre general que se aplica a todas las enfermedades mentales. || **maniaco-depresiva.** Forma de perturbación mental caracterizada por las alternativas de excitación y depresión del ánimo y en general de todas las actividades orgánicas.

Psicoterapia. f. *Med.* Tratamiento por la persuasión o sugestión de los síntomas y de ciertas enfermedades.

Psicrómetro. (Del gr. ψυχρός, frío, y μέτρον, medida.) m. *Fís.* Higrómetro que se compone de dos termómetros ordinarios, uno de los cuales tiene la bola humedecida con agua, y por la comparación de las temperaturas indicadas en ellos se calcula el grado de humedad del aire.

Psiquíatra [Psiquiatra]. m. *Med.* Médico especialista en psiquiatría; alienista.

Psiquiatría. (Del gr. ψυχή, alma, y ἰατρεία, curación.) f. Ciencia que trata de las enfermedades mentales.

Psíquico, ca. (Del lat. *psychĭcus*, y éste del gr. ψυχικός; de ψυχή, alma.) adj. Relativo o perteneciente al alma.

Psitácida. (Del gr. ψιττακός, papagayo.) adj. *Zool.* Dícese de aves prensoras, casi todas originarias de países tropicales, con plumas de colores vivos y pico corto, alto y muy encorvado; como el papagayo y la cotorra. Ú. t. c. s. f. || **2.** f. pl. *Zool.* Familia de estas aves.

Psitacismo. (Del gr. ψιττακός, papagayo.) m. Método de enseñanza basado exclusivamente en el ejercicio de la memoria.

Psitacosis. (Del gr. ψιττακός, papagayo.) f. *Med.* Enfermedad infecciosa que padecen los loros y papagayos, de los que puede transmitirse al hombre.

Pterodáctilo. (Del gr. πτερόν, ala, y δάκτυλος, dedo.) m. Reptil fósil, volador, como lo demuestra el extraordinario desarrollo del pulgar de las extremidades torácicas, el cual sostendría una piel que llegaría hasta el tarso de las abdominales, así como el murciélago. La boca tenía dientes agudos. Se encuentran sus restos petrificados principalmente en el terreno jurásico.

¡Pu! interj. **¡Puf!**

Púa. (De *puya*.) f. Cuerpo delgado y rígido que acaba en punta aguda. || **2.** Vástago de un árbol, que se introduce en otro para injertarlo. || **3.** Diente de un peine. || **4.** Cada uno de los ganchitos o dientes de alambre de la carda. || **5.** Chapa triangular de carey, que se usa para tocar la bandurria o la guitarra. || **6.** Cada uno de los pinchos o espinas del erizo, puerco espín, etc. || **7.** Hierro del trompo. || **8.** fig. Causa no material de sentimiento y pesadumbre. || **9.** fig. y fam. Persona sutil y astuta. Tómase ordinariamente en mala parte. *Joaquín es buena* PÚA. || **Saber uno cuántas púas tiene un peine.** fr. fig. y fam. Ser bastantemente astuto y cuidadoso en los negocios que maneja, y no dejarse engañar de otro. || **Sacar la púa al trompo.** fr. fig. y fam. Averiguar a fuerza de diligencias el origen, causa o verdadera inteligencia de una cosa.

Puado. m. Conjunto de las púas de un peine o de otra cosa que las tenga.

Puar. tr. Hacer púas en un peine u otro objeto que deba tenerlas.

Púber, ra. (Del lat. *puber*.) adj. Que ha llegado a la pubertad. Ú. t. c. s.

Púbero. adj. **Púber.** Ú. t. c. s.

Pubertad. (Del lat. *pubertas, -ātis*.) f. Época de la vida en que empieza a manifestarse la aptitud para la reproducción.

Pubes. (Del lat. *pubes*.) m. *Zool.* **Pubis.**

Pubescencia. (Del lat. *pubescens, -entis*, pubescente.) f. **Pubertad.**

Pubescente. (Del lat. *pubescens, -entis*.) p. a. de **Pubescer.** Que pubesce. || **2.** adj. *Bot.* **Velloso,** 1.ª acep.

Pubescer. (Del lat. *pubescĕre*, cubrirse de vello.) intr. Llegar a la pubertad.

Pubiano, na. adj. Perteneciente o relativo al pubis.

Pubis. (Del lat. *pubes* y *pubis*.) m. Parte inferior del vientre, que en la especie humana se cubre de vello a la pubertad. || **2.** *Zool.* Hueso que en los mamíferos adultos se une al ilion y al isquion para formar el innominado. En la especie humana está separado de los otros dos huesos hasta la edad de quince años próximamente.

Pública. f. En algunas universidades, acto público, compuesto de una lección de hora y defensa de una conclusión, que se tenía antes del ejercicio secreto para recibir el grado mayor.

Publicación. (Del lat. *publicatio, -ōnis*.) f. Acción y efecto de publicar. || **2.** Obra literaria o artística publicada.

Publicador, ra. (Del lat. *publicātor*.) adj. Que publica. Ú. t. c. s.

Públicamente. adv. m. De un modo público.

Publicano. (Del lat. *publicānus*.) m. Entre los romanos, arrendador de los impuestos o rentas públicas y de las minas del Estado.

Publicar. (Del lat. *publicāre*.) tr. Hacer notoria o patente, por voz de pregonero o por otros medios, una cosa que se quiere hacer llegar a noticia de todos. || **2.** Hacer patente y manifiesta al público una cosa. PUBLICAR *la sentencia.* || **3.** Revelar o decir lo que estaba secreto u oculto y se debía callar. || **4.** Correr las amonestaciones para el matrimonio y las órdenes sagradas. || **5.** Difundir por medio de la imprenta o de otro procedimiento cualquiera un escrito, estampa, etc.

Publicata. (Del lat. *publicāta*, publicada.) f. Despacho que se da para que se publique, a uno que se ha de ordenar. || **2.** Certificación de haberse publicado.

Publicidad. f. Calidad o estado de público. *La* PUBLICIDAD *de este caso avergonzó a su autor.* || **2.** Conjunto de medios que se emplean para divulgar o extender la noticia de las cosas o de los hechos. || **En publicidad.** m. adv. **Públicamente.**

Publicista. com. Autor que escribe del derecho público, o persona muy versada en esta ciencia. || **2.** Persona que escribe para el público, generalmente de varias materias.

Publicitario, ria. adj. Perteneciente o relativo a la publicidad utilizada con fines comerciales.

Público, ca. (Del lat. *publĭcus*.) adj. Notorio, patente, manifiesto, visto o sabido por todos. || **2.** Vulgar, común y notado de todos. *Ladrón* PÚBLICO. || **3.** Aplícase a la potestad, jurisdicción y autoridad para hacer una cosa, como contrapuesto a privado. || **4.** Perteneciente a todo el pueblo. *Vía* PÚBLICA. || **5.** V. **Administración, calle, casa, causa, deuda, fe, hacienda, higiene, instrucción, mujer, obra, opinión, penitencia, venta, vindicta pública.** || **6.** V. **Consistorio, crédito, derecho, hombre, juego, orden público.** || **7.** V. **Ayudante de obras públicas.** || **8.** V. **Efectos públicos.** || **9.** m. Común del pueblo o ciudad. || **10.** Conjunto de las personas que participan de unas mismas aficiones o con preferencia concurren a determinado lugar. *Cada escritor, cada teatro tiene su* PÚBLICO. || **11.** Conjunto de las personas reunidas en determinado lugar para asistir a un espectáculo o con otro fin semejante. || **Dar al público.** fr. **Publicar,** especialmente en la 5.ª acep. || **De público.** m. adv. Notoriamente, públicamente. || **En público.** m. adv. Públicamente, a la vista de todos. || **Sacar al público** una cosa. fr. fig. Publicarla.

Pucela. (Del lat. *pullicella*, d. de *pullus*, niño.) f. ant. **Doncella,** 1.ª acep.

Pucelana. f. **Puzolana.**

Pucia. f. Vaso farmacéutico, que es una olla ancha por abajo y que, estrechándose y alargándose hacia arriba hasta rematar en un cono truncado, se tapa con otra de la misma especie, pero más chica, y servía para elaborar algunas infusiones y cocimientos que habían de hacerse en vaso cerrado.

Puchada. f. Cataplasma que se hace con harina desleída a modo de puches. || **2.** Especie de gachas de salvado o de harina de centeno o habas, que suelen darse a los cerdos para que engorden.

Puchera. (Del lat. *[olla] pultaria*.) f. fam. **Olla,** 2.ª acep.

Pucherazo. m. Golpe dado con un puchero. || **Dar pucherazo.** fr. fig. y fam. Computar votos no emitidos en una elección.

Pucherete. m. d. de **Puchero.** || **A chico pucherete, chico manjarete.** ref. que recomienda la buena proporción y correspondencia en las cosas.

Puchero. (Del lat. *pultārius*.) m. Vasija de barro vidriado o sin vidriar, con asiento pequeño, panza abultada, cuello ancho, una sola asa junto a la boca, y que sirve comúnmente para cocer la comida. Los hay también de hierro fundido y esmaltado. || **2. Olla,** 2.ª acep. || **3.** fig. y fam. Alimento diario y regular. *Véngase usted a comer el* PUCHERO *conmigo.* || **4.** fig. y fam. Gesto o movimiento que precede al llanto verdadero o fingido. Ú. m. en pl. y con el verbo *hacer.* || **de enfermo.** Cocido que se hace en el **puchero,** sin ingredientes que puedan ser nocivos a los que padecen una dolencia. || **Empinar el puchero.** fr. fig. y fam. Tener con qué vivir decentemente, aunque sin opulencia. || **Oler a puchero de enfermo.** fr. fig. y fam. con que se da a entender el desprecio de las mujeres solteras a los obsequios de los hombres casados. || **2.** fig. y fam. Ser una cosa muy sabida y despreciable. || **Salírsele** a uno **el puchero.** fr. fig. y fam. Fallarle su plan, idea o empresa. || **Volcar el puchero.** fr. fig. y fam. **Dar pucherazo.**

Pucheruelo. m. d. de **Puchero.**

Puches. (Del lat. *puls, pultis*.) amb. pl. **Gachas,** harina cocida.

Pucho. m. Punta o colilla del cigarro.

Pudelación. f. Acción y efecto de pudelar.

Pudelar. (Del ingl. *to puddle*, enlodar.) tr. Hacer dulce el hierro colado, quemando parte de su carbono en hornos de reverbero.

Pudendo, da. (Del lat. *pudendus*.) adj. Torpe, feo, que debe causar vergüenza. || **2.** V. **Partes pudendas.** || **3.** m. ant. **Miembro viril.**

Pudibundez. (De *pudibundo*.) f. Afectación o exageración del pudor.

Pudibundo, da. (Del lat. *pudibundus.*) adj. Pudoroso.
Pudicicia. (Del lat. *pudicitia.*) f. Virtud que consiste en guardar y observar honestidad en acciones y palabras.
Púdico, ca. (Del lat. *pudicus.*) adj. Honesto, casto, pudoroso. || **2.** V. **Mimosa púdica.**
Pudiente. (Del lat. *potens, -entis.*) adj. Poderoso, rico, hacendado. Ú. t. c. s.
Pudinga. f. *Geol.* Conjunto conglomerado de almendrilla.
Pudio. (Del lat. *putĭdus,* hediondo.) adj. V. Pino pudio.
Pudor. (Del lat. *pudor, -ōris.*) m. Honestidad, modestia, recato.
Pudoroso, sa. (Del lat. *pudorōsus.*) adj. Lleno de pudor.
Pudredumbre. (De *pudrir.*) f. ant. Podredumbre.
Pudrición. (De *pudrir.*) f. **Putrefacción.** || roja. Tabaco, 5.ª acep.
Pudridero. m. Sitio o lugar en que se pone una cosa para que se pudra o corrompa. || **2.** Cámara destinada a los cadáveres antes de colocarlos en el panteón.
Pudridor. (De *pudrir.*) m. Pila donde, en las fábricas de papel, se ponía en remojo el trapo desguinzado.
Pudrigorio. (De *pudrir.*) m. fam. **Podrigorio.**
Pudrimiento. (De *pudrir.*) m. Putrefacción, corrupción.
Pudrir. (Del lat. **putrīre,* por *putrēre.*) tr. Resolver en podre una cosa; corromperla y dañarla. Ú. t. c. r. || **2.** fig. Consumir, molestar, causar suma impaciencia y demasiado sentimiento. Ú. t. c. r. || **3.** intr. Haber muerto, estar sepultado.
Pudú. (Del arauc. *pudu.*) m. *Chile.* Especie de cabra montés de tamaño menor que la europea, de color pardo, y el macho provisto de cuernos pequeños y rectos.
Puebla. (De *poblar.*) f. ant. Población, pueblo, lugar. Hoy tiene uso en los nombres de algunos lugares. *La* PUEBLA *de Montalbán; la* PUEBLA *de Sanabria.* || **2.** V. **Carta puebla.** || **3.** Siembra que hace el hortelano de cada género de verduras o legumbres.
Pueble. (De *poblar.*) m. *Min.* Conjunto de operarios que concurren al laboreo de una mina.
Pueblerino, na. adj. **Lugareño.**
Pueblo. (Del lat. *popŭlus.*) m. **Población,** 3.ª acep. || **2.** Población pequeña. || **3.** Conjunto de personas de un lugar, región o país. || **4.** Gente común y humilde de una población. || **5. Nación,** 1.ª acep.
Puelche. (Del arauc. *puel,* oriente, y *che,* persona.) m. *Chile.* Indígena que vive en la parte oriental de la cordillera de los Andes. || **2.** *Chile.* Viento que sopla de la cordillera de los Andes hacia poniente.
Puente. (Del lat. *pons, pontis.*) amb. Fábrica de piedra, ladrillo, cemento, madera o hierro que se construye y forma sobre los ríos, fosos y otros sitios, para poder pasarlos. || **2.** Suelo que se hace poniendo tablas sobre barcas, odres u otros cuerpos flotantes, para pasar un río. || **3.** Tablilla colocada perpendicularmente en la tapa de los instrumentos de arco, para mantener levantadas las cuerdas. || **4. Cordal,** 1.er art., 1.ª acep. || **5.** Cada uno de los dos palos o barras horizontales que en las galeras y carros aseguran por la parte superior las estacas verticales de uno y otro lado. || **6.** Conjunto de los dos maderos horizontales en que se sujeta el peón de la noria. || **7.** Pieza metálica, generalmente de oro, de que usan los dentistas para sujetar en los dientes naturales los artificiales. || **8.** V. **Día puente.** || **9.** *Arq.* Cualquiera de los maderos que se colocan horizontalmente entre otros dos, verticales o inclinados, o entre un madero y una pared. || **10.** *Mar.* Cada una de las cubiertas que llevan batería en los buques de guerra. || **11.** *Mar.* Plataforma estrecha y con baranda que, colocada a cierta altura sobre la cubierta, va de banda a banda, y desde la cual puede el oficial de guardia comunicar sus órdenes a los diferentes puntos del buque. || **cerril.** El que es estrecho y sirve para pasar el ganado suelto. || **colgante.** El sostenido por cables o por cadenas de hierro. || **de barcas.** El que está tendido sobre flotadores, los cuales consisten en barcas, pontones, etc. || **de los asnos.** fig. y fam. Aquella dificultad que se encuentra en una ciencia u otra cosa, y quita el ánimo para pasar adelante. Llámase así regularmente al *quis vel qui* en la gramática latina. || **de Varolio.** *Anat.* Órgano situado en la parte inferior del encéfalo, y que sirve de conexión entre el cerebro, el cerebelo y la medual oblonga. || **levadizo.** El que en los antiguos castillos se ponía sobre el foso y de noche se levantaba por medio de poleas y cuerdas o cadenas, y hacía imposible la entrada a la fortaleza, hasta que por la mañana se volvía a dejar caer, restableciendo el paso. || **transbordador.** El que soporta un carro, del cual va colgada la barquilla transbordadora. Generalmente se construye sobre una ría o un canal y tiene el tablero a bastante altura para no dificultar la navegación. || **Calar el puente.** tr. Bajar o echar el levadizo para que se pueda pasar por él. || **Hacer la puente de plata** a uno. fr. fig. Facilitarle y allanarle las cosas en que halla dificultad, para empeñarle en un asunto o hacerle desistir de él. || **Hacer puente.** fr. fig. Considerar como festivo el día intermedio entre dos que lo son realmente. || **Por la puente, que está seco.** expr. fig. y fam. con que se aconseja la elección del partido más seguro, o que no se usen atajos en que puede haber riesgo.
Puentecilla. (d. de *puente.*) f. **Puente,** 3.ª y 4.ª aceps.
Puentezuela. f. d. de **Puente.**
Puerca. (Del lat. *porca.*) f. Hembra del puerco. || **2. Cochinilla,** 1.er art. || **3. Escrófula.** || **4.** Pieza del pernio o gozne en que está el anillo. || **5. Caballón.** || **6.** fig. y fam. Mujer desaliñada, sucia, que no tiene limpieza. Ú. t. c. adj. || **7.** fig. y fam. Mujer grosera, sin policía, cortesía ni crianza. Ú. t. c. adj. || **8.** fig. y fam. Mujer ruin, interesada, venal. Ú. t. c. adj. || **montés, o salvaje. Jabalina,** 1.er art.
Puercamente. adv. m. fam. Con suciedad, sin limpieza. || **2.** fig. y fam. Con grosería, sin crianza, con descortesía.
Puerco. (Del lat. *porcus.*) m. **Cerdo,** 1.ª acep. || **2.** fig. y fam. Hombre desaliñado, sucio, que no tiene limpieza. Ú. t. c. adj. || **3.** fig. y fam. Hombre grosero, sin policía, cortesía ni crianza. Ú. t. c. adj. || **4.** fig. y fam. Hombre ruin, interesado, venal. Ú. t. c. adj. || **5.** *Mont.* **Jabalí.** || **6.** adj. fig. y fam. V. **Manos puercas.** || **de mar.** *Zool.* **Marsopa.** || **de simiente. Verraco.** || **espín,** o **espino.** Mamífero roedor que habita en el norte de África, de unos 25 centímetros de alto y 60 de largo, cuerpo rechoncho, cabeza pequeña y hocico agudo, cuello cubierto de crines fuertes, blancas o grises, y lomo y costados con púas córneas de unos 20 centímetros de longitud y medio de grueso, blancas y negras en zonas alternas. Es animal nocturno, tímido y desconfiado, vive de raíces y frutos, y cuando le persiguen, gruñe como el cerdo. || **2.** *Fort.* Madero grueso guarnecido de púas de hierro, y sustentado por una recia columna, el cual se suele poner en las brechas, bocas de los puentes y golas de los fuertes. || **jabalí. Jabalí.** || **marino. Delfín,** 1.er art., 1.ª acep. || **montés,** o **salvaje. Jabalí.** || **A cada puerco le llega,** o **le viene, su San Martín.** ref. con que se denota que no hay persona para quien no llegue la hora de la tribulación. || **Al más ruin puerco, la mejor bellota.** ref. que advierte que las más veces logran los bienes terrenales los que menos lo merecen. || **Al matar los puercos, placeres y juegos; al comer las morcillas, placeres y risas; al pagar los dineros, pesares y duelos.** ref. **Cochino fiado, buen invierno y mal verano.** || **Al puerco y al yerno mostrarle la casa, que él se vendrá luego.** ref. que enseña la facilidad con que se ejecutan las cosas en que se halla gusto o interés, o con que se va al paraje donde lo puede haber. || **A puerco fresco y berenjenas, ¿quién terná las manos quedas?** ref. que denota cuán difícil es contener las pasiones halagadas por un objeto que las atrae. || **Comeréis puerco y mudaréis acuerdo.** ref. que significa que el que usa cosas nocivas tiene pronto que arrepentirse. || **El puerco sarnoso revuelve la pocilga.** ref. con que se da a entender que en las comunidades y repúblicas los más indignos suelen ser los más quejosos, y por ello los más díscolos e inquietos. || **Hurtar el puerco, y dar los pies por Dios.** ref. con que se moteja a los que juzgan que con cualquier pequeño bien que hacen encubren el daño grave que ocasionan. || **Puerco fiado gruñe todo el año.** ref. que explica lo trabajoso que es verse uno adeudado, por la molestia continua de los acreedores.
Puericia. (Del lat. *pueritia.*) f. Edad del hombre, que media entre la infancia y la adolescencia; esto es, desde los siete años hasta los catorce.
Puericultor, ra. m. y f. Persona dedicada al estudio y práctica de la puericultura.
Puericultura. (Del lat. *puer,* niño, y *cultūra,* cultivo.) f. Crianza y cuidado de los niños, en lo físico, durante los primeros años de la infancia.
Pueril. (Del lat. *puerīlis.*) adj. Perteneciente o relativo al niño o a la puericia. || **2.** fig. Fútil, trivial, infundado. || **3.** *Astrol.* V. **Cuadrante pueril.**
Puerilidad. (Del lat. *puerilĭtas, -ātis.*) f. Calidad de pueril. || **2.** Hecho o dicho propio de niño, o que parece de niño. || **3.** fig. Cosa de poca entidad o despreciable.
Puerilmente. adv. m. De modo pueril.
Puérpera. (Del lat. *puerpĕra.*) f. Mujer recién parida.
Puerperal. adj. Relativo al puerperio. || **2.** V. **Fiebre puerperal.**
Puerperio. (Del lat. *puerperĭum.*) m. **Sobreparto,** 1.ª acep.
Puerquezuelo, la. m. y f. d. de **Puerco**
Puerro. (Del lat. *porrum.*) m. Planta herbácea anual, de la familia de las liliáceas, con cebolla alargada y sencilla, tallo de seis a ocho decímetros, hojas planas, largas, estrechas y enteras, y flores en umbela, con pétalos de color blanco rojizo. Se cultiva en los huertos porque el bulbo de su raíz es muy apreciado como condimento. || **2.** V. **Ajo puerro.** || **silvestre.** Planta de la misma familia que la anterior y semejante a ella, pero de hojas semicilíndricas, flores encarnadas y estambres violados. Es común en los terrenos incultos de nuestro país.
Puerta. (Del lat. *porta.*) f. Vano de forma regular abierto en pared, cerca o verja, desde el suelo hasta la altura conveniente, para entrar y salir. || **2.** Armazón de madera, hierro u otra materia, que, engoznada o puesta en el quicio y asegurada por el otro lado con llave, cerrojo u otro instrumento, sirve para im-

pedir la entrada y salida. || **3.** Cualquier agujero que sirve para entrar y salir por él, especialmente en las cuevas. || **4.** Tributo de entrada que se paga en las ciudades y otros lugares. Ú. m. en pl. || **5.** ant. **Puerto,** 4.ª acep. || **6.** fig. Camino, principio o entrada para entablar una pretensión u otra cosa. || **abierta.** Régimen de franquicia o igualdad aduanera impuesto a ciertos pueblos atrasados para conciliar intereses de otras potencias. || **accesoria.** La que sirve en el mismo edificio que tiene otra u otras principales. || **cochera.** Aquella por donde pueden entrar y salir carruajes. || **excusada,** o **falsa.** La que no está en la fachada principal de la casa, y sale a un paraje excusado. || **franca.** Entrada o salida libre que se concede a todos. || **2.** Exención que tienen algunos de pagar derechos de lo que introducen para su consumo. || **reglar.** Aquella por donde se entra a la clausura de las religiosas. || **secreta. Puerta falsa.** || **2.** La muy oculta o construida de tal modo, que sólo la pueden ver y usar los que sepan dónde está y cómo se abre y se cierra. || **trasera.** fig. La que se abre en la fachada opuesta a la principal. || **2.** fig. y fest. **Ano.** || **vidriera.** La que tiene vidrios o cristales en lugar de tableros, para dar luz a las habitaciones. || **Sublime Puerta.** Nombre del Estado y gobierno turcos en tiempo de los sultanes. || **Abrir la puerta,** o **puerta.** fr. fig. Dar motivo, ocasión o facilidad para una cosa. || **A cada puerta, su dueña.** ref. que denota el cuidado con que se deben guardar algunas cosas. || **A esotra,** o **a la otra, puerta.** expr. fig. y fam. con que se reprende la terquedad y porfía con que uno se mantiene en un dictamen, sin ceder a las razones. || **2.** fig. y fam. Ú. t. para explicar que uno no ha oído lo que se le dice. || **A las puertas de la muerte.** m. adv. fig. En cercano peligro de morir. || **A otra puerta.** expr. fig. y fam. **A esotra puerta.** || **A otra puerta, que ésta no se abre.** expr. fig. con que se despide a uno, negándose a conceder o a hacer lo que pide. || **A puerta cerrada.** m. adv. fig. **En secreto.** || **2.** *For.* Dícese de los juicios y vistas en que por motivos de honestidad, orden público y otros análogos sólo se permite la presencia de las partes, sus representantes y defensas. || **A puerta cerrada, el diablo se vuelve.** ref. que enseña el cuidado que debe tenerse en evitar las malas ocasiones. || **A puertas.** m. adv. fig. **Por puertas.** || **A puertas cerradas.** m. adv. fig. Hablando de testamentos, se dice de los que mandan la herencia a uno sin reservar o exceptuar nada. || **Cerrar** uno **la puerta.** fr. fig. Hacer imposible o dificultar mucho una cosa. || **Cerrársele** a uno **todas las puertas.** fr. fig. Faltarle todo recurso. || **Coger entre puertas** a uno. fr. fig. y fam. Sorprenderle para obligarle a hacer una cosa. || **Coger** uno **la puerta.** fr. **Tomar la puerta.** || **Cuando una puerta se cierra, ciento se abren.** ref. con que se consuela a uno en los infortunios y desgracias; pues tras un lance desdichado, suele venir otro feliz y favorable. || **Dar** a uno **con la puerta en la cara, en las narices, en los hocicos,** o **en los ojos.** fr. fig. y fam. Desairarle, negarle bruscamente lo que pide o desea. || **De puerta en puerta.** m. adv. fig. Mendigando. || **Detrás de la puerta.** expr. fig. y fam. con que se pondera la facilidad de encontrar o hallar una cosa. || **Donde una puerta se cierra, otra se abre.** ref. **Cuando una puerta se cierra, ciento se abren.** || **Echar las puertas abajo.** fr. fig. y fam. Llamar muy fuerte. || **En puerta.** m. adv. que designa el primer naipe que aparece al volver la baraja. || **Enseñarle** a uno **la puerta de la calle.** fr. fig. y fam. Echarle o despedirle de casa. || **Entrarse** uno **por las puertas de** otro. fr. Entrarse sin ser buscado ni llamado, regularmente para pedirle algo, o valerse de su protección y amparo, o para acompañarle o consolarle en una aflicción o desgracia. || **Entrársele** a uno **por las puertas** una persona o cosa. fr. Venírsele a su casa u ocurrirle cuando menos lo esperaba. || **Estar,** o **llamar, a la puerta,** o **a las puertas,** una cosa. fr. fig. Estar muy próxima a suceder. || **Fuera de puertas.** expr. adv. **Extramuros.** || **Llamar a las puertas de** uno. fr. fig. Implorar su favor. || **Poner** a uno **en la puerta de la calle.** fr. fig. y fam. **Ponerle de patitas en la calle.** || **Poner puertas al campo.** fr. fig. y fam. con que se da a entender la imposibilidad de poner límites a lo que no los admite. || **Por puertas.** m. adv. fig. En extrema pobreza. Ú. m. con los verbos *dejar* y *quedarse.* || **Puerta abierta, al santo tienta.** ref. **La ocasión hace al ladrón.** || **Salir** uno **por la puerta de los carros,** o **de los perros.** fr. fig. y fam. Huir precipitadamente por temor de un castigo. || **2.** fig. y fam. Ser despedido con malas razones. || **Tomar** uno **la puerta.** fr. Irse de una casa o de otro local.

Puertaventana. (De *puerta* y *ventana.*) f. **Contraventana.**

Puertezuela. f. d. de **Puerta.**

Puertezuelo. m. d. de **Puerto.**

Puerto. (Del lat. *portus.*) m. Lugar en la costa, defendido de los vientos y dispuesto para la seguridad de las naves y para las operaciones de tráfico y armamento. || **2.** V. **Capitán, capitanía, establecimiento de puerto.** || **3.** Garganta o boquete que da paso entre montañas. || **4.** Por ext., montaña o cordillera que tiene una o varias de estas gargantas. || **5.** En algunas partes, presa o estacada de céspedes, leña y cascajo, que atraviesa el río para hacer subir el agua. || **6.** fig. Asilo, amparo o refugio. || **7.** *Germ.* Posada o venta. || **8.** pl. En el Concejo de la Mesta, pastos de verano. || **Puerto de arrebatacapas.** fig. y fam. Cualquier sitio por donde corren vientos impetuosos. Dícese así por alusión al paraje de este nombre en la montaña de Guadalupe. || **2.** fig. y fam. Lugar o casa donde, por la confusión y el desorden y la calidad de las personas, hay riesgo de fraudes o rapiñas. || **de arribada.** *Mar.* **Escala,** 7.ª acep. || **franco.** Zona portuaria habilitada para recibir depósitos francos. || **libre. Puerto franco.** || **2.** En tiempo de guerra, el que no declaró bloqueado ningún beligerante. || **seco.** Lugar de las fronteras, en donde está establecida una aduana. || **Agarrar** un barco **el puerto.** fr. fig. *Mar.* Llegar a él después de muchas dificultades y trabajos para conseguirlo. || **Arribar a puerto de claridad, de salvación,** o **de salvamento.** fr. fig. **Salir a salvo.** || **2.** fig. Llegar con felicidad a conseguir una cosa difícil. || **De puertos allende.** loc. Dícese del territorio situado más allá de una sierra. || **De puertos aquende.** loc. Dícese del territorio que se halla más acá de una cordillera. || **Naufragar** uno **en el puerto.** fr. fig. Ver arruinados o trastornados sus proyectos cuando más seguros los creía. || **Salir a puerto de claridad.** fr. fig. **Arribar a puerto de claridad.** || **Tomar puerto.** fr. Arribar a él. || **2.** fig. Refugiarse en parte segura huyendo de una persecución o desgracia.

Puertorriqueño, ña. adj. Natural de Puerto Rico. Ú. t. c. s. || **2.** Perteneciente o relativo a la isla de este nombre.

Pues. (Del lat. *post.*) conj. causal que denota causa, motivo o razón. *Sufre la pena,* PUES *cometiste la culpa.* || **2.** Toma carácter de condicional en giros como éste: PUES *el mal es ya irremediable, llévalo con paciencia.* || **3.** Es también continuativa. *Repito,* PUES, *que hace lo que debe.* || **4.** Empléase igualmente como ilativa. *¿No quieres oír mis consejos?,* PUES *tú lo llorarás algún día.* || **5.** Con interrogación se emplea también sola para preguntar lo que se duda, equivaliendo a **¿cómo?** o **¿por qué?** *Esta noche iré a la tertulia.* — ¿PUES? || **6.** Empléase a principio de cláusula, ya solamente para apoyarla, ya para encarecer o esforzar lo que en ella se dice. PUES *como iba diciendo;* ¡PUES *no faltaba más!* || **7.** Toma carácter de adverbio de afirmación, equivaliendo a **sí,** empleada en este sentido como respuesta. *¿Conque habló mal de mí?* — PUES. || **8.** Tiene además otras varias aplicaciones que enseña el uso y que difícilmente podrían explicarse, porque a veces su significación depende sólo del tono con que es pronunciada. || **9.** adv. t. ant. **Después.** || **¡Pues!** interj. fam. con que se denota la certeza de juicio anteriormente formado, o de cosa que se esperaba o presumía. ¡PUES, *lo que yo había dicho!;* ¡PUES, *se salió con la suya!* || **Pues que.** m. conjunt. condicional y causal. **Pues,** 1.ª y 2.ª aceps. || **¿Y pues?** expr. fam. **Pues,** 5.ª acep.

Puesta. (Del lat. *posta, posĭta,* t. f. de *postus, posĭtus.*) f. Acción de ponerse un astro. || **2.** En algunos juegos de naipes, cantidad que pone la persona que pierde, para que se dispute en la mano o manos siguientes. || **3.** En el juego de la banca y otros de naipes, cantidad que apunta cada uno de los jugadores. || **4. Posta,** 4.ª acep. || **Primera puesta.** *Mil.* Conjunto de prendas del vestuario militar que se dan al quinto al ingresar en el cuartel. || **A puesta,** o **a puestas, del Sol.** m. adv. Al ponerse el Sol.

Puestero, ra. (De *puesto.*) m. y f. *Amér.* Persona que tiene o atiende un puesto, 5.ª acep. || **2.** m. *Amér.* En las estancias, el encargado de cuidar el ganado.

Puesto, ta. (Del lat. *postus, posĭtus.*) p. p. irreg. de **Poner.** || **2.** adj. Con los adverbios *bien* y *mal,* bien vestido, ataviado o arreglado, o al contrario. || **3.** m. Sitio o espacio que ocupa una cosa. || **4.** Lugar, sitio o paraje señalado o determinado para la ejecución de una cosa. || **5.** Tiendecilla, generalmente ambulante, o paraje en que se vende por menor. || **6.** Empleo, dignidad, oficio o ministerio. || **7.** Sitio que se dispone con ramas o cantos para ocultarse el cazador y tirar desde él a la caza. || **8. Acaballadero.** || **9.** ant. Silla, cama o paraje donde pare la mujer. || **10.** fig. Estado o disposición en que se halla una cosa, física o moralmente. || **11.** *Mil.* Campo u otro lugar ocupado por tropa o individuos de ella o de la policía en actos del servicio. || **12.** Destacamento permanente de guardia civil o de carabineros cuyo jefe inmediato tiene grado inferior al de oficial. || **Puesto que.** m. conjunt. advers. **Aunque.** *Y así como la víbora no merece ser culpada por la ponzoña que tiene,* PUESTO QUE (esto es, AUNQUE) *con ella mata,* etc. || **2.** m. conjunt. causal. **Pues,** 1.ª acep. *Hágaseme la cura,* PUESTO QUE *no hay otro remedio.* || **3.** m. conjunt. continuativo. PUESTO QUE *temes ser mal recibido, no vayas.*

¡Puf! interj. con que se denota molestia o repugnancia causada por malos olores o cosas nauseabundas.

Pufo. (Del fr. *pouf.*) m. fam. **Petardo,** 3.ª acep. || **Dar el pufo.** loc. fam. **Pegar un petardo.**

Puga. f. p. us. **Púa.**

Púgil. (Del lat. *pugil.*) m. Gladiador que contendía o combatía a puñadas.

|| **2.** Luchador que por oficio contiende a puñadas.

Pugilar. (Del lat. *pugillar*, tablilla para escribir.) m. Volumen manual en que tenían los hebreos las lecciones de la Santa Escritura que se leían con más frecuencia en sus sinagogas.

Pugilato. (Del lat. *pugillus*, puño.) m. Contienda o pelea a puñadas entre dos o más hombres. || **2.** fig. Disputa en que se extrema la porfía.

Pugna. (Del lat. *pugna*.) f. Batalla, pelea. || **2.** Oposición de persona a persona o entre naciones, bandos o parcialidades, y también, y ya con más generalidad, entre los humores o los elementos.

Pugnacidad. (Del lat. *pugnacĭtas, -ātis*.) f. Calidad de pugnaz.

Pugnante. (Del lat. *pugnans, -antis*.) p. a. de **Pugnar.** Que pugna. || **2.** adj. Contrario, opuesto, enemigo.

Pugnar. (Del lat. *pugnāre*.) intr. Batallar, contender o pelear. || **2.** fig. Solicitar con ahínco, procurar con eficacia. || **3.** fig. Porfiar con tesón, instar por el logro de una cosa.

Pugnaz. (Del lat. *pugnax, -ācis*.) adj. **Belicoso.**

Puja. f. Acción de pujar, 1.er art. || **Sacar de la puja** a uno. fr. fig. y fam. Excederle en fuerza o maña. *Pedro es listo, pero Juan le* SACA DE LA PUJA. || **2.** fig. y fam. Sacarle de un apuro o lance.

Puja. f. Acción y efecto de pujar, 2.º art. || **2.** Cantidad que un licitador ofrece.

Pujador, ra. (De *pujar*, 2.º art.) m. y f. Persona que hace puja en lo que se vende o arrienda por medio de subasta.

Pujame. m. *Mar.* **Pujamen.**

Pujamen. m. *Mar.* Orilla inferior de una vela.

Pujamiento. (De *pujar*, 1.er art.) m. Abundancia de humores, y más comúnmente de sangre.

Pujante. (p. a. de *pujar*, 1.er art.) adj. Que tiene pujanza.

Pujantemente. adv. m. Con pujanza.

Pujanza. (De *pujar*, 1.er art.) f. Fuerza grande o robustez para impulsar o ejecutar una acción.

Pujar. (Del lat. *pulsare*, empujar.) tr. Hacer fuerza para pasar adelante o proseguir una acción, procurando vencer el obstáculo que se encuentra. || **2.** intr. Tener dificultad en explicarse; no acabar de romper a hablar para decir una cosa. || **3.** Vacilar y detenerse en la ejecución de una cosa. || **4.** fam. Hacer gestos o ademanes para prorrumpir en llanto, o quedar haciéndolos después de haber llorado.

Pujar. (Del lat. *podĭum*, poyo.) tr. Aumentar los licitadores o pretendientes el precio puesto a una cosa que se vende o arrienda. || **2.** ant. Exceder o aventajar. Usáb. t. c. intr. || **3.** intr. ant. Subir, ascender.

Pujavante. (De *pujar*, 1.er art., y *avante*.) m. Instrumento de que usan los herradores para cortar el casco a las bestias. Es una pala de hierro acerado; los bordes laterales se revuelven hacia arriba, y en os ángulos de la extremidad anterior se forma una mediacaña; la parte posterior se prolonga por en medio de un astil de la figura de un siete, que por lo común se introduce en un mango de madera.

Pujés. m. ant. **Higa,** 2.ª acep.

Pujo. (De *pujar*, 1.er art.) m. Sensación muy penosa, que consiste en la gana continua o frecuente de hacer cámaras o de orinar, con gran dificultad de lograrlo y acompañada de dolores. || **2.** fig. Gana violenta de prorrumpir en un afecto exterior; como risa o llanto. || **3.** fig. Deseo eficaz o ansia de lograr un propósito. || **4.** fig. y fam. **Conato,** 2.ª acep. || **de sangre. Pujo** en deposiciones sanguinolentas o de moco y sangre. || **A pujos.** m. adv. fig. y fam. Poco a poco, con dificultad.

Pulcritud. (Del lat. *pulchritūdo*.) f. Esmero en el adorno y aseo de la persona y también en la ejecución de un trabajo manual delicado. || **2.** fig. Delicadeza, esmero extremado en la conducta, la acción o el habla.

Pulcro, cra. (Del lat. *pulcher, pulchra*.) adj. Aseado, esmerado, bello, bien parecido. || **2.** Delicado, esmerado en la conducta y el habla.

Pulchinela. (De *Paolo Cinelli*, comediante napolitano del siglo XVI.) m. Personaje burlesco de las farsas y pantomimas italianas.

Pulga. (Del lat. **pulĭca*, de *pulex, -ĭcis*.) f. *Zool.* Insecto del orden de los dípteros, sin alas, como de dos milímetros de longitud, color negro rojizo, cabeza pequeña, antenas cortas y patas fuertes, largas y a propósito para dar grandes saltos. Hay muchas especies. || **2.** Peón muy pequeño con que juegan los muchachos. || **acuática,** o **de agua.** *Zool.* Pequeño crustáceo del orden de los cladóceros, de un milímetro de largo o poco más, que pulula en las aguas estancadas y nada como a saltos. || **de mar.** Pequeño crustáceo del orden de los anfípodos, que en la bajamar queda en las playas debajo de las algas y huye a grandes saltos cuando se acerca alguien. || **Echar** a uno **la pulga detrás de la oreja.** fr. fig. y fam. Decirle una cosa que le inquiete y desazone. || **Hacer de una pulga un camello, o un elefante.** fr. fig. y fam. con que se moteja a los que ponderan los defectos ajenos. || **No aguantar,** o **no sufrir, pulgas.** fr. fig. y fam. No tolerar ofensas o vejámenes. || **Sacudirse** uno **las pulgas.** fr. fig. y fam. Rechazar las ofensas o vejámenes. || **Tener** uno **malas pulgas.** fr. fig. y fam. Ser malsufrido o resentirse con facilidad. || **Tener pulgas.** fr. fig. y fam. Ser de genio demasiado vivo e inquieto.

Pulgada. (De *pulgar*.) f. Medida que es la duodécima parte del pie y equivale a algo más de 23 milímetros.

Pulgar. (Del lat. *pollicāris*, del dedo gordo.) m. Dedo primero y más grueso de los de la mano. Ú. t. c. adj. *Dedo* PULGAR. || **2.** Parte del sarmiento que con dos o tres yemas se deja en las vides al podarlas, para que por ellas broten los vástagos. || **Menear** uno **los pulgares.** fr. fig. En el juego de los naipes, brujulear las cartas. || **2.** fig. y fam. Darse prisa en ejecutar una cosa que se hace con los dedos. || **Por sus pulgares.** m. adv. fig. y fam. con que se expresa que uno ha hecho una cosa por su mano y sin ayuda de otro.

Pulgarada. f. Golpe que se da apretando el dedo pulgar. || **2. Polvo,** 3.ª acep. || **3. Pulgada.**

Pulgón. (De *pulga*.) m. Insecto hemíptero, de uno a dos milímetros de largo, color negro, bronceado o verdoso, sin alas las hembras y con cuatro los machos; cuerpo ovoide y con dos tubillos en la extremidad del abdomen, por donde segrega un líquido azucarado. Las hembras y sus larvas viven parásitas, apiñadas en gran número sobre las hojas y las partes tiernas de ciertas plantas, a las cuales causan grave daño. Hay muchas especies.

Pulgoso, sa. (Del lat. *pulicōsus*.) adj. Que tiene pulgas.

Pulguera. (Del lat. *pulicarĭa; de pulex*, pulga.) adj. V. **Hierba pulguera.** || **2.** f. Lugar donde hay muchas pulgas. || **3. Zaragatona,** 1.ª acep.

Pulguera. f. **Empulguera.**

Pulguillas. (De *pulga*.) m. fig. y fam. Hombre bullicioso que se resiente de todo.

Pulicán. (Del ant. fr. *polican*, hoy *pélican*.) m. **Gatillo,** 1.ª acep.

Pulidamente. adv. m. Curiosamente, con adorno y delicadeza.

Pulidero. m. **Pulidor,** 3.ª acep.

Pulidez. f. Calidad de pulido.

Pulideza. f. ant. **Pulidez.**

Pulido, da. (Del lat. *polītus*.) adj. Agraciado y de buen parecer; pulcro, primoroso.

Pulidor, ra. (Del lat. *polītor*.) adj. Que pule, compone y adorna una cosa. Ú. t. c. s. || **2.** m. Instrumento con que se pule una cosa. || **3.** Pedacito de trapo o de cuero suave que cuando se devana se tiene entre los dedos para que no se lastimen por el continuo rozamiento de la hebra, o para pulir y alisar el hilo.

Pulimentar. (De *pulimento*.) tr. **Pulir,** 1.ª acep.

Pulimento. m. Acción y efecto de pulir, 1.ª acep. || **2.** V. **Barniz, encarnación de pulimento.**

Pulir. (Del lat. *polīre*.) tr. Alisar o dar tersura y lustre a una cosa. || **2.** Componer, alisar o perfeccionar una cosa, dándole la última mano para su mayor primor y adorno. || **3.** Adornar, aderezar, componer. Ú. m. c. r. || **4.** fig. Quitar a uno la rusticidad instruyéndole en el trato civil y cortesano. Ú. t. c. r. || **5.** *Germ.* Vender o empeñar. || **6.** *Germ.* **Hurtar,** 1.ª acep.

Pulmón. (Del lat. *pulmo, -ōnis*, y éste del gr. πνεύμων.) m. Órgano de la respiración del hombre y de los vertebrados que viven o pueden vivir fuera del agua: es de estructura esponjosa, blando, flexible, que se comprime y se dilata, y ocupa una parte de la cavidad torácica. Generalmente son dos; algunos reptiles tienen uno solo. || **2.** *Zool.* Órgano respiratorio de los moluscos terrestres, que consiste en una cavidad cuyas paredes están provistas de numerosos vasos sanguíneos y que comunica con el exterior mediante un orificio por el cual penetra el aire atmosférico. || **3.** V. **Caña del pulmón.** || **4.** ant. *Veter.* Tumor carnoso que se forma sobre los huesos y coyunturas de las caballerías. || **marino. Medusa.**

Pulmonado. adj. *Zool.* Dícese de los moluscos gasterópodos que respiran por medio de un pulmón; como la babosa. Ú. t. c. s. m. || **2.** m. pl. *Zool.* Orden de estos animales.

Pulmonar. adj. Perteneciente a los pulmones. || **2.** V. **Pleura pulmonar.**

Pulmonaria. (De *pulmón*.) f. Planta herbácea anual, de la familia de las borragináceas, con tallos erguidos y vellosos, de dos a cuatro decímetros de altura; hojas ovales, sentadas, ásperas, de color verde con manchas blancas; flores rojas en racimos terminales, y fruto seco, múltiple, con cuatro carpelos lisos, libres entre sí. Es común en España, y el cocimiento de las hojas se emplea en medicina como pectoral. || **2.** Liquen coriáceo que vive sobre los troncos de diversos árboles, y cuya superficie se asemeja por su aspecto a la de un pulmón cortado.

Pulmonía. f. *Med.* Inflamación del pulmón o de una parte de él.

Pulmoniaco, ca [~ **moníaco, ca**]. adj. *Med.* Perteneciente o relativo a la pulmonía. || **2.** *Med.* Que padece pulmonía. Ú. t. c. s.

Pulpa. (Del lat. *pulpa*.) f. Parte mollar o momia de las carnes, o carne pura, sin huesos ni ternilla. || **2. Carne,** 4.ª acep. || **3.** Medula o tuétano de las plantas leñosas. || **4.** En la industria conservera, la fruta fresca, una vez deshuesada y triturada. || **5.** En la industria azucarera, residuo de la remolacha después de extraer el jugo azucarado, y que, bien en fresco, bien desecado, sirve para piensos. || **dentaria.** *Zool.* Tejido rico en células, con numerosos nervios y vasos sanguíneos, contenido en el interior de los dientes de los vertebrados.

Pulpejo. (De *pulpa.*) m. Parte carnosa y mollar de un miembro pequeño del cuerpo humano, y más comúnmente, parte de la palma de la mano, de que sale el dedo pulgar. *El* PULPEJO *de la oreja, del dedo.* ‖ **2.** Sitio blando y flexible que tienen los cascos de las caballerías en la parte inferior y posterior.

Pulpería. (De *pulpo.*) f. Tienda, en América, donde se venden diferentes géneros para el abasto; como son vino, aguardiente o licores, y géneros pertenecientes a droguería, buhonería, mercería, etc.

Pulpero. (De *pulpería.*) m. El que tiene pulpería.

Pulpero. (De *pulpa.*) m. Artefacto para obtener pulpas.

Pulpeta. f. Tajada que se saca de la pulpa de la carne.

Pulpetón. m. aum. de **Pulpeta.**

Púlpito. (Del lat. *pulpĭtum.*) m. Plataforma pequeña, con antepecho y tornavoz, que hay en las iglesias a la altura conveniente y en lugar adecuado para predicar desde ella, cantar la epístola y el evangelio y hacer otros ejercicios religiosos. ‖ **2.** V. **Paño de púlpito.** ‖ **3.** fig. En las órdenes religiosas, empleo de predicador. *Se ha quedado sin* PÚLPITO.

Pulpo. (Del lat. *polȳpus,* y éste del gr. πολύπους.) m. *Zool.* Molusco cefalópodo dibranquial, octópodo, que vive de ordinario en el fondo del mar, y a veces nada a flor de agua; es muy voraz, se alimenta de moluscos y crustáceos y su carne es comestible. Los individuos de la especie común en los mares de España, apenas tienen un metro de extremo a extremo de los tentáculos; pero los hay de otras especies que alcanzan hasta 10 y 12. ‖ **2.** V. **Huevo de pulpo.** ‖ **Poner** a uno **como un pulpo.** fr. fig. y fam. Castigarle dándole tantos golpes o azotes que quede muy maltratado.

Pulposo, sa. adj. Que tiene pulpa.

Pulque. (Voz mejicana.) m. Bebida espiritosa que se usa en América y se obtiene haciendo fermentar el aguamiel, o jugo que dan los bohordos de las pitas cortados antes de florecer.

Pulquería. f. Tienda donde se vende pulque.

Pulquérrimo, ma. (Del lat. *pulcherrĭmus.*) adj. sup. de **Pulcro.**

Pulsación. (Del lat. *pulsatĭo, -ōnis.*) f. Acción de pulsar. ‖ **2.** Cada uno de los latidos de la arteria. ‖ **3.** fig. Movimiento periódico de un fluido.

Pulsada. (De *pulsar.*) f. **Pulsación,** 2.ª acep.

Pulsador, ra. (Del lat. *pulsātor.*) adj. Que pulsa. Ú. t. c. s.

Pulsamiento. (De *pulsar.*) m. ant. **Pulsación,** 1.ª y 2.ª aceps.

Pulsante. p. a. de **Pulsar.** Que pulsa.

Pulsar. (Del lat. *pulsāre,* empujar, impeler.) tr. Tocar, golpear. ‖ **2.** Reconocer el estado del pulso o latido de las arterias. ‖ **3.** fig. Tantear un asunto para descubrir el medio de tratarlo. ‖ **4.** intr. Latir la arteria, el corazón u otra cosa que tiene movimiento sensible.

Pulsátil. adj. **Pulsativo.**

Pulsatila. (De *pulsatilla,* nombre científico de esta planta, formado del lat. *pulsāre,* pulsar.) f. Planta perenne de la familia de las ranunculáceas, de raíz leñosa, hojas radicales y pecioladas, cortadas en tres segmentos divididos en lacinias alesnadas; bohordo rollizo y velloso, de 15 a 20 centímetros de altura, que sostiene una flor solitaria, erguida primero y después encorvada hacia tierra, sin corola, con cáliz acampanado de color violáceo brillante; involucro dentado, en forma de embudo, y frutillos secos, indehiscentes y monospermos, provistos de cola larga y plumosa. Se cría en Europa en parajes elevados, y el jugo, acre y cáustico, de sus hojas y de su flor, se emplea contra la amaurosis, la parálisis y otras enfermedades.

Pulsativo, va. adj. Dícese de lo que pulsa o golpea.

Pulsear. intr. Probar dos personas, asida mutuamente la mano derecha y puestos los codos en lugar firme, quién de ellas tiene más fuerza en el pulso.

Pulsera. f. Venda con que se sujeta en el pulso de un enfermo algún medicamento confortante. ‖ **2.** Guedeja que cae sobre la sien. ‖ **3.** Cerco de metal o de otra materia, con piedras preciosas o sin ellas, o formado de sartas de perlas, corales, etc., que las mujeres se ponen en las muñecas por adorno. ‖ **4.** V. **Reloj de pulsera.** ‖ **de pedida.** La que regala el novio a su novia el día que pide su mano, como recuerdo de esta fecha.

Pulsímetro. (Del lat. *pulsus,* pulso, y el gr. μέτρον, medida.) m. **Esfigmómetro.**

Pulsista. adj. Dícese del médico que sobresale en el conocimiento del pulso. Ú. t. c. s.

Pulso. (Del lat. *pulsus.*) m. Latido intermitente de las arterias, que se siente en varias partes del cuerpo y se observa especialmente en la muñeca. ‖ **2.** Parte de la muñeca donde se siente el latido de la arteria. ‖ **3.** Seguridad o firmeza en la mano para ejecutar una acción con acierto; como jugar la espada, escribir, etc. ‖ **4.** fig. Tiento o cuidado en un negocio. ‖ **alternante.** Se dice del pulso arrítmico en que se suceden regularmente pulsaciones débiles y fuertes. ‖ **arrítmico.** Se dice del irregular en el ritmo o desigual en la intensidad de las pulsaciones. ‖ **filiforme.** *Med.* Se dice del **pulso** muy tenue y débil que apenas siente el observador. ‖ **formicante.** desus. *Med.* **Pulso** bajo, débil y frecuente. ‖ **lleno.** *Med.* El que produce al tacto sensación de plenitud en la arteria examinada. ‖ **saltón.** El que produce una sensación de choque violento. ‖ **sentado.** *Med.* El quieto, sosegado y firme. ‖ **serrátil,** o **serrino.** desus. *Med.* El frecuente y desigual. ‖ **A pulso.** m. adv. Haciendo fuerza con la muñeca y la mano y sin apoyar el brazo en parte alguna, para levantar o sostener una cosa. ‖ **De pulso.** loc. fig. Dícese de la persona que obra juiciosa y prudentemente. ‖ **Quedarse** uno **sin pulso,** o **sin pulsos.** fr. fig. Inmutarse gravemente de una especie que ve u oye. ‖ **Sacar a pulso.** fr. fig. y fam. Consumir sopa a sopa una jícara de chocolate o cosa parecida. ‖ **2.** fig. y fam. Llevar a término un negocio, venciendo dificultades a fuerza de perseverancia. ‖ **Tomar a pulso** una cosa. fr. Examinar o probar su peso, levantándola o suspendiéndola con la mano. ‖ **Tomar el pulso.** fr. **Pulsar,** 2.ª y 3.ª aceps.

Pultáceo, a. (Del lat. *puls, pultis,* puches.) adj. Que es de consistencia blanda. ‖ **2.** *Med.* Que tiene apariencia de podrido o gangrenado, o que de hecho lo está.

Pululante. p. a. de **Pulular.** Que pulula.

Pulular. (Del lat. *pullulāre.*) intr. Empezar a brotar y echar renuevos o vástagos un vegetal. ‖ **2.** Originarse, provenir o nacer una cosa de otra. ‖ **3.** Abundar, multiplicarse brevemente en un paraje los insectos y sabandijas. ‖ **4.** fig. Abundar y bullir en un paraje personas o cosas.

Pulverizable. adj. Que se puede pulverizar.

Pulverización. f. Acción y efecto de pulverizar o pulverizarse.

Pulverizador. m. Aparato para pulverizar un líquido.

Pulverizar. (Del lat. *pulverizāre.*) tr. Reducir a polvo una cosa. Ú. t. c. r. ‖ **2.** Reducir un líquido a partículas muy tenues, a manera de polvo. Ú. t. c. r.

Pulverulento, ta. (Del lat. *pulverulentus.*) adj. **Polvoriento.**

Pulla. (Del port. *pulha;* en fr. *pouille.*) f. Palabra o dicho obsceno. ‖ **2.** Dicho con que indirecta o embozadamente se zahiere o reconviene a una persona. ‖ **3.** Expresión aguda y picante dicha con prontitud.

Pulla. f. **Planga.**

Pullés, sa. adj. Natural de la Pulla. Ú. t. c. s. ‖ **2.** Perteneciente a este país de Italia.

Pullista. com. Persona amiga de decir pullas.

¡Pum! Voz que se usa para expresar ruido, explosión o golpe.

Puma. (Voz quichua.) m. Mamífero carnicero de América, parecido al tigre, pero de pelo suave y leonado.

Pumarada. f. **Pomarada.**

Pumente. m. *Germ.* Faldellín o refajo de mujer.

Pumita. (Del lat. *pumex.*) f. **Piedra pómez.**

Puna. f. ant. **Pugna.**

Puna. (Voz quichua.) f. *Amér. Merid.* Tierra alta, próxima a la cordillera de los Andes. ‖ **2.** *Amér. Merid.* **Páramo.** ‖ **3.** *Amér. Merid.* **Soroche.**

Punar. tr. ant. **Pugnar.**

Punción. (Del lat. *punctĭo, -ōnis.*) f. ant. **Punzada,** 2.ª acep. ‖ **2.** *Cir.* Operación que consiste en abrir los tejidos con instrumento punzante y cortante a la vez.

Puncionar. tr. *Cir.* Hacer punciones.

Puncha. (De *punchar.*) f. Púa, espina, punta delgada y aguda.

Punchar. (Del lat. **pūnctiāre,* de *punctus.*) tr. Picar, punzar.

Pundonor. m. Punto de honor, punto de honra; aquel estado en que, según la común opinión de los hombres, consiste la honra o crédito de uno.

Pundonorosamente. adv. m. Con pundonor.

Pundonoroso, sa. adj. Que incluye en sí pundonor o lo causa. ‖ **2.** Que lo tiene. Ú. t. c. s.

Pungente. (Del lat. *pungens, -entis.*) p. a. de **Pungir.** Que punge.

Pungentivo, va. (De *pungente.*) adj. ant. **Pungitivo.**

Pungimiento. m. Acción y efecto de pungir.

Pungir. (Del lat. *pungĕre.*) tr. **Punzar.** ‖ **2.** fig. Herir las pasiones el ánimo o el corazón.

Pungitivo, va. adj. Que punge o es capaz de pungir.

Punible. (De *punir.*) adj. Que merece castigo.

Punicáceo, a. (De *punica,* nombre de un género de plantas.) adj. *Bot.* Dícese de arbolitos angiospermos, oriundos de Oriente, que tienen hojas pequeñas, flores vistosas con cáliz coriáceo y rojo y numerosos estambres, y fruto con pericarpio coriáceo que contiene muchas semillas alojadas en celdas; como el granado. Ú. t. c. s. f. ‖ **2.** f. pl. *Bot.* Familia de estas plantas.

Punición. (Del lat. *punitĭo, -ōnis.*) f. **Castigo,** 1.ª acep.

Púnico, ca. (Del lat. *punĭcus.*) adj. **Cartaginés,** 2.ª acep. ‖ **2.** V. **Fe púnica.**

Punidor, ra. (Del lat. *punĭtor, -ōris.*) adj. ant. **Castigador.** Usáb. t. c. s.

Punir. (Del lat. *punīre.*) tr. **Castigar,** 1.ª acep.

Punitivo, va. (Del lat. *punītum,* supino de *punīre,* castigar.) adj. Perteneciente o relativo al castigo. *Justicia* PUNITIVA.

Punta. (Del lat. *puncta,* t. f. de *-tus,* p. p. de *pungĕre,* picar, punzar.) f. Extremo agudo de una arma u otro instrumento con que se puede herir. ‖ **2.** Extremo de una cosa. *La* PUNTA *del pie; la* PUNTA *del banco.* ‖ **3.** **Colilla,** 1.ª acep. ‖ **4.** Pequeña porción de ganado que se separa del hato. ‖ **5.** Cada una de las protuberancias que tienen las astas del ciervo. || **6.** Asta del toro. || **7.** Lengua de tierra, generalmente baja y de poca extensión, que penetra en el mar. || **8.** Extremo de cualquier madero, opuesto al raigal. || **9.** Sabor que va tirando a agrio en una cosa; como el vino cuando se comienza a avinagrar. || **10.** Parada que hace el perro de caza cada vez que se detiene la pieza, cuando ésta va apeonando. || **11.** V. **Buril, hierba, sierra de punta.** || **12.** V. **Toro de puntas.** || **13.** V. **Perro de punta y vuelta.** || **14.** fig. Tratándose de cualidades morales o intelectuales, algo, un poco. Ú. m. en pl. y con el verbo *tener* y un pronombre posesivo. TENER *una* PUNTA *de loco;* TENER SU PUNTA *de rufianes;* TENER SUS PUNTAS *de poeta.* || **15.** *Cuba.* Hoja de tabaco, de exquisito aroma y superior calidad, pero pequeña. || **16.** *Arq.* Madero que corresponde a la extremidad del árbol, y queda después de cortados los que han de servir para vigas, pies derechos, etc. || **17.** *Blas.* Tercio inferior de la superficie del campo del escudo. || **18.** *Blas.* Parte media de este tercio. || **19.** *Blas.* Pieza honorable inversa a la pila, o sea figura triangular que tiene la base en la parte inferior y el vértice opuesto a la base en la superior del escudo. || **20.** *Blas.* V. **Entado en punta.** || **21.** *Impr.* Instrumento cónico a modo de punzón, para sacar de la composición letras o palabras. || **22.** pl. Encaje que forma ondas o **puntas** en una de sus orillas. || **23.** Primeros afluentes de un río, arroyo u otro caudal de agua. || **24.** Primeras vertientes o parajes en donde tiene origen un río, arroyo u otro caudal de agua. || **Punta con cabeza.** Juego de niños que consiste en tratar de acertar uno si el par de alfileres que otro tiene en la mano cerrada, está cabeza con cabeza o cabeza con **punta.** || **de diamante.** Diamante pequeño que, engastado en una pieza de acero, sirve para cortar el vidrio y labrar en cosas muy duras. || **2.** Pirámide de poca altura que como adorno se suele labrar en piedras u otras materias. || **de París. Alfiler de París.** || **seca. Aguja,** 15.ª acep. || **Acabar en punta** una cosa. loc. fam. Acabar mal o no llegar a un resultado definitivo. || **Agudo como punta de colchón.** loc. fig. y fam. Rudo y de poco entendimiento. || **Andar en puntas.** fr. fig. y fam. Andar en diferencias. || **A punta de lanza.** m. adv. fig. Con todo rigor. Ú. ordinariamente con el verbo *llevar.* || **A torna punta.** m. adv. fig. y fam. Mutua o recíprocamente. || **De punta.** m. adv. **De puntillas.** || **De punta a cabo.** m. adv. **De cabo a cabo.** || **De punta en blanco.** m. adv. Con todas las piezas de la armadura antigua. Ú. m. con el verbo *armar.* || **2.** fig. y fam. Vestido de uniforme, de etiqueta o con el mayor esmero. Ú. por lo común con los verbos *estar, ir, ponerse,* etc. || **3.** Hablando de armas de fuego, modo de disparar con puntería directa, cuando por la corta distancia a que está el blanco no se requiere el uso del alza. || **4.** fig. Abiertamente, de manera directa, sin rodeos. || **Estar de punta** uno **con** otro. fr. fig. y fam. Estar encontrado o reñido con él. || **Estar** uno **hasta la punta de los pelos.** fr. fig. y fam. **Estar hasta los pelos.** || **Hacer punta** uno. fr. fig. Dirigirse, encaminarse el primero a una parte. || **2.** fig. Oponerse abiertamente a otro, pretendiendo adelantársele en lo que solicita o intenta. || **3.** fig. Sobresalir entre muchos por las prendas personales, instrucción u otra circunstancia. || **Puntas y collar de.** expr. fig. y fam. con que se da a entender que una persona tiene asomos de un vicio o maldad. || **Sacar punta a** una cosa. fr. fam. Atribuirle malicia o significado que no tiene. || **2.** Aprovecharla para fin distinto del que le corresponde. || **Ser de punta** una persona o cosa. fr. fig. Ser sobresaliente en su línea. || **Tener** uno una cosa **en la punta de la lengua.** fr. fig. Estar a punto de decirla. || **2.** fig. Estar a punto de acordarse de una cosa y no dar en ella. || **Tocar** a uno **en la punta de un cabello.** fr. fig. **Tocarle en un cabello.**

Puntación. (De *puntar.*) f. Acción de poner puntos sobre las letras.

Puntada. (De *punta.*) f. Cada uno de los agujeros hechos con aguja, lezna u otro instrumento semejante, en la tela, cuero u otra materia que se va cosiendo. || **2.** Espacio que media entre dos de estos agujeros próximos entre sí. || **3.** Porción de hilo que ocupa este espacio. || **4.** fig. Razón o palabra que se dice como al descuido para recordar una especie o motivar que se hable de ella. || **5.** fig. Dolor penetrante. || **No dar** uno **puntada en** una cosa. fr. fig. y fam. No dar paso en un negocio; dejarlo sin tocar. || **2.** fig. y fam. No tener ninguna instrucción ni conocimiento de una cosa; hablar desatinadamente en una materia.

Puntador. (De *puntar.*) m. **Apuntador.**

Puntal. (De *punta.*) m. Madero hincado en firme, para sostener la pared que está desplomada o el edificio o parte de él que amenaza ruina. || **2.** Prominencia de un terreno, que forma como punta. || **3.** fig. Apoyo, fundamento. || **4.** fig. *Venez.* Merienda ligera. || **5.** *Mar.* Altura de la nave desde su plan hasta la cubierta principal o superior.

Puntapié. m. Golpe que se da con la punta del pie. || **Mandar** a uno **a puntapiés.** fr. fig. y fam. Tener grande ascendiente sobre él; alcanzar fácilmente de él todo lo que se quiere.

Puntar. (De *punto.*) tr. Apuntar las faltas de los eclesiásticos en el coro. || **2.** Poner, en la escritura de las lenguas hebrea y árabe, los puntos o signos con que se representan las vocales. || **3.** Poner sobre las letras los puntos del canto del órgano.

Punteado, da. p. p. de **Puntear.** || **2.** adj. V. **Grabado punteado.** || **3.** m. y f. Acción y efecto de puntear, 1.ª acep.

Puntear. tr. Marcar, señalar puntos en una superficie. || **2.** Dibujar, pintar o grabar con puntos. || **3.** Coser o dar puntadas. || **4.** Tocar la guitarrra u otro instrumento semejante hiriendo las cuerdas cada una con un dedo. || **5.** Compulsar una cuenta partida por partida. || **6.** intr. *Mar.* Ir orzando cuanto se puede, para aprovechar el viento escaso. Ú. t. c. tr. PUNTEAR *el viento.*

Puntel. (De *puntero.*) m. Cañón de hierro, regularmente del diámetro del de una escopeta, con que en las fábricas de vidrio se saca del horno la masa y se coloca sobre el mármol, para trabajarla y formar las piezas huecas.

Punteo. m. Acción y efecto de puntear la guitarra u otro instrumento semejante.

Puntera. f. Remiendo, en el calzado, y renovación, en los calcetines y medias, de la parte que cubre la punta del pie. || **2.** Sobrepuesto o contrafuerte de piel que se coloca en la punta de la pala del calzado. || **3.** fam. **Puntapié.**

Puntería. (De *puntero.*) f. Acción de apuntar una arma arrojadiza o de fuego. *Hacer la* PUNTERÍA. || **2.** Dirección del arma apuntada. *Rectificar la* PUNTERÍA. || **3.** Destreza del tirador para dar en el blanco. *Tener* PUNTERÍA; *tener buena,* o *mala,* PUNTERÍA. || **Afinar la puntería.** fr. Apuntar con esmero y detenimiento el arma contra el blanco. || **2.** fig. Ajustar uno cuidadosamente a su designio lo que dice o hace. || **Dirigir,** o **poner, la puntería.** fr. **Apuntar,** 1.ª acep. || **2.** fig. y fam. **Echar líneas.**

Puntero, ra. (Del lat. *punctarius.*) adj. Aplícase a la persona que hace bien la puntería con una arma. || **2.** V. **Hierba puntera.** Ú. t. c. s. || **3.** V. **Viento puntero.** || **4.** m. Punzón, palito o vara con que se señala una cosa para llamar la atención sobre ella; como las letras de un silabario, los lugares de un mapa o los pasajes de un libro de coro. || **5.** Cañita que está unida a la tapa de las crismeras por la parte de adentro, y sirve para ungir a los que se confirman y olean. || **6.** Instrumento de acero, a manera de punzón de marcador, que tiene boca cuadrangular y con el cual se abren en las herraduras, a golpes de martillo, los agujeros para los clavos. || **7.** Cincel de boca puntiaguda y cabeza plana, con el cual labran los canteros a golpes de martillo las piedras muy duras.

Punterol. (De *puntero,* 4.ª acep.) m. *Germ.* Almarada de hacer alpargatas.

Punterola. (De *puntero.*) f. *Min.* Barrita de hierro como de dos centímetros de grueso y 20 de longitud, que lleva hacia su mitad un ojo en el que se enasta el mango que sirve para mantenerla fija mientras se le dan golpes con el martillo.

Puntiagudo, da. adj. Que tiene aguda la punta.

Puntido. m. *Rioja.* Descansillo o meseta de las escaleras.

Puntilla. (d. de *punta.*) f. Encaje muy angosto hecho en puntas, el cual se suele añadir y coser a la orilla de otro encaje ancho, y sirve también para guarnecer pañuelos, escotes de vestidos, etc. || **2.** Instrumento, a manera de cuchillito, sin mango, con punta redonda para trazar, en lugar de lápiz. Lo usan los portaventaneros. || **3. Cachetero,** 2.ª acep. || **Dar la puntilla.** fr. Clavar el cachetero. || **2.** fig. y fam. Rematar, causar finalmente la ruina de una persona o cosa. || **De puntillas.** m. adv. con que se explica el modo de andar, pisando con las puntas de los pies y levantando los talones. || **Ponerse** uno **de puntillas.** fr. fig. y fam. Persistir tercamente en su dictamen, aunque lo contradigan.

Puntillado. m. *Blas.* Pieza o figura sembrada de puntos, para indicar el metal oro, cuando no se emplean colores.

Puntillazo. (De *puntilla,* d. de *punta.*) m. fam. **Puntapié.**

Puntillero. (De *puntilla,* 3.ª acep.) m. **Cachetero,** 3.ª acep.

Puntillo. (d. de *punto.*) m. Cualquier cosa, leve por lo regular, en que una persona nimiamente pundonorosa repara o hace consistir el honor o estimación. || **2.** *Mús.* Signo que consiste en un punto que se pone a la derecha de una nota y aumenta en la mitad su duración y valor.

Puntillón. m. fam. **Puntillazo.**

Puntilloso, sa. adj. Dícese de la persona que tiene mucho puntillo.

Puntiseco, ca. (De *punta* y *seco.*) adj. Dícese de los vegetales secos por las puntas.

Puntizón. (En fr. *pontuseau.*) m. *Impr.* Cada uno de los agujeros que quedan en el pliego de prensa, abiertos por las puntas que lo sujetan al tímpano. || **2.** pl. Rayas horizontales y transparentes en el papel de tina.

Punto. (Del lat. *punctum.*) m. Señal de dimensiones poco o nada perceptibles, que por combinación de un color con otro, o por elevación o depresión, se hace o forma natural o artificialmente en una superficie cualquiera. || **2.** Cada una de las partes en que se divide el pico de la pluma de escribir, por efecto de la abertura o aberturas hechas a lo largo de él. || **3.** Granito de metal que tienen junto a la boca los fusiles y otras armas de fuego, para que haga oficio de mira. || **4. Piñón**, 1.er art., 5.ª acep. || **5.** Cada una de las puntadas que en las obras de costura se van dando para hacer una labor sobre la tela. PUNTO *de cadeneta*, PUNTO *por encima*. || **6.** Cada una de las lazadillas o nuditos de que se forma el tejido de las medias, elásticas, etc. || **7.** Precedido de la preposición *de*, dícese de las telas o prendas hechas con esos **puntos** o lazaditas. *Tejido, géneros* DE PUNTO; *chaqueta, colcha* DE PUNTO. || **8.** Rotura pequeña que se hace en las medias, por soltarse alguna de estas lazadillas. || **9.** Cada una de las diversas maneras de trabar y enlazar entre sí los hilos que forman ciertas telas. PUNTO *de aguja*, PUNTO *de malla*, PUNTO *de encaje*, PUNTO *de tafetán*. || **10.** Medida longitudinal, duodécima parte de la línea. || **11.** Cada una de las partes de dos tercios de centímetro de longitud en que se divide el cartabón de los zapateros. || **12.** Medida tipográfica, duodécima parte del cícero y equivalente a unos 37 cienmilímetros. || **13.** Cada uno de los agujeros que tienen a trechos ciertas piezas; como la correa de un cinturón o el timón de un arado, para sujetarlas y ajustarlas, según convenga, con hebillas, clavijas, etc. || **14.** Sitio, lugar. || **15.** Paraje público determinado donde se sitúan los coches para alquilarlos. || **16.** Valor que, según el número que le corresponde, tiene cada una de las cartas de la baraja o de las caras del dado. || **17.** Valor convencional que se atribuye a las cartas de la baraja en ciertos juegos. || **18.** As de cada palo, en ciertos juegos de naipes. || **19.** Unidad de tanteo, en algunos juegos y en otros ejercicios; como exámenes, oposiciones, etc. || **20.** El que apunta contra el banquero en algunos juegos de azar. || **21.** Cosa muy corta, parte mínima de una cosa. || **22.** La menor cosa, la parte más pequeña o la circunstancia más menuda de una cosa. || **23.** Instante, momento, porción pequeñísima de tiempo. || **24.** Ocasión oportuna, momento favorable. *Llegó a* PUNTO *de lograr lo que deseaba.* || **25. Vacación**, 1.ª acep. || **26.** Cada uno de los errores que se cometen al dar de memoria una lección. || **27.** Cada una de las cuestiones que salen, sacadas a la suerte o picando en un libro, para que elija el que ha de leer en la oposición. || **28.** Cada uno de los asuntos o materias diferentes de que se trata en un sermón, discurso, conferencia, etc. || **29.** Parte o cuestión de una ciencia. PUNTO *filosófico, teológico*. || **30.** Lo substancial o principal en un asunto. || **31.** Fin o intento de cualquier acción. || **32.** Estado actual de cualquier especie o negocio. *El pleito está a* PUNTO *de recibirse a prueba.* || **33.** Estado perfecto que llega a tomar cualquier cosa que se elabora al fuego; como el pan, el almíbar, etc. || **34.** Hablando de las calidades morales buenas o malas, extremo o grado a que éstas pueden llegar. || **35. Pundonor.** || **36.** V. **Coche, hombre, mujer de punto.** || **37.** *Arq.* V. **Arco de medio punto, arco de punto hurtado, arco de todo punto.** || **38.** *Cir.* Puntada que da el cirujano pasando la aguja por los labios de la herida para que se unan y pueda curarse. || **39.** *Geom.* Límite mínimo de la extensión, que se considera sin longitud, latitud ni profundidad. || **40.** *Gram.* V. **Línea de puntos.** || **41.** *Impr.* V. **Letra de dos puntos.** || **42.** *Mar.* Lugar señalado en la carta de marear, que indica dónde se cree que se halla la nave, por la distancia y rumbo o por las observaciones astronómicas. || **43.** *Med.* **Punto de costado.** || **44.** *Mús.* En los instrumentos músicos, tono determinado de consonancia para que estén acordes. || **45.** *Ortogr.* Nota ortográfica que se pone sobre la *i* y la *j*. || **46.** *Ortogr.* Signo ortográfico (.) con que se indica el fin del sentido gramatical y lógico de un período o de una sola oración. Pónese también después de toda abreviatura; v. gr.: *Excmo. Sr.* || **accidental.** *Persp.* Aquel en que parecen concurrir todas las rectas paralelas a determinada dirección, que no son perpendiculares al plano óptico. || **cardinal.** Cada uno de los cuatro que dividen el horizonte en otras tantas partes iguales, y están determinados, respectivamente, por la posición del polo septentrional (Norte), por la del Sol a la hora de mediodía (Sur), y por la salida y puesta de este astro en los equinoccios (Este y Oeste). || **céntrico. Centro**, 1.ª, 2.ª y 3.ª aceps. || **2.** fig. Fin a que se dirigen las acciones del que intenta una cosa. || **3.** fig. Paraje muy concurrido y de fácil acceso en una población. || **crítico.** *Fís.* Momento en que un líquido pasa del estado líquido al gaseoso, o viceversa. || **crudo.** fig. y fam. Momento preciso en que sucede una cosa. Ú. comúnmente con la partícula *a* o el artículo *el*. || **de apoyo.** *Mec.* Lugar fijo sobre el cual estriba una palanca u otra máquina, para que la potencia pueda vencer la resistencia. || **de caramelo.** Grado de concentración que se da al almíbar por medio de la cocción y en virtud del cual, al enfriarse, se endurece, convirtiéndose en caramelo. || **de costado.** *Med.* Dolor con punzadas al lado del corazón. || **de distancia.** *Persp.* Cada uno de los dos **puntos** que distan del de la vista, situados en la misma horizontal, tanto como aquélla del plano óptico. || **de escuadría.** *Mar.* El que se coloca en la carta de marear, deduciéndolo del rumbo que se ha seguido y de la latitud observada. || **de estima.** *Mar.* El que se coloca en la carta de marear, deduciéndolo del rumbo seguido y de la distancia andada en un tiempo determinado. || **de fábrica.** *Arq.* Trozo de muro que se rehace por el pie, dejando lo demás intacto. || **de fantasía.** *Mar.* **Punto de estima.** || **de honra. Pundonor.** || **de la vista.** *Persp.* Aquel en que el rayo principal corta la tabla o plano óptico, y al cual parecen concurrir todas las líneas perpendiculares al mismo plano. || **de longitud.** *Mar.* El que se coloca en la carta de marear, como resultado de observaciones de longitud. || **de observación.** *Mar.* El que se coloca en las cartas de marear, como resultado de observaciones astronómicas. || **de partida.** fig. Lo que se toma como antecedente y fundamento para tratar o deducir una cosa. || **de tafetán.** El que imita el tejido de esta clase de tela. || **de vista.** *Persp.* **Punto de la vista.** || **2.** fig. Cada uno de los aspectos que se pueden considerar en un asunto u otra cosa. || **equinoccial.** *Astron.* y *Geogr.* Cada uno de los dos, el de primavera y el de otoño, en que la Eclíptica corta al Ecuador. || **equipolado.** *Blas.* Cada uno de los cuatro cuadrillos que se interpolan con otros cinco de diferente esmalte, estando dispuestos los nueve en forma de tablero de ajedrez. || **fijo.** *Mar.* **Punto de longitud.** || **final.** *Ortogr.* **Punto**, 46.ª acep. || **interrogante.** *Ortogr.* **Interrogación**, 2.ª acep. || **muerto.** *Mec.* En las máquinas de vapor, motores de explosión, etc., posición del émbolo en que, por haber llegado al término de su carrera o por no haberla iniciado todavía, no actúa sobre el cigüeñal u otro órgano semejante. || **2.** Posición de los engranajes de la caja de cambio en que el movimiento del árbol del motor no se transmite al mecanismo que actúa sobre las ruedas. || **3.** fig. Estado de un asunto o negociación que por cualquier motivo no puede de momento llevarse adelante. || **musical. Nota**, 11.ª acep. || **por encima.** Cada una de las puntadas que atraviesan alternativamente por encima y por debajo la línea de unión de las orillas de dos telas. || **2.** Costura hecha con este género de puntadas, la cual se emplea principalmente para unir paños de sábanas, cortinas, etc. || **principal.** *Persp.* **Punto de la vista.** || **radiante.** *Astron.* Lugar de la esfera celeste de donde parecen irradiar, como de su centro, las estrellas fugaces cuando aparecen en gran cantidad. || **redondo.** *Ortogr.* **Punto final.** || **torcido.** Entre bordadores, labor cuyo dibujo es sólo una línea, la cual se ha de cubrir con la seda. || **visual.** El término de la distancia necesaria para ver los objetos con toda claridad, que suele ser de 24 centímetros aproximadamente; si es mucho mayor, constituye la presbicia, y si es menor, la miopía. || **y coma.** *Ortogr.* Signo ortográfico (;) con que se indica pausa mayor que con la coma, y menor que con los dos **puntos.** Empléase generalmente antes de cláusula de sentido adversativo. || **Medio punto.** *Arq.* Arco o bóveda cuya curva está formada por un semicírculo exacto, esto es, por un arco de 180 grados. || **2.** *Gram.* Nombre que se solía dar a la coma. || **Puntos suspensivos.** *Ortogr.* Signo ortográfico (...) con que se denota quedar incompleto el sentido de una oración o cláusula. Pónese también después de oración o cláusula de sentido cabal, para indicar temor o duda, o lo inesperado y extraño de lo que ha de expresarse después. Se usa, por último, cuando se copia algún texto o autoridad que no hace al caso insertar íntegros, indicando así la omisión. || **Dos puntos.** *Ortogr.* Signo ortográfico (:) con que se indica haber terminado completamente el sentido gramatical, pero no el sentido lógico. Pónese también antes de toda cita de palabras ajenas intercaladas en el texto. || **A buen punto.** m. adv. **A punto**, 2.ª acep. || **Al punto.** m. adv. Prontamente, sin la menor dilación. || **Andar en puntos.** fr. **Andar en puntas.** || **A punto.** m. adv. Con la prevención y disposición necesarias para que una cosa pueda servir al fin a que se destina. || **2.** A tiempo, oportunamente. || **A punto fijo.** m. adv. Cabalmente o con certidumbre. || **A punto largo.** m. adv. fig. y fam. Sin esmero, groseramente. || **Aquí finca el punto.** expr. En esto consiste la dificultad. || **Bajar de punto.** fr. fig. Declinar o decaer del estado anterior. || **2.** *Mús.* **Bajar el punto.** || **Bajar el punto.** fr. *Mús.* Descender de un signo a otro. También se dice cuando se baja la cuerda o se transporta un tono en uno o más **puntos** bajos. || **Bajar el punto** a una cosa. fr. fig. Moderarla. || **Calzar** uno **muchos**, o **pocos, puntos.** fr. fig. Ser persona aventajada en alguna materia, o al contrario. || **Calzar** uno tantos **puntos.** fr. Tener su pie la dimensión que indica el número de éstos. || **Dar en el punto.** fr. fig. Dar en la dificultad. || **Dar punto.** fr. Cesar en cualquier estudio, trabajo u ocupación. || **Darse** uno **un punto en la boca.** fr. fig. y fam. **Coserse la boca.** || **De punto en blanco.** loc. adv. **De punta en blanco**, 3.ª acep. || **De todo punto.** m. adv. Enteramente, sin que falte cosa alguna. || **Echar el punto.** fr. *Mar.* Situar o colocar en la carta de marear el paraje en que se considera estar la nave. || **En buen**, o **mal, punto.** expr. adv. fig. **En buena**, o **mala, hora.** || **En punto.** m. adv. Sin sobra ni falta. *Son las seis* EN PUNTO. || **En punto de caramelo.** m. adv. fig. y fam. Perfectamente dispuesta y preparada una cosa para algún fin. || **Estar a**, o **en**,

punto. fr. Estar próxima a suceder una cosa. ESTAR A PUNTO *de perder la vida;* ESTUVO EN PUNTO *de ser rico.* || **Estar en punto de solfa** una cosa. fr. fig. y fam. **Estar en solfa.** || **Hacer punto.** fr. **Dar punto.** || **Hacer punto de** una cosa. fr. Tomarla por caso de honra, y no desistir de ella hasta conseguirla. || **Hasta cierto punto.** loc. adv. En alguna manera, no del todo. || **Levantar de punto.** fr. Realzar, elevar. || **Meter en puntos.** fr. *Esc.* Desbastar una pieza de madera, piedra u otra materia conveniente, hasta tocar en aquellos parajes adonde ha de llegar el contorno de la figura que se intenta esculpir. || **No perder punto.** fr. fig. Proceder con la mayor atención y diligencia en un negocio. || **No poder pasar** uno **por otro punto.** fr. fig. Tener que someterse a la necesidad. || **Poner en punto de solfa** una cosa. fr. fig. y fam. **Ponerla en solfa.** || **Poner en su punto** una cosa. fr. fig. y fam. Ponerla en aquel grado de perfección que le corresponde. || **2.** fig. y fam. Apreciarla debida y justamente. || **Ponerle los puntos** a una cosa. fr. fig. y fam. Proponerse intervenir en lo referente a ella. || **Poner los puntos.** fr. fig. Dirigir la mira, intención o conato a un fin que se desea. || **Poner los puntos muy altos.** fr. fig. Pretender una cosa sin considerar la proporción que para ella se tiene. || **Poner los puntos sobre las íes.** fr. fig. y fam. Acabar o perfeccionar una cosa con gran minuciosidad. || **Por punto general.** m. adv. Por regla general. || **Por puntos.** m. adv. **Por instantes,** 2.ª acep. || **Punto en boca.** expr. fig. Ú. para prevenir a uno que calle, o encargarle que guarde secreto. || **Punto menos.** loc. con que se denota que una cosa es casi igual a otra con la cual se compara. || **Punto por punto.** m. adv. fig. con que se expresa el modo de referir una cosa muy por menor y sin omitir circunstancia. || **Sacar de puntos.** fr. Reproducir con precisión matemática un modelo escultural ejecutado en barro o yeso, trasladándolo a un bloque de piedra o mármol por medio de compases de proporción. || **Sin faltar punto ni coma.** expr. adv. fig. y fam. **Sin faltar una coma.** || **Subir de punto** una cosa. fr. Crecer o aumentarse.

Puntoso, sa. adj. Que tiene muchas puntas.

Puntoso, sa. adj. Que tiene punto de honra, o que procura conservar la buena opinión y fama. || **2. Puntilloso.**

Puntuación. f. Acción y efecto de puntuar. || **2.** Conjunto de los signos que sirven para puntuar.

Puntual. (Del lat. *punctum,* punto.) adj. Pronto, diligente, exacto en hacer las cosas a su tiempo y sin dilatarlas. || **2.** Indubitable, cierto. || **3.** Conforme, conveniente, adecuado.

Puntualidad. (De *puntual.*) f. Cuidado y diligencia en hacer las cosas a su debido tiempo. || **2.** Certidumbre y conveniencia precisa de las cosas, para el fin a que se destinan.

Puntualizar. (De *puntual.*) tr. Grabar profundamente y con exactitud las especies en la memoria. || **2.** Referir un suceso o describir una cosa con todas sus circunstancias. || **3.** Dar la última mano a una cosa; perfeccionarla.

Puntualmente. adv. m. Con puntualidad.

Puntuar. (Del lat. *punctum,* punto.) tr. Poner en la escritura los signos ortográficos necesarios para distinguir el valor prosódico de las palabras y el sentido de las oraciones y de cada uno de sus miembros.

Puntuoso, sa. (Del lat. *punctum,* punto.) adj. **Puntoso,** 2.º art.

Puntura. (Del lat. *punctūra.*) f. Herida con instrumento o cosa que punza; como lanceta, espina, aguijón, etc. || **2.** *Impr.* Cada una de las dos puntas de hierro afirmadas en los dos costados del tímpano de una prensa de imprimir, o fijas en la superficie del cilindro de las máquinas sencillas, en las cuales se clava y sujeta el pliego que ha de tirarse. || **3.** *Veter.* Sangría que se hace en la cara plantar del casco de las caballerías, en el punto de unión de la palma y de la tapa. || **Ajustar punturas.** fr. *Impr.* Colocar las **punturas** de modo que el blanco coincida con la retiración.

Punzada. (De *punzar.*) f. Herida o picada de punta. || **2.** fig. Dolor agudo, repentino y pasajero, pero que suele repetirse de tiempo en tiempo. || **3.** fig. Sentimiento interior que causa una cosa que aflige el ánimo.

Punzador, ra. adj. Que punza. Ú. t. c. s.

Punzadura. (De *punzar.*) f. **Punzada,** 1.ª acep.

Punzante. p. a. de **Punzar.** Que punza. || **2.** adj. V. **Herida punzante.**

Punzar. (Como el cat. *punxar,* del m. or. que *punchar.*) tr. Herir de punta. || **2.** fig. Avivarse un dolor de cuando en cuando. || **3.** fig. Hacerse sentir interiormente una cosa que aflige el ánimo.

Punzó. (Del fr. *ponceau,* amapola silvestre y su color.) m. Color rojo muy vivo.

Punzón. (De *punzar.*) m. Instrumento de hierro que remata en punta. Sirve para abrir ojetes y para otros usos. || **2. Buril.** || **3.** Instrumento de acero durísimo, de forma cilíndrica o prismática, que en la boca tiene de realce una figura, la cual, hincada por presión o percusión, queda impresa en el troquel de monedas, medallas, botones u otras piezas semejantes. || **4. Pitón,** 1.er art., 1.ª acep. || **5.** Llave de honor que llevaban en la cartera derecha de la casaca ciertos empleados de palacio, y de la cual sólo se descubría el anillo.

Punzonería. f. Colección de todos los punzones necesarios para una fundición de letra.

Puñada. (De *puño.*) f. **Puñetazo.** || **Venir** algunos, o uno **con** otro, **a las puñadas.** fr. ant. **Venir a las manos.**

Puñado. m. Porción de cualquier cosa que se puede contener en el puño. || **2.** fig. Cortedad de una cosa de que debe o suele haber cantidad. *Un* PUÑADO *de gente.* || **de moscas.** fig. y fam. Conjunto de cosas que fácilmente se separan o desaparecen. || **A puñados.** m. adv. fig. Larga o abundantemente, cuando debe ser con escasez y cortedad; o al contrario, escasa y cortamente, cuando debe ser con abundancia y largueza. || **¡Gran puñado! ¡Qué puñado! ¡Buen, o gran, o valiente, puñado son tres moscas!** exprs. figs. y fams. con que se pondera la escasez numérica de personas o cosas.

Puñal. (Del lat. **pŭgnāle.*) adj. ant. Que cabe o puede tenerse en el puño. || **2.** m. Arma ofensiva de acero, de dos a tres decímetros de largo, que sólo hiere de punta.

Puñal. (De lat. *pugna,* pelea.) adj. p. us. Perteneciente o relativo a la pugna o pelea. || **2.** V. **Pendón puñal.**

Puñalada. f. Golpe que se da de punta con el puñal u otra arma semejante. || **2.** Herida que resulta de este golpe. || **3.** fig. Pesadumbre grande dada de repente. || **de misericordia. Golpe de gracia.** || **Coser a puñaladas** a uno. fr. fig. y fam. Darle muchas **puñaladas.** || **Ser puñalada de pícaro** una cosa. fr. fig. y fam. Ser de las que deben hacerse con precipitación y urgencia. Ú. m. en sentido interrogativo o con negación. ¿ES PUÑALADA DE PÍCARO?; NO ES PUÑALADA DE PÍCARO.

Puñalejo. m. d. de **Puñal,** 1.er art., 2.ª acep.

Puñalero. m. El que hace o vende puñales.

Puñera. (De *puño.*) f. **Almorzada.** || **2.** Medida que suele haber en los molinos para cobrar la maquila, y cuya capacidad es la tercera parte del celemín.

Puñetazo. (De *puñete.*) m. Golpe que se da con el puño, 1.ª acep.

Puñete. (De *puño.*) m. **Puñetazo.** || **2. Manilla,** 1.ª acep.

Puño. (Del lat. *pugnus.*) m. Mano cerrada. || **2. Puñado.** || **3.** Parte de la manga de la camisa y de otras prendas de vestir, que rodea la muñeca. || **4.** Adorno de encaje o tela fina, que se pone en la bocamanga. || **5.** Mango de algunas armas blancas. || **6.** Parte por donde ordinariamente se coge el bastón, el paraguas o la sombrilla, y que suele estar guarnecida de una pieza de materia diferente. || **7.** Esta misma pieza. || **8.** V. **Arma, fanega de puño.** || **9.** ant. **Puñetazo.** || **10.** fig. y fam. Cortedad o estrechez en lo que no debe haberla. *Un* PUÑO *de casa.* || **11.** fig. y fam. V. **Hombre de puños.** || **12.** *Esgr.* V. **Estocada de puño.** || **13.** *Mar.* Cualquiera de los vértices de los ángulos de las velas. || **14.** pl. fig. y fam. Fuerza, valor. *Es hombre de* PUÑOS; *tiene* PUÑOS. || **Apretar los puños.** fr. fig. y fam. Poner mucho conato para ejecutar una cosa o para concluirla. || **A puño cerrado.** m. adv. Tratándose de golpes, con el **puño.** || **Como un puño.** loc. adv. fig. y fam. con que se pondera que una cosa es muy grande entre las que regularmente son pequeñas; o al contrario, que es muy pequeña entre las que debían ser grandes. *Un huevo* COMO UN PUÑO; *aposento* COMO UN PUÑO. En el primer sentido, se dice de las cosas inmateriales. *Mentira* COMO UN PUÑO. || **Creer a puño cerrado.** fr. fig. y fam. Creer firmemente. || **De propio puño.** m. adv. De mano propia. || **Jugarla de puño** a uno. fr. fig. y fam. **Pegársela de puño.** || **Medir a puños.** fr. Medir una cosa poniendo un **puño** sobre otro, o uno después de otro sucesivamente. || **Meter en un puño** a uno. fr. fig. y fam. Confundirlo, intimidarlo, oprimirlo, avergonzarlo, de suerte que no se atreva a responder. || **Partir al puño.** fr. *Mar.* Orzar, inclinar un buque la proa hacia la parte de donde viene el viento. || **Pegarla de puño** a uno. fr. fig. y fam. Engañarle enteramente en cosa substancial. || **Por sus puños.** m. adv. fig. y fam. Con su propio trabajo o mérito personal. || **Ser** uno **como un puño.** fr. fig. y fam. Ser miserable. || **2.** fig. y fam. Ser pequeño de cuerpo.

Pupa. (De *buba.*) f. Erupción en los labios. || **2.** Postilla que queda cuando se seca un grano. || **3.** Voz con que los niños dan a entender un mal que no saben explicar. || **Hacer pupa** a uno. fr. fig. y fam. Darle que sentir, causarle daño.

Pupila. (Del lat. *pupilla.*) f. Huérfana menor de edad, respecto de su tutor. || **2.** Mujer de la mancebía. || **3.** *Zool.* Abertura circular o en forma de rendija, que el iris del ojo tiene en su parte media y que da paso a la luz.

Pupilaje. m. Estado o condición del pupilo o de la pupila. || **2.** Estado de aquel que está sujeto a la voluntad de otro porque le da de comer. || **3.** Casa donde se reciben huéspedes mediante precio convenido. || **4.** Este precio.

Pupilar. adj. Perteneciente o relativo al pupilo o a la menor edad. || **2.** *For.* V. **Substitución pupilar.** || **3.** *Zool.* Perteneciente o relativo a la pupila del ojo.

Pupilero, ra. m. y f. Persona que recibe pupilos en su casa.

Pupilo, la. (Del lat. *pupillus,* d. de *pupus,* niño.) m. y f. Huérfano o huérfana menor de edad, respecto de su tutor.

|| **2.** Persona que se hospeda en casa particular por precio ajustado. || **3.** V. **Casa de pupilos.** || **Medio pupilo.** El que solamente come al mediodía en una casa de huéspedes. || **4.** Alumno o alumna que permanece en el colegio hasta la noche, haciendo en él la comida del mediodía. || **A pupilo.** m. adv. Alojado y mantenido por precio.

Pupitre. (Del fr. *pupitre*, y éste del lat. *pulpĭtum*, atril.) m. Mueble de madera, con tapa en forma de plano inclinado, para escribir sobre él.

Puposo, sa. adj. Que tiene pupas.

Puramente. adv. m. Con pureza y sin mezcla de otra cosa. || **2.** Meramente, estrictamente. || **3.** *For.* Sin condición, excepción, restricción ni plazo.

Purana. (Del sánscr. *purâna*, antiguo, arcaico.) m. Cada uno de los 18 poemas sánscritos que contienen la teogonía y cosmogonía de la India antigua.

Puré. (Del fr. *purée*.) m. Pasta que se hace de legumbres u otras cosas comestibles, cocidas, pasadas por colador. || **2.** Sopa formada por esta pasta desleída en caldo.

Purear. intr. fam. Fumar cigarro puro.

Purera. f. **Cigarrera**, 3.ª acep.

Pureza. f. Calidad de puro. || **2.** fig. Virginidad, doncellez.

Purga. (De *purgar*.) f. Medicina que se toma por la boca, para descargar el vientre. || **2.** fig. Residuos que en algunas operaciones industriales o en los artefactos se acumulan y se han de eliminar o expeler. || **La purga de Benito,** o **de Fernando, que desde la botica estaba obrando.** fr. fam. con que se alude a una causa a la cual se atribuyen efectos anticipados o desmedidos.

Purgable. (Del lat. *purgabĭlis*.) adj. Que se puede o debe purgar.

Purgación. (Del lat. *purgatĭo, -ōnis*.) f. Acción y efecto de purgar o purgarse. || **2.** Sangre que naturalmente evacuan las mujeres todos los meses, y después de haber parido. || **3. Blenorragia.** Ú. m. en pl. || **4.** *For.* Refutación de notas o indicios inculpadores contra una persona. || **canónica.** *For.* Prueba que los cánones establecen para el caso en que uno fuere infamado o notado de un delito que no se puede plenamente probar, reducida a que se purgue la nota o infamia del acusado por su juramento y el de los compurgadores. || **vulgar.** *For.* Disquisición o examen judicial, en que por defecto de otra prueba, y para decidir la verdad de la inocencia o culpa del reo, se le sujetaba a la experiencia del agua hirviendo, del hierro encendido o del agua fría (en que se le arrojaba atado de pies y manos), declarándole culpado si se hundía en ella o si el fuego le quemaba, e inocente si sucedía lo contrario. También se hacía este examen por medio del duelo y de otros modos supersticiosos e ilícitos.

Purgador, ra. (Del lat. *purgātor*.) adj. Que purga. Ú. t. c. s.

Purgamiento. (Del lat. *purgamentum*.) m. **Purgación**, 1.ª acep.

Purgante. (Del lat. *purgans, -antis*.) p. a. de **Purgar.** Que purga. || **2.** adj. Dícese comúnmente de la medicina que se aplica o sirve para este efecto. Ú. t. c. s. m. || **3.** V. **Iglesia, limonada purgante.**

Purgar. (Del lat. *purgāre*.) tr. Limpiar, purificar una cosa, quitándole todo aquello que no le conviene. || **2.** Satisfacer con una pena en todo o en parte lo que uno merece por su culpa o delito. || **3.** Padecer el alma las penas del purgatorio para purificarse de las reliquias del pecado y poder entrar en la gloria. || **4.** Dar al enfermo la medicina conveniente para exonerar el vientre. Ú. t. c. r. || **5.** Evacuar un humor, ya sea naturalmente o mediante la medicina que se ha aplicado a este fin. Ú. t. c. intr. y c. r. *La llaga* HA PURGADO *bien.* || **6.** Expiar. || **7.** fig. Purificar, acrisolar. || **8.** fig. Corregir, moderar las pasiones. || **9.** *For.* Desvanecer los indicios, sospecha o nota que hay contra una persona. || **10.** r. fig. Libertarse de cualquier cosa no material que causa perjuicio o gravamen.

Purgativo, va. (Del lat. *purgatīvus*.) adj. Que purga o tiene virtud de purgar.

Purgatorio, ria. (Del lat. *purgatorĭus*, que purifica.) adj. **Purgativo.** || **2.** m. Lugar donde las almas de los que mueren en gracia, sin haber hecho en esta vida penitencia entera por sus culpas, satisfacen la deuda con las penas que padecen, para ir después a gozar de la gloria eterna. || **3.** V. **Ánima del purgatorio.** || **4.** fig. Cualquier lugar donde se pasa la vida con trabajo y penalidad. || **5.** Esta misma penalidad.

Puridad. (Del lat. *purĭtas, -ātis*.) f. **Pureza,** 1.ª acep. || **2. Secreto,** 1.ª y 2.ª aceps. || **En puridad.** m. adv. Sin rebozo, claramente y sin rodeos. || **2. En secreto.**

Purificación. (Del lat. *purificatĭo, -ōnis*.) f. Acción y efecto de purificar o purificarse. || **2.** Fiesta que el día 2 de febrero celebra la Iglesia en memoria de que Nuestra Señora fue con su Hijo santísimo a presentarle en el templo a los cuarenta días de su parto. || **3.** Cada uno de los lavatorios con que en la misa se purifica el cáliz después de consumido el sanguis, el primero de los cuales se hace con vino solo y el segundo con vino y agua.

Purificadero, ra. adj. Dícese de lo que purifica.

Purificador, ra. adj. Que purifica. Ú. t. c. s. || **2.** m. Paño de lino, con el cual se enjuga y purifica el cáliz después que el sacerdote ha consumido el agua y el vino de la segunda purificación. || **3.** Lienzo de que se sirve el sacerdote en el altar para limpiarse los dedos.

Purificante. p. a. de **Purificar.** Que purifica.

Purificar. (Del lat. *purificāre*; de *purus*, puro, y *facĕre*, hacer.) tr. Quitar de una cosa lo que le es extraño, dejándola en el ser y perfección que debe tener según su calidad. Ú. t. c. r. || **2.** Limpiar de toda imperfección una cosa no material. Ú. t. c. r. || **3.** Acrisolar Dios las almas por medio de las aflicciones y trabajos. Ú. t. c. r. || **4.** En otro tiempo, rehabilitar para el servicio a los impurificados por causas políticas. || **5.** En la ley antigua, ejecutar las ceremonias prescritas por ella para dejar libres de ciertas impurezas a personas o cosas. Ú. t. c. r. || **6.** r. *For.* Cumplirse o suprimirse la condición de que un derecho dependía o que lo modificaba.

Purificatorio, ria. (Del lat. *purificatorĭus*.) adj. Que sirve para purificar una cosa.

Purísima. f. Nombre antonomástico de la Virgen María en el misterio de su inmaculada Concepción.

Purismo. (De *puro*.) m. Calidad de purista.

Purista. (De *puro*.) adj. Que escribe o habla con pureza. Ú. t. c. s. || **2.** Aplícase igualmente al que, por afán de ser puro en la manera de escribir o de hablar, adolece de afectación viciosa. Ú. t. c. s.

Puritanismo. m. Secta y doctrina de los puritanos. || **2.** Por ext., se dice de la exagerada escrupulosidad en el proceder. || **3.** Calidad de puritano.

Puritano, na. (Del ingl. *puritan*, y éste del lat. *purus*, puro.) adj. Dícese del individuo de un partido político y religioso formado en Inglaterra en el siglo XVII, que se precia de observar religión más pura que la del Estado. Ú. t. c. s. || **2.** Perteneciente a estos sectarios. || **3.** fig. Dícese de la persona que real o afectadamente profesa con rigor las virtudes públicas o privadas y hace alarde de ello; rígido, austero. Ú. t. c. s.

Puro, ra. (Del lat. *purus*.) adj. Libre y exento de toda mezcla de otra cosa. || **2.** Que procede con desinterés en el desempeño de un empleo o en la administración de justicia. || **3.** Que no incluye ninguna condición, excepción o restricción ni plazo. || **4. Casto.** || **5.** V. **Asta pura.** || **6.** V. **Cigarro puro.** Ú. m. c. s. || **7.** V. **Matemáticas puras.** || **8.** fig. Libre y exento de imperfecciones. *Este libro contiene una moral* PURA. || **9.** fig. Mero, solo, no acompañado de otra cosa. || **10.** fig. Tratándose del lenguaje o del estilo, correcto, exacto, ajustado a las leyes gramaticales y al mejor uso, exento de voces y construcciones extrañas o viciosas. Dícese también de las personas. *Escritor* PURO. || **A puro.** m. adv. A fuerza de. || **De puro.** m. adv. Sumamente, excesivamente, a fuerza de.

Púrpura. (Del lat. *purpŭra*.) f. Molusco gasterópodo marino, cuya concha, que es retorcida y áspera, tiene la boca o abertura ancha o con una escotadura en la base. Segrega en cortísima cantidad una tinta amarillenta, la cual al contacto del aire toma color verde, que luego se cambia en rojo más o menos obscuro, en rojo violáceo o en violado: de ella se usaba antiguamente en tintorería y en pintura. || **2.** Tinte muy costoso que los antiguos preparaban con la tinta de varias especies de este molusco o de otros parecidos. || **3.** Tela, comúnmente de lana, teñida con este tinte y que por su alto precio sólo podían costear los potentados, y formaba parte de las vestiduras propias de sumos sacerdotes, cónsules, reyes, emperadores, etc. || **4.** fig. Prenda de vestir, de este color o roja, que forma parte del traje característico de emperadores, reyes, cardenales, etc. || **5.** fig. Color rojo subido que tira a violado. || **6.** fig. Dignidad imperial, real, consular, cardenalicia, etc. || **7.** fig. poét. **Sangre,** 1.ª acep. || **8.** *Blas.* Color heráldico, que en pintura se representa por el violado y en dibujo ordinario por medio de líneas diagonales que, partiendo del cantón siniestro del jefe, bajan hasta el opuesto de la punta. || **9.** *Med.* Estado morboso, caracterizado por hemorragias, petequias o equimosis. || **de Casio.** Oro en polvo finísimo, de color rojo pardusco, que se hace precipitar de las disoluciones de sus sales por medio de ciertas substancias reductoras.

Purpurado. (De *púrpura*.) m. **Cardenal,** 1.er art., 1.ª acep.

Purpurante. (Del lat. *purpŭrans, -antis*.) p. a. de **Purpurar.** Que purpura.

Purpurar. (Del lat. *purpurāre*.) tr. Teñir de púrpura. || **2.** Vestir de ella.

Purpúrea. (Del lat. *purpurĕa*, t. f. de *-rĕus*, purpúreo, por el color de las flores.) f. **Lampazo,** 1.ª acep.

Purpurear. intr. Mostrar una cosa el color de púrpura que en sí tiene. || **2.** Tirar a purpúreo.

Purpúreo, a. (Del lat. *purpurĕus*.) adj. De color de púrpura. || **2.** Perteneciente o relativo a la púrpura.

Purpurina. (Del lat. *purpurīna*, t. f. de *-nus*, purpurino.) f. Substancia colorante roja, extraída de la raíz de la rubia. || **2.** Polvo finísimo de bronce o de metal blanco, que se aplica a las pinturas antes de que se sequen, para darlas aspecto dorado o plateado.

Purpurino, na. (Del lat. *purpurīnus*.) adj. **Purpúreo.**

Purrela. f. Vino último e inferior de los que se llaman aguapié.

Purriela. f. fam. Cualquier cosa despreciable, de mala calidad, de poco valor.

Purulencia. (De *purulento*.) f. *Med.* **Supuración.**

Purulento, ta. (Del lat. *purulentus.*) adj. *Med.* Que tiene pus.

Pus. (Del lat. *pus.*) m. *Med.* Humor que secretan accidentalmente los tejidos inflamados y cuya índole y consistencia varían según la naturaleza de estos tejidos y de las lesiones que los afectan. Su color ordinario es amarillento o verdoso; está constituido por leucocitos, y fluye con más o menos abundancia de los diviesos y otros tumores, de las llagas, etc.

Pusilánime. (Del lat. *pusillanimis.*) adj. Falto de ánimo y valor para tolerar las desgracias o para intentar cosas grandes. Ú. t. c. s.

Pusilanimidad. (Del lat. *pusillanimĭtas, -ātis.*) f. Falta o encogimiento de ánimo en las adversidades, cobardía.

Pusilánimo, ma. adj. ant. **Pusilánime.**

Pusinesco, ca. (Del fr. *poussinesque,* de Poussin.) adj. Dícese del tamaño que en la pintura representa a las personas en un tercio del suyo natural.

Pústula. (Del lat. *pustŭla.*) f. *Med.* Vejiguilla inflamatoria de la piel, que está llena de pus. PÚSTULA *variolosa.* ‖ **maligna. Carbunco.**

Pustuloso, sa. (Del lat. *pustulōsus.*) adj. *Med.* Perteneciente o relativo a la pústula.

Puta. (Del ant. *putda,* del lat. *putĭda,* hedionda.) f. **Ramera.** ‖ **Ayer putas, hoy comadres.** ref. que se dice de las personas que riñen difamándose, y luego con facilidad se hacen amigas. ‖ **Puta la madre, puta la hija, puta la manta que las cobija.** ref. con que se zahiere a la familia o junta de gente donde todos incurren en un mismo defecto.

Putaísmo. (De *puta.*) m. Vida, ejercicio de mujer perdida. ‖ **2.** Reunión de estas mujeres. ‖ **3.** Casa de prostitución.

Putanismo. m. **Putaísmo.**

Putaña. (De *puta.*) f. ant. **Ramera.**

Putañear. (De *putaña.*) intr. fam. Darse al vicio de la torpeza buscando las mujeres perdidas.

Putañero. (De *putañear.*) adj. fam. Aplícase al hombre que, dado al vicio de la torpeza, busca las mujeres perdidas.

Putativo, va. (Del lat. *putatīvus;* de *putāre,* pensar, reputar.) adj. Reputado o tenido por padre, hermano, etc., no siéndolo.

Putear. (De *puta.*) intr. fam. **Putañear.**

Putería. (De *puta.*) f. **Putaísmo.** ‖ **2.** fig. y fam. Arrumaco, roncería, soflama de que usan algunas mujeres. ‖ **Putería ni hurto nunca se encubren mucho.** ref. que enseña que la cautela y cuidado no pueden ser perpetuos cuando el pecado es frecuente.

Putero. (De *puta.*) adj. fam. **Putañero.**

Putesco, ca. (De *puta.*) adj. fam. Perteneciente o relativo a las mujeres perdidas.

Puto. (De *puta.*) m. **Sodomita.** ‖ **A puto el postre.** expr. fam. con que se denota el esfuerzo que se hace para no ser el último o postrero en una cosa. ‖ **¡Oxte, puto!** expr. fam. **¡Oxte!**

Putrefacción. (Del lat. *putrefactio, -ōnis.*) f. Acción y efecto de pudrir o pudrirse. ‖ **2. Podredumbre.**

Putrefactivo, va. (De *putrefacto.*) adj. Que puede causar putrefacción.

Putrefacto, ta. (Del lat. *putrefactus,* p. p. de *putrefacĕre,* pudrir.) adj. Podrido, corrompido.

Putrescible. adj. Que se pudre o puede pudrirse fácilmente.

Putridez. f. Calidad de pútrido.

Pútrido, da. (Del lat. *putrĭdus.*) adj. Podrido, corrompido. ‖ **2.** Acompañado de putrefacción.

Putrílago. m. *Med.* Materia pultácea producida por la necrosis de los tejidos gangrenados.

Putuela. f. d. de **Puta.**

Puya. (Del lat. **pūgia,* der. regres. de *pūgio, -ōnis,* puñal.) f. Punta acerada que en una extremidad tienen las varas o garrochas de los picadores y vaqueros, con la cual estimulan o castigan a las reses. ‖ **2.** ant. **Púa.**

Puya. (Del arauc. *puuya.*) f. *Chile.* Planta de la familia de las bromeliáceas, de que existen varias especies; su altura varía de dos a cinco metros; hojas tendidas, verdes y blancas en la cara inferior; flores amarillas y en alguna especie azules, con largos pétalos que se arrollan en espiral al secarse. De una clase de **puya** se obtiene la goma de chagual.

Puyazo. m. Herida que se hace con puya.

Puyo. adj. *Argent.* Dícese de una especie de poncho corto y basto.

Puzol. (De *Puzol,* pueblo de Italia.) m. **Puzolana.**

Puzolana. (Del ital. *pozzolana,* y éste del lat. *Puteoli.*) f. Roca volcánica muy desmenuzada, de la misma composición que el basalto, la cual se encuentra en Puzol, población próxima a Nápoles, y en sus cercanías, y sirve para hacer, mezclada con cal, mortero hidráulico.

Q

Q. f. Vigésima letra del abecedario español, y decimosexta de sus consonantes. Su nombre es **cu.** En vocablos españoles forma sílaba solamente con la *e* y la *i*, mediante interposición de la *u*, que pierde su sonido; v. gr.: *quema, quite.*

Que. (Del lat. *quid.*) pron. relat. que con esta sola forma conviene a los géneros masculino, femenino y neutro y a entrambos números singular y plural. Sigue al nombre o a otro pronombre y equivale a *el, la, lo cual; los, las cuales.* Puede construirse con el artículo determinado en todas sus formas. *El* QUE, *la* QUE, *lo* QUE. || **2.** A veces equivale a otros pronombres precedidos de preposición. *El día* QUE (EN EL CUAL) *llegaste a Madrid; S. M. el Rey,* QUE (A QUIEN) *Dios guarde.* || **3.** Puede preceder al nombre y a otras partes de la oración. En este caso denota calidad o cantidad, y equivale a **cual, cuan** o **cuanto.** *Dime* QUÉ *gente es ésa; mira* QUÉ *triste viene;* ¡QUÉ *gozo tendrá cuando lo sepa!* || **4.** Con igual sentido de ponderación o encarecimiento, únese a la preposición *de* en modos de hablar como el siguiente: ¡QUÉ DE *pobres hay en este lugar!* || **5.** Como neutro, se emplea sin antecedente y con significación indefinida que equivale a **que cosa.** *No sé* QUÉ *decir;* ¿QUÉ *haré?* || **6.** conj. copulat. cuyo más ordinario oficio es enlazar un verbo con otro. *Quiero* QUE *estudies; recuerda* QUE *eres mortal; dijo* QUE *lo haría.* || **7.** Sirve también para enlazar con el verbo otras partes de la oración. *Antes* QUE *llegue; luego* QUE *amanezca; al punto* QUE *le vi; por mucho* QUE *corriese; por necio* QUE *sea; por muy obcecado* QUE *esté;* ¡*ojalá* QUE *todo salga como tú dices!* || **8.** Forma parte de varios modos adverbiales y conjuntivos. *A menos* QUE*; con tal* QUE. || **9.** Empléase como conjunción comparativa. *Más quiero perder la vida* QUE *perder la honra.* En frases de esta naturaleza omítese con frecuencia el verbo correspondiente al segundo miembro de la comparación. *Más quiero perder la vida* QUE *la honra.* Hácese a veces tal omisión por reclamarlo así las leyes de la sintaxis. *Pedro es mejor* QUE *tú.* || **10.** Deja de pedir verbo en locuciones familiares como éstas: *Uno* QUE *otro; otro* QUE *tal.* || **11.** Ú. en vez de la copulativa **y,** pero denotando en cierto modo sentido adversativo. *Justicia pido,* QUE *no gracia; suya es la culpa,* QUE *no mía.* || **12.** Se usa igualmente como conjunción causal y equivale a **porque** o **pues.** *Con la hacienda perdió la honra,* QUE *a tal desgracia le arrastraron sus vicios; lo hará, sin duda,* QUE *ha prometido hacerlo.* || **13.** También hace oficio de conjunción disyuntiva y equivale a **o, ya** u otra semejante. QUE *quiera,* QUE *no quiera.* || **14.** Toma asimismo carácter de conjunción ilativa, enunciando la consecuencia de lo que anteriormente se ha dicho. *Tal estaba,* QUE *no le conocí; vamos tan despacio,* QUE *no llegaremos a tiempo; tanto rogó,* QUE *al fin tuve* QUE *perdonarle; hablaba de modo* QUE *nadie le entendía.* || **15.** Suele usarse también como conjunción final con el significado de **para que.** *Dio voces al huésped de casa,* QUE *le ensillase el cuartago.* || **16.** Precede a oraciones no enlazadas con otras. ¡QUE *sea yo tan desdichado!;* QUE *vengas pronto;* QUE *me place.* || **17.** Precede también a oraciones incidentales de sentido independiente. *¿Sabréisme decir, buen amigo,* QUE *buena ventura os dé Dios, dónde son por aquí los palacios de la sin par princesa doña Dulcinea del Toboso?* || **18.** Después de expresiones de aseveración o juramento sin verbo alguno expreso, como *a fe, vive Dios, voto a tal, por vida de mi padre,* etc., precede asimismo al verbo con que empieza a manifestarse aquello que se asevera o jura. *A fe, Sancho,* QUE *no estás tú más cuerdo que yo.—¡Vive Dios, señor Caballero de la Triste Figura,* QUE *no puedo sufrir ni llevar con paciencia algunas cosas que vuestra merced dice!—¡Por el sol que nos alumbra,* QUE *estoy por pasaros de parte a parte con esta lanza!* || **19.** Con el adverbio *no* pospuesto, forma un modo de decir equivalente a **sin que,** en expresiones como la siguiente: *No salgo una sola vez a la calle,* QUE NO *tropiece con algún importuno.* || **20.** Viene a significar **de manera que,** en giros como éstos: *Corre* QUE *vuela; esa oliva se haga luego rajas, y se queme,* QUE *aun no queden della las cenizas.* || **21.** Empléase con sentido frecuentativo de encarecimiento y equivale a **y más.** *Dale* QUE *dale; firme* QUE *firme.* || **22.** Empléase después de los adverbios *sí* y *no* para dar fuerza a lo que se dice. SÍ, QUE *lo haré;* NO, QUE *no lo haré.* || **23.** Empléase a veces como conjunción causal o copulativa antes de otro **que** equivalente a **cuál** o **qué cosa.** QUE ¿QUÉ *escudero hay tan pobre en el mundo a quien le falte un rocín?—Digo* QUE ¿QUÉ *le iba a vuestra merced en volver tanto por aquella reina Magimasa, o como se llama?* || **24.** Precedida y seguida de la tercera persona de indicativo de un mismo verbo, denota el progreso o eficacia de la acción de este verbo. *Corre* QUE *corre; porfía* QUE *porfía.* || **El que más y el que menos.** loc. que, en las frases de que forma parte, equivale a cada cual o a todos sin excepción. || **¡Pues qué** expr. que se emplea sin vínculo gramatical con otra ninguna, precediendo a frase interrogativa en la forma, y substancialmente negativa. ¡PUES QUÉ!, *¿ha de hacer siempre su gusto, y yo nunca he de hacer el mío?* || **¡Pues y qué!** expr. que se usa para denotar que no tiene inconveniente o que no es legítimo el cargo que se hace. || **¡Qué!** interj. de sentido negativo y ponderativo. || **Sin qué ni para, o por, qué.** loc. adv. Sin motivo, causa ni razón alguna. || **¿Y qué?** expr. con que se denota que lo dicho o hecho por otro no convence.

Quebracho. m. *Amér.* Quiebrahacha.

Quebrada. (De *quebrado.*) f. Abertura estrecha y áspera entre montañas. || **2. Quiebra,** 2.ª acep.

Quebradero. m. desus. **Quebrador.** || **de cabeza.** fig. y fam. Lo que perturba e inquieta el ánimo. || **2.** fig. y fam. Objeto del cuidado amoroso.

Quebradillo. (d. de *quebrado.*) m. Tacón de madera del calzado a la ponleví. || **2.** Movimiento especial que se hace con el cuerpo como quebrándolo, y suele usarse en la danza.

Quebradizo, za. adj. Fácil de quebrarse. || **2.** fig. Delicado en la salud y disposición corporal. || **3.** fig. Dícese de la voz ágil para hacer quiebros en el canto. || **4.** fig. **Frágil,** 2.ª y 3.ª aceps.

Quebrado, da. (De *quebrar.*) adj. Que ha hecho bancarrota o quiebra. Ú. t. c. s. || **2.** Que padece quebradura o hernia. Ú. t. c. s. || **3.** Quebrantado, debilitado. QUEBRADO *de color.* || **4.** Aplicado a terreno, camino, etc., desigual, tortuoso, con altos y bajos. || **5.** V. **Azúcar, color, día, línea, papel, pie, plata, quebrados.** || **6.** V. **Verso quebrado.** Ú. t. c. s. || **7.** V. **Azúcar de quebrados.** || **8.** *Arit.* V. **Número quebrado.** Ú. t. c. s. || **9.** m. *Cuba.* Hoja de tabaco de superior calidad, pero agujereada. || **10.** pl. Trechos rayados y trechos sin rayas que hay en una de las diferentes clases de papel pautado en que aprenden a escribir los niños. *Escribir de, estar en papel* *de* QUEBRADOS. || **Quebrado compuesto.** *Arit.* **Quebrado de quebrado.** || **decimal.** *Arit.* **Fracción decimal.** || **de quebrado.** *Arit.* Número compuesto de una o más de las partes iguales en que se considera dividido un **quebrado.** || **impropio.** *Arit.* **Fracción impropia.** || **propio.** *Arit.* **Fracción propia.**

Quebrador, ra. adj. Que quiebra una cosa. Ú. t. c. s. || **2.** Que quebranta una ley o estatuto. Ú. t. c. s.

Quebradura. (De *quebrado.*) f. Hendedura, rotura o abertura. || **2. Hernia.**

Quebraja. (De *quebrajar.*) f. Grieta, rendija, raja en la madera, el hierro, etc.

Quebrajar. (De *quebrar.*) tr. **Resquebrajar.** Ú. t. c. intr. y c. r.

Quebrajoso, sa. (De *quebraja.*) adj. **Quebradizo.** || **2.** Lleno de quebrajas.

Quebramiento. (De *quebrar.*) m. **Quebrantamiento.**

Quebrantable. adj. Que se puede quebrantar.

Quebrantado, da. p. p. de **Quebrantar.** || **2.** adj. *Arq.* V. **Mesilla quebrantada.**

Quebrantador, ra. adj. Que quebranta. Ú. t. c. s.

Quebrantadura. (De *quebrantar.*) f. **Quebrantamiento.**

Quebrantahuesos. (De *quebrantar*, y *hueso.*) m. Ave del orden de las rapaces, como de metro y medio de longitud desde la punta del pico hasta la extremidad de la cola y unos 34 decímetros de envergadura, con plumaje de color pardo obscuro en la parte superior del cuerpo, leonado en el cuello, pecho y abdomen, y blanco rojizo en la cabeza; pico corvo y rodeado de cerdas, tarsos cortos y emplumados hasta los dedos, y uñas gruesas y romas. Es la mayor de las aves de rapiña de Europa, y persigue los mamíferos pequeños, especialmente las crías de los ganados. || **2. Pigargo,** 1.ª acep. || **3.** Juego de muchachos, que consiste en cogerse dos de ellos por la cintura, uno de pie y otro cabeza abajo, y tendiéndose sobre las espaldas de otros dos que se colocan a gatas, se voltean mutuamente, quedando a cada volteo el uno en pie y el otro boca abajo. || **4.** fig. y fam. Sujeto pesado, molesto e importuno, que cansa y fastidia con sus impertinencias.

Quebrantamiento. m. Acción y efecto de quebrantar o quebrantarse. || **de forma.** *For.* Omisión o violación de garantías sustanciales en el procedimiento.

Quebrantante. p. a. de **Quebrantar.** Que quebranta.

Quebrantaolas. (De *quebrantar* y *ola.*) m. *Mar.* Navío inservible que se echa a pique en un puerto para quebrantar la marejada delante de una obra hidráulica. || **2.** *Mar.* Boya pequeña asida a otra grande cuando el orinque de ésta no es bastante largo para llegar a la superficie del agua.

Quebrantapiedras. (De *quebrantar* y *piedra.*) f. *Bot.* Planta herbácea anual, de la familia de las cariofiláceas, con tallos tumbados y cubiertos de pelos cenicientos, hojas pequeñas, enteras y oblongas, flores verdosas en grupillos apretados, y fruto seco. Es común en España y se ha usado contra el mal de la piedra.

Quebrantar. (Del lat. **crepantāre*, de *crepans, -antis.*) tr. Romper, separar con violencia las partes de un todo. || **2.** Cascar o hender una cosa; ponerla en estado de que se rompa más fácilmente. Ú. t. c. r. || **3.** Moler o machacar una cosa, sin descomponerla o deshacerla enteramente. || **4.** Violar o profanar algún sagrado, seguro o coto. || **5.** fig. Traspasar, violar una ley, palabra u obligación. || **6.** fig. Forzar, romper, venciendo una dificultad, impedimento o estorbo que embaraza para la libertad. QUEBRANTAR *la prisión.* || **7.** fig. Disminuir las fuerzas o el brío; suavizar o templar el exceso de una cosa. Dícese especialmente del calor o el frío. || **8.** fig. Molestar, fatigar, causar pesadumbre o desabrimiento. || **9.** fig. Causar lástima o compasión; mover a piedad. || **10.** fig. Persuadir, inducir o mover con ardid, industria o porfía; ablandar el rigor o la ira. || **11.** *For.* Anular, revocar un testamento. || **12.** r. Experimentar las personas algún malestar a causa de golpe, caída, trabajo continuo o ejercicio violento, o por efecto de la edad, enfermedades o disgustos. || **13.** *Mar.* Perder la quilla de un buque su figura, arqueándose.

Quebrante. p. a. de **Quebrar.** Que quiebra.

Quebranto. m. Acción y efecto de quebrantar o quebrantarse. || **2.** fig. Descaecimiento, desaliento, falta de fuerza. || **3.** fig. Lástima, conmiseración, piedad. || **4.** fig. Grande pérdida o daño. || **5.** fig. Aflicción, dolor o pena grande. || **de moneda.** Nombre y concepto que suele darse a la indemnización o gratificación concedida a los habilitados, cajeros o pagadores de las oficinas.

Quebrar. (Del lat. *crepāre*, estallar, romper con estrépito.) tr. **Quebrantar,** 1.ª y 5.ª aceps. || **2.** Doblar o torcer. QUEBRAR *el cuerpo.* Ú. t. c. r. || **3.** fig. Interrumpir o estorbar la continuación de una cosa no material. || **4.** fig. Templar, suavizar o moderar la fuerza y el rigor de una cosa. || **5.** fig. Ajar, afear, deslustrar la tez o color natural del rostro. Ú. t. c. s. || **6.** fig. Vencer una dificultad material u opresión. || **7.** intr. fig. Romper la amistad de uno; disminuirse o entibiarse la correspondencia. || **8.** fig. Ceder, flaquear. || **9.** fig. Interrumpirse alguna cosa o dejar de tener aplicación. || **10.** *Com.* Cesar en el comercio por sobreseer en el pago corriente de las obligaciones contraídas y no alcanzar el activo a cubrir el pasivo. || **11.** r. Relajársele, formársele hernia a uno. || **12.** Hablando de cordilleras, cuestas o cosas semejantes, interrumpirse su continuidad. || **Antes quebrar que doblar.** fr. fig. No rendirse uno al interés ni a malos consejos para cumplir su deber. || **No se quiebra por delgado, sino por gordo y mal hilado.** ref. que advierte que la calidad de las cosas suele importar más que la cantidad. || **Quebrar** una cosa **por** uno. fr. Frustrarse; descomponerse por faltar uno a ejecutar lo que le tocaba. || **Quebrar por lo más delgado.** fr. fig. **Quebrar la soga por lo más delgado.**

Quebraza. f. ant. **Grieta,** 2.ª acep. || **2.** pl. Defecto grave en la hoja de la espada, que consiste en unas hendeduras muy sutiles, que sólo se descubren doblándola con fuerza.

Quebrazar. tr. ant. Producir grietas o quebrazas. Usáb. m. c. r.

Queche. (Del ingl. *ketch.*) m. Embarcación usada en los mares del norte de Europa, de un solo palo y de igual figura por la popa que por la proa. Su porte varía de 100 a 300 toneladas.

Quechemarín. (De *queche* y *marino.*) m. Embarcación chica de dos palos, con velas al tercio, algunos foques en un botalón a proa, y gavias volantes en tiempos bonancibles.

Quechol. m. *Méj.* **Flamenco,** ave palmípeda.

Quechua. (De *qquechhua*, tierra templada.) adj. Dícese del indio que al tiempo de la colonización del Perú habitaba la región que se extiende al norte y poniente del Cuzco. Ú. t. c. s. || **2.** Dícese de la lengua hablada por estos indígenas. || **3.** Aplícase a todo lo relativo a estos indios y a su lengua.

Quechuismo. m. Palabra o giro de la lengua quechua, empleado en otra lengua.

Queda. (Del lat. *quieta*, t. f. de *-tus*, p. p. de *quiēre*, descansar.) f. Hora de la noche, señalada en algunos pueblos, especialmente las plazas cerradas, para que todos se recojan, lo cual se avisa con la campana. || **2.** Campana destinada a este fin. || **3.** Toque que se da con ella. || **4.** ant. *Mil.* **Retreta,** 1.ª acep.

Quedada. f. Acción de quedarse en un sitio o lugar.

Quedamente. adv. m. **Quedo,** 2.ª acep.

Quedamiento. m. ant. **Aplacamiento.**

Quedante. p. a. ant. de **Quedar.** Que queda.

Quedar. (Del lat. *quietāre*, sosegar, descansar.) intr. Estar, detenerse forzosa o voluntariamente más o menos en un paraje, con propósito de permanecer en él o de pasar a otro. QUEDA *bueno;* QUEDÓ *en el teatro.* Ú. t. c. r. SE QUEDARÁ *en Toledo.* || **2.** Subsistir, permanecer o restar parte de una cosa. *Me* QUEDAN *tres pesetas; quitando seis de diez,* QUEDAN *cuatro; de los manuscritos sólo* QUEDAN *cenizas.* || **3.** Precediendo a la preposición *por*, resultar las personas con algún concepto merecido por sus actos, o con algún cargo, obligación o derecho que antes no tenían. QUEDAR POR *valiente;* QUEDAR POR *testamentario.* || **4.** Precediendo a la misma preposición *por*, rematarse a favor de uno las rentas u otra cosa que se vende a pregón para las posturas y pujas. *La contrata* QUEDÓ POR *Juan.* || **5.** Permanecer, subsistir una persona o cosa en su estado, o pasar a otro más o menos estable. *La carta* QUEDÓ *sin contestar;* QUEDÓ *herido.* En esta acepción suele usarse a veces seguido de la preposición *por.* QUEDÓ POR *contestar.* || **6.** Cesar, terminar, acabar, convenir definitivamente en una cosa. QUEDÓ *aquí la conversación;* QUEDAMOS *conformes;* QUEDARON *en reunirse al otro día.* || **7.** r. Junto con la preposición *con*, retener en su poder una cosa, sea propia o ajena. *Yo me* QUEDARÉ CON *los libros.* || **8.** Dicho del viento, disminuir su fuerza. || **9.** Dicho del mar, disminuir el oleaje. || **¿En qué quedamos?** expr. fam. con que se invita a poner término a una indecisión o aclarar una incongruencia. || **No quedar a deber nada** a uno. fr. fig. Corresponder en obras o palabras. || **No quedar por corta ni mal echada.** fr. fig. y fam. Poner o emplear todos los medios oportunos para conseguir una cosa. Está tomada del juego de los bolos, en que se pierde echando mal la bola o **quedando** corta. || **Quedar** uno **atrás.** fr. fig. Adelantar, medrar o sobresalir menos que otro en fortuna, posición o saber. || **2.** fig. No comprender por completo una cosa. || **3.** fig. Aflojar, desmayar en un empeño. || **Quedar** uno **bien,** o **mal.** fr. Portarse en una acción, o salir de un negocio, bien, o mal. || **Quedar** uno **en** una cosa. fr. Acordarla, convenir en ella; ofrecerse a ejecutarla. QUEDÉ EN *volver hoy a su casa;* QUEDAMOS EN *ir a paseo.* || **Quedar** uno **limpio.** fr. fig. y fam. **Quedar** enteramente sin dinero. Ú. m. en el juego. || **Quedar** uno **por** otro. fr. Fiarle o abonarle, o salir por él. || **Quedar** una cosa **por** uno. fr. No verificarse, por dejar uno de ejecutar lo que debía o le tocaba. || **Quedarse** uno **a obscuras.** fr. fig. Perder lo que poseía, o no lograr lo que pretendía. || **2.** No comprender lo que ha visto u oído. || **Quedarse** uno **atrás.** fr. fig. **Quedar atrás.** || **Quedarse con** uno. fr. fig. y fam. Engañarle o abusar diestramente de su credulidad. || **Quedarse** uno **corto.** expr. fig. y fam. Que no hay exageración en lo que se dice. || **Quedarse** uno **fresco.** fr. fig. y fam. No lograr aquello de que tenía esperanza y en que se había consentido. Ú. t. el verbo c. intr. || **Quedar-**

se uno **frío.** fr. fig. Salirle una cosa al contrario de lo que deseaba o pretendía. || **2.** fig. Sorprenderse de ver u oír cosa que no esperaba. || **Quedarse** uno **in albis.** fr. fig. y fam. **Quedarse** en blanco. || **Quedarse** uno **lucido.** fr. fig. y fam. **Quedarse fresco.** || **Quedarse** uno **muerto.** fr. fig. Sorprenderse de una noticia repentina que causa pesar o sentimiento. || **Quedarse** uno **riendo.** fr. fig. y fam. Hacer alarde de impunidad el que ha ejecutado una acción digna de castigo. Ú. m. con neg. y en tiempo futuro por vía de amenaza. || **Quedarse** uno **tieso.** fr. fig. y fam. **Quedarse** muerto. || **2.** fig. Sentir mucho frío. || **Quedarse** uno **yerto.** fr. fig. Asustarse en grado sumo. || **Quedar todos iguales.** fr. No conseguir una cosa ninguno de los que la pretenden.

Quedito. adv. m. Muy quedo, pasito.

Quedo, da. (Del lat. *quiētus.*) adj. **Quieto.** || **2.** adv. m. Con voz baja o que apenas se oye. || **3.** Con tiento. || **De quedo.** m. adv. Poco a poco, despacio. || **¡Quedo!** interj. que sirve para contener a uno. || **Quedo a quedo.** m. adv. **De quedo.** || **Quedo que quedo.** expr. Dícese del que está muy reacio en ejecutar una cosa.

Quehacer. (De *que* y *hacer.*) m. Ocupación, negocio. Ú. m. en pl.

Queja. (De *quejar.*) f. Expresión de dolor, pena o sentimiento. || **2.** Resentimiento, desazón. || **3. Querella,** 3.ª y 4.ª aceps. || **4.** *For.* V. **Recurso de queja.** || **Formar queja.** fr. Tomar ocasión de quejarse sin motivo para ello. || **Más vale buena queja que mala paga.** ref. que se dice del que abandona el premio por no parecerle correspondiente al mérito, y prefiere poderse quejar a no quedar bien satisfecho.

Quejada. (Del lat. *capsa,* caja.) f. ant. **Quijada.**

Quejar. (Del lat. *coaxāre,* croar.) tr. **Aquejar.** || **2.** r. Expresar con la voz el dolor o pena que se siente. || **3.** Manifestar uno el resentimiento que tiene de otro. || **4. Querellarse,** 2.ª acep.

Quejicoso, sa. adj. Que se queja demasiadamente, y las más veces sin causa, con melindre o afectación.

Quejido. (De *quejar,* 2.ª acep.) m. Voz lastimosa, motivada por un dolor o pena que aflige y atormenta.

Quejigal [Quejigar]. m. Terreno poblado de quejigos.

Quejigo. (Quizá de un der. del lat. *quercus,* encina.) m. *Bot.* Árbol de la familia de las fagáceas, de unos 20 metros de altura, con tronco grueso y copa recogida, hojas grandes, duras, algo coriáceas, dentadas, lampiñas y verdes por la haz, garzas y algo vellosas por el envés; flores muy pequeñas, y por fruto bellotas parecidas a las del roble. Es árbol común en España y estimado por su bellota, buena para montanera. || **2.** Roble que todavía no ha alcanzado su desarrollo regular.

Quejigueta. (De *quejigo.*) f. *Bot.* Arbusto de la familia de las fagáceas, de poca altura, con hojas duras, casi persistentes, oblongas, dentadas en su tercio superior, lampiñas por la haz y algo pelosas por el envés, y flores femeninas sobre pedúnculos cortos. Se cría en España.

Quejilloso, sa. adj. **Quejicoso.**

Quejo. m. ant. **Queja.**

Quejosamente. adv. m. Con queja.

Quejoso, sa. adj. Dícese del que tiene queja de otro.

Quejumbre. f. Queja frecuente y por lo común sin gran motivo.

Quejumbroso, sa. (De *quejumbre.*) adj. Que se queja con poco motivo, o por hábito.

Quejura. (De *queja.*) f. ant. Prisa o aceleración congojosa.

Quelenquelen. (Del arauc. *clenclen.*) m. *Bot. Chile.* Planta medicinal de la familia de las poligaláceas, de que hay varias especies, caracterizadas por tener sus flores pequeñas, rosadas y en racimos. Úsanse sus raíces en varias enfermedades de las vías digestivas.

Quelonio. (Del gr. χελώνη, tortuga.) adj. *Zool.* Dícese de los reptiles que tienen cuatro extremidades cortas, mandíbulas córneas, sin dientes, y el cuerpo protegido por un caparazón duro que cubre la espalda y el pecho; como la tortuga, el carey y el galápago. Ú. t. c. s. || **2.** m. pl. *Zool.* Orden de estos reptiles.

Queltehue. (Voz araucana.) m. Ave zancuda de Chile parecida al frailecillo, que habita en los campos húmedos y que domesticada se tiene en los jardines porque destruye los insectos nocivos.

Quema. f. Acción y efecto de quemar o quemarse. || **2.** Incendio, fuego, ustión. || **Huir de la quema** uno. fr. fig. Apartarse, alejarse de un peligro. || **2.** fig. Esquivar compromisos graves previsora y sagazmente.

Quemada. (De *quemar.*) f. **Quemado,** 4.ª acep.

Quemadero, ra. adj. Que ha de ser quemado. || **2.** m. Paraje destinado en otro tiempo para quemar a los sentenciados o condenados a la pena de fuego. || **3.** Paraje destinado a la quema de animales muertos y comestibles averiados.

Quemado, da. p. p. de **Quemar.** || **2.** adj. V. **Cobre, ocre, topacio quemado.** || **3.** *Germ.* **Negro,** 2.ª acep. Ú. t. c. s. || **4.** m. Rodal de monte consumido del todo o en parte por el fuego. || **5.** fam. Cosa quemada o que se quema. *Huele a* QUEMADO.

Quemador, ra. adj. Que quema. Ú. t. c. s. || **2. Incendiario,** 1.ª acep. Ú. t. c. s. || **3.** m. Aparato destinado a facilitar la combustión del carbón o de los carburantes líquidos en el hogar de las calderas.

Quemadura. (De *quemado.*) f. Descomposición de un tejido orgánico, producida por el contacto del fuego o de una substancia cáustica o corrosiva. || **2.** Señal, llaga, ampolla o impresión que hace el fuego o una cosa muy caliente o cáustica aplicada a otra. || **3.** Enfermedad de las plantas que consiste en el decaimiento de las hojas y partes tiernas con desprendimiento de la corteza, ocasionada por cambios grandes y repentinos de temperatura. || **4. Tizón,** 2.ª acep.

Quemajoso, sa. adj. Que pica o escuece como quemado.

Quemamiento. m. p. us. **Quema,** 1.ª acep.

Quemante. p. a. de **Quemar.** Que quema. || **2.** m. *Germ.* **Ojo,** 1.ª acep.

Quemar. (Del lat. *cremāre.*) tr. Abrasar o consumir con fuego. || **2.** Calentar con mucha actividad; como el sol en el estío. || **3. Abrasar,** 2.ª acep. || **4.** Causar una sensación muy picante en la boca, o hacer señal, llaga o ampolla una cosa cáustica o muy caliente. || **5.** Hablando de los vinos, destilar, 1.ª acep. || **6.** fig. Malbaratar, destruir o vender una cosa a menos de su justo precio. || **7.** fig. y fam. Impacientar o desazonar a uno. Ú. t. c. r. || **8.** intr. Estar demasiadamente caliente una cosa. || **9.** r. Padecer o sentir mucho calor. || **10.** fig. Padecer la fuerza de una pasión o afecto. || **11.** fig. y fam. Estar muy cerca de acertar o de hallar una cosa. No se usa, por lo común, sino en las segundas y terceras personas del presente de indicativo. || **Quien se quemare, que sople.** expr. fig. y fam. con que se advierte que si uno juzgare que le comprende un cargo que otro hace en general, procure sincerarse de él.

Quemarropa (A). m. adv. **A quema ropa.**

Quemazón. (Del lat. *crematĭo, -ōnis.*) f. **Quema,** 1.ª acep. || **2.** Calor excesivo. || **3.** fig. y fam. **Comezón.** || **4.** fig. y fam. Dicho, razón o palabra picante con que se zahiere o provoca a uno para sonrojarle. || **5.** fig. y fam. Sentimiento que causan semejantes palabras o acciones. || **6.** fest. Realización, liquidación de géneros a bajo precio. || **7.** *Min.* Espuma de metal ligera, hoyosa y chamuscada, que es una de las señales de la veta.

Quemazoso, sa. adj. ant. **Quemajoso.**

Quemí. m. Especie de conejo que existió en Cuba y ya extinguido.

Quena. (Voz quichua.) f. Flauta o caramillo de que se sirven los indios de algunas comarcas de América para acompañar sus cantos y especialmente el yaraví.

Quenopodiáceo, a. (De *chenopodium,* nombre de un género de plantas.) adj. *Bot.* Dícese de plantas angiospermas dicotiledóneas, herbáceas, rara vez leñosas, de hojas esparcidas, flores pentámeras con los estambres opuestos a los sépalos y periantio casi siempre incoloro, y fruto en aquenio; como la espinaca, la remolacha y la barrilla. Ú. t. c. s. f. || **2.** f. pl. *Bot.* Familia de estas plantas.

Quepis. (Del fr. *képi.*) m. Gorra, ligeramente cónica y con visera horizontal, que como prenda de uniforme usan los militares en algunos países.

Quequier. (De *que* y *querer.*) pron. ant. **Cualquiera.**

Quera. (Del lat. *caries.*) m. *Ar.* y *Sor.* **Carcoma,** 2.ª acep. || **2.** fig. Hombre pesado y molesto.

Querando. adj. Dícese del indio que habitaba cierta región del Río de la Plata. Ú. t. c. s. com.

Queratina. (Del gr. κερατίνη, córnea o de cuerno.) f. *Zool.* Substancia albuminoidea, muy rica en azufre, que constituye la parte fundamental de las capas más externas de la epidermis de los vertebrados y de los órganos derivados de esta membrana, como plumas, pelos, cuernos, uñas, pezuñas, etc., los cuales deben a dicha substancia su resistencia y su dureza.

Queratitis. (Del gr. κέρας, κέρατος, cuerno, y el sufijo *itis,* inflamación.) f. *Med.* Inflamación de la córnea transparente.

Querella. (Del lat. *querella.*) f. **Queja,** 1.ª acep. || **2.** Discordia, pendencia. || **3.** *For.* Acusación ante juez o tribunal competente, ejecutando en forma solemne y como parte en el proceso la acción penal contra los responsables de un delito. || **4.** *For.* Reclamación que los herederos forzosos hacen ante el juez, pidiendo la invalidación de un testamento por inoficioso.

Querellador, ra. adj. Que se querella. Ú. t. c. s.

Querellante. (Del lat. *querellans, -antis.*) p. a. de **Querellarse.** Que se querella. Ú. t. c. s.

Querellarse. (Del lat. *querellāre.*) r. Quejarse, 2.ª y 3.ª aceps. de **Quejar.** || **2.** *For.* Presentar querella contra uno. Usóse t. c. intr.

Querellosamente. adv. m. Con queja o sentimiento.

Querelloso, sa. (Del lat. *querellōsus.*) adj. **Querellante.** Ú. t. c. s. || **2.** Quejoso, o que con facilidad se queja de todo.

Querencia. f. Acción de amar o querer bien. || **2.** Inclinación o tendencia del hombre y de ciertos animales a volver al sitio en que se han criado o tienen costumbre de acudir. || **3.** Ese mismo sitio. || **4.** Tendencia natural o de un ser animado hacia alguna cosa.

Querencioso, sa. adj. Dícese del animal que tiene mucha querencia. || **2.** Aplícase también al sitio a que se la tienen los animales.

Querendón, na. m. y f. fam. **Querido,** 2.ª acep. || **2.** adj. *Amér.* Muy cariñoso.

Querer. (infinit. substantivado.) m. Cariño, amor.

Querer. (Del lat. *quaerĕre*, tratar de obtener.) tr. Desear o apetecer. || **2.** Amar, tener cariño, voluntad o inclinación a una persona o cosa. || **3.** Tener voluntad o determinación de ejecutar una cosa. || **4.** Resolver, determinar. || **5.** Pretender, intentar o procurar. || **6.** Ser conveniente una cosa a otra; pedirla, requerirla. || **7.** Conformarse o avenirse uno al intento o deseo de otro. || **8.** En el juego, aceptar el envite. || **9.** Dar uno ocasión, con lo que hace o dice, para que se ejecute algo contra él. *Éste* QUIERE *que le rompamos la cabeza.* || **10.** impers. Estar próxima a ser o verificarse una cosa. QUIERE *llover.* || **A quien lo quiere celeste, que le cueste.** ref. con que se da a entender que el que **quiere** darse un gusto, debe hacer el sacrificio correspondiente. || **Como así me lo quiero.** expr. fam. que significa haber sucedido una cosa a medida del deseo, y como si la hubiera dispuesto el que la logra. || **Como quiera que.** loc. adv. De cualquier modo, o de este o el otro modo, que. *Ignoro si tuvo o no motivo para irritarse; pero* COMO QUIERA QUE *sea, lo hecho no merece disculpa.* || **2.** Supuesto que, dado que. COMO QUIERA QUE *nadie sepa cuándo ha de morir, gran locura es dejar la enmienda para mañana.* || **3.** ant. **Aunque.** COMO QUIERA QUE *murió en esta batalla, fue suya la victoria, porque los enemigos, antes de que él muriese, ya estaban derrotados.* || **Cuando quiera.** m. adv. En cualquier tiempo. || **Cuando uno no quiere, dos no barajan,** o **no riñen.** ref. que recomienda la serenidad de ánimo para evitar disensiones. || **Cuanto quiera que.** loc. adv. **Como quiera que.** || **Donde quiera.** m. adv. **Dondequiera.** || **Donde quiera que fueres, haz como vieres.** ref. que enseña cuánto conviene no singularizarse, sino seguir los usos y costumbres del país en que cada uno se halla. || **Do quiera.** m. adv. **Doquiera.** || **No así como,** o **no como, quiera.** loc. adv. con que se denota ser más que regular o común aquello de que se habla. *Es un literato,* NO ASÍ COMO QUIERA, *sino de los más sobresalientes de España; la mentira es un vicio,* NO COMO QUIERA, *sino muy odioso y despreciable.* || **No querer parir.** fr. fig. **No parir.** || **¿Qué más quieres?** expr. con que se da a entender que lo que uno ha logrado es todo lo que podía desear, según su proporción y sus méritos. || **Que quiera, que no quiera.** expr. adv. Sin atender a la voluntad o aprobación de uno, convenga o no convenga con ello. || **¿Qué quiere decir eso?** expr. con que se avisa o amenaza para que uno corrija o modere lo que ha dicho. || **¿Qué quiere ser esto?** expr. con que se explica la admiración o extrañeza que ocasiona una cosa. || **¡Qué quieres!,** o **¡Qué quieres que le haga,** o **que le hagamos!** exprs. de conformidad o de excusa. || **2. ¡Qué hemos de hacer!** || **¿Queréis que os diga?** **Quien no come no costriba.** ref. que enseña cómo sin el debido sustento no se puede trabajar. || **Querer bien** una persona **a** otra. fr. Amar un hombre a una mujer, o viceversa. || **Querer decir.** fr. Significar, pero teniéndose que adivinar o deducir lo significado; indicar, dar a entender una cosa. *Eso* QUIERE DECIR *que ya no somos amigos; el concepto es obscuro, pero comprendo lo que* QUIERE DECIR. || **Querer es poder.** fr. proverb. para denotar que con voluntad firme se consigue casi todo lo posible. || **¡Que si quieres!** loc. fam. que se emplea para rechazar una pretensión o para ponderar la dificultad o imposibilidad de hacer o lograr una cosa. || **Quien bien quiere, bien obedece.** ref. que explica que el cariño y amistad facilitan todos los medios de complacer y dar gusto. || **Quien bien quiere, tarde olvida.** ref. que enseña que al cariño o amor que ha sido verdadero, no lo alteran las contingencias del tiempo ni otras circunstancias, quedando siempre vivo, aun cuando parece que se entibia. || **Quien bien te quiera, o quiere, te hará llorar.** ref. que enseña que el verdadero cariño consiste en advertir y corregir al amigo en lo que yerra, posponiendo el sonrojo que le puede causar al fruto que se promete de la reprensión. || **Quien todo lo quiere, todo lo pierde.** ref. que reprende al ambicioso, que por deseo desmedido pierde aun lo que tiene seguro. || **Si bien me quieres, trátame como sueles.** ref. que enseña que no es verdadero el cariño que no tiene constancia. || **Sin querer.** m. adv. Por acaso o contingencia; sin intención, inadvertidamente. || **Si quieres ser bien servido, sírvete a ti mismo.** ref. que enseña que nadie hace tan bien ciertas cosas como el mismo que las ha menester. || **Si quieres vivir sano, hazte viejo temprano.** ref. que recomienda las precauciones y prácticas de los viejos en los medios de conservar la vida.

Queresa. f. **Cresa.**

Querido, da. p. p. de **Querer.** || **2.** m. y f. Hombre, respecto de la mujer, o mujer, respecto del hombre, con quien tiene relaciones amorosas ilícitas.

Queriente. p. a. de **Querer.** Que quiere.

Quermes. (Del ár. *qirmiz*, grana, cochinilla.) m. Insecto hemíptero parecido a la cochinilla, que vive en la coscoja y cuya hembra forma las agallitas que dan el color de grana. || **2.** *Farm.* Mezcla, de color rojizo, de óxido y sulfuro de antimonio, que se emplea como medicamento en las enfermedades de los órganos respiratorios. || **mineral.** Sulfuro de antimonio algo oxigenado, de color rojo.

Querocha. f. **Queresa.**

Querochar. intr. Poner las abejas y otros insectos la querocha.

Quersoneso. (Del lat. *Chersonesus*, y éste del gr. Χερσόνησος; de χέρσος, seco, firme, y νῆσος, isla.) m. **Península.** *El* QUERSONESO *Címbrico.*

Querub. (Del hebr. *kerūb*, próximo.) m. poét. **Querube.**

Querube. (De *querub.*) m. poét. **Querubín.**

Querúbico, ca. adj. Perteneciente o parecido al querubín. Ú. m. en poesía.

Querubín. (Del hebr. *kerūbīm*, los próximos, pl. de *kerūb*, querub.) m. Cada uno de los espíritus celestes caracterizados por la plenitud de ciencia con que ven y contemplan la belleza divina. Forman el primer coro. || **2.** fig. **Serafín,** 1.er art., 2.a acep.

Querusco, ca. (Del lat. *cheruscus.*) adj. Dícese del individuo de cierto pueblo antiguo de Germania. Ú. t. c. s. || **2.** Perteneciente a este pueblo.

Querva. f. **Cherva.**

Quesada. f. ant. **Quesadilla,** 1.a acep.

Quesadilla. f. Cierto género de pastel, compuesto de queso y masa, que se hace regularmente por carnestolendas. || **2.** Cierta especie de dulce, hecho a modo de pastelillo, relleno de almíbar, conserva u otro manjar.

Quesear. intr. Hacer quesos.

Quesera. f. La que hace o vende queso. || **2.** Lugar o sitio donde se fabrican los quesos. || **3.** Mesa o tabla a propósito para hacerlos. || **4.** Vasija de barro, que se destina para guardar y conservar los quesos. || **5.** Plato con cubierta, ordinariamente de cristal, en que se sirve el queso a la mesa.

Quesería. (De *quesero.*) f. Tiempo a propósito para hacer queso. || **2. Quesera,** 2.a acep. || **3.** Tienda en que se vende queso.

Quesero, ra. adj. **Caseoso.** || **2.** m. El que hace o vende queso.

Quesillo. (De *queso.*) m. V. **Pan y quesillo.**

Quesiqués. m. **Quisicosa.**

Queso. (Del lat. *casĕus.*) m. Masa que se hace de la leche, cuajándola primero y comprimiéndola y exprimiéndola para que deje el suero, después de lo cual se le echa alguna sal para que se conserve, y se dispone en varias figuras. || **2.** V. **Ácaro del queso.** || **3.** V. **Sombrero de medio queso.** || **de bola.** El de tipo holandés, que tiene forma esférica. || **de cerdo.** Manjar que se compone principalmente de carne de cabeza de cerdo o jabalí, picada y prensada en figura de **queso.** || **de hierba.** El que se hace cuajando la leche con la flor del cardo o con hierba a propósito. || **helado.** Helado compacto hecho en molde. || **Medio queso.** Tablero grueso, por lo común de nogal u otra madera dura, y de forma semicircular, que sirve a los sastres para planchar los cuellos y solapas de algunas prendas de vestir y para sentar las costuras curvas. || **De dos de queso.** expr. fam. que se aplica a lo que es de poco valor o provecho.

Quetro. (Del arauc. *quetho*, cosa desmochada.) m. *Chile.* Pato muy grande, caracterizado por tener las alas sin plumas, de modo que no vuela; los pies, con cuatro dedos, palmeados, y el cuerpo vestido de una pluma larga, fina y rizada como lana y de color ceniciento.

Quetzal. (Del mejic. *quetzalli*, hermosa pluma.) m. Ave del orden de las trepadoras, propia de la América tropical, de unos 25 centímetros desde lo alto de la cabeza hasta la rabadilla, 54 de envergadura y 60 en las cobijas de la cola; plumaje suave, de color verde tornasolado y muy brillante en las partes superiores del cuerpo y rojo en el pecho y abdomen; cabeza gruesa, con un moño sedoso y verde, mucho más desarrollado en el macho que en la hembra, y pies y pico amarillentos.

Queule. (Del arauc. *queul*, una fruta.) m. *Chile.* **Mirobálano.**

Quevedesco, ca. adj. Propio o característico de Quevedo. || **2.** Que tiene semejanza o relación con las obras de este escritor.

Quevedos. (Porque con esta clase de anteojos está retratado *Quevedo.*) m. pl. Lentes de forma circular con armadura a propósito para que se sujete en la nariz.

Qui. (Del lat. *qui.*) pron. relat. ant. **Quien.**

¡Quia! interj. fam. con que se denota incredulidad o negación.

Quiaca. (Voz araucana.) f. *Chile.* Árbol de tres a seis metros de alto, ramas largas y flexibles, hojas sencillas, oblongas, lanceoladas y aserradas; flores pequeñas, blancas y dispuestas en corimbo terminal compuesto.

Quianti. (En ital. *Chianti*, n. p.) m. Vino común, pero muy estimado, que se elabora en la Toscana.

Quibey. (Voz caribe.) m. Planta de las Antillas, herbácea, anual, de la familia de las lobeliáceas, con tallos tiernos y ramosos de cuatro a seis decímetros de altura; hojas estrechas, agudas y espinosas; flores blancas en embudo, con los labios dentados, y fruto seco con dos celdillas para la simiente. Su jugo es lechoso, acre y cáustico.

Quicial. (De *quicio.*) m. Madero que asegura y afirma las puertas y ventanas por medio de pernios y bisagras, para que revolviéndose se abran y cierren. || **2. Quicio.**

Quicialera. f. **Quicial,** 1.a acep.

Quicio. m. Parte de las puertas o ventanas en que entra el espigón del quicial, y en que se mueve y revuelve. || **Fuera de quicio.** m. adv. fig. Fuera del orden o estado regular. || **Sacar de quicio** una cosa. fr. fig. Violentarla o sacarla de su natural curso o estado. || **Sacar de quicio a** uno. fr. fig. Exasperarle, hacerle perder el tino. || **Salir de su quicio,** o **de sus quicios,** una cosa. fr. fig. Exceder el orden o curso natural y arreglado.

Quiché. adj. Aplícase al indígena de Guatemala. Ú. t. c. s. || **2.** Se dice de la lengua que hablaba. Ú. t. c. s. || **3.** Perteneciente o relativo a estos indios y a su idioma.

Quichua. adj. **Quechua.**

Quid. (Del lat. *quid*, qué cosa.) m. Esencia, razón, porqué de una cosa. Ú. precedido del artículo *el*.

Quídam. (Del lat. *quidam*, uno, alguno.) m. fam. Sujeto a quien se designa indeterminadamente. || **2.** fam. Sujeto despreciable y de poco valer, cuyo nombre se ignora o se quiere omitir.

Quid divínum. expr. lat. con que se designa la inspiración propia del genio.

Quid pro quo. expr. lat. que ha pasado a nuestro idioma, y con la cual se da a entender que una cosa se substituye con otra equivalente. || **2.** m. Error que consiste en tomar a una persona o cosa por otra.

Quiebra. (De *quebrar*.) f. Rotura o abertura de una cosa por alguna parte. || **2.** Hendedura o abertura de la tierra en los montes, o la que causan las demasiadas lluvias en los valles. || **3.** Pérdida o menoscabo de una cosa. || **4.** *Com.* Acción y efecto de quebrar, 10.ª acep. || **5.** *For.* Juicio universal para liquidar y calificar la situación del comerciante quebrado. || **culpable.** *Com.* La que se ocasiona por imprudencia, desorden o lujo del comerciante. || **fortuita.** *Com.* La que es resultado de la adversidad en los negocios. || **fraudulenta.** *Com.* La que se produce con engaño, falsedad, propósito de insolvencia o alzamiento de bienes.

Quiebrahacha. (De *quebrar* y *hacha*.) m. **Jabí,** 2.° art.

Quiebro. (De *quebrar*.) m. Ademán que se hace con el cuerpo, como quebrándolo por la cintura. || **2.** *Mús.* Adorno que consiste en acompañar una nota de otras muy ligeras, que suelen ser de una hasta cuatro, y que, indicando aparente indecisión en la nota así afectada le dan, siendo oportunas, mucha dulzura y gracia. || **3.** *Taurom.* Lance o suerte con que el torero hurta el cuerpo, con rápido movimiento de la cintura, al embestirle el toro.

Quien. (Del lat. *quem*, acus. de *qui*.) pron. relat. que con esta sola forma conviene a los géneros masculino y femenino, y que en plural hace **quienes.** Refiérese a personas y cosas, pero más generalmente a las primeras. *Mi padre, a* QUIEN *respeto; el buen gobierno, por* QUIEN *florecen los Estados.* En singular puede referirse a un antecedente en plural. *Las personas de* QUIEN *he recibido favores.* No puede construirse con el artículo. || **2.** pron. indet. que sólo se refiere a personas y rara vez se usa en plural. Equivale a **la persona que;** QUIEN *así lo crea, se engaña.* Cuando se emplea repetido de una manera disyuntiva, equivale a **unos y otros.** QUIÉN *aconseja la retirada,* QUIÉN *morir peleando.* En este último caso y en sentido interrogativo o admirativo toma acentuación prosódica y ortográfica. ¿QUIÉN *ha venido*? Puede construirse entre dos verbos. *Dáselo a* QUIEN *quieras.*

Quienesquiera. pron. indet. p. us. Plural de **Quienquiera.**

Quienquier. pron. indet. p. us. Apócope de **Quienquiera.**

Quienquiera. (De *quien* y *quiera*, subj. de *querer*.) pron. indet. Persona indeterminada, alguno, sea el que fuere. Ú. antepuesto o pospuesto al verbo, y no se puede construir con el nombre.

Quier. (Apócope de *quiere*, de *querer*.) conj. distrib. ant. **Ya,** 6.ª acep.

Quietación. (Del lat. *quietatĭo, -ōnis*.) f. Acción y efecto de quietar o quietarse.

Quietador, ra. (Del lat. *quietātor*.) adj. Que quieta. Ú. t. c. s.

Quietamente. adv. m. Pacíficamente, con quietud y sosiego.

Quietar. (Del lat. *quietāre*.) tr. **Aquietar.** Ú. t. c. r.

Quiete. (Del lat. *quies, quiētis*, descanso.) f. Hora o tiempo que en algunas comunidades se da para recreación después de comer.

Quietismo. (De *quieto*). m. Inacción, quietud, inercia. || **2.** *Teol.* Doctrina de algunos místicos heterodoxos que hacen consistir la suma perfección del alma humana en el anonadamiento de la voluntad para unirse con Dios, en la contemplación pasiva y en la indiferencia de cuanto pueda sucederle en tal estado.

Quietista. adj. Partidario del quietismo. Apl. a pers., ú. t. c. s. || **2.** Perteneciente a él.

Quieto, ta. (Del lat. *quiētus*.) adj. Que no tiene o no hace movimiento. || **2.** fig. Pacífico, sosegado, sin turbación o alteración. || **3.** fig. No dado a los vicios, especialmente al de la lujuria.

Quietud. (Del lat. *quietūdo*.) f. Carencia de movimientos. || **2.** fig. Sosiego, reposo, descanso.

Quijada. (De *quejada*.) f. *Zool.* Cada una de las dos mandíbulas de los vertebrados que tienen dientes.

Quijal. (De *quijar*.) m. **Quijada.** || **2. Muela,** 3.ª acep.

Quijar. (Del lat. *capsarĭus;* de *capsa*, caja.) m. **Quijal.**

Quijarudo, da. (De *quijar*.) adj. Que tiene grandes y abultadas las quijadas.

Quijera. (Del lat. *capsarĭa;* de *capsa*, caja.) f. Hierro que guarnece el tablero o cureña de la ballesta. || **2.** Cada una de las dos correas de la cabezada del caballo, que van de la frontalera a la muserola. || **3.** *Carp.* Cada una de las dos ramas de la horquilla que se forma en el extremo de un madero al hacer una caja para que entre la garganta de otro.

Quijero. (Del lat. *capsarĭus;* de *capsa*, caja.) m. Lado en declive de la acequia o brazal.

Quijo. (Del lat. *capsum*.) m. Cuarzo que en los filones sirve regularmente de matriz al mineral de oro o plata. Es voz usada en América y principalmente en el Perú.

Quijones. m. Planta herbácea anual de la familia de las umbelíferas, con tallo erguido, delgado, de dos a tres decímetros de altura; hojas partidas en segmentos lineales, flores blancas y fruto seco, de semilla piramidal con un pico muy largo. Es aromática y abunda en España.

Quijongo. m. *C. Rica.* Instrumento músico de cuerda que usan los indios.

Quijotada. f. Acción propia de un quijote.

Quijote. (Del lat. *coxa*, cadera, muslo.) m. Pieza del arnés destinada a cubrir el muslo. || **2.** Parte superior de las ancas de las caballerías.

Quijote. (Por alusión a don *Quijote* de la Mancha.) m. fig. Hombre exageradamente grave y serio. || **2.** fig. Hombre nimiamente puntilloso. || **3.** fig. Hombre que pugna con las opiniones y los usos corrientes, por excesivo amor a lo ideal. || **4.** fig. Hombre que a todo trance quiere ser juez o defensor de cosas que no le atañen. En este caso suele ir precedido del **don.**

Quijotería. (De *quijote*, 2.° art.) f. Modo de proceder exageradamente grave y presuntuoso.

Quijotescamente. adv. m. Con quijotismo.

Quijotesco, ca. adj. Que obra con quijotería. || **2.** Que se ejecuta con quijotería.

Quijotil. adj. Perteneciente o relativo al *Quijote*.

Quijotismo. (De *quijote*, 2.° art.) m. Exageración en los sentimientos caballerosos. || **2.** Engreimiento, orgullo.

Quila. (Del arauc. *cula*, caña.) f. *Amér. Merid.* Especie de bambú, más fuerte y de usos más variados que el malayo. Se conocen varias especies, y sus ramas sirven para cercas, lanzas y usos domésticos; las hojas perennes son buen pasto para el ganado, y de las semillas se hacen sopa y otros guisos.

Quilatador. m. El que quilata el oro, la plata o las piedras preciosas.

Quilatar. (De *quilate*.) tr. **Aquilatar.**

Quilate. (Del ár. *qīrāṭ*, y éste del gr. κεράτιον, peso de cuatro granos.) m. Unidad de peso para las perlas y piedras preciosas, que equivale a un ciento cuarentavo de onza, o sea 205 miligramos. || **2.** Cada una de las veinticuatroavas partes en peso de oro puro que contiene cualquier aleación de este metal, y que a su vez se divide en cuatro granos. Así, se dice oro de veintidós **quilates** a la liga de once partes de oro y una de cobre. || **3.** Moneda antigua, del valor de medio dinero. || **4.** Pesa de un **quilate.** || **5.** V. **Dineral de quilates.** || **6.** fig. Grado de perfección en cualquier cosa no material. Ú. comúnmente en pl. || **Por quilates.** m. adv. fig. y fam. Menudamente, en pequeñísimas cantidades o porciones.

Quilatera. f. Instrumento con agujeros de diversos tamaños, que sirve para apreciar los quilates de las perlas.

Quili. Prefijo. **Kili.**

Quiliárea. f. **Kiliárea.**

Quilífero, ra. (De *quilo*, 1.er art., y el lat. *ferre*, llevar.) adj. *Zool.* Dícese de cada uno de los vasos linfáticos de los intestinos, que absorben el quilo durante la quilificación y lo conducen al canal torácico.

Quilificación. (De *quilificar*.) f. *Zool.* Acción y efecto de quilificar o quilificarse.

Quilificar. (De *quilo*, 1.er art., y el sufijo *ficar*, tomado del lat. *facĕre*, hacer.) tr. *Zool.* Convertir en quilo el alimento. Ú. m. c. r.

Quilma. f. En algunas partes, **costal,** 3.ª acep. || **Quilma de lino, no la lleves al molino.** ref.: porque pasa la harina entre los intersticios de la tela.

Quilmay. (Voz araucana.) m. *Chile.* Planta trepadora, de la familia de las apocináceas, que se distingue por sus lindas flores, comúnmente blancas, y sus hojas grandes, aovadas, de un verde subido y lustrosas por encima, como la camelia; su tallo está cubierto de un vello blanquecino y su raíz es medicinal.

Quilo. (Del lat. *chylon*, y éste del gr. χυλός, jugo.) m. Linfa de aspecto lechoso por la gran cantidad de grasa que acarrea, y que circula por los vasos linfáticos intestinales durante la digestión. || **Sudar uno el quilo.** fr. fig. y fam. Trabajar con gran fatiga y desvelo.

Quilo. m. **Kilo.**

Quilo. (Del arauc. *quelu*, colorado.) m. *Chile.* Arbusto de la familia de las poligonáceas, lampiño, de ramos flexuosos y trepadores, hojas oblongas algo asaeteadas, flores axilares o aglomeradas en racimo, y fruto azucarado, comestible, del cual se hace una chicha. La gente del campo emplea las raíces como medicamento. || **2.** *Chile.* Fruto de este arbusto.

Quilográmetro. m. **Kilográmetro.**

Quilogramo. m. **Kilogramo.**

Quilolitro. m. **Kilolitro.**
Quilombo. m. *Venez.* Choza, cabaña campestre. || **2.** *Chile* y *R. de la Plata.* **Lupanar.**
Quilométrico, ca. adj. **Kilométrico.**
Quilómetro. m. **Kilómetro.**
Quiloso, sa. adj. Que tiene quilo o participa de él.
Quilquil. (Del arauc. *culcul*, mata.) m. *Chile.* Helecho arbóreo de la familia de las polipodiáceas; su tronco tiene a veces un metro de alto y sus ramas casi otro tanto. El rizoma de esta planta sirve de alimento a los indios en tiempos de escasez.
Quiltro. m. *Chile.* **Perro gozque.**
Quilla. (Del fr. *quille*, y éste del germ. *kiel*.) f. Pieza de madera o hierro, que va de popa a proa por la parte inferior del barco y en que se asienta toda su armazón. || **2.** Parte saliente y afilada del esternón de las aves, más desarrollada en las de vuelo vigoroso y sostenido. || **3.** *Zool.* Cada una de las partes salientes y afiladas que tiene la cola de algunos peces, como el marrajo. || **Dar de quilla, o la quilla.** fr. *Mar.* Inclinar o escorar un barco halando desde otro o desde tierra, de aparejos dados a la cabeza de sus palos, para descubrir bien todo el costado hasta la **quilla** y poderlo limpiar o componer.
Quillango. m. *Argent.* Manta formada de pieles cosidas que usan los indios para abrigo del cuerpo y en la cama.
Quillay. (Del arauc. *cúllay*, cierto árbol.) m. *Argent.* y *Chile.* Árbol de la familia de las rosáceas, de gran tamaño, madera útil y cuya corteza interior se usa como jabón para lavar telas y la cabeza de las personas. Su tronco es alto, derecho y cubierto de corteza gruesa y cenicienta; muy frondoso, con hojas menudas, coriáceas, elípticas, obtusas, algo dentadas, lampiñas y cortamente pecioladas; sus flores tienen pétalos blanquecinos y cáliz tomentoso por de fuera, y su fruto es un folículo tomentoso.
Quillotra. (De *quillotro*.) f. fam. Amiga, manceba.
Quillotrador, ra. adj. fam. Que quillotra.
Quillotranza. (De *quillotrar*.) f. fam. Trance, conflicto, amargura.
Quillotrar. (De *quillotro*.) tr. fam. Excitar, estimular, avivar. || **2.** fam. **Enamorar.** Ú. t. c. r. || **3.** fam. **Cautivar,** 2.ª acep. || **4.** fam. Meditar, pensar, estudiar. discurrir. || **5.** fam. Componer, engalanar. Ú. t. c. r. || **6.** r. fam. Quejarse, lamentarse.
Quillotro. (De *aquello otro*.) m. Voz rústica con que se daba a entender aquello que no se sabía o no se acertaba a expresar de otro modo. || **2.** fam. Excitación, incentivo, estímulo. || **3.** fam. Indicio, síntoma, señal. || **4.** fam. Amorío, enamoramiento. || **5.** fam. Devaneo, quebradero de cabeza. || **6.** fam. Requiebro, galantería. || **7.** fam. Adorno, gala. || **8.** fam. Amigo, favorito.
Quima. f. *Ast.* y *Sant.* Rama de un árbol.
Quimbombó. m. *Cuba.* **Quingombó.**
Quimera. (Del lat. *chimaera*, y éste del gr. χίμαιρα, animal fabuloso.) f. Monstruo imaginario que, según la fábula, vomitaba llamas y tenía cabeza de león, vientre de cabra y cola de dragón. || **2.** fig. Lo que se propone a la imaginación como posible o verdadero, no siéndolo. || **3.** fig. Pendencia, riña o contienda.
Quimerear. tr. p. us. Promover quimeras, 3.ª acep.
Quimérico, ca. (De *quimera*.) adj. Fabuloso, fingido o imaginado sin fundamento.
Quimerino, na. adj. **Quimérico.**
Quimerista. (De *quimera*.) adj. Amigo de ficciones y de cosas quiméricas. Ú. t. c. s. || **2.** Aplícase a la persona que mueve riñas o pendencias. Ú. t. c. s.
Quimerizar. intr. Fingir quimeras, 2.ª acep.
Quimia. (Del gr. χυμεία, mezcla de muchos jugos.) f. ant. **Química.**
Química. (Del gr. χυμική, t. f. de -κός, químico.) f. Ciencia que estudia las transformaciones conjuntas de la materia y de la energía. || **biológica.** La de los seres vivos. || **inorgánica.** La **química** de los cuerpos simples y de los compuestos no carburados. || **mineral.** Dícese de la inorgánica. || **orgánica.** La de los compuestos carburados.
Químicamente. adv. m. Según las reglas de la química.
Químico, ca. (Del gr. χυμικός; de χυμός, jugo.) adj. Perteneciente a la química. || **2.** V. **Ingeniero químico.** || **3.** Por contraposición a físico, concerniente a la composición de los cuerpos. || **4.** m. El que profesa la química.
Quimificación. f. *Zool.* Acción y efecto de quimificar o quimificarse.
Quimificar. (De *quimo* y el sufijo *ficar*, a semejanza de *clarificar*.) tr. *Zool.* Convertir en quimo el alimento. Ú. m. c. r.
Quimioterapia. f. Método curativo o profiláctico de las enfermedades infecciosas por medio de productos químicos desinfectantes o paralizadores de los microbios.
Quimista. m. **Alquimista.**
Quimo. (Del lat. *chymus*, y éste del gr. χυμός, jugo.) m. Pasta homogénea y agria, variable según los casos, en que los alimentos se transforman en el estómago por la digestión.
Quimón. (Del japonés *quimono*.) m. Tela de algodón, que tiene unos seis metros y medio de largo por pieza, y cada una hace un corte de bata; es tela muy fina, estampada y pintada, y las mejores se fabrican en el Japón.
Quimono. m. Túnica japonesa o hecha a su semejanza, que usan las mujeres.
Quimosina. f. *Quím.* **Cuajo,** 1.ª acep.
Quina. (Del lat. *quina*, neutro de *quini*, cada cinco.) f. **Quinterna.** || **2.** pl. Armas de Portugal, que son cinco escudos azules puestos en cruz, y en cada escudo cinco dineros en aspa. || **3.** En el juego de las tablas reales y otros que se juegan con dados, dos cincos cuando salen en una tirada. || **4.** *Germ.* Los dineros.
Quina. (De *quinaquina*.) f. Corteza del quino, de aspecto variable según la especie de árbol de que procede, muy usada en medicina por sus propiedades febrífugas. La hay gris, roja y amarilla, y esta última es la más estimada. || **2.** Líquido confeccionado con la corteza de dicho árbol y otras substancias, que se toma como medicina. || **de la tierra.** *Cuba.* **Aguedita.** || **de Loja. Quina** gris.
Quina. (Del ár. *qinna*.) f. ant. **Gálbano.**
Quinado, da. adj. Dícese del vino u otro líquido que se prepara con quina y se usa como medicamento.
Quinal. (Del b. lat. *quinale*, y éste del lat. *quini*, de cinco en cinco.) m. *Mar.* Cabo grueso que en malos tiempos se encapilla en la cabeza de los palos para ayudar a los obenques.
Quinao. (Del lat. *quin autem*, mas en contra.) m. Enmienda concluyente que al error de su contrario hace el que argumenta.
Quinaquina. (Del quichua *quinaquina*, corteza.) f. **Quina,** 2.° art., 1.ª acep.
Quinario. (Del lat. *quinarius*.) adj. Compuesto de cinco elementos, unidades o guarismos. Ú. t. c. s. m. || **2.** m. Moneda romana de plata, que valía cinco ases o medio denario. || **3.** Espacio de cinco días que se dedican a la devoción y culto de Dios o de sus santos.
Quincalla. (Del fr. *quincaille*, y éste del neerl. *klinken*, sonar.) f. Conjunto de objetos de metal, generalmente de escaso valor; como tijeras, dedales, imitaciones de joyas, etc.
Quincallería. (De *quincallero*.) f. Fábrica de quincalla. || **2.** Tienda o lugar donde se vende. || **3.** Comercio de quincalla.
Quincallero, ra. m. y f. Persona que fabrica o vende quincalla.
Quince. (Del lat. *quindĕcim*; de *quinque*, cinco, y *decem*, diez.) adj. Diez y cinco. || **2. Decimoquinto.** *Número* QUINCE; *año* QUINCE. Apl. a los días del mes, ú. t. c. s. *El* QUINCE *de enero.* || **3.** m. Conjunto de signos o cifras con que se representa el número **quince.** || **4.** Juego de naipes, cuyo fin es hacer **quince** puntos con las cartas que se reparten una a una, y si no se hacen, gana el que tiene más puntos sin pasar de los **quince.** || **5.** En el juego de pelota a largo, cada uno de los dos primeros lances y tantos que se ganan. || **A las quince.** loc. V. **Correo a las quince.**
Quincena. (De *quinceno*.) f. Espacio de quince días. || **2.** Paga que se recibe cada quince días. || **3.** Acertijo cuyo objeto puede ser un personaje, una cosa o un suceso cualquiera, y que se ha de adivinar haciendo, según ciertas reglas, a quien le propone, quince preguntas a lo más. || **4.** Detención gubernativa durante quince días. || **5.** *Mús.* Intervalo que comprende las quince notas sucesivas de dos octavas. || **6.** *Mús.* Registro de trompetería en el órgano, que corresponde a este intervalo.
Quincenal. adj. Que sucede o se repite cada quincena. || **2.** Que dura una quincena.
Quincenario, ria. adj. **Quincenal.** || **2.** m. y f. Persona que sufre en la cárcel una o más quincenas.
Quinceno, na. (De *quince*.) adj. **Decimoquinto.** || **2.** m. y f. Muleto o muleta de quince meses.
Quincineta. f. **Ave fría.**
Quincuagena. (Del lat. *quinquagēna*, neutro de *-ni*, cincuenta.) f. Conjunto de cincuenta cosas de una misma especie.
Quincuagenario, ria. (Del lat. *quinquagenarius*.) adj. Que consta de cincuenta unidades. || **2. Cincuentón.** Ú. t. c. s.
Quincuagésima. (Del lat. *quinquagesĭma*, t. f. de *-mus*, quincuagésimo, por ser el quincuagésimo día antes de la Pascua de Resurrección.) f. Domínica que precede a la primera de cuaresma.
Quincuagésimo, ma. (Del lat. *quinquagesĭmus*.) adj. Que sigue inmediatamente en orden al o a lo cuadragésimo nono. || **2.** Dícese de cada una de las cincuenta partes iguales en que se divide un todo. Ú. t. c. s.
Quincha. (Voz quichua.) f. *Amér. Merid.* Tejido o trama de junco con que se afianza un techo o pared de paja, totora, cañas, etc. || **2.** *Chile.* Pared hecha de cañas, varillas u otra materia semejante, que suele recubrirse de barro y se emplea en cercas, chozas, corrales, etc.
Quinchamalí. (Voz araucana.) m. *Chile.* Planta medicinal, de la familia de las santaláceas, de que hay varias especies, anuales, lampiñas, con hojas lineares y flores amarillas, terminales, dispuestas en espigas cortas y apretadas. Los campesinos beben, para curar contusiones y postemas, el jugo cocido o simplemente exprimido de sus flores.
Quinchar. tr. *Amér. Merid.* Cubrir o cercar con quinchas.
Quinchihue. m. *Amér. Merid.* Planta anual, de color verde claro, pelada, olorosa, con hojas opuestas, cabezuelas numerosas, pequeñas, cilíndricas, dispuestas en corimbos terminales, y flores amarillas. Es también medicinal.

Quinchoncho. m. *Bot.* Arbusto de la familia de las papilionáceas, procedente de la India y cultivado en América, con hojas compuestas de tres hojuelas, estípulas lanceoladas, flores purpúreas y vaina linear con dos o tres semillas comestibles.

Quindécimo, ma. (Del lat. *quindecĭmus*, decimoquinto.) adj. **Quinzavo.** Ú. t. c. s.

Quindenial. adj. Que sucede o se repite cada quindenio. || **2.** Que dura un quindenio.

Quindenio. (Del lat. *quindecennĭum*, de *quindĕcim*, quince, y *annus*, año.) m. Espacio de quince años. || **2.** Cantidad que se pagaba a Roma de las rentas eclesiásticas, agregadas por el pontífice a comunidades o manos muertas.

Quinete. (Del fr. *quinette*.) m. Estameña ordinaria que venía de Amiéns y del Mans.

Quinfa. f. *Colomb.* Sandalia, calzado de los campesinos.

Quingentésimo, ma. (Del lat. *quingentesĭmus*.) adj. Que sigue inmediatamente en orden al o a lo cuadringentésimo nonagésimo nono. || **2.** Dícese de cada una de las 500 partes iguales en que se divide un todo. Ú. t. c. s.

Quingombó. m. Planta herbácea originaria de África y cultivada en América, de la familia de las malváceas, de tallo recto y velludo, hojas grandes y flores amarillas, parecidas a las del algodonero, y fruto alargado, casi cilíndrico y lleno de semillas que al madurar toman un color obscuro. El fruto tierno se emplea en algunos guisos, dando una especie de gelatina que los espesa, y también en medicina. La planta, que es filamentosa, se emplea como textil.

Quingos. m. *Amér.* **Zigzag.**

Quinientista. adj. Perteneciente o relativo al siglo XVI.

Quinientos, tas. (Del lat. *quingenti*.) adj. Cinco veces ciento. || **2. Quingentésimo,** 1.ª acep. *Número* QUINIENTOS; *año* QUINIENTOS. || **3.** m. Signo o conjunto de signos o cifras con que se representa el número **quinientos.** || **Ésos son otros quinientos.** expr. fig. y fam. con que se explica que uno hace o dice otro despropósito sobre el que ya ha hecho o dicho.

Quinina. f. Alcaloide vegetal que se extrae de la quina y es en sumo grado el principio activo febrífugo de este medicamento. Es substancia blanca, amorfa, sin olor, muy amarga y poco soluble, por lo cual rara vez se emplea pura en medicina, pero mucho sus sales.

Quinismo. (De *quina*) m. *Med.* Conjunto de fenómenos generales que produce en el organismo el uso o abuso de la quinina.

Quino. m. Árbol americano de que hay varias especies, pertenecientes a la familia de las rubiáceas, con hojas opuestas, ovales, más o menos grandes y apuntadas, enteras, lisas en la haz y algo vellosas en el envés, y fruto seco, capsular, con muchas semillas elipsoidales. Su corteza es la quina. || **2.** Zumo concreto, que se extrae de varios vegetales, muy usado como astringente. || **3. Quina,** 2.° art., 1.ª acep.

Quínola. f. En cierto juego de naipes, lance principal, que consiste en reunir cuatro cartas de un palo, ganando, cuando hay más de un jugador que tenga **quínola,** aquella que suma más puntos, atendiendo al valor de las cartas. || **2.** fam. Rareza, extravagancia. || **3.** pl. Juego de naipes cuyo lance principal es la **quínola.** || **Estar de quínolas.** fr. fig. y fam. Juntarse especies o colores distintos. || **2.** fig. y fam. Estar vestido de diversos colores.

Quinolear. tr. Disponer la baraja para el juego de las quínolas.

Quinolillas. (d. de *quínolas*.) f. pl. **Quínolas.**

Quinqué. (Del fr. *Quinquet*, nombre del primer fabricante de esta clase de lámparas.) m. Especie de lámpara con tubo de cristal, y generalmente con bomba o pantalla.

Quinquefolio. (Del lat. *quinquefolĭum*; de *quinque*, cinco, y *folĭum*, hoja.) m. **Cincoenrama.**

Quinquelingüe. adj. Que habla cinco lenguas. || **2.** Escrito en cinco idiomas, como la Biblia impresa por Plantín.

Quinquenal. (Del lat. *quinquennālis*.) adj. Que sucede o se repite cada quinquenio. || **2.** Que dura un quinquenio.

Quinquenervia. (Del lat. *quinque*, cinco, y *nervus*, nervio.) f. **Lancéola.**

Quinquenio. (Del lat. *quinquennĭum*; de *quinque*, cinco, y *annus*, año.) m. Tiempo de cinco años.

Quinquillería. f. **Quincallería.**

Quinquillero. m. **Quincallero.**

Quinquina. f. **Quina,** 2.° art.

Quinta. (Del lat. *quinta*, t. f. de *-tus*, quinto.) f. Casa de recreo en el campo, cuyos colonos solían pagar por renta la quinta parte de los frutos. || **2.** Acción y efecto de quintar. || **3.** En el juego de los cientos, cinco cartas de un palo, seguidas en orden. Si empiezan desde el as, se llama mayor, y si desde el rey, real, y así las demás, tomando el nombre de la principal carta por donde empiezan. || **4.** Reemplazo anual para el ejército. || **5.** *Mús.* Intervalo que consta de tres tonos y un semitono mayor. || **6.** pl. Operaciones o actos administrativos del reclutamiento. || **Quinta remisa.** *Mús.* Nota que sigue inmediatamente a la cuarta. || **Entrar en quintas.** fr. En el servicio militar, llegar a los veinte años, edad en que se sortean los que han de ser soldados.

Quintador, ra. adj. Que quinta. Ú. t. c. s.

Quintaesencia. f. Refinamiento, última esencia o extracto de alguna cosa.

Quintaesenciar. tr. Refinar, apurar, alambicar.

Quintal. (Del ár. *qinṭār*.) m. Peso de cien libras, o sea de 4 arrobas, equivalente en Castilla a 46 kilogramos. || **2.** Pesa de cien libras, o sea de 4 arrobas. || **métrico.** Peso de cien kilogramos.

Quintalada. (De *quintal*.) f. Cantidad que del importe de los fletes, después de sacar el daño de averías, resultaba del dos y medio por ciento del producto líquido, para repartirla a la gente de mar que más había trabajado y servido en el viaje.

Quintaleño, ña. adj. Capaz de un quintal o que lo contiene.

Quintalero, ra. adj. Que tiene el peso de un quintal.

Quintana. (Del lat. *quintana*.) f. **Quinta,** 1.ª acep. || **2.** Una de las puertas, vías o plazas de los campamentos romanos, donde se vendían víveres.

Quintante. (De *quinto*.) m. Instrumento astronómico para las observaciones marítimas, que consiste en un sector de círculo, graduado, de 72 grados, o sea la quinta parte del total, provisto de dos reflectores y un anteojo.

Quintañón, na. (De *quintal*, por alusión a las cien libras de que se compone.) adj. fam. **Centenario,** 2.ª acep. Ú. t. c. s.

Quintar. (De *quinto*.) tr. Sacar por suerte uno de cada cinco. || **2.** Sacar por suerte los nombres de los que han de servir en la tropa en clase de soldados. || **3.** Pagar al rey el derecho llamado quinto. || **4.** Dar la quinta y última vuelta de arado a las tierras para sembrarlas. || **5.** intr. Llegar al número de cinco. Dícese regularmente de la Luna cuando llega al quinto día. || **6.** Pujar la quinta parte en los remates de arrendamientos o compras.

Quintería. (De *quintero*.) f. Casa de campo o cortijo para labor.

Quinterna. f. **Quinterno,** 2.ª acep.

Quinterno. (De *quinto*.) m. Cuaderno de cinco pliegos. || **2.** Suerte o acierto de cinco números en el juego de la lotería primitiva o en el de la de cartones.

Quintero. m. El que tiene arrendada una quinta, o labra y cultiva las heredades que pertenecen a la misma. || **2.** Mozo o criado de labrador, que por su jornal o salario ara y cultiva la tierra.

Quinteto. (Del ital. *quintetto*.) m. Combinación métrica de cinco versos de arte mayor aconsonantados y ordenados como los de la quintilla. || **2.** *Mús.* Composición a cinco voces o instrumentos. || **3.** *Mús.* Conjunto de estas voces o instrumentos, o de los cantantes o instrumentistas.

Quintil. (Del lat. *quintīlis*.) m. Quinto mes del año en el primitivo calendario romano.

Quintilla. (De *quinta*.) f. Combinación métrica de cinco versos octosílabos, con dos diferentes consonancias, y ordenados generalmente de modo que no vayan juntos los tres a que corresponde una de ellas, ni los dos últimos sean pareados. || **2.** Combinación de cinco versos de cualquiera medida con dos distintas consonancias. || **Andar,** o **ponerse,** uno **en quintillas con** otro. fr. fig. y fam. Oponérsele, porfiando y contendiendo con él.

Quintillo. (d. de *quinto*.) m. Juego del hombre, con algunas modificaciones cuando se juega entre cinco.

Quintín. m. Tela de hilo muy fina y rala que se fabricaba en Quintín, ciudad de Bretaña.

Quintín (San). n. p. **Armarse,** o **haber, la de San Quintín.** fr. fig. Haber gran pendencia entre dos o más personas. Dícese aludiendo a la batalla de este nombre.

Quinto, ta. (Del lat. *quintus*.) adj. Que sigue inmediatamente en orden al o a lo cuarto. || **2.** Dícese de cada una de las cinco partes iguales en que se divide un todo. Ú. t. c. s. || **3.** V. **Quinta esencia.** || **4.** m. Aquel a quien toca por suerte ser soldado y mientras recibe la instrucción militar. || **5.** Derecho de 20 por 100. || **6.** Cierta especie de derecho que se pagaba al rey, de las presas, tesoros y otras cosas semejantes, que siempre era la **quinta** parte de lo hallado, descubierto o aprehendido. || **7.** Parte de dehesa o tierra, aunque no sea la **quinta.** || **8.** *For.* **Quinta** parte de la herencia, que, aun teniendo hijos, podía el testador legar libremente, según la legislación anterior al código civil. || **9.** *Mar.* Cada una de las cinco partes en que dividían los marineros la hora para sus cómputos.

Quintral. (Del arauc. *cauthal*.) m. *Chile.* Muérdago de flores rojas, de cuyo fruto se extrae liga, y sirve para teñir. || **2.** *Chile.* Cierta enfermedad que sufren las sandías y porotos.

Quintuplicación. f. Acción y efecto de quintuplicar o quintuplicarse.

Quintuplicar. (Del lat. *quintuplicāre*.) tr. Hacer cinco veces mayor una cantidad. Ú. t. c. r.

Quíntuplo, pla. (Del lat. *quintŭplus*.) adj. Que contiene un número cinco veces exactamente. Ú. t. c. s. m.

Quinua. (Voz quichua.) f. *Bot. Amér. Merid.* Planta anual, de la familia de las quenopodiáceas, de hojas triangulares y racimos paniculares compuestos. Las hojas tiernas se comen como espinaca, y la semilla, muy abundante y menuda como arroz, se usa en la sopa y sirve para hacer una bebida.

Quinzal. m. Madero en rollo, de 15 pies de largo del marco de Valladolid.

Quinzavo, va. (De *quince* y *avo*.) adj. *Arit.* Dícese de cada una de las quince partes iguales en que se divide un todo. Ú. t. c. s.

Quiñón. (Del lat. *quinio, -ōnis.*) m. Parte que uno tiene con otros en una cosa productiva. Dícese regularmente de las tierras que se reparten para sembrar. ‖ **2.** Porción de tierra de cultivo, de dimensión variable según los usos locales. ‖ **3.** Medida agraria usada en Filipinas, igual a 10 balitas y a 360.000 pies cuadrados. Su equivalencia métrica, 2 hectáreas, 79 áreas y 50 centiáreas.

Quiñonero. m. Dueño de un quiñón.

Quío. n. p. V. **Trementina de Quío.**

Quío, a. (Del lat. *chius*, y éste del gr. Χῖος.) adj. Natural de Quío. Ú. t. c. s. ‖ **2.** Perteneciente a esta isla del Archipiélago.

Quiosco. (Del ár. *kušk*, en persa *kūšk*, palacio, pabellón.) m. Templete o pabellón de estilo oriental y generalmente abierto por todos lados, que se construye en azoteas, jardines, etc., para descansar, tomar el fresco, recrear la vista y otros usos. ‖ **2.** Pabellón o edificio pequeño y generalmente circular u ochavado, que se construye en plazas u otros parajes públicos, para vender periódicos, fósforos, flores y otros artículos de poco precio. ‖ **de necesidad.** Retrete público.

Quipo. (Del quichua *quipu*, nudo.) m. Cada uno de los ramales de cuerdas anudados, con diversos nudos y varios colores, con que los indios del Perú suplían la falta de escritura y daban razón, así de las historias y noticias, como de las cuentas en que es necesario usar de guarismos. Ú. m. en pl.

Quique. (Del arauc. *quiqui.*) m. *Amér. Merid.* Especie de comadreja.

Quiquiriquí. m. Voz imitativa del canto del gallo. ‖ **2.** fig. y fam. Persona que quiere sobresalir y gallear.

Quiragra. (Del lat. *chiragra*, y éste del gr. χειράγρα; de χείρ, mano, y ἄγρα, presa.) f. Gota de las manos.

Quirate. (Del m. or. que *quilate.*) m. *Numism.* Moneda de plata usada por los almorávides españoles.

Quirguiz. (Del turco *Kirgiz.*) adj. Aplícase a los individuos de un pueblo de raza tártara que vive entre el Ural y el Irtich.

Quirie. m. **Kirie.**

Quirigalla. f. **Cabra.**

Quirinal. (Del lat. *quirinālis.*) adj. Perteneciente a Quirino o Rómulo, o a uno de los siete montes de la antigua Roma. ‖ **2.** Por contraposición a Vaticano, el Estado italiano. ‖ **3.** V. **Flamen quirinal.**

Quiritario, ria. (De *quirite.*) adj. Perteneciente o relativo a los quirites.

Quirite. (Del lat. *quirītes.*) m. Ciudadano de la antigua Roma.

Quirófano. (Del gr. χείρ, mano, y φαίνω, mostrar.) m. Local convenientemente acondicionado para hacer operaciones quirúrgicas de manera que puedan presenciarse al través de una separación de cristal. Por ext., se da hoy este nombre a cualquiera sala de operaciones.

Quirografario, ria. (De *quirógrafo.*) adj. Relativo al quirógrafo, o en esta forma acreditado. *Crédito* QUIROGRAFARIO.

Quirógrafo, fa. (Del gr. χείρ, mano, y γράφω, dibujar.) adj. Relativo al documento concerniente a la obligación contractual que no está autorizado por notario ni lleva otro signo oficial o público. Ú. m. c. s.

Quiromancia [~ **mancía**]. (Del gr. χειρομαντεία; de χείρ, mano, y μαντεία, adivinación.) f. Adivinación vana y supersticiosa por las rayas de las manos.

Quiromántico, ca. adj. Perteneciente o relativo a la quiromancia. ‖ **2.** m. y f. Persona que la profesa.

Quiróptero. (Del gr. χείρ, mano, y πτερόν, ala.) adj. *Zool.* Dícese de mamíferos, crepusculares o nocturnos, casi todos insectívoros, que vuelan con alas formadas por una extensa y delgada membrana o repliegue cutáneo, que, partiendo de los lados del cuerpo, se extiende sobre cuatro de los dedos de las extremidades anteriores, que son larguísimos, y llega a englobar los miembros posteriores y la cola, cuando ésta existe; como el murciélago. Ú. t. c. s. ‖ **2.** m. pl. *Zool.* Orden de estos animales.

Quiroteca. (Del lat. *chirothēca*, y éste del gr. χειροθήκη; de χείρ, mano, y θήκη, estuche, bolsa,) f. **Guante,** 1.ª acep.

Quirquincho. (Del quichua *qquirquinchu*, armadillo.) m. *Amér. Merid.* Mamífero, especie de armadillo, de cuyo carapacho se sirven los indios para hacer charangos.

Quirúrgico, ca. (Del lat. *chirurgĭcus*, y éste del gr. χειρουργικός.) adj. Perteneciente o relativo a la cirugía.

Quirurgo. (Del lat. *chirurgus*, y éste del gr. χειρουργός; de χείρ, mano, y ἔργον, obra.) m. **Cirujano.**

Quisa. f. *Méj.* Especie de pimienta. ‖ **2.** *Bol.* Plátano maduro, pelado y tostado.

Quisca. (Del quichua *quichca*, espina.) f. *Chile.* **Quisco.** ‖ **2.** Cada una de las espinas de este árbol. Son tan duras y largas, que los naturales las emplean como agujas de calceta y palillos para otros tejidos.

Quisco. (De *quisca.*) m. *Chile.* Especie de cacto espinoso que crece en forma de cirio cubierto de espinas, que alcanzan más de 30 centímetros de largo.

Quisicosa. (De *cosicosa.*) f. fam. Enigma u objeto de pregunta muy dudosa y difícil de averiguar.

Quisque. (Del lat. *quisque*, cada uno.) V. **Cada quisque.**

Quisquilla. (Del lat. *quisquiliae*, menudencias.) f. Reparo o dificultad de poco momento. ‖ **2. Camarón,** 1.ª acep.

Quisquilloso, sa. adj. Que se para en quisquillas, 1.ª acep. Ú. t. c. s. ‖ **2.** Demasiado delicado en el trato común. Ú. t. c. s. ‖ **3.** Fácil de agraviarse u ofenderse con pequeña causa o pretexto. Ú. t. c. s.

Quistarse. (De *quisto.*) r. Hacerse querer, o llevarse bien con los demás.

Quiste. m. *Cir.* Vejiga membranosa que se desarrolla anormalmente en diferentes regiones del cuerpo y que contiene humores o materias alteradas. ‖ **2.** *Biol.* Membrana resistente e impermeable que envuelve a un animal o vegetal de pequeño tamaño, a veces microscópico, manteniéndolo completamente aislado del medio. ‖ **3.** *Biol.* Cuerpo formado por una membrana resistente e impermeable y el pequeño animal o vegetal encerrado en ella.

Quistión. f. p. us. **Cuestión.**

Quisto, ta. (Del lat. *quaesītus.*) p. p. irreg. ant. de **Querer.** Ú. comúnmente con los adverbios *bien* o *mal.*

Quita. (De *quitar.*) f. *For.* Remisión o liberación que de la deuda o parte de ella hace el acreedor al deudor. ‖ **Quita y espera.** loc. *For.* Petición que un deudor hace judicialmente a todos sus acreedores, bien para que éstos aminoren los créditos y aplacen el cobro, o bien para una u otra de ambas concesiones.

Quitación. (De *quitar.*) f. Renta, sueldo o salario. ‖ **2.** ant. V. **Carta de quitación.** ‖ **3.** *For.* **Quita.**

Quitador, ra. adj. Que quita. Ú. t. c. s. ‖ **2.** V. **Perro quitador.** Ú. t. c. s.

Quitaguas. (De *quitar* y *agua.*) m. **Paraguas.**

Quitaipón. (De la frase *quita y pon.*) m. **Quitapón.**

Quitamanchas. (De *quitar* y *mancha.*) com. Persona que tiene por oficio quitar las manchas de las ropas. ‖ **2.** m. Producto natural o preparado que sirve para quitar manchas.

Quitamente. adv. m. ant. Totalmente, enteramente.

Quitameriendas. (De *quitar* y *merienda*, por alusión al mal sabor de la planta.) f. *Bot.* Planta de la familia de las liliáceas, muy parecida al cólquico, del que se distingue por no estar soldadas entre sí las largas uñas de sus sépalos y pétalos.

Quitamiento. (De *quitar.*) m. **Quita.**

Quitamotas. com. fig. y fam. Persona lisonjera, aduladora, como que, de puro obsequiosa, anda quitando las motas de la ropa a otra persona.

Quitante. p. a. de **Quitar.** Que quita.

Quitanza. (De *quitar.*) f. Finiquito, liberación o carta de pago que se da al deudor cuando paga.

Quitapelillos. (De *quitar* y *pelillo.* com. fig. y fam. **Quitamotas.**

Quitapesares. (De *quitar* y *pesar*, 1.er art.) m. fam. Consuelo o alivio en la pena.

Quitapón. (De *quitaipón.*) m. Adorno, generalmente de lana de colores y con borlas, que suele ponerse en la testera de las cabezadas del ganado mular y de carga. ‖ **De quitapón.** loc. fam. **De quita y pon.**

Quitar. (Del lat. jurídico medieval *quitāre*, del lat. *quietāre*, como el fr. *quitter.*) tr. Tomar una cosa separándola y apartándola de otras, o del lugar o sitio en que estaba. ‖ **2. Desempeñar,** 1.ª acep. QUITAR *un censo.* ‖ **3. Hurtar.** ‖ **4.** Impedir o estorbar. *Ella me* QUITÓ *el ir a paseo.* ‖ **5.** Prohibir o vedar. QUITAR *el andar a deshora.* ‖ **6.** Derogar, abrogar una ley, sentencia, etc., o librar a uno de una pena, cargo o tributo. ‖ **7.** Suprimir un empleo u oficio. ‖ **8.** Obstar, impedir. *No* QUITA *lo cortés a lo valiente.* ‖ **9.** Despojar o privar de una cosa. QUITAR *la vida.* ‖ **10.** Libertar o desembarazar a uno de una obligación. ‖ **11.** *Esgr.* Defenderse de un tajo o apartar la espada del contrario en otro cualquier género de ida. ‖ **12.** r. Dejar una cosa o apartarse totalmente de ella. ‖ **13.** Irse, separarse de un lugar. ‖ **Al quitar.** m. adv. con que se significa la poca permanencia y duración de una cosa. ‖ **2.** *For.* V. **Censo al quitar.** ‖ **De quita y pon.** loc. que se aplica a ciertas piezas o partes de un objeto que están dispuestas para poderlas quitar y poner. ‖ **Quita,** o **quite, allá.** expr. fam. que se emplea para rechazar a una persona o reprobar por falso, desatinado o ilícito lo que dice o propone. ‖ **Quitarse de encima** a alguno o alguna cosa. fr. fig. Librarse de algún enemigo o de alguna importunidad o molestia. ‖ **Quita y pon.** loc. fam. Juego de dos cosas destinadas al mismo uso, generalmente prendas de vestir, cuando no se dispone de más repuesto. ‖ **Sin quitar ni poner.** loc. adv. Al pie de la letra; sin exageración ni omisión. ‖ **Vender al quitar.** fr. *For.* Enajenar una cosa con pacto de rescate o retroventa.

Quitasol. (De *quitar* y *sol.*) m. Especie de paraguas para resguardarse del sol.

Quitasolillo. m. *Cuba.* Planta umbelífera rastrera de la que hay varias especies. ‖ **2.** *Cuba.* Hongo comestible llamado también quitasol de brujas.

Quitasueño. m. fam. Lo que causa preocupación o desvelo.

Quite. m. Acción de quitar o estorbar. ‖ **2.** *Esgr.* Movimiento defensivo con que se detiene o evita el ofensivo. ‖ **3.** *Taurom.* Suerte que ejecuta un torero, generalmente con el capote, para librar a otro del peligro en que se halla por la acometida del toro. ‖ **Estar al quite, o a los quites.** fr. Estar preparado para acudir en defensa de alguno. ‖ **Ir al quite.** fr. fig. Acudir prontamente en defensa o auxilio de alguno, sobre todo en cosas de carácter moral. ‖ **No tener quite** una cosa. fr. fig. No tener remedio, o forma de evitarse, o ser muy difícil impugnarla o resolverla.

Quiteño, ña. adj. Natural de Quito. Ú. t. c. s. ‖ **2.** Perteneciente a esta ciudad de la república del Ecuador.

Quitina. (Del gr. χιτών, túnica.) f. *Quím.* Hidrato de carbono nitrogenado, de color blanco, insoluble en el agua y en los líquidos orgánicos. Se encuentra en el dermatoesqueleto de los artrópodos, al cual da su dureza especial, en la piel de los nematelmintos y en las membranas celulares de muchos hongos y bacterias.

Quitinoso, sa. adj. Que tiene quitina.

Quito, ta. (Del lat. jurídico medieval *quitus*, del lat. *quietus*, como el fr. *quitte.*) p. p. irreg. ant. de **Quitar.** ‖ **2.** adj. Libre, exento. ‖ **3.** m. ant. **Quita.** ‖ **4.** V. **Carta de quito.**

Quitón. (Del gr. χιτών, concha.) m. *Zool.* Molusco de la clase de los anfineuros, con concha formada de ocho piezas puestas en fila y cuyas especies son muy abundantes en las costas de España.

Quitrín. m. Carruaje abierto, de dos ruedas, con una sola fila de asientos y cubierta de fuelle, que se usó en varios países de América.

Quizá. (De *quizás.*) adv. de duda con que se denota la posibilidad de aquello que significa la proposición de que forma parte. QUIZÁ *llueva mañana;* QUIZÁ *sea verdad lo que dice;* QUIZÁ *trataron de engañarme.* ‖ **Quizá y sin quizá.** loc. que se emplea para dar por segura o por cierta una cosa.

Quizabes. (Del lat. *qui sapit*, quién sabe.) adv. de duda ant. **Quizá.**

Quizás. (De *quizabes.*) adv. de duda. **Quizá.**

Quórum. (Voz latina, genit. pl. del relativo *qui*, que.) m. Número de individuos necesario para que un cuerpo deliberante tome ciertos acuerdos.

R

R. f. Vigésima primera letra del abecedario español, y decimoséptima de sus consonantes. Su nombre generalmente es *erre;* pero se llama *ere* cuando se quiere hacer notar su sonido suave. Tiene dos sonidos: uno suave y otro fuerte; v. gr.: *ere* y *erre.* Para representar el suave empléase una sola **r**; como en *cara, piedra, amor.* El fuerte se expresa también con **r** sencilla a principio de vocablo y siempre que va después de *b* con que no forme sílaba, o de *l, n* o *s;* v. gr.: *rama, subrepticio, malrotar, enredo, israelita;* y signifícase con dos **rr** o **r** duplicada en cualquiera otro caso; v. gr.: *parroquia, tierra.* La **erre** expresada con dos **rr** es doble por su figura, pero simple por su sonido, y como la *ll,* debe estar indivisa en la escritura.

Raba. (En fr. *rabes* y *raves;* en al. *rogen,* huevos de los peces.) f. Cebo que emplean los pescadores, hecho con huevas de bacalao.

Rabada. (De *rabo.*) f. Cuarto trasero de las reses después de matarlas.

Rabadán. (Del ár. *rabb ad-da'n,* el dueño de los carneros.) m. Mayoral que cuida y gobierna todos los hatos de ganado de una cabaña, y manda a los zagales y pastores. ‖ **2.** Pastor que gobierna uno o más hatos de ganado, a las órdenes del mayoral de una cabaña.

Rabadilla. (d. de *rabada.*) f. Punta o extremidad del espinazo, formada por la última pieza del hueso sacro y por todas las del cóccix. ‖ **2.** En las aves, extremidad movible en donde están las plumas de la cola.

Rabal. m. **Arrabal.**

Rabalero, ra. adj. Habitante del barrio del Rabal de Zaragoza. Ú. t. c. s.

Rabanal. m. Terreno plantado de rábanos.

Rabanera. f. La que vende rábanos. ‖ **2.** fig. y fam. **Verdulera,** 2.ª acep.

Rabanero, ra. (De *rábano.*) adj. fig. y fam. Aplícase al vestido corto, especialmente de las mujeres. ‖ **2.** fig. y fam. Dícese de los ademanes y modo de hablar inmodestos y desvergonzados. ‖ **3.** m. El que vende rábanos.

Rabanete. m. d. de **Rábano.**

Rabanillo. m. d. de **Rábano.** ‖ **2.** Planta herbácea anual, de la familia de las crucíferas, de cuatro a seis decímetros de altura, con hojas radicales, ásperas y partidas en lóbulos desigualmente dentados; flores blancas o amarillas con venas casi negras; fruto seco en vainilla, con muchas simientes menudas, y raíz fusiforme de color blanco rojizo. Es hierba nociva y muy común en los sembrados. ‖ **3.** fig. Sabor del vino repuntado. ‖ **4.** fig. y fam. Desdén y esquivez del genio o natural, especialmente en el trato. ‖ **5.** fig. y fam. Deseo vehemente e inquieto de hacer una cosa.

Rabaniza. f. Simiente del rábano. ‖ **2.** Planta herbácea anual, de la familia de las crucíferas, con tallo ramoso de tres a cuatro decímetros de altura; hojas lanuginosas, radicales y partidas en lóbulos agudos, pequeños los laterales y muy grande el central; flores blancas, y fruto seco en vainilla ensiforme, con muchas semillas menudas. Es común en los terrenos incultos de España.

Rábano. (Del lat. *raphănus,* y éste del gr. ῥάφανος.) m. Planta herbácea anual, de la familia de las crucíferas, con tallo ramoso y velludo de seis a ocho decímetros de altura; hojas ásperas, grandes, partidas en lóbulos dentados las radicales y casi enteras las superiores; flores blancas, amarillas o purpurinas, en racimos terminales; fruto seco en vainilla estriada, con muchas semillas menudas, y raíz carnosa, casi redonda, o fusiforme, blanca, roja, amarillenta o negra, según las variedades, de sabor picante, y que suele comerse como entremés. Es planta originaria de la China y muy cultivada en las huertas. ‖ **2.** Raíz de esta planta. ‖ **3.** fig. **Rabanillo,** 3.ª acep. ‖ **silvestre. Rabanillo,** 2.ª acep. ‖ **Cuando pasan rábanos, comprarlos.** fr. proverb. con que se aconseja aprovechar las ocasiones cuando se vienen a la mano. ‖ **Rábanos y queso traen la corte en peso.** ref. con que se significa que se deben atender las cosas por pequeñas que sean. ‖ **Tomar uno el rábano por las hojas.** fr. fig. y fam. Equivocarse de medio a medio en la interpretación o ejecución de alguna cosa.

Rabárbaro. (Del lat. *rheubarbarum.*) m. **Ruibarbo.**

Rabasaire. (Del cat. *rabassa.*) adj. Se dice del que cultiva en Cataluña la tierra según el contrato de rabassa morta; y por extensión, aparcero, colono o arrendatario de un predio rústico ajeno en Cataluña. Ú. t. c. s.

Rabassa morta. f. En el derecho foral catalán, contrato parecido al de censo, en que el dueño del terreno lo cede, mediante renta, para plantación principalmente de viñas al cultivador que disfruta el predio durante la vida de las primeras plantas.

Rabazuz. (Del ár. *rubb as-sūs,* arrope del *sūs* o regaliz.) m. Extracto del jugo de la raíz del orozuz.

Rabear. intr. Menear el rabo hacia una parte y otra. ‖ **2.** *Mar.* Mover con exceso un buque su popa a uno y otro lado.

Rabel. (Del ár. *rabāb,* especie de viola.) m. Instrumento músico pastoril, pequeño, de hechura como la del laúd y compuesto de tres cuerdas solas, que se tocan con arco y tienen un sonido muy agudo. ‖ **2.** Instrumento músico que consiste en una caña y un bordón, entre los cuales se coloca una vejiga llena de aire. Se hace sonar la cuerda o bordón con un arco de cerdas, y sirve para juguete de los niños.

Rabel. (De *rabo.*) m. fig. y fest. Asentaderas o posaderas, especialmente las de los muchachos.

Rabelejo. m. d. de **Rabel,** 1.er art.

Rabeo. m. Acción y efecto de rabear.

Rabera. (De *rabo.*) f. Parte posterior de cualquier cosa. ‖ **2.** Zoquete de madera que se pone en los carros de labranza, con que se une y traba la tablazón de su asiento. ‖ **3.** Tablero de la ballesta, de la nuez abajo. ‖ **4.** Lo que queda sin apurar después de aventado y acribado el trigo y otras semillas.

Raberón. (De *rabera.*) m. Extremo superior del tronco de un árbol, que al hacer la labra se separa del resto por no tener las medidas del marco correspondiente.

Rabí. (Del hebr. *rabbī,* mi señor, mi maestro.) m. Título con que los judíos honran a los sabios de su ley, el cual confieren con varias ceremonias. ‖ **2. Rabino.**

Rabia. (Del lat. *rabies.*) f. Enfermedad que se produce en algunos animales y se transmite por mordedura a otros o al hombre, al inocularse el virus por la saliva o baba del animal rabioso. Se llama también hidrofobia, por el horror al agua y a los objetos brillantes, que constituye uno de los síntomas más característicos de la enfermedad. ‖ **2.** Roya que padecen los garbanzos y que suelen contraer cuando después de una lluvia o rociada, calienta fuertemente el sol. ‖ **3.** fig. Ira, enojo, enfado grande. ‖ **De rabia mató la perra.** expr. fig. y fam. alusiva al que no puede satisfacerse del que le agravió y se venga en lo primero que encuentra. ‖ **Tener rabia** a una persona. fr. fig. y fam. Tenerle odio o mala voluntad. || **Tomar rabia.** fr. Padecer este afecto. || **2.** fig. Airarse, enfadarse, irritarse.

Rabiacana. f. Arísaro.

Rabiar. (De *rabia.*) intr. Padecer o tener el mal de rabia. || **2.** fig. Padecer un vehemente dolor, que obliga a prorrumpir en quejidos o gritos. || **3.** fig. Construido con la preposición *por*, desear una cosa con vehemencia. || **4.** fig. Impacientarse o enojarse con muestras de cólera y enfado. || **5.** fig. Exceder en mucho a lo usual y ordinario. *Pica que* RABIA; RABIABA *de tonto.* || **A rabiar.** m. adv. Mucho; con exceso. || **Estar a rabiar** con uno. fr. fig. y fam. Estar muy enojado con él. || **Rabiar de verse juntos.** fr. fig. y fam. con que se encarece la oposición o desavenencia entre cosas o personas.

Rabiatar. tr. Atar por el rabo.

Rabiazorras. (De *rabiar* y *zorra.*) m. fam. **Solano,** 1.er art.

Rabicán. adj. Apócope de **Rabicano.**

Rabicano, na. (De *rabo* y *cano.*) adj. **Colicano.**

Rábico, ca. adj. Perteneciente o relativo a la enfermedad de la rabia.

Rabicorto, ta. adj. Dícese del animal que tiene corto el rabo. || **2.** fig. Aplícase a la persona que vistiendo faldas o ropas talares, las usa más cortas de lo regular.

Rábida. (Del ár. *rābiṭa*, ermita, convento de monjes guerreros.) f. En Marruecos, convento, ermita.

Rábido, da. (Del lat. *rabĭdus.*) adj. **Rabioso.**

Rabieta. f. d. de **Rabia.** || **2.** fig. y fam. Impaciencia, enfado o enojo grande, especialmente cuando se toma por leve motivo y dura poco.

Rabihorcado. (De *rabo* y *horcado.*) m. Ave del orden de las palmípedas, propia de los países tropicales, de tres metros de envergadura y unos próximamente de largo; cola ahorquillada, plumaje negro, algo pardo en la cabeza y cuello y blanquecino en el pecho; pico largo, fuerte y encorvado por la punta; buche grande y saliente, cuerpo pequeño, tarsos cortos y vestidos de plumas, y dedos gruesos, con uñas fuertes y encorvadas. Anida en las costas y se alimenta de peces, que coge volando a flor de agua.

Rabil. (De *rabo.*) m. *Ast.* Cigüeña o manubrio. || **2.** *Ast.* Molino que se mueve a brazo y sirve para quitar el cascabillo a la escanda.

Rabilar. tr. *Ast.* Quitar el cascabillo a la escanda por medio del rabil.

Rabilargo, ga. adj. Aplícase al animal que tiene largo el rabo. || **2.** fig. Dícese de la persona que trae las vestiduras tan largas, que le arrastran y parece que van barriendo el suelo. || **3.** m. Pájaro de unos cuatro decímetros de largo y cinco de envergadura, con plumaje negro brillante en la cabeza, azul claro en las alas y la cola, y leonado en el resto del cuerpo. Abunda en los encinares de España, y sus costumbres son muy parecidas a las de la urraca.

Rabillo. m. d. de **Rabo.** || **2. Pecíolo.** || **3. Pedúnculo.** || **4. Cizaña,** 1.a acep. || **5.** Mancha negra que se advierte en las puntas de los granos de los cereales cuando empiezan a estar atacados por el tizón. || **6.** Tira resistente de tela doble que por medio de una hebilla sirve para apretar o aflojar la cintura de los pantalones o chalecos. || **de conejo.** Planta anua de la familia de las gramíneas, cuya caña tiene unos 15 centímetros de alto y dos hojas con vaina vellosa y blanquecina; las flores forman una espiga aovada oblonga, muy vellosa, blanca o rojiza. || **Mirar con el rabillo del ojo, o de rabillo de ojo.** fr. fam. **Mirar a uno con el rabo del ojo, o de rabo de ojo.**

Rabínico, ca. adj. Perteneciente o relativo a los rabinos o a su lengua o doctrina.

Rabinismo. m. Doctrina que siguen y enseñan los rabinos.

Rabinista. com. Persona que sigue las doctrinas de los rabinos.

Rabino. (De *rabí.*) m. Maestro hebreo que interpreta la Sagrada Escritura.

Rabión. (Del lat. *rapidus.*) m. Corriente del río en los parajes donde por la estrechez o inclinación del cauce se hace muy violenta e impetuosa.

Rabiosamente. adv. m. Con ira, enojo, cólera o rabia.

Rabioso, sa. (Del lat. *rabiōsus.*) adj. Que padece rabia. Ú. t. c. s. || **2.** Colérico, enojado, airado. || **3.** V. **Filo rabioso.** || **4.** fig. Vehemente, excesivo, violento.

Rabisalsera. adj. fam. Aplícase a la mujer que tiene mucho despejo, viveza y desenvoltura excesiva.

Rabiza. (De *rabo.*) f. Punta de la caña de pescar, en la que se pone el sedal. || **2.** *Germ.* Ramera muy despreciable. || **3.** *Mar.* Cabo corto y delgado unido por un extremo a un objeto cualquiera, para facilitar su manejo o sujeción al sitio que convenga. *Motón de* RABIZA; *boya de* RABIZA.

Rabo. (Del lat. *rapum*, nabo.) m. **Cola,** 1.er art., 1.a acep., especialmente la de los cuadrúpedos. RABO *de zorra.* || **2. Rabillo,** 2.a y 3.a aceps. || **3.** V. **Estrella de rabo.** || **4.** fig. y fam. Cualquier cosa que cuelga a semejanza de la cola de un animal. || **5.** fig. y fam. **Maza,** 9.a acep. || **6.** fig. En algunas partes, **rabera,** 4.a acep. || **de junco.** *Zool.* Palmípeda americana del tamaño de un mirlo, con plumaje verde de reflejos dorados en el lomo y vientre, amarillo intenso en las alas y la cola, azulado en el moño de la cabeza, y verde en las dos coberteras de aquélla, que son muy largas y estrechas. || **del ojo.** fig. **Ángulo del ojo.** || **de zorra. Carricera.** || **Rabos de gallo. Cirro,** 2.º art., 2.a acep. || **Asir,** o **coger, por el rabo.** fr. fig. y fam. que se usa para significar la dificultad que hay en alcanzar al que con alguna ventaja huye o va logrando su intento. || **2.** fig. y fam. Extiéndese a las cosas inmateriales para insinuar la poca esperanza de su logro. || **Aún** le **ha de sudar el rabo.** expr. fig. y fam. con que se suele ponderar la dificultad o trabajo que ha de costar a uno lograr o concluir una cosa. || **De rabo de puerco, nunca buen virote.** ref. que enseña que de personas de ruin condición no se pueden esperar obras ni acciones nobles. || **Estar,** o **faltar, el rabo por desollar.** fr. fig. y fam. con que se denota que resta mucho que hacer en una cosa, y aun lo más duro y difícil. || **Ir** uno **al rabo de** otro. fr. fig. y fam. con que se nota y reprende al que por adulación o servilismo sigue o acompaña a otro continuamente. || **Ir** uno **rabo entre piernas.** fr. fig. y fam. Quedar vencido y abochornado, o corrido. || **Mirar** a uno **con el rabo del ojo,** o **de rabo de ojo.** fr. fig. y fam. Mostrarse cauteloso o severo con él en el trato, o quererle mal. || **Quedar el rabo por desollar.** fr. fig. y fam. **Estar,** o **faltar, el rabo por desollar.** || **Rabo a viento.** m. adv. Dando el viento en la cola de la pieza. Ú. entre cazadores. || **Salir** uno **rabo entre piernas.** fr. fig. y fam. **Ir rabo entre piernas.** || **Volver de rabo.** fr. fig. y fam. Torcerse o mudarse enteramente una cosa al contrario de lo que se esperaba.

Rabón, na. adj. Dícese del animal que tiene el rabo más corto que lo ordinario en su especie, o que no lo tiene.

Rabona. f. ant. Entre jugadores, juego de poca entidad. || **2.** *Amér.* Mujer que suele acompañar a los soldados en las marchas y en campaña. || **Hacer rabona.** fr. fam. **Hacer novillos.**

Rabopelado. (De *rabo* y *pelado.*) m. **Zarigüeya.**

Raboseada. f. Acción y efecto de rabosear.

Raboseadura. f. **Raboseada.**

Rabosear. (De *raboso.*) tr. Chafar, deslucir o rozar levemente una cosa.

Raboso, sa. adj. Que tiene rabos o partes deshilachadas en la extremidad.

Rabotada. (De *rabote*, aum. de *rabo.*) f. fam. Expresión destemplada o injuriosa con ademanes groseros.

Rabotear. (De *rabo.*) tr. **Desrabotar.**

Raboteo. m. Acción de rabotear. || **2.** Época del año, que suele ser en el menguante de la luna de marzo, en que los pastores cortan el rabo de las ovejas y carneros, seis dedos más abajo de su nacimiento. || **3.** Tiempo en que se rabotea.

Rabudo, da. adj. Que tiene grande el rabo.

Rábula. (Del lat. *rabŭla.*) m. Abogado indocto, charlatán y vocinglero.

Racamenta. f. **Racamento.**

Racamento. (Como el ant. fr. *raquement*, del anglosajón *raca.*) m. *Mar.* Guarnimiento, especie de anillo que sujeta las vergas a sus palos o masteleros respectivos, para que puedan correr fácilmente a lo largo de ellos.

Racel. m. *Mar.* **Delgado,** 9.a acep.

Racial. adj. Perteneciente o relativo a la raza.

Racima. (De *racimo.*) f. Conjunto de cencerrones.

Racimado, da. (De *racimo.*) adj. **Arracimado,** 2.a acep.

Racimal. adj. Perteneciente o relativo al racimo. || **2.** V. **Trigo racimal.** Ú. t. c. s.

Racimar. (Del lat. *racemāri.*) tr. En algunas partes, rebuscar la racima. || **2.** r. **Arracimarse.**

Racimo. (Del lat. *racēmus.*) m. Porción de uvas o granos que produce la vid presos a unos piecezuelos, y éstos a un tallo que pende del sarmiento. Por ext., dícese de otras frutas. RACIMO *de ciruelas, de guindas.* || **2.** fig. Conjunto de cosas menudas dispuestas con alguna semejanza de **racimo.** || **3.** *Bot.* Conjunto de flores o frutos sostenidos por un eje común, y con cabillos casi iguales, más largos que las mismas flores; como en la vid.

Racimoso, sa. (Del lat. *racemōsus.*) adj. Que echa o tiene racimos. || **2.** Que tiene muchos racimos.

Racimudo, da. adj. Que tiene racimos grandes.

Raciocinación. (Del lat. *ratiocinatio, -ōnis.*) f. Acto de la mente por el cual infiere un concepto de otros ya conocidos.

Raciocinar. (Del lat. *ratiocināri.*) intr. Usar de la razón para conocer y juzgar.

Raciocinio. (Del lat. *ratiocinium.*) m. Facultad de raciocinar. || **2. Raciocinación.** || **3.** Argumento o discurso.

Ración. (Del lat. *ratio, -ōnis*, medida, proporción.) f. Parte o porción que se da para alimento en cada comida, así a personas como a animales. || **2.** Asignación diaria que en especie o dinero se da a cada soldado, marinero, criado, etc., para su alimento. || **3.** Porción de cada vianda que en las fondas, bodegones y otras casas de comida se da por determinado precio. || **4.** Prebenda en alguna iglesia catedral o colegial, y que tiene su renta en la mesa del cabildo. || **5. Copa,** 5.a acep. || **6.** Medida arbitraria que adoptan como unidad los vendedores callejeros de garbanzos tostados, altramuces y frutillas secas, y a la cual fijan un precio determinado. *¿A cómo va la*

RACIÓN *de azufaifas?; écheme usted dos* RACIONES *de cacahuetes.* || **7.** V. **Maestre de raciones.** || **de hambre.** fig. y fam. Empleo o renta que no es suficiente para la decente o precisa manutención. || **Media ración.** En las iglesias catedrales y colegiales, prebenda que tiene la mitad de una **ración,** y es inferior a ella. || **A media ración.** m. adv. fig. Con escasa comida o con reducidos medios de substancia. || **A ración.** m. adv. **Tasadamente.**

Racionabilidad. (Del lat. *rationabilĭtas, -ātis.*) f. Facultad intelectiva que juzga de las cosas con razón, discerniendo lo bueno de lo malo y lo verdadero de lo falso.

Racionable. (Del lat. *rationabĭlis.*) adj. ant. **Racional.**

Racional. (Del lat. *rationālis.*) adj. Perteneciente o relativo a la razón. || **2.** Arreglado a ella. || **3.** Dotado de razón. Ú. t. c. s. || **4.** V. **Cantidad, horizonte, maestre, maestro racional.** || **5.** *Mat.* Aplícase a las expresiones algebraicas que no contienen cantidades irracionales. || **6.** m. Ornamento sagrado que llevaba puesto en el pecho el sumo sacerdote de la ley antigua, y que era un paño como de una tercia en cuadro, tejido de oro, púrpura y lino finísimo, con cuatro sortijas o anillos en los cuatro ángulos. En medio tenía cuatro órdenes de piedras preciosas, cada uno de a tres, y en ellas grabados los nombres de las doce tribus de Israel. || **7.** Contador mayor de la casa real de Aragón.

Racionalidad. (Del lat. *rationalĭtas, -ātis.*) f. Calidad de racional.

Racionalismo. (De *racional.*) m. Doctrina filosófica cuya base es la omnipotencia e independencia de la razón humana. || **2.** Sistema filosófico, que funda sobre la sola razón las creencias religiosas.

Racionalista. (De *racional.*) adj. Que profesa la doctrina del racionalismo. Ú. t. c. s.

Racionalmente. adv. m. Conforme, arreglado a razón.

Racionamiento. m. Acción y efecto de racionar o racionarse.

Racionar. tr. *Mil.* Distribuir raciones o proveer de ellas a las tropas. Ú. t. c. r. || **2.** Someter los artículos de primera necesidad en caso de escasez a una distribución establecida por la autoridad.

Racionero. m. Prebendado que tenía ración en una iglesia catedral o colegial. || **2.** El que distribuye las raciones en una comunidad. || **Medio racionero.** Prebendado inmediatamente inferior al **racionero.**

Racionista. com. Persona que goza sueldo o ración para mantenerse de ella. || **2.** En el teatro, parte de por medio o actor de ínfima clase.

Racha. (Quizá del ár. *raŷ'a*, reanudación, regreso, reacción de algo sobre lo cual se ha actuado.) f. *Mar.* **Ráfaga,** 1.ª acep. || **2.** fig. y fam. Período breve de fortuna, más comúnmente en el juego.

Racha. (Del lat. **radĭa*, de *radĭus.*) f. **Raja,** 1.er art. || **2.** *Min.* Astilla grande de madera.

Rachar. (Del lat. *radiāre.*) tr. *Ast., Gal., León* y *Sal.* **Rajar.**

Rada. (Del ant. ingl. *rade.*) f. Bahía, ensenada, donde las naves pueden estar ancladas al abrigo de algunos vientos.

Radal. (Del arauc. *raral*, nogal silvestre.) m. *Chile.* Árbol de la familia de las proteáceas, que alcanza hasta 16 metros de altura, con hojas aovadas, muy lustrosas, como barnizadas; con flores blancas, cubiertas de un vello rojizo; madera muy linda para muebles, y corteza que tiene uso medicinal para las afecciones del pecho.

Radar. (Voz formada de las iniciales de varias palabras inglesas.) m. *Electr.* Sistema que permite descubrir la presencia y posición de un cuerpo que no se ve, mediante la emisión de ondas eléctricas que, al reflejarse en dicho objeto, vuelven al punto de observación. || **2.** *Electr.* Aparato para aplicar este sistema.

Radiación. (Del lat. *radiatio, -ōnis.*) f. *Fís.* Acción y efecto de radiar.

Radiactividad. f. *Fís.* Energía de los cuerpos radiactivos.

Radiactivo, va. adj. Se dice de los cuerpos o substancias que emiten radiaciones; como las sales de radio.

Radiado, da. (De *radiar.*) adj. V. **Corona radiada.** || **2.** *Bot.* Dícese de lo que tiene sus diversas partes situadas alrededor de un punto o de un eje; como la panoja de la avena. || **3.** *Bot.* Dícese, en las plantas compuestas, de la cabezuela formada por flósculos en el centro y por semiflósculos en la circunferencia. || **4.** *Zool.* Dícese del animal invertebrado cuyas partes interiores y exteriores están dispuestas, a manera de radios, alrededor de un punto o de un eje central; como la estrella de mar, la medusa, el pólipo, etc. Ú. t. c. s.

Radiador. m. Aparato de calefacción compuesto de uno o más cuerpos huecos, de forma exterior adecuada para facilitar la radiación, a través de los cuales pasa una corriente de agua o vapor a elevada temperatura. || **2.** Serie de tubos por los cuales circula el agua destinada a refrigerar los cilindros de algunos motores de explosión.

Radial. adj. V. **Corona radial.** || **2.** *Astron.* Aplícase a la dirección del rayo visual. *Movimiento* RADIAL; *velocidad* RADIAL. || **3.** *Geom.* y *Zool.* Perteneciente o relativo al radio.

Radiante. (Del lat. *radians, -antis*, p. a. de *radiāre*, centellear.) adj. *Fís.* Que radia. || **2.** *Fís.* V. **Calórico radiante.** || **3.** fig. Brillante, resplandeciente. || **4.** m. *Astron.* V. **Punto radiante.**

Radiar. (Del lat. *radiāre.*) tr. *Radio.* Difundir por medio de la telefonía sin hilos noticias, discursos, música, etc. || **2. Irradiar.** Ú. t. c. intr. || **3.** *Med.* Tratar una lesión con los rayos X.

Radiata. (Del lat. *radiāta*, t. f. de *-tus*, radiado.) adj. V. **Corona radiata.**

Radicación. f. Acción y efecto de radicar o radicarse. || **2.** fig. Establecimiento, larga permanencia, práctica y duración de un uso, costumbre, etc.

Radical. (Del lat. *radix, -īcis*, raíz.) adj. Perteneciente o relativo a la raíz. || **2.** fig. Fundamental, de raíz. || **3.** Partidario de reformas extremas, especialmente en sentido democrático. Ú. t. c. s. || **4.** *Bot.* Dícese de cualquiera parte de una planta que nace inmediatamente de la raíz. *Hoja, tallo* RADICAL. || **5.** *Gram.* Concerniente a las raíces de las palabras. || **6.** *Gram.* Aplícase a las letras de una palabra que se conservan en otro u otros vocablos que de ella proceden o se derivan. Son, por ejemplo, letras **radicales** de los verbos todas las del infinitivo, exceptuadas las terminaciones *ar, er, ir.* || **7.** *Mat.* Aplícase al signo ($\sqrt{\ }$) con que se indica la operación de extraer raíces. Ú. t. c. s. m. || **8.** *Med.* V. **Húmedo radical.** || **9.** m. *Gram.* Parte que queda de una palabra variable al quitarle la desinencia. || **10.** *Quím.* Grupo de átomos que, en general, no puede ser aislado porque no constituye un sistema saturado, y que en las reacciones químicas funciona como un solo átomo. || **alcohólico.** El que, procedente de un hidrocarburo, puede combinarse con un hidroxilo para formar un alcohol.

Radicalismo. m. Conjunto de ideas y doctrinas de los que, en ciertos momentos de la vida social, pretenden reformar total o parcialmente el orden político, científico, moral y aun religioso. || **2.** Por ext., el modo extremado de tratar los asuntos.

Radicalmente. adv. m. De raíz; fundamentalmente y con solidez.

Radicar. (Del lat. *radicāre.*) intr. **Arraigar.** Ú. t. c. r. || **2.** Estar o encontrarse ciertas cosas en determinado lugar. *La dehesa* RADICA *en términos de Cáceres; la escritura* RADICA *en la notaría de Sánchez.*

Radicícola. (Del lat. *radix, -īcis*, raíz, y *colĕre*, habitar.) adj. *Bot.* y *Zool.* Dícese del animal o el vegetal que vive parásito sobre las raíces de una planta.

Radicoso, sa. (Del lat. *radicōsus.*) adj. Que participa en algo de la naturaleza de las raíces.

Radícula. (Del lat. *radicŭla*, raicita.) f. *Bot.* **Rejo,** 5.ª acep.

Radio. (Del lat. *radĭus.*) m. *Geom.* Línea recta tirada desde el centro del círculo a la circunferencia. || **2. Rayo,** 5.ª acep. || **3.** *Zool.* Hueso contiguo al cúbito, y un poco más corto y más bajo que éste, con el cual forma el antebrazo. || **4.** *Zool.* Cada una de las piezas largas, delgadas y puntiagudas, a modo de varillas más o menos duras y rígidas y aproximadamente paralelas entre sí, que sostienen la parte membranosa de las aletas de los peces. || **de acción.** Máximo alcance o eficacia de un agente o instrumento. || **de la plaza.** *Fort.* La mayor distancia a que se extiende la eficacia defensiva de una fortaleza, según la potencia de su artillería, la situación, etc. || **de los signos.** *Gnom.* Figura compuesta de varias rectas divergentes que hacen con otra central los ángulos de la declinación del Sol a su entrada en los diversos signos del Zodiaco, y sirve para marcar en los relojes de sol las curvas llamadas de los signos. || **de población.** Espacio que media desde los muros o última casa del casco de la población hasta una distancia de 1.600 metros, medidos por la vía más corta, agregados en puertos de mar los muelles y salinas en toda su extensión. || **vector.** *Geom.* Línea recta tirada en una curva desde su foco, o desde uno de sus focos, a cualquier punto de la curva misma. || **2.** *Geom.* En las coordenadas polares, distancia de un punto cualquiera al polo.

Radio. (De *radium*, nombre dado a este cuerpo por sus descubridores.) m. Metal descubierto en Francia por los químicos consortes Curie. Es conocido principalmente por sus sales, que, por desintegración espontánea y muy lenta de sus núcleos atómicos, emiten elementos de dichos núcleos.

Radio. m. Apócope de **Radiograma.** || **2.** f. Apócope de **Radiodifusión.** || **3.** amb. fam. Apócope de **Radiorreceptor.**

Radío, a. (Del lat. *erratīvus.*) adj. **Errante,** 2.ª acep.

Radiodifusión. f. Emisión radiotelefónica destinada al público. || **2.** Conjunto de los procedimientos o instalaciones destinados a esta emisión.

Radioelectricidad. f. Producción, propagación y recepción de las ondas hertzianas. || **2.** Ciencia que estudia esta materia.

Radioeléctrico, ca. adj. Perteneciente o relativo a la radioelectricidad.

Radioescucha. com. Persona que oye las emisiones radiotelefónicas y radiotelegráficas.

Radiofonía. f. **Radiotelefonía.**

Radiofónico, ca. adj. Perteneciente o relativo a la radiofonía.

Radiofonista. com. Persona que practica la radiofonía.

Radiografía. f. Procedimiento para hacer fotografías por medio de los rayos X. || **2.** Fotografía obtenida por este procedimiento.

Radiografiar. tr. Transmitir noticias por medio de la radioelectricidad, 1.ª acep.

Radiográfico, ca. adj. Perteneciente o relativo a la radiografía.

Radiograma. m. Despacho transmitido por la telegrafía o la telefonía sin hilos.

Radiolario. (Del lat. *radiŏlus.*) adj. *Zool.* Dícese de protozoos marinos de la clase de los rizópodos, con una membrana que divide el protoplasma en dos zonas concéntricas, de las que la exterior emite seudópodos finos, largos y unidos entre sí formando redes. Pueden vivir aislados, pero a veces están reunidos en colonias, y en su mayoría tienen un esqueleto formado por finísimas agujas o varillas silíceas, sueltas o articuladas entre sí. Ú. t. c. s. m. ‖ **2.** m. pl. *Zool.* Orden de estos animales.

Radiología. f. Parte de la medicina, que estudia la teoría y aplicación de los rayos X.

Radiólogo. m. Médico dedicado especialmente al estudio o manejo de los rayos X.

Radiómetro. (De *radio,* 1.er art., y el gr. μέτρον, medida.) m. *Astron.* **Ballestilla,** 3.ª acep. ‖ **2.** *Fís.* Aparato que se creyó demostrativo de la acción mecánica de la luz.

Radiorreceptor. (De *radio,* 1.er art., y *receptor.*) m. Aparato empleado en radiotelegrafía y radiotelefonía para recoger y transformar en señales o sonidos las ondas emitidas por el radiotransmisor.

Radioscopia. (De *radio,* 1.er art., y el gr. σκοπέω, mirar.) f. Examen del interior del cuerpo humano y, en general, de los cuerpos opacos por medio de la imagen que proyectan en una pantalla al ser atravesados por los rayos X.

Radioscópico, ca. adj. Perteneciente o relativo a la radioscopia.

Radioso, sa. (Del lat. *radiōsus.*) adj. Que despide rayos de luz.

Radiotelefonía. f. Sistema de comunicación telefónica por medio de ondas hertzianas.

Radiotelefónico, ca. adj. Perteneciente o relativo a la radiotelefonía.

Radiotelegrafía. f. Sistema de comunicación telegráfica por medio de ondas hertzianas.

Radiotelegráfico, ca. adj. Perteneciente o relativo a la radiotelegrafía.

Radiotelegrafista. com. Persona que se ocupa en la instalación o servicio de aparatos radiotelegráficos.

Radioterapia. (De *radio,* 1.er art., y el gr. θεραπεία, tratamiento.) f. Tratamiento de las enfermedades por toda clase de rayos, especialmente por los rayos X. ‖ **2.** Empleo terapéutico del radio o de sus sales.

Radiotransmisor. (De *radio,* 1.er art., y *transmisor.*) m. Aparato empleado en radiotelegrafía y radiotelefonía para producir y enviar las ondas portadoras de señales o de sonidos.

Radioyente. com. Persona que oye lo que se transmite por la radiotelefonía.

Radiumterapia. f. *Med.* **Radioterapia,** 2.ª acep.

Raedera. f. Instrumento para raer. ‖ **2.** Tabla semicircular, de 10 a 12 centímetros de diámetro, con que el peón de albañil rae el yeso amasado que se pega en los lados del cuezo. ‖ **3.** Azada pequeña, de pala semicircular, muy usada en las minas para recoger el mineral y los escombros, llenar espuertas, etc.

Raedizo, za. adj. Fácil de raerse.

Raedor, ra. adj. Que rae. Ú. t. c. s. ‖ **2.** m. **Rasero.** ‖ **3.** ant. El que tiene por oficio medir el trigo, cebada y otros granos, pasando el rasero por las medidas.

Raedura. f. Acción y efecto de raer. ‖ **2.** Parte menuda que se rae de una cosa. Ú. m. en pl.

Raer. (Del lat. *radĕre.*) tr. Quitar, como cortando y raspando la superficie, pelos, barba, vello, etc., de una cosa, con instrumento áspero o cortante. ‖ **2. Rasar,** 1.ª acep. ‖ **3.** fig. Extirpar enteramente una cosa; como vicio o mala costumbre.

Rafa. (De *raja,* 1.er art.) f. **Raza,** 5.ª acep. ‖ **2.** Cortadura hecha en el quijero de la acequia o brazal a fin de sacar agua para el riego. ‖ **3.** Macho que se injiere en una pared para reforzarla o reparar una grieta. ‖ **4.** *Min.* Plano inclinado que se labra en la roca para apoyar un arco de la fortificación.

Ráfaga. f. Movimiento violento del aire, que hiere repentinamente y que por lo común tiene poca duración. ‖ **2.** Cualquier nubecilla que aparece de poco cuerpo o densidad, especialmente cuando hay o quiere haber mutación de tiempo. ‖ **3.** Golpe de luz vivo o instantáneo. ‖ **4.** *Mil.* Conjunto de proyectiles que en sucesión rapidísima lanza una arma automática, cambiando convenientemente la puntería para cubrir por completo el blanco del tiro. RÁFAGA *de ametralladora.*

Rafal. (Del ár. *raḥl* o *raḥal,* casa de campo.) m. *Ar.* Granja, casa o predio en el campo.

Rafalla. f. *Ar.* **Rafal.**

Rafania. (Del lat. *raphănus,* rábano.) f. *Med.* Enfermedad que consiste en contracciones musculares muy violentas y dolorosas, ocasionada por la semilla del rábano silvestre cuando se come por haberse mezclado con el trigo. Es frecuente en Suecia y Alemania.

Rafe. (Del ár. *raff,* alero, cornisa.) m. En algunas partes, **alero,** 1.ª acep.

Rafe. (Del gr. ῥαφή, costura.) com. *Bot.* Cordoncillo saliente que forma el funículo en algunas semillas. ‖ **2.** *Zool.* Rugosidad o línea saliente, a modo de costura, en el perineo y el escroto.

Rafear. tr. Hacer, asegurar con rafas un edificio.

Rafez. adj. ant. **Rahez.** ‖ **De rafez.** m. adv. ant. **Fácilmente.**

Rafezar. (De *rafez.*) intr. ant. **Rahezar.** Usáb. t. c. r.

Rafezmente. adv. m. ant. **Rahezmente.**

Rafia. (Voz de Madagascar.) f. *Bot.* Género de palmeras de África y América que dan una fibra muy resistente y flexible. ‖ **2.** Esta fibra.

Ragadía. (Del lat. *rhagadĭa,* grietas en las manos, y éste del gr. ῥαγάς, -άδος, hendedura.) f. desus. Resquebradura, grieta.

Raglán. (De lord *Raglan,* almirante de la armada inglesa en Crimea.) m. Especie de gabán de hombre, que se usaba a mediados del siglo XIX. Era holgado y tenía una esclavina corta.

Ragua. (Del ár. *ragwa,* espuma, burbuja.) f. Remate superior de la caña de azúcar.

Raguseo, a. adj. Natural de Ragusa. Ú. t. c. s. ‖ **2.** Perteneciente a esta ciudad de Austria.

Rahalí. (Del m. or. que *rehalí.*) adj. **Rehalí.**

Rahez. (Del ár. *rajīṣ,* de bajo precio.) adj. Vil, bajo, despreciable. ‖ **2.** ant. Barato, que vale poco. ‖ **3.** ant. **Fácil.**

Rahezar. (De *rahez.*) intr. ant. Perder estimación o valor las cosas. Usáb. t. c. r. ‖ **2.** ant. Bajarse, humillarse, abatirse. Usáb. t. c. r.

Rahezmente. adv. m. ant. **Fácilmente.**

Raíble. adj. Que se puede raer.

Raiceja. f. d. de **Raíz.**

Raicilla. f. d. de **Raíz.** ‖ **2.** *Bot.* Cada una de las fibras o filamentos que nacen del cuerpo principal de la raíz de una planta. ‖ **3.** *Bot.* **Raicita.**

Raicita. (d. de *raíz.*) f. *Bot.* **Radícula.**

Raído, da. p. p. de **Raer.** ‖ **2.** adj. Se dice del vestido o de cualquiera tela muy gastados por el uso, aunque no rotos. ‖ **3.** fig. Desvergonzado, libre, y que no atiende a su decoro ni a otros respetos.

Raigal. (Del lat. *radix, -īcis,* raíz.) adj. Perteneciente a la raíz. ‖ **2.** m. Entre madereros, extremo del madero que corresponde a la raíz del árbol.

Raigambre. f. Conjunto de raíces de los vegetales, unidas y trabadas entre sí. ‖ **2.** fig. Conjunto de antecedentes, intereses, hábitos o afectos que hacen firme y estable una cosa o impiden su reemplazo o su enmienda aunque tenga defectos.

Raigar. (Del lat. *radicāre.*) intr. ant. **Arraigar.** Usáb. t. c. r.

Raigón. m. aum. de **Raíz.** ‖ **2.** Raíz de las muelas y los dientes. ‖ **3.** *Murc.* **Atocha.** ‖ **del Canadá.** *Bot.* Árbol hermoso, de la familia de las papilionáceas, con hojas dos veces pinadas, flores dioicas y en racimo, cáliz tubuloso, cinco pétalos iguales y oblongos, diez estambres, y legumbre gruesa, oblonga y pulposa interiormente. Se cría en el Canadá y se cultiva en los paseos de Europa.

Raijo. m. *Murc.* Brote, renuevo.

Raíl [Rail]. (Del ingl. *rail.*) m. **Carril,** 5.ª acep.

Raimiento. m. **Raedura.** ‖ **2.** Descaro, desvergüenza.

Rain. (Del lat. *farrago, -ĭnis,* herrén.) m. *Ál., Arag.* y *Logr.* Cortinal o herrenal.

Raíz. (Del lat. *radix, -īcis.*) f. *Bot.* Órgano de las plantas que crece en dirección inversa a la del tallo, carece de hojas, e introducido en tierra o en otros cuerpos, absorbe de éstos o de aquélla las materias necesarias para el crecimiento y desarrollo del vegetal y le sirve de sostén. ‖ **2. Finca.** Ú. más generalmente en plural. ‖ **3.** fig. Parte de cualquier cosa, de la cual, quedando oculta, procede lo que está manifiesto. ‖ **4.** fig. Parte inferior o pie de cualquier cosa. ‖ **5.** Origen o principio de que procede una cosa. ‖ **6.** V. **Bienes raíces.** ‖ **7.** *Álg.* Cada uno de los valores que puede tener la incógnita de una ecuación. ‖ **8.** *Álg.* y *Arit.* Cantidad que se ha de multiplicar por sí misma una o más veces para obtener un número determinado. ‖ **9.** *Gram.* Elemento más puro y simple de una palabra, o sea la parte que de ella queda después de quitarle las desinencias, sufijos y prefijos. ‖ **10.** *Zool.* Parte de los dientes de los vertebrados que está engastada en los alveolos. ‖ **cuadrada.** *Álg.* y *Arit.* Cantidad que se ha de multiplicar por sí misma una vez para obtener un número determinado. ‖ **cúbica.** *Álg.* y *Arit.* Cantidad que se ha de multiplicar por sí misma dos veces para obtener un número determinado. ‖ **del moro. Helenio.** ‖ **irracional.** *Mat.* Aplícase a las **raíces** o cantidades radicales que no pueden expresarse exactamente con números enteros ni fraccionarios. ‖ **rodia. Raíz** muy olorosa, parecida a la del costo. ‖ **sorda.** *Arit.* **Raíz** irracional. ‖ **A raíz.** m. adv. fig. Con proximidad, inmediatamente. A RAÍZ *de las carnes;* A RAÍZ *de la conquista de Granada.* ‖ **2.** Por la **raíz** o junto a ella. ‖ **Cortar de raíz, o la raíz.** fr. fig. Extirpar, atajar y prevenir desde los principios y del todo, los inconvenientes que pueden resultar de una cosa, quitando la causa de donde provienen. ‖ **De raíz.** m. adv. fig. Enteramente, o desde el principio hasta el fin de una cosa. ‖ **Echar raíces.** fr. fig. Fijarse, establecerse en un lugar. ‖ **2.** fig. Afirmarse o arraigarse una pasión u otra cosa. ‖ **Tener raíces.** fr. fig. con que se explica la resistencia que hace o tiene una cosa al apartarla de donde está o cambiar su estado, o alguna persona para desprenderse de ella.

Raja. (De *rajar.*) f. Una de las partes de un leño que resultan de abrirlo al hilo con hacha, cuña u otro instrumento. ‖ **2.** Hendedura, abertura o quiebra de una cosa. ‖ **3.** Pedazo que se corta a lo largo o a lo ancho de un fruto o de algunos otros comestibles; como melón, sandía, queso, etc. ‖ **4.** V. **Madera de**

raja. || **Hacer rajas** una cosa. fr. fig. Dividirla, repartiéndola entre varios interesados o para diversos usos. || **Hacerse uno rajas.** fr. fig. y fam. **Hacerse pedazos.** || **Sacar uno raja.** fr. fig. y fam. **Sacar astilla.**

Raja. (Del b. lat. *rascia.*) f. Especie de paño grueso y de baja estofa, que se usó antiguamente. || **de Florencia.** Especie de **raja** muy fina y cara que venía de Italia.

Rajá. (Del fr. *rajah* y *radjah,* y éste del sánscr. *râja,* rey.) m. Soberano índico.

Rajable. adj. Que se deja rajar fácilmente.

Rajabroqueles. (De *rajar* y *broquel.*) m. fig. y fam. El que afectaba valentía y se jactaba de pendenciero, guapo y quimerista. Es voz poco usada.

Rajadillo. m. Confitura que se hace de almendras rajadas y bañadas de azúcar.

Rajadizo, za. adj. Fácil de rajarse.

Rajador. m. El que raja madera o leña.

Rajadura. f. Acción y efecto de rajar o rajarse.

Rajante. p. a. de **Rajar.** Que raja.

Rajar. (Del lat. *radiāre.*) tr. Dividir en rajas. || **2.** Hender, partir, abrir. Ú. t. c. r. || **3.** intr. fig. y fam. Decir o contar muchas mentiras, especialmente jactándose de valiente y hazañoso. || **4.** fig. y fam. Hablar mucho.

Rajatabla (A). m. adv. fig. y fam. **A raja tabla.**

Rajeta. f. Paño semejante a la raja, pero de menos cuerpo y con mezcla de varios colores.

Rajuela. f. d. de **Raja.** || **2.** Piedra delgada y sin labrar que se emplea en obras de poca importancia o esmero.

Ralbar. tr. *León.* Dar la primera reja de arado a las tierras.

Ralea. (De *ralear.*) f. Especie, género, calidad. || **2.** despect. Aplicado a personas, raza, casta o linaje. || **3.** *Cetr.* Ave a que es más inclinado el halcón, el gavilán o el azor. *La* RALEA *del halcón son las palomas; la del azor, las perdices; la del gavilán, los pájaros pequeños.*

Ralear. (De *ralo.*) intr. Hacerse rala una cosa perdiendo la densidad, opacidad o solidez que tenía. || **2.** No granar enteramente los racimos de las vides. || **3.** En algunas partes, manifestar, descubrir uno con su porte su mala inclinación y ralea.

Raleón, na. (De *ralea,* 3.ª acep.) adj. Dícese del ave de cetrería muy diestra en determinada ralea.

Raleza. f. Calidad de ralo.

Ralo, la. (Del lat. *rarus.*) adj. Dícese de las cosas cuyas partes están separadas más de lo regular en su clase. || **2.** ant. Raro, no común.

Rallador, ra. (De *rallar.*) adj. ant. **Hablador.** Usáb. t. c. s. || **2.** m. Utensilio de cocina, compuesto principalmente de una chapa de metal, curva y llena de agujerillos de borde saliente, que sirve para desmenuzar el pan, el queso, etc., estregándolos con él.

Ralladura. (De *rallar.*) f. Surco que deja el rallo en la parte por donde ha pasado, y, por ext., cualquier surco menudo. || **2.** Lo que queda rallado. || **3.** ant. **Raedura.**

Rallar. (Del lat. **radulāre,* de *radŭla,* rallador.) tr. Desmenuzar una cosa restregándola con el rallador. || **2.** fig. y fam. Molestar, fastidiar con importunidad y pesadez.

Rallo. (Del lat. *rallum;* de *radĕre,* raer.) m. **Rallador.** || **2.** Por ext., cualquiera otra chapa con iguales agujeros, que sirve para otros usos. || **3. Alcarraza.** || **4.** fig. y fam. V. **Cara de rallo.**

Rallón. (Del b. lat *raillo, -ōnis,* saeta; en fr. *raillon.*) m. Arma que termina en un hierro transversal afilado, la cual se disparaba con la ballesta y servía especialmente en la caza mayor.

Rama. (De *ramo.*) f. Cada una de las partes que nacen del tronco o tallo principal de la planta y en las cuales brotan por lo común las hojas, las flores y los frutos. || **2.** fig. Serie de personas que traen su origen de un mismo tronco. || **3.** fig. Parte secundaria de una cosa, que nace o se deriva de otra cosa principal. || **Andarse uno por las ramas.** fr. fig. y fam. Detenerse en lo menos substancial de un asunto, dejando lo más importante. || **Asirse uno a las ramas.** fr. fig. y fam. Buscar excusas frívolas para disculparse de un hecho o descuido. || **De rama en rama.** m. adv. fig. Sin fijarse en objeto determinado; variando continuamente. || **Plantar de rama.** fr. *Agr.* Plantar un árbol con una **rama** cortada o desgajada de otro.

Rama. (Del fr. *rame,* y éste del germ. *rahmen,* marco.) f. *Impr.* Cerco de hierro cuadrangular con que se ciñe el molde que se ha de imprimir, apretándolo con varias cuñas o tornillos que hay para este fin.

Rama. (Del fr. *rame,* ant. fr. *rasme,* y éste del cast. *resma,* del ár. *rizma,* paquete.) f. **En rama.** m. adv. con que se designa el estado de ciertas materias antes de recibir su última aplicación o manufactura. || **2.** Aplícase también a los ejemplares de una obra impresa que aún no se han encuadernado. || **3.** V. **Cupones en rama.**

Ramada. f. **Ramaje.** || **2. Enramada,** 3.ª acep. Ú. m. en *Amér.*

Ramadán. (Del ár. *ramaḍān,* mes del ayuno.) m. Noveno mes del año lunar de los mahometanos, quienes durante sus treinta días observan riguroso ayuno.

Ramaje. m. Conjunto de ramas o ramos.

Ramal. (De *rama.*) m. Cada uno de los cabos de que se componen las cuerdas, sogas, pleitas y trenzas. || **2.** Ronzal asido al cabezón de una bestia. || **3.** Cada uno de los diversos tiros que concurren en la misma meseta de una escalera. || **4.** Parte que arranca de la línea principal de un camino, acequia, mina, cordillera, etc. || **5.** fig. Parte o división que resulta o nace de una cosa con relación y dependencia de ella, como rama suya. || **A ramal y media manta.** m. adv. fig. Con pobreza o escasez.

Ramalazo. m. Golpe que se da con el ramal. || **2.** Señal que deja el golpe dado con el ramal. || **3.** fig. Pinta o señal que sale al rostro u otra parte del cuerpo por un golpe o por enfermedad, como la erisipela. || **4.** fig. Dolor que aguda e improvisamente acomete a lo largo de una parte del cuerpo. || **5.** fig. Adversidad que sobrecoge y sorprende a uno, dimanada, por lo común, de una culpa de que no se recelaba pena, o por causa de otro.

Ramalear. (De *ramal.*) intr. **Cabestrear.**

Ramalillo. m. d. de **Ramal.** || **2. Rienda,** 1.ª acep. Ú. m. en pl.

Ramazón. f. Conjunto de ramas separadas de los árboles.

Rambla. (Del ár. *ramla,* arenal.) f. Lecho natural de las aguas pluviales cuando caen copiosamente. || **2.** Suelo por donde las aguas pluviales corren cuando son muy copiosas. || **3.** Artefacto compuesto de postes de madera fijos verticalmente en el suelo y unidos por dos series de travesaños, con puntas o ganchos de hierro, en que se colocan los paños para enramblarlos.

Ramblar. m. Lugar adonde confluyen varias ramblas.

Ramblazo. (De *rambla.*) m. Sitio por donde corren las aguas de los turbiones y avenidas.

Ramblizo. m. **Ramblazo.**

Rameado, da. adj. Dícese del dibujo o pintura que representa ramos, especialmente en tejidos, papeles, etc.

Rameal. adj. *Bot.* **Rámeo.**

Rámeo, a. (Del lat. *ramĕus.*) adj. *Bot.* Perteneciente o relativo a la rama. *Hojas* RÁMEAS.

Ramera. (De *ramo.*) f. Mujer que hace ganancia de su cuerpo, entregada vilmente al vicio de la lascivia. || **A la ramera y al juglar, a la vejez les viene el mal.** ref. que advierte que los vicios de la mocedad se pagan en la vejez con los males que ellos mismos ocasionan.

Ramería. (De *ramera.*) f. **Mancebía,** 1.ª acep. || **2.** Vil y torpe ejercicio de las rameras.

Ramero. adj. V. **Halcón ramero.**

Rameruela. f. d. de **Ramera.**

Ramial. m. Sitio poblado de ramio.

Ramificación. f. Acción y efecto de ramificarse. || **2.** fig. Conjunto de consecuencias necesarias de algún hecho o acontecimiento. || **3.** *Zool.* División y extensión de las venas, arterias o nervios que, como ramas, nacen de un mismo principio o tronco.

Ramificarse. (Del lat. *ramus,* rama, y *facĕre,* hacer.) r. Esparcirse y dividirse en ramas una cosa. || **2.** fig. Propagarse, extenderse las consecuencias de un hecho o suceso.

Rámila. f. *Ast.* y *Sant.* **Garduña.**

Ramilla. (d. de *rama,* 1.er art.) f. Rama de tercer orden o que sale inmediatamente del ramo. || **2.** fig. Cualquier cosa ligera de que uno se vale para su intento.

Ramillete. (De *ramillo.*) m. Ramo pequeño de flores o hierbas olorosas formado artificialmente. || **2.** fig. Plato de dulces que forman un conjunto elevado y vistoso. || **3.** fig. Adorno compuesto de figuras y piezas de mármol o metales labrados en varias formas, que se ponen sobre las mesas en donde se sirven comidas suntuosas, y en los cuales se colocan diestramente dulces, frutas, etc. || **4.** fig. Colección de especies exquisitas y útiles en una materia. || **5.** *Bot.* Conjunto de flores que forman una cima o copa contraída; como las de la minutisa y la ambrosía. || **de Constantinopla. Minutisa.**

Ramilletero, ra. m. y f. Persona que hace o vende ramilletes. || **2.** m. **Florero,** 3.ª y 4.ª aceps.

Ramillo. (d. de *ramo.*) m. *Ar.* **Dinerillo,** 1.ª acep.

Ramina. f. Hilaza del ramio.

Ramio. (Del malayo *rami.*) m. Planta de la familia de las urticáceas, con tallos herbáceos y ramosos que crecen hasta tres metros de altura; hojas alternas, casi aovadas, dentadas, puntiagudas, de pecíolo muy grande, color verde obscuro por la haz y lanuginosas por el envés; flores verdes en grupos axilares, y fruto elipsoidal algo carnoso. Es propia de las Indias Orientales, y se utiliza como textil en Europa.

Ramiro. m. p. us. **Carnero,** 1.er art.

Ramito. m. d. de **Ramo.** || **2.** *Bot.* Cada una de las subdivisiones de los ramos de una planta.

Ramiza. f. Conjunto de ramas cortadas. || **2.** Lo que se hace de ramas.

Ramnáceo, a. (De *rhamnus,* nombre de un género de plantas.) adj. *Bot.* Dícese de árboles y arbustos dicotiledóneos, a veces espinosos, de hojas sencillas, alternas u opuestas, con estípulas caducas o aguijones persistentes; flores pequeñas, solitarias o en racimo, y fruto en drupa; como el cambrón, la aladierna y el azufaifo. Ú. t. c. s. f. || **2.** f. pl. *Bot.* Familia de estas plantas.

Rámneo, a. (Del lat. *rhamnus,* y éste del gr. ῥάμνος, espino cerval.) adj. *Bot.* **Ramnáceo.**

Ramo. (Del lat. *ramus.*) m. Rama de segundo orden o que sale de la rama madre. || **2.** Rama cortada del árbol. || **3.** Conjunto o manojo de flores, ramas o hierbas o de unas y otras cosas, ya sea natural, ya artificial. || **4.** V. **Día, domingo de Ramos.** || **5.** **Ristra,** 1.ª acep. || **6.** Entre pasamaneros, conjunto de hilos de seda con que se hacen las labores o figuras de las cintas. || **7.** fig. Cada una de las partes en que se considera dividida una ciencia, arte, industria, etc. RAMO *del saber, de la administración pública, de mercería.* || **8.** fig. Enfermedad incipiente o poco determinada. RAMO *de perlesía, de locura.* || **del viento. Alcabala del viento.** || **Quien ramo pone, su vino quiere vender.** ref. especialmente dirigido a reprender el excesivo adorno en las mujeres. || **Vender al ramo.** fr. fig. y fam. Vender el vino por menor los cosecheros.

Ramojo. m. Conjunto de ramas cortadas de los árboles, especialmente cuando son pequeñas y delgadas.

Ramón. (aum. de *ramo.*) m. Ramojo que cortan los pastores para apacentar los ganados en tiempo de muchas nieves o de rigurosa sequía. || **2.** Ramaje que resulta de la poda de los olivos y otros árboles.

Ramonear. (De *ramón.*) intr. Cortar las puntas de las ramas de los árboles. || **2.** Pacer los animales las hojas y las puntas de los ramos de los árboles, ya sean cortadas antes o en pies tiernos de poca altura.

Ramoneo. m. Acción de ramonear. || **2.** Temporada en que se ramonea.

Ramoso, sa. (Del lat. *ramōsus.*) adj. Que tiene muchos ramos o ramas.

Rampa. (Del medio alto al. *krampf.*) f. **Calambre,** 1.ª acep.

Rampa. (Del germ. *rampa.*) f. Plano inclinado dispuesto para subir y bajar por él.

Rampante. (Del fr. *rampant,* y éste del germ. *rampa,* garra.) adj. *Blas.* Aplícase al león u otro animal que está en el campo del escudo de armas con la mano abierta y las garras tendidas en ademán de agarrar o asir.

Rampete. m. *Murc.* Hierba silvestre que se emplea en las ensaladas.

Rampiñete. (Del prov. *rampinet,* y éste del germ. *rampa.*) m. Aguja de hierro, grande, con la punta en figura de tirabuzón, que usaban los artilleros para reconocer y limpiar el fogón de las piezas.

Ramplón, na. (Como el fr. *crampon;* del germ. *kramp,* encorvado.) adj. Aplícase al calzado tosco y de suela muy gruesa y ancha. || **2.** fig. Tosco, vulgar, desaliñado. || **3.** m. Especie de taconcillo que se forma en la cara inferior de las herraduras a la punta de los callos, para suplir en las caballerías algunos defectos de los cascos o huellos. || **4.** Piececita de hierro en forma piramidal, que se pone en la lumbre y en los callos de las herraduras para que, penetrando el hielo, puedan las caballerías caminar por él sin resbalarse. || **A ramplón.** m. adv. Con herraduras de **ramplón** o con **ramplones.**

Ramplonería. f. Calidad de ramplón, tosco o chabacano.

Rampojo. m. **Raspajo.**

Rampollo. (Del dialect. *rampollo,* del germ. *rampa,* garra.) m. Rama que se corta del árbol para plantarla.

Ramuja. f. *Murc.* Ramas que se cortan de la olivera; ramojo.

Ramulla. (De *rama.*) f. **Chasca.** || **2. Ramojo.**

Rana. (Del lat. *rana.*) f. *Zool.* Batracio del orden de los anuros, de unos 8 a 15 centímetros de largo, con el dorso de color verdoso manchado de obscuro, verde, pardo, etc., y el abdomen blanco, boca con dientes y pupila redonda o en forma de rendija vertical. Conócense diversas especies, algunas muy comunes en España, y todas ellas, que son muy ágiles y buenas nadadoras, viven cuando adultas en las inmediaciones de aguas corrientes o estancadas y se alimentan de animalillos acuáticos o terrestres. || **2.** V. **Apio de ranas.** || **3.** fig. y fam. V. **Unto de rana.** || **4.** Juego que consiste en introducir desde cierta distancia una chapa o moneda por la boca abierta de una **rana** de metal colocada sobre una mesilla, o por otras ranuras convenientemente dispuestas. || **5.** pl. **Ránula.** || **Rana de zarzal.** Batracio semejante a un sapillo, con el cuerpo lleno de verrugas; su parte inferior tiene muchas pintas; los pies delanteros tienen cuatro dedos y los traseros cinco, algo separados, en forma de mano. || **marina,** o **pescadora. Pejesapo.** || **Canta la rana, y no tiene pelo ni lana.** ref. que aconseja sufrir la pobreza con dulce paciencia. || **Cuando la rana críe,** o **tenga, pelos.** expr. fig. y fam. que se usa para dar a entender el tiempo remoto en que se ejecutará una cosa, o que se duda de la posibilidad de que suceda. || **No ser rana** uno. fr. fig. y fam. Ser hábil y apto en una materia, o sobresaliente en otro concepto cualquiera.

Ranacuajo. (d. de *rana.*) m. **Renacuajo.**

Ranal. m. *Murc.* **Ranero.**

Rancajada. (De *rancar.*) f. Desarraigo; acción de arrancar de cuajo las plantas, sembrados o cosas semejantes.

Rancajado, da. adj. Herido de un rancajo.

Rancajo. (De *rancar.*) m. Punta o astilla de cualquier cosa, que se clava en la carne.

Rancar. (Del lat. *eruncāre,* arrancar.) tr. ant. **Arrancar.**

Ranciar. (Del lat. *rancidāre.*) tr. **Enranciar.** Ú. m. c. r.

Rancidez. f. **Ranciedad.**

Ranciedad. f. Calidad de rancio, 1.ª y 2.ª aceps. || **2.** Cosa anticuada.

Rancio, cia. (Del lat. *rancĭdus.*) adj. Dícese del vino y los comestibles grasientos que con el tiempo adquieren sabor y olor más fuertes, mejorándose o echándose a perder. || **2.** fig. Dícese de las cosas antiguas y de las personas apegadas a ellas. RANCIA *estirpe; filósofo* RANCIO. || **3.** m. **Rancidez.** || **4.** Tocino **rancio.** || **5.** Suciedad grasienta de los paños mientras se trabajan o cuando no se han trabajado bien.

Rancioso, sa. adj. **Rancio.**

Rancor. (Del lat. *rancor, -ōris.*) m. p. us. **Rencor.**

Rancura. f. ant. **Rencor.** || **2.** ant. Querella, demanda judicial.

Rancuroso, sa. (De *rancura.*) adj. ant. **Rencoroso.** || **2.** ant. Querellante, quejoso, ofendido. Usáb. t. c. s.

Rancheadero. m. Lugar o sitio donde se ranchea.

Ranchear. intr. Formar ranchos en una parte o acomodarse en ellos. Ú. t. c. r.

Ranchería. f. Conjunto de ranchos o chozas que forman como un lugar.

Ranchero. m. El que guisa el rancho y cuida de él. || **2.** El que gobierna un rancho.

Rancho. (Del ant. alto al. *hring,* círculo, asamblea.) m. Comida que se hace para muchos en común, y que generalmente se reduce a un solo guisado; como la que se da a los soldados y a los presos. || **2.** Junta de personas que toman a un tiempo esta comida. || **3.** Lugar fuera de poblado, donde se albergan diversas familias o personas. RANCHO *de gitanos de pastores.* || **4.** fig. y fam. Unión familiar de algunas personas separadas de otras y que se juntan a hablar o tratar alguna materia o negocio particular. || **5.** Choza o casa pobre con techumbre de ramas o paja, fuera de poblado. || **6.** *And.* Finca de labor de menos extensión que el cortijo y por lo común con vivienda. || **7.** *Amér.* Granja donde se crían caballos y otros cuadrúpedos. || **8.** *Mar.* Paraje determinado en las embarcaciones antiguas, donde se alojaban los individuos de la dotación. RANCHO *del armero.* || **9.** *Mar.* Cada una de las divisiones que se hacen de la marinería para el buen orden y disciplina en los buques de guerra; y así, se alterna en las faenas y servicios por **ranchos.** || **10.** *Mar.* Provisión de comida que embarca el comandante o los individuos que forman **rancho** o están arranchados. || **de Santa Bárbara.** División debajo de la cámara principal de la nave, donde estaba la caña del timón. || **Alborotar el rancho.** fr. fig. y fam. **Alborotar el cortijo.** || **Asentar el rancho.** fr. fig. y fam. Pararse o detenerse en un paraje para comer o descansar. || **2.** fig. y fam. Quedarse de asiento en una parte. || **Hacer rancho.** fr. fam. **Hacer lugar.** || **Hacer rancho aparte.** fr. fig. y fam. con que se designa el hecho de alejarse o separarse uno de las demás personas en actos o cosas que pudieron ser comunes a todos.

Randa. (Del al. *rand,* borde.) f. Guarnición de encaje con que se adornan los vestidos, la ropa blanca y otras cosas. || **2.** Encaje de bolillos. || **3.** m. fam. Ratero, granuja.

Randado, da. adj. Adornado con randas.

Randera. f. La que por oficio hace randas.

Ranero. m. Terreno en que se crían muchas ranas.

Rangífero. (Del b. lat. *rangifer.*) m. **Reno.**

Ranglán. m. **Raglán.**

Rango. (Como el fr. *rang,* del germ. *hring, ring,* círculo.) m. Índole, clase, categoría, calidad. || **2.** *Amér.* Situación social elevada. || **3.** *C. Rica, Chile, Ecuad., P. Rico* y *Salv.* Rumbo, esplendidez.

Rangoso, sa. adj. *Chile.* Rumboso, generoso.

Rangua. f. **Tejuelo,** 5.ª acep.

Ranilla. (d. de *rana.*) f. Parte del casco de las caballerías más blanda y flexible que el resto, de forma piramidal, situada entre los dos pulpejos o talones. || **2.** *Veter.* Enfermedad del ganado vacuno, que consiste en cuajársele en los intestinos, particularmente en el recto, cierta porción de sangre que no puede expeler.

Ranina. (De *rana.*) adj. *Zool.* V. **Arteria, vena ranina.**

Rano. m. En algunas partes, macho de la rana.

Ránula. (Del lat. *ranŭla.*) f. *Med.* Tumor blando, lleno de un líquido glutinoso, que suele formarse debajo de la lengua. || **2.** *Veter.* Tumor carbuncoso que se forma debajo de la lengua al ganado caballar y vacuno.

Ranunculáceo, a. (De *ranúnculo.*) adj. *Bot.* Dícese de plantas angiospermas dicotiledóneas, arbustos o hierbas, con hojas por lo común alternas, simples, sin estípulas, de pecíolos abrazadores y márgenes casi siempre cortadas de varios modos; flores de colores brillantes, solitarias o agrupadas en racimo o en panoja, y fruto seco y a veces carnoso, con semillas de albumen córneo; como la anemone, el acónito y la peonía. Ú. t. c. s. f. || **2.** f. pl. *Bot.* Familia de estas plantas.

Ranúnculo. (Del lat. *ranuncŭlus.*) m. Planta herbácea anual, de la familia de las ranunculáceas, con tallo hueco, ramoso, de dos a seis decímetros de altura; hojas partidas en tres lóbulos, muy hendidos en las inferiores, y enteros, casi lineales, en las superiores; flores amarillas y fruto seco. Es común en los terrenos húmedos de España y tiene jugo acre muy venenoso. Hay diversas especies.

Ranura. (En fr. *rainure.*) f. Canal estrecha y larga que se abre en un madero, piedra u otro material, para hacer un ensamble, guiar una pieza movible, etc.

Ranzal. (Del ár. *rassān* o *raṣṣān*, variedad de tela.) m. Cierta tela antigua de hilo.

Ranzón. (Del fr. *rançon*.) m. **Rescate,** 2.ª acep.

Raña. (De *raño*.) f. Instrumento para pescar pulpos en fondos de roca, formado por una cruz de madera o hierro erizada de garfios, que se echa al agua con una piedra.

Raña. (Por *herraña*, del lat. *ferrago, -inis*.) f. Terreno de monte bajo.

Raño. (Del lat. *aranĕus*.) m. *Zool.* Pez marino teleósteo del suborden de los acantopterigios, de unos tres decímetros de largo, de color amarillo en la cabeza y el lomo, y rojo amarillento en el vientre; aletas en general amarillas, y encarnadas las que están junto a las agallas. El opérculo de éstas es de borde menudamente aserrado y remata en la parte superior con dos fuertes aguijones. || **2.** Garfio de hierro con mango largo de madera, que sirve para arrancar de las peñas las ostras, lapas, etc.

Rapa. (Del cat. *rapa*.) f. Flor del olivo.

Rapabarbas. m. fam. **Barbero.**

Rapacejo. m. Alma de hilo, cáñamo o algodón, sobre la cual se tuerce estambre, seda o metal para formar los cordoncillos de los flecos. || **2.** Fleco liso.

Rapacejo, ja. m. y f. d. de **Rapaz,** 4.ª acep., y de **Rapaza.**

Rapacería. (De *rapaz*.) f. **Rapacidad.**

Rapacería. (De *rapaz*.) f. **Rapazada.**

Rapacidad. (Del lat. *rapacĭtas, -ātis*.) f. Calidad de rapaz, 1.ª acep.

Rapador, ra. adj. Que rapa. Ú. t. c. s. || **2.** m. fam. **Barbero,** 1.ª acep.

Rapadura. f. Acción y efecto de rapar o raparse, 1.ª y 2.ª aceps.

Rapagón. (De *rapar*.) m. Mozo joven a quien todavía no ha salido la barba, y parece que está como rapado.

Rapamiento. (De *rapar*.) m. **Rapadura.**

Rapante. p. a. de **Rapar.** Que rapa o hurta. || **2.** adj. *Blas.* **Rampante.**

Rapapiés. (De *rapar* y *pie*.) m. **Buscapiés.**

Rapapolvo. (De *rapar* y *polvo*.) m. fam. Reprensión áspera.

Rapar. (Del germ. *rapon*.) tr. **Afeitar,** 3.ª acep. Ú. t. c. r. || **2.** Cortar el pelo al rape. || **3.** fig. y fam. Hurtar o quitar con violencia alguna cosa.

Rapavelas. (De *rapar*, 4.ª acep., y *vela*.) m. Vulgarismo por sacristán, monaguillo u otro dependiente de una iglesia.

Rapaz. (Del lat. *rapax, -ācis*.) adj. Inclinado o dado al robo, hurto o rapiña. || **2.** V. **Ave rapaz.** Ú. t. c. s. || **3.** f. pl. Orden de estas aves. || **4.** m. Muchacho de corta edad. || **Cuida bien lo que haces, no te fíes de rapaces.** ref. que enseña que en negocios de importancia no conviene fiarse de gentes sin experiencia. || **Quien manda y haz, no ha menester rapaz.** ref. que aprueba la diligencia del que pudiendo hacerse servir lo hace por sí mismo.

Rapaza. f. Muchacha de corta edad.

Rapazada. (De *rapaz*, 4.ª acep.) f. **Muchachada.**

Rapazuelo, la. m. y f. d. de **Rapaz,** 4.ª acep.

Rape. (De *rapar*, 1.ª y 2.ª aceps.) m. fam. Rasura o corte de la barba hecho de prisa y sin cuidado. Ú. m. en la fr.: *Dar un* RAPE. || **Al rape.** m. adv. A la orilla o casi a raíz.

Rape. (En cat. *rap*.) m. **Pejesapo.**

Rapé. (Del fr. *rapé*, rallado.) adj. V. **Tabaco rapé.** Ú. m. c. s.

Rápidamente. adv. m. Con ímpetu, celeridad y presteza. || **2.** De modo fugaz, en o por un instante.

Rapidez. (De *rápido*.) f. Velocidad impetuosa o movimiento acelerado.

Rápido, da. (Del lat. *rapĭdus*.) adj. Veloz, pronto, impetuoso y como arrebatado. || **2.** m. **Rabión.**

Rapiego, ga. (Del lat. *rapĕre*, arrebatar.) adj. V. **Ave rapiega.**

Rapina. (Del lat. *rapīna*.) f. ant. **Rapiña.**

Rapiña. (De *rapina*.) f. Robo, expoliación o saqueo que se ejecuta arrebatando con violencia. || **2.** V. **Ave de rapiña.**

Rapiñador, ra. (Del lat. *rapinātor*.) adj. Que rapiña. Ú. t. c. s.

Rapiñar. (De *rapiña*.) tr. fam. Hurtar o quitar una cosa como arrebatándola.

Rapista. m. fam. El que rapa. || **2.** fam. **Barbero,** 1.ª acep.

Rápita. f. **Rábida.**

Rapo. (Del lat. *rapum*, y éste del gr. ῥάπυς.) m. **Naba,** 2.ª acep.

Rapónchigo. (Del lat. *rapum*, nabo.) m. Planta perenne de la familia de las campanuláceas, con tallos estriados de cuatro a seis decímetros de altura; hojas radicales oblongas, y lineales las del tallo; flores azules en panojas terminales, de corola en forma de campana, hendida en cinco puntas por el borde; fruto capsular y raíz blanca, fusiforme, carnosa y comestible. Es común en los terrenos montuosos.

Rapóntico. m. **Ruipóntico.**

Raposa. (De *raposo*.) f. **Zorra,** 1.er art., 1.ª y 2.ª aceps. || **2.** V. **Uva de raposa.** || **3.** fig. y fam. **Zorra,** 1.er art., 4.ª acep. || **Cada raposa guarde su cola.** ref. que recomienda que cada uno mire por sí. || **Si mucho sabe la raposa, más sabe quien la toma.** ref. **Mucho sabe la zorra, pero más quien la toma.**

Raposear. intr. Usar de ardides o trampas como la raposa.

Raposeo. m. Acción de raposear.

Raposera. (De *raposa*.) f. **Zorrera,** 1.ª acep.

Raposería. (De *raposera*.) f. **Zorrería.** || **2. Raposeo.**

Raposero, ra. (De *raposa*.) adj. V. **Perro raposero.**

Raposía. f. **Raposería.**

Raposino, na. adj. **Raposuno.**

Raposo. (De *rabo*.) m. **Zorro,** 1.ª acep. || **2.** fig. y fam. **Zorro,** 3.ª y 4.ª aceps. || **ferrero.** Zorro propio de los países glaciales, cuyo pelaje, muy espeso, suave y largo, y de color de hierro, o sea gris azulado, se estima mucho para forros y adornos de peletería. || **A raposo durmiente no le amenace la gallina en el vientre.** ref. contra los descuidados y negligentes.

Raposuno, na. (De *raposo*.) adj. **Zorruno.**

Rapsoda. (Del gr. ῥαψῳδός; de ῥάπτω, coser, y ᾠδή, canto.) m. El que en la Grecia antigua iba de pueblo en pueblo cantando trozos de los poemas homéricos u otras poesías.

Rapsodia. (Del lat. *rhapsodĭa*, y éste del gr. ῥαψῳδία.) f. Trozo de un poema, y especialmente de alguno de los de Homero. || **2. Centón,** 3.ª acep. || **3.** Pieza musical formada con fragmentos de otras obras o con trozos de aires populares.

Rapta. (Del lat. *rapta*, arrebatada.) adj. p. us. **Raptada,** 2.ª acep.

Raptada. p. p. f. de **Raptar.** || **2.** adj. Aplícase a la mujer a quien lleva un hombre por fuerza o con ruegos engañosos.

Raptar. (Del lat. *raptāre*.) tr. Sacar a una mujer, violentamente o con engaño, de la casa y potestad de sus padres y parientes.

Rapto. (Del lat. *raptus*.) m. Impulso, acción de arrebatar. || **2.** Delito que consiste en llevarse de su domicilio, con miras deshonestas, a una mujer por fuerza o por medio de ruegos y promesas engañosos; o tratándose de niña menor de doce años || **3. Éxtasis** 1.ª y 2.ª aceps. || **4.** p. us. **Robo,** 1.er art., 1.ª acep. || **5.** *For.* Impedimento dirimente o causa de nulidad del matrimonio celebrado entre el raptor y la robada que permanece en poder de aquél y no confirma su voluntad después de libertada. || **6.** *Med.* Accidente que priva de sentido.

Raptor, ra. (Del lat. *raptor*.) adj. ant. Que roba. Usáb. t. c. s. || **2.** Que comete con una mujer el delito de rapto. Ú. t. c. s.

Rapuzar. (De *rapar*.) tr. *León.* Segar alta la mies. || **2.** Desmochar una planta, arrancando algunas hojas o frutos.

Raque. (Del al. *Wrack*, barco naufragado, restos de un naufragio.) m. Acto de recoger los objetos perdidos en las costas por algún naufragio o echazón. *Andar, ir al* RAQUE.

Raquear. intr. Andar al raque; buscar restos de naufragios.

Raquero, ra. (De *raque*.) adj. Dícese del buque o de la embarcación pequeña que va pirateando o robando por las costas. || **2.** m. El que se ocupa en andar al raque. || **3.** Ratero que hurta en puertos y costas.

Raqueta. (Del ital. *rachetta*, contracc. de *retichetta*, y éste del lat. *rete*, red.) f. Bastidor de madera de figuras diversas, con mango, que sujeta una red o pergamino, o ambas cosas, y que se emplea como pala en el juego del volante, de la pelota y otros semejantes. || **2.** Este mismo juego. || **3.** Juego de pelota en que se emplea la pala. || **4. Jaramago.** || **5.** Utensilio de madera en forma de rasqueta, que se usa en las mesas de juego para mover el dinero de las posturas.

Raquetero, ra. m. y f. Persona que hace o vende raquetas.

Raquialgia. (De *raquis*, y el gr. ἄλγος, dolor.) f. *Med.* Dolor a lo largo del raquis.

Raquianestesia. f. *Med.* Anestesia producida por la inyección de un anestésico en el conducto raquídeo.

Raquídeo, a. adj. Perteneciente al raquis. || **2.** *Anat.* V. **Bulbo raquídeo.**

Raquis. (Del gr. ῥάχις.) m. *Bot.* **Raspa,** 9.ª acep. || **2.** *Zool.* **Espinazo,** 1.ª acep.

Raquítico, ca. adj. *Med.* Que padece raquitis. Ú. t. c. s. || **2.** fig. Exiguo, mezquino, desmedrado, endeble.

Raquitis. (Del gr. ῥαχῖτις, relativo al espinazo.) f. *Med.* Enfermedad crónica que por lo común sólo padecen los niños, y es un reblandecimiento y encorvadura de los huesos, sobre todo del raquis o espinazo, con debilidad y entumecimiento de los tejidos.

Raquitismo. m. *Med.* **Raquitis.**

Raquítomo. (Del gr. ῥάχις, y τέμνω, cortar.) m. Instrumento para abrir el conducto vertebral sin interesar la medula.

Rara. (Voz onomatopéyica.) f. *Amér. Merid.* Ave del tamaño de la codorniz, con el pico grueso y dentado; color gris obscuro por el lomo, blanquecino por el vientre y negro en las puntas de las alas. Se alimenta de plantas tiernas, por lo cual es dañosa en las huertas y sembrados.

Rara avis in terris. Hemistiquio de un verso de Juvenal, que en estilo familiar suele aplicarse en castellano a persona o cosa conceptuada como singular excepción de una regla cualquiera. Dícese más comúnmente **rara avis.**

Raramente. adv. m. Por maravilla, rara vez. || **2.** Con rareza, de un modo extraordinario, o ridículo.

Rarefacción. (Del lat. *rarefactum*, supino de *rarefacĕre*, enrarecer.) f. Acción y efecto de rarefacer o rarefacerse.

Rarefacer. (Del lat. *rarefacĕre*.) tr. **Enrarecer.** Ú. t. c. r.

Rarefacto, ta. (Del lat. *rarefactus*.) p. p. irreg. de **Rarefacer.**

Rareza. f. Calidad de raro. || **2.** Cosa rara. || **3.** Acción característica de la persona rara o extravagante.

Raridad. (Del lat. *rarĭtas, -ātis*.) f. **Rareza,** 1.ª acep.

Rarificar. tr. **Rarefacer.** Ú. t. c. r.

Rarificativo, va. adj. Que tiene virtud de rarificar.

Raro, ra. (Del lat. *rarus.*) adj. Que tiene poca densidad y consistencia. Dícese principalmente de los gases enrarecidos. || **2.** Extraordinario, poco común o frecuente. || **3.** Escaso en su clase o especie. || **4.** Insigne, sobresaliente o excelente en su línea. || **5.** Extravagante de genio o de comportamiento y propenso a singularizarse.

Ras. (De *rasar.*) m. Igualdad en la superficie o la altura de las cosas. || **A ras.** m. adv. Casi tocando, casi al nivel de una cosa. || **Ras con ras,** o **ras en ras.** m. adv. A un mismo nivel o a una misma línea. || **2.** Dícese también cuando un cuerpo pasa tocando ligeramente a otro.

Rasa. (Del lat. *rasa,* t. f. de *-sus,* raso.) f. Abertura o raleza que se hace al menor esfuerzo en las telas endebles y mal tejidas, sin que se rompan la trama ni la urdimbre. || **2.** Llano alto y despejado de un monte. || **3. Raso,** 1.ª acep.

Rasadura. f. Acción y efecto de rasar.

Rasamente. adv. m. Clara y abiertamente, sin embozo.

Rasante. p. a. de **Rasar.** Que rasa. || **2.** adj. *Art.* V. **Tiro rasante.** || **3.** f. Línea de una calle o camino considerada en su inclinación o paralelismo respecto del plano horizontal.

Rasar. (De *raso.*) tr. Igualar con el rasero las medidas de trigo, cebada y otras cosas. || **2.** Pasar rozando ligeramente un cuerpo con otro. *La bala* RASÓ *la pared.* || **3.** p. us. **Arrasar,** 2.ª acep.

Rasarse. r. Ponerse rasa o limpia una cosa, como el cielo sin nubes.

Rascacielos. m. Edificio de gran altura y muchos pisos.

Rascacio. (De *rascar.*) m. **Rescaza.**

Rascadera. (De *rascar.*) f. **Rascador,** 1.ª acep. || **2.** fam. **Almohaza.**

Rascador. m. Cualquiera de los varios instrumentos que sirven para rascar, así la superficie de un metal, como la piel, etc. || **2.** Especie de aguja guarnecida de piedras, que las mujeres se ponen en la cabeza, por adorno. || **3.** Instrumento de hierro que se usa para desgranar el maíz y otros frutos análogos.

Rascadura. f. Acción y efecto de rascar o rascarse.

Rascalino. (De *rascar* y *lino.*) m. **Tiñuela,** 1.ª acep.

Rascamiento. (De *rascar.*) m. **Rascadura.**

Rascamoño. (De *rascar* y *moño.*) m. **Rascador,** 2.ª acep.

Rascar. (Del lat. **rasicāre,* raer, de *rasus.*) tr. Refregar o frotar fuertemente la piel con una cosa aguda o áspera, y por lo regular con las uñas. Ú. t. c. r. || **2. Arañar,** 1.ª acep. || **3.** Limpiar con rascador o rasqueta alguna cosa. || **Llevar,** o **tener,** uno **qué rascar.** fr. fig. y fam. **Llevar,** o **tener, qué lamer.**

Rascatripas. com. Persona que con poca habilidad toca el violín u otro instrumento de arco.

Rascazón. f. Comezón o picazón que incita a rascarse.

Rascle. (De *rascar,* 2.ª acep.) m. Arte usado para la pesca del coral.

Rasco. (De *rascar.*) m. ant. **Rascadura.**

Rascón, na. (De *rascar.*) adj. Áspero o raspante al paladar. || **2.** m. **Polla de agua,** 3.ª acep.

Rascuñar. (De *rascar.*) tr. **Rasguñar.**

Rascuño. (De *rascuñar.*) m. **Rasguño.**

Rasel. m. *Mar.* **Racel.**

Rasera. f. **Rasero.** || **2.** Paleta de metal, por lo común con varios agujeros, que se emplea en la cocina para volver los fritos y para otros fines.

Rasero. (Del lat. *rasorium.*) m. Palo cilíndrico que sirve para rasar las medidas de los áridos; a veces tiene forma de rasqueta. || **Por el mismo,** o **por un, rasero.** m. adv. fig. Con rigurosa igualdad, sin la menor diferencia. Ú. comúnmente con los verbos *medir* y *llevar.*

Rasete. m. Raso de inferior calidad.

Rasgado, da. (De *rasgar,* 1.er art.) adj. Dícese del balcón o ventana grande que se abre mucho y tiene mucha luz. || **2.** V. **Boca rasgada.** || **3.** V. **Ojos rasgados.** || **4.** m. **Rasgón.**

Rasgador, ra. adj. Que rasga.

Rasgadura. f. Acción y efecto de rasgar, 1.er art. || **2. Rasgón.**

Rasgar. (Del lat. *resecāre,* hacer pedazos.) tr. Romper o hacer pedazos, a viva fuerza y sin el auxilio de ningún instrumento, cosas de poca consistencia; como tejidos, pieles, papel, etc. Ú. t. c. r.

Rasgar. (Del lat. **rasicāre,* rascar.) tr. **Rasguear.**

Rasgo. (De *rasgar,* 1.er art.) m. Línea de adorno trazada airosa y gallardamente con la pluma, y más comúnmente cada una de las que se hacen para adornar las letras al escribir. || **2.** fig. Expresión feliz; afecto o pensamiento expresado con viveza, propiedad y hermosura. || **3.** fig. Acción gallarda y notable en cualquier concepto, y muy significativa y propia del afecto o disposición de ánimo de que se origina. RASGO *heroico, de humildad.* || **4.** Facción del rostro. Ú. m. en pl.

Rasgón. (De *rasgar,* 1.er art.) m. Rotura de un vestido o tela.

Rasgueado. (De *rasguear.*) m. **Rasgueo.**

Rasgueador, ra. adj. Dícese del que rasguea con gusto y delicadeza al escribir. Ú. t. c. s.

Rasguear. (De *rasgar,* 2.° art.) tr. Tocar la guitarra u otro instrumento rozando varias cuerdas a la vez con las puntas de los dedos. || **2.** intr. Hacer rasgos con la pluma.

Rasgueo. m. Acción y efecto de rasguear.

Rasguñar. (De *rasgar,* 1.er art.) tr. Arañar o rascar con las uñas o con algún instrumento cortante una cosa, especialmente el cuero. || **2.** *Pint.* Dibujar en apuntamiento o tanteo.

Rasguño. (De *rasguñar.*) m. **Arañazo.** || **2.** *Pint.* Dibujo en apuntamiento o tanteo.

Rasguñuelo. m. d. de **Rasguño.**

Rasilla. (De *raso.*) f. Tela de lana, delgada y parecida a la lamparilla. || **2.** Ladrillo hueco y más delgado que el corriente, que se emplea para forjar bovedillas y otras obras de fábrica.

Rasión. (Del lat. *rasus.*) f. **Rasuración.**

Rasmia. (Quizá del ár. *rasmiyya,* vigor y rapidez en la marcha.) f. *Ar.* Empuje y tesón para acometer y continuar una empresa.

Raso, sa. (Del lat. *rasus,* p. p. de *radĕre,* raer.) adj. Plano, liso, desembarazado de estorbos. Ú. t. c. s. || **2.** Aplícase al asiento o silla que no tiene respaldar. || **3.** Dícese del que no tiene un título u otro adherente que le distinga. *Soldado* RASO. || **4.** Dícese también de la atmósfera cuando está libre y desembarazada de nubes y nieblas. || **5.** Que pasa o se mueve a poca altura del suelo. || **6.** V. **Campo, cielo, escudo raso.** || **7. Bala, tabla rasa.** || **8.** ant. Rasgado o raído. || **9.** m. Tela de seda lustrosa, de más cuerpo que el tafetán y menos que el terciopelo. || **10.** *Germ.* **Clérigo,** 1.ª acep. || **chorreado.** Cierta especie de raso antiguo. || **A la rasa.** m. adv. ant. **Al descubierto.** || **Al raso.** m. adv. En el campo o a cielo descubierto.

Rasoliso. m. Cierta clase de tela de raso.

Raspa. (De *raspar.*) f. **Arista,** 1.ª acep. || **2. Pelo,** 7.ª y 8.ª aceps. || **3.** En los pescados, cualquier espina, especialmente la esquena. || **4.** En algunas partes, grumo o gajo de uvas. || **5.** En algunos frutos, **zurrón,** 3.ª acep. || **6.** *Amér. Merid.* Reproche, reprimenda. || **7.** *Germ.* Cierta trampa que usan los fulleros en el juego de naipes. || **8. Zuro,** 1.er art., 1.ª acep. || **9.** *Bot.* Eje o pedúnculo común de las flores y frutos de una espiga o un racimo. || **Ir** uno **a la raspa.** fr. fam. Ir a pillar o hurtar. || **Tender** uno **la raspa.** fr. fig. y fam. Echarse a dormir o descansar.

Raspadillo. m. *Germ.* **Raspa,** 7.ª acep.

Raspado, da. p. p. de **Raspar.** || **2.** adj. V. **Hilas raspadas.**

Raspador. m. Instrumento que sirve para raspar, y más especialmente el que se compone de un mango y una cuchillita en figura de hierro de lanza, y se emplea para raspar lo escrito.

Raspadura. f. Acción y efecto de raspar. || **2.** Lo que raspando se quita de la superficie.

Raspajo. (d. de *raspa,* 4.ª acep.) m. Escobajo de uvas.

Raspamiento. m. **Raspadura,** 1.ª acep.

Ráspano. m. *Sant.* **Rasponera.**

Raspante. p. a. de **Raspar.** Que raspa. Aplícase comúnmente al vino que pica al paladar.

Raspar. (Del germ. *raspón.*) tr. Raer ligeramente una cosa quitándole alguna parte superficial. || **2.** Picar el vino u otro licor al paladar. || **3.** Hurtar, quitar una cosa. || **4. Rasar,** 2.ª acep.

Raspear. (De *raspa.*) intr. Correr con aspereza y dificultad la pluma, y despedir chispillas de tinta por tener un pelo o raspa. || **2.** tr. Reprender, reconvenir.

Raspilla. (d. de *raspa.*) f. *Bot.* Planta herbácea de la familia de las borragináceas, con tallos casi tendidos, angulares, con espinitas revueltas hacia abajo, hojas ásperas, estrechas por la base y aovadas por la parte opuesta, y flores azules, llamadas nomeolvides.

Raspinegro, gra. (De *raspa* y *negro.*) adj. *And.* **Arisnegro.**

Raspón. m. *Colomb.* Sombrero de paja que usan los campesinos.

Rasponazo. m. Lesión o erosión superficial causada por un roce violento.

Rasponera. f. *Sant.* **Arándano.**

Raspudo. (De *raspa.*) adj. V. **Trigo raspudo.**

Rasqueta. (De *rascar.*) f. Planchuela de hierro, de cantos afilados y con mango de madera, que se usa para raer y limpiar los palos, cubiertas y costados de las embarcaciones. || **2.** *Amér. Merid.* y *Ant.* **Almohaza.**

Rasquetear. (De *rasqueta.*) tr. *Amér. Merid.* **Almohazar.**

Rastel. (Del lat. *rastellus,* d. de *raster,* rastrillo.) m. **Barandilla.**

Rastillado, da. (De *rastillo.*) adj. *Germ.* Dícese de aquel a quien han robado una cosa.

Rastillador, ra. adj. **Rastrillador.** Ú. t. c. s.

Rastillar. (De *rastillo.*) tr. **Rastrillar.**

Rastillero. (De *rastillo.*) m. *Germ.* Ladrón que arrebata una cosa y huye.

Rastillo. (Del lat. *rastellus.*) m. **Rastrillo.** || **2.** *Germ.* **Mano,** 1.ª acep.

Rastra. (De *rastro.*) f. **Rastro,** 1.ª y 3.ª aceps. || **2. Narria,** 1.ª acep. || **3. Grada,** 2.° art., 2.ª acep. || **4. Recogedor,** 2.ª acep. || **5.** Cualquier cosa que va colgando y arrastrando. || **6.** Persona que con su presencia hace presumir que está cercana otra a quien suele seguir o acompañar ordinariamente. || **7.** fig. Resulta de una acción que obliga a restitución del daño causado o a la pena del delito, o trae otros inconvenientes. || **8.** Entre ganaderos, cría de una res, y especialmente la que mama aún y sigue a su madre. || **9.** *Mar.* Seno de cabo que se arrastra por el fondo del mar para buscar y sacar cierta clase de objetos sumergidos. || **A la rastra, a rastra,** o **a rastras.** m.

adv. Arrastrando. || **2.** fig. De mal grado, obligado o forzado.

Rastra. (De *ristra.*) f. Sarta de cualquier fruta seca.

Rastrallar. (De *restallar.*) tr. **Restallar.**

Rastrante. p. a. ant. de **Rastrar.** Que rastra.

Rastrar. (De *rastro.*) tr. p. us. **Arrastrar.** || **2.** p. us. **Rastrear,** 1.ª acep.

Rastreado, da. p. p. de **Rastrear.** || **2.** m. Cierto baile español del siglo XVII.

Rastreador, ra. adj. Que rastrea. Ú. t. c. s.

Rastrear. tr. Seguir el rastro o buscar alguna cosa por él. || **2.** Llevar arrastrando por el fondo del agua una rastra, un arte de pesca u otra cosa. || **3.** Vender la carne en el rastro por mayor. || **4.** fig. Inquirir, indagar, averiguar una cosa, discurriendo por conjeturas o señales. || **5.** intr. Hacer alguna labor con el rastro. || **6.** Ir por el aire, pero casi tocando el suelo.

Rastrel. m. **Ristrel.**

Rastreo. m. Acción de rastrear por el fondo del agua.

Rastrera. f. *Mar.* **Arrastradera.**

Rastreramente. adv. m. De un modo rastrero, baja y ruinmente.

Rastrero, ra. adj. Que va arrastrando. || **2.** V. **Perro rastrero.** || **3.** V. **Sabina rastrera.** || **4.** Aplícase a las cosas que van por el aire, pero casi tocando el suelo. || **5.** fig. Bajo, vil y despreciable. || **6.** *Bot.* Dícese del tallo de una planta que, tendido por el suelo, echa raicillas de trecho en trecho. || **7.** m. El que tiene oficio en el rastro o lugar donde se matan las reses. || **8.** El que trae ganado para el rastro.

Rastrilla. f. Rastro que tiene el mango en una de las caras estrechas del travesaño.

Rastrillada. f. Todo lo que se recoge o se barre de una vez con el rastrillo o rastro.

Rastrillado. m. Acción y efecto de rastrillar.

Rastrillador, ra. adj. Que rastrilla. Ú. t. c. s.

Rastrillaje. m. Maniobra que se ejecuta con la rastra o rastrillo.

Rastrillar. (De *rastrillo.*) tr. Limpiar el lino o cáñamo de la arista y estopa. || **2.** Recoger con el rastro la parva en las eras o la hierba segada en los prados. || **3.** Pasar la rastra por los sembrados. || **4.** Limpiar de hierba con el rastrillo las calles de los parques y jardines.

Rastrillo. (d. de *rastro.*) m. Tabla con muchos dientes de alambre grueso, a manera de carda, sobre los que se pasa el lino o cáñamo para apartar la estopa y separar bien las fibras. || **2.** Compuerta formada con una reja o verja fuerte y espesa, que se echa en las puertas de las plazas de armas para defender la entrada, y que, por estar afianzada en unas cuerdas fuertes o cadenas, se levanta cuando se quiere dejar libre el paso. || **3.** Estacada, verja o puerta de hierro que defiende la entrada de una fortaleza o de un establecimiento penal. || **4.** Pieza acerada y rayada que tenían las llaves de las armas de chispa, y en que hiere el pedernal para que salte el fuego a la cazoleta. || **5. Rastro,** 1.ª y 2.ª aceps. || **6.** Guarda perpendicular a la tija de la llave y que sólo penetra hasta la mitad del paletón. || **7.** Planchita encorvada que está dentro de la cerradura y que al girar la llave entra por el **rastrillo** del paletón.

Rastro. (Del lat. *rastrum.*) m. Instrumento compuesto de un mango largo y delgado cruzado en uno de sus extremos por un travesaño armado de púas a manera de dientes, y que sirve para recoger hierba, paja, broza, etc. || **2.** Herramienta a manera de azada, que en vez de pala tiene dientes fuertes y gruesos, y sirve para extender piedra partida y para usos análogos. || **3.** Vestigio, señal o indicio que deja una cosa de haber acontecido en un lugar cualquiera. || **4. Mugrón,** 1.ª acep. || **5.** V. **Alcalde del rastro.** || **6.** Lugar destinado en las poblaciones para vender en ciertos días de la semana la carne por mayor. || **7. Matadero,** 1.ª acep. || **8.** fig. Señal, reliquia o vestigio que queda de una cosa. || **de la corte.** Territorio al cual alcanzaba la jurisdicción de los alcaldes de corte.

Rastrojal. m. **Rastrojera.** || **2.** *Ecuad.* Hierbas y arbustos que crecen en un terreno agotado que se abandonó y que en poco tiempo se convierte en monte espeso, donde la flora es completamente distinta de la que existía antes.

Rastrojar. tr. Arrancar el rastrojo.

Rastrojera. f. Conjunto de tierras que han quedado de rastrojo. || **2.** Temporada en que los ganados pastan los rastrojos, hasta que se alzan las tierras.

Rastrojo. (Del lat. **restucŭlum* por **restipŭla.*) m. Residuo de las cañas de la mies, que queda en la tierra después de segar. || **2.** El campo después de segada la mies y antes de recibir nueva labor. || **Sacar** a uno **de los rastrojos.** fr. fig. y fam. Sacarle de estado bajo o humilde.

Rasura. (Del lat. *rasūra.*) f. Acción y efecto de rasurar. || **2. Raedura.** || **3.** pl. **Tártaro,** 1.er art., 1.ª acep.

Rasuración. (De *rasurar.*) f. **Rasura,** 1.ª acep. || **2. Raedura,** 1.ª acep.

Rasurar. (De *rasura.*) tr. **Afeitar,** 3.ª acep. Ú. t. c. r.

Rata. (Del ant. alto al. *ratta.*) f. Mamífero roedor, de unos 36 centímetros desde el hocico a la extremidad de la cola, que tiene hasta 16; con cabeza pequeña, hocico puntiagudo, orejas tiesas, cuerpo grueso, patas cortas, cola delgada y pelaje gris obscuro. Es animal muy fecundo, destructor y voraz; se ceba con preferencia en las substancias duras, y vive por lo común en los edificios y embarcaciones. || **2.** Hembra del rato. || **3.** En las aldeas, coleta de pelo pequeña y muy delgada. || **4.** V. **Piel de rata.** || **5.** *Germ.* **Faltriquera,** 1.ª acep. || **6.** m. fam. **Ratero,** 1.ª acep. || **de agua.** Roedor del tamaño de la **rata** común, y como ésta, con tres molares a cada lado de las mandíbulas, pero de cola corta y de costumbres acuáticas. Otra especie construye su vivienda bajo tierra y se la confunde con el topo, dándole este nombre. || **de mar.** *Zool.* Pez teleósteo, acantopterigio, de cuerpo corto y no comprimido, con la cabeza aplastada, muy voluminosa, que tiene los ojos en la cara superior, dirigidos hacia arriba; la boca se abre verticalmente, siendo la mandíbula inferior prominente, como la de un dogo. || **de trompa.** Pequeño mamífero insectívoro africano, semejante a un ratón, con el hocico prolongado en una estrecha trompa y la cola larga y delgada. || **Más pobre que las ratas, o que una rata.** expr. fig. y fam. Sumamente pobre.

Ratafía. (En fr. y en port. *ratafia.*) f. Rosoli en que entra zumo de ciertas frutas, principalmente de cerezas o de guindas.

Ratania. (Del quichua *ratania,* mata rastrera.) f. *Bot.* Arbusto americano de la familia de las poligaláceas, de unos tres decímetros de altura, con tallos ramosos y rastreros, hojas elípticas, enteras, duras, bastante gruesas y lanuginosas; flores axilares de cáliz blanquecino y corola carmesí; fruto capsular, seco, casi esférico y velludo, y raíz gruesa, leñosa, de corteza encarnada e interior róseo, muy usada en medicina como astringente poderoso. || **2.** Raíz de esta planta.

Rata parte. loc. lat. **Prorrata.**

Rataplán. m. Voz onomatopéyica con que se imita el sonido del tambor.

Rata por cantidad. m. adv. Mediante prorrateo.

Ratear. (Del lat. *ratus,* proporcionado.) tr. Disminuir o rebajar a proporción o prorrata. || **2.** Distribuir, repartir proporcionadamente.

Ratear. (De *rata.*) tr. Hurtar con destreza y sutileza cosas pequeñas. || **2.** intr. Andar arrastrando con el cuerpo pegado a la tierra.

Rateo. (De *ratear,* 1.er art.) m. **Prorrateo.**

Rateramente. adv. m. Con ratería, bajamente.

Ratería. (De *ratero,* 1.ª acep.) f. Hurto de cosas de poco valor. || **2.** Acción de hurtarlas con maña y cautela.

Ratería. (De *ratero,* 2.ª acep.) f. Vileza, bajeza o ruindad en los tratos o negocios.

Ratero, ra. (De *rata.*) adj. Dícese del ladrón que hurta con maña y cautela cosas de poco valor. Ú. m. c. s. || **2.** Rastrero, 1.ª, 4.ª y 5.ª aceps. || **3.** V. **Ave ratera.** || **4.** V. **Águila ratera.**

Ratero, la. adj. d. de **Ratero,** 1.ª acep. Ú. m. c. s.

Ratificación. f. Acción y efecto de ratificar o ratificarse.

Ratificar. (Del lat. *ratus,* confirmado, y *facĕre,* hacer.) tr. Aprobar o confirmar actos, palabras o escritos dándolos por valederos y ciertos. Ú. t. c. r.

Ratificatorio, ria. adj. Que ratifica o denota ratificación.

Ratigar. (Del lat. **reapticāre,* de *aptāre.*) tr. Atar y asegurar con una soga el rátigo después que se ha colocado con orden en el carro.

Rátigo. m. Conjunto de cosas diversas que lleva el carro en que se acarrea vino; como son botas, peilejos, pieles de carnero o cabra, y costales con harina o paja.

Ratihabición. (Del lat. *ratihabitĭo, -ōnis.*) f. *For.* Declaración de la voluntad de uno aprobando y confirmando un acto que otro hizo por él.

Ratimago. m. *And.* Artería, engaño, artimaña.

Ratina. (En fr. *ratine:* en ital. *rattina:* en ingl. *rateen.*) f. Tela de lana, entrefina, delgada y con granillo.

Ratino, na. adj. *Sant.* Dícese de la res vacuna de pelo gris, semejante al de la rata.

Ratiño. (Del port. *ratinho,* ratón.) m. Nombre o apodo que por desprecio se daba en el siglo XVII al habitante del Bierzo. Usáb. t. c. adj.

Rato. (Del lat. *ratus,* confirmado.) adj. V. **Matrimonio rato.**

Rato. (Del lat. *raptus,* p. p. de *rapĕre,* arrebatar.) m. Espacio de tiempo y especialmente cuando es corto. || **2.** Gusto o disgusto; y en este sentido va siempre acompañado de los adjetivos *bueno* o *malo* u otros análogos. || **Buen rato.** fam. Mucha o gran cantidad de una cosa. || **Ratos perdidos.** Aquellos en que uno se ve libre de ocupaciones obligatorias y puede dedicarse a otros quehaceres y tareas. Ú. m. en el m. adv. *A* RATOS *perdidos.* || **A ratos.** m. adv. **De rato en rato** || **2. A veces.** || **De rato en rato.** m. adv. Con algunas intermisiones de tiempo. || **Pasar el rato.** fr. fam. **Perder el tiempo.**

Rato. (Del ant. alto al. *ratto.*) m. En algunas partes, **ratón,** 1.ª acep. || **2.** Macho de la rata. || **Lo que has de dar al rato, dáselo al gato.** ref. que aconseja gastar de una vez con utilidad, y no exponerse al desperdicio ni al hurto.

Ratón. (De *rato,* 3.er art.) m. Mamífero roedor, de unos dos decímetros de largo desde el hocico hasta la extremidad de la cola, que tiene la mitad; de pelaje generalmente gris; muy fecundo y ágil y que vive en las casas, donde causa daño por lo que come, roe y destruye. Hay especies que habitan en el campo. || **2.** V. **Oreja de ratón.** || **3.** *Germ.* Ladrón cobarde. || **4.** *Mar.* Piedra puntiaguda y cortante que está en el fondo del mar y roza los cables. || **almizclero.** Desmán, 2.° art. || **Acogí al ratón en mi agujero, y volvióseme heredero.** ref. que enseña no deberse hacer confianza de quien pueda sospecharse que con el tiempo abusará de ella. || **Ratones, arriba; que todo lo blanco no es harina.** ref. que enseña cuán falaces suelen ser las apariencias. || **Ratón que no sabe más que un horado, presto es cazado.** ref. que advierte la dificultad de escaparse de cualquier peligro quien no tiene para ello más que un recurso.

Ratona. f. Hembra del ratón.

Ratonar. tr. Morder o roer los ratones una cosa; como queso, pan, etc. Festivamente también se suele decir de las personas. || **2.** r. Ponerse enfermo el gato, de comer muchos ratones.

Ratonera. f. Trampa en que se cogen o cazan los ratones. || **2.** Agujero que hace el ratón en las paredes, arcas, nasas, etc., para entrar y salir por él. || **3.** Madriguera de ratones. || **de agua.** Gato de agua. || **Caer** uno **en la ratonera.** fr. fig. y fam. **Caer en el lazo.**

Ratonero, ra. adj. **Ratonesco.** || **2.** fig. y fam. V. **Música ratonera.** || **3.** V. **Águila ratonera.**

Ratonesco, ca. adj. Perteneciente a los ratones.

Ratonil. adj. Ratonesco.

Rauco, ca. (Del lat. *raucus.*) adj. poét. **Ronco.**

Rauda. (Del lat. *rapida*, t. f. de *-dus*, raudo.) f. ant. **Raudal**, 1.ª acep.

Rauda. (Del ár. *rawḍa*, jardín, cementerio.) f. Cementerio árabe.

Raudal. (De *raudo.*) m. Copia de agua que corre arrebatadamente. || **2.** fig. Abundancia o copia de cosas que rápidamente y como de golpe concurren o se derraman.

Raudamente. adv. m. **Rápidamente**, 1.ª acep.

Raudo, da. (Del lat. *rapĭdus.*) adj. Rápido, violento, precipitado.

Raulí. (Del arauc. *ruylin.*) m. *Bot. Chile.* Árbol de la familia de las fagáceas, que suele llegar a 50 metros de altura y tiene hojas caedizas, oblongas, doblemente aserradas, pálidas en su cara interna; fruto muy erizado, y cuya madera se emplea en toda clase de muebles y en arquitectura, para puertas, ventanas y pavimentos.

Rauta. (Del fr. *route*, y éste del lat. [*via*] *rupta.*) f. fam. Ruta, camino. Ú. sólo con los verbos *coger* y *tomar.*

Ravenala. f. *Bot.* Árbol de la familia de las musáceas, originario de Madagascar, notable por la belleza de su follaje y la vistosidad de sus flores.

Ravenés, sa. adj. Natural de Ravena. Ú. t. c. s. || **2.** Perteneciente a esta ciudad de Italia.

Ravioles. (Del ital. *ravioli.*) m. pl. Emparedados de masa con carne picada, que se sirven con salsa y queso rallado.

Raya. (Del b. lat. *radia*, y éste del lat. *radĭus*, rayo.) f. Señal larga y estrecha que por combinación de un color con otro, por pliegue o por hendedura poco profunda, se hace o forma natural o artificialmente en un cuerpo cualquiera. || **2.** Término, confín o límite de una nación, provincia, región o distrito; y también lindero de un predio si tiene mucha extensión. || **3.** Término que se pone a una cosa, así en lo físico como en lo moral. || **4. Cortafuego**, 1.ª acep. || **5.** Cada uno de los puntos o tantos que se ganan en determinados juegos, y que comúnmente se apuntan con **rayas.** || **6.** Señal que resulta en la cabeza de dividir los cabellos con el peine, echando una parte de ellos hacia un lado y otra hacia el lado opuesto. || **7.** Cada una de las estrías en espiral que se hacen en el ánima de las armas de fuego para que el proyectil corra forzado por ellas y tenga mayor alcance. || **8.** Distintivo de un vino de Jerez del tipo de los olorosos, pero más basto y de fermentación incompleta. || **9.** *Argent.* V. **Juez de raya.** || **10.** *Gram.* Guión algo más largo que se usa para separar oraciones incidentales o indicar el diálogo en los escritos. || **de mulo.** Faja negra y estrecha que algunas caballerías tienen en el cuello y el lomo. || **A raya.** m. adv. Dentro de los justos límites. Ú. casi siempre con los verbos *poner* y *tener.* || **Dar quince y raya** a uno. fr. fig. y fam. **Dar** uno **quince y falta** a otro. || **Echar raya.** fr. fig. **Competir.** || **Hacer raya.** fr. fig. Aventajarse, esmerarse o sobresalir en una cosa. || **Pasar de la raya,** o **de raya.** fr. fig. Propasarse, tocar en los términos de la desatención o descortesía, o exceder en cualquiera línea. || **Tres en raya.** Juego de muchachos, que se juega con unas piedrecillas o tantos colocados en un cuadro, dividido en otros cuatro, con las líneas tiradas de un lado a otro por el centro, y añadidas las diagonales de un ángulo a otro. El fin del juego consiste en colocar en cualquiera de las líneas los tres tantos propios, y el arte del juego, en impedir que esto se logre, interpolando los tantos contrarios.

Raya. (Del lat. *raia.*) f. *Zool.* Pez selacio del suborden de los ráyidos, muy abundante en los mares españoles, cuyo cuerpo tiene la forma de un disco romboidal y puede alcanzar un metro de longitud; aletas dorsales pequeñas y situadas en la cola, que es larga y delgada y tiene una fila longitudinal de espinas; aleta caudal rudimentaria. || **2.** *Zool.* Cualquiera de los selacios pertenecientes al suborden de los ráyidos. || **común. Raya**, 2.° art., 1.ª acep.

Rayadillo. m. Tela de algodón rayada.

Rayado, da. p. p. de **Rayar.** || **2.** adj. V. **Cañón, papel rayado.** || **3.** V. **Carabina rayada.** || **4.** m. Conjunto de rayas o listas de una tela, papel, etc. || **5.** Acción de rayar.

Rayador. m. *Amér. Merid.* Ave que tiene el pico muy aplanado y delgado y la mandíbula superior mucho más corta que la inferior. Debe su nombre a que cuando vuela sobre el mar parece que va rayando el agua que roza con su cuerpo.

Rayano, na. (De *rayar.*) adj. Que confina o linda con una cosa. || **2.** Que está en la raya que divide dos territorios. || **3.** fig. Cercano, con semejanza que se aproxima a igualdad.

Rayar. (Del lat. *radiāre.*) tr. Hacer o tirar rayas. || **2.** Tachar lo manuscrito o impreso, con una o varias rayas. || **3. Subrayar.** || **4.** intr. Confirmar una cosa con otra. || **5.** Con las voces *alba, día, luz, sol, amanecer,* alborear. || **6.** fig. Sobresalir o distinguirse entre otros en prendas o acciones. || **7.** fig. Asemejarse una cosa a otra, acercarse a igualarla.

Rayero. m. *Argent.* **Juez de raya.**

Ráyido. (De *raya*, 2.° art.) adj. *Zool.* Dícese de peces selacios que tienen el cuerpo deprimido, de forma discoidal o romboidal, con las aberturas branquiales en la cara inferior del cuerpo y con la cola larga y delgada; como la raya y el torpedo. Ú. t. c. s. || **2.** m. pl. *Zool.* Suborden de estos animales.

Rayo. (Del lat. *radĭus.*) m. Cada una de las líneas, generalmente rectas, que parten del punto en que se produce una determinada forma de energía y señalan la dirección en que ésta se propaga. || **2.** Línea de luz que procede de un cuerpo luminoso, y especialmente las que vienen del Sol. || **3.** Chispa eléctrica de gran intensidad producida por descarga entre dos nubes o entre una nube y la tierra. || **4.** V. **Corona de rayos.** || **5.** Cada una de las piezas que a modo de radios de círculo unen el cubo a las pinas de una rueda. || **6.** V. **Piedra de rayo.** || **7.** fig. Cualquier cosa que tiene gran fuerza o eficacia en su acción. || **8.** fig. Persona muy viva y pronta de ingenio. || **9.** fig. Persona pronta y ligera en sus acciones. || **10.** fig. Sentimiento intenso y pronto de un dolor en parte determinada del cuerpo. || **11.** fig. Estrago, infortunio o castigo improviso y repentino. || **12.** *Germ.* Criado de justicia. || **13.** *Germ.* **Ojo**, 1.ª acep. || **de calor.** *Fís.* Dirección rectilínea en que se propaga el calor. || **de especies.** *Ópt.* **Rayo de luz.** || **de la incidencia.** *Ópt.* **Rayo incidente.** || **de leche.** Hilo o caño de leche que arroja el pezón del pecho de las mujeres que crían. || **de luz.** *Ópt.* Línea de luz transmitida por el medio diáfano. || **2.** fig. Especie que se ofrece repentinamente a la inteligencia, con que se aclara y explica una duda o ignorancia. || **directo.** *Ópt.* El que proviene derechamente del objeto luminoso. || **incidente.** *Ópt.* Parte del **rayo** de luz desde el objeto hasta el punto en que se quiebra o refleja. || **óptico.** *Ópt.* Aquel por medio del cual se ve el objeto. || **principal.** *Persp.* Línea recta tirada desde la vista perpendicularmente a la tabla. || **reflejo.** *Ópt.* El que, por haberse encontrado con un cuerpo opaco, retrocede. || **refracto.** *Ópt.* El que a través de un cuerpo se quiebra y pasa adelante. || **textorio.** fig. **Lanzadera**, 1.ª acep. || **verde.** Destello vivo e instantáneo que a veces se observa al trasponer el Sol el horizonte del mar. || **visual.** *Ópt.* Línea recta que va desde la vista al objeto, o que de éste viene a la vista. || **Rayos X.** Los que están constituidos, según parece, por ondas de pequeñísima longitud; pasan fácilmente a través de muchos cuerpos, producen impresiones fotográficas y se utilizan en medicina como medio de investigación y como tratamiento. || **Allá darás,** o **allá vayas, rayo, en casa de Tamayo.** ref. que denota la indiferencia con que el egoísmo mira los males ajenos. || **Echar rayos** uno. fr. fig. Manifestar grande ira o enojo con acciones o palabras.

Rayoso, sa. adj. Que tiene rayas.

Rayuela. f. d. de **Raya.** || **2.** Juego en el que, tirando monedas o tejos a una raya hecha en el suelo y a cierta distancia, gana el que la toca o más se acerca a ella.

Rayuelo. (Por las rayas de su plumaje.) m. **Agachadiza.**

Raza. (Del lat. *radĭa, de *radĭus.*) f. Casta o calidad del origen o linaje. || **2.** *Biol.* Cada uno de los grupos en que se subdividen algunas especies botánicas y zoológicas y cuyos caracteres diferenciales se perpetúan por herencia. || **3.** Grieta, hendedura. || **4.** Rayo de luz que penetra por una abertura. || **5.** Grieta que se forma a veces en la parte superior del casco de las caballerías. || **6.** Lista, en el paño u otra tela, en que el tejido está más claro que en el resto. || **7.** Calidad de algunas cosas, especialmente la que contraen en su formación. || **Razas humanas.** Grupos de seres humanos que por el color de su piel y otros caracteres se distinguen en **raza** blanca, amarilla, cobriza y negra.

Razado, da. adj. Aplícase al paño u otro tejido que tiene razas.

Rázago. (De *raza.*) m. **Harpillera.**

Razar. (Tal vez de un der. del lat. *radĕre.*) tr. ant. Raer o borrar.

Razón. (Del lat. *ratĭo -ōnis.*) f. Facultad de discurrir. || **2.** Acto de discurrir el entendimiento. ‖ **3.** Palabras o frases con que se expresa el discurso. ‖ **4.** Argumento o demostración que se aduce en apoyo de alguna cosa. ‖ **5.** Motivo o causa. ‖ **6.** Orden y método en una cosa. ‖ **7.** Justicia, rectitud en las operaciones, o derecho para ejecutarlas. ‖ **8.** Equidad en las compras y ventas. *Ponerse en la* RAZÓN. ‖ **9.** Cuenta, relación, cómputo. *Cuenta y* RAZÓN; *a* RAZÓN *de tanto.* ‖ **10.** V. **Ente, uso de razón.** ‖ **11.** fig. V. **Luz de la razón.** ‖ **12.** ant. *For.* V. **Cerramiento de razones.** ‖ **13.** fam. Recado, mensaje, aviso. ‖ **14.** *Mat.* Resultado de la comparación entre dos cantidades. ‖ **aritmética.** *Mat.* Aquella en que se trata de averiguar el exceso de un término sobre el otro. ‖ **de cartapacio.** fig. y fam. La que se da estudiada y de memoria sin venir al caso. ‖ **de Estado.** Política y regla con que se dirigen y gobiernan las cosas pertenecientes al interés y utilidad de la república. ‖ **2.** fig. Miramiento, consideración que nos mueve a portarnos de cierto modo en la sociedad civil, por lo que podrán juzgar o pensar los que lo sepan. ‖ **de pie de banco.** fig. y fam. La que es conocidamente disparatada o inaplicable al caso. ‖ **geométrica.** *Mat.* Aquella en que se comparan dos términos para saber cuántas veces el uno contiene al otro. ‖ **natural.** Potencia discursiva del hombre, desnuda de toda especie científica que la ilustre. ‖ **por cociente.** *Mat.* **Razón geométrica.** ‖ **por diferencia.** *Mat.* **Razón aritmética.** ‖ **social.** *Com.* Nombre y firma por los cuales es conocida una compañía mercantil de forma colectiva o comanditaria. ‖ **Alcanzar de razones** a uno. fr. fam. Concluirle en la disputa; dejarle sin que tenga qué responder o replicar. ‖ **A razón.** m. adv. **Al respecto.** Ú. en las imposiciones de censos y dinero a intereses. A RAZÓN *de diez por ciento.* ‖ **Asistir la razón** a uno. fr. Tenerla de su parte. ‖ **Atravesar razones.** fr. **Trabarse de palabras.** ‖ **Cargarse** uno **de razón.** fr. fig. Tener mucha espera para proceder después con más fundamento. ‖ **Dar la razón** a uno. fr. Concederle lo que dice; confesarle que obra racionalmente. ‖ **Dar razón.** fr. Noticiar, informar de un negocio. ‖ **Dar** uno **razón de** sí, o **de** su **persona.** fr. Corresponder a lo que se le ha encargado o confiado, ejecutándolo exactamente. ‖ **Di tu razón y no señales autor.** ref. que enseña que en las cosas que pueden tener inconvenientes se calle el autor, aun cuando haya precisión de publicarlas. ‖ **En razón a** o **de.** m. adv. Por lo que pertenece o toca a alguna cosa. ‖ **Envolver** a uno **en razones.** fr. fig. Confundirle de modo que no sepa responder sobre alguna materia. ‖ **Estar a razón,** o **a razones.** fr. Raciocinar, discurrir o platicar sobre un punto. ‖ **Hacer** uno **la razón.** fr. Corresponder a un brindis con otro brindis. ‖ **La razón no quiere fuerza.** fr. proverb. con que se advierte que en todo debe obrar más la justicia que la violencia. ‖ **2.** Ú. también para exhortar a uno para que se dé por convencido de lo que le dicen. ‖ **Llenarse** uno **de razón.** fr. **Cargarse de razón.** ‖ **Meter** a uno **en razón.** fr. Obligarle a obrar razonablemente. ‖ **Perder** uno **la razón.** fr. Volverse loco. ‖ **2.** Hacer o decir cosa por la cual perjudica su causa o su derecho. ‖ **Poner en razón.** fr. Apaciguar a los que contienden o altercan. ‖ **2.** Corregir a uno con el castigo o la aspereza. ‖ **Ponerse** uno **a razones con** otro. fr. Altercar con él u oponérsele en lo que dice. ‖ **Ponerse en razón,** o **en la razón.** fr. En los ajustes y conciertos, venir a términos equitativos. ‖ **Privarse** uno **de razón.** fr. Tener embargado el uso y ejercicio de ella por una pasión violenta o por otro motivo. Dícese con especialidad del que se embriaga. ‖ **Reducirse** uno **a la razón.** fr. **Darse a buenas.** ‖ **Ser razón** una cosa. fr. Ser justa, razonable. *¿No es* RAZÓN *que llore su desamparo?* ‖ **So la buena razón empece el engañador.** ref. que advierte que el que tira a engañar, usa de buenas palabras y aparentes **razones** para lograr su fin. ‖ **Tomar razón,** o **la razón.** fr. Asentar una partida en cuenta o hacer constar en un registro lo que en él debe copiarse, inscribirse o anotarse.

Razonable. (Del lat. *rationabĭlis.*) adj. Arreglado, justo, conforme a razón. ‖ **2.** ant. **Racional.** ‖ **3.** fig. Mediano, regular, bastante en calidad o en cantidad.

Razonablejo, ja. adj. fam. d. de **Razonable.**

Razonablemente. adv. m. Conforme a la razón. ‖ **2.** Más que medianamente.

Razonadamente. adv. m. Por medio de razones. ‖ **2.** ant. **Razonablemente,** 1.ª acep.

Razonado, da. p. p. de **Razonar.** ‖ **2.** adj. Fundado en razones o documentos. *Análisis* RAZONADO; *cuenta* RAZONADA.

Razonador, ra. (Del lat. *ratiōnātor.*) adj. Que explica y razona. Ú. t. c. s. ‖ **2.** m. ant. El que aboga.

Razonal. adj. ant. **Racional.**

Razonamiento. m. Acción y efecto de razonar. ‖ **2.** Serie de conceptos encaminados a demostrar una cosa o a persuadir o mover a oyentes o lectores.

Razonante. p. a. de **Razonar.** Que razona.

Razonar. intr. Discurrir manifestando lo que se discurre, o hablar dando razones para probar una cosa. ‖ **2.** Hablar, de cualquier modo que sea. ‖ **3.** tr. Tratándose de dictámenes, cuentas, etc., exponer, aducir las razones o documentos en que se apoyan. ‖ **4.** ant. Nombrar, apellidar. ‖ **5.** ant. **Tomar razón.** ‖ **6.** ant. Computar o regular. ‖ **7.** ant. Alegar, decir en derecho, abogar.

Razzia. (Del ár.-argelino *gāziya*, como *gazwa*, incursión rápida, golpe de mano; la erre inicial procede de que la pron. de la *g* árabe casi coincide con la de dicha letra en francés.) f. Incursión o correría sobre un país pequeño y sin más objeto que el botín.

Re. (Del lat. *re.*) prep. insep. que denota reintegración o repetición, como en RE*caer*, RE*elegir;* aumento, como en RE*cargar;* oposición o resistencia, como en RE*pugnar,* RE*chazar;* movimiento hacia atrás, como en RE*fluir;* negación o inversión del significado del simple, como *des,* en RE*probar;* encarecimiento, como en RE*bonita,* RE*salada.*

Re. (V. *Fa.*) m. *Mús.* Segunda nota de la escala música.

Rea. (Del lat. *rea.*) f. p. us. Mujer acusada de un delito.

Reabrir. tr. Volver a abrir lo que estaba cerrado. Ú. t. c. r. *Se* REABRIÓ *su herida.*

Reacción. (De *re* y *acción.*) f. Acción que resiste o se opone a otra acción, obrando en sentido contrario a ella. ‖ **2.** Tendencia tradicionalista en lo político opuesta a las innovaciones. Se dice también del conjunto de sus valedores y partidarios. ‖ **3.** *Mec.* Fuerza que un cuerpo sujeto a la acción de otro ejerce sobre él en dirección opuesta. ‖ **4.** *Med.* Período de calor y frecuencia de pulso que en algunas enfermedades sucede al de frío. ‖ **5.** *Med.* Acción orgánica que propende a contrarrestar la influencia de un agente morbífico. ‖ **6.** *Quím.* Acción recíproca entre dos o más cuerpos, de la cual resultan otro u otros diferentes de los primitivos. ‖ **en cadena.** *Fís.* y *Quím.* La que da origen a productos que por sí mismos ocasionan una reacción igual a la primera y así sucesivamente. ‖ **neutra.** *Quím.* Carácter de saturación que se revela por no alterar el color del papel de tornasol.

Reaccionar. intr. Cambiar de disposición una persona, o modificarse una cosa en virtud de una acción opuesta a otra anterior.

Reaccionario, ria. (De *reacción.*) adj. Que propende a restablecer lo abolido. Ú. t. c. s. ‖ **2.** Opuesto a las innovaciones.

Reacio, cia. (Del lat. *reactum,* supino de *reagĕre,* reaccionar.) adj. Inobediente, remolón, renuente.

Reactivo, va. (De *re* y *activo.*) adj. Dícese de lo que produce reacción. Ú. m. c. s. m.

Reacuñación. f. Acción y efecto de reacuñar.

Reacuñar. tr. Resellar la moneda.

Readmisión. f. Admisión por segunda o más veces.

Readmitir. tr. Volver a admitir.

Reafirmar. tr. Afirmar de nuevo. Ú. t. c. r.

Reagravación. f. Acción y efecto de reagravar o reagravarse.

Reagravar. (De *re* y *agravar.*) tr. Volver a agravar, o agravar más. Ú. t. c. r.

Reagudo, da. (De *re* y *agudo.*) adj. Extremadamente agudo.

Real. (Del lat. *res, rei.*) adj. Que tiene existencia verdadera y efectiva. ‖ **2.** V. **Cantidad, foco, imagen real.**

Real. (Del lat. *regālis.*) adj. Perteneciente o relativo al rey o a la realeza. ‖ **2.** Decíase del navío de tres puentes y más de ciento veinte cañones. ‖ **3.** Decíase de la galera que llevaba el estandarte **real.** Ú. t. c. s. ‖ **4. Realista,** 2.º art. Apl. a pers., ú. t. c. s. ‖ **5.** V. **Águila, aparejo, brazo, cabaña, camino, capellán, capilla, carga, casa, cédula, cemento, cimiento, codo, consólida, corona, coronilla, chillón, endecha, estandarte, estatuto, estoque, facultad, garza, granada, grillo, jazmín, laurel, león, malva, manjar, marco, marcha, muelle, octava, ordenamiento, palma, paloma, patrimonio, patronato, pavo, perdiz, peso, pino, pinzón, pito, poder, privilegio, romance, secansa, tercera, vale real.** ‖ **6.** V. **Alférez del pendón real.** ‖ **7.** V. **Real cañada.** ‖ **8.** V. **Real hacienda.** ‖ **9.** V. **Carabineros, fiestas, tablas, tercias reales.** ‖ **10.** V. **Consejo Real de España y Ultramar.** ‖ **11.** fig. **Regio,** 2.ª acep. ‖ **12.** fig. y fam. Muy bueno. ‖ **13.** *Albañ.* V. **Tapia real.** ‖ **14.** *For.* V. **Degradación, derecho, oficial real.** ‖ **15.** *Mil.* V. **Cuartel real.** ‖ **16.** m. Sitio en que está la tienda del rey o del general, y por extensión, sitio donde está acampado un ejército. Ú. m. en pl. ‖ **17.** V. **Asentador, asentamiento de real.** ‖ **18.** Campo donde se celebra una feria. ‖ **19.** Moneda de plata, del valor de treinta y cuatro maravedís, equivalente a veinticinco céntimos de peseta. ‖ **20.** fig. V. **Cuchillada de cien reales.** ‖ **de a cincuenta.** Moneda antigua de plata, del peso y valor de cincuenta **reales** de plata doble. ‖ **de a cuatro.** Moneda de plata, del valor de la mitad del **real** de a ocho. ‖ **de a dos.** Moneda de plata, del valor de la mitad del **real** de a cuatro. ‖ **de agua.** Medida antigua de aforo, correspondiente al líquido que corría por un caño cuya boca era del diámetro de un **real de plata.** En Madrid se fijó el gasto en tres pulgadas cúbicas por segundo, o en cien cubas al día, que se considera en el canal del Lozoya equivalente a treinta y dos hectolitros. ‖ **de a ocho.** Moneda antigua de plata, que valía ocho **reales** de **plata vieja.** ‖ **2. María,** 3.ª acep. ‖ **de ardite.** Moneda antigua de Cataluña, que valía dos sueldos. ‖ **de minas.** *Méj.* Pueblo en cuyo distrito hay minas de plata. || **de plata.** Moneda efectiva de plata, que tuvo diferentes valores, según los tiempos, aunque el más corriente fue el de dos **reales** de vellón, o sea sesenta y ocho maravedís. || **de plata doble,** o **de plata vieja.** Moneda de cambio, del valor de dieciséis cuartos. Treinta y dos **reales** de esta moneda componían el doblón de cambio, que era de sesenta y ocho **reales** y ocho maravedís de vellón. || **de vellón. Real,** 19.ª acep. || **fontanero. Real de agua.** || **fuerte.** Moneda que los españoles labraron en Méjico y corre aún en América con valor de dos **reales** y medio de vellón. || **valenciano.** Moneda que corría en Valencia en el siglo XVIII, con el valor de doce cuartos y tres maravedís de vellón de Castilla. || **Alzar el real,** o **los reales.** fr. Ponerse en movimiento el ejército, dejando el campo que ocupaba. || **Asentar los reales.** fr. Acampar un ejército. || **Como a real de enemigo.** m. adv. Ú. ordinariamente con el verbo *tirar,* y significa encarnizarse contra uno, hacerle todo el daño posible. || **Con mi real y mi pala.** loc. adv. fig. y fam. Con mi caudal y persona. || **Levantar el real.** fr. **Alzar el real.** || **¡Real, real, real por el rey don...!** y el nombre del rey aclamado. Grito que se daba por los heraldos y reyes de armas en el momento de la proclamación de un monarca en Castilla. || **Sentar uno el real,** o **los reales.** fr. fig. Fijarse o domiciliarse en un lugar. || **Un real sobre otro.** m. adv. fig. y fam. Al contado y completamente.

Reala. f. **Rehala.**

Realce. (De *realzar.*) m. Adorno o labor que sobresale en la superficie de una cosa. || **2.** fig. Lustre, estimación, grandeza sobresaliente. || **3.** *Pint.* Parte del objeto iluminado, donde más activa y directamente tocan los rayos luminosos. || **Bordar de realce.** fr. Hacer un bordado que sobresalga en la superficie de la tela. || **2.** fig. Exagerar y desfigurar los hechos, inventando circunstancias y deteniéndose sobre ellas.

Realdad. f. p. us. **Realeza,** 2.° art., 1.ª acep.

Realegrarse. (De *re* y *alegrarse.*) r. Sentir alegría extraordinaria.

Realejo. m. d. de **Real,** 2.° art., 16.ª acep. || **2.** Órgano pequeño manual.

Realengo, ga. (De *real,* 2.° art.) adj. Aplícase a los pueblos que no eran de señorío ni de las órdenes. || **2.** Dícese de los terrenos pertenecientes al Estado. || **3.** m. ant. **Patrimonio real.** || **4.** V. **Bienes de realengo.**

Realera. (De *real,* 2.° art.) f. **Maestril.**

Realete. m. d. de **Real,** 2.° art., 19.ª acep. || **2. Dieciocheno,** 3.ª acep.

Realeza. (De *real,* 1.er art.) f. ant. **Realidad.**

Realeza. (De *real,* 2.° art.) f. Dignidad o soberanía real. || **2.** ant. Magnificencia, grandiosidad propia de un rey.

Realidad. f. Existencia real y efectiva de una cosa. || **2.** Verdad, ingenuidad, sinceridad. || **En realidad.** m. adv. Efectivamente, sin duda alguna. || **En realidad de verdad.** m. adv. **Verdaderamente.**

Realillo. m. d. de **Real,** 2.° art., 19.ª acep. || **2. Real de vellón.**

Realismo. (De *real,* 1.er art.) m. *Fil.* Tendencia a afirmar la existencia objetiva de los universales. En este sentido equivale a idealismo y se opone a nominalismo. Estas denominaciones, de gran uso en la Edad Media, se han renovado en el pensamiento contemporáneo. || **2.** Sistema estético que asigna como fin a las obras artísticas o literarias la imitación fiel de la naturaleza.

Realismo. (De *real,* 2.° art.) m. Doctrina u opinión favorable a la monarquía. En España se dijo con aplicación a la pura o absoluta. || **2.** Partido que profesa esta doctrina.

Realista. (De *real,* 1.er art.) adj. Partidario del realismo, 1.er art. Ú. t. c. s. || **2.** Perteneciente al realismo o a los **realistas.** *Sistema, escuela* REALISTA.

Realista. (De *real,* 2.° art.) adj. Partidario del realismo, 2.° art. Ú. t. c. s. || **2.** Perteneciente al realismo o a los **realistas.** *Partido, ejército* REALISTA.

Realito. m. **Realillo.** || **columnario.** Moneda de plata que valía un real y cuartillo de vellón.

Realizable. adj. Que se puede realizar.

Realización. f. Acción y efecto de realizar o realizarse.

Realizar. (De *real,* 1.er art.) tr. Efectuar, hacer real y efectiva una cosa. Ú. t. c. r. || **2.** *Com.* Vender, convertir en dinero mercaderías o cualesquier otros bienes. Se dice más comúnmente de la venta a bajo precio para reducirlos pronto a dinero.

Realme. (Del ant. fr. *realme,* y éste de *reame,* infl. por los derivados de *regalis.*) m. ant. **Reino.**

Realmente. adv. m. Efectivamente, en realidad de verdad.

Realzar. (De *re* y *alzar.*) tr. Levantar o elevar una cosa más de lo que estaba. Ú. t. c. r. || **2.** Labrar de realce. || **3.** fig. Ilustrar o engrandecer. Ú. t. c. r. || **4.** *Pint.* Tocar de luz una cosa.

Reamar. (De *re* y *amar.*) tr. Amar mucho. || **2.** ant. Corresponder al amor.

Reame. (Del ant. fr. *reame,* y éste del lat. *regimen, -inis.*) m. ant. **Realme.**

Reanimar. (De *re* y *animar.*) tr. Confortar, dar vigor, restablecer las fuerzas. Ú. t. c. r. || **2.** fig. Infundir ánimo y valor al que está abatido. Ú. t. c. r.

Reanudar. (De *re* y *anudar.*) tr. fig. Renovar o continuar el trato, estudio, trabajo, conferencia, etc. Ú. t. c. r.

Reaparecer. (De *re* y *aparecer.*) intr. Volver a aparecer o a mostrarse.

Reaparición. f. Acción y efecto de reaparecer.

Reapretar. (De *re* y *apretar.*) tr. Volver a apretar. || **2.** Apretar mucho.

Rearar. (De *re* y *arar.*) tr. Volver a arar.

Reargüir. tr. Argüir de nuevo sobre el mismo asunto. || **2. Redargüir.**

Rearmar. tr. Equipar nuevamente con armamento militar o reforzar el que ya existía. Ú. t. c. r.

Rearme. m. Acción y efecto de rearmar o rearmarse.

Reaseguro. m. Contrato por el cual un asegurador toma a su cargo, en totalidad o parcialmente, un riesgo ya cubierto por otro asegurador, sin alterar lo convenido entre éste y el asegurado.

Reasumir. (De *re* y *asumir.*) tr. Volver a tomar lo que antes se tenía o se había dejado. || **2.** Tomar en casos extraordinarios una autoridad superior las facultades de las demás.

Reasunción. (De *re* y *asunción.*) f. Acción y efecto de reasumir.

Reasunto, ta. (De *re* y *asunto.*) p. p. irreg. de **Reasumir.**

Reata. (De *reatar.*) f. Cuerda o correa que ata y une dos o más caballerías para que vayan en hilera una detrás de otra. || **2.** Hilera de caballerías que van de **reata.** || **3.** Mula tercera que se añade al carro o coche de camino para tirar delante. || **4.** *Mar.* Conjunto de vueltas espirales y contiguas que se dan a un palo o a un cable, con otro cabo de grueso proporcionado al intento. || **De reata.** m. adv. Formando **reata.** || **2.** fig. y fam. De conformidad ciega con la voluntad o dictamen de otro. || **3.** fig. y fam. De seguida, en pos.

Reatadura. f. Acción y efecto de reatar.

Reatar. (De *re* y *atar.*) tr. Volver a atar. || **2.** Atar apretadamente. || **3.** Atar dos o más caballerías para que vayan las unas detrás de las otras.

Reatino, na. (Del lat. *reatinus.*) adj. Natural de Rieti. Ú. t. c. s. || **2.** Perteneciente a esta ciudad de Italia.

Reato. (Del lat. *reātus.*) m. Obligación que queda a la pena correspondiente al pecado, aun después de perdonado.

Reaventar. (De *re* y *aventar.*) tr. Volver a aventar o a echar al viento una cosa.

Reavivar. tr. Volver a avivar, o avivar intensamente. Ú. t. c. r.

Rebaba. (De *re* y *baba.*) f. Porción de materia sobrante que forma resalto en los bordes o en la superficie de un objeto cualquiera; como la parte de masa metálica o de otro género, que penetra por los encajes del molde, al vaciar, fundir o acuñar una pieza; la argamasa que las piedras y ladrillos escupen por sus junturas al sentarlos en obra; los filamentos que aparecen en los cantos de las tablas y maderos al aserrarlos, o en los labios de los agujeros abiertos en ellos con la barrena; la parte del filo o de la cabeza, que en ciertas herramientas se dobla o se extiende irregularmente, etc.

Rebaja. (De *rebajar.*) f. Disminución, desfalco o descuento de una cosa.

Rebajado, da. p. p. de **Rebajar.** || **2.** m. Soldado rebajado del servicio activo.

Rebajador, ra. adj. *Fotogr.* Baño que se usa para rebajar las imágenes muy obscuras.

Rebajamiento. m. Acción y efecto de rebajar o rebajarse.

Rebajar. (De *re* y *bajar.*) tr. Hacer más bajo el nivel o superficie horizontal de un terreno u otro objeto. || **2.** Hacer nueva baja de una cantidad en las posturas. || **3.** fig. Humillar, abatir. Ú. t. c. r. || **4.** *Arq.* Disminuir la altura de un arco o bóveda a menos de lo que corresponde al semicírculo. || **5.** *Pint.* Declinar el claro hacia el obscuro. || **6.** r. En algunos hospitales, darse por enfermo uno de los asistentes. || **7.** Quedar dispensado del servicio un militar.

Rebajo. (De *rebajar.*) m. Parte del canto de un madero u otra cosa, donde se ha disminuido el espesor por medio de un corte a modo de espera o de ranura.

Rebalaj. m. ant. **Rebalaje.**

Rebalaje. (De *resbalar.*) m. Corriente de las aguas.

Rebalgar. (Del lat. *valgus,* patizambo.) intr. *Ast.* Abrir mucho las piernas al dar los pasos.

Rebalsa. (De *rebalsar.*) f. Porción de agua, que, detenida en su curso, forma balsa. || **2.** Porción de humor detenido en una parte del cuerpo.

Rebalsar. (De *re* y *balsa.*) tr. Detener y recoger el agua u otro líquido, de suerte que haga balsa. Ú. m. c. intr. y c. r.

Rebalse. m. Acción y efecto de rebalsar o rebalsarse. || **2.** Estancamiento de aguas que, como las del cauce de un molino, son corrientes de ordinario.

Rebanada. (De *rebanar.*) f. Porción delgada, ancha y larga que se saca de una cosa, y especialmente del pan, cortando de un extremo al otro.

Rebanar. (Del lat. *rapināre,* quitar.) tr. Hacer rebanadas una cosa o de alguna cosa. || **2.** Cortar o dividir una cosa de una parte a otra.

Rebanco. (De *re* y *banco.*) m. *Arq.* Segundo banco o zócalo que se pone sobre el primero.

Rebanear. tr. fam. **Rebanar.**

Rebañadera. (De *rebañar.*) f. Instrumento de hierro, compuesto de un arco, del cual penden por una parte varios garabatos, y al que se ata una soga o cuerda, con que se saca fácilmente lo que se cayó en un pozo.

Rebañador, ra. adj. Que rebaña. Ú. t. c. s.

Rebañadura. (De *rebañar.*) f. fam. Acción y efecto de rebañar. || **2.** pl. Residuos de alguna cosa, por lo común comestible, que se recogen arrebañando o rebañando.

Rebañar. (Del lat. **rapineāre* de *rapināre*, quitar.) tr. Juntar y recoger alguna cosa sin dejar nada. || **2.** Recoger de un plato o vasija los residuos de alguna cosa comestible hasta apurarla.

Rebañego, ga. adj. Perteneciente al rebaño de ganado.

Rebaño. (En port. *rebanho.*) m. Hato grande de ganado, especialmente del lanar. || **2.** fig. Congregación de los fieles respecto de sus pastores espirituales.

Rebañuelo. m. d. de **Rebaño.**

Rebasadero. m. *Mar.* Lugar o paraje por donde un buque puede rebasar o montar un peligro o estorbo cualquiera.

Rebasar. (De *repasar.*) tr. Pasar o exceder de cierto límite. || **2.** *Mar.* Pasar, navegando, más allá de un buque, cabo, escollo u otro cualquier estorbo o peligro.

Rebatadamente. adv. m. ant. **Arrebatadamente.**

Rebatador, ra. (De *rebatar.*) adj. ant. **Arrebatador.** Usáb. t. c. s.

Rebatar. (De *rebato.*) tr. ant. **Arrebatar.**

Rebate. (Del m. or. que *rebato.*) m. Reencuentro, combate, pendencia.

Rebatible. adj. Que se puede rebatir o refutar.

Rebatimiento. m. Acción y efecto de rebatir.

Rebatiña. (De *rebatar.*) f. **Arrebatiña.** || **Andar a la rebatiña.** fr. fam. Concurrir a porfía a coger una cosa, arrebatándosela de las manos unos a otros.

Rebatir. (De *re* y *batir.*) tr. Rechazar o contrarrestar la fuerza o violencia de uno. || **2.** Volver a batir. || **3.** Batir mucho. || **4.** Redoblar, reforzar. || **5.** Rebajar de una suma una cantidad que no debió comprenderse en ella. || **6.** Impugnar, refutar. || **7.** fig. Resistir, rechazar, hablando de tentaciones, sugestiones y propuestas. || **8.** *Esgr.* Desviar la espada o sable del contrario, haciéndole bajar la punta, para evitar la herida.

Rebato. (Del ár. *ribāṭ*, ataque repentino.) m. Convocación de los vecinos de uno o más pueblos, hecha por medio de campana, tambor, almenara u otra señal, con el fin de defenderse cuando sobreviene un peligro. || **2.** fig. **Alarma,** 3.ª acep. || **3.** *Mil.* Acometimiento repentino que se hace al enemigo. || **De rebato.** m. adv. fig. y fam. De improviso, repentinamente. || **Tocar a rebato.** fr. hoy desus. que expresaba el peligro de una incursión repentina del enemigo sobre el pueblo, al cual se avisaba tocando aprisa las campanas para que se pusiese en defensa.

Rebatosamente. adv. m. ant. Arrebatada o inconsideradamente.

Rebatoso, sa. (De *rebatar.*) adj. ant. Arrebatado, precipitado.

Rebautizante. p. a. de **Rebautizar.** Que rebautiza.

Rebautizar. (De *re* y *bautizar.*) tr. Reiterar el acto y ceremonia del sacramento del bautismo.

Rebeco. m. **Gamuza,** 1.ª acep.

Rebelarse. (Del lat. *rebellāre.*) r. Levantarse, faltando a la obediencia debida. || **2.** Retirarse o extrañarse de la amistad o correspondencia que se tenía. || **3.** fig. Oponer resistencia.

Rebelde. (Del lat. *rebellis.*) adj. Que se rebela o subleva, faltando a la obediencia debida. Ú. t. c. s. || **2.** Indócil, desobediente, opuesto con tenacidad. || **3.** fig. Dícese del corazón o de la voluntad que no se rinde a los obsequios, y de las pasiones que no ceden a la razón. || **4.** *For.* Dícese del que por no comparecer en el juicio, después de llamado en forma, o por tener incumplida alguna orden o intimación del juez, es declarado por éste en rebeldía. Ú. t. c. s.

Rebeldía. f. Calidad de rebelde. || **2.** Acción propia del rebelde. || **3.** *For.* Estado procesal del que, siendo parte en un juicio, no acude al llamamiento que formalmente le hace el juez o deja incumplidas las intimaciones de éste. || **En rebeldía.** m. adv. *For.* En situación jurídica de rebelde.

Rebelión. (Del lat. *rebellĭo, -ōnis.*) f. Acción y efecto de rebelarse. Se usó t. c. m. || **2.** *For.* Delito contra el orden público, penado por la ley ordinaria y por la militar.

Rebelón, na. (De *rebelarse.*) adj. Aplícase al caballo o yegua que rehusa volver a uno o a ambos lados, sacudiendo la cabeza y huyendo así del tiento de la rienda.

Rebencazo. m. Golpe dado con el rebenque.

Rebenque. (Del b. bretón *rabank*, y éste del anglosajón *rab-band;* de *rap*, cuerda, y *band*, lazo.) m. Látigo de cuero o cáñamo embreado, con el cual se castigaba a los galeotes. || **2.** *Amér. Merid.* Látigo recio de jinete. || **3.** *Mar.* Cuerda o cabo cortos.

Rebina. (De *re* y *bina.*) f. **Tercia,** 8.ª acep.

Rebinar. tr. *Agr.* Cavar por tercera vez las viñas. || **2.** intr. fig. *And.* Reflexionar, volver a meditar sobre una cosa.

Rebisabuelo, la. (De *re* y *bisabuelo.*) m. y f. **Tatarabuelo, la.**

Rebisnieto, ta. (De *re* y *bisnieto.*) m. y f. **Tataranieto, ta.**

Rebite. (Del ár. *rabīṭ*, atadura, sujeción.) m. *And.* Entre caldereros, remache.

Reblandecer. (De *re* y *blando.*) tr. Ablandar una cosa o ponerla tierna. Ú. t. c. r.

Reblandecimiento. m. Acción y efecto de reblandecer o reblandecerse. || **2.** *Med.* Lesión de los tejidos orgánicos, caracterizada por la disminución de su consistencia natural.

Reblar. intr. *Ar.* Titubear, retroceder, cejar.

Reble. m. *Germ.* **Nalga.**

Rebocillo. (d. de *rebozo.*) m. **Rebociño.**

Rebociño. (De *rebozo.*) m. Mantilla o toca corta usada por las mujeres para rebozarse. || **2.** Toca de lienzo blanco, comúnmente muy sutil, ceñida a la cabeza y al rostro de las mujeres, que unas veces cae sobre el cuello y los hombros y otras sobre el cuello y el pecho.

Rebojo. (Del lat. *repudĭum*, desecho.) m. **Regojo.**

Rebollar. (De *rebollo.*) m. **Rebolledo.**

Rebolledo. m. Sitio poblado de rebollos, 1.ª acep.

Rebollidura. (De *re* y *bollo*, 2.ª acep.) f. *Art.* Bulto en el alma de un cañón mal fundido.

Rebollo. (Del lat. **repullus*, renuevo.) m. *Bot.* Árbol de la familia de las fagáceas, de unos 25 metros de altura, con tronco grueso, copa ancha, corteza cenicienta, hojas caedizas, algo rígidas, oblongas o trasovadas, sinuosas, verdes y lampiñas en la haz, pálidas en el envés y con pelos en los nervios; flores en amento, y bellotas solitarias y sentadas, o dos o tres sobre un pedúnculo corto. Vive en España. || **2.** Brote de las raíces del melojo. || **3.** *Ast.* Tronco de árbol. || **4.** *Ar.* **Alcanforada.** || **5.** *Sal.* Barda de roble.

Rebollón. (De *rebollo.*) m. En Valencia, pieza de madera de hilo, de doce a veinte palmos de longitud y con una escuadría de nueve a diez dedos de tabla por seis a siete de canto.

Rebolludo, da. (De *rebollo.*) adj. Rehecho y doble. || **2.** V. **Diamante rebolludo.**

Rebombar. (De *re* y *bomba.*) intr. Sonar ruidosa o estrepitosamente.

Reboñar. (Tal vez del lat. *repugnāre*, luchar.) intr. *Sant.* Pararse la rueda del molino por rebalsar el agua en el cauce de salida.

Reboño. (De *reboñar.*) m. Suciedad o fango depositado en el cauce del molino.

Reborda. adj. V. **Pega reborda.**

Reborde. (De *re* y *borde.*) m. Faja estrecha y saliente a lo largo del borde de alguna cosa.

Rebordeador. m. Aparato para formar el reborde que han de tener algunas cosas.

Rebordear. tr. Hacer o formar un reborde.

Rebosadero. m. Paraje u orificio por donde rebosa un líquido.

Rebosadura. f. Acción y efecto de rebosar.

Rebosamiento. m. **Rebosadura.**

Rebosante. p. a. de **Rebosar.** Que rebosa.

Rebosar. (Del lat. *reversāre.*) intr. Derramarse un líquido por encima de los bordes de un recipiente en que no cabe. Dícese también del mismo recipiente donde no cabe todo el líquido. Ú. t. c. r. || **2.** fig. Abundar con demasía una cosa. *Le* REBOSAN *los bienes;* REBOSA *en dinero.* Ú. t. c. tr. || **3.** fig. Dar a entender con ademanes o palabras lo mucho que en lo interior se siente. || **4.** desus. **Vomitar,** 1.ª acep.

Rebotación. f. fam. Acción y efecto de rebotar o rebotarse, 7.ª acep.

Rebotadera. (De *rebotar.*) f. Peine de hierro con que se levanta el pelo del paño que se ha de tundir.

Rebotador, ra. adj. Que rebota. Ú. t. c. s.

Rebotadura. f. Acción de rebotar.

Rebotar. (De *re* y *botar.*) intr. Botar repetidamente un cuerpo elástico, ya sobre el terreno, ya chocando con otros cuerpos. || **2.** Botar la pelota en la pared después de haber botado en el suelo. || **3.** tr. Redoblar o volver la punta de una cosa aguda. REBOTAR *un clavo.* || **4.** Levantar con la rebotadera el pelo del paño que se va a tundir. || **5. Rechazar,** 1.ª acep. || **6.** Alterar el color y calidad de una cosa. Ú. m. c. r. || **7.** fam. Conturbar, sofocar, poner fuera de sí a una persona, diciéndole injurias, dándole malas nuevas o causándole cualquier susto. Ú. m. c. r. || **8.** ant. fig. Embotar, entorpecer.

Rebote. m. Acción y efecto de rebotar, 1.ª y 2.ª aceps. || **2.** Cada uno de los botes que después del primero da el cuerpo que rebota. || **De rebote.** m. adv. fig. De rechazo, de resultas.

Rebotica. (De *re* y *botica.*) f. Pieza que está detrás de la principal de la botica, y le sirve de desahogo. || **2.** En algunas partes, **trastienda,** 1.ª acep.

Rebotiga. f. En algunas partes, **rebotica,** 2.ª acep.

Rebotín. (De *re* y *brotar.*) m. Segunda hoja que echa la morera cuando la primera ha sido cogida.

Rebozar. (De *re* y *bozo.*) tr. Cubrir casi todo el rostro con la capa o manto. Ú. t. c. r. || **2.** Bañar una vianda en huevo batido, harina, miel, etc.

Rebozo. (De *rebozar.*) m. Modo de llevar la capa o manto cuando con él se cubre casi todo el rostro. || **2. Rebociño,** 1.ª acep. || **3.** fig. Simulación, pretexto. || **De rebozo.** m. adv. fig. De oculto, secretamente. || **Sin rebozo.** m. adv. fig. Franca, sinceramente.

Rebramar. (De *re* y *bramar.*) intr. Volver a bramar. || **2.** Bramar fuertemente. || **3.** *Mont.* Responder a un bramido con otro.

Rebramo. (De *rebramar.*) m. Bramido con que el ciervo u otro animal del mismo género responde al de otro de su especie o al reclamo.

Rebrincar. intr. Brincar con reiteración y alborozo.

Rebrotar. intr. **Retoñar.**

Rebrote. m. **Retoño.**

Rebudiar. (De *remudiar.*) intr. *Mont.* Roncar el jabalí cuando siente gente o le da el viento de ella.

Rebudio. m. Ronquido del jabalí.

Rebufar. (De *re* y *bufar.*) intr. Volver a bufar. || **2.** Bufar con fuerza.

Rebufe. m. **Bufido,** en el toro.

Rebufo. (De *rebufar.*) m. Expansión del aire alrededor de la boca del arma de fuego al salir el tiro.

Rebujado, da. p. p. de **Rebujar.** || **2.** adj. Enmarañado, enredado; en desorden.

Rebujal. (De *rebujo,* 2.° art.) m. Número de cabezas que en un rebaño exceden de cincuenta o de un múltiplo de cincuenta. || **2.** Terreno de inferior calidad, que no llega a media fanega.

Rebujar. (De *re* y *bozo;* en port. *rebuçar.*) tr. **Arrebujar.** Ú. t. c. r.

Rebujina. f. **Rebujiña.**

Rebujiña. (De *rebujo,* 2.° art.) f. fam. Alboroto, bullicio de gente del vulgo.

Rebujo. (De *rebujar.*) m. Embozo usado por las mujeres para no ser conocidas. || **2.** Envoltorio que con desaliño y sin orden se hace de papel, trapos u otras cosas.

Rebujo. (De *rebojo.*) m. En algunas partes, porción de diezmos, que por no poderse repartir en especie, se distribuía en dinero entre los partícipes. || **2. Rebojo.**

Rebultado, da. (De *re* y *bulto.*) adj. **Abultado,** 2.ª acep.

Rebullicio. (De *rebullir.*) m. Bullicio grande.

Rebullir. (Del lat. *rebullīre.*) intr. Empezar a moverse lo que estaba quieto. Ú. t. c. r.

Rebumbar. intr. Zumbar la bala de cañón.

Rebumbio. m. fam. **Barullo.**

Reburujar. (De *re* y *burujo.*) tr. fam. Cubrir o revolver una cosa haciéndola un burujón.

Reburujón. (De *reburujar.*) m. **Rebujo,** 1.er art., 2.ª acep.

Rebusca. f. Acción y efecto de rebuscar. || **2.** Fruto que queda en los campos después de alzada la cosecha, y particularmente el de las viñas. || **3.** fig. Desecho, lo de peor calidad.

Rebuscador, ra. adj. Que rebusca. Ú. t. c. s.

Rebuscamiento. (De *rebuscar.*) m. **Rebusca,** 1.ª acep. || **2.** Hablando del lenguaje y estilo, exceso de atildamiento que degenera en afectación. También se aplica a las maneras y porte de las personas.

Rebuscar. (De *re* y *buscar.*) tr. Escudriñar o buscar con demasiado cuidado. || **2.** Recoger el fruto que queda en los campos después de alzadas las cosechas, particularmente el de las viñas.

Rebusco. (De *rebuscar.*) m. **Rebusca.**

Rebutir. tr. Embutir, rellenar.

Rebuznador, ra. adj. Que rebuzna. Ú. t. c. s.

Rebuznar. (Del lat. *re* y *bucināre,* tocar la trompeta o bocina.) intr. Dar rebuznos.

Rebuzno. (De *rebuznar.*) m. Voz del asno.

Recabar. (De *cabo.*) tr. Alcanzar, conseguir con instancias o súplicas lo que se desea. || **2.** ant. **Recaudar,** 1.ª acep.

Recabdación. (De *recabdar.*) f. ant. **Recaudación.**

Recabdador. (De *recabdar.*) m. ant. **Recaudador.**

Recabdamiento. (De *recabdar.*) m. ant. **Recaudamiento.**

Recabdar. (Del lat. **recapitāre,* recoger.) tr. ant. **Recaudar.** || **2.** ant. Asegurar, coger, prender.

Recabdo. (De *recabdar.*) m. ant. **Recaudo.** || **2.** ant. Reserva, cautela. || **3.** ant. Cuidado, razón, cuenta. || **Facer recabdo.** fr. ant. Cuidar, tener cuidado.

Recabita. adj. Israelita descendiente de Recab. Ú. t. c. s. || **2.** Perteneciente a los individuos de esta familia, que por mandato de Jonadab, hijo de Recab, se abstenían de beber vino.

Recadar. (Del lat. **recapitāre,* recoger.) tr. *Burg.* y *Pal.* Recoger, recaudar, guardar.

Recadero, ra. m. y f. Persona que tiene por oficio llevar recados de un punto a otro,

Recado. (De *recadar,* y éste del lat. **recapitāre,* recoger.) m. Mensaje o respuesta que de palabra se da o se envía a otro. || **2.** Memoria o recuerdo de la estimación o cariño que se tiene a una persona. || **3.** Regalo, presente; por lo cual en la carta que le acompaña se pone: *Con* RECADO. || **4.** Provisión que para el surtido de las casas se lleva diariamente del mercado o de las tiendas. || **5.** Conjunto de objetos necesarios para hacer ciertas cosas. RECADO *de escribir.* || **6.** Documento que justifica las partidas de una cuenta. || **7.** Precaución, seguridad. || **8.** *Impr.* Conjunto de tipos, signos, etc. que se aprovechan de un pliego para otro. || **Mal recado.** Mala acción, travesura, descuido. || **A buen,** o **a mucho, recado,** o **a recado.** ms. advs. **A buen recaudo.** || **Buen recado tiene mi padre el día que no hurta.** ref. irón. que reprende a los que no proceden con legalidad en sus tratos, y a los que se enfadan por no lograr lo que apetecen. || **Dar recado para** una cosa. fr. Suministrar lo necesario para ejecutarla. || **Llevar recado** uno. fr. fig. y fam. Ir bien reprendido o castigado. || **Sacar los recados.** fr. Sacar del juzgado eclesiástico el despacho para las amonestaciones o proclamas de los que intentan casarse.

Recaer. (De *re* y *caer.*) intr. Volver a caer. || **2.** Caer nuevamente enfermo de la misma dolencia el que estaba convaleciendo o había recobrado ya la salud. || **3.** Reincidir en los vicios, errores, etc. || **4.** Venir a caer o parar en uno o sobre uno beneficios o gravámenes. RECAYÓ *en él el mayorazgo;* RECAYÓ *sobre él la responsabilidad.*

Recaída. (De *recaer.*) f. Acción y efecto de recaer.

Recalada. f. *Mar.* Acción de recalar un buque.

Recalar. (De *re* y *calar.*) tr. Penetrar poco a poco un líquido por los poros de un cuerpo seco, dejándolo húmedo o mojado. Ú. t. c. r. || **2.** intr. *Mar.* Llegar el buque, después de una navegación, a la vista de un punto de la costa, como fin de viaje o para, después de reconocido, continuar su navegación. || **3.** *Mar.* Llegar el viento o la mar al punto en que se halla un buque o a otro lugar determinado.

Recalcada. f. *Mar.* Acción de recalcar un buque.

Recalcadamente. adv. m. Muy apretadamente.

Recalcadura. f. Acción de recalcar.

Recalcar. (Del lat. *recalcāre.*) tr. Ajustar, apretar mucho una cosa con otra o sobre otra. || **2.** Llenar mucho de una cosa un receptáculo, apretándola para que quepa más cantidad de ella. || **3.** fig. Tratándose de palabras, decirlas con lentitud y exagerada fuerza de expresión para que no pueda quedar duda alguna acerca de lo que con ellas quiere darse a entender. || **4.** intr. *Mar.* Aumentar el buque su inclinación o escora sobre la máxima de un balance, a consecuencia de una nueva racha de viento, o de la salida de las olas hacia sotavento. || **5.** r. fig. y fam. Repetir una cosa muchas veces, como saboreándose con las palabras. || **6.** fig. y fam. **Arrellanarse.**

Recalce. m. Acción y efecto de recalzar. || **2. Recalzo.**

Recalcitrante. (Del lat. *recalcitrans, -antis.*) adj. Terco, reacio, reincidente, obstinado en la resistencia.

Recalcitrar. (Del lat. *recalcitrāre.*) intr. Retroceder, volver atrás los pies. || **2.** fig. Resistir con tenacidad a quien se debe obedecer.

Recalentamiento. m. Acción y efecto de recalentar o recalentarse.

Recalentar. (De *re* y *calentar.*) tr. Volver a calentar. || **2.** Calentar demasiado. || **3.** Hablando de los brutos, hacerlos poner calientes o en celo; hablando de los racionales, excitar o avivar la pasión del amor. Ú. t. c. r. || **4.** r. Tratándose de ciertos frutos, como el trigo, las aceitunas, etc., echarse a perder por el excesivo calor. || **5.** Alterarse las maderas por la descomposición de la savia. || **6.** Tomar una cosa más calor del que conviene para su uso.

Recalmón. (De *re* y *calma.*) m. *Mar.* Súbita y considerable disminución en la fuerza del viento, y en ciertos casos, de la marejada.

Recalvastro, tra. (Del lat. *recalvaster, -tri.*) adj. despect. Calvo desde la frente a la coronilla.

Recalzar. (Del lat. **recalceāre.*) tr. *Agr.* Arrimar tierra alrededor de las plantas o árboles. || **2.** *Arq.* Hacer un recalzo. || **3.** *Pint.* Pintar un dibujo.

Recalzo. (De *recalzar.*) m. **Recalzón.** || **2.** *Arq.* Reparo que se hace en los cimientos de un edificio ya construido.

Recalzón. (De *recalzar.*) m. Pina de refuerzo que, sobrepuesta a la ordinaria de la rueda del carro, suple a la llanta de hierro.

Recamado. (De *recamar.*) m. **Bordado de realce.**

Recamador, ra. (De *recamar.*) m. y f. Bordador de realce.

Recamar. (Del verbo ár. *raqama,* bordar.) tr. **Bordar de realce.**

Recámara. (De *re* y *cámara.*) f. Cuarto después de la cámara, destinado para guardar los vestidos o alhajas. || **2.** Repuesto de alhajas o muebles de las casas ricas. || **3.** Muebles o alhajas que se destinan al servicio doméstico de un personaje, especialmente yendo de camino. || **4.** Sitio en el interior de una mina, destinado a contener los explosivos. || **5. Hornillo,** 2.ª acep. || **6.** En las armas de fuego, lugar del ánima del cañón al extremo opuesto a la boca, en el cual se coloca el cartucho. || **7.** fig. y fam. Cautela, reserva, segunda intención. *Pedro tiene mucha* RECÁMARA.

Recambiar. (De *re* y *cambiar.*) tr. Hacer segundo cambio o trueque. || **2.** *Com.* Girar letra de resaca.

Recambio. m. Acción y efecto de recambiar. || **2.** ant. **Cambio.** || **3.** ant. **Usura.** || **4.** *Germ.* **Bodegón,** 1.ª acep.

Recamo. (De *recamar.*) m. **Recamado.** || **2.** Especie de alamar hecho de galón, cerrado con una bolita al extremo.

Recancamusa. f. fam. **Cancamusa.**

Recancanilla. (De *re* y *cancanilla.*) f. fam. Modo de andar los muchachos como cojeando. || **2.** fig. y fam. Fuerza de expresión que se da a las palabras para que las note y comprenda bien el que las escucha. Ú. m. en pl.

Recantación. (Del lat. *recantātum,* supino de *recantāre,* desdecirse, retractarse.) f. **Palinodia.**

Recantón. (De *re* y *cantón.*) m. **Guardacantón,** 1.ª acep.

Recapacitar. (De *re* y el lat. *capacitas,* capacidad, inteligencia.) tr. Recorrer la memoria refrescando especies, combinándolas y meditando sobre ellas. Ú. m. c. intr.

Recapitulación. f. Acción y efecto de recapitular.

Recapitular. (Del lat. *recapitulāre.*) tr. Recordar sumaria y ordenadamente lo que por escrito o de palabra se ha manifestado con extensión.

Recargar. (De *re* y *cargar.*) tr. Volver a cargar. || **2.** Aumentar carga. || **3.** Hacer nuevo cargo o reconvención. || **4.** fig. Agravar una cuota de impuesto u otra prestación que se adeuda. || **5.** fig. Adornar con exceso una persona o cosa. || **6.** *For.* En lo antiguo, detener al reo en la prisión o agravar su condena por diferente juez o nueva causa. || **7.** r. *Med.* Tener recargo.

Recargo. (De *recargar.*) m. Nueva carga o aumento de carga. || **2.** Nuevo cargo que se hace a uno. || **3.** *For.* En lo antiguo, acción de recargar al reo. || **4.** *Med.* Aumento de calentura.

Recata. f. Acción de recatar, 2.° art.

Recatadamente. adv. m. Con recato.

Recatado, da. p. p. de **Recatar,** 1.er art. || **2.** adj. Circunspecto, cauto. || **3.** Honesto, modesto. Aplícase particularmente a las mujeres.

Recatamiento. m. ant. **Recato.**

Recatar. (Del lat. **recaptāre,* y éste del lat. *re,* iterat., y *captāre,* coger.) tr. Encubrir u ocultar lo que no se quiere que se vea o se sepa. Ú. t. c. r. || **2.** r. Mostrar recelo en tomar una resolución.

Recatar. (De *re* y *catar.*) tr. Catar segunda vez.

Recatear. (Del m. or. que *recatar,* 1.er art.) tr. **Regatear,** 1.ª, 2.ª y 3.ª aceps.

Recatería. (De *recatear.*) f. **Regatonería.**

Recato. (De *recatar,* 1.er art.) m. Cautela, reserva. || **2.** Honestidad, modestia.

Recatón. m. **Regatón,** 1.er art.

Recatón, na. adj. **Regatón,** 2.° art. Ú. t. c. s.

Recatonazo. m. Golpe dado con el recatón de la lanza.

Recatonear. tr. **Regatonear.**

Recatonería. f. **Regatonería.**

Recatonía. f. ant. **Recatonería.**

Recaudación. f. Acción de recaudar. || **2.** Cantidad recaudada. || **3.** Tesorería u oficina destinada para la entrega de caudales públicos.

Recaudador. (De *recaudar.*) m. Encargado de la cobranza de caudales, y especialmente de los públicos.

Recaudamiento. (De *recaudar.*) m. **Recaudación,** 1.ª acep. || **2.** Cargo o empleo de recaudador. || **3.** Territorio a que se extiende el cargo de un recaudador.

Recaudanza. (De *recaudar.*) f. ant. **Recaudación.**

Recaudar. (Del lat. **recapitāre,* recoger.) tr. Cobrar o percibir caudales o efectos. || **2.** Asegurar, poner o tener en custodia. || **3.** ant. **Recabar,** 1.ª acep.

Recaudatorio, ria. adj. Perteneciente o relativo a la recaudación.

Recaudo. (De *recaudar.*) m. **Recaudación,** 1.ª acep. || **2.** Precaución, cuidado. || **3.** ant. **Recado,** 6.ª acep. || **4.** *For.* Caución, fianza, seguridad. || **A buen recaudo,** o **a recaudo.** m. adv. Bien custodiado, con seguridad. Ú. m. con los verbos *estar, poner,* etc.

Recavar. (De *re* y *cavar.*) tr. Volver a cavar.

Recazo. (De *re* y *cazo,* por la forma antigua.) m. Guarnición o parte intermedia comprendida entre la hoja y la empuñadura de la espada y de otras armas blancas. || **2.** Parte del cuchillo opuesta al filo.

Recebar. (De *re* y *cebar.*) tr. Echar recebo.

Recebo. (De *recebar.*) m. Arena o piedra muy menuda que se extiende sobre el firme de una carretera para igualarlo y consolidarlo. || **2.** Cantidad de líquido que se echa en los toneles que han sufrido alguna merma.

Recechar. tr. *Mont.* **Acechar.**

Rececho. m. *Mont.* **Acecho.**

Recejar. (De *recejo.*) intr. **Recular.**

Recejo. (Del lat. *recessus,* retroceso.) m. *Burg.* Retroceso, especialmente hablando de las aguas.

Recel. (Del lat. *re* y *celāre,* ocultar, cubrir.) m. ant. Cobertor o cubierta de tela delgada y listada.

Recela. adj. Dícese del caballo recelador. Ú. t. c. s.

Recelador. (De *recelar.*) adj. V. **Caballo recelador.** Ú. t. c. s.

Recelamiento. (De *recelar.*) m. **Recelo.**

Recelar. (De *re* y *celar,* 1.er art.) tr. Temer, desconfiar y sospechar. Ú. t. c. r. || **2.** Poner el caballo frente a la yegua para incitarla o disponerla a que admita el burro garañón.

Recelo. (De *recelar.*) m. Acción y efecto de recelar.

Receloso, sa. adj. Que tiene recelo.

Recensión. (Del lat. *recensio, -ōnis.*) f. Noticia o reseña de una obra literaria o científica.

Recentadura. (De *recentar.*) f. Porción de levadura que se deja reservada para fermentar otra masa.

Recental. (Del lat. *recens, -entis,* reciente.) adj. V. **Cordero recental.** Ú. t. c. s. || **2.** V. **Ternero recental.** Ú. t. c. s.

Recentar. (Del lat. *recentāri.*) tr. Poner en la masa la porción de levadura que se dejó reservada para fermentar. || **2.** r. Renovarse.

Recentín. adj. **Recental.**

Recentísimo, ma. adj. sup. de **Reciente.**

Receñir. (De *re* y *ceñir.*) tr. Volver a ceñir.

Recepción. (Del lat. *receptio, -ōnis.*) f. Acción y efecto de recibir. || **2.** Admisión en un empleo, oficio o sociedad. || **3.** Fiesta palatina en que desfilaban por delante de las personas reales los representantes de cuerpos o clases y también los dignatarios que acudían para rendirles acatamiento. || **4.** Reunión con carácter de fiesta que se celebra en algunas casas particulares. || **5.** *For.* Hablando de testigos, examen que se hace judicialmente de ellos para averiguar la verdad.

Recepta. (Del lat. *recepta,* t. f. de *-tus,* recibido.) f. Libro en que se llevaba la razón de las multas impuestas por el Consejo de Indias. || **2.** ant. **Receta.**

Receptáculo. (Del lat. *receptacŭlum.*) m. Cavidad en que se contiene o puede contenerse cualquiera substancia. || **2.** fig. Acogida, asilo, refugio. || **3.** *Bot.* Extremo ensanchado o engrosado del pedúnculo, casi siempre carnoso, donde se asientan los verticilos de la flor o las flores de una inflorescencia.

Receptador, ra. (Del lat. *receptātor.*) m. y f. *For.* Persona que oculta o encubre delincuentes o cosas que son materia de delito.

Receptar. (Del lat. *receptāre.*) tr. *For.* Ocultar o encubrir delincuentes o cosas que son materia de delito. || **2.** Recibir, acoger. Ú. t. c. r.

Receptividad. f. Capacidad de recibir.

Receptivo, va. (Del lat. *receptum,* supino de *recipĕre,* recibir.) adj. Que recibe o es capaz de recibir.

Recepto. (Del lat. *receptus.*) m. Retiro, asilo, lugar de seguridad.

Receptor, ra. (Del lat. *receptor, -ōris.*) adj. Que recepta o recibe. Ú. t. c. s. || **2.** Dícese del motor que recibe la energía de un generador instalado a distancia. Ú. t. c. s. || **3.** Dícese del aparato que sirve para recibir las señales eléctricas, telegráficas o telefónicas. Ú. m. c. s. || **4.** m. *For.* Escribano comisionado por un tribunal para hacer cobranzas, recibir pruebas u otros actos judiciales. || **general.** El que recibía o recaudaba las multas impuestas por los tribunales superiores.

Receptoria. adj. V. **Carta receptoria.**

Receptoría. f. **Recetoría.** || **2.** Oficio u oficina del receptor. || **3.** *For.* Despacho o comisión que lleva el receptor. || **4.** *For.* Comisión que se da a las justicias ordinarias para practicar ciertas diligencias judiciales, que por lo común se encargan a receptores.

Recercador, ra. adj. Que recerca. Ú. t. c. s. || **2.** m. **Cercador,** 2.ª acep.

Recercar. (De *re* y *cercar.*) tr. Volver a cercar. || **2.** **Cercar.**

Recésit. (Del lat. *recessit,* 3.ª pers. de sing. del pret. de *recedĕre,* retirarse, alejarse.) m. **Recle.**

Receso. (Del lat. *recessus.*) m. Separación, apartamiento, desvío || **2.** *Amér.* Suspensión, cesación, vacación. || **del Sol.** *Astron.* Movimiento aparente con que el Sol se aparta del Ecuador.

Receta. (De *recepta.*) f. Prescripción facultativa. || **2.** Nota escrita de esta prescripción. || **3.** Entre contadores, relación de partidas que se pasa de una contaduría a otra para que por ella se pueda tomar la cuenta al asentista o arrendador. || **4.** fig. Nota que comprende aquello de que debe componerse una cosa, y el modo de hacerla. || **5.** fig. y fam. Memoria de cosas que se piden.

Recetador. m. El que receta.

Recetante. p. a. de **Recetar.** Que receta.

Recetar. (De *receta.*) tr. Prescribir un medicamento, con expresión de su dosis, preparación y uso. || **2.** fig. y fam. Pedir alguna cosa de palabra o por escrito. RECETAR *largo.*

Recetario. (De *receta.*) m. Asiento o apuntamiento de todo lo que el médico ordena que se suministre al enfermo, así de alimentos como de medicinas. || **2.** Libro o cuaderno en blanco, que en los hospitales sirve para poner estos asientos. || **3.** Conjunto de recetas no pagadas, puestas regularmente en un alambre por los boticarios. || **4. Farmacopea.**

Recetor. m. **Receptor.** || **2.** Tesorero que recibe caudales públicos.

Recetoría. f. Tesorería donde entran los caudales que por los recetores se perciben. || **2.** Tesorería adonde acuden los prebendados de algunas iglesias a cobrar sus emolumentos.

Recial. m. Corriente recia, fuerte e impetuosa de los ríos.

Reciamente. adv. m. Fuertemente, con vigor y violencia.

Reciario. (Del lat. *retiarius,* de *rete,* red.) m. Gladiador cuya arma principal era una red que lanzaba sobre su adversario a fin de envolverle e impedirle el uso de los miembros y los medios de defensa.

Recibidero, ra. adj. Dícese de lo que tiene condiciones para ser recibido o tomado.

Recibidor, ra. adj. Que recibe. Ú. t. c. s. || **2.** m. **Recibimiento,** 3.ª y 5.ª aceps. || **3.** En la orden de San Juan, ministro diputado para recaudar los fondos que pertenecen a ella.

Recibiente. p. a. de **Recibir.** Que recibe.

Recibimiento. (De *recibir.*) m. **Recepción,** 1.ª acep. || **2.** Acogida buena o mala que se hace al que viene de fuera. || **3.** En algunas partes, **antesala.** || **4.** En otras, sala principal. || **5.** Pieza que da entrada a cada uno de los cuartos habitados por una familia. || **6.** Visita general en que una persona recibe a todas las de su amistad y estimación con algún motivo; como enhorabuena, pésame, etc. || **7.** En algunas partes, altar que se hace en las calles para las procesiones del Santísimo Sacramento, donde ha de haber estación.

Recibir. (Del lat. *recipĕre.*) tr. Tomar uno lo que le dan o le envían. ‖ **2.** **Percibir,** 1.ª acep. ‖ **3.** Sustentar, sostener un cuerpo a otro. ‖ **4.** Padecer uno el daño que otro le hace o casualmente le sucede. ‖ **5.** Admitir dentro de sí una cosa a otra; como el mar los ríos, etc. ‖ **6.** Admitir, aceptar, aprobar una cosa. *Fue mal* RECIBIDA *esta opinión.* ‖ **7.** Admitir uno a otro en su compañía o comunidad. ‖ **8.** Admitir visitas una persona, ya en día previamente determinado, ya en cualquiera otro cuando lo estima conveniente. ‖ **9.** Salir a encontrarse con uno para cortejarle cuando viene de fuera. ‖ **10.** Esperar o hacer frente al que acomete, con ánimo y resolución de resistirle o rechazarle. ‖ **11.** Asegurar con yeso u otro material un cuerpo que se introduce en la fábrica; como madero, ventana, etc. ‖ **12.** *Taurom.* Cuadrarse el diestro en la suerte de matar, para citar al toro, conservando esta postura, sin mover los pies, al dar la estocada, y resistir la embestida, de la cual procura librarse con el quiebro del cuerpo y el movimiento de la muleta. ‖ **13.** r. Tomar uno la investidura o el título conveniente para ejercer alguna facultad o profesión.

Recibo. (De *recibir.*) m. **Recepción,** 1.ª acep. ‖ **2.** **Recibimiento,** 3.ª, 4.ª, 5.ª y 6.ª aceps. ‖ **3.** V. **Pieza de recibo.** ‖ **4.** Escrito o resguardo firmado en que se declara haber recibido dinero u otra cosa. ‖ **Estar de recibo.** fr. Estar una persona, y especialmente una señora, adornada y dispuesta para recibir visitas. ‖ **2. Ser de recibo.** ‖ **Ser de recibo.** fr. Tener una cosa todas las cualidades necesarias para admitirse según la costumbre, ley o contrato.

Recidiva. (Del lat. *recidīva,* t. f. de *-vus,* que renace o se renueva.) f. *Med.* Repetición de una enfermedad poco después de terminada la convalecencia.

Reciedumbre. (De *recio.*) f. Fuerza, fortaleza o vigor.

Recién. (Apócope de *reciente.*) adv. t. **Recientemente.** Ú. siempre antepuesto a los participios pasivos.

Reciente. (Del lat. *recens, -entis.*) adj. Nuevo, fresco o acabado de hacer. ‖ **2.** m. *And.* **Levadura,** 1.ª acep.

Recientemente. adv. t. Poco tiempo antes.

Recinchar. (De *re* y *cinchar.*) tr. Fajar una cosa con otra, ciñéndola.

Recincho. m. *Murc.* Ceñidor de esparto.

Recinto. (Del lat. *re* y *cinctus,* cercado, rodeado.) m. Espacio comprendido dentro de ciertos límites.

Recio, cia. adj. Fuerte, robusto, vigoroso. ‖ **2.** Grueso, gordo o abultado. ‖ **3.** Áspero, duro de genio. ‖ **4.** Duro, grave, difícil de soportar. ‖ **5.** Hablando de tierras, grueso, substancioso, de mucha miga. ‖ **6.** Hablando del tiempo, riguroso, rígido. ‖ **7.** Veloz, impetuoso. ‖ **8.** adv. m. **De recio.** ‖ **9.** Con rapidez, ímpetu o precipitación. ‖ **De recio.** m. adv. **Reciamente.**

Recio, cia. adj. Natural de Recia. Ú. t. c. s. ‖ **2.** Perteneciente a este país de la Europa antigua.

Récipe. (Imper. del lat. *recipĕre,* recibir: recibe, toma.) m. Palabra que solía ponerse en abreviatura a la cabeza de la receta. ‖ **2.** fam. **Receta,** 1.ª acep. ‖ **3.** fig. y fam. Desazón, disgusto o mal despacho que se da a uno.

Recipiendario. (Del lat. *recipiendus,* que debe ser recibido.) m. El que es recibido solemnemente en una corporación para formar parte de ella.

Recipiente. (Del lat. *recipĭens, -entis.* p. a. de *recipĕre,* recibir.) adj. Que recibe. ‖ **2.** m. **Receptáculo,** 1.ª acep. ‖ **3.** Vaso donde se reúne el líquido que destila un alambique. ‖ **4.** Campana de vidrio o cristal que, colocada sobre la platina de la máquina neumática, cierra el espacio en que se hace el vacío.

Reciprocación. (Del lat. *reciprocatĭo, -ōnis.*) f. **Reciprocidad.** ‖ **2.** Manera de ejercerse la acción del verbo recíproco.

Recíprocamente. adv. m. Mutuamente, con igual correspondencia.

Reciprocar. (Del lat. *reciprocāre.*) tr. Hacer que dos cosas se correspondan. ‖ **2.** Responder a una acción con otra semejante. Ú. m. en *Amér.* ‖ **3.** r. Corresponderse una cosa con otra.

Reciprocidad. (Del lat. *reciprocĭtas, -ātis.*) f. Correspondencia mutua de una persona o cosa con otra.

Recíproco, ca. (Del lat. *reciprŏcus.*) adj. Igual en la correspondencia de uno a otro. ‖ **2.** *Gram.* V. **Verbo recíproco.** Ú. t. c. s.

Recisión. (Del lat. *recisĭo, -ōnis.*) f. desus. *For.* **Rescisión.**

Recitación. (Del lat. *recitatĭo,-ōnis.*) f. Acción de recitar.

Recitáculo. m. Escena, lugar donde antiguamente se recitaba, especialmente en el templo.

Recitado. (De *recitar.*) m. *Mús.* Composición música que se usa en las poesías narratorias y en los diálogos, y es un medio entre la declamación y el canto.

Recitador, ra. (Del lat. *recitātor.*) adj. Que recita. Ú. t. c. s.

Recital. m. *Mús.* Concierto compuesto de varias obras ejecutadas por un solo artista en un mismo instrumento. Por ext., lectura o recitación de composiciones de un poeta.

Recitante, ta. (De *recitar.*) m. y f. Comediante o farsante.

Recitar. (Del lat. *recitāre.*) tr. Referir, contar o decir en voz alta un discurso u oración. ‖ **2.** Decir o pronunciar de memoria y en voz alta versos, discursos, etc.

Recitativo, va. (De *recitar.*) adj. *Mús.* V. **Estilo recitativo.**

Reciura. f. Calidad de recio. ‖ **2.** Rigor del tiempo o de la estación.

Recizalla. (De *re* y *cizalla.*) f. Segunda cizalla.

Reclamación. (Del lat. *reclamatĭo, -ōnis.*) f. Acción y efecto de reclamar. ‖ **2.** Oposición o contradicción que se hace a una cosa como injusta, o mostrando no consentir en ella.

Reclamante. p. a. de **Reclamar.** Que reclama. Ú. t. c. s.

Reclamar. (Del lat. *reclamāre,* de *re* y *clamāre,* gritar, llamar.) intr. Clamar contra una cosa; oponerse a ella de palabra o por escrito. RECLAMAR *contra un fallo, contra un acuerdo.* ‖ **2.** poét. **Resonar.** ‖ **3.** tr. Clamar o llamar con repetición o mucha instancia. ‖ **4.** Pedir o exigir con derecho o con instancia una cosa. RECLAMAR *el precio de un trabajo;* RECLAMAR *atención.* ‖ **5.** Llamar a las aves con el reclamo. ‖ **6.** *For.* Llamar una autoridad a un prófugo, o pedir el juez competente el reo o la causa en que otro entiende indebidamente. ‖ **7.** rec. Llamarse unas a otras ciertas aves de una misma especie. Ú. t. c. tr.

Reclamar. intr. *Mar.* Izar una vela o halar un aparejo hasta que las relingas de aquélla o los guarnes de éste queden muy tesos. Ú. sólo en el m. adv., *a* RECLAMAR.

Reclame. (De *re* y el fr. *clan* o *clamp.*) m. *Mar.* Cajera con sus roldanas, que está en los cuellos de los masteleros, por donde pasan las ostagas de las gavias.

Reclamo. (De *reclamar.*) m. Ave amaestrada que se lleva a la caza para que con su canto atraiga otras de su especie. ‖ **2.** Voz con que una ave llama a otra de su especie. ‖ **3.** Instrumento para llamar a las aves en la caza imitando su voz. ‖ **4.** Sonido de este instrumento. ‖ **5.** Voz o grito con que se llama a uno. ‖ **6.** **Llamada,** 2.ª acep. ‖ **7.** fig. Cualquier cosa que atrae o convida. ‖ **8.** *Germ.* Criado de la mujer de la mancebía. ‖ **9.** *For.* **Reclamación,** 2.ª acep. ‖ **10.** *Impr.* Palabra o sílaba que solía ponerse en lo impreso, al fin de cada plana, y era la misma con que había de empezar la plana siguiente. ‖ **Acudir** uno **al reclamo.** fr. fig. y fam. Ir adonde ha oído que hay cosa conveniente a su propósito.

Recle. (De *recre.*) m. Tiempo que se permite a los prebendados no asistir a coro, para su descanso y recreación.

Reclinación. f. Acción y efecto de reclinar o reclinarse.

Reclinar. (Del lat. *reclināre.*) tr. Inclinar el cuerpo, o parte de él, apoyándolo sobre alguna cosa. Ú. t. c. r. ‖ **2.** Inclinar una cosa apoyándola sobre otra. Ú. t. c. r.

Reclinatorio. (Del lat. *reclinatorĭum.*) m. Cualquier cosa acomodada y dispuesta para reclinarse. ‖ **2.** Mueble acomodado para arrodillarse y orar.

Recluir. (Del lat. *recludĕre.*) tr. Encerrar o poner en reclusión. Ú. t. c. r.

Reclusión. (De *recluso.*) f. Encierro o prisión voluntaria o forzada. ‖ **2.** Sitio en que uno está recluso.

Recluso, sa. (Del lat. *reclussus.*) p. p. irreg. de **Recluir.**

Reclusorio. m. **Reclusión,** 2.ª acep.

Recluta. (De *reclutar.*) f. **Reclutamiento.** ‖ **2.** V. **Bandera de recluta.** ‖ **3.** m. El que libre y voluntariamente sienta plaza de soldado. ‖ **4.** Por ext., mozo alistado por sorteo para el servicio militar. ‖ **5.** Por ext., soldado muy bisoño. ‖ **disponible.** Mozo que, declarado útil para el servicio militar, no es llamado inmediatamente a las filas.

Reclutador. m. Que recluta o alista reclutas.

Reclutamiento. m. Acción y efecto de reclutar. ‖ **2.** Conjunto de los reclutas de un año.

Reclutar. (Del fr. *recruter,* de *recroître,* del lat. *recrescĕre,* aumentar.) tr. Alistar reclutas. ‖ **2.** Por ext., buscar o allegar adeptos para un propósito determinado.

Recobración. (De *recobrar.*) f. ant. **Recobro.**

Recobramiento. (De *recobrar.*) m. ant. **Recobro.**

Recobrante. p. a. de **Recobrar.** Que recobra.

Recobrar. (Del lat. *recuperāre.*) tr. Volver a tomar o adquirir lo que antes se tenía o poseía. RECOBRAR *las alhajas, la salud, el honor.* ‖ **2.** r. Repararse de un daño recibido. ‖ **3.** Desquitarse, reintegrarse de lo perdido. ‖ **4.** Volver en sí de la enajenación del ánimo o de los sentidos, o de un accidente o enfermedad.

Recobro. m. Acción y efecto de recobrar o recobrarse.

Recocer. (Del lat. *recoquĕre.*) tr. Volver a cocer. ‖ **2.** Cocer mucho una cosa. Ú. t. c. r. ‖ **3.** Caldear los metales para que adquieran de nuevo la ductilidad o el temple que suelen perder al trabajarlos. ‖ **4.** r. fig. Atormentarse, consumirse interiormente por la vehemencia de una pasión.

Recocida. f. **Recocido.**

Recocido, da. (De *recocer.*) adj. fig. Muy experimentado y práctico en cualquiera materia. ‖ **2.** m. Acción y efecto de recocer o recocerse.

Recocina. (De *re* y *cocina.*) f. Cuarto contiguo a la cocina, para desahogo de ella.

Recocta. (Del lat. *recocta,* recocida.) f. ant. **Requesón.**

Recocho, cha. (Del lat. *recoctus,* p. p. de *recoquĕre,* recocer.) adj. Muy cocido. Ú. t. c. s.

Recodadero. m. Mueble o sitio acomodado para recodarse.

Recodar. intr. Recostarse o descansar sobre el codo. Ú. m. c. r.

Recodar. intr. Formar recodo un río, un camino, etc.

Recodir. (Del lat. *recutĕre.*) intr. ant. **Recudir.** || **2.** ant. Volver a acudir a un lugar.

Recodo. (De *re* y *codo.*) m. Ángulo o revuelta que forman las calles, caminos, ríos y otras cosas, torciendo notablemente la dirección que traían. || **2.** Lance del juego de billar, en que la bola herida toca sucesivamente en dos bandas contiguas.

Recogeabuelos. (De *recoger* y *abuelo.*) m. Abrazadera, generalmente de concha, que las mujeres se ponen en la base del peinado para sujetar los tolanos o abuelos.

Recogedero. m. Parte en que se recogen o allegan algunas cosas. || **2.** Instrumento con que se recogen.

Recogedor, ra. adj. Que recoge o da acogida a uno. || **2.** m. Instrumento de labranza, que consiste en una tabla inclinada, la cual, arrastrada por una caballería, sirve para recoger la parva de la era.

Recogemigas. m. Juego compuesto de cepillo y pala para recoger las migas que quedan sobre el mantel.

Recoger. (Del lat. *recolligĕre.*) tr. Volver a coger; tomar segunda vez una cosa. || **2.** Juntar o congregar personas o cosas separadas o dispersas. || **3.** Hacer la recolección de los frutos; coger la cosecha. || **4.** Encoger, estrechar o ceñir. || **5.** Guardar, alzar o poner en cobro una cosa. RECOGE *esta plata.* || **6.** Ir juntando y guardando poco a poco, especialmente el dinero. || **7.** Dar asilo, acoger a uno. || **8.** Encerrar a uno por loco o insensato. || **9.** Suspender el uso o curso de una cosa para enmendarla o para que no tenga efecto. || **10.** r. Retirarse, acogerse a una parte. || **11.** Separarse de la demasiada comunicación y comercio de las gentes. || **12.** Ceñirse, moderarse, reformarse en los gastos. || **13.** Retirarse a dormir o descansar. || **14.** Retirarse a casa. *Juan* SE RECOGE *temprano.* || **15.** fig. Apartarse o abstraerse el espíritu de todo lo terreno que le pueda impedir la meditación o contemplación.

Recogida. f. Acción y efecto de recoger, 2.ª y 9.ª aceps. || **2.** ant. **Acogida.** || **3.** ant. **Retirada.**

Recogidamente. adv. m. Con recogimiento.

Recogido, da. (De *recoger.*) adj. Que tiene recogimiento y vive retirado del trato y comunicación de las gentes. || **2.** Dícese de la mujer que vive retirada en determinada casa, con clausura voluntaria o forzosa. Ú. t. c. s. || **3.** Aplícase al animal que es corto de tronco.

Recogimiento. m. Acción y efecto de recoger o recogerse. || **2.** Casa de recogidas.

Recolado. m. Una de las cinco clases de paño que se fabricaban en Segovia.

Recolar. (Del lat *recolāre.*) tr. Volver a colar un líquido.

Recolección. (Del lat. *recollectum,* supino de *recolligĕre,* reunir, recoger.) f. Acción y efecto de recolectar. || **2.** Recopilación, resumen o compendio. || **3.** Cosecha de los frutos. || **4.** Cobranza, recaudación de frutos o dineros. || **5.** En algunas religiones, observancia más estrecha de la regla que la que comúnmente se guarda. || **6.** Convento o casa en que se guarda y observa más estrechez que la común de la regla. || **7.** fig. Casa particular en que se observa recogimiento. || **8.** *Teol.* Recogimiento y atención a Dios y a las cosas divinas, con abstracción de lo que pueda distraer.

Recolectar. (Del lat. *recollectum,* supino de *recolligĕre,* recoger.) tr. **Recoger,** 2.ª y 3.ª aceps.

Recolector. (De *re* y *colector.*) m. **Recaudador.**

Recolegir. (Del lat. *recolligĕre.*) tr. **Colegir,** 1.ª acep.

Recoleto, ta. (Del lat. *recollectus,* recogido.) adj. Aplícase al religioso que guarda recolección. Ú. t. c. s. || **2.** Dícese del convento o casa en que esta práctica se observa. || **3.** fig. Dícese del que vive con retiro y abstracción, o viste modestamente. Ú. t. c. s.

Recomendable. adj. Digno de recomendación, aprecio o estimación.

Recomendablemente. adv. m. De modo recomendable.

Recomendación. f. Acción y efecto de recomendar o recomendarse. || **2.** Encargo o súplica que se hace a otro, poniendo a su cuidado y diligencia una cosa. || **3.** Alabanza o elogio de un sujeto para introducirle con otro. || **4.** Autoridad, representación o calidad por que se hace más apreciable y digna de respeto una cosa. || **del alma.** Súplica que hace la Iglesia con determinadas preces por el que está en la agonía.

Recomendado, da. p. p. de **Recomendar.** || **2.** m. y f. Persona en cuyo favor se ha hecho una recomendación.

Recomendante. p. a. de **Recomendar.** Que recomienda. Ú. t. c. s.

Recomendar. (De *re* y *comendar.*) tr. Encargar, pedir o dar orden a uno para que tome a su cuidado una persona o negocio. || **2.** Hablar o empeñarse por uno, elogiándole. || **3.** Hacer recomendable a uno. Ú. t. c. r.

Recomendatorio, ria. adj. Dícese de lo que recomienda.

Recomenzar. tr. Volver a comenzar.

Recomerse. r. **Concomerse.**

Recompensa. f. Acción y efecto de recompensar. || **2.** Lo que sirve para recompensar.

Recompensable. adj. Que se puede recompensar. || **2.** Digno de recompensa.

Recompensación. f. **Recompensa.**

Recompensar. (De *re* y *compensar.*) tr. **Compensar,** 2.ª acep. || **2.** Retribuir o remunerar un servicio. || **3.** Premiar un beneficio, favor, virtud o mérito.

Recomponer. (Del lat. *recompōnĕre.*) tr. Componer de nuevo, reparar.

Recompuesto, ta. (Del lat. *recompositus.*) p. p. irreg. de **Recomponer.**

Reconcentración. f. **Reconcentramiento.**

Reconcentramiento. m. Acción y efecto de reconcentrar o reconcentrarse.

Reconcentrar. (De *re* y *concentrar.*) tr. Introducir, internar una cosa en otra. Ú. m. c. r. || **2.** Reunir en un punto, como centro, las personas o cosas que estaban esparcidas. Ú. t. c. r. || **3.** fig. Disimular, ocultar o callar profundamente un sentimiento o afecto. || **4.** r. fig. Abstraerse, ensimismarse.

Reconciliación. (Del lat. *reconciliatio, -ōnis.*) f. Acción y efecto de reconciliar o reconciliarse.

Reconciliador, ra. (Del lat. *reconciliātor.*) adj. Que reconcilia. Ú. t. c. s.

Reconciliar. (Del lat. *reconciliāre.*) tr. Volver a las amistades, o atraer y acordar los ánimos desunidos. Ú. t. c. r. || **2.** Restituir al gremio de la Iglesia a uno que se había separado de sus doctrinas. Ú. t. c. r. || **3.** Oir una breve o ligera confesión. || **4.** Bendecir un lugar sagrado, por haber sido violado. || **5.** r. Confesarse de algunas culpas ligeras u olvidadas en otra confesión que se acaba de hacer.

Reconcomerse. (De *re* y *concomerse.*) r. **Concomerse.**

Reconcomio. m. fam. Acción de reconcomerse. || **2.** **Prurito,** 2.ª acep. || **3.** fig. y fam. Recelo o sospecha que incita o mueve interiormente. || **4.** fig. y fam. Interior movimiento del ánimo, que inclina a un afecto.

Recondenar. tr. Condenar de nuevo o hacerlo con más eficacia. Ú. m. c. r.

Reconditez. f. fam. Cosa recóndita.

Recóndito, ta. (Del lat. *recondĭtus,* p. p. de *recondĕre,* ocultar, esconder.) adj. Muy escondido, reservado y oculto.

Reconducción. (De *re* y *conducción.*) f. *For.* Acción y efecto de reconducir.

Reconducir. (Del lat. *reconducĕre.*) tr. *For.* Prorrogar tácita o expresamente un arrendamiento.

Reconfortante. p. a. de **Reconfortar.** Que reconforta. Ú. t. c. s. m.

Reconfortar. tr. Confortar de nuevo o con energía y eficacia.

Reconocedor, ra. adj. Que reconoce, revisa o examina. Ú. t. c. s.

Reconocer. (Del lat. *recognoscĕre.*) tr. Examinar con cuidado a una persona o cosa para enterarse de su identidad, naturaleza y circunstancias. || **2.** Registrar, mirar por todos sus lados o aspectos una cosa para acabarla de comprender o para rectificar el juicio antes formado sobre ella. || **3.** Registrar, para enterarse bien del contenido, un baúl, lío, etc., como se hace en las aduanas y administraciones de otros impuestos. || **4.** En las relaciones internacionales, aceptar un nuevo estado de cosas. || **5.** Examinar de cerca un campamento, fortificación o posición militar del enemigo. || **6.** Confesar con cierta publicidad la dependencia, subordinación o vasallaje en que se está respecto de otro, o la legitimidad de la jurisdicción que ejerce. || **7.** Confesar la certeza de lo que otro dice o la obligación de gratitud que se le debe por sus beneficios. || **8.** Considerar, advertir o contemplar. || **9.** Dar uno por suya, confesar que es legítima, una obligación en que suena su nombre; como firma, conocimiento, pagaré, etc. || **10.** Distinguir de las demás a una persona cuya fisonomía, por larga ausencia o por otras causas, se tenía ya olvidada o confundida. || **11.** Construido con la preposición *por,* conceder a uno, con la conveniente solemnidad, la cualidad y relación de parentesco que tiene con el que ejecuta este reconocimiento, y los derechos que son consiguientes. RECONOCER POR *hijo,* POR *hermano.* || **12.** Construido con la preposición *por,* acatar como legítima la autoridad o superioridad de uno o cualquiera otra de sus cualidades. || **13.** r. Dejarse comprender por ciertas señales una cosa. || **14.** Confesarse culpable de un error, falta, etc. || **15.** Tenerse uno a sí propio por lo que es en realidad, hablando de mérito, talento, fuerzas, recursos, etc.

Reconocible. adj. Que puede ser reconocido.

Reconocidamente. adv. m. Con reconocimiento o gratitud.

Reconocido, da. p. p. de **Reconocer.** || **2.** adj. Dícese del que reconoce el favor o beneficio que otro le ha hecho.

Reconociente. p. a. de **Reconocer.** Que reconoce.

Reconocimiento. m. Acción y efecto de reconocer o reconocerse. || **2.** **Gratitud.**

Reconquista. f. Acción y efecto de reconquistar. || **2.** Por antonom., la recuperación del territorio español invadido por los musulmanes y cuyo epílogo fue la toma de Granada en 1492.

Reconquistar. tr. Volver a conquistar una plaza, provincia o reino. || **2.** fig. Recuperar la opinión, el afecto, la hacienda, etc.

Reconstitución. f. Acción y efecto de reconstituir o reconstituirse.

Reconstituir. (De *re* y *constituir.*) tr. Volver a constituir, rehacer. Ú. t. c. r. || **2.** *Med.* Dar o devolver a la sangre y al organismo sus condiciones normales. Ú. t. c. r.

Reconstituyente. p. a. de **Reconstituir.** Que reconstituye. || **2.** *Med.* Dícese especialmente del remedio que tiene virtud de reconstituir. Ú. t. c. s. m.

Reconstrucción. m. Acción y efecto de reconstruir.

Reconstructivo, va. adj. Perteneciente o relativo a la reconstrucción.

Reconstruir. (Del lat. *reconstruĕre.*) tr. Volver a construir. || **2.** fig. Unir, allegar, evocar especies, recuerdos o ideas para completar el conocimiento de un hecho o el concepto de una cosa.

Recontamiento. m. Acción de recontar o referir.

Recontar. (De *re* y *contar.*) tr. Contar o volver a contar, 1.ª y 2.ª aceps. || **2. Referir,** 1.ª acep.

Recontento, ta. (De *re* y *contento.*) adj. Muy contento. || **2.** m. Contento grande.

Reconvalecer. (Del lat. *reconvalescĕre.*) intr. Volver a convalecer.

Reconvención. f. Acción de reconvenir. || **2.** Cargo o argumento con que se reconviene. || **3.** *For.* Demanda que al contestar entabla el demandado contra el que promovió el juicio.

Reconvenir. (De *re* y *convenir.*) tr. Hacer cargo a uno, arguyéndole ordinariamente con su propio hecho o palabra. || **2.** *For.* Ejercitar el demandado, cuando contesta, acción contra el promovedor del juicio.

Recopilación. (De *recopilar.*) f. Compendio, resumen o reducción breve de una obra o un discurso. || **2.** Colección de escritos diversos. RECOPILACIÓN *de las leyes.* || **3.** Colección y ordenamiento oficial de las leyes de España publicada por mandato del rey don Felipe II en 1567, a la cual sirvió de base una compilación de muchas pragmáticas que ya corrían de molde en 1523. || **Novísima Recopilación.** Libro en que aparecen reunidas ordenadamente, después de revisadas, corregidas y enmendadas, cuantas disposiciones de carácter legal no habían caído en desuso y estaban incluidas en la **Recopilación,** o corrían en pliegos sueltos. Fue mandada promulgar y ejecutar como ley del reino a 15 de julio de 1805. || **Nueva Recopilación.** Edición novena de la **Recopilación,** hecha en el año de 1775.

Recopilado, da. adj. Dícese de lo relativo a las leyes de la Nueva y Novísima Recopilación. *La ley* RECOPILADA.

Recopilador. m. El que recopila.

Recopilar. (De *re* y *copilar.*) tr. Juntar en compendio, recoger o unir diversas cosas. Dícese especialmente de escritos literarios.

Recoquín. m. fam. Hombre muy pequeño y gordo.

Recordable. (Del lat. *recordabĭlis.*) adj. Que se puede recordar. || **2.** Digno de recordación.

Recordación. (Del lat. *recordatĭo, -ōnis.*) f. Acción de traer a la memoria una cosa. || **2. Recuerdo,** 1.ª acep.

Recordador, ra. adj. Que recuerda.

Recordamiento. (De *recordar.*) m. ant. **Recordación.**

Recordante. p. a. de **Recordar.** Que recuerda.

Recordanza. (Del lat. *recordantĭa.*) f. ant. **Recordación.**

Recordar. (Del lat. *recordāre.*) tr. Traer a la memoria una cosa. Ú. t. c. intr. || **2.** Excitar y mover a uno a que tenga presente una cosa de que se hizo cargo o que tomó a su cuidado. Ú. t. c. intr. y c. r. || **3.** intr. Despertar el que está dormido. Ú. t. c. r.

Recordativo, va. (Del lat. *recordatīvus.*) adj. Dícese de lo que hace o puede hacer recordar. || **2.** m. **Recordatorio.**

Recordatorio. (De *recordar.*) m. Aviso, advertencia, comunicación u otro medio para hacer recordar alguna cosa.

Recorrer. (Del lat. *recurrĕre.*) tr. Con nombre que exprese espacio o lugar, ir o transitar por él. *El tren* RECORRIÓ *doce kilómetros; el viajero* HA RECORRIDO *toda España.* || **2.** Registrar, mirar con cuidado, andando de una parte a otra, para averiguar lo que se desea saber o hallar. || **3.** Repasar o leer ligeramente un escrito. || **4.** Reparar lo que estaba deteriorado. || **5.** *Impr.* Justificar la composición pasando letras de una línea a otra, a consecuencia de enmiendas o de variación en la medida de la página. || **6.** intr. p. us. Recurrir, acudir o acogerse.

Recorrido. m. Espacio que recorre o ha de recorrer una persona o cosa. || **2.** Acción de reparar lo que está deteriorado. || **3. Repasata.**

Recortado, da. p. p. de **Recortar.** || **2.** adj. *Bot.* Dícese de las hojas y otras partes de las plantas cuyos bordes tienen muchas y muy señaladas desigualdades. || **3.** m. Figura recortada de papel.

Recortadura. (De *recortar.*) f. **Recorte,** 1.ª acep. || **2.** pl. **Recorte,** 3.ª acep.

Recortar. (De *re* y *cortar.*) tr. Cortar o cercenar lo que sobra en una cosa. || **2.** Cortar con arte el papel u otra cosa en varias figuras. || **3.** *Pint.* Señalar los perfiles de una figura.

Recorte. m. Acción y efecto de recortar. || **2.** *Taurom.* Regate para evitar la cogida del toro. || **3.** pl. Porciones excedentes que por medio de un instrumento cortante se separan de cualquier materia que se trabaja hasta reducirla a la forma que conviene.

Recorvar. (Del lat. *recurvāre.*) tr. **Encorvar.** Ú. t. c. r.

Recorvo, va. (Del lat. *recurvus.*) adj. **Corvo.**

Recoser. (De *re* y *coser.*) tr. Volver a coser. || **2.** Componer, zurcir o remendar la ropa, y especialmente la blanca.

Recosido. m. Acción y efecto de recoser.

Recostadero. m. Paraje o cosa que sirve para recostarse.

Recostar. (De *re* y *costa,* costado.) tr. Reclinar la parte superior del cuerpo el que está de pie o sentado. Ú. t. c. r. || **2. Reclinar,** 2.ª acep. Ú. t. c. r.

Recova. (Del m. or. que *recua.*) f. Compra de huevos, gallinas y otras cosas semejantes, que se hace por los lugares para revenderlas. || **2.** Paraje público en que se venden las gallinas y demás aves domésticas. || **3.** *And.* Cubierta de piedra o fábrica que se pone para defender del temporal algunas cosas. || **4.** *Mont.* Cuadrilla de perros de caza.

Recoveco. m. Vuelta y revuelta de un callejón, pasillo, arroyo, etc. || **2.** fig. Simulado artificio o rodeo de que uno se vale para conseguir un fin.

Recovero, ra. (De *recova.*) m. y f. Persona que anda a la recova.

Recre. (De *recreo.*) m. **Recle.**

Recreable. adj. Que produce o causa placer o recreo.

Recreación. (Del lat. *recreatĭo, -ōnis.*) f. Acción y efecto de recrear o recrearse. || **2.** Diversión para alivio del trabajo.

Recrear. (Del lat. *recreāre.*) tr. Crear o producir de nuevo alguna cosa. || **2.** Divertir, alegrar o deleitar. Ú. t. c. r.

Recreativo, va. adj. Que recrea o es capaz de causar recreación.

Recrecer. (Del lat. *recrescĕre.*) tr. Aumentar, acrecentar una cosa. Ú. t. c. intr. || **2.** intr. Ocurrir u ofrecerse una cosa de nuevo. || **3.** r. Reanimarse, cobrar bríos.

Recrecimiento. m. Acción y efecto de recrecer o recrecerse.

Recreído, da. adj. *Cetr.* Aplicábase al ave de caza que perdiendo su docilidad se vuelve a su natural indómito.

Recrementicio, cia. adj. *Fisiol.* Perteneciente o relativo al recremento.

Recremento. (Del lat. *recrementum.*) m. ant. **Reliquia,** 1.ª acep. || **2.** *Fisiol.* Humor que después de segregado vuelve a ser absorbido por el organismo para ciertos fines de la vida.

Recreo. (De *recrear.*) m. **Recreación.** || **2.** Sitio o lugar apto o dispuesto para diversión. || **3.** V. **Tren de recreo.**

Recría. f. Acción y efecto de recriar.

Recriador. m. El que recría.

Recriar. (De *re* y *criar.*) tr. Fomentar, a fuerza de pasto y pienso, el desarrollo de potros u otros animales criados en región distinta. || **2.** fig. Dar a un ser nuevos elementos de vida y fuerza para su completo desarrollo. || **3.** fig. Aplicado a la especie humana, el acto de redimirla por la pasión y muerte de Nuestro Señor Jesucristo.

Recriminación. f. Acción y efecto de recriminar o recriminarse.

Recriminador, ra. m. y f. Persona que recrimina.

Recriminar. (De *re* y *criminar.*) tr. Responder a cargos o acusaciones con otros u otras. || **2.** rec. Acriminarse dos o más personas; hacerse cargos las unas a las otras.

Recrucetado, da. adj. *Blas.* V. **Cruz recrucetada.**

Recrudecer. (Del lat. *recrudescĕre.*) intr. Tomar nuevo incremento un mal físico o moral, o un afecto o cosa perjudicial o desagradable, después de haber empezado a remitir o ceder. Ú. t. c. r.

Recrudecimiento. m. **Recrudescencia.**

Recrudescencia. f. Acción y efecto de recrudecer o recrudecerse.

Recrudescente. p. a. de **Recrudecer.** Que recrudece.

Recrujir. (De *re* y *crujir.*) intr. Crujir mucho.

Recruzar. tr. Cruzar de nuevo o cruzar dos veces.

Rectal. adj. Perteneciente o relativo al intestino recto.

Rectamente. adv. m. Con rectitud.

Rectangular. adj. *Geom.* Perteneciente o relativo al ángulo recto. *Coordenadas* RECTANGULARES. || **2.** *Geom.* Que tiene uno o más ángulos rectos. *Tetraedro* RECTANGULAR. || **3.** *Geom.* Que contiene uno o más rectángulos. *Pirámide* RECTANGULAR. || **4.** *Geom.* Perteneciente o relativo al rectángulo. *Cara* RECTANGULAR *de un poliedro.*

Rectángulo, la. (Del lat. *rectangŭlus.*) adj. *Geom.* **Rectangular,** 2.ª acep. Aplícase principalmente al triángulo y al paralelepípedo. || **2.** m. *Geom.* Paralelogramo que tiene los cuatro ángulos rectos y los lados contiguos desiguales.

Rectar. tr. p. us. **Rectificar.**

Rectificable. adj. Que se puede rectificar.

Rectificación. f. Acción y efecto de rectificar.

Rectificador, ra. adj. Que rectifica. || **2.** *Electr.* Dícese de la máquina o aparato que sirve para transformar una fuerza electromotriz alternativa en corriente de dirección constante. Ú. t. c. s.

Rectificar. (Del lat. *rectificāre;* de *rectus,* recto, y *facĕre,* hacer.) tr. Reducir una cosa a la exactitud que debe tener. || **2.** Procurar uno reducir a la conveniente exactitud y certeza los dichos o hechos que se le atribuyen. || **3.** *Geom.* Tratándose de una línea curva, hallar una recta cuya longitud sea igual a la de aquélla. || **4.** *Quím.* Purificar los líquidos. || **5.** r. Enmendar uno sus actos o su proceder.

Rectificativo, va. adj. Dícese de lo que rectifica o puede rectificar. Ú. t. c. s. m.

Rectilíneo, a. (Del lat. *rectilinĕus.*) adj. *Geom.* Que se compone de líneas rectas. || **2.** fig. Se aplica a algunos caracteres de personas rectas, a veces con exageración.

Rectitud. (Del lat. *rectitūdo.*) f. Derechura o distancia más breve entre dos puntos o términos. || **2.** fig. Calidad de recto o justo. || **3.** fig. Recta razón o conocimiento práctico de lo que debemos hacer o decir. || **4.** fig. Exactitud o justificación en las operaciones.

Recto, ta. (Del lat. *rectus.*) adj. Que no se inclina a un lado ni a otro. || **2.** V. **Ángulo, caso, cilindro, compás, cono, feudo, seno recto.** || **3.** V. **Ascensión, esfera, línea recta.** || **4.** fig. Justo, severo y firme en sus resoluciones. || **5.** fig. Dícese del sentido primitivo o literal de las palabras, a diferencia del traslaticio o figurado. || **6.** fig. Dícese del folio o plana de un libro o cuaderno que, abierto, cae a la derecha del que lee. El opuesto se llama **verso** o **vuelto.** || **7.** *Geom.* V. **Línea recta.** Ú. t. c. s. || **8.** *Zool.* Dícese de la última porción del intestino de los gusanos, artrópodos, moluscos, procordados y vertebrados, que termina en el ano. En los mamíferos forma parte del intestino grueso y está situada a continuación del colon. Ú. t. c. s.

Rector, ra. (Del lat. *rector, -ōris.*) adj. Que rige o gobierna. Ú. t. c. s. || **2.** m. y f. Superior a cuyo cargo está el gobierno y mando de una comunidad, hospital o colegio. || **3.** m. Párroco o cura propio. || **4.** Superior de una universidad literaria y su distrito.

Rectorado. m. Oficio, cargo y oficina del rector. || **2.** Tiempo que se ejerce.

Rectoral. adj. Perteneciente o relativo al rector. *Sala* RECTORAL. || **2.** f. Habitación del párroco en algunos lugares.

Rectorar. intr. Llegar a ser rector.

Rectoría. f. Empleo, oficio o jurisdicción del rector. || **2.** Oficina del rector.

Recua. (Del ár. *rakūba,* caravana.) f. Conjunto de animales de carga, que sirve para trajinar. || **2.** fig. y fam. Muchedumbre de cosas que van o siguen unas detrás de otras.

Recuadrar. (De *re* y *cuadrar.*) tr. *Pint.* Cuadrar o cuadricular.

Recuadro. m. Compartimiento o división en forma de cuadro o cuadrilongo, en un muro u otra superficie.

Recuaje. m. Tributo pagado por razón del tránsito de las recuas. || **2.** ant. Recua.

Recuarta. (De *re* y *cuarto.*) f. Una de las cuerdas de la vihuela, y es la segunda que se pone en el cuarto lugar, cuando se doblan las cuerdas.

Recubrir. tr. Volver a cubrir. || **2.** Retejar.

Recudida. (De *recudir.*) f. ant. **Rebote.** || **De recudida.** m. adv. ant. **De rebote.**

Recudidero. (De *recudir.*) m. ant. Sitio adonde se acude o concurre.

Recudimento. m. **Recudimiento.**

Recudimiento. (De *recudir.*) m. Despacho y poder que se da al fiel o arrendador para cobrar las rentas que están a su cargo.

Recudir. (Del lat. *recutĕre.*) tr. Pagar o asistir a uno con una cosa que le toca y debe percibir. || **2.** ant. Acudir o concurrir a una parte. || **3.** ant. Acudir o recurrir a uno. || **4.** ant. Responder o replicar. || **5.** intr. Resaltar, resurtir o volver una cosa al paraje de donde salió primero. || **6.** ant. Concurrir, venir a juntarse en un mismo lugar algunas cosas; como las calles, caminos, arroyos, etc.

Recuelo. (De *recolar.*) m. Lejía muy fuerte y según sale del cernadero, que emplean las lavanderas para colar la ropa más sucia. || **2.** Café cocido segunda vez.

Recuento. (De *recontar.*) m. Cuenta o segunda cuenta o enumeración que se hace de una cosa. || **2.** *Gal.* **Inventario.**

Recuentro. m. **Reencuentro.**

Recuerdo. (De *recordar.*) m. Memoria que se hace o aviso que se da de una cosa pasada o de que ya se habló. || **2.** fig. Cosa que se regala en testimonio de buen afecto. || **3.** pl. **Memoria,** 9.ª acep.

Recuero. m. Arriero o persona a cuyo cargo está la recua.

Recuesta. (De *recuestar.*) f. Requerimiento, intimación. || **2.** ant. Busca y diligencia que se hace para llevar y recoger una cosa. || **3.** ant. Duelo, desafío, o cartel para él. || **A toda recuesta.** m. adv. ant. **A todo trance.**

Recuestador, ra. adj. ant. Que recuesta o desafía. Usáb. t. c. s.

Recuestar. (Del lat. *re,* iterat., y *quaesitāre,* rogar.) tr. Demandar o pedir. || **2.** ant. **Desafiar.** || **3.** ant. fig. Acariciar, atraer con halago o dulzura de amante.

Recuesto. (De *re* y *cuesta,* 1.er art.) m. Sitio o paraje que está en declive.

Reculada. f. Acción de recular.

Recular. (De *re* y *culo.*) intr. Cejar o retroceder. || **2.** fig. y fam. Ceder uno de su dictamen u opinión.

Reculo, la. adj. Aplícase al pollo o gallina que no tiene cola.

Reculones (A). m. adv. fam. Reculando.

Recuñar. (De *re* y *cuña.*) tr. *Cant.* y *Min.* Arrancar piedra o mineral por medio de cuñas que a golpe de mazo se introducen en las grietas naturales de la mina o cantera, o en las hendeduras que en ellas se abren artificialmente.

Recuperable. adj. Que puede o debe recuperarse.

Recuperación. (Del lat. *recuperatio, -ōnis.*) f. Acción y efecto de recuperar o recuperarse.

Recuperador, ra. (Del lat. *recuperātor.*) adj. Que recupera. Ú. t. c. s.

Recuperar. (Del lat. *recuperāre.*) tr. **Recobrar,** 1.ª acep. || **2.** r. **Recobrar,** 4.ª acep.

Recuperativo, va. (Del lat. *recuperatīvus.*) adj. Dícese de lo que recupera o tiene virtud de recuperar.

Recura. f. Cuchillo para recurar, con hoja de dos cortes en forma de sierra.

Recurar. (Del lat. *recurāre,* limpiar con cuidado.) tr. Formar y aclarar las púas de los peines con la recura.

Recurrente. (Del lat. *recurrens, -entis.*) p. a. de **Recurrir.** Que recurre. || **2.** com. Persona que entabla o tiene entablado un recurso.

Recurrible. adj. *For.* Dícese del acto de la administración contra el cual cabe entablar recurso.

Recurrido, da. p. p. de **Recurrir.** || **2.** adj. *For.* Dícese, especialmente en casación, de la parte que sostiene o a quien favorece la sentencia de que se recurre. Ú. t. c. s.

Recurrir. (Del lat. *recurrĕre.*) intr. Acudir a un juez o autoridad con una demanda o petición. || **2.** Acogerse en caso de necesidad al favor de uno, o emplear medios no comunes para el logro de un objeto. || **3.** Volver una cosa al lugar de donde salió. || **4.** *For.* Entablar recurso contra una resolución.

Recurso. (Del lat. *recursus.*) m. Acción y efecto de recurrir. || **2.** Vuelta o retorno de una cosa al lugar de donde salió. || **3.** Memorial, solicitud, petición por escrito. || **4.** *For.* Acción que concede la ley al interesado en un juicio o en otro procedimiento para reclamar contra las resoluciones, ora ante la autoridad que las dictó, ora ante alguna otra. || **5.** pl. Bienes, medios de subsistencia. || **6.** fig. Expedientes, arbitrios para salir airoso de una empresa. || **Recurso contencioso administrativo.** *For.* El que se interpone contra las resoluciones de la administración activa que reúnen determinadas condiciones establecidas en las leyes. || **de aclaración.** *For.* El que se interpone para obtener del sentenciador que explique el pronunciamiento que se nota de obscuro o deficiente. || **de amparo.** *For.* El estatuido por la Constitución de 1931 para ante el Tribunal de Garantías, cuando los derechos asegurados por la Ley fundamental no hubieren sido respetados por otros tribunales o autoridades. || **de apelación.** El que se entabla a fin de que una resolución sea revocada, total o parcialmente, por tribunal o autoridad superior al que la dictó. || **de casación.** *For.* El que se interpone ante el Tribunal Supremo contra fallos definitivos o laudos, en los cuales se suponen infringidas leyes o doctrina legal, o quebrantada alguna garantía esencial del procedimiento. || **de fuerza.** *For.* El que se interpone ante tribunal secular reclamando la protección real contra agravios que se reputan inferidos por un tribunal eclesiástico. || **de injusticia notoria.** *For.* El que, según el antiguo procedimiento, se interponía contra sentencias de los tribunales superiores ante el Supremo de Justicia. || **de mil y quinientas.** *For.* El que se interponía para la revisión de ciertos procesos graves, con depósito de mil quinientas doblas, ante una sala del Consejo Supremo así denominada. || **de nulidad.** *For.* El que con carácter de extraordinario se interponía contra sentencias de los tribunales superiores ante el Supremo de Justicia con objeto de obtener aquella declaración. || **de queja.** *For.* El que interponen los tribunales contra la invasión de atribuciones por autoridades administrativas, y en general, el que los interesados promueven ante un tribunal o autoridad superior contra la resistencia de un inferior a admitir una apelación u otro **recurso.** || **de reforma,** o **de reposición.** *For.* El que se interpone para pedir a los jueces que reformen sus resoluciones, cuando éstas no son sentencias. || **de responsabilidad.** *For.* El que se interpone para exigir a los jueces y tribunales la civil o criminal en que hayan incurrido por actos u omisiones no subsanables mediante otros **recursos** ordinarios. || **de revisión.** *For.* El que se interpone para obtener la revocación de sentencia firme en casos extraordinarios determinados por las leyes. || **de segunda suplicación.** *For.* **Recurso de mil y quinientas.** || **de súplica.** *For.* El que se interpone contra las resoluciones incidentales de los tribunales superiores, pidiendo ante ellos mismos su modificación o revocación.

Recusable. (Del lat. *recusabĭlis.*) adj. Que se puede recusar.

Recusación. (Del lat. *recusatio, -ōnis.*) f. Acción y efecto de recusar.

Recusante. (Del lat. *recūsans, -antis.*) p. a. de **Recusar.** Que recusa. Ú. t. c. s.

Recusar. (Del lat. *recusāre.*) tr. No querer admitir o aceptar una cosa, o notar a una persona de carencia de aptitud o de imparcialidad. || **2.** *For.* Poner tacha legítima al juez, al oficial, al perito, que con carácter público interviene en un procedimiento o juicio, para que no actúe en él.

Rechazador, ra. adj. Que rechaza. Ú. t. c. s.

Rechazamiento. m. Acción y efecto de rechazar.

Rechazar. (Del lat. *reiectāre.*) tr. Resistir un cuerpo a otro, forzándole a retroceder en su curso o movimiento. || **2.** fig. Resistir al enemigo, obligándole a ceder. || **3.** fig. Contradecir lo que otro expresa o no admitir lo que propone u ofrece.

Rechazo. (De *rechazar.*) m. Vuelta o retroceso que hace un cuerpo por encontrarse con alguna resistencia. || **De rechazo.** m. adv. fig. De una manera incidental, ocasional o consiguiente.

Rechifla. f. Acción de rechiflar.

Rechiflar. (De *re* y *chiflar.*) tr. Silbar con insistencia. || **2.** r. Burlarse con extremo; mofarse de uno, o ridiculizarle.

Rechinador, ra. adj. Que rechina.

Rechinamiento. m. Acción y efecto de rechinar.
Rechinante. p. a. de **Rechinar.** Que rechina.
Rechinar. (De *re* y *chinar*, y éste de *china.*) intr. Hacer o causar una cosa un sonido, comúnmente desapacible, por ludir con otra. || **2.** fig. Entrar mal o con disgusto en una cosa que se propone o dice, o hacerla con repugnancia.
Rechinido. (De *rechinar.*) m. **Rechino.**
Rechino. (De *rechinar.*) m. **Rechinamiento.**
Rechistar. (De *re* y *chistar.*) intr. **Chistar.**
Rechizar. (Por **rachizar*, del lat. *radiāre.*) tr. *Sal.* Calentar el sol con demasiada fuerza.
Rechoncho, cha. adj. fam. Se dice de la persona o animal gruesos y de poca altura.
Rechupete (De). (De *re* y *chupete.*) loc. fam. Muy exquisito y agradable.
Red. (Del lat. *rēte.*) f. Aparejo hecho con hilos, cuerdas o alambres trabados en forma de mallas, y convenientemente dispuesto para pescar, cazar, cercar, sujetar, etc. || **2.** Labor o tejido de mallas. || **3. Redecilla,** 3.ª acep. || **4.** Verja o reja. || **5.** Paraje donde se vende pan u otras cosas que se dan por entre verjas. || **6.** fig. Ardid o engaño de que uno se vale para atraer a otro. || **7.** fig. Conjunto de calles afluentes a un mismo punto. || **8.** fig. Conjunto sistemático de caños o de hilos conductores o de vías de comunicación o de agencias y servicios para determinado fin. RED *del abastecimiento de aguas;* RED *telegráfica* o *telefónica;* RED *ferroviaria* o *de carreteras;* RED *de cabotaje.* || **9.** fig. Conjunto y trabazón de cosas que obran en favor o en contra de un fin o de un intento. || **10.** *Germ.* **Capa,** 1.ª acep. || **barredera.** Aquella cuya relinga inferior es arrastrada por el fondo del agua para que lleve consigo todos los peces que encuentre. || **de araña. Telaraña.** || **de jorrar,** o **de jorro. Red barredera.** || **del aire.** La que se arma en alto, colgándola de un árbol a otro, de modo que las aves al pasar queden presas en ella. || **de pájaros.** fig. y fam. Cualquiera tela muy rala y mal tejida. || **de payo.** *Germ.* Capote de sayal. || **gallundera.** ant. **Red** de pescar cazones y otros escualos. || **sabogal.** La de pescar sabogas. || **A red barredera.** m. adv. fig. Llevándolo todo por delante. || **Caer** uno **en la red.** fr. fig. y fam. **Caer en el lazo.** || **Echar,** o **tender, la red,** o **las redes.** fr. Echarlas al agua para pescar. || **2.** fig. y fam. Hacer los preparativos y disponer los medios para obtener alguna cosa.
Redacción. (Del lat. *redactĭo, -ōnis.*) f. Acción y efecto de redactar. || **2.** Lugar u oficina donde se redacta. || **3.** Conjunto de redactores de una publicación periódica.
Redactar. (Del lat. *redactum,* supino de *redigĕre,* compilar, poner en orden.) tr. Poner por escrito cosas sucedidas, acordadas o pensadas con anterioridad.
Redactor, ra. adj. Que redacta. Ú. t. c. s. || **2.** Que forma parte de una redacción, 2.ª acep. Ú. t. c. s.
Redada. (De *redar.*) f. Lance de red, || **2.** fig. y fam. Conjunto de personas o cosas que se toman o cogen de una vez. *Cogieron una* REDADA *de ladrones.*
Redaño. (De *red.*) m. *Zool.* **Mesenterio.** || **2.** pl. fig. Fuerzas, brío, valor.
Redar. tr. **Echar la red,** 1.ª acep.
Redargución. (Del lat. *redargutĭo, -ōnis.*) f. Acción de redargüir. || **2.** Argumento convertido contra el que lo hace.
Redargüir. (Del lat. *redarguĕre.*) tr. Convertir el argumento contra el que lo hace. || **2.** *For.* Contradecir, impugnar una cosa por algún vicio que contiene. Ú. comúnmente respecto de los instrumentos presentados en juicio y cuya autenticidad o verdad no se reconoce.
Redaya. f. Red para pescar en los ríos.
Redecilla. f. d. de **Red.** || **2.** Tejido de mallas de que se hacen las redes. || **3.** Prenda de malla, en figura de bolsa, y con cordones o cintas, usada por hombres y mujeres para recoger el pelo o adornar la cabeza. || **4.** *Zool.* Segunda de las cuatro cavidades en que se divide el estómago de los rumiantes.
Redecir. tr. Repetir porfiadamente uno o más vocablos.
Rededor. (De *derredor.*) m. **Contorno,** 1.ª acep. || **Al, o en, rededor.** m. adv. **Alrededor.**
Redejón. (De *red.*) m. Redecilla de mayor tamaño que la ordinaria. || **2.** *Ál.* Aro con red y pértiga o rabo largo para cazar codornices cuando están paradas.
Redel. m. *Mar.* Cada una de las cuadernas que se colocan en los puntos en que comienzan los delgados del buque.
Redención. (Del lat. *redemptĭo, -onis.*) f. Acción y efecto de redimir o redimirse. || **2.** Por antonom., la que Jesucristo hizo del género humano por medio de su pasión y muerte. || **3.** fig. Remedio, recurso, refugio.
Redendija. (De *rehendija.*) f. **Rendija.**
Redentor, ra. (Del lat. *redemptor.*) adj. Que redime. Ú. t. c. s. || **2.** m. Por antonom., **Jesucristo.** || **3.** En las religiones de la Merced y la Trinidad, religioso nombrado para hacer el rescate de los cautivos cristianos que estaban en poder de los sarracenos.
Redentorista. (De *redentor.*) adj. Dícese del individuo de la congregación fundada por San Alfonso María de Ligorio. Ú. t. c. s. || **2.** Perteneciente o relativo a dicha congregación.
Redeña. f. **Salabardo.**
Redero, ra. adj. Perteneciente a las redes. || **2.** V. **Halcón redero.** || **3.** m. y f. Persona que hace redes. || **4.** Persona que arma las redes. || **5.** Persona que caza con redes. || **6.** m. *Germ.* Ladrón que quita capas.
Redescuento. m. *Com.* Nuevo descuento de valores o efectos mercantiles adquiridos por operación análoga.
Redhibición. (Del lat. *redhibitĭo -ōnis.*) f. Acción y efecto de redhibir.
Redhibir. (Del lat. *redhibēre.*) tr. Deshacer el comprador la venta, según derecho, por no haberle manifestado el vendedor el vicio o gravamen de la cosa vendida.
Redhibitorio, ria. (Del lat. *redhibitorĭus.*) adj. Perteneciente o relativo a la redhibición; que da derecho a ella.
Redición. (Del lat. *redicĕre,* volver a decir.) f. Repetición de lo que se ha dicho.
Redicho, cha. (De *re* y *dicho.*) adj. fam. Aplícase a la persona que habla pronunciando las palabras con una perfección afectada.
Rediezmar. tr. Cobrar el rediezmo.
Rediezmo. m. Segundo diezmo o porción que legítimamente se extraía del acervo. || **2.** Novena parte de los frutos ya diezmados, u otra cualquiera porción que se exigía de ellos después de haber pagado el diezmo debido y justo.
Redil. (De *red.*) m. Aprisco circuido con un vallado de estacas y redes, o de trozos de barrera armados con listones.
Redilar. (De *redil.*) tr. **Amajadar.**
Redilear. tr. **Redilar.**
Redimible. adj. Que se puede redimir.
Redimidor, ra. (De *redimir.*) adj. ant. **Redentor.** Usáb. t. c. s.
Redimir. (Del lat. *redimĕre.*) tr. Rescatar o sacar de esclavitud al cautivo, mediante precio. Ú. t. c. r. || **2.** Comprar de nuevo una cosa que se había vendido, poseído o tenido por alguna razón o título. || **3.** Dejar libre una cosa hipotecada, empeñada o sujeta a otro gravamen. Dícese indistintamente del que cancela su derecho o del que consigue la liberación. || **4.** Librar de una obligación, o extinguirla. Ú. t. c. r. || **5.** fig. Poner término a algún vejamen, dolor, penuria u otra adversidad o molestia. Ú. t. c. r.
Redingote. (Del fr. *redingote,* y éste del ingl. *riding-coat,* traje para montar.) m. Capote de poco vuelo y con mangas ajustadas.
Rédito. (Del lat. *redĭtus.*) m. Renta, utilidad o beneficio renovable que rinde un capital.
Redituable. (De *redituar.*) adj. Que rinde, periódica o renovadamente, utilidad o beneficio.
Reditual. adj. **Redituable.**
Redituar. (Del lat. *redĭtus,* rédito.) tr. Rendir, producir utilidad, periódica o renovadamente.
Redivivo, va. (Del lat. *redivīvus.*) adj. Aparecido, resucitado.
Redoblado, da. p. p. de **Redoblar.** || **2.** adj. Dícese del hombre fornido y no muy alto. || **3.** Dícese también de la cosa o pieza que es más gruesa o resistente que de ordinario. || **4.** *Mil.* V. **Paso redoblado.**
Redobladura. (De *redoblar.*) f. **Redoblamiento.**
Redoblamiento. m. Acción y efecto de redoblar o redoblarse.
Redoblante. m. Tambor de caja prolongada, sin bordones en la cara inferior, usado en orquestas y en bandas militares. || **2.** Músico que toca este instrumento.
Redoblar. (De *re* y *doblar.*) tr. Aumentar una cosa otro tanto o el doble de lo que antes era. Ú. t. c. r. || **2.** Volver la punta del clavo o cosa semejante en dirección opuesta a la de su entrada. || **3.** Repetir, reiterar, volver a hacer una cosa. || **4.** intr. Tocar redobles en el tambor.
Redoble. (De *redoblar.*) m. **Redoblamiento.** || **2.** Toque vivo y sostenido que se produce hiriendo rápidamente el tambor con los palillos.
Redoblegar. (Del lat. *reduplicāre.*) tr. Doblegar o redoblar.
Redoblón. adj. Aplícase al clavo, perno o cosa semejante que puede y ha de redoblarse. Ú. m. c. s. || **2.** m. *Germ.* Acción de redoblar el naipe para hacer el fullero la flor.
Redolente. adj. Que tiene redolor.
Redoliente. (Del lat. *redolēns, -entis.*) adj. ant. Que duele mucho.
Redolino. (Del lat. *rotŭlus,* ruedecilla.) m. *Ar.* Bolita de cera o madera con un horado en el cual se introduce la cédula con el nombre de la persona que ha de entrar en un sorteo. || **2.** *Ar.* Turno que hay que guardar para moler la aceituna.
Redolor. (De *re* y *dolor.*) m. Dolorcillo tenue y sordo que se siente o queda después de un padecimiento.
Redoma. (Del ár. *ruḍūma,* botella de cristal, frasco.) f. Vasija de vidrio ancha en su fondo que va angostándose hacia la boca. || **2.** V. **Azúcar de redoma.**
Redomado, da. (De *re* y *domar.*) adj. Muy cauteloso y astuto.
Redomazo. m. Golpe dado con una redoma, señaladamente para manchar o ensuciar con su contenido.
Redomón, na. (De *re* y *domar.*) adj. *Amér. Merid.* Aplícase a la caballería no domada por completo.
Redonda. (Del lat. *rotunda,* t. f. de *-dus,* redondo.) f. **Comarca.** *Es el labrador más rico de la* REDONDA. || **2.** Dehesa o coto de pasto. || **3.** *Germ.* **Basquiña.** || **4.** *Mar.* Vela cuadrilátera que se larga en el trinquete de las goletas y en el único palo de las balandras. || **5.** *Mús.* **Semibreve.** || **A la redonda.** m. adv. En torno, alrededor.

Redondamente. adv. m. En circunferencia, alrededor. || **2.** Claramente, categóricamente.

Redondeado, da. p. p. de **Redondear.** || **2.** adj. De forma que tira a redondo.

Redondear. tr. Poner redonda una cosa. Ú. t. c. r. || **2.** fig. Sanear un caudal, un negocio o una finca, liberándolos de gravámenes, deudas, riesgos u otras menguas o desventajas. || **3.** r. fig. Adquirir uno bienes o rentas que le proporcionen el bienestar deseado. || **4.** fig. Descargarse de toda deuda o cuidado, acomodándose a lo que se tiene propio.

Redondel. (De *redondo.*) m. fam. **Círculo,** 1.ª y 2.ª aceps. || **2.** Especie de capa sin capilla y redonda por la parte inferior. || **3.** Terreno circular destinado a la lidia de toros y limitado por la valla o barrera.

Redondete, ta. adj. d. de **Redondo.**

Redondez. f. Calidad de redondo. || **2.** Circuito de una figura curva. || **3.** Superficie de un cuerpo redondo. || **de la Tierra.** Toda su extensión o superficie.

Redondilla. (d. de *redonda.*) f. Combinación métrica de cuatro versos octosílabos, de los cuales riman el primero con el último y el segundo con el tercero. También suele llamarse así el **serventesio,** 2.ª acep. || **2. Letra redondilla.**

Redondillo. (De *redondo.*) adj. V. **Trigo redondillo.**

Redondo, da. (Del lat. *rotundus.*) adj. De figura circular o semejante a ella. || **2.** De figura esférica o semejante a ella. || **3.** Dícese del terreno adehesado y que no es común. || **4.** V. **Aristoloquia, cabeza, mesa, seda redonda.** || **5.** V. **Aparejo, bulto, buril, coto, chaple, negocio, número, sombrero, término, viaje redondo.** || **6.** V. **Letra redonda.** Ú. t. c. s || **7.** fig. Aplícase a la persona de calidad originaria igual por sus cuatro costados. *Hidalgo* REDONDO. || **8.** fig. Claro, sin rodeo. || **9.** *Carp.* V. **Cantón redondo.** || **10.** *Ortogr.* V. **Punto redondo.** || **11.** m. Cosa de figura circular o esférica. || **12.** fig. y fam. **Moneda,** 2.ª acep. || **De redondo.** m. adv. que se usa hablando de los vestidos de los niños cuando los ponen a andar. Aplícase también a los vestidos de corte de las señoras cuando no tienen cola y se usan sin manto. || **2.** Con letra **redonda.** || **En redondo.** m. adv. En circuito, en circunferencia o alrededor. || **2.** fig. **Redondamente,** 2.ª acep.

Redondón. (aum. de *redondo.*) m. fam. Círculo o figura orbicular muy grande.

Redopelo. (De *redropelo.*) m. Pasada que a contrapelo se hace con la mano al paño u otra estofa. || **2.** fig. y fam. Riña entre muchachos con palabras u obras. || **Al,** o **a, redopelo.** m. adv. **A contrapelo.** || **2.** fig. y fam. Contra el curso o modo natural de una cosa cualquiera, violentamente. || **Traer al redopelo** a uno. fr. fig. y fam. Ajarle atropellándole y tratándole con desprecio y vilipendio.

Redor. (Del vulgar *redol,* de *redolar,* del lat. *rotulāre,* rodar.) f. Esterilla redonda. || **2.** poét. **Rededor.**

Redorar. tr. Volver a dorar.

Redova. f. Danza polaca, menos viva que la mazurca. || **2.** Música de esta danza.

Redrar. (Del lat. *retro,* atrás.) tr. ant. Arredrar, apartar, separar.

Redrar. (Del lat. *reiterāre,* volver.) tr. ant. *For.* **Sanear,** 4.ª acep.

Redro. (Del lat. *retro.*) adv. l. fam. Atrás o detrás. || **2.** m. Anillo que se forma cada año, excepto el primero, en las astas del ganado lanar y del cabrío.

Redrojo. (De *redro,* atrás.) m. Cada uno de los racimos pequeños que van dejando atrás los vendimiadores. || **2.** Fruto o flor tardía, o que echan por segunda vez las plantas y que por ser fuera de tiempo no suele llegar a sazón. || **3.** fig. y fam. Muchacho que medra poco.

Redrojuelo. m. d. de **Redrojo.**

Redropelo. (De *redro* y *pelo.*) m. **Redopelo.** || **Al,** o **a, redropelo.** m. adv. **Al redopelo.**

Redrosaca. (De *redro* y *sacar.*) f. ant. Estafa, socaliña.

Redroviento. m. *Mont.* Viento que la caza recibe del sitio del cazador.

Redruejo. m. **Redrojo.**

Reducción. (Del lat. *reductio, -ōnis.*) f. Acción y efecto de reducir o reducirse. || **2.** Pueblo de indios convertidos al cristianismo. || **3.** *Esgr.* V. **Movimiento de reducción.** || **4.** *Mar.* V. **Cuadrante de reducción.**

Reducible. adj. Que se puede reducir.

Reducido, da. p. p. de **Reducir.** || **2.** adj. Estrecho, pequeño, limitado.

Reducimiento. (De *reducir.*) m. **Reducción,** 1.ª acep.

Reducir. (Del lat. *reducĕre.*) tr. Volver una cosa al lugar donde antes estaba o al estado que tenía. || **2.** Disminuir o minorar, estrechar o ceñir. || **3.** Mudar una cosa en otra equivalente. || **4. Cambiar,** 3.ª acep. || **5.** Resumir en pocas razones un discurso, narración, etc. || **6.** Dividir un cuerpo en partes menudas. || **7.** Hacer que un cuerpo pase del estado sólido al líquido o al de vapor, o al contrario. || **8.** Comprender, incluir o arreglar bajo de cierto número o cantidad. Ú. t. c. r. || **9.** Sujetar a la obediencia a los que se habían separado de ella. || **10.** Persuadir o atraer a uno con razones y argumentos. || **11.** *Cir.* Restablecer en su situación natural los huesos dislocados o rotos, o bien las partes que forman los tumores herniosos. || **12.** *Dial.* Convertir en perfecta la figura imperfecta de un silogismo. || **13.** *Mat.* Expresar el valor de una cantidad en unidades de especie distinta de la dada. REDUCIR *pesetas a reales, litros a hectolitros, quebrados a un común denominador.* || **14.** *Pint.* Hacer una figura o dibujo más pequeño, guardando la misma proporción en las medidas que tiene otro mayor. || **15.** *Quím.* Descomponer un cuerpo en sus principios o elementos. || **16.** *Quím.* Separar parcial o totalmente de un compuesto oxidado el oxígeno que contiene. || **17.** r. Moderarse, arreglarse o ceñirse en el modo de vida o porte. || **18.** Resolverse por motivos poderosos a ejecutar una cosa. ME HE REDUCIDO *a estar en casa.*

Reductible. adj. **Reducible.**

Reducto. (Del lat. *reductus,* apartado, retirado.) m. *Fort.* Obra de campaña, cerrada, que ordinariamente consta de parapeto y una o más banquetas.

Reductor, ra. adj. *Quím.* Que reduce o sirve para reducir. Ú. t. c. s.

Redundancia. (Del lat. *redundantĭa.*) f. Sobra o demasiada abundancia de cualquier cosa o en cualquier línea.

Redundante. (Del lat. *redundans, -antis.*) p. a. de **Redundar.** Que redunda.

Redundantemente. adv. m. Con redundancia.

Redundar. (Del lat. *redundāre.*) intr. Rebosar, salirse una cosa de sus límites o bordes por demasiada abundancia. Dícese regularmente de los líquidos. || **2.** Resultar, ceder o venir a parar una cosa en beneficio o daño de alguno.

Reduplicación. (Del lat. *reduplicatio, -ōnis.*) f. Acción y efecto de reduplicar. || **2.** *Ret.* Figura que consiste en repetir consecutivamente un mismo vocablo en una cláusula o miembro del período.

Reduplicar. (Del lat. *reduplicāre.*) tr. **Redoblar,** 1.ª y 3.ª aceps.

Redutable. (Del fr. *redoutable.*) adj. ant. **Formidable,** 1.ª acep.

Reduvio. (De *reduvius,* nombre de un género de insectos.) m. *Zool.* Insecto hemíptero, del suborden de los heterópteros, de cuerpo esbelto, patas largas y pico encorvado.

Reedificación. f. Acción y efecto de reedificar.

Reedificador, ra. adj. Que reedifica o hace reedificar. Ú. t. c. s.

Reedificar. (De *re* y *edificar.*) tr. Volver a edificar o construir de nuevo lo arruinado o lo que se derriba con tal intento.

Reeditar. tr. Volver a editar.

Reeducación. f. Acción de reeducar.

Reeducar. tr. *Med.* Volver a enseñar, mediante movimientos y maniobras reglados, el uso de los miembros u otros órganos, perdido o viciado por ciertas enfermedades.

Reelección. f. Acción y efecto de reelegir.

Reelecto, ta. p. p. irreg. de **Reelegir.**

Reelegible. adj. Que puede ser reelegido.

Reelegir. tr. Volver a elegir.

Reeligir. (De *re* y *eligir.*) tr. ant. **Reelegir.**

Reembarcar. (De *re* y *embarcar.*) tr. Volver a embarcar. Ú. t. c. r.

Reembarque. m. Acción y efecto de reembarcar.

Reembolsable. adj. Que puede o debe reembolsarse.

Reembolsar. (De *re* y *embolsar.*) tr. Volver una cantidad a poder del que la había desembolsado o a causahabiente suyo. Ú. t. c. r.

Reembolso. m. Acción y efecto de reembolsar o reembolsarse.

Reemplazable. adj. Que puede ser reemplazado.

Reemplazante. p. a. de **Reemplazar.** Que reemplaza, 2.ª acep. Ú. t. c. s.

Reemplazar. (De *re, en* y *plaza.*) tr. Substituir una cosa por otra, poner en lugar de una cosa otra que haga sus veces. || **2.** Suceder a uno en el empleo, cargo o comisión que tenía o hacer accidentalmente sus veces.

Reemplazo. m. Acción y efecto de reemplazar. || **2.** Substitución que se hace de una persona o cosa por otra. || **3.** Renovación parcial del contingente del ejército activo en los plazos establecidos por la ley. || **4.** Hombre que entraba a servir en lugar de otro en la milicia. || **De reemplazo.** loc. *Mil.* Dícese de la situación en que queda el jefe u oficial que no tiene plaza efectiva en los cuerpos de su arma, pero sí opción a ella en las vacantes que ocurran.

Reencarnación. f. Acción y efecto de reencarnar o reencarnarse.

Reencarnar. intr. Volver a encarnar. Ú. t. c. r.

Reencuadernación. f. Acción y efecto de reencuadernar.

Reencuadernar. tr. Volver a encuadernar un libro.

Reencuentro. (De *re* y *encuentro.*) m. Encuentro de dos cosas que chocan una con otra. || **2.** Choque de tropas enemigas en corto número, que mutuamente se buscan y se encuentran. || **3.** *Quím.* V. **Vaso de reencuentro.**

Reenganchamiento. (De *reenganchar.*) m. *Mil.* **Reenganche.**

Reenganchar. (De *re* y *enganchar.*) tr. *Mil.* Volver a enganchar, 4.ª acep. Ú. t. c. r.

Reenganche. m. *Mil.* Acción y efecto de reenganchar o reengancharse. || **2.** *Mil.* Dinero que se da al que se reengancha.

Reengendrador, ra. adj. Que reengendra. Ú. t. c. s.

Reengendrar. (De *re* y *engendrar.*) tr. Volver a engendrar. || **2.** fig. Dar nuevo ser espiritual o de gracia.

Reensayar. (De *re* y *ensayar.*) tr. Volver a ensayar.

Reensaye. m. Acción y efecto de reensayar un metal.

Reensayo. (De *reensayar.*) m. Segundo o ulterior ensayo de una comedia, máquina, etc.

Reenviar. tr. Enviar alguna cosa que se ha recibido.

Reenvidar. (De *re* y *envidar.*) tr. Envidar sobre lo envidado.

Reenvío. m. Acción y efecto de reenviar.

Reenvite. (De *re* y *envite.*) m. Envite que se hace sobre otro.

Reexaminación. (De *reexaminar.*) f. Nuevo examen.

Reexaminar. (De *re* y *examinar.*) tr. Volver a examinar.

Reexpedición. f. Acción y efecto de reexpedir.

Reexpedir. tr. Expedir cosa que se ha recibido.

Reexportar. (De *re* y *exportar.*) tr. *Com.* Exportar lo que se había importado.

Refacción. (De *refección.*) f. Alimento moderado que se toma para reparar las fuerzas. || **2.** Restitución que se hacía al estado eclesiástico de aquella porción con que había contribuido a los derechos reales de que estaba exento. || **3.** Gratificación que se daba a los militares en compensación del mayor precio de los víveres, a causa de la contribución de consumos, de la cual estaban exentos. || **4.** fam. Lo que en cualquiera venta se da al comprador sobre la medida exacta, por vía de añadidura. || **5. Refección,** 2.ª acep. || **6.** *Cuba.* Gasto que ocasiona al propietario el sostenimiento de un ingenio o de otra finca.

Refaccionario, ria. adj. Perteneciente o relativo a la refacción. || **2.** *For.* Dícese de los créditos que proceden de dinero invertido en fabricar o reparar una cosa, con provecho, no solamente para el sujeto a quien pertenece, sino también para otros acreedores o interesados en ella.

Refacer. (De *re* y *facer.*) tr. ant. Indemnizar, resarcir, subsanar, reintegrar, reedificar.

Refajo. (De *re* y *fajar.*) m. Falda corta y vueluda, por lo general de bayeta o paño, que usan las mujeres de los pueblos encima de las enaguas. En las ciudades es falda interior que usa la mujer para abrigo. || **2.** Zagalejo interior de bayeta u otra tela tupida, que usan las mujeres para abrigo.

Refalsado, da. adj. Falso, engañoso.

Refección. (Del lat. *refectĭo, -ōnis.*) f. **Refacción,** 1.ª acep. || **2.** Compostura, reparación.

Refeccionar. (De *refección.*) tr. ant. **Alimentar.**

Refeccionario, ria. adj. *For.* **Refaccionario,** 2.ª acep.

Refectolero. (De *refectorio.*) m. **Refitolero.**

Refectorio. (Del b. lat. *refectorĭum,* y éste del lat. *refectus,* refección, alimento.) m. Habitación destinada en las comunidades y en algunos colegios para juntarse a comer.

Refecho, cha. (Del lat. *refectus.*) p. p. irreg. de **Refacer.**

Referencia. (Del lat. *refĕrens, -entis,* referente.) f. Narración o relación de una cosa. || **2.** Relación, dependencia o semejanza de una cosa respecto de otra. || **3. Remisión,** 2.ª acep. || **4.** Informe que acerca de la probidad, solvencia u otras cualidades de tercero da una persona a otra. Se usa comúnmente en el ejercicio comercial y más en plural.

Referendario. (Del lat. *referendarĭus.*) m. **Refrendario.** || **2.** ant. El que refiere o relata algunas cosas.

Referéndum. (Del lat. *referendum,* ger. de *referre.*) m. Acto de someter al voto popular directo las leyes o actos administrativos para ratificación por el pueblo de lo que votaron sus representantes. || **2.** Despacho en que un agente diplomático pide a su gobierno nuevas instrucciones sobre algún punto importante.

Referente. (Del lat. *refĕrens, -entis.*) p. a. de **Referir.** Que refiere o que dice relación a otra cosa.

Referible. adj. Que se puede referir.

Referimiento. (De *referir.*) m. ant. **Referencia,** 1.ª y 2.ª aceps.

Referir. (Del lat. *referre.*) tr. Dar a conocer, de palabra o por escrito, un hecho verdadero o ficticio. || **2.** Dirigir, encaminar u ordenar una cosa a cierto y determinado fin u objeto. Ú. t. c. r. || **3. Relacionar,** 2.ª acep. Ú. t. c. r. || **4.** ant. **Aferir.** || **5.** ant. **Atribuir,** 1.ª acep. || **6.** r. **Remitir,** 7.ª acep. || **7. Aludir.**

Refertar. (De *refierta.*) intr. ant. **Reyertar.**

Refertero, ra. (De *refertar.*) adj. Quimerista, amigo de reyertas o rencillas.

Refez. adj. ant. **Rahez.** || **De refez.** m. adv. ant. **Fácilmente.**

Refezar. (De *refez.*) intr. ant. **Rafezar.**

Refierta. (Del lat. *refertus,* lleno, aglomerado.) f. ant. **Reyerta.**

Refigurar. (De *re* y *figurar.*) tr. Representarse uno de nuevo en la imaginación la especie de lo que antes había visto.

Refilón (De). (De *re* y *filo.*) m. adv. **De soslayo.** || **2.** fig. **De pasada.**

Refinación. f. Acción y efecto de refinar.

Refinadera. (De *refinar.*) f. Piedra larga y cilíndrica más delgada que la que se llama mano, y que sirve para labrar a brazo el chocolate después de hecha la mezcla.

Refinado, da. p. p. de **Refinar.** || **2.** adj. fig. Sobresaliente, primoroso en cualquier especie. || **3.** fig. Astuto, malicioso. || **4.** V. **Azúcar refinado.**

Refinador. m. El que refina, especialmente metales o licores.

Refinadura. f. Acción de refinar.

Refinamiento. (De *refinar.*) m. **Esmero.** || **2. Ensañamiento.** Suele aplicarse al proceder de personas muy astutas o maliciosas.

Refinar. (De *re* y *fino.*) tr. Hacer más fina o más pura una cosa, separando las heces y materias heterogéneas o groseras. || **2.** fig. Perfeccionar una cosa adecuándola a un fin determinado.

Refinería. f. Fábrica de refino de azúcar o de otra cosa.

Refino, na. (De *refinar.*) adj. Muy fino y acendrado. || **2.** V. **Azúcar refino,** o **refina.** || **3.** m. **Refinación.** || **4.** p. us. Lonja donde se vende cacao, azúcar, chocolate y otras cosas.

Refirmar. (Del lat. *refirmāre.*) tr. Apoyar una cosa sobre otra; estribar. || **2.** Confirmar, ratificar. || **3.** ant. Asegurar, afianzar. Usáb. t. c. r.

Refitolero, ra. (De *refitorio.*) adj. Que tiene cuidado del refectorio. Ú. t. c. s. || **2.** fig. y fam. Entremetido, cominero. Ú. t. c. s.

Refitor. (Del lat. *refector, -ōris.*) m. ant. **Refectorio.** || **2.** En algunos obispados, cierta porción de diezmos que percibía en diferentes pueblos el cabildo de la catedral.

Refitorio. m. ant. **Refectorio.**

Reflectante. p. a. de **Reflectar.** Que reflecta.

Reflectar. (Del lat. *reflectĕre,* volver hacia atrás.) intr. *Fís.* **Reflejar,** 1.ª acep.

Reflector, ra. (De *reflectar.*) adj. Dícese del cuerpo que refleja. Ú. t. c. s. || **2.** m. *Ópt.* Aparato de superficie bruñida para reflejar los rayos luminosos. || **3.** *Astron.* **Telescopio.**

Refleja. (De *reflejar.*) f. **Reflexión,** 2.ª acep.

Reflejar. (De *reflejo.*) intr. *Fís.* Hacer retroceder o cambiar de dirección la luz, el calor, el sonido o algún cuerpo elástico, oponiéndoles una superficie lisa. Ú. t. c. r. || **2.** tr. **Reflexionar.** || **3.** Manifestar o hacer patente una cosa. || **4.** r. fig. Dejarse ver una cosa en otra. REFLEJARSE *el alma en el semblante;* REFLEJARSE *el espíritu cristiano en la literatura española.*

Reflejo, ja. (Del lat. *reflexus.*) adj. Que ha sido reflejado. || **2.** fig. Aplícase al conocimiento o consideración que se forma de una cosa para reconocerla mejor. || **3.** *Fisiol.* Aplícase a los actos que obedecen a excitaciones no percibidas por la conciencia. || **4.** *Gram.* V. **Verbo reflejo.** || **5.** *Ópt.* V. **Rayo reflejo.** || **6.** *Pint.* V. **Luz refleja.** || **7.** m. Luz reflejada. || **8.** Representación, imagen, muestra.

Reflexible. adj. Que puede reflejarse.

Reflexión. (Del lat. *reflexĭo, -ōnis.*) f. *Fís.* Acción y efecto de reflejar o reflejarse. || **2.** fig. Acción y efecto de reflexionar. || **3.** V. **Círculo, cuadrante de reflexión.** || **4.** fig. Advertencia, o consejo con que uno intenta persuadir o convencer a otro. || **5.** *Geom.* V. **Ángulo de reflexión.** || **6.** *Gram.* Manera de ejercerse la acción del verbo reflexivo.

Reflexionar. (De *reflexión.*) intr. Considerar nueva o detenidamente una cosa. Ú. t. c. tr.

Reflexivamente. adv. m. Con reflexión.

Reflexivo, va. (Del lat. *reflexum,* supino de *reflectĕre,* volver hacia atrás.) adj. Que refleja o reflecta. || **2.** Acostumbrado a hablar y a obrar con reflexión. || **3.** *Gram.* V. **Verbo reflexivo.** Ú. t. c. s.

Reflorecer. (Del lat. *reflorescĕre.*) intr. Volver a florecer los campos o a echar flores las plantas. || **2.** fig. Recobrar una cosa inmaterial el lustre y estimación que tuvo.

Reflorecimiento. m. Acción y efecto de reflorecer.

Refluente. p. a. de **Refluir.** Que refluye.

Refluir. (Del lat. *reflŭĕre.*) intr. Volver hacia atrás o hacer retroceso un líquido. || **2.** fig. **Redundar,** 2.ª acep.

Reflujo. (De *re* y *flujo.*) m. Movimiento de descenso de la marea.

Refocilación. f. Acción y efecto de refocilar o refocilarse.

Refocilar. (Del lat. *refocillāre.*) tr. Recrear, alegrar. Dícese propiamente de las cosas que calientan y dan vigor. Ú. t. c. r.

Refocilo. m. **Refocilación.**

Reforma. f. Acción y efecto de reformar o reformarse. || **2.** Lo que se propone, proyecta o ejecuta como innovación o mejora en alguna cosa. || **3. Religión reformada.** || **4.** *For.* V. **Recurso de reforma.**

Reformable. adj. Que se puede reformar. || **2.** Digno de reforma.

Reformación. (Del lat. *reformatĭo, -ōnis.*) f. **Reforma,** 1.ª acep.

Reformado, da. (Del lat. *reformātus.*) adj. Decíase del militar que no estaba en actual ejercicio de su empleo. || **2.** V. **Calendario reformado.** || **3.** V. **Religión reformada.**

Reformador, ra. (Del lat. *reformātor.*) adj. Que reforma o pone en debida forma una cosa. Ú. t. c. s.

Reformar. (Del lat. *reformāre.*) tr. Volver a formar, rehacer. || **2.** Reparar, restaurar, restablecer, reponer. || **3.** Arreglar, corregir, enmendar, poner en orden. || **4.** Reducir o restituir una orden religiosa u otro instituto a su primitiva observancia o disciplina. || **5.** Extinguir, deshacer un establecimiento o cuerpo. || **6.** Privar del ejercicio de un empleo. || **7.** Quitar, cercenar, minorar o rebajar en el número o cantidad. || **8.** r. Enmendarse, arreglarse o corregirse. || **9.** Contenerse, moderarse o reportarse uno en lo que dice o ejecuta.

Reformativo, va. adj. Reformatorio.

Reformatorio, ria. adj. Que reforma o arregla. || **2.** m. Establecimiento en donde, por medios educativos severos, se trata de modificar la viciosa inclinación de algunos jóvenes.

Reformista. adj. Partidario de reformas o ejecutor de ellas. Ú. t. c. s.

Reforzado, da. (De *reforzar.*) adj. Que tiene refuerzo. Aplícase especialmente a piezas de artillería y maquinaria. || **2.** Dícese de cierta especie de listón o cinta que se cose sobre una prenda de vestir. Ú. m. c. s. || **3.** Decíase de cierta especie de cinta o listón de un dedo de ancho próximamente. Ú. m. c. s.

Reforzador, ra. adj. Que refuerza. || **2.** m. *Fotogr.* Baño que sirve para reforzar o hacer más clara una imagen débil.

Reforzar. (De *re* y *forzar.*) tr. Engrosar o añadir nuevas fuerzas o fomento a una cosa. || **2.** Fortalecer o reparar lo que padece ruina o detrimento. || **3.** Animar, alentar, dar espíritu. Ú. t. c. r.

Refracción. (Del lat. *refractĭo, -ōnis.*) f. *Dióptr.* Acción y efecto de refractar o refractarse. || **2.** *Dióptr.* V. **Índice de refracción.** || **3.** *Gnom.* V. **Cuadrado de las refracciones.** || **4.** *Ópt.* V. **Ángulo de refracción.** || **Doble refracción.** *Dióptr.* Propiedad que tienen ciertos cristales de duplicar las imágenes de los objetos.

Refractar. (De *refracto.*) tr. *Dióptr.* Hacer que cambie de dirección el rayo de luz que pasa oblicuamente de un medio a otro de diferente densidad. Ú. t. c. r.

Refractario, ria. (Del lat. *refractarĭus,* obstinado, pertinaz.) adj. Aplícase a la persona que rehusa cumplir una promesa u obligación. || **2.** Opuesto, rebelde a aceptar una idea, opinión o costumbre. || **3.** *Fís.* y *Quím.* Dícese del cuerpo que resiste la acción del fuego sin cambiar de estado ni descomponerse.

Refractivo, va. adj. Que causa refracción.

Refracto, ta. (Del lat. *refractus.*) adj. Que ha sido refractado. || **2.** *Ópt.* V. **Rayo refracto.**

Refractor. m. *Astron.* **Anteojo,** 1.ª acep.

Refrán. (Del fr. *refrain.*) m. Dicho agudo y sentencioso de uso común. || **Tener muchos refranes,** o **tener refranes para todo.** frs. figs. y fams. Hallar salidas o pretextos para cualquier cosa.

Refranero. m. Colección de refranes.

Refranesco, ca. adj. Dícese de las frases o conceptos que se expresan a manera de refrán.

Refrangibilidad. f. Calidad de refrangible.

Refrangible. adj. Que puede refractarse.

Refranista. com. Persona que con frecuencia cita refranes.

Refregadura. (De *refregar.*) f. **Refregamiento.** || **2.** Señal que queda de haber o haberse refregado una cosa.

Refregamiento. m. Acción de refregar o refregarse.

Refregar. (Del lat. *refricāre.*) tr. Estregar una cosa con otra. Ú. t. c. r. || **2.** fig. y fam. Dar en cara a uno con una cosa que le ofende, insistiendo en ella.

Refregón. (De *refregar.*) m. fam. **Refregadura.** || **2.** *Mar.* **Ráfaga,** 1.ª acep.

Refreir. (Del lat. *refrigĕre.*) tr. Volver a freir. || **2.** Freir mucho o muy bien una cosa. || **3.** Freírla demasiado.

Refrenable. adj. Que se puede refrenar.

Refrenada. f. **Sofrenada.**

Refrenamiento. m. Acción y efecto de refrenar, 2.ª acep.

Refrenar. (Del lat. *refrenāre.*) tr. Sujetar y reducir al caballo con el freno. || **2.** fig. Contener, reportar, reprimir o corregir. Ú. t. c. r.

Refrendación. f. Acción y efecto de refrendar.

Refrendar. (De *refrendo.*) tr. Autorizar un despacho u otro documento por medio de la firma de persona hábil para ello. || **2.** Revisar un pasaporte y anotar su presentación. || **3.** ant. Marcar las medidas, pesos y pesas. || **4.** fig. y fam. Volver a ejecutar o repetir la acción que se había hecho; como volver a comer o beber de la misma cosa.

Refrendario. (De *refrendar.*) m. El que con autoridad pública refrenda o firma, después del superior, un despacho.

Refrendata. (De *refrendar.*) f. Firma del refrendario.

Refrendo. (Del lat. *referendum.*) m. **Refrendación.** || **2.** Testimonio que acredita haber sido refrendada una cosa. || **3.** Firma puesta en los decretos al pie de la del jefe del Estado por los ministros, que así completan la validez de aquéllos.

Refrescador, ra. adj. Que refresca.

Refrescadura. f. Acción y efecto de refrescar o refrescarse.

Refrescamiento. m. **Refresco.**

Refrescante. p. a. de **Refrescar.** Que refresca.

Refrescar. (De *re* y *fresco.*) tr. Atemperar, moderar, disminuir o rebajar el calor de una cosa. Ú. t. c. r. || **2.** fig. Renovar, reproducir una acción. REFRESCAR *la lid.* || **3.** fig. Renovar un sentimiento, especie, dolor o costumbre antigua. || **4.** intr. fig. Tomar fuerzas, vigor o aliento. || **5.** Templarse o moderarse el calor del aire. Ú. con nombre que signifique tiempo. HA REFRESCADO *la tarde.* || **6.** Tomar el fresco. Ú. t. c. r. || **7.** Beber frío o helado, o cosa atemperante, aunque sea al temple natural. Ú. t. c. r. || **8.** *Mar.* Hablando del viento, aumentar su fuerza.

Refresco. (De *refrescar.*) m. Alimento moderado o reparo que se toma para fortalecerse y continuar en el trabajo. || **2.** Bebida fría o del tiempo. || **3.** Agasajo de bebidas, dulces, etc., que se da en las visitas u otras concurrencias. || **De refresco.** m. adv. **De nuevo.** Dícese de lo que se añade o sobreviene para un fin.

Refriamiento. (De *refriar.*) m. ant. **Enfriamiento.**

Refriante. p. a. de **Refriar.** Que refría. || **2.** m. **Refrigerante.**

Refriar. (De *re* y *frío.*) tr. ant. **Enfriar.**

Refriega. (De *refregar.*) f. Reencuentro o combate, ni tan empeñado ni entre tan gran número de contendientes como la batalla.

Refrigeración. (Del lat. *refrigeratĭo, -ōnis.*) f. Acción y efecto de refrigerar o refrigerarse. || **2.** **Refrigerio,** 3.ª acep. || **3.** ant. Privación absoluta o falta de calor.

Refrigerador, ra. adj. Dícese de los aparatos e instalaciones para refrigerar. Ú. t. c. s.

Refrigerante. p. a. de **Refrigerar.** Que refrigera. Ú. t. c. s. || **2.** m. **Corbato.** || **3.** *Quím.* Recipiente con agua para rebajar la temperatura de un fluido.

Refrigerar. (Del lat. *refrigerāre.*) tr. **Refrescar,** 1.ª y 5.ª aceps. Ú. t. c. r. || **2.** fig. Reparar las fuerzas. Ú. t. c. r.

Refrigerativo, va. adj. Que tiene virtud de refrigerar.

Refrigeratorio, ria. (Del lat. *refrigeratorĭus.*) m. ant. *Quím.* **Refrigerante,** 3.ª acep.

Refrigerio. (Del lat. *refrigerĭum.*) m. Beneficio o alivio que se siente con lo fresco. || **2.** fig. Alivio o consuelo en cualquier apuro, incomodidad o pena. || **3.** fig. Corto alimento que se toma para reparar las fuerzas.

Refringencia. f. Calidad de refringente.

Refringente. p. a. de **Refringir.** Que refringe.

Refringir. (Del lat. *refringĕre,* de *re* y *frangĕre,* quebrar.) tr. *Dióptr.* **Refractar.** Ú. t. c. r.

Refrito, ta. p. p. irreg. de **Refreir.** || **2.** m. fig. Cosa rehecha o de nuevo aderezada. Dícese comúnmente de la refundición de una obra dramática o de otro escrito.

Refuerzo. (De *reforzar.*) m. Mayor grueso que, en totalidad o en cierta parte, se da a una cosa para hacerla más resistente, como a los cañones de las armas de fuego, cilindros de máquinas, etc. || **2.** Reparo que se pone para fortalecer y afirmar una cosa que puede flaquear o amenazar ruina. || **3.** Socorro o ayuda que se presta en ocasión o necesidad.

Refugiado, da. p. p. de **Refugiar.** || **2.** m. y f. Persona que a consecuencia de guerras, revoluciones o persecuciones políticas, se ve obligada a buscar refugio fuera de su país.

Refugiar. (De *refugio.*) tr. Acoger o amparar a uno, sirviéndole de resguardo y asilo. Ú. m. c. r.

Refugio. (Del lat. *refugĭum.*) m. Asilo, acogida o amparo. || **2.** Hermandad dedicada al servicio y socorro de los pobres.

Refulgencia. (Del lat. *refulgentia.*) f. Resplandor que emite el cuerpo resplandeciente.

Refulgente. (Del lat. *refulgens, -entis,* p. a. de *refulgēre,* resplandecer.) adj. Que emite resplandor.

Refulgir. (Del lat. *refulgēre.*) intr. Resplandecer, emitir fulgor.

Refundición. f. Acción y efecto de refundir o refundirse. || **2.** La obra refundida.

Refundidor, ra. m. y f. Persona que refunde.

Refundir. (Del lat. *refundĕre.*) tr. Volver a fundir o liquidar los metales. || **2.** fig. Comprender o incluir. Ú. t. c. r. || **3.** fig. Dar nueva forma y disposición a una obra de ingenio, como comedia, discurso, etc., con el fin de mejorarla o modernizarla. || **4.** intr. fig. **Redundar,** 2.ª acep.

Refunfuñador, ra. adj. Que refunfuña.

Refunfuñadura. (De *refunfuñar.*) f. Ruido que resulta de pronunciar palabras confusas o mal articuladas en señal de enojo o de disgusto.

Refunfuñar. (Voz onomatopéyica.) intr. Emitir voces confusas o palabras mal articuladas o entre dientes, en señal de enojo o desagrado.

Refunfuño. m. **Refunfuñadura.**

Refunfuñón, na. adj. **Refunfuñador.**

Refusilo. (De *fucilar.*) m. *Argent.* **Relámpago.**

Refutable. adj. Que puede refutarse o es fácil de refutar.

Refutación. (Del lat. *refutatĭo, -ōnis.*) f. Acción y efecto de refutar. || **2.** Argumento o prueba cuyo objeto es destruir las razones del contrario. || **3.** ant. **Renuncia.** || **4.** *Ret.* Parte del discurso comprendida en la confirmación y cuyo objeto es rebatir los argumentos aducidos o que pueden aducirse en contra de lo que se defiende o se quiere probar.

Refutar. (Del lat. *refutāre.*) tr. Contradecir, rebatir, impugnar con argumentos o razones lo que otros dicen. || **2.** ant. **Rehusar.**

Refutatorio, ria. (Del lat. *refutatorĭus.*) adj. Que sirve para refutar.

Regacear. (De *regazo.*) tr. **Arregazar.**

Regadera. f. Vasija o recipiente portátil a propósito para regar. || **2.** **Reguera.** || **3.** pl. Ciertas tablillas por donde viene el agua a los ejes de las grúas para que no se enciendan.

Regadero. m. **Regadera,** 2.ª acep.

Regadío, a. adj. Aplícase al terreno que se puede regar. Ú. t. c. s. m. || **2.** *Ar.* V. **Campo regadío.** || **3.** m. Terreno dedicado a cultivos que se fertilizan con riego.

Regadizo, za. adj. **Regadío.**

Regador. m. Punzón de hierro, con punta curva, usado para señalar, rayando, la longitud y el número de las púas de los peines.

Regador, ra. (Del lat. *rigātor.*) adj. Que riega. Ú. t. c. s. || **2.** m. *Murc.* **Regante.** || **3.** *Chile.* Unidad de medida para aforar las aguas de riego, y que varía según las asociaciones de regantes.

Regadura. (De *regar.*) f. Riego que se hace por una vez.

Regaifa. (Del ár. *ragā'if*, tortas, pl. de *ragīfa.*) f. Torta, hornazo. || **2.** Piedra circular y con una canal en su contorno, por donde, en los molinos de aceite, corre el líquido que sale de los capachos llenos de aceituna molida y sometidos a presión.

Regajal. m. **Regajo.**

Regajo. (De *regar.*) m. Charco que se forma de un arroyuelo. || **2.** El mismo arroyuelo.

Regala. (En cat. *regala:* véase *galón*, 2.ª acep.) f. *Mar.* Tablón que cubre todas las cabezas de las ligazones en su extremo superior, y forma el borde de las embarcaciones.

Regalada. (De *regalar.*) f. Caballeriza real donde estaban los caballos de regalo. || **2.** Conjunto de caballos que la componían.

Regaladamente. adv. m. Con regalo y delicadeza.

Regalado, da. p. p. de **Regalar.** || **2.** adj. Suave o delicado. || **3.** Placentero, deleitoso.

Regalador, ra. adj. Que regala o es amigo de regalar. Ú. t. c. s. || **2.** m. Palo de unos cuatro decímetros de largo y grueso como la muñeca, cubierto con una soguilla de esparto arrollada a él, de que se sirven los boteros para alisar y acabar de limpiar las corambres por la parte de afuera.

Regalamiento. m. Acción de regalar o regalarse, 1.er art.

Regalar. (En ital. *regalare;* en fr. *régaler.*) tr. Dar a uno graciosamente una cosa en muestra de afecto o consideración o por otro motivo. || **2.** Halagar, acariciar o hacer expresiones de afecto y benevolencia. || **3.** Recrear o deleitar. Ú. t. c. r. || **4.** r. Tratarse bien, procurando tener las comodidades posibles. || **El que regala, bien vende, si el que recibe lo entiende, o si no es ruin el que prende.** ref. que denota el fin interesado con que algunos hacen los regalos, y también la conveniencia de corresponder a ellos.

Regalar. (Del lat. *regelāre*, deshelar.) tr. **Derretir,** 1.ª acep. Ú. t. c. r.

Regalaría. f. p. us. Regalo, obsequio.

Regalejo. m. d. de **Regalo.**

Regalero. (De *regalo*) m. Empleado que en los sitios reales tenía el cuidado de llevar las frutas o flores al rey y demás personas a quienes acostumbraba darlas.

Regalía. (Del lat. *regālis*, regio.) f. Preeminencia, prerrogativa o excepción particular y privativa que en virtud de suprema potestad ejerce un soberano en su reino o Estado; como el batir moneda, etc. || **2.** Privilegio que la Santa Sede concede a los reyes o soberanos en algún punto relativo a la disciplina de la Iglesia. Ú. m. en pl. *Las* REGALÍAS *de la corona.* || **3.** V. **Derecho, tabaco de regalía.** || **4.** fig. Privilegio o excepción privativa o particular que uno tiene en cualquier línea. || **5.** fig. Gajes o provechos que además de su sueldo perciben los empleados de algunas oficinas. || **de aposento.** Especie de tributo que pagaban los dueños de casas en la corte por la exención del alojamiento que antes daban a la servidumbre de la casa real y a las tropas.

Regalicia. f. **Regaliz.**

Regalillo. m. d. de **Regalo.** || **2. Manguito,** 1.ª acep.

Regalismo. m. Escuela o sistema de los regalistas.

Regalista. adj. Dícese del defensor de las regalías de la corona en las relaciones del Estado con la Iglesia. Apl. a pers., ú. t. c. s.

Regaliz. (Del lat. *glycyrrhiza*, y éste del gr. γλυκύρριζα; de γλυκύς, dulce, y ῥίζα, raíz.) m. **Orozuz.**

Regaliza. f. **Regaliz.**

Regalo. (De *regalar*, 1.er art.) m. Dádiva que se hace voluntariamente o por costumbre. || **2.** Gusto o complacencia que se recibe. || **3.** Comida o bebida delicada y exquisita. || **4.** Conveniencia, comodidad o descanso que se procura en orden a la persona. || **5.** V. **Caballo de regalo.**

Regalón, na. (De *regalar*, 1.er art.) adj. fam. Que se cría o se trata con mucho regalo.

Regante. p. a. de **Regar.** Que riega. || **2.** m. El que tiene derecho de regar con agua comprada o repartida para ello. || **3.** Empleado u obrero encargado del riego de los campos.

Regañada. (De *regaño*, 2.ª acep.) f. *And.* Torta de pan muy delgada y recocida.

Regañadientes (A). m. adv. **A regaña dientes.**

Regañado, da. p. p. de **Regañar.** || **2.** adj. V. **Boca, ciruela regañada.** || **3.** V. **Ojo, pan regañado.**

Regañamiento. m. Acción y efecto de regañar.

Regañar. (En port. *reganhar.*) intr. Formar el perro cierto sonido en demostración de saña, sin ladrar y mostrando los dientes. || **2.** Abrirse el hollejo o corteza de algunas frutas cuando maduran; como la castaña, la ciruela, etc. || **3.** Dar muestras de enfado con palabras y gestos. || **4.** fam. **Reñir,** 1.ª acep. || **5.** tr. fam. Reprender, reconvenir.

Regañir. intr. Gañir reiteradamente.

Regaño. (De *regañar.*) m. Gesto o descomposición del rostro acompañado, por lo común, de palabras ásperas, con que se muestra enfado o disgusto. || **2.** fig. Parte del pan que está tostada del horno y sin corteza, por la abertura que ha hecho al cocerse. || **3.** fam. **Reprensión.**

Regañón, na. adj. fam. Dícese de la persona que tiene costumbre de regañar sin motivo suficiente. Ú. t. c. s. || **2.** fam. Dícese del viento noroeste. Ú. t. c. s.

Regar. (Del lat. *rigāre.*) tr. Esparcir agua sobre una superficie; como la de la tierra, para beneficiarla, o la de una calle, sala, etc., para limpiarla o refrescarla. || **2.** Atravesar un río o canal una comarca o territorio. || **3.** Humedecer las abejas los vasos en que está el pollo. || **4.** fig. Esparcir, desparramar alguna cosa a semejanza de la siembra.

Regata. (De *regar.*) f. Reguera pequeña o surco por donde se conduce el agua a las eras en las huertas y jardines.

Regata. (Como el ital. *regatta.*) f. *Mar.* Pugna entre dos o más lanchas u otros buques ligeros, que contienden entre sí sobre cuál llegará antes a un punto dado, para ganar un premio o apuesta.

Regate. (De *recatar*, 1.er art.) m. Movimiento pronto y rápido que se hace hurtando el cuerpo a una parte u otra. || **2.** fig. y fam. Escape o efugio hábilmente buscado en una dificultad.

Regatear. (De *recatear.*) tr. Debatir el comprador y el vendedor el precio de una cosa puesta en venta. || **2.** Revender, vender por menor los comestibles que se han comprado por mayor. || **3.** fig. y fam. Escasear o rehusar la ejecución de una cosa. || **4.** intr. Hacer regates. || **5.** *Mar.* Disputar con empeño dos o más embarcaciones la ventaja del mayor andar.

Regateo. m. Acción y efecto de regatear, 1.ª, 2.ª y 3.ª aceps.

Regatería. f. **Regatonería,** 1.ª acep.

Regatero, ra. (De *regatear.*) adj. **Regatón,** 2.° art. Ú. t. c. s.

Regato. (De *regar.*) m. **Regajo.**

Regatón. m. Casquillo, cuento o virola que se pone en el extremo inferior de las lanzas, bastones, etc., para mayor firmeza. || **2.** Hierro de figura de ancla o de gancho y punta, que tienen los bicheros en uno de sus extremos.

Regatón, na. (De *regatear.*) adj. Que vende por menor los comestibles comprados por junto. Ú. t. c. s. || **2.** Que regatea mucho. Ú. t. c. s.

Regatonear. (De *regatón*, 2.° art.) tr. Comprar por mayor para revender por menor.

Regatonería. (De *regatón*, 2.° art.) f. Venta por menor de los géneros que se han comprado por junto. || **2.** Oficio y ocupación del regatón.

Regatonía. f. ant. **Regatonería.**

Regazar. (De *regazo.*) tr. **Arregazar.**

Regazo. (En port. *regaço.*) m. Enfaldo de la saya, que hace seno desde la cintura hasta la rodilla. || **2.** Parte del cuerpo donde se forma ese enfaldo. || **3.** fig. Cosa que recibe en sí a otra, dándole amparo, gozo o consuelo.

Regencia. (Del b. lat. *regentĭa*, y éste del lat. *regens, -entis*, regente.) f. Acción de regir o gobernar. || **2.** Empleo de regente. || **3.** Gobierno de un Estado durante la menor edad, ausencia o incapacidad de su legítimo príncipe. || **4.** Tiempo que dura tal gobierno. || **5.** Nombre que se da a ciertos Estados musulmanes que fueron vasallos de Turquía. REGENCIA *de Túnez, de Trípoli.*

Regeneración. (Del lat. *regeneratĭo, -ōnis.*) f. Acción y efecto de regenerar o regenerarse.

Regenerador, ra. adj. Que regenera. Ú. t. c. s.

Regenerar. (Del lat. *regenerāre.*) tr. Dar nuevo ser a una cosa que degeneró; restablecerla o mejorarla. Ú. t. c. r.

Regenta. f. Mujer del regente. || **2.** Profesora en algunos establecimientos de educación.

Regentar. (De *regente.*) tr. Desempeñar temporalmente ciertos cargos o empleos. || **2.** Ejercer un cargo ostentando superioridad. || **3.** Ejercer un empleo o cargo de honor.

Regente. (Del lat. *regens, -entis.*) p. a. de **Regir.** Que rige o gobierna. || **2.** com. Persona que gobierna un Estado en la menor edad de un príncipe o por otro motivo. || **3.** m. Magistrado que presidía una audiencia territorial. || **4.** En las religiones, el que gobierna y rige los estudios. || **5.** En algunas antiguas escuelas y universidades, catedrático trienal. || **6.** Sujeto que estaba habilitado, mediante examen, para regentar ciertas cátedras. || **7.** En las imprentas, boticas, etc., el que sin ser el dueño dirige inmediatamente las operaciones.

Regentear. (De *regente.*) tr. **Regentar,** 2.ª acep.

Regiamente. adv. m. Con grandeza real. || **2.** fig. **Suntuosamente.**

Regicida. (Del lat. *rex, regis*, rey, y *caedĕre*, matar.) adj. Matador de un rey o reina. También se aplica a todo el que atenta contra la vida del soberano, aunque no consume el hecho. Ú. t. c. s.

Regicidio. m. Muerte violenta dada al monarca o a su consorte, o al príncipe heredero o al regente.

Regidor, ra. adj. Que rige o gobierna. || **2.** m. Concejal que no ejerce ningún otro cargo municipal.

Regidora. f. Mujer del regidor. || **2.** Concejala.

Regidoría. f. Regiduría.

Regiduría. f. Oficio de regidor.

Régimen. (Del lat. *regĭmen.*) m. Modo de gobernarse o regirse en una cosa. || **2.** Constituciones, reglamentos o prácticas de un gobierno en general o de una de sus dependencias. || **3.** *Gram.* Dependencia que entre sí tienen las palabras en la oración. Determínase por el oficio de unos vocablos respecto de otros, estén relacionados o no por medio de las preposiciones; v. gr.: *respeto a mis padres; amo la virtud; saldré a pasear; quiero comer.* || **4.** *Gram.* Preposición que pide cada verbo, o caso que pide cada preposición; por ejemplo: el **régimen** del verbo *aspirar* es la preposición *a*, y el de esta preposición, el caso de dativo, el de acusativo o el de ablativo. || **5.** *Med.* Uso metódico de todos los medios necesarios para el sostenimiento de la vida, así en estado de salud como en el de enfermedad.

Regimentar. tr. Reducir a regimientos varias compañías o partidas sueltas.

Regimiento. (Del lat. *regimentum.*) m. Acción y efecto de regir o regirse. || **2.** Cuerpo de regidores en el concejo o ayuntamiento de una población. || **3.** Oficio o empleo de regidor. || **4.** Unidad orgánica de una misma arma o cuerpo militar, cuyo jefe es un coronel. || **5.** Libro en que se daban a los pilotos las reglas y preceptos de su facultad. || **6.** ant. Régimen.

Regio, gia. (Del lat. *regĭus.*) adj. **Real,** 2.º art., 1.ª acep. || **2.** fig. Suntuoso, grande, magnífico. || **3.** *Med.* V. **Morbo regio.** || **4.** *Quím.* V. **Agua regia.**

Región. (Del lat. *regio, -ōnis.*) f. Porción de territorio determinada por caracteres étnicos o circunstancias especiales de clima, producción, topografía, administración, gobierno, etc. || **2.** Espacio que, según la filosofía antigua, ocupaba cada uno de los cuatro elementos. || **3.** fig. Todo espacio que se imagina ser de mucha capacidad. || **4.** *Zool.* Cada una de las partes en que se considera dividido al exterior el cuerpo de los animales, con el fin de determinar el sitio, extensión y relaciones de los diferentes órganos. REGIÓN *frontal, mamaria, epigástrica.*

Regional. (Del lat. *regionālis.*) adj. Perteneciente o relativo a una región.

Regionalismo. (De *regional.*) m. Tendencia o doctrina política según las cuales en el gobierno de un Estado debe atenderse especialmente al modo de ser y a las aspiraciones de cada región. || **2.** Amor o apego a determinada región de un Estado y a las cosas pertenecientes a ella. || **3.** Vocablo o giro privativo de una región determinada.

Regionalista. (De *regional.*) adj. Partidario del regionalismo. Ú. t. c. s. || **2.** Perteneciente al regionalismo o a los **regionalistas.**

Regionario, ria. (De *región.*) adj. Dícese del oficial eclesiástico que, especialmente en Roma, tenía a su cargo la administración de algunos negocios en determinado distrito. Ú. t. c. s. || **2.** V. **Obispo regionario.** Ú. t. c. s.

Regir. (Del lat. *regĕre.*) tr. Dirigir, gobernar o mandar. || **2.** Guiar, llevar o conducir una cosa. || **3.** *Gram.* Tener una palabra bajo su dependencia otra palabra de la oración. || **4.** *Gram.* Pedir una palabra tal o cual preposición, caso de la declinación o modo verbal. || **5.** *Gram.* Pedir o representar una preposición este o el otro caso. || **6.** intr. Estar vigente. || **7.** Funcionar bien un artefacto u organismo. || **8.** Traer bien gobernado el vientre, descargarlo. Ú. t. c. r. || **9.** *Mar.* Obedecer la nave al timón, volviendo la proa en dirección contraria a la que tiene la pala de éste.

Registrador, ra. adj. Que registra. || **2.** V. **Caja registradora.** || **3.** Dícese del aparato que deja anotadas automáticamente las indicaciones variables de su función propia; por ejemplo, presión, temperatura, peso, velocidad, etc. || **4.** m. Funcionario que tiene a su cargo algún registro público. Dícese más comúnmente del de la propiedad. || **5.** Persona que tenía a su cargo, con autoridad pública, el notar y poner en el registro todos los privilegios, cédulas, cartas o despachos librados por el rey, consejos y demás tribunales del reino, como también los dados por los jueces o ministros. || **6.** Persona que está a la entrada o puerta de un lugar para reconocer los géneros y mercaderías que entran o salen.

Registrar. (De *registro.*) tr. Mirar, examinar una cosa con cuidado y diligencia. || **2.** Poner de manifiesto mercaderías, géneros o bienes para que sean examinados o anotados. || **3.** Transcribir o extractar en los libros de un registro público las resoluciones de la autoridad o los actos jurídicos de los particulares. || **4.** Poner una señal o registro entre las hojas de un libro, para algún fin. || **5.** Anotar, señalar. || **6.** fig. Tener un edificio vistas sobre un predio vecino. || **7.** r. Presentarse y matricularse.

Registro. (Del lat. *regestum,* sing. de *regesta, -orum.*) m. Acción de registrar. || **2.** Lugar desde donde se puede registrar o ver algo. || **3.** Pieza que en el reloj u otra máquina sirve para disponer o modificar su movimiento. || **4.** Abertura con su tapa o cubierta, para examinar, conservar o reparar lo que está subterráneo o empotrado en un muro, pavimento, etc. || **5.** Padrón y matrícula. || **6.** **Protocolo,** 1.ª acep. || **7.** Lugar y oficina en donde se registra. || **8.** Asiento que queda de lo que se registra. || **9.** Cédula o albalá en que consta haberse registrado una cosa. || **10.** Libro, a manera de índice, donde se apuntan noticias o datos. || **11.** Cordón, cinta u otra señal que se pone entre las hojas de los misales, breviarios y otros libros, para manejarlos mejor y consultarlos con facilidad en los lugares convenientes. || **12.** Pieza movible del órgano, próxima a los teclados, por medio de la cual se modifica el timbre o la intensidad de los sonidos. || **13.** Cada género de voces del órgano, como son: flautado mayor, menor, clarines, etc. || **14.** En el clave, piano, etc., mecanismo que sirve para esforzar o apagar los sonidos. || **15.** En el comercio de Indias, buque suelto que llevaba mercaderías registradas en el puerto de donde salía, para el adeudo de sus derechos. || **16.** *Germ.* **Bodegón,** 1.ª acep. || **17.** *Impr.* Correspondencia igual de las planas de un pliego impreso con las del dorso. || **18.** *Impr.* Nota que se ponía al fin de un libro, en que se refieren las signaturas de todo él, advirtiendo si los cuadernos eran de dos, tres pliegos, etc., lo cual servía para el encuadernador. || **19.** *Mar.* V. **Toma de los registros.** || **20.** *Quím.* Agujero del hornillo, que en las operaciones químicas sirve para dar fuego e introducir el aire. || **civil.** Registro en que se hacen constar por autoridades competentes los nacimientos, matrimonios, defunciones y demás hechos relativos al estado civil de las personas. || **de actos de última voluntad.** El que existe en el Ministerio de Gracia y Justicia para hacer constar los otorgamientos *mortis causa.* || **de aprovechamientos de aguas.** El que se lleva en la Dirección General de Obras públicas para inscribir los títulos y derechos de los usuarios de aguas derivadas de corrientes públicas. || **de la propiedad.** Registro en que se inscriben por el registrador todos los bienes raíces de un partido judicial, con expresión de sus dueños y se hacen constar los cambios y limitaciones de derecho que experimentan dichos bienes. || **de la propiedad industrial.** El que sirve para registrar patentes de invención o de introducción, marcas de fábrica, nombres comerciales y recompensas industriales, y para obtener el amparo legal de los derechos concernientes a todo ello. || **de la propiedad intelectual.** El que tiene por objeto inscribir y amparar los derechos de autores, traductores o editores de obras científicas, literarias o artísticas. || **de pliegos. Registro,** 18.ª acep. || **mercantil.** El que, con carácter público, sirve para la inscripción de actos y contratos del comercio, preceptuada legalmente en determinados casos. || **Echar** uno **todos los registros.** fr. fig. Hacer todo lo que puede y sabe en una materia o asunto. || **Salir** uno **por** tal o cual **registro.** fr. fig. Cambiar inesperadamente de modos o de razones en una controversia o de conducta en la prosecución de un negocio. || **Tocar** uno **muchos,** o **todos los, registros.** fr. fig. y fam. Emplear muchos o todos los medios posibles para conseguir un fin.

Regitivo, va. adj. p. us. Que rige o gobierna.

Regla. (Del lat. *regŭla.*) f. Instrumento de madera, metal u otra materia rígida, por lo común de poco grueso y de figura rectangular, que sirve principalmente para trazar líneas rectas. || **2.** Ley universal que comprende lo substancial que debe observar un cuerpo religioso. || **3.** Estatuto, constitución o modo de ejecutar una cosa. || **4.** Precepto, principio o máxima en las ciencias o artes. || **5.** Razón que debe servir de medida y a que se han de ajustar las acciones para que resulten rectas. || **6.** Moderación, templanza, medida, tasa. || **7.** **Pauta.** || **8.** Orden y concierto invariable que guardan las cosas naturales. || **9.** **Menstruación.** || **10.** *Arq.* V. **Arco a regla.** || **11.** *Mat.* Método de hacer una operación. || **de aligación.** *Arit.* La que enseña a calcular el promedio de varios números, atendiendo a la proporción en que cada uno entra a formar un todo. Aplícase principalmente para averiguar el precio que corresponde a una mezcla de varias especies cuyos precios respectivos se conocen. || **de compañía.** *Arit.* La que enseña a dividir una cantidad en partes proporcionales a otras cantidades conocidas. Aplícase principalmente a la distribución de ganancias o pérdidas entre los socios de una compañía comercial con arreglo a los capitales aportados por cada uno. || **de falsa posición.** *Arit.* La que enseña a resolver un problema por tanteos. || **de oro, de proporción,** o **de tres.** *Arit.* La que enseña a determinar una cantidad desconocida, por medio de una proporción de la cual se conocen dos términos entre sí homogéneos, y otro tercero de la misma especie que el cuarto que se busca. || **de tres compuesta.** *Arit.* Aquella en que los dos términos conocidos y entre sí homogéneos, resultan de la combinación de varios elementos. || **lesbia. Cercha,** 4.ª acep. || **magnética.** Instrumento, por lo común de latón u otra materia firme que no sea hierro, con dos pínulas, a que se ajusta una cajita con su brújula dentro y el círculo dividido en 360 grados. Sirve para varias operaciones de geometría práctica, y principalmente para orientar los planos levantados con la plancheta. || **A regla.** m. adv. Hablando de obras artificiales, justificado o comprobado con la **regla.** || **2.** fig. Con arreglo, con sujeción a la razón. || **Echar la regla.** fr.

Examinar con ella si están rectas las líneas. || **En regla.** m. adv. fig. **Como es debido.** || **No hay regla sin excepción.** fr. proverb. para dar a entender que no hay dicho o proloquio tan generalmente cierto, que no falle o deje de verificarse en algunos casos particulares. || **Regla y compás, cuanto más, más.** ref. que muestra cuánto conviene la exactitud, cuenta y orden en las cosas. || **Salir de regla.** fr. fig. Excederse, propasarse, traspasar los límites de lo regular o justo.

Regladamente. adv. m. Con medida, con regla.

Reglado, da. p. p. de **Reglar.** || **2.** adj. Templado, o parco en comer o beber. || **3.** Sujeto a precepto, ordenación o regla. Dícese comúnmente del ejercicio de autoridad pública cuando las disposiciones vigentes no lo han dejado al discrecional arbitrio de ésta. || **4.** *Geom.* V. **Superficie reglada.**

Reglamentación. f. Acción y efecto de reglamentar. || **2.** Conjunto de reglas.

Reglamentar. tr. Sujetar a reglamento un instituto o una materia determinada.

Reglamentariamente. adv. m. Por virtud de los reglamentos o de conformidad con ellos.

Reglamentario, ria. adj. Perteneciente o relativo al reglamento o preceptuado y exigido por alguna disposición obligatoria.

Reglamento. (De *reglar.*) m. Colección ordenada de reglas o preceptos, que por autoridad competente se da para la ejecución de una ley o para el régimen de una corporación, una dependencia o un servicio.

Reglar. adj. Perteneciente o relativo a una regla o instituto religioso. || **2.** V. **Canónigo, puerta reglar.**

Reglar. tr. Tirar o hacer líneas o rayas derechas, valiéndose de una regla o por cualquier otro medio. || **2.** Sujetar a reglas una cosa. || **3.** Medir o componer las acciones conforme a regla. || **4.** r. Medirse, templarse, reducirse o reformarse.

Regleta. (d. de *regla.*) f. *Impr.* Planchuela de metal, que sirve para regletear.

Regletear. tr. *Impr.* Espaciar la composición poniendo regletas entre los renglones.

Reglón. m. aum. de **Regla.** || **2.** Regla grande de que usan los albañiles y soladores para dejar planos los suelos y las paredes.

Regnícola. (Del lat. *regnicŏla;* de *regnum,* reino, y *colĕre,* habitar.) adj. Natural de un reino. Ú. t. c. s. || **2.** m. Escritor de las cosas especiales de su patria; como leyes, usos, etc.

Regocijadamente. adv. m. Alegremente, con regocijo.

Regocijado, da. p. p. de **Regocijar.** || **2.** adj. Que causa o incluye regocijo o alegría.

Regocijador, ra. adj. Que regocija. Ú. t. c. s.

Regocijar. (De *regocijo.*) tr. Alegrar, festejar, causar gusto o placer. || **2.** r. Recrearse, recibir gusto o júbilo interior.

Regocijo. (De *re* y *gozo.*) m. **Júbilo.** || **2.** Acto con que se manifiesta la alegría.

Regodearse. (Del lat. *re* y *gaudĕre,* alegrarse, estar contento.) r. fam. Deleitarse o complacerse en lo que gusta o se goza, deteniéndose en ello. || **2.** fam. Hablar o estar de chacota.

Regodeo. m. Acción y efecto de regodearse. || **2.** fam. Diversión, fiesta.

Regojo. (De *rebojo.*) m. Pedazo o porción de pan que queda de sobra en la mesa después de haber comido. || **2.** fig. Muchacho pequeño de cuerpo.

Regojuelo. m. d. de **Regojo.**

Regolaje. m. Buen humor, buen temple en las personas.

Regoldano, na. adj. Perteneciente o relativo al regoldo. || **2.** V. **Castaña regoldana.** || **3.** V. **Castaño regoldano.**

Regoldar. (Del lat. **regurgitāre.*) intr. **Eructar,** 1.ª acep.

Regoldo. (De *re* y el lat. *burdus,* bastardo.) m. Castaño borde o silvestre.

Regolfar. (De *re* y *golfo.*) intr. Retroceder el agua contra su corriente, haciendo un remanso. Ú. t. c. r. || **2.** Cambiar la dirección del viento por la oposición de alguna pared u otro obstáculo.

Regolfo. (De *regolfar.*) m. Vuelta o retroceso del agua o del viento contra su curso. || **2.** Seno o cala en el mar, comprendida entre dos cabos o puntas de tierra.

Regomello. m. *Murc.* **Regomeyo.**

Regomeyo. m. *And.* y *Murc.* Malestar físico que no llega a ser verdadero dolor. || **2.** *And.* y *Murc.* Disgusto que no se revela al exterior; reconcomio.

Regona. (De *regar.*) f. Reguera grande.

Regordete, ta. (De *re* y *gordo.*) adj. fam. Dícese de la persona o de la parte de su cuerpo, pequeña y gruesa.

Regordido, da. (De *re* y *gordo.*) adj. p. us. Gordo, grueso, abultado.

Regorjarse. (De *re* y *gorja.*) r. ant. **Regodearse.**

Regostarse. (Del lat. *regustāre.*) r. **Arregostarse.**

Regosto. (De *regostarse.*) m. Apetito o deseo de repetir lo que con delectación se empezó a gustar o gozar.

Regraciar. (De *re* y *gracia.*) tr. Mostrar uno su agradecimiento de palabra, o con otra expresión.

Regradecer. (De *re* y *gradescer.*) tr. ant. **Agradecer.**

Regradecimiento. (De *regradecer.*) m. ant. **Agradecimiento.**

Regresar. (De *regreso.*) intr. Volver al lugar de donde se partió. || **2.** *For.* Volver a entrar, con sujeción a las leyes canónicas, en posesión del beneficio que se había cedido o permutado.

Regresión. (Del lat. *regressĭo, -ōnis.*) f. Retrocesión o acción de volver hacia atrás. || **2.** *Gram.* **Derivación regresiva.**

Regresivo, va. (De *regreso.*) adj. Dícese de lo que hace volver hacia atrás. *Movimiento, impulso* REGRESIVO; *marcha* REGRESIVA. || **2.** V. **Derivación regresiva.**

Regreso. (Del lat. *regressus.*) m. Acción de regresar.

Regruñir. (De *re* y *gruñir.*) intr. Gruñir mucho.

Reguarda. (De *reguardar.*) f. ant. **Retaguardia.** || **2.** ant. **Mirada.**

Reguardadamente. adv. m. ant. Con cautela o precaución.

Reguardar. (De *re* y *guardar.*) tr. ant. Mirar con cuidado o vigilancia. || **2.** r. p. us. Guardarse, precaverse con todo cuidado y esmero.

Reguardo. (De *reguardar.*) m. ant. **Mirada.** || **2.** ant. Miramiento o respeto.

Regüeldo. m. Acción y efecto de regoldar. || **2.** fig. Cardencha imperfecta que sale en el tallo de la principal.

Reguera. (De *reguero.*) f. Canal que se hace en la tierra a fin de conducir el agua para el riego.

Reguero. (De *regar.*) m. Corriente, a modo de chorro o de arroyo pequeño, que se hace de una cosa líquida. || **2.** Línea o señal continuada que queda de una cosa que se va vertiendo. || **3. Reguera.** || **Ser una cosa un reguero de pólvora.** fr. fig. con que se denota la propagación rápida de alguna cosa.

Reguilete. m. **Rehilete.**

Regulación. f. Acción y efecto de regular.

Regulado, da. p. p. de **Regular.** || **2.** adj. Regular o conforme a regla.

Regulador, ra. adj. Que regula. || **2.** m. Mecanismo que sirve para ordenar o normalizar el movimiento o los efectos de una máquina o de alguno de los órganos o piezas de ella. || **3.** *Mús.* Signo en figura de ángulo agudo que, colocado horizontalmente, sirve para indicar, según la dirección de su abertura, que la intensidad del sonido se ha de aumentar o disminuir gradualmente.

Regular. (Del lat. *regulāris.*) adj. Ajustado y conforme a regla. || **2.** Ajustado, medido, arreglado en las acciones y modo de vivir. || **3. Mediano.** || **4.** Aplícase a las personas que viven bajo una regla o instituto religioso, y a lo que pertenece a su estado. Ú. t. c. s. || **5.** V. **Clero, tren regular.** || **6.** V. **Regular observancia.** || **7.** *Com.* V. **Compañía, sociedad regular colectiva.** || **8.** *For.* V. **Mayorazgo regular.** || **9.** *Geom.* Dícese del polígono cuyos lados y ángulos son iguales entre sí, y del poliedro cuyas caras y ángulos sólidos son también iguales. || **10.** *Geom.* V. **Hexaedro, icosaedro, pirámide, tetraedro regular.** || **11.** *Gram.* Aplícase a la palabra derivada, o formada de otro vocablo, según la regla de formación seguida generalmente por las de su clase. *Participio* REGULAR. || **12.** *Gram.* V. **Sintaxis, verbo regular.** || **13.** *Mil.* V. **Paso regular.** || **Por lo regular.** m. adv. Común o regularmente.

Regular. (Del lat. *regulāre.*) tr. Medir, ajustar o computar una cosa por comparación o deducción. || **2.** Ajustar, reglar o poner en orden una cosa. REGULAR *los gastos.*

Regularidad. f. Calidad de regular, 1.er art. || **2.** Exacta observancia de la regla o instituto religioso.

Regularizador, ra. adj. Que regulariza. Ú. t. c. s.

Regularizar. (De *regular,* 2.° art.) tr. **Regular,** 2.° art., 2.ª acep.

Regularmente. adv. m. Comúnmente, ordinariamente, naturalmente o conforme reglas. || **2. Medianamente.**

Regulativo, va. adj. Que regula, dirige o concierta. Ú. t. c. s.

Régulo. (Del lat. *regŭlus,* d. de *rex, regis,* rey.) m. Dominante o señor de un Estado pequeño. || **2. Basilisco,** 1.ª acep. || **3. Reyezuelo,** 2.ª acep. || **4.** *Astron.* Estrella de primera magnitud en el signo de Leo, que otros llaman el Corazón del León, por estar colocada hacia el medio de la constelación. || **5.** *Quím.* Parte más pura de los minerales después de separadas las impuras.

Regurgitación. f. Acción y efecto de regurgitar.

Regurgitar. (Del lat. *re,* hacia atrás, y *gurges, -ĭtis,* abismo, sima.) intr. Expeler por la boca, sin esfuerzo o sacudida de vómito, substancias sólidas o líquidas contenidas en el esófago o en el estómago. || **2.** *Med.* Redundar o salir un licor, humor, etc., del continente o del vaso, por la mucha repleción o abundancia.

Regusto. m. **Dejo,** 4.ª acep. Ú. t. en sent. fig.

Rehabilitación. f. Acción y efecto de rehabilitar o rehabilitarse.

Rehabilitar. (De *re* y *habilitar.*) tr. Habilitar de nuevo o restituir una persona o cosa a su antiguo estado. Ú. t. c. r.

Rehacer. (Del lat. *refacĕre.*) tr. Volver a hacer lo que se había deshecho. || **2.** Reponer, reparar, restablecer lo disminuido o deteriorado. Ú. t. c. r. || **3.** r. Reforzarse, fortalecerse o tomar nuevo brío. || **4.** fig. Serenarse, dominar una emoción, mostrar tranquilidad.

Rehacimiento. m. Acción y efecto de rehacer o rehacerse.

Rehala. (Del ár. *raḥāla,* hato.) f. Rebaño de ganado lanar formado por el de diversos dueños y conducido por un solo mayoral. || **A rehala.** m. adv. Admitiendo ganado ajeno en el rebaño propio.

Rehalero. m. Mayoral de la rehala.

Rehalí. (Del ár. *rahalī*, campesino.) adj. que se aplicaba a ciertos labradores de las tribus árabes de Marruecos.

Rehartar. (De *re* y *hartar*.) tr. Hartar mucho. Ú. t. c. r.

Reharto, ta. p. p. irreg. de **Rehartar.**

Rehecho, cha. (Del lat. *refectus*.) p. p. irreg. de **Rehacer.** || **2.** adj. De estatura mediana, grueso, fuerte y robusto.

Rehelear. (De *re* y *hiel*.) intr. **Ahelear,** 2.ª acep.

Reheleo. m. Efecto de rehelear.

Rehén. (Del ár. *rahn*, prenda.) m. Persona de estimación y calidad, que como prenda queda en poder del enemigo o parcialidad enemistada, mientras está pendiente un ajuste o tratado. Ú. m. en pl. || **2.** Cualquiera otra cosa, como plaza, castillo, etc., que se pone por fianza o seguro. Ú. m. en pl.

Rehenchido, da. p. p. de **Rehenchir.** || **2.** m. Lo que sirve para rehenchir.

Rehenchimiento. m. Acción y efecto de rehenchir o rehenchirse.

Rehenchir. (De *re* y *henchir*.) tr. Volver a henchir una cosa reponiendo lo que se había menguado. Ú. t. c. r. || **2.** Rellenar de cerda, pluma o lana o cosa semejante algún mueble o parte de él.

Rehendija. (Del lat. **refindicŭla*, de *re-findĕre*, rajar.) f. **Rendija.**

Reherimiento. m. Acción y efecto de reherir.

Reherir. (Del lat. *referire*, herir a su vez.) tr. Rebatir, rechazar.

Reherrar. (De *re* y *herrar*.) tr. Volver a herrar con la misma herradura, aunque con clavos nuevos.

Rehervir. (Del lat. *refervēre*.) intr. Volver a hervir. Ú. t. c. tr. || **2.** fig. Encenderse, enardecerse o cegarse a causa de una pasión. || **3.** r. Hablando de las conservas, fermentarse, pasando del punto que deben tener, y agriándose.

Rehiladillo. m. **Hiladillo,** 2.ª acep.

Rehilandera. (De *rehilar*.) f. **Molinete,** 3.ª acep.

Rehilar. (Del lat. **refilāre*, de *filum*, hilo.) tr. Hilar demasiado o torcer mucho lo que se hila. || **2.** intr. Moverse una persona o cosa como temblando. || **3.** Dícese de ciertas armas arrojadizas, como la flecha, cuando van zumbando a causa de su extraordinaria rapidez.

Rehilero. m. **Rehilete.**

Rehilete. (De *rehilar*, 3.ª acep.) m. Flechilla con púa en un extremo y papel o plumas en el otro, que se lanza por diversión para clavarla en un blanco. || **2. Banderilla,** 2.ª acep. || **3. Volante,** 15.ª acep. || **4.** fig. Dicho malicioso, pulla.

Rehílo. (De *rehilar*, 2.ª acep.) m. Temblor de una cosa que se mueve ligeramente.

Rehinchimiento. m. ant. **Rehenchimiento.**

Rehinchir. tr. ant. **Rehenchir.**

Rehogar. (Del lat. *re*, iterat., y *focus*, fuego.) tr. Sazonar una vianda a fuego lento, sin agua y muy tapada, para que la penetren la manteca o aceite y otras cosas que se echan en ella.

Rehollar. (De *re* y *hollar*.) tr. Volver a hollar o pisar. || **2. Pisotear.**

Rehoya. f. **Rehoyo.**

Rehoyar. intr. Renovar el hoyo hecho antes para plantar árboles.

Rehoyo. m. Barranco u hoyo profundo.

Rehuida. f. Acción de rehuir.

Rehuir. (Del lat. *refugĕre*.) tr. Retirar, apartar una cosa como con temor, sospecha o recelo de un riesgo. Ú. t. c. intr. y c. r. || **2.** Repugnar o llevar mal una cosa. || **3.** Rehusar o excusar el admitir algo. || **4.** intr. Entre cazadores, volver a huir, o correr, la res por las mismas huellas.

Rehumedecer. (De *re* y *humedecer*.) tr. Humedecer bien. Ú. t. c. r.

Rehundido, da. p. p. de **Rehundir,** 1.er art. || **2.** m. **Vaciado,** 4.ª acep.

Rehundir. tr. Hundir o sumergir una cosa a lo más hondo de otra. Ú. t. c. r. || **2. Ahondar,** 1.ª acep.

Rehundir. (Del lat. *refundĕre*.) tr. **Refundir,** 1.ª acep. || **2.** fig. Gastar sin provecho ni medida.

Rehurtarse. (De *re* y *hurtar*.) r. *Mont.* Echar la caza mayor o menor, acosada del hombre o del perro, por diferente rumbo del que se desea.

Rehusar. (Del lat. **refusāre*, de *refūsus*, rechazado.) tr. Excusar, no querer o no aceptar una cosa.

Reíble. (De *reír*.) adj. ant. **Risible.**

Reidero, ra. (De *reír*.) adj. fam. Que produce ocasión frecuente de risa y algazara.

Reidor, ra. adj. Que ríe con frecuencia. Ú. t. c. s.

Reimportación. f. Acción y efecto de reimportar.

Reimportar. tr. Importar en un país lo que se había exportado de él.

Reimpresión. f. Acción y efecto de reimprimir. || **2.** Conjunto de ejemplares reimpresos de una vez.

Reimpreso, sa. p. p. irreg. de Reimprimir.

Reimprimir. tr. Volver a imprimir, o repetir la impresión de una obra o escrito.

Reina. (Del lat. *regīna*.) f. Esposa del rey. || **2.** La que ejerce la potestad real por derecho propio. || **3.** Pieza del juego de ajedrez, la más importante después del rey. Puede caminar como cualquiera de las demás piezas, exceptuando el caballo. || **4.** V. **Aceituna, copero mayor, chapín, silla, zapatilla de la reina.** || **5. Abeja reina.** || **6.** fig. Mujer, animal o cosa del género femenino, que por su excelencia sobresale entre las demás de su clase o especie. || **de los prados.** Hierba perenne de la familia de las rosáceas, con tallos de seis a ocho decímetros de altura, hojas alternas, divididas en segmentos aovados desiguales, blancos y tomentosos por el envés, y el terminal, mayor, dividido en tres lóbulos, y flores blancas o rosáceas en umbela. Se cultiva como planta de adorno y su raíz es tónica y febrífuga. || **luisa. Luisa.** || **mora. Infernáculo.**

Reinado. (De *reinar*.) m. Espacio de tiempo en que gobierna un rey o reina. || **2.** Por ext., aquel en que predomina o está en auge alguna cosa. || **3.** Cierto juego de naipes usado antiguamente. || **4.** ant. Soberanía y dignidad real.

Reinador, ra. (Del lat. *regnātor*.) m. y f. Persona que reina.

Reinal. m. Cuerdecita muy fuerte de cáñamo compuesta de dos ramales retorcidos.

Reinamiento. (De *reinar*.) m. ant. **Reinado,** 1.ª acep.

Reinante. p. a. de **Reinar.** Que reina.

Reinar. (Del lat. *regnāre*.) intr. Regir un rey o príncipe un Estado. || **2.** Dominar o tener predominio una persona o cosa sobre otra. || **3.** fig. Prevalecer o persistir continuándose o extendiéndose una cosa. REINAR *una costumbre, una enfermedad, un viento.* || **4.** *Ar.* Bailar el peón o trompo.

Reinar. intr. vulg. *And.* Rebinar, meditar, cavilar.

Reinazgo. m. ant. **Reinado,** 2.ª acep.

Reincidencia. (De *reincidir*.) f. Reiteración de una misma culpa o defecto. || **2.** *For.* Circunstancia agravante de la responsabilidad criminal, que consiste en haber sido el reo condenado antes por delito análogo al que se le imputa.

Reincidente. p. a. de **Reincidir.** Que reincide.

Reincidir. (De *re* e *incidir*.) intr. Volver a caer o incurrir en un error, falta o delito.

Reincorporación. f. Acción y efecto de reincorporar o reincorporarse.

Reincorporar. (Del lat. *reincorporāre*.) tr. Volver a incorporar, agregar o unir a un cuerpo político o moral lo que se había separado de él. Ú. t. c. r.

Reineta. (Del fr. *reinette*, y *rainette*, de *raine*, rana.) f. **Manzana reineta.**

Reingresar. intr. Volver a ingresar.

Reingreso. m. Acción y efecto de reingresar.

Reino. (Del lat. *regnum*.) m. Territorio o Estado con sus habitantes sujetos a un rey. || **2.** Cualquiera de las provincias de un Estado que antiguamente tuvieron su rey propio y privativo, REINO *de Aragón, de Sevilla.* || **3.** Diputados o procuradores que con poderes del **reino** lo representaban o hablaban en su nombre. || **4.** V. **Brazo, contaduría general, diputado, estado, justicia mayor, llave, procurador, título del reino.** || **5.** V. **Diputación general, notario mayor de los Reinos.** || **6.** fig. **Campo,** 10.ª acep. || **7.** *Hist. Nat.* Cada uno de los tres grandes grupos en que se consideran distribuidos todos los seres naturales por razón de sus caracteres comunes; y así se dice **reino animal, reino vegetal** y **reino mineral.** || **de Dios.** Nuevo estado social de justicia, paz y felicidad espiritual, anunciado por los profetas de Israel, predicado por Cristo en el Evangelio y cuya realización, incompleta y temporal en la iglesia militante, se consuma y perpetúa en la iglesia triunfante. || **de los cielos. Cielo,** 4.ª acep. || **2. Reino de Dios.** || **Reinos y dineros no quieren compañeros.** ref. que muestra la dificultad de acomodarse a concierto quienes se sienten independientes.

Reinstalación. f. Acción y efecto de reinstalar.

Reinstalar. tr. Volver a instalar. Ú. t. c. r.

Reintegrable. adj. Que se puede o se debe reintegrar.

Reintegración. (Del lat. *redintegratio, -ōnis*.) f. Acción y efecto de reintegrar o reintegrarse. || **de la línea.** *For.* Tránsito que hacen los mayorazgos cuando vuelve la sucesión a aquella línea que por cualquier motivo quedó privada o excluida.

Reintegrar. (Del lat. *redintegrāre*.) tr. Restituir o satisfacer íntegramente una cosa. || **2.** Reconstituir la mermada integridad de una cosa. || **3.** r. Recobrarse enteramente de lo que se había perdido, o dejado de poseer.

Reintegro. (De *reintegrar*.) m. **Reintegración.** || **2. Pago,** 1.er art., 1.ª acep. || **3.** En la lotería, premio igual a la cantidad jugada.

Reír. (Del lat. *ridēre*.) intr. Manifestar alegría y regocijo con la expresión de la mirada y con determinados movimientos de la boca y otras partes del rostro. Ú. t. c. r. || **2.** fig. Hacer burla o zumba. Ú. t. c. tr. y c. r. || **3.** fig. Dícese con relación a cosas de aspecto deleitable y capaces de infundir gozo o alegría; como el alba, el agua de una fuente, un prado ameno, etc. Ú. t. c. r. || **4.** tr. Celebrar con risa alguna cosa. || **5.** r. fig. y fam. Empezar a romperse o abrirse la tela del vestido, camisa u otras cosas, por muy usadas o por la calidad de la misma tela. || **Reírse** uno **de** una persona o cosa. fr. fig. y fam. Despreciarla; no hacer caso de ella.

Reis. (Del port. *reis*, pl. de *real*, real, 2.º art.) m. pl. Moneda imaginaria por la que cuentan los portugueses, equivalente a la par a seis décimas de céntimo de peseta.

Reiteración. (Del lat. *reiteratĭo, -ōnis.*) f. Acción y efecto de reiterar o reiterarse. ‖ **2.** *For.* Circunstancia que puede ser agravante, derivada de anteriores condenas del reo, por delitos de índole diversa del que se juzga. En esto se diferencia de la reincidencia.

Reiteradamente. adv. m. Con reiteración, repetidamente.

Reiterar. (Del lat. *reiterāre.*) tr. Volver a decir o ejecutar; repetir una cosa. Ú. t. c. r.

Reiterativo, va. adj. Que tiene la propiedad de reiterarse. ‖ **2.** Que denota reiteración.

Reitre. (Del al. *reiter*, jinete.) m. Antiguo soldado de caballería alemana.

Reivindicable. adj. Que puede ser reivindicado.

Reivindicación. f. Acción y efecto de reivindicar.

Reivindicar. (Del lat. *res, rei*, cosa, interés, hacienda, y *vindicāre*, reclamar.) tr. *For.* Recuperar uno lo que por razón de dominio, cuasi dominio u otro motivo le pertenece.

Reivindicatorio, ria. adj. *For.* Que sirve para reivindicar, o atañe a la reivindicación.

Reja. (Del lat. *regŭla.*) f. Instrumento de hierro, que es parte del arado y sirve para romper y revolver la tierra. ‖ **2.** Red formada de barras de hierro de varios tamaños y figuras, que se pone en las ventanas y otras aberturas de los muros para seguridad o adorno. ‖ **3.** fig. Labor o vuelta que se da a la tierra con el arado. ‖ **Rejas vueltas.** expr. que se dice, en algunas partes, cuando entre dos pueblos confinantes hay comunidad de pasto o de labor, en sus términos respectivos.

Rejacar. (De *reja.*) tr. **Arrejacar.**

Rejada. (De *rejo.*) f. **Arrejada.**

Rejado. (De *reja.*) m. **Verja.**

Rejal. (De *reja.*) m. Pila de ladrillos colocados de canto y cruzados unos sobre otros.

Rejalgar. (Del ár. *rahŷ al-gār*, polvo de la cueva, arsénico, probable errata de copista por *rahŷ al-fa'r*, polvo de ratón.) m. Mineral de color rojo, lustre resinoso y fractura concoidea, que se raya con la uña, y es una combinación muy venenosa de arsénico y azufre. ‖ **2.** V. **Rosa de rejalgar.**

Rejera. f. *Mar.* Calabrote, cable, boya o ancla con que se procura mantener fijo o en posición conveniente un buque.

Rejería. f. Arte de construir rejas o verjas. ‖ **2.** Conjunto de obras de rejero.

Rejero. m. El que tiene por oficio labrar o fabricar rejas, 2.ª acep.

Rejileto, ta. (De *rehilete.*) adj. *Sal.* Tieso, garboso.

Rejilla. (d. de *reja.*) f. Celosía fija o movible, red de alambre, tela metálica, lámina o tabla calada, etc., que suele ponerse por recato o para seguridad en las ventanillas de los confesonarios, en el ventanillo de la puerta exterior de las casas y en otras aberturas semejantes. ‖ **2.** Por ext., ventanilla de confesonario, ventanillo de puerta de casa o cualquiera otra abertura pequeña cerrada con **rejilla.** ‖ **3.** Tejido claro hecho con tiritas de los tallos duros flexibles, elásticos y resistentes de ciertas plantas; como el bejuco, etc. Sirve para respaldos y asientos de sillas y para algunos otros usos. ‖ **4. Rejuela,** 2.ª acep. ‖ **5.** Armazón de barras de hierro, que sostiene el combustible en el hogar de las hornillas, hornos, máquinas de vapor, etc. ‖ **6.** Tejido en forma de red que se coloca sobre los asientos en el ferrocarril para depositar cosas menudas y de poco peso durante el viaje. ‖ **7.** *Radio.* Pantalla a modo de parrilla de alambre que se coloca entre el cátodo y el ánodo para regular el flujo electrónico.

Rejiñol. m. **Pito,** 1.er art., 3.ª acep.

Rejitar (Del lat. *reiectāre.*) tr. *Cetr.* **Vomitar,** 1.ª acep.

Rejo. (De *reja.*) m. Punta o aguijón de hierro, y por extensión, punta o aguijón de otra especie; como el de la abeja. ‖ **2.** Clavo o hierro redondo con que se juega al herrón. ‖ **3.** Hierro que se pone en el cerco de las puertas. ‖ **4.** fig. Robustez o fortaleza. ‖ **5.** *Bot.* En el embrión de la planta, órgano de que se forma la raíz.

Rejón. (De *rejo.*) m. Barra o barrón de hierro cortante que remata en punta. ‖ **2.** Asta de madera, de metro y medio de largo próximamente, con una moharra en la punta y una muesca cerca de ella, y que sirve para rejonear. ‖ **3.** Especie de puñal. ‖ **4.** Púa del trompo.

Rejonazo. m. Golpe y herida de rejón.

Rejoncillo. m. **Rejón,** 2.ª acep.

Rejoneador. m. El que rejonea.

Rejonear. tr. En el toreo de a caballo, herir con el rejón al toro, quebrándolo en él por la muesca que tiene cerca de la punta.

Rejoneo. m. Acción de rejonear.

Rejuela. f. d. de **Reja,** 2.ª acep. ‖ **2.** Braserito en forma de arquilla y con rejilla en la tapa, para calentarse los pies.

Rejuvenecer. (Del lat. *re* y *iuvenescĕre.*) tr. Remozar, dar a uno fortaleza y vigor, cual se suele tener en la juventud. Ú. t. c. intr. y c. r. ‖ **2.** fig. Renovar, dar modernidad o actualidad a lo desusado, olvidado o postergado.

Rejuvenecimiento. m. Acción y efecto de rejuvenecer o rejuvenecerse.

Relabra. f. Acción y efecto de relabrar.

Relabrar. tr. Volver a labrar una piedra o madera.

Relación. (Del lat. *relatĭo, -ōnis.*) f. Acción y efecto de referir o referirse, 1.ª y 2.ª aceps. ‖ **2.** Conexión, correspondencia de una cosa con otra. ‖ **3.** Conexión, correspondencia, trato, comunicación de una persona con otra. Ú. m. en pl. RELACIONES *de parentesco, de amistad, amorosas, comerciales.* ‖ **4.** En el poema dramático, trozo largo que dice un personaje, ya para contar o narrar una cosa, ya con cualquiera otro fin. ‖ **5.** *For.* Informe que un auxiliar hace de lo substancial de un proceso o de alguna incidencia en él, ante un tribunal o juez. ‖ **6.** *Gram.* Conexión o enlace entre dos términos de una misma oración; v. gr.: en la frase *amor de madre* hay una **relación** gramatical cuyos dos términos son las voces *amor* y *madre.* ‖ **de ciego. Romance de ciego.** ‖ **2.** fig. y fam. La frívola e impertinente. ‖ **3.** fig. y fam. Lo que se recita o lee con monotonía y sin darle el sentido que corresponde. ‖ **jurada.** Razón o cuenta que con juramento en ella expreso se da a quien tiene autoridad para exigirla. ‖ **Decir,** o **hacer, relación a** una cosa. fr. Tener con ella conexión aquello de que se trata. ‖ **2.** *For.* En los pleitos y causas, dar cuenta al Tribunal relatando lo esencial de todo el proceso.

Relacionar. tr. Hacer relación de un hecho. ‖ **2.** Poner en relación personas o cosas. Ú. t. c. r.

Relacionero. m. El que hace o vende coplas o relaciones.

Relajación. (Del lat. *relaxatĭo, -ōnis.*) f. Acción y efecto de relajar o relajarse. ‖ **2. Hernia.**

Relajadamente. adv. m. Con relajación.

Relajador, ra. (Del lat. *relaxātor.*) adj. Que relaja. Ú. t. c. s.

Relajamiento. (De *relajar.*) m. **Relajación.**

Relajante. p. a. de **Relajar.** Que relaja. ‖ **2.** adj. *Med.* Dícese especialmente del medicamento que tiene la virtud de relajar. Ú. t. c. s. m.

Relajar. (Del lat. *relaxāre.*) tr. Aflojar, laxar o ablandar. Ú. t. c. r. ‖ **2.** fig. Esparcir o divertir el ánimo con algún descanso. ‖ **3.** fig. Hacer menos severa o rigurosa la observancia de las leyes, reglas, estatutos, etc. Ú. t. c. r. ‖ **4.** *For.* Relevar de un voto, juramento u obligación. ‖ **5.** *For.* Entregar el juez eclesiástico al secular un reo digno de pena capital. ‖ **6.** *For.* Aliviar o disminuir a uno la pena o castigo. ‖ **7.** r. Laxarse o dilatarse una parte del cuerpo del animal, por debilidad o por una fuerza o violencia que se hizo. ‖ **8.** Formársele a uno hernia. ‖ **9.** fig. Viciarse, distraerse o estragarse en las costumbres.

Relamer. (Del lat. *relambĕre.*) tr. Volver a lamer. ‖ **2.** r. Lamerse los labios una o muchas veces. ‖ **3.** fig. Afeitarse o componerse demasiadamente el rostro. ‖ **4.** fig. Gloriarse o jactarse de lo que se ha ejecutado, mostrando el gusto de haberlo hecho.

Relamido, da. p. p. de **Relamer,** 3.ª acep. ‖ **2.** adj. Afectado, demasiadamente pulcro.

Relámpago. (De *re* y *lampo*; en cat. *llampech*; en valenciano *llamp.*) m. Resplandor vivísimo e instantáneo producido en las nubes por una descarga eléctrica. ‖ **2.** fig. Cualquier fuego o resplandor repentino. ‖ **3.** fig. Cualquier cosa que pasa ligeramente o es pronta en sus operaciones. ‖ **4.** fig. Especie viva, pronta, aguda e ingeniosa. ‖ **5.** Parte que del brial se veía en las mujeres que traían la basquiña enteramente abierta por delante. ‖ **6.** *Germ.* **Día,** 1.ª acep. ‖ **7.** *Germ.* **Golpe,** 1.ª acep. ‖ **8.** *Veter.* Especie de nube que se forma a los caballos en los ojos.

Relampagueante. p. a. de **Relampaguear.** Que relampaguea.

Relampaguear. (De *relámpago.*) intr. Haber relámpagos. ‖ **2.** fig. Arrojar luz o brillar mucho con algunas intermisiones. Dícese frecuentemente de los ojos muy vivos o iracundos.

Relampagueo. m. Acción de relampaguear.

Relance. m. Segundo lance, redada o suerte. ‖ **2.** Suceso casual y dudoso. ‖ **3.** En los juegos de envite, suerte o azar que se sigue o sucede a otros. ‖ **4.** Acción de relanzar, 2.ª acep. ‖ **De relance.** m. adv. Casualmente, cuando no se esperaba.

Relanzar. (De *re* y *lanzar.*) tr. Repeler, rechazar. ‖ **2.** Volver a echar en el cántaro la **cédula,** en las elecciones que se hacen por insaculación.

Relapso, sa. (Del lat. *relapsus*, p. p. de *relābi*, volver a caer.) adj. Que reincide en un pecado de que ya había hecho penitencia, o en una herejía de que había abjurado. Ú. t. c. s.

Relatador, ra. adj. Que relata. Ú. t. c. s.

Relatante. p. a. de **Relatar.** Que relata.

Relatar. (De *relato.*) tr. Referir, 1.ª acep. ‖ **2.** Hacer relación de un proceso o pleito.

Relata réfero. expr. lat. que significa yo refiero lo que he oído; y se usa para eludir la responsabilidad de alguna idea que se apunta como ajena.

Relativamente. adv. m. Con relación a una persona o cosa.

Relatividad. f. Calidad de relativo. ‖ **2.** *Fís.* Teoría formulada por Einstein, que consiste en el desarrollo matemático de los dos postulados siguientes: 1) si dos sistemas en movimiento relativo tienen una velocidad lineal uniforme, el observador situado en un sistema sólo podrá determinar, mediante la comprobación y medida de los fenómenos observados en el otro sistema, la existencia del movimiento relativo; 2) la medida de la velocidad de la luz en cualquiera de ambos sistemas siempre dará el mismo valor numérico, cualquiera que sea la posición de la fuente luminosa.

Relativismo. m. *Fil.* Doctrina según la cual el conocimiento humano sólo tiene por objeto relaciones, sin llegar nunca al de lo absoluto. || **2.** Doctrina según la cual la realidad carece de substrato permanente y consiste en la relación de los fenómenos.

Relativo, va. (Del lat. *relativus.*) adj. Que hace relación a una persona o cosa. || **2.** Que no es absoluto. || **3.** V. **Mayoría relativa.** || **4.** *Gram.* V. **Pronombre relativo.** Ú. t. c. s.

Relato. (Del lat. *relātus.*) m. Acción de relatar, 1.ª acep. || **2.** Narración, cuento.

Relator, ra. (Del lat. *relātor.*) adj. Que relata o refiere una cosa. Ú. t. c. s. || **2.** m. Letrado cuyo oficio es hacer relación de los autos o expedientes en los tribunales superiores. || **3.** ant. **Refrendario.**

Relatoría. f. Empleo u oficina de relator.

Relavar. (Del lat. *relavāre.*) tr. Volver a lavar o purificar más una cosa.

Relave. m. Acción de relavar. || **2.** *Min.* Segundo lave. || **3.** pl. *Min.* Partículas de mineral que el agua del lave arrastra y mezcla con el barro estéril, y que para ser aprovechadas necesitan un nuevo lave.

Relazar. (De *re* y *lazo.*) tr. Enlazar o atar con varios lazos o vueltas.

Releer. (Del lat. *relegĕre.*) tr. Leer de nuevo o volver a leer una cosa.

Relegación. (Del lat. *relegatĭo, -ōnis.*) f. Acción y efecto de relegar. || **2.** *For.* Pena temporal o perpetua que había de cumplirse en el lugar designado por el gobierno. Hoy no existe esta pena.

Relegar. (Del lat. *relegāre.*) tr. Entre los antiguos romanos, desterrar a un ciudadano sin privarle de los derechos de tal. || **2. Desterrar,** 1.ª acep. || **3.** fig. Apartar, posponer. RELEGAR *al olvido una cosa.*

Relej. (De *relejar.*) m. **Releje.**

Relejar. (Del lat. *relaxāre.*) intr. Formar releje la pared.

Releje. (De *relejar.*) m. Rodada o carrilada. || **2.** Sarro que se cría en los labios o en la boca. || **3.** Faja estrecha y brillante que dejan los afiladores a lo largo del corte de las navajas. || **4.** *Arq.* Lo que la parte superior de un paramento en talud dista de la vertical que pasa por su pie. || **5.** *Art.* Resalte que por la parte interior suelen tener algunas piezas de artillería en la recámara, estrechándola para que la parte donde está la pólvora sea más angosta que lo restante del cañón.

Relengo, ga. adj. *Ast.* Dícese del terreno compuesto de barro y guijo.

Relente. (Del fr. *relent,* de *reler,* del lat. *regelāre,* helar.) m. Humedad que en noches serenas se nota en la atmósfera. || **2.** fig. y fam. Sorna, frescura.

Relentecer. (Del lat. *relentescĕre,* ablandarse.) intr. **Lentecer.** Ú. t. c. r.

Relevación. (Del lat. *relevatĭo, -ōnis.*) f. Acción y efecto de relevar. || **2.** Alivio o liberación de la carga que se debe llevar o de la obligación que se debe cumplir. || **3.** *For.* Exención de una obligación o un requisito. RELEVACIÓN *de fianza, de prueba.*

Relevante. (Del lat. *relĕvans, -antis,* p. a. de *relevāre,* levantar, alzar.) adj. Sobresaliente, excelente.

Relevar. (Del lat. *relevāre.*) tr. Hacer de relieve una cosa. || **2.** Exonerar de un peso o gravamen, y también de un empleo o cargo. || **3.** Remediar o socorrer. || **4.** Absolver, perdonar o excusar. || **5.** fig. Exaltar o engrandecer una cosa. || **6.** *Mil.* Mudar una centinela o cuerpo de tropa que da una guardia o guarnece un puesto. || **7.** Por ext., reemplazar, substituir a una persona con otra en cualquier empleo o comisión. || **8.** *Pint.* Pintar una cosa de manera que parezca que sale fuera o tiene bulto. || **9.** intr. *Esc.* Resaltar una figura fuera del plano.

Relevo. m. *Mil.* Acción de relevar, 6.ª acep. || **2.** *Mil.* Soldado o cuerpo que releva.

Relicario. m. Lugar donde están guardadas las reliquias. || **2.** Caja o estuche comúnmente precioso para custodiar reliquias.

Relicto. (Del lat. *relictus,* p. p. de *relinquĕre,* dejar.) adj. *For.* V. **Caudal relicto.** || **2.** *For.* V. **Bienes relictos.**

Relieve. (De *relevar.*) m. Labor o figura que resalta sobre el plano. || **2.** V. **Bollo de relieve.** || **3.** fig. Mérito, renombre. || **4.** *Pint.* Realce o bulto que aparentan algunas cosas pintadas. || **5.** pl. Residuos de lo que se come. || **Alto relieve.** *Esc.* Aquel en que las figuras salen del plano más de la mitad de su bulto. || **Bajo relieve.** *Esc.* Aquel en que las figuras resaltan poco del plano. || **Medio relieve.** *Esc.* Aquel en que las figuras salen del plano la mitad de su grueso. || **Todo relieve.** *Esc.* **Alto relieve.**

Religa. (De *religar.*) f. Porción de metal que se añade en una liga para alterar sus proporciones.

Religación. (Del lat. *religatĭo, -ōnis.*) f. Acción y efecto de religar.

Religar. (Del lat. *religāre.*) tr. Volver a atar. || **2.** Ceñir más estrechamente. || **3.** Volver a ligar un metal con otro.

Religión. (Del lat. *religĭo, -ōnis.*) f. Conjunto de creencias o dogmas acerca de la divinidad, de sentimientos de veneración y temor hacia ella, de normas morales para la conducta individual y social y de prácticas rituales, principalmente la oración y el sacrificio para darle culto. || **2.** Virtud que nos mueve a dar a Dios el culto debido. || **3.** Profesión y observancia de la doctrina religiosa. || **4.** Obligación de conciencia, cumplimiento de un deber. *La* RELIGIÓN *del juramento.* || **5.** Orden, instituto religioso. || **católica.** La revelada por Jesucristo y conservada por la Santa Iglesia Romana. || **natural.** La descubierta por la sola razón y que funda las relaciones del hombre con la divinidad en la misma naturaleza de las cosas. || **reformada.** Orden o instituto religioso en que se ha restablecido su primitiva disciplina. || **2. Protestantismo.** || **Entrar en religión** una persona. fr. Tomar el hábito en un instituto religioso.

Religionario. (De *religión.*) m. Sectario del protestantismo.

Religiosamente. adv. m. Con religión. || **2.** Con puntualidad y exactitud.

Religiosidad. (Del lat. *religiosĭtas, -ātis.*) f. Práctica y esmero en cumplir las obligaciones religiosas. || **2.** Puntualidad, exactitud en hacer, observar o cumplir una cosa.

Religioso, sa. (Del lat. *religiōsus.*) adj. Perteneciente o relativo a la religión o a los que la profesan. || **2.** Que tiene religión, y particularmente que la profesa con celo. || **3.** Que ha tomado hábito en una orden **religiosa** regular. Ú. t. c. s. || **4.** Fiel y exacto en el cumplimiento del deber. || **5.** Moderado, parco. || **6.** V. **Arquitectura religiosa.** || **7.** V. **Lugar religioso.**

Relimar. tr. Volver a limar.

Relimpiar. tr. Volver a limpiar. Ú. t. c. r. || **2.** Limpiar mucho. Ú. t. c. r.

Relimpio, pia. adj. fam. Muy limpio.

Relinchador, ra. adj. Que relincha con frecuencia.

Relinchante. p. a. de **Relinchar.** Que relincha.

Relinchar. (Del lat. **rehinnitulāre,* de *hinnitŭlus, hinnītus,* relincho.) intr. Emitir con fuerza su voz el caballo.

Relinchido. m. **Relincho.**

Relincho. (De *relinchar.*) m. Voz del caballo. || **2.** fig. Grito de fiesta o de alegría en algunos lugares.

Relindo, da. adj. Muy lindo o hermoso.

Relinga. (Del neerl. *ra,* verga, y *lijk,* relinga.) f. Cada una de las cuerdas o sogas en que van colocados los plomos y corchos con que se calan y sostienen las redes en el agua. || **2.** *Mar.* Cabo con que se refuerzan las orillas de las velas.

Relingar. tr. *Mar.* Coser o pegar la relinga. || **2.** *Mar.* Izar una vela hasta poner tirantes sus relingas de caída. || **3.** intr. Moverse la relinga con el viento, o empezar a flamear los primeros paños de la vela.

Reliquia. (Del lat. *reliquiae.*) f. Residuo que queda de un todo. Ú. m. en pl. || **2.** Parte del cuerpo de un santo, o lo que por haberle tocado es digno de veneración. || **3.** fig. Vestigio de cosas pasadas. || **4.** fig. Dolor o achaque habitual que resulta de una enfermedad o accidente. || **insigne.** Porción principal del cuerpo de un santo.

Reliquiario. m. p. us. **Relicario.**

Reloj. (Del cat. y prov. *relotge,* y éste del lat. *horologĭum.*) m. Máquina dotada de movimiento uniforme, que sirve para medir el tiempo o dividir el día en horas, minutos y segundos. Un peso o un muelle produce, por lo común, el movimiento, que se regula con un péndulo o un volante, y se transmite a las manecillas por medio de varias ruedas dentadas. Según sus dimensiones, colocación o uso, así el **reloj** se denomina de torre, de pared, de sobremesa, de bolsillo, de muñeca, etc. || **2.** pl. **Pico de cigüeña.** || **Reloj de agua.** Artificio para medir el tiempo por medio del agua que va cayendo de un vaso a otro. || **de arena.** Artificio que se compone de dos ampolletas unidas por el cuello, y sirve para medir el tiempo por medio de la arena que va cayendo de una a otra. || **de campana.** El que da las horas con campana. || **de Flora.** *Bot.* Tabla de las diversas horas del día en que abren sus flores ciertas plantas. || **de longitudes. Reloj marino.** || **de música.** Aquel que al dar la hora hace sonar una música. || **de péndola.** Aquel cuyo movimiento se arregla por las oscilaciones de un péndulo. || **de pulsera.** El que se lleva en la muñeca formando parte de una pulsera. || **de repetición.** El que suena o puede sonar la hora repetidamente. || **desconcertado.** fig. Persona desordenada en sus acciones o palabras. || **de sol.** Artificio ideado para señalar las diversas horas del día por medio de la variable iluminación de un cuerpo expuesto al sol, o por medio de la sombra que un gnomon o estilo arroja sobre una superficie, o con auxilio de un simple rayo de luz, ya directo, ya reflejado o refracto, proyectado sobre aquella superficie. || **despertador. Despertador,** 3.ª acep. || **magistral.** Aquel cuya marcha sirve de norma a la de otros. || **marino.** Cronómetro que, arreglado a la hora de un determinado meridiano, sirve en la navegación de altura para calcular las diferencias de longitud. || **solar. Reloj de sol.** || **Estar uno como un reloj.** fr. fig. Estar bien dispuesto, sano y ágil. || **Soltar el reloj.** fr. Levantarle el tope del muelle para que esté dando campanadas hasta que se acabe la cuerda.

Relojería. (De *relojero.*) f. Arte de hacer relojes. || **2.** Taller donde se hacen o componen relojes. || **3.** Tienda donde se venden.

Relojero, ra. m. y f. Persona que hace, compone o vende relojes. || **2.** f. Mueblecillo o bolsa para poner o guardar el reloj de bolsillo. || **3.** Mujer del relojero.

Relso, sa. adj. p. us. **Terso.**

Reluciente. (Del lat. *relūcens, -entis.*) p. a. de **Relucir.** Que reluce.

Relucir. (Del lat. *relucēre.*) intr. Despedir o reflejar luz una cosa resplandeciente. || **2.** Lucir mucho o resplandecer una cosa. || **3.** fig. Resplandecer uno en alguna cualidad excelente o por hechos loables. || **Sacar,** o **salir, a relucir.** fr. fig. y fam. Mentar o alegar por modo inesperado algún hecho o razón.

Reluctancia. f. *Electr.* Resistencia que ofrece un circuito al flujo magnético.

Reluctante. (Del lat. *reluctāri,* resistir.) adj. Reacio, opuesto.

Reluchar. (Del lat. *reluctāri.*) intr. fig. Luchar mutua y porfiadamente.

Relumbrante. p. a. de **Relumbrar.** Que relumbra.

Relumbrar. (Del lat. *reluminăre.*) intr. Dar una cosa viva luz o alumbrar con exceso.

Relumbre. m. Brillo, destello, luz muy viva.

Relumbro. (De *relumbrar.*) m. **Relumbrón.**

Relumbrón. (De *relumbrar.*) m. Golpe de luz vivo y pasajero. || **2. Oropel.** || **De relumbrón.** m. adv. Más aparente que verdadero, o de mejor apariencia que calidad.

Relumbroso, sa. adj. **Relumbrante.**

Rellanar. (Del lat. *replanāre.*) tr. Volver a allanar una cosa. || **2.** r. **Arrellanarse.**

Rellano. (De *rellanar.*) m. **Meseta,** 1.ª acep. || **2.** Llano que interrumpe la pendiente de un terreno.

Rellenar. (De *re* y *llenar.*) tr. Volver a llenar una cosa. Ú. t. c. r. || **2.** Llenar enteramente. Ú. t. c. r. || **3.** Llenar de carne picada u otros ingredientes una ave u otro manjar. || **4.** fig. y fam. Dar de comer hasta la saciedad. Ú. m. c. r.

Relleno, na. (De *rellenar.*) adj. Muy lleno. || **2.** m. Picadillo sazonado de carne, hierbas u otros manjares, con que se llenan tripas, aves, hortalizas, etc. || **3.** Acción y efecto de rellenar o rellenarse. || **4.** fig. Parte superflua que alarga una oración o un escrito. || **De relleno.** loc. fig. y fam. Palabras que no son necesarias en los escritos o en las oraciones y sólo se intercalan para alargarlos.

Remachado, da. p. p. de **Remachar.** || **2.** adj. **Roblonado.** || **3.** V. **Narices remachadas.**

Remachador, ra. adj. Que remacha. || **2.** f. Máquina que sirve para remachar.

Remachar. (De *re* y *machar.*) tr. Machacar la punta o la cabeza del clavo ya clavado, para mayor firmeza. || **2.** Percutir el extremo del roblón colocado en el correspondiente taladro hasta formarle cabeza que le sujete y afirme. || **3.** fig. Recalcar, afianzar, robustecer lo dicho o hecho.

Remache. m. Acción y efecto de remachar. || **2. Roblón,** 1.ª acep. || **3.** En el juego del billar, lance que consiste en impeler una bola sobre otra que está pegada a la banda.

Remador, ra. (De *remar.*) m. y f. **Remero, ra.**

Remadura. f. Acción y efecto de remar.

Remallar. (De *re* y *malla.*) tr. Componer, reforzar las mallas viejas o rotas.

Remamiento. (De *remar.*) m. **Remadura.**

Remanal. (De *remanar,* de *re* y *manar.*) m. *Sal.* **Hontanar.**

Remandar. (Del lat. *remandāre.*) tr. Mandar una cosa muchas veces.

Remanecer. (De *re* y el b. lat. *manescĕre,* amanecer.) intr. Aparecer de nuevo e inopinadamente.

Remaneciente. p. a. de **Remanecer.** Que remanece.

Remanente. (Del lat. *remănens, -entis,* p. a. de *remanēre,* quedar.) m. Residuo de una cosa.

Remanga. (De *red* y *manga.*) f. Arte para la pesca del camarón. Se compone de una bolsa de red con plomos en un tercio del borde y dos varas de un metro de largo que sirven para que el pescador, cogiendo una en cada mano, al caminar metido en el agua, por la orilla, arrastre la red para que entren en ella los camarones.

Remangar. (De *re* y *manga.*) tr. Levantar, recoger hacia arriba las mangas o la ropa. Ú. t. c. r. || **2.** r. fig. y fam. Tomar enérgicamente una resolución.

Remango. (De *remangar.*) m. Acción y efecto de remangar o remangarse. || **2.** Parte de ropa plegada que se recoge en la cintura al remangarse.

Remanir. (Del lat. *remanēre.*) intr. ant. Retraerse, permanecer retirado.

Remanoso, sa. (De *remanar,* de *re* y *manar.*) adj. *Sal.* **Manantío.**

Remansarse. (De *remanso.*) r. Detenerse o suspenderse el curso o la corriente de un líquido.

Remanso. (Del lat. *remansum,* supino de *remanēre,* detenerse.) m. Detención o suspensión de la corriente del agua u otro líquido. || **2.** fig. Flema, pachorra, lentitud.

Remante. p. a. de **Remar.** Que rema. Ú. t. c. s.

Remar. intr. Trabajar con el remo para impeler la embarcación en el agua. || **2.** fig. Trabajar con continua fatiga y grande afán en una cosa.

Remarcar. (De *re* y *marcar.*) tr. Volver a marcar.

Rematadamente. adv. m. Totalmente, en conclusión o absolutamente.

Rematado, da. p. p. de **Rematar.** || **2.** adj. Dícese de la persona que se halla en tan mal estado, que es imposible, o punto menos, su remedio. *Loco* REMATADO. || **3.** Condenado por fallo ejecutorio a alguna pena.

Rematamiento. (De *rematar.*) m. **Remate.**

Rematante. (De *rematar.*) m. Persona a quien se adjudica la cosa subastada.

Rematar. (De *re* y *matar.*) tr. Dar fin o remate a una cosa. || **2.** Poner fin a la vida de la persona o del animal que está en trance de muerte. || **3.** Dejar la pieza el cazador enteramente muerta del tiro. || **4.** Entre sastres y costureras, afianzar la última puntada, dando otras sobre ella para asegurarla, o haciendo un nudo especial a la hebra. || **5.** Hacer remate en la venta o arrendamiento de una cosa. || **6.** intr. Terminar o fenecer. || **7.** r. Perderse, acabarse o destruirse una cosa.

Remate. (De *rematar.*) m. Fin o cabo, extremidad o conclusión de una cosa. || **2.** Lo que en las fábricas de arquitectura se sobrepone para coronarlas o adornar su parte superior. || **3.** Postura o proposición que obtiene la preferencia y se hace eficaz logrando la adjudicación en subastas o almonedas para compraventas, arriendos, obras o servicios. || **4.** Adjudicación que se hace de los bienes que se venden en subasta o almoneda al comprador de mejor puja y condición. || **5.** *For.* V. **Citación de remate.** || **A remate.** m. adv. ant. **De remate.** || **Citar de remate.** fr. *For.* Citar al ejecutado para que alegue las excepciones legalmente admisibles bajo apercibimiento de sentenciar, abriendo la vía de apremio hasta el **remate** de bienes para el pago. || **De remate.** m. adv. Absolutamente, sin remedio. || **Por remate.** m. adv. Por fin, por último.

Rembolsar. tr. **Reembolsar.**

Rembolso. m. **Reembolso.**

Remecedor. (De *remecer.*) m. El que varea y menea los olivos para que suelten la aceituna.

Remecer. (De *re* y *mecer.*) tr. Mover reiteradamente una cosa de un lado a otro. Ú. t. c. r.

Remedable. adj. Que se puede remedar.

Remedador, ra. adj. Que remeda. Ú. t. c. s.

Remedamiento. (De *remedar.*) m. ant. **Remedo.**

Remedar. (Del lat. *re -imitāri.*) tr. Imitar o contrahacer una cosa; hacerla semejante a otra. || **2.** Seguir uno las mismas huellas y ejemplos de otro, o llevar el mismo método, orden o disciplina que él. || **3.** Hacer uno las mismas acciones, visajes y ademanes que otro hace. Tiénese por especie de burla.

Remediable. (Del lat. *remediabĭlis.*) adj. Que se puede remediar.

Remediador, ra. (Del lat. *remediātor.*) adj. Que remedia o ataja un daño. Ú. m. c. s.

Remediar. (Del lat. *remediāre.*) tr. Poner remedio al daño, repararlo; corregir o enmendar una cosa. Ú. t. c. r. || **2.** Socorrer una necesidad o urgencia. Ú. t. c. r. || **3.** Librar, apartar o separar de un riesgo. || **4.** Evitar o estorbar que se ejecute una cosa de que se sigue daño contra la voluntad de alguno. *No haberlo podido* REMEDIAR.

Remediavagos. (De *remediar* y *vago.*) m. Libro o manual que resume una materia en poco espacio, para facilitar su estudio. || **2.** Cualquier procedimiento destinado a hacer una cosa con el mínimo esfuerzo.

Remedición. f. Acción y efecto de remedir.

Remedio. (Del lat. *remedĭum.*) m. Medio que se toma para reparar un daño o inconveniente. || **2.** Enmienda o corrección. || **3.** Recurso, auxilio o refugio. || **4.** Todo lo que en las enfermedades sirve para producir un cambio favorable. || **5. Permiso,** 3.ª acep. || **6.** *Germ.* **Procurador,** 3.ª acep. || **7.** *For.* **Recurso,** 4.ª acep. *El* REMEDIO *de la apelación.* || **casero.** El que se hace empíricamente, sin recurrir a las boticas. || **heroico.** El de acción muy enérgica, que sólo se aplica en casos extremos. || **2.** fig. Medida extraordinaria tomada en circunstancias graves. || **No haber más remedio.** fr. **No tener más remedio.** || **No haber para un remedio.** fr. fig. y fam. **No tener para un remedio.** || **No haber remedio,** o **no tener más remedio.** fr. Haber precisión o necesidad de hacer o de sufrir una cosa. || **No quedar,** o **no encontrar,** una cosa **para un remedio.** fr. fig. y fam. Ser imposible o muy difícil encontrarla. || **No tener para un remedio.** fr. Carecer absolutamente de todo. || **No tener remedio.** fr. **No haber remedio.** || **Ser el remedio peor que la enfermedad.** fr. fig. con que se indica que lo propuesto es más perjudicial para evitar un daño que el daño mismo.

Remedión. (aum. de *remedio.*) m. Función con que en el teatro se suple la anunciada, cuando ésta, por un accidente imprevisto, no puede ejecutarse.

Remedir. (Del lat. *remetīri.*) tr. Volver a medir.

Remedo. (De *remedar.*) m. Imitación de una cosa, especialmente cuando no es perfecta la semejanza.

Remellado, da. (De *re* y *mellado.*) adj. Que tiene mella. Dícese principalmente de los labios, y de los ojos que la tienen en los párpados. || **2.** Dícese de la persona que tiene uno de estos defectos. Ú. t. c. s.

Remellar. tr. Raer el pelo de las pieles en las tenerías.

Remellón, na. adj. fam. Remellado. Apl. a pers., ú. t. c. s.

Remembración. (Del lat. *rememoratĭo, -ōnis.*) f. ant. Recordación.

Remembranza. (De *remembrar.*) f. Recuerdo, memoria de una cosa pasada.

Remembrar. (Del lat. *rememorāre.*) tr. Rememorar.

Rememoración. f. Acción y efecto de rememorar.

Rememorar. (Del lat. *rememorāre.*) tr. Recordar, traer a la memoria.

Rememorativo, va. (De *rememorar.*) adj. Que recuerda o es capaz de hacer recordar una cosa.

Remendado, da. p. p. de **Remendar.** || **2.** adj. fig. Que tiene manchas como recortadas. Dícese de ciertos animales y de su piel, y se aplica también a otras cosas.

Remendar. (Del lat. *re* y *emendāre*, enmendar, corregir.) tr. Reforzar con remiendo lo que está viejo o roto. || **2.** Corregir o enmendar. || **3.** Aplicar, apropiar o acomodar una cosa a otra para suplir lo que le falta.

Remendón, na. adj. Que tiene por oficio remendar. Dícese especialmente de los sastres y zapateros de viejo. Ú. t. c. s.

Remeneo. m. Movimientos rápidos y continuos en ciertos bailes y otros esparcimientos públicos.

Remense. adj. Natural de Reims. Ú. t. c. s. || **2.** Perteneciente a esta ciudad de Francia.

Remera. (De *remo.*) f. Cada una de las plumas grandes con que terminan las alas de las aves.

Remero, ra. m. y f. Persona que rema o que trabaja al remo.

Remesa. (Del lat. *remissa*, remitida.) f. Remisión que se hace de una cosa de una parte a otra. || **2.** La cosa enviada en cada vez. || **3.** ant. **Cochera,** 2.ª acep.

Remesar. (De *re* y *mesar.*) tr. Mesar repetidas veces la barba o el cabello. Ú. t. c. r.

Remesar. tr. *Com.* Hacer remesas de dinero o géneros.

Remesón. (De *remesar*, 1.er art.) m. Acción de arrancar el cabello o la barba. || **2.** Porción de pelo arrancado.

Remesón. (Del lat. *remissĭo, -ōnis*, disminución, aflojamiento.) m. *Equit.* Carrera corta que el jinete hace dar al caballo, obligándole a pararse cuando va con más violencia. Hácese regularmente por gallardía. || **2.** *Esgr.* Treta que se forma corriendo la espada del contrario desde los últimos tercios hasta el recazo, para echarle fuera del ángulo recto y poder herirle libremente.

Remeter. (De *re* y *meter.*) tr. Volver a meter. || **2.** Meter más adentro. || **3.** Hablando de los niños, ponerles un metedor limpio sin quitarles los pañales.

Remezón. m. *Amér.* Terremoto ligero o sacudimiento breve de la tierra.

Remiche. (Del lat. *remigĭum*, chusma de la nave.) m. Espacio que había en las galeras entre banco y banco y que ocupaban los forzados. || **2.** Galeote destinado especialmente al remo del costado de la nave.

Remiel. (De *re* y *miel.*) f. Segunda miel que se saca de la caña dulce.

Remiendo. (De *remendar.*) m. Pedazo de paño u otra tela, que se cose a lo que está viejo o roto. || **2.** Obra de corta entidad que se hace en reparación de un descalabro parcial. || **3.** En la piel de los animales, mancha de distinto color que el fondo. || **4.** fig. Composición, enmienda o añadidura que se introduce en una cosa. || **5.** fig. y fam. Insignia de cualquiera de las órdenes militares, que se cose al lado izquierdo de la capa o casaca, manto capitular, etc. || **6.** *Impr.* Obra de corta entidad o extensión. || **A remiendos.** m. adv. fig. y fam. con que se explica que una obra se hace a pedazos y con intermisión de tiempo. || **Echar un remiendo a la vida.** fr. fig. y fam. Tomar un refrigerio. || **No hay mejor remiendo que el del mismo paño.** ref. que enseña y aconseja que todo aquello que uno puede hacer por su mano o diligencia, no lo encargue a otro. || **Ser una cosa remiendo del mismo, o de otro, paño.** fr. fig. y fam. Ser de la misma materia, origen o asunto que otra, o al contrario.

Rémige. (Del lat. *remex, -ĭgis*, remero.) adj. Cada una de las plumas mayores de las alas.

Remilgadamente. adv. m. Con remilgo.

Remilgado, da. p. p. de **Remilgarse.** || **2.** adj. Que afecta suma pulidez, compostura, delicadeza y gracia en porte, gestos y acciones.

Remilgarse. (De *remilgo.*) r. Repulirse y hacer ademanes y gestos con el rostro. Dícese comúnmente de las mujeres.

Remilgo. (De *re* y el b. lat. *mellicus*, y éste del lat. *mellĭtus*, meloso.) m. Acción y ademán de remilgarse. || **2. Melindre,** 4.ª acep.

Rémington. m. Fusil que se carga por la recámara, inventado por el norteamericano Rémington.

Reminiscencia. (Del lat. *reminiscentĭa.*) f. Acción de representarse u ofrecerse a la memoria la especie de una cosa que pasó. || **2.** Facultad del alma, con que traemos a la memoria aquellas especies de que estamos trascordados o que no tenemos presentes. || **3.** En literatura y música, lo que es idéntico o muy semejante a lo compuesto anteriormente por otro autor.

Remirado, da. (De *remirarse.*) adj. Dícese del que reflexiona escrupulosamente sobre sus acciones.

Remirar. (De *re* y *mirar.*) tr. Volver a mirar o reconocer con reflexión y cuidado lo que ya se había visto. || **2.** r. Esmerarse o poner mucho cuidado en lo que se hace o resuelve. || **3.** Mirar o considerar una cosa complaciéndose o recreándose en ella.

Remisamente. adv. m. Flojamente, con remisión y tardanza.

Remisible. (Del lat. *remissibĭlis.*) adj. Que se puede remitir o perdonar.

Remisión. (Del lat. *remissĭo, -ōnis.*) f. Acción y efecto de remitir o remitirse. || **2.** Indicación, en un escrito, del lugar del mismo o de otro escrito a que se remite al lector.

Remisivamente. adv. m. Con remisión a una persona, lugar o tiempo.

Remisivo, va. (Del lat. *remissīvus.*) adj. Dícese de lo que remite o sirve para remitir.

Remiso, sa. (Del lat. *remissus*, p. p. de *remittĕre*, aflojar.) adj. Flojo, dejado o detenido en la resolución o determinación de una cosa. || **2.** Aplícase a las calidades físicas que tienen escasa actividad. || **3.** *Esgr.* V. **Movimiento remiso.** || **4.** *Mús.* V. **Quinta remisa.**

Remisoria. (Del lat. *remissum*, supino de *remittĕre*, remitir, enviar.) f. *For.* Despacho con que el juez remite la causa o al preso a otro tribunal. Ú. m. en pl.

Remisorio, ria. (Del lat. *remissum*, supino de *remittĕre*, soltar, desatar.) adj. Dícese de lo que tiene virtud o facultad de remitir o perdonar. || **2.** V. **Letra remisoria.**

Remitente. (Del lat. *remittens, -entis.*) p. a. de **Remitir.** Que remite. Ú. t. c. s. || **2.** V. **Fiebre remitente.**

Remitido. m. Artículo o noticia cuya publicación interesa a un particular y que a petición de éste se inserta en un periódico mediante pago. Suele llevar al final una R.

Remitir. (Del lat. *remittĕre.*) tr. **Enviar,** 2.ª acep. || **2.** Perdonar, alzar la pena, eximir o libertar de una obligación. || **3.** Dejar, diferir o suspender. || **4.** Ceder o perder una cosa parte de su intensidad. Ú. t. c. intr. y c. r. || **5.** Dejar al juicio o dictamen de otro la resolución de una cosa. Ú. m. c. r. || **6.** Indicar en un escrito otro lugar del mismo o de distinto escrito donde consta lo que atañe al punto tratado. || **7.** r. Atenerse a lo dicho o hecho, o a lo que ha de decirse o hacerse, por uno mismo o por otra persona, de palabra o por escrito.

Remo. (Del lat. *remus.*) m. Instrumento de madera, en forma de pala larga y estrecha, que sirve para mover las embarcaciones haciendo fuerza en el agua. || **2.** Brazo o pierna, en el hombre y en los cuadrúpedos. Ú. m. en pl. || **3.** En las aves, cada una de las alas. Ú. m. en pl. || **4.** Pena de remar en las galeras. *Condenado al* REMO. || **5.** fig. Trabajo grande y continuado en cualquier línea. || **Al remo.** m. adv. Remando, o por medio del **remo.** || **2.** fig. y fam. Sufriendo penalidades y trabajos. || **A remo.** m. adv. **Al remo,** 1.ª acep. || **A remo y sin sueldo.** m. adv. fig. y fam. Trabajando mucho y sin utilidad. || **A remo y vela.** m. adv. fig. y fam. Con presteza, con toda diligencia.

Remoción. (Del lat. *remotĭo, -ōnis.*) f. Acción y efecto de remover o removerse.

Remocho. m. *Sal.* Brote, retoño.

Remojadero. (De *remojar.*) m. Lugar donde se echa alguna cosa en remojo, como el bacalao.

Remojar. (De *re* y *mojar.*) tr. Empapar en agua o poner en remojo una cosa. || **2.** fig. Convidar a beber a los amigos para celebrar el estreno de un traje, un objeto comprado o algún suceso feliz para el que convida. || **3.** fig. V. **Remojar la palabra.**

Remojo. m. Acción de remojar o empapar en agua una cosa. || **Echar en remojo** un negocio. fr. fig. y fam. Diferir el tratar de él hasta que esté en mejor disposición.

Remojón. m. **Mojadura.** || **2.** *And.* Pedazo de pan rociado con aceite y vinagre que se toma como alimento.

Remolacha. (Del lat. *armoracĭa*, rábano silvestre.) f. *Bot.* Planta herbácea anual, de la familia de las quenopodiáceas, con tallo derecho, grueso, ramoso, de uno a dos metros de altura; hojas grandes, enteras, ovales, con nervio central rojizo; flores pequeñas y verdosas en espiga terminal; fruto seco con una semilla lenticular, y raíz grande, carnosa, fusiforme, generalmente encarnada, que es comestible y de la cual se extrae azúcar. || **2.** Esta raíz. || **forrajera.** La que no recibe el cultivo necesario para acrecentar la proporción del azúcar, y se utiliza como alimento del ganado.

Remolar. (Del lat. *remŭlus*, d. de *remus*, remo.) m. Maestro o carpintero que hace remos. || **2.** Taller en que se hacen remos.

Remolar. (Del lat. *re* y *moles*, carga.) tr. *Germ.* Cargar un dado con un peso oculto para que, al jugarlo, quede con la misma cara hacia arriba.

Remolcador, ra. adj. Que sirve para remolcar. Aplicado a embarcaciones, ú. t. c. s. m.

Remolcar. (Del lat. *remulcāre*, y éste del gr. ῥυμουλκέω; de ῥῦμα, cuerda, y ὁλκός, tracción.) tr. *Mar.* Llevar una embarcación u otra cosa sobre el agua, tirando de ella por medio de un cabo o cuerda. || **2.** Por semejanza, llevar por tierra un carruaje a otro. || **3.** fig. Traer una persona a otra u otras, contra la inclinación de éstas, al intento o la obra que quiere acometer o consumar.

Remolda. (De *remoldar.*) f. *Ar.* **Monda,** 1.er art., 1.ª y 2.ª aceps.

Remoldar. (De *remondar.*) tr. *Ar.* Podar o mondar los árboles.

Remoler. tr. Moler mucho una cosa. ‖ **2.** intr. fig. *Chile* y *Perú.* Parrandear, jaranear, divertirse.

Remolido. (De *remoler.*) m. *Min.* Mineral menudo que mezclado con ganga ha de someterse al lavado para purificarlo.

Remolimiento. m. Acción y efecto de remoler.

Remolinante. p. a. de **Remolinar.** Que remolina.

Remolinar. (De *re* y *molino.*) intr. Hacer o formar remolinos una cosa. Ú. t. c. r. ‖ **2.** r. **Arremolinarse.** Ú. t. c. intr.

Remolinear. (De *re* y *molino.*) tr. Mover una cosa alrededor en forma de remolino. ‖ **2.** intr. **Remolinar.** Ú. t. c. r.

Remolino. (De *remolinar.*) m. Movimiento giratorio y rápido del aire, el agua, el polvo, el humo, etc. ‖ **2.** Retorcimiento del pelo en redondo, que se forma en una parte del cuerpo del hombre o del animal. ‖ **3.** fig. Amontonamiento de gente, o confusión de unos con otros, por efecto de un desorden. ‖ **4.** fig. Disturbio, inquietud o alteración.

Remolón. (De *re* y *muela.*) m. Colmillo de la mandíbula superior del jabalí. ‖ **2.** Cualquiera de las puntas con que termina la corona de las muelas de las caballerías.

Remolón, na. adj. Flojo, pesado y que huye del trabajo maliciosamente. Ú. t. c. s.

Remolonear. (De *remolón*, 2.° art.) intr. Rehusar moverse, detenerse en hacer o admitir una cosa, por flojedad y pereza. Ú. t. c. r.

Remolque. (De *remolcar.*) m. Acción y efecto de remolcar. ‖ **2.** Cabo o cuerda que se da a una embarcación para remolcarla. ‖ **3.** Cosa que se lleva remolcada por mar o por tierra. ‖ **A remolque.** m. adv. Remolcando. ‖ **2.** fig. Aplícase a la acción poco espontánea, y más bien ejecutada por excitación o impulso de otra persona. ‖ **Dar remolque.** fr. *Mar.* **Remolcar.**

Remollar. tr. *Germ.* Aforrar o guarnecer.

Remoller. m. ant. **Remollero.**

Remollero. m. ant. **Remolar,** 1.er art., 1.ª acep.

Remollerón. (De *remollar.*) m. *Germ.* **Casco,** 5.ª acep.

Remondar. (Del lat. *remundāre.*) tr. Limpiar o quitar segunda vez lo inútil o perjudicial de una cosa. Dícese regularmente de los árboles y las vides.

Remonta. (De *remontar.*) f. Compostura del calzado cuando se le pone de nuevo el pie o las suelas. ‖ **2.** Rehenchido de las sillas de las caballerías. ‖ **3.** Parche de paño o de cuero que se pone al pantalón de montar para evitar su desgaste en el roce con la silla. ‖ **4.** *Mil.* Compra, cría y cuidado de los caballos para proveer al ejército. ‖ **5.** *Mil.* Conjunto de los caballos o mulas destinados a cada cuerpo. ‖ **6.** *Mil.* Establecimiento destinado a la compra, cría y cuidado del ganado para los institutos militares.

Remontado, da. p. p. de **Remontar.** ‖ **2.** adj. V. **Arco remontado.**

Remontamiento. m. Acción de remontar, 2.ª acep.

Remontar. (De *re* y *montar.*) tr. Ahuyentar o espantar una cosa. Dícese propiamente de la caza que, acosada y perseguida, se retira a lo oculto y montuoso. ‖ **2.** Proveer de nuevos caballos a la tropa o a la caballeriza de algún personaje. ‖ **3.** Rehenchir o recomponer una silla de montar. ‖ **4.** Echar nuevos pies o suelas al calzado. ‖ **5.** fig. Elevar, encumbrar, sublimar. Ú. t. c. r. ‖ **6.** r. Refugiarse en los montes los esclavos de América o los indígenas. ‖ **7.** Subir o volar muy alto las aves. ‖ **8.** fig. Subir hasta el origen de una cosa. *Este historiador* SE HA REMONTADO *hasta la época prehistórica.*

Remonte. m. Acción y efecto de remontar o remontarse.

Remontista. (De *remonta*, 3.ª acep.) m. Militar empleado en un establecimiento de remonta.

Remoque. (En port. *remoque;* quizá de *remoquete.*) m. fam. Palabra picante.

Remoquete. (De *re* y *moquete.*) m. Moquete o puñada. ‖ **2.** fig. Dicho agudo y satírico. ‖ **3. Apodo,** 1.ª acep. ‖ **4.** fam. Cortejo o galanteo. ‖ **Dar remoquete.** fr. fig. y fam. Dar en los ojos; hacer deliberadamente una persona en presencia de otra algo que la enfade o disguste.

Rémora. (Del lat. *remŏra.*) f. *Zool.* Pez teleósteo marino, del suborden de los acantopterigios, de unos cuarenta centímetros de largo y de siete a nueve en su mayor diámetro; fusiforme, de color ceniciento, con una aleta dorsal y otra ventral que nacen en la mitad del cuerpo y se prolongan hasta la cola, y encima de la cabeza un disco oval, formado por una serie de láminas cartilaginosas movibles, con el cual hace el vacío para adherirse fuertemente a los objetos flotantes. Los antiguos le atribuían la propiedad de detener las naves. ‖ **2.** fig. Cualquier cosa que detiene, embarga o suspende.

Remordedor, ra. adj. Que remuerde o inquieta interiormente.

Remorder. (Del lat. *remordēre.*) tr. Morder reiteradamente. ‖ **2.** Exponer segunda vez a la acción del ácido partes determinadas de la lámina que se graba al agua fuerte. ‖ **3.** fig. Inquietar, alterar o desasosegar interiormente una cosa; punzar un escrúpulo. ‖ **4.** r. Manifestar con una acción exterior el sentimiento reprimido que interiormente se padece.

Remordiente. p. a. de **Remorder.** Que remuerde.

Remordimiento. (De *remorder.*) m. Inquietud, pesar interno que queda después de ejecutada una mala acción.

Remosquearse. (De *re* y *mosca.*) r. fam. Mostrarse receloso a causa de lo que se oye o advierte. ‖ **2.** *Impr.* Borrarse o mancharse el pliego recién tirado, por correrse la tinta y perder las letras su limpieza.

Remostar. (De *re* y *mosto.*) intr. Echar mosto en el vino añejo. Ú. t. c. tr. ‖ **2.** r. Mostear los racimos de uva antes de llegar al lagar. Dícese también de otras frutas que se maltratan y pudren en contacto de unas con otras. ‖ **3.** Estar dulce el vino, o saber a mosto.

Remostecerse. r. **Remostarse.**

Remosto. m. Acción y efecto de remostar o remostarse.

Remotamente. adv. l. y t. Lejanamente, apartadamente. ‖ **2.** fig. Sin verosimilitud ni probabilidad de que exista o sea cierta una cosa; sin proximidad ni proporción cercana de que se verifique. ‖ **3.** fig. **Confusamente.** *Me acuerdo* REMOTAMENTE.

Remoto, ta. (Del lat. *remōtus*, p. p. de *removēre*, retirar, apartar.) adj. Distante o apartado. ‖ **2.** V. **Especie, noticia, ocasión remota.** ‖ **3.** V. **Materia remota del sacramento.** ‖ **4.** fig. Que no es verosímil, o está muy distante de suceder. *Peligro* REMOTO. ‖ **Estar remoto** uno. fr. fig. Estar casi olvidado de una cosa que supo o aprendió.

Remover. (Del lat. *removēre.*) tr. Pasar o mudar una cosa de un lugar a otro. Ú. t. c. r. ‖ **2.** Quitar, apartar u obviar un inconveniente. ‖ **3.** Conmover, alterar o revolver alguna cosa o asunto. Ú. t. c. r. ‖ **4.** Deponer o apartar a uno de su empleo o destino.

Removimiento. (De *remover.*) m. **Remoción.**

Remozar. (De *re* y *mozo.*) tr. Dar o comunicar cierta especie de robustez y lozanía propias de la mocedad. Ú. m. c. r.

Remplazar. tr. **Reemplazar.**

Remplazo. m. **Reemplazo.**

Rempujar. (De *re* y *empujar.*) tr. fam. **Empujar.** ‖ **2.** Hacer fuerza contra alguna cosa, principalmente con empellones.

Rempujo. (De *rempujar.*) m. fam. Fuerza o resistencia que se hace con cualquier cosa. ‖ **2.** *Mar.* Disco plano, estriado en dos direcciones, y que aplican los veleros a la palma de la mano para empujar la aguja cuando cosen las velas.

Rempujón. (De *rempujar.*) m. fam. **Empujón.**

Remuda. f. Acción y efecto de remudar o remudarse. ‖ **2. Muda,** 2.ª acep.

Remudamiento. (De *remudar.*) m. **Remuda.**

Remudar. (Del lat. *remutāre.*) tr. Reemplazar a una persona o cosa con otra. Ú. t. c. r.

Remudiar. (De **remuidar*, del lat. **remugitāre*, de *mugīre.*) intr. *Sal.* Mugir la vaca para llamar a la cría, y viceversa.

Remugar. (Del lat. *rumigāre.*) tr. **Rumiar.**

Remullir. (Del lat. *remollīre.*) tr. Mullir mucho.

Remuneración. (Del lat. *remuneratio, -ōnis.*) f. Acción y efecto de remunerar. ‖ **2.** Lo que se da o sirve para remunerar.

Remunerador, ra. (Del lat. *remunerātor.*) adj. Que remunera. Ú. t. c. s.

Remunerar. (Del lat. *remunerāre.*) tr. Recompensar, premiar, galardonar.

Remunerativo, va. adj. Que remunera o produce recompensa o provecho.

Remuneratorio, ria. (De *remunerar.*) adj. Dícese de lo que se hace o da en premio de un beneficio u obsequio recibido. ‖ **2.** V. **Privilegio remuneratorio.**

Remusgar. (Del lat. **remussicāre*, de *mussāre*, murmurar.) intr. Barruntar o sospechar.

Remusgo. m. **Barrunto,** 1.ª acep. ‖ **2.** Vientecillo tenue, frío y penetrante.

Ren. (Del lat. *ren, renis.*) amb. ant. **Riñón.**

Renacentista. adj. Relativo o perteneciente al Renacimiento. ‖ **2.** Se dice del que cultiva los estudios o arte propios del Renacimiento. Ú. t. c. s.

Renacer. (Del lat. *renasci.*) intr. Volver a nacer. ‖ **2.** fig. Adquirir por el bautismo la vida de la gracia.

Renaciente. p. a. de **Renacer.** Que renace.

Renacimiento. m. Acción de renacer. ‖ **2.** Época que comienza a mediados del siglo XV, en que se despertó en Occidente vivo entusiasmo por el estudio de la antigüedad clásica griega y latina.

Renacuajo. (De *ranacuajo.*) m. *Zool.* Larva de la rana, que se diferencia del animal adulto principalmente por tener cola, carecer de patas y respirar por branquias. ‖ **2.** *Zool.* Larva de cualquier batracio. ‖ **3.** fig. Calificativo con que se suele motejar a los muchachos contrahechos o enclenques y a la vez antipáticos o molestos. ‖ **Cada renacuajo tiene su cuajo.** ref. que denota que aun los seres más débiles pueden irritarse en ciertos momentos.

Renadío. (Del lat. *re*, iterat., y *nativus.*) m. Sembrado que retoña después de cortado en hierba.

Renal. (Del lat. *renālis.*) adj. Perteneciente o relativo a los riñones. ‖ **2.** V. **Cólico renal.**

Renano, na. (Del lat. *rhenānus.*) adj. Dícese de los territorios situados en las orillas del Rin, río de la Europa Central. ‖ **2.** Perteneciente o relativo a estos territorios.

Rencilla. (Del lat. **ringella*, de *ringĕre*, reñir.) f. Cuestión o riña de que queda algún encono.

Rencilloso, sa. adj. Inclinado a rencillas o cuestiones.

Rencionar. (Del ant. *rencer*, del lat. *ringĕre*, reñir.) tr. ant. Causar rencillas, pendencias o riñas.

Renco, ca. (Del lat. **renĭcus*, de *ren, renis*, riñón.) adj. Cojo por lesión de las caderas. Ú. t. c. s.

Rencor. (De *rancor.*) m. Resentimiento arraigado y tenaz.

Rencorosamente. adv. m. Con rencor.

Rencoroso, sa. adj. Que tiene o guarda rencor.

Rencoso. (De *renco.*) adj. V. **Cordero rencoso.**

Rencura. (De *rancura.*) f. ant. **Rencor.**

Rencurarse. (De *rencura.*) r. ant. **Querellarse.**

Rencuroso, sa. (De *rencura.*) adj. ant. Que se querella de un daño o agravio.

Renda. (Del lat. **rendĭta*, de *reddĭta*, infl. por *vendĭta.*) f. **Bina.** || **2.** p. us. **Renta.**

Rendaje. m. Conjunto de riendas y demás correas de que se compone la brida de las cabalgaduras.

Rendajo. (De **rendar*, del lat. *reimitāri.*) m. **Arrendajo.**

Rendar. (De *renda.*) tr. **Binar,** 1.ª y 2.ª aceps.

Render. (Del lat. *reddĕre*, infl. por *prendĕre* y *vendĕre.*) tr. ant. Rendir, entregar.

Rendibú. (Del fr. *rendez-vous.*) m. Acatamiento, agasajo.

Rendición. f. Acción y efecto de rendir o rendirse. || **2. Rendimiento,** 4.ª acep. || **3.** Cantidad de moneda acuñada durante un período determinado, y que no ha obtenido aún del gobierno la autorización necesaria para su circulación. || **4.** ant. Precio en que se redime o rescata.

Rendidamente. adv. m. Con sumisión y rendimiento.

Rendido, da. p. p. de **Rendir.** || **2.** adj. Sumiso, obsequioso, galante.

Rendija. (De *rehendija.*) f. Hendedura, raja o abertura larga y angosta, que se produce naturalmente en cualquier cuerpo sólido, como pared, tabla, etc., y lo atraviesa de parte a parte.

Rendimiento. (De *rendir.*) m. Rendición, fatiga, cansancio; descaecimiento de las fuerzas. || **2.** Sumisión, subordinación, humildad. || **3.** Obsequiosa expresión de la sujeción a la voluntad de otro en orden a servirle o complacerle. || **4.** Producto o utilidad que da una cosa.

Rendir. (Del lat. *reddĕre*, infl. por *prendĕre* y *vendĕre.*) tr. Vencer, sujetar, obligar a las tropas, plazas o embarcaciones enemigas, etc., a que se entreguen. || **2.** Sujetar, someter, una cosa al dominio de uno. Ú. t. c. r. || **3.** Dar a uno lo que le toca, o restituirle aquello de que se le había desposeído || **4.** Dar fruto o utilidad una cosa. || **5.** Cansar, fatigar, vencer. Ú. t. c. r. SE RINDIÓ *de tanto trabajar.* || **6.** Vomitar o volver la comida. || **7.** Junto con algunos nombres, toma la significación del que se le añade. RENDIR *gracias*, agradecer; RENDIR *obsequios*, obsequiar. || **8.** Dar, entregar. || **9.** *Mar.* Tratándose de una bordada, un crucero, un viaje, etc., terminarlo, llegar a su fin. || **10.** *Mil.* Entregar, hacer pasar una cosa al cuidado o vigilancia de otro. RENDIR *la guardia.* || **11.** *Mil.* Hacer con ciertas cosas actos de sumisión y respeto. RENDIR *el arma, la bandera.* || **12.** r. *Mar.* Romperse o henderse un palo, mastelero o verga.

Rendón (De). (Del fr. *randon*, del m. or. que *randa.*) m. adv. ant. **De rondón.**

Rene. (Del lat. *ren, renis.*) f. **Riñón.**

Renegado, da. p. p. de **Renegar.** || **2.** adj. Que renuncia la ley de Jesucristo. Ú. t. c. s. || **3.** fig. y fam. Dícese de la persona áspera de condición y maldiciente. Ú. t. c. s. || **4.** m. **Tresillo,** 1.ª acep.

Renegador, ra. adj. Que reniega, blasfema o jura frecuentemente. Ú. t. c. s.

Renegar. (De *re* y *negar.*) tr. Negar con instancia una cosa. || **2.** Detestar, abominar. || **3.** intr. Pasarse de una religión o culto a otro. Regularmente se dice del que, apostatando de la fe de Jesucristo, abraza la secta mahometana. || **4. Blasfemar.** || **5.** fig. y fam. Decir injurias o baldones contra uno.

Renegón, na. adj. fam. Que reniega con frecuencia. Ú. t. c. s.

Renegrear. (De *re* y *negrear.*) intr. Negrear intensamente.

Renegrido, da. adj. Dícese del color obscuro de la piel, de tinte enfermizo, por contusión o por otros trastornos internos.

Renga. (Del lat. **renĭca*, de *ren, renis*, riñón.) f. *Sal.* Parte del lomo sobre la que se pone la carga a las caballerías. || **2. Joroba,** 1.ª acep.

Rengadero. (De *rengar.*) m. *Sal.* **Cadera,** 1.ª acep.

Rengar. (Del lat. **renicāre*, de *ren, renis*, riñón.) tr. *Sal.* Descaderar, derrengar.

Rengífero. m. **Rangífero.**

Renglada. (Del lat. *renicŭlus*, riñón.) f. ant. **Riñonada.**

Rengle. (Del germ. *hring*, círculo, clase.) m. **Ringlera.**

Renglera. (De *rengle.*) f. **Ringlera.**

Renglón. (Del germ. *hring*, círculo, clase.) m. Serie de palabras o caracteres escritos o impresos en línea recta. || **2.** fig. Parte de renta, utilidad o beneficio que uno tiene, o del gasto que hace. *Los cupones son el* RENGLÓN *principal de su haber; en mi casa es muy costoso el* RENGLÓN *del aceite.* || **3.** pl. fig. y fam. Cualquier escrito o impreso. *Bien sé que no merecen ningún aplauso estos* RENGLONES. || **A renglón seguido.** fr. fig. y fam. A continuación, inmediatamente. || **Dejar entre renglones** una cosa. fr. fig. Olvidarse o no acordarse de ella cuando se la debía tener presente. || **Leer entre renglones.** fr. fig. Penetrar la intención de un escrito, suponiendo, por lo que dice, lo que intencionadamente calla. || **Quedarse entre renglones** una cosa. fr. fig. **Dejarla entre renglones.**

Renglonadura. f. Conjunto de líneas señaladas en el papel, para escribir sobre ellas los renglones.

Rengo, ga. (Del lat. **renĭcus*, de *ren, renis*, riñón.) adj. **Renco.** Ú. t. c. s. || **Dar** a uno **con la de rengo.** fr. fig. y fam. Engañarle después de haberle entretenido con esperanzas. || **Hacer la de rengo.** fr. fig. y fam. Fingir enfermedad o lesión para excusarse del trabajo.

Reniego. (De *renegar.*) m. **Blasfemia.** || **2.** fig. y fam. Execración, dicho injurioso y atroz.

Renil. (De *ren.*) adj. V. **Oveja renil.**

Renitencia. (Del lat. *renītens, -entis*, p. a. de *renitĕre*, brillar mucho.) f. Estado de la piel, cuando se halla tersa, tirante y lustrosa.

Renitencia. (Del lat. *renītens, -entis*, renitente.) f. **Repugnancia,** 3.ª acep.

Renitente. (Del lat. *renītens, -entis*, p. a. de *renīti*, resistir, oponerse.) adj. Que se resiste a hacer o admitir alguna cosa, o la repugna.

Reno. (Del lat. *rheno*, y éste del ant. nórdico *hreinn.*) m. Especie de ciervo de los países septentrionales, con astas muy ramosas lo mismo el macho que la hembra, y pelaje espeso, rojo pardusco en verano y rubio blanquecino en invierno. Se domestica con facilidad, sirve como animal de tiro para los trineos, y se aprovechan su carne, su piel y sus huesos.

Renombrado, da. p. p. de **Renombrar.** || **2.** adj. Célebre, famoso.

Renombrar. (De *re* y *nombrar.*) tr. ant. Nombrar, llamar, dar nombre. Usáb. t. c. r. || **2.** ant. Apellidar o dar apellido o sobrenombre. Usáb. t. c. r.

Renombre. (Del lat. *renōmen, -ĭnis.*) m. Apellido o sobrenombre propio. || **2.** Epíteto de gloria, o fama que adquiere uno por sus hechos gloriosos o por haber dado muestras señaladas de ciencia y talento. || **3.** Fama y celebridad.

Renovable. adj. Que puede renovarse.

Renovación. (Del lat. *renovatĭo, -ōnis.*) f. Acción y efecto de renovar o renovarse.

Renovador, ra. (Del lat. *renovātor.*) adj. Que renueva. Ú. t. c. s.

Renoval. m. Terreno poblado de renuevos.

Renovamiento. (De *renovar.*) m. ant. **Renovación.**

Renovante. p. a. de **Renovar.** Que renueva.

Renovar. (Del lat. *renovāre.*) tr. Hacer como de nuevo una cosa, o volverla a su primer estado. Ú. t. c. r. || **2.** Restablecer o reanudar una relación u otra cosa que se había interrumpido. Ú. t. c. r. || **3.** Remudar, poner de nuevo o reemplazar una cosa. || **4.** Trocar una cosa vieja, o que ya ha servido, por otra nueva. RENOVAR *la cera, la plata.* || **5.** Reiterar o publicar de nuevo. || **6.** Consumir el sacerdote las formas antiguas y consagrar otras de nuevo. || **7.** ant. **Novar.**

Renovero, ra. (De *renuevo*, 3.ª acep.) m. y f. Usurero, logrero.

Renquear. intr. Andar como renco, meneándose a un lado y a otro.

Renquera. f. *Amér.* **Cojera.**

Renta. (Del lat. *reddĭta*, infl. por *vendĭta.*) f. Utilidad o beneficio que rinde anualmente una cosa, o lo que de ella se cobra. || **2.** Lo que paga en dinero o en frutos un arrendatario. || **3. Deuda** pública o títulos que la representan. || **4.** V. **Hacimiento de rentas.** || **de sacas.** Impuesto que pagaba el que transportaba géneros a otro país o de un lugar a otro. || **estancada.** La que procede de un artículo cuya venta exclusiva se reserva el gobierno; como el tabaco. || **general.** Cualquiera de las que se cobraban directamente por la Hacienda en todo el país; como las de la sal, tabaco, aduanas, etc. || **provincial.** Cualquiera de las procedentes de los tributos regulares que pagaba una provincia a la Hacienda; como alcaba la, cientos, etc. || **rentada.** La que no es eventual, sino fija y segura. || **vitalicia.** *For.* Contrato aleatorio en el que una parte cede a otra una suma o capital con la obligación de pagar una pensión al cedente o a tercera persona durante la vida del beneficiario. || **A renta.** m. adv. En arrendamiento. || **Ares o no ares, renta me pagues.** ref. que enseña que por dejar el labrador sin arar la tierra, no se excusa de pagar el arriendo. || **Hacer rentas,** o **las rentas.** fr. Arrendarlas publicándolas, pregonándolas. || **Mejorar las rentas.** fr. Pujarlas. || **Meterse** uno **en la renta del excusado.** fr. fig. y fam. Meterse en lo que no le incumbe o importa.

Rentado, da. p. p. de **Rentar.** || **2.** adj. Que tiene renta para mantenerse. || **3.** V. **Renta rentada.**

Rentar. (De *renta.*) tr. Producir o rendir beneficio o utilidad anualmente una cosa.

Rentero, ra. (De *renta.*) adj. **Tributario.** || **2.** m. y f. Colono que tiene en arrendamiento una posesión o finca rural. || **3.** m. El que hace postura a la renta o la arrienda.

Rentilla. (d. de *renta.*) f. Juego de naipes semejantes al de la treinta y una. || **2.** Juego con seis dados, cada uno de los cuales lleva en una sola de sus caras el número 1, 2, 3, 4, 5 ó 6. || **Siete rentillas.** Ciertas rentas o ramos de ellas que, por no ser de mucha entidad, se solían arrendar juntas y eran las rentas de los naipes del reino, el quinto de la nieve, su millón y alcabala, la extracción y regalía del reino de Sevilla, los puertos y aduanas del dicho reino, los millones de lo que se cargaba por el río de Sevilla, y la renta de pescados secos, salados y salpresados.

Rentista. com. Persona que tiene conocimiento o práctica en materias de hacienda pública. ‖ **2.** Persona que percibe renta procedente de papel del Estado. ‖ **3.** Persona que principalmente vive de sus rentas.

Rentístico, ca. adj. Perteneciente o relativo a las rentas públicas. *Sistema* RENTÍSTICO; *reformas* RENTÍSTICAS.

Rento. m. Renta o pago con que contribuye anualmente el labrador o el colono.

Rentoso, sa. adj. Que produce o da renta.

Rentoy. m. Juego de naipes entre dos, cuatro, seis u ocho personas, a cada una de las cuales se dan tres cartas; se vuelve otra para muestra del triunfo, y el dos o malilla del palo correspondiente gana a todas las demás, cuyo orden es: rey, caballo, sota, siete, seis, cinco, cuatro y tres. Se roba y hacen bazas como en el tresillo, se envida y se permiten señas entre los compañeros. ‖ **2.** Muestra del triunfo en el juego del **rentoy.** ‖ **3.** fig. y fam. Jactancia o desplante y también pulla o indirecta. Ú. m. con los verbos *tirar* y *echar*.

Renuencia. (Del lat. *renŭens, -entis,* renuente.) f. Repugnancia que se muestra a hacer una cosa.

Renuente. (Del lat. *renŭens, -entis,* p. a. de *renuĕre,* hacer con la cabeza un signo negativo.) adj. Indócil, remiso.

Renuevo. (De *renovar.*) m. Vástago que echa el árbol después de podado o cortado. ‖ **2. Renovación.** ‖ **3.** ant. Logro o usura.

Renuncia. f. Acción de renunciar. ‖ **2.** Instrumento o documento que contiene la **renuncia.** ‖ **3.** Dimisión o dejación voluntaria de una cosa que se posee, o del derecho a ella.

Renunciable. adj. Que se puede renunciar. ‖ **2.** Aplícase al oficio que se adquiere con facultad de transferirlo a otro que renuncia.

Renunciación. (Del lat. *renuntiatio, -ōnis.*) f. **Renuncia.** ‖ **simple.** *For.* La que se hace sin reservar frutos ni títulos.

Renunciamiento. (De *renunciar.*) m. Renuncia.

Renunciante. p. a. de **Renunciar.** Que renuncia. Ú. t. c. s.

Renunciar. (Del lat. *renuntiāre.*) tr. Hacer dejación voluntaria, dimisión o apartamiento de una cosa que se tiene, o del derecho y acción que se puede tener. ‖ **2.** No querer admitir o aceptar una cosa. ‖ **3.** Despreciar o abandonar. ‖ **4.** Faltar a las leyes de algunos juegos de naipes, por no servir al palo que se juega teniendo carta de él. ‖ **Renunciarse uno a sí mismo.** fr. Privarse, en servicio de Dios o para bien del prójimo, de hacer su propia voluntad.

Renunciatario. m. Aquel a cuyo favor se ha hecho una renuncia.

Renuncio. (De *renunciar.*) m. Falta que se comete renunciando en algunos juegos de naipes. ‖ **2.** fig. y fam. Mentira o contradicción en que se coge a uno.

Renvalsar. tr. *Carp.* Hacer el renvalso.

Renvalso. m. *Carp.* Rebajo que se hace en el canto de las hojas de puertas y ventanas para que encajen en el marco o unas con otras.

Reñidamente. adv. m. Con riña o porfía.

Reñidero. (De *reñir.*) m. Sitio destinado a la riña de algunos animales, y principalmente a la de los gallos.

Reñido, da. p. p. de **Reñir.** ‖ **2.** adj. Que está enemistado con otro o negado a su comercio.

Reñidor, ra. adj. Que suele reñir frecuentemente.

Reñidura. (De *reñir.*) f. fam. Regaño, repasata.

Reñir. (Del lat. *ringĕre,* regañar.) intr. Contender o disputar altercando de obra o de palabra. ‖ **2. Pelear,** 1.ª acep. ‖ **3.** Desavenirse, enemistarse. ‖ **4.** tr. Reprender o corregir a uno con algún rigor o amenaza. ‖ **5.** Tratándose de desafíos, batallas, etc., ejecutarlos, llevarlos a efecto. ‖ **Reñir de bueno a bueno.** fr. Pelear dos honradamente, sin ardides o tretas reprobables.

Reo. (Del ingl. *ray trout.*) m. Trucha que desde los ríos llega al mar y se aclimata a las aguas saladas, adquiriendo el color y el aspecto de los salmones.

Reo. (Del gót. *reds,* vez, turno.) m. Vez, turno. ‖ **A reo y al reo.** m. adv. **De seguida.**

Reo. (Del lat. *reus.*) com. Persona que por haber cometido una culpa merece castigo. ‖ **2.** *For.* El demandado en juicio civil o criminal, a distinción del actor. ‖ **de Estado.** El que ha cometido un delito contra la seguridad del Estado.

Reo, a. adj. Criminoso, culpado.

Reoctava. (De *re* y *octava.*) f. **Octavilla,** 2.ª acep.

Reoctavar. tr. Sacar la reoctava.

Reóforo. (Del gr. ῥέος, corriente, y φορός, el que lleva.) m. *Fís.* Cada uno de los dos conductores que establecen la comunicación entre un aparato eléctrico y un origen de electricidad.

Reojo (Mirar de). (De *re* y *ojo.*) fr. Mirar disimuladamente dirigiendo la vista por encima del hombro. ‖ **2.** fig. Mirar con prevención hostil o enfado.

Reómetro. (Del gr. ῥέος, corriente, y μέτρον, medida.) m. *Fís.* Instrumento que sirve para medir las corrientes eléctricas. ‖ **2.** *Hidrául.* Aparato con que se determina la velocidad de una corriente de agua.

Reorganización. f. Acción y efecto de reorganizar.

Reorganizador, ra. adj. Perteneciente o relativo a la reorganización. ‖ **2.** m. y f. Persona que reorganiza.

Reorganizar. (De *re* y *organizar.*) tr. Volver a organizar una cosa. Ú. t. c. r.

Reóstato. (Del gr. ῥέος, corriente, y στατός, estable, firme, resistente.) m. *Fís.* Instrumento que sirve para hacer variar la resistencia en un circuito eléctrico. También puede servir para medir la resistencia eléctrica de los conductores.

Repacer. (Del lat. *repascĕre.*) tr. Pacer el ganado la hierba hasta apurarla.

Repagar. (De *re* y *pagar.*) tr. Pagar cara o con exceso una cosa.

Repajo. (Del lat. *repagŭlum,* cerco o seto en que se encierra el ganado.) m. Sitio cerrado con arbustos o matas.

Repanchigarse. (De *re* y *pancho.*) r. **Repantigarse.**

Repantigarse. (De *re* y el lat. *pantex, -icis,* panza.) r. Arrellanarse en el asiento, y extenderse para mayor comodidad.

Repápalo. m. *And.* Panecillo redondo o torta de harina que se usa para el desayuno.

Repapilarse. (De *re* y *papar.*) r. Rellenarse de comida, saboreándose y relamiéndose con ella.

Repapo (De). m. adv. *Ar.* Con sosiego y comodidad.

Reparable. (Del lat. *reparabĭlis.*) adj. Que se puede reparar o remediar. ‖ **2.** Digno de reparo o atención.

Reparación. (Del lat. *reparatio, -ōnis.*) f. Acción y efecto de reparar, 1.ª acep. ‖ **2.** Desagravio, satisfacción completa de una ofensa, daño o injuria. ‖ **3.** Acto literario y ejercicio que hacían en las escuelas los estudiantes, diciendo la lección, y en algunas partes, arguyendo unos a otros.

Reparada. (De *reparar.*) f. Movimiento extraordinario que hace el caballo, apartando de pronto el cuerpo, porque se espanta o por resabio y malicia.

Reparado, da. (Del lat. *reparātus.*) adj. Reforzado, proveído. ‖ **2.** Bizco o que tiene otro defecto en los ojos.

Reparador, ra. (Del lat. *reparātor.*) adj. Que repara o mejora una cosa. Ú. t. c. s. ‖ **2.** Que propende a notar defectos frecuentemente y con nimiedad. Ú. t. c. s. ‖ **3.** Que restablece las fuerzas y da aliento o vigor. ‖ **4.** V. **Alimento reparador.** ‖ **5.** Que desagravia o satisface por alguna culpa.

Reparamiento. (De *reparar.*) m. **Reparo.** ‖ **2. Reparación.**

Reparar. (Del lat. *reparāre.*) tr. Componer, aderezar o enmendar el menoscabo que ha padecido una cosa. ‖ **2.** Mirar con cuidado; notar, advertir una cosa. ‖ **3.** Atender, considerar o reflexionar. ‖ **4.** Enmendar, corregir o remediar. ‖ **5.** Desagraviar, satisfacer al ofendido. ‖ **6.** Suspenderse o detenerse por razón de algún inconveniente o embarazo. Ú. t. c. r. ‖ **7.** Oponer una defensa contra el golpe, para librarse de él. ‖ **8.** Remediar o precaver un daño o perjuicio. ‖ **9.** Restablecer las fuerzas; dar aliento o vigor. ‖ **10.** Dar la última mano a su obra el vaciador para quitarle los defectos que saca del molde. ‖ **11.** intr. Pararse, detenerse o hacer alto en una parte. ‖ **12.** r. Contenerse o reportarse.

Reparativo, va. adj. Que repara o tiene virtud de reparar.

Reparo. (De *reparar.*) m. Restauración o remedio. ‖ **2.** Obra que se hace para componer una fábrica o edificio deteriorado. ‖ **3.** Advertencia, nota, observación sobre una cosa. ‖ **4.** Duda, dificultad o inconveniente. ‖ **5.** Confortante que se pone al enfermo en la boca del estómago, para darle vigor. ‖ **6.** Cualquier cosa que se pone por defensa o resguardo. ‖ **7.** Mancha o señal en el ojo o en el párpado. ‖ **8.** *Esgr.* Parada o quite.

Reparón, na. (De *reparar.*) adj. fam. **Reparador,** 2.ª acep. Ú. t. c. s.

Repartible. adj. Que se puede o se debe repartir.

Repartición. f. Acción de repartir.

Repartidamente. adv. m. Por partes, en diversas porciones.

Repartidero, ra. adj. Que se ha de repartir.

Repartidor, ra. adj. Que reparte o distribuye. Ú. t. c. s. ‖ **2.** m. **Partidor,** 5.ª acep. ‖ **3.** *For.* Persona diputada para repartir los negocios en los tribunales.

Repartimiento. m. Acción y efecto de repartir. ‖ **2.** Instrumento en que consta lo que a cada uno se ha repartido. ‖ **3.** Contribución o carga con que se grava a cada uno de los que voluntariamente, por obliagción, o por necesidad, la aceptan o consienten. ‖ **4.** *For.* Oficio y oficina del repartidor, 3.ª acep. ‖ **vecinal.** Derrama entre los vecinos para completar los ingresos del municipio.

Repartir. (De *re* y *partir.*) tr. Distribuir entre varios una cosa, dividiéndola por partes. Ú. t. c. r. ‖ **2.** Cargar una contribución o gravamen por partes. ‖ **3.** Dar a cada cosa su oportuna colocación o el destino conveniente.

Reparto. (De *repartir.*) m. **Repartimiento.**

Repasadera. (De *repasar.*) f. Garlopa con hierro a propósito para sacar perfiles en la madera.

Repasadora. f. Mujer que se ocupa en repasar o carmenar la lana.

Repasar. tr. Volver a pasar por un mismo sitio o lugar. Ú. t. c. intr. ‖ **2.** Esponjar y limpiar la lana para cardarla después de teñida. ‖ **3.** Volver a mirar, examinar o registrar una cosa.

|| **4.** Volver a explicar la lección. || **5.** Recorrer lo que se ha estudiado o recapacitar las especies que se tienen en la memoria. || **6.** Reconocer muy por encima un escrito, pasando por él la vista ligeramente o de corrida. || **7.** Recoser, dar pasos a la ropa que lo necesita. || **8.** Examinar una obra ya terminada, para corregir sus imperfecciones. || **9.** *Min.* Mezclar el mineral de plata con azogue y magistral, y pisarlo todo hombres o caballerías, hasta conseguir la amalgamación.

Repasata. (Del ital. *ripassata.*) f. fam. Reprensión, corrección.

Repaso. m. Acción y efecto de repasar. || **2.** Estudio ligero que se hace de lo que se tiene visto o estudiado, para mayor comprensión y firmeza en la memoria. || **3.** Reconocimiento de una cosa después de hecha, para ver si le falta algo. || **4.** fam. **Repasata.**

Repastar. tr. Añadir harina, agua u otro líquido a una pasta, para amasarla de nuevo. || **2.** Añadir agua al mortero que se ha resecado, para volver a amasarlo.

Repastar. tr. Volver el ganado a pastar. || **2.** intr. Volver a dar pasto al ganado.

Repasto. m. Pasto añadido al ordinario o regular.

Repatriación. f. Acción y efecto de repatriar o repatriarse.

Repatriado, da. p. p. de **Repatriar.** Ú. t. c. s.

Repatriar. (De *re* y *patria.*) tr. Hacer que uno regrese a su patria. Ú. t. c. intr. y m. c. r.

Repechar. intr. Subir por un repecho.

Repecho. (De *re*, en sentido de oposición, y *pecho.*) m. Cuesta bastante pendiente y no larga. || **A repecho.** m. adv. Cuesta arriba, con subida.

Repeinado, da. p. p. de **Repeinar.** || **2.** adj. fig. Dícese de la persona aliñada con afectación y exceso, especialmente en lo que toca a su rostro y cabeza.

Repeinar. tr. Volver a peinar o peinar segunda vez.

Repelada. (De *repelar.*) adj. V. **Ensalada repelada.**

Repeladura. f. Segunda peladura.

Repelar. (De *re* y *pelar.*) tr. Tirar del pelo o arrancarlo. || **2.** Hacer dar al caballo una carrera corta. || **3.** Cortar las puntas a la hierba. || **4.** fig. Cercenar, quitar, disminuir.

Repelente. (Del lat. *repellens, -entis.*) p. a. de **Repeler.** Que repele, 1.ª acep. || **2.** adj. fig. Repulsivo, repugnante.

Repeler. (Del lat. *repellĕre.*) tr. Arrojar, lanzar o echar de sí una cosa con impulso o violencia. || **2.** Rechazar, contradecir una idea, proposición o aserto.

Repelo. (De *re* y *pelo.*) m. Lo que no va al pelo. || **2.** Parte pequeña de cualquier cosa que se levanta contra lo natural. REPELO *de la pluma, de las uñas.* || **3.** Conjunto de fibras torcidas de una madera. || **4.** fig. y fam. Riña o encuentro ligero. || **5.** fig. y fam. Repugnancia, desabrimiento que se muestra al ejecutar una cosa.

Repelón. (De *repelar.*) m. Tirón que se da del pelo. || **2.** En las medias, hebra que, saliendo, encoge los puntos que están inmediatos. || **3.** fig. Porción o parte pequeña que se toma o saca de una cosa, como arrancándola o arrebatándola. || **4.** fig. Carrera pronta e impetuosa que da el caballo. || **5.** pl. *Min.* Llamas que salen por las hendeduras que accidentalmente se abren en la camisa de los hornos. || **A repelones.** m. adv. fig. y fam. con que se explica que una cosa se va tomando por partes con dificultad o resistencia. || **Batir de repelón.** fr. *Equit.* Herir al caballo con las espuelas, corriendo un poco el talón de abajo hacia arriba. || **De repelón.** m. adv. fig. y fam. Sin detenerse o ligeramente. || **Más viejo que el repelón.** loc. fig. y fam. **Más viejo que la sarna.**

Repeloso, sa. adj. Aplícase a la madera que al labrarla levanta pelos o repelo. || **2.** fig. y fam. Quisquilloso, rencilloso.

Repeluco. m. *And.* Repeluzno.

Repeluzno. m. Escalofrío leve y pasajero.

Repellar. (De *re* y *pella.*) tr. Arrojar pelladas de yeso o cal a la pared que se está fabricando o reparando.

Repensar. (De *re* y *pensar.*) tr. Volver a pensar con detención, reflexionar.

Repente. (Del lat. *repens, -entis,* súbito, repentino.) m. fam. Movimiento súbito o no previsto de personas o animales. || **2.** adv. **De repente.** || **De repente.** m. adv. Prontamente, sin preparación, sin discurrir o pensar. || **Hablar de repente.** fr. **Hablar de memoria.**

Repentimiento. (De *repentirse.*) m. ant. **Arrepentimiento.**

Repentinamente. adv. m. **De repente.**

Repentino, na. (Del lat. *repentīnus.*) adj. Pronto, impensado, no prevenido.

Repentirse. (Del lat. *re,* intens., y *poenitēre.*) r. ant. **Arrepentirse.**

Repentista. (De *repente.*) com. **Improvisador.** || **2.** Persona que repentiza.

Repentizar. (De *repente.*) intr. Ejecutar a la primera lectura un instrumentista o un cantante piezas de música.

Repentón. m. fam. aum. de **Repente.**

Repeor. adj. y adv. fam. Mucho peor.

Repercudida. (De *repercudir.*) f. **Repercusión.**

Repercudir. (Del lat. *repercutĕre.*) intr. Repercutir. Ú. t. c. intr.

Repercusión. (Del lat. *repercussĭo, -ōnis.*) f. Acción y efecto de repercutir.

Repercusivo, va. (Del lat. *repercussum,* supino de *repercutĕre,* repercutir.) adj. *Med.* Dícese del medicamento que tiene virtud y eficacia de repercutir. Ú. t. c. s. m.

Repercutir. (Del lat. *repercutĕre;* de *re* y *percutĕre,* herir, chocar.) intr. Retroceder o mudar de dirección un cuerpo al chocar con otro. || **2.** r. **Reverberar.** || **3.** Producir eco el sonido. || **4.** fig. Trascender, causar efecto una cosa en otra ulterior. || **5.** tr. *Med.* Rechazar, repeler, hacer que un humor retroceda o refluya hacia atrás.

Repertorio. (Del lat. *repertorĭum.*) m. Libro abreviado o prontuario en que sucintamente se hace mención de cosas notables, remitiéndose a lo que se expresa más latamente en otros escritos. || **2.** Copia de obras dramáticas o musicales ya ejecutadas por cada actor o cantante principal, o con que un empresario cuenta para hacer que se ejecuten en su teatro. || **3.** Colección o recopilación de obras o de noticias de una misma clase. || **de aduanas.** Indicador oficial, clasificado y alfabético para la aplicación de impuesto o renta.

Repesar. (De *re* y *pesar,* 2.° art.) tr. Volver a pesar una cosa, por lo común para asegurarse de la exactitud del primer peso.

Repeso. m. Acción y efecto de repesar. || **2.** Lugar que se tiene destinado para repesar. || **3.** Encargo de repesar. || **De repeso.** m. adv. Con todo el peso de una mole o cuerpo. || **2.** fig. Con toda la fuerza y eficacia de la autoridad y valimiento o de la persuasión.

Repeso. p. p. irreg. ant. **Repiso.**

Repetición. (Del lat. *repetitĭo, -ōnis.*) f. Acción y efecto de repetir o repetirse. || **2.** Discurso o disertación sobre una determinada materia, que componían los catedráticos en las universidades literarias. || **3.** Acto literario que solía efectuarse en algunas universidades antes del ejercicio secreto necesario para recibir el grado mayor. || **4.** Lección de hora en dicho acto. || **5.** Mecanismo que sirve en el reloj para que dé la hora siempre que se toca un muelle. || **6. Reloj de repetición.** || **7.** *Esc.* y *Pint.* Obra de escultura y pintura, o parte de ella, repetida por el mismo autor. || **8.** *For.* Acción del que ha sido desposeído, obligado o condenado, contra tercera persona que haya de reintegrarle o responderle. || **9.** *Ret.* Figura que consiste en repetir de propósito palabras o conceptos. || **De repetición.** loc. Dícese del aparato o mecanismo que una vez puesto en marcha, repite su acción automáticamente. *Fusil* DE REPETICIÓN.

Repetidamente. adv. m. Con repetición.

Repetidor, ra. (Del lat. *repetītor, -ōris.*) adj. Que repite. || **2.** V. **Círculo repetidor.** || **3.** V. **Bandera repetidora.** || **4.** m El que repasa a otro la lección que leyó o explicó el maestro, o el que toma primero a otro la lección que le fué señalada.

Repetir. (Del lat. *repetĕre.*) tr. Volver a hacer lo que se había hecho, o decir lo que se había dicho. || **2.** ant. Pedir muchas veces o con instancia. || **3.** *For.* Reclamar contra tercero, a consecuencia de evicción, pago o quebranto que padeció el reclamante. || **4.** intr. Hablando de manjares o bebidas, venir a la boca el sabor de lo que se ha comido o bebido. || **5.** Efectuar la repetición en las universidades. || **6.** r. *Esc.* y *Pint.* Dícese del artista que por su pobreza de ideas usa en sus obras de unas mismas actitudes, grupos, lejos, etc.

Repicar. (De *re* y *picar.*) tr. Picar mucho una cosa; reducirla a partes muy menudas. || **2.** Tañer o sonar repetidamente y con cierto compás las campanas en señal de fiesta o regocijo. Dícese además de otros instrumentos. Ú. t. c. intr. || **3.** Volver a picar o punzar. || **4.** En el juego de los cientos, contar un jugador noventa puntos antes que cuente uno el contrario. || **5.** r. Picarse, preciarse, presumir de una cosa. || **En salvo está el que repica.** fr. proverb. con que se nota la facilidad del que reprende a otro el modo de portarse en las acciones peligrosas, estando él en seguro o fuera del lance.

Repicoteado, da. p. p. de **Repicotear.** || **2.** adj. Adornado o dotado de picos, ondas o dientes.

Repicotear. tr. Adornar un objeto con picos, ondas o dientes.

Repinaldo. m. Variedad de manzana de gran tamaño, forma alargada, mucho olor y sabor exquisito.

Repinarse. (De *re* y *pino,* 2.° art.) r. Remontarse, elevarse.

Repintar. (De *re* y *pintar.*) tr. *Pint.* Pintar sobre lo ya pintado, o para restaurar cuadros que están maltratados, o para perfeccionar más las pinturas ya concluidas. || **2.** r. Pintarse o usar de afeites con esmero y cuidado. || **3.** *Impr.* Señalarse la letra de una página en otra por estar reciente la impresión.

Repinte. (De *repintar.*) m. Acción y efecto de repintar, 1.ª acep.

Repique. m. Acción y efecto de repicar o repicarse. || **2.** fig. Quimera, altercación o cuestión ligera que tiene uno con otro.

Repiquete. (d. de *repique.*) m. Repique vivo y rápido de campanas, parecido al redoble del tambor. || **2.** Lance o reencuentro. || **3.** *Mar.* Bordada corta.

Repiquetear. (De *repiquete.*) tr. Repicar con mucha viveza las campanas u otro instrumento sonoro. || **2.** r. fig. y fam. Reñir dos o más personas diciéndose mutuamente palabras picantes y de enojo.

Repiqueteo. m. Acción y efecto de repiquetear o repiquetearse.

Repisa. (De *re* y *piso.*) f. Miembro arquitectónico, a modo de ménsula, que tiene más longitud que vuelo y sirve para sostener un objeto de utilidad o adorno, o de piso a un balcón.

Repisar. tr. Volver a pisar. || **2. Apisonar.** || **3.** fig. Encomendar ahincadamente una cosa a la memoria

Repiso. (De *repisar.*) m. Vino de inferior calidad que se hace de la uva repisada.

Repiso, sa. p. p. irreg. p. us. de **Repentirse.**

Repitiente. p. a. de **Repetir.** Que repite y sustenta en escuelas la repetición. Ú. t. c. s.

Repizcar. (De *re* y *pizcar.*) tr. **Pellizcar.**

Repizco. (De *repizcar.*) m. **Pellizco.**

Replaceta. f. *Ar.* **Plazuela.**

Replantación. f. Acción y efecto de replantar.

Replantar. (Del lat. *replantāre.*) tr. Volver a plantar en el suelo o sitio que ha estado plantado. || **2. Trasplantar,** 1.ª acep.

Replantear. (De *re* y *plantear.*) tr. Trazar en el terreno o sobre el plano de cimientos la planta de una obra ya estudiada y proyectada.

Replanteo. m. Acción y efecto de replantear.

Repleción. (Del lat. *repletĭo, -ōnis.*) f. Calidad de repleto.

Replegar. (Del lat. *replicāre;* de *re* y *plicāre,* plegar.) tr. Plegar o doblar muchas veces. || **2.** r. *Mil.* Retirarse en buen orden las tropas avanzadas. Ú. t. c. tr.

Repletar. tr. Rellenar, colmar. || **2.** r. Ahitarse, hartarse.

Repleto, ta. (Del lat. *replētus,* p. p. de *replēre,* llenar de nuevo.) adj. Muy lleno. Aplícase por lo común a la persona muy llena de humores o de comida.

Réplica. f. Acción de replicar. || **2.** Expresión, argumento o discurso con que se replica. || **3.** Copia de una obra artística que reproduce con igualdad la original. || **4.** *For.* Segundo escrito del actor en el juicio de mayor cuantía para impugnar la contestación y la reconvención, si la hubo, y fijar los puntos litigiosos.

Replicación. (Del lat. *replicatĭo, -ōnis.*) f. ant. **Réplica.** || **2.** ant. Repetición, reiteración.

Replicador, ra. adj. Que replica frecuentemente. Ú. t. c. s.

Replicante. p. a. de **Replicar.** Que replica.

Replicar. (Del lat. *replicāre.*) intr. Instar o argüir contra la respuesta o argumento. || **2.** Responder como repugnando lo que se dice o manda. Ú. t. c. tr. || **3.** tr. ant. Repetir lo que se ha dicho. || **4.** *For.* Presentar el actor en juicio ordinario el escrito de réplica.

Replicato. (De *replicar.*) m. Réplica con que uno repugna lo que otro dice o manda. || **2.** *For.* Réplica del actor a la respuesta del reo.

Replicón, na. (De *replicar.*) adj. fam. **Replicador.** Ú. t. c. s.

Repliegue. m. Pliegue doble. || **2.** *Mil.* Acción y efecto de replegarse las tropas.

Repo. (Del arauc. *repu.*) m. *Chile.* Arbusto de la familia de las verbenáceas, especie de arrayán de gran tamaño, pues llega a alcanzar seis metros de altura; con las hojas opuestas o alternas y aovadas, que llevan una espina larga en su axila; flores solitarias moradas y drupas azules. De su madera, que es muy dura, se hacía el palito con que, ludiendo con otro, sacaban fuego los indios.

Repoblación. f. Acción y efecto de repoblar o repoblarse. || **2.** Conjunto de árboles o especies vegetales en terrenos repoblados.

Repoblar. tr. Volver a poblar. Ú. t. c. r.

Repodar. (De *re* y *podar.*) tr. Recortar los troncos o ramas que al podar no quedaron bien cortados.

Repodrir. tr. **Repudrir.** Ú. t. c. r.

Repollar. (Del lat. *repullulāre,* arrojar hojas.) intr. Formar repollo. Dícese de ciertas plantas y de sus hojas. Ú. t. c. r.

Repollo. (De *repollar.*) m. Especie de col que tiene hojas firmes, comprimidas y abrazadas tan estrechamente, que forman entre todas, antes de echar el tallo, a manera de una cabeza. || **2.** Grumo o cabeza más o menos redonda que forman algunas plantas, como la lombarda y cierta especie de lechugas, apiñándose o apretándose sus hojas unas sobre otras.

Repolludo, da. adj. Dícese de la planta que forma repollo. || **2.** De figura de repollo. || **3.** fig. Dícese de la persona gruesa y chica.

Repolluelo. m. d. de **Repollo.**

Reponer. (Del lat. *reponĕre.*) tr. Volver a poner; constituir, colocar a una persona o cosa en el empleo, lugar o estado que antes tenía. || **2.** Reemplazar lo que falta o lo que se había sacado de alguna parte. || **3.** Replicar, oponer. || **4.** Volver a poner en escena una obra dramática ya estrenada en una temporada anterior. || **5.** *For.* Retrotraer la causa o pleito a un estado determinado o reformar un auto o providencia el juez que lo dictó. || **6.** r. Recobrar la salud o la hacienda. || **7.** Serenarse, tranquilizarse.

Reportación. (De *reportar.*) f. Sosiego, serenidad, moderación.

Reportamiento. m. Acción y efecto de reportar o reportarse.

Reportar. (Del lat. *reportāre.*) tr. Refrenar, reprimir o moderar una pasión de ánimo o al que la tiene. Ú. t. c. r. || **2.** Alcanzar, conseguir, lograr, obtener. || **3.** Traer o llevar. || **4.** Pasar una prueba litográfica a la piedra para multiplicar las tiradas de un mismo dibujo. || **5.** ant. Retribuir, pagar, recompensar.

Reporte. (De *reportar,* 3.ª acep.) m. **Noticia,** 2.ª acep. || **2. Chisme,** 1.er art., 1.ª acep. || **3.** Prueba de litografía que sirve para estampar de nuevo un dibujo en otras piedras y multiplicar las tiradas.

Reporteril. adj. Perteneciente al reportero o a su oficio.

Reporterismo. m. Oficio de reportero.

Reportero, ra. adj. Dícese del periodista que se dedica a los reportes o noticias. Ú. t. c. s.

Reportista. m. Litógrafo muy práctico en reportar, 4.ª acep.

Reportorio. m. ant. **Repertorio.** || **2. Almanaque.**

Reposadamente. adv. m. Con reposo.

Reposadero. (De *reposar.*) m. *Metal.* Pileta colocada en la parte exterior de los hornos, para recibir el metal fundido que sale por la piquera.

Reposado, da. p. p. de **Reposar.** || **2.** adj. Sosegado, quieto, tranquilo.

Reposar. (Del lat. *repausāre;* de *re* y *pausāre,* detenerse, descansar.) intr. Descansar, dar intermisión a la fatiga o al trabajo. Ú. c. tr. en la frase **reposar la comida.** || **2.** Descansar, durmiendo un breve sueño. Ú. t. c. r. || **3.** Permanecer en quietud y paz y sin alteración una persona o cosa. Ú. t. c. r. || **4.** Estar enterrado, yacer. Ú. t. c. r. || **5.** r. Tratándose de líquidos, **posarse.** Ú. t. c. intr.

Reposición. (Del lat. *repositĭo -ōnis.*) f. Acción y efecto de reponer o reponerse. || **2.** *For.* V. **Recurso de reposición.**

Repositorio. (Del lat. *repositorium,* armario, alacena.) m. Lugar donde se guarda una cosa.

Reposo. m. Acción y efecto de reposar o reposarse. || **Estar** uno **de reposo.** fr. ant. **Estar de asiento.**

Repostar. tr. Reponer provisiones, pertrechos, combustible, etc. Ú. t. c. r. *El acorazado fondeó para* REPOSTARSE.

Reposte. (Del lat. *repositum,* supino de *reponĕre,* reponer.) m *Ar.* **Despensa,** 1.ª acep.

Repostería. (De *repostero.*) f. Establecimiento donde se hacen y venden dulces, pastas, fiambres, embutidos y algunas bebidas. || **2.** En algunas partes, despensilla en que se guardan provisiones de esta clase. || **3.** Lugar donde se guarda la plata y lo demás perteneciente al servicio de mesa. || **4.** Empleo de repostero mayor en la casa de los antiguos reyes de Castilla. || **5.** Conjunto de provisiones e instrumentos pertenecientes al oficio de repostero. || **6.** Gente que se emplea en este ministerio.

Repostero. (Del lat. *repositorius,* que sirve para reponer y guardar.) m. El que tiene por oficio hacer pastas, dulces y algunas bebidas. || **2.** El que tenía a su cargo, en los palacios de los antiguos reyes y señores, el orden y custodia de los objetos pertenecientes a un ramo de servicio, como el de cama, de estrado, etc. || **3.** Paño cuadrado, con las armas del príncipe o señor, el cual sirve para ponerlo sobre las cargas de las acémilas, y también para colgarlo en las antecámaras y balcones. || **mayor.** Antiguamente, en la casa real de Castilla, jefe a cuyo cargo estaba el mando y gobierno de todo lo perteneciente al ramo de repostería y de los empleados en ella, y era persona de las principales familias de la monarquía.

Repoyo. (Del lat. *repudium,* desecho.) m. ant. **Repudio.** || **2.** En algunas partes, desecho, rebojo, sobras. || **Vivir a repoyo** de alguno. fr. *Cuen.* Vivir a sus expensas.

Repregunta. f. *For.* Segunda pregunta que hace al testigo el litigante contrario al que lo presenta, para contrastar o apurar su veracidad, o bien para completar la indagación.

Repreguntar. tr. *For.* Proponer o hacer repreguntas al testigo.

Reprehender. (De lat. *reprehendĕre.*) tr. **Reprender.**

Reprehensible. (Del lat. *reprehensibĭlis.*) adj. **Reprensible.**

Reprehensión. (Del lat. *reprehensĭo, -ōnis.*) f. **Reprensión.**

Reprendedor, ra. (De *reprender.*) adj. **Reprensor.** Ú. t. c. s.

Reprender. (Del lat. *reprehendĕre;* de *re* y *prehendĕre,* coger.) tr. Corregir, amonestar a uno vituperando o desaprobando lo que ha dicho o hecho.

Reprendiente. p. a. de **Reprender.** Que reprende.

Reprendimiento. (De *reprender.*) m. ant. **Reprensión.**

Reprensible. (De *reprehensible.*) adj. Digno de reprensión.

Reprensión. (Del lat. *reprensio, -ōnis.*) f. Acción de reprender. || **2.** Expresión o razonamiento con que se reprende. || **3.** *For.* Pena que se ejecuta amonestando al reo, y se considera grave o leve según se aplique en audiencia pública o ante el tribunal solo.

Reprensor, ra. (Del lat. *reprehensor.*) adj. Que reprende. Ú. t. c. s.

Reprensorio, ria. adj. ant. Decíase de lo que reprende.

Represa. (Del lat. *repressus,* contenido, de *reprimĕre,* contener.) f. Acción de represar, 2.ª acep. || **2.** Detención o estancación que se hace de una cosa, y especialmente del agua que se detiene y se extiende. || **3.** fig. Detención de algunas cosas no materiales; como de los afectos y pasiones del ánimo. || **Moler de represa.** fr. fig. y fam. Emplear con mayor brío que de ordinario una actividad algún tiempo reprimida.

Represalia. (Del b. lat. *repraesaliae,* y éste del lat. *reprehensus,* p. p. de *reprehendĕre,* volver a coger.) f. Derecho que se arrogan los enemigos para causarse recíprocamente igual o mayor daño que el que han recibido. Ú. m. en pl. || **2.** Retención de los bienes de una nación con la cual se está en guerra, o de sus individuos. Ú. m. en pl. || **3.** Medida o trato de rigor que, sin llegar a ruptura violenta de relaciones, adopta un Estado contra otro para responder a los actos o determinaciones adversos de éste. Ú. m. en pl. || **4.** Por ext., el mal que un particular causa a otro, en venganza o satisfacción de un agravio.

Represar. (De *represa.*) tr. Detener o estancar el agua corriente. Ú. t. c. r. || **2.** Recobrar de los enemigos la embarcación que habían apresado. || **3.** fig. Detener, contener, reprimir. Ú. t. c. r.

Representable. adj. Que se puede representar o hacer visible.

Representación. (Del lat. *repraesentatĭo, -ōnis.*) f. Acción y efecto de representar o representarse. || **2.** Nombre antiguo de la obra dramática. || **3.** Autoridad, dignidad, carácter de la persona. *Juan es hombre de* REPRESENTACIÓN *en Madrid.* || **4.** Figura, imagen o idea que substituye a la realidad. || **5.** Súplica o proposición apoyada en razones o documentos, que se dirige a un príncipe o superior. || **6.** Conjunto de personas que representan a una entidad, colectividad o corporación. || **7.** *For.* Derecho de una persona a ocupar, para la sucesión en una herencia o mayorazgo, el lugar de otra persona difunta. || **proporcional.** Sistema o procedimiento electoral que, con circunscripción única o muy extensa y división de los votos por el número de puestos que han de proveerse, permite acomodar el número de elegidos de cada partido o tendencia al de sus electores.

Representador, ra. (Del lat. *repraesentātor.*) adj. Que representa. || **2.** m. y f. **Representante,** 3.ª acep.

Representanta. f. **Actriz.**

Representante. p. a. de **Representar.** Que representa. || **2.** com. Persona que representa a un ausente, cuerpo o comunidad. || **3. Comediante.**

Representar. (Del lat. *repraesentāre.*) tr. Hacer presente una cosa con palabras o figuras que la imaginación retiene. Ú. t. c. r. || **2.** Informar, declarar o referir. || **3.** Manifestar uno el afecto de que está poseído. || **4.** Recitar o ejecutar en público una obra dramática. || **5.** Substituir a uno o hacer sus veces. || **6.** Ser imagen o símbolo de una cosa, o imitarla perfectamente. || **7.** Aparentar una persona determinada edad. || **8.** ant. **Presentar.**

Representativo, va. adj. Dícese de lo que sirve para representar otra cosa. || **2.** V. **Gobierno representativo.**

Represión. (Del lat. *repressum,* supino de *reprimĕre,* reprimir.) f. Acción y efecto de represar o represarse. || **2.** Acción y efecto de reprimir o reprimirse.

Represivo, va. (Del lat. *repressum,* supino de *reprimĕre,* reprimir.) adj. Dícese de lo que reprime.

Represor, ra. adj. Que reprime. Ú. t. c. s.

Reprimenda. (Del lat. *reprimenda,* cosa que debe reprimirse.) f. Reprensión vehemente y prolija.

Reprimir. (del lat. *reprimĕre;* de *re* y *premĕre,* oprimir.) tr. Contener, refrenar, templar o moderar. Ú. t. c. r.

Reprobable. (Del lat. *reprobabĭlis.*) adj. Digno de reprobación o que puede reprobarse.

Reprobación. (Del lat. *reprobatĭo, -ōnis.*) f. Acción y efecto de reprobar.

Reprobadamente. adv. m. Con reprobación.

Reprobado, da. (Del lat. *reprobātus.*) p. p. de **Reprobar.** || **2.** adj. **Réprobo.** Ú. t. c. s. || **3.** m. desus. Nota de haber sido suspendido un examinando con pérdida de curso.

Reprobador, ra. (Del lat. *reprobātor.*) adj. Que reprueba. Ú. t. c. s.

Reprobar. (Del lat. *reprobāre.*) tr. No aprobar, dar por malo.

Reprobatorio, ria. adj. Dícese de lo que reprueba o sirve para reprobar.

Réprobo, ba. (Del lat. *reprŏbus.*) adj. Condenado a las penas eternas. Ú. t. c. s.

Reprochable. adj. Que puede reprocharse o es digno de reproche.

Reprochador, ra. m. y f. Persona que reprocha. || **2.** Que tiene por costumbre reprochar.

Reprochar. (En port. *reprochar;* en fr. *reprocher.*) tr. Reconvenir, echar en cara. Ú. t. c. r.

Reproche. m. Acción de reprochar. || **2.** Expresión con que se reprocha.

Reproducción. f. Acción y efecto de reproducir o reproducirse. || **2.** Cosa reproducida.

Reproducir. tr. Volver a producir o producir de nuevo. Ú. t. c. r. || **2.** Volver a hacer presente lo que antes se dijo y alegó.

Reproductivo, va. adj. Que produce beneficio o provecho. *La vaca holandesa es más* REPRODUCTIVA *que un molino de viento.*

Reproductor, ra. (De *re* y *productor.*) adj. Que reproduce. Ú. t. c. s. || **2.** m. y f. Animal destinado a mejorar su raza.

Repromisión. (Del lat. *repromissĭo, -ōnis.*) f. Promesa repetida.

Repropiarse. (De *repropio.*) r. Resistirse la caballería a obedecer al que la rige.

Repropio, pia. (De *re* y *propio,* 1.ª acep.) adj. Dícese de la caballería que se repropia.

Reprueba. f. Nueva prueba sobre la que ya se ha dado.

Reps. (Voz francesa.) m. Tela de seda o de lana, fuerte y bien tejida, que se usa en obras de tapicería.

Reptante. p. a. de **Reptar.** Que repta o anda arrastrándose.

Reptar. (Del lat. *reputāre,* imputar.) tr. ant. **Retar.**

Reptar. (Del lat. *reptāre.*) intr. Andar arrastrándose como algunos reptiles.

Reptil. (Del lat. *reptĭlis,* de *reptum,* supino de *repĕre,* arrastrarse.) adj. *Zool.* Dícese de los animales vertebrados, ovíparos u ovovivíparos, de temperatura variable y respiración pulmonar que, por carecer de pies o por tenerlos muy cortos, caminan rozando la tierra con el vientre; como la culebra, el lagarto y el galápago. Ú. t. c. s. || **2.** m. pl. *Zool.* Clase de estos animales.

República. (Del lat. *respublĭca.*) f. **Estado,** 4.ª acep. || **2.** Forma de gobierno representativo en que el poder reside en el pueblo, personificado éste por un jefe supremo llamado presidente. || **3. Municipio,** 2.ª y 3.ª aceps. || **4.** Causa pública, el común o su utilidad. || **5.** V. **Cargo de la, oficio de república.** || **de las letras,** o **literaria.** Conjunto de los hombres sabios y eruditos.

Republicanismo. m. Condición de republicano. || **2.** Sistema político que proclama la forma republicana para el gobierno de un Estado. || **3.** Amor o afección a esta forma de gobierno.

Republicano, na. adj. Perteneciente o relativo a la república, 2.ª acep. || **2.** Aplícase al ciudadano de una república. Ú. t. c. s. || **3.** Partidario de este género de gobierno. Ú. t. c. s. || **4.** m. **Repúblico,** 3.ª acep.

Repúblico. (De *república.*) m. Hombre de representación que es capaz de los oficios públicos. || **2. Estadista,** 2.ª acep. || **3.** Buen patricio.

Repudiación. (Del lat. *repudiatĭo, ōnis.*) f. Acción y efecto de repudiar, 2.ª acep.

Repudiar. (Del lat. *repudiāre.*) tr. Desechar o repeler la mujer propia. || **2. Renunciar,** 1.ª acep. || **la herencia.** No aceptarla, renunciar a ella.

Repudio. (Del lat. *repudĭum.*) m. Acción y efecto de repudiar, 1.ª acep. || **2.** V. **Carta, libelo de repudio.**

Repudrir. (De *re* y *pudrir.*) tr. Pudrir mucho. Ú. t. c. r. || **2.** r. fig. y fam. Consumirse mucho interiormente, de callar o disimular un sentimiento o pesar.

Repuesto, ta. (Del lat. *repositus.*) p. p. irreg. de **Reponer.** || **2.** adj. Apartado, retirado, escondido. || **3.** m. Prevención de comestibles u otras cosas para cuando sean necesarias. || **4.** Aparador o mesa en que está preparado todo lo necesario para el servicio de la comida o cena. || **5.** Pieza o cuarto donde se pone el aparador. || **6. Puesta,** 2.ª acep. || **De repuesto.** m. adv. **De prevención.**

Repugnancia. (Del lat. *repugnantĭa.*) f. Oposición o contradicción entre dos cosas. || **2.** Tedio, aversión a las cosas o personas. || **3.** Aversión que se siente o resistencia que se opone a consentir o hacer una cosa. || **4.** *Fil.* Incompatibilidad de dos atributos o cualidades de una misma cosa.

Repugnante. (Del lat. *repugnans, -antis.*) p. a. de **Repugnar.** Que repugna. || **2.** adj. Que causa repugnancia, 2.ª acep. || **3.** *Lóg.* V. **Términos repugnantes.**

Repugnantemente. adv. m. Con repugnancia.

Repugnar. (Del lat. *repugnāre.*) tr. Ser opuesta una cosa a otra. Ú. t. c. r. || **2.** Contradecir o negar una cosa. || **3.** Rehusar, hacer de mala gana una cosa o admitirla con dificultad. || **4.** *Fil.* Implicar o no poderse unir y concertar dos cosas o cualidades. || **5.** intr. Causar tedio o aversión. *La mentira me* REPUGNA.

Repujado. m. Acción y efecto de repujar. || **2.** Obra repujada.

Repujar. (De *re* y *pujar,* 2.° art.) tr. Labrar a martillo chapas metálicas, de modo que en una de sus caras resulten figuras de relieve, o hacerlas resaltar en cuero u otra materia adecuada.

Repulgado, da. (De *repulgar.*) adj. fig. y fam. **Afectado,** 2.ª acep.

Repulgar. (De *re* y *pulgar.*) tr. Hacer repulgos.

Repulgo. (De *repulgar.*) m. **Dobladillo,** 1.ª acep. || **2.** Borde labrado que hacen a las empanadas o pasteles alrededor de la masa. || **3.** Excrecencia que suele producirse en las heridas de los árboles. || **Repulgos de empanada.** fig. y fam. Cosas de muy poca importancia o escrúpulos vanos y ridículos.

Repulido, da. (De *repulir.*) adj. Acicalado, peripuesto.

Repulir. (Del lat. *repolīre.*) tr. Volver a pulir una cosa. || **2.** Acicalar, componer con demasiada afectación. Ú. t. c. r.

Repulsa. (Del lat. *repulsa.*) f. Acción y efecto de repulsar.

Repulsar. (Del lat. *repulsāre.*) tr. Desechar, repeler o despreciar una cosa; negar lo que se pide o pretende.

Repulsión. (Del lat. *repulsĭo, -ōnis.*) f. Acción y efecto de repeler. || **2. Repulsa.** || **3.** Repugnancia, aversión, desvío.

Repulsivo, va. (De *repulso.*) adj. Que tiene acción o virtud de repulsar. || **2.** Que causa repulsión o desvío.

Repulso, sa. (Del lat. *repulsus,* p. p. de *repellĕre,* rechazar.) p. p. irreg. ant. de **Repeler.**

Repullo. m. **Rehilete,** 1.ª acep. || **2.** Movimiento violento del cuerpo, especie de salto que se da por sorpresa o susto. || **3.** fig. Demostración exterior y violenta de la sorpresa que causa una cosa inesperada. || **4.** *Germ.* **Acetre.**

Repunta. (De *re* y *punta.*) f. Punta o cabo de tierra, más saliente que otros inmediatos. || **2.** fig. Indicio o primera manifestación de alguna cosa. || **3.** fig. y fam. Desazón, quimera o contienda.

Repuntar. (De *re* y *punta.*) intr. *Mar.* Empezar la marea para creciente o para menguante. || **2.** *Amér.* Empezar a manifestarse alguna cosa, como enfermedad, cambio del tiempo, etc. || **3.** r. Empezar a volverse el vino; tener punta de vinagre. || **4.** fig. y fam. Desazonarse, indisponerse levemente una persona con otra.

Repunte. m. *Mar.* Acción y efecto de repuntar la marea.

Repurgar. (Del lat. *repurgāre.*) tr. Volver a limpiar o purificar una cosa.

Reputación. (Del lat. *reputatĭo, -ōnis.*) f. **Fama,** 2.ª y 3.ª aceps.

Reputante. p. a. de **Reputar.** Que reputa.

Reputar. (Del lat. *reputāre.*) tr. Estimar, juzgar o hacer concepto del estado o calidad de una persona o cosa. Ú. t. c. r. || **2. Apreciar,** 2.ª acep. *Esto* ESTÁ REPUTADO *en mucho.*

Requebrador, ra. adj. Que requiebra. Ú. t. c. s.

Requebrajo. m. despect. de **Requiebro,** 1.ª y 2.ª aceps.

Requebrar. (Del lat. *recrepāre.*) tr. Volver a quebrar en piezas más menudas lo que estaba ya quebrado. || **2.** fig. Lisonjear a una mujer alabando sus atractivos. || **3.** fig. Adular, lisonjear.

Requemado, da. p. p. de **Requemar.** || **2.** adj. Dícese de lo que tiene color obscuro denegrido por haber estado al fuego o a la intemperie. || **3.** m. Género de tejido delgado, muy negro, con cordoncillo y sin lustre, de que se hacían mantos.

Requemamiento. (De *requemar.*) m. **Resquemo.**

Requemante. p. a. de **Requemar.** Que requema.

Requemar. (Del lat. *recremāre.*) tr. Volver a quemar. Ú. t. c. r. || **2.** Tostar con exceso. Ú. t. c. r. || **3.** Privar de jugo a las plantas, haciéndoles perder su verdor. Ú. t. c. r. || **4. Resquemar,** 1.ª acep. || **5.** fig. Hablando de la sangre o de los humores del cuerpo humano, encenderlos excesivamente. Ú. t. c. r. || **6.** r. fig. Dolerse interiormente y sin darlo a conocer.

Requemazón. (De *requemar.*) f. **Resquemo.**

Requemo. m. *And.* Acción y efecto de requemar, 6.ª acep.

Requeridor, ra. adj. Que requiere. Ú. t. c. s.

Requeriente. p. a. de **Requerir.** Que requiere.

Requerimiento. m. Acción y efecto de requerir, 1.ª acep. || **2.** *For.* Acto judicial por el que se intima que se haga o se deje de ejecutar una cosa. || **3.** *For.* Aviso, manifestación, o pregunta que se hace, generalmente bajo fe notarial, a alguna persona exigiendo o interesando de ella que exprese y declare su actitud o su respuesta.

Requerir. (Del lat. *requirĕre.*) tr. Intimar, avisar o hacer saber una cosa con autoridad pública. || **2.** Reconocer o examinar el estado en que se halla una cosa. || **3.** Necesitar o hacer necesaria alguna cosa. || **4.** Solicitar, pretender, explicar uno su deseo o pasión amorosa. || **5.** Inducir, persuadir.

Requesón. (De *re* y *queso.*) m. Masa blanca y mantecosa que se hace cuajando la leche en moldes de mimbres por entre los cuales se escurre el suero sobrante. || **2.** Cuajada que se saca de los residuos de la leche después de hecho el queso.

Requeté. m. Cuerpo de voluntarios que, distribuidos en tercios, lucharon en las guerras civiles españolas en defensa de la tradición religiosa y monárquica. || **2.** Individuo afiliado a este cuerpo, aun en tiempo de paz.

Requetebién. adv. m. fam. Muy bien.

Requiebro. m. Acción y efecto de requebrar. || **2.** Dicho o expresión con que se requiebra. || **3. Cortejo,** 4.ª acep. || **4.** *Min.* Mineral vuelto a quebrantar para reducirlo a trozos de tamaño próximamente igual.

Réquiem. (Acus. de sing. del lat *requies,* descanso.) V. **Misa de réquiem.** || **2.** m. Composición musical que se canta con el texto litúrgico de la misa de difuntos, o parte de él.

Requiéscat in pace. expr. lat. que literalmente dice **descanse en paz,** y se aplica en la liturgia como despedida a los difuntos, en las inscripciones tumularias, esquelas mortuorias, etc. || **2.** fam. Dícese también de las cosas que se dan por fenecidas para no volver a tratar de ellas.

Requilorio. (De *requerir.*) m. fam. Formalidad nimia e innecesario rodeo en que suele perderse el tiempo antes de hacer o decir lo que es obvio, fácil y sencillo. Ú. m. en pl.

Requintador, ra. m. y f. Persona que requinta en los remates de los arrendamientos.

Requintar. (De *re* y *quinto.*) tr. Pujar la quinta parte en los arrendamientos después de rematados y quintados. || **2.** Sobrepujar, exceder, aventajar mucho. || **3.** *Mús.* Subir o bajar cinco puntos una cuerda o tono.

Requinto. m. Segundo quinto que se saca de una cantidad de que se había extraído ya la quinta parte. || **2.** Puja de quinta parte que se hace en los arrendamientos después de haberse rematado y quintado. || **3.** Servicio extraordinario que se impuso a los indios del Perú y en algunas otras provincias americanas, en el reinado de Felipe II, y era una quinta parte de la suma de sus contribuciones ordinarias. || **4.** Clarinete pequeño y de tono agudo que se usa en las bandas de música. || **5.** Músico que toca este instrumento. || **6.** Guitarrillo que se toca pasando el dedo índice o el mayor sucesivamente y con ligereza de arriba abajo, y viceversa, rozando las cuerdas.

Requirente. p. a. irreg. de **Requerir.** || **2.** *For.* **Requeriente.** Ú. t. c. s.

Requisa. (Del lat. **requīsum,* por *requisītum.*) f. Revista o inspección de las personas o de las dependencias de un establecimiento. || **2. Requisición,** 1.ª acep.

Requisar. (De *requisa.*) tr. Hacer requisición de caballos, vehículos, alimentos y otras cosas para el servicio militar.

Requisición. (Del lat. *requisitĭo, -ōnis.*) f. Recuento y embargo de caballos, bagajes, alimentos, etc., que para el servicio militar suele hacerse en tiempo de guerra. || **2.** ant. *For.* **Requerimiento,** 2.ª acep.

Requisito, ta. (Del lat. *requisītus.*) p. p. irreg. de **Requerir.** || **2.** m. Circunstancia o condición necesaria para una cosa.

Requisitorio, ria. (De *requisito.*) adj. *For.* Aplícase al despacho en que un juez requiere a otro para que ejecute un mandamiento del requirente. Ú. m. c. s. f. y a veces c. m.

Requive. m. **Arrequive.**

Res. (Del ár. *ra's,* cabeza, cabeza de ganado.) f. Cualquier animal cuadrúpedo de ciertas especies domésticas, como del ganado vacuno, lanar, etc., o de los salvajes como venados, jabalíes, etc. || **de vientre.** Hembra paridera en los rebaños, vacadas, etc. || **A la res vieja alíviale la reja.** ref. que significa que se debe procurar a los viejos el alivio en las cargas y trabajos.

Res. (Del lat. *re* y *ex.*) prep. insep. que atenúa la significación de las voces simples a que se halla unida. RES*quebrar,* RES*quemar.* También denota encarecimiento, como en RES*guardar.*

Resaber. tr. Saber muy bien una cosa.

Resabiar. (De *resabio.*) tr. Hacer tomar un vicio o mala costumbre. Ú. t. c. r. || **2.** r. Disgustarse o desazonarse. || **3. Saborear,** 5.ª y 6.ª aceps.

Resabido, da. p. p. de **Resaber.** || **2.** adj. Que se precia de muy sabio y entendido.

Resabio. (De un der. del lat. *resapĕre,* tener sabor, saber a.) m. Sabor desagradable que deja una cosa. || **2.** Vicio o mala costumbre que se toma o adquiere. || **3.** ant. fig. **Disgusto.**

Resaca. (De *resacar.*) f. Movimiento en retroceso de las olas después que han llegado a la orilla. || **2.** *Com.* Letra de cambio que el tenedor de otra que ha sido protestada gira a cargo del librador o de uno de los endosantes, para reembolsarse de su importe y de los gastos de protesto y recambio.

Resacar. tr. ant. **Sacar.** || **2.** *Mar.* Halar de un cabo para facilitar su laboreo y que no estorbe la maniobra.

Resalado, da. (De *re* y *salado.*) adj. fig. y fam. Que tiene mucha sal, gracia y donaire.

Resalga. (De *re* y *salgar.*) f. Caldo que resulta en la pila donde se hace la salazón de pescados, y que sirve también para salar.

Resalir. intr. *Arq.* **Resaltar,** 3.ª acep.

Resaltante. p. a. de **Resaltar.** Que resalta.

Resaltar. (De *re* y *saltar.*) intr. **Rebotar,** 1.ª acep. || **2. Saltar,** 6.ª acep. || **3.** Sobresalir en parte un cuerpo de otro en los edificios u otras cosas. || **4.** fig. Distinguirse o sobresalir mucho una cosa entre otras.

Resalte. m. **Resalto,** 2.ª acep.

Resalto. m. Acción y efecto de resaltar, 1.ª acep. || **2.** Parte que sobresale de la superficie de una cosa. || **3.** *Mont.* Modo de cazar al jabalí, disparándole al tiempo que sale acosado de su guarida y se para a reconocer de quién huye.

Resaludar. (Del lat. *resalutāre.*) tr. Corresponder a la salutación, cortesía o atención de una persona.

Resalutación. (Del lat. *resalutatĭo, -ōnis.*) f. Acción de resaludar.

Resalvo. (De *re* y *salvar.*) m. Vástago que al rozar un monte se deja en cada mata como el mejor para formar un árbol.

Resallar. (De *re* y *sallar.*) tr. Volver a sallar.

Resallo. m. Acción y efecto de resallar.

Resanar. (Del lat. *resanāre.*) tr. Cubrir con oro las partes de un dorado que han quedado defectuosas.

Resarcible. adj. Que se puede o se debe resarcir.

Resarcimiento. m. Acción y efecto de resarcir o resarcirse.

Resarcir. (Del lat. *resarcīre.*) tr. Indemnizar, reparar, compensar un daño, perjuicio o agravio. Ú. t. c. r.

Resayo. m. *Sal.* Terreno muy pendiente, pero corto.

Resbaladero, ra. adj. **Resbaladizo,** 2.ª y 3.ª aceps. || **2.** m. Lugar resbaladizo.

Resbaladizo, za. adj. Dícese de lo que se resbala o escurre fácilmente. || **2.** Aplícase al paraje en que hay exposición de resbalar. || **3.** fig. Dícese de lo que expone a incurrir en algún desliz.

Resbalador, ra. adj. Que resbala.

Resbaladura. f. Señal o huella que queda de haber resbalado.

Resbalamiento. m. **Resbalón.**

Resbalante. p. a. de **Resbalar.** Que resbala.

Resbalar. (De *re* y *esbarar*.) intr. Escurrirse, deslizarse. Ú. t. c. r. || **2.** fig. Incurrir en un desliz. Ú. t. c. r.
Resbalera. (De *resbalar*.) f. **Resbaladero,** 2.ª acep.
Resbalón. m. Acción y efecto de resbalar o resbalarse. || **2.** V. **Picaporte de resbalón.**
Resbaloso, sa. (De *resbalar*.) adj. **Resbaladizo.**
Rescacio. m. *Zool.* Pez marino teleósteo, del suborden de los acantopterigios, con los huesos infraorbitarios muy desarrollados y la cabeza con espigas agudas, por lo cual, estando de ordinario escondido en la arena, constituye un peligro para los pescadores, que pueden pisarlos y herirse con las espinas.
Rescaldar. (De *re* y *escaldar*.) tr. **Escaldar.**
Rescaldo. (De *rescaldar*.) m. ant. **Rescoldo.**
Rescaño. m. Resto o parte de alguna cosa.
Rescatador, ra. adj. Que rescata. Ú. t. c. s.
Rescatar. (Del lat. *re*, iterat.; *ex*, de, y *captāre*, coger, tomar.) tr. Recobrar por precio o por fuerza lo que el enemigo ha cogido, y por extensión, cualquier cosa que pasó a ajena mano. || **2.** Cambiar o trocar oro u otros objetos preciosos por mercaderías ordinarias. || **3.** fig. Redimir la vejación; libertar del trabajo o contratiempo. Ú. t. c. r. || **4.** fig. Recobrar el tiempo o la ocasión perdidos.
Rescate. m. Acción y efecto de rescatar. || **2.** Dinero con que se rescata, o que se pide para ello.
Rescaza. (De *rascacio*.) f. **Escorpina.**
Rescindible. adj. Que se puede rescindir.
Rescindir. (Del lat. *rescindĕre*; de *re* y *scindĕre*, rasgar.) tr. Dejar sin efecto un contrato, obligación, etc.
Rescisión. (Del lat. *rescissĭo, -ōnis*.) f. Acción y efecto de rescindir.
Rescisorio, ria. (Del lat. *rescissorĭus*.) adj. Dícese de lo que rescinde, sirve para rescindir o dimana de la rescisión.
Rescoldera. (De *rescoldo*.) f. **Pirosis.**
Rescoldo. (De *rescaldo*.) m. Brasa menuda resguardada por la ceniza. || **2.** fig. Escozor, recelo o escrúpulo.
Rescontrar. (De *res* y *contra*.) t. Compensar en las cuentas una partida con otra. || **2.** ant. **Encontrar,** 1.ª acep.
Rescribir. (Del lat. *rescribĕre*.) tr. ant. Contestar, responder por escrito a una carta u otra comunicación.
Rescripto, ta. (Del lat. *rescriptus*.) p. p. irreg. **Rescrito.** || **2.** m. Decisión del papa, de un emperador o de cualquier soberano para resolver una consulta o responder a una petición. || **pontificio.** *Der. can.* Respuesta del Papa escrita a continuación de preces con que se le pide alguna gracia, privilegio o dispensa.
Rescriptorio, ria. adj. Perteneciente a los rescriptos.
Rescrito, ta. p. p. irreg. de **Rescribir.** || **2.** m. ant. **Rescripto.**
Rescuentro. m. Acción y efecto de rescontrar. || **2.** Papeleta provisional manuscrita que se expedía a los jugadores de la lotería primitiva y que después se canjeaba por un pagaré impreso. || **3.** ant. **Encuentro,** 2.ª acep.
Resecación. f. Acción y efecto de resecar o resecarse.
Resecar. (Del lat. *resecāre*, cortar.) tr. *Cir.* Efectuar la resección de un órgano.
Resecar. tr. Secar mucho. Ú. t. c. r.
Resección. (Del lat. *resectĭo, -ōnis*, acción de cortar.) f. *Cir.* Operación que consiste en separar el todo o parte de uno o más órganos.
Reseco, ca. adj. Demasiadamente seco. || **2.** Seco, 9.ª acep. || **3.** m. Parte seca del árbol o arbusto. || **4.** Entre colmeneros, parte de cera que queda sin melar.
Reseda. (Del lat. *resēda*.) f. Planta herbácea anual, de la familia de las resedáceas, con tallos ramosos de uno a dos decímetros de altura, hojas alternas, enteras o partidas en tres gajos, y flores amarillentas. Es originaria de Egipto, y por su olor agradable se cultiva en los jardines. || **2.** Flor de esta planta. || **3. Gualda.**
Resedáceo, a. (De *reseda*.) adj. *Bot.* Dícese de plantas dicotiledóneas herbáceas, angiospermas, de hojas alternas, enteras o más o menos hendidas, con estípulas glandulosas, flores en espigas, fruto capsular y semillas sin albumen; como la reseda y la gualda. Ú. t. c. s. || **2.** f. pl. *Bot.* Familia de estas plantas.
Resegar. (De *re* y *segar*.) tr. Volver a segar lo que dejaron los segadores de heno. || **2.** Recortar los tocones a ras del suelo.
Reseguir. (De *re* y *seguir*.) tr. Quitar a los filos de las espadas las ondas, resaltos o torceduras, dejándolos en línea seguida.
Resellante. p. a. de **Resellar.** Que resella.
Resellar. (De *re* y *sellar*.) tr. Volver a sellar la moneda u otra cosa. || **2.** r. fig. Pasarse de uno a otro partido.
Resello. m. Acción y efecto de resellar o resellarse. || **2.** Segundo sello que se echa a la moneda o a otra cosa.
Resemblar. (De *re* y *semblar*.) tr. ant. Asemejarse, parecerse una cosa a otra. Usáb. t. c. r.
Resembrar. (De *re* y *sembrar*.) tr. Volver a sembrar un terreno o parte de él por haberse malogrado la primera siembra.
Resentido, da. p. p. de **Resentir.** || **2.** adj. Dícese de la persona que muestra o tiene algún resentimiento.
Resentimiento. m. Acción y efecto de resentirse.
Resentirse. (De *re* y *sentir*.) r. Empezar a flaquear o sentirse una cosa. || **2.** fig. Tener sentimiento, pesar o enojo por una cosa.
Reseña. (De *reseñar*.) f. Revista que se hace de la tropa. || **2.** Nota que se toma de las señales más distintivas del cuerpo de una persona, de un animal o de otra cosa para conocerlo fácilmente. || **3.** p. us. Señal que anuncia o da a entender una cosa. || **4.** Narración sucinta. || **5.** Noticia y examen somero de una obra literaria.
Reseñar. (Del lat. *resignāre*, tomar nota, escribir, apuntar.) tr. Hacer una reseña. || **2.** Examinar algún libro u obra literaria y dar noticia crítica de ellos.
Resequido, da. (De *re* y *seco*.) adj. Dícese de una cosa que siendo húmeda por su naturaleza, se ha vuelto seca por accidente.
Reserva. (De *reservar*.) f. Guarda o custodia que se hace de una cosa, o prevención de ella para que sirva a su tiempo. || **2.** Reservación o excepción. || **3.** Prevención o cautela para no descubrir algo que se sabe o piensa. || **4.** Discreción, circunspección, comedimiento. || **5.** Acción de reservar solemnemente el Santísimo Sacramento. || **6.** Parte del ejército o armada de una nación, que terminó su servicio activo, pero que puede ser movilizada. || **7.** V. **Escala, sección de reserva.** || **8.** Cuerpo de tropas de tierra o mar, que no toma parte en una campaña o en una batalla hasta que se considera necesario o conveniente su auxilio. || **9.** En algunas partes, **reservado,** 8.ª acep. || **10.** *For.* Declaración que hace el juez de que la resolución que dicta no perjudicará algún derecho, el cual deja a salvo para que se ejercite en otro juicio o de diverso modo. || **11.** *For.* Obligación impuesta por la ley al viudo que se vuelve a casar o tiene un hijo natural reconocido, y también al ascendiente por título sucesorio, en circunstancias determinadas, de reservar ciertos bienes para transmitirlos, en su tiempo y caso, a ciertas personas. || **mental.** Intención restrictiva del juramento o promesa que no se declara al tiempo de hacerlo. Ú. m. en pl. || **A reserva de.** m. adv. Con el propósito, con la intención de. || **De reserva.** loc. Dícese de lo que se tiene dispuesto para suplir alguna falta. || **2.** *Biol.* Dícese de la substancia que se almacena en determinadas células de las plantas o de los animales y es utilizada por el organismo para su nutrición, en caso necesario, transformándose entonces en productos asimilables; como la grasa, el almidón y el glucógeno. || **Sin reserva.** m. adv. Abierta o sinceramente, con franqueza, sin disfraz.
Reservable. adj. Sometido a reserva. || **2.** *For.* V. **Bienes reservables.**
Reservación. f. Acción y efecto de reservar.
Reservadamente. adv. m. Con reserva o bajo sigilo.
Reservado, da. p. p. de **Reservar.** || **2.** adj. Cauteloso, reacio en manifestar su interior. || **3.** Comedido, discreto, circunspecto. || **4.** Que se reserva o debe reservarse. || **5.** V. **Caso, pronóstico reservado.** || **6.** V. **Vía reservada.** || **7.** V. **Valor reservado en sí mismo.** || **8.** m. En algunas partes, sacramento de la Eucaristía que se guarda en el sagrario. *En esta iglesia no hay* RESERVADO. || **9.** Compartimiento de un coche de ferrocarril, estancia de un edificio o parte de un parque o jardín que se destina sólo a personas o a usos determinados.
Reservar. (Del lat. *reservāre*.) tr. Guardar algo para lo futuro. || **2.** Dilatar para otro tiempo lo que se podía o se debía ejecutar o comunicar al presente. Ú. t. c. r. || **3.** Destinar un lugar o una cosa, de un modo exclusivo, para uso o persona determinados. || **4.** Exceptuar, dispensar de una ley común. || **5.** Separar o apartar uno algo de lo que se distribuye, reteniéndolo para sí o para entregarlo a otro. || **6.** Retener o no comunicar una cosa o el ejercicio o conocimiento de ella. || **7.** Encubrir, ocultar, callar una cosa. || **8.** Conservar discrecionalmente, en algunos juegos de naipes, ciertas cartas que no hay obligación de servir. || **9.** Encubrir el Santísimo Sacramento, que estaba manifiesto. || **10.** ant. **Jubilar,** 1.ª acep. Decíase de los criados de la casa real y de otras principales. || **11.** r. Conservarse o irse deteniendo para mejor ocasión. || **12.** Cautelarse, precaverse, guardarse, desconfiar de uno.
Reservativo, va. adj. Perteneciente a la reserva. || **2.** V. **Censo reservativo.** || **3.** *For.* V. **Bienes reservativos.**
Reservista. adj. Dícese del militar perteneciente a la reserva, 6.ª acep. Ú. t. c. s.
Reservón, na. adj. fam. Que guarda excesiva reserva, bien por cautela o con malicia. || **2.** *Taurom.* Dícese del toro que no muestra codicia en acudir a las suertes.
Resfriado. (De *resfriar*.) m. Destemple general del cuerpo, ocasionado por interrumpirse la transpiración. || **2.** Riego que se da a la tierra cuando está seca y dura, para poderla arar. || **Cocer** uno **el resfriado,** o **cocerse el resfriado.** fr. Curarse el **resfriado.**
Resfriador, ra. adj. Que resfría.
Resfriadura. f. *Veter.* Resfriado, 1.ª acep.
Resfriamiento. (De *resfriar*.) m. **Enfriamiento.**
Resfriante. p. a. de **Resfriar.** Que resfría. || **2.** m. **Corbato.**
Resfriar. (De *re* y *esfriar*.) tr. **Enfriar.** || **2.** ant. Refrescar, templar el calor. || **3.** fig. Entibiar, templar el ar-

dor o fervor. Ú. t. c. r. || **4.** intr. Empezar a hacer frío. || **5.** r. Contraer resfriado. || **6.** fig. Entibiarse, disminuirse el amor o la amistad.

Resfrío. (De *resfriar.*) m. **Resfriado.** || **2. Enfriamiento.**

Resguardar. (De *res* y *guardar.*) tr. Defender o reparar. || **2.** r. Cautelarse, precaverse o prevenirse contra un daño.

Resguardo. (De *resguardar.*) m. Guardia, seguridad que se pone en una cosa. || **2.** Seguridad que por escrito se hace en las deudas o contratos. || **3.** Documento o cédula donde consta esta seguridad. || **4.** Guarda o custodia de un paraje, un litoral o una frontera para que no se introduzca contrabando o matute. || **5.** Cuerpo de empleados destinados a este servicio. || **6.** *Mar.* Distancia prudencial que por precaución toma el buque al pasar cerca de un punto peligroso.

Residencia. (Del lat. *residens, -entis,* residente.) f. Acción y efecto de residir. || **2.** Lugar en que se reside. || **3.** Casa de jesuítas donde residen de una manera regular y permanente algunos individuos formando comunidad, y que no es colegio ni casa profesa. || **4.** Espacio de tiempo que debe residir el eclesiástico en el lugar de su beneficio. || **5.** Cargo de ministro residente. || **6.** Acción y efecto de residenciar. || **7.** Proceso o autos formados al que ha sido residenciado. || **8.** Edificio donde una autoridad o corporación tiene su domicilio o donde ejerce sus funciones.

Residencial. adj. Aplícase al empleo o beneficio que pide residencia personal.

Residenciar. (De *residencia.*) tr. Tomar cuenta un juez a otro, o a otra persona que ha ejercido cargo público, de la conducta que en su desempeño ha observado. || **2.** Por ext., pedir cuenta o hacer cargo en otras materias.

Residente. (Del lat. *residens, -entis.*) p. a. de **Residir.** Que reside. || **2.** V. **Ministro residente.** Ú. t. c. s.

Residentemente. adv. m. Con ordinaria residencia o asistencia.

Residir. (Del lat. *residēre.*) intr. Estar de asiento en un lugar. || **2.** Asistir uno personalmente en determinado lugar por razón de su empleo, dignidad o beneficio, ejerciéndolo. || **3.** fig. Estar en una persona cualquier cosa inmaterial; como derechos, facultades, etc. || **4.** fig. Estar o radicar en un punto o en una cosa el quid de aquello de que se trata.

Residual. adj. Perteneciente o relativo al residuo.

Residuo. (Del lat. *residŭum.*) m. Parte o porción que queda de un todo. || **2.** Lo que resulta de la descomposición o destrucción de una cosa. || **3.** *Álg.* y *Arit.* Resultado de la operación de restar. || **del poder.** Conjunto de materias y atribuciones sobre ellas que las constituciones federales o autonomistas no atribuyen expresamente ni al poder central ni a los regionales.

Resiembra. f. Acción y efecto de resembrar. || **2.** Siembra que se hace en un terreno sin dejarlo descansar.

Resigna. f. Acción y efecto de resignar, 1.ª acep.

Resignación. (De *resignar.*) f. Entrega voluntaria que uno hace de sí poniéndose en las manos y voluntad de otro. || **2. Resigna.** || **3. Conformidad,** 6.ª acep.

Resignadamente. adv. m. Con resignación.

Resignante. p. a. de **Resignar.** Que resigna.

Resignar. (Del lat. *resignāre,* entregar, devolver.) tr. Renunciar un beneficio eclesiástico o hacer dimisión de él a favor de un sujeto determinado. || **2.** Entregar una autoridad el mando a otra en determinadas circunstancias. || **3.** r. Conformarse, someterse, entregar su voluntad, condescender.

Resignatario. m. Sujeto en cuyo favor se hacía la resigna.

Resina. (Del lat. *resīna.*) f. Substancia sólida o de consistencia pastosa, insoluble en el agua, soluble en el alcohol y en los aceites esenciales, y capaz de arder en contacto del aire. Obtiénese naturalmente como producto que fluye de varias plantas, y artificialmente por destilación de las trementinas.

Resinación. f. Acción y efecto de resinar.

Resinar. tr. Sacar resina a ciertos árboles haciendo incisiones en el tronco.

Resinero, ra. adj. Perteneciente o relativo a la resina. *Industria* RESINERA. || **2.** m. El que tiene por oficio resinar.

Resinífero, ra. (Del lat. *resīna,* resina, y *ferre,* llevar.) adj. **Resinoso,** 1.ª acep.

Resinoso, sa. (Del lat. *resinōsus.*) adj. Que tiene o destila resina. || **2.** Que participa de alguna de las cualidades de la resina. *Gusto, olor* RESINOSO. || **3.** *Fís.* V. **Electricidad resinosa.**

Resisa. (De *resisar.*) f. **Octavilla,** 2.ª acep.

Resisar. (De *re* y *sisar.*) tr. Achicar más las medidas ya sisadas del vino, vinagre y aceite, rebajando de ellas lo correspondiente a la resisa.

Resistencia. (Del lat. *resistentĭa.*) f. Acción y efecto de resistir o resistirse. || **2.** *Mec.* Causa que se opone a la acción de una fuerza. || **3.** *Mec.* Fuerza que se opone al movimiento de una máquina y ha de ser vencida por la potencia. || **4.** *Electr.* Dificultad que opone un conductor al paso de la corriente. || **5.** *Electr.* Elemento que se intercala en un circuito para dificultar el paso de la corriente o para hacer que ésta se transforme en calor. || **pasiva.** *Mec.* Cualquiera de las que en una máquina dificultan su movimiento y disminuyen su efecto útil; como el rozamiento, los choques, etc. || **2.** fig. Renuencia en hacer alguna cosa.

Resistente. (Del lat. *resistens, -entis.*) p. a. de **Resistir.** Que resiste o se resiste.

Resistero. (De *re* y *siesta.*) m. **Siesta,** 1.ª acep. || **2.** Calor causado por la reverberación del sol. || **3.** Lugar en que especialmente se nota este calor.

Resistible. adj. Que puede ser resistido.

Resistidero. (De *resistir.*) m. **Resistero.**

Resistidor, ra. adj. Que resiste.

Resistir. (Del lat. *resistĕre.*) intr. Oponerse un cuerpo o una fuerza a la acción o violencia de otra. Ú. t. c. r. || **2.** Repugnar, contrariar, rechazar, contradecir. || **3.** tr. Tolerar, aguantar o sufrir. || **4.** Combatir las pasiones, deseos, etc. || **5.** r. Bregar, forcejar.

Resistivo, va. adj. Que resiste o tiene virtud para resistir.

Resma. (Del ár. *rizma,* paquete.) f. Conjunto de veinte manos de papel. || **sucia.** La de papel de hilo, que tiene sus dos costeras correspondientes.

Resmilla. (d. de *resma.*) f. Paquete de veinte cuadernillos de papel de cartas.

Resobado, da. (De *re* y *sobado.*) adj. Se aplica a los temas o asuntos de conversación o literarios muy trillados.

Resobrar. (De *re* y *sobrar.*) intr. Sobrar mucho.

Resobrino, na. (De *re* y *sobrino.*) m. y f. Hijo de sobrino carnal.

Resol. m. Reverberación del sol.

Resolano, na. (De *re* y *solano.*) adj. Dícese del sitio donde se toma el sol sin que ofenda el viento. Ú. t. c. s. f.

Resolgar. (De *resollar,* infl. por *holgar.*) intr. p. us. **Resollar.**

Resoli. m. *Cuen.* **Rosoli.**

Resoluble. (Del lat. *resolubĭlis.*) adj. Que se puede resolver.

Resolución. (Del lat. *resolutĭo, -ōnis.*) f. Acción y efecto de resolver o resolverse. || **2.** Ánimo, valor o arresto. || **3.** Actividad, prontitud, viveza. || **4.** Decreto, providencia, auto o fallo de autoridad gubernativa o judicial. || **5.** *Mús.* Paso de un acorde disonante a otro consonante, y también este último acorde con relación al anterior. || **En resolución.** m. adv. que expresa el fin de un razonamiento.

Resolutamente. adv. m. ant. **Resueltamente.**

Resolutivamente. adv. m. Con decisión.

Resolutivo, va. (Del lat. *resolūtum,* supino de *resolvĕre,* resolver.) adj. Aplícase al orden o método en que se procede analíticamente o por resolución. || **2.** *Med.* Que tiene virtud de resolver. Ú. t. c. s. m.

Resoluto, ta. (Del lat. *resolūtus.*) p. p. irreg. de **Resolver.** || **2.** adj. **Resuelto.** || **3.** Compendioso, abreviado, resumido. || **4.** Versado, diestro, expedito.

Resolutoriamente. adv. m. Con resolución.

Resolutorio, ria. (Del lat. *resolutorĭus.*) adj. Que tiene, motiva o denota resolución. || **2.** V. **Cláusula, condición resolutoria.**

Resolvente. (Del lat. *resolvens, -entis.*) p. a. de **Resolver.** Que resuelve. Ú. t. c. s.

Resolver. (Del lat. *resolvĕre;* de *re* y *solvĕre,* soltar, desatar.) tr. Tomar determinación fija y decisiva. || **2.** Resumir, epilogar, recapitular. || **3.** Desatar una dificultad o dar solución a una duda. || **4.** Hallar la solución de un problema. || **5.** Deshacer, destruir. || **6.** Deshacer un agente natural alguna cosa cuyas partes separa destruyendo su unión. Ú. t. c. r. || **7.** Analizar, dividir física o mentalmente un compuesto en sus partes o elementos, para reconocerlos cada uno de por sí. || **8.** *Fís.* y *Med.* Hacer que se disipe, desvanezca, exhale o evapore una cosa; dividir, atenuar. Ú. t. c. r. || **9.** r. Arrestarse a decir o hacer una cosa. || **10.** Reducirse, venir a parar una cosa en otra. || **11.** *Med.* Terminar las enfermedades, y con especialidad las inflamaciones, ya espontáneamente, ya en virtud de los medios del arte, quedando los órganos en el estado normal y sin formación de pus.

Resolviente. p. a. ant. **Resolvente.**

Resollar. (Del lat. *re* y *sufflāre,* soplar.) intr. **Respirar,** 1.ª, 5.ª y 6.ª aceps. || **2.** Respirar fuertemente y con algún ruido. || **3.** fig. y fam. Dar noticia de sí después de algún tiempo la persona ausente, o hablar la que ha permanecido callada.

Resonación. f. Acción y efecto de resonar.

Resonador, ra. adj. Que resuena. || **2.** m. *Fís.* Cuerpo sonoro dispuesto para entrar en vibración cuando recibe ondas acústicas de determinada frecuencia y amplitud. Se usa principalmente para aislar los sonidos secundarios que acompañan al fundamental.

Resonancia. (Del lat. *resonantĭa.*) f. Prolongación del sonido, que se va disminuyendo por grados. || **2.** Sonido producido por repercusión de otro. || **3.** Cada uno de los sonidos elementales que acompañan al principal en una nota música y comunican timbre particular a cada voz o instrumento. || **3.** fig. Gran divulgación o propagación que adquieren un hecho o las cualidades de una persona en alas de la fama.

Resonante. (Del lat. *resŏnans, -antis.*) p. a. de **Resonar.** Que resuena.

Resonar. (Del lat. *resonāre.*) intr. Hacer sonido por repercusión o sonar mucho. Ú. en poesía como tr.

Resoplar. intr. Dar resoplidos.

Resoplido. (De *resoplar.*) m. Resuello fuerte.

Resoplo. (De *resoplar.*) m. **Resoplido.**

Resorber. (Del lat. *resorbēre.*) tr. Recibir o recoger dentro de sí una persona o cosa un líquido que ha salido de ella misma.

Resorción. f. Acción y efecto de resorber.

Resorte. (Del fr. *ressort.*) m. **Muelle,** 1.er art., 3.ª acep. || **2.** Fuerza elástica de una cosa. || **3.** fig. Medio material o inmaterial de que uno se vale para lograr un fin.

Respailar. intr. fam. Moverse rápida y atropelladamente. No se emplea, por lo común, sino en el gerundio y con verbos de movimiento; como *ir, venir, salir, llegar.*

Respaldar. m. **Respaldo,** 1.ª acep. || **2.** Derrame de jugos producido en los troncos de los árboles por golpes violentos.

Respaldar. tr. Sentar, notar o apuntar algo en el respaldo de un escrito. || **2.** fig. Proteger, amparar, guardar las espaldas. || **3.** r. Inclinarse de espaldas o arrimarse al respaldo de la silla o banco. || **4.** *Veter.* Despaldarse una caballería.

Respaldo. m. Parte de la silla o banco, en que descansan las espaldas. || **2. Espaldera,** 2.ª acep. || **3.** Vuelta del papel o escritos, en que se nota alguna cosa. || **4.** Lo que allí se escribe.

Respaldón. m. aum. de **Respaldo.** || **2.** *Nav.* Muralla de cantería que sirve para contener el empuje de las aguas de los ríos.

Respe. m. *Zool.* **Résped,** 1.ª acep.

Respectar. (Del lat. *respectāre*, mirar con atención, considerar.) defect. Tocar, pertenecer, decir relación, atañer.

Respectivamente. adv. m. Con relación, proporción o consideración a una cosa. || **2.** Según la relación o conveniencia necesaria a cada caso.

Respective. (Del lat. *respective.*) adv. m. **Respectivamente.**

Respectivo, va. (De *respecto.*) adj. Que atañe o se contrae a persona o cosa determinada.

Respecto. (Del lat. *respectus.*) m. Razón, relación o proporción de una cosa a otra. || **Al respecto.** m. adv. A proporción, a correspondencia, respectivamente. || **Con respecto,** o **respecto, a,** o **de.** m. adv. **Respectivamente.**

Résped. m. Lengua de la culebra o de la víbora. || **2.** Aguijón de la abeja o de la avispa. || **3.** fig. Intención malévola en las palabras.

Réspede. m. **Résped,** 1.ª acep.

Respeluzar. tr. **Despeluzar.** Ú. t. c. r.

Respetabilidad. f. Calidad de respetable.

Respetable. (De *respetar.*) adj. Digno de respeto. || **2.** Ú. a veces con carácter ponderativo. *Hallarse a* RESPETABLE *distancia.*

Respetador, ra. adj. Que respeta.

Respetar. (De *respectar.*) tr. Tener respeto, 1.ª y 2.ª aceps. || **2.** intr. **Respectar.**

Respetivo, va. adj. **Respetuoso.**

Respeto. (Del lat. *respectus*, atención, consideración.) m. Obsequio, veneración, acatamiento que se hace a uno. || **2.** Miramiento, consideración, atención, causa o motivo particular. || **3.** Cualquier cosa que se tiene de prevención o repuesto. *Coche de* RESPETO. || **4.** ant. **Respecto.** || **5.** *Germ.* **Espada,** 1.ª acep. || **6.** *Germ.* **Cortejo,** 4.ª acep. || **7.** pl. Manifestaciones de acatamiento que se hacen por cortesía. || **Respeto humano.** Miramiento excesivo hacia la opinión de los hombres, antepuesto a los dictados de la moral estricta. Ú. m. en pl. || **Campar** uno **por su respeto,** o **por** sus **respetos.** fr. fig. y fam. Obrar uno a su antojo sin miramientos a la obediencia o a la consideración debida a otro. || **Estar de respeto.** fr. Dícese de la persona que se viste o de la habitación que se adorna para un acto de ceremonia o de ostentación.

Respetosamente. adv. m. desus. **Respetuosamente.**

Respetoso, sa. adj. desus. **Respetuoso.**

Respetuosamente. adv. m. Con respeto y veneración.

Respetuoso, sa. adj. Que causa o mueve a veneración y respeto. || **2.** Que observa veneración, cortesía y respeto.

Réspice. (Del lat. *respĭce*, imper. de *respicĕre*, mirar.) m. fam. Respuesta seca y desabrida. || **2.** fam. Reprensión corta, pero fuerte.

Respigador, ra. adj. Que respiga. Ú. t. c. s.

Respigar. (Del lat. *re* y *espiga.*) tr. **Espigar,** 1.ª acep.

Respigo. m. *Sant.* Semilla de la berza.

Respigón. (De *respigo.*) m. **Padrastro,** 4.ª acep. || **2.** *Veter.* Llaga que se hace a las caballerías en los pulpejos, con dolor y algo de materia.

Respingar. (En port. *respingar;* en ital. *respingere.*) intr. Sacudirse la bestia y gruñir porque la lastima o molesta una cosa o le hace cosquillas. || **2.** fam. Elevarse el borde de la falda o de la chaqueta por estar mal hecha o mal colocada la prenda. || **3.** fig. y fam. Resistir, repugnar, hacer gruñendo lo que se manda.

Respingo. m. Acción de respingar. || **2.** Sacudida violenta del cuerpo. || **3.** fig. y fam. Expresión y movimiento de despego y enfado con que uno muestra vivamente la repugnancia que tiene en ejecutar lo que se le manda.

Respingona. adj. fam. V. **Nariz respingona.**

Respirable. (Del lat. *respirabĭlis.*) adj. Que se puede respirar sin daño de la salud. *Aire* RESPIRABLE.

Respiración. (Del lat. *respiratĭo, -ōnis.*) f. Acción y efecto de respirar. || **2.** Aire que se respira. || **3.** Entrada y salida libre del aire en un aposento u otro lugar cerrado.

Respiradero. (De *respirar.*) m. Abertura por donde entra y sale el aire. || **2.** Lumbrera, tronera. || **3. Ventosa,** 1.ª acep. || **4.** fig. **Respiro,** 2.ª acep. || **5.** fam. Órgano o conducto de la respiración.

Respirador, ra. adj. Que respira. || **2.** *Zool.* Aplícase a los músculos que sirven para la respiración.

Respirante. p. a. de **Respirar.** Que respira.

Respirar. (Del lat. *respirāre.*) intr. Absorber el aire los seres vivos, por pulmones, branquias, tráqueas, etc., tomando parte de las substancias que lo componen, y expelerlo modificado. Ú. t. c. tr. || **2.** Exhalar, despedir de sí un olor. || **3.** fig. Animarse, cobrar aliento. || **4.** fig. Tener salida o comunicación con el aire externo o libre un flúido que está encerrado. || **5.** fig. Descansar, aliviarse del trabajo, salir de la opresión. || **6.** fig. y fam. **Hablar,** 1.ª acep. Ú. más con neg. *Antonio no* RESPIRÓ. || **8.** Tener de manera ostensible la persona de quien se habla, la cualidad o el estado de ánimo a que se alude. RESPIRAR *simpatía, temor, bondad, satisfacción,* etc. Por ext. se aplica a las cosas. *La noche* RESPIRA *amor.* || **Sin respirar.** m. adv. fig. con que se da a entender que una cosa se ha hecho sin descanso ni intermisión de tiempo.

Respiratorio, ria. adj. Que sirve para la respiración o la facilita. *Órgano, aparato* RESPIRATORIO. || **2.** V. **Alimento respiratorio.**

Respiro. (De *respirar.*) m. **Respiración,** 1.ª acep. || **2.** fig. Rato de descanso en el trabajo, para volver a él con nuevo aliento. || **3.** fig. Alivio, descanso en medio de una fatiga, pena o dolor. || **4.** fig. Prórroga que obtiene el deudor al expirar el plazo convenido para pagar.

Resplandecencia. (De *resplandecer.*) f. ant. **Resplandor.** 1.ª acep. || **2.** ant. fig. **Esplendor.**

Resplandecer. (Del lat. *resplendescĕre.*) intr. Despedir rayos de luz o lucir mucho una cosa. || **2.** fig. Sobresalir, aventajarse, brillar.

Resplandeciente. p. a. de **Resplandecer.** Que resplandece.

Resplandecimiento. (De *resplandecer.*) m. **Resplandor,** 1.ª y 3.ª aceps.

Resplandina. f. fam. Regaño, reprensión fuerte.

Resplandor. (De *resplendor.*) m. Luz muy clara que arroja o despide el Sol u otro cuerpo luminoso. || **2.** desus. Composición de albayalde y otras cosas con que se afeitaban las mujeres. || **3.** fig. Brillo de algunas cosas. || **4.** fig. Esplendor o lucimiento.

Resplendente. adj. desus. Esplendente, resplandeciente.

Resplendor. (Del lat. *resplendor.*) m. ant. **Resplandor.**

Respondedor, ra. adj. Que responde. Ú. t. c. s.

Respondencia. (De *responder.*) f. ant. Correspondencia, relación.

Responder. (Del lat. *respondēre.*) tr. Contestar, satisfacer a lo que se pregunta o propone. || **2.** Contestar uno al que le llama o al que toca a la puerta. || **3.** Contestar al billete o carta que se ha recibido. || **4.** Corresponder con su voz los animales o aves a la de los otros de su especie o al reclamo artificial que la imita. || **5.** Satisfacer al argumento, duda, dificultad o demanda. || **6.** Cantar o recitar en correspondencia con lo que otro canta o recita. || **7.** Replicar a un pedimento o alegato. || **8.** intr. Corresponder, repetir el eco. || **9.** Corresponder, mostrarse agradecido. || **10.** fig. Rendir o fructificar. *Este campo no* RESPONDE. || **11.** fig. Dicho de las cosas inanimadas, surtir el efecto que se desea o pretende. || **12.** Corresponder con una acción a la realizada por otro. *A la intimación que les hicimos,* RESPONDIERON *a tiros.* || **13.** Corresponder, guardar proporción o igualdad una cosa con otra. || **14.** Replicar, ser respondón. || **15.** Mirar, caer, estar situado en un lugar, edificio, etc., hacia una parte determinada. || **16.** Estar uno obligado u obligarse a la pena y resarcimiento correspondientes al daño causado o a la culpa cometida. || **17.** Asegurar una cosa como garantizando la verdad de ella. RESPONDO *del buen comportamiento de mi recomendada.* || **Responder por** uno. fr. Abonarle, salir fiador por él.

Respondidamente. adv. m. ant. Con proporción, simetría o correspondencia.

Respondiente. p. a. de **Responder.** Que responde.

Respondón, na. (De *responder.*) adj. fam. Que tiene el vicio de replicar irrespetuosamente. Ú. t. c. s.

Responsabilidad. f. Deuda, obligación de reparar y satisfacer, por sí o por otro, a consecuencia de delito, de una culpa o de otra causa legal. || **2.** Cargo u obligación moral que resulta para uno del posible yerro en cosa o asunto determinado. || **3.** *For.* V. **Recurso de responsabilidad.** || **De responsabilidad.** loc. Dícese de la persona de posibles, de crédito.

Responsable. (Del lat. *responsum*, supino de *respondēre*, responder.) adj. Obligado a responder de alguna cosa o por alguna persona. || **2.** V. **Editor responsable.** || **civilmente.** *For.* El que, sin estar sometido a responsabilidad penal, es parte en una causa a los efectos de restituir, reparar o indemnizar de un modo directo o subsidiario por las consecuencias de un delito.

Responsar. intr. Decir o rezar responsos.

Responsear. intr. fam. **Responsar.**

Responseo. m. fam. Acción y efecto de responsear.

Responsión. (Del lat. *responsĭo, -ōnis.*) f. Tanto con que contribuyen al tesoro de la orden de San Juan los comendadores y demás individuos que disfrutan rentas. ‖ **2.** ant. **Respuesta.** ‖ **3.** ant. **Responsabilidad.** ‖ **4.** ant. Correspondencia o proporción de una cosa con otra.

Responsivo, va. adj. Perteneciente o relativo a la respuesta.

Responso. (Del lat. *responsum.*) m. Responsorio que, separado del rezo, se dice por los difuntos.

Responsorio. (Del lat. *responsorĭum.*) m. Ciertas preces y versículos que se dicen en el rezo después de las lecciones en los maitines y después de las capítulas de otras horas.

Respuesta. (De *respuesto.*) f. Satisfacción a una pregunta, duda o dificultad. ‖ **2. Réplica.** ‖ **3. Refutación,** 1.ª y 2.ª aceps. ‖ **4.** Contestación a una carta o billete. ‖ **5.** Acción con que uno corresponde a la de otro. ‖ **6.** *For.* V. **Derecho de respuesta.** ‖ **Comenzar por respuesta.** fr. ant. *For.* Contestar las demandas en los pleitos.

Respuesto, ta. p. p. irreg. ant. de **Responder.**

Resquebradura. (De *resquebrar.*) f. Hendedura, grieta.

Resquebrajadizo, za. (De *resquebrajar.*) adj. **Resquebrajoso.**

Resquebrajadura. (De *resquebrajar.*) f. **Resquebradura.**

Resquebrajamiento. m. **Resquebrajadura.**

Resquebrajar. (De *res* y *quebrajar.*) tr. Hender ligera y a veces superficialmente algunos cuerpos duros, en especial la madera, la loza, el yeso, etc. Ú. m. c. r.

Resquebrajo. (De *resquebrajar.*) m. **Resquebradura.**

Resquebrajoso, sa. adj. Que se resquebraja o puede resquebrajarse fácilmente.

Resquebrar. (De *res* y *quebrar.*) intr. Empezar a quebrarse, henderse o saltarse una cosa. Ú. t. c. r.

Resquemar. (De *res* y *quemar.*) tr. Causar algunos alimentos o bebidas en la lengua y paladar un calor picante y mordaz. Ú. t. c. intr. ‖ **2. Requemar,** 2.ª acep. Ú. t. c. r. ‖ **3.** fig. **Escocer,** 2.ª acep.

Resquemazón. f. **Resquemo.**

Resquemo. m. Acción y efecto de resquemar o resquemarse. ‖ **2.** Calor mordicante que producen en la lengua y paladar algunos manjares o bebidas. ‖ **3.** Sabor y olor desagradables que adquieren los alimentos resquemándose al fuego.

Resquemor. (De *resquemo.*) m. **Escozor,** 2.ª acep. ‖ **2.** *Ast., Sant.* y *Rioja.* **Resquemo,** 2.ª acep.

Resquicio. (De *resquiezo.*) m. Abertura que hay entre el quicio y la puerta. ‖ **2.** Por ext., cualquiera otra hendedura pequeña. ‖ **3.** fig. Coyuntura u ocasión que se proporciona para un fin.

Resquiezo. (Del ant. *rescriezo*, y éste del lat. **re-ex-crĕpitiāre*, rajar, de *crĕpitāre*, quebrar.) m. ant. **Resquicio.**

Resquilar. (De *esquilo*, ardilla, y éste del lat. *sciurus.*) intr. *Burg.* y *Sant.* Esquilar, gatear a un árbol.

Resquitar. (De *res* y *quitar.*) tr. ant. Desquitar, descontar, rebajar, disminuir.

Resta. f. *Álg.* y *Arit.* Operación de restar, que es una de las cuatro reglas fundamentales de la aritmética y del álgebra. ‖ **2.** *Álg.* y *Arit.* **Residuo,** 3.ª acep.

Restablecer. tr. Volver a establecer una cosa o ponerla en el estado que antes tenía. ‖ **2.** r. Recuperarse, repararse de una dolencia, enfermedad u otro daño o menoscabo.

Restablecimiento. m. Acción y efecto de restablecer o restablecerse.

Restado, da. p. p. de **Restar.** ‖ **2.** adj. **Arrestado,** 2.ª acep.

Restallar. intr. Chasquear, estallar una cosa; como la honda o el látigo cuando se manejan o sacuden en el aire con violencia. ‖ **2.** Crujir, hacer fuerte ruido.

Restante. (Del lat. *restans, -antis.*) p. a. de **Restar.** Que resta. ‖ **2.** m. **Residuo,** 1.ª acep.

Restañadero. (De *restañar,* 2.° art.) m. **Estuario.**

Restañadura. f. Acción y efecto de restañar, 1.er art.

Restañar. tr. Volver a estañar; cubrir o bañar con estaño segunda vez.

Restañar. (Del lat. *restagnāre.*) tr. Estancar, parar o detener el curso de un líquido o humor. Dícese con especialidad del derrame de la sangre. Ú. t. c. intr. y c. r.

Restañar. intr. **Restallar.**

Restañasangre. (De *restañar* y *sangre.*) f. **Alaqueca.**

Restaño. (De *restañar,* 1.er art.) m. Especie de tela antigua de plata u oro parecida al glasé.

Restaño. m. Acción y efecto de restañar, 2.° art. ‖ **2.** Remanso o estancamiento de las aguas.

Restar. (Del lat. *restāre.*) tr. Sacar el residuo de una cosa, bajando una parte del todo. ‖ **2.** Disminuir, rebajar, cercenar. *Su mal comportamiento le* HA RESTADO *mucha autoridad.* ‖ **3.** Devolver el resto la pelota al saque. ‖ **4.** ant. **Arrestar.** ‖ **5.** *Álg.* y *Arit.* Hallar la diferencia entre dos cantidades. ‖ **6.** intr. Faltar o quedar. *En todo lo que* RESTA *de año.*

Restauración. (Del lat. *restaurātĭo, -ōnis.*) f. Acción y efecto de restaurar. ‖ **2.** Restablecimiento en un país del régimen político que existía y que había sido substituido por otro. ‖ **3.** Reposición en el trono de un rey destronado o del representante de una dinastía derrocada. ‖ **4.** Período histórico que comienza con esta reposición.

Restaurador, ra. (Del lat. *restaurātor.*) adj. Que restaura. Ú. t. c. s.

Restaurante. p. a. de **Restaurar.** Que restaura. Ú. t. c. s. ‖ **2.** m. Establecimiento donde se sirven comidas.

Restaurar. (Del lat. *restaurāre.*) tr. Recuperar o recobrar. ‖ **2.** Reparar, renovar o volver a poner una cosa en aquel estado o estimación que antes tenía. ‖ **3.** Reparar una pintura, escultura, edificio, etc., del deterioro que ha sufrido.

Restaurativo, va. adj. Dícese de lo que restaura o tiene virtud de restaurar. Ú. t. c. s. m.

Restauro. m. desus. **Restauración,** 1.ª acep.

Restinga. (Del neerl. *rotssteen*, peñasco.) f. Punta o lengua de arena o piedra debajo del agua y a poca profundidad.

Restingar. m. Sitio o paraje en que hay restingas.

Restitución. (Del lat. *restitutĭo, -ōnis.*) f. Acción y efecto de restituir. ‖ **in íntegrum.** *For.* Reintegración de un menor o de otra persona privilegiada en todas sus acciones y derechos.

Restituible. adj. Que se puede restituir.

Restituidor, ra. adj. Que restituye. Ú. t. c. s.

Restituir. (Del lat. *restituĕre.*) tr. Volver una cosa a quien la tenía antes. ‖ **2.** Restablecer o poner una cosa en el estado que antes tenía. ‖ **3.** r. Volver uno al lugar de donde había salido.

Restitutorio, ria. (Del lat. *restitutorĭus*). adj. Que restituye, o se da o se recibe por vía de restitución. ‖ **2.** *For.* Dícese de lo que incluye o dispone la restitución.

Resto. (De *restar.*) m. **Residuo,** 1.ª acep. ‖ **2.** Cantidad que en los juegos de envite se consigna para jugar y envidar. ‖ **3.** Jugador que devuelve la pelota al saque. ‖ **4.** Sitio desde donde se resta, en el juego de pelota. ‖ **5.** Acción de restar, en el juego de pelota. ‖ **6.** *Álg.* y *Arit.* **Residuo,** 3.ª acep. ‖ **7.** pl. **Restos mortales.** ‖ **Resto abierto.** En algunos juegos, el que es ilimitado. ‖ **Restos mortales.** Lo que queda del cuerpo humano después de muerto. ‖ **A resto abierto.** m. adv. fig. y fam. Ilimitadamente, sin restricción. ‖ **Echar,** o **envidar, el resto.** fr. Parar y hacer envite, en el juego, de todo el caudal que uno tiene en la mesa. ‖ **2.** fig. y fam. Hacer todo el esfuerzo posible. ‖ **Hacer** tanto **de resto.** fr. Señalar el jugador la cantidad que puede ganar o perder. HAGO *veinte pesetas* DE RESTO.

Restregadura. f. Acción y efecto de restregar o restregarse. ‖ **2. Refregadura,** 2.ª acep.

Restregamiento. (De *restregar.*) m. **Restregadura.**

Restregar. (De *re* y *estregar.*) tr. Estregar mucho y con ahínco.

Restregón. (De *restregar.*) m. **Estregón.**

Restribar. intr. Estribar o apoyarse con fuerza.

Restricción. (Del lat. *restrictĭo, -ōnis.*) f. Limitación o modificación. ‖ **mental.** Excepción o negación que se hace mentalmente para no cumplir lo que se dice.

Restrictivamente. adv. m. De manera restrictiva, con restricción.

Restrictivo, va. (Del lat. *restrictum,* supino de *restringĕre,* restringir.) adj. Dícese de lo que tiene virtud o fuerza para restringir y apretar. ‖ **2.** Dícese de lo que restringe, limita o acorta.

Restricto, ta. (Del lat. *restrictus.*) adj. Limitado, ceñido o preciso.

Restringa. f. **Restinga.**

Restringente. (Del lat. *restringens, -entis.*) p. a. de **Restringir.** Que restringe. Ú. t. c. s. m.

Restringible. adj. Que se puede restringir.

Restringir. (Del lat. *restringĕre.*) tr. Ceñir, circunscribir, reducir a menores límites. ‖ **2. Restriñir.**

Restriñidor, ra. adj. Que restriñe.

Restriñimiento. m. Acción y efecto de restriñir.

Restriñir. (Del lat. *restringĕre.*) tr. **Astringir.**

Restrojo. (Del lat. *re-stipŭla.*) m. **Rastrojo.**

Resucitación. f. *Med.* Acción de volver a la vida, con maniobras y medios adecuados, a los seres vivos en estado de muerte aparente.

Resucitado, da. p. p. de **Resucitar.** ‖ **2.** adj. V. **Pájaro, piojo resucitado.**

Resucitador, ra. (Del lat. *resuscitātor.*) adj. Que hace resucitar. Ú. t. c. s.

Resucitar. (Del lat. *resuscitare;* de *re* y *suscitāre*, despertar.) tr. Volver la vida a un muerto. ‖ **2.** fig. y fam. Restablecer, renovar, dar nuevo ser a una cosa. ‖ **3.** intr. Volver uno a la vida.

Resudación. f. Acción de resudar. ‖ **2. Resudor.**

Resudar. (Del lat. *resudāre.*) intr. Sudar ligeramente. ‖ **2.** Entre madereros, quedar los árboles tendidos para que pierdan la humedad superflua, antes de proceder a su labra. ‖ **3.** r. **Rezumarse,** 1.ª acep. Ú. t. c. intr.

Resudor. (De *resudar.*) m. Sudor ligero y tenue.

Resueltamente. adv. m. De manera resuelta, con resolución.

Resuelto, ta. (Del lat. **resolūtus,* por *resolūtus.*) p. p. irreg. de **Resolver.** ‖ **2.** adj. Demasiadamente determinado, audaz, arrojado y libre. || **3.** Pronto, diligente, expedito.

Resuello. (De *resollar.*) m. Aliento o respiración, especialmente la violenta. || **2.** *Germ.* **Dinero,** 1.ª y 3.ª aceps. || **Meterle** a uno **el resuello en el cuerpo.** fr. fig. y fam. Hacerle callar, intimidándole.

Resulta. (De *resultar.*) f. Efecto, consecuencia. || **2.** Lo que últimamente se resuelve en una deliberación o conferencia. || **3.** Vacante que queda de un empleo, por ascenso del que lo tenía. || **4.** pl. Atenciones que, habiendo tenido crédito en un presupuesto, no pudieron pagarse durante su vigencia y pasan en concepto especial a otro presupuesto. || **De resultas.** m. adv. Por consecuencia, por efecto.

Resultado, da. p. p. de **Resultar.** || **2.** m. Efecto y consecuencia de un hecho, operación o deliberación.

Resultancia. f. **Resultado.**

Resultando. (ger. de *resultar.*) m. *For.* Cada uno de los fundamentos de hecho enumerados en sentencias o autos judiciales, o en resoluciones gubernativas.

Resultante. p. a. de **Resultar.** Que resulta. || **2.** adj. *Mec.* Dícese de una fuerza que equivale al conjunto de otras varias. Ú. t. c. s. f.

Resultar. (Del lat. *resultāre.*) intr. Resaltar o resurtir. || **2.** Redundar, ceder o venir a parar una cosa en provecho o daño de una persona o de algún fin. || **3.** Nacer, originarse o venir una cosa de otra. || **4.** Aparecer, manifestarse o comprobarse una cosa. *Su figura, aunque desgarbada,* RESULTA *noble. La casa* RESULTA *pequeña.* || **5. Salir,** 21.ª y 22.ª aceps. *Los esfuerzos* RESULTARON *vanos.*

Resumbruno. (De *roso* 1.er art., *en* y *bruno,* 2.° art.) adj. *Cetr.* Dícese del plumaje del halcón entre rubio y negro.

Resumen. m. Acción y efecto de resumir o resumirse. || **2.** Exposición resumida en un asunto o materia. || **En resumen.** m. adv. Resumiendo, recapitulando.

Resumidamente. adv. m. **En resumen.** || **2.** Brevemente, en pocas palabras.

Resumir. (Del lat. *resumĕre,* volver a tomar, comenzar de nuevo.) tr. Reducir a términos breves y precisos, o considerar tan sólo y repetir abreviadamente, lo esencial de un asunto o materia. Ú. t. c. r. || **2.** Repetir el actuante el silogismo del contrario. || **3.** r. Convertirse, comprenderse, resolverse una cosa en otra.

Resunta. f. desus. **Resumen.** Ú. en Colombia.

Resurgimiento. m. Acción y efecto de resurgir.

Resurgir. (Del lat. *resurgĕre.*) intr. Surgir de nuevo, volver a aparecer. || **2. Resucitar,** 3.ª acep.

Resurrección. (Del lat. *resurrectĭo, -ōnis.*) f. Acción de resucitar. || **2.** Por excelencia, la de Nuestro Señor Jesucristo. || **3. Pascua,** 2.ª acep. || **de la carne.** *Teol.* La de todos los muertos, en el día del juicio final.

Resurtido, da. p. p. de **Resurtir.** || **2.** f. Rechazo o rebote de una cosa.

Resurtir. (Como el fr. *ressortir,* del lat. **sŭrtus,* por *surrectus,* de *surgĕre.*) intr. Retroceder un cuerpo de resultas del choque con otro.

Resurtivo, va. adj. Que resurte.

Retablero. m. Artífice que construye retablos.

Retablo. (Del b. lat. *retaulus,* y éste del lat. *retro,* detrás, y *tabŭla,* tabla.) m. Conjunto o colección de figuras pintadas o de talla, que representan en serie una historia o suceso. || **2.** Obra de arquitectura, hecha de piedra, madera u otra materia, que compone la decoración de un altar. || **3.** fig. y fam. V. **Angelón de retablo.** || **de dolores,** o **de duelos.** fig. Persona en quien se acumulan muchos trabajos y miserias.

Retacar. (De *retaco.*) tr. Herir dos veces la bola con el taco en el juego de trucos y billar.

Retacería. f. Conjunto de retazos de diversos géneros de tejido.

Retaco. m. Escopeta corta muy reforzada en la recámara. || **2.** En el juego de trucos y billar, taco más corto que los regulares, algo más grueso y más ancho de boca. || **3.** fig. Hombre rechoncho.

Retador, ra. adj. Que reta o desafía. Ú. t. c. s. m.

Retaguarda. f. desus. **Retaguardia.**

Retaguardia. (De *retroguardia.*) f. Postrer cuerpo de tropa, que cubre las marchas y movimientos de un ejército. || **A retaguardia.** m. adv. En la **retaguardia.** || **2.** Rezagado, postergado. || **Picar la retaguardia.** fr. *Mil.* Perseguir de cerca al enemigo que se retira.

Retahíla. (De *recta* e *hila.*) f. Serie de muchas cosas que están, suceden o se mencionan por su orden.

Retajadura. f. Efecto y señal de retajar, 3.ª acep.

Retajar. tr. Cortar en redondo una cosa. || **2.** Volver a cortar la pluma de ave para escribir. || **3. Circuncidar.** || **4.** *Sal.* Sajar junto al pezón las ubres de las vacas para que éstas no dejen mamar a los terneros.

Retajo. m. Acción de retajar. || **2.** Cosa retajada.

Retal. (Del cat. *retall,* de *retallar,* recortar.) m. Pedazo sobrante de una tela, piel, chapa metálica, etc. || **2.** Cualquier pedazo o desperdicio de telas o de piel, especialmente de la que sirve para hacer la cola que usan los pintores. || **3.** V. **Cola de retal.**

Retallar. (De *re* y *tallar.*) tr. Volver a pasar el buril por las rayas de una lámina ya gastada. || **2.** *Arq.* Dejar o hacer retallos en un muro.

Retallar. (De *re* y *tallo.*) intr. p. us. **Retallecer.**

Retallecer. intr. Volver a echar tallos las plantas.

Retallo. (De *retallar,* 1.er art.) m. *Arq.* Resalto que queda en el paramento de un muro por la diferencia de espesor de dos de sus partes sobrepuestas.

Retallo. (De *retallar,* 2.° art.) m. Nuevo tallo, pimpollo.

Retama. (Del ár. *ratama.*) f. *Bot.* Mata de la familia de las papilionáceas, de dos a cuatro metros de altura, con muchas verdascas o ramas delgadas, largas, flexibles, de color verde ceniciento y algo angulosas; hojas muy escasas, pequeñas, lanceoladas; flores amarillas en racimos laterales y fruto de vaina globosa con una sola semilla negruzca. Es común en España y apreciada para combustible de los hornos de pan. || **blanca.** La que se distingue de la común en tener blancas las flores. || **común. Retama.** || **de escobas.** Mata de la familia de las papilionáceas, de doce a catorce decímetros de altura, con ramas espesas, asurcadas, verdes y lampiñas; hojas pequeñas, partidas en tres gajos; flores grandes, amarillas, solitarias o apareadas, y fruto de vaina ancha, muy aplastada y con varias semillas. Es abundante en España y se emplea en hacer escobas y como combustible ligero. || **de olor. Gayomba.** || **de tintes,** o **de tintoreros.** Mata de la familia de las papilionáceas, con tallo de seis a ocho decímetros de altura; ramas herbáceas, estriadas y angulosas; hojas lanceoladas u ovales, vellosas en su margen y sentadas; flores grandes, amarillas y en racimos, y fruto de vaina aplastada y con varias semillas. La raíz contiene una substancia amarilla empleada en tintorería. Es común en el centro y en el litoral mediterráneo de España. || **macho. Gayomba.** || **negra. Retama de escobas.** || **Mascar retama.** fr. fig. y fam. Estar amargado, colérico y descontento.

Retamal. m. **Retamar.**

Retamar. m. Sitio poblado de retamas.

Retamero, ra. adj. Perteneciente a la retama. *Azadón* RETAMERO; *tierra* RETAMERA.

Retamilla. f. d. de **Retama.** || **2.** *Méj.* **Agracejo,** 3.ª y 4.ª aceps.

Retamo. m. ant. **Retama.** Ú. en *Sal., Argent., Colomb.* y *Chile.*

Retamón. m. **Piorno,** planta.

Retar. (Del lat. *repŭtāre.*) tr. desus. Acusar de alevosía y ante el rey un noble a otro, quedando obligado el primero a mantener la denuncia en buena lid. || **2.** Desafiar, provocar a duelo, batalla o contienda. || **3.** fam. Reprender, tachar, echar en cara.

Retardación. (Del lat. *retardatĭo, -ōnis.*) f. Acción y efecto de retardar o retardarse.

Retardado, da. p. p. de **Retardar.** || **2.** adj. *Mec.* V. **Movimiento retardado y uniformemente retardado.**

Retardador, ra. adj. Que retarda.

Retardar. (Del lat. *retardāre.*) tr. Diferir, detener, entorpecer, dilatar. Ú. t. c. r.

Retardatorio, ria. adj. Dícese de lo que tiende a producir retraso o retardo en la ejecución de alguna cosa o proyecto.

Retardativo, va. adj. Que sirve para retardar.

Retardatriz. (De *retardar.*) adj. f. *Mec.* **Retardadora.** || **2.** V. **Fuerza retardatriz.**

Retardo. (De *retardar.*) m. **Retardación.**

Retartalillas. f. pl. Retahíla de palabras, charlatanería.

Retasa. (De *retasar.*) f. Acción y efecto de retasar.

Retasación. (De *retasar.*) f. **Retasa.**

Retasar. (De *re* y *tasar.*) tr. Tasar segunda vez. || **2.** Rebajar el justiprecio de las cosas puestas en subasta y no rematadas.

Retazar. (De *re* y *tazar.*) tr. Hacer piezas o pedazos una cosa. || **2.** Dividir el rebaño en hatajos. || **3.** *Sal.* Cortar leña menuda.

Retazo. (De *retazar.*) m. Retal o pedazo de una tela. || **2.** fig. Trozo o fragmento de un razonamiento o discurso.

Rete. Prefijo que encarece o pondera como *archi.* RETE*bueno.*

Retejador. m. El que reteja.

Retejar. (De *re* y *tejar,* 1.er art.) tr. Recorrer los tejados, poniendo las tejas que les faltan. || **2.** fig. y fam. Proveer de vestido o calzado al que lo necesita.

Retejer. tr. Tejer unida y apretadamente.

Retejo. m. Acción y efecto de retejar.

Retel. (Del cat. y arag. *retel,* del lat. **retĕllum,* de *rete.*) m. *Ál.* Arte de pesca que consiste en un aro con una red que forma bolsa. Se usa para la pesca de cangrejos de agua dulce.

Retemblar. (De *re* y *temblar.*) intr. Temblar con movimiento repetido.

Retén. (De *retener.*) m. Repuesto o prevención que se tiene de una cosa. || **2.** *Mil.* Tropa que en más o menos número se pone sobre las armas, cuando las circunstancias lo requieren, para reforzar, especialmente de noche, uno o más puestos militares.

Retención. (Del lat. *retentĭo, -ōnis.*) f. Acción y efecto de retener. || **2.** Parte o totalidad retenida de un sueldo, salario u otro haber. || **3.** *Med.* Detención o depósito que se hace en el cuerpo humano, de un humor que debiera expelerse.

Retenedor, ra. adj. Que retiene.

Retenencia. (De *retener.*) f. ant. Provisión de bastimentos y otras cosas necesarias para la conservación y defensa de una fortaleza.

Retener. (Del lat. *retinēre.*) tr. Detener, conservar, guardar en sí. || **2.** Conservar en la memoria una cosa. || **3.** Conservar el empleo que se tenía cuando se pasa a otro. || **4.** Suspender el uso de un rescripto que procede de la autoridad eclesiástica. || **5.** Suspender en todo o en parte el pago del sueldo, salario u otro haber que uno ha devengado, hasta que satisfaga lo que debe, por disposición judicial o gubernativa. || **6.** Imponer prisión preventiva, arrestar. || **7.** *For.* Asumir un tribunal superior la jurisdicción para ejercitarla por sí, con exclusión del inferior.

Retenida. (De *retener.*) f. Cuerda, aparejo, y a veces palo, que sirve para contener o guiar un cuerpo en su caída. || **2.** *Mar.* V. **Palanquín de retenida.**

Retenidamente. adv. m. Con retención.

Retenimiento. (De *retener.*) m. **Retención,** 1.ª acep.

Retentar. (Del lat. *retentāre*, reproducir.) tr. Volver a amenazar la enfermedad, dolor o accidente que se padeció ya, o resentirse de él.

Retentiva. (De *retentivo.*) f. Memoria, facultad de acordarse.

Retentivo, va. (Del lat. *retentum*, supino de *retinēre*, retener.) adj. Dícese de lo que tiene virtud de retener. Ú. t. c. s.

Reteñir. (Del lat. *retingĕre.*) tr. Volver a teñir del mismo o de otro color alguna cosa.

Reteñir (Del lat. *retinnīre.*) intr. **Retiñir.**

Retesamiento. m. Acción y efecto de retesar.

Retesar. (Del lat. *retēnsāre.*) tr. Atiesar o endurecer una cosa.

Reteso. (De *retesar.*) m. **Retesamiento.** || **2.** Teso pequeño, ligera elevación del terreno. || **3.** *Rioja.* Plenitud de la teta llena de leche.

Retestinar. tr. *And.*, *Murc.* y *Tol.* **Percudir,** 2.ª acep.

Reticencia. (Del lat. *reticentĭa*, de *reticens*, reticente.) f. Efecto de no decir sino en parte, o de dar a entender claramente, y de ordinario con malicia, que se oculta o se calla algo que debiera o pudiera decirse. || **2.** *Ret.* Figura que consiste en dejar incompleta una frase o no acabar de aclarar una especie, dando, sin embargo, a entender el sentido de lo que no se dice, y a veces más de lo que se calla.

Reticente. (Del lat. *reticens, -entis*, p. a. de *reticere*, callar.) adj. Que usa reticencias. || **2.** Que envuelve o incluye reticencia.

Rético, ca. (Del lat. *rhaeticus.*) adj. Perteneciente a la Retia, región de la Europa antigua. || **2.** m. Lengua de origen latino hablada en lo que fue la antigua Retia y que comprende el grisón y los dialectos afines tirolés, friulano y triestino.

Retícula. f. **Retículo,** 2.ª acep.

Reticular. (De *retículo.*) adj. De figura de redecilla o red. *Aparejo, membrana* RETICULAR.

Retículo. (Del lat. *reticŭlum.*) m. Tejido en forma de red. Se toma generalmente por la estructura filamentosa de las plantas. || **2.** Conjunto de dos o más hilos o líneas cruzadas que se ponen en el foco de ciertos instrumentos ópticos, y sirve pare precisar la visual o efectuar medidas muy delicadas. || **3.** *Zool.* **Redecilla,** 4.ª acep.

Retín. m. **Retintín.**

Retina. (Del b. lat. *retina*, y éste del lat. *rete*, red.) f. *Zool.* Membrana interior del ojo de los vertebrados y de otros animales constituida por varias capas de células de forma y función muy variadas, y de la cual parten las fibras componentes del nervio óptico. En ella se reciben las impresiones luminosas y se representan las imágenes de los objetos.

Retinar. tr. Manipular con la lana en las fábricas de paños.

Retinglar. intr. *Vallad.* Producir estampido. *Esta escopeta* RETINGLA *mucho.*

Retingle. m. *Vallad.* **Estampido.**

Retiniano, na. adj. Perteneciente o relativo a la retina.

Retinte. m. Segundo tinte que se da a una cosa.

Retinte. m. **Retintín.**

Retintín. (Voz onomatopéyica.) m. Sonido que deja en los oídos la campana u otro cuerpo sonoro. || **2.** fig. y fam. Tonillo y modo de hablar, por lo común para zaherir a uno.

Retinto, ta. (Del lat. *retintus.*) p. p. irreg. de **Reteñir.** || **2.** adj. De color castaño muy obscuro. Dícese de ciertos animales.

Retiñir. (Del lat. *retinnīre*, resonar.) intr. Durar el retintín, 1.ª acep.

Retir. (Del lat. *retĕrĕre*, deshacer.) tr. ant. **Derretir.**

Retiración. f. Acción y efecto de retirar, 2.° art. || **2.** *Impr.* Forma o molde para imprimir por la segunda capa el papel que está ya impreso por la primera.

Retirada. f. Acción y efecto de retirarse. || **2.** Terreno o sitio que sirve de acogida segura. || **3.** **Retreta,** 1.ª acep. || **4.** Paso de la antigua danza española, que se hacía avanzando y retirando con rapidez el pie derecho. || **5.** Terreno que se va descubriendo y quedando en seco cuando cambia el cauce natural de un río. || **6.** *Mil.* Acción de retroceder en orden, apartándose del enemigo.

Retiradamente. adv. m. Escondidamente, de secreto, ocultamente.

Retirado, da. p. p. de **Retirar.** || **2.** adj. Distante, apartado, desviado. || **3.** Dícese del militar que deja oficialmente el servicio, conservando algunos derechos. Ú. t. c. s. || **4.** *Fort.* V. **Flanco retirado.**

Retiramiento. (De *retirar.*) m. **Retiro,** 1.ª, 2.ª y 3.ª aceps.

Retirar. (De *re* y *tirar.*) tr. Apartar o separar una persona o cosa de otra o de un sitio. Ú. t. c. r. || **2.** Apartar de la vista una cosa, reservándola u ocultándola. || **3.** Obligar a uno a que se aparte, o rechazarle. || **4.** intr. Tirar, parecerse, asemejarse una cosa a otra. || **5.** r. Apartarse o separarse del trato, comunicación o amistad. || **6.** Recogerse, 13.ª y 14.ª aceps.

Retirar. (De *re*, y *tirar*, 12.ª acep.) tr. *Impr.* Estampar por el revés el pliego que ya lo está por la cara.

Retiro. m. Acción y efecto de retirarse. || **2.** Lugar apartado y distante del concurso y bullicio de la gente. || **3.** Recogimiento, apartamiento y abstracción. || **4.** Ejercicio piadoso que consiste en practicar ciertas devociones retirándose por uno o más días, en todo o en parte, de las ocupaciones ordinarias. || **5.** Situación del militar retirado. || **6.** Sueldo o haber que éste disfruta.

Reto. (De *retar.*) m. desus. Acusación de alevoso que un noble hacía a otro delante del rey, obligándose a mantenerla en el campo. || **2.** Provocación o citación al duelo o desafío. || **3.** **Amenaza,** 1.ª y 2.ª aceps. *Echar* RETOS.

Retobado, da. *Argent.* y *Chile.* p. p. de **Retobar** o **retobarse.** || **2.** adj. *Amér. Central*, *Ecuad.* y *Méj.* Respondón, rezongón. || **3.** *Amér. Central*, *Cuba* y *Ecuad.* Indómito, obstinado. || **4.** *Argent.* y *Perú.* Taimado, redomado, rencoroso.

Retobar. (Metátesis de *rebotar.*) tr. *Argent.* Forrar o cubrir con cuero, especialmente las boleadoras y el cabo del rebenque. || **2.** *Chile.* Envolver o forrar los fardos con cuero o con harpillera, encerado, etc. || **3.** r. *Argent.* Ponerse displicente y en actitud de reserva excesiva.

Retobo. m. *Colomb.* y *Hond.* Desecho, cosa inútil. || **2.** *Argent.* y *Chile.* Acción y efecto de retobar. || **3.** *Chile.* Harpillera, tela basta o encerado con que se retoba.

Retocador, ra. m. y f. Persona que retoca, especialmente la que se dedica a retocar fotografías.

Retocar. (De *re* y *tocar.*) tr. Volver a tocar. || **2.** Tocar repetidamente. || **3.** Dar a un dibujo, cuadro o fotografía ciertos toques de pluma o de pincel para quitarle imperfecciones. || **4.** Restaurar las pinturas deterioradas. || **5.** Perfeccionar el afeite o arreglo de la mujer. Ú. m. c. r. || **6.** fig. Recorrer y dar la última mano a cualquier cosa.

Retoñar. (De *re* y *otoñar.*) intr. Volver a echar vástagos la planta. || **2.** fig. Reproducirse, volver de nuevo lo que había dejado de ser o estaba amortiguado.

Retoñecer. (De *retoño.*) intr. **Retoñar.**

Retoño. (De *retoñar.*) m. Vástago o tallo que echa de nuevo la planta. || **2.** fig. y fam. Hablando de personas, hijo, y especialmente el de corta edad.

Retoque. (De *retocar.*) m. Pulsación repetida y frecuente. || **2.** Última mano que se da a cualquier obra para perfeccionarla, o compostura de un ligero descalabro. Dícese principalmente de las pinturas. || **3.** Amago o principio ligero de un accidente o de ciertas enfermedades. RETOQUE *de perlesía.*

Rétor. (Del lat. *rhetor*, y éste del gr. ῥήτωρ.) m. ant. El que escribe o enseña retórica.

Retor. (Del fr. *retors*, retorcido.) m. Tela de algodón fuerte y ordinaria, en que la trama y urdimbre están muy torcidas.

Retor, ra. m. y f. ant. **Rector.**

Retorcedura. f. **Retorcimiento.**

Retorcer. (Del lat. *retorquēre.*) tr. Torcer mucho una cosa, dándole vueltas alrededor. Ú. t. c. r. || **2.** fig. Redargüir o dirigir un argumento o raciocinio contra el mismo que lo hace. || **3.** fig. Interpretar siniestramente una cosa, dándole un sentido diferente del que tiene.

Retorcido, da. p. p. de **Retorcer.** || **2.** m. Especie de dulce que se hace de diferentes frutas.

Retorcijar. (De *retortijar*, infl. por *retorcer.*) tr. ant. **Retortijar.**

Retorcijo. (De *retorcijar.*) m. **Retorcimiento.**

Retorcijón. (De *retorcijo.*) m. ant. **Retortijón.** Ú. en *Logr.*, *Colomb.* y *Guat.*

Retorcimiento. m. Acción y efecto de retorcer o retorcerse.

Retórica. (Del lat. *rhetorica*, y éste del gr. ῥητορική.) f. Arte de bien decir, de embellecer la expresión de los conceptos, de dar al lenguaje escrito o hablado eficacia bastante para deleitar, persuadir o conmover. || **2.** despect. Uso impropio o intempestivo de esta arte. || **3.** pl. fam. Sofisterías o razones que no son del caso. *No me venga usted a mí con* RETÓRICAS.

Retoricadamente. adv. m. En forma retoricada.

Retóricamente. adv. m. Según las reglas de la retórica.

Retoricar. intr. Hablar según las leyes y usos de la retórica. || **2.** Usar de retóricas. Ú. t. c. tr.

Retórico, ca. (Del lat. *rhetorĭcus*, y éste del gr. ῥητορικός.) adj. Perteneciente a la retórica. || **2.** Versado en retórica. Ú. t. c. s.

Retornamiento. m. **Retorno,** 1.ª acep.

Retornante. p. a. de **Retornar.** Que retorna.

Retornar. (De *re* y *tornar.*) tr. Devolver, restituir. || **2.** Volver a torcer una cosa. || **3.** Hacer que una cosa retroceda o vuelva atrás. || **4.** intr. Volver al lugar o a la situación en que se estuvo.

Ú. t. c. r. || **Retornar** uno **en** sí. fr. ant. **Volver en** sí.

Retornelo. (Del ital. *ritornello*.) m. *Mús.* Repetición de la primera parte del aria, que también se usa en algunos villancicos y otras canciones.

Retorno. m. Acción y efecto de retornar. || **2.** Paga, satisfacción o recompensa del beneficio recibido. || **3.** Cambio o trueque. || **4.** Carruaje, caballería o acémila que vuelve hacia el pueblo de donde salió. || **5.** *Mar.* Motón colocado accidentalmente en determinado lugar para variar la dirección en que trabaja un cabo de labor.

Retoro. m. *Extr.* Tuero, leño grueso.

Retorromano, na. adj. **Rético.** || **2.** m. Lengua rética.

Retorsión. f. Acción y efecto de retorcer. || **2.** fig. Acción de devolver o inferir a uno el mismo daño o agravio que de él se ha recibido. || **del argumento.** Acción de aplicar a otro, cambiando los nombres de las personas, el mismo razonamiento empleado antes contra él.

Retorsivo, va. adj. Dícese de lo que incluye una retorsión.

Retorta. (Del lat. *retorta*, retorcida.) f. Vasija con cuello largo encorvado, a propósito para diversas operaciones químicas. || **2.** Tela de hilo entrefina y de gran resistencia, con la trama y urdimbre muy retorcidas.

Retortero. (Del lat. *retortum*, supino de *retorquēre*, retorcer, envolver.) m. Vuelta alrededor. Ú. por lo común en el m. adv. *al* RETORTERO. || **Andar al retortero.** fr. fam. Andar sin sosiego de acá para allá. || **Traer** a uno **al retortero.** fr. fam. Traerle a vueltas de un lado a otro. || **2.** fig. y fam. No dejarle parar, dándole continuas y perentorias ocupaciones. || **3.** fig. y fam. Tenerle engañado con falsas promesas y fingidos halagos.

Retortijar. (Como el fr. *tortiller*, del lat. **tortiliāre*, de *tortilis*, torcido.) tr. Ensortijar o retorcer mucho.

Retortijón. (De *retortijar*.) m. Ensortijamiento de una cosa. || **2.** Demasiado torcimiento de ella. || **de tripas.** Dolor breve y agudo que se siente en ellas.

Retostado, da. p. p. de **Retostar.** || **2.** adj. De color obscuro, como de cosa muy tostada.

Retostar. tr. Volver a tostar una cosa. || **2.** Tostarla mucho.

Retozador, ra. adj. Que retoza frecuentemente.

Retozadura (De *retozar*.) f. **Retozo.**

Retozar. (Tal vez de *re* y *tozar*; en port. *retouçar*.) intr. Saltar y brincar alegremente. || **2.** Travesear unos con otros, personas o animales. || **3.** Travesear con desenvoltura personas de distinto sexo. Ú. t. c. tr. || **4.** fig. Moverse, excitarse impetuosamente en lo interior algunas pasiones.

Retozo. m. Acción y efecto de retozar. || **de la risa.** fig. Movimiento o ímpetu de la risa, que se reprime.

Retozón, na. adj. Inclinado a retozar o que retoza con frecuencia.

Retracción. (Del lat. *retractĭo*, *-ōnis*.) f. Acción y efecto de retraer. || **2.** *Med.* Reducción persistente de volumen en ciertos tejidos orgánicos.

Retractable. adj. Dícese de lo que se puede o debe retractar.

Retractación. (Del lat. *retractatĭo*, *-ōnis*.) f. Acción de retractarse de lo que antes se había dicho o prometido.

Retractar. (Del lat. *retractāre*.) tr. Revocar expresamente lo que se ha dicho; desdecirse de ello. Ú. t. c. r. || **2.** *For.* **Retraer**, 6.ª acep.

Retráctil. (Del lat. *retractum*, supino de *retrahĕre*, traer o llevar hacia atrás.) adj. *Zool.* Dícese de las partes del cuerpo animal que pueden retraerse, quedando ocultas; como las uñas de los félidos.

Retractilidad. f. Calidad de retráctil.

Retracto. (Del lat. *retractus*.) m. *For.* Derecho que compete a ciertas personas para quedarse, por el tanto de su precio, con la cosa vendida a otro. || **convencional.** *For.* El pactado en la compraventa a favor del vendedor para recuperar la cosa vendida. || **de aledaños,** o **de colindantes.** *For.* El que concede la ley, en casos que determina, a los propietarios colindantes de la finca vendida, para evitar el excesivo fraccionamiento de los cultivos. || **de comuneros.** *For.* El que concede la ley a los condueños para favorecer la consolidación de la propiedad. || **de sangre,** o **gentilicio.** *For.* El concedido por las leyes en razón de parentesco, para recuperar fincas de abolengo.

Retraducir. tr. Traducir de nuevo, o volver a traducir al idioma primitivo, una obra sirviéndose de una traducción, como sería traducir la *Eneida* en latín sirviéndose de un texto en lengua vulgar.

Retraer. (Del lat. *retrahĕre*.) tr. Volver a traer. || **2.** Reproducir una cosa en imagen o en retrato. || **3.** Apartar o disuadir de un intento. Ú. t. c. r. || **4.** ant. Referir, contar. || **5.** desus. Echar en cara, reprochar. || **6.** *For.* Ejercitar el derecho de retracto. || **7.** r. Acogerse, refugiarse, guarecerse. || **8.** Retirarse, retroceder. || **9.** Hacer vida retirada. || **10.** Apartarse deliberada y temporalmente un partido o colectividad de sus funciones políticas.

Retraher. (Del lat. *retrahĕre*.) m. ant. Refrán o expresión proverbial.

Retraído, da. p. p. de **Retraer.** || **2.** adj. Decíase de la persona refugiada en lugar sagrado o de asilo. Ú. t. c. s. || **3.** Que gusta de la soledad. || **4.** fig. Poco comunicativo, corto, tímido.

Retraimiento. m. Acción y efecto de retraerse. || **2.** Habitación interior y retirada. || **3.** Sitio de acogida, refugio y guarida para seguridad. || **4.** Cortedad, condición personal de reserva y de poca comunicación.

Retranca. (De *retro* y *anca*.) f. Correa ancha, a manera de ataharre, que llevan las bestias de tiro. || **2.** *And.* **Galga,** 4.° art., 1.ª acep. || **3.** *Colomb.* y *Cuba.* **Freno,** 2.ª acep.

Retranquear. (De *re* y *tranca*.) tr. *Arq.* **Bornear,** 2.° art.

Retranqueo. m. *Arq.* Acción y efecto de retranquear.

Retranquero. (De *retranca*, 2.ª acep.) m. *Cuba.* **Guardafrenos.**

Retransmisión. f. Acción y efecto de retransmitir.

Retransmitir. tr. Volver a transmitir. || **2.** Transmitir desde una emisora de radiodifusión lo que se ha transmitido a ella desde otro lugar.

Retrasar. (De *re* y *tras*, 1.er art.) tr. Atrasar, diferir o suspender la ejecución de una cosa. RETRASAR *la paga, el viaje.* Ú. t. c. r. || **2.** intr. Ir atrás o a menos en alguna cosa. RETRASAR *en la hacienda, en los estudios.*

Retraso. m. Acción y efecto de retrasar o retrasarse.

Retratable. adj. **Retractable.**

Retratación. f. **Retractación.**

Retratador, ra. m. y f. **Retratista.**

Retratar. (Del lat. *retractāre*, frec. de *retrahĕre*, retraer.) tr. Copiar, dibujar o fotografiar la figura de alguna persona o cosa. || **2.** Hacer la descripción de la figura o del carácter de una persona. Ú. t. c. r. || **3.** Imitar, asemejarse. || **4.** Describir con exacta fidelidad una cosa. || **5. Retractar.** Ú. t. c. r.

Retratería. f. *Guat.* y *Urug.* **Fotografía,** 4.ª acep.

Retratista. com. Persona que hace retratos.

Retrato. (De *retratar*.) m. Pintura o efigie que representa alguna persona o cosa. || **2.** Descripción de la figura o carácter, o sea de las cualidades físicas y morales de una persona. || **3.** fig. Lo que se asemeja mucho a una persona o cosa. || **4.** *For.* **Retracto.** || **Ser** uno **el vivo retrato de** otro. fr. fig. Parecérsele mucho.

Retrayente. p. a. de **Retraer.** Que retrae. Ú. t. c. s.

Retrechar. (Del lat. *retractāre*.) intr. Retroceder, recular el caballo.

Retrechería. (De *retrechero*.) f. fam. Artificio disimulado y mañoso para eludir la confesión de la verdad o el cumplimiento de lo debido.

Retrechero, ra. (De *retrechar*.) adj. fam. Que con artificios disimulados y mañosos trata de eludir la confesión de la verdad o el cumplimiento de lo debido. || **2.** fam. Que tiene mucho atractivo. *Mujer* RETRECHERA; *ojos* RETRECHEROS.

Retrepado, da. p. p. de **Retreparse.** || **2.** adj. Dícese de lo que está inclinado o echado hacia atrás.

Retreparse. r. Echar hacia atrás la parte superior del cuerpo. || **2.** Recostarse en la silla de tal modo, que ésta se incline también hacia atrás.

Retreta. (Del fr. *retraite*, y éste del lat. *retractus*, p. p. de *retrahĕre*, hacer retirar.) f. Toque militar que se usa para marchar en retirada, y para avisar a la tropa que se recoja por la noche al cuartel. || **2.** Fiesta nocturna en la cual recorren las calles tropas de diferentes armas, con faroles, hachas de viento, músicas y a veces carrozas con atributos varios.

Retrete. (Del prov. o cat. *retret*, retirado, y éste del lat. *retractus*, retirado.) m. desus. Cuarto pequeño en la casa o habitación, destinado para retirarse. || **2.** Aposento dotado de las instalaciones necesarias para orinar y evacuar el vientre. || **3.** V. **Dueña de retrete.**

Retribución. (Del lat. *retributĭo*, *-ōnis*.) f. Recompensa o pago de una cosa.

Retribuente. (Del lat. *retribuens*, *-entis*.) p. a. ant. **Retribuyente.**

Retribuir. (Del lat. *retribuĕre*.) tr. Recompensar o pagar un servicio, favor, etc. || **2.** *Amér.* Corresponder al favor o al obsequio que uno recibe.

Retributivo, va. adj. Dícese de lo que tiene virtud o facultad de retribuir.

Retribuyente. p. a. de **Retribuir.** Que retribuye.

Retril. m. desus. **Atril.**

Retrillar. tr. Volver a trillar lo ya trillado.

Retro. (Del lat. *retro*, hacia atrás.) Partícula prepositiva que lleva a lugar o tiempo anterior la significación de las voces simples a que se halla unida. RETRO*traer*, RETRO*vender*. || **2.** V. **Pacto de retro.**

Retroacción. f. **Regresión.**

Retroactividad. f. Calidad de retroactivo.

Retroactivo, va. (Del lat. *retroactum*, supino de *retroagĕre*, hacer retroceder.) adj. Que obra o tiene fuerza sobre lo pasado.

Retrocar. tr. desus. **Trocar.**

Retrocarga (De). m. adv. Se dice de las armas de fuego que se cargan por la parte inferior de su mecanismo, y no como antes, por la boca del cañón.

Retroceder. (Del lat. *retrocedĕre*.) intr. Volver hacia atrás.

Retrocesión. f. **Retroceso,** 1.ª acep. || **2.** *For.* Acción y efecto de ceder a uno el derecho o cosa que él había cedido antes.

Retroceso. (Del lat. *retrocessus*.) m. Acción y efecto de retroceder. || **2.** Lance del juego de billar que consiste en picar la bola en su parte baja para que vuelva hacia el punto de partida después de chocar con otra bola. || **3.** *Geom.* V. **Arista de retroceso.** || **4.** *Med.* Recrudescencia de una enfermedad que había empezado a declinar.

Retrogradación. (Del lat. *retrogradatio, -ōnis.*) f. *Astron.* Acción de retrogradar un planeta.

Retrogradar. (Del lat. *retrogradāre.*) intr. **Retroceder.** ‖ **2.** *Astron.* Retroceder aparentemente los planetas en su órbita, vistos desde la Tierra.

Retrógrado, da. (Del lat. *retrogrădus.*) adj. Que retrograda. ‖ **2.** fig. despect. Partidario de instituciones políticas o sociales propias de tiempos pasados. Ú. t. c. s. ‖ **3.** *Astron.* V. **Movimiento retrógrado.**

Retroguardia. f. ant. **Retaguardia.**

Retronar. (Del lat. *retonāre.*) intr. Hacer un gran ruido o estruendo retumbante.

Retrónica. f. Vulgarismo por retórica. Se usa casi siempre en sentido jocoso.

Retropilastra. f. *Arq.* Pilastra que se pone detrás de una columna.

Retropulsión. f. *Med.* Variedad de metástasis que consiste en la desaparición de un exantema, inflamación o tumor agudo, que se reproduce en un órgano distante.

Retrospectivo, va. (Del lat. *retro,* hacia atrás, y *spectāre,* mirar.) adj. Que se refiere a tiempo pasado.

Retrotracción. f. *For.* Acción y efecto de retrotraer.

Retrotraer. (De *retro* y *traer.*) tr. Fingir que una cosa sucedió en un tiempo anterior a aquel en que realmente ocurrió, ficción que se admite en ciertos casos para varios efectos legales. Ú. t. c. r.

Retrovendendo. (Del lat. *retro vendendus,* que se ha de volver a vender.) *For.* V. **Contrato de retrovendendo.**

Retrovender. tr. *For.* Volver el comprador una cosa al mismo de quien la compró, devolviéndole éste el precio.

Retrovendición. f. *For.* **Retroventa.**

Retroventa. (De *retro* y *venta.*) f. *For.* Acción de retrovender.

Retroversión. f. *Med.* Desviación hacia atrás de algún órgano del cuerpo.

Retrucar. (De *re* y *trucar.*) intr. En los juegos del billar y de trucos, volver la bola impelida de la banda, y herir a la otra que le causó el movimiento. ‖ **2.** En el juego del truque, envidar en contra sobre el primer envite hecho. ‖ **3.** *Argent., Ast., Pal.* y *Vallad.* fam. Replicar con acierto y energía.

Retruco. m. **Retruque.**

Retruécano. m. Inversión de los términos de una proposición o cláusula en otra subsiguiente para que el sentido de esta última forme contraste o antítesis con el de la anterior. ‖ **2.** También suele tomarse por otros juegos de palabras. ‖ **3.** *Ret.* Figura que consiste en aquella inversión de términos.

Retruque. (De *retrucar.*) m. En el juego de trucos y billar, golpe que la bola herida, dando en la banda, vuelve a dar en la bola que hirió. ‖ **2.** Segundo envite en contra del primero, en el juego del truque.

Retuelle. m. *Sant.* Especie de red para pescar.

Retuerto, ta. (Del lat. *retortus.*) p. p. irreg. de **Retorcer.**

Rétulo. m. ant. **Rótulo,** 2.ª acep. ‖ **2. Título,** 2.ª acep.

Retumbante. p. a. de **Retumbar.** Que retumba. ‖ **2.** adj. fig. Ostentoso, pomposo.

Retumbar. intr. Resonar mucho o hacer gran ruido o estruendo una cosa.

Retumbo. m. Acción y efecto de retumbar.

Retundir. (Del lat. *retundĕre.*) tr. Igualar con herramientas apropiadas el paramento de una obra de fábrica después de concluida. ‖ **2.** *Med.* Repeler, repercutir.

Reucliniano, na. adj. Dícese del que sigue la pronunciación griega de Reuchlin, fundada principalmente en el uso de los griegos modernos. Ú. t. c. s.

Reúma [Reuma]. (Del lat. *rheuma,* y éste del gr. ῥεῦμα, flujo.) amb. *Med.* **Reumatismo.** Ú. m. c. m. ‖ **2.** *Med.* **Corrimiento,** 2.ª acep.

Reumático, ca. (Del lat. *rheumatĭcus,* y éste del gr. ῥευματικός.) adj. *Med.* Que padece reúma. Ú. t. c. s. ‖ **2.** *Med.* Perteneciente a este mal.

Reumátide. (Del lat. *rheuma, -ătis,* reúma.) f. Dermatosis originada o sostenida por el reumatismo.

Reumatismo. (Del lat. *rheumatismus,* y éste del gr. ῥευματισμός; de ῥευματίζω, tener reúma.) m. *Med.* Enfermedad que se manifiesta generalmente por inflamaciones dolorosas en las articulaciones, o por dolores en las partes musculares y fibrosas del cuerpo.

Reunión. f. Acción y efecto de reunir o reunirse. ‖ **2.** Conjunto de personas reunidas.

Reunir. tr. Volver a unir. Ú. t. c. r. ‖ **2.** Juntar, congregar, amontonar. Ú. t. c. r.

Reuntar. tr. Volver a untar.

Reusense. adj. Natural de Reus. Ú. t. c. s. ‖ **2.** Perteneciente a esta ciudad.

Revacunación. f. Acción y efecto de revacunar o revacunarse.

Revacunar. tr. Vacunar al que ya está vacunado. Ú. t. c. r.

Reválida. f. Acción y efecto de revalidarse.

Revalidación. f. Acción y efecto de revalidar.

Revalidar. tr. Ratificar, confirmar o dar nuevo valor y firmeza a una cosa. ‖ **2.** r. Recibirse o aprobarse en una facultad ante tribunal superior.

Revecero, ra. (De *revezo.*) adj. Que alterna o se remuda. Tiene uso en algunas partes respecto de los arados y ganado de labor. ‖ **2.** m. y f. Mozo o moza que cuida del ganado de revezo.

Reveedor. m. **Revisor.**

Revejecer. intr. Avejentarse, ponerse viejo antes de tiempo. Ú. t. c. r.

Revejido, da. adj. Envejecido antes de tiempo.

Revejudo, da. adj. *And.* **Revejido.**

Revelable. adj. Que puede revelarse.

Revelación. (Del lat. *revelatio, -ōnis.*) f. Acción y efecto de revelar. ‖ **2.** Manifestación de una verdad secreta u oculta. ‖ **3.** Por antonom., la manifestación divina.

Revelado. m. Conjunto de operaciones necesarias para revelar una imagen fotográfica.

Revelador, ra. (Del lat. *revelātor.*) adj. Que revela. Ú. t. c. s. ‖ **2.** m. Líquido que contiene en disolución una o varias substancias reductoras, el cual aísla finísimas partículas de plata negra en los puntos de la placa fotográfica impresionados por la luz.

Revelamiento. (De *revelar.*) m. **Revelación.**

Revelandero, ra. m. y f. Persona que falsamente pretende haber tenido revelaciones por favor especial de Dios.

Revelante. (Del lat. *revēlans, -antis.*) p. a. de **Revelar.** Que revela.

Revelar. (Del lat. *revelāre.*) tr. Descubrir o manifestar lo ignorado o secreto. Ú. t. c. r. ‖ **2.** Manifestar Dios a los hombres lo futuro u oculto. ‖ **3.** *Fotogr.* Hacer visible la imagen impresa en la placa fotográfica.

Reveler. (Del lat. *revellĕre,* arrancar, separar por fuerza.) tr. *Med.* Separar lo que causa, mantiene o agrava una enfermedad en cualquier órgano importante del cuerpo, llamándola hacia otro órgano menos importante.

Revellín. (Del ital. *rivellino.*) m. *Gran.* Saliente que sirve de vasar en la campana de la chimenea. ‖ **2.** *Fort.* Obra exterior que cubre la cortina de un fuerte y la defiende.

Revellinejo. m. d. de **Revellín.**

Revenar. intr. Echar brotes los árboles por la parte en que han sido desmochados, o por el extremo descabezado del patrón en los injertos.

Revencer. (Del lat. *rovincĕre.*) tr. ant. **Vencer.**

Revendedera. f. **Revendedora.**

Revendedor, ra. adj. Que revende. Ú. t. c. s.

Revender. (Del lat. *revendĕre.*) tr. Volver a vender lo que se ha comprado con ese intento o al poco tiempo de haberlo comprado.

Revendón, na. m. y f. desus. **Revendedor.** Ú. en *And.* y *P. Rico.*

Revenimiento. m. Acción y efecto de revenir o revenirse. ‖ **2.** *Min.* Hundimiento parcial del terreno de una mina.

Revenir. (De *re* y *venir.*) intr. Retornar o volver una cosa a su estado propio. ‖ **2.** r. Encogerse, consumirse una cosa poco a poco. ‖ **3.** Hablando de conservas y licores, acedarse o avinagrarse. ‖ **4.** Escupir una cosa hacia afuera la humedad que tiene. REVENIRSE *la pared, la pintura, la sal.* ‖ **5.** Ponerse una masa, pasta o fritura blanda y correosa con la humedad o el calor. REVENIRSE *el pan.* ‖ **6.** fig. Ceder en lo que se afirmaba con tesón o porfía. ‖ **7.** *Sal.* Agostarse las mieses por excesivo calor.

Reveno. m. Brote que echan los árboles cuando revenan.

Reventa. f. Acción y efecto de revender.

Reventadero. (De *reventar,* 8.ª y 9.ª aceps.) m. Paraje escabroso o terreno muy pendiente, difícil de escalar. ‖ **2.** fig. Trabajo grande y penoso.

Reventador. m. Persona que va al teatro dispuesta a mostrar desagrado de modo ruidoso.

Reventar. (Del lat. *re* y *ventus,* viento.) intr. Abrirse una cosa por impulso interior. Ú. t. c. r. ‖ **2.** Deshacerse en espuma las olas del mar por la fuerza del viento o por el choque contra los peñascos o playas. ‖ **3.** Brotar, nacer o salir con ímpetu. ‖ **4.** fig. Tener ansia o deseo vehemente de una cosa. ‖ **5.** fig. y fam. **Estallar,** 4.ª acep. ‖ **6.** tr. Deshacer o desbaratar una cosa aplastándola con violencia. ‖ **7.** Dicho del caballo, hacerle enfermar o morir por exceso en la carrera. Ú. t. c. r. ‖ **8.** fig. Fatigar mucho a uno con exceso de trabajo. Ú. t. c. r. ‖ **9.** fig. y fam. Molestar, cansar, enfadar. ‖ **10.** fig. y fam. Causar gran daño a una persona. ‖ **11.** fam. Morir violentamente.

Reventazón. f. Acción y efecto de reventar, 1.ª y 2.ª aceps. ‖ **2.** *Argent.* Estribo, contrafuerte de una sierra.

Reventón. adj. Aplícase a ciertas cosas que revientan o parece que van a reventar. *Clavel* REVENTÓN. ‖ **2.** V. **Ojos reventones.** ‖ **3.** m. Acción y efecto de reventar o reventarse, 1.ª acep. ‖ **4.** fig. Cuesta muy pendiente y dificultosa de subir. ‖ **5.** fig. Aprieto grave o dificultad grande en que uno se halla. ‖ **6.** fig. Trabajo o fatiga que se da o se toma en un caso urgente y preciso. *Al caballo le di un* REVENTÓN *para llegar más pronto.* ‖ **7.** *Argent.* y *Chile. Min.* **Afloramiento,** 2.ª acep. ‖ **8.** *Bol.* Gradería natural de peñascos en las laderas de los cerros.

Rever. (De *re* y *ver.*) tr. Volver a ver, o registrar y examinar con cuidado una cosa. ‖ **2.** *For.* Ver segunda vez un tribunal superior el pleito visto y sentenciado en otra sala del mismo.

Reverberación. (Del lat. *reverberatio, -ōnis.*) f. Acción y efecto de reverberar.

|| **2.** *Quím.* Calcinación hecha en el horno de reverbero.

Reverberante. p. a. de **Reverberar.** Que reverbera.

Reverberar. (Del lat. *reverberāre.*) intr. Hacer reflexión la luz de un cuerpo luminoso en otro bruñido.

Reverbero. (De *reverberar.*) m. **Reverberación.** || **2.** Cuerpo de superficie bruñida en que la luz reverbera. Los hay de cristal, de acero, etc. || **3.** Farol que hace reverberar la luz. || **4.** V. **Horno de reverbero.** || **5.** *Argen.*, *Cuba*, *Ecuad.* y *Hond.* Cocinilla, infernillo.

Reverdecer. (De *re* y *verdecer.*) intr. Cobrar nuevo verdor los campos o plantíos que estaban mustios o secos. Ú. t. c. tr. || **2.** fig. Renovarse o tomar nuevo vigor. Ú. t. c. tr.

Reverdeciente. p. a. de **Reverdecer.** Que reverdece.

Reverencia. (Del lat. *reverentĭa.*) f. Respeto o veneración que tiene una persona a otra. || **2.** Inclinación del cuerpo en señal de respeto o veneración. || **3.** Tratamiento que se da a los religiosos condecorados.

Reverenciable. adj. Digno de reverencia y respeto.

Reverenciador, ra. adj. Que reverencia o respeta.

Reverencial. adj. Que incluye reverencia o respeto.

Reverenciar. (De *reverencia.*) tr. Respetar o venerar.

Reverendas. (De *reverendo.*) f. pl. Cartas dimisorias en las cuales un obispo o prelado da facultad a su súbdito para recibir órdenes de otro. || **2.** Calidad, prendas o títulos del sujeto, que le hacen digno de estimación y reverencia. *Ser hombre de muchas* REVERENDAS.

Reverendísimo, ma. adj. sup. de **Reverendo,** que se aplica como tratamiento a los cardenales, arzobispos y otras personas constituidas en alta dignidad eclesiástica.

Reverendo, da. (Del lat. *reverendus.*) adj. Digno de reverencia. || **2.** Aplicábase antiguamente como tratamiento a las personas de dignidad, así seculares como eclesiásticas, pero hoy sólo se aplica a las dignidades eclesiásticas y a los prelados y graduados de las religiones. Ú. t. c. s. || **3.** fam. Demasiadamente circunspecto.

Reverente. (Del lat. *revĕrens, -entis.*) adj. Que muestra reverencia o respeto.

Reversar. (Del lat. *reversāre,* intens. de *revertĕre,* volver, tornar.) tr. ant. **Revesar.** || **2.** intr. ant. **Repetir,** 4.ª acep.

Reversibilidad. f. Calidad de reversible.

Reversible. (Del lat. *reversus,* p. p. de *reverti,* volver.) adj. *For.* Que puede o debe revertir. || **2.** *Biol.* Dícese de la alteración de una función o de un órgano cuando puede volverse a su estado normal. || **3.** *Mec.* Dícese de una transmisión que puede ponerse en movimiento actuando sobre uno cualquiera de los cuerpos enlazados por ella.

Reversión. (Del lat. *reversĭo, -ōnis.*) f. Restitución de una cosa al estado que tenía. || **2.** *For.* Acción y efecto de revertir.

Reverso, sa. (Del lat. *reversus,* vuelto.) adj. V. **Gola reversa.** || **2.** V. **Pez reverso.** || **3.** m. **Revés,** 1.ª acep. || **4.** En las monedas y medallas, haz opuesta al anverso. || **El reverso de la medalla.** fig. Persona que por su genio, cualidades, inclinaciones o costumbres es la antítesis de otra con quien se compara.

Reverter. (Del lat. *revertĕre.*) intr. Rebosar o salir una cosa de sus términos o límites.

Revertir. (Del lat. *reverti,* volver.) intr. Volver una cosa al estado o condición que tuvo antes. || **2.** Venir a parar una cosa en otra. || **3.** *For.* Volver una cosa a la propiedad que tuvo antes, o pasar a un nuevo dueño.

Revés. (Del lat. *reversus,* vuelto.) m. Espalda o parte opuesta de una cosa. || **2.** Golpe que se da a otro con la mano vuelta. || **3.** Golpe que con la mano vuelta da el jugador a la pelota para volverla. || **4.** *Esgr.* Golpe que se da con la espada diagonalmente, partiendo de izquierda a derecha. || **5.** fig. Infortunio, desgracia o contratiempo. || **6.** fig. Vuelta o mudanza en el trato o en el genio. || **7.** *Cuba.* Cierto gusano que ataca a la planta del tabaco. || **alto.** El que se da al restar la pelota, cuando ha botado hasta la altura o por encima de la cabeza del jugador. || **El revés de la medalla.** fig. **El reverso de la medalla.** || **Al revés.** m. adv. Al contrario, o invertido el orden regular. || **2.** A la espalda o a la vuelta. || **Al revés me las calcé.** expr. fig. y fam. con que se denota haberse entendido o hecho al contrario una cosa. || **Al revés me la vestí, ándese así.** ref. que reprende a los dejados o descuidados que quieren proseguir en lo mal hecho. || **De revés.** m. adv. **Al revés.** || **2.** De izquierda a derecha.

Revesa. (Del lat. *reversa,* t. f. de *-sus,* reverso.) f. *Germ.* Arte o astucia del que engaña a otro que se fía de él. || **2.** *Mar.* Corriente derivada de otra principal y de distinta dirección a la de ésta o a la de la marea que, en muchos casos, la produce.

Revesado, da. p. p. de **Revesar.** || **2.** adj. Difícil, intrincado, obscuro o que con dificultad se puede entender. || **3.** fig. Travieso, indomable, pertinaz. || **4.** V. **Parto revesado.**

Revesar. (Del lat. *reversāre.*) tr. **Vomitar,** 1.ª acep.

Revesino. (De *revés.*) m. Juego de naipes que se juega entre cuatro; el que da se queda con doce cartas, da once a cada uno de los otros tres jugadores y se dejan tres en la baceta. Gana el que hace todas las bazas, y ésta es la jugada maestra y la que lleva el nombre de **revesino,** o en su defecto gana el que hace menos bazas. || **Cortar el revesino.** fr. Quitar una baza al que intenta hacerlas todas; y si es la última o penúltima, se dice **cortarle en tiempo.** || **2.** fig. Impedir a uno el designio que llevaba.

Revestido, da. p. p. de **Revestir.** || **2.** m. **Revestimiento.**

Revestimiento. (De *revestir.*) m. Capa o cubierta con que se resguarda o adorna una superficie; como la de piedra en los terraplenes de las fortificaciones; la de piedra, arcilla o cal hidráulica en los estanques y tramos permeables de los canales; la de estuco en las paredes de algunas habitaciones, etc.

Revestir. (Del lat. *revestīre.*) tr. Vestir una ropa sobre otra. Dícese regularmente del sacerdote cuando sale a decir misa, por ponerse sobre el vestido los ornamentos. Ú. m. c. r. || **2.** Cubrir con un revestimiento. || **3.** fig. **Vestir,** 5.ª, 6.ª y 9.ª aceps. || **4.** fig. Presentar una cosa determinado aspecto, cualidad o carácter. REVESTIR *importancia, gravedad.* || **5.** r. fig. Imbuirse o dejarse llevar con fuerza de una especie. || **6.** fig. Engreírse o envanecerse con el empleo o dignidad. || **7.** Poner a contribución, en trance difícil, aquella energía del ánimo que viene al caso. REVESTIRSE *de paciencia, de resignación.*

Reveza. f. *Mar.* Revesa, 2.ª acep.

Revezar. (De *re* y *vez.*) tr. Reemplazar, relevar, substituir a otro, tomar su vez. Ú. t. c. rec.

Revezo. m. Acción de revezar. || **2.** Cosa que reveza. || **3.** Par de mulas, caballos o bueyes con que se releva el par que trabaja. || **4.** *Córd.* Tercera parte de la obrada.

Reviejo, ja. adj. Muy viejo. || **2.** m. Rama reseca e inútil de un árbol.

Revientacaballo. m. *Cuba.* **Quibey.**

Reviernes. m. Cada uno de los siete viernes siguientes a la Pascua de Resurrección.

Revinar. tr. desus. Añadir vino viejo al nuevo.

Revirado, da. p. p. de **Revirar.** || **2.** adj. Aplícase a las fibras de los árboles que están retorcidas y describen espirales alrededor del eje o corazón del tronco, por lo cual su madera resulta defectuosa para piezas rectas y tablas.

Revirar. tr. **Torcer,** 3.ª acep. || **2.** intr. *Mar.* Volver a virar.

Revisable. adj. Que se puede revisar.

Revisar. (De *re* y *visar.*) tr. **Rever.** || **2.** Someter una cosa a nuevo examen para corregirla, enmendarla o repararla.

Revisión. (Del lat. *revisĭo, -ōnis.*) f. Acción de revisar. || **2.** *For.* V. **Recurso de revisión.** || **3.** *Mil.* Comprobación en cada año de los siguientes al respectivo reemplazo, de las excepciones y exenciones variables del servicio militar.

Revisita. (De *re* y *visita.*) f. Nuevo reconocimiento o registro que se hace de una cosa.

Revisor, ra. (De *revisar.*) adj. Que revisa o examina con cuidado una cosa. || **2.** m. El que tiene por oficio revisar o reconocer.

Revisoría. f. Oficio de revisor.

Revista. (De *revistar.*) f. Segunda vista, o examen hecho con cuidado y diligencia. || **2.** Inspección que un jefe hace de las personas o cosas sometidas a su autoridad o a su cuidado; como la de clases pasivas en las dependencias de Hacienda; las de ropas, de policía, de armas en el ejército, etc. || **3.** Examen que se hace y publica de producciones literarias, representaciones teatrales, funciones, etc. || **4.** Formación de las tropas para que un general o jefe las inspeccione y conozca el estado de su instrucción, etc. || **5.** Publicación periódica por cuadernos, con escritos sobre varias materias, o sobre una sola especialmente. || **6.** Espectáculo teatral consistente en una serie de cuadros sueltos, por lo común tomados de la actualidad. || **7.** *For.* Antiguamente, segunda vista en los pleitos, en otra sala del mismo tribunal. || **8.** *For.* Nuevo juicio criminal ante segundo jurado cuando el tribunal de derecho aprecia error evidente o deficiencia grave no subsanada en el veredicto del primero. || **de comisario.** *Mil.* Inspección que a principios de mes hace el comisario de guerra para comprobar el número de individuos de cada clase que componen un cuerpo militar y abonarles su paga. || **de inspección.** *Mil.* La que de tiempo en tiempo pasa el inspector o director general, o, en su nombre, otro oficial de graduación, a cada uno de los cuerpos militares, examinando su estado de instrucción y disciplina, el modo con que ha sido gobernado por los inmediatos jefes, la inversión y estado de caudales y todo cuanto pertenece a la mecánica del cuerpo. || **Pasar revista.** fr. Ejercer un jefe las funciones de inspección que le corresponden sobre las personas o cosas sujetas a su autoridad o a su cuidado. || **2.** Presentarse las personas ante el jefe que ha de inspeccionar su número y condición. || **3.** Examinar con cuidado una serie de cosas. || **Suplicar en revista.** fr. *For.* Recurrir ante los tribunales superiores contra la sentencia de ellos mismos en una causa o pleito.

Revistar. (Del lat. *revisitāre.*) tr. **Pasar revista,** 1.ª acep.

Revistero, ra. m. y f. Persona encargada de escribir revistas en un periódico.

Revisto, ta. p. p. irreg. de **Rever.**

Revividero. (De *revivir.*) m. Estancia o sitio donde se aviva la simiente de los gusanos de seda.

Revivificación. f. Acción y efecto de revivificar.

Revivificar. tr. Vivificar, reavivar.

Revivir. (Del lat. *revivĕre.*) intr. **Resucitar,** 3.ª acep. ‖ **2.** Volver en sí el que parecía muerto. ‖ **3.** fig. Renovarse o reproducirse una cosa. REVIVIÓ *la discordia.*

Revocabilidad. f. Calidad de revocable.

Revocable. (Del lat. *revocabĭlis.*) adj. Que se puede o se debe revocar.

Revocablemente. adv. m. De manera revocable.

Revocación. (Del lat. *revocatĭo, -ōnis.*) f. Acción y efecto de revocar. ‖ **2.** *For.* Anulación, substitución o enmienda de orden o fallo por autoridad distinta de la que había resuelto. ‖ **3.** *For.* Acto jurídico que deja sin efecto otro anterior por la voluntad del otorgante.

Revocador, ra. (Del lat. *revocātor.*) adj. Que revoca. ‖ **2.** m. Obrero que se ejercita en revocar las casas y paredes.

Revocadura. (De *revocar.*) f. **Revoque,** 1.ª acep. ‖ **2.** *Pint.* Porción del lienzo que cubre el grueso del bastidor.

Revocante. p. a. de **Revocar.** Que revoca.

Revocar. (Del lat. *revocāre.*) tr. Dejar sin efecto una concesión, un mandato o una resolución. ‖ **2.** desus. Volver a llamar. ‖ **3.** Apartar, retraer, disuadir a uno de un designio. ‖ **4.** Hacer retroceder ciertas cosas. *El viento* REVOCA *el humo.* Ú. t. c. intr. ‖ **5.** Enlucir o pintar de nuevo por la parte que está al exterior las paredes de un edificio.

Revocatorio, ria. adj. Dícese de lo que revoca o invalida.

Revoco. m. Acción y efecto de revocar, 4.ª acep. ‖ **2. Revoque.** ‖ **3.** Cubierta de retama que suele ponerse en las seras del carbón.

Revolante. p. a. de **Revolar.** Que revuela o revolotea.

Revolar. (Del lat. *revolāre.*) intr. Dar segundo vuelo el ave. Ú. t. c. r. ‖ **2. Revolotear.** ‖ **3.** *Germ.* Escapar el ladrón que huye, arrojándose de un tejado o ventana.

Revolcadero. m. Sitio donde habitualmente se revuelcan los animales.

Revolcado, da. p. p. de **Revolcar.** ‖ **2.** m. *Guat.* Guiso compuesto de pan tostado, chile, tomate y otros condimentos.

Revolcar. (De *re* y *volcar.*) tr. Derribar a uno y maltratarle, pisotearle, revolverle. Dícese especialmente del toro contra el lidiador. ‖ **2.** fig. y fam. Vencer y deslucir al adversario en altercado o controversia. ‖ **3.** fam. Reprobar, suspender en un examen. ‖ **4.** r. Echarse sobre una cosa, restregándose y refregándose en ella. ‖ **5.** fig. Obstinarse en una especie.

Revolcón. m. fam. **Revuelco.** ‖ **2.** fig. y fam. Acción y efecto de revolcar, 2.ª acep. Ú. m. en la fr. **Dar** a uno **un revolcón.**

Revolear. (De *revolar.*) intr. Volar, haciendo tornos o giros. ‖ **2.** ant. **Revolotear.** ‖ **3.** tr. *Argent.* Hacer girar a rodeabrazo una correa, lazo, etc., o ejecutar molinetes con cualquier objeto.

Revoleo. m. *And.* Revuelo, 3.ª acep.

Revolotear. (De *revolar.*) intr. Volar haciendo tornos o giros en poco espacio. ‖ **2.** Venir una cosa por el aire dando vueltas. ‖ **3.** tr. Arrojar una cosa a lo alto con ímpetu, de suerte que parece que da vueltas.

Revoloteo. m. Acción y efecto de revolotear.

Revoltijo. (De *revuelto.*) m. **Revoltillo.**

Revoltillo. (De *revuelto.*) m. Conjunto o compuesto de muchas cosas, sin orden ni método. ‖ **2.** Trenza o conjunto de tripas de carnero u otra res. ‖ **3.** fig. Confusión o enredo. ‖ **4.** *Cuba.* Guiso a manera de pisto.

Revoltón. (De *revuelto.*) adj. V. **Gusano revoltón.** Ú. t. c. s. ‖ **2.** m. **Bovedilla,** 1.ª acep. ‖ **3.** *Arq.* Sitio en que una moldura cambia de dirección, como en los rincones.

Revoltoso, sa. (De *revuelta,* alboroto.) adj. Sedicioso, alborotador, rebelde. Ú. t. c. s. ‖ **2.** Travieso, enredador. ‖ **3.** Que tiene muchas vueltas y revueltas; intrincado.

Revolución. (Del lat. *revolutĭo, -ōnis.*) f. Acción y efecto de revolver o revolverse. ‖ **2.** Cambio violento en las instituciones políticas de una nación. ‖ **3.** Por ext., inquietud, alboroto, sedición. ‖ **4.** Conmoción y alteración de los humores. ‖ **5.** fig. Mudanza o nueva forma en el estado o gobierno de las cosas. ‖ **6.** *Astron.* Movimiento de un astro en todo el curso de su órbita. ‖ **7.** *Geom.* V. **Elipsoide, hiperboloide, paraboloide de revolución.** ‖ **8.** *Mec.* Giro o vuelta que da una pieza sobre su eje.

Revolucionar. tr. Provocar un estado de revolución. ‖ **2.** *Mec.* Imprimir más o menos revoluciones en un tiempo determinado a un cuerpo que gira o al mecanismo que produce el movimiento.

Revolucionario, ria. adj. Perteneciente o relativo a la revolución, 2.ª y 5.ª aceps. ‖ **2.** Partidario de ella. Ú. m. c. s. ‖ **3.** Alborotador, turbulento. Ú. t. c. s.

Revolvedero. (De *revolver.*) m. **Revolcadero.**

Revolvedor, ra. adj. Que revuelve o inquieta. Ú. t. c. s. ‖ **2.** m. *Cuba.* En los ingenios de azúcar, recipiente en que se revuelve el guarapo para reducirlo a pasta.

Revólver. (Del ingl. *revolver,* de *to revolve,* y éste del lat. *revolvĕre,* revolver.) m. Pistola de varios cañones o de un solo cañón y un cilindro giratorio con varias recámaras.

Revolver. (Del lat. *revolvĕre.*) tr. Menear una cosa de un lado a otro; moverla alrededor o de arriba abajo. ‖ **2.** Envolver una cosa en otra. Ú. t. c. r. ‖ **3.** Volver la cara al enemigo para embestirle. Ú. t. c. r. ‖ **4.** Mirar o registrar moviendo y separando algunas cosas. ‖ **5.** Inquietar, enredar; mover sediciones, causar disturbios. ‖ **6.** Discurrir, imaginar o cavilar en varias cosas o circunstancias, reflexionándolas. ‖ **7.** Volver el jinete al caballo en poco terreno y con rapidez. Ú. t. c. intr. y c. r. ‖ **8.** Volver a andar lo andado. Ú. t. c. intr. y c. r. ‖ **9.** Meter en pendencia, pleito, etc. ‖ **10.** Dar una cosa vuelta entera hasta llegar al punto de donde salió. Ú. t. c. r. ‖ **11.** Alterar el buen orden y disposición de las cosas. ‖ **12.** r. Moverse de un lado a otro. Ú. por lo común con negación para ponderar lo estrecho del paraje o lugar en que se halla una cosa. ‖ **13.** Hacer mudanza el tiempo, ponerse borrascoso. ‖ **14.** *Astron.* Hacer su carrera un astro, retornando a un punto de su órbita. ‖ **Revolver** a uno **con** otro. fr. Ponerle mal con él; malquistarlos entre sí.

Revolvimiento. (De *revolver.*) m. **Revolución,** 1.ª acep.

Revoque. m. Acción y efecto de revocar las casas y paredes. ‖ **2.** Capa o mezcla de cal y arena u otro material análogo con que se revoca.

Revotarse. r. Votar lo contrario de lo que se había votado antes.

Revuelco. m. Acción y efecto de revolcar o revolcarse.

Revuelo. (De *revolver.*) m. Segundo vuelo que dan las aves. ‖ **2.** Vuelta y revuelta del vuelo. ‖ **3.** fig. Turbación y movimiento confuso de algunas cosas, o agitación entre personas. ‖ **4.** *Amér.* Salto que da el gallo en la pelea asestando el espolón al adversario y sin usar del pico. ‖ **De revuelo.** m. adv. fig. Pronta y ligeramente, como de paso.

Revuelta. f. Segunda vuelta o repetición de la vuelta.

Revuelta. (Del lat. *revolūta,* t. f. de *-tus,* revuelto.) f. Alboroto, alteración, sedición. ‖ **2.** Riña, pendencia, disensión. ‖ **3.** Punto en que una cosa empieza a torcer su dirección o a tomar otra. ‖ **4.** Este mismo cambio de dirección. ‖ **5.** Vuelta o mudanza de un estado a otro, o de un parecer a otro.

Revueltamente. adv. m. Con trastorno, sin orden ni concierto.

Revuelto, ta. (Del lat. **revolūtus,* por *revolūtus.*) p. p. irreg. de **Revolver.** ‖ **2.** adj. Aplícase al caballo que se vuelve con presteza y docilidad en poco terreno. Ú. m. con el verbo *estar.* ‖ **3. Revoltoso,** 2.ª acep. ‖ **4.** Intrincado, revesado, difícil de entender. ‖ **5.** V. **Huevos revueltos.** ‖ **6.** V. **Mesa revuelta.**

Revuelvepiedras. m. Ave marina del orden de las zancudas, algo mayor que el mirlo, con plumaje blanco en la cabeza, el vientre y la terminación de la cola, y negro rojizo en el resto del cuerpo; pico negruzco, recto, cónico y tan fuerte, que con él revuelve piedras hasta de un kilogramo de peso; tarsos encarnados y membranas rudimentales entre los dedos. Vive en las costas, se alimenta de moluscos que busca entre las piedras y su carne es comestible.

Revulsión. (Del lat. *revulsio, -ōnis.*) f. *Med.* Medio curativo de algunas enfermedades internas, que consiste en producir congestiones o inflamaciones en la superficie de la piel o las mucosas, mediante diversos agentes físicos, químicos y aun orgánicos.

Revulsivo, va. (Del lat. *revulsum,* supino de *revellĕre,* revelar.) adj. *Med.* Dícese del medicamento o agente que produce la revulsión. Ú. t. c. s. m.

Revulsorio, ria. adj. *Med.* **Revulsivo.** Ú. t. c. s. m.

Rey. (Del lat. *rex, regis.*) m. Monarca o príncipe soberano de un reino. ‖ **2.** V. **Cana, capa, codo, corona, moro, palabra de rey.** ‖ **3.** V. **Día, libro de los Reyes.** ‖ **4.** V. **Adelantado, alférez, armígero, caballerizo, cámara, capellán mayor, casa, cena, copero mayor, coquinario, estuche, gallito, gente, guarda mayor, hombre, mes del rey.** ‖ **5.** Pieza principal del juego de ajedrez, la cual camina en todas direcciones, pero sólo de una casa a otra contigua. ‖ **6.** Carta duodécima de cada palo de la baraja, que tiene pintada la figura de un **rey.** ‖ **7.** Paso de la antigua danza española. ‖ **8.** El que en un juego, o por fiestas, manda a los demás. ‖ **9. Abeja maesa.** ‖ **10.** fam. **Porquerizo.** ‖ **11.** fig. Hombre, animal o cosa del género masculino, que por su excelencia sobresale entre los demás de su clase o especie. ‖ **12.** *Germ.* **Gallo,** 1.ª acep. ‖ **de armas.** Caballero que en las cortes de la Edad Media tenía el cargo de transmitir mensajes de importancia, ordenar las grandes ceremonias y llevar los registros de la nobleza de la nación. ‖ **2.** Sujeto que tiene cargo y oficio de conocer y ordenar los blasones de las familias nobles. ‖ **de banda,** o **de bando.** Perdiz que sirve de guía a las demás cuando van formando bando. ‖ **de codornices.** Ave del orden de las zancudas, del tamaño de una codorniz, con pico cónico comprimido lateralmente, alas puntiagudas, tarsos largos y gruesos, plumaje pardo negruzco con manchas cenicientas en el lomo, agrisado en la garganta y el abdomen, rojizo en las alas y la cola, y blanco amarillento en el borde de las plumas remeras. Vive y anida en los terrenos húmedos, y por acompañar a las codornices en sus migraciones, supone el vulgo que les sirve de guía. Su carne es muy gustosa. || **de gallos.** Regocijo de carnestolendas en que un muchacho hacía de **rey** de otros. || **2.** Muchacho que hacía de **rey** en este regocijo. || **de los trigos. Trigo salmerón.** || **de Romanos.** Título dado en el imperio de Alemania a los emperadores nuevamente elegidos, antes de su coronación en Roma, y a los príncipes designados por los electores del imperio para heredar la dignidad imperial. || **2.** fig. El que ha de suceder a otro en algún oficio o cargo. || **Reyes magos.** Los que, guiados por una estrella, fueron de Oriente a adorar al Niño Jesús. || **Al que no tiene, el rey le hace libre.** fr. proverb. con que se da a entender que el insolvente queda indemne. || **Alzar rey,** o **por rey, a** uno. fr. Aclamarlo por tal. || **¡Aquí del rey!** expr. **¡Favor al rey!** || **A rey muerto, rey puesto.** ref. con que se expresa la presteza con que se ocupan los puestos vacantes. || **Con el rey en el cuerpo.** m. adv. fig. que comúnmente se aplica al ministro o empleado que hace alarde del nombre del **rey** y se excede en el uso de su autoridad. || **Cual es el rey, tal la grey.** ref. que enseña cuánto influye en las costumbres de un pueblo o de una comunidad el ejemplo de quien gobierna. || **Donde está el rey, está la corte.** fr. fig. y fam. que explica que en materia de obsequios o cumplimientos sólo se debe atender a la persona principal. || **Do quieren reyes, allá van leyes.** ref. **Allá van leyes do quieren reyes.** || **Echar reyes.** fr. Distribuir cartas de la baraja entre cuatro o más sujetos, de los cuales han de ser compañeros en el juego aquellos dos a quienes toquen los primeros **reyes** que salgan. || **El rey Perico, el rey que rabió, o el rey que rabió por gachas,** o **por sopas.** Personaje proverbial, símbolo de antigüedad muy remota. Empléase generalmente en las frases *en tiempo* DEL REY PERICO; *acordarse* DEL REY QUE RABIÓ; *ser del tiempo* DEL REY QUE RABIÓ, O DEL REY QUE RABIÓ POR GACHAS. || **Hacer el rey consulta.** fr. ant. Dar audiencia el **rey** y oír consultas. || **Hacerle a** uno **saltar por el rey de Francia.** fr. fig. Apremiarle mucho, hacerle que se ajetree; por alusión al ejercicio de los perros amaestrados, que SALTABAN POR EL REY DE FRANCIA y *no por la mala tabernera.* || **La,** o **lo, del rey.** loc. fam. La calle. || **Ni quito ni pongo rey.** fr. proverb. que suele emplear el que se exime de tomar parte activa en la decisión de un negocio. || **Ni rey ni roque.** loc. fig. y fam. con que se excluye a cualquier género de personas en la materia que se **trata.** || **No conocer** uno **al rey por la moneda.** fr. y fig. y fam. Ser muy pobre; carecer de dinero. || **No han de faltar ni rey que nos mande, ni papa que nos excomulgue.** ref. que aconseja conformarse con la obediencia y sumisión ineludibles. || **No temer rey ni roque.** fr. fig. y fam. No temer nada ni a nadie. || **Pedir rey.** fr. En el juego del mediator, designar, el que entra, un **rey** del palo que no es triunfo, para que se le entregue por una carta falsa que devuelve; o señalar por compañero a otro de los jugadores, que lo ha de ser el que tiene tal **rey.** Éste le ayuda con las bazas que hace como compañero, y si pierden la polla, la reponen en la misma conformidad. || **Salir,** o **salirse,** uno **con** una cosa **como el rey con sus alcabalas.** fr. Salir adelante con su intento, porfiando hasta lograrlo. || **Servir al rey.** fr. desus. Ser soldado. || **Tres Reyes.** *Astron.* **Cinturón de Orión.** || **Venderse** uno **al rey.** fr. desus. Sentar plaza de soldado por la paga que marcaba la ley.

Reyente. (Del lat. *ridens, -entis,* p. a. de *ridēre,* reír.) p. a. ant. de **Reír. Riente.**

Reyerta. (Del lat. *rejertus,* lleno.) f. Contienda, altercación o cuestión.

Reyertar. (De *reyerta.*) intr. ant. Contender, altercar.

Reyezuelo. m. d. de **Rey.** || **2.** Pájaro común en Europa, de 8 a 10 centímetros de longitud, con las alas cortas y redondeadas y plumaje vistoso por la variedad de sus colores.

Reyuno, na. adj. desus. *Chile.* Aplicábase a la moneda que tenía el sello del rey de España. || **2.** desus. *Argent.* Aplicábase al caballo que pertenecía al Estado y que como señal llevaba cortada una oreja. || **3.** *Argent.* **Tronzo.**

Rezadera. adj. f. ant. **Rezadora.**

Rezado, da. p. p. de **Rezar.** || **2.** m. Rezo, 2.ª acep.

Rezador, ra. adj. Que reza mucho. Ú. t. c. s.

Rezaga. (De *re* y *zaga.*) f. **Retaguardia.**

Rezagante. p. a. de **Rezagar.** Que se rezaga.

Rezagar. (De *rezaga.*) tr. Dejar atrás una cosa. || **2.** Atrasar, suspender por algún tiempo la ejecución de una cosa. || **3.** *Ar.* y *Córd.* Separar las reses endebles de un rebaño. || **4.** r. Quedarse atrás.

Rezago. (De *rezagar.*) m. Atraso o residuo que queda de una cosa. || **2.** *Ar., Córd.* y *Chile.* Reses débiles que se apartan del rebaño para procurar mejorarlas. || **3.** *Sal.* Ganado que se queda a la zaga en el rebaño.

Rezandero, ra. adj. ant. **Rezador.** Ú. en *Colomb., Hond., Méj.* y *Venez.* Ú. t. c. s. || **2.** f. *Zool.* En algunos lugares de España, **santateresa.**

Rezar. (Del lat. *recitāre,* recitar.) tr. Orar vocalmente pronunciando oraciones usadas o aprobadas por la Iglesia. || **2.** Leer o decir con atención el oficio divino o las horas canónicas. || **3.** Recitar la misa, una oración, etc., en contraposición a cantarla. || **4.** fam. Decir o decirse en un escrito una cosa. *El calendario* REZA *agua; el libro lo* REZA. || **5.** intr. fig. y fam. Gruñir, refunfuñar. || **Bien reza, pero mal ofrece.** expr. fig. que se aplica al que promete mucho y no cumple nada, o dice algo que disgusta a otro. || **Como rezas medres.** expr. fam. con que se zahiere al que está hablando entre sí y se discurre que habla mal. || **Rezar** una cosa **con** uno. fr. fam. Tocarle o pertenecerle; ser de su obligación o conocimiento. *Eso no* REZA CONMIGO.

Rezmila. f. *Ast.* y *Sant.* **Rámila.**

Rezno. (Del lat. *ricĭnus.*) m. Larva del estro o moscardón, la cual se desarrolla en las paredes del estómago de los rumiantes o solípedos que tragan los huevos de ese díptero. || **2. Ricino.**

Rezo. m. Acción de rezar. || **2.** Oficio eclesiástico que se reza diariamente. || **3.** Conjunto de los oficios particulares de cada festividad.

Rezón. (De *rizón.*) m. Ancla pequeña, de cuatro uñas y sin cepo, que sirve para embarcaciones menores.

Rezongador, ra. adj. Que rezonga. Ú. t. c. s.

Rezongar. intr. Gruñir, refunfuñar a lo que se manda, ejecutándolo con repugnancia o de mala gana.

Rezonglón, na. adj. fam. **Rezongón.** Ú. t. c. s.

Rezongo. m. **Refunfuño.**

Rezongón, na. (De *rezongar.*) adj. fam. **Rezongador.** Ú. t. c. s.

Rezonguero, ra. adj. Perteneciente o relativo al rezongo.

Rezumadero. m. Sitio o lugar por donde se rezuma una cosa. || **2.** Lo rezumado. || **3.** Sitio donde se junta lo rezumado.

Rezumar. (De *zumo.*) tr. Dicho de un cuerpo, dejar pasar a través de sus poros o intersticios gotitas de algún líquido. *La pared* REZUMA *humedad.* Ú. t. c. r. *El cántaro* SE REZUMA . || **2.** intr. Dicho de un líquido, salir al exterior en gotas a través de los poros o intersticios de un cuerpo. *El sudor le* REZUMABA *por la frente.* Ú. t. c. r. *El agua* SE REZUMA *por la cañería.* || **3.** r. fig. y fam. Translucirse y susurrarse una especie.

Rezura. f. p. us. **Reciura.**

Rho. (Del gr. ῥῶ.) f. Decimoséptima letra del alfabeto griego, que corresponde a la que en el nuestro se llama *erre.*

Ría. (De *río.*) f. Penetración que forma el mar en la costa, debida a la sumersión de la parte litoral de una cuenca fluvial de laderas más o menos abruptas. || **2.** Ensenada amplia en la que vierten al mar aguas profundas.

¡Ria! interj. que usan los carreteros para guiar las caballerías hacia la izquierda.

Riacho. (De *río.*) m. **Riachuelo.**

Riachuelo. (De *riacho*) m. Río pequeño y de poco caudal.

Riada. (De *río.*) f. Avenida, inundación, crecida.

Riatillo. (De *río.*) m. p. us. **Riachuelo.**

Riba. (Del lat. *rīpa.*) f. **Ribazo.** || **2.** ant. **Ribera,** 1.ª y 2.ª aceps. Ú. sólo en composición. RIBA*gorza,* RIBA*davia.* || **3.** *Nav.* Muro del cajero de una acequia.

Ribacera. (De *ribazo.*) f. *Ar.* Margen en talud que hay en los canales.

Ribadense. adj. Natural de Ribadeo. Ú. t. c. s. || **2.** Perteneciente a este pueblo de Galicia.

Ribadoquín. (Del fr. *ribaudequin,* y éste del germ. *hrība,* ramera.) m. Antigua pieza de artillería, de bronce, algo menor que la cerbatana, de dos a tres quintales de peso y de 20 a 30 calibres de longitud, que tiraba proyectiles de hierro emplomado de una a tres libras.

Ribagorzano, na. adj. Natural del condado de Ribagorza. Ú. t. c. s. || **2.** Perteneciente a este condado de Aragón.

Ribaldería. f. Acción, costumbre o proceder del ribaldo.

Ribaldo, da. (Del ant. fr. *ribaud, ribald,* y éste del germ. *hrība,* ramera.) adj. Pícaro, bellaco. Ú. t. c. s. || **2. Rufián.** Ú. t. c. s. || **3.** m. Soldado de ciertos cuerpos antiguos de infantería en Francia y otros países de Europa.

Ribazo. (De *riba.*) m. Porción de tierra con alguna elevación y declive.

Ribazón. (De *arribar.*) f. **Arribazón.**

Ribera. (Del lat. **rīparĭa,* de *rīpa.*) f. Margen y orilla del mar o río. || **2.** Por ext., tierra cercana a los ríos, aunque no esté a su margen. || **3.** V. **Ave, carpintero, codo, maestro de ribera.** || **4. Ribero.** || **5.** Huerto cercado que linda con un río. || **6.** *Vallad.* Casa de campo con viñas y árboles frutales próxima a las orillas de los ríos o cercana a la capital. || **Volar** uno **la ribera.** fr. *Cetr.* Andar **de ribera** en **ribera** buscando y levantando las aves. || **2.** fig. y fam. Ser dado a la vida vaga y aventurera.

Riberano, na. adj. *Chile, Ecuad., Hond.* y *Sal.* **Ribereño.** Ú. t. c. s.

Ribereño, ña. adj. Perteneciente a la ribera o propio de ella. || **2.** Dícese del dueño o morador de un predio contiguo al río. Ú. t. c. s.

Riberiego, ga. (De *ribera.*) adj. Aplícase al ganado que no es trashumante. || **2.** Dícese de los dueños de este género de ganado. Ú. t. c. s. || **3. Ribereño.**

Ribero. (Del lat. **rīparĭus,* de *rīpa.*) m. Vallado de estacas, cascajo y céspedes que se hace a la orilla de las presas para que no se salga y derrame el agua.

Ribete. (Del fr. *rivet,* y éste del lat. *rīpa.*) m. Cinta o cosa análoga con que se guarnece y refuerza la orilla del vestido, calzado, etc. || **2.** Añadidura, aumento, acrecentamiento. || **3.** Entre jugadores, interés que pacta el que presta a otro una cantidad de dinero en la casa de juego para que continúe en él, y se debe pagar fuera de la suerte principal. || **4.** fig. Adorno que en la conversación se añade a algún caso, refiriéndolo con alguna circunstancia de reflexión o de gracia. || **5.** pl. fig. Asomo, indicio. *Tiene sus* RIBETES *de poeta.*

Ribeteado, da. p. p. de **Ribetear.** || **2.** adj. fig. Dícese de los ojos cuando los párpados están irritados.

Ribeteador, ra. adj. Que ribetea. Ú. t. c. s. || **2.** f. La que tiene por oficio ribetear el calzado.

Ribetear. tr. Echar ribetes.

Rica. f. *Bot. Rioja.* **Alholva,** 1.ª acep.

Ricacho, cha. (De *rico.*) m. y f. fam. Persona acaudalada, aunque de humilde condición, o vulgar en su trato y porte.

Ricachón, na. m. y f. Despectivo de rico, o ricacho.

Ricadueña. (De *rica,* noble, y *dueña.*) f. Hija o mujer de grande o de ricohombre.

Ricafembra. (De *rica,* noble, y *fembra.*) f. ant. **Ricahembra.**

Ricahembra. (De *ricafembra.*) f. **Ricadueña.**

Ricahombría. (De *rico* y *hombría.*) f. Título que se daba en lo antiguo a la primera nobleza de España.

Ricamente. adv. m. Opulentamente, con abundancia. || **2. Preciosamente.** || **3.** Muy a gusto; con toda comodidad.

Ricial. (Del m. or. que *rizal.*) adj. Aplícase a la tierra en que, después de cortado el pan en verde, vuelve a nacer o retoñar. || **2.** Dícese de la tierra sembrada de verde para que se lo coma el ganado.

Ricino. (Del lat. *ricĭnus.*) m. Planta originaria de África, de la familia de las euforbiáceas, arborescente en los climas cálidos y anual en los templados, con tallo ramoso de color verde rojizo, hojas muy grandes, pecioladas, partidas en lóbulos lanceolados y aserrados por el margen; flores monoicas en racimos axilares o terminales, y fruto capsular, esférico, espinoso, con tres divisiones y otras tantas semillas, de las cuales se extrae un aceite purgante.

Ricio. m. *Ar.* Campo que se siembra aprovechando las espigas que quedaron sin segar, bien golpeándolas o bien dando una labor de arado.

Rico, ca. (Del germ. *rikja.*) adj. desus. Noble o de alto linaje, o de conocida y estimable bondad. Ú. t. c. s. || **2.** Adinerado, hacendado o acaudalado. Ú. t. c. s. || **3.** Abundante, opulento y pingüe. || **4.** Gustoso, sabroso, agradable. || **5.** Muy bueno en su línea. || **6.** Aplícase a las personas como expresión de cariño. || **7.** V. **Plomo rico.** || **A rico no debas y a pobre no prometas.** ref. que aconseja no comprometerse con persona que nos puede atropellar con su poder o molestar con sus instancias. || **Del rico es dar remedio, y del viejo, consejo.** ref. con que se denota que a los ricos hizo Dios sus tesoreros para el remedio de los pobres necesitados; y a los viejos, maestros, por la experiencia que tienen de los negocios. || **Rico o pinjado.** expr. fam. que pondera la firme resolución con que uno emprende un negocio dificultoso y arriesgado, en el cual se juega el todo por el todo.

Ricohombre. (De *rico* y *hombre.*) m. El que en lo antiguo pertenecía a la primera nobleza de España.

Ricohome. (De *rico* y *home.*) m. ant. **Ricohombre.**

Ricote. adj. fam. aum. de **Rico.** Ú. t. c. s.

Rictus. (Del lat. *rictus,* boca entreabierta, y éste de *ringor,* retraer los labios y enseñar los dientes.) m. *Med.* Contracción de los labios que deja al descubierto los dientes y da a la boca el aspecto de la risa.

Ricura. f. fam. Calidad de **rico,** 4.ª y 5.ª aceps.

Ridículamente. adv. m. De manera ridícula.

Ridiculez. (De *ridículo,* 2.º art.) f. Dicho o hecho extravagante e irregular. || **2.** Nimia delicadeza de genio o natural.

Ridiculizar. (De *ridículo,* 2.º art.) tr. Burlarse de una persona o cosa por las extravagancias o defectos que tiene o se le atribuyen.

Ridículo. (Del lat. *reticŭlus,* bolsa de red.) m. Bolsa manual que, pendiente de unos cordones, han usado las señoras para llevar el pañuelo y otras menudencias.

Ridículo, la. (Del lat. *ridicŭlus.*) adj. Que por su rareza o extravagancia mueve o puede mover a risa. || **2.** Escaso, corto, de poca estimación. || **3.** Extraño, irregular y de poco aprecio y consideración. || **4.** De genio irregular; nimiamente delicado o reparón. || **5.** m. Situación **ridícula** en que cae una persona. || **En ridículo.** m. adv. Expuesto a la burla o al menosprecio de las gentes, sea o no con razón justificada. Ú. m. con los verbos *estar, poner* y *quedar.*

Ridiculoso, sa. (Del lat. *ridiculōsus.*) adj. ant. **Ridículo.**

Riego. m. Acción y efecto de regar. || **2.** Agua disponible para regar. || **sanguíneo.** Cantidad de sangre que nutre los órganos o la superficie del cuerpo.

Riel. (Del lat. *regŭla.*) m. Barra pequeña de metal en bruto. || **2. Carril,** 5.ª acep.

Rielar. (Del lat. **refilāre,* de *filum,* hilo.) intr. poét. Brillar con luz trémula. || **2. Temblar.**

Rielera. f. Molde de hierro donde se echan los metales y otros cuerpos para reducirlos a rieles o barras.

Rienda. (Del lat. **retĭna,* de *retinēre.*) f. Cada una de las dos correas, cintas o cuerdas que, unidas por uno de sus extremos a las camas del freno, lleva asidas por el otro el que gobierna la caballería. Ú. m. en pl. || **2.** V. **Mano rienda, de rienda,** o **de la rienda.** || **3.** fig. Sujeción, moderación en acciones o palabras. || **4.** pl. fig. Gobierno, dirección de una cosa. *Apoderarse de las* RIENDAS *del Estado.* || **Falsa rienda.** *Equit.* Conjunto de dos correas unidas por el extremo que lleva el jinete en la mano, y fijas por el otro en el bocado o en el filete, para poder contener el caballo en el caso de que fallen las **riendas,** y para alternar con éstas cuando calientan el asiento. Ú. m. en pl. || **Aflojar las riendas.** fr. fig. Aliviar, disminuir el trabajo, cuidado y fatiga en la ejecución de una cosa, o ceder en la vigilancia y cuidado de lo que está a cargo de uno. || **2.** fig. Hacer más suave la sujeción. || **A media rienda.** m. adv. con que se explica el movimiento violento que lleva el caballo, que consiste en no darle toda la **rienda,** metiéndole las piernas. || **A rienda suelta.** m. adv. fig. Con violencia o celeridad. || **2.** fig. Sin sujeción y con toda libertad. || **A toda rienda.** m. adv. Al galope. || **Correr a rienda suelta.** fr. Soltar el jinete las **riendas** al caballo, picándole al mismo tiempo para que corra cuanto pueda. || **2.** fig. Entregarse sin reserva a una pasión o al ejercicio de una cosa. || **Dar rienda suelta.** fr. fig. Dar libre curso. || **Ganar las riendas.** fr. Apoderarse de las **riendas** de una caballería para detener al que va en ella. || **Soltar la rienda.** fr. fig. Entregarse con libertad y desenfreno a los vicios, pasiones o afectos. || **Tener las riendas.** fr. Tirar de ellas para detener el paso de una caballería. || **Tirar la rienda,** o **las riendas.** fr. fig. Sujetar, contener, reducir. || **Volver riendas,** o **las riendas.** fr. **Volver grupas.**

Riente. (Del lat. *ridens -entis.*) p. a. de **Reir.** Que ríe.

Riepto. (De *reptar,* 1.er art.) m. ant. **Reto.**

Riesgo. (Del ant. *resgar,* cortar, del lat. *resĕcāre.*) m. Contingencia o proximidad de un daño. || **2.** Cada una de las contingencias que pueden ser objeto de un contrato de seguro. || **A riesgo y ventura.** loc. adv. Dícese de las empresas que se acometen o contratos que se celebran sometidos a influjo de suerte o evento, sin poder reclamar por la acción de éstos. || **Correr riesgo.** fr. Estar una cosa expuesta a perderse o a no verificarse.

Riestra. (Del lat. *rēstŭla,* d. de *restis,* rastra.) f. desus. **Ristra.** Ú. en *Ast.*

Rieto. (De *riepto.*) m. ant. **Reto.**

Rifa. (Del gr. ῥιφή, tiro.) f. Juego que consiste en sortear una cosa entre varios por medio de cédulas de corto valor, que todas juntas suman, por lo menos, el precio en que se la ha estimado. || **2.** Contienda, pendencia, enemistad.

Rifador. m. El que rifa, 1.ª y 2.ª aceps.

Rifadura. f. *Mar.* Acción y efecto de rifar, 3.ª acep.

Rifar. tr. Efectuar el juego de la rifa. || **2.** intr. Reñir, contender, enemistarse con uno. || **3.** r. *Mar.* Romperse, abrirse, descoserse o hacerse pedazos una vela.

Rifarrafa. f. ant. Vendedora, vivandera.

Rifeño, ña. adj. Natural del Rif. Ú. t. c. s. || **2.** Perteneciente a esta comarca de Marruecos.

Rifirrafe. (Quizá del verbo árabe *rafrafa,* revolar, palpitar.) m. fam. Contienda o bulla ligera y sin trascendencia.

Rifle. (Del ingl. *rifle,* de *to rifle,* estriar, acanalar.) m. Fusil rayado de procedencia norteamericana.

Riflero. m. *Argent.* y *Chile.* Soldado provisto de rifle.

Rigel. (Del ár. *riŷl* [*al-Ŷawzā'*], pie [de Géminis].) f. *Astron.* Estrella de primera magnitud en la constelación de Orión.

Rigente. (Del lat. *rigens, -entis,* p. a. de *rigēre,* estar duro, inflexible.) adj. poét. **Rígido**

Rígidamente. adv. m. Con rigidez.

Rigidez. f. Calidad de rígido.

Rígido, da. (Del lat. *rigĭdus.*) adj. **Inflexible.** || **2.** fig. Riguroso, severo.

Rigodón. (Del fr. *rigaudon* y *rigodon;* de *Rigaud,* nombre del inventor de este baile.) m. Cierta especie de contradanza.

Rigor. (Del lat. *rigor, -ōris.*) m. Nimia y escrupulosa severidad. || **2.** Aspereza, dureza o acrimonia en el genio o en el trato. || **3.** Último término a que pueden llegar las cosas. || **4.** Intensión, vehemencia. *El rigor del verano.* || **5.** Propiedad y precisión. || **6.** *Germ.* **Fiscal,** 5.ª acep. || **7.** *Med.* Tiesura o rigidez preternatural de los músculos, tendones y demás tejidos fibrosos, que los hace inflexibles e impide los movimientos del cuerpo. || **8.** *Med.* Frío intenso y extraordinario que entra de improviso en el principio de algunas enfermedades, como en las calenturas intermitentes. || **En rigor.** m. adv. En realidad, estrictamente. || **Ser de rigor** una cosa. fr. Ser indispensable por requerirlo así la costumbre, la moda o la etiqueta. || **Ser uno el rigor de las desdichas.** fr. fig. y fam. Padecer muchos y diferentes males o desgracias.

Rigorismo. (De *rigor.*) m. Exceso de severidad, principalmente en materias morales o disciplinarias. || **2.** Sistema o doctrina en que domina la moral rigorista.

Rigorista. (De *rigor.*) adj. Extremadamente severo, sobre todo en materias morales o disciplinarias. Ú. t. c. s.

Rigorosamente. adv. m. **Rigurosamente.**

Rigoroso, sa. (Del lat. *rigorōsus.*) adj. **Riguroso.**

Rigüe. m. *Hond.* Tortilla de elote.

Riguridad. f. desus. **Rigor.** Ú. en *Ar.* y *Sal.*

Rigurosamente. adv. m. Con rigor.

Rigurosidad. (De *riguroso.*) f. **Rigor.**

Riguroso, sa. (De *rigoroso.*) adj. Áspero y acre. || **2.** Muy severo, cruel. || **3.** Estrecho, austero, rígido. || **4.** Dicho del temporal o de una desgracia u otro mal, extremado, duro de soportar. || **5.** *For.* V. **Agnación rigurosa.**

Rija. f. *Med.* Fístula que se hace debajo del lagrimal, por la cual fluye pus, moco o lágrimas.

Rija. (Del lat. *rixa.*) f. Pendencia, inquietud, alboroto.

Rijador, ra. (Del lat. *rixātor.*) adj. **Rijoso.**

Rijo. (De *rija*, 2.° art.: véase *rijoso.*) m. Conato o propensión a lo sensual.

Rijoso, sa. (Del lat. *rixōsus.*) adj. Pronto, dispuesto para reñir o contender. || **2.** Inquieto y alborotado a vista de la hembra. *Caballo* RIJOSO. || **3.** Lujurioso, sensual.

Rilar. (Del lat. **refilāre*, de *fīlum*, hilo.) intr. Temblar, tiritar. || **2.** r. **Estremecerse.**

Rima. (De *rimo.*) f. Consonancia o consonante. || **2.** Asonancia o asonante. || **3.** Composición en verso, del género lírico. Por lo común no se usa más que en plural; v. gr.: RIMAS *de Garcilaso, de Lope, de Góngora.* || **4.** Conjunto de los consonantes de una lengua, y así se dice *Diccionario de la* RIMA; o el de los consonantes o asonantes empleados en una composición o en todas las de un poeta, y en este sentido se califica la **rima** de fácil, rica, pobre, vulgar, etc. || **imperfecta,** o **media rima. Rima,** 2.ª acep. || **perfecta. Rima,** 1.ª acep. || **Octava rima.** Forma de composición poética en que cada estrofa es una **octava** real. || **Sexta rima. Sextina,** 3.ª acep. || **Tercia rima.** Forma de composición poética en que cada estrofa es un terceto.

Rima. (Quizá del m. or. que *resma.*) f. **Rimero.**

Rimador, ra. (De *rimar.*) adj. Que se distingue en sus composiciones poéticas más por la rima que por otras cualidades. Ú. t. c. s.

Rimar. (De *rima*, 1.er art.) intr. Componer en verso. || **2.** Ser una palabra asonante, o más especialmente, consonante de otra. || **3.** tr. Hacer el poeta una palabra asonante o consonante de otra.

Rimbombancia. f. Calidad de rimbombante.

Rimbombante. p. a. de **Rimbombar.** Que rimbomba. || **2.** adj. fig. Ostentoso, llamativo.

Rimbombar. (En port. *rimbombar* y *rebombar*, de *re* y *bombo.*) intr. Retumbar, resonar, sonar mucho o hacer eco.

Rimbombe. m. **Rimbombo.**

Rimbombo. (De *rimbombar.*) m. Retumbo o repercusión de un sonido.

Rimero. (De *rima*, 2.° art.) m. Conjunto de cosas puestas unas sobre otras.

Rimo. (Del lat. *rythmus*, y éste del gr. ῥυθμός, armonía.) m. ant. **Rima,** 1.er art.

Rimú. (Voz araucana.) m. *Bot. Chile.* Planta de la familia de las oxalidáceas, con flores amarillas, y que brota con las primeras lluvias de abril.

Rinanto. m. **Gallocresta.**

Rincón. (Quizá de ár. *rukn*, esquina, ángulo.) m. Ángulo entrante que se forma en el encuentro de dos paredes o de dos superficies. || **2.** Escondrijo o lugar retirado. || **3.** Espacio pequeño. *Cada aldeano posee un* RINCÓN *de tierra.* || **4.** fig. y fam. Domicilio o habitación particular de cada uno, con abstracción del comercio de las gentes. || **5.** fig. Residuo de alguna cosa que queda en un lugar apartado de la vista. *Quedan todavía algunos* RINCONES *de correspondencia por repartir.*

Rinconada. (De *rincón.*) f. Ángulo entrante que se forma en la unión de dos casas, calles o caminos, o entre dos montes.

Rinconera. f. Mesita, armario o estante pequeños, comúnmente de figura triangular, que se colocan en un rincón o ángulo de una sala o habitación. || **2.** *Arq.* Parte de muro comprendida entre una esquina o un rincón de la fachada y el hueco más próximo.

Rinconero, ra. adj. V. **Colmena rinconera.**

Ringar. (Del lat. **renicāre*, de *ren, renis.*) tr. *Albac., And.* y *Pal.* **Derrengar,** 1.ª y 2.ª aceps. Ú. m. c. r.

Ringla. (Del germ. *hring*, círculo.) f. fam. **Ringlera.**

Ringle. (Del germ. *hring*, círculo.) m. fam. **Ringlera.**

Ringlera. (De *ringle.*) f. Fila o línea de cosas puestas en orden unas tras otras.

Ringlero. (De *ringle.*) m. Cada una de las líneas del papel pautado en que aprenden a escribir los niños.

Ringorrango. m. fam. Rasgo de pluma exagerado e inútil. Ú. m. en pl. || **2.** fig. y fam. Cualquier adorno superfluo y extravagante. Ú. m. en pl.

Rinitis. (Del gr. ῥίς, ῥινός, nariz.) f. *Med.* Inflamación de la mucosa de las fosas nasales.

Rinoceronte. (Del lat. *rhinocĕron*, y éste del gr. ῥινόκερως; de ῥίς, ῥινός, nariz, y κέρας, cuerno.) m. *Zool.* Mamífero del orden de los perisodáctilos, propio de la zona tórrida de Asia y de África, que llega a tener tres metros de largo y uno y medio de altura hasta la cruz, con cuerpo muy grueso, patas cortas y terminadas en pies anchos provistos de tres pesuños; la cabeza estrecha, el hocico puntiagudo, con el labio superior movedizo, capaz de alargarse, y uno o dos cuernos cortos y encorvados en la línea media de la nariz; la piel negruzca, recia, dura y sin flexibilidad sino en los dobleces; las orejas puntiagudas, rectas y cubiertas de pelo, y la cola corta y terminada en una borla de cerdas tiesas y muy duras. Se alimenta de vegetales, prefiere los lugares cenagosos y es fiero cuando le irritan.

Rinología. (Del gr. ῥίς, ῥινός, nariz, y λόγος, tratado.) f. Parte de la patología, que estudia las enfermedades de las fosas nasales.

Rinólogo. m. Médico que se dedica especialmente al estudio y tratamiento de las enfermedades de las fosas nasales.

Rinoplastia. (Del gr. ῥίς, ῥινός, nariz, y πλάσσω, formar.) f. *Cir.* Operación quirúrgica para restaurar la nariz.

Rinoscopia. (Del gr. ῥίς, ῥινός, nariz, y σκοπέω, examinar.) f. *Med.* Exploración de las cavidades nasales.

Rinrán. m. *Murc.* y *Val.* Especie de pisto compuesto de pimientos, tomates, patatas y bacalao o atún.

Riña. (De *reñir.*) f. Pendencia, cuestión o quimera. || **tumultuaria.** *For.* Aquella en que se acometen varias personas confusa y mutuamente de modo que no cabe distinguir los actos de cada una. || **Riña de por San Juan, paz para todo el año.** ref. que da a entender que de una pendencia muy reñida, a veces se origina una firme amistad. || **2.** Expresa asimismo la conveniencia de discutir, al hacer un trato, para dejar estipuladas todas las condiciones y evitar que en lo sucesivo haya disputas.

Riñón. (De lat. *ren, renis.*) m. *Zool.* Cada una de las glándulas secretorias de la orina, que generalmente existen en número de dos. En los mamíferos son voluminosas, de color rojo obscuro y están situadas a uno y otro lado de la columna vertebral, al nivel de las vértebras lumbares. || **2.** fig. Interior o centro de un terreno, sitio, asunto, etc. || **3.** *Min.* Trozo redondeado de mineral, contenido en otro de distinta naturaleza. || **4.** pl. Parte del cuerpo que corresponde a la pelvis. *Recibió un golpe en los* RIÑONES. || **Riñones de conejo.** fam. Guiso de judías blancas, secas. || **Costar** una cosa **un riñón.** fr. fig. y fam. **Costar un ojo de la cara.** || **Pegarse al riñón.** fr. fam. con que se denota que un manjar es muy substancioso y alimenticio. || **Tener** uno **cubierto,** o **bien cubierto, el riñón.** fr. fig. y fam. Estar rico. || **Tener riñones.** fr. fig. y fam. Ser esforzado.

Riñonada. f. Tejido adiposo que envuelve los riñones. || **2.** Lugar del cuerpo en que están los riñones. || **3.** Guisado de riñones.

Riñoso, sa. (De *riña.*) adj. ant. **Rencilloso.**

Río. (Del lat. *rīus, rīvus.*) m. Corriente de agua continua y más o menos caudalosa que va a desembocar en otra o en el mar. || **2.** V. **Albahaquilla, brazo, cangrejo, gallina, tabla de río.** || **3.** fig. Grande abundancia de una cosa líquida, y por ext., de cualquier otra. *Gastar* un RÍO *de oro.* || **4.** fig. **Riolada.** || **Apear el río.** fr. ant. Vadearlo a pie. || **A río revuelto.** m. adv. fig. En la confusión, turbación y desorden. || **A río revuelto, ganancia de pescadores.** ref. con que se nota al que se vale industriosamente de las turbaciones o desorden para buscar y sacar utilidad. || **Bañarse en el río Jordán.** fr. fig. Remozarse, rejuvenecerse. || **Cuando el río suena, agua lleva,** o **agua o piedra lleva.** ref. con que se quiere dar a entender que todo rumor o hablilla tiene algún fundamento. || **Donde va más hondo el río, hace menos ruido.** ref. que se aplica al talento, que cuanto mayor es, busca menos la ostentación. || **No crece el río con agua limpia.** fr. proverb. con que se advierte que no es común el adquirir rápidamente y con honradez grandes riquezas. || **Pescar en río revuelto.** fr. fig. Aprovecharse uno de alguna confusión o desorden en beneficio propio.

Riobambeño, ña. adj. Natural de Riobamba. Ú. t. c. s. || **2.** Perteneciente a esta ciudad de la República del Ecuador.

Riojano, na. adj. Natural de la Rioja. Ú. t. c. s. || **2.** Perteneciente a esta región.

Riolada. (De *río.*) f. fam. Afluencia de muchas cosas o personas.

Rioplatense. adj. Natural del Río de la Plata. Ú. t. c. s. || **2.** Perteneciente o relativo a los países de la cuenca del río de la Plata.

Riosellano, na. adj. Natural de Ribadesella. Ú. t. c. s. || **2.** Perteneciente a este pueblo de Asturias.

Riostra. f. *Arq.* Pieza que, puesta oblicuamente, asegura la invariabilidad de forma de una armazón.

Riostrar. tr. *Arq.* Poner riostras.

Ripia. (Del lat. *replēre*, rellenar.) f. Tabla delgada, desigual y sin pulir. || **2.** Costero tosco del madero aserrado. || **3.** ant. **Ripio.**

Ripiar. (De *ripio.*) tr. **Enripiar.**

Ripio. (Del lat. *replēre*, rellenar.) m. Residuo que queda de una cosa. || **2.** Cascajo o fragmentos de ladrillos, piedras y otros materiales de obra de albañilería desechados o quebrados. Se utiliza para rellenar huecos de paredes o pisos. || **3.** Palabra o frase inútil o superflua que se emplea viciosamente con el solo objeto de completar el verso, o de darle la consonancia o asonancia requerida. || **4.** Conjunto de palabras inútiles o con que se expresan cosas vanas o insubstanciales en cualquiera clase de discursos o escritos, o en la conversación familiar. || **Dar ripio a la mano.** fr. fig. y fam. Dar con facilidad y abundancia una cosa. || **Meter ripio.** fr. fig. Introducir en escritos o discursos, o en composiciones artísticas, especies o cosas inútiles o insubstanciales. || **No desechar, o no perder, ripio.** fr. fig. y fam. No perder ni malograr ocasión. || **No perder ripio.** fr. Estar muy atento a lo que se oye, sin perder palabra.

Ripioso, sa. adj. Que abunda en ripios.

Riqueza. (De *rico.*) f. Abundancia de bienes y cosas preciosas. || **2.** Copia de cualidades o atributos excelentes. || **imponible. Líquido imponible.**

Risa. (De *riso.*) f. Movimiento de la boca y otras partes del rostro, que demuestra alegría. || **2.** Lo que mueve a reir. || **3.** V. **Flujo de risa.** || **4.** fig. V. **Boca, cara de risa.** || **5.** fig. V. **Retozo de la risa.** || **falsa.** La que uno hace fingiendo agrado. || **sardesca, sardonia,** o **sardónica.** *Med.* Convulsión y contracción de los músculos de la cara, de que resulta un gesto como cuando uno se ríe. || **2.** fig. **Risa** afectada y que no nace de alegría interior. || **La risa del conejo.** fam. La que suelen causar algunos accidentes, o el movimiento exterior de la boca y otras partes del rostro, parecido al de la **risa**, que sobreviene a algunos al tiempo de morir, como sucede al conejo. || **2.** fig. y fam. La del que se ríe sin ganas. || **Caerse de risa** uno. fr. fig. y fam. Reir desordenadamente. || **Comerse de risa** uno. fr. fig. y fam. Reprimirla, contenerla por algún respeto. || **De la risa al duelo, un pelo.** ref. que indica cuán de cerca suele seguir el dolor al placer. || **Descalzarse, descoyuntarse, despedazarse, desperecerse,** o **desternillarse, de risa** uno. fr. fig. y fam. Reir con vehemencia y con movimientos descompasados. || **Estar para reventar de risa,** o **muerto de risa.** fr. fig. Violentarse o hacerse fuerza para no reírse el que está muy tentado de la **risa.** || **Finarse de risa** uno. fr. ant. fig. **Morirse de risa.** || **Mearse,** o **morirse, de risa** uno. fr. fig. y fam. Reírse mucho y con muchas ganas. || **Retozar la risa,** o **retozar la risa en el cuerpo** a uno. fr. fig. y fam. Querer reir o estar movido a **risa,** procurando reprimirla. || **Reventar de risa** uno. fr. fig. y fam. **Morirse de risa.** || **Tentado a,** o **de, la risa.** loc. fam. Propenso a reir inmoderadamente. || **2.** fig. y fam. Enamoradizo y lascivo. || **Tomar a risa** una cosa. fr. fig. No darle crédito o importancia.

Risada. (De *risa.*) f. **Risotada.**

Riscal. m. Sitio de muchos riscos.

Risco. (Del lat. *rĕsĕcāre,* cortar.) m. Peñasco alto y escarpado, difícil y peligroso para andar por él. || **2.** Fruta de sartén, hecha con pedacitos de masa rebozados en miel, que se pegan y forman figuras a manera de **riscos.**

Riscoso, sa. adj. Que tiene muchos riscos. || **2.** Perteneciente a ellos.

Risibilidad. (Del lat. *risibilĭtas, -ātis.*) f. Facultad de reir, privativa del racional.

Risible. (Del lat. *risibĭlis.*) adj. Capaz de reírse. || **2.** Que causa risa o es digno de ella.

Risiblemente. adv. m. De modo digno de risa.

Risica, lla, ta. fs. ds. de **Risa.** || **2. Risa falsa.**

Riso. (Del lat. *risus.*) m. poét. Risa apacible. De uso corriente en Aragón y Murcia.

Risotada. f. Carcajada, risa estrepitosa y descompuesta.

Ríspido, da. (De *re* e *híspido.*) adj. **Áspero,** 2.° art., 6.ª acep.

Rispión. m. *Sant.* **Rastrojo.**

Rispo, pa. adj. **Ríspido.** || **2.** Arisco, intratable.

Riste. m. ant. **Ristre.**

Ristolero, ra. adj. *Ar.* y *Sal.* Alegre, jovial, risueño.

Ristra. (De *riestra.*) f. Trenza hecha de los tallos de ajos o cebollas con un número de ellos o de ellas. || **2.** fig. y fam. Conjunto de ciertas cosas colocadas unas tras otras.

Ristre. m. Hierro injerido en la parte derecha del peto de la armadura antigua, donde encajaba el cabo de la manija de la lanza para afianzarlo en él.

Ristrel. (De *listel.*) m. *Arq.* Listón grueso de madera.

Risueño, ña. (Del lat. *risus,* risa.) adj. Que muestra risa en el semblante. || **2.** Que con facilidad se ríe. || **3.** fig. De aspecto deleitable, o capaz, por alguna circunstancia, de infundir gozo o alegría. *Fuente* RISUEÑA; *prado* RISUEÑO. || **4.** fig Próspero, favorable.

¡Rita! interj. con que los pastores llaman o avisan al ganado menor, especialmente dirigiéndose a una res sola.

Ritamente. (De *rito,* 3.er art.) adv. m. ant. Justa, legalmente.

Ritmar. tr. Sujetar a ritmo.

Rítmico, ca. (Del lat. *rhythmĭcus,* y éste del gr. ῥυθμικός.) adj. Perteneciente al ritmo o al metro. || **2.** V. **Acento rítmico.** || **3.** V. **Música rítmica.**

Ritmo. (Del lat. *rhythmus,* y éste del gr. ῥυθμός, de ῥέω, fluir.) m. Grata y armoniosa combinación y sucesión de voces y cláusulas y de pausas y cortes en el lenguaje poético y prosaico. || **2.** Metro o verso. *Mudar de* RITMO. || **3.** fig. Orden acompasado en la sucesión o acaecimiento de las cosas. || **4.** *Mús.* Proporción guardada entre el tiempo de un movimiento y el de otro diferente.

Rito. (Del lat. *ritus.*) m. Costumbre o ceremonia. || **2.** Conjunto de reglas establecidas para el culto y ceremonias religiosas. || **abisinio.** El seguido por los católicos romanos del África Central bajo la autoridad de un vicario apostólico residente en Abisinia. || **doble.** El más solemne con que la Iglesia celebra el oficio divino de una feria, vigilia o santo. || **semidoble.** El que es menos solemne que el doble y más que el simple. || **simple.** El menos solemne de los tres.

Rito. (Voz araucana.) m. *Chile.* Manta gruesa de hilo burdo.

Rito, ta. (De *irrito.*) adj. ant. Válido, justo, legal.

Ritual. (Del lat. *rituālis.*) adj. Perteneciente o relativo al rito. || **2.** V. **Libro ritual.** Ú. t. c. s. || **3.** m. Conjunto de ritos de una religión o de una iglesia. || **Ser de ritual** una cosa. fr. fig. Estar impuesta por la costumbre.

Ritualidad. (De *ritual.*) f. Observancia de las formalidades prescritas para hacer una cosa.

Ritualismo. (De *ritual.*) m. Secta protestante inglesa que concede gran importancia a los ritos y tiende a acercarse al catolicismo. || **2.** fig. En los actos jurídicos, y en general en los oficiales, exagerado predominio de las formalidades y trámites reglamentarios.

Ritualista. com. Partidario del ritualismo.

Rival. (Del lat. *rivālis,* de *rivus,* río.) com. **Competidor.**

Rivalidad. (Del lat. *rivalĭtas, -ātis.*) f. Oposición entre dos o más personas que aspiran a obtener una misma cosa. || **2. Enemistad.**

Rivalizar. (De *rival.*) intr. **Competir.**

Rivera. (Del lat. *rivus,* riachuelo.) f. **Arroyo,** 1.ª y 2.ª aceps.

Riza. f. Rastrojo del alcacer. || **2.** Residuo que, por estar duro, dejan en los pesebres las caballerías.

Riza. f. Destrozo o estrago que se hace en una cosa. || **Hacer riza.** fr. fig. Causar gran destrozo y mortandad en una acción de guerra.

Rizado, da. p. p. de **Rizar.** || **2.** adj. V. **Paloma rizada.** || **3.** m. Acción y efecto de rizar o rizarse.

Rizal. adj. **Ricial.**

Rizar. (Del lat. **rectiāre,* enderezar.) tr. Formar artificialmente en el pelo anillos o sortijas, bucles, tirabuzones, etc. || **2.** Mover el viento la mar, formando olas pequeñas. Ú. t. c. r. || **3.** Hacer en las telas, papel o cosa semejante dobleces menudos que forman diversas figuras. || **4.** r. Ensortijarse el pelo naturalmente.

Rizo, za. (De *rizar.*) adj. Ensortijado o hecho rizos naturalmente. || **2.** Aplícase a un terciopelo no cortado en el telar, áspero al tacto, y que forma una especie de cordoncillo. Lo hay liso y labrado. Ú. t. c. s. || **3.** m. Mechón de pelo que artificial o naturalmente tiene forma de sortija, bucle o tirabuzón. || **4.** *Mar.* Cada uno de los pedazos de cabo blanco o cajeta, de dos pernadas, que pasando por los ollaos abiertos en línea horizontal en las velas de los buques, sirven como de envergues para la parte de aquéllas que se deja orientada, y de tomadores para la que se recoge o aferra, siempre que por cualquier motivo conviene disminuir su superficie. || **Hacer,** o **rizar, el rizo.** fr. Hacer dar al avión en el aire una como vuelta de campana. || **Tomar rizos.** fr. *Mar.* Aferrar a la verga una parte de las velas, disminuyendo su superficie para que tomen menos viento.

Rizófago, ga. (Del gr. ῥίζα, raíz, y φαγεῖν, comer.) adj. *Zool.* Dícese de los animales que se alimentan de raíces. Ú. t. c. s.

Rizoforáceo, a. (De *rizofóreo.*) adj. *Bot.* Dícese de árboles o arbustos angiospermos dicotiledóneos que viven en las costas de las regiones intertropicales, con muchas raíces, en parte visibles, hojas sencillas, opuestas y con estípulas; flores actinomorfas, hermafroditas o unisexuales, de cáliz persistente, y fruto indehiscente con una sola semilla sin albumen; como el mangle. Ú. t. c. s. f. || **2.** f. pl. *Bot.* Familia de estas plantas.

Rizofóreo, a. (Del gr. ῥίζα, raíz, y φέρω, llevar.) adj. *Bot.* **Rizoforáceo.**

Rizoide. (Del gr. ῥίζα, raíz, εἶδος, forma.) adj. *Bot.* Dícese de los pelos o filamentos que hacen las veces de raíces en ciertas plantas que, como los musgos, carecen de estos órganos, absorbiendo del suelo el agua con las sales minerales que lleva en disolución. Ú. t. c. s.

Rizoma. (Del gr. ῥίζωμα, raíz.) m. *Bot.* Tallo horizontal y subterráneo; como el del lirio común.

Rizón. (Del lat. **ericĭo, -ōnis,* de *ericius,* erizo.) m. *Sant.* Ancla de tres uñas.

Rizópodo. (Del gr. ῥίζα, raíz, y πούς, ποδός, pie.) adj. *Zool.* Dícese del protozoo cuyo cuerpo es capaz de emitir seudópodos que le sirven para moverse y para apoderarse de las partículas orgánicas de que se alimenta. Ú. m. c. s. || **2.** m. pl. *Zool.* Clase de estos animales.

Rizoso, sa. (De *rizo.*) adj. Dícese del pelo que tiende a rizarse naturalmente.

Ro. Voz de que se usa repetida para arrullar a los niños.

Roa. f. *Mar.* **Roda,** 2.° art.

Roanés, sa. adj. Natural de Ruán. Ú. t. c. s. || **2.** Perteneciente a esta ciudad de Francia.

Roano, na. (Del lat. **ravidānus,* de *ravidus.*) adj. Aplícase al caballo o yegua cuyo pelo está mezclado de blanco, gris y bayo.

Rob. (Del m. or. que *arrope.*) m. *Farm.* Arrope o cualquier zumo de frutos maduros, mezclado con alguna miel o azúcar cocido, hasta que tome la consistencia de jarabe o miel líquida.

Robada. (De *robo,* 2.° art.) f. Medida usada en Navarra para la superficie de las tierras, equivalente a 8 áreas y 98 centiáreas.

Robadera. (De *robar.*) f. **Traílla,** 3.ª acep.

Robadizo. m. Tierra que el agua roba fácilmente. || **2.** Arroyada que resulta donde ha sido robada la tierra por el agua.

Robado, da. p. p. de **Robar.** || **2.** adj. V. **Partido robado.** || **3.** fig. y fam. V. **Hospital robado.** || **4.** fig. y fam. V. **Casa robada.**

Robador, ra. adj. Que roba. Ú. t. c. s. || **2.** V. **Tenderete robador.**

Robaliza. f. Hembra del róbalo, mayor y de color más claro que el macho.

Róbalo [Robalo]. m. *Zool.* Pez teleósteo marino, del suborden de los acantopterigios, de siete a ocho decímetros de largo, cuerpo oblongo, cabeza apuntada, boca grande, dientes pequeños y agudos, dorso azul negruzco, vientre blanco, dos aletas en el lomo y cola recta. Vive en los mares de España y su carne es muy apreciada.

Robamiento. (De *robar.*) m. ant. **Arrobamiento.**

Robar. (Del ant. alto al. *roubôn.*) tr. Quitar o tomar para sí con violencia o con fuerza lo ajeno. || **2.** Tomar para sí lo ajeno, o hurtar de cualquier modo que sea. || **3. Raptar.** || **4.** Llevarse los ríos y corrientes parte de la tierra contigua o de aquella por donde pasan. || **5.** Redondear una punta o achaflanar una esquina. || **6.** Entre colmeneros, sacar del peón partido todas las abejas, ponerlas en otro desocupado, y quitar de aquél todos los panales, poniendo el peón en el potro, y dándole golpecitos hasta que pasen al vacío las abejas. || **7.** Tomar del monte naipes en ciertos juegos de cartas, y fichas en el del dominó. || **8.** fig. Atraer con eficacia y como violentamente el afecto o ánimo. ROBAR *el corazón, el alma.* || **9.** r. ant. Huirse, escaparse.

Robda. (Del ár. *rutba*, impuesto.) f. **Robla,** 1.er art.

Robeco. m. *Ast.* **Robezo.**

Robellón. (Del lat. *rŭbellio, -ōnis*, rojizo.) m. Especie de hongo o agárico comestible.

Robería. f. ant. **Robo,** 1.er art.

Roberval. n. p. V. **Balanza de Roberval.**

Robezo. m. **Gamuza,** 1.a acep.

Robín. (Del lat. *rubīgo, -ĭnis.*) m. Orín o herrumbre de los metales.

Robinia. (Del botánico francés Juan *Robin*, que la trajo a Europa.) f. **Acacia falsa.**

Robiñano. m. p. us. **Perengano.**

Robla. (De *roblar*, sobrar.) f. Tributo de pan, vino y cierto número de reses viejas que, además del arriendo, pagaban los ganaderos trashumantes al dejar a fin de verano los pastos de las sierras. || **2.** Comida con que se obsequia al terminar un trabajo.

Robladero, ra. adj. Hecho de modo que pueda roblarse.

Robladura. (De *roblar.*) f. Redobladura de la punta de un clavo, perno o cosa semejante.

Roblar. (Del lat. *roborāre*, fortificar, dar firmeza.) tr. **Robrar.** || **2.** Doblar o remachar una pieza de hierro para que esté más firme; como el clavo, etc.

Roble. (De *robre.*) m. *Bot.* Árbol de la familia de las fagáceas, que tiene por lo común de 15 a 20 metros de altura y llega a veces hasta 40, con tronco grueso y grandes ramas tortuosas; hojas perennes, casi sentadas, trasovadas, lampiñas y de margen lobulado; flores de color verde amarillento en amentos axilares, y por fruto bellotas pedunculadas, amargas. Su madera es dura, compacta, de color pardo amarillento y muy apreciada para construcciones. Se cría en España. || **2.** Madera de este árbol. || **3.** fig. Persona o cosa fuerte, recia y de gran resistencia. || **albar.** Especie que se distingue de la común por tener las hojas pecioladas y las bellotas sin rabillo. Se cría en España. || **borne. Melojo.** || **carrasqueño. Quejigo.** || **negral, negro,** o **villano. Melojo.**

Robleda. f. **Robledal.**

Robledal. m. Robledo de gran extensión.

Robledo. (De *robredo.*) m. Sitio poblado de robles.

Roblizo, za. (De *roble.*) adj. Fuerte, recio y duro.

Roblón. (De *roblar.*) m. Clavija de hierro o de otro metal dulce, con cabeza en un extremo, y que después de pasada por los taladros de las piezas que ha de asegurar, se remacha hasta formar otra cabeza en el extremo opuesto. || **2.** Lomo que en el tejado forman las tejas por su parte convexa. || **3.** *Colomb.* **Cobija,** 1.a acep. || **4.** *Burg.* **Tejo,** 1.a acep.

Roblonar. tr. Sujetar con roblones remachados.

Robo. m. Acción y efecto de robar. || **2.** Cosa robada. || **3.** En algunos juegos de naipes y en el dominó, número de cartas o de fichas que se toman del monte o baceta. || **4.** *For.* Delito que se comete apoderándose con ánimo de lucro de cosa mueble, ajena, empleándose violencia o intimidación sobre las personas, o fuerza en las cosas. || **Ir al robo.** fr. En algunos juegos de naipes, **robar,** 7.a acep. || **Meter a robo.** fr. ant. **Meter a saco.**

Robo. (Del ár. *rub'*, cuarto, cuarta parte: véase *arroba.*) m. Medida de trigo, cebada y otros áridos, usada en Navarra y equivalente a 28 litros y 13 centilitros.

Roboración. f. Acción y efecto de roborar.

Roborante. (Del lat. *robŏrans, -antis.*) p. a. de **Roborar.** Que robora. Aplícase especialmente a los medicamentos que tienen virtud de confortar.

Roborar. (Del lat. *roborāre.*) tr. Dar fuerza y firmeza a una cosa. || **2.** ant. Otorgar, confirmar, rubricar una cosa. || **3.** fig. **Corroborar,** 2.a acep.

Roborativo, va. adj. Que sirve para roborar.

Robra. (De *robrar.*) f. **Alboroque.** || **2.** ant. Escritura o papel autorizado para la seguridad de las compras y ventas o de cualquier otra cosa.

Robramiento. m. ant. Acción de robrar.

Robrar. (Del lat. *roborāre.*) tr. ant. Hacer la robra, 2.a acep.

Robre. (Del lat. *robur, -ŏris.*) m. **Roble.**

Robredal. (De *robredo.*) m. **Robledal.**

Robredo. (Del lat. *roborētum.*) m. **Robledo.**

Robustamente. adv. m. Con robustez.

Robustecedor, ra. adj. Que robustece.

Robustecer. tr. Dar robustez. Ú. t. c. r.

Robustecimiento. m. Acción y efecto de robustecer.

Robustez. f. Calidad de robusto.

Robusteza. f. **Robustez.**

Robusticidad. f. desus. **Robustez.**

Robustidad. f. ant. **Robustez.**

Robusto, ta. (Del lat. *robustus.*) adj. Fuerte, vigoroso, firme. || **2.** Que tiene fuertes miembros y firme salud.

Roca. (En fr. *roc* y *roche;* en ital. *rocca.*) f. Piedra, o vena de ella, muy dura y sólida. || **2.** Peñasco que se levanta en la tierra o en el mar. || **3.** V. **Cristal de roca.** || **4.** fig. Cosa muy dura, firme y constante. || **5.** *Geol.* Substancia mineral que por su extensión forma parte importante de la masa terrestre.

Rocada. f. Copo de materia textil que se pone de cada vez en la rueca.

Rocadero. (De *rueca.*) m. **Coroza,** 1.a acep. || **2.** Armazón en figura de piña, formada de tres o más varillas curvas, que en la parte superior de la rueca sirve para poner el copo que se ha de hilar. || **3.** Envoltura que se pone en esta parte para asegurar el copo.

Rocador. (De *rueca.*) m. **Rocadero,** 2.a acep. || **2.** *Sal.* Mantilla semicircular que usan las charras. Se hace de terciopelo o veludillo y se adorna con abalorios. || **3.** *Áv.* Sombrero de copa cónica y alas anchas con reborde que usan los campesinos.

Rocalla. f. Conjunto de piedrecillas desprendidas de las rocas por la acción del tiempo o del agua, o que han saltado al labrar las piedras. || **2.** Abalorio grueso.

Rocalloso, sa. adj. Abundante en rocalla.

Rocambola. f. Planta de la familia de las liliáceas, que se cultiva en las huertas y se usa para condimento en substitución del ajo.

Rocambor. m. *Amér. Merid.* Juego de naipes muy parecido al tresillo.

Roce. m. Acción y efecto de rozar o rozarse. || **2.** fig. Trato o comunicación frecuente con algunas personas.

Rocera. (De *roza.*) adj. V. **Leña rocera.**

Rocero, ra. adj. *Ar.* y *Nav.* Dícese de la persona ordinaria o aficionada a tratar con gente inferior o baja.

Rociada. f. Acción y efecto de rociar. || **2. Rocío.** || **3.** Hierba con el rocío, que se da por medicina a las bestias caballares. || **4.** fig. Conjunto de cosas que se esparcen al arrojarlas. *Una* ROCIADA *de perdigones.* || **5.** fig. Murmuración en que se comprende y zahiere maliciosamente a muchos. || **6.** fig. Reprensión áspera con que se reconviene a uno.

Rociadera. (De *rociar.*) f. **Regadera,** 1.a acep.

Rociado, da. p. p. de **Rociar.** || **2.** adj. Mojado por el rocío, o que participa de él.

Rociador. m. Brocha o escobón para rociar la ropa.

Rociadura. (De *rociar.*) f. **Rociada,** 1.a acep.

Rociamiento. (De *rociar.*) m. **Rociada,** 1.a acep.

Rociar. (Del lat. **roscidāre*, de *roscĭdus.*) intr. Caer sobre la tierra el rocío o la lluvia menuda. || **2.** tr. Esparcir en menudas gotas el agua u otro líquido. || **3.** fig. Arrojar algunas cosas de modo que caigan diseminadas. || **4.** fig. Gratificar el jugador a quien le prestó dinero en la casa de juego.

Rocín. (Del ár. *russān*, con imela *russīn*, caballo pequeño.) m. Caballo de mala traza, basto y de poca alzada. || **2.** Caballo de trabajo, a distinción del de regalo. *Un* ROCÍN *de campo.* || **3.** fig. y fam. Hombre tosco, ignorante y mal educado. || **A rocín viejo, cabezadas nuevas.** ref. que reprende a los viejos que se componen y adornan como si fuesen mozos. || **Aunque se aventuren rocín y manzanas.** expr. fig. y fam. con que se da a entender la resolución en que se está de hacer una cosa aunque sea con riesgo y pérdida. || **Ir,** o **venir, de rocín a ruin.** fr. fig. y fam. Decaer o ir de mal en peor. || **Pues ara el rocín, ensillemos al buey.** ref. que advierte que no se trastornen ni truequen las ocupaciones y ministerios de cada uno. || **Rocín y manzanas.** expr. fig. y fam. **Aunque se aventuren rocín y manzanas.**

Rocinal. adj. Perteneciente al rocín.

Rocinante. (Por alusión al caballo de don Quijote.) m. fig. Rocín matalón.

Rocino. m. **Rocín.**

Rocío. (De *rociar.*) m. Vapor que con la frialdad de la noche se condensa en la atmósfera en muy menudas gotas, las cuales aparecen luego sobre la superficie de la tierra o sobre las plantas. || **2.** Las mismas gotas perceptibles a la vista. || **3.** Lluvia corta y pasajera.

|| **4.** fig. Gotas menudas esparcidas sobre una cosa para humedecerla.

Roción. (De *rociar.*) m. Salpicadura copiosa y violenta de agua del mar, producida por el choque de las olas contra un obstáculo cualquiera.

Rococó. (Del fr. *rococo,* forma jocosa de *rocaille.*) adj. Dícese del estilo barroco que predominó en Francia en tiempo de Luis XV.

Rocoso, sa. adj. **Roqueño,** 1.ª acep.

Rocote. (Voz quichua.) m. *Amér. Merid.* Planta y fruto de una especie de ají grande, de la familia de las solanáceas.

Rocha. f. **Roza,** 2.ª acep.

Rochela. f. *Colomb., Ecuad.* y *Venez.* Bullicio, algazara.

Rochelés, sa. adj. Natural de La Rochela. Ú. t. c. s. || **2.** Perteneciente a esta ciudad de Francia.

Rocho. (Del m. or. que *ruc.*) m. Ave fabulosa a la cual se atribuye desmesurado tamaño y extraordinaria fuerza.

Roda. f. **Robla,** 1.er art. || **2.** *Ast.* **Pez luna.**

Roda. (Del gall. o del port. *roda,* y éste del lat. *rŏta,* rueda.) f. *Mar.* Pieza gruesa y curva, de madera o hierro, que forma la proa de la nave.

Rodaballo. (Del lat. *rotabŭlum,* rodillo, rollo.) m. *Zool.* Pez teleósteo, del suborden de los anacantos, de unos ocho centímetros de largo, con cuerpo aplanado, asimétrico, blanquecino y liso por debajo, pardo azulado y con escamas tuberculosas muy duras por encima, cabeza pequeña, los ojos en el lado izquierdo, aleta dorsal tan larga como todo el cuerpo, y cola casi redonda. Es muy voraz; habita en el mar cerca de la desembocadura de los ríos y su carne es muy estimada. || **2.** fig. y fam. Hombre taimado y astuto.

Rodachina. f. *Colomb.* **Girándula.**

Rodada. f. Señal que deja impresa la rueda de un vehículo en el suelo por donde pasa.

Rodadero, ra. adj. **Rodadizo.** || **2.** Que está en disposición o figura para rodar. || **3.** m. Terreno pedregoso y con fuerte declive en el que se producen fácilmente desprendimientos de tierras y guijarros.

Rodadizo, za. adj. Que rueda con facilidad.

Rodado, da. (De *rueda.*) adj. Dícese del caballo o yegua que tiene manchas, ordinariamente redondas, más obscuras que el color general de su pelo. || **2.** V. **Privilegio rodado.** || **3.** V. **Leña rodada.** || **4.** m. *León.* Especie de refajo que usan las mujeres. || **5.** *Argent.* y *Chile.* Cualquier vehículo de ruedas.

Rodado, da. p. p. de **Rodar.** || **2.** adj. V. **Artillería, piedra rodada.** || **3.** V. **Canto rodado.** || **4.** Aplícase al período, cláusula o frase que se distingue por su fluidez o facilidad. || **5.** *Min.* Dícese de los pedazos de mineral desprendidos de la veta y esparcidos naturalmente por el suelo. Ú. t. c. s.

Rodador, ra. adj. Que rueda o cae rodando. || **2.** m. Mosquito de América que cuando se llena de sangre rueda y cae como la sanguijuela. || **3.** **Rueda,** 4.ª acep.

Rodadura. f. Acción de rodar.

Rodaja. (De *rueda.*) f. Pieza circular y plana, de madera, metal u otra materia. || **2.** **Rueda,** 6.ª acep. RODAJA *de patata.* || **3.** Estrella de la espuela. || **4.** fam. **Rosca,** 4.ª acep.

Rodaje. m. Conjunto de ruedas. *El* RODAJE *de un reloj.* || **2.** Impuesto o arbitrio sobre los carruajes. || **3.** Acción y efecto de rodar, 9.ª acep.

Rodajuela. f. d. de **Rodaja.**

Rodal. (De *rueda.*) m. Lugar, sitio o espacio pequeño que por alguna circunstancia particular se distingue de lo que le rodea. || **2.** **Mancha,** 1.er art., 4.ª acep. || **3.** *San*. Carro de ruedas que no tienen rayos.

Rodalán. m. *Bot. Chile.* Planta de la familia de las oenoteráceas, con tallos rastreros, flores grandes y blancas que se abren al ponerse el Sol, y cápsulas oblongas, aovadas.

Rodamiento. m. *Mec.* Cojinete formado por dos cilindros concéntricos, entre los que se intercala una corona de bolas o rodillos que pueden girar libremente.

Rodancha. f. *Ar., Murc.* y *Sor.* Roncha, rodaja.

Rodancho. (Como el cat. *rodanxa,* del lat. *rota,* rueda.) m. *Germ.* **Broquel,** 1.ª acep.

Rodano, na. adj. ant. **Rodio.** Apl. a pers., usáb. t. c. s.

Rodante. p. a. de **Rodar.** Que rueda o puede rodar.

Rodapelo. m. **Redopelo.**

Rodapié. (De *rodear* y *pie.*) m. Paramento de madera, tela u otra materia con que se cubren alrededor los pies de las camas, mesas y otros muebles. || **2.** **Friso,** 2.ª acep. || **3.** Tabla, celosía o enrejado que se pone en la parte inferior de la barandilla de los balcones para que no se vean los pies de las personas asomadas a ellos.

Rodaplancha. f. Abertura que divide el paletón hasta la tija, y permite a la llave rodar en la plancha que forma la guarda de la cerradura.

Rodar. (Del lat. *rŏtāre.*) intr. Dar vueltas un cuerpo alrededor de su eje, ya sea sin mudar de lugar, como la piedra de un molino, ya mudando, como la bola que corre por el suelo. || **2.** Moverse una cosa por medio de ruedas. RODAR *un coche.* || **3.** Caer dando vueltas o caer resbalando por una pendiente. || **4.** fig. No tener una cosa colocación fija, por desprecio o descuido. || **5.** fig. Ir de un lado para otro sin fijarse o establecerse en sitio determinado. || **6.** fig. **Abundar,** 1.ª acep. *En aquella casa* RUEDA *el dinero.* || **7.** fig. Andar inútilmente en pretensiones. || **8.** fig. Suceder unas cosas a otras. || **9.** tr. Hablando de películas cinematográficas, impresionarlas o proyectarlas. || **Rodar uno por otro.** fr. fig. y fam. Estar pronto y dispuesto para servirle y hacer cuanto mandare o pidiere, por difícil que sea.

Rodas. n. p. V. **Olivastro de Rodas.**

Rodeabrazo (A). m. adv. Dando una vuelta al brazo para arrojar o despedir una cosa con él.

Rodeador, ra. adj. Que rodea.

Rodear. (De *rueda.*) intr. Andar alrededor. || **2.** Ir por camino más largo que el ordinario o regular. || **3.** fig. Usar de circunloquios o rodeos en lo que se dice. || **4.** *Sal.* Sestear el ganado vacuno. || **5.** tr. Poner una o varias cosas alrededor de otra. || **6.** Cercar una cosa cogiéndola en medio. || **7.** Hacer dar vuelta a una cosa. *No pudo* RODEAR *la mula ni a un lado ni a otro.* || **8.** *Argent., Colomb., Cuba* y *Chile.* Reunir el ganado mayor en un sitio determinado, arreándolo desde los distintos lugares en donde pace. || **9.** r. Revolverse, removerse, rebullirse, volverse.

Rodela. (Del prov. *rodella,* y éste del lat. *rotĕlla,* de *rotŭla.*) f. Escudo redondo y delgado que, embrazado en el brazo izquierdo, cubría el pecho al que se servía de él peleando con espada.

Rodeleja. f. d. de **Rodela.**

Rodelero. m. Soldado que usaba rodela. || **2.** Soldado que, como paje de armas, llevaba la rodela de su superior. || **3.** Mozo inquieto y que rondaba de noche con espada y rodela.

Rodenal. m. Sitio poblado de pinos rodenos.

Rodeno, na. adj. **Rojo,** 1.ª acep. Dícese de tierras, rocas, etc. || **2.** V. **Pino rodeno.**

Rodeo. m. Acción de rodear. || **2.** Camino más largo o desvío del camino derecho. || **3.** Vuelta o regate para librarse de quien persigue. || **4.** Sitio donde se reúne el ganado mayor, bien para sestear o para pasar la noche, o bien para contar las reses o para venderlas. || **5.** Reunión del ganado mayor para reconocerlo, para contar las cabezas, o para cualquier otro fin. || **6.** fig. Manera indirecta o medio no habitual empleado para hacer alguna cosa, a fin de eludir las dificultades que presenta. || **7.** fig. Manera de decir una cosa, valiéndose de términos o expresiones que no la den a entender sino indirectamente. || **8.** fig. Escape o efugio para disimular la verdad, para eludir la instancia que se hace sobre una especie. || **9.** *Sal.* Siesta del ganado vacuno en el campo. || **10.** *Germ.* Conjunto o reunión de ladrones o de rufianes.

Rodeón. m. aum. de **Rodeo.** || **2.** Vuelta en redondo.

Rodera. (De *rueda.*) f. **Carril,** 2.ª acep. || **2.** Camino abierto por el paso de los carros a través de los campos. || **3.** Rueda que encaja en el eje sin tener el cubo guarnecido con buje de hierro.

Rodericense. (Del lat. *Rodericum,* hoy Ciudad Rodrigo.) adj. Natural de Ciudad Rodrigo. Ú. t. c. s. || **2.** Perteneciente a esta ciudad.

Rodero. m. El que cobraba el tributo de la roda o robla.

Rodero, ra. adj. Perteneciente a la rueda o que sirve para ella. || **2.** V. **Mazo rodero.** || **3.** m. desus. Mozo que estaba encargado en las imprentas de mover la rueda de las máquinas.

Roderón. (De *rodera.*) m. *León, Sal.* y *Sant.* Rodada honda.

Rodete. (De *rueda.*) m. Rosca que con las trenzas del pelo se hacen las mujeres para tenerlo recogido y para adorno de la cabeza. || **2.** Rosca de lienzo, paño u otra materia que se pone en la cabeza para cargar y llevar sobre ella un peso. || **3.** Chapa circular fija en lo interior de la cerradura, para que pueda girar únicamente la llave cuyas guardas se ajustan a ella. || **4.** Rueda horizontal, debajo del pescante, donde gira el juego delantero del coche para tomar con facilidad las vueltas. || **5.** Pieza giratoria cilíndrica achatada y de canto plano sobre el cual pasan las correas sin fin en diferentes maquinarias. || **6.** *Blas.* Trenza o cordón que rodea la parte superior del yelmo y que sirve de cimera. || **7.** *Mec.* Rueda hidráulica horizontal con paletas.

Rodezno. (De *rodar.*) m. Rueda hidráulica con paletas curvas y eje vertical. || **2.** Rueda dentada que engrana con la que está unida a la muela de la tahona.

Rodezuela. f. d. de **Rueda.**

Rodil. m. *Sal.* Prado situado entre tierras de labranza.

Rodilla. (Del lat. *rotĕlla,* d. de *rota,* rueda.) f. Conjunto de partes blandas y duras que forman la unión del muslo con la pierna, y, particularmente, región prominente de dicho conjunto. || **2.** En los cuadrúpedos, unión del antebrazo con la caña. || **3.** **Rodete,** 2.ª acep. || **4.** Paño basto u ordinario, regularmente de lienzo, que sirve para limpiar, especialmente en la cocina. || **A media rodilla.** m. adv. Con sólo una **rodilla** doblada y apoyada en el suelo. || **De rodilla en rodilla.** loc. adv. fig. De varón en varón. || **De rodillas.** m. adv. Con las **rodillas** dobladas y apoyadas en el suelo, y el cuerpo descansando sobre ellas, generalmente en señal de respeto o veneración, o por castigo o penitencia. Ú. m. con los verbos *estar, hincar* y *poner.* || **2.** fig. En tono suplicante y con ahínco. || **Doblar uno la rodilla.** fr. Arrodillarse, apoyando una sola **rodilla** en tierra. || **2.** fig. Sujetarse, humillarse a otro. || **Estar** uno **en** tal **rodilla con** otro. fr. Estar con él en tal grado de parentesco en línea recta. Así, cuando se dice que uno está en cuarta o quinta **rodilla** con otro, se entiende que es su cuarto o quinto nieto. || **Hincar** uno **la rodilla.** fr. **Doblar la rodilla.** || **Hincar** uno **las rodillas,** o **hincarse de rodillas.** fr. **Arrodillarse.** || **La rodilla de Mariquita, que mancha más que quita,** o **La rodilla de Mari García, que más me ensucia que me limpia.** refs. con que se tacha de sucio un paño o trapo.

Rodillada. f. **Rodillazo.** || **2.** Golpe que se recibe en la rodilla. || **3.** Inclinación o postura de la rodilla en tierra.

Rodillazo. m. Golpe dado con la rodilla.

Rodillera. f. Cualquiera cosa que se pone para comodidad, defensa o adorno de la rodilla. || **2.** Pieza o remiendo que se echa a los calzones, calzoncillos u otra ropa, en la parte que sirve para cubrir la rodilla. || **3.** Convexidad que llega a formar el pantalón en la parte que cae sobre la rodilla. || **4.** Herida que se hacen las caballerías al caer de rodillas. || **5.** Cicatriz de esta herida. || **6.** *Sal.* **Rodete,** 2.ª acep.

Rodillero, ra. adj. Perteneciente a las rodillas. || **2.** m. **Banca,** 2.ª acep.

Rodillo. (De *rotĕlla.*) m. Madero redondo y fuerte que se hace rodar por el suelo para llevar sobre él una cosa de mucho peso y arrastrarla con más facilidad. || **2.** Cilindro muy pesado de piedra o de hierro, que se hace rodar para allanar y apretar la tierra o para consolidar el firme de las carreteras. || **3.** Cilindro que se emplea para dar tinta en las imprentas, litografías, etc. || **4.** *Sal.* y *Zam.* **Rodil.** || **De rodillo a rodillo.** m. adv. Haciendo rodar con violencia una bola en el juego de bochas, para que, dando a otra bola o al bolín, le haga cambiar de lugar.

Rodillo. (De *rutĕllum.*) m. *Alm.* Especie de rastro sin dientes y con el mango largo.

Rodilludo, da. adj. Que tiene abultadas las rodillas.

Rodio. (Del gr. ῥόδον, rosa, por el color de las sales del metal.) m. Metal que en pequeñísima cantidad se halla algunas veces en el oro y el platino. Es de color blanco de plata, no le atacan los ácidos y es difícilmente fusible. Su cloruro es de color rojo intenso.

Rodio, dia. (Del lat. *rhodĭus.*) adj. Natural de Rodas. Ú. t. c. s. || **2.** Perteneciente a esta isla del Archipiélago. || **3.** Aplícase al estilo de los escritores de Rodas, que no era ni tan conciso y limado como el ático, ni tan exuberante y difuso como el asiático. || **4.** Aplícase a la más antigua ley marítima acerca de la echazón. || **5.** V. **Raíz rodia.**

Rodiota. adj. **Rodio,** 2.° art. Apl. a pers., ú. t. c. s.

Rodo. (Del lat. *rŭtrum,* rodillo.) m. **Rodillo,** 1.er art., 1.ª y 2.ª aceps.

Rodo. (De *rodar.*) m. *León.* Manteo que usan las maragatas. || **2.** *Sal.* Faldón de la camisa, que suele ser de tela más tosca que el resto de la prenda. || **A rodo.** m. adv. En abundancia, a porrillo.

Rododafne. (Del lat. *rhododaphne,* y éste del gr. ῥοδοδάφνη; de ῥόδον, rosa, y δάφνη, laurel.) f. **Adelfa.**

Rododendro. (Del lat. *rhododendron,* y éste del gr. ῥοδόδενδρον; de ῥόδον, rosa, y δένδρον, árbol.) m. Arbolillo de la familia de las ericáceas, de dos a cinco metros de altura, con hojas persistentes, coriáceas, oblongas, agudas, verdes y lustrosas por la haz y pálidas por el envés; flores en corimbo, con cáliz corto y corola grande, acampanada, de cinco lóbulos desiguales, sonrosada o purpúrea, y fruto capsular. Es propio de las regiones montañosas del hemisferio boreal y sus muchas variedades se cultivan como plantas de adorno.

Rodomiel. (Del lat. *rhodomĕli,* y éste del gr. ῥοδόμελι; de ῥόδον, rosa, y μέλι, miel.) m. Miel rosada.

Rodrejo, ja. (Del lat. **retrŭcŭlus,* tardío, de *retro,* atrás.) adj. *Murc.* Aplícase a la fruta que no llega a sazón. || **2.** f. *Guad.* y *Rioja.* Especie de ciruela verdal, temprana, que no llega a tener madurez completa.

Rodriga. (Del lat. *rīdĭcŭla,* d. de *rīdĭca,* sostén de planta.) f. **Rodrigón,** 1.ª acep.

Rodrigar. (De *rodriga.*) tr. Poner rodrigones a las plantas.

Rodrigazón. (De *rodriga.*) f. Tiempo de poner rodrigones.

Rodrigón. (De *rodriga.*) m. Vara, palo o caña que se clava al pie de una planta y sirve para sostener, sujetos con ligaduras, sus tallos y ramas. || **2.** fig. y fam. Criado anciano que servía para acompañar señoras.

Roedor, ra. adj. Que roe. || **2.** fig. Que conmueve, punza o agita el ánimo. || **3.** *Zool.* Dícese de mamíferos generalmente pequeños, unguiculados, con dos incisivos en cada mandíbula, largos, fuertes y encorvados hacia fuera, cuyo crecimiento es continuo y sirven para roer; como la ardilla, el ratón, el castor y el conejo. Ú. t. c. s. || **4.** m. pl. *Zool.* Orden de estos mamíferos.

Roedura. f. Acción de roer. || **2.** Porción que se corta royendo. || **3.** Señal que queda en la parte roída.

Roel. (Del fr. *roelle,* disco.) m. *Blas.* Pieza redonda en los escudos de armas.

Roela. (Del fr. *roelle,* y éste del lat. *rotĕlla.*) f. Disco de oro o de plata en bruto.

Roer. (Del lat. *rodĕre.*) tr. Cortar, descantillar menuda y superficialmente con los dientes parte de una cosa dura. || **2.** Comerse las abejas la realera o maestril después de haberlo cerrado. || **3.** Quitar poco a poco con los dientes a un hueso la carne que se le quedó pegada. || **4.** fig. Gastar o quitar superficialmente, poco a poco y por partes menudas. || **5.** fig. Molestar, afligir o atormentar interiormente y con frecuencia.

Roete. (Del lat. *rhoïtes,* y éste del gr. ῥοΐτης.) m. Vino medicinal hecho con zumo de granadas.

Rogación. (Del lat. *rogatĭo, -ōnis.*) f. Acción de rogar. || **2.** pl. Letanías en procesiones públicas, que se hacen en determinados días del año.

Rogado, da. p. p. de **Rogar.** || **2.** adj. Aplícase a la persona que gusta que le rueguen mucho antes de acceder a lo que le piden.

Rogador, ra. (Del lat. *rogātor, -ōris.*) adj. Que ruega. Ú. t. c. s.

Rogante. (Del lat. *rogans, -antis.*) p. a. de **Rogar.** Que ruega.

Rogar. (Del lat. *rogāre.*) tr. Pedir por gracia una cosa. || **2.** Instar con súplicas.

Rogaria. (De *rogar.*) f. ant. **Ruego.** || **2.** ant. **Rogativa.**

Rogativa. (De *rogativo.*) f. Oración pública hecha a Dios para conseguir el remedio de una grave necesidad. Ú. m. en pl.

Rogativo, va. (Del lat. *rogātum,* supino de *rogāre,* rogar.) adj. Que incluye ruego.

Rogatorio, ria. adj. Que implica ruego. || **2.** *For.* V. **Comisión rogatoria.**

Roge. (Del vasc. *herrogi,* pan del pueblo.) m. *Nav.* Roscón que se lleva a la iglesia como ofrenda el día de la Candelaria y el de San Blas.

Rogo. (Del lat. *rogŭs.*) m. poét. Hoguera, pira.

Roído, da. p. p. de **Roer.** || **2.** adj. fig. y fam. Corto, despreciable, dado con miseria.

Rojal. adj. Que tira a rojo. Dícese de las tierras, plantas y semillas. || **2.** m. Terreno cuyo color tira a rojo. || **3.** f. *Albac.* **Uva rojal.**

Rojeante. p. a. de **Rojear.** Que rojea.

Rojear. intr. Mostrar una cosa el color rojo que en sí tiene. || **2.** Tirar a rojo.

Rojete. m. Colorete, arrebol.

Rojeto, ta. adj. ant. **Rojizo.**

Rojez. f. Calidad de rojo.

Rojicle. m. ant. **Rosicler.**

Rojizo, za. adj. Que tira a rojo.

Rojo, ja. (Del lat. *russĕus.*) adj. Encarnado muy vivo. Ú. t. c. s. Es el primer color del espectro solar. || **2. Rubio,** 1.ª acep. || **3.** Dícese del pelo de un rubio muy vivo, casi colorado. || **4.** V. **Abeto, lápiz, libro, ocre, oligisto, sándalo rojo.** || **5.** V. **Agua, bala, caparrosa, consuelda, plata, pudrición roja.** || **6.** En política, radical, revolucionario. || **7.** *Quím.* V. **Precipitado rojo.** || **alambrado.** De color encendido de brasa. || **Al rojo.** fr. que se aplica al hierro u otra materia cuando por el efecto de una alta temperatura toma dicho color. || **2.** fig. Muy exaltadas las pasiones. || **Al rojo blanco.** Cuando por la elevada temperatura el color rojo de la materia incandescente se torna blanquecino. || **Al rojo cereza.** Cuando el color rojo de la materia incandescente es obscuro semejante al de las cerezas.

Rojura. f. **Rojez.**

Rol. (Del cat. *rol,* y éste del lat. *rotŭlus,* cilindro.) m. Lista, nómina o catálogo. || **2.** *Mar.* Licencia que da el comandante de una provincia marítima al capitán o patrón de un buque, y en la cual consta la lista de la marinería que lleva.

Rolar. (De *rol.*) intr. *Cád.* Rodar, dar vueltas. || **2.** *Mar.* Dar vueltas en círculo. Ú. principalmente hablando del viento.

Roldana. (De un der. del lat. *rotŭla,* ruedecilla.) f. ant. Vasija para vino. || **2.** Rodaja por donde corre la cuerda en un motón o garrucha.

Roldar. (Del lat. **rotŭlāre.*) intr. Rondar, circular. Ú. t. c. tr.

Rolde. (De *roldar.*) m. **Rueda,** 2.ª acep. || **2.** *Albac.* y *Ar.* Círculo, redondel.

Roldón. (De *roldar.*) m. *Ar.* **Emborrachacabras.**

Roleo. (De *rolar.*) m. *Arq.* **Voluta.**

Rolla. (Del lat. *rotŭla,* ruedecilla.) f. Trenza gruesa de espadaña, forrada con pellejo, que se pone en el yugo para que éste se adapte bien a las colleras de las caballerías.

Rolla. (De la onomat. *ro.*) f. *Bad., Colomb., León, Pal., Vallad.* y *Zam.* **Niñera.** || **2.** *Zam.* **Tórtola.**

Rollar. (Del lat. **rotŭlāre.*) tr. **Arrollar,** 1.ª acep.

Rollar. (Del dialect. *ruello,* del lat. *rŏtŭlus* canto rodado.) m. *Nav.* **Pedregal.**

Rolletal. (Del dialect. *ruello,* del lat. *rŏtŭlus,* canto rodado.) m. *Sal.* **Pedregal.**

Rollete. m. d. de **Rollo.**

Rollizo, za. adj. Redondo en figura de rollo. || **2.** Robusto y grueso. Dícese de personas y animales. || **3.** m. Madero en rollo.

Rollo. (Del lat. *rotŭlus,* cilindro.) m. Cualquier materia que toma forma cilíndrica por rodar o dar vueltas. || **2.** Cilindro de madera, piedra, metal u otra materia dura, que sirve para labrar en ciertos oficios; como el de pastelero, el de chocolatero, etc. También se llama así el cono truncado que sirve para fines análogos. || **3.** Madero redondo descortezado, pero sin labrar. || **4.** Porción de tejido, papel, etc., que se tiene enrollada en forma cilíndrica. ROLLO *de estera, de tabaco.* || **5.** Columna de piedra, ordinariamente rematada por una cruz, que en lo antiguo era insignia de jurisdicción y que en muchos casos servía de picota. || **6.** Canto rodado de figura casi cilíndrica. || **7.** Pieza de autos; se dijo así porque antiguamente se escribía en tiras de pergamino, que se arrollaban; en la actualidad se designan con tal nombre exclusivamente las actuaciones escritas ante los tribunales superiores. || **8.** Rolla, 1.er art. || **9.** V. **Madera, pescada en rollo.** || **10.** *Albac.* y *Murc.* Bollo o pan en forma de rosca. || **Enviar,** o **hacer ir,** a uno **al rollo.** fr. fig. y fam. Despedirle por desprecio, o por no quererle atender en lo que dice o pide. || **Estar hecho un rollo de manteca.** fr. fig. y fam. que se emplea para alabar la gordura de un niño.

Rollón. (De *rollo,* 2.ª acep.) m. **Acemite,** 1.ª acep.

Rollona. (aum. de *rolla,* 2.º art.) f. fam. **Niñera.**

Roma. (Ciudad capital del mundo católico y residencia del Papa.) f. fig. Autoridad del Papa y de la curia romana. || **A Roma por todo.** expr. fig. y fam. con que se da a entender que se acomete con ánimo y confianza cualquier empresa, por ardua que sea.

Romadizarse. (Del lat. *rheumatizāre,* y éste del gr. ῥευματίζω; de ῥεῦμα, -ατος, flujo.) r. **Arromadizarse.**

Romadizo. (De *romadizarse.*) m. Catarro de la membrana pituitaria.

Romaico, ca. (Del gr. ῥωμαϊκός, romano.) adj. Aplícase a la lengua griega moderna. Ú. t. c. s.

Román. (Del fr. *roman.*) m. ant. **Romance,** 2.ª acep.

Romana. (Del lat. *[statera] romana.*) f. Instrumento que sirve para pesar, compuesto de una palanca de brazos muy desiguales, con el fiel sobre el punto de apoyo. El cuerpo que se ha de pesar se coloca en el extremo del brazo menor, y se equilibra con un pilón o peso constante que se hace correr sobre el brazo mayor, donde se halla trazada la escala de los pesos. || **2.** V. **Fiel de romana.** || **Entrar la romana con** tanto. fr. Comenzar su cuenta con cierto número de libras, arrobas, kilogramos, etc., por bajo del cual no aprecia el peso. || **Entrar** uno **con todas, como la romana del diablo.** fr. fig. y fam. No sentir escrúpulos en ningún caso ni circunstancias; ser capaz de las cosas más execrables. || **Hacer romana.** fr. Equilibrar o contrapesar una cosa con otra. || **Venir a la romana** una cosa. fr. Ajustarse al peso que se pretendía comprobar en ella.

Romanador. (De *romanar.*) m. **Romanero.**

Romanar. (De *romana.*) tr. **Romanear.**

Romanato. m. *Arq.* Especie de alero volteado con moldura, que cubre las buhardas de las armaduras quebrantadas.

Romance. (Del lat. *romanĭce,* en románico.) adj. Aplícase a cada una de las lenguas modernas derivadas del latín, como el español, el italiano, el francés, etc. Ú. t. c. s. m. || **2.** m. Idioma español. || **3.** Novela o libro de caballerías, en prosa o en verso. || **4.** Combinación métrica de origen español, que consiste en repetir al fin de todos los versos pares una misma asonancia y en no dar a los impares rima de ninguna especie. || **5.** Sin calificativo, **romance** de versos octosílabos. || **6.** Composición poética escrita en **romance.** || **7.** pl. fig. Bachillerías, excusas. *Venirle a uno con* ROMANCES. || **Romance corto.** El que se compone de versos de menos de ocho sílabas. || **de ciego. Romance** poético sobre un suceso o historia, que cantan o venden los ciegos por la calle. || **de gesta.** Según antigua denominación, **romance** popular en que se referían hechos de personajes históricos, legendarios o tradicionales. || **heroico,** o **real.** El que se compone de versos endecasílabos. || **En buen romance.** m. adv. fig. Claramente y de modo que todos lo entiendan. || **Hablar** uno **en romance.** fr. fig. Explicarse con claridad y sin rodeos.

Romanceador, ra. adj. Que romancea. Ú. t. c. s.

Romancear. tr. Traducir al romance. || **2.** Explicar con otras voces la oración castellana para facilitar el ponerla en latín.

Romancerista. com. Persona que escribe o publica romances.

Romancero, ra. m. y f. Persona que canta romances. || **2.** m. Colección de romances.

Romancesco, ca. (De *romance.*) adj. **Novelesco.**

Romancillo. (d. de *romance.*) m. **Romance corto.**

Romancista. adj. Dícese de la persona que escribía en lengua romance, por contraposición a la que escribía en latín. Ú. m. c. s. || **2.** V. **Cirujano romancista.** || **3.** Autor de romances.

Romanche. adj. **Rético.** Ú. t. c. s.

Romanear. tr. Pesar con la romana. || **2.** *Mar.* Trasladar pesos de un lugar a otro del buque, generalmente para perfeccionar la estiba. || **3.** intr. Hacer una cosa más contrapeso al lado en que está colocada.

Romaneo. m. Acción y efecto de romanear.

Romanero. m. **Fiel de romana.**

Romanesco, ca. adj. Perteneciente o relativo a los romanos, o a sus artes o costumbres. || **2. Romancesco.**

Romanía (De). (De *romanear.*) m. adv. desus. De golpe. || **Andar de romanía.** fr. fam. **Andar de capa caída.**

Románico, ca. (Del lat. *romanĭcus,* romano.) adj. *Arq.* Aplícase al estilo arquitectónico que dominó en Europa durante los siglos XI, XII y parte del XIII, caracterizado por el empleo de arcos de medio punto, bóvedas en cañón, columnas exentas y a veces resaltadas en los machones, y molduras robustas. || **2.** *Filol.* **Neolatino.**

Romanilla. f. Cancel corrido, a manera de celosía, que se usa en las casas de Venezuela, principalmente en el comedor.

Romanillo, lla. adj. d. de **Romano.** || **2.** V. **Letra romanilla.** Ú. t. c. s. m. y f.

Romanina. f. Juego en que una peonza derriba ciertos bolos colocados en una mesa larga y angosta.

Romanismo. (De *romano.*) m. Conjunto de instituciones, cultura o tendencias políticas de Roma.

Romanista. adj. Dícese del que profesa el derecho romano o tiene en él especiales conocimientos. Ú. m. c. s. || **2.** Dícese de la persona versada en las lenguas romances y en sus correspondientes literaturas. Ú. t. c. s.

Romanización. f. Acción y efecto de romanizar o romanizarse.

Romanizar. tr. Difundir la civilización, leyes y costumbres romanas, o la lengua latina. || **2.** Adoptar la civilización romana o la lengua latina. Ú. t. c. r.

Romano, na. (Del lat. *romānus.*) adj. Natural de Roma. Ú. t. c. s. || **2.** Perteneciente a esta ciudad de Italia o a cada uno de los Estados antiguos y modernos de que ha sido metrópoli. || **3.** Natural o habitante de cualquiera de los países de que se componía el antiguo imperio **romano,** a distinción de los bárbaros que los invadieron. Ú. t. c. s. || **4.** Aplícase a la religión católica y a lo perteneciente a ella. || **5.** Aplícase también a la lengua latina. Ú. t. c. s. m. || **6.** V. **Clavo, gato, melocotón, número romano.** || **7.** V. **Curia, lechuga, manzanilla, numeración, ortiga romana.** || **8.** ant.V. **Camisa romana.** || **9.** *Cronol.* V. **Indicción romana.** || rústico. **Latín rústico.** || **A la romana.** m. adv. Al uso de Roma.

Romanticismo. (De *romántico.*) m. Escuela literaria de la primera mitad del siglo XIX, extremadamente individualista y que prescindía de las reglas o preceptos tenidos por clásicos; en muchas de sus obras se conforma al espíritu y gusto de la civilización cristiana, a diferencia del de la literatura grecorromana en la antigüedad gentílica. || **2.** Propensión a lo sentimental, generoso y fantástico.

Romántico, ca. (Del fr. *romantique.*) adj. Perteneciente al romanticismo, o que participa de sus calidades. || **2.** Dícese del escritor que da a sus obras el carácter del romanticismo. Ú. t. c. s. || **3.** Partidario del romanticismo. Ú. t. c. s. || **4.** Sentimental, generoso, fantástico.

Romanza. (Del ital. *romanza.*) f. Aria generalmente de carácter sencillo y tierno. || **2.** Composición música del mismo carácter y meramente instrumental.

Romanzador, ra. (De *romanzar.*) adj. Romanceador. Ú. t. c. s.

Romanzar. (De *romance.*) tr. **Romancear.**

Romaza. (Del lat. *rumex, -ĭcis.*) f. Hierba perenne de la familia de las poligonáceas, con tallo nudoso, rojizo, de seis a ocho decímetros de altura; hojas alternas, envainadoras, oblongas, más agudas las superiores que las inferiores, y de nervios encarnados; flores sin pedúnculo, en verticilos apretados; fruto seco con una sola semilla dura y triangular, y raíz gruesa, de corteza parda e interior amarillento con vetas sanguíneas. Es común en España, las hojas se comen en potaje, y el cocimiento de la raíz se ha usado como tónico y laxante.

Rombal. adj. De figura de rombo.

Rombo. (Del lat. *rhombus,* y éste del gr. ῥόμβος.) m. *Geom.* Paralelogramo que tiene los lados iguales y dos de sus ángulos mayores que los otros dos. || **2. Rodaballo.**

Romboedro. (Del gr. ῥόμβος, rombo, y ἕδρα, cara.) m. *Geom.* Prisma oblicuo de bases y caras rombales.

Romboidal. adj. *Geom.* De figura de romboide.

Romboide. (Del gr. ῥομβοειδής; de ῥόμβος, rombo, y εἶδος, forma.) m. *Geom.* Paralelogramo cuyos lados contiguos son desiguales y dos de sus ángulos mayores que los otros dos.

Romeo, a. (Del gr. Ῥωμαῖος, romano.) adj. Griego bizantino. Ú. t. c. s.

Romeraje. (De *romero,* peregrino.) m. **Romería,** 1.ª acep.

Romeral. m. Terreno poblado de romeros, 1.er art.

Romería. (De *romero,* peregrino.) f. Viaje o peregrinación, especialmente la que se hace por devoción a un santuario. || **2.** Fiesta popular que con meriendas, bailes, etc., se celebra en el campo inmediato a alguna ermita o santuario el día de la festividad religiosa del lugar. || **3.** fig. Gran número de gentes que afluye a un sitio. || **A las romerías y a las bodas van las locas todas.** ref. que censura a las mujeres que frecuentan las diversiones. || **Quien anda muchas romerías, tarde o nunca se santifica.** ref. que aconseja que no se ande vagando de una parte a otra, ni aun con pretexto de devoción, porque suele ocasionar vicios. || **Romería de cerca, mucho vino y poca cera.** ref. que da a entender que muchas veces se toman por pretexto las devociones para la diversión y el placer.

Romeriego, ga. adj. Amigo de andar en romerías, no por devoción, sino por vaguear.

Romerillo. m. *Bot. Cuba.* Nombre de varias especies de plantas de la familia de las compuestas, de flores blancas o amarillas. Algunas se utilizan en medicina y como pasto para el ganado vacuno.

Romero. (Del lat. *ros maris.*) m. Arbusto de la familia de las labiadas, con tallos ramosos de un metro próximamente de altura; hojas opuestas, lineales, gruesas, coriáceas, sentadas, enteras, lampiñas, lustrosas, verdes por la haz y blanquecinas por el envés, de olor muy aromático y sabor acre; flores en racimos axilares de color azulado, y fruto seco con cuatro semillas menudas. Es común en España y se utiliza en medicina y perfumería.

Romero, ra. (De *Roma*, porque a esta ciudad, como cabeza de la Iglesia, fueron las primeras peregrinaciones.) adj. Aplícase al peregrino que va en romería con bordón y esclavina. Ú. m. c. s. ‖ **2.** m. *Zool.* Pez marino teleósteo, del suborden de los anacantos, de unos 16 centímetros de largo, con el lomo pardo obscuro, los costados y el vientre plateados, tres aletas dorsales y un filamento corto pendiente de la mandíbula inferior. ‖ **3.** *Zool.* Pez marino teleósteo, del suborden de los acantopterigios, de 10 a 25 centímetros de largo, cuerpo fusiforme, de color azul plateado, con siete fajas transversales más obscuras, una aleta dorsal larga y dos bandas cartilaginosas junto a la cola. Sigue a los barcos y a los tiburones para buscar más fácilmente su alimento. ‖ **Echar un romero.** fr. Echar suerte entre varias personas para ver a quién cae el voto o promesa de una romería. ‖ **Romero hito saca zatico.** ref. **Pobre importuno saca mendrugo.**

Romí. (Del ár. *rūmī*, perteneciente o relativo a los *Rūm*, que eran, en su origen, los bizantinos, y luego, por ext., los cristianos en general.) adj. desus. Cristiano, entre los mahometanos españoles. Usáb. t. c. s. ‖ **2.** V. **Azafrán romí.**

Romín. adj. **Romí.**

Romo, ma. (Del m. or. que el port. *rombo.*) adj. Obtuso y sin punta. ‖ **2.** De nariz pequeña y poco puntiaguda. ‖ **3.** V. **Macho romo.** ‖ **4.** V. **Sabina roma.**

Rompecabezas. m. Arma ofensiva compuesta de dos bolas de hierro o plomo sujetas a los extremos de un mango corto y flexible. ‖ **2.** fig. y fam. Problema o acertijo de difícil solución. ‖ **3.** Juego de paciencia que consiste en componer determinada figura combinando cierto número de pedacitos de madera o cartón, en cada uno de los cuales hay una parte de la figura.

Rompecaldera. f. *Logr.* **Arce.**

Rompecoches. m. **Sempiterna,** 1.ª acep.

Rompedera. (De *romper.*) f. Puntero o punzón grande enastado como un martillo y que a golpe de macho sirve para abrir agujeros en el hierro candente. ‖ **2.** Criba de piel, que se usa en las fábricas de pólvora para cernerla y granearla de primera vez.

Rompedero, ra. adj. Fácil de romperse.

Rompedor, ra. adj. Que rompe. Dícese especialmente del que rompe o gasta mucho los vestidos. Ú. t. c. s.

Rompedura. (De *romper.*) f. **Rompimiento,** 1.ª acep.

Rompegalas. com. fig. y fam. Persona desaliñada y mal vestida.

Rompehielos. m. Buque acondicionado para navegar por mares donde abunda el hielo.

Rompenecios. com. fig. desus. Persona que se aprovecha egoísta y desagradecidamente de los demás.

Rompenueces. m. *Amér.* **Cascanueces.**

Rompeolas. m. Dique avanzado en el mar, para procurar abrigo a un puerto o rada.

Rompepoyos. com. fig. desus. Persona holgazana y vagabunda.

Romper. (Del lat. *rumpĕre.*) tr. Separar con más o menos violencia las partes de un todo, deshaciendo su unión. Ú. t. c. r. ‖ **2.** Quebrar o hacer pedazos una cosa. Ú. t. c. r. ‖ **3.** Gastar, destrozar. Ú. t. c. r. ‖ **4.** Desbaratar o deshacer un cuerpo de gente armada. ‖ **5.** Hacer una abertura en un cuerpo o causarla hiriéndolo. Ú. t. c. r. ‖ **6. Roturar.** ‖ **7.** fig. Traspasar el coto, límite o término que está puesto, o salirse de él. ‖ **8.** fig. Dividir o separar por breve tiempo la unión o continuidad de un cuerpo fluido, al atravesarlo. ROMPER *el aire, las aguas.* ‖ **9.** fig. Interrumpir la continuidad de algo no material. ROMPER *la monotonía, el hilo del discurso, el silencio.* ‖ **10.** fig. Hablando de un astro o de la luz, vencer con su claridad, descubriéndose a la vista, el impedimento que lo ocultaba; como la niebla, la nube, etc. ‖ **11.** fig. Abrir espacio suficiente para pasar por el sitio o paraje ocupado de gente u obstruido de otro modo. ‖ **12.** fig. Interrumpir al que está hablando, o cortar la conversación. ‖ **13.** fig. Quebrantar la observancia de la ley, precepto, contrato u otra obligación. ‖ **14.** *And.* Quitar o cortar todo el verde vicioso de las cepas de vid. ‖ **15.** intr. **Reventar,** 2.ª acep. ‖ **16.** fig. **Empezar,** 3.ª acep. ROMPER *el día;* ROMPER *a hablar;* ROMPER *la marcha.* ‖ **17.** fig. Entre cazadores, partir la caza hacia un lado, saliéndose del ojeo o del camino que se esperaba había de llevar. ‖ **18.** fig. Resolverse a la ejecución de una cosa en que se hallaba dificultad. ‖ **19.** fig. Cesar de pronto, naturalmente o en virtud de un agente cualquiera, un impedimento físico. ‖ **20.** fig. Prorrumpir o brotar. ‖ **21.** fig. Abrirse las flores. ‖ **22.** r. fig. Despejarse y adquirir desembarazo en el porte y las acciones. ‖ **De rompe y rasga.** loc. fig. y fam. De ánimo resuelto y gran desembarazo. ‖ **El que rompe, paga.** fr. proverb. con que se indica que el que hace un daño ha de ser responsable y ha de atenerse a las consecuencias. ‖ **Romper con** uno. fr. Manifestarle la queja o disgusto que de él se tiene, separándose de su trato y amistad. ‖ **Romper por todo.** fr. Arrojarse a la ejecución de una cosa atropellando por todo género de respetos.

Rompesacos. m. Planta de la familia de las gramíneas, que arroja muchas cañitas delgadas de unos 30 centímetros de largo; con nudos de color de púrpura obscuro; hojas vellosas, estrechas y blandas; flores en espiga con tres aristas en cada una, y granos bermejos, puntiagudos por ambas extremidades.

Rompesquinas. m. fig. y fam. Valentón que está de plantón en las esquinas de las calles como en espera.

Rompezaragüelles. m. Planta americana de la familia de las compuestas, como de medio metro de altura, de tallo ramificado, cilíndrico y velloso; hojas opuestas, dentadas y ásperas; flor blanca y semillas negras, con vilano en la cima. Es aromática y medicinal.

Rompible. adj. Que se puede romper.

Rompido, da. p. p. desus. de **Romper.** ‖ **2.** adj. **Roto.** ‖ **3.** m. Tierra que se rompe a fin de cultivarla.

Rompiente. p. a. de **Romper.** Que rompe. ‖ **2.** m. Bajo, escollo o costa donde, cortado el curso de la corriente de un río o el de las olas, rompe y se levanta el agua.

Rompimiento. m. Acción y efecto de romper o romperse. ‖ **2.** Espacio abierto de un cuerpo sólido, o quiebra que se reconoce en él. ‖ **3.** Derecho que pagaba a la parroquia el que, teniendo sepultura de su propiedad, la hacía abrir para enterrar un cadáver. ‖ **4.** Telón recortado que en una decoración de teatro deja ver otro u otros en el fondo. ‖ **5.** fig. Desavenencia o riña entre algunas personas. ‖ **6.** *Min.* Comunicación entre dos excavaciones subterráneas. ‖ **7.** *Pint.* Porción del fondo de un cuadro, donde se pinta una abertura que deja ver un objeto lejano; como paisaje, gloria, etc.

Rompope. m. *C. Rica, Hond.* y *Méj.* Bebida que se confecciona con aguardiente, leche, huevos, azúcar y canela.

Ron. (Del ingl. *rum.*) m. Licor alcohólico de olor y sabor fuertes, que se saca por destilación de una mezcla fermentada de melazas y zumo de caña de azúcar, y al cual se da con caramelo color rojizo.

Ronca. (De *roncar.*) f. Grito que da el gamo cuando está en celo, llamando a la hembra. ‖ **2.** Brama, tiempo en que está en celo el gamo. ‖ **3.** fam. Amenaza con jactancia de valor propio en competencia de otro. Ú. m. en pl. ‖ **¡Vítor la ronca!** expr. irón. con que se desprecia la amenaza o jactancia del valor de uno.

Ronca. (Del lat. *runca.*) f. Arma semejante a la partesana.

Roncador, ra. adj. Que ronca. Ú. t. c. s. ‖ **2.** m. *Zool.* Pez teleósteo marino, del suborden de los acantopterigios, de cuatro a cinco decímetros de largo, el cuerpo comprimido, el color negruzco, con veinte o más líneas amarillas, que corren desde las agallas hasta la cola; ambas mandíbulas armadas de dientes agudos; una sola aleta sobre el lomo y arpada la de la cola. Cuando se le saca del agua produce un sonido ronco especial. ‖ **3.** En las minas de Almadén, **capataz,** 1.ª acep. ‖ **4.** *Murc.* Cohete grande.

Roncadora. f. *Argent., Bol.* y *Ecuad.* Espuela de rodaja muy grande.

Roncal. m. **Ruiseñor.**

Roncalés, sa. adj. Natural del Roncal. Ú. t. c. s. ‖ **2.** Perteneciente a este valle del Pirineo.

Roncamente. adv. m. Tosca, áspera o groseramente.

Roncar. (Del lat. *rhonchāre*, y éste del gr. ῥόγχος, ronquido.) intr. Hacer ruido bronco con el resuello cuando se duerme. ‖ **2.** Llamar el gamo a la hembra, cuando está en celo, dando el grito que le es natural. ‖ **3.** fig. Hacer un ruido sordo o bronco ciertas cosas; como el mar, el viento, etc. ‖ **4.** fig. y fam. Echar roncas amenazando o como haciendo burla.

Ronce. m. fam. **Roncería,** 2.ª acep.

Roncear. (De *ronzar*, 2.º art.) intr. Entretener, dilatar o retardar la ejecución de una cosa por hacerla de mala gana. ‖ **2.** fam. Halagar con acciones y palabras para lograr un fin. ‖ **3.** *Mar.* Ir tarda y perezosa la embarcación, especialmente cuando va con otras. ‖ **4.** tr. *Argent., Chile* y *Méj.* Voltear, ronzar, mover una cosa pesada ladeándola a un lado y otro con las manos o por medio de palancas.

Roncería. (De *roncero.*) f. Tardanza o lentitud en hacer lo que se manda, mostrando poca gana de ejecutarlo. ‖ **2.** fam. Expresión de halago o cariño con palabras o acciones, para conseguir un fin. ‖ **3.** *Mar.* Movimiento tardo y perezoso de la embarcación.

Roncero, ra. (De *ronzar*, 2.ª art.) adj. Tardo y perezoso en ejecutar lo que se manda. ‖ **2.** Regañón, mal acondicionado. ‖ **3.** Que usa de roncerías para conseguir un intento. ‖ **4.** *Mar.* Aplícase a la embarcación tarda y perezosa en el movimiento.

Ronco, ca. (Por **roco*, del lat. *raucus*, infl. por *roncar.*) adj. Que tiene o padece ronquera. ‖ **2.** Aplícase también a la voz o sonido áspero y bronco. ‖ **3.** m. *Cuba.* Pez abundante en aquellos mares, de unos 25 centímetros de largo, de color azul en el lomo, y el resto con fajas longitudinales azules y amarillas.

Roncón. (aum. de *ronco.*) m. Tubo de la gaita gallega unido al cuero y que, al mismo tiempo que suena la flauta, forma el bajo del instrumento.

Roncha. (En port. *roncha.*) f. Bultillo que se eleva en figura de haba en el cuerpo del animal. || **2.** **Cardenal,** 2.° art. || **3.** fig. y fam. Daño recibido en materia de dinero cuando se lo sacan a uno con cautela o engaño. || **Levantar ronchas.** fr. fig. Mortificar, causar pesadumbre.

Roncha. f. Tajada delgada de cualquier cosa, cortada en redondo.

Ronchar. (Quizá del lat. *rumigāre,* rumiar: compárese el fr. *ronger.*) tr. **Ronzar,** 1.er art. || **2.** intr. Crujir un manjar quebradizo cuando se masca, por estar falto de sazón. RONCHAR *las patatas por estar mal cocidas.*

Ronchar. intr. Hacer o causar ronchas, 1.er art. || **2.** *Ál.* Rodar, dar vueltas. || **3.** *Sal.* **Resbalar.**

Ronchón. m. aum. de **Roncha,** 1.er art., 1.ª acep.

Ronda. (De *rondar.*) f. Acción de rondar. || **2.** Grupo de personas que andan rondando. || **3.** Reunión nocturna de mozos para tocar y cantar por las calles. || **4.** Espacio que hay entre la parte interior del muro y las casas de una plaza fuerte. || **5.** Camino exterior e inmediato al muro de circuito de un pueblo o contiguo al límite del mismo. || **6.** Conjunto de las tres cartas primeras que en el juego del sacanete se ofrecen a los que van a parar. || **7.** En varios juegos de naipes, vuelta o suerte de todos los jugadores. || **8.** V. **Cabo, toro de ronda.** || **9.** fam. Distribución de copas de vino o de cigarros a personas reunidas en corro. || **10.** *Chile.* Juego del corro. || **mayor.** *Mil.* La que efectúa un jefe en la plaza o en el campo. || **Coger la ronda a** uno. fr. Sorprenderle en la acción o delito que quería ejecutar ocultamente. || **Hacer ronda.** fr. En el juego del sacanete, ganarla.

Rondador. adj. Que ronda. Ú. t. c. s. || **2.** m. *Ecuad.* Instrumento músico, a modo de flauta, formado de una serie de canutos de carrizo de diversa longitud y calibre, y combinados convenientemente para la gradación armónica de sonidos.

Rondalla. f. Cuento, patraña o conseja. || **2.** *Ar.* **Ronda,** 3.ª acep.

Rondana. f. Rodaja de plomo o cuero engrasado, agujereada en el centro, que se utiliza para asiento de tuercas y cabezas de tornillos.

Rondar. (Del dialect. *roldar,* del lat. **rŏtŭlāre,* rodear.) intr. Andar de noche visitando una población para impedir los desórdenes, el que tiene este ministerio. Ú. t. c. tr. || **2.** Andar de noche paseando las calles. Ú. t. c. tr. || **3.** Pasear los mozos las calles donde viven las mozas a quienes galantean. Ú. t. c. tr. || **4.** *Extr.* Montear de noche. || **5.** *Mil.* Visitar los diferentes puestos de una plaza fuerte o campamento para cerciorarse de que el servicio se desempeña en ellos con la debida puntualidad. || **6.** tr. fig. Dar vueltas alrededor de una cosa. *La mariposa* RONDA *la luz.* || **7.** fig. y fam. Andar alrededor de uno, o siguiéndole continuamente, para conseguir de él una cosa. || **8.** fig. y fam. Amagar, retentar a uno una cosa; como el sueño, la enfermedad, etc.

Rondel. (Del fr. *rondel.*) m. Composición poética corta en que se repite al final el primer verso o las primeras palabras.

Rondeña. f. Música o tono especial y característico de Ronda, algo parecido al del fandango, con que se cantan coplas de cuatro versos octosílabos.

Rondeño, ña. adj. Natural de Ronda. Ú. t. c. s. || **2.** Perteneciente a esta ciudad.

Rondín. m. Ronda que hace regularmente un cabo de escuadra para celar la vigilancia de los centinelas. || **2.** Sujeto destinado en los arsenales de marina para vigilar e impedir los robos. || **3.** *Gran.* Guardia municipal. || **4.** *Bol.* y *Chile.* Individuo que vigila o ronda de noche, y en especial el capataz que ronda los potreros y sembrados.

Rondís. m. **Mesa,** 8.ª acep.

Rondiz. m. **Rondís.**

Rondó. (Del fr. *rondeau,* y éste del lat. **rotŭndĕllus,* redondillo.) m. *Mús.* Composición música cuyo tema se repite o insinúa varias veces.

Rondón (De). (De *rendón.*) m. adv. Intrépidamente y sin reparo. || **Entrar de rondón** uno. fr. fig. y fam. Entrarse de repente y con familiaridad, sin llamar a la puerta, dar aviso, tener licencia ni esperar a ser llamado.

Ronfea. (Del lat. *rhomphaea,* y éste del gr. ῥομφαία.) f. ant. Espada larga.

Rongigata. f. **Rehilandera.**

Ronquear. intr. Estar ronco.

Ronquedad. (De *ronco.*) f. Aspereza o bronquedad de la voz o del sonido.

Ronquera. (De *ronco.*) f. Afección de la laringe, que cambia el timbre de la voz haciéndolo bronco y poco sonoro.

Ronquez. (De *ronco.*) f. p. us. **Ronquera.**

Ronquido. m. Ruido o sonido que se hace roncando. || **2.** fig. Ruido o sonido bronco.

Ronrón. m. *Hond.* Especie de escarabajo pelotero. || **2.** *Hond.* **Bramadera,** 1.ª acep.

Ronronear. (Voz onomatopéyica.) intr. Producir el gato una especie de ronquido, en demostración de contento.

Ronroneo. m. Acción y efecto de ronronear.

Ronza (A la). (De *ronzar,* 2.° art.) m. adv. *Mar.* A sotavento. || **2.** *Mar.* V. **Torpedo a la ronza.**

Ronzal. (Del ár. *rasan,* cabestro, muserola.) m. Cuerda que se ata al pescuezo o a la cabeza de las caballerías para sujetarlas o para conducirlas caminando.

Ronzal. (De *ronzar,* 2.° art.) m. *Mar.* **Palanquín,** 4.ª acep.

Ronzar. (Del m. or. que *ronchar,* 1.er art.) tr. Comer un manjar quebradizo produciendo ruido al quebrantarlo con los dientes.

Ronzar. (En fr. *roncer.*) tr. *Mar.* Mover una cosa pesada ladeándola por medio de palancas, como se hace con la artillería.

Ronzuella. f. *Sant.* **Arrendajo,** 1.ª acep.

Roña. (Del lat. *aerūgo, -inis,* orín, roña.) f. Sarna del ganado lanar. || **2.** Porquería y suciedad pegada fuertemente. || **3.** **Moho,** 2.ª acep. || **4.** Corteza del pino || **5.** fig. Daño moral que se comunica o puede comunicarse de unos en otros. || **6.** fig. y fam. **Roñería.** || **7.** m. fig. y fam. Persona roñosa, tacaña. || **8.** fig. y fam. Farsa, treta, maula. || **9.** *Colomb.* **Zanguanga,** 1.ª acep. || **10.** *P. Rico* y *Sal.* Tirria, ojeriza.

Roñal. (De *roña.*) m. *Sal.* y *Zam.* Sitio en que se almacenan en el monte las cortezas de árboles para después transportarlas a las tenerías.

Roñar. tr. *Ar.* Regañar, reñir. Ú. t. c. intr.

Roñería. (De *roña.*) f. fam. Miseria, mezquindad, tacañería.

Roñica. com. fam. Persona roñosa.

Roñosería. f. **Roñería.**

Roñoso, sa. (Del lat. *aerūgĭnōsus,* roñoso.) adj. Que tiene o padece roña. || **2.** Puerco, sucio o asqueroso. || **3.** Oxidado o cubierto de orín. || **4.** fig. y fam. Miserable, mezquino, tacaño.

Ropa. (Del ant. alto al. *rouba.*) f. Todo género de tela que, con variedad de cortes y hechuras, sirve para el uso o adorno de las personas o las cosas. || **2.** Cualquiera prenda de tela que sirve para vestir. || **3.** Vestidura de particular autoridad o distintiva de cargos o profesiones; como la que usan los ministros togados, etc. || **blanca.** Conjunto de prendas de tela de hilo o de algodón sin teñir, que se emplean en el uso doméstico y también las que usan las personas debajo del vestido exterior. || **de cámara,** o **de levantar.** Vestidura holgada que se usa para levantarse de la cama y estar dentro de casa. || **hecha.** La que para vender se hace sin medidas de persona determinada. || **vieja.** fig. Guisado de la carne que ha sobrado de la olla o que antes se aprovechó para obtener caldo o jugo. || **Acomodar de ropa limpia a** uno. fr. fig. e irón. Ensuciarle o mancharle. || **A quema ropa.** m. adv. Tratándose del disparo de un arma de fuego, desde muy cerca. || **2.** fig. De improviso, inopinadamente, sin preparación ni rodeos. || **A toca ropa.** m. adv. Muy de cerca. || **A toda ropa.** m. adv. Con los verbos *hacer, robar* y otros semejantes, apoderarse los corsarios de cuantas personas o bienes hallaban en sus correrías. || **De buena ropa.** loc. fig. Dícese de la persona de calidad o digna de particular atención o cuidado. || **2.** fig. Aplícase también a algunas cosas de buena calidad; como el vino. || **De poca ropa.** loc. fig. Dícese de la persona pobre o mal vestida. || **2.** fig. Aplícase también a la persona de escasa autoridad o poco digna de estimación. || **Guardar** uno **la ropa.** fr. fig. y fam. Obrar o hablar con cautela para preservarse de un peligro. || **Hurta ropa.** Juego de muchachos, en el que, dividiéndose en dos bandos o cuadrillas, tiran a quitarse la **ropa** los unos a los otros. || **La ropa sucia se debe lavar en casa.** ref. que aconseja que las familias arreglen en la intimidad las disensiones que surjan y que se corrijan unos a otros los defectos, sin enterar a los extraños. || **Nadar y guardar la ropa.** fr. fig. y fam. Proceder con cautela al acometer una empresa, para obtener el mayor provecho con el menor riesgo. || **No tener ropa para** una cosa. fr. fig. y fam. No tener condiciones para hacerla o para aspirar a ella. || **No tocar** a uno **a la ropa.** fr. fig. y fam. No decir ni ejecutar cosa que de algún modo pueda ser en su ofensa o perjuicio. || **Palpar la ropa.** fr. fig. Estar un enfermo en los últimos términos de la vida. || **2.** fig. Hallarse uno confuso y sin saber qué hacerse, probando varios medios, sin determinarse a ninguno, para salir de una dificultad o empeño. || **Poner** a uno **como ropa de pascua.** fr. fig. y fam. **Ponerle como chupa de dómine.** || **¡Ropa a la mar!** expr. *Mar.* Sirve para avisar que la tormenta obliga a aliviar de carga la embarcación. || **¡Ropa fuera!** expr. *Mar.* Usáb. en las galeras para avisar a los galeotes que se preparasen al trabajo. || **Si quieres criarte gordito y sano, la ropa del invierno gasta en verano.** ref. que aconseja no ir desabrigado. || **Tentar la ropa.** fr. fig. **Palpar la ropa.** || **Tentar** a uno **la ropa.** fr. fig. y fam. Indagar el estado en que se halla o provocarle a alguna cosa. || **Tentarse** uno **la ropa.** fr. fig. y fam. Considerar despacio previamente las consecuencias que podrá tener una determinación o un acto.

Ropaje. (De *ropa.*) m. Vestido u ornato exterior del cuerpo. || **2.** Vestidura larga, vistosa y de autoridad. || **3.** Conjunto de ropas. || **4.** fig. Forma, modo de expresión, lenguaje.

Ropálico, ca. (Del lat. *rhopalĭcus,* y éste del gr. ῥοπαλικός, de ῥόπαλον, maza.) adj. V. **Verso ropálico.**

Ropavejería. f. Tienda de ropavejero.

Ropavejero, ra. m. y f. Persona que vende, con tienda o sin ella, ropas y vestidos viejos, y baratijas usadas.

Ropería. f. Oficio de ropero. ‖ **2.** Tienda donde se vende ropa hecha. ‖ **3.** Habitación donde se guarda y dispone la ropa de los individuos de una colectividad. ‖ **4.** Casa donde a los pastores trashumantes guardan el hato y preparan la ropa. ‖ **5.** Empleo de guardar la ropa y cuidar de ella. ‖ **de viejo. Ropavejería.**

Ropero, ra. m. y f. Persona que vende ropa hecha. ‖ **2.** Persona destinada a cuidar de la ropa de una comunidad. ‖ **3.** Zagal que hace los recados de la ropería de los pastores. ‖ **4.** Persona encargada de la quesería de una cabaña de ovejas. ‖ **5.** m. Armario o cuarto donde se guarda ropa. ‖ **6.** Asociación o instituto benéfico destinado a distribuir ropas entre los necesitados, u ornamentos a las iglesias pobres.

Ropeta. f. **Ropilla.**

Ropilla. f. d. de **Ropa.** ‖ **2.** Vestidura corta con mangas y brahones, de los cuales pendían regularmente otras mangas sueltas o perdidas, y se vestía ajustada al medio cuerpo sobre el jubón. ‖ **Dar** a uno **una ropilla.** fr. fig. y fam. Reconvenirle amigablemente.

Ropón. m. aum. de **Ropa.** ‖ **2.** Ropa larga que regularmente se pone suelta sobre los demás vestidos. ‖ **3.** Especie de acolchado que se hace cosiendo unas telas gordas sobre otras o poniéndolas dobladas. ‖ **4.** *Chile.* Amazona, traje de mujer para montar a caballo.

Roque. (Del ár. *rujj,* torre de ajedrez.) m. **Torre,** 3.ª acep. ‖ **2.** ant. **Carro,** 1.ª acep.

Roqueda. f. Lugar abundante en rocas.

Roquedal. m. **Roqueda.**

Roquedo. m. Peñasco o roca.

Roqueño, ña. adj. Aplícase al sitio o paraje lleno de rocas. ‖ **2.** Duro como roca.

Roquero, ra. adj. Perteneciente a las rocas o edificado sobre ellas.

Roqués. adj. V. **Halcón roqués.**

Roqueta. f. d. de **Roque.** ‖ **2.** *Fort.* Caballero, a modo de atalaya, que se construía antiguamente dentro del recinto de una plaza fuerte.

Roquete. (Del ant. fr. *roquet,* y éste del germ. *rock,* vestido.) m. Especie de sobrepelliz cerrada y con mangas cortas.

Roquete. (Tal vez de *roque.*) m. Hierro de la lanza de torneo, que terminaba con tres o cuatro puntas separadas, para que hiciesen presa en la armadura del contrario y poder así desarzonarlo. ‖ **2.** *Art.* **Atacador,** 2.ª acep. ‖ **3.** *Blas.* Figura o pieza que está en forma de triángulo en el escudo.

Rorante. (Del lat. *rorans, -antis.*) adj. p. us. Cubierto de rocío, o que destila gotas como de rocío.

Rorar. (Del lat. *rorāre.*) tr. p. us. Cubrir de rocío.

Rorcual. (Del sueco *roër,* tubo, y *qval,* ballena.) m. Especie de ballena con aleta dorsal, común en los mares de España. Alcanza una longitud hasta de 24 metros; tiene la piel de la garganta y del pecho surcada a lo largo formando pliegues, sólo se alimenta de animales pequeñísimos, crustáceos y moluscos.

Rorro. (De *ro.*) m. fam. Niño pequeñito.

Ros. (Del general *Ros* de Olano, que introdujo en el ejército esta prenda de uniforme.) m. Especie de chacó pequeño, de fieltro y más alto por delante que por detrás.

Rosa. (Del lat. *rosa.*) f. Flor del rosal, notable por su belleza, la suavidad de su fragancia y su color, generalmente encarnado poco subido. Con el cultivo se consigue aumentar el número de sus pétalos y dar variedad a sus colores; suele llevar el mismo calificativo de la planta que la produce. ‖ **2.** Mancha redonda, encarnada o de color de **rosa,** que suele salir en el cuerpo. ‖ **3.** Lazo de cintas o cosa semejante, que se forma en hojas con la figura de **rosa.** ‖ **4.** Cualquier cosa fabricada o formada con alguna semejanza a esta figura. ‖ **5. Diamante rosa.** ‖ **6. Cometa crinito.** ‖ **7.** V. **Acacia, laurel rosa.** ‖ **8.** V. **Geranio, palo de rosa.** ‖ **9.** V. **Mal, palo de la rosa.** ‖ **10.** Fruta de sartén hecha con masa de harina. ‖ **11.** *Albac.* **Rosa del azafrán.** ‖ **12.** *Albac.* Época de la recolección del azafrán. *Le pagué un plazo por la siega y otro por la* ROSA. ‖ **13.** *Arq.* **Rosetón,** 2.ª acep. ‖ **14.** pl. Rosetas, 7.ª acep. de **Roseta.** ‖ **15.** m. Color encarnado poco subido parecido al de la **rosa.** ‖ **Rosa albardera. Saltaojos.** ‖ **de Jericó.** Planta herbácea anual, de la familia de las crucíferas, con tallo delgado de uno a dos decímetros de altura y muy ramoso, hojas pecioladas, estrechas y blanquecinas, y flores pequeñas y blancas, en espigas terminales. Vive en los desiertos de Siria, y al secarse las ramas y hojas se contraen formando una pelota apretada, que se deshace y extiende cuando se pone en agua, y vuelve a cerrarse si se saca de ella. ‖ **del azafrán.** Flor del azafrán. ‖ **de los vientos.** Círculo que tiene marcados alrededor los 32 rumbos en que se divide la vuelta del horizonte. ‖ **de rejalgar. Saltaojos.** ‖ **de té.** La de color amarillo o algo anaranjado cuyo olor se parece al del té. ‖ **francesa.** *Cuba.* **Adelfa.** ‖ **maldita.** *Sal.* **Saltaojos.** ‖ **montés. Saltaojos.** ‖ **náutica. Rosa de los vientos.** ‖ **Como las propias rosas.** loc. adv. fig. y fam. Muy bien, perfectamente. ‖ **No hay rosa sin espinas.** fr. proverb. Indica que no hay placer al cual no vaya anejo algún sinsabor.

Rosáceo, a. (Del lat. *rosacĕus.*) adj. De color parecido al de la rosa. ‖ **2.** *Bot.* Dícese de plantas angiospermas dicotiledóneas, hierbas, arbustos o árboles, lisos o espinosos, que se distinguen por sus hojas alternas, a menudo compuestas de un número impar de folíolos y con estípulas; flores hermafroditas con cáliz de cinco sépalos y corola regular, solitarias o en corimbo; fruto en drupa, en pomo, en aquenio, en folículo y aun en caja, con semillas casi siempre desprovistas de albumen; como el rosal, la fresa, el almendro y el peral. Ú. t. c. s. f. ‖ **3.** f. pl. *Bot.* Familia de estas plantas.

Rosada. (De *rosar.*) f. **Escarcha.**

Rosadelfa. f. *Bot.* **Azalea.** ‖ **2. Rododendro.**

Rosadillo. m. *Pal.* **Armiño,** 1.ª acep.

Rosado, da. (Del lat. *rosātus.*) adj. Aplícase al color de la rosa. ‖ **2.** Compuesto con rosas. *Aceite* ROSADO; *miel* ROSADA. ‖ **3.** V. **Azúcar rosado,** o **rosada.** ‖ **4.** *Argent., Colomb.* y *Chile.* **Rubicán.**

Rosado, da. (De *rosar.*) adj. Dícese de la bebida helada que está a medio cuajar. ‖ **2.** V. **Agua rosada.**

Rosal. (De *rosa.*) m. Arbusto tipo de la familia de las rosáceas, con tallos ramosos, generalmente llenos de aguijones; hojas alternas, ásperas, pecioladas, con estípulas, compuestas de un número impar de hojuelas elípticas, casi sentadas y aserradas por el margen; flores terminales, solitarias o en panoja, con cáliz aovado o redondo, corola de cinco pétalos redondos o acorazonados, y cóncavos, y muchos estambres y pistilos; por fruto una baya carnosa que el cáliz corona y con muchas semillas menudas, elipsoidales y vellosas. Se cultiva en los jardines por la belleza y grato olor de sus flores. ‖ **amarillo.** El de tallos delgados, con muchos aguijones cortos, hojas de color verde amarillento compuestas de siete hojuelas apuntadas, y muchas flores amarillas. ‖ **blanco.** El de tallos sarmentosos, con aguijones espesos y fuertes, hojas algo glaucas, compuestas de cinco o siete hojuelas casi redondas, dentadas en el margen y con nervios vellosos; flores de poco olor, blancas, y a veces rosadas en el centro. ‖ **castellano.** El de tallos fuertes, con aguijones desiguales, hojas compuestas de cinco o siete hojuelas de color verde obscuro, aovadas o lanceoladas, coriáceas y algo dobladas por el margen, y flores grandes, extendidas y de color uniforme, o con varios matices de púrpura o rojo fuerte. ‖ **de Alejandría.** El de tallos largos y verdosos, con muchos y fuertes aguijones, hojas verdes, compuestas de siete hojuelas elípticas, finamente aserradas y pardas por el margen, y flores medianas, muy fragantes, de color pálido y pétalos apretados. ‖ **de cien hojas.** El de tallos fuertes, con dos clases de aguijones, hojas de color verde obscuro, compuestas de cinco hojuelas ovales, y flores de color encarnado pálido, muy dobles, orbiculares, olorosas, en grupos apretados y sostenidas por pedúnculos erizados de pelos rojizos. ‖ **de olor. Rosal de Alejandría.** ‖ **de pitiminí.** El de tallos trepadores, que echa muchas rosas muy pequeñas, menos encarnadas que las ordinarias y muy rizadas y pulidas. ‖ **perruno,** o **silvestre. Escaramujo,** 1.ª acep.

Rosaleda. f. **Rosalera.**

Rosalera. f. Sitio en que hay muchos rosales.

Rosar. (Del lat. **rosāre,* rociar, de *ros, roris,* rocío.) intr. *Ast.* y *Rioja.* Rociar, caer rocío.

Rosariera. f. **Cinamomo,** 1.ª acep.

Rosariero. m. El que hace o vende rosarios.

Rosarino, na. adj. *Argent.* Natural de la ciudad del Rosario. Ú. t. c. s. ‖ **2.** *Argent.* Perteneciente o relativo a esta ciudad o al departamento de su nombre.

Rosario. (Del lat. *rosarium,* de *rosa,* rosa.) m. Rezo de la Iglesia, en que se conmemoran los quince misterios de la Virgen Santísima, recitando después de cada uno un padrenuestro, diez avemarías y un gloriapatri, seguido todo de la letanía. Divídese en tres partes, correspondientes a los misterios gozosos, dolorosos y gloriosos, y es lo más común rezar una sola de ellas con la letanía. ‖ **2.** Sarta de cuentas, separadas de diez en diez por otras de distinto tamaño, anudada por sus dos extremos a una cruz, precedida por lo común de tres cuentas pequeñas. Suele adornarse con medallas u otros objetos de devoción, y sirve para hacer ordenadamente el rezo del mismo nombre o una de sus partes. ‖ **3.** fig. **Sarta,** 3.ª acep. ROSARIO *de desdichas.* ‖ **4.** Junta de personas que rezan o cantan el **rosario** a coros. ‖ **5.** Este mismo acto colectivo de devoción. ‖ **6.** V. **Parte de rosario.** ‖ **7.** Máquina elevadora, compuesta de unos tacos forrados de cuero o de unos cubos, sujetos de trecho en trecho a una cuerda o cadena, los cuales entran sucesivamente muy ajustados en un cañón vertical cuya base está sumergida en el depósito, y dan vuelta sobre una rueda como los arcaduces de la noria. ‖ **8.** fig. y fam. **Espinazo,** 1.ª acep. ‖ **Acabar como el rosario de la aurora.** fr. fig. y fam. que se dice cuando los individuos de una reunión, por falta de acuerdo, se desbandan descompuesta y tumultuariamente. ‖ **El rosario al cuello, y el diablo en el cuerpo.** ref. que reprende a los hipócritas.

Rosarse. (De *rosa.*) r. **Sonrosarse.**

Rosbif. (Del ingl. *roastbeef;* de *roast,* asada, y *beef,* carne de vaca.) m. Carne de vaca soasada.

Rosca. (En port. y en cat. *rosca.*) f. Máquina que se compone de tornillo y tuerca. || **2.** Cualquier cosa redonda y rolliza que, cerrándose, forma un círculo u óvalo, dejando en medio un espacio vacío. || **3.** Pan o bollo de esta forma. || **4.** Carnosidad que rebosa a las personas gruesas alrededor del cuello, las muñecas y las piernas. Dícese especialmente tratando de niños. || **5.** Rollo circular que los colegiales traen por distintivo en una de las hojas de la beca. || **6.** Cada una de las vueltas de una espiral, o el conjunto de ellas. || **7.** Resalto helicoidal de un tornillo. || **8.** Faja de material que, sola o con otras concéntricas, forma un arco o bóveda. || **9.** V. **Buque en rosca.** || **10.** *Chile.* Rodete para llevar pesos en la cabeza. || **de Arquímedes.** Aparato para elevar agua, que consiste en un tubo arrollado en hélice alrededor de un cilindro giratorio sobre su eje, oblicuo al horizonte, y cuya base se sumerge en el depósito. || **Hacer la rosca** a uno. fr. fig. y fam. **Rondar,** 7.ª acep. || **Hacer la rosca, o la rosca del galgo.** fr. fig. y fam. Echarse a dormir en cualquiera parte, aunque sea con incomodidad. || **Hacerse rosca,** o **una rosca.** fr. fig. Enroscar el cuerpo. || **Pasarse de rosca.** fr. No entrar bien un tornillo en la **rosca** de su tuerca; no coincidir o no encajar bien las vueltas de ambos.

Roscadero. m. *Ar.* Cesto grande de mimbre con dos o cuatro asas en el borde, que se usa para llevar frutas y verduras.

Roscado, da. adj. En forma de rosca. || **2.** m. Acción y efecto de roscar.

Roscar. tr. Labrar **roscas,** 7.ª acep.

Rosco. m. Roscón o rosca, 3.ª acep.

Roscón. m. aum. de **Rosca.** || **2.** Bollo en forma de rosca grande.

Rosear. intr. Mostrar color parecido al de la rosa.

Rosellonés, sa. adj. Natural del Rosellón. Ú. t. c. s. || **2.** Perteneciente a esta comarca de Francia.

Róseo, a. (Del lat. *roseus.*) adj. De color de rosa. || **2.** V. **Malva rósea.**

Roséola. (Del lat. *roseus,* rosado.) f. *Med.* Erupción cutánea, caracterizada por la aparición de pequeñas manchas rosáceas.

Rosero, ra. m. y f. Persona que trabaja en la recolección de rosas del azafrán. || **2.** m. *Ecuad.* Postre típico del día del Corpus, que se compone de almíbar, especias y esencias con agua y trozos menudos de piña.

Roseta. f. d. de **Rosa.** || **2. Chapeta,** 2.ª acep. || **3.** Rallo de la regadera. || **4.** Pieza de metal fija en el extremo de la barra de la romana, con la cual se impide que el pilón salga de la barra o brazo. || **5.** Arete o zarcillo adornado con una piedra preciosa a la que rodean otras pequeñas. || **6.** *Min.* Costra de cobre puro, de color de rosa, que se forma en las pilas de los hornos de afino echando agua fría sobre el metal fundido. || **7.** pl. Granos de maíz que al tostarse se abren en forma de flor.

Rosetón. m. aum. de **Roseta.** || **2.** *Arq.* Ventana circular calada, con adornos. || **3.** *Arq.* Adorno circular que se coloca en los techos.

Rosicler. (Del fr. *rose* y *clair,* rosa y claro.) m. Color rosado, claro y suave de la aurora. || **2. Plata roja.**

Rosigar. (Del lat. **rosicāre,* de *rosus,* roído.) tr. *Albac., Ar.* y *Murc.* **Roer,** 1.ª acep. || **2.** intr. *Ar.* y *Murc.* **Murmurar,** 3.ª acep.

Rosigo. (De *rosigar.*) m. *Ar.* **Ramón,** 2.ª acep.

Rosigón. (De *rosigar.*) m. *Albac., Murc.* y *Ter.* Mendrugo de pan.

Rosillo, lla. adj. d. de **Roso.** || **2.** Rojo claro. || **3.** Dícese de la caballería cuyo pelo está mezclado de blanco, negro y castaño.

Rosita. f. d. de **Rosa** || **2.** pl. Rosetas de maíz. || **De rositas.** m. adv. fam. De balde, sin esfuerzo alguno.

Rosjo. m. *Sal.* Hoja de la encina.

Rosmarino. (Del lat. *rosmarinus.*) m. Romero, 1.er art.

Rosmarino, na. (De *roso* y *marino.*) adj. Rojo claro.

Rosmaro. (De *rosmarus,* nombre de un género de plantas.) m. *Zool.* **Morsa.**

Roso. (Del lat. *rosus.*) adj. Raído, sin pelo. || **A roso y velloso.** m. adv. fig. Totalmente, sin excepción, sin consideración ninguna.

Roso, sa. (Del lat. *russus.*) adj. **Rojo.**

Rosoli. (Del fr. *rossolis,* y éste del lat. *ros solis.*) m. Licor compuesto de aguardiente rectificado, mezclado con azúcar, canela, anís u otros ingredientes olorosos.

Rosón. (De *roso,* 2.° art.) m. **Rezno.**

Rosqueado, da. adj. Dícese de lo que hace o forma roscas.

Rosquete. m. Rosquilla de masa, algo mayor que las regulares.

Rosquilla. (d. de *rosca.*) f. Especie de masa dulce y delicada, formada en figura de roscas pequeñas. || **2.** Larva de insecto que se enrosca con facilidad y al menor peligro. Hay varias especies, todas dañinas para los vegetales, entre ellas el gusano revoltón. || **tonta.** Variedad de **rosquilla** con poca azúcar y que tiene anís. || **No saber a rosquillas** una cosa. fr. fig. y fam. Producir dolor o sentimiento. || **Saber a rosquillas** una cosa. fr. fig. y fam. Producir gusto o satisfacción.

Rosquillero, ra. m. y f. Persona que se dedica a hacer rosquillas o a venderlas.

Rostir. (Del germ. *raustjan.*) tr. ant. Asar.

Rostrado, da. (Del lat. *rostrātus.*) adj. Que remata en una punta semejante al pico del pájaro o al espolón de la nave. || **2.** V. **Corona rostrada.** || **3.** *Arq.* V. **Columna rostrada.**

Rostral. (Del lat. *rostrālis.*) adj. **Rostrado.** || **2.** V. **Corona rostral.** || **3.** *Arq.* V. **Columna rostral.**

Rostrata. (Del lat. *rostrāta,* t. f. de *-tus,* rostrado.) adj. V. **Corona rostrata.**

Rostrillo. m. d. de **Rostro.** || **2.** Adorno que se ponían las mujeres alrededor de la cara, y hoy se suele poner a las imágenes de Nuestra Señora y de algunas santas. || **3.** Aljófar de 600 perlas en onza. || **grueso.** Aljófar de 500 perlas en onza. || **menudo.** Aljófar de 700 perlas en onza. || **Medio rostrillo.** Aljófar de 1.200 perlas en onza. || **Medio rostrillo grueso.** Aljófar de 850 perlas en onza. || **Medio rostrillo mejor.** Aljófar de 1.000 perlas en onza.

Rostritorcido, da. adj. **Rostrituerto.**

Rostrituerto, ta. adj. fig. y fam. Que en el semblante manifiesta enojo, enfado o pesadumbre.

Rostrizo. (De *rostir.*) m. *Burg., Pal.* y *Rioja.* Tostón, cochinillo asado.

Rostro. (Del lat. *rostrum.*) m. Pico del ave. || **2.** Por ext., cosa en punta, parecida a él. || **3. Cara,** 1.ª acep. || **4.** ant. **Careta,** 1.ª acep. || **5.** desus. Frente de una moldura. || **6.** ant. Hocico, boca. || **7.** ant. V. **Can rostro.** || **8.** *Mar* **Espolón,** 4.ª y 5.ª aceps. || **A rostro firme.** m. adv. fig. Cara a cara, sin empacho y con resolución. || **Conocer de rostro** a uno. fr. Conocerle personalmente. || **Dar en rostro** a uno **con** una cosa. fr. fig. Echarle en cara los beneficios que ha recibido o las faltas que ha cometido. || **Dar en rostro** una cosa. fr. fig. Causar enojo y pesadumbre, chocar. || **Echar en rostro** a uno alguna cosa fr. fig. **Echársela en cara.** || **Encapotar el rostro.** fr. Ponerlo ceñudo. || **Hacer rostro.** fr. fig. Resistir al enemigo. || **2.** fig. Oponerse al dictamen y opinión de uno. || **3.** fig. Estar dispuesto a tolerar con constancia las adversidades y trabajos que amenazan. || **4.** fig. Admitir o dar señales de aceptar una cosa. || **Más vale rostro bermejo que corazón negro.** ref. que reprende a los que por demasiado empacho o rubor dejan de comunicar sus aflicciones a los que pueden remediarlas y servirles de alivio y consuelo. || **2.** Dícese también del que oculta un disgusto o enfado y no lo manifiesta al que lo causó. || **Robarse el rostro.** fr. fig. **Demudar,** 3.ª acep. || **Rostro a rostro.** m. adv. **Cara a cara.** || **Torcer uno el rostro.** fr. **Torcer la boca.** || **Volver uno el rostro.** fr. fig. con que se explica el cariño o la atención cuando se inclina hacia un sujeto para mirarlo, y, al contrario, desprecio o desvío cuando la vista se aparta del sujeto. || **2.** fig. **Huir,** 1.ª acep.

Rota. (Del lat. *rupta.*) f. **Derrota,** 3.ª y 4.ª aceps. || **2.** ant. Rotura o hundimiento. || **De rota, o de rota batida.** m. adv. Con total pérdida o destrucción. || **2.** fig. y fam. De repente o sin reparo.

Rota. (Del lat. *rota,* rueda, por alusión al turno en los procedimientos.) f. Tribunal de la corte romana, compuesto de diez ministros llamados auditores, en el cual se deciden en grado de apelación las causas eclesiásticas de todo el orbe católico. || **2.** V. **Auditor, decisión de Rota.** || **de la nunciatura apostólica.** Tribunal supremo eclesiástico de última apelación en España, compuesto de jueces españoles.

Rota. (Del malayo *rōtan.*) f. Planta vivaz, de la familia de las palmas, con tallo de 60 a 80 metros de largo, nudoso a trechos casi equidistantes, delgado, sarmentoso y muy fuerte; hojas abrazadoras en los nudos, lisas y flexibles, zarcillos espinosos, flores de tres pétalos, y fruto abayado y rojo como la cereza. Vive en los bosques de la India y otros países de Oriente, y de su tallo se hacen bastones.

Rotación. (Del lat. *rotatio, -ōnis.*) f. Acción y efecto de rodar. || **2.** *Mec.* V. **Movimiento de rotación.** || **de cultivos.** Variedad de siembras alternativas o simultáneas, para evitar que el terreno se agote en la exclusiva alimentación de una sola especie vegetal.

Rotacismo. m. *Fon.* Conversión de *s* en *r* en posición intervocálica.

Rotal. adj. Perteneciente o relativo al Tribunal de la Rota.

Rotamente. adv. m. Desbaratadamente, con desenvoltura.

Rotante. p. a. de **Rotar.** Que rota.

Rotar. (Del lat. *rotāre.*) intr. **Rodar.**

Rotar. (Del lat. **erūptare,* por *eructare.*) intr. *Ar.* y *Ast.* **Eructar.**

Rotativo, va. (De *rotar.*) adj. Dícese de la máquina de imprimir que con movimiento seguido y a gran velocidad imprime los ejemplares de un periódico. || **2.** f. La misma máquina. || **3.** m. Por extensión, periódico impreso en estas máquinas.

Rotatorio, ria. (De *rotar.*) adj. Que tiene movimiento circular. || **2.** V. **Bomba rotatoria.**

Roten. (Del fr. *rotin,* y éste del m. or. que *rota,* 3.er art.) m. **Rota,** 3.er art. || **2.** Bastón hecho del tallo de la rota.

Rotería. f. *Chile.* Conjunto de rotos, plebe.

Roterodamense. (Del lat. *roterodamensis.*) adj. Perteneciente o relativo a Roterdam. || **2.** Natural de esta ciudad de Holanda. Dícese por antonomasia del filósofo Erasmo, nacido en ella. Ú. t. c. s.

Roto, ta. (Del lat. *ruptus.*) p. p. irreg. de **Romper.** || **2.** adj. Andrajoso y que lleva **rotos** los vestidos. Ú. t. c. s. || **3.** Aplícase al sujeto licencioso, libre y desbaratado en las costumbres y modo de vida, y también a las mismas costumbres y vida de semejante sujeto. || **4.** fig. V. **Bolsa, capa rota.** || **5.** m. *Chile.* Individuo de la clase ínfima del pueblo. || **6.** *Argent.* y *Perú.* fam. despect. Apodo con que se designa al chileno. || **7.** *Ecuad.* Mestizo de español e indígena. || **8.** *Méj.* Petimetre del pueblo. || **Nunca falta un roto para un descosido.** fr. proverb. con que se da a entender que los pobres y desvalidos suelen hallar alivio y consuelo entre los que igualmente lo son. Lo suele decir como en desquite la persona que por su escaso haber o poco mérito se ve desdeñada. || **2.** Aplícase también cuando se unen dos personas que son tal para cual. || **Ser peor lo roto que lo descosido.** fr. fig. y fam. Ser, entre dos daños, el uno mayor que el otro.

Rotonda. (De *rotunda.*) f. Templo, edificio o sala de planta circular. || **2.** Departamento último de los tres que tienen algunas diligencias.

Rotor. m. *Fís.* Parte giratoria de una máquina electromagnética.

Rotoso, sa. adj. *Argent.* y *Chile.* Roto, desharrapado.

Rótula. (Del lat. *rotŭla,* ruedecilla, por la forma.) f. *Farm.* **Trocisco,** 1.ª acep. || **2.** *Zool.* Hueso en la parte anterior de la articulación de la tibia con el fémur.

Rotulación. f. Acción y efecto de rotular.

Rotulado, da. p. p. de **Rotular.** || **2.** m. **Rotulación.**

Rotulador, ra. adj. Que rotula o sirve para rotular. Ú. t. c. s.

Rotular. tr. Poner un rótulo a alguna cosa o en alguna parte.

Rotular. adj. Perteneciente o relativo a la rótula.

Rotulata. f. Colección de rótulos. || **2.** fam. **Rótulo,** 1.ª acep.

Rotuliano, na. adj. **Rotular,** 2.° art.

Rótulo. (Del lat. *rotŭlus.*) m. **Título,** 1.ª y 2.ª aceps. || **2.** Cartel que se fija en los cantones y otras partes públicas para dar noticia o aviso de una cosa. || **3.** Despacho que libra la curia romana en vista de las informaciones hechas por el ordinario, acerca de las virtudes de un sujeto, para que se haga la misma información en nombre del papa, antes de proceder a la beatificación. || **4.** Lista de graduandos en la antigua universidad de Alcalá.

Rotunda. (Del lat. *rotunda,* t. f. de *-dus,* rotundo.) f. **Rotonda,** 1.ª acep.

Rotundamente. adv. m. De un modo claro y preciso, terminantemente.

Rotundidad. (Del lat. *rotundĭtas, -ātis.*) f. Calidad de rotundo.

Rotundo, da. (Del lat. *rotundus,* de *rota,* rueda.) adj. **Redondo.** || **2.** fig. Aplicado al lenguaje, lleno y sonoro. || **3.** fig. Completo, preciso y terminante. *Negativa* ROTUNDA.

Rotuno, na. adj. *Chile.* Propio de un roto, 5.ª acep.

Rotura. (Del lat. *rŭptūra.*) f. **Rompimiento,** 1.ª y 2.ª aceps. || **2. Contrarrotura.** || **3.** ant. fig. Relajación, corrupción, desarreglo. || **4.** *Sant.* Terreno roturado.

Roturación. f. Acción y efecto de roturar. || **2.** Terreno recién roturado.

Roturador, ra. adj. Que rotura. || **2.** f. Máquina que sirve para roturar las tierras.

Roturar. (De *rotura.*) tr. Arar o labrar por primera vez las tierras eriales o los montes descuajados, para ponerlos en cultivo.

Roya. (De lat. *rŭbĕa,* rubia.) f. *Bot.* Hongo de tamaño muy pequeño, del cual se conocen muchas especies, que vive parásito sobre diversos vegetales, ocasionando en ellos peligrosas enfermedades; sus esporas son de color variado en las diferentes especies y forman en conjunto manchas amarillas, negras, etc., en las hojas de las plantas atacadas por el parásito. || **2. Tabaco,** 5.ª acep.

Royal. (De *royo.*) f. *Nav.* Variedad de uva rojiza.

Royega. f. *Pal.* Especie de oruga grande que ataca a los árboles frutales.

Royo, ya. (Del lat. *rŭbĕus.*) adj. V. **Pino royo.** || **2.** *Ar.* Rubio, rojo. || **3.** *León.* Aplícase a las frutas no maduras, o a los alimentos mal cocidos.

Roza. f. Acción y efecto de rozar. || **2.** Tierra rozada y limpia de las matas que naturalmente cría, para sembrar en ella. || **3.** *Ar.* Canal pequeño abierto en la tierra para dar curso a las aguas; a veces se reviste de fábrica. || **4.** *Ast.* Terreno poblado de plantas propias de monte bajo, como árgoma, brezo, etc. || **5.** *Ast., Vizc.* y *Chile.* Hierbas o matas que se obtienen de rozar un campo. || **6.** *Mál.* Arroyo de corto caudal de agua en la ladera de un monte.

Rozable. adj. Que está en disposición de ser rozado.

Rozadera. f. **Rozón.**

Rozadero. m. Lugar o cosa en que se roza.

Rozador, ra. m. y f. Persona que roza las tierras.

Rozadura. (De *rozar.*) f. Acción y efecto de ludir una cosa con otra. || **2.** *Bot.* Enfermedad de los árboles que consiste en formarse una capa de madera de mala calidad y que se descompone fácilmente, a consecuencia de haberse desprendido del líber la corteza. || **3.** *Cir.* Herida superficial de la piel, en que hay desprendimiento de la epidermis y de alguna porción de la dermis.

Rozagante. (Del cat. o prov. *rossagar, rossegar,* arrastrar, y éste del lat. **rosicāre,* rozar, de *rosum.*) adj. Aplícase a la vestidura vistosa y muy larga. || **2.** fig. Vistoso, ufano.

Rozamiento. (De *rozar.*) m. **Roce.** || **2.** fig. Disensión o disgusto leve entre dos o más personas o entidades. || **3.** *Mec.* Resistencia que se opone a la rotación o al resbalamiento de un cuerpo sobre otro.

Rozar. (Del lat. **rodiāre,* de *rodĕre.*) tr. Limpiar las tierras de las matas y hierbas inútiles antes de labrarlas, bien para que retoñen las plantas o bien para otros fines. || **2.** Cortar leña menuda o hierba para aprovecharse de ella. || **3.** Cortar los animales con los dientes la hierba para comerla. || **4.** Raer o quitar una parte de la superficie de una cosa; como de las paredes, del suelo, etc. || **5.** *Albañ.* Abrir algún hueco o canal en un paramento. || **6.** intr. Pasar una cosa tocando y oprimiendo ligeramente la superficie de otra. Ú. t. c. tr. || **7.** r. Tropezarse o herirse un pie con otro. || **8.** fig. Tratarse o tener entre sí dos o más personas familiaridad y confianza. || **9.** fig. Embarazarse en las palabras, pronunciándolas mal o con dificultad. || **10.** fig. Tener una cosa semejanza o conexión con otra.

Rozavillón. m. *Germ.* El que come de mogollón; pegote.

Roznar. tr. **Ronzar,** 1.er art.

Roznar. intr. **Rebuznar.**

Roznido. m. Ruido que, al roznar, se hace con los dientes.

Roznido. (De *roznar,* 2.° art.) m. **Rebuzno.**

Rozno. (De *roznar,* 2.° art.) m. Borrico pequeño.

Rozo. m. **Roza,** 1.ª acep. || **2.** Leña menuda que se hace en la corta de ella. || **3.** *Ast.* y *Sant.* **Roza,** 5.ª acep. || **4.** *Germ.* **Comida,** 1.ª acep. || **Ser de buen rozo.** fr. fig. y fam. Tener buen apetito.

Rozón. m. Especie de guadaña tosca, corta, gruesa y ancha, que sujeta a un mango largo, sirve para rozar árgoma, zarzas, etc.

Rúa. (Del lat. *ruga,* camino.) f. Calle de un pueblo. || **2. Camino carretero,** 1.ª acep. || **3.** V. **Coche de rúa.** || **4.** En Galicia, fiesta o diversión nocturna de aldeanos. || **Hacer la rúa.** fr. **Ruar,** 1.ª acep.

Ruán, na. adj. ant. **Roano.** || **2.** V. **Pavo ruán.**

Ruán. m. p. us. Tela de algodón estampada en colores que se fabrica en Ruán, ciudad de Francia.

Ruana. (Tal vez de *ruán.*) f. Tejido de lana. || **2.** Manta raída. || **3.** *Colomb.* y *Venez.* Especie de capote de monte o poncho.

Ruanés, sa. adj. **Roanés.** Apl. a pers., ú. t. c. s.

Ruano, na. adj. **Roano.**

Ruano, na. (De *rúa.*) adj. ant. Perteneciente o relativo a la calle. *Vendedor* RUANO. || **2.** desus. Que pasea las calles. Decíase especialmente del caballo de regalo, más a propósito para lucirlo en calles y paseos que para las fatigas de la guerra o de los caminos.

Ruano, na. adj. Que está en rueda o la hace.

Ruante. p. a. de **Ruar.** Que rúa.

Ruante. (Del fr. *rouant,* de *rouer,* rodar.) adj. *Blas.* V. **Pavo ruante.**

Ruar. (De *rúa.*) intr. Andar por las calles y otros sitios públicos a pie, a caballo o en coche. Ú. t. c. tr. RUAR *calles.* || **2.** Pasear la calle con el objeto de cortejar y hacer obsequio a las damas.

Rubefacción. (Del lat. *rubefacĕre,* poner rojo.) f. *Med.* Rubicundez producida en la piel por la acción de un medicamento o por alteraciones de la circulación de la sangre, debidas a inflamación u otras enfermedades.

Rubefaciente. (Del lat. *rubefăciens, -entis,* p. a. de *rubefacĕre,* poner rojo.) adj. *Med.* Dícese de lo que produce rubefacción. Ú. t. c. s. m.

Rúbeo, a. (Del lat. *rubĕus.*) adj. Que tira a rojo.

Rubéola. (De *rúbeo.*) f. *Med.* Enfermedad infecciosa, contagiosa y epidémica caracterizada por una erupción semejante a la del sarampión y por infartos ganglionares.

Rubescente. adj. Que tira a rojo.

Rubeta. (Del lat. *rubēta.*) f. **Rana de zarzal.**

Rubí. (De *rubin.*) m. Mineral cristalizado, más duro que el acero, de color rojo y brillo intenso. Es una de las piedras preciosas de más estima; está compuesto de alúmina y magnesia, y es de color más o menos subido, por los óxidos metálicos que contiene. || **balaje. Balaje.** || **de Bohemia.** Cristal de roca sonrosado. || **del Brasil. Topacio del Brasil.** || **espinela. Espinela.** || **oriental.** Corindón carmesí o rojo.

Rubia. (Del lat. *rubia.*) f. Planta vivaz, de la familia de las rubiáceas, con tallo cuadrado, voluble, espinoso y de uno a dos metros de longitud; hojas lanceoladas, con espinas en el margen, en verticilos cuádruplos o séxtuplos; flores pequeñas, amarillentas, en racimos axilares o terminales; fruto carnoso, de color negro, con dos semillas, y raíces delgadas, largas y rojizas. Es originaria de Oriente y se cultiva en Europa por la utilidad de la raíz, que después de seca y pulverizada sirve para preparar una substancia colorante roja muy usada en tintorería. || **2.** Raíz de esta planta. || **menor. Aliso,** 1.ª acep.

Rubia. (De *rubio.*) f. *Zool.* Pececillo teleósteo de agua dulce, del suborden de los fisóstomos, que apenas llega a la longitud de siete centímetros; de cuerpo alargado, tenue, casi cilíndrico, cubierto de menudas escamas, manchado de pardo y rojo, y con una pinta negra en el arranque de la cola. Es común en los ríos y arroyos de España, donde se pesca a flor de agua; se come generalmente frito, y la carne, aun cuando blanca y suave, es poco sabrosa y de gusto algo amargo.

Rubia. (Del ár. *rub'iyya*, relativa a la cuarta parte.) f. Moneda árabe de oro, equivalente a la cuarta parte del cianí.

Rubiáceo, a. (De *rubia*, 1.er art.) adj. *Bot.* Dícese de plantas angiospermas dicotiledóneas, árboles, arbustos y hierbas, que tienen hojas simples y enterísimas, opuestas o verticiladas y con estípulas; flor con el cáliz adherente al ovario, y por fruto una baya, caja o drupa con semillas de albumen córneo o carnoso; como la rubia, el quino y el café. Ú. t. c. s. f. ‖ **2.** f. pl. *Bot.* Familia de estas plantas.

Rubial. m. Campo o tierra donde se cría la rubia.

Rubial. adj. Que tira al color rubio. Dícese de tierras y plantas. ‖ **2.** pl. fam. Dícese de la persona rubia y, por lo común, joven. Ú. m. c. s.

Rubicán, na. (De *rubio* y *cano*.) adj. Aplícase al caballo o yegua que tiene el pelo mezclado de blanco y rojo. ‖ **2.** *Sor.* Aplícase a las ovejas de ese color.

Rubicela. f. Espinela de color vinoso más bajo que el del rubí balaje.

Rubicón (Pasar el). (Alusión al conocido episodio de la vida de Julio César.) fr. fig. Dar un paso decisivo arrostrando un riesgo.

Rubicundez. f. Calidad de rubicundo. ‖ **2.** *Med.* Color rojo o sanguíneo que se presenta como fenómeno morboso en la piel y en las membranas mucosas.

Rubicundo, da. (Del lat. *rubicundus*.) adj. Rubio que tira a rojo. ‖ **2.** Aplícase a la persona de buen color y que parece gozar de completa salud. ‖ **3.** Dícese del pelo que tira a colorado.

Rubidio. (Del lat. *rubĭdus*, rubio, porque en el análisis espectroscópico presenta dos rayas rojas.) m. Metal semejante al potasio, aunque más blando y más pesado, contenido en pequeñísimas proporciones en las aguas, en las cenizas de las plantas y en ciertos minerales en que el espectroscopio ha revelado su presencia.

Rubiel. (Del lat. *rūbĕllus*, de *rūbĕus*.) m. *Ast.* Pajel común.

Rubiera. f. *Venez.* Calaverada, travesura. ‖ **2.** *P. Rico.* Diversión, jira.

Rubificar. (Del lat. *ruber*, rojo, y *facĕre*, hacer.) tr. Poner colorada una cosa o teñirla de color rojo.

Rubilla. (Del lat. *rūbĕlla*, t. f. de *rūbĕllus*.) f. **Asperilla.**

Rubín. (Del lat. **rūbīnus*, de *rūbĕus*, rojo.) m. **Rubí.**

Rubín. (De *robín*.) m. **Robín.**

Rubinejo. m. d. de **Rubí.**

Rubio, bia. (Del lat. *rūbĕus*.) adj. De color rojo claro parecido al del oro. Dícese especialmente del cabello de este color y de la persona que lo tiene. ‖ **2.** V. **Mata, salsa rubia.** ‖ **3.** m. *Zool.* Pez teleósteo marino, del suborden de los acantopterigios, de unos tres decímetros de largo, cuerpo en forma de cuña adelgazada hacia la cola, cabeza casi cúbica, cubierta de láminas duras, con hocico saliente y partido; ojos grandes con dos espinas fuertes en la parte posterior; dorso de color rojo negruzco, vientre plateado, aletas pectorales azules, de color amarillo rojizo las demás, y delante de las primeras tres apéndices delgados y cilíndricos de tres a cuatro centímetros de largo. Abunda en los mares de España y su carne es poco estimada. ‖ **4.** pl. *Taurom.* Centro de la cruz en el lomo del toro.

Rubión. (De *rubio*.) adj. V. **Trigo rubión.** Ú. t. c. s. ‖ **2.** m. *Mancha.* **Alforfón.**

Rublo. (Del ruso *rubl*, un derivado de *rubitj*, cortar, por ser el antiguo *rublo* un pedazo cortado de una barra de plata.) m. Moneda de plata que es en Rusia la unidad monetaria, y equivale a cuatro pesetas a la par.

Rubo. (Del lat. *rubus*.) m. ant. **Zarza.**

Rubor. (Del lat. *rubor*.) m. Color encarnado o rojo muy encendido. ‖ **2.** Color que la vergüenza saca al rostro, y que lo pone encendido. ‖ **3.** fig. Empacho y vergüenza.

Ruborizado, da. p. p. de **Ruborizar.** ‖ **2.** adj. Rojo de vergüenza, que siente rubor.

Ruborizar. tr. Causar rubor o vergüenza. ‖ **2.** r. Teñirse de rubor una persona. ‖ **3.** fig. Sentir vergüenza.

Ruborosamente. adv. m. fig. Con rubor.

Ruboroso, sa. adj. Que tiene rubor.

Rúbrica. (Del lat. *rubrīca*.) f. desus. Señal encarnada o roja. ‖ **2.** Rasgo o conjunto de rasgos de figura determinada, que como parte de la firma pone cada cual después de su nombre o título. A veces pónese la **rúbrica** sola; esto es, sin que vaya precedida del nombre o título de la persona que rubrica. ‖ **3.** Epígrafe o rótulo; se dijo porque en los libros antiguos solía escribirse con tinta roja. ‖ **4.** Cada una de las reglas que enseñan la ejecución y práctica de las ceremonias y ritos de la Iglesia en los oficios divinos y funciones sagradas. ‖ **5.** Conjunto de estas reglas. ‖ **fabril.** Almagre de que usan los carpinteros para señalar y hacer las líneas en la madera que han de aserrar. ‖ **lemnia. Bol arménico.** ‖ **sinópica. Minio.** ‖ **2. Bermellón.** ‖ **Ser de rúbrica** una cosa. fr. En estilo eclesiástico, ser conforme a ella. ‖ **2.** fig. y fam. Ser conforme a cualquiera costumbre o práctica establecida.

Rubricado, da. p. p. de **Rubricar.** ‖ **2.** adj. V. **Minuta rubricada.**

Rubricante. p. a. de **Rubricar.** Que rubrica o firma. ‖ **2.** m. desus. Ministro más moderno, a quien tocaba rubricar los autos del Consejo.

Rubricar. (Del lat. *rubricāre*.) tr. Poner uno su rúbrica, vaya o no precedida del nombre de la persona que la hace. ‖ **2.** Subscribir, firmar un despacho o papel y ponerle el sello o escudo de armas de aquel en cuyo nombre se escribe. ‖ **3.** ant. Pintar o poner de color rubio o encarnado una cosa. ‖ **4.** fig. Subscribir o dar testimonio de una cosa.

Rubriquista. m. El que está versado en las rúbricas de la Iglesia.

Rubro, bra. (Del lat. *rubrus*.) adj. Encarnado, rojo. ‖ **2.** m. *Amér.* **Rúbrica,** título, rótulo.

Ruc. (Del ar. *rujj*, nombre de un enorme pájaro fabuloso.) m. **Rocho.**

Ruca. f. *Bot.* Planta silvestre de la familia de las crucíferas, erguida, ramosa, con flores violáceas y frutos en forma de silicuas cilíndricas; florece en primavera y se encuentra en el centro y este de España.

Ruca. (Voz araucana.) f. *Argent.* y *Chile.* Choza de los indios, y por ext., cualquier cabaña o covacha que sirve de refugio.

Rucar. tr. *Ast.* y *León.* **Ronzar,** 1.er art. Ú. t. c. intr.

Ruciadera. f. desus. Vasija pequeña destinada a contener aceite, vinagre u otro líquido para su empleo en la mesa.

Rucio, cia. (Del lat. *roscĭdus*, de *ros*, rocío.) adj. De color pardo claro, blanquecino o canoso. Aplícase a las bestias. Ú. t. c. s. ‖ **2.** fam. Dícese de la persona entrecana. ‖ **3.** desus. **Rubio,** 1.a acep.

Ruco, ca. adj. *Amér. Central.* Viejo, inútil. Aplicado especialmente a las caballerías, matalón.

Ruchar. intr. *León.* Brotar las plantas.

Ruche. m. (De *rucho*.) m. **Pollino,** 1.a acep.

Ruche. (Por **rebuche*, del lat. *repŭdium*.) m. fam. *Áv.* Dinero, monises. ‖ **A ruche.** m. adv. *Extr.*, *Gran.*, *Murc.*, *Rioja* y *Vallad.* Sin dinero, arruinado. Ú. comúnmente con los verbos *quedar* o *estar.*

Ruchique. m. *Hond.* Mancerina de madera.

Rucho. (De *rucio*.) m. **Pollino,** 1.a acep. ‖ **2.** *León.* **Brote,** 1.a acep.

Ruda. (Del lat. *rūta*.) f. Planta perenne, de la familia de las rutáceas, con tallos erguidos y ramosos de seis a ocho decímetros, hojas alternas, gruesas, compuestas de hojuelas partidas en lóbulos oblongos y de color garzo; flores pequeñas, de cuatro pétalos, amarillas, en corimbos terminales, y fruto capsular con muchas semillas negras, menudas y en forma de riñón. Es de olor fuerte y desagradable y se usa en medicina. ‖ **cabruna. Galega.** ‖ **Ser** una persona o cosa **más conocida que la ruda.** fr. fig. y fam. Ser muy conocida.

Rudamente. adv. m. Con rudeza.

Rudez. f. ant. **Rudeza.**

Rudeza. f. Calidad de rudo.

Rudimental. adj. **Rudimentario.**

Rudimentario, ria. adj. Perteneciente o relativo al rudimento o a los rudimentos.

Rudimento. (Del lat. *rudimentum*.) m. Embrión o estado primordial e informe de un ser orgánico. ‖ **2.** Parte de un ser orgánico imperfectamente desarrollada. ‖ **3.** pl. Primeros estudios de cualquiera ciencia o profesión.

Rudo, da. (Del lat. *rudis*.) adj. Tosco, sin pulimento, naturalmente basto. ‖ **2.** Que no se ajusta a las reglas del arte. ‖ **3.** Dícese del que tiene dificultad grande en sus potencias para percibir o aprender lo que estudia. ‖ **4.** Descortés, áspero, grosero. ‖ **5.** Riguroso, violento, impetuoso. ‖ **6.** V. **Espíritu rudo.**

Rueca. (Del gót. *rŭkka*.) f. Instrumento que sirve para hilar, y se compone de una vara delgada con un rocadero hacia la extremidad superior. ‖ **2.** fig. Vuelta o torcimiento de una cosa.

Rueda. (Del lat. *rota*.) f. Máquina elemental, en forma circular y de poco grueso respecto a su radio, que puede girar sobre un eje. ‖ **2.** Círculo o corro formado de algunas personas o cosas. ‖ **3. Signo rodado.** ‖ **4.** Pez marino del orden de los plectognatos, de forma casi circular, que llega a tener metro y medio de diámetro; una aleta dorsal y otra anal, ambas iguales, puntiagudas y juntas con la caudal; boca pequeña y de mandíbulas unidas, piel lisa, fosforescente, verde negruzca por encima y plateada en los costados. ‖ **5.** Despliegue en abanico, que hace el pavo con las plumas de la cola. ‖ **6.** Tajada circular de ciertas frutas, carnes o pescados. ‖ **7.** Especie de tontillo de lana o cerdas, que se ponía en los pliegues de las casacas de los hombres para ahuecarlas y mantenerlas firmes. ‖ **8.** Turno, vez, orden sucesivo. ‖ **9.** Partida de billar que se juega entre tres, y en que cada uno de los jugadores va cada mano contra los otros dos. ‖ **10.** V. **Árbol, buque, camino de ruedas.** ‖ **11.** *Ar.* **Noria,** 1.a acep. ‖ **12.** *Germ.* **Broquel,** 1.a acep. ‖ **13.** *Impr.* Círculo que se hace con los rimeros de los distintos pliegos de una obra impresa, a fin de ir sacándolos por su orden para formar cada tomo. ‖ **catalina. Rueda de Santa Catalina,** 1.a acep. ‖ **de la fortuna.** fig. Inconstancia y poca estabilidad de las cosas humanas en lo próspero y en lo adverso. ‖ **de molino. Muela,** 1.a acep. ‖ **de presos.** La que se hace con muchos presos poniendo entre ellos a aquel a quien se imputa un delito, para que la parte o algún testigo lo reconozca. ‖ **de Santa Catalina.** La de dientes agudos y oblicuos que hace mover el volante de cierta clase de relojes. ‖ **2.** La que los saludadores se hacen estampar en alguna parte del cuerpo, y fingen muchas veces tener impresa en su paladar. || **libre.** La que estando ordinariamente conectada con el mecanismo propulsor, se desconecta para que ruede libremente. || **Ande la rueda, y coz con ella.** Juego con que se divierten los muchachos, el cual ejecutan echando suertes para que uno se quede fuera; los demás, asidos de las manos, forman una **rueda** y, dando vueltas, van tirando coces al que ha quedado fuera. || **Clavar** uno **la rueda de la fortuna.** fr. fig. Fijar, hacer estable su prosperidad. || **Comulgar** uno **con ruedas de molino.** fr. fig. y fam. **Tragárselas como ruedas de molino.** Ú. t. esta frase empleando el verbo como transitivo, y generalmente con negación. || **Deshacer la rueda.** fr. fig. Conocerse y humillarse. || **Escupir en rueda.** fr. fig. y fam. **Escupir en corro.** || **Hacer la rueda** a uno. fr. fig. y fam. **Rondar,** 7.ª acep. || **Hacer la rueda.** fr. Describir el gallo o el palomo delante de la hembra un semicírculo con una ala casi arrastrando y la cabeza gacha. || **Traer en rueda.** fr. Tener a uno o a algunos ocupados con prisa alrededor de sí. || **Tragárselas** uno **como ruedas de molino.** fr. fig. y fam. Creer las cosas más inverosímiles o los mayores disparates.

Ruedero. m. El que se dedica a hacer ruedas.

Ruedo. (De *rodar.*) m. Acción de rodar. || **2.** Parte puesta o colocada alrededor de una cosa. || **3.** Refuerzo o forro con que se guarnecen interiormente por la parte inferior los vestidos talares. || **4.** Estera pequeña y redonda. || **5.** Esterilla afelpada o de pleita lisa, aunque sea larga o cuadrada. || **6.** Círculo o circunferencia de una cosa. || **7.** Contorno, límite, término. || **8.** **Redondel,** 3.ª acep. || **9.** *And.* Tierras o heredades que están situadas en los alrededores de una ciudad. || **A todo ruedo.** m. adv. En todo lance, próspero o adverso.

Ruego. (De *rogar.*) m. Súplica, petición hecha a uno con el fin de alcanzar lo que se le pide. || **Más vale el ruego del amigo que el hierro del enemigo.** ref. con que se denota que la dulzura y suavidad suelen tener mayor eficacia que el rigor y las amenazas.

Ruejo. (Del lat. *rŏtŭlus,* rodillo.) m. *Ar.* **Rueda de molino.** || **2. Ruello.**

Ruello. (Del lat. *rŏtŭlus.*) m. *Ar.* Rodillo de piedra.

Rueño. m. *Ast.* y *Sant.* **Rodete,** 2.ª acep.

Ruezno. m. Corteza exterior del fruto del nogal.

Rufa. f. *Perú.* **Traílla,** 3.ª acep.

Rufeta. f. *Sal.* Uva negra, de sabor dulce y hollejo fino.

Rufezno. m. *Germ.* **Rufiancete.**

Rufián. (Del fr. *rufian,* y éste del ital. *ruffiano.*) m. El que hace el infame tráfico de mujeres públicas. || **2.** fig. Hombre sin honor, perverso, despreciable.

Rufiancete. m. d. de **Rufián.**

Rufianear. (De *rufián.*) tr. e intr. **Alcahuetear.**

Rufianejo. m. d. de **Rufián.**

Rufianería. (De *rufián.*) f. **Alcahuetería.** || **2.** Dichos o hechos propios de rufián.

Rufianesca. f. Conjunto de rufianes. || **2.** Costumbres de los rufianes.

Rufianesco, ca. adj. Perteneciente o relativo a los rufianes o a la rufianería.

Rufo. m. *Germ.* **Rufián,** 1.ª acep.

Rufo, fa. (Del lat. *rufus.*) adj. Rubio, rojo o bermejo. || **2.** Que tiene el pelo ensortijado. || **3.** *León.* Tieso, robusto. || **4.** *Ar.* Rozagante, vistoso.

Rufón. m. *Germ.* Eslabón con que se saca fuego.

Ruga. (Del lat. *rŭga.*) f. **Arruga.** || **2.** *Bot.* **Ruca,** 1.er art.

Rugar. (Del lat. *rugāre.*) tr. **Arrugar.** Ú. t. c. r.

Rugible. adj. Capaz de rugir o de imitar el rugido.

Rugido, da. p. p. de **Rugir.** || **2.** m. Voz del león. || **3.** fig. **Bramido,** 2.ª acep. || **4.** fig. Estruendo, retumbo. || **5.** fig. Ruido que hacen las tripas.

Rugidor, ra. adj. Que ruge.

Rugiente. p. a. de **Rugir.** Que ruge.

Ruginoso, sa. (De *eruginoso.*) adj. Mohoso, o con herrumbre u orín.

Rugir. (Del lat. *rugīre.*) intr. Bramar el león. || **2.** fig. **Bramar,** 2.ª acep. || **3.** Crujir o rechinar, y hacer ruido fuerte. || **4.** impers. Sonar una cosa, o empezarse a decir y saberse lo que estaba oculto o ignorado.

Rugosidad. (Del lat. *rugosĭtas, -ātis.*) f. Calidad de rugoso. || **2. Arruga.**

Rugoso, sa. (Del lat. *rugōsus.*) adj. Que tiene arrugas, arrugado.

Ruibarbo. (Del lat. *rheubarbărum.*) m. Planta herbácea, vivaz, de la familia de las poligonáceas, con hojas radicales, grandes, pecioladas, de borde dentado y sinuoso, ásperas por encima, nervudas y vellosas por debajo; flores amarillas o verdes, pequeñas, en espigas, sobre un escapo fistuloso y esquinado; de uno a dos metros de altura; fruto seco, de una sola semilla triangular, y rizoma pardo por fuera, rojizo con puntos blancos en lo interior, compacto y de sabor amargo. Vive en el Asia Central y la raíz se usa mucho en medicina como purgante. || **2.** Raíz de esta planta. || **blanco. Mechoacán.**

Ruido. (Del lat. *rugĭtus.*) m. Sonido inarticulado y confuso más o menos fuerte. || **2.** fig. Litigio, pendencia, pleito, alboroto o discordia. || **3.** fig. Apariencia grande en las cosas que de hecho no tienen substancia. || **4.** fig. Novedad o extrañeza que inmuta el ánimo. || **5.** *Germ.* **Rufián,** 1.ª acep. || **hechizo.** Sonido hecho a propósito y con fin particular. || **Fingir ruido por venir a partido.** ref. que explica la astucia y malicia de algunos, que porque no tienen razón quieren hacerse temer para conseguir lo que desean. || **Hacer,** o **meter, ruido** una persona o cosa. fr. fig. Causar admiración, novedad o extrañeza. || **Querer** uno **ruido.** fr. fig. Ser amigo de contiendas o disputas. || **Quitarse de ruidos** uno. fr. fig. y fam. Dejar de intervenir en asuntos o lances de que se originan disensiones o disgustos. || **Ser más el ruido que las nueces.** fr. fig. y fam. Tener poca substancia o ser insignificante una cosa que aparece como grande o de cuidado.

Ruidosamente. adv. m. De manera ruidosa.

Ruidoso, sa. adj. Que causa mucho ruido. || **2.** fig. Aplícase a la acción o lance notable y de que se habla mucho.

Ruin. (De *ruina.*) adj. Vil, bajo y despreciable. || **2.** Pequeño, desmedrado y humilde. || **3.** Dícese de la persona baja, de malas costumbres y procedimientos. || **4.** Aplícase también a las mismas costumbres o cosas malas. || **5.** Mezquino y avariento. || **6.** Dícese de los animales falsos y de malas mañas. || **7.** m. Extremo de la cola de los gatos, que suele arrancárseles violentamente, suponiendo que así crecen. || **8.** *Ál.* **Reyezuelo,** 2.ª acep. || **A ruin, ruin y medio.** fr. proverb. que indica que para negociar con una persona baja es menester otra de su calidad o peor. || **De ruin a ruin, quien acomete vence.** ref. que da a entender que entre dos cobardes vence, por lo común, el que se esfuerza y comienza a reñir. || **El ruin, cuanto más le ruegan, más se ensancha, o se extiende.** ref. que advierte que el villano se entona y engríe cuando se siente necesario. || **El ruin, delante.** expr. fam. con que se nota al que se nombra antes de otro o toma el primer lugar. || **En nombrando al ruin de Roma, luego asoma.** ref. que se usa familiarmente para decir que ha llegado aquel de quien se estaba hablando. || **Rogar a ruines.** fr. con que se explica lo poco que se debe esperar de un hombre de baja condición. || **Ruin con ruin, que así casan en Dueñas.** ref. que amonesta que el matrimonio, para no ser desgraciado, ha de ser entre iguales. || **Un ruin ido, otro venido.** ref. que se aplica cuando, libres ya de un mal, solemos dar en otro análogo o peor.

Ruina. (Del lat. *ruina,* de *ruĕre,* caer.) f. Acción de caer o destruirse una cosa. || **2.** fig. Pérdida grande de los bienes de fortuna. || **3.** fig. Destrozo, perdición, decadencia y caimiento de una persona, familia, comunidad o Estado. || **4.** fig. Causa de esta caída, decadencia o perdición, así en lo físico como en lo moral. || **5.** pl. Restos de uno o más edificios arruinados. || **Batir en ruina.** fr. *Mil.* Percutir la muralla de una fortaleza hasta derribar un trozo de ella, de modo que formando las **ruinas** declive, puedan penetrar tropas en su recinto para hacerla rendir.

Ruinar. (De *ruina.*) tr. **Arruinar.** Ú. t. c. r.

Ruindad. f. Calidad de ruin. || **2.** Acción ruin.

Ruinera. f. *Áv., Murc.* y *Sant.* **Ruina,** 3.ª acep. Aplícase especialmente al decaimiento producido en una persona por una enfermedad.

Ruinmente. adv. m. Con ruindad.

Ruinoso, sa. (Del lat. *ruinōsus.*) adj. Que se empieza a arruinar o amenaza ruina. || **2.** Pequeño, desmedrado y que no puede aprovecharse. || **3.** Que arruina y destruye. *La guerra es* RUINOSA *a las naciones beligerantes.*

Ruiponce. m. **Rapónchigo.**

Ruipóntico. (Del lat. *rheuponticum.*) m. Planta vivaz de la familia de las poligonáceas, con hojas radicales, grandes, obtusas, acorazonadas en la base, de largos pecíolos, lampiñas por la haz y vellosas por el envés; flores blancas, en panojas sobre un bohordo de seis a ocho decímetros de alto; fruto seco, y raíz semejante y con propiedades análogas a la del ruibarbo. Procede del Asia Menor y se cultiva en toda Europa. || **indígena,** o **vulgar.** Planta de la misma familia que la anterior y muy parecida a ella, con hojas planas y obtusas y flores verdosas, unas hermafroditas y otras unisexuales por aborto.

Ruiseñor. (Del lat. *lusciniŏla.*) m. Ave del orden de los pájaros, común en España, de unos 16 centímetros de largo desde lo alto de la cabeza hasta la extremidad de la cola y unos 28 de envergadura, con plumaje de color pardo rojizo, más obscuro en el lomo y la cabeza que en la cola y el pecho, y gris claro en el vientre; pico fino, pardusco, y tarsos delgados y largos. Es la más celebrada de las aves canoras, se alimenta de insectos y habita en las arboledas y lugares frescos y sombríos.

Rujiada. (De *rujiar.*) f. *Ar.* Golpe de lluvia. || **2.** *Ar.* **Rociada,** 1.ª y 6.ª aceps.

Rujiar. (Del lat. *roscidāre.*) tr. *Ar., Murc.* y *Nav.* Rociar, regar.

Rula. (De *rular.*) f. *Ar.* Juego semejante a la chueca. || **2.** *Ar.* Palo de un metro o más de largo, encorvado en uno de sus extremos, y con el cual se juega a la **rula.** || **3.** *Ast.* y *Mál.* Lonja de contratación del pescado. || **4.** *Ast.* y *Mál.* Rueda o grupo de pescadores que forman una compañía para la venta o para la compra del pescado.

Rular. (Del fr. *rouler,* y éste del lat. **rotulāre,* de *rotŭlus,* rodillo.) intr. **Rodar.** Ú. t. c. tr.

Rulé. (Del fr. *roulé, rouler,* del lat. **rotŭlāre.*) m. fam. Trasero, culo.

Ruleta. (Del fr. *roulette,* y éste de *rouler,* del lat. **rotŭlāre.*) f. Juego de azar para el que se usa una rueda horizontal giratoria, dividida en 36 casillas radiales, numeradas y pintadas alternativamente de negro y rojo, y colocada en el centro de una mesa en cuyo tablero están pintados los mismos 36 números negros y rojos de la rueda. Haciendo girar ésta y lanzando en sentido inverso una bolita, al cesar el movimiento gana el número de la casilla donde ha quedado la bola, y por consiguiente los que en la mesa han apuntado al mismo. Se juega también a pares o nones, al color negro o rojo, etc.

Rulo. (De *rular.*) m. Bola gruesa u otra cosa redonda que rueda fácilmente. ‖ **2.** Piedra de figura de cono truncado, sujeta por un eje horizontal, que gira con movimientos de rotación y traslación en los molinos de aceite y en los de yeso. En algunos alfarjes se substituye el **rulo** con volanderas. ‖ **3. Rodillo,** 2.ª acep.

Rulo. (Del arauc. *rulu.*) m. *Chile.* **Secano,** 1.ª acep.

Ruma. f. *Argent., Chile, Ecuad.* y *Perú.* Montón, rimero.

Rumano, na. adj. Natural de Rumania. Ú. t. c. s. ‖ **2.** Perteneciente a esta nación de Europa. ‖ **3.** m. Lengua **rumana.**

Rumantela. f. *Sant.* Francachela, parranda.

Rumazón. f. *Mar.* **Arrumazón,** 2.ª acep.

Rumba. f. *Ant.* **Rumantela.** ‖ **2.** *Cuba.* Cierto baile popular y la música que lo acompaña.

Rumbada. f. **Arrumbada.**

Rumbantela. f. *Cuba* y *Méj.* **Rumantela.**

Rumbar. (De *rumbo,* 2.° art.) intr. *Murc.* y *Sal.* Ser rumboso. ‖ **2.** *Murc.* **Gruñir,** dicho especialmente de los perros. ‖ **3.** *Colomb.* **Zumbar,** 1.ª acep.

Rumbar. (De *rumbo,* 1.er art.) intr. *Chile.* **Rumbear.** ‖ **2.** tr. *Hond.* Tirar, arrojar.

Rumbático, ca. adj. Rumboso, ostentoso, aparatoso.

Rumbeador. m. *Argent.* Baquiano, que rumbea.

Rumbear. (De *rumbo,* 1.er art.) intr. *Argent.* Orientarse, tomar el rumbo; encaminarse, dirigirse hacia un lugar.

Rumbear. (De *rumbo,* 2.° art.) intr. *Cuba.* Andar de rumba o parranda.

Rumbo. (Del ingl. *rumb.*) m. Dirección considerada o trazada en el plano del horizonte, y principalmente cualquiera de las comprendidas en la rosa náutica. ‖ **2.** Camino y senda que uno se propone seguir en lo que intenta o procura. ‖ **3.** *Blas.* Losange con un agujero redondo en el centro. ‖ **4.** *Mar.* Abertura que se hace artificialmente en el casco de la nave. ‖ **Abatir el rumbo** fr. *Mar.* Hacer declinar su dirección hacia sotavento. ‖ **Corregir el rumbo.** fr. *Mar.* Reducir a verdadero el que se ha hecho por la indicación de la aguja, sumándole o restándole la variación de ésta en combinación con el abatimiento cuando lo hay. ‖ **Hacer rumbo.** fr. *Mar.* Ponerse a navegar con dirección a punto determinado.

Rumbo. (Voz onomatopéyica.) m. fig. y fam. Pompa, ostentación y aparato costoso. ‖ **2.** fig. y fam. Garbo, desinterés, desprendimiento. ‖ **3.** *Guat.* Parranda, rumba. ‖ **4.** *Colomb.* **Pájaro mosca.** ‖ **5.** *Murc.* Gruñido del perro.

Rumbón, na. (De *rumbo,* 2.° art.) adj. fam. Rumboso, desprendido.

Rumbosamente. adv. m. fam. De manera rumbosa.

Rumboso, sa. (De *rumbo,* 2.° art.) adj. fam. Pomposo y magnífico. ‖ **2.** fam. Desprendido, dadivoso.

Rumeliota. adj. Natural de Rumelia. Ú. t. c. s. ‖ **2.** Perteneciente a esta región de Europa.

Rumí. (Del m. or. que *romí.*) m. Nombre dado por los moros a los cristianos.

Rumia. f. Acción y efecto de rumiar.

Rumiaco. m. *Sal.* y *Zam.* **Verdín,** 3.ª acep.

Rumiador, ra. adj. Que rumia. Ú. t. c. s.

Rumiadura. (De *rumiar.*) f. **Rumia.**

Rumiante. p. a. de **Rumiar.** Que rumia. ‖ **2.** adj. *Zool.* Dícese de mamíferos artiodáctilos patihendidos, que se alimentan de vegetales, carecen de dientes incisivos en la mandíbula superior, y tienen el estómago compuesto de cuatro cavidades. Ú. t. c. s. ‖ **3.** m. pl. *Zool.* Suborden de estos animales, que comprende los camellos, toros, ciervos, carneros, cabras, etc.

Rumiar. (Del lat. *rumigāre.*) tr. Masticar segunda vez, volviéndolo a la boca, el alimento que ya estuvo en el depósito que a este efecto tienen algunos animales. ‖ **2.** fig. y fam. Considerar despacio y pensar con reflexión y madurez una cosa. ‖ **3.** fig. y fam. Rezongar, refunfuñar.

Rumión, na. adj. fam. Que rumia mucho.

Rumo. (Del ant. al. *ruimo,* correa y cerco.) m. Primer aro de los cuatro con que se aprietan las cabezas de los toneles o cubas.

Rumor. (Del lat. *rumor.*) m. Voz que corre entre el público. ‖ **2.** Ruido confuso de voces. ‖ **3.** Ruido vago, sordo y continuado.

Rumorearse. impers. Correr un rumor entre la gente.

Rumoroso, sa. adj. Que causa rumor.

Rumpiata. f. *Chile.* Arbusto de la familia de las sapindáceas, hasta de metro y medio de altura, con hojas alternas, dentadas; flores pequeñas, amarillentas y fruto capsular con tres lóbulos alados.

Runa. (Del ant. nórdico *rûn,* pl. *rûnar,* letras, ciencia.) f. Cada uno de los caracteres que empleaban en la escritura los antigos escandinavos.

Runcho. m. *Colomb.* Especie de zarigüeya.

Rundel. (d. del lat. *rŏtŭlus,* redondel.) m. *Sal.* Mantellina, más larga que las ordinarias y con una cenefa alrededor.

Rundún. m. *Argent.* **Pájaro mosca.** ‖ **2.** *Argent.* Juguete parecido a la bramadera.

Runfla. f. fam. Serie de varias cosas de una misma especie.

Runflada. f. fam. **Runfla.**

Runflante. p. a. de **Runflar.** Que runfla. ‖ **2.** adj. *Sant.* Arrogante, orgulloso.

Runflar. intr. *Sant.* **Resoplar.**

Rungo. m. *Sal.* Cerdo de menos de un año.

Rungue. m. *Chile.* Manojo de palos para revolver el grano que se tuesta en la callana. ‖ **2.** pl. *Chile.* Troncos y tronchos despojados de sus hojas.

Rúnico, ca. adj. Perteneciente o relativo a las runas, o escrito en ellas. *Caracteres* RÚNICOS; *poesía* RÚNICA.

Runo, na. adj. **Rúnico.**

Runrún. (Voz onomatopéyica.) m. fam. **Rumor,** 1.ª y 2.ª aceps. ‖ **2.** *Argent.* y *Chile.* **Bramadera,** 1.ª acep. ‖ **3.** *Chile.* Ave de plumaje negro, con las remeras blancas; vive a orilla de los ríos y se alimenta de insectos.

Runrunearse. impers. Correr el rumor o runrún, susurrarse.

Ruñar. (Del fr. *rogner.*) tr. Labrar por dentro la cavidad o muesca circular en que se encajan las tiestas de los toneles o cubas.

Rupestre. (Del lat. *rupes,* roca.) adj. Dícese de algunas cosas pertenecientes o relativas a las rocas. *Planta* RUPESTRE. Aplícase especialmente a las pinturas y dibujos prehistóricos existentes en algunas rocas y cavernas.

Rupia. (Del sánscr. *rūpya* o *rūpaka,* moneda de plata.) f. Moneda de oro de Persia y del Indostán, que vale aproximadamente 37 pesetas a la par. ‖ **2.** Moneda de plata de los mismos países, que vale aproximadamente dos pesetas y media a la par.

Rupia. (Del gr. ῥύπος, suciedad.) f. *Med.* Enfermedad de la piel, de curso lento, caracterizada por la aparición de ampollas grandes y aplastadas, las cuales contienen un líquido a veces obscuro, y producen costras que se desprenden con facilidad y vuelven a formarse inmediatamente.

Rupicabra. f. **Rupicapra.**

Rupicapra. (Del lat. *rupicapra;* de *rupes,* roca, peñasco, y *capra,* cabra.) f. **Gamuza,** 1.ª acep.

Ruptura. (Del lat. *ruptūra.*) f. fig. **Rompimiento,** 5.ª acep. ‖ **2.** *Cir.* **Rotura,** 1.ª acep.

Ruqueta. (Del lat. *erūca.*) f. **Oruga,** 1.ª acep. ‖ **2. Jaramago.**

Rural. (Del lat. *rurālis,* de *rus, ruris,* campo.) adj. Perteneciente o relativo al campo y a las labores de él. ‖ **2.** fig. Inculto, tosco, apegado a cosas lugareñas.

Ruralmente. adv. m. De un modo rural.

Rurrú. (Voz onomatopéyica.) m. desus. **Runrún.**

Rurrupata. f. *Chile.* **Nana,** 1.er art., 3.ª acep.

Rus. (Del lat. *rhus,* y éste del gr. ῥοῦς.) m. **Zumaque,** 1.ª acep. ‖ **¡Voto a rus!** exclam. fam. **¡Voto al chápiro!**

Rusalca. f. En la mitología eslava, ninfa acuática que atrae a los hombres para darles muerte.

Rusco. (Del lat. *rŭscum.*) m. *Bot.* **Brusco,** 3.ª acep.

Rusel. m. Tejido de lana asargado.

Rusentar. tr. Poner rusiente.

Rusia. n. p. V. **Piel de Rusia.** ‖ **2.** f. *Cuba.* Especie de lienzo grueso y tosco, que se emplea para hamacas.

Rusiente. (Del lat. *russus,* rojo.) adj. Que se pone rojo o candente con el fuego.

Rusificar. tr. Comunicar las costumbres rusas. ‖ **2.** r. Tomar esas costumbres.

Ruso, sa. adj. Natural de Rusia. Ú. t. c. s. ‖ **2.** Perteneciente a esta nación de Europa. ‖ **3.** V. **Carlota, montaña rusa.** ‖ **4.** m. Lengua **rusa.** ‖ **5.** Gabán de paño grueso.

Rusticación. (Del lat. *rusticatĭo, -ōnis.*) f. Acción y efecto de rusticar.

Rustical. (De *rústico.*) adj. **Rural.**

Rústicamente. adv. m. De manera rústica. ‖ **2.** Con tosquedad y sin cultura.

Rusticano, na. (Del lat. *rusticānus.*) adj. **Silvestre.** Dícese del rábano y otras plantas. ‖ **2.** ant. **Rural.**

Rusticar. (Del lat. *rusticāre.*) intr. Salir al campo, habitar en él, sea por distracción o recreo, sea por recobrar o fortalecer la salud.

Rusticidad. (Del lat. *rusticĭtas, -ātis.*) f. Calidad de rústico.

Rústico, ca. (Del lat. *rustĭcus,* de *rus,* campo.) adj. Perteneciente o relativo al campo. ‖ **2.** V. **Comino, latín, predio rústico.** ‖ **3.** fig. Tosco, grosero. ‖ **4.** m. Hombre del campo. ‖ **A la,** o **en, rústica.** m. adv. Tratándose de encuadernaciones de libros, a la ligera y con cubierta de papel.

Rustiquez. (De *rústico.*) f. **Rusticidad.**

Rustiqueza. f. **Rustiquez.**

Rustir. (De *rostir.*) tr. *Ar., Ast.* y *León.* Asar, tostar. ‖ **2.** *Ar.* y *Murc.* **Roer.** ‖ **3.** *Murc.* **Roznar,** 1.er art. ‖ **4.** *Venez.* Aguantar, soportar con paciencia trabajos y penas.

Rustrir. (De *rustir.*) tr. *Ast.* Tostar el pan, y majarlo cuando está tostado o duro. || **2.** intr. *Sal.* **Pastar,** 2.ª acep. || **3.** *Sal.* Comer con avidez.

Rustro. (Del fr. *rustre;* éste del ant. *ruste,* y éste del lat. *rustĭcus,* rústico.) m. *Blas.* **Rumbo,** 1.er art., 3.ª acep.

Rut. n. p. V. **Libro de Rut.**

Ruta. (Del lat. *rupta,* rota.) f. Rota o derrota de un viaje. || **2.** Itinerario para él. || **3.** fig. **Derrotero,** 5.ª acep.

Rutáceo, a. (Del lat. *ruta,* ruda.) adj. *Bot.* Dícese de plantas angiospermas dicotiledóneas, hierbas por lo común perennes, o arbustos y árboles, a veces siempre verdes, con hojas alternas u opuestas, simples o compuestas, flores pentámeras o tetrámeras y fruto dehiscente con semillas menudas y provistas de albumen, o en hesperidio; como la ruda y el naranjo. || **2.** f. pl. *Bot.* Familia de estas plantas.

Rutar. (Quizá del m. or. que *ruido.*) intr. *Ast., Burg., Pal.* y *Sant.* Murmurar, rezongar. || **2.** *Burg., Pal.* y *Sant.* Susurrar, zumbar.

Rutar. intr. *Bad.* y *Pal.* Rodar, dar vueltas.

Rutar. (Del lat. *ructāre.*) intr. *Ast.* **Eructar,** 1.ª acep.

Rutel. m. *Sal.* Hato pequeño de ganado cabrío o lanar.

Rutenio. (Del lat. *rutĭlus,* rojo.) m. Metal muy parecido al osmio y del que se distingue por tener óxidos de color rojo.

Ruteno, na. adj. Dícese de un pueblo eslavo, llamado también pequeño ruso, que habita en parte de Polonia. Ú. t. c. s. || **2.** Perteneciente o relativo a este pueblo. || **3.** m. Lengua **rutena.** || **4.** ant. **Ruso.** Usáb. t. c. s. Hoy solamente se usa hablando de la liturgia.

Rutilante. (Del lat. *rutĭlans, -antis.*) p. a. de **Rutilar.** Que rutila.

Rutilar. (Del lat. *rutilāre.*) intr. poét. Brillar como el oro, o resplandecer y despedir rayos de luz.

Rútilo, la. (Del lat. *rutĭlus.*) adj. De color rubio subido, o de brillo como de oro; resplandeciente.

Rutina. (Del fr. *routine,* de *route,* ruta.) f. Costumbre inveterada, hábito aquirido de hacer las cosas por mera práctica y sin razonarlas.

Rutinario, ria. adj. Que se hace o practica por rutina. || **2.** **Rutinero.** Ú. t. c. s.

Rutinero, ra. adj. Que ejerce un arte u oficio, o procede en cualquier asunto, por mera rutina. Ú. t. c. s.

S

S. f. Vigésima segunda letra del abecedario español, y decimoctava de sus consonantes. Su nombre es **ese.**

Sabadellense. adj. Natural de Sabadell, ciudad de Cataluña. Ú. t. c. s. ‖ **2.** Perteneciente a esta ciudad y a su comarca.

Sabadeño, ña. (De *sábado.*) adj. *Pal., Rioja* y *Vallad.* Aplícase al embutido hecho con la asadura y carne de inferior calidad del cerdo. Ú. m. c. s.

Sabadiego. m. *Ast.* y *León.* Sabadeño.

Sábado. (Del lat. *sabbătum,* y éste del hebr. *sabbat.*) m. Séptimo y último día de la semana. ‖ **2.** V. **Carne de sábado.** ‖ **de gloria.** Sábado santo. ‖ **Hacer sábado.** fr. Hacer en este día limpieza de la casa, más esmerada y completa que el resto de la semana. ‖ **Ni sábado sin sol, ni moza sin amor,** o **ni vieja sin arrebol,** o **sin dolor.** ref. que se aplica a cualquier cosa que regular y frecuentemente sucede en determinados tiempos o personas. ‖ **Quien en sábado va a la aceña, el domingo tiene mala huelga.** ref. que advierte que el perezoso o descuidado ha de hacer las cosas fuera de sazón y atropelladamente.

Sabalar. m. Red para pescar sábalos.

Sabalera. (De *sabalar,* por la forma.) f. Rejilla de hierro, o bóveda calada, donde se coloca el combustible en los hornos de reverbero. ‖ **2.** Arte de pesca, parecido a la jábega, para pescar sábalos.

Sabalero. m. Pescador de sábalos.

Sábalo. (Del ár. *šābal,* o *šābil.*) m. *Zool.* Pez teleósteo marino del suborden de los fisóstomos, de unos cuatro decímetros de largo, con el cuerpo en forma de lanzadera, algo aplanado por los lados y cubierto de escamas grandes y terminadas en una punta áspera; la cabeza pequeña, la boca grande, el lomo amarillento, lo restante del cuerpo blanco, y las aletas pequeñas, cenicientas y rayadas de azul. Desova por la primavera en los ríos que desembocan en el mar, en los cuales penetra a gran distancia aguas arriba.

Sábana. (Del lat. *sabăna,* pl. n. de *sabănum.*) f. Cada una de las dos piezas de lienzo, algodón, o lana, de tamaño suficiente para cubrir la cama y colocar el cuerpo entre ambas. ‖ **2.** Manto que usaban los hebreos y otros pueblos de Oriente. ‖ **3. Sabanilla,** 3.ª acep. ‖ **4.** *Murc.* Sarria o red de esparto para transportar paja, hierba, hortalizas, etc. ‖ **santa.** Aquella en que envolvieron a Cristo para ponerle en el sepulcro. ‖ **Pegársele a uno las sábanas.** fr. fig. y fam. que se aplica al que se levanta más tarde de lo que debe o acostumbra.

Sabana. (Voz caribe.) f. En América, llanura, en especial si es muy dilatada, sin vegetación arbórea. ‖ **Estar uno en la sabana.** fr. fig. y fam. *Venez.* Estar sobrado de recursos, ser feliz. ‖ **Ponerse uno en la sabana.** fr. fig. y fam. *Venez.* Adquirir inesperadamente alguna ventura.

Sabanazo. m. *Cuba.* Sabana o pradera de reducidas proporciones.

Sabandija. f. Cualquier reptil pequeño o insecto, especialmente de los asquerosos y molestos; como la salamanquesa, el escarabajo, etc. ‖ **2.** fig. Persona despreciable.

Sabandijuela. f. d. de **Sabandija.**

Sabanear. intr. *Amér.* Recorrer la sabana donde se ha establecido un hato, para buscar y reunir el ganado, o para vigilarlo.

Sabanera. f. *Venez.* Culebra de vientre amarillo y lomo salpicado de negro, verde y pardo; vive en las sabanas y limpia el terreno de sabandijas.

Sabanero, ra. adj. Habitante de una sabana. Ú. t. c. s. ‖ **2.** Perteneciente o relativo a la sabana. ‖ **3.** m. *Amér.* Hombre encargado de sabanear. ‖ **4.** Pájaro muy parecido al estornino, que vive en medio de las praderas en la América del Norte y en las Antillas, y es apreciado por su carne.

Sabanilla. f. d. de **Sábana.** ‖ **2.** p. us. Cualquier pieza de lienzo pequeña; como pañuelo, toalla, etc. ‖ **3.** Cubierta exterior de lienzo con que se cubre el altar, sobre la cual se ponen los corporales. ‖ **4.** *Nav.* Pedazo de beatilla con que las mujeres adornaban el tocado. ‖ **5.** *Ar.* y *Vizc.* Pañuelo blanco que las mujeres llevan cubriendo la cabeza. ‖ **6.** *Chile.* Tejido de lana muy fino que se usa en la cama, sobre la sábana, a manera de cobertor. ‖ **7.** *Ast.* Capa de grasa que cubre el vientre del cerdo.

Sábano. (Del lat. *sabănum.*) m. *León.* Sábana de estopa.

Sabañón. (Tal vez del lat. *sub* y *pernĭo, -ōnis.*) m. Rubicundez, hinchazón o ulceración de la piel, principalmente de las manos, de los pies y de las orejas, con ardor y picazón, causada por frío excesivo. ‖ **2.** *Ast.* Segundo enjambre que suele salir de las colmenas al terminar el verano. ‖ **Comer** uno **como un sabañón.** fr. fig. y fam. Comer mucho y con ansia.

Sabara. f. *Venez.* Niebla muy diáfana.

Sabatario, ria. (Del lat. *sabbatarius.*) adj. Díjose de los hebreos porque guardaban santa y religiosamente el sábado. Usáb. m. c. s. ‖ **2.** Aplícase a los judíos conversos de los primeros siglos, que continuaban guardando el sábado.

Sabático, ca. (Del lat. *sabbatĭcus.*) adj. Perteneciente o relativo al sábado. *Descanso* SABÁTICO. ‖ **2.** Aplícase al séptimo año, en que los hebreos dejaban descansar sus tierras, viñas y olivares.

Sabatina. (De *sabatino.*) f. Oficio divino propio del sábado. ‖ **2.** Lección compuesta de todas las de la semana, que los estudiantes solían dar el sábado. ‖ **3.** Ejercicio literario que se usaba los sábados entre los estudiantes a fin de acostumbrarse a defender conclusiones. ‖ **4.** *Chile.* Zurra, felpa.

Sabatino, na. (Del b. lat. *sabbatinus,* y éste del lat. *sabbătum,* sábado.) adj. Perteneciente al sábado o ejecutado en él. *Bula* SABATINA.

Sabatismo. m. Acción de sabatizar. ‖ **2.** Descanso tomado después de un trabajo asiduo.

Sabatizar. intr. Guardar el sábado, cesando en las obras serviles.

Sabaya. (Del vasc. *sabaia, sapaia,* desván.) f. *Ar.* **Desván.**

Sabedor, ra. (De *saber.*) adj. Instruido o noticioso de una cosa.

Sabeísmo. m. Religión de los sabeos, que daban culto a los astros, principalmente al Sol y a la Luna.

Sabejo. (Del lat. *segūsius.*) m. ant. **Sabueso.**

Sabela. (De *sabella,* nombre de un género de gusanos.) f. *Zool.* Gusano marino sedentario, de la clase de los anélidos, frecuente en las costas españolas, que vive dentro de un tubo quitinoso segregado por el propio animal y del que sólo asoman las branquias, dispuestas en espiral.

Sabelección. amb. *Cuba.* Planta silvestre de la familia de las crucíferas, especie de mastuerzo; tallo de unos seis decímetros de altura; flores en espiga, pequeñas, blanquecinas o amarillentas, de cuatro pétalos; crece en las sabanas y lugares húmedos.

Sabelianismo. m. Doctrina de Sabelio, heresiarca africano del siglo III, fundada en la creencia de un solo Dios que se revela bajo tres nombres diferentes, y negando, por tanto, la distinción de las tres Personas y el misterio de la Santísima Trinidad.

Sabeliano, na. adj. Dícese de los sectarios de Sabelio. Ú. t. c. s. || **2.** Perteneciente a su doctrina.

Sabélico, ca. (Del lat. *sabellĭcus*.) adj. Perteneciente a los sabinos o samnitas.

Sabelotodo. com. fam. **Sabidillo.**

Sabencia. f. ant. **Sabiduría.**

Sabeo, a. (Del lat. *sabaeus*.) adj. Natural de Saba. Ú. t. c. s. || **2.** Perteneciente a esta región de la Arabia antigua.

Saber. (infinit. substantivado.) m. **Sabiduría**, 2.ª acep. || **2.** Ciencia o facultad. || **No hay peor saber que no querer.** Dicho que se aplica al que se excusa de hacer lo que le piden, pretextando ignorancia.

Saber. (Del lat. *sapĕre*.) tr. Conocer una cosa, o tener noticia de ella. || **2.** Ser docto en alguna cosa. || **3.** Tener habilidad para una cosa, o estar instruido y diestro en un arte o facultad. || **4.** intr. Estar informado de la existencia, paradero o estado de una persona o cosa. Ú. m. en frs. negativas. *Hace un mes que no* SÉ *de mi hermano.* || **5.** Ser muy sagaz y advertido. SABE *más que Merlín, más que la zorra.* || **6.** Tener sapidez una cosa. Ú. por lo común con nombre regido de la preposición *a*. *Esto* SABE A *café.* || **7.** Tener una cosa semejanza o apariencia de otra; parecerse a ella. || **8.** Tener una cosa proporción, aptitud o eficacia para lograr un fin. || **9.** Sujetarse o acomodarse a una cosa. *Yo* SABRÉ *economizar.* || **10.** Conocer el camino, **saber ir.** *No* SÉ *a su casa.* || **Aquél sabe que se salva, que el otro no sabe nada.** ref. con que se reprende a los que se glorían de **saber** muchas artes y ciencias y viven desastrosamente. || **A saber.** expr. **Esto es.** || **2.** Exclamativamente equivale a **vete a saber.** ¡A SABER *cuándo vendrá!* || **El que las sabe, las tañe.** expr. fig. y fam. con que se advierte que nadie obre ni hable sino en la materia que entiende. || **El saber no ocupa lugar.** fr. proverb. con que se da a entender que nunca estorba el **saber.** || **Más vale saber que haber.** ref. que enseña que debe preferirse la ciencia a la riqueza. || **Ni sé si halaga, ni sé si amaga.** ref. que se aplica a ciertas personas que usan de palabras tan ambiguas que pueden tomarse en buena y mala parte. || **No saber uno cuántas son cinco.** fr. fig. y fam. Ser muy simple; ignorar hasta lo que es muy conocido y vulgar. || **No saber uno de sí.** fr. fig. y fam. Estar tan ocupado que le falta tiempo aun para cuidar de sí mismo. || **No saber uno dónde meterse.** fr. fig. con que se explica y pondera el gran temor o la vergüenza que le ocasiona una especie o acontecimiento. || **No saber uno lo que se pesca.** fr. fig. y fam. Andar descaminado o hallarse ignorante en los negocios o asuntos que trata. || **No saber uno lo que tiene.** fr. fig. y fam. con que se pondera el gran caudal de una persona. || **No saber uno por dónde anda,** o **se anda.** fr. fig. y fam. No tener expedición ni capacidad para desempeñar aquello de que está encargado. || **2.** fig. y fam. No acertar a apreciar o resolver una cosa, por falta de datos o por ofuscación. || **No sé cuántos.** fr. que además de su sentido recto se usa en vez de «fulano» para calificar persona indeterminada. *El actor* NO SÉ CUÁNTOS *llegó entonces.* || **No sé qué.** expr. Algo que no se acierta a explicar. Ú. m. con el artículo *un* o el adjetivo *cierto.* || **No sé qué te diga.** fr. fam. que se usa para indicar desconfianza o incertidumbre de lo que a uno le dicen. || **Quien poco sabe, presto lo reza.** fr. proverb. que se aplica a quien acaba pronto algo por disponer de pocos recursos para realizarlo más ampliamente. || **Saber a todo.** fr. fig. y fam. que se dice frecuentemente en alabanza del dinero. || **Saber uno cuántas son cinco.** fr. fig. y fam. Conocer o entender lo que le conviene o importa. || **Sabérselo todo.** fr. fig. y fam. con que se moteja de presumido al que no admite las advertencias de otros. || **Vete a saber,** o **vaya usted a saber.** fr. con que se indica que una cosa es difícil de averiguar. VETE A SABER *quién lo habrá traído.* || **¡Y qué sé yo!** fr. complementaria para no proseguir una enumeración, etc.; y muchos más, y muchas más cosas.

Sabiamente. adv. m. Cuerdamente, con acierto y sabiduría.

Sabicú. m. *Bot. Cuba.* Árbol grande, de la familia de las papilionáceas, con flores blancas o amarillas, pequeñas y olorosas; legumbre aplanada, oblonga y lampiña, y madera dura, pesada y compacta, de color amarillo pardo o rojo vinoso.

Sabidillo, lla. (d. de *sabido*.) adj. despect. Que presume de entendido y docto sin serlo o sin venir a cuento. Ú. t. c. s.

Sabido, da. p. p. de **Saber.** || **2.** adj. Que sabe o entiende mucho. || **3.** m. *Ar.* Sueldo o jornal fijo.

Sabidor, ra. adj. desus. **Sabedor.** Usáb. t. c. s. || **2.** ant. **Sabio.** Usáb. t. c. s.

Sabidoramente. adv. m. ant. **Sabiamente.**

Sabiduría. (De *sabidor*.) f. Conducta prudente en la vida o en los negocios. || **2.** Conocimiento profundo en ciencias, letras o artes. || **3.** Noticia, conocimiento. || **4.** V. **Libro de la Sabiduría.** || **eterna,** o **increada.** El Verbo divino.

Sabiendas (A). (Del lat. *sapiendus*, de *sapĕre*, saber.) m. adv. De un modo cierto, a ciencia segura. || **2.** Con conocimiento y deliberación.

Sabiente. (Del lat. *sapĭens, -entis*.) p. a. de **Saber.** Que sabe.

Sabieza. (Del lat. *sapientĭa*.) f. ant. **Sabiduría.**

Sabihondez. f. fam. Calidad de sabihondo.

Sabihondo, da. (De *sabiondo*, infl. por *hondo*.) adj. fam. Que presume de sabio sin serlo. Ú. t. c. s.

Sabina. (Del lat. *sabīnus*, el árbol sabina.) f. *Bot.* Arbusto o árbol de poca altura, de la familia de las cupresáceas, siempre verde, con tronco grueso, corteza de color pardo rojizo, ramas extendidas, hojas casi cilíndricas, opuestas, escamosas y unidas entre sí de cuatro en cuatro; fruto redondo, pequeño, negro azulado, y madera encarnada y olorosa. || **albar.** Árbol de la misma familia que el anterior, de unos 10 metros de altura, con hojas y fruto algo mayores, y más claro el color de la corteza del tronco. || **rastrera.** Especie muy ramosa, de hojas pequeñitas adheridas a la rama, y fruto de color negro azulado. Despide un olor fuerte y desagradable. || **roma.** *Guad.* **Sabina albar.**

Sabinar. m. Terreno poblado de sabinas.

Sabinilla. f. *Chile.* Arbusto de la familia de las rosáceas, con hojas compuestas de hojuelas lineales y fruto carnoso, pequeño, lustroso, comestible.

Sabino, na. (Del lat. *sabīnus*.) adj. Dícese del individuo de cierto pueblo de la Italia antigua que habitaba entre el Tíber y los Apeninos. Ú. t. c. s. || **2.** Perteneciente a este pueblo. || **3.** m. Dialecto que hablaba este pueblo.

Sabino, na. (En port. *sabino*.) adj. **Rosillo,** 2.ª acep.

Sabio, bia. (Del lat. **sapĭus: nesapius* en Petronio.) adj. Dícese de la persona que posee la sabiduría. Ú. t. c. s. || **2.** Aplícase a las cosas que instruyen o que contienen sabiduría. || **3.** V. **Lengua sabia.** || **4. Cuerdo.** Ú. t. c. s. || **5.** Aplícase a los animales que tienen muchas habilidades. *Perro* SABIO. || **6.** m. Por antonom. se llama así a Salomón. || **7.** *Extr.* Roca arenisca.

Sabiondo, da. (Del lat. **sapibŭndus*, de **sapĭus* por *sapiens*.) fam. **Sabihondo.**

Sablazo. m. Golpe dado con sable. || **2.** Herida hecha con él. || **3.** fig. y fam. Acto de sacar dinero a uno, o de comer, vivir y divertirse a su costa.

Sable. (Del al. *säbel*.) m. Arma blanca semejante a la espada, pero algo corva y por lo común de un solo corte. || **2.** fig. y fam. Habilidad para sacar dinero a otro o vivir a su costa. || **3.** *Cuba.* Pez con forma de anguila, de cuerpo largo y aplastado, y de color plateado brillante.

Sable. (Del fr. *sable*, y éste del eslavo *sable*, marta negra o cebellina; en b. lat. *sabellum*.) m. *Blas.* Color heráldico que en pintura se expresa con el negro, y en el grabado, por medio de líneas verticales y horizontales que se entrecruzan. Ú. t. c. adj.

Sable. (Del lat. *sabŭlum*.) m. ant. **Arena,** 1.ª acep. || **2.** *Ast.* y *Sant.* Arenal formado por las aguas del mar o de un río en sus orillas.

Sableador, ra. m. y f. Persona hábil para sablear o sacar dinero a otra.

Sablear. intr. fig. y fam. Dar sablazos, 3.ª acep.

Sablera. f. *Ast.* **Sable,** 3.er art., 2.ª acep.

Sablista. (De *sable*, 1.er art.) adj. fam. Que tiene por hábito sablear. Ú. m. c. s.

Sablón. (Del lat. *sabŭlo, -ōnis*.) m. Arena gruesa.

Saboga. (Del ár. *ṣabūga*, sábalo.) f. **Sábalo.**

Sabogal. (De *saboga*.) adj. V. **Red sabogal.** Ú. t. c. s. m.

Sabonera. f. **Sayón,** 2.° art.

Saboneta. (Del ital. *savonetta*, de *Savona*, ciudad de Italia donde se construyeron por primera vez relojes con tapa sobre la esfera.) f. Reloj de bolsillo, cuya esfera, cubierta con una tapa de oro, plata u otro metal, se descubre apretando un muelle.

Sabor. (Del lat. *sapor, -ōris*.) m. Sensación que ciertos cuerpos producen en el órgano del gusto. || **2.** fig. Impresión que una cosa produce en el ánimo. || **3.** fig. Propiedad que tienen algunas cosas de parecerse a otras con que se las compara. *Un poema de* SABOR *clásico.* || **4.** Cualquiera de las cuentas redondas y prolongadas que se ponen en el freno, junto al bocado, para refrescar la boca del caballo. Ú. m. en pl. || **5.** ant. Deseo o voluntad de una cosa. || **A sabor.** m. adv. Al gusto o conforme a la voluntad y deseo. || **A sabor de su paladar.** loc. adv. fig. y fam. **A medida de su paladar.**

Saborea. f. *Ar.* **Hisopillo,** 2.ª acep.

Saboreador, ra. adj. Que saborea. || **2.** Que da sabor.

Saboreamiento. m. Acción y efecto de saborear o saborearse.

Saborear. tr. Dar sabor, gusto y sainete a las cosas. || **2.** Percibir detenidamente y con deleite el sabor de lo que se come o se bebe. Ú. t. c. r. || **3.** fig. Apreciar detenidamente y con deleite una cosa grata. Ú. t. c. r. || **4.** fig. Cebar, atraer con halagos, razones o interés. || **5.** r. Comer o beber una cosa despacio, con ademán y expresión de particular deleite. || **6.** fig. Deleitarse con detención y ahínco en las cosas que agradan.

Saboreo. m. Acción de saborear.

Saborete. m. d. de **Sabor.**

Saborgar. (Del lat. **sapōrĭcāre*, frec. de *saporāre*, dar sabor.) tr. ant. Llenar de sabor, dulzura y deleite.

Saboroso, sa. (Del lat. *saporōsus*.) adj. ant. **Sabroso.**

Sabotaje. (Del fr. *sabotage*.) m. Daño o deterioro que para perjudicar a los patronos hacen los obreros en la maquinaria, productos, etc.

Sabotear. (Del fr. *saboter*, trabajar chapuceramente.) tr. Realizar actos de sabotaje.

Saboyana. (De *saboyano.*) f. Ropa exterior de que usaban las mujeres, a modo de basquiña abierta por delante. || **2.** Pastel, especie de bizcocho empapado en almíbar y rociado con ron al que suele prenderse fuego cuando se presenta en la mesa.

Saboyano, na. adj. Natural de Saboya. Ú. t. c. s. || **2.** Perteneciente a esta región de Francia y de Italia.

Sabre. (De *sable*, 3.er art.) m. ant. **Arena,** 1.ª acep.

Sabrido, da. (De *sabor.*) adj. ant. **Sabroso.**

Sabrimiento. m. ant. **Sabor.** || **2.** ant. fig. Chiste, gracia.

Sabrosamente. adv. m. Con sabor y gusto; de manera sabrosa.

Sabroso, sa. (Del lat. **saporōsus*, de *sapor.*) adj. Sazonado y grato al sentido del gusto. || **2.** fig. Delicioso, gustoso, deleitable al ánimo. || **3.** fam. Ligeramente salado.

Sabucal. m. Sitio poblado de sabucos.

Sabuco. (Del lat. *sabūcus.*) m. **Saúco.**

Sabueso, sa. (Del b. lat. *segūsius* [*canis*].) adj. V. **Perro sabueso.** Ú. t. c. s. || **2.** m. fig. Pesquisidor, persona que sabe indagar, que olfatea. || **Aunque manso tu sabueso, no le muerdas en el befo.** ref. que denota el cuidado que debe ponerse en no irritar ni exasperar aun a los que muestran suavidad y mansedumbre.

Sabugal. (De *sabugo.*) m. **Sabucal.**

Sabugo. (Del lat. *sabūcus.*) m. **Sabuco.**

Sábulo. (Del lat. *sabŭlum.*) m. Arena gruesa y pesada.

Sabuloso, sa. (Del lat. *sabulōsus.*) adj. Que tiene arena o está mezclado con ella.

Saburra. (Del lat. *saburra*, lastre de un navío.) f. *Med.* Secreción mucosa espesa que se acumula en las paredes del estómago. || **2.** Capa blanquecina que cubre la lengua por efecto de dicha secreción.

Saburral. adj. *Med.* Perteneciente o relativo a la saburra.

Saburrar. (Del lat. *saburrāre.*) tr. ant. Lastrar con piedra o arena las embarcaciones.

Saburroso, sa. adj. *Med.* Que indica la existencia de saburra gástrica. *Lengua* SABURROSA.

Saca. f. Acción y efecto de sacar. || **2.** Exportación, transporte, extracción de frutos o de géneros de un país a otro. || **3.** V. **Alcalde, renta de sacas.** || **4.** Acción de sacar los estanqueros de la tercena los efectos estancados y timbrados que después venden al público. || **5.** Copia autorizada de un documento protocolizado. || **6.** *Ar.* Retracto o tanteo. || **Estar de saca.** fr. Estar de venta una cosa. || **2.** fig. y fam. Estar una mujer en aptitud de casarse.

Saca. (De *saco.*) f. Costal muy grande de tela fuerte, más largo que ancho, que sirve regularmente para conducir y transportar la correspondencia, lana u otros efectos. || **2.** pl. *Ál.* y *Nav.* Juego parecido al de los cantillos, que se juega con doce tabas de carnero y una bolita de cristal.

Sacabala. f. Especie de pinzas que usaban los cirujanos para sacar una bala de dentro de la herida.

Sacabalas. m. Sacatrapos más resistente que los ordinarios, usado para sacar la bala del ánima de las escopetas y fusiles lisos cargados por la boca. || **2.** *Art.* Instrumento de hierro, de forma varia, que, sujeto en el extremo de un asta, sirve para extraer los proyectiles ojivales del ánima de los cañones rayados que se cargan por la boca.

Sacabera. f. *Ast.* **Salamandra,** 1.ª acep.

Sacabocado. m. **Sacabocados.**

Sacabocados. (De *sacar* y *bocado.*) m. Instrumento de hierro, calzado de acero, con boca hueca y cortes afilados, que sirve para taladrar. Los hay en forma de punzón, de tenaza, etc. || **2.** fig. Medio eficaz con que se consigue lo que se pretende o se pide.

Sacabotas. m. Tabla con una muesca en la cual se encaja el talón de la bota para descalzarse.

Sacabrocas. m. Herramienta con una boca de orejetas, que usan los zapateros para desclavar las brocas.

Sacabuche. (De fr. *saquebute*, del ant. *saquer*, sacar, y *buter*, meter.) m. Instrumento músico de metal, a modo de trompeta, que se alarga y acorta recogiéndose en sí mismo, para que haga la diferencia de voces que pide la música. || **2.** Profesor que toca este instrumento.

Sacabuche. (De *sacar* y *buche.*) m. fig. y fam. **Renacuajo,** 2.ª acep. || **2.** *Mar.* Bomba de mano para extraer líquidos. || **3.** *Méj.* Cuchillo de punta. || **4.** *And.* fam. Ademán de sacar la navaja.

Sacacorchos. m. Instrumento consistente en una espiral metálica con un mango o una palanca. Sirve para quitar los tapones de corcho a los frascos y botellas.

Sacacuartos. m. fam. **Sacadineros.**

Sacada. (De *sacar*, apartar.) f. Partido o territorio que se ha separado de una merindad, provincia o reino. || **2.** En el tresillo, jugada en que el hombre ha hecho más bazas que ninguno de los contrarios. || **3.** *Chile.* Saca, sacamiento.

Sacadera. (De *sacar.*) f. *Ar.* Cuévano pequeño que se emplea en la vendimia. || **2.** *Sal.* Especie de bieldo para recoger el carbón que queda entre la tierra en el sitio donde se ha carboneado. || **3.** *Sal.* Oveja que se da de excusa al pastor y que puede escoger y sacar de entre todas las del rebaño.

Sacadilla. f. d. de **Sacada.** || **2.** Batida corta que coge poco terreno.

Sacadinero. m. fam. **Sacadineros.**

Sacadineros. m. fam. Espectáculo o alhajuela de poco o de ningún valor, pero de buena vista y apariencia, que atrae a los muchachos y gente incauta. || **2.** m. y f. fam. Persona que tiene arte para sacar dinero al público con cualquier engañifa.

Sacadizo, za. adj. *Sant.* Aplícase a la res delantera de las carretas tiradas por tres bueyes. Ú. m. c. s. m.

Sacador, ra. adj. Que saca. Ú. t. c. s. || **2.** m. *Impr.* Tablero de la máquina en el cual se pone el papel que va saliendo impreso.

Sacadura. (De *sacar.*) f. Corte que hacen los sastres en sesgo para que siente bien una prenda; como en el cuello de la capa, etc. || **2.** *Chile.* Saca, sacada, sacamiento.

Sacafilásticas. (De *sacar* y *filástica.*) f. *Mar.* Aguja de fogón hecha con alambre grueso doblado en la punta como un arponcillo, para sacar la clavellina del oído de los cañones.

Sacaliña. f. **Garrocha,** 1.ª acep. || **2.** fig. **Socaliña.**

Sacamanchas. com. **Quitamanchas.**

Sacamantas. (De *sacar* y *manta.*) m. fig. y fam. Comisionado para apremiar y embargar a los contribuyentes morosos.

Sacamantecas. com. fam. Criminal que despanzurra a sus víctimas.

Sacamiento. m. Acción de sacar una cosa del lugar en que está. || **2.** ant. Invención, falsedad, mentira.

Sacamolero. m. **Sacamuelas.**

Sacamuelas. com. Persona que tiene por oficio sacar muelas. || **2.** fig. **Charlatán,** 3.ª acep.

Sacanabo. (De *sacar* y *nabo.*) m. Vara de hierro, de dos metros y medio de largo, que tiene en un extremo un gancho y en el otro un ojo, y servía para sacar del mortero la bomba.

Sacanete. (Del al. *landsknecht*, soldado de infantería, juego.) m. Juego de envite y azar, en que se juntan y mezclan hasta seis barajas, y después de cortar, el banquero vuelve una carta, que será la suya, y la coloca a la izquierda; vuelve otra, que sirve para los puntos, y la pone a la derecha, y sigue volviendo nuevos naipes hasta que salga alguno igual a uno de los primeros, que es el que pierde.

Sacapelotas. (De *sacar* y *pelota.*) m. Instrumento para sacar balas, usado por los antiguos arcabuceros. || **2.** fig. Persona despreciable.

Sacapotras. (De *sacar* y *potra.*) m. fig. y fam. Mal cirujano.

Sacar. (Del lat. *saccāre*, de *saccus*, saco.) tr. Poner una cosa fuera del lugar donde estaba encerrada o contenida. || **2.** Quitar, apartar a una persona o cosa del sitio o condición en que se halla. SACAR *al niño de la escuela;* SACAR *de un apuro;* SACAR *de pobreza.* || **3.** Aprender, averiguar, resolver una cosa por medio del estudio. SACAR *la cuenta.* || **4.** Conocer, descubrir, hallar por señales e indicios. SACAR *por el rastro.* || **5.** Hacer con fuerza o con maña que uno diga o dé una cosa. || **6.** Extraer de una cosa alguno de los principios o partes que la componen o constituyen. SACAR *aceite de almendras.* || **7.** Elegir por sorteo o por pluralidad de votos. SACAR *alcalde.* || **8.** Ganar por suerte una cosa. SACAR *un premio de la lotería.* || **9.** Conseguir, lograr, obtener una cosa. || **10.** Volver a lavar la ropa después de pasarla por la colada para aclararla, antes de tenderla y enjugarla. || **11.** Alargar, adelantar una cosa. *Antonio* SACA *el pecho cuando anda.* || **12.** Exceptuar, excluir. || **13.** Copiar o trasladar lo que está escrito. || **14.** Mostrar, manifestar una cosa. || **15.** **Quitar,** 1.ª acep. Dícese ordinariamente de cosas que afean o perjudican; como manchas, enfermedades, etc. || **16.** Citar, nombrar, traer al discurso o a la conversación. *Los pedantes* SACAN *todo cuanto saben, aunque no venga al caso.* || **17.** Ganar al juego. SACAR *la polla, la puesta.* || **18.** Producir, criar, inventar, imitar una cosa. SACAR *una máquina, una moda, una copla, un bordado, pollos.* || **19.** **Desenvainar,** 1.ª acep. || **20.** Con la preposición *de* y los pronombres personales, hacer perder el conocimiento y el juicio. *Esa pasión te* SACA DE *ti.* || **21.** Con la misma preposición y un substantivo o adjetivo, librar a uno de lo que éstos significan. SACAR DE *cuidados,* DE *pobre.* || **22.** En el juego de pelota, arrojarla desde el rebote que da en el saque hacia los contrarios que la han de volver. || **23.** Tratándose de citas, notas, autoridades, etc., de un libro o texto, apuntarlas o escribirlas aparte. || **24.** Tratándose de apodos, motes, faltas, etc., aplicarlos, atribuirlos. || **Sácame de aquí, y degüéllame allí.** ref. con que se da a entender el deseo de salir de un mal paso, aunque amenace otro peor. || **Sacar a bailar.** fr. Decir el bastonero a uno que salga a bailar, o pedir el hombre a la mujer que baile con él. || **2.** fig. y fam. Nombrar a uno de quien no se hablaba, o citar un hecho que no se tenía presente. Dícese de ordinario culpando o motejando al que lo hace con poca razón. *¿Qué necesidad había de* SACAR A BAILAR *a los que ya han muerto?* || **Sacar a danzar.** fr. fig. y fam. **Sacar a bailar,** 2.ª acep. || **2.** fig. y fam. Obligar a uno a que tome partido en un negocio o contienda. || **Sacar adelante.** fr. Dicho de persona, protegerla en su crianza, educación o empresas; dicho de asuntos o negocios, llevarlos a feliz término. || **Sacar a volar** a uno. fr. fig. Presentarle en público, quitarle la cortedad, darle conocimiento de gentes. || **Sacar claro.** fr. Lanzar la pelota desde el saque de modo que pueda restarse fácilmente. || **Sacar en claro.** fr. Deducir claramente, en substancia, en conclusión. || **Sacar en limpio.** fr. fig. **Sacar en claro.** || **Sacar largo.** fr. Lanzar la pelota a mucha distancia desde el saque. || **Sacar** uno **mentiroso,** o **verdadero,** a otro. fr. Probar con la propia conducta, o por diferente medio, que es falso, o cierto, lo que otro había dicho de él.

Sacarífero, ra. adj. Que produce o contiene azúcar. Dícese principalmente de las plantas.

Sacarificación. f. Acción y efecto de sacarificar.

Sacarificar. (Del lat. *sacchărum,* azúcar, y *facĕre,* hacer.) tr. Convertir por hidratación las substancias sacarígenas en azúcar.

Sacarígeno, na. adj. Dícese de la substancia capaz de convertirse en azúcar mediante la hidratación; como las féculas y la celulosa

Sacarimetría. (De *sacarímetro.*) f. Procedimiento para determinar la proporción de azúcar contenido en un líquido.

Sacarímetro. (Del gr. σάκχαρον, azúcar, y μέτρον, medida.) m. Instrumento con que se determina la proporción de azúcar contenido en un líquido.

Sacarina. (Del lat. *sacchărum,* azúcar.) f. Substancia blanca y pulverulenta que puede endulzar tanto como 234 veces su peso de azúcar. Se obtiene por transformación de ciertos productos extraídos de la brea mineral.

Sacarino, na. (Del lat. *sacchărum,* azúcar.) adj. Que tiene azúcar. || **2.** Que se asemeja al azúcar. || **3.** V. **Alumbre sacarino.**

Sacaroideo, a. (Del gr. σάκχαρον, azúcar, y εἶδος, forma.) adj. Semejante en la estructura al azúcar de pilón. *Mármol* SACAROIDEO.

Sacarosa. f. *Quím.* **Azúcar,** 1.ª acep.

Sacasebo. m. *Bot. Cuba.* Planta herbácea, silvestre, de la familia de las gramíneas, que sirve de pasto al ganado.

Sacasillas. (De *sacar* y *silla.*) m. fam. **Metemuertos.**

Sacatapón. m. **Sacacorchos.**

Sacatinta. m. *Amér. Central.* Arbusto de cerca de un metro de alto, de cuyas hojas se extrae un tinte azul violeta que usan los indios para teñir los hilos o pintarrajearse la piel; también se usa en lugar de añil para azular la ropa blanca.

Sacatrapos. (De *sacar* y *trapo.*) m. Espiral de hierro que se atornilla en el extremo de la baqueta y sirve para sacar los tacos, u otros cuerpos blandos, del ánima de las armas de fuego. || **2.** *Art.* Pieza de hierro de dos ramas, en forma de espiral, que, firme en el extremo de una asta, sirve para extraer los tacos, saquetes de pólvora y algunas clases de proyectiles del ánima de los cañones que se cargan por la boca. || **3.** fig. *Ar.* Persona que sonsaca a otra las intenciones que tiene ocultas.

Sacayán. m. *Filip.* Especie de baroto.

Sacerdocio. (Del lat. *sacerdotĭum.*) m. Dignidad y estado de sacerdote. || **2.** Ejercicio y ministerio propio del sacerdote. || **3.** fig. Consagración activa y celosa al desempeño de una profesión o ministerio elevado y noble.

Sacerdotal. (Del lat. *sacerdotālis.*) adj. Perteneciente al sacerdote. || **2.** V. **Orden sacerdotal.** || **3.** V. **Paramentos sacerdotales.**

Sacerdote. (Del lat. *sacerdos, -ōtis,* de *sacer,* sagrado.) m. Hombre dedicado y consagrado a hacer, celebrar y ofrecer sacrificios. || **2.** En la ley de gracia, hombre consagrado a Dios, ungido y ordenado para celebrar y ofrecer el sacrificio de la misa. || **augustal.** Cada uno de los 21 creados por Tiberio, y que luego fueron 25, para hacer sacrificios a Augusto, contado entre los dioses. || **Simple sacerdote.** El que no tiene dignidad o jurisdicción eclesiástica ni cargo pastoral. || **Sumo sacerdote.** Príncipe de los sacerdotes.

Sacerdotisa. (Del lat. *sacerdotissa.*) f. Mujer dedicada a ofrecer sacrificios a ciertas deidades gentílicas y cuidar de sus templos.

Sácere. m. **Arce,** 1.er art.

Saciable. (Del lat. *satiabĭlis.*) adj. Que se puede saciar.

Saciar. (Del lat. *satiāre,* de *satis,* bastante.) tr. Hartar y satisfacer de bebida o de comida. Ú. t. c. r. || **2.** fig. Hartar y satisfacer en las cosas del ánimo. Ú. t. c. r.

Saciedad. (Del lat. *satiĕtas, -ātis.*) f. Hartura producida por satisfacer con exceso el deseo de una cosa. || **Hasta la saciedad.** fr. fig. Hasta no poder más, plenamente.

Saciña. (De *saz.*) f. **Sargatillo.**

Sacio, cia. (Del lat. *satĭus.*) adj. p. us. Saciado, harto.

Saco. (Del lat. *saccus.*) m. Receptáculo de tela, cuero, papel, etc., por lo común de forma rectangular, abierto por uno de los lados. || **2.** Lo contenido en él. || **3.** Vestidura tosca y áspera de paño burdo o sayal. || **4.** Vestido corto que usaban los antiguos romanos en tiempo de guerra, excepto los varones consulares. || **5.** Especie de gabán grande, y en general vestidura holgada, que no se ajusta al cuerpo. || **6.** Medida inglesa para áridos, algo mayor que un hectolitro. || **7.** fig. Cualquier cosa que en sí incluye otras muchas, en la realidad o en la apariencia. Tómase por lo común en mala parte. SACO *de mentiras,* SACO *de malicias.* || **8. Saqueo.** || **9.** En el juego de pelota, **saque.** || **10.** *Amér.* y *Can.* Chaqueta, americana. || **11.** *Mar.* Bahía, ensenada, y en general, entrada del mar en la tierra, especialmente cuando su boca es muy estrecha con relación al fondo. || **de noche.** El que suele llevarse a la mano en los viajes, que es una especie de maleta sin armadura. || **terrero.** El que se llena de tierra y se emplea en defensa contra los proyectiles. || **Entrar,** o **meter, a saco.** fr. **Saquear.** || **No echar en saco roto** una cosa. fr. fig. y fam. No olvidarla, tenerla en cuenta para sacar de ella algún provecho en ocasión oportuna. || **No le fiara un saco de alacranes.** expr. fig. y fam. con que se pondera la gran desconfianza que se tiene de una persona. || **No ser,** o **no parecer, saco de paja.** fr. fig. y fam. Merecer el aprecio de otro por sus cualidades materiales o morales. || **Poner a saco.** fr. **Meter a saco.** || **Siete,** o **tres, al saco, y el saco en tierra.** expr. fig. y fam. con que se nota la mala maña de los que concurren a ejecutar algo y no lo consiguen.

Sacocha. (Del ital. *saccoccia,* y éste del lat. *saccus.*) f. *Germ.* **Faltriquera,** 1.ª acep.

Sacoime. (De *sa,* por el lat. *sub,* y *coime.*) m. *Germ.* **Mayordomo,** 1.ª acep.

Sacomano. (Del ital. *saccomanno,* y éste del germ. *sackmann,* ladrón.) m. **Saqueo.** || **2.** ant. **Bandolero,** 1.ª acep. || **3.** ant. **Forrajeador.** || **Entrar,** o **meter, a sacomano.** fr. **Entrar,** o **meter, a saco.**

Sácope. (Del tagalo *sacop,* lo que está debajo.) m. *Filip.* Súbdito, tributario.

Sacra. (Del lat. *sacra,* t. f. de *sacer,* sacro.) f. Cada una de las tres hojas, impresas o manuscritas, que en sus correspondientes tablas, cuadros o marcos con cristales, se suelen poner en el altar para que el sacerdote pueda leer cómodamente algunas oraciones y otras partes de la misa sin recurrir al misal.

Sacramentación. f. Acción y efecto de sacramentar, 2.ª acep.

Sacramental. adj. Perteneciente a los sacramentos. || **2.** Dícese de los remedios que tiene la Iglesia para sanar el alma y limpiarla de los pecados veniales, y de las penas debidas por éstos y por los mortales; como son el agua bendita, indulgencias y jubileos. Ú. t. c. m. pl. || **3.** V. **Absolución, auto, sigilo, testamento sacramental.** || **4.** V. **Especies sacramentales.** || **5.** fig. Acostumbrado, consagrado por la ley o la costumbre. *Palabras* SACRAMENTALES. || **6.** m. Individuo de una especie de cofradía. || **7.** f. Cofradía dedicada a dar culto al Sacramento del altar. || **8.** En Madrid, cofradía que tiene por principal fin procurar enterramiento en terrenos de su propiedad a los cofrades.

Sacramentalmente. adv. m. Con realidad de sacramento. || **2.** En confesión sacramental.

Sacramentar. (De *sacramento.*) tr. Convertir totalmente el pan en el cuerpo de Nuestro Señor Jesucristo en el sacramento de la Eucaristía. Ú. t. c. r. || **2.** Administrar a un enfermo el viático y la extremaunción, y a veces también el sacramento de la penitencia. || **3.** fig. Ocultar, disimular, esconder.

Sacramentario, ria. adj. Dícese de la secta de los protestantes y de los individuos de esta secta, que al nacer la Reforma negaron la presencia real de Nuestro Señor Jesucristo en el sacramento de la Eucaristía. Apl. a pers., ú. m. c. s.

Sacramente. adv. m. **Sagradamente.**

Sacramentino, na. adj. *Chile.* Perteneciente a la orden religiosa de la adoración perpetua del Santísimo Sacramento. Ú. t. c. s.

Sacramento. (Del lat. *sacramentum.*) m. Signo sensible de un efecto interior y espiritual que Dios obra en nuestras almas. Son siete. || **2.** V. **Materia del sacramento.** || **3.** Cristo sacramentado en la hostia. Para mayor veneración dícese **Santísimo Sacramento.** || **4. Misterio,** 3.ª acep. || **5.** desus. **Juramento,** 1.ª acep. || **del altar.** El eucarístico. || **Con todos los sacramentos.** fr. fig. Aplícase a las cosas que se cumplen con todos sus requisitos. || **Hacer uno sacramento.** fr. **Hacer misterio.** || **Incapaz de sacramentos.** fig. y fam. Dícese de la persona muy ruda o necia. || **Recibir los sacramentos.** fr. Recibir el enfermo los de penitencia, eucaristía y extremaunción. || **Últimos sacramentos.** Los de la penitencia, eucaristía y extremaunción que se administran a un enfermo en peligro de muerte.

Sacratísimo, ma. (Del lat. *sacratissĭmus.*) adj. sup. de **Sagrado.**

Sacre. (Del ár. *ṣaqr,* variedad de halcón.) m. Ave del orden de las rapaces, muy parecida al gerifalte, del cual difiere principalmente por tener rubio el fondo del plumaje. || **2.** Pieza de artillería, que era el cuarto de culebrina y tiraba balas de cuatro a seis libras. || **3.** fig. **Ladrón,** 1.ª acep.

Sacrificadero. m. Lugar o sitio donde se hacían los sacrificios.

Sacrificador, ra. adj. Que sacrifica. Ú. t. c. s.

Sacrificante. p. a. de **Sacrificar.** Que sacrifica.

Sacrificar. (Del lat. *sacrificāre.*) tr. Hacer sacrificios; ofrecer o dar una cosa en reconocimiento de la divinidad. || **2.** Matar, degollar las reses para el consumo. || **3.** fig. Poner a una persona o cosa en algún riesgo o trabajo, abandonarla a muerte, destrucción o daño, en provecho de un fin o interés que se estima de mayor importancia. || **4.** r. Dedicarse, ofrecerse particularmente a Dios. || **5.** fig.

Sujetarse con resignación a una cosa violenta o repugnante.

Sacrificio. (Del lat. *sacrificium.*) m. Ofrenda a una deidad en señal de homenaje o expiación. || **2.** Acto del sacerdote al ofrecer en la misa el cuerpo de Cristo bajo las especies de pan y vino en honor de su Eterno Padre. || **3.** fig. Peligro o trabajo graves a que se somete una persona. || **4.** fig. Acción a que uno se sujeta con gran repugnancia por consideraciones que a ello le mueven. || **5.** fig. Acto de abnegación inspirado por la vehemencia del cariño. || **6.** fig. y fam. Operación quirúrgica muy cruenta y peligrosa. || **del altar.** El de la misa.

Sacrílegamente. adv. m. Irreligiosamente, violando cosa sagrada.

Sacrilegio. (Del lat. *sacrilegium.*) m. Lesión o profanación de cosa, persona o lugar sagrados.

Sacrílego, ga. (Del lat. *sacrilĕgus.*) adj. Que comete o contiene sacrilegio. Apl. a pers., ú. t. c. s. || **2.** Perteneciente o relativo al sacrilegio. *Acción* SACRÍLEGA. || **3.** Que sirve para cometer sacrilegio.

Sacrismoche. m. fam. El que anda vestido de negro, como los sacristanes, y además derrotado y sin aseo.

Sacrismocho. m. fam. **Sacrismoche.**

Sacrista. (Del b. lat. *sacrista,* y éste del lat. *sacra,* objetos sagrados.) m. **Sacristán,** 2.ª acep.

Sacristán. (Del b. lat. *sacristanus,* sacrista.) m. El que en las iglesias tiene a su cargo ayudar al sacerdote en el servicio del altar y cuidar de los ornamentos y de la limpieza y aseo de la iglesia y sacristía. || **2.** Dignidad eclesiástica a cuyo cargo estaba la custodia y guarda de los vasos, vestiduras y libros sagrados, y la vigilancia de todos los dependientes de la sacristía. Hoy se conserva en algunas catedrales, y en las órdenes militares; en otras ha mudado el nombre, por lo común, en el de tesorero. || **3. Tontillo,** 1.ª acep. || **de amén.** fig. y fam. Sujeto que ciegamente sigue siempre el dictamen de otro. || **mayor.** El principal entre los **sacristanes,** que manda a todos los dependientes de la sacristía. || **Ser uno bravo,** o **gran, sacristán.** fr. fig. y fam. Ser muy sagaz y astuto para el aprovechamiento propio o el engaño ajeno.

Sacristana. f. Mujer del sacristán. || **2.** Religiosa destinada en su convento a cuidar de las cosas de la sacristía y dar lo necesario para el servicio de la iglesia.

Sacristanejo. m. d. de **Sacristán.**

Sacristanesco, ca. adj. despect. Perteneciente o relativo al sacristán, 1.ª acep.

Sacristanía. f. Empleo de sacristán. || **2.** Dignidad de sacristán que hay en algunas iglesias. || **3.** ant. **Sacristía,** 1.ª acep.

Sacristía. (Del b. lat. *sacristia,* y éste del lat. *sacra,* objetos sagrados.) f. Lugar, en las iglesias, donde se revisten los sacerdotes y están guardados los ornamentos y otras cosas pertenecientes al culto. || **2. Sacristanía,** 1.ª y 2.ª aceps.

Sacro, cra. (Del lat. *sacer, sacra.*) adj. **Sagrado.** || **2.** V. **Sacra Faz.** || **3.** V. **Fuego sacro.** || **4.** V. **Historia, vía sacra.** || **5.** *Zool.* Referente a la región en que está situado el hueso **sacro,** desde el lomo hasta el cóccix. *Nervios* SACROS; *vértebras* SACRAS. || **6.** V. **Hueso sacro.** Ú. t. c. s. || **7.** *Zool.* V. **Plexo sacro.**

Sacrosantamente. adv. m. De manera sacrosanta.

Sacrosanto, ta. (Del lat. *sacrosanctus.*) adj. Que reúne las cualidades de sagrado y santo.

Sacuara. f. *Perú.* **Güin.**

Sacudida. (De *sacudir.*) f. **Sacudimiento.**

Sacudidamente. adv. m. Con sacudida.

Sacudido, da. p. p. de **Sacudir.** || **2.** adj. fig. Áspero, indócil e intratable. || **3.** fig. Desenfadado, resuelto.

Sacudidor, ra. adj. Que sacude. Ú. t. c. s. || **2.** m. Instrumento con que se sacude o limpia.

Sacudidura. f. Acción de sacudir una cosa, especialmente para quitarle el polvo.

Sacudimiento. m. Acción y efecto de sacudir o sacudirse.

Sacudión. m. Sacudidura rápida y brusca.

Sacudir. (Del lat. *succutĕre.*) tr. Mover violentamente una cosa a una y otra parte. Ú. t. c. r. || **2.** Golpear una cosa o agitarla en el aire con violencia para quitarle el polvo, enjugarla, etc. || **3.** Golpear, dar golpes. SACUDIR *a uno;* SACUDIR *un palo, un latigazo, a uno.* || **4.** Arrojar, tirar o despedir una cosa o apartarla violentamente de sí. Ú. t. c. r. || **5.** r. Apartar de sí con aspereza de palabras a una persona, o rechazar una acción, proposición o dicho, con libertad, viveza o despego.

Sachadura. f. Acción de sachar.

Sachaguasca. f. *Argent.* Planta enredadera bignoniácea.

Sachar. (Del lat. *sarculāre.*) tr. Escardar la tierra sembrada, para quitar las malas hierbas, a fin de que prosperen más las plantas útiles.

Sacho. (Del lat. *sarcŭlum.*) m. Instrumento de hierro, con su astil, uno y otro pequeños y manejables, en figura de azadón, que sirve para sachar. || **2.** *Chile.* Instrumento formado por una armazón de madera con una piedra que sirve de lastre. Se usa en lugar de ancla en las embarcaciones menores.

Sádico, ca. adj. Perteneciente o relativo al sadismo. Apl. a pers., ú. t. c. s.

Sadismo. (De *Sade,* n. p. de un novelista francés.) m. Perversión sexual del que provoca su propia excitación cometiendo actos de crueldad en otra persona.

Saduceísmo. m. Doctrina de los saduceos.

Saduceo, a. (Del lat. *sadducaeus,* y éste del hebr. *ṣaddūq,* justo.) adj. Dícese del individuo de cierta secta de judíos que negaba la inmortalidad del alma y la resurrección del cuerpo. Ú. t. c. s. || **2.** Perteneciente o relativo a estos sectarios.

Saeta. (Del lat. *sagitta.*) f. Arma arrojadiza que consiste en una asta delgada y ligera, como de seis decímetros de largo, con punta afilada de hierro u otra materia en uno de sus extremos, y, a veces, en el opuesto algunas plumas cortas para impedirle que cabecee al ir disparada por el arco. || **2. Manecilla,** 4.ª acep. || **3. Brújula,** 1.ª acep. || **4.** Punta del sarmiento, que queda en la cepa cuando se poda. || **5.** Copla breve y sentenciosa que para excitar a la devoción o la penitencia se canta en las iglesias o en las calles durante ciertas solemnidades religiosas. || **6. Jaculatoria.** || **7.** *Astron.* Constelación boreal al norte del Águila y cerca de ella. || **A las que sabes mueras, y sabía hacer saetas.** ref. con que se expresa el deseo de venganza contra uno. || **Echar saetas** uno. fr. fig. y fam. Mostrar con palabras, gestos o acciones que está picado o resentido. || **No salió esa saeta de esa aljaba.** fr. fig. para dar a entender que la razón que uno dijo la tomó de otro.

Saetada. f. **Saetazo.**

Saetazo. m. Acción de tirar o herir con la saeta. || **2.** Herida hecha con ella.

Saetear. (De *saeta.*) tr. **Asaetear.**

Saetera. f. Aspillera para disparar saetas. || **2.** fig. Ventanilla estrecha de las que se suelen abrir en las escaleras y otras partes.

Saetero, ra. (Del lat. *sagittarius.*) adj. Perteneciente a las saetas. *Arco* SAETERO; *aljaba* SAETERA. || **2.** V. **Panal saetero.** || **3.** m. El que pelea con arco y saetas.

Saetí. m. **Saetín,** 2.° art.

Saetía. (Del ár. *šaṭṭiyya* o *šayṭiyya,* y éste del lat. *sagitta,* saeta.) f. Embarcación latina de tres palos y una sola cubierta, menor que el jabeque y mayor que la galeota, que servía para corso y para mercancía. || **2. Saetera.** || **3.** *Cuba.* Planta de la familia de las gramíneas, que sirve de pasto al ganado.

Saetilla. f. d. de **Saeta.** || **2. Saeta,** 2.ª, 3.ª y 5.ª aceps. || **3. Sagitaria.**

Saetín. m. d. de **Saeta.** || **2.** Clavito delgado y sin cabeza de que se hace uso en varios oficios. || **3.** En los molinos, canal angosta por donde se precipita el agua desde la presa a la rueda hidráulica, para hacerla andar.

Saetín. (Del fr. *satin,* y éste del lat. *seta,* seda, crin.) m. desus. **Raso,** 9.ª acep.

Saetón. m. aum. de **Saeta.** || **2.** Lance de ballesta, con casquillo puntiagudo y un travesaño en el asta, para que al usarlo en la caza de conejos, el animal herido con él no pudiese entrar en la madriguera.

Safena. (Del fr. *saphène,* y éste del gr. σαφηνής.) adj. V. **Vena safena.**

Sáfico, ca. (Del lat. *sapphĭcus,* y éste del gr. Σαπφικός, de Σαπφώ, Safo, poetisa griega.) adj. V. **Verso sáfico.** Ú. t. c. s. || **2.** Aplícase también a la estrofa compuesta de tres versos **sáficos** y uno adónico, y a la composición que consta de estrofas de esta clase.

Safio. m. *Cuba.* Pez parecido al congrio.

Safir. m. ant. **Zafiro.**

Saga. (Del lat. *saga.*) f. Mujer que se finge adivina y hace encantos o maleficios.

Saga. (Del al. *sage,* leyenda.) f. Cada una de las leyendas poéticas contenidas en su mayor parte en las dos colecciones de primitivas tradiciones heroicas y mitológicas de la antigua Escandinavia, llamadas los Eddas.

Sagacidad. (Del lat. *sagacĭtas, -ātis.*) f. Calidad de sagaz.

Sagallino. (Del lat. *saga,* pl. n. de *sagum,* y de *linum.*) m. *Sant.* Especie de sábana basta, cuadrada, con una cuerda en cada punta y que se usa para transportar la hierba.

Sagapeno. (Del lat. *sagapēnum.*) m. Gomorresina algo transparente, leonada por fuera y blanquecina por dentro, de sabor acre y olor fuerte que se parece al del puerro. Es producto de una planta de Persia, de la familia de las umbelíferas, y se usaba en medicina como antiespasmódico.

Sagardúa. (Voz vasca.) f. *Vizc.* y *Guip.* **Sidra.**

Sagarmín. (Del vasc. *sagar,* manzana, y *min,* agrio.) f. *Ál.* Manzana silvestre.

Sagatí. m. Especie de estameña, que tiene la urdimbre blanca y la trama de color, y que está tejida como sarga.

Sagaz. (Del lat. *sagax, -ācis.*) adj. Avisado, astuto y prudente, que prevé y previene las cosas. || **2.** Aplícase al perro que saca por el rastro la caza. Extiéndese a otros animales que barruntan o presienten las cosas.

Sagazmente. adv. m. Astutamente, con observación y sagacidad.

Sagita. (Del lat. *sagitta,* saeta.) f. *Geom.* Porción de recta comprendida entre el punto medio de un arco de círculo y el de su cuerda.

Sagital. (Del lat. *sagitta,* saeta.) adj. De figura de saeta.

Sagitaria. (Del lat. *sagittaria,* de flecha o saeta.) f. *Bot.* Planta herbácea anual, de la familia de las alismatáceas, de cuatro o seis decímetros de altura, con tallo derecho y triangular, hojas en figura de saeta, muy pecioladas las inferiores; flores terminales, blancas, en verticilos triples; fruto seco, capsular, y raíz fibrosa, con los extremos en forma de bulbo carnoso. Vive en los terrenos encharcados de varios puntos de España.

Sagitario. (Del lat. *sagittarĭus.*) m. **Saetero,** 3.ª acep. || **2.** *Astron.* Noveno signo o parte del Zodiaco, de 30 grados de amplitud, que el Sol recorre aparentemente en el último tercio del otoño. || **3.** *Astron.* Constelación zodiacal que en otro tiempo debió de coincidir con el signo de este nombre, pero que actualmente, por resultado del movimiento retrógrado de los puntos equinocciales, se halla delante del mismo signo y un poco hacia el oriente. || **4.** *Germ.* El que llevaban por las calles azotándole.

Sago. (Del lat. *sagum.*) m. ant. **Sayo.**

Ságoma. (Del ital. *sagoma,* y éste del gr. σακόμα, medida.) f. *Arq.* **Escantillón,** 1.ª acep.

Sagradamente. adv. m. Con respeto a lo divino, venerablemente.

Sagrado, da. (Del lat. *sacrātus.*) adj. Que según rito está dedicado a Dios y al culto divino. || **2.** Que por alguna relación con lo divino es venerable. || **3.** fig. Que por su destino o uso es digno de veneración y respeto. || **4.** Entre los antiguos, decíase de todo aquello que con gran dificultad se podía alcanzar por medios humanos. || **5.** A veces, como en latín, detestable, execrando. || **6.** V. **Fuego, libro sagrado.** || **7.** V. **Cáscara hierba, historia sagrada.** || **8.** V. **Letras sagradas.** || **9.** m. **Asilo,** 1.er art., 1.ª acep. || **10.** Cualquier recurso o sitio que asegura de un peligro. || **Acogerse** uno **a sagrado.** fr. fig. Huir de una dificultad que no puede satisfacer, interponiendo una voz o autoridad respetable.

Sagrar. (Del lat. *sacrāre.*) tr. ant. **Consagrar.**

Sagrario. (Del lat. *sacrarĭum.*) m. Parte interior del templo, en que se reservan o guardan las cosas sagradas, como las reliquias. || **2.** Lugar donde se guarda y deposita a Cristo sacramentado. || **3.** En algunas iglesias catedrales, capilla que sirve de parroquia.

Sagrativamente. adv. m. ant. **Misteriosamente.**

Sagrativo, va. (Del lat. *sacrātus,* sagrado.) adj. ant. **Misterioso.**

Sagú. (Del malayo *sāgū.*) m. Planta tropical de la familia de las palmas, que alcanza una altura de cinco metros; tiene hojas grandes, fruto ovoide brillante y la medula del tronco es abundante en fécula. El palmito es comestible. || **2.** *Bot. Amér. Central* y *Cuba.* Planta herbácea de la familia de las marantáceas, con hojas lanceoladas de unos 30 centímetros de largo; flor blanca, y raíz y tubérculo muy apreciados, porque se obtiene de ellos una fécula muy nutritiva. || **3.** Fécula amilácea que se obtiene de la medula de la palmera del mismo nombre; es granulosa, ligeramente rosada, y al cocer aumenta considerablemente de volumen. Se usa como alimento de muy fácil digestión. También se da el nombre de **sagú** a otras féculas obtenidas de los tubérculos farináceos de diversas plantas; como el **sagú** de América y la patata.

Saguaipe. (Voz de origen guaraní.) m. *Argent.* Gusano parásito hermafrodita, que en su estado adulto vive en el hígado de algunos animales, y causa grandes estragos, especialmente en el ganado lanar.

Ságula. (Del lat. *sagŭlum,* d. de *sagum,* sayo.) f. **Sayuelo.**

Saguntino, na. (Del lat. *saguntīnus.*) adj. Natural de Sagunto. Ú. t. c. s. || **2.** Perteneciente a esta ciudad.

Sahárico, ca. adj. Propio del desierto del Sahara.

Sahína. f. **Zahína.**

Sahinar. m. **Zahinar.**

Sahornarse. (De *so,* 3.er art., y *ahornar.*) r. Escocerse o excoriarse una parte del cuerpo, comúnmente por rozarse o ludir con otra.

Sahorno. m. Efecto de sahornarse.

Sahumado, da. p. p. de **sahumar.** || **2.** adj. fig. Dícese de cualquier cosa que siendo buena por sí, resulta más estimable por la adición de otra que la mejora. *Pagaré un real sobre otro, y aun* SAHUMADOS. || **3.** *Amér.* fam. Ahumado, achispado.

Sahumador. (De *sahumar.*) m. **Perfumador,** 2.ª acep. || **2. Enjugador,** 3.ª acep.

Sahumadura. (De *sahumar.*) f. **Sahumerio.**

Sahumar. (Del lat. *suffumāre;* de *sub,* bajo, y *fumus,* humo.) tr. Dar humo aromático a una cosa a fin de purificarla o para que huela bien. Ú. t. c. r.

Sahumerio. m. Acción y efecto de sahumar o sahumarse. || **2.** Humo que produce una materia aromática que se echa en el fuego para sahumar. || **3.** Esta misma materia.

Sahúmo. (De *saumar.*) m. **Sahumerio.**

Saín. (Del prov. *sain,* y éste del lat. *sagīnum.*) m. Grosura de un animal. || **2.** Grasa de la sardina, que se usa como aceite, sobre todo para el alumbrado, en muchas partes del litoral de España. || **3.** Grasa que con el uso suele mostrarse en los paños, sombreros y otras cosas.

Sainar. (Del lat. *sagināre,* engordar.) tr. Engordar a los animales.

Sainar. (Del lat. *sanguināre,* sangrar.) intr. *Pal.* y *Sal.* **Sangrar,** 6.ª acep.

Sainete. m. d. de **Saín.** || **2.** Pedacito de gordura, de tuétano o sesos que los halconeros o cazadores de volatería daban al halcón o a otro pájaro de cetrería cuando lo cobraban. || **3.** Salsa que se pone a ciertos manjares para hacerlos más apetitosos. || **4.** Pieza dramática jocosa, en un acto, y por lo común de carácter popular, que se representaba al final de las funciones teatrales. || **5.** fig. Bocadito delicado y gustoso al paladar. || **6.** fig. Sabor suave y delicado de un manjar. || **7.** fig. Lo que aviva y realza el mérito de una cosa, de suyo agradable. || **8.** fig. Adorno especial en los vestidos u otras cosas.

Sainetear. intr. Representar sainetes. || **2.** desus. Dar gusto, agradar con algún sabor delicado.

Sainetero. m. Escritor de sainetes.

Sainetesco, ca. adj. Perteneciente al sainete o propio de él, cómico.

Sainetista. m. **Sainetero.**

Saíno. (De *saín.*) m. Mamífero paquidermo cuyo aspecto general es el de un jabato de seis meses; sin cola, con cerdas largas y fuertes, colmillos pequeños y una glándula en lo alto del lomo, de forma de ombligo, por donde segrega un humor fétido. Vive en los bosques de la América Meridional y su carne es apreciada.

Saja. (De *sajar.*) f. **Sajadura.**

Saja. (Voz tagala.) f. Pecíolo del abacá, del cual se extrae el filamento textil.

Sajado, da. p. p. de **Sajar.** || **2.** adj. *Cir.* V. **Ventosa sajada.**

Sajador. (De *sajar.*) m. **Sangrador,** 1.ª acep. || **2.** *Med.* **Escarificador,** 2.ª acep. || **3.** *Albac.* Especie de cejadero o correa que va desde la retranca de la caballería a las varas del carro y que sirve para que al recular la bestia lleve el carro hacia atrás.

Sajadura. (De *sajar.*) f. Cortadura hecha en la carne.

Sajar. (Del m. or. que *jasar.*) tr. Hacer sajaduras.

Sajelar. tr. Limpiar de chinas u otros cuerpos extraños el barro que preparan los alfareros para sus labores.

Sajía. f. **Sajadura.**

Sajón, na. (Del lat. *saxŏnes,* los sajones.) adj. Dícese del individuo de un pueblo de raza germánica que habitaba antiguamente en la desembocadura del Elba y parte del cual se estableció en Inglaterra en el siglo V. Ú. t. c. s. || **2.** Perteneciente a este pueblo. || **3.** Natural de Sajonia. Ú. t. c. s. || **4.** Perteneciente a este país de Europa.

Sajonia. n. p. V. **Azul de Sajonia.**

Sajumaya. f. *Cuba.* Enfermedad que ataca a los cerdos y que los ahoga.

Sajuriana. f. *Perú.* Baile antiguo que se baila entre dos, zapateando y escobillando el suelo.

Sal. (Del lat. *sal.*) f. Substancia ordinariamente blanca, cristalina, de sabor propio bien señalado, muy soluble en agua, crepitante en el fuego y que se emplea para sazonar los manjares y conservar las carnes muertas. Es un compuesto de cloro y sodio, abunda en las aguas del mar y se halla también en masas sólidas en el seno de la tierra, o disuelta en lagunas y manantiales. || **2.** V. **Agua sal.** || **3.** V. **Espíritu de sal.** || **4.** V. **Espuma, flor de la sal.** || **5.** fig. Agudeza, donaire, chiste en el habla. || **6.** Garbo, gracia, gentileza en los ademanes. || **7.** *Quím.* Cuerpo resultante de la substitución de los átomos de hidrógeno de un ácido por radicales básicos. || **8.** *Pint.* V. **Morel de sal.** || **9.** *C. Rica.* Desgracia, infortunio. || **amoniaca,** o **amoníaco. Sal** que se prepara con algunos de los productos volátiles de la destilación seca de las substancias orgánicas nitrogenadas, y que se compone de ácido clorhídrico y amoniaco. || **ática. Aticismo.** || **común. Sal,** 1.ª acep. || **de acederas.** *Quím.* **Oxalato potásico.** || **de cocina. Sal,** 1.ª acep. || **de compás. Sal gema.** || **de la Higuera.** Sulfato de magnesia natural, que hace amargas y purgantes las aguas de Fuente la Higuera y de otros puntos. || **de nitro.** Nitrato de potasio. || **de perla.** Acetato de cal. || **de plomo,** o **de Saturno.** *Quím.* Acetato neutro de plomo. || **gema.** La común que se halla en las minas o procede de ellas. || **infernal.** Nitrato de plata. || **marina.** La común que se obtiene de las aguas del mar. || **pedrés,** o **piedra. Sal gema.** || **prunela.** *Quím.* Mezcla de nitrato de potasa con un poco de sulfato, la cual se obtiene echando una cantidad pequeñísima de azufre en polvo en el nitro fundido. || **tártaro. Cristal tártaro.** || **Con su sal y pimienta.** m. adv. fig. y fam. Con malignidad, con intención de zaherir y mortificar. || **2.** fig. y fam. A mucha costa, con trabajo, con dificultad. || **3.** Con cierto donaire y gracia picante. || **Deshacerse** una cosa **como la sal en el agua.** fr. fig. y fam. **Hacerse sal y agua.** || **Echar** uno **en sal** una cosa. fr. fig. y fam. Guardarla o reservarla cuando estaba a punto de darla, enseñarla o decirla. || **Estar** uno **hecho de sal.** fr. fig. Estar gracioso, alegre, de buen humor. || **Hacerse sal y agua.** fr. fig. y fam. Hablando de los bienes y riquezas, disiparse y consumirse en breve tiempo. || **2.** Reducirse a nada, desvanecerse, disiparse. || **No alcanzar,** o **no llegar,** a uno **la sal al agua.** fr. fig. y fam. Estar falto de recursos, no tener bastante para su preciso mantenimiento. || **Poner sal** a uno **en la mollera.** fr. fig. y fam. Hacer que tenga juicio, escarmentándole. || **Sal quiere el huevo.** expr. fig. y fam. con que se da a entender que un negocio está muy cerca de venir a su perfección. || **2.** Aplícase al que va muy ufano y desea que le alaben sus prendas o gracias. || **Sembrar de sal.** fr. Esparcir **sal** en el solar o solares de edificios arrasados por castigo. || **Volverse sal y agua.** fr. fig. y fam. **Hacerse sal y agua.**

Sala. (Del ant. alto al. *sal*, casa, morada.) f. Pieza principal de la casa, donde se reciben las visitas de cumplimiento. ‖ **2.** Aposento de grandes dimensiones. ‖ **3.** Pieza donde se constituye un tribunal de justicia para celebrar audiencia y despachar los asuntos a él sometidos. ‖ **4.** Conjunto de magistrados o jueces que, dentro del tribunal colegiado de que forman parte, tiene atribuida jurisdicción privativa sobre determinadas materias. ‖ **5.** V. **Ujier de sala.** ‖ **6.** ant. Convite, fiesta, sarao y diversión. ‖ **7.** *For.* V. **Oficial de la sala.** ‖ **de apelación.** Junta que se formaba de dos alcaldes de corte, nombrados por meses, para decidir y ejecutoriar los pleitos que no excedían de 10.000 maravedís y habían sido sentenciados por el juzgado de alguno de los otros alcaldes o de los tenientes de villa. ‖ **de batalla.** fig. En las oficinas de Correos, el local donde se hace el apartado. ‖ **de gobierno.** La que se forma en los tribunales colegiados para entender en asuntos disciplinarios o gubernativos que la ley le atribuye. ‖ **de Indias.** La que en algunos tribunales superiores entendía en asuntos de las posesiones de Ultramar. ‖ **de justicia.** La que entiende en los pleitos y causas. ‖ **del crimen.** Junta de los alcaldes del crimen en las chancillerías y audiencias, para conocer de las causas criminales. ‖ **de mil y quinientas.** La del Consejo que estaba especialmente destinada para ver los pleitos graves en que, después de la vista y revista de la chancillería en el juicio de propiedad, se suplicaba ante el rey por vía de agravio, previo el depósito de 1.500 doblas. Entendía también en otros negocios. ‖ **de Millones.** En el Consejo de Hacienda, la que se componía de algunos ministros de él y de diputados de algunas ciudades de voto en Cortes, que se sorteaban al tiempo de la prorrogación del servicio de millones. Entendía en todo lo tocante al dicho servicio. ‖ **de vacaciones.** La que se constituye por turno entre los magistrados para entender durante el período de la vacación judicial en algunos asuntos a que la ley atribuye carácter de urgentes. ‖ **Guardar sala.** En los tribunales de justicia, observar el orden ceremonioso y debido en el acto. ‖ **Hacer sala.** fr. Juntarse el número de magistrados suficiente, según ley, para constituir tribunal. ‖ **2.** ant. Dar espléndidas comidas o banquetes, convidando gente.

Salab. (Voz tagala.) m. *Fil.* Arbusto de la familia de las sapindáceas, y cuyas hojas son de color rojo vivo.

Salabardo. m. Saco o manga de red, colocado en un aro de hierro con tres o cuatro cordeles que se atan a un cabo delgado. Se emplea para sacar la pesca de las redes grandes.

Salacenco, ca. adj. Natural del valle de Salazar, en Navarra. Ú. t. c. s. ‖ **2.** Perteneciente a este valle.

Salacidad. (Del lat. *salacĭtas, -ātis.*) f. Inclinación vehemente a la lascivia.

Salacot. (Del tagalo *salacsac.*) m. Sombrero usado en Filipinas y otros países cálidos, en forma de medio elipsoide o de casquete esférico, a veces ceñido a la cabeza con un aro distante de los bordes para dejar circular el aire, y hecho de un tejido de tiras de caña, o de otras materias; como el filamento que se saca de los pecíolos del nito, la concha carey, etc.

Saladamente. adv. m. fig. y fam. Chistosamente, con agudeza y gracejo.

Saladar. m. Lagunazo en que se cuaja la sal en las marismas. ‖ **2.** Terreno esterilizado por abundar en él las sales. ‖ **3. Salobral,** 2.ª acep.

Saladería. f. *Argent.* Industria de salar carnes.

Saladero. m. Casa o lugar destinado para salar carnes o pescados. ‖ **2.** En Madrid se daba este nombre a la cárcel de hombres que había antes de construirse la celular, por estar instalada en un antiguo **saladero** de carnes de cerdo.

Saladilla. f. Planta salsolácea, parecida a la barrilla, que crece en terrenos salobreños.

Saladillo, lla. adj. d. de **Salado.** ‖ **2.** V. **Tocino saladillo.** Ú. t. c. s.

Salado, da. p. p. de **Salar.** ‖ **2.** adj. Dícese del terreno estéril por demasiado salitroso. ‖ **3.** Aplícase a los manjares que tienen más sal de la necesaria. ‖ **4.** fig. Gracioso, agudo o chistoso. ‖ **5.** *C. Rica.* y *P. Rico.* Desgraciado, infortunado. ‖ **6.** *Argent.* y *Chile.* fig. Caro, costoso. ‖ **7.** m. **Caramillo,** 3.ª acep. ‖ **negro. Zagua.**

Salador, ra. adj. Que sala. Ú. t. c. s. ‖ **2.** m. **Saladero.**

Saladura. f. Acción y efecto de salar.

Salagón. m. *Ar.* y *Rioja.* Piedra arcillosa, caliza e hidráulica.

Salamanca. n. p. V. **Topacio de Salamanca.** ‖ **2.** f. *Chile.* Cueva natural que hay en algunos cerros. ‖ **3.** *Argent.* Salamandra de cabeza chata que se encuentra en las cuevas y que los indios consideran como espíritu del mal. ‖ **4.** *Filip.* **Juego de manos.**

Salamandra. (Del lat. *salamandra,* y éste del gr. σαλαμάνδρα.) f. *Zool.* Batracio del orden de los urodelos, de unos 20 centímetros de largo, la mitad aproximadamente para la cola, y piel lisa de color negro intenso con manchas amarillas simétricas. Es insectívoro. ‖ **2.** Ser fantástico, espíritu elemental del fuego, según los cabalistas. ‖ **3. Alumbre de pluma.** ‖ **4.** Especie de calorífero de combustión lenta. ‖ **acuática.** *Zool.* Batracio urodelo de unos 12 centímetros de longitud, de los cuales algo menos de la mitad corresponde a la cola, que es comprimida como la de la anguila y con una especie de cresta, que se prolonga en los machos por encima del lomo; tiene la piel granujienta, de color pardo con manchas negruzcas en el dorso y rojizas en el vientre. Hay varias especies.

Salamandria. (De *salamandra.*) f. **Salamanquesa.**

Salamandrino, na. adj. Relativo a la salamandra o semejante a ella.

Salamanqueja. f. *Colomb., Ecuad.* y *Perú.* **Salamanquesa.**

Salamanquero, ra. m. y f. *Filip.* **Prestidigitador, ra.**

Salamanqués, sa. adj. **Salmantino.** Apl. a pers., ú. t. c. s.

Salamanquesa. (De *salamandra.*) f. *Zool.* Saurio de la familia de los gecónidos, de unos ocho centímetros de largo, con cuerpo ceniciento. Vive en las grietas de los edificios y debajo de las piedras, se alimenta de insectos y se la tiene equivocadamente por venenosa. ‖ **de agua. Salamandra acuática.**

Salamanquina. f. *Chile.* **Lagartija.**

Salamanquino, na. adj. **Salmantino.** Apl. a pers., ú. t. c. s.

Salamántiga. f. *Extr.* y *Sal.* **Salamandra acuática.**

Salamunda. f. Planta de la familia de las timeleáceas.

Salangana. f. Pájaro, especie de golondrina que abunda en Filipinas y otros países del Extremo Oriente y cuyos nidos contienen ciertas substancias gelatinosas que son comestibles.

Salar. (De *sal.*) tr. Echar en sal, curar con sal carnes, pescados y otras substancias para su conservación. ‖ **2.** Sazonar con sal, echar la sal conveniente a un manjar. ‖ **3.** Echar más sal de la necesaria. ‖ **4.** *Cuba* y *Hond.* Manchar, deshonrar. Ú. t. c. r. ‖ **5.** *C. Rica* y *P. Rico.* Desgraciar echar a perder. Ú. t. c. r.

Salariado. m. Organización del pago del trabajo del obrero por medio del salario exclusivamente.

Salariar. (De *salario.*) tr. **Asalariar.**

Salario. (Del lat. *salarĭum,* de *sal,* sal.) m. Estipendio o recompensa que los amos dan a los criados por razón de su servicio o trabajo. ‖ **2.** Por ext., estipendio con que se retribuyen servicios personales.

Salaz. (Del lat. *salax, -ācis.*) adj. Muy inclinado a la lujuria.

Salazón. f. Acción y efecto de salar, 1.ª acep. ‖ **2.** Acopio de carnes o pescados salados. ‖ **3.** Industria y tráfico que se hace con estas conservas.

Salazonero, ra. adj. Relativo o referente a la salazón.

Salbanda. (Del al. *salband,* orilla.) f. *Min.* Capa, ordinariamente arcillosa, que separa el filón de la roca estéril.

Salce. (Del lat. *salix, -ĭcis.*) m. **Sauce.**

Salceda. (Del lat. *salicēta,* pl. de *salicētum.*) f. Sitio poblado de salces.

Salcedo. (Del lat. *salicētum,* sauceda.) m. **Salceda.**

Salcinar. m. *Ál.* y *Ar.* **Salceda.**

Salciña. f. *Burg.* **Sargatillo.**

Salcochar. (De *sal* y *cocho,* p. p. de *cocer.*) tr. Cocer carnes, pescados, legumbres u otras viandas, sólo con agua y sal.

Salcocho. (De *salcochar.*) m. *Amér.* Preparación de un alimento cociéndolo en agua y sal para después condimentarlo.

Salchicha. (Del lat. *sal* e *isĭcia.*) f. Embutido, en tripa delgada, de carne de cerdo magra y gorda, bien picada, que se sazona con sal, pimienta y otras especias y se consume en fresco. ‖ **2.** fig. *Fort.* Fajina muy larga que se usa para abrazar y cruzar las demás. ‖ **3.** fig. *Mil.* Cilindro de tela muy largo y delgado, relleno de pólvora, que se empleaba para dar fuego a las minas. ‖ **4.** *Mil.* Globo dirigible usado por el ejército francés durante la guerra de 1914 a 1918.

Salchichería. f. Tienda donde se venden embutidos.

Salchichero, ra. m. y f. Persona que hace o vende embutidos.

Salchichón. m. aum. de **Salchicha.** ‖ **2.** Embutido de jamón, tocino y pimienta en grano, prensado y curado, el cual se come en crudo. ‖ **3.** *Fort.* Fajina grande formada con ramas gruesas. ‖ **de mina. Salchicha,** 3.ª acep.

Salchucho. m. *Ál., Nav.* y *Rioja.* Estropicio, trastorno.

Saldar. (De *saldo.*) tr. Liquidar enteramente una cuenta satisfaciendo el alcance o recibiendo el sobrante que resulta de ella. ‖ **2.** Vender a bajo precio una mercancía para salir pronto de ella.

Salderita. f. *Ál.* **Lagartija.**

Saldista. m. El que compra y vende géneros procedentes de saldos y de quiebras mercantiles. ‖ **2.** El que salda, 2.ª acep.

Saldo. (Del ital. *saldo,* y éste del lat. *solĭdus,* sólido.) m. Pago o finiquito de deuda u obligación. ‖ **2.** Cantidad que de una cuenta resulta a favor o en contra de uno. ‖ **3.** Resto de mercancías que el fabricante o el comerciante venden a bajo precio para salir pronto de ellas.

Saldorija. (Del lat. *saturēia.*) f. *Murc.* Mata olorosa de la familia de las labiadas, con hojas trasovadas, cuneiformes, obtusas, coriáceas, y flores blanquecinas en espiga.

Saldubense. adj. Natural de Sálduba. Ú. t. c. s. ‖ **2.** Perteneciente a esta ciudad de la España antigua.

Salea. f. Acción y efecto de salearse.

Salearse. r. Pasear por el mar en una embarcación pequeña.

Saledizo, za. adj. **Saliente,** que sobresale. ‖ **2.** m. *Arq.* **Salidizo.**

Salega. f. **Salegar,** 1.er art.

Salegar. m. Sitio en que se da sal a los ganados en el campo.

Salegar. (Del lat. *salĭcāre*, echar sal.) intr. Tomar el ganado la sal que se le da.

Salema. f. *Zool.* Salpa, 1.ª acep.

Salentino, na. (Del lat. *salentīnus.*) adj. Dícese del individuo de un pueblo de Italia antigua, en la Mesapia. Ú. t. c. s. || **2.** Perteneciente a este pueblo.

Salep. (Del persa *sahlab*, y éste corrupción del ár. *[juṣà aṯ-]ṯa'lab*, los testículos del zorro, por la forma de las raíces de la *orchis mascula.*) m. Fécula que se saca de los tubérculos del satirión y de otras orquídeas.

Salera. (De *sal.*) f. Piedra o recipiente de madera en que se echa la sal para que allí la coma el ganado. || **2.** *Sal.* Especiero que se usa en las cocinas para tener la sal y las especias.

Salernitano, na. (Del lat. *salernitānus.*) adj. Natural de Salerno. Ú. t. c. s. || **2.** Perteneciente a esta ciudad de Italia.

Salero. m. Vaso en que se sirve la sal en la mesa. Hácese de diversas materias y formas. || **2.** Sitio o almacén donde se guarda la sal. || **3.** **Salegar,** 1.er art. || **4.** Base sobre que se arman los saquetes de metralla. || **5.** fig. y fam. Gracia, donaire. *Tener mucho* SALERO. || **6.** fig. y fam. Persona salerosa. || **7.** *Art.* Zoquete de madera de forma adecuada a la figura del ánima del cañón, y sobre el cual se colocan y aseguran las granadas esféricas.

Salerón. m. *And.* Probeta destinada a medir la densidad del vino.

Saleroso, sa. adj. fig. y fam. Que tiene salero, 5.ª acep.

Salesa. adj. Dícese de la religiosa que pertenece a la orden de la Visitación de Nuestra Señora, fundada en el siglo XVII, en Francia, por San Francisco de Sales y Santa Juana Francisca Fremiot de Chantal. Ú. t. c. s.

Salesiano, na. adj. Dícese del religioso que pertenece a la Sociedad de San Francisco de Sales, congregación fundada por San Juan Bosco. Ú. t. c. s. || **2.** Perteneciente o relativo a dicha congregación.

Saleta. f. d. de **Sala.** || **2.** **Sala de apelación.** || **3.** Habitación anterior a la antecámara del rey o de las personas reales. || **4.** V. **Ujier de saleta.**

Salga. (De *salgar*, 1.er art.) f. Tributo que en lo antiguo pesaba en Aragón sobre el consumo de la sal, y de que no estaban exentos los nobles y privilegiados, aunque alguna vez lo pretendieron.

Salgada. (De *salgar.*) f. **Orzaga.**

Salgadera. f. **Salgada.**

Salgadura. (De *salgar.*) f. ant. **Saladura.**

Salgar. (Del lat. **salicāre*, echar sal.) tr. Dar sal a los ganados. || **2.** ant. **Salar.**

Salgar. (Del lat. **salicāre*, de *salix, -ĭcis*, sauce.) m. *Ast.* **Sauce.**

Salgareño. (De *salguera.*) adj. V. **Pino salgareño.**

Salgue. m. *Ál.* Forraje para el ganado.

Salguera. (Del lat. **salicarĭa*, de *salix, -ĭcis*, sauce.) f. **Sauce.**

Salguero. (Del lat. **salicarĭus*, de *salix, -ĭcis*, sauce.) m. **Salguera.**

Salguero. (De *salgar*, 1.er art.) m. ant. Salegar, 1.er art.

Salicáceo, a. (De *salix*, nombre de un género de plantas.) adj. *Bot.* Dícese de árboles y arbustos angiospermos dicotiledóneos que tienen hojas sencillas, alternas y con estípulas, flores dioicas en espigas, con periantio nulo o muy reducido, y fruto en cápsula con muchas semillas sin albumen; como el sauce, el álamo y el chopo. Ú. t. c. s. f. || **2.** f. pl. *Bot.* Familia de estas plantas.

Salicaria. (Del lat. *salix, -ĭcis*, sauce.) f. *Bot.* Planta herbácea anual, de la familia de las litráceas, que crece a orillas de los ríos y arroyos, con tallo ramoso y prismático de seis a ocho decímetros de altura; hojas enteras, opuestas, parecidas a las del sauce; flores purpúreas, en espigas interrumpidas, y fruto seco, capsular, de dos celdas con muchas semillas. Es común en España y se emplea en medicina como astringente.

Salicilato. m. *Quím.* Sal formada por el ácido salicílico y una base.

Salicílico. (Del lat. *salix, -ĭcis*, sauce, y del gr. ὕλη, materia.) adj. *Quím.* V. **Ácido salicílico.**

Salicina. (Del lat. *salix, -ĭcis*, sauce.) f. Glucósido cristalizable, de color blanco, de sabor muy amargo, soluble en el agua y en el alcohol e insoluble en el éter. Se extrae principalmente por digestión en agua hirviendo, de la corteza del sauce o de las sumidades floridas de la reina de los prados, y se emplea en medicina como tónico.

Salicíneo, a. (Del lat. *salix, -ĭcis*, sauce.) adj. *Bot.* **Salicáceo.**

Sálico, ca. (De *salio*, 2.º art.) adj. Perteneciente o relativo a los salios o francos. || **2.** V. **Ley sálica.**

Salicor. (En fr. *salicor.*) m. *Bot.* Planta fruticosa, vivaz, de la familia de las quenopodiáceas, con tallos ramosos, rollizos, nudosos, de color verde obscuro y de cuatro a seis decímetros de largo, sin hojas, y flores pequeñas, verdes y en espigas terminales. Vive en los saladares y por incineración da barrilla.

Salida. f. Acción y efecto de salir o salirse. || **2.** Parte por donde se sale fuera de un sitio o lugar. || **3.** Campo contiguo a las puertas de los pueblos, adonde sus habitantes salen a recrearse. || **4.** Parte que sobresale en alguna cosa. || **5.** Despacho o venta de los géneros. || **6.** Partida de data o de descargo en una cuenta. || **7.** fig. Escapatoria, pretexto, recurso. || **8.** fig. Medio o razón con que se vence un argumento, dificultad o peligro. || **9.** fig. Fin o término de un negocio o dependencia. || **10.** fig. y fam. **Ocurrencia,** 2.ª acep. Ú. m. con el verbo *tener* y un calificativo. *Tener buenas* SALIDAS. || **11.** fig. y fam. V. **Callejón sin salida.** || **12.** *Mar.* **Arrancada,** 4.ª acep. || **13.** *Mar.* Velocidad con que navega el buque. || **14.** *Mil.* Acometida repentina de tropas de una plaza sitiada contra los sitiadores. || **de baño.** Capa o ropón para ponerse sobre el traje de baño. || **de pavana.** fig. y fam. **Entrada de pavana.** || **de pie de banco.** fig. y fam. Despropósito, incongruencia, disparate. || **de teatro.** Abrigo ligero que usan las señoras para cubrirse el vestido que llevan al teatro. || **de tono.** fig. y fam. Dicho destemplado o inconveniente.

Salidero, ra. adj. Amigo de salir, andariego. || **2.** m. Salida, espacio para salir.

Salidizo. (De *salido.*) m. *Arq.* Parte del edificio, que sobresale fuera de la pared maestra en la fábrica.

Salido, da. p. p. de **Salir.** || **2.** adj. Aplícase a lo que sobresale en un cuerpo más de lo regular. || **3.** Dícese de las hembras de algunos animales cuando tienen propensión al coito.

Saliente. p. a. de **Salir.** Que sale. || **2.** adj. *Geom.* V. **Ángulo saliente.** || **3.** m. **Oriente,** 2.ª acep. || **4.** **Salida,** 4.ª acep.

Salífero, ra. (Del lat. *sal*, sal, y *ferre*, llevar.) adj. **Salino.**

Salificable. adj. *Quím.* Dícese de cualquier cuerpo capaz de combinarse con un ácido o con una base para formar una sal.

Salificación. f. *Quím.* Acción y efecto de salificar.

Salificar. tr. *Quím.* Convertir en sal una substancia.

Salimiento. (De *salir.*) m. **Salida,** 1.ª acep.

Salín. (Del prov. y cat. *salin*, y éste del lat. *salīnum.*) m. **Salero,** 2.ª acep.

Salina. (Del lat. *salīnae.*) f. Mina de sal. || **2.** Establecimiento donde se beneficia la sal de las aguas del mar o de ciertos manantiales.

Salinero. (Del lat. **salinarĭus*, de *salīnus.*) adj. Dícese del toro que tiene el pelo jaspeado de colorado y blanco. || **2.** m. El que fabrica, extrae o transporta sal y el que trafica con ella.

Salinidad. f. Calidad de salino. || **2.** En oceanografía, cantidad proporcional de sales que contiene el agua del mar. Se determina expresando el peso de las sales contenido en mil gramos de agua.

Salino, na. adj. Que naturalmente contiene sal. || **2.** Que participa de los caracteres de la sal. || **3.** Manchado de pintas blancas; aplícase a la res vacuna.

Salio, lia. (Del lat. *salĭus.*) adj. Perteneciente o relativo a los sacerdotes de Marte. || **2.** m. Sacerdote de Marte en la Roma antigua.

Salio, lia. (Del río *Sala*, hoy *Yssel.*) adj. Dícese del individuo de uno de los antiguos pueblos francos que habitaban la Germania inferior. Ú. m. c. s. y en pl.

Salipez. (De *sal* y *pez.*) m. *And.* Roca granítica de color blanco, profusamente moteada de negro.

Salipirina. f. *Med.* Salicilato de antipirina usado para combatir las neuralgias y como antipirético.

Salir. (Del lat. *salīre*, saltar, brotar.) intr. Pasar de la parte de adentro a la de afuera. Ú. t. c. r. || **2.** Partir de un lugar a otro. *Tal día* SALIERON *los reyes de Madrid para Barcelona.* || **3.** Desembarazarse o librarse de algún lugar estrecho, peligroso o molesto. || **4.** Libertarse, desembarazarse de algo que ocupa o molesta. SALIÓ *de la duda;* SALIR *de apuros.* || **5.** Aparecer, manifestarse, descubrirse. SALIR *el Sol.* || **6.** Nacer, brotar. *Empieza a* SALIR *el trigo.* || **7.** Tratándose de manchas, quitarse, borrarse, desaparecer. || **8.** Sobresalir, estar una cosa más alta o más afuera que otra. || **9.** Descubrir uno su índole, idoneidad o aprovechamiento. SALIÓ *muy travieso, muy juicioso, buen matemático.* || **10.** Nacer, proceder, traer su origen una cosa de otra. || **11.** Ser uno, en ciertos juegos, el primero que juega. || **12.** Deshacerse de una cosa vendiéndola o despachándola. *Ya* HE SALIDO *de todo mi grano.* || **13.** Darse al público. || **14.** Decir o hacer una cosa inesperada o intempestiva. *¿Ahora* SALE *usted con eso?* || **15.** Ocurrir, sobrevenir u ofrecerse de nuevo una cosa. SALIR *conveniencia.* || **16.** Importar, costar una cosa que se compra. *Me* SALE *a veinte pesetas el metro de paño.* || **17.** Tratándose de cuentas, resultar, de la oportuna operación aritmética, que están bien hechas o ajustadas. || **18.** Con la preposición *a*, obligarse a satisfacer algún gasto u otra responsabilidad pecuniaria. || **19.** Con la preposición *con* y algunos nombres, lograr o conseguir lo que los nombres significan. SALIÓ CON *la pretensión.* Ú. t. c. r. SALIRSE *con la suya.* || **20.** Con la preposición *de* y algunos nombres, como *juicio, sentido, tino* y otros semejantes, perder el uso de lo que los nombres significan. También se usa con el adverbio *fuera* antes de la preposición *de.* SALIÓ FUERA DE *tino.* || **21.** Venir a ser, quedar. SALIR *vencedor; la sospecha* SALIÓ *falsa.* || **22.** Tener buen o mal éxito. SALIR *bien en los exámenes; la comedia* SALIÓ *bien.* || **23.** Hablando de las estaciones y otras partes del tiempo, fenecer, finalizar. *Hoy* SALE *el verano.* || **24.** Parecerse, asemejarse. Dícese más comúnmente de los hijos respecto de sus padres, de los discípulos respecto de sus maestros. *Este niño* HA SALIDO *a su padre; Juan de Juanes* SALIÓ *a Rafael en su primera escuela.* || **25.** Apartarse, separarse de una cosa o faltar a ella en lo regular o debido. SALIÓ *de la regla, de tono.* Ú. t. c. r. ‖ **26.** Cesar en un oficio o cargo. *Pronto* SALDRÉ *de tutor.* ‖ **27.** Ser elegido o sacado por suerte o votación. *En la lotería* SALIERON *tales números; Antón* HA SALIDO *alcalde.* ‖ **28.** Ir a parar, tener salida a punto determinado. *Esta calle* SALE *a la plaza.* ‖ **29.** *Mar.* Adelantarse una embarcación a otra; aventajarla en andar cuando navegan juntas. ‖ **30.** r. Derramarse por una rendija o rotura el contenido de una vasija o receptáculo. ‖ **31.** Rebosar un líquido al hervir. SE HA SALIDO *la leche.* ‖ **32.** Tener una vasija o depósito alguna rendija o rotura por la cual se derrama el contenido. *Este cántaro* SE SALE. ‖ **33.** En algunos juegos, hacer los tantos o las jugadas necesarios para ganar. ‖ **34.** ant. Dicho de pleitos y causas, iniciar la intervención en ellos como fiscal o como parte. ‖ **No salir de** uno una cosa. fr. Callarla. ‖ **2.** Ser sugerida por otro. ‖ **Salga lo que saliere.** expr. fam. con que se denota la resolución de hacer una cosa sin preocuparse del resultado. ‖ **Salir** uno **adelante,** o **avante.** fr. fig. Llegar a feliz término en un propósito o empresa; vencer una gran dificultad o peligro. ‖ **Salir a volar.** fr. fig. Darse al público una persona o cosa. ‖ **Salir en público.** fr. Salir por las calles con más pompa y aparato de lo ordinario. Dícese con especialidad del Viático y de los reyes. ‖ **Salirle caro,** o **salirle cara,** una cosa a uno. fr. fig. Resultarle daño de su ejecución o intento. ‖ **Salirle** a uno una cosa en blanco. fr. fig. Quedar burlado, no conseguir lo que se pretende. ‖ **Salir** uno **pitando.** fr. fig. y fam. Salir o echar a correr impetuosa y desconcertadamente. ‖ **2.** fig. y fam. Manifestar de pronto cólera o grande acaloramiento o vehemencia en plática o debate. ‖ **Salir por** uno. fr. Fiarle, abonarle, defenderle. ‖ **Salirse allá** una cosa. fr. fig. y fam. Venir a ser casi lo mismo que otra.

Salisipan. m. Embarcación peculiar del sur del archipiélago filipino, que sólo se diferencia de la panca en que lleva realzadas con nipa las bordas, a mayor altura, y en este realce unos palos delgados y paralelos donde se fijan las rodelas que sirven de reparo a los bogadores contra las flechas y zumbilines. Es barco de piratas y navega a fuerza de remo con extraordinaria velocidad.

Salitrado, da. adj. Compuesto o mezclado con salitre.

Salitral. adj. Salitroso. ‖ **2.** m. Sitio o paraje donde se cría y halla el salitre.

Salitre (Del prov. y cat. *salnitre,* y éste del lat. *sal nitrum.*) m. **Nitro.**

Salitrera. f. Salitral, 2.ª acep.

Salitrería. f. Casa o lugar donde se fabrica salitre.

Salitrero, ra. adj. Perteneciente o relativo al salitre. ‖ **2.** m. y f. Persona que trabaja en salitre o que lo vende.

Salitroso, sa. adj. Que tiene salitre.

Saliva. (Del lat. *salīva.*) f. *Zool.* Líquido de reacción alcalina, algo viscoso, segregado por glándulas cuyos conductos excretores se abren en la cavidad bucal de los vertebrados terrestres y de los insectos, y que sirve para reblandecer los alimentos, facilitar su deglución e iniciar la digestión de algunos. ‖ **Gastar saliva en balde.** fr. fig. y fam. Hablar inútilmente. ‖ **Tragar saliva.** fr. fig. y fam. Soportar en silencio, sin protesta, una determinación, palabra o acción que ofende o disgusta. ‖ **2.** Turbarse, no acertar a hablar.

Salivación. (Del lat. *salivatĭo, -ōnis.*) f. Acción de salivar. ‖ **2.** **Tialismo.**

Salivadera. f. *Argent.* y *Chile.* **Escupidera,** 1.ª acep.

Salivajo. m. Salivazo.

Salival. adj. Perteneciente a la saliva.

Salivar. (Del lat. *salivāre.*) intr. Arrojar saliva.

Salivazo. m. Porción de saliva que se escupe de una vez.

Salivera. (Del lat. *salivarĭa,* pl. de *-rĭum.*) f. Sabor unido al freno del caballo. Ú. m. en pl.

Salivoso, sa. (Del lat. *salivōsus.*) adj. Que expele mucha saliva.

Salma. (Del lat. *sagma,* albarda.) f. **Tonelada,** 1.ª acep. ‖ **2.** ant. **Jalma.** Ú. en la Rioja y Soria.

Salmanticense. (Del lat. *salmanticensis.*) adj. **Salmantino.** *Concilio* SALMANTICENSE. Ú. t. c. s.

Salmantino, na. (Del lat. *Salmantĭca,* Salamanca.) adj. Natural de Salamanca. Ú. t. c. s. ‖ **2.** Perteneciente a esta ciudad.

Salmar. (De *salma.*) tr. *Rioja* y *Sor.* **Enjalmar.**

Salmear. intr. Rezar o cantar los salmos.

Salmer. (Como el fr. *sommier,* del lat. *sagmarĭus,* mulo de carga, de *sagma,* albarda.) m. *Arq.* Piedra del machón o muro, cortada en plano inclinado, de donde arranca un arco adintelado o escarzano. ‖ **Mover de salmer.** fr. *Arq.* Dícese del arco o de la bóveda cuya primera dovela o hilada de dovelas va sentada sobre un salmer.

Salmera. (De *salma,* 2.ª acep.) adj. V. **Aguja salmera.**

Salmerón. adj. V. **Trigo salmerón.** Ú. t. c. s.

Salmista. (Del lat. *psalmista.*) m. El que compone salmos. ‖ **2.** Por antonom., el real profeta David. ‖ **3.** El que tiene por oficio cantar los salmos y las horas canónicas en las iglesias catedrales y colegiatas.

Salmo. (Del lat. *psalmus,* y éste del gr. ψαλμός, de ψάλλω, tocar las cuerdas de un instrumento músico.) m. Composición o cántico que contiene alabanzas a Dios. ‖ **2.** pl. Por antonom., los de David. ‖ **Salmo gradual.** Cualquiera de los 15 que el Salterio comprende desde el 119 hasta el 133. ‖ **Salmos penitenciales.** Los que en la Vulgata tienen los números 6, 31, 37, 50, 101, 129 y 142, y se emplean juntos en la liturgia. ‖ **Cantarle** a uno **el salmo.** fr. fig. y fam. **Leerle la cartilla.** ‖ **Saber** uno **su salmo.** fr. fig. Saber lo que le conviene.

Salmodia. (Del lat. *psalmōdia,* y éste del gr. ψαλμῳδία.) f. Canto usado en la Iglesia para los salmos. ‖ **2.** fig. y fam. Canto monótono, sin gracia ni expresión.

Salmodiar. (De *salmodia.*) intr. **Salmear.** ‖ **2.** tr. Cantar algo con cadencia monótona.

Salmón. (Del lat. *salmo, -ōnis.*) m. *Zool.* Pez teleósteo, del suborden de los fisóstomos, que llega a tener un metro y medio de largo; cuerpo rollizo, cabeza apuntada, piel gruesa cubierta de escamas, color pardo obscuro en el lomo, blanco en el vientre, azulenco de reflejos irisados y alguna mancha negra en los costados, y carne rojiza y sabrosa. En otoño desova en los ríos y después emigra al mar. ‖ **zancado.** El que después del desove baja flaco y sin fuerzas al mar.

Salmonado, da. adj. Que se parece en la carne al salmón. Dícese de los pescados, y especialmente de la trucha. ‖ **2.** De color parecido al de la carne del salmón.

Salmonera. f. Red destinada a la pesca del salmón, usada en los ríos del Cantábrico.

Salmonete. (De *salmón.*) m. *Zool.* Pez teleósteo marino, acantopterigio, de unos 25 centímetros de largo, color rojo en el lomo y blanco sonrosado en el vientre; cabeza grande, con un par de barbillas en la mandíbula inferior; cuerpo oblongo, algo comprimido lateralmente, y cola muy ahorquillada. Es comestible apreciado y abunda en el Mediterráneo.

Salmónido. (De *salmón.*) adj. *Zool.* Dícese de peces teleósteos fisóstomos, que tienen el cuerpo cubierto de escamas muy adherentes, excepto en la cabeza, y que viven principalmente en las aguas dulces; como el salmón. Ú. t. c. s. m. ‖ **2.** m. pl. *Zool.* Familia de estos animales.

Salmorejo. (De *salmuera.*) m. Salsa compuesta de agua, vinagre, aceite, sal y pimienta. ‖ **2.** *And.* Especie de gazpacho que se hace con pan, huevo, tomate, pimiento, ajo, sal y agua; todo ello muy desmenuzado y batido para que resulte como un puré. ‖ **3.** fig. Reprimenda, escarmiento. ‖ **Más cuesta el salmorejo que el conejo.** fr. fig. y fam. **Vale más la salsa que los perdigones.**

Salmuera. (Del lat. *sal mŭria.*) f. Agua cargada de sal. ‖ **2.** Agua que sueltan las cosas saladas.

Salmuerarse. (De *salmuera.*) r. Enfermar los ganados de comer mucha sal.

Salobral. (De *salobre.*) adj. **Salobreño,** 1.er art. ‖ **2.** m. Terreno salobreño.

Salobre. adj. Que por su naturaleza tiene sabor de sal. ‖ **2.** V. **Agua salobre.**

Salobreño, ña. adj. Aplícase a la tierra que es salobre o contiene en abundancia alguna sal.

Salobreño, ña. adj. Natural de Salobreña. Ú. t. c. s. ‖ **2.** Perteneciente a esta villa.

Salobridad. f. Calidad de salobre.

Salol. m. *Med.* Polvo blanco, cristalino, untuoso al tacto, de olor aromático, insípido, insoluble en el agua y algo soluble en el alcohol. Es una combinación de los ácidos salicílico y fénico, y se usa en medicina como antipirético y antiséptico.

Saloma. (Del lat. *celeusma,* canto de marineros.) f. Son cadencioso con que acompañan los marineros y otros operarios su faena, para hacer simultáneo el esfuerzo de todos.

Salomar. intr. Acompañar una faena con la saloma.

Salomón. (Por alusión al rey de Israel y de Judá, hijo de David.) m. fig. Hombre de gran sabiduría. ‖ **2.** V. **Sello de Salomón.**

Salomónico, ca. adj. Perteneciente o relativo a Salomón. ‖ **2.** *Arq.* V. **Columna salomónica.**

Salón. m. aum. de **Sala,** 1.ª acep. ‖ **2.** Pieza de grandes dimensiones para visitas y fiestas en las casas. ‖ **3.** Pieza de grandes dimensiones donde celebra sus actos públicos una corporación.

Salón. (De *sal.*) m. p. us. Carne o pescado salado para que se conserve. ‖ **2.** *Sal.* Cebo de salvado con sal que se da a los cerdos.

Saloncillo. m. d. de **Salón.** ‖ **2.** En los establecimientos públicos, sala reservada para algún uso especial. *El* SALONCILLO *de un teatro, de un café.*

Salpa. (Del lat. *salpa.*) f. *Zool.* Pez marino teleósteo, del suborden de los acantopterigios, muy semejante a la boga, 2.ª acep., de unos 25 centímetros de largo, cabeza apuntada, cuerpo comprimido, grandes escamas, y color verdoso por el lomo, plateado en los costados y vientre, y con once rayas doradas en cada lado, desde las agallas hasta la cola. Abunda en el Mediterráneo y es comestible poco apreciado. ‖ **2.** *Zool.* Animal procordado, de la clase de los tunicados, de cuerpo transparente y en forma de tonel, con seis u ocho cintas musculares transversales, visibles a través de la túnica, cuyas contracciones rítmicas sirven para la locomoción del animal.

Salpicadero. m. En el pescante de algunos carruajes, tablero colocado en la parte anterior para preservar de salpicaduras de lodo al conductor. || **2.** En los vehículos automóviles, tablero situado delante del asiento del conductor, y en el que se hallan algunos mandos y aparatos indicadores.

Salpicadura. f. Acción y efecto de salpicar.

Salpicar. (De *sal* y *picar.*) tr. Hacer que salte un líquido esparcido en gotas menudas por choque o movimiento brusco. Ú. t. c. intr. || **2.** Mojar o manchar con un líquido que **salpica.** Ú. t. c. r. || **3.** fig. Esparcir varias cosas, como rociando con ellas una superficie u otra cosa. SALPICAR *de chistes la conversación; un valle* SALPICADO *de caseríos.* || **4.** fig. Pasar de unas cosas a otras sin continuación ni orden, dejándose algunas en medio, como se suele hacer en la lectura de un papel o libro.

Salpicón. (De *salpicar.*) m. Fiambre de carne picada, compuesto y aderezado con pimienta, sal, aceite, vinagre y cebolla, todo mezclado. || **2.** fig. y fam. Cualquiera otra cosa hecha pedazos menudos. || **3. Salpicadura.** || **4.** *Ast.* Pasta de nueces. || **5.** *Ecuad.* Bebida fría hecha de jugo de frutas.

Salpimentar. (De *salpimienta.*) tr. Adobar una cosa con sal y pimienta, para que se conserve y tenga mejor sabor. || **2.** fig. Amenizar, sazonar, hacer sabrosa una cosa con palabras o hechos.

Salpimienta. f. Mezcla de sal y pimienta.

Salpique. m. Salpicadura.

Salpresamiento. m. Acción y efecto de salpresar.

Salpresar. (Del lat. *sal*, sal, y *pressāre*, prensar, apretar.) tr. Aderezar con sal una cosa, prensándola para que se conserve.

Salpreso, sa. p. p. irreg. de **Salpresar.**

Salpuga. f. *And.* Especie de hormiga venenosa.

Salpullido. (De *salpullir.*) m. Erupción leve y pasajera en el cutis, formada por muchos granitos o ronchas. || **2.** Señales que dejan en el cutis las picaduras de las pulgas.

Salpullir. tr. Levantar salpullido. || **2.** r. Llenarse de salpullido.

Salsa. (Del lat. *salsa*, salada.) f. Composición o mezcla de varias substancias comestibles desleídas, que se hace para aderezar o condimentar la comida. || **2.** fig. Cualquier cosa que mueve o excita el gusto. || **blanca.** La que se hace con harina y manteca que no se han dorado al fuego. || **de San Bernardo.** fig. y fam. Hambre o apetito que hace no reparar en que la comida esté bien o mal sazonada. || **mahonesa, o mayonesa.** La que se hace batiendo yema de huevo con aceite crudo. || **mayordoma.** La que se hace batiendo manteca de vacas con perejil y otros condimentos. || **rubia.** La que se hace rehogando harina en manteca o aceite hasta que toma color. || **tártara.** La que se hace con yemas de huevo, aceite, vinagre o limón y diversos condimentos. || **En su propia salsa.** fr. fig. y fam. para indicar que una persona o cosa se manifiesta rodeada de todas aquellas circunstancias que más realzan lo típico y característico que hay en la misma. || **Vale más la salsa que los perdigones.** fr. fig. que se usa para indicar que en alguna cosa tiene lo accesorio más valor que lo principal.

Salsamentar. (De *salsamento.*) tr. ant. Sazonar o guisar una cosa.

Salsamento. (Del lat. *salsamentum.*) m. ant. Condimento, guiso o salsa.

Salsear. intr. fam. *Murc.* y *Nav.* Entremeterse, meterse en todo.

Salsedumbre. (Del lat. *salsitūdo, -inis.*) f. Calidad de salado.

Salsera. f. Vasija de una u otra materia y figura, en que se sirve salsa. || **2.** Salserilla, 2.ª acep.

Salsereta. f. Salserilla, 2.ª acep.

Salserilla. f. d. de **Salsera.** || **2.** Taza pequeña y de poco fondo en que se mezclan algunos ingredientes o se ponen algunos licores o colores que se necesita tener a la mano.

Salsero, ra. (De *salsa.*) adj. V. **Tomillo salsero.** || **2.** *Murc.* y *Nav.* **Entremetido,** 2.ª acep. || **3.** m. *Gal.* Salpicadura de agua de mar, rocíon ligero.

Salserón. m. Medida para grano y maquila, que usan los molineros de tierra de Burgos; equivale a un octavo de celemín.

Salseruela. f. d. de **Salsera.** || **2.** Salserilla, 2.ª acep.

Salsifí. (Del fr. *sercifi, salsifis*, y éste del ital. *salsefica*, del lat. **salsifica.*) m. Planta herbácea bienal, de la familia de las compuestas, de unos seis decímetros de altura, con tallo hueco y lampiño; hojas rectas, planas, estrechas, alternas y envainadoras; flores terminales de corola purpúrea, y raíz fusiforme, blanca, tierna y comestible. || **de España, o negro. Escorzonera.**

Salso, sa. (Del lat. *salsus.*) adj. ant. Que está salado.

Salsoláceo, a. (Del lat. *salsus*, salado.) adj. *Bot.* **Quenopodiáceo.**

Saltabanco. (De *saltar* y *banco.*) m. Charlatán que, puesto sobre un banco o mesa, junta al pueblo y relata las virtudes de algunas hierbas, confecciones y quintaesencias que trae y vende como remedios singulares. || **2.** Jugador de manos, titiritero. || **3.** fig. y fam. Hombre bullidor y de poca substancia.

Saltabancos. m. Saltabanco.

Saltabardales. (De *saltar* y *bardal.*) com. fig. y fam. Persona joven, traviesa y alocada.

Saltabarrancos. (De *saltar* y *barranco.*) com. fig. y fam. Persona que con poco reparo anda, corre y salta por todas partes.

Saltable. adj. Que se puede saltar.

Saltacaballo. (Por el *salto del caballo* en el ajedrez.) m. *Arq.* Parte de una dovela, que monta sobre la hilada horizontal inmediata.

Saltación. (Del lat. *saltatĭo, -ōnis.*) f. Arte de saltar. || **2.** Baile o danza.

Saltacharquillos. (De *saltar* y *charquillo*, d. de *charco.*) com. fig. y fam. Persona joven que va pisando de puntillas y medio saltando con afectación.

Saltadero. m. Sitio a propósito para saltar. || **2. Surtidor,** 2.ª acep.

Saltadizo, za. adj. Propenso a saltar o quebrarse por excesiva tirantez.

Saltado, da. p. p. de **Saltar.** || **2.** adj. **Saltón.** Aplícase a los ojos.

Saltador, ra. (Del lat. *saltātor.*) adj. Que salta. || **2.** m. y f. Persona que tiene oficio o ejercicio en que necesita saltar, y por lo común, la que lo hace para divertir al público. || **3.** m. **Comba,** 3.ª acep.

Saltadura. f. *Cant.* Defecto que resulta de la superficie de una piedra por haber saltado una lasca al tiempo de labrarla.

Saltaembanco. (De *saltar, en* y *banco.*) m. **Saltabanco.**

Saltaembancos. m. Saltabanco.

Saltaembarca. (De *saltar, en* y *barca.*) f. Especie de ropilla que se vestía por la cabeza.

Saltagatos. m. *Colomb.* **Saltamontes.**

Saltambarca. f. **Saltaembarca.**

Saltamontes. (De *saltar* y *monte.*) m. *Zool.* Insecto ortóptero de la familia de los acrídidos, de cabeza gruesa, ojos prominentes, antenas finas, alas membranosas, patas anteriores cortas, y muy robustas y largas las posteriores, con las cuales da grandes saltos. Conócense numerosas especies, todas herbívoras y muchas de ellas comunes en España.

Saltana. f. *Argent.* **Pasadera,** 1.ª acep.

Saltanejoso, sa. adj. *Cuba.* Dícese del terreno que tiene ligeras ondulaciones.

Saltante. p. a. de **Saltar.** Que salta.

Saltaojos. (De *saltar* y *ojo.*) m. Planta perenne de la familia de las ranunculáceas, de seis a ocho decímetros de altura, con raíz gruesa, tallo herbáceo, sencillo y flexuoso; hojas alternas, pecioladas, lampiñas, coriáceas, blanquecinas por el envés y cortadas en segmentos enterísimos, aovados y lanceolados; flor terminal, solitaria, grande, de color rosado purpúreo, fruto formado por varios carpelos tomentosos llenos de semillas redondas. Se cultiva en los jardines como planta de adorno y se ha usado en medicina como antiespasmódico.

Saltapajas. m. *Pal.* y *Rioja.* **Saltamontes.**

Saltaparedes. (De *saltar* y *pared.*) com. fig. y fam. **Saltabardales.**

Saltaperico. m. *Cuba.* Hierba silvestre, acantácea, de flores azules.

Saltaprados. m. *Ast.* **Saltamontes.**

Saltar. (Del lat. *saltāre*, intens. de *salīre.*) intr. Levantarse del suelo con impulso y ligereza, ya para dejarse caer en el mismo sitio, ya para pasar a otro. || **2.** Arrojarse desde una altura para caer de pie. || **3.** Moverse una cosa de una parte a otra, levantándose con violencia; como la pelota del suelo, la chispa de la lumbre, etc. || **4.** Salir un líquido hacia arriba con ímpetu, como el agua en el surtidor. || **5.** Romperse o quebrantarse violentamente una cosa por excesiva tirantez, por la influencia atmosférica o por otras causas. || **6.** Desprenderse una cosa de donde estaba unida o fija. || **7.** fig. Hacerse reparable o sobresalir mucho una cosa. || **8.** fig. Ofrecerse repentinamente una especie a la imaginación o a la memoria. || **9.** fig. Picarse o resentirse, dándolo a entender exteriormente. || **10.** fig. Decir una cosa que no viene al intento de lo que se trata, o responder intempestivamente aquel con quien no se habla. || **11.** Ascender a un puesto más alto que el inmediatamente superior sin haber ocupado éste. || **12.** fig. Dejar uno contra su voluntad el puesto o cargo que desempeñaba. || **13.** tr. Salvar de un salto un espacio o distancia. SALTAR *una zanja.* || **14.** Cubrir el macho a la hembra, dicho de ciertas especies de cuadrúpedos. || **15.** Pasar de una cosa a otra, dejándose las que debían suceder por orden o por opción. Se usa en lo físico y en lo moral. || **16.** En los juegos de damas, ajedrez y tablas, levantar una pieza o figura y pasarla de una casa a otra por encima de las figuras que están sentadas. || **17.** En el juego del monte, apuntar a una de las cuatro cartas que hay en la mesa, colocando el tanto en el ángulo interior superior de la carta; si sale favorecida al volver las cartas el banquero, se cobran tres tantos y el puesto. SALTAR *un duro al rey.* || **18.** fig. Omitir voluntariamente o por inadvertencia parte de un escrito, leyéndolo o copiándolo. Ú. generalmente como verbo pronominado. ME HE SALTADO *un renglón, un párrafo, una página.* || **19.** *Mar.* Arriar un poco un cabo para disminuir su tensión y trabajo. || **Salta tú y dámela tú.** Juego de muchachos, que lo ejecutan formando dos partidos: uno de los jugadores esconde entre los de su partido una prenda, y otro del bando contrario viene a acertar quién la tiene.

Saltarel. m. **Saltarelo.**

Saltarelo. (Del ital. *saltarella*, y éste del lat. *saltāre*, saltar.) m. Especie de baile de la escuela antigua española.

Saltarén. (Del lat. *saltāre*, danzar, bailar.) m. Cierto son o aire de guitarra, que se tocaba para bailar. ‖ **2. Saltamontes.**

Saltarilla. f. Dase este nombre a diversas especies de hemípteros homópteros de pequeño tamaño que viven sobre las plantas y pueden dar grandes saltos.

Saltarín, na. (De *saltar.*) adj. Que danza o baila. Ú. t. c. s. ‖ **2.** fig. Dícese del mozo inquieto y de poco juicio. Ú. t. c. s.

Saltarregla. (De *saltar* y *regla.*) f. Falsa escuadra.

Saltarrostro. m. *Extr.* **Salamanquesa.**

Saltaterandate. m. Especie de bordado cuyas puntadas son muy largas, y se aseguran atravesando otras muy menudas y delicadas.

Saltatrás. (De *saltar* y *atrás.*) com. **Tornatrás.**

Saltatriz. (Del lat. *saltatrix.*) f. Mujer que tiene por profesión saltar y bailar.

Saltatumbas. m. fig. y despect. fam. Clérigo que se mantiene principalmente de lo que gana asistiendo a los entierros.

Salteador. m. El que saltea y roba en los despoblados o caminos.

Salteadora. f. Mujer que vive con salteadores, o toma parte en sus delitos.

Salteamiento. m. Acción de saltear.

Saltear. (De *salto.*) tr. Salir a los caminos y robar a los pasajeros. ‖ **2. Asaltar,** 2.ª acep. ‖ **3.** Hacer una cosa discontinuamente sin seguir el orden natural, o saltando y dejando sin hacer parte de ella. ‖ **4.** Tomar una cosa anticipándose a otro. ‖ **5.** fig. Sorprender el ánimo con una impresión fuerte y viva. ‖ **6.** fig. **Asaltar,** 3.ª acep. ‖ **7.** Sofreir un manjar a fuego vivo en manteca o aceite hirviendo.

Salteño, ña. adj. Natural de Salta. Ú. t. c. s. ‖ **2.** Perteneciente a esta ciudad y provincia de la República Argentina. ‖ **3.** Natural de Salto. Ú. t. c. s. ‖ **4.** Perteneciente a esta ciudad o departamento del Uruguay.

Salteo. (De *saltear.*) m. **Salteamiento.**

Salterio. (Del lat. *psalterĭum,* y éste del gr. ψαλτήριον.) m. Libro canónico del Antiguo Testamento, que contiene las alabanzas de Dios, de su santa ley y del varón justo, particularmente de Jesucristo, que es el primer argumento de este libro. Consta de 150 salmos, de los cuales el mayor número fué compuesto por David. ‖ **2.** Libro de coro que contiene sólo los salmos. ‖ **3.** Parte del breviario que contiene las horas canónicas de toda la semana, menos las lecciones y oraciones. ‖ **4.** Rosario de Nuestra Señora, por componerse de 150 avemarías. ‖ **5.** Instrumento músico que consiste en una caja prismática de madera, más estrecha por la parte superior, donde está cubierta, y sobre la cual se extienden muchas hileras de cuerdas metálicas que se tocan con un macillo, con un plectro, con uñas de marfil o con las de las manos.

Salterio. m. *Germ.* **Salteador.**

Saltero, ra. (Del lat. *saltuarĭus,* de *saltus,* monte, bosque.) adj. **Montaraz,** 1.ª acep.

Saltigallo. m. *Sal.* y *Zam.* **Saltamontes.**

Saltígrado, da. adj. Dícese del animal que anda a saltos.

Saltimbanco. (Del ital. *saltimbanco.*) m. fam. **Saltabanco.**

Saltimbanqui. m. fam. **Saltabanco.**

Salto. (Del lat. *saltus.*) m. Acción y efecto de saltar. ‖ **2.** Juego de muchachos, en el cual uno designado por suerte se pone encorvado para que los otros salten por encima de él. ‖ **3.** Lugar alto y proporcionado para saltar, o que no se puede pasar sino saltando. ‖ **4.** Despeñadero muy profundo. ‖ **5. Salto de agua.** ‖ **6.** Espacio comprendido entre el punto de donde se salta y aquel a que se llega. ‖ **7.** Palpitación violenta del corazón. ‖ **8. Asalto,** 1.ª acep. ‖ **9.** ant. **Tacón,** 1.ª acep. *Zapato de* SALTO. ‖ **10.** ant. Pillaje, robo, botín. ‖ **11.** fig. Tránsito desproporcionado de una cosa a otra, sin tocar los medios o alguno de ellos. ‖ **12.** fig. Omisión voluntaria, o por inadvertencia, de una parte de un escrito, leyéndolo o copiándolo. ‖ **13.** fig. Ascenso a puesto más alto que el inmediato superior, dejando éste sin ocuparlo. ‖ **14.** *Mar.* Pequeña porción de cabo que se arría o salta. ‖ **atrás. Tornatrás.** ‖ **2.** Retroceso en sentido moral o físico. ‖ **de agua.** Caída del agua de un río, arroyo o canal donde hay un desnivel repentino. También se comprenden en esta denominación el conjunto de construcciones y artefactos destinados a aprovechar el **salto.** ‖ **de caballo.** Pasatiempo que consiste en distribuir las sílabas de una frase en un cuadro de escaques, de manera que para reconstruir el conjunto se haya de saltar de unos en otros a la manera del caballo del ajedrez. ‖ **de campana.** Vuelta que da en el aire el torero al ser volteado por el toro. ‖ **de carnero.** *Equit.* El que da el caballo encorvándose, para tirar al jinete. ‖ **de lobo.** fig. Zanja abierta para servir de límite a un cercado e impedir el paso sin quitar la vista. ‖ **de mal año.** fig. y fam. Efecto de pasar de necesidad y miseria a mejor fortuna. ‖ **de mata.** fig. Huida o escape por temor del castigo. ‖ **de trucha.** fig. Suerte de los volteadores, que, tendiéndose a la larga en el suelo y afirmándose sobre las manos y sosteniendo el cuerpo en ellas, dan vuelta entera en el aire. ‖ **2.** fig. **Salto** que da, cuando quiere avanzar, la persona que tiene trabados los pies. ‖ **mortal.** fig. **Salto** que dan los volatineros lanzándose de cabeza y tomando vuelta en el aire para caer de pie. ‖ **y encaje.** *Danza.* Mudanza en que el pie derecho se retira y pone detrás del pie izquierdo al tiempo de dar el **salto** y terminar la mudanza, encajando la pierna derecha detrás de la izquierda. ‖ **A gran salto, gran quebranto.** ref. que enseña que quien de improviso obtiene una posición elevada, está muy expuesto a perderla. ‖ **A salto de mata.** loc. adv. fig. Huyendo y recatándose. ‖ **A saltos.** m. adv. Dando **saltos,** o saltando de una cosa en otra, dejándose u omitiendo las que están en medio. ‖ **Cazar al salto.** fr. Cazar recorriendo el terreno para disparar sobre las piezas que al paso saltan. ‖ **Dar salto en vago.** fr. fig. Quedar uno burlado en su intento. ‖ **Dar** uno **saltos de alegría,** o **de contento.** fr. fig. y fam. Manifestar con extremos su alegría. ‖ **De salto.** m. adv. ant. De repente, de improviso, de sobresalto. ‖ **En un salto.** m. adv. Con prontitud, rápidamente. ‖ **Más vale salto de mata, que ruego de buenos,** o **de hombres buenos.** ref. que enseña que al que ha cometido un exceso por el cual teme que se le ha de castigar, más le aprovecha escaparse, que no el que pidan por él personas de valimiento. ‖ **Por salto.** m. adv. fam. Fuera del orden regular, omitiendo algo que debiera preceder o intermediar.

Saltón, na. (De *saltar.*) adj. Que anda a saltos, o salta mucho. ‖ **2.** Dícese de algunas cosas, como los ojos, los dientes, etc., que sobresalen más de lo regular, y parece que se salen de su sitio. ‖ **3.** V. **Pulso saltón.** ‖ **4.** *Colomb.* y *Chile.* Sancochado, medio crudo. ‖ **5.** m. Saltamontes, especialmente cuando tiene las alas rudimentarias. ‖ **6.** Cresa que suele criar el tocino y el jamón. ‖ **7.** *Ast.* **Aguja paladar.**

Saltuario. (Del lat. *saltus,* salto.) adj. *For.* V. **Mayorazgo saltuario.**

Salubérrimo, ma. (Del lat. *saluberrĭmus.*) adj. sup. de **Salubre.**

Salubre. (Del lat. *salūbris.*) adj. **Saludable.**

Salubridad. (Del lat. *salubrĭtas, -ātis.*) f. Calidad de salubre.

Salud. (Del lat. *salus, -ūtis.*) f. Estado en que el ser orgánico ejerce normalmente todas sus funciones. ‖ **2.** Libertad o bien público o particular de cada uno. ‖ **3.** Estado de gracia espiritual. ‖ **4. Salvación.** ‖ **5.** V. **Año de nuestra salud.** ‖ **6.** fig. y fam. V. **Cuartel de la salud.** ‖ **7.** *Germ.* **Iglesia,** 9.ª y 10.ª aceps. ‖ **8.** pl. Actos y expresiones corteses. ‖ **A su salud.** m. adv. ant. **A su salvo.** ‖ **Beber a la salud de uno.** fr. Brindar a su **salud.** ‖ **Curarse uno en salud.** fr. fig. Precaverse de un daño ante la más leve amenaza. ‖ **2.** fig. Dar satisfacción de una cosa antes que le hagan cargo de ella. ‖ **En sana salud.** m. adv. En estado de perfecta **salud.** ‖ **Gastar salud.** fr. Gozarla buena. ‖ **¡Salud!** interj. fam. con que se saluda a uno o se le desea un bien. ‖ **Para poca salud, más vale morirse.** fr. fig. y fam. Ú. para indicar que una cosa reporta tan escasa ventaja que no merece el esfuerzo de conservarla. ‖ **Vender,** o **verter,** uno **salud.** fr. fig. y fam. Ser muy robusto, o parecer que lo es.

Saludable. adj. Que sirve para conservar o restablecer la salud corporal. ‖ **2.** fig. Provechoso para un fin, y particularmente para bien del alma.

Saludablemente. adv. m. De manera saludable.

Saludación. f. p. us. **Salutación.**

Saludador, ra. (Del lat. *salutātor.*) adj. Que saluda. Ú. t. c. s. ‖ **2.** V. **Dedo saludador.** ‖ **3.** m. Embaucador que se dedica a curar o precaver la rabia u otros males, con el aliento, la saliva y ciertas deprecaciones y fórmulas, dando a entender que tiene gracia y virtud para ello.

Saludar. (Del lat. *salutāre.*) tr. Hablar a otro cortésmente deseándole salud, o mostrarle con algunas señales benevolencia o respeto. ‖ **2.** Proclamar a uno por rey, emperador, etc. ‖ **3.** Usar de ciertas preces y fórmulas echando el aliento o aplicando la saliva para curar y precaver la rabia u otros males, dando a entender el que lo hace que tiene gracia y virtud para ello. ‖ **4.** Enviar saludes. ‖ **5.** Adquirir las primeras nociones de una materia. Ú. m. en fr. negativas. ‖ **6.** *Mar.* Arriar los buques un poco y por breve tiempo sus banderas en señal de bienvenida o buen viaje. ‖ **7.** *Mil.* Dar señales de obsequio o festejo con descargas de artillería o fusilería, movimientos del arma o toques de los instrumentos militares.

Saludo. m. Acción y efecto de saludar. ‖ **a la voz.** *Mar.* Honor que se tributa a bordo y que consiste en determinado número de vítores o hurras, a los que contesta la tripulación, convenientemente distribuida sobre las vergas o las bordas.

Salumbre. f. **Flor de la sal.**

Salutación. (Del lat. *saluatĭo -ōnis.*) f. **Saludo.** ‖ **2.** Parte del sermón en la cual se saluda a la Virgen. ‖ **angélica.** La que hizo el arcángel San Gabriel a la Virgen cuando le anunció la concepción del Verbo Eterno, y forma la primera parte de la oración del Avemaría. ‖ **2.** Esta misma oración.

Salute. (Del lat. *salus, -ūtis,* salutación.) m. Moneda de oro que se acuñó en Francia en tiempo de Carlos VI, con la salutación angélica en la leyenda. ‖ **2.** ant. **Escudo,** 3.ª acep.

Salutíferamente. adv. m. **Saludablemente.**

Salutífero, ra. (Del lat. *salutĭfer, -ĕri;* de *salus -ūtis,* salud, y *ferre,* llevar.) adj. **Saludable.**

Salva. (De *salvar.*) f. Prueba que hacía de la comida y bebida la persona encargada de servirla a los reyes y grandes señores, para asegurar que no había en ellas ponzoña. ‖ **2.** Saludo, bienvenida. ‖ **3.** Saludo hecho con armas de fuego. ‖ **4.** Prueba temeraria que hacía uno de su inocencia exponiéndose a un grave peligro; como meter la mano en agua hirviendo, andar descalzo sobre una barra hecha ascua, etc., confiado en que Dios le salvaría milagrosamente. ‖ **5.** Juramento, promesa solemne, palabra de seguro. ‖ **6.** **Salvilla.** ‖ **7.** ant. V. **Señor de salva.** ‖ **de aplausos.** Aplausos nutridos en que prorrumpe una concurrencia. ‖ **Hacer la salva.** fr. fig. Pedir la venia para hablar o para representar una cosa.

Salvabarros. m. Alero, 1.er art., 2.ª acep.

Salvable. adj. Que se puede salvar

Salvación. (Del lat. *salvatĭo, -ōnis.*) f. Acción y efecto de salvar o salvarse. ‖ **2.** Consecuencia de la gloria y bienaventuranza eternas. ‖ **3.** ant. **Salutación,** 1.ª acep.

Salvachia. f. *Mar.* Especie de estrobo, largo y flexible, formado de filásticas y con ligaduras de trecho en trecho.

Salvadera. (De *salvado,* usado antiguamente en vez de arenilla.) f. Vaso, por lo común cerrado y con agujeros en la parte superior, en que se tiene la arenilla para enjugar lo escrito recientemente. ‖ **2.** *Cuba.* **Jabillo.**

Salvado, da. p. p. de **Salvar.** ‖ **2.** m. Cáscara del grano desmenuzada por la molienda. ‖ **3.** V. **Libro de lo salvado.**

Salvador, ra. (Del lat. *salvātor.*) adj. Que salva. Ú. t. c. s. ‖ **2.** m. Por antonomasia, **Jesucristo,** a quien también se nombra **Salvador del mundo,** por habernos redimido del pecado y de la muerte eterna.

Salvadoreño, ña. adj. Natural de El Salvador. Ú. t. c. s. ‖ **2.** Perteneciente a esta nación de la América Central.

Salvaguarda. m. Salvaguardia.

Salvaguardia. (De *salvar* y *guardia.*) m. Guarda que se pone para la custodia de una cosa, como para los propios de las ciudades, villas, lugares y dehesas comunes y particulares, y para los equipajes en los ejércitos, etc. ‖ **2.** Señal que en tiempo de guerra se pone, de orden de los comandantes militares, a la entrada de los pueblos o a las puertas de las casas, para que sus soldados no los hagan daño. ‖ **3.** f. Papel o señal que se da a uno para que no sea ofendido o detenido en lo que va a ejecutar. ‖ **4.** Custodia, amparo, garantía.

Salvajada. f. Dicho o hecho propio de un salvaje.

Salvaje. (De *selvaje.*) adj. Aplícase a las plantas silvestres y sin cultivo. ‖ **2.** Dícese del animal que no es doméstico. ‖ **3.** Aplícase al terreno montuoso, áspero, inculto. ‖ **4.** Natural de aquellos países que no tienen cultura. Ú. t. c. s. ‖ **5.** V. **Animal, puerco, vid salvaje.** ‖ **6.** fig. Sumamente necio, terco, zafio o rudo. Ú. t. c. s.

Salvajería. (De *salvaje.*) f. **Salvajada.**

Salvajez. f. p. us. Calidad de salvaje.

Salvajina. (De *salvaje.*) f. Conjunto de fieras monteses. ‖ **2.** Carne de esos animales. ‖ **3.** Pieles de los mismos. ‖ **4.** Animal montaraz; como el jabalí, el venado, etc.

Salvajino, na. adj. **Salvaje,** 1.ª y 2.ª aceps. ‖ **2.** Perteneciente a los salvajes, 4.ª acep., o semejante a ellos. ‖ **3.** Aplícase a la carne de estos animales monteses.

Salvajismo. m. Modo de ser o de obrar propio de los salvajes. ‖ **2. Salvajez.**

Salvajuelo, la. adj. d. de **Salvaje.**

Salvamano (A). m. adv. Sin peligro, a mansalva.

Salvamanteles. m. Pieza de cristal, loza, madera o tela que se pone en la mesa debajo de las fuentes, botellas, vasos, etc.

Salvamente. adv. m. Con seguridad y sin riesgo.

Salvamento. m. Acción y efecto de salvar o salvarse. ‖ **2.** Lugar o paraje en que uno se asegura de un peligro; como el puerto, que asegura de los riesgos del mar.

Salvamiento. m. **Salvamento.**

Salvante. p. a. de **Salvar.** Que salva. ‖ **2.** adv. m. fam. **Salvo,** 5.ª acep.

Salvar. (Del lat. *salvāre.*) tr. Librar de un riesgo o peligro; poner en seguro. Ú. t. c. r. ‖ **2.** Dar Dios la gloria y bienaventuranza eterna. ‖ **3.** Evitar un inconveniente, impedimento, dificultad o riesgo. ‖ **4.** Exceptuar, dejar aparte, excluir una cosa de lo que se dice o se hace de otra u otras. ‖ **5.** Vencer un obstáculo, pasando por cima o a través de él. *La avenida* SALVÓ *el pretil del puente.* SALVAR *de un salto un foso;* SALVAR *los montes.* ‖ **6.** Recorrer la distancia que media entre dos lugares. ‖ **7.** Rebasar una altura elevándose por cima de ella. *La torre* SALVA *las copas de los árboles que la rodean.* ‖ **8.** Poner al fin de la escritura o instrumento, una nota para que valga lo enmendado o añadido entre renglones o para que no valga lo borrado. ‖ **9.** Exculpar, probar jurídicamente la inocencia o libertad de una persona o cosa. ‖ **10.** *Germ.* Retener el naipe el fullero. ‖ **11.** intr. Hacer la salva a la comida o bebida de los reyes y grandes señores. ‖ **12.** ant. Hacer la salva con artillería. ‖ **13.** r. Alcanzar la gloria eterna, ir al cielo. ‖ **Sálvese el que pueda.** fr. con que se incita a huir a la desbandada cuando es difícil hacer frente a un ataque.

Salvaterrano, na. adj. Natural de Salvatierra. Ú. t. c. s. ‖ **2.** Perteneciente o relativo a alguna de las poblaciones de este nombre.

Salvático, ca. adj. ant. **Selvático.**

Salvatierra. m. *Germ.* Fullero que usa de la flor de retener o salvar el naipe.

Salvatiqueza. f. p. us. **Selvatiquez.**

Salvavidas. (De *salvar* y *vida.*) m. Aparato con que los náufragos pueden salvarse sobrenadando. ‖ **2.** Aparato colocado ante las ruedas delanteras de los tranvías, para evitar desgracias en casos de atropello. ‖ **3.** *Pal.* Par de palos inclinados hacia adelante que se colocan en la parte delantera del carro, debajo del cabezal delantero, para evitar que cuando el ganado abocine dé con el hocico en el suelo.

Salve. (Del lat. *salve,* te saludo, imper. de *salvēre,* tener salud.) interj. poét. que se emplea para saludar. ‖ **2.** f. Una de las oraciones con que se saluda y ruega a la Virgen Santa María.

Salvedad. (De *salvo.*) f. Razonamiento o advertencia que se emplea como excusa, descargo, limitación o cortapisa de lo que se va a decir o hacer. ‖ **2.** Nota por la cual se salva una enmienda en un documento. ‖ **3.** ant. Garantía, seguridad. ‖ **4.** ant. **Salvoconducto.**

Salvia. (Del lat. *salvĭa.*) f. Mata de la familia de las labiadas, que crece hasta seis u ocho decímetros de altura, con tallos duros, vellosos, esquinados, de color verde blanquecino; hojas estrechas, aovadas, romas y blanquinosas, de borde arrugado y en ondas, olor fuerte aromático y sabor algo amargo; flores azuladas en espiga, y fruto seco con una sola semilla. Es común en los terrenos áridos e incultos de España, y se usa el cocimiento de las hojas como tónico y estomacal. Hay otras varias especies, todas parecidas. ‖ **2.** *Argent.* Planta de la familia de las verbenáceas; es olorosa y sus hojas se usan para hacer una infusión estomacal.

Salvilora. f. *Argent.* Cierto arbusto de la familia de las loganiáceas. Se usa en medicina.

Salvilla. (Del lat. *servĭlia,* pl. n. de *servīlis,* servil.) f. Bandeja con una o varias encajaduras donde se aseguran las copas, tazas o jícaras que se sirven en ella.

Salvo, va. (Del lat. *salvus.*) p. p. irreg. desus. de **Salvar.** ‖ **2.** adj. Ileso, librado de un peligro. ‖ **3.** Exceptuado, omitido. ‖ **4.** V. **Fiador de salvo.** ‖ **5.** adv. m. **Excepto,** 3.ª acep. ‖ **A salvo.** m. adv. Sin detrimento o menoscabo, fuera de peligro. ‖ **A su salvo.** m. adv. A su satisfacción, sin peligro, con facilidad y sin estorbo. ‖ **Dejar a salvo.** fr. Exceptuar, sacar aparte. ‖ **En salvo.** m. adv. En libertad, en seguridad, fuera de peligro. ‖ **Salir a salvo.** fr. Concluirse, terminarse felizmente una cosa difícil.

Salvoconducto. (De *salvo* y *conducto.*) m. Documento expedido por una autoridad para que el que lo lleva pueda transitar sin riesgo por donde aquélla es reconocida. ‖ **2.** fig. Libertad para hacer algo sin temor de castigo.

Salvohonor. (De *salvar* y *honor.*) m. fam. **Culo,** 1.ª acep.

Salzmimbre. m. *Ar.* Sauce de vástagos aprovechables en cestería.

Sallador, ra. m. y f. *Ast.* y *Sant.* **Escardador.**

Salladura. f. Acción de sallar.

Sallar. (Del lat. **sarcellāre,* de *sarcĕllum,* azadilla.) tr. **Sachar.** ‖ **2.** Tender sobre polines las grandes piezas de madera para conservarlas en los almacenes.

Sallete. m. Instrumento para sallar.

Sama. m. Rubiel, pajel.

Sámago. m. Albura o parte más blanda de las maderas, que no es conveniente para la construcción.

Samán. m. *Bot.* Árbol americano de la familia de las mimosáceas, muy corpulento y robusto, parecido al cenízaro.

Samanta. f. *Nav.* Haz de leña.

Sámara. (Del lat. *samăra,* simiente del olmo.) f. *Bot.* Fruto seco, indehiscente, con pocas semillas y pericarpio extendido a manera de ala; como el del olmo y el fresno.

Samarilla. f. Matita rastrera de la familia de las labiadas; especie de serpol que se cría en las lastras de Sierra Nevada; tiene hojas estrechas y flores rosadas en cabezuela.

Samarita. (Del lat. *samarīta.*) adj. **Samaritano,** 1.ª acep. Ú. t. c. s.

Samaritano, na. (Del lat. *samaritānus.*) adj. Natural de Samaria. Ú. t. c. s. ‖ **2.** Perteneciente a esta ciudad del Asia antigua. ‖ **3.** Sectario del cisma de Samaria, por el cual las diez tribus de Israel rechazaron ciertas prácticas y doctrinas de los judíos. Ú. t. c. s.

Samarugo. m. ant. **Jaramugo.** ‖ **2.** *Ar.* **Renacuajo,** 1.ª acep. ‖ **3.** *Ar.* fig. Persona torpe, zote.

Samaruguera. (De *samarugo.*) f. Red de mallas que se tiende de orilla a orilla en los riachuelos.

Sambenitar. (De *sambenito,* 3.ª acep.) tr. **Ensambenitar.** ‖ **2.** fig. Infamar, poner mala nota.

Sambenito. m. Capotillo o escapulario que se ponía a los penitentes reconciliados por el tribunal de la Inquisición. ‖ **2.** Letrero que se ponía en las iglesias con el nombre y castigo de los penitenciados, y las señales de su castigo. ‖ **3.** fig. Mala nota que queda de una acción. ‖ **4.** fig. Difamación, descrédito.

Samblaje. m. **Ensambladura.**

Sambrano. m. *Bot. Hond.* Planta leguminosa, de dos metros de altura, con flores amarillas, agrupadas en forma de cono. La raíz se usa como sudorífico.

Sambuca. (Del lat. *sambūca* y éste del gr. σαμβύκη.) f. Antiguo instrumento músico de cuerda, semejante al arpa. || **2.** Máquina antigua de guerra, formada por una armazón de maderos y en ellos una plataforma levadiza, que subía y bajaba con cuerdas, para caer como puente sobre los muros de una ciudad y facilitar el asalto.

Sambumbia. f. *Cuba.* Bebida que se hace con miel de caña, agua y ají. || **2.** *Méj.* Refresco hecho de piña, agua y azúcar. || **3.** *Colomb.* fig. **Mazamorra,** 5.ª acep.

Sambumbiería. f. *Cuba* y *Méj.* Lugar donde se hace sambumbia y tienda donde se vende.

Samio, mia. (Del lat. *samĭus.*) adj. Natural de Samos. Ú. t. c. s. || **2.** Perteneciente a esta isla del Archipiélago.

Samnita. (Del lat. *samnītes.*) adj. Natural de Samnio, país de la Italia antigua. Ú. t. c. s.

Samnite. adj. **Samnita.** Ú. t. c. s.

Samnítico, ca. (Del lat. *samnitĭcus.*) adj. Perteneciente a los samnitas.

Samosatense. adj. **Samosateno.** Ú. t. c. s.

Samosateno, na. adj. Natural de Samosata. Ú. t. c. s. || **2.** Perteneciente a esta ciudad del Asia antigua.

Samotana. f. *C. Rica* y *Hond.* Zambra, bulla, algazara.

Samotracio, cia. (Del lat. *samothracius.*) adj. Natural de Samotracia. Ú. t. c. s. || **2.** Perteneciente a esta isla del mar Egeo.

Samoyedo, da. adj. Aplícase a un pueblo del norte de Rusia que habita las costas del mar Blanco y el norte de Siberia. Ú. t. c. s. || **2.** Perteneciente o relativo a este pueblo.

Sampa. f. *Argent.* Arbusto ramoso, copudo, de hojas redondeadas, de color verde claro. Se cría en lugares salitrosos.

Sampaguita. (d. español del ár. *zanbaq,* lirio, jazmín.) f. *Bot.* Mata fruticosa del mismo género que el jazmín, con tallos sarmentosos de tres a cuatro metros de largo, hojas estrechas, pecioladas, y flores olorosas, blancas, en embudo, con el borde partido en cinco o siete lacinias. Es originaria de la Arabia, y se cultiva en los países tropicales por el delicado aroma de sus flores.

Sampedrada. f. *Ar.* y *Rioja.* Fiesta que se celebra en el campo el día de San Pedro Apóstol.

Sampedrano, na. adj. Natural de Villa de San Pedro. Ú. t. c. s. || **2.** Perteneciente a este pueblo del Paraguay.

Sampsuco. (Del lat. *sampsūchum,* y éste del gr. σάμψουχον.) m. **Mejorana.**

Samuga. (Del celta *sambūca.*) f. **Jamuga.**

Samugo. m. *Albac.* y *Ar.* Persona terca y poco locuaz.

Samurai. (Voz japonesa.) m. En el antiguo sistema feudal japonés, individuo perteneciente a una clase inferior de la nobleza, constituida por los militares que estaban al servicio de los daimios.

Samuro. m. *Colomb.* y *Venez.* Aura, zopilote.

San. adj. Apócope de **Santo.** Ú. solamente antes de los nombres propios de santos, salvo los de Tomás, o Tomé, Toribio y Domingo. El plural sólo tiene uso en las expresiones familiares. *¡Por vida de* SANES! y *¡Voto a* SANES! || **San se acabó.** expr. fam. **Sanseacabó.**

Sanable. (Del lat. *sanabĭlis.*) adj. Que puede ser sanado o adquirir sanidad.

Sanabrés, sa. adj. Natural de Sanabria. Ú. t. c. s. || **2.** Perteneciente a esta región de Zamora.

Sanador, ra. (Del lat. *sanātor, -ōris.*) adj. Que sana. Ú. t. c. s.

Sanalotodo. (De *sánalo todo,* porque suele aplicarse a muchas cosas.) m. Cierto emplasto de color negro. || **2.** fig. Medio que se intenta aplicar generalmente a todo lo que ocurre o con que se juzga que se puede componer cualquiera especie de daño.

Sanamente. adv. m. Con sanidad. || **2.** fig. Sinceramente, sin malicia.

Sananica. f. *León.* **Mariquita,** 1.ª acep.

Sanantona. (De *San Antón.*) f. *Sal.* **Aguzanieves.**

Sanapudio. (De *sapo* y *pudio,* del lat. *pūtĭdus.*) m. *Sant.* **Arraclán,** 1.er art.

Sanar. (Del lat. *sanāre.*) tr. Restituir a uno la salud que había perdido. || **2.** intr. Recobrar el enfermo la salud.

Sanativo, va. (Del lat. *sanatīvus.*) adj. Que sana o tiene virtud de sanar.

Sanatorio. (De *sanar.*) m. Establecimiento convenientemente dispuesto para la estancia de enfermos que necesitan someterse a tratamientos médicos, quirúrgicos o climatológicos.

Sanción. (Del lat. *sanctio, -ōnis.*) f. Estatuto o ley. || **2.** Acto solemne por el que el jefe del Estado confirma una ley o estatuto. || **3.** Pena que la ley establece para el que la infringe. || **4.** Mal dimanado de una culpa o yerro y que es como su castigo o pena. || **5.** Autorización o aprobación que se da a cualquier acto, uso o costumbre.

Sancionable. adj. Que merece sanción.

Sancionador, ra. adj. Que sanciona. Ú. t. c. s.

Sancionar. (De *sanción.*) tr. Dar fuerza de ley a una disposición. || **2.** Autorizar o aprobar cualquier acto, uso o costumbre. || **3.** Aplicar una sanción o castigo.

Sancirole. (De *San Ciruelo.*) m. **Sansirolé.**

Sanco. (Del quichua *sancu.*) m. *Chile.* Gachas que se hacen de harina tostada de maíz o de trigo, con agua, grasa y sal y algún condimento. || **2.** *Argent.* Guiso hecho con harina, sangre de res, grasa y cebolla. || **3.** fig. *Chile:* Barro muy espeso.

Sancochar. (De *sancocho.*) tr. Cocer la vianda, dejándola medio cruda y sin sazonar.

Sancocho. (Del lat. *semicoctus,* mal cocido.) m. Vianda a medio cocer. || **2.** *Amér. Central* y *Merid.* Olla compuesta de carne, yuca, plátano y otros ingredientes, y que se toma en el almuerzo.

Sancta. (Voz lat.) m. Parte anterior del tabernáculo erigido por orden de Dios en el desierto, y del templo de Jerusalén, separada por un velo de la interior o sanctasanctórum. || **Non sancta.** Junto con voces como gente, casa, palabra, etc., mala, depravada, pervertida.

Sanctasanctórum. (Del lat. *sancta sanctorum,* parte o lugar más santo de los santos.) m. Parte interior y más sagrada del tabernáculo erigido en el desierto, y del templo de Jerusalén, separada del sancta por un velo. || **2.** fig. Lo que para una persona es de singularísimo aprecio. || **3.** fig. Lo muy reservado y misterioso.

Sanctórum. (Voz lat.: *de los santos.*) m. Cuota con que, como limosna para sostenimiento del culto parroquial, contribuía cada individuo de una familia de Filipinas, naturales o mestizos, desde que cumplía dieciséis años.

Sanctus. (Voz lat.) m. Parte de la misa, en que dice el sacerdote tres veces esta palabra después del prefacio y antes del canon. *Tocan a* SANCTUS.

Sancha. n. p. **¡Pecadora de Sancha!: quería, y no tenía blanca.** ref. que denota lo sensible que es no poder satisfacer alguno sus deseos por falta de medios.

Sanchecia. (Del nombre del botánico español José *Sánchez.*) f. Cierta planta herbácea del Perú, de la familia de las escrofulariáceas.

Sanchete. (De *Sancho.*) m. Moneda de plata del valor de un dinero, que mandó acuñar el rey don Sancho el Sabio de Navarra.

Sanchina. f. *Sal.* **Garrapata,** 1.ª acep.

Sancho. m. *Ar.* y la *Mancha.* Puerco, cerdo.

Sancho. n. p. **Allá va Sancho con su rocín.** ref. con que se da a entender la gran amistad de dos que andan constantemente juntos. || **Con lo que Sancho sana, Domingo adolece.** ref. que enseña que no todas las cosas convienen a todos. || **Encontrar, o topar, Sancho con su rocín.** fr. fig. y fam. con que se denota que uno halla otro semejante a él o de su ingenio.

Sanchopancesco, ca. adj. Propio de Sancho Panza. || **2.** Falto de idealidad, como este personaje del Quijote.

Sandalia. (Del lat. *sandalĭum,* y éste del gr. σανδάλιον.) f. Calzado compuesto de una suela que se asegura con correas o cintas.

Sandalino, na. adj. Perteneciente al sándalo.

Sándalo. (Del ár. *ṣandal,* y éste del sánscrito *chandana,* madera olorosa de las Indias.) m. Planta herbácea, olorosa, vivaz, de la familia de las labiadas, con tallo ramoso de cuatro a seis decímetros de altura; hojas pecioladas, elípticas, lampiñas, con dentecillos en el borde, y flores rosáceas. Es originaria de Persia y se cultiva en los jardines. || **2.** Árbol de la familia de las santaláceas, muy semejante en su aspecto al nogal, con hojas elípticas, opuestas, enteras, gruesas, lisas y muy verdes; flores pequeñas en ramos axilares, fruto parecido a la cereza, y madera amarillenta de excelente olor. Vive en las costas de la India y de varias islas de Oceanía. || **3.** Leño oloroso de este árbol. || **rojo.** *Bot.* Árbol del Asia tropical, de la familia de las papilionáceas, que crece hasta 10 ó 12 metros de altura, con tronco recto, copa amplia, hojas compuestas de hojuelas ovales, flores blancas en ramos axilares, fruto en vainas aplastadas y redondas, y madera tintórea, pesada, dura, de color rojo muy encendido, la cual se pulveriza fácilmente.

Sandáraca. (Del lat. *sandarăca,* y éste del gr. σανδαράκη.) f. Resina amarillenta que se saca del enebro, de la tuya articulada y de otras coníferas. Empléase para barnices y úsase en polvo con el nombre de grasilla. || **2. Rejalgar.**

Sandez. f. Calidad de sandio. || **2.** Despropósito, simpleza, necedad.

Sandía. (Del ár. *sindiyya,* propia o perteneciente al Sind o Indostán.) f. Planta herbácea anual, de la familia de las cucurbitáceas, con tallo velloso, flexible, rastrero, de tres a cuatro metros de largo; hojas partidas en segmentos redondeados y de color verde obscuro; flores amarillas, fruto casi esférico, tan grande, que a veces pesa 20 kilogramos, de corteza verde uniforme o jaspeada y pulpa encarnada, granujienta, aguanosa y dulce, entre la que se encuentran, formando líneas concéntricas, muchas pepitas negras y aplastadas. Es planta muy cultivada en España. || **2.** Fruto de esta planta.

Sandial. m. *Amér.* **Sandiar.**

Sandialahuén. m. *Chile.* Planta de la familia de las verbenáceas, de tallo tendido, hojas pinatífidas y flores rosadas, en espiga. Se usa como aperitivo y diurético.

Sandiar. m. Terreno sembrado de sandías.

Sandiego. m. *Cuba.* Planta amarantácea de jardín, con flores moradas y blancas.

Sandio, dia. adj. Necio o simple. Ú. t. c. s.

Sanducero, ra. adj. Natural de Paisandú. Ú. t. c. s. || **2.** Perteneciente a esta ciudad de la república del Uruguay.

Sandunga. f. fam. Gracia, donaire, salero. ‖ **2.** *Chile* y *P. Rico.* Jarana, jolgorio, parranda.

Sandunguero, ra. adj. fam. Que tiene sandunga.

Saneado, da. p. p. de **Sanear.** ‖ **2.** adj. Aplícase a los bienes, la renta o el haber que están libres de cargas o descuentos.

Saneamiento. m. Acción y efecto de sanear.

Sanear. (De *sano.*) tr. Afianzar o asegurar el reparo o satisfacción del daño que puede sobrevenir. ‖ **2.** Reparar o remediar una cosa. ‖ **3.** Dar condiciones de salubridad a un terreno, edificio, etc., o preservarlo de la humedad y vías de agua. ‖ **4.** *For.* Indemnizar el vendedor al comprador de todo el perjuicio que haya experimentado por vicio de la cosa comprada, o por haber sido perturbado en la posesión, o despojado de ella.

Sanedrín. (Del rabínico *sanhedrin,* y éste del gr. συνέδριον; de σύν, con, y ἕδρα, asiento.) m. Consejo supremo de los judíos, en el que se trataban y decidían los asuntos de estado y de religión. ‖ **2.** Sitio donde se reunía este Consejo.

Sanes. m. pl. V. **San.**

Sanfrancia. f. fam. Pendencia, trifulca.

Sangley. adj. V. **Indio sangley.** Ú. t. c. s.

Sango. m. *Perú.* Sanco, especie de gachas.

Sangonera. (Del lat. *sanguinaria.*) f. *Ar.* Sanguijuela.

Sangradera. (De *sangrar.*) f. **Lanceta.** ‖ **2.** Vasija que sirve para recoger la sangre cuando sangran a uno. ‖ **3.** fig. Caz o acequia de riego que se deriva de otra corriente de agua. ‖ **4.** fig. Compuerta por donde se da salida al agua sobrante de un caz. ‖ **5.** *Amér. Central* y *Merid.* y *And.* **Sangría,** 2.ª acep.

Sangrador. m. El que tiene por oficio sangrar. ‖ **2.** fig. Abertura que se hace para dar salida a los líquidos contenidos en un depósito; como en las calderas de jabón y en las presas de los ríos. ‖ **del común.** El que ejercía su oficio cerca de la servidumbre subalterna de la casa real.

Sangradura. (De *sangrar.*) f. **Sangría,** 2.ª acep. ‖ **2.** Cisura de la vena. ‖ **3.** fig. Salida que se da a las aguas de un río o canal o de un terreno encharcado.

Sangrar. (Del lat. *sanguināre.*) tr. Abrir una vena y dejar salir determinada cantidad de sangre. ‖ **2.** fig. Dar salida a un líquido en todo o en parte, abriendo conducto por donde corra. ‖ **3. Resinar.** ‖ **4.** fig. y fam. Hurtar, sisar, tomando disimuladamente parte de un todo. SANGRAR *un costal de trigo.* ‖ **5.** *Impr.* Empezar un renglón más adentro que los otros de la plana, como se hace con el primero de cada párrafo. ‖ **6.** intr. Arrojar sangre. ‖ **7.** r. Hacerse dar una sangría. ‖ **Estar sangrando** una cosa. fr. fig. **Estar chorreando sangre.** ‖ **2.** Estar clara y patente.

Sangraza. f. Sangre corrompida.

Sangre. (Del lat. *sanguis, -inis.*) f. *Zool.* Humor que circula por ciertos vasos del cuerpo de los animales vertebrados, de color rojo vivo en las arterias y obscuro en las venas; se compone de una parte líquida o plasma y de una parte sólida constituida por corpúsculos de tres clases: hematíes, leucocitos y, en algunos animales, además, plaquetas. Por ext., se llama **sangre** al líquido análogo que en muchos invertebrados es de color blanquecino y no contiene hematíes. ‖ **2.** V. **Disciplinante, ferrocarril, fuerza, limpieza, molino de sangre.** ‖ **3.** V. **Príncipe de la sangre.** ‖ **4.** fig. Linaje o parentesco. ‖ **5.** fig. V. **Impureza de sangre.** ‖ **6.** ant. V. **Justicia de sangre.** ‖ **7.** *Ar.* V. **Balsa de sangre.** ‖ **8.** *Cetr.* V. **Pluma en sangre.** ‖ **9.** *For.* V. **Retracto de sangre.** ‖ **10.** *Med.* V. **Hervor de la sangre.** ‖ **11.** *Mil.* V. **Hospital de la primera sangre,** o **de sangre.** ‖ **12.** *Zool.* V. **Gusano de sangre roja.** ‖ **azul.** fig. **Sangre noble.** ‖ **de drago.** Resina encarnada que mediante incisiones se saca del tronco del drago y se usa en medicina como astringente. Otros árboles tropicales de Asia y América dan también resinas rojas a que se aplica este mismo nombre. ‖ **de espaldas.** Flujo de **sangre,** procedente de las venas hemorroidales dilatadas. ‖ **de Francia.** *Sev.* **Crisantemo.** ‖ **de horchata.** Dícese del calmoso que no se altera por nada. ‖ **en el ojo.** fig. Honra y valor para cumplir las obligaciones. Ú. m. con el verbo *tener.* ‖ **2.** Resentimiento, deseo de venganza. ‖ **fría.** Serenidad, tranquilidad del ánimo, que no se conmueve o afecta fácilmente. ‖ **ligera.** *Amér. Central* y *Merid.* Dícese de la persona simpática. ‖ **negra. Sangre** venosa. ‖ **pesada.** *Amér. Central* y *Merid.* Dícese de la persona antipática, chinchosa. ‖ **roja. Sangre** arterial. ‖ **y leche.** Mármol encarnado con grandes manchas blancas. ‖ **Alegrar la sangre.** fr. Hacer un obsequio al que ha tenido que curarse con una sangría. ‖ **A primera sangre.** fr. A la primera herida. Ú. para designar los desafíos en que el combate ha de cesar en cuanto uno de los contendientes está herido. ‖ **Arrebatársele** a uno **la sangre.** fr. **Subírsele la sangre a la cabeza.** ‖ **A sangre caliente.** m. adv. Arrebatada e inmediatamente, dicho de las decisiones y actos movidos por la cólera o la venganza. ‖ **A sangre fría.** m. adv. Con premeditación y cálculo, una vez pasado el arrebato de la cólera. ‖ **A sangre y fuego.** m. adv. Con todo rigor, sin dar cuartel, sin perdonar vidas ni haciendas, talándolo o destruyéndolo todo. ‖ **2.** fig. Con violencia, sin ceder en nada, atropellándolo todo. ‖ **Bajársele** a uno **la sangre a los talones, o a los zancajos.** fr. fig. y fam. Ocasionársele mucho susto o miedo de alguna cosa. ‖ **Beber** uno **la sangre** a otro. fr. fig. con que se denota el gran odio que una persona tiene a otra y el deseo de vengarse de ella. ‖ **Brotar sangre.** fr. fig. que expresa la intensidad o vehemencia de una pasión del ánimo; como el dolor o la ira. ‖ **Buena sangre.** fr. fig. y fam. Condición benigna y noble de la persona. ‖ **Bullirle** a uno **la sangre.** fr. fig. y fam. Tener el vigor y lozanía de la juventud. ‖ **Correr sangre.** fr. con que se denota llegar en una riña hasta haber heridas. ‖ **Chupar la sangre.** fr. fig. y fam. Ir uno quitando o mermando la hacienda ajena en provecho propio. ‖ **Dar** uno **la sangre de** sus **venas.** fr. fig. con que se pondera un empeño o un afecto en favor del cual sacrifica uno cuanto le es dado. ‖ **Encenderle** a uno **la sangre.** fr. fig. y fam. **Pudrirle la sangre.** ‖ **Escribir con sangre.** fr. fig. Escribir con mucha saña o acrimonia. ‖ **Escupir sangre.** fr. fig. Blasonar de muy noble y emparentado, y jactarse de ser caballero. ‖ **Escupir sangre en bacín de oro.** fr. fig. Tener poco contento con mucha riqueza. ‖ **Estar chorreando sangre** una cosa. fr. fig. y fam. Acabar de suceder o estar muy reciente. ‖ **Freírle** a uno **la sangre.** fr. fig. y fam. **Pudrirle la sangre.** ‖ **Haber mucha sangre.** fr. con que se significa que una contienda o batalla fué muy reñida. ‖ **Hacer sangre.** fr. fig. Causar una herida leve de donde sale **sangre.** Ú. t. c. r. ‖ **2.** fig. **Sacar sangre.** ‖ **Hervirle** a uno **la sangre.** fr. **Bullirle la sangre.** ‖ **2.** fig. Exaltársele un afecto o pasión. ‖ **Igualar la sangre.** fr. Sangrar del lado opuesto al ya sangrado, conforme cree necesario cierta gente vulgar, para que no quede menos **sangre** en una parte que en otra del cuerpo. ‖ **2.** fig. y fam. Dar segundo golpe a quien se le ha dado antes otro. ‖ **Írsele** a uno **la sangre a los talones,** o **a los zancajos.** fr. fig. y fam. **Bajársele la sangre a los talones,** o **a los zancajos.** ‖ **La sangre se hereda, y el vicio se apega.** ref. con que se censura a los nobles de abolengo que no quieren corregirse en sus vicios ni enmendar sus desaciertos. ‖ **Lavar con sangre.** fr. fig. Derramar la del enemigo en satisfacción de un agravio. ‖ **Llevar** una cosa **en la sangre.** fr. fig. Ser innata o hereditaria. ‖ **Mala sangre.** fr. fig. y fam. Carácter avieso o vengativo de una persona. ‖ **No llegará la sangre al río.** fr. fig. y fam. con que se da a entender en son de burla que una disputa o quimera no tendrá consecuencias graves. ‖ **No tener sangre en las venas.** fr. fig. y fam. **Tener sangre de horchata.** ‖ **Pudrirle,** o **quemarle,** a uno **la sangre.** fr. fig. y fam. Causarle disgusto o enfado hasta impacientarle o exasperarle. Ú. t. el verbo c. r. ‖ **Quedarse sin sangre.** fr. fig. **Bajársele la sangre a los talones.** ‖ **Querer** uno **beber la sangre a** otro. fr. fig. **Beber la sangre a** otro. ‖ **Sacar sangre.** fr. fig. Lastimar, dar que sentir. ‖ **Subírsele** a uno **la sangre a la cabeza.** fr. fig. Perder la serenidad, irritarse, montar en cólera. ‖ **Sudar sangre.** fr. fig. Costar algo un gran esfuerzo. ‖ **Tener** uno **la sangre caliente.** fr. fig. Arrojarse precipitadamente y sin consideración a los peligros o empeños arduos. ‖ **Tener** uno **sangre de chinches.** fr. fig. y fam. **Tener de chinches la sangre.** ‖ **Tomar la sangre.** fr. *Cir.* Contener la que fluye de una herida. ‖ **Verter sangre.** fr. fig. y fam. Estar muy colorado o encendido el rostro de una persona. ‖ **2.** fig. y fam. **Estar chorreando sangre.** ‖ **Vomitar sangre.** fr. fig. **Escupir sangre.**

Sangredo. m. *Sant.* **Arraclán,** 1.er art. ‖ **2.** *Ast.* **Aladierna.**

Sangrentar. (De *sangriento.*) tr. desus. **Ensangrentar.**

Sangría. f. Acción y efecto de sangrar. ‖ **2.** Parte de la articulación del brazo opuesta al codo. ‖ **3.** fig. **Sangradura,** 3.ª acep. ‖ **4.** Corte o brecha somera que se hace en un árbol para que fluya la resina. ‖ **5.** fig. Regalo que se solía hacer por amistad a la persona que se sangraba. ‖ **6.** fig. Extracción o hurto de una cosa, que se hace por pequeñas partes, especialmente en el caudal. ‖ **7.** fig. Bebida refrescante que se compone de agua y vino con azúcar y limón u otros aditamentos. ‖ **8.** *Germ.* Abertura que hace el ladrón para sacar el dinero. ‖ **9.** *Impr.* Acción y efecto de sangrar, 5.ª acep. ‖ **10.** *Metal.* En los hornos de fundición, chorro de metal al que se da salida. ‖ **suelta.** Aquella en que no se restaña la sangre. ‖ **2.** fig. Gasto continuo sin compensación. ‖ **Lo mismo son sangrías que ventosas.** expr. fig. y fam. con que se reprueba como inútil e inadecuado el medio que uno propone por equivalente a otro ya tomado o que va a tomarse.

Sangricio. m. *Sant.* **Aladierna.**

Sangrientamente. adv. m. De modo sangriento.

Sangriento, ta. (Del lat. *sanguilĕntus.*) adj. Que echa sangre. ‖ **2.** Teñido en sangre o mezclado con sangre. ‖ **3. Sanguinario.** *El* SANGRIENTO *Nerón; león* SANGRIENTO. ‖ **4.** Que causa efusión de sangre. *Batalla* SANGRIENTA. ‖ **5.** fig. Que ofende gravemente. *Injuria* SANGRIENTA. ‖ **6.** poét. De color de sangre.

Sangriza. f. **Purgación,** 2.ª acep.

Sanguaraña. f. *Perú.* Cierto baile popular. ‖ **2.** *Ecuad.* y *Perú.* Circunloquio, rodeo de palabras. Ú. m. en pl

Sanguaza. f. **Sangraza.** ‖ **2.** fig. Líquido del color de la sangre acuosa, que sale de algunas legumbres o frutas.

Sangüeño. (Del lat. *sanguineus.*) m. Cornejo.

Sangüesa. f. Frambuesa.

Sangüeso. m. Frambueso.

Sanguífero, ra. (Del lat. *sanguis,* sangre, y *ferre,* llevar.) adj. Que contiene y lleva en sí sangre.

Sanguificación. (De *sanguificar.*) f. *Zool.* Función fisiológica que consiste en la oxidación de la hemoglobina, en cuya virtud la sangre venosa se convierte en arterial.

Sanguificar. (Del lat. *sanguis,* sangre, y *facĕre,* hacer.) tr. Hacer que se críe sangre.

Sanguijolero, ra. m. y f. **Sanguijuelero.**

Sanguijuela. (De *sanguja.*) f. *Zool.* Anélido casi cilíndrico, de 8 a 12 centímetros de largo y uno de grueso, de cuerpo muy contráctil; tiene una ventosa en cada uno de los extremos del cuerpo, estando situada la boca, que está provista de tres piezas, córneas y cortantes, en el centro de la ventosa anterior; piel coriácea y viscosa, de color aceitunado. Vive en las lagunas, pozos y arroyos y se alimenta con la sangre que chupa a los animales a que se agarra, propiedad utilizada en medicina para conseguir evacuaciones sanguíneas en los enfermos. ‖ **2.** fig. y fam. Persona que va poco a poco sacando a uno el dinero, alhajas y otras cosas.

Sanguijuelero, ra. m. y f. Persona que se dedica a coger sanguijuelas, que las vende o las aplica.

Sanguina. (Del lat. *sanguis,* sangre.) f. Lápiz rojo obscuro fabricado con hematites en forma de barritas. ‖ **2.** Dibujo hecho con este lápiz. ‖ **3.** *Germ.* **Menstruo,** 4.ª acep.

Sanguinaria. (Del lat. *sanguinarĭa.*) f. Piedra semejante al ágata, de color de sangre, a la cual se atribuía la virtud de contener los flujos. ‖ **mayor. Centinodia,** 1.ª acep. ‖ **menor. Nevadilla.**

Sanguinariamente. adv. m. De un modo sanguinario.

Sanguinario, ria. (Del lat. *sanguinarĭus.*) adj. Feroz, vengativo, iracundo, que se goza en derramar sangre.

Sanguíneo, a. (Del lat. *sanguinĕus.*) adj. De sangre. ‖ **2.** Que contiene sangre o abunda en ella. ‖ **3.** Dícese también de la complexión en que predomina este humor. ‖ **4.** De color de sangre. ‖ **5.** Perteneciente a la sangre. ‖ **6.** V. **Emisión sanguínea.**

Sanguino, na. adj. **Sanguíneo.** ‖ **2.** desus. **Sanguinario.** ‖ **3.** V. **Diaspro sanguino.** ‖ **4.** *León.* Que se distingue por su extremado afecto a las personas de su sangre y linaje. ‖ **5.** m. **Aladierna.** ‖ **6. Cornejo.**

Sanguinolencia. (Del lat. *sanguinolentĭa.*) f. Calidad de sanguinolento.

Sanguinolento, ta. (Del lat. *sanguinolentus.*) adj. **Sangriento,** 1.ª y 2.ª aceps.

Sanguinoso, sa. (Del lat. *sanguinōsus.*) adj. Que participa de la naturaleza o accidentes de la sangre. ‖ **2. Sanguinario.**

Sanguiñuelo. m. **Cornejo.**

Sanguis. (Voz latina, que significa sangre.) m. La sangre de Cristo bajo los accidentes del vino.

Sanguisorba. (Del lat. *sanguis,* sangre, y *sorbēre,* absorber, que contiene o ataja la sangre.) f. **Pimpinela.**

Sanguisuela. f. **Sanguijuela.**

Sanguja. (Del lat. *sanguisūga;* de *sanguis,* sangre, y *sugĕre,* chupar.) f. **Sanguijuela.**

Sanícula. (d. del lat. [*herba*] *sana,* hierba sana.) f. Planta herbácea anual, de la familia de las umbelíferas, con tallo sencillo y lampiño de cuatro a seis decímetros de altura; hojas verdes, brillantes, pecioladas, anchas, casi redondas, algo tiesas y divididas en tres o cinco gajos dentados por los bordes; flores pequeñas, blancas o rojizas, de cinco pétalos, en umbelas irregulares, y fruto seco, globoso y cubierto de aguijones ganchudos. Es común en los sitios frescos y se ha usado en medicina como vulneraria.

Sanidad. (Del lat. *sanĭtas, -ātis.*) f. Calidad de sano. ‖ **2. Salubridad.** ‖ **3.** V. **Patente, visita de sanidad.** ‖ **4.** Conjunto de servicios gubernativos ordenados para preservar la salud del común de los habitantes de la nación, de una provincia o de un municipio. ‖ **civil. Sanidad,** 4.ª acep. ‖ **exterior.** La gubernativa que tiene establecidos sus servicios y los presta en las costas y fronteras nacionales. ‖ **interior.** La gubernativa que ejerce su ministerio propio dentro del Estado o país. ‖ **marítima.** Aquella parte de la exterior que radica en los puertos y atañe a la navegación. ‖ **militar.** Cuerpo de profesores médicos, farmacéuticos y veterinarios y de tropas especiales, que prestan sus servicios profesionales en los ejércitos de aire, mar y tierra. ‖ **En sanidad.** m. adv. **En sana salud.**

Sanidina. (Del gr. σανίς, σανίδος, tablita.) f. Variedad de ortosa cuyos cristales, de aspecto vítreo y resquebrajado formando tablitas, se hallan en algunas rocas volcánicas.

Sanie. f. *Med.* Sanies.

Sanies. (Del lat. *sanĭes.*) f. *Med.* **Icor.**

Sanioso, sa. (Del lat. *saniōsus.*) adj. *Med.* **Icoroso.**

Sanitario, ria. (Del lat. *sanĭtas,* sanidad.) adj. Perteneciente o relativo a la sanidad. *Medidas* SANITARIAS. ‖ **2.** m. Individuo del cuerpo de sanidad militar.

Sanjacado. m. Territorio del imperio turco, gobernado por un sanjaco.

Sanjacato. m. **Sanjacado.**

Sanjaco. (Del turco *sanŷaq,* que de insignia real pasó a designar una división territorial y administrativa.) m. Gobernador de un territorio del imperio turco.

Sanjuán. m. *Bad.* Madero en rollo, de castaño, de cuatro varas y media de longitud y un diámetro de cinco pulgadas.

Sanjuanada. f. Fiesta o diversión que se celebra en las huertas o en el campo el día de San Juan Bautista o los días próximos a éste, con desayuno, almuerzo, comidas y música. ‖ **2.** Días próximos al de San Juan, ó 24 de junio.

Sanjuaneño, ña. adj. **Sanjuanero,** aplicado a algunas frutas.

Sanjuanero, ra. adj. Aplícase a algunas frutas que maduran por San Juan y al árbol que las produce. ‖ **2.** Natural de San Juan en la isla de Cuba. Ú. t. c. s. ‖ **3.** Perteneciente a una de las ciudades cubanas de este nombre.

Sanjuanino, na. adj. Natural de San Juan. Ú. t. c. s. ‖ **2.** Perteneciente o relativo a esta ciudad y provincia argentinas.

Sanjuanista. adj. Aplícase al individuo de la orden militar de San Juan de Jerusalén. Ú. t. c. s.

Sanlucareño, ña. adj. **Sanluqueño.** Ú. t. c. s.

Sanluisero, ra. adj. Natural de San Luis. Ú. t. c. s. ‖ **2.** Perteneciente o relativo a esta ciudad y provincia argentinas.

Sanluqueño, ña. adj. Natural de Sanlúcar. Ú. t. c. s. ‖ **2.** Perteneciente a alguna de las poblaciones de este nombre.

Sanmartiniano, na. adj. Perteneciente o relativo a la personalidad o a la obra del general argentino José de San Martín.

Sanmiguelada. f. Últimos días de septiembre próximos a la fiesta de San Miguel, en que tradicionalmente terminan ciertos contratos de arrendamiento.

Sanmigueleño, ña. adj. Aplícase a algunas frutas que maduran por San Miguel y al árbol que las produce.

Sano, na. (Del lat. *sanus.*) adj. Que goza de perfecta salud. Ú. t. c. s. ‖ **2.** Seguro, sin riesgo. ‖ **3. Saludable.** *Alimentación* SANA; *país, aire* SANO. ‖ **4.** fig. Sin daño o corrupción, tratándose de vegetales o de cosas pertenecientes a ellos. *Árbol, melocotón* SANO; *madera* SANA. ‖ **5.** fig. Libre de error o vicio; recto, saludable. *Principios* SANOS; *doctrina, crítica* SANA. ‖ **6.** fig. Sincero, de buena intención. ‖ **7.** fig. y fam. Entero, no roto ni estropeado. *No queda un plato* SANO. ‖ **Cortar por lo sano.** fr. fig. y fam. Emplear el procedimiento más expeditivo sin consideración alguna, para remediar males o conflictos, o zanjar inconvenientes o dificultades. ‖ **El sano al doliente, so regla lo mete.** ref. que señala el ascendiente del que está libre de un vicio sobre el que lo tiene. ‖ **Sano y salvo.** loc. Sin lesión, enfermedad ni peligro.

Sanroqueño, ña. adj. Aplícase a algunas frutas que maduran hacia la fiesta de San Roque, a mediados de agosto, y al árbol que las produce.

Sansa. (Del lat. *samsa.*) f. *Ar.* Hojuela u orujo de aceituna.

Sanscritista. com. Persona versada en la lengua y literatura sánscritas.

Sánscrito, ta [**Sanscrito, ta**]. (Del sánscr. *sánskrita,* perfecto.) adj. Aplícase a la antigua lengua de los brahmanes (que sigue siendo la sagrada del Indostán) y a lo referente a ella. *Lengua* SÁNSCRITA; *libros, poemas* SÁNSCRITOS. Ú. t. c. s.

Sanseacabó. expr. fam. con que se da por terminado un asunto.

Sansimoniano, na. adj. Partidario del sansimonismo. Apl. a pers., ú. t. c. s. ‖ **2.** Perteneciente a esta doctrina.

Sansimonismo. m. Doctrina socialista de Saint-Simón, conforme a la cual debe ser cada uno clasificado según su capacidad y remunerado según sus obras.

Sansirolé. com. fam. Bobalicón, papanatas.

Sanso. m. *Vizc.* Grito de expansión o de alegría, que se oye especialmente en las diversiones públicas al aire libre.

Sansón. (Por alusión a *Sansón,* juez de Israel, dotado de fuerzas maravillosas.) m. fig. Hombre muy forzudo. ‖ **Aquí morirá Sansón con todos los filisteos,** o **Sansón y cuantos con él son.** fr. proverb. que se usa para indicar que ha llegado el momento en que es preciso arrostrar el mayor peligro, sin reparar en las consecuencias.

Sant. adj. ant. **San.**

Santabárbara. (Por la imagen de *Santa Bárbara,* patrona de los artilleros, que generalmente está colocada en este lugar.) f. *Mar.* Pañol o paraje destinado en las embarcaciones para custodiar la pólvora. ‖ **2.** *Mar.* Cámara por donde se comunica o baja a este pañol. ‖ **Quemar,** o **volar, la santabárbara.** fr. fig. con que se denota una determinación extrema, para la cual no se repara en el estrago que pueda causar el medio empleado.

Santafecino, na. adj. Natural de la provincia o de la ciudad de Santa Fe. Ú. t. c. s. ‖ **2.** Perteneciente a este territorio argentino.

Santafereño, ña. adj. Natural de Santa Fe de Bogotá. Ú. t. c. s. ‖ **2.** Perteneciente a esta ciudad de Colombia.

Santaláceo, a. (Del gr. σάνταλον, sándalo.) adj. *Bot.* Dícese de plantas angiospermas dicotiledóneas, árboles, matas o hierbas, que tienen hojas verdes, gruesas, sin estípulas, y por lo común alternas; flores pequeñas, sin pétalos y con el cáliz colorido, y fruto drupáceo con una semilla de albumen carnoso; como el guardalobo y el sándalo de la India. Ú.

t. c. s. f. || **2.** f. pl. *Bot.* Familia de estas plantas.

Santamente. adv. m. Con santidad. || **2. Sencillamente.**

Santanderiense. adj. **Santanderino.** Apl. a pers., ú. t. c. s.

Santanderino, na. adj. Natural de Santander. Ú. t. c. s. || **2.** Perteneciente a esta ciudad.

Santateresa. f. *Zool.* Insecto ortóptero, zoófago, de seis a ocho centímetros de longitud, que se caracteriza principalmente por su protórax largo y delgado y sus patas anteriores largas, robustas y dispuestas para la prensión, las cuales, cuando el animal permanece en reposo, suelen estar erguidas y juntas, en actitud que recuerda la de las manos de una figura orante.

Santelmo. m. **Fuego de Santelmo.** || **2.** fig. Salvador, favorecedor en algún apuro.

Santera. f. Mujer del santero. || **2.** La que cuida de un santuario.

Santería. f. Calidad de santo.

Santero, ra. (De *santo.*) adj. Dícese del que tributa a las imágenes un culto indiscreto y supersticioso. || **2.** m. y f. Persona que cuida de un santuario. || **3.** V. **Tablilla de santero.** || **4.** Persona que pide limosna, llevando de casa en casa la imagen de un santo.

Santiago. (De *sanctus Iacobus.*) Grito con que los españoles invocaban a su patrón **Santiago** al romper la batalla. || **2.** m. Acometimiento en la batalla. || **3.** Lienzo de mediana calidad que se fabrica en **Santiago** de Galicia. || **4.** V. **Año santo, camino, cardenal, cruz, pertiguero mayor, voto de Santiago.** || **Dar un Santiago.** fr. desus. Acometer a los enemigos, al grito de guerra *¡Santiago!* || **2.** fig. Asaltar por broma los jóvenes una tienda, y por extensión, timar.

Santiagueño, ña. adj. En algunas partes aplícase a las frutas que maduran por Santiago y al árbol que las produce. || **2.** Natural de la ciudad o de la provincia de Santiago del Estero. Ú. t. c. s. || **3.** Perteneciente a esta ciudad y provincia argentinas. || **4.** Natural de Santiago de la Espada. || **5.** Perteneciente a este pueblo de la provincia de Jaén.

Santiaguero, ra. adj. Natural de Santiago de Cuba. Ú. t. c. s. || **2.** Perteneciente a esta ciudad.

Santiagués, sa. adj. Natural de Santiago de Compostela. Ú. t. c. s. || **2.** Perteneciente a esta ciudad de Galicia.

Santiaguino, na. adj. Natural de Santiago de Chile. Ú. t. c. s. || **2.** Perteneciente a esta ciudad.

Santiaguista. adj. Dícese del individuo de la orden militar de Santiago. Ú. t. c. s.

Santiamén (En un). (De las palabras latinas *Spiritus Sancti, Amen,* con que suelen terminar algunas oraciones de la Iglesia.) fr. fig. y fam. **En un decir amén.**

Santidad. (Del lat. *sanctĭtas, -ātis.*) f. Calidad de santo. || **2.** Tratamiento honorífico que se da al Papa.

Santificable. adj. Que merece o puede santificarse.

Santificación. (Del lat. *sanctificatĭo, -ōnis.*) f. Acción y efecto de santificar o santificarse.

Santificador, ra. (Del lat. *sanctificātor.*) adj. Que santifica. Ú. t. c. s.

Santificante. p. a. de **Santificar.** Que santifica.

Santificar. (Del lat. *sanctificāre;* de *sanctus,* santo, y *facĕre,* hacer.) tr. Hacer a uno santo por medio de la gracia. || **2.** Dedicar a Dios una cosa. || **3.** Hacer venerable una cosa por la presencia o contacto de lo que es santo. || **4.** Reconocer al que es santo, honrándole y sirviéndole como a tal. || **5.** fig. y fam. Abonar, justificar, disculpar a uno. Ú. t. c. r.

Santificativo, va. adj. Que tiene virtud o facultad de santificar.

Santiguada. f. Acción y efecto de santiguar o santiguarse. || **Para,** o **por, mi santiguada.** expr. Por mi fe, o por la cruz.

Santiguadera. f. Acción de santiguar, 2.ª acep. || **2.** Mujer que santigua, 2.ª acep.

Santiguador, ra. m. y f. Persona que supersticiosamente santigua a otra diciendo ciertas oraciones.

Santiguamiento. m. Acción y efecto de santiguar o santiguarse.

Santiguar. (Del lat. *sanctificāre.*) tr. Hacer la señal de la cruz desde la frente al pecho y desde el hombro izquierdo al derecho, invocando a la Santísima Trinidad. Ú. m. c. r. || **2.** Hacer supersticiosamente cruces sobre uno, diciendo ciertas oraciones. || **3.** fig. y fam. Castigar o maltratar a uno de obra. || **4.** r. fig. y fam. **Hacerse cruces,** 1.ª acep.

Santiguo. m. Acción de santiguar, 1.ª y 2.ª aceps. || **2.** *León.* **Santiamén.**

Santimonia. (Del lat. *sanctimonĭa.*) f. **Santidad,** 1.ª acep. || **2.** Planta herbácea de la familia de las compuestas, semejante a la matricaria, pero de flores más dobles y vistosas. Procede de Oriente y se cultiva en los jardines.

Santiscario. m. **Invención,** 1.ª acep. Ú. sólo en la expresión familiar **de mi santiscario.**

Santísimo, ma. adj. sup. de **Santo.** || **2.** Aplícase al Papa como tratamiento honorífico. || **3.** m. **El Santísimo.** Cristo en la Eucaristía. || **Descubrir,** o **manifestar, el Santísimo.** fr. Exponerlo a la pública adoración de los fieles.

Santo, ta. (Del lat. *sanctus.*) adj. Perfecto y libre de toda culpa. Con toda propiedad sólo se dice de Dios, que lo es esencialmente; por gracia, privilegio y participación se dice de los ángeles y de los hombres. || **2.** Dícese de la persona a quien la Iglesia declara tal, y manda que se le dé culto universalmente. Ú. t. c. s. || **3.** Aplícase a la persona de especial virtud y ejemplo. Ú. t. c. s. || **4.** Dícese de lo que está especialmente dedicado o consagrado a Dios. || **5.** Aplícase a lo que es venerable por algún motivo de religión. || **6.** V. **Año, campo, cardo, palo santo.** || **7.** Dícese de los seis días de la Semana **Santa** que siguen al Domingo de Ramos. || **8.** Conforme a la ley de Dios. || **9.** Sagrado, inviolable. || **10.** Aplícase a algunas cosas que traen al hombre especial provecho, y con particularidad a las que tienen singular virtud para la curación de algunas enfermedades. *Hierba* SANTA; *medicina* SANTA. || **11.** Aplícase a la Iglesia católica por nota característica suya. || **12.** V. **Semana, Tierra Santa.** || **13.** V. **Casa, espina, sábana santa.** || **14.** V. **Santa Faz, Santa Hermandad, Santa Sede.** || **15.** V. **Santo Oficio, Santo Padre.** || **16.** V. **Santa palabra.** || **17.** V. **El santo óleo.** || **18.** V. **Santo varón.** || **19.** Con ciertos nombres encarece el significado de éstos: *hizo su* SANTA *voluntad, su* SANTO *gusto o capricho, se echó en el* SANTO *suelo, esperó todo el* SANTO *día.* Ú. t. en superlativo: *la* SANTÍSIMA *voluntad.* || **20.** *Teol.* V. **Espíritu Santo.** || **21.** m. Imagen de un **santo.** || **22.** fam. Viñeta, grabado, estampa, dibujo. *Vamos a mirar si este libro tiene* SANTOS. || **23.** Respecto de una persona, festividad del **santo** cuyo nombre lleva. || **24.** *Mil.* **Nombre,** 8.ª acep. || **25.** V. **Hueso de santo.** || **de pajares.** fig. y fam. Persona de cuya santidad no se puede fiar. || **mocarro,** o **macarro.** Juego en que van manchando a uno la cara los demás, con la condición de quedar en lugar de éste el que se ría. || **Alzarse** uno **con el santo y la limosna,** o **y la cera.** fr. fig. y fam. Apropiárselo todo, lo suyo y lo ajeno. || **A santo de.** m. adv. Con motivo de, a fin de, con pretexto de. || **A santo tapado.** m. adv. *Extr.* Con cautela, ocultamente. || **Cargar** uno **con el santo y la limosna.** fr. fig. y fam. **Alzarse con el santo y la limosna.** || **Comerse** uno **los santos.** fr. fig. y fam. Extremar la devoción en las prácticas religiosas. || **Con mil santos.** expr. fam. de enojo o impaciencia. Ú. frecuentemente con los imperativos de los verbos *andar, callar, dejar, quedar, ir* y otros. || **Dar** uno **con el santo en tierra.** fr. fig. y fam. Dejar caer lo que lleva. || **Dar el santo.** fr. *Mil.* Señalar el jefe superior de la milicia el nombre de un **santo** para que sirva de seña a las guardias y puestos de las plazas o ejércitos durante la noche. || **2.** *Mil.* Decir el nombre del **santo** señalado por el jefe de la tropa al que por ordenanza debe exigirlo. || **3.** *Mil.* Comunicar cada jefe a su inmediato inferior el **santo** señalado por el general, hasta llegar a todos aquellos a quienes debe participarse. || **Desnudar a un santo para vestir a otro.** fr. fig. y fam. Quitar a una persona alguna cosa para dársela a otra a quien no hace más falta; o quitar un objeto de una parte para ponerlo en otra donde no es más preciso. || **Encomendarse** uno **a buen santo.** fr. fig. con que se da a entender que sale como milagrosamente de un peligro, o ha conseguido una cosa de que tenía poca esperanza. || **Entre santa y santo, pared de cal y canto.** ref. que enseña ser muy peligrosas las ocasiones entre personas de diferente sexo, aunque sean de señalada virtud. || **Írsele** a uno **el santo al cielo.** fr. fig. y fam. Olvidársele lo que iba a decir o lo que tenía que hacer. || **Jugar con** uno **al santo mocarro,** o **macarro.** fr. fig. y fam. Burlarse de él, engañarle, maltratarle. || **Llegar y besar el santo.** fr. fig. **Llegar y besar.** || **No ser** una persona **santo de la devoción de** otra fr. fig. y fam. Desagradarle, no inspirarle confianza, no tenerla por buena. || **Por todos los santos,** o **por todos los santos del cielo.** expr. fam. con que se ruega encarecidamente alguna cosa. || **Quitar de un santo para poner en otro.** fr. fig. y fam. **Desnudar a un santo para vestir a otro.** || **Rendir el santo.** fr. *Mil.* Darlo la ronda de inferior graduación. || **Rogar al santo hasta pasar el tranco,** o **el charco.** ref. que reprende a los ingratos que, hecho el beneficio, se olvidan de quien lo hizo. || **Santo y bueno.** expr. con que se aprueba una proposición o especie.

Santol. m. *Filip.* Cierto árbol frutal de la familia de las meliáceas.

Santolio. m. vulg. **Santo Óleo.**

Santón. (De *santo.*) m. El que profesa vida austera y penitente fuera de la religión cristiana. Dícese especialmente del mahometano que hace esa vida. || **2.** fig. y fam. Hombre hipócrita o que aparenta santidad. || **3.** fig. y fam. Dícese de la persona, entrada en años por lo común, muy autorizada o muy influyente en una colectividad determinada.

Santón, na. (Del lat. *santŏnes, -um.*) adj. Dícese del individuo de un antiguo pueblo de raza céltica, del cual tomó nombre la Santonia, hoy Santoña, comarca de la Galia occidental, donde habitaba. Ú. m. c. s. y en pl.

Santónico, ca. (Del lat. *santonĭcus.*) adj. Perteneciente o relativo a los santones, 2.° art., o a la Santonia. || **2.** m. Planta perenne de la familia de las compuestas, con tallo erguido y ramoso de tres a seis decímetros de altura; hojas alternas, lineares y blanquecinas, hendidas las inferiores y enteras las superiores; flores en cabezuelas pequeñas, ovoides, casi sentadas y en panojas, y por frutos aquenios terminados por un disco. Es de sabor amargo y de olor fuerte y aromático; se cría en la Santoña y otras comarcas del oeste de Francia y en muchas de España, y sus cabezuelas se usan en medicina como tónicas y principalmente como vermífugas. ‖ **3.** Cabezuela de esta planta. ‖ **4.** Cabezuela procedente de diversas especies de plantas de Oriente y de África, del mismo género que la de Francia y España, pero de virtud medicinal más enérgica por ser más ricas en santonina.

Santonina. f. Substancia neutra, cristalizable, incolora, amarga y acre que se extrae del santónico y se emplea en medicina como vermífugo.

Santoñés, sa. adj. Natural de Santoña. Ú. t. c. s. ‖ **2.** Perteneciente a esta villa de la provincia de Santander.

Santoñés, sa. adj. Natural de la Santoña. Ú. t. c. s. ‖ **2.** Perteneciente a esta antigua provincia de Francia.

Santoral. (Del lat. *sanctōrum*, genit. pl. de *sanctus*.) m. Libro que contiene vidas o hechos de santos. ‖ **2.** Libro de coro que contiene los introitos y antífonas de los oficios de los santos, puestos en canto llano. ‖ **3.** Lista de los santos cuya festividad se conmemora en cada uno de los días del año.

Santuario. (Del lat. *sanctuarĭum*.) m. Templo en que se venera la imagen o reliquia de un santo de especial devoción. ‖ **2. Sancta.** ‖ **3.** fig. *Colomb.* **Tesoro,** 1.ª acep.

Santucho, cha. (despect. de *santo*.) adj. fam. **Santurrón.** Ú. t. c. s.

Santulón, na. adj. desus. **Santurrón.** Ú. en *Amér.*

Santurrón, na. (despect. de *santo*.) adj. Nimio en los actos de devoción. Ú. t. c. s. ‖ **2.** Gazmoño, hipócrita que aparenta ser devoto.

Santurronería. f. Calidad de santurrón.

Saña. (Del lat. *sanna*, mueca, gesto.) f. Furor, enojo ciego. ‖ **2.** Intención rencorosa y cruel. ‖ **A sañas.** m. adv. ant. **Sañudamente.**

Sañosamente. adv. m. **Sañudamente.**

Sañoso, sa. adj. **Sañudo.**

Sañudamente. adv. m. Con saña.

Sañudo, da. adj. Propenso a la saña, o que tiene saña.

Sao. m. **Labiérnago.** ‖ **2.** *Cuba.* Sabana pequeña con algunos matorrales o grupos de árboles.

Sapa. (Del tagalo *sapa*, buyo.) f. Residuo que queda de la masticación del buyo.

Sapada. f. *León* y *Sal.* Caída de bruces. ‖ **2.** *Sant.* Postema en la planta del pie.

Sapan. (Del malayo *sápang*.) m. *Filip.* **Sibucao.**

Sapenco. m. Caracol terrestre con rayas pardas transversales; alcanza una pulgada de longitud y es muy común.

Sapidez. f. Calidad de sápido.

Sápido, da. (Del lat. *sapĭdus*.) adj. Aplícase a la substancia que tiene algún sabor.

Sapiencia. (Del lat. *sapientĭa*.) f. **Sabiduría.** ‖ **2.** Libro de la Sabiduría, que escribió Salomón.

Sapiencial. (Del lat. *sapientiālis*.) adj. Perteneciente a la sabiduría. ‖ **2.** V. **Libro sapiencial.**

Sapiente. (Del lat. *sapĭens, -entis*.) adj. p. us. **Sabio.** Ú. t. c. s.

Sapillo. m. d. de **Sapo.** ‖ **2. Ránula.** ‖ **3.** *Cuba* y *Venez.* Especie de afta que padecen en la boca algunos niños de pecho. ‖ **4.** *And.* **Salicor.** ‖ **Compón el sapillo, parecerá bonillo.** ref. **Afeita un cepo, parecerá mancebo.**

Sapina. (Del lat. *sapo*, jabón.) f. **Salicor.**

Sapindáceo, a. (Del lat. mod. *sapindus*, jaboncillo, y éste del lat. *sapo*, jabón, por el jugo de alguna de estas plantas.) adj. *Bot.* Aplícase a plantas angiospermas dicotiledóneas, exóticas, arbóreas o sarmentosas de hojas casi siempre alternas, agrupadas de tres en tres y pecioladas; flores en espiga con pedúnculos que suelen transformarse en zarcillos, y fruto capsular; como el farolillo y el jaboncillo. Ú. t. c. s. ‖ **2.** f. pl. *Bot.* Familia de estas plantas.

Sapino. (Del lat. *sapīnus*.) m. **Abeto,** 1.ª acep.

Sapo. (Del vasc. *zapoa*.) m. *Zool.* Batracio del orden de los anuros, de ocho a nueve centímetros de longitud desde lo alto de la cabeza hasta el fin del dorso, con cuerpo rechoncho, ojos saltones, extremidades cortas y cinco dedos; piel gruesa de color verde pardusco y llena de verrugas, con un pliegue detrás de los oídos, por cuyos poros fluye un humor blanquecino y fétido. Vive oculto entre las piedras durante el día y sale por la noche a caza de insectos, gusanos y moluscos. ‖ **2.** fam. Cualquier bicho cuyo nombre se ignora. ‖ **3.** fig. y fam. V. **Ojos de sapo.** ‖ **4.** *Zam.* Hilo gordo que en un tejido desdice de los otros. ‖ **5.** *Argent.* y *Chile.* Juego de la rana. ‖ **6.** *Chile.* Chiripa en el juego de billar. ‖ **7.** *Cuba.* Pez pequeño, de cabeza grande y boca muy hendida, que vive en la desembocadura de los ríos. ‖ **marino. Pejesapo.** ‖ **Antaño me mordió el sapo, y hogaño se me hinchó el papo.** ref. que se aplica al que atribuye una cosa presente a causa muy remota. ‖ **Echar uno sapos y culebras.** fr. fig. y fam. Decir desatinos. ‖ **2.** fig. y fam. Proferir con ira denuestos. ‖ **Pisar el sapo.** fr. fig. y fam. con que se nota al que se levanta tarde de la cama. Ú. en frases como: *Cuidado, no* PISES EL SAPO, o *que vas a* PISAR EL SAPO. ‖ **2.** fig. y fam. Aplícase al que no se atreve a ejecutar una acción por miedo infundado de que le resulte algún mal. ‖ **Sapos y culebras.** fr. fig. y fam. Cosas despreciables, revueltas, enmarañadas.

Saponáceo, a. (Del lat. *sapo, -ōnis*, jabón.) adj. **Jabonoso.**

Saponaria. (Del lat. *saponarĭa*, jabonosa.) f. **Jabonera,** 3.ª acep.

Saponificable. adj. Que se puede saponificar.

Saponificación. f. Acción y efecto de saponificar o saponificarse.

Saponificar. (Del lat. *sapo, -ōnis*, jabón, y *facĕre*, hacer.) tr. Convertir en jabón un cuerpo graso, por la combinación de los ácidos que contiene, con un álcali u otros óxidos metálicos. Ú. t. c. r.

Saporífero, ra. (Del lat. *sapor, -ōris*, sabor, y *ferre*, llevar.) adj. Que causa o da sabor.

Sapotáceo, a. (De *achras sapota*, nombre de una especie de plantas.) adj. *Bot.* Dícese de arbustos y árboles angiospermos dicotiledóneos, con hojas alternas, enteras y coriáceas, flores axilares, solitarias y más frecuentemente en umbela, y por frutos drupas o bayas casi siempre indehiscentes con semillas de albumen carnoso u oleoso o sin albumen; como el zapote y el ácana. Ú. t. c. s. f. ‖ **2.** f. pl. *Bot.* Familia de estas plantas.

Sapote. m. **Zapote.**

Sapotina. f. *Ecuad.* Hidrosilicato de magnesia y alúmina; substancia amorfa, muy blanda, blanca grisácea, untuosa al tacto. Se usa en la fabricación de porcelana.

Saprofito, ta. (Del gr. σαπρός, podrido, y φυτόν, planta.) adj. *Bot.* Dícese de las plantas que viven a expensas de materias orgánicas en descomposición. ‖ **2.** *Med.* Dícese de los microbios que viven normalmente en el organismo, sobre todo en el tubo digestivo, a expensas de las materias en putrefacción y que pueden dar lugar a enfermedades.

Saque. m. Acción de sacar; dícese particularmente en el juego de pelota. ‖ **2.** Raya o sitio desde el cual se saca la pelota. ‖ **3.** El que saca la pelota. *Buen* SAQUE *lleva este partido.* ‖ **Tener buen saque.** fr. fig. y fam. Comer o beber mucho de cada vez.

Saqueador, ra. adj. Que saquea. Ú. t. c. s.

Saqueamiento. (De *saquear*.) m. **Saqueo.**

Saquear. (De *saco*.) tr. Apoderarse violentamente los soldados de lo que hallan en un paraje. ‖ **2.** Entrar en una plaza o lugar robando cuanto se halla. ‖ **3.** fig. Apoderarse de todo o la mayor parte de aquello de que se habla.

Saqueo. m. Acción y efecto de saquear.

Saquera. (De *saco*.) adj. V. **Aguja saquera.**

Saquería. (De *saquero*.) f. Fabricación de sacos. ‖ **2.** Conjunto de ellos.

Saquerío. m. **Saquería,** 2.ª acep.

Saquero, ra. m. y f. Persona que hace sacos o los vende.

Saquete. m. d. de **Saco.** ‖ **2.** *Art.* Envoltura de papel, anascote, etc., en que se empaqueta la carga del cañón. ‖ **de metralla.** desus. *Art.* Platillo de hierro o madera con un arbolete vertical en su centro, alrededor del cual se agrupaban tongas de proyectiles pequeños que se forraban con una funda de lona y se aseguraban con un tejido o red de cordel.

Saquilada. f. Cantidad que se lleva en un saco, cuando no va lleno.

Sarabaíta. (Del lat. *sarabaīta*.) adj. Decíase del monje relajado que, por no sujetarse a la vida regular de los anacoretas y cenobitas, moraba en las ciudades con dos o tres compañeros, sin regla ni superior. Ú. t. c. s.

Saraguate. m. *Amér. Central.* Especie de mono.

Saragüete. m. fam. Sarao casero.

Sarama. f. *Vizc.* **Basura.**

Sarampión. (Del gr. ξηραμπέλινος, de color rojo encendido.) m. *Med.* Enfermedad febril, contagiosa y muchas veces epidémica, que se manifiesta por multitud de manchas pequeñas y rojas, semejantes a picaduras de pulga, y que va precedida y acompañada de lagrimeo, estornudo, tos y otros síntomas catarrales.

Sarán. m. *Vizc.* Cesto ordinario hecho de madera de castaño.

Sarandí. m. *Argent.* Arbusto de la familia de las euforbiáceas, de ramas largas y flexibles, que se cría en las costas y riberas, en terrenos bañados por las aguas.

Sarao. (Del port. *sarão*, y éste del lat. *seranum*, de *serum*, la tarde.) m. Reunión nocturna de personas de distinción para divertirse con baile o música.

Sarape. m. *Méj.* **Capote de monte.**

Sarapia. f. *Bot.* Árbol leguminoso de la América Meridional, con tronco liso, blanquecino, de más de un metro de diámetro y unos 20 de altura; hojas alternas, coriáceas, de pecíolo marginado; flores con ocho estambres, y legumbre tomentosa con una sola semilla de figura de almendra. Su madera se emplea en carpintería, y su semilla para aromatizar el rapé y preservar la ropa de la polilla. ‖ **2.** Fruto de este árbol.

Sarapico. m. **Zarapito.**

Sarasa. m. fam. Hombre afeminado, marica.

Saraviado, da. adj. *Colomb.* y *Venez.* Pintado, manchado, mosqueado. Aplícase a las aves.

Sarazo. adj. *Colomb., Cuba, Méj.* y *Venez.* Aplícase al maíz que empieza a madurar.

Sarcasmo. (Del lat. *sarcasmus*, y éste del gr. σαρκασμός.) m. Burla sangrienta, ironía mordaz y cruel con que se ofende o maltrata a personas o cosas. ‖ **2.** *Ret.*

Figura que consiste en emplear esta especie de ironía o burla.

Sarcásticamente. adv. m. Con sarcasmo.

Sarcástico, ca. (Del gr. σαρκαστικός.) adj. Que denota o implica sarcasmo o es concerniente a él. || **2.** Aplícase a la persona propensa a emplearlo.

Sarcia. (Del gall. *sarcia*, y éste del lat. *sarcĭna*, carga.) f. Carga, fardaje.

Sarco. m. *Germ.* **Sayo.** || **de popal.** *Germ.* Sayo de faldamenta larga.

Sarcocarpio. (Del gr. σάρξ, σαρκός, carne, y καρπός, fruto.) m. *Bot.* Mesocarpio carnoso; como el de la ciruela.

Sarcocele. (Del lat. *sarcocēle*, y éste del gr. σαρκοκήλη; de σάρξ, σαρκός, carne, y κήλη, tumor.) m. *Med.* Tumor duro y crónico del testículo, ocasionado por causas que alteran más o menos la textura de este órgano.

Sarcocola. (Del lat. *sarcocolla*, y éste del gr. σαρκοκόλλα.) f. Goma casi transparente, de color amarillento o rojizo, sabor amargo y olor ambarino, que en granillos oblongos fluye de la corteza de un arbusto de Arabia parecido al espino negro. Se ha usado en medicina para curar heridas.

Sarcófago. (Del lat. *sarcophăgus*, y éste del gr. σαρκοφάγος, que consume las carnes; de σάρξ, σαρκός, carne, y φαγεῖν, comer.) m. **Sepulcro,** 1.ª acep.

Sarcolema. (Del gr. σάρξ, σαρκός, carne, y λέμμα, corteza.) m. *Zool.* Membrana muy fina que envuelve por completo a cada una de las fibras musculares.

Sarcoma. (Del lat. *sarcōma*, y éste del gr. σάρκωμα, aumento de carne.) m. *Med.* Tumor maligno constituido por tejido conjuntivo embrionario, que crece rápidamente y se reproduce con facilidad; es bastante frecuente en las edades infantil y juvenil.

Sarcótico, ca. (Del gr. σαρκωτικός, de σάρξ, σαρκός, carne.) adj. desus. *Cir.* Aplicábase a los remedios que tienen virtud de cerrar las llagas favoreciendo la formación de nueva carne. Usáb. t. c. s. m.

Sarda. (Del lat. *sarda*, y éste del gr. σάρδα.) f. **Caballa.** || **2.** *Sal.* Pececillo de río. || **3.** *Ar.* Monte bajo, matorral. || **4.** *Ast.* **Sardo,** 1.er art., 3.ª acep.

Sardana. (Del lat. *cerretāna*, t. f. de *-nus*, cerretano.) f. Danza en corro, tradicional de Cataluña.

Sardanés, sa. adj. Natural de Cerdaña. Ú. t. c. s. || **2.** Perteneciente a esta comarca de Cataluña.

Sarde. (Del vasco.) m. *Nav.* **Bieldo,** 1.ª acep.

Sardesco, ca. (De *sardo*, 2.º art.) adj. Aplícase al caballo o asno pequeño. Ú. t. c. s. || **2.** ant. **Sardo,** 2.º art. Apl. a pers., usáb. t. c. s. || **3.** fig. y fam. Dícese de la persona áspera y sacudida. || **4.** fig. *Med.* V. **Risa sardesca.**

Sardiano, na. (Del lat. *sardiānus*.) adj. Natural de Sardes, capital de Lidia. Ú. t. c. s. || **2.** Perteneciente a esta ciudad del Asia antigua.

Sardicense. (Del lat. *sardicensis*.) adj. Natural de Sárdica. Ú. t. c. s. || **2.** Perteneciente a esta ciudad de Tracia.

Sardina. (Del lat. *sardīna*.) f. *Zool.* Pez teleósteo marino del suborden de los fisóstomos, de 12 a 15 centímetros de largo, parecido al arenque, pero de carne más delicada, cabeza relativamente menor, la aleta dorsal muy delantera y el cuerpo más fusiforme y de color negro azulado por encima, dorado en la cabeza y plateado en los costados y vientre. || **2.** *Germ.* V. **Apaleador de sardinas.** || **3.** V. **Geranio de sardina.** || **arenque.** **Arenque.** || **Echar otra sardina.** fr. fig. y fam. de que se usa cuando entra uno de fuera, especialmente si ocasiona alguna incomodidad el admitirle. || **Estar uno como sardina en banasta.** fr. fig. y fam. Estar muy apretado por el mucho concurso. || **La última sardina de la banasta.** expr. fig. y fam. con que se explica haber llegado a lo último de las cosas. || **Sardina que el gato lleva, gandida, galdida** o **galduda, va,** o **Sardina que lleva el gato, tarde o nunca vuelve al plato.** refs. que advierten que una vez hecho el daño, la reparación es difícil.

Sardinal. m. Red que se mantiene entre dos aguas en posición vertical para que se enmallen las sardinas.

Sardinel. (Del cat. *sardinell*, sardina, por semejanza con las sardinas prensadas.) m. *Arq.* Obra hecha de ladrillos sentados de canto y de modo que coincida en toda su extensión la cara de uno con la del otro. *Cornisa, escalón, hecho* A SARDINEL. || **2.** *Arq.* V. **Citarilla sardinel.** || **3.** *And.* Escalón de entrada de una casa o habitación.

Sardinero, ra. adj. Perteneciente a las sardinas. || **2.** m. y f. Persona que vende sardinas o trata en ellas.

Sardineta. f. d. de **Sardina.** || **2.** Porción que se corta al queso en todo lo que sobresale del molde donde se hace. || **3.** Adorno formado por dos galones apareados y terminados en punta. Se usa principalmente en ciertos uniformes militares. || **4.** Papirotazo que por juego da un muchacho a otro en la mano, con los dedos mojados en saliva.

Sardio. (Del lat. *sardĭus lapis*.) m. **Sardónice.**

Sardioque. m. *Germ.* **Salero,** 1.ª acep. || **2.** *Germ.* **Sal,** 1.ª acep.

Sardo, da. adj. Dícese del ganado vacuno cuya capa tiene mezcla de negro, blanco y colorado. || **2.** m. **Sardónice.** || **3.** *Ast.* Tejido de mimbres que se coloca sobre el llar y donde se ponen a curar las castañas y avellanas.

Sardo, da. (Del lat. *sardus*.) adj. Natural de Cerdeña. Ú. t. c. s. || **2.** Perteneciente a esta isla de Italia. || **3.** m. Lengua hablada en la misma isla, y que pertenece al grupo de las neolatinas.

Sardón. m. *León* y *Zam.* Mata achaparrada de encina. || **2.** *Ast.* Monte bajo, terreno lleno de maleza.

Sardonal. m. *León* y *Zam.* Sitio poblado de sardones.

Sardonia. (Del lat. *sardonĭa*, cosa de Cerdeña.) adj. fig. *Med.* V. **Risa sardonia.** || **2.** f. Especie de ranúnculo de hojas lampiñas, pecioladas las inferiores, con lóbulos obtusos las superiores, y flores cuyos pétalos apenas son más largos que el cáliz. Su jugo produce en los músculos de la cara una contracción que imita la risa.

Sardónica. (Del lat. *sardonȳcha*.) f. **Sardónice.**

Sardónice. (Del lat. *sardŏnyx, -ȳchis*, y éste del gr. σαρδόνυξ.) f. Ágata de color amarillento con zonas más o menos obscuras.

Sardónico, ca. (Del gr. σαρδονικός.) adj. fig. *Med.* V. **Risa sardónica.** || **2.** Perteneciente a la sardonia.

Sardonio. (Del lat. *sardonĭus*, y éste del gr. σαρδόνιος.) m. **Sardónice.**

Sardónique. f. **Sardónice.**

Sarga. (Del lat. *serĭca*, de seda.) f. Tela cuyo tejido forma unas líneas diagonales. || **2.** *Pint.* Tela pintada al temple o al óleo para adornar o decorar las paredes de las habitaciones.

Sarga. (Del lat. **salĭca*, de *salix, -ĭcis*, sauce.) f. *Bot.* Arbusto de la familia de las salicáceas, de tres a cinco metros de altura, con tronco delgado, ramas mimbreñas, hojas estrechas, lanceoladas, de margen aserrada y lampiñas; flores verdosas en amentos cilíndricos, y fruto capsular ovoide. Es común en España a orillas de los ríos.

Sargadilla. (De *salgada*.) f. *Bot.* Planta perenne de la familia de las quenopodiáceas, de seis a ocho decímetros de altura, con tallo rollizo y ramoso, hojas amontonadas, glaucas, planas por encima, carnosas, agudas y terminadas por un pelo blanquecino y cerdoso; flores de tres en tres y en las axilas de las hojas; cáliz con cinco lacinias, cinco estambres, pericarpio muy delgado y semilla lenticular con un pico corto. Se cría en España y en el mediodía de Francia.

Sargado, da. adj. **Asargado.**

Sargal. m. Terreno poblado de sargas.

Sargantana. (De **lagartana*, substituido el supuesto artículo *la* por el artículo *sa*.) f. *Ar.* y *Nav.* **Lagartija.**

Sargantesa. (Del lat. **lacartus*, por *lacertus*, substituido el supuesto artículo *la* por el artículo *sa*.) f. *Ar.* y *Sor.* **Lagartija.**

Sargatillo. (De *saz*, sauce, y *gatillo*.) m. Especie de sauce de dos a cinco metros de altura, con hojas lanceoladas, estrechas, enteras, ligeramente aserradas en el ápice y lampiñas.

Sargazo. (En port. *sargaço*.) m. *Bot.* Alga marina, en la que el talo está diferenciado en una parte que tiene aspecto de raíz y otra que se asemeja a un tallo; de esta última arrancan órganos laminares, parecidos por su forma y disposición a hojas de plantas fanerógamas, con un nervio central saliente y vesículas axilares, aeríferas, a modo de flotadores que sirven para sostener la planta dentro o en la superficie del agua. Hay varias especies, y alguna tan abundante, que en el Océano Atlántico cubre una gran superficie que se llama mar de Sargazo.

Sargenta. f. **Sergenta.** || **2.** Alabarda que llevaba el sargento. || **3.** Mujer del sargento. || **4.** **Sargentona.**

Sargente. (Del fr. *sergent*, y éste del lat. *servĭens, -entis*, p. a. de *servīre*, servir.) m. ant. Sargento.

Sargentear. tr. Gobernar gente militar haciendo el oficio de sargento. || **2.** fig. **Capitanear,** 2.ª acep. || **3.** fig. y fam. Mandar o disponer con afectado imperio en un concurso o función.

Sargentería. f. Ejercicio del sargento en la formación, disposición y economía de la tropa.

Sargentía. f. Empleo de sargento. || **mayor.** Empleo de sargento mayor. || **2.** Oficina en que el sargento mayor despacha los negocios de su cargo.

Sargento. (De *sargente*.) m. Individuo de la clase de tropa, que tiene empleo superior al de cabo, y, bajo la inmediata dependencia de los oficiales, cuida del orden, administración y disciplina de una compañía o parte de ella. || **2.** Oficial subalterno que en las antiguas compañías de infantería seguía en orden al alférez y tenía el cargo de instruir y alojar a los soldados, velar por la disciplina y llevar la contabilidad. || **3.** Alcalde de corte inmediato en antigüedad a los cinco que tenían a su cargo el juzgado de provincia, de quienes era suplente. || **general de batalla.** En la milicia antigua, oficial inmediato subalterno del maestre de campo general. || **mayor.** Oficial que solía haber en los regimientos, encargado de su instrucción y disciplina: era jefe superior a los capitanes, ejercía las funciones de fiscal e intervenía en todos los ramos económicos y en la distribución de caudales. || **mayor de brigada.** El más antiguo de los **sargentos** mayores de los cuerpos que la componían, a cuyo cargo estaba tomar y distribuir las órdenes. || **mayor de la plaza.** Oficial jefe de ella encargado del pormenor del servicio, para señalar el que corresponde a cada cuerpo, vigilar la exactitud en él y distribuir las órdenes del gobernador. || **mayor de provincia.** Jefe militar que en Indias mandaba después del gobernador y teniente de rey.

Sargentona. f. fam. despect. Mujer corpulenta, hombruna y de dura condición.

Sargo. (Del lat. *sargus.*) m. *Zool.* Pez teleósteo marino, del suborden de los acantopterigios, de unos 20 centímetros de largo, con el cuerpo comprimido lateralmente y el dorso y el vientre muy encorvados junto a la cola; cabeza de hocico puntiagudo, labios dobles, dientes robustos y cortantes, aletas pectorales redondas y cola ahorquillada. Es de color plateado, cruzado con fajas transversales negras. Hay varias especies y algunas se pescan en las costas de España.

Sarguero. m. Pintor que se dedicaba exclusiva o preferentemente a pintar sargas, 1.er art., 2.ª acep.

Sarguero, ra. adj. Perteneciente a la sarga, 2.° art.

Sargueta. f. d. de **Sarga,** 1.er art.

Sariá. (Voz guaraní.) f. *Argent.* **Chuña.**

Sariama. (Voz guaraní.) f. *Argent.* Ave zancuda, de cuello largo, de color rojo sucio; tiene un copete pequeño. Destruye las sabandijas.

Sarilla. (Del ár. *ṣaṭriyya,* y éste del lat. *saturēia;* véase *ajedrea.*) f. **Mejorana.**

Sarillo. m. *Can.* y *Gal.* **Devanadera,** 1.ª acep.

Sármata. (Del lat. *sarmăta.*) adj. Natural de Sarmacia, región de la Europa antigua. Ú. t. c. s. || **2. Sarmático.**

Sarmático, ca. (Del lat. *sarmatĭcus.*) adj. Perteneciente a Sarmacia.

Sarmentador, ra. m. y f. Persona que sarmenta.

Sarmentar. intr. Coger los sarmientos podados.

Sarmentazo. m. aum. de **Sarmiento.** || **2.** Golpe dado con un sarmiento.

Sarmentera. f. Lugar donde se guardan los sarmientos. || **2.** Acción de sarmentar. || **3.** *Germ.* Toca de red o gorguera.

Sarmenticio, cia. (Del lat. *sarmentiĉius.*) adj. Aplicábase por ultraje a los cristianos de los primeros siglos, porque se dejaban quemar a fuego lento con sarmientos.

Sarmentillo. m. d. de **Sarmiento.**

Sarmentoso, sa. (Del lat. *sarmentōsus.*) adj. Que tiene semejanza con los sarmientos.

Sarmiento. (Del lat. *sarmentum.*) m. Vástago de la vid, largo, delgado, flexible y nudoso, de donde brotan las hojas, las tijeretas y los racimos. || **cabezudo.** El que para plantar se corta de la cepa con parte de madera vieja.

Sarna. (Voz española antigua citada por San Isidoro.) f. *Med.* Enfermedad contagiosa, común al hombre y a varios animales domésticos, que consiste en multitud de vesículas y pústulas diseminadas por el cuerpo, producidas por el ácaro o arador, las cuales causan viva picazón, que el calor del lecho exacerba. || **2.** V. **Ácaro de la sarna.** || **perruna.** *Med.* Variedad de **sarna** cuyas vesículas no supuran y cuyo prurito es muy vivo. || **Más viejo que la sarna.** expr. fig. y fam. Muy viejo o antiguo. || **No faltar a uno sino sarna que rascar.** fr. fig. y fam. Gozar de la salud y conveniencias que necesita. Ú. especialmente para notar o redargüir al que inmotivadamente se queja de que le falte algo o lo echa de menos. || **Sarna con gusto no pica.** fr. proverb. que da a entender que las molestias ocasionadas por cosas voluntarias no incomodan. Suele redargüirse añadiendo: **pero mortifica,** significando que siempre producen alguna inquietud.

Sarnazo. m. fam. aum. de **Sarna.**

Sarnoso, sa. adj. Que tiene sarna. Ú. t. c. s.

Sarpullido. m. **Salpullido.**

Sarpullir. tr. **Salpullir.** Ú. t. c. r.

Sarracénico, ca. adj. Perteneciente a los sarracenos.

Sarraceno, na. (Del ár. *šarqiyyīn,* pl. de *šarqī,* oriental.) adj. Natural de la Arabia Feliz, u oriundo de ella. Ú. t. c. s. || **2. Moro,** 5.ª acep. Ú. t. c. s. || **3.** V. **Hierba sarracena.** || **4.** V. **Trigo sarraceno.**

Sarracín, o **Sarracino, na.** adj. **Sarraceno.** Apl. a pers., ú. t. c. s.

Sarracina. (De *sarracín,* por alusión a la gritería y el desorden con que los sarracenos solían pelear.) f. Pelea entre muchos, especialmente cuando es confusa o tumultuaria. || **2.** Por ext., riña o pendencia en que hay heridas o muertes.

Sarrajón. (Del lat. *serralia.*) m. *Ar.* Planta silvestre de la familia de las gramíneas.

Sarrapia. f. **Sarapia.**

Sarria. (Del gót. **sahrja,* al. *sahar,* cesta.) f. Género de red basta en que recogen la paja para transportarla. || **2.** *Ar.* y *Murc.* Espuerta grande.

Sarrieta. f. d. de **Sarria.** || **2.** Espuerta honda y alargada en que se echa de comer a las bestias.

Sarrillo. m. Estertor del moribundo.

Sarrillo. m. **Aro,** 2.° art.

Sarrio. (Quizá voz ibérica: en cat. *isart;* en fr. *isard.*) m. *Ar.* **Gamuza,** 1.ª acep.

Sarro. (Del lat. *saburra,* lastre.) m. Sedimento que se adhiere al fondo y paredes de una vasija donde hay un líquido que precipita parte de las substancias que lleva en suspensión o disueltas. || **2.** Substancia amarillenta, más o menos obscura y de naturaleza calcárea, que se adhiere al esmalte de los dientes. || **3. Saburra,** 2.ª acep. || **4. Roya,** 1.ª acep.

Sarroso, sa. adj. Que tiene sarro.

Sarruján. m. *Sant.* **Zagal,** 1.er art., 3.ª acep.

Sarta. (Del lat. *sarta,* pl. n. de *sartum,* atado.) f. Serie de cosas metidas por orden en un hilo, cuerda, etc. || **2.** fig. Porción de gentes o de otras cosas que van o se consideran en fila unas tras otras. || **3.** fig. Serie de sucesos o cosas no materiales, iguales o análogas. SARTA *de desdichas, de disparates.*

Sartal. m. **Sarta,** 1.ª acep.

Sartalejo. m. d. de **Sartal.**

Sartén. (Del lat. *sartāgo, -ĭnis.*) f. Vasija de hierro, circular, mas ancha que honda, de fondo plano y con mango largo, la cual sirve para freir, tostar o guisar alguna cosa. Las hay con tres pies, y en este caso tienen el mango más corto. || **2. Sartenada.** || **Cuando la sartén chilla, algo hay en la villa.** ref. **Cuando el río suena, agua lleva.** || **Dijo la sartén a la caldera: quítate,** o **tírate, allá, culinegra,** u **ojinegra. Dijo la sartén al cazo: quítate allá, que me tiznas.** refs. que reprenden a los que, estando manchados con vicios u otros defectos dignos de nota, vituperan en otros las menores faltas. || **Saltar de la sartén y dar en las brasas.** fr. fig. y fam. Dar en un grave mal o estrago por huir de otro más leve perjuicio. || **Tener uno la sartén por el mango.** fr. fig. y fam. Predominar, asumir el principal manejo y autoridad en una dependencia o negocio.

Sartenada. f. Lo que de una vez se fríe en la sartén, o lo que cabe en ella.

Sartenazo. m. Golpe que se da con la sartén. || **2.** fig. y fam. Golpe recio dado con una cosa aunque no sea sartén.

Sarteneja. f. d. de **Sartén.** || **2.** Grieta que se forma con la sequía en algunos terrenos y también hoyo o depresión que dejan las aguas al evaporarse en las marismas y vegas bajas. Ú. en *And., Ecuad.* y *Méj.*

Sartenejal. m. *Ecuad.* Parte de la sabana en que abundan las sartenejas y donde la vegetación es escasa.

Sartenero. m. El que hace sartenes o las vende.

Sartorio. (Del lat. *sartor,* sastre, por ser estos músculos los que principalmente producen, al contraerse, el movimiento de flexión y abducción de los muslos, necesario para poder cruzarlos uno sobre otro, como hacen los sastres para coser.) adj. *Anat.* V. **Músculo sartorio.** Ú. t. c. s.

Sasafrás. (De *saxafrax.*) m. Árbol americano de la familia de las lauráceas, de unos 10 metros de altura, con tronco recio de corteza gorda y rojiza, y copa redondeada; hojas gruesas, partidas en tres lóbulos, verdes por encima y lanuginosas por el envés; flores dioicas, pequeñas, amarillas y en racimos colgantes; fruto en baya rojiza con una sola semilla, y raíces, madera y corteza de olor fuerte aromático. La infusión de las partes leñosas de esta planta se ha usado en medicina contra los males nefríticos y hoy se emplea como sudorífica.

Sastra. f. Mujer del sastre. || **2.** La que tiene este oficio.

Sastre. (Del prov. o cat. *sartre, sastre,* y éste del lat. *sartor.*) m. El que tiene por oficio cortar y coser vestidos, principalmente de hombre. || **2.** V. **Jabón, jaboncillo de sastre.** || **3.** fig. y fam. V. **Cajón de sastre.** || **4.** *Anat.* V. **Músculo del sastre.** || **Buen sastre.** fig. y fam. Persona que tiene mucha inteligencia en la materia de que se trata. || **Corto sastre.** fig. y fam. Persona que tiene corta inteligencia en la materia de que se trata. || **El sastre del campillo,** o **del cantillo, que cosía de balde y ponía el hilo.** expr. fig. y fam. que se aplica al que, además de trabajar sin utilidad, sufre algún costo. || **Entre sastres no se pagan hechuras.** fr. proverb. que explica la buena correspondencia que suelen usar entre sí las personas de un mismo empleo, profesión u oficio. || **No es mal sastre el que conoce el paño.** fr. proverb. que se dice de la persona inteligente en asunto de su competencia. || **2.** Aplícase también al que reconoce sus propias faltas. || **Será lo que tase un sastre.** fr. fig. y fam. que se emplea para denotar que aquello que uno dice o pide se hará o no se hará, o es muy incierto.

Sastrería. f. Oficio de sastre. || **2.** Obrador de sastre.

Sastresa. f. *Ar.* **Sastra.**

Satán. (Del hebraísmo lat. *satan,* adversario, enemigo.) m. **Satanás.**

Satanás. (Del lat. *Satănas,* y éste del hebr. *satan.*) m. **Lucifer,** 1.ª acep. || **Darse uno a Satanás.** fr. fig. **Darse al diablo.**

Satandera. f. *Ál.* **Comadreja,** 1.ª acep.

Satánico, ca. (De *Satán.*) adj. Perteneciente a Satanás; propio y característico de él. || **2.** fig. Extremadamente perverso. Dícese especialmente de ciertos defectos o cualidades. *Orgullo* SATÁNICO; *ira, soberbia* SATÁNICA.

Satanismo. m. fig. Perversidad, maldad satánica.

Satélite. (Del lat. *satelles, -ĭtis.*) m. *Astron.* Cuerpo celeste opaco que sólo brilla por la luz refleja del Sol y gira alrededor de un planeta primario. || **2.** fam. **Alguacil,** 1.ª acep. || **3.** fig. Persona o cosa que depende de otra y experimenta todas sus vicisitudes, o la sigue y acompaña de continuo como dependiente de ella. || **4.** *Mec.* Rueda dentada de un engranaje que gira libremente sobre un eje para transmitir el movimiento de otra rueda dentada.

Satén. (Del fr. *satin,* y éste del lat. *seta,* seda.) m. Tejido arrasado.

Satín. m. Madera americana semejante al nogal.

Satinador, ra. adj. Que satina.

Satinar. (Del fr. *satiner*, de *satin*, satén.) tr. Dar al papel o a la tela tersura y lustre por medio de la presión.

Sátira. (Del lat. *satira*.) f. Composición poética u otro escrito cuyo objeto es censurar acremente o poner en ridículo a personas o cosas. || **2.** Discurso o dicho agudo, picante y mordaz, dirigido a este mismo fin.

Satiriasis. (Del lat. *satyriăsis*, y éste del gr. σατυρίασις.) f. *Med.* Estado de exaltación morbosa de las funciones genitales, propia del sexo masculino.

Satíricamente. adv. m. De modo satírico.

Satírico, ca. (Del lat. *satyrĭcus*.) adj. Perteneciente a la sátira. || **2.** m. Escritor que cultiva la sátira.

Satírico, ca. adj. Perteneciente o relativo al sátiro, 1.ª acep.

Satirio. (De *sátiro*, por su agilidad.) m. Mamífero roedor, de unos 20 centímetros de largo, sin contar la cola, que tiene cerca de un decímetro; de forma semejante a la rata, de pelaje pardo muy obscuro y con visos rojizos. Habita a orillas de los arroyos, es muy ágil, nada muy bien y caza en el agua y fuera de ella.

Satirión. (Del lat. *satyrĭon*, y éste del gr. σατύριον.) m. *Bot.* Planta herbácea, vivaz, de la familia de las orquidáceas, con tallo de tres a cuatro decímetros de altura; dos o tres hojas radicales, anchas, ovales y obtusas, y otras tantas sobre el tallo, más pequeñas y envainadoras; flores de figura extraña, blancas, olorosas y en espiga laxa, y raíces con dos tubérculos parejos y aovados, de que puede sacarse salep. Es común en España.

Satirizante. p. a. de **Satirizar.** Que satiriza.

Satirizar. intr. Escribir sátiras. || **2.** tr. Zaherir y motejar.

Sátiro, ra. (Del lat. *satyrus*, y éste del gr. σάτυρος.) adj. p. us. Mordaz, propenso a zaherir y motejar. Ú. t. c. s. || **2.** m. Composición escénica lasciva y desvergozada. || **3.** fig. Hombre lascivo. || **4.** *Mit.* Monstruo o semidiós que fingieron los gentiles ser medio hombre y medio cabra.

Satis. (Del lat. *satis*, bastante.) m. **Asueto,** 2.ª acep.

Satisdación. (Del lat. *satisdatĭo, -ōnis.*) f. *For.* **Fianza,** 1.ª acep.

Satisfacción. (Del lat. *satisfactĭo, -ōnis.*) f. Acción y efecto de satisfacer o satisfacerse. || **2.** Una de las tres partes del sacramento de la penitencia, que consiste en pagar con obras de penitencia la pena debida por nuestras culpas. || **3.** Razón, acción o modo con que se sosiega y responde enteramente a una queja, sentimiento o razón contraria. || **4.** Presunción, vanagloria. *Tener mucha* SATISFACCIÓN *de sí mismo.* || **5.** Confianza o seguridad del ánimo. || **6.** Cumplimiento del deseo o del gusto. || **A satisfacción.** m. adv. A gusto de uno, cumplidamente. || **Tomar** uno **satisfacción.** fr. Satisfacerse, volver por el propio honor.

Satisfacer. (Del lat. *satisfacĕre*; de *satis* bastante, y *facĕre*, hacer.) tr. Pagar enteramente lo que se debe. || **2.** Hacer una obra que merezca el perdón de la pena debida. || **3.** Aquietar y sosegar las pasiones del ánimo. || **4.** Saciar un apetito, pasión, etc. || **5.** Dar solución a una duda o a una dificultad. || **6.** Deshacer un agravio u ofensa; sosegar o aquietar una queja o un sentimiento. || **7.** Premiar enteramente y con equidad los **méritos** que se tienen hechos. || **8.** r. Vengarse de un agravio. || **9.** Volver por su propio honor el que estaba ofendido, vengándose u obligando al ofensor a que deshaga el agravio. || **10.** Aquietarse y convencerse con una eficaz razón de la duda o queja que se había formado.

Satisfaciente. (Del lat. *satisfacĭens, -entis.*) p. a. de **Satisfacer.** Que satisface.

Satisfactoriamente. adv. m. De modo satisfactorio.

Satisfactorio, ria. (Del lat. *satisfactorĭus*.) adj. Que puede satisfacer o pagar una cosa debida. || **2.** Que puede satisfacer una duda o una queja, o deshacer un agravio. || **3.** Grato, próspero.

Satisfecho, cha. (Del lat. *satisfactus*.) p. p. irreg. de **Satisfacer** || **2.** adj. Presumido o pagado de sí mismo. || **3.** Complacido, contento.

Sativo, va. (Del lat. *satīvus*.) adj. Que se siembra o planta y cultiva, a distinción de lo agreste o silvestre.

Sato. (Del lat. *satus*, de *serĕre*, sembrar.) m. p. us. **Sembrado,** 3.ª acep.

Sátrapa. (Del lat. *satrăpa*; éste del gr. σατράπης, y éste del ant. persa, *šahrabh*, oficial del *šāh* o emperador.) m. Gobernador de una provincia de la antigua Persia. || **2.** fig. y fam. Hombre ladino y que sabe gobernarse con astucia e inteligencia en el comercio humano. Ú. t. c. adj.

Satrapía. (Del lat. *satrapīa*.) f. Dignidad de sátrapa. || **2.** Territorio gobernado por un sátrapa.

Saturable. adj. Que puede saturarse.

Saturación. (Del lat. *saturatĭo, -ōnis.*) f. *Quím.* Acción y efecto de saturar o saturarse.

Saturar. (Del lat. *saturāre*.) tr. **Saciar.** || **2.** *Quím.* Combinar dos o más cuerpos en las proporciones atómicas máximas en que pueden unirse. || **3.** *Fís.* Impregnar de otro cuerpo un fluido hasta el punto de no poder éste, en condiciones normales, admitir mayor cantidad de aquel cuerpo. Ú. t. c. r.

Saturnal. (Del lat. *saturnālis*.) adj. Perteneciente o relativo a Saturno. || **2.** f. Fiesta en honor del dios Saturno. Ú. m. en pl. || **3.** fig. Orgía desenfrenada.

Saturnino, na. (De *Saturno*.) adj. Dícese de la persona de genio triste y taciturno, porque los astrólogos aseveraban que el planeta Saturno daba carácter melancólico a las nacidas bajo su influencia. || **2.** *Quím.* Perteneciente o relativo al plomo. || **3.** *Med.* Aplícase a las enfermedades producidas por intoxicación con una sal de plomo.

Saturnio, nia. (Del lat. *saturnĭus*.) adj. **Saturnal.**

Saturnismo. m. *Med.* Enfermedad crónica producida por la intoxicación ocasionada por las sales de plomo.

Saturno. (Del lat. *Saturnus*.) m. *Astron.* Planeta conocido de muy antiguo, poco menor que Júpiter, con resplandor intenso y amarillento, distante del Sol nueve veces más que la Tierra, acompañado de diez satélites y rodeado por un anillo de varias zonas. || **2.** *Astron.* V. **Anillo de Saturno.** || **3.** *Quím.* **Plomo,** 1.ª acep. || **4.** *Quím.* V. **Árbol, azúcar, extracto, sal de Saturno.**

Sauale. (Voz tagala.) m. *Filip.* Tejido hecho con tiras de caña. Sirve para hacer toldos.

Sauce. (De *salce*.) m. *Bot.* Árbol de la familia de las salicáceas, que crece hasta 20 metros de altura, con tronco grueso, derecho, de muchas ramas y ramillas péndulas; copa irregular, estrecha y clara; hojas angostas, lanceoladas, de margen poco aserrado, verdes por la haz y blancas y algo pelosas por el envés; flores sin cáliz ni corola, en amentos verdosos, y fruto capsular. Es común en las orillas de los ríos. || **blanco. Sauce.** || **cabruno.** *Bot.* Árbol de la familia de las salicáceas, que principalmente se diferencia del **sauce** blanco por tener las hojas mayores, ovaladas, con ondas en el margen y lanuginosas por el envés. En España abunda en las provincias del Norte. || **de Babilonia,** o **llorón.** *Bot.* Árbol de la familia de las salicáceas, de seis a siete metros de altura, con tronco grueso, copa amplia, ramas y ramillas muy largas, flexibles y péndulas, y hojas lampiñas, muy estrechas y lanceoladas. Es originario del Asia Menor y se cultiva en Europa como planta de adorno.

Sauceda. (De *salceda*.) f. **Salceda.**

Saucedal. (De *sauce*.) m. **Salceda.**

Saucegatillo. (De *sauce* y *gatillo*.) m. ant. **Sauzgatillo.**

Saucera. (De *sauce*.) f. **Salceda.**

Saucillo. (d. de *sauce*.) m. **Centinodia,** 1.ª acep.

Saúco. (Del lat. *sabūcus*.) m. Arbusto o arbolillo de la familia de las caprifoliáceas, con tronco de dos a cinco metros de altura, lleno de ramas, de corteza parda y rugosa y medula blanca abundante; hojas compuestas de cinco a siete hojuelas ovales, de punta aguda, aserradas por el margen, de color verde obscuro, de olor desagradable y sabor acre; flores blancas y fruto en bayas negruzcas. Es común en España, y el cocimiento de las flores se usa en medicina como diaforético y resolutivo. || **2.** Segunda tapa de que se componen los cascos de los pies de los caballos. || **falso.** *Chile.* Árbol de unos cinco metros de altura; hojas largamente pecioladas, compuestas de cinco hojuelas lanceoladas, aserradas; umbelas compuestas de tres a cinco flores.

Sauquillo. (d. de *saúco*.) m. **Mundillo,** 3.ª acep.

Saurio. (Del lat. *saurus*, y éste del gr. σαῦρος, lagarto.) adj. *Zool.* Dícese de los reptiles que generalmente tienen cuatro extremidades cortas, mandíbulas con dientes, y cuerpo largo con cola también larga y piel escamosa o cubierta de tubérculos; como el lagarto. Ú. t. c. s. || **2.** m. pl. *Zool.* Orden de estos reptiles.

Sausería. (Del fr. *saucerie*, de *saucier*, sausier.) f. Oficina de palacio, a cuyos dependientes tocaba servir y repartir la vianda, y cuyo jefe tenía a su cargo la plata y demás servicio de mesa.

Sausier. (Del lat. *saucier*, salsero; de *sauce*, salsa, y éste del lat. *salsus*.) m. Jefe de la sausería de palacio.

Sautor. (Del fr. *sautoir*.) m. *Blas.* **Sotuer.**

Sauz. m. **Sauce.**

Sauzal. (De *sauce*.) m. **Salceda.**

Sauzgatillo. (De *saucegatillo*.) m. Arbusto de la familia de las verbenáceas, que crece en los sotos frescos y a orillas de los ríos hasta tres o cuatro metros de altura, con ramas abundantes, mimbreñas, cuadrangulares y de corteza blanquecina; hojas digitadas con pecíolo muy largo y cinco o siete hojuelas lanceoladas; flores pequeñas y azules en racimos terminales, y fruto redondo, pequeño y negro.

Savia. (Del lat. **sapĕa*, de *sapa*, vino cocido y jugo.) f. *Bot.* Líquido que circula por los vasos de las plantas pteridofitas y fanerógamas y del cual toman las células las substancias que necesitan para su nutrición. || **2.** fig. Energía, elemento vivificador.

Saxafrax. f. **Saxífraga.**

Saxátil. (Del lat. *saxatĭlis*, de *saxum*, peña.) adj. *Bot.* y *Zool.* Dícese de las plantas y animales que viven entre las peñas o están adheridos a ellas.

Sáxeo, a. (Del lat. *saxĕus*.) adj. De piedra. Ú. en lenguaje científico y en poesía.

Saxífraga. (Del lat. *saxifrăga*; de *saxum*, piedra, y *frangĕre*, romper.) f. Planta herbácea, vivaz, de la familia de las saxifragáceas, que crece hasta tres o cuatro decímetros de altura, con tallo ramoso, velludo y algo rojizo; hojas radicales, casi redondas y festoneadas, las superiores de tres gajos estrechos; flores en corimbo, grandes, de pétalos blancos con nervios verdosos; fruto capsular con muchas semillas menudas, y raíz bulbosa llena de granillos, cada uno de los cuales puede reproducir la planta. Es común en España en los sitios frescos y su infusión se ha empleado en medicina contra los cálculos de los riñones. || **2. Sasafrás.**

Saxifragáceo, a. (De *saxifraga.*) adj. *Bot.* Dícese de hierbas, arbustos o árboles angiospermos dicotiledóneos, a veces con tallos fistulosos, de hojas alternas u opuestas, enteras o lobuladas, generalmente sin estípulas; flores hermafroditas, de cinco a diez pétalos, o tetrámeras, casi siempre regulares, dispuestas en racimos, panojas o cimas; fruto capsular o en baya; como la saxífraga, el grosellero y la hortensia. Ú. t. c. s. f. || **2.** f. pl. *Bot.* Familia de estas plantas.

Saxifragia. f. Saxífraga.

Saxofón. (De *Sax,* nombre del inventor, y el gr. φωνή, sonido.) m. Instrumento músico de viento, de metal, con boquilla de madera y caña: tiene varias llaves; es de invención moderna, y muy usado, principalmente en las bandas militares. Los hay de varias formas y dimensiones.

Saxófono. m. Saxofón.

Saxoso, sa. (Del lat. *saxōsus,* de *saxum,* piedra.) adj. ant. **Pedregoso,** 1.ª acep.

Saya. (Del lat. *saga.*) f. Falda que usan las mujeres. En la ciudad es, por lo general, ropa interior; en los pueblos, ropa exterior. || **2.** Regalo en dinero que en equivalencia de vestido solían dar las reinas a sus servidoras cuando éstas tomaban estado. || **3.** Vestidura talar antigua, especie de túnica, que usaban los hombres.

Sayagués, sa. adj. Natural de Sayago. Ú. t. c. s. || **2.** Perteneciente a este territorio de la provincia de Zamora. || **3.** fig. desus. Tosco, grosero, aplicado a persona. || **4.** *Germ.* V. **Bonito sayagués.**

Sayal. (De *sayo.*) m. Tela muy basta labrada de lana burda. || **Debajo del sayal, o so el sayal, hay ál.** ref. que denota que no debe juzgarse de las cosas por la apariencia. || **No es todo el sayal alforjas.** fr. proverb. con que se da a entender que en todo hay excepciones.

Sayalería. f. Oficio de sayalero.

Sayalero, ra. m. y f. Persona que teje sayales.

Sayalesco, ca. adj. De sayal o perteneciente a él.

Sayalete. m. d. de **Sayal.** || **2.** Sayal delgado, usado para túnicas interiores.

Sayama. f. *Ecuad.* Especie de culebra.

Sayete. m. d. de **Sayo.**

Sayo. (Del lat. *sagum.*) m. Casaca hueca, larga y sin botones. || **2.** fam. Cualquier vestido. || **baquero.** Vestido exterior que cubre todo el cuerpo y se ataca por una abertura que tiene atrás en lo que sirve de jubón. Se usó mucho para los niños. || **bobo.** Vestido estrecho, entero, abotonado, de que usaban comúnmente los graciosos en los entremeses. || **Adoba tu sayo y pasarás tu año.** ref. **Remienda tu sayo,** etc. || **Cortar** a uno **un sayo.** fr. fig. y fam. Murmurar de él en su ausencia, censurarle. || **Debajo del buen sayo está el hombre malo.** ref. que aconseja no fiarse de las apariencias. || **Decir uno a,** o **para,** su **sayo** una cosa. fr. fig. y fam. Recapacitarla, decirla como hablando consigo a solas. || **Remienda tu sayo y pasarás tu año,** o **y te durará un año.** ref. **Remienda tu paño y pasarás tu año.**

Sayón. (Del gót. *sagio.*) m. En la Edad Media, ministro de justicia, que tenía por principal oficio hacer las citaciones y ejecutar los embargos. || **2.** Verdugo que ejecutaba las penas a que eran condenados los reos. || **3.** Cofrade que va en las procesiones de Semana Santa vestido con una túnica larga. || **4.** fig. y fam. Hombre de aspecto feroz.

Sayón. m. *Bot.* Mata ramosa de la familia de las quenopodiáceas, de color ceniciento por las escamitas que la cubren; hojas lanceoladas; flores en espiga, brácteas fructíferas soldadas, simulando una cápsula.

Sayuela. f. d. de **Saya.** || **2.** Camisa de estameña de que usan en algunas religiones. || **3.** adj. *Bot.* Dícese de cierta variedad de higuera.

Sayuelo. m. d. de **Sayo.** || **2.** *León.* Manga rajada que llevaban en su vestimenta las maragatas.

Sayugo. (Del lat. *sabucus.*) m. *Sal.* **Saúco,** 1.ª acep.

Sayuguina. f. *Sal.* Flor del saúco.

Saz. (Del lat. *salix, salĭcis.*) m. **Sauce.**

Sazón. (Del lat. *satĭo, -ōnis,* acción de sembrar, sementera.) f. Punto o madurez de las cosas, o estado de perfección en su línea. || **2.** Ocasión, tiempo oportuno o coyuntura. || **3.** Gusto y sabor que se percibe en los manjares. || **A la sazón.** m. adv. **Entonces,** 1.ª acep. || **En sazón.** m. adv. Oportunamente, a tiempo, a ocasión. || **Más vale sazón que barbechera ni binazón.** ref. con que se denota que valen más los temporales oportunos que las mejores labores.

Sazonadamente. adv. m. Con sazón.

Sazonado, da. p. p. de **Sazonar.** || **2.** adj. Dícese del dicho o frase, o del estilo, substancioso y expresivo.

Sazonador, ra. adj. Que sazona.

Sazonar. tr. Dar sazón al manjar. || **2.** Poner las cosas en la sazón, punto y madurez que deben tener. Ú. t. c. r.

Se. (Del lat. *se,* acus. del pron. *sui.*) Forma reflexiva del pronombre personal de tercera persona. Ú. en dativo y acusativo en ambos géneros y números y no admite preposición. Puede usarse proclítico o enclítico: SE *cae; cáe*SE. Sirve además para formar oraciones impersonales y de pasiva.

Se. (Del ant. *ge,* y éste del lat. *illi.*) Dativo masculino o femenino de singular o plural del pronombre personal de tercera persona en combinación con el acusativo *lo, la,* etc.: *Diós*SE*lo,* SE *las dio.*

Sebáceo, a. adj. Que participa de la naturaleza del sebo o se parece a él.

Sebastiano. m. **Sebestén.**

Sebe. (Del lat. *saepes.*) f. Cercado de estacas altas entretejidas con ramas largas. || **2.** *Vizc.* Matas de monte bajo. || **3.** *Ast.* **Seto vivo.**

Sebera. f. *Chile.* Cartera de cuero que llevan los campesinos en la montura para echar sebo.

Sebestén. (Del ár. *sabastān,* azufaifo.) m. *Bot.* Arbolito de la familia de las borragináceas, de dos a tres metros de altura, con tronco recto, copa irregular, hojas persistentes, pecioladas, alternas, vellosas por el envés, elípticas y enteras; flores blancas, terminales, y fruto amarillento, de forma y tamaño como la ciruela, pulpa dulce y viscosa y nódulo pequeño. Macerando el fruto se obtiene un mucilago que se ha empleado en medicina como emoliente y pectoral. Es originario del Asia Menor. || **2.** Fruto de este arbolito.

Sebillo. (d. de *sebo.*) m. Sebo suave y delicado, como el del cabrito, para suavizar las manos y para otros efectos. || **2.** Especie de jabón para suavizar las manos.

Sebiya. f. *Cuba.* Ave zancuda, de plumaje rosado, patas negras y pico ensanchado en forma de espátula.

Sebo. (Del lat. *sēbum.*) m. Grasa sólida y dura que se saca de los animales herbívoros, y que, derretida, sirve para hacer velas, jabones y para otros usos. || **2.** Cualquier género de gordura. || **Mostrar el sebo.** fr. fig. desus. Burla entre marineros: cuando una embarcación se libraba de otra que la perseguía, sacándole gran ventaja, daban a la banda y, como afrenta, señalaban lo ensebado y espalmado que va debajo del agua.

Seboro. m. *Bol.* Cangrejo de agua dulce.

Seborrea. (Del lat. *sēbum,* sebo, y *-rea,* del gr. ῥέω, fluir.) f. Aumento patológico de la secreción de las glándulas sebáceas de la piel.

Seboso, sa. (Del lat. *sebōsus.*) adj. Que tiene sebo, especialmente si es mucho. || **2.** Untado de sebo o de otra cosa mantecosa o grasa. || **3.** fig. Decíase de los portugueses, por lo muy derretidos que eran en sus enamoramientos.

Sebucán. m. Colador cilíndrico que se emplea en Venezuela para separar el yare del almidón de la yuca.

Seca. (Del lat. *sĭcca,* t. f. de *-cus,* seco.) f. **Sequía.** || **2.** Período en que se secan las pústulas de ciertas erupciones cutáneas. || **3.** Infarto de una glándula. || **4.** *And.* Especie de torta delgada y extendida. || **5.** Secano, 2.ª acep. || **A gran seca, gran mojada.** ref. con que dan a entender los labradores esperanza de abundante lluvia, fundada en haber tardado mucho tiempo en llover. || **2.** Dícese también del que ejecuta con exceso una acción que dejó de hacer por mucho tiempo, o le sobreviene un bien inesperado de que había carecido. || **3.** Advierte asimismo que en todas las cosas se observa al fin cierto nivel y compensación.

Secácul. (Del ár. *šaqāqul,* chirivía.) m. *Bot.* Planta de Oriente parecida a la chirivía, que tiene una raíz muy aromática.

Secadal. m. **Sequedal.** || **2. Secano,** 1.ª, 2.ª y 3.ª aceps. || **3.** En los tejares, era en que, antes del cocido, se orea la obra modelada.

Secadero, ra. (Del lat. *siccatorĭum.*) adj. Apto para conservarse seco; aplícase especialmente a las frutas y al tabaco. || **2.** m. Paraje destinado para poner a secar una cosa.

Secadillo. (De *secado,* p. p. de *secar.*) m. Dulce que se hace de almendras mondadas y machacadas, un poco de corteza de limón, azúcar y clara de huevo.

Secadío, a. adj. Que puede secarse o agotarse.

Secador. m. *Argent.* y *Chile.* Enjugador de ropa.

Secamente. adv. m. Con pocas palabras o sin pulimento ni adorno o composición. || **2.** Ásperamente, sin atención ni urbanidad.

Secamiento. m. Acción y efecto de secar o secarse.

Secano. (Del lat. *siccānus.*) m. Tierra de labor que no tiene riego, y sólo participa del agua llovediza. || **2.** Banco de arena que no está cubierto por el agua, o islita árida próxima a la costa. || **3.** fig. Cualquier cosa que está muy seca. || **4.** fig. y fam. V. **Abogado de secano.**

Secansa. (Del fr. *séquence,* y éste del lat. *sequentĭa,* secuencia.) f. Juego de naipes parecido al de la treinta y una, del cual se diferencia en que hay envite cuando los jugadores tienen ali o **secansa.** || **2.** Reunión, en este juego, de dos cartas de valor correlativo. || **3.** Reunión, en el juego de los cientos, de tres cartas del mismo palo y de valor correlativo. || **corrida.** Reunión, en el juego de la **secansa,** de tres cartas de valor correlativo. || **real. Secansa** corrida compuesta de rey, caballo y sota.

Secante. (Del lat. *siccans, -antis.*) p. a. de **Secar.** Que seca. Ú. t. c. s. || **2.** adj. V. **Aceite secante.** Ú. t. c. s. || **3.** m. **Papel secante.**

Secante. (Del lat. *secans, -antis,* p. a. de *secāre,* cortar, partir.) adj. *Geom.* Aplícase a las líneas o superficies que cortan a otras líneas o superficies. Ú. t. c. s. f. || **de un ángulo.** *Trig.* La del arco que sirve de medida al ángulo. || **de un arco.** *Trig.* Parte de la recta **secante** que pasa por el centro del círculo y por un extremo del arco, comprendida entre dicho centro y el punto donde encuentra a la tangente tirada por el otro extremo del mismo arco. || **primera de un ángulo.** *Trig.* **Secante de un ángulo.** || **primera de un arco.** *Trig.* **Secante de un arco.** || **segunda de un ángulo.** *Trig.* La segunda del arco que sirve de medida al ángulo. || **segunda de un arco.** *Trig.* **Cosecante.**

Secar. (Del lat. *siccāre.*) tr. Extraer la humedad, o hacer que se exhale de un cuerpo mojado, mediante el aire o el calor que se le aplica. || **2.** Gastar o ir consumiendo el humor o jugo en los cuerpos. || **3.** fig. Fastidiar, aburrir. Ú. t. c. r. || **4.** r. Enjugarse la humedad de una cosa evaporándose. || **5.** Quedarse sin agua un río, una fuente, etc. || **6.** Perder una planta su verdor, vigor o lozanía. || **7.** Enflaquecer y extenuarse una persona o un animal. || **8.** fig. Tener mucha sed. || **9.** fig. Dicho del corazón o del ánimo, embotarse, perder su generosa compasión y amable inclinación.

Secaral. m. **Sequeral.**

Secarrón, na. adj. aum. de **Seco.** Aplícase generalmente al carácter.

Secatón, na. adj. Sin gracia, soso.

Secatura. (Voz ital., v. *secar,* 3.ª acep.) f. Insulsez, fastidio.

Sección. (Del lat. *sectĭo, -ōnis.*) f. **Cortadura,** 1.ª acep. || **2.** Cada una de las partes en que se divide o considera dividido un todo continuo o un conjunto de cosas. || **3.** Cada uno de los grupos en que se divide o considera dividido un conjunto de personas. || **4.** Dibujo del perfil o figura que resultaría si se cortara un terreno, edificio, máquina, etc., por un plano, comúnmente vertical, con objeto de dar a conocer su estructura o su disposición interior. || **5.** *Geom.* Figura que resulta de la intersección de una superficie o un sólido con otra superficie. || **6.** *Mil.* Cada uno de los grupos mandados por un oficial, en que se divide la compañía, escuadrón, etc. || **cónica.** *Geom.* Cualquiera de las curvas que resultan de cortar la superficie de un cono circular por un plano; pueden ser elipses, hipérbolas o parábolas. || **de reserva.** *Mil.* Cuadro jerárquico de los generales que por edad o por voluntad propia han dejado de prestar servicio activo, con excepción de algunos cargos en dependencias centrales.

Seccionar. tr. Dividir en secciones, fraccionar.

Sece. (Del lat. *sedĕcim.*) adj. ant. **Dieciséis.**

Secén. (De *seceno.*) adj. *Ar.* Dícese del madero en rollo, de 16 medias varas de longitud y un diámetro de 11 a 14 dedos. Ú. m. c. s.

Seceno, na. (De *sece.*) adj. ant. **Dieciseiseno.**

Secesión. (Del lat. *secessĭo, -ōnis,* separación, apartamiento.) f. Acto de separarse de una nación parte de su pueblo y territorio. || **2.** Apartamiento, retraimiento de los negocios públicos.

Secesionista. adj. Partidario de la secesión. Apl. a pers., ú. t. c. s. || **2.** Perteneciente o relativo a ella.

Seceso. (Del lat. *secessus.*) m. Cámara o deposición de vientre.

Secluso, sa. (Del lat. *seclūsus,* p. p. de *secludĕre,* apartar.) adj. ant. Apartado y separado.

Seco, ca. (Del lat. *siccus.*) adj. Que carece de jugo o humedad. || **2.** Falto de agua. Dícese de los manantiales, arroyos, ríos, lagos, etc. || **3.** Aplícase a los guisos en que se prolonga la cocción hasta que quedan sin caldo. *Arroz* SECO. || **4.** Falto de verdor, vigor o lozanía. Dícese particularmente de las plantas. || **5.** Tratándose de las plantas, **muerto,** 3.ª acep. *Árbol* SECO; *rama* SECA. || **6.** Aplícase a las frutas, especialmente a las de cáscara dura, como avellanas, nueces, etc., y también a aquellas a las cuales se quita la humedad excesiva para que se conserven; como higos, pasas, etc. || **7.** V. **Dulce, pan, puerto, taco, terno seco.** || **8.** V. **Ama, brea, caries, gelatina, ley, limonada, pica, piedra, plata, punta seca.** || **9.** Flaco o de muy pocas carnes. || **10.** Dícese también del tiempo en que no llueve. || **11.** fig. Aplícase a lo que está solo, sin alguna cosa accesoria que le dé mayor valor o estimación. || **12.** fig. Poco abundante, o falto de aquellas cosas necesarias para la vida y trato humano. *Este lugar es* SECO. || **13.** fig. Áspero, poco cariñoso, desabrido en el modo o trato. || **14.** fig. Riguroso, estricto, sin contemplaciones ni rodeos. *Justicia, verdad* SECA. || **15.** fig. En sentido místico, poco fervoroso en la virtud y falto de devoción en los ejercicios del espíritu. || **16.** fig. Aplicado al entendimiento o al ingenio y a sus producciones, árido, estéril, falto de amenidad. || **17.** fig. Dícese del aguardiente puro, sin anís ni otro aderezo alguno. || **18.** fig. V. **Vino seco.** || **19.** fig. Tratándose de ciertos sonidos, ronco, áspero. *Tos, voz* SECA. || **20.** fig. Dícese del golpe fuerte, rápido y que no resuena. || **21.** *Bot.* V. **Herbario seco.** || **22.** *Cir.* V. **Ventosa seca.** || **23.** *Mar.* V. **A palo seco.** || **24.** *Mar.* V. **Verga seca.** || **25.** *Mús.* Dícese del sonido brevísimo y cortado. || **26.** *Quím.* V. **Vía seca.** || **27.** *Veter.* V. **Esparaván seco.** || **28.** m. *Chile.* Golpe, coscorrón. || **29.** *Chile.* **Cachada,** 1.ª acep. || **A secas.** m. adv. Solamente, sin otra cosa alguna. || **Dejar** a uno, o **quedar** uno, **seco.** fr. fig. y fam. Dejarle, o quedar, muerto en el acto. || **En seco.** m. adv. Fuera del agua o de un lugar húmedo. *La nave varó* EN SECO. || **2.** fig. Sin causa ni motivo. || **3.** fig. Sin medios o sin lo necesario para realizar algo. *Quedarse* EN SECO. || **4.** fig. De repente. *Paró* EN SECO. || **5.** *Albañ.* Sin argamasa.

Secón. m. *Sal.* Panal de cera sin miel.

Secor. (De *seco.*) m. ant. **Sequedad,** 1.ª acep.

Secoya. f. *Bot.* Árbol gigantesco de la América del Norte, de la familia de las cupresáceas, que alcanza hasta 150 metros de altura; tiene las hojas pequeñas, de color verde azulado.

Secreción. (Del lat. *secretĭo, -ōnis.*) f. **Apartamiento,** 1.ª acep. || **2.** Acción y efecto de secretar. || **interna.** *Med.* Conjunto de hormonas elaboradas en las glándulas endocrinas.

Secrestación. (De *secrestar.*) f. ant. **Secuestro.**

Secrestador. m. ant. **Secuestrador.**

Secrestar. tr. ant. **Secuestrar.** || **2.** ant. Apartar o separar una cosa de otras o de la comunicación de ellas.

Secresto. m. ant. **Secuestro.**

Secreta. (Del lat. *secrēta,* pl. de *-tum,* secreto.) f. Examen que, presenciado sólo por los doctores de la facultad, se hacía en algunas universidades para tomar el grado de licenciado. || **2.** Sumaria o pesquisa secreta que se hace a los residenciados. || **3.** Cada una de las oraciones que se dicen en la misa después del ofertorio y antes del prefacio. || **4. Letrina,** 1.ª acep.

Secretamente. adv. m. De manera secreta.

Secretar. (Del lat. *secrētum,* supino de *secernĕre,* segregar.) tr. *Fisiol.* Salir de las glándulas materias elaboradas por ellas y que el organismo utiliza en el ejercicio de alguna función; como el jugo gástrico.

Secretaria. f. Mujer del secretario. || **2.** La que hace oficio de secretario.

Secretaría. f. Destino o cargo de secretario. || **2.** Oficina donde despacha los negocios. || **3.** V. **Oficial de secretaría.**

Secretario, ria. (Del lat. *secretarĭus.*) adj. Dícese de la persona a quien se comunica algún secreto para que lo calle. || **2.** m. Sujeto encargado de escribir la correspondencia, extender las actas, dar fe de los acuerdos y custodiar los documentos de una oficina, asamblea o corporación. || **3.** El que redacta la correspondencia de la persona a quien sirve para este fin. || **4. Amanuense.** || **5. Escribano,** 1.ª acep. || **del Despacho,** o **del Despacho universal. Secretario** o ministro con quien el rey despachaba las consultas pertenecientes al ramo de que estaba encargado. || **particular.** El que está encargado de los asuntos y correspondencia no oficiales de una persona constituida en autoridad. || **Primer secretario de Estado y del Despacho.** Ministro de Estado.

Secretear. intr. fam. Hablar en secreto una persona con otra.

Secreteo. m. fam. Acción de secretear.

Secretista. adj. Que trata o escribe acerca de los secretos de la naturaleza. Ú. t. c. s. || **2.** Dícese de la persona que habla mucho en secreto, regularmente con nota de los demás.

Secreto. (Del lat. *secrētum.*) m. Lo que cuidadosamente se tiene reservado y oculto. || **2.** Reserva, sigilo. || **3.** Despacho de las causas de fe, en las cuales entendía secretamente el tribunal de la Inquisición. || **4.** Secretaría en que se despachaban y custodiaban estas causas. || **5.** Conocimiento que exclusivamente alguno posee de la virtud o propiedades de una cosa o de un procedimiento útil en medicina o en otra ciencia, arte u oficio. || **6. Misterio,** 3.ª y 4.ª aceps. || **7.** Escondrijo que suelen tener algunos muebles, para guardar papeles, dinero u otras cosas. || **8.** En algunas cerraduras, mecanismo oculto, cuyo manejo es preciso conocer de antemano para poder abrirlas. || **9.** ant. **Secreta,** 1.ª acep. || **10.** *Germ.* Huésped que da posada. || **11.** *Germ.* **Puñal,** 1.er art., 2.ª acep. || **12.** *Mús.* Tabla armónica del órgano, del piano y de otros instrumentos semejantes. || **13.** adv. m. ant. **Secretamente.** || **de Anchuelo,** o **a voces,** o **con chirimías.** fig. y fam. Misterio que se hace de lo que ya es público, o **secreto** que se confía a muchos o en términos poco conducentes para que sea guardado. || **de Estado.** El que no puede revelar un funcionario público sin incurrir en delito. Por ext., cualquier grave asunto político o diplomático no divulgado todavía. || **de naturaleza.** Aquel efecto natural que por ser poco sabido excita curiosidad y aun admiración. || **profesional.** Deber que tienen los miembros de ciertas profesiones, como médicos, abogados, notarios, etc., de no descubrir a tercero los hechos que han conocido en el ejercicio de su profesión. || **De secreto.** m. adv. **En secreto.** || **2.** Sin solemnidad ni ceremonia pública. || **Echar un secreto en la calle.** fr. fig. y fam. Publicarlo. || **En secreto.** m. adv. **Secretamente.**

Secreto, ta. (Del lat. *secrētus,* p. p. de *secernĕre,* segregar.) adj. Oculto, ignorado, escondido y separado de la vista o del conocimiento de los demás. || **2.** Callado, silencioso, reservado. || **3.** V. **Consistorio, voto secreto.** || **4. Dama, policía, puerta secreta.**

Secretor, ra. adj. **Secretorio.**

Secretorio, ria. adj. Que secreta. Aplícase a los órganos del cuerpo que tienen la facultad de secretar.

Secta. (Del lat. *secta.*) f. Doctrina particular enseñada por un maestro que la halló o explicó, y seguida y defendida por otros. || **2.** Falsa religión enseñada por un maestro famoso. *La* SECTA *de Lutero, de Calvino, de Mahoma.*

Sectador, ra. (Del lat. *sectātor, -ōris.*) adj. **Sectario.** Ú. t. c. s.

Sectario, ria. (Del lat. *sectarĭus.*) adj. Que profesa y sigue una secta. Ú. t. c. s.

|| **2.** Secuaz, fanático e intransigente de un partido o de una idea.

Sectarismo. m. Celo propio de sectario.

Sector. (Del lat. *sector*, el que corta o divide.) m. *Geom.* Porción de círculo comprendida entre un arco y los dos radios que pasan por sus extremidades. || **2.** fig. Parte de una clase o de una colectividad que presenta caracteres peculiares. *Su discurso fue aplaudido por los distintos* SECTORES *de la Cámara.* || **esférico.** *Geom.* Porción de esfera comprendida entre un casquete y la superficie cónica formada por los radios que terminan en su borde.

Secua. f. *Cuba.* Planta cucurbitácea de flores grandes en racimo.

Sécuano, na. (Del lat. *sequănus.*) adj. Dícese del individuo que habitaba en la región del Sena superior en la época de César. || **2.** Perteneciente o relativo a esta región. *Vino* SÉCUANO.

Secuaz. (Del lat. *sequax, -ācis.*) adj. Que sigue el partido, doctrina u opinión de otro. Ú. t. c. s.

Secuela. (Del lat. *sequēla.*) f. Consecuencia o resulta de una cosa. || **2.** ant. **Séquito,** 1.ª acep. || **3.** ant. **Secta.**

Secuencia. (Del lat. *sequentĭa*, continuación; de *sequi*, seguir.) f. Prosa o verso que se dice en ciertas misas después del gradual.

Secuestración. (Del lat. *sequestratĭo, -ōnis.*) f. Secuestro, 1.ª acep.

Secuestrador, ra. (Del lat. *sequestrātor, -ōris.*) adj. Que secuestra. Ú. t. c. s.

Secuestrar. (Del lat. *sequestrāre.*) tr. Depositar judicial o gubernativamente una alhaja en poder de un tercero hasta que se decida a quién pertenece. || **2. Embargar,** 3.ª acep. || **3.** Aprehender indebidamente a una persona para exigir dinero por su rescate, o para otros fines.

Secuestrario, ria. (Del lat. *sequestrarĭus.*) adj. Perteneciente al secuestro.

Secuestro. (Del lat. *sequestrum.*) m. Acción y efecto de secuestrar. || **2.** desus. Juez árbitro o mediador. || **3.** Bienes secuestrados. || **4.** *For.* Depósito judicial por embargo de bienes, o como medida de aseguramiento en cuanto a los litigiosos. || **5.** *Cir.* Porción de hueso mortificada que subsiste en el cuerpo separada de la parte viva.

Sécula (Para). (Del lat. *saecŭla*, siglos.) o **Para in sécula,** o **sécula sin fin,** o **sécula seculórum.** frs. advs. Para siempre jamás.

Secular. (Del lat. *saeculāris*, de *saecŭlum*, siglo.) adj. **Seglar.** || **2.** Que sucede o se repite cada siglo. || **3.** Que dura un siglo, o desde hace siglos. || **4.** Dícese del clero o sacerdote que vive en el siglo, a distinción del que vive en clausura. Apl. a pers., ú. t. c. s. || **5.** V. **Brazo secular.**

Secularización. f. Acción y efecto de secularizar o secularizarse.

Secularizado, da. p. p. de **Secularizar.** || **2.** adj. V. **Bienes secularizados.**

Secularizar. tr. Hacer secular lo que era eclesiástico. Ú. t. c. r. || **2.** Autorizar a un religioso o a una religiosa para que pueda vivir fuera de clausura.

Secundar. (Del lat. *secundāre.*) tr. Ayudar, favorecer.

Secundariamente. adv. m. En segundo lugar.

Secundario, ria. (Del lat. *secundarĭus.*) adj. Segundo en orden y no principal, accesorio. || **2.** *Astron.* V. **Planeta secundario.** || **3.** *Electr.* Respecto de una bobina de inducción u otro aparato semejante, dícese de la corriente inducida y del circuito por donde fluye. || **4.** *Geol.* Dícese de cualquiera de los terrenos triásico, jurásico y cretáceo. || **5.** *Geol.* Perteneciente a ellos. || **6.** *Pint.* V. **Luz secundaria.**

Secundinas. (Del lat. *secundinae, -arum*, de *secundus*, segundo.) f. pl. *Zool.* Placenta y membranas que envuelven el feto.

Secundípara. (Del lat. *secundus* y *parĕre.*) adj. Aplícase a la mujer que pare por segunda vez.

Secura. (De *seco.*) f. p. us. **Sequedad,** 1.ª acep.

Secutar. (Del lat. *secūtus.*) tr. ant. **Ejecutar.**

Secutor, ra. (Del lat. *secūtus.*) adj. ant. **Ejecutor.**

Secutoria. f. ant. **Ejecutoria.**

Sed. (Del lat. *sitis.*) f. Gana y necesidad de beber. || **2.** fig. Necesidad de agua o de humedad que tienen ciertas cosas, especialmente los campos cuando pasa mucho tiempo sin llover. || **3.** fig. Apetito o deseo ardiente de una cosa. || **Apagar la sed.** fr. fig. Aplacarla bebiendo. || **Hacer sed.** fr. Tomar incentivos que la causen, o esperar algún tiempo hasta tenerla. || **Matar la sed.** fr. fig. **Apagar la sed.** || **Miráis lo que bebo, y no la sed que tengo.** ref. contra los que murmuran de las medras ajenas, sin considerar el trabajo que cuesta conseguirlas. || **Una sed de agua.** fr. fig. y fam. Cosa menguada o escasísima. Ú. principalmente en la frase: *No dar a uno* UNA SED DE AGUA.

Seda. (Del lat. *sēta*, cerda.) f. *Zool.* Líquido viscoso segregado por ciertas glándulas de algunos artrópodos, como las orugas y las arañas, que sale del cuerpo por orificios muy pequeños y se solidifica en contacto con el aire formando hilos finísimos y flexibles. || **2.** Hilo formado con varias de estas hebras producidas por el gusano de la **seda** y a propósito para coser o tejer diferentes telas, todas finas, suaves y lustrosas. || **3.** Cualquier obra o tela hecha de **seda.** || **4.** Cerda de algunos animales, especialmente del jabalí. || **5.** V. **Árbol, mariposa, mata de la seda.** || **6.** V. **Gusano, papel de seda.** || **7.** *Córd.* Enfermedad de algunos árboles frutales, especialmente del manzano, que consiste en una especie de tela de araña que sofoca la flor. || **ahogada.** La que se hila después de ahogado el gusano. || **azache.** La de inferior calidad, que se hila de las primeras capas del capullo después de quitada la borra. || **cocida.** La que cocida en una agua alcalina, ha perdido la goma o barniz que naturalmente tiene. || **conchal.** La de clase superior, que se hila de los capullos escogidos. || **cruda.** La que conserva la goma que naturalmente tiene. || **de candongo,** o **de candongos. Seda** más delgada que la conchal, que se emplea principalmente en tejidos. || **de capullos,** o **de todo capullo.** La basta y gruesa que se saca de los capullos de inferior calidad. || **floja. Seda** lasa, sin torcer. || **joyante.** La que es muy fina y de mucho lustre. || **medio conchal. Seda** de calidad inferior a la de candongo y cuyo peso específico es la mitad de la conchal. || **ocal.** La de inferior calidad, pero fuerte, que se saca del capullo ocal. || **porrina.** *Murc.* **Seda azache.** || **redonda. Seda ocal.** || **verde.** La que se hila estando vivo el gusano dentro del capullo. || **Como una seda.** fr. fig. y fam. Muy suave al tacto. || **2.** fig. y fam. Dícese de la persona dócil y de suave condición. || **3.** fig. y fam. Dícese cuando se consigue algo sin tropiezo ni dificultad. || **De media seda.** loc. De **seda** mezclada con otra materia textil. || **De toda seda.** loc. De **seda** sin mezcla de otra fibra.

Sedación. f. Acción y efecto de sedar.

Sedadera. f. Instrumento para asedar el cáñamo.

Sedal. (De *seda.*) m. Hilo o cuerda que se ata por un extremo al anzuelo y por el otro a la caña de pescar. || **2.** *Cir.* y *Veter.* Cinta o cordón que se mete por una parte de la piel y se saca por otra a fin de excitar una supuración en el paraje donde se introduce, o de dar salida a las materias allí contenidas.

Sedante. p. a. de **Sedar.** Que seda. Ú. t. c. s.

Sedar. (Del lat. *sedāre.*) tr. Apaciguar, sosegar, calmar.

Sedativo, va. (Del lat. *sedātum*, supino de *sedāre*, calmar, apaciguar.) adj. *Med.* Que tiene virtud de calmar o sosegar los dolores y la excitación nerviosa.

Sede. (Del lat. *sedes*, silla, asiento.) f. Asiento o trono de un prelado que ejerce jurisdicción. || **2.** Capital de una diócesis. || **3. Diócesis.** || **4.** Jurisdicción y potestad del Sumo Pontífice, vicario de Cristo. || **apostólica. Sede,** 4.ª acep. || **plena.** Actual ocupación de la dignidad episcopal o pontificia por persona que, como prelado de ella, la administra y rige. || **vacante.** La que no está ocupada, por muerte o cesación del Sumo Pontífice o del prelado de una iglesia. || **Santa Sede. Sede,** 4.ª acep.

Sedear. (De *seda*, 4.ª acep.) tr. Limpiar alhajas con la sedera.

Sedentario, ria. (Del lat. *sedentarius*, de *sedēre*, estar sentado.) adj. Aplícase al oficio o vida de poca agitación o movimiento. || **2.** *Zool.* Dícese de animales que, como los pólipos coloniales, carecen de órganos de locomoción durante toda su vida y permanecen siempre en el mismo lugar en que han nacido, y de los que, como los anélidos del tipo de la sabela, pierden en el estado adulto los órganos locomotores que tenían en la fase larval y se fijan en un sitio determinado, en el que pasan el resto de su vida.

Sedente. (Del lat. *sedens, -entis.*) adj. Que está sentado.

Sedeña. (De *sedeño.*) f. Estopilla segunda que se saca del lino al rastrillarlo. || **2.** Hilaza o tela que se hace de ella. || **3.** *Ast.* y *Sant.* **Sedal,** 1.ª acep.

Sedeño, ña. adj. De seda o semejante a ella. || **2.** Que tiene sedas o cerdas.

Sedera. (De *seda*, 4.ª acep.) f. Escobilla o brocha de cerdas.

Sedería. f. Mercadería de seda. || **2.** Conjunto de ellas. || **3.** Su tráfico. || **4.** Tienda donde se venden géneros de seda.

Sedero, ra. adj. Perteneciente a la seda. *Industria* SEDERA. || **2.** m. y f. Persona que labra la seda o trata en ella.

Sedición. (Del lat. *seditĭo, -ōnis.*) f. Alzamiento colectivo y violento contra la autoridad, el orden público o la disciplina militar sin llegar a la gravedad de la rebelión. || **2.** fig. Sublevación de las pasiones.

Sediciosamente. adv. m. De manera sediciosa.

Sedicioso, sa. (Del lat. *seditiōsus.*) adj. Dícese de la persona que promueve una sedición o toma parte en ella. Ú. t. c. s. || **2.** Aplícase a los actos o palabras de la persona **sediciosa.**

Sediente. adj. ant. **Sediento.** Apl. a pers., usáb. t. c. s.

Sedientes. (Del lat. *sedens, -entis*, p. a. de *sedēre*, estar sentado, quieto.) adj. pl. V. **Bienes sedientes.**

Sediento, ta. (De *sed.*) adj. Que tiene sed. Apl. a pers., ú. t. c. s. || **2.** fig. Aplícase a los campos, tierras o plantas que necesitan de humedad o riego. || **3.** fig. Que con ansia desea una cosa.

Sedimentación. f. Acción y efecto de sedimentar o sedimentarse.

Sedimentar. tr. Depositar sedimento un líquido. || **2.** r. Formar sedimento las materias suspendidas en un líquido.

Sedimentario, ria. adj. Perteneciente o relativo al sedimento.

Sedimento. (Del lat. *sedimentum.*) m. Materia que, habiendo estado suspensa en un líquido, se posa en el fondo por su mayor gravedad.

Sedoso, sa. adj. Parecido a la seda.

Seducción. (Del lat. *seductio, -ōnis.*) f. Acción y efecto de seducir.

Seducir. (Del lat. *seducĕre.*) tr. Engañar con arte y maña; persuadir suavemente al mal. || **2. Cautivar,** 3.ª acep.

Seductivo, va. adj. Dícese de lo que seduce.

Seductor, ra. (Del lat. *seductor, -ōris.*) adj. Que seduce. Ú. t. c. s.

Seer. (Del lat. *sedēre.*) Verbo substantivo, auxiliar e intr. ant. **Ser,** 2.° art. || **2.** intr. ant. Estar sentado.

Sefardí. (Del hebr. *sefardī,* de *Sefarad,* España.) adj. Dícese del judío oriundo de España, o del que, sin proceder de España, acepta las prácticas especiales religiosas que en el rezo mantienen los judíos españoles. Ú. t. c. s.

Sefardita. adj. **Sefardí.** Ú. t. c. s.

Sega. (De *seguir.*) adj. fam. En algunos juegos, el segundo en orden de los que juegan.

Segable. (Del lat. *secabilis.*) adj. Que está en sazón para ser segado.

Segada. (De *segar.*) f. **Siega.**

Segadera. f. Hoz para segar. || **2.** desus. **Segadora,** 2.ª acep.

Segadero, ra. (De *segar.*) adj. **Segable.**

Segador. (Del lat. *secātor, -ōris.*) m. El que siega. || **2.** Arácnido pequeño, de patas muy largas, con el cuerpo redondeado y el vientre aovado, comprimido y rugoso.

Segadora. (De *segador.*) adj. Dícese de la máquina que sirve para segar. Ú. t. c. s. || **2.** f. Mujer que siega.

Segallo. m. *Ar.* Cabrito antes de llegar a primal.

Segar. (Del lat. *secāre,* cortar.) tr. Cortar mieses o hierba con la hoz, la guadaña o cualquiera máquina a propósito. || **2.** Cortar de cualquier manera, y especialmente lo que sobresale o está más alto. SEGAR *la cabeza, el cuello.* || **3.** fig. Cortar, impedir desconsiderada y bruscamente el desarrollo de algo. Dícese especialmente de esperanzas, ilusiones, actividades.

Segazón. (Del lat. *secatio, -ōnis.*) f. **Siega,** 1.ª y 2.ª aceps.

Seglar. (Del lat. *saeculāris.*) adj. Perteneciente a la vida, estado o costumbre del siglo o mundo. || **2. Lego,** 1.ª acep. Ú. t. c. s. || **3.** V. **Brazo seglar.**

Seglarmente. adv. m. De modo seglar.

Segmentación. f. *Biol.* División reiterada de la célula huevo de animales y plantas, en virtud de la cual se constituye un cuerpo pluricelular, que es la primera fase del embrión.

Segmentado. (Del lat. *segmentum.*) adj. *Zool.* Dícese del animal cuyo cuerpo consta de partes o segmentos dispuestos en serie lineal; como la lombriz solitaria y el cangrejo.

Segmento. (Del lat. *segmentum.*) m. Pedazo o parte cortada de una cosa. || **2.** *Geom.* Parte del círculo comprendida entre un arco y su cuerda. || **3.** *Mec.* Cada uno de los aros elásticos de metal que encajan en ranuras circulares del émbolo y que, por tener un diámetro algo mayor que éste, se ajustan a las paredes del cilindro. || **4.** *Zool.* Cada una de las partes dispuestas en serie lineal de que está formado el cuerpo de los gusanos y artrópodos. || **esférico.** *Geom.* Parte de la esfera cortada por un plano que no pasa por el centro.

Segobricense. (De *segobrigense.*) adj. **Segorbino.** Apl. a pers., ú. t. c. s.

Segobrigense. (Del lat. *segobrigensis.*) adj. Natural de la antigua Segóbriga, hoy Segorbe. Ú. t. c. s. || **2.** Perteneciente a esta ciudad.

Segorbino, na. adj. Natural de Segorbe. Ú. t. c. s. || **2.** Perteneciente a esta ciudad.

Segote. m. *Ast.* Instrumento que se usa para segar hierba, y se compone de una hoja recta de hierro y un mango de palo, como de medio metro.

Segoviano, na. adj. Natural de Segovia. Ú. t. c. s. || **2.** Perteneciente a esta ciudad.

Segoviense. adj. **Segoviano.** Apl. a pers., ú. t. c. s.

Segregación. (Del lat. *segregatio, -ōnis.*) f. Acción y efecto de segregar.

Segregar. (Del lat. *segregāre.*) tr. Separar o apartar una cosa de otra u otras. || **2.** Secretar, excretar, 2.ª acep.

Segregativo, va. (Del lat. *segregatīvus.*) adj. Que segrega o tiene virtud de segregar.

Segrí. m. Tela de seda, fuerte y labrada, que se usó para vestidos de señora.

Segudar. (Del lat. **secūtāre,* de *secūtus,* el que sigue.) tr. ant. Echar, arrojar. || **2.** ant. **Perseguir.**

Segueta. (Del al. *säge,* sierra.) f. Sierra de marquetería.

Seguetear. intr. Trabajar con la segueta.

Seguida. f. Acción y efecto de seguir. || **2. Inmediatamente.** || **3.** Cierto baile antiguo. || **De seguida.** m. adv. Consecutiva o continuamente, sin interrupción. || **2.** Inmediatamente. || **En seguida.** m. adv. **Acto continuo.**

Seguidamente. adv. m. **De seguida.** || **2. En seguida.**

Seguidero. (De *seguido.*) m. Regla o pauta para escribir.

Seguidilla. (d. de *seguida.*) f. Composición métrica que puede constar de cuatro o de siete versos, de los cuales son, en ambos casos, heptasílabos y libres el primero y el tercero, y de cinco sílabas y asonantes los otros dos. Cuando consta de siete, el quinto y el séptimo tienen esta misma medida y forman también asonancia entre sí, y el sexto es, como el primero y el tercero, heptasílabo y libre. Empléase más generalmente en lo festivo o jocoso y en cantos populares. Hay **seguidillas** en que los versos forman consonancia o rima perfecta. || **2.** pl. Aire popular español. || **3.** Baile correspondiente a este aire. || **4.** fig. y fam. Cámaras o flujo de vientre. || **Seguidilla chamberga. Seguidilla** con estribillo irregular de seis versos, de los cuales asonantan entre sí el primero y el segundo, el tercero y el cuarto, y el quinto y el sexto, y los impares constan, por lo regular, de tres sílabas. || **Seguidillas boleras.** Música con que se acompaña las bailadas a lo bolero. || **manchegas.** Música o tono especial, originario de la Mancha, con que se cantan las coplas llamadas **seguidillas.** || **2.** Baile propio de esta tonada.

Seguido, da. p. p. de **Seguir.** || **2.** adj. Continuo, sucesivo, sin intermisión de lugar o tiempo. || **3.** Que está en línea recta. || **4.** adv. m. **De seguida.** || **5.** m. Cada uno de los puntos que se van menguando en el remate del pie de las calcetas, medias, etc., para cerrarlo.

Seguidor, ra. adj. Que sigue a una persona o cosa. Ú. t. c. s. || **2.** m. **Seguidero.**

Seguimiento. m. Acción y efecto de seguir o seguirse.

Seguir. (Del lat. **sequīre,* de *sequi,* con la terminación de *ire.*) tr. Ir después o detrás de uno. Ú. t. c. intr. || **2.** Ir en busca de una persona o cosa; dirigirse, caminar hacia ella. || **3.** Proseguir o continuar en lo empezado. || **4.** Ir en compañía de uno. *Vine con él y le* SEGUÍ *siempre.* || **5.** Profesar o ejercer una ciencia, arte o estado. || **6.** Tratar o manejar un negocio o pleito, haciendo las diligencias conducentes para su logro. || **7.** Conformarse, convenir, ser del dictamen o parcialidad de una persona. || **8.** Perseguir, acosar o molestar a uno; ir en su busca o alcance. SEGUIR *una fiera.* || **9.** Imitar o hacer una cosa por el ejemplo que otro ha dado de ella. || **10.** Dirigir una cosa por camino o método adecuado, sin apartarse del intento. || **11.** r. Inferirse o ser consecuencia una cosa de otra. || **12.** Suceder una cosa a otra por orden, turno o número, o ser continuación de ella. || **13.** fig. Originarse o causarse una cosa de otra.

Según. (Del lat. *secundum.*) prep. Conforme o con arreglo a. SEGÚN *la ley;* SEGÚN *arte;* SEGÚN *eso.* || **2.** Toma carácter de adverbio, denotando relaciones de conformidad, correspondencia o modo, y equivaliendo más comúnmente a: con arreglo o en conformidad a lo que, o a como: SEGÚN *veamos;* SEGÚN *se encuentre mañana el enfermo.* Con proporción o correspondencia a: *se te pagará* SEGÚN *lo que trabajes.* De la misma suerte o manera que: *todo queda* SEGÚN *estaba.* Por el modo en que: *la cabeza sin toca, ni con otra cosa adornada que con sus mismos cabellos, que eran sortijas de oro,* SEGÚN *eran rubios y enrizados.* || **3.** Precediendo inmediatamente a nombres o pronombres personales, significa con arreglo o conformemente a lo que opinan o dicen las personas de que se trate. SEGÚN *él;* SEGÚN *ellos;* SEGÚN *Aristóteles;* SEGÚN *San Pablo.* || **4.** Hállase construido con la conjunción *que.* SEGÚN QUE *lo prueba la experiencia.* || **5.** Con carácter adverbial y en frases elípticas indica eventualidad o contingencia. *Iré o me quedaré,* SEGÚN. || **Según y como.** m. adv. De igual suerte o manera que. *Se lo diré* SEGÚN Y COMO *tu me lo dices; todo te lo devuelvo* SEGÚN Y COMO *lo recibí.* || **2. Según,** 5.ª acep. *¿Vendrás mañana?* —SEGÚN *y como.* || **Según y conforme.** m. adv. **Según y como.**

Segunda. (Del lat. *secunda,* t. f. de *-dus,* segundo.) f. En las cerraduras y llaves, vuelta doble que suele hacerse en ellas. || **2. Segunda intención.** *Hablar con* SEGUNDA.

Segundamente. adv. m. ant. En segundo lugar.

Segundar. (De *segundo.*) tr. **Asegundar.** || **2.** intr. Ser segundo o seguirse al primero.

Segundariamente. adv. m. **Secundariamente.**

Segundario, ria. adj. **Secundario.**

Segundero, ra. adj. Dícese del segundo fruto que dan ciertas plantas dentro del año. || **2.** V. **Corcho segundero.** || **3.** m. Manecilla que señala los segundos en el reloj.

Segundilla. (d. de *segunda.*) f. desus. Agua que se enfría en los residuos de nieve que quedan después de haber enfriado otra agua. || **2.** Campana pequeña con que en ciertos conventos se llama o avisa a la comunidad para algunos actos de su obligación. || **3.** *Ál.* **Lagartija.**

Segundillo. m. d. de **Segundo.** || **2.** Segunda porción de pan, menor que la primera y principal, que suele darse en las comidas a los religiosos de ciertas comunidades. || **3.** Segundo principio que suele dárseles.

Segundo, da. (Del lat. *secundus.*) adj. Que sigue inmediatamente en orden al o a lo primero. || **2.** p. us. **Favorable.** || **3.** V. **Causa, tía segunda.** || **4.** V. **Segunda enseñanza, segunda mesa.** || **5.** V. **Segundo** miembro. || **6.** V. **Minuto, primo, sobrino, tío segundo.** || **7.** V. **Potro de segundo bocado.** || **8.** fam. V. **Segunda intención.** || **9.** *Álg.* y *Arit.* V. **Segunda potencia.** || **10.** *For.* V. **Recurso de segunda suplicación.** || **11.** *Mil.* V. **Segundo cabo, segundo teniente.** || **12.** *Trig.* V. **Seno segundo.**

|| **13.** *Trig.* V. **Secante, tangente segunda de un ángulo.** || **14.** *Trig.* V. **Secante segunda de un arco.** || **15.** m. Persona que en una institución sigue en jerarquía al jefe o principal. || **16.** *Astron.* y *Geom.* Cada una de las 60 partes iguales en que se divide el minuto de tiempo o el de círculo. || **Batir segundos.** fr. Dicho del reloj o del péndulo, sonar o producir el ruido acompasado indicador de su marcha. || **Sin segundo.** expr. fig. Sin par.

Segundogénito, ta. (De *segundo* y el lat. *genĭtus*, engendrado.) adj. Dícese del hijo o hija nacidos después del primogénito o primogénita. Ú. t. c. s.

Segundogenitura. f. Dignidad, prerrogativa o derecho del segundogénito. || **2.** *For.* V. **Mayorazgo de segundogenitura.**

Segundón. m. Hijo segundo de la casa. || **2.** Por ext., cualquier hijo no primogénito.

Seguntino, na. (Del lat. *seguntīnus.*) adj. Natural de Sigüenza. Ú. t. c. s. || **2.** Perteneciente a esta ciudad.

Segur. (Del lat. *secūris.*) f. Hacha grande para cortar. || **2.** Hacha que formaba parte de cada una de las faces de los lictores romanos. || **3. Hoz,** 1.er art.

Segura. (El apellido *Segura* puesto en juego con su homónimo el adj. *segura.*) **A Segura llevan, o le llevan, preso.** fr. proverb. con que se da a entender que toda precaución es poca cuando se puede correr algún peligro, por inverosímil o remoto que parezca.

Segura. f. ant. **Segur.**

Segurador. (De *segurar.*) m. **Fiador,** 1.ª acep.

Seguramente. adv. m. De modo seguro. Ú. t. c. adv. afirm. *¿Vendrás mañana?* —SEGURAMENTE.

Seguramiento. (De *segurar.*) m. ant. **Seguridad.**

Seguranza. (De *segurar.*) f. ant. **Seguridad.** Ú. en *Ast.* y *Sal.*

Segurar. (De *seguro.*) tr. ant. **Asegurar.**

Seguridad. (Del lat. *securĭtas, -ātis.*) f. Calidad de seguro. || **2.** Fianza u obligación de indemnidad a favor de uno, regularmente en materia de intereses. || **De seguridad.** fr. que se aplica a un ramo de la administración pública cuyo fin es el de velar por la **seguridad** de los ciudadanos. *Dirección general, agente* DE SEGURIDAD. || **2.** Se aplica también a ciertos mecanismos que aseguran algún buen funcionamiento, precaviendo que éste falle, se frustre o se violente. *Muelle, cerradura* DE SEGURIDAD. || **3.** V. **Lámpara, mecha de seguridad.**

Seguro, ra. (Del lat. *secūrus.*) adj. Libre y exento de todo peligro, daño o riesgo. || **2.** Cierto, indubitable y en cierta manera infalible. || **3.** Firme, constante y que no está en peligro de faltar o caerse. || **4.** Desprevenido, ajeno de sospecha. || **5.** m. Seguridad, certeza, confianza. || **6.** Lugar o sitio libre de todo peligro. || **7.** Contrato por el cual una persona, natural o jurídica, se obliga a resarcir pérdidas o daños que ocurran en las cosas que corren un riesgo en mar o tierra. || **8.** Salvoconducto, licencia o permiso que se concede para ejecutar lo que sin él no se pudiera. || **9.** Muelle destinado en algunas armas de fuego a evitar que se disparen por el juego de la llave. || **10.** V. **Carta de seguro.** || **de vida. Seguro sobre la vida.** || **sobre la vida.** Contrato por el cual el asegurador se obliga, mediante el premio estipulado, a entregar al contratante o al beneficiario un capital o renta al verificarse el acontecimiento previsto o durante el término señalado. || **subsidiario.** El que cubre el riesgo de que otro asegurador falte al pago de la indemnización que, por virtud de contrato hecho con anterioridad, le sea exigible. || **A buen seguro, al seguro,** o **de seguro.** ms. advs. Ciertamente, en verdad. || **En seguro.** m. adv. **En salvo.** || **2. A salvo.** || **Irse** uno **del seguro.** fr. fig. y fam. Entregarse a algún arrebato, olvidando los dictados de la prudencia. || **Sobre seguro.** m. adv. Sin aventurarse a ningún riesgo.

Segurón. m. aum. de **Segur.**

Seico. m. *Ál.* Conjunto de seis haces de mies.

Seis. (Del lat. *sex.*) adj. Cinco y uno. || **2. Sexto,** 1.ª acep. *Número* SEIS; *año* SEIS. Apl. a los días del mes, ú. t. c. s. *El* SEIS *de abril.* || **3.** m. Signo o conjunto de signos con que se representa el número **seis.** || **4.** Naipe que tiene **seis** señales. *El* SEIS *de espadas.* || **5.** Cada uno de los **seis** regidores que ciertos lugares o villas diputaban para el gobierno político y económico o para un negocio particular. || **6.** *P. Rico.* Baile popular, especie de zapateado.

Seisavar. (De *seisavo.*) tr. Dar a una cosa figura de hexágono regular.

Seisavo, va. (De *seis*, con la terminación de *octavo.*) adj. **Sexto,** 2.ª acep. Ú. t. c. s. m. || **2. Hexágono.** Ú. m. c. s.

Seiscientos, tas. (Del lat. *sexcĕntos.*) adj. Seis veces ciento. || **2. Sexcentésimo,** 1.ª acep. *Número* SEISCIENTOS; *año* SEISCIENTOS. || **3.** m. Conjunto de signos con que se representa el número **seiscientos.**

Seise. (Singular hecho del pl. *seises*, de seis.) m. Cada uno de los niños de coro, seis por lo común, que, vestidos lujosamente con traje antiguo de seda azul y blanca, bailan y cantan tocando las castañuelas en la catedral de Sevilla, y en algunas otras, en determinadas festividades del año.

Seisén. (De *seis.*) m. **Sesén.**

Seiseno, na. (De *seis.*) adj. **Sexto,** 1.ª acep.

Seisillo. (d. de *seis.*) m. *Mús.* Conjunto de seis notas iguales que se deben cantar o tocar en el tiempo correspondiente a cuatro de ellas.

Seísmo. (Del gr. σεισμός, sacudida.) m. **Sismo.**

Seje. m. Árbol de la América Meridional, de la familia de las palmas, muy semejante al coco, pero menos grueso, más bajo, de copa ancha, gran número de flores, y fruto puntiagudo, del cual se saca un aceite espeso como manteca macerándolo, quebrantado, en agua fría.

Sel. m. *Sant.* Pradería en que suele sestear el ganado vacuno.

Selacio, cia. (Del gr. σελάχιον.) adj. *Zool.* Dícese de peces marinos cartilagíneos que tienen cuerpo fusiforme o deprimido, cola heterocerca, piel muy áspera, boca casi semicircular en la cabeza, con numerosos dientes triangulares y de bordes cortantes o aserrados y mandíbula inferior móvil y varias hendiduras branquiales; como la tintorera y la raya. Ú. t. c. s. || **2.** m. pl. *Zool.* Orden de estos peces.

Selección. (Del lat. *selectĭo, -ōnis.*) f. Elección de una persona o cosa entre otras, como separándola de ellas y prefiriéndola. || **2.** Elección de los animales destinados a la reproducción, para conseguir mejoras en la raza. || **natural.** Sistema establecido por el naturalista inglés Darwin, que pretende explicar, por la acción continuada del tiempo y del medio, la desaparición más o menos completa de determinadas especies animales o vegetales, y su substitución por otras de condiciones superiores.

Seleccionar. tr. Elegir, escoger por medio de una selección.

Selectas. (Del lat. *selectae.*) f. pl. **Analectas.**

Selectividad. f. *Electr.* Calidad de selectivo.

Selectivo, va. adj. Que implica selección. || **2.** Dícese del aparato radiorreceptor que permite escoger una onda de longitud determinada sin que perturben la audición otras ondas muy próximas.

Selecto, ta. (Del lat. *selectus*, p. p. de *seligĕre*, escoger, elegir.) adj. Que es o se reputa por mejor entre otras cosas de su especie.

Selenio. (Del gr. σελήνιον, resplandor de la Luna.) m. Metaloide de color pardo rojizo y brillo metálico, que se reblandece en agua hirviendo y es capaz de arder desprendiendo vapores de mal olor. Químicamente se asemeja al azufre y, por sus propiedades fotoeléctricas, tiene empleo en cinematografía y televisión.

Selenita. (Del gr. σεληνίτης, perteneciente a la Luna.) com. Supuesto habitante de la Luna. || **2.** f. **Espejuelo,** 1.ª acep.

Selenitoso, sa. (De *selenita*, 2.ª acep.) adj. Que contiene yeso. *Agua* SELENITOSA.

Seleniuro. m. *Quím.* Cuerpo resultante de la combinación del selenio con un radical simple o compuesto.

Selenografía. (De *selenógrafo.*) f. Parte de la astronomía, que trata de la descripción de la Luna.

Selenógrafo. (Del gr. Σελήνη, la Luna, y γράφω, describir.) m. El que profesa la selenografía o en ella tiene especiales conocimientos.

Selenosis. (Del gr. Σελήνη, la Luna.) f. **Mentira,** 3.ª acep.

Seltz. n. p. V. **Agua de Seltz.**

Selva. (Del lat. *silva.*) f. Terreno extenso, inculto y muy poblado de árboles. || **2.** V. **Clarín de la selva.**

Selvaje. (Del prov. *selvatge*, y éste del lat. *silvatĭcus.*) adj. ant. **Salvaje.**

Selvajino, na. (De *selvaje.*) adj. ant. **Selvático.**

Selvático, ca. (Del lat. *silvatĭcus.*) adj. Perteneciente o relativo a las selvas, o que se cría en ellas. || **2.** fig. Tosco, rústico, falto de cultura.

Selvatiquez. f. Calidad de selvático.

Selvicultura. f. **Silvicultura.**

Selvoso, sa. (De *silvoso.*) adj. Propio de la selva. || **2.** Aplícase al país o territorio en que hay muchas selvas.

Sellado, da. p. p. de **Sellar.** || **2.** adj. V. **Papel sellado.**

Sellador, ra. adj. Que sella o pone el sello. Ú. t. c. s.

Selladura. f. Acción y efecto de sellar.

Sellar. (Del lat. *sigillāre.*) tr. Imprimir el sello. || **2.** fig. Estampar, imprimir o dejar señalada una cosa en otra o comunicarle determinado carácter. || **3.** fig. Concluir, poner fin a una cosa. porque el sello es lo último que se pone, || **4.** fig. Cerrar, tapar, cubrir.

Sello. (Del lat. *sigillum.*) m. Utensilio, por lo común de metal o caucho, que sirve para estampar las armas, divisas o cifras en él grabadas, y se emplea para autorizar documentos, cerrar pliegos y otros usos análogos. || **2.** Lo que queda estampado, impreso y señalado con el mismo **sello.** || **3.** Disco de metal o de cera que, estampado con un **sello,** se unía, pendiente de hilos, cintas o correas, a ciertos documentos de importancia. || **4.** Trozo pequeño de papel, con timbre oficial de figuras o signos grabados, que se pega a ciertos documentos para darles valor o eficacia y a las cartas para franquearlas o certificarlas. || **5.** Casa u oficina donde se estampa y pone el **sello** a algunos escritos para autorizarlos. || **6. Sellador.** || **7.** V. **Canciller del sello de la puridad.** || **8.** ant. V. **Tabla de los sellos.** || **9.** fig. Carácter distintivo comunicado a una obra u otra cosa. || **10.** *Farm.* Conjunto de dos obleas redondas entre las cuales se encierra una dosis de medicamento, para poderlo tragar sin percibir su sabor. || **de alcance.**

El postal suplementario utilizado para la correspondencia depositada en buzón especial después de la hora normal de recogida. || **del estómago.** fig. Cualquier pequeña porción de comida, sólida y vigorosa, que afirma y corrobora la demás comida tomada sobre ella. || **de Salomón.** Estrella de seis puntas formada por dos triángulos equiláteros cruzados y a la cual atribuían ciertas virtudes los cabalistas. || **2.** *Bot.* Planta herbácea de la familia de las liliáceas, de cuatro a seis decímetros de altura, con tallo esquinado, sencillo y algo doblado en la punta; hojas alternas, sentadas, ovales y enteras; flores blancas y axilares; fruto en baya redonda y azulada, y rizoma horizontal, blanco, tierno, nudoso, macizo, del grueso de un dedo y en cuya parte superior hay huellas profundas, circulares o elípticas, correspondientes a los tallos anuales desaparecidos, y a las cuales debe su nombre la planta. Se cría ésta en los montes de España y el rizoma se ha empleado en medicina como vulnerario y astringente. || **de Santa María. Sello de Salomón,** 2.ª acep. || **hermético.** Cerramiento de una vasija hecho con la misma materia de que ella es. || **móvil. Timbre móvil.** || **volante.** El que se ponía en las cartas de modo que pudiese leerlas la persona por cuya mano se dirigían a otra. || **Echar,** o **poner, el sello a** una cosa. fr. fig. Rematarla, llevarla a la última perfección.

Semafórico, ca. adj. Perteneciente al semáforo.

Semáforo. (Del gr. σῆμα, señal, y φορός, que lleva.) m. Telégrafo óptico de las costas, para comunicarse con los buques por medio de señales.

Semana. (Del lat. *septimāna.*) f. Serie de siete días naturales consecutivos, empezando por el domingo y acabando por el sábado. || **2.** Período septenario de tiempo, sea de días, meses, años o siglos. *Las* SEMANAS *de Daniel.* || **3.** V. **Mayordomo de semana.** || **4.** fig. Salario ganado en una **semana.** || **5.** fig. Una de las muchas variedades del juego del infernáculo. || **grande, mayor,** o **santa.** La última de la cuaresma, desde el Domingo de Ramos hasta el de Resurrección. || **2.** Libro en que está el rezo propio del tiempo de la **Semana Santa,** y los oficios que se celebran en ella. || **inglesa.** Régimen semanal de trabajo que termina a mediodía del sábado. || **Mala semana.** fam. Mes o menstruo en las mujeres. || **Cada semana tiene su disanto.** fr. proverb. con que se consuela a los que tienen trabajos, representándoles que con el tiempo suelen interrumpirse o minorarse. || **Entre semana.** m. adv. En cualquier día de ella, menos el primero y el último. || **La semana que no tenga viernes.** expr. fig. y fam. con que se despide a uno, negándole lo que pretende, o se significa la imposibilidad de que una cosa se realice.

Semanal. adj. Que sucede o se repite cada semana. || **2.** Que dura una semana o a ella corresponde.

Semanalmente. adv. t. Por semanas, en todas las semanas o en cada una de ellas.

Semanario, ria. adj. **Semanal.** || **2.** m. Periódico que se publica semanalmente. || **3.** Juego de siete navajas de afeitar.

Semanería. f. Cargo u oficio de semanero. || **2.** En los tribunales, inspección semanal que se hacía de los despachos, para ver si iban arreglados a lo que se había resuelto.

Semanero, ra. adj. Aplícase a la persona que ejerce un empleo o encargo por semanas. Ú. t. c. s.

Semanilla. f. **Semana santa,** 2.ª acep.

Semántica. f. Estudio de la significación de las palabras.

Semántico, ca. (Del gr. σημαντικός, significativo.) adj. Referente a la significación de las palabras.

Semasiología. (Del gr. σημασία, significación, y λόγος, tratado.) f. **Semántica.**

Semasiológico, ca. adj. Referente a la semasiología.

Semblante. (Del lat. *simĭlans, -antis,* p. a. de *simĭlāre,* semejar.) adj. ant. **Semejante.** || **2.** m. Representación de algún afecto del ánimo en el rostro. || **3. Cara,** 1.ª acep. || **4.** fig. Apariencia y representación del estado de las cosas, sobre el cual formamos el concepto de ellas. || **Beber el semblante** a uno. fr. fig. **Beberle las palabras.** || **Componer** uno **el semblante.** fr. Mostrar seriedad o modestia. || **2.** Serenar la expresión del rostro. || **Mudar de semblante.** fr. Demudarse o alterarse una persona, dándolo a entender en el rostro. || **2.** fig. Alterarse o variarse las circunstancias de las cosas, de modo que se espere diferente suceso del que se suponía. MUDÓ DE SEMBLANTE *el pleito.*

Semblanza. (De *semblar.*) f. ant. **Semejanza,** 1.ª acep. || **2.** Bosquejo biográfico.

Semblar. (Del lat. *simĭlāre.*) intr. ant. Semejar o ser semejante.

Semble. (Del lat. *simĭle.*) adv. m. ant. **Semejantemente.**

Semble. (Del lat. *simul.*) adv. m. ant. Juntamente, en uno.

Sembra (En). m. adv. ant. **Ensembla.**

Sembrada. (Del lat. *semināta.*) f. **Sembrado.**

Sembradera. f. Máquina para sembrar.

Sembradío, a. adj. Dícese del terreno destinado o a propósito para sembrar.

Sembrado, da. p. p. de **Sembrar.** || **2.** adj. fig. y fam. V. **Perejil mal sembrado.** || **3.** m. Tierra sembrada, hayan o no germinado y crecido las semillas.

Sembrador, ra. (Del lat. *seminātor.*) adj. Que siembra. Ú. t. c. s.

Sembradora. f. **Sembradera.**

Sembradura. f. Acción y efecto de sembrar. || **2.** V. **Fanega, tierra de sembradura.** || **3.** ant. **Sembrado.**

Sembrar. (Del lat. *semināre.*) tr. Arrojar y esparcir las semillas en la tierra preparada para este fin. || **2.** fig. Desparramar, esparcir. SEMBRAR *dinero;* SEMBRAR *de palmas y olivas el camino.* || **3.** fig. Dar motivo, causa o principio a una cosa. || **4.** fig. Colocar sin orden una cosa para adorno de otra. || **5.** fig. Esparcir, publicar una especie para que se divulgue. || **6.** fig. Hacer algunas cosas de que se ha de seguir fruto. || **Como sembráredes, cogeredes.** ref. que significa que los resultados corresponderán a las obras. || **Quien bien siembra, bien coge.** ref. que explica que el que acierta a emplear bien su liberalidad o servicios, fácilmente consigue lo que desea. || **Siembra quien habla y recoge quien calla.** ref. que expresa la ventaja que trae el callar.

Semeja. (Del lat. *simĭlia,* pl. de *simĭle,* semejanza.) f. **Semejanza,** 1.ª acep. || **2.** Señal, muestra, indicio. Ú. m. en pl.

Semejable. adj. Capaz de asemejarse a una cosa. || **2.** ant. **Semejante.**

Semejablemente. adv. m. ant. **Semejantemente.** || **2.** ant. Así, de la misma manera.

Semejado, da. p. p. de **Semejar.** || **2.** adj. **Semejante,** 1.ª acep.

Semejante. (De *semejar.*) adj. Que semeja a una persona o cosa. Ú. t. c. s. || **2.** Úsase con sentido de comparación o ponderación. *No es lícito valerse de* SEMEJANTES *medios.* || **3.** Empleado con carácter de demostrativo, **tal,** 5.ª acep. *No he visto a* SEMEJANTE *hombre.* || **4.** *Geom.* Dícese de dos figuras distintas sólo por el tamaño y cuyas partes guardan todas respectivamente la misma proporción. || **5.** m. Semejanza, imitación. || **6. Prójimo.** || **7.** ant. **Símil,** 3.ª acep. || **Por semejante.** m. adv. ant. Semejantemente, igualmente.

Semejantemente. adv. m. Con semejanza.

Semejanza. f. Calidad de semejante. || **2.** *Ret.* **Símil,** 3.ª acep.

Semejar. (De *semeja.*) intr. Parecerse una persona o cosa a otra; tener conformidad con ella. Ú. t. c. r.

Semen. (Del lat. *semen.*) m. *Zool.* Líquido más o menos espeso que segregan las glándulas genitales de los animales del sexo masculino y en el cual pululan los espermatozoides. || **2.** *Bot.* **Semilla,** 1.ª acep.

Semencera. (Del vulgar y ant. *semienza,* y éste del lat. *semĕntia.*) f. **Sementera.**

Semencontra. (Del lat. *semen contra vermes,* simiente contra las lombrices.) m. *Farm.* **Santónico,** 3.ª y 4.ª aceps.

Semental. (Del lat. *sementis,* simiente.) adj. Perteneciente o relativo a la siembra o sementera. || **2.** Aplícase al animal macho que se destina a padrear. Ú. t. c. s.

Sementar. (De *simiente.*) tr. **Sembrar,** 1.ª acep.

Sementera. (De *simiente.*) f. Acción y efecto de sembrar. || **2.** Tierra sembrada. || **3.** Cosa sembrada. || **4.** Tiempo a propósito para sembrar. || **5.** V. **Juez de sementeras.** || **6.** fig. **Semillero,** 3.ª acep.

Sementero. (De *simiente.*) m. Saco o costal en que se llevan los granos para sembrar. || **2. Sementera.**

Sementino, na. (Del lat. *sementīnus.*) adj. Perteneciente a la simiente.

Semestral. (Del lat. *semestrālis.*) adj. Que sucede o se repite cada semestre. || Que dura un semestre o a él corresponde.

Semestralmente. adv. t. Por semestres.

Semestre. (Del lat. *semestris.*) adj. **Semestral.** || **2.** m. Espacio de seis meses. || **3.** Renta, sueldo, pensión, etc., que se cobra o que se paga al fin de cada **semestre.** || **4.** Conjunto de los números de un periódico o revista publicados durante un **semestre.** *Primer* SEMESTRE *de la Gaceta de este año.*

Semi. (Del lat. *semi.*) Voz que en español sólo tiene uso como prefijo de vocablos compuestos, con la significación de **medio** en sentido recto, o equivaliendo a **casi;** como en SEMI*círculo,* SEMI*difunto.*

Semibreve. (De *semi* y *breve.*) f. *Mús.* Nota musical que vale un compasillo entero.

Semicabrón. (De *semi* y *cabrón.*) m. **Semicapro.**

Semicadencia. (De *semi* y *cadencia.*) f. *Mús.* Paso sencillo de la nota tónica a la dominante.

Semicapro. (Del lat. *semicăper, -pri.*) m. Monstruo fabuloso, medio cabra o cabrón y medio hombre.

Semicilíndrico, ca. adj. Perteneciente o relativo al semicilindro. || **2.** De figura de semicilindro o semejante a ella.

Semicilindro. m. Cada una de las dos mitades del cilindro separadas por un plano que pasa por el eje.

Semicircular. (Del lat. *semicirculāris.*) adj. Perteneciente o relativo al semicírculo. || **2.** De figura de semicírculo o semejante a ella.

Semicírculo. (Del lat. *semicircŭlus.*) m. *Geom.* Cada una de las dos mitades del círculo separadas por un diámetro.

Semicircunferencia. f. *Geom.* Cada una de las dos mitades de la circunferencia.

Semiconsonante. adj. *Gram.* Aplícase en general a las vocales *i, u,* en principio de diptongo o triptongo, como en *piedra, hielo, huerto, apreciáis,* y más propiamente cuando en dicha posición se pronuncian con sonido de duración momentánea, improlongable, abertura articulatoria creciente y timbre más próximo a consonante que a vocal. Ú. t. c. s. f.

Semicopado, da. adj. *Mús.* Sincopado.

Semicorchea. (De *semi* y *corchea.*) f. *Mús.* Nota musical cuyo valor es la mitad de una corchea.

Semicromático, ca. (De *semi* y *cromático.*) adj. *Mús.* Dícese del género de música que participa del diatónico y del cromático.

Semidea. (Del lat. *semidĕa.*) f. poét. Semidiosa.

Semideo. (Del lat. *semidĕus.*) m. poét. Semidiós.

Semidiámetro. (Del lat. *semidiamĕtrus.*) m. *Geom.* Cada una de las dos mitades de un diámetro separadas por el centro. || **de un astro.** *Astron.* El ángulo formado por dos visuales dirigidas una a su centro y otra a su limbo.

Semidifunto, ta. (De *semi* y *difunto.*) adj. Medio difunto o casi difunto.

Semidiós. (De *semi* y *dios.*) m. Héroe o varón esclarecido por sus hazañas, a quien los gentiles colocaban entre sus fabulosas deidades.

Semidiosa. (De *semi* y *diosa.*) f. Heroína que los gentiles hacían descender de alguno de sus falsos dioses.

Semiditono. (De *semi* y *ditono.*) m. *Mús.* Intervalo de un tono y un semitono mayor.

Semidoble. (De *semi,* medio, y *doble.*) adj. V. **Fiesta, rito semidoble.**

Semidormido, da. (De *semi* y *dormido,* p. p. de *dormir.*) adj. Medio dormido o casi dormido.

Semidragón. (De *semi* y *dragón.*) m. Monstruo que, según la fábula, tenía de hombre la mitad superior del cuerpo y de dragón la otra mitad.

Semieje. (De *semi* y *eje.*) m. *Geom.* Cada una de las dos mitades de un eje separadas por el centro.

Semiesfera. (De *semi* y *esfera.*) f. **Hemisferio.**

Semiesférico, ca. adj. Perteneciente o relativo a la semiesfera. || **2.** De forma de semiesfera.

Semifinal. f. Cada una de las dos penúltimas competiciones del campeonato o concurso, que se gana por eliminación del contrario y no por puntos. Ú. m. en pl.

Semiflósculo. (De *semi* y *flósculo.*) m. *Bot.* Cada una de las flores que están situadas en la periferia de una cabezuela y cuya corola se prolonga en forma de lámina o lengüeta.

Semiforme. (Del lat. *semiformis.*) adj. A medio formar, no del todo formado.

Semifusa. (De *semi* y *fusa.*) f. *Mús.* Nota musical cuyo valor es la mitad de una fusa.

Semigola. (De *semi* y *gola.*) f. *Fort.* Línea recta que pasa del ángulo de un flanco del baluarte a la capital, y es parte del polígono interior.

Semihombre. (De *semi* y *hombre.*) m. **Pigmeo,** 1.ª acep.

Semilunar. adj. Que tiene figura de media luna.

Semilunio. (Del lat. *semilunĭum.*) m. *Astron.* Mitad de una lunación.

Semilla. f. *Bot.* Cada uno de los cuerpos que forman parte del fruto de los vegetales, originados por las modificaciones que experimentan los óvulos después de haber sido fecundados, y que reproducen la planta, cuando germinan en condiciones adecuadas, por estar contenido en cada uno de ellos el embrión de un nuevo individuo. || **2.** fig. Cosa que es causa u origen de que proceden otras. || **3.** pl. Granos que se siembran, exceptuados el trigo y la cebada.

Semillero. (De *semilla.*) m. Sitio donde se siembran y crían los vegetales que después han de trasplantarse. || **2.** Sitio donde se guardan y conservan para estudio colecciones de diversas semillas. || **3.** fig. Origen y principio de que nacen o se propagan algunas cosas. SEMILLERO *de vicios, de pleitos.*

Seminal. (Del lat. *seminālis.*) adj. Perteneciente o relativo al semen, 1.ª acep. || **2.** Perteneciente o relativo a la semilla, 1.ª acep. || **3.** *Zool.* V. **Vesícula seminal.**

Seminario, ria. (Del lat. *seminarĭus.*) adj. desus. **Seminal.** || **2.** m. **Semillero,** 1.ª acep. || **3.** Casa o lugar destinado para educación de niños y jóvenes. || **4.** Clase en que se reúne el profesor con los discípulos para realizar trabajos de investigación. || **5.** fig. **Semillero,** 3.ª acep. || **conciliar.** Casa destinada para la educación de los jóvenes que se dedican al estado eclesiástico.

Seminarista. m. Alumno de un seminario conciliar.

Seminífero, ra. (Del lat. *semen, -ĭnis,* semen, y *fero,* llevar.) adj. *Zool.* Que produce o contiene semen. *Glándula* SEMINÍFERA.

Semínima. (Contracc. de *semi* y *mínima.*) f. *Mús.* Nota musical que vale la mitad de una mínima. || **2.** pl. fig. Menudencias, minucias.

Semiología. (Del gr. σημεῖον, signo, y λόγος, tratado.) f. **Semiótica.**

Semiotecnia. (Del gr. σημεῖον, signo, nota, y τέχνη, arte.) f. Conocimiento de los signos gráficos que sirven para la notación musical.

Semiótica. (Del gr. σημειωτική, sobrentendiendo τέχνη, arte.) f. Parte de la medicina, que trata de los signos de las enfermedades desde el punto de vista del diagnóstico y del pronóstico.

Semipedal. (Del lat. *semipedālis.*) adj. De medio pie de largo.

Semipelagianismo. m. Secta de los semipelagianos. || **2.** Conjunto de estos sectarios.

Semipelagiano, na. adj. Dícese del hereje que, siguiendo las opiniones sustentadas en el siglo V por Fausto y Casiano, quería conciliar las ideas de los pelagianos con la doctrina ortodoxa sobre la gracia y el pecado original. Ú. t. c. s. || **2.** Perteneciente a la doctrina o secta de estos herejes.

Semiperíodo [~ **periodo**]. m. *Electr.* Mitad del período correspondiente a un sistema de corrientes bifásicas.

Semiplena. (Del lat. *semiplēna,* t. f. de *-nus,* imperfecto, sin concluir.) adj. *For.* V. **Prueba semiplena.**

Semiplenamente. adv. m. *For.* Con probanza semiplena.

Semirrecto, ta. (De *semi* y *recto.*) adj. *Geom.* V. **Ángulo semirrecto.**

Semirrefinado, da. adj. V. **Azúcar semirrefinado.**

Semis. (Del lat. *semis.*) m. Moneda romana del valor de medio as.

Semisuma. f. Resultado de dividir por dos una suma.

Semita. adj. Descendiente de Sem; dícese de los árabes, hebreos y otros pueblos. Ú. m. c. s. || **2. Semítico.**

Semítico, ca. adj. Perteneciente o relativo a los semitas.

Semitismo. m. Conjunto de las doctrinas morales, instituciones y costumbres de los pueblos semitas. || **2.** Giro o modo de hablar propio de las lenguas semíticas. || **3.** Vocablo o giro de estas lenguas empleado en otras.

Semitista. m. Erudito que estudia la lengua, literatura, instituciones, etc., de los pueblos semitas.

Semitono. (De *semi* y *tono.*) m. *Mús.* Cada una de las dos partes desiguales en que se divide el intervalo de un tono. || **cromático.** *Mús.* **Semitono menor.** || **diatónico.** *Mús.* **Semitono mayor.** || **enarmónico.** *Mús.* Intervalo de una coma, que media entre dos **semitonos** menores comprendidos dentro de un mismo tono. || **mayor.** *Mús.* El que comprende tres comas. || **menor.** *Mús.* El que comprende dos comas.

Semitransparente. adj. Casi transparente.

Semitrino. (De *semi* y *trino.*) m. *Mús.* Trino de corta duración, que comienza por la nota superior.

Semivivo, va. (De *semi* y *vivo.*) adj. Medio vivo o que no tiene vida perfecta o cabal.

Semivocal. (Del lat. *semivocālis.*) adj. Aplícase a la vocal *i* o *u* al final de un diptongo: *aire, aceite, causa, feudo.* Ú. t. c. s. f. || **2.** Dícese de la consonante que puede pronunciarse sin que se perciba directamente el sonido de una vocal; como la *f.* Ú. t. c. s. f.

Sémola. (Del ital. *semola,* y éste del lat. *simila,* la flor de la harina.) f. Trigo candeal desnudo de su corteza. || **2.** Trigo quebrantado a modo del farro y que se guisa como él. || **3.** Pasta de harina de flor reducida a granos muy menudos y que se usa para sopa.

Semoviente. (Del lat. *se movens, -entis,* que se mueve a sí mismo o por sí.) adj. V. **Bienes semovientes.** Ú. t. c. s. en sing. y pl.

Sempiterna. (Del lat. *sempiterna,* t. f. de *-nus,* sempiterno.) f. Tela de lana, basta y muy tupida, que la gente pobre usaba para vestidos. || **2. Perpetua.**

Sempiternamente. adv. m. Perpetua, eternamente.

Sempiterno, na. (Del lat. *sempiternus.*) adj. **Eterno.**

Sen. (De *sena,* 1.er art.) m. *Bot.* Arbusto oriental, de la familia de las papilionáceas, parecido a la casia, y cuyas hojas se usan en infusión como purgantes.

Sen. m. Moneda japonesa de cobre, que vale la centésima parte de un yen.

Sen. (Del germ. *sin.*) m. ant. Sentido, juicio, discreción.

Sen. (Del lat. *sine.*) prep. ant. **Sin.**

Sena. (Del ár. *sanā,* planta purgante de Arabia y Egipto.) f. **Sen,** 1.er art.

Sena. (Del lat. *sena,* t. neutra de *seni,* seis.) f. Conjunto de seis puntos señalados en una de las caras del dado. || **2.** pl. En el juego de las tablas reales y otros, suerte que consiste en salir apareados los dos lados de los seis puntos.

Senada. f. Porción de cosas que caben en el seno, o en el hueco de la saya o del delantal.

Senado. (Del lat. *senātus.*) m. Asamblea de patricios que formaba el Consejo supremo de la antigua Roma. Aplicóse también por analogía a ciertas asambleas políticas de otros Estados. || **2.** Cuerpo compuesto de personas de ciertas calidades, que en varias naciones tiene por principal misión ejercer el poder legislativo juntamente con otro cuerpo nombrado por elección y con el jefe del Estado. || **3.** Edificio o lugar donde los senadores celebran sus sesiones. || **4.** fig. Cualquier junta o concurrencia de personas graves y respetables. || **5.** fig. Público, auditorio, principalmente el que acude a una representación dramática.

Senado, da. (De *sen,* 2.° art.) adj. ant. Sensato, cuerdo, juicioso.

Senadoconsulto. (Del lat. *senatusconsultum.*) m. Decreto o determinación del antiguo senado romano. Se ha dicho también de los decretos senatoriales del imperio francés.

Senador. (Del lat. *senātor.*) m. Individuo del senado.

Senaduría. f. Dignidad de senador.

Senara. (Del lat. *seminaria,* de *semen, -ĭnis,* semilla.) f. Porción de tierra que dan los amos a los capataces o a ciertos criados para que la labren por su cuenta, como plus o aditamento de su salario. || **2.** Producto de esta labor. || **3. Sementera,** 2.ª acep. || **4.** Tierra concejil. || **Haz tu senara donde canta la cogujada.** ref. que enseña que son preferibles las tierras inmediatas a las poblaciones.

Senario, ria. (Del lat. *senarĭus.*) adj. Compuesto de seis elementos, unidades o guarismos. || **2.** V. **Verso senario.** Ú. t. c. s.

Senatorial. adj. Perteneciente o relativo al senado o al senador.

Senatorio, ria. (Del lat. *senatorĭus.*) adj. **Senatorial.**

Sencido, da. adj. *And., Ar., Rioja* y *Sor.* Cencido, intacto, dicho comúnmente de los prados no segados o de los rastrojos no pacidos.

Sencillamente. adv. m. Con sencillez y lisura, sin doblez ni engaño.

Sencillez. f. Calidad de sencillo.

Sencillo, lla. (Del lat. **sĭngĕllus,* por *sĭngŭlus.*) adj. Que no tiene artificio ni composición. || **2.** Dícese de lo que tiene menos cuerpo que otras cosas de su especie. *Tafetán* SENCILLO. || **3.** Que carece de ostentación y adornos. || **4.** Dícese del estilo que carece de exornación y artificio, y expresa ingenua y naturalmente los conceptos. || **5.** V. **Cruz, letra sencilla.** || **6.** Dícese de la moneda pequeña, respecto de otra del mismo nombre, de más valor. *Real de plata* SENCILLO. || **7.** V. **Doblón, peso sencillo.** || **8.** fig. Incauto, fácil de engañar. || **9.** fig. Ingenuo en el trato, sin doblez ni engaño, y que dice lo que siente. || **10.** m. Menudo, dinero suelto.

Senda. (Del lat. *sēmĭta.*) f. Camino más estrecho que la vereda, abierto principalmente por el tránsito de peatones. || **2.** fig. **Camino,** 8.ª acep.

Sendera. f. ant. **Sendero.**

Senderar. tr. **Senderear.**

Senderear. tr. Guiar o encaminar por el sendero. || **2.** Abrir senda. || **3.** intr. fig. Echar por caminos extraordinarios en el modo de obrar o discurrir.

Sendero. (Del lat. **semitarĭus,* de *semĭta,* senda.) m. **Senda.** || **Cada sendero tiene su atolladero.** fr. proverb. que indica que en toda obra hay que vencer dificultades.

Senderuela. (Del lat. *serotĭnus,* tardío, infl. por *senda.*) f. *Rioja.* Hongo con el sombrerete pardo obscuro, plano y liso; pie de cinco a siete centímetros; brota en las sendas y veredas.

Senderuelo. m. d. de **Sendero.**

Sendos, das. (Del lat. *singŭlos,* acus. de *-li.*) adj. pl. Uno o una para cada cual de dos o más personas o cosas.

Sene. (Del lat. *senex.*) m. ant. Hombre viejo.

Séneca. (Por alusión al filósofo estoico natural de Córdoba.) m. fig. Hombre de mucha sabiduría.

Senectud. (Del lat. *senectus, -ūtis.*) f. Edad senil, período de la vida que comúnmente empieza a los sesenta años.

Senegalés, sa. adj. Natural del Senegal. Ú. t. c. s. || **2.** Perteneciente o relativo a esta colonia francesa de África.

Senequismo. m. Norma de vida ajustada a los dictados de la moral y la filosofía de Séneca.

Senequista. adj. Relativo al senequismo. || **2.** Partidario de las doctrinas de Séneca. Ú. t. c. s.

Senescal. (Del germ. *siniskalk,* criado antiguo.) m. En algunos países, mayordomo mayor de la casa real. || **2.** Jefe o cabeza principal de la nobleza, que la gobernaba, especialmente en la guerra.

Senescalado. m. Territorio sujeto a la jurisdicción de un senescal. || **2. Senescalía.**

Senescalía. f. Dignidad, cargo o empleo de senescal.

Senescencia. (De *senescente.*) f. Calidad de senescente.

Senescente. (Del lat. *senescens, -entis.*) adj. Que empieza a envejecer.

Senil. (Del lat. *senīlis.*) adj. Perteneciente a los viejos o a la vejez. || **2.** V. **Atrofia, muerte senil.** || **3.** V. **Cuadrante senil.**

Senior. (Del lat. *senior,* anciano.) m. ant. **Señor.** || **2.** ant. **Senador.**

Seniora. (De *senior.*) f. ant. **Señora.**

Seno. (Del lat. *sinus.*) m. Concavidad o hueco. || **2.** Concavidad que forma una cosa encorvada. || **3. Pecho,** 6.ª acep. || **4.** Espacio o hueco que queda entre el vestido y el pecho. *Sacó del* SENO *una bolsa.* || **5. Matriz,** 1.ª acep. || **6.** Parte de mar que se recoge entre dos puntas o cabos de tierra. || **7.** fig. **Regazo,** 3.ª acep. || **8.** fig. Parte interna de alguna cosa. *El* SENO *del mar; el* SENO *de una sociedad.* || **9.** *Anat.* Cavidad existente en el espesor de un hueso o formada por la reunión de varios huesos. *El* SENO *frontal; el* SENO *maxilar.* || **10.** *Arq.* Espacio comprendido entre los trasdoses de arcos o bóvedas contiguas. || **11.** *Cir.* Pequeña cavidad que se forma en la llaga o postema. || **12.** *Geogr.* **Golfo,** 1.ª acep. || **13.** *Mar.* Curvatura que hace cualquiera vela o cuerda que no esté tirante. || **14.** *Trig.* **Seno de un ángulo.** || **15.** *Trig.* **Seno de un arco.** || **de Abrahán.** Lugar en que estaban detenidas las almas de los fieles que habían pasado de esta vida en la fe y con esperanza del Redentor. || **de un ángulo.** *Trig.* El del arco que sirve de medida al ángulo. || **de un arco.** *Trig.* Parte de la perpendicular tirada al radio que pasa por un extremo del arco, desde el otro extremo del mismo arco, comprendida entre este punto y dicho radio. || **primero de un ángulo.** *Trig.* **Seno de un ángulo.** || **primero de un arco.** *Trig.* **Seno de un arco.** || **recto.** *Trig.* **Seno,** 14.ª y 15.ª aceps. || **segundo.** *Trig.* **Coseno.** || **verso.** *Trig.* Parte del radio comprendida entre el pie del seno de un arco y el arco mismo.

Senojil. m. ant. **Cenojil.**

Sensación. (Del lat. *sensatio, -ōnis.*) f. Impresión que las cosas producen en el alma por medio de los sentidos. || **2.** Emoción producida en el ánimo por un suceso o noticia de importancia.

Sensacional. adj. Que causa sensación.

Sensatamente. adv. m. Con sensatez.

Sensatez. f. Calidad de sensato.

Sensato, ta. (Del lat. *sensātus.*) adj. Prudente, cuerdo, de buen juicio.

Senserina. f. *Sal.* **Tomillo.**

Sensibilidad. (Del lat. *sensibilitas, -ātis.*) f. Facultad de sentir, propia de los seres animados. || **2.** Propensión natural del hombre a dejarse llevar de los afectos de compasión, humanidad y ternura. || **3.** Calidad de sensible, 6.ª acep.

Sensibilizar. (Del lat. *sensibĭlis,* sensible.) tr. Hacer sensibles a la acción de la luz ciertas materias usadas en fotografía.

Sensible. (Del lat. *sensibĭlis.*) adj. Capaz de sentir, física y moralmente. || **2.** Que puede ser conocido por medio de los sentidos. || **3.** Perceptible, manifiesto, patente al entendimiento. || **4.** Que causa o mueve sentimientos de pena o de dolor. || **5.** Dícese de la persona que se deja llevar fácilmente del sentimiento. || **6.** Dícese de las cosas que ceden fácilmente a la acción de ciertos agentes naturales. *Placa* SENSIBLE. || **7.** *Geogr.* V. **Horizonte sensible.** || **8.** *Mús.* Aplícase a la séptima nota de la escala diatónica.

Sensiblemente. adv. m. De forma que se percibe por los sentidos o por el entendimiento. || **2.** Con dolor, pesar o pena.

Sensiblería. f. Sentimentalismo exagerado, trivial o fingido.

Sensiblero, ra. adj. Dícese de la persona que muestra sensiblería.

Sensitiva. (De *sensitivo.*) f. *Bot.* Planta de la familia de las mimosáceas, con tallo de seis a siete decímetros de altura y lleno de aguijones ganchosos; hojas pecioladas, compuestas de 18 pares de hojuelas lineales y agudas; flores pequeñas de color rojo obscuro, y fruto en vainillas con varias simientes. Es originaria de la América Central y presenta el fenómeno de que si se la toca o sacude, los folíolos se aproximan y aplican unos a otros, al propio tiempo que el pecíolo principal se dobla y queda la hoja pendiente cual si estuviera marchita, hasta que después de algún tiempo vuelve todo al estado normal.

Sensitivo, va. (Del lat. *sensus,* sentido.) adj. Perteneciente a las sensaciones producidas en los sentidos y especialmente en la piel. *Tacto, dolor* SENSITIVO. || **2.** Capaz de sensibilidad. || **3.** Que tiene la virtud de excitar la sensibilidad.

Sensorial. (De *sensorio.*) adj. *Zool.* **Sensorio.**

Sensorio, ria. (Del lat. *sensorĭus.*) adj. Perteneciente o relativo a la sensibilidad, 1.ª acep. *Órganos* SENSORIOS. || **2.** m. Centro común de todas las sensaciones. || **común. Sensorio,** 2.ª acep.

Sensual. (Del lat. *sensuālis.*) adj. **Sensitivo,** 1.ª acep. || **2.** Aplícase a los gustos y deleites de los sentidos, a las cosas que los incitan o satisfacen y a las personas aficionadas a ellos. || **3.** Perteneciente al apetito carnal.

Sensualidad. (Del lat. *sensualitas, -ātis.*) f. Calidad de sensual. || **2. Sensualismo,** 1.ª acep.

Sensualismo. (De *sensual.*) m. Propensión excesiva a los placeres de los sentidos. || **2.** *Fil.* Doctrina que pone exclusivamente en los sentidos el origen de las ideas.

Sensualista. adj. Que profesa la doctrina del sensualismo. Apl. a pers., ú. t. c. s.

Sensualmente. adv. m. Con sensualidad.

Sentada. f. Tiempo que sin interrupción está sentada una persona. || **De una sentada.** m. adv. De una vez, sin levantarse. Comúnmente se dice para ponderar lo mucho que alguno ha comido. DE UNA SENTADA *se comió medio cordero.*

Sentadero. m. Cualquiera piedra, madero, tabla, tronco de árbol, etc., que puede servir para sentarse.

Sentadillas (A). m. adv. **A asentadillas.**

Sentado, da. p. p. de **Sentar.** || **2.** adj. Juicioso, sesudo, quieto. || **3.** V. **Pan sentado.** || **4.** *Bot.* Aplícase a las hojas, flores y demás partes de la planta que carecen de pedúnculo. || **5.** V. **Hoja sentada.** || **6.** *Med.* V. **Pulso sentado.**

Sentamiento. (De *sentar.*) m. *Arq.* **Asiento,** 7.ª acep.

Sentar. (Del lat. **sedentāre,* de *sedens, -entis.*) tr. Poner o colocar a uno en silla, banco, etc., de manera que quede apoyado y descansando sobre las nalgas. Ú. t. c. r. || **2.** fig. **Asentar,** 8.ª y 9.ª aceps. || **3.** intr. fig. y fam. Tratándose de la comida o la bebida, ser bien recibidas o digeridas por el estómago. Ú. t. con negación y con los adverbios *bien* y *mal.* || **4.** fig. y fam. Tratándose de cosas o acciones capaces de influir en la salud del cuerpo, hacer provecho. Ú. t. con negación y comúnmente con los adverbios *bien* y *mal. Le* SENTARÁ BIEN *una sangría; le* HA SENTADO MAL *el paseo.* || **5.** fig. Cuadrar, convenir una cosa a otra o a una persona, parecer bien con ella. Ú. generalmente con los adverbios *bien* y *mal. Esta levita no* SIENTA; *el hablar modesto le* SIENTA *bien.* || **6.** fig. y fam.

Agradar a uno una cosa; ser conforme a su gusto o dictamen. Ú. t. con negación y comúnmente con los adverbios *bien* y *mal*. || **7.** r. Asentarse. || **8.** fig. y fam. Hacer a uno huella en la carne una cosa macerándosela. SE *le* HA SENTADO *una costura, el contrafuerte de una bota*. || **Estar** uno **bien sentado.** fr. fig. Estar asegurado en el empleo o conveniencia que disfruta. || **2.** fig. Ocupar en ciertos juegos de naipes un lugar ventajoso respecto del que ocupa otro jugador.

Sentencia. (Del lat. *sententĭa*.) f. Dictamen o parecer que uno tiene o sigue. || **2.** Dicho grave y sucinto que encierra doctrina o moralidad. || **3.** Declaración del juicio y resolución del juez. || **4.** Decisión de cualquier controversia o disputa extrajudicial, que da la persona a quien se ha hecho árbitro de ella para que la juzgue o componga. || **definitiva.** *For.* Aquella en que el juzgador, concluido el juicio, resuelve finalmente sobre el asunto principal, declarando, condenando o absolviendo. || **2.** *For.* La que termina el asunto o impide la continuación del juicio, aunque contra ella sea admisible recurso extraordinario. || **firme.** *For.* La que por estar confirmada, por no ser apelable o por haberla consentido las partes, causa ejecutoria. || **pasada en autoridad de cosa,** o **en cosa, juzgada.** *For.* Sentencia firme. || **Fulminar,** o **pronunciar, la sentencia.** fr. *For.* Dictarla, publicarla.

Sentenciador, ra. adj. Que sentencia o tiene competencia para sentenciar. Ú. t. c. s.

Sentenciar. tr. Dar o pronunciar sentencia. || **2.** Condenar por sentencia en materia penal. || **3.** fig. Expresar el parecer, juicio o dictamen que decide a favor de una de las partes contendientes lo que se disputa o controvierte. || **4.** fig. y fam. Destinar o aplicar una cosa para un fin.

Sentención. m. aum. de **Sentencia.** || **2.** fam. Sentencia rigurosa o excesiva.

Sentenciosamente. adv. m. De modo sentencioso.

Sentencioso, sa. (Del lat. *sententiōsus*.) adj. Aplícase al dicho, oración o escrito que encierra moralidad o doctrina expresada con gravedad o agudeza. || **2.** También se aplica al tono de la persona que habla con cierta afectada gravedad, como si cuanto dice fuera una sentencia.

Sentenzuela. f. d. de **Sentencia.**

Sentible. adj. desus. **Sensible.**

Senticar. (Del lat. *sentix, -īcis*, zarza.) m. **Espinar.**

Sentidamente. (De *sentido*, 1.ª acep.) adv. m. Con sentimiento.

Sentido, da. (De *sentir*.) adj. Que incluye o explica un sentimiento. || **2.** Dícese de la persona que se siente u ofende con facilidad. || **3.** m. Cada una de las aptitudes que tiene el alma, de percibir, por medio de determinados órganos corporales, las impresiones de los objetos externos. || **4.** Entendimiento o razón, en cuanto discierne las cosas. || **5.** Modo particular de entender una cosa, o juicio que se hace de ella. || **6.** Inteligencia o conocimiento con que se ejecutan algunas cosas. *Leer con* SENTIDO. || **7.** Razón de ser, finalidad. *Su conducta carecía de* SENTIDO. || **8.** Significación cabal de una proposición o cláusula. *Esta proposición no tiene* SENTIDO. || **9.** Significado, o cada una de las distintas acepciones de las palabras. *Este vocablo tiene varios* SENTIDOS. || **10.** Cada una de las varias inteligencias o interpretaciones que puede admitir un escrito, cláusula o proposición. *La Sagrada Escritura tiene varios* SENTIDOS. || **11.** *Geom.* Modo de apreciar una dirección desde un determinado punto a otro, por oposición a la misma dirección apreciada desde este segundo punto al primero. || **acomodaticio.** Inteligencia espiritual y mística que se da a algunas palabras de la Escritura, aplicándolas a personas y cosas distintas de las que se dijeron en su riguroso y literal significado. || **común.** Facultad interior en la cual se reciben e imprimen todas las especies e imágenes de los objetos que envían los **sentidos** exteriores. || **2.** Facultad, que la generalidad de las personas tiene, de juzgar razonablemente de las cosas. || **interior.** **Sentido común,** 1.ª acep. || **Abundar** uno **en un sentido.** fr. Mostrarse firme en la opinión propia, o adicto a la ajena. || **Aguzar el sentido.** fr. fig. y fam. **Aguzar las orejas,** 2.ª acep. || **Con todos** mis, tus, sus **cinco sentidos.** loc. fig. y fam. Con toda atención, advertencia y cuidado. || **2.** fig. y fam. Con suma eficacia. || **Costar** una cosa **un sentido.** fr. fig. y fam. Costar excesivamente cara. || **De sentido común.** fr. Conforme al buen juicio natural de las gentes. || **Llevar,** o **pedir, un sentido por** una cosa. frs. figs. y fams. Llevar o pedir por ella un precio excesivo. || **Perder** uno **el sentido.** fr. Privarse, desmayarse. || **Poner** uno, o **tener puestos,** sus **cinco sentidos en** una persona o cosa. fr. fig. y fam. Dedicarle extraordinaria atención. || **2.** fig. y fam. Profesarle entrañable afecto o singular estimación. || **Valer** una cosa **un sentido.** fr. fig. y fam. Ser de gran valor o precio.

Sentidor, ra. adj. ant. Que siente o tiene facultad de sentir. Usáb. t. c. s.

Sentimental. (De *sentimiento*.) adj. Que expresa o excita sentimientos tiernos. || **2.** Propenso a ellos. || **3.** Que afecta sensibilidad de un modo ridículo o exagerado.

Sentimentalismo. m. Calidad de sentimental.

Sentimentalmente. adv. m. De manera sentimental.

Sentimiento. m. Acción y efecto de sentir o sentirse. || **2.** Impresión y movimiento que causan en el alma las cosas espirituales. || **3.** Estado del ánimo afligido por un suceso triste o doloroso.

Sentina. (Del lat. *sentīna*.) f. *Mar.* Cavidad inferior de la nave, que está sobre la quilla y en la que se reúnen las aguas que, de diferentes procedencias, se filtran por los costados y cubiertas del buque, de donde son expulsadas después por las bombas. || **2.** fig. Lugar lleno de inmundicias y mal olor. || **3.** fig. Lugar donde abundan o de donde se propagan los vicios.

Sentir. (Forma substantiva de *sentir*, 2.° art.) m. **Sentimiento.** || **2.** Dictamen, parecer.

Sentir. (Del lat. *sentīre*.) tr. Experimentar sensaciones producidas por causas externas o internas. || **2.** Oír o percibir con el sentido del oído. SIENTO *pasos*. || **3.** Experimentar una impresión, placer o dolor corporal. SENTIR *fresco, sed*. || **4.** Experimentar una impresión, placer o dolor espiritual. SENTIR *alegría, miedo*. || **5.** Lamentar, tener por dolorosa y mala una cosa. SENTIR *la muerte de un amigo*. || **6.** Juzgar, opinar, formar parecer o dictamen. *Digo lo que* SIENTO. || **7.** Acomodar en la recitación las acciones exteriores a las expresiones o palabras, o darles el sentido que les corresponde. SENTIR *bien el verso*. || **8.** Presentir, barruntar lo que ha de sobrevenir. Dícese especialmente de los animales que presienten la mudanza del tiempo y la anuncian con algunas acciones. || **9.** r. Formar queja una persona de alguna cosa. || **10.** Padecer un dolor o principio de un daño en parte determinada del cuerpo. SENTIRSE *de la mano, de la cabeza*. || **11.** Seguido de algunos adjetivos, hallarse o estar como éste expresa. SENTIRSE *enfermo*. || **12.** Seguido de ciertos adjetivos, considerarse, reconocerse. SENTIRSE *muy obligado*. || **13.** Empezar a abrirse o rajarse una cosa; como pared, vidrio, campana, etc. || **14.** Empezar a corromperse o podrirse una cosa. Ú. m. en p. p. y con el verbo *estar*. || **Que sentir.** fr. que denota o augura consecuencias lamentables de alguna cosa. Ú. m. precedida de los verbos *dar* y *tener*. || **Sin sentir.** m. adv. Inadvertidamente, sin darse cuenta de ello.

Seña. (Del lat. *sīgna*, pl. de *sīgnum*.) f. Nota o indicio para dar a entender una cosa o venir en conocimiento de ella. || **2.** Lo que de concierto está determinado entre dos o más personas para entenderse. || **3.** **Señal,** 3.ª y 7.ª aceps. || **4.** ant. Estandarte o bandera militar. || **5.** *Mil.* Palabra que acompañada del santo se da en la orden del día para que sirva de reconocimiento al recibir las rondas. || **6.** pl. Indicación del lugar y el domicilio de una persona. || **Dar señas.** fr. Manifestar las circunstancias individuales de una cosa; describirla de forma que se pueda distinguir de otra. || **Hablar** uno **por señas.** fr. Explicarse, darse a entender por medio de ademanes. || **Hacer señas.** fr. Indicar uno con gestos o ademanes lo que piensa o quiere. || **Por señas,** o **por más señas.** m. adv. fam. Ú. para traer al conocimiento una cosa, recordando las circunstancias o indicios de ella. || **Señas mortales.** fr. fig. Muestras muy significativas, indicios vehementes de alguna cosa. Ú. m. con el verbo *ser*.

Señal. (Del lat. *signālis*, de *sīgnum*, seña.) f. Marca o nota que se pone o hay en las cosas para darlas a conocer y distinguirlas de otras. || **2.** Hito o mojón que se pone para marcar un término. || **3.** Cualquier signo que se emplea para acordarse después de una especie. || **4.** Nota o distintivo, en buena o mala parte. || **5.** **Signo,** 1.ª acep. || **6.** Indicio o muestra inmaterial de una cosa. || **7.** Vestigio o impresión que queda de una cosa, por donde se viene en conocimiento de ella. || **8.** Cicatriz que queda en el cuerpo por resultas de una herida u otro daño. || **9.** Imagen o representación de una cosa. || **10.** Prodigio o cosa extraordinaria y fuera del orden natural. || **11.** Cantidad o parte de precio que se adelanta en algunos contratos, y autoriza, salvo pacto en contrario, para rescindirlos, perdiendo la **señal** el que la dio, o devolviéndola duplicada quien la había recibido. || **12.** Aviso que se comunica o se da, de cualquier modo que sea, para concurrir a un lugar determinado o para ejecutar otra cosa. || **13.** V. **Judío de señal.** || **14.** V. **Código, disco de señales.** || **15.** V. **Ganadero de mayor señal.** || **16.** ant. **Seña,** 4.ª acep. || **17.** ant. **Signo,** 3.ª acep. || **18.** ant. Sello o escudo de armas, y blasones de que se compone. || **19.** *Germ.* Criado de justicia. || **20.** *Med.* Accidente, mutación o especie que induce a hacer juicio del estado de la enfermedad o del éxito de ella. || **de borrica frontina.** fig. y fam. Acción con que uno da a conocer la segunda intención que lleva. || **de la cruz.** Cruz formada con dos dedos de la mano o con el movimiento de ésta, representando aquella en que murió nuestro Redentor. || **de tronca.** La que se hace al ganado, cortando a las reses una o ambas orejas. || **En señal.** m. adv. En prueba, prenda o muestra de una cosa. || **Ni señal.** expr. fig. con que se da a entender que una cosa ha cesado, o se acabó del todo, o no se halla.

Señaladamente. adv. m. Con especialidad o singularidad. || **2.** Con expresión determinada.

Señalado, da. p. p. de **Señalar.** || **2.** adj. Insigne, famoso.

Señalamiento. m. Acción de señalar, 4.ª acep. || **2.** *For.* Designación de día para un juicio oral o una vista, y también el asunto que se ha de tratar en el día designado.

Señalar. (De *señal*.) tr. Poner o estampar señal en una cosa para darla a conocer o distinguirla de otra, o para acordarse después de una especie. || **2.** **Rubricar,** 2.ª acep. || **3.** Llamar la atención hacia una persona o cosa, designándola con la mano o de otro modo. || **4.** Nombrar o determinar persona, día, hora, lugar o cosa para algún fin. || **5.** Hacer una herida o señal en el cuerpo, particularmente en el rostro, que le cause imperfección o defecto. || **6.** Hacer el amago y señal de una cosa sin ejecutarla; como las estocadas en la esgrima. || **7.** Hacer señal para dar noticia de una cosa. *El castillo de San Antón* SEÑALÓ *dos naves.* || **8.** En algunos juegos de naipes, tantear los puntos que cada uno va ganando. || **9.** r. Distinguirse o singularizarse, especialmente en materias de reputación, crédito y honra.

Señaleja. f. d. de **Señal.**

Señalero. (De *señal*, estandarte, bandera.) m. ant. **Alférez del rey.**

Señaleza. f. ant. **Señal.**

Señar. (Del lat. *signāre.*) intr. ant. *Ar.* **Hacer señas.**

Señera. (De *señero*, 1.er art.) f. ant. **Seña,** 4.ª acep.

Señeramente. (De *señero*, 2.° art.) adv. m. ant. Singular o particularmente.

Señero, ra. (De *seña.*) adj. Aplícase al territorio o pueblo que tenía facultad de levantar pendón en las proclamaciones de los reyes.

Señero, ra. (Del lat. **singŭlārius*, por *singŭlāris.*) adj. Solo, solitario, separado de toda compañía. || **2.** Único, sin par.

Señolear. intr. Cazar con señuelo y ponerlo al ave de rapiña.

Señor, ra. (Del lat. *senior, -ōris.*) adj. Dueño de una cosa; que tiene dominio y propiedad en ella. Ú. t. c. s. || **2.** fam. Noble, decoroso y propio de **señor,** especialmente hablando de modales, trajes y colores. || **3.** fam. Antepuesto a algunos nombres, sirve para encarecer el significado de los mismos. *Se produjo una* SEÑORA *herida; me dio un* SEÑOR *disgusto.* || **4.** m. Por antonom., **Dios,** 1.ª acep. || **5.** **Jesús** en el sacramento eucarístico. || **6.** V. **Casa, día, ministro del Señor.** || **7.** Poseedor de estados y lugares con dominio y jurisdicción, o con sólo prestaciones territoriales. || **8.** Título nobiliario. || **9.** **Amo,** 3.ª acep. || **10.** Término de cortesía que se aplica a cualquier hombre, aunque sea de igual o inferior condición. || **11.** fam. **Suegro.** || **12.** desus. Título que se anteponía al nombre de los santos. SEÑOR *san Pedro; el* SEÑOR *Santiago.* Ú. en Asturias. || **de horca y cuchillo.** Señor que tenía jurisdicción para castigar hasta con pena capital. || **2.** fig. y fam. Persona que manda como dueño y con mucha autoridad. || **del argamandijo.** Dueño del **argamandijo.** || **de los ejércitos.** **Dios,** 1.ª acep. || **de salva.** ant. Personaje de mucha distinción o de elevada jerarquía. || **de sí.** **Dueño de sí mismo.** || **mayor.** Hombre respetable, de edad avanzada. || **A más señores.** *For.* loc. que se usa para indicar que un asunto pasa a consulta de más personas de las que venían conociendo del caso. || **A tal señor, tal honor.** fr. que indica que según es la persona, así debemos honrarla. || **Cabe señor ni cabe igreja, no pongas teja.** ref. que denota de peligrosa la vecindad de los poderosos. || **Descansar,** o **dormir, en el Señor.** fr. **Morir,** 1.ª acep. Dícese de la muerte de los justos. || **Gloriarse** uno **en el Señor.** fr. Decir o hacer una cosa buena, reconociendo a Dios por autor de ella y dándole alabanzas. || **Gran señor.** Precedido del artículo *el,* emperador de los turcos. || **Ninguno puede servir a dos señores** fr. proverb. tomada del Evangelio, con que se significa que no se cumple bien una obligación cuando hay que atender a otra. || **Nuestro Señor.** **Jesucristo.** || **Págase el señor del chisme, mas no del que lo dice.** ref. que denota que aun a los que agrada el chisme, desagrada el chismoso. || **Pues señor.** expr. fam. con que se comienza un cuento o un relato. || **Quedar** uno **señor del campo.** fr. *Mil.* Haber ganado la batalla, manteniéndose en la campaña o terreno en donde se dio o estaba el enemigo. || **2.** fig. Haber vencido en cualquier disputa o contienda. || **Sirve a señor y sabrás de dolor.** ref. que advierte que el que sirve a los poderosos suele verse desatendido.

Señora. (De *señor.*) f. Mujer del señor. || **2.** La que por sí posee un señorío. || **3.** **Ama,** 3.ª acep. || **4.** Término de cortesía que se aplica a una mujer, aunque sea de igual o inferior condición, y especialmente a la casada o viuda. || **5.** **Mujer,** 3.ª acep. || **6.** fam. **Suegra,** 1.ª acep. || **de compañía.** La que tiene por oficio acompañar a paseo, a visitas, espectáculos, etc., a señoras y más especialmente a señoritas que no acostumbran salir solas de sus casas. || **de honor.** Título que se daba a las que tenían en palacio empleo inferior a las damas. || **mayor.** Mujer respetable y de avanzada edad. || **Nuestra Señora.** La Virgen María. || **2.** V. **Patrocinio de Nuestra Señora.** || **y mayora.** *Ar.* La madre, principalmente si es viuda y cabeza de casa, cuando instituye heredero de ella en capítulos matrimoniales, reservándose el dominio.

Señorada. f. Acción propia de señor.

Señoraje. m. **Señoreaje.**

Señoreador, ra. adj. Que señorea. Ú. t. c. s.

Señoreaje. (De *señor.*) m. Derecho que pertenecía al príncipe o soberano en las casas de moneda, por razón de la fábrica de ella.

Señoreante. p. a. de **Señorear.** Que señorea.

Señorear. (De *señor.*) tr. Dominar o mandar en una cosa como dueño de ella. || **2.** Mandar uno imperiosamente y disponer de las cosas como si fuera dueño de ellas. || **3.** Apoderarse de una cosa; sujetarla a su dominio y mando. Ú. t. c. r. || **4.** fig. Estar una cosa en situación superior o en mayor altura del lugar que ocupa otra, como dominándola. || **5.** fig. Sujetar uno las pasiones a la razón, y mandar sobre las acciones propias. || **6.** fam. Dar a uno repetidas veces e importunamente el tratamiento de señor. || **7.** r. Usar de gravedad y mesura en el porte, vestido o trato.

Señoría. (De *señor.*) f. Tratamiento que se da a las personas a quienes compete por su dignidad. || **2.** Persona a quien se da este tratamiento. || **3.** **Señorío,** 1.ª acep. || **4.** Soberanía de ciertos Estados particulares que se gobernaban como repúblicas. *La* SEÑORÍA *de Venecia, de Génova.* || **5.** Senado que gobernaba ciertos Estados independientes.

Señorial. (De *señorío.*) adj. Perteneciente o relativo al señorío. || **2.** **Dominical,** 2.ª acep. || **3.** Majestuoso, noble.

Señoril. adj. Perteneciente al señor.

Señorilmente. adv. m. De modo señoril.

Señorío. (De *señor.*) m. Dominio o mando sobre una cosa. || **2.** Territorio perteneciente al señor. || **3.** Dignidad de señor. || **4.** V. **Lugar de señorío.** || **5.** fig. Gravedad y mesura en el porte o en las acciones. || **6.** fig. Dominio y libertad en obrar, sujetando las pasiones a la razón. || **7.** fig. Conjunto de señores o personas de distinción. || **mayor.** *Ar.* Derecho de propiedad sujeto a cortapisas determinadas, según varias instituciones familiares del fuero de Aragón.

Señorita. (d. de *señora.*) f. Hija de un señor o de persona de representación. || **2.** Término de cortesía que se aplica a la mujer soltera. || **3.** fam. **Ama,** 3.ª acep.

Señoritingo, ga. m. y f. despect. de **Señorito.**

Señorito. (d. de *señor.*) m. Hijo de un señor o de persona de representación. || **2.** fam. **Amo,** 3.ª acep. || **3.** fam. Joven acomodado y ocioso

Señorón, na. adj. Muy señor o muy señora, por serlo en realidad, por conducirse como tal, o finalmente, por afectar señorío y grandeza. Ú. t. c. s.

Señuelo. (De *seña.*) m. Figura de ave en que se ponen algunos trozos de carne para atraer al halcón remontado. || **2.** Por ext., cualquier cosa que sirve para atraer otras aves. || **3.** **Cimbel,** 2.ª acep. || **4.** fig. Cualquier cosa que sirve para atraer, persuadir o inducir, con alguna falacia. || **5.** *Argent.* y *Bol.* Grupo de cabestros o mansos para conducir el ganado. || **Caer al señuelo.** fr. *Cetr.* **Caer a la presa.** || **Caer** uno **en el señuelo.** fr. fig. y fam. **Caer en el lazo.**

Seo. (Del cat. y arag. *seu*, y éste del lat. *sedes.*) f. *Ar.* **Iglesia catedral.**

Seó. m. fam. Apócope de **Seor.**

Seor. m. Síncopa de **Señor.**

Seora. f. Síncopa de **Señora.**

Sépalo. (Del lat. *separ, -ăris*, separado, apartado.) m. *Bot.* Cada una de las piezas que forman el cáliz de la flor.

Sepancuantos. (De las palabras *sepan cuantos* con que generalmente principiaban los edictos, amonestaciones, cartas reales, etc.) m. fam. Castigo, zurra.

Separable. (Del lat. *separabĭlis.*) adj. Capaz de separarse o de ser separado.

Separación. (Del lat. *separatĭo, -ōnis.*) f. Acción y efecto de separar o separarse. || **2.** *For.* Interrupción de la vida conyugal por conformidad de las partes o fallo judicial, sin quedarse extinguido el vínculo matrimonial.

Separadamente. adv. m. Con separación.

Separador, ra. (Del lat. *separātor, -ōris.*) adj. Que separa. Ú. t. c. s.

Separante. p. a. de **Separar.** Que separa.

Separar. (Del lat. *separāre.*) tr. Poner a una persona o cosa fuera del contacto o proximidad de otra. Ú. t. c. r. || **2.** Apartar, distinguir unas de otras, cosas o especies. || **3.** Destituir de un empleo o cargo al que lo servía. || **4.** r. Retirarse uno de algún ejercicio u ocupación. || **5.** *For.* **Desistir,** 2.ª acep.

Separata. f. **Tirada aparte.**

Separatismo. m. Opinión de los separatistas. || **2.** Partido separatista.

Separatista. adj. Que trabaja y conspira para que un territorio o colonia se separe o emancipe de la soberanía actual. Apl. a pers., ú. t. c. s.

Separativo, va. (Del lat. *separatīvus.*) adj. Dícese de lo que separa o tiene virtud de separar.

Sepe. m. *Bol.* **Comején.**

Sepedón. (Del gr. σηπεδών.) m. **Eslizón.**

Sepelio. (Del lat. *sepelīre*, enterrar.) m. Acción de inhumar la Iglesia a los fieles. *Partida de* SEPELIO.

Sepelir. (Del lat. *sepelīre.*) tr. ant. **Sepultar.**

Sepia. (Del lat. *sepia*, y éste del gr. σηπία.) f. **Jibia,** 1.ª acep. || **2.** Materia colorante que se saca de la jibia y se emplea en pintura.

Septena. (Del lat. *septēna*, neutro de *-ni.*) f. Conjunto de siete cosas por orden.

Septenario, ria. (Del lat. *septenarius.*) adj. Aplícase al número compuesto de siete unidades, o que se escribe con siete guarismos. || **2.** Aplícase, en general, a todo lo que consta de siete elementos. || **3.** m. Tiempo de siete días. || **4.** Tiempo de siete días que se dedican a la devoción y culto de Dios y de sus santos para alcanzar una gracia por su intercesión, o para celebrarlos o solemnizar su culto.

Septenio. (Del lat. *septennium.*) m. Tiempo de siete años.

Septeno, na. (Del lat. *septēnus.*) adj. Séptimo.

Septentrión. (Del lat. *septentrio, -ōnis;* de *septem,* siete, y *trio, -ōnis,* buey de labor.) m. **Osa Mayor.** || **2. Norte,** 1.ª a 4.ª aceps.

Septentrional. (Del lat. *septentrionālis.*) adj. Perteneciente o relativo al Septentrión. || **2.** Que cae al Norte.

Septeto. (Del lat. *septem,* siete.) m. *Mús.* Composición para siete instrumentos o siete voces. || **2.** *Mús.* Conjunto de estos siete instrumentos o voces.

Septicemia. (Del gr. σηπτικός, que corrompe, y αἷμα, sangre.) f. *Med.* Género de enfermedades infecciosas, graves, producidas por el paso a la sangre y su multiplicación en ella de diversos gérmenes patógenos procedentes de las supuraciones, con síntomas de extensa intoxicación.

Septicémico, ca. adj. Perteneciente o relativo a la septicemia.

Séptico, ca. (Del gr. σηπτικός.) adj. *Med.* Que produce putrefacción o es causado por ella. || **2.** *Med.* Que contiene gérmenes nocivos.

Septiembre. (Del lat. *september, -bris.*) m. Séptimo mes del año, según la cuenta de los antiguos romanos, y noveno del calendario que actualmente usan la Iglesia y casi todas las naciones de Europa y América: tiene treinta días. || **Por septiembre, calabazas.** expr. fig. y fam. con que se da a entender que, por falta de oportunidad, no conseguirá uno lo que pretende. || **Septiembre, o lleva las puentes, o seca las fuentes.** ref. que declara lo necesarias y al mismo tiempo peligrosas que son las lluvias de otoño, y que no suelen tener término medio.

Septillo. (Del lat. *septem,* siete.) m. *Mús.* Conjunto de siete notas iguales que se deben cantar o tocar en el tiempo correspondiente a seis de ellas.

Séptima. (Del lat. *septĭma,* t. f. de *-mus,* séptimo.) f. Reunión, en el juego de los cientos, de siete cartas de valor correlativo. || **2.** *Mús.* Intervalo de una nota a la **séptima** ascendente o descendente en la escala. || **aumentada.** *Mús.* Intervalo que consta de cinco tonos y dos semitonos. || **diminuta.** *Mús.* Intervalo que consta de tres tonos y tres semitonos. || **mayor.** La que comienza por el as, en el juego de los cientos. || **2.** *Mús.* Intervalo que consta de cinco tonos y un semitono. || **menor.** La que comienza por el rey, en el juego de los cientos. || **2.** *Mús.* Intervalo que consta de cuatro tonos y dos semitonos mayores.

Séptimo, ma. (Del lat. *septĭmus.*) adj. Que sigue inmediatamente en orden al o a lo sexto. || **2.** Dícese de cada una de las siete partes iguales en que se divide un todo. Ú. t. c. s.

Septingentésimo, ma. (Del lat. *septingentesĭmus.*) adj. Que sigue inmediatamente en orden al o a lo sexcentésimo nonagésimo nono. || **2.** Dícese de cada una de las 700 partes iguales en que se divide un todo. Ú. t. c. s.

Septisílabo, ba. (Del lat. *septem,* siete, y de *sílaba.*) adj. **Heptasílabo.**

Septuagenario, ria. (Del lat. *septuagenarius.*) adj. Que ha cumplido la edad de setenta años y no llega a ochenta. Ú. t. c. s.

Septuagésima. (Del lat. *septuagesĭma dies,* día septuagésimo antes del domingo de Pascua.) f. Domínica que celebra la Iglesia tres semanas antes de la primera de cuaresma.

Septuagésimo, ma. (Del lat. *septuagesĭmus.*) adj. Que sigue inmediatamente en orden al o a lo sexagésimo nono. || **2.** Dícese de cada una de las 70 partes iguales en que se divide un todo. Ú. t. c. s.

Septuplicación. f. Acción y efecto de septuplicar o septuplicarse.

Septuplicar. (Del lat. *septem,* siete, y *plicāre,* doblar.) tr. Hacer séptupla una cosa; multiplicar por siete una cantidad. Ú. t. c. r.

Séptuplo, pla. (Del lat. *septŭplus.*) adj. Aplícase a la cantidad que incluye en sí siete veces a otra. Ú. t. c. s. m.

Sepulcral. (Del lat. *sepulcrālis.*) adj. Perteneciente o relativo al sepulcro. *Inscripción* SEPULCRAL.

Sepulcro. (Del lat. *sepulcrum.*) m. Obra por lo común de piedra, que se construye levantada del suelo, para dar en ella sepultura al cadáver de una persona y honrar y hacer más duradera su memoria. || **2.** Urna o andas cerradas, con una imagen de Jesucristo difunto. || **3.** Hueco del ara donde se depositan las reliquias y que después se cubre y sella. || **Santo sepulcro.** Aquel en que estuvo sepultado Jesucristo. || **Bajar al sepulcro.** fr. Morirse. || **Ser uno un sepulcro.** fr. Guardar con fidelidad un secreto.

Sepultador, ra. adj. Que sepulta. Ú. t. c. s.

Sepultar. (Del lat. *sepultāre,* intens. de *sepelīre.*) tr. Poner en la sepultura a un difunto; enterrar su cuerpo. || **2.** fig. Sumir, esconder, ocultar alguna cosa como enterrándola. Ú. t. c. r. || **3.** fig. Sumergir, abismar, dicho del ánimo. Ú. m. c. r. *Quedó* SEPULTADO *en sus tristes pensamientos.*

Sepulto, ta. (Del lat. *sepultus.*) p. p. irreg. de **Sepelir** y de **Sepultar.**

Sepultura. (Del lat. *sepultūra.*) f. Acción y efecto de sepultar. || **2.** Hoyo que se hace en tierra para enterrar un cadáver. || **3.** Lugar en que está enterrado un cadáver. || **4.** Sitio que en la iglesia tiene señalado una familia para colocar la ofrenda por sus difuntos. || **Dar sepultura.** fr. **Sepultar,** 1.ª acep.

Sepulturero. m. El que tiene por oficio abrir las sepulturas y sepultar a los muertos.

Sequedad. (De *seco.*) f. Calidad de seco. || **2.** fig. Dicho, expresión o ademán áspero y duro. Ú. m. en pl.

Sequedal. m. Terreno muy seco.

Sequeral. (De *sequero.*) m. **Sequedal.**

Sequero. (De *seco.*) m. **Secano,** 1.ª y 3.ª aceps. || **2. Secadero,** 2.ª acep. || **De sequero.** m. adv. ant. **En seco.**

Sequeroso, sa. (De *sequero.*) adj. Falto del jugo o humedad que debía tener.

Sequete. m. Pedazo de pan, bollo o rosca que está seco y duro. || **2.** Golpe seco que se da a una cosa para ponerla en movimiento o para contener el que trae. || **3.** fig. y fam. Aspereza en el trato o en el modo de responder.

Sequía. f. Tiempo seco de larga duración. || **2.** ant. **Sed.** Ú. en *And., Murc.* y *Colomb.*

Sequillo. (De *seco.*) m. Pedazo pequeño de masa azucarada, en forma de bollo, rosquilla, etc.

Sequío. (De *seco.*) m. **Secano,** 1.ª y 3.ª aceps.

Séquito. (Del lat. *sequi,* seguir.) m. Agregación de gente que en obsequio, autoridad o aplauso de uno le acompaña y sigue. || **2.** Aplauso y benevolencia común en aprobación de las acciones o prendas de uno, de su doctrina u opinión.

Sequizo, za. adj. Que propende a secarse.

Ser. (Forma substantiva de *ser,* 2.ª art.) m. Esencia o naturaleza. || **2. Ente,** 1.ª acep. || **2.** Valor, precio, estimación de las cosas. *En esa palabra está todo el* SER *de la proposición.* || **4.** Modo de existir. || **En ser, o en su ser.** m. adv. Sin haberse gastado, consumido o deshecho.

Ser. (De *seer.*) Verbo substantivo que afirma del sujeto lo que significa el atributo. || **2.** Verbo auxiliar que sirve para la conjugación de todos los verbos en la voz pasiva. || **3.** intr. Haber o existir. || **4.** Servir, aprovechar o conducir para una cosa. *Pedro no* ES *para esto.* || **5.** Estar en lugar o situación. || **6.** Suceder o acontecer. *¿Cómo* FUE *ese caso?* || **7. Valer,** 4.ª acep. *¿A cómo es la merluza?* || **8.** Pertenecer a la posesión o dominio de uno. *Este jardín* ES *del rey.* || **9.** Corresponder, tocar. *Este proceder no* ES *de hombre de bien; no* ES *mío el sentenciar estas discordias.* || **10.** Formar parte de una corporación o comunidad. ES *del Consejo;* ES *de la Academia.* || **11.** Tener principio, origen o naturaleza, hablando de los lugares o países. *Antonio* ES *de Madrid.* || **12.** Sirve para afirmar o negar en lo que se dice o pretende. *Esto* ES. || **13.** Junto con substantivos, adjetivos o participios, tener los empleos, cargos, profesiones, propiedades, condiciones, etc., que aquellas palabras significan. || **¡Cómo es eso!** expr. fam. que se emplea para reprender a uno, motejándole de atrevido. || **¡Cómo ha de ser!** exclam. con que se manifiesta resignación o conformidad. || **Érase que se era.** expr. fam. con que tradicionalmente se suele dar principio a los cuentos. || **Es a saber, o esto es.** exprs. usadas para dar a entender que se va a explicar mejor o de otro modo lo que ya se ha expresado. || **Lo que fuere, sonará.** expr. fam. con que se da a entender que a su tiempo se hará patente una cosa, o se conocerán sus consecuencias. || **2.** También denota que se arrostran las consecuencias de una decisión, por peligrosas que sean. || **Más eres tú.** fr. fam. que se usa para disculpar el yerro o vicio propio, imputándolo en mayor grado a quien lo critica. || **No ser para menos.** expr. con que se asevera que es fundada la vehemencia con que se admira, se celebra o se siente una cosa. || **O somos, o no somos.** expr. fam. que se emplea, generalmente en estilo festivo, para dar a entender que por **ser** quien **somos** podemos o debemos hacer una cosa o portarnos de tal o cual manera. || **Sea lo que fuere, o sea lo que sea.** exprs. con que se prescinde de lo que se considera accesorio, pasando a tratar del asunto principal. || **Sea o no sea.** expr. con que, prescindiendo de la existencia de una cosa, se pasa a tratar del asunto principal. || **Ser algo qué** una cosa. fr. fam. **Ser** de algún valor, o valer algo. || **Ser** uno **con** otro. fr. Opinar del mismo modo que él. || **Ser** uno **de** otro. fr. fig. Seguir su partido u opinión. || **2.** fig. Mantener su amistad. || **Ser de lo que no hay.** fr. fam. Dicho de una persona o cosa, no tener igual en su clase. Tómase por lo general en mala parte. || **Ser de ver, o para ver,** una cosa. fr. Llamar la atención por alguna circunstancia, y especialmente por lo extraña o singular. || **Ser** uno **muy de** otro. fr. fig. **Ser de** otro. || **Ser muy otro.** fr. fam. que indica gran mudanza o diferencia en alguna persona o cosa. || **Ser** dos personas **para en uno.** fr. **Ser** muy conformes y parecidas en la condición las costumbres, por lo que se entenderán o convendrán fácilmente. Ú. m. hablando de los casamientos. || **Ser** uno **para menos.** fr. fam. No **ser** capaz de lo que otro **es.** || **Ser** uno **para poco.** fr. Tener poco valor, talento o fuerza. || **Ser** uno **quien es.** fr. Corresponder con sus acciones a lo que debe a su sangre, carácter o cargo. || **Si yo fuera que** fulano. expr. que se usa para dar a entender lo que, en concepto del que lo dice, debía hacer el sujeto de quien se habla en la materia que se trata. || **Soy contigo, con usted,** etc., expr. que se usa para prevenir a uno que espere un poco para hablarle. || **Soy mío.** expr. con que uno indica la libertad o independencia que tiene respecto de otro para obrar. || **Un es, no es,** o **un sí es, no es.** exprs. con que se significa cortedad, pequeñez o poquedad.

Sera. (Del ár. andaluz, *šaira*, espuerta.) f. Espuerta grande, regularmente sin asas, que sirve para conducir carbón y para otros usos. || **2.** *And.* Sarria de esparto.

Serado. (De *sera*.) m. **Seraje.**

Seráficamente. (De *seráfico*, 3.ª acep.) adv. m. De modo seráfico.

Seráfico, ca. adj. Perteneciente o parecido al serafín. || **2.** Suele darse este epíteto a San Francisco de Asís y a la orden religiosa que fundó. || **3.** fig. y fam. Pobre, humilde. || **Hacer la seráfica.** fr. fig. y fam. Afectar virtud y modestia.

Serafín. (Del lat. *seraphin*, y éste del hebr. *serafīm*, nobles príncipes, ángeles alados.) m. Cada uno de los espíritus bienaventurados que se distinguen por el incesante y perenne ardor con que aman las cosas divinas, y por el intenso y fervoroso movimiento con que elevan a Dios, como a su último término, los espíritus inferiores. Forman el segundo coro. || **2.** fig. Persona de singular hermosura.

Serafín. (Del ár. *ašrafī*, perteneciente al sultán de Egipto al-Malik al-*Ašraf*.) m. Moneda de oro, equivalente al cequí, mandada acuñar en el siglo XV por el sultán de Egipto el Asraf.

Serafina. f. Tela de lana de un tejido muy semejante a la bayeta, aunque más tupido y abatanado, adornado con variedad de flores y otros dibujos.

Seraje. m. Conjunto de seras, especialmente de carbón.

Seranear. intr. *Extr.* y *Sal.* Estar de serano.

Serano. (Del lat. *seranum*, de *serum*, la tarde.) m. *Sal.* Tertulia nocturna que se tiene en los pueblos.

Serapino. m. **Segapeno.**

Serasquier. (Del turco-persa, *sar-'askar*, cabeza del ejército.) m. General de ejército entre los turcos.

Serba. (Del lat. *sŏrba*, pl. de *sŏrbum*, serba.) f. Fruto del serbal. Es de figura de pera pequeña, de color encarnado que participa de amarillo, y comestible después de madurar entre paja o colgado.

Serbal. (De *serba*.) m. Árbol de la familia de las rosáceas, de seis a ocho metros de altura, con tronco recto y liso, ramas gruesas y copa abierta; hojas compuestas de hojuelas elípticas, dentadas y lampiñas; flores blancas, pequeñas, en corimbos axilares, y cuyo fruto es la serba. Es común en los montes de España.

Serbo. (De *suerbo*, del lat. *sŏrbus*.) m. **Serbal.**

Serena. (De *sereno*, 1.er art.) f. Composición poética o musical de los trovadores, que solía cantarse de noche. || **2.** fam. **Sereno,** 1.er art., 1.ª acep. || **A la serena.** m. adv. fam. **Al sereno.**

Serena. f. ant. **Sirena,** 1.ª acep.

Serenar. (Del lat. *serenāre*.) tr. Aclarar, sosegar, tranquilizar una cosa; como el tiempo, el mar. Ú. t. c. intr. y c. r. || **2.** Enfriar agua al sereno. Ú. t. c. r. || **3.** Sentar o aclarar los licores que están turbios o mezclados de algunas partículas. Ú. m. c. r. || **4.** fig. Apaciguar o sosegar disturbios o tumultos. || **5.** fig. Templar, moderar o cesar del todo en el enojo o señas de ira u otra pasión, especialmente en el ceño del semblante. Ú. t. c. r.

Serenata. (Del ital. *serenata*.) f. Música en la calle o al aire libre y durante la noche, para festejar a una persona. || **2.** Composición poética o musical destinada a este objeto.

Serenero. (De *sereno*, 1.er art., 1.ª acep.) m. Toca que usan las mujeres en algunas regiones como defensa contra la humedad de la noche. || **2.** *Argent.* Pañuelo que, doblado por una de sus diagonales, se ponen las mujeres a la cabeza atándolo debajo de la barba.

Serení. m. Uno de los botes más pequeños que llevaban los antiguos bajeles de guerra.

Serenidad. (Del lat. *serenĭtas, -ātis*.) f. Calidad de sereno, 2.° art. || **2.** Título de honor de algunos príncipes.

Serenísimo, ma. adj. sup. de **Sereno,** 2.° art., 2.ª acep. || **2.** Aplicábase en España como tratamiento a los príncipes hijos de reyes. También se ha dado este título a algunas repúblicas.

Sereno. (Del lat. *serēnum*, de *serum*, la tarde, la noche.) m. Humedad de que durante la noche está impregnada la atmósfera. || **2.** Cada uno de los dependientes encargados de rondar de noche por las calles para velar por la seguridad del vecindario y de la propiedad, avisar los incendios, etc. Antes cantaba en voz alta la hora y el tiempo que hacía, uso que aún se conserva en algunas poblaciones. || **Al sereno.** m. adv. A la intemperie de la noche.

Sereno, na. (Del lat. *serēnus*.) adj. Claro, despejado de nubes o nieblas. || **2.** fig. Apacible, sosegado, sin turbación física o moral. || **3.** V. **Gota serena.** || **4.** *Germ.* **Desvergonzado.**

Serete. m. **Serijo,** 1.ª acep.

Sergas. (Del gr. ἔργα, obras, hazañas; que con la *s* del art. *las (Las Sergas)*, sirvió de título a un famoso libro de caballerías.) f. pl. Hechos, proezas, hazañas.

Sergenta. (Del fr. *sergent*, y éste del lat. *serviens, -entis*, sirviente.) f. Religiosa lega de la orden de Santiago.

Seriamente. adv. m. Con seriedad.

Seriar. tr. Poner en serie, formar series.

Sericicultor, ra. m. y f. Persona que se dedica a la sericicultura.

Sericicultura. (Del lat. *serĭcum*, seda, y *cultūra*, cultivo.) f. Industria que tiene por objeto la producción de la seda.

Sérico, ca. (Del lat. *serĭcus*.) adj. De seda.

Sericultor, ra. m. y f. **Sericicultor.**

Sericultura. f. **Sericicultura.**

Serie. (Del lat. *series*.) f. Conjunto de cosas relacionadas entre sí y que se suceden unas a otras. || **2.** *Mat.* Sucesión de cantidades que se derivan unas de otras según una ley determinada. || **En serie.** m. adv. que se aplica a la fabricación de muchos objetos iguales entre sí, según un mismo patrón, y no con la individualidad que requiere el hacerlos uno a uno.

Seriedad. (Del lat. *seriĕtas, -ātis*.) f. Calidad de serio.

Serifio, fia. (Del lat. *seriphius*.) adj. Natural de Serifo. Ú. t. c. s. || **2.** Perteneciente a esta isla del mar Egeo.

Serija. f. d. de **Sera.**

Serijo. m. Sera pequeña que sirve para poner y llevar pasas, higos u otras cosas menudas. || **2.** Posón, posadero.

Serillo. (De *serilla*, d. de *sera*.) m. **Serijo,** 1.ª acep. || **2.** *And.* Sera rectangular en que se echa el pienso a la yunta en el campo.

Seringa. (Del port. *seringa*.) f. *Amér.* **Goma elástica.**

Serio, ria. (Del lat. *serius*.) adj. Grave, sentado y compuesto en las acciones y en el modo de proceder. Aplícase también a las acciones. || **2.** Severo en el semblante, en el modo de mirar o hablar. || **3.** Real, verdadero y sincero, sin engaño o burla, doblez o disimulo. || **4.** Grave, importante, de consideración. *Negocio* SERIO; *enfermedad* SERIA. || **5.** Contrapuesto a jocoso o bufo. *Ópera* SERIA. || **6.** V. **Baile serio.**

Sermocinal. (Del lat. *sermocināre*, platicar, conversar.) adj. ant. Perteneciente a la oración o modo de decir en público.

Sermón. (Del lat. *sermo, -ōnis*.) m. Discurso cristiano u oración evangélica que se predica para la enseñanza de la buena doctrina, para la enmienda de los vicios, o en elogio de los buenos para la imitación de sus virtudes. || **2.** p. us. Habla, lenguaje, idioma. || **3.** ant. Discurso o conversación. || **4.** fig. Amonestación o reprensión insistente y larga. || **de tabla.** Uno de los que figuran como obligación o carga de la magistralía.

Sermonar. (Del lat. *sermonāre*, hablar, platicar.) intr. Predicar, echar sermones.

Sermonario, ria. adj. Perteneciente al sermón o que tiene semejanza con él. || **2.** m. Colección de sermones.

Sermoneador, ra. adj. Que sermonea o acostumbra reprender.

Sermonear. (De *sermón*.) intr. **Sermonar.** || **2.** tr. Amonestar o reprender por medio de un sermón, 4.ª acep.

Sermoneo. m. fam. Acción de sermonear.

Serna. (Del lat. *serĕre*, sembrar.) f. Porción de tierra de sembradura.

Seroja. (De *serojo*.) f. Hojarasca seca que cae de los árboles. || **2.** Residuo o desperdicio de la leña.

Serojo. (Del lat. **serŭcŭlus*, d. de *serus*, tardío.) m. **Seroja.**

Serología. (Del lat. *serum*, suero, y λόγος, tratado.) f. Tratado de los sueros.

Serón. m. Especie de sera más larga que ancha, que sirve regularmente para carga de una caballería. || **caminero.** El que sirve para llevar carga por los caminos.

Serondo, da. (Del lat. *serōtinus*, tardío.) adj. Aplícase a los frutos tardíos.

Seronero. adj. V. **Camino seronero.** || **2.** m. El que hace o vende serones.

Serosidad. (De *seroso*.) f. Líquido que ciertas membranas segregan en el estado normal, y que en el morboso forma las hidropesías. || **2.** Humor que se acumula en las ampollas de la epidermis formadas por quemaduras, cáusticos o ventosas.

Seroso, sa. (Del lat. *serum*, suero.) adj. Perteneciente o relativo al suero o a la serosidad, o semejante a estos líquidos. || **2.** Que produce serosidad. || **3.** V. **Membrana serosa.** Ú. t. c. s. f.

Seroterapia. (Del lat. *serum*, suero, y el gr. θεραπεία, curación.) f. **Sueroterapia.**

Serótino, na. (Del lat. *serotinus*.) adj. **Serondo.**

Serpa. (Como el fr. *serpe*, del lat. *sarpĕre*, podar la viña.) f. **Jerpa.**

Serpear. (Del lat. *serpĕre*.) intr. **Serpentear.**

Serpentaria. (Del lat. *serpentaria*.) f. **Dragontea.** || **virginiana.** Aristoloquia que venía de América y cuya raíz se empleaba en medicina como tónica y aromática.

Serpentario. (Del lat. *serpentarius*.) m. *Astron.* Constelación septentrional próxima al Ecuador celeste, unida a la Serpiente y comprendida entre Hércules, por el Norte, y Sagitario y Escorpión, por el Sur.

Serpenteado, da. p. p. de **Serpentear.** || **2.** adj. Que tiene ondulaciones semejantes a las que forma la serpiente al moverse.

Serpentear. intr. Andar, moverse o extenderse, formando vueltas y tornos como la serpiente.

Serpenteo. m. Acción y efecto de serpentear.

Serpentígero, ra. (Del lat. *serpentĭger, -ĕri*; de *serpens, -entis*, serpiente, y *gerĕre*, llevar.) adj. poét. Que lleva o tiene serpientes.

Serpentín. (d. de *serpiente*.) m. Instrumento de hierro en que se ponía la mecha o cuerda encendida para hacer fuego con el mosquete. || **2.** Pieza de acero en las llaves de las armas de fuego y chispa, con la cual se forma el movimiento y muelle de la llave. || **3.** Tubo largo en línea espiral o quebrada que sirve para facilitar el enfriamiento de la destilación en los alambiques u otros artefactos y suele cubrirse de agua que se renueva frecuentemente. || **4. Serpentina,** 3.ª acep. || **5.** Pieza antigua de artillería, que tenía 15 pies de longitud y lanzaba balas de 24 libras.

Serpentina. (Del lat. *serpentina*, t. f. de *-nus*, serpentino.) f. **Serpentín,** 1.ª y 2.ª aceps. || **2.** Venablo antiguo cuyo hierro forma ondas como la serpiente cuando se arrastra. || **3.** Piedra de color verdoso, con manchas o venas más o menos obscuras, casi tan dura como el mármol, tenaz, que admite hermoso pulimento y tiene mucha aplicación en las artes decorativas. Es un silicato de magnesia teñido por óxidos de hierro. || **4.** Tira de papel arrollada que en días de carnaval se arrojan unas personas a otras, teniéndola sujeta por un extremo.

Serpentinamente. adv. m. A modo de serpiente.

Serpentino, na. (Del lat. *serpentīnus*.) adj. Perteneciente o relativo a la serpiente. || **2.** V. **Aceite, mármol serpentino.** || **3.** fig. V. **Lengua serpentina.** || **4.** poét. Que serpentea.

Serpentón. m. aum. de **Serpiente,** || **2.** Instrumento músico de viento, de tonos graves, que consiste en un tubo de madera delgada forrado de cuero, encorvado en forma de S, más ancho por el pabellón que por la embocadura y con agujeros para los dedos o tapados con llaves. || **3.** Instrumento músico de viento, usado por las bandas militares, compuesto de un tubo de madera encorvado en forma de U, con agujeros y llaves, y de un pabellón de metal que figura una cabeza de serpiente.

Serpezuela. f. d. de **Sierpe.**

Serpia. (De *serpa*.) f. *And.* **Jerpa.**

Serpiente. (Del lat. *serpens, -entis;* de *serpĕre*, arrastrarse.) f. **Culebra,** 1.ª acep., por lo común de gran tamaño y ferocidad. || **2.** fig. El **demonio,** por haber hablado en figura de tal a Eva. || **3.** *Astron.* Constelación septentrional de considerable longitud, que empalma con Serpentario y está al occidente y debajo de Hércules y al oriente de Libra. || **de anteojos.** Reptil venenoso del orden de los ofidios, de más de un metro de longitud, cabeza que se endereza verticalmente, y sobre el disco que pueden formar las costillas detrás de la cabeza aparece un dibujo en figura de anteojos. || **de cascabel. Crótalo,** 2.ª acep. || **pitón.** Género de culebras, las de mayor tamaño conocidas, propias de Asia y de África. Tienen la cabeza cubierta, en gran parte, de escamas pequeñas, y dobles fajas transversas debajo de la cola.

Serpiginoso, sa. adj. Perteneciente o relativo al serpigo.

Serpigo. (Del b. lat. *serpigo*, y éste del lat. *serpĕre*, andar arrastrando, extenderse.) m. Llaga que cunde a lo largo, cicatrizándose por un extremo y extendiéndose por el otro.

Serpol. (Del cat. *serpoll*, y éste del lat. *serpyllum*.) m. Especie de tomillo de tallos rastreros y hojas planas y obtusas.

Serpollar. intr. Echar serpollos un árbol, retoñar.

Serpollo. (Del lat. *sarpĕre*, podar.) m. Cada una de las ramas nuevas y lozanas que brotan al pie de un árbol o en la parte por donde se le ha podado. || **2.** Renuevo, retoño de una planta.

Serradizo, za. (De *serrado*.) adj. Aserradizo. || **2.** V. **Madera serradiza.**

Serrado, da. p. p. de **Serrar.** || **2.** adj. Que tiene dentecillos semejantes a los de la sierra.

Serrador, ra. (De *serrar*.) adj. Aserrador. Ú. t. c. s.

Serraduras. (De *serrar*.) f. pl. **Serrín.**

Serragatino, na. adj. Natural de la Sierra de Gata. Ú. t. c. s. || **2.** Perteneciente a esta región de Salamanca.

Serrallo. (Del persa *sarāy*, palacio, quizá a través del ital. *serraglio*.) m. Lugar en que los mahometanos tienen sus mujeres y concubinas. || **2.** fig. Cualquier sitio donde se cometen graves desórdenes obscenos.

Serrana. (De *serrano*.) f. Composición poética parecida a la serranilla.

Serranía. (De *serrano*.) f. Espacio de terreno cruzado por montañas y sierras.

Serraniego, ga. adj. Serrano.

Serranil. (De *serrano*.) m. Especie de puñal o cuchillo.

Serranilla. (d. de *serrana*.) f. Composición lírica de asunto villanesco o rústico, y las más de las veces erótico, escrita por lo general en metros cortos.

Serrano, na. adj. Que habita en una sierra, o nacido en ella. Ú. t. c. s. || **2.** Perteneciente a las sierras o serranías, o a sus moradores. || **3.** V. **Tordo serrano.** || **4.** fig. y fam. V. **Partida serrana.**

Serrar. (Del lat. *serrāre*.) tr. Cortar o dividir con sierra la madera u otra cosa. || **2.** intr. *Murc.* Ajear la perdiz.

Serrasuelo. m. *P. Rico.* Árbol mirtáceo, de corteza agrietada y por fruto bayas globosas.

Serrátil. (Del lat. *serra*, sierra.) adj. *Med.* V. **Pulso serrátil.** || **2.** *Zool.* V. **Juntura serrátil.**

Serratilla. f. d. de **Sierra,** 4.ª acep.

Serrato. (Del lat. *serrātus*.) adj. *Zool.* V. **Músculo serrato.** Ú. t. c. s.

Serrería. f. Taller mecánico para aserrar maderas.

Serreta. f. d. de **Sierra.** || **2.** Mediacaña de hierro, de forma semicircular y con dentecillos o puntas, que se pone sujeta al cabezón sobre la nariz de las caballerías. || **3.** V. **Cabezón de serreta.** || **4.** Galón de oro o plata dentado por uno de sus bordes, con que durante mucho tiempo se distinguían los oficiales de cuerpos auxiliares del ejército y de la armada, respecto de los de armas combatientes, quienes usaban galones de bordes rectos.

Serretazo. m. Tirón que se da a la serreta para castigar al caballo. || **2.** fig. Sofrenada, reprensión violenta.

Serrezuela. f. d. de **Sierra.**

Serrijón. m. Sierra o cordillera de montes de poca extensión.

Serrín. (Del lat. *serrāgo, -ĭnis*.) m. Conjunto de partículas que se desprenden de la madera cuando se sierra.

Serrino, na. adj. Perteneciente a la sierra, 1.ª acep., o parecido a ella. || **2.** *Med.* V. **Pulso serrino.**

Serrón. m. aum. de **Sierra,** 1.ª acep. || **2.** ant. **Serrucho.** Ú. en *León.* || **3. Tronzador.**

Serrucho. (despect. de *sierra*, 1.ª acep.) m. Sierra de hoja ancha y regularmente con sólo una manija. || **2.** *Cuba.* Pez de cuerpo prolongado y con un rostro en forma de sierra muy cortante.

Serta. f. *Germ.* **Camisa,** 1.ª acep.

Seruendo, da. (Del lat. *serotĭnus*, tardío.) adj. *León.* Serondo.

Servador. (Del lat. *servātor, -ōris*.) adj. Guardador o defensor. Úsase únicamente en poesía como epíteto de Júpiter.

Servar. (Del lat. *servāre*.) tr. ant. Observar, guardar.

Servato. m. Planta herbácea de la familia de las umbelíferas, con tallo erguido, de seis a ocho decímetros de altura, estriado y ramoso en lo alto; hojas grandes, pecioladas y partidas en lacinias rígidas y puntiagudas; flores pequeñas y amarillas, y fruto seco y elipsoidal. Es común en España y los frutos se han usado en medicina como carminativos.

Serventesio. (Del prov. *serventes*.) m. Género de composición de la poética provenzal, de asunto generalmente moral o político y a veces de tendencia satírica. || **2.** Cuarteto en que riman el primer verso con el tercero y el segundo con el cuarto.

Serventía. (De *servir*.) f. *Cuba.* Camino que pasa por terrenos de propiedad particular, y que utilizan los habitantes de otras fincas para comunicarse con los públicos.

Servible. adj. Que puede servir.

Serviciador. m. El que cobraba el servicio y montazgo.

Servicial. (De *servicio*.) adj. Que sirve con cuidado, diligencia y obsequio. || **2.** Pronto a complacer y servir a otros. || **3.** m. **Ayuda,** 5.ª acep. || **4.** ant. **Criado,** 2.ª acep. Ú. en *Bol.*

Servicialmente. adv. m. Con diligencia y cuidado en el servir.

Serviciar. tr. Pagar, cobrar o percibir el servicio y montazgo.

Servicio. (Del lat. *servitium*.) m. Acción y efecto de servir. || **2.** Estado de criado o sirviente. || **3.** Rendimiento y culto que se debe a Dios en el ejercicio de lo que pertenece a su gloria. || **4.** Mérito que se hace sirviendo al Estado o a otra entidad o persona. || **5. Servicio militar.** || **6.** Obsequio que se hace en beneficio del igual o amigo. || **7.** Porción de dinero ofrecida voluntariamente al rey o a la república para las urgencias del Estado o bien público. || **8.** Utilidad o provecho que resulta a uno de lo que otro ejecuta en atención suya. || **9.** Vaso que sirve para excrementos mayores. || **10. Lavativa,** 1.ª acep. || **11. Cubierto,** 4.ª y 7.ª aceps. || **12.** Conjunto de vajilla y otras cosas, para servir la comida, el café, el té, etc. || **13.** Hablando de beneficios o prebendas eclesiásticas, residencia y asistencia personal. || **14.** Contribución que pagaban anualmente los ganados. || **15.** Organización y personal destinados a cuidar intereses o satisfacer necesidades del público o de alguna entidad oficial o privada. SERVICIO *de correos, de incendios, de reparaciones.* || **activo.** El que corresponde a un empleo y se está prestando de hecho, actual y **positivamente.** || **de lanzas. Lanza,** 8.ª acep. || **militar.** El que se presta siendo soldado. || **secreto.** Cuerpo de agentes que, a las órdenes de un gobierno y procurando pasar inadvertidos, se dedican a recoger datos e informes reservados, tanto en el propio país como en el extranjero. || **Estar** una persona o cosa al **servicio** de uno. fr. de cortesía con que se le ofrece alguna cosa, o se pone a su disposición la misma persona que habla. || **Hacer el servicio.** fr. Ejercer en la milicia el empleo que cada uno tiene. || **Hacer un flaco servicio** a uno. fr. fam. Hacerle mala obra o causarle un perjuicio. || **Prestar servicios.** fr. Hacerlos.

Servidero, ra. adj. Apto o a propósito para servir o ser utilizado. || **2.** Que pide o requiere asistencia personal para ejecutarse o cumplirse por sí o por otro. *Beneficio* SERVIDERO.

Servidor, ra. (Del lat. *servitor*.) m. y f. Persona que sirve como criado. || **2.** Persona adscrita al manejo de un arma, de una maquinaria o de otro artefacto. || **3.** Nombre que por cortesía y obsequio se da a sí misma una persona respecto de otra. || **4.** m. El que corteja y festeja a una dama. || **5. Servicio,** 9.ª acep.

Servidumbre. (Del lat. *servitūdo, -ĭnis*.) f. Trabajo o ejercicio propio del siervo. || **2.** Estado o condición de siervo. || **3.** Conjunto de criados que sirven a un tiempo o en una casa. || **4.** Sujeción grave u obligación inexcusable de hacer una cosa. || **5.** ant. **Letrina,** 1.ª acep. || **6.** fig. Sujeción causada por las pasiones o afectos que coarta la libertad. || **7.** *For.* Derecho en predio ajeno que limita el dominio en éste y que está constituido en favor de las necesidades de otra finca perteneciente a distinto propietario, o de quien no es dueño de la gravada. || **aparente.** *For.* La que muestra su existencia por un signo externo. || **continua.** *For.* La que para ejercitarse siempre no requiere acto del hombre. || **de abrevadero.** La que grava un predio adonde los ganados de otro van a beber. || **de acueducto.** La que grava un predio por donde pasa una conducción de aguas. || **de luces.** Aquella que limita la construcción o altura de un edificio para dejar libre paso de la luz a otra finca inmediata, sin permitir la vista desde ésta. || **de paso.** *For.* La que da derecho a entrar en una finca no lindante con camino público. || **discontinua.** *For.* La que se usa con intervalos y requiere actos del hombre. || **forzosa.** *For.* Aquella al otorgamiento de la cual puede ser legítimamente compelido el dueño del predio sirviente. || **legal.** *For.* La que por ministerio de la ley grava los inmuebles, sin expreso otorgamiento de título para constituirla. || **negativa.** *For.* La que prohíbe ejercitar derechos al dueño del predio sirviente. || **positiva.** *For.* La que impone al dueño del predio sirviente ejecutar actos o permitir los del dueño del predio dominante. || **pública.** *For.* La que está constituida para el uso general o de indeterminada colectividad de personas.

Servil. (Del lat. *servilis.*) adj. Perteneciente a los siervos y criados. || **2.** Bajo, humilde y de poca estimación. Dícese también de las cosas del ánimo. || **3.** Rastrero, que obra con servilismo. || **4.** Apodo con que los que profesaban ideas liberales designaban, en el primer tercio del siglo XIX, a los que preferían la monarquía absoluta. Ú. m. c. s. || **5.** V. **Oficio servil.**

Servilismo. (De *servil.*) m. Ciega y baja adhesión a la autoridad de uno. || **2.** Orden de ideas de los denominados serviles.

Servilmente. adv. m. A manera de siervo. || **2.** Indecorosa o indecentemente; con bajeza o desdoro. || **3.** A la letra, sin quitar ni poner nada.

Servilón, na. adj. aum. de **Servil.** || **2.** m. **Servil,** 4.ª acep.

Servilla. (Del lat. *servilia calceamenta,* calzado de esclavas.) f. **Zapatilla,** 1.ª acep.

Servilleta. (De *servir;* en port. *servilêta,* criada, sierva.) f. Paño de lienzo, algodón u otra materia, que sirve en la mesa para aseo y limpieza de cada persona. || **Doblar la servilleta.** fr. fig. y fam. **Morir,** 1.ª acep. || **Estar uno de servilleta en ojal,** o **prendida.** fr. fam. Comer convidado en casa ajena.

Servilletero. m. Aro en que se pone arrollada la servilleta.

Servio, via. adj. Natural u oriundo de Servia. Ú. t. c. s. || **2.** Perteneciente a este antiguo reino de Europa. || **3.** m. Idioma **servio.**

Serviola. (En port. *serviola.*) f. *Mar.* Pescante muy robusto instalado en las proximidades de la amura y hacia la parte exterior del costado del buque. En su cabeza tiene un juego de varias roldanas por las que laborea el aparejo de gata. || **2.** *Mar.* Vigía que se establece de noche cerca de este pescante.

Servir. (Del lat. *servire.*) intr. Estar al servicio de otro. Ú. t. c. tr. || **2.** Estar empleado en la ejecución de una cosa por mandato de otro, aun cuando lo que ejecute sea pena o castigo. || **3.** Estar sujeto a otro por cualquier motivo aunque sea voluntariamente, haciendo lo que él quiere o dispone. || **4.** Ser un instrumento, máquina o cosa semejante a propósito para determinado fin. || **5.** Ejercer un empleo o cargo propio o en lugar de otro. Ú. t. c. tr. || **6.** Hacer las veces de otro en un oficio u ocupación. || **7.** Aprovechar, valer, ser de uso o utilidad. || **8.** Ser soldado en activo. || **9.** Asistir con naipe del mismo palo a quien ha jugado primero. || **10.** Sacar o restar la pelota de modo que se pueda jugar fácilmente. || **11.** Asistir a la mesa ministrando o trayendo los manjares o las bebidas. || **12.** Entre panaderos y alfareros, calentar el horno. || **13.** tr. Dar culto o adoración a Dios o a los santos, o emplearse en los ministerios de su gloria y veneración. || **14.** Obsequiar a uno o hacer una cosa en su favor, beneficio o utilidad. || **15.** Cortejar o festejar a una dama. || **16.** Ofrecer o dar voluntariamente al gobierno una porción de dinero para las urgencias del Estado o del público. || **17.** Hacer plato o llenar el vaso o la copa al que va a comer o beber. Ú. t. c. r. || **18.** r. Querer o tener a bien hacer alguna cosa. || **19.** Valerse de una cosa para el uso propio de ella. || **A más servir, menos valer.** ref. que enseña que algunas veces suelen desatenderse los méritos. || **Ir uno servido.** fr. irón. con que se denota que va desfavorecido o chasqueado. || **No servir uno para descalzar a otro.** fr. fig. y fam. Ser muy inferior a él en alguna cualidad, mérito o circunstancia. || **Para servirte, servir a usted,** etc., expr. de cortesía con que se ofrece uno a la disposición u obsequio de otro. || **Ser uno servido.** fr. Querer o gustar de una cosa conformándose con la súplica o pretensión que se hace.

Servita. (Del lat. *Servi.*) adj. Dícese del que profesa la orden tercera fundada en Italia por San Felipe Benicio en el siglo XIII. Ú. t. c. s.

Servitud. (Del lat. *servĭtus, -ūtis.*) f. ant. **Servidumbre,** 1.ª y 2.ª aceps.

Servomotor. (De *servir* y *motor.*) m. *Mar.* Aparato mediante el cual se da movimiento al timón aplicando una fuerza mecánica. || **2.** *Mec.* Motor auxiliar con que se aumenta en un momento dado la energía disponible.

Ses. (Del lat. *sĕssus,* asiento.) m. *Ar.* y *Murc.* **Sieso.**

Sesada. f. Fritada de sesos. || **2.** Sesos de un animal.

Sesámeo, a. (De *sésamo.*) adj. *Bot.* **Pedaliáceo.**

Sésamo. (Del lat. *sesămum,* y éste del gr. σήσαμον.) m. **Alegría,** 3.ª y 4.ª aceps.

Sesamoideo, a. adj. Parecido en la forma a la semilla del sésamo. Aplícase especialmente a unos huesos pequeños, cortos y redondeados, de constitución fibrosa, que se desarrollan en el espesor de los tendones y en determinadas articulaciones.

Sescuncia. (Del lat. *sescuncia;* de *sesqui,* la mitad más, y *uncia,* onza.) f. Moneda de cobre de los antiguos romanos, con onza y media de peso y que valía la octava parte del as.

Sesear. intr. Pronunciar la *c* o la *z* como *s* por vicio o por defecto orgánico.

Sesén. (Del lat. *sex,* seis.) m. Moneda de Aragón, que equivalía a seis maravedís burgaleses.

Sesena. f. **Sesén.**

Sesenta. (Del lat. *sexaginta.*) adj. Seis veces diez. || **2.** **Sexagésimo,** 1.ª acep. *Número* SESENTA; *año* SESENTA. || **3.** m. Conjunto de signos con que se representa el número **sesenta.**

Sesentavo, va. (De *sesenta* y *avo.*) adj. Dícese de cada una de las 60 partes iguales en que se divide un todo. Ú. t. c. s.

Sesentén. adj. Aplícase en Cataluña y Huesca a la pieza de madera de hilo de 60 palmos de longitud, con escuadría de 3 palmos de tabla por 2 de canto. Ú. t. c. s.

Sesentón, na. (De *sesenta.*) adj. fam. **Sexagenario.** Ú. m. c. s.

Seseo. m. Acción y efecto de sesear.

Sesera. f. Parte de la cabeza del animal, en que están los sesos. || **2.** **Seso,** 1.er art., 2.ª acep.

Sesga. (De *sesgar.*) f. **Nesga.**

Sesgadamente. (De *sesgado,* p. p. de *sesgar.*) adv. m. **Al sesgo.**

Sesgadamente. (De *sesgado,* sosegado.) adv. m. **Sosegadamente.**

Sesgado, da. (Del inus. *sesgar,* ant. *sesegar,* del lat. **sessicāre,* asentar.) adj. **Sosegado,** 2.ª acep.

Sesgadura. f. Acción y efecto de sesgar.

Sesgamente. (De *sesgo,* 1.er art.) adv. m. **Sesgadamente,** 1.er art.

Sesgamente. (De *sesgo,* 2.° art.) adv. m. **Sosegadamente.**

Sesgar. tr. Cortar o partir en sesgo. || **2.** Torcer a un lado o atravesar una cosa hacia un lado.

Sesgo, ga. (En port. *sesgo.*) adj. Torcido, cortado o situado oblicuamente. || **2.** fig. Grave, serio o torcido en el semblante. || **3.** m. Oblicuidad o torcimiento de una cosa hacia un lado, o en el corte, o en la situación, o en el movimiento. || **4.** fig. Corte o medio término que se toma en los negocios dudosos. || **5.** Por ext., curso o rumbo que toma un negocio. || **Al sesgo.** m. adv. Oblicuamente o al través.

Sesgo, ga. adj. p. us. **Sosegado,** 2.ª acep.

Sesí. m. *Cuba* y *P. Rico.* Pez muy parecido al pargo, de unos 30 centímetros de largo; tiene las aletas pectorales negras y la cola amarilla.

Sésil. (Del lat. *sessilis.*) adj. *Bot.* **Sentado,** 4.ª acep.

Sesión. (Del lat. *sessio, -ōnis.*) f. p. us. Acción y efecto de sentarse. || **2.** Cada una de las juntas de un concilio, congreso u otra corporación. || **3.** fig. Conferencia o consulta entre varios para determinar una cosa. || **Abrir la sesión.** fr. Comenzarla. || **Levantar la sesión.** fr. Concluirla.

Sesma. f. **Sexma.**

Sesmero. m. **Sexmero.**

Sesmo, ma. adj. ant. **Sexmo,** 1.ª acep. Usáb. t. c. s. m. || **2.** m. **Sexmo,** 2.ª y 3.ª aceps.

Seso. (Del lat. *sensus,* sentido.) m. **Cerebro,** 1.ª acep. || **2.** Masa de tejido nervioso contenida en la cavidad del cráneo. Ú. m. en pl. || **3.** ant. **Sentido,** 3.ª y 9.ª aceps. || **4.** ant. Dictamen, opinión. || **5.** fig. Prudencia, madurez. || **6.** fig. y fam. V. **Tapa de los sesos.** || **Beberse el seso.** fr. fig. desus. Perder la cabeza por el estudio, los negocios, etc. || **Calentarse uno los sesos.** fr. fig. y fam. **Devanarse uno los sesos.** || **Cambiar uno el seso.** fr. fig. **Perder el seso.** || **Dar sesos de mosquito,** o **de asno,** a uno. fr. fig. y fam. **Tenerle sorbidos los sesos.** || **Devanarse uno los sesos.** fr. fig. Fatigarse meditando mucho en una cosa. || **Ni tanto ni tan calvo que se le vean los sesos.** ref. contra las exageraciones. || **Perder uno el seso.** fr. fig. Perder el juicio, o privarse. || **Tener uno los sesos en los calcañales.** fr. fig. y fam. Tener poco juicio o asiento. || **Tener sorbido el seso,** o **sorbidos los sesos, a** uno. fr. fig. y fam. Ejercer sobre él influjo incontrastable.

Seso. (Del lat. *sessus,* asentamiento.) m. Piedra, ladrillo o hierro con que se calza la olla para que asiente bien. || **La que no pone seso a la olla, no lo tiene en la toca.** ref. que enseña que el no poner cuidado en las cosas precisas e importantes es señal de poco juicio.

Sesqui. Voz latina que solamente se usa en composición, para denotar una unidad y media en peso o medida de las cosas; como SESQUI*hora,* hora y media. Unida a un ordinal, significa la unidad más una fracción cuyo numerador es la unidad misma, y el denominador el número ordinal. Así, SESQUI*tercio* equivale a *uno y un tercio;* SESQUI*quinto,* a *uno y un quinto;* SESQUI*décimo,* a *uno y un décimo,* etc.

Sesquiáltero, ra. (Del lat. *sesquialter.*) adj. Aplícase a las cosas que contienen la unidad y una mitad de ella, y también a las cantidades que están en razón de tres a dos.

Sesquimodio. (Del lat. *sesquimodĭus.*) m. Medida de modio y medio de capacidad.

Sesquióxido. (De *sesqui* y *óxido.*) m. *Quím.* Óxido que contiene la mitad más de oxígeno que el protóxido.

Sesquipedal. (Del lat. *sesquipedālis.*) adj. De pie y medio de largo.

Sesquiplano. m. Biplano con una de las alas mucho menor que la otra.

Sestar. (Del lat. **sessitāre,* asentar, de *sessum.*) tr. ant. Asentar, poner, atinar.

Sesteadero. m. Lugar donde sestea el ganado.

Sestear. intr. Pasar la siesta durmiendo o descansando. || **2.** Recogerse el ganado durante el día en paraje sombrío para descansar y librarse de los rigores del sol.

Sesteo. m. *Amér.* Acción y efecto de sestear. || **2.** *C. Rica.* Sesteadero, lugar en que se sestea.

Sestercio. (Del lat. *sestertĭus.*) m. Moneda de plata de los romanos, que valía dos ases y medio.

Sestero. m. **Sesteadero.**

Sestil. (De *siesta.*) m. **Sesteadero.**

Sesudamente. adv. m. De manera sesuda.

Sesudez. f. Calidad de sesudo, sensatez.

Sesudo, da. adj. Que tiene seso, 1.er art., 5.ª acep.

Seta. (Del lat. *seta.*) f. **Seda,** 4.ª acep.

Seta. f. Cualquiera especie de hongos de forma de sombrero o casquete sostenido por un pedicelo. Las hay comestibles de sabor agradable y las hay venenosas. || **2.** fig. **Moco,** 3.ª acep.

Seta. f. ant. **Secta.**

Setabense. ad. Natural de la antigua Setabis, hoy Játiva. Ú. t. c. s. || **2.** Perteneciente a esta comarca. || **3. Jativés.**

Setabitano, na. (Del lat. *saetabitānus.*) adj. **Jativés.** Apl. a pers., ú. t. c. s.

Setal. m. Sitio o porción de terreno donde abundan las setas.

Sete. m. desus. Oficina o pieza de las casas de moneda, donde estaba el cepo para acuñar a martillo.

Setecientos, tas. (De *siete* y *ciento.*) adj. Siete veces ciento. || **2. Septingentésimo,** 1.ª acep. *Número* SETECIENTOS; *año* SETECIENTOS. || **3.** m. Conjunto de signos con que se representa el número **setecientos.**

Setena. f. **Septena.** || **2.** pl. Pena con que antiguamente se obligaba a que se pagase el séptuplo de una cantidad determinada. || **Pagar** uno **con las setenas** una cosa. fr. fig. Sufrir un castigo superior a la culpa cometida.

Setenado, da. p. p. de **Setenar.** || **2.** adj. Castigado con pena superior a la culpa. || **3.** m. Período de siete años.

Setenar. tr. Sacar por suerte uno de cada siete.

Setenario. m. **Septenario.**

Seteno, na. adj. desus. **Séptimo.**

Setenta. (Del lat. *septuaginta.*) adj. Siete veces diez. || **2. Septuagésimo,** 1.ª acep. *Número* SETENTA; *año* SETENTA. || **3.** m. Conjunto de signos con que se representa el número **setenta.**

Setentavo, va. (De *setenta* y *avo.*) adj. **Septuagésimo,** 2.ª acep. Ú. t. c. s. m.

Setentón, na. (De *setenta.*) adj. fam. **Septuagenario.** Ú. m. c. s.

Setero. (De *seta,* 2.º art.) adj. V. **Cardo setero.**

Setica. f. *Bot. Perú.* Cierto árbol artocarpáceo.

Setiembre. (Del lat. *septĕmber.*) m. **Septiembre.**

Sétimo, ma. adj. **Séptimo.** Ú. t. c. s.

Seto. (Del lat. *saeptum.*) m. Cercado hecho de palos o varas entretejidas. || **vivo.** Cercado de matas o arbustos vivos.

Setuní. m. **Aceituní.**

Seudo. (De *pseudo.*) adj. Supuesto, falso. Empléase únicamente con esta terminación precediendo a substantivos masculinos o femeninos o como primer elemento de voces técnicas compuestas. SEUDO*profeta,* SEUDO*membrana,* SEUDO*hidropesía.*

Seudónimo, ma. (Del gr. ψευδώνυμος; de ψευδής, falso, y ὄνομα, nombre.) adj. Dícese del autor que oculta con un nombre falso el suyo verdadero. || **2.** Aplícase también a la obra de este autor. || **3.** m. Nombre empleado por un autor en vez del suyo verdadero.

Seudópodo. (Del gr. ψευδής, falso, y πούς, ποδός, pie.) m. *Biol.* Cualquiera de las prolongaciones protoplasmáticas transitorias que son emitidas por ciertas células libres, como los leucocitos, y muchos seres unicelulares, como las amebas, y sirven para la ejecución de movimientos y para la prensión de partículas orgánicas, bacterias, etc.

Severamente. adv. m. Con severidad.

Severidad. (Del lat. *severĭtas, -ātis.*) f. Rigor y aspereza en el modo y trato, o en el castigo y reprensión. || **2.** Exactitud y puntualidad en la observancia de una ley, precepto o regla. || **3.** Gravedad, seriedad, mesura.

Severo, ra. (Del lat. *sevērus.*) adj. Riguroso, áspero, duro en el trato o castigo. || **2.** Exacto, puntual y rígido en la observancia de una ley, precepto o regla. || **3.** Grave, serio, mesurado.

Sevicia. (Del lat. *saevitĭa.*) f. Crueldad excesiva. || **2.** Malos tratos.

Seviche. m. *Ecuad.* y *Perú.* Guiso que se hace con corvina fresca cocida con jugo de naranja.

Sevilla. n. p. **Quien fue a Sevilla perdió su silla.** ref. con que se advierte que la ausencia suele causar la pérdida de empleos, u otras mudanzas y novedades perjudiciales, o bien que uno no tiene derecho a recobrar lo que voluntariamente dejó.

Sevillanas. (De *sevillano.*) f. pl. Aire musical propio de Sevilla y tierras comarcanas, bailable, y con el cual se cantan seguidillas. || **2.** Danza que se baila con esta música.

Sevillano, na. adj. Natural de Sevilla. Ú. t. c. s. || **2.** Perteneciente a esta ciudad o a su provincia.

Séviro. (Del lat. *sevir, -ĭri.*) m. Jefe de cada una de las seis decurias de los caballeros romanos. || **2.** Cada uno de los seis individuos que en la edad romana componían ciertos cuerpos colegiados. || **augustal.** Individuo de cualquiera de los colegios sacerdotales, compuestos de seis libertos, que en las provincias del imperio romano cuidaban del culto a Augusto divinizado.

Sexagenario, ria. (Del lat. *sexagenarĭus.*) adj. Que ha cumplido la edad de sesenta años y no llega a setenta; o aunque pase de los setenta se usa también a los efectos legales de excepción, excusa o beneficio. Ú. t. c. s.

Sexagésima. (Del lat. *sexagesĭma dies,* día sexagésimo antes del domingo de Pascua.) f. Domínica segunda de las tres que se cuentan antes de la primera de cuaresma.

Sexagesimal. (De *sexagésimo.*) adj. Aplícase al sistema de contar o de subdividir de 60 en 60.

Sexagésimo, ma. (Del lat. *sexagesĭmus.*) adj. Que sigue inmediatamente en orden al o a lo quincuagésimo nono. || **2.** Dícese de cada una de las 60 partes iguales en que se divide un todo. Ú. t. c. s.

Sexagonal. adj. **Hexagonal.**

Sexángulo, la. (Del lat. *sexangŭlus.*) adj. *Geom.* **Hexágono.** Ú. t. c. s. m.

Sexcentésimo, ma. (Del lat. *sexcentesĭmus.*) adj. Que sigue inmediatamente en orden al o a lo quingentésimo nonagésimo nono. || **2.** Dícese de cada una de las 600 partes iguales en que se divide un todo. Ú. t. c. s.

Sexenio. (Del lat. *sexennĭum.*) m. Tiempo de seis años.

Sexma. (De *sexmo.*) f. Sexta parte de cualquier cosa. Tómase regularmente por la de la vara. || **2. Sexmo,** 2.ª acep. || **3.** Madero de 12 dedos de ancho y 8 de grueso, sin largo determinado. || **4. Séxtula.**

Sexmero. m. Encargado de los negocios y derechos de un sexmo.

Sexmo, ma. (Del lat. *sex,* seis.) adj. ant. **Sexto.** Usáb. t. c. s. m. || **2.** m. División territorial que comprende cierto número de pueblos asociados para la administración de bienes comunes. || **3.** *Jaén.* Pieza de madera de hilo, de seis varas de longitud y con una escuadría de ocho pulgadas de tabla por cinco de canto.

Sexo. (Del lat. *sexus.*) m. *Biol.* Condición orgánica que distingue al macho de la hembra, en los animales y en las plantas. || **débil.** Las mujeres. || **feo,** o **fuerte.** Los hombres. || **Bello sexo. Sexo débil.**

Sexta. (Del lat. *sexta.*) f. Tercera de las cuatro partes iguales en que dividían los romanos el día artificial, y comprendía desde el final de la sexta hora temporal, a mediodía, hasta el fin de la novena, a media tarde. || **2.** En el rezo eclesiástico, una de las horas menores, que se dice después de la tercia. || **3.** Reunión, en el juego de los cientos, de seis cartas de valor correlativo. || **4.** V. **Sexta rima.** || **5.** *Mús.* Intervalo de una nota a la sexta ascendente o descendente en la escala. || **aumentada.** *Mús.* Intervalo que consta de cuatro tonos y dos semitonos. || **diminuta.** *Mús.* Intervalo que consta de dos tonos y tres semitonos. || **mayor.** La que comienza por el as, en el juego de los cientos. || **2.** *Mús.* **Hexacordo mayor.** || **menor.** La que comienza por el rey, en el juego de los cientos. || **2.** *Mús.* **Hexacordo menor.**

Sextaferia. (De *sexta feria,* el viernes.) f. *Ast.* y *Sant.* Prestación vecinal para la reparación de caminos u otras obras de utilidad pública, a que los vecinos tenían obligación de concurrir los viernes en ciertas épocas del año. Está en uso en algunas aldeas.

Sextaferiar. tr. Trabajar en la sextaferia.

Sextantario, ria. (Del lat. *sextantarĭus.*) adj. Que tiene el peso de un sextante. Dícese del as (moneda de la Roma antigua) que sólo pesaba dos onzas, o sea la sexta parte que el primitivo.

Sextante. (Del lat. *sextans, -antis.*) m. Moneda de cobre de los antiguos romanos, que pesaba dos onzas y valía la sexta parte del as. || **2.** Instrumento parecido al quintante y destinado a los mismos usos, cuyo sector es de 60 grados, o sea la sexta parte del círculo.

Sextario. (Del lat. *sextarĭus.*) m. Medida antigua de capacidad para líquidos y para áridos, sexta parte del congio y decimosexta del modio.

Sextavado, da. p. p. de **Sextavar.** || **2.** adj. Dícese de la figura hexagonal.

Sextavar. tr. Dar figura sextavada a una cosa.

Sexteto. (Del lat. *sextum,* sexto.) m. *Mús.* Composición para seis instrumentos o seis voces. || **2.** *Mús.* Conjunto de estos seis instrumentos o voces.

Sextil. (Del lat. *sextīlis.*) m. ant. **Agosto,** 1.ª acep.

Sextil. (De *sexto.*) adj. *Astrol.* V. **Aspecto sextil.**

Sextilla. (d. de *sexta.*) f. Combinación métrica de seis versos de arte menor aconsonantados alternadamente o de otra manera.

Sextillo. (d. de *sexto.*) m. *Mús.* **Seisillo.**

Sextina. (d. de *sexta.*) f. Composición poética que consta de seis estrofas de a seis versos endecasílabos cada una, y de otra que sólo se compone de tres. En todas, menos en ésta, acaban los versos con las mismas palabras, bien que no ordenadas de igual manera, por haber de concluir con la voz final del último verso de una estrofa el primero de la siguiente. En cada uno de los tres con que se da remate a esta composición entran dos de los seis vocablos repetidos de las estrofas anteriores. || **2.** Cada una de las estrofas de a seis versos endecasílabos que entran en esta composición. || **3.** Combinación métrica de seis versos endecasílabos en la cual aconsonantan el primero con el tercero y el segundo con el cuarto, y son pareados los dos últimos.

Sextina. (Quizá de alguno de los papas de nombre *Sixto.*) f. Especie de carta de excomunión que se fulminaba para descubrir delincuentes.

Sexto, ta. (Del lat. *sextus.*) adj. Que sigue inmediatamente en orden al o a lo quinto. || **2.** Dícese de cada una de las seis partes iguales en que se divide un todo. Ú. t. c. s. || **3.** m. Libro en que están juntas algunas constituciones y decretos canónicos. || **4.** fam. Sexto mandamiento de la ley de Dios.

Séxtula. (Del lat. *sextŭla.*) f. Moneda de cobre de los antiguos romanos, que pesaba la sexta parte de una onza. Setenta y dos **séxtulas** valían un as.

Sextuplicación. f. Acción y efecto de sextuplicar o sextuplicarse.

Sextuplicar. (Del lat. *sextus,* sexto, y *plicāre,* doblar.) tr. Hacer séxtupla una cosa; multiplicar por seis una cantidad. Ú. t. c. r.

Séxtuplo, pla. (Del lat. *sextŭplus.*) adj. Que incluye en sí seis veces una cantidad. Ú. t. c. s.

Sexuado, da. (De *sexo.*) adj. *Biol.* Dícese de la planta o del animal que tiene órganos sexuales bien desarrollados y aptos para funcionar.

Sexual. (Del lat. *sexuālis.*) adj. Perteneciente o relativo al sexo.

Sexualidad. (De *sexual.*) f. Conjunto de condiciones anatómicas y fisiológicas que caracterizan a cada sexo.

Si. (Formado con las dos letras iniciales del cuarto verso de la estrofa con que empieza el himno de San Juan Bautista: *Sancte Ioannes.*— **V.** *Fa.*) m. *Mús.* Séptima voz de la escala música.

Sí. (Del lat. *sibi,* dat. de *sui.*) Forma reflexiva del pronombre personal de tercera persona. Se emplea en los casos oblicuos de la declinación en ambos géneros y números, y lleva constantemente preposición. Cuando ésta es *con,* se dice **consigo.** || **2.** V. **Señor de sí.** || **De por sí.** m. adv. Separadamente cada cosa; sola o aparte de las demás. || **De sí.** m. adv. **De suyo.** || **Para sí.** m. adv. Mentalmente o sin dirigir a otro la palabra. También se aplica este modismo a los pronombres *mi* y *ti. Dije* PARA MÍ; *tú dirías* PARA TI; *dijo* PARA SÍ. || **Por sí y ante sí.** m. adv. Por propia deliberación y sin consultar a nadie ni contar con nadie. || **Sobre sí.** m. adv. Con atención, cautela o cuidado. || **2.** Con entereza y altivez.

Sí. (Del lat. *sic.*) adv. afirm. que se emplea más comúnmente respondiendo a preguntas. || **2.** Ú. para denotar especial aseveración en lo que se dice o se cree, o para ponderar una especie. *Esto* sí *que es portarse; aquél* sí *que es buen letrado.* || **3.** Se emplea con énfasis para avivar la afirmación expresada por el verbo con que se junta. *Iré,* sí, *aunque pierda la vida.* || **4.** Ú. como substantivo por consentimiento o permiso. *Ya tengo el* sí *de mi padre.* || **Dar uno el sí.** fr. Conceder una cosa, convenir en ella. Ú. m. hablando del matrimonio. || **No decir,** o **no responder,** uno **un sí ni un no.** fr. Callar enteramente, o no satisfacer o excusar el cargo que se le hace. || **No haber entre** dos o más personas, o **no tener** éstas, **un sí ni un no.** fr. con que se explica la conformidad de voluntades y pareceres entre los que viven juntos o se tratan, y la paz y concordia en que viven. || **Por sí o por no.** loc. adv. Por si ocurre o no, o por si puede o no lograrse, una cosa contingente. Dícese como causa o motivo de la resolución que se piensa tomar. *Aunque ya no creo que venga,* POR SÍ O POR NO, *bueno será esperarle; no alcanzarás lo que pretendes, pero,* POR SÍ O POR NO, *habla hoy al ministro.* || **Pues sí.** expr. irón. que se usa para reconvenir o redargüir a uno como asintiendo a lo que propone, pero haciéndole ver lo contrario. *Diego no sabe de eso.* —PUES SÍ, *¡que no lo ha manejado continuamente!* || **Sin faltar un sí ni un no.** fr. fig. con que se explica que se hizo puntual y entera relación de una cosa. || **Sí por sí, o no por no.** expr. con que se advierte el modo verídico de decir las cosas. || **Sí tal.** expr. con que se esfuerza la afirmación.

Si. (Del lat. *si.*) conj. con que se denota condición o suposición en virtud de la cual un concepto depende de otro u otros. SI *llegas el lunes, llegarás a tiempo; estudia,* SI *quieres ser docto.* || **2.** A veces denota aseveración terminante. SI *ayer lo aseguraste aquí mismo una y otra vez delante de todos nosotros, ¿cómo lo niegas hoy?* || **3.** Otras veces denota circunstancia dudosa o no resuelta o averiguada. *Ignoro* SI *es soltero o casado; hay que ver* SI *hacemos algo en su favor; pregúntale* SI *querrá entrar en una casa de comercio.* || **4.** En ciertas expresiones indica ponderación o encarecimiento. *Es atrevido,* SI *los hay; tu sabes* SI *le quiero.* || **5.** A principio de cláusula tiene a veces por objeto dar énfasis o energía a las expresiones de duda, deseo o aseveración. ¿SI *será verdad lo del testamento?;* ¡SI *Dios quisiera tocarle en el corazón!;* ¡SI *dije que esto no podía parar en bien!* || **6.** Empléase a menudo con elipsis de verbo anteriormente expresado. SI *hay ley,* SI *razón,* SI *justicia en el mundo, no sucederá lo que temes; iré,* SI *por la mañana o por la tarde, no puedo asegurarlo.* || **7.** Precedida del adverbio *como* o de la conjunción *que,* se emplea en conceptos comparativos. *Andaba Rocinante* COMO SI *fuera asno de gitano con azogue en los oídos; se quedó más contento* QUE SI *le hubieran dado un millón.* || || **8.** Empléase también como conjunción adversativa, equivaliendo a **aunque.** SI *me mataran no lo haría; no, no lo haré* SI *me matan.* || **9.** desus. Equivalía a la conjunción adversativa **sino.** *No habla solamente de Dios,* SI *también de las criaturas.* || **10.** Toma carácter de conjunción distributiva, cuando se emplea repetida para contraponer una cláusula a *otra. Malo,* SI *uno habla;* SI *no habla, peor.* || **11.** Precede al adverbio de negación *no* en frases como ésta: *Callaré* SI NO *quieres oírme.* || **12.** Forma a veces con el mismo adverbio de negación expresiones elípticas que equivalen a, de otra suerte o en caso diverso. *Pórtate como hombre de bien:* SI NO, *deja de frecuentar mi casa.*

Sialismo. m. *Med.* **Salivación.**

Siamés, sa. adj. Natural u oriundo de Siam. Ú. t. c. s. || **2.** Perteneciente a esta nación de Asia. || **3.** m. Idioma siamés.

Sian. adj. ant. Siamés.

Sibarita. (Del lat. *sybarīta,* y éste del gr. Συβαρίτης, de Σύβαρις, ciudad célebre por la riqueza y el lujo de sus habitantes.) adj. Natural de Síbaris. Ú. t. c. s. || **2.** Perteneciente a esta ciudad de la Italia antigua. || **3.** fig. Dícese de la persona muy dada a regalos y placeres. Ú. t. c. s.

Sibarítico, ca. (Del lat. *sybaritĭcus.*) adj. Perteneciente o relativo a la ciudad de Síbaris. || **2.** fig. **Sensual.**

Sibaritismo. m. Género de vida regalada y sensual, como la de los antiguos sibaritas.

Siberiano, na. adj. Natural de la Siberia. Ú. t. c. s. || **2.** Perteneciente a esta región de Asia.

Sibil. m. Pequeña despensa en las cuevas, para conservar frescas las carnes y demás provisiones. || **2.** Concavidad subterránea.

Sibila. (Del lat. *sibylla,* y éste del gr. σίβυλλα.) f. Mujer sabia a quien los antiguos atribuyeron espíritu profético.

Sibilante. (Del lat. *sibĭlans, -antis,* p. a. de *sibilāre,* silbar.) adj. *Fon.* Dícese del sonido que se pronuncia como una especie de silbido. || **2.** *Fon.* Dícese de la letra que representa este sonido, como la *s.* Ú. t. c. s. f.

Sibilino, na. (Del lat. *sibyllīnus.*) adj. Perteneciente o relativo a la sibila. || **2.** fig. Misterioso, obscuro con apariencia de importante.

Sibilítico, ca. adj. **Sibilino.**

Sibucao. m. *Bot.* Arbolito de Filipinas, de la familia de las papilionáceas, de tres a cuatro metros de altura, con tronco delgado y lleno de aguijones, hojas compuestas en un número par de hojuelas enteras y estrechas, flores amarillas en racimos axilares, y fruto en legumbre leñosa y ensiforme con tres o cuatro semillas, separadas por tabiques esponjosos. La madera, tan dura que sirve para hacer clavos, es medicinal y objeto de gran comercio como tintórea, por el hermoso color encarnado que produce. || **2.** Esta misma madera.

Sic. (Lit., *así, de esta manera.*) adv. lat. que se usa en impresos y manuscritos españoles, por lo general entre paréntesis, para dar a entender que una palabra o frase empleada en ellos, y que pudiera parecer inexacta, es textual.

Sicambro, bra. (Del lat. *sicambri, -ōrum.*) adj. Dícese del individuo de un pueblo que habitó antiguamente en la Germania septentrional, cerca del Rin, y después pasó a la Galia Bélgica, donde se unió con los francos. Ú. t. c. s. || **2.** Perteneciente a este pueblo.

Sicamor. m. **Ciclamor.**

Sicano, na. (Del lat. *sicānus.*) adj. Aplícase al individuo de un pueblo que se dice haber pasado en tiempos heroicos de España a Italia, y se estableció en el país que del nombre de este pueblo se llamó Sicania. || **2.** Natural de Sicania, hoy Sicilia. Ú. t. c. s. || **3.** Perteneciente a esta isla de la Italia antigua.

Sicario. (Del lat. *sicarius.*) m. Asesino asalariado.

Sicigia. (Del gr. συζυγία, unión.) f. *Astron.* Conjunción u oposición de la Luna con el Sol.

Siciliano, na. adj. Natural de Sicilia. Ú. t. c. s. || **2.** Perteneciente a esta isla de Italia.

Sicionio, nia. (Del lat. *sicyonius.*) adj. Natural de Sición. Ú. t. c. s. || **2.** Perteneciente a esta ciudad del Peloponeso.

Siclo. (Del lat. *siclus,* y éste del hebr. *séqel.*) m. Unidad de peso usada entre babilonios, fenicios y judíos. || **2.** Moneda de plata usada en Israel.

Sicoanálisis. amb. *Med.* **Psicoanálisis.**

Sicofanta. (Del lat. *sycophanta*, y éste del gr. συκοφάντης; de σῦκον, higo, y φαίνω, descubrir: delator del que exporta higos de contrabando.) m. Impostor, calumniador.

Sicofante. m. Sicofanta.

Sicofísica. f. **Psicofísica.**

Sicología. f. **Psicología.**

Sicológico, ca. adj. **Psicológico.**

Sicólogo. m. **Psicólogo.**

Sicómoro. (Del lat. *sycomŏrus*, y éste del gr. συκόμορος; de σῦκον, higo, y μόρον, moral.) m. *Bot.* Planta de la familia de las moráceas, que es una higuera propia de Egipto, con hojas algo parecidas a las del moral, fruto pequeño, de color blanco amarillento, y madera incorruptible, que usaban los antiguos egipcios para las cajas donde encerraban las momias. || **2. Plátano falso.**

Sicópata. com. *Med.* **Psicópata.**

Sicopatía. f. **Psicopatía.**

Sicosis. f. **Psicosis.**

Sicote. m. *Cuba* y *Vizc.* Cochambre del cuerpo humano, especialmente de los pies, mezclada con el sudor.

Sicoterapia. f. **Psicoterapia.**

Sicrómetro. m. **Psicrómetro.**

Sículo, la. (Del lat. *sicŭlus.*) adj. **Siciliano.** Apl. a pers., ú. t. c. s.

Sideral. (Del lat. *siderālis.*) adj. **Sidéreo.**

Sidéreo, a. (Del lat. *siderĕus.*) adj. Perteneciente o relativo a las estrellas, y por extensión, a los astros en general. || **2.** *Astron.* V. **Año, día, péndulo, tiempo sidéreo.**

Siderita. (Del lat. *siderītis*, y éste del gr. σιδηρῖτις; de σίδηρος, hierro.) f. **Siderosa.** || **2.** Planta herbácea de la familia de las labiadas, con tallos medio echados, muy velludos y de cuatro a seis decímetros de longitud; hojas oblongas, trasovadas, dentadas y pelosas; flores amarillas con el labio superior blanco, en verticilos separados, y fruto seco con semillas menudas. Hay varias especies, todas consideradas por los antiguos como remedio para cicatrizar las heridas hechas con instrumentos de hierro.

Siderosa. (Del gr. σίδηρος, hierro.) f. Mineral de color pardo amarillento, brillo acerado, quebradizo y algo más duro que el mármol. Es carbonato de óxido de hierro y excelente mena para la siderurgia.

Siderosis. f. *Med.* Neumoconiosis producida por el polvo de los minerales de hierro.

Siderurgia. (Del gr. σιδηρουργία; de σίδηρος, hierro, y ἔργον, obra.) f. Arte de extraer el hierro y de trabajarlo.

Siderúrgico, ca. adj. Perteneciente o relativo a la siderurgia.

Sidonio, nia. (Del lat. *sidonĭus.*) adj. Natural de Sidón. Ú. t. c. s. || **2.** Perteneciente a esta ciudad de Fenicia. || **3. Fenicio.** Apl. a pers., ú. t. c. s.

Sidra. (Del lat. *sicĕra*, y éste del hebr. *šēkār*, bebida embriagadora.) f. Bebida alcohólica, de color ambarino, que se obtiene por la fermentación del zumo de las manzanas, exprimiéndolas.

Sidrería. f. Despacho en que se vende sidra.

Siega. f. Acción y efecto de segar las mieses. || **2.** Tiempo en que se siegan. || **3.** Mieses segadas. || **Quien madruga a la siega no engorda a la puerca.** ref. que anima a madrugar para trabajar con provecho, como el segador que al ejecutar en sazón su labor, evita que se le desgranen las espigas.

Siembra. f. Acción y efecto de sembrar. || **2.** Tiempo en que se siembra. || **3. Sembrado,** 3.ª acep.

Siempre. (Del lat. *sĕmper.*) adv. t. En todo o en cualquier tiempo. || **2.** En todo caso o cuando menos. *Quizá no logre mi objeto, pero* SIEMPRE *me quedará la satisfacción de haber hecho lo que debía;* SIEMPRE *tendrá cinco mil duros de renta.* || **Para siempre.** m. adv. Por todo tiempo o por tiempo indefinido. *Me voy* PARA SIEMPRE. || **Por siempre.** m. adv. Perpetuamente o por tiempo sin fin. POR SIEMPRE *sea alabado y bendito.* || **Siempre jamás.** m. adv. Siempre, con sentido esforzado. || **Siempre que.** m. conjunt. condic. **Con tal que.** *Mañana comeré en tu casa,* SIEMPRE QUE *tú comas hoy en la mía.* || **Siempre y cuando que.** m. conjunt. condic. **Siempre que.**

Siempretieso. m. Tentetieso, dominguillo.

Siempreviva. (De *siempre* y *viva.*) f. **Perpetua amarilla.** || **amarilla. Siempreviva.** || **mayor.** Planta perenne de la familia de las crasuláceas, con hojas planas, gruesas, jugosas, pestañosas, lanceoladas las de los tallos y aovadas las radicales; flores con escamas carnosas, cáliz de cinco a nueve sépalos, y corola de igual número de pétalos, que no se marchitan. Vive en las peñas y en los tejados y se emplea en medicina doméstica. || **menor. Uva de gato.**

Sien. (De *sen*, 2.ª art.) f. Cada una de las dos partes laterales de la cabeza comprendidas entre la frente, la oreja y la mejilla.

Siena. f. *Germ.* **Cara,** 1.ª acep.

Sienita. (De *Siene*, ciudad del antiguo Egipto donde había canteras de esta roca.) f. Roca compuesta de feldespato, anfíbol y algo de cuarzo, de color generalmente rojo, y que se descompone con más dificultad que el granito.

Sierpe. (Del lat. *serpens.*) f. **Serpiente,** 1.ª acep. || **2.** fig. Persona muy fea o muy feroz, o que está muy colérica. || **3.** fig. Cualquier cosa que se mueve con rodeos a manera de **sierpe.** || **4.** *Germ.* **Ganzúa,** 1.ª acep. || **5.** *Bot.* Vástago que brota de las raíces leñosas. || **6.** *Fort.* V. **Lengua de sierpe.** || **7.** *Ast.* **Cometa,** 2.ª acep.

Sierra. (Del lat. *sĕrra.*) f. Herramienta que consiste en una hoja de acero con dientes agudos y triscados en el borde, sujeta a un mango, un bastidor u otra armazón adecuada, y que sirve para dividir madera u otros cuerpos duros. || **2.** V. **Madera de sierra.** || **3.** Herramienta que consiste en una hoja de acero fuerte, larga y estrecha, con borde liso, sujeta a un bastidor, y que sirve para dividir piedras duras con el auxilio de arena y agua. || **4.** Cordillera de montes o peñascos cortados. || **5.** V. **Caballero de la sierra,** o **de sierra.** || **6. Pez sierra.** || **7.** *Sant.* Loma o colina. || **8.** *Argent.* Cordillera de poca extensión. || **9.** pl. *Germ.* Las sienes. || **Sierra abrazadera.** La de grandes dimensiones, con la hoja montada en el medio bastidor, y que sirve para dividir grandes maderos sobre caballetes. || **de mano.** La que puede manejar un hombre solo. || **de punta.** La de hoja estrecha y puntiaguda, que sirve para hacer calados y otras labores delicadas. || **de trasdós.** Serrucho de hoja rectangular y muy delgada, reforzada en el lomo con una pieza de hierro o latón, que sirve para hacer hendeduras muy finas. || **Cuando la sierra está tocada, en la mano viene el agua.** ref. que denota que cuando la **sierra** está cubierta de nubes, suele llover pronto. || **De sierra a extremo.** m. adv. Dícese de los ganados trashumantes que pasan desde las **sierras** de Castilla a las dehesas de Extremadura.

Sierro. m. *Sal.* Teso de sierra, risco.

Siervo, va. (Del lat. *sĕrvus.*) m. y f. **Esclavo.** || **2.** Nombre que una persona se da a sí misma respecto de otra para mostrarle obsequio y rendimiento. || **3.** Persona profesa en orden o comunidad religiosa de las que por humildad se denominan así. || **de Dios.** Persona que sirve a Dios y guarda sus preceptos. || **2.** fam. Persona muy cuitada, pobre hombre. || **de la gleba.** *For.* Esclavo afecto a una heredad y que no se desligaba de ella al cambiar de dueño. || **de la pena.** El que para siempre era condenado en juicio a servir en las minas u otras obras públicas. || **de los siervos de Dios.** Nombre que por humildad se da a sí mismo el Papa.

Sieso. (Del lat. *sĕssus*, asiento.) m. Parte inferior del intestino recto en la cual se comprende el ano.

Siesta. (Del lat. *sĕxta* [*hora*].) f. Tiempo después del mediodía, en que aprieta más el calor. || **2.** Tiempo destinado para dormir o descansar después de comer. || **3.** Sueño que se toma después de comer. || **4.** Música que en las iglesias se canta o toca por la tarde. || **del carnero.** La que se duerme antes de la comida del mediodía. || **Dormir,** o **echar,** uno **la siesta.** fr. Echarse a dormir después de comer.

Siete. (Del lat. *sĕptem.*) adj. Seis y uno. || **2. Séptimo,** 1.ª acep. *Número* SIETE; *año* SIETE. Apl. a los días del mes, ú. t. c. s. *El* SIETE *de julio.* || **3.** V. **Las siete palabras.** || **4.** V. **Las siete Partidas.** || **5.** V. **Siete rentillas.** || **6.** V. **Siete pies de tierra.** || **7.** V. **De siete suelas.** || **8.** m. Signo o conjunto de signos con que se representa el número **siete.** || **9.** Naipe que tiene **siete** señales. *El* SIETE *de copas.* || **10. Barrilete,** 2.ª acep. || **11.** fam. Rasgón angular. || **12.** *Argent.* y *Colomb.* **Ano.** || **y media.** Juego de naipes en que cada carta tiene el valor que representan sus puntos, excepto las figuras, que valen media. Se da una carta a cada jugador, el cual puede pedir otras. Gana el que primero hace siete puntos y medio o el que más se acerque por bajo de este número. || **Tres sietes.** Juego de naipes cuyo objeto es llegar a 21 puntos. || **Más que siete.** loc. adv. fig. y fam. Muchísimo, excesivamente, en demasía. *Hablar, comer* MÁS QUE SIETE.

Sietecolores. m. *Burg.* y *Pal.* **Jilguero.** || **2.** *Chile.* Pajarillo con las patas y el pico negros, plumaje manchado de rojo, amarillo, azul, verde y blanco, y la cola y alas negruzcas; tiene en medio de la cabeza un moño de color rojo vivo. Habita en las orillas de las lagunas y construye su nido en las hojas secas de totora.

Sietecueros. m. *Colomb., Chile, Ecuad.* y *Hond.* Tumor que se forma en el talón del pie, especialmente a los que andan descalzos. || **2.** *C. Rica, Cuba* y *Perú.* **Panadizo,** 1.ª acep.

Sieteenrama. (De *siete en rama*, porque las hojas de esta planta están compuestas de siete hojuelas.) m. **Tormentila.**

Sietelevar. (De *siete* y *levar*, levantar, llevar.) m. En el juego de la banca, tercera suerte, en que se va a ganar siete tantos.

Sietemesino, na. adj. Aplícase a la criatura que nace a los siete meses de engendrada. Ú. t. c. s. || **2.** fam. Jovencito que presume de persona mayor. Ú. t. c. s.

Sieteñal. adj. Que tiene siete años o es de siete años.

Sietesangrías. f. *Ál.* **Centaura menor.**

Sifilicomio. m. Hospital para sifilíticos.

Sifílide. f. *Med.* Dermatosis originada o sostenida por la sífilis.

Sífilis. (De *Siphylo*, personaje del poema «De Morbo Gallico», de Jerónimo Fracastor.) f. *Med.* Enfermedad virulenta, específica, transmisible por la unión sexual, por simple contacto o por herencia.

Sifilítico, ca. adj. *Med.* Perteneciente o relativo a la sífilis. || **2.** *Med.* Que la padece. Ú. t. c. s.

Sifilografía. (De *sífilis*, y el gr. γράφω, describir.) f. Parte de la medicina, que trata de las enfermedades sifilíticas.

Sifilográfico, ca. adj. *Med.* Perteneciente o relativo a la sifilografía.

Sifilógrafo. m. El que se dedica al estudio de la sifilografía.

Sifón. (Del lat. *sipho, -ōnis*, y éste del gr. σίφων.) m. Tubo encorvado que sirve para sacar líquidos del vaso que los contiene, haciéndolos pasar por un punto superior a su nivel. || **2.** Botella, generalmente de cristal, cerrada herméticamente con una tapa por la que pasa un **sifón,** cuyo tubo tiene una llave para abrir o cerrar el paso del agua cargada de ácido carbónico que aquélla contiene. || **3.** Tubo doblemente acodado en que el agua detenida dentro de él impide la salida de los gases de las cañerías al exterior. || **4.** *Arq.* Canal cerrado o tubo que sirve para hacer pasar el agua por un punto inferior a sus dos extremos. || **5.** *Zool.* Cada uno de los dos largos tubos que tienen ciertos moluscos lamelibranquios, especialmente los que viven medio enterrados en la arena o en el fango, y que pueden estar libres o soldados a la manera de los cañones de una escopeta; el agua entra en la cavidad branquial del animal por uno de estos tubos y sale por el otro.

Sifosis. (Del gr. σίφων.) f. **Corcova,** 1.ª acep.

Sifué. (Del fr. *surfaix*, de *sur* y *faix*, y éste del lat. *fascis*, haz, tajo.) m. **Sobrecincha.**

Sigilación. f. Acción y efecto de sigilar.

Sigilar. (Del lat. *sigillāre*.) tr. **Sellar,** imprimir con sello. || **2.** Callar u ocultar una cosa.

Sigilo. (Del lat. *sigillum*.) m. **Sello,** 1.ª y 2.ª aceps. || **2.** Secreto que se guarda de una cosa o noticia. || **profesional. Secreto profesional.** || **sacramental.** Secreto inviolable que debe guardar el confesor, de lo que oye en la confesión sacramental.

Sigilografía. f. Estudio de los sellos antiguos.

Sigilosamente. adv. m. Con sigilo.

Sigiloso, sa. adj. Que guarda sigilo.

Sigla. (Del lat. *sigla*, cifras, abreviaturas.) f. Letra inicial que se emplea como abreviatura de una palabra. *S. D. M.* son, por ejemplo, las **siglas** de *Su Divina Majestad.* Los nombres en plural suelen representarse por su letra inicial repetida; v. gr.: *AA.*, **siglas** de *Altezas y Autores.* || **2.** Rótulo o denominación que se forma con varias **siglas.** *INRI.* || **3.** Cualquier signo que sirve para ahorrar letras o espacio en la escritura.

Siglo. (Del lat. *saecŭlum*.) m. Espacio de cien años. || **2.** Seguido de la preposición *de* y un nombre de persona o cosa, tiempo en que floreció una persona o en que existió, sucedió o se inventó o descubrió una cosa muy notable. *El* SIGLO DE *Augusto; el* SIGLO DEL *vapor.* || **3.** Mucho o muy largo tiempo, indeterminadamente. *Un* SIGLO *ha que no te veo.* || **4.** Comercio y trato de los hombres en cuanto toca y mira a la vida civil y política, en oposición a la vida religiosa. *Ricardo deja el* SIGLO. || **de cobre.** Entre los poetas, tiempo y espacio en que se adelantó la malicia de los hombres a los engaños y guerras. || **de hierro.** Tiempo y espacio que fingieron los poetas, en el cual huyeron de la tierra las virtudes y empezaron a reinar todos los vicios. || **2.** fig. Tiempo desgraciado. || **de oro.** Espacio de tiempo en que según la ficción de los poetas vivió el dios Saturno, y vivieron los hombres justificadamente. || **2.** fig. Tiempo de paz y de ventura. || **3.** fig. Tiempo en que las letras, las artes, la política, etc., han tenido mayor incremento y esplendor en un pueblo o país. *El* SIGLO DE ORO *de la literatura española.* || **4.** fig. Tiempos floridos y felices en que había paz y quietud. || **de plata.** Tiempo en que según la ficción de los poetas empezó a reinar Júpiter, y los hombres, menos sencillos que antes, habitaron cuevas y chozas y labraron la tierra. || **dorado. Siglo de oro.** || **Siglos medios.** Tiempo que transcurrió desde la caída del imperio romano hasta la toma de Constantinopla por los turcos. || **En,** o **por, los siglos de los siglos.** m. adv. **Eternamente.** || **Por el siglo de mi padre,** o **de mi madre,** etc. exclam. con que uno asevera o promete una cosa, invocando la memoria de una persona ya difunta a quien profesa cariño o veneración.

Sigma. (Del gr. σίγμα.) f. Decimoctava letra del alfabeto griego, que corresponde a la que en el nuestro se llama *ese.*

Sigmoideo, a. adj. Aplícase a lo que por su forma se parece a la sigma.

Signáculo. (Del lat. *signacŭlum*.) m. Sello o señal en lo escrito.

Signar. (Del lat. *signāre*.) tr. Hacer, poner o imprimir el signo. || **2. Firmar,** 1.ª acep. || **3.** Hacer la señal de la cruz sobre una persona o cosa. Ú. t. c. r. || **4.** Hacer con los dedos índice y pulgar de la mano derecha cruzados, o sólo con el pulgar, tres cruces, la primera en la frente, la segunda en la boca y la tercera en el pecho, pidiendo a Dios que por el signo de la humana redención nos libre de nuestros enemigos. Ú. t. c. r. || **5.** ant. Señalar, designar.

Signatario, ria. (De *signar*, firmar.) adj. **Firmante.** Ú. t. c. s.

Signatura. (Del lat. *signatūra*.) f. **Señal,** 1.ª acep. || **2.** Especialmente la señal de números y letras que se pone a un libro o a un documento para indicar su colocación dentro de una biblioteca o un archivo. || **3.** Tribunal de la corte romana compuesto de varios prelados, en el cual se determinan diversos negocios de gracia o de justicia, según el tribunal de **signatura** a que corresponden. || **4.** *Impr.* Señal que con las letras del alfabeto o con números se ponía antes al pie de las primeras planas de los pliegos o cuadernos, y hoy sólo al pie de la primera de cada uno de éstos, para gobierno del encuadernador. Algunas veces, como en los que llaman principios, suelen poner calderones, asteriscos u otros signos.

Signífero, ra. (Del lat. *signĭfer, -ĕri*; de *signum*, señal, y *ferre*, llevar.) adj. poét. Que lleva o incluye una señal o insignia.

Significación. (Del lat. *significatio, -ōnis*.) f. Acción y efecto de significar. || **2.** Sentido de una palabra o frase. || **3.** Objeto que se significa. || **4.** Importancia en cualquier orden.

Significado, da. p. p. de **Significar.** || **2.** adj. Conocido, importante, reputado. || **3.** m. **Significación,** 2.ª y 3.ª aceps.

Significador, ra. adj. Que significa. Ú. t. c. s.

Significamiento. (De *significar*.) m. ant. **Significación.**

Significante. (Del lat. *significans, -antis*.) p. a. de **Significar.** Que significa.

Significar. (Del lat. *significāre*; de *signum*, señal, y *facĕre*, hacer.) tr. Ser una cosa, por naturaleza, imitación o convenio, representación, indicio o signo de otra cosa distinta. || **2.** Ser una palabra o frase expresión o signo de una idea o de un pensamiento, o de una cosa material. || **3.** Hacer saber, declarar o manifestar una cosa. || **4.** intr. Representar, valer, tener importancia. || **5.** r. Hacerse notar o distinguirse por alguna cualidad o circunstancia.

Significativamente. adv. m. De un modo significativo.

Significativo, va. (Del lat. *significatīvus*.) adj. Que da a entender o conocer con propiedad una cosa. || **2.** Que tiene importancia por representar o significar algún valor.

Signo. (Del lat. *signum*.) m. Cosa que por su naturaleza o convencionalmente evoca en el entendimiento la idea de otra. || **2.** Cualquiera de los caracteres que se emplean en la escritura y en la imprenta. || **3.** Señal que se hace por modo de bendición; como las que se hacen en la misa. || **4.** Figura que los notarios agregan a su firma en los documentos públicos, hecha de diversos rasgos entrelazados y rematada a veces por una cruz. || **5.** Hado o destino determinado por el influjo de los astros, según vulgar suposición. || **6.** *Astron.* Cada una de las doce partes iguales en que se considera dividido el Zodiaco, y son: Aries, Tauro, etc. || **7.** *Gnom.* V. **Radio de los signos.** || **8.** *Mat.* Señal o figura de que se usa en los cálculos para indicar, ya la naturaleza de las cantidades, ya las operaciones que se han de ejecutar con ellas. || **9.** *Mús.* Cualquiera de los caracteres con que se escribe la música. || **10.** *Mús.* En particular, el que indica el tono natural de un sonido. || **natural.** El que nos hace venir en conocimiento de una cosa por la analogía o dependencia natural que tiene con ella. *El humo es* SIGNO *del fuego.* || **negativo.** *Mat.* **Menos,** 5.ª acep. || **por costumbre.** Aquel que por el uso ya introducido significa cosa diversa de sí; como el ramo delante de la taberna. || **positivo.** *Mat.* **Más,** 5.ª acep. || **rodado.** Figura circular dibujada o pintada al pie del privilegio rodado y que solía llevar en el centro una cruz y las armas reales, alrededor el nombre del rey y a veces también los de los confirmantes. || **De signo servicio.** loc. V. **Vasallo de signo servicio.**

Sigua. f. *Bot. Cuba.* Árbol silvestre de la familia de las lauráceas, con hojas brillantes y coriáceas y fruto ovalado dispuesto en una cúpula de color rojo.

Siguapa. f. *C. Rica* y *Cuba.* Ave de rapiña nocturna, pequeña, de plumaje pardo obscuro con pintas amarillas y moño negro.

Siguemepollo. m. Cinta que como adorno llevaban las mujeres, dejándola pendiente a la espalda.

Siguiente. (Del lat. *sequens, -entis*.) p. a. de **Seguir.** Que sigue. || **2.** adj. Ulterior, posterior.

Sijú. m. Ave rapaz nocturna de las Antillas, de unos 16 centímetros de largo, con lomo blanco manchado de puntos rojos, cabeza y vientre blancos con manchas pardas, cuello, pecho y muslos rojos con rayas obscuras, y ojos de color amarillo verdoso.

Sil. (Del lat. *sil*.) m. **Ocre,** 1.ª acep.

Sílaba. (Del lat. *syllăba*, y éste del gr. συλλαβή.) f. Sonido o sonidos articulados que constituyen un solo núcleo fónico entre dos depresiones sucesivas de la emisión de voz. || **2.** *Mús.* Cada uno de los dos o tres nombres de notas que se añaden a las siete primeras letras del alfabeto para designar los diferentes modos musicales. || **abierta. Sílaba libre.** || **aguda.** *Pros.* La acentuada o en que carga la pronunciación. || **breve.** *Pros.* La de menor duración en las lenguas que como el latín y el griego se sirven regularmente de dos medidas de cantidad silábica. || **cerrada. Sílaba trabada.** || **larga.** *Pros.* La de mayor duración en las lenguas que como el latín y el griego se sirven regularmente de dos medidas de cantidad silábica. || **libre.** La que termina en vocal, como las de *paso.* || **postónica.** *Pros.* La átona que en el vocablo viene detrás de la tónica. || **protónica.** *Pros.* La átona que en el vocablo precede a lo tónica. || **tónica.** *Pros.* La que tiene el acento prosódico. || **trabada.** La que termina en consonante, como las de *pastor.*

Silabar. intr. Silabear.

Silabario. m. Librito o cartel con sílabas sueltas y palabras divididas en sílabas, que sirve para enseñar a leer.

Silabear. intr. Ir pronunciando separadamente cada sílaba. Ú. t. c. tr.

Silabeo. m. Acción y efecto de silabear.

Silábico, ca. adj. Perteneciente a la sílaba.

Silabizar. (Del lat. *syllabizāre.*) intr. ant. **Silabear.**

Sílabo. (Del lat. *syllăbus.*) m. Índice, lista, catálogo.

Silanga. f. *Filip.* Brazo de mar largo y estrecho que separa dos islas.

Silba. f. Acción de silbar, 3.ª acep.

Silbador, ra. adj. Que silba. Ú. t. c. s.

Silbante. p. a. de **Silbar,** que silba. ‖ **2.** adj. **Sibilante.**

Silbar. (Del lat. *sibilāre.*) intr. Dar o producir silbos o silbidos. ‖ **2.** Agitar el aire, y herir una cosa con violencia, de que resulta un sonido como de silbo. ‖ **3.** fig. Manifestar desagrado y desaprobación el público, con silbidos u otras demostraciones ruidosas. Ú. t. c. tr. SILBAR *a un actor, a un orador, una comedia, un discurso.*

Silbatina. f. *Argent., Chile* y *Perú.* Silba, rechifla.

Silbato. (Del lat. *sibilātus.*) m. Instrumento pequeño y hueco que se hace de diferentes modos y de diversas materias, y que soplando en él con fuerza suena como el silbo. ‖ **2.** Rotura pequeña por donde respira el aire o se rezuma un líquido.

Silbido. m. **Silbo.** ‖ **de oídos.** Sonido o ruido, a manera de silbo, que se percibe en los oídos por causa de una indisposición.

Silbo. (Del lat. *sibilus.*) m. Sonido agudo que hace el aire. ‖ **2.** Sonido agudo que resulta de hacer pasar con fuerza el aire por la boca con los labios fruncidos o con los dedos colocados en ella convenientemente. ‖ **3.** Sonido de igual clase que se hace soplando con fuerza en un cuerpo hueco, como silbato, llave, etc. ‖ **4.** Voz aguda y penetrante de algunos animales; como la de la serpiente. ‖ **5.** *And.* Silbato hecho de adelfa.

Silbón. (De *silbar.*) m. Ave palmípeda semejante a la cerceta, que vive en las costas y lanza un sonido fuerte. Se domestica con facilidad.

Silboso, sa. (De *silbar.*) adj. Que silba o forma el ruido de silbido.

Silenciar. tr. Callar, omitir, pasar en silencio.

Silenciario, ria. (Del lat. *silentiarius.*) adj. Que guarda y observa continuo silencio. ‖ **2.** m. Persona destinada para cuidar del silencio o la quietud de la casa o del templo.

Silenciero, ra. adj. Que cuida de que se observe silencio. Ú. t. c. s.

Silencio. (Del lat. *silentium.*) m. Abstención de hablar. ‖ **2.** fig. Falta de ruido. *El* SILENCIO *de los bosques, del claustro, de la noche.* ‖ **3.** fig. Efecto de no hablar por escrito. *El* SILENCIO *de los historiadores contemporáneos; el* SILENCIO *de la ley; escríbeme cuanto antes, porque tan largo* SILENCIO *me tiene con cuidado.* ‖ **4.** *For.* Desestimación tácita de una petición o recurso por el mero vencimiento del plazo que la administración pública tiene para resolver. ‖ **5.** *Mús.* **Pausa,** 3.ª y 4.ª aceps. ‖ **Perpetuo silencio.** *For.* Fórmula con que se prohibe al actor que vuelva a deducir la acción o a instar sobre ella. ‖ **En silencio.** m. adv. fig. Sin protestar, sin quejarse. *Sufrir* EN SILENCIO. ‖ **Entregar** uno una cosa **al silencio.** fr. fig. Olvidarla, callarla, no hacer más mención de ella. ‖ **Imponer** uno **silencio.** fr. Tratándose de personas, hacerlas callar. ‖ **2.** fig. Tratándose de pasiones, reprimirlas. ‖ **Pasar** uno **en silencio** una cosa. fr. Omitirla, callarla, no hacer mención de ella cuando se habla o escribe.

Silenciosamente. adv. m. Con silencio. ‖ **2.** Secreta o disimuladamente.

Silencioso, sa. (Del lat. *silentiōsus.*) adj. Dícese del que calla o tiene hábito de callar. ‖ **2.** Aplícase al lugar o tiempo en que hay o se guarda silencio. ‖ **3.** Que no hace ruido.

Silente. adj. Silencioso, tranquilo, sosegado.

Silepsis. (Del lat. *syllepsis,* y este del gr. σύλληψις, comprensión.) f. *Gram.* Figura de construcción que consiste en quebrantar las leyes de la concordancia en el género o el número de las palabras. *Vuestra Beatitud* (femenino) *es justo* (masculino); *la mayor parte* (singular) *murieron* (plural). ‖ **2.** *Ret.* Tropo que consiste en usar a la vez una misma palabra en sentido recto y figurado; v. gr.: *Poner a uno más* SUAVE *que un guante.*

Silería. f. Lugar donde están los silos.

Silero. m. **Silo.**

Silesiano, na. adj. **Silesio.** Apl. a pers., ú. t. c. s.

Silesio, sia. adj. Natural de Silesia. Ú. t. c. s. ‖ **2.** Perteneciente a esta región de Alemania.

Sílex. m. **Pedernal,** 1.ª acep.

Sílfide. (De *silfo.*) f. Ninfa, ser fantástico o espíritu elemental del aire, según los cabalistas.

Silfo. (Del lat. *sylfi, -ōrum,* silfo, genio, entre los galos.) m. Ser fantástico, espíritu elemental del aire, según los cabalistas.

Silga. (De *silgar.*) f. **Sirga.**

Silgar. (Del m. or. que *singlar.*) tr. *Mar.* **Sirgar.** ‖ **2.** intr. *Mar.* **Singar.**

Silguero. (Del lat. *silibum,* cardo.) m. **Jilguero.**

Silicato. (Del lat. *silex, -icis.*) m. *Quím.* Sal compuesta de ácido silícico y una base.

Sílice. (Del lat. *silex, icis.*) f. *Quím.* Combinación del silicio con el oxígeno. Si es anhidra, forma el cuarzo, y si es hidratada, el ópalo.

Silíceo, a. (Del lat. *siliceus.*) adj. De sílice o semejante a ella.

Silícico, ca. adj. *Quím.* Perteneciente o relativo a la sílice. ‖ **2.** *Quím.* V. **Ácido silícico.**

Silicio. m. Metaloide que se extrae de la sílice, amarillento, infusible, insoluble en el agua y más pesado que ella.

Silicosis. f. Neumoconiosis producida por el polvo de sílice.

Silicua. (Del lat. *siliqua.*) f. Peso antiguo, que era de cuatro granos. ‖ **2.** *Bot.* Fruto simple, seco, abridero, bivalvo, cuyas semillas se hallan alternativamente adheridas a las dos suturas; como el de la mostaza y el alhelí.

Silícula. (Del lat. *silicŭla.*) f. *Bot.* Silicua casi tan larga como ancha; como el fruto de la coclearia.

Silingo, ga. (Del lat. *Silingi.*) adj. Dícese del individuo de un pueblo de raza germánica que antiguamente habitó entre el Elba y el Óder, al norte de Bohemia, y en el siglo v se unió con otros para invadir el mediodía de Europa. Ú. m. c. s. y en pl. ‖ **2.** Perteneciente a este pueblo.

Silo. (Del lat. *sīrus.*) m. Lugar subterráneo y seco en donde se guarda el trigo u otros granos, semillas o forrajes. Modernamente se construyen depósitos semejantes sobre el terreno. ‖ **2.** fig. Cualquier lugar subterráneo, profundo y obscuro.

Silogismo. (Del lat. *syllogismus,* y éste del gr. συλλογισμός.) m. *Lóg.* Argumento que consta de tres proposiciones, la última de las cuales se deduce necesariamente de las otras dos. ‖ **cornuto.** *Lóg.* **Argumento cornuto.**

Silogístico, ca. (Del lat. *syllogistĭcus,* y éste del gr. συλλογιστικός.) adj. *Lóg.* Perteneciente al silogismo. ‖ **2.** V. **Forma silogística.**

Silogizar. (Del lat. *syllogizāre,* y éste del gr. συλλογίζω.) intr. Disputar, argüir con silogismos o hacerlos.

Silonia. f. *Ál.* **Nueza.**

Silueta. (Del fr. *silhouette,* de *Silhouette,* que se hizo célebre en 1754 como inspector del Tesoro, y del cual tomaron nombre muchas monedas de su tiempo.) f. Dibujo sacado siguiendo los contornos de la sombra de un objeto. ‖ **2.** Forma que presenta a la vista la masa de un objeto más obscuro que el fondo sobre el cual se proyecta. ‖ **3. Perfil,** 5.ª acep.

Siluriano, na. adj. **Silúrico.**

Silúrico, ca. (Del lat. *Silūres,* nombre de un pueblo celta que habitó el país de Gales, en la Gran Bretaña.) adj. *Geol.* Dícese de cierto terreno sedimentario, que se considera como uno de los más antiguos. Ú. t. c. s. ‖ **2.** *Geol.* Perteneciente a este terreno.

Siluro. (Del lat. *silūrus,* y éste del gr. σίλουρος.) m. *Zool.* Pez teleósteo fluvial, del suborden de los fisóstomos, parecido a la anguila, con la boca muy grande y rodeada de seis u ocho apéndices como barbillas, de color verde obscuro, de unos cinco metros de largo y muy voraz. ‖ **2.** *Mar.* fig. Torpedo automóvil.

Silva. (Del lat. *silva,* selva.) f. Colección de varias materias o especies, escritas sin método ni orden. ‖ **2.** Combinación métrica en que ordinariamente alternan con los versos endecasílabos los heptasílabos, y en que pueden emplearse algunos libres o sueltos de cualquiera de estas dos medidas, y aconsonantarse los demás sin sujeción a un orden prefijado. ‖ **3.** Composición poética escrita en **silva.** ‖ **4.** desus. **Selva.** ‖ **5.** *Sal.* **Zarza.** ‖ **6.** ant. **Serba.** Ú. en *León.*

Silvano. (Del lat. *silvānus.*) m. *Mit.* Semidiós de las selvas.

Silvático, ca. adj. **Selvático.**

Silvestre. (Del lat. *silvestris.*) adj. Criado naturalmente y sin cultivo en selvas o campos. ‖ **2.** Inculto, agreste y rústico. ‖ **3.** V. **Aceituno, arveja, asno, ave, cerezo, gallo, grosellero, lechuga, miel, mosqueta, mostaza, níspero, olivo, paloma, pimienta, pimiento, puerro, rábano, rosal, vid silvestre.** ‖ **4.** V. **Albahaca silvestre mayor.** ‖ **5.** V. **Albahaca silvestre menor.**

Silvicultor. (Del lat. *silva,* selva, y *cultor,* cultivador.) m. El que profesa la silvicultura o tiene en ella especiales conocimientos.

Silvicultura. (Del lat. *silva,* selva, y *cultūra,* cultivo.) f. Cultivo de los bosques o montes. ‖ **2.** Ciencia que trata de este cultivo.

Silvoso, sa. (Del lat. *silvōsus.*) adj. **Selvoso.**

Silla. (Del lat. *sella.*) f. Asiento con respaldo, por lo general con cuatro patas, y en que sólo cabe una persona. ‖ **2.** Aparejo para montar a caballo, formado por una armazón de madera, cubierta generalmente de cuero y rellena de crin o pelote. ‖ **3. Sede,** 1.ª acep. ‖ **4.** Dignidad de Papa y otras eclesiásticas. ‖ **5.** V. **Obispo de la primera silla.** ‖ **6.** fig. V. **Hombre de ambas,** o **de todas, sillas.** ‖ **7.** fig. y fam. **Ano.** ‖ **bastarda.** La usada en tiempos antiguos, y que se distinguía principalmente porque en ella se llevaban las piernas menos estiradas que cabalgando a la brida y más que cabalgando a la jineta. ‖ **curul. Silla** de marfil, en donde se sentaban los ediles romanos. ‖ **2.** fig. La que ocupa la persona que ejerce una elevada magistratura o dignidad. ‖ **de caderas.** ant. **Silla** con respaldo y brazos para recostarse. ‖ **de la reina.** Asiento que forman entre dos con las cuatro manos, asiendo cada uno su muñeca y la del otro. || **de manos.** Vehículo con asiento para una persona, a manera de caja de coche, y el cual, sostenido en dos varas largas, es llevado por hombres. || **2.** *Argent., Colomb. C. Rica* y *Chile.* **Silla de la reina.** || **de montar.** **Silla,** 2.ª acep. || **de posta.** Carruaje en que se corría la posta. Las había de dos y de cuatro ruedas. || **de tijera.** La que tiene el asiento por lo general de tela y las patas cruzadas en aspa de manera que puede plegarse. || **gestatoria.** **Silla** portátil que usa el Papa en ciertos actos de gran ceremonia. || **jineta.** La que sólo se distingue de la común en que los borrenes son más altos y menos distantes, las aciones más cortas y mayores los estribos. Sirve para montar a la jineta. || **poltrona.** La más baja de brazos que la común, y de más amplitud y comodidad. || **turca.** *Anat.* Escotadura en forma de **silla** que ofrece el hueso esfenoides. || **volante.** Carruaje de dos ruedas y de dos asientos, puesto sobre dos varas, de que regularmente tira un caballo, sobre cuyo sillín entra el correón. || **Dar silla** uno **a** otro fr. fig. Hacer que se siente en su presencia. || **De silla a silla.** m. adv. con que se explica el modo de hablar de dos o más personas en conferencia privada. || **No ser** uno **para silla ni para albarda.** fr. fig. y fam. No ser a propósito para cosa alguna, o ser enteramente inhábil. || **Pegársele** a uno **la silla.** fr. fig. y fam. Estarse mucho tiempo en una parte; detenerse mucho en una visita. || **Topaste en la silla: por acá, tía.** ref. que aconseja que el que encuentra peligros graves en lo que solicita o emprende, desista de lo empezado, o aplique otros medios más seguros.

Sillada. f. Rellano en la ladera de un monte.

Sillar. (De *silla.*) m. Cada una de las piedras labradas, por lo común en figura de paralelepípedo rectángulo, que forman parte de una construcción de sillería. || **2.** Parte del lomo de la caballería, donde sienta la silla, el albardón, etc. || **de hoja.** *Cant.* El que no ocupa todo el grueso del muro. || **lleno.** *Cant.* El que tiene igual grueso en el paramento que en el tizón.

Sillarejo. m. d. de **Sillar,** 1.ª acep. Dícese especialmente del que no atraviesa todo el grueso del muro y no tiene sino un paramento o dos cuando más.

Sillera. f. desus. Sitio para guardar las sillas de manos. || **2.** Mujer que cuida de las sillas en las iglesias.

Sillería. f. Conjunto de sillas iguales o de sillas, sillones y canapés de una misma clase, con que se amuebla una habitación. || **2.** Conjunto de asientos unidos unos a otros; como los del coro de las iglesias, los de las salas capitulares, etc. || **3.** Taller donde se fabrican sillas. || **4.** Tienda donde se venden. || **5.** Oficio de sillero.

Sillería. f. Fábrica hecha de sillares asentados unos sobre otros y en hileras. || **2.** Conjunto de estos sillares.

Sillero, ra. m. y f. Persona que se dedica a hacer sillas o a venderlas.

Silleta. f. d. de **Silla.** || **2.** Vaso para excretar en la cama los enfermos. || **3.** Piedra sobre la cual se labra o muele el chocolate. || **4.** *Albac.* y *Ar.* **Silla de la reina.** || **5.** *Amér.* **Silla,** 1.ª acep. || **6.** pl. *Ar.* **Jamugas.**

Silletazo. (De *silleta.*) m. Golpe dado con una silla.

Sillete. m. *Rioja.* Banquillo de anea o paja con cuatro patas unidas por travesaños.

Silletero. (De *silleta.*) m. Cada uno de los portadores de la silla de manos. || **2.** desus. **Sillero.** Ú. en *Amér.* y *León.*

Silletín. m. d. de **Silleta** o **Sillete.** || **2.** *León* y *Zam.* Escabel, banqueta pequeña para apoyar los pies el que está sentado.

Sillico. (d. de *silla.*) m. Bacín o vaso para excrementos.

Sillín. (d. de *silla.*) m. Jamuga cómoda y lujosa, hecha de madera fina labrada. || **2.** Silla de montar más ligera y sencilla que la común y algo menos que el galápago. || **3.** Especie de silla muy pequeña que lleva la caballería de varas. || **4.** Asiento que tiene la bicicleta y otros vehículos análogos para montar en ellos.

Sillón. m. aum. de **Silla.** || **2.** Silla de brazos, mayor y más cómoda que la ordinaria. || **3.** Silla de montar construida de modo que una mujer pueda ir sentada en ella como en una silla común.

Sima. f. Cavidad grande y muy profunda en la tierra. || **2.** **Escocia,** 2.° art.

Simado, da. (De *sima.*) adj. *And.* Aplícase a las tierras hondas.

Simaruba. f. *Bot. Argent., Colomb.* y *C. Rica.* Árbol corpulento de la familia de las simarubáceas, cuya corteza se emplea en infusión como febrífugo.

Simarubáceo, a. (De *simaruba,* nombre de un género de plantas.) adj. *Bot.* Dícese de árboles o arbustos, angiospermos dicotiledóneos, casi todos de países cálidos, y que suelen contener principios amargos en su corteza; con hojas comúnmente esparcidas, flores regulares unisexuales, rara vez hermafroditas, fruto generalmente en drupa y semillas sin albumen; como la cuasia. Ú. t. c. s. f. || **2.** f. pl. *Bot.* Familia de estas plantas.

Simbionte. adj. *Biol.* Dícese de los individuos asociados en simbiosis. Ú. t. c. s. m.

Simbiosis. (Del gr. σύν, con, y βίωσις, medios de subsistencia.) f. *Biol.* Asociación de individuos animales o vegetales de diferentes especies, en la que ambos asociados o simbiontes sacan provecho de la vida en común.

Simbiótico, ca. (De *simbiosis.*) adj. *Biol.* Perteneciente o relativo a la simbiosis.

Simbol. m. *Argent.* Gramínea de tallos largos y flexibles que se usan para hacer cestos.

Simbólicamente. adv. m. De manera simbólica. || **2.** Por medio de símbolos.

Simbólico, ca. (Del lat. *symbolĭcus,* y éste del gr. συμβολικός.) adj. Perteneciente o relativo al símbolo o expresado por medio de él.

Simbolismo. m. Sistema de símbolos con que se representan creencias, conceptos o sucesos. || **2.** Escuela poética, aparecida en Francia a fines del siglo XIX, que elude nombrar concretamente los objetos y prefiere sugerirlos o evocarlos, elevándose hasta una trascendencia vagamente simbólica y musical.

Simbolista. com. Persona que gusta de usar símbolos. || **2.** Poeta y, por ext., artista afiliado al simbolismo, 2.ª acep.

Simbolizable. adj. Que es propio para expresarse con un símbolo.

Simbolización. f. Acción y efecto de simbolizar.

Simbolizar. (De *símbolo.*) tr. Servir una cosa como símbolo de otra, representarla y explicarla por alguna relación o semejanza que entre ellas hay. || **2.** intr. desus. Parecerse, asemejarse una cosa a otra.

Símbolo. (Del lat. *symbŏlum,* y éste del gr. σύμβολον.) m. Imagen, figura o divisa con que materialmente o de palabra se representa un concepto moral o intelectual, por alguna semejanza o correspondencia que el entendimiento percibe entre este concepto y aquella imagen. || **2.** Dicho sentencioso. || **3.** ant. **Santo y seña.** || **4.** *Quím.* Letra o letras convenidas con que se designa un cuerpo simple. || **5.** *Numism.* Emblemas o figuras accesorias que se añaden al tipo en las monedas y medallas. || **de la fe,** o **de los Apóstoles.** **Credo,** 1.ª acep.

Simetría. (Del lat. *symetrĭa,* y éste del gr. συμμετρία, de σύμμετρος; de σύν, con, y μέτρον, medida.) f. Proporción adecuada de las partes de un todo entre sí y con el todo mismo. || **2.** Armonía de posición de las partes o puntos similares unos respecto de otros, y con referencia a punto, línea o plano determinado. || **3.** *Geom.* V. **Eje de simetría.**

Simétricamente. adv. m. Con simetría.

Simétrico, ca. (Del gr. συμμετρικός.) adj. Perteneciente a la simetría. || **2.** Que la tiene.

Simia. (Del lat. *simĭa.*) f. Hembra del simio.

Símico, ca. adj. Perteneciente o relativo al simio.

Simiente. (Del lat. *sementis.*) f. **Semilla.** || **2.** **Semen.** || **3.** V. **Carnero, puerco de simiente.** || **de papagayos. Alazor.** || **Guardar** a una persona o cosa **para simiente de rábanos.** fr. fig. y fam. con que se zahiere a quien la guarda para ocasión que no ha de llegar. || **No haber de quedar** uno **para simiente de rábanos.** fr. fig. y fam. Haber de morir.

Simienza. (Del lat. *sementis,* semilla.) f. **Sementera.**

Simiesco, ca. adj. Que se asemeja al simio.

Símil. (Del lat. *simĭlis.*) adj. p. us. Semejante, parecido a otro. || **2.** m. Comparación, semejanza entre dos cosas. || **3.** *Ret.* Figura que consiste en comparar expresamente una cosa con otra, para dar idea viva y eficaz de una de ellas.

Similar. (De *símil.*) adj. Que tiene semejanza o analogía con una cosa.

Similicadencia. (Del lat. *simĭlis,* semejante, y de *cadencia.*) f. *Ret.* Figura que consiste en emplear al fin de dos o más cláusulas, o miembros del período, nombres en el mismo caso de la declinación, verbos en igual modo o tiempo y persona, o palabras de sonido semejante.

Similirrate. (Del lat. macarrónico *simĭlis ratus,* parecido a la rata.) m. *Germ.* Ladroncillo temeroso.

Similitud. (Del lat. *similitudo.*) f. **Semejanza,** 1.ª acep.

Similitudinario, ria. (Del lat. *similitudo, -ĭnis.*) adj. Dícese de lo que tiene similitud con otra cosa. || **2.** V. **Bigamia similitudinaria.**

Similor. (De *símil* y *oro.*) m. Aleación que se hace fundiendo cinc con tres, cuatro o más partes de cobre, y que tiene el color y el brillo del oro. || **De similor.** m. adv. Falso, fingido, que aparenta mejor calidad que la que tiene.

Simio. (Del lat. *simĭus.*) m. **Mono,** 2.° art., 2.ª acep. || **2.** pl. *Zool.* Suborden de estos animales.

Simón. (De *Simón,* nombre de un alquilador de coches en Madrid.) adj. V. **Coche simón.** Ú. t. c. s. || **2.** V. **Cochero simón.** Ú. t. c. s.

Simonía. (De *Simón Mago.*) f. Compra o venta deliberada de cosas espirituales, como los sacramentos y sacramentales, o temporales inseparablemente anejas a las espirituales, como las prebendas y beneficios eclesiásticos. || **2.** Propósito de efectuar dicha compraventa.

Simoniacamente. adv. m. Con simonía.

Simoniaco, ca [Simoníaco, ca]. (Del b. lat. *simoniacus.*) adj. Perteneciente a la simonía. || **2.** Que la comete. Ú. t. c. s.

Simoniático, ca. adj. **Simoniaco.** Ú. t. c. s.

Simpa. (Voz quichua.) f. *Argent.* y *Perú.* **Trenza,** 1.ª y 2.ª aceps.

Simpatía. (Del lat. *sympathĭa,* y éste del gr. συμπάθεια, comunidad de sentimientos.) f.

Conformidad, inclinación o analogía en una persona respecto de los afectos o sentimientos de otra. || **2.** Modo de ser y carácter de una persona que la hacen atractiva o agradable a las demás. || **3.** *Med.* Relación de actividad fisiológica y patológica de algunos órganos que no tienen entre sí conexión directa.

Simpáticamente. adv. m. Con simpatía.

Simpático, ca. (De *simpatía.*) adj. Que inspira simpatía. || **2.** V. **Tinta simpática.** || **3.** *Mús.* Dícese de la cuerda que resuena por sí sola cuando se hace sonar otra. || **Gran simpático.** *Anat.* Conjunto de nervios que rigen el funcionamiento visceral y que forman con el nervio neumogástrico o vago el sistema nervioso de la vida vegetativa o independiente de la voluntad.

Simpatizador, ra. adj. Que simpatiza.

Simpatizante. p. a. de **Simpatizar.** Que simpatiza. Ú. t. c. s.

Simpatizar. (De *simpatía.*) intr. Sentir simpatía.

Simple. (Del lat. *simplex.*) adj. Sin composición. || **2.** Hablando de las cosas que pueden ser dobles o estar duplicadas, aplícase a las sencillas. SIMPLE *muralla.* || **3.** V. **Beneficio simple.** || **4.** V. **Avería, cerato, fiesta, garrucha, interés, polea, rito, voto simple.** || **5.** V. **Simple promesa.** || **6.** V. **Simple sacerdote.** || **7.** Dícese del traslado o copia de una escritura, instrumento público o cosa semejante, que se saca sin firmar ni autorizar. || **8.** fig. Desabrido, falto de sazón y de sabor. || **9.** fig. Manso, apacible e incauto. Ú. t. c. s. || **10.** fig. Mentecato y de poco discurso. Ú. t. c. s. || **11.** *Arit.* V. **Número simple.** || **12.** *For.* V. **Renunciación simple.** || **13.** *Gram.* Aplícase a la palabra que no se compone de otras de la lengua a que ella pertenece. || **14.** *Gram.* V. **Cláusula, tiempo simple.** || **15.** *Mec.* V. **Movimiento simple.** || **16.** *Quím.* V. **Cuerpo simple.** || **17.** m. Material cualquiera de procedencia orgánica o inorgánica, que sirve por sí solo a la medicina, o que entra en la composición de un medicamento.

Simplemente. adv. m. Con simpleza o sencillez. || **2.** Absolutamente, sin condición alguna.

Simpleza. (De *simple.*) f. Bobería, necedad. || **2.** desus. Rusticidad, tosquedad, desaliño. || **3.** ant. **Simplicidad.**

Simplicidad. (Del lat. *simplicĭtas, -ātis.*) f. Sencillez, candor. || **2.** Calidad de simple, 1.ª acep.

Simplicísimo, ma. (Del lat. *simplicissĭmus.*) adj. sup. de **Simple.**

Simplicista. adj. **Simplista,** 1.ª acep. Apl. a pers., ú. t. c. s.

Simplificable. adj. Susceptible de simplificación.

Simplificación. f. Acción y efecto de simplificar.

Simplificador, ra. adj. Que simplifica.

Simplificar. (Del lat. *simplex,* simple, sencillo, y *facĕre,* hacer.) tr. Hacer más sencilla, más fácil o menos complicada una cosa.

Simplísimo, ma. adj. sup. de **Simple,** especialmente en sus aceps. 9.ª y 10.ª

Simplismo. m. Calidad de simplista.

Simplista. adj. Que simplifica o tiende a simplificar. Apl. a pers., ú. t. c. s. || **2.** com. *Med.* Persona que escribe o trata de los simples.

Simplón, na. adj. fam. aum. de **Simple,** 10.ª acep. || **2.** Sencillo, ingenuo. Ú. t. c. s.

Simulación. (Del lat. *simulatĭo, -ōnis.*) f. Acción de simular. || **2.** *For.* Alteración aparente de la causa, la índole o el objeto verdaderos de un acto o contrato.

Simulacro. (Del lat. *simulacrum.*) m. Imagen hecha a semejanza de una cosa o persona, especialmente sagrada. || **2.** Especie que forma la fantasía. || **3.** desus. Modelo, dechado. Ú. en *Venez.* || **4.** *Mil.* Acción de guerra, fingida para adiestrar las tropas.

Simuladamente. adv. m. Con simulación.

Simulador, ra. (Del lat. *simulātor, -ōris.*) adj. Que simula. Ú. t. c. s.

Simular. (Del lat. *simulāre.*) tr. Representar una cosa, fingiendo o imitando lo que no es.

Simultáneamente. adv. m. Con simultaneidad.

Simultanear. (De *simultáneo.*) tr. Realizar en el mismo espacio de tiempo dos operaciones o propósitos. || **2.** Cursar al mismo tiempo dos o más asignaturas correspondientes a distintos años académicos o a diferentes facultades.

Simultaneidad. f. Calidad de simultáneo.

Simultáneo, a. (Del lat. *simul,* juntamente, a una.) adj. Dícese de lo que se hace u ocurre al mismo tiempo que otra cosa. *Posesión* SIMULTÁNEA.

Simún. (Del ár. *samūm,* viento cálido y pestilencial.) m. Viento abrasador que suele soplar en los desiertos de África y de Arabia.

Sin. (Del lat. *sine.*) prep. separat. y negat. que denota carencia o falta. || **2.** Fuera de o además de. *Llevó tanto en dinero,* SIN *las alhajas.* || **3.** Cuando se junta con el infinitivo del verbo, vale lo mismo que **no** con su participio o gerundio. *Me fui* SIN *comer;* esto es, *no habiendo comido.*

Sin. (Del gr. σύν, con.) prep. insep. que significa unión o simultaneidad. SÍN*tesis,* SIN*crónico.*

Sinabafa. f. Tela parecida a la holanda, que se usó antiguamente.

Sinagoga. (Del lat. *synagōga,* y éste del gr. συναγωγή, de συνάγω, reunir, congregar.) f. Congregación o junta religiosa de los judíos. || **2.** Casa en que se juntan los judíos a orar y a oir la doctrina de Moisés. || **3.** fig. **Conciliábulo,** 2.ª acep.

Sinalagmático, ca. (Del gr. συναλλαγματικός, perteneciente al contrato.) adj. *For.* **Bilateral.**

Sinalefa. (Del lat. *synaloepha,* y éste del gr. συναλοιφή, de συναλείφω, confundir, mezclar.) f. Trabazón o enlace de sílabas por el cual se forma una sola de la última de un vocablo y de la primera del siguiente cuando aquél acaba en vocal y éste empieza con letra de igual clase, precedida o no de *h* muda.

Sinamay. (Voz tagala.) m. Tela muy fina que se fabrica en Filipinas con las fibras más delicadas del abacá y de la pita.

Sinamayera. f. La que vende sinamay y otras telas en Filipinas.

Sinapismo. (Del lat. *sinapismus,* y éste del gr. σιναπισμός, de σίναπι, mostaza.) m. *Med.* Tópico hecho con polvo de mostaza. || **2.** fig. y fam. Persona o cosa que molesta o exaspera.

Sinario. m. p. us. Sino, pronóstico.

Sinartrosis. (Del gr. συνάρθρωσις, de συναρθρόω, articular.) f. *Zool.* Articulación no movible, como la de los huesos del cráneo.

Sincerador, ra. adj. Que sincera. Ú. t. c. s.

Sinceramente. adv. m. Con sinceridad.

Sincerar. (Del lat. *sincerāre,* purificar.) tr. Justificar la inculpabilidad de uno en el dicho o hecho que se le atribuye. Ú. m. c. r.

Sinceridad. (Del lat. *sincerĭtas, -ātis.*) f. Sencillez, veracidad, modo de expresarse libre de fingimiento.

Sincero, ra. (Del lat. *sincērus.*) adj. Ingenuo, veraz y sin doblez. || **2.** ant. Puro, sin mezcla de materia extraña.

Síncopa. (Del lat. *syncŏpa,* y éste del gr. συγκοπή, de συγκόπτω, cortar, reducir.) f. *Gram.* Supresión de uno o más sonidos dentro de un vocablo, como en *navidad* por *natividad.* Era figura de dicción según la preceptiva tradicional. || **2.** *Mús.* Enlace de dos sonidos iguales, de los cuales el primero se halla en el tiempo o parte débil del compás, y el segundo en el fuerte.

Sincopadamente. adv. m. Con síncopa.

Sincopado, da. p. p. de **Sincopar.** || **2.** adj. *Mús.* Dícese de la nota que se halla entre dos o más notas de menos valor, pero que juntas valen tanto como ella. Toda sucesión de notas sincopadas toma un movimiento contrario al orden natural; es decir, que va a contratiempo. || **3.** Dícese del ritmo o canto que tiene notas **sincopadas.**

Sincopal. adj. *Med.* V. **Fiebre sincopal.**

Sincopar. tr. *Gram.* y *Mús.* Hacer síncopa. || **2.** fig. **Abreviar,** 1.ª acep.

Síncope. (Del lat. *syncŏpe,* y éste del gr. συγκοπή.) m. *Gram.* **Síncopa.** || **2.** *Med.* Pérdida repentina del conocimiento y de la sensibilidad, debida a la suspensión súbita y momentánea de la acción del corazón.

Sincopizar. tr. *Med.* Causar síncope. Ú. t. c. r.

Sincrético, ca. adj. Perteneciente o relativo al sincretismo.

Sincretismo. (Del gr. συγκρητισμός, coalición de dos adversarios contra un tercero; de σύν, con, y κρητίζω, obrar o hablar como un cretense; ser impostor.) m. Sistema filosófico que trata de conciliar doctrinas diferentes.

Sincrónico, ca. (Del gr. σύγχρονος; de σύν, con, y χρόνος, tiempo.) adj. Dícese de las cosas que ocurren, suceden o se verifican al mismo tiempo.

Sincronismo. (Del gr. συγχρονισμός.) m. Circunstancia de ocurrir, suceder o verificarse dos o más cosas al mismo tiempo.

Sincronizar. tr. Hacer que coincidan en el tiempo dos o más movimientos o fenómenos.

Sindáctilo. (Del gr. σύν, junto, y δάκτυλος, dedo.) adj. *Zool.* Dícese de los pájaros que tienen el dedo externo unido al medio hasta la penúltima falange y el pico largo y ligero; como el abejaruco. Ú. t. c. s. || **2.** m. pl. *Zool.* Suborden de estos animales.

Sindéresis. (Del gr. συντήρησις, de συντηρέω, observar, examinar.) f. Discreción, capacidad natural para juzgar rectamente.

Síndica. f. *Seg.* Mujer que en las fiestas de Santa Águeda ostenta un cargo representativo, y auxilia a la alcaldesa.

Sindicable. adj. Que puede sindicarse.

Sindicación. f. Acción y efecto de sindicar o sindicarse.

Sindicado. m. Junta de síndicos.

Sindicador, ra. adj. Que sindica. Ú. t. c. s.

Sindical. adj. Perteneciente o relativo al síndico. || **2.** Perteneciente o relativo al sindicato.

Sindicalismo. m. Sistema de organización obrera por medio del sindicato.

Sindicalista. adj. Perteneciente o relativo al sindicalismo. || **2.** com. Partidario del sindicalismo.

Sindicar. (De *síndico.*) tr. Acusar o delatar. || **2.** Poner una nota, tacha o sospecha. || **3.** Sujetar una cantidad de dinero o cierta clase de valores o mercancías a compromisos especiales para negociarlos o venderlos. || **4.** Ligar varias personas de una misma profesión, o de intereses comunes, para formar un sindicato. || **5.** r. Entrar a formar parte de un sindicato.

Sindicato. m. Sindicado. || **2.** Asociación formada para la defensa de intereses económicos o políticos comunes a todos los asociados. Dícese especialmente de las asociaciones obreras organizadas bajo estrecha obediencia y compromisos rigurosos.

Sindicatura. f. Oficio o cargo de síndico. || **2.** Oficina del síndico.

Síndico. (Del lat. *syndĭcus*, y éste del gr. σύνδικος; de σύν, con, y δίκη, justicia.) m. Sujeto que en un concurso de acreedores o en una quiebra es el encargado de liquidar el activo y el pasivo del deudor. || **2.** El que tiene el dinero de las limosnas que se dan a los religiosos mendicantes. || **3. Procurador síndico.** || **4.** Persona elegida por una comunidad o corporación para cuidar de sus intereses.

Síndrome. (Del gr. συνδρομή, concurso.) m. Conjunto de síntomas característicos de una enfermedad.

Sinécdoque. (Del lat. *synecdŏche*, y éste del gr. συνεκδοχή, de συνεκδέχομαι, recibir juntamente.) f. *Ret.* Tropo que consiste en extender, restringir o alterar de algún modo la significación de las palabras, para designar un todo con el nombre de una de sus partes, o viceversa; un género con el de una especie, o al contrario; una cosa con el de la materia de que está formada, etc.; v. gr.: *Cuarenta velas*, por *cuarenta naves; el pan*, por *toda clase de alimento; el bronce*, por *el cañón* o *la campana*.

Sinecura. (Del lat. *sine cura*, sin cuidado.) f. Empleo o cargo retribuido que ocasiona poco o ningún trabajo.

Sinedrio. (Del gr. συνέδριον.) m. **Sanedrín.**

Sine qua non. (Lit., *sin la cual no.*) expr. lat. V. **Condición sine qua non.**

Sinéresis. (Del lat. *synaerĕsis*, y éste del gr. συναίρεσις, de συναιρέω, tomar con.) f. *Gram.* Reducción a una sola sílaba, en una misma palabra, de vocales que normalmente se pronuncian en sílabas distintas, como *aho-ra* por *a-ho-ra*. La **sinéresis** en el verso es considerada como licencia poética por la preceptiva tradicional.

Sinergia. (Del gr. συνεργία, cooperación.) f. *Fisiol.* Concurso activo y concertado de varios órganos para realizar una función.

Sinestesia. (Del gr. σύν, junto, y αἴσθησις, sensación.) f. *Fisiol.* Sensación secundaria o asociada que se produce en una parte del cuerpo a consecuencia de un estímulo aplicado en otra parte del mismo. || **2.** *Psicol.* Imagen o sensación subjetiva, propia de un sentido, determinada por otra sensación que afecta a un sentido diferente.

Sinfín. m. Infinidad, sinnúmero.

Sinfisandrios. (Del gr. σύμφυσις, unión, y ἀνήρ, ἀνδρός, masculino.) adj. *Bot.* Dícese de los estambres de una flor cuando están soldados entre sí por sus filamentos y por sus anteras. Ú. sólo en pl.

Sínfisis. (Del gr. σύμφυσις, unión.) f. *Zool.* Conjunto de partes orgánicas que aseguran la unión de dos superficies óseas. || **2.** *Med.* Pegadura de dos órganos o tejidos a consecuencia de una inflamación.

Sínfito. (Del lat. *symphȳtum*, y éste del gr. σύμφυτον.) m. **Consuelda.**

Sinfonía. (Del lat. *symphonĭa*, y éste del gr. συμφωνία, de σύμφωνος, que une su voz, acorde, unánime.) f. Conjunto de voces, de instrumentos, o de ambas cosas, que suenan acordes a la vez. || **2.** Composición instrumental para orquesta. || **3.** Pieza de música instrumental, que precede, por lo común, a las óperas y otras obras teatrales. || **4.** Nombre que en lo antiguo se aplicaba indistintamente a ciertos instrumentos músicos. || **5.** fig. Colorido acorde, armonía de los colores. || **6.** *Sant.* **Acordeón.**

Sinfónico, ca. adj. Perteneciente o relativo a la sinfonía.

Sinfonista. com. Persona que compone sinfonías. || **2.** Persona que toma parte en su ejecución.

Singa. f. *Mar.* Acción y efecto de singar.

Singar. intr. *Mar.* Remar con un remo armado en la popa de una embarcación manejado de tal modo que produzca un movimiento de avance.

Singenésicos. (Del gr. σύν, junto, y γένεσις, generación.) adj. *Bot.* Dícese de los estambres de una flor cuando están soldados entre sí por sus anteras. Ú. sólo en pl.

Singladura. (De *singlar*.) f. *Mar.* Distancia recorrida por una nave en veinticuatro horas, que ordinariamente empiezan a contarse desde las doce del día. || **2.** *Mar.* En las navegaciones, intervalo de veinticuatro horas que empiezan ordinariamente a contarse al ser mediodía.

Singlar. (Del ant. nórdico *sigla*, navegar.) intr. *Mar.* Navegar, andar la nave con rumbo determinado.

Single. (Del ingl. *single*, y éste del lat. *singŭlus*, singular, solo.) adj. *Mar.* Dícese del cabo que se emplea sencillo, como la braza, el amantillo, etc., cuando uno de sus extremos está atado al penol de la verga.

Singlón. (Del ingl. *singlon*, y éste del lat. *cingŭlum*, ceñidor.) m. *Mar.* **Genol.**

Singular. (Del lat. *singulāris*.) adj. **Único**, 1.ª acep. || **2.** fig. Extraordinario, raro o excelente. || **3.** *Ar.* Particular, individuo, vecino. Ú. t. c. s. || **4.** *For.* V. **Testigo singular.** || **5.** *Gram.* V. **Número singular.** Ú. t. c. s. || **En singular.** m. adv. **En particular.**

Singularidad. (Del lat. *singularĭtas, -ātis*.) f. Calidad de singular. || **2.** Particularidad, distinción o separación de lo común.

Singularizar. (De *singular*.) tr. Distinguir o particularizar una cosa entre otras. || **2.** *Gram.* Dar número singular a palabras que ordinariamente no lo tienen; v. gr.: *el rehén*. || **3.** r. Distinguirse, particularizarse o apartarse del común.

Singularmente. adv. m. Separadamente, particularmente.

Singulto. (Del lat. *singultus*.) m. **Sollozo.** || **2.** *Med.* **Hipo**, 1.ª acep.

Sinhueso. f. fam. Lengua, en cuanto es órgano de la palabra.

Sínico, ca. adj. **Chino.** Aplícase a cosas.

Siniestra. (Del lat. *sinistra*.) f. **Izquierda.**

Siniestramente. adv. m. De manera siniestra.

Siniestro, tra. (Del lat. *sinister, -tri*.) adj. Aplícase a la parte o sitio que está a la mano izquierda. || **2.** V. **Mano siniestra.** || **3.** fig. Avieso y malintencionado. || **4.** fig. Infeliz, funesto o aciago. || **5.** m. Propensión o inclinación a lo malo; resabio, vicio o dañada costumbre que tiene el hombre o la bestia. Ú. m. en pl. || **6.** Avería grave, destrucción fortuita o pérdida importante que sufren las personas o la propiedad, especialmente por muerte, incendio o naufragio.

Sinistro, tra. adj. ant. **Siniestro**, 1.ª acep.

Sinistrórsum. (Voz latina.) adv. l. Hacia la izquierda. Dícese de las formas y movimientos helicoidales.

Sinjusticia. (De *sin*, 1.er art., y *justicia*.) f. ant. **Injusticia.** Ú. como vulgar en *And.*, *Ar.* y *P. Rico.*

Sinnúmero. (De *sin*, 1.er art., y *número*). m. Número incalculable de personas o cosas. *Hubo un* SINNÚMERO *de desgracias.*

Sino. (Del lat. *sĭgnum*.) m. **Signo**, 5.ª acep. || **2.** ant. **Signo**, 1.ª acep.

Sino. (De *si*, 4.° art., y *no*.) conj. advers. con que se contrapone a un concepto negativo otro afirmativo. *No lo hizo Juan*, SINO *Pedro; no es azul*, SINO *verde; no quiero que venga*, SINO *que no vuelva a ponerse delante de mí.* En esta acepción suele juntarse con modos adverbiales de sentido adversativo, como *al contrario*, *antes bien*, etc. *No quiero que venga*, SINO, *al contrario* (o *antes bien*), *que no vuelva por aquí.* || **2.** Denota a veces idea de excepción. *Nadie lo sabe* SINO *Antonio.* || **3.** Con la negación que le preceda, suele equivaler a **solamente** o **tan sólo.** NO *te pido* SINO *que me oigas con paciencia*, o lo que es lo mismo: *Te pido* SOLAMENTE, O TAN SÓLO, *que me oigas*, etc. || **4.** Precedido del modo adverbial *no sólo*, denota adición de otro u otros miembros a la cláusula. NO SÓLO por *entendido*, SINO *por afable, modesto y virtuoso, merece ser muy estimado.* En casos como éste, suele acompañarse del adverbio *también*. NO SÓLO *por entendido*, SINO TAMBIÉN *por afable*, etc. || **5.** m. desus. Pero, defecto, lunar.

Sinoble. (Del lat. *sinōpis, -ĭdis*, y éste del gr. σινωπίς, tierra de Sinope.) adj. *Blas.* **Sinople.** Ú. t. c. s.

Sinocal. (De *sínoco*.) adj. *Med.* V. **Fiebre sinocal.** Ú. t. c. s.

Sínoco, ca. (Del lat. *synŏchus*, y éste del gr. Σύνοχος, continuo, de συνέχω, tener, retener con.) adj. *Med.* V. **Fiebre sínoca.** Ú. t. c. s.

Sinodal. (Del lat. *synodālis*.) adj. Perteneciente al sínodo. Aplícase regularmente a las decisiones de los sínodos, y entonces se usa como substantivo femenino por elipsis de *constitución*. || **2.** V. **Examinador sinodal.** Ú. t. c. s. || **3.** V. **Testigo sinodal.**

Sinodático. m. Tributo que en señal de obediencia pagaban anualmente al obispo todos los eclesiásticos seculares cuando iban al sínodo.

Sinódico, ca. (Del lat. *synodĭcus*, y éste del gr. συνοδικός.) adj. Perteneciente o relativo al sínodo. || **2.** *Astron.* V. **Mes lunar sinódico.**

Sínodo. (Del lat. *synŏdus*, y éste del gr. σύνοδος; de σύν, con, y ὁδός, camino.) m. **Concilio**, 3.ª acep. || **2.** Junta de eclesiásticos que nombra el ordinario para examinar a los ordenandos y confesores. || **3.** Junta de ministros protestantes encargados de decidir sobre asuntos eclesiásticos. || **4.** *Astron.* Conjunción de dos planetas en el mismo grado de la Eclíptica o en el mismo círculo de posición. || **diocesano.** Junta del clero de una diócesis, convocada y presidida por el obispo para tratar de asuntos eclesiásticos. || **Santo sínodo.** Asamblea de la iglesia rusa.

Sinología. f. Estudio de la lengua, la literatura y las instituciones de China.

Sinólogo. (Del gr. Σίνα, la China, y λόγος, doctrina.) m. El que profesa la sinología.

Sinonimia. (Del lat. *synonymĭa*, y éste del gr. συνωνυμία.) f. Circunstancia de ser sinónimos dos o más vocablos. || **2.** *Ret.* Figura que consiste en usar adrede voces sinónimas o de significación semejante, para amplificar o reforzar la expresión de un concepto.

Sinónimo, ma. (Del lat. *synonȳmus*, y éste del gr. συνώνυμος; de σύν, con, y ὄνομα, nombre.) adj. Dícese de los vocablos y expresiones que tienen una misma o muy parecida significación. Ú. t. c. s. m.

Sinopense. adj. Natural de Sinope, ciudad de la Turquía asiática. Ú. t. c. s. || **2.** Sinópico.

Sinópico, ca. (Del lat. *sinopicus*.) adj. Perteneciente a Sinope. || **2.** V. **Rúbrica sinópica.**

Sinople. (Del fr. *sinople*, y éste del m. or. que *sinoble*.) adj. *Blas.* Color heráldico que en pintura se representa por el verde y en el grabado por líneas oblicuas y paralelas a una que va desde el cantón diestro del jefe al siniestro de la punta. Ú. t. c. s. m.

Sinopsis. (Del lat. *synopsis*, y éste del gr. σύνοψις; de σύν, con, y ὄψις, vista.) f. Compendio o resumen de una ciencia o tratado, expuesto en forma sinóptica.

Sinóptico, ca. (Del lat. *synoptĭcus*, y éste del gr. συνοπτικός.) adj. Dícese de lo presentado con brevedad y claridad, de tal modo que a primera vista permita apreciar las diversas partes de un todo. *Cuadro* SINÓPTICO; *tabla* SINÓPTICA.

Sinovia. (Del b. lat. *synovia*.) f. *Zool.* Humor viscoso que lubrica las articulaciones de los huesos.

Sinovial. adj. *Zool.* Dícese de las glándulas que secretan la sinovia y de lo concerniente a ella. || **2.** *Zool.* V. **Cápsula sinovial.**

Sinovitis. f. *Med.* Inflamación de la membrana sinovial de las grandes articulaciones.

Sinrazón. (De *sin*, 1.er art., y *razón*.) f. Acción hecha contra justicia y fuera de lo razonable o debido. || **A sinrazón.** m. adv. ant. **Injustamente.**

Sinsabor. (De *sin*, 1.er art., y *sabor*.) m. **Desabor.** || **2.** fig. Pesar, desazón, pesadumbre.

Sinsonte. (Del mejic. *cenzontle*, que tiene cuatrocientas voces.) m. Pájaro americano semejante al mirlo, pero de plumaje pardo y con las extremidades de las alas y de la cola, el pecho y vientre blancos. Su canto es muy variado y melodioso.

Sinsorgo, ga. (Del vasc. *zenzurgue*.) adj. *Ál.*, *Murc.* y *Vizc.* Dícese de la persona insubstancial y de poca formalidad. Ú. t. c. s.

Sinsubstancia. com. fam. Persona insubstancial o frívola.

Sintáctico, ca. (Del gr. συντακτικός.) adj. *Gram.* Perteneciente o relativo a la sintaxis.

Sintaxis. (Del lat. *syntaxis*, y éste del gr. σύνταξις, de συντάσσω, coordinar.) f. *Gram.* Parte de la gramática, que enseña a coordinar y unir las palabras para formar las oraciones y expresar conceptos. Divídese en **regular** y **figurada.** La primera pide que este enlace se haga del modo más lógico y sencillo. La segunda autoriza el uso de las figuras de construcción para dar a la expresión del pensamiento más vigor o elegancia. La **figurada** no es, como pudiera creerse, hija de caprichoso artificio: empléase, por el contrario, instintivamente en el lenguaje hablado.

Síntesis. (Del lat. *synthĕsis*, y éste del gr. σύνθεσις.) f. Composición de un todo por la reunión de sus partes. || **2.** Suma y compendio de una materia o cosa. || **3.** *Quím.* Formación de una substancia compuesta mediante la combinación de elementos químicos o de substancias más sencillas.

Sintéticamente. adv. m. De manera sintética.

Sintético, ca. (Del gr. συνθετικός.) adj. Perteneciente o relativo a la síntesis. || **2.** Que procede componiendo, o que pasa de las partes al todo. || **3.** Dícese de productos obtenidos por procedimientos industriales, generalmente una síntesis química, que reproducen la composición y propiedades de algunos cuerpos naturales. *Petróleo* SINTÉTICO.

Sintetizable. adj. Que se puede sintetizar.

Sintetizador, ra. adj. Que sintetiza.

Sintetizar. (Del gr. συνθετίζομαι.) tr. Hacer síntesis.

Sintoísmo. (Del japonés *shinto*, camino de los dioses.) m. Religión primitiva y popular de los japoneses.

Síntoma. (Del lat. *symptōma*, y éste del gr. σύμπτωμα.) m. *Med.* Fenómeno revelador de una enfermedad. || **2.** fig. Señal, indicio de una cosa que está sucediendo o va a suceder.

Sintomático, ca. (Del gr. συμπτωματικός.) adj. Perteneciente al síntoma. || **2.** V. **Fiebre sintomática.**

Sintonía. (Del gr. σύν, con, y τόνος, tono.) f. **Sintonismo.**

Sintónico, ca. adj. Sintonizado.

Sintonismo. m. Cualidad de sintónico.

Sintonización. f. Acción y efecto de sintonizar.

Sintonizador. m. *Electr.* Sistema que permite aumentar o disminuir la longitud de onda propia del aparato receptor, adaptándolo a la longitud de las ondas que se trata de recibir.

Sintonizar. tr. En la telegrafía sin hilos, hacer que el aparato de recepción vibre al unísono con el de transmisión. || **2.** *Radio.* Adaptar convenientemente las longitudes de onda de dos o más aparatos.

Sinuosidad. f. Calidad de sinuoso. || **2.** Seno, 1.a y 2.a aceps.

Sinuoso, sa. (Del lat. *sinuōsus*.) adj. Que tiene senos, ondulaciones o recodos. || **2.** fig. Dícese del carácter de las acciones que tratan de ocultar el propósito o fin a que se dirigen.

Sinusitis. (Del lat. *sinus*.) f. Inflamación de los senos del cráneo.

Sinvergüencería. f. fam. Desfachatez, falta de vergüenza.

Sinvergüenza. (De *sin* y *vergüenza*.) adj. Pícaro, bribón. Ú. t. c. s.

Sionismo. m. Aspiración de los judíos a recobrar la Palestina como patria. || **2.** Organización internacional de los judíos para lograr esta aspiración.

Sionista. adj. Perteneciente o relativo al sionismo. || **2.** Partidario del sionismo. Ú. t. c. s.

Sipedón. m. **Sepedón.**

Sipia. (Del lat. *sēpia*.) f. *Murc.* Jibia o calamar.

Siquíatra [Siquiatra]. m. *Med.* **Psiquíatra.**

Siquiatría. f. **Psiquiatría.**

Síquico, ca. adj. **Psíquico.**

Siquier. (Del lat. *si quier[e]*.) conj. **Siquiera.**

Siquiera. (De *si*, conj., y *quiera*, 3.a pers. de sing. del pres. de subj. del verbo *querer*.) conj. advers. que equivale a **bien que** o **aunque.** *Hazme este favor,* SIQUIERA *sea el último.* || **2.** Ú. como conjunción distributiva, equivaliendo a **o, ya** u otra semejante. SIQUIERA *venga,* SIQUIERA *no venga.* || **3.** adv. c. y m. que más ordinariamente y en cierto modo equivale a **por lo menos** en conceptos afirmativos, y a **tan sólo** en conceptos negativos, y con el cual se expresa o denota en uno y otro caso idea de limitación o restricción. *Déme usted media paga* SIQUIERA; *no tengo una peseta* SIQUIERA.

Siracusano, na. (Del lat. *syracusānus*.) adj. Natural de Siracusa. Ú. t. c. s. || **2.** Perteneciente a esta ciudad de Sicilia.

Sirena. (Del lat. *siren*, y éste del gr. σειρήν.) f. Cualquiera de las ninfas marinas con busto de mujer y cuerpo de ave, que extraviaban a los navegantes atrayéndolos con la dulzura de su canto. Algunos artistas la representan impropiamente con medio cuerpo de mujer y el otro medio de ave o de pez. || **2.** *Fís.* Instrumento que sirve para contar el número de vibraciones de un cuerpo sonoro en tiempo determinado. || **3.** Pito que se oye a mucha distancia y que se emplea en los buques, automóviles, fábricas, etc., para avisar.

Sirenio. (Del lat. *sirenĭus*, de *siren*, sirena.) adj. *Zool.* Dícese de mamíferos marinos que tienen el cuerpo pisciforme y terminado en una aleta caudal horizontal, con extremidades torácicas en forma de aletas y sin extremidades abdominales; las aberturas nasales en el extremo del hocico y mamas pectorales; como el manatí. Ú. t. c. s. m. || **2.** m. pl. *Zool.* Orden de estos animales.

Sirga. (De *silga*.) f. *Mar.* Maroma que sirve para tirar las redes, para llevar las embarcaciones desde tierra, principalmente en la navegación fluvial, y para otros usos. || **2.** V. **Camino de sirga.** || **A la sirga.** m. adv. *Mar.* Dícese de la embarcación que navega tirada de una cuerda o **sirga** desde la orilla.

Sirgar. (De *silgar*.) tr. Llevar a la sirga una embarcación.

Sirgo. (Del lat. *serĭcum*, seda, obra de seda.) m. Seda torcida. || **2.** Tela hecha o labrada de seda.

Sirgo, ga. adj. *Ast.* y *León.* Aplícase a las reses que tienen el pelo con manchas blancas y negras.

Sirguero. (De *silguero*.) m. **Jilguero.**

Siriaco, ca [Siríaco, ca]. (Del lat. *syriăcus*.) adj. Natural de Siria. Ú. t. c. s. || **2.** Perteneciente a esta región de Asia. || **3.** Dícese especialmente de la lengua hablada por los antiguos **siriacos.** Ú. t. c. s. m.

Siriano, na. adj. ant. **Siriaco.** Apl. a pers., usáb. t. c. s.

Sirimiri. m. *Ál.*, *Nav.* y *Vizc.* Llovizna, calabobos.

Siringa. f. poét. Especie de zampoña, compuesta de varios tubos de caña que forman escala musical y van sujetos unos al lado de otros. || **2.** *Bol.* y *Perú.* Árbol de la familia de las euforbiáceas, de unos 40 metros de altura. Del tronco, mediante incisiones, se extrae un jugo lechoso, que produce la goma elástica.

Siringe. (Del gr. σύριγξ, -γγος, siringa.) f. *Zool.* Aparato de fonación que tienen las aves en el lugar en que la tráquea se bifurca para formar los bronquios; está muy desarrollada en las aves cantoras.

Sirio. (Del lat. *Sirĭus*, y éste del gr. Σείριος, ardiente.) m. *Astron.* Estrella de primera magnitud, la más brillante de todo el cielo, en la constelación del Can Mayor.

Sirio, ria. (Del lat. *syrĭus*.) adj. **Siriaco.** Apl. a pers., ú. t. c. s. || **2.** V. **Granate sirio.**

Sirle. (Del m. or. que *sirria*.) m. Excremento del ganado lanar y cabrío.

Sirmiense. (Del lat. *sirmiensis*.) adj. Natural de Sirmio. Ú. t. c. s. || **2.** Perteneciente a esta antigua ciudad, metrópoli de la Panonia.

Siro, ra. (Del lat. *syrus*.) adj. **Siriaco.** Apl. a pers., ú. t. c. s.

Siroco. (Del m. or. que *jaloque*.) m. **Sudeste,** 2.a acep.

Sirria. (En cat. *aixerri*.) f. **Sirle.**

Sirte. (Del gr. σύρτις, de σύρω, barrer, arrastrar en pos de sí.) f. Bajo de arena.

Sirventés. (Del prov. *sirventes*.) m. **Serventesio,** 1.a acep.

Sirvienta. (De *sirviente*.) f. Mujer dedicada al servicio doméstico.

Sirviente. (Del lat. *serviens*, *-entis*, p. a. de *servīre*, servir.) p. a. de **Servir.** Que sirve. Ú. t. c. s. || **2.** adj. *For.* V. **Predio sirviente.** || **3.** m. **Servidor,** 1.a y 2.a aceps.

Sisa. (Del lat. *scissa*, cortada.) f. Parte que se defrauda o se hurta, especialmente en la compra diaria de comestibles y otras cosas menudas. || **2.** Sesgadura hecha en la tela de las prendas de vestir para que ajusten bien al cuerpo, y especialmente corte curvo correspondiente a la parte de los sobacos. || **3.** Impuesto que se cobraba sobre géneros comestibles, menguando las medidas.

Sisa. (Del fr. *assise*, cosa asentada.) f. Mordente de ocre o bermellón cocido con aceite de linaza, que usan los doradores para fijar los panes de oro.

Sisa. f. *Ar.* **Sisón,** 1.er art.

Sisador, ra. adj. Que sisa. Ú. t. c. s.

Sisallo. m. **Caramillo,** 3.a acep.

Sisar. tr. Cometer la defraudación o el hurto llamado sisa. || **2.** Hacer sisas en las prendas de vestir. || **3.** Acortar o rebajar las medidas de los comestibles en proporción al impuesto de la sisa.

Sisar. (De *sisa*, 2.° art.) tr. Preparar con la sisa lo que se ha de dorar.

Sisardo. m. *Ar.* Gamuza de los Pirineos.

Sisca. *And.*, *Ar.* y *Murc.* Cisca, carrizo.

Sisear. (Voz onomatopéyica.) intr. Emitir repetidamente el sonido inarticulado de *s* y *ch*, por lo común para manifestar desaprobación o desagrado. Ú. t. c. tr. SISEAR *una escena, a un orador.*

Sisella. f. *Ar.* **Paloma torcaz.**

Siseo. m. Acción y efecto de sisear. Ú. m. en pl.

Sisero. m. Empleado en la cobranza de la sisa.

Sisimbrio. (Del lat. *sisymbrĭum*, y éste del gr. σισύμβριον.) m. **Jaramago.**

Sísmico, ca. (Del gr. σεισμός, agitación.) adj. Perteneciente o relativo al terremoto.

Sismo. (De *seismo.*) m. Terremoto o sacudida de la tierra producida por causas internas.

Sismógrafo. (Del gr. σεισμός, agitación, y γράφω, describir.) m. Instrumento que señala durante un sismo la dirección y amplitud de las oscilaciones y sacudimientos de la tierra.

Sismología. (Del gr. σεισμός, agitación, y λόγος, tratado.) f. Parte de la geología, que trata de los terremotos.

Sismológico, ca. adj. Perteneciente o relativo a la sismología.

Sismómetro. (Del gr. σεισμός, agitación, y μέτρον, medida.) m. Instrumento que sirve para medir durante el terremoto la fuerza de las oscilaciones y sacudimientos.

Sisón. m. Ave del orden de las zancudas, de unos 45 centímetros de largo, cabeza pequeña, pico y patas amarillos, plumaje leonado con rayas negras en la espalda y cabeza, y blanco en el vientre y en los bordes de las alas y la cola. Es común en España, se alimenta de insectos, tiene el vuelo tardo, anda con mucha ligereza y su carne es comestible.

Sisón, na. adj. fam. Que frecuentemente sisa. Ú. t. c. s.

Sistema. (Del lat. *systema*, y éste del gr. σύστημα.) m. Conjunto de reglas o principios sobre una materia enlazados entre sí. || **2.** Conjunto de cosas que ordenadamente relacionadas entre sí contribuyen a determinado objeto. || **3.** *Biol.* Conjunto de órganos que intervienen en alguna de las principales funciones vegetativas. **Sistema** *nervioso.* || **acusatorio.** *For.* Ordenamiento procesal que veda al juzgador exceder la acusación en la condena, o le exige para hacerlo oir previamente a las partes. || **astático.** El formado por dos agujas imantadas que se colocan con los polos invertidos y los ejes paralelos para que aquél resulte insensible a la acción directriz de la Tierra. || **cegesimal.** El que tiene por unidades fundamentales el centímetro, el gramo y el segundo. || **inquisitivo.** El que, a diferencia del acusatorio, permite al juzgador exceder la acusación y aun condenar sin ella. || **métrico decimal.** El de pesas y medidas que tiene por base el metro y en el cual las unidades de una misma naturaleza son 10, 100, 1.000, 10.000 veces mayores o menores que la unidad principal de cada clase. Dícese comúnmente **sistema métrico.** || **nervioso.** *Zool.* Conjunto de órganos, de los que unos reciben excitaciones del exterior, otros las transforman en impulsos nerviosos, y otros conducen éstos a los lugares del cuerpo en que han de ejercer su acción. || **planetario.** Conjunto del Sol y sus planetas, satélites y cometas. || **solar. Sistema planetario.**

Sistemáticamente. adv. m. De modo sistemático.

Sistemático, ca. (Del lat. *systematĭcus*, y éste del gr. συστηματικός.) adj. Que sigue o se ajusta a un sistema. || **2.** Dícese de la persona que procede por principios, y con rigidez en su tenor de vida o en sus escritos, opiniones, etc.

Sistematización. f. Acción y efecto de sistematizar.

Sistematizar. (Del lat. *systēma, -ātis*, sistema.) tr. Reducir a sistema.

Sístilo. (Del lat. *systȳlos*, y éste del gr. σύστυλος, de σύν, con, y στύλος, columna.) adj. *Arq.* Dícese del edificio o monumento cuyos intercolumnios tienen cuatro módulos de claro.

Sístole. (Del lat. *systŏle*, y éste del gr. συστολή, de συστέλλω, contraer, reducir.) f. Licencia poética que consiste en usar como breve una sílaba larga. || **2.** *Fisiol.* Movimiento de contracción del corazón y de las arterias para empujar la sangre que contienen.

Sistólico, ca. adj. *Fisiol.* Perteneciente o relativo a la sístole, 2.ª acep.

Sistro. (Del lat. *sistrum*, y éste del gr. σεῖστρον.) m. Instrumento músico de metal, usado por los antiguos, en forma de aro o de herradura y atravesado por varillas, que se hacía sonar agitándolo con la mano.

Sitácida. adj. *Zool.* **Psitácida.**

Sitacismo. m. **Psitacismo.**

Sitacosis. f. *Med.* **Psitacosis.**

Sitiado, da. p. p. de **Sitiar.** Ú. t. c. s.

Sitiador, ra. adj. Que sitia una plaza o fortaleza. Ú. t. c. s.

Sitial. (De *sitio*, 1.er art.) m. Asiento de ceremonia, especialmente el que usan en actos solemnes ciertas personas constituidas en dignidad. || **2.** desus. Taburete, especialmente el que se solía poner en el estrado de las señoras.

Sitiar. (Del ant. sajón *sittian*, asentarse.) tr. Cercar una plaza o fortaleza para combatirla y apoderarse de ella. || **2.** fig. Cercar a uno tomándole o cerrándole todas las salidas para cogerle o rendir su voluntad.

Sitibundo, da. (Del b. lat. *sitibundus*, y éste del lat. *sitīre*, estar sediento.) adj. poét. **Sediento.**

Sitiero, ra. m. y f. *Cuba.* Persona que posee un sitio o casería.

Sitio. (Del lat. *situs*, situación, sitio.) m. **Lugar,** 1.ª acep. || **2.** Paraje o terreno determinado que es a propósito para alguna cosa. || **3.** Casa campestre o hacienda de recreo de un personaje. || **4.** *Cuba* Estancia pequeña dedicada al cultivo y a la cría de animales domésticos. || **real.** Palacio, casa de recreo o de salud con dependencias y aledaños que eran propiedad de los reyes y les servían de residencia eventual. || **Dejar** a uno **en el sitio.** fr. fig. Dejarle muerto en el acto. || **Poner sitio.** fr. Sitiar, asediar. || **Quedarse** uno **en el sitio.** fr. fig. Morir en el mismo punto y hora en que le hieren o en que le ocurre cualquier otro accidente repentino.

Sitio. m. Acción y efecto de sitiar. || **2.** V. **Artillería de sitio.** || **Levantar el sitio.** fr. Desistir del de una plaza sitiada.

Sitios. adj. pl. V. **Bienes sitios.**

Sito, ta. (Del lat. *situs*, p. p. de *sinĕre*, dejar.) adj. Situado o fundado. || **2.** V. **Bienes sitos.**

Situación. (De *situar.*) f. Acción y efecto de situar. || **2.** Disposición de una cosa respecto del lugar que ocupa. || **3. Situado,** 2.ª acep. || **4.** Estado o constitución de las cosas y personas. || **activa.** La del funcionario que está prestando de hecho, real y positivamente, algún servicio al Estado. || **pasiva.** La de la persona que se encuentra cesante, jubilada, excedente, de reemplazo, de cuartel, en la reserva, retirada del servicio, etc.

Situado, da. p. p. de **Situar.** || **2.** m. Salario, sueldo o renta señalados sobre algunos bienes productivos.

Situar. (Del lat. *situs*, sitio, posición.) tr. Poner a una persona o cosa en determinado sitio o situación. Ú. t. c. r. || **2.** Asignar o determinar fondos para algún pago o inversión.

Siú. m. *Chile.* Pájaro muy semejante al jilguero.

Siútico, ca. adj. fam. *Chile.* Dícese de la persona que presume de fina y elegante, o que procura imitar en sus costumbres y modales a las clases más elevadas de la sociedad.

So. (Contrac. de *seó.*) m. fam. Se usa solamente seguido de adjetivos despectivos con los cuales se increpa a alguna persona y sirve para reforzar la significación de aquéllos.

So. (Del lat. *sŭus.*) pron. poses. ant. **Su.**

So. (Del lat. *sŭb.*) prep. Bajo, debajo de. Hoy tiene uso con los substantivos *capa, color, pena*, etc. so *capa de;* so *color de;* so *pena de.* || **2.** prep. insep. **Sub.**

¡So! interj. que se emplea para hacer que se paren o detengan las caballerías.

Soalzar. tr. p. us. Alzar ligeramente.

Soasar. (De *so*, 3.er art., 2.ª acep., y *asar.*) tr. Medio asar o asar ligeramente.

Soba. f. Acción y efecto de sobar. || **2.** fig. Aporreamiento o zurra.

Sobacal. adj. Perteneciente o relativo al sobaco. || **2. Axilar.**

Sobaco. (Del lat. *subbrachĭa;* de *sub*, debajo de, y *brachĭum*, brazo.) m. Concavidad que forma el arranque del brazo con el cuerpo. || **2. Axila,** 1.ª acep. || **3. Enjuta,** 1.ª acep. || **4.** Pez plectognato semejante al pez ballesta.

Sobadero, ra. adj. Que se puede sobar. || **2.** m. Sitio destinado a sobar las pieles en las fábricas de curtidos.

Sobado, da. p. p. de **Sobar.** || **2.** adj. Aplícase al bollo o torta a cuya masa se ha agregado aceite o manteca. Ú. t. c. s. || **3.** fig. Manido, muy usado. || **4.** m. **Sobadura.** || **5.** *C. Rica.* Especie de melcocha que se hace batiendo la miel de inferior calidad.

Sobadura. (De *sobar.*) f. **Soba,** 1.ª acep.

Sobajadura. f. Acción y efecto de sobajar.

Sobajamiento. (De *sobajar.*) m. **Sobajadura.**

Sobajanero. (De *sobajar.*) m. *And.* Mozo que sirve en los cortijos para ir por el recado al pueblo.

Sobajar. (De *sobar.*) tr. Manosear una cosa con fuerza, ajándola.

Sobajeo. m. Acción y efecto de sobajar.

Sobanda. (De *so*, 3.er art., y *banda.*) f. Superficie curva del tonel, que está más distante respecto del que lo labra o lo mira.

Sobandero. m. *Colomb.* Algebrista, curandero que concierta los huesos dislocados.

Sobaquera. f. Abertura que se deja en algunos vestidos, en la unión de la manga y cuerpo a la parte del sobaco. || **2.** Pieza con que se refuerza el vestido, interior o exteriormente, por la parte que corresponde al sobaco. || **3.** Pieza de tela impermeable con que se resguarda del sudor la parte del vestido correspondiente al sobaco. || **Coger** uno **las sobaqueras.** fr. fig. y fam. **Coger** a uno **el pan bajo el sobaco.**

Sobaquido. (De *sobaco.*) m. *Germ.* Hurto que se lleva debajo del brazo.

Sobaquillo. m. d. de **Sobaco.** || **De sobaquillo.** m. adv. *Taurom.* Modo de poner banderillas dejando pasar la cabeza del toro y clavándolas el diestro hacia atrás al mismo tiempo que emprende la huida. || **2.** Modo de lanzar piedras por debajo del brazo izquierdo apartado del cuerpo.

Sobaquina. f. Sudor de los sobacos, que tiene un olor característico y desagradable.

Sobar. (Del lat. **sŭbagĕre*, por *subigĕre*.) tr. Manejar y oprimir una cosa repetidamente a fin de que se ablande o suavice. || **2.** fig. Castigar, dando algunos golpes. || **3.** fig. Palpar, manosear a una persona. || **4.** fig. y fam. Molestar, fastidiar con trato impertinente.

Sobarba. (De *so*, 3.er art., y *barba*.) f. **Muserola.** || **2. Papada,** 1.ª acep.

Sobarbada. (De *sobarba*.) f. **Sofrenada.** || **2.** fig. Reprensión que se da a uno con palabras ásperas.

Sobarbo. (Del lat. *sub arbŏre*, debajo del árbol.) m. **Álabe,** 5.ª acep.

Sobarcar. (Del lat. *sub*, so, 3.er art., y *brachĭum*, brazo.) tr. Poner o llevar debajo del sobaco una cosa que hace bulto. || **2.** Levantar o subir hacia los sobacos los vestidos.

Sobejanía. (De *sobejano*.) f. ant. Sobra, demasía, exceso.

Sobejano, na. (De *sobejo*.) adj. ant. Sobrado, excesivo, extremado.

Sobejo, ja. (Del lat. *super*, sobre.) adj. ant. **Sobejano.** || **2.** m. pl. **Sobra,** 3.ª acep.

Sobeo. (Del lat. *subiugĭum*.) m. Correa fuerte con que se ata al yugo la lanza del carro o el timón del arado.

Soberado. m. desus. **Sobrado,** 5.ª acep. Ú. en *Amér.* y *And.*

Soberanamente. adv. m. Con soberanía. || **2.** Extremadamente, altamente.

Soberanear. intr. Mandar o dominar a modo de soberano.

Soberanía. (De *soberano*.) f. Calidad de soberano, 1.ª acep. || **2.** Autoridad suprema del poder público. || **3.** Alteza o excelencia no superada en cualquier orden inmaterial. || **4.** ant. Orgullo, soberbia o altivez. || **nacional.** La que, según algunas teorías de derecho político, corresponde al pueblo, de quien se supone emanan todos los poderes del Estado, aunque se ejerzan por representación.

Soberanidad. f. ant. **Soberanía.**

Soberano, na. (Del b. lat. **sŭperānus*.) adj. Que ejerce o posee la autoridad suprema e independiente. Apl. a pers., ú. t. c. s. || **2.** Elevado, excelente y no superado. || **3.** ant. Altivo, soberbio o presumido.

Soberbia. (Del lat. *superbia*.) f. Elación de ánimo y apetito desordenado de ser preferido a otros. || **2.** Satisfacción y desvanecimiento en contemplación de las propias prendas con menosprecio de los demás. || **3.** Exceso en la magnificencia, suntuosidad o pompa, especialmente hablando de los edificios. || **4.** Cólera e ira expresadas con acciones descompuestas o palabras altivas e injuriosas. || **5.** ant. Palabra o acción injuriosa.

Soberbiamente. adv. m. Con soberbia.

Soberbiar. (De *soberbia*.) intr. ant. **Ensoberbecerse.**

Soberbio, bia. (Del lat. *superbus*, infl. por *soberbia*.) adj. Que tiene soberbia o se deja llevar de ella. || **2.** Altivo, arrogante y elevado. || **3.** fig. Alto, fuerte o excesivo en las cosas inanimadas. || **4.** fig. Grandioso, magnífico. || **5.** Fogoso, orgulloso y violento. Aplícase ordinariamente a los caballos.

Soberbiosamente. adv. m. **Soberbiamente.**

Soberbioso, sa. (De *soberbia*.) adj. **Soberbio.**

Sobermejo, ja. adj. Bermejo obscuro.

Sobina. (Del lat. *sŭpīna*, t. f. de *sŭpīnus*.) f. Clavo de madera.

Sobo. m. **Soba.**

Sobón, na. (De *sobar*.) adj. fam. Que por su excesiva familiaridad, caricias y halagos se hace fastidioso. Ú. t. c. s. || **2.** fam. Dícese de la persona taimada y que elude el trabajo. Ú. t. c. s.

Sobordo. m. Revisión de la carga de un buque para confrontar las mercancías con la documentación. || **2.** Libro o documento en que el capitán del barco anota todos los efectos o mercancías que constituyen el cargamento. || **3.** Remuneración adicional que, en tiempo de guerra, se paga a cada uno de los tripulantes y equivale a un tanto por ciento del valor de los fletes.

Sobornable. adj. Que puede ser sobornado.

Sobornación. (De *sobornar*.) f. **Soborno.**

Sobornado, da. (Del lat. **sŭpĕrnātus*, de *sŭpĕrnus*.) adj. V. **Pan sobornado.**

Sobornador, ra. (Del lat. *subornātor*.) adj. Que soborna. Ú. t. c. s.

Sobornal. (De *soborno*, 2.° art.) m. **Sobrecarga,** 1.ª acep.

Sobornar. (Del lat. *sŭbŏrnāre*.) tr. Corromper a uno con dádivas para conseguir de él una cosa.

Soborno. (De *sobornar*.) m. Acción y efecto de sobornar. || **2.** Dádiva con que se soborna. || **3.** fig. Cualquier cosa que mueve, impele o excita el ánimo para inclinarlo a complacer a otro.

Soborno. (Del lat. *sŭpĕrnus*, superior.) m. *Bol.* y *Chile.* **Sobornal.**

Sobra. (De *sobrar*.) f. Demasía y exceso en cualquier cosa sobre su justo ser, peso o valor. || **2.** Demasía, injuria, agravio. || **3.** pl. Lo que queda de la comida al levantar la mesa. || **4.** Por ext., lo que sobra o queda de otras cosas. || **5.** Desperdicios o desechos. || **De sobra.** m. adv. Abundantemente, con exceso o con más de lo necesario. || **2.** Por demás, sin necesidad.

Sobradamente. adv. c. **De sobra.**

Sobradar. tr. Poner sobrado a los edificios.

Sobradero. m. *Ál.*, *Ar.* y *Logr.* Desaguadero o canal por donde se facilita la salida del agua de una acequia cuando hay sobrante.

Sobradillo. (d. de *sobrado*.) m. **Guardapolvo,** 3.ª acep.

Sobrado, da. p. p. de **Sobrar.** || **2.** adj. Demasiado, que sobra. || **3.** Atrevido, audaz y licencioso. || **4.** Rico y abundante de bienes. || **5.** m. **Desván.** || **6.** ant. Cada uno de los altos o pisos de una casa. || **7.** *And.* y *Chile.* **Sobra,** 3.ª acep. Ú. m. en pl. || **8.** p. us. *Argent.* **Vasar.** || **9.** adv. c. **Sobradamente.**

Sobraja. f. ant. **Sobra,** 1.ª acep.

Sobramiento. (De *sobrar*.) m. ant. **Sobra,** 1.ª acep.

Sobrancero. (De *sobrar*, estar de más.) adj. Aplícase al que está sin trabajar y sin oficio determinado. Ú. t. c. s. || **2.** *Cuba, Murc.* y *Venez.* Que sobra o excede en tamaño, cantidad o peso. || **3.** *Murc.* Mozo de labor que está para suplir.

Sobrante. p. a. de **Sobrar.** Que sobra. Ú. t. c. s. || **2.** adj. **Sobrado,** 2.ª acep.

Sobrar. (Del lat. *superāre*.) tr. desus. Superar, exceder, sobrepujar. || **2.** intr. Haber más de lo que se necesita para una cosa en cualquier especie. || **3. Estar de más.** Ú. frecuentemente hablando de los sujetos que se introducen donde no los llaman o no tienen qué hacer. || **4.** Quedar, restar. || **Ni sobró, ni faltó, ni hubo bastante,** o **harto.** expr. fam. con que se denota venir cabal y justa una cosa para lo que se necesita.

Sobrasada. (Del cat. *sobrassada*, y éste del lat. *sale pressāta*, curada con sal.) f. Embuchado grueso de carne de cerdo muy picada y sazonada con sal y pimiento molido, que se hace especialmente en Mallorca.

Sobrasar. (De *so*, 3.er art., y *brasa*.) tr. Poner brasas al pie de la olla o cosa semejante, para que cueza antes o mejor.

Sobrazano, na. (De *sobrar*.) adj. ant. Grande, excesivo.

Sobrazar. (De *so*, debajo, y *brazo*.) tr. ant. Poner, doblar o recoger una cosa debajo del brazo.

Sobre. (Del lat. *sŭper*.) prep. Encima de. || **2. Acerca de.** || **3.** Además de. || **4.** Ú. para indicar aproximación en una cantidad o un número. *Tengo* SOBRE *mil pesetas; vendré* SOBRE *las once.* || **5.** Cerca de otra cosa, con más altura que ella y dominándola. || **6.** Con dominio y superioridad. || **7.** En prenda de una cosa. SOBRE *esta alhaja préstame veinte duros.* || **8.** En el comercio se usa para denotar la persona contra quien se gira una cantidad, o la plaza donde ha de hacerse efectiva. || **9.** En composición, o aumenta la significación, o añade la suya al nombre o verbo con que se junta. SOBRE*aliento*, SOBRE*sueldo*, SOBRE*agudo*, SOBRE*poner*, SOBRE*cargar*. || **10.** A o hacia. || **11.** Úsase precediendo al nombre de la finca o fondo que tiene afecta una carga o gravamen. *Un censo* SOBRE *tal casa.* || **12.** Después de. SOBRE *comida*, SOBRE *siesta*, SOBRE *tarde.* || **13.** Precedida y seguida de un mismo substantivo, denota idea de reiteración o acumulación. *Crueldades* SOBRE *crueldades; robos* SOBRE *robos.* || **14.** m. Cubierta, por lo común de papel, en que se incluye la carta, comunicación, tarjeta, etc., que ha de enviarse de una parte a otra. || **15. Sobrescrito,** 2.ª acep. || **16.** *Sal*, y *Zam.* **Escondite,** 2.ª acep. || **monedero.** Estuche de cartón que sirve para remitir monedas por correo.

Sobreabundancia. (De *sobreabundar*.) f. Acción y efecto de sobreabundar.

Sobreabundante. p. a. de **Sobreabundar.** Que sobreabunda.

Sobreabundantemente. adv. m. Con sobreabundancia.

Sobreabundar. intr. Abundar mucho.

Sobreaguar. intr. Andar o estar sobre la superficie del agua. Ú. t. c. r.

Sobreagudo, da. adj. *Mús.* Dícese de los sonidos más agudos del sistema musical, y en particular de los de un instrumento. Ú. t. c. s.

Sobrealiento. m. Respiración difícil y fatigosa.

Sobrealimentación. f. Acción y efecto de sobrealimentar.

Sobrealimentar. tr. Dar a un individuo más alimento del que ordinariamente necesita para su manutención. Ú. t. c. r.

Sobrealzar. tr. Alzar demasiado una cosa o aumentar su elevación.

Sobreañadir. tr. Añadir con exceso o con repetición.

Sobreañal. adj. Aplícase a algunos animales de poco más de un año.

Sobrearar. tr. Repetir en una tierra la labor del arado.

Sobrearco. m. *Arq.* Arco construido sobre un dintel o umbral para aliviar el peso que cargaría sobre aquéllos.

Sobreasada. (Del m. or. que *sobrasada*.) f. **Sobrasada.**

Sobreasar. tr. Volver a poner a la lumbre lo que está asado o cocido, para que se tueste.

Sobrebarato, ta. adj. Muy barato.

Sobrebarrer. tr. Barrer ligeramente.

Sobrebeber. intr. Beber de nuevo o con exceso.

Sobrebota. f. *Amér. Central.* Polaina de cuero curtido.

Sobrecalza. f. **Polaina.**

Sobrecama. f. **Colcha.**

Sobrecaña. f. *Veter.* Tumor óseo que sobresale en la caña de las extremidades anteriores de las caballerías.

Sobrecarga. f. Lo que se añade a una carga regular. || **2.** Soga o lazo que se echa encima de la carga para asegurarla. || **3.** fig. Molestia que sobreviene y se añade al sentimiento, pena o pasión del ánimo.

Sobrecargar. tr. Cargar con exceso. || **2.** Coser segunda vez una costura redoblando un borde sobre el otro para que quede bien rematada.

Sobrecargo. m. El que en los buques mercantes lleva a su cuidado y bajo su responsabilidad el cargamento.

Sobrecaro, ra. adj. Muy caro.

Sobrecarta. f. **Sobre,** 14.ª acep. || **2.** *For.* Segunda provisión o despacho que daban los tribunales acerca de una misma cosa, cuando por algún motivo no había tenido cumplimiento la primera.

Sobrecartar. tr. *For.* Dar sobrecarta.

Sobrecebadera. f. *Mar.* desus. Verga que se cruzaba sobre el botalón de foque, y la vela que se envergaba en ella.

Sobrecédula. f. Segunda cédula real o despacho del rey para la observancia de lo ya prescrito.

Sobreceja. f. Parte de la frente inmediata a las cejas.

Sobrecejo. (Del lat. *supercilium.*) m. **Ceño,** 2.° art., 1.ª acep. || **2.** desus. **Dintel.** || **3.** desus. Borde o canto de una pieza que sobresale de otra a la que está unida.

Sobrecelestial. adj. Relativo o perteneciente al más alto cielo.

Sobrecenar. intr. Cenar por segunda vez. Ú. t. c. tr.

Sobreceño. m. Ceño muy sañudo.

Sobrecerco. m. Cerco o guarnición con que se refuerza otro.

Sobrecerrado, da. adj. Muy bien cerrado.

Sobrecielo. m. fig. Dosel, toldo.

Sobrecincha. f. Faja o correa que, pasada por debajo de la barriga de la cabalgadura y por encima del aparejo, sujeta la manta, la mantilla o el caparazón.

Sobrecincho. m. **Sobrecincha.**

Sobreclaustra. f. **Sobreclaustro.**

Sobreclaustro. m. Pieza o vivienda que hay encima del claustro.

Sobrecogedor. m. ant. **Recaudador.**

Sobrecoger. tr. Coger de repente y desprevenido. || **2.** r. Sorprenderse, intimidarse.

Sobrecogimiento. m. Acción de sobrecoger, y más comúnmente efecto de sobrecogerse.

Sobrecomida. f. **Postre,** 2.ª acep.

Sobrecopa. f. Tapadera de la copa.

Sobrecrecer. (Del lat. *supercrescĕre.*) intr. Exceder en crecimiento o crecer excesivamente.

Sobrecreciente. p. a. de **Sobrecrecer.** Que sobrecrece.

Sobrecruz. m. Cada uno de los cuatro brazos o rayos que la rueda de la azuda lleva en los lados de las cruces.

Sobrecubierta. f. Segunda cubierta que se pone a una cosa para resguardarla mejor.

Sobrecuello. m. Segundo cuello sobrepuesto al de una prenda de vestir. || **2. Collarín,** 2.ª acep.

Sobrecurar. tr. Curar a medias, descuidadamente.

Sobredezmero. m. Interventor o acompañado del dezmero.

Sobredicho, cha. adj. Dicho arriba o antes.

Sobrediente. m. Diente que nace encima de otro.

Sobredorar. tr. Dorar los metales, y especialmente la plata. || **2.** fig. Disculpar y abonar con razones aparentes y sofísticas una acción reprensible o una palabra mal dicha.

Sobreedificar. tr. Construir sobre otra edificación u otra fábrica.

Sobreempeine. m. Parte inferior de la polaina, que cae sobre el empeine del pie.

Sobreentender. tr. **Sobrentender.**

Sobreesdrújulo, la. adj. **Sobresdrújulo.** Ú. t. c. s. m.

Sobreexceder. tr. **Sobrexceder.**

Sobreexcitación. f. Acción y efecto de sobreexcitar o sobreexcitarse.

Sobreexcitar. tr. Aumentar o exagerar las propiedades vitales de todo el organismo o de una de sus partes. Ú. t. c. r.

Sobrefalda. f. Falda corta que se coloca como adorno sobre otra.

Sobrefaz. f. Superficie o cara exterior de las cosas. || **2.** *Fort.* Distancia que hay entre el ángulo exterior del baluarte y el flanco prolongado.

Sobreflor. f. Flor que nace del centro de otra. Es anomalía producida unas veces por la naturaleza y otras por el cultivo.

Sobrefrenada. f. **Sofrenada.**

Sobrefusión. f. Permanencia de un cuerpo en estado líquido a temperatura inferior a la de su fusión.

Sobreganar. tr. Ganar con ventaja o con exceso.

Sobregirar. tr. Exceder en un giro del crédito disponible.

Sobregiro. m. Giro o libranza que excede de los créditos o fondos disponibles.

Sobreguarda. m. Jefe inmediato de los guardas. || **2.** Segundo guarda que suele ponerse para más seguridad.

Sobrehaz. f. **Sobrefaz.** || **2. Cubierta,** 1.ª acep. || **3.** fig. Apariencia somera.

Sobreherido, da. adj. Herido leve o superficialmente.

Sobrehilado. p. p. de **Sobrehilar.** || **2.** m. Puntadas en la orilla de una tela para que no se deshilache.

Sobrehilar. tr. Dar puntadas sobre el borde de una tela cortada, para que no se deshilache.

Sobrehílo. m. **Sobrehilado,** 2.ª acep.

Sobrehora (A). m. adv. desus. **A deshora.**

Sobrehueso. m. Tumor duro que está sobre un hueso. || **2.** fig. Cosa que molesta o sirve de embarazo o carga. || **3.** fig. Trabajo, molestia.

Sobrehumano, na. adj. Que excede a lo humano.

Sobrehúsa. (Del lat. *superfūsa,* derramada por encima.) f. *And.* Guiso de pescado en salsa, con cebolla, ajo, pimentón y otras especias. || **2.** fig. *And.* **Apodo,** 1.ª acep.

Sobreintendencia. f. **Superintendencia.**

Sobrejalma. f. Manta que se pone sobre la jalma.

Sobrejuanete. m. *Mar.* Cada una de las vergas que se cruzan sobre los juanetes, y las velas que se largan en ellas.

Sobrejuez. m. ant. Juez superior o de apelación.

Sobrelecho. m. *Arq.* Superficie inferior de la piedra, que descansa sobre el lecho superior de la que está debajo.

Sobreltado. m. *Blas.* **Escusón.**

Sobrellavar. tr. Poner sobrellave a una puerta, especialmente por virtud de mandamiento judicial.

Sobrellave. f. Segunda llave en la puerta, además de las ordinarias cerraduras. || **2.** m. Oficio del que tiene esta segunda llave.

Sobrellenar. tr. Llenar en abundancia.

Sobrelleno, na. adj. Superabundante, rebosante.

Sobrellevar. tr. Llevar uno encima o a cuestas una carga o peso para aliviar a otro. || **2.** fig. Ayudar a sufrir los trabajos o molestias de la vida. || **3.** fig. Resignarse a ellos el mismo paciente. || **4.** fig. Disimular y suplir los defectos o descuidos de otro. || **5.** desus. Dispensar o eximir de una obligación.

Sobremanera. adv. m. **Sobre manera.**

Sobremano. f. *Veter.* Tumor óseo que en las caballerías se desarrolla sobre la corona de los cascos delanteros. || **A sobremano.** m. adv. A pulso, sin ningún apoyo.

Sobremesa. f. Tapete que se pone sobre la mesa por adorno, limpieza o comodidad. || **2.** desus. **Postre,** 2.ª acep. || **3.** Tiempo que se está a la mesa después de haber comido. || **4.** adv. m. **De sobremesa,** 2.ª acep. || **De sobremesa.** Dícese de ciertos objetos a propósito para colocarlos sobre una mesa u otro mueble parecido. || **2.** m. adv. Inmediatamente después de comer, y sin levantarse de la mesa.

Sobremesana. f. *Mar.* Gavia del palo mesana.

Sobremodo. adv. **Sobre modo.**

Sobremuñonera. f. *Art.* Banda semicilíndrica de hierro que, firme en el canto superior de las gualderas de la cureña y abrazando el muñón de la pieza montada, impide que ésta se descabalgue en los disparos.

Sobrenadar. (Del lat. *supernatāre.*) intr. Mantenerse encima del agua o de otro líquido sin hundirse.

Sobrenatural. (Del lat. *supernaturālis.*) adj. Que excede los términos de la naturaleza.

Sobrenaturalmente. adv. m. De modo sobrenatural.

Sobrenjalma. f. **Sobrejalma.**

Sobrenoche. f. p. us. Altas horas de la noche.

Sobrenombre. m. Nombre que se añade a veces al apellido para distinguir a dos personas que tienen el mismo. || **2.** Nombre calificativo con que se distingue especialmente a una persona.

Sobrentender. tr. Entender una cosa que no está expresa, pero que no puede menos de suponerse según lo que antecede o la materia que se trata. Ú. t. c. r.

Sobreño, ña. adj. *Sal.* **Sobreañal.** Aplícase a la res vacuna.

Sobrepaga. f. Aumento de paga, ventaja en ella.

Sobrepaño. m. Lienzo o paño que se pone encima de otro paño.

Sobreparto. m. Tiempo que inmediatamente sigue al parto. || **2.** Estado delicado de salud que suele ser consiguiente al parto.

Sobrepeine. adv. m. fam. **Sobre peine.**

Sobrepelo. m. *Argent.* **Sudadero,** 2.ª acep. || **De sobrepelo.** m. adv. fig. desus. Someramente, por encima.

Sobrepelliz. (Del b. lat. *superpellicium,* y éste del lat. *super,* sobre, y *pellicium,* vestimenta de piel.) f. Vestidura blanca de lienzo fino, con mangas perdidas o muy anchas, que llevan sobre la sotana los eclesiásticos, y aun los legos que sirven en la funciones de iglesia, y que llega desde el hombro hasta la cintura poco más o menos.

Sobrepié. m. *Veter.* Tumor óseo que en las caballerías se desarrolla sobre la corona de los cascos traseros.

Sobrepintarse. r. **Repintar,** 2.ª acep.

Sobreplán. (De *sobre* y *plan,* 6.ª acep.) f. *Mar.* Cada una de las ligazones que, de trecho en trecho, se colocan sobre el forro interior del buque, y que empernadas a la sobrequilla y a las cuadernas, sirven para refuerzo de éstas.

Sobreponer. tr. Añadir una cosa o ponerla encima de otra. || **2.** r. fig. Dominar los impulsos del ánimo, hacerse superior a las adversidades o a los obstáculos que ofrece un negocio. || **3.** fig. Obtener o afectar superioridad una persona respecto de otra.

Sobreprecio. m. Recargo en el precio ordinario.

Sobreprimado, da. adj. *Sal.* Dícese de la res lanar que ha cumplido dos años.

Sobreproducción. f. Exceso de producción.

Sobrepuerta. f. Pieza de madera a modo de sobradillo, que se coloca sobre las puertas interiores de los aposentos, y de la cual penden las cortinas sostenidas por varillas, etc. || **2.** Cenefa o cortinilla que se pone sobre las puertas. || **3.** Pintura, tela, talla, etc., más larga que alta, que se pone por adorno sobre las puertas.

Sobrepuesto, ta. (Del lat. *superposĭtus.*) p. p. irreg. de **Sobreponer.** || **2.** adj. V. **Bordado de sobrepuesto.** || **3.** m. **Aplicación,** 3.ª acep. || **4.** Panal que forman las abejas después de llena la colmena, encima de la obra que hacen primero; es muy blanco y de miel más delicada. || **5.** Vasija de barro o cesto de mimbres que se pone boca abajo y ajusta sobre los vasos de las colmenas, para que allí trabajen las abejas el panal antedicho.

Sobrepujamiento. m. Acción y efecto de sobrepujar.

Sobrepujante. p. a. de **Sobrepujar.** Que sobrepuja.

Sobrepujanza. f. Pujanza excesiva.

Sobrepujar. (De *sobre,* y *pujar.*) tr. Exceder una cosa o persona a otra en cualquier línea.

Sobrequilla. f. *Mar.* Madero formado de piezas, colocado de popa a proa por encima de la trabazón de las varengas, y fuertemente empernado a la quilla, que sirve para consolidar la unión de ésta con las costillas. En los buques de hierro la **sobrequilla** es del mismo metal, cualquiera que sea su estructura.

Sobrero. (Del lat. *suber.*) m. *Sal.* **Alcornoque,** 1.ª acep.

Sobrero, ra. (De *sobrar.*) adj. **Sobrante,** 1.ª acep. Aplícase al toro que se tiene de más por si se inutiliza algún otro de los destinados a una corrida. Ú. t. c. s.

Sobrero, ra. (De *sobre,* 14.ª acep.) m. y f. Persona que tiene por oficio hacer sobres.

Sobrerrienda. f. *Argent.* y *Chile.* **Falsa rienda.**

Sobrerronda. f. **Contrarronda.**

Sobrerropa. f. **Sobretodo.**

Sobresabido, da. adj. *Ál.* y *Vizc.* Previsto, sabido de antemano.

Sobresalienta. f. **Sobresaliente,** 3.ª acep. Ú. principalmente entre comediantes.

Sobresaliente. p. a. de **Sobresalir.** Que sobresale. Ú. t. c. s. || **2.** m. En los exámenes, calificación máxima, superior a la de notable. || **3.** com. fig. Persona destinada a suplir la falta o ausencia de otra; como entre comediantes y toreros.

Sobresalir. intr. Exceder una persona o cosa a otras en figura, tamaño, etc. || **2.** Aventajarse unos a otros; distinguirse entre ellos.

Sobresaltar. tr. Saltar, venir y acometer de repente. || **2.** Asustar, acongojar, alterar a uno repentinamente. Ú. t. c. r. || **3.** intr. Venirse una cosa a los ojos. Dícese especialmente de las pinturas cuando las figuras parece que salen del lienzo.

Sobresalto. (De *sobresaltar.*) m. Sensación que proviene de un acontecimiento repentino e imprevisto. || **2.** Temor o susto repentino. || **De sobresalto.** m. adv. De improviso o impensadamente.

Sobresanar. intr. Reducirse y cerrarse una herida sólo por la superficie, quedando dañada la parte interior y oculta. || **2.** fig. Afectar una acción o disimular un defecto con una cosa superficial.

Sobresano. adv. m. Con curación falsa o superficial. || **2.** fig. Afectada, fingida, disimuladamente. || **3.** m. *Mar.* Pedazo de madera que se embute en la mortaja que queda en cualquier tablón del casco del buque, cuando se le extrae alguna parte dañada.

Sobrescribir. tr. Escribir o poner un letrero sobre una cosa. || **2.** Poner el sobrescrito en la cubierta de las cartas.

Sobrescripto, ta. p. p. irreg. **Sobrescrito.**

Sobrescrito, ta. (Del lat. *superscriptus.*) p. p. irreg. de **Sobrescribir.** || **2.** m. Lo que se escribe en el sobre o en la parte exterior de un pliego cerrado, para darle dirección.

Sobresdrújulo, la. (De *sobreesdrújulo.*) adj. *Gram.* Dícese de las voces que por efecto de la composición o por llevar dos o más enclíticas, tienen dos acentos, de los cuales el primero y principal va siempre en sílaba anterior a la antepenúltima; v. gr.: *lícitamen e, devuélvemelo.* Ú. t. c. s.

Sobreseer. (Del lat. *supersedēre,* cesar, desistir; de *super,* sobre, y *sedēre,* sentarse.) intr. Desistir de la pretensión o empeño que se tenía. || **2.** Cesar en el cumplimiento de una obligación. || **3.** *For.* Cesar en una instrucción sumarial; y por ext., dejar sin curso ulterior un procedimiento. Ú. t. c. tr.

Sobreseimiento. m. Acción y efecto de sobreseer. || **libre.** *For.* El que por ser evidente la inexistencia de delito o la irresponsabilidad del inculpado, pone término al proceso con efectos análogos a los de la sentencia absolutoria. || **provisional.** *For.* El que por deficiencias de prueba paraliza la causa.

Sobresello. m. Segundo sello que se pone para dar mayor firmeza o más autoridad.

Sobresembrar. tr. Sembrar sobre lo ya sembrado.

Sobreseñal. f. Distintivo o divisa que en lo antiguo tomaban arbitrariamente los caballeros armados.

Sobresolar. (De *sobre* y *solar,* 4.° art.) tr. Coser una suela nueva en los zapatos, sobre las otras que están ya gastadas o rotas.

Sobresolar. (De *sobre* y *solar,* 3.er art.) tr. Echar un segundo suelo sobre lo solado.

Sobrestadía. f. *Com.* Cada uno de los días que pasan después de las estadías, o segundo plazo que se prefija algunas veces para cargar o descargar un buque. || **2.** *Com.* Cantidad que por tal demora se paga.

Sobrestante. adj. ant. Que está muy cerca o encima. || **2.** m. **Capataz,** 1.ª acep. || **de coches.** Empleado que cuidaba de los coches destinados a las personas reales.

Sobrestantía. f. Empleo de sobrestante. || **2.** Oficina del sobrestante.

Sobresueldo. m. Retribución o consignación que se añade al sueldo fijo.

Sobresuelo. m. Segundo suelo que se pone sobre otro.

Sobretarde. f. Lo último de la tarde, antes de anochecer.

Sobretendón. m. *Veter.* Tumor que suele formarse a las caballerías en los tendones flexores de las piernas y que dificulta los movimientos de éstas.

Sobretercero. m. Sujeto nombrado, a más del tercero, para llevar cuenta de los diezmos y tener una llave de la tercia o cilla.

Sobretodo. m. Prenda de vestir ancha, larga, y con mangas, que se lleva sobre el traje ordinario. Es, en general, más ligera que el gabán.

Sobreveedor. m. Superior de los veedores.

Sobrevela. f. ant. *Mil.* Segunda vela o centinela.

Sobrevenida. f. Venida repentina e imprevista.

Sobrevenir. (Del lat. *supervenire.*) intr. Acaecer o suceder una cosa además o después de otra. || **2.** Venir improvisamente. || **3.** Venir a la sazón, al tiempo de, etc.

Sobreverterse. r. Verterse en abundancia.

Sobrevesta. f. **Sobreveste.**

Sobreveste. (De *sobrevestir.*) f. Prenda de vestir, especie de túnica, que se usaba sobre la armadura o el traje.

Sobrevestir. (Del lat. *supervestīre.*) tr. Poner un vestido sobre el que se lleva.

Sobrevidriera. f. Alambrera con que se resguarda una vidriera. || **2.** Segunda vidriera que se pone para mayor abrigo.

Sobrevienta. (De *sobreviento.*) f. Golpe de viento impetuoso. || **2.** fig. Furia, ímpetu. || **3.** fig. Sobresalto, sorpresa. || **A sobrevienta.** m. adv. De repente, improvisa, impensadamente.

Sobreviento. (Del lat. *superventus,* venida inesperada.) m. **Sobrevienta,** 1.ª acep. || **2.** ant. *Mar.* **Barlovento.** || **Estar,** o **ponerse, a sobreviento.** fr. *Mar.* Tener el barlovento respecto de otra nave.

Sobrevista. f. Plancha de metal, a modo de visera, fija por delante al borde del morrión. || **2.** p. us. **Sobreveste.**

Sobreviviente. p. a. de **Sobrevivir.** Que sobrevive. Ú. t. c. s.

Sobrevivir. (Del lat. *supervivĕre.*) intr. Vivir uno después de la muerte de otro o después de un determinado suceso o plazo.

Sobrexcedente. p. a. de **Sobrexceder.** Que sobrexcede.

Sobrexceder. (De *sobreexceder.*) tr. Exceder, sobrepujar, aventajar a otro.

Sobrexcitación. f. **Sobreexcitación.**

Sobrexcitar. tr. **Sobreexcitar.** Ú. t. c. r.

Sobriamente. adv. m. Con sobriedad.

Sobriedad. (Del lat. *sobrĭĕtas, -ātis.*) f. Calidad de sobrio.

Sobrinazgo. m. Parentesco de sobrino. || **2. Nepotismo.**

Sobrino, na. (Del lat. *sobrīnus.*) m. y f. Respecto de una persona, hijo o hija de su hermano o hermana, o de su primo o prima. Los primeros se llaman **carnales,** y los otros, **segundos, terceros,** etc., según el grado de parentesco del primo o de la prima.

Sobrio, bria. (Del lat. *sobrius.*) adj. Templado, moderado, especialmente en comer y beber.

Soca. f. *Amér.* Último retoño de la caña de azúcar. || **2.** *Bol.* Brote de la cosecha del arroz.

Socaire. (En port. *socairo.*) m. *Mar.* Abrigo o defensa que ofrece una cosa en su lado opuesto a aquel de donde sopla el viento. || **Estar,** o **ponerse, al socaire.** fr. *Mar.* Hacerse remolón el marinero en el coy, sin salir a la guardia. || **2.** fig. y fam. Esquivar y rehuir el trabajo. || **Tomar socaire.** fr. *Mar.* Sujetar un cabo que trabaja o del que se está tirando, dándole una vuelta sobre un barraganete u otro madero para que no se escurra.

Socairero. (De *socaire.*) adj. Entre marineros, remolón que procura eludir el cumplimiento de sus obligaciones.

Socaliña. (De *sacaliña.*) f. Ardid o artificio con que se saca a uno lo que no está obligado a dar.

Socaliñar. tr. Sacar a uno con socaliña alguna cosa.

Socaliñero, ra. adj. Que usa de socaliñas. Ú. t. c. s.

Socalzar. (De *so,* 3.er art., y *calzar.*) tr. Reforzar por la parte inferior un edificio o muro que amenaza ruina.

Socapa. (De *so,* 3.er art., y *capa.*) f. Pretexto fingido o aparente que se toma para disfrazar la verdadera intención con que se hace una cosa. || **A socapa.** m. adv. Disimuladamente o con cautela.

Socapar. tr. *Bol., Ecuad.* y *Méj.* Encubrir faltas ajenas.

Socapiscol. (De *so,* 3.er art., y *capiscol.*) m. Sochantre.

Socarra. f. Acción y efecto de socarrar o socarrarse. || **2.** Socarronería. || **3.** ant. Socarrón.

Socarrar. (Del vasc. *sua,* fuego, y *carra,* llama.) tr. Quemar o tostar ligera y superficialmente una cosa. Ú. t. c. r.

Socarrén. m. Parte del alero del tejado, que sobresale de la pared.

Socarrena. (De *socarrén.*) f. Hueco, concavidad. || **2.** *Arq.* Hueco entre cada dos maderos de un suelo o un tejado.

Socarrina. (De *socarrar.*) f. fam. Chamusquina, 1.a acep.

Socarro. (Del lat. medieval *iocarius.*) m. ant. Socarrón.

Socarrón, na. (De *socarro.*) adj. Astuto, bellaco, disimulado. Ú. t. c. s.

Socarronamente. adv. m. Con socarronería.

Socarronería. (De *socarrón.*) f. Astucia y bellaquería con que uno procura su interés o disimula su intento.

Socava. f. Acción y efecto de socavar. || **2.** Alcorque, 2.° art.

Socavación. f. Socava, 1.a acep.

Socavar. (De *so,* 3.er art., y *cavar.*) tr. Excavar por debajo alguna cosa, dejándola en falso.

Socavón. (De *socavar.*) m. Cueva que se excava en la ladera de un cerro o monte y a veces se prolonga formando galería subterránea.

Socaz. (De *so,* debajo, y *caz.*) m. Trozo de cauce que hay debajo del molino o batán hasta la madre del río.

Sociabilidad. f. Calidad de sociable.

Sociable. (Del lat. *sociabĭlis.*) adj. Naturalmente inclinado a la sociedad o que tiene disposición para ella.

Social. (Del lat. *sociālis.*) adj. Perteneciente o relativo a la sociedad o a las contiendas entre unas y otras clases. || **2.** Perteneciente o relativo a una compañía o sociedad, o a los socios o compañeros, aliados o confederados. || **3.** V. **Razón social.**

Socialismo. m. Sistema de organización social que supone derivados de la colectividad los derechos individuales, y atribuye al Estado absoluta potestad de ordenar las condiciones de la vida civil, económica y política, extremando la preponderancia del interés colectivo sobre el particular.

Socialista. adj. Que profesa la doctrina del socialismo. Ú. t. c. s. || **2.** Perteneciente o relativo al socialismo.

Socialización. f. Acción y efecto de socializar.

Socializador, ra. adj. Que socializa.

Socializar. tr. Transferir al Estado, u otro órgano colectivo, las propiedades, industrias, etc., particulares.

Sociedad. (Del lat. *societas, -ātis.*) f. Reunión mayor o menor de personas, familias, pueblos o naciones. || **2.** Agrupación natural o pactada de personas, que constituyen unidad distinta de cada cual de sus individuos, con el fin de cumplir, mediante la mutua cooperación, todos o alguno de los fines de la vida. Se aplica también a los animales. *Las abejas viven en* SOCIEDAD. || **3.** *Com.* La de comerciantes, hombres de negocios o accionistas de alguna compañía. || **accidental.** *Com.* La que se verifica sin establecer **sociedad** formal, interesándose unos comerciantes en las operaciones de otros. || **anónima.** *Com.* La que se forma por acciones, con responsabilidad circunscrita al capital que éstas representan, no tomando el nombre de ninguno de sus individuos, y encargándose su dirección a administradores o mandatarios. || **comanditaria, o en comandita.** *Com.* Aquella en que hay dos clases de socios: unos con derechos y obligaciones como en la **sociedad** colectiva, y otros, llamados comanditarios, que tienen limitados a cierta cuantía su interés y su responsabilidad en los negocios comunes. || **comanditaria por acciones.** *Com.* Aquella en que el capital de los socios no colectivos está dividido y representado por acciones. || **conyugal.** La constituida por el marido y la mujer durante el matrimonio, por ministerio de la ley, salvo pacto en contrario. || **cooperativa.** La que se forma para un objeto de utilidad común de los asociados. || **de cuenta en participación. Sociedad accidental.** || **regular colectiva.** *Com.* La que se ordena bajo pactos comunes a los socios, con el nombre de todos o algunos de ellos, y participando todos proporcionalmente de los mismos derechos y obligaciones, con responsabilidad indefinida. || **Buena sociedad.** Conjunto de personas de uno y otro sexo que se distinguen por su cultura y finos modales. || **Mala sociedad.** La de gente sin educación y sin delicadeza.

Societario, ria. adj. Perteneciente o relativo a las asociaciones, especialmente a las obreras.

Socinianismo. (De *sociniano.*) m. Herejía de Socino, que negaba la Trinidad, y particularmente la divinidad de Jesucristo.

Sociniano, na. adj. Partidario del socinianismo. Apl. a pers., ú. t. c. s. || **2.** Perteneciente o relativo a esta herejía.

Socio, cia. (Del lat. *socius.*) m. y f. Persona asociada con otra u otras para algún fin. || **2.** Individuo de una sociedad, 2.a acep. || **capitalista.** El que aporta capital a una empresa o compañía, poniéndolo a ganancias o pérdidas. || **industrial.** El que no aporta capital a la compañía o empresa, sino servicios o pericia personales, para tener alguna participación en las ganancias.

Sociología. (Del lat. *socius,* socio, y el gr. λόγος, tratado.) f. Ciencia que trata de las condiciones de existencia y desenvolvimiento de las sociedades humanas.

Sociológico, ca. adj. Perteneciente o relativo a la sociología.

Sociólogo, ga. m. y f. Persona que profesa la sociología o tiene en ella especiales conocimientos.

Socola. (De *so,* 3.er art., y *cola.*) f. *Rioja.* Ataharre.

Socolar. tr. *Ecuad.* y *Hond.* Desmontar, rozar un terreno.

Socolor. (De *so,* 3.er art., y *color.*) m. Pretexto y apariencia para disimular y encubrir el motivo o el fin de una acción. || **2.** adv. m. **So color.**

Socollada. (De *so,* 3.er art., y *cuello.*) f. *Mar.* Estirón o sacudida que dan las velas cuando hay poco viento, y las jarcias cuando están flojas. || **2.** *Mar.* Caída brusca de la proa de un buque, cuando ha sido violentamente levantada por la marejada.

Soconusco. (De la región mejicana del mismo nombre.) m. V. **Polvos de Soconusco.**

Socoro. m. Sitio que está debajo del coro.

Socorredor, ra. adj. Que socorre. Ú. t. c. s.

Socorrer. (Del lat. *succurrĕre.*) tr. Ayudar, favorecer en un peligro o necesidad. || **2.** Dar a uno a cuenta parte de lo que se le debe, o de lo que ha de devengar. || **3.** r. ant. Acogerse, refugiarse.

Socorrido, da. p. p. de **Socorrer.** || **2.** adj. Dícese del que con facilidad socorre la necesidad de otro. || **3.** Aplícase a aquello en que se halla con facilidad lo que es menester. *La plaza de Madrid es muy* SOCORRIDA.

Socorro. m. Acción y efecto de socorrer. || **2.** V. **Agua, casa de socorro.** || **3.** Dinero, alimento u otra cosa con que se socorre. || **4.** Tropa que acude en auxilio de otra. || **5.** Provisión de municiones de boca o de guerra que se lleva a un cuerpo de tropa o a una plaza que la necesita. || **6.** *Germ.* **Hurto,** 1.a y 2.a aceps. || **7.** *Germ.* Lo que la mujer envía al rufián.

Socrático, ca. (Del lat. *socratĭcus.*) adj. Que sigue la doctrina de Sócrates. Ú. t. c. s. || **2.** Perteneciente a ella.

Socrocio. (Del lat. *sub,* so, y *crocĕus,* de azafrán.) m. Emplasto en que entra el azafrán.

Socucho. (De *sucucho.*) m. *Amér.* Rincón, chiribitil, tabuco.

Sochantre. (De *so,* 3.er art., y *chantre.*) m. Director del coro en los oficios divinos.

Soda. (Del ital. *soda.*) f. Sosa.

Sódico, ca. adj. *Quím.* Perteneciente o relativo al sodio. || **2.** *Quím.* V. **Cloruro sódico.**

Sodio. (De *soda.*) m. Metal de color y brillo argentinos, que se empaña rápidamente en contacto con el aire, blando como la cera, muy ligero y que descompone el agua a la temperatura ordinaria. || **2.** *Quím.* V. **Cloruro de sodio.**

Sodomía. (De *Sodoma,* antigua ciudad de Palestina, donde se practicaba todo género de vicios torpes.) f. Concúbito entre personas de un mismo sexo, o contra el orden natural.

Sodomita. (Del lat. *sodomīta.*) adj. Natural de Sodoma. Ú. t. c. s. || **2.** Perteneciente a esta antigua ciudad de Palestina. || **3.** Que comete sodomía. Ú. t. c. s.

Sodomítico, ca. (Del lat. *sodomitĭcus.*) adj. Perteneciente a la sodomía.

Soez. adj. Bajo, grosero, indigno, vil.

Soeza. f. ant. Suciedad, infamia.

Sofá. (Del ár. *ṣuffa,* banco largo, a través del francés.) m. Asiento cómodo para dos o más personas, que tiene respaldo y brazos.

Sofaldar. (De *so,* 3.er art., y *falda.*) tr. Alzar las faldas. || **2.** fig. Levantar cualquier cosa para descubrir otra.

Sofaldo. m. Acción y efecto de sofaldar.

Sofí. (Del ár. *ṣafawī,* descendiente del jeque *Ṣafī [ad-dīn Isḥāq],* muerto en 1334.) m. Título de majestad que se dio a los reyes de la dinastía que gobernó en Persia desde 1502 a 1736.

Sofí. adj. Sufí. Ú. t. c. s.

Sofiano, na. adj. Dícese del súbdito del Sofí; persa. Ú. t. c. s.

Sofión. (Del ital. *soffione,* de *soffiare,* y éste del lat. *sufflāre,* soplar.) m. **Bufido,** 2.a acep. || **2. Trabuco,** 2.a acep. || **3.** Cierto artificio de fuego que emplearon los artilleros para dar sahumerio, hacer señales de noche y otros usos.

Sofisma. (Del lat. *sophisma,* y éste del gr. σόφισμα.) m. Razón o argumento aparente con que se quiere defender o persuadir lo que es falso.

Sofismo. m. Sufismo.

Sofista. (Del lat. *sophista,* y éste del gr. σοφιστής.) adj. Que se vale de sofismas. Ú. t. c. s. || **2.** m. En la Grecia antigua, se llamaba así a todo el que se dedicaba a la filosofía. Desde los tiempos de Sócrates el vocablo tuvo significación despectiva.

Sofistería. (De *sofista.*) f. Uso de raciocinios sofísticos. || **2.** Estos mismos raciocinios.

Sofisticación. f. Acción y efecto de sofisticar.

Sofísticamente. adv. m. De manera sofística.

Sofisticar. (De *sofístico.*) tr. Adulterar, falsificar con sofismas.

Sofístico, ca. (Del lat. *sophistĭcus,* y éste del gr. σοφιστικός.) adj. Aparente, fingido con sutileza.

Sofistiquez. f. p. us. Calidad de sofístico.

Sofito. (Del ital. *soffitto*, y éste del lat. *suffictus*, por *suffixus:* véase *sufijo.*) m. *Arq.* Plano inferior del saliente de una cornisa o de otro cuerpo voladizo.

Soflama. (De *so*, 3.er art., y *flama.*) f. Llama tenue o reverberación del fuego. || **2.** Bochorno o ardor que suele subir al rostro por accidente, o por enojo, vergüenza, etc. || **3.** fig. Expresión artificiosa con que uno intenta engañar o chasquear. || **4.** fig. despect. Discurso, alocución, perorata. || **5.** fig. Roncería, arrumaco.

Soflamar. (De *soflama.*) tr. Fingir, usar de palabras afectadas para chasquear o engañar a uno. || **2.** fig. Dar a uno motivo para que se avergüence o abochorne. || **3.** r. Tostarse, requemarse con la llama lo que se asa o cuece.

Soflamero, ra. adj. fig. Que usa de soflamas. Ú. t. c. s.

Sofocación. (Del lat. *suffocatio, -ōnis.*) f. Acción y efecto de sofocar o sofocarse.

Sofocador, ra. (Del lat. *suffocātor, -ōris.*) adj. Que sofoca.

Sofocante. p. a. de **Sofocar.** Que sofoca.

Sofocar. (Del lat. *suffocāre.*) tr. Ahogar, impedir la respiración. || **2.** Apagar, oprimir, dominar, extinguir. || **3.** fig. Acosar, importunar demasiado a uno. || **4.** fig. Avergonzar, abochornar, poner colorado a uno con insultos o de otra manera. Ú. t. c. r.

Sofocleo, a. (Del lat. *sophoclēus.*) adj. Propio y característico de Sófocles como poeta trágico, o que tiene semejanza con alguna de las dotes o calidades por que se distinguen sus obras.

Sofoco. m. Efecto de sofocar o sofocarse. || **2.** fig. Grave disgusto que se da o se recibe.

Sofocón. (aum. de *sofoco.*) m. fam. Desazón, disgusto que sofoca o aturde.

Sofoquina. f. fam. Sofoco, por lo común intenso.

Sófora. (Del ár. *ṣufairā'*, amarillita.) f. *Bot.* Árbol de la familia de las papilionáceas, con tronco recto y grueso, copa ancha, ramas retorcidas, hojas compuestas de 11 a 13 hojuelas aovadas, flores pequeñas, amarillas, en panojas colgantes, y fruto en vainas nudosas con varias semillas pequeñas, lustrosas y negras. Es originaria de Oriente y se cultiva en los jardines y paseos de Europa.

Sofreir. (Del lat. *sūbfrigĕre.*) tr. Freir un poco o ligeramente una cosa.

Sofrenada. f. Acción y efecto de sofrenar.

Sofrenar. (Del lat. *suffrenāre;* de *sub*, so, 3.er art., y *frenum*, freno.) tr. Reprimir el jinete a la caballería tirando violentamente de las riendas. || **2.** fig. Reprender con aspereza a uno. || **3.** fig. Refrenar una pasión del ánimo.

Sofridero, ra. adj. ant. **Sufridero.**

Sofrito, ta. p. p. irreg. de **Sofreir.**

Soga. (Del vasc. *soca;* en b. lat. *soga.*) f. Cuerda gruesa de esparto. || **2. Cuerda,** 4.ª acep. || **3.** Medida de tierra cuya extensión varía según las provincias. || **4.** *Arq.* Parte de un sillar o ladrillo que queda descubierta en el paramento de la fábrica. || **5.** m. fig. y fam. Hombre socarrón, por la paciencia que tiene en sufrir, a trueque de hacer su negocio. || **A soga.** m. adv. *Arq.* Dícese del modo de construir cuando la dimensión más larga del ladrillo o piedra va colocada en la misma dirección del largo del paramento. || **Con la soga a la garganta.** fr. fig. Amenazado de un riesgo grave. || **2.** En apretura o apuro. || **Dar soga.** fr. Largar o soltar cuerda poco a poco. || **Dar soga** a uno. fr. fig. y fam. **Darle cuerda.** || **2.** fig. y fam. Darle chasco o burlarse de él. || **Echar la soga tras el caldero.** fr. fig. y fam. Dejar perder lo accesorio, perdido lo principal. || **Hacer soga.** fr. fig. y fam. Irse quedando atrás algunos, respecto de otros que van en su compañía. || **2.** fig. y fam. Introducir uno en la conversación más cosas de las que convienen para la inteligencia de lo que se trata. || **La soga tras el caldero.** fr. fig. y fam. con que se denota la habitual compañía de dos o más personas. || **Llevar** uno **la soga arrastrando.** fr. fig. Haber cometido delito grave por el cual va siempre expuesto al castigo. || **No hay que,** o **no se ha de, mentar la soga en casa del ahorcado.** fr. proverb. con que se aconseja no verter en la conversación especies ni palabras capaces de suscitar la memoria de cosa que sonroje o moleste a alguno de los circunstantes. || **Quebrar la soga por** uno. fr. fig. y fam. Faltar en lo que había prometido o se esperaba de él. || **Quebrar la soga por lo más delgado.** fr. fig. **Siempre quiebra la soga por lo más delgado.** || **Quien no trae soga, de sed se ahoga.** ref. que denota cuánto conviene para todos casos la prevención o preparación de los medios oportunos. || **Siempre quiebra la soga por lo más delgado.** ref. con que se da a entender que por lo común el fuerte prevalece contra el débil, el poderoso contra el desvalido. || **Traer** uno **la soga arrastrando.** fr. fig. **Llevar la soga arrastrando.**

Sogalinda. f. *Vizc.* **Lagartija.**

Sogdiano, na. (Del lat. *sogdiānus.*) adj. Natural de la Sogdiana. Ú. t. c. s. || **2.** Perteneciente a este país del Asia antigua.

Soguear. tr. *Ar.* Medir con soga. || **2.** *Agr.* Pasar una cuerda tirante por encima de las espigas, a fin de que se desprenda el rocío que las baña.

Soguería. f. Oficio y trato de soguero. || **2.** Sitio donde se hacen o se venden sogas. || **3.** Conjunto de sogas.

Soguero. m. El que hace sogas o las vende. || **2. Mozo de cordel.**

Soguilla. (d. de *soga.*) f. Trenza delgada hecha con el pelo. || **2.** Trenza delgada de esparto. || **3.** m. Mozo que se dedica a transportar objetos de poco peso en los mercados, estaciones, etc.

Soguillo. m. *Murc.* **Soguilla,** 1.ª acep.

Soja. f. Planta leguminosa procedente de Asia, con fruto parecido al fréjol, comestible y muy nutritivo.

Sojuzgador, ra. adj. Que sojuzga. Ú. t. c. s.

Sojuzgar. (De *so*, 3.er art., y *juzgar.*) tr. Sujetar, dominar, mandar con violencia.

Sol. (Del lat. *sol, solis.*) m. Astro luminoso, centro de nuestro sistema planetario. || **2.** V. **Carrera del Sol.** || **3.** V. **Pájaro, piedra del sol.** || **4.** V. **Reloj de sol.** || **5.** fig. Luz, calor o influjo de este astro. *Sentarse al* SOL; *tomar el* SOL; *entrar el* SOL *en una habitación sufrir* SOLES *y nieves.* || **6.** fig. **Día,** 1.ª acep. || **7.** Cierto género de encajes de labor antigua. || **8.** Moneda de plata de la república del Perú, equivalente a un peso fuerte. || **9.** ant. V. **Mesa del Sol.** || **10.** *Alq.* **Oro,** 1.ª acep. || **11.** *Astron.* V. **Acceso, nadir, receso del Sol.** || **con uñas.** fig. y fam. Este astro cuando se interponen algunas nubes ligeras que no le dejan despedir su luz con toda claridad y fuerza. || **de justicia.** fr. fig. con que se designa a Cristo. || **2.** fig. **Solazo.** || **de las Indias. Girasol,** 1.ª acep. || **figurado.** *Blas.* El que se representa con cara humana. || **medio.** *Astron.* **Sol** ficticio que, para arreglar el tiempo medio, se supone recorrer el Ecuador con movimiento uniforme. || **Al sol naciente.** expr. fig. y fam. **Al sol que nace.** || **Al sol puesto.** m. adv. Al crepúsculo de la tarde. || **2.** fig. y fam. Tarde, a deshora. || **Al sol que nace.** expr. fig. y fam. con que se explica el anhelo y adulación con que sigue uno al que empieza a ser poderoso o espera que lo será pronto. || **Arrimarse al sol que más calienta.** fr. fig. Servir y adular al más poderoso. || **Aún hay sol en las bardas.** expr. fig. y fam. con que se da a entender no estar perdida la esperanza de conseguir una cosa. || **Campear de sol a sombra.** fr. Trabajar en el campo desde la mañana hasta la noche. || **Coger el sol.** fr. **Tomar el sol.** || **Cuando el sol sale, para todos sale.** ref. que indica que hay muchos bienes y ocasiones de que disfrutan todos. || **Dejarse caer el sol.** fr. fig. y fam. **Dejarse caer el calor.** || **De sol a sol.** m. adv. Desde que nace el **sol** hasta que se pone. || **Fijar el Sol.** fr. ant. *Mar.* **Tomar el Sol,** 2.ª acep. || **Jugar el sol antes que salga.** fr. fig. y fam. Jugar el jornal del día siguiente. || **Meter** a uno **donde no vea el sol.** fr. fig. y fam. Encarcelarlo. || **Morir** uno **sin sol, sin luz y sin moscas.** fr. fig. y fam. Morir abandonado de todos. || **No dejar a sol ni a sombra** a uno. fr. fig. y fam. Perseguirle con importunidad a todas horas y en todo sitio. || **Partir el sol.** fr. En los desafíos antiguos y públicos, colocar a los combatientes, o señalarles el campo, de modo que la luz del **Sol** les sirviese igualmente, sin que pudiese ninguno tener ventaja en ella. || **Pesar el Sol.** fr. ant. *Mar.* **Tomar el Sol,** 2.ª acep. || **Salga el Sol por Antequera y póngase por donde quiera.** ref. en que se apoyan los que toman a todo trance una resolución aventurada. || **Salíme al sol, dije mal y oí peor.** ref. que reprende la concurrencia al lugar o sitio en que se murmura y habla mal. || **Sentarse el sol.** fr. fig. y fam. Tostarse la tez por efecto de la luz del **Sol.** || **Sol de invierno sale tarde y se pone presto.** ref. que se dice de todo bien tardío y de corta duración. || **Sol que mucho madruga, poco dura.** ref. que enseña que las cosas intempestivas o demasiado tempranas suelen malograrse. || **Tomar el sol.** fr. Ponerse en parte adecuada para gozar de él. || **2.** *Mar.* Tomar la altura meridiana del **Sol,** para deducir de ella la latitud del lugar en que se observa.

Sol. (V. *Fa.*) m. *Mús.* Quinta voz de la escala música.

Sol. (Contracc. de *sólo.*) adv. m. ant. **Solamente.**

Solacear. (De *solaz.*) tr. p. us. **Solazar.**

Solacio. (Del lat. *solatium.*) m. desus. **Solaz.**

Solada. f. Suelo, 3.ª acep.

Solado, da. p. p. de **Solar.** || **2.** m. Acción de solar. || **3.** Revestimiento de un piso con ladrillo, losas u otro material análogo.

Solador. m. El que tiene por oficio solar pisos.

Soladura. f. Acción y efecto de solar pisos. || **2.** Material que sirve para solar.

Solamente. adv. m. De un solo modo, en una sola cosa, o sin otra cosa. || **Solamente que.** loc. adv. Con sólo que, con la única condición de que.

Solana. (Del lat. *solana*, t. f. de *solanus.*) f. Sitio o paraje donde el sol da de lleno. || **2.** Corredor o pieza destinada en la casa para tomar el sol.

Solanáceo, a. (Del lat. *solānum*, hierba mora.) adj. *Bot.* Aplícase a hierbas, matas y arbustos angiospermos dicotiledóneos que tienen hojas simples y alternas, flores de corola acampanada, y baya o caja con muchas semillas provistas de albumen carnoso; como la hierba mora, la tomatera, la patata, la berenjena, el pimiento y el tabaco. Ú. t. c. s. f. || **2.** f. pl. *Bot.* Familia de estas plantas.

Solanar. (De *solana.*) m. *Ar.* **Solana.**

Solanera. (De *solana.*) f. Efecto que produce en una persona el tomar mucho sol. || **2.** Paraje expuesto sin resguardo a los rayos solares cuando son más molestos y peligrosos.

Solanina. (De *solano*, 2.° art.) f. Glucósido muy venenoso contenido en algunas plantas de la familia de las solanáceas.

Solano. (Del lat. *solānus.*) m. Viento que sopla de donde nace el Sol. || **2.** *Burg.* y *Prov. Vasc.* Viento cálido y sofocante, cualquiera que sea su rumbo.

Solano. (Del lat. *solānum.*) m. **Hierba mora,** 1.ª acep.

Solapa. (De *solape.*) f. Parte del vestido, correspondiente al pecho, y que suele ir doblada hacia fuera sobre la misma prenda de vestir. Unas veces sirve para abrigo del pecho, y otras meramente de adorno. || **2.** Prolongación lateral de la cubierta o camisa de un libro, que se dobla hacia adentro y en la que se imprimen algunas advertencias o anuncios. || **3.** fig. Ficción o colorido que se usa para disimular una cosa. || **4.** *Veter.* Cavidad que hay en algunas llagas que presentan un orificio pequeño. || **De solapa.** m. adv. **A solapo.**

Solapadamente. adv. m. fig. Con cautela o ficción; encubriendo o disimulando una cosa.

Solapado, da. p. p. de **Solapar.** || **2.** adj. fig. Dícese de la persona que por costumbre oculta maliciosa y cautelosamente sus pensamientos.

Solapamiento. m. *Veter.* **Solapa,** 4.ª acep.

Solapar. (De *solapa.*) tr. Poner solapas a los vestidos. || **2. Traslapar,** 1.ª y 2.ª aceps. || **3.** fig. Ocultar maliciosa y cautelosamente la verdad o la intención. || **4.** intr. Caer cierta parte del cuerpo de un vestido doblada sobre otra para adorno o mayor abrigo. *Este chaleco* SOLAPA *bien.*

Solape. (De *so*, 3.er art., y el lat. *lapis*, losa; compárese el port. *solapa.*) m. **Solapa.**

Solapo. m. **Solapa.** || **2.** Parte de una cosa que queda cubierta por otra, como las tejas del tejado. || **3.** fig. y fam. **Sopapo,** 1.ª acep. || **A solapo.** m. adv. fig. y fam. Ocultamente, a escondidas.

Solar. (De *suelo.*) adj. V. **Casa solar.** Ú. t. c. s. m. || **2.** m. Casa, descendencia, linaje noble. *Su padre venía del* SOLAR *de Vegas.* || **3.** V. **Hidalgo de solar conocido.** || **4.** Porción de terreno donde se ha edificado o que se destina a edificar en él.

Solar. (Del lat. *solāris.*) adj. Perteneciente al Sol. *Rayos* SOLARES. || **2.** V. **Microscopio, reloj solar.** || **3.** *Astron.* V. **Día, eclipse solar.** || **4.** *Astron.* V. **Mes solar astronómico.** || **5.** *Astron.* V. **Tiempo solar verdadero.** || **6.** *Cronol.* V. **Ciclo solar.**

Solar. (De *suelo.*) tr. Revestir el suelo con ladrillos, losas u otro material.

Solar. tr. Echar suelas al calzado.

Solariego, ga. adj. Perteneciente al solar de antigüedad y nobleza. Ú. t. c. s. || **2.** En la Edad Media, decíase del hombre o colono que vivía en tierra del rey, de la Iglesia o de un hidalgo, sometido al poder personal de su señor. Ú. m. c. s. || **3.** Aplícase a los fundos que pertenecen con pleno derecho a sus dueños. || **4.** Antiguo y noble. || **5.** V. **Casa solariega.**

Solaz. (De *solazar.*) m. Consuelo, placer, esparcimiento, alivio de los trabajos. || **A solaz.** m. adv. Con gusto y placer.

Solazar. (Del lat. **solatiāre*, de *solatium.*) tr. Dar solaz. Ú. m. c. r.

Solazo. (aum. de *sol.*) m. fam. Sol fuerte y ardiente que calienta y se deja sentir mucho.

Solazoso, sa. adj. Que causa solaz.

Soldada. (De *sueldo.*) f. Sueldo, salario o estipendio. || **2.** Haber del soldado.

Soldadero, ra. adj. ant. Que gana soldada.

Soldadesca. f. Ejercicio y profesión de soldado. || **2.** Conjunto de soldados. || **3.** Tropa indisciplinada.

Soldadesco, ca. adj. Perteneciente a los soldados. || **A la soldadesca.** m. adv. Al uso de los soldados.

Soldado. (Del lat. **solidātus*, de *solĭdus*, sueldo.) m. El que sirve en la milicia. || **2.** Militar sin graduación. || **3.** fig. El que es esforzado o diestro en la milicia. || **4.** fig. Mantenedor, servidor, partidario. || **blanquillo.** fam. **Soldado** de infantería de línea que usaba uniforme blanco. || **cumplido.** El que ha servido todo el tiempo a que estaba obligado, y permanece en el regimiento hasta obtener la licencia. || **de cuota.** El que sólo debía estar en filas una parte del tiempo señalado por la ley, por haber pagado la cuota militar correspondiente a la rebaja que se le concedía. || **de haber.** El que no es de cuota. || **de Pavía.** fam. Tajada de bacalao frito rebozado con huevo y harina. || **desmontado.** El de caballería, cuando no tiene caballo. || **distinguido.** El que siendo noble y careciendo de asistencias para subsistir como cadete, gozaba de ciertas distinciones en su cuerpo, cuales son el uso de la espada, exención de la mecánica del cuartel, etc. || **veterano,** o **viejo.** Militar que ha servido muchos años, a distinción del nuevo y bisoño. || **voluntario.** El que libremente se alista para el servicio.

Soldador. m. El que tiene por oficio soldar. || **2.** Instrumento con que se suelda.

Soldadote. aum. despect. de **Soldado.** Se aplica principalmente al militar de alta graduación que se distingue por la brusquedad de sus modales.

Soldadura. f. Acción y efecto de soldar. || **2.** Material que sirve y está preparado para soldar. || **3.** fig. Enmienda o corrección de una cosa. *Este desacierto no tiene* SOLDADURA. || **autógena.** La que se hace con el mismo metal de las piezas que se han de soldar.

Soldán. (Del m. or. que *sultán.*) m. **Sultán,** 2.ª acep. Llamábase así más comúnmente a los soberanos musulmanes de Persia y Egipto.

Soldar. (Del lat. *solidāre*, consolidar, afirmar.) tr. Pegar y unir sólidamente dos cosas, o dos partes de una misma cosa, de ordinario con alguna substancia igual o semejante a ellas. || **2.** fig. Componer, enmendar y disculpar un desacierto con acciones o palabras.

Soleá. f. *And.* Forma pop. de **soledad,** 4.ª, 5.ª y 6.ª aceps. El pl. es **soleares.**

Soleamiento. m. Acción de solear o solearse.

Solear. (De *sol*, 1.er art.) tr. Tener expuesta al sol una cosa por algún tiempo. Ú. t. c. r.

Solecismo. (Del lat. *soloecismus*, y éste del gr. σολοικισμός, dicho así de *Soli*, ciudad de Cilicia, en donde se hablaba mal el griego.) m. Falta de sintaxis; error cometido contra la exactitud o pureza de un idioma.

Soledad. (Del lat. *solĭtas, -ātis.*) f. Carencia voluntaria o involuntaria de compañía. || **2.** Lugar desierto, o tierra no habitada. || **3.** Pesar y melancolía que se sienten por la ausencia, muerte o pérdida de alguna persona o cosa. || **4.** Tonada andaluza de carácter melancólico, en compás de tres por ocho. || **5.** Copla que se canta con esta música. || **6.** Danza que se baila con ella.

Soledoso, sa. (De *soledad.*) adj. **Solitario.** || **2.** Que siente soledad, 3.ª acep.

Soledumbre. (Del lat. *solitudo, -ĭnis.*) f. desus. Paraje solitario y estéril, desierto.

Solejar. intr. ant. **Tomar el sol.**

Solejar. (De *sol.*) m. **Solana,** 1.ª acep.

Solemne. (Del lat. *solemnis.*) adj. desus. Que se hace de año a año. || **2.** Celebrado o hecho públicamente con pompa o ceremonias extraordinarias. *Exequias, procesión, junta, audiencia* SOLEMNE. || **3.** V. **Misa, voto solemne.** || **4.** Formal, grave, firme, válido, acompañado de circunstancias importantes o de todos los requisitos necesarios. *Compromiso, declaración, promesa, prueba, juramento, voto* SOLEMNE. || **5.** Crítico, interesante, de mucha entidad. *Ocasión, plática* SOLEMNE. || **6.** Grave, majestuoso, imponente. || **7.** Encarece en sentido peyorativo la significación de algunos nombres. SOLEMNE *disparate.*

Solemnemente. adv. m. De manera solemne.

Solemnidad. (Del lat. *solemnĭtas, -ātis.*) f. Calidad de solemne. || **2.** Acto o ceremonia solemne. || **3.** Festividad eclesiástica. || **4.** Cada una de las formalidades de un acto solemne. || **5.** V. **Pobre de solemnidad.** || **6.** *For.* Conjunto de requisitos legales para la validez de los otorgamientos testamentarios y de otros instrumentos que la ley denomina públicos y solemnes.

Solemnizador, ra. adj. Que solemniza. Ú. t. c. s.

Solemnizar. (Del lat. *solemnizāre.*) tr. Festejar o celebrar de manera solemne un suceso. || **2.** Engrandecer, aplaudir, autorizar o encarecer una cosa.

Solén. adj. ant. **Solemne.**

Solenoide. (Del lat. *solen*, canal, canuto, y del gr. εἶδος, forma.) m. *Fís.* Circuito formado por un conductor arrollado en hélice, y cuyo extremo vuelve hacia atrás en línea recta paralela al eje de la hélice.

Sóleo. (Del lat. *solĕa*, suela, de *solum*, la planta del pie.) m. *Zool.* Músculo de la pantorrilla unido a los gemelos por su parte inferior para formar el tendón de Aquiles.

Soleo. (De *suelo.*) m. *And.* Recolección de la aceituna caída del árbol naturalmente o derribada por el aire.

Soler. (Del cat. *soler*, y éste del lat. *solārium.*) m. *Mar.* Entablado que tienen las embarcaciones en lo bajo del plan.

Soler. (Del lat. *solēre.*) intr. Con referencia a seres vivos, **acostumbrar,** 2.ª acep.; con referencia a hechos o cosas, ser frecuente.

Solera. (Del lat. *solarĭa*, de *solum*, suelo.) f. Madero asentado de plano sobre fábrica para que en él descansen o se ensamblen otros horizontales, inclinados o verticales. || **2.** Madero de sierra, de dimensiones varias según las regiones. || **3.** Piedra plana puesta en el suelo para sostener pies derechos u otras cosas semejantes. || **4.** Muela del molino que está fija debajo de la volandera. || **5.** Suelo del horno. || **6.** Superficie del fondo en canales y acequias. || **7.** V. **Vino de solera.** || **8.** Madre o lía del vino.

Solercia. (Del lat. *solertĭa.*) f. Industria, habilidad y astucia para hacer o tratar una cosa.

Solería. f. Material que sirve para solar. || **2. Solado,** 3.ª acep.

Solería. f. Conjunto de cueros para hacer suelas.

Solero. m. *And.* **Solera,** 4.ª acep.

Solerte. (Del lat. *solers, -ertis.*) adj. Sagaz, astuto.

Soleta. (De *suela.*) f. Pieza de tela con que se remienda la planta del pie de la media o calcetín cuando se rompe. || **2.** fam. Mujer descarada. || **Apretar,** o **picar, de soleta,** o **tomar soleta.** frs. fams. Andar aprisa o correr; huir.

Soletar. tr. Echar soletas a las medias.

Soletear. tr. **Soletar.**

Soletero, ra. m. y f. Persona que por oficio echa soletas.

Solevación. f. Acción y efecto de solevar o solevarse.

Solevamiento. m. **Solevación.**

Solevantado, da. p. p. de **Solevantar.** || **2.** adj. **Soliviantado.**

Solevantamiento. m. Acción y efecto de solevantar o solevantarse.

Solevantar. (De *so,* 3.er art., y *levantar.*) tr. Levantar una cosa empujando de abajo arriba. Ú. t. c. r. || **2.** fig. **Soliviantar.** Ú. t. c. r.

Solevanto. (De *solevantar,* 2.ª acep.) m. ant. Alteración, conmoción.

Solevar. (Del lat. *sublevāre.*) tr. **Sublevar.** Ú. t. c. r. || **2. Solevantar,** 1.ª acep.

Solfa. (De *sol,* 2.° art., y *fa.*) f. Arte que enseña a leer y entonar las diversas voces de la música. || **2.** Conjunto o sistema de signos con que se escribe la música. || **3.** fig. **Música,** 1.ª acep. || **4.** fig. y fam. Zurra de golpes. || **Estar** una cosa **en solfa.** fr. fig. y fam. Estar hecha con arte, regla y acierto. || **2.** fig. y fam. Estar escrita o explicada de una manera ininteligible. || **Poner** una cosa **en solfa.** fr. fig. y fam. Hacerla con arte, regla y acierto. || **2.** fig. y fam. Presentarla bajo un aspecto ridículo. || **Tocar la solfa** a uno. fr. fig. y fam. **Solfearle,** 2.ª acep.

Solfatara. (Del ital. *solfatara.*) f. Abertura, en los terrenos volcánicos, por donde salen, a diversos intervalos, vapores sulfurosos.

Solfeador, ra. adj. Que solfea. Ú. t. c. s.

Solfear. (De *solfa.*) tr. Cantar marcando el compás y pronunciando los nombres de las notas. || **2.** fig. y fam. Castigar a uno dándole golpes, zurrarle. || **3.** fig. y fam. Reprender de palabra o censurar algo con insistencia.

Solfeo. m. Acción y efecto de solfear. || **2.** fig. y fam. Zurra o castigo de golpes.

Solferino, na. (Del nombre de la batalla de *Solferino,* ganada por Napoleón III en 1859.) adj. De color morado rojizo.

Solfista. (De *solfa.*) com. Persona que practica el solfeo.

Solicitación. (Del lat. *sollicitatĭo, -ōnis.*) f. Acción de solicitar.

Solicitador, ra. (Del lat. *sollicitātor, -ōris.*) adj. Que solicita. Ú. t. c. s. || **2.** m. **Agente,** 2.ª acep. || **fiscal.** ant. **Agente fiscal.**

Solícitamente. adv. m. De manera solícita.

Solicitante. p. a. de **Solicitar.** Que solicita. Ú. t. c. s.

Solicitar. (Del lat. *sollicitāre.*) tr. Pretender o buscar una cosa con diligencia y cuidado. || **2.** Hacer diligencias o gestionar los negocios propios o ajenos. || **3.** Requerir y procurar con instancia tener amores con una persona. || **4.** *Fís.* Atraer una o más fuerzas a un cuerpo, cada cual en su sentido. || **5.** intr. ant. Instar, urgir.

Solícito, ta. (Del lat. *sollicĭtus.*) adj. Diligente, cuidadoso.

Solicitud. (Del lat. *sollicitūdo.*) f. Diligencia o instancia cuidadosa. || **2.** Memorial en que se solicita algo.

Sólidamente. adv. m. Con solidez. || **2.** fig. Con razones verdaderas y firmes.

Solidar. (Del lat. *solidāre.*) tr. **Consolidar.** Ú. t. c. r. || **2.** fig. Establecer, fundar o afirmar una cosa con razones verdaderas y fundamentales.

Solidariamente. adv. m. **In sólidum.**

Solidaridad. (De *solidario.*) f. Modo de derecho u obligación in sólidum. || **2.** Adhesión circunstancial a la causa o a la empresa de otros.

Solidario, ria. (De *sólido.*) adj. Aplícase a las obligaciones contraídas in sólidum y a las personas que las contraen. || **2.** Adherido o asociado a la causa, empresa u opinión de otro.

Solidarizar. tr. Hacer a una persona o una cosa solidaria con otra. Ú. t. c. r.

Solideo. (Del lat. *soli Deo,* a sólo Dios, aludiendo a que los sacerdotes se lo quitan únicamente ante el sagrario, en presencia de S. D. M.) m. Casquete de seda u otra tela ligera, que usan los eclesiásticos para cubrirse la corona.

Solidez. f. Calidad de sólido. || **2.** *Geom.* **Volumen,** 3.ª acep.

Solidificación. f. Acción y efecto de solidificar o solidificarse.

Solidificar. (Del lat. *solĭdus,* sólido, y *facĕre,* hacer.) tr. Hacer sólido un fluido. Ú. t. c. r.

Sólido, da. (Del lat. *solĭdus.*) adj. Firme, macizo, denso y fuerte. || **2.** Aplícase al cuerpo cuyas moléculas tienen entre sí mayor cohesión que las de los líquidos. Ú. t. c. s. m. || **3.** fig. Asentado, establecido con razones fundamentales y verdaderas. || **4.** *Arit.* V. **Número sólido.** || **5.** *Geom.* V. **Ángulo sólido.** || **6.** m. Moneda de oro de los antiguos romanos, que comúnmente valía 25 denarios de oro. || **7.** *Geom.* **Cuerpo,** 17.ª acep. || **8.** *Geom.* V. **Línea de los sólidos.**

Soliloquiar. (De *soliloquio.*) intr. fam. Hablar a solas.

Soliloquio. (Del lat. *soliloquĭum;* de *solus,* solo, y *loqui,* hablar.) m. Habla o discurso de una persona que no dirige a otra la palabra. || **2.** Lo que habla de este modo un personaje de obra dramática o de otra semejante.

Solimán. (Del ár. *sulaimānī,* propio de Salomón, corrupción y etimología popular del lat. *sublimātum.*) m. **Sublimado corrosivo.**

Solimitano, na. adj. Aféresis de **Jerosolimitano.** Apl. a pers., ú. t. c. s.

Solio. (Del lat. *solĭum.*) m. Trono, silla real con dosel. || **2.** desus. Sesión solemne que las antiguas cortes celebraban con asistencia del rey, para que éste confirmase lo en ellas acordado.

Solípedo. (Del lat. *solĭpes, -ĕdis.*) adj. *Zool.* **Équido.**

Solista. com. *Mús.* Persona que ejecuta un solo de una pieza vocal o instrumental.

Solitaria. (Del lat. *solitarĭa,* t. f. de *-rĭus,* solitario.) f. Silla de posta capaz para una sola persona. || **2. Tenia,** 1.ª acep.

Solitariamente. adv. m. En soledad.

Solitario, ria. (Del lat. *solitarĭus.*) adj. Desamparado, desierto. || **2. Solo,** 3.ª acep. || **3.** Retirado, que ama la soledad o vive en ella. Ú. t. c. s. || **4.** V. **Pájaro solitario.** Ú. t. c. s. || **5.** *Bot.* V. **Flores solitarias.** || **6.** m. Diamante grueso que se engasta solo en una joya. || **7.** Juego que ejecuta una sola persona. Los hay de varias clases, y señaladamente de naipes. || **8. Ermitaño,** 2.ª acep.

Sólito, ta. (Del lat. *solĭtus,* p. p. de *solēre,* soler, acostumbrar.) adj. Acostumbrado; que se suele hacer ordinariamente.

Solitud. f. ant. **Soledad,** 1.ª y 2.ª aceps.

Soliviadura. f. Acción y efecto de soliviar o soliviarse.

Soliviantado, da. p. p. de **Soliviantar.** || **2.** adj. Inquieto, perturbado, solícito.

Soliviantar. (De *soliviar.*) tr. Mover el ánimo de una persona para inducirla a adoptar alguna actitud rebelde u hostil. Ú. t. c. r.

Soliviar. (Del lat. **sŭbleviāre,* de *levis.*) tr. Ayudar a levantar una cosa por debajo. || **2.** r. Alzarse un poco el que está sentado, echado o cargado sobre una cosa, sin acabarse de levantar del todo.

Solivio. (De *soliviar.*) m. **Soliviadura.**

Solivión. m. aum. de **Solivio.** Tirón grande para sacar una cosa oprimida por otra que tiene encima.

Solivo. m. *Guip.* y *Nav.* Madero de sierra o viga que se usa en la construcción.

Solmenar. (Del lat. *sub,* so, 3.er art., y *mināre,* llevar.) tr. *Ast.* Agitar, asiéndolo por el tallo o tronco, un vegetal que está en pie. || **2.** fig. *Ast.* Agitar de un modo semejante cualquiera otra cosa.

Solo, la. (Del lat. *solus.*) adj. Único en su especie. || **2.** Que está sin otra cosa o que se mira separado de ella. || **3.** Dicho de personas, sin compañía. || **4.** Que no tiene quien le ampare, socorra o consuele en sus necesidades o aflicciones. || **5.** m. Paso de danza que se ejecuta sin pareja. || **6.** Juego de naipes parecido en su marcha al tresillo, y en el cual gana el que hace por lo menos 36 tantos, contando por cinco la malilla de cada palo, que es el siete, por cuatro el as, por tres el rey y por dos las demás cartas, excepto los doses, ochos y nueves, que se han quitado previamente de la baraja. || **7.** En el juego del hombre y otros de naipes, lance en que se hacen todas las bazas necesarias para ganar, sin ayuda de robo ni de compañero. || **8. Solitario,** 7.ª acep. || **9.** *Mús.* Composición o parte de ella que canta o toca una persona sola. || **A solas.** m. adv. Sin ayuda ni compañía de otro. || **A** mis, **a** sus, **a** tus, **solas.** m. adv. En soledad o retiro; fuera del trato social. || **2. A solas.** || **Dar un solo** a uno. fr. fig. y fam. Molestarle un importuno, contándole prolijamente cuitas o aventuras que interesan poco o nada a quien las oye. || **De solo a solo.** m. adv. Sin intervención de tercera persona; de una a otra, entre dos solamente.

Sólo. adv. m. **Solamente.**

Solombra. (Del lat. *sub umbra.*) f. ant. **Sombra.**

Solombría. f. *Sal.* **Umbría.**

Solomillo. (d. de *solomo.*) m. En los animales de matadero, capa muscular que se extiende por entre las costillas y el lomo.

Solomo. (De *so,* 3.er art., y *lomo.*) m. **Solomillo.** || **2.** Por ext., lomo de puerco adobado. || **Cuando no tengo solomo, de todo como.** ref. que recomienda contentarse con lo asequible, a falta de cosa mejor.

Solsonense. adj. Natural de Solsona. Ú. t. c. s. || **2.** Perteneciente a esta ciudad de Cataluña.

Solsticial. (Del lat. *solstitiālis.*) adj. Perteneciente o relativo al solsticio. *Círculo* SOLSTICIAL.

Solsticio. (Del lat. *solstitĭum.*) m. *Astron.* Época en que el Sol se halla en uno de los dos trópicos, lo cual sucede del 21 al 22 de junio para el de Cáncer, y del 21 al 22 de diciembre para el de Capricornio. || **hiemal.** *Astron.* El de invierno, que hace en el hemisferio boreal el día menor y la noche mayor del año, y en el hemisferio austral todo lo contrario. || **vernal.** *Astron.* El de verano, que hace en el hemisferio boreal el día mayor y la noche menor del año, y en el hemisferio austral todo lo contrario.

Solťadizo, za. adj. Que se suelta con arte y maña, o con disimulo o secreto, para algún fin.

Soltador, ra. adj. Que suelta o echa de sí una cosa que tenía asida. Ú. t. c. s.

Soltaní. (Del ár. *sulṭānī,* perteneciente o relativo al sultán.) m. Moneda de oro fino usada en el imperio turco, con valor distinto según los tiempos y provincias, y que en los siglos XVI y XVII era de 140 aspros, equivalentes a unas nueve pesetas.

Soltar. (De *suelto.*) tr. Desatar o desceñir. || **2.** Dejar ir o dar libertad al que estaba detenido o preso. Ú. t. c. r. || **3.** Desasir lo que estaba sujeto. SOLTAR *la espada, la cuerda.* Ú. t. c. r. SOLTARSE *los puntos de una media.* || **4.** Dar salida a lo que estaba detenido o confinado. Ú. t. c. r. SOLTAR *el agua;* SOLTARSE *la sangre.* || **5.** Con relación al vientre, hacerle evacuar con frecuencia. Ú. t. c. r. || **6.** Romper en una señal de afecto interior; como risa, llanto, etc. || **7.** Explicar, descifrar, dar solución. Hoy sólo se usa en las frases SOLTAR *la dificultad, el argumento.* || **8.** fam. **Decir,** 1.ª acep. Aplícase por lo común a las palabras necias, groseras, injuriosas o que se debían callar. SOLTAR *un juramento, una desvergüenza.* || **9.** ant. Perdonar o remitir a uno el todo o parte de lo que debe. || **10.** ant. Relevar a uno de cumplir una cosa. || **11.** ant. Anular, quitar. || **12.** r. fig. Adquirir expedición y agilidad en la ejecución o negociación de las cosas. || **13.** fig. Abandonar el encogimiento y la modestia, dándose a la desenvoltura. || **14.** fig. Empezar a hacer algunas cosas; como hablar, andar, escribir, etc.

Soltería. f. Estado de soltero.

Soltero, ra. (Del lat. *solitarĭus.*) adj. **Célibe.** Ú. t. c. s. || **2.** Suelto o libre.

Solterón, na. adj. Célibe ya entrado en años. Ú. t. c. s.

Soltura. f. Acción y efecto de soltar. || **2.** Agilidad, prontitud, expedición, gracia y facilidad en lo material o en lo inmaterial. || **3.** ant. **Solución,** 2.ª acep. || **4.** ant. Perdón, remisión. || **5.** fig. Disolución, libertad o desgarro. || **6.** fig. Facilidad y lucidez de dicción. || **7.** *For.* Libertad acordada por el juez para un preso.

Solubilidad. f. Calidad de soluble.

Soluble. (Del lat. *solubĭlis.*) adj. Que se puede disolver o desleír. || **2.** fig. Que se puede resolver. *Problema* SOLUBLE.

Solución. (Del lat. *solutĭo, -ōnis.*) f. Acción y efecto de desatar o disolver. || **2.** Acción y efecto de resolver una duda o dificultad. || **3.** Satisfacción que se da a una duda, o razón con que se disuelve o desata la dificultad de un argumento. || **4.** En el drama y poema épico, **desenlace.** || **5.** Paga, satisfacción. || **6.** Desenlace o término de un proceso, negocio, etc. || **7.** *Mat.* Cada una de las cantidades que satisfacen las condiciones de un problema o de una ecuación. || **de continuidad.** Interrupción o falta de continuidad. || **de continuo.** p. us. **Solución de continuidad.**

Solucionar. tr. Resolver un asunto, hallar solución o término a un negocio.

Solutivo, va. (Del lat. *solūtum,* supino de *solvĕre,* soltar, desatar.) adj. *Med.* Dícese del medicamento que tiene virtud para soltar o laxar. Ú. t. c. s. m.

Solvencia. (Del lat. *solvens, -entis,* solvente.) f. Acción y efecto de solventar. || **2.** Calidad de solvente, 2.ª y 3.ª aceps.

Solventar. (De *solvente.*) tr. Arreglar cuentas, pagando la deuda a que se refieren. || **2.** Dar solución a un asunto difícil.

Solvente. (Del lat. *solvens, -entis.*) p. a. de **Solver.** Que desata o resuelve. || **2.** adj. Desempeñado de deudas. || **3.** Capaz de satisfacerlas. || **4.** Capaz de cumplir obligación, cargo, etc., y más en especial, capaz de cumplirlos cuidadosa y celosamente.

Solver. (Del lat. *solvĕre.*) tr. desus. **Resolver,** 3.ª y 4.ª aceps.

Solla. (Del gall. *solla,* y éste del lat. *sŏlea.*) f. Pez muy parecido a la platija y del mismo género que ésta.

Sollado. (Del gall. o port. *sollado,* y éste del lat. **soleātum,* de *sŏlum.*) m. *Mar.* Uno de los pisos o cubiertas inferiores del buque, en la cual se suelen instalar alojamientos y pañoles.

Sollador. (De *sollar.*) m. ant. El que sopla como fuelle.

Sollamar. tr. Socarrar una cosa con la llama. Ú. t. c. r.

Sollar. (Del lat. *sufflāre.*) tr. ant. **Soplar,** 1.ª y 2.ª aceps. Ú. en *Sant.*

Sollastre. (De *sollar.*) m. Pinche de cocina. || **2.** fig. Pícaro redomado.

Sollastría. f. Acción o ministerio del sollastre.

Sollisparse. r. *And.* Recelarse, escamarse.

Sollo. (Del lat. *sŭllus.*) m. **Esturión.**

Sollozante. p. a. de **Sollozar.** Que solloza.

Sollozar. (Del lat. *singultiāre,* de *singultus,* sollozo.) intr. Producir por un movimiento convulsivo varias inspiraciones bruscas, entrecortadas, seguidas de una espiración: es fenómeno nervioso que suele acompañar al llanto.

Sollozo. m. Acción y efecto de sollozar.

Soma. (Del lat. *sūmma.*) f. **Cabezuela,** 2.ª acep. || **2.** *Germ.* **Gallina,** 1.ª acep. || **3.** *Ál.* y *Logr.* Pan hecho de **soma.**

Somanta. (De *so,* 3.er art., y *manta.*) f. fam. Tunda, zurra.

Somarrar. (De **semiurāre,* de *semiurĕre,* medio quemar.) tr. *Ar.* y *Rioja.* Socarrar, chamuscar. Ú. t. c. r.

Somarro. m. *And., Cuen., Sal., Seg.* y *Zam.* Trozo de carne fresca sazonada con sal y asada en las brasas.

Somatén. (Voz catalana, formada de *so,* ruido, y *metent,* metiendo.) m. Cuerpo de gente armada, que no pertenece al ejército, que se reúne a toque de campana para perseguir a los criminales o defenderse del enemigo. Es instituto propio de Cataluña. || **2.** En Cataluña, **rebato,** 1.ª acep. || **3.** fig. y fam. Bulla, alarma, alboroto. || **¡Somatén!** Grito de guerra de las antiguas milicias de Cataluña.

Somatenista. m. Individuo que forma parte de un somatén.

Somático, ca. (Del gr. σωματικός, corporal.) adj. Dícese de lo que es material o corpóreo en un ser animado. || **2.** *Med.* Aplícase al síntoma material, físico o químico, dependiente de una alteración de los sólidos o líquidos del organismo, para diferenciarlo del síntoma funcional.

Somatología. (Del gr. σῶμα, cuerpo, y λόγος, tratado.) f. Tratado de las partes sólidas del cuerpo humano.

Sombra. (De *sombrar.*) f. Obscuridad, falta de luz, más o menos completa. Ú. m. en pl. *Las* SOMBRAS *de la noche.* || **2.** Proyección obscura que un cuerpo lanza en el espacio en dirección opuesta a aquella por donde vienen los rayos del Sol o de otro foco luminoso. || **3.** Imagen obscura que sobre una superficie cualquiera proyecta el contorno de un cuerpo opaco, interceptando los rayos directos de la luz. *La* SOMBRA *de un árbol, de un edificio, de una persona.* || **4.** Espectro o aparición vaga y fantástica de la imagen de una persona ausente o difunta. || **5.** fig. **Obscuridad,** 4.ª acep. || **6.** fig. Asilo, favor, defensa. || **7.** fig. Apariencia o semejanza de una cosa. || **8.** fig. Mácula, defecto. || **9.** fam. **Suerte,** 2.ª acep. || **10.** *Argent.* y *Hond.* **Falsilla.** || **11.** *Germ.* **Justicia,** 8.ª acep. || **12.** *Pint.* Color obscuro, contrapuesto al claro, con que los pintores y dibujantes representan la falta de luz, dando entonación a sus obras y bulto aparente a los objetos. || **de hueso.** *Pint.* Color pardo obscuro que se prepara con huesos quemados y molidos. || **de Venecia.** *Pint.* Color pardo negruzco que se prepara con el lignito terroso. || **de viejo.** *Pint.* Color muy obscuro y ordinario que se prepara con la arcilla negruzca. || **Sombras chinescas.** Espectáculo que consiste en unas figurillas que se mueven detrás de una cortina de papel o lienzo blanco iluminadas por la parte opuesta a los espectadores. || **2.** Baile que se hace poniendo en el escenario una cortina de lienzo o de papel, detrás de la cual, a cierta distancia, se colocan algunas luces en el suelo, y los que bailan se ponen entre las luces y la cortina. || **invisibles. Sombras chinescas,** 2.ª acep. || **A la sombra.** fr. fig. y fam. En la cárcel. Ú. especialmente con los verbos *poner* y *estar.* || **A sombra de tejado,** o **de tejados.** m. adv. fig. y fam. Encubierta y ocultamente, a escondidas. Ordinariamente se usa con el verbo *andar.* || **Hacer sombra.** fr. Impedir la luz. || **2.** fig. Impedir uno a otro prosperar, sobresalir o lucir, por tener más mérito, más habilidad o más favor que él. || **3.** fig. Favorecer y amparar uno a otro para que sea atendido y respetado. || **Mirarse uno a la sombra.** fr. fig. y fam. Preciarse de galán; ser presumido. || **Ni por sombra.** m. adv. fig. De ningún modo. || **2.** fig. Sin especie o noticia alguna. || **No ser** una persona o cosa **su sombra,** o **ni sombra de lo que era.** fr. fig. Haber degenerado o decaído por extremo; haber cambiado mucho y desventajosamente. || **No tener** uno **sombra,** o **ni sombra, de** una cosa. fr. fig. Carecer absolutamente de ella. *Juan* NO TIENE SOMBRA, O NI SOMBRA, DE *valor, miedo, cariño, vergüenza.* || **Sin sombra,** o **como sin sombra.** fr. Triste y desasosegado por la falta de algo habitual que se desea o apetece con ansia. Ú. generalmente con los verbos *andar, estar, quedarse.* || **Tener** uno **buena sombra.** fr. fig. y fam. Ser agradable y simpático. Suele decirse también de las cosas. || **2.** fig. y fam. Tener chiste. || **3.** fig. y fam. Ser de buen agüero su presencia o compañía. || **Tener** uno **mala sombra.** fr. fig. Ejercer mala influencia sobre los que le rodean. || **2.** fig. y fam. Ser desagradable y antipático. Suele decirse también de las cosas.

Sombraje. m. **Sombrajo,** 1.ª acep.

Sombrajo. (Del lat. *sub,* so, 3.er art., y *umbracŭlum,* de *umbra,* sombra.) m. Reparo o resguardo de ramas, mimbres, esteras, etc., para hacer sombra. || **2.** fam. Sombra que hace uno poniéndose delante de la luz y moviéndose de modo que estorbe al que la necesita. Ú. m. en pl.

Sombrar. (Del lat. **sŭbŭmbrāre.*) tr. **Asombrar,** 1.ª acep.

Sombreador, ra. (De *sombrear.*) adj. Que sombrea.

Sombrear. tr. Dar o producir sombra. || **2.** *Pint.* Poner sombra en una pintura o dibujo.

Sombrerada. f. Lo que cabe en un sombrero. || **2.** fam. desus. **Sombrerazo,** 2.ª y 3.ª aceps.

Sombrerazo. m. aum. de **Sombrero.** || **2.** Golpe dado con el sombrero. || **3.** fam. Saludo precipitado que se hace quitándose el sombrero.

Sombrerera. f. Mujer del sombrerero. || **2.** La que hace sombreros y la que los vende. || **3.** Caja para guardar el sombrero. || **4.** *Bot.* Planta de la familia de las compuestas. Úsase en medicina.

Sombrerería. (De *sombrerero.*) f. Oficio de hacer sombreros. || **2.** Fábrica donde se hacen. || **3.** Tienda donde se venden.

Sombrerero. m. El que hace sombreros y el que los vende.

Sombrerete. m. d. de **Sombrero.** || **2.** *Bot.* **Sombrero,** 4.ª acep.

Sombrerillo. m. d. de **Sombrero.** || **2.** Cestillo o capachillo que los presos colgaban de la reja del calabozo para recoger las limosnas de los transeúntes. || **3. Ombligo de Venus,** 1.ª acep. || **4.** *Bot.* Parte abombada de las setas, a modo de sombrilla sostenida por el pedicelo; en su cara inferior hay numerosas láminas que, partiendo de la periferia, se reúnen en el centro, y en las cuales se forman las esporas.

Sombrero. (De *sombra.*) m. Prenda de vestir, que sirve para cubrir la cabeza, y consta de copa y ala. || **2.** Techo que cubre el púlpito, para recoger la voz del predicador y evitar resonancias. || **3.** fig. Privilegio que tenían los grandes de España de cubrirse ante el rey. || **4.** *Bot.* **Sombrerillo,** 4.ª acep. || **5.** *Mar.* Pieza circular de madera, que forma la parte superior del cabrestante. || **a la chamberga. Sombrero chambergo.** || **apuntado.** El de ala grande, recogida por ambos lados y sujeta con una puntada por encima de la copa, usado hoy solamente como prenda de uniforme. ||

calañés. **Sombrero** de ala vuelta hacia arriba y copa comúnmente baja en forma de cono truncado. Úsanlo los labriegos y gente de pueblo en varias provincias. || **castoreño.** El fabricado con el pelo de castor u otra materia parecida, como el fieltro. || **2. Sombrero calañés.** || **cordobés.** El de fieltro, de ala ancha y plana, con copa baja cilíndrica. || **chambergo.** El de copa más o menos acampanada y de ala ancha levantada por un lado y sujeta con presilla, el cual solía adornarse con plumas y cintillos y también con una cinta que, rodeando la base de la copa, caía por detrás. || **de Calañas. Sombrero calañés.** || **de canal.** El que tiene levantadas y abarquilladas las dos mitades laterales de su ala en forma de teja. Úsanlo los eclesiásticos. || **de candil. Sombrero de tres candiles.** || **de canoa. Sombrero de canal.** || **de catite.** El calañés, con copa alta. || **de copa,** o **de copa alta.** El de ala estrecha y copa alta, casi cilíndrica y plana por encima, generalmente forrado de felpa de seda negra. || **de jipijapa.** El de ala ancha tejido con paja muy fina, que se fabrica en Jipijapa y en otras varias poblaciones ecuatorianas. || **de medio queso.** El que está armado en forma semiesférica y tiene levantadas las dos mitades de su ala por encima de la copa, donde se sujetan con una presilla. || **de muelles. Clac,** 1.ª acep. || **de pelo.** *Argent.* y *Chile.* **Sombrero de copa.** || **de teja. Sombrero de canal.** || **de tres candiles. Sombrero de tres picos,** 2.ª acep. || **de tres picos.** El que está armado en forma de triángulo. || **2.** El que teniendo levantada y abarquillada el ala por terceras partes, forma en su base un triángulo con tres picos a modo de los que sirven de mecheros en las candilejas. || **encandilado.** El de tres picos que tiene muy levantado el de delante. || **flexible.** El de fieltro sin apresto. || **gacho.** El de copa baja y ala ancha y tendida hacia abajo. || **hongo. Hongo,** 2.ª acep. || **jarano.** El de fieltro, usado en América, muy duro, de color blanco, falda ancha y tendida horizontalmente, y bajo de copa, la cual suele llevar un cordón que la rodea por la base y cuyos dos extremos caen por detrás y rematan con borlas. || **jíbaro.** El de campo, hecho de hoja de palma y bastante ordinario, que se usa en las islas de Cuba y Puerto Rico. || **redondo. Sombrero de copa alta.** || **tricornio. Sombrero de tres picos,** 2.ª acep. || **No quiero, no quiero, pero echádmelo,** o **échalo, en el sombrero.** ref. contra los que rehúsan afectadamente recibir una cosa que les dan, con deseo de que les insten más para tomarla. || **Quitarse** uno **el sombrero.** fr. Apartarlo de la cabeza, descubriéndola en señal de cortesía y respeto. || **Tomar el sombrero.** fr. fig. Irse de una parte, o hacer ademán de ello.

Sombría. (De *sombrío.*) f. **Umbría.**

Sombrilla. (d. de *sombra.*) f. **Quitasol.**

Sombrillazo. m. Golpe dado con una sombrilla.

Sombrío, a. adj. Dícese del lugar de poca luz en que frecuentemente hay sombra. || **2.** Dícese de la parte donde se ponen las sombras en la pintura, o de la misma figura sombreada. || **3.** fig. Tétrico, melancólico.

Sombroso, sa. adj. Que hace mucha sombra. || **2. Sombrío,** 1.ª acep.

Somera. (Del b. lat. *saumarius,* y éste del lat. *sagmarius,* de *sagma,* albarda.) f. Cada una de las dos piezas fuertes de madera en que se apoya todo el juego de la máquina antigua de imprimir.

Someramente. adv. m. De un modo somero.

Somero, ra. (Del lat. *summarius,* de *summum,* somo.) adj. Casi encima o muy inmediato a la superficie. || **2.** fig. Ligero, superficial, hecho con poca meditación y profundidad.

Someter. (Del lat. *sŭbmittĕre.*) tr. Sujetar, humillar a una persona, tropa o facción; conquistar, subyugar, pacificar un pueblo, provincia, etc. Ú. t. c. r. || **2.** Subordinar el juicio, decisión o afecto propios a los de otra persona. || **3.** Proponer a la consideración de uno razones, reflexiones u otras especies. || **4.** Encomendar a una o más personas la resolución de un negocio o litigio.

Sométíco, ca. adj. ant. **Sodomítico.** Usáb. t. c. s.

Sometimiento. m. Acción y efecto de someter o someterse.

Somnambulismo. m. **Sonambulismo.**

Somnámbulo, la. (Del lat. *somnus,* sueño, y *ambulāre,* andar.) adj. **Sonámbulo.**

Somnífero, ra. (Del lat. *somnĭfer, -ĕri;* de *somnus,* sueño, y *ferre,* llevar, producir.) adj. Que da o causa sueño. Úsase en lenguaje científico y más en la poesía que en la prosa.

Somnílocuo, cua. (Del lat. *somnus,* sueño, y *loqui,* hablar.) adj. Que habla durante el sueño. Ú. t. c. s.

Somnolencia. (Del lat. *somnolentĭa.*) f. Pesadez y torpeza de los sentidos motivadas por el sueño. || **2.** Gana de dormir. || **3.** fig. Pereza, falta de actividad.

Somo. (Del lat. *summum.*) m. ant. Cima o lo más alto de una cosa. || **En somo.** m. adv. ant. Encima, en lo más alto.

Somontano, na. (De *so,* 3.er art., y *montano.*) adj. Natural de la región del alto Aragón situada en las vertientes de los Pirineos. Ú. t. c. s. || **2.** Dícese de esta región y de lo perteneciente a ella.

Somonte (De). (De *so,* 3.er art., y *monte.*) expr. Basto, burdo, áspero, al natural y sin pulimento. *Hombre, paño* DE SOMONTE. || **2.** Dícese del mosto que aún no se ha convertido en vino.

Somorgujador. (De *somorgujar.*) m. **Buzo,** 1.ª acep.

Somorgujar. (De *somorgujo.*) tr. Sumergir, chapuzar. Ú. t. c. r. || **2.** intr. **Bucear.**

Somorgujo. (Del lat. *sub,* so, y *mergŭlus,* somormujo.) m. Ave palmípeda, con pico recto y agudo, alas cortas, patas vestidas, plumas del lomo, cabeza y cuellos negras, pecho y abdomen blancos, costados castaños, y un pincel de plumas detrás de cada ojo. Vuela poco y puede mantener por mucho tiempo sumergida la cabeza bajo el agua. || **A lo somorgujo,** o **a somorgujo.** m. adv. Por debajo del agua. || **2.** fig. y fam. Ocultamente, con cautela.

Somorgujón. m. **Somorgujo.**

Somormujar. tr. **Somorgujar.**

Somormujo. m. **Somorgujo.**

Sompesar. (De *son,* por, *sub,* debajo, y *pesar.*) tr. **Sopesar.**

Sompopo. m. *Hond.* Especie de hormiga amarilla. || **2.** *Hond.* Guiso de carne rehogada en manteca.

Son. (Del lat. *sonus.*) m. Sonido que afecta agradablemente al oído, con especialidad el que se hace con arte. || **2.** fig. Noticia, fama, divulgación de una cosa. || **3.** fig. **Pretexto.** || **4.** fig. Tenor, modo o manera. *A este* SON; *por este* SON. || **5.** *Germ.* Voz para imponer silencio. || **¿A qué son?** expr. fig. y fam. ¿Con qué motivo? *¿*A QUÉ SON *se ha de hacer esto?* || **A son de** un instrumento. m. adv. Con acompañamiento de tal instrumento. || **A son de parientes, busca qué meriendes.** ref. que persuade a no darse al ocio en confianza del socorro ajeno. || **¿A son de qué?** expr. fig. y fam. **¿A qué son?** || **Bailar** uno **a cualquier son.** fr. fig. y fam. Mudar fácilmente de afecto o pasión. || **Bailar** uno **al son que le tocan.** fr. fig. y fam. Acomodar la conducta propia a los tiempos y circunstancias. || **Bailar sin son.** fr. fig. y fam. Estar uno tan acelerado y metido en una cosa, que no necesita de ningún estímulo exterior. || **2.** Hacer alguna cosa a destiempo o sin cordura. || **En son de.** m. adv. fig. De tal modo o a manera de. || **2.** A título de, con ánimo de. || **No venir el son con la castañeta.** fr. fig. y fam. con que se nota la desproporción o inconsecuencia de las acciones. || **Quedarse** uno **al son de buenas noches.** fr. fig. y fam. Quedar burlado en un intento o ver frustrada una pretensión. || **Sin son.** m. adv. fig. y fam. Sin razón, sin fundamento.

Son. prep. insep. **Sub.**

Sonable. (Del lat. *sonabĭlis.*) adj. Sonoro o ruidoso. || **2. Sonado,** 2.ª acep.

Sonada. (De *sonar.*) f. **Sonata.** || **2.** desus. **Son,** 1.er art.

Sonadera. f. Acción de sonarse las narices.

Sonadero. m. Lienzo o pañuelo para sonarse las narices.

Sonado, da. p. p. de **Sonar.** || **2.** adj. **Famoso,** 1.ª acep. || **3.** Divulgado con mucho ruido y admiración. || **Hacer una que sea sonada.** fr. fam. Promover un escándalo, dar que hablar.

Sonador, ra. adj. Que suena o hace ruido. Ú. t. c. s. || **2.** m. **Sonadero.**

Sonaja. (Del lat. **sonacŭlum,* de *sonāre.*) f. Par o pares de chapas de metal que, atravesadas por un alambre, se colocan en algunos juguetes e instrumentos rústicos para hacerlas sonar agitándolas. || **2.** Reglita transversal de la ballestilla. || **3.** pl. Instrumento rústico que consiste en un aro de madera delgada con varias **sonajas** colocadas en otras tantas aberturas. || **4.** *Ar.* **Espantalobos.**

Sonajero. m. Juguete que, sujeto a un mango o pendiente de un cordón, tiene sonajas o cascabeles, y sirve para entretener a los niños de pecho.

Sonajuela. f. d. de **Sonaja.**

Sonambulismo. m. Estado de sonámbulo.

Sonámbulo, la. adj. Dícese de la persona que por afección natural o por sugestión padece sueño anormal durante el que tiene cierta aptitud para ejecutar algunas funciones correspondientes a la vida de relación exterior, como las de levantarse, andar y hablar. Ú. t. c. s.

Sonante. (Del lat. *sonans, -antis.*) p. a. de **Sonar.** Que suena. || **2.** adj. **Sonoro.** || **3.** V. **Moneda sonante.** || **4.** f. *Germ.* **Nuez,** 1.ª acep.

Sonar. (Del lat. *sonāre.*) intr. Hacer o causar ruido una cosa. || **2.** Tener una letra valor fónico. || **3.** Mencionarse, citarse. *Su nombre no* SUENA *en aquella escritura.* || **4.** Tener una cosa visos o apariencias de algo. *La proposición* SONABA *a interés y la aceptaron.* || **5.** fam. Ofrecerse vagamente al recuerdo alguna cosa como ya oída anteriormente. *No me* SUENA *ese apellido.* || **6.** tr. Tocar o tañer una cosa para que **suene** con arte y armonía. || **7.** Limpiar de mocos las narices, haciéndolos salir con una espiración violenta. Ú. m. c. r. || **8.** impers. Susurrarse, esparcirse rumores de una cosa. *Se* SUENA *que ya han llegado.* || **Como suena.** m. adv. Literalmente, con arreglo al sentido estricto de las palabras. || **Lo que me suena, me suena.** expr. fig. y fam. con que uno explica que se atiene a la significación obvia y natural de las palabras, y no a interpretaciones sutiles. || **Ni suena, ni truena.** expr. fig. y fam. para indicar que nadie habla ni se acuerda de determinada persona. || **Sonar bien,** o **mal,** una expresión. fr. fig. Producir buena, o mala, impresión en el ánimo de quien la oye.

Sonata. (Del ital. *sonata,* y éste del lat. *sonāre,* resonar.) f. *Mús.* Composición de música instrumental de trozos de vario carácter y movimiento.

Sonatina. (Del ital. *sonatina.*) f. *Mús.* Sonata corta y, por lo común, de fácil ejecución.

Soncle. (Del mejic. *tzontli*, cuatrocientos.) m. *Méj.* Medida de leña equivalente a 400 leños.

Sonda. f. Acción y efecto de sondar. ‖ **2.** Cuerda con un peso de plomo, que sirve para medir la profundidad de las aguas y explorar el fondo. ‖ **3.** Barrena que sirve para abrir en los terrenos taladros de gran profundidad. ‖ **4.** *Cir.* **Algalia,** 2.° art. ‖ **5.** *Cir.* **Tienta,** 4.ª acep. ‖ **6.** *Mar.* Sitio o paraje del mar cuyo fondo es comúnmente sabido. ‖ **acanalada.** *Cir.* Vástago de metal, acanalado por una de sus caras, y que se usa para introducir sin riesgo el bisturí a través de un órgano. ‖ **Ir** uno **con la sonda en la mano.** fr. fig. Considerar muy despacio lo que hace, y proceder con examen y madurez.

Sondable. adj. Que se puede sondar.

Sondaleza. f. Maroma que se cruza de una orilla a otra de un río, dividida con señales para determinar los lugares en que se han verificado los diferentes sondeos y trazar luego por puntos la figura del corte transversal del álveo del río. ‖ **2.** *Mar.* Cuerda larga y delgada, con la cual y el escandallo se sonda y se reconocen las brazas de agua que hay desde la superficie hasta el fondo.

Sondar. (Del lat. *sŭbŭndāre.*) tr. Echar el escandallo al agua para averiguar la profundidad y la calidad del fondo. ‖ **2.** Averiguar la naturaleza del subsuelo con una sonda. ‖ **3.** fig. Inquirir y rastrear con cautela y disimulo la intención, habilidad o discreción de uno, o las circunstancias y estado de una cosa. ‖ **4.** *Cir.* Introducir en el cuerpo por algunos conductos, naturales o accidentales, instrumentos de formas especiales y de diversas materias, para combatir estrecheces, destruir obstáculos que se oponen al libre ejercicio de la función de un órgano, o para conducir al interior substancias líquidas o gaseosas, y otras veces para extraerlas.

Sondear. (De *sonda.*) tr. **Sondar.**

Sondeo. (De *sondear.*) m. **Sonda,** 1.ª acep.

Sonecillo. m. d. de **Son.** ‖ **2.** Son que se percibe poco. ‖ **3.** Son alegre, vivo y ligero.

Sonetear. intr. Componer sonetos.

Sonetico. m. d. de **Son.** ‖ **2.** d. de **Soneto.** ‖ **3.** Sonecillo que suele hacerse con los dedos sobre la mesa o cosa semejante.

Sonetillo. m. d. de **Soneto.** ‖ **2.** Soneto de versos de ocho o menos sílabas.

Sonetista. com. Autor de sonetos.

Sonetizar. intr. Escribir sonetos.

Soneto. (Del ital. *sonetto*, y éste del lat. *sonus*, sonido.) m. Composición poética que consta de catorce versos endecasílabos distribuidos en dos cuartetos y dos tercetos. En cada uno de los cuartetos riman, por regla general, el primer verso con el cuarto y el segundo con el tercero, y en ambos deben ser unas mismas las consonancias. En los tercetos pueden ir éstas ordenadas de distintas maneras. ‖ **caudato. Soneto** con estrambote.

Soniche. m. *Germ.* **Silencio,** 1.ª acep.

Sonido. (Del lat. *sonus*, sonido.) m. Sensación producida en el órgano del oído por el movimiento vibratorio de los cuerpos, transmitido por un medio elástico, como el aire. ‖ **2.** Valor y pronunciación de las letras. ‖ **3.** Hablando de las palabras, significación y valor literal que tienen en sí. *Estar al* SONIDO *de las palabras.* ‖ **4.** fig. Noticia, fama.

Sonique. m. *Sal.* **Follador.**

Soniquete. m. despect. de **Son.** ‖ **2. Sonecillo,** 2.ª acep. ‖ **3. Sonsonete.**

Sonlocado, da. adj. **Alocado.**

Sonochada. (De *sonochar.*) f. Principio de la noche. ‖ **2.** Acción y efecto de sonochar.

Sonochar. (De *so*, 3.er art., y *noche.*) intr. Velar en las primeras horas de la noche.

Sonómetro. (Del lat. *sonus*, sonido, y del gr. μέτρον, medida.) m. **Monocordio.**

Sonoramente. adv. m. De un modo sonoro.

Sonoridad. (Del lat. *sonorĭtas, -ātis.*) f. Calidad de sonoro.

Sonorización. f. *Gram.* Acción y efecto de sonorizar.

Sonorizar. tr. *Gram.* Convertir una consonante sorda en sonora.

Sonoro, ra. (Del lat. *sonōrus.*) adj. Que suena o puede sonar. ‖ **2.** Que suena bien, o que suena mucho y agradablemente. *Voz, palabra* SONORA; *instrumento, verso, período* SONORO. ‖ **3.** Que despide bien, o hace que se oiga bien, el sonido. *Bóveda* SONORA; *teatro* SONORO. ‖ **4.** *Gram.* Dícese de las letras, sonidos o articulaciones que durante su pronunciación van acompañadas de una vibración de las cuerdas vocales. ‖ **5.** V. **Bandurria, onda sonora.**

Sonoroso, sa. adj. **Sonoro.**

Sonreir. (Del lat. *subridēre.*) intr. Reírse un poco o levemente, y sin ruido. Ú. t. c. r. ‖ **2.** fig. **Reir,** 3.ª acep. ‖ **3.** fig. Mostrarse favorable o halagüeño para uno algún asunto, suceso, esperanza, etc.

Sonriente. p. a. de **Sonreir.** Que sonríe. Ú. t. c. s.

Sonrisa. (De *sonrisar.*) f. Acción de sonreírse.

Sonrisar. (De *son*, por *sub*, bajo, y *risa.*) intr. ant. **Sonreir.**

Sonriso. (De *sonrisar.*) m. **Sonrisa.**

Sonrisueño, ña. adj. Que se sonríe. Ú. t. c. s.

Sonrodarse. (Del lat. *sub*, debajo, y *rota*, rueda.) r. Atascarse las ruedas de un carruaje.

Sonrojar. (De *son*, por *sub*, bajo, y *rojo.*) tr. Hacer salir los colores al rostro diciendo o haciendo algo que cause empacho o vergüenza. Ú. t. c. r.

Sonrojear. (De *sonrojo.*) tr. **Sonrojar.** Ú. t. c. r.

Sonrojo. m. Acción y efecto de sonrojar o sonrojarse. ‖ **2.** Improperio o voz ofensiva que obliga a sonrojarse.

Sonrosar. (De *son*, por *sub*, y *rosa.*) tr. Dar, poner o causar color como de rosa. Ú. t. c. r.

Sonrosear. tr. **Sonrosar.** ‖ **2.** r. **Sonrojar.**

Sonroseo. (De *sonrosear.*) m. Color rosado que sale al rostro.

Sonrugirse. (De *son*, por *sub*, debajo, y *rugirse.*) r. ant. Susurrarse, traslucirse.

Sonsaca. f. Acción y efecto de sonsacar.

Sonsacador, a. adj. Que sonsaca. Ú. t. c. s.

Sonsacamiento. (De *sonsacar.*) m. **Sonsaca.**

Sonsacar. (De *son*, por *sub*, debajo, y *sacar.*) tr. Sacar rateramente algo por debajo del sitio en que está. ‖ **2.** Solicitar secreta y cautelosamente a uno para que deje el servicio u ocupación que tiene en alguna parte y pase a otra a ejercer el mismo o diferente empleo. ‖ **3.** fig. Procurar con maña que uno diga o descubra lo que sabe y reserva.

Sonsañar. tr. ant. **Sosañar.** Ú. en Asturias.

Sonsaque. (De *sonsacar.*) m. **Sonsaca.**

Sonsonete. m. Sonido que resulta de los golpes pequeños y repetidos que se dan en una parte, imitando un son de música. ‖ **2.** fig. Ruido generalmente poco intenso, pero continuado, y por lo común desapacible. ‖ **3.** fig. Tonillo o modo especial en la risa o palabras, que denota desprecio o ironía.

Sonto, ta. adj. *Guat.* y *Hond.* **Tronzo.**

Soñación (Ni por). (De *soñar.*) loc. adv. fig. y fam. **Ni por sueño.**

Soñador, ra. (Del lat. *somniātor, ōris.*) adj. Que sueña mucho. ‖ **2.** Que cuenta patrañas y ensueños o les da crédito fácilmente. Ú. t. c. s. ‖ **3.** fig. Que discurre fantásticamente, sin tener en cuenta la realidad.

Soñante. p. a. de **Soñar.** Que sueña.

Soñar. (Del lat. *somniāre.*) tr. Representarse en la fantasía especies o sucesos mientras dormimos. Ú. t. c. intr. ‖ **2.** fig. Discurrir fantásticamente y dar por cierto y seguro lo que no lo es. Ú. t. c. intr. ‖ **3.** intr. fig. Anhelar persistentemente una cosa. SOÑAR *con grandezas.* ‖ **Ni soñarlo.** fr. fig. y fam. con que explicamos estar lejos de una especie, y que ni aun por sueño se haya ofrecido al pensamiento. ‖ **Soñar** a uno fr. fig. Temblarle, acordarse de su venganza o castigo. Ú. principalmente como amenaza. *Yo os haré que* ME SOÑÉIS; ME *va a* SOÑAR. ‖ **Soñar despierto.** fr. fig. **Soñar,** 2.ª acep.

Soñarrera. f. fam. Acción de soñar mucho. ‖ **2.** fam. Sueño pesado. ‖ **3.** fam. **Soñera.**

Soñera. (De *sueño.*) f. Propensión a dormir.

Soñolencia. (Del lat. *somnolentia.*) f. **Somnolencia.**

Soñolento, ta. adj. ant. **Soñoliento.**

Soñolientamente. adv. m. Con soñolencia.

Soñoliento, ta. (Del lat. *somnolentus.*) adj. Acometido del sueño o muy inclinado a él. ‖ **2.** Que está dormitando. ‖ **3.** Que causa sueño. ‖ **4.** fig. Tardo o perezoso.

Sopa. (Del germ. *sŭppa.*) f. Pedazo de pan empapado en cualquier líquido. ‖ **2.** Plato compuesto de rebanadas de pan, fécula, arroz, fideos u otras pastas, y el caldo de la olla u otro análogo en que se han cocido. ‖ **3.** Plato compuesto de un líquido alimenticio y de rebanadas de pan. SOPA *de leche, de almendras.* ‖ **4.** Pasta, fécula o verduras que se mezclan con el caldo en el plato de este mismo nombre. ‖ **5.** Comida que dan a los pobres en los conventos, por ser la mayor parte de ella pan y caldo. ‖ **6.** pl. Rebanadas de pan que se cortan para echarlas en el caldo. ‖ **Sopa boba. Sopa,** 5.ª acep. ‖ **2.** fig. Vida holgazana y a expensas de otro. *Comer la* SOPA BOBA; *andar a la* SOPA BOBA. ‖ **borracha.** La que se hace de pedazos de pan, o bizcochos, mojados en vino con azúcar y canela. Hácese también de otras cosas. ‖ **de arroyo.** fig. y fam. Piedra suelta o guijarro. ‖ **de hierbas. Sopa juliana.** ‖ **de vino.** En algunas partes, flor del abrojo. ‖ **dorada.** La que se hace tostando el pan en rebanadas, a las cuales se les echa el caldo más substancioso de la olla y una porción de azúcar y granos de granada. De ella se usaba mucho antiguamente. ‖ **juliana.** La que se hace cociendo en caldo verduras, como berza, apio, puerros, nabos, zanahorias, etc., cortadas en tiritas y conservadas secas. ‖ **Sopas de ajo.** Las que se hacen de rebanadas de pan cocidas en agua, y aceite frito con ajos, sal y, a veces, pimienta o pimentón. ‖ **de gato.** Las que se hacen de rebanadas de pan cocidas en agua, aceite crudo y sal. ‖ **Andar a la sopa.** fr. Mendigar la comida de casa en casa o de convento en convento. ‖ **Caerse la sopa en la miel.** fr. fig. y fam. Haber sucedido una cosa a pedir de boca. ‖ **Calar la sopa.** fr. Remojar con caldo el pan cortado o desmenuzado. ‖ **Hacer** a uno **las sopas con su pan.** expr. fig. y fam. que se aplica cuando le regalan a su propia costa. ‖ **Hecho una sopa.** loc. fig. y fam. Muy mojado. ‖ **Sopa en vino no**

emborracha, pero agacha, o **arrima a las paredes.** ref. que enseña que cada cosa obra sus naturales efectos aunque se disfrace o disimule con algún pretexto. || **Sopas y sorber no puede junto ser.** ref. **Soplar y sorber no puede junto ser.**

Sopaipa. f. Masa que, bien batida, frita y enmelada, forma una especie de hojuela gruesa.

Sopalancar. (De *so*, 3.er art., y *palanca.*) tr. Meter la palanca debajo de una cosa para levantarla o moverla.

Sopalanda. f. **Hopalanda.**

Sopanda. (De *suspender;* compárese el fr. *soupente.*) f. Madero horizontal, apoyado por ambos extremos en jabalcones para fortificar otro que está encima de él. || **2.** Cada una de las correas anchas y gruesas empleadas para suspender la caja de los coches antiguos.

Sopapear. tr. fam. Dar sopapos. || **2.** fig. y fam. **Sopetear,** 2.° art.

Sopapina. f. fam. Zurra o tunda de sopapos.

Sopapo. (De *so*, 3.er art., y *papo.*) m. Golpe que se da con la mano debajo de la papada. || **2.** fam. **Bofetada.**

Sopar. (De *sopa.*) tr. **Ensopar.**

Sopear. (De *sopa.*) tr. **Sopar.**

Sopear. (De *so*, 3.er art., y *pie.*) tr. Pisar, hollar, poner los pies sobre una cosa. || **2.** fig. Supeditar, dominar o maltratar a uno.

Sopeña. (De *so*, 3.er art., y *peña.*) f. Espacio o concavidad que forma una peña por su pie o parte inferior.

Sopera. f. Vasija honda en que se sirve la sopa en la mesa.

Sopero. (De *sopa.*) adj. V. **Plato sopero.** Ú. t. c. s.

Sopesar. (De *so*, 3.er art., y *pesar.*) tr. Levantar una cosa como para tantear el peso que tiene o para reconocerlo.

Sopetear. (frec. de *sopear*, 1.er art.) tr. Mojar repetidas veces o frecuentemente el pan en el caldo de un guisado.

Sopetear. (frec. de *sopear*, 2.° art.) tr. fig. Maltratar o ultrajar a uno.

Sopeteo. m. Acción de **sopetear,** 1.er art.

Sopetón. (De *sopa.*) m. Pan tostado que en los molinos se moja en aceite.

Sopetón. (Del lat. *subĭtus*, súbito.) m. Golpe fuerte y repentino dado con la mano. || **De sopetón.** m. adv. Pronta e impensadamente, de improviso.

Sopicaldo. m. Caldo con muy pocas sopas.

Sopista. com. Persona que anda a la sopa. || **2.** m. Estudiante que seguía su carrera literaria sin otros recursos que los de la caridad.

Sopitipando. m. fam. Accidente, desmayo.

Sopladero. (De *soplar.*) m. Abertura por donde sale con fuerza el aire de las cavidades subterráneas.

Soplado, da. p. p. de **Soplar.** || **2.** adj. fig. y fam. Demasiadamente pulido, compuesto y limpio. || **3.** fig. y fam. Estirado, engreído, entonado. || **4.** m. *Min.* Grieta muy profunda o cavidad grande del terreno.

Soplador, ra. adj. Que sopla. || **2.** fig. Dícese del que excita, mueve, altera o enciende una cosa. || **3.** m. **Aventador,** 4.ª acep. || **4. Sopladero.** || **5.** *Ecuad.* Apuntador de un teatro.

Sopladura. f. Acción y efecto de soplar.

Soplamocos. (De *soplar* y *moco.*) m. fig. y fam. Golpe que se da a uno en la cara, especialmente tocándole en las narices.

Soplar. (Del lat. *sufflāre.*) intr. Despedir aire con violencia por la boca, alargando los labios un poco abiertos por su parte media. Ú. t. c. tr. || **2.** Hacer que los fuelles u otros artificios adecuados arrojen el aire que han recibido. || **3.** Correr el viento, haciéndose sentir. || **4.** tr. Apartar con el soplo una cosa. || **5. Inflar,** 1.ª acep. Ú. t. c. r. || **6.** Hurtar o quitar una cosa a escondidas. || **7.** fam. Hablando de bofetadas, cachetes y otros golpes semejantes, **dar,** 17.ª acep. || **8.** fig. Inspirar o sugerir especies. SOPLA *la musa.* || **9.** fig. En el juego de damas y otros, quitar al contrario la pieza con que debió comer y no comió. || **10.** fig. Sugerir a uno la especie que debe decir y no acierta o ignora. || **11.** fig. Acusar o delatar. || **12.** r. fig. y fam. Beber o comer mucho. || **13.** fig. y fam. Hincharse, engreírse, entonarse. || **¡Sopla!** interj. fam. con que se denota admiración o ponderación. || **Soplar y sorber no puede junto ser.** ref. que persuade que no pueden lograrse a un tiempo cosas incompatibles. || **Sopla, vivo te lo doy.** Juego entre varias personas que, tomando en la mano un palito o cosa semejante, encendido por la punta y **soplándolo,** dicen: SOPLA, VIVO TE LO DOY, *y si muerto me lo das, prenda pagarás;* y lo van pasando de unas a otras, y pierde aquella en cuyo poder se apaga.

Soplavivo. (Del juego *sopla, vivo te lo doy.*) m. fig. desus. Composición en que se iban encadenando los versos, y al final se repetían las palabras que constituían el encadenamiento.

Soplete. (d. de *soplo.*) m. Instrumento constituido principalmente por un tubo de varias formas y dimensiones, destinado a recibir por uno de sus extremos la corriente gaseosa que al salir por el otro se aplica a una llama para dirigirla sobre objetos que se han de fundir o examinar a muy elevada temperatura. || **2.** Canuto de boj por donde se hincha de aire la gaita gallega.

Soplido. m. **Soplo.**

Soplillo. m. d. de **Soplo.** || **2.** Ruedo pequeño, comúnmente de esparto, con mango o sin él, que se usa para avivar el fuego. || **3.** Cualquier cosa sumamente delicada o muy leve. || **4.** Especie de tela de seda muy ligera. || **5.** V. **Manto, moneda de soplillo.** || **6.** Bizcocho de pasta muy esponjosa y delicada. || **7.** *Cuba.* Una especie de hormiga. || **8.** *Chile.* Trigo aún no maduro que se come tostado.

Soplo. m. Acción y efecto de soplar. || **2.** fig. Instante o brevísimo tiempo. || **3.** fig. y fam. Aviso que se da en secreto y con cautela. || **4.** fig. y fam. **Delación.** || **5.** fig. y fam. **Soplón.**

Soplón, na. (De *soplar*, sugerir.) adj. fam. Dícese de la persona que acusa en secreto y cautelosamente. Ú. t. c. s.

Soplonear. tr. Soplar, acusar, delatar.

Soplonería. f. Hábito propio del soplón.

Sopón. m. aum. de **Sopa,** 1.ª acep. || **2.** fam. **Sopista.**

Soponcio. m. fam. Desmayo, congoja. || **2.** fam. **Sopón,** 1.ª acep.

Sopor. (Del lat. *sopor, -ōris.*) m. *Med.* Modorra morbosa persistente. || **2.** fig. Adormecimiento, somnolencia.

Soporífero, ra. (Del lat. *soporĭfer, -ĕri*, de *sopor*, sopor, y *ferre*, llevar.) adj. Que mueve o inclina al sueño; propio para causarlo. Ú. t. c. s.

Soporoso, sa. adj. p. us. **Soporífero.** || **2.** Que tiene o padece sopor. || **3.** *Med.* Caracterizado por el sopor. *Fiebre* SOPOROSA; *estado* SOPOROSO.

Soportable. adj. Que se puede soportar o sufrir.

Soportador, ra. adj. Que soporta. Ú. t. c. s.

Soportal. (De *so*, 3.er art., y *portal.*) m. Espacio cubierto que en algunas casas precede a la entrada principal. || **2.** Pórtico, a manera de claustro, que tienen algunos edificios o manzanas de casas en sus fachadas y delante de las puertas y tiendas que hay en ellas. Su objeto es preservar del sol y de la lluvia a los transeúntes, y sirve de paseo de invierno en muchos pueblos. Ú. m. en pl.

Soportante. p. a. de **Soportar.** Que soporta.

Soportar. (Del lat. *suppŏrtāre.*) tr. Sostener o llevar sobre sí una carga o peso. || **2.** fig. Sufrir, tolerar.

Soporte. (De *soportar.*) m. Apoyo o sostén. || **2.** *Blas.* Cada una de las figuras que sostienen el escudo.

Sopórtico. m. desus. Cobertizo, pórtico, soportal.

Soprano. (Del ital. *soprano*, y éste del lat. **sŭperānus*, de *sŭper.*) m. *Mús.* **Tiple,** 1.ª acep. || **2.** Hombre castrado. || **3.** com. Persona que tiene voz de **soprano.**

Sopuntar. (De *so*, 3.er art., y *punto.*) tr. Poner uno o varios puntos debajo de una letra, palabra o frase, para distinguirla de otra, para indicar que sobra o contiene error, o con cualquier otro fin.

Sor. (Contracc. de *sóror.*) f. **Hermana.** Ú. por lo común precediendo al nombre de las religiosas. SOR *María;* SOR *Juana.*

Sor. m. **Seor.**

Sor. prep. insep. **Sub.**

Sora. (Voz aimará.) f. ant. **Jora.**

Sorba. (Del lat. *sorba*, pl. de *sorbum.*) f. ant. **Serba.**

Sorbedor, ra. adj. Que sorbe. Ú. t. c. s.

Sorber. (Del lat. *sorbēre.*) tr. Beber aspirando. || **2.** fig. Atraer hacia dentro de sí algunas cosas aunque no sean líquidas. || **3.** fig. Recibir o esconder una cosa hueca o esponjosa a otra, dentro de sí o en su concavidad. || **4.** fig. Absorber, tragar. *El mar* SORBE *las naves.* || **5.** fig. Apoderarse el ánimo con avidez de alguna especie apetecida.

Sorbete. (Del ár. *šurba*, bebida azucarada.) m. Refresco de zumo de frutas con azúcar, o de agua, leche o yemas de huevo azucaradas y aromatizadas con esencias u otras substancias agradables, al que se da cierto grado de congelación pastosa, merced a la cual forma copete en los vasos de cristal en que habitualmente se sirve.

Sorbetón. m. fam. aum. de **Sorbo,** 1.er art., 1.ª acep.

Sorbible. adj. Que se puede sorber.

Sorbición. f. desus. **Sorbo,** 1.er art., 1.ª acep.

Sorbo. (De *sorber.*) m. Acción de sorber. || **2.** Porción de líquido que se puede tomar de una vez en la boca. || **3.** fig. Cantidad pequeña de un líquido.

Sorbo. (Del lat. *sorbus.*) m. ant. **Serbal.**

Sorce. (Del lat. *sorex, -ĭcis.*) m. ant. Ratón pequeño.

Sorche. m. fam. **Recluta,** 5.ª acep.

Sorda. (Del lat. *surda*, t. f. de *-dus*, sordo.) f. **Agachadiza.**

Sorda. (En ant. veneciano *sorda.*) f. *Mar.* Guindaleza sujeta en la roda de un barco y con la cual se facilita la maniobra al botarlo al agua.

Sordamente. adv. m. fig. Secretamente y sin ruido.

Sordecer. (Del lat. *surdescĕre.*) tr. ant. **Ensordecer.** Usáb. t. c. intr.

Sordedad. (Del lat. *surdĭtas, -ātis.*) f. desus. **Sordera.**

Sordera. (De *sordo.*) f. Privación o disminución de la facultad de oír.

Sordez. (Del lat. *surdities.*) f. p. us. **Sordera.**

Sórdidamente. adv. m. Con sordidez.

Sordidez. f. Calidad de sórdido.

Sórdido, da. (Del lat. *sordĭdus.*) adj. **Sucio,** 1.ª acep. || **2.** fig. Impuro, indecente o escandaloso. || **3.** fig. Mezquino, avariento. || **4.** *Med.* Dícese de la úlcera que produce supuración icorosa.

Sordilla. f. *Zool. And.* Pájaro parecido a la alondra, algo más pequeño.

Sordina. (De *sorda.*) f. Pieza pequeña que se ajusta por la parte superior del puente a los instrumentos de arco y cuerda para disminuir la intensidad y variar el timbre del sonido. || **2.** Pieza que para el mismo fin se pone en otros instrumentos. || **3.** Registro en los órganos y pianos, con que se produce el mismo efecto. || **4.** Muelle que sirve en los relojes de repetición para impedir que suene la campana o el timbre. || **A la sordina.** m. adv. fig. Silenciosamente, sin estrépito y con disimulo.

Sordino. (De *sordo.*) m. Instrumento músico de cuerda, parecido al violín, que tiene dos tablas y a veces una sola, sin concavidad, por lo que sus voces son menos sonoras.

Sordo, da. (Del lat. *surdus.*) adj. Que no oye, o no oye bien. Ú. t. c. s. || **2.** Callado, silencioso y sin ruido. || **3.** Que suena poco o sin timbre claro. *Ruido* SORDO; *campana* SORDA. || **4.** V. **Dolor, tabique sordo.** || **5.** V. **Gallina, lima, linterna, mareta, maza sorda.** || **6.** fig. V. **Pólvora sorda.** || **7.** fig. Insensible a las súplicas o al dolor ajeno, o indócil a las persuasiones, consejos o avisos. || **8.** *Arit.* V. **Número sordo.** || **9.** *Arit.* V. **Raíz sorda.** || **10.** *Gram.* Dícese de las letras, sonidos o articulaciones que durante su pronunciación no van acompañadas de vibraciones de las cuerdas vocales. || **11.** *Mar.* Aplícase a la mar o marejada que se experimenta en dirección diversa de la del viento reinante. || **A la sorda, a lo sordo,** o **a sordas.** ms. advs. figs. Sin ruido, sin estrépito, sin sentir. || **No decirlo a los sordos.** fr. fig. y fam. Decir una noticia a quien la oye con gusto y se aprovecha de ella. || **No hay peor sordo que el que no quiere oír.** ref. que explica que son inútiles los medios con que se persuade al que con tenacidad y malicia no quiere hacerse cargo de las razones de otro. || **Nos han de oír,** o **nos oirán, los sordos.** fr. fig. y fam. que se usa para expresar el propósito que uno tiene de explicar su razón o su enojo en términos enérgicos.

Sordomudez. f. Calidad de sordomudo.

Sordomudo, da. (De *sordo* y *mudo.*) adj. Privado por sordera nativa de la facultad de hablar. Ú. t. c. s.

Sordón. (De *sordo.*) m. Bajón antiguo semejante al fagot, con lengüeta doble de caña y doble tubo.

Sorgo. (Del lat. *syricus,* sirio.) m. **Zahína.**

Sorianense. adj. Natural de Soriano. Ú. t. c. s. || **2.** Perteneciente a esta ciudad y departamento del Uruguay.

Soriano, na. adj. Natural de Soria. Ú. t. c. s. || **2.** Perteneciente a esta ciudad y a la provincia de este nombre.

Sorites. (Del lat. *sorites,* y éste del gr. σωρίτης, de σωρεύω, amontonar.) m. *Lóg.* Raciocinio compuesto de muchas proposiciones encadenadas, de modo que el predicado de la antecedente pasa a ser sujeto de la siguiente, hasta que en la conclusión se une el sujeto de la primera con el predicado de la última.

Sormigrar. (Del lat. **submergŭlāre,* de *mergŭlus.*) tr. ant. **Sumergir.**

Sorna. (Del lat. *sŭrnia,* mochuelo.) f. Espacio o lentitud con que se hace una cosa. || **2.** fig. Disimulo y bellaquería con que se hace o se dice una cosa con alguna tardanza voluntaria. || **3.** *Germ.* **Noche,** 1.ª acep.

Sornar. (Del lat. *sŭrnia,* mochuelo.) intr. *Germ.* **Dormir,** 1.ª y 2.ª aceps.

Soro. (Del b. lat. *saurus.*) adj. V. **Halcón soro.**

Soro. (Del gr. σορός, sepulcro.) m. *Bot.* Conjunto de esporangios que se presentan formando unas manchitas en el reverso de las hojas de los helechos.

Soroche. m. *Amér. Merid.* Angustia que, a causa de la rarefacción del aire, se siente en ciertos lugares elevados. || **2.** *Bol.* y *Chile.* **Galena.**

Sóror. (Del lat. *soror.*) f. **Sor,** 1.er art.

Sorprendente. p. a. de **Sorprender.** Que sorprende o admira. || **2.** adj. Peregrino, raro, desusado, extraordinario.

Sorprender. (De *sor,* por *sub,* y *prender.*) tr. Coger desprevenido. || **2.** Conmover, suspender o maravillar con algo imprevisto, raro o incomprensible. Ú. t. c. r. || **3.** Descubrir lo que otro ocultaba o disimulaba.

Sorpresa. f. Acción y efecto de sorprender o sorprenderse. || **2.** Cosa que da motivo para que alguien se sorprenda. *En el armario había una* SORPRESA. || **Coger** a uno **de sorpresa** alguna cosa. fr. Hallarle desprevenido, sorprenderle.

Sorra. (Del lat. *saburra.*) f. Arena gruesa que se echa por lastre en las embarcaciones.

Sorra. f. Cada uno de los costados del vientre del atún.

Sorrabar. tr. ant. **Desrabotar.**

Sorrapear. (De *so,* 3.er art., y *rapar.*) tr. *Sant.* Raspar y limpiar con la azada u otro instrumento análogo la superficie de un sendero o campo en que no se quiere que crezca la hierba.

Sorregar. (De *so,* 3.er art., y *regar.*) tr. Regar o humedecer accidentalmente un bancal el agua que pasa del inmediato que se está regando, o la de la reguera.

Sorriego. m. Acción y efecto de sorregar. || **2.** Agua que sorriega.

Sorrostrada. (De *so* y *rostro.*) f. Insolencia, descaro, claridad. || **Dar sorrostrada.** fr. Decir oprobios, echar en cara cosas que den pesadumbre.

Sorteable. adj. Que se puede o se debe sortear. *Mozo* SORTEABLE.

Sorteador, ra. adj. Que sortea. Ú. t. c. s.

Sorteamiento. (De *sortear.*) m. **Sorteo.**

Sortear. (Del lat. *sors, sortis,* suerte.) tr. Someter a personas o cosas al resultado de los medios fortuitos o casuales que se emplean para fiar a la suerte una resolución. || **2.** Lidiar a pie y hacer suertes a los toros. || **3.** fig. Evitar con maña o eludir un compromiso, conflicto, riesgo o dificultad.

Sorteo. m. Acción de sortear.

Sortería. (De *sortero.*) f. ant. **Sortilegio.**

Sortero, ra. (Del lat. *sors, sortis,* suerte, oráculo.) m. y f. Agorero, adivino. || **2.** Cada una de las personas entre las cuales se reparte por sorteo alguna cosa.

Sortiaria. (Del lat. *sors, sortis,* sortilegio.) f. Adivinación supersticiosa por cartas, cédulas o naipes.

Sortija. (Del lat. **sortĭcŭla,* de *sors, sortis,* suerte.) f. **Anillo,** 1.ª y 2.ª aceps. || **2. Anilla.** || **3.** Rizo del cabello, en figura de anillo, ya sea natural, ya artificial. || **4.** Juego de muchachos que consiste en adivinar a quién ha dado uno de ellos una sortija que lleva entre las manos y que hace ademán de dejar a cada uno de los que juegan. || **5.** *And.* Cada uno de los aros que en los carros refuerzan los cubos de las ruedas. || **Correr sortija.** fr. Ejecutar el ejercicio de destreza que consiste en ensartar en la punta de la lanza o de una vara, y corriendo a caballo, una **sortija** pendiente de una cinta a cierta altura.

Sortijero. m. Platillo o cajita en que se depositan o guardan las sortijas.

Sortijilla. f. d. de **Sortija.** || **2. Sortija,** 3.ª acep.

Sortijón. m. aum. de **Sortija.**

Sortijuela. f. d. de **Sortija.**

Sortilegio. (De *sortílego.*) m. Adivinación que se hace por suertes supersticiosas.

Sortílego, ga. (Del lat. *sortilĕgus;* de *sors, sortis,* suerte, y *legĕre,* leer.) adj. Que adivina o pronostica una cosa por medio de suertes supersticiosas. Ú. t. c. s.

Sos. prep. insep. **Sub.**

Sosa. (Del lat. *salsa,* salada.) f. **Barrilla,** 1.ª y 2.ª aceps. || **2.** *Quím.* Óxido de sodio, base salificable, muy cáustica.

Sosacador, ra. adj. ant. **Sonsacador.** Usáb. t. c. s.

Sosacamiento. m. ant. **Sonsacamiento.**

Sosacar. tr. ant. **Sonsacar.**

Sosaina. com. fam. Persona sosa. Ú. t. c. adj.

Sosal. m. Terreno donde abunda la sosa.

Sosamente. adv. m. Con sosería.

Sosañar. (Del lat. *subsannāre.*) tr. ant. Mofar, burlar. || **2.** Denostar, reprender.

Sosaño. (De *sosañar.*) m. ant. Mofa o burla.

Sosar. m. Terreno en que abunda la sosa o barrilla.

Sosegadamente. adv. m. Con sosiego.

Sosegado, da. p. p. de **Sosegar.** || **2.** adj. Quieto, pacífico naturalmente o por su genio.

Sosegador, ra. adj. Que sosiega. Ú. t. c. s.

Sosegar. (Del ant. *sesegar,* del lat. **sessĭcāre,* de *sessum,* sentado.) tr. Aplacar, pacificar, aquietar. Ú. t. c. r. || **2.** fig. Aquietar las alteraciones del ánimo, mitigar las turbaciones y movimientos o el ímpetu de la cólera e ira. Ú. t. c. r. || **3.** ant. Pactar o asegurar una cosa. || **4.** intr. Descansar, reposar, aquietarse o cesar la turbación o el movimiento. Ú. t. c. r. || **5.** Dormir o reposar.

Sosera. f. **Sosería.**

Sosería. (De *soso,* 3.ª acep.) f. Insulsez, falta de gracia y de viveza. || **2.** Dicho o hecho insulso y sin gracia.

Sosero, ra. adj. Que produce sosa. *Planta* SOSERA.

Sosia. (De *Sosia,* personaje de la comedia *Anfitrión,* de Plauto.) m. Persona que tiene parecido con otra hasta el punto de poder ser confundida con ella.

Sosiega. (De *sosegar.*) f. Sosiego, descanso después de una faena. || **2.** Trago de vino o de aguardiente que se toma durante la **sosiega,** o después de comer, o antes de acostarse.

Sosiego. (De *sosegar.*) m. Quietud, tranquilidad, serenidad.

Soslayar. tr. Poner una cosa ladeada, de través u oblicua para pasar una estrechura. || **2.** Pasar por alto o de largo, dejando de lado alguna dificultad.

Soslayo, ya. (En port. *soslaio.*) adj. Soslayado, oblicuo. || **Al soslayo.** m. adv. **Oblicuamente.** || **De soslayo.** m. adv. **Al soslayo.** || **2.** De costado y perfilando bien el cuerpo para pasar por alguna estrechura. || **3.** De largo, de pasada o por cima, para esquivar una dificultad.

Soso, sa. (Por *ensoso,* del lat. *insŭlsus.*) adj. Que no tiene sal, o tiene poca. || **2.** V. **Agua sosa.** || **3.** fig. Dícese de la persona, acción o palabra que carecen de gracia y viveza.

Sospecha. f. Acción y efecto de sospechar. || **2.** *Germ.* **Mesón.** || **Sospechas vehementes. Indicios vehementes.**

Sospechable. adj. **Sospechoso,** 1.ª acep.

Sospechar. (Del lat. *suspectāre.*) tr. Aprehender o imaginar una cosa por conjeturas fundadas en apariencias o visos de verdad. || **2.** intr. Desconfiar, dudar, recelar de una persona. Usóse t. c. tr.

Sospechosamente. adv. m. De un modo sospechoso.

Sospechoso, sa. (De *sospecha.*) adj. Que da fundamento o motivo para sospechar o hacer mal juicio de las acciones de uno o de otras cosas. || **2.** Dícese de la persona que sospecha. || **3.** m. Individuo cuya conducta o antecedentes inspiran sospecha o desconfianza.

Sospesar. (De *sos* y *pesar.*) tr. **Sopesar.**

Sosquín. m. Golpe dado de soslayo. ‖ **De, o en, sosquín.** m. adv. **De través.**

Sostén. m. Acción de sostener. ‖ **2.** Persona o cosa que sostiene. ‖ **3.** fig. Apoyo moral, protección. ‖ **4.** Prenda de vestir interior que usan las mujeres para ceñir el pecho. ‖ **5.** *Mar.* Resistencia que ofrece el buque al esfuerzo que hace el viento sobre sus velas para escorarlo.

Sostenedor, ra. adj. Que sostiene. Ú. t. c. s.

Sostener. (Del lat. *sustinēre.*) tr. Sustentar, mantener firme una cosa. Ú. t. c. r. ‖ **2.** Sustentar o defender una proposición. ‖ **3.** fig. Sufrir, tolerar. SOSTENER *los trabajos.* ‖ **4.** fig. Prestar apoyo, dar aliento o auxilio. ‖ **5.** Dar a uno lo necesario para su manutención.

Sostenido, da. p. p. de **Sostener.** ‖ **2.** adj. V. **Galope sostenido.** ‖ **3.** *Mús.* Dícese de la nota cuya entonación excede en un semitono mayor a la que corresponde a su sonido natural. *Do* SOSTENIDO. ‖ **4.** *Mús.* Precedido del adjetivo *doble,* dícese de la nota cuya entonación es dos semitonos más alta que la que corresponde a su sonido natural. *Fa* DOBLE SOSTENIDO. ‖ **5.** m. Movimiento de la danza española, que se hace levantando el cuerpo sobre las puntas de los pies, y que es rápido o pausado, según lo pide el compás. ‖ **6.** *Mús.* Signo que representa la alteración del sonido natural de la nota o notas a que se refiere. ‖ **Doble sostenido.** *Mús.* Signo formado por una cruz en aspa o por dos **sostenidos** juntos, que representa esta doble alteración del sonido natural de la nota o notas a que se refiere.

Sosteniente. p. a. de **Sostener.** Que sostiene.

Sostenimiento. m. Acción y efecto de sostener o sostenerse. ‖ **2.** Mantenimiento o sustento.

Sostituir. tr. ant. **Sustituir.**

Sota. (Del lat. *subtus,* debajo.) f. Carta décima de cada palo de la baraja española, que tiene estampada la figura de un paje o infante. ‖ **2.** Mujer insolente y desvergonzada. ‖ **3.** m. *Chile.* Sobrestante o manigero. ‖ **4.** *Murc.* Cortador en las fábricas de calzado. ‖ **5.** prep. que se usa en composición para significar el subalterno inmediato o substituto en algunos oficios. SOTA*caballerizo,* SOTA*alcaide,* SOTA*cómitre.* A veces se usa sola esta voz, diciendo el **sota.** ‖ **6.** ant. Debajo, bajo de. ‖ **Sota, caballo y rey.** fr. fig. y fam. con que se designan los tres platos en que se considera dividido el cocido o la olla, y también la comida ordinaria compuesta de sopa, cocido y principio.

Sotabanco. (De *sota,* 6.ª acep., y *banco,* por hilada.) m. Piso habitable colocado por encima de la cornisa general de la casa. ‖ **2.** *Arq.* Hilada que se coloca encima de la cornisa para levantar los arranques de un arco o bóveda y dejar visible toda la vuelta del intradós.

Sotabarba. f. Barba que se deja crecer por debajo de la barbilla. Es usada especialmente por los marineros.

Sotabasa. (De *sota,* 6.ª acep., y *basa.*) f. ant. *Arq.* Plinto, zócalo, etc., en que estriba la basa. Ú. en *León.*

Sotacola. (De *sota,* 6.ª acep., y *cola.*) f **Ataharre.**

Sotacoro. (De *sota,* 6.ª acep., y *coro.*) m. **Socoro.**

Sotacura. (De *sota,* 5.ª acep., y *cura.*) m. *Amér.* **Coadjutor,** 3.ª acep.

Sotalugo. m. Segundo arco con que se aprietan los extremos o tiestas de los toneles o barriles.

Sotaministro. m. **Sotoministro.**

Sotamontero. m. El que hace las veces del montero mayor.

Sotana. (Del lat. **subtāna,* de *subtus,* debajo.) f. Vestidura talar, abrochada a veces de arriba abajo, que usan los eclesiásticos y los legos que sirven en las funciones de iglesia. Usáronla también los estudiantes de las universidades.

Sotana. f. fam. **Somanta.**

Sotanear. tr. fam. Dar una sotana, zurra o reprensión áspera.

Sotaní. (Del ital. *sottanino,* de *sottana,* sotana.) m. Especie de zagalejo corto y sin pliegues.

Sotanilla. f. d. de **Sotana.** ‖ **2.** Traje que en algunas ciudades usaban los colegiales; era de bayeta negra, ajustado al cuerpo, y de la cintura abajo como un tonelete que bajaba poco más de la rodilla.

Sótano. (Del lat. **subtŭlus,* de *subtus,* debajo.) m. Pieza subterránea, a veces abovedada, entre los cimientos de un edificio.

Sotar. (Del lat. *saltāre.*) intr. ant. **Bailar,** 1.ª acep. Ú. en Burgos.

Sotaventarse. (De *sotavento.*) r. *Mar.* Irse o caer el buque a sotavento.

Sotaventearse. r. **Sotaventarse.**

Sotavento. (Del lat. *subtus,* debajo, y *ventus,* viento.) m. *Mar.* Costado de la nave opuesto al barlovento. ‖ **2.** *Mar.* Parte que cae hacia aquel lado.

Sotayuda. m. Sirviente palatino de menor categoría que el ayuda.

Sote. m. *Colomb.* Nigua, cuando es pequeña.

Sotechado. (De *so,* 3.er art., y *techado.*) m. Cobertizo, techado.

Soteño, ña. adj. Que se cría en sotos. ‖ **2.** Natural de Soto. Ú. t. c. s. ‖ **3.** Perteneciente a alguna de las poblaciones de este nombre.

Sotera. f. *Ar.* Azada que se emplea ordinariamente para entrecavar.

Soterramiento. m. Acción y efecto de soterrar.

Soterráneo, a. adj. ant. **Subterráneo.** Usáb. t. c. s. m.

Soterrano, na. adj. ant. **Subterráneo.** Usáb. t. c. s. m.

Soterraño, ña. adj. **Subterráneo.** Ú. t. c. s. m.

Soterrar. (Del lat. *sub,* debajo, y *terra,* tierra.) tr. Enterrar, poner una cosa debajo de tierra. ‖ **2.** fig. Esconder o guardar una cosa de modo que no parezca.

Sotil. (Del lat. *subtīlis.*) adj. ant. **Sutil.**

Sotileza. f. ant. **Sutileza.** ‖ **2.** *Sant.* Parte más fina del aparejo de pescar donde va el anzuelo, y por extensión, todo cordel muy fino.

Sotilidad. (Del lat. *subtilĭtas, -ātis.*) f. ant. **Sutilidad.**

Sotilizar. tr. ant. **Sutilizar.**

Sotillo. m. d. de **Soto,** 1.er art.

Soto. (Del lat. *saltus,* bosque, selva.) m. Sitio que en las riberas o vegas está poblado de árboles y arbustos. ‖ **2.** Sitio poblado de malezas, matas y árboles. ‖ **Batir el soto.** fr. **Batir el monte.**

Soto. (Del lat. *subtus.*) prep. insep. **Debajo.**

Sotol. m. *Méj.* Planta liliácea de la que se obtiene una bebida alcohólica que recibe el mismo nombre.

Sotole. m. *Méj.* Palma gruesa y basta que se emplea para fabricar chozas.

Sotoministro. (De *soto,* 2.° art., y *ministro.*) m. Coadjutor superior de los que en la Compañía de Jesús tienen a su cuidado la cocina, despensa y demás oficinas dependientes de ella, el cual está a las inmediatas órdenes del padre ministro.

Sotreta. f. *Argent.* y *Bol.* **Plepa.** Aplícase especialmente al caballo inútil.

Sotrozo. m. *Art.* Pernete o pasador de hierro, que atraviesa el pezón del eje para que no se salga la rueda de la cureña. ‖ **2.** *Mar.* Pedazo de hierro hecho firme en las jarcias y en el cual se sujetan las jaretas.

Sotuer. (Del ant. fr. *sautier,* y éste del lat. *saltuarius,* guardabosque.) m. *Blas.* Pieza honorable que ocupa el tercio del escudo, y su forma es como si se compusiera de la banda y de la barra cruzadas.

Soturno, na. adj. Saturno, saturnino.

Sotuto. m. *Zool. Bol.* **Nigua.**

Soviet. (Voz rusa.) m. Órgano de gobierno local que ejerce la dictadura comunista en Rusia. ‖ **2.** Agrupación de obreros y soldados durante la revolución rusa. ‖ **3.** Conjunto de la organización del Estado o de su poder supremo en aquel país. Ú. m. en pl. ‖ **4.** fig. y fam. Servicio o colectividad en que no se obedece a la autoridad jerárquica.

Soviético, ca. adj. Perteneciente o relativo al soviet.

Sovoz (A). (De *so,* 3.er art., y *voz.*) m. adv. En voz baja y suave.

Sozcomendador. (De *sos* y *comendador.*) m. ant. **Subcomendador.**

Sozprior. (De *sos* y *prior.*) m. ant. **Suprior.**

Stábat. m. Himno dedicado a los dolores de la Virgen al pie de la cruz, que empieza con esa palabra. ‖ **2.** Composición musical para este himno. ‖ **Máter. Stábat.**

Statu quo. (Lit., *en el estado en que.*) loc. lat. que se usa como substantivo, especialmente en la diplomacia, para designar el estado de cosas en un determinado momento.

Su. prep. insep. **Sub.**

Su, sus. (Apócope de *suyo, suya, suyos, suyas.*) Pronombre posesivo de tercera persona en género masculino y femenino y en ambos números singular y plural. Ú. sólo antepuesto al nombre.

Suadir. (Del lat. *suadēre.*) tr. ant. **Persuadir.**

Suarda. (Del lat. *sordes.*) f. **Juarda.**

Suarismo. m. Sistema escolástico contenido en las obras del jesuita español Francisco Suárez. Dícese más especialmente de su teoría del concurso simultáneo, inventada para conciliar la libertad humana con la infalible eficacia de la gracia divina.

Suarista. com. Partidario del suarismo.

Suasible. (Del lat. *suasibĭlis.*) adj. ant. **Persuasible.**

Suasorio, ria. (Del lat. *suasorĭus.*) adj. Perteneciente a la persuasión, o propio para persuadir.

Suave. (Del lat. *suāvis.*) adj. Liso y blando al tacto, en contraposición a tosco y áspero. ‖ **2.** Blando, dulce, grato a los sentidos. ‖ **3.** V. **Espíritu, manjar suave.** ‖ **4.** fig. Tranquilo, quieto, manso. ‖ **5.** fig. Lento, moderado. ‖ **6.** fig. Dócil, manejable o apacible. Aplícase, por lo común, al genio o natural.

Suavemente. adv. m. De manera suave.

Suavidad. (Del lat. *suavĭtas, -ātis.*) f. Calidad de suave.

Suavizador, ra. adj. Que suaviza. ‖ **2.** m. Pedazo de cuero, o utensilio de otra clase, para suavizar el filo de las navajas de afeitar.

Suavizar. (De *suave.*) tr. Hacer suave. Ú. t. c. r.

Sub. (Del lat. *sub.*) prep. insep. que a veces cambia su forma en algunas de las siguientes: **so, son, sor, su** y **sus.** Significa más ordinariamente **debajo,** en sentido recto o figurado, o denota, en acepciones traslaticias, acción secundaria, inferioridad, atenuación o disminución, etc. SUB*cinericio,* SUB*arrendar,* SUB*diácono,* SO*asar,* SON*reír,* SOR*prender,* SOS*tener,* SU*poner,* SUS*pender.*

Subacetato. m. *Quím.* Acetato básico de plomo.

Subafluente. m. Río o arroyo que desagua en un afluente.

Subalcaide. m. Substituto o teniente de alcaide.

Subalternante. p. a. de **Subalternar.** Que subalterna.

Subalternar. (De *subalterno.*) tr. Sujetar o poner debajo, supeditar.

Subalterno, na. (Del lat. *subalternus.*) adj. Inferior, o que está debajo de una persona o cosa. || **2.** m. Empleado de categoría inferior. || **3.** *Mil.* Oficial cuyo empleo es inferior al de capitán.

Subálveo, a. adj. Que está debajo del álveo de un río o arroyo. Ú. t. c. s. m. || **2.** V. **Aguas subálveas.**

Subarrendador, ra. m. y f. Persona que da en subarriendo alguna cosa.

Subarrendamiento. m. **Subarriendo.**

Subarrendar. tr. Dar o tomar en arriendo una cosa, no del dueño de ella ni de su administrador, sino de otro arrendatario de la misma.

Subarrendatario, ria. (De *subarrendar.*) m. y f. Persona que toma en subarriendo alguna cosa.

Subarriendo. (De *subarrendar.*) m. Acción y efecto de subarrendar. || **2.** Contrato por el cual se subarrienda una cosa. || **3.** Precio en que se subarrienda.

Subasta. (Del lat. *sub hasta*, bajo la lanza, porque la venta del botín cogido en la guerra se anunciaba con una lanza.) f. Venta pública de bienes o alhajas que se hace al mejor postor, y regularmente por mandato y con intervención de un juez u otra autoridad. || **2.** Adjudicación que en la misma forma se hace de una contrata, generalmente de servicio público; como la ejecución de una obra, el suministro de provisiones, etc. || **Sacar a pública subasta** una cosa. fr. Ofrecerla a quien haga proposiciones más ventajosas en las condiciones prefijadas.

Subastación. (Del lat. *subhastatĭo, -ōnis.*) f. p. us. **Subasta.**

Subastar. (Del lat. *subhastāre*, de *sub hasta*, subasta.) tr. Vender efectos o contratar servicios, arriendos, etc., en pública subasta.

Subcierna. (De *sub* y *cerner.*) f. *León* y *Zam.* Moyuelo que se emplea para alimento del ganado.

Subcinericio. (Del lat. *subcinericĭus.*) adj. V. **Pan subcinericio.**

Subclase. f. *Bot.* y *Zool.* Cada uno de los grupos taxonómicos en que se dividen las clases de plantas y animales.

Subclavero. m. Teniente de clavero, o segundo clavero, en algunas órdenes militares.

Subclavio, via. (Del lat. *sub*, debajo, y *clavis.*) adj. *Zool.* Dícese de lo que en el cuerpo del animal está debajo de la clavícula. || **2.** V. **Vena subclavia.**

Subcolector. m. El que hace las veces de colector y sirve a sus órdenes.

Subcomendador. m. Teniente comendador en las órdenes militares.

Subcomisión. f. Grupo de individuos de una comisión que tiene cometido determinado.

Subconsciencia. f. Estado inferior de la conciencia psicológica en el que, por la poca intensidad o duración de las percepciones, no se da cuenta de éstas el sujeto.

Subconsciente. adj. Que se refiere a la subconsciencia, o que no llega a ser consciente.

Subconservador. m. Juez delegado por el conservador.

Subcostal. adj. Que está debajo de las costillas.

Subcutáneo, a. (Del lat. *subcutanĕus.*) adj. *Zool.* Que está inmediatamente debajo de la piel.

Subdelegable. adj. Que se puede subdelegar.

Subdelegación. f. Acción y efecto de subdelegar. || **2.** Distrito, oficina y empleo del subdelegado.

Subdelegado, da. p. p. de **Subdelegar.** || **2.** adj. Dícese de la persona que sirve inmediatamente a las órdenes del delegado o le substituye en sus funciones. Ú. m. c. s.

Subdelegante. p. a. de **Subdelegar.** Que subdelega.

Subdelegar. (Del lat. *subdelegāre*; de *sub*, bajo, y *delegāre*, delegar.) tr. *For.* Trasladar o dar el delegado su jurisdicción o potestad a otro.

Subdelirio. m. *Med.* Delirio tranquilo, caracterizado por palabras incoherentes, pronunciadas a media voz, compatible con una conciencia normal cuando el enfermo es interrogado.

Subdiaconado. m. Orden de subdiácono o de epístola.

Subdiaconal. adj. Perteneciente al subdiácono.

Subdiaconato. (Del lat. *subdiaconātus.*) m. **Subdiaconado.**

Subdiácono. (Del lat. *subdiacŏnus.*) Clérigo ordenado de epístola.

Subdirección. f. Cargo de subdirector. || **2.** Oficina del subdirector.

Subdirector, ra. m. y f. Persona que sirve inmediatamente a las órdenes del director o le substituye en su funciones.

Subdistinción. (Del lat. *subdistinctĭo, -ōnis.*) f. Acción y efecto de subdistinguir.

Subdistinguir. (Del lat. *subdistinguĕre.*) tr. Distinguir en lo ya distinguido, o hacer una distinción en otra.

Súbdito, ta. (Del lat. *subdĭtus*, p. p. de *subdĕre*, someter.) adj. Sujeto a la autoridad de un superior con obligación de obedecerle. Ú. t. c. s. || **2.** m. y f. Natural o ciudadano de un país en cuanto sujeto a las autoridades políticas de éste.

Subdividir. (Del lat. *subdividĕre.*) tr. Dividir una parte señalada por una división anterior. Ú. t. c. r.

Subdivisión. (Del lat. *subdivisĭo, -ōnis.*) f. Acción y efecto de subdividir o subdividirse.

Subdominante. f. *Mús.* Cuarta nota de la escala diatónica.

Subduplo, pla. (Del lat. *subduplus.*) adj. *Mat.* Aplícase al número o cantidad que es mitad exacta de otro u otra.

Subejecutor. m. El que con la delegación o dirección de otro ejecuta una cosa.

Subentender. tr. **Sobrentender.** Ú. t. c. r.

Subeo. (Del lat. *subjugĭus.*) m. **Sobeo.**

Suberina. f. *Quím.* Substancia orgánica, procedente de la transformación de la celulosa, que forma la membrana de las células componentes del corcho. Se caracteriza por su impermeabilidad y elasticidad.

Suberoso, sa. (Del lat. *suber*, corcho.) adj. Parecido al corcho.

Subfebril. adj. *Med.* Dícese del que tiene una temperatura anormal, comprendida entre 37,5 y 38 grados.

Subfiador. m. Fiador subsidiario.

Subforo. m. *For.* Contrato por el cual el forero cede el dominio útil de la finca a otro, que se subroga en sus obligaciones para con el señor del dominio directo.

Subgénero. m. *Bot.* y *Zool.* Cada uno de los grupos taxonómicos en que se dividen los géneros de plantas y animales.

Subgobernador. m. Empleado inferior al gobernador y que le substituye en sus funciones.

Subida. f. Acción y efecto de subir o subirse. || **2.** Sitio o lugar en declive, que va subiendo. || **Cuanto mayor es la subida, tanto mayor es la descendida. De gran subida, gran caída.** refs. que advierten que cuanto más eleva la fortuna a los hombres, suele ser mayor la caída.

Subidamente. adv. m. ant. Altamente, elevada o sublimemente.

Subidero, ra. adj. Aplícase a algunos instrumentos que sirven para subir en alto. || **2.** m. Lugar o paraje por donde se sube.

Subido, da. p. p. de **Subir.** || **2.** adj. Dícese de lo último, más fino y acendrado en su especie. || **3.** Dícese del color o del olor que impresiona fuertemente la vista o el olfato. || **4.** Muy elevado, que excede al término ordinario. *Precio* SUBIDO.

Subidor. (De *subir.*) m. El que por oficio lleva una cosa de un lugar bajo a otro alto.

Subiente. p. a. de **Subir.** Que sube. || **2.** m. Cada uno de los follajes que suben adornando un vaciado de pilastras o cosa semejante.

Subigüela. f. *Sal.* **Alondra.**

Subilla. (Del lat. **subĕlla*, de *subŭla.*) f. **Lezna.**

Subimiento. (De *subir.*) m. **Subida,** 1.ª acep.

Subíndice. m. *Mat.* Letra o número que se añade a un símbolo para distinguirlo de otros semejantes. Se coloca a la derecha de aquél y algo más bajo.

Subinspección. f. Cargo de subinspector. || **2.** Oficina del subinspector.

Subinspector. m. Jefe inmediato después del inspector.

Subintendencia. f. Cargo de subintendente.

Subintendente. m. El que sirve inmediatamente a las órdenes del intendente o le substituye en sus funciones.

Subintración. f. *Cir.* y *Med.* Acción y efecto de subintrar.

Subintrante. p. a. de **Subintrar.** *Cir.* y *Med.* Que subintra. || **2.** adj. *Med.* V. **Fiebre subintrante.**

Subintrar. (Del lat. *subintrāre.*) intr. Entrar uno después o en lugar de otro. || **2.** *Cir.* Colocarse un hueso o fragmento de él debajo de otro, como sucede en algunas fracturas del cráneo. || **3.** *Med.* Comenzar una ascensión febril antes de terminar la anterior.

Subir. (Del lat. *subire*, llegar, avanzar, arribar.) intr. Pasar de un sitio o lugar a otro superior o más alto. || **2.** Cabalgar, montar. || **3.** Crecer en altura ciertas cosas. HA SUBIDO *el río; va* SUBIENDO *la pared.* || **4.** Ponerse el gusano en las ramas o matas para hilar el capullo. || **5.** Importar una cuenta. *La deuda* SUBE *a cien pesetas.* || **6.** fig. Ascender en dignidad o empleo, o crecer en caudal o hacienda. || **7.** fig. Agravarse o difundirse ciertas enfermedades. SUBIR *la fiebre, la epidemia.* || **8.** *Mús.* Elevar la voz o el sonido de un instrumento desde un tono grave a otro más agudo. Ú. t. c. tr. || **9.** tr. Recorrer yendo hacia arriba, remontar. SUBIR *la escalera, una cuesta,* etcétera. || **10.** Trasladar a una persona o cosa a lugar más alto que el que ocupaba. SUBIR *a un niño en brazos;* SUBIR *las pesas de un reloj.* Ú. t. c. r. || **11.** Hacer más alta una cosa o irla aumentando hacia arriba. SUBIR *una torre, una pared.* || **12.** Enderezar o poner derecha una cosa que estaba inclinada hacia abajo. SUBE *esa cabeza, esos brazos.* || **13.** fig. Dar a las cosas más precio o mayor estimación de la que tenían. *El cosechero* HA SUBIDO *el vino.* Ú. t. c. intr. *El pan* HA SUBIDO. || **Subirse a predicar.** fr. fig. y fam. Dicho del vino, **subirse a la cabeza.**

Súbitamente. adv. m. De manera súbita.

Subitáneamente. adv. m. **Súbitamente.**

Subitáneo, a. (Del lat. *subitanĕus.*) adj. Que sucede súbitamente.

Súbito, ta. (Del lat. *subĭtus.*) adj. Improviso, repentino. ‖ **2.** Precipitado, impetuoso o violento en las obras o palabras. ‖ **3.** adv. m. **Súbitamente.** ‖ **De súbito.** m. adv. **Súbitamente.**

Subjectar. (Del lat. *subiectāre.*) tr. ant. **Sujetar.**

Subjefe. m. El que hace las veces de jefe y sirve a sus órdenes.

Subjetividad. f. Calidad de subjetivo.

Subjetivismo. m. Predominio de lo subjetivo.

Subjetivo, va. (Del lat. *subiectīvus.*) adj. Perteneciente o relativo al sujeto, 5.ª acep. ‖ **2.** Relativo a nuestro modo de pensar o de sentir, y no al objeto en sí mismo.

Subjeto. (Del lat. *subiectus.*) m. ant. **Sujeto.**

Sub júdice. *For.* loc. lat. con que se denota que una cuestión está pendiente de una resolución. ‖ **2.** fig. Dícese de toda cuestión opinable, sujeta a discusión.

Subjugante. p. a. ant. de **Subjugar.** Que subyuga.

Subjugar. (Del lat. *subiugāre.*) tr. ant. **Subyugar.**

Subjuntivo, va. (Del lat. *subiunctīvus.*) adj. *Gram.* V. **Modo subjuntivo.** Ú. t. c. s.

Subjuzgar. tr. ant. **Sojuzgar.** Usáb. t. c. r.

Sublevación. (Del lat. *sublevatĭo, -ōnis.*) f. Acción y efecto de sublevar o sublevarse.

Sublevamiento. (De *sublevar.*) m. **Sublevación.**

Sublevar. (Del lat. *sublevāre.*) tr. Alzar en sedición o motín. SUBLEVAR *a los soldados, al pueblo.* Ú. t. c. r. ‖ **2.** fig. Excitar indignación, promover sentimiento de protesta.

Sublimación. f. Acción y efecto de sublimar.

Sublimado, da. p. p. de **Sublimar.** ‖ **2.** adj. V. **Argento vivo sublimado.** ‖ **3.** m. *Quím.* Substancia obtenida por sublimación. ‖ **4.** *Quím.* **Sublimado corrosivo.** ‖ **corrosivo.** *Quím.* Substancia blanca, volátil y venenosa, soluble en agua caliente y usada en medicina sobre todo como desinfectante enérgico. Es combinación de dos equivalentes de cloro con uno de mercurio y se obtiene por la unión directa de sus dos elementos.

Sublimar. (Del lat. *sublimāre.*) tr. Engrandecer, exaltar, ensalzar o poner en altura. ‖ **2.** *Quím.* Volatilizar un cuerpo sólido y condensar sus vapores. Ú. t. c. r.

Sublimatorio, ria. adj. *Quím.* Perteneciente o relativo a la sublimación.

Sublime. (Del lat. *sublīmis.*) adj. Excelso, eminente, de elevación extraordinaria. Se emplea más en sentido figurado aplicado a cosas morales o intelectuales, y dícese especialmente de las concepciones mentales y de las producciones literarias y artísticas o de lo que en ellas tiene por caracteres distintivos grandeza y sencillez admirables. Aplícase también a las personas. *Orador, escritor, pintor* SUBLIME.

Sublimemente. adv. m. De manera sublime.

Sublimidad. (Del lat. *sublimitas, -ātis.*) f. Calidad de sublime.

Sublingual. (Del lat. *sublingua,* parte inferior de la lengua.) adj. *Zool.* Perteneciente a la región inferior de la lengua.

Sublunar. (Del lat. *sublunāris.*) adj. Que está debajo de la Luna. Se suele aplicar al globo que habitamos. *Este mundo* SUBLUNAR.

Submarino, na. (De *sub,* debajo, y *marino.*) adj. Que está bajo la superficie del mar. ‖ **2.** V. **Cable submarino.** ‖ **3.** V. **Mina submarina.** ‖ **4.** m. **Buque submarino.**

Submaxilar. (Del lat. *sub,* debajo, y *maxilla,* mandíbula inferior.) adj. *Zool.* Dícese de lo que está debajo de la mandíbula inferior.

Subministración. f. **Suministración.**

Subministrador, ra. adj. **Suministrador.** Ú. t. c. s.

Subministrar. tr. **Suministrar.**

Submúltiplo, pla. (Del lat. *submultĭplus.*) adj. *Mat.* Aplícase al número o cantidad que otro u otra contiene exactamente dos o más veces. Ú. t. c. s.

Subnota. f. *Impr.* Nota puesta a otra nota de un escrito o impreso.

Suboficial. m. Categoría militar comprendida entre las de oficial y sargento, creada para atender al servicio administrativo de cada compañía o unidad equivalente, y asumir, de ordinario, el mando militar de una sección.

Suborden. m. *Bot.* y *Zool.* Cada uno de los grupos taxonómicos en que se dividen los órdenes de plantas y animales.

Subordinación. (Del lat. *subordinatĭo, -ōnis.*) f. Sujeción a la orden, mando o dominio de uno.

Subordinadamente. adv. m. Con subordinación.

Subordinado, da. p. p. de **Subordinar.** ‖ **2.** adj. Dícese de la persona sujeta a otra o dependiente de ella. Ú. m. c. s.

Subordinar. (Del lat. *sub,* bajo, y *ordināre,* ordenar.) tr. Sujetar personas o cosas a la dependencia de otras. Ú. t. c. r. ‖ **2.** Clasificar algunas cosas como inferiores en orden respecto de otras.

Subprefecto. (Del lat. *subpraefectus.*) m. Jefe o magistrado inmediatamente inferior al prefecto.

Subprefectura. (Del lat. *subpraefectūra.*) f. Cargo de subprefecto. ‖ **2.** Oficina del subprefecto.

Subranquial. adj. *Zool.* Situado debajo de las branquias. *Aleta* SUBRANQUIAL. ‖ **2.** *Zool.* V. **Malacopterigio subranquial.**

Subrayable. adj. Que puede o merece ser subrayado.

Subrayado, da. p. p. de **Subrayar.** ‖ **2.** adj. Dícese de la letra, palabra o frase que en lo impreso va de carácter cursivo o de otro distinto del empleado generalmente en la impresión. ‖ **3.** m. Acción y efecto de subrayar, 1.ª acep.

Subrayar. tr. Señalar por debajo con una raya alguna letra, palabra o frase escrita, para llamar la atención sobre ella o con cualquier otro fin. ‖ **2.** fig. **Recalcar,** 3.ª acep.

Subreino. m. *Zool.* Cada uno de los dos grupos taxonómicos en que se divide el reino animal.

Subrepción. (Del lat. *subreptĭo, -ōnis.*) f. Acción oculta y a escondidas. ‖ **2.** *For.* Ocultación de un hecho para obtener lo que de otro modo no se conseguiría.

Subrepticiamente. adv. m. De manera subrepticia.

Subrepticio, cia. (Del lat. *subreptitĭus.*) adj. Que se pretende u obtiene con subrepción. ‖ **2.** Que se hace o toma ocultamente y a escondidas.

Subrigadier. m. Oficial que desempeñaba las funciones de sargento segundo en el cuerpo de guardias de la persona del rey. ‖ **2.** *Mar.* En las antiguas compañías de guardias marinas, el que ejercía las funciones de cabo subordinado al brigadier; y hoy, en escuelas navales, el aspirante distinguido subordinado y auxiliar del brigadier.

Subrogación. (Del lat. *subrogatĭo, -ōnis.*) f. Acción y efecto de subrogar o subrogarse.

Subrogar. (Del lat. *subrogāre.*) tr. *For.* Substituir o poner una persona o cosa en lugar de otra. Ú. t. c. r.

Subsanable. adj. Que puede subsanar.

Subsanación. f. Acción y efecto de subsanar.

Subsanar. tr. Disculpar o excusar un desacierto o delito. ‖ **2.** Reparar o remediar un defecto, o resarcir un daño.

Subscapular. (Del lat. *sub,* debajo, y *scapŭlae,* los hombros.) adj. *Zool.* V. **Músculo subscapular.** Ú. t. c. s.

Subscribir. (Del lat. *subscribĕre.*) tr. Firmar al pie o al final de un escrito. ‖ **2.** fig. Convenir con el dictamen de uno; acceder a él. ‖ **3.** r. Obligarse uno a contribuir como otros al pago de una cantidad para cualquier obra o empresa. ‖ **4.** Abonarse para recibir alguna publicación periódica o algunos libros que se hayan de publicar en serie o por fascículos. Ú. t. c. tr.

Subscripción. (Del lat. *subscriptĭo, -ōnis.*) f. Acción y efecto de subscribir o subscribirse.

Subscripto, ta. (Del lat. *subscriptus.*) p. p. irreg. **Subscrito.**

Subscriptor, ra. (Del lat. *subscriptor, -ōris.*) m. y f. Persona que subscribe o se subscribe.

Subscrito, ta. p. p. irreg. de **Subscribir.**

Subscritor, ra. m. y f. **Subscriptor.**

Subsecretaría. f. Empleo de subsecretario. ‖ **2.** Oficina del subsecretario.

Subsecretario, ria. m. y f. Persona que hace las veces del secretario. ‖ **2.** m. Secretario general de un ministro o de una antigua secretaría del Despacho.

Subsecuente. (Del lat. *subsĕquens, -entis.*) adj. **Subsiguiente.**

Subseguir. intr. Seguir una cosa inmediatamente a otra. Ú. t. c. r.

Subseyente. (Del lat. *subsīdens, -entis,* que está después.) adj. ant. **Subsiguiente.**

Subsidiariamente. adv. m. Por vía de subsidio. ‖ **2.** *For.* De un modo subsidiario.

Subsidiario, ria. (Del lat. *subsidiarĭus.*) adj. Que se da o se manda en socorro o subsidio de uno. ‖ **2.** *For.* Aplícase a la acción o responsabilidad que suple o robustece a otra principal.

Subsidio. (Del lat. *subsidĭum.*) m. Socorro, ayuda o auxilio extraordinario. ‖ **2.** Cierto auxilio concedido por la Sede apostólica a los reyes de España sobre las rentas eclesiásticas de sus reinos. ‖ **3.** Contribución impuesta al comercio y a la industria.

Subsiguiente. p. a. de **Subseguirse.** Que se subsigue. ‖ **2.** adj. Que viene después del que sigue inmediatamente.

Subsistencia. (Del lat. *subsistentĭa.*) f. Permanencia, estabilidad y conservación de las cosas. ‖ **2.** Conjunto de medios necesarios para el sustento de la vida humana. Ú. m. en pl. ‖ **3.** *Fil.* Complemento último de la substancia, o acto por el cual una substancia se hace incomunicable a otra.

Subsistente. p. a. de **Subsistir.** Que subsiste.

Subsistir. (Del lat. *subsistĕre.*) intr. Permanecer, durar una cosa o conservarse. ‖ **2.** **Vivir,** 4.ª acep. ‖ **3.** *Fil.* Existir una substancia con todas las condiciones propias de su ser y de su naturaleza.

Subsolano. (Del lat. *subsolānus.*) m. **Este,** 1.er art., 2.ª acep.

Substancia. (Del lat. *substantĭa.*) f. Cualquier cosa con que otra se aumenta y nutre y sin la cual se acaba. ‖ **2.** Jugo que se extrae de ciertas materias alimenticias, o caldo que con ellas se hace. ‖ **3.** Ser, esencia, naturaleza de las cosas. ‖ **4.** Hacienda, caudal, bienes. ‖ **5.** Valor y estimación que tienen las cosas. *Negocio de* SUBSTANCIA. ‖ **6.** Parte nutritiva de los alimentos. ‖ **7.** fig. y fam. Juicio, madurez. *Hombre sin* SUBSTANCIA. ‖ **8.** *Fil.* Entidad a la que por su naturaleza compete existir en sí y no en otra por inherencia. ‖ **blanca.** *Zool.* La formada principalmente por la reunión de fibras nerviosas, que constituye la parte periférica de la medula espinal y la central del encéfalo. || **gris.** *Zool.* La formada principalmente por la reunión de cuerpos de células nerviosas, que constituye la porción central de la medula espinal y la superficial del encéfalo. || **Convertirlo uno todo en substancia.** fr. fig. y fam. Interpretarlo a su favor. || **2.** fig. y fam. Sacar partido así de lo favorable como de lo adverso. || **En substancia.** m. adv. **En compendio.** || **2.** *Med.* Dícese del simple que se da como medicamento en su ser natural y con todas sus partes, a diferencia de los que se suministran en infusión, extracto, etc.

Substanciación. f. Acción y efecto de substanciar.

Substancial. (Del lat. *substantiālis.*) adj. Perteneciente o relativo a la substancia. || **2. Substancioso.** || **3.** Dícese de lo esencial y más importante de una cosa.

Substancialmente. adv. m. **En substancia.**

Substanciar. (De *substancia.*) tr. Compendiar, extractar. || **2.** *For.* Conducir un asunto o juicio por la vía procesal adecuada hasta ponerlo en estado de sentencia.

Substancioso, sa. adj. Que tiene substancia, 5.ª y 6.ª aceps., o que la tiene abundante.

Substantivamente. adv. m. A manera de substantivo, con carácter de substantivo.

Substantivar. tr. *Gram.* Dar valor y significación de nombre substantivo a otra parte de la oración y aun a locuciones enteras.

Substantividad. f. Calidad de substantivo, 1.ª acep.

Substantivo, va. (Del lat. *substantīvus.*) adj. Que tiene existencia real, independiente, individual. || **2.** *Gram.* V. **Nombre substantivo.** Ú. t. c. s. || **3.** *Gram.* V. **Verbo substantivo.**

Substitución. (Del lat. *substitutĭo, -ōnis.*) f. Acción y efecto de substituir. || **2.** *For.* Nombramiento de heredero o legatario que se hace en reemplazo de otro nombramiento de la misma índole. || **ejemplar.** *For.* Designación de sucesor en los bienes del que, por causa de demencia, está incapacitado para testar. || **fideicomisaria.** Designación de otro u otros herederos o legatarios, a quienes la herencia o la manda se hayan de transferir gradualmente, después de la adquisición y el goce por los antepuestos en la serie de llamamientos. || **pupilar.** *For.* Nombramiento de sucesor en los bienes del pupilo que por no haber llegado a la edad de la pubertad no puede hacer testamento. || **vulgar.** *For.* Nombramiento de segundo, tercero y aun ulteriores herederos o legatarios, en lugar del primero instituido para el caso en que éste falte o no efectúe la sucesión.

Substituible. adj. Que se puede o debe substituir.

Substituidor, ra. adj. Que substituye. Ú. t. c. s.

Substituir. (De lat. *substituĕre.*) tr. Poner a una persona o cosa en lugar de otra.

Substitutivo. adj. Dícese de lo que puede reemplazar a otra cosa en el uso. Ú. t. c. s.

Substituto, ta. (Del lat. *substitūtus.*) p. p. irreg. de **Substituir.** || **2.** m. y f. Persona que hace las veces de otra en empleo o servicio. || **3.** *For.* Heredero o legatario designado para cuando falta la sucesión del nombrado con prioridad a él, o para suplir con causa legítima el nombramiento.

Substracción. f. Acción y efecto de substraer o substraerse. || **2.** *Álg.* y *Arit.* **Resta,** 1.ª acep.

Substraendo. (De *substraer.*) m. *Álg.* y *Arit.* Cantidad que ha de restarse de otra.

Substraer. (Del lat. *sub*, debajo, y *extrahĕre*, sacar.) tr. Apartar, separar, extraer. || **2.** Hurtar, robar fraudulentamente. || **3.** *Álg.* y *Arit.* **Restar,** 5.ª acep. || **4.** r. Separarse de lo que es de obligación, de lo que se tenía proyectado o de alguna otra cosa.

Substrato. m. *Fil.* **Substancia,** 3.ª y 8.ª aceps.

Subsuelo. m. Terreno que está debajo de la capa labrantía o laborable o en general debajo de una capa de tierra. || **2.** Parte profunda del terreno a la cual no llegan los aprovechamientos superficiales de los predios y en donde las leyes consideran estatuido el dominio público, facultando a la autoridad gubernativa para otorgar concesiones mineras.

Subtender. (Del lat. *subtendĕre.*) tr. *Geom.* Unir una línea recta los extremos de un arco de curva o de una línea quebrada.

Subtenencia. f. Empleo de subteniente.

Subteniente. m. **Segundo teniente.**

Subtensa. (Del lat. *subtensa*, extendida.) f. *Geom.* **Cuerda,** 15.ª acep.

Subtenso, sa. (Del lat. *subtensus.*) p. p. irreg. de **Subtender.**

Subterfugio. (Del lat. *subterfugĭum.*) m. Efugio, escapatoria, excusa artificiosa.

Subterráneamente. adv. m. Por debajo de tierra.

Subterráneo, a. (Del lat. *subterranĕus.*) adj. Que está debajo de tierra. || **2.** m. Cualquier lugar o espacio que está debajo de tierrra.

Subtilizar. (Del lat. *subtīlis*, sutil.) tr. ant. **Sutilizar.**

Subtipo. m. *Bot.* y *Zool.* Cada uno de los grupos taxonómicos en que se dividen los tipos de plantas y de animales.

Subtitular. tr. Poner subtítulo.

Subtítulo. m. Título secundario que se pone a veces después del título principal.

Subtraer. (Del lat. *substrahĕre.*) tr. ant. **Substraer.** Usáb. t. c. r.

Suburbano, na. (Del lat. *suburbānus.*) adj. Aplícase al edificio, terreno o campo próximo a la ciudad. Ú. t. c. s. || **2.** Perteneciente o relativo a un suburbio. || **3.** m. Habitante de un suburbio.

Suburbicario, ria. (Del lat. *suburbicarĭus.*) adj. Perteneciente a las diócesis que componen la provincia eclesiástica de Roma.

Suburbio. (Del lat. *suburbĭum.*) m. Barrio, arrabal o aldea cerca de la ciudad o dentro de su jurisdicción.

Suburense. adj. Natural de la antigua Subur, hoy Sitges. Ú. t. c. s. || **2.** Perteneciente a esta población.

Subvención. (Del lat. *subventĭo, -ōnis.*) f. Acción y efecto de subvenir. || **2.** Cantidad con que se subviene.

Subvencionar. tr. Favorecer con una subvención.

Subvenio. (De *subvenir.*) m. ant. **Subvención.**

Subvenir. (Del lat. *subvenīre.*) intr. Venir en auxilio de alguno o acudir a las necesidades de alguna cosa.

Subversión. (Del lat. *subversĭo, -ōnis.*) f. Acción y efecto de subvertir o subvertirse.

Subversivo, va. (Del lat. *subversum*, supino de *subvertĕre*, subvertir.) adj. Capaz de subvertir, o que tiende a ello. Aplícase especialmente a lo que tiende a subvertir el orden público.

Subversor, ra. (Del lat. *subversor, -ōris.*) adj. Que subvierte. Ú. t. c. s.

Subvertir. (Del lat. *subvertĕre.*) tr. Trastornar, revolver, destruir. Ú. más en sentido moral.

Subyacente. (Del lat. *subiacens, -entis.*) adj. Que yace o está debajo de otra cosa.

Subyugable. adj. Que se puede subyugar.

Subyugación. (Del lat. *subiugatĭo, -ōnis.*) f. Acción y efecto de subyugar o subyugarse.

Subyugador, ra. (Del lat. *subiugātor, -ōris.*) adj. Que subyuga. Ú. t. c. s.

Subyugar. (Del lat. *subiugāre;* de *sub*, bajo, y *iugum*, yugo.) tr. Avasallar, sojuzgar, dominar poderosa o violentamente. Ú. t. c. r.

Succino. (Del lat. *succĭnum.*) m. **Ámbar.**

Succión. (Del lat. *suctum*, supino de *sugĕre*, chupar.) f. Acción de chupar, 1.ª acep.

Sucedáneo, a. (Del lat. *succedanĕus*, sucesor, substituto.) adj. Dícese de la substancia que, por tener propiedades parecidas a las de otra, puede reemplazarla. Ú. m. c. s. m.

Suceder. (Del lat. *succedĕre.*) intr. Entrar una persona o cosa en lugar de otra o seguirse a ella. || **2.** Entrar como heredero o legatario en la posesión de los bienes de un difunto. || **3.** Descender, proceder, provenir. || **4.** impers. Efectuarse un hecho.

Sucedido, da. p. p. de **Suceder.** || **2.** m. fam. **Suceso,** 1.ª acep.

Sucediente. p. a. de **Suceder.** Que sucede o se sigue.

Sucedumbre. (De *sucio.*) f. ant. **Suciedad.**

Sucentor. (Del lat. *succentor, -ōris.*) m. ant. **Sochantre.**

Sucesible. adj. Dícese de aquello en que se puede suceder.

Sucesión. (Del lat. *successĭo, -ōnis.*) f. Acción y efecto de suceder, 1.ª, 2.ª y 3.ª aceps. || **2. Herencia,** 2.ª acep. || **3.** Prole, descendencia directa. || **forzosa.** *For.* La que está ordenada preceptivamente, de modo que el causante no pueda variarla ni estorbarla. || **intestada.** *For.* La que se verifica por ministerio de la ley y no por testamento. || **testada.** La que se defiere y regula por la voluntad del causante declarada con las solemnidades que exige la ley. || **universal.** La que transmite al heredero la totalidad o una parte alícuota de la personalidad civil y del haber íntegro del causante, haciéndole continuador o partícipe de cuantos bienes, derechos y obligaciones tenía éste al morir. || **Deferirse la sucesión.** fr. *For.* Efectuarse de derecho la transmisión sucesoria.

Sucesivamente. (De *sucesivo.*) adv. m. Sucediendo o siguiéndose una persona o cosa a otra.

Sucesivo, va. (Del lat. *successīvus.*) adj. Dícese de lo que sucede o se sigue a otra cosa.

Suceso. (Del lat. *successus.*) m. Cosa que sucede, especialmente cuando es de alguna importancia. || **2.** Transcurso o discurso del tiempo. || **3.** Éxito, resultado, término de un negocio.

Sucesor, ra. (Del lat. *successor, -ōris.*) adj. Que sucede a uno o sobreviene en su lugar, como continuador de él. Ú. t. c. s.

Sucesorio, ria. adj. Perteneciente o relativo a la sucesión. || **2.** V. **Pacto sucesorio.**

Suciamente. adv. m. Con suciedad.

Suciedad. f. Calidad de sucio. || **2.** Inmundicia, porquería. || **3.** fig. Dicho o hecho sucio.

Sucinda. f. *Sal.* **Alondra.**

Sucintamente. adv. m. De modo sucinto o compendioso.

Sucintarse. (De *sucinto.*) r. Ceñirse, ser sucinto.

Sucinto, ta. (Del lat. *succinctus*, p. p. de *succingĕre*, ceñir.) adj. p. us. Recogido o ceñido por abajo. || **2.** Breve, compendioso.

Sucio, cia. (Del lat. *succĭdus*, jugoso, mugriento.) adj. Que tiene manchas o impurezas. || **2.** V. **Billa, patente, resma**

sucia. || **3.** Que se ensucia fácilmente. || **4.** fig. Manchado con pecados o con imperfecciones. || **5.** fig. Deshonesto u obsceno en acciones o palabras. || **6.** fig. Dícese del color confuso y turbio. || **7.** fig. Con daño, infección, imperfección o impureza. *Lazareto* SUCIO; *viento* SUCIO; *labor* SUCIA. || **8.** adv. m. fig. Hablando de algunos juegos, sin la debida observancia de sus reglas y leyes propias. || **Cuando la sucia empucha, luego anubla.** ref. que da a entender que el que dilata por pereza lo que debe hacer a su tiempo, suele hallar después embarazos al hacerlo.

Suco. (Del lat. *succus.*) m. **Jugo.** || **2.** *Bol.* y *Venez.* Terreno fangoso.

Sucoso, sa. (Del lat. *succōsus.*) adj. **Jugoso.**

Sucotrino. (De *Socotora,* isla de África.) adj. V. **Áloe sucotrino.**

Sucre. (De Antonio José de *Sucre,* general venezolano.) m. Moneda de plata, del Ecuador, equivalente a cinco pesetas a la par.

Sucreño, ña. adj. Natural de Sucre. Ú. t. c. s. || **2.** Perteneciente a esta ciudad de Bolivia o al departamento así llamado.

Sucu. m. *Vizc.* Gachas de harina de maíz con leche.

Súcubo. (Del lat. **succŭbus,* según *incŭbus.*) adj. Dícese del espíritu, diablo o demonio que, según la superstición vulgar, tiene comercio carnal con un varón, bajo la apariencia de mujer.

Sucucho. m. Rincón, ángulo entrante que forman dos paredes. || **2.** *Amér.* **Socucho.** || **3.** *Mar.* Rincón estrecho que queda en las partes más cerradas de las ligazones de un buque.

Súcula. (Del lat. *sucŭla.*) f. **Torno,** 1.ª acep.

Suculentamente. adv. m. De modo suculento.

Suculento, ta. (Del lat. *succulentus.*) adj. Jugoso, substancioso, muy nutritivo.

Sucumbiente. p. a. de **Sucumbir.** Que sucumbe.

Sucumbir. (Del lat. *succumbĕre.*) intr. Ceder, rendirse, someterse. || **2.** Morir, perecer. || **3.** *For.* Perder el pleito.

Sucursal. (Del lat. *succursus,* socorro, auxilio.) adj. Dícese del establecimiento que sirve de ampliación a otro, del cual depende. Ú. t. c. s. f.

Suche. adj. *Venez.* Agrio, duro, sin madurar. || **2.** m. *Ecuad.* y *Perú.* **Súchil.** || **3.** p. us. *Argent.* **Barro,** 2.° art., 1.ª acep. || **4.** *Chile.* despect. Empleado de última categoría, subalterno.

Súchel. m. *Cuba.* **Súchil.**

Súchil. (Del mejic. *xochitl,* flor.) m. *Méj.* Árbol pequeño de la familia de las apocináceas, de ramas tortuosas, hojas lanceoladas y lustrosas con largos pecíolos lechosos y flores de cinco pétalos blancos con listas encarnadas; la madera sirve para construcciones.

Sud. (Del anglosajón *sud.*) m. **Sur.** Es la forma usada en composición, SUD*oeste,* SUD*americano.*

Sudadera. f. **Sudadero.** || **2.** fam. Sudor copioso.

Sudadero. m. Lienzo con que se limpia el sudor. || **2.** Manta pequeña que se pone a las cabalgaduras debajo de la silla o aparejo. || **3.** Lugar en el baño, destinado para sudar. || **4.** Lugar por donde se rezuma el agua a gotas. || **5.** *And.,* *Ar.* y *Extr.* **Bache,** 2.° art.

Sudafricano, na. adj. Natural del África del Sur. Ú. t. c. s. || **2.** Perteneciente a esta parte de África.

Sudamericano, na. adj. Natural de la América del Sur. Ú. t. c. s. || **2.** Perteneciente a esta parte de América.

Sudanés, sa. adj. Natural del Sudán. Ú. t. c. s. || **2.** Perteneciente a esta región de África.

Sudante. p. a. de **Sudar.** Que suda. Ú. t. c. s.

Sudar. (Del lat. *sudāre.*) intr. Exhalar y expeler el sudor. Ú. t. c. tr. || **2.** fig. Destilar los árboles, plantas y frutos algunas gotas de su jugo. SUDAR *las castañas, o el café, después de tostados.* Ú. t. c. tr. || **3.** fig. Destilar agua a través de sus poros algunas cosas impregnadas de humedad. SUDA *la pared, un botijo.* || **4.** fig. y fam. Trabajar con fatiga o desvelo, física o moralmente. || **5.** tr. Empapar en sudor. || **6.** fig. y fam. Dar una cosa, especialmente con repugnancia. *Me ha hecho* SUDAR *cien pesetas.* || **Lo que otro suda, a mí poco me dura.** ref. que manifiesta la poca duración de las ropas de desecho que se dan a uno.

Sudario. (Del lat. *sudarium.*) m. desus. **Sudadero,** 1.ª acep. || **2.** Lienzo que se pone sobre el rostro de los difuntos o en que se envuelve el cadáver. || **Santo sudario.** Sábana o lienzo con que Josef de Arimatea cubrió el cuerpo de Cristo cuando lo bajó de la cruz.

Sudatorio, ria. (Del lat. *sudatorius.*) adj. **Sudorífico.**

Sudestada. f. *Argent.* Viento con lluvia persistente que viene del Sudeste, del lado del mar.

Sudeste. m. Punto del horizonte entre el Sur y el Este, a igual distancia de ambos. || **2.** Viento que sopla de esta parte.

Sudoeste. m. Punto del horizonte entre el Sur y el Oeste, a igual distancia de ambos. || **2.** Viento que sopla de esta parte.

Sudor. (Del lat. *sudor, -ōris.*) m. Líquido claro y transparente que segregan las glándulas sudoríparas de la piel de los mamíferos y cuya composición química es parecida a la de la orina. || **2.** fig. Jugo que sudan las plantas. || **3.** fig. Gotas que salen y se destilan de las peñas u otras cosas que contienen humedad. || **4.** fig. Trabajo y fatiga. || **5.** pl. Remedio y curación que se hace en los enfermos, especialmente en los que padecen el mal venéreo, aplicándoles medicinas que los obliguen a sudar copiosa o frecuentemente. || **Sudor diaforético.** *Med.* **Sudor** disolutivo, continuo y copioso que acompaña a ciertas calenturas. || **Un sudor se le iba y otro se le venía.** fr. que se aplica para encarecer la confusión o apuro en que uno se halla.

Sudoriento, ta. adj. Sudado, humedecido con el sudor.

Sudorífero, ra. (Del lat. *sudorĭfer, -ĕri;* de *sudor,* sudor, y *ferre,* llevar, producir.) adj. **Sudorífico.** Ú. t. c. s. m.

Sudorífico, ca. (Del lat. *sudor, -ōris,* sudor, y *facĕre,* hacer.) adj. Aplícase al medicamento que hace sudar. Ú. t. c. s. m.

Sudorípara. (Del lat. *sudor, -ōris,* y *parĕre,* parir, producir.) adj. *Zool.* Dícese de la glándula que segrega el sudor.

Sudoroso, sa. (De *sudor.*) adj. Que está sudando mucho. || **2.** Muy propenso a sudar.

Sudoso, sa. adj. Que tiene sudor.

Sudsudeste. m. Punto del horizonte que media entre el Sur y el Sudeste. || **2.** Viento que sopla de esta parte.

Sudsudoeste. m. Punto del horizonte que media entre el Sur y el Sudoeste. || **2.** Viento que sopla de esta parte.

Sudueste. m. *Mar.* **Sudoeste.**

Sueco, ca. (Del lat. *suecus.*) adj. Natural u oriundo de Suecia. Ú. t. c. s. || **2.** Perteneciente a esta nación de Europa. || **3.** m. Idioma **sueco,** uno de los dialectos del nórdico. || **Hacerse** uno **el sueco.** fr. fig. y fam. Desentenderse de una cosa; fingir que no se entiende.

Suegra. (Del lat. *socra,* por *socrus.*) f. Madre del marido respecto de la mujer, o de la mujer respecto del marido. || **2.** Parte, en la rosca del pan, que corresponde a los extremos del rollo de masa y suele ser lo más delgado y cocido. || **Lo que ve la suegra.** fr. fig. y fam. que se dice de la limpieza y arreglo de la casa, cuando se ejecuta por cima y ligeramente, atendiendo sólo a remediar lo que está más a la vista. || **Suegra, ni aun de azúcar es buena.** ref. que advierte que por lo común las **suegras** se avienen mal con las nueras y con los yernos.

Suegro. (Del lat. *socrus,* suegro, por *socer.*) m. Padre del marido respecto de la mujer, o de la mujer respecto del marido. || **Apaña, suegro, para quien te herede: manto de luto, corazón alegre.** ref. que reprende el demasiado afán de atesorar riquezas, que suelen ir a parar a quien las gasta alegremente. || **Para mí no puedo, y devanaré para mi suegro.** ref. que se aplica a los que piden favor para una persona indiferente, no teniéndolo para sí.

Suela. (Del lat. *solĕa.*) f. Parte del calzado que toca al suelo, hecha regularmente de cuero fuerte y adobado. || **2.** Cuero vacuno curtido. || **3.** Pedazo de cuero que se pega a la punta del taco con que se juega al billar. || **4.** **Lenguado.** || **5.** **Zócalo,** 1.ª acep. || **6.** fig. Madero que se pone debajo de un tabique para levantarlo. || **7.** pl. En algunas órdenes religiosas, **sandalias.** || **Suela correjel. Suela** que se fabrica en Inglaterra, y por extensión, la que se fabrica en otras partes, imitando el curtido que se le da en aquel reino. || **Bañado de suela.** loc. fig. Dícese del calzado cuya **suela** es más ancha de lo que pide la planta del pie. || **De tres, de cuatro,** o **de siete, suelas.** expr. fig. y fam. Fuerte, sólido; notable en su línea. *Pícaro* DE SIETE SUELAS. || **Media suela.** Pieza de cuero con que se remienda el calzado y que cubre la planta desde el enfranque a la punta. || **No llegarle** a uno **a la suela del zapato.** fr. fig. y fam. Ser muy inferior a él en alguna prenda o habilidad.

Suelda. f. **Consuelda.** || **2.** desus. **Soldadura.**

Sueldacostilla. f. Planta de la familia de las liliáceas, con bohordo central de dos a tres decímetros, hojas radicales erguidas, estrechas y casi tan largas como aquél; flores en corimbo laxo, blancas con una línea verde en el dorso de cada pétalo; fruto capsular casi esférico, negro y brillante, y raíz de varios bulbos con una cubierta escamosa. Es común en España.

Sueldo. (Del lat. *solidus.*) m. Moneda antigua, de distinto valor según los tiempos y países, igual a la vigésima parte de la libra respectiva. || **2.** **Sólido,** 6.ª acep. || **3.** Remuneración asignada a un individuo por el desempeño de un cargo o servicio profesional. Suele fijarse por anualidades. || **a libra. Sueldo por libra.** || **bueno,** o **burgalés.** Moneda antigua de Castilla, que valía 12 dineros de a 4 meajas, o sea 23 céntimos de peseta. || **de oro.** Moneda bizantina que pesaba un sexto de onza. || **menor. Ochosén.** || **por libra.** Derecho sobre un capital determinado, en proporción de 1 a 20. || **regulador.** El mayor de los que ha percibido un funcionario y que sirve de base para regular los haberes pasivos de aquél o de su familia. || **A sueldo.** m. adv. Mediante retribución fija.

Suelo. (Del lat. *solum.*) m. Superficie de la tierra. || **2.** fig. Superficie inferior de algunas cosas; como la del pan, de las vasijas, etc. || **3.** Asiento o poso que deja en el hondo una materia líquida. || **4.** Sitio o solar de un edificio. || **5.** Superficie artificial que se hace para que el piso esté sólido y llano. || **6.** Piso de un cuarto o vivienda. || **7.** Piso, hablando de los diferentes órdenes de cuartos o viviendas en que se divide la altura de una casa. || **8.** **Territorio,** 1.ª acep. || **9.** Casco de las caballerías. || **10.** ant.

Ano u orificio. || **11.** fig. Tierra o mundo. || **12.** fig. Término, fin. || **13.** *For.* Terreno destinado a siembra o producciones herbáceas, en oposición al arbolado o vuelo del mismo. || **14.** pl. Grano que, recogida la parva, queda en la era y se junta con una escoba para poderlo aprovechar. || **15.** Paja o grano que queda de un año a otro en los pajares o en los graneros. || **Suelo natal.** Patria. || **Arrastrarse** uno **por el suelo.** fr. fig. y fam. Abatirse, humillarse, proceder con bajeza. || **Besar el suelo.** fr. fig. y fam. Caerse al **suelo** de bruces. || **Dar** uno **consigo en el suelo.** fr. Caerse en tierra. || **Dar en el suelo con** una cosa. fr. fig. Perderla o malpararla. || **Echarse** uno **por los suelos.** fr. fig. Humillarse o rendirse con exceso. || **Faltarle** a uno **el suelo.** fr. fig. Tropezar o caer. || **Hacer los suelos.** fr. *And.* Rozar el matorral o rastrojo que hay alrededor de los árboles para si ocurre un incendio, evitar que se propague. || **Llevar de suelo y propiedad.** fr. fig. Haberse continuado y continuarse una cosa en los de una comunidad o familia, y ser ya como propiedad inseparable de ella. || **Medir** uno **el suelo.** fr. fig. Tender el cuerpo en él para descansar. || **2.** Caerse a la larga. || **No dejar caer en el suelo,** o **no llegar al suelo** una cosa. fr. fig. Reparar en ella, notarla inmediatamente. || **No salir uno del suelo,** o **no vérsele en el suelo.** frs. figs. y fams. Ser muy pequeño de estatura. || **Por el suelo,** o **los suelos.** m. adv. fig. que denota el desprecio con que se trata una cosa o el estado abatido en que se halla. || **Sin suelo.** m. adv. fig. Con grande exceso o sin término, con descaro. || **Tener suelo** una vasija. fr. fig. y fam. con que uno da a entender que no pide todo lo que parece según la cavidad del vaso en que ha de llevarlo. || **Venir,** o **venirse, al suelo** una cosa. fr. **Venir,** o **venirse, a tierra.**

Suelta. f. Acción y efecto de soltar, || **2.** Traba o maniota con que se atan las manos de las caballerías, para soltar a éstas en el campo. || **3.** Cierto número de bueyes que se llevan desuncidos en una carretería para suplir o remudar a los que van tirando. || **4.** Sitio o paraje a propósito para soltar o desuncir los bueyes de las carreterías y para darles pasto. || **5.** ant. Remisión o perdón de una deuda. || **Dar suelta** a uno. fr. fig. Permitirle que por breve tiempo se espacie, divierta o salga de su retiro.

Sueltamente. adv. m. Con soltura. || **2.** Espontánea, voluntariamente.

Suelto, ta. (Del lat. **solūtus*, por *solūtus*.) p. p. irreg. de **Soltar.** || **2.** adj. Ligero, veloz. || **3.** Poco compacto, disgregado. || **4.** Expedito, ágil o hábil en la ejecución de una cosa. || **5.** Libre, atrevido y poco sujeto. || **6.** Aplícase al que padece, diarrea. || **7.** Tratándose del lenguaje, estilo, etc., fácil, corriente. || **8.** Separado y que no hace juego ni forma con otras cosas la unión debida. *Muebles* SUELTOS; *especies* SUELTAS. || **9.** Aplícase al conjunto de monedas fraccionarias de plata o calderilla, y a cada pieza de esta clase con relación a otra de más valor. *Dinero* SUELTO; *una peseta* SUELTA. Ú. t. c. s. m. *No tengo* SUELTO. || **10.** V. **Hoja, pica suelta.** || **11.** V. **Verso suelto.** || **12.** **Rodado,** 2.° art., 4.ª acep. || **13.** ant. **Soltero.** || **14.** fig. y fam. V. **Cabo suelto.** || **15.** *Arq.* V. **Columna suelta.** || **16.** m. Cualquiera de los escritos insertos en un periódico que no tienen la extensión ni la importancia de los artículos ni son meras gacetillas.

Sueno. (Del lat. *sonus*.) m. ant. **Sonido.**

Sueño. (Del lat. *somnus*, y de *somnium*.) m. Acto de dormir. || **2.** Acto de representarse en la fantasía de uno, mientras duerme, sucesos o especies. || **3.** Estos mismos sucesos o especies que se representan. || **4.** Gana de dormir. *Tengo* SUEÑO; *me estoy cayendo de* SUEÑO. || **5.** Cierto baile licencioso del siglo XVIII. || **6.** fig. Cosa que carece de realidad o fundamento; en especial proyecto, deseo, esperanza, sin probabilidad de realizarse. || **dorado.** fig. Anhelo, ilusión halagüeña, desiderátum. Ú. t. en pl. || **eterno.** La muerte. || **pesado.** fig. El que es muy profundo, dificultoso de desechar, o melancólico y triste. || **Caerse de sueño** uno. fr. fig. y fam. Estar acometido del **sueño,** sin poderlo resistir. || **Coger** uno **el sueño.** fr. Quedarse dormido. || **Conciliar** uno **el sueño.** fr. Conseguir dormirse, recogiéndose o tomando algunos remedios que lo faciliten. || **Decir** uno **el sueño y la soltura.** fr. fig. y fam. Referir con libertad y sin reserva todo lo que se ofrece, aun en las cosas inmodestas. || **Descabezar** uno **el sueño.** fr. fig. y fam. Quedarse dormido un breve rato sin acostarse en la cama. || **Dormir** uno **a sueño suelto.** fr. fig. Dormir tranquilamente. || **Echar un sueño.** fr. fam. Dormir breve rato. || **El sueño de la liebre.** expr. fig. y fam. que se aplica a los que fingen o disimulan una cosa. || **En sueños.** m. adv. Estando durmiendo. || **Entre sueños.** m. adv. Dormitando. || **2. En sueños.** || **Espantar el sueño.** fr. fig y fam. Estorbarlo, impedir o no dejar dormir. || **Guardar el sueño** a uno. fr. Cuidar de que no le despierten. || **Ni por sueños.** loc. adv. fig. y fam. con que se pondera que una cosa ha estado tan lejos de suceder o ejecutarse, que ni aun se ha ofrecido soñando. || **No dormir sueño** uno. fr. Desvelarse, no poder coger el **sueño.** || **Quebrantar** uno **el sueño.** fr. fig. **Descabezar el sueño.** || **Tornarse,** o **volverse, el sueño al revés,** o **el sueño del perro.** fr. fig. y fam. con que se da a entender haberse descompuesto el logro de una pretensión o utilidad, el cual se tenía ya por seguro.

Suero. (Del lat. **sorum*, por *serum*.) m. *Zool.* Parte de la sangre o de la linfa, que permanece líquida después de haberse producido el coágulo de estos humores, cuando han salido del organismo. || **de la leche.** Parte líquida que se separa al coagularse la leche. || **medicinal.** Disolución en agua de sales, u otras substancias que se inyectan con fin curativo. || **2.** **Sueros** de animales preparados convenientemente para inmunizar contra ciertas enfermedades, o el que procede de una persona curada de una enfermedad infecciosa, que se inyecta a otra para inmunizarla o curarla de la misma enfermedad.

Sucroso, sa. adj. Seroso.

Sueroterapia. (De *suero*, y del gr. θεραπεία, tratamiento.) f. Tratamiento de las enfermedades por los sueros medicinales.

Suerte. (Del lat. *sors, sortis*.) f. Encadenamiento de los sucesos, considerado como fortuito o casual. *Así lo ha querido la* SUERTE. || **2.** Circunstancia de ser, por mera casualidad, favorable o adverso a personas o cosas lo que ocurre o sucede. *Juan tiene mala* SUERTE; *libro de buena* SUERTE. || **3.** **Suerte** favorable. *Dios te dé* SUERTE; *Juan es hombre de* SUERTE. || **4.** Casualidad a que se fía la resolución de una cosa. *Elegir caudillo por* SUERTE; *decídalo la* SUERTE. || || **5.** Dícese especialmente del sorteo que se hace para elegir los mozos destinados a cubrir el cupo del servicio militar. || **6.** Aquello que ocurre o puede ocurrir para bien o para mal de personas o cosas. *Ignoro cuál será mi* SUERTE; *fiar a hombres incapaces la* SUERTE *del Estado.* || **7.** Estado, condición. *Mejorar la* SUERTE *del pueblo; hombre de baja* SUERTE. || **8.** Cualquiera de ciertos medios casuales empleados antiguamente para adivinar lo por venir. Son los más célebres los llamados SUERTES *de Homero*, u *homéricas; de Virgilio*, o *virgilianas*, o *de los santos*, los cuales consistían en abrir al acaso las obras de estos poetas o la Sagrada Escritura e interpretar las primeras palabras que se ofrecían a la vista. || **9.** Género o especie de una cosa. *Feria de toda* SUERTE *de ganados.* || **10.** Manera o modo de hacer una cosa. || **11.** Como contrapuesto al azar en los dados y otros juegos, puntos con que se gana o acierta. || **12.** Cada uno de los lances de la lidia taurina. || **13.** **Tercio,** 5.ª acep. SUERTE *de varas.* || **14.** Parte de tierra de labor, separada de otra u otras por sus lindes. || **15.** Con los números ordinales *primera, segunda, tercera*, etc., calidad respectiva de los géneros o de otra cosa. || **16.** ant. En el comercio, **capital,** 7.ª acep. || **17.** *Argent.* **Carne,** 2.° art. || **18.** *Perú.* Billete de lotería. || **19.** *Impr.* Conjunto de tipos fundidos en una misma matriz. || **Caerle** a uno **en suerte** una cosa. fr. Corresponderle por sorteo. || **2.** fig. Sucederle algo por designio providencial. || **Caerle** a uno **la suerte.** fr. **Tocarle la suerte.** || **Correr bien,** o **mal, la suerte** a uno. fr. Ser dichoso, o desgraciado. || **De suerte que.** fr. conjunt. que indica consecuencia y resultado. || **Echar suertes,** o **a suerte.** fr. Valerse de medios fortuitos o casuales para resolver o decidir una cosa. || **2.** Repartir alguna cosa por sorteo entre varios. || **Entrar en suerte** uno. fr. Además de aplicarse a las cosas, dícese de aquellas personas entre las que se ha de sortear algo. || **La suerte de la fea, la hermosa la desea.** fr. proverb. **La dicha de la fea,** etc. || **Lo que te ha tocado por suerte, no lo tengas por fuerte.** ref. que enseña que sólo es digno de aplauso lo adquirido por virtud y mérito propios. || **Suerte y verdad.** expr. de que se usa en el juego, para pedir a los circunstantes que resuelvan la duda en un lance dificultoso, en que están discordes los jugadores. Ú., por extensión, en otras materias. || **Tocarle** a uno **en suerte** una cosa. fr. **Caerle en suerte,** 1.ª acep. || **Tocarle** a uno **la suerte.** fr. Tener o sacar en un sorteo cédula, bola o número favorable o adverso.

Suertero, ra. adj. *Amér.* Afortunado, dichoso. || **2.** m. *Perú.* Vendedor de billetes de lotería.

Sueste. m. **Sudeste.** || **2.** *Mar.* Sombrero impermeable cuya ala, estrecha y levantada por delante, es muy ancha y caída por detrás.

Suévico, ca. (Del lat. *suevicus*.) adj. Perteneciente o relativo a los suevos.

Suevo, va. (Del lat. *suēvus*) adj. Natural de Suevia. Ú. t. c. s. || **2.** Aplícase al individuo perteneciente a una liga de varias tribus germánicas que en el siglo III se hallaba establecida entre el Rin, el Danubio y el Elba, y en el siglo V invadió las Galias y parte de España. Ú. m. c. s. y en pl.

Sufete. (Del lat. *suffes, -ētis*.) m. Cada uno de los dos magistrados supremos de Cartago y de otras repúblicas fenicias.

Sufí. (Del ár. *ṣūfī*, el que va vestido de *ṣūf*, lana, por el hábito que llevaban.) adj. Sectario o partidario del sufismo. Ú. t. c. s.

Suficiencia. (Del lat. *sufficientia*.) f. Capacidad, aptitud. || **2.** fig. V. **Aire de suficiencia.** || **3.** fig. despect. Presunción, engreimiento. || **A suficiencia.** m. adv. **Bastantemente.**

Suficiente. (Del lat. *sufficiens, -entis*.) adj. Bastante para lo que se necesita. || **2.** Apto o idóneo.

Suficientemente. adv. m. De un modo suficiente.

Sufijo, ja. (Del lat. *suffixus*, p. p. de *suffigĕre*, fijar.) adj. *Gram.* Aplícase al afijo que va pospuesto. Dícese particularmente de los pronombres que se juntan al verbo y forman con él una sola palabra; v. gr.: *morir*SE; *dí*MELO. Ú. m. c. s. m.

Sufismo. (De *sufí.*) m. Doctrina mística que profesan ciertos mahometanos, principalmente en Persia.

Sufista. adj. Dícese del que profesa el sufismo. Ú. t. c. s.

Suflación. (Del lat. *sufflatĭo, -ōnis.*) f. ant. Soplo, 1.ª acep.

Suflar. (Del lat. *sufflāre.*) intr. ant. Soplar.

Sufocación. f. Sofocación.

Sufocador, ra. adj. Sofocador. Ú. t. c. s.

Sufocante. p. a. de **Sufocar.** Que sufoca.

Sufocar. tr. Sofocar. Ú. t. c. r.

Sufra. (De *azofra.*) f. Correón que sostiene las varas, apoyado en el sillín de la caballería de tiro. ‖ **2.** *Córd.* y *Pal.* Prestación personal.

Sufragáneo, a. (De *sufragar.*) adj. Que depende de la jurisdicción y autoridad de alguno. ‖ **2.** V. **Obispo sufragáneo.** Ú. t. c. s. ‖ **3.** Perteneciente a la jurisdicción del obispo **sufragáneo.**

Sufragano, na. adj. ant. **Sufragáneo.** Úsáb. t. c. s. m.

Sufragar. (Del lat. *suffragāre.*) tr. Ayudar o favorecer. ‖ **2.** Costear, satisfacer. ‖ **3.** intr. *Argent.*, *Chile* y *Ecuad.* Votar, dar su voto a un candidato.

Sufragio. (Del lat. *suffragĭum.*) m. Ayuda, favor o socorro. ‖ **2.** Obra buena que se aplica por las almas del purgatorio. ‖ **3. Voto,** 3.ª acep. ‖ **4.** Sistema electoral para la provisión de cargos. ‖ **5.** pl. **Consuetas.** Ú. t. en sing. ‖ **Sufragio universal.** Aquel en que para la provisión de cargos públicos votan, con excepciones muy contadas, todos los ciudadanos. ‖ **restringido.** Aquel en que se reserva el voto para los ciudadanos que tienen ciertas condiciones.

Sufragismo. m. Sistema político que concede a la mujer el derecho de sufragio.

Sufragista. adj. Partidario del voto femenino. Ú. m. c. s. f.

Sufrible. adj. Que se puede sufrir o tolerar.

Sufrida. (De *sufrir.*) f. *Germ.* **Cama,** 1.er art., 1.ª acep.

Sufridera. (De *sufrir.*) f. Pieza de hierro, con un agujero o cavidad en medio, que los herreros ponen debajo de la que quieren penetrar con el punzón, para que éste no se melle contra la bigornia.

Sufridero, ra. (De *sufrir.*) adj. **Sufrible.**

Sufrido, da. p. p. de **Sufrir.** ‖ **2.** adj. Que sufre, 2.ª acep. ‖ **3.** Dícese del marido consentidor. Ú. t. c. s. ‖ **4.** Aplícase al color que disimula lo sucio.

Sufridor, ra. adj. Que sufre. Ú. t. c. s.

Sufriente. p. a. de **Sufrir.** Que sufre.

Sufrimiento. m. Paciencia, conformidad, tolerancia con que se sufre una cosa. ‖ **2.** Padecimiento, dolor, pena.

Sufrir. (Del lat. *sufferre.*) tr. **Padecer,** 1.ª y 2.ª aceps. ‖ **2.** Recibir con resignación un daño moral o físico. Ú. t. c. r. ‖ **3.** Sostener, resistir. ‖ **4.** Aguantar, tolerar, soportar. ‖ **5. Permitir,** 2.ª acep. ‖ **6. Pagar,** 3.ª acep. ‖ **7.** Oprimir fuertemente con alguna herramienta adecuada la parte de una pieza de madera o de hierro opuesta a aquella en que se golpea para encajar otra, fijar un clavo o formar un roblón. ‖ **8.** intr. ant. Contenerse, reprimirse.

Sufumigación. (Del lat. *suffumigatĭo, -ōnis.*) f. *Med.* Sahumerio que se hace para recibir el humo.

Sufusión. (Del lat. *suffusĭo, -ōnis.*) f. *Med.* Cierta enfermedad que padecen los ojos, especie de cataratas. ‖ **2.** *Med.* Imbibición en los tejidos orgánicos de líquidos extravasados, y especialmente de sangre.

Sugerencia. f. Insinuación, inspiración, idea que se sugiere.

Sugerente. p. a. de **Sugerir.** Que sugiere.

Sugeridor, ra. adj. Que sugiere.

Sugerir. (Del lat. *suggerĕre.*) tr. Hacer entrar en el ánimo de alguno una idea o especie, insinuándosela, inspirándosela o haciéndole caer en ella. SUGERIR *una buena idea;* SUGERIR *un mal pensamiento.*

Sugestión. (Del lat. *suggestĭo, -ōnis.*) f. Acción de sugerir. ‖ **2.** Especie sugerida. Tómase frecuentemente en mala parte. *Las* SUGESTIONES *del demonio.* ‖ **3.** Acción y efecto de sugestionar.

Sugestionable. adj. Fácil de ser sugestionado.

Sugestionador, ra. adj. Que sugestiona.

Sugestionar. (De *sugestión.*) tr. Inspirar una persona a otra hipnotizada palabras o actos involuntarios. ‖ **2.** Dominar la voluntad de una persona, llevándola a obrar en determinado sentido.

Sugestivo, va. (Del lat. *suggestus,* acción de sugerir.) adj. Que sugiere.

Sugesto. (Del lat. *suggestus.*) m. ant. Púlpito o cátedra destinada especialmente para predicar.

Suicida. (Voz formada a semejanza de *homicida,* del lat. *sui,* de sí mismo, y *caedĕre,* matar.) com. Persona que se suicida. ‖ **2.** adj. fig. Dícese del acto o la conducta que daña o destruye al propio agente.

Suicidarse. (De *suicida*) r. Quitarse violenta y voluntariamente la vida.

Suicidio. (Voz formada a semejanza de *homicidio,* del lat. *sui,* de sí mismo, y *caedĕre,* matar.) m. Acción y efecto de suicidarse.

Suido. (Del lat. *sus, suis,* cerdo.) adj. *Zool.* Dícese de mamíferos artiodáctilos, paquidermos, con jeta bien desarrollada y caninos largos y fuertes, que sobresalen de la boca; como el jabalí. Ú. t. c. s. m. ‖ **2.** m. pl. *Zool.* Familia de estos animales.

Sui géneris. expr. lat. que significa *de su género* o *especie,* y que se usa en español para denotar que la cosa a que se aplica es de un género o especie muy singular y excepcional.

Suindá. m. *Argent.* Cierta ave, especie de lechuza, de color pardo claro.

Suita. f. *Hond.* Planta gramínea que se utiliza como forraje y para cubrir la techumbre de las casas.

Suiza. (De *suizo.*) f. Antigua diversión militar, recuerdo de las costumbres caballerescas de la Edad Media, o imitación de simulacros y ejercicios bélicos. ‖ **2.** Soldadesca festiva de a pie, armada y vestida a semejanza de los antiguos tercios de infantería, que organizaban las justicias de los pueblos para que alardease militarmente en ciertos regocijos públicos. ‖ **3.** fig. Contienda, riña, alboroto entre dos bandos. ‖ **4.** fig. Disputa en juntas, grados y certámenes.

Suízaro, ra. (Como *esguízaro,* del al. *schweizer.*) adj. ant. **Suizo.** Usáb. t. c. s.

Suizo, za. adj. Natural de Suiza. Ú. t. c. s. ‖ **2.** Perteneciente a esta nación de Europa. ‖ **3.** m. El que formaba parte de la suiza, 2.ª acep. ‖ **4.** ant. Soldado de infantería. ‖ **5.** Persona muy adicta, que secunda ciegamente las iniciativas de otro. ‖ **6.** Bollo especial de harina, huevo y azúcar.

Suizón. m. Chuzo, pica, arcabuz, etc., con que se armaba cada uno de los suizos, 3.ª y 4.ª aceps.

Sujeción. (Del lat. *subiectĭo, -ōnis.*) f. Acción de sujetar o sujetarse. ‖ **2.** Unión con que una cosa está sujeta de modo que no puede separarse, dividirse o inclinarse. ‖ **3.** *Ret.* Figura que consiste en hacer el orador o el escritor preguntas a que él mismo responde. ‖ **4.** *Ret.* Anticipación o prolepsis, especialmente cuando se hace en forma de pregunta y respuesta.

Sujetador, ra. adj. Que sujeta. Ú. t. c. s.

Sujetapapeles. m. Pinza para sujetar papeles.

Sujetar. (Del lat. *subiectāre,* intens. de *subiicĕre,* poner debajo.) tr. Someter al dominio, señorío o disposición de alguno. Ú. t. c. r. ‖ **2.** Afirmar o contener una cosa con la fuerza.

Sujeto, ta. (Del lat. *subiectus.*) p. p. irreg. de **Sujetar.** ‖ **2.** adj. Expuesto o propenso a una cosa. ‖ **3.** m. Asunto o materia sobre que se habla o escribe. ‖ **4.** Persona innominada. Ú. frecuentemente de esta voz cuando no se quiere declarar la persona de quien se habla, o cuando se ignora su nombre. ‖ **5.** *Fil.* El espíritu humano considerado en oposición al mundo externo, en cualquiera de las relaciones de sensibilidad o de conocimiento, y también en oposición a sí mismo como término de conciencia. ‖ **6.** *Gram.* Substantivo, ora expreso, ora tácito, o palabras que hagan sus veces, para indicar aquello de lo cual el verbo afirma algo. ‖ **7.** *Lóg.* Ser del cual se predica o anuncia alguna cosa.

Sula. f. *Sant.* Pescado de bahía, pequeño, de color plateado.

Sulcar. (Del lat. *sulcāre.*) tr. ant. **Surcar.**

Sulco. (Del lat. *sulcus.*) m. ant. **Surco.** Ú. en León y en algunas regiones de América.

Sulfatación. f. **Sulfatado.**

Sulfatado, da. p. p. de **Sulfatar.** ‖ **2.** m. Acción y efecto de sulfatar.

Sulfatador, ra. adj. Que sulfata. Ú. t. c. s. ‖ **2.** m. y f. Máquina para sulfatar.

Sulfatar. tr. Impregnar o bañar con un sulfato alguna cosa; como con el de cobre las maderas para que se conserven, o los sarmientos de las vides para preservarlos de ciertas enfermedades.

Sulfatillo. m. *Bot. Amér. Central.* Planta de la familia de las melastomatáceas, de tallos débiles, hojas acorazonadas y flores pequeñas en panoja, de color morado. Es amarga y se usa su cocimiento como febrífugo.

Sulfato. (Del lat. *sulphur,* azufre.) m. *Quím.* Cuerpo resultante de la combinación del ácido sulfúrico con un radical mineral u orgánico.

Sulfhídrico, ca. (Del lat. *sulphur,* azufre, y del gr. ὕδωρ, agua.) adj. *Quím.* Perteneciente o relativo a las combinaciones del azufre con el hidrógeno. ‖ **2.** V. **Ácido sulfhídrico.**

Sulfito. (Del lat. *sulphur,* azufre.) m. *Quím.* Cuerpo resultante de la combinación del ácido sulfuroso con un radical mineral u orgánico.

Sulfonal. (Del lat. *sulphur,* azufre.) m. Substancia blanca, insípida, inodora y muy poco soluble en el agua, que resulta de la acción del ácido sulfhídrico primero, y del oxígeno después, sobre ciertos productos de origen orgánico. Se emplea como medicamento hipnótico.

Sulfonete. (Del lat. *sulphur,* azufre.) m. ant. **Pajuela,** 2.ª acep.

Sulfurar. (Del lat. *sulphur,* azufre.) tr. Combinar un cuerpo con el azufre. ‖ **2.** fig. Irritar, encolerizar. Ú. m. c. r.

Sulfúreo, a. (Del lat. *sulphurĕus.*) adj. Perteneciente o relativo al azufre. ‖ **2.** Que tiene azufre.

Sulfúrico, ca. adj. **Sulfúreo.** ‖ **2.** *Quím.* V. **Ácido sulfúrico**

Sulfuro. (Del lat. *sulphur,* azufre.) m. *Quím.* Cuerpo que resulta de la combinación del azufre con un metal o alguno de ciertos metaloides.

Sulfuroso, sa. (Del lat. *sulphurōsus.*) adj. **Sulfúreo.** ‖ **2.** *Quím.* Que participa de las propiedades del azufre. ‖ **3.** *Quím.* V. **Ácido sulfuroso.**

Sulpiciano, na. adj. Dícese del individuo que pertenece a la congregación de clérigos regulares de San Sulpicio, fundada en París por el venerable Olier. Ú. t. c. s. || **2.** Perteneciente o relativo a dicha congregación.

Sultán. (Del ár. *sulṭān*, soberano.) m. Emperador de los turcos. || **2.** Príncipe o gobernador mahometano.

Sultana. f. Mujer del sultán, o la que sin serlo goza de igual consideración. || **2.** Embarcación principal que usaban los turcos en la guerra.

Sultanía. f. Territorio sujeto a un sultán.

Sultánico, ca. adj. Perteneciente al sultán o a la potestad del mismo.

Sulla. f. *Bot.* **Zulla,** 1.er art.

Suma. (Del lat. *summa*.) f. Agregado de muchas cosas, y más comúnmente de dinero. || **2.** Acción de sumar. || **3.** Lo más substancial e importante de una cosa. || **4.** Recopilación de todas las partes de una ciencia o facultad. || **5.** *Álg.* y *Arit.* Cantidad equivalente a dos o más homogéneas. || **En suma.** m. adv. **En resumen.** || **Suma y sigue.** fr. que indica que, sumadas las cantidades que se anotaron en una plana, continúa la **suma** en la plana siguiente. || **2.** fr. fig. y fam. con que se denota la repetición o continuación de una cosa.

Sumaca. (Del hol. *smak*.) f. Embarcación pequeña y planuda de dos palos, el de proa aparejado de polacra, y el de popa de goleta con sólo cangreja, empleada en la América española y en el Brasil para el cabotaje.

Sumador, ra. adj. Que suma. Ú. t. c. s.

Sumamente. adv. m. En sumo grado.

Sumando. (Del lat. *summandus*.) m. *Álg.* y *Arit.* Cada una de las cantidades parciales que han de acumularse o añadirse unas a otras para formar la suma o cantidad total que se busca.

Sumar. (Del lat. *summāre*, de *summa*, suma.) tr. Recopilar, compendiar, abreviar una materia que estaba extensa y difusa. || **2.** *Álg.* y *Arit.* Reunir en una sola varias cantidades homogéneas. || **3.** *Álg.* y *Arit.* Componer varias cantidades una total. || **4.** r. fig. Agregarse uno a un grupo o adherirse a una doctrina u opinión.

Sumaria. (De *sumario*.) f. *For.* Proceso escrito. || **2.** *For.* En el procedimiento criminal militar, **sumario,** 5.ª acep.

Sumarial. adj. *For.* Perteneciente o relativo al sumario o a la sumaria. *Diligencias* SUMARIALES.

Sumariamente. adv. m. De un modo sumario. || **2.** *For.* De plano o por trámites abreviados.

Sumariar. tr. *For.* Someter a uno a sumaria.

Sumario, ria. (Del lat. *summarĭus*.) adj. Reducido a compendio; breve, sucinto. *Discurso* SUMARIO; *exposición* SUMARIA. || **2.** *For.* Aplícase a determinados juicios civiles en que se procede brevemente y se prescinde de algunas formalidades o trámites del juicio ordinario. || **3.** *For.* V. **Vía sumaria.** || **4.** m. Resumen, compendio o suma. || **5.** *For.* Conjunto de actuaciones encaminadas a preparar el juicio criminal, haciendo constar la perpetración de los delitos con las circunstancias que puedan influir en su calificación, determinar la culpabilidad y prevenir el castigo de los delincuentes.

Sumarísimo, ma. (sup. de *sumario*.) adj. *For.* Dícese de cierta clase de juicios, así civiles como criminales, a que por la urgencia o sencillez del caso litigioso, o por la gravedad o flagrancia del hecho criminal, señala la ley una tramitación brevísima.

Sumergible. adj. Que se puede sumergir. || **2.** m. Buque sumergible.

Sumergimiento. (De *sumergir*.) m. Sumersión.

Sumergir. (Del lat. *submergĕre*.) tr. Meter una cosa debajo del agua o de otro líquido. Ú. t. c. r. || **2.** fig. Abismar, hundir. Ú. t. c. r.

Sumersión. (Del lat. *submersĭo, -ōnis*.) f. Acción y efecto de sumergir o sumergirse.

Sumidad. (Del lat. *summĭtas, -ātis*.) f. Ápice o extremo más alto de una cosa.

Sumidero. m. Conducto o canal por donde se sumen las aguas.

Sumiller. (Del fr. *sommelier*, ant. *sommerier*, y éste de *sommier*, del lat. *sagmarius*.) m. Jefe o superior en varias oficinas y ministerios de palacio. Distinguíase por los nombres de las mismas oficinas y ministerios. Es nombre introducido en Castilla por la casa de Borgoña. || **de corps.** Uno de los jefes de palacio, que tenía a su cargo el cuidado de la real cámara. || **de cortina.** Eclesiástico destinado en palacio para asistir a los reyes cuando iban a la capilla, correr la cortina del camón o tribuna y bendecir la mesa real en ausencia del capellán y del procapellán mayor de palacio, Patriarca de las Indias, etc.

Sumillería. f. Oficina del sumiller. || **2.** Ejercicio y cargo de sumiller.

Suministrable. adj. Que puede o debe suministrarse.

Suministración. (Del lat. *subministratĭo, -ōnis*.) f. **Suministro.**

Suministrador, ra. (Del lat. *subministrātor*.) adj. Que suministra. Ú. t. c. s.

Suministrar. (Del lat. *subministrāre*.) tr. Proveer a uno de algo que necesita.

Suministro. m. Acción y efecto de suministrar. || **2.** Provisión de víveres o utensilios para las tropas, penados, presos, etc. Ú. m. en pl.

Sumir. (Del lat. *sumĕre*.) tr. Hundir o meter debajo de la tierra o del agua. Ú. t. c. r. || **2. Consumir,** 3.ª acep. || **3.** fig. **Sumergir,** 2.ª acep. Ú. t. c. r. || **4.** r. Hundirse o formar una concavidad anormal alguna parte del cuerpo, como la boca, por falta de la dentadura, o el pecho, etc.

Sumisamente. adv. m. Con sumisión.

Sumisión. (Del lat. *submissĭo, -ōnis*.) f. Acción y efecto de someter o someterse, 1.ª y 2.ª aceps. || **2.** Acatamiento, subordinación manifestada con palabras o acciones. || **3.** *For.* Acto por el cual uno se somete a otra jurisdicción, renunciando o perdiendo su domicilio y fuero.

Sumiso, sa. (Del lat. *submissus*, p. p. de *submittĕre*, someter.) adj. Obediente, subordinado. || **2.** Rendido, subyugado. || **3.** fig. V. **Voz sumisa.**

Sumista. adj. Referente a la suma o compendio. || **2.** com. Persona práctica y diestra en contar o hacer sumas. || **3.** m. Autor que escribe sumas de alguna o algunas facultades. || **4.** El que sólo ha aprendido por sumas la teología moral.

Súmmum. (Voz latina.) m. El colmo, lo sumo.

Sumo, ma. (Del lat. *summus*.) adj. **Supremo,** 1.ª y 2.ª aceps. || **2.** V. **El pastor sumo.** || **3.** V. **Sumo sacerdote.** || **4.** fig. Muy grande, enorme. SUMA *necedad.* || **A lo sumo.** m. adv. A lo más, al mayor grado, número, cantidad, etc., a que puede llegar una persona o cosa. || **2.** Cuando más, si acaso. || **De sumo.** m. adv. Entera y cabalmente.

Sumonte (De). expr. **De somonte.**

Sumoscapo. (Del lat. *summus*, elevado, superior, y *scāpus*, tallo.) m. *Arq.* Parte superior del fuste de las columnas.

Súmulas. (Del lat. *summŭla*, d. de *summa*, suma.) f. pl. Compendio o sumario que contiene los principios elementales de la lógica.

Sumulista. m. El que enseña súmulas. || **2.** El que las estudia.

Sumulístico, ca. adj. Perteneciente o relativo a las súmulas.

Sunción. (Del lat. *sumptĭo, -ōnis*.) f. Acción de sumir, 2.ª acep.

Suncho. m. **Zuncho.** || **2.** *Bot. Bol.* Planta herbácea de la familia de las compuestas, parecida a la margarita, con flores amarillas. || **3.** *Argent.* **Chilca.**

Suntuario, ria. (Del lat. *sumptuarius*.) adj. Relativo o perteneciente al lujo. || **2.** V. **Ley suntuaria.**

Suntuosamente. adv. m. Con suntuosidad.

Suntuosidad. (Del lat. *sumptuosĭtas, -ātis*.) f. Calidad de suntuoso.

Suntuoso, sa. (Del lat. *sumptuōsus*.) adj. Magnífico, grande y costoso. || **2.** Dícese de la persona magnífica en su gasto y porte.

Supedáneo. (Del lat. *suppedanĕum*.) m. Especie de peana, estribo o apoyo, como el que suelen tener algunos crucifijos.

Supeditación. (Del lat. *suppeditatĭo, -ōnis*.) f. Acción y efecto de supeditar o supeditarse.

Supeditar. (Del lat. *suppeditāre*.) tr. Sujetar, oprimir con rigor o violencia. || **2.** fig. **Avasallar.** Ú. t. c. r.

Súper. (Del lat. *super*.) prep. insep. que significa **sobre,** y en las voces de nuestra lengua a que se halla unida denota preeminencia, como en SUPER*intendente;* grado sumo, como en SUPER*fino;* exceso o demasía, como en SUPER*abundancia,* SUPER*numerario.*

Superable. (Del lat. *superabĭlis*.) adj. Que se puede superar o vencer.

Superabundancia. (Del lat. *superabundantĭa*.) f. Abundancia muy grande. || **De superabundancia.** m. adv. **Superabundantemente.**

Superabundante. (Del lat. *superabundans, -antis*.) p. a. de **Superabundar.** Que superabunda.

Superabundantemente. adv. m. Con superabundancia.

Superabundar. (Del lat. *superabundāre*.) intr. Abundar con extremo o rebosar.

Superación. f. Acción y efecto de superar.

Superádito, ta. (Del lat. *superaddĭtus*; de *super*, sobre, y *addĭtus*, añadido.) adj. Añadido a una cosa.

Superano. m. ant. *Mús.* **Soprano.**

Superante. (Del lat. *supĕrans, -antis*.) p. a. de **Superar.** Que supera. || **2.** adj. *Arit.* V. **Número superante.**

Superar. (Del lat. *superāre*.) tr. Sobrepujar, exceder, vencer.

Superávit. (3.ª pers. de sing. del pret. perf. de indic. del lat. *superāre*, exceder, sobrar: *sobró*.) m. En el comercio, exceso del haber o caudal sobre el debe u obligaciones de la caja; y en la administración pública, exceso de los ingresos sobre los gastos. No admite plural.

Superbamente. adv. m. ant. Con lujo, con exceso.

Superbia. (Del lat. *superbĭa*.) f. ant. **Soberbia.**

Superbo, ba. (Del lat. *superbus*.) adj. desus. **Soberbio.**

Superciliar. (Del lat. *supercilium*, sobreceja.) adj. *Anat.* Dícese del reborde en forma de arco que tiene el hueso frontal en la parte correspondiente a la sobreceja.

Superchería. (Del ital. *soperchieria*.) f. Engaño, dolo, fraude. || **2.** desus. Injuria o violencia hecha con abuso manifiesto o alevoso de fuerza.

Superchero, ra. (De *superchería*.) adj. Que usa de supercherías. Ú. t. c. s.

Superdominante. (De *súper* y *dominante*.) f. *Mús.* Sexta nota de la escala diatónica.

Supereminencia. (Del lat. *supereminentĭa*.) f. Elevación, alteza, exaltación o eminente grado en que una persona o cosa se halla constituida respecto de otras.

Supereminente. (Del lat. *supereminens, -entis.*) adj. Muy elevado.

Superentender. (Del lat. *superintendĕre.*) tr. Inspeccionar, vigilar, gobernar.

Supererogación. (Del lat. *supererogatĭo, -ōnis.*) f. Acción ejecutada sobre o además de los términos de la obligación.

Supererogatorio, ria. adj. Relativo a la supererogación.

Superferolítico, ca. adj. fam. Excesivamente delicado, fino, primoroso.

Superfetación. (Del lat. *superfetāre;* de *super,* sobre, y *fetus,* feto.) f. Concepción de un segundo feto durante el embarazo.

Superficial. (Del lat. *superficiālis.*) adj. Perteneciente o relativo a la superficie. || **2.** Que está o se queda en ella. || **3.** V. **Destre superficial.** || **4.** fig. Aparente, sin solidez ni substancia. || **5.** fig. Frívolo, sin fundamento.

Superficialidad. f. Calidad de superficial, frivolidad, falta de solidez.

Superficialmente. adv. m. fig. De un modo superficial.

Superficiario, ria. (Del lat. *superficiarĭus.*) adj. *For.* Aplícase al que tiene el uso de la superficie, o percibe los frutos del fundo ajeno, pagando cierta pensión anual al señor de él.

Superficie. (Del lat. *superficĭes.*) f. Límite o término de un cuerpo, que lo separa y distingue de lo que no es él. || **2.** *Geom.* Extensión en que sólo se consideran dos dimensiones, que son longitud y latitud. || **3.** *Min.* V. **Canon de superficie.** || **alabeada.** *Geom.* La reglada que no es desarrollable, como la del conoide. || **cilíndrica.** *Geom.* **Superficie** curva engendrada por una recta que se mueve quedando siempre paralela a una misma dirección. || **cónica.** *Geom.* La engendrada por una línea recta que se mueve pasando constantemente por un punto fijo y teniendo por directriz una curva. || **curva.** *Geom.* La que no es plana ni compuesta de **superficies** planas. || **desarrollable.** *Geom.* La reglada que sin dislocación de sus partes se puede extender sobre un plano, como la cilíndrica y la cónica. || **esférica.** *Geom.* La de la esfera. || **plana.** *Geom.* La que puede contener una línea recta en cualquier posición. || **reglada.** *Geom.* Aquella sobre la cual se puede aplicar una regla en una o en más direcciones.

Superfino, na. (De *súper,* sobre, y *fino.*) adj. Muy fino.

Superfluamente. adv. m. Con superfluidad.

Superfluencia. f. Abundancia grande.

Superfluidad. (Del lat. *superfluĭtas, -ātis.*) f. Calidad de superfluo. || **2.** Cosa superflua.

Superfluo, flua. (Del lat. *superflŭus.*) adj. No necesario, que está de más. || **2.** V. **Culto superfluo.**

Superfosfato. m. Fosfato ácido de cal que se emplea como abono.

Superhombre. m. Tipo de hombre muy superior a los demás.

Superhumeral. (Del lat. *superhumerāle.*) m. **Efod.** || **2.** Banda que usa el sacerdote para tener la custodia, la patena o las reliquias.

Superintendencia. f. Suprema administración en un ramo. || **2.** Empleo, cargo y jurisdicción del superintendente. || **3.** Oficina del superintendente.

Superintendente. (De *súper,* sobre, e *intendente.*) com. Persona a cuyo cargo está la dirección y cuidado de una cosa, con superioridad a las demás que sirven en ella.

Superior. (Del lat. *superĭor, -ōris.*) adj. Dícese de lo que está más alto y en lugar preeminente respecto de otra cosa. || **2.** V. **Enseñanza, labio, parte superior.** || **3.** fig. Dícese de lo más excelente y digno, respecto de otras cosas de menos aprecio y bondad. || **4.** fig. Que excede a otras cosas en virtud, vigor o prendas, y así se particulariza entre ellas. || **5.** fig. Excelente, muy bueno. || **6.** *Astron.* V. **Meridiano, planeta superior.** || **7.** *Geogr.* Aplícase a algunos lugares o países que están en la parte alta de la cuenca de los ríos, a diferencia de los que están situados en la parte baja de la misma. *Alemania* SUPERIOR.

Superior, ra. m. y f. Persona que manda, gobierna o dirige una congregación o comunidad, principalmente religiosa.

Superiorato. m. Empleo o dignidad de superior o superiora, especialmente en las comunidades. || **2.** Tiempo que dura.

Superioridad. (De *superior.*) f. Preeminencia, excelencia o ventaja en una persona o cosa respecto de otra. || **2.** Persona o conjunto de personas de superior autoridad. || **3.** V. **Abuso de superioridad.**

Superiormente. adv. m. De modo superior.

Superlación. (Del lat. *superlātus.*) f. Calidad de superlativo.

Superlativamente. adv. m. **En grado superlativo.**

Superlativo, va. (Del lat. *superlatīvus.*) adj. Muy grande y excelente en su línea. || **2.** *Gram.* V. **Adjetivo superlativo.** Ú. t. c. s. || **3.** *Gram.* V. **Adverbio superlativo.**

Superno, na. (Del lat. *supernus.*) adj. Supremo o más alto.

Supernumerario, ria. (Del lat. *supernumerarĭus.*) adj. Que excede o está fuera del número señalado o establecido. || **2.** Dícese de los militares en situación análoga a la de excedencia. || **3.** m. y f. Empleado que trabaja en una oficina pública sin figurar en la plantilla.

Superponer. (Del lat. *superponĕre.*) tr. Sobreponer, 1.ª acep. Ú. t. c. r.

Superposición. f. Acción y efecto de superponer o superponerse.

Supersónico, ca. adj. *Fís.* Dícese de la velocidad superior a la del sonido, y de lo que se mueve de este modo. *Avión* SUPERSÓNICO.

Superstición. (Del lat. *superstitĭo, -ōnis.*) f. Creencia extraña a la fe religiosa y contraria a la razón.

Supersticiosamente. adv. m. Con superstición.

Supersticioso, sa. (Del lat. *superstitiōsus.*) adj. Perteneciente o relativo a la superstición. || **2.** Dícese de la persona que cree en ella. Ú. t. c. s. || **3.** V. **Culto supersticioso.**

Supérstite. (Del lat. *superstes, -stĭtis.*) adj. *For.* **Superviviente.**

Supersubstancial. (Del lat. *supersubstantiālis,* que sustenta.) adj. V. **Pan supersubstancial.**

Supervacáneo, a. (Del lat. *supervacanĕus.*) adj. p. us. **Superfluo.**

Supervención. (Del lat. *superventum,* supino de *supervenīre,* sobrevenir.) f. *For.* Acción y efecto de sobrevenir nuevo derecho.

Superveniencia. f. Acción y efecto de supervenir.

Superveniente. p. a. de **Supervenir.** Que superviene.

Supervenir. (Del lat. *supervenīre.*) intr. Sobrevenir.

Supervivencia. (Del lat. *supervīvens, -entis,* que sobrevive.) f. Acción y efecto de sobrevivir. || **2.** Gracia concedida a uno para gozar una renta o pensión después de haber fallecido el que la obtenía. || **3.** V. **Mesada de supervivencia.**

Superviviente. (Del lat. *supervīvens, -entis.*) adj. **Sobreviviente.** Ú. t. c. s.

Supinación. (Del lat. *supinatĭo, -ōnis.*) f. Posición de una persona tendida sobre el dorso, o de la mano con la palma hacia arriba. || **2.** Movimiento del antebrazo que hace girar la mano de dentro a fuera, presentando la palma.

Supino, na. (Del lat. *supīnus.*) adj. Que está tendido sobre el dorso. || **2.** Referente a la supinación. || **3.** V. **Decúbito supino.** || **4.** V. **Ignorancia supina.** || **5.** Aplicado a ciertos estados de ánimo, acciones o cualidades morales, necio, estólido. || **6.** m. En la gramática latina, una de las formas nominales del verbo.

Supitaño, ña. adj. desus. **Subitáneo.**

Súpito, ta. (Del lat. *subĭtus.*) adj. **Súbito.**

Suplantable. adj. Que puede ser suplantado.

Suplantación. (Del lat. *supplantatĭo, -ōnis.*) f. Acción y efecto de suplantar.

Suplantador, ra. (Del lat. *supplantātor, -ōris.*) adj. Que suplanta. Ú. t. c. s.

Suplantar. (Del lat. *supplantāre.*) tr. Falsificar un escrito con palabras o cláusulas que alteren el sentido que antes tenía. || **2.** Ocupar con malas artes el lugar de otro, defraudándole el derecho, empleo o favor que disfrutaba.

Supleción. (Del lat. *suppletĭo, -ōnis.*) f. p. us. **Suplemento,** 1.ª acep.

Suplefaltas. com. fam. Persona que suple faltas de otra, sin título ni grado.

Suplemental. adj. **Suplementario.**

Suplementario, ria. (De *suplemento.*) adj. Que sirve para suplir una cosa o completarla. || **2.** *Geom.* V. **Ángulo, arco suplementario.**

Suplementero. adj. *Chile.* Vendedor ambulante de periódicos. Ú. t. c. s.

Suplemento. (Del lat. *supplementum.*) m. Acción y efecto de suplir. || **2. Complemento,** 1.ª acep. || **3.** Hoja o cuaderno que publica un periódico o revista y cuyo texto es independiente del número ordinario. || **4.** *Geom.* Ángulo que falta a otro para componer dos rectos. || **5.** *Geom.* Arco de este ángulo, o sea el que falta a otro para completar una semicircunferencia. || **6.** *Gram.* p. us. Modo de suplir con el verbo auxiliar *ser* la falta de una parte de otro verbo. *Oración de* SUPLEMENTO, *o por* SUPLEMENTO.

Suplente. p. a. de **Suplir.** Que suple. Ú. t. c. s.

Supletorio, ria. (Del lat. *suppletorĭum.*) adj. Dícese de lo que suple una falta. || **2.** *For.* V. **Juramento supletorio.**

Súplica. f. Acción y efecto de suplicar. || **2.** Memorial o escrito en que se suplica. || **3.** *For.* Cláusula final de un escrito dirigido a la autoridad administrativa o judicial en solicitud de una resolución. || **4.** *For.* V. **Recurso de súplica.** || **A súplica.** m. adv. Mediante ruego o instancia.

Suplicación. (Del lat. *supplicatĭo, -ōnis,* de *supplicāre;* de *sub,* bajo, y *plicāre,* plegar.) f. **Súplica.** || **2.** Barquillo estrecho que se hacía en forma de canuto. || **3.** Hoja muy delgada hecha de masa de harina con azúcar y otros ingredientes, que cocida en un molde sirve para hacer barquillos. || **4.** V. **Cañutillo, palillo de suplicaciones.** || **5.** *For.* Apelación de la sentencia de vista en los tribunales superiores, que se interponía ante ellos mismos. || **6.** *For.* V. **Recurso de segunda suplicación.** || **A suplicación.** m. adv. **A súplica.**

Suplicacionero, ra. m. y f. Persona que vendía suplicaciones, 2.ª y 3.ª aceps.

Suplicante. (Del lat. *supplĭcans, -antis.*) p. a. de **Suplicar.** Que suplica. Ú. t. c. s.

Suplicar. (Del lat. *supplicāre.*) tr. Rogar, pedir con humildad y sumisión una cosa. || **2.** *For.* Recurrir contra el auto o sentencia de vista del tribunal superior ante el mismo.

Suplicatoria. (De *suplicar.*) f. *For.* Carta u oficio que pasa un tribunal o juez a otro superior.

Suplicatorio, ria. adj. Que contiene súplica. || **2.** m. *For.* **Suplicatoria.** || **3.** *For.* Instancia que un juez o tribunal eleva a un cuerpo legislativo, pidiendo permiso para proceder en justicia contra algún miembro de ese cuerpo.

Suplicio. (Del lat. *supplicium*, súplica, ofrenda, tormento.) m. Lesión corporal, o muerte, infligida como castigo. || **2.** fig. Lugar donde el reo padece este castigo. || **3.** fig. Grave tormento o dolor físico o moral. || **Último suplicio. Pena capital.**

Suplido, da. p. p. de **Suplir.** || **2.** m. Anticipo que se hace por cuenta y cargo de otra persona, con ocasión de mandato o trabajos profesionales. Ú. m. en pl.

Suplidor, ra. adj. **Suplente.** Ú. t. c. s.

Suplir. (Del lat. *supplēre.*) tr. Cumplir o integrar lo que falta en una cosa, o remediar la carencia de ella. || **2.** Ponerse en lugar de uno para hacer sus veces. || **3.** Disimular uno un defecto de otro. || **4.** *Gram.* Dar por supuesto y explícito lo que sólo se contiene implícitamente en la oración o frase.

Suponedor, ra. adj. Que supone una cosa que no es. Ú. t. c. s.

Suponer. (Del lat. *supponĕre.*) tr. Dar por sentada y existente una cosa. || **2.** Fingir una cosa. || **3.** Traer consigo, importar. *La nueva adquisición que ha hecho* SUPONE *desmedidos gastos de conservación.* || **4.** intr. Tener representación o autoridad en una república o comunidad.

Suportación. f. Acción y efecto de suportar.

Suportar. (Del lat. *supportāre.*) tr. **Soportar.**

Suposición. (Del lat. *suppositio, -ōnis.*) f. Acción y efecto de suponer. || **2.** Lo que se supone o da por sentado. || **3.** Autoridad, distinción, lustre y talento. || **4.** Impostura o falsedad. || **5.** *Lóg.* Acepción de un término en lugar de otro.

Supositicio, cia. (Del lat. *supposititius.*) adj. Fingido, supuesto, inventado.

Supositivo, va. (Del lat. *suppositivus.*) adj. Que implica o denota suposición.

Supósito. (Del lat. *suppositus.*) m. ant. **Supuesto.**

Supositorio. (Del lat. *suppositorium.*) m. *Med.* Preparación farmacéutica en pasta, de forma cónica u ovoide, que se introduce en el recto, en la vagina o en la uretra y que, al fundirse con el calor del cuerpo, deja en libertad los medicamentos cuyo efecto se busca.

Supra. adv. latino que se une a algunas voces como prefijo, con la significación de sobre, arriba, más allá. SUPRA*dicho*, SUPRA*sensible.* || **2.** V. **Ut supra.** || **3.** V. **Fecha ut supra.**

Supraclavicular. adj. Dícese de la región situada encima de las clavículas.

Suprarrealismo. m. Tendencia a inspirar la obra de arte en los elementos figurativos tomados del repertorio de imágenes del delirio o del ensueño y sus enlaces fortuitos o incoherentes.

Suprarrenal. adj. *Anat.* Situado encima de los riñones. || **2.** *Med.* V. **Cápsula, glándula suprarrenal.**

Supraspina. (Del lat. *supra*, sobre, y *spina*, espinazo.) f. *Zool.* Fosa alta de la escápula.

Suprema. (Del lat. *suprēma*, t. f. de *-mus*, supremo.) f. Consejo supremo de la Inquisición.

Supremacía. f. Grado supremo en cualquier línea. || **2.** Preeminencia, superioridad jerárquica.

Supremamente. adv. m. De una manera suprema. || **2.** Últimamente, hasta el fin.

Supremidad. (Del lat. *supremitas -ātis.*) f. ant. **Supremacía.**

Supremo, ma. (Del lat. *suprēmus.*) adj. Altísimo. || **2.** Que no tiene superior en su línea. || **3.** V. **Tribunal Supremo.** || **4.** Último. *Llegar la hora* SUPREMA.

Supresión. (Del lat. *suppressio, -ōnis.*) f. Acción y efecto de suprimir.

Supreso, sa. (Del lat. *suppressus.*) p. p. irreg. de **Suprimir.**

Supresor, ra. adj. Que suprime.

Suprimir. (Del lat. *supprimĕre.*) tr. Hacer cesar, hacer desaparecer. SUPRIMIR *un empleo, un impuesto, una pensión.* || **2.** Omitir, callar, pasar por alto, SUPRIMIR *versos en una comedia;* SUPRIMIR *pormenores en la narración de un suceso.*

Suprior. (De *sub*, debajo, y *prior.*) m. El que en algunas comunidades religiosas hace las veces del prior. || **2.** Segundo prelado destinado en algunas religiones para hacer las veces del prior.

Supriora. (De *sub*, debajo, y *priora.*) f. Religiosa que en algunas comunidades hace las veces de la priora.

Supriorato. m. Empleo de suprior o supriora.

Supuesto, ta. (Del lat. *suppositus.*) p. p. irreg. de **Suponer.** || **2.** m. Objeto y materia que no se expresa en la proposición; pero es aquello de que depende, o en que consiste o se funda, la verdad de ella. || **3. Hipótesis.** || **4.** *Fil.* Todo ser que es principio de sus acciones. || **5.** *For.* Presupuesto en que se explican las operaciones de una partición. || **Por supuesto.** m. adv. **Ciertamente.** || **Supuesto que.** m. conjunt., causal y continuativo. **Puesto que.**

Supuración. (Del lat. *suppuratio, -ōnis.*) f. Acción y efecto de supurar.

Supurante. p. a. de **Supurar.** Que supura o hace supurar.

Supurar. (Del lat. *suppurāre.*) intr. Formar o echar pus. || **2.** tr. fig. desus. Disipar o consumir. Usáb. t. c. r.

Supurativo, va. adj. Que tiene virtud de hacer supurar. Ú. t. c. s. m.

Supuratorio, ria. (Del lat. *suppuratorius.*) adj. Que supura.

Suputación. (Del lat. *supputatio, -ōnis.*) f. Cómputo o cálculo.

Suputar. (Del lat. *supputāre.*) tr. Computar, calcular, contar por números.

Sur. (De *sud.*) m. Punto cardinal del horizonte, diametralmente opuesto al Norte y que cae enfrente del observador a cuya derecha está el Occidente. || **2.** Lugar de la Tierra o de la esfera celeste que cae del lado del polo antártico, respecto de otro con el cual se compara. || **3.** Viento que sopla de la parte austral del horizonte.

Sura. (Del ár. *sūra.*) m. Cualquiera de las lecciones o capítulos en que se divide el Alcorán.

Sura. (Del lat. *sura.*) f. ant. **Pantorrilla.** || **2.** ant. **Peroné.**

Surá. (De *Surate*, villa del Indostán.) m. Tejido de seda fino y flexible.

Sural. (Del lat. *sura*, pantorrilla.) adj. *Zool.* Perteneciente o relativo a la pantorrilla. *Músculo* SURAL; *arteria* SURAL.

Súrbana. f. *Cuba.* Planta herbácea de la familia de las gramíneas, con flores violáceas. Sirve para alimento del ganado.

Surcador, ra. adj. Que surca. Ú. t. c. s.

Surcaño. (De *surco.*) m. *Rioja.* **Linde,** 2.ª acep.

Surcar. (De *sulcar.*) tr. Hacer surcos en la tierra al ararla. || **2.** Hacer en alguna cosa rayas parecidas a los surcos que se hacen en la tierra. || **3.** fig. Ir o caminar por un fluido rompiéndolo o cortándolo. SURCA *la nave el mar, y el ave, el viento.*

Surco. (De *sulco.*) m. Hendedura que se hace en la tierra con el arado. || **2.** Señal o hendedura prolongada que deja una cosa que pasa sobre otra. || **3.** Arruga en el rostro o en otra parte del cuerpo. || **A surco.** m. adv. Dícese de dos labores o hazas que están contiguas o sólo **surco** por medio. || **Echarse uno en el surco.** fr. fig. y fam. Abandonar una empresa o trabajo por pereza o desaliento.

Surculado, da. (De *súrculo.*) adj. *Bot.* Aplícase a las plantas que no echan más de un tallo.

Súrculo. (Del lat. *surcŭlus.*) m. *Bot.* Vástago de que no han brotado otros.

Surculoso, sa. (Del lat. *surculōsus.*) adj. *Bot.* **Surculado.**

Sureste. m. **Sudeste.**

Surgente. (Del lat. *surgens, -entis.*) p. a. de **Surgir.** Que surge.

Surgidero. (De *surgir.*) m. Sitio o paraje donde dan fondo las naves.

Surgidor, ra. adj. Que surge. Ú. t. c. s.

Surgiente. p. a. ant. de **Surgir.** Que surge.

Surgir. (Del lat. *surgĕre.*) intr. **Surtir,** 2.ª acep. || **2.** Dar fondo la nave. || **3.** fig. Alzarse, manifestarse, brotar, aparecer.

Suri. m. *Zool. Argent.* y *Bol.* **Ñandú.**

Suripanta. f. desus. Mujer corista en un teatro. || **2.** despect. Mujer ruin, moralmente despreciable.

Suroeste. m. **Sudoeste.**

Sursudoeste. m. Viento medio entre el sur y el sudoeste. || **2.** Región situada hacia el sitio de donde sopla este viento.

Sursuncorda. (fr. lat., *sursum corda*, que significa *arriba los corazones.*) m. fig. y fam. Supuesto personaje anónimo de mucha importancia. *No lo haré aunque lo mande el* SURSUNCORDA.

Surtida. (De *surtir*, salir, aparecer.) f. Salida oculta que hacen los sitiados contra los sitiadores. || **2.** *Fort.* Paso o puerta pequeña que se hace en las fortificaciones por debajo del terraplén al foso, para comunicarse con la plaza sin riesgo del fuego de los enemigos. || **3.** fig. Puerta falsa o parte por donde se sale secretamente. || **4.** *Mar.* Rampa o plano inclinado hacia el mar en algunos muelles, para que puedan varar o carenarse las embarcaciones menores. || **5.** *Mar.* **Varadero.**

Surtidero. (De *surtir.*) m. **Buzón,** 1.ª acep. || **2. Surtidor,** 2.ª acep.

Surtido, da. p. p. de **Surtir.** || **2.** adj. Aplícase al artículo de comercio que se ofrece como mezcla de diversas clases. *Galletas* SURTIDAS. Ú. t. c. s. *Un* SURTIDO *de horquillas.* || **3.** m. Acción y efecto de surtir o surtirse. || **4.** Lo que se previene o sirve para surtir. *Ha llegado un* SURTIDO *de paños.* || **5.** V. **Libro de surtido.** || **De surtido.** m. adv. De uso o gasto común.

Surtidor, ra. adj. Que surte o provee. Ú. t. c. s. || **2.** m. Chorro de agua que brota o sale, especialmente hacia arriba.

Surtimiento. (De *surtir.*) m. **Surtido,** 3.ª acep.

Surtir. (De *surto.*) tr. Proveer a uno de alguna cosa. Ú. t. c. r. || **2.** intr. Brotar, saltar, o simplemente salir el agua, y más en particular hacia arriba. || **3.** ant. Saltar, rebotar. Ú. en León. *El barro me* SURTIÓ *a la cara.* || **4.** V. **Surtir efecto.**

Surto, ta. (Del lat. **surtus*, por *surrectus*, del verbo *surgĕre.*) p. p. irreg. de **Surgir,** 2.ª acep. || **2.** adj. fig. Tranquilo, en reposo, en silencio.

Súrtuba. f. *C. Rica.* Helecho gigante, cuya medula, que es blanca, se come asada.

Surubí. (Voz guaraní.) m. *Argent.* y *Bol.* Pez de río, enorme bagre sin escamas, con pintas negras. Su carne amarilla es compacta y sabrosa.

Surumpe. m. *Perú.* Inflamación de los ojos que sobreviene a los que atraviesan los Andes nevados, debido a la reverberación del sol en la nieve.

Surupí. (Voz guaraní.) m. *Bol.* Surumpe.
Sus. prep. insep. Sub.
¡Sus! (De *suso.*) interj. que se emplea para infundir ánimo repentinamente, excitando a ejecutar con vigor o celeridad alguna cosa. || **de gaita.** fig. y fam. Cualquier cosa aérea o sin substancia.
Susano, na. (De *suso.*) adj. ant. Que está a la parte superior o de arriba. || **2.** *Nav.* Próximo, cercano.
Suscepción. (Del lat. *susceptĭo, -ōnis.*) f. Acción de recibir uno algo en sí mismo.
Susceptibilidad. f. Calidad de susceptible.
Susceptible. (Del lat. *susceptibĭlis.*) adj. Capaz de recibir modificación o impresión. || **2.** Quisquilloso, picajoso.
Susceptivo, va. (Del lat. *susceptīvus.*) adj. Susceptible.
Suscitación. (Del lat. *suscitatĭo, -ōnis.*) f. Acción y efecto de suscitar.
Suscitar. (Del lat. *suscitāre.*) tr. Levantar, promover.
Suscribir. tr. Subscribir. Ú. t. c. r.
Suscripción. f. Subscripción.
Suscripto, ta. p. p. irreg. Subscrito.
Suscriptor, ra. m. y f. Subscriptor.
Suscrito, ta. (Del lat. *subscriptus.*) p. p. irreg. de Suscribir.
Suscritor, ra. m. y f. Suscriptor.
Susero, ra. (De *suso.*) adj. ant. Que está a la parte superior o de arriba.
Susidio. (De *subsidio.*) m. fig. Inquietud, zozobra.
Suso. (Del lat. *sursum, sussum.*) adv. l. Asuso. || **De suso.** m. adv. ant. **De arriba.**
Susoayá. m. *Argent.* Planta de raíz fusiforme, con tallo recto de metro y medio de alto; hojas alternas, largas, agudas; flores de cinco pétalos amarillos soldados por su base, la cual tiene una coloración morada.
Susodicho, cha. (De *suso,* arriba, y *dicho.*) adj. Sobredicho.
Suspección. (Del lat. *suspectĭo, -ōnis.*) f. ant. Sospecha, 1.ª acep.
Suspecto, ta. (Del lat. *suspectus.*) adj. ant. Sospechoso, 1.ª acep.
Suspendedor, ra. adj. Que suspende. Ú. t. c. s.
Suspender. (Del lat. *suspendĕre.*) tr. Levantar, colgar o detener una cosa en alto o en el aire. || **2.** Detener o diferir por algún tiempo una acción u obra. Ú. t. c. r. || **3.** fig. Causar admiración, embelesar. || **4.** fig. Privar temporalmente a uno del sueldo o empleo que tiene. || **5.** fig. Negar la aprobación a un examinando hasta nuevo examen. || **6.** r. Asegurarse el caballo sobre las piernas con los brazos al aire.
Suspendimiento. (De *suspender.*) m. ant. Suspensión.
Suspensión. (Del lat. *suspensĭo, -ōnis.*) f. Acción y efecto de suspender o suspenderse. || **2.** Censura eclesiástica o corrección gubernativa que en todo o en parte priva del uso del oficio, beneficio o empleo o de sus goces y emolumentos. || **3.** En los carruajes, cada una de las ballestas y correas destinadas a suspender la caja del coche, a fin de dar a ésta un movimiento más suave que con el apoyo inmediato en la ballesta. || **4.** *Mús.* Prolongación de una nota que forma parte de un acorde, sobre el siguiente, produciendo disonancia. || **5.** *Ret.* Figura que consiste en diferir, para avivar el interés del oyente o lector, la declaración del concepto a que va encaminado y en que ha de tener remate lo dicho anteriormente. || **coloidal.** *Quím.* Compuesto que resulta de disolver cualquier coloide en un líquido. || **de armas.** *Mil.* Cesación temporal de hostilidades. || **de garantías.** Situación anormal en que, por motivos de orden público, quedan temporalmente sin vigencia algunas de las garantías constitucionales. || **de pagos.** *Com.* Situación en que se coloca ante el juez el comerciante cuyo activo no es inferior al pasivo, pero que no puede temporalmente atender al pago puntual de sus obligaciones.
Suspensivo, va. (De *suspenso.*) adj. Que tiene virtud o fuerza de suspender. || **2.** *For.* V. **Efecto suspensivo.** || **3.** *Ortogr.* V. **Puntos suspensivos.**
Suspenso, sa. (Del lat. *suspensus.*) p. p. irreg. de **Suspender.** || **2.** adj. Admirado, perplejo. || **3.** m. Nota de haber sido suspendido en un examen. || **En suspenso.** m. adv. Diferida la resolución o su cumplimiento.
Suspensorio, ria. (Del lat. *suspensum,* supino de *suspendĕre,* suspender.) adj. Que sirve para suspender, 1.ª acep. || **2.** m. Vendaje para sostener el escroto, u otro miembro.
Suspicacia. f. Calidad de suspicaz. || **2.** Especie o idea sugerida por la sospecha o desconfianza.
Suspicaz. (Del lat. *suspĭcax, -ācis.*) adj. Propenso a concebir sospechas o a tener desconfianza.
Suspicazmente. adv. m. De modo suspicaz.
Suspición. (Del lat. *suspicĭo, -ōnis.*) f. ant. Sospecha, 1.ª acep.
Suspirado, da. p. p. de **Suspirar.** || **2.** adj. fig. Deseado con ansia.
Suspirar. (Del lat. *suspirāre.*) intr. Dar suspiros. || **Suspirar** uno **por** una cosa. fr. fig. Desearla con ansia. || **Suspirar** uno **por** una persona. fr. fig. Amarla en extremo.
Suspiro. (Del lat. *suspirĭum.*) m. Aspiración fuerte y prolongada seguida de una espiración, acompañada a veces de un gemido y que suele denotar pena, ansia o deseo. || **2.** Golosina que se hace de harina, azúcar y huevo. || **3.** Pito pequeño de vidrio, de silbido agudo y penetrante. || **4.** *And.* y *Chile.* **Trinitaria.** || **5.** *Argent.* y *Chile.* Nombre que se da a distintas especies de enredaderas, de la familia de las convolvuláceas, con hojas alternas, flores de diversos colores que tienen el tubo de la corola casi cilíndrico y el limbo extendido en forma pentagonal. || **6.** *Mús.* Pausa breve. || **7.** *Mús.* Signo que la representa. || **Último suspiro.** fig. y fam. El del hombre al morir, y en general, fin y remate de cualquier cosa.
Suspirón, na. adj. Que suspira mucho.
Suspiroso, sa. (Del lat. *suspiriōsus.*) adj. Que suspira con dificultad.
Sustancia. f. Substancia.
Sustanciación. f. Substanciación.
Sustancial. adj. Substancial.
Sustancialmente. adv. m. Substancialmente.
Sustanciar. tr. Substanciar.
Sustancioso, sa. adj. Substancioso.
Sustantivar. tr. *Gram.* Substantivar. Ú. t. c. r.
Sustantividad. f. Substantividad.
Sustantivo, va. adj. Substantivo. Ú. t. c. s.
Sustenido, da. adj. *Mús.* Sostenido. Ú. t. c. s. m.
Sustentable. adj. Que se puede sustentar o defender con razones.
Sustentación. (Del lat. *sustentatĭo, -ōnis.*) f. Acción y efecto de sustentar. || **2.** Sustentáculo. || **3.** *Ret.* Suspensión, 5.ª acep.
Sustentáculo. (Del lat. *sustentacŭlum.*) m. Apoyo o sostén de una cosa.
Sustentador, ra. adj. Que sustenta. Ú. t. c. s.
Sustentamiento. m. Acción y efecto de sustentar o sustentarse. || **2.** ant. Sustento.
Sustentante. p. a. de **Sustentar.** Que sustenta. || **2.** m. Cada una de las partes que sustentan o en que se apoya un edificio. || **3.** El que defiende conclusiones en acto público de una facultad. || **4.** *Mar.* Cualquiera de las barras de hierro clavadas por un extremo en el costado del buque, que tienen un zuncho de bisagra en el otro, y que sirven para colocar las vergas de respeto, de gavia y de velacho. || **5.** *Mar.* Cada una de las dos horquillas de hierro colocadas en las batayolas de los brazales para asegurar la verga de cebadera por encima del bauprés.
Sustentar. (Del lat. *sustentāre,* intens. de *sustinēre.*) tr. **Mantener,** 1.ª, 2.ª, 3.ª y 5.ª aceps. Ú. t. c. r.
Sustento. m. Mantenimiento, alimento. || **2.** Lo que sirve para dar vigor y permanencia a una cosa. || **3.** Sostén o apoyo.
Sustitución. f. Substitución.
Sustituible. adj. Substituible.
Sustituidor, ra. adj. Substituidor. Ú. t. c. s.
Sustituir. tr. Substituir.
Sustitutivo, va. adj. Substitutivo.
Sustituto, ta. p. p. irreg. de Sustituir. || **2.** m. y f. Substituto, 2.ª acep.
Susto. (De **sustar,* y éste del lat. *sŭscĭtare.*) m. Impresión repentina causada en el ánimo por sorpresa, miedo, espanto o pavor. || **2.** fig. Preocupación vehemente por alguna adversidad o daño que se teme. || **Dar un susto al miedo.** fr. fig. y fam. con que se encarece lo feo o repugnante.
Sustracción. f. Substracción.
Sustraendo. m. *Arit.* Substraendo.
Sustraer. tr. Substraer.
Susurración. (Del lat. *susurratĭo, -ōnis.*) f. Murmuración secreta.
Susurrador, ra. (Del lat. *susurrātor.*) adj. Que susurra. Ú. t. c. s.
Susurrante. p. a. de **Susurrar.** Que susurra.
Susurrar. (Del lat. *susurrāre.*) intr. Hablar quedo, produciendo un murmullo o ruido sordo. || **2.** Empezarse a decir o divulgar una cosa secreta o que no se sabía. || **3.** fig. Moverse con ruido suave y remiso el aire, el arroyo, etc.
Susurrido. m. Susurro, 2.ª acep.
Susurro. (Del lat. *susurrus.*) m. Ruido suave y remiso que resulta de hablar quedo. || **2.** fig. Ruido suave y remiso que naturalmente hacen algunas cosas.
Susurrón, na. (Del lat. *susurro, -ōnis.*) adj. fam. Que acostumbra murmurar secretamente o a escondidas. Ú. t. c. s.
Sutás. (Del fr. *soutache,* y éste del magiar *szuszak.*) m. Cordoncillo con una hendidura en medio que le da apariencia de dos cordones unidos. Se usa para adorno.
Sute. adj. *Colomb.* y *Venez.* Enteco, canijo. || **2.** m. *Colomb.* Lechón, gorrino. || **3.** *Hond.* Especie de aguacate.
Sutil. (Del lat. *subtīlis.*) adj. Delgado, delicado, tenue. || **2.** fig. Agudo, perspicaz, ingenioso. || **3.** *Mar.* V. **Escuadra, galera sutil.**
Sutileza. f. Calidad de sutil. || **2.** fig. Dicho o concepto excesivamente agudo y falto de verdad, profundidad o exactitud. || **3.** fig. Instinto de los animales. || **4.** *Teol.* Uno de los cuatro dotes del cuerpo glorioso, que consiste en poder penetrar por otro cuerpo. || **de manos.** fig. Habilidad para hacer algunas cosas con expedición y primor. || **2.** fig. Ligereza y habilidad del ladrón ratero.
Sutilidad. (Del lat. *subtilĭtas, -ātis.*) f. Sutileza.
Sutilizador, ra. adj. Que sutiliza. Ú. t. c. s.
Sutilizar. (De *sutil.*) tr. Adelgazar, atenuar. || **2.** fig. Limar, pulir y perfeccionar cosas no materiales. || **3.** fig. Discurrir ingeniosamente o con profundidad.

Sutilmente. adv. m. De manera sutil.

Sutorio, ria. (Del lat. *sutorĭus.*) adj. Aplícase al arte de hacer zapatos, o a lo perteneciente a él.

Sutura. (Del lat. *sutūra;* de *sutum,* supino de *suĕre,* coser.) f. *Bot.* Cordoncillo que forma la juntura de las ventallas de un fruto. || **2.** *Cir.* Costura con que se reúnen los labios de una herida. || **3.** *Zool.* Línea sinuosa, a modo de sierra, que forma la unión de ciertos huesos del cráneo.

Suversión. f. ant. Subversión.

Suversivo, va. adj. ant. Subversivo.

Suvertir. tr. ant. Subvertir.

Suyo, suya, suyos, suyas. (Del lat. *sŭŭs,* infl. por *cuius.*) Pronombre posesivo de tercera persona en género masculino y femenino y ambos números singular y plural. Ú. t. c. s. || **La suya.** Intención o voluntad determinada del sujeto de quien se habla. *Salirse con* LA SUYA; *llevar* LA SUYA *adelante.* || **Los suyos.** Personas propias y unidas a otra por parentesco, amistad, servidumbre, etc. || **De suyo.** m. adv. Naturalmente, propiamente o sin sugestión ni ayuda ajena. || **Lo suyo y lo ajeno.** loc. fig. y fam. Lo que toca y lo que no toca, lo que pertenece y lo que no pertenece, a una persona. *Cuenta* LO SUYO Y LO AJENO; *gasta* LO SUYO Y LO AJENO. || **Hacer** uno **de las suyas.** fr. fam. Obrar, proceder según su genio y costumbre. Tómase por lo común en mala parte. || **Quien a los suyos se parece, honra merece.** ref. con que se elogia al que no desluce con malas acciones la reputación de sus ascendientes. || **Quien da lo suyo antes de la muerte, merece que le den con un mazo en la frente.** ref. **Quien da su hacienda,** etc. || **Quien de los suyos se aleja, Dios le deja.** ref. con que se expresa que a quien abandona sin justo motivo a sus parientes o allegados, Dios le abandonará también. || **Salir,** o **salirse,** uno **con la suya.** fr. fig. Lograr su intento a pesar de contradicciones y dificultades. || **Ver** uno **la suya.** fr. fig. y fam. Presentársele ocasión o coyuntura favorable para efectuar una cosa.

Suzarro. m. *Germ.* Mozo de servicio.

Suzón. m. **Zuzón.**

Svástica. (Voz sánscrita.) f. **Esvástica.**

T

T. Vigésima tercera letra del abecedario español, y decimonona de sus consonantes. Su nombre es **te.** || **2.** V. **Hierro de doble T.**

¡Ta! interj. **¡Tate!** Ú. repetida. || **2.** Repetida, se usa también para significar los golpes que se dan en la puerta para llamar.

Taba. (Quizá del ár. *ka'ba*, talón, taba, dado para jugar.) f. **Astrágalo,** 4.ª acep. || **2.** Lado de la **taba** opuesto a la chuca. || **3.** Juego en que se tira al aire una **taba** de carnero, y se gana si al caer queda hacia arriba el lado llamado carne; se pierde si es el culo, y no hay juego si son la chuca o la **taba.** || **Menear uno las tabas.** fr. fig. y fam. Andar con mucha prisa y diligencia. || **Tomar uno la taba.** fr. fig. y fam. Empezar a hablar con prisa después que otro lo deja.

Tabacal. m. Sitio sembrado de tabaco.

Tabacalero, ra. adj. Perteneciente o relativo al cultivo, fabricación o venta del tabaco. || **2.** Dícese de la persona que cultiva el tabaco. Ú. t. c. s. || **3. Tabaquero.** Ú. t. c. s.

Tabaco. (Voz caribe.) m. Planta de la familia de las solanáceas, originaria de América, de raíz fibrosa, tallo de 5 a 12 decímetros de altura, velloso y con medula blanca; hojas alternas, grandes, lanceoladas y glutinosas; flores en racimo, con el cáliz tubular y la corola de color rojo purpúreo o amarillo pálido, y fruto en cápsula cónica con muchas semillas menudas. Toda la planta tiene olor fuerte y es narcótica. || **2.** Hoja de esta planta, curada y preparada para sus diversos usos. || **3.** Polvo a que se reducen las hojas secas de esta planta para tomarlo por las narices. || **4. Cigarro.** *Fumarse un* TABACO. || **5.** Enfermedad de algunos árboles, que consiste en descomponerse la parte interior del tronco, convirtiéndose en un polvo de color rojo pardusco o negro. || **capero.** El apropiado para capas de cigarros. || **colorado.** Cigarro puro que por la calidad e incompleta madurez de la hoja con que está elaborado, es de color claro y de menos fortaleza que el maduro. || **cucarachero.** El de polvo, que se elabora con hojas de dicha planta, pero sin compostura y cortadas algún tiempo después de madurar. || **2. Tabaco** en polvo, teñido con almagre, que se usó en otro tiempo. || **de barro.** El de polvo, aromatizado con barro oloroso. || **de cucaracha. Tabaco cucarachero.** || **de hoja.** Hoja o conjunto de hojas escogidas de esta planta, que por lo común sirven para capa de los puros. || **de humo.** El que se fuma. || **del diablo.** *Chile.* **Tupa.** || **de montaña. Árnica.** || **de palillos.** El de polvo, que se fabrica de los tallos y venas de la planta, aromatizándolo con vinagrillo y otras aguas de olor. || **de pipa.** El cortado en forma de hebra para fumarlo en pipa. || **de polvo. Tabaco,** 3.ª acep. || **de regalía.** El de superior calidad. || **de somonte,** o **sumonte. Tabaco** sin lavar y sin aderezo alguno. || **de vena.** Picadura que se fabrica para los cigarrillos de papel, utilizando, con cierta preparación, las venas y tallos de la planta. || **de vinagrillo. Tabaco vinagrillo.** || **groso.** El fabricado en forma de granos de mostaza, amasando el polvo de las hojas con aguas de olor. || **holandés,** u **holandilla.** El flojo y de poco aroma que se cría y elabora en Holanda. || **maduro.** Cigarro puro que por la calidad y perfecta madurez de la hoja con que está elaborado es de color obscuro y de mucha fortaleza. || **moruno.** El que se cría en Europa y África y que se distingue por su fortaleza y lo poco grato del aroma. || **negro.** El que, aderezado con miel, se elabora en forma de mecha retorcida y flexible para picarlo y fumarlo en papel o pipa. || **peninsular.** El que se elabora en fábricas de la península ibérica. || **rapé.** El de polvo, más grueso y más obscuro que el ordinario y elaborado con hoja cortada algún tiempo después de madurar. || *rubio.* El que resulta de la mezcla de las variedades de color amarillo y cobrizo de Virginia y Oriente. || **turco.** El picado en hebras y que por su preparación, aliño o compostura, resulta muy suave y aromático. || **verdín.** El de polvo, que se elabora con las hojas de esta planta, pero sin compostura y cortadas antes de madurar. || **vinagrillo.** El de polvo, aderezado con cierta especie de vinagre flojo y aromático. || **Acabársele** a uno **el tabaco.** fr. fig. y fam. *Argent.* Quedarse sin recursos. || **2.** *Argent.* Dícese de quien, en un discurso o en una conversación, deja de hablar inesperadamente por falta de argumento o de tema. || **A mal dar, tomar tabaco.** fr. fig. y fam. con que se aconseja que en los trabajos y penalidades inevitables de la vida, se busque alguna distracción o entretenimiento. || **Tomar tabaco.** fr. Usar de él, sorbiéndolo en polvo por las narices.

Tabacón. m. *P. Rico.* Árbol de la familia de las solanáceas, de tronco grueso, del que se obtiene una madera resistente que sirve para la construcción.

Tabacoso, sa. adj. fam. Dícese del que toma mucho tabaco de polvo. || **2.** Manchado con tabaco. || **3.** Aplícase al árbol atacado del tabaco, 5.ª acep.

Tabahia. f. ant. **Tabaque,** 1.er art.

Tabaiba. f. *Can.* Árbol cuya madera, muy ligera y poco porosa, se usa para tapones de cubas y barriles.

Tabal. m. *And., Ast.* y *Sant.* Barrica en que se conservan las sardinas arenques.

Tabalada. (De *atabal.*) f. fam. **Tabanazo.** || **2.** fam. **Tamborilada,** 1.ª acep.

Tabalario. (De *atabal.*) m. fam. **Tafanario.**

Tabalear. (De *atabal.*) tr. Menear o mecer una cosa a una parte y otra. Ú. t. c. r. || **2.** intr. Hacer son con los dedos en una tabla o cosa semejante, imitando el toque del tambor.

Tabaleo. m. Acción y efecto de tabalear o tabalearse.

Tabanazo. m. fam. Golpe que se da con la mano. || **2.** fam. **Bofetada.**

Tabanco. m. Puesto, tienda o cajón que se pone en las calles o en los mercados para la venta de comestibles. || **2.** *Amér. Central.* Desván, sobrado. || **3.** *Các.* **Tajo,** 2.ª acep.

Tabanera. f. Sitio donde hay muchos tábanos.

Tábano. (Del lat. *tabānus.*) m. *Zool.* Insecto díptero, del suborden de los braquíceros, de dos a tres centímetros de longitud y de color pardo, que molesta con sus picaduras principalmente a las caballerías.

Tabanque. m. Rueda de madera que mueven con el pie los alfareros, para hacer girar el torno. || **Levantar el tabanque.** fr. fig. y fam. Suspender alguna reunión; también abandonar un sitio.

Tabaola. f. **Bataola.**

Tabaque. (Del ár. *ṭabaq*, cestillo plano como plato.) m. Cestillo o canastillo pequeño hecho de mimbres, en que se pone la fruta, la costura, etc.

Tabaque. m. Clavo poco mayor que la tachuela común y menor que el clavo de media chilla.

Tabaquera. f. Caja para tabaco en polvo. || **2.** Caja o pomo con agujeros en su parte superior, para sorber el tabaco en polvo. || **3.** Receptáculo para el tabaco en la pipa de fumar. || **4.** *Argent.* y *Chile.* Petaca o bolsa para llevar en el bolsillo tabaco picado.

Tabaquería. f. Puesto o tienda donde se vende tabaco.

Tabaquero, ra. adj. Dícese de la persona que tuerce el tabaco. Ú. t. c. s. || **2.** Dícese de la persona que lo vende o comercia con él. Ú. t. c. s.

Tabaquismo. m. Intoxicación crónica producida por el abuso del tabaco.

Tabaquista. com. Persona que entiende o se precia de entender la calidad del tabaco. || **2.** Persona que toma mucho tabaco.

Tabardete. m. **Tabardillo.**

Tabardillo. (En b. lat. *tabardilii;* en port. *tabardilho.*) m. *Med.* desus. **Tifus.** || **2.** fam. **Insolación.** || **3.** fig. y fam. Persona alocada, bulliciosa y molesta. || **pintado.** desus. **Tifus exantemático.**

Tabardo. (En fr. *tabard;* en ital. *tabarro.*) m. Prenda de abrigo ancha y larga, de buriel o paño tosco, con las mangas bobas, que usan los labradores y otras personas en el campo. || **2.** Ropón blasonado de que usaban antiguamente los heraldos o reyes de armas, y llevaban en los días de ceremonia algunos empleados de palacio y usan todavía los de ciertas corporaciones; como los maceros de las Cortes y los de algunos ayuntamientos. || **3.** Especie de gabán sin mangas, de paño o de piel.

Tabarra. f. **Lata,** 5.ª acep.

Tabarrera. f. fam. Tabarra grande.

Tabarro. m. **Tábano.** || **2.** *And.* Especie de avispa algo mayor que la corriente, y cuya picadura causa íntimo dolor.

Tabasco. n. p. V. **Pimienta de Tabasco.**

Tabasqueño, ña. adj. Natural de Tabasco. Ú. t. c. s. || **2.** Perteneciente a este estado mejicano.

Tabea. f. *Burg.* y *Pal.* Chorizo hecho con la asadura del cerdo.

Tabelión. (Del lat. *tabellio, -ōnis.*) m. ant. **Escribano,** 1.ª acep.

Tabellar. (Del lat. *tabella,* tablita.) tr. Doblar y tablear las piezas de paño y demás tejidos de lana, de modo que queden sueltos los orillos para poder registrarlos con facilidad. || **2.** Marcar las telas o ponerles los sellos de fábrica.

Taberna. (Del lat. *taberna.*) f. Tienda o casa pública donde se vende por menor vino y otras bebidas espiritosas. || **2.** fig. y fam. V. **Difunto de taberna.** || **Taberna sin gente, poco vende.** ref. que explica que la soledad y retiro no son a propósito para buscar la granjería o utilidad. || **Ya que no bebo en la taberna, huélgome en ella.** ref. con que se nota que, aunque algunos no ejecutan lo que otros, se divierten viéndolo hacer; como en el juego, en el baile, etc.

Tabernáculo. (Del lat. *tabernacŭlum,* tienda de campaña.) m. Lugar donde los hebreos tenían colocada el arca del Testamento. || **2. Sagrario,** 2.ª acep. || **3.** Tienda en que habitaban los antiguos hebreos. || **4.** V. **Fiesta de los Tabernáculos.**

Tabernario, ria. (Del lat. *tabernarĭus.*) adj. Propio de la taberna o de las personas que la frecuentan. || **2.** fig. Bajo, grosero, vil.

Tabernera. f. Mujer del tabernero. || **2.** Mujer que vende vino en la taberna.

Tabernería. f. Oficio o trato de tabernero. || **2.** ant. **Taberna.**

Tabernero. m. El que vende vino en la taberna. || **2.** ant. El que frecuenta las tabernas. || **Cuando el tabernero vende la bota, o sabe a la pez o está rota.** ref. que advierte que no se compren ciertas cosas sin detenido examen, cuando las necesita el mismo que las vende.

Tabernizado, da. adj. Propio de taberna.

Tabes. (Del lat. *tabes.*) f. *Med.* **Consunción,** 2.ª acep. || **dorsal.** Enfermedad de los cordones posteriores de la medula espinal, de origen sifilítico, cuyos síntomas principales son la ataxia, la abolición de los reflejos y diversos trastornos de la sensibilidad.

Tabí. (Del m. or. que *atavío.*) m. Tela antigua de seda, con labores ondeadas y que forman aguas.

Tabica. (Del ár. *ṭabiqa,* adaptada, ajustada.) f. *Arq.* Tablilla con que se cubre un hueco; como el de una socarrena o el del frente de un escalón de madera.

Tabicar. fr. Cerrar con tabique una cosa; como puerta, ventana, etc. || **2.** fig. Cerrar o tapar una cosa que debía estar abierta o tener curso. TABICARSE *las narices.* Ú. t. c. r.

Tabicón. m. aum. de **Tabique.** Dícese cuando no pasa de un pie de grueso. || **2.** *Tol.* **Adobe,** 1.er art.

Tábido, da. (Del lat. *tabĭdus.*) adj. *Med.* Podrido o corrompido. || **2.** *Med.* Extenuado por consunción.

Tabífico, ca. (Del lat. *tabifĭcus.*) adj. *Med.* Que produce la consunción.

Tabilla. (Del lat. *tabella,* tablilla.) f. *Ar.* y *Murc.* **Tabina.**

Tabina. f. *Áv., Sal.* y *Vallad.* Vaina y semilla de las leguminosas, cuando están verdes.

Tabinete. (Como el fr. *tabinet,* del m. or. que *tabí.*) m. Tela arrasada, con trama de algodón y urdimbre de seda, usada para el calzado de las señoras.

Tabique. (De *tašbīk,* separación en una estancia, pared de ladrillo.) m. Pared delgada que se hace de cascotes, ladrillos o adobes trabados con mezcla o yeso. Comúnmente sirve para la división de los cuartos o aposentos de las casas. || **2.** Por extensión, división plana y delgada que separa dos huecos. *El* TABIQUE *de las fosas nasales.* || **de carga.** El que está hecho con ladrillos sentados de plano y sirve para cargar en él las vigas de una crujía. || **de panderete.** El que está hecho con ladrillos puestos de canto. || **sordo.** El que se compone de dos panderetes separados y paralelos.

Tabiquería. f. Conjunto o serie de tabiques.

Tabiquero. m. El operario que se dedica a hacer tabiques.

Tabla. (Del lat. *tabŭla.*) f. Pieza de madera, plana, más larga que ancha, de poco grueso relativamente a sus demás dimensiones, y cuyas dos caras son paralelas entre sí. || **2.** Pieza plana y de poco espesor de alguna otra materia rígida. TABLA *de mármol, de cobre, de hierro colado.* || **3.** Cara más ancha de un madero. || **4.** Dimensión mayor de una escuadría. || **5. Diamante tabla.** || **6.** Parte que se deja sin plegar en un vestido. || **7.** Doble pliegue ancho y plano que se hace por adorno en una tela. || **8.** desus. **Mesa,** 1.ª acep. || **9.** desus. Establecimiento público de banca que hubo antiguamente en algunas ciudades de España. || **10. Tablilla,** 3.ª acep. || **11.** Índice que se pone en los libros, regularmente por orden alfabético, para que con mayor facilidad se busquen y hallen las materias o puntos que contienen. || **12.** Lista o catálogo de cosas puestas por orden sucesivo o relacionadas entre sí. || **13.** Cuadro o catálogo de números de especie determinada, dispuestos en forma adecuada para facilitar los cálculos. TABLA *de multiplicar, de logaritmos, astronómica.* || **14.** Parte algo plana de ciertos miembros del cuerpo. TABLA *del pecho, del muslo.* || **15.** Faja de tierra, y señaladamente la labrantía comprendida entre dos filas de árboles. || **16.** Cuadro o plantel de tierra en que se siembran verduras. || **17. Bancal,** 2.ª acep. || **18.** Casa donde se registran las mercaderías que causan derechos en los puertos secos. || **19.** Mostrador de carnicería. || **20.** Puesto público de carne. || **21.** ant. **Mapa,** 1.ª acep. || **22.** *Persp.* Superficie del cuadro donde deben representarse los objetos y que se considera siempre como vertical. || **23.** *Pint.* Pintura hecha en **tabla.** || **24.** V. **Sermón de tabla.** || **25.** pl. **Tablas reales.** || **26.** Estado, en el juego de damas o en el de ajedrez, en el cual ninguno de los jugadores puede ganar la partida. || **27.** fig. Empate o estado de cualquier asunto que queda indeciso, entre dos competidores. *Hacer* TABLAS *un asunto; quedar* TABLAS. || **28.** Piedras en que se escribió la ley del Decálogo, que entregó Dios a Moisés en el monte Sinaí. || **29.** fig. El escenario del teatro. *Salir a las* TABLAS. || **30.** *Taurom.* Barrera o valla que circunda el ruedo. || **31.** *Taurom.* Tercio del ruedo inmediato a la barrera. || **32.** Conjunto de tres tablillas como las de San Lázaro, con cuyo ruido despertaban a los frailes de algunas órdenes religiosas para que se juntasen a rezar maitines. || **Tabla alcaceña.** Pieza de madera de sierra, de 9 pies de longitud, 24 dedos de ancho y 3 de canto. || **barcal.** Pieza de madera de sierra, de una a tres pulgadas de canto, que sirve para la construcción de embarcaciones pequeñas. || **bocal.** *Mar.* La que está debajo de la regala de ciertas embarcaciones menores. || **de agua. Tabla de río.** || **de armonía.** *Mús.* **Tabla** delgada de madera ligera, que cubre la caja de los instrumentos de cuerda y sirve para aumentar su resonancia. || **de canal.** *Mar.* Hilada más baja de tablones puesta en el forro de la bodega, y que dista de la sobrequilla el ancho que tiene la canal del agua. || **de capellada.** *P. Rico.* La que se pone a los lados del piso de un andamio, para protección del trabajador. || **de coto.** Pieza de madera de sierra que tiene un coto de ancho. || **de chilla. Chilla,** 2.° art., 1.ª acep. || **de escantillones.** *Mar.* Pedazo de **tabla** en que están marcados los escantillones que han de llevar o formar las piezas. || **de gordillo.** *Tol.* Pieza de madera de sierra, de 6 pies de longitud y con una escuadría de 6 pulgadas de **tabla** por una y cuarta de canto. || **de gordo.** *Seg.* Pieza de madera de sierra, de 7 a 9 pies de longitud y con una escuadría de 16 dedos de **tabla** por 2 de canto. || **de Grecia.** *Pint.* **Icono.** || **de guindola.** *Mar.* Cualquiera de las tres dispuestas para formar la guindola de la arboladura. || **de jarcia.** *Mar.* Conjunto de obenques de cada banda de un palo o mastelero, cuando están colocados y tesos en su lugar y con la flechadura hecha. || **de juego.** Casa o garito donde se juntan algunos a jugar. || **de la vaca.** Dícese del corrillo o cuadrilla que mete mucho ruido y bulla en el juego o en la conversación. || **de lavar.** La de madera que en una de sus caras lleva talladas unas ranuras y sirve para restregar sobre ella la ropa al enjabonarla. || **del Consejo.** Conjunto de los ministros que componían los tribunales antiguos. || **de los sellos.** ant. Oficina del canciller. || **de manteles.** desus. **Mantel,** 1.ª acep. || **de río.** Parte en que, por haber poca pendiente, éste corre más extendido y plano, de modo que casi no se nota su corriente. || **de salvación.** fig. Por comparación con la del náufrago, último recurso para salir de un apuro. || **numularia.** Establecimiento público que hubo antiguamente en algunas ciudades de España, en el cual se recibía dinero en depósito mediante cierto premio. || **pitagórica.** *Arit.* **Tabla** de multiplicación de los números dígitos dispuesta en forma de cuadro. || **portadilla.** Pieza de madera de sierra, de 9 pies de longitud, con una escuadría de 20 dedos de ancho por 3 de canto. || **rasa.** La que, aparejada para la pintura, nada tiene aún trazado ni pintado. || **2.** fig. Entendimiento sin cultivo ni estudios. || **Tablas de la ley.** Tablas, 28.ª acep. || **reales.** Juego parecido al de las damas, en el que se combina la habilidad de los jugadores con el azar, mediante el lanzamiento de los dados. || **A la tabla del mundo.** m. adv. fig. Al público. || **A raja tabla.** m. adv. fig. y fam. Cueste lo que cueste, a toda costa, a todo trance, sin remisión. || **Escapar** uno **en una tabla.** fr. fig. Salir de un riesgo venturosamente y como por milagro. || **Facer tabla.** fr. ant. Dar mesa o convite. || **Hacer tabla rasa** de algo. fr. Prescindir o desentenderse de ello, por lo común arbitrariamente. || **No saber** uno **por dónde van tablas.** fr. fig. Ignorar aquello de que se trata. || **Pisar bien las tablas.** fr. fig. Estar y moverse el actor en la escena con naturalidad y desembarazo. || **Por tabla.** m. adv. Por choque y reflexión de la bola de billar en una de las bandas. || **2.** fig. **Por carambola.** || **Salvarse** uno **en una tabla.** fr. fig. **Escapar en una tabla.** || **Ser de tabla** una cosa. fr. fig. y fam. **Ser de cajón.**

Tablachero. m. *Murc.* El que cuida del tablacho y de las tandas de riego.

Tablachina. (d. de *tablacho.*) f. Broquel o escudo de madera.

Tablacho. (De *tabla.*) m. Compuerta para detener el agua. || **Echar,** o **hacer, el tablacho.** fr. fig. y fam. Interrumpir y detener con alguna razón al que está hablando.

Tablada. (Del lat. *tabulāta,* t. f. de *-tus,* de *tabŭla,* tabla.) f. *Pal.* Cada uno de los espacios en que se divide una huerta para su riego. || **2.** *Argent.* Lugar próximo al matadero de abasto de una población, donde se reúne el ganado y se pone a la venta.

Tablado. (Del lat. *tabulātum.*) m. Suelo plano formado de tablas unidas o juntas por el canto. || **2.** Suelo de tablas formado en alto sobre una armazón. || **3.** Pavimento del escenario de un teatro. || **4.** Armazón de tablas que cubre la escalera del carro. || **5.** Conjunto de tablas de la cama sobre que se tiende el colchón. || **6. Patíbulo.** || **7.** Armazón o castillete muy levantado del suelo y contra el cual los caballeros lanzaban bohordos o lanzas, hasta derribarlo o desbaratarlo; fué ejercicio muy usual en las fiestas, sobre todo en el siglo XIII. || **8.** V. **Lanzador de tablado.** || **9.** *Germ.* **Cara,** 1.ª acep. || **Sacar al tablado** una cosa. fr. fig. Publicarla, hacerla patente.

Tablaje. m. Conjunto de tablas. || **2. Garito,** 1.ª acep.

Tablajería. f. Vicio o costumbre de jugar en los tablajes. || **2. Garito,** 2.ª acep. || **3.** Carnicería, puesto o despacho en que se vende carne.

Tablajero. (De *tablaje.*) m. Carpintero que hace tablados para las fiestas de toros o para otros regocijos. || **2.** Persona a cuyo cargo corre la construcción de estos tablados y cobra el precio de los asientos. || **3.** Persona a cuyo cargo estaba cobrar los derechos reales. || **4. Garitero,** 2.ª acep. || **5. Carnicero,** 6.ª acep. || **6.** *Ar.* despect. Practicante del hospital.

Tablar. m. Conjunto de tablas de huerta o de jardín. || **2. Tabla de río.** || **3. Adral.**

Tablazo. m. Golpe dado con una tabla. || **2.** Pedazo de mar o de río, extendido y de poco fondo. || **3.** *Sal.* **Meseta,** 2.ª acep.

Tablazón. f. Agregado de tablas. || **2.** Conjunto o compuesto de tablas con que se hacen las cubiertas de las embarcaciones y se cubre su costado y demás obras que llevan forro.

Tableado, da. p. p. de **Tablear.** || **2.** m. Conjunto de tablas que se hacen en una tela.

Tablear. tr. Dividir un madero en tablas. || **2.** Dividir en tablas el terreno de una huerta o de un jardín. || **3.** Igualar la tierra con la atabladera, después de arada o cavada. || **4.** Reducir las barras cuadradas de hierro a figura de llanta, pletina o fleje. || **5.** Hacer tablas en la tela.

Tablecilla. f. ant. d. de **Tabla.**

Tableo. m. Acción y efecto de tablear.

Tablera. (De *tabla.*) f. La que pedía limosna repicando las tablillas de San Lázaro.

Tablero. adj. Dícese del madero a propósito para hacer tablas serrándolo. || **2.** V. **Clavo tablero.** || **3.** m. Tabla o conjunto de tablas unidas por el canto, con una superficie plana y alisada, y barrotes atravesados por la cara opuesta o en los bordes, para evitar el alabeo. || **4. Tabla,** 2.ª acep. || **5.** Palo o cureña de la ballesta. || **6. Tabla** cuadrada con cuadritos de dos colores alternados, para jugar al ajedrez o a las damas, o con otras figuras para jugar al chaquete, al asalto, a las tablas reales, etc. || **7. Mostrador,** 3.ª acep. || **8. Garito,** 1.ª acep. || **9.** Mesa grande en que cortan los sastres. || **10. Tablar.** || **11.** Suelo bien cimentado de una represa en un canal. || **12.** Cuadro de madera pintado de negro que se usa en las escuelas en lugar de encerado. || **13.** Especie de petrel, muy parecido a la gaviota, común en los mares de las altas latitudes antárticas y que se distingue por el aspecto de su pluma pintada a manera de ajedrezado blanco y negro. || **14.** ant. **Cadalso.** || **15.** *Cuba.* Caja de madera de poca altura en que los vendedores ambulantes llevan dulces y otros artículos. || **16.** *Arq.* Plano resaltado, liso, o con molduras, para ornato de algunas partes del edificio. || **17.** *Arq.* **Ábaco,** 2.ª acep. || **18.** *Carp.* Tablazón que se coloca en los cuadros formados por los largueros y peinazos de una hoja de puerta o ventana. || **19.** *Mar.* **Mamparo,** 2.ª acep. || **contador. Ábaco,** 1.ª acep. || **equipolado.** *Blas.* El ajedrezado que sólo tiene nueve escaques. || **Poner,** o **traer, al tablero** una cosa. fr. fig. Aventurarla.

Tableta. f. d. de **Tabla.** || **2.** Madera de sierra de distintas medidas según la región. Llámase así especialmente la que se usa para entarimar. || **3. Pastilla,** 2.ª acep. || **4.** *Argent.* **Alfajor,** 3.ª acep. || **5.** pl. **Tablillas de San Lázaro.** || **Estar en tabletas** una cosa. fr. fig. Estar en duda su logro. || **Quedarse** uno **tocando tabletas.** fr. fig. y fam. Perder lo que poseía, o no conseguir lo que muy probablemente esperaba.

Tableteado. m. Efecto de tabletear.

Tabletear. intr. Hacer chocar tabletas o tablas para producir ruido.

Tableteo. m. Acción y efecto de tabletear.

Tablilla. f. d. de **Tabla.** || **2. Tableta.** || **3.** Tabla pequeña en la cual se expone al público una lista de personas, un edicto o un anuncio de otra clase. || **4.** Cada uno de los trozos de baranda de la mesa de trucos o de billar comprendidos entre dos troneras. || **de santero.** Insignia con que se piden las limosnas para los santuarios o ermitas. || **Tablillas de San Lázaro.** Tres **tablillas** que se llevan en la mano unidas con un cordel por dos agujeros, y la de en medio tiene una manija por donde se coge y menea, haciendo que suenen todas sin consonancia alguna. Usáb. para pedir limosna para los hospitales de San Lázaro, como se hacía en el de Toledo y en otros. || **neperianas.** Tablas de logaritmos, inventadas por Juan Néper. || **Por tablilla.** m. adv. **Por tabla.**

Tablizo. m. *Rioja* **Teguillo.**

Tablón. m. aum. de **Tabla.** || **2.** Tabla gruesa. || **3.** *Germ.* **Mesa,** 1.ª acep. || **de aparadura.** *Mar.* El primero del fondo del buque que va encajado en el alefriz.

Tablonaje. m. Conjunto de tablones.

Tabloncillo. m. d. de **Tablón.** || **2.** Madera de sierra de diferentes dimensiones, según la región. || **3.** Asiento de la fila más alta de las gradas y tendidos de las plazas de toros.

Tabloza. (Del ital. *tavolozza,* paleta, y éste de *tavola,* del lat. *tabŭla.*) f. desus. **Paleta,** 2.ª acep.

Tabo. m. Vasija filipina hecha con la cáscara interior y durísima del coco.

Tabolango. m. *Chile.* Insecto díptero, con cuerpo grueso y alargado, de color pardo obscuro, reluciente; despide un olor fétido; habita debajo de las piedras.

Tabón. m. *Burg.* y *Pal.* **Terrón,** 1.ª acep.

Tabón. (Voz tagala.) m. *Filip.* Ave marítima del orden de las zancudas, con plumaje enteramente negro; la hembra entierra los huevos en la arena para que el calor del sol los incube.

Tabonuco. m. *Bot. P. Rico.* Árbol corpulento, de la familia de las burseráceas, de cuyo tronco fluye una resina de olor alcanforado, que se usa como incienso en las iglesias.

Tabor. (Del turco *ṭābūr,* batallón, escuadrón.) m. Unidad de tropa regular marroquí que pertenece al ejército español y se compone de varias mías o compañías, ordinariamente dos de a pie y otra montada.

Tabora. f. *Sant.* Charco cenagoso, pantano.

Tabú. (Del polinesio *tabú,* lo prohibido.) m. Prohibición de comer o tocar algún objeto, impuesta a sus adeptos por algunas religiones de la Polinesia.

Tabuco. (Quizá del ár. *ṭabaq,* cuarto obscuro, prisión subterránea.) m. Aposento pequeño o habitación estrecha.

Tabular. (Del lat. *tabulāris.*) adj. Que tiene forma de tabla.

Taburete. (Del fr. *tabouret.*) m. Asiento sin brazos ni respaldo, para una persona. || **2.** Silla con el respaldo muy estrecho, guarnecida de vaqueta, terciopelo, etc. || **3.** pl. Media luna que había en el patio de los teatros, cerca del escenario, con asientos de tabla y respaldo de lo mismo.

Tac. (Voz onomatopéyica.) m. Ruido que producen ciertos movimientos acompasados, como el latido del corazón, etc. Ú. m. repetido.

Taca. (Del gót. *taikka,* señal.) f. *Ar.* y *Ast.* **Mancha,** 1.ᵉʳ art., 1.ª y 2.ª aceps.

Taca. (Del ár. *ṭāqa,* ventana, agujero en la pared.) f. Alacena pequeña.

Taca. (Del fr. *taque,* lámina de hierro colado.) f. *Min.* Cada una de las placas que forman parte del crisol de una forja.

Taca. f. *Chile.* Marisco comestible, de concha casi redonda, estriada, blanca con manchas violadas y amarillas.

Tacaco. m. *C. Rica.* Planta trepadora, de la familia de las cucurbitáceas, que produce un fruto semejante al chayote, el cual se come cocido como verdura.

Tacada. f. Golpe dado con la boca o la maza del taco a la bola de billar o de trucos. || **2.** Serie de carambolas hecha sin perder golpe. || **3.** *Mar.* Conjunto de los tacos o pedazos de madera que se colocan entre un punto firme y otro que ha de moverse o levantarse.

Tacamaca. (De *tacamahaca.*) f. *Bot.* Árbol americano de la familia de las gutíferas, con tronco sumamente grueso, hojas alternas, compuestas de cinco hojuelas elípticas y lustrosas, flores blancas en panojas axilares, y fruto seco. Da una resina sólida, amarillenta y de olor fragante, y de la corteza hacen canoas los indios. || **2.** Resina de este árbol. || **angélica.** *Bot.* La resina, que es opaca, tiene sabor amargo, olor muy persistente, color que tira a rojizo por dentro y a gris por fuera, y fluye de plantas pertenecientes a distintas especies de gutíferas. || **común.** La que es transparente, insípida, de olor débil, color claro con puntos obscuros, y fluye de una especie de álamo.

Tacamacha. f. **Tacamaca.**

Tacamahaca. (En port. *tacahamaca.*) f. Tacamaca.

Tacana. f. Mineral comúnmente negruzco, abundante en plata.

Tacañamente. adv. m. Con tacañería.

Tacañear. (De *tacaño.*) intr. Obrar con tacañería.

Tacañería. f. Calidad de tacaño. || **2.** Acción propia del tacaño.

Tacaño, ña. (Del ital. *taccagno*, y éste del gót. *tahu*, pegajoso.) adj. desus. Astuto, pícaro, bellaco, y que engaña con sus ardides y embustes. Ú. t. c. s. || **2.** Miserable, ruin, mezquino. Ú. t. c. s.

Tacar. (De *taca*, 1.er art.) tr. Señalar haciendo hoyo, mancha u otro daño.

Tacazo. m. Golpe dado con el taco.

Taceta. (d. de *taza.*) f. Calderillo de cobre que sirve en los molinos de aceite para trasegarlo.

Tacita. f. d. de **Taza.** || **de plata.** fig. Dícese de lo que está muy limpio y acicalado.

Tácitamente. adv. m. Secretamente, con silencio y sin ruido. || **2.** Sin expresión o declaración formal.

Tácito, ta. (Del lat. *tacĭtus*, p. p. de *tacēre*, callar.) adj. Callado, silencioso. || **2.** Que no se entiende, percibe, oye o dice formalmente, sino que se supone e infiere, como si se expresara claramente, por algunas razones que lo persuaden. || **3.** *For.* V. **Condición tácita.**

Taciturnidad. (Del lat. *taciturnĭtas, -ātis.*) f. Calidad de taciturno.

Taciturno, na. (Del lat. *taciturnus.*) adj. Callado, silencioso, que le molesta hablar. || **2.** fig. Triste, melancólico o apesadumbrado.

Taclobo. m. *Zool.* Molusco lamelibranquio de gran tamaño, que abunda en Filipinas y en otras islas del Océano Pacífico y cuya concha tiene hermoso aspecto.

Taco. (De *atacar.*) m. Pedazo de madera, metal u otra materia, corto y grueso, que se encaja en algún hueco. || **2.** Cualquier pedazo de madera corto y grueso. || **3.** Cilindro de trapo, papel, estopa o cosa parecida, que se coloca entre la pólvora y el proyectil en las armas de fuego, para que el tiro salga con fuerza. || **4.** Cilindro de trapo, estopa, arena u otra materia a propósito, con que se aprieta la carga del barreno. || **5. Baqueta,** 1.ª acep. || **6.** Vara de madera dura, pulimentada, como de metro y medio de largo, más gruesa por un extremo que por el otro y con la cual se impelen las bolas del billar y de los trucos. || **7.** Canuto de madera con que juegan los muchachos metiendo en él con un palito dos **tacos** de papel o estopa y lanzando el de delante por medio del aire comprimido al empujar el de detrás. || **8.** Lanza usada en el juego del estafermo y en el de la sortija. || **9.** Conjunto de las hojas de papel superpuestas que forman el moderno calendario de pared. || **10.** fig. y fam. Bocado o comida muy ligera que se toma fuera de las horas de comer. || **11.** fig. y fam. Trago de vino. || **12.** fam. Embrollo, lío. || **13.** fig. y fam. Voto, juramento o porvida; se emplea principalmente tras los verbos *echar* y *soltar.* || **14.** fig. y fam. V. **Aire de taco.** || **15.** *Gran.* **Cohombro,** 3.ª acep. || **16.** *Germ.* **Regüeldo** 1.ª acep. || **17.** *Impr.* **Botador,** 5.ª acep. || **de clavellina.** *Art.* El cilíndrico que está formado por varios haces de filástica atados. || **de suela.** El de billar que tiene una rodajita de suela en la punta. || **limpio,** o **seco.** fig. El de billar que no tiene suela en la punta.

Tacón. (De *taco.*) m. Pieza semicircular, más o menos alta, que va exteriormente unida a la suela del zapato o bota, en aquella parte que corresponde al calcañar. || **2.** *Impr.* Cuadro formado por unas barras, a las cuales se ajusta el pliego al colocarlo en la prensa para ser impreso.

Taconazo. m. Golpe dado con el tacón.

Taconear. intr. Pisar causando ruido, haciendo fuerza y estribando en el tacón. || **2.** fig. Pisar con valentía y arrogancia.

Taconeo. m. Acción y efecto de taconear.

Tacotal. (Del mejic. *tlacotl.*) m. *C. Rica.* Matorral espeso. || **2.** *Hond.* Ciénaga, lodazal.

Táctica. (Del gr. τακτική, t. f. de -κός, táctico.) f. Arte que enseña a poner en orden las cosas. || **2.** *Mil.* Conjunto de reglas a que se ajustan en su ejecución las operaciones militares. || **3.** fig. Sistema especial que se emplea disimulada y hábilmente para conseguir un fin. || **naval.** Arte que enseña la posición, defensa o ataque de dos o más naves que forman cuerpo de armada.

Táctico, ca. (Del gr. τακτικός, de τάσσω, poner en orden.) adj. Perteneciente o relativo a la táctica. || **2.** m. El que sabe o practica la táctica.

Táctil. (Del lat. *tactĭlis.*) adj. Referente al tacto.

Tacto. (Del lat. *tactus.*) m. *Zool.* Uno de los sentidos, mediante el cual aprecian los animales las sensaciones de contacto, de presión y de calor y frío. Los órganos de este sentido están situados en la piel, y a veces se hallan localizados en apéndices especiales, como tentáculos, palpos, etc. || **2.** Acción de tocar o palpar. || **3.** fig. Tino, acierto, destreza, maña. || **de codos.** *Mil.* expr. con que se denota la unión que debe haber entre uno y otro soldado para que estén en formación correcta. || **2.** fig. Efecto de unirse estrechamente varias personas para determinado fin.

Tacuacín. (Del mejic. *tlacuatzin.*) m. *Amér. Central* y *Méj.* **Zarigüeya.**

Tacuache. m. *Zool. Cuba* y *Méj.* Mamífero insectívoro nocturno.

Tacuara. f. *Argent., Chile* y *Urug.* Planta gramínea, especie de bambú de cañas largas muy resistentes.

Tacuaral. m. *Argent.* y *Chile.* Terreno poblado de tacuaras.

Tacurú. (Voz guaraní.) m. *Argent.* y *Par.* Especie de hormiga pequeña. || **2.** *Argent.* y *Par.* Cada uno de los montículos cónicos o semiesféricos de tierra arcillosa, de cerca de un metro de altura, que se encuentran en gran abundancia en los terrenos anegadizos del Chaco, y que en su origen fueron hormigueros.

Tacha. (Del fr. *tache*, y éste del gót. *taikka*, mancha.) f. Falta, nota o defecto que se halla en una cosa y la hace imperfecta. || **2.** Especie de clavo pequeño, mayor que la tachuela común. || **3.** *For.* Motivo legal para desestimar en un pleito la declaración de un testigo. || **¡Miren qué tacha!** expr. fam. con que se pondera la especial bondad o calidad de una cosa. || **¡Qué tacha, beber con borracha!** expr. que se aplica a los grandes bebedores, porque bebiendo por la bota, pueden saciar su apetito sin que se note lo que beben.

Tacha. f. *Amér.* **Tacho.** || **2.** En la fabricación de azúcar, aparato donde se evapora en vacío el jarabe hasta obtener una masa cristalizada.

Tachable. adj. Que merece tacha.

Tachador, ra. adj. Dícese del que pone tacha. Ú. t. c. s.

Tachadura. f. Acción y efecto de tachar lo escrito.

Tachar. tr. Poner en una cosa falta o tacha. || **2.** Borrar lo escrito. || **3.** Alegar contra un testigo algún motivo legal para que no sea creído en el pleito. || **4.** fig. Culpar, censurar, notar.

Tachero. m. *Amér.* Operario que maneja los tachos en la fabricación del azúcar. || **2.** *Amér.* **Hojalatero.**

Tachigual. m. *Méj.* Cierto tejido de algodón.

Tacho. m. *Argent.* y *Chile.* Vasija de metal, de fondo redondeado, con asas, parecida a la paila. Por ext., cualquier recipiente grande de latón. || **2.** *Amér.* Paila grande en que se acaba de cocer el melado y se le da el punto de azúcar.

Tachón. (De *tachar.*) m. Cada una de las rayas o señales que se hacen sobre lo escrito para borrarlo. || **2.** Golpe de galón, cinta, etc., sobrepuesto en ropa o tela para adornarla.

Tachón. (aum. de *tacha*, clavo.) m. Tachuela grande, de cabeza dorada o plateada, con que suelen adornarse cofres, sillerías y otros objetos.

Tachonado. (De *tachonar.*) m. *Germ.* **Cinto,** 2.ª acep.

Tachonar. tr. Adornar una cosa sobreponiéndole tachones. || **2.** Clavetear los cofres y otras cosas con tachones.

Tachonería. f. Obra o labor de tachones.

Tachoso, sa. adj. Que tiene tacha o defecto.

Tachuela. (d. de *tacha*, clavo.) f. Clavo corto y de cabeza grande. || **2.** *Chile.* fig. y fam. Persona de estatura muy baja.

Tachuela. (De *tacho.*) f. *Colomb.* Especie de escudilla de metal que se usa para poner a calentar algunas cosas. || **2.** *Venez.* Taza de metal, a veces de plata y con adornos, que se tiene en el tinajero para beber agua.

Tael. (Del malayo *tail.*) m. Moneda china usada en Filipinas, equivalente a 6 pesetas y 28 céntimos. || **2.** Peso común que se usa en Filipinas, decimosexta parte del cate, equivalente a 39 gramos y 537 miligramos. || **3.** Peso de metales preciosos que se usa en Filipinas, igual a 10 mases ó 37 gramos y 68 centigramos.

Tafanario. (De *antifonario*, 2.ª acep.) m. fam. Parte posterior del cuerpo humano, o asentaderas.

Tafetán. (Del persa *tāftè*, literalmente *torcido*, variedad de tejido de seda.) m. Tela delgada de seda, muy tupida, de que hay varias especies; como doble, doblete, sencillo, etc. || **2.** pl. fig. Las banderas. || **3.** fig. Galas de mujer. || **Tafetán de heridas,** o **inglés.** El que está cubierto por una cara con cola de pescado y se emplea como aglutinante para cubrir y juntar los bordes de la herida.

Tafia. f. **Aguardiente de caña.**

Tafilete. (De *Tāfīlālt*, región al sudeste de Marruecos.) m. Cuero bruñido y lustroso, mucho más delgado que el cordobán.

Tafiletear. tr. Adornar o componer con tafilete. Dícese regularmente del calzado.

Tafiletería. f. Arte de adobar el tafilete. || **2.** Taller donde se adoba. || **3.** Tienda donde se vende.

Tafo. m. *Ál., León, Rioja* y *Zam.* Tufo, olor fuerte y desagradable. || **2. Olfato,** 1.ª acep.

Tafón. (En fr. *tafon.*) m. Molusco marino gasterópodo, de concha estriada transversalmente, espira corta y boca casi redonda, que se prolonga con una fosa o canal estrecha, honda y algo encorvada.

Tafulla. f. ant. **Tahúlla.**

Tafur. m. ant. **Tahúr.**

Tafurea. (Del ár. *ṭaifūriyya*, la nave que es como una bandeja o *ataifor.*) f. Embarcación muy planuda que se usó para el transporte de caballos.

Tafurería. (De *tafur.*) f. ant. **Tahurería.**

Tagalo, la. adj. Dícese del individuo de una raza indígena de Filipinas, de origen malayo, que habita en el centro de la isla de Luzón y en algunas otras islas inmediatas. Ú. t. c. s. ‖ **2.** Perteneciente o relativo a los **tagalos.** ‖ **3.** m. Lengua que hablan los **tagalos.**

Tagarino, na. (Del ár. *ṯagrī* o *ṯagarī*, fronterizo.) adj. Dícese de los moriscos antiguos que vivían y se criaban entre los cristianos, y que por hablar bien una y otra lengua, apenas se podían distinguir ni conocer. Ú. t. c. s.

Tagarnina. (Del art. berb. *ta* y el ár. *karnīn*, del gr. ἄκαρνα, cardo lechal.) f. **Cardillo,** 1.er art. ‖ **2.** fam. y fest. Cigarro puro muy malo.

Tagarote. (Quizá del ár. *tāhurtī*, procedente de la ciudad africana de *Tāhĕrt.*) m. **Baharí.** ‖ **2.** fig. Escribiente de notario o escribano. ‖ **3.** fam. Hidalgo pobre que se arrima y pega donde pueda comer sin costarle nada. ‖ **4.** fam. Hombre alto y desgarbado.

Tagarotear. (De *tagarote*, 2.ª acep.) intr. Formar los caracteres y letras con garbo, aire y velocidad.

Tagasaste. m. *Can.* Arbusto leguminoso, de madera muy dura.

Tagua. f. *Chile.* Ave, especie de fúlica, que vive en las lagunas y pajonales. ‖ **2.** *Bot.* Semilla de una palma americana, sin tronco, cuyo endospermo, muy duro, es el marfil vegetal.

Taguán. m. *Filip.* **Guiguí.**

Taha. (Del ár. *ṭā'a*, obediencia, jurisdicción.) f. Comarca, distrito.

Tahalí. (Del ár. *tahlīl*, estuche, colgado de una banda, en que se guardaban oraciones como amuletos.) m. Tira de cuero, ante, lienzo u otra materia, que cruza desde el hombro derecho por el lado izquierdo hasta la cintura, donde se juntan los dos cabos y se pone la espada. ‖ **2.** Caja de cuero pequeña en que los soldados moros solían llevar un alcorán, y los cristianos reliquias y oraciones. ‖ **de Orión.** *Astron.* **Cinturón de Orión.**

Taharal. m. **Tarayal.**

Tahelí. m. desus. **Tahalí.**

Taheño, ña. (Quizá del ár. *taḥannu'*, teñirse con alheña.) adj. Dícese del pelo bermejo. ‖ **2. Barbitaheño.**

Tahona. (Del ár. *ṭāḥūna*, molino de cereales.) f. Molino de harina cuya rueda se mueve con caballería. ‖ **2.** Casa en que se cuece pan y se vende para el público. ‖ **3.** V. **Asiento de tahona.**

Tahonera. f. La que tiene tahona. ‖ **2.** Mujer del tahonero.

Tahonero. m. El que tiene tahona.

Tahúlla. f. *Alm., Gran.* y *Murc.* Medida agraria usada principalmente para las tierras de regadío; tiene 40 varas de lado ó 1.600 varas cuadradas, o sea 11 áreas y 18 centiáreas.

Tahúr, ra. (Del ár. *ṭafūr*, ganancioso, largo de uñas.) adj. **Jugador,** 2.ª y 3.ª aceps. Ú. m. c. s. ‖ **2.** m. El que frecuenta las casas de juego. ‖ **3.** Jugador fullero.

Tahurería. (De *tahúr.*) f. Garito o casa de juego. ‖ **2.** Vicio de los tahúres. ‖ **3.** Modo de jugar con trampas y engaños.

Tahuresco, ca. adj. Propio de tahúres.

Taibeque. (Del m. or. que *tabique.*) m. ant. **Tabique.**

Taifa. (Del ár. *ṭā'ifa*, grupo, bandería, facción.) f. Bandería, parcialidad. Empléase para calificar a los régulos de los Estados en que se dividió la España árabe al disolverse el califato cordobés. *Reyes de* TAIFA ‖ **2.** fig. y fam. Reunión de personas de mala vida o poco juicio. *¡Qué* TAIFA! *¡Vaya una* TAIFA!

Taiga. f. *Geogr.* Selva propia del norte de Rusia y Siberia, de subsuelo helado y formada en su mayor parte de coníferas. Está limitada al Sur por la estepa y al Norte por la tundra.

Taima. f. **Taimaría.** ‖ **2.** *Chile.* Murria, emperramiento.

Taimado, da. adj. Bellaco, astuto, disimulado y pronto en advertirlo todo. Ú. t. c. s. ‖ **2.** *Chile.* Amorrado, temoso.

Taimarse. r. *Argent.* y *Chile.* Hacerse taimado. ‖ **2.** *Chile.* Amorrarse, 2.ª acep. de **Amorrar.**

Taimería. (De *taimado.*) f. Picardía, malicia y astucia desvergonzada.

Taina. (Del lat. *tigna*, pl. de *tignum*, madero.) f. *Guad.* y *Sor.* **Tinada,** 2.ª acep. ‖ **2.** *Áv., Pal., Sal., Seg.* y *Vallad.* **Coz,** 1.ª 2.ª y 3.ª aceps. ‖ **3.** *Murc.* **Meta,** 1.er art., 2.ª acep.

Taino, na. adj. Dícese del individuo perteneciente a varias tribus que habitaron según unos en la región del Alto Orinoco y según otros en las Antillas. Apl. a pers., ú. t. c. s. ‖ **2.** m. Dialecto caribe que hablaban estas tribus y que todavía se conserva en el Noroeste del Brasil.

Taire. m. *Cuen., Guad.* y *Sor.* **Cachete,** 1.ª acep.

Taita. (Del lat. *tata*, padre.) m. Nombre infantil con que se designa al padre. ‖ **2. Padre de mancebía.** ‖ **3.** *Ant.* Tratamiento que suele darse a los negros ancianos. ‖ **4.** *Venez.* Tratamiento que se da al padre o jefe de la familia. ‖ **5.** p. us. *Argent.* y *Chile.* Aplícase como voz infantil y vulgar al padre y a personas que merecen respeto. TAITA *cura.* ‖ **6.** *Argent.* Entre los gauchos, *matón.* ‖ **¡Ajó, taita!** expr. fam. **¡Ajó!**

Taja. f. Armazón compuesta de varios palos paralelos sujetos a otros dos arqueados, que se pone sobre el baste para llevar más sujetas las cargas de mieses, leñas y otras cosas semejantes. ‖ **2.** *León.* Tabla que usan las lavanderas para estregar sobre ella la ropa.

Taja. (De *tajar.*) f. Cortadura o repartimiento. ‖ **2. Tarja.** ‖ **3.** ant. **Talla,** 1.er art., 2.ª acep.

Tajá. f. *Ant.* Especie de pájaro carpintero.

Tajada. (De *tajar.*) f. Porción cortada de una cosa, especialmente comestible. ‖ **2.** fam. Ronquera o tos ocasionada por un resfriado. ‖ **3.** fam. **Borrachera,** 1.ª acep. ‖ **Hacer tajadas** a uno. fr. fig. y fam. Acribillarle de heridas con arma blanca. Ú. frecuentemente como amenaza. ‖ **Sacar** uno **tajada.** fr. fig. y fam. Conseguir con maña alguna ventaja, y en especial parte de lo que se distribuye entre varios.

Tajadera. (De *tajar.*) f. Cuchilla, a modo de media luna, con que se taja una cosa; como el queso, el turrón, etc. ‖ **2.** Tajito o trozo de madera que suelen tener las horteras, y sobre el cual se coloca la carne que se ha de cortar. ‖ **3. Cortafrío.** ‖ **4.** pl. *Ar.* Compuerta que se pone para detener la corriente del agua.

Tajadero. (De *tajar.*) m. **Tajo,** 6.ª acep. ‖ **2.** ant. **Plato trinchero,** 1.ª acep. ‖ **3.** *Sal.* **Tajadera,** 2.ª acep.

Tajadilla. f. d. de **Tajada.** ‖ **2.** Plato de bodegón, compuesto de tajadas de livianos guisadas. ‖ **3.** *And.* Porción pequeña de limón o naranja que se vende para los bebedores de aguardiente.

Tajado, da. p. p. de **Tajar.** ‖ **2.** adj. Dícese de la costa, roca o peña cortada verticalmente y que forma como una pared. ‖ **3.** *Blas.* V. **Escudo tajado.**

Tajador, ra. adj. Que taja. Ú. t. c. s. ‖ **2.** m. **Tajo,** 6.ª acep. ‖ **3.** *Áv.* Plato de madera con tajadera que se emplea en las matanzas, para picar la carne.

Tajadura. f. Acción y efecto de tajar.

Tajamar. (De *tajar* y *mar.*) m. *Mar.* Tablón recortado en forma curva y ensamblado en la parte exterior de la roda, que sirve para hender el agua cuando el buque marcha. ‖ **2.** *Arq.* Parte de fábrica que se adiciona a las pilas de los puentes, aguas arriba y aguas abajo, en figura curva o angular, de manera que pueda cortar el agua de la corriente y repartirla con igualdad por ambos lados de aquéllas. ‖ **3.** *Germ.* Cuchillo de campo. ‖ **4.** *Chile.* Malecón, dique. ‖ **5.** *Argent.* Presa o balsa. ‖ **6.** *Argent.* Zanjón practicado en las riberas de los ríos para amenguar los efectos de las crecidas.

Tajamiento. (De *tajar.*) m. **Tajadura.**

Tajante. p. a. de **Tajar.** Que taja. ‖ **2.** m. En algunas partes, **cortador,** 2.ª acep.

Tajaplumas. (De *tajar* y *pluma.*) m. **Cortaplumas.**

Tajar. (Del lat. *taliāre*, tallar.) tr. Dividir una cosa en dos o más partes con instrumento cortante. ‖ **2.** Tratándose de la pluma de ave para escribir, cortarla.

Tajea. f. **Atarjea.** ‖ **2.** Obra de fábrica, pequeña, para dar paso al agua por debajo de un camino.

Tajero. m. **Tarjero.**

Tajo. (De *tajar.*) m. Corte hecho con instrumento adecuado. ‖ **2.** Sitio hasta donde llega en su faena la cuadrilla de operarios que trabaja avanzando sobre el terreno; como la de segadores, taladores, empedradores, mineros, etc. ‖ **3. Tarea,** 2.ª acep. ‖ **4.** Escarpa alta y cortada casi a plomo. ‖ **5.** Filo o corte. ‖ **6.** Pedazo de madera grueso, por lo regular afirmado sobre tres pies, el cual sirve en las cocinas para partir y picar la carne. ‖ **7. Tajuelo,** 2.ª acep. ‖ **8.** Trozo de madera grueso y pesado sobre el cual se cortaba la cabeza a los condenados a este género de muerte. ‖ **9.** ant. Corte o hechura de un vestido. ‖ **10.** *Zam.* **Taja,** 1.er art., 2.ª acep. ‖ **11.** *Esgr.* Corte que se da con la espada u otra arma blanca, llevando el brazo de derecha a izquierda. ‖ **12.** *Esgr.* V. **Treta del tajo rompido.** ‖ **diagonal.** *Esgr.* El que se tira en la línea diagonal que atraviesa el cuadrado que se considera en el rostro.

Tajón. (aum. de *tajo.*) m. **Tajo,** 6.ª acep. ‖ **2.** Madero de menor longitud de la que por el marco le corresponde. ‖ **3.** *And.* Vena de piedra de que se hace la cal. ‖ **4.** *Germ.* **Mesón.**

Tajú. m. *Filip.* Cocimiento de té, jengibre y azúcar que sirve de desayuno a los indígenas.

Tajuela. f. **Tajuelo,** 2.ª acep. ‖ **2.** *Zam.* **Banca,** 2.ª acep.

Tajuelo. m. d. de **Tajo.** ‖ **2.** Banquillo rústico, por lo general de tres pies, que sirve para asiento de una persona. ‖ **3.** *Mec.* **Tejuelo,** 5.ª acep.

Tajugo. (Del lat. **taxūcus*, de *taxo, -ōnis.*) m. *Ar.* **Tejón,** 1.er art.

Tal. (Del lat. *talis.*) adj. Aplícase a las cosas indefinidamente, para determinar en ellas lo que por su correlativo se denota. *Su fin será* TAL *cual ha sido su principio.* ‖ **2.** Igual, semejante, o de la misma forma o figura. TAL *cosa jamás se ha visto.* ‖ **3.** Tanto o tan grande. Ú. para exagerar y engrandecer la bondad y perfección de una cosa, o al contrario. TAL *falta no la puede cometer un varón* TAL. ‖ **4.** Ú. t. para determinar y contraer lo que no está especificado o distinguido, y suele repetirse para dar más viveza a la expresión. *Haced* TALES *y* TALES *cosas, y acertaréis.* ‖ **5.** Ú. a veces como pronombre demostrativo. TAL *origen tuvo su ruina* (este que se acaba de explicar); *no conozco a* TAL *hombre* (a ese de que antes se ha hablado); *no haré yo* TAL (eso o cosa **tal**). Empleado como neutro, equivale más determinadamente a **cosa** o **cosa tal**, y toma con mayor distinción carácter de substantivo en frases como ésta: *Para destruir un pueblo, no hay* TAL *como dividirlo y corromperlo.* Puede construirse con el artículo determinado masculino o femenino. *El* TAL, o *la* TAL, *se acercó a mí* (este hombre, o esta mujer de que se ha hecho mención); *el* TAL *drama; la* TAL *comedia* (ese, o esa, de que se trata). || **6.** También se emplea como pronombre indeterminado. TAL (alguno) *habrá que lo sienta así y no lo diga,* o TALES *habrá que lo sientan así.* || **7.** Aplicado a un nombre propio, da a entender que aquel sujeto es poco conocido del que habla o de los que escuchan. *Estaba allí un* TAL *Cárdenas.* || **8.** adv. m. Así, de esta manera, de suerte. TAL *estaba él con la lectura de estos libros;* TAL *me habló, que no supe qué responderle.* || **9.** Empléase en sentido comparativo, correspondiéndose con *cual, como* o *así como,* y en este caso equivale a **de igual modo** o **asimismo.** *Cual, como,* o *así como el Sol da luz a la Tierra,* TAL *la verdad ilumina el entendimiento.* || **10.** Precedido de los adverbios *sí* o *no* en la réplica, refuerza la significación de los mismos. || **Con tal que.** m. conjunt. condic. En el caso de que, con la precisa condición de que. *Procuraré complacerte,* CON TAL QUE *no me pidas cosas imposibles.* || **Tal cual.** expr. que da a entender que por defectuosa que una cosa sea, se estima por alguna bondad que se considera en ella. *Esta casa es estrecha y obscura; pero* TAL CUAL *es, la prefiero a la otra por el sitio en que está.* || **2.** Ú. t. para denotar que son en corto número las personas o cosas de que se habla. *Nadie acude a esa posada sino* TAL CUAL *arriero; sólo había en la plaza* TAL CUAL *carga de pan.* || **3.** Pasadero, mediano, regular. || **4.** m. adv. Así, así; medianamente. || **Tal para cual.** expr. fam. con que se denota igualdad o semejanza moral entre dos personas. Tómase generalmente en mala parte. || **Tal por cual.** expr. despect. De poco más o menos. || **Una tal.** expr. despect. Una ramera.

Tala. (De *talar,* 2.° art.) f. Acción y efecto de talar, 2.° art., 1.ª, 2.ª y 3.ª aceps. || **2.** *Fort.* Defensa formada con árboles cortados por el pie y colocados a modo de barrera. || **3.** *Chile.* Acción de pacer los ganados la hierba que no se alcanza a cortar con la hoz.

Tala. f. Juego de muchachos, que consiste en dar con un palo en otro pequeño y puntiagudo por ambos extremos colocado en el suelo; el golpe lo hace saltar, y en el aire se le da un segundo golpe que lo despide a mayor distancia. || **2.** Palo pequeño que se emplea en este juego.

Tala. f. *Argent.* Árbol de la familia de las urticáceas, cuyo tronco llega hasta 12 metros de altura y medio de diámetro; su madera es blanca y fuerte; la raíz sirve para teñir, y las hojas, en infusión, tienen propiedades medicinales.

Talabarte. (En port. *talabarte.*) m. Pretina o cinturón, ordinariamente de cuero, que lleva pendientes los tiros de que cuelga la espada o el sable.

Talabartería. f. Tienda o taller de talabartero.

Talabartero. (De *talabarte.*) m. Guarnicionero que hace talabartes y otros correajes.

Talabricense. (Del lat. *Talabriga,* hoy Talavera.) adj. Natural de Talavera de la Reina. Ú. t. c. s. || **2.** Perteneciente a esta ciudad.

Talacho. m. *Méj.* **Azada.**

Talador, ra. adj. Que tala. Ú. t. c. s.

Taladrador, ra. adj. Que taladra. Ú. t. c. s.

Taladrante. p. a. de **Taladrar.** Que taladra.

Taladrar. tr. Horadar una cosa con taladro u otro instrumento semejante. || **2.** fig. Herir los oídos fuerte y desagradablemente algún sonido agudo. || **3.** fig. Penetrar, percibir o alcanzar con el discurso una materia obscura o dudosa.

Taladrilla. f. Barrenillo que ataca al olivo.

Taladro. (Del lat. *taratrum.*) m. Instrumento agudo o cortante con que se agujerea la madera u otra cosa. || **2.** Agujero angosto hecho con el **taladro** u otro instrumento semejante.

Talaje. (De *talar,* 2.° art.) m. *Chile.* Acción de pacer los ganados la hierba en los campos o potreros y precio que por esto se paga.

Talamera. f. Árbol en que se coloca el señuelo para atraer las palomas.

Talamete. (d. de *tálamo.*) m. *Mar.* Entablado o cubierta que alcanza sólo a la parte de proa en las embarcaciones menores.

Talamiflora. (De *tálamo* y *flor.*) adj. *Bot.* Dícese de la planta en cuyas flores es bien manifiesta la inserción de los estambres en el receptáculo. Ú. t. c. s.

Talamite. (Del gr. θαλαμίτης.) m. Remero de la fila inferior, en las naves antiguas de dos o más órdenes de remos.

Tálamo. (Del lat. *thalămus,* y éste del gr. θάλαμος.) m. Lugar preeminente donde los novios celebraban sus bodas y recibían los parabienes. || **2.** Cama de los desposados y lecho conyugal. || **3.** *Bot.* **Receptáculo,** 3.ª acep. || **óptico.** *Anat.* Conjunto de núcleos voluminosos, de tejido nervioso, situados a ambos lados de la línea media, en los hemisferios cerebrales, por encima del hipotálamo; se enlazan con casi todas las regiones del encéfalo e intervienen en la regulación de la sensibilidad y de la actividad de los sentidos.

Talán. (Voz onomatopéyica.) m. Sonido de la campana. Ú. más repetido.

Talanquera. (De *palanquera.*) f. Valla o pared que sirve de defensa o reparo; como las cancillas de las heredades o las que se construyen en las plazas de toros. || **2.** fig. Cualquier sitio o paraje que sirve de defensa o reparo. || **3.** fig. Seguridad y defensa. || **Hablar de,** o **desde, la talanquera.** fr. fig. y fam. que da a entender la facilidad con que algunos, estando en seguro, juzgan y murmuran de los que se hallan en algún conflicto o peligro. || **Mirar,** o **ver, de,** o **desde, la talanquera** una cosa. fr. fig. y fam. Contemplarla u observarla sin correr el peligro a que se exponen los que intervienen en ella.

Talante. (De *talente.*) m. Modo o manera de ejecutar una cosa. || **2.** Semblante o disposición personal, o estado o calidad de las cosas. || **3.** Voluntad, deseo, gusto. || **De buen,** o **mal, talante.** expr. adv. Con buena disposición, ánimo o inclinación para hacer o conceder una cosa, o al contrario.

Talantoso, sa. (De *talante,* 2.ª acep.) adj. p. us. Que está de buen talante.

Talar. (Del lat. *talāris.*) adj. Dícese del traje o vestidura que llega hasta los talones. || **2.** Dícese de las alas que fingieron los poetas que tenía el dios Mercurio en los talones. Ú. t. c. s. m. y más en pl.

Talar. (Del germ. *talon,* arrancar.) tr. Cortar por el pie masas de árboles para dejar rasa la tierra. || **2.** Destruir, arruinar o quemar a mano airada campos, edificios o poblaciones. || **3.** *And.* y *Extr.* Tratándose de olivos o encinas, **podar.** || **4.** *Germ.* Quitar o arrancar.

Talasoterapia. (Del gr. θάλασσα, mar, y θεραπεία, tratamiento.) f. *Med.* Uso terapéutico de los baños o del aire de mar.

Talaverano, na. adj. Natural de Talavera. Ú. t. c. s. || **2.** Perteneciente a cualquiera de las poblaciones de este nombre.

Talaya. f. *León.* Roble joven.

Talayote. (Del mallorquín *talayot.*) m. Monumento megalítico de las Baleares, semejante a una torre de poca altura.

Talayote. m. *Bot. Méj.* Fruto de algunas plantas de la familia de las asclepiadáceas.

Talco. (Del ár. *ṭalq,* amianto, yeso.) m. Mineral infusible, de textura hojosa, muy suave al tacto, lustroso, tan blando que se raya con la uña, y de color generalmente verdoso. Es un silicato de magnesia. Se usa en láminas, substituyendo al vidrio en ventanillas, faroles, etc. || **2.** Lámina metálica muy delgada y de uno u otro color, que se emplea en bordados y otros adornos.

Talcoso, sa. adj. Compuesto de talco o abundante en él. *Roca* TALCOSA.

Talcualillo, lla. (De *tal cual.*) adj. fam. Que sale poco de la medianía. || **2.** fam. Que va experimentando alguna mejoría. Dícese de los enfermos.

Talchocote. (Del mejic. *tlalzocotl.*) m. *Hond.* Cierto árbol elevado, que produce fruto parecido a la aceituna, el cual se usa como remedio contra la disentería.

Tálea. (Del lat. *talĕa,* rama, palo.) f. Estacada o empalizada que los romanos usaban en sus campamentos.

Taled. (Del hebr. *tal lit,* vestido, manto.) m. Pieza o tejido de lana, a manera de amito, en cuyos cuatro ángulos cuelgan sendos cordones de ocho hilos, también de lana. Con él se cubren los judíos la cabeza y el cuello en sus ceremonias religiosas.

Talega. (Del ár. *ta'līqa,* saco o bolsa colgada.) f. Saco o bolsa ancha y corta, de lienzo basto u otra tela, que sirve para llevar o guardar las cosas. || **2.** Lo que se guarda o se lleva en ella. || **3.** V. **Aceite de talega.** || **4.** Bolsa de lienzo o tafetán que usaban las mujeres para preservar el peinado. || **5. Culero,** 2.ª acep. || **6.** Cantidad de mil pesos duros en plata. || **7.** fam. Caudal monetario, dinero. Ú. m. en pl. || **8.** ant. Provisión de víveres. || **9.** fig. y fam. Pecados que tiene uno que confesar. || **10.** *Ar.* Saco de tela gruesa, de cabida de cuatro fanegas. || **11.** *Bad.* Costal de media fanega de trigo para moler. || **12.** *León.* Cesto de mimbres que se usa en las vendimias. || **13.** ant. *Mil.* **Ración,** 1.ª acep.

Talegada. f. Lo que cabe en una talega, 1.ª acep. || **2.** *Ál.* y *Nav.* **Costalada.**

Talegazo. m. Golpe que se da con un talego. || **2.** *Ar.* **Costalada.**

Talego. (De *talega.*) m. Saco largo y angosto, de lienzo basto o de lona, que sirve para guardar una cosa o llevarla de una parte a otra. || **2.** fig. y fam. Persona que no tiene arte ni disposición en el cuerpo, y es muy ancha de cintura. || **3.** *Germ.* **Calza,** 1.ª acep. || **Tener talego.** fr. fig. y fam. Tener dinero.

Taleguilla. f. d. de **Talega.** || **2.** Calzón que forma parte del traje usado en la lidia por los toreros. || **de la sal.** fig. y fam. Dinero que se consume en el gasto diario. || **La taleguilla de la sal, mala es de sustentar.** ref. que nota de gravoso el gasto diario.

Talente. (Del fr. *talent,* y éste del lat. *talentum.*) m. ant. **Talante,** 3.ª acep.

Talento. (Del lat. *talentum* y éste del gr. τάλαντον, plato de la balanza, peso.) m. Moneda imaginaria de los griegos y de los romanos, que en Grecia equivalía a 60 minas y en Roma a cien ases. || **2.** fig. Conjunto de dones naturales o sobrenaturales con que Dios enriquece a los hombres. || **3.** fig. Dotes intelectuales, como ingenio, capacidad, prudencia, etc., que resplandecen en una persona. || **4.** fig. Por antonom., **entendimiento,** 1.ª acep.

Talentoso, sa. adj. Que tiene talento, 3.ª y 4.ª aceps.

Talentudo, da. adj. Talentoso.

Tálero. (Del m. or. que *táller.*) m. Moneda antigua alemana, de valor variable según los tiempos, y últimamente equivalía a cuatro pesetas.

Talero. (De *tala*, 2.° art.) m. *Argent.* y *Chile.* Rebenque corto y grueso, con cabo de tala u otra madera dura y lonja corta.

Talín. m. *Sant.* Pájaro, especie de canario silvestre.

Talio. (Del gr. θαλλός, rama verde.) m. Metal poco común, parecido al plomo, y cuyas sales dan color verde a la llama del alcohol en que están disueltas.

Talión. (Del lat. *talĭo, -ōnis.*) m. Pena que consiste en hacer sufrir al delincuente un daño igual al que causó. || **2.** ant. **Compensación**, 1.ª acep.

Talionar. tr. Castigar a uno con la pena del talión.

Talismán. (Del ár. *ṭilasm*, conjuro, encantamiento, y éste del gr. τέλεσμα, rito religioso.) m. Carácter, figura o imagen grabada o formada de un metal u otra substancia, con correspondencia a los signos celestes, a la cual se atribuyen virtudes portentosas.

Talma. (De *Talma*, célebre trágico francés.) f. Especie de esclavina usada por las señoras para abrigo, y por los hombres en vez de capa.

Talmente. adv. m. De tal manera, así, en tal forma.

Talmud. (Del hebr. *talmūd*, enseñanza.) m. Libro de los judíos, que contiene la tradición, doctrinas, ceremonias y policía, que suelen observar tan rigurosamente como la misma ley de Moisés.

Talmúdico, ca. adj. Perteneciente al Talmud.

Talmudista. m. El que profesa la doctrina del Talmud, sigue sus dogmas o se ocupa en entenderlos o explicarlos.

Talo. (Del gr. θάλος, retoño, rama joven.) m. *Bot.* Cuerpo de las talofitas, equivalente al conjunto de raíz, tallo y hojas de otras plantas.

Talo. (Del vasco.) m. *Ál.*, *Nav.*, *Sant.* y *Vizc.* Torta aplastada que se hace con masa de harina de maíz sin fermentar, y se cuece sobre las ascuas.

Talofita. (Del gr. θάλος, retoño, rama joven, y φυτόν, planta.) adj. *Bot.* Dícese de la planta cuyo cuerpo vegetativo es el talo, que puede estar constituido por una sola célula o por un conjunto de células dispuestas en forma de filamento, de lámina, etc. Ú. t. c. s. f. || **2.** f. pl. *Bot.* Tipo de estas plantas, que comprende las algas y los hongos.

Talón. (Del lat. *talo, -ōnis.*) m. **Calcañar.** || **2.** Parte del calzado, que cubre el calcañar. *El* TALÓN *del zapato.* || **3. Pulpejo**, 2.ª acep. || **4.** Parte del arco del violín y de otros instrumentos semejantes, inmediata al mango. || **5.** Cada uno de los bordes reforzados de la cubierta del neumático, que encajan en la llanta de hierro de la rueda. || **6.** *Arq.* Moldura sinuosa cuyo perfil se compone de dos arcos de círculo contrapuestos y unidos entre sí, y que terminan a escuadra con las rectas que limitan dicha moldura. || **7.** *Com.* Libranza a la vista, que consiste en parte de una hoja cortada de un libro o cuaderno, de modo que aplicándola al pedazo que queda encuadernado se pueda acreditar su legitimidad. || **8.** *Com.* Documento o resguardo expedido en la misma forma. || **9.** *Mar.* Corte oblicuo en la extremidad posterior de la quilla, que se ajusta a otro hecho en el chaflán anterior de la madre del timón. || **Apretar uno los talones.** fr. fig. y fam. Echar a correr por algún caso imprevisto o con mucha diligencia. || **A talón.** m. adv. fig. y fam. **A pie.** || **Levantar** uno **los talones.** fr. fig. y fam. **Apretar los talones.** || **Pisarle** a uno **los talones.** fr. fig. y fam. Seguirle de cerca. || **2.** fig. Emularle con buena fortuna.

Talón. (De *talar*, 2.° art.) m. *Germ.* **Mesón.**

Talón. m. Patrón monetario.

Talonada. f. Golpe dado a la cabalgadura con los talones.

Talonario, ria. (De *talón*, 1.er art., 7.ª acep.) adj. Dícese del documento que se corta de un libro, quedando en él una parte de cada hoja para acreditar con ella su legitimidad o para ulterior recuento o comprobación. || **2.** V. **Libro talonario.** Ú. t. c. s.

Talonazo. m. Golpe dado con el talón.

Talonear. (De *talón*, 1.er art., 1.ª acep.) intr. fam. Andar a pie con mucha prisa y diligencia. || **2.** *Argent.* Incitar el jinete a la caballería, picándola con los talones.

Talonera. f. *Chile.* Pieza de cuero que se pone en el talón de la bota para asegurar la espuela.

Talonero. (De *talón*, 2.° art.) m. *Germ.* Ventero o mesonero.

Talonesco, ca. adj. fam. Perteneciente a los talones.

Talpa. (Del lat. *talpa*, topo.) f. *Cir.* **Talparia.**

Talparia. (De *talpa.*) f. *Cir.* Absceso que se forma en lo interior de los tegumentos de la cabeza.

Talque. (Del m. or. que *talco.*) m. Tierra talcosa muy refractaria usada para hacer crisoles.

Talque. (Del lat. *tale quid.*) pron. indet. desus. **Alguno**, 1.ª acep.

Talqueza. f. *C. Rica.* Hierba empleada para cubrir las chozas.

Talquita. f. Roca pizarrosa compuesta principalmente de talco.

Taltuza. f. *C. Rica.* Mamífero roedor, especie de rata, de 16 a 18 centímetros de largo.

Talud. (Por *taluz*, del fr. *talus*, y éste der. del lat. *talus*, talón.) m. Inclinación del paramento de un muro o de un terreno.

Taludín. m. *Guat.* Reptil, especie de caimán.

Talvina. (Del ár. *talbīna*, manjar de leche, harina y miel.) f. Gachas que se hacen con leche de almendras.

Talla. (De *tallar*, cortar.) f. Obra de escultura, especialmente en madera. || **2.** Tributo señorial o real que con diversas aplicaciones y motivos se percibía en la corona de Aragón. || **3.** Cantidad o premio que se ofrece por el rescate de un cautivo o la prisión de un delincuente. || **4.** Cantidad de moneda que ha de ser producida por cierta unidad de peso del metal que se acuñe. || **5.** En el juego de la banca y en el del monte y otros, **mano**, 15.ª acep. || **6.** Estatura o altura del hombre. *Es hombre de poca* TALLA. || **7. Marca**, 2.ª acep. || **8.** fig. Altura moral o intelectual. || **9.** *Ar.* Tara o tarja, 5.ª acep. || **10.** *Cir.* Operación cruenta para extraer los cálculos de la vejiga. || **Media talla.** *Esc.* **Medio relieve.** || **dulce. Grabado en dulce.** || **A media talla** m. adv. fig. Con poca atención y miramiento. || **Poner talla.** fr. Señalar la **talla** (3.ª acep.) y publicarla contra un delincuente.

Talla. (En port. *talha.*) f. *And.* **Alcarraza.** || **2.** *Can.* Cántaro grande de barro.

Talla. (Del ital. *taglia*, polea.) f. *Mar.* Polea o aparejo que sirve para ayudar ciertas faenas.

Talla. f. p. us. *Argent.* Charla, palique.

Tallado, da. p. p. de **Tallar.** || **2.** adj. Con los adverbios *bien* o *mal*, de buen o mal talle. || **3.** m. Acción y efecto de tallar, 2.° art., 3.ª, 4.ª y 5.ª aceps. || **4.** *Germ.* Basquiña o sayo.

Tallado, da. adj. *Blas.* Aplícase a los ramos, flores y palmas que tienen el tallo o tronco de diferente esmalte.

Tallador. (De *tallar*, 2.° art.) m. Grabador en hueco o de medallas. || **2.** El que talla a los quintos.

Talladura. (Del lat. *taliatūra.*) f. **Entalladura.**

Tallante. p. a. de **Tallar.** Que talla.

Tallar. (Del lat. *talĕa*, rama de árbol.) adj. Que puede ser talado o cortado. *Monte, leña* TALLAR. || **2.** Aplícase a una clase de peines pequeños. Ú. t. c. s. m. || **3.** m. Monte que se está renovando y en el cual los brotes nuevos de las matas o árboles rozados no han logrado todavía el desarrollo necesario para que no les alcance el diente del ganado. || **4.** Monte o bosque nuevo en que se puede hacer la primera corta.

Tallar. (Del lat. *taliāre.*) tr. Llevar la baraja en el juego de la banca y otros. || **2.** Cargar de tallas o impuestos. || **3.** Hacer obras de talla o escultura. || **4.** Labrar piedras preciosas. || **5.** Abrir metales, grabar en hueco. || **6.** Tasar, apreciar, valuar. || **7.** Medir la estatura de una persona. || **8.** ant. Cortar o tajar. || **9.** intr. fam. Intervenir con predominio en una conversación o debate, y por extensión, en cualquier asunto. || **10.** *Chile.* Hablar de amores un hombre y una mujer.

Tallarín. (Del ital. *tagliarini*, del lat. *taliāre*, cortar.) m. Cada una de las tiras muy estrechas elaboradas con la pasta de los macarrones y que se emplean para sopa. Ú. m. en pl.

Tallarola. (Del fr. *taillerole*, de *tailler*, y éste del lat. *taliāre.*) f. Cuchilla muy fina con que en el telar de sedas se corta la urdimbre de la tela del terciopelo para sacar el vello.

Talle. (Del fr. *taille*, y éste del lat. *taliāre*, cortar.) m. Disposición o proporción del cuerpo humano. || **2. Cintura**, 1.ª acep. || **3.** Forma que se da al vestido, cortándolo y proporcionándolo al cuerpo. || **4.** Parte del vestido que corresponde a la cintura. || **5.** fig. Traza, disposición o apariencia. || **Largo de talle.** loc. fig. y fam. Dícese de la cantidad de ciertas cosas, cuando excede del término que expresa. *Tenía cincuenta años* LARGOS DE TALLE.

Tallecer. intr. **Entallecer.** || **2.** Echar tallo las semillas, bulbos o tubérculos de las plantas. Ú. t. c. r.

Táller. (Del al. *taler.*) m. **Tálero.**

Taller. (Del fr. *atelier*, y éste del lat. **astellarium*, astillero, de **astella*, por *astŭla*, astilla.) m. Lugar en que se trabaja una obra de manos. || **2.** fig. Escuela o seminario de ciencias, donde concurren muchos a la común enseñanza.

Taller. (Del fr. *tailloir*, y éste de *tailler*, del lat. *taliāre*, tajar.) m. **Angarillas**, 4.ª acep.

Tallista. com. Persona que hace obras de talla.

Tallo. (Del lat. *thallus*, y éste del gr. θαλλός.) m. Órgano de las plantas que se prolonga en sentido contrario al de la raíz y sirve de sustentáculo a las hojas, flores y frutos. || **2. Renuevo**, 1.ª acep. || **3.** Germen que ha brotado de una semilla, bulbo o tubérculo. || **4.** Trozo confitado de calabaza, melón, etc. || **5.** *Colomb.* Bretón o col. || **6.** *Chile.* **Cardo santo.** || **7.** *And.* y *Murc.* Churro, tejeringo.

Tallón. m. Talla, 1.er art., 3.ª acep.

Tallón. (Del m. or. que *talón*, 2.° art.) m. *Germ.* **Mesón.**

Talludo, da. adj. Que ha echado tallo grande. || **2.** fig. Crecido y alto. Dícese del muchacho que se ha hecho alto en poco tiempo. || **3.** fig. Aplícase al que, por estar acostumbrado o viciado en una cosa mucho tiempo, tiene dificultad en dejarla. || **4.** fig. Dícese de una persona cuando va pasando de la juventud.

Talluelo. m. d. de **Tallo.**

Tamagás. m. *Amér. Central.* Víbora muy venenosa.

Tamajagua. m. *Ecuad.* **Damajagua.**

Tamal. (Del mejic. *tamalli.*) m. *Amér.* Especie de empanada de masa de harina de maíz, envuelta en hojas de plátano o de la mazorca del maíz, y cocida al vapor o en el horno. Las hay de diversas clases, según el manjar que se pone en su interior y los ingredientes que se le agregan. || **2.** fig. *Amér.* Lío, embrollo, pastel, intriga.

Tamalero, ra. m. y f. *Amér.* Persona que hace o vende tamales.

Tamanaco, ca. adj. Dícese del individuo de una tribu que habita en las orillas del Orinoco, cerca de la Misión Encaramada. Ú. t. c. s. || **2.** Perteneciente a él. || **3.** m. Lengua **tamanaca.**

Tamanduá. (Voz guaraní.) m. **Oso hormiguero.**

Tamango. m. *Chile.* Calzado rústico de cuero usado por los gauchos y chilenos del campo. || **2.** *Argent.* Calzado a modo de botín, basto y grande.

Tamañamente. adv. m. Tan grandemente como otra cosa con que se compara.

Tamañito, ta. adj. d. de **Tamaño.** || **2.** fig. Achicado, confuso. Ú. principalmente con los verbos *dejar* y *quedar.*

Tamaño, na. (Del lat. *tam,* tan, y *magnus,* grande.) adj. comp. Tan grande o tan pequeño. || **2.** adj. sup. Muy grande o muy pequeño. || **3.** m. Mayor o menor volumen o dimensión de una cosa. || **natural.** El de la imagen de una persona o cosa cuando se representa con las mismas dimensiones del modelo.

Tamañuelo, la. adj. d. de **Tamaño.**

Támara. (Del ár. *tamra,* dátil.) f. Palmera de Canarias. || **2.** Terreno poblado de palmas. || **3.** pl. Dátiles en racimo.

Támara. (Del lat. **termen, -inis,* por *termes, -itis,* ramo.) f. *Guad.* Carga de ramaje de roble, encina o pino, que pesa de ocho a diez arrobas. || **2.** Leña muy delgada, despojos de la gruesa, o astillas que resultan de labrar la madera.

Tamaral. (De *támara,* 2.° art.) m. *Zam.* Soto muy poblado de fresnos.

Tamarao. (Voz malaya.) m. *Filip.* Especie de búfalo, más pequeño que el carabao, pero más bravo.

Tamaricáceo, a. (Del lat. *tamarice,* del gr. ταμαρίκη.) adj. *Bot.* Árboles o arbustos angiospermos dicotiledóneos, abundantes en los países mediterráneos y en el Asia Central, con hojas aciculares o escamosas, flores en racimo o en espiga, tetrámeras o pentámeras; fruto en cápsula, con semillas que llevan pelos como órganos de diseminación; como el taray. Ú. t. c. s. f. || **2.** f. pl. *Bot.* Familia de estas plantas.

Tamarigal. m. *Ar.* **Tarayal.**

Tamarilla. f. *Bot.* Mata leñosa de la familia de las cistáceas, con hojas estrechas, lineares y flores con pétalos blancos, terminales, en cimas verticiladas.

Tamarindo. (Del ár. *tamr hindī,* dátil índico.) m. *Bot.* Árbol de la familia de las papilionáceas, con tronco grueso, elevado y de corteza parda, copa extensa, hojas compuestas de hojuelas elípticas, gruesas y pecioladas; flores amarillentas en espiga, y fruto en vainillas pulposas de una sola semilla. Originario de Asia, se cultiva en los países cálidos, por su fruto de sabor agradable, que se usa en medicina como laxante. || **2.** Fruto de este árbol.

Tamariscíneo, a. (Del lat. *tamariscus,* taray.) adj. *Bot.* **Tamaricáceo.**

Tamarisco. (Del lat. *tamariscus.*) m. **Taray.**

Tamaritano, na. adj. Natural de Tamarite de Litera, villa de la provincia de Huesca. Ú. t. c. s. || **2.** Perteneciente a esta villa.

Tamariz. (Del lat. *tamarice.*) m. **Taray.**

Tamarrizquito, ta. adj. fam. Muy pequeño.

Tamarrusquito, ta. adj. fam. **Tamarrizquito.**

Tamarugal. m. *Chile.* Terreno poblado de tamarugos.

Tamarugo. m. *Bot. Chile.* Árbol de la familia de las papilionáceas, especie de algarrobo que crece en la pampa.

Tamba. f. *Germ.* **Manta,** 1.ª acep. || **2.** *Ecuad.* Paño que usan los indios para cubrirse de la cintura abajo.

Tambaleante. p. a. de **Tambalear.** Que se tambalea.

Tambalear. (Voz onomatopéyica.) intr. Menearse una cosa a uno y otro lado, como que se va a caer por falta de fuerza o de equilibrio. Ú. m. c. r.

Tambaleo. m. Acción de tambalear o tambalearse.

Tambalisa. f. *Cuba.* Planta leguminosa, de hojas tomentosas y flores amarillas.

Tambanillo. (De *timpanillo,* d. de *tímpano,* 3.ª acep.) m. *Arq.* Frontón sobrepuesto a una puerta o ventana.

Támbara. (Del lat. **termen, -inis,* por *termes, -itis,* ramo.) f. *Burg.* y *Sal.* Rodrigón o tutor que se pone a una planta.

Tambarilla. f. *Logr.* Mata ericácea, con flores purpúreas en racimo.

Tambarillo. (Como *tambanillo,* de *timpanillo.*) m. Arquilla o caja con tapa redonda y combada.

Tambarimba. f. *Sal.* Altercado, pendencia.

Tambarria. f. *Colomb., Ecuad., Hond.* y *Perú.* Holgorio, parranda.

Tambero, ra. adj. *Argent.* Dícese del ganado manso, especialmente del vacuno. || **2.** *Amér. Merid.* Perteneciente al tambo. || **3.** m. y f. *Amér. Merid.* Persona que tiene un tambo o está encargada de él.

Tambesco. m. *Burg.* y *Sant.* **Columpio.**

También. (De *tan* y *bien.*) adv. m. Se usa para afirmar la igualdad, semejanza, conformidad o relación de una cosa con otra ya nombrada. || **2.** Tanto o así.

Tambo. (Del quichua *tampu.*) m. *Colomb., Chile. Ecuad.* y *Perú.* Venta, posada, parador. || **2.** *Argent.* **Casa de vacas.**

Tambobón. m. *Filip.* Panera de piedra para guardar el arroz.

Tambocha. f. *Colomb.* Hormiga de cabeza roja, muy venenosa.

Tambor. (Del m. or. que *atambor.*) m. Instrumento músico de percusión, de madera o metal, de forma cilíndrica, hueco, cubierto por sus dos bases con piel estirada, y el cual se toca con dos palillos. || **2.** El que toca el **tambor** en las tropas de infantería. || **3.** Tamiz por donde pasan el azúcar los reposteros. || **4.** Cilindro de hierro, cerrado y lleno de agujeritos, con su cigüeña para voltearlo sobre dos puntos de apoyo, el cual sirve para tostar café, cacao, etc. || **5.** Aro de madera sobre el cual se tiende una tela para bordarla. || **6.** *Pal.* Cubierta de madera que se pone sobre la piedra del molino. || **7.** *Arq.* Aposentillo que se hace de tabiques dentro de otro aposento. || **8.** *Arq.* Muro cilíndrico que sirve de base a una cúpula. || **9.** *Arq.* Cuerpo central del capitel y más abultado, o de mayor diámetro, que el fuste de la columna. || **10.** *Arq.* Cada una de las piezas del fuste de una columna cuando no es monolítica. || **11.** *Fort.* Pequeña plaza cerrada de estacas o de una pared sencilla atronerada, con su rastrillo, que forma una especie de cancel delante de las puertas. || **12.** *Mar.* Cilindro de madera en que se arrollan los guardines del timón. || **13.** *Mar.* Cada uno de los cajones o cubiertas de las ruedas en los vapores. || **14.** *Mec.* Rueda de canto liso, ordinariamente de más espesor que la polea. || **15.** *Mec.* Disco de acero acoplado a la cara interior de las ruedas, provisto de un reborde sobre el que actúan las zapatas del freno. || **16.** *Zool.* **Tímpano,** 6.ª acep. || **17.** *Cuba.* Pez plectognato que tiene las mandíbulas cubiertas de placas de esmalte, y que puede inflar el cuerpo introduciendo aire en una dilatación del esófago. Se conocen varias especies. || **mayor.** Maestro y jefe de una banda de **tambores.** || **A tambor,** o **con tambor, batiente.** m. adv. Tocando el **tambor.** || **2.** Con aire triunfal, con ufanía y pompa.

Tambora. f. Bombo o tambor grande. || **2.** fam. **Tambor,** 1.ª acep.

Tamborear. intr. **Tabalear,** 2.ª acep.

Tamboreo. m. Acción y efecto de tamborear.

Tamborete. m. d. de **Tambor.** || **2.** *Mar.* Trozo de madera, grueso y rectangular, de doble largo que ancho, con un agujero cuadrado y otro redondo, y que sirve para sujetar a un palo otro sobrepuesto.

Tamboril. (De *tamborín.*) m. Tambor pequeño que, colgado del brazo izquierdo, se toca con un solo palillo o baqueta, y, acompañando por lo común al pito, se usa en las danzas populares. || **Como tamboril en boda.** fr. fam. Dícese de lo que seguramente no ha de faltar. || **Tamboril por gaita.** fr. fam. con que se indica que lo mismo le da a uno una cosa que otra.

Tamborilada. (De *tamboril.*) f. fig. y fam. Golpe que se da con fuerza cayendo en el suelo, especialmente el que se da con las asentaderas. || **2.** fig. y fam. Golpe dado con la mano en la cabeza o en las espaldas.

Tamborilazo. m. fig. y fam. **Tamborilada.**

Tamborilear. intr. Tocar el tamboril. || **2.** tr. Celebrar mucho a uno, publicando y ponderando sus prendas y habilidad o capacidad. || **3.** *Impr.* Igualar las letras del molde con el tamborilete.

Tamborileo. m. Acción y efecto de tamborilear o tocar el tambor.

Tamborilero. m. El que tiene por oficio tocar el tamboril.

Tamborilete. m. d. de **Tamboril.** || **2.** *Impr.* Tablita cuadrada con la cual se dan sobre el molde golpecitos suaves para que todas las letras queden a la misma altura.

Tamborín. (d. de *tambor.*) m. **Tamboril.**

Tamborino. (d. de *tambor.*) m. **Tamboril.** || **2. Tamborilero.**

Tamboritear. intr. **Tamborilear.**

Tamboritero. m. **Tamborilero.**

Tamborón. m. aum. de **Tambora.**

Tambre. m. *Colomb.* Presa, azud.

Tameme. m. *Chile, Méj.* y *Perú.* desus. Cargador indio que acompañaba a los viajeros.

Tamínea. adj. **Taminia.**

Taminia. (Del lat. *taminĭa.*) adj. V. **Uva taminia.**

Tamiz. (Del fr. *tamis,* y éste del célt. *tamisium.*) m. Cedazo muy tupido.

Tamizar. tr. Pasar una cosa por tamiz.

Tamo. m. Pelusa que se desprende del lino, algodón o lana. || **2.** Polvo o paja muy menuda de varias semillas trilladas; como trigo, lino, etc. || **3.** Pelusilla que se cría debajo de las camas y otros muebles por falta de aseo.

Tamojal. m. Sitio poblado de tamojos.

Tamojo. m. Metát. de **Matojo,** 2.ª acep.

Tampoco. (De *tan* y *poco.*) adv. neg. con que se niega una cosa después de haberse negado otra.

Tamuja. f. **Borrajo,** 2.ª acep.

Tamujal. m. Sitio poblado de tamujos.

Tamujo. (De *tamojo.*) m. Mata de la familia de las euforbiáceas, de 12 a 15 decímetros de altura, con ramas mimbreñas, espinosas, puntiagudas y muy abundantes; hojas en hacecillos, lampiñas y aovadas; flores verdosas, y fruto capsular, globoso, de color pardo rojizo cuando maduro. Es común en las márgenes de los arroyos y en los sitios sombríos, y con las ramas se hacen escobas para barrer las calles.

Tan. m. Sonido o eco que resulta del tambor u otro instrumento semejante, tocado a golpes. Ú. m. repetido.

Tan. (Como el fr. *tan,* del célt. **tan.*) m. Corteza de encina.

Tan. adv. c., apócope de **Tanto.** No se emplea para modificar la significación del verbo, y encarece en proporción relativa la del adjetivo, el participio y otras partes de la oración, precediéndolas siempre. *No seré yo* TAN *descortés; no esperaba que llegases* TAN *pronto.* || **2.** Correspondiéndose con *como* o *cuan* en comparación expresa, denota idea de equivalencia o igualdad. TAN *duro como el hierro; el castigo fué* TAN *grande como grande fué la culpa.* || **Tan siquiera.** m. adv. **Siquiera,** 3.ª acep.

Tanaceto. (En port. *tanacêto* y *tanásia;* en b. lat. *tanacetum;* en fr. *tanaisie;* tal vez del gr. ἀθανασία, inmortalidad.) m. **Hierba lombriguera.**

Tanador. (De *tan,* 2.° art.) m. ant. **Curtidor.**

Tanagra. f. Estatuita figulina modelada, y más generalmente hecha en molde, que se fabricaba en Tanagra de Beocia.

Tanate. (Del mejic. *tanatli.*) m. *Hond.* y *Méj.* Mochila, zurrón de cuero o de palma. || **2.** *Amér. Central.* Lío, fardo, envoltorio. || **Cargar** uno **con los tanates.** fr. fig. y fam. *Amér. Central.* Mudarse, marcharse.

Tanda. (Del lat. *tanta,* t. f. de *-tus,* tanto.) f. Alternativa o turno. || **2. Tarea,** 1.ª acep. || **3.** Capa o tonga. || **4.** Cada uno de los grupos en que se dividen las personas o las bestias empleadas en una operación o trabajo. || **5.** Cada uno de los grupos de personas o de bestias que turnan en algún trabajo. || **6. Partida,** 12.ª acep., especialmente de billar. || **7.** Número indeterminado de ciertas cosas de un mismo género. TANDA *de azotes, de rigodones.* || **8.** *Ar.* Período de arrendamiento de finca urbana, que dura seis meses, desde Navidad al 24 de junio. || **9.** *Áv.* Avío que se da a los jornaleros para su comida. || **10.** *Chile.* Sección de una representación teatral. || **11.** p. us. *Argent.* **Resabio,** 2.ª acep. || **12.** *Min.* Cada uno de los períodos de días en que alternativamente se trabaja o descansa en las minas.

Tándem. (Del lat. *tandem,* a lo largo de, dicho del tiempo y festivamente del espacio.) m. Bicicleta para dos personas, que se sientan una tras otra. || **2.** Tiro, generalmente en coche de dos ruedas, de una caballería entre las limoneras y delante otra con los tirantes enganchados a las puntas de ellas.

Tandeo. m. Distribución del agua de riego alternativamente o por tandas.

Tanela. f. *C. Rica.* Pasta de hojaldre adobada con miel.

Tanga. f. **Chito,** 1.er art.

Tangán. m. *Ecuad.* Tablero cuadrado suspendido del techo, que se sube y se baja con una cuerda. Sirve para colocar en él comestibles.

Tángana. f. *And., Ar.* y *Zam.* **Chito,** 1.er art.

Tanganillas (En). (De *tanganillo.*) m. adv. Con poca seguridad o firmeza; en peligro de caerse.

Tanganillo. m. d. de **Tángano.** || **2.** Palo, piedra o cosa semejante que se pone para sostener y apoyar una cosa provisionalmente. || **3.** *Pal., Seg.* y *Vallad.* Longaniza pequeña. || **4.** *Ál.* Juego de la rayuela.

Tángano. (De *tango.*) m. **Chito,** 1.er art. || **2.** *Burg.* y *Sal.* Rama seca de un árbol. || **3.** *León.* Raíz de urce que se usa como combustible.

Tangencia. f. Calidad de tangente.

Tangencial. adj. Perteneciente o relativo a la tangente, 3.ª acep.

Tangente. (Del lat. *tangens, -entis.*) p. a. de **Tangir.** Que toca. || **2.** adj. *Geom.* Aplícase a las líneas y superficies que se tocan o tienen puntos comunes sin cortarse. || **3.** f. *Geom.* Recta que toca a una curva o a una superficie. || **de un ángulo.** *Trig.* La del arco que le sirve de medida. || **de un arco,** o **primera de un arco.** *Trig.* Parte de la recta **tangente** al extremo de un arco, comprendida entre este punto y la prolongación del radio que pasa por el otro extremo. || **segunda de un ángulo,** o **de un arco.** *Trig.* **Cotangente.** || **Escapar, escaparse, irse,** o **salir,** uno **por la tangente.** fr. fig. y fam. Valerse de un subterfugio o evasiva para salir hábilmente de un apuro.

Tangerino, na. adj. Natural de Tánger. Ú. t. c. s. || **2.** Perteneciente a esta ciudad de África. || **3.** V. **Naranja tangerina.** Ú. t. c. s. f.

Tangible. (Del lat. *tangibĭlis.*) adj. Que se puede tocar. || **2.** fig. Que se puede percibir de manera precisa. *Resultados* TANGIBLES.

Tangidera. (De *tangir.*) f. *Mar.* Cabo grueso que se da a la reguera para tesarla por la otra banda de donde sale dicha reguera, y que ésta quede derecha por la popa.

Tangir. (Del lat. *tangĕre.*) tr. ant. **Tañer,** 1.ª y 2.ª aceps. || **2.** impers. ant. **Atañer,** 1.ª acep. || **3.** intr. ant. Ser uno pariente de otro.

Tango. (De *tanga.*) m. **Chito,** 1.er art.

Tango. (Voz americana.) m. Fiesta y baile de negros o de gente del pueblo en América. || **3.** Baile de sociedad importado de América en los primeros años de este siglo. || **4.** Música para estos bailes. || **5.** Copla que se canta al son de esta música || **6.** *Hond.* Instrumento músico que usan los indígenas, formado por un cilindro de un tronco hueco cubierto en uno de sus extremos con un cuero, sobre el que se golpea.

Tangón. (En fr. *tangon.*) m. *Mar.* Cualquiera de los dos botalones que se colocan en el costado de proa, uno por cada banda, para amurar en ellos las rastreras; y, en puerto, amarrar las embarcaciones menores que para el servicio están en el agua.

Tanguillo. m. *And.* Peonza que se hace bailar con un látigo.

Tánico, ca. (De *tan,* 2.° art.) adj. Que contiene tanino.

Tanino. (De *tan,* 2.° art.) m. *Quím.* Substancia astringente contenida en la nuez de agallas, en las cortezas de la encina, olmo, sauce y otros árboles, y en la raspa y hollejo de la uva y otros frutos. Puro y seco, es inalterable al aire; se disuelve en el agua y sirve para curtir las pieles y para otros usos.

Tanobia. f. *Ast.* Tablón que se coloca, a modo de rellano, al terminar la escalera del hórreo, para facilitar la entrada y salida.

Tanor, ra. (Del tagalo *tanor,* guarda, pastor.) adj. Decíase de los filipinos indígenas que prestaban el servicio de tanoría. Ú. t. c. s.

Tanoría. (De *tanor.*) f. Servicio doméstico que los indígenas de Filipinas tuvieron obligación de prestar gratuitamente a los españoles.

Tanque. m. **Propóleos.**

Tanque. (Del ingl. *tank.*) m. Automóvil de guerra blindado y artillado, que, moviéndose sobre una llanta flexible o cadena sin fin, puede andar por terrenos escabrosos. || **2.** Depósito montado sobre ruedas para su transporte. || **3.** *Mar.* **Aljibe,** 4.ª y 5.ª aceps. || **4.** *Guip., Rioja, Sant.* y *Vizc.* Vasija pequeña, por lo general cilíndrica, con un asa para sacar un líquido contenido en otra vasija mayor. Se usa también en lugar de vaso para beber. || **5.** *Sal.* Sapo grande. || **6.** *Amér., Can.* y *Gal.* Estanque, depósito de agua.

Tanta. f. *Perú.* Pan de maíz, borona.

Tantalio. (De *Tántalo,* personaje mitológico.) m. Metal poco común, difícil de separar de sus combinaciones, de color gris, tan pesado como la plata, inflamable e inatacable por los ácidos diluidos, excepto el fluorhídrico.

Tántalo. m. Ave zancuda de plumaje blanco con las remeras negras, la cabeza y el cuello desnudos, pico encorvado; habita en el trópico americano, de donde emigra a las zonas templadas.

Tantán. (Voz onomatopéyica.) m. **Batintín.**

Tantarán. m. **Tantarantán.**

Tantarantán. (Voz onomatopéyica.) m. Sonido del tambor o atabal, cuando se repiten los golpes. || **2.** fig. y fam. Golpe violento o sacudimiento brusco.

Tanteador. m. El que tantea, y más frecuentemente, el que tantea en el juego. || **2.** Aparato que hay en los partidos de pelota, donde se escriben los tantos de cada bando.

Tantear. (De *tanto.*) tr. Medir o parangonar una cosa con otra para ver si viene bien o ajustada. || **2.** Señalar o apuntar los tantos en el juego para saber quién gana. Ú. t. c. intr. || **3.** fig. Considerar y reconocer con prudencia y reflexión las cosas antes de ejecutarlas. || **4.** fig. Examinar con cuidado a una persona o cosa, haciendo prueba de ella para conocer sus cualidades. || **5.** fig. Explorar el ánimo o la intención de uno sobre un asunto. || **6.** *Chile* y *Hond.* Calcular aproximadamente o al tanteo. || **7.** *For.* Dar por una cosa el mismo precio en que ha sido rematada en favor de otro, por la preferencia que concede el derecho en algunos casos, como en el de condominio. || **8.** *Pint.* Comenzar un dibujo, trazar sus primeras líneas; apuntar. || **9.** r. *For.* Allanarse o convenirse a pagar aquella misma cantidad en que una renta o alhaja está arrendada o se ha rematado en venta o puja. || **10.** *For.* Conseguir las villas o lugares exención del señorío a que estaban sujetos, dando otro tanto precio como aquel en que fueron enajenados.

Tanteo. m. Acción y efecto de tantear o tantearse. || **2.** Número determinado de tantos que se ganan en el juego. || **Al tanteo.** loc. adv. que se aplica al modo de calcular a ojo, a bulto, sin peso ni medida.

Tantico. adj. m. y adv. **Poco,** 1.ª, 2.ª y 3.ª aceps.

Tanto, ta. (Del lat. *tantus.*) adj. Aplícase a la cantidad, número o porción de una cosa indeterminada o indefinida. Ú. como correlativo de **cuanto.** || **2.** Tan grande o muy grande. || **3.** Ú. como pronombre demostrativo, y en este caso equivale a **eso,** pero incluyendo idea de calificación o ponderación. *No lo decía yo por* TANTO; *a* TANTO *arrastra la codicia.* || **4.** m. Cantidad cierta o número determinado de una cosa. || **5.** Copia o ejemplar que se da de un escrito trasladado de su original. || **6.** Ficha, moneda, pedrezuela u otro objeto a propósito, con que se señalan los puntos que se ganan en ciertos juegos. || **7.** Unidad de cuenta en muchos juegos.

|| **8.** Persona de regular estatura, que puesta al pie de un árbol, edificio, etc., sirve para calcular la medida de éste. || **9.** *Com.* Cantidad proporcional respecto de otra, según lo previamente estipulado o con sujeción al precio corriente. || **10.** pl. Número que se ignora o no se quiere expresar, ya se emplee solo, ya para denotar lo que una cantidad excede a número redondo expreso. *A* TANTOS *de julio; mil y* TANTOS. || **11.** adv. m. De tal modo o en tal grado. || **12.** adv. c. Hasta tal punto; tal cantidad. *No debes trabajar* TANTO; *no creía que costase* TANTO *un libro tan pequeño.* || **13.** Empleado con verbos expresivos de tiempo, denota larga duración relativa. *En ir allá no puede tardarse* TANTO. || **14.** En sentido comparativo se corresponde con **cuanto** o **como,** y denota idea de equivalencia o igualdad. TANTO *vales* CUANTO *tienes;* TANTO *sabes tú* COMO *yo.* || **15.** Pospuesto a un numeral sirve para formar múltiplos: *dos* TANTO, en lugar de *dos veces* TANTO; ora con valor substantivo, como *le dio seis* TANTO *más de lo que había recibido;* ora como adjetivo; *cal mezclada con tres* TANTA *arena.* || **Algún tanto.** expr. Algo o un poco. || **Al tanto.** m. adv. Por el mismo precio, coste o trabajo; y se usa cuando se explica la voluntad de uno de tomar o lograr una cosa al precio que a otro le ha costado. || **Al tanto de** una cosa. fr. Al corriente, enterado de ella. Ú. con los verbos *estar, poner, quedar,* etc. || **Apuntarse** uno **un tanto.** fr. fig. y fam. Dar por averiguado un acierto o un mérito en el asunto que se trata. || **Con tanto que.** m. conjunt. **Con tal que.** *El santo Job, por divina permisión, fue entregado en poder de Satanás para que le hiciese todo el mal que quisiese,* CON TANTO QUE *no le tocase en la vida.* || **En su tanto.** m. adv. Guardada proporción, proporcionalmente. || **En tanto,** o **entre tanto.** ms. advs. Mientras, ínterin o durante algún tiempo intermedio. || **Las tantas.** expr. fam. con que se designa indeterminadamente cualquier hora muy avanzada del día o de la noche. || **Ni tanto ni tan poco.** expr. con que se censura la exageración por exceso o por defecto. || **Otro tanto.** loc. que se usa en forma comparativa para encarecer una cosa. *Más grave que* OTRO TANTO. || **2.** Lo mismo, cosa igual. *Quisiera yo poder hacer* OTRO TANTO. || **Por el tanto.** m. adv. **Al tanto.** Ú. en lo material de las compras, ventas u otras semejantes enajenaciones. || **Por lo tanto.** m. adv. y conjunt. Por consiguiente, por lo que antes se ha dicho, por el motivo o las razones de que acaba de hablarse. || **Por tanto.** m. adv. y conjunt. Por lo que, en atención a lo cual. || **Por tantos y cuantos.** expr. fam. con que se asegura y pondera una cosa. || **¡Tanto bueno!** o **¡tanto bueno por aquí!** Expresiones de bienvenida. || **Tanto cuanto.** m. adv. **Algún tanto.** || **Tanto de culpa.** fr. *For.* Testimonio que se libra de una parte de un pleito o expediente, cuando resultan pruebas o indicios de responsabilidad criminal, para que acerca de ella se instruya proceso. || **Tanto de ello.** m. adv. Mucho, abundante y sin limitación o tasa de una cosa que hay o se da. || **Tanto es lo de más como lo de menos.** expr. con que se da a entender que debe uno contenerse en prudente término medio. || **Tanto más cuanto.** fr. Trato o regateo entre comprador y vendedor. || **Tanto más que.** m. adv. y conjunt. Con **tanto** mayor motivo que. || **Tanto menos que.** m. adv. y conjunt. Con **tanto** menor motivo que. || **Tanto por tanto.** m. adv. comp. Por el mismo precio o coste. || **Tanto que.** m. adv. **Luego que.** || **Tantos a tantos.** expr. con que se demuestra la igualdad de número dentro de una especie. || **Tantos otros.** fr. Otros muchos. || **Un tanto,** o **un tanto cuanto.** expr. **Algún tanto.**

Tántum ergo. m. Estrofa quinta del himno *Pange lingua,* que empieza con esas palabras y suele cantarse al reservar solemnemente el Santísimo Sacramento.

Tanza. f. *Sant.* **Sedal,** 1.ª acep.

Tañedor, ra. m. y f. Persona que tañe un instrumento músico.

Tañente. p. a. de **Tañer.** Que tañe.

Tañer. (Del lat. *tangĕre.*) tr. **Tocar,** 1.er art., 3.ª y 4.ª aceps. || **2.** ant. **Tocar,** 1.er art., 1.ª acep. || **3.** ant. fig. **Tocar,** 1.er art., 11.ª acep. || **4.** intr. **Tabalear,** 2.ª acep. || **5.** impers. ant. **Atañer.** || **Tañer de occisa.** fr. *Mont.* Avisar con la bocina estar muerta la res que se perseguía.

Tañido, da. p. p. de **Tañer.** || **2.** m. Son particular que se toca en cualquier instrumento. || **3.** Sonido de la cosa tocada; como el de la campana, etc.

Tañimiento. m. Acción y efecto de tañer. || **2.** ant. **Tacto,** 1.ª acep.

Taño. (De **tannus,* del célt. **tan,* corteza de encina.) m. **Casca,** 2.ª acep.

Tao. (De *tau,* nombre de la letra griega T, por semejanza en la forma.) m. Insignia que usaban en el pecho y capa los comendadores de la orden de San Antonio Abad, y la que llevan en el pecho los familiares y dependientes de la orden de San Juan.

Taoísmo. m. Doctrina teológica de la antigua religión de los chinos.

Taoísta. com. Persona que profesa el taoísmo.

Tapa. (Del gót. *tappa.*) f. Pieza que cierra por la parte superior las cajas, cofres, vasos o cosas semejantes, comúnmente unida a ellas con goznes, cintas, clavos u otro medio adecuado. || **2.** Cubierta córnea que rodea el casco de las caballerías. || **3.** Cada una de las diversas capas de suela de que se compone el tacón de una bota o zapato. || **4.** Cada una de las dos cubiertas de un libro encuadernado. || **5. Compuerta,** 2.ª acep. || **6.** En la ternera del matadero, carne que corresponde al medio de la pierna trasera. || **7.** Vuelta que cubre el cuello de una a otra solapa en las chaquetas, abrigos, etc. || **8.** *And.* Ruedas de embutido o lonjas finas de jamón que sirven en los colmados, tabernas, etc., colocadas sobre las cañas y chatos de vino. || **9.** *Filip.* Tasajo, cecina. || **10.** pl. *Mál.* y *Vizc.* Conjunto de mantas y colcha de la cama. || **Tapa de los sesos.** fig. y fam. Parte superior del casco de la cabeza, que los cubre y encierra. || **Levantar** a uno **la tapa de los sesos.** fr. Romperle el cráneo. Ú. t. el verbo c. r. || **Meter en tapas.** fr. Colocar dentro de ellas el libro ya cosido y preparado para encuadernar. || **Saltar** a uno **la tapa de los sesos.** fr. **Levantarle la tapa de los sesos.** Ú. t. el verbo c. r.

Tapa. (Voz mejicana.) f. *Hond.* **Estramonio.**

Tapabalazo. (De *tapar* y *balazo.*) m. *Mar.* Cilindro de madera envuelto en estopa, que se usaba en los barcos de guerra para cerrar los agujeros abiertos por las balas. || **2.** *Colomb., Hond., Méj.* y *Venez.* Bragueta, portañuela.

Tapaboca. (De *tapar* y *boca.*) m. Golpe que se da en la boca con la mano abierta, o con el botón de la espada en la esgrima. || **2. Bufanda.** || **3.** fig. y fam. Razón, dicho o acción con que a uno se le corta y suspende la conversación, obligándole a que calle, especialmente cuando se le convence de ser falso lo que dice.

Tapabocas. m. **Tapaboca,** 2.ª acep. || **2.** Taco cilíndrico de madera, con que se cierra y preserva el ánima de las piezas de artillería.

Tapacamino. m. *Argent.* Ave, especie de chotacabras.

Tapacete. m. Toldo o cubierta corrediza con que se tapa la carroza o saliente de la escala de las cámaras de un buque.

Tapacubos. m. *Mec.* Tapa metálica que se adapta exteriormente al cubo de la rueda para cubrir el buje de la misma.

Tapaculo. (De *tapar* y *culo,* por alusión a lo astringente del fruto.) m. **Escaramujo,** 2.ª acep. || **2.** *Chile.* Pájaro pequeño, de color terroso, con una gran mancha blanca en el pecho; anida en cuevas abandonadas por algunos roedores. || **3.** *Cád.* y *Cuba.* Pez de cuerpo casi plano parecido al lenguado.

Tapachiche. m. *C. Rica.* Insecto, especie de langosta grande, de alas rojas.

Tapada. f. Mujer que se tapa con el manto o el pañuelo para no ser conocida.

Tapadera. (De *tapar.*) f. Pieza que se ajusta a la boca de alguna cavidad para cubrirla, como en los pucheros, tinajas, pozos, etc. || **2.** fig. Persona que encubre o disimula lo que otra desea que se ignore.

Tapadero. m. Instrumento con que se tapa un agujero o la boca ancha de una cosa.

Tapadillo. m. Acción de taparse la cara las mujeres con el manto o el pañuelo para no ser conocidas. || **2.** Uno de los registros de flautas que hay en el órgano. || **De tapadillo.** m. adv. fig. A escondidas, con disimulo.

Tapadizo. (De *tapar.*) m. En algunas partes, **cobertizo.**

Tapado, da. p. p. de **Tapar.** || **2.** adj. *Argent.* y *Chile.* Dícese del caballo o la yegua sin mancha ni señal alguna en su capa. Ú. t. c. s. || **3.** m. *Colomb.* y *Hond.* Comida que preparan los indígenas con plátanos y carne, y que asan en un hoyo hecho en tierra. || **4.** *Argent.* y *Chile.* Abrigo o capa de señora o de niño. || **5.** *Argent.* Tesoro enterrado.

Tapador, ra. adj. Que tapa. Ú. t. c. s. || **2.** m. Cierto género de tapa o tapadera, que regularmente encaja en la boca o abertura de lo que se quiere tapar. || **3.** *Germ.* Sayo o saya. || **4.** *Germ.* **Padre de mancebía.**

Tapadura. f. Acción y efecto de tapar o taparse.

Tapafunda. (De *tapar* y *funda.*) f. Faldilla, generalmente de cuero, que pende de la boca de las pistoleras, y sirve para resguardar de la lluvia las pistolas, volviéndola sobre ellas.

Tapagujeros. (De *tapar* y *agujero.*) m. fig. y fam. Albañil de poca habilidad. || **2.** fig. y fam. Persona de quien se echa mano para que supla por otra.

Tapajuntas. m. *Carp.* Listón moldeado que se pone para tapar la unión o juntura del cerco de una puerta o ventana con la pared. Se pone también guarneciendo los vivos o ángulos de una pared para que el yeso no se desconche.

Tápalo. m. *Méj.* Chal o mantón.

Tapamiento. m. **Tapadura.**

Tápana. (De *tápara.*) f. *Albac.* y *Murc.* **Alcaparra.**

Tapanca. f. *Chile* y *Ecuad.* **Gualdrapa,** 1.ª acep.

Tapanco. (De *tapar.*) m. *Filip.* Toldo abovedado hecho con tiras de caña de bambú.

Tapaojo. m. *Colomb.* y *Venez.* **Quitapón.**

Tapapiés. (De *tapar* y *pie.*) m. **Brial,** 1.ª acep.

Tapar. (De *tapa.*) tr. Cubrir o cerrar lo que está descubierto o abierto. || **2.** Abrigar o cubrir con la ropa u otra defensa contra los temporales. Ú. t. c. r. || **3.** fig. Encubrir, disimular ocultar o callar un defecto. || **4.** r. Cubrir el caballo algún tanto la huella de una mano con la de la otra.

Tápara. (Del lat. *cappăris.*) f. **Alcaparra.** ‖ **2.** *Ar.* **Alcaparrón,** 1.ª acep.

Tapara. f. Fruto del taparo, que, seco y ahuecado, se usa principalmente por los campesinos de Venezuela para llevar líquidos. ‖ **Vaciarse** uno **como una tapara.** fr. fig. y fam. *Venez.* Decir todo lo que quiere.

Taparo. m. Árbol de los países cálidos de América, muy semejante a la güira, de la cual difiere en tener las hojas más anchas, las flores obscuras y el fruto alargado y terminado en punta.

Taparote. m. *Alm.* y *Murc.* **Alcaparrón,** 1.ª acep.

Taparrabo. (De *tapar* y *rabo.*) m. Pedazo de tela u otra cosa con que se cubren los salvajes las partes pudendas. ‖ **2.** Calzón muy corto, por lo general de punto, que se usa como traje de baño.

Tapate. m. *C. Rica.* **Estramonio.**

Tapayagua. f. *Hond.* y *Méj.* **Llovizna.**

Tápena. f. *Murc.* **Alcaparra.**

Tapera. (Voz guaraní.) f. *Amér. Merid.* Ruinas de un pueblo. ‖ **2.** *Amér. Merid.* Habitación ruinosa y abandonada.

Taperujarse. r. fam. Taparse, arrebujarse. Usáb. especialmente hablando de las mujeres cuando se tapaban de medio ojo, mal y sin aire.

Taperujo. m. fam. Tapón o tapador mal hecho o mal puesto. ‖ **2.** fam. Modo desaliñado y sin arte de taparse o embozarse.

Tapesco. (Del mejic. *tlapechtli.*) m. *Amér. Central* y *Méj.* Especie de zarzo que sirve de cama, y otras veces, colocado en alto, de vasar.

Tapetado, da. (De *tapido.*) adj. Dícese del color obscuro o prieto.

Tapete. (Del lat. *tapēte.*) m. Alfombra pequeña. ‖ **2.** Cubierta de hule, paño u otro tejido, que para ornato o resguardo se suele poner en las mesas y otros muebles. ‖ **verde.** fig. y fam. Mesa de juego de naipes. ‖ **Estar sobre el tapete** una cosa. fr. fig. Estar discutiéndose o examinándose, o sometida a resolución.

Tapia. (Del b. lat. *tapia*; en ár. *ṭābiya.*) f. Cada uno de los trozos de pared que de una sola vez se hacen con tierra amasada y apisonada en una horma. ‖ **2.** Esta misma tierra amasada y apisonada. ‖ **3.** Pared formada de **tapias.** ‖ **4.** Muro de cerca. ‖ **5.** *Albañ.* Medida superficial de 50 pies cuadrados. ‖ **real.** *Albañ.* Pared que se forma mezclando la tierra con alguna parte de cal. ‖ **Más sordo que una tapia.** fr. fig. y fam. Muy sordo. ‖ **No se alzó esta tapia para en la primavera echar la barda.** ref. que enseña que muchas cosas se empiezan para más de lo que parece.

Tapiador. m. Oficial que hace tapias.

Tapial. m. Conjunto de dos tableros que, sujetos con los costales y las agujas, se colocan verticales y paralelos para formar el molde en que se hacen las tapias. ‖ **2. Tapia,** 1.ª y 3.ª aceps. ‖ **3.** *Seg.* **Adral.** Ú. m. en pl. ‖ **Tener el tapial.** fr. fig. y fam. con que se avisa a uno que se detenga o pare en la ejecución de una cosa, o que tenga paciencia cuando da prisa para que se ejecute.

Tapiar. tr. Cerrar con tapias. ‖ **2.** fig. Cerrar un hueco haciendo en él un muro o tabique. TAPIAR *la puerta, la ventana.*

Tapicería. f. Juego de tapices. ‖ **2.** Lugar donde se guardan y recogen los tapices. ‖ **3.** Arte de tapicero. ‖ **4.** Obra de tapicero. ‖ **5.** Tienda de tapicero.

Tapicero. m. Oficial que teje tapices o los adereza y compone. ‖ **2.** El que tiene por oficio poner alfombras, tapices o cortinajes, guarnecer almohadones, sofás, etc. ‖ **mayor.** Jefe que cuidaba de la tapicería en palacio.

Tapido, da. adj. Dícese de la tela tupida o apretada.

Tapiería. f. Conjunto o agregado de tapias que forman una casa o una cerca.

Tapín. (De *tapa.*) m. Tapa metálica que cierra la boquilla del chifle o cuerno de pólvora con que se ceban los cañones. ‖ **2.** *Mar.* Taquito de madera con que se cubre la cabeza de los pernos o clavos que sujetan a los baos las tablas de las cubiertas, después de bien embutidos en ellas.

Tapín. (De *tepe.*) m. *Ast.* y *León.* **Tepe.**

Tapinga. f. *Chile.* Cincha que sujeta el caballo de tiro a las varas del carro.

Tapioca. (Del guaraní *tipiog.*) f. Fécula blanca y granulada que se saca de la raíz de la mandioca, y cocida con caldo o leche, es una sopa muy agradable al paladar.

Tapir. (Del guaraní *tapiir.*) m. *Zool.* Mamífero de Asia y América del Sur, del orden de los perisodáctilos, del tamaño de un jabalí, con cuatro dedos en las patas anteriores y tres en las posteriores, la nariz prolongada en forma de pequeña trompa. Su carne es comestible.

Tapirujarse. r. fam. **Taperujarse.**

Tapirujo. m. fam. **Taperujo.**

Tapis. m. *Filip.* Faja ancha, de color obscuro, por lo común negro, que usan las mujeres filipinas, ciñéndosela encima de la saya desde la cintura hasta más abajo de la rodilla.

Tapisca. (Del azteca *tla*, cosa, y *pixcani*, coger el maíz.) f. *Amér. Central* y *Méj.* Recolección del maíz.

Tapiscar. tr. *C. Rica* y *Hond.* Cosechar el maíz, desgranando la mazorca.

Tapiz. (Del fr. *tapis*, y éste del lat. **tapitium*, del gr. ταπήτιον, pequeño tapiz.) m. Paño grande, tejido de lana o seda, y algunas veces de oro y plata, en que se copian cuadros de historia, países, blasones, etc., y sirve como abrigo y adorno de las paredes o como paramento de cualquier otra cosa. ‖ **Arrancado de un tapiz.** fig. Dícese de la persona que tiene aspecto extraño.

Tapizar. (De *tapiz.*) tr. **Entapizar.** ‖ **2.** Cubrir, forrar con tela los muebles o las paredes. ‖ **3.** fig. Forrar una superficie con una substancia que se adapte perfectamente a ella. ‖ **4.** fig. Cubrir la pared o el suelo con algo como con un tapiz.

Tapón. (Del germ. *tappo.*) m. Pieza de corcho, cristal, madera, etc., con que se tapan botellas, frascos, toneles y otras vasijas, introduciéndola en el orificio por donde ha entrado o ha de salir el líquido. ‖ **2.** *Cir.* Masa de hilas o de algodón en rama, seca o empapada en un líquido, con que se obstruye una herida o una cavidad natural del cuerpo. ‖ **de cuba.** fig. y fam. Persona muy gruesa y pequeña. ‖ **Al primer tapón, zurrapas.** expr. fig. y fam. que da a entender que sale mal el principio de cualquier obra o empresa.

Taponamiento. m. *Cir.* Acción y efecto de taponar.

Taponar. tr. Cerrar con tapón un orificio cualquiera. ‖ **2.** *Cir.* Obstruir con tapones una herida o una cavidad natural del cuerpo.

Taponazo. m. Golpe dado con el tapón de una botella de cerveza o de otro licor espumoso, al destaparla. ‖ **2.** Estruendo que este acto produce.

Taponería. f. Conjunto de tapones. ‖ **2.** Fábrica de tapones. ‖ **3.** Tienda de tapones. ‖ **4.** Industria taponera.

Taponero, ra. adj. Perteneciente o relativo a la taponería. *Industria* TAPONERA. ‖ **2.** m. y f. Persona que fabrica o vende tapones.

Tapsia. (Del lat. *thapsia*, y éste del gr. θαψία.) f. Planta herbácea vivaz, de la familia de las umbelíferas, como de un metro de altura, con tallo corto, grueso y ligeramente estriado; hojas pecioladas, enteras las inferiores, partidas en lacinias las medias y con sólo el pecíolo las superiores; flores amarillas y fruto seco, oval y circuido de una aleta membranosa. De la raíz se saca un jugo de consistencia de miel con el cual se prepara un esparadrapo, en lienzo o papel, muy usado como revulsivo.

Tapujarse. (De *tapujo.*) r. fam. Taparse de rebozo o embozarse.

Tapujo. m. Embozo o disfraz con que una persona se tapa para no ser conocida. ‖ **2.** fig. y fam. Reserva o disimulo con que se disfraza u obscurece la verdad.

Tapuya. adj. Dícese del individuo de unas tribus indígenas americanas que en la época del descubrimiento ocupaban casi todo el Brasil. Ú. t. c. s. ‖ **2.** Perteneciente a estas tribus.

Taque. (Voz onomatopéyica.) m. Ruido o golpe que da una puerta al cerrarse con llave. ‖ **2.** Ruido del golpe con que se llama a una puerta.

Taqué. (Del fr. *taquet.*) m. *Mec.* Cada uno de los vástagos que transmiten la acción del árbol de levas a las válvulas de admisión y de escape del motor, las cuales se cierran por virtud de un resorte cuando cesa la acción de la leva correspondiente.

Taquera. f. Especie de estante donde se colocan los tacos de billar.

Taquicardia. (Del gr. ταχύς, veloz, y καρδία, corazón.) f. *Med.* Frecuencia excesiva del ritmo de las contracciones cardíacas.

Taquichuela. f. *Par.* Juego de los cantillos.

Taquigrafía. (De *taquígrafo.*) f. Arte de escribir tan de prisa como se habla, por medio de ciertos signos y abreviaturas.

Taquigrafiar. tr. Escribir taquigráficamente.

Taquigráficamente. adv. m. Por medio de la taquigrafía.

Taquigráfico, ca. adj. Perteneciente o relativo a la taquigrafía.

Taquígrafo, fa. (Del gr. ταχύς, pronto, rápido, y γράφω, escribir.) m. y f. Persona que sabe o profesa la taquigrafía.

Taquilla. (d. de *taca*, 2.° art.) f. Papelera, o armario para guardar papeles, que se usa principalmente en las oficinas. ‖ **2.** Casillero para los billetes de teatro, ferrocarril, etc. ‖ **3.** Por ext., despacho de billetes, y también lo que en él se recauda.

Taquillero, ra. m. y f. Persona encargada de un despacho de billetes o taquilla.

Taquimetría. f. Parte de la topografía, que enseña a levantar planos con rapidez por medio del taquímetro.

Taquimétrico, ca. adj. Perteneciente o relativo a la taquimetría o al taquímetro.

Taquímetro. (Del gr. ταχύς, pronto, rápido, y μέτρον, medida.) m. Instrumento semejante al teodolito, que sirve para medir a un tiempo distancias y ángulos horizontales y verticales.

Taquín. (d. de taco.) m. **Taba,** 1.ª y 3.ª aceps. ‖ **2.** *Germ.* **Fullero.**

Taquinero. (De *taquín.*) m. *Ar.* Jugador de taba.

Tara. (Del ár. *tarḥa*, lo que se quita, el peso de los embalajes.) f. Parte de peso que se rebaja en los géneros o mercancías por razón de la vasija, caja, saco, vehículo o cosa semejante en que están incluidos o cerrados. ‖ **Menos la tara.** m. adv. fig. y fam. con que se expresa que siempre hay que rebajar algo de lo que se dice o se oye.

Tara. f. **Tarja,** 5.ª acep.

Tara. f. *Venez.* **Langostón.** ‖ **2.** *Colomb.* Especie de culebra venenosa. ‖ **3.** *Perú.* Arbusto con hojas pinadas, flores amarillas y legumbres oblongas y esponjosas. Se usa como tintórea.

Tarabilla. (Del lat. **tremella*, por *tremŭla*, tembladera.) f. Cítola del molino. || **2.** fig. y fam. Persona que habla mucho, de prisa y sin orden ni concierto. || **3.** fig. y fam. Tropel de palabras dichas de este modo. || **4.** *Sal.* Matraca o carraca pequeña. || **5.** *Argent.* **Bramadera,** 1.ª acep. || **Soltar uno la tarabilla.** fr. fig. y fam. Hablar mucho y de prisa.

Tarabilla. (Del lat. **trabella*, de *trabs, trabis*, madero.) f. Zoquetillo de madera que sirve para cerrar las puertas o ventanas; está clavado al marco de forma que pueda girar y con una extremidad asegura la ventana. || **2.** Listón de madera que por torsión mantiene tirante la cuerda del bastidor de una sierra. || **3.** Telera del arado.

Tarabita. (d. del lat. *trabs, trabis*, madero.) f. Palito al extremo de la cincha, por donde pasa la correa o cordel para apretarla y ajustarla. || **2.** *Amér. Merid.* Maroma por la cual corre la oroya.

Taracea. (Del ár. *tarṣī'*, incrustación.) f. Embutido hecho con pedazos menudos de chapa de madera en sus colores naturales, o de madera teñida, concha, nácar y otras materias.

Taracear. tr. Adornar con taracea la madera u otra materia.

Taracol. m. *Ant.* Crustáceo parecido al cangrejo.

Tarafada. (De *tarafe*.) f. *Germ.* Flor o trampa en los dados.

Tarafana. (De *tarifa*.) f. *Germ.* **Aduana,** 1.ª acep.

Tarafe. m. *Germ.* **Dado,** 1.er art., 1.ª acep.

Taragallo. (De *tarangallo*.) m. **Trangallo.**

Taragontía. f. **Dragontea.**

Taragoza. f. *Germ.* **Pueblo,** 1.ª acep.

Taragozajida. f. *Germ.* **Ciudad,** 1.ª acep.

Taraje. (Del ár. *ṭarfā'*, tamarindo; en español, primitivamente, *tarahe*.) m. **Taray.**

Taramba. f. *Hond.* Instrumento músico que consiste en un arco de madera con su cuerda de alambre, la cual se golpea con un palito.

Tarambana. com. fam. Persona alocada, de poco asiento y juicio. Ú. t. c. adj. || **2.** *Ál.* **Tarabilla,** 2.ª acep. || **3.** *Ál.* Trozo de tabla que se pone al ganado en una pata para que no se aleje.

Tarando. (Del lat. *tarandus*, y éste del gr. τάρανδος.) m. **Reno.**

Tarangallo. (De *trangallo*.) m. **Trangallo.**

Tarángana. f. Especie de morcilla muy ordinaria.

Taranta. (Del ital. *taranta*, y éste del lat. *Tarentum*.) f. *Alm.* y *Murc.* Cierto canto popular. || **2.** *Hond.* Desvanecimiento, aturdimiento. || **3.** *Argent.*, *C. Rica* y *Ecuad.* Repente, locura, vena.

Tarantela. (Del ital. *tarantella*, y éste del lat. *Tarentum*.) f. Baile napolitano de movimiento muy vivo, en compás de seis por ocho, que se ha tenido como remedio para curar a los picados por la tarántula. || **2.** Aire musical con que se ejecuta este baile. || **Darle a uno la tarantela.** fr. fig. y fam. Decidirse o moverse uno repentinamente a la ejecución de una cosa, fuera de oportunidad y método.

Tarantín. m. *Amér. Central* y *Cuba.* Cachivache, trasto. || **2.** *Venez.* **Tenducha.**

Tarántula. (Del lat. *tarantŭla*, de *Tarentum*, la ciudad de Tarento.) f. Araña muy común en el mediodía de Europa, principalmente en los alrededores de Tarento, en Italia, y cuyo cuerpo, de unos tres centímetros de largo, es negro por encima, rojizo por debajo, velloso en el tórax casi redondo en el abdomen, y con patas fuertes. Vive entre las piedras o en agujeros profundos que hace en el suelo; es venenosa, pero su picadura, a la cual se atribuían en otro tiempo raros efectos nerviosos, sólo produce una inflamación. || **Picado de la tarántula.** fig. Dícese del que adolece de alguna afección física o moral. || **2.** fig. y fam. Que padece mal venéreo.

Tarantulado, da. (De *tarántula*.) adj. **Atarantado,** 2.ª, 3.ª y 4.ª aceps.

Tarapaqueño, ña. adj. Natural de Tarapacá. Ú. t. c. s. || **2.** Perteneciente a esta provincia chilena.

Tarara. (Voz onomatopéyica.) f. Señal o toque de la trompeta. || **2.** *Rioja.* **Aventador,** 2.ª acep.

Tarará. m. **Tarara,** 1.ª acep.

Tararaco. m. *Bot. Ant.* Planta bulbosa de la familia de las amarilidáceas, narcótica y venenosa, que se cultiva en los jardines y tiene flores de color rojo brillante.

Tararear. (De *tarara*.) tr. Cantar entre dientes y sin articular palabras.

Tarareo. m. Acción de tararear.

Tararira. (De *tarara*.) f. fam. Chanza, alegría con bulla y voces. || **2.** *Argent.* Cierto pez de río, redondeado, negruzco y de carne estimada. || **3.** com. fam. Persona bulliciosa, inquieta y alborotada, de poco asiento y formalidad. || **4.** interj. fam. que denota incredulidad o desconfianza.

Tarasa. f. *Chile* y *Perú.* Planta de la familia de las malváceas.

Tarasca. (Del fr. *tarasque*, de *Tarascón*, ciudad de Francia.) f. Figura de sierpe monstruosa, con una boca muy grande, que en algunas partes se saca durante la procesión del Corpus. || **2.** fig. **Gomia,** 2.ª y 3.ª aceps. || **3.** fig. y fam. Mujer fea, sacudida, desenvuelta y de mal natural. || **4.** *C. Rica* y *Chile.* Boca grande.

Tarasca. f. **Trasca,** 2.° art.

Tarascada. (De *tarascar*.) f. Golpe, mordedura o herida hecha con los dientes. || **2.** fig. y fam. Respuesta áspera o airada, o dicho desatento o injurioso, contra el que blandamente propone o cortésmente pretende una cosa.

Tarascar. (De *tarazar*.) tr. Morder o herir con los dientes. Dícese más frecuentemente y es muy usado hablando de los perros.

Tarascón, na. m. y f. aum. de **Tarasca.** || **2.** *Argent.*, *Bol.*, *Chile* y *Ecuad.* Tarascada, mordedura.

Tarasí. (Quizá del ár. *ṭirāzī*, bordador.) m. **Sastre.**

Taratántara. (Del lat. *taratantăra*.) m. **Tarará.**

Taray. (Del m. or. que *taraje*.) m. *Bot.* Arbusto de la familia de las tamaricáceas, que crece hasta tres metros de altura, con ramas mimbreñas de corteza rojiza, hojas glaucas, menudas, abrazadoras en la base, elípticas y con punta aguda; flores pequeñas, globosas, en espigas laterales, con cáliz encarnado y pétalos blancos; fruto seco, capsular, de tres divisiones, y semillas negras. Es común en las orillas de los ríos. || **2.** Fruto de este arbusto.

Tarayal. m. Sitio poblado de tarayes.

Taraza. m. *Zool.* Molusco lamelibranquio marino de aspecto vermiforme, con sifones desmesuradamente largos y concha muy pequeña, que deja descubierta la mayor parte del cuerpo. Las valvas de la concha, funcionando a manera de mandíbulas, perforan las maderas sumergidas, practican en ellas galerías que el propio animal reviste de una materia calcárea segregada por el manto y causan así graves daños en las construcciones navales.

Tarazana. f. **Atarazana.**

Tarazanal. m. **Tarazana.**

Tarazar. (Del ár. *ḍarasa*, morder.) tr. **Atarazar.** || **2.** fig. Molestar, inquietar, mortificar o afligir.

Tarazón. (De *tarazar*.) m. Trozo que se parte o corta de una cosa, y comúnmente, de carne o pescado.

Tarbea. (Del ár. *tarbī'*, cuadra, espacio cuadrado.) f. Sala grande.

Tarco. m. *Argent.* Árbol de la familia de las saxifragáceas, de unos 10 metros de altura. Se usa como planta de adorno por su abundante floración violácea que precede al follaje, y su madera se utiliza para muebles.

Tardador, ra. adj. Que tarda o se tarda. Ú. t. c. s.

Tardanaos. (De *tardar* y *nao*.) m. **Rémora,** 1.ª acep.

Tardano, na. adj. ant. **Tardío.**

Tardanza. (De *tardar*.) f. Detención, demora, lentitud, pausa.

Tardar. (Del lat. *tardāre*.) intr. Detenerse, no llegar oportunamente, retrasar la ejecución de una cosa. Ú. t. c. r. || **2.** Emplear tiempo en hacer las cosas. || **A más tardar.** m. adv. de que se usa para señalar el plazo máximo en que ha de suceder una cosa. A MÁS TARDAR, *iré la semana que viene.*

Tarde. (Del lat. *tarde*.) f. Tiempo que hay desde mediodía hasta anochecer. || **2.** Últimas horas del día. || **3.** adv. t. A hora avanzada del día o de la noche. *Levantarse* TARDE; *cenar* TARDE. || **4.** Fuera de tiempo, después de haber pasado el oportuno, conveniente o acostumbrado para algún fin, o en tiempo futuro relativamente lejano. || **Buenas tardes.** expr. que se emplea como salutación familiar durante la **tarde.** || **De tarde en tarde.** m. adv. De cuando en cuando, transcurriendo largo tiempo de una a otra vez. || **Para luego es tarde.** expr. con que se exhorta y da prisa a uno para que ejecute prontamente y sin dilación lo que debe hacer o de que se ha encargado. || **Tarde, mal y nunca.** expr. con que se pondera lo mal y fuera de tiempo que se hace lo que fuera casi mejor que no se ejecutara ya. || **Tarde piache.** expr. fam. V. **Piache.**

Tardecer. intr. Empezar a caer la tarde.

Tardecica, ta. (d. de *tarde*.) f. Caída de la tarde, cerca de anochecer.

Tardíamente. adv. t. **Tarde,** 4.ª acep.

Tardígrado, da. (Del lat. *tardigrădus*.) adj. *Zool.* Aplícase a los animales que se distinguen por la lentitud de sus movimientos. || **2.** m. pl. *Zool.* Clase de estos mamíferos.

Tardinero, ra. adj. **Tardo.**

Tardío, a. adj. Que tarda en venir a sazón y madurez algún tiempo más del regular. Dícese comúnmente de las frutas y frutos. || **2.** Que sucede después del tiempo oportuno en que se necesitaba o esperaba. || **3.** Pausado, detenido y que camina u obra lentamente. || **4.** m. Sembrado o plantío de fruto tardío. Ú. m. en pl. *La lluvia ha favorecido los* TARDÍOS. || **5.** *Sal.* y *Sant.* Otoñada, otoño.

Tardo, da. (Del lat. *tardus*.) adj. Lento, perezoso en obrar. || **2.** Que sucede después de lo que convenía o se esperaba. || **3.** Torpe, no expedito en la comprensión o explicación. || **4.** *Astron.* Dícese de un planeta cuando su movimiento diurno verdadero es menor que el medio.

Tardón, na. adj. fam. Que tarda mucho y gasta mucha flema. Ú. t. c. s. || **2.** fam. Que comprende tarde las cosas. Ú. t. c. s.

Tarea. (Del ár. *ṭarīḥa*, encargo de alguna obra en cierto tiempo.) f. Cualquier obra o trabajo. || **2.** Trabajo que debe hacerse en tiempo limitado. || **3.** fig. Afán, penalidad o cuidado causado por un trabajo continuo. || **4.** *And.* Conjunto de 15 fanegas de aceitunas recolectadas. || **de chocolate.** Cantidad de chocolate determinada por la que suele elaborar un oficial en un día. Generalmente es de 48 libras.

Tareco. (Del ár. *tarīk*, cosa abandonada.) m. *Cuba, Ecuad.* y *Venez.* Trasto, trebejo.

Tareche. m. *Bol.* Ave de rapiña, especie de aura.

Tareero. m. *Sev.* Obrero ajustado por tareas, generalmente con su familia, para la recolección de aceituna.

Tarentino, na. (Del lat. *tarentīnus.*) adj. Natural de Tarento. Ú. t. c. s. ‖ **2.** Perteneciente a esta ciudad de Italia.

Targum. (Del caldeo *targūm*, interpretación.) m. Libro de los judíos, que contiene las glosas y paráfrasis caldeas de la Escritura.

Tarida. (Del ár. *ṭarīda*, barco de transporte.) f. Embarcación usada desde el siglo XII en el Mediterráneo. Era semejante a una tartana grande, y su principal destino conducir caballos y máquinas militares en las expediciones marítimas.

Tarifa. (Del ár. *ta'rīfa*, definición, determinación.) f. Tabla o catálogo de los precios, derechos o impuestos que se deben pagar por alguna cosa o trabajo.

Tarifar. tr. Señalar o aplicar una tarifa. ‖ **2.** intr. fam. Reñir con uno, enemistarse.

Tarifeño, ña. adj. Natural de Tarifa. Ú. t. c. s. ‖ **2.** Perteneciente a esta ciudad.

Tarima. (Del ár. *ṭarīma*, estrado de madera.) f. Entablado movible, de varias dimensiones, según el uso a que se destina, como dormir sobre él, tener los pies levantados del suelo, etc.

Tarimón. m. aum. de **Tarima.**

Tarín. (Del b. lat. *tarinus* o *tarenus;* de *Tarento*, ciudad donde se cree fueron acuñados por primera vez.) m. Realillo de plata de ocho cuartos y medio.

Tarín. m. *Nav.* Cierta ave del orden de los pájaros.

Tarina. f. desus. Fuente de mediano tamaño en que se servía la vianda a la mesa.

Tarín barín. loc. adv. fam. Escasamente, sobre poco más o menos.

Tarja. (Del fr. *targe*, y éste del germ. *targa*, escudo.) f. Escudo grande que cubría todo el cuerpo, y más especialmente la pieza de la armadura que se aplicaba sobre el hombro izquierdo como defensa de la lanza contraria. ‖ **2.** Moneda de vellón, con cinco partes de cobre y una de plata, que mandó acuñar Felipe II, equivalente a un cuartillo de real de plata. ‖ **3.** En algunas partes, pieza de cobre de dos cuartos. ‖ **4.** Tablita o chapa que sirve de contraseña. ‖ **5.** Caña o palo partido longitudinalmente por medio, con encaje a los extremos, para ir marcando lo que se saca o compra fiado, haciendo una muesca; la mitad del listón conserva el que compra y la otra el que vende; y al tiempo de ajustar la cuenta las confrontan. Lo usan también para llevar cuentas las personas que no saben escribir. ‖ **6.** fam. Golpe o azote. ‖ **7.** desus. **Tarjeta,** 2.ª acep. ‖ **8.** *Amér.* y *Murc.* **Tarjeta,** 4.ª acep. ‖ **9.** *Cuba.* Entre agrimensores, medida de diez unidades. ‖ **Beber uno sobre tarja.** fr. fig. y fam. Beber vino al fiado.

Tarjador, ra. m. y f. Persona que tarja.

Tarjar. tr. Señalar o rayar en la tarja lo que se va sacando fiado, o lo que se cuenta.

Tarjero, ra. (De *tarja.*) m. y f. **Tarjador.**

Tarjeta. f. d. de **Tarja,** 1.ª acep. ‖ **2.** Adorno plano y oblongo que se figura sobrepuesto a un miembro arquitectónico, y que lleva por lo común inscripciones, empresas o emblemas. ‖ **3.** Membrete de los mapas y cartas. ‖ **4.** Pedazo de cartulina, pequeño y de forma rectangular, con el nombre, título o cargo de una o más personas, y que en el trato social se emplea para visitas, felicitaciones y otros usos. ‖ **5.** Pedazo de cartulina, por lo común rectangular, que lleva impreso o escrito un permiso, una invitación, un anuncio u otra cosa semejante. ‖ **de identidad.** La que sirve para acreditar la personalidad del titular y generalmente va provista de su retrato y firma. ‖ **postal. Tarjeta** que lleva estampado un sello de correos, y se emplea como carta poniendo en su anverso el sobrescrito y en su reverso lo que se quiera comunicar a la persona a quien haya de dirigirse. Va sin cubierta, y su porte cuesta menos que el de una carta cerrada.

Tarjeteo. m. fam. Uso frecuente de tarjetas para cumplimentarse recíprocamente las personas.

Tarjetero. m. Cartera para llevar tarjetas de visita.

Tarjetón. m. aum. de **Tarjeta.**

Tarjón. m. desus. aum. de **Tarja,** 7.ª acep.

Tarlatana. (Del fr. dialect. *tarlantane*, como el fr. *tiretaine.*) f. Tejido ralo de algodón, semejante a la muselina, pero de mayor consistencia que ésta y más fino que el linón.

Taropé. (Voz guaraní.) m. *Zool.* Planta acuática de la familia de las ninfeáceas, especie de nenúfar de hojas grandes.

Tarquia. f. *Germ.* **Tarja,** 2.ª acep.

Tarquín. (Del ár. *tarkim*, lodo amontonado.) m. Légamo que las aguas estancadas depositan en el fondo, o las avenidas de un río en los campos que inundan.

Tarquina. (Del ital. *tarchia.*) adj. *Mar.* V. **Vela tarquina.** Ú. t. c. s.

Tarquinada. (Por alusión a la violencia ejercida en Lucrecia por Sexto *Tarquino*, hijo de Tarquino el Soberbio.) f. fig. y fam. Violencia contra la honestidad de una mujer.

Tarraconense. (Del lat. *tarraconensis.*) adj. Natural de la antigua Tárraco, hoy Tarragona. Ú. t. c. s. ‖ **2.** Perteneciente a esta ciudad. ‖ **3.** Perteneciente a la antigua provincia del mismo nombre, de que dicha ciudad fué la capital. *España* TARRACONENSE. ‖ **4.** Natural de Tarragona. Ú. t. c. s. ‖ **5.** Perteneciente a esta ciudad.

Tárraga. f. Baile español que se usó a mediados del siglo XVII.

Tarrago. m. Planta labiada, especie de salvia.

Tarraja. (En port. *tarracha.*) f. **Terraja.** ‖ **2.** *Venez.* Tarja para llevar cuentas que se hace con una tira de cuero.

Tarralí. f. *Colomb.* Planta trepadora silvestre.

Tarrañuela. (De *tarreña.*) f. *Burg. Pal., Sant.* y *Vizc.* Tarreña, castañuela.

Tarrascar. tr. *Germ.* Arrancar, violentar.

Tarrasense. adj. Natural de Tarrasa. Ú. t. c. s. ‖ **2.** Perteneciente a esta ciudad de Cataluña.

Tarraya. f. *And., Bad., P. Rico* y *Venez.* Atarraya, esparavel.

Tarraza. (De *tierra.*) f. desus. Vasija de barro.

Tarreña. (De *tarro.*) f. Cada una de las dos tejuelas que, metidas entre los dedos y batiendo una con otra, hacen un ruido como el de las castañuelas.

Tarrico. m. **Caramillo,** 3.ª acep.

Tarriza. (De *terrizo, terriza.*) f. *Ar.* y *Sor.* Barreño, lebrillo.

Tarro. (En port. *tarro.*) m. Vaso de barro cocido y vidriado, de vidrio o de otra materia, cilíndrico o casi cilíndrico y generalmente más alto que ancho. ‖ **2.** fig. y fam. V. **Cabeza de tarro.** ‖ **3.** *Sal.* Borra de los panales de miel.

Tarsana. f. *C. Rica, Ecuad.* y *Perú.* Corteza de un árbol de las sapindáceas que se usa para lavar, como el palo de jabón.

Tarso. (Del gr. ταρσός.) m. *Zool.* Conjunto de huesos cortos que, en número variable, forman parte del esqueleto de las extremidades posteriores de los batracios, reptiles y mamíferos, situado entre los huesos de la pierna y el metatarso. En el hombre constituye la parte posterior del pie y está formado por siete huesos estrechamente unidos, uno de los cuales se articula con la tibia y el peroné. ‖ **2.** *Zool.* La parte más delgada de las patas de las aves, que une los dedos con la tibia y ordinariamente no tiene plumas. ‖ **3.** *Zool.* **Corvejón,** 1.er art. ‖ **4.** *Zool.* La última de las cinco piezas de que están compuestas la patas de los insectos, a contar desde su inserción en el tórax, que está articulada con la tibia, consta de uno a cinco artejos y termina en un par de uñas.

Tarta. (Del fr. *tarte*, y éste del lat. *torta.*) f. **Tortera,** 2.° art. ‖ **2.** Torta rellena con dulce de frutas, crema, etc.

Tártago. (Del b. lat. *tartarĭcus*, tartáreo, y éste del lat. *Tartărus*, Tártaro.) m. Planta herbácea anual de la familia de las euforbiáceas, que crece hasta un metro de altura, con tallo corto, sencillo y garzo; hojas lanceoladas, opuestas, en cruz, enteras y obtusas; flores unisexuales sin corola, y fruto seco, capsular, redondeado, con semillas arrugadas, del tamaño de cañamones; tiene virtud purgante y emética muy fuerte, y es común en España. ‖ **2.** fig. y fam. Suceso infeliz. ‖ **3.** fig. y fam. Chasco pesado. ‖ **de Venezuela. Ricino.**

Tartaja. adj. fam. **Tartajoso.** Ú. t. c. s.

Tartajear. (Voz onomatopéyica.) intr. Hablar pronunciando las palabras con torpeza o trocando sus letras, por algún impedimento en la lengua.

Tartajeo. m. Acción y efecto de tartajear.

Tartajoso, sa. adj. Que tartajea. Ú. t. c. s.

Tartalear. (Voz onomatopéyica.) intr. fam. Moverse sin orden o con movimientos trémulos, precipitados y poco compuestos. ‖ **2.** fam. Turbarse uno de modo que no acierta a hablar.

Tartamudear. (De *tartamudo.*) intr. Hablar o leer con pronunciación entrecortada y repitiendo las sílabas.

Tartamudeo. m. Acción y efecto de tartamudear.

Tartamudez. f. Calidad de tartamudo.

Tartamudo, da. (Como el port. *tartamudo*, quizá de *tarta*, onomatopéyico, y *mudo.*) adj. Que tartamudea. Ú. t. c. s.

Tartán. (Del fr. *tartan.*) m. Tela de lana con cuadros o listas cruzadas de diferentes colores.

Tartana. (Como el ital. *tartana* y el fr. *tartane*, del m. or. que *tarida.*) f. Embarcación menor, de vela latina y con un solo palo en su centro, perpendicular a la quilla. Es de mucho uso para la pesca y el tráfico de cabotaje. ‖ **2.** Carruaje con cubierta abovedada y asientos laterales, por lo común de dos ruedas y con limonera. ‖ **3.** *Murc.* Zarzos cubiertos con ropa donde se cría el gusano de seda.

Tartanero. m. Conductor del carruaje llamado tartana.

Tártano. m. *Ál.* y *Vizc.* Panal de miel.

Tartáreo, a. (Del lat. *tartarĕus.*) adj. poét. Perteneciente al tártaro o infierno.

Tartarí. adj. ant. **Tártaro,** 3.er art. Usáb. t. c. s. ‖ **2.** m. Cierta tela lujosa usada antiguamente.

Tartárico, ca. adj. *Quím.* **Tártrico.**

Tartarizar. tr. *Farm.* Preparar una confección con tártaro.

Tártaro. (Del b. lat. *tartārum*, y éste corrupción por los alquimistas del persa *darādi*, heces.) m. Tartrato ácido de potasio impuro que forma costra cristalina en el fondo y paredes de la vasija donde fermenta el mosto, y es blanquecino o rojizo, según que procede de vino blanco o tinto. ‖ **2.** Sarro, 2.ª acep. ‖ **3.** V. **Cristal, sal tártaro.** ‖ **4.** *Quím.* V. **Crémor tártaro.** ‖ **emético.** Tartrato de antimonio y de potasio, de poderosa acción emética o purgante según la dosis.

Tártaro. (Del lat. *Tartărus*, y éste del gr. Τάρταρος.) m. poét. El infierno.

Tártaro, ra. (Del turco *tatār*, nombre de pueblo.) adj. Natural de Tartaria. Ú. t. c. s. ‖ **2.** Perteneciente a esta región de Asia.

Tartera. (De *tarta*.) f. **Tortera,** 2.° art. ‖ **2. Fiambrera,** 2.ª acep.

Tartesio, sia. (Del lat. *tartessius*.) adj. Natural de la Tartéside. Ú. t. c. s. ‖ **2.** Perteneciente a esta región de la España antigua.

Tartrato. m. *Quím.* Sal formada por la combinación del ácido tártrico con una base.

Tártrico, ca. adj. *Quím.* Perteneciente o relativo al tártaro, 1.er art., 1.ª acep.

Taruga. f. Mamífero rumiante americano parecido al ciervo, de pelaje rojo obscuro y orejas blandas y caídas, que vive salvaje en los Andes sin formar manadas.

Tarugo. m. Clavija gruesa de madera ‖ **2. Zoquete.** ‖ **3.** Trozo grueso de madera, de forma prismática rectangular que se usa para pavimentar calles.

Tarumá. (Voz guaraní.) m. *Argent.* Árbol de la familia de las verbenáceas que produce un fruto morado oleoso.

Tarumba (Volverle a uno**).** fr. fam. Atolondrarle, confundirle. Ú. t. el verbo como r. VOLVERSE *uno* TARUMBA.

Tarusa. f. *León, Pal.* y *Zam.* **Chito,** 1.er art.

Tárzano. m. *Ast.* Poste fijo colocado verticalmente en el hogar cerca de la pared y provisto de varios agujeros, en los que se introduce una clavija para colgar la olla sobre la lumbre.

Tas. (Del fr. *tas*.) m. Yunque pequeño y cuadrado que, encajado por medio de una espiga en el banco, usan los plateros, hojalateros y plomeros.

Tasa. (De *tasar*.) f. Acción y efecto de tasar. ‖ **2.** Documento en que consta la **tasa.** ‖ **3.** Precio máximo o mínimo a que por disposición de la autoridad puede venderse una cosa. ‖ **4.** Medida, regla.

Tasación. (Del lat. *taxatio, -ōnis*.) f. Justiprecio, avalúo de las cosas.

Tasadamente. adv. m. Con tasa o medida. ‖ **2.** fig. Limitada y escasamente.

Tasador, ra. adj. Que tasa. Ú. t. c. s. ‖ **2.** m. El que ejerce el oficio público de tasar.

Tasajo. (En port. *tassalho*.) m. Pedazo de carne seco y salado o acecinado para que se conserve. ‖ **2.** Por ext., pedazo cortado o tajado de cualquiera carne.

Tasar. (Del lat. *taxāre*.) tr. Poner tasa a las cosas vendibles. ‖ **2.** Graduar el valor o precio de las cosas. ‖ **3.** Regular o estimar lo que cada uno merece por su personal trabajo, dándole el premio o paga correspondiente. ‖ **4.** fig. Poner método, regla o medida para que no haya exceso en cualquiera materia. TASAR *la comida al enfermo.* ‖ **5.** fig. Restringir o reducir lo que hay obligación de dar, apocándolo con mezquindad.

Tasca. (De *tascar*; en port. *tasca*.) f. Garito o casa de juego de mala fama. ‖ **2. Taberna.** ‖ **3.** *Perú.* Olas revueltas y corrientes encontradas que hacen difícil el desembarque en las costas.

Tascador. (De *tascar*, 1.ª acep.) m. **Espadilla,** 3.ª acep.

Tascar. (En port. *tascar*.) tr. **Espadar.** ‖ **2.** fig. Quebrantar con ruido la hierba o el verde las bestias cuando pacen. ‖ **3.** V. **Tascar el freno,** 1.ª acep.

Tasco. (De *tascar*.) m. Estopa gruesa del cáñamo o lino que queda después de espadarlo y que se aprovecha para tejidos bastos.

Tasconio. (Del lat. *tasconium*.) m. **Talque.**

Tasi. m. *Bot. Argent.* Enredadera silvestre, de la familia de las asclepiadáceas, con tallo lechoso y fruto grande, ovalado y pulposo; es comestible después de guisado o en dulce.

Tasio, sia. (Del lat. *thasius*.) adj. Natural de Taso. Ú. t. c. s. ‖ **2.** Perteneciente a esta isla del mar Egeo.

Tasquera. (De *tasca*.) f. fam. Pendencia, riña o contienda. ‖ **2.** *Germ.* **Taberna.**

Tasquero. m. *Perú.* Indio dedicado a ayudar a desembarcar en las costas en que hay tascas.

Tasquil. (Del ár. *taşqīr*, machacar piedra con un martillo.) m. Fragmento o pedazo pequeño que salta de la piedra al labrarla.

Tastana. f. Costra producida por la sequía en las tierras de cultivo. ‖ **2.** Membrana que separa los gajos de ciertas frutas; como la nuez, la naranja, la granada, etc.

Tastar. (Del lat. **taxitāre*, de *taxāre*, tocar.) tr. ant. **Tocar.** ‖ **2.** ant. **Gustar,** 1.ª acep.

Tástara. f. *Ar.* Salvado gordo.

Tastaz. (Del lat. *testacĕum*, ladrillo molido.) m. Polvo hecho de los crisoles viejos, que sirve para limpiar las piezas de azófar.

Tasto. (De *tastar*.) m. Sabor desagradable que toman algunas viandas cuando se han pasado o revenido.

Tasugo. m. **Tejón,** 1.er art.

Tata. (Del lat. *tata*.) m. fam. Nombre infantil con que se designa a la niñera. ‖ **2.** *Amér.* y *Murc.* Padre, papá. Es voz de cariño, y en algunas partes de América se usa también como tratamiento de respeto. ‖ **3.** *Ar.* Voz de cariño con que se designa a la hermana menor.

Tatabro. m. *Zool. Colomb.* **Pécari.**

Tatagua. f. *Cuba.* Mariposa nocturna de gran tamaño y color obscuro.

Tataibá. m. *Par.* Moral silvestre de fruto amarillo y áspero.

Tatarabuelo, la. (Del lat. *trităvus*, tercer abuelo.) m. y f. Tercer abuelo.

Tataradeudo, da. (De *tatara*, por imitación de *tatarabuelo*, y *deudo*.) m. y f. Pariente muy antiguo; antepasado.

Tataranieto, ta. (De *tatara* [véase *tatarabuelo*] y *nieto*.) m. y f. Tercer nieto, el cual tiene el cuarto grado de consanguinidad en la línea recta descendente.

Tataré. (Voz guaraní.) m. *Bot. Argent.* y *Par.* Árbol grande, de la familia de las mimosáceas, cuya madera es amarilla y se utiliza en ebanistería y en la construcción de barcos. De su corteza se extrae una materia tintórea.

Tatarrete. m. despect. de **Tarro,** 1.ª acep.

Tatas. Voz que sólo tiene uso en la frase **andar a tatas,** que es empezar a andar el niño con miedo, y recelo, cuando le van soltando a andar; y también suele tomarse por **andar a gatas.**

¡Tate! (En port. *tate*.) interj. que equivale a ¡cuidado! o poco a poco. Ú. también repetida. ‖ **2.** Denota además haberse venido en conocimiento de algo que antes no se ocurría o no se había podido comprender. Ú. t. repetida.

Tatetí. m. *Argent.* **Tres en raya.**

Tato. (Del lat. *tata*, padre.) m. fam. *Ar., Chile* y *Rioja.* Voz de cariño con que se designa a un hermano pequeño, o al niño en general.

Tato, ta. adj. Tartamudo que vuelve la *c* y *s* en *t*.

Tatú. (Voz guaraní.) m. *Argent.* Voz genérica que designa diversas especies de armadillo.

Tatuaje. m. Acción y efecto de tatuar o tatuarse.

Tatuar. (Del ingl. *to tattoo*, voz tomada de los indígenas de la isla de Tahití, en la Polinesia.) tr. Grabar dibujos en la piel humana, introduciendo materias colorantes bajo la epidermis, por las punzadas o picaduras previamente dispuestas. Ú. t. c. r.

Tatusia. f. *Par.* Especie de armadillo.

Tau. (Del gr. ταῦ.) m. Última letra del alfabeto hebreo. ‖ **2. Tao.** ‖ **3.** fig. Divisa, distintivo. ‖ **4.** f. Decimonona letra del alfabeto griego, que corresponde a la que en el nuestro se llama *te*.

Taujel. (Del ár. *ṭawŷul*, saeta.) m. Listón de madera, reglón.

Taujía. (Del m. or. que *ataujía*.) f. **Ataujía.**

Taumaturgia. f. Facultad de realizar prodigios.

Taumatúrgico, ca. adj. Perteneciente o relativo a la taumaturgia.

Taumaturgo, ga. (Del gr. θαυματουργός; de θαῦμα, -ατος, maravilla, y ἔργον, obra.) m. y f. Persona admirable en sus obras; autor de cosas estupendas y prodigiosas.

Taurino, na. (Del lat. *taurīnus*.) adj. Perteneciente o relativo al toro, o a las corridas de toros.

Taurios. (Del lat. *taurii, -ōrum*.) adj. pl. Dícese de unos juegos que se celebraban en la antigüedad y en que luchaban los hombres con los toros.

Tauro. (Del lat. *taurus*.) m. *Astron.* Segundo signo o parte del Zodiaco, de 30 grados de amplitud, que el Sol recorre aparentemente al mediar la primavera. ‖ **2.** *Astron.* Constelación zodiacal que en otro tiempo debió de coincidir con el signo de este nombre; pero que actualmente, por resultado del movimiento retrógrado de los puntos equinocciales, se halla delante del mismo signo o un poco hacia el oriente.

Taurófilo, la. adj. Que tiene afición a las corridas de toros.

Tauromaco, ca. adj. **Tauromáquico.** ‖ **2.** Dícese de la persona entendida en tauromaquia. Ú. t. c. s.

Tauromaquia. (Del gr. ταῦρος, toro, y μάχομαι, luchar.) f. Arte de lidiar toros.

Tauromáquico, ca. adj. Perteneciente o relativo a la tauromaquia.

Tauteo. m. *And.* Gañido peculiar del zorro.

Tautología. (Del gr. ταυτολογία, de ταυτολόγος; de ταὐτό, lo mismo, y λέγω, decir.) f. *Ret.* Repetición de un mismo pensamiento expresado de distintas maneras. Suele tomarse en mal sentido por repetición inútil y viciosa.

Tautológico, ca. adj. Perteneciente o relativo a la tautología.

Taxáceo, a. (De *taxus*, nombre de un género de plantas.) adj. *Bot.* Plantas arbóreas gimnospermas, coníferas, con hojas aciculares, aplastadas y persistentes, flores dioicas y desnudas, semillas rodeadas por arilos generalmente carnosos y coloreados; como el tejo. Ú. t. c. s. ‖ **2.** f. pl. *Bot.* Familia de estas plantas.

Taxativamente. adv. m. De un modo taxativo.

Taxativo, va. (Del lat. *taxātum*, supino de *taxāre*, tasar, limitar.) adj. *For.* Que limita, circunscribe y reduce un caso a determinadas circunstancias.

Taxi. m. fam. apócope de **Taxímetro,** 2.ª acep.

Taxidermia. (Del gr. τάξις, colocación, arreglo, y δέρμις, piel.) f. Arte de disecar los animales muertos para conservarlos con apariencia de vivos.

Taxidermista. com. Disecador, persona que se dedica a practicar la taxidermia.

Taxímetro. (Del fr. *taximètre*, y éste del gr. ταχύς, tasa, y μέτρον, medida.) m. Aparato de que van provistos algunos coches de alquiler, el cual marca automáticamente la distancia recorrida y la cantidad devengada. || **2.** Coche de alquiler provisto de un **taxímetro**. || **3.** *Mar.* Instrumento semejante, en forma y aplicación, al círculo azimutal.

Taxista. com. Persona que conduce un taxímetro.

Taxonomía. (Del gr. τάξις, ordenación, y νόμος, ley.) f. Parte de la botánica y de la zoología, que se ocupa en clasificar y ordenar sistemáticamente los vegetales y los animales, basándose en las analogías y diferencias que existen entre ellos.

Taxonómico, ca. adj. Perteneciente o relativo a la taxonomía.

Tayuela. f. *Ast.* **Tajuela,** 1.ª acep.

Tayuyá. (Del guaraní.) m. *Argent.* Planta rastrera de la familia de las cucurbitáceas.

Taz a taz. (De *tasa.*) m. adv. Sin añadir precio alguno, al permutar o trocar una cosa por otra.

Taza. (Del ár. *ṭassa*, escudilla.) f. Vasija pequeña, por lo común de loza o de metal y con asa, que se usa generalmente para tomar líquidos. || **2.** Lo que cabe en ella. *Una* TAZA *de caldo.* || **3.** Receptáculo redondo y cóncavo donde vacían el agua las fuentes. || **4.** Pieza de metal, redonda y cóncava, que forma parte de la guarnición de algunas espadas. || **5.** V. **Amigo de taza de vino.**

Tazaña. f. En algunas partes, **tarasca,** 1.ª acep.

Tazar. (Del lat. **tactiāre*, tocar.) tr. desus. Cortar, partir. || **2.** Partir la ropa por los dobleces, principalmente a causa del roce. Ú. m. c. r.

Tazmía. (Del ar. *tasmiya*, denominación, enumeración.) f. Porción de granos que cada cosechero llevaba al acervo decimal. || **2.** Distribución de los diezmos entre los partícipes en ellos. || **3.** Relación o cuaderno en que se anotaban los granos recogidos en la tercia. || **4.** Pliego en que se hacía la distribución a los partícipes. || **5.** Cálculo aproximado de una cosecha en pie. Aplícase principalmente a la caña de azúcar.

Tazón. m. aum. de **Taza,** 1.ª y 3.ª aceps. || **2.** *And.* **Jofaina.**

Te. f. Nombre de la letra *t.*

Te. (Del lat. *te.*) Dativo o acusativo del pronombre personal de segunda persona en género masculino o femenino y número singular. No admite preposición y cuando se pospone al verbo es enclítico. TE *persiguen; persíguen*TE.

Té. (Del chino *tscha*, pronunciado en ciertas provincias *te.*) m. *Bot.* Arbusto del Extremo Oriente, de la familia de las teáceas, que crece hasta cuatro metros de altura, con las hojas perennes, alternas, elípticas, puntiagudas, dentadas y coriáceas, de seis a ocho centímetros de largo y tres de ancho; flores blancas, pedunculadas y axilares, y fruto capsular, globoso, con tres semillas negruzcas. || **2.** Hoja de este arbusto, seca, arrollada y tostada ligeramente. || **3.** Infusión, en agua hirviendo, de las hojas de este arbusto, que se usa mucho como bebida estimulante, estomacal y alimenticia. || **4.** Reunión de personas que se celebra por la tarde y durante la cual se sirve un refrigerio del que forma parte el **té.** || **borde, de España,** o **de Europa. Pazote.** || **de Jersey.** *Bot.* **Ceanoto.** || **de los jesuitas,** o **del Paraguay. Mate,** 2.º art., 4.ª y 5.ª aceps. || **de Méjico. Pazote.** || **negro.** El que se ha tostado después de secar al sol las hojas con su pecíolo y se ha aromatizado con ciertas hierbas. || **perla.** El verde preparado con las hojas más frescas y delicadas, que se arrollan en bolitas. || **verde.** El que se ha tostado cuando las hojas están frescas, quitándoles antes el pecíolo y tiñéndolas después con una mezcla de yeso y añil.

Tea. (Del lat. *taeda.*) f. Astilla o raja de madera muy impregnada en resina, y que, encendida, alumbra como un hacha. || **2.** *Mar.* Nombre que toma accidentalmente el cable, cuando se leva con él desde una lancha, maniobra que se llama **levar por la tea.** || **Teas maritales,** o **nupciales.** Las que antiguamente llevaban los desposados delante de sus esposas. || **2.** fig. Las bodas.

Teáceo, a. (De *thea*, nombre de un género de plantas.) adj. *Bot.* Dícese de árboles y arbustos angiospermos dicotiledóneos, siempre verdes, con hojas enteras, esparcidas y sin estípulas; flores axilares, hermafroditas o unisexuales, y fruto capsular o indehiscente, rara vez en baya, con semillas sin albumen; como la camelia y el té. Ú. t. c. s. f. || **2.** f. pl. *Bot.* Familia de estas plantas.

Teame. (Del lat. *theamēdes.*) f. Piedra a la cual algunos de los antiguos atribuían propiedad contraria a la del imán; esto es, la de apartar y desviar el hierro.

Teamide. (Del lat. *theamēdes.*) f. **Teame.**

Teatina. f. *Chile.* Planta gramínea, especie de avena, cuya paja se usa para tejer sombreros.

Teatino, na. (Del obispo de *Teate* Juan Pedro Caraffa, fundador de esta orden, y después sumo pontífice con el nombre de Paulo IV.) adj. Dícese de los clérigos regulares de San Cayetano. Dedicábanse muy especialmente a ayudar a bien morir a los ajusticiados. Ú. t. c. s. || **2.** Perteneciente a esta orden religiosa. || **3.** desus. Por confusión se aplicó a los padres de la Compañía de Jesús. Usáb. t. c. s.

Teatral. (Del lat. *theatrālis.*) adj. Perteneciente o relativo al teatro. || **2.** Aplícase también a cosas de la vida real en que se descubre cierto estudio y deliberado propósito de llamar la atención. *Aparato, actitud, tono* TEATRAL.

Teatralidad. f. Calidad de teatral.

Teatralmente. adv. m. De modo teatral.

Teátrico, ca. (Del lat. *theatrĭcus.*) adj. p. us. **Teatral,** 1.ª acep.

Teatro. (Del lat. *theatrum*, y éste del gr. θέατρον, de θεάομαι, mirar.) m. Edificio o sitio destinado a la representación de obras dramáticas o a otros espectáculos públicos propios de la escena. || **2.** Sitio o lugar en que se ejecuta una cosa a vista de numeroso concurso. || **3.** Escenario o escena. || **4.** Práctica en el arte de representar comedias. *Ese actor tiene mucho* TEATRO. || **5.** Conjunto de todas las producciones dramáticas de un pueblo, de una época o de un autor. *El* TEATRO *griego; el* TEATRO *del siglo XVII; el* TEATRO *de Calderón.* || **6.** Profesión de actor. *Dedicarse al* TEATRO; *dejar el* TEATRO. || **7.** Arte de componer obras dramáticas, o de representarlas. *Este escritor y ese actor conocen mucho el* TEATRO. || **8.** fig. Literatura dramática. *Lope de Rueda fue uno de los fundadores del* TEATRO *en España.* || **9.** fig. Lugar en que ocurren acontecimientos notables y dignos de atención. *Italia fue el* TEATRO *de aquella guerra.* || **10.** Lugar donde una cosa está expuesta a la estimación o censura de las gentes. Dícese frecuentemente: *El* TEATRO *del mundo.*

Tebaico, ca. (Del lat. *thebaĭcus.*) adj. Perteneciente a Tebas, ciudad del Egipto antiguo. || **2.** V. **Extracto tebaico.**

Tebano, na. (Del lat. *thebānus.*) adj. Natural de Tebas. Ú. t. c. s. || **2.** Perteneciente a esta ciudad de la Grecia antigua.

Tebenque. m. Cuba. Planta anual, de la familia de las compuestas, de flores amarillas aromáticas. Crece en las playas.

Tebeo, a. (Del lat. *thebaeus.*) adj. **Tebano.** Apl. a pers., ú. t. c. s.

Teca. (Del tagalo *ticla.*) f. Árbol de la familia de las verbenáceas, que se cría en las Indias Orientales, corpulento, de hojas opuestas, grandes, casi redondas, enteras y ásperas por encima; flores blanquecinas en panojas terminales, y drupas globosas y corchosas, que contienen una nuez durísima con cuatro semillas. Su madera es tan dura, elástica e incorruptible, que se la emplea preferentemente para ciertas construcciones navales.

Teca. (Del gr. θήκη, caja.) f. Cajita donde se guarda una reliquia. || **2.** *Bot.* Célula en cuyo interior se forman las esporas de algunos hongos.

Tecali. m. *Méj.* Alabastro oriental de colores muy vivos que se halla en Tecali, población del Estado de Puebla.

Tecla. (En port. y en cat. *tecla.*) f. Cada uno de los listoncillos de madera o marfil que sirven para poner en movimiento, por la presión de los dedos, las palancas que hacen sonar los cañones del órgano o las cuerdas del piano u otros instrumentos semejantes. || **2.** fig. Materia o especie delicada que debe tratarse con cuidado. || **Dar** uno **en la tecla.** fr. fig. y fam. Acertar en el modo de ejecutar una cosa. || **2.** Tomar una costumbre o manía. || **Tocar** uno **una tecla.** fr. fig. y fam. Mover de intento y cuidadosamente un asunto o especie.

Teclado. m. Conjunto ordenado de teclas del piano, órgano u otro instrumento semejante.

Tecle. m. *Mar.* Especie de aparejo con un solo motón.

Tecleado, da. p. p. de **Teclear.** || **2.** m. Acción de teclear con los dedos.

Teclear. intr. Mover las teclas. || **2.** fig. y fam. Menear los dedos a manera del que toca las teclas. || **3.** tr. fig. y fam. Intentar o probar diversos caminos y medios para la consecución de algún fin.

Tecleo. m. Acción y efecto de teclear.

Técnica. (De *técnico.*) f. Conjunto de procedimientos y recursos de que se sirve una ciencia o un arte. || **2.** Pericia o habilidad para usar de esos procedimientos y recursos.

Técnicamente. adv. m. De manera técnica.

Tecnicismo. m. Calidad de técnico. || **2.** Conjunto de voces técnicas empleadas en el lenguaje de un arte, ciencia, oficio, etc. || **3.** Cada una de estas voces.

Técnico, ca. (Del lat. *technĭcus*, y éste del gr. τεχνικός, de τέχνη, arte.) adj. Perteneciente o relativo a las aplicaciones de las ciencias y las artes. || **2.** Aplícase en particular a las palabras o expresiones empleadas exclusivamente, o con sentido distinto del vulgar, en el lenguaje propio de un arte, ciencia, oficio, etc. || **3.** m. El que posee los conocimientos especiales de una ciencia o arte.

Tecnicolor. m. Nombre comercial de un procedimiento que permite reproducir en la pantalla cinematográfica los colores de los objetos.

Tecnología. (Del gr. τεχνολογία, de τεχνολόγος; de τέχνη, arte, y λόγος, tratado.) f. Conjunto de los conocimientos propios de un oficio mecánico o arte industrial. || **2.** Tratado de los términos técnicos. || **3.** Lenguaje propio, exclusivo, técnico, de una ciencia o arte.

Tecnológico, ca. (Del gr. τεχνολογικός.) adj. Perteneciente o relativo a la tecnología.

Tecol. m. *Méj.* Gusano que se cría en el maguey.

Tecolote. m. *Hond.* y *Méj.* **Búho,** 1.ª acep.

Tecomate. m. *Amér. Central.* Especie de calabaza de cuello estrecho y corteza dura de la cual se hacen vasijas. || **2.** *Amér. Central.* Esa clase de vasijas. || **3.** *Méj.* Vasija de barro, a manera de taza honda.

Tectónico, ca. (Del gr. τεκτονικός, perteneciente a la construcción o estructura.) adj. Perteneciente o relativo a los edificios u otras obras de arquitectura. || **2.** *Geol.* Perteneciente o relativo a la estructura de la corteza terrestre. || **3.** f. Parte de la geología, que trata de dicha estructura.

Techado, da. p. p. de **Techar.** || **2.** m. **Techo.**

Techador. m. El que se dedica a techar, especialmente el que hace cubiertas de paja para casas y chozas.

Techar. (Del lat. *tectāre.*) tr. Cubrir un edificio formando el techo.

Techo. (Del lat. *tectum.*) m. Parte interior y superior de un edificio, que lo cubre y cierra, o de cualquiera de las estancias que lo componen. || **2.** fig. Casa, habitación o domicilio.

Techumbre. f. **Techo,** 1.ª acep. Dícese, por lo regular, de los muy altos, como son los de las iglesias.

Teda. (Del lat. *taeda.*) f. **Tea,** 1.ª acep.

Tedero. (De *teda.*) m. Pieza de hierro sobre la cual se ponen las teas para alumbrar. || **2.** *Sor.* Vendedor de teas, 1.ª acep.

Tedéum. (De *Te Deum*, primeras palabras de este cántico.) m. Cántico que usa la Iglesia para dar gracias a Dios por algún beneficio.

Tediar. (Del lat. *taediāre.*) tr. Aborrecer o abominar una cosa; tener de ella tedio.

Tedio. (Del lat. *taedĭum.*) m. Repugnancia, fastidio o molestia.

Tedioso, sa. (Del lat. *taediōsus.*) adj. Fastidioso, enfadoso o molesto al gusto o al ánimo.

Tefe. m. *Colomb.* y *Ecuad.* Tira o jirón de piel o de tela.

Tegeo, a. (Del lat. *tegeaeus.*) adj. Natural de Tegea. Ú. t. c. s. || **2.** Perteneciente a esta ciudad de Arcadia.

Tegual. (Quizá del ár. *atqāl*, carga.) m. Impuesto que se pagaba por cada carga de pescado en el antiguo reino de Granada.

Tegue. m. *Venez.* Planta tuberosa, de jugo lechoso.

Teguillo. m. Pieza de madera de sierra, especie de listón, que sirve para la construcción de cielos rasos.

Tegumentario, a. adj. *Bot.* y *Zool.* Perteneciente o relativo al tegumento.

Tegumento. (Del lat. *tegumentum.*) m. *Bot.* Tejido que cubre algunas partes de las plantas, especialmente los óvulos y las semillas. || **2.** *Zool.* Membrana que cubre el cuerpo del animal o alguno de sus órganos internos.

Teína. f. *Quím.* Principio activo del té, análogo a la cafeína contenida en el café.

Teinada. (Del lat. **tignāta*, de *tignum*, madero.) f. **Tinada,** 2.ª acep.

Teísmo. (Del gr. Θεός, Dios.) m. Creencia en un Dios personal y providente, creador y conservador del mundo.

Teísta. adj. Que profesa el teísmo. Apl. a pers., ú. t. c. s.

Teitral. m. ant. Testera o adorno de la cabeza del caballo.

Teja. (Del lat. *tegŭla.*) f. Pieza de barro cocido hecha en forma de canal, para cubrir por fuera los techos y recibir y dejar escurrir el agua lluvia. || **2.** Cada una de las dos partes iguales de una barra de acero que, preparadas convenientemente, envuelven el alma de la espada. || **3.** Parte alícuota de la fila de agua, que en Aragón, Logroño y Navarra es la cuarta, y en Valencia la vigésima. || **4. Sombrero de teja.** || **5.** *Mar.* Concavidad semicircular que se hace en un palo para ajustar o empalmar otro cilíndrico. || **árabe.** La que tiene forma de una canal cónica. || **plana.** La que tiene forma de cuadrilátero en el cual hay marcadas dos o más canales cilíndricas. || **A teja vana.** m. adv. Sin otro techo que el tejado. || **2.** fig. A la ligera, sin reparo. || **A toca teja.** m. adv. fam. En dinero contante, sin dilación en la paga, con dinero en mano. || **Cada uno se entiende, y hurtaba las tejas a su vecino.** ref. con que se moteja al que para hacer alguna maldad afecta extravagancias con que ocultar sus malos designios. || **De tejas abajo.** loc. adv. fig. y fam. Por un orden regular, no contando con las causas sobrenaturales. || **2.** fig. y fam. En el mundo o la tierra. || **De tejas arriba.** loc. adv. fig. y fam. Según orden sobrenatural, contando con la voluntad de Dios. || **2.** fig. y fam. En el cielo.

Teja. (Del lat. *tilĭa.*) f. **Tilo.**

Tejadillo. m. d. de **Tejado.** || **2.** Parte que en los coches de viga cubría los estribos, para defender del agua al que iba sentado en ellos. || **3.** Tapa o cubierta de la caja de un coche. || **4.** Manera de coger los naipes, mediante la cual, con la misma mano que los tiene, puede el fullero sacar del monte disimuladamente los que necesita para ganar el juego.

Tejado. m. Parte superior del edificio, cubierta comúnmente por tejas. || **2.** *Min.* Afloramiento, generalmente ferruginoso, que forma la parte alta de las vetas o filones metalíferos. || **Quien tiene tejado de vidrio, no tire piedras al de su vecino.** ref. que aconseja al que tuviere motivos o causas para ser censurado, no censurar a los demás. || **Tejado de un rato, labor para todo el año.** ref. que enseña que la obra hecha de prisa, ocupa más tiempo en repararla.

Tejamaní. m. *Cuba* y *P. Rico.* **Tejamanil.**

Tejamanil. m. *Méj.* Tabla delgada y cortada en listones que se colocan como tejas en los techos de las casas.

Tejano, na. adj. Perteneciente o relativo al Estado de Tejas, en los Estados Unidos de América. || **2.** Natural de ese Estado. Ú. t. c. s.

Tejar. m. Sitio donde se fabrican tejas, ladrillos y adobes.

Tejar. tr. Cubrir de tejas las casas y demás edificios o fábricas.

Tejaroz. (De *teja.*) m. **Alero,** 1.er art., 1.ª acep.

Tejavana. f. Edificio techado a teja vana, cobertizo, tinglado.

Tejazo. m. Golpe de teja.

Tejedera. (De *tejer.*) f. **Tejedora.** || **2. Escribano del agua.**

Tejedor, ra. adj. Que teje. || **2.** *Chile* y *Perú.* fig. y fam. Intrigante, enredador. Ú. t. c. s. || **3.** m. y f. Persona que tiene por oficio tejer. || **4.** V. **Nudo de tejedor.** || **5.** m. Insecto hemíptero de cuerpo prolongado, con los dos pies delanteros cortos y los cuatro posteriores muy largos y delgados. Corre con mucha agilidad por la superficie del agua y se alimenta de otros insectos que coge con los pies delanteros.

Tejedura. f. Acción y efecto de tejer. || **2. Textura,** 1.ª acep.

Tejeduría. f. Arte de tejer. || **2.** Taller o lugar en que están los telares y trabajan los tejedores.

Tejemaneje. (De *tejer* y *manejar.*) m. fam. Afán, destreza y agilidad con que se hace una cosa o se maneja un negocio. || **2.** *Amér.* Manejos enredosos para algún asunto turbio.

Tejer. (Del lat. *texĕre.*) tr. Formar en el telar la tela con la trama y la urdimbre. || **2.** Entrelazar hilos, cordones, espartos, etc., para formar trencillas, esteras u otras cosas semejantes. || **3.** Formar ciertos animales articulados sus telas y capullos superponiendo unos hilos a otros. || **4.** fig. Componer, ordenar y colocar con método y disposición una cosa. || **5.** fig. Discurrir, maquinar con variedad de ideas. || **6.** fig. Cruzar o mezclar con orden; como los lazos y las cabriolas en la danza. || **7.** *Chile* y *Perú.* fig. Intrigar, enredar. || **Tejer y destejer.** fr. fig. Mudar de resolución en lo emprendido, haciendo y deshaciendo una misma cosa.

Tejera. f. La que fabrica tejas y ladrillos. || **2. Tejar,** 1.er art.

Tejería. (De *tejero.*) f. **Tejar,** 1.er art.

Tejeringo. (De *te*, 2.ª art., y *jeringar*, por alusión al instrumento, especie de *jeringa*, por donde se echa la masa para freírla.) m. *And.* y *Bad.* **Cohombro,** 3.ª acep.

Tejero. m. El que fabrica tejas y ladrillos.

Tejido, da. p. p. de **Tejer.** || **2.** adj. V. **Pintura tejida.** || **3.** m. **Textura,** 1.ª acep. *El color de esta tela es bueno, pero el* TEJIDO *es flojo.* || **4.** Cosa tejida. || **5.** *Bot.* y *Zool.* Cada uno de los diversos agregados de células de la misma naturaleza, diferenciadas de un modo determinado, ordenadas regularmente y que desempeñan en conjunto una determinada función. En la mayoría de los **tejidos** hay substancias intercelulares. || **adiposo.** *Zool.* El formado exclusivamente por células que contienen en su protoplasma una voluminosa gota de grasa o bien muchas gotitas de grasa dispersas en el mismo. || **cartilaginoso.** *Zool.* El que constituye los cartílagos, que consta de células generalmente redondeadas u ovales y separadas unas de otras por una materia sólida, compacta y elástica, cruzada a veces por numerosas fibras. || **conjuntivo.** *Zool.* El formado por células de diversos aspectos, en su mayoría laminares y de figura estrellada, a veces anastomosadas entre sí, y por materia homogénea, semilíquida, recorrida por numerosos hacecillos de finísimas fibras colágenas. || **epitelial. Epitelio.** || **fibroso.** Una de las variedades del conjuntivo, principal elemento de los ligamentos, tendones y aponeurosis. || **laminoso. Tejido conjuntivo.** || **linfático.** *Zool.* El formado por un estroma, en parte celular y en parte fibroso, y numerosas células, la mayoría de las cuales son linfocitos. Constituye la porción principal de algunos órganos, como los ganglios linfáticos. || **muscular.** *Zool.* El que está constituido por un conjunto de fibras musculares, que forma la mayor parte de los músculos. || **nervioso.** *Zool.* El que forma los órganos del sistema nervioso, que está constituido por los cuerpos de las células nerviosas y sus prolongaciones y por células de la neuroglia. || **óseo.** *Zool.* El que constituye los huesos, que consta de células provistas de numerosas, finas y largas prolongaciones y separadas unas de otras por una materia orgánica que está íntimamente mezclada con sales de calcio, a las que deben los huesos su gran dureza.

Tejillo. m. Especie de trencilla de que usaban las mujeres como ceñidor.

Tejimiento. m. ant. **Tejido,** 4.ª acep.

Tejo. m. Pedazo redondo de teja o cosa semejante que sirve para jugar. || **2. Chito,** 1.er art., 2.ª acep. || **3.** Plancha metálica gruesa y de figura circular. || **4.** Pedazo de oro en pasta. || **5. Cospel.** || **6.** *Mec.* **Tejuelo,** 5.ª acep. || **Tirar los tejos.** fr. fig. y fam. **Poner los puntos.**

Tejo. (Del lat. *taxus.*) m. *Bot.* Árbol de la familia de las taxáceas, siempre verde, con tronco grueso y poco elevado, ramas casi horizontales y copa ancha; hojas lineales, planas, aguzadas, de color verde obscuro; flores poco visibles, y cuyo fruto consiste en una semilla elipsoidal, envuelta en un arilo de color escarlata.

Tejocote. m. *Méj.* Planta rosácea que da un fruto parecido a la ciruela, de color amarillo.

Tejoleta. (d. de *tejuela.*) f. Pedazo de teja. ‖ **2.** Cualquier pedazo de barro cocido. ‖ **3. Tarreña.**

Tejón. (Del germ. *taxo.*) m. Mamífero carnicero, de unos ocho decímetros de largo desde la punta del hocico hasta el nacimiento de la cola, que mide dos; con piel dura y pelo largo, espeso y de tres colores: blanco, negro y pajizo tostado. Habita en madrigueras profundas y se alimenta de animales pequeños y de frutos. Es común en España.

Tejón. m. aum. de **Tejo.** ‖ **2. Tejo,** 1.er art., 4.ª acep.

Tejonera. f. Madriguera donde se crían los tejones.

Tejuela. f. d. de **Teja.** ‖ **2. Tejoleta,** 1.ª y 2.ª aceps. ‖ **3.** Pieza de madera que forma cada uno de los dos fustes de la silla de montar.

Tejuelo. m. d. de **Tejo,** 1.er art. ‖ **2.** Cuadrito de piel o de papel que se pega al lomo de un libro para poner el rótulo. ‖ **3.** El rótulo mismo, aunque no sea sobrepuesto ‖ **4.** ant. **Tejo,** 1.er art., 2.ª acep. ‖ **5.** *Mec.* Pieza donde se apoya el gorrón de un árbol. ‖ **6.** *Veter.* Hueso corto y muy resistente, de forma semilunar, que sirve de base al casco de las caballerías.

Tela. (Del lat. *tēla.*) f. Obra hecha de muchos hilos, que, entrecruzados alternativa y regularmente en toda su longitud, forman como una hoja o lámina. Dícese especialmente de la obra tejida en el telar. ‖ **2.** Obra semejante a ésa, pero formada por series alineadas de puntos o lazaditas hechas con un mismo hilo, especialmente la **tela** de punto elástico tejida a máquina. ‖ **3.** Lo que se pone de una vez en el telar. ‖ **4. Membrana,** 2.ª acep. TELA *del cerebro, del corazón.* ‖ **5.** Valla que se solía construir en la liza de las justas, para evitar que los dos caballos se topasen, corriendo cada uno a un lado y a lo largo de ella. ‖ **6.** Sitio cerrado dispuesto para lides públicas y otros espectáculos o fiestas. ‖ **7.** Sabogal empleado en el Ebro para pescar sabogas, sollos y otros peces. ‖ **8.** Flor o nata que crían algunos líquidos en la superficie. ‖ **9.** Túnica, en algunas frutas, después de la cáscara o corteza que las cubre. ‖ **10.** Tejido que forman la araña común y otros animales de su clase. ‖ **11.** Nubecilla que se empieza a formar sobre la niña del ojo. ‖ **12.** V. **Papel tela.** ‖ **13.** fig. Enredo, maraña o embuste. ‖ **14.** fig. Asunto o materia. *Ya tienen* TELA *para un buen rato.* ‖ **15.** desus. Examen, disputa o controversia para dilucidar algo. *Llevar una cosa a* TELA *de averiguación,* TELA *de justicia.* ‖ **16.** *Mont.* Plaza o recinto formado con lienzos, para encerrar la caza y matarla con seguridad. ‖ **de araña. Telaraña.** ‖ **de cebolla. Binza,** 2.ª acep. ‖ **2.** fig. despect. **Tela** de poca consistencia. ‖ **de punto. Tela,** 2.ª acep. ‖ **metálica.** Tejido hecho con alambre. ‖ **pasada.** Aquella en cuyas flores o labores pasa la seda al envés de ella. ‖ **Echar tela.** fr. Hacer o mandar hacer las labores necesarias hasta tejerla. ‖ **En tela de juicio.** fr. adv. En duda acerca de la certeza o el éxito de una cosa. Ú. principalmente con los verbos *estar, poner* y *quedar.* ‖ **2.** Sujeto a maduro examen. ‖ **Haber tela de que cortar.** fr. fig. y fam. Haber mucha abundancia de una cosa. ‖ **Hay tela cortada,** o **larga tela.** expr. fig. y fam. con que se indica que el negocio o materia de que se trata ofrece dilaciones y dificultades. ‖ **2.** fig. y fam. Ú. t. para censurar la prolija locuacidad de una persona. ‖ **Llegarle** a uno **a las telas del corazón.** fr. fig. Ofenderle en lo que más ama. ‖ **Mantener la tela.** fr. Ser el principal sostenedor de una lid, justa u otro espectáculo. ‖ **Mantener tela,** o **la tela.** fr. fig. Tomar la mano en la conversación, satisfaciendo a lo que otros preguntan. ‖ **Muy ciego es el que no ve por tela de cedazo.** expr. fig. y fam. con que se significa la poca perspicacia de quien no percibe las cosas que son claras o fáciles de percibir. ‖ **Querer** uno a otro **más que a las telas de su corazón.** fr. fig. y fam. Quererle entrañablemente. ‖ **Sin tela ni contienda de juicio.** loc. adv. *For.* **Sin estrépito ni figura de juicio.** ‖ **Sobrar tela de que cortar.** fr. fig. y fam. **Haber tela de que cortar.** ‖ Ver uno una cosa **por tela de cedazo.** fr. fig. y fam. Verla o entenderla confusamente, o juzgarla no como es en sí, sino como se la presenta su pasión o preocupación.

Telamón. (Del lat. *telamōnes,* y éste del gr. τελαμών.) m. *Arq.* **Atlante.**

Telar. (Del lat. *telarium.*) m. Máquina para tejer. ‖ **2.** Parte superior del escenario, oculta a la vista del público, de donde bajan o a donde suben los telones y bambalinas. ‖ **3.** Aparato en que los encuadernadores colocan los pliegos para coserlos. ‖ **4.** *Arq.* Parte del espesor del vano de una puerta o ventana, más próxima al paramento exterior de la pared y que está con él a escuadra. ‖ **Más vale gordo al telar, que delgado al muladar.** ref. que enseña que no se deben apurar tanto las cosas, ni quererlas tan exquisitas, que se pierda todo.

Telaraña. f. Tela que forma la araña. ‖ **2.** fig. Cosa sutil, de poca entidad, substancia o subsistencia. ‖ **Eso se cura con una telaraña.** expr. fig. y fam. con que se da a entender la facilidad del remedio o de la compostura de una cosa. ‖ **Mirar** uno **las telarañas.** fr. fig. y fam. Estar distraído y no atender a lo que se hace o se le dice. ‖ **Tener** uno **telarañas en los ojos.** fr. fig. y fam. No percibir bien la realidad; tener el ánimo ofuscado o mal prevenido para juzgar un asunto.

Telarañoso, sa. adj. Cubierto de telarañas.

Telarejo. m. d. de **Telar.**

Telecomunicación. f. Sistema de comunicación telegráfica, telefónica o radiotelegráfica y demás análogos.

Telefio. (Del lat. *telephīon,* y éste del gr. τηλέφιον.) m. Planta herbácea de la familia de las crasuláceas, con tallos rollizos, tendidos y de cuatro a cinco decímetros de longitud; hojas opuestas, ovaladas, carnosas y desigualmente dentadas; flores en corimbo, blancas o purpúreas, y fruto seco de tres aristas y con muchas semillas negras y menudas. Vive en terrenos umbríos y sus hojas suelen usarse como cicatrizantes y para ablandar los callos.

Telefonear. tr. Dirigir comunicaciones por medio del teléfono.

Telefonema. m. Despacho telefónico.

Telefonía. f. Arte de construir, instalar y manejar los teléfonos. ‖ **2.** Servicio público de comunicaciones telefónicas.

Telefónicamente. adv. m. Por medio del teléfono.

Telefónico, ca. adj. Perteneciente o relativo al teléfono o a la telefonía.

Telefonista. com. Persona que se ocupa en el servicio de los aparatos telefónicos.

Teléfono. (Del gr. τῆλε, lejos, y φωνέω, hablar.) m. Conjunto de aparatos e hilos conductores con los cuales se transmite a distancia la palabra y toda clase de sonidos por la acción de la electricidad.

Telegrafía. f. Arte de construir, instalar y manejar los telégrafos. ‖ **2.** Servicio público de comunicaciones telegráficas.

Telegrafiar. tr. Manejar el telégrafo. ‖ **2.** Dictar comunicaciones para su expedición telegráfica, o escribirlas y entregarlas, o hacerlas entregar con el propio objeto.

Telegráficamente. adv. m. Por medio del telégrafo.

Telegráfico, ca. adj. Perteneciente o relativo al telégrafo o a la telegrafía. ‖ **2.** V. **Abecedario, giro telegráfico.** ‖ **3.** V. **Línea telegráfica.**

Telegrafista. com. Persona que se ocupa en la instalación o el servicio de los aparatos telegráficos.

Telégrafo. (Del gr. τῆλε, lejos, y γράφω, escribir.) m. Conjunto de aparatos que sirven para transmitir despachos con rapidez y a distancia. ‖ **eléctrico.** El que funciona por medio de la electricidad. ‖ **marino.** Conjunto de combinaciones de banderas u otras señales que, con sujeción a una clave, usan los buques para comunicar entre sí y con las estaciones de tierra. ‖ **óptico.** El que funciona por medio de señales que se ven desde lejos y se repiten de estación en estación. ‖ **sin hilos.** El eléctrico en que las señales se transmiten por medio de las ondas hertzianas, sin necesidad de conductores entre una estación y otra. ‖ **Hacer telégrafos.** fr. fig. y fam. Hablar por señas, especialmente los enamorados.

Telegrama. (Del gr. τῆλε, lejos, y γράμμα, escrito.) m. Despacho telegráfico.

Telele. m. *Amér. Central* y *Méj.* Patatús, soponcio.

Telemetría. f. Arte de medir distancias entre objetos lejanos.

Telemétrico, ca. adj. Perteneciente o relativo al telémetro.

Telémetro. (Del gr. τῆλε, lejos, y μέτρον, medida.) m. *Topogr.* Anteojo con cristales a propósito para averiguar, sin moverse de un sitio, la distancia que hay desde él a otro donde se ha colocado una mira.

Telendo, da. adj. Vivo, airoso, gallardo.

Teleología. (Del gr. τέλος, -εος, fin, y λόγος, doctrina.) f. *Fil.* Doctrina de las causas finales.

Teleológico, ca. adj. *Fil.* Perteneciente a la teleología.

Teleósteo. (Del gr. τέλειος, completo, y ὀστέον, hueso.) adj. *Zool.* Dícese del pez que tiene el esqueleto completamente osificado. Ú. t. c. s. ‖ **2.** m. pl. *Zool.* Orden de estos animales, que comprende la mayoría de los peces vivientes, tanto marinos como de agua dulce. En este grupo están incluidos los antiguos órdenes de los acantopterigios y malacopterigios.

Telepate. m. *Hond.* Insecto áptero muy molesto.

Telepatía. (Del gr. τῆλε, lejos, y πάθος, afección.) f. Percepción de un fenómeno ocurrido fuera del alcance de los sentidos.

Telepático, ca. adj. Perteneciente a la telepatía.

Telera. (Del lat. **telaria,* de *telum,* espada.) f. Travesaño de hierro o de madera que sujeta el dental a la cama del arado o al timón mismo, y sirve para graduar la inclinación de la reja y la profundidad de la labor. ‖ **2.** Redil formado con pies derechos clavados en tierra, y tablas que se afirman en ellos. ‖ **3.** Cada uno de los dos maderos paralelos que, unidos por husillos y tuercas, forman las prensas de carpinteros, encuadernadores y otros artesanos. ‖ **4.** Travesaño de madera con que se enlaza cada lado del pértigo con las tijeras o largueros de la escalera del carro. ‖ **5.** Montón en forma piramidal que en las minas de la provincia de Huelva se hacía con los minerales de pirita de cobre para calcinarlos. ‖ **6.** *And.* Pan bazo grande y de forma ovalada que suelen comer los trabajadores. ‖ **7.** *Cuba.* Galleta delgada y cuadrilonga. ‖ **8.** *Art.* Cada una de las tablas que en las cureñas unen y afirman las gualderas. || **9.** *Mar.* Palo con una fila de agujeros, que sirve para mantener separados los cabos de una araña.

Telerín. m. *Vallad.* **Adral.**

Telero. (Del lat. **telarius*, de *telum*, espada.) m. *Ar.* Palo o estaca de las barandas de los carros y galeras.

Telerón. (De *telero.*) m. *Art.* Pieza fuerte de madera o acero con que se unen y aseguran entre sí las gualderas por la parte anterior del montaje.

Telescópico, ca. adj. Relativo o perteneciente al telescopio. || **2.** Que no se puede ver sino con el telescopio. *Planetas* TELESCÓPICOS. || **3.** Hecho con auxilio del telescopio. *Observaciones* TELESCÓPICAS.

Telescopio. (Del gr. τῆλε, lejos, y σκοπέω, ver, examinar.) m. Anteojo de gran alcance, que generalmente se destina a observar los astros, combinado a veces con un espejo cóncavo.

Teleta. (d. de *tela.*) f. Hoja de papel secante que se pone sobre escrito reciente para que no se borre. || **2.** Red de cerdas o tela metálica que se pone en las pilas de los molinos de papel para que salga el agua y no el material.

Teletipo. m. Nombre comercial de un aparato telegráfico que imprime los mensajes en caracteres ordinarios.

Teletón. m. desus. Tela de seda parecida al tafetán, con cordoncillo menudo, pero de mucho más cuerpo y lustre que él.

Televisión. (Del gr. τῆλε, lejos, y *visión.*) f. Transmisión de la imagen a distancia, valiéndose de las ondas hertzianas.

Telilla. f. d. de **Tela.** || **2.** Tejido de lana más delgado que el camelote. || **3. Tela,** 8.ª acep. || **4.** Capa delgada y mate que cubre la masa fundida de la plata cuando se copela.

Telina. (Del gr. τελίνη.) f. *Zool.* Molusco lamelibranquio marino, abundante en las costas españolas, del tamaño de una almeja y con concha de colores brillantes.

Telón. (aum. de *tela.*) m. Lienzo grande de pintado que se pone en el escenario de un teatro de modo que pueda bajarse y subirse, ya para que forme parte principal de las decoraciones, ya para ocultar al público la escena. || **corto.** El que se coloca inmediatamente detrás de la embocadura, mientras se representan delante breves escenas episódicas y permiten mudar, a su espalda, la decoración. || **de boca.** El que cierra la embocadura del escenario, y está echado antes de que empiece la función teatral y durante los entreactos o intermedios. || **de foro.** El que cierra la escena formando el frente de la decoración.

Telonio. (Del lat. *telonium*, y éste del gr. τελώνιον.) m. Oficina pública donde se pagaban los tributos.

Telson. (Del gr. τέλσον, extremo.) m. *Zool.* Último segmento del cuerpo de los crustáceos, que suele ser laminar y está situado a continuación del pleon; junto con los dos apéndices del último segmento del pleon, que también son laminares, funciona como aleta nadadora.

Telúrico, ca. (Del lat. *Tellus, Tellūris*, la Tierra.) adj. Perteneciente o relativo a la Tierra como planeta.

Telurio. (Del lat. *Tellus, Tellūris*, la Tierra.) m. *Quím.* Cuerpo simple clasificado como metaloide, análogo al selenio, quebradizo y fácilmente fusible. Es muy escaso.

Tellina. (Del gr. τελλίνη.) f. **Telina.**

Telliz. (Del ár. *tillīs*, tela basta, saco, tapiz, y éste del lat. *trillix, icis*, de tres lizos o hilos; véase *terliz.*) m. **Caparazón,** 1.ª acep.

Telliza. (De *telliz.*) f. **Sobrecama.**

Tema. (Del lat. *thema*, y éste del gr. θέμα.) m. Proposición o texto que se toma por asunto o materia de un discurso. || **2.** Este mismo asunto o materia. || **3.** *Gram.* Parte esencial, fija o invariable de un vocablo, a diferencia de la terminación, del sufijo o del prefijo de aquél. || **4.** *Mús.* Pequeño trozo de una composición, con arreglo al cual se desarrolla el resto de ella. || **5.** f. Porfía, obstinación o contumacia en un propósito o aprensión. || **6.** Especie o idea fija que suelen tener los dementes. || **7.** Oposición caprichosa a uno. || **celeste.** *Astrol.* **Figura celeste.** || **A tema.** m. adv. A porfía, a competencia. || **Ése es el tema de mi sermón.** expr. fig. y fam. que suele emplear el que oye alguna especie o advertencia sobre la cual él ha insistido antes. || **Tomar tema.** fr. Obstinarse en una cosa, u oponerse caprichosamente contra una persona.

Temático, ca. (Del gr. θεματικός.) adj. Que se arregla, ejecuta o dispone según el tema o asunto de cualquier materia. || **2. Temoso.** || **3.** *Gram.* Perteneciente o relativo al tema de una palabra.

Tembladal. (De *temblar.*) m. **Tremedal.**

Tembladera. (De *temblar.*) f. Vaso ancho, de plata, oro o vidrio, de figura redonda, con dos asas a los lados y un pequeño asiento. Las hay de muchos tamaños, y se hacen regularmente de una hoja muy delgada que parece que tiembla. || **2. Tembleque,** 3.ª acep. || **3. Torpedo,** 1.ª acep. || **4.** Planta anual de la familia de las gramíneas, con cañas cilíndricas de unos cuatro decímetros de altura, dos o tres hojas lampiñas y estrechas, y panoja terminal compuesta de ramitos capilares y flexuosos, de los cuales cuelgan unas espigas aovadas matizadas de verde y blanco. || **5.** *Amér.* **Tremedal.** || **6.** *Argent.* Enfermedad que ataca a los animales en ciertos parajes de los Andes.

Tembladerilla. f. *Chile.* Planta de la familia de las papilionáceas, que produce temblor en los animales que la comen. || **2.** *Chile.* Planta herbácea de la familia de las umbelíferas, con tallos rastreros, hojas sencillas, lobuladas, y umbelas sencillas, involucradas.

Tembladero, ra. (De *temblar.*) adj. Que retiembla. || **2.** m. **Tremedal.**

Temblador, ra. adj. Que tiembla. Ú. t. c. s. || **2.** m. y f. **Cuáquero.**

Temblante. p. a. de **Temblar.** Que tiembla. || **2.** m. Especie de ajorca o manilla que usaban las mujeres.

Temblar. (Del lat. *trĕmŭlāre.*) intr. Agitarse con movimiento frecuente e involuntario. || **2.** Vacilar, moverse rápidamente una cosa a uno y otro lado de su posición o asiento. || **3.** fig. Tener mucho miedo, o recelar con demasiado temor una cosa. || **4.** V. **Temblar las carnes.** || **Temblando.** Con los verbos *estar, quedar, dejar* u otros semejantes, dícese de la cosa que está próxima a arruinarse, acabarse o concluirse. *Empinó la bota y la dejó* TEMBLANDO.

Tembleque. adj. **Tembloroso.** || **2.** m. Persona o cosa que tiembla mucho. || **3.** Joya que, montada sobre una hélice de alambre, tiembla con facilidad.

Temblequear. (De *tembleque.*) intr. fam. Temblar con frecuencia o continuación. || **2.** fam. Afectar temblor.

Tembletear. intr. fam. **Temblequear.**

Temblón, na. adj. fam. **Temblador.** || **2.** V. **Álamo temblón.** Ú. t. c. s. || **Hacer uno la temblona.** fr. fam. Fingirse tembloroso el pordiosero para mover a lástima.

Temblor. (De *temblar.*) m. Movimiento involuntario, repetido y continuado del cuerpo o de algunas partes de él. || **2.** ant. **Terremoto.** Ú. en *Amér.* || **de tierra. Terremoto.**

Tembloroso, sa. (De *temblor.*) adj. Que tiembla mucho.

Tembloso, sa. (De *temblar.*) adj. **Tembloroso.**

Temedero, ra. adj. Digno de ser temido.

Temedor, ra. adj. Que teme. Ú. t. c. s.

Temer. (Del lat. *timēre.*) tr. Tener a una persona o cosa por objeto de temor. || **2.** Recelar un daño, en virtud de fundamento antecedente. TEMO *que vendrán mayores males.* || **3.** Sospechar, recelar, creer. TEMO *que sea más antiguo de lo que parece.* || **4.** intr. Sentir temor. || **No temer ni deber** uno. fr. fam. Obrar temerariamente, sin consultar con la prudencia ni mirar respetos.

Temerariamente. adv. m. De modo temerario.

Temerario, ria. (Del lat. *temerarius.*) adj. Inconsiderado, imprudente y que se expone y arroja a los peligros sin meditado examen de ellos. || **2.** Que se dice, hace o piensa sin fundamento, razón o motivo. *Juicio* TEMERARIO. || **3.** *For.* V. **Imprudencia temeraria.**

Temeridad. (Del lat. *temerĭtas, -ātis.*) f. Calidad de temerario. || **2.** Acción temeraria. || **3.** Juicio temerario.

Temerón, na. (De *temer.*) adj. fam. Dícese de la persona que afecta valentía y esfuerzo, especialmente cuando intenta infundir miedo con sus ponderaciones. Ú. t. c. s.

Temerosamente. (De *temeroso.*) adv. m. Con temor.

Temeroso, sa. adj. Que causa temor. || **2.** Medroso, cobarde, irresoluto. || **3.** Que recela un daño.

Temible. adj. Digno o capaz de ser temido.

Temiente. (Del lat. *timens, -entis.*) p. a. de **Temer.** Que teme. Ú. t. c. s.

Temor. (Del lat. *timor, -ōris.*) m. Pasión del ánimo, que hace huir o rehusar las cosas que se consideran dañosas, arriesgadas o peligrosas. || **2.** Presunción o sospecha. || **3.** Recelo de un daño futuro. || **4.** *Germ.* **Cárcel,** 1.ª acep. || **de Dios.** Miedo reverencial y respetuoso que se debe tener a Dios. Es uno de los dones del Espíritu Santo.

Temorizar. (De *temor.*) tr. ant. **Atemorizar.**

Temoso, sa. (De *tema.*) adj. Tenaz y porfiado en sostener un propósito, una idea.

Tempanador. (De *tempanar.*) m. Instrumento que sirve para abrir las colmenas, quitando de ellas los témpanos o tapas; es de hierro, de tres o cuatro decímetros de largo, con una boca de escoplo roma en un extremo, y en el otro una especie de uña.

Tempanar. tr. Echar témpanos a las colmenas, cubas, etc.

Tempanil. m. *Ar.* Pernil delantero del cerdo.

Tempanilla. adj. *Huesca.* Dícese de la pieza de madera de sierra de 10, 12 ó 15 palmos de longitud y con varia escuadría. Ú. m. c. s.

Tempanillo. m. *Sal.* Madera de junto a la medula del árbol.

Témpano. (Del lat. *tympănum*, y éste del gr. τύμπανον.) m. **Timbal,** 1.ª y 2.ª aceps. || **2.** Piel extendida del pandero, tambor, etc. || **3.** Pedazo de cualquier cosa dura, extendida o plana; como un pedazo de hielo o de tierra unida. || **4.** Hoja de tocino, quitados los perniles. || **5.** Tapa de cuba o tonel. || **6.** Corcho redondo que sirve de tapa y cierre a una colmena. || **7.** *Arq.* **Tímpano,** 4.ª acep.

Tempate. m. *C. Rica* y *Hond.* **Piñón,** 1.er art., 4.ª acep.

Temperación. (Del lat. *temperatio, -ōnis.*) f. Acción y efecto de temperar o temperarse.

Temperadamente. adv. m. Templadamente.

Temperado, da. p. p. de Temperar. || **2.** adj. ant. **Templado.** Ú. en América.

Temperamental. adj. Perteneciente o relativo al temperamento, 3.ª acep.

Temperamento. (Del lat. *temperamentum.*) m. **Temperie.** || **2.** Providencia o arbitrio para terminar las disensiones y contiendas o para obviar dificultades. || **3.** *Fisiol.* Constitución particular de cada individuo, que resulta del predominio fisiológico de un sistema orgánico, como el nervioso o el sanguíneo, o de un humor, como la bilis o la linfa. || **4.** *Mús.* Ligera modificación que se hace en los sonidos rigurosamente exactos de ciertos instrumentos al templarlos, para que se puedan acomodar a la práctica del arte.

Temperancia. (Del lat. *temperantĭa.*) f. **Templanza.**

Temperante. (Del lat. *temperans, -antis.*) p. a. de **Temperar.** Que tempera. Ú. t. c. s.

Temperar. (Del lat. *temperāre.*) tr. **Atemperar.** Ú. t. c. r. || **2.** *Med.* Templar o calmar el exceso de acción o de excitación orgánicas por medio de calmantes y antiespasmódicos.

Temperatísimo, ma. (Del lat. *temperatissĭmus.*) adj. sup. Muy templado, 2.ª acep.

Temperatura. (Del lat. *temperatūra.*) f. Grado mayor o menor de calor en los cuerpos. || **2. Temperie.** || **máxima.** El mayor grado de calor que se observa en la atmósfera o en un cuerpo durante un determinado período de observación. || **mínima.** El menor grado de calor que se observa en la atmósfera o en un cuerpo durante un determinado período de observación.

Temperie. (Del lat. *temperies.*) f. Estado de la atmósfera, según los diversos grados de calor o frío, sequedad o humedad.

Tempero. (De *temperar.*) m. Sazón y buena disposición en que se halla la tierra para las sementeras y labores.

Tempestad. (Del lat. *tempĕstas, -ātis.*) f. Perturbación del aire con nubes gruesas de mucha agua, granizo, truenos, rayos y relámpagos. || **2.** Perturbación de las aguas del mar, causada por el ímpetu y violencia de los vientos. || **3.** V. **Ojo de la tempestad.** || **4.** ant. Tiempo determinado o temporada. || **5.** fig. Conjunto de palabras ásperas o injuriosas dichas con grande enojo. || **6.** fig. **Tormenta,** 3.ª acep. || **Levantar tempestades.** fr. fig. Producir disturbios, desórdenes, movimientos de indignación, etc.

Tempestar. intr. ant. Descargar la tempestad.

Tempestear. intr. **Tempestar.** || **2.** fig. y fam. Echar pestes, manifestar enojo grande.

Tempestivamente. adv. m. De modo tempestivo.

Tempestividad. (Del lat. *tempestivĭtas, -ātis.*) f. Calidad de tempestivo.

Tempestivo, va. (Del lat. *tempestivus.*) adj. Oportuno, que viene a tiempo y ocasión.

Tempestoso, sa. adj. ant. **Tempestuoso.**

Tempestuosamente. adv. m. Con tempestad.

Tempestuoso, sa. (Del lat. *tempestuōsus.*) adj. Que causa o constituye una tempestad. || **2.** Expuesto o propenso a tempestades.

Tempisque. (Voz mejicana.) m. *C. Rica* y *Hond.* Árbol de la familia de las sapotáceas, de frutos ovoides, glutinosos, comestibles.

Templa. (De *templar.*) f. *Pint.* Agua con cola fuerte o con yema de huevo batida, que se emplea para desleír los colores de la pintura al temple y darles fijeza.

Templa. (Del lat. *tempŏra.*) f. **Sien.** Ú. m. en pl.

Templa. f. *Cuba.* Porción de guarapo contenida en un tacho.

Templación. (Del lat. *temperatĭo, -ōnis.*) f. ant. **Templanza.** || **2.** ant. Temple, temperamento.

Templadamente. adv. m. Con templanza.

Templadera. (De *templar.*) f. *Nav.* Compuerta que se pone en las acequias para dejar pasar sólo la cantidad de agua que se quiere.

Templadero. m. Paraje o sitio destinado para templar. Se utiliza principalmente en las fábricas de cristales.

Templado, da. p. p. de **Templar.** || **2.** adj. Moderado, contenido y parco en la comida o bebida o en algún otro apetito o pasión. || **3.** Que no está frío ni caliente, sino en un término medio. || **4.** Tratándose del estilo, **medio.** || **5.** fam. Valiente con serenidad. || **6.** *Geogr.* V. **Zona templada.** || **Estar bien,** o **mal, templado.** fr. fig. y fam. Estar de buen o mal humor.

Templador, ra. (Del lat. *temperātor, -ōris.*) adj. Que templa. Ú. t. c. s. || **2.** m. Llave o martillo con que se templan algunos instrumentos de cuerda, como el arpa, piano, salterio, etc., o con que se regula la tensión de alambres, cables, etc. || **3.** *Colomb.* El que maneja los fondos en los trapiches y hace la panela.

Templadura. f. Acción y efecto de templar o templarse.

Templamiento. (De *templar.*) m. desus. **Templanza.**

Templanza. (Del lat. *temperantĭa.*) f. Una de las cuatro virtudes cardinales, que consiste en moderar los apetitos y el uso excesivo de los sentidos, sujetándolos a la razón. || **2.** Moderación, sobriedad y continencia. || **3.** Benignidad del aire o clima de un país. || **4.** ant. **Temple,** 1.er art., 3.ª acep. || **5.** *Pint.* Armonía y buena disposición de los colores.

Templar. (Del lat. *temperāre.*) tr. Moderar, entibiar o suavizar la fuerza de una cosa. || **2.** Quitar el frío de una cosa, calentarla ligeramente; dícese especialmente de los líquidos. || **3.** Dar a un metal, al cristal u otras materias aquel punto de dureza o elasticidad que requieren para ciertos y determinados usos. || **4.** Poner en tensión o presión moderada una cosa; como una cuerda, una tuerca, el freno de un carruaje, etc. || **5.** fig. Mezclar una cosa con otra para suavizar o corregir su actividad. || **6.** fig. Moderar, sosegar la cólera, enojo o violencia del genio de una persona. || **7.** *Cetr.* Preparar el halcón para la caza, poniéndolo a dieta veinticuatro horas, sin agua y con algunos excitantes por todo cebo. || **8.** *Mar.* Moderar y proporcionar las velas al viento, recogiéndolas si es muy fuerte, y extendiéndolas si es suave o blando. || **9.** *Mús.* Disponer un instrumento de manera que pueda producir con exactitud los sonidos que le son propios. || **10.** *Pint.* Proporcionar la pintura y disponerla de modo que no desdigan los colores. || **11.** intr. Perder el frío una cosa, empezar a calentarse; dícese especialmente de la temperatura. *El tiempo* HA TEMPLADO *mucho.* || **12.** r. fig. Contenerse, moderarse y evitar el exceso en una materia; como en la comida, etc. || **13.** *Amér. Merid.* Enamorarse, 3.ª acep. de **Enamorar.**

Templario. (De *templo,* a causa de haber tenido la orden su primer asiento junto al templo de Salomón.) m. Individuo de una orden de caballería que tuvo principio por los años de 1118 y cuyo instituto era asegurar los caminos a los que iban a visitar los Santos Lugares de Jerusalén.

Temple. (De *templar.*) m. **Temperie.** || **2. Temperatura,** 1.ª acep. || **3.** Punto de dureza o elasticidad que se da a un metal, al cristal, etc., templándolos. || **4.** fig. Calidad o estado del genio, y natural apacible o áspero. *Estar de buen,* o *mal,* TEMPLE. || **5.** fig. Arrojo, valentía, energía de la persona. || **6.** fig. Medio término o partido que se toma entre dos cosas diferentes. || **7.** *Mús.* Disposición y acuerdo armónico de los instrumentos. || **Al temple.** m. adv. *Pint.* V. **Pintura al temple.**

Temple. (Del fr. *temple,* templo.) m. Religión u orden de los templarios; hoy se llaman así algunas iglesias que fueron suyas.

Templén. m. Pieza del telar, que sirve para regular el ancho de la tela que se va tejiendo.

Templete. m. d. de **Templo.** || **2.** Armazón pequeña, en figura de templo, que sirve para cobijar una imagen, o forma parte de un mueble o alhaja. || **3.** Pabellón o quiosco.

Templista. com. *Pint.* Persona que pinta al temple.

Templo. (Del lat. *templum.*) m. Edificio o lugar destinado pública y exclusivamente a un culto. || **2.** fig. Lugar real o imaginario en que se rinde o se supone rendirse culto al saber, la justicia, etc. || **próstilo.** *Arq.* El de segunda especie entre los antiguos, el cual, además de las dos columnas conjuntas, tenía otras dos enfrente de las pilastras angulares.

Témpora. (Del lat. *tempŏra,* pl. de *tempus,* tiempo, estación.) f. Tiempo de ayuno en el comienzo de cada una de las cuatro estaciones del año. Este ayuno obligaba, por precepto de la Iglesia, en tres días de la semana: miércoles, viernes y sábado. Ú. m. en pl.

Temporada. (Del lat. *tempus, -ŏris,* tiempo.) f. Espacio de varios días, meses o años que se consideran aparte formando un conjunto. TEMPORADA *de verano, de nieves; la mejor* TEMPORADA *de mi vida.* || **2.** Tiempo durante el cual se realiza habitualmente alguna cosa. TEMPORADA *del balneario, de ferias.* || **De temporada.** m. adv. Durando algún tiempo, pero no de manera permanente.

Temporal. (Del lat. *temporālis.*) adj. Perteneciente al tiempo. || **2.** Que dura por algún tiempo. || **3.** Secular, profano. *Poder* TEMPORAL. || **4.** Que pasa con el tiempo; que no es eterno. || **5.** V. **Hora temporal.** || **6.** m. p. us. Buena o mala calidad o constitución del tiempo. || **7. Tempestad,** 1.ª y 2.ª aceps. || **8.** Tiempo de lluvia persistente. || **9.** *And.* Trabajador rústico que sólo trabaja por ciertos tiempos del año. || **Correr** el buque **un temporal.** fr. *Mar.* Sufrir, cuando navega, los rigores de la tempestad. **Declararse un temporal.** fr. *Mar.* Romper por parte determinada.

Temporal. (Del lat. *temporālis,* de *tempŏra,* sienes.) adj. *Zool.* Perteneciente o relativo a las sienes. *Músculos* TEMPORALES. || **2.** *Zool.* V. **Hueso temporal.** Ú. t. c. s.

Temporalidad. (Del lat. *temporalĭtas, -ātis.*) f. Calidad de temporal, 1.er art., 3.ª acep. || **2.** Frutos y cualquier cosa profana que los eclesiásticos perciben de sus beneficios o prebendas. Ú. m. en pl. || **Echar las temporalidades.** fr. **Ocupar las temporalidades.** || **2.** fig. y fam. Decir a uno expresiones ásperas y de mucho enojo. || **Ocupar las temporalidades.** fr. Privar a un eclesiástico de los bienes temporales que poseía.

Temporalizar. tr. Convertir lo eterno en temporal.

Temporalmente. adv. t. Por algún tiempo. || **2.** adv. m. En el orden de lo temporal y terreno.

Temporáneo, a. (Del lat. *temporanĕus.*) adj. **Temporal,** 1.er art., 2.ª acep.

Temporario, ria. (Del lat. *temporarius.*) adj. Temporal, 1.er art., 2.ª acep.

Temporejar. intr. *Mar.* Aguantarse a la capa en un temporal, para no pasar del punto de destino, que está a sotavento. || **2.** *Mar.* Mantenerse con poca vela sin alejarse de un punto o lugar determinado.

Temporera. f. *Córd.* Cante popular en las gañanías.

Temporero, ra. (Del lat. *temporarius.*) adj. Dícese de la persona destinada temporalmente al ejercicio de un oficio o empleo, y especialmente del funcionario subalterno que en un ministerio u oficina no es de plantilla. Ú. t. c. s.

Temporil. m. *And.* Temporal, 1.er art., 9.ª acep.

Temporizar. (De lat. *tempus, -ŏris,* tiempo.) intr. **Contemporizar.** || **2.** Ocuparse en alguna cosa por mero pasatiempo.

Tempranal. adj. Aplícase a la tierra y plantío de fruto temprano. Ú. t. c. s. m.

Tempranamente. adv. t. Temprano, 4.ª acep.

Tempranero, ra. adj. Temprano, 1.ª acep.

Tempranilla. (d. de *temprana.*) adj. V. **Uva tempranilla.** Ú. t. c. s.

Tempranito. adv. t. fam. Muy temprano.

Temprano, na. (Del lat. **temporānus,* por *temporanĕus.*) adj. Adelantado, anticipado o que es antes del tiempo regular u ordinario. || **2.** m. Sembrado o plantío de fruto **temprano.** *Ya es tiempo de recoger los* TEMPRANOS. || **3.** adv. t. En las primeras horas del día o de la noche. *Levantarse* TEMPRANO; *almorzar* TEMPRANO. || **4.** En tiempo anterior al oportuno, convenido o acostumbrado para algún fin, o muy presto.

Temu. (Voz araucana.) m. *Chile.* Árbol de la familia de las mirtáceas, con la madera muy dura; las semillas, semejantes al café y muy amargas.

Temulento, ta. (Del lat. *temulentus.*) adj. Borracho, embriagado.

Ten. (2.ª pers. de sing. del imper. de *tener.*) **Ten con ten.** expr. fam. usada c. s. m. Tiento, moderación, contemporización. *Miguel gasta cierto* TEN CON TEN *en sus cosas.*

Tena. (Del lat. *tigna,* cubierta, techado.) f. **Tinada,** 2.ª acep.

Tenace. adj. poét. **Tenaz.**

Tenacear. (De *tenaza.*) tr. **Atenacear.**

Tenacear. (De *tenaz.*) intr. Insistir o porfiar con pertinacia y terquedad en una cosa.

Tenacero. m. El que hace o vende tenazas. || **2.** El que las maneja. Llámase así especialmente al obrero de las ferrerías de Vizcaya que sostiene con las tenazas los barrones, lingotes, etc., mientras se trabajan en el yunque.

Tenacidad. (Del lat. *tenacĭtas, -ātis.*) f. Calidad de tenaz.

Tenacillas. f. pl. d. de **Tenazas.** || **2. Despabiladeras.** || **3.** Instrumento que se compone de dos barritas delgadas y paralelas de oro, plata u otro metal, soldadas por un extremo, ceñidas por una virola y terminadas en el otro extremo por dos manecillas a propósito para tener cogido el cigarrillo al tiempo de fumarlo. || **4.** Tenaza pequeña de muelle, que sirve para coger terrones de azúcar, dulces y otras cosas. || **5.** Instrumento, a manera de tenaza pequeña, que sirve para rizar el pelo. || **6.** Pinzas que usan las mujeres para arrancarse el vello o el pelo.

Tenáculo. (Del lat. *tenacŭlum,* de *tenēre,* tener.) m. *Cir.* Instrumento en forma de aguja, encorvado por uno de sus extremos, y fijo o articulado por el otro a un mango. Se emplea para coger y sostener las arterias que deben ligarse.

Tenada. (Del lat. **tignāta,* de *tignum,* madero.) f. **Tinada,** 2.ª acep. || **2.** *Ast.* y *León.* **Henal.**

Tenallón. (Del fr. *tenaillon,* de *tenaille,* tenaza.) m. *Fort.* Especie de falsabraga hecha delante de las cortinas y flancos de una fortificación.

Tenante. (Del fr. *tenant,* que sostiene.) m. *Blas.* Cada una de las figuras de ángeles u hombres que sostienen el escudo.

Tenaz. (Del lat. *tenax, -ācis.*) adj. Que se pega, ase o prende a una cosa, y es dificultoso de separar. || **2.** Que opone mucha resistencia a romperse o deformarse. || **3.** fig. Firme, terco, porfiado y pertinaz en un propósito.

Tenaza. (Del lat. *tenacĭa,* de *tenēo,* tener.) f. Instrumento de metal, compuesto de dos brazos trabados por un clavillo o eje que permite abrirlos y volverlos a cerrar. Por un lado remata a veces cada uno de ellos en un ojo donde entran los dedos, y por el otro tiene la figura conveniente a su uso, que es coger o sujetar fuertemente una cosa, o arrancarla o cortarla. Ú. m. en pl. || **2.** Instrumento de metal, compuesto de dos brazos paralelos enlazados en uno de sus extremos por un muelle semicircular y que por el otro tienen forma propia para coger la leña o el carbón de las chimeneas u otras cosas. Ú. m. en pl. || **3.** *Zool.* **Pinza.** || **4.** Extremo libre de la viga de los antiguos molinos de aceite. || **5.** fig. Par de cartas con las cuales se hacen precisamente dos bazas en algunos juegos de naipes, esperando quien las tiene que venga el juego a la mano. || **6.** *Fort.* Obra exterior con uno o dos ángulos retirados, sin flancos, situada delante de la cortina. || **Hacer** uno **la tenaza.** fr. Ganar por medio de la **tenaza** en algunos juegos de naipes. || **Hacer tenaza.** fr. fig. Asir mordiendo, atravesando o cruzando las presas. || **No poderse coger ni con tenazas.** fr. usada para encarecer la suciedad de una cosa o persona. || **Ser menester tenazas.** fr. fig. y fam. con que se pondera la dificultad de conseguir o sacar de una persona alguna cosa.

Tenazada. f. Acción de agarrar con la tenaza. || **2.** Ruido que produce la tenaza al manejarla. || **3.** fig. Acción de morder fuertemente.

Tenazazo. m. Golpe dado con las tenazas.

Tenazmente. adv. m. Con tenacidad.

Tenazón (A, o de). m. adv. Al golpe, sin fijar la puntería. || **2.** fig. Aplícase a lo que de pronto ocurre o se acierta. || **Parar de tenazón** el caballo. fr. *Equit.* Pararlo de golpe en la carrera, sin haberle avisado antes.

Tenazuelas. f. pl. d. de **Tenazas.** || **2. Tenacillas,** 6.ª acep.

Tenca. (Del lat. *tinca.*) f. *Zool.* Pez teleósteo de agua dulce, del suborden de los fisóstomos abdominales, de unos tres decímetros de largo; cuerpo fusiforme, verdoso por encima y blanquecino por debajo; cabeza pequeña, barbillas cortas, aletas débiles y cola poco ahorquillada. Prefiere las aguas estancadas, y su carne es blanca y sabrosa, pero está llena de espinas y suele tener sabor de cieno. || **2.** *Argent.* y *Chile.* Ave del orden de los pájaros, especie de alondra.

Tención. f. Acción de tener.

Tendajo. (despect. de *tienda.*) m. **Tendejón.**

Tendal. (De *tender.*) m. **Toldo,** 1.ª acep. || **2.** Trozo largo y ancho de lienzo, que se pone debajo de los olivos para que caigan en él las aceitunas cuando se recogen. || **3.** En algunas partes, **tendedero.** || **4.** Conjunto de cosas tendidas para que se sequen. || **5.** ant. Lugar cubierto en donde se esquilaba el ganado. Ú. en la *Argent.* || **6.** *Extr.* Cada uno de los dos maderos laterales del lecho de la carreta. || **7.** *Argent., Chile* y *Perú.* Conjunto de personas o cosas que por causa violenta han quedado tendidas desordenadamente en el suelo. || **8.** *Cuba.* Espacio solado donde se pone el café para que se seque al sol. || **9.** *Ecuad.* Armazón o barbacoa usada en las haciendas para asolear las almendras de cacao.

Tendalera. f. fam. Descompostura y desorden de las cosas que se dejan tendidas por el suelo.

Tendalero. (De *tender.*) m. **Tendedero.**

Tendedero. m. Sitio o lugar donde se tiende una cosa; como la ropa.

Tendedor, ra. m. y f. Persona que tiende.

Tendedura. f. Acción y efecto de tender o tenderse.

Tendejón. m. Tienda pequeña o barraca mal construida; cobertizo.

Tendel. m. *Albañ.* Cuerda que se tiende horizontalmente entre dos reglones verticales, para sentar con igualdad las hiladas de ladrillo o piedra. || **2.** *Albañ.* Capa de mortero o de yeso que se extiende sobre cada hilada de ladrillos al construir un muro, para sentar la siguiente.

Tendencia. (De *tender,* propender.) f. Propensión o inclinación en los hombres y en las cosas hacia determinados fines.

Tendencioso, sa. adj. Que manifiesta o incluye tendencia hacia determinados fines o doctrinas.

Tendente. (De *tender.*) adj. Que tiende, se encamina, dirige o refiere a algún fin.

Ténder. (Del ingl. *tender,* de *to tend,* estar de servicio.) m. Carruaje que se engancha a la locomotora y lleva el combustible y agua necesarios para alimentarla durante el viaje.

Tender. (Del lat. *tendĕre.*) tr. Desdoblar, extender o desplegar lo que está cogido, doblado, arrugado o amontonado. || **2.** Echar por el suelo una cosa, esparciéndola. || **3.** Extender al aire, al sol o al fuego la ropa mojada, para que se seque. || **4.** Alargar o **extender.** || **5.** Propender, referirse a algún fin una cosa. || **6.** *Albañ.* Revestir paredes o techos con una capa delgada de cal, yeso o mortero. || **7.** r. Echarse, tumbarse a la larga. || **8.** Encamarse las mieses y otras plantas. || **9.** Presentar el jugador todas su cartas, en la persuasión de ganar o de perder seguramente. || **10.** Extenderse en la carrera el caballo, aproximando el vientre al suelo. || **11.** fig. y fam. Descuidarse, desamparar o abandonar la solicitud de un asunto por negligencia.

Tenderete. (De *tender.*) m. Juego de naipes en que, repartiendo tres o más cartas a los que juegan, y poniendo en la mesa algunas otras descubiertas, procura cada uno por su orden emparejar en puntos o figuras sus cartas con las de la mesa; y acabada la mano, gana el que más cartas ha recogido. || **2.** Puesto de venta por menor, instalado al aire libre. || **3.** fam. **Tendalera.** || **robador.** Aquel en que, además de la carta descubierta, se puede robar la baza del contrario que empareja con ella.

Tendero, ra. m. y f. Persona que tiene tienda. || **2.** Persona que vende por menor. || **3.** m. El que hace tiendas de campaña. || **4.** El que cuida de ellas.

Tendezuela. f. d. de **Tienda.**

Tendidamente. (De *tendida,* 4.ª acep.) adv. m. Extensa o difusamente.

Tendido, da. p. p. de **Tender.** || **2.** adj. Aplícase al galope del caballo cuando éste se tiende, o a la carrera violenta del hombre o de cualquier animal. || **3.** m. Acción de tender. *El* TENDIDO *de un cable.* || **4.** Gradería descubierta y próxima a la barrera en las plazas de toros. || **5.** Porción de encaje que se hace sin levantarla del patrón. || **6.** Conjunto de ropa que cada lavandera tiende.

|| **7.** Masa en panes, puesta en el tablero para que se venga y meterla en el horno. || **8.** *Rioja.* Cielo despejado, raso. || **9.** *Albañ.* Parte del tejado desde el caballete al alero. || **10.** *Albañ.* Capa delgada de cal, yeso o mortero que se tiende en paredes o techos.

Tendiente. p. a. de **Tender.** Que tiende.

Tendinoso, sa. adj. *Zool.* Que tiene tendones o se compone de ellos. || **2.** *Zool.* Perteneciente o relativo a los tendones.

Tendón. (De *tender.*) m. *Zool.* Cualquiera de los órganos formados por tejido fibroso, en los que las fibras están dispuestas en haces paralelos entre sí. Son de color blanco y brillante, muy resistentes a la tracción y tienen la forma de cordones, a veces cilíndricos y con más frecuencia aplastados, que por lo común unen los músculos o los huesos. || **2.** En el caballo y otros animales, parte de los **tendones** flexores del pie, que pasa por detrás de la caña, desde el pliegue de la rodilla, hasta el origen posterior del menudillo. || **de Aquiles.** *Zool.* El grueso y fuerte, que en la parte posterior e inferior de la pierna une el talón con la pantorrilla.

Tenducha. f. despect. Tienda de mal aspecto, pobremente abastecida.

Tenducho. m. despect. **Tenducha.**

Tenebrario. (Del lat. *tenebrarĭus*, de *tenĕbrae*, tinieblas.) m. Candelabro triangular, con pie muy alto y con quince velas, que se encienden en los oficios de tinieblas de Semana Santa. || **2.** *Astron.* **Híades.**

Tenebregoso, sa. (Del lat. *tenebricōsus.*) adj. ant. **Tenebroso.**

Tenebregura. (Del lat. *tenebrĭcus*, tenebroso.) f. ant. **Tenebrosidad.**

Tenebrosamente. adv. m. Con tenebrosidad.

Tenebrosidad. (Del lat. *tenebrosĭtas, -ātis.*) f. Calidad de tenebroso.

Tenebroso, sa. (Del lat. *tenebrōsus.*) adj. Obscuro, cubierto de tinieblas.

Tenebrura. (Del lat. *tenĕbrae*, tinieblas.) f. ant. **Tenebrosidad.**

Tenedero. (De *tener*, asir.) m. *Mar.* Paraje del mar, donde puede prender y afirmarse el ancla.

Tenedor. m. El que tiene o posee una cosa. || **2.** El que posee legítimamente una letra de cambio u otro valor endosable. || **3.** Utensilio de mesa, que consiste en un astil con tres o cuatro púas iguales y sirve para clavarlo en los manjares sólidos y llevarlos a la boca. || **4.** Sirviente que detiene en el juego de pelota la que va rodando por el suelo. || **de bastimentos.** Persona encargada de los víveres para su pronta distribución. || **de caminos.** ant. **Salteador.** || **de libros.** El que tiene a su cargo los libros de cuenta y razón en oficina pública o particular.

Tenedorcillo. m. d. de **Tenedor.** || **2.** *Germ.* **Liga,** 1.ª acep.

Teneduría. f. Cargo y oficina del tenedor de libros. || **de libros.** Arte de llevar los libros de contabilidad.

Tenencia. (De *tener.*) f. Ocupación y posesión actual y corporal de una cosa. || **2.** Cargo u oficio de teniente. || **3.** Oficina en que lo ejerce. || **4.** ant. Hacienda o haberes.

Tener. (Del lat. *tenēre.*) tr. Asir o mantener asida una cosa. || **2.** Poseer y gozar. || **3.** Mantener, sostener. Ú. t. c. r. || **4.** Contener o comprender en sí. || **5.** Poseer, dominar o sujetar. || **6.** Detener, parar. Ú. t. c. r. || **7.** Guardar, cumplir. TENER *la palabra, la promesa.* || **8.** Hospedar o recibir en su casa. || **9.** Poseer, estar adornado o abundante de una cosa. TENER *espíritu;* TENER *habilidad.* || **10.** Estar en precisión de hacer una cosa u ocuparse en ella. TENER *consejo;* TENER *junta.* || **11.** Juzgar, reputar y entender. Suélese juntar con la partícula *por* y ú. t. c. r. TENER *a uno por rico.* TENERSE *por sabio.* También se construye con la preposición *a.* TENER *a gala, a honra,* una cosa. || **12.** Construido con la preposición *en* y los adjetivos *poco, mucho* y otros semejantes, estimar, apreciar. Ú. t. c. r. || **13.** Construido con algunos nombres de tiempo, emplear, pasar algún espacio de él en un lugar o sitio, o de cierta manera. TENER *las carnestolendas en Barcelona;* TENER *un día aburrido.* || **14.** Construido con el pronombre *que* y el infinitivo de otro verbo, expresa la trascendencia o importancia de la acción significada por el infinitivo. TIENE QUE *oír,* QUE *ver.* || **15.** Construido con algunos nombres, hacer o padecer lo que el nombre significa. TENER *cuidado, vergüenza, miedo, experiencia.* || **16.** Con los nombres que significan tiempo, expresa la duración o edad de las cosas o personas de que se habla. TENER *años;* TENER *días.* || **17.** ant. Guardar, cuidar, defender una cosa. || **18.** intr. Ser rico y adinerado. || **19.** r. Afirmarse o asegurarse uno para no caer. || **20.** Hacer asiento un cuerpo sobre otro. || **21.** Resistir o hacer oposición a uno en riña o pelea. || **22.** Atenerse, adherirse, estar por uno o por una cosa. || **23.** Como verbo auxiliar, **haber,** 3.ª acep. || **24.** Construido con la conjunción *que* y el infinitivo de otro verbo, denota la necesidad, precisión o determinación de hacer lo que el verbo significa. TENDRÉ QUE *salir.* Ú. t. con la preposición *de* en la primera persona del presente de indicativo, y por lo regular sólo se emplea en son de amenaza. TENGO DE *hacer un ejemplar.* || **No tenerlas** uno **todas consigo.** fr. fig. y fam. Sentir recelo o temor. || **No tener** uno **nada suyo.** fr. fig. Ser por extremo generoso, liberal o manirroto. || **No tener** uno **por donde respirar.** fr. fig. y fam. No **tener** qué responder al cargo que se le hace. || **No tener** uno **sobre qué caerse muerto.** fr. fig. y fam. Hallarse en suma pobreza. || **Quien más tiene, más quiere.** ref. que advierte la insaciabilidad de la codicia, que se aumenta con las riquezas. || **Quien tuvo, retuvo.** fr. para indicar que siempre se conserva algo de lo que en otro tiempo se tuvo: belleza, gracia, gallardía, caudal. || **Ruin sea quien por ruin se tiene.** ref. que amonesta a no sentir tan bajamente de sí, que se dé ocasión a ser mirado con desprecio. || **Tened y tengamos.** fr. fig. y fam. que se usa para persuadir a la mutua seguridad en lo que se trata. || **Tener** uno **algo que perder.** fr. fig. y fam. Poseer algún caudal, posición o fama. || **Tener** uno **a menos.** fr. Desdeñarse de hacer una cosa, por reputarla humillante o depresiva. || **Tener** uno **andado.** fr. Haber dado algunos pasos o haber adelantado algo en un asunto. || **Tener** uno **en buenas.** fr. fam. Reservar en el juego las cartas buenas para lograr la mano. || **2.** fig. y fam. Prevenir cualquier riesgo. || **Tener** uno **en contra.** fr. Hallar en una materia impedimento, contradicción o dificultad. || **Tener en menos** a uno. fr. Menospreciarle. || **Tenerlas tiesas** uno. fr. fig. y fam. **Tenérselas tiesas.** || **Tener** uno **para sí** una cosa. fr. Persuadirse o formar opinión particular en una materia en que otros puedan dudar o llevar sentencia contraria. || **Tener** uno una plaza **por** otro. fr. *Mil.* Gobernarla y defenderla por su encargo y bajo su autoridad. || **Tener** uno **por dicha** una cosa. fr. Tenerla por sobrentendida a causa de ser evidente. || **Tener** uno **presente.** fr. Conservar en la memoria y tomar en consideración alguna especie para usar de ella cuando convenga, o a algún sujeto para atenderle en ocasión oportuna. || **Tener** uno **qué perder.** fr. Ser persona de estimación y crédito, y que expone mucho si se arriesga. || **Tener que ver** una persona o cosa con otra. fr. Haber entre ellas alguna conexión, relación o semejanza que permita compararlas. Ú. por lo común con negación. || **Tener que ver** un hombre **con** una **mujer.** fr. **Tener** cópula carnal. || **Tenerse fuerte** uno. fr. Resistir y contradecir fuertemente una cosa, oponiéndose a ella con valor y perseverancia. || **Tenérselas tiesas** uno, o **a,** o **con,** uno. fr. fig. y fam. Mantenerse firme contra otro en contienda, disputa o instancia. || **Tener** uno **sobre sí.** fr. **Tener a cuestas.** || **Tener,** o **tenerse,** uno **tieso.** fr. fig. y fam. Mantenerse constante en una resolución o dictamen.

Tenería. (De *tan,* 3.er art.) f. **Curtiduría.**

Tenesmo. (Del lat. *tenesmus,* y éste del gr. τεινεσμός.) m. **Pujo,** 1.ª acep.

Tengue. m. *Bot. Cuba.* Árbol leguminoso, parecido a la acacia.

Tenguerengue (En). m. adv. fam. Sin estabilidad, en equilibrio inestable.

Tenia. (Del lat. *taenia,* y éste del gr. ταινία, cinta, listón.) f. *Zool.* Gusano platelminto del orden de los cestodos, de forma de cinta y de color blanco. Consta de innumerables anillos, cuya anchura aumenta gradualmente a partir del situado inmediatamente detrás del escólex, y puede alcanzar varios metros de longitud. En el estado adulto vive parásito en el intestino de otro animal, al cual se fija mediante ventosas, o ganchos y ventosas en algunas especies, que tienen el escólex en su parte anterior. Su larva o cisticerco se halla enquistada por lo común en los músculos del cerdo o de la vaca, de donde pasa al hombre u otro mamífero cuando éste ingiere la carne cruda de aquellos animales. || **2.** *Arq.* Listel o filete.

Tenienta. f. Mujer del teniente.

Tenientazgo. (De *teniente.*) m. **Tenencia,** 2.ª acep.

Teniente. p. a. de **Tener.** Que tiene o posee una cosa. || **2.** adj. Aplícase a la fruta no madura. || **3.** fam. Algo sordo, o tardo en el sentido del oído. || **4.** fig. Miserable y escaso. *Trifón es algo* TENIENTE. || **5.** m. El que ejerce el cargo o ministerio de otro, y es como substituto suyo. TENIENTE *de alcalde,* TENIENTE *cura.* || **6.** *Mil.* Oficial inmediatamente inferior al capitán. || **coronel.** *Mil.* Inmediato jefe después del coronel. || **general.** *Mil.* Oficial general de categoría superior a la del general de división e inferior a la de capitán general. || **Primer teniente.** *Mil.* **Teniente,** 6.ª acep. || **Segundo teniente.** *Mil.* Oficial de categoría inmediatamente inferior a la de primer **teniente.**

Tenífugo, ga. (De *tenia* y el lat. *fugāre,* ahuyentar.) adj. *Med.* Dícese del medicamento eficaz para la expulsión de la tenia. Ú. t. c. s. m.

Tenis. (Del ingl. *tennis.*) m. Juego en que los adversarios, separados por una red, se lanzan una pelota por medio de unas raquetas. || **2.** Espacio convenientemente dispuesto para este juego.

Teníu. m. *Chile.* Árbol de la familia de las saxifragáceas, cuya madera se usa en construcciones y cuya corteza es medicinal.

Tenor. (Del lat. *tenor, -ōris;* de *tenēre,* tener.) m. Constitución u orden firme y estable de una cosa. || **2.** Contenido literal de un escrito u oración. || **A este tenor.** m. adv. Por el mismo estilo.

Tenor. (Del ital. *tenore,* y éste del lat. *tenor, -ōris.*) m. *Mús.* Voz media entre la de contralto y la de barítono. || **2.** *Mús.* Persona que tiene esta voz.

Tenorio. (Por alusión al protagonista de *El burlador de Sevilla.*) m. fig. Galanteador audaz y pendenciero.

Tensar. (De *tenso.*) tr. Poner tensa alguna cosa; como cuerda, cable, cadena, etc.

Tensino, na. adj. Natural del valle de Tena. Ú. t. c. s. || **2.** Perteneciente a esta región de la provincia de Huesca.

Tensión. (Del lat. *tensĭo, -ōnis.*) f. Estado de un cuerpo, estirado por la acción de fuerzas que lo solicitan. || **2.** Fuerza que impide separarse unas de otras a las partes de un mismo cuerpo cuando se halla en dicho estado. || **3.** Intensidad de la fuerza con que los gases tienden a dilatarse. || **4.** Grado de energía eléctrica que se manifiesta en un cuerpo; dícese **alta** o **baja** según sea o no muy elevado su voltaje. || **arterial.** Presión que ejerce la sangre sobre la pared de las arterias. Depende del volumen de la masa sanguínea, de la intensidad de la contracción cardiaca y de la resistencia que a la circulación oponen los vasos periféricos. || **superficial.** *Fís.* Acción de las fuerzas moleculares en virtud de la cual la capa exterior de los líquidos tiende a contener el volumen de éstos dentro de la mínima superficie.

Tensión. f. **Tensón.**

Tenso, sa. (Del lat. *tensus,* p. p. de *tendĕre,* tender.) adj. Que se halla en estado de tensión, 1.er art., 1.ª acep.

Tensón. (De *tenzón.*) f. Composición poética de los provenzales, que consiste en una controversia entre dos o más poetas sobre un tema determinado, por lo común de amores.

Tensor, ra. (Del lat. *tensor, -ōris.*) adj. Que tesa, origina tensión o está dispuesto para producirla. Ú. t. c. s.

Tentabuey. m. *Ál.* **Gatuña.**

Tentación. (Del lat. *tentatĭo, -ōnis.*) f. Instigación o estímulo que induce o persuade a una cosa mala. || **2.** Impulso repentino que excita a hacer una cosa, aunque no sea mala. || **3.** fig. Sujeto que induce o persuade. || **Caer** uno **en la tentación.** fr. fig. Dejarse vencer de ella; resolverse a ejecutar una cosa en que se teme algún mal, sólo por el gusto de lograrla.

Tentacular. adj. Referente al tentáculo.

Tentáculo. (Del lat. *tentacŭlum,* de *tentāre,* tentar.) m. *Zool.* Cualquiera de los apéndices móviles y blandos que tienen muchos animales invertebrados y que pueden desempeñar diversas funciones, actuando principalmente como órganos táctiles o de prensión.

Tentadero. (De *tentar.*) m. Corral o sitio cerrado en que se hace la tienta de becerros.

Tentado, da. p. p. de **Tentar.** || **2.** *Esgr.* V. **Treta del tentado.**

Tentador, ra. (Del lat. *tentātor.*) adj. Que tienta. Ú. t. c. s. || **2.** Que hace caer en la tentación. Ú. t. c. s. || **3.** m. Por antonom., **diablo,** 1.ª acep.

Tentadura. (De *tentar,* 5.ª acep.) f. Ensayo que se hace del mineral de plata tratándolo con el azogue. || **2.** Muestra necesaria para dicho ensayo. || **3.** Tiento, zurra, soba.

Tentalear. tr. Tentar repetidas veces; reconocer a tientas una cosa.

Tentar. (Del lat. *temptāre.*) tr. Ejercitar el sentido del tacto, palpando o tocando una cosa materialmente. Ú. t. c. r. || **2.** Examinar y reconocer por medio del sentido del tacto lo que no se puede ver; como hace el ciego o el que se halla en un lugar obscuro. || **3.** Instigar, inducir o estimular. || **4.** Intentar o procurar. || **5.** Examinar, probar o experimentar. || **6.** Probar a uno; hacer examen de su constancia o fortaleza. || **7.** *Cir.* Reconocer con la tienta la cavidad de una herida.

Tentaruja. f. fam. Manoseo, sobajadura.

Tentativa. (Del lat. *tentatīva,* t. f. de *-vus,* tentativo.) f. Acción con que se intenta, experimenta, prueba o tantea una cosa. || **2.** Examen previo que se hacía en algunas universidades para tantear la capacidad y suficiencia del graduando. || **3.** *For.* Principio de ejecución de un delito por actos externos que no llegan a ser los suficientes para que se realice el hecho, sin que haya mediado desistimiento voluntario del culpable.

Tentativo, va. (Del lat. *tentatīvus.*) adj. Que sirve para tantear o probar una cosa.

Tentemozo. (De *tente, mozo.*) m. Puntal o arrimo que se aplica a una cosa expuesta a caerse o que amenaza ruina. || **2.** Palo que cuelga del pértigo del carro y, puesto de punta contra el suelo, impide que aquél caiga hacia adelante. || **3. Dominguillo.** || **4. Quijera,** 2.ª acep.

Tentempié. (De *tente en pie.*) m. fam. **Refrigerio,** 3.ª acep. || **2. Dominguillo,** 2.ª acep.

Tentenelaire. (De *tente en el aire.*) com. Hijo o hija de cuarterón y mulata o de mulato y cuarterona. || **2.** *Amér.* Descendiente de jíbaro y albarazada o de albarazado y jíbara. || **3.** m. *Argent.* **Colibrí.**

Tentetieso. m. **Dominguillo,** 2.ª acep.

Tentón. m. fam. Acción de tentar brusca y rápidamente.

Tenue. (Del lat. *tenŭis.*) adj. Delicado, delgado y débil. || **2.** V. **Letra tenue.** || **3.** De poca substancia, valor o importancia. || **4. Sencillo,** 4.ª acep.

Tenuemente. adv. m. Con tenuidad.

Tenuidad. (Del lat. *tenuĭtas, -ātis.*) f. Calidad de tenue. || **2.** Cualquier cosa de poca entidad, valor o estimación.

Tenuirrostro. (Del lat. *tenŭis, -e,* tenue, delgado, y *rostrum,* pico.) adj. *Zool.* Dícese del pájaro que tiene el pico alargado, tenue, generalmente recto y a veces arqueado, pero siempre sin dientes. || **2.** m. pl. *Zool.* Suborden de estos animales, al que pertenecen la abubilla y los pájaros moscas.

Tenuo, nua. adj. ant. **Tenue.**

Tenuta. (De *tener.*) f. *For.* Posesión de los frutos, rentas y preeminencias de algún mayorazgo, que se gozaba hasta la decisión de la pertenencia de su propiedad, entre dos o más litigantes.

Tenutario, ria. adj. *For.* Perteneciente o relativo a la tenuta.

Tenzón. (Del ant. fr. *tençon,* y éste de *tencier, tancer,* disputar, del lat. **tentiāre.*) f. **Tensón.**

Teña. (Del lat. *tinĕa.*) f. *Ar.* **Oruga,** 3.ª acep.

Teña. (Del lat. *tigna,* cubierta de madera.) f. *Rioja.* Tinada, pocilga.

Teñible. adj. Que se puede teñir.

Teñido, da. p. p. de **Teñir.** || **2.** m. **Teñidura.**

Teñidura. f. Acción y efecto de teñir o teñirse.

Teñir. (Del lat. *tingĕre.*) tr. Dar a una cosa un color distinto del que tenía. Ú. t. c. r. || **2.** fig. Imbuir de una opinión, especie o afecto. || **3.** *Pint.* Rebajar o apagar un color con otros más obscuros.

Teobroma. (Del gr. θεός, dios, y βρῶμα, alimento.) m. **Cacao,** 1.ª acep.

Teobromina. (De *teobroma.*) f. *Quím.* Principio activo del cacao.

Teocali. (Del mejic. *teotl,* dios, y *calli,* casa.) m. Templo de los antiguos mejicanos.

Teocinte. m. *C. Rica.* Planta gramínea, especie de maíz, que se aprovecha para forraje.

Teocracia. (Del gr. θεοκρατία; de Θεός, Dios, y κράτος, dominio.) f. Gobierno ejercido directamente por Dios, como el de los hebreos antes que tuviesen reyes. || **2.** Gobierno en que el poder supremo está sometido al sacerdocio.

Teocrático, ca. adj. Perteneciente o relativo a la teocracia.

Teodicea. (Del gr. Θεός, Dios, y δίκη, justicia.) f. **Teología natural.**

Teodolito. m. *Mat.* Instrumento de precisión que se compone de un círculo horizontal y un semicírculo vertical, ambos graduados y provistos de anteojos, para medir ángulos en sus planos respectivos.

Teodosiano, na. (Del lat. *theodosiānus.*) adj. Perteneciente a Teodosio el Grande, o a su nieto Teodosio II.

Teogonía. (Del lat. *theogonĭa,* y éste del gr. θεογονία.) f. Generación de los dioses del paganismo.

Teogónico, ca. adj. Perteneciente o relativo a la teogonía.

Teologal. (De *teólogo.*) adj. Perteneciente o relativo a la teología. || **2.** V. **Virtud teologal.**

Teología. (Del lat. *theologĭa,* y éste del gr. θεολογία, de θεολόγος, teólogo.) f. Ciencia que trata de Dios y de sus atributos y perfecciones. || **ascética.** Parte de la **teología** dogmática y moral, que se refiere al ejercicio de las virtudes. || **dogmática.** La que trata de Dios y de sus atributos y perfecciones a la luz de los principios revelados. || **escolástica.** La dogmática que, partiendo de las verdades reveladas, colige sus conclusiones usando los principios y métodos de la filosofía escolástica. || **mística.** Parte de la **teología** dogmática y moral, que se refiere a la perfección de la vida cristiana en las relaciones más íntimas que tiene la humana inteligencia con Dios. || **moral.** Ciencia que trata de las aplicaciones de los principios de la **teología** dogmática o natural al orden de las acciones humanas. || **natural.** La que trata de Dios y de sus atributos y perfecciones a la luz de los principios de la razón, independientemente de las verdades reveladas. || **pastoral.** La que trata de las obligaciones de la cura de almas. || **positiva.** La dogmática que principalmente apoya y demuestra sus conclusiones con los principios, hechos y monumentos de la revelación cristiana. || **No meterse** uno **en teologías.** fr. fig. y fam. Discurrir o hablar llanamente, sin mezclarse en materias arduas que no ha estudiado.

Teológicamente. adv. m. En términos o principios teológicos.

Teológico, ca. (Del lat. *theologĭcus,* y éste del gr. θεολογικός.) adj. **Teologal.** || **2.** V. **Lugares teológicos.** || **3.** V. **Culpa teológica.**

Teologizar. intr. Discurrir sobre principios o razones teológicas.

Teólogo, ga. (Del lat. *theolŏgus,* y éste del gr. θεολόγος; de Θεός, Dios, y λέγω, decir, exponer.) adj. **Teologal,** 1.ª acep. || **2.** m. y f. Persona que profesa la teología o tiene en esta ciencia especiales conocimientos. || **3.** Estudiante de teología.

Teomanía. f. Manía que consiste en creerse Dios el que la padece.

Teorema. (Del lat. *theorēma,* y éste del gr. θεώρημα, de θεωρέω, examinar.) m. Proposición que afirma una verdad demostrable.

Teoría. (Del gr. θεωρία, de θεωρέω, contemplar.) f. Conocimiento especulativo considerado con independencia de toda aplicación. || **2.** Serie de las leyes que sirven para relacionar determinado orden de fenómenos. || **3.** Hipótesis cuyas consecuencias se aplican a toda una ciencia o a parte muy importante de la misma. || **4.** Procesión religiosa entre los antiguos griegos.

Teórica. (Del lat. *theorĭca,* y éste del gr. θεωρική.) f. **Teoría,** 1.ª acep.

Teóricamente. adv. m. De manera teórica.

Teórico, ca. (Del lat. *theorĭcus,* y éste del gr. θεωρικός.) adj. Perteneciente a la teoría. || **2.** Que conoce las cosas o las considera tan sólo especulativamente.

Teorizante. adj. Que teoriza. Ú. t. c. s. m.

Teorizar. tr. Tratar un asunto sólo en teoría.

Teoso, sa. adj. Perteneciente o relativo a la tea. || **2.** Dícese de la madera que por ser abundante en resina sirve para tea y se rompe limpiamente y sin astillas.

Teosofía. (Del gr. θεοσοφία, de θεόσοφος, teósofo.) f. Doctrina de varias sectas que, despreciando la razón y la fe, presumen estar iluminadas por la divinidad e íntimamente unidas con ella. || **2.** ant. **Teología.**

Teosófico, ca. adj. Perteneciente o relativo a la teosofía.

Teósofo. (Del gr. θεόσοφος; de Θεός, Dios, y σοφός, sabio.) m. El que profesa la teosofía.

Tepache. m. *Méj.* Bebida que se hace con pulque, agua, piña y clavo.

Tépalo. m. *Bot.* Cada una de las piezas que componen los perigonios sencillos.

Tepe. (Del b. lat. *teppa*, césped.) m. Pedazo de tierra cubierto de césped y muy trabado con las raíces de esta hierba, que, cortado generalmente en forma prismática, sirve para hacer paredes y malecones.

Tepeaqués, sa. adj. Natural de Tepeaca. Ú. t. c. s. || **2.** Perteneciente a esta población de Méjico.

Tepeizcuinte. (Del mejic. *tepetl*, monte, e *itzcuintli*, perro.) m. *C. Rica* y *Méj.* **Paca,** 1.er art.

Tepemechín. (Del mejic. *tepetl*, monte, y *michin*, pez.) m. *C. Rica* y *Hond.* Pez de río, que se encuentra en la parte alta de las cuencas, donde hay cascadas; su carne es muy sabrosa.

Tepozán. m. *Méj.* Planta escrofulariácea.

Tepú. m. *Chile.* Árbol pequeño de la familia de las mirtáceas. Se cría en lugares húmedos y forma a veces selvas enmarañadas difíciles de atravesar. Su madera se utiliza para leña.

Tequiche. m. Manjar que se usa en Venezuela, compuesto de harina de maíz tostado, leche de coco y mantequilla.

Tequila. f. *Méj.* Bebida semejante a la ginebra que se destila de una especie de maguey.

Tequio. (Voz mejicana.) m. desus. *Méj.* Tarea, trabajo personal, que se imponía como tributo a los indios. || **2.** *Amér. Central.* fig. Molestia, perjuicio. || **3.** *Amér.* Porción de mineral que forma el destajo de un barretero.

Terapeuta. (Del gr. θεραπευτής, de θεραπεύω, servir, cuidar.) adj. Dícese de cada uno de los individuos de una secta religiosa, al parecer de origen judaico, que en los primeros siglos de la Iglesia observaba algunas prácticas del cristianismo. || **2.** com. Persona que profesa la terapéutica.

Terapéutica. (Del gr. θεραπευτική, t. f. de -κός, terapéutico.) f. Parte de la medicina, que enseña los preceptos y remedios para el tratamiento de las enfermedades.

Terapéutico, ca. (Del gr. θεραπευτικός, de θεραπευτής, terapeuta.) adj. Perteneciente o relativo a la terapéutica.

Terapia. f. *Med.* **Terapéutica.**

Teratología. (Del gr. τέρας, -ατος, prodigio, monstruo, y λόγος, tratado.) f. Estudio de las anomalías y monstruosidades del organismo animal o vegetal.

Teratológico, ca. adj. Perteneciente o relativo a la teratología.

Terbio. (De *Itterby*, pueblo de Suecia, nombre del cual se han formado también el de *itrio* y el de *erbio*.) m. Metal muy raro que unido al itrio y al erbio se ha hallado en algunos minerales de Suecia.

Tercamente. adv. m. Con terquedad.

Tercelete. adj. *Arq.* V. **Arco tercelete.**

Tercena. (De *atarazana*, depósito.) f. Almacén del Estado para vender por mayor tabaco y otros efectos estancados.

Tercenal. m. *Ar.* Fascal de 30 haces.

Tercenco, ca. adj. *Ar.* Aplícase a la res de ganado menor que tiene tres años.

Tercenista. com. Persona encargada de la tercena.

Tercer. adj. Apócope de **Tercero.** Ú. siempre antepuesto al substantivo.

Tercera. (Del lat. *tertiaria*, t. f. de *-rius*, tercero.) f. Reunión, en el juego de los cientos, de tres cartas del mismo palo y de valor correlativo. || **2. Alcahueta,** 1.ª acep. || **3.** *Mús.* Consonancia que comprende el intervalo de dos tonos y medio. || **mayor.** La que comienza por el as, en el juego de los cientos. || **2.** *Mús.* **Dítono.** || **menor.** *Mús.* **Semidítono.** || **real.** En el juego de los cientos, la que comienza por el rey.

Terceramente. adv. l. p. us. En tercer lugar.

Tercerear. intr. p. us. Hacer oficio de tercero, 2.ª acep. || **2.** tr. *Ál.* **Terciar.**

Tercería. f. Oficio o cargo de tercero, 2.ª, 8.ª y 10.ª aceps. || **2.** Depósito o tenencia interina de un castillo, fortaleza, etc. || **3.** *For.* Derecho que deduce un tercero entre dos o más litigantes, o por el suyo propio, o coadyuvando en pro de alguno de ellos. || **4.** *For.* Juicio en el que se ejercita este derecho.

Tercerilla. (d. de *tercera*.) f. Composición métrica de tres versos de arte menor, de los cuales riman o hacen consonancia.

Tercerista. m. *For.* Parte demandante en una tercería.

Tercero, ra. (Del lat. *tertiarius*.) adj. Que sigue inmediatamente en orden al o a lo segundo. Ú. t. c. s. || **2.** Que media entre dos o más personas para el ajuste o ejecución de una cosa buena o mala. Ú. m. c. s. || **3.** V. **Tercera parte, tercera persona.** || **4.** V. **Tía tercera.** || **5.** V. **Minuto, tío tercero.** || **6.** *Álg.* y *Arit.* V. **Tercera potencia.** || **7.** *For.* V. **Tercero poseedor.** || **8.** m. **Alcahuete,** 1.ª acep. || **9.** El que profesa la regla de la **tercera** orden de San Francisco, Santo Domingo o Nuestra Señora del Carmen. || **10.** Encargado de recoger los diezmos y guardarlos hasta que se entregaban a los partícipes. || **11.** Persona que no es ninguna de dos o más de quienes se trata o que intervienen en un negocio de cualquier género. || **12.** *Geom.* Cada una de las sesenta partes iguales en que se divide el segundo de círculo. || **en discordia.** El que media para zanjar una desavenencia y especialmente el que, entre árbitros, arbitradores o peritos, se nombra para que decida en discordia de sus dictámenes, bien uniéndose a uno de ellos, o dando diversa sentencia o informe.

Tercerol. (Del dialect. *tercerol*, y éste del lat. *tertiarius*.) m. *Mar.* En algunas cosas, lo que ocupa el lugar tercero; como el remo de la tercera bancada, el rizo chico en los faluchos, etc.

Tercerola. (Del ital. *terzeruolo*.) f. Arma de fuego usada por la caballería, y es un tercio más corta que la carabina. || **2.** Especie de barril de mediana cabida. || **3.** Flauta más pequeña que la ordinaria y mayor que el flautín.

Terceto. (Del ital. *terzetto*, y éste del lat. *tertius*.) m. Combinación métrica de tres versos endecasílabos, que se emplea siempre repetida y de que constan exclusivamente algunas composiciones poéticas, exceptuando un cuarteto con que terminan. En ellas riman el primer verso con el tercero, y el segundo de cada **terceto** con el primero y el tercero del **terceto** siguiente. En el soneto combínanse ad líbitum los consonantes de los dos **tercetos** que entran en él. || **2. Tercerilla.** || **3.** *Mús.* Composición para tres voces o instrumentos. || **4.** *Mús.* Conjunto de estas tres voces o instrumentos.

Tercia. (Del lat. *tertia*.) f. Tercera parte de una vara. || **2. Tercio,** 3.ª acep. || **3.** Segunda de las cuatro partes iguales en que dividían los romanos el día artificial, y comprendía desde el fin de la tercera hora temporal, a media mañana, hasta el fin de la sexta, a mediodía. || **4.** Una de las horas menores del oficio divino, la inmediata después de prima. || **5.** Casa en que se depositaban los diezmos. || **6. Tercera,** 1.ª acep. || **7.** Pieza de madera de hilo, con escuadría de una **tercia** en la tabla y una cuarta en el canto. || **8.** *Agr.* Tercera cava o segunda bina que se da a las viñas. || **Tercias reales.** Los dos novenos que de todos los diezmos eclesiásticos se deducían para el rey.

Terciado, da. p. p. de **Terciar.** || **2.** adj. V. **Azúcar terciado, o terciada.** || **3.** V. **Pan terciado.** || **4.** m. Espada de hoja ancha y unos 70 centímetros de largo, o sea un tercio más corta que la de marca. || **5.** Cinta algo más ancha que el listón. || **6.** Madero de sierra que resulta de dividir en tres partes iguales el ancho de una alfarjía.

Terciador, ra. adj. Que tercia o media. Ú. t. c. s. || **2.** m. *Rioja.* Mazo menor que la almádena, y usado para partir piedras medianas.

Terciana. (Del lat. *tertiāna*.) f. *Med.* Calentura intermitente que repite cada tercer día. || **de cabeza.** *Med.* Cefalea intermitente.

Tercianario, ria. adj. Que padece tercianas. Ú. t. c. s. || **2.** Dícese de la comarca o país ocasionado a ellas. || **3.** Aplícase a la misma calentura que repite cada tercer día, o a otra cosa que guarde igual período.

Tercianela. (Del ital. *terzanella*.) f. Gro de cordoncillo muy grueso.

Terciar. (Del lat. *tertiāre*.) tr. Poner una cosa atravesada diagonalmente o al sesgo, o ladearla. Esta posición se refiere casi siempre al cuerpo humano, TERCIAR *la banda, la capa.* || **2.** Dividir una cosa en tres partes. || **3.** Equilibrar la carga repartiéndola por igual a los dos lados de la acémila. || **4.** *Agr.* Dar la tercera reja o labor a las tierras, después de barbechadas y binadas. || **5.** *Agr.* Cortar las plantas o arbustos por una tercia sobre la tierra, para que retoñen con más fuerza. || **6.** *Mil.* En la táctica antigua, tener el fusil cogido por la parte más estrecha de la culata y apoyado en el brazo tendido a lo largo del cuerpo. || **7.** r. Venir bien una cosa, disponerse bien. Ú. en infinitivo y en las terceras personas de singular y plural. *Si* SE TERCIA, *le hablaré de nuestro asunto.* || **8.** intr. Interponerse y mediar para componer algún ajuste, disputa o discordia. || **9.** Hacer tercio; tomar parte igual en la acción de otros. || **10.** Completar el número necesario de personas para alguna cosa. || **11.** Llegar al número de tres. Dícese regularmente de la Luna cuando llega al tercer día.

Terciario, ria. (Del lat. *tertiarius*.) adj. Tercero en orden o grado. || **2.** *Arq.* Dícese de cierta especie de arco de piedra que se hace en las bóvedas formadas con cruceros. || **3.** *Geol.* Dícese del terreno posterior al cretáceo y en el cual ya existieron especies de animales que viven hoy. Ú. t. c. s. || **4.** *Geol.* Perteneciente a él. || **5.** m. y f. Persona que profesa una de las órdenes terceras.

Terciazón. (De *terciar*, 4.ª acep.) f. Tercera reja o labor que se da a las tierras después de barbechadas y binadas.

Tercio, cia. (Del lat. *tertius*.) adj. **Tercero,** 1.ª acep. || **2.** V. **Tercia parte.** || **3.** m. Cada una de las tres partes iguales en que se divide un todo. || **4.** Cada una de las dos mitades de la carga de una acémila, cuando va en fardos. || **5.** Cada una de las tres partes en que se considera dividida la lidia de toros. TERCIO *de varas, de banderillas, de muerte.* || **6.** Cada una de las tres partes que se consideran en la altura de una caballería: la primera, desde el casco a la rodilla; la segunda, hasta el encuentro, y la tercera, hasta la cruz. || **7.** Cada uno de los tres períodos que se consideran en la carrera del caballo, y son: arrancar, correr y empezar a parar. || **8.** Cada una de las tres partes en que se divide el rosario. || **9.** Parte más ancha de la media, que cubre la pantorrilla. || **10.** *And.* Cada uno de los versos de que consta una copla del cante flamenco. TERCIO *de entrada;* TERCIO *de remate.* || **11.** *Cuba.* Fardo de tabaco en rama que pesa aproximadamente un quintal, y es la mitad de una carga. || **12.** *Mar.* Cada uno de los antiguos batallones o cuerpos de tropas que guarnecían las galeras. || **13.** *Mar.* Asociación de los marineros y de los propietarios de lanchas y redes de un puerto, agremiados para el ejercicio de la pesca. || **14.** *Mil.* Cuerpo de infantería que, durante los siglos XVI y XVII, equivalía en España a **regimiento,** 4.ª acep. Componíase de un número vario de compañías, provistas de tres armas diferentes: unas, de pica; otras, de arcabuz, y otras, de espada y rodela al principio, y más tarde de mosquete. || **15.** *Mil.* Denominación que alguna vez se da a cuerpos o batallones de infantería en la milicia moderna. || **16.** *Mil.* Cada una de las divisiones del instituto de la Guardia civil. || **17.** *Taurom.* Cada una de las tres partes concéntricas en que se considera dividido el ruedo. Por antonom., el comprendido entre las tablas y los medios. || **18.** pl. Miembros fuertes y robustos del hombre. *Esteban tiene buenos* TERCIOS. || **Tercio de fuerza.** Tercio de la longitud de la espada más próximo a la empuñadura. || **flaco.** Tercio de la longitud de la espada más próximo a la punta. || **naval.** *Mar.* Cada uno de los cuerpos formados por la marinería de un departamento, alistada o matriculada para el servicio de la marina de guerra. || **Ganar** uno **los tercios de la espada** a otro. fr. *Esgr.* Introducir la suya muy adentro, cargando la contraria de modo que no pueda obrar. || **Hacer** uno **buen,** o **mal, tercio** a otro. fr. Ayudarle, o estorbarle; hacerle beneficio, o daño, en una pretensión o cosa semejante. || **Hacer tercio** uno. fr. Entrar en parte en alguna cosa; completar el número de los que concurren a ella. || **Mejorado en tercio y quinto.** expr. fig. Aventajado con exceso, o favorecido mucho más que otro.

Terciodécuplo, pla. (De *tercio,* tercero, y *décuplo.*) adj. Que contiene un número trece veces exactamente. Ú. t. c. s. m.

Terciopelado, da. adj. **Aterciopelado.** || **2.** m. Especie de tejido semejante al terciopelo, que tiene el fondo de raso o rizo.

Terciopelero. m. Oficial que trabaja los terciopelos.

Terciopelo. (De *tercio,* tercero, y *pelo.*) m. Tela velluda y tupida de seda, formada por dos urdimbres y una trama. || **2.** Tela velluda y semejante al verdadero **terciopelo,** pero tejida con hilos que no son de seda. || **3.** *C. Rica* y *Venez.* **Macagua terciopelo.** || **4.** *Chile.* Planta perenne de la familia de las bignoniáceas, con hojuelas dentadas y fruto en cápsulas alargadas; se cultiva en los jardines.

Terco, ca. (En port. *terco.*) adj. Pertinaz, obstinado e irreducible. || **2.** fig. Dícese de lo que es bronco o más difícil de labrar que lo ordinario en su clase.

Terebintáceo, a. (Del lat. *terebinthus,* terebinto.) adj. *Bot.* **Anacardiáceo.**

Terebintina. (Del lat. [*resina*] *terebinthina,* resina del terebinto.) f. ant. **Trementina.**

Terebinto. (Del lat. *terebinthus,* y éste del gr. τερέβινθος.) m. *Bot.* Arbolillo de la familia de las anacardiáceas, de tres a seis metros de altura, con tronco ramoso y lampiño; hojas alternas, compuestas de hojuelas ovales, enteras y lustrosas; flores en racimos laterales y por frutos drupas pequeñas, primero rojas y después casi negras. Es común en España; su madera, dura y compacta, exuda por la corteza gotitas de trementina blanca muy olorosa, y suele criar agallas de tres a cuatro centímetros de largo.

Terebrante. (Del lat. *terebrans, -antis,* p. a. de *terebrāre,* taladrar.) adj. *Med.* Dícese del dolor que produce sensación semejante a la que resultaría de taladrar la parte dolorida.

Terebrátula. (Del lat. *terebrātus,* taladrado.) f. *Zool.* Animal braquiópodo, del cual se conocen numerosas especies vivientes y fósiles, cuyo cuerpo está protegido por una concha calcárea de valvas desiguales y articuladas mediante charnela.

Terenciano, na. (Del lat. *terentiānus.*) adj. Propio y característico del poeta cómico latino Terencio, o que tiene semejanza con cualquiera de las dotes y calidades por que se distinguen sus obras.

Tereniabín. (Del persa *taranŷabīn,* maná líquido de Persia.) m. Substancia viscosa, blanquecina, dulce y con aspecto de miel, que fluye de las hojas de un arbusto propio de Persia y Arabia, y se emplea en medicina como purgante.

Tereque. m. *P. Rico* y *Venez.* Trasto, trebejo.

Terere. m. *Par.* Bebida hecha con la infusión en agua fría de la hierba mate.

Teresa. adj. Dícese de la monja carmelita descalza que profesa la reforma de Santa Teresa. Ú. t. c. s. f.

Teresiana. f. Especie de quepis usado como prenda de uniforme militar por algunos oficiales.

Teresiano, na. adj. Perteneciente o relativo a Santa Teresa de Jesús. || **2.** Afiliado a la devoción de esta santa. || **3.** *Chile.* Aplícase a la hermana de votos simples, perteneciente a un instituto religioso afiliado a la tercera orden carmelita, y que tiene por patrona a Santa Teresa.

Terete. (Del lat. *teres, -ĕtis,* rollizo.) adj. p. us. Rollizo, duro y de carne fuerte.

Tergiversable. adj. Que puede tergiversarse.

Tergiversación. (Del lat. *tergiversatĭo, -ōnis.*) f. Acción y efecto de tergiversar.

Tergiversador, ra. adj. Que tergiversa. Ú. t. c. s.

Tergiversar. (Del lat. *tergiversāre.*) tr. Forzar, torcer las razones o argumentos, o las relaciones de los hechos y sus circunstancias, por lo común para defender o excusar alguna cosa.

Teriaca. (Del lat. *theriăca,* y éste del gr. θηριακή [de θηρίον, fiera], sobrentendiéndose ἀντίδοτος, remedio contra la mordedura de animales venenosos.) f. **Triaca.**

Teriacal. (De *teriaca.*) adj. **Triacal.**

Teridofito, ta. adj. *Bot.* **Pteridofito.**

Terigüela. (Del lat. **telariŏla,* de *telum,* espada.) f. *Sal.* y *Zam.* Tarabilla, telera del arado. || **2.** *Sal.* Cordel atado a la oreja de un buey para castigarle el gañán mientras va arando.

Teristro. (Del lat. *theristrum,* y éste del gr. θέριστρον, de θερίζω, veranear.) m. Velo o manto delgado que usaban las mujeres de Palestina para el verano.

Terliz. (Del lat. *trilix, -īcis,* de tres hilos.) m. Tela fuerte de lino o algodón, por lo común de rayas o cuadros, y tejida con tres lizos.

Termal. adj. Perteneciente o relativo a las termas o caldas. || **2.** V. **Agua termal.**

Termas. (Del lat. *thermae,* y éste del gr. θερμά, de θερμός, cálido.) f. pl. **Caldas.** || **2.** Baños públicos de los antiguos romanos.

Termes. (Del lat. *termes,* carcoma.) m. *Zool.* **Comején.**

Térmico, ca. (Del gr. θέρμη, calor.) adj. Perteneciente o relativo al calor.

Termidor. (Del fr. *thermidor,* y éste del gr. θέρμη, calor, y δωρέω, dar.) m. Undécimo mes del calendario republicano francés, cuyos días primero y último coincidían, respectivamente, con el 19 de julio y el 17 de agosto.

Terminable. adj. Que tiene término.

Terminación. (Del lat. *terminatĭo, -ōnis.*) f. Acción y efecto de terminar o terminarse. || **2.** Parte final de una obra o cosa. || **3.** *Gram.* Letra o letras que se subsiguen al radical de los vocablos, y también aquella o aquellas que determinan el género y número de las partes variables de la oración. || **4.** *Med.* Estado de la naturaleza de un enfermo al entrar en convalecencia. || **5.** *Métr.* Letra o letras que determinan la asonancia o consonancia de unos vocablos con otros.

Terminacho. (despect. de *término.*) m. fam. Voz o palabra poco culta, mal formada o indecente. || **2.** fam. Término bárbaro o mal usado.

Terminador, ra. (Del lat. *terminātor, -ōris.*) adj. Que termina. Ú. t. c. s.

Terminajo. (despect. de *término.*) m. fam. **Terminacho.**

Terminal. (Del lat. *terminālis.*) adj. Final, último, y que pone término a una cosa. || **2.** *Bot.* Dícese de lo que está en el extremo de cualquier parte de la planta. *Hojuela* TERMINAL; *flores* TERMINALES. || **3.** *Electr.* Extremo de un conductor preparado para facilitar su conexión con un aparato.

Terminante. p. a. de **Terminar.** Que termina. || **2.** adj. Claro, preciso, concluyente. *Las prevenciones de esta ley son* TERMINANTES.

Terminantemente. adv. m. De manera terminante o concluyente.

Terminar. (Del lat. *termināre.*) tr. Poner término a una cosa, acabarla. || **2.** **Acabar,** 3.ª acep. || **3.** intr. Tener término una cosa, acabar. Ú. t. c. r. || **4.** *Med.* Entrar una enfermedad en su último período. || **5.** r. Ordenarse, dirigirse una cosa a otra como a su fin y objeto.

Terminativo, va. (Del lat. *terminātum,* supino de *termināre,* terminar.) adj. Respectivo o relativo al término u objeto de una acción. Ú. en la filosofía escolástica.

Terminista. com. Persona que usa términos rebuscados.

Término. (Del lat. *termĭnus.*) m. Último punto hasta donde llega o se extiende una cosa. || **2.** Último momento de la duración o existencia de una cosa. || **3.** fig. Límite o extremo de una cosa inmaterial. || **4.** **Mojón,** 1.er art., 1.ª acep. || **5.** Línea divisoria de los Estados, provincias, distritos, etc. || **6.** Porción de territorio sometido a la autoridad de un ayuntamiento. || **7.** Paraje señalado para algún fin. || **8.** Tiempo determinado. || **9.** Hora, día o punto preciso de hacer algo. || **10.** Objeto, fin. || **11.** **Palabra,** 1.ª acep. || **12.** Estado o situación en que se halla una persona o cosa. || **13.** Forma o modo de portarse o hablar. Ú. m. en pl. || **14.** **Talle,** 5.ª acep. || **15.** *Arq.* Sostén o apoyo que termina por la parte superior en una cabeza humana, al modo que los antiguos figuraban al dios **Término.** || **16.** *Gram.* Cada uno de los dos elementos necesarios en la relación gramatical. || **17.** *Lóg.* Aquello dentro de lo cual se contiene enteramente una cosa, de modo que nada de ella se halle fuera. ||

18. *Lóg.* Cada una de las palabras que substancialmente integran una proposición o un silogismo. Los **términos** de una proposición son dos: sujeto y predicado; los de un silogismo son tres: mayor, menor y medio. || **19.** *Mat.* Cada una de las cantidades que componen un polinomio o forman una razón, una proporción o un quebrado. || **20.** *Mús.* Punto, tono. || **21.** *Pint.* Plano en que se representa algún objeto en un cuadro; y se llama primer **término** el más cercano, segundo el medio, y tercero el último. || **22.** pl. *Astrol.* Ciertos grados y límites en que se creía que los planetas tienen mayor fuerza en sus influjos. || **Término de una audiencia.** *For.* Intervalo entre dos sesiones consecutivas de un tribunal. || **eclíptico.** *Astron.* Distancia de la Luna a uno de los dos nodos de su órbita. || **extraordinario.** *For.* El de prueba cuando ésta haya de practicarse en país extranjero o en territorio nacional muy distante y separado por el mar. || **fatal.** *For.* El improrrogable, cuyo transcurso extingue o cancela la facultad o el derecho que durante él no se ejercitó. || **medio.** *Mat.* Cantidad que resulta de sumar otras varias y dividir la suma por el número de ellas. || **2.** Aquel arbitrio proporcionado que se toma o sigue para salir de alguna duda, o para componer una discordia. || **negativo.** *Álg.* El que lleva el signo menos (—). || **perentorio.** *For.* **Término fatal.** || **positivo.** *Álg.* El que lleva el signo más (+), ya explícito, ya implícito, cuando es el primero de un polinomio. || **probatorio.** *For.* El que señala el juez, con arreglo a la ley, para proponer y hacer las probanzas. || **redondo.** Territorio exento de la jurisdicción de todos los pueblos comarcanos. || **2.** Conjunto de predios de un mismo dueño, que no incluyen en sus linderos ninguna heredad ajena. || **ultramarino.** *For.* El que se concedía para practicar prueba en Ultramar. || **Medio término. Término medio,** 2.ª acep. || **Términos hábiles.** Posibilidad de hacer o conseguir una cosa. || **necesarios.** *Astron.* En los eclipses de Sol o Luna, aquellas distancias de los luminares al nodo más cercano, dentro de las cuales necesariamente ha de haber eclipse en alguna parte de la Tierra. || **posibles.** *Astron.* En los eclipses, aquellas distancias al nodo, dentro de las cuales puede haber eclipse, y no fuera de ellas. || **repugnantes.** *Lóg.* Los que dicen incompatibilidad entre sí, o no pueden estar en un sujeto a un mismo tiempo. || **Medios términos.** Rodeo o tergiversación con que uno huye de lo que cree nocivo o le desagrada. || **Correr el término.** fr. Ir transcurriendo el señalado para una cosa. || **En buenos términos.** loc. adv. con que se denota el uso de una perífrasis para evitar la crudeza de la expresión. *Eso,* EN BUENOS TÉRMINOS, *es llamarme ignorante.* || **2.** En relación amigable una persona con otra. || **En propios términos.** loc. adv. Con puntual y genuina expresión para la inteligencia de una cosa. || **Llevar a término.** fr. **Llevar a cabo.** || **Poner término** a una cosa. fr. Hacer que cese, que acabe.

Terminología. f. Conjunto de términos o vocablos propios de determinada profesión, ciencia o materia.

Terminote. m. aum. de **Término.** || **2.** fam. Voz afectada, desusada, o demasiadamente culta.

Termita. (Del gr. θέρμη, calor.) f. *Quím.* Mezcla de limaduras de aluminio y de óxidos de diferentes metales, que por inflamación produce elevadísima temperatura.

Termitero. m. Nido de termes.

Termo. (De *thermos,* nombre comercial registrado.) m. Vasija de dobles paredes, entre las que se ha hecho el vacío, y provista de cierre hermético. Sirve para que las substancias introducidas en la vasija conserven su temperatura sin que influya en ésta la del ambiente.

Termo. m. fam. **Termosifón.**

Termocauterio. (Del gr. θέρμη, calor, y καυτήριον, cauterio.) m. Cauterio hueco, de platino, que se mantiene candente por la electricidad u otro medio semejante.

Termodinámica. (Del gr. θέρμη, calor, y de *dinámica.*) f. Parte de la física, que trata de la fuerza mecánica del calor.

Termoelectricidad. f. Energía eléctrica producida por el calor. || **2.** Parte de la física, que estudia esta energía.

Termoeléctrico, ca. (Del gr. θέρμη, calor, y de *eléctrico.*) adj. Dícese del aparato en que se desarrolla electricidad por la acción del calor.

Termometría. (De *termómetro.*) f. Medición de la temperatura. || **clínica.** *Med.* Método de exploración que tiene por objeto el estudio comparativo del calor del cuerpo humano en el curso de las enfermedades, especialmente de las de carácter febril.

Termométrico, ca. adj. Perteneciente o relativo al termómetro.

Termómetro. (Del gr. θέρμη, calor, y μέτρον, medida.) m. *Fís.* Instrumento que sirve para medir la temperatura. El más usual se compone de un tubo capilar cerrado, de vidrio, ensanchado en la parte inferior, a modo de pequeño depósito, que contiene un líquido, por lo común azogue o alcohol teñido, el cual, dilatándose o contrayéndose por el aumento o disminución de calor, señala en una escala los grados de temperatura. || **clínico.** El de máxima y de precisión, que se usa para tomar la temperatura a los enfermos y cuya escala está dividida en décimas de grado. || **de máxima.** El que deja registrada la temperatura máxima. || **de mínima.** El que deja registrada la temperatura mínima. || **diferencial.** Instrumento que sirve para medir diferencias pequeñas de temperatura, y consiste en un tubo capilar de cristal, doblado en ángulo recto por sus dos extremos, que terminan en bolas, lleno de aire y con un líquido interpuesto entre las dos ramas, el cual se mueve a uno u otro lado, según esté más o menos caliente el aire encerrado en cada una de las bolas.

Termoscopio. (Del gr. θέρμη, calor, y σκοπέω, examinar.) m. *Fís.* **Termómetro diferencial.**

Termosifón. (Del gr. θέρμη, calor, y el lat. *sipho, -ōnis,* del gr. σίφων.) m. Aparato anejo a una cocina y que sirve para calentar agua y distribuirla por medio de tuberías a los lavabos, baños y pilas de una casa. || **2.** Aparato de calefacción por medio del agua caliente que va entubada a diversos locales de un edificio o elementos de una maquinaria.

Termostato. m. Aparato que se conecta con una fuente de calor y que, mediante un artificio automático, impide que la temperatura suba o baje del grado conveniente.

Terna. (Del lat. *terna,* triple.) f. Conjunto de tres personas propuestas para que se designe de entre ellas la que haya de desempeñar un cargo o empleo. || **2.** Pareja de tres puntos, en el juego de dados. || **3.** Cada juego o conjunto de dados con que se juega. || **4.** *Ar.* **Paño,** 3.ª acep.

Ternario, ria. (Del lat. *ternarĭus.*) adj. Compuesto de tres elementos, unidades o guarismos. || **2.** *Mús.* V. **Compás ternario.** || **3.** m. Espacio de tres días dedicados a una devoción o ejercicio espiritual.

Ternasco. (De *tierno.*) m. *Ar.* **Cordero recental.** || **2.** *Nav.* **Cabrito,** 1.ª acep.

Terne. adj. fam. **Valentón.** Ú. t. c. s. || **2.** fam. Perseverante, obstinado. || **3.** fam. Fuerte, tieso, robusto de salud.

Ternecico, ca, to, ta. adjs. ds. de **Tierno.**

Ternejal. adj. fam. **Terne.** Ú. t. c. s.

Ternejón, na. adj. fam. **Ternerón.** Ú. t. c. s.

Ternera. (De *tierna.*) f. Cría hembra de la vaca. || **2.** Carne de **ternera** o de ternero.

Ternero. (De *tierno.*) m. Cría macho de la vaca. || **recental.** El de leche o que no ha pastado todavía.

Ternerón, na. (De *tierno.*) adj. fam. Aplícase a la persona que se enternece con facilidad. Ú. t. c. s.

Terneruela. f. d. de **Ternera.**

Ternez. f. d. desus. **Terneza.**

Terneza. (De *tierno.*) f. **Ternura.** || **2. Requiebro,** 2.ª acep. Ú. m. en pl.

Ternezuelo, la. adj. d. de **Tierno.**

Ternilla. (d. de *tierna.*) f. *Zool.* **Cartílago.**

Ternilloso, sa. adj. Compuesto de ternillas. || **2.** Parecido a ellas.

Ternísimo, ma. adj. sup. de **Tierno.**

Terno. (Del lat. *ternus.*) m. Conjunto de tres cosas de una misma especie. || **2.** Suerte de tres números, en el juego de la lotería primitiva. || **3.** Pantalón, chaleco y chaqueta, u otra prenda semejante, hechos de la misma tela. || **4.** Conjunto del oficiante y sus dos ministros, diácono y subdiácono, que celebran una misa mayor o asisten en esta forma a una función eclesiástica. || **5.** Vestuario exterior del **terno** eclesiástico, el cual consta de casulla y capa pluvial para el oficiante y de dalmáticas para sus dos ministros. || **6.** Voto, juramento o porvida. *Echar* TERNOS. || **7.** *Cuba* y *P. Rico.* Aderezo de joyas compuesto de pendientes, collar y alfiler. || **8.** *Impr.* Conjunto de tres pliegos impresos metidos uno dentro de otro. || **seco.** El que se jugaba en una cédula de la lotería primitiva, sin opción a los ambos. || **2.** fig. y fam. Fortuna muy feliz e inesperada.

Ternura. f. Calidad de tierno. || **2. Requiebro,** 2.ª acep.

Tero. m. *Argent.* **Teruteru.**

Terpina. f. *Quím.* Hidrato de trementina.

Terpinol. m. Substancia que resulta de la acción de un ácido sobre la terpina.

Terquear. intr. Mostrarse terco.

Terquedad. f. Calidad de terco. || **2.** Porfía, disputa molesta y cansada, inflexible a la razón.

Terquería. (De *terco.*) f. **Terquedad.**

Terqueza. (De *terco.*) f. **Terquedad.**

Terracota. (Del ital. *terracota,* y éste del lat. *terra cocta.*) f. Escultura de barro cocida.

Terrada. (De *tierra.*) f. Especie de betún compuesto de un cocimiento de almagre, ajos machacados, blanquimiento y cola.

Terrado. (De *terra.*) m. Sitio de una casa, descubierto y por lo común elevado, desde el cual se puede explayar la vista.

Terraguero. m. *Sal* y *Zam.* **Terrero,** 13.ª acep.

Terraja. f. Tabla guarnecida con una chapa de metal recortada con arreglo al perfil de una moldura, y que sirve para hacer las de yeso, estuco o mortero, corriéndola cuando la pasta está blanda. || **2.** Herramienta formada por una barra de acero con una caja rectangular en el medio, donde se ajustan las piezas que sirven para labrar las roscas de los tornillos. || **de agujero cerrado.** La que tiene de una sola pieza la caja donde se labra la rosca. || **de cojinetes.** La que tiene la caja donde se labra la rosca dividida en dos partes, cuya distancia se gradúa por medio de cojinetes.

Terraje. m. Terrazgo, 2.ª acep.

Terrajero. m. Terrazguero. || **2.** *Extr.* Persona encargada por el dueño de una tierra de labor para cobrar del arrendatario el terrazgo, que se paga en grano o especie.

Terral. (De *tierra.*) adj. V. **Viento terral.** Ú. t. c. s.

Terraplén. (Del fr. *terre-plein*, y éste del lat. *terra* y *planus.*) m. Macizo de tierra con que se rellena un hueco, o que se levanta para hacer una defensa, un camino u otra obra semejante.

Terraplenar. (De *terraplén.*) tr. Llenar de tierra un vacío o hueco. || **2.** Acumular tierra para levantar un terraplén.

Terrapleno. (De *terraplenar.*) m. desus. Terraplén.

Terráqueo, a. (Del lat. *terra*, tierra, y *aqua*, agua.) adj. Compuesto de tierra y agua. Aplícase únicamente al globo o esfera terrestre. || **2.** V. **Esfera terráquea.** || **3.** V. **Globo terráqueo.**

Terrateniente. (Del lat. *terra*, tierra, y *tenens, -entis*, que tiene.) com. Dueño o poseedor de tierra o hacienda.

Terraza. (De *terrazo.*) f. Jarra vidriada, de dos asas. || **2. Arriate,** 1.ª acep. || **3. Terrado.**

Terrazgo. m. Pedazo de tierra para sembrar. || **2.** Pensión o renta que paga al señor de una tierra el que la labra. || **3.** desus. Territorio señorial cuyo disfrute ocasionaba estas prestaciones.

Terrazguero. m. Labrador que paga terrazgo.

Terrazo. (Del lat. *terracĕus*, de *tierra.*) m. ant. **Jarro,** 1.ª acep. || **2.** *Pint.* Terreno representado en un paisaje.

Terrazuela. f. d. de **Terraza,** 1.ª acep.

Terrazulejo. m. ant. d. de **Terrazo,** 1.ª acep.

Terrear. intr. Descubrirse o dejarse ver la tierra en los sembrados.

Terrecer. (Del lat. *terrescĕre.*) tr. **Aterrar,** 2.ª acep. Ú. t. c. r. || **2.** intr. *Ast.* y *León.* Sentir temor.

Terregoso, sa. adj. Aplícase al campo lleno de terrones.

Terremoto. (Del lat. *terraemōtus;* de *terra*, tierra, y *motus*, movimiento.) m. Concusión o sacudida del terreno, ocasionada por fuerzas que actúan en lo interior del globo.

Terrenal. (De *terreno.*) adj. Perteneciente a la tierra, en contraposición de lo que pertenece al cielo. || **2.** V. **Paraíso terrenal.**

Terrenidad. f. Calidad de terreno.

Terreno, na. (Del lat. *terrēnus.*) adj **Terrestre.** || **2. Terrenal.** || **3.** m. Sitio o espacio de tierra. || **4.** fig. Campo o esfera de acción en que con mayor eficacia pueden mostrarse la índole o las cualidades de personas o cosas. || **5.** fig. Orden de materias o de ideas de que se trata. || **6.** *Geol.* Conjunto de substancias minerales que tienen origen común, o cuya formación corresponde a una misma época. || **agarrado.** El que es duro y compacto. || **del honor.** fig. Campo donde se efectúa un duelo o desafío. || **de transición.** *Geol.* Terreno sedimentario donde se han hallado fósiles primitivos. || **franco.** *Min.* El que puede ser concedido libremente por el Estado para la industria minera. || **Descubrir** uno **terreno.** fr. fig. **Descubrir tierra,** 2.ª acep. || **Ganar** uno **terreno.** fr. fig. Adelantar en una cosa. || **2.** fig. Irse introduciendo con arte, habilidad o gracia para lograr un fin. || **Llevar** a uno **al terreno del honor.** fr. fig. Desafiarle a un duelo. || **Medir** uno **el terreno.** fr. fig. Tantear las dificultades de un negocio a fin de poner los medios para vencerlas. || **Minarle** a uno **el terreno.** fr. fig. Trabajar solapadamente para desbaratar a uno sus planes. || **Perder** uno **terreno.** fr. fig. Atrasar en un negocio. || **Reconocer el terreno.** fr. fig. **Reconocer el campo.** || **Saber** uno **el terreno que pisa.** fr. fig. Conocer bien el asunto que se trae entre manos o las personas con quienes se trata. || **Sobre el terreno.** fr. fig. En presencia de los lugares de que se trata, y por extensión, de los datos, noticias o referencias de algún asunto.

Terreño, ña. adj. *Rioja.* **De la tierra.**

Térreo, a. (Del lat. *terrĕus.*) adj. De tierra. || **2.** Parecido a ella.

Terrera. (Del lat. *terrarĭa*, t. f. de *-rĭus*, terrero.) f. Trozo de tierra escarpada desprovista de vegetación. || **2. Alondra.**

Terrería. (Del lat. *terrēre*, aterrar.) f. ant. Amenaza terrorífica.

Terrero, ra. (Del lat. *terrarĭus.*) adj. Perteneciente o relativo a la tierra. || **2.** Aplícase al vuelo rastrero de ciertas aves. || **3.** Dícese de la caballería que al caminar levanta poco los brazos. || **4.** Aplícase a las cestas de mimbres o espuertas que se emplean para llevar tierra de un punto a otro. Ú. t. c. s. f. || **5.** fig. Bajo y humilde. || **6.** *Can.* y *P. Rico.* Dícese de la casa de un solo piso. || **7.** m. **Terrado.** || **8.** Montón de tierra. || **9.** Depósito de tierras acumuladas por la acción de las aguas. || **10.** Montón de broza o desechos sacados de una mina. || **11.** Objeto o blanco que se pone para tirar a él. || **12.** Especie de plaza pública. || **13.** *Pal.* y *Vallad.* Montón que en la era se forma con las barreduras del solar de la parva. || **Hacer terrero.** fr. fig. desus. Galantear o enamorar a una dama desde la calle o campo delante de su casa.

Terrestre. (Del lat. *terrestris.*) adj. Perteneciente o relativo a la tierra. || **2.** V. **Anteojo, ecuador, esfera, globo, hiedra, magnetismo terrestre.**

Terrezuela. f. d. de **Tierra.** || **2.** Tierra de poca substancia o de poco valor.

Terribilidad. (Del lat. *terribilĭtas, -ātis.*) f. Calidad de terrible.

Terribilísimo, ma. adj. sup. de **Terrible.**

Terrible. (Del lat. *terribĭlis.*) adj. Digno o capaz de ser temido; que causa terror. || **2.** Áspero y duro de genio o condición. || **3. Atroz,** 3.ª acep.

Terriblemente. adv. m. Espantosa, violenta u horriblemente. || **2.** fam. Extraordinaria o excesivamente.

Terriblez. f. **Terribleza.**

Terribleza. (De *terrible.*) f. **Terribilidad.**

Terrícola. (Del lat. *terricŏla;* de *terra*, tierra, y *colĕre*, habitar.) com. Habitador de la Tierra.

Terrífico, ca. (Del lat. *terrifĭcus.*) adj. Que amedrenta, pone espanto o terror.

Terrígeno, na. (Del lat. *terrigĕnus;* de *terra*, tierra, y *gignĕre*, engendrar, nacer.) adj. Nacido o engendrado de la tierra.

Terrino, na. adj. De tierra.

Territorial. (Del lat. *territoriālis.*) adj. Perteneciente al territorio. || **2.** V. **Audiencia, mar territorial.**

Territorialidad. (De *territorial.*) f. Consideración especial en que se toman las cosas en cuanto están dentro del territorio de un Estado. || **2.** Ficción jurídica por la cual los buques y los domicilios de los agentes diplomáticos se consideran, dondequiera que estén, como si formasen parte del territorio de su propia nación.

Territorio. (Del lat. *territorĭum.*) m. Porción de la superficie terrestre perteneciente a una nación, región, provincia, etc. || **2.** Circuito o término que comprende una jurisdicción, un cometido oficial u otra función análoga. || **3.** *Argent.* Demarcación sujeta al mando de un gobernador.

Terrizo, za. adj. Hecho o fabricado de tierra. || **2.** m. y f. Barreño, lebrillo. || **3.** m. *Gran.* Era sin empedrar.

Terrollo. m. *Rioja.* Especie de collera hecha de un rollo de paja de centeno forrado de tela fuerte.

Terromontero. m. Montoncillo, cerro o collado como montón de tierra.

Terrón. m. Masa pequeña y suelta de tierra compacta. || **2.** Masa pequeña y suelta de otras substancias. TERRÓN *de azúcar, de sal.* || **3.** Residuo que deja en los capachos de los molinos de aceite la aceituna después de exprimida. || **4.** fig. y fam. **Terrón de tierra.** || **5.** pl. Hacienda rústica, como viñas, tierras labrantías, etc. || **Terrón de tierra.** fig. y fam. **Montón de tierra.** || **A rapa terrón.** m. adv. fam. Hablando de siega, a ras de tierra; a raíz.

Terronazo. m. Golpe dado con un terrón.

Terror. (Del lat. *terror, -ōris.*) m. Miedo, espanto, pavor de un mal que amenaza o de un peligro que se teme. || **2.** Época, durante la revolución francesa, en que eran frecuentes las ejecuciones por motivos políticos.

Terrorífico, ca. adj. Terrífico.

Terrorismo. m. Dominación por el terror. || **2.** Sucesión de actos de violencia ejecutados para infundir terror.

Terrorista. m. Partidario del terrorismo.

Terrosidad. f. Calidad de terroso.

Terroso, sa. (Del lat. *terrōsus.*) adj. Que participa de la naturaleza y propiedades de la tierra. || **2.** Que tiene mezcla de tierra. || **3.** m. *Germ.* **Terrón,** 1.ª acep.

Terruño. m. Terrón o trozo de tierra. || **2.** Comarca o tierra, especialmente el país natal. || **3.** Terreno, especialmente hablando de su calidad o casta.

Terruzo. m. ant. **Terruño.**

Tersar. tr. Poner tersa una cosa.

Tersidad. (De *terso.*) f. **Tersura.**

Terso, sa. (Del lat. *tersus*, p. p. de *tergĕre*, limpiar.) adj. Limpio, claro, bruñido y resplandeciente. || **2.** fig. Tratándose de lenguaje, estilo, etc., puro, limado, fluido, fácil.

Tersura. f. Calidad de terso.

Tertel. m. *Chile.* Capa de tierra muy dura que se halla debajo del subsuelo.

Tertil. (Del ár. *tartil*, acción de pesar por libras.) m. Impuesto de ocho maravedís por cada libra de seda, que se pagó en el reino de Granada desde el tiempo de los moros hasta mediados del siglo XIX.

Tertulia. (En port. *tertulia.*) f. Reunión de personas que se juntan habitualmente para discurrir sobre alguna materia, para conversar amigablemente o para algún pasatiempo honesto. || **2.** Corredor en la parte más alta de los antiguos teatros de España. || **3.** Lugar en los cafés destinado a mesas de juegos de billar, cartas, dominó, etc.

Tertuliano, na. adj. Dícese del que concurre a una tertulia. Ú. t. c. s.

Tertuliante. adj. **Tertuliano.**

Tertuliar. intr. *Amér.* Estar de tertulia, conversar.

Tertulio, lia. adj. **Tertuliano.** Ú. t. c. s.

Teruelo. m. *Ar.* Bola hueca donde se incluye el nombre o número de cada uno de los que entran en suerte.

Teruncio. (Del lat. *teruncĭus;* de *ter*, tres, y *uncĭa*, onza.) m. Moneda romana que valía la cuarta parte de un as.

Teruteru. m. *Zool. Amér. Merid.* Ave zancuda, de la misma familia que los andarríos, de 30 a 40 centímetros de envergadura, con plumaje de color blanco con mezcla de negro y pardo. Anda en bandadas y alborota mucho con sus chillidos desapacibles al levantar el vuelo.

Teruvela. (Del lat. *terebella*, trépano.) f. ant. **Polilla.**

Terzón, na. (De *tercio.*) adj. *Ar.* V. **Novillo terzón.** Ú. t. c. s.

Terzuela. (d. de *tercia.*) f. Distribución que reciben los capitulares en algunas iglesias por asistir al coro a la hora de tercia.

Terzuelo. (d. de *tercio.*) m. Tercio o tercera parte de una cosa. || **2.** *Cetr.* Halcón macho.

Tesaliano, na. adj. **Tesaliense.**

Tesálico, ca. (Del lat. *thessalĭcus.*) adj. Tesaliense.

Tesaliense. adj. Natural de Tesalia. Ú. t. c. s. || **2.** Perteneciente a esta región de la Grecia antigua.

Tesalio, lia. (Del lat. *thessalius.*) adj. **Tesaliense.** Apl. a pers., ú. t. c. s.

Tésalo, la. (Del lat. *thessălus.*) adj. **Tesaliense,** 1.ª acep. Ú. t. c. s.

Tesalonicense. (Del lat. *thessalonicenses.*) adj. Natural de Tesalónica. Ú. t. c. s. || **2.** Perteneciente a esta ciudad de Macedonia.

Tesalónico, ca. (De *Tesalónica.*) adj. **Tesalonicense.** Apl. a pers., ú. t. c. s.

Tesar. (Del lat. **tēnsāre*, de *tēnsus.*) tr. *Mar.* Poner tirantes los cabos y cadenas, velas, toldos y cosas semejantes. || **2.** intr. Andar hacia atrás los bueyes uncidos.

Tesaurero. (Del lat. *thesaurarius.*) m. ant. **Tesorero.**

Tesaurizar. (Del lat. *thesaurizāre.*) tr. **Atesorar.**

Tesauro. (Del lat. *thesaurus*, y éste del gr. θησαυρός.) m. **Tesoro,** 5.ª acep. || **2.** ant. **Tesoro.**

Tesbita. adj. Natural de Tesba. Ú. t. c. s. || **2.** Perteneciente a esta ciudad de Palestina.

Tesela. (Del lat. *tessella.*) f. Cada una de las piezas cúbicas de mármol, piedra, barro cocido o cualquiera otra materia, con que los antiguos formaban los pavimentos de mosaico.

Teselado, da. (Del lat. *tessellātus.*) adj. Dícese del pavimento formado con teselas.

Tésera. (Del lat. *tessĕra.*) f. Pieza cúbica o planchuela con inscripciones que los romanos usaban como contraseña, distinción honorífica o prenda de un pacto.

Tesis. (Del lat. *thesis*, y éste del gr. θέσις.) f. Conclusión, proposición que se mantiene con razonamientos. || **2.** Disertación escrita que presenta a la universidad el aspirante al título de doctor en una facultad.

Tesitura. (Del ital. *tessitura.*) f. *Mús.* Altura propia de cada voz o de cada instrumento. || **2.** fig. Actitud o disposición del ánimo.

Teso, sa. (Del lat. *tensus*, p. p. de *tendĕre*, estirar.) p. p. irreg. de **Tesar.** || **2.** adj. **Tieso.** || **3.** *Arq.* V. **Lima tesa.** || **4.** m. Cima o alto de un cerro o collado. || **5.** Pequeña salida en una superficie lisa. || **6.** *Tol.* Sitio en que se efectúa la feria de ganados. || **7.** *Áv.* Cada una de las divisiones del rodeo en las ferias.

Tesón. (Del lat. *tensĭo, -ōnis.*) m. Firmeza, constancia, inflexibilidad. || **2.** *Zam.* Manga corta para pescar. || **3.** *Zam.* Cada una de las tablas planas que forman los fondos o tapas de las cubas y toneles.

Tesonería. (De *tesón.*) f. Terquedad, pertinacia.

Tesonero, ra. adj. Dícese del que tiene tesón o constancia. Ú. m. en *Amér. Merid.*

Tesonía. (De *tesón.*) f. ant. **Tesonería.**

Tesorería. f. Cargo u oficio de tesorero. || **2.** Oficina o despacho del tesorero.

Tesorero, ra. (Del *esaurero.*) m. y f. Persona encargada de custodiar y distribuir los caudales de una dependencia pública o particular. || **2.** m. Canónigo o dignidad a cuyo cargo está la custodia de las reliquias y alhajas de una catedral o colegiata.

Tesorizar. tr. desus. **Atesorar.**

Tesoro. (Del lat. *thesaurus.*) m. Cantidad de dinero, valores u objetos preciosos, reunida y guardada. || **2. Erario,** 2.ª acep. || **3.** Abundancia de caudal y dinero guardado y conservado. || **4.** fig. Persona o cosa, o conjunto o suma de cosas, de mucho precio o muy dignas de estimación. *Tal persona o tal libro es un* TESORO; TESORO *de noticias, de virtudes.* || **5.** fig. Nombre dado por sus autores a ciertos diccionarios, catálogos o antologías. || **6.** *For.* Conjunto escondido de monedas o cosas preciosas, de cuyo dueño no queda memoria. || **de duende.** Riqueza imaginaria o que se disipa fácilmente.

Tespíades. (Del lat. *thespiădes.*) f. pl. Las musas, así llamadas porque moraron, según la fábula, en la ciudad de Tespias.

Testa. (Del lat. *testa.*) f. **Cabeza,** 1.ª y 2.ª aceps. || **2.** Frente, cara o parte anterior de algunas cosas materiales. || **3.** fig. y fam. Entendimiento, capacidad y prudencia en la acertada conducta de las cosas. || **coronada.** Monarca o señor soberano de un Estado. || **de ferro. Testaferro.**

Testáceo, a. (Del lat. *testacĕus.*) adj. Dícese de los animales que tienen concha. Ú. t. c. s. m.

Testación. (Del lat. *testatĭo, -ōnis.*) f. Acción y efecto de testar, 2.ª acep.

Testada. (De *testa.*) f. **Testarada.**

Testado, da. p. p. de **Testar.** || **2.** adj. Dícese de la persona que ha muerto habiendo hecho testamento, y de la sucesión por éste regida.

Testador, ra. (Del lat. *testātor, -ōris.*) m. y f. Persona que hace testamento.

Testadura. (De *testar,* 2.ª acep.) f. **Testación.**

Testaférrea. m. **Testaferro.**

Testaferro. (Del ital. *testa-ferro*, cabeza de hierro.) m. El que presta su nombre en un contrato, pretensión o negocio que en realidad es de otra persona.

Testamentaría. f. Ejecución de lo dispuesto en el testamento. || **2.** Sucesión y caudal de ella durante el tiempo que transcurre desde la muerte del testador hasta que termina la liquidación y división. || **3.** Junta de los testamentarios. || **4.** Conjunto de documentos y papeles que atañen al debido cumplimiento de la voluntad del testador. || **5.** Juicio, de los llamados universales, para inventariar, conservar, liquidar y partir la herencia del testador.

Testamentario, ria. (Del lat. *testamentarius.*) adj. Perteneciente o relativo al testamento. || **2.** V. **Cédula testamentaria.** || **3.** *For.* V. **Tutela testamentaria.** || **4.** m. y f. Persona encargada por el testador de cumplir su última voluntad.

Testamentifacción. f. *For.* Facultad de disponer por acto de última voluntad o de recibir herencia o legado. Califícanse respectivamente de activa y pasiva.

Testamento. (Del lat. *testamentum.*) m. Declaración que de su última voluntad hace una persona, disponiendo de bienes y de asuntos que le atañen para después de su muerte. || **2.** Documento donde consta en forma legal la voluntad del testador. || **3.** V. **Cabeza de testamento.** || **4.** V. **Arca del testamento.** || **5.** ant. *For.* Embargo o aprehensión judicial de las cosas, a pedimento del acreedor. || **6.** fig. y fam. Serie de resoluciones que por interés personal dicta una autoridad cuando va a cesar en sus funciones. || **abierto.** El que se otorga de palabra o por minuta que ha de leerse ante notario y testigos o sólo ante testigos, en el número y condiciones determinados por la ley civil, el cual se protocoliza como escritura pública. || **adverado.** El que, según derecho foral, se otorga ante el párroco y dos testigos, y se certifica o confirma con formalidades establecidas por el fuero, elevándose después a escritura pública. || **cerrado.** El que se otorga escribiendo o haciendo escribir el testador su voluntad bajo cubierta sellada que no puede abrirse sin romperla y cuyo sobrescrito autorizan el notario y los testigos en la forma prescrita por la ley civil. || **de hermandad,** o **de mancomún.** El que, según derecho antiguo, se otorgaba en un mismo instrumento por dos personas, generalmente cónyuges, en beneficio recíproco o de tercero. || **escrito. Testamento cerrado.** || **marítimo.** El otorgado, con menores solemnidades que el ordinario, por la persona que se halla a bordo de una nave en viaje. || **militar.** El otorgado, con menores solemnidades que el ordinario, por la persona que forma parte de un ejército en campaña. || **nuncupativo. Testamento abierto.** || **ológrafo.** El que deja el testador escrito y firmado de su mano propia y que es adverado y protocolizado después. || **por comisario.** El que, según derecho antiguo, otorgaba una persona especialmente apoderada para ello por el testador. Aún subsiste en algunas legislaciones forales. || **sacramental.** El que se otorga con especiales formalidades de juramento religioso determinadas en el derecho regional de Cataluña. || **Antiguo Testamento.** Libro que contiene los escritos de Moisés y todos los demás canónicos anteriores a la venida de Jesucristo. || **El testamento de la zorra.** fr. con que se moteja el acto de disponer uno o hacer mandas de hacienda que no tiene. || **Nuevo Testamento.** Libro que contiene los Evangelios y demás obras canónicas posteriores al nacimiento de Jesús. || **Viejo Testamento. Antiguo Testamento.** || **Lo que no pasa por testamento, pasa por codicilo.** fr. fig. y fam. con que se da a entender que lo que no puede hacerse por el camino regular, se suele hacer por otros medios. || **Ordenar,** u **otorgar,** uno su **testamento.** fr. Hacerlo. || **Quebrantar el testamento.** fr. *For.* Inutilizar o invalidar el que se hizo según derecho, y permaneciendo en el mismo estado el testador; como cuando le nace un heredero, cuando hace otro **testamento** perfecto, o cuando adopta por hijo a alguno.

Testante. p. a. ant. de **Testar.** Que atestigua.

Testar. (Del lat. *testāri.*) intr. Hacer testamento. || **2.** tr. **Tachar,** 2.ª acep. || **3.** ant. **Atestiguar.** || **4.** ant. Embargar judicialmente, o denunciar una cosa, pidiendo su embargo.

Testarada. (De *testerada.*) f. Golpe dado con la testa. || **2.** Terquedad, inflexibilidad y obstinación en una aprensión particular.

Testarazo. m. **Testarada,** 1.ª acep.

Testarrón, na. adj. fam. **Testarudo.** Ú. t. c. s.

Testarronería. (De *testarrón.*) f. fam. **Testarudez.**

Testarudez. f. Calidad de testarudo. || **2.** Acción propia del testarudo.

Testarudo, da. (De *testa.*) adj. Porfiado, terco, temoso. Ú. t. c. s.

Teste. (Del lat. *testis.*) m. **Testículo.** || **2.** *Argent.* Grano de consistencia coriácea que sale en los dedos de las manos.

Testera. (De *testa.*) f. Frente o principal fachada de una cosa. || **2.** Asiento, en el coche, en que se va de frente, a distinción del vidrio, en que se va de espaldas. || **3.** Adorno para la frente de las caballerías. || **4.** Parte anterior y superior de la cabeza del animal. || **5.** Cada una de las paredes del horno de fundición.

Testerada. (De *testera.*) f. **Testarada.**

Testerillo, lla. adj. *Argent.* Dícese de la caballería que tiene una mancha horizontal blanca u overa en la frente. Ú. m. c. f.

Testero. m. Testera. || **2.** Trashoguero de la chimenea. || **3.** *Min.* Macizo de mineral con dos caras descubiertas: una horizontal inferior y otra vertical. || **4.** *Cuen.* Extremo del tronco del pino por donde ha sido cortado con el hacha.

Testicular. adj. Perteneciente o relativo a los testículos.

Testículo. (Del lat. *testicŭlus.*) m. *Zool.* Cada una de las dos glándulas en que se producen los espermatozoides de los animales.

Testificación. (Del lat. *testificatĭo, -ōnis.*) f. Acción y efecto de testificar.

Testifical. adj. Referente a los testigos.

Testificante. p. a. de Testificar. Que testifica.

Testificar. (Del lat. *testificāri.*) tr. Afirmar o probar de oficio una cosa, con referencia a testigos o documentos auténticos. || **2.** Deponer como testigo en algún acto judicial. || **3.** fig. Declarar, explicar y denotar con seguridad y verdad una cosa, en lo físico y en lo moral.

Testificata. (Del lat. *testificāta,* testificada.) f. *For. Ar.* Testimonio e instrumento legalizado de escribano, en que da fe de una cosa.

Testificativo, va. (Del lat. *testificātus,* p. p. de *testificāri,* testificar.) adj. Dícese de lo que declara y explica con certeza y testimonio verdadero una cosa.

Testigo. (De *testiguar.*) com. Persona que da testimonio de una cosa, o la atestigua. || **2.** Persona que presencia o adquiere directo y verdadero conocimiento de una cosa. || **3.** m. Cualquiera cosa, aunque sea inanimada, por la cual se arguye o infiere la verdad de un hecho. || **4.** Hito de tierra que se deja a trechos en las excavaciones, para poder cubicar después con exactitud el volumen de tierra extraída. || **5.** Extremo de una cuerda en que el cáñamo o esparto está sin torcer e indica que la cuerda está entera. || **6. Testículo.** || **7.** *Biol.* Parte del material viviente destinado a una experimentación, el cual, mantenido en condiciones normales, sirve para determinar por comparación el resultado de las manipulaciones a que se somete la otra parte de dicho material. || **8.** *Ecuad.* Trozo de papel que se deja sin cortar al pie de una hoja para que acuse el tamaño original de los pliegos. || **9.** pl. Piedras que se arriman a los lados de los mojones para señalar la dirección del límite del terreno amojonado. || **Testigo abonado.** *For.* El que no tiene tacha legal. || **2.** *For.* El que no pudiendo ratificarse, por haber muerto o hallarse ausente, es abonado por la justificación que se hace de su veracidad y de no tener tachas legales. || **de cargo.** El que depone en contra del procesado. || **de conocimiento.** *For.* El que conocido a su vez por el notario, asegura a éste sobre la identidad del otorgante. || **de descargo.** El que depone en favor del procesado. || **de oídas.** El que depone de un caso por haberlo oído a otros. || **de vista.** El que se halló presente al caso sobre que atestigua o depone. || **2.** Persona que se constituye en vigilante para observar lo que se hace o acontece. || **instrumental.** *For.* El que en documentos notariales afirma con el notario el hecho y contenido del otorgamiento. || **mayor de toda excepción.** *For.* El que no tiene tacha ni excepción legal. || **ocular. Testigo de vista.** || **singular.** *For.* El que es único en lo que atestigua. || **sinodal.** Persona honesta, de suficiencia y probidad, nombrada en el sínodo para dar testimonio de la observancia de los estatutos sinodales. || **Examinar testigos.** fr. *For.* Tomarles el juramento y las declaraciones, escribiendo lo que deponen al tenor del interrogatorio y de las preguntas, si las hay. || **Hacer testigos.** fr. *For.* Poner personas de autoridad para que confirmen la verdad de una cosa. || **Mucho aprieta este testigo.** expr. fig. y fam. que se usa cuando uno prueba con hechos indubitables lo contrario de lo que otro decía.

Testiguar. (Del lat. *testificāri.*) tr. ant. **Atestiguar.**

Testimonial. (Del lat. *testimoniālis.*) adj. Que hace fe y verdadero testimonio. || **2.** f. pl. Instrumento auténtico que asegura y hace fe de lo contenido en él. || **3.** Testimonio que dan los obispos de la buena vida, costumbres y libertad de un súbdito que pasa a otra diócesis.

Testimoniar. (De *testimonio.*) tr. Atestiguar, o servir de testigo para alguna cosa.

Testimoniero, ra. adj. Que levanta falsos testimonios. Ú. t. c. s. || **2.** Hazañero, hipócrita. Ú. t. c. s.

Testimonio. (Del lat. *testimonĭum.*) m. Atestación o aseveración de una cosa. || **2.** Instrumento autorizado por escribano o notario, en que se da fe de un hecho, se traslada total o parcialmente un documento o se le resume por vía de relación. || **3.** Prueba, justificación y comprobación de la certeza o verdad de una cosa. || **4.** Impostura y falsa atribución de una culpa. || **5.** ant. **Testigo.** || **Falso testimonio.** Testimonio, 4.ª acep. || **2.** *For.* Delito que comete el testigo o perito que declara faltando a la verdad en causa criminal o en actuaciones judiciales de índole civil.

Testimoñero, ra. adj. **Testimoniero.** Ú. t. c. s.

Testón. (De *testa,* por tener esta moneda grabada una cabeza.) m. Moneda de plata, usada en diversos países y con distinto valor, desde 50 céntimos en Portugal hasta 1 peseta y 50 céntimos en Italia.

Testudíneo, a. adj. Propio de la tortuga, parecido a ella. *Paso* TESTUDÍNEO.

Testudo. (Del lat. *testūdo.*) m. Máquina militar antigua con que se cubrían los soldados para arrimarse a las murallas y defenderse de las armas arrojadizas. || **2.** Cubierta que formaban antiguamente los soldados alzando y uniendo los escudos sobre sus cabezas, para guarecerse de las armas arrojadizas del enemigo.

Testuz. (De *testa.*) m. En algunos animales, **frente,** 1.ª acep. || **2.** En otros animales, **nuca.**

Testuzo. m. **Testuz.**

Tesura. (Del lat. *tensūra.*) f. **Tiesura.**

Teta. (Del germ. *titta.*) f. Cada uno de los órganos glandulosos y salientes que los mamíferos tienen en número par y sirven en las hembras para la secreción de la leche. || **2. Pezón,** 2.ª acep. || **3.** fig. **Mogote,** 1.ª acep. || **de maestra. Maestril.** || **de vaca.** Merengue grande y de forma cónica. || **2. Barbaja,** 1.ª acep. || **3.** V. **Uva teta de vaca.** || **Dar la teta.** fr. Dar de mamar. || **Dar la teta al asno.** fr. fig. y fam. con que se explica la desproporción o inutilidad de una acción que se ejecuta con quien no la ha de agradecer o aprovechar. || **De teta.** Dícese del niño o de la cría de un animal que está en el período de la lactancia. || **Mamar una teta.** fr. fig. y fam. con que se reprende o zahiere al que, ya en edad mayor, muestra demasiada afición o apego a su madre, con propiedades de niño. || **Quitar la teta.** fr. fam. **Destetar,** 1.ª acep.

Tetania. (De *tétanos.*) f. Enfermedad producida por insuficiencia de la secreción de las glándulas paratiroides, caracterizada por contracciones dolorosas de los músculos y por diversos trastornos del metabolismo, principalmente la disminución del calcio en la sangre.

Tetánico, ca. (Del lat. *tetanĭcus.*) adj. *Med.* Perteneciente o relativo al tétanos.

Tétano. m. *Med.* Tétanos.

Tétanos. (Del lat. *tetănus,* y éste del gr. τέτανος, de τείνω, tender.) m. *Med.* Rigidez y tensión convulsiva de los músculos que en salud están sometidos al imperio de la voluntad. || **2.** *Med.* Enfermedad muy grave producida por un bacilo que penetra generalmente por las heridas y ataca el sistema nervioso. Sus síntomas principales son la contracción dolorosa y permanente de los músculos, y la fiebre.

Tetar. (De *teta.*) tr. **Atetar.** || **2.** intr. *Ar.* **Mamar,** 1.ª acep.

Tetera. f. Vasija de metal, loza, porcelana o barro, con tapadera y un pico provisto de colador interior o exterior, la cual se usa para hacer y servir el té. || **2.** *Cuba, Méj.* y *P. Rico.* Tetilla, mamadera.

Tetero. (De *teta.*) m. *Colomb.* **Biberón.**

Teticiega. adj. *Ar.* Dícese de la res que tiene obstruidos los conductos de la leche de una teta.

Tetilla. f. d. de **Teta.** || **2.** Cada una de las tetas de los machos en los mamíferos, menos desarrolladas que las de las hembras. || **3.** Especie de pezón de goma o de cuero que se pone al biberón para que el niño haga la succión. || **4.** *Chile.* Hierba anual de la familia de las saxifragáceas, que tiene los pecíolos de las hojas muy abultados, los cuales contienen mucha agua. || **5.** *Bot.* Planta de la familia de las compuestas; común en España, parecida al alazor, pero con flores azules. || **Dar a uno en, o por, la tetilla.** fr. fig. y fam. Convencerle, o tocarle en lo que más siente.

Tetón. (aum. de *teta.*) m. Pedazo seco de la rama podada que queda unido al tronco. || **2.** *Rioja.* **Lechón,** 1.ª acep.

Tetona. (De *teta.*) adj. fam. **Tetuda,** 1.ª acep.

Tetrabranquial. (Del gr. τέτρα, por τέτταρα, cuatro, y el pl. βράγχια, branquias.) adj. *Zool.* Dícese del cefalópodo cuyo aparato respiratorio está formado por cuatro branquias. || **2.** m. pl. *Zool.* Grupo taxonómico constituido por los cefalópodos que tienen cuatro branquias; como el nautilo.

Tetracordio. (Del lat. *tetrachordon,* y éste del gr. τετράχορδον; de τέτρα, por τέτταρα, cuatro, y χορδή, cuerda.) m. *Mús.* Serie de cuatro sonidos que forman un intervalo de cuarta.

Tetradracma. m. Moneda antigua que valía cuatro dracmas.

Tetraedro. (Del gr. τετράεδρον; de τέτρα, por τέτταρα, cuatro, y ἕδρα, cara.) m. *Geom.* Sólido terminado por cuatro planos o caras. || **regular.** *Geom.* Aquel cuyas caras son triángulos equiláteros.

Tetrágono. (Del lat. *tetragōnum,* y éste del gr. τετράγωνον, de τέτρα, por τέτταρα, cuatro, y γωνία, ángulo.) adj. *Geom.* Aplícase al polígono de cuatro ángulos y cuatro lados. Ú. t. c. s. || **2.** m. **Cuadrilátero.**

Tetragrama. (Del gr. τέτρα, por τέτταρα, cuatro, y γραμμή, línea.) m. *Mús.* Renglonadura formada por cuatro rectas paralelas y equidistantes, usada en la escritura del canto gregoriano.

Tetragrámaton. (Del lat. *tetragrammătos,* y éste del gr. τετραγράμματον; de τέτρα, por τέτταρα, cuatro, y γράμμα, letra.) m. Nombre o palabra compuesta de cuatro letras. || **2.** Por excel., nombre de Dios, que en hebreo se compone de cuatro letras, como en muchos otros idiomas.

Tetralogía. (Del gr. τετραλογία; de τέτρα, por τέτταρα, cuatro, y λόγος, obra literaria.) f. Conjunto de cuatro obras dramáticas, por lo común tres tragedias y un drama satírico, que los antiguos poetas griegos presentaban juntas en los concursos públicos.

Tetrámero, ra. (Del gr. τέτρα, por τέτταρα, cuatro, y μέρος, parte.) adj. *Bot.* Dícese del verticilo que consta de cuatro piezas y de la flor que tiene corola y cáliz con este carácter. || **2.** *Zool.* Dícese de los insectos coleópteros que tienen cuatro artejos en cada tarso; como el gorgojo. Ú. t. c. s. m. || **3.** m. pl. *Zool.* Suborden de estos insectos.

Tetrarca. (Del lat. *tetrarcha,* y éste del gr. τετράρχης; de τέτρα, cuatro, y ἄρχω, mandar, dominar.) m. Señor de la cuarta parte de un reino o provincia. || **2.** Gobernador de una provincia o territorio.

Tetrarquía. (Del lat. *tetrarchĭa,* y éste del gr. τετραρχία.) f. Dignidad de tetrarca. || **2.** Territorio de su jurisdicción. || **3.** Tiempo de su gobierno.

Tetrasílabo, ba. (Del lat. *tetrasyllăbus,* y éste del gr. τετρασύλλαβος, de cuatro sílabas.) adj. **Cuatrisílabo.** Ú. t. c. s. m.

Tetrástico, ca. (Del lat. *tetrastĭchus,* y éste del gr. τετράστιχος, de cuatro órdenes o series.) adj. Dícese de la cuarteta o combinación métrica de cuatro versos.

Tetrástrofo, fa. (Del lat. *tetrastrŏphus,* y éste del gr. τέτρα, cuatro, y στροφή, estrofa.) adj. Dícese de la composición que consta de cuatro estrofas. Por confusión se dice también de la estrofa tetrástica.

Tétrico, ca. (Del lat. *tetrĭcus,* de *teter,* negro.) adj. Triste, demasiadamente serio, grave y melancólico.

Tetro, tra. (Del lat. *teter, tetra.*) adj. ant. Negro, manchado.

Tetuán. adj. p. us. **Tetuaní.**

Tetuaní. adj. Natural de Tetuán. Ú. t. c. s. || **2.** Perteneciente a esta ciudad de África.

Tetuda. adj. Dícese de la hembra que tiene muy grandes las tetas. || **2.** V. **Aceituna tetuda.**

Teucali. m. **Teocali.**

Teucrio. (Del lat. *teucrĭon,* y éste del gr. τεύκριον.) m. Arbusto de la familia de las labiadas, como de un metro de altura, con tallos leñosos, ramas extendidas, hojas persistentes, aovadas, enteras, verdes y lustrosas por la haz, amarillentas y vellosas por el envés; flores axilares, solitarias, azuladas con venas más obscuras, y por fruto cuatro aquenios pardos y algo rugosos en el fondo del cáliz.

Teucro, cra. (Del lat. *teucrus.*) adj. **Troyano.** Apl. a pers., ú. t. c. s.

Teúrgia. (Del lat. *theurgĭa,* y éste del gr. θεουργία, de θεουργός; de θεός, dios, y ἔργον, obra.) f. Especie de magia de los antiguos gentiles mediante la cual pretendían tener comunicación con sus divinidades y operar prodigios.

Teúrgico, ca. adj. Relativo a la teúrgia.

Teúrgo. m. Mago dedicado a la teúrgia.

Teutón, na. (Del lat. *teutŏnes,* pl.) adj. Dícese del individuo de un pueblo de raza germánica que habitó antiguamente cerca de la desembocadura del Elba, en el territorio del moderno Holstein. Ú. m. c. s. y en pl. || **2.** fam. **Alemán.**

Teutónico, ca. (Del lat. *teutonĭcus.*) adj. Perteneciente o relativo a los teutones. || **2.** Aplícase a una orden militar de Alemania y a los caballeros de la misma. || **3.** m. Lengua de los teutones.

Textil. (Del lat. *textĭlis.*) adj. Dícese de la materia capaz de reducirse a hilos y ser tejida. Ú. t. c. s.

Texto. (Del lat. *textus.*) m. Lo dicho o escrito por un autor o en una ley, a distinción de las glosas, notas o comentarios que sobre ello se hacen. || **2.** Pasaje citado de una obra literaria. || **3.** Por antonom., sentencia de la Sagrada Escritura. || **4.** Todo lo que se dice en el cuerpo de la obra manuscrita o impresa, a diferencia de lo que en ella va por separado; como portadas, notas, índices, etc. || **5.** Grado de letra de imprenta, menos gruesa que la parangona y más que la atanasia. || **6. Libro de texto.** || **Sagrado texto.** La Biblia.

Textorio, ria. (Del lat. *textorĭus.*) adj. Perteneciente al arte de tejer. || **2.** fig. V. **Rayo textorio.**

Textual. adj. Conforme con el texto o propio de él. || **2.** Aplícase también al que autoriza sus pensamientos y los prueba con lo literal de los textos, o expone un texto con otro.

Textualista. (De *textual.*) m. El que usa con frecuencia y singularidad del texto, sin distraerse a las glosas u otra explicación.

Textualmente. adv. m. De manera textual.

Textura. (Del lat. *textūra.*) f. Disposición y orden de los hilos en una tela. || **2.** Operación de tejer. || **3.** fig. **Estructura,** 3.ª acep. || **4.** *Hist. Nat.* Disposición que tienen entre sí las partículas de un cuerpo.

Teyo, ya. (Del lat. *teius.*) adj. Natural de Teos. Ú. t. c. s. || **2.** Perteneciente a esta ciudad de Jonia.

Teyú. (Voz guaraní.) m. *Argent., Par.* y *Urug.* Especie de lagarto de unos 45 centímetros de longitud, verde por el dorso, con dos líneas amarillas a cada lado y una serie de manchas negras.

Tez. (En port. *tez.*) f. **Superficie,** 1.ª acep. Dícese más especialmente de la del rostro humano.

Tezado, da. (De *tez.*) adj. **Atezado.**

Tezcucano, na. adj. Natural de Tezcuco. Ú. t. c. s. || **2.** Perteneciente a esta ciudad de Méjico.

Theta. (Del gr. θῆτα.) f. Octava letra del alfabeto griego. En latín represéntase con *th,* y en los idiomas neolatinos con estas mismas letras, o sólo con *t,* como acontece en el nuestro, según la ortografía moderna; v. gr.: *tálamo, teatro, Atenas.*

Ti. (Del lat. *tibi,* dat. de *tu,* tú.) Forma de pronombre personal de segunda persona de singular, común a los casos genitivo, dativo, acusativo y ablativo. Lleva constantemente preposición, y cuando ésta es *con,* se dice **contigo.** || **Hoy por ti y mañana por mí.** expr. con que se manifiesta la reciprocidad que puede haber en servicios o favores.

Tía. (Del lat. *thia,* y éste del gr. θεία.) f. Respecto de una persona, hermana o prima de su padre o madre. La primera se llama **carnal,** y la otra, **segunda, tercera,** etc., según los grados que dista. || **2.** En los lugares, tratamiento de respeto que se da a la mujer casada o entrada en edad. || **3.** fam. Mujer rústica y grosera. || **4.** fam. **Ramera.** || **5.** fam. V. **Casa de tía.** || **6.** fam. *Ar., Extr.* y parte de Castilla. **Madrastra,** y algunas veces **suegra.** || **abuela.** Respecto de una persona, hermana de uno de sus abuelos. || **A tu tía, que te dé para libros.** expr. fig. y fam. con que se despide o rechaza a una persona, negándole lo que pide. || **Contárselo** uno **a** su **tía.** fr. fig. y fam. **Contárselo a** su **abuela.** || **Desde que vi a tu tía, muero de acedía; desde que no la veo, muero de deseo.** ref. que advierte la inconstancia de los deseos y pasiones humanas. || **No hay tu tía.** expr. fig. y fam. con que se da a entender a uno que no debe tener esperanza de conseguir lo que desea o de evitar lo que teme. || **Quedar,** o **quedarse,** una **para tía.** fr. fig. y fam. Quedarse sin casar una mujer.

Tiaca. f. *Chile.* Árbol de la familia de las saxifragáceas, de tres a seis metros de altura, con hojas lanceoladas, aserradas y flores pequeñas, blancas, en corimbo. Las ramas flexibles sirven de zunchos para toneles.

Tialina. (Del gr. πτύαλον, saliva.) f. *Zool.* Fermento que forma parte de la saliva y actúa sobre el almidón de los alimentos, transformándolo en azúcar.

Tialismo. (Del gr. πτυαλισμός.) m. Secreción permanente y excesiva de saliva.

Tiánguez. m. *Méj.* **Tianguis.**

Tianguis. (Del mejic. *tianquiztli.*) m. *Méj.* **Mercado,** 1.ª y 2.ª aceps.

Tiara. (Del lat. *tiāra;* éste del gr. τιάρα, y éste del persa *tara.*) f. Gorro alto, de tela o de cuero, a veces ricamente adornado, que usaban los persas y otras gentes del Asia antigua. || **2.** Tocado alto, usado por el Santo Padre, con tres coronas que simbolizan su triple autoridad como Papa, Obispo y Rey, y que remata en una cruz sobre un globo. || **3.** Dignidad del Sumo Pontífice.

Tíbar. (Del ár. *tibr,* pepita o lingote de oro.) adj. desus. De oro puro. || **2.** m. V. **Oro de tíbar.**

Tibe. m. *Colomb.* **Corindón.** || **2.** *Cuba.* Piedra, especie de esquisto, que se usa para afilar instrumentos.

Tiberino, na. (Del lat. *tiberīnus.*) adj. Perteneciente o relativo al río Tíber.

Tiberio. m. fam. Ruido, confusión, alboroto.

Tibetano, na. adj. Natural del Tíbet. Ú. t. c. s. || **2.** Perteneciente a esta región de Asia. || **3.** m. Lengua de los **tibetanos.**

Tibia. (Del lat. *tibĭa.*) f. **Flauta,** 1.ª acep. || **2.** *Zool.* Hueso principal y anterior de la pierna, que se articula con el fémur, el peroné y el astrágalo. || **3.** *Zool.* Una de las piezas, alargada en forma de varilla, de las patas de los insectos, que por uno de sus extremos se articula con el fémur y por el otro con el tarso.

Tibiamente. adv. m. Con tibieza, flojedad o descuido.

Tibiar. tr. p. us. **Entibiar.** Ú. t. c. r.

Tibiez. f. ant. **Tibieza.**

Tibieza. f. Calidad de tibio.

Tibio, bia. (Del lat. *tepĭdus.*) adj. Templado, entre caliente y frío. || **2.** fig. Flojo, descuidado y poco fervoroso.

Tibisí. m. *Cuba.* Especie de carrizo silvestre, de tallos de dos a tres metros, y flores en panojas terminales. Las hojas sirven de forraje al ganado vacuno y con los tallos se hacen jaulas, nasas, etc.

Tibor. m. Vaso grande de barro, de China o del Japón, por lo regular en forma de tinaja, aunque los hay de varias hechuras, y decorado exteriormente. || **2.** *Cuba.* **Orinal.** || **3.** *Méj.* **Jícara.**

Tiborna. (Del port. *tiborna.*) f. *Extr.* **Tostón,** 1.er art., 2.ª acep.

Tiburón. (Voz caribe.) m. *Zool.* **Escualo.**

Tiburtino, na. (Del lat. *tiburtīnus.*) adj. Natural de Tíbur. Ú. t. c. s. || **2.** Perteneciente a esta ciudad de la Italia antigua.

Tic. (Del germ. *ticken.*) m. Movimiento convulsivo producido por la contracción involuntaria de uno o varios músculos, que reproduce generalmente un gesto o actitud de la vida ordinaria.

Ticinense. (Del lat. *ticinensis.*) adj. Natural de Ticino, hoy Pavía. Ú. t. c. s. || **2.** Perteneciente a esta ciudad de la Italia antigua. || **3. Paviano.** Apl. a pers., ú. t. c. s.

Ticónico, ca. adj. Perteneciente o relativo al sistema astronómico de Tycho Brahe. || **2.** Partidario de dicho sistema. Ú. t. c. s.

Tictac. (Voz onomatopéyica.) m. Ruido acompasado que produce el escape de un reloj.

Tichela. f. *Bol.* Vasija en que se recoge el caucho según mana del árbol.

Ticholo. m. *Argent.* Panecillo de dulce de guayaba.

Tiemblo. (Del lat. *tremŭlus.*) m. **Álamo temblón.** || **2.** ant. **Temblor.**

Tiempo. (Del lat. *tempus.*) m. Duración de las cosas sujetas a mudanza. || **2.** Parte de esta duración. || **3.** Época durante la cual vive alguna persona o sucede alguna cosa. *En* TIEMPO *de Trajano; en* TIEMPO *del descubrimiento de América.* || **4. Estación,** 2.ª acep. || **5. Edad,**

1.ª y 2.ª aceps. || **6.** Oportunidad, ocasión o coyuntura de hacer algo. *A su* TIEMPO; *ahora no es* TIEMPO. || **7.** Lugar, proporción o espacio libre de otros negocios. *No tengo* TIEMPO. || **8.** Largo espacio de **tiempo.** TIEMPO *ha que no nos vemos.* || **9.** Cada uno de los actos sucesivos en que se divide la ejecución de una cosa; como ciertos ejercicios militares, las composiciones musicales, etc. || **10.** Estado atmosférico. *Hace buen* TIEMPO. || **11.** V. **Fruta del tiempo.** || **12.** V. **Unidad de tiempo.** || **13.** fam. V. **Corrida de tiempo.** || **14.** *Astron.* V. **Ecuación de tiempo.** || **15.** *Esgr.* Golpe que a pie firme ejecuta el tirador para llegar a tocar al adversario. || **16.** *Gram.* Cada una de las varias divisiones de la conjugación correspondientes a la época relativa en que se ejecuta o sucede la acción del verbo. || **17.** *Mar.* Temporal o tempestad duradera en el mar. *Correr un* TIEMPO; *aguantar un* TIEMPO. || **18.** *Mús.* Cada una de las partes de igual duración en que se divide el compás. || **compuesto.** *Gram.* El que se forma con el participio pasivo y un tiempo del auxiliar haber. *He dado, había dado, habré dado.* || **crudo.** fig. y fam. **Punto crudo.** Ú. comúnmente con la preposición *a* o el artículo *el.* || **de fortuna.** El de muchas nieves, aguas o tempestades. || **de pasión.** En liturgia, el que comienza en las vísperas de la domínica de pasión y acaba con la nona del Sábado Santo. || **futuro.** *Gram.* El que sirve para denotar la acción que no ha sucedido todavía. *Daré, habré dado, diere, haber de dar.* || **inmemorial.** *For.* **Tiempo** antiguo no fijado por documentos fehacientes, ni por los testigos más ancianos. || **medio.** *Astron.* El que se mide por el movimiento uniforme de un astro ficticio que recorre el Ecuador celeste en el mismo **tiempo** que el Sol verdadero la Eclíptica. || **pascual.** En liturgia, el que principia en las vísperas del Sábado Santo y acaba con la nona antes del domingo de la Santísima Trinidad. || **presente.** *Gram.* El que sirve para denotar la acción actual. *Doy demos, da, dar.* || **pretérito.** *Gram.* El que sirve para denotar la acción que ya ha sucedido. *Daba, diste, he dado, había dado, habría dado, daría, haber dado.* || **sidéreo.** *Astron.* El que se mide por el movimiento aparente de las estrellas y más especialmente del primer punto de Aries. || **simple.** *Gram.* **Tiempo** del verbo que se conjuga sin auxilio de otro verbo. *Doy, daba, dio, daré, daría, dar.* || **solar verdadero,** o **tiempo verdadero.** *Astron.* El que se mide por el movimiento aparente del Sol. || **Medio tiempo.** El que se interpone y pasa entre un suceso y otro, o entre una estación y otra. || **Tiempos heroicos.** Aquellos en que se supone haber vivido los héroes del paganismo. || **Abrir el tiempo.** fr. fig. Empezar a serenarse; disiparse los nublados; cesar los rigores de las lluvias, vientos y fríos de la estación. || **Acomodarse** uno **al tiempo.** fr. Conformarse con lo que sucede o con lo que permiten la ocasión o las circunstancias. || **Acordarse del tiempo del rey que rabió,** o **del rey que rabió por gachas.** fr. fig. y fam. con que se da a entender que una persona o cosa es muy vieja o antigua. || **Agarrarse el tiempo.** fr. fig. y fam. Afianzarse éste en su mal estado. || **Ajustar los tiempos.** fr. Investigar o fijar la cronología de los sucesos. || **A largo tiempo.** m. adv. Después de mucho **tiempo;** cuando haya pasado mucho **tiempo.** || **Al mejor tiempo.** m. adv. **A lo mejor.** || **Alzar,** o **alzarse, el tiempo.** fr. fig. Serenarse, o dejar de llover. || **A mal tiempo, buena cara.** fr. proverb. que aconseja recibir con relativa tranquilidad y entereza las contrariedades y reveses de la fortuna. || **Andando el tiempo.** fr. adv. En el transcurso del **tiempo,** más adelante. || **Andar** uno **con el tiempo.** fr. fig. Conformarse con él; lisonjear al que tiene mucho poder y seguir sus dictámenes. || **Asegurarse el tiempo.** fr. fig. **Sentarse el tiempo.** || **A su tiempo.** m. adv. En ocasión oportuna, cuando se requiere. || **A su tiempo maduran las brevas,** o **las uvas.** ref. que aconseja la paciencia y espera para lograr un fin. || **A tiempo.** m. adv. En coyuntura, ocasión y oportunidad. || **A tiempos.** m. adv. **A veces.** || **2. De cuando en cuando.** || **A un tiempo.** m. adv Simultáneamente, o con unión entre varios. || **Cada cosa en su tiempo.** fr. proverb. que indica que la oportunidad avalora las cosas. Suele agregarse, **y los nabos en adviento.** || **Capear el tiempo.** fr. *Mar.* Estar a la capa, o no dar a la nave, cuando corre algún temporal, otro gobierno que el necesario para la defensa. || **Cargarse el tiempo.** fr. fig. Irse aglomerando y condensando las nubes. || **Con el tiempo maduran las uvas.** ref. **A su tiempo maduran,** etc. || **Con tiempo.** m. adv. Anticipadamente, sin premura, con desahogo. || **2.** Cuando es aún ocasión oportuna. *Dar socorro* CON TIEMPO. || **Correr el tiempo.** fr. fig. Irse pasando. || **Cual el tiempo, tal el tiento.** ref. que aconseja la prudencia en acomodarse a las circunstancias y al **tiempo.** || **Darse** uno **buen tiempo.** fr. fig. y fam. Alegrarse, divertirse, recrearse. || **Dar tiempo al tiempo.** fr. fam Esperar la oportunidad o coyuntura para una cosa. || **2.** fig. y fam. Usar de condescendencia con uno, atendiendo a las circunstancias. || **Dejar al tiempo** una cosa. fr. Levantar mano de un negocio, a ver si el **tiempo** lo resuelve. || **Del tiempo de Maricastaña.** loc. fig. y fam. De **tiempo** muy antiguo. || **Descomponerse el tiempo.** fr. fig. Destemplarse o alterarse la serenidad de la atmósfera. || **Despejarse el tiempo.** fr. fig. **Despejarse el cielo.** || **De tiempo.** expr. que se aplica a la criatura o al animal que ha estado en el claustro materno el **tiempo** necesario para ser viable. || **De tiempo en tiempo.** m. adv. Con intermisión o interrupción de **tiempo.** || **De todo tiempo.** expr. **De tiempo.** || **El tiempo cura al enfermo, que no el ungüento.** ref. que da a entender que el **tiempo** es la más eficaz medicina de los males. || **Engañar** uno **el tiempo.** fr. fig. Ocuparse en algo, para que el **tiempo** se le haga más corto. || **En los buenos tiempos** de uno. loc. adv. fam. Cuando era joven o estaba boyante. || **En tiempo.** m. adv. En ocasión oportuna. || **En tiempo de higos no hay amigos.** ref. con que se zahiere a los que en los **tiempos** de su prosperidad o fortuna se olvidan de los amigos. || **En tiempo de Maricastaña,** o **del rey Perico.** loc. adv. fig. y fam. En **tiempo** muy antiguo. || **Entretener** uno **el tiempo.** fr. fig. **Engañar el tiempo.** || **Fuera de tiempo.** m. adv. **Intempestivamente.** || **Ganar tiempo.** fr. fig. y fam. Darse prisa, no perder momento. || **2.** fig. y fam. Hacer de modo que el **tiempo** que transcurra aproveche al intento de acelerar o retardar algún suceso o la ejecución de una cosa. || **Gastar** uno **el tiempo.** fr. **Perder el tiempo.** || **Gozar** uno **del tiempo.** fr. Usarlo bien o aprovecharse de él. || **Hacer tiempo** uno. fr. fig. Entretenerse esperando que llegue el momento oportuno para algo. || **Levantar el tiempo.** fr. fig. **Alzar el tiempo.** || **Más vale llegar a tiempo que rondar un año.** fr. proverb. que denota que la oportunidad es la mejor condición para lograr la realización de cualquier fin. || **Matar** uno **el tiempo.** fr. fig. **Engañar el tiempo.** || **Medir** uno **el tiempo.** fr. fig. Proporcionarlo a lo que se necesite. || **No tener tiempo ni para rascarse.** fr. fam. con que se indica que uno está muy ocupado. || **Nunca «tiempo hay» hizo cosa buena.** fr. proverb. contra los que dilatan la realización de un negocio. || **Obedecer** uno **al tiempo.** fr. fig. Obrar como exigen las circunstancias. || **Pasar** uno **el tiempo.** fr. Estar ocioso o entretenido en cosas fútiles o de mera distracción. || **Perder** uno **el tiempo,** o **tiempo.** fr. No aprovecharse de él, o dejar de ejecutar en él lo que podía o debía. || **2.** fig. Trabajar en vano. || **Por tiempo.** m. adv. Por cierto **tiempo,** por algún **tiempo.** || **Quien en tiempo huye, en tiempo acude.** ref. con que se advierte que quien sabe en **tiempo** retirarse y huir del riesgo o peligro, sabe también acometer oportunamente. || **Quien quisiere ser mucho tiempo viejo, comiéncelo presto.** ref. que aconseja la moderación en las acciones y modo de proceder, porque los excesos de la mocedad abrevian la vida. || **Quien tiempo tiene y tiempo atiende, tiempo viene que se arrepiente.** ref. que aconseja no perder la ocasión que se ofrece, por la esperanza de que vendrá otra mejor. || **Sentarse el tiempo.** fr. fig. **Abonanzar.** || **Ser** una cosa **del tiempo del rey que rabió.** fr. fig. y fam. **Acordarse del tiempo del rey que rabió.** || **Sin tiempo.** m. adv. **Fuera de tiempo.** || **Tiempo tras tiempo viene.** fr. proverb. alusiva a la instabilidad y mudanza de las cosas humanas. || **Tomar** uno **el tiempo como,** o **conforme, viene.** fr. **Acomodarse al tiempo.** || **Tomarse tiempo** uno. fr. Dejar para más adelante lo que ha de hacer, a fin de asegurar el acierto. || **Un tiempo.** m. adv. En otro **tiempo.** || **Y si no, al tiempo.** expr. elípt. para manifestar el convencimiento de que los sucesos futuros demostrarán la verdad de lo que se afirma, relata o anuncia.

Tienda. (Del lat. **těnda*, de *tenděre*, tender.) f. Armazón de palos hincados en tierra y cubierta con telas o pieles sujetas con cuerdas, que sirve de alojamiento o aposentamiento en el campo, especialmente en la guerra. || **2.** Toldo que se pone en algunas embarcaciones para defenderse del sol o de la lluvia. || **3. Entalamadura.** || **4.** Casa, puesto o paraje donde se venden al público artículos de comercio por menor. || **5.** Por antonom., la de comestibles o la de mercería. || **6.** *Argent., Cuba, Chile* y *Venez.* Por antonom., aquella en que se venden tejidos. || **de campaña. Tienda,** 1.ª acep. || **de modas.** Aquella en que se venden las últimas novedades en trajes de señora. || **Abatir tienda.** fr. *Mar.* Quitarla o bajarla. || **Abrir tienda.** fr. Poner **tienda** pública de algún trato, manufactura o mercadería. || **Alzar tienda.** fr. Quitarla, cerrarla. || **A quien está en su tienda, no le achacan que se halló en la contienda.** ref. que da a entender que a los que cuidan de su obligación, empleo y oficio, y a los que ocupan bien el tiempo, no les suelen atribuir delitos, como sucede a los holgazanes y vagabundos. || **Batir tiendas.** fr. *Mil.* Desarmar y recoger las de campaña para levantar el campo. || **Hacer tienda.** fr. *Mar.* Ponerla. || **La tienda de los cojos.** fig. y fam. La más cercana, por entender que se acude a ella, aunque tenga las mercaderías de peor calidad, por evitar el trabajo de alejarse a comprarlas. || **Levantar tienda.** fr. **Alzar tienda.** || **Quien tenga,** o **tiene, tienda, que la atienda.** ref. que advierte la vigilancia que uno debe tener en sus propios negocios. Suele añadirse: **y si no, que la venda.**

Tienta. (De *tentar.*) f. Operación que consiste en probar la bravura de los becerros para destinarlos a las corridas o para castrarlos. ‖ **2.** Sagacidad o industria y arte con que se pretende averiguar una cosa. ‖ **3. Tientaguja.** ‖ **4.** *Cir.* Instrumento más o menos largo, delgado y liso, metálico o de goma elástica, rígido o flexible, destinado para explorar cavidades y conductos naturales, o la profundidad y dirección de las heridas. ‖ **A tientas.** m. adv. **A tiento.** ‖ **2.** fig. Con incertidumbre, dudosamente, sin tino. Ú. m. con el verbo *andar*.

Tientaguja. (De *tienta* y *aguja.*) f. Barra de hierro terminada en punta dentada, que sirve para explorar la calidad del terreno en que se va a edificar.

Tientaparedes. com. Persona que anda a tientas o a ciegas, moral o materialmente.

Tiento. (De *tentar.*) m. Ejercicio del sentido del tacto. ‖ **2.** Palo que usan los ciegos para que les sirva como de guía. ‖ **3.** Cuerda o palo delgado que va desde el peón de la noria a la cabeza de la bestia y la obliga a seguir la pista. ‖ **4. Contrapeso,** 3.ª acep. ‖ **5. Pulso,** 3.ª acep. ‖ **6.** fig. Consideración prudente; miramiento y cordura en lo que se hace o emprende. ‖ **7.** fig. y fam. **Golpe,** 1.ª acep. *Le dieron dos* TIENTOS. ‖ **8.** *Argent.* y *Chile.* Tira delgada de cuero sin curtir que sirve para atar y hacer trenzas, pasadores, etc. ‖ **9.** *Albañ.* Pellada de yeso con que se afirman las miras y los reglones. ‖ **10.** *Mont.* Palito delgado, como de un metro de alto, con una punta de hierro muy aguda que se hincaba en la tierra para afianzar y fijar las redes. ‖ **11.** *Mús.* Floreo o ensayo que hace el músico antes de dar principio a lo que se propone tañer, recorriendo las cuerdas por todas las consonancias, para ver si está bien templado el instrumento. ‖ **12.** *Pint.* Varita o bastoncillo que el pintor toma en la mano izquierda, y que descansando en el lienzo por uno de sus extremos, el cual remata en un botoncillo de borra o una perilla redonda, le sirve para apoyar en él la mano derecha. ‖ **13.** *Zool.* **Tentáculo.** ‖ **A tiento.** m. adv. **Por el tiento.** ‖ **2.** fig. Dudosamente, sin certeza ni clara comprensión. ‖ **Cógelas a tiento y mátalas callando.** expr. fig. y fam. usada c. s. com. **Mátalas callando.** ‖ **Con tiento, que son para colgar.** fr. fam. con que se recomienda el esmero en la ejecución de una cosa. ‖ **Dar** uno **un tiento** a una cosa. fr. fig. Reconocerla o examinarla con prevención y advertencia, física o moralmente. DAR UN TIENTO *a la espada;* DAR UN TIENTO *al ingenio.* ‖ **2.** fig. y fam. Con la palabra *bota, jarro* u otra cosa semejante, echar un trago del líquido que contiene. ‖ **De tiento en tiento.** loc. adv. De una en otra tentativa; intentando ya una cosa, ya otra. ‖ **Perder el tiento** a una cosa. fr. fam. Carecer o dejar de tener la destreza necesaria para atinar con ella. ‖ **Por el tiento.** m. adv. Por el tacto, esto es, valiéndose de él para reconocer las cosas en la obscuridad, o por falta de vista. ‖ **Sacar de tiento** a uno. fr. fig. y fam. **Sacarle de tino.** ‖ **Tomar el tiento** a una cosa. fr. fig. y fam. Pulsarla, examinarla.

Tientos. m. pl. Cante andaluz con letra de tres versos octosílabos y baile que se ejecuta al compás de este cante.

Tiernamente. adv. m. Con ternura o cariño.

Tierno, na. (Del lat. *tener, -ĕra.*) adj. Blando, delicado, flexible y fácil a cualquiera impresión extraña. ‖ **2.** fig. Reciente, moderno y de poco tiempo. ‖ **3.** fig. Dícese de la edad de la niñez, para explicar su delicadeza y docilidad. ‖ **4.** fig. Propenso al llanto. ‖ **5.** fig. Afectuoso, cariñoso y amable. ‖ **6.** fig. V. **Ojos tiernos.** ‖ **7.** *Chile* y *Ecuad.* Dícese de los frutos verdes o en agraz, que no han llegado a sazón.

Tierra. (Del lat. *terra.*) f. Planeta que habitamos. ‖ **2.** Parte superficial de este mismo globo no ocupada por el mar. ‖ **3.** Materia inorgánica desmenuzable de que principalmente se compone el suelo natural. ‖ **4.** Suelo o piso. *Dio con el santo en* TIERRA; *cayó a* TIERRA. ‖ **5.** Terreno dedicado a cultivo o propio para ello. ‖ **6. Patria.** ‖ **7.** País, región. ‖ **8** Territorio o distrito constituido por intereses presentes o históricos. TIERRA *de Segovia.* ‖ **9.** V. **Criadilla, fanega, leche, lengua, polvo, temblor, turma, verde de tierra.** ‖ **10.** V. **Hiel, hijo, mal, zarzaparrilla de la tierra.** ‖ **11.** V. **Redondez de la Tierra.** ‖ **12.** fig. Conjunto de los pobladores de un territorio. *Apaciguar, sujetar la* TIERRA *de Granada.* ‖ **13.** fig. V. **Montón, palmo, pie, terrón de tierra.** ‖ **14.** fig. V. **Haz de la Tierra.** ‖ **15.** *Mancha.* V. **Almud de tierra.** ‖ **16.** *Amér.* V. **Pan de tierra.** ‖ **17.** *Persp.* V. **Línea de la tierra.** ‖ **abertal.** La que con facilidad se abre y forma grietas. ‖ **2.** La que no está cerrada con tapia, vallado ni de otra manera. ‖ **blanca. Tierra de Segovia.** ‖ **2. Tierra campa.** ‖ **bolar.** Aquella de que se hace el bol. ‖ **campa.** La que carece de arbolado y por lo común sólo sirve para la siembra de cereales. ‖ **de batán.** Greda muy limpia que se emplea en los batanes para desengrasar los paños. ‖ **de brezo.** Mantillo producido por los despojos del brezo y mezclado con arena. Es muy usado en jardinería. ‖ **de Holanda. Ancorca.** ‖ **del pipiripao.** fam. Aquel lugar o casa donde hay opulencia y abundancia, y se piensa más en regalarse que en otra cosa. ‖ **de miga.** La que es muy arcillosa y se pega mucho a los dedos al amasarla. ‖ **de pan llevar.** La destinada a la siembra de cereales o adecuada para este cultivo. ‖ **de Promisión.** La que Dios prometió al pueblo de Israel. ‖ **2.** fig. La muy fértil y abundante. ‖ **de Segovia.** Carbonato de cal limpio de impurezas y porfirizado, que se usa en pintura. ‖ **de sembradura.** La que se destina para sembrar cereales y otras semillas. ‖ **de Venecia. Ancorca.** ‖ **firme. Continente,** 5.ª acep. ‖ **2.** Terreno sólido y capaz por su consistencia y dureza de admitir sobre sí un edificio. ‖ **japónica. Cato,** 1.er art. ‖ **llana.** *For.* En Vizcaya, la sometida al derecho foral. ‖ **moriega.** *Ar.* La que perteneció a los moriscos. ‖ **negra. Mantillo.** ‖ **prometida. Tierra de Promisión.** ‖ **rara.** Cualquiera de los óxidos de ciertos metales que ocupan lugares contiguos en la escala de números atómicos desde el cerio hasta el lutecio, y de los cuales sólo se encuentran en la Naturaleza cantidades exiguas. ‖ **Santa.** Lugares de Palestina donde nació, vivió y murió Jesucristo. ‖ **vegetal.** La que está impregnada de gran cantidad de elementos orgánicos que la hacen apta para el cultivo. ‖ **verde. Verdacho.** ‖ **A tu tierra, grulla, aunque sea con un pie.** ref. con que se indica la mayor comodidad y ventaja de vivir uno en su país y entre los suyos. ‖ **Besar la tierra.** fr. fig. y fam. **Caer de hocicos.** ‖ **Besar** uno **la tierra que** otro **pisa.** fr. fig. con que se da a entender el profundo respeto que una persona tiene a otra. ‖ **Callar y obrar por la tierra y por la mar.** ref. que enseña que para negociar bien, se ha de hablar poco y obrar con diligencia. ‖ ‖ **Como tierra.** loc. adv. fig. y fam. Con abundancia. ‖ **Coserse** uno **con la tierra.** fr. fig. y fam. Unirse estrechamente con la **tierra.** ‖ **Dar** uno **en comer tierra.** fr. fig. y fam. Tener gusto raro y extravagante. ‖ **Dar en tierra con** una cosa. fr. Derribarla o arruinarla. ‖ **2.** fig. Deshacer las esperanzas que en esa cosa se fundan. ‖ **Dar en tierra con** una persona. fr. Rendirla, derribarla. ‖ **2.** fig. Hacerla decaer de su favor, de su opinión o estado; destruirla. ‖ **De la tierra.** Dícese de los frutos que produce el país o la comarca. *Guisantes* DE LA TIERRA. ‖ **De luengas tierras, luengas mentiras.** ref. **A luengas vías, luengas mentiras.** ‖ **Descubrir tierra** uno. fr. fig. Hacer entrada en país desconocido, para reconocerlo o tomar lengua. ‖ **2.** fig. Hacer o decir algo con el fin de sondear a otro o averiguar alguna cosa. ‖ **Echar en tierra** una cosa. fr. *Mar.* Desembarcarla. ‖ **Echar por tierra** una cosa. fr. fig. Destruirla, arruinarla. ‖ **Echarse** uno **a, en,** o **por, tierra.** fr. fig. Humillarse, rendirse. ‖ **2.** fig. Afectar modestia y humildad. ‖ **Echarse la tierra en los ojos.** fr. fig. y fam. Hablar u obrar una persona de tal modo, que queriendo disculparse, se perjudique. ‖ **Echar tierra** a una cosa. fr. fig. Ocultarla, hacer que se olvide y que no se hable más de ella. ‖ **En cada tierra, su uso, y en cada casa, su costumbre.** ref. que aconseja amoldarse a los usos y costumbres del paraje donde viva o de los sujetos con quienes trate. ‖ **En tierra ajena, la vaca al buey acornea.** ref. que da a entender que cualquiera, aun siendo inferior, se atreve a insultar a quien no tiene protección y abrigo. ‖ **En tierra de ciegos, el tuerto es rey.** ref. que manifiesta que con poco que uno valga en cualquiera línea, le basta para sobresalir entre los que valen menos. ‖ **En tierra de señorío, almendra o guindo; en tierra real, noguera y moral.** ref. que denota no convenía arraigarse o hacendarse mucho en **tierra** de señorío, sino en territorio realengo. ‖ **En toda tierra de garbanzos.** loc. fam. que se emplea para expresar que una cosa es muy usada o conocida en España o en todas partes. ‖ **Estar bien gobernada la tierra.** fr. Estar en buena sazón o tempero. ‖ **Estar** uno **comiendo,** o **mascando, tierra.** fr. fig. Estar enterrado. ‖ **Ganar tierra** uno. fr. fig. **Ganar terreno.** ‖ **Irse a tierra** una cosa, fr. **Venir,** o **venirse, a tierra.** ‖ **La primera, y ésa, en tierra.** expr. fig. con que se nota al que yerra lo primero que ejecuta en cualquier línea. ‖ **La tierra de María Santísima.** fr. fam. con que se designa la Andalucía. ‖ **La tierra do me criare, démela Dios por madre.** ref. que da a entender que cada uno se halla contento en la **tierra** en que se ha criado. ‖ **La tierra negra buen pan lleva.** ref. que manifiesta la buena calidad de los terrenos de este color, para el cultivo y labranza. ‖ **Morder la tierra.** fr. fig. **Morder el polvo.** ‖ **No hay tierra mala, si le viene su añada.** ref. que indica que no hay cosa, por inútil que parezca, de la cual no pueda sacarse provecho en alguna circunstancia. ‖ **No probarle** a uno **la tierra.** fr. **Probarle mal la tierra.** ‖ **Partir la tierra.** fr. Lindar el término de un pueblo, ciudad o provincia con el de otra. ‖ **Perder la tierra** uno. fr. ant. Salir desterrado de ella. ‖ **Perder tierra** uno. fr. No poder sostenerse en ella y resbalar o caer el que va andando o corriendo. ‖ **2.** Levantarse del suelo o sostén una persona o cosa, movida por fuerza superior a su peso o resistencia. ‖ **Poner por tierra.** fr. Derribar un edificio o cosa semejante. ‖ **Poner** uno **tierra en,** o **por, medio.** fr. fig. Ausentarse. ‖ **Por debajo de tierra.** m. adv. fig. Con cautela o secreto. ‖ **Probar mal la tierra** a uno. fr. Hacerle daño en la salud la mudanza de un lugar a otro por el cambio de aires o de alimentos. ‖ **Quedarse** uno **en tierra.** fr. fam. **Quedarse a pie.** ‖ **Sacar** uno **de debajo de la tierra** una cosa. fr. fig. y fam. con que se pondera la dificultad de lograrla o adquirirla, cuando no hay a quien pedírsela o donde buscarla. Tiene más uso tratándose de dinero. || **Saltar** uno **en tierra.** fr. **Desembarcar.** || **Sembrar** uno **en mala tierra.** fr. fig. y fam. Hacer beneficios a quien corresponde mal a ellos. || **Ser buena tierra para sembrar nabos.** fr. irón. y fam. con que se denota la inutilidad de una persona. || **Sin sentirlo la tierra.** loc. adv. fig. y fam. Con mucho silencio y cautela. || **Tierra adentro.** loc. adv. con que se determina todo lugar que en los continentes y en las islas se aleja o está distante de las costas o riberas. || **Tierra a tierra.** m. adv. Costeando o navegando siempre a la vista de **tierra,** siguiendo la dirección de la costa. || **2.** fig. Con cautela y sin arrojo en los negocios. || **Tomar tierra.** fr. *Mar.* Aportar, arribar la nave. || **2.** Desembarcar, saltar a **tierra** las personas. || **3.** fig. y fam. Adquirir conocimiento y práctica en el manejo de una cosa o tomar confianza y familiaridad en el trato de una persona. || **Tragársele** a uno **la tierra.** fr. fig. y fam. Dícese de aquella persona a quien no se ha vuelto a ver por haber desaparecido de los lugares que frecuentaba. || **Venir,** o **venirse, a tierra** una cosa. fr. Caer, arruinarse, destruirse. || **Ver tierras** uno. fr. fig. **Ver mundo.**

Tiesamente. (De *tieso.*) adv. m. Fuertemente, firmemente.

Tieso, sa. (Del lat. *tensus,* tendido, estirado.) adj. Duro, firme, rígido, y que con dificultad se dobla o rompe. || **2.** Robusto de salud, especialmente después de convalecido de una dolencia. || **3.** Tenso, tirante. || **4.** fig. Valiente, animoso y esforzado. || **5.** fig. Afectadamente grave, circunspecto y mesurado. || **6.** fig. Terco, inflexible y tenaz en el propio dictamen. || **7.** adv. m. Recia o fuertemente. *Pisar* TIESO; *dar* TIESO. || **Tieso que tieso.** expr. fam. con que se denota la terquedad o pertinacia de alguno.

Tiesta. (Del lat. *testa.*) f. Canto de las tablas que sirven de fondos o tapas en los toneles. || **2.** ant. Cabeza o testa.

Tiesto. (Del lat. *testum.*) m. Pedazo de cualquier vasija de barro. || **2. Maceta,** 2.º art., 1.ª acep. || **3.** ant. Casco de la cabeza, cráneo. || **4.** *Chile.* Vasija de cualquier clase. || **Mear fuera del tiesto.** fr. fig. fam. Salirse de la cuestión, decir algo que no viene al caso.

Tiesto, ta. (Del lat. *tensus,* estirado.) adj. **Tieso,** 1.ª 3.ª y 6.ª aceps. || **2.** adv. m. **Tieso,** 7.ª acep.

Tiesura. (De *tieso.*) f. Dureza o rigidez de alguna cosa. || **2.** fig. Gravedad demasiada o con afectación.

Tifáceo, a. (Del lat. *typhe,* y éste del gr. τύφη, espadaña.) adj. *Bot.* Dícese de plantas angiospermas monocotiledóneas, acuáticas, perennes, de tallos cilíndricos, hojas alternas, lineares, reunidas en la base de cada tallo, flores en espiga, y por frutos drupas con semillas de albumen carnoso; como la espadaña. Ú. t. c. s. || **2.** f. pl. *Bot.* Familia de estas plantas.

Tífico, ca. adj. *Med.* Perteneciente o relativo al tifus. || **2.** Que tiene tifus. Ú. t. c. s.

Tifo. (Del gr. τῦφος, humo, estupor; de τύφω, abrasar.) m. *Med.* **Tifus.** || **asiático.** *Med.* **Cólera,** 1.er art., 3.ª acep. || **de América.** *Med.* **Fiebre amarilla.** || **de Oriente.** *Med.* **Peste bubónica,** o **levantina.**

Tifo, fa. (En cat. *tip.*) adj. fam. Harto, repleto.

Tifoideo, a. (De *tifo,* 1.er art., y el gr. εἶδος, forma.) adj. *Med.* Perteneciente o relativo al tifus, o parecido a este mal. || **2.** Perteneciente a la fiebre tifoidea. || **3.** f. **Fiebre tifoidea.**

Tifón. (Del lat. *typhon,* y éste del gr. τυφῶν, torbellino.) m. Huracán en el mar de la China. || **2. Manga,** 1.er art., 11.ª acep.

Tifus. (Del gr. τῦφος, estupor.) m. *Med.* Género de enfermedades infecciosas, graves, con alta fiebre, delirio o postración, aparición de costras negras en la boca y a veces presencia de manchas punteadas en la piel. || **abdominal. Fiebre tifoidea.** || **exantemático,** o **petequial.** Infección tífica, epidémica, transmitida generalmente por el piojo, caracterizada por las manchas punteadas en la piel. || **icterodes.** *Med.* **Fiebre amarilla.**

Tigra. (De *tigre.* f. *Amér.* Jaguar hembra.

Tigre. (Del lat. *tigris,* y éste del gr. τίγρις.) m. Mamífero carnicero muy feroz y de gran tamaño, parecido al gato en la figura, de pelaje blanco en el vientre, amarillento y con rayas negras en el lomo y la cola, donde las tiene en forma de anillos. Habita principalmente en la India. Se ha usado. t. c. f. || **2.** fig. Persona cruel y sanguinaria. || **3.** *Amér.* **Jaguar.** || **4.** *Ecuad.* Pájaro de mayor tamaño que una gallina; tiene pico largo y plumaje pardo con manchas negras, el cual le asemeja a la piel del tigre.

Tigrillo. (De *tigre.*) m. *Amér. Central, Ecuad.* y *Venez.* Mamífero carnicero de pequeño tamaño, de cola larga y pelaje adornado con manchas.

Tigüilote. m. *Amér. Central.* Árbol cuya madera se usa en tintorería.

Tija. (Del fr. *tige,* varilla, y éste del lat. *tibia,* canilla.) f. Barrita o astil de la llave, que media entre el ojo y el paletón.

Tijera. (De *tisera.*) f. Instrumento compuesto de dos hojas de acero, a manera de cuchillas de un solo filo, y por lo común con un ojo para meter los dedos al remate de cada mango, las cuales pueden girar alrededor de un eje que las traba, para cortar, al cerrarlas, lo que se pone entre ellas. Ú. m. en pl. || **2.** fig. Nombre de ciertas cosas compuestas, como la **tijera,** de dos piezas cruzadas que giran alrededor de un eje. || **3.** Cierta zanja o cortadura que se hace en las tierras húmedas, para desaguarlas. || **4.** Esquilador de ganado lanar. || **5.** Aspa que sirve para apoyar un madero que se ha de aserrar o labrar. || **6.** Cada uno de los dos correones cruzados por debajo de la caja, en los coches antiguos. || **7.** Pieza de madera, de los marcos de Canarias, León y Pontevedra. || **8.** V. **Catre, escalera, silla de tijera.** || **9.** fig. Persona que murmura. || **10.** *Ar.* **Cuchillo,** 6.ª acep. || **11.** *Seg.* Conjunto de ovejas que un operario puede trasquilar en un día. || **12.** *Vol.* Pluma primera del ala del halcón. || **13.** pl. Largueros que a uno y otro lado del pértigo quedan enlazados con las teleras para formar la escalera del carro. || **14.** Armazón de vigas cruzadas oblicuamente unas con otras, que se atraviesa en el cauce de un río para detener las maderas que arrastra la corriente. || **15.** *Germ.* Dedos índice y cordial de la misma mano. || **Buena tijera.** fig. y fam. Persona hábil en cortar. || **2.** fig. y fam. Persona que come mucho. || **3.** fig. y fam. Persona muy murmuradora. || **Cortado por la misma tijera.** loc. **Cortado por el mismo patrón.** || **Cortar de tijera.** fr. **Cortar de vestir.** || **De media tijera.** loc. fig. y fam. **De medio pelo.** || **Echar la tijera.** fr. Empezar a cortar con este instrumento en paño o tela. || **2.** fig. Atajar o cortar los inconvenientes que sobrevienen en un negocio. || **Hacer tijera** el caballo. fr. *Equit.* No llevar la boca en la postura regular, sino torcerla a un lado u otro. || **Meter la tijera.** fr. **Echar la tijera.** || **Quien a mí me trasquiló, con las tijeras se quedó,** o **le quedaron las tijeras en la mano.** ref. con que se advierte que el mismo que dañó o perjudicó a uno, puede causar a otro igual daño o perjuicio.

Tijerada. (De *tijera.*) f. **Tijeretada.**

Tijeral. m. *Chile.* **Cuchillo,** 6.ª acep.

Tijereta. f. d. de **Tijera.** Ú. m. en pl. || **2.** Cada uno de los zarcillos que por pares nacen a trechos en los sarmientos de las vides. || **3. Cortapicos.** || **4.** Ave palmípeda de la América Meridional, con el pico aplanado, cortante y desigual, cuello largo y cola ahorquillada. || **Decir tijeretas.** fr. fig. y fam. Porfiar necia y tercamente sobre cosas de poca importancia. || **Tijeretas han de ser.** expr. fig. y fam. con que se da a entender que uno porfía necia y tenazmente.

Tijeretada. (De *tijereta.*) f. Corte hecho de un golpe con las tijeras.

Tijeretazo. (De *tijereta.*) m. **Tijeretada.**

Tijeretear. (De *tijereta.*) tr. Dar varios cortes con las tijeras a una cosa, y por lo común sin arte ni tino. || **2.** fig. y fam. Disponer uno, según su arbitrio y dictamen, en negocios ajenos.

Tijereteo. m. Acción y efecto de tijeretear. || **2.** Ruido que hacen las tijeras movidas repetidamente.

Tijerilla. f. d. de **Tijera.** || **2. Tijereta,** 2.ª acep.

Tijeruela. f. d. de **Tijera.** || **2. Tijereta,** 2.ª acep.

Tijuil. m. *Hond.* Pájaro del orden de los conirrostros, de color negro.

Tila. (Del lat. *tille,* y éste del lat. *tilia.*) f. **Tilo.** || **2.** Flor del tilo. || **3.** Bebida antiespasmódica que se hace con flores de tilo en infusión de agua caliente.

Tílburi. (Del ingl. *Tilbury,* nombre del inventor de este carruaje.) m. Carruaje de dos ruedas grandes, ligero y sin cubierta, a propósito para dos personas y tirado por una sola caballería.

Tildar. (Del lat. *titulāre.*) tr. Poner tilde a las letras que lo necesitan. || **2.** Tachar lo escrito. || **3.** fig. Señalar con alguna nota denigrativa a una persona.

Tilde. (De *tildar.*) amb. Ú. m. c. f. Virgulilla o rasgo que se pone sobre algunas abreviaturas, el que lleva la *ñ* y cualquiera otro signo que sirva para distinguir una letra de otra o denotar su acentuación. || **2.** fig. Tacha, nota denigrativa. || **3.** f. Cosa mínima.

Tildón. (aum. de *tilde.*) m. **Tachón,** 1.er art., 1.ª acep.

Tilia. (Del lat. *tilia,* tilo.) f. **Tilo.**

Tiliáceo, a. (Del lat. *tilia,* tilo.) adj. *Bot.* Dícese de plantas angiospermas dicotiledóneas, árboles, arbustos o hierbas con hojas alternas, sencillas y de nervios muy señalados, estípulas dentadas y caedizas, flores axilares de jugo mucilaginoso, y fruto capsular con muchas semillas de albumen carnoso; como el tilo y la patagua. Ú. t. c. s. f. || **2.** f. pl. *Bot.* Familia de estas plantas.

Tiliche. m. *Amér. Central* y *Méj.* Baratija, cachivache, bujería.

Tilichero. m. *Amér. Central.* **Buhonero.**

Tilín. (Voz onomatopéyica.) m. Sonido de la campanilla. || **En un tilín.** m. adv. fig. y fam. *Colomb., Chile* y *Venez.* **En un tris.** || **Hacer tilín.** fr. fig. y fam. Caer en gracia, lograr aprobación, inspirar afecto. || **Tener tilín.** fr. fig. y fam. Tener gracia, atractivo.

Tilingo, ga. adj. *Argent.* y *Méj.* Memo, lelo.

Tilma. f. *Méj.* Manta de algodón que llevan los hombres del campo a modo de capa, anudada sobre un hombro.

Tilo. (De *tila.*) m. Árbol de la familia de las tiliáceas, que llega a 20 metros de altura, con tronco recto y grueso, de corteza lisa algo cenicienta, ramas fuertes, copa amplia, madera blanca y blanda; hojas acorazonadas, puntiagudas y serradas por los bordes, flores de cinco pétalos, blanquecinas, olorosas y medicinales, y fruto redondo y velloso, del tamaño de un guisante. Es árbol de mucho adorno en los paseos; y su madera, de grande uso en escultura y carpintería. || **2.** *Colomb.* Yema floral del maíz.

Tilla. (Como el fr. *tillac*, del islandés *thilia*.) f. Entablado que cubre una parte de las embarcaciones menores.

Tillado. (De *tillar*.) m. **Entablado,** 3.ª acep.

Tillar. (De *tilla*.) tr. Echar suelos de madera.

Tillo. m. *Burg.* y *Sant.* Cada una de las tablas que forman el tillado.

Timador, ra. m. y f. fam. Persona que tima.

Tímalo. (Del lat. *thymăllus*, y éste del gr. θύμαλλος.) m. *Zool.* Pez teleósteo del suborden de los fisóstomos, de unos cuatro decímetros de largo, parecido al salmón, del que se distingue por ser más obscuro y tener la aleta dorsal muy larga, alta y de color violado.

Timar. tr. Quitar o hurtar con engaño. || **2.** Engañar a otro con promesas o esperanzas. || **3.** rec. fam. Entenderse con la mirada, hacerse guiños los enamorados.

Timba. f. fam. Partida de juego de azar. || **2.** Casa de juego, garito. || **3.** *Filip.* Cubo para sacar agua del pozo. || **4.** *Amér. Central* y *Méj.* Barriga, vientre.

Timbal. (Del lat. *tympănum*, y éste del gr. τύμπανον.) m. Especie de tambor de un solo parche, con caja metálica en forma de media esfera. Generalmente se tocan dos a la vez, templados en tono diferente. || **2. Atabal,** 2.ª acep. || **3.** Masa de harina y manteca, por lo común en forma de cubilete, que se rellena de macarrones u otros manjares.

Timbalero. m. El que toca los timbales.

Timbiriche. m. *Méj.* Árbol de la familia de las rubiáceas. El fruto es comestible.

Timbirimba. f. fam. **Timba,** 1.ª y 2.ª aceps.

Timbó. (Voz guaraní.) m. *Bot. Argent.* y *Par.* Árbol leguminoso muy corpulento cuya madera se utiliza para hacer canoas.

Timbrador. m. El que timbra. || **2.** Instrumento que sirve para timbrar.

Timbrar. tr. Poner el timbre en el escudo de armas. || **2.** Estampar un timbre, sello o membrete.

Timbrazo. m. Toque fuerte de un timbre.

Timbre. (Del fr. *timbre;* éste del lat. *tympănum*, y éste del gr. τύμπανον, tambor.) m. Insignia que se coloca encima del escudo de armas, para distinguir los grados de nobleza. || **2.** Sello, y especialmente el que se estampa en seco. || **3.** Sello que en el papel donde se extienden algunos documentos públicos estampa el Estado, indicando la cantidad que debe pagarse al fisco en concepto de derechos. || **4.** Sello que se ponía en las hojas de los periódicos, en señal de haber satisfecho el impuesto del franqueo de correos. || **5.** Aparato de llamada o de aviso, compuesto de una campana y un macito que la hiere movido por un resorte, la electricidad u otro agente. || **6.** Modo propio y característico de sonar un instrumento músico o la voz de una persona. || **7.** fig. Acción gloriosa o cualidad personal que ensalza y ennoblece. || **8.** Renta del Tesoro constituida por el importe de los sellos, papel sellado y otras imposiciones, algunas cobradas en metálico, que gravan la emisión, uso o circulación de documentos. || **móvil.** Sello, de tamaño parecido al de correos, que se aplica a ciertos documentos o artículos de comercio para satisfacer el impuesto del **timbre.**

Timbreo, a. (Del lat. *thymbraeus*.) adj. Natural de Timbra. Ú. t. c. s. || **2.** Perteneciente a esta ciudad de la Tróade.

Timeleáceo, a. (Del lat. *thymelaea*, y éste del gr. θυμελαία; de θύμον, planta odorífera, y ἐλαία, olivo.) adj. *Bot.* Dícese de plantas angiospermas dicotiledóneas, arbustos y hierbas que tienen hojas alternas u opuestas, sencillas, enteras y sin estípulas; flores axilares o terminales, sin corola, y por fruto bayas o cápsulas; como la adelfilla y el torvisco. Ú. t. c. s. f. || **2.** f. pl. *Bot.* Familia de estas plantas.

Timiama. (Del lat. *thymiāma*, y éste del gr. θυμίαμα, perfume, incienso.) m. Confección olorosa, reservada al culto divino entre los judíos.

Tímidamente. adv. m. Con timidez.

Timidez. f. Calidad de tímido.

Tímido, da. (Del lat. *timĭdus*.) adj. Temeroso, medroso, encogido y corto de ánimo.

Timo. m. **Tímalo.**

Timo. m. fam. Acción y efecto de timar. || **Dar un timo** a uno. fr. fam. Timarle.

Timo. (Del lat. *thȳmus*.) m. *Zool.* Glándula endocrina propia de los animales vertebrados, que se atrofia en la época de la pubertad y en el hombre está situada detrás del esternón y delante de la parte inferior de la tráquea. Su secreción estimula el crecimiento de los huesos y favorece el desarrollo de las glándulas genitales.

Timocracia. (Del gr. τιμοκρατία; de τιμή, honor, y κρατέω, dominar.) f. Gobierno en que ejercen el poder los ciudadanos que tienen cierta renta.

Timócrata. adj. Partidario de la timocracia. Ú. t. c. s.

Timocrático, ca. adj. Perteneciente o relativo a la timocracia.

Timol. (Del lat. *thymum*, tomillo, por estar contenido en la esencia de esta planta.) m. Cierta substancia de carácter ácido, usada como desinfectante.

Timón. (Del lat. *temo, -ōnis*.) m. Palo derecho que sale de la cama del arado en su extremidad: tiene tres o cuatro agujeros que sirven para meter la clavija y proporcionar el tiro. || **2. Pértigo.** || **3.** Varilla del cohete, que le sirve de contrapeso y le da dirección. || **4.** fig. Dirección o gobierno de un negocio. || **5.** *Mar.* Pieza de madera o de hierro, a modo de gran tablón, que articulada verticalmente sobre goznes en el codaste de la nave, sirve para gobernarla. Por extensión se da igual nombre a las piezas similares de submarinos, aeroplanos, etc. || **6.** *Mar.* V. **Aguaje, aguas, caña, macho del timón.** || **Cerrar el timón a la banda.** fr. Hacer girar el **timón** hacia una banda todo lo posible.

Timonear. intr. Gobernar el timón.

Timonel. m. El que gobierna el timón de la nave.

Timonera. (De *timón*, 5.ª acep.) adj. Dícese de las plumas grandes que tienen las aves en la cola, y que en el vuelo les sirven para dar dirección al cuerpo. Ú. t. c. s. f. || **2.** f. *Mar.* Sitio donde se sentaba la bitácora y estaba el pinzote con que el timonel gobernaba la nave.

Timonero. adj. Aplícase al arado común o de timón. || **2.** m. **Timonel.**

Timorato, ta. (Del lat. *timorātus*.) adj. Que tiene el santo temor de Dios, y se gobierna por él en sus operaciones. || **2.** Tímido, indeciso, encogido.

Timpa. (En fr. *tympe;* quizá de *tímpano*.) f. *Metal.* Barra de hierro colado que sostiene la pared delantera del crisol de un horno alto.

Timpánico, ca. (Del lat. *tympanĭcus*.) adj. Perteneciente o relativo al tímpano del oído. || **2.** *Med.* Dícese del sonido como de tambor que producen por la percusión ciertas cavidades del cuerpo cuando están llenas de gases.

Timpanillo. (d. de *tímpano*.) m. *Impr.* Tímpano pequeño, cubierto de baldés o pergamino, que se encajaba detrás del principal.

Timpanítico, ca. (Del lat. *tympanitĭcus*.) adj. *Med.* Que padece timpanitis. Ú. t. c. s. || **2.** *Med.* Perteneciente a esta enfermedad.

Timpanitis. (Del lat. *tympanītes*, y éste del gr. τυμπανίτης, de τύμπανον, tambor.) f. *Fisiol.* Hinchazón de alguna cavidad del cuerpo producida por gases, y en especial, abultamiento del vientre, que por acumulación de gases en el conducto intestinal o en el peritoneo, se pone tenso como la piel de un tambor.

Timpanización. f. *Med.* Acción y efecto de timpanizarse.

Timpanizarse. r. *Med.* Abultarse el vientre y ponerse tenso, con timpanitis.

Tímpano. (Del lat. *tympănum*, y éste del gr. τύμπανον.) m. **Atabal,** 2.ª acep. || **2.** Instrumento músico compuesto de varias tiras desiguales de vidrio colocadas de mayor a menor sobre dos cuerdas o cintas, y que se toca con una especie de macillo de corcho o forrado de badana. || **3.** Cada uno de los dos lados, fondo o tapa, sobre que se puede asentar la pipa o cuba. || **4.** *Arq.* Espacio triangular que queda entre las dos cornisas inclinadas de un frontón y la horizontal de su base. || **5.** *Impr.* Bastidor que tienen las prensas antiguas, forrado de baldés y acolchado con bayetas, sobre el cual descansa el papel que ha de imprimirse. || **6.** *Zool.* Membrana extendida y tensa como la de un tambor, que limita exteriormente el oído medio de los vertebrados y que en los mamíferos y aves establece la separación entre esta parte del oído y el conducto auditivo externo.

Tina. (Del lat. *tīna*.) f. **Tinaja,** 1.ª acep. || **2.** Vasija de madera, de forma de media cuba. || **3.** Vasija grande, de forma de caldera, que sirve para el tinte de telas y para otros usos. || **4. Baño,** 3.ª acep. || **5.** V. **Papel de tina.** || **6.** *And.* **Balsa,** 1.er art., 3.ª acep. || **7.** *Sal.* Arcón grande en que se guarda la harina.

Tinaco. m. Tina pequeña de madera. || **2. Alpechín.**

Tinada. (Del lat. **tignāta*, de *tignum*, madero.) f. Montón o hacina de leña. || **2.** Cobertizo para tener recogidos los ganados, y particularmente el destinado a los bueyes.

Tinado. (Del lat. **tignātus*, de *tignum*, madero.) m. **Tinada,** 2.ª acep.

Tinador. m. **Tinado.**

Tinaja. (Del lat. **tīnacŭla*, de *tīna*.) f. Vasija grande de barro cocido, y a veces vidriado, mucho más ancha por el medio que por el fondo y por la boca, y que encajada en un pie o aro, o empotrada en el suelo, sirve ordinariamente para guardar agua, aceite u otros líquidos. || **2.** Líquido que cabe en una **tinaja.** *Esta viña producirá diez* TINAJAS *de vino.* || **3.** Medida de capacidad para líquidos, que se usa en Filipinas, igual a 16 gantas ó 48 litros y 4 centilitros.

Tinajería. f. *And.* **Tinajero,** 2.ª acep.

Tinajero. m. El que hace o vende tinajas. || **2.** Sitio o lugar donde se ponen o empotran las tinajas. || **3.** *Murc.*, *P. Rico* y *Venez.* Sitio donde se tienen las tinajas, cántaros, jarras y demás vasijas para el servicio del agua potable.

Tinajón. m. aum. de **Tinaja.** || **2.** Vasija tosca de barro cocido parecida a la mitad inferior de una tinaja, y que se usa principalmente para recoger el agua de lluvia y para lavadero en los patios y habitaciones bajas.

Tinajuela. f. d. de **Tinaja.**

Tinapá. m. *Filip.* Pescado seco ahumado.

Tincazo. m. *Argent.* y *Ecuad.* **Capirotazo.**

Tinción. (Del lat. *tinctĭo, -ōnis.*) f. Acción y efecto de teñir; teñido, teñidura.

Tinco, ca. adj. *Argent.* Dícese del animal vacuno que roza y golpea una pata con otra al caminar.

Tindalo. m. *Bot.* Árbol leguminoso de Filipinas, que crece hasta 30 metros de altura, con copa ancha y tronco grueso, hojas compuestas de hojuelas aovadas y lampiñas, flores blancas en panojas, fruto en vainas cortas y sueltas con semillas grandes, de cubierta negra, tersa y coriácea, y madera de color rojo obscuro y compacta, apreciada para ebanistería.

Tindío. m. *Perú.* Ave acuática semejante a la gaviota.

Tínea. (Del lat. *tinĕa.*) f. ant. **Polilla,** 1.ª acep. || **2.** ant. Carcoma de la madera.

Tiñelar. adj. Perteneciente al tinelo.

Tinelero, ra. m. y f. Persona a cuyo cargo está el cuidado y provisión del tinelo.

Tinelo. (Del ital. *tinello,* y éste del lat. **tinellum,* de *tinum,* jarro.) m. Comedor de la servidumbre en las casas de los grandes. || **Dar tinelo.** fr. fig. Dar de comer a los sirvientes.

Tinerfeño, ña. adj. Natural de Tenerife. Ú. t. c. s. || **2.** Perteneciente a esta isla, una de las Canarias.

Tineta. f. d. de **Tina.**

Tinge. m. Búho mayor y más fuerte que el común.

Tingible. adj. **Teñible.**

Tingitano, na. (Del lat. *tingitānus.*) adj. Natural de Tingis, hoy Tánger. Ú. t. c. s. || **2.** Perteneciente a esta ciudad de África antigua. || **3. Tangerino.** Apl. a pers., ú. t. c. s.

Tingladillo. (d. de *tinglado.*) m. *Mar.* Disposición de las tablas de forro de algunas embarcaciones menores, cuando, en vez de juntarse por sus cantos, montan unas sobre otras, como las pizarras de los tejados.

Tinglado. (Del ant. fr. *tingle,* y éste del neerl. *tingel,* tabla, tablado.) m. **Cobertizo.** || **2.** Tablado armado a la ligera. || **3.** fig. Artificio, enredo, maquinación. || **4.** *Cuba.* Tablado en ligero declive donde cae la miel que purgan los panes de azúcar.

Tingle. (Del ant. fr. *tingle,* y éste del neerl. *tingel,* tabla.) f. Pieza plana y pequeña, de hueso, que usan los vidrieros para abrir las tiras de plomo y ajustarlas al vidrio.

Tinicla. (Del lat. *tunicŭla,* camisilla.) f. Especie de cota de armas, que usaban los oficiales superiores del ejército, más larga y ancha que la cota, y con mangas más estrechas que las del plaquín.

Tiniebla. (Del lat. *tenĕbrae, -ārum.*) f. Falta de luz. Ú. m. en pl. || **2.** V. **Ángel de tinieblas.** || **3.** pl. fig. Suma ignorancia y confusión, por falta de conocimientos. || **4.** fig. Obscuridad, falta de luz en lo abstracto o en lo moral. || **5.** Maitines de los tres últimos días de la Semana Santa.

Tinillo. (d. de *tino,* 2.° art.) m. Receptáculo hecho de fábrica, en donde se recoge el mosto que corre de la uva pisada en el lagar.

Tino. (En port. *tino.*) m. Hábito o facilidad de acertar a tientas con las cosas que se buscan. || **2.** Acierto y destreza para dar en el blanco u objeto a que se tira. || **3.** fig. Juicio y cordura para el gobierno y dirección de un negocio. || **A buen tino.** m. adv. fam. A bulto, a ojo. || **A tino.** m. adv. **A tientas.** || **Sacar de tino** a uno. fr. fig. Atolondrarle con algún golpe o porrazo. || **2.** fig. Aturdirle, confundirle o exasperarle una especie, razón o suceso. || **Sin tino.** m. adv. Sin tasa, sin medida. *Comer, engordar* SIN TINO.

Tino. (Del lat. *tīnum.*) m. **Tina,** 3.ª acep. || **2.** Depósito de piedra adonde el agua hirviendo va desde la caldera, en los lavaderos de lana. || **3.** En algunas partes, **lagar.**

Tino. m. **Durillo,** 3.ª acep.

Tinola. f. *Filip.* Especie de sopa que se hace cociendo en agua pollo o gallina muy picados, con trocitos de calabaza o de patata.

Tinta. (Del lat. *tincta,* t. f. de *-tus,* tinto.) f. Color que se sobrepone a cualquier cosa, o con que se tiñe. || **2.** Líquido, generalmente negro, que se emplea para escribir. || **3. Tinte,** 1.ª acep. || **4.** pl. Matices, degradaciones de color. *Las* TINTAS *de la aurora.* || **5.** *Pint.* Mezcla de colores que se hace para pintar. || **Tinta comunicativa.** La apropiada para que lo escrito con ella pueda ser reproducido en uno o más ejemplares, mediante estampación mecánica. || **de imprenta.** Composición grasa y generalmente negra que se emplea para imprimir. || **simpática.** Composición líquida que tiene la propiedad de que no se conozca lo escrito con ella hasta que se le aplica el reactivo conveniente. || **Media tinta.** *Pint.* Tinta general que se da primero para pintar al temple y al fresco, sobre la cual se va colocando el claro y el obscuro. || **2.** *Pint.* Color templado que une y empasta los claros con los obscuros. || **Medias tintas.** fig. y fam. Hechos, dichos o juicios vagos y nada resueltos, dictados por extremada cautela y receloso espíritu. || **Correr la tinta.** fr. Estar fluida; escribirse fácilmente con ella. || **Dar,** o **no dar, tinta.** fr. Dícese de la pluma que por estar bien, o mal, dispuesta, o por la calidad de la **tinta,** arroja, o no, la suficiente para escribir. || **De buena tinta.** fr. p. us. Con eficacia, habilidad o viveza. || **2.** De buen temple, de buen humor. || **Meter tintas.** fr. *Pint.* Poner o colocar las **tintas** en los lugares correspondientes. || **Recargar** uno **las tintas.** fr. fig. Exagerar el alcance o significación de un dicho o hecho. || **Saber** uno **de buena tinta** una cosa fr. fig. y fam. Estar informado de ella por conducto digno de crédito. || **Sudar tinta.** fr. fig. y fam. Realizar un trabajo con mucho esfuerzo.

Tintar. (De *tinta,* 3.ª acep.) tr. **Teñir,** 1.ª acep.

Tinte. (De *tintar.*) m. Acción y efecto de teñir. || **2.** Color con que se tiñe. || **3.** Casa, tienda o paraje donde se tiñen telas, ropas y otras cosas. || **4.** V. **Palomilla, retama de tintes.** || **5.** fig. Artificio mañoso con que se da diverso color a las cosas no materiales, o se las desfigura.

Tinterazo. m. Golpe dado con un tintero.

Tinterillada. f. *Amér.* Embuste, trapisonda, acción propia de un tinterillo.

Tinterillo. (d. de *tintero.*) m. fig. y fam. despect. Empleado, cagatintas. || **2.** *Amér.* Picapleitos, abogado de secano, rábula.

Tintero. m. Vaso en que se pone la tinta de escribir para mojar en ella la pluma. || **2. Neguilla,** 4.ª acep. || **3.** *Impr.* Depósito que en las máquinas de imprimir recibe la tinta, impregnando de ella a un cilindro giratorio que a su vez la transmite a los otros cilindros que han de realizar la impresión. || **4.** *Mar.* Zoquete de madera con varios huecos o concavidades para conservar desleída la almagra que usan a bordo carpinteros y calafates. || **Dejar,** o **dejarse,** uno, o **quedársele** a uno, **en el tintero** una cosa. fr. fig. y fam. Olvidarla u omitirla.

Tintilla. (d. de *tinta.*) f. Vino tinto, astringente y dulce que se hace en Rota, villa de la provincia de Cádiz. Llámase también **tintilla de Rota.**

Tintillo. (d. de *tinto.*) adj. V. **Vino tintillo.** Ú. t. c. s.

Tintín. (Voz onomatopéyica.) m. Sonido de la esquila, campanilla o timbre, y el que hacen, al recibir un ligero choque, las copas u otras cosas parecidas.

Tintinar. (Del lat. *tintinnāre.*) intr. Producir el sonido especial del tintín.

Tintinear. intr. **Tintinar.**

Tintineo. m. Acción y efecto de tintinar.

Tintirintín. (Voz onomatopéyica.) m. Sonido agudo y penetrante del clarín y otros instrumentos.

Tinto, ta. (Del lat. *tinctus,* p. p. de *tingĕre,* teñir.) p. p. irreg. de **Teñir.** || **2.** adj. V. **Uva tinta.** Ú. t. c. s. || **3.** V. **Vino tinto.** Ú. t. c. s. || **4.** *C. Rica* y *Hond.* Rojo obscuro.

Tintor. (Del lat. *tinctor, -ōris.*) m. ant. **Tintorero.**

Tintóreo, a. (Del lat. *tinctorĭus.*) adj. *Bot.* Aplícase a las plantas de donde se extraen substancias colorantes; como el alazor y la rubia.

Tintorera. (De *tinturar.*) f. La que tiene por oficio teñir o dar tintes. || **2.** Mujer del tintorero. || **3.** *Zool.* Tiburón muy semejante al cazón, frecuente en las costas del sur de España y en las de Marruecos, que alcanza de tres a cuatro metros de longitud y que tiene dientes triangulares y cortantes, de los cuales los de la mandíbula superior son más anchos y su punta está dirigida hacia atrás. Su dorso y costados son de color azulado o gris de pizarra.

Tintorería. f. Oficio de tintorero. || **2. Tinte,** 3.ª acep.

Tintorero. (De *tintor.*) m. El que tiene por oficio teñir o dar tintes. || **2.** V. **Retama de tintoreros.**

Tintura. (Del lat. *tinctūra.*) f. **Tinte,** 1.ª y 2.ª aceps. || **2.** Afeite en el rostro, especialmente de las mujeres. || **3.** Líquido en que se ha hecho disolver una substancia que le comunica color. || **4.** fig. Noción superficial y leve de una facultad o ciencia. || **5.** *Farm.* Solución de cualquier substancia medicinal simple o compuesta, en un líquido que disuelve de ella ciertos principios. TINTURA *acuosa, vinosa, alcohólica, etérea.* || **Sobre negro no hay tintura.** ref. con que se denota lo difícil que es corregir o mejorar el mal genio o natural, o excusar y disimular las malas acciones.

Tinturar. (De *tintura.*) tr. **Teñir,** 1.ª acep. || **2.** fig. Instruir o informar sumariamente de una cosa. Ú. t. c. r.

Tiña. (Del lat. *tinĕa,* polilla.) f. Arañuelo o gusanillo que daña las colmenas. || **2.** *Med.* Cualquiera de las enfermedades producidas por diversos parásitos en la piel del cráneo, y de las cuales unas consisten en costras y ulceraciones, y otras ocasionan sólo la caída del cabello. || **3.** fig. y fam. Miseria, escasez, mezquindad. || **mucosa.** *Med.* **Eccema.**

Tiñería. f. fam. **Tiña,** 3.ª acep.

Tiñoso, sa. (Del lat. *tineōsus.*) adj. Que padece tiña. Ú. t. c. s. || **2.** fig. y fam. Escaso, miserable y ruin. Ú. t. c. s. || **3.** fam. *Ar.* y *Áv.* Dícese del que tiene buena suerte en el juego.

Tiñuela. (d. de *tiña.*) f. Cuscuta parásita del lino. || **2.** *Mar.* Broma que empieza a atacar el casco de una embarcación.

Tío. (Del lat *thius,* y éste del gr. θεῖος.) m. Respecto de una persona, hermano o primo de su padre o madre. El primero se llama **carnal,** y el otro, **segundo, tercero,** etc., según los grados que dista. || **2.** En los lugares, tratamiento de respeto que se da al hombre casado o entrado ya en edad. || **3.** fam. Hombre rústico y grosero. || **4.** fam. So, 1.er art. TÍO *tunante.* || **5.** fam. *Ar.,* parte de *Cast.*

y *Extr.* **Padrastro,** y algunas veces **suegro.** || **6.** *Argent.* Aplicábase en sentido afectuoso a los negros viejos. || **abuelo.** Respecto de una persona, hermano de uno de sus abuelos. || **No hay «tío páseme el río».** expr. fig. y fam. **No hay tu tía.** || **Tener uno tío, o un tío, en las Indias.** fr. fig. y fam. Contar con el favor o las dádivas de una persona rica o de valimiento.

Tioneo. (Del lat. *Thyōneus,* de *Thyōne,* madre o nodriza de Baco.) adj. Aplícase como sobrenombre al dios Baco.

Tiorba. (Del lat. *tiorba.*) f. Instrumento músico semejante al laúd, pero algo mayor, con dos mangos y con ocho cuerdas más para los bajos. || **2.** *Ar.* **Chata,** 1.ª acep.

Tiovivo. m. Recreo de feria que consiste en varios asientos colocados en un círculo giratorio.

Tipa. f. *Bot.* Árbol leguminoso sudamericano, que crece hasta 20 metros de altura, con tronco grueso, copa amplia, hojas compuestas de hojuelas ovales y lisas, flores amarillas, y fruto con semillas negras. Da una variedad poco apreciada de sangre de drago, y la madera, dura y amarillenta, se emplea en carpintería y ebanistería. || **2.** *Argent.* Cesto de varillas o de mimbre sin tapa.

Tipejo. (despect. de *tipo,* 5.ª acep.) m. Persona ridícula y despreciable.

Tipiadora. f. Máquina de escribir. || **2. Mecanógrafa.**

Típico, ca. (Del lat. *typĭcus,* y éste del gr. τυπικός.) adj. Que incluye en sí la representación de otra cosa, siendo emblema o figura de ella.

Tiple. (Como el port. *tiple,* quizá de *triple.*) m. La más aguda de las voces humanas, propia especialmente de mujeres y niños. || **2.** Guitarrita de voces muy agudas. || **3.** *Germ.* **Vino,** 1.ª acep. || **4.** *Mar.* Vela de falucho con todos los rizos tomados. || **5.** *Mar.* Palo de una sola pieza. || **6.** com. Persona cuya voz es el **tiple.** || **7.** Persona que toca el **tiple.**

Tiplisonante. (De *tiple* y *sonante.*) adj. fam. Que tiene voz o tono de tiple.

Tipo. (Del lat. *typus,* y éste del gr. τύπος.) m. Modelo, ejemplar. || **2.** Símbolo representativo de cosa figurada. || **3. Letra de imprenta.** || **4.** Cada una de las clases de esta letra. || **5.** Figura o talle de una persona. *Fulano tiene buen* TIPO. || **6.** Clase, índole, naturaleza de las cosas. || **7.** despect. Persona extraña y singular. || **8.** *Bot.* y *Zool.* Cada uno de los grandes grupos taxonómicos en que se dividen los reinos animal y vegetal, y que, a su vez, se subdividen en clases. || **9.** *Numism.* Figura principal de una moneda o medalla.

Tipografía. (De *tipógrafo.*) f. **Imprenta,** 1.ª y 2.ª aceps.

Tipográfico, ca. adj. Perteneciente o relativo a la tipografía.

Tipógrafo. (Del gr. τύπος, tipo, y γράφω, escribir.) m. Operario que sabe o profesa la tipografía.

Tipología. f. *Etnogr.* Ciencia que estudia los distintos tipos raciales en que se divide la especie humana. || **2.** *Med.* Ciencia que estudia los varios tipos de la morfología del hombre en relación con sus funciones vegetativas y psíquicas.

Tipometría. f. Medición de los puntos tipográficos.

Tipómetro. (Del gr. τύπος, golpe, señal impresa por un golpe, y μέτρον, medida.) m. Instrumento que sirve para medir los puntos tipográficos.

Tipoy. m. *Argent.* y *Par.* Túnica desceñida, de lienzo o de algodón y sin cuello ni mangas, con que se visten las campesinas guaraníes.

Típula. (Del lat. *tippŭla.*) f. Insecto díptero semejante al mosquito, pero algo mayor; no pica al hombre ni a los animales, se alimenta del jugo de las flores y su larva ataca las raíces de muchas plantas de huerta y de jardín.

Tique. (Del arauc. *tuque.*) m. *Chile.* Árbol de la familia de las euforbiáceas, con hojas lampiñas, muy pálidas por debajo, cubiertas de escamitas de lustre metálico. El fruto es una drupa dura semejante a una aceituna pequeña.

Tiquín. m. *Filip.* Pértiga, por lo común de caña de bambú, que se usa para dar impulso a las embarcaciones menores en los ríos, apoyando una de sus extremidades en el fondo del agua.

Tiquis miquis. (Del lat. *tibi et michi,* por *mihi,* a ti y a mí.) expr. fam. **Tiquismiquis.**

Tiquismiquis. (De *tiquis miquis.*) m. pl. Escrúpulos o reparos vanos o de poquísima importancia. || **2.** fam. Expresiones o dichos ridículamente corteses o afectados.

Tiquistiquis. m. *Filip.* Árbol de la familia de las sapindáceas, con hojas alternas compuestas de hojuelas lanceoladas, enteras y lampiñas; flores hermafroditas en panojas terminales, y por fruto cápsulas globosas. De su madera se hacen vasos que dan al agua sabor amargo y ciertas virtudes medicinales.

Tiquizque. m. *Bot. C. Rica.* Planta de la familia de las aráceas, con hojas grandes, triangulares y aflechadas, y rizoma comestible.

Tira. (De *tirar.*) f. Pedazo largo y angosto de tela, papel, cuero u otra cosa delgada. || **2.** Derecho que se pagaba en las escribanías por tomar el pleito que iba en apelación al tribunal superior y se regulaba por las hojas, a tanto por cada una. Usáb. m. en pl. || **3.** *Germ.* **Camino,** 1.ª acep. || **4.** *Germ.* **Trampa,** 6.ª acep. || **5.** *Mar.* Parte de un cabo que pasando por un motón se extiende horizontalmente de modo que se agarren de ella los marineros para halar. || **angosta.** *Germ.* Juego de bolos.

Tirabala. (De *tirar* y *bala.*) m. **Taco,** 7.ª acep.

Tirabeque. m. Guisante mollar. || **2.** *Ál., Logr.* y *Nav.* **Tirador,** 9.ª acep.

Tirabotas. (De *tirar* y *bota.*) m. Gancho de hierro que sirve para calzarse las botas.

Tirabraguero. (De *tirar* y *braguero.*) m. Correa tirante que mantiene siempre en su sitio la ligadura que los hernistas ponen a los que están quebrados.

Tirabrasas. m. *Ál.* y *Albac.* Barra de hierro para remover las brasas en los hornos.

Tirabuzón. (Del fr. *tire-bouchon.*) m. **Sacacorchos.** || **2.** fig. Rizo de cabello, largo y pendiente en espiral. || **Sacar algo con tirabuzón.** fr. fig. y fam. Sacarlo a la fuerza. Dícese especialmente de las palabras que se obliga a hablar a una persona callada.

Tiracantos. m. fam. **Echacantos.**

Tiracol. m. **Tiracuello.** || **2.** desus. Correa del escudo con la que se colgaba al cuello. || **3.** *Rioja.* **Baticola.**

Tiracuello. (De *tirar* y *cuello.*) m. **Tahalí,** 1.ª acep.

Tiracuero. m. despect. **Zapatero,** 3.ª acep.

Tirachinos. m. *Sev.* **Tirador,** 9.ª acep.

Tirada. f. Acción de tirar. || **2.** Distancia que hay de un lugar a otro, o de un tiempo a otro. || **3.** Serie de cosas que se dicen o escriben de un tirón. TIRADA *de versos.* || **4.** *Impr.* Acción y efecto de imprimir. || **5.** *Impr.* Número de ejemplares de que consta una edición. || **6.** *Impr.* Lo que se tira en un solo día de labor. || **aparte.** *Impr.* Impresión por separado que se hace de algún artículo o capítulo publicado en una revista u obra y que aprovechando los moldes de éstas, se edita en cierto número de ejemplares sueltos. || **De, o en, una tirada.** m. adv. fig. **De un tirón.**

Tiradera. (De *tirar.*) f. Flecha muy larga, de bejuco y con punta de asta de ciervo, usada por los indios de América, que la disparaban por medio de correas. || **2.** *Ar.* Clavo grande de hierro con una cadena para arrastrar maderos. || **3.** *Germ.* **Cadena,** 1.ª acep.

Tiradero. m. Lugar o paraje donde el cazador se pone para tirar.

Tiradillas. (d. de *tiradas,* estiradas.) f. pl. ant. **Calzoncillos.**

Tirado, da. p. p. de **Tirar.** || **2.** adj. Dícese de las cosas que se dan muy baratas o de aquellas que abundan mucho y se encuentran fácilmente. || **3.** V. **Letra tirada.** || **4.** *Mar.* Dícese del buque que tiene mucha eslora y poca altura de casco. || **5.** m. Acción de reducir a hilo los metales, singularmente el oro. || **6.** *Impr.* **Tirada,** 4.ª acep.

Tirador, ra. m. y f. Persona que tira. || **2.** Persona que tira con cierta destreza y habilidad. TIRADOR *de escopeta, de barra.* || **3.** Persona que estira. || **4.** m. Instrumento con que se estira. || **5.** Asidero del cual se tira para cerrar una puerta, o abrir un cajón, una gaveta, etc. || **6.** Cordón, cinta, cadenilla o alambre de que se tira para hacer sonar la campanilla o el timbre con que se llama a la puerta o en lo interior de las casas. || **7.** Regla de hierro que usan los picapedreros. || **8.** Pluma metálica que sirve de tiralíneas. || **9.** Horquilla con mango, a los extremos de la cual se sujetan dos gomas unidas por una badana, en la que se colocan piedrecillas o perdigones para dispararlos. || **10.** *Argent.* Cinturón ancho que usa el gaucho; va por lo general adornado con monedas de plata y provisto de bolsillos. || **11.** *Impr.* **Prensista.** || **de oro.** Artífice que lo reduce a hilo.

Tirafondo. (Del fr. *tire-fond.*) m. Tornillo grande con cabeza de forma especial, que sirve para sujetar el carril a las traviesas y para otros usos análogos. || **2.** *Cir.* Instrumento, especie de sacabala, que sirve para extraer del fondo de las heridas los cuerpos extraños, haciendo al efecto en ellos la presa necesaria.

Tirafuera. m. *Ál.* Manga provista de un palo largo, que se usa para pescar desde la orilla.

Tiragomas. m. *Sant.* y *Sor.* **Tirador,** 9.ª acep.

Tirajo. m. despect. de **Tira,** 1.ª acep.

Tiralíneas. (De *tirar* y *línea.*) m. Instrumento de metal, a modo de pinzas, cuya separación se gradúa con un tornillo, y sirve para trazar líneas de tinta más o menos gruesas, según dicha separación.

Tiramiento. m. Acción y efecto de tirar, 4.ª acep.

Tiramira. (De *tira* y *mirar.*) f. Cordillera larga y estrecha. || **2.** Fila o serie continuada de muchas cosas o personas. || **3. Tirada,** 2.ª acep.

Tiramollar. (De *tirar* y *amollar.*) intr. *Mar.* Tirar de un cabo que pasa por retorno, para aflojar lo que asegura o sujeta.

Tirana. (De las palabras *¡Ay tirana, tirana!,* con que empieza esta canción.) f. Canción popular española, ya en desuso, de aire lento y ritmo sincopado en compás ternario. || **2.** *Áv., Sal.* y *Zam.* Franja de paño picado con que se adorna la parte inferior del refajo o manteo. || **3.** *Sal.* y *Zam.* Vid de más de tres yemas.

Tiranamente. adv. m. **Tiránicamente.**

Tiranía. (Del gr. τυραννία.) f. Gobierno ejercido por un tirano. || **2.** fig. Abuso o imposición en grado extraordinario de cualquier poder, fuerza o superioridad. || **3.** fig. Dominio excesivo que un afecto o pasión ejerce sobre la voluntad.

Tiránicamente. adv. m. De manera tiránica.

Tiranicida. (Del lat. *tyrannicīda; de tyrannus*, tirano, y *caedĕre*, matar.) adj. Que da muerte a un tirano. Ú. m. c. s.

Tiranicidio. (Del lat. *tyrannicidĭum.*) m. Muerte dada a un tirano.

Tiránico, ca. (Del lat. *tyrannĭcus*, y éste del gr. τυραννικός.) adj. Perteneciente o relativo a la tiranía. || **2. Tirano.**

Tiranización. f. Acción y efecto de tiranizar.

Tiranizadamente. adv. m. **Tiránicamente.**

Tiranizar. (Del lat. *tyrannizāre.*) tr. Gobernar un tirano algún Estado. || **2.** fig. Dominar tiránicamente.

Tirano, na. (Del lat. *tyrannus*, y éste del gr. τύραννος.) adj. Aplícase a quien obtiene contra derecho el gobierno de un Estado, y principalmente al que lo rige sin justicia y a medida de su voluntad. Ú. t. c. s. || **2.** fig. Dícese del que abusa de su poder, superioridad o fuerza en cualquier concepto o materia, y también simplemente del que impone ese poder y superioridad en grado extraordinario. Ú. t. c. s. || **3.** fig. Dícese de la pasión o afecto que domina el ánimo o arrastra el entendimiento.

Tirante. p. a. de **Tirar.** Que tira. **2.** adj. **Tenso.** || **3.** fig. Dícese de las relaciones de amistad próximas a romperse. || **4.** m. Madero de sierra, del marco de Cuenca, de siete dedos de tabla por cinco de canto y de longitud varia. || **5.** Cuerda o correa que, asida a las guarniciones de las caballerías, sirve para tirar de un carruaje o de un artefacto. || **6.** Cada una de las dos tiras de piel o tela, comúnmente con elásticos, que sirven para suspender de los hombros el pantalón. || **7.** *Arq.* Pieza de madera o barra de hierro colocada horizontalmente en una armadura de tejado para impedir la separación de los pares, o entre dos muros para evitar un desplome. || **8.** *Mec.* Pieza generalmente de hierro, o acero, destinada a soportar un esfuerzo de tensión, como la barra que traba los lados opuestos de una caldera de vapor, a fin de aumentar su resistencia. || **9.** f. *Germ.* **Calza,** 2.° art., 1.ª acep. Ú. m. en pl. || **A tirantes largos.** m. adv. Tirando del carruaje cuatro caballerías, guiadas por dos cocheros.

Tirantez. f. Calidad de tirante. || **2.** Distancia en línea recta entre los extremos de una cosa. || **3.** *Arq.* Dirección de los planos de hilada de un arco o bóveda.

Tiranuelo, la. adj. d. de **Tirano.** Ú. t. c. s.

Tirapié. (De *tirar* y *pie.*) m. Correa unida por sus extremos que los zapateros pasan por el pie y la rodilla para tener sujeto el zapato con su horma al coserlo.

Tirar. (En port. y en cat. *tirar;* en fr. *tirer;* en ital. y en b. lat. *tirare.*) tr. Despedir de la mano una cosa. TIRAR *el libro, el pañuelo.* || **2.** Arrojar, lanzar en dirección determinada. *Juan* TIRABA *piedras a Diego.* || **3. Derribar,** 1.ª, 2.ª y 3.ª aceps. *Tirar una casa, un árbol.* || **4.** Disparar la carga de un arma de fuego, o un artificio de pólvora. TIRAR *un cañonazo, un cohete.* Ú. t. c. intr. TIRAR *al alto, al blanco, a un venado.* || **5.** Estirar o extender. || **6.** Reducir a hilo un metal. || **7.** Tratándose de líneas o rayas, hacerlas. || **8.** Con voces expresivas de daño corporal, ejecutar la acción significada por estas voces. TIRAR *un pellizco, un mordisco, una coz,* etc. || **9.** Devengar, adquirir o ganar. TIRAR *sueldo, salario.* || **10.** ant. Quitar, despojar. || **11.** ant. Sacar, hacer salir a uno de algún sitio; apartarlo, desviarlo. Usáb. t. c. r. || **12.** fig. Malgastar el caudal o malvender la hacienda. HA TIRADO *su patrimonio.* || **13.** *Impr.* **Imprimir,** 1.ª acep. TIRAR *un pliego, un grabado.* || **14.** intr. Atraer por virtud natural. *El imán* TIRA *del hierro.* || **15.** Hacer fuerza para traer hacia sí o para llevar tras sí. Dícese de personas, caballerías, tractores, etc. || **16.** Tratándose de ciertas armas, manejarlas o esgrimirlas según arte. TIRA *bien a la espada, pero mal a la pistola.* || **17.** Seguido de la preposición *de* y un nombre de arma o instrumento, sacarlo o tomarlo en la mano para emplearlo. TIRÓ *de navaja y se puso a cortar pan.* || **18.** Producir el tiro o corriente de aire de un hogar, o de otra cosa que arde. *La chimenea* TIRA *mucho. Este cigarro no* TIRA. || **19.** fig. Atraer una persona o cosa la voluntad y el afecto de otra persona. *La patria* TIRA *siempre. A Juan le* TIRA *la milicia.* || **20.** fig. Torcer, dirigirse a uno u otro lado. *En llegando allí,* TIRE *usted a la derecha.* || **21.** fig. Durar o mantenerse trabajosamente una persona o cosa. *El enfermo va* TIRANDO; *la capa* TIRARÁ *este invierno.* || **22.** fig. Tender, propender, inclinarse. || **23.** fig. Imitar, asemejarse o parecerse una cosa a otra. Dícese especialmente de los colores. || **24.** fig. Poner los medios, disimuladamente por lo común, para lograr algo. *Ése* TIRA *a ser ministro.* || **25.** r. Abalanzarse, 4.ª acep. de **Abalanzar.** || **26.** Arrojarse, 5.ª acep. de **Arrojar,** 1.er art. || **27.** Echarse, tenderse en el suelo o encima de algo. TIRARSE *al suelo, en la cama.* || **A tira más tira.** loc. adv. fam. **Tirando a porfía entre muchos.** || **A todo tirar.** m. adv. fig. A lo más, a lo sumo. *El enfermo vivirá,* A TODO TIRAR, *un mes.* || **Tirar de,** o **por, largo.** fr. fam. Gastar sin tasa. || **2.** fam. Calcular el valor, importancia o resultado de una cosa, procurando pecar más bien por exceso que por defecto. || **Tirarla de.** loc. fam. **Echarla de.** TIRARLA DE *guapo,* DE *rico.* || **Tira y afloja.** loc. fig. y fam. que se emplea cuando en los negocios se procede con un ten con ten, o en el mando se alterna el rigor con la suavidad. || **2. Juego de tira y afloja.**

Tiratacos. m. **Taco,** 7.ª acep.

Tiratiros. m. *Ál.* y *Nav.* **Colleja.**

Tiratrillo. m. *Ar.* y *Sor.* Balancín de madera con un anillo en el centro para enganchar el trillo, y otros dos en los extremos para los tirantes del ganado que lo arrastra.

Tirela. (De *tira,* 1.ª acep.) f. Tela listada.

Tireta. (d. de *tira,* 1.ª acep.) f. *Ar.* **Agujeta,** 1.ª acep.

Tiricia. f. vulg. **Ictericia.**

Tirilla. f. d. de **Tira.** || **2.** Lista o tira de lienzo, labrada o pespuntada, que se pone por cuello o cabezón en las camisas, y modernamente suele servir para fijar en ella el cuello postizo.

Tirintio, tia. (Del lat. *tirynthius.*) adj. Natural de Tirinto. Ú. t. c. s. || **2.** Perteneciente a esta ciudad del Peloponeso.

Tirio, ria. (Del lat. *tyrĭus.*) adj. Natural de Tiro. Ú. t. c. s. || **2.** Perteneciente a esta ciudad de Fenicia. || **3.** V. **Letra tiria.** || **Tirios y troyanos.** loc. fig. Partidarios de opiniones o intereses opuestos.

Tiritaña. (Del fr. *tiretaine,* y ésta de *tire,* tela de *Tiro.*) f. Tela endeble de seda. || **2.** fig. y fam. Cosa de poca substancia o entidad.

Tiritaño. m. *Sal.* Garlito formado por una esterilla atada a cuatro estacas para pescar en las presas de los molinos.

Tiritar. (Voz onomatopéyica.) intr. Temblar o estremecerse de frío. || **Tiritando.** Con los verbos *estar, quedar, dejar* u otro semejante. fr. fig. **Temblando.**

Tiritera. f. Temblor producido por el frío del ambiente o al iniciarse la fiebre.

Tiritón. m. Cada uno de los estremecimientos que siente el que tirita. || **Dar uno tiritones.** fr. **Tiritar.**

Tiritona. (De *tiritón.*) f. fam. **Tiritera.** || **Hacer** uno **la tiritona.** fr. fam. Fingir temblor.

Tiro. (Del lat. *tirus,* un pez.) m. *And.* **Salamandra,** 1.ª acep.

Tiro. (De *tirar.*) m. Acción y efecto de tirar. || **2.** Señal o impresión que hace lo que se tira. || **3.** Pieza o cañón de artillería || **4.** Disparo de un arma de fuego. || **5.** Estampido que éste produce. || **6.** Cantidad de munición proporcionada para cargar una vez el arma de fuego. || **7.** Alcance de cualquier arma arrojadiza. || **8.** Lugar donde se tira al blanco. TIRO *de pistola, de gallo.* || **9.** Conjunto de caballerías que tiran de un carruaje. || **10. Tirante,** 5.ª acep. || **11.** Cuerda puesta en garrucha o máquina, para subir una cosa. || **12.** Corriente de aire que produce el fuego de un hogar, y que una vez calentada arrastra al exterior los gases y humos de la combustión. También, por ext., significa la corriente de aire producida en una casa entre sus puertas y ventanas. || **13.** Longitud de una pieza de cualquier tejido; como paño, estera, etc. || **14.** Anchura del vestido, de hombro a hombro, por la parte del pecho. || **15.** Holgura entre las perneras del calzón o pantalón. || **16.** Tramo de escalera. || **17.** fig. Seguido de la preposición *de* y el nombre del arma disparada, o del objeto arrojado, úsase como medida de distancia. *A un* TIRO *de bala; dista un* TIRO *de piedra.* || **18.** fig. Daño grave, físico o moral. || **19.** fig. Chasco o burla con que se engaña a uno. || **20.** fig. **Hurto,** 1.ª acep. *A Antonio le hicieron un* TIRO *de mil pesetas.* || **21.** fig. Indirecta o alusión desfavorable contra una persona, ataque. || **22.** *Sant.* En el juego de bolos, sitio marcado para tirar a los bolos. || **23.** *Art.* Dirección que se da al disparo de las armas de fuego. TIRO *oblicuo.* || **24.** *Min.* Pozo abierto en el suelo de una galería. || **25.** *Min.* Profundidad de un pozo. || **26.** *Veter.* Vicio de algunos caballos de apoyar los dientes en el pesebre, en el ronzal o en otros puntos, con contracción manifiesta de los músculos del cuello, y acompañado de un ruido particular. || **27.** *Zool. And.* **Gallipato.** || **28.** pl. Correas pendientes de que cuelga la espada. || **Tiro de gracia.** El que se da para rematar al que está gravemente herido, con el mismo fin que el **golpe de gracia.** || **directo.** *Art.* Lanzamiento de un proyectil contra un blanco visible para el tirador. || **entero.** El que consta de seis o más caballerías. || **indirecto.** *Art.* El efectuado contra un blanco oculto a la vista del que dispara, quien apunta por referencia a algún objeto visible o a datos de situación topográfica. || **par.** El que consta de cuatro caballerías. || **rasante.** *Art.* Aquel cuya trayectoria se aproxima cuanto es posible a la línea horizontal. || **Al tiro.** *Colomb. C. Rica* y *Chile.* En el acto, inmediatamente. || **A tiro.** m. adv. Al alcance de un arma arrojadiza o de fuego. || **2.** fig. Dícese de lo que se halla al alcance de los deseos o intentos de uno. || **A tiro de ballesta.** m. adv. fig. y fam. A bastante distancia, desde lejos. Dícese especialmente con aplicación a cosas que por su importancia o bulto pueden ser bien conocidas o apreciadas sin tocarlas de cerca o sin examinarlas o considerarlas detenidamente. || **A tiro hecho.** m. adv. Apuntando con grandes probabilidades de no errar el **tiro.** || **2.** fig. Determinadamente, con propósito deliberado. || **A tiros largos.** m. adv. **A tirantes largos.** || **Dar a uno cuatro tiros.** fr. **Pegarle cuatro tiros.** || **De tiros largos.** m. adv. **A tiros lar-**

gos. ‖ **2.** fig. y fam. Con vestido de gala. ‖ **3.** fig. y fam. Con lujo y esmero. ‖ **Errar** uno **el tiro.** fr. fig. Engañarse en el dictamen o fracasar en el intento. ‖ **Hacer tiro.** fr. Lanzar el jugador la barra de modo que caiga en el suelo de punta y sin dar vuelta. ‖ **2.** fig. Perjudicar, incomodar, hacer mal tercio a uno en algún negocio o solicitud. ‖ **Ni a tiros.** loc. adv. fig. y fam. Ni aun con la mayor violencia, de ningún modo, en absoluto. ‖ **Pegar** a uno **cuatro tiros.** fr. **Pasarle por las armas.** ‖ **Salir el tiro por la culata.** fr. fig. y fam. Dar una cosa resultado contrario del que se pretendía o deseaba.

Tirocinio. (Del lat. *tirocinium.*) m. Aprendizaje, noviciado.

Tiroideo, a. adj. *Zool.* Relativo o perteneciente al tiroides.

Tiroides. (Del gr. θυροειδής, semejante a una puerta.) m. *Zool.* Glándula endocrina de los animales vertebrados, situada por debajo y a los lados de la tráquea y de la parte posterior de la laringe; en el hombre está delante y a los lados de la tráquea y de la parte inferior de la laringe.

Tirolés, sa. adj. Natural del Tirol. Ú. t. c. s. ‖ **2.** Perteneciente a este país de Europa. ‖ **3.** m. Dialecto hablado en el Tirol. ‖ **4.** Mercader de juguetes y quincalla.

Tirón. (Del lat. *tiro, -ōnis.*) m. Aprendiz, novicio.

Tirón. m. Acción y efecto de tirar con violencia, de golpe. ‖ **2. Estirón.** ‖ **Al tirón.** m. adv. Cobrando anticipados los intereses de un préstamo. ‖ **De un tirón.** m. adv. De una vez, de un golpe. ‖ **Ni a dos,** o **tres, tirones.** loc. adv. fig. y fam. con que se indica la dificultad de ejecutar o conseguir una cosa.

Tirona. (De *tirar.*) f. Red parecida a la llamada tela, aunque con malla más grande, que se usa en el Mediterráneo para pesca sedentaria, dejándola calada algún tiempo en el fondo.

Tiroriro. (Voz onomatopéyica.) m. fam. Sonido de los instrumentos músicos de boca. ‖ **2.** pl. fam. Estos mismos instrumentos.

Tirotear. (frec. de *tirar.*) tr. Repetir los tiros de fusil de una parte a otra. Dícese comúnmente de las partidas de avanzada o de un corto número de soldados o gente. Ú. m. c. rec. ‖ **2.** rec. fig. Andar en dimes y diretes.

Tiroteo. m. Acción y efecto de tirotear o tirotearse.

Tirreno, na. (Del lat. *tyrrhēnus.*) adj. Aplícase al mar comprendido entre Italia, Sicilia, Córcega y Cerdeña. ‖ **2. Etrusco.** Apl. a pers., ú. t. c. s.

Tirria. f. fam. Manía o tema contra uno, oponiéndose a él en cuanto dice o hace. ‖ **2.** Odio, mala voluntad, ojeriza.

Tirso. (Del lat. *thyrsus*, y éste del gr. θύρσος.) m. Vara enramada, cubierta de hojas de hiedra y parra, que suele llevar como cetro la figura de Baco, y que usaban los gentiles en las fiestas dedicadas a este dios. ‖ **2.** ant. Tallo o cogollo. ‖ **3.** *Bot.* Panoja de forma aovada; como la de la vid y la lila.

¡Tirte! (Síncopa de *tirate*, quítate.) interj. ant. Apártate, retírate. ‖ **Tirte afuera,** o **allá.** expr. ant. **Quita allá.**

Tirulato, ta. adj. fam. Alelado, pasmado, embobado.

Tirulo. m. Rollo de hoja de tabaco, o porción de picadura de hebra, que forma el alma o tripa del cigarro puro, después de envuelta en el capillo.

Tisana. (Del lat. *ptisăna*, y éste del gr. πτισάνη, de πτίσσω, machacar, mondar cebada o grano.) f. Bebida medicinal que resulta del cocimiento ligero de una o varias hierbas y otros ingredientes en agua.

Tisanuro. (Del gr. θυσάνουρος; de θύσανος, franja, y οὐρά, cola.) adj. *Zool.* Dícese de insectos de pequeño tamaño, que carecen de alas y se desarrollan sin metamorfosis, con antenas largas, órganos bucales rudimentarios y abdomen provisto de apéndices que les sirven para saltar, o bien terminado en una pinza quitinosa o en dos o tres filamentos largos y delgados; como la lepisma. Ú. t. c. s. ‖ **2.** m. pl. *Zool.* Orden de estos animales.

Tisera. (Del lat. [*ferramenta*] *tonsoria.*) f. ant. **Tijera.** Ú. en *Amér. And.* y *Sant.* Ú. m. en pl.

Tísica. (De *tísico.*) f. ant. **Tisis.**

Tísico, ca. (Del lat. *phthisicus*) y éste del gr. φθισικός.) adj. *Med.* Que padece de tisis. Ú. t. c. s. ‖ **2.** *Med.* Perteneciente a la tisis.

Tisis. (Del lat. *phthisis*, y éste del gr. φθίσις, de φθίω, consumir.) f. *Med.* Enfermedad en que hay consunción gradual y lenta, fiebre héctica y ulceración en algún órgano. ‖ **2.** *Med.* Tuberculosis pulmonar.

Tiste. (Del mejic. *textli*, cosa molida.) m. *Amér. Central.* Bebida refrescante que se prepara con harina de maíz tostado, cacao, achiote y azúcar.

Tisú. (Del fr. *tissu*, de *tisser*, y éste del lat. *texĕre*, tejer.) m. Tela de seda entretejida con hilos de oro o plata que pasan desde la haz al envés.

Tisuria. (Del gr. φθίσις, consunción, y οὖρον, orina.) f. *Med.* Debilidad causada por la excesiva secreción de orina.

Tita. f. d. fam. de **Tía,** 1.ª acep. Ú. m. en Andalucía.

Titán. (Del lat. *Titan*, y éste del gr. Τιτάν.) m. *Mit.* Gigante de los que fingió la antigüedad que habían querido asaltar el cielo. ‖ **2.** fig. Sujeto de excepcional poder, que descuella en algún aspecto. ‖ **3.** fig. Grúa gigantesca para mover pesos grandes.

Titánico, ca. adj. Perteneciente o relativo a los titanes. ‖ **2.** fig. Desmesurado, excesivo, como de titanes. *Orgullo* TITÁNICO; *empresa* TITÁNICA; *fuerzas* TITÁNICAS.

Titanio. (Del gr. τίτανος, tierra blanca.) m. Metal pulverulento de color gris, casi tan pesado como el hierro y fácil de combinar con el nitrógeno. Arde con centelleo y produce un ácido sólido con aspecto de tierra blanca.

Titanio, nia. (Del lat. *titanĭus.*) adj. **Titánico,** 1.ª acep.

Titar. intr. *Sal.* Graznar el pavo para llamar a la manada.

Títere. (En port. *titere.*) m. Figurilla de pasta u otra materia, vestida y adornada, que se mueve con alguna cuerda o artificio. ‖ **2.** fig. y fam. Sujeto de figura ridícula o pequeña, aniñado o muy presumido. ‖ **3.** fig. y fam. Sujeto informal, necio y casquivano. ‖ **4.** fig. Idea fija que preocupa mucho. ‖ **5.** pl. fam. Diversión pública de volatines, sombras chinescas u otras cosas de igual clase. ‖ **Echar** uno **los títeres a rodar.** fr. fig. y fam. Romper abiertamente con una o más personas. ‖ **Hacer títere** a uno alguna cosa. fr. fig. y fam. Cautivarle el ánimo, atrayéndole y moviéndole agradablemente. ‖ **No dejar,** o **no quedar, títere con cabeza,** o **con cara.** fr. fig. y fam. con que se pondera el destrozo o desbarajuste total de una cosa.

Titerero, ra. (De *títere.*) m. y f. **Titiritero, ra.**

Titeretada. f. fam. Acción propia de un títere, 3.ª acep.

Titerista. (De *títere.*) com. **Titiritero.**

Tití. (Del aimará *titi*, gato pequeño.) m. *Zool.* Mamífero cuadrumano, tipo de la familia de los hapálidos, de 15 a 30 centímetros de largo, de color ceniciento, cara blanca y pelada, con una mancha negruzca sobre la nariz y la boca, y mechones blancos alrededor de las orejas, rayas obscuras transversas en el lomo y de forma de anillos en la cola. Habita en la América Meridional, es tímido y fácil de domesticar, y se alimenta de pajarillos y de insectos.

Titiaro. adj. V. **Cambur titiaro.**

Titilación. (Del lat. *titillatĭo, -ōnis.*) f. Acción y efecto de titilar.

Titilador, ra. adj. Que titila.

Titilante. p. a. de **Titilar.** Que titila.

Titilar. (Del lat. *titillāre.*) intr. Agitarse con ligero temblor alguna parte del organismo animal. ‖ **2.** Centellear con ligero temblor un cuerpo luminoso.

Titileo. m. Acción y efecto de titilar, 2.ª acep.

Titímalo. (Del lat. *tithymălus*, y éste de gr. τιθύμαλος.) m. **Lechetrezna.**

Titirimundi. m. **Mundonuevo.**

Titiritaina. (Voz onomatopéyica.) f. fam. Ruido confuso de flautas u otros instrumentos. ‖ **2.** Por ext., cualquier bulla alegre o festiva sin orden.

Titiritar. (De *tiritar.*) intr. Temblar de frío o de miedo.

Titiritero, ra. m. y f. Persona que trae o gobierna los títeres. ‖ **2. Volatinero, ra.**

Tito. m. **Almorta.** ‖ **2.** Sillico, perico. ‖ **3.** *Sal.*, *Vallad.* y *Zam.* Hueso o pepita de la fruta. ‖ **4.** *Burg.* y *Guad.* **Yero.** ‖ **5.** *Ar.* **Guisante.** ‖ **6.** *Murc.* Pollo de la gallina.

Tito. m. d. fam. de **Tío,** 1.ª acep. Ú. m. en Andalucía.

Títolo. m. ant. **Título.**

Titubante. (Del lat. *titubans, -antis.*) p. a. de **Titubar.** Que tituba.

Titubar. (Del lat. *titubāre.*) intr. **Titubear.**

Titubeante. p. a. de **Titubear.** Que titubea.

Titubear. (De *titubar.*) intr. Oscilar, perdiendo la estabilidad y firmeza. ‖ **2.** Tropezar o vacilar en la elección o pronunciación de las palabras. ‖ **3.** fig. Sentir perplejidad en algún punto o materia; no determinar o resolver en ella; vacilar con inconstancia entre sus extremos.

Titubeo. m. Acción y efecto de titubear.

Titulado, da. p. p. de **Titular.** ‖ **2.** m. y f. Persona que posee un título académico. ‖ **3.** m. **Título,** 10.ª acep.

Titular. adj. Que tiene algún título, por el cual se denomina. ‖ **2.** Que da su propio nombre por título a otra cosa. ‖ **3.** Dícese del que ejerce oficio o profesión con cometido especial y propio, a distinción del que ejerce análogas funciones sin tal título. *Juez, médico* TITULAR. Ú. t. c. s. ‖ **4.** *Impr.* V. **Letra titular.** Ú. t. c. s.

Titular. (Del lat. *titulāre.*) tr. Poner título, nombre o inscripción a una cosa. ‖ **2.** intr. Obtener una persona título nobiliario.

Titulillo. (d. de *título.*) m. *Impr.* Renglón que se pone en la parte superior de la página impresa, para indicar la materia de que se trata. ‖ **Andar** uno **en titulillos.** fr. fig. y fam. Reparar en cosas de poca importancia, en materia de cortesía u otras semejantes.

Titulizado, da. adj. ant. Distinguido o dotado con algún título.

Título. (Del lat. *titŭlus.*) m. Palabra o frase con que se enuncia o da a conocer el asunto o materia de una obra científica o literaria, de cualquier papel manuscrito o impreso, o de cada una de las partes o divisiones de un escrito. ‖ **2.** Letrero o inscripción con que se indica o da a conocer el contenido, objeto o destino de otras cosas. ‖ **3.** Renombre o distintivo con que se conoce a una persona por sus cualidades o sus acciones. ‖ **4.** Causa, razón, motivo o pretexto. ‖ **5.** Origen o fundamento jurídico de un derecho u obligación. ‖ **6.** Demostración auténtica del mismo. Se dice por lo común del documento en que consta el derecho a una hacienda o un predio. || **7.** Demostración auténtica del derecho con que se posee una hacienda o bienes. || **8.** Testimonio o instrumento dado para ejercer un empleo, dignidad o profesión. || **9.** Dignidad nobiliaria, como la de conde, marqués o duque, de que el soberano o el Papa hace merced a alguno, con la denominación de un lugar, de un apellido, o suceso memorable u otra cosa así. || **10.** Persona condecorada con esta dignidad nobiliaria. || **11.** Cada una de las partes principales en que suelen dividirse las leyes, reglamentos, etc., o subdividirse los libros de que constan. || **12.** Cierto documento que representa deuda pública o valor comercial. || **13.** V. **Obispo de título.** || **al portador.** El que no es nominativo, sino pagadero a quien lo lleva o exhibe. || **colorado.** *For.* El que tiene apariencia de justicia o de buena fe, pero no es suficiente para transferir por sí solo la propiedad, sin el auxilio de la posesión o de la prescripción, y el que con fraude y dolo se atribuye a un acto o convenio. || **2.** En derecho canónico, el que tiene apariencias de válido, pero adolece de un vicio oculto que lo hace nulo. || **del reino. Título,** 9.ª y 10.ª aceps. || **lucrativo.** *For.* El que proviene de un acto de liberalidad, como la donación o el legado, sin conmutación recíproca. || **oneroso.** *For.* El que supone recíprocas prestaciones entre los que adquieren y transmiten. || **Justo título.** *For.* El que legalmente basta para la adquisición del derecho transmitido. || **A título.** m. adv. Con pretexto, motivo o causa.

Titundia. f. *Cuba.* Baile popular antiguo, hoy desusado.

Tiufado. m. Jefe de un cuerpo de mil hombres, en el ejército visigodo.

Tiuque. m. *Argent.* y *Chile.* Ave de rapiña, de pico grande y plumaje obscuro.

Tiza. (Del mejic. *tizatl.*) f. Arcilla terrosa blanca que se usa para escribir en los encerados y, pulverizada, para limpiar metales. || **2.** Asta de ciervo calcinada. || **3.** Compuesto de yeso y greda que se usa en el juego de billar para untar la suela de los tacos a fin de que no resbalen al dar en las bolas.

Tizana. (De *tizo.*) f. *Guadal.* Zaragalla, cisco.

Tizna. f. Materia tiznada y preparada para tiznar.

Tiznado, da. p. p. de **Tiznar.** || **2.** adj. *Amér. Central* y *Argent.* Borracho, ebrio.

Tiznadura. f. Acción y efecto de tiznar o tiznarse.

Tiznajo (De *tizne.*) m. fam. **Tiznón.**

Tiznar. (Del lat. **titionāre*, de *titio, -ōnis.*) tr. Manchar con tizne, hollín u otra materia semejante. Ú. t. c. r. || **2.** Por ext., manchar a manera de tizne con substancia de cualquier otro color. Ú. t. c. r. || **3.** fig. Deslustrar, obscurecer o manchar la fama u opinión.

Tizne. (De *tiznar.*) amb. Ú. m. c. m. Humo que se pega a las sartenes, peroles y otras vasijas que han estado a la lumbre. || **2.** m. **Tizón,** 1.ª acep.

Tiznera. (De *tiznar.*) f. *Sor.* y *Burg.* Piedra del hogar adosada a la pared y sobre la cual se apoyan los leños.

Tiznero, ra. adj. Que tizna.

Tiznón. (De *tizne.*) m. Mancha que se echa o pone en una cosa, con tizne u otra materia semejante.

Tizo. (der. regres. de *tizón.*) m. Pedazo de leña mal carbonizado que despide humo al arder.

Tizón. (Del lat. *titio, -ōnis.*) m. Palo a medio quemar. || **2.** fig. Mancha, borrón o deshonra en la fama o estimación. || **3.** *Arq.* Parte de un sillar o ladrillo, que entra en la fábrica. || **4.** *Bot.* Hongo de pequeño tamaño que vive parásito en el trigo y otros cereales, cuyo micelio invade preferentemente los ovarios de estas plantas y forma esporangios en los que se producen millones de esporas de color negruzco. || **Apagóse el tizón, y pareció quien lo encendió.** ref. con que se denota que cuando los que estaban enemistados se hacen amigos, se descubre al autor de la discordia. || **A tizón.** m. adv. *Arq.* Dícese del modo de construir cuando la dimensión más larga del ladrillo o piedra va colocada perpendicularmente al paramento.

Tizona. (Por alusión a la célebre espada del Cid.) f. fig. y fam. **Espada,** 1.ª acep.

Tizonada. f. **Tizonazo.**

Tizonazo. m. Golpe dado con un tizón. || **2.** fig. y fam. Castigo del fuego en la otra vida. Ú. m. en pl.

Tizoncillo. m. d. de **Tizón.** || **2.** Tizón, 2.ª acep.

Tizonear. intr. Componer los tizones, atizar la lumbre.

Tizonera. (De *tizón.*) f. Carbonera que se hace con los tizos para acabar de carbonizarlos. || **2.** *Sal.* Velada que se celebra las noches de invierno en la cocina al amor de los tizones.

Tlaco. m. *Amér.* desus. Octava parte del real columnario.

Tlacuache. m. *Méj.* **Zarigüeya.**

Tlascalteca. adj. Natural de Tlascala. Ú. t. c. s. || **2.** Perteneciente a esta ciudad de Méjico.

Tlazol. m. *Méj.* Punta de la caña de maíz o de azúcar que sirve de forraje.

¡To! interj. p. us. con que se llama al perro, y es como síncopa de la palabra **toma.** Ú. m. repetida. || **2.** interj. con que se denota haber venido en conocimiento de alguna cosa. || **3.** *Áv., Sal.* y *Zam.* interj. que indica extrañeza.

Toa. (De *toar.*) f. ant. Maroma o sirga. Ú. en *Amér.*

Toalla. (Del germ. *thwahlja.*) f. Lienzo para limpiarse y secarse las manos y la cara. || **2.** Cubierta o telliza que se tiende en las camas sobre las almohadas, para mayor decencia.

Toallero. m. Mueble para colgar toallas.

Toalleta. f. d. de **Toalla.** || **2.** Servilleta.

Toar. (Del ingl. *tow*, cuerda.) tr. *Mar.* **Atoar,** 1.ª acep.

Toba. (Del lat. *tofus.*) f. Piedra caliza, muy porosa y ligera, formada por la cal que llevan en disolución las aguas de ciertos manantiales y que van depositándola en el suelo o sobre las plantas u otras cosas que hallan a su paso. || **2.** Sarro, 2.ª acep. || **3. Cardo borriquero.** || **4.** fig. Capa o corteza que por distintas causas se cría en algunas cosas.

Toba. f. *Germ.* Metátesis de **Bota,** 4.ª y 5.ª aceps.

Tobaja. (Del germ. *thwahlja.*) f. ant. **Toalla.** Ú. en *And.*

Toballa. (Del germ. *thwahlja.*) f. **Toalla.**

Toballeta. (d. de *toballa.*) f. **Toalleta.**

Tobar. m. Cantera de toba, 1.er art., 1.ª acep.

Tobelleta. f. **Toballeta.**

Tobera. (Del lat. *tŭbus*, tubo.) f. Abertura tubular por donde entra el aire que se introduce en un horno o en una forja.

Tobiano, na. adj. *Argent.* Dícese del caballo o yegua de cierta casta que tiene la capa de dos colores a grandes manchas.

Tobías. n. p. V. **Libro de Tobías.**

Tobillera. adj. fam. Se aplicaba a la jovencita que dejaba de vestir de niña, pero que todavía no se había puesto de largo.

Tobillo. (Del lat. *tubellum*, d. de *tuber*, protuberancia.) m. Protuberancia de cada uno de los dos huesos de la pierna llamados tibia y peroné; la del primero sobresale en el lado interno y la del segundo en el lado externo de la garganta del pie. || **Más vale hasta el tobillo que hasta el colodrillo.** ref. con que se indica que de los males son preferibles los menores.

Toboba. f. *C. Rica.* Especie de víbora.

Toboseño, ña. adj. Natural del Toboso. Ú. t. c. s. || **2.** Perteneciente a este pueblo de la Mancha.

Tobosesco, ca. adj. desus. **Toboseño.**

Tobosino, na. adj. desus. **Toboseño.**

Toboso, sa. adj. Formado de piedra toba.

Toca. (Del cimbro *toc*, gorra.) f. Prenda de tela, generalmente delgada, de diferentes hechuras, según los tiempos y países, con que se cubría la cabeza por abrigo, comodidad o adorno. || **2.** Prenda de lienzo blanco que ceñida al rostro usan las monjas para cubrir la cabeza, y la llevaban antes las viudas y algunas veces las mujeres casadas. || **3.** Tela delgada y rala, de lino o seda, especie de beatilla, de que ordinariamente se hacen las **tocas.** || **4.** Sombrero con ala pequeña, o casquete, que usan las señoras. || **5.** V. **Paloma, tormento de toca.** || **6.** pl. Importe de una o varias mensualidades del sueldo de un empleado, que a su fallecimiento se conceden en ciertos casos a la viuda o a las hijas. || **Dos tocas en un hogar, mal se pueden concertar.** ref. con que se explica la dificultad de convenirse o vivir en paz dos que quieren mandar, especialmente dos mujeres, en una casa. || **Tocas de beata y uñas de gata.** fr. con que se moteja a la mujer hipócrita.

Tocable. adj. Que se puede tocar.

Tocado, da. p. p. de **Tocar,** 2.° art. || **2.** m. Prenda con que se cubre la cabeza. || **3.** Peinado y adorno de la cabeza, en las mujeres. || **4.** Juego de cintas de color, encajes y otros adornos, para tocarse una mujer. || **Gran tocado, y chico recado.** ref. que reprende a los que, con las apariencias y ornato exterior que ostentan, quieren disimular su poco valimiento y poder.

Tocado, da. p. p. de **Tocar,** 1.er art. || **2.** adj. V. **Pieza tocada.** || **3.** fig. Medio loco, algo perturbado.

Tocador. (De *tocar*, 2.° art.) m. Paño que servía para cubrirse y adornarse la cabeza. || **2.** Mueble, por lo común en forma de mesa, con espejo u otros utensilios, para el peinado y aseo de una persona. || **3.** Aposento destinado a este fin. || **4. Neceser.**

Tocador, ra. adj. Que toca, 1.er art. Ú. t. c. s., especialmente aplicado al que tañe un instrumento músico. || **2.** m. *And.* **Templador,** 2.ª acep.

Tocadura. f. **Tocado,** 1.er art., 2.ª acep.

Tocadura. (De *tocar*, herir.) f. *Ar.* **Matadura.**

Tocamiento. m. Acción y efecto de tocar, 1.er art. || **2.** fig. Llamamiento o inspiración.

Tocante. p. a. de **Tocar,** 1.er art. Que toca. || **Tocante a.** loc. adv. En orden a, referente a.

Tocar. (Como el ital. *toccare* y el fr. *toucher* [ant. *toquer*], tal vez de la raíz onomatopéyica *toc.*) tr. Ejercitar el sentido del tacto, percibiendo la aspereza o suavidad, dureza, blandura, etc., de los objetos sensibles. || **2.** Llegar a una cosa con la mano, sin asirla. || **3.** Hacer sonar según arte cualquier instrumento. || **4.** Avisar haciendo seña o llamada, con campana u otro instrumento. TOCAR *a muerto;* TOCAR *llamada.* || **5.** Tropezar ligeramente una cosa con otra. || **6.** Herir una cosa, para reconocer su calidad por el sonido. || **7.** Acercar una cosa a otra de modo que no quede entre ellas distancia alguna, para que le comunique cierta virtud; como un hierro al imán, una medalla a una reliquia. || **8.** Ensayar una pieza de oro o plata en la piedra de toque, para conocer la proporción de metal fino que contiene. || **9.** fig. Saber o conocer una cosa por experiencia. TOCÓ *los resultados de su imprevisión.* || **10.** fig. Estimular, persuadir, inspirar. *Le* TOCÓ *Dios en el corazón;* TOCADA *el alma de un alto pensamiento.* || **11.** fig. Tratar o hablar leve o superficialmente de una materia sin hacer asunto principal de ella. || **12.** fig. Haber llegado el momento oportuno de ejecutar algo. TOCAN *a pagar.* || **13.** *Germ.* **Engañar,** 1.ª y 2.ª aceps. || **14.** *Mar.* Tirar un poco hacia afuera de los guarnes de un aparejo y soltar en seguida para facilitar su laboreo. || **15.** *Mar.* Empezar a flamear una vela que va en viento cuando comienza a perderlo. || **16.** *Mar.* Dar suavemente con la quilla en el fondo. || **17.** *Pint.* Dar toques o pinceladas sobre lo pintado, para su mayor efecto. || **18.** intr. Pertenecer por algún derecho o título. || **19.** Llegar o arribar, sólo de paso, a algún lugar. || **20.** Ser de la obligación o cargo de uno. || **21.** Importar, ser de interés, conveniencia o provecho. || **22.** Caber o pertenecer parte o porción de una cosa que se reparte entre varios, o les es común. || **23.** Caer en suerte una cosa. || **24.** Estar una cosa cerca de otra de modo que no quede entre ellas distancia alguna. || **25.** Ser uno pariente de otro, o tener alianza con él. || **26.** *Ál.* y *Ar.* Hallar el galgo el rastro de la caza. || **A toca, no toca.** expr. adv. que indica la posición de la persona o cosa tan cercana a otra que casi la toca. || **Estar tocada** una cosa. fr. fig. Empezarse a podrir o dañar. || **Estar uno tocado** de una enfermedad. fr. Empezar a sentirla. || **Tocárselas** uno. expr. fig. y fam. Huir, tomar las de Villadiego. || **Tocar de cerca.** fr. fig. Tener una persona parentesco próximo con otra. || **2.** fig. Tratándose de un asunto o negocio, tener conocimiento práctico de él.

Tocar. (De *toca.*) tr. Peinar el cabello; componerlo con cintas, lazos y otros adornos. Ú. m. c. r. || **2.** r. Cubrirse la cabeza, esto es, ponerse la gorra, sombrero, mantilla, pañuelo, etc.

Tocasalva. (De *tocar,* 1.er art., y *salva,* 1.ª acep.) f. **Salvilla,** 1.ª acep.

Tocata. (Del ital. *toccata.*) f. Pieza de música, destinada por lo común a instrumentos de teclado. || **2.** fig. y fam. **Zurra,** 2.ª acep.

Tocateja (A). m. adv. **A toca teja.**

Tocatorre. f. *Ál.* **Marro,** 4.ª acep.

Tocayo, ya. m. y f. Respecto de una persona, otra que tiene su mismo nombre.

Tocia. f. **Atutía.**

Tocinera. f. La que vende tocino. || **2.** Mujer del tocinero. || **3.** Tablón ancho y algo cóncavo, con apoyos o pies, donde se sala el tocino en las casas.

Tocinería. (De *tocinero.*) f. Tienda, puesto o lugar donde se vende tocino.

Tocinero. m. El que vende tocino.

Tocino. (Del lat. **tuccīnum.*) m. *Zool.* Panículo adiposo, muy desarrollado, de ciertos mamíferos, especialmente del cerdo. || **2. Lardo,** 1.ª acep. || **3.** Témpano de la canal del cerdo. || **4.** V. **Hoja de tocino.** || **5.** En el juego de la comba, saltos muy rápidos y seguidos. || **6.** *Ar.* **Cerdo.** || **7.** *Bot. Cuba.* Arbusto trepador de la familia de las mimosáceas, con ramas cubiertas de multitud de espinas, folíolos muy finos, de color verde claro, y flores en cabezuela. || **8.** *Germ.* **Azote,** 1.ª acep. || **del cielo.** Dulce compuesto de yema de huevo y almíbar cocidos juntos hasta que están bien cuajados. || **entreverado.** El que tiene algunas hebras de magro. || **saladillo.** El fresco a media sal. || **Adonde pensáis hallar tocinos, no hay estacas.** ref. que advierte cuánto se engañan algunos, creyendo que otros que carecen aun de lo necesario tienen grandes facultades. || **El tocino del paraíso, para el casado no arrepiso.** ref. con que se da a entender que es raro el casado que no está arrepentido.

Tocio, cia. adj. Tozo, enano. Dícese principalmente de una especie de roble. || **2.** m. *Sant.* **Melojo.**

Toco. (Del quichua *tojo.*) m. *Perú.* Nicho u hornacina rectangular muy usado en la arquitectura incaica.

Tocología. (Del gr. τόκος, parto, y λόγος, tratado.) f. **Obstetricia.**

Tocólogo. m. Profesor que ejerce especialmente la tocología.

Tocomate. m. **Tecomate.**

Tocón. (Del m. or. que *tueco;* en port. *toco.*) m. Parte del tronco de un árbol que queda unida a la raíz cuando lo cortan por el pie. || **2. Muñón,** 1.ª acep.

Tocona. f. Tocón de diámetro grande.

Toconal. m. Sitio donde hay muchos tocones. || **2.** Olivar formado por renuevos de tocones.

Tocorno. m. *Ál.* Roble mal podado, cuya madera sólo sirve para quemar.

Tocororo. (Onomatopeya del canto de este pájaro.) m. Ave del orden de las trepadoras, de unos dos decímetros de largo; de plumaje blando, sedoso y con reflejos metálicos, azul en la cabeza, verde en el dorso, ceniciento en el pecho, negro con manchas blancas en las alas, bronceado en la cola y rojo en el vientre. Vive solitario en los bosques de la isla de Cuba, se le caza fácilmente y su carne es comestible.

Tocotín. m. *Méj.* Antigua danza popular y canto que la acompaña.

Tocotoco. m. *Venez.* **Pelícano,** 1.ª acep.

Tocte. m. *Ecuad.* y *Perú.* Árbol juglándeo que da una madera fina, semejante al nogal.

Tocuyo. (De *Tocuyo,* ciudad de Venezuela.) m. *Amér. Merid.* Tela burda de algodón.

Toche. m. *Colomb.* y *Venez.* Pájaro conirrostro, de plumaje amarillo y negro azulado.

Tochedad. f. Calidad de tocho. || **2.** Dicho o hecho propio de persona tocha.

Tochibí. (Del ár. *Tuŷibī,* el de la tribu de *Tuŷib.*) adj. Dícese de los descendientes de Móndir ben Yahya el Tochibí, que a la caída del califato de Córdoba fundaron un reino de taifas en Zaragoza, durante la primera mitad del siglo XI. Ú. t. c. s.

Tochimbo. m. Horno de fundición usado en el Perú.

Tocho, cha. adj. Tosco, inculto, tonto, necio. || **2.** V. **Hierro tocho, hierro medio tocho.** || **3.** m. Lingote de hierro. || **4.** *Ar.* y *Sal.* Palo redondo, garrote, tranca.

Tochuelo. adj. d. de **Tocho.** || **2.** V. **Hierro tochuelo.**

Tochura. (De *tocho.*) f. *Ast., Burg.* y *Sant.* **Tochedad,** 2.ª acep.

Todabuena. (De *toda* y *buena.*) f. *Bot.* Planta herbácea anual, de la familia de las gutíferas, como de un metro de altura, con tallo ramoso, hojas sentadas, opuestas, ovales y glandulosas; flores amarillas en panoja terminal, y por fruto bayas negruzcas con una sola semilla. La infusión de las hojas y flores en aceite se ha usado en medicina como vulneraria.

Todasana. (De *toda* y *sana.*) f. **Todabuena.**

Todavía. (De *toda* y *vía.*) adv. t. Hasta un momento determinado desde tiempo anterior. *Está durmiendo* TODAVÍA. || **2.** ant. **Siempre,** 1.ª acep. || **3.** adv. m. Con todo eso, no obstante, sin embargo. *Es muy ingrato, pero* TODAVÍA *quiero yo hacerle bien.* || **4.** Tiene sentido concesivo corrigiendo una frase anterior. *¿Para qué ahorras?* TODAVÍA *si tuvieras hijos estaría justificado.* || **5.** Denota encarecimiento o ponderación en frases como la siguiente: *Juan es* TODAVÍA *más aplicado que su hermano.* || **Por todavía.** m. adv. ant. **Por siempre.**

Todía. (De *todo día.*) adv. t. ant. **Siempre,** 1.ª acep.

Todito. adj. d. de **Todo.** || **2.** fam. Encarece el significado de **todo.** *Se ha pasado* TODITA *la noche llorando.*

Todo, da. (Del lat. *tōtus.*) adj. Dícese de lo que se toma o se comprende entera y cabalmente, según sus partes, en la entidad o en el número. || **2.** Ú. t. para ponderar el exceso de alguna calidad o circunstancia. *Hombre pobre* TODO *es trazas; este pez* TODO *es espinas.* || **3.** Seguido de un substantivo en singular y sin artículo, toma y da a este substantivo valor de plural. TODO *fiel cristiano,* equivalente a TODOS *los fieles cristianos;* TODO *delito,* equivalente a TODOS *los delitos.* || **4.** En plural equivale a veces a **cada.** *Tiene mil pesetas* TODOS *los meses;* es decir, CADA *mes.* || **5.** V. **Seda de todo capullo.** || **6.** *Arq.* V. **Arco de todo punto.** || **7.** *Esc.* V. **Todo relieve.** || **8.** m. Cosa íntegra, o que consta de la suma y conjunto de sus partes integrantes, sin que falte ninguna. || **9.** Condición que se pone en el juego del hombre y otros de naipes, en que se paga más al que hace **todas** las bazas. || **10.** En las charadas, la voz que contiene en sí todas las sílabas que se han enunciado. || **11.** adv. m. **Enteramente.** || **Ante todo.** m. adv. Primera o principalmente. || **Así y todo.** loc. adv. A pesar de eso, aun siendo así. || **A todo.** m. adv. Cuanto puede ser en su línea; con el máximo esfuerzo o rendimiento. A TODO *correr,* A TODA *máquina.* || **2.** Con los verbos *estar, quedar, salir,* etc., obligarse a la seguridad de alguna cosa, no obstante los inconvenientes o riesgos que puedan ofrecerse en contrario. || **A todo esto, o a todas estas.** m. adv. Mientras tanto, entre tanto. || **Con todo, con todo eso, o con todo esto.** ms. advs. No obstante, sin embargo. || **Del todo.** m. adv. Entera, absolutamente, sin excepción ni limitación. || **De todo en todo.** m. adv. Entera y absolutamente. || **En todo y por todo.** m. adv. Entera o absolutamente, o con **todas** las circunstancias. || **En un todo.** m. adv. Absoluta y generalmente. || **Jugar uno el todo por el todo.** fr. fig. Aventurarlo **todo,** o arrostrar gran riesgo para alcanzar algún fin. || **Por todo, o por todas.** loc. adv. En suma, en total. *Son* POR TODAS *825 doblas.* || **Ser uno el todo.** fr. fig. Ser la persona más influyente o capaz en un negocio, o de quien principalmente depende su buen éxito. || **Sobre todo.** m. adv. Con especialidad, mayormente, principalmente. || **Todo en gordo.** loc. fam. irón. de que se usa para ponderar lo escaso de una dádiva o la pequeñez de una cosa. || **Todo es uno.** expr. irón. con que se da a entender que una cosa es totalmente diversa o impertinente y fuera de propósito para el caso o fin a que se quiere aplicar. || **Todos son unos.** fr. fig. y fam. para indicar que **todos** están de acuerdo para algo malo. || **Todo uno.** loc. Dícese del carbón mineral que sin lavar ni clasificar se destina al consumo tal como sale de la mina. || **Y todo.** m. adv. Hasta, también, aun, indicando gran encarecimiento. *Volcó el carro con mulas* Y TODO. || **2.** desus. Además, también, indicando mera adición. *Si vas tú, iré yo* Y TODO.

Todopoderoso, sa. adj. Que todo lo puede. || **2.** m. Por antonom., **Dios,** 1.ª acep.

Toesa. (Del fr. *toise*, y éste del lat. *tensa*, extendida.) f. Antigua medida francesa de longitud, equivalente a un metro y 946 milímetros.

Tofana. (Del ital. *Toffana*, nombre de una mujer que pasaba por inventora de esta agua.) adj. **Agua tofana.**

Tofo. (Del lat. *tofus*, toba.) m. *Med.* y *Veter.* **Nodo,** 4.ª acep. || **2.** *Chile.* Arcilla blanca refractaria.

Toga. (Del lat. *toga.*) f. Prenda principal exterior del traje nacional romano, que se ponía sobre la túnica, y era como una capa de mucho vuelo y sin esclavina, que hacía muchos y graciosos pliegues. Los ricos la llevaban de lana muy fina y blanca, salvo en casos de luto, y los pobres, de lana burda y obscura. || **2.** Traje principal exterior y de ceremonia, que usan los magistrados, letrados, catedráticos, etc., encima del ordinario. Es un ropón de paño negro, con esclavina grande de terciopelo y vueltas de lo mismo, o todo él de seda negra; tiene mangas y en ellas a veces vuelillos. || **palmada,** o **picta.** La enriquecida con primorosas labores y recamos de oro, que usaban el cónsul en el día del triunfo, y el cónsul y los pretores presidiendo los juegos del circo.

Togado, da. (Del lat. *togātus.*) adj. Que viste toga. Dícese comúnmente de los magistrados superiores, y en la jurisdicción militar, de los jueces letrados. Ú. t. c. s. || **2.** V. **Comedia togada.**

Toisón. (Del fr. *toison*, vellón, y éste del lat. *tonsĭo, -ōnis*, esquileo.) m. Orden de caballería instituida por Felipe el Bueno, duque de Borgoña, de la que era jefe el rey de España. || **2.** Insignia de esta orden, que es una pieza en forma de eslabón, al que va unido un pedernal echando llamas, del cual pende el vellón de un carnero; se pone con una cinta roja, y tiene collar compuesto de eslabones y pedernales. || **de oro. Toisón.**

Tojal. m. Terreno poblado de tojos.

Tojino. (En fr. *taquet.*) m. *Mar.* Pedazo de madera que se clava en lo interior de la embarcación, para asegurar una cosa del movimiento de los balances. || **2.** *Mar.* Cada uno de los trozos de madera prolongados que se ponen clavados en el costado del buque, desde el portalón a la lumbre del agua, y sirven de escala para subir y bajar. || **3.** *Mar.* Taco de madera que se clava en los penoles de las vergas, para asegurar las empuñiduras cuando se toman rizos.

Tojo. (En port. *tojo.*) m. *Bot.* Planta perenne de la familia de las papilionáceas, variedad de aulaga, que crece hasta dos metros de altura, con muchas ramillas enmarañadas, hojas reducidas a puntas espinosas, flores amarillas, y por fruto vainillas aplastadas con cuatro o seis semillas. || **2.** *Sant.* Tronco hueco en que anidan las abejas. || **3.** *Bol.* **Alondra.**

Tojo. m. *Burg.* y *Pal.* Lugar manso y profundo de un río; cadozo.

Tojosita. f. *Cuba.* Ave, especie de paloma silvestre, de 15 a 20 centímetros de largo por 25 de envergadura, plumaje gríseo obscuro en las alas y más claro en el pecho, con un collar blanquecino.

Tola. f. *Amér. Merid.* Nombre de diferentes especies de arbustos de la familia de las compuestas, que crecen en las laderas de la cordillera.

Tolano. (En port. *tolano.*) m. *Veter.* Enfermedad que padecen las bestias en las encías. Ú. m. en pl. || **Picarle** a uno **los tolanos.** fr. fig. y fam. Tener mucha gana de comer.

Tolano. m. **Abuelo,** 5.ª acep.

Tolda. (De *toldo.*) f. ant. *Mar.* **Alcázar,** 3.ª acep.

Toldadura. (De *toldar.*) f. Colgadura de algún paño, que sirve para defenderse del calor o templar la luz.

Toldar. (De *toldo.*) tr. **Entoldar.** || **2.** *Germ.* Cubrir o aderezar.

Toldería. f. *Argent.* Campamento formado por toldos de indios.

Toldero. (De *toldo*, 4.ª acep.) m. *And.* Tendero que vende la sal por menor.

Toldilla. f. d. de **Tolda.** || **2.** *Mar.* Cubierta parcial que tienen algunos buques a la altura de la borda, desde el palo mesana al coronamiento de popa.

Toldillo. m. d. de **Toldo.** || **2.** Silla de manos cubierta.

Toldo. (Del ár. *ẓulla*, sombrajo.) m. Pabellón o cubierta de lienzo u otra tela, que se tiende para hacer sombra en algún paraje. || **2. Entalamadura.** || **3.** fig. Engreimiento, pompa o vanidad. || **4.** *And.* Tienda en que se vende la sal por menor. || **5.** *Argent.* Tienda de indios, hecha de ramas y cueros.

Tole. (Del lat. *tolle*, quita, imper. de *tollĕre*, por alusión a las palabras *tolle eum*, con que los judíos excitaban a Pilatos a que crucificara a Jesús.) m. fig. Confusión y gritería popular. Ú. por lo común repetida. || **2.** fig. Rumor de desaprobación, que va cundiendo entre las gentes, contra una persona o cosa. Ú. por lo común repetida. || **Tomar** uno **el tole.** fr. fam. Partir aceleradamente.

Toledano, na. (Del lat. *toletānus.*) adj. Natural de Toledo. Ú. t. c. s. || **2.** Perteneciente a esta ciudad. || **3.** fig. V. **Noche toledana.**

Toledo. n. p. V. **Albaricoque de Toledo.**

Tolemaico, ca. adj. Perteneciente a Tolomeo o a su sistema astronómico.

Tolena. f. *Ast.* **Tollina.**

Tolerable. (Del lat. *tolerabĭlis.*) adj. Que se puede tolerar.

Tolerablemente. adv. m. De manera tolerable.

Toleración. (Del lat. *toleratĭo, -ōnis.*) f. ant. **Tolerancia.**

Tolerancia. (Del lat. *tolerantĭa.*) f. Acción y efecto de tolerar. || **2.** Respeto y consideración hacia las opiniones o prácticas de los demás, aunque repugnen a las nuestras. || **3.** Reconocimiento de la inmunidad política para los que profesan religiones distintas de la admitida oficialmente. || **4. Permiso,** 3.ª acep. || **5.** Margen o diferencia que se consiente en la calidad o cantidad de las cosas o de las obras contratadas.

Tolerante. (Del lat. *tolerans, -antis*) p. a. de **Tolerar.** Que tolera, o propenso a la tolerancia.

Tolerantismo. (De *tolerante.*) m. Opinión de los que creen que debe permitirse el libre ejercicio de todo culto religioso.

Tolerar. (Del lat. *tolerāre.*) tr. Sufrir, llevar con paciencia. || **2.** Disimular algunas cosas que no son lícitas, sin consentirlas expresamente. || **3.** Soportar, llevar, aguantar. *Mi estómago no* TOLERA *la leche.*

Tolete. (Del fr. *tolet*, y éste del ant. nórd. *thollr.*) m. *Mar.* **Escálamo.** || **2.** *Amér. Central, Colomb., Cuba* y *Venez.* Garrote corto.

Tolmera. f. Sitio donde abundan los tolmos.

Tolmo. (Del lat. *tumŭlus.*) m. Peñasco elevado, que tiene semejanza con un gran hito o mojón.

Tolo. (Del lat. *torus*, hinchazón.) m. *Ast.* y *León.* **Tolondro,** 2.ª acep.

Tolobojo. m. *Guat.* **Pájaro bobo.**

Tolón. m. *And.* **Tolano,** 1.er art. Ú. m. en pl.

Tolondro, dra. (De *torondo.*) adj. Aturdido, desatinado y que no tiene tiento en lo que hace. Ú. t. c. s. || **2.** m. Bulto o chichón que se levanta en alguna parte del cuerpo, especialmente en la cabeza, de resultas de un golpe. || **A topa tolondro.** m. adv. Sin reflexión, reparo o advertencia.

Tolondrón, na. adj. **Tolondro,** 1.ª acep. || **2.** m. **Tolondro,** 2.ª acep. || **A tolondrones.** m. adv. Con tolondros o chichones. || **2.** fig. Con interrupción o a retazos.

Tolonés, sa. adj. Natural de Tolón. Ú. t. c. s. || **2.** Perteneciente a esta ciudad de Francia.

Tolosano, na. adj. Natural de Tolosa. Ú. t. c. s. || **2.** Perteneciente a cualquiera de las poblaciones de este nombre.

Tolteca. adj. Dícese del individuo de unas tribus que dominaron en Méjico antiguamente. Ú. t. c. s. || **2.** Perteneciente a estas tribus. || **3.** m. Idioma de las mismas.

Tolú. n. p. de una ciudad de Colombia. V. **Bálsamo de Tolú.**

Tolva. (Del lat. *tŭbŭla*, tubo.) f. Caja en forma de tronco de pirámide o de cono invertido y abierta por abajo, dentro de la cual se echan granos u otros cuerpos para que caigan poco a poco entre las piezas del mecanismo destinado a triturarlos, molerlos, limpiarlos, clasificarlos o para facilitar su descarga. || **2.** Parte superior en los cepillos o urnas en forma de tronco de pirámide invertido y con una abertura para dejar pasar las monedas, papeletas, bolas, etc.

Tolvanera. (Del lat. *turbo, -ĭnis*, remolino.) f. Remolino de polvo.

Tolla. (De *tollo*, 2.° art.) f. Tremedal encharcado por las aguas subterráneas.

Tolla. f. *Nav.* **Mielga,** 2.° art.

Tolla. f. *Cuba.* Artesa grande en figura de canoa, que se usa en el campo para dar de beber a los animales.

Tolladar. m. **Tolla,** 1.er art.

Tollecer. (De *toller.*) tr. ant. **Tullir.**

Toller. (Del lat. *tollĕre.*) tr. ant. **Quitar.** Usáb. t. c. r.

Tollimiento. m. ant. Acción y efecto de toller o tollerse.

Tollina. (De *tollir.*) f. fam. Zurra, paliza.

Tollir. (Del lat. *tollĕre.*) tr. ant. **Tullir.** Usáb. t. c. r.

Tollo. m. *Zool.* **Pintarroja.** || **2. Mielga,** 2.° art. || **3.** Carne que tiene el ciervo junto a los lomos.

Tollo. m. Hoyo en la tierra, o escondite de ramaje, donde se ocultan los cazadores en espera de la caza. || **2. Tolla,** 1.er art. || **3.** *León* y *Sal.* Lodo, fango. || **4.** *Ar.* Charco formado por el agua de lluvia.

Tollón. m. **Coladero,** 2.ª acep.

Toma. f. Acción de tomar o recibir una cosa. || **2.** Conquista, asalto u ocupación por armas de una plaza o ciudad. || **3.** Porción de alguna cosa, que se coge o recibe de una vez. *Una* TOMA *de quina.* || **4. Data,** 3.ª acep. || **5.** Abertura por donde se desvía de una corriente de agua o de un embalse parte de su caudal. || **6.** Lugar por donde se deriva una corriente de fluido o electricidad. || **de los maestres,** o **de los registros.** *Mar.* Cantidades que, con calidad de reintegro de los derechos reales, se tomaban para compra de víveres a la vuelta de las flotas de América.

Tomada. f. **Toma,** 2.ª acep.

Tomadero. m. Parte por donde se toma o ase una cosa. || **2. Toma,** 5.ª acep. || **3.** Adorno abollonado que se usó como guarnición de ciertas prendas de vestir.

Tomado, da. p. p. de **Tomar.** || **2.** adj. V. **Voz tomada.**

Tomador, ra. adj. Que toma. Ú. t. c. s. || **2.** Ratero que hurta de los bolsillos. || **3.** *Argent.* y *Chile.* **Bebedor,** 2.ª acep. || **4.** *Mont.* V. **Perro tomador.** Ú. t. c. s. || **5.** m. *Com.* Aquel a la orden de quien se gira una letra de cambio. || **6.** *Mar.* Cualquiera de las badernas o trenzas de filástica repartidas a lo largo y firmes en las vergas, que sirven para mantener sujetas a ellas las velas cuando se aferran.

Tomadura. f. Toma, 1.ª y 3.ª aceps.

Tomaína. (Del gr. πτῶμα, cadáver.) f. *Quím.* Cualquiera de las substancias básicas y venenosas que se producen durante la putrefacción de las materias orgánicas.

Tomajón, na. adj. fam. Que toma con frecuencia, facilidad o descaro. Ú. t. c. s. || **2.** m. *Germ.* Oficial o ministro de justicia.

Tomamiento. (De *tomar.*) m. ant. Toma, 1.ª acep.

Tomante. p. a. ant. de **Tomar.** Que toma.

Tomar. (En port. *tomar.*) tr. Coger o asir con la mano una cosa. || **2.** Coger, aunque no sea con la mano. TOMAR *tinta con la pluma;* TOMAR *agua de la fuente.* || **3.** Recibir o aceptar de cualquier modo que sea. || **4. Percibir,** 1.ª acep. || **5.** Ocupar o adquirir por expugnación, trato o asalto una fortaleza o ciudad. || **6.** Comer o beber. TOMAR *un desayuno, el chocolate.* || **7.** Adoptar, emplear, poner por obra. TOMAR *precauciones.* || **8.** Contraer, adquirir. TOMAR *un vicio.* || **9.** Contratar o ajustar a una o varias personas para que presten un servicio. TOMAR *un criado.* || **10. Alquilar,** 2.ª acep. TOMAR *un coche, una casa, un palco.* || **11.** Entender, juzgar e interpretar una cosa en determinado sentido, según ciertos aspectos más o menos claros que nos ofrece. *Hay que* TOMAR *estas corazonadas como venidas del cielo;* TOMAR *a broma una cosa.* Seguido de la preposición *por,* suele indicar juicio equivocado. TOMARLE *a uno por ladrón.* || **12.** Ocupar un sitio cualquiera para cerrar el paso o interceptar la entrada o salida. || **13.** Quitar o hurtar. || **14. Comprar,** 1.ª acep. TOMARÉ *el prado, si me lo da barato.* || **15.** Recibir uno en sí los usos, modos o cualidades de otro, imitarlos. TOMAR *los modales, el estilo o las cualidades de alguno.* || **16.** Recibir en sí los efectos de algunas cosas, consintiéndolos o padeciéndolos. TOMAR *frío, calor, pesadumbre.* || **17.** Emprender una cosa, o encargarse de una dependencia o negocio. || **18.** Sobrevenir a uno de nuevo algún efecto o accidente que invade y se apodera del ánimo. TOMARLE *a uno el sueño, la risa, la gana, un desmayo.* || **19.** Elegir, entre varias cosas que se ofrecen al arbitrio, alguna de ellas. || **20.** Cubrir el macho a la hembra. || **21.** Hacer o ganar la baza en un juego de naipes. || **22.** Suspender o parar la pelota que se ha sacado, sin volverla ni jugarla, por no estar los jugadores en su lugar o por otro motivo semejante. || **23.** Construido con ciertos nombres verbales, significa lo mismo que los verbos de donde tales nombres se derivan. TOMAR *resolución,* resolver; TOMAR *aborrecimiento,* aborrecer. || **24.** Recibir o adquirir lo que significan ciertos nombres que se le juntan. TOMAR *fuerza, espíritu, aliento, libertad.* || **25.** Construido con un nombre de instrumento, ponerse a ejecutar la acción o la labor para la cual sirve el instrumento. TOMAR *la pluma,* ponerse a escribir; TOMAR *la aguja,* ponerse a coser. || **26.** Llevar a uno en su compañía. || **27. Coger,** 10.ª acep. || **28.** ant. Hallar o coger a uno en culpa o delito. || **29.** ant. **Cazar,** 1.ª acep. || **30.** intr. Encaminarse, empezar a seguir una dirección determinada. *Al llegar a la esquina,* TOMÓ *por la derecha.* || **31.** r. Cubrirse de moho u orín. Dícese propiamente de los metales. || **32.** V. **Tomarse del vino.** || **33.** ant. Construido con la preposición *a* y el infinitivo de otro verbo, ejecutar lo que este verbo significa. || **Más vale un «toma» que dos «te daré».** ref. que enseña que el bien presente que se disfruta es preferible a las esperanzas y promesas, aunque sean más halagüeñas. || **¡Toma!** interj. fam. con que se da a entender la poca novedad o importancia de alguna especie. || **2.** fam. También sirve para denotar uno que se da cuenta de lo que antes no había podido comprender. Se usa por lo general repetida. || **3.** fam. Señalar como castigo, expiación, o desengaño, aquello de que se habla. *¿No te dije que corrías peligro? Pues* ¡TOMA! || **Tomar** uno **de más alto,** o **de más lejos,** una cosa. fr. fig. Acercarse más al origen o principio de ella. || **Tomarla con** uno. fr. Contradecirle y culparle en cuanto dice o hace. || **2.** Tener tema con él. || **Tomar por avante.** fr. *Mar.* Virar la nave involuntariamente por la parte por donde viene el viento. || **Tomar** uno una cosa **por donde quema.** fr. fig. y fam. Atribuir sin razón intención ofensiva o picante a lo que otro hace o dice. || **Tomarse con** uno. fr. Reñir o tener contienda o cuestión con él. || **Tomar** uno **sobre sí** una cosa. fr. fig. Encargarse o responder de ella. || **¡Toma si purga!** expr. fig. y fam. con que se denota el enfado de que alguna cosa se repite muchas veces y continuamente. || **Tómate ésa.** expr. fig. y fam. que se usa cuando a uno se le da un golpe, o se hace con él otra cosa que sienta, para denotar que la merecía o el acierto del que la ejecuta. Suele añadirse: **y vuelve por otra.** || **¡Tome!** interj. **¡Toma!** || **Toma y daca.** expr. fam. que se usa cuando hay trueque simultáneo de cosas o servicios, o cuando se hace un favor, esperando la reciprocidad inmediata.

Tomatada. f. Fritada de tomate.

Tomatal. m. Plantación de tomateras.

Tomatazo. m. aum. de **Tomate.** || **2.** Golpe dado con un tomate.

Tomate. (Del mejic. *tomatl.*) m. *Bot.* Fruto de la tomatera, que es una baya casi roja, de superficie lisa y brillante, en cuya pulpa hay numerosas semillas, algo aplastadas y amarillas. || **2. Tomatera.** || **3.** Juego de naipes, parecido al julepe, en el cual el que da se queda con el triunfo, en lugar de una de las tres cartas que le han correspondido, y pierde si no hace dos bazas. || **4.** fam. Roto o agujero hecho en una prenda de punto, como medias, calcetines, guantes, etc.

Tomatera. f. Planta herbácea anual originaria de América, de la familia de las solanáceas, con tallos de uno a dos metros de largo, vellosos, huecos, endebles y ramosos; hojas algo vellosas recortadas en segmentos desiguales dentados por los bordes, y flores amarillas en racimos sencillos. Se cultiva mucho en las huertas por su fruto, que es el tomate.

Tomatero, ra. m. y f. Persona que vende tomates.

Tomaticán. m. *Chile.* Guiso o salsa de tomate.

Tomatillo. m. d. de **Tomate.** || **2.** *Zam.* Variedad de guinda de exquisito sabor. || **3.** *Chile.* Arbusto solanáceo lampiño, con hojas oblongas coriáceas; flores violáceas en corimbo y fruto amarillo o rojo.

Tomaza. f. *Rioja.* Planta semejante al tomillo, pero menos olorosa.

Tome. m. *Chile.* Especie de espadaña.

Tomeguín. m. *Cuba.* Pájaro pequeño, de pico corto cónico; plumaje de color verdoso por encima, ceniciento por el pecho y las patas y con una gola amarilla.

Tomento. (Del lat. *tomentum.*) m. Estopa basta, llena de pajas y aristas, que queda del lino o cáñamo, después de rastrillado. || **2.** *Bot.* Capa de pelos cortos, suaves y entrelazados, que cubre la superficie de los tallos, hojas y otros órganos de algunas plantas.

Tomentoso, sa. adj. Que tiene tomento.

Tomillar. m. Sitio poblado de tomillo.

Tomillo. (Del lat. *tūmum, thȳmum.*) m. Planta perenne de la familia de las labiadas, muy olorosa, con tallos leñosos, derechos, blanquecinos, ramosos, de dos a tres decímetros de altura; hojas pequeñas, lanceoladas, con los bordes revueltos y algo pecioladas, y flores blancas o róseas en cabezuelas laxas axilares. Es muy común en España, y el cocimiento de sus flores suele usarse como tónico y estomacal. || **blanco. Santónico,** 2.ª acep. || **salsero.** Planta de la misma familia que el **tomillo** común, del cual se distingue principalmente por ser los tallos menos leñosos, las hojas más estrechas, pestañosas en la base, y las flores en espiga. Tiene olor muy agradable y se emplea como condimento, sobre todo en el adobo o aliño de las aceitunas.

Tomín. (Del ár. *ṭumnī,* octava parte.) m. Tercera parte del adarme y octava del castellano, la cual se divide en 12 granos y equivale a 596 miligramos. || **2.** Moneda de plata que se usaba en algunas partes de América, equivalente a unos 30 céntimos de peseta. || **3.** Impuesto que pagaban los indios en el Perú con destino al sostenimiento de hospitales.

Tomineja. f. Tominejo.

Tominejo. (d. de *tomín,* por su pequeñez.) m. **Pájaro mosca.**

Tomismo. m. Sistema escolástico contenido en las obras de Santo Tomás de Aquino y de sus discípulos. Dícese más especialmente de la teoría de la promoción física, inventada por el dominico español Báñez para conciliar la libertad humana con la infalible eficacia de la gracia divina.

Tomista. adj. Que sigue la doctrina de Santo Tomás de Aquino. Ú. t. c. s.

Tomiza. (Del lat. *thomix, -icis,* y éste del gr. θῶμιξ.) f. Cuerda o soguilla de esparto.

Tomo. (Del lat. *tomus,* y éste del gr. τόμος, sección.) m. Cada una de las partes con paginación propia y encuadernadas por lo común separadamente, en que suelen dividirse para su más fácil manejo las obras impresas o manuscritas de cierta extensión. || **2.** p. us. Grueso, cuerpo o bulto de una cosa. || **3.** fig. Importancia, valor y estima. || **De tomo y lomo.** loc. fig. y fam. De mucho bulto y peso. || **2.** fig. y fam. De consideración o importancia.

Tomón, na. (De *tomar.*) adj. fam. **Tomajón.** Ú. t. c. s.

Ton. m. Apócope de **Tono,** que sólo tiene uso en la frase familiar **sin ton ni son,** o **sin ton y sin son,** que significa: sin motivo, ocasión, o causa, o fuera de orden y medida. También suele decirse alguna vez: **¿A qué ton o a qué son viene eso?**

Tona. (Del célt. *tūnna,* costra, nata.) f. *Gal.* y *León.* Nata de la leche.

Tonada. (De *tono.*) f. Composición métrica para cantarse. || **2.** Música de esta canción.

Tonadilla. f. d. de **Tonada.** || **2.** Tonada alegre y ligera. || **3.** Canción o pieza corta y ligera, que se canta en algunos teatros.

Tonadillero, ra. m. y f. Persona que compone tonadillas. || **2.** Persona que las canta.

Tonal. adj. *Mús.* Perteneciente o relativo al tono o a la tonalidad.

Tonalidad. (De *tono.*) f. *Mús.* Sistema de sonidos que sirve de fundamento a una composición musical. || **2.** *Pint.* Sistema de colores y tonos.

Tonante. (Del lat. *tonans, -antis.*) p. a. de **Tonar.** Que truena. Ú. como epíteto del dios Júpiter.

Tonar. (Del lat. *tonāre.*) intr. poét. Tronar o arrojar rayos.

Tonario. (De *tono.*) m. **Libro antifonario.**

Tonca. adj. V. **Haba tonca.**

Tondero. m. *Perú.* Baile popular, propio de la costa. Lo bailan las parejas sueltas.

Tondino. (Del ital. *tondino,* d. de *tondo,* tondo.) m. *Arq.* **Astrágalo,** 2.ª acep.

Tondiz. (Del lat. *tŭndĕre.*) f. **Tundizno.**

Tondo. (Del ital. *tondo,* aféresis de *rotondo,* y éste del lat. *rotundus,* redondo.) m. *Arq.* Adorno circular rehundido en un paramento.

Tonel. (Del prov. o cat. *tonell,* y éste del célt. *tŭnna.*) m. Cuba grande en que se echa el vino u otro líquido, especialmente el que se embarca. ‖ **2.** Medida antigua para el arqueo de las embarcaciones, equivalente a cinco sextos de tonelada. ‖ **macho. Tonelada,** 1.ª acep.

Tonelada. (De *tonel.*) f. Unidad de peso o de capacidad que se usa para calcular el desplazamiento de los buques. ‖ **2.** Medida antigua para el arqueo de las embarcaciones, igual al volumen del sitio necesario para acomodar dos toneles de veintisiete arrobas y media de agua cada uno, es decir, ocho codos cúbicos de ribera. ‖ **3.** Peso de 20 quintales. ‖ **4.** Derecho que pagaban las embarcaciones, de uno por ciento sobre los 12 de avería, para la fábrica de galeones. ‖ **5. Tonelería,** 3.ª acep. ‖ **de arqueo.** Medida de capacidad equivalente al volumen de cien pies cúbicos ingleses, o sea 2,83 metros cúbicos. ‖ **de peso. Tonelada,** 3.ª acep. ‖ **métrica de arqueo. Metro cúbico.** ‖ **métrica de peso.** Peso de 10 quintales métricos o 1.000 kilogramos.

Tonelaje. (De *tonel.*) m. **Arqueo,** 2.° art., 2.ª acep. ‖ **2.** Número de toneladas que mide un conjunto de buques mercantes. ‖ **3.** Derecho de un real de vellón por tonelada, que antiguamente pagaban las embarcaciones al empezar la carga, en los puertos de la Península e islas adyacentes.

Tonelería. f. Arte u oficio del tonelero. ‖ **2.** Taller del tonelero. ‖ **3.** Conjunto o provisión de toneles.

Tonelero, ra. adj. Perteneciente o relativo al tonel. *Industria* TONELERA. ‖ **2.** m. El que hace toneles.

Tonelete. m. d. de **Tonel.** ‖ **2. Brial,** 2.ª acep. ‖ **3.** Falda corta que sólo cubre hasta las rodillas. ‖ **4.** Parte de las antiguas armaduras que tenía esta forma. ‖ **5.** Traje con falda corta que usaban los niños. ‖ **6.** En el teatro, traje antiguo de hombre, con falda corta.

Tonga. (Del lat. *tŭnica.*) f. **Tongada.** ‖ **2.** *Cuba.* Pila o porción de cosas apiladas en orden. *Sacos en* TONGA, *una* TONGA *de tablas.* ‖ **3.** *Ar.* y *Colomb.* Tanda, tarea.

Tongada. (De *tonga.*) f. **Capa,** 3.ª y 4.ª aceps.

Tongo. m. En los partidos de pelota, carreras de caballos, etc., hacer trampa uno de los participantes aceptando dinero para dejarse ganar.

Tonicidad. (De *tónico.*) f. Grado de tensión de los órganos del cuerpo vivo.

Tónico, ca. (Del lat. *tonĭcus.*) adj. *Med.* Que entona, 5.ª acep. Ú. t. c. s. m. ‖ **2.** *Mús.* Aplícase a la nota primera de una escala musical. Ú. m. c. s. f. ‖ **3.** *Ortogr.* V. **Acento tónico.** ‖ **4.** *Pros.* Aplícase a la vocal o sílaba que recibe el impulso del acento prosódico, y que con más propiedad se llama vocal o sílaba acentuada.

Tonificación. f. Acción y efecto de tonificar.

Tonificador, ra. adj. Que tonifica.

Tonificante. p. a. de **Tonificar.** Que tonifica.

Tonificar. tr. **Entonar,** 5.ª acep.

Tonillo. d. de **Tono.** ‖ **2.** m. Tono monótono y desagradable con que algunos hablan, oran o leen. ‖ **3. Dejo,** 3.ª acep. ‖ **4.** Entonación enfática al hablar.

Tonina. (Del lat. *thunnus,* atún.) f. **Atún,** 1.ª acep. ‖ **2. Delfín,** 1.er art., 1.ª acep.

Tono. (Del lat. *tonus,* y éste del gr. τόνος, tensión.) m. Mayor o menor elevación del sonido producida por la mayor o menor rapidez de las vibraciones de los cuerpos sonoros. ‖ **2.** Inflexión de la voz y modo particular de decir una cosa, según la intención o el estado de ánimo del que habla. ‖ **3.** Carácter o modo particular de la expresión y del estilo de una obra literaria según el asunto que trata o el estado de ánimo que pretende reflejar. ‖ **4. Tonada.** ‖ **5.** Energía, vigor, fuerza. ‖ **6.** *Med.* Aptitud y energía que el organismo animal, o alguna de sus partes, tiene para ejercer las funciones que le corresponden. ‖ **7.** *Mús.* **Modo,** 6.ª acep. ‖ **8.** *Mús.* Cada una de las escalas que para las composiciones músicas se forman, partiendo de una nota fundamental, que le da nombre. ‖ **9.** *Mús.* **Diapasón normal.** ‖ **10.** *Mús.* Cada una de las piezas o trozos de tubo que en las trompas y otros instrumentos de bronce se mudan para hacer subir o bajar el **tono.** ‖ **11.** *Mús.* Intervalo o distancia que media entre una nota y su inmediata, excepto del *mi* al *fa* y del *si* al *do.* ‖ **12.** *Pint.* Vigor y relieve de todas las partes de una pintura, y también armonía de su conjunto, principalmente con relación al colorido y claroscuro. ‖ **disonante.** *Mús.* **Disonancia,** 3.ª acep. ‖ **maestro.** *Mús.* Cada uno de los cuatro **tonos** impares del canto llano. ‖ **mayor.** *Mús.* **Modo mayor.** ‖ **2.** *Mús.* Intervalo entre dos notas consecutivas de la escala diatónica cuando guardan la proporción de 8 a 9. ‖ **menor.** *Mús.* **Modo menor.** ‖ **2.** *Mús.* Intervalo entre dos notas consecutivas de la escala diatónica cuando guardan proporción de 9 a 10. ‖ **A este tono.** m. adv. **A este tenor.** ‖ **Bajar uno el tono.** fr. fig. Contenerse después de haber hablado con arrogancia. ‖ **Darse tono** uno fr. fam. Darse importancia. ‖ **De buen, o mal, tono.** loc. Propio de gente culta, o al contrario. ‖ **Decir** una cosa **en todos los tonos.** fr. fig. Decirla haciendo uso de todos los recursos, con repetición e insistencia. ‖ **Estar, o poner, a tono.** fr. fig. Acomodar, adecuar una cosa a otra. Dícese también de personas. ‖ **Mudar** uno **de tono.** fr. fig. Moderarse en el modo de hablar, cuando está enardecido o enojado. ‖ **Subir** uno, o **subirse, de tono.** fr. fig. Aumentar la arrogancia en el trato, o el fausto en el modo de vivir.

Tonsila. (Del lat. *tonsillae.*) f. *Zool.* **Amígdala.**

Tonsilar. adj. *Zool.* Perteneciente o relativo a las tonsilas.

Tonsura. (Del lat. *tonsūra;* de *tonsum,* supino de *tondēre,* trasquilar.) f. Acción y efecto de tonsurar. ‖ **2.** Grado preparatorio para recibir las órdenes menores, que confiere el prelado con la ceremonia de cortar al aspirante un poco de cabello. ‖ **Prima tonsura. Tonsura,** 2.ª acep.

Tonsurado. m. El que ha recibido el grado de prima tonsura.

Tonsurando. m. El que está próximo a recibir la tonsura clerical.

Tonsurar. tr. Cortar el pelo o la lana a personas o animales. ‖ **2.** Dar a uno el grado de prima tonsura.

Tontada. f. **Tontería,** 2.ª acep.

Tontaina. com. fam. Persona tonta. Ú. t. c. adj.

Tontamente. adv. m. Con tontería.

Tontarrón, na. adj. aum. de **Tonto.** Ú. t. c. s.

Tontear. (De *tonto.*) intr. Hacer o decir tonterías.

Tontedad. (De *tonto.*) f. **Tontería.**

Tontera. f. fam. **Tontería.**

Tontería. f. Calidad de tonto. ‖ **2.** Dicho o hecho tonto. ‖ **3.** fig. Dicho o hecho sin importancia, nadería.

Tontiloco, ca. adj. Tonto alocado.

Tontillo. (De *tonelete.*) m. Faldellín con aros de ballena o de otra materia que usaron las mujeres para ahuecar las faldas. ‖ **2.** Pieza tejida de cerda o de algodón engomado, que ponían los sastres en los pliegues de las casacas para ahuecarlas.

Tontina. (De Lorenzo *Tonti,* banquero italiano del siglo XVII, inventor de esta clase de operaciones.) f. *Com.* Operación de lucro, que consiste en poner un fondo entre varias personas para repartirlo en una época dada, con sus intereses, solamente entre los asociados que han sobrevivido y que siguen perteneciendo a la agrupación.

Tontito. m. *Chile.* **Chotacabras.**

Tontivano, na. (De *tonto* y *vano.*) adj. Tonto vanidoso.

Tonto, ta. (Del lat. *attŏnĭtus,* aturdido.) adj. Mentecato, falto o escaso de entendimiento o razón. Ú. t. c. s. ‖ **2.** Dícese del hecho o dicho propio de un tonto. ‖ **3.** V. **Ave, rosquilla tonta.** ‖ **4.** V. **Pájaro tonto.** ‖ **5.** fig. V. **Molde de tontos.** ‖ **6.** m. *Nav.* y *Sev.* Especie de mantón que usan las mujeres. ‖ **7.** *Colomb., C. Rica* y *Chile.* Juego de la mona. ‖ **de capirote.** fam. Persona muy necia e incapaz. ‖ **A tontas y a locas.** m. adv. Desbaratadamente, sin orden ni concierto. ‖ **Como tonto en vísperas.** loc. adv. fig. y fam. con que se moteja o apoda al que está suspenso fuera de propósito o sin tomar parte en la conversación. ‖ **Hacerse** uno **el tonto.** fr. fam. Aparentar que no advierte las cosas de que no le conviene darse por enterado. ‖ **No hay tonto para su provecho.** fr. proverb. con que se advierte que por poca capacidad que uno tenga, en llegando a su propia utilidad, suele discurrir con acierto. ‖ **Ponerse tonto,** o **tonta.** fr. fam. Mostrar petulancia, vanidad o terquedad.

Tontón, na. adj. aum. de **Tonto.**

Tontucio, cia. adj. despect. de **Tonto;** medio tonto. Ú. t. c. s.

Tontuelo, la. adj. d. de **Tonto.**

Tontuna. (De *tonto.*) f. **Tontería.**

Toña. f. **Tala,** 2.° art. ‖ **2.** *Ar.* Pan grande, a veces de centeno. ‖ **3.** *Alic.* y *Murc.* Torta amasada con aceite y miel.

Toñil. (De *otoño.*) m. *Ast.* Especie de nido de paja o hierba seca, hecho en un henil para madurar en él las manzanas o peras poco sazonadas.

Toñina. f. *And.* **Tonina,** 1.ª acep.

¡Top! (De ingl. *to stop,* parar, detener.) *Mar.* Voz de mando, especie de interjección con que se indica el momento en que acaba de caer la arena de la ampolleta, para que pare o se detenga la corredera con que se está calculando la velocidad del buque, o se pare o detenga otra cualquiera observación que se refiera a aquel espacio de tiempo marcado por el reloj de arena.

Topa. (De *tope.*) f. *Mar.* Motón de driza con que se izaban o subían las velas de las galeras.

Topacio. (Del lat. *topazius,* y éste del gr. τοπάζιον.) m. Piedra fina, amarilla, muy dura, compuesta generalmente de sílice, alúmina y flúor. ‖ **ahumado.** Cristal de roca pardo obscuro. ‖ **de Hinojosa.** Cristal de roca amarillo. ‖ **del Brasil. Topacio** amarillo rojizo, rosado o morado. ‖ **de Salamanca. Topacio de Hinojosa.** ‖ **oriental.** Corindón amarillo. ‖ **quemado, o tostado.** El del Brasil, de color bajo, que se ha hecho artificialmente morado por la acción del calor.

Topada. (De *topar.*) f. **Topetada.**

Topadizo, za. (De *topar.*) adj. **Encontradizo.**

Topador, ra. adj. Que topa. Dícese con propiedad de los carneros y otros animales cornudos. || **2.** Que quiere en el juego con facilidad y poca reflexión. Ú. t. c. s.

Topamiento. (De *topar.*) m. ant. **Encuentro.**

Topar. (De *tope.*) tr. Chocar una cosa con otra. || **2.** Hallar casualmente o sin solicitud. Ú. t. c. intr. y c. r. || **3.** Hallar o encontrar lo que se andaba buscando. Ú. t. c. intr. || **4.** *Amér.* Echar a pelear los gallos por vía de ensayo. || **5.** *Mar.* Unir al tope dos maderos. || **6.** intr. **Topetar,** 1.ª acep. || **7. Querer,** 8.ª acep. || **8.** desus. **Parar,** 8.ª acep. Ú. en *Chile* y *Perú.* || **9.** fig. Consistir o estribar una cosa en otra y causar embarazo. *La dificultad* TOPA *en esto.* || **10.** fig. Tropezar o embarazarse en algo por algún obstáculo, dificultad o falta que se advierte. || **11.** fig. y fam. Salir bien una cosa. *Lo pediré por si* TOPA. || **Tope donde tope.** expr. fig. y fam. **Dé donde diere.**

Toparca. (Del lat. *toparcha,* y éste del gr. τοπάρχης; de τόπος, lugar, y ἄρχω, dominar, mandar.) m. Señor de un pequeño Estado compuesto de uno o muy pocos lugares.

Toparquía. (Del gr. τοπαρχία.) f. Señorío o jurisdicción del toparca.

Toparra. f. *Sal.* Tropiezo que encuentra el arado en las tierras.

Topatopa. f. *Chile* y *Perú.* Cierta planta de la familia de las escrofulariáceas.

Tope. (Como el port. *tope,* de la raíz germánica *top,* punta, extremidad.) m. Parte por donde una cosa puede topar con otra. || **2.** Pieza que en algunas armas e instrumentos sirve para impedir que con su acción o con su movimiento se pase de un punto determinado. || **3.** Cada una de las piezas circulares y algo convexas que al extremo de una barra horizontal, terminada por un resorte, se ponen en las traviesas de los carruajes de ferrocarril, para mantenerlos en contacto y ligeramente oprimidos unos con otros cuando forman parte de un tren. || **4.** Material duro, por lo general de suela, que se pone por dentro, como armadura, en la punta del calzado para que no se arrugue. || **5.** Tropiezo, estorbo, impedimento. || **6. Topetón.** || **7.** fig. Punto donde estriba o de que pende la dificultad de una cosa. || **8.** fig. Reyerta, riña o contienda. || **9.** *Mar.* Extremo superior de cualquier palo de arboladura. || **10.** *Mar.* Punta del último mastelero, donde se colocan las grímpolas y las perillas. || **11.** *Mar.* Canto o extremo de un madero o tablón. || **12.** *Mar.* Marinero que está de vigía en un sitio de la arboladura más alto que la cofa. || **Al tope, o a tope.** m. adv. con que se denota la unión, juntura o incorporación de las cosas por sus extremidades, sin ponerse una sobre otra. || **De tope a quilla.** loc. adv. desus. *Mar.* **De alto a bajo.** || **De tope a tope.** loc. adv. *Mar.* **De cabo a cabo.** || **Estar uno de tope.** fr. *Mar.* Estar de vigía en lo alto de la arboladura. || **Estar hasta los topes.** fr. *Mar.* Hallarse un buque con excesiva carga. || **2.** fig. y fam. Tener una persona o cosa hartura o exceso de algo. || **Hasta el tope.** m. adv. fig. Enteramente o llenamente, o hasta donde se puede llegar.

Topeadura. f. *Chile.* Diversión de los guasos que consiste en empujar un jinete a otro para desalojarlo de su puesto.

Topear. tr. desus. **Topetar.** || **2.** *Chile.* Empujar un jinete a otro para desalojarlo de su puesto.

Topera. f. Madriguera del topo.

Topetada. (De *topetar.*) f. Golpe que dan con la cabeza los toros, carneros, etc. || **2.** fig. y fam. Golpe que da uno con la cabeza en alguna cosa.

Topetar. (frec. de *topar.*) tr. Dar con la cabeza en alguna cosa con golpe e impulso, lo cual se dice con propiedad de los carneros y otros animales cornudos. Ú. t. c. intr. || **2. Topar,** 1.ª acep.

Topetazo. (De *topetar.*) m. **Topetada.**

Topetón. (De *topetar.*) m. Encuentro o golpe de una cosa con otra. || **2. Topetada.**

Topetudo, da. adj. Aplícase al animal que tiene costumbre de dar topetadas.

Tópico, ca. (Del gr. τοπικός, de τόπος, lugar.) adj. Perteneciente a determinado lugar. || **2.** m. *Med.* Medicamento externo. || **3.** *Ret.* Expresión vulgar o trivial. || **4.** pl. **Lugares comunes,** 1.ª acep.

Topil. m. desus. *Méj.* **Alguacil,** 1.ª acep.

Topinada. f. fam. Acción propia de un topo, 1.er art., 2.ª y 3.ª aceps.

Topinambur. m. *Bot. Argent.* y *Bol.* Planta de la familia de las compuestas, que produce unos tubérculos semejantes a las batatas, utilizados para alimento del hombre y del ganado.

Topinaria. (De *topo,* 1.er art.) f. **Talparia.**

Topinera. (De *topo,* 1.er art.) f. **Topera.** || **Bebe como una topinera.** fr. que se aplica al que bebe mucho, por alusión al agua del riego que absorben las **topineras.**

Topino, na. adj. Dícese de la caballería que tiene cortas las cuartillas y pisa, por tanto, con la parte anterior del casco.

Topiquero, ra. m. y f. Persona encargada de la aplicación de tópicos en los hospitales.

Topo. (Del lat. *talpa.*) m. Mamífero insectívoro del tamaño del ratón, de cuerpo rechoncho, cola corta y pelaje negruzco suave y tupido; hocico afilado, ojos pequeños y casi ocultos por el pelo; brazos recios, manos anchas, cortas y robustas, cinco dedos armados de fuertes uñas que le sirven para socavar y apartar la tierra al abrir las galerías subterráneas donde vive. Se alimenta de gusanos y larvas de insectos. || **2.** fig. y fam. Persona que tropieza en cualquier cosa, o por cortedad de vista o por desatiento natural. Ú. t. c. adj. || **3.** fig. y fam. Persona de cortos alcances que en todo yerra o se equivoca. Ú. t. c. adj.

Topo. (Quizá del cumanagoto *topo,* piedra redonda.) m. Medida itineraria de legua y media de extensión, usada entre los indios de la América Meridional.

Topo. (Voz quichua.) m. *Argent., Chile* y *Perú.* Alfiler grande con que las indias se prenden el mantón.

Topocho, cha. adj. V. **Cambur topocho.** || **2.** *Venez.* **Rechoncho.**

Topografía. (Del gr. τοπογραφία, de τοπογράφος, topógrafo.) f. Arte de describir y delinear detalladamente la superficie de un terreno o territorio de no grande extensión. || **2.** Conjunto de particularidades que presenta un terreno en su configuración superficial.

Topográficamente. adv. m. De un modo topográfico.

Topográfico, ca. adj. Perteneciente o relativo a la topografía. *Carta* TOPOGRÁFICA.

Topógrafo. (Del gr. τοπογράφος; de τόπος, lugar, y γράφω, describir.) m. El que profesa el arte de la topografía o en ella tiene especiales conocimientos.

Toponimia. (Del gr. τόπος, lugar, y ὄνομα, nombre.) f. Estudio del origen y significación de los nombres propios de lugar.

Toponímico, ca. adj. Perteneciente o relativo a la toponimia.

Topónimo. m. Nombre propio de lugar.

Toque. m. Acción de tocar una cosa, tentándola, palpándola, o llegando inmediatamente a ella. || **2.** Ensayo de cualquier objeto de oro o plata que se hace comparando el efecto producido por el ácido nítrico en dos rayas trazadas sobre una piedra dura, una con dicho objeto y otra con una barrita de prueba, cuya ley es conocida. || **3. Piedra de toque.** || **4.** Tañido de las campanas o de ciertos instrumentos, con que se anuncia alguna cosa. TOQUE *de ánimas;* TOQUE *de diana.* || **5.** fig. Punto esencial en que consiste o estriba alguna cosa. || **6.** fig. Prueba, examen o experiencia que se hace de algún sujeto, con alusión a la que se hace de los metales, para reconocer su talento y capacidad o el estado y disposición en que se halla en orden a lo que se intenta. || **7.** fig. Tocamiento, llamamiento, indicación, advertencia que se hace a uno. Dícese más comúnmente **toque de atención.** || **8.** fig. y fam. Golpe que se da a alguno. || **9.** *Pint.* Pincelada ligera. || **de baquetas.** *Mil.* El que tocaba la banda de cornetas o tambores durante la carrera de baquetas. || **del alba.** El de las campanas de los templos, al amanecer, con que se avisa a los fieles para que recen el Avemaría. || **de luz.** *Pint.* Esplendor o realce de claro. || **de obscuro.** *Pint.* **Apretón,** 8.ª acep. || **Dar un toque** a uno. fr. fig. y fam. Ponerle a prueba. || **2.** fig. y fam. Sondearle respecto de algún asunto.

Toqueado. (De *toque.*) m. Son o golpeo acorde que se hace con manos, pies, palo u otra cosa.

Toquería. f. Conjunto de tocas. || **2.** Oficio del toquero.

Toquero, ra. m. y f. Persona que teje o hace tocas o que las vende.

Toquetear. tr. Tocar reiteradamente y sin tino ni orden.

Toqui. m. *Chile.* Entre los antiguos araucanos, jefe del Estado en tiempo de guerra.

Toquilo. m. *Nav.* **Pico,** 2.° art.

Toquilla. (d. de *toca.*) f. Cierto adorno de gasa, cinta u otra cosa, que se ponía alrededor de la copa del sombrero. || **2.** Pañuelo pequeño, comúnmente triangular, que se ponen algunas mujeres en la cabeza o al cuello. || **3.** Pañuelo de punto generalmente de lana, que usan para abrigo las mujeres y los niños. || **4.** *Bol.* y *Ecuad.* Especie de palmera sin tronco, cuyas hojas en forma de abanico salen del suelo sobre un pecíolo largo. Suministra la paja con que se tejen los sombreros de Jipijapa.

Tora. (Del lat. *thora,* y éste del hebr. *tōrah,* ley.) f. Tributo que pagaban los judíos por familias. || **2.** Libro de la ley de los judíos.

Tora. (De *toro,* 1.er art.) adj. V. **Hierba tora.** || **2.** f. Armazón en figura de toro que, revestida de cohetes y otros artificios pirotécnicos, sirve para diversión en algunas fiestas populares. || **3.** *Sal.* **Agalla,** 1.ª acep.

Torácico, ca. (Del gr. θωρακικός.) adj. *Zool.* Perteneciente o relativo al tórax. || **2.** *Zool.* V. **Aorta, canal torácico.**

Torada. f. Manada de toros.

Toral. (Del lat. *torus,* lecho.) adj. Principal o que tiene más fuerza y vigor en cualquier concepto. *Arco, fundamento* TORAL. || **2.** V. **Cera toral.** || **3.** *Arq.* V. **Arco toral.** || **4.** m. *Min.* Molde donde se da forma a las barras de cobre. || **5.** *Min.* Barra formada en este molde

Tórax. (Del lat. *thōrax,* y éste del gr. θώραξ.) m. *Zool.* **Pecho,** 1.er art., 1.ª y 3.ª aceps. || **2.** *Zool.* Cavidad del pecho. || **3.** *Zool.* Región media de las tres en que está dividido el cuerpo de los insectos, arácnidos y crustáceos.

Torbellino. (Del lat. *turbo, -inis.*) m. Remolino de viento. || **2.** fig. Concurrencia o abundancia de cosas que ocurren a un mismo tiempo. || **3.** fig. y fam. Persona demasiadamente viva e inquieta y que hace o dice las cosas atropellada y desordenadamente.

Torca. (Quizá del lat. *torques*, collar.) f. Depresión circular en un terreno y con bordes escarpados.

Torcal. m. Terreno donde hay torcas.

Torcaz. (De *torcazo*.) adj. V. **Paloma torcaz.**

Torcazo, za. (De un der. del lat. *torques*, collar.) adj. **Torcaz.** Ú. t. c. s. f.

Torce. (Del lat. *torques*, collar.) f. Cada una de las vueltas que da alrededor del cuello una cadena o collar. || **2.** p. us. **Collar.**

Torcecuello. (De *torcer* y *cuello*.) m. *Zool.* Ave del orden de las trepadoras, de unos 16 centímetros de largo, de color pardo jaspeado de negro y rojo en el lomo, alas y cola, amarillento en el cuello y pecho, y blanquecino con rayas negras en el vientre. Si teme algún peligro, eriza las plumas de la cabeza, tuerce el cuello hacia atrás y lo extiende después rápidamente. Es ave de paso en España y suele anidar en los huecos de los árboles. Se alimenta de insectos, principalmente de hormigas.

Torcedero, ra. (De *torcer*.) adj. Torcido, desviado de lo recto. || **2.** m. Instrumento con que se tuerce.

Torcedor, ra. adj. Que tuerce. Ú. t. c. s. || **2.** m. Huso con que se tuerce la hilaza, el cual tiene en el remate un garabato donde se prende la hebra, y debajo de él una rodaja de madera para que haga peso. || **3.** fig. Cualquier cosa que ocasiona persistente disgusto, mortificación o sentimiento. || **4.** *Ar.* **Acial.**

Torcedura. f. Acción y efecto de torcer o torcerse. || **2. Aguapié,** 1.ª acep. || **3.** *Cir.* Distensión de las partes blandas que rodean las articulaciones de los huesos. || **4.** *Cir.* Desviación de un miembro u órgano de su dirección normal.

Torcer. (Del lat. *torquēre*.) tr. Dar vueltas a una cosa sobre sí misma, de modo que tome forma helicoidal y se apriete. Ú. t. c. r. || **2.** Encorvar o poner angulosa una cosa recta; poner inclinada o sesgada una cosa perpendicular, paralela o equidistante. Ú. t. c. r. || **3.** Desviar una cosa de su posición o dirección habitual. TORCER *los ojos.* || **4.** Dicho del gesto, el semblante, o familiarmente del morro, el hocico, etc., dar al rostro expresión de desagrado, enojo u hostilidad. || **5.** Dar violentamente dirección a un miembro u otra cosa, contra el orden natural. TORCER *un brazo.* Ú. t. c. r. || **6.** Desviar una cosa de la dirección que llevaba, para tomar otra. *El ave* TUERCE *su vuelo; el escritor* TUERCE *el curso de su razonamiento.* Ú. t. c. r. *El coche* SE TORCIÓ *hacia la cuneta.* Ú. t. c. intr. *El camino* TUERCE *a mano derecha.* || **7.** Elaborar el cigarro puro, envolviendo la tripa en la capa. || **8.** fig. Interpretar mal, dar diverso y siniestro sentido a lo que por alguna razón lo tiene equívoco. || **9.** fig. Mudar, trocar la voluntad o el dictamen de alguno. Ú. t. c. r. || **10.** fig. Hacer que los jueces u otras autoridades falten a la justicia. Ú. t. c. r. || **11.** r. Avinagrarse y enturbiarse el vino. || **12.** Cortarse la leche. || **13.** fig. Dejarse un jugador ganar por su contrario, para estafar entre ambos a un tercero. || **14.** Dificultarse y frustrarse un negocio o pretensión que iba por buen camino. || **15.** fig. Desviarse del camino recto de la virtud o de la razón. || **Andar,** o **estar, torcido con** uno. fr. fig. y fam. Estar enemistado con él, o no tratarle con la familiaridad y confianza que antes.

Torcida. f. Mecha de algodón o trapo torcido, que se pone en los velones, candiles, velas, etc. || **2.** *And.* Ración diaria de carne que dan en los molinos de aceite al oficial que muele la aceituna.

Torcidamente. adv. m. De manera torcida.

Torcidillo. m. d. de **Torcido,** 8.ª acep.

Torcido, da. p. p. de **Torcer.** || **2.** adj. Que no es recto; que hace curvas o está oblicuo o inclinado. || **3.** V. **Punto torcido.** || **4.** fig. Dícese de la persona que no obra con rectitud, y de su conducta. || **5.** fig. y fam. V. **Cabeza torcida.** || **6.** m. Rollo hecho con pasta de ciruela u otras frutas en dulce. || **7.** En algunas partes, **torcedura,** 2.ª acep. || **8.** Hebra gruesa y fuerte de seda torcida, que sirve para hacer media y para otros usos.

Torcijón. (De *torcer*.) m. **Retorcimiento.** || **2. Retortijón de tripas.** || **3. Torozón.**

Torcimiento. (De *torcer*.) m. **Torcedura,** 1.ª acep. || **2.** fig. Perífrasis o circunlocución con que se da a entender una cosa que se pudiera explicar más claramente y con mayor brevedad.

Torco. m. *Ál., Logr.* y *Sant.* Bache, charco grande.

Torculado, da. (De *tórculo*.) adj. De forma de tornillo, como los husillos de las prensas.

Tórculo. (Del lat. *torcŭlum*.) m. Prensa, y en especial la que se usa para estampar grabados en cobre, acero, etc.

Torcho. m. **Tocho,** 3.ª acep.

Torchuelo. adj. **Tochuelo.**

Torda. f. Hembra del tordo.

Tordancha. (De *tordo*.) f. *Nav.* **Estornino.**

Tordella. (Del lat. *turdēla*.) f. Especie de tordo más grande que el ordinario.

Tórdiga. f. **Túrdiga.**

Tordillejo, ja. adj. d. de **Tordillo.** Ú. t. c. s.

Tordillo, lla. (d. de *tordo*, 1.ª acep.) adj. **Tordo,** 1.ª acep. Ú. t. c. s.

Tordo, da. (Del lat. *turdus*.) adj. Dícese del caballo o yegua, o del mulo o mula, que tiene el pelo mezclado de negro y blanco, como el plumaje del **tordo.** Ú. t. c. s. || **2.** m. Pájaro de unos 24 centímetros de largo, cuerpo grueso, pico delgado y negro, lomo gris aceitunado, vientre blanco amarillento con manchas pardas redondas o triangulares y las cobijas de color amarillo rojizo. Es común en España y se alimenta de insectos y de frutos, principalmente de aceitunas. || **3.** *Amér. Central, Argent.* y *Chile.* **Estornino.** || **alirrojo. Malvís.** || **de agua.** Pájaro semejante al **tordo,** de lomo pardo, cabeza rojiza, cuello y pecho blancos y cola cenicienta. Vive a orillas de los ríos y arroyos y se sumerge en el agua para coger insectos y moluscos. || **de campanario.** *Nav.* **Estornino.** || **de Castilla.** *Vizc.* **Estornino.** || **de mar. Budión.** || **loco. Pájaro solitario.** || **mayor. Cagaaceite.** || **serrano.** Pájaro semejante al estornino y de color negro uniforme.

Toreador. m. El que torea, 1.ª acep.

Torear. intr. Lidiar los toros en la plaza. Ú. t. c. tr. || **2.** Echar los toros a las vacas. || **3.** tr. fig. Entretener las esperanzas de uno engañándole. || **4.** fig. Hacer burla de alguien con cierto disimulo. || **5.** fig. Fatigar, molestar a uno, llamando su atención a diversas partes u objetos.

Toreo. m. Acción de torear. || **2.** Arte de torear, 1.ª acep.

Torera. f. Chaquetilla ceñida al cuerpo, por lo general sin abotonar y que no pasa de la cintura; toma su nombre de la semejanza con la chaqueta que usan los toreros. || **Saltarse algo a la torera.** fr. fig. y fam. Omitir audazmente y sin escrúpulos el cumplimiento de una obligación o compromiso.

Torería. (De *torero*.) f. Gremio o conjunto de toreros. || **2.** desus. Travesura, calaverada. Ú. en *Amér.*

Torero, ra. adj. fam. Perteneciente o relativo al toreo. *Aire* TORERO; *sangre* TORERA. || **2.** V. **Capa torera.** || **3.** m. y f. Persona que por oficio o por afición acostumbra torear en las plazas.

Torés. (Del lat. *torus*, lecho.) m. *Arq.* Toro que asienta sobre el plinto de la basa de la columna.

Toresano, na. adj. Natural de Toro. Ú. t. c. s. || **2.** Perteneciente a esta ciudad.

Torete. m. d. de **Toro,** 1.er art. || **2.** fig. y fam. Especie que contiene grave dificultad y que hace trabajar al entendimiento para su resolución. || **3.** fig. y fam. Asunto o novedad de que se trata más generalmente en las conversaciones.

Torga. f. **Horca,** 2.ª acep. || **2.** *León.* **Torna,** 2.ª acep.

Torgado, da. (De *torga*.) adj. ant. Trabado, torpe.

Torgo. (Del lat. **tŏricus*, de *torus*, tronco.) m. *Extr.* y *Gal.* Tocón, cepa o raíz gruesa, o parte abultada de las ramas.

Toril. m. Sitio donde se tienen encerrados los toros que han de lidiarse.

Torillo. m. d. de **Toro,** 2.º art. || **2.** Espiga que une dos piñas contiguas de una rueda. || **3.** *Zool.* **Rafe,** 2.º art., 2.ª acep. || **4.** *And.* Pájaro semejante a la codorniz, pero de menor tamaño.

Torillo. m. d. de **Toro.** || **2.** Pez acantopterigio de piel desnuda y cubierta de una mucosidad característica, con las aletas abdominales reducidas a dos radios colocados debajo de las torácicas. Vive en sitios pedregosos. || **3.** fig. y fam. **Torete,** 3.ª acep.

Torio. (De *Tor*, dios de la mitología escandinava.) m. Metal radiactivo, de color plomizo, más pesado que el hierro, y soluble en el ácido clorhídrico.

Toriondez. f. Calidad de toriondo.

Toriondo, da. (De *toro*.) adj. Dícese de la vaca en celo.

Torito. m. d. de **Toro.** || **2.** *Chile.* **Fiofío.** || **3.** *Argent.* y *Perú.* Coleóptero muy común de color negro; el macho tiene un cuerno encorvado en la frente. || **4.** *Ecuad.* Cierta variedad de orquídea. || **5.** *Cuba.* Especie de pez cofre que tiene dos espinas a manera de cuernos.

Torloroto. (En fr. *tournebout*.) m. Instrumento músico de viento, parecido al orlo.

Tormagal. (De *tormo*.) m. **Tormellera.**

Tormellera. (De *tormo*.) f. **Tolmera.**

Tormenta. (Del lat. *tormenta*, pl. de *-tum*, tormento.) f. **Tempestad,** 1.ª y 2.ª aceps. || **2.** fig. Adversidad, desgracia o infelicidad de una persona. || **3.** fig. Violenta manifestación del estado de los ánimos enardecidos por algún suceso reprobable o que da motivo a empeñada controversia.

Tormentador, ra. (De *tormentar*.) adj. ant. **Atormentador.** Usáb. t. c. s.

Tormentar. (De *tormento*.) tr. ant. **Atormentar.** || **2.** intr. Padecer tormenta.

Tormentario, ria. (Del lat. *tormentum*, máquina, ingenio para disparar armas arrojadizas.) adj. Perteneciente o relativo a la maquinaria de guerra destinada a expugnar o defender las obras de fortificación. || **2.** V. **Arte tormentaria.** Ú. t. c. s.

Tormentila. (De *tormento*, porque alivia el de quien padece dolor de muelas.) f. Planta herbácea anual, de la familia de las rosáceas, con tallos enhiestos en forma de horquilla y de dos a tres decímetros de altura; hojas verdes, compuestas de siete hojuelas ovales, dentadas en el margen y algo vellosas por el envés; flores amarillas, axilares y solitarias; fruto seco y rizoma rojizo que se emplea en medicina como astringente enérgico y contra el dolor de muelas. Es común en España.

Tormentín. (Del fr. *tourmentin*, de *tourment*, tormento.) m. *Mar.* Mástil pequeño que iba colocado sobre el bauprés.

Tormento. (Del lat. *tormentum.*) m. Acción y efecto de atormentar o atormentarse. || **2.** Angustia o dolor físico. || **3.** Dolor corporal que se causaba al reo contra el cual había prueba semiplena o indicios, para obligarle a confesar o declarar. || **4.** Máquina de guerra para disparar balas u otros proyectiles. || **5.** fig. Congoja, angustia o aflicción del ánimo. || **6.** fig. Especie o sujeto que la ocasiona. || **de cuerda. Mancuerda.** || **2. Trato de cuerda.** || **de garrucha.** El que consistía en colgar al reo de una cuerda que pasaba por una garrucha, para que con su mismo peso se atormentase. || **de toca.** El que consistía en hacer tragar agua a través de una gasa delgada. || **Confesar** uno **sin tormento.** fr. fig. Decir o manifestar fácilmente lo que sabe, sin necesidad de instancias. || **Dar tormento** a uno. fr. Someterle a cuestión de **tormento.**

Tormentoso, sa. (Del lat. *tormentuōsus.*) adj. Que ocasiona tormenta. || **2.** Dícese del tiempo en que hay o amenaza tormenta. || **3.** *Mar.* Dícese del buque que por defecto de construcción, de la estiba, etc., trabaja mucho con la mar y el viento.

Tormera. f. **Tolmera.**

Tormo. m. **Tolmo.** || **2. Terrón,** 1.ª y 2.ª aceps.

Torna. f. Acción de tornar, 1.ª y 3.ª aceps. || **2.** Obstáculo, por lo general de tierra y césped, que se pone en una reguera para cambiar el curso del agua. || **3.** *Ar.* Remanso de un río. || **4.** *Pal.* Cada dos o cuatro surcos de terreno sembrado. || **5.** *Sal.* y *Zam.* Cajón de madera que recibe el grano en la aceña. || **6.** *And.* Granzones que dejan los bueyes y se echan a otros animales. || **Volver las tornas.** fr. fig. Corresponder una persona al proceder de otra. || **2.** Cambiar en sentido opuesto la marcha de un asunto. Ú. m. c. r.

Tornaboda. f. Día después de la boda. || **2.** Celebridad de este día.

Tornachile. m. *Méj.* Pimiento gordo.

Tornada. f. Acción de tornar, 3.ª acep. || **2.** Repetición de la ida a un paraje o lugar. || **3.** Estrofa que a modo de despedida se ponía al fin de ciertas composiciones poéticas provenzales. || **4.** *Veter.* Enfermedad producida en el carnero por el desarrollo de un cisticerco en la masa encefálica del animal.

Tornadera. (De *tornar.*) f. Horca de dos puntas que se usa para dar vuelta a las parvas en las labores de la trilla.

Tornadero. m. *Sal.* **Torna,** 2.ª acep.

Tornadizo, za. (De *tornar.*) adj. Que se torna, muda o varía fácilmente. Dícese en especial del que abandona su creencia, partido u opinión. *Cristianos* TORNADIZOS. Ú. t. c. s. || **2.** m. *Cád.* **Alcornoque.**

Tornado, da. p. p. de **Tornar.** || **2.** m. **Huracán.**

Tornadura. f. **Torna,** 1.ª acep. || **2. Tornada,** 1.ª y 2.ª aceps. || **2. Pértica.**

Tornagallos. m. *Ál.* **Lechetrezna.**

Tornaguía. (De *tornar* y *guía.*) f. Recibo o resguardo de la guía con que se despachó o expidió una mercancía, y que sirve para acreditar haber llegado a su destino los géneros comprendidos en ella.

Tornalecho. m. Dosel sobre la cama.

Tornamiento. m. Acción y efecto de tornar o tornarse, 2.ª acep.

Tornapeón (A). m. adv. *Ar.* y *Nav.* Ayudándose unos a otros los vecinos en las labores del campo, mediante la prestación mutua de servicios

Tornapunta. (De *tornar* y *punta.*) f. Madero ensamblado en uno horizontal para apear otro vertical o inclinado. || **2. Puntal,** 1.ª acep. || **3.** *Mar.* Cualquiera de las barras de hierro que desde la cubierta se apoyan cerca de la regala por una y otra banda en los bergantines y goletas de mucho pozo, que llevan las mesas de guarnición encima de la portería.

Tornar. (Del lat. *tornāre,* tornear.) tr. **Devolver,** 2.ª acep. || **2.** Mudar a una persona o cosa su naturaleza o su estado. Ú. t. c. r. || **3.** intr. **Regresar,** 1.ª acep. || **4.** Seguido de la preposición *a* y otro verbo en infinitivo, volver a hacer lo que éste expresa. || **5. Volver,** 24.ª acep.

Tornasol. m. **Girasol,** 1.ª acep. || **2.** Cambiante, reflejo o viso que hace la luz en algunas telas o en otras cosas muy tersas. || **3.** Materia colorante azul violácea producida en la fermentación de algunos líquenes y de otras plantas y cuya tintura sirve de reactivo para reconocer los ácidos, que la tornan roja. || **4.** *Quím.* V. **Papel de tornasol.**

Tornasolado, da. (De *tornasolar.*) adj. Que tiene o hace visos y tornasoles.

Tornasolar. tr. Hacer o causar tornasoles. Ú. t. c. r.

Tornátil. (Del lat. *tornatĭlis.*) adj. Hecho a torno o torneado. || **2.** poét. Que gira con facilidad y presteza. || **3.** fig. **Tornadizo.**

Tornatrás. com. Descendiente de mestizos y con caracteres propios de una sola de las razas originarias, reaparecidos por atavismo. || **2.** Con especialidad, hijo de albina y europeo o de europea y albino.

Tornaviaje. m. Viaje de regreso al lugar de donde salió. || **2.** Lo que se trae al regresar de un viaje.

Tornavirón. m. **Torniscón,** 1.ª acep.

Tornavoz. m. Sombrero del púlpito, concha del apuntador en los teatros, o cualquiera otro aparato semejante dispuesto para que el sonido repercuta y se oiga mejor.

Torneador. (De *tornear.*) m. El que tornea. || **2. Tornero,** 1.ª acep.

Torneadura. f. Viruta que se saca de lo que se tornea.

Torneante. p. a. de **Tornear,** 5.ª acep. Que tornea. Ú. t. c. s.

Tornear. tr. Labrar o redondear una cosa al torno, puliéndola y alisándola. || **2.** *Logr.* Dar vuelta a la parva. || **3.** *Sant.* En el juego de bolos, imprimir un movimiento de rotación a la bola que se arroja. || **4.** intr. Dar vueltas alrededor o en torno. || **5.** Combatir o pelear en el torneo. || **6.** fig. Dar vueltas con la imaginación; desvelarse con discursos y pensamientos varios.

Torneo. (De *tornear,* 5.ª acep.) m. Combate a caballo entre varias personas, unidas en cuadrillas y bandos de una parte y otra, en que batallan y se hieren, dando vueltas en torno para perseguir cada cual a su contrario. || **2.** Fiesta pública entre caballeros armados unidos en cuadrillas, que, entrando en un circo dispuesto a este fin, escaramucean dando vueltas alrededor, a imitación de una reñida batalla. || **3.** Danza que se ejecutaba a imitación del **torneo,** llevando varas en lugar de lanzas. || **4.** Modorra de las reses lanares.

Torneo. (De *torno,* 8.ª acep.) m. *Germ.* **Tormento,** 3.ª acep.

Tornera. f. Monja destinada para servir en el torno. || **2.** Mujer del tornero.

Tornería. f. Taller o tienda de tornero. || **2.** Oficio de tornero.

Tornero. m. Artífice que hace obras al torno. || **2.** El que hace tornos. || **3.** *And.* Demandadero de monjas.

Tornés, sa. (Del b. lat. *turonensis,* de Tours.) adj. Aplícase a la moneda francesa que se fabricó en la ciudad de Tours y valía una quinta parte menos que la de París. *Sueldo* TORNÉS; *libra* TORNESA. || **2.** m. Moneda antigua de plata, que equivalía a tres cuartillos de real.

Tornija. f. *Bad.* y *Sal.* Cuña que se introduce en la punta del eje del carro para evitar que se salga la rueda.

Tornillero. (De *tornillo,* 3.ª acep.) m. fam. Soldado desertor.

Tornillo. (d. de *torno.*) m. Cilindro de metal, madera, etc., con resalto en hélice, que entra y juega en la tuerca. || **2.** Clavo con resalto en hélice. || **3.** fig. y fam. Fuga o deserción del soldado. || **4.** *Bot. Amér. Central* y *Venez.* Arbusto de la familia de las esterculiáceas, con flores rojas y fruto capsular retorcido en forma de hélice. Se usa en medicina. || **de rosca golosa.** Clavo de espiga ligeramente cónica, con resalto helicoidal de arista cortante. || **sin fin.** Engranaje compuesto de una rueda dentada y un cilindro con resalto helicoidal. || **Apretarle** a uno **los tornillos.** fr. fig. y fam. Apremiarle, obligarle a obrar en determinado sentido. || **Faltarle** a uno **un tornillo,** o **tener flojos los tornillos.** fr. fig. y fam. Tener poco seso.

Torniquete. (Del fr. *tourniquet.*) m. Palanca angular de hierro, que sirve para comunicar el movimiento del tirador a la campanilla. || **2.** Especie de torno en forma de cruz de brazos iguales, que gira horizontalmente sobre un eje y se coloca en las entradas por donde sólo han de pasar una a una las personas. || **3.** *Cir.* Instrumento quirúrgico para evitar o contener la hemorragia en operaciones y heridas de las extremidades. || **Dar torniquete a** una frase. fr. fig. Torcer su sentido, a fin de que diga cosa distinta de la que naturalmente aparece.

Torniscón. (De *tornar.*) m. fam. Golpe que de mano de otro recibe uno en la cara o en la cabeza, y especialmente cuando se da de revés. || **2.** fam. Pellizco retorcido.

Torno. (Del lat. *tornus,* y éste del gr. τόρνος, giro, vuelta.) m. Máquina simple que consiste en un cilindro dispuesto para girar alrededor de su eje por la acción de palancas, cigüeñas o ruedas, y que ordinariamente actúa sobre la resistencia por medio de una cuerda que se va arrollando al cilindro. || **2.** Armazón giratoria compuesta de varios tableros verticales que concurren en un eje, y de un suelo y un techo circulares, la cual se ajusta al hueco de una pared y sirve para pasar objetos de una parte a otra, sin que se vean las personas que los dan o reciben. Tiene uso en los conventos de monjas, en las casas de expósitos y en los comedores. || **3.** Máquina en que, por medio de una rueda, de una cigüeña, etc., se hace que alguna cosa dé vueltas sobre sí misma; como las que sirven para hilar, torcer seda, devanar, hacer obras de alfarería, etc. || **4.** Máquina para labrar en redondo piezas de madera, metal, hueso, etc. || **5.** Freno de algunos carruajes, que se maneja con un manubrio. || **6.** Vuelta alrededor, movimiento circular o rodeo. || **7.** Recodo que forma el cauce de un río y en el cual adquiere por lo común mucha fuerza la corriente. || **8.** *Ar.* Aparato que se emplea para cerner harina. || **9.** *Germ.* **Potro,** 2.ª acep. || **10.** *For.* Acción de pasar la adjudicación del remate, en los arrendamientos de rentas, al postor que ofrece mayores ventajas inmediatamente después de otro que la tuvo primero y no dio dentro del término las fianzas estipuladas. || **paralelo.** Aquel cuyo portaherramientas se mueve en sentido paralelo al eje de la pieza que se tornea. Sirve para roscar. || **A torno.** m. adv. **En torno,** 1.ª acep. || **2.** Dícese de lo que está torneado o labrado en el torno. || **En torno.** m. adv. **Alrededor.** || **2. En cambio.**

Toro. (Del lat. *taurus.*) m. Mamífero rumiante, de unos dos metros y medio de largo desde el hocico hasta el arranque de la cola y cerca de metro y medio de altura hasta la cruz; cabeza gruesa armada de dos cuernos; piel dura con pelo corto, y cola larga, cerdosa hacia el remate. Es fiero, principalmente cuando se le irrita; pero hecho buey por la castración, se domestica y sirve para las labores del campo. || **2.** fig. Hombre muy robusto y fuerte. || **3.** *Astron.* **Tauro.** || **4.** pl. Fiesta o corrida de **toros.** || **Toro corrido.** fig. y fam. Sujeto que es dificultoso de engañar, por su mucha experiencia. || **de campanilla.** El que lleva colgando de la piel del pescuezo una túrdiga que de ternerillo y para adorno le cortan los vaqueros. || **de fuego. Tora,** 2.° art., 2.ª acep. || **del aguardiente.** El que se lidia por el público en fiestas populares a primera hora de la mañana. || **de muerte.** El destinado a ser muerto en el redondel. || **de puntas.** El que se lidia sin tener emboladas las astas. || **de ronda. Jubilo,** 2.ª acep. || **furioso.** *Blas.* **Toro** levantado en sus pies, cuando está en la forma y situación de león rampante. || **mejicano. Bisonte.** || **Ciertos son los toros.** expr. fig. y fam. con que se afirma la certeza de una cosa, por lo regular desagradable, que se temía o se había anunciado. || **Echarle** a uno **el toro.** fr. fig. y fam. Decirle sin contemplación una cosa desagradable. || **Haber toros y cañas.** fr. fig. y fam. Haber fuertes disputas o porfías sobre una cosa. || **Mirar** uno **los toros desde el andamio,** etc. fr. fig. y fam. **Ver los toros desde el andamio,** etc. || **Otro toro.** fr. fig. que se emplea para indicar que se debe cambiar de asunto en una conversación. || **Pelean los toros, y mal para las ramas.** ref. que enseña que de las riñas y disgustos entre los poderosos salen perjudicados los subalternos. || **Soltarle** a uno **el toro.** fr. fig. y fam. **Echarle el toro.** || **Ver** uno **los toros desde el andamio, el balcón,** o **la barrera,** o **desde la,** o **de la, talanquera.** fr. fig. y fam. Presenciar alguna cosa o tratar de ella sin correr el peligro a que se exponen los que en ella intervienen.

Toro. (Del lat. *torus,* y éste del gr. τόρος.) m. *Arq.* **Bocel,** 1.ª acep.

Torondo. (Del lat. *turunda,* bola.) m. ant. Tolondro, 2.ª acep.

Torondón. (De *torondo.*) m. ant. **Tolondro,** 2.ª acep.

Torondoso, sa. adj. ant. Que tiene torondos.

Toronja. (Del ár. *turunŷa,* cidra.) f. Cidra de forma globosa como la naranja.

Toronjil. (Del ár. *turunŷān,* con imela *turunŷīn,* hierba abejera.) m. Planta herbácea anual, de la familia de las labiadas, con muchos tallos rectos de cuatro a seis decímetros de altura; hojas pecioladas, ovales, arrugadas, dentadas y olorosas; flores blancas en verticilos axilares, y fruto seco, capsular, con cuatro semillas menudas. Es común en España, y sus hojas y sumidades floridas se usan en medicina como remedio tónico y antiespasmódico.

Toronjina. (Del m. or. que *toronjil.*) f. **Toronjil.**

Toronjo. m. Variedad de cidro que produce las toronjas.

Toroso, sa. (Del lat. *torōsus.*) adj. Fuerte y robusto.

Torozón. (De *torzón.*) m. fig. Inquietud, desazón, sofoco. || **2.** *Veter.* Movimiento violento y desordenado que hacen las caballerías y otros animales cuando padecen enteritis con fuertes dolores. || **3.** *Veter.* Enteritis de estos animales, con dolores cólicos.

Torpe. (Del lat. *turpis.*) adj. Que no tiene movimiento libre, o si lo tiene, es lento, tardo y pesado. || **2. Desmañado,** falto de habilidad y destreza. || **3.** Rudo, tardo en comprender. || **4.** Deshonesto, impúdico, lascivo. || **5.** Ignominioso, indecoroso, infame. || **6.** Feo, tosco, falto de ornato. || **7.** *For.* V. **Condición, persona torpe.**

Torpecer. (Del lat. *torpescĕre.*) tr. ant. **Entorpecer.**

Torpecimiento. (De *torpecer.*) m. ant. **Entorpecimiento.**

Torpedad. (De *torpe.*) f. p. us. **Torpeza.**

Torpedeamiento. m. **Torpedeo.**

Torpedear. tr. *Mar.* Lanzar torpedos.

Torpedeo. m. *Mar.* Acción y efecto de torpedear.

Torpedero, ra. adj. Dícese del barco de guerra destinado a disparar torpedos. *Lancha* TORPEDERA. Ú. m. c. s. m.

Torpedo. (Del lat. *torpēdo.*) m. *Zool.* Pez selacio del suborden de los ráyidos, de unos cuatro decímetros de largo, cuerpo aplanado y orbicular, liso, pardo o rojizo con manchas redondas y negras en la parte dorsal, y blanco por debajo; boca grande y marginal, ojos pequeños, cola larga y carnosa y cuatro aletas laterales; tiene dos órganos musculosos debajo de la piel, a uno y otro lado de la cabeza, que producen corrientes eléctricas de bastante intensidad. Es carnívoro y vive en los fondos arenosos submarinos. || **2.** *Mar.* Máquina de guerra provista de una carga explosiva que tiene por objeto echar a pique al buque que choca con ella o se coloca dentro de su radio de acción. || **automóvil.** El de forma de cigarro que es lanzado por el buque que ataca, llevando en su interior elementos para trasladarse y gobernarse en dirección y profundidad y hacer explosión sobre el blanco o irse a pique y clavarse en el fondo, cuando el lanzamiento resulta ineficaz, todo ello automáticamente. || **de botalón.** El que se afirma en una perchita colocada en la proa de un bote pequeño de vapor, que se abandona y dirige contra el blanco, al llegar a sus inmediaciones. || **de corriente,** o **a la ronza.** El que se deja ir al garete aprovechando los movimientos de las aguas. || **de remolque.** El que es conducido así por la popa de un buque en movimiento. || **durmiente,** o **de fondo.** El formado por un recipiente metálico cargado de una substancia explosiva, el cual se coloca en el fondo del mar para hacerlo estallar por medio de la electricidad cuando pasa por encima un buque enemigo. || **flotante.** El que al ser fondeado, automáticamente algunas veces, a la profundidad que se desea, queda en disposición de estallar, como el durmiente, por choque o por la electricidad, en el momento oportuno.

Torpemente. adv. m. Con torpeza.

Torpeza. f. Calidad de torpe. || **2.** Acción o dicho torpe.

Tórpido, da. (Del lat. *torpĭdus.*) adj. *Med.* Que reacciona con dificultad o torpeza.

Torpor. (Del lat. *torpor.*) m. desus. *Med.* **Entumecimiento.**

Torques. (Del lat. *torques.*) f. Collar que como insignia o adorno usaban los antiguos.

Torrado, da. p. p. de **Torrar.** || **2.** m. Garbanzo tostado.

Torrar. (Del lat. *torrēre.*) tr. **Tostar,** 1.ª acep.

Torre. (Del lat. *tŭrris.*) f. Edificio fuerte, más alto que ancho, y que sirve para defenderse de los enemigos desde él, o para defender una ciudad o plaza. || **2.** Edificio más alto que ancho que en las iglesias sirve para colocar las campanas, y en las casas para esparcimiento de la vista y para adorno. || **3.** Pieza grande del juego de ajedrez, en figura de **torre,** que camina en línea recta en todas direcciones: hacia adelante, hacia atrás, a derecha o a izquierda, sin más limitación que la de no saltar por cima de otra pieza, salvo el lance de enroque. || **4.** En los buques de guerra, reducto acorazado que se alza sobre la cubierta para que dentro de él jueguen una o más piezas de artillería. || **5.** *Ar., Cat., Murc.* y *Nav.* Casa de campo o de recreo, o granja con huerta. || **6.** *Cuba* y *P. Rico.* Chimenea del ingenio de azúcar. || **7.** *Mar.* V. **Buque de torres.** || **albarrana.** Cualquiera de las **torres** que antiguamente se ponían a trechos en las murallas, y eran a modo de baluartes muy fuertes. || **2.** La que, levantada fuera de los muros de un lugar fortificado, servía no sólo para defensa, sino también de atalaya. || **cubierta.** *Blas.* La que se representa con techo casi siempre puntiagudo. || **de Babel.** fig. y fam. **Babel.** || **de farol.** desus. **Faro,** 1.ª acep. || **del homenaje.** La dominante y más fuerte, en la que el castellano o gobernador hacía juramento de guardar fidelidad y de defender la fortaleza con valor. || **de viento.** loc. fig. **Castillos en el aire.** || **maestra.** *Ar.* **Torre del homenaje.** || **Hacer torre.** fr. fig. Remontar su vuelo la perdiz herida mortalmente, hasta desplomarse sin vida.

Torrear. tr. Guarnecer con torres una fortaleza o plaza fuerte.

Torrecilla. f. d. de **Torre.** || **2.** *Nav.* Azud, presa o partidor de donde toman el riego algunos pueblos y campos de la merindad de Tudela.

Torrefacción. (Del lat. *torrefactum,* supino de *torrefacĕre,* tostar.) f. **Tostadura.**

Torrefacto, ta. adj. **Tostado.**

Torreja. f. ant. **Torrija.** Ú. en *Amér.*

Torrejón. m. Torre pequeña o mal formada.

Torrencial. adj. Parecido al torrente.

Torrente. (Del lat. *torrens, -entis.*) m. Corriente o avenida impetuosa de aguas que sobreviene en tiempos de muchas lluvias o de rápidos deshielos. || **2.** Curso de la sangre en el aparato circulatorio. || **3.** fig. Abundancia o muchedumbre de personas que afluyen a un lugar o coinciden en una misma apreciación, o de cosas que concurren a un mismo tiempo. || **de voz.** fig. Gran cantidad de voz fuerte y sonora.

Torrentera. f. Cauce de un torrente.

Torreón. m. aum. de **Torre.** || **2.** Torre grande, para defensa de una plaza o castillo.

Torrero. m. El que tiene a su cuidado una atalaya o un faro. || **2.** *Ar., Murc.* y *Nav.* Labrador o colono de una torre o granja.

Torreznada. f. Fritada grande y abundante de torreznos.

Torreznero, ra. (De *torrezno.*) adj. fam. Holgazán y regalón. Ú. t. c. s. || **2.** V. **Estudiante torreznero.**

Torrezno. (Del lat. *torrēre,* tostar, asar.) m. Pedazo de tocino frito o para freír.

Tórrido, da. (Del lat. *torrĭdus.*) adj. Muy ardiente o quemado. || **2.** *Geogr.* V. **Zona tórrida.**

Torrija. (De *torrar.*) f. Rebanada de pan empapada en vino, leche u otro líquido, frita en manteca o aceite y endulzada con miel, almíbar o azúcar. Suele rebozarse con huevo y se hace también con otros ingredientes.

Torrontera. f. *And.* **Torrontero.**

Torrontero. (De *torrente.*) m. Montón de tierra que dejan las avenidas impetuosas de las aguas.

Torrontés. adj. V. **Uva torrontés.** || **2.** Aplícase también al viduño que produce esta especie de uva.

Társalo. m. *Amér. Central.* Gusano parásito que se desarrolla bajo la piel del hombre y de algunos animales; produce hinchazón y dolores.

Torsión. (Del lat. *torsĭo, -ōnis.*) f. Acción y efecto de torcer o torcerse.

Torso. (Del ital. *torso.*) m. Tronco del cuerpo humano. Ú. principalmente en escultura y pintura. ‖ **2.** Estatua falta de cabeza, brazos y piernas.

Torta. (Del lat. *torta.*) f. Masa de harina, de figura redonda, a la cual se suelen echar huevos, aceite y otros ingredientes, como mosto, etc., y, estando todo incorporado, se cuece a fuego lento. ‖ **2.** fig. Cualquier masa reducida a figura de **torta.** ‖ **3.** fig. y fam. Palmada, golpe dado con la palma de la mano. *Dar* TORTAS; *hacer* TORTAS. ‖ **4.** fig. y fam. **Bofetada.** ‖ **5.** *Impr.* Paquete de caracteres de imprenta formado en las oficinas de la fundición. ‖ **6.** *Impr.* Plana mazorral que se guarda para distribuir. ‖ **de reyes.** La que tradicionalmente se come el día de Reyes. Contiene una haba u otra figurilla a fin de que, con el pedazo correspondiente, toque por suerte a uno de los comensales. ‖ **perruna.** Torta de harina, manteca y azúcar con que en Andalucía suele tomarse el chocolate. ‖ **Costar la torta un pan.** fr. fig. y fam. con que se pondera lo difícilmente que se consigue una cosa, cuando cuesta algo de mucho más valor que ella. ‖ **2.** fig. y fam. Exponerse uno por conseguir una cosa a un daño o riesgo que no había previsto. ‖ **Ser** una cosa **tortas y pan pintado.** fr. fig. y fam. Ser un daño, trabajo, disgusto, gasto, desacierto, etc., mucho menor que otro con que se compara. ‖ **2.** No ofrecer dificultad una cosa.

Tortada. f. Torta grande, de masa delicada, rellena de carne, huevos, dulce, etc. ‖ **2.** *Albañ.* **Tendel,** 2.ª acep.

Tortazo. m. fig. y fam. **Bofetada.**

Tortedad. (Del lat. *tortus,* torcido, doblado.) f. Calidad de tuerto.

Tortera. (Del lat. *tortum,* supino de *torquēre,* torcer.) f. Rodaja que se pone en la parte inferior del huso, y ayuda a torcer la hebra.

Tortera. (De *torta.*) adj. Aplícase a la cazuela o cacerola casi plana que sirve para hacer tortadas. Ú. m. c. s.

Tortero. m. **Tortera,** 1.er art. ‖ **2.** *Ál.* Cierta planta de la familia de las gramíneas, que tiene en la raíz varios bulbos en figura de disco.

Tortero, ra. m. y f. El que hace tortas o las vende. ‖ **2.** m. Caja o cesta para guardar tortas.

Torteruelo. m. *Bot.* Planta de la familia de las papilionáceas, del mismo género que la alfalfa.

Torticeramente. (De *torticero.*) adv. m. Contra derecho, razón o justicia.

Torticero, ra. (Del lat. *tortus,* torcido, tuerto.) adj. Injusto, o que no se arregla a las leyes o a la razón. ‖ **2.** V. **Enriquecimiento torticero.**

Tortícolis [**Torticolis**]. (Del lat. *tortum collum,* cuello torcido.) m. *Med.* Espasmo doloroso, de origen inflamatorio o nervioso, de los músculos del cuello, que obliga a tener éste torcido con la cabeza inmovil.

Tortilla. (d. de *torta.*) f. Fritada de huevos batidos, comúnmente hecha en figura redonda a modo de torta, y en la cual se incluye de ordinario algún otro manjar. ‖ **Hacer tortilla** a una persona o cosa. fr. fig. Aplastarla o quebrantarla en menudos pedazos. Ú. t. el verbo c. r. ‖ **Volverse la tortilla.** fr. fig. y fam. Suceder una cosa al contrario de lo que se esperaba o era costumbre. ‖ **2.** fig. y fam. Trocarse la fortuna favorable que uno tenía, o mudarse a favor de otro.

Tortillo. (De *torta;* en fr. *tourteau.*) m. *Blas.* Roel, cada una de las piezas redondas como bollos, y de color, no de metal.

Tortis. (De Baptista de *Tortis,* impresor veneciano de fines del siglo xv.) n. p. V. **Letra de Tortis.**

Tortita. f. d. de **Torta.** ‖ **2.** pl. Juego del niño pequeño que consiste en dar palmadas. Se usa generalmente con el verbo *hacer.* ‖ **Ser** una cosa **tortitas y pan pintado.** fr. fig. y fam. **Ser tortas y pan pintado.**

Tórtola. (Del lat. *tŭrtŭr, -ŭris.*) f. Ave del orden de las palomas, de unos tres decímetros de longitud desde el pico hasta la terminación de la cola; plumaje ceniciento azulado en la cabeza y cuello, pardo con manchas rojizas en el lomo, gris vinoso en la garganta, pecho y vientre, y negro, cortado por rayas blancas, en el cuello; pico agudo, negruzco y pies rojizos. Es común en España, donde se presenta por la primavera, y pasa al África en otoño. ‖ **2.** Ave exótica y domesticada, del mismo orden que la anterior y parecida a ella, cuyo plumaje es de color ceniciento rojizo.

Tortolito, ta. adj. Atortolado, sin experiencia.

Tórtolo. m. Macho de la tórtola. ‖ **2.** fig. y fam. Hombre amartelado.

Tortor. (Del lat. *tortus,* retorcido.) m. Palo corto o barra de hierro con que se aprieta, dándole vueltas, una cuerda atada por sus dos cabos. ‖ **2.** *Mar.* Cada una de las vueltas con que se retuerce, por medio de una palanca, la trinca de cabo que liga dos objetos más o menos distantes.

Tortosino, na. adj. Natural de Tortosa. Ú. t. c. s. ‖ **2.** Perteneciente a esta ciudad.

Tortozón. (Del lat. *tortus,* torcido.) adj. V. **Uva tortozón.** Ú. t. c. s.

Tortuga. (Del b. lat. *tortuca,* y éste del lat. *tortus,* torcido.) f. Reptil marino del orden de los quelonios, que llega a tener hasta dos metros y medio de largo y uno de ancho, con las extremidades torácicas más desarrolladas que las abdominales, unas y otras en forma de paletas, que no pueden ocultarse, y coraza, cuyas láminas, más fuertes en el espaldar que en el peto, tienen manchas verdosas y rojizas. Se alimenta de vegetales marinos, y su carne, huevos y tendones son comestibles. ‖ **2.** Reptil terrestre del orden de los quelonios, de dos a tres decímetros de largo, con los dedos reunidos en forma de muñón, espaldar muy convexo, y láminas granujientas en el centro y manchadas de negro y amarillo en los bordes. Vive en Italia, Grecia y las islas Baleares, se alimenta de hierbas, insectos y caracoles, y su carne es sabrosa y delicada. ‖ **3. Testudo.**

Tortuosamente. adv. m. De manera tortuosa.

Tortuosidad. (Del lat. *tortuosĭtas, -ātis.*) f. Calidad de tortuoso.

Tortuoso, sa. (Del lat. *tortuōsus.*) adj. Que tiene vueltas y rodeos. ‖ **2.** fig. Solapado, cauteloso.

Tortura. (Del lat. *tortūra.*) f. Calidad de tuerto 1.ª acep. ‖ **2. Cuestión de tormento.** ‖ **3.** Dolor, angustia, pena o aflicción grandes.

Torturador, ra. adj. Que tortura.

Torturar. tr. Dar tortura, atormentar. Ú. t. c. r.

Torunda. (Del lat. *turunda,* bola.) f. **Lechino,** 1.ª acep. ‖ **2.** Pelota de algodón envuelta en gasa y por lo común esterilizada, que se emplea para cohibir las hemorragias leves durante las operaciones quirúrgicas.

Toruno. (De *toro.*) m. *Chile.* Buey que ha sido castrado después de tres o más años.

Torva. (Del lat. *turba.*) f. Remolino de lluvia o nieve.

Torvisca. f. **Torvisco.**

Torviscal. m. Sitio en que abunda el torvisco.

Torvisco. (Del lat. *turbiscus.*) m. Mata de la familia de las timeleáceas, como de un metro de altura, ramosa, con hojas persistentes, lineares, lampiñas y correosas; flores blanquecinas en racimillos terminales, y por fruto una baya redonda, verdosa primero y después roja. La corteza sirve para cauterios.

Torvo, va. (Del lat. *torvus.*) adj. Fiero, espantoso, airado y terrible a la vista.

Torzadillo. m. Especie de torzal, menos grueso que el común.

Torzal. (De *torcer.*) m. Cordoncillo delgado de seda, hecho de varias hebras torcidas, que se emplea para coser y bordar. ‖ **2.** fig. Unión de varias cosas que hacen como hebra, torcidas y dobladas unas con otras. ‖ **3.** *Argent.* Lazo o maniota de cuero retorcido.

Torzón. (Del lat. *tortĭo, -ōnis.*) m. *Veter.* **Torozón.**

Torzonado, da. adj. *Veter.* Que padece torzón.

Torzuelo. m. *Cetr.* **Terzuelo,** 2.ª acep.

Torzuelo. (De *torce.*) m. *Germ.* **Anillo,** 2.ª acep.

Tos. (Del lat. *tŭssis.*) f. Movimiento convulsivo y ruidoso del aparato respiratorio del hombre y de algunos animales, por lo común para expulsar la flema que embaraza y molesta. ‖ **convulsiva,** o **convulsa.** *Med.* La que da por accesos violentos, intermitentes y sofocantes. ‖ **2. Tos ferina.** ‖ **ferina.** *Med.* Enfermedad infecciosa, más grave en la infancia, caracterizada por un estado catarral del árbol respiratorio, con accesos de **tos** convulsiva muy intensos, y espasmo laríngeo, inspiratorio, que se acompaña de estertor ruidoso y a veces de mareo o pérdida del conocimiento. ‖ **perruna. Tos** bronca, de ruido característico, producida por espasmos de la laringe.

Tosa. (Del lat. *tonsa,* pelada.) f. **Trigo chamorro.**

Tosca. (De *tosco.*) f. **Toba,** 1.er art., 1.ª y 2.ª aceps.

Toscamente. adv. m. De manera tosca.

Toscano, na. (Del lat. *tuscānus.*) adj. Natural de Toscana. Ú. t. c. s. ‖ **2.** Perteneciente a este país de Italia. ‖ **3.** *Arq.* V. **Columna toscana.** ‖ **4.** V. **Letra toscana.** ‖ **5.** *Arq.* V. **Orden toscano.** ‖ **6.** m. Lengua italiana.

Tosco, ca. (En port. *tosco;* en cat. *tosch;* en b. lat. *tuscus.*) adj. Grosero, basto, sin pulimento ni labor. ‖ **2.** fig. Inculto, sin doctrina ni enseñanza. Ú. t. c. s.

Tose. f. ant. **Tos.**

Tosegoso, sa. adj. Tosigoso, 2.° art. Apl. a pers., ú. t. c. s.

Toser. (Del lat. *tussīre.*) intr. Hacer fuerza y violencia con la respiración, para arrancar del pecho lo que le fatiga y molesta; tener y padecer la tos. ‖ **Toser** una persona a otra. fr. fig. y fam. Competir con ella en algo y especialmente en valor. Por lo común ú. sólo con neg. y en las terceras personas de singular de los presentes de indicativo y subjuntivo. *A mí nadie me* TOSE; *no hay quien le* TOSA.

Toseta. f. *Nav.* **Trigo chamorro.**

Tosidura. f. Acción y efecto de toser.

Tosigar. (De *tósigo.*) tr. Emponzoñar con tósigo.

Tosigar. (Del lat. *tŭssĭcus,* catarroso, asmático.) tr. fig. Fatigar u oprimir a alguno, dándole mucha prisa para que haga una cosa. Ú. t. c. r.

Tósigo. (Del lat. *toxĭcum,* y éste del gr. τοξικὸν φάρμακον, veneno para emponzoñar las flechas; de τόξον, arco, flecha.) m. **Ponzoña.** ‖ **2.** fig. Angustia o pena grande.

Tosigoso, sa. (De *tósigo.*) adj. Envenenado, emponzoñado. Ú. t. c. s.

Tosigoso, sa. (Del lat. *tŭssĭcus,* que tose mucho.) adj. Que padece tos, fatiga y opresión de pecho. Apl. a pers., ú. t. c. s.

Tosquedad. f. Calidad de tosco.

Tostada. (De *tostar.*) f. Rebanada de pan que, después de tostada, se unta por lo común con manteca, miel u otra cosa. ‖ **Dar,** o **pegar, a** uno **la,** o **una, tostada.** fr. fig. y fam. Ejecutar una acción que redunde en perjuicio suyo, o darle un chasco, sacarle dinero con engaño, etc. || **No ver la tostada.** fr. fig. y fam. Echar de menos en una cosa la gracia, la utilidad, la razón, etc., que en aquélla eran de esperar.

Tostadillo. (d. de *tostado.*) m. V. **Horno de tostadillo.**

Tostado, da. p. p. de **Tostar.** || **2.** adj. Dícese del color subido y obscuro. || **3.** V. **Ocre, topacio tostado.** || **4.** m. **Tostadura.** || **5.** *Ecuad.* Maíz tostado.

Tostador, ra. adj. Que tuesta. Ú. t. c. s. || **2.** m. Instrumento o vasija para tostar alguna cosa.

Tostadura. f. Acción y efecto de tostar.

Tostar. (Del lat. *tostum,* supino de *torrēre,* tostar.) tr. Poner una cosa a la lumbre, para que lentamente se le introduzca el calor y se vaya desecando, sin quemarse, hasta que tome color. Ú. t. c. r. || **2.** fig. Calentar demasiado. Ú. t. c. r. || **3.** fig. Curtir, atezar el sol o el viento la piel del cuerpo. Ú. t. c. r. || **4.** fig. *Ar.* y *Chile.* Zurrar, vapular.

Tostón. m. **Torrado,** 2.ª acep. || **2.** Rebanada de pan tostado empapado en aceite nuevo. En algunas partes se unta con ajo y se adereza con sal o azúcar y zumo de naranja. || **3.** Cosa demasiado tostada. || **4.** Cochinillo asado. || **5.** Dardo hecho con una vara tostada por la punta para endurecerla. || **6.** *Bot. Cuba* y *P. Rico.* Planta de la familia de las nictagináceas, con tallo nudoso, hojas ovaladas y florecillas moradas.

Tostón. (De *testón.*) m. Moneda portuguesa de plata, que vale cien reis. || **2.** En Méjico y en Nueva Granada se llamó así el **real de a cuatro;** en la actualidad, moneda mejicana de plata, de 50 centavos.

Total. (Del lat. *totus,* todo.) adj. General, universal y que lo comprende todo en su especie. || **2.** m. *Álg.* y *Arit.* **Suma,** 5.ª acep. || **3.** adv. En suma, en resumen, en conclusión. TOTAL, *que lo más prudente será quedarse en casa.*

Totalidad. f. Calidad de total. || **2.** **Todo,** 8.ª acep. || **3.** Conjunto de todas las cosas o personas que forman una clase o especie. *La* TOTALIDAD *de los vecinos.* || **4.** Período de discusión relativo a una ley o propuesta en que se examina lo esencial de su tendencia antes de pasar al articulado o detalles.

Totalitario, ria. adj. Dícese de lo que incluye la totalidad de las partes o atributos de una cosa, sin merma ninguna. || **2.** Dícese del régimen político que confiere al jefe del poder ejecutivo supremacía efectiva sobre los demás poderes del Estado y deniega a los partidos de oposición garantías jurídicas para el ejercicio de sus actividades.

Totalizar. tr. Sacar el total que forman varias cantidades.

Totalmente. adv. m. Enteramente, del todo.

Totanero, ra. adj. Natural de Totana. Ú. t. c. s. || **2.** Perteneciente a esta villa de la provincia de Murcia. || **3.** V. **Calabaza totanera.**

Totem. (Del inglés *totem,* y éste de *dodaim,* lengua de unas tribus de América del Norte.) m. Objeto de la naturaleza, generalmente un animal, que en la mitología de algunas tribus salvajes se toma como emblema protector de la tribu o del individuo, y a veces como ascendiente o progenitor.

Totemismo. m. Sistema de creencias y organización de tribu basado en el totem.

Totí. (Voz caribe.) m. *Cuba.* Cierto pájaro de plumaje muy negro y pico encorvado; se alimenta de semillas e insectos.

Totilimundi. m. **Mundonuevo.**

Totolate. m. *C. Rica.* Piojillo de las aves y especialmente de la gallina.

Totoloque. m. Juego de los antiguos mejicanos, parecido al del tejo.

Totoposte. (Del mejic. *totopoch,* bien tostado.) m. *Amér. Central* y *Méj.* Torta o rosquilla de harina de maíz, muy tostada.

Totora. (Del quichua *tutura.*) f. *Amér. Merid.* Especie de anea o espadaña que se cría en terrenos pantanosos o húmedos. || **2.** V. **Caballito de totora.**

Totoral. m. *Amér. Merid.* Paraje poblado de totoras.

Totorero. m. *Chile.* Pájaro que vive en los pajonales de las vegas. Construye con hojas de totora un nido de forma cónica con la entrada a un lado.

Totovía. (Del ital. *tottovilla;* en port. *cotovia.*) f. **Cogujada.**

Totuma. f. *Amér.* Fruto del totumo o güira. || **2.** *Amér.* Vasija hecha con ese fruto.

Totumo. m. *Perú.* **Güira,** 1.ª acep.

Tótum revolútum. (expr. lat.) m. **Revoltillo,** 1.ª acep.

Tova. f. En algunas partes, **totovía.**

Tovido, da. p. p. irreg. ant. de **Tener.**

Toxicar. (De *tóxico.*) tr. **Atosigar.**

Toxicidad. f. Calidad de tóxico.

Tóxico, ca. (Del lat. *toxĭcum,* tósigo.) adj. *Med.* Aplícase a las substancias venenosas. Ú. t. c. s. m.

Toxicología. (Del gr. τοξικόν, veneno, y λόγος, tratado.) f. Parte de la medicina, que trata de los venenos.

Toxicológico, ca. adj. Perteneciente o relativo a la toxicología.

Toxicomanía. f. Hábito patológico de intoxicarse con substancias que procuran sensaciones agradables o que suprimen el dolor.

Toxicómano, na. adj. Dícese del que padece toxicomanía. Ú. t. c. s.

Toxina. (Del gr. τοξικόν, veneno.) f. *Med.* Substancia, generalmente de naturaleza albuminoidea, elaborada por los seres vivos, en especial por los microbios, y que obra como veneno, aun en pequeñísimas proporciones.

Toza. (Del lat. *thȳrsus.*) f. En algunas partes, pedazo de corteza del pino y de otros árboles. || **2.** Pieza grande de madera labrada a esquina viva. || **3.** *Ar.* **Tocón,** 1.ª acep. || **4.** *C. Real.* Yugo con que se uncen las mulas al arado.

Tozal. (De *tozo,* cabeza.) m. *Ar.* **Teso,** 4.ª acep.

Tozalbo, ba. (De *tozo,* cabeza y tozuelo, y *albo.*) adj. *Ar.* Dícese de la res que tiene la frente blanca.

Tozar. (De *tozo,* cabeza.) intr. *Ar.* **Topetar,** 1.ª acep. || **2.** fig. *Ar.* Porfiar neciamente.

Tozo. (Como el cat. *tos,* del lat. *tonsus,* pelado.) m. *Albac.* **Tozuelo.**

Tozo. m. *Bot.* **Tocio,** 2.ª acep.

Tozo, za. adj. Enano o de baja estatura.

Tozolada. f. Golpe que se da en el tozuelo. || **2.** *Ar.* Costalada, caída de nuca.

Tozolón. (De *tozuelo.*) m. **Tozolada.**

Tozudez. f. Calidad de tozudo.

Tozudo, da. (De *tozo,* cabeza.) adj. Obstinado, testarudo.

Tozuelo. (De *tozo,* cabeza.) m. Cerviz gruesa, carnosa y crasa de un animal.

Traba. (Del lat. *trabs, trabis,* madero.) f. Acción y efecto de trabar o triscar. || **2.** Instrumento con que se junta, une y sujeta una cosa con otra. || **3.** Ligadura con que se atan, por las cuartillas, las manos o los pies de una caballería. || **4.** Cada una de las dos cuerdas que se ponen a las caballerías del pie a la mano de cada lado para acostumbrarlas al paso de andadura. || **5.** Cada uno de los dos palos delanteros de la red de cazar palomas. || **6.** Pedazo de paño que une las dos partes del escapulario de ciertos hábitos monásticos. || **7.** Piedra o cuña con que se calzan las ruedas de un carro. || **8.** fig. Cualquier cosa que impide o estorba la fácil ejecución de otra. || **9.** *And.* Palo que asegura el frente del arca dentro de la cual se mueve la piedra de la tahona. || **10.** *Chile.* Tabla o palo que se ata a los cuernos de una res vacuna para impedir que entre en sitios donde pueda hacer daño. || **11.** *For.* Embargo de bienes, incluso derechos, o impedimento para disponer de ellos o para algún acto. || **12.** pl. *Ál.* **Clemátide.**

Trabacuenta. (De *trabar* y *cuenta.*) f. Error o equivocación en una cuenta, que la enreda o dificulta. || **2.** fig. Discusión, controversia o disputa.

Trabada. (De *trabar,* 1.ª acep.) f. *Germ.* **Cota,** 1.er art., 1.ª acep.

Trabadero. (De *trabar,* porque es la parte por donde se traban las caballerías.) m. **Cuartilla,** 6.ª acep.

Trabado, da. p. p. de **Trabar.** || **2.** adj. Aplícase al caballo o yegua que tiene blancas las dos manos, por ser allí donde se le ponen trabas. || **3.** Dícese también del caballo o yegua que tiene blancos la mano derecha y el pie izquierdo, o viceversa. || **4.** fig. Robusto, nervudo.

Trabadura. f. Acción y efecto de trabar.

Trabajadamente. adv. m. **Trabajosamente.**

Trabajado, da. p. p. de **Trabajar.** || **2.** adj. Cansado, molido del trabajo, por haberse ocupado mucho tiempo o con afán en él. || **3.** Lleno de trabajos.

Trabajador, ra. adj. Que trabaja. || **2.** Muy aplicado al trabajo. || **3.** m. y f. Jornalero, obrero. || **4.** m. *Chile.* **Totorero.**

Trabajante. p. a. de **Trabajar.** Que trabaja. Ú. t. c. s.

Trabajar. (Del lat. **trĭpaliāre,* de **trĭpālium.*) intr. Ocuparse en cualquier ejercicio, obra o ministerio. || **2.** Solicitar, procurar e intentar alguna cosa con eficacia, actividad y cuidado. || **3.** Aplicarse uno con desvelo y cuidado a la ejecución de alguna cosa. || **4.** fig. Ejercitar sus fuerzas naturales la tierra y las plantas para que éstas se desarrollen. || **5.** fig. Sufrir una máquina, un buque, un edificio, o parte de ellos, u otra cosa cualquiera, la acción de los esfuerzos a que se hallan sometidos. || **6.** fig. Poner conato y fuerza para vencer alguna cosa. *La naturaleza* TRABAJA *en vencer la enfermedad.* || **7.** *Germ.* Hurtar o robar. || **8.** tr. Formar, disponer o ejecutar una cosa, arreglándose a método y orden. || **9.** Ejercitar y amaestrar el caballo. || **10.** fig. Molestar, inquietar o perturbar. || **11.** fig. Hacer sufrir trabajos a una persona. || **12.** r. Ocuparse con empeño en alguna cosa; esforzarse por conseguirla.

Trabajera. f. fam. Incumbencia, pejiguera, trabajo molesto.

Trabajo. (Del lat. **trĭpālium,* aparato para sujetar las caballerías, de *trĭpālis,* de tres palos.) m. Acción y efecto de trabajar. || **2.** **Obra,** 1.ª y 2.ª aceps. || **3.** Operación de la máquina, pieza, herramienta o utensilio que se emplea para algún fin. || **4.** Esfuerzo humano aplicado a la producción de riqueza. Se usa en contraposición de *capital.* || **5.** fig. Dificultad, impedimento o perjuicio. || **6.** fig. Penalidad, molestia, tormento o suceso infeliz. || **7.** *Germ.* Prisión o galeras. || **8.** *Mec.* Producto del valor de una fuerza por la distancia que recorre su punto de aplicación. || **9.** pl. fig. Estrechez, miseria y pobreza o necesidad con que se pasa la vida. || **Trabajo de zapa.** fig. El que se hace oculta y solapadamente para conseguir algún fin. || **Trabajos forzados, o forzosos.** Aquellos en que se ocupa por obligación el presidiario como parte de la pena de su delito. || **2.** fig. Dícese de cualquier ocupación o trabajo ineludible que se hace a disgusto. || **Cercar a trabajo,** o **de trabajos,** a uno. fr. fig. Colmarle de desdichas. || **Tomarse uno el trabajo.** fr. Aplicarse a la ejecución de alguna cosa que requiere cuidado o afán, especialmente por aliviar a otro. || **Trabajo** le, o te, **mando.** expr. con que se da a entender ser muy difícil aquello que se trata de ejecutar o alcanzar. || **Trabajo tiene la zorra, cuando anda a grillos.** ref. que pondera la estrechez y apuro que demuestra el que aplica su esfuerzo a cosas de poquísima utilidad.

Trabajosamente. adv. m. Con trabajo, penalidad o dificultad.

Trabajoso, sa. adj. Que da, cuesta o causa mucho trabajo. || **2.** Que padece trabajo, penalidad o miseria; en especial, enfermizo, maganto. || **3.** Que está falto de espontaneidad por ser fruto de mucho trabajo.

Trabajuelo. m. d. de **Trabajo.**

Trabal. (Del lat. *trabālis.*) adj. V. **Clavo trabal.**

Trabalenguas. m. Palabra o locución difícil de pronunciar, en especial cuando sirve de juego para hacer a uno equivocarse.

Trabamiento. m. Acción y efecto de trabar. || **2.** ant. *For.* **Traba,** 11.ª acep.

Trabanca. f. Mesa formada por un tablero sobre dos caballetes, de que usan los papelistas y otros operarios.

Trabanco. (d. de *trabe.*) m. **Trangallo.**

Trabar. (De *traba.*) tr. Juntar o unir una cosa con otra, para mayor fuerza o resistencia. || **2.** Prender, agarrar o asir. Ú. t. c. intr. || **3.** Echar trabas. || **4.** Espesar o dar mayor consistencia a un líquido o a una masa. || **5. Triscar,** 4.ª acep. || **6.** fig. Emprender o comenzar una batalla, contienda, disputa, conversación, etc. || **7.** fig. Enlazar, concordar o conformar. || **8.** *For.* Embargar o retener bienes o derechos. || **9.** r. desus. Pelear, contender. TRABARSE *con uno.* || **10.** V. **Trabarse de palabras.** || **11.** *Amér.* Entorpecérsele a uno la lengua al hablar, tartamudear. || **12.** V. **Trabarse la lengua.**

Trabazón. (De *trabar.*) f. Juntura o enlace de dos o más cosas que se unen entre sí. || **2.** Espesor o consistencia que se da a un líquido o masa. || **3.** fig. Conexión de una cosa con otra o dependencia que entre sí tienen.

Trabe. (Del lat. *trabs, trabis.*) f. **Viga,** 1.ª acep.

Trábea. (Del lat. *trabĕa.*) f. Vestidura talar de gala, que usaban los reyes, los senadores y ciertos sacerdotes de la Roma antigua.

Trabilla. (d. de *traba.*) f. Tira de tela o de cuero que pasa por debajo del pie para sujetar los bordes inferiores del pantalón, del botín, de la polaina o de la calceta. || **2. Rabillo,** 6.ª acep. || **3.** Punto que queda suelto al hacer media.

Trabina. f. *And.* Fruto de la sabina.

Trabón. m. aum. de **Traba.** || **2.** Argolla fija de hierro, a la cual se atan por un pie los caballos para tenerlos sujetos. || **3.** Tablón que, pasando por las cárceles de las vírgenes, queda atravesado sobre la cabeza de la viga prensadora de los lagares y molinos de aceite, para sujetarla y apretarla.

Trabuca. (De *trabuco.*) f. Buscapiés que estalla al apagarse.

Trabucación. f. Acción y efecto de trabucar o trabucarse.

Trabucador, ra. adj. Que trabuca. Ú. t. c. s.

Trabucaire. (Del cat. *trabucaire,* el que lleva trabuco.) m. Antiguo faccioso catalán armado de trabuco. || **2.** adj. Valentón, animoso, osado.

Trabucante. p. a. de **Trabucar.** Que trabuca. || **2.** adj. V. **Moneda trabucante.**

Trabucar. (De *tra,* por *trans,* y *buque.*) tr. Trastornar, descomponer el buen orden o colocación que tiene alguna cosa, volviendo lo de arriba abajo o lo de un lado a otro. Ú. t. c. r. || **2.** fig. Ofuscar, confundir o trastornar el entendimiento. Ú. t. c. r. || **3.** fig. Trastrocar y confundir especies o noticias. || **4.** fig. Pronunciar o escribir equivocadamente unas palabras, sílabas o letras por otras. Ú. t. c. r.

Trabucazo. m. Disparo del trabuco. || **2.** Tiro dado con él. || **3.** fig. y fam. Pesadumbre o susto que, por inesperado, sobrecoge y aturde.

Trabuco. (De *trabucar.*) m. Máquina de guerra que se usaba antes de la invención de la pólvora, para batir las murallas, torres, etc., disparando contra ellas piedras muy gruesas. || **2.** Arma de fuego más corta y de mayor calibre que la escopeta ordinaria. || **3.** *And.* **Taco,** 7.ª acep. || **4.** desus. Trastorno, revuelta. || **naranjero.** El de boca acampanada y gran calibre.

Trabuquete. (d. de *trabuco.*) m. **Catapulta.** || **2.** Traíña pequeña, alrededor de la cual se hace ruido con los remos y con piedras, para que se precipite la pesca en ella.

Traca. (Del m. or. que *traque.*) f. Artificio de pólvora que se hace con una serie de petardos colocados a lo largo de una cuerda y que estallan sucesivamente.

Traca. (Del ingl. *strake.*) f. desus. *Mar.* Hilada de tablas o de planchas de cobre en los forros del buque o sus cubiertas. || **2.** *Mar.* Cada una de las tres hiladas de la cubierta inmediatas al contracarril.

Trácala. f. *Méj.* y *P. Rico.* Trampa, ardid, engaño.

Tracalada. f. *Amér.* Matracalada, cáfila, multitud.

Tracalero, ra. (De *trácala.*) adj. *Méj.* **Tramposo.** Ú. t. c. s.

Tracamundana. f. fam. Trueque de cosas de poco valor. || **2.** fam. Alboroto, confusión.

Tracción. (Del lat. *tractio, -ōnis.*) f. Acción y efecto de tirar de alguna cosa para moverla o arrastrarla. || **2.** Especialmente, acción y efecto de arrastrar carruajes sobre la vía. TRACCIÓN *animal, de vapor, eléctrica.*

Trace. adj. **Tracio,** 1.ª acep. Ú. t. c. s.

Tracería. (De *trazo.*) f. Decoración arquitectónica formada por combinaciones de figuras geométricas.

Traciano, na. adj. **Tracio.** Apl. a pers., ú. t. c. s.

Tracias. (Del lat. *thrascĭas,* y éste del gr. Θρασκίας, de Θρᾴκη, Tracia.) m. Viento que corre entre el euro y el bóreas, según la división de los antiguos.

Tracio, cia. (Del lat. *thracĭus.*) adj. Natural de Tracia. Ú. t. c. s. || **2.** Perteneciente a esta región de la Europa antigua.

Tracista. adj. Dícese del que dispone o inventa el plan de una fábrica, ideando su traza. Ú. t. c. s. || **2.** fig. Dícese de la persona fecunda en tretas o engaños. Ú. t. c. s.

Tracoma. (Del gr. τραχύς, áspero.) m. *Med.* Conjuntivitis granulosa y contagiosa, que llega a causar la ceguera.

Tractar. tr. ant. **Tratar.**

Tracto. (Del lat. *tractus.*) m. Espacio que media entre dos lugares. || **2. Lapso,** 2.ª acep. || **3.** Conjunto de versículos que se cantan o rezan inmediatamente antes del evangelio en la misa de ciertos días.

Tractocarril. m. Convoy de locomoción mixta, que puede andar ora sobre carriles, ora sin ellos.

Tractor. m. Máquina que produce tracción. || **2.** Vehículo automotor cuyas ruedas se adhieren fuertemente al terreno, y se emp ea para arrastrar arados, remolques, etc.

Tradición. (Del lat. *traditio, -ōnis.*) f. Comunicación o transmisión de noticias, composiciones literarias, doctrinas, ritos, costumbres, hecha de padres a hijos al correr los tiempos y sucederse las generaciones. || **2.** Noticia de un hecho antiguo transmitida de este modo. || **3.** Doctrina, costumbre, etc., conservada en un pueblo por transmisión de padres a hijos. || **4.** *For.* **Entrega,** 1.ª acep. TRADICIÓN *de una cosa vendida.*

Tradicional. (De *tradición.*) adj. Perteneciente o relativo a la tradición, o que se transmite por medio de ella.

Tradicionalismo. (De *tradicional.*) m. Doctrina filosófica que pone el origen de las ideas en la revelación y sucesivamente en la enseñanza que el hombre recibe de la sociedad. || **2.** Sistema político que consiste en mantener o restablecer las instituciones antiguas en el régimen de la nación y en la organización social.

Tradicionalista. (De *tradicional.*) adj. Que profesa la doctrina o es partidario del tradicionalismo. Ú. t. c. s. || **2.** Perteneciente a esta doctrina o sistema.

Tradicionalmente. adv. m. Por tradición.

Tradicionista. com. Narrador, escritor o colector de tradiciones.

Traducción. (Del lat. *traductio, -ōnis.*) f. Acción y efecto de traducir. || **2.** Obra del traductor. || **3.** Sentido o interpretación que se da a un texto o escrito. || **4.** *Ret.* Figura que consiste en emplear dentro de la cláusula un mismo adjetivo o nombre en distintos casos, géneros o números, o un mismo verbo en distintos modos, tiempos o personas.

Traducibilidad. f. Calidad de traducible.

Traducible. adj. Que se puede traducir.

Traducir. (Del lat. *traducĕre,* hacer pasar de un lugar a otro.) tr. Expresar en una lengua lo que está escrito o se ha expresado antes en otra. || **2.** Convertir, mudar, trocar. || **3.** fig. Explicar, interpretar.

Traductor, ra. (Del lat. *traductor, -ōris.*) adj. Que traduce una obra o escrito. Ú. t. c. s.

Traedizo, za. adj. Que se trae o puede traer. *Ésa no es agua de pie, sino* TRAEDIZA.

Traedor, ra. adj. Que trae, 1.er art. Ú. t. c. s.

Traedura. f. p. us. **Traída.**

Traer. (Del lat. *trahĕre.*) tr. Conducir o trasladar una cosa al lugar en donde se habla o de que se habla. TRAER *una carta, una noticia.* || **2.** Atraer o tirar hacia sí, como el imán al acero. || **3.** Causar, ocasionar, acarrear. *La ociosidad* TRAE *estos vicios.* || **4.** Tener a uno en el estado o situación que expresa el adjetivo que se junta con el verbo. TRAER *a uno azacanado, inquieto, convencido.* || **5.** Llevar, tener puesta una cosa que sirve a la persona; usar de ella. TRAÍA *un vestido muy rico.* || **6.** fig. Alegar o aplicar razones o autoridades, para comprobación de un discurso o materia. || **7.** Obligar, constreñir a uno a que haga alguna cosa. || **8.** fig. Persuadir a uno a que siga el dictamen o partido que se le propone. || **9.** fig. Tratar, andar haciendo una cosa, tenerla pendiente, estar empleado en su ejecución. TRAIGO *un pleito con Felipe;* TRAIGO *un negocio entre manos.* Ú. t. c. r., sobre todo refiriéndose a propósitos ocultos o maliciosos. *¿Qué* SE TRAERÁ *Pepe con tantas visitas como me hace?* || **10.** p. us. **Manejar.** TRAE *bien la espada.* || **11.** r. Vestirse, portarse en el modo de vestir, o en el aire de manejarse, bien o mal, adverbios con los cuales se usa casi siempre. *Joaquín* SE TRAE BIEN. || **Traer a uno a mal traer.** fr. Maltratarle o molestarle mucho en cualquier concepto. || **Traer a uno arras-**

trado, o **arrastrando.** fr. fig. y fam. Fatigarle mucho. || **Traer a uno de acá para allá,** o **de aquí para allí.** fr. Tenerle en continuo movimiento, no dejarle parar en ningún lugar. || **2.** Inquietarle, zarandearle, marearle. || **Traérselas.** loc. fam. que se aplica a aquello que tiene más intención, malicia o dificultades de lo que a primera vista parece. || **Traer y llevar.** fr. fam. **Chismear.**

Traer. (Del lat. *tradĕre.*) tr. ant. Entregar con traición.

Traeres. (De *traer,* 8.ª acep.) m. pl. Atavío, 3.ª acep.

Trafagador. m. El que anda en tráfagos y tratos.

Trafagante. p. a. de **Trafagar.** Que trafaga. Ú. t. c. s.

Trafagar. (Del lat. **transfigĭcāre,* cambiar de sitio.) intr. **Traficar,** 1.ª acep. || **2.** Andar o errar por varios países, correr mundo. Ú. t. c. tr.

Tráfago. (De *trafagar.*) m. **Tráfico.** || **2.** Conjunto de negocios, ocupaciones o faenas que ocasionan mucha fatiga o molestia.

Trafagón, na. (De *trafagar.*) adj. fam. Dícese de la persona que negocia con mucha solicitud, diligencia y ansia. Ú. t. c. s.

Trafalgar. m. Tela de algodón, especie de linón ordinario, que por lo común se empleaba para forrar vestidos de mujeres.

Trafalmeja. adj. Trafalmejas.

Trafalmejas. adj. Se aplica a la persona bulliciosa y de poco seso. Ú. t. c. s.

Traficación. (De *traficar.*) f. **Tráfico.**

Traficante. p. a. de **Traficar.** Que trafica o comercia. Ú. t. c. s.

Traficar. (En ital. *trafficare,* y éste del lat. **transfigĭcāre,* cambiar de sitio.) intr. Comerciar, negociar con el dinero y las mercaderías, trocando, comprando o vendiendo, o con otros semejantes tratos. || **2. Trafagar,** 2.ª acep.

Tráfico. (Del ital. *traffico.*) m. Acción de traficar. || **2.** Tránsito de vehículos por calles, carreteras, caminos, etc.

Tragable. adj. Que se puede tragar.

Tragacanta. (Del lat. *tragacantha,* y éste del gr. τραγάκανθα; de τράγος, macho cabrío, y ἄκανθα, espina.) f. **Tragacanto.**

Tragacanto. (De *tragacanta.*) m. *Bot.* Arbusto de la familia de las papilionáceas, de unos dos metros de altura, con ramas abundantes, hojas compuestas de hojuelas elípticas, flores blancas en espigas axilares y fruto en vainillas. Crece en Persia y Asia Menor, y de su tronco y ramas fluye naturalmente una goma blanquecina muy usada en farmacia y en la industria. || **2.** Esta misma goma.

Tragacete. m. Arma antigua arrojadiza a manera de dardo o de flecha.

Tragaderas. f. pl. **Tragadero,** 1.ª acep. || **2.** fig. y fam. Facilidad de creer cualquier cosa. Ú. principalmente en la fr. **tener uno buenas tragaderas.** || **3.** fig. y fam. Poco escrúpulo, facilidad para admitir o tolerar cosas inconvenientes, sobre todo en materia de moralidad.

Tragadero. (De *tragar.*) m. **Faringe.** || **2.** Boca o agujero que traga o sorbe una cosa; como agua, etc. || **3.** pl. **Tragaderas,** 2.ª acep.

Tragador, ra. adj. Que traga. Ú. t. c. s. || **2.** Que come vorazmente. Ú. t. c. s. || **de leguas.** fig. y fam. **Tragaleguas.**

Tragafees. m. ant. Traidor a la fe debida, o que la abandona en sus operaciones.

Tragahombres. m. fam. **Perdonavidas.**

Trágala. (De las palabras «*Trágala,* tú, servilón», con que empezaba el estribillo.) m. Canción con que los liberales españoles zaherían a los partidarios del gobierno absoluto durante el primer tercio del siglo XIX. || **2.** fig. Manifestaciones o hechos por los cuales se obliga a uno a reconocer, admitir o soportar, alguna cosa que rechazaba o de que es enemigo. Empléase principalmente en la fr. **cantarle** a uno **el trágala.**

Tragaldabas. (De *tragar* y *aldabas.*) com. fam. Persona muy tragona.

Tragaleguas. com. fam. Persona que anda mucho y de prisa.

Tragaluz. (De *tragar* y *luz.*) m. Ventana abierta en un techo o en la parte superior de una pared, generalmente con derrame hacia adentro.

Tragallón, na. adj. *Chile* y *Sal.* Tragón, comilón. Ú. t. c. s.

Tragamallas. com. fam. **Tragaldabas.**

Tragantada. (De *tragante.*) f. El mayor trago que se puede tragar de una vez.

Tragante. p. a. de **Tragar.** Que traga. || **2.** m. *And.* Cauce por donde entra en las presas del molino la mayor parte del río. || **3.** *Metal.* Abertura en la parte superior de los hornos de cuba; y en los de reverbero, conducto por donde pasa la llama desde la plaza a la chimenea.

Tragantón, na. (aum. de *tragante.*) adj. fam. Que come o traga mucho. Ú. t. c. s.

Tragantona. (De *tragantón.*) f. fam. Comilona, comilitona. || **2.** fam. Acción de tragar haciendo fuerza, por susto, temor o pesadumbre. || **3.** fig. y fam. Violencia que hace uno a su razón para creer o consentir una cosa extraña, difícil o inverosímil.

Tragar. (En port. y en cat. *tragar.*) tr. Hacer que una cosa pase por el tragadero. || **2.** fig. Comer vorazmente. || **3.** fig. Abismar la tierra o las aguas lo que está en su superficie. Ú. t. c. r. || **4.** fig. Dar fácilmente crédito a las cosas, aunque sean inverosímiles. Ú. t. c. r. || **5.** fig. Soportar o tolerar cosa repulsiva o vejatoria. Ú. t. c. r. || **6.** Disimular, no darse por entendido de una cosa, especialmente si es desagradable. Ú. t. c. r. || **7.** fig. Absorber, consumir, gastar. Ú. t. c. r. *El muro* SE TRAGÓ *más piedra de la que se creía.* || **Haberse uno tragado,** o **tenerse tragada,** alguna cosa. fr. fig. y fam. Estar persuadido, por ciertos indicios o antecedentes, o por mera impresión, de que ha de suceder algo. Dícese más de lo infausto o desagradable. || **No tragar** a una persona o cosa. fr. fig. y fam. Sentir antipatía hacia ella.

Tragasantos. com. fam. despect. Persona beata que frecuenta mucho las iglesias.

Tragavenado. f. *Venez.* Serpiente de unos cuatro metros de largo, con la piel adornada de colores variados y más brillantes que los de la boa. No es venenosa, vive en tierra y en los árboles, y ataca, para alimentarse, al venado y a otros cuadrúpedos corpulentos.

Tragavino. m. **Embudo,** 1.ª acep.

Tragavirotes. m. fam. Hombre que sin motivo ni fundamento es serio y erguido.

Tragaz. m. *Ál.* **Grada de dientes.**

Tragazón. (De *tragar,* 2.ª acep.) f. fam. Glotonería, gula.

Tragedia. (Del lat. *tragoedia,* y éste del gr. τραγῳδία; de τράγος, macho cabrío, y ᾄδω, cantar.) f. Canción de los gentiles en loor del dios Baco. || **2.** Obra dramática de acción grande, extraordinaria y capaz de infundir lástima y terror, en que intervienen personajes ilustres o heroicos; usa estilo y tono elevados y desenlace generalmente funesto. || **3.** Poema dramático que sin tener todas las condiciones de la **tragedia** propiamente dicha, asemejase a ella por lo vigoroso y elevado de la acción y por el desenlace funesto. || **4.** Composición lírica destinada a lamentar sucesos infaustos; como, por ejemplo, la TRAGEDIA *trovada, a la muerte del príncipe don Juan,* por Juan del Encina. || **5.** Género trágico. *Este escritor y aquel actor sobresalen más en la* TRAGEDIA *que en la comedia.* || **6.** fig. Suceso de la vida real, capaz de infundir terror y lástima. || **7.** fig. Cualquier suceso fatal, desgraciado o infausto. || **Parar en tragedia** una cosa. fr. fig. Tener mal fin o éxito desgraciado.

Tragédico, ca. (Del gr. τραγῳδικός.) adj. ant. **Trágico,** 1.ª acep.

Tragedioso, sa. (De *tragedia.*) adj. ant. **Trágico,** 1.ª acep.

Trágicamente. adv. m. De manera trágica; desdichada y funestamente.

Trágico, ca. (Del lat. *tragĭcus,* y éste del gr. τραγικός.) adj. Perteneciente o relativo a la tragedia. || **2.** Dícese del autor de tragedias. Ú. t. c. s. || **3.** Aplícase al actor que representa papeles **trágicos.** || **4.** fig. Infausto, muy desgraciado, capaz de infundir terror o lástima.

Tragicomedia. (Del lat. *tragicomoedĭa,* contracc. de *tragico-comoedĭa.*) f. Poema dramático que tiene al par condiciones propias de los géneros trágico y cómico; v. gr.: el *Anfitrión,* de Plauto. || **2.** Obra jocoseria escrita en diálogo y no destinada a la representación teatral; como la TRAGICOMEDIA *de Calixto y Melibea.* || **3.** fig. Suceso que juntamente mueve a risa y a piedad.

Tragicómico, ca. (Contracc. de *trágico-cómico.*) adj. Perteneciente o relativo a la tragicomedia. || **2. Jocoserio.**

Trago. (De *tragar.*) m. Porción de agua u otro líquido, que se bebe o se puede beber de una vez. || **2.** fig. y fam. Adversidad, infortunio, contratiempo que con dificultad y sentimiento se sufre. || **A tragos.** m. adv. fig. y fam. Poco a poco, lenta y pausadamente.

Trago. (Del gr. τράγος.) m. Prominencia de la oreja humana, situada delante del conducto auditivo, y cubierta a veces de pelos largos y ralos.

Tragón, na. adj. fam. Que traga, 2.ª acep. Ú. t. c. s.

Tragonear. (De *tragón.*) tr. fam. Tragar mucho y con frecuencia.

Tragonería. f. fam. Vicio del tragón.

Tragonía. (De *tragón.*) f. fam. **Tragonería.**

Tragontina. (De *dragontino,* y éste del lat. *dracontium,* dragontea.) f. **Aro,** 2.° art.

Traición. (Del lat. *traditĭo, -ōnis.*) f. Delito que se comete quebrantando la fidelidad o lealtad que se debe guardar o tener. || **2.** *For.* Delito que se comete contra la patria por los ciudadanos, o contra la disciplina por los militares sirviendo al enemigo. || **Alta traición.** La cometida contra la soberanía o contra el honor, la seguridad y la independencia del Estado. || **A traición.** m. adv. Alevosamente, faltando a la lealtad o confianza; con engaño o cautela. || **La traición aplace, mas no el que la hace.** ref. que enseña que aun aquel a quien aprovecha la **traición** desprecia al traidor y desconfía de él.

Traicionar. tr. Hacer traición a una persona o cosa.

Traicionero, ra. (De *traición.*) adj. **Traidor.** Ú. t. c. s.

Traída. f. Acción y efecto de traer. TRAÍDA *de aguas.*

Traído, da. p. p. de **Traer.** || **2.** adj. Usado, gastado, que se va haciendo viejo. Dícese principalmente de la ropa. || **Traído y llevado.** fr. Trasladado con frecuencia de un lugar a otro; frecuentemente usado, manoseado.

Traidor, ra. (Del lat. *tradĭtor, -ōris.*) adj. Que comete traición. Ú. t. c. s. || **2.** Aplícase a los irracionales que faltan a la obediencia, enseñanza o lealtad que de ellos esperaban sus dueños. *Caballo* TRAIDOR. || **3.** Que implica o denota traición o falsía. *Saludo* TRAIDOR; *ojos* TRAIDORES. || **A un traidor, dos alevosos.** ref. que da a entender que el que obra con traición no merece que se le guarde fe.

Traidoramente. adv. m. A traición, con falsedad y alevosía.

Traílla. (Del lat. *tragŭla*, de *trahĕre*, traer hacia sí, llevar arrastrando.) f. Cuerda o correa con que se lleva al perro atado a las cacerías, para soltarlo a su tiempo. || **2. Tralla.** || **3.** Especie de cogedor grande, que, arrastrado por una o dos caballerías, sirve para igualar los terrenos flojos, llevando a los sitios bajos la tierra que sobresale en los altos. || **4.** Cuerda con que algunas veces se echa el hurón en las madrigueras, para tirar de él. || **5.** Un par de perros atraillados. || **6.** Conjunto de estas **traíllas** unidas por una cuerda. || **7.** V. **Montero de traílla.**

Traillar. tr. Allanar o igualar la tierra con la traílla, 3.ª acep.

Traína. (Del lat. *trahĕre*, atraer, arrastrar.) f. Denominación que se da a varias redes de fondo. || **2.** Red de 50 brazas de largo y 8 de ancho, que en las costas del norte de España sirve para la pesca de la sardina. Se cala al fondo, junto a las orillas, en baja mar, y se recoge en una barca tirando de las bandas.

Trainel. (De *traer.*) m. *Germ.* Criado de la mujer pública o del rufián, que lleva y trae recados o nuevas.

Trainera. adj. Dícese de la barca que pesca con traína. Ú. t. c. s.

Traíña. (De *traína.*) f. Red muy extensa que se cala rodeando un banco de sardinas para llevarlas así a la costa y conservarlas vivas como encerradas en un redil, dentro del cual una barca va sacando las necesarias para la venta.

Traite. (Del cat. *traite*, y éste del lat. *tractus*, trabajado.) m. **Percha**, 4.ª acep.

Trajano, na. (Del lat. *traiānus.*) adj. Perteneciente o relativo al emperador Trajano. *Colonia, columna, vía* TRAJANA.

Traje. (Del b. lat. *tragere*, y éste del lat. *trahĕre*, traer.) m. Vestido peculiar de una clase de personas o de los naturales de un país. || **2.** Vestido completo de una persona. || **corto.** El que usan de ordinario chulos y toreros; se distingue por el pantalón, muy alto y ceñido de caderas, y por la chaqueta, ajustada a la cintura y que no pasa de ella. || **de ceremonia,** o **de etiqueta.** Uniforme propio del cargo o dignidad que se tiene. || **2.** El que usan los hombres de clase distinguida cuando asisten a actos solemnes u otras reuniones que lo requieran, y el cual consiste hoy en frac y pantalón negros, y chaleco y corbata negros o blancos. || **de luces.** El **traje** de seda, bordado de oro o plata, con lentejuelas, que se ponen los toreros para torear. || **de serio. Traje de ceremonia,** o **de etiqueta,** 2.ª acep.

Trajeado, da. p. p. de **Trajear.** Con los advs. *bien* o *mal*, se aplica a la persona que va vestida de ese modo.

Trajear. tr. Proveer de traje a una persona. Ú. t. c. r.

Trajín. (De *trajinar.*) m. Acción de trajinar.

Trajinante. p. a. de **Trajinar.** Que trajina. || **2.** m. El que trajina, 1.ª acep.

Trajinar. (Del lat. **traginăre*, arrastrar.) tr. Acarrear o llevar géneros o mercaderías de un lugar a otro. || **2.** intr. Andar y tornar de un sitio a otro con cualquier diligencia u ocupación.

Trajinería. f. Ejercicio de trajinero.

Trajinero. (De *trajín.*) m. **Trajinante.**

Trajino. (De *trajinar.*) m. **Trajín.**

Tralhuén. m. *Bot. Chile.* Arbusto espinoso de la familia de las ramnáceas; su madera se utiliza para hacer carbón.

Tralla. (Del lat. *tragŭla.*) f. Cuerda más gruesa que el bramante. || **2.** Trencilla de cordel o de seda que se pone al extremo del látigo para que restalle. || **3.** Látigo provisto de **tralla,** 2.ª acep. || **4.** *Mál.* Trozo de cordel, rematado en una rodaja de corcho, con el que los jabegotes se traban a las maestras del arte de pesca llamado jábega para tirar del copo.

Trallazo. m. Golpe dado con la tralla. || **2.** Chasquido de la tralla. || **3.** fig. **Latigazo,** 5.ª acep.

Tralleta. f. d. de **Tralla.**

Trama. (Del lat. *trama.*) f. Conjunto de hilos que, cruzados y enlazados con los de la urdimbre, forman una tela. || **2.** Especie de seda para tramar. || **3.** fig. Artificio, dolo, confabulación con que se perjudica a uno. || **4.** Disposición interna, contextura, ligazón entre las partes de un asunto u otra cosa, y en especial el enredo de una obra dramática o novelesca. || **5.** fig. Florecimiento y flor de los árboles, especialmente del olivo.

Tramador, ra. adj. Que trama, 1.ª y 2.ª aceps. Ú. t. c. s.

Tramar. tr. Atravesar los hilos de la trama por entre los de la urdimbre, para tejer alguna tela. || **2.** fig. Disponer o preparar con astucia o dolo un enredo, engaño o traición. || **3.** Disponer con habilidad la ejecución de cualquier cosa complicada o difícil. || **4.** intr. Florecer los árboles, especialmente el olivo.

Tramilla. (De *trama.*) f. **Bramante,** 2.° art.

Tramitación. f. Acción y efecto de tramitar. || **2.** Serie de trámites prescritos para un asunto, o de los seguidos en él.

Tramitador, ra. m. y f. Persona que tramita un asunto.

Tramitar. tr. Hacer pasar un negocio por los trámites debidos.

Trámite. (Del lat. *trames, -ĭtis*, camino, medio.) m. Paso de una parte a otra, o de una cosa a otra. || **2.** Cada uno de los estados y diligencias que hay que recorrer en un negocio hasta su conclusión.

Tramo. (Del lat. *trames.*) m. Trozo de terreno o de suelo contiguo a otro u otros y separado de ellos por una línea divisoria o por cualquiera otra señal o distintivo. || **2.** Parte de una escalera, comprendida entre dos mesetas o descansos. || **3.** Cada uno de los trechos o partes en que está dividido un andamio, esclusa, canal, camino, etc. || **4.** fig. Trozo de composición literaria en el cual domina la misma idea.

Tramojo. (De *tramar.*) m. Vencejo hecho con mies para atar los haces de la siega. || **2.** Parte de la mies por donde el segador la coge y pone el **tramojo** a la gavilla. || **3.** fam. Trabajo, apuro. Ú. m. en pl.

Tramojo. (Del lat. **trabŭcŭlum*, de *trabs, trabis*, madero.) m. fam. *Amér.* Especie de trangallo que se pone a un animal para que no haga daño en los cercados.

Tramontana. (Del lat. *transmontāna*, t. f. de *-nus*, transmontano.) f. **Norte,** 3.ª y 4.ª aceps. || **2.** fig. Vanidad, soberbia, altivez o pompa. || **Perder uno la tramontana.** fr. fig. y fam. **Perder la brújula.** || **2.** fig. y fam. **Perder los estribos,** 2.ª acep.

Tramontano, na. (De *transmontano.*) adj. Dícese de lo que, respecto de alguna parte, está del otro lado de los montes.

Tramontar. (De *transmontar.*) intr. Pasar del otro lado de los montes, respecto del país o territorio de que se habla. Dícese particularmente del Sol, cuando en su ocaso se oculta de nuestro horizonte detrás de los montes. || **2.** tr. Disponer que uno se escape o huya de un peligro que le amenaza. Ú. m. c. r.

Tramoya. (De *trama.*) f. Máquina para figurar en el teatro transformaciones o casos prodigiosos. || **2.** Conjunto de estas máquinas. || **3.** fig. Enredo dispuesto con ingenio, disimulo y maña.

Tramoya. (Del lat. *trimodia.*) f. *Ál.* y *Pal.* Tolva del molino.

Tramoyista. m. Inventor, constructor o director de tramoyas de teatro. || **2.** Operario que las coloca o las hace funcionar. || **3.** El que trabaja en las mutaciones escénicas. || **4.** com. fig. Persona que usa de ficciones o engaños. Ú. t. c. adj.

Tramoyón, na. adj. fam. **Tramoyista,** 4.ª acep.

Trampa. (Del b. lat. *trappa*, y éste del germ. *trappa*, lazo, cepo.) f. Artificio para cazar, compuesto ordinariamente de una excavación y una tabla que la cubre y puede hundirse al ponerse encima el animal. || **2.** Puerta en el suelo, para poner en comunicación cualquiera parte de un edificio con otra inferior. || **3.** Tablero horizontal, movible por medio de goznes, que suelen tener los mostradores de las tiendas, para entrar y salir con facilidad. || **4. Portañuela.** || **5.** fig. Ardid para burlar o perjudicar a alguno. || **6.** fig. Deuda cuyo pago se demora. || **legal.** Acto ilícito que se cubre con apariencias de legalidad. || **Armar trampa** uno. fr. fig. y fam. **Armar lazo.** || **Caer** uno **en la trampa.** fr. fig. y fam. **Caer en el lazo.** || **Coger** a uno **en la trampa.** fr. fig. y fam. Sorprenderle en algún mal hecho. || **Llevarse la trampa** una cosa, o negocio. fr. fig. y fam. Echarse a perder o malograrse. || **Trampa adelante.** expr. fam. que explica el porte de algunas personas que pasan la vida pidiendo en una parte para pagar en otra, entreteniendo el tiempo y buscando arbitrios para salir de sus urgencias. || **2.** Sortear con subterfugios y de mala manera las dificultades actuales, a sabiendas de que en lo venidero reaparecerán.

Trampal. (De *trampa*, 1.ª acep.) m. Pantano, atolladero, tremedal.

Trampantojo. (De *trampa ante ojo.*) m. fam. Ilusión, trampa, enredo o artificio con que se engaña a uno haciéndole ver lo que no es.

Trampazo. m. Última de las vueltas que se daban en el tormento de cuerda.

Trampeador, ra. adj. fam. Que trampea. Ú. t. c. s.

Trampear. (De *trampa.*) intr. fam. Petardear, pedir prestado o fiado con ardides y engaños. || **2.** fam. Arbitrar medios lícitos para hacer más llevadera la penuria o alguna otra adversidad. || **3.** fam. Conllevar los achaques o la vida valetudinaria. *Voy* TRAMPEANDO. || **4.** tr. fam. Usar una persona de artificio o cautela para engañar a otra o eludir alguna dificultad.

Trampería. f. Acción propia de tramposo.

Trampero. m. El que pone trampas para cazar.

Trampilla. (d. de *trampa.*) f. Ventanilla en el suelo de las habitaciones altas, para ver por ella quién entra al piso bajo. || **2.** Portezuela con que se cierra la carbonera de un fogón de cocina. || **3. Portañuela.**

Trampista. (De *trampa.*) adj. **Tramposo,** 1.ª acep. Ú. t. c. s.

Trampolín. (Del ital. *trampolino*, y éste del al. *trampeln*, patalear.) m. Plano inclinado y elástico que presta impulso al gimnasta para dar grandes saltos. || **2.** fig. Persona, cosa o suceso de que uno se aprovecha para conseguir aumentos desmedidos o apresurados.

Tramposo, sa. adj. Embustero, petardista, mal pagador. Ú. t. c. s. || **2.** Que hace trampas en el juego. Ú. t. c. s.

Tranca. (Del b. lat. *trancus*, y este del lat. *truncus*, tronco.) f. Palo grueso y fuerte. || **2.** Palo grueso que se pone para mayor seguridad, a manera de puntal o atravesado detrás de una puerta o ventana cerrada. || **3.** fam. **Borrachera.** || **A trancas y barrancas.** fr. fig. y fam. Pasando sobre todos los obstáculos.

Trancada. f. Tranco, 1.ª acep. || **2.** *Ar.* Trancazo, 1.ª acep. || **En dos trancadas.** m. adv. fig. y fam. **En dos trancos.**

Trancahílo. (De *trancar* e *hilo.*) m. Nudo o lazo sobrepuesto para que estorbe el paso del hilo o cuerda por alguna parte.

Trancanil. (En ant. fr. *tranquenin;* en ital. *trinquenin.*) m. *Mar.* Serie de maderos fuertes tendidos tope a tope y desde la proa a la popa, para ligar los baos a las cuadernas y al forro exterior.

Trancar. tr. **Atrancar,** 1.ª acep. || **2.** intr. fam. **Atrancar,** 3.ª acep.

Trancazo. m. Golpe que se da con la tranca. || **2.** fig. y fam. **Gripe.**

Trance. (Del fr. *transe,* de *transir,* y éste del lat. *transīre.*) m. Momento crítico y decisivo de algún suceso o acción. || **2.** Acompañado de los adjetivos *último, postrero, mortal* u otras expresiones semejantes, el último estado o tiempo de la vida, próximo a la muerte. || **3.** *For.* Apremio judicial contra los bienes de un deudor, para hacer pago con ellos al acreedor. || **de armas.** Combate, duelo, batalla. || **A todo trance.** m. adv. Resueltamente, sin reparar en riesgos.

Trancelín. m. Trencellín.

Tranco. (Del m. or. que *tranca.*) m. Paso largo; salto que se da abriendo mucho las piernas. || **2. Umbral,** 1.ª acep. || **3.** *Albac.* y *Murc.* Tala, 2.ª y 3.ª aceps. || **Al tranco.** m. adv. *Argent.* y *Chile.* Hablando de caballerías, **a paso largo.** || **A trancos.** m. adv. fig. y fam. De prisa y sin arte. || **En dos trancos.** m. adv. fig. y fam. con que se explica la celeridad con que se puede llegar a un paraje.

Trancha. f. Hierro con canto boto, que clavado en un borriquete, sirve a los hojalateros para rebordear sobre él con el mazo los cantos de la hojalata.

Tranchea. (Del fr. *tranchée,* de *trancher,* cortar.) f. ant. **Trinchera.**

Tranchete. (Del fr. *tranchet,* de *trancher,* cortar.) m. **Chaira,** 1.ª acep.

Trancho. m. Pez muy parecido al sábalo, con el lomo azulado, el vientre claro y el cuerpo grueso, que vive en el mar y pasa a desovar a las rías.

Trangallo. (De *tranca;* en port. *trangalho.*) m. Palo como de medio metro de largo, que en el tiempo de la cría de la caza se pone pendiente del collar a los perros de los ganados que pastan en los cotos, para que no puedan bajar la cabeza hasta el suelo.

Tranquear. (De *tranca.*) intr. fam. Trancar, 2.ª acep. || **2.** Remover, empujando y apalancando con trancas o palos.

Tranquera. f. Estacada o empalizada de trancas. || **2.** *Amér.* Talanquera o puerta rústica en un cercado por donde sólo puede pasar un hombre a caballo.

Tranquero. (De *tranco,* 2.ª acep.) m. Piedra labrada con que se forman las jambas y dinteles de puertas y ventanas, con su esconce para que batan.

Tranquil. m. *Arq.* Línea vertical o del plomo. || **2.** *Arq.* V. **Arco por tranquil.**

Tranquilamente. adv. m. De manera tranquila.

Tranquilar. (Del lat. *tranquillāre.*) tr. Señalar con dos rayitas cada una de las partidas de cargo y data de un libro de comercio, hasta donde iguala la cuenta. || **2.** p. us. **Tranquilizar.** Ú. t. c. r.

Tranquilidad. (Del lat. *tranquilĭtas, -ātis.*) f. Calidad de tranquilo.

Tranquilizador, ra. adj. Que tranquiliza.

Tranquilizar. tr. Poner tranquila a una persona o cosa. Ú. t. c. r.

Tranquilo, la. (Del lat. *tranquillus.*) adj. Quieto, sosegado, pacífico.

Tranquilla. f. d. de **Tranca.** || **2.** fig. Especie que artificiosamente se suelta para desorientar a uno y arrancarle por sorpresa un secreto o noticia, o hacer que se preste a lo que de él se desea. || **3.** Pasador que se pone en una barra para que no pase más allá de lo que se quiere al introducirla en alguna parte. || **Armar tranquilla.** fr. Poner tropiezos y achaques para descomponer o invalidar algún negocio o convenio.

Tranquillo. m. fig. Modo o hábito especial que se aprende empírica o casualmente y mediante el cual una operación o trabajo se realiza con más éxito y destreza, o una máquina se maneja con más facilidad. *Encontrar, coger el* TRANQUILLO. || **2.** *Albac., And.* y *Ar.* Tranco, umbral de la puerta.

Tranquillón. m. Mezcla de trigo con centeno en la siembra y en el pan.

Trans. (Del lat. *trans.*) prep. insep. que en las voces simples de nuestra lengua a que se halla unida significa **del otro lado,** o **más allá;** como en TRANS*atlántico,* TRANS*pirenaico;* o **a través de,** como en TRANS*parente;* o denota cambio o mudanza, como en TRANS*formar.* Pierde la *s* final precediendo a voces simples que empiecen con esta misma letra; v. gr.: TRAN*substancial.* El uso autoriza que en casi todos los vocablos de que forma parte se diga indistintamente **trans** o **tras.** A veces se emplea sin ninguna de sus dos últimas letras; v. gr.: TRA*montano.*

Transacción. (Del lat. *transactio, -onis.*) f. Acción y efecto de transigir. || **2.** Por ext., trato, convenio, negocio.

Transaccional. adj. Perteneciente o relativo a la transacción.

Transalpino, na. (Del lat. *transalpīnus.*) adj. Dícese de las regiones que desde Italia aparecen situadas al otro lado de los Alpes. || **2.** Perteneciente o relativo a ellas.

Transandino, na. adj. Dícese de las regiones situadas al otro lado de la cordillera de los Andes. || **2.** Perteneciente o relativo a ellas. || **3.** Dícese del tráfico y de los medios de locomoción que atraviesan los Andes.

Transar. tr. *Amér.* Transigir, ajustar algún trato, especialmente en el terreno comercial y bursátil.

Transatlántico, ca. adj. Dícese de las regiones situadas al otro lado del Atlántico. || **2.** Perteneciente o relativo a ellas. || **3.** Dícese del tráfico y medios de locomoción que atraviesan el Atlántico. || **4.** m. Buque de grandes proporciones destinado a hacer la travesía del Atlántico, o de otro gran mar.

Transbisabuelo, la. m. y f. ant. **Tatarabuelo, la.**

Transbisnieto, ta. m. y f. ant. **Tataranieto, ta.**

Transbordador, ra. adj. Que transborda. || **2.** m. Barquilla que circula entre dos puntos, marchando alternativamente en ambos sentidos, y sirve para transportar viajeros. || **3. Puente transbordador.** || **funicular.** El constituido por una vía funicular, sobre la que se apoya el carro, que generalmente forma un solo cuerpo con la barquilla. Se utiliza de ordinario para el transporte de turistas.

Transbordar. (De *trans* y *bordo.*) tr. Trasladar efectos o personas de una embarcación a otra. Ú. t. c. r. || **2.** Trasladar personas o efectos de unos carruajes a otros; dícese especialmente en el viaje por ferrocarril cuando el cambio se hace de un tren a otro.

Transbordo. m. Acción y efecto de transbordar o transbordarse.

Transcendencia. (Del lat. *transcendentĭa.*) f. **Trascendencia.**

Transcendental. (De *transcendente.*) adj. **Trascendental.** || **2.** *Fil.* Dícese de lo que traspasa los límites de la ciencia experimental.

Transcendentalismo. m. Calidad de transcendental.

Transcendente. p. a. de **Transcender.** Que transciende.

Transcender. (Del lat. *transcendĕre.*) intr. **Trascender.**

Transcribir. (Del lat. *transcribĕre.*) tr. **Copiar,** 1.ª acep. || **2.** Escribir con un sistema de caracteres lo que está escrito con otro. || **3.** *Mús.* Arreglar para un instrumento la música escrita para otro u otros.

Transcripción. (Del lat. *transcriptĭo, -ōnis.*) f. Acción y efecto de transcribir. || **2.** *Mús.* Pieza musical que resulta de transcribir otra.

Transcripto, ta. (Del lat. *transcriptus.*) p. p. irreg. **Transcrito.**

Transcrito, ta. p. p. irreg. de **Transcribir.**

Transcurrir. (Del lat. *transcurrĕre.*) intr. Pasar, correr. Aplícase, por lo común, al tiempo.

Transcurso. (Del lat. *transcursus.*) m. Paso o carrera del tiempo. Ú. comúnmente con la misma voz *tiempo* o con las que expresan sus divisiones; como *año, siglo,* etc.

Tránseat. (3.ª pers. de sing. del pres. de subj. del verbo *transīre,* pasar: pase.) Voz latina que se usa para consentir una afirmación que no importa conceder o negar.

Transeúnte. (Del lat. *transiens, -seuntis,* p. a. de *transīre,* pasar de un lugar a otro.) adj. Que transita o pasa por un lugar. Ú. t. c. s. || **2.** Que está de paso, que no reside sino transitoriamente en un sitio. Apl. a pers., ú. t. c. s. || **3.** Transitorio, 1.ª acep. || **4.** *Fil.* Dícese de lo que se produce por el agente de tal suerte que el efecto pasa o se termina fuera de él mismo.

Transferencia. (Del lat. *transferens, -entis,* p. a. de *transferre,* transferir.) f. Acción y efecto de transferir. || **de crédito.** Alteración que permiten las leyes de contabilidad, mediante la cual, sin aumentar el total gasto del presupuesto, varía la dotación de los distintos servicios.

Transferible. adj. Que puede ser transferido o traspasado a otro.

Transferidor, ra. adj. Que transfiere. Ú. t. c. s.

Transferir. (Del lat. *transferre.*) tr. Pasar o llevar una cosa desde un lugar a otro. || **2. Diferir,** 1.ª acep. || **3.** Extender o trasladar el sentido de una voz a que signifique figuradamente otra cosa distinta. || **4.** Ceder o renunciar en otro el derecho, dominio o atribución que se tiene sobre una cosa. || **5.** *Esgr.* Abrir el ángulo en la espada sujeta o inferior, y volverlo a cerrar, quedando superior. || **6.** *Esgr.* Hacer con la espada otros movimientos diferentes del anterior, pero del mismo efecto.

Transfigurable. (Del lat. *transfigurabĭlis.*) adj. Que se puede transfigurar.

Transfiguración. (Del lat. *transfiguratĭo, -ōnis.*) f. Acción y efecto de transfigurar o transfigurarse. || **2.** Por antonom., la de Nuestro Señor Jesucristo, que fue, según la opinión más común, en el monte Tabor, cuando en presencia de San Pedro, San Juan y Santiago se ostentó glorioso entre Moisés y Elías.

Transfigurar. (Del lat. *transfigurāre.*) tr. Hacer cambiar de figura a una persona o cosa. Ú. t. c. r.

Transfijo, ja. (Del lat. *transfixus.*) adj. Atravesado o traspasado con una arma o cosa puntiaguda.

Transfixión. (Del lat. *transfixĭo, -ōnis.*) f. Acción de herir pasando de parte a parte. Úsase frecuentemente hablando de los dolores de la Virgen Santísima.

Transflor. (De *transflorar.*) m. *Pint.* Pintura que se da sobre plata, oro, estaño, etc.; lo más común es el verde sobre oro.

Transflorar. (Del lat. *transflorāre*, traspasar.) intr. Transparentarse o dejarse ver una cosa a través de otra.

Transflorar. (De *trans* y *flor.*) tr. *Pint.* Transflorear. || **2.** *Pint.* Copiar un dibujo al trasluz.

Transflorear. (De *trans* y *florear.*) tr. *Pint.* Adornar con transflor.

Transformable. adj. Que puede tranformarse.

Transformación. (Del lat. *transformatĭo, -ōnis.*) f. Acción y efecto de transformar o transformarse.

Transformador, ra. adj. Que transforma. Ú. t. c. s. || **2.** m. *Fís.* Aparato eléctrico para convertir la corriente de alta tensión y débil intensidad en otra de baja tensión y gran intensidad, o viceversa.

Transformamiento. (De *transformar.*) m. **Transformación.**

Transformante. p. a. de **Transformar.** Que transforma.

Transformar. (Del lat. *transformāre.*) tr. Hacer cambiar de forma a una persona o cosa. Ú. t. c. r. || **2.** Transmutar una cosa en otra. Ú. t. c. r. || **3.** fig. Hacer mudar de porte o de costumbres a una persona. Ú. t. c. r.

Transformativo, va. adj. Que tiene virtud o fuerza para transformar.

Transformismo. m. *Biol.* Doctrina según la cual los caracteres típicos de las especies animales y vegetales no son por naturaleza fijos e inmutables, sino que pueden variar por la acción de diversos factores intrínsecos y extrínsecos.

Transformista. adj. Perteneciente o relativo al transformismo. || **2.** com. Partidario de esta doctrina. || **3.** Actor o payaso que hace mutaciones rapidísimas en sus trajes y en los tipos que representa.

Transfregar. (De *trans* y *fregar.*) tr. Restregar una cosa con otra, manoseándola y revolviéndola.

Transfretano, na. (Del lat. *transfretānus;* de *trans*, de la otra parte, y *fretum*, estrecho de mar.) adj. Que está al otro lado de un estrecho o brazo de mar.

Transfretar. (Del lat. *transfretāre.*) tr. Pasar el mar. || **2.** intr. Extenderse, dilatarse.

Tránsfuga. (Del lat. *transfŭga*, de *transfugĕre*, pasarse, huir.) com. Persona que pasa huyendo de una parte a otra. || **2.** fig. Persona que pasa de un partido a otro.

Tránsfugo. m. **Tránsfuga.**

Transfundición. (De *transfundir.*) f. **Transfusión.**

Transfundir. (Del lat. *transfundĕre.*) tr. Echar un líquido poco a poco de un vaso en otro. || **2.** fig. Comunicar una cosa entre diversos sujetos sucesivamente. Ú. t. c. r.

Transfusible. adj. Que se puede transfundir.

Transfusión. (Del lat. *transfusĭo, -ōnis.*) f. Acción y efecto de transfundir o transfundirse. || **de sangre.** *Cir.* Operación cuyo objeto es hacer pasar cierta cantidad de sangre de un individuo a otro, a fin de reemplazar la sangre perdida a consecuencia de una hemorragia, o alterada por cualquiera otra causa.

Transfusor, ra. (Del lat. *transfūsus*, p. p. de *transfundĕre*, transfundir.) adj. Que transfunde. *Aparato* TRANSFUSOR. Ú. t. c. s.

Transgangético, ca. adj. Dícese de las regiones situadas al norte del río Ganges. || **2.** Perteneciente o relativo a ellas.

Transgredir. (Del lat. *transgrĕdi.*) tr. Quebrantar, violar un precepto, ley o estatuto.

Transgresión. (Del lat. *transgressĭo, -ōnis.*) f. Acción y efecto de transgredir.

Transgresor, ra. (Del lat. *transgressor, -ōris.*) adj. Que comete transgresión. Ú. t. c. s.

Transiberiano, na. adj. Dícese del tráfico y de los medios de locomoción que atraviesan la Siberia.

Transición. (Del lat. *transitĭo, -ōnis.*) f. Acción y efecto de pasar de un modo de ser o estar a otro distinto. || **2.** Paso más o menos rápido de una prueba, idea o materia a otra, en discursos o escritos. || **3.** Cambio repentino de tono y expresión. || **4.** V. **Terreno de transición.**

Transido, da. p. p. de **Transir.** || **2.** adj. fig. Fatigado, acongojado o consumido de alguna penalidad, angustia o necesidad. TRANSIDO *de hambre, de dolor.* || **3.** fig. Miserable, escaso y ridículo en el modo de portarse y gastar.

Transigencia. f. Condición de transigente. || **2.** Lo que se hace o consiente transigiendo.

Transigente. p. a. de **Transigir.** Que transige.

Transigir. (Del lat. *transigĕre.*) intr. Consentir en parte con lo que no se cree justo, razonable o verdadero, a fin de llegar a un ajuste o concordia, evitar algún mal, o por mero espíritu de condescendencia. Ú. a veces c. tr. || **2.** tr. Ajustar algún punto dudoso o litigioso, conviniendo las partes voluntariamente en algún medio que componga y parta la diferencia de la disputa.

Transilvano, na. adj. Natural de Transilvania. Ú. t. c. s. || **2.** Perteneciente a esta región de Europa.

Transir. (Del lat. *transīre.*) intr. ant. Pasar, acabar, morir. Usáb. m. c. r.

Transitable. adj. Dícese del sitio o paraje por donde se puede transitar.

Transitar. (De *tránsito.*) intr. Ir o pasar de un punto a otro por vías o parajes públicos. || **2.** Viajar o caminar haciendo tránsitos.

Transitivo, va. (Del lat. *transitīvus.*) adj. p. us. Que pasa y se transfiere de uno en otro. || **2.** *Gram.* V. **Verbo transitivo.**

Tránsito. (Del lat. *transĭtus.*) m. Acción de transitar. || **2. Paso,** 6.ª acep. || **3.** En conventos, seminarios y otras casas de comunidad, pasillo o corredor. || **4.** Lugar determinado para hacer alto y descanso en alguna jornada o marcha. || **5.** Paso de un estado o empleo a otro. || **6.** Muerte de las personas santas y justas, o que han dejado buena opinión con su virtuosa vida, y muy especialmente dícese de la muerte de la Santísima Virgen. || **7.** Fiesta que en honor de la muerte de la Virgen celebra anualmente la Iglesia el día 15 de agosto. || **De tránsito.** De un modo transitorio; dícese de la persona que no reside en el lugar, sino que está en él de paso, y de la mercancía que atraviesa un país situado entre el de origen y el de destino. || **Hacer tránsito.** fr. Parar o descansar en albergues o alojamientos situados de trecho en trecho entre los puntos extremos de un viaje. || **Por tránsitos.** m. adv. Haciendo **tránsitos**; dícese más comúnmente **por tránsitos** *de justicia*, refiriéndose a los detenidos conducidos por la fuerza pública de pueblo en pueblo.

Transitoriamente. adv. m. De manera transitoria.

Transitoriedad. f. Calidad de transitorio.

Transitorio, ria. (Del lat. *transitorĭus.*) adj. Pasajero, temporal. || **2.** Caduco, perecedero, fugaz.

Translación. (Del lat. *translatĭo, -ōnis.*) f. **Traslación.**

Translaticiamente. (De *translaticio.*) adv. m. **Traslaticiamente.**

Translaticio, cia. (Del lat. *translatitĭus.*) adj. **Traslaticio.**

Translativo, va. (Del lat. *translatīvus.*) adj. **Traslativo.**

Translimitación. f. Acción y efecto de translimitar. || **2.** Envío de tropas de una potencia al territorio de un Estado vecino en que contienden dos partidos, con objeto de ocupar y guarnecer las plazas ganadas por aquel en cuyo favor se hace esta especie de intervención.

Translimitar. (De *trans*, más allá, y *límite.*) tr. Traspasar los límites morales o materiales. || **2.** Pasar inadvertidamente, o mediante autorización previa, la frontera de un Estado para una operación militar, sin ánimo de violar el territorio.

Translinear. (De *trans*, en sentido de mudanza, y *línea.*) intr. *For.* Pasar un vínculo de una línea a otra.

Transliteración. f. Representación de sonidos de una lengua con los signos alfabéticos de otra.

Translucidez. f. Calidad de translúcido.

Translúcido, da. (Del lat. *translucĭdus.*) adj. Dícese del cuerpo a través del cual pasa la luz, pero que no deja ver sino confusamente lo que hay detrás de él.

Transluciente. adj. **Trasluciente.**

Transmarino, na. (Del lat. *transmarīnus.*) adj. Dícese de las regiones situadas al otro lado del mar. || **2.** Perteneciente o relativo a ellas.

Transmigración. (Del lat. *transmigratĭo, -ōnis.*) f. Acción y efecto de transmigrar.

Transmigrar. (Del lat. *transmigrāre.*) intr. Pasar a otro país para vivir en él, especialmente una nación entera o parte considerable de ella. || **2.** Pasar una alma de un cuerpo a otro, según opinan los que creen en la metempsicosis.

Transmigratorio, ria. adj. Perteneciente o relativo a la transmigración.

Transmisible. (Del lat. *transmissibĭlis.*) adj. Que se puede transmitir.

Transmisión. (Del lat. *transmissĭo, -ōnis.*) f. Acción y efecto de transmitir. || **de movimiento.** *Mec.* Conjunto de mecanismos que comunican el movimiento de un cuerpo a otro, alterando generalmente su velocidad, su sentido o su forma.

Transmisor, ra. (Del lat. *transmissor, -ōris.*) adj. Que transmite o puede transmitir. Ú. t. c. s. || **2.** m. Aparato telefónico que consiste en una placa elástica unida a ciertas piezas por cuyo medio las vibraciones sonoras se transmiten al hilo conductor, haciendo ondular las corrientes eléctricas. || **3.** Aparato telegráfico o telefónico que sirve para producir las corrientes, o las ondas hertzianas, que han de actuar en el receptor.

Transmitir. (Del lat. *transmittĕre.*) tr. Trasladar, transferir. || **2.** *For.* Enajenar, ceder o dejar a otro un derecho u otra cosa.

Transmontano, na. (Del lat. *transmontānus.*) adj. **Tramontano.**

Transmontar. (Del lat. *trans*, a la parte de allá, y *mons, montis*, el monte.) tr. e intr. **Tramontar.** Ú. t. c. r.

Transmonte. m. p. us. Acción de transmontar.

Transmudación. f. **Transmutación.**

Transmudamiento. (De *transmudar.*) m. **Transmutación.**

Transmudar. (Del lat. *transmutāre.*) tr. **Trasladar,** 1.ª acep. Ú. t. c. r. || **2. Transmutar.** Ú. t. c. r. || **3.** fig. Reducir o trocar los afectos o inclinaciones con razones o persuasiva.

Transmundano, na. adj. Que está fuera del mundo.

Transmutable. adj. Que se puede transmutar.

Transmutación. (Del lat. *transmutatĭo, -ōnis.*) f. Acción y efecto de transmutar o transmutarse.

Transmutar. (Del lat. *transmutāre.*) tr. **Convertir,** 1.ª acep. Ú. t. c. r.

Transmutativo, va. (Del lat. *transmutātum*, supino de *transmutāre*, transmutar.)

adj. Que tiene virtud o fuerza para transmutar.

Transmutatorio, ria. adj. Transmutativo.

Transpacífico, ca. adj. Perteneciente o relativo a las regiones situadas al otro lado del Pacífico. || **2.** Aplícase a los grandes buques que hacen sus viajes a través del Pacífico.

Transpadano, na. (Del lat. *transpadānus;* de *trans,* del otro lado, y *Padus,* el Po.) adj. Que habita o está de la otra parte del río Po. Apl. a pers., ú. t. c. s.

Transparencia. f. Calidad de transparente.

Transparentarse. r. Dejarse ver la luz u otra cosa cualquiera a través de un cuerpo transparente. || **2.** Ser transparente un cuerpo. || **3.** fig. Dejarse descubrir o adivinar en lo patente o declarado otra cosa que no se manifiesta o declara. TRANSPARENTARSE *un propósito, el temor, la alegría.*

Transparente. (Del lat. *trans,* a través, y *parens, -entis,* que aparece.) adj. Dícese del cuerpo a través del cual pueden verse los objetos distintamente. || **2. Translúcido.** || **3.** fig. Que se deja adivinar o vislumbrar sin declararse o manifestarse. || **4.** *Zool.* V. **Córnea transparente.** || **5.** m. Tela o papel que, colocado a modo de cortina delante del hueco de ventanas o balcones, sirve para templar la luz, o ante una luz artificial, sirve para mitigarla o para hacer aparecer en él figuras o letreros. || **6.** Ventana de cristales que ilumina y adorna el fondo de un altar.

Transpirable. adj. Dícese de lo que puede transpirar o transpirarse.

Transpiración. f. Acción y efecto de transpirar o transpirarse. || **2.** *Bot.* Salida de vapor de agua, que se efectúa a través de las membranas de las células superficiales de las plantas, y especialmente por los estomas.

Transpirar. (Del lat. *trans,* a través, y *spirāre,* exhalar, brotar.) intr. Pasar los humores de la parte interior a la exterior del cuerpo a través del tegumento. Ú. t c. r. || **2.** fig. **Sudar,** 3.ª acep.

Transpirenaico, ca. (De *trans,* a la parte de allá, y *pirenaico.*) adj. Dícese de las regiones situadas al otro lado de los Pirineos. || **2.** Perteneciente o relativo a ellas. || **3.** Dícese del comercio y de los medios de locomoción que atraviesan los Pirineos.

Transponedor, ra. adj. Que transpone. Ú. t. c. s.

Transponer. (Del lat. *transponĕre.*) tr. Poner a una persona o cosa más allá, en lugar diferente del que ocupaba. Ú. t. c. r. || **2. Trasplantar.** || **3.** r. Ocultarse a la vista de uno alguna persona o cosa, doblando una esquina, un cerro u otra cosa semejante. Ú. t. c. tr. TRANSPUSO *la esquina.* || **4.** Ocultarse de nuestro horizonte el Sol u otro astro. || **5.** Quedarse uno algo dormido.

Transportación. (Del lat. *transportatĭo, -ōnis.*) f. **Transporte,** 1.ª acep.

Transportador, ra. adj. Que transporta. Ú. t. c. s. || **2.** m. Círculo graduado de metal, talco o papel, que sirve para medir o trazar los ángulos de un dibujo geométrico.

Transportamiento. (De *transportar.*) m. **Transporte,** 1.ª y 3.ª aceps.

Transportar. (Del lat. *transportāre.*) tr. Llevar una cosa de un paraje o lugar a otro. || **2. Portear,** 1.ª acep. || **3.** *Mús.* Trasladar una composición de un tono a otro. || **4.** r. fig. Enajenarse de la razón o del sentido, por pasión, éxtasis o accidente.

Transporte. m. Acción y efecto de transportar. || **2. Buque de transporte.** || **3.** fig. Acción y efecto de transportarse.

Transportista. m. El que tiene por oficio hacer transportes.

Transposición. (Del lat. *transposĭtum,* supino de *transponĕre,* transponer.) f. Acción y efecto de transponer o transponerse. || **2.** *Ret.* Figura que consiste en alterar el orden normal de las voces en la oración.

Transpositivo, va. (Del lat. *transposĭtīvus.*) adj. Capaz de transponerse. || **2.** Perteneciente o relativo a la transposición.

Transpuesta. (De *transpuesto.*) f. **Traspuesta.**

Transpuesto, ta. (Del lat. *transposĭtus.*) p. p. irreg. de **Transponer.**

Transterminante. p. a. de **Transterminar.** Que transtermina.

Transterminar. (De *trans,* de la otra parte, y *terminar.*) tr. Pasar de un término jurisdiccional a otro, o salir del que está señalado.

Transtiberino, na. (Del lat. *transtiberīnus.*) adj. Que, respecto de Roma y sus cercanías, habita o está al otro lado del Tíber. Apl. a pers., ú. t. c. s.

Transubstanciación. (Del lat. eclesiástico *transubstantiatĭo, -ōnis.*) f. Conversión total de una substancia en otra. Ú. especialmente hablando de la conversión total del pan y del vino en el cuerpo y sangre de Jesucristo en la Eucaristía.

Transubstancial. adj. Que se transubstancia.

Transubstanciar. (De *trans,* en sentido de mudanza, y *substancia.*) tr. Convertir totalmente una substancia en otra. Ú. t. c. r. Dícese especialmente del cuerpo y sangre de Cristo en la Eucaristía.

Transvasar. (De *trans,* de una parte a otra, y *vaso.*) tr. **Trasegar,** 2.ª acep.

Transverberación. (Del lat. *transverberatĭo, -ōnis,* de *transverberāre,* traspasar.) f. **Transfixión.** *La fiesta de la* TRANSVERBERACIÓN *del corazón de Santa Teresa.*

Transversal. (De *transverso.*) adj. Que se halla o se extiende atravesado de un lado a otro. || **2.** Que se aparta o desvía de la dirección principal o recta. || **3. Colateral,** 2.ª acep. Ú. t. c. s. || **4.** V. **Línea transversal.** || **5.** *Esgr.* V. **Compás transversal.**

Transverso, sa. (Del lat. *transversus.*) adj. Colocado o dirigido al través.

Tranvía. (Del ingl. *tramway;* de *tram,* riel plano, y *way,* vía.) m. Ferrocarril establecido en una calle o camino carretero. || **2.** fig. Coche de **tranvía.** || **de sangre.** Aquel en que el tiro se hace con caballos o mulas.

Tranviario, ria. adj. Perteneciente o relativo a los tranvías. || **2.** m. Empleado en el servicio de tranvías.

Tranviero. m. **Tranviario.**

Tranza. f. *Ar.* **Trance,** 3.ª acep.

Tranzadera. f. **Trenzadera,** 1.ª acep.

Tranzado, da. p. p. de **Tranzar.** || **2.** adj. V. **Arnés tranzado.** || **3.** m. ant. **Trenzado.**

Tranzar. tr. Cortar, tronchar. || **2. Trenzar,** 1.ª acep. || **3.** *Ar.* **Rematar,** 5.ª acep.

Tranzón. (De *tranzar,* 1.ª acep.) m. Cada una de las partes en que para su aprovechamiento o cultivo se divide un monte o un pago de tierras. || **2.** Trozo de terreno que, separado del antiguo fundo, forma ya propiedad independiente.

Trapa. (Del fr. *Trappe,* lugar donde se fundó esta orden.) f. Instituto religioso, perteneciente a la orden del Cister, fundado por el abate Rancé a principios del siglo XVIII.

Trapa. (Quizá del m. or. que *trampa;* en port. *trapa.*) f. *Al.* **Grada de dientes.** || **2.** *Mar.* Cabo provisional con que se ayuda a cargar y cerrar una vela cuando hay mucho viento. || **3.** pl. *Mar.* Trincas o aparejos con que se asegura la lancha dentro del buque.

Trapa. (Voz onomatopéyica.) amb. Ruido de los pies, o vocería grande y alboroto de gente. Ú. comúnmente repetida. *Oyóse un* TRAPA, TRAPA.

Trapacear. intr. Usar de trapazas u otros engaños.

Trapacería. (De *trapacero.*) f. **Trapaza.**

Trapacero, ra. (De *trapaza.*) adj. **Trapacista.** Ú. t. c. s.

Trapacete. (Del lat. *trapezīta,* banquero, y éste del gr. τραπεζίτης.) m. Libro en que el comerciante o el banquero sienta las partidas que da a cambio o logro, o las de los géneros que vende.

Trapacista. adj. Que usa de trapazas. Ú. t. c. s. || **2.** fig. Que con astucias, falsedades y mentiras procura engañar a otro en cualquier asunto. Ú. t. c. s.

Trapajo. m. despect. de **Trapo.**

Trapajoso, sa. (De *trapajo.*) adj. Roto, desaseado o hecho pedazos. || **2. Estropajoso,** 1.ª acep.

Trápala. (Voz onomatopéyica.) f. Ruido, movimiento y confusión de gente. || **2.** Ruido acompasado del trote o galope de un caballo.

Trápala. (Como el ital. *trappola,* del m. or. que *trampa.*) f. fam. Embuste, engaño. || **2.** *Germ.* **Cárcel,** 1.ª acep. || **3.** m. fam. Flujo o prurito de hablar mucho y sin substancia. || **4.** com. fig. y fam. Persona que habla mucho y sin substancia. Ú. t. c. adj. || **5.** fig. y fam. Persona falsa y embustera. Ú. t. c. adj.

Trapalear. (De *trápala,* 1.er art.) intr. Meter ruido con los pies andando de un lado para otro.

Trapalear. intr. fam. Decir o hacer cosas propias de un trápala, 2.° art., 4.ª y 5.ª aceps.

Trapalón, na. m. y f. fam. aum. de **Trápala,** 2.° art., 4.ª y 5.ª aceps. Ú. t. c. adj.

Trápana. f. *Germ.* **Trápala,** 2.° art., 2.ª acep.

Trapatiesta. f. fam. Riña, alboroto, desorden.

Trapaza. (Del germ. *trappa,* engaño, trampa.) f. Artificio engañoso e ilícito con que se perjudica y defrauda a una persona en alguna compra, venta o cambio. || **2.** Fraude, engaño. || **3.** V. **Pájaro trapaza.**

Trapazar. (De *trapaza.*) intr. **Trapacear.**

Trape. (Del fr. *draper,* disponer con holgura y gracia los vestidos.) m. Entretela con que se armaban los pliegues de las casacas y las faldillas, para dejarlas extendidas y airosas.

Trapear. impers. fam. *Sant.* **Nevar.** || **2.** tr. *Amér.* Fregar el suelo con trapo o estropajo.

Trapecial. adj. *Geom.* Perteneciente o relativo al trapecio. || **2.** *Geom.* De figura de trapecio.

Trapecio. (Del lat. *trapezium,* y éste del gr. τραπέζιον, de τράπεζα, mesa de cuatro pies.) m. Palo horizontal suspendido de dos cuerdas por sus extremos y que sirve para ejercicios gimnásticos. || **2.** *Geom.* Cuadrilátero irregular que tiene paralelos solamente dos de sus lados. || **3.** *Zool.* Uno de los huesos del carpo, que en el hombre forma parte de la segunda fila. || **4.** *Zool.* Cada uno de los dos músculos, propios de los animales vertebrados, que en los mamíferos están situados en la parte dorsal del cuello y anterior de la espalda y se extienden desde el occipucio hasta los respectivos omóplatos y las vértebras dorsales.

Trapense. adj. Dícese del monje de la Trapa. Ú. t. c. s. || **2.** Perteneciente o relativo a esta orden religiosa.

Trapería. f. Conjunto de muchos trapos. || **2.** Sitio donde se venden trapos y otros objetos usados. || **3.** ant. **Pañería,** 1.ª acep. Ú. en *And.* || **4.** ant. Calle o paraje donde estaban las pañerías.

Trapero, ra. m. y f. Persona que tiene por oficio recoger trapos de desecho para traficar con ellos. || **2.** El que compra y vende trapos y otros objetos usados. || **3.** ant. **Pañero.** Ú. en *And.*

Trapezoidal. adj. *Geom.* Perteneciente o relativo al trapezoide. || **2.** *Geom.* De figura de trapezoide.

Trapezoide. (Del gr. τραπεζοειδής; de τράπεζα, mesa de cuatro pies, y εἶδος, forma.) m. *Geom.* Cuadrilátero irregular que no tiene ningún lado paralelo a otro. || **2.** *Zool.* Uno de los huesos del carpo, que en el hombre está situado en la segunda fila, al lado del trapecio.

Trapiche. (Del lat. *trapētes*, piedra de molino de aceite.) m. Molino para extraer el jugo de algunos frutos de la tierra, como aceituna o caña de azúcar. || **2.** *Argent.* y *Chile.* Molino para pulverizar minerales.

Trapichear. (De *trapiche.*) intr. fam. Ingeniarse, buscar trazas, no siempre lícitas, para el logro de algún objeto. || **2.** Comerciar al menudeo.

Trapicheo. m. fam. Acción y ejercicio de trapichear.

Trapichero. m. El que trabaja en los trapiches.

Trapiento, ta. (De *trapo*, 1.ª acep.) adj. Andrajoso.

Trapillo. (d. de *trapo*, 1.ª acep.) m. d. de **Trapo.** || **2.** fig. y fam. Galán o dama de baja suerte. || **3.** fig. y fam. Caudal pequeño ahorrado y guardado. || **De trapillo.** m. adv. fig. y fam. Con vestido llano y casero.

Trapío. (De *trapo.*) m. desus. **Velamen.** || **2.** fig. y fam. Aire garboso que suelen tener algunas mujeres. || **3.** fig. y fam. Buena planta y gallardía del toro de lidia.

Trapisonda. f. fam. Bulla o riña con voces o acciones. *Brava* TRAPISONDA *ha habido.* || **2.** fam. Embrollo, enredo. || **3.** fig. desus. Agitación del mar, formada por olas pequeñas que se cruzan en diversos sentidos y cuyo ruido se oye a bastante distancia.

Trapisondear. intr. fam. Armar con frecuencia trapisondas o embrollos.

Trapisondista. com. Persona que arma trapisondas o anda en ellas.

Trapito. m. d. de **Trapo.** || **Los trapitos de cristianar.** fam. La ropa más lucida que uno tiene.

Trapo. (Del lat. *drappus.*) m. Pedazo de tela desechado por viejo, por roto o por inútil. || **2. Velamen.** || **3.** ant. **Paño,** 1.ª acep. || **4.** fam. **Capote de brega.** || **5.** fam. Tela, roja por lo común, de la muleta del espada. || **6.** pl. fam. Prendas de vestir, especialmente de la mujer. *Todo su caudal lo gasta en* TRAPOS. || **Los trapos de cristianar.** fam. **Los trapitos de cristianar.** || **A todo trapo.** m. adv. *Mar.* **A toda vela.** || **2.** fig. y fam. Con eficacia y actividad. || **Con un trapo atrás y otro adelante,** o **delante.** expr. fig. con que se significa la pobreza o estado infeliz y miserable de alguno. || **Poner** a uno **como un trapo.** fr. fig. y fam. Reprenderle agriamente; decirle palabras ofensivas o enojosas. || **Sacar los trapos,** o **todos los trapos, a la colada,** o **a relucir,** o **al sol.** fr. fig. y fam. Echar a uno en rostro sus faltas y hacerlas públicas, en especial cuando se riñe con él acaloradamente. || **Soltar** uno **el trapo.** fr. fig. y fam. Echarse a llorar. || **2.** fig. y fam. Echarse a reir.

Traque. (Voz onomatopéyica.) m. Estallido que da el cohete. || **2.** Guía de pólvora fina que ponen los coheteros entre los cañones de luz, para que se enciendan prontamente. || **3.** fig. y fam. Ventosidad con ruido. || **A traque barraque.** expr. fam. A todo tiempo o con cualquier motivo.

Tráquea. (Del lat. *trachīa*, y éste del gr. τραχεῖα ἀρτηρία, traquearteria.) f. *Zool.* Conducto cilíndrico que forma parte del aparato respiratorio de los reptiles, aves y mamíferos y está constituido por tejido fibroso, reforzado por anillos cartilaginosos; está situado a lo largo y delante del esófago y, partiendo de la laringe, se divide en dos ramas o bronquios que terminan cada una en el pulmón correspondiente. || **2.** *Bot.* Vaso conductor de la savia, cuya pared está reforzada por un filamento resistente y dispuesto en espiral. || **3.** *Zool.* Cada una de las cavidades que en conjunto forman el aparato respiratorio de muchos artrópodos, las cuales pueden ser conductos ramificados que se comunican entre sí y con el exterior, dispuestos simétricamente a ambos lados del cuerpo, como en los insectos miriápodos y algunos arácnidos, o bolsas comunicantes con el exterior, cuya pared tiene delgados repliegues laminares, como en los escorpiones y arañas.

Traqueal. adj. Perteneciente o relativo a la tráquea. || **2.** *Zool.* Dícese del animal que respira por medio de tráqueas. *Artrópodo* TRAQUEAL.

Traquear. (De *traque.*) intr. Traquetear.

Traquearteria. (Del gr. τραχεῖα ἀρτηρία, áspera arteria.) f. desus. *Zool.* **Tráquea,** 1.ª acep.

Tráqueo. (De *traquear.*) m. **Traqueteo.**

Traqueotomía. (Del gr. τραχεῖα, tráquea, y τομή, incisión.) f. *Cir.* Abertura que se hace artificialmente en la traquearteria, para impedir en ciertos casos la sofocación de los enfermos.

Traquetear. intr. Hacer ruido, estruendo o estrépito. || **2.** tr. Mover o agitar una cosa de una parte a otra. Dícese especialmente de los líquidos. || **3.** fig. y fam. Frecuentar, manejar mucho una cosa.

Traqueteo. (De *traquetear.*) m. Ruido continuo del disparo de los cohetes, en los fuegos artificiales. || **2.** Movimiento de una persona o cosa que se golpea al transportarla de un punto a otro.

Traquido. (De *traquear.*) m. Estruendo causado por el tiro o disparo de una arma de fuego. || **2. Chasquido,** 2.ª acep.

Traquita. (Del gr. τραχύς, áspero al tacto.) f. Roca volcánica compuesta de feldespato vítreo y cristales de hornablenda o mica, muy ligera, dura y porosa, y estimadísima como piedra de construcción.

Trarigüe. (Del arauc. *tharin*, atar.) m. p. us. *Chile.* Faja o cinturón de lana que usan los indios, hombres y mujeres. Es por lo general negro, rojo y blanco, con adornos.

Trarilongo. (Del arauc. *tharin*, atar.) m. desus. *Chile.* Cinta con que los indios se ciñen la cabeza y el cabello.

Traro. (Del arauc. *tharu.*) m. *Chile.* Ave de rapiña, de color blanquecino, salpicado de negro; los bordes de las alas y la punta de la cola son negros; lleva en la cabeza una especie de corona de plumas negras, y los pies son amarillos y escamosos.

Tras. (Del lat. *trans.*) prep. Después de, a continuación de, aplicado al espacio o al tiempo. *Llevaba* TRAS *de sí más de doscientas personas.* TRAS *este tiempo vendrá otro mejor.* Tiene uso como prefijo en voces compuestas; v. gr.: TRAS*tienda*, TRAS*coro.* || **2.** fig. En busca o seguimiento de. *Se fue deslumbrado* TRAS *los honores.* || **3.** Detrás de, en situación posterior. TRAS *una puerta.* || **4.** Fuera de esto, además. TRAS *de venir tarde, regaña.* || **5.** prep. insep. **Trans.** || **6.** m. fam. **Trasero,** 5.ª acep.

Tras. (Onomatopeya.) Voz con que se imita un golpe con ruido. || **Tras, tras.** expr. fam. con que se significa el golpe repetido, especialmente el que se da llamando a una puerta.

Trasabuelo, la. (De *tresabuelo.*) m. y f. ant. **Tatarabuelo, la.**

Trasalcoba. f. Pieza que está detrás de la alcoba.

Trasalpino, na. adj. **Transalpino.**

Trasaltar. m. Sitio que en las iglesias está detrás del altar.

Trasandino, na. adj. **Transandino.**

Trasandosco, ca. adj. Aplícase a la res de ganado menor que tiene algo más de dos años. Ú. t. c. s.

Trasanteanoche. adv. t. En la noche de trasanteayer.

Trasanteayer. adv. t. En el día que precedió inmediatamente al de anteayer.

Trasantier. adv. t. fam. **Trasanteayer.**

Trasañejo, ja. adj. Muy añejo. || **2. Tresañejo.**

Trasatlántico, ca. adj. **Transatlántico.** Ú. t. c. s.

Trasbarrás. m. Ruido que produce una cosa al caer.

Trasbisabuelo, la. m. y f. ant. **Transbisabuelo, la.**

Trasbisnieto, ta. m. y f. ant. **Transbisnieto, ta.**

Trasbocar. tr. *Amér.* **Vomitar,** 1.ª acep.

Trasbordar. tr. **Transbordar.**

Trasbordo. m. **Transbordo.**

Trasca. (Del lat. **transĭca*, pasador.) f. Barzón del yugo, y correa para uncir y para otros usos. || **2.** *Ar.* **Pescuño.**

Trasca. (Del lat. *troia.*) f. **Cerda,** 3.ª acep.

Trascabo. m. **Traspié,** 2.ª acep.

Trascantón. m. **Guardacantón,** 1.ª acep. || **2.** Esportillero o mozo que se pone en una esquina o cantón, para estar pronto a servir a quien le llama. || **Dar trascantón** a uno. fr. fig. y fam. **Darle cantonada.**

Trascantonada. f. **Trascantón,** 1.ª acep.

Trascartarse. r. Quedarse, en un juego de naipes, una carta detrás de otra, cuando se creía o esperaba que viniese antes.

Trascartón. (De *trascartarse.*) m. Lance del juego de naipes, en que se queda detrás la carta con que se hubiera ganado y se anticipa la que hace perder.

Trascendencia. (De *transcendencia.*) f. Penetración, perspicacia. || **2.** Resultado, consecuencia de índole grave o muy importante.

Trascendental. (De *transcendente.*) adj. Que se comunica o extiende a otras cosas. || **2.** fig. Que es de mucha importancia o gravedad, por sus probables consecuencias.

Trascendente. p. a. de **Trascender.** Que trasciende.

Trascender. (De *transcender.*) intr. Exhalar olor tan vivo y subido, que penetra y se extiende a gran distancia. Aplícase generalmente al bueno. || **2.** Empezar a ser conocido o sabido algo que estaba oculto. || **3.** Extender o comunicarse los efectos de unas cosas a otras, produciendo consecuencias. || **4.** *Fil.* Aplicarse a todo una noción que no es género, como acontece con las de unidad y ser; y también, en el sistema kantiano, traspasar los límites de la experiencia posible. || **5.** tr. Penetrar, comprender, averiguar alguna cosa que está oculta.

Trascendido, da. p. p. de **Trascender.** || **2.** adj. Dícese del que trasciende, averigua con viveza y prontitud.

Trascocina. f. Pieza que está detrás de la cocina y para desahogo de ella.

Trascoda. m. Trozo de cuerda de tripa que en los instrumentos de arco sujeta el cordal al botón.

Trascol. m. ant. Falda de cola, que usaban las mujeres.

Trascolar. (Del lat. *transcolāre.*) tr. Colar a través de alguna cosa; como tela, piel, etc. Ú. t. c. r. || **2.** fig. Pasar desde un lado a otro de un monte u otro sitio.

Trasconejarse. (De *tras*, 1.er art., y *conejo*.) r. Quedarse la caza detrás de los perros que la siguen. Dícese con propiedad de los conejos que se acogen a una mata, librándose así de los perros, que con la velocidad de la carrera no se pueden parar. || **2.** Dícese también de los hurones cuando quedan en las bocas o madrigueras, por tener impedida la salida con el conejo que han matado. || **3.** fig. y fam. Perderse, extraviarse alguna cosa; como papeles, libros, ropas, etc.

Trascordarse. (De *tras*, por *trans*, y el lat. *cor, cordis*, corazón.) r. Perder la noticia puntual de una cosa, por olvido o por confusión con otra.

Trascoro. m. Sitio que en las iglesias está detrás del coro.

Trascorral. m. Sitio cerrado y descubierto que suele haber en algunas casas después del corral || **2.** fam. Trasero, culo.

Trascorvo, va. adj. Dícese del caballo o yegua que tiene la rodilla más atrás de la línea de aplomo.

Trascribir. tr. Transcribir.

Trascripción. f. Transcripción.

Trascripto, ta. (Del lat. *transcriptus*.) p. p. irreg. Trascrito.

Trascrito, ta. (De *trascripto*.) p. p. irreg. de Trascribir.

Trascuarto. m. Vivienda o habitación que está después o detrás de la principal.

Trascuenta. f. Trabacuenta.

Trascurrir. intr. Transcurrir.

Trascurso. m. Transcurso.

Trasdobladura. f. Acción y efecto de trasdoblar.

Trasdoblar. tr. Tresdoblar.

Trasdoblo. (De *trasdoblar*.) m. Número triple.

Trasdós. (Del ital *estradosso*, y éste del lat. *extra*, fuera, y *dorsum*, dorso.) m. *Arq.* Superficie exterior de un arco o bóveda. || **2.** *Arq.* Pilastra que está inmediatamente detrás de una columna. || **3.** V. **Sierra de trasdós.**

Trasdosear. (De *trasdós*.) tr. *Arq.* Reforzar una obra por la parte posterior.

Trasechador, ra. adj. Que trasecha. Ú. t. c. s.

Trasechar. (Del lat. *trans*, tras, 1.er art., y *sectāri*, seguir.) tr. **Asechar.**

Trasegador, ra. adj. Que trasiega. Ú. t. c. s.

Trasegar. (En cat. y en port. *trafegar*.) tr. Trastornar, revolver. || **2.** Mudar las cosas de un lugar a otro, y en especial un líquido de una vasija a otra.

Traseñalador, ra. adj. Que traseñala. Ú. t. c. s.

Traseñalar. (De *tras*, por *trans*, en sentido de cambio, y *señalar*.) tr. Poner a una cosa distinta señal o marca de la que tenía.

Trasera. (De *trasero*.) f. Parte de atrás o posterior de un coche, una casa, una puerta, etc.

Trasero, ra. (De *trans*, 1.er art., 2.a acep.) adj. Que está, se queda o viene detrás. || **2.** Dícese del carro cargado que tiene más peso detrás que delante. || **3.** V. **Cuarto trasero.** || **4.** V. **Puerta trasera.** || **5.** m. Parte posterior del animal. || **6.** pl. fam. Padres, abuelos y demás ascendientes.

Trasferencia. f. Transferencia.

Trasferible. adj. Transferible.

Trasferidor, ra. adj. Transferidor. Ú. t. c. s.

Trasferir. tr. Transferir.

Trasfigurable. adj. Transfigurable.

Trasfiguración. f. Transfiguración.

Trasfigurar. tr. Transfigurar. Ú. t. c. r.

Trasfijo, ja. adj. Transfijo.

Trasfixión. f. Transfixión.

Trasflor. m. *Pint.* Transflor.

Trasflorar. tr. *Pint.* Transflorar, 2.° art.

Trasflorear. tr. *Pint.* Transflorear.

Trasfojar. (De *tras*, 1.er art., y *foja*, 1.er art.) tr. ant. Trashojar.

Trasfollado, da. adj. *Veter.* Dícese del animal que padece de trasfollos.

Trasfollo. (Del lat. *trans*, y *follis*, fuelle.) m. *Veter.* Alifafe que se forma en el pliegue o parte anterior del corvejón.

Trasformación. f. Transformación.

Trasformador, ra. adj. Transformador. Ú. t. c. s.

Trasformamiento. m. Transformamiento.

Trasformar. tr. Transformar. Ú. t. c. r.

Trasformativo, va. adj. Transformativo.

Trasfregar. tr. Transfregar.

Trasfretano, na. adj. Transfretano.

Trasfretar. tr. e intr. Transfretar.

Trasfuego. m. *Rioja.* Trashoguero, 2.a acep.

Trásfuga. com. Tránsfuga.

Trásfugo. m. Tránsfugo.

Trasfundición. f. Transfundición.

Trasfundir. tr. Transfundir. Ú. t. c. r.

Trasfusión. f. Transfusión.

Trasfusor, ra. adj. Transfusor. Ú. t. c. s.

Trasga. f. *León.* Pértigo de la carreta de bueyes.

Trasgo. m. **Duende,** 1.a acep. || **2.** fig. Niño vivo y enredador. || **Andar hecho trasgo.** fr. fig. Andar de noche. || **Dar trasgo** a uno. fr. Fingir acciones propias de un duende, para espantar a alguno.

Trasgredir. tr. Transgredir.

Trasgresión. f. Transgresión.

Trasgresor, ra. adj. Transgresor. Ú. t. c. s.

Trasguear. intr. Fingir o imitar el ruido, jugueteo y zumbas que se atribuyen a los trasgos.

Trasguero, ra. m. y f. Persona que trasguea, o dada a trasguear.

Trashoguero, ra. (De *tras*, 1.er art., y *foguero*.) adj. Dícese del perezoso que se queda en su casa y hogar, cuando los demás van al trabajo y salen al campo. || **2.** m. Losa o plancha que está detrás del hogar o en la pared de la chimenea, para su resguardo. || **3.** Leño grueso o tronco seco que en algunas partes se pone arrimado a la pared en el hogar, para conservar la lumbre.

Trashojar. (De *trasfojar*.) tr. **Hojear,** 1.a y 2.a aceps.

Trashumación. f. Acción y efecto de trashumar.

Trashumante. p. a. de **Trashumar.** Que trashuma.

Trashumar. (Del lat. *trans*, de la otra parte, y *humus*, tierra.) intr. Pasar el ganado con sus conductores desde las dehesas de invierno a las de verano, y viceversa.

Trasiego. m. Acción y efecto de trasegar.

Trasijado, da. (De *tras*, 1.er art., e *ijar*.) adj. Que tiene los ijares recogidos, a causa de no haber comido o bebido en mucho tiempo. || **2.** fig. Dícese del que está muy flaco.

Traslación. (De *translación*.) f. Acción y efecto de trasladar, 1.a a 4.a aceps., o trasladarse. || **2.** *Gram.* Figura de construcción, que consiste en usar un tiempo del verbo fuera de su natural significación; como *amara*, por *había amado*; *mañana es*, por *mañana será, domingo.* || **3.** *Mec.* V. **Movimiento de traslación.** || **4.** *Ret.* **Metáfora.** || **de luz.** *Astrol.* Acción de transferir un planeta a otro su luz, y dícese cuando entre dos planetas se halla otro más veloz que ellos.

Trasladable. adj. Que puede trasladarse.

Trasladación. (De *trasladar*.) f. **Traslación.**

Trasladador, ra. adj. Que traslada o sirve para trasladar. Ú. t. c. s.

Trasladante. p. a. de **Trasladar.** Que traslada.

Trasladar. (De *traslado*.) tr. Llevar o mudar a una persona o cosa de un lugar a otro. Ú. t. c. r. || **2.** Hacer pasar a una persona de un puesto o cargo a otro de la misma categoría. || **3.** Hacer que una junta, una función, etc., se verifique o celebre en día o tiempo diferente de aquel en que debía verificarse. || **4.** Traducir, 1.a acep. || **5.** **Copiar,** 1.a acep.

Traslado. (Del lat. *translātus*, p. p. de *transferre*, transferir, trasladar.) m. **Copia,** 4.a acep. || **2.** Acción y efecto de trasladar, 2.a acep. || **3.** *For.* Comunicación que se da a alguna de las partes que litigan, de las pretensiones o alegatos de otra u otras.

Traslapar. (Del lat. *trans*, más allá, y *lapis*, losa: véase *solapar*.) tr. Cubrir una cosa a otra. || **2.** Cubrir parcialmente una cosa a otra; como las tejas de un tejado, las hojas de una ventana, etc.

Traslapo. (De *traslapar*.) m. **Solapo** 2.a acep.

Traslaticiamente. adv. m. Con sentido traslaticio.

Traslaticio, cia. (De *translaticio*.) adj. Aplícase al sentido en que se usa un vocablo para que signifique o denote cosa distinta de la que con él se expresa cuando se emplea en su acepción primitiva o más propia y corriente.

Traslativo, va. (De *translativo*.) adj. Que trasfiere. *Título* TRASLATIVO *de dominio.*

Traslato, ta. (Del lat. *translātus*.) adj. Traslaticio.

Traslinear. intr. *For.* **Translinear.**

Trasloar. (De *tras*, por *trans*, más allá, y *loar*.) tr. p. us. Alabar o encarecer a una persona o cosa, exagerando y ponderando más de lo justo y debido.

Traslúcido, da. adj. Translúcido.

Trasluciente. (De *traslucirse*.) adj. Traslúcido.

Traslucimiento. m. Acción y efecto de traslucirse.

Traslucirse. (Del lat. *translucēre*.) r. Ser traslúcido un cuerpo. || **2.** fig. Conjeturarse o inferirse una cosa, en virtud de algún antecedente o indicio. Ú. t. c. tr.

Traslumbramiento. m. Acción y efecto de traslumbrar o traslumbrarse.

Traslumbrar. tr. Deslumbrar a alguno una luz viva que repentinamente hiere su vista. Ú. t. c. r. || **2.** r. Pasar o desaparecer repentinamente una cosa.

Trasluz. (De *tras*, por *trans*, a través de, y *luz*.) m. Luz que pasa a través de un cuerpo translúcido. || **2.** Luz reflejada de soslayo por la superficie de un cuerpo. || **Al trasluz.** m. adv. Puesto el objeto entre la luz y el ojo, para que se trasluzca.

Trasmallo. (Del arag. *trasmallo*, y éste del lat. **trĭmacŭlum*; de *tris*, tres, y *macŭla*, malla.) m. Arte de pesca formado por tres redes, más tupida la central que las exteriores, cuyas relingas se cosen en toda su extensión, y que se cala verticalmente por medio de piedras o plomos.

Trasmallo. m. Virola de hierro con que se refuerza el cotillo del mazo que se usa para jugar al mallo.

Trasmano. com. Segundo en orden en ciertos juegos. || **A trasmano.** m. adv. Fuera del alcance o del manejo habitual y cómodo de la mano. *No lo pude coger cuando se caía porque me cogía* A TRASMANO. || **2.** Fuera de los caminos habituales y frecuentados, o desviado del trato corriente y fácil de las gentes.

Trasmañana. adv. t. Pasado mañana.

Trasmañanar. (De *trasmañana.*) tr. Diferir una cosa de un día en otro.

Trasmarino, na. adj. Transmarino.

Trasmatar. tr. fam. Suponer uno que ha de tener más larga vida que otro, como deseándole que muera primero.

Trasmerano, na. adj. Natural de Trasmiera. Ú. t. c. s. || **2.** Perteneciente a esta comarca de la provincia de Santander.

Trasmigración. f. Transmigración.

Trasmigrar. intr. Transmigrar.

Trasminar. (De *tras,* por *trans,* a través de, y *minar.*) tr. Abrir camino por debajo de tierra. || **2.** Penetrar o pasar a través de alguna cosa un olor, un líquido, etc. Ú. t. c. r.

Trasmisible. adj. Transmisible.

Trasmisión. f. Transmisión.

Trasmitir. tr. Transmitir.

Trasmontana. (De *transmontana.*) f. Tramontana.

Trasmontano, na. adj. Transmontano.

Trasmontar. tr. e intr. Transmontar. Ú. t. c. r.

Trasmosto. (De *tras,* 1.er art., y *mosto.*) m. *Rioja.* Aguapié.

Trasmudación. f. Transmudación.

Trasmudamiento. m. Transmudamiento.

Trasmudar. tr. Transmudar. Ú. t. c. r. || **2.** *Ar.* Trasegar, 2.ª acep.

Trasmutable. adj. Transmutable.

Trasmutación. f. Transmutación.

Trasmutar. tr. Transmutar. Ú. t. c. r.

Trasmutativo, va. adj. Transmutativo.

Trasmutatorio, ria. adj. Transmutatorio.

Trasnieto, ta. (De *tresnieto.*) m. y f. ant. Tataranieto, ta.

Trasnochada. (De *trasnochar.*) f. Noche que ha precedido al día presente. || **2.** Vela o vigilancia por una noche. || **3.** *Mil.* Sorpresa o embestida hecha de noche.

Trasnochado, da. p. p. de **Trasnochar.** || **2.** adj. Aplícase a lo que, por haber pasado una noche por ello, se altera o echa a perder. || **3.** fig. Dícese de la persona desmejorada y macilenta. || **4.** fig. Falto de novedad y de oportunidad.

Trasnochador, ra. adj. Que trasnocha. Ú. t. c. s.

Trasnochar. (De *tras,* por *trans,* a través de, y *noche.*) intr. Pasar uno la noche, o gran parte de ella, velando o sin dormir. || **2. Pernoctar.** || **3.** tr. Dejar pasar la noche sobre una cosa cualquiera.

Trasnoche. m. fam. **Trasnocho.**

Trasnocho. m. fam. Acción de trasnochar, 1.ª acep.

Trasnombrar. (Del lat. *transnomināre.*) tr. Trastrocar los nombres.

Trasnominación. (Del lat. *transnominatĭo, -ōnis.*) f. *Ret.* **Metonimia.**

Trasoír. (De *tras,* por *trans,* en sentido de cambio, y *oír.*) tr. Oír con equivocación o error lo que se dice.

Trasojado, da. (De *tras,* 1.er art., y *ojo.*) adj. Caído, descaecido, macilento de ojos o con ojeras, por causa de un accidente, hambre o pesar.

Trasoñar. (De *tras,* por *trans,* en sentido de cambio, y *soñar.*) tr. Concebir o comprender con error o equivocación una cosa, como si verdaderamente fuera o hubiera sucedido, al modo de lo que acontece en los sueños.

Trasordinariamente. adv. m. ant. **Extraordinariamente.**

Trasordinario, ria. adj. desus. **Extraordinario.**

Trasovado, da. (De *tras,* por *trans,* en sentido de cambio, y *aovado.*) adj. *Bot.* V. **Hoja trasovada.**

Traspadano, na. adj. Transpadano. Apl. a pers., ú. t. c. s.

Traspalar. tr. Mover o pasar con la pala una cosa de un lado a otro. Dícese regularmente por apalear los granos. || **2.** fig. Mover, pasar o mudar una cosa de un lugar a otro. || **3.** *And.* Cortar la grama de las viñas a golpe de azadón.

Traspalear. tr. Traspalar.

Traspaleo. m. Acción y efecto de traspalear.

Traspapelarse. (De *tras,* 1.er art., y *papel.*) r. Confundirse, desaparecer un papel entre otros; faltar del lugar o colocación que tenía. Ú. t. c. tr.

Trasparecer. intr. Dejarse ver una cosa al través de otra más o menos transparente.

Trasparencia. f. Transparencia.

Trasparentarse. r. Transparentarse.

Trasparente. adj. Transparente. Ú. t. c. s.

Traspasable. adj. Que se puede traspasar.

Traspasación. f. Acción de traspasar un derecho o dominio. Solía usarse en lo forense.

Traspasador, ra. adj. Transgresor. Ú. t. c. s.

Traspasamiento. (De *traspasar.*) m. Traspaso.

Traspasar. (De *tras,* por *trans,* y *pasar.*) tr. Pasar o llevar una cosa de un sitio a otro. || **2.** Pasar adelante, hacia otra parte o a otro lado. || **3.** Pasar a la otra parte. TRASPASAR *el arroyo.* || **4.** Pasar, atravesar de parte a parte con algún arma o instrumento. Ú. t. c. r. || **5.** Renunciar o ceder a favor de otro el derecho o dominio de una cosa. Regularmente se dice de lo que se tiene arrendado o alquilado. || **6. Repasar,** 1.ª acep. || **7. Transgredir.** || **8.** Exceder de lo debido, contravenir a lo razonable. || **9.** fig. Hacerse sentir un dolor físico o moral con extraordinaria violencia.

Traspaso. m. Acción y efecto de traspasar, 1.ª, 2.ª, 3.ª, 5.ª, 6.ª, 7.ª y 9.ª aceps. || **2.** Conjunto de géneros traspasados. || **3.** Precio de la cesión de estos géneros o del local donde se ejerce un comercio o industria. || **4.** Ardid, astucia. || **5.** fig. Aflicción, angustia o pena que atormenta. || **6.** fig. Sujeto que la causa. || **Ayunar al traspaso.** fr. No comer desde el Jueves Santo al mediodía hasta el Sábado Santo al tocar a gloria.

Traspatio. m. *Amér.* Segundo patio de las casas de vecindad que suele estar detrás del principal.

Traspecho. m. Huesecillo que guarnece por abajo la caja de la ballesta.

Traspeinar. tr. Volver a peinar ligeramente lo que ya está peinado, para perfeccionarlo o componerlo mejor.

Traspellar. (De *traspillar.*) tr. **Cerrar,** 2.ª y 6.ª aceps.

Traspié. (De *tras,* por *trans,* de la otra parte, y *pie.*) m. Resbalón o tropezón. || **2. Zancadilla,** 1.ª acep. || **Dar uno traspiés.** fr. fig. y fam. Cometer errores o faltas.

Traspilastra. f. *Arq.* **Contrapilastra,** 1.ª acep.

Traspillar. tr. Traspellar. || **2.** r. Desfallecer, extenuarse.

Traspintar. (De *tras,* por *trans,* en sentido de cambio, y *pinta.*) tr. Engañar a los puntos el jugador que lleva la baraja en ciertos juegos, dejándoles ver la pinta de un naipe y sacando otro. Ú. t. c. r. || **2.** r. fig. y fam. Salir una cosa al contrario de como se esperaba o se tenía creído.

Traspintarse. r. Clarearse por el revés del papel, tela, etc., lo escrito o dibujado por el derecho.

Traspirable. adj. Transpirable.

Traspiración. f. Transpiración.

Traspirar. intr. Transpirar. Ú. t. c. r.

Traspirenaico, ca. adj. Transpirenaico.

Trasplantable. adj. Que puede trasplantarse.

Trasplantar. (De *tras,* por *trans,* de una parte a otra, y *plantar.*) tr. Mudar un vegetal del sitio donde está plantado a otro. || **2.** r. fig. Trasladarse una persona del lugar o país donde ha nacido, o está avecindada, a residir en otro.

Trasplante. m. Acción y efecto de trasplantar o trasplantarse.

Trasponedor, ra. adj. Transponedor. Ú. t. c. s.

Trasponer. tr. Transponer. Ú. t. c. intr. y c. r.

Traspontín. m. Traspuntín, 2.ª acep. || **2.** fam. Trasero, asentaderas.

Trasportación. f. Transportación.

Trasportador, ra. adj. Transportador. Ú. t. c. s.

Trasportamiento. m. Transportamiento.

Trasportar. tr. Transportar. Ú. t. c. r.

Trasporte. m. Transporte. || **2.** *P. Rico.* Instrumento músico de cinco cuerdas, mayor que la guitarra.

Trasportín. m. Traspuntín.

Trasposición. f. Transposición.

Traspositivo, va. adj. Transpositivo.

Traspuesta. (Del lat. *transposĭta,* t. f. de *-tus,* transpuesto.) f. **Transposición,** 1.ª acep. || **2.** Repliegue o elevación del terreno que impide ver lo que hay al lado de allá. || **3.** Fuga u ocultación de una persona, para huir o librarse de algún peligro. || **4.** Puerta, corral y otras dependencias que están detrás de lo principal de la casa. || **Más vale una traspuesta que dos asomadas.** ref. que advierte que vale más no meterse en alguna acción de empeño que intentarla en vano.

Traspuesto. (Del lat. *transposĭtus.*) p. p. irreg. de **Trasponer.**

Traspunte. (De *tras,* 1.er art., y *apunte.*) m. Apuntador que previene a cada actor cuándo ha de salir a la escena, y desde el bastidor le apunta las primeras palabras que debe decir.

Traspuntín. (Del ital. *strapuntino,* colchoncillo embastado.) m. Cada uno de los colchoncillos, por lo general en número de tres, que se ponen atravesados debajo de los colchones de la cama. || **2.** Asiento suplementario y plegadizo que hay en algunos coches.

Trasquero. m. El que vende trascas, 1.ª acep.

Trasquila. (De *trasquilar.*) f. **Trasquiladura.**

Trasquilado, da. p. p. de **Trasquilar.** || **2.** m. fam. **Tonsurado.** Ú. sólo en la loc. adv. fig. y fam. **como trasquilado por iglesia,** que significa lo mismo que **como Pedro por su casa.**

Trasquilador. m. El que trasquila.

Trasquiladura. f. Acción y efecto de trasquilar o trasquilarse.

Trasquilar. (De *tras,* 1.er art., y *esquilar.*) tr. Cortar el pelo a trechos, sin orden ni arte. Ú. t. c. r. || **2. Esquilar,** 2.° art. || **3.** fig. y fam. Menoscabar o disminuir una cosa, quitando o separando parte de ella. || **Trasquilar, y no desollar.** expr. fig. que aconseja no abusar de quien da provecho.

Trasquilimocho, cha. (De *trasquilado* y *mocho,* 2.ª acep.) adj. fam. Trasquilado a raíz. || **2.** m. desus. Menoscabo, pérdida.

Trasquilón. (De *trasquilar.*) m. fam. Trasquiladura. || **2.** fig. y fam. Parte del caudal quitada a uno con industria o arte. || **A trasquilones.** m. adv. con que se significa el modo de cortar el pelo con desorden, feamente y sin arte. || **2.** fig. y fam. Sin orden ni método, o sin proporción.

Trasroscarse. r. Pasarse de rosca.

Trastabillar. (De *trastrabillar.*) intr. Dar traspiés o tropezones. || **2.** Tambalear, vacilar, titubear. || **3.** Tartalear, tartamudear, trabarse la lengua.

Trastabillón. m. *Amér.* Tropezón, traspié.

Trastada. f. fam. Acción propia de un trasto, 5.ª acep., mala pasada.

Trastajo. m. Trasto inútil.

Trastazo. (De *trasto.*) m. fam. Porrazo.

Traste. (De *tastar.*) m. Cada uno de los resaltos de metal o hueso que se colocan a trechos en el mástil de la guitarra u otros instrumentos semejantes, para que oprimiendo entre ellos las cuerdas con los dedos, quede a éstas la longitud libre correspondiente a los diversos sonidos. || **2.** *And.* Vaso pequeño, de vidrio, con que prueban el vino los catadores. || **Ir uno fuera de trastes.** fr. fig. y fam. Obrar sin concierto; decir lo que no es regular. || **Sin trastes.** m. adv. fig. y fam. Sin orden, disposición o método.

Traste. m. *Amér.* y *And.* **Trasto.** Ú. m. en pl. || **Dar uno al traste con** una cosa. fr. Destruirla, echarla a perder, malbaratarla.

Trasteado, da. p. p. de **Trastear.** || **2.** m. Conjunto de trastes que hay en un instrumento.

Trasteador, ra. adj. Que trastea o hace ruido con algunos trastos. Ú. t. c. s.

Trasteante. p. a. de **Trastear,** 1.er art. Que trastea. || **2.** adj. Diestro en trastear, 1.er art., 2.ª acep.

Trastear. tr. Poner o echar los trastes a la guitarra u otro instrumento semejante. || **2.** Pisar las cuerdas de los instrumentos de trastes.

Trastear. intr. Revolver, menear o mudar trastos de una parte a otra. || **2.** fig. Discurrir con viveza y travesura sobre alguna especie. || **3.** tr. Dar el espada al toro pases de muleta. || **4.** fig. y fam. Manejar con habilidad a una persona o un negocio.

Trastejador, ra. adj. Que trasteja. Ú. t. c. s.

Trastejadura. (De *trastejar.*) f. Trastejo.

Trastejar. (De *tras,* 1.er art., y *tejar,* 2.º art.) tr. **Retejar,** 1.ª acep. || **2.** fig. Recorrer o examinar cualquier cosa, para aderezarla o componerla. || **Por aquí trastejan.** expr. fig. y fam. con que se explica que alguno huye del riesgo que presume, pasando por algún paraje. Dícese comúnmente de los deudores que huyen de la vista de sus acreedores, por que no los reconvengan.

Trastejo. m. Acción y efecto de trastejar. || **2.** fig. Movimiento continuado y sin concierto ni orden.

Trasteo. m. Acción de trastear, 2.º art., 3.ª y 4.ª aceps.

Trastería. f. Muchedumbre o montón de trastos viejos. || **2.** fig. y fam. **Trastada.**

Trasterminante. p. a. de **Trasterminar.** Que trastermina.

Trasterminar. tr. *For.* **Transterminar.**

Trastero, ra. adj. Dícese de la pieza o desván destinado para guardar o poner los trastos que no son del uso diario. Ú. t. c. s. f.

Trastesado, da. (De *tras,* por *trans,* más allá, y *tesar.*) adj. Endurecido, tieso, dicho especialmente de las ubres de los animales cuando tienen abundancia de leche.

Trastesón. m. Abundancia de leche que tiene la ubre de una res.

Trastiberino, na. adj. **Transtiberino.** Apl. a pers., ú. t. c. s.

Trastienda. f. Aposento, cuarto o pieza que está detrás de la tienda. || **2.** fig. y fam. Cautela advertida y reflexiva en el modo de proceder o en el gobierno de las cosas.

Trasto. (Del lat. *transtrum,* banco.) m. Cualquiera de los muebles o utensilios de una casa. || **2.** Mueble inútil arrinconado. || **3.** Cada uno de los bastidores o artificios de madera y lienzo, pintados, que forman parte de las decoraciones de teatro, o sirven para los juegos y transformaciones en las comedias de magia. || **4.** fig. y fam. Persona inútil o que no sirve sino de estorbo o embarazo. || **5.** fig. y fam. Persona informal y de mal trato. || **6.** pl. Espada, daga y otras armas de uso. || **7.** Utensilios o herramientas de algún arte o ejercicio. *Los* TRASTOS *de pescar.* || **Tirarse los trastos a la cabeza.** fr. fig. y fam. Altercar violentamente dos o más personas.

Trastocar. tr. p. us. Trastornar, revolver. || **2.** r. p. us. Trastornarse, perturbarse la razón.

Trastornable. adj. Que fácilmente se trastorna.

Trastornador, ra. adj. Que trastorna. Ú. t. c. s.

Trastornadura. (De *trastornar.*) f. Trastorno.

Trastornamiento. (De *trastornar.*) m. Trastorno.

Trastornar. (De *tras,* por *trans,* de una parte a otra, y *tornar.*) tr. Volver una cosa de abajo arriba o de un lado a otro haciéndola dar vuelta. || **2.** Invertir el orden regular de una cosa, confundiéndola. || **3.** fig. Inquietar, perturbar, causar disturbios o sediciones. || **4.** fig. Perturbar el sentido o la cabeza los vapores u otro accidente. Ú. t. c. r. || **5.** fig. Inclinar o vencer con persuasiones el ánimo o dictamen de uno, haciéndole deponer el que antes tenía.

Trastorno. m. Acción y efecto de trastornar o trastornarse.

Trastrabado, da. (De *tras,* por *trans,* de través, y *trabado.*) adj. Aplícase al caballo o yegua que tiene blancos la mano izquierda y el pie derecho, o viceversa.

Trastrabarse. (De *tras,* por *trans,* de través, y *trabar.*) r. V. **Trastrabarse la lengua.**

Trastrabillar. (De *tras* y *traba,* menos us. que *trastabillar.*) intr. **Trastabillar.**

Trastrás. (De *tras,* 1.er art.) m. fam. El penúltimo en algunos juegos de muchachos.

Trastrigo. m. V. **Pan de trastrigo.**

Trastrocamiento. m. Acción y efecto de trastrocar o trastrocarse.

Trastrocar. (De *tras,* por *trans,* en sentido de cambio, y *trocar.*) tr. Mudar el ser o estado de una cosa, dándole otro diferente del que tenía. Ú. t. c. r.

Trastrueco. m. **Trastrueque.**

Trastrueque. (De *trastrocar.*) m. **Trastrocamiento.**

Trastuelo. m. d. de **Trasto.**

Trastulo. (Del ital. *trastullo.*) m. Pasatiempo, juguete.

Trastumbar. (De *tras,* por *trans,* en sentido de cambio, y *tumbar.*) tr. Dejar caer o echar a rodar una cosa.

Trasudación. f. Acción y efecto de trasudar.

Trasudadamente. adv. m. Con trasudores y fatigas.

Trasudar. (De *tras,* 1.er art., y *sudar.*) tr. Exhalar o echar de sí trasudor.

Trasudor. (De *tras,* 1.er art., y *sudor.*) m. Sudor tenue y leve, ocasionado por lo regular por algún temor, fatiga o congoja.

Trasuntar. (De *trasunto.*) tr. Copiar o trasladar un escrito de su original. || **2.** Compendiar o epilogar una cosa.

Trasuntivamente. (Del lat. *transumptivus,* que toma de otra parte.) adv. m. En copia, traslado o trasunto. || **2. Compendiosamente.**

Trasunto. (Del lat. *transumptus,* p. p. de *transumĕre,* tomar de otro.) m. Copia o traslado que se saca del original. || **2.** Figura o representación que imita con propiedad una cosa.

Trasvasar. tr. **Transvasar.**

Trasvase. m. Acción y efecto de trasvasar.

Trasvenarse. (De *tras,* por *trans,* a través de, y *vena,* 1.ª acep.) r. **Extravenarse.** || **2.** fig. Esparcirse o derramarse una cosa, perdiéndose o desperdiciándose.

Trasver. (De *tras,* por *trans,* a través de, y *ver.*) tr. Ver a través de alguna cosa. || **2.** Ver mal y equivocadamente alguna cosa.

Trasverberación. f. **Transverberación.**

Trasversal. adj. **Transversal.**

Trasverso, sa. adj. **Transverso.**

Trasverter. (De *tras,* 1.er art., y *verter.*) intr. Rebosar el líquido contenido en un vaso, de modo que se vierta por los bordes.

Trasvinarse. (De *tras,* por *trans,* a través de, y *vino.*) r. Rezumarse o verterse poco a poco el vino de las vasijas. Ú. t. alguna vez c. tr. || **2.** fig. y fam. **Traslucirse,** 2.ª acep. || **3.** fig. Traspasar, trascender.

Trasvolar. (Del lat. *transvolāre.*) tr. Pasar volando de una parte a otra.

Trata. (De *tratar,* comerciar.) f. Tráfico de negros bozales, que consistía en llevarlos a vender como esclavos, de las costas de África a América. || **de blancas.** Tráfico de mujeres, que consiste en atraerlas a los centros de prostitución para especular con ellas.

Tratable. (Del lat. *tractabĭlis.*) adj. Que se puede o deja tratar fácilmente. || **2.** Cortés, accesible y razonable.

Tratadista. m. Autor que escribe tratados sobre una materia determinada.

Tratado. (Del lat. *tractātus.*) m. Ajuste, convenio o conclusión de un negocio o materia, después de haberse conferido y hablado sobre ella; especialmente, el que celebran entre sí dos o más príncipes o gobiernos. || **2.** Escrito o discurso que comprende o explica las especies concernientes a una materia determinada.

Tratador, ra. (Del lat. *tractātor, -ōris.*) adj. Que trata un negocio o materia, especialmente cuando hay controversia o discordia sobre ella, para ajustarla y concluirla. Ú. t. c. s.

Tratamiento. (De *tratar.*) m. **Trato,** 1.ª acep. || **2.** Título de cortesía que se da o con que se habla a una persona; como *merced, señoría, excelencia,* etc. || **3.** Sistema o método que se emplea para curar enfermedades o defectos. TRATAMIENTO *hidroterápico.* || **4.** Procedimiento empleado en una experiencia o en la elaboración de un producto. || **5.** ant. Tratado, ajuste o convenio. || **impersonal.** Aquel que se da al sujeto en tercera persona, eludiendo el de *merced, señoría,* etc. || **Apear uno el tratamiento.** fr. fig. No admitirle el que lo tiene, o no dárselo el que le habla o escribe. || **Dar tratamiento** a uno. fr. Hablarle o escribirle con el **tratamiento** que le corresponde. || **Tragarse uno el tratamiento.** fr. fig. y fam. Dejárselo dar quien lo tiene, cuando la cortesía aconseja no admitirlo.

Tratante. p. a. de **Tratar.** Que trata. || **2.** m. El que se dedica a comprar géneros para revenderlos.

Tratanza. (De *tratar.*) f. ant. Trato o tratamiento.

Tratar. (Del lat. *tractāre.*) tr. Manejar una cosa; traerla entre las manos y usar materialmente de ella. || **2.** Manejar, gestionar o disponer algún negocio. || **3.** Comunicar, relacionarse con un individuo. Con la preposición *con,* ú. t. c. intr. y c. r. || **4.** Tener relaciones amorosas. Ú. m. c. intr. con la preposición *con.* || **5.** Proceder bien, o mal, con una persona, de obra o de palabra. || **6.** Cuidar bien, o mal, a uno, especialmente en orden a la comida, vestido, etc. Ú. t. c. r. || **7.** Conferir, discurrir o disputar de palabra o por escrito sobre un asunto. Ú. t. c. intr. con las preposiciones *de* o *sobre* o con el modo adverbial *acerca de.* || **8.** Con la preposición *de* y un título de cortesía, dar este título a una persona. *Le* TRATÓ DE *señoría.* || **9.** Con la preposición *de* y un adjetivo despectivo o injurioso, motejar con él a una persona. *Le* TRATÓ DE *loco.* || **10.** *Quím.* Con las preposiciones *con* o *por,* someter una substancia a la acción de otra. || **11.** intr. Con la preposición *de,* procurar el logro de algún fin. *Yo* TRATO DE *vivir bien.* || **12.** Con la preposición *en,* **comerciar,** 1.ª acep. TRATAR EN *ganado.*

Trato. m. Acción y efecto de tratar o tratarse. || **2. Tratado,** 1.ª acep. || **3. Tratamiento,** 2.ª acep. || **4.** Ocupación u oficio de tratante. || **5.** V. **Casa, gente de trato.** || **6.** fam. Contrato, especialmente el relativo o ganados, y más aún el celebrado en feria o mercado. || **de cuerda.** Tormento que se daba atando las manos por detrás al reo o al acusado, y colgándole por ellas de una cuerda, que pasaba por una garrucha, con la cual le levantaban en alto, y después le dejaban caer de golpe, sin que llegase al suelo. || **2.** fig. Mal porte con uno. || **de gentes.** Experiencia y habilidad en la vida social. || **de nación más favorecida.** En los tratados de comercio, el que asegura a una potencia el goce de las mayores ventajas que el otro Estado conceda a un tercer país. || **doble.** Fraude o simulación con que obra uno para engañar a otro, afectando amistad y fidelidad. || **hecho.** Fórmula fam. con que se da por definitivo un convenio o acuerdo. || **Dar trato.** fr. desus. Entre estudiantes, dar matraca.

Trauma. (De τραῦμα, herida.) m. *Cir.* **Traumatismo.** || **psíquico.** Choque o sentimiento emocional que deja una impresión duradera en la subconsciencia.

Traumático, ca. (Del lat. *traumatĭcus,* y éste del gr. τραυματικός, de τραῦμα, herida.) adj. *Cir.* Perteneciente o relativo al traumatismo.

Traumatismo. (Del gr. τραυματισμός, acción de herir.) m. *Cir.* Lesión de los tejidos por agentes mecánicos, generalmente externos.

Traversa. (Del lat. *transversa,* oblicua.) f. Madero que atraviesa de un lado a otro de los carros y sirve para dar firmeza al brancal. || **2.** *Mar.* **Estay.**

Través. (De *travesar.*) m. Inclinación o torcimiento de una cosa hacia algún lado. || **2.** fig. Desgracia, fatalidad o infeliz suceso que acaece a uno en menoscabo de su honra o hacienda. || **3.** *Arq.* Pieza de madera en que se afirma el pendolón de una armadura. || **4.** *Fort.* Obra exterior para estorbar el paso en parajes angostos. || **5.** *Fort.* Muro o parapeto, generalmente de tierra, sacos, tablones, etc., las más veces improvisado, para ponerse al abrigo de los fuegos de enfilada, de flanco, de revés o de rebote. || **6.** *Mar.* Dirección perpendicular a la de la quilla. || **de dedo. Dedo,** 2.ª acep. || **Al través.** m. adv. **A través.** || **2. De través.** || **A través.** m. adv. Por entre. A TRAVÉS *de la celosía;* A TRAVÉS *de una gasa.* || **Dar al través.** fr. *Mar.* Tropezar la nave por los costados en una roca o costa de tierra, en que se deshace o vara. || **2.** fig. Tropezar, errar, cayendo en algún peligro. || **Dar** uno **al través con** una cosa. fr. fig. **Dar al traste con** ella. || **De través.** m. adv. En dirección transversal. || **Echar al través** una nave. fr. *Mar.* Vararla para hacerla pedazos, cuando se la ha desechado por inútil. || **Ir al través** una nave. fr. *Mar.* Decíase de la que por inútil debía ser desechada o desbaratada en el puerto para donde hacía el viaje. || **Ir de través** una nave. fr. *Mar.* Ir arrollada por la corriente o por el viento. || **Mirar** uno **de través.** fr. Torcer la vista, mirar bizco.

Travesaña. f. *Albac.* Travesaño de madera que une los varales del carro. || **2.** *Guadal.* Travesía, callejuela.

Travesaño. (De *travesar.*) m. Pieza de madera o hierro que atraviesa de una parte a otra. || **2.** Almohada larga que ocupa toda la cabecera de la cama.

Travesar. (Del lat. **transversāre,* atravesar.) tr. **Atravesar.** Ú. t. c. r.

Travesear. (De *travieso.*) intr. Andar inquieto o revoltoso de una parte a otra. Dícese frecuentemente de los muchachos y gente moza y, por extensión, de las cosas inanimadas. || **2.** fig. Discurrir con variedad, ingenio y viveza. || **3.** fig. Vivir desenvueltamente y con deshonestidad o viciosas costumbres.

Travesero, ra. (Del lat. *traversarĭus.*) adj. Dícese de lo que se pone de través. || **2.** V. **Flauta travesera.** || **3.** m. **Travesaño,** 2.ª acep.

Travesía. (De *través.*) f. Camino transversal entre otros dos. || **2.** Callejuela que atraviesa entre calles principales. || **3.** Parte de una carretera comprendida dentro del casco de una población. || **4.** Distancia entre dos puntos de tierra o de mar. || **5.** Viaje por mar. || **6.** Modo de estar una cosa al través. || **7.** Cantidad que hay de pérdida o ganancia entre los que juegan. || **8.** *Argent.* Región vasta, desierta y sin agua. || **9.** *Fort.* Conjunto de traveses de una obra de fortificación, así para la defensa como para el ataque. || **10.** *Mar.* Viento cuya dirección es perpendicular a la de una costa y que no permite separarse de un riesgo o salir a mar ancha sin bolinear. || **11.** *Mar.* Paga o viático que se da al marinero mercante por la navegación desde un puerto a otro.

Travesío, a. (De *través.*) adj. Aplícase al ganado que sin ir a puntos distantes sale de los términos del pueblo donde mora. || **2.** Aplícase a los vientos que dan por alguno de los lados, y no de frente. || **3.** m. Sitio o terreno por donde se atraviesa.

Travestido, da. (Del ital. *travestito.*) adj. Disfrazado o encubierto con un traje que hace que se desconozca al sujeto que usa de él.

Travesura. (De *travieso.*) f. Acción y efecto de travesear. || **2.** fig. Viveza y sutileza de ingenio para conocer las cosas y discurrir en ellas. || **3.** fig. Acción culpable o digna de reprensión y castigo, hecha con destreza e ingenio.

Traviesa. (Del lat. *transversa,* t. f. de *-sus,* travieso.) f. **Travesía,** 4.ª acep. || **2.** Lo que se juega además de la polla. || **3.** Apuesta que el que no juega hace a favor de un jugador. || **4.** Cada uno de los maderos que se atraviesan en una vía férrea para asentar sobre ellos los rieles. || **5.** Cada una de las piezas que unen los largueros del bastidor sobre que se montan o asientan los vagones de los ferrocarriles. || **6.** *Ar.* Parada de tablas o piedras y tierra para desviar o contener el agua de riego. || **7.** *Arq.* Cualquiera de los cuchillos de armadura que sirven para sostener un tejado. || **8.** *Arq.* Pared maestra que no está en fachada ni en medianería. || **9.** *Min.* Galería transversal al filón o capa que se beneficia.

Travieso, sa. (Del lat. *transversus.*) adj. Atravesado o puesto al través o de lado. || **2.** V. **Mesa traviesa.** || **3.** fig. Sutil, sagaz. || **4.** fig. Inquieto y revoltoso. Dícese comúnmente de los muchachos. || **5.** fig. Aplícase a las cosas insensibles, bulliciosas e inquietas. || **6.** fig. Que vive distraído en vicios, especialmente en el de la sensualidad. || **7.** m. ant. **Travesía,** 4.ª acep. || **8.** ant. V. **Línea de travieso.** || **De travieso.** m. adv. **De través.** || **2.** *For.* Por línea transversal.

Travo. m. *Germ.* Esgrimidor o maestro de esgrima.

Trayecto. (Del lat. *traiectus,* pasaje.) m. Espacio que se recorre o puede recorrerse de un punto a otro. || **2.** Acción de recorrerlo.

Trayectoria. (Del lat. *traiector, -ōris,* el que atraviesa.) f. Línea descrita en el espacio por un punto que se mueve, y más comúnmente, curva que sigue el proyectil lanzado por un arma de fuego. || **2.** *Meteor.* Derrota o curso que sigue el cuerpo de un huracán o tormenta giratoria.

Trayente. p. a. de **Traer.** Que trae.

Traza. (De *trazar.*) f. Planta o diseño, que idea y ejecuta el artífice, para la fábrica de un edificio u otra obra. || **2.** fig. Plan, medio excogitado para realizar un fin. || **3.** fig. Invención, arbitrio, recurso. || **4.** fig. Modo, apariencias o figura de una persona o cosa. || **5.** V. **Gente de traza.** || **6.** *Geom.* Intersección de una línea o de una superficie con cualquiera de los planos de proyección. || **Darse** uno **trazas.** fr. fig. y fam. **Darse maña.** || **Echar trazas.** fr. fig. **Echar líneas.** || **Llevar trazas.** fr. fig. **Llevar camino,** 2.ª acep.

Trazable. adj. Que puede trazarse.

Trazado, da. p. p. de **Trazar.** || **2.** adj. Con los adverbios *bien* o *mal* antepuestos, dícese de la persona de buena o mala disposición o compostura de cuerpo. || **3.** m. Acción y efecto de trazar. || **4. Traza,** 1.ª acep. || **5.** Recorrido o dirección de un camino, canal, etc., sobre el terreno.

Trazador, ra. adj. Que traza o idea una obra. Ú. t. c. s.

Trazar. (Del lat. **tractiāre,* de *tractus.*) tr. Hacer trazos. || **2.** Delinear o diseñar la traza que se ha de seguir en un edificio u otra obra. || **3.** fig. Discurrir y disponer los medios oportunos para el logro de una cosa. || **4.** fig. Describir, dibujar, exponer por medio del lenguaje los rasgos característicos de una persona o asunto.

Trazo. (De *trazar.*) m. Delineación con que se forma el diseño o planta de cualquier cosa. || **2.** Línea, raya. || **3.** Cada una de las partes en que se considera dividida la letra de mano, según el modo de formarla. || **4.** *Pint.* Pliegue del ropaje. || **magistral.** El grueso que forma la parte principal de una letra. || **Dibujar al trazo.** fr. Señalar con una línea los contornos de una figura.

Trazumarse. (De *tra,* por *trans,* a través, y *zumo.*) r. **Rezumarse.**

Treballa. f. Salsa blanca que se hacía antiguamente, de almendras, ajos, pan, huevos, especias, agraz, azúcar y canela, todo mezclado. Servía para condimentar ansarones.

Trébede. (Del lat. *tripes, -ĕdis,* que tiene tres pies.) f. Habitación o parte de ella que, a modo de hipocausto, se calienta con paja. Es común en varias comarcas de Castilla la Vieja donde escasea la leña. || **2.** pl. Aro o triángulo de hierro con tres pies, que sirve para poner al fuego sartenes, peroles, etc.

Trebejar. (De *trebejo.*) intr. Travesear, enredar, juguetear, retozar. || **2.** p. us. **Jugar.**

Trebejo. (Como el port. *trebelho* y *trabelho,* del lat. *trabecŭla,* d. de *trabs,* viga, madero.) m. Cualquiera de los trastos, instrumentos o utensilios de que nos servimos para una cosa. Ú. m. en pl. || **2.** Juguete o trasto con que uno enreda o se divierte. || **3.** Cada una de las piezas del juego de ajedrez. || **4.** ant. Diversión, entretenimiento. || **5.** ant. Burla o chanza.

Trebejuelo. m. d. de Trebejo.

Trebelánica. adj. *For.* Trebeliánica. Ú. t. c. s.

Trebeliánica. (Del b. lat. *trebellianica*, y éste del lat. *trebelliānus*, perteneciente a *Trebelio*, cónsul romano.) adj. *For.* V. **Cuarta trebeliánica.** Ú. t. c. s.

Trebentina. (Del lat. *terebinthina*, de terebinto.) f. ant. **Trementina.**

Trebo. m. *Bot. Chile.* Arbusto espinoso de la familia de las ramnáceas, que se utiliza para formar setos.

Trébol. (Del cat. *trébol*, y éste del gr. τρίφυλλον.) m. *Bot.* Planta herbácea anual, de la familia de las papilionáceas, de unos dos decímetros de altura, con tallos vellosos, que arraigan de trecho en trecho; hojas casi redondas, pecioladas de tres en tres; flores blancas o moradas en cabezuelas apretadas, y fruto en vainillas con semillas menudas. Es espontánea en España y se cultiva como planta forrajera muy estimada. || **hediondo.** Especie de higueruela. || **oloroso. Meliloto,** 1.er art.

Trebolar. m. *Amér. Merid.* Terreno cubierto de trébol.

Trece. (Del lat. *tredĕcim.*) adj. Diez y tres. TRECE *libros.* || **2. Decimotercio.** *León* TRECE; *número* TRECE; *año* TRECE. Apl. a los días del mes, ú. t. c. s. *El* TRECE *de noviembre.* || **3.** m. Conjunto de signos con que se representa el número **trece.** || **4.** Cada uno de los **trece** regidores que había antiguamente en algunas ciudades. || **5.** Cada uno de los caballeros elegidos por sus hermanos en capítulo general, para gobierno y administración de la orden de Santiago. || **Estarse, mantenerse,** o **seguir,** uno **en sus trece.** fr. fig. Persistir con pertinacia en una cosa que ha aprendido o empezado a ejecutar. || **2.** fig. Mantener a todo trance su opinión.

Trecemesino, na. adj. De trece meses.

Trecén. (De *treceno.*) m. Decimotercia parte del valor de las cosas vendidas que se pagaba al señor jurisdiccional.

Trecenario. (De *treceno.*) m. Número de trece días, continuados o interrumpidos, dedicados a un mismo objeto.

Trecenato. (De *treceno.*) m. **Trecenazgo.**

Trecenazgo. (De *treceno.*) m. Cuerpo supremo integrado por los trece caballeros que tienen a su cargo el gobierno y la administración de la orden militar de caballería de Santiago.

Treceno, na. (De *trece.*) adj. **Tredécimo.**

Trecésimo, ma. (Del lat. *tricesĭmus.*) adj. **Trigésimo.**

Trecientos, tas. (Del lat. *trecenti, -ōrum.*). adj. **Trescientos.** Ú. t. c. s.

Trecha. (Del lat. *tracta*, t. f. de *-tus.*) f. **Treta,** 1.a acep.

Trecheador. m. *Min.* El que trechea.

Trechear. tr. *Min.* Transportar de trecho en trecho una carga a mano o en espuerta.

Trechel. adj. V. **Trigo trechel.** Ú. t. c. s.

Trecheo. m. *Min.* Acción de trechear.

Trecho. (Del lat. *tractus.*) m. Espacio, distancia de lugar o tiempo. || **A trechos.** m. adv. Con intermisión de lugar o tiempo. || **De trecho a,** o **en, trecho.** m. adv. De distancia a distancia, de lugar a lugar, de tiempo en tiempo.

Trechor. m. *Blas.* Orla estrecha.

Tredécimo, ma. (Del lat. *tredecĭmus.*) adj. **Decimotercio.**

Tredentudo, da. (De *tres* y *dentudo.*) adj. ant. **Tridente,** 1.a acep.

Trefe. (Quizá del m. or. que *trifa.*) adj. Ligero, delgado, flojo, por lo cual fácilmente se ensancha, dobla y encoge. || **2.** Falso, falto de ley. || **3.** ant. **Tísico.**

Trefedad. (De *trefe.*) f. ant. **Tisis.**

Tregua. (Del germ. *treuwa*, seguridad.) f. Suspensión de armas, cesación de hostilidades, por determinado tiempo, entre los enemigos que tienen rota o pendiente la guerra. || **2.** fig. Intermisión, descanso. || **Dar treguas.** fr. fig. Suspenderse o templarse mucho por algún tiempo el dolor u otra cosa que mortifica; como la terciana u otro accidente. || **2.** fig. Dar tiempo, no ser urgente una cosa.

Treguar. tr. ant. Dar tregua.

Treílla. f. **Traílla.**

Treinta. (Del lat. *triginta.*) adj. Tres veces diez. || **2. Trigésimo,** 1.a acep. *Número* TREINTA; *año* TREINTA. Apl. a los días del mes, ú. t. c. s. *El* TREINTA *de enero.* || **3.** m. Conjunto de signos con que se representa el número **treinta.** || **4.** Juego de naipes en que, repartidas dos o tres cartas entre los que juegan, van éstos pidiendo más para llegar a acercarse a **treinta** puntos, y no más, contando las figuras por diez y las demás cartas por lo que indican, excepto el as, que vale uno u once. || **Treinta y cuarenta.** Cierto juego de azar. || **Treinta y una.** Juego de naipes o de billar, que consiste en hacer **treinta** y un tantos o puntos, y no más. Ú. c. f. sing. *Jugar a la* TREINTA Y UNA.

Treintaidosavo, va. adj. Dícese de cada una de las 32 partes iguales en que se divide un todo. || **En treintaidosavo.** expr. Dícese del libro, folleto, etc., cuyo tamaño iguala a la **treintaidosava** parte de un pliego de papel de marca ordinaria.

Treintaidoseno, na. (De *treinta y dos.*) adj. Trigésimo segundo. || **2.** V. **Paño treintaidoseno.**

Treintanario. (De *treintenario.*) m. Número de treinta días, continuados o interrumpidos, dedicados a un mismo objeto, ordinariamente religioso.

Treintañal. adj. Dícese de lo que es de treinta años o los tiene.

Treintavo, va. (De *treinta* y *avo.*) adj. **Trigésimo,** 2.a acep. Ú. t. c. s. m.

Treintena. f. Conjunto de treinta unidades. || **2.** Cada una de las treintavas partes de un todo.

Treintenario. (De *treinteno.*) m. ant. Treintanario.

Treinteno, na. (De *treinta.*) adj. **Trigésimo.**

Treja. f. Tirada por tabla o recodo, para dar bola o hacer otro lance cualquiera en el juego de trucos.

Tremadal. m. **Tremedal.**

Tremante. p. a. ant. de **Tremar.** Que tiembla.

Tremar. (De *tremer.*) intr. ant. **Temblar.**

Trematodo. (Del gr. τρηματώδης, con aberturas o ventosas, de τρῆμα, -ατος, agujero.) adj. *Zool.* Dícese de gusanos platelmintos que tienen cuerpo no segmentado, tubo digestivo ramificado y sin ano, dos o más ventosas y a veces también ganchos que les sirven para fijarse al cuerpo de su huésped; como la duela. Ú. t. c. s. || **2.** m. pl. *Zool.* Orden de estos animales.

Tremebundo, da. (Del lat. *tremebundus*, de *tremĕre*, estremecerse, temblar.) adj. Espantable, horrendo, que hace temblar.

Tremedal. (Del lat. *tremĕre*, temblar.) m. Terreno pantanoso, abundante en turba, cubierto de césped, y que por su escasa consistencia retiembla cuando se anda sobre él.

Tremendo, da. (Del lat. *tremendus*, p. f. de *tremĕre*, temer, tener miedo.) adj. Terrible y formidable; digno de ser temido. || **2.** Digno de respeto y reverencia. || **3.** fig. y fam. Muy grande y excesivo en su línea. || **Echar por la tremenda.** fr. fam. Llevar un negocio o asunto a términos violentos y estruendosos.

Tremente. p. a. de **Tremer.** Que treme.

Trementina. (De *trebentina.*) f. Jugo casi líquido, pegajoso, odorífero y de sabor caliente y picante, que fluye de los pinos, abetos, alerces y terebintos. La más usada es procedente del pino. || **de Quío.** Resina del lentisco de Quío, que se emplea como perfume y en la preparación de barnices.

Tremer. (Del lat. *tremĕre.*) intr. **Temblar.**

Tremés. (Del lat. *trimensis.*) adj. **Tremesino.** || **2.** V. **Trigo tremés.**

Tremesino, na. (De *tremés.*) adj. De tres meses. || **2.** V. **Trigo tremesino.**

Tremielga. (Como el cat. *tremelga*, de un der. del lat. *tremĕre*, temblar.) f. **Torpedo,** 1.a acep.

Tremís. (Del lat. *tremissis.*) m. Moneda antigua de Castilla, que valía el tercio de un sueldo o de un castellano. || **2.** Moneda romana que valía la tercera parte de un sólido de oro.

Tremó. (Del fr. *trumeau.*) m. Adorno a manera de marco, que se pone a los espejos que están fijos en la pared.

Tremol. m. **Tremó.**

Tremol. (Del lat. *tremŭlus*, temblón.) m. *Ar.* **Álamo temblón.**

Tremolante. p. a. de **Tremolar.** Que tremola o se agita en el aire.

Tremolar. (Del lat. **trĕmŭlare*, de *trĕmulus*, trémulo.) tr. Enarbolar los pendones, banderas o estandartes, batiéndolos o moviéndolos en el aire. Por ext., aplícase a otras cosas, y fig., a cosas inmateriales de que se hace ostentación. Ú. t. c. intr.

Tremolín. (De *tremolar.*) m. *Ar.* **Álamo temblón.**

Tremolina. (De *tremolar.*) f. Movimiento ruidoso del aire. || **2.** fig. y fam. Bulla, confusión de voces y personas que gritan y enredan, o riñen.

Trémolo. (Del ital. *tremolo*, trémulo.) m. *Mús.* Sucesión rápida de muchas notas iguales, de la misma duración.

Tremor. (Del lat. *tremor, -ōris.*) m. **Temblor.** || **2.** Comienzo del temblor.

Tremoso, sa. adj. **Tembloroso.**

Trémulamente. (De *trémulo.*) adv. m. Con temblor o con movimiento que se parece a él.

Tremulante. adj. **Trémulo.**

Tremulento, ta. adj. **Trémulo.**

Trémulo, la. (Del lat. *tremŭlus.*) adj. Que tiembla. || **2.** Aplícase a cosas que tienen un movimiento o agitación semejante al temblor; como la luz, etc.

Tremuloso, sa. adj. desus. **Trémulo.**

Tren. (Del fr. *train.*) m. Aparato y prevención de las cosas necesarias para un viaje o expedición. || **2.** Conjunto de instrumentos, máquinas y útiles que se emplean para una misma operación o servicio. TREN *de dragado, de artillería, de laminar*, etc. || **3.** Ostentación o pompa en lo perteneciente a la persona o casa. || **4.** Serie de carruajes enlazados unos a otros, los cuales, a impulso del vapor, la electricidad u otra fuerza, conducen pasajeros y mercancías por los caminos de hierro. || **ascendente.** El que en los ferrocarriles españoles va desde las costas al interior, o sea en dirección a Madrid. || **botijo.** fam. El de recreo, que en el verano traslada por precios muy económicos a viajeros con destino a algunas poblaciones de la costa. || **carreta.** fam. El que marcha a poca velocidad y se detiene en todas las estaciones. Dícese generalmente de los **trenes mixtos.** || **correo.** El que normalmente lleva la correspondencia pública. || **de escala.** desus. El que para en todas las estaciones, para tomar y dejar viajeros, encargos, etc. || **de recreo.** El que se expide con motivo de una festividad, feria o espectáculo público, las más de las veces con gran rebaja en el precio y con opción al viaje redondo de ida y vuelta. || **descendente.** El que desde Madrid o del interior va hacia la costa. || **directo.** desus. **Tren expreso.** || **2.** Aquel en que sin transbordar se puede hacer un viaje, para el que ordinariamente se utilizan dos o más **trenes** de diferentes líneas. || **discrecional.** El que puede o no salir, según lo disponga el director del camino de hierro. || **especial.** El que no está en el cuadro del servicio ordinario, y se dispone a petición de persona interesada y a su costa. || **expreso.** El de viajeros que se detiene solamente en las estaciones principales del trayecto, y camina con mucha velocidad. || **mixto.** El que conduce viajeros y mercancías. || **ómnibus.** El que lleva carruajes de todas clases y para en todas las estaciones. || **ordinario.** El que tiene determinada su marcha en el cuadro del servicio de la línea. || **rápido.** El que lleva mayor velocidad que el expreso. || **regular.** El que ha de salir en los días que prescribe el cuadro del servicio. || **sanitario.** El que lleva socorros al lugar de una catástrofe o transporta heridos.

Trena. (Del lat. *trīna*, t. f. de *-nus*, triple.) f. Especie de banda o trenza que la gente de guerra usaba como cinturón, o pendiente del hombro derecho al costado izquierdo. || **2.** Plata quemada. || **3.** *Ar.* Bollo o pan de figura de trenzas. || **4.** *Germ.* **Cárcel,** 1.ª acep. Ú. c. fam. en *Nav.* y *Vizc.* || **Meter a uno en trena.** fr. fig. y fam. *Ar.* **Meterle en cintura.**

Trenado, da. (De *trena.*) adj. Dispuesto en forma de redecilla, enrejado o trenza.

Trenca. (Del m. or. que *tranca.*) f. Cada uno de los palos atravesados en el vaso de la colmena, para sostener los panales. || **2.** Cada una de las raíces principales de una cepa. || **Meterse hasta las trencas.** fr. fig. y fam. Entrarse en un lodazal y atascarse en él o enlodarse. || **2.** fig. y fam. Intrincarse en un negocio o materia, de suerte que sea difícil desembarazarse o salir bien.

Trencellín. m. **Trencillo,** 2.ª acep.

Trencilla. (d. de *trenza.*) f. Galoncillo de seda, algodón o lana, que sirve para adornos de pasamanería, bordados y otros muchos usos.

Trencillar. tr. Guarnecer con trencilla.

Trencillo. m. **Trencilla.** || **2.** Cintillo de plata u oro, guarnecido de pedrería, que para gala o adorno se solía poner en los sombreros.

Treno. (Del lat. *thrēnus*, y éste del gr. θρῆνος, de θρέομαι, lamentarse.) m. Canto fúnebre por alguna calamidad o desgracia. || **2.** Por antonom., cada una de las lamentaciones del profeta Jeremías.

Treno. (De *trena*, 4.ª acep.) m. *Germ.* **Preso.**

Trenque. (Del cat. *trencar*, romper.) m. *Murc.* y *Ter.* Reparo, defensa que se hace en forma de muralla o parapeto, para cortar o desviar la corriente de un río.

Trente. (Del lat. *trĭdens, -entis*, tridente.) amb. *Sant.* Especie de bieldo u horcón con los dientes de hierro. Ú. t. en pl.

Trenteno, na. adj. ant. **Treinteno.** || **2.** m. ant. **Treintena.**

Trenza. (De *trenzar.*) f. Conjunto de tres o más ramales que se entretejen, cruzándolos alternativamente, para formar un mismo cuerpo alargado. || **2.** La que se hace entretejiendo el cabello largo. || **En trenza.** m. adv. Con las **trenzas** sueltas, dicho de las mujeres.

Trenzadera. f. Lazo que se forma trenzando una cuerda o cinta. || **2.** *Ar.* y *Nav.* Cinta de hilo.

Trenzado, da. p. p. de **Trenzar.** || **2.** m. **Trenza.** || **3.** *Danza.* Salto ligero en el cual los pies baten rápidamente uno contra otro, cruzándose. || **4.** *Equit.* Paso que hace el caballo piafando. || **Al trenzado.** m. adv. Con desaliño, sin cuidado. || **Echar uno al trenzado** una cosa. fr. fig. **Echarse uno a las espaldas** una cosa.

Trenzar. (Quizá de un der. del lat. *trīnus:* véase *trena.*) tr. Hacer trenzas. || **2.** intr. *Danza* y *Equit.* Hacer trenzados.

Treo. (Como el fr. *tréou*, del anglosajón *traef.*) m. *Mar.* Vela cuadra o redonda con que las embarcaciones latinas navegan en popa con vientos fuertes.

Trepa. f. Acción y efecto de trepar. 1.er art. || **2.** fam. Media voltereta que se da tendiéndose boca abajo, apoyando la coronilla en el suelo y haciendo pasar el cuerpo sobre ella hasta quedar tendido boca arriba.

Trepa. f. Acción y efecto de trepar, 2.° art. || **2.** Especie de adorno o guarnición que se echa a la orilla de los vestidos, y que va dando vueltas por ella. || **3.** Aguas y ondulaciones que presenta la superficie de algunas maderas labradas. || **4.** V. **Madera de trepa.** || **5.** fam. Astucia, malicia, engaño, fraude. || **6.** fam. Castigo que se da a uno con azotes, patadas, etc.

Trepadera. (De *trepar*, 1.er art.) f. *Cuba.* Juego de cuerdas que forman dos estribos y un cinto, de que se valen los guajiros para subir a las palmeras a cortar el fruto o las pencas.

Trepado, da. p. p. de **Trepar.** || **2.** m. **Trepa,** 2.° art., 2.ª acep. || **3.** Línea de puntos taladrados a máquina que se hace en el papel para separar fácilmente los documentos de sus matrices, o los sellos de correos.

Trepado, da. p. p. de **Treparse.** || **2.** adj. **Retrepado.** || **3.** Aplícase al animal rehecho y fornido.

Trepador, ra. adj. Que trepa, 1.er art. || **2.** *Bot.* Dícese de las plantas que trepan, 1.er art., 2.ª acep. || **3.** *Zool.* Aplícase a las aves que tienen el pico débil o recto, y el dedo externo unido al de en medio, o versátil, o dirigido hacia atrás para trepar con facilidad; como el cuclillo y el pico carpintero. Ú. t. c. s. || **4.** m. Sitio o lugar por donde se trepa o se puede trepar. || **5.** Cada uno de los garfios con dientes interiores que se sujetan con correas, uno a cada pie, y que sirven para subir a los postes del telégrafo y otros análogos. Ú. m. en pl. || **5.** f. pl. *Zool.* Orden de las aves **trepadoras.**

Trepajuncos. (De *trepar*, 1.er art., y *junco.*) m. **Arandillo,** 1.ª acep.

Trepanación. f. Acción y efecto de trepanar.

Trepanar. (De *trépano.*) tr. *Cir.* Horadar el cráneo u otro hueso con fin curativo o diagnóstico.

Trépano. (Del b. lat. *trepanum*, y éste del gr. τρύπανον.) m. *Cir.* Instrumento que se usa para trepanar.

Trepante. p. a. de **Trepar,** 1.er art. Que trepa.

Trepante. (De *trepar*, 2.° art.) adj. Que usa de trepas o engaños. Ú. t. c. s.

Trepar. (Del germ. *trippon.*) intr. Subir a un lugar alto, áspero o dificultoso, valiéndose y ayudándose de los pies y las manos. Ú. t. c. tr. || **2.** Crecer y subir las plantas agarrándose a los árboles u otros objetos, comúnmente por medio de cirros, zarcillos, tijeretas, ganchos o manecillas.

Trepar. (Quizá del lat. *terebrāre.*) tr. Taladrar, horadar, agujerear. || **2.** Guarnecer con trepa el bordado.

Treparse. r. **Retreparse.**

Trepatroncos. (Porque *trepa* con mucha agilidad por los *troncos* de los árboles.) m. **Herrerillo,** 2.ª acep.

Trepe. (De *trepa*, 2.° art., 6.ª acep.) m. fam. **Reprimenda.** Ú. principalmente en la frase **echar un trepe.**

Trepidación. (Del lat. *trepidatĭo, -ōnis.*) f. Acción de trepidar. || **2.** *Astron.* Balance aparente y casi insensible que los astrónomos antiguos atribuían al firmamento, de septentrión a mediodía, o al contrario. || **3.** *Esgr.* V. **Compás de trepidación.**

Trepidante. (Del lat. *trepĭdans, -antis.*) p. a. de **Trepidar.** Que trepida. || **2.** adj. *Esgr.* V. **Compás trepidante.**

Trepidar. (Del lat. *trepidāre.*) intr. Temblar, estremecerse.

Trépido, da. (Del lat. *trepĭdus.*) adj. **Trémulo.**

Treponema. f. *Zool.* Flagelado del grupo de los espiroquetos, con sendos flagelos en los extremos del cuerpo, y una de cuyas especies es productora de la sífilis en el hombre.

Tres. (Del lat. *tres.*) adj. Dos y uno. || **2.** **Tercero,** 1.ª acep. *Número* TRES; *año* TRES. Apl. a los días del mes, ú. t. c. s. *El* TRES *de julio.* || **3.** V. **Tres en raya.** || **4.** V. **Tres sietes.** || **5.** *Arit.* V. **Regla de tres.** || **6.** *Mús.* V. **Compás de tres por cuatro.** || **7.** m. Signo o conjunto de signos con que se representa el número **tres.** || **8.** Carta o naipe que tiene **tres** señales. *El* TRES *de oros; la baraja tiene cuatro* TRESES. || **9.** Regidor de una ciudad o villa en que había este número de ellos. || **10.** **Trío.** || **de menor.** *Germ.* Asno o macho. || **Como tres y dos son cinco.** expr. fig. y fam. con que se pondera la evidencia de alguna verdad. || **Y tres más.** m. adv. fam. que se usa para dar mayor fuerza a una afirmación.

Tresabuelo, la. (De *tres* y *abuelo.*) m. y f. ant. **Tatarabuelo, la.**

Tresalbo, ba. (De *tres* y *albo.*) adj. Aplícase al caballo o yegua que tiene tres pies blancos.

Tresañal. (De *tres* y *año.*) adj. **Tresañejo.**

Tresañejo, ja. adj. Dícese de lo que es de tres años.

Tresbolillo (A, o **al).** m. adv. Dícese de la colocación de las plantas puestas en filas paralelas, de modo que las de cada fila correspondan al medio de los huecos de la fila inmediata.

Trescientos, tas. (De *trecientos*, infl. por *tres.*) adj. Tres veces ciento. || **2.** **Tricentésimo,** 1.ª acep. *Número* TRESCIENTOS; *año* TRESCIENTOS. || **3.** m. Conjunto de signos con que se representa el número **trescientos.**

Tresdoblar. (De *tres* y *doblar.*) tr. **Triplicar,** 1.ª y 2.ª aceps. || **2.** Dar a una cosa tres dobleces, uno sobre otro.

Tresdoble. (De *tres* y *doble.*) adj. **Triple.** Ú. t. c. s.

Tresillista. com. Persona muy diestra en el tresillo, o muy aficionada a este juego.

Tresillo. (d. de *tres.*) m. Juego de naipes carteado que se juega entre tres personas, cada una de las cuales recibe nueve cartas, y gana en cada lance la que hace mayor número de bazas. Los lances principales son tres: entrada, vuelta y solo. || **2.** Conjunto de un sofá y dos butacas que hacen juego. || **3.** Sortija con tres piedras que hacen juego. || **4.** *Mús.* Conjunto de tres notas iguales que se deben cantar o tocar en el tiempo correspondiente a dos de ellas.

Tresmesino, na. adj. **Tremesino.**

Tresna. (Del m. or. que el ant. fr. *traisne.*) f. ant. **Rastro,** 3.ª acep.

Tresnal. m. **Treznal.**

Tresnar. (De *tresna.*) tr. ant. **Arrastrar,** 1.ª acep.

Tresnieto, ta. (De *tres* y *nieto.*) m. y f. ant. **Tataranieto, ta.**

Tresquilar. tr. ant. **Trasquilar.** Ú. c. vulgar.

Tresquilón. m. ant. **Trasquilón.** Ú. c. vulgar.

Trestanto. adv. m. Tres veces tanto. || **2.** m. Cantidad triplicada.

Trestiga. (Del b. lat. *tristĕga*, letrina, y éste del lat. *tristĕga*, desván.) f. ant. **Cloaca**, 1.ª acep.

Treta. (Del lat. *tracta*, t. f. de *-tus*, p. p. de *trahĕre*, tentar, meditar.) f. Artificio sutil e ingenioso para conseguir algún intento. || **2.** *Esgr.* Engaño que traza y ejecuta el diestro para herir o desarmar a su contrario, o para defenderse. || **de la manotada.** *Esgr.* Aquella en que el diestro, valiéndose de la mano izquierda, separa violenta y rápidamente de la línea recta la espada de su contrario, quedando en disposición de herirle a mansalva. || **del arrebatar.** *Esgr.* Aquella con que el diestro procura descomponer la posición de la espada de su contrario por medio de un tajo o revés. || **del llamar.** *Esgr.* La que emplea el diestro amagando con distinto golpe de aquel con que piensa herir, y descubriéndose para incitar a su contrario. || **del tajo rompido.** *Esgr.* La que usa el diestro tirando grandes tajos y reveses fuera del medio de proporción, para aturdir y acobardar a su contrario. || **del tentado.** *Esgr.* La que consiste en tocar el diestro con la flaqueza de su espada el tercio medio de la del contrario, para que éste acuda a herir, confiado en la posición dominante de su acero. || **Dar en la treta.** fr. fig. y fam. Tomar la maña o la costumbre de hacer o decir algo, por lo general molesto.

Tretero, ra. adj. desus. Astuto, taimado.

Treudo. (Del lat. *tribūtum*.) m. *Ar.* Censo enfitéutico cuyo canon paga el dominio útil al directo, unas veces en dinero y otras en frutos. || **2.** Canon o pensión de este censo.

Treza. f. *Germ.* Bestia.

Trezavo, va. (De *trece* y *avo*.) adj. Dícese de una de las trece partes iguales en que se divide un todo. Ú. t. c. s. m.

Treznal. (De *treceno*.) m. *Ar.* Conjunto de haces de mies apilados para que despidan el agua, en la misma haza del dueño, hasta que se llevan a la era, poniendo cinco haces en el pie, cuatro encima, y así en disminución.

Treznar. (De *treceno*.) tr. ant. *Ar.* **Atresnalar.**

Tri. (Del lat. *tri*, por *tris*.) pref. insep. que significa tres, como en TRI*sílabo*.

Tría. f. Acción y efecto de triar o triarse. || **2.** *Albac.* y *Ar.* **Carril**, 2.ª acep. || **Dar una tría.** fr. Trasladar una colmena débil o poco poblada al sitio de otra fuerte, y ésta al de aquélla, mientras se hallan fuera las abejas, para que cambien de vaso y quede reforzado el débil y aligerado el fuerte.

Triaca. (De *teriaca*.) f. Confección farmacéutica usada de antiguo y compuesta de muchos ingredientes, siendo el principal el opio. Se ha empleado para las mordeduras de animales venenosos. || **2.** fig. Remedio de un mal, prevenido con prudencia o sacado del mismo daño.

Triacal. adj. De triaca, o que tiene alguna de sus propiedades.

Triache. (Del fr. *triage*, de *trier*, triar.) m. Café de calidad inferior, compuesto del residuo o desperdicio de los granos requemados, partidos, quebrantados, etc.

Trianero, ra. adj. Vecino del barrio de Triana, en Sevilla. Ú. t. c. s.

Triangulación. f. *Arq.* y *Geod.* Operación de triangular. || **2.** Conjunto de datos obtenidos mediante esa operación.

Triangulado, da. p. p. de **Triangular.** || **2.** adj. Dispuesto, trazado u ordenado en figura triangular.

Triangular. (Del lat. *triangulāris*.) adj. De figura de triángulo o semejante a él.

Triangular. tr. *Arq.* Disponer las piezas de una armazón, de modo que formen triángulos. || **2.** *Geod.* Ligar por medio de triángulos ciertos puntos determinados de una comarca para levantar el plano de la misma.

Triangularmente. adv. m. En figura triangular.

Triángulo, la. (Del lat. *triangŭlus*.) adj. **Triangular.** || **2.** m. *Geom.* Figura formada por tres líneas que se cortan mutuamente. || **3.** *Mús.* Instrumento que consiste en una varilla metálica doblada en forma de **triángulo** y suspendida de un cordón, la cual se hace sonar hiriéndola con otra varilla también de metal. || **acutángulo.** *Geom.* El que tiene los tres ángulos agudos. || **ambligonio.** *Geom.* **Triángulo obtusángulo.** || **austral.** *Astron.* Constelación celeste cerca del polo antártico. || **boreal.** *Astron.* Constelación debajo o un poco al sur de Perseo. || **cuadrantal.** *Trigon.* El esférico que tiene por lados uno o más cuadrantes. || **escaleno.** *Geom.* El que tiene los tres lados desiguales. || **esférico.** *Geom.* El trazado en la superficie de la esfera, y especialmente el que se compone de tres arcos de círculo máximo. || **esférico birrectángulo.** *Geom.* El que tiene dos ángulos rectos. || **esférico rectángulo.** *Geom.* El que tiene un ángulo recto. || **esférico trirrectángulo.** *Geom.* El que tiene los tres ángulos rectos. || **isósceles.** *Geom.* El que tiene iguales solamente dos lados. || **oblicuángulo.** *Geom.* El que no tiene ángulo recto alguno. || **obtusángulo.** *Geom.* El que tiene obtuso uno de sus ángulos. || **orcheliano.** Artificio empleado por Orchell para explicar la correlación de las vocales, y que consiste en un **triángulo** en cuyos vértices se colocan las vocales *a*, *i*, *u*, consideradas como fundamentales, y las demás se intercalan a lo largo de los lados como intermedias entre aquéllas. || **ortogonio.** *Geom.* **Triángulo rectángulo.** || **oxigonio.** *Geom.* **Triángulo acutángulo.** || **plano.** *Geom.* El que tiene sus tres lados en un mismo plano. || **rectángulo.** *Geom.* El que tiene recto uno de sus ángulos.

Triaquera. f. Caja o bote para guardar triaca u otra droga medicinal.

Triaquero, ra. m. y f. desus. Persona que vende triaca y otros ungüentos o drogas.

Triar. tr. Escoger, separar, entresacar. || **2.** intr. Entrar y salir con frecuencia las abejas de una colmena que está muy poblada y fuerte. || **3.** r. Clarearse una tela por usada o mal tejida. || **4.** *Ar.* Cortarse la leche.

Triario. (Del lat. *triarĭi*.) m. Cada uno de los soldados veteranos que en la milicia romana formaban parte de un cuerpo de reserva.

Triásico, ca. (Del gr. τριάς, conjunto de tres.) adj. *Geol.* Dícese del terreno sedimentario que, inferior al liásico, es el más antiguo de los secundarios, y debe el nombre a que en Alemania, donde fue primeramente estudiado, se compone de tres órdenes de rocas, areniscas rojas, calizas y margas abigarradas, en que abundan los criaderos de sal gema. Ú. t. c. s. || **2.** *Geol.* Perteneciente a este terreno.

Tribal. adj. **Tribual.**

Tribraquio. (Del lat. *tribrăchys*, y éste del gr. τρίβραχυς; de τρεῖς, tres, y βραχύς, breve.) m. Pie de la poesía griega y latina, compuesto de tres sílabas breves.

Tribu. (Del lat. *tribus*.) f. Cada una de las agrupaciones en que algunos pueblos antiguos estaban divididos; como las doce del pueblo hebreo y las tres primitivas de los romanos. Se ha usado a veces como masculino. || **2.** Conjunto de familias nómadas, por lo común del mismo origen, que obedecen a un jefe. || **3.** *Bot.* y *Zool.* Cada uno de los grupos taxonómicos en que muchas familias se dividen y los cuales se subdividen en géneros.

Tribual. adj. Perteneciente o relativo a la tribu.

Tribuente. p. a. de **Tribuir.** Que tribuye.

Tribuir. (Del lat. *tribuĕre*.) tr. **Atribuir.**

Tribulación. (Del lat. *tribulatĭo, -ōnis*.) f. Congoja, pena, aflicción o tormento que inquieta y turba el ánimo. || **2.** Persecución o adversidad que padece el hombre.

Tribulante. p. a. ant. de **Tribular.** Que atribula.

Tribulanza. (De *tribular*.) f. ant. **Tribulación.**

Tribular. (Del lat. *tribulāre*.) tr. ant. **Atribular.** Usáb. t. c. r.

Tríbulo. (Del lat. *tribŭlus*, abrojo.) m. Nombre genérico de varias plantas espinosas. || **2. Abrojo**, 1.ª y 3.ª aceps.

Tríbulo. (Del lat. *tribŭlor*, tengo pena.) m. ant. **Pésame.**

Tribuna. (De *tribuno*.) f. Plataforma elevada y con antepecho, desde donde los oradores de la antigüedad dirigían la palabra al pueblo. || **2.** Especie de púlpito desde el cual se lee o perora en las asambleas públicas o privadas. || **3.** Galería destinada a los espectadores en estas mismas asambleas. || **4.** Ventana o balcón, con celosía o sin ella, que hay en algunas iglesias, y desde donde se puede asistir a los oficios divinos. || **5.** fig. Conjunto de oradores políticos de un país, de una época, etc.

Tribunado. (Del lat. *tribunātus*.) m. Dignidad de tribuno. || **2.** Tiempo que duraba. || **3.** Uno de los cuerpos que formaban el poder legislativo en la constitución consular francesa anterior al imperio napoleónico.

Tribunal. (Del lat. *tribūnal*.) m. Lugar destinado a los jueces para administrar justicia y pronunciar sentencias. || **2.** Ministro o ministros que conocen de los asuntos de justicia y pronuncian la sentencia. || **3.** V. **Día de tribunales.** || **4.** Conjunto de jueces ante el cual se efectúan exámenes, oposiciones y otros certámenes o actos análogos. || **ad quem.** *For.* En los recursos o apelaciones, aquel ante quien se acude contra el fallo de otro inferior. || **a quo.** *For.* Aquel de cuyo fallo se recurre. || **colegiado.** El que se forma con tres o más individuos por contraposición al **tribunal** unipersonal. || **de casación.** *For.* El que sólo conoce de los quebrantamientos o infracciones de ley alegados contra los fallos de instancias y, por modo excepcional, de errores sobre hecho y prueba. || **2.** *For.* El establecido en Cataluña por el Estatuto de 1932, con jurisdicción última en lo civil y en lo administrativo de legislación autónoma. || **de Cuentas.** Oficina central de contabilidad que tiene a su cargo examinar y censurar las cuentas de todas las dependencias del Estado. || **de Dios.** Juicio que Dios hace de los hombres después de la muerte. || **de garantías constitucionales.** El establecido por la Constitución española de 1931, principalmente para apreciar la constitucionalidad de las leyes, amparar los derechos individuales, resolver conflictos entre poderes del Estado y regionales y exigir responsabilidad penal a los encargados de ejercerlos. || **de honor.** *For.* El autorizado dentro de ciertos cuerpos o colectividades para juzgar la conducta deshonrosa, aunque no delictiva, de alguno de sus miembros. || **de instancia.** *For.* El que ejerce plena jurisdicción, así sobre el hecho como sobre el derecho en todas las circunstancias debatidas. || **de la conciencia.** Recto juicio íntimo de los deberes y de los actos propios. || **de la penitencia.** Sacramento de la penitencia, y lugar en que se administra. || **Supremo.** *For.* El más alto de la justicia ordinaria, que abarca con distintas atribuciones la totalidad del territorio nacional y cuyos fallos no son recurribles ante otra autoridad. || **tutelar de**

menores. *For.* El que sin solemnidad, con trámites sencillos y propósito educador, resuelve acerca de la infancia delincuente y protege a la desamparada.

Tribunato. m. ant. **Tribunado.**

Tribunicio, cia. (Del lat. *tribunitius.*) adj. **Tribúnico.** || **2.** fig. Perteneciente o relativo al tribuno, 2.ª acep. *Elocuencia* TRIBUNICIA; *arranques* TRIBUNICIOS.

Tribúnico, ca. adj. Perteneciente a la dignidad de tribuno.

Tribuno. (Del lat. *tribūnus.*) m. Cada uno de los magistrados que elegía el pueblo romano reunido en tribus, y tenían facultad de poner el veto a las resoluciones del Senado y de proponer plebiscitos. || **2.** fig. Orador político que mueve a la multitud con elocuencia fogosa y apasionada. || **de la plebe.** Tribuno, 1.ª acep. || **militar.** Jefe de un cuerpo de tropas de los antiguos romanos.

Tributable. adj. Que puede dar tributo.

Tributación. f. Acción de tributar. || **2.** **Tributo.** || **3.** Régimen o sistema tributario. || **4.** *Ar.* **Enfiteusis.**

Tributante. p. a. de **Tributar.** Que tributa. Ú. t. c. s.

Tributar. (De *tributo.*) tr. Entregar el vasallo al señor en reconocimiento del señorío, o el súbdito al Estado para las cargas y atenciones públicas, cierta cantidad en dinero o en especie. || **2.** fig. Ofrecer o manifestar, a modo de tributo y reconocimiento de superioridad, algún obsequio y veneración. TRIBUTAR *a uno respeto, admiración, gratitud.* || **3.** *Ar.* Dar a treudo. || **4.** *Ar.* Poner término o amojonar los límites señalados a la mesta.

Tributario, ria. (Del lat. *tributarĭus.*) adj. Perteneciente o relativo al tributo. || **2.** Que paga tributo o está obligado a pagarlo. Ú. t. c. s. || **3.** fig. Dícese del curso de agua con relación al río o mar adonde va a parar.

Tributo. (Del lat. *tribūtum.*) m. Lo que se tributa. || **2.** Carga u obligación de tributar. || **3.** **Censo,** 5.ª acep. || **4.** fig. Cualquier carga continua. || **5.** *Germ.* Mujer de mancebía.

Tricahue. (Del arauc. *thucau.*) m. *Chile.* Loro grande que habita en los barrancos de la cordillera.

Tricenal. (Del lat. *tricennālis.*) adj. Que dura treinta años. || **2.** Que se ejecuta de treinta en treinta años. *Las fiestas* TRICENALES.

Tricentenario. m. Tiempo de trescientos años. || **2.** Fecha en que se cumplen trescientos años del nacimiento o muerte de alguna persona ilustre o de algún suceso famoso. || **3.** Fiestas que se celebran por alguno de esos motivos.

Tricentésimo, ma. (Del lat. *tricenti,* trescientos.) adj. Que sigue inmediatamente en orden al o a lo ducentésimo nonagésimo nono. || **2.** Dícese de cada una de las trescientas partes iguales en que se divide un todo. Ú. t. c. s.

Tríceps. (Del lat. *triceps.*) adj. *Zool.* Dícese del músculo que tiene tres porciones o cabezas. Ú. t. c. s. || **braquial.** *Zool.* El que al contraerse extiende el antebrazo. || **espinal.** *Zool.* El que está a lo largo del espinazo e impide que caiga éste hacia adelante. || **femoral.** *Zool.* El unido al fémur y la tibia y que al contraerse extiende con fuerza la pierna.

Tricésimo, ma. (Del lat. *tricesimus.*) adj. **Trigésimo.** Ú. t. c. s.

Triciclo. (Del gr. τρεῖς, tres, y κύκλος, círculo, rueda.) m. Vehículo de tres ruedas.

Tricípite. (Del lat. *triceps, -ĭtis;* de *tres,* tres, y *caput,* cabeza.) adj. Que tiene tres cabezas.

Triclinio. (Del lat. *triclinium,* y éste del gr. τρικλίνιον; de τρεῖς, tres, y κλίνη, lecho.) m. Cada uno de los lechos, capaces por lo común para tres personas, en que los antiguos griegos y romanos se reclinaban para comer. || **2.** Comedor de los antiguos griegos y romanos.

Tricolor. (Del lat. *tricŏlor, -ōris.*) adj. De tres colores.

Tricorne. (Del lat. *tricornis.*) adj. poét. Que tiene tres cuernos.

Tricornio. adj. **Tricorne.** || **2.** V. **Sombrero tricornio.** Ú. t. c. s.

Tricotomía. (Del gr. τριχοτομία; de τρίχα, en tres, y τομή, sección.) f. *Bot.* Trifurcación de un tallo o una rama. || **2.** *Lóg.* Método de clasificación en que las divisiones y subdivisiones tienen tres partes.

Tricotómico, ca. adj. *Bot.* y *Lóg.* Perteneciente o relativo a la tricotomía.

Tricótomo, ma. (Del gr. τρίχα, en tres, y τομή, sección.) adj. *Bot.* y *Lóg.* Que se divide por tricotomía.

Tricromía. f. Estampación tipográfica hecha mediante la combinación de tres tintas diferentes.

Tricúspide. adj. *Zool.* V. **Válvula tricúspide.** Ú. t. c. s. f.

Tridacio. (Del lat. *thridax, -ăcis,* y éste del gr. θρῖδαξ, lechuga.) m. *Farm.* Medicamento calmante menos activo que el lactucario, obtenido por la evaporación del zumo de los tallos de la lechuga espigada.

Tridente. (Del lat. *tridens, -entis.*) adj. De tres dientes. || **2.** m. Cetro en forma de fisga, que tienen en la mano las figuras de Neptuno. || **3.** *And.* y *Murc.* **Fisga,** 2.° art., 1.ª acep.

Tridentífero, ra. adj. Que lleva tridente.

Tridentino, na. (Del lat. *tridentīnus.*) adj. Natural de Trento. Ú. t. c. s. || **2.** Perteneciente a esta ciudad del Tirol. || **3.** Perteneciente al concilio ecuménico que en esta ciudad se reunió a partir del año 1545.

Triduano, na. (Del lat. *triduānus.*) adj. De tres días.

Triduo. (Del lat. *tridŭum,* espacio de tres días.) m. Ejercicios devotos que se practican durante tres días.

Triedro. (Del gr. τρεῖς, tres, y ἕδρα, plano.) adj. *Geom.* V. **Ángulo triedro.**

Trienal. adj. Que sucede o se repite cada trienio. || **2.** Que dura un trienio.

Trienio. (Del lat. *triennium.*) m. Tiempo o espacio de tres años.

Triente. (Del lat. *triens.*) m. Moneda bizantina que valía un tercio de sólido. || **2.** Moneda de oro acuñada por los visigodos en España.

Trieñal. adj. **Trienal.**

Triestino, na. adj. Natural de Trieste. Ú. t. c. s. || **2.** Perteneciente a esta ciudad del Adriático. || **3.** m. Lengua hablada en esta región de Trieste.

Trifásico, ca. adj. *Fís.* Se dice de un sistema de tres corrientes eléctricas alternas iguales, procedentes del mismo generador, y desplazadas en el tiempo, cada una respecto de las otras dos, en un tercio de período.

Trifauce. (Del lat. *trifaux, -aucis.*) adj. poét. De tres fauces o gargantas. Es epíteto del fabuloso Cancerbero.

Trífido, da. (Del lat. *trifĭdus.*) adj. *Bot.* Abierto o hendido por tres partes.

Trifinio. (Del lat. *trifinium.*) m. Punto donde confluyen y finalizan los términos de tres jurisdicciones o divisiones territoriales.

Trifloro, ra. (De *tri* y el lat. *flos, floris,* flor.) adj. Que tiene o encierra tres flores.

Trifoliado, da. adj. *Bot.* Que tiene hojas compuestas de tres folíolos.

Trifolio. (Del lat. *trifolĭum.*) m. **Trébol.**

Triforio. m. *Arq.* Galería que rodea el interior de una iglesia sobre los arcos de las naves y que suele tener ventanas de tres huecos.

Triforme. (Del lat. *triformis.*) adj. De tres formas o figuras. Es epíteto de la diosa Diana.

Trifulca. (Del lat. *trifurca,* t. f. de *-cus;* de *tres,* tres, y *furca,* horca.) f. Aparato formado con tres palancas ahorquilladas en sus extremos, para dar movimiento a los fuelles de los hornos metalúrgicos. || **2.** fig. y fam. Desorden y camorra entre varias personas.

Trifurcación. f. Acción y efecto de trifurcarse.

Trifurcado, da. (Del lat. *trifurcātus.*) adj. De tres ramales, brazos o puntas.

Trifurcarse. r. Dividirse una cosa en tres ramales, brazos, o puntas. TRIFURCARSE *la rama de un árbol.*

Triga. (Del lat. *trigae, -ārum.*) f. Carro de tres caballos. || **2.** Conjunto de tres caballos de frente que tiran de un carro.

Trigal. m. Campo sembrado de trigo.

Trigaza. (De *trigo.*) adj. V. **Paja trigaza.**

Trigésimo, ma. (Del lat. *trigesĭmus.*) adj. Que sigue inmediatamente en orden al o a lo vigésimo nono. || **2.** Dícese de cada una de las treinta partes iguales en que se divide un todo. Ú. t. c. s.

Trigla. (Del gr. τρίγλα.) f. **Trilla,** 1.er art.

Triglifo [Tríglifo]. (Del lat. *triglўphus,* y éste del gr. τρίγλυφος; de τρεῖς, tres, y γλύφω, cincelar, esculpir.) m. *Arq.* Miembro arquitectónico en forma de rectángulo saliente y surcado por tres canales, que decora el friso del orden dórico.

Trigo. (Del lat. *trĭtĭcum.*) m. Género de plantas de la familia de las gramíneas, con espigas terminales compuestas de cuatro o más carreras de granos sentados en la raspa, ovales, truncados por las puntas, de los cuales, triturados, se saca la harina con que se hace el pan. Hay muchas especies, y en ellas innumerables variedades. || **2.** Grano de esta planta. || **3.** Conjunto de granos de esta planta. || **4.** fig. Dinero, caudal. || **5.** pl. *Al.* **Uva de gato.** || **Trigo álaga. Álaga.** || **alonso.** Variedad de **trigo** fanfarrón, de caña cerrada y gruesa y espiga ancha. || **aristado.** El que tiene aristas, en contraposición del mocho. || **azul, azulejo,** o **azulenco. Trigo moreno.** || **berrendo.** Variedad de **trigo** común, cuyo cascabillo tiene manchas de azul obscuro. || **bornero.** El que molido con piedra bornera da pan bazo por salir muy remolida la harina. || **candeal.** Especie de **trigo** aristado, con la espiga cuadrada, recta, con espiguillas cortas y los granos ovales, obtusos y opacos: da harina y pan blancos, y éste esponjoso, y por tanto se tiene por el de superior calidad, aunque haya otros **trigos** tanto o más nutritivos. También se llaman así otras variedades cuando rinden mucha harina y blanca, que se emplea en hacer pan de primera calidad. || **cañihueco,** o **cañivano.** Variedad de **trigo** redondillo, cuya paja es hueca y muy apetecida por el ganado: rinde a veces, en igualdad de cosechas, un tercio más que otras especies, y hace buen pan. Si se le deja pasar en la siega, es tan resquebrajoso como el maíz. || **cascalbo.** Variedad de **trigo** fanfarrón con raspa blanca. || **común. Trigo candeal.** || **cuchareta. Cuchareta,** 2.ª acep. || **chamorro.** Especie de **trigo** mocho, con la espiga pequeña y achatada y el grano blando y de poco salvado. || **chapado.** Especie de **trigo** parecido al cuchareta, con la espiga comprimida, ancha, densa y vellosa. || **de Bona. Trigo de Polonia.** || **de invierno. Trigo otoñal.** || **del milagro. Trigo racimal.** || **de marzo. Trigo tremés.** || **de Polonia.** Especie de **trigo** que se cultiva en el reino de León y las Baleares, parecido al duro y con las espigas largas, más anchas por la base que por la cúspide. || **desraspado. Trigo chamorro.** || **durillo,** o **duro.** Especie de **trigo** muy parecido al moro, que tiene las glumas vellosas y los granos elípticos, muy duros y casi diáfanos. || **fanfarrón.** Especie de **trigo** procedente de Berbería, duro, alto, de espigas arqueadas y largas, y que da mucho salvado y poca harina, aunque de buena calidad. Abunda en Andalucía. || **garzul.** *And.* **Trigo álaga.** || **lampiño.** Cualquiera de los que carecen de vello en las glumas florales. || **marzal. Trigo tremés.** || **mocho.** El que no tiene aristas. || **montesino.** Especie de egílope que tiene las cañas desnudas en la parte superior y las espigas cortas y aovadas. || **morato,** o **moreno.** Variedad de álaga, cuyos granos son de color obscuro. || **moro,** o **moruno.** Especie de **trigo** procedente de África, algo parecido al fanfarrón, pero más pequeño y más moreno. || **otoñal.** Cualquiera de los que se siembran en otoño, están bajo tierra todo el invierno y fructifican en verano. || **pelón,** o **peloto.** Variedad de **trigo** chamorro. || **piche.** Variedad de **trigo** candeal, de grano blando, pequeño y obscuro. || **racimal.** Cualquiera de las variedades de diversas especies de **trigo** que echan más de una espiga en la extremidad de la caña. || **raspudo. Trigo aristado.** || **redondillo.** Cualquiera de las dos especies de **trigo** que tienen las espigas cuadradas, aovadas o ventrudas, y el grano blando, redondeado y rojizo. || **rubión.** Variedad de **trigo** fanfarrón de grano dorado. || **2.** *Mancha.* **Alforfón.** || **salmerón.** Variedad de **trigo** fanfarrón, que ahíja poco y tiene la espiga larga y gruesa. || **sarraceno. Alforfón.** || **trechel, tremés,** o **tremesino.** Cualquiera de los que se siembran en primavera y fructifican en el verano del mismo año. || **zorollo.** El segado antes de su completa madurez. || **¿Adónde vas, trigo tardío? —A alcanzar al temprano. —Ni en paja ni en grano.** ref. agronómico que recomienda la siembra en sazón. || **2.** fig. Muestra que el trabajo que se deja para última hora no da tan buen fruto como el que se hace en el tiempo oportuno. || **Cuando siembres, siembra trigo, que chícharos hacen ruido.** ref. que advierte que sólo se debe trabajar y gastar en cosas útiles. || **Echar uno por esos trigos,** o **por los trigos de Dios.** fr. fig. y fam. Ir desacertado y fuera de camino. || **Ni mío es el trigo, ni mía es la cibera, y muela quien quiera.** ref. que enseña que en los negocios ajenos no nos debemos entrometer sin ser llamados. || **No es lo mismo predicar que dar trigo.** fr. proverb. con que se denota que es más fácil aconsejar que practicar lo que se aconseja. || **No es todo trigo.** fr. que se dice cuando entre cosas o cualidades buenas hay mezcladas otras malas. || **No ser trigo limpio.** fr. fig. y fam. con que se da a entender que un asunto o la conducta de una persona no es tan intachable como a primera vista parece, o que adolece de un grave defecto. || **Por mucho trigo nunca es mal año.** ref. que advierte que lo que abunda siendo bueno, no daña. || **Si te fuere bueno el trigo tardío, no se lo digas a tus hijos.** ref. para indicar que cuando la pereza o una acción descuidada cualquiera nos da por casualidad buenos resultados, no debemos alabarnos de ella, para no dar mal ejemplo.

Trigón. (Del lat. *trigōnus,* y éste del gr. τρίγωνος, triangular.) m. Instrumento músico de figura triangular y con cuerdas metálicas, usado por los antiguos griegos y romanos.

Trígono. (Del lat. *trigōnus,* y éste del gr. τρίγωνος; de τρεῖς, tres, y γωνία, ángulo.) m. *Astrol.* Conjunto de tres signos del Zodiaco equidistantes entre sí. Cada uno de los cuatro grupos formados de este modo se consideraba de naturaleza y calidad análogas, respectivamente, al fuego, al aire, al agua y a la tierra. || **2.** *Geom.* **Triángulo,** 2.ª acep. || **3.** *Gnom.* **Radio de los signos.**

Trigonometría. (Del gr. τριγωνομετρία; de τρίγωνον, triángulo, y μέτρον, medida.) f. Parte de las matemáticas, que trata de la resolución analítica, o sea del cálculo de los elementos de los triángulos, tanto planos como esféricos. || **esférica.** La que trata de los triángulos esféricos. || **plana.** La que trata de los triángulos planos.

Trigonométrico, ca. adj. Perteneciente o relativo a la trigonometría. *Cálculo* TRIGONOMÉTRICO; *operación* TRIGONOMÉTRICA. || **2.** *Geom.* V. **Línea trigonométrica.**

Trigueño, ña. adj. De color del trigo; entre moreno y rubio.

Triguera. (De *triguero,* 2.ª acep.) f. Planta perenne de la familia de las gramíneas, muy parecida al alpiste, pero de menor tamaño, que crece en sembrados húmedos y da buen forraje. || **2.** *Sal.* **Pinzón,** 1.er art. || **3.** *Sant.* **Triguero,** 3.ª acep.

Triguero, ra. (Del lat. *triticarius.*) adj. Perteneciente o relativo al trigo. || **2.** Que se cría o anda entre el trigo. *Espárrago, pájaro* TRIGUERO. || **3.** Aplícase al terreno en que se da bien el trigo. || **4.** m. Criba o harnero para zarandar el trigo. || **5.** El que comercia y trafica en trigo.

Triguillo. m. d. de **Trigo.** || **2.** *And.* y *Ar.* **Ahechaduras.**

Trilátero, ra. adj. De tres lados.

Trile. (Del arauc. *thili.*) m. *Chile.* Pájaro negro con dos manchas amarillas debajo de las alas. Se asemeja al tordo y anida en parajes húmedos.

Trilingüe. (Del lat. *trilinguis.*) adj. Que tiene tres lenguas. || **2.** Que habla tres lenguas. || **3.** Escrito en tres lenguas.

Trilítero, ra. (Del lat. *tres,* tres, y *littĕra,* letra.) adj. De tres letras. *Vocablo* TRILÍTERO; *sílaba* TRILÍTERA.

Trilito. (Del gr. τρεῖς; tres, y λίθος, piedra.) m. Dolmen sencillo compuesto de tres grandes piedras, dos de las cuales, clavadas verticalmente en el suelo a manera de jambas, sostienen la tercera, horizontal y a modo de dintel.

Trilobites. m. Artrópodo marino fósil del paleozoico. Su cuerpo, algo deprimido y de contorno oval, está dividido en tres regiones y a lo largo recorrido por dos surcos que le dan aspecto de trilobulado. Abunda en España en las pizarras silúricas.

Trilobulado, da. adj. Que tiene tres lóbulos.

Trilocular. adj. Dividido en tres partes.

Trilogía. (Del gr. τριλογία.) f. Conjunto de tres obras trágicas de un mismo autor, presentadas a concurso en los juegos solemnes de la Grecia antigua. || **2.** Conjunto de tres obras dramáticas que tienen entre sí enlace histórico o unidad de pensamiento.

Trilla (Del lat. *trigla,* y éste del gr. τρίγλη.) f. *Zool.* **Rubio,** 3.ª acep.

Trilla. (Del lat. *tribŭla, tribla.*) f. **Trillo,** 1.ª acep.

Trilla. (De *trillar.*) f. Acción de trillar. || **2.** Tiempo en que se trilla.

Trilladera. (De *trillar.*) f. **Trillo,** 1.ª acep. || **2.** *Ál., Logr., Nav.* y *Sor.* Tirante, por lo general de esparto, con que se ata el trillo a las caballerías.

Trillado, da. p. p. de **Trillar.** || **2.** adj. V. **Camino trillado.** || **3.** fig. Común y sabido.

Trillador, ra. adj. Que trilla. Ú. t. c. s.

Trilladora. f. Máquina trilladora.

Trilladura. (De *trillar.*) f. Acción y efecto de trillar.

Trillar. (Del lat. *tribulāre.*) tr. Quebrantar la mies tendida en la era, y separar el grano de la paja, con el pisoteo de las bestias, con el trillo o con ambas cosas. En la actualidad se emplean máquinas trilladoras que separan el grano de la paja sin necesidad de tender la mies en la era. || **2.** fig. y fam. Frecuentar y seguir una cosa continuamente o de ordinario. || **3.** fig. Maltratar, quebrantar.

Trillazón. f. ant. **Trilla,** 3.er art., 1.ª acep.

Trillique. com. *Sal.* Persona que guía la yunta durante la trilla.

Trillo. (Del lat. *tribŭlum.*) m. Instrumento para trillar, que comúnmente consiste en un tablón con pedazos de pedernal o cuchillas de acero encajadas en una de sus caras y con los cuales se corta la paja y se separa el grano. || **2.** *C. Rica, Cuba* y *P. Rico.* **Senda,** 1.ª acep.

Trillón. (De *tri,* y la terminación *-llón,* de *millón.*) m. *Arit.* Un millón de billones, que se expresa por la unidad seguida de dieciocho ceros.

Trimembre. (Del lat. *trimembris.*) adj. De tres miembros o partes.

Trímero. adj. *Zool.* Dícese de los insectos coleópteros que tienen en cada tarso tres artejos bien desarrollados y uno rudimentario, como la mariquita. Ú. t. c. s. m. || **2.** m. pl. *Zool.* Suborden de estos animales.

Trimestral. adj. Que sucede o se repite cada trimestre. || **2.** Que dura un trimestre.

Trimestralmente. adv. m. Por trimestres.

Trimestre. (Del lat. *trimestris.*) adj. **Trimestral.** || **2.** m. Espacio de tres meses. || **3.** Renta, sueldo, pensión, etc., que se cobra o que se paga al fin de cada **trimestre.** || **4.** Conjunto de los números de un periódico o revista, publicados durante un **trimestre.** *El primer* TRIMESTRE *de la Gaceta de este año.*

Trímetro. (Del lat. *trimetrus.*) adj. V. **Verso trímetro.** Ú. t. c. s.

Trimielga. f. **Torpedo,** 1.ª acep.

Trimotor. m. Avión provisto de tres motores.

Trimurti. f. Especie de trinidad en la religión de Brahma.

Trinacrio, cria. (Del lat. *trinacrĭus.*) adj. Natural de Trinacria, hoy Sicilia. Ú. t. c. s. || **2.** Perteneciente a esta isla, llamada así en lo antiguo a causa de sus tres promontorios. || **3.** poét. **Siciliano.** Apl. a pers., ú. t. c. s.

Trinado. (De *trinar.*) m. **Trino,** 4.ª acep. || **2. Gorjeo,** 1.ª acep.

Trinar. intr. *Mús.* Hacer trinos. || **2.** fig. y fam. Rabiar, impacientarse.

Trinca. (Del lat. *trini,* tres, triple.) f. Junta de tres cosas de una misma clase. || **2.** Conjunto de tres personas designadas para argüir recíprocamente en las oposiciones a cátedras o prebendas. || **3.** *Mar.* Cabo o cuerda que sirve para trincar una cosa. || **4.** *Mar.* Ligadura que se da a un palo, o a cualquiera otra cosa, con un cabo o cuerda, para sujetarla o asegurarla de los balances de la nave. || **Estar a la trinca.** fr. *Mar.* **Estar a la capa.**

Trincadura. (De *trincar,* 2.º art.) f. *Mar.* Especie de lancha de gran tamaño, y de dos palos con velas al tercio.

Trincaesquinas. m. **Parahúso.**

Trincafía. (De *trincar* y *fiar.*) f. Atadura que se hace en espiral, con vueltas muy juntas, y dando medio nudo a la cuerda en cada una de las vueltas. Úsase para empalmar dos maderos, para asegurar la rajadura de un palo, etc.

Trincapiñones. (De *trincar,* 1.er art., y *piñón.*) m. fam. Mozo liviano y de poco asiento y juicio.

Trincar. (En port. *trincar;* en cat. *trencar.*) tr. Partir o desmenuzar en trozos.

Trincar. (De *trinca.*) tr. Atar fuertemente. || **2.** Sujetar a uno con los brazos o las manos como amarrándole. || **3.** *Sant.* **Hurtar.** || **4.** *Amér. Central* y *Méj.* Apretar, oprimir. || **5.** *León* y *Sal.* Torcer, ladear, inclinar. Ú. t. c. r. || **6.** *Mar.* Asegurar o sujetar fuertemente con trincas de cabo o de cadena los efectos de a bordo, tales como anclas, cañones, embarcaciones menores, etc., a fin de que no se muevan en los bandazos y cabezadas. || **7.** intr. *Mar.* **Pairar.**

Trincar. (Del al. *trinken.*) tr. fam. Beber vino o licor.

Trincha. (En cat. *trinxa.*) f. Ajustador compuesto de dos orejas colocadas por detrás, y en el sitio correspondiente a la cintura, en los chalecos, pantalones o capotes, y que sirve para ceñir dichas prendas al cuerpo por medio de hebillas o botones.

Trinchador, ra. adj. Que trincha. Ú. t. c. s.

Trinchante. p. a. de **Trinchar.** Que trincha. || **2.** m. El que corta y separa las piezas de la vianda en la mesa. || **3.** Empleado de palacio en lo antiguo, que era gentilhombre de boca, y trinchaba, servía la copa y hacía la salva de la comida. || **4.** Instrumento con que se afianza o asegura lo que se ha de trinchar. || **5. Escoda.**

Trinchar. (Del ital. *trinciare,* y éste del m. or. que *trincar,* 1.er art.) tr. Partir en trozos la vianda para servirla. || **2.** ant. Cortar, partir o dividir. || **3.** fig. y fam. Disponer de una cosa; decidir en algún asunto con aire y tono de satisfacción y autoridad.

Trinche. m. *Colomb., Chile, Ecuad.* y *Méj.* **Tenedor,** 3.ª acep. || **2.** *Chile, Ecuad.* y *Méj.* **Trinchero,** 2.ª acep.

Trinchea. (De *tranchea.*) f. ant. **Trinchera,** 1.ª acep.

Trinchear. (De *trinchea.*) tr. ant. **Atrincherar.** Usáb. t. c. r.

Trincheo. (De *trinchar.*) adj. ant. **Trinchero.** Usáb. t. c. s.

Trinchera. (De *trinchea.*) f. Defensa hecha de tierra y dispuesta de modo que cubra el cuerpo del soldado. || **2.** Desmonte hecho en el terreno para una línea de camino y con taludes por ambos lados. || **3.** Sobretodo impermeable que trae su nombre de haberlo usado algunas tropas durante la guerra de 1914-18. || **4.** *León.* Cada una de las piezas curvas que en la carreta sujetan el eje al tablero. || **Abrir trinchera.** fr. *Mil.* Empezar a hacerla; dar principio a los ataques de una plaza. || **Montar la trinchera.** fr. *Mil.* Entrar de guardia en ella.

Trinchero. (De *trincheo.*) adj. V. **Plato trinchero.** Ú. t. c. s. || **2.** m. Mueble de comedor, que sirve principalmente para trinchar sobre él las viandas.

Trincherón. m. aum. de **Trinchera.**

Trinchete. (De *tranchete.*) m. **Chaira,** 1.ª acep.

Trineo. (Del fr. *traîneau.*) m. Vehículo sin ruedas para ir o caminar sobre el hielo.

Trinidad. (Del lat. *trinĭtas, -ātis.*) f. *Teol.* Distinción de tres Personas divinas en una sola y única esencia, misterio inefable de la religión católica. || **2.** V. **Flor de la Trinidad.** || **3.** V. **Domingo de la Santísima Trinidad.** || **4.** Religión aprobada y confirmada por Inocencio III el año de 1198, para la redención de cautivos. || **5.** fig. Unión de tres personas en algún negocio. Suele usarse despectivamente.

Trinitaria. (Del lat. *trinĭtas,* conjunto de tres, por alusión a los tres colores de la flor.) f. Planta herbácea anual, de la familia de las violáceas, con muchos ramos delgados de tres a cuatro decímetros de altura; hojas sentadas, oblongas, festoneadas y con estípulas grandes; flores en largos pedúnculos y con cinco pétalos redondeados, de tres colores, que varían del blanco al rojo negruzco, pero generalmente amarillos con una mancha central purpúrea los dos superiores, pajizos los de en medio y morado obscuro aterciopelado el inferior, y fruto seco capsular con muchas semillas. Es planta de jardín, común en España. || **2.** Flor de esta planta. || **3.** *P. Rico.* Planta trepadora espinosa.

Trinitario, ria. (Del lat. *Trinĭtas,* Trinidad.) adj. Dícese del religioso o religiosa de la orden de la Trinidad. Ú. t. c. s. || **2.** Natural de Trinidad. Ú. t. c. s. || **3.** Perteneciente a esta villa de la provincia de Santa Clara en la isla de Cuba.

Trino, na. (Del lat. *trinus.*) adj. Que contiene en sí tres cosas distintas, o participa de ellas. Ú. para significar la trinidad de las Personas en Dios. *Dios es* TRINO *y uno.* || **2. Ternario.** || **3.** *Astrol.* V. **Aspecto trino.** || **4.** m. *Mús.* Sucesión rápida y alternada de dos notas de igual duración, entre las cuales media la distancia de un tono o de un semitono.

Trinomio. (Del lat. *tris,* tres, y el gr. νόμος, partición.) m. *Álg.* Expresión algebraica que consta de tres términos.

Trinquetada. f. *Mar.* Navegación que se hace con sólo el trinquete, a causa de la fuerza del viento en una tempestad. || **Correr una trinquetada.** fr. *Mar.* Hacer una navegación con sólo el trinquete, por la causa anteriormente dicha. || **2.** *Mar.* Hacer una navegación trabajosa, por los vientos contrarios, por el mal estado del buque o por otros motivos. || **3.** fig. **Sufrir una crujía.**

Trinquete. (De *triquete,* 2.° art.) m. *Mar.* Verga mayor que se cruza sobre el palo de proa. || **2.** *Mar.* Vela que se larga en ella. || **3.** *Mar.* Palo que se arbola inmediato a la proa, en las embarcaciones que tienen más de uno.

Trinquete. (Del fr. *triquet,* pala para jugar a la pelota.) m. Juego de pelota cerrado y cubierto.

Trinquete. (De *trincar,* 2.° art.) m. Garfio que gira por uno de sus extremos y por el otro resbala sobre los dientes oblicuos de una rueda, para impedir que ésta se vuelva hacia atrás. || **2.** *And.* Aldabilla con que se aseguran las puertas. || **3.** *Germ.* Cama de cordeles.

Trinquete. m. **Triquete,** 1.er art. || **A cada trinquete.** m. adv. fig. y fam. **A cada trique.**

Trinquetilla. (De *trinquete,* 1.er art., 2.ª acep.) f. *Mar.* Foque pequeño y muy reforzado que se caza en malos tiempos.

Trinquis. (De *trincar,* 3.er art.) m. fam. Trago de vino o licor.

Trío. (De *triar.*) m. **Tría.**

Trío. (Del ital. *trio.*) m. *Mús.* **Terceto,** 3.ª y 4.ª aceps.

Triones. (Del lat. *triōnes.*) m. pl. *Astron.* Las siete estrellas principales de la Osa Mayor.

Trióxido. (De *tri,* tres, y *óxido.*) m. *Quím.* Cuerpo resultante de la combinación de un radical con tres átomos de oxígeno.

Tripa. (Del cimbro *tripa.*) f. **Intestino,** 3.ª acep. || **2.** Vientre, y con especialidad el de la hembra elevado con la preñez. || **3. Panza,** 2.ª acep. || **4.** Relleno del cigarro puro. || **5.** Hoja del tabaco más próxima a la raíz de la planta, que por su poco tamaño no puede servir para capa de los cigarros puros, y se destina al relleno de éstos, como la capadura y el recorte de las capas. || **6.** pl. Laminillas muy tenues y de substancia córnea que se encuentran en lo interior del cañón de las plumas de algunas aves. || **7.** Partes interiores de algunas frutas. || **8.** fig. Lo interior de ciertas cosas. *Al acerico se le salen las* TRIPAS. || **9.** Conjunto de documentos que componen un expediente administrativo, y a que se refiere el extracto de él. || **Tripa del cagalar.** Intestino recto. || **Devanar** a uno **las tripas** una persona o cosa. fr. fig. y fam. Causarle grave disgusto o insoportable incomodidad. || **Echar** uno **las tripas.** fr. fig. y fam. **Echar las entrañas.** || **Hacer** uno **de tripas corazón.** fr. fig. y fam. Esforzarse para disimular el miedo, dominarse, sobreponerse en las adversidades. || **Rallar** a uno **las tripas** una persona o cosa. fr. fig. y fam. **Devanarle las tripas.** || **Revolver** a uno **las tripas** una persona o cosa. fr. fig. y fam. Causarle disgusto o repugnancia. || **Rompérsele** a uno **una tripa.** fr. fig. y fam. Ocurrirle algo que necesite ayuda de otra persona. Ú. por lo general en frase interrogativa cuando alguno llama con urgencia. *¿Qué* TRIPA *se le habrá roto a ése?* || **Sacar** uno **las tripas** a otro. fr. fig. y fam. **Sacar** uno **el alma** a otro, 2.ª acep. || **Sacar** uno **la tripa de mal año.** fr. fig. y fam. **Sacar el vientre de mal año.** || **Sin tripas ni cuajar.** loc. fig. y fam. Muy consumido y flaco. || **Tener** uno **malas tripas.** fr. fig. y fam. Ser cruel o sanguinario. || **Tripas llevan corazón, que no corazón tripas. Tripas llevan pies. Tripa vacía, corazón sin alegría.** refs. que enseñan cuánto conviene, para tener valor, esfuerzo o alegría, estar bien alimentado.

Tripada. f. fam. **Panzada,** 2.ª acep.

Tripartición. f. Acción y efecto de tripartir.

Tripartir. (Del lat. *tripartīre.*) tr. Dividir en tres partes.

Tripartito, ta. (Del lat. *tripartītus.*) adj. Dividido en tres partes, órdenes o clases.

Tripastos. m. Aparejo compuesto de tres poleas.

Tripe. (Del fr. *tripe.*) m. Tejido de lana o esparto parecido al terciopelo. Se usa principalmente para alfombras.

Tripería. f. Paraje o puesto donde se venden tripas o mondongo. || **2.** Conjunto o agregado de tripas.

Tripero, ra. m. y f. Persona que vende tripas o mondongo. || **2.** m. Paño, regularmente de bayeta, que se pone para abrigar el vientre.

Tripicallero, ra. m. y f. Persona que vende tripicallos.

Tripicallos. (De *tripa* y *callo.*) m. pl. Callos, 5.ª acep. de **Callo.**

Trípili. m. Tonadilla cantada y bailada en los teatros de España desde el último tercio del siglo XVIII.

Triplano. (Del lat. *tri,* tres, y *plano.*) m. Aeroplano cuyas alas están formadas por tres planos rígidos superpuestos.

Triple. (Del lat. *triplex.*) adj. Dícese del número que contiene a otro tres veces exactamente. Ú. t. c. s. m. || **2.** Dícese de la cosa que va acompañada de otras dos semejantes para servir a un mismo fin. TRIPLE *muralla.*

Tríplica. (De *triplicar.*) f. *For. Ar.* Respuesta a la dúplica.

Triplicación. (Del lat. *triplicatio, -ōnis.*) f. Acción y efecto de triplicar o triplicarse.

Triplicar. (Del lat. *triplicāre.*) tr. Multiplicar por tres. Ú. t. c. r. || **2.** Hacer tres veces una misma cosa. || **3.** *For. Ar.* Responder en juicio a la dúplica.

Tríplice. (Del lat. *triplex, -ĭcis.*) adj. **Triple.**

Triplicidad. (Del lat. *triplicĭtas, -ātis.*) f. Calidad de triple.

Triplo, pla. (Del lat. *triplus.*) adj. **Triple.** Ú. t. c. s. m.

Trípode. (Del lat. *tripus, -ŏdis,* y éste del gr. τρίπους; de τρεῖς, tres, y πούς, pie.) amb. Ú. m. c. m. Mesa, banquillo, pebetero, etc., de tres pies. || **2.** Banquillo de tres pies en que daba la sacerdotisa de Apolo sus respuestas en el templo de Delfos. || **3.** m. Armazón de tres pies, para sostener instrumentos geodésicos, fotográficos, etc.

Trípol. m. **Trípoli.**

Trípoli. (De *Trípoli,* país de África, de donde procedía antes exclusivamente.) m. *Geol.* Roca silícea pulverulenta, de color blanco o amarillo, formada por la agregación de caparazones de diatomeas fósiles. Se emplea para pulimentar vidrio, metales y piedras duras. Es la substancia inerte que suele mezclarse con la nitroglicerina para fabricar la dinamita.

Tripolino, na. (De *Trípoli*, país de África.) adj. **Tripolitano.** Apl. a pers., ú. t. c. s. || **2.** V. **Paloma tripolina.**

Tripolitano, na. (Del lat. *tripolitānus*.) adj. Natural de Trípoli. Ú. t. c. s. || **2.** Perteneciente a esta ciudad y país de África, o a los de igual nombre de Siria.

Tripón, na. adj. fam. **Tripudo.** Ú. t. c. s.

Tripote. (Del vasco.) m. *Nav.* **Morcilla,** 1.ª acep.

Tríptico. (Del gr. τρίπτυχος, triplicado, plegado en tres.) m. Tablita para escribir dividida en tres hojas, de las cuales se doblan sobre la del centro las laterales. || **2.** Libro o tratado que consta de tres partes. || **3.** Pintura, grabado o relieve distribuido en tres hojas, unidas de modo que puedan doblarse las de los lados sobre la del cento.

Triptongar. tr. Pronunciar tres vocales formando un triptongo.

Triptongo. (Del gr. τρεῖς, tres, y φθόγγος, sonido.) m. *Gram.* Conjunto de tres vocales que forman una sola sílaba.

Tripudiante. p. a. de **Tripudiar.** Que tripudia. Ú. t. c. s.

Tripudiar. (Del lat. *tripudiāre*.) intr. **Danzar,** 1.ª acep.

Tripudio. (Del lat. *tripudĭum*.) m. **Danza,** 1.ª acep.

Tripudo, da. adj. Que tiene tripa muy grande o abultada. Ú. t. c. s.

Tripulación. (De *tripular*.) f. Personas que van en una embarcación o en un aparato de locomoción aérea dedicadas a su maniobra y servicio.

Tripulante. (De *tripular*, 2.ª acep.) m. Persona que forma parte de una tripulación.

Tripular. (De *tropa*.) tr. Dotar de tripulación a un barco o a un aparato de locomoción aérea. || **2.** Ir la tripulación en el barco, o en el avión, o aeróstato. || **3.** desus. Descartar, desechar.

Trique. (Voz onomatopéyica.) m. Estallido leve. || **A cada trique.** m. adv. fig. y fam. A cada momento, en cada lance.

Trique. (Voz de origen araucano.) m. *Bot. Chile.* Planta de la familia de las iridáceas, cuyo rizoma se usa como purgante.

Triquete. m. d. de **Trique,** 1.er art. || **A cada triquete.** m. adv. fig. y fam. **A cada trique.**

Triquete. (Del lat. *triquĕtrus*, que tiene tres lados.) m. ant. *Mar.* **Trinquete,** 1.er art.

Triquina. (Del gr. τριχίνη, t. f. de -νος; de θρίξ, τριχός, pelo.) f. *Zool.* Gusano de la clase de los nematelmintos, de uno a tres milímetros de largo, cuya larva se halla enquistada, en forma de espiral, en los músculos de algunos mamíferos, como el cerdo; cuando el hombre ingiere esta carne infestada, sus jugos digestivos disuelven los quistes y quedan en libertad las larvas, las cuales, después de alcanzar el estado adulto, se reproducen, llegando a dar cada hembra hasta 1.500 hijos; éstos son transportados por la corriente sanguínea a diversos lugares del organismo, en los que causan graves trastornos patológicos.

Triquinosis. f. *Med.* Enfermedad ocasionada por la presencia de triquinas en el organismo, que a veces es mortal.

Triquiñuela. f. fam. Rodeo, efugio, artería.

Triquitraque. (De *triqui* y *traque*.) m. Ruido como de golpes repetidos y desordenados. || **2.** Los mismos golpes. || **3.** Rollo delgado de papel con pólvora y atado en varios dobleces, de cada uno de los cuales resulta una pequeña detonación cuando se pega fuego a la mecha que tiene en uno de sus extremos. || **A cada triquitraque.** m. adv. fig. y fam. **A cada trique.**

Trirrectángulo. (De *tri*, tres, y *rectángulo*.) adj. *Geom.* V. **Triángulo esférico trirrectángulo.**

Trirreme. (Del lat. *trirēmis*.) m. Embarcación de tres órdenes de remos, que usaron los antiguos.

Tris. (Voz onomatopéyica.) m. Leve sonido que hace una cosa delicada al quebrarse; como vidrio, etc. || **2.** Golpe ligero que produce este sonido. || **3.** fig. y fam. Porción muy pequeña de tiempo o de lugar, causa u ocasión levísima; poca cosa, casi nada. *Estuvo en un* TRIS; *no faltó un* TRIS; *al menor* TRIS. || **En un tris.** m. adv. fig. y fam. En peligro inminente. || **Tris, tras.** expr. fam. **Tras, tras.** || **2.** fig. y fam. Repetición enfadosa y porfiada del que está siempre diciendo lo mismo.

Trisa. (Del lat. *thrissa*, y éste del gr. θρίσσα.) f. **Sábalo.**

Trisagio. (Del lat. *trisagĭum*, y éste del gr. τρισάγιος; de τρίς, tres veces, y ἅγιος, santo.) m. Himno en honor de la Santísima Trinidad, en el cual se repite tres veces la palabra *santo*.

Trisca. (De *triscar*.) f. Ruido que se hace con los pies en una cosa que se quebranta; como avellanas, nueces, etc. || **2.** Por ext., otra cualquier bulla, algazara o estruendo.

Triscador, ra. adj. Que trisca. || **2.** m. Instrumento de acero en forma de paleta con dos o tres muescas a cada lado, para triscar los dientes de las sierras.

Triscar. (Del b. lat. *triscare*, y éste del gót. *thriskan*, patear.) intr. Hacer ruido con los pies o dando patadas. || **2.** fig. Retozar, travesear. || **3.** tr. fig. Enredar, mezclar una cosa con otra. *Este trigo* ESTÁ TRISCADO. Ú. t. c. r. || **4.** fig. Torcer alternativamente y a uno y otro lado los dientes de la sierra para que la hoja corra sin dificultad por la hendedura.

Trisecar. (Del lat. *tris*, tres, y *secāre*, cortar.) tr. *Geom.* Cortar o dividir una cosa en tres partes iguales. Dícese comúnmente del ángulo.

Trisección. (De *tri* y *sección*.) f. *Geom.* Acción y efecto de trisecar.

Trisemanal. adj. Que se repite tres veces por semana, o cada tres semanas.

Trisílabo, ba. (Del lat. *trisyllăbus*, y éste del gr. τρισύλλαβος; de τρεῖς, tres, y συλλαβή, sílaba.) adj. *Gram.* De tres sílabas. Ú. t. c. s. m.

Trismo. (Del gr. τρισμός, de τρίζω, rechinar.) m. *Med.* Contracción tetánica de los músculos maseteros, que produce la imposibilidad de abrir la boca.

Trispasto. (Del gr. τρεῖς, tres, y σπάω, tirar.) m. Aparejo compuesto de tres poleas.

Triste. (Del lat. *tristis*.) adj. Afligido, apesadumbrado. *Juan está, vino, se fue* TRISTE. || **2.** De carácter o genio melancólico. *Antonia es mujer muy* TRISTE. || **3.** fig. Que denota pesadumbre o melancolía. *Cara* TRISTE. || **4.** fig. Que las ocasiona. *Noticia, cielo* TRISTE. || **5.** fig. Funesto, deplorable. *Todos le habíamos pronosticado su* TRISTE *fin.* || **6.** fig. Pasado o hecho con pesadumbre o melancolía. *Día, vida, plática, ceremonia* TRISTE. || **7.** fig. Doloroso, enojoso, difícil de soportar. *Es* TRISTE *haber trabajado toda la vida y encontrarse a la vejez sin pan.* || **8.** fig. Insignificante, insuficiente, ineficaz, antepuesto al nombre en locuciones como las siguientes: TRISTE *consuelo;* TRISTE *recurso.* || **9.** m. Canción popular de la Argentina, el Perú y otros países sudamericanos, por lo general amorosa y **triste,** que se acompaña con la guitarra.

Tristemente. adv. m. Con tristeza.

Tristeza. (Del lat. *tristitĭa*.) f. Calidad de triste. || **2.** *Germ.* Sentencia de muerte.

Tristón, na. adj. Un poco triste.

Tristor. (De *triste*.) m. ant. **Tristeza.**

Tristura. (De *triste*.) f. **Tristeza.**

Trisulco, ca. (Del lat. *trisulcus*.) adj. De tres púas o puntas. Ú. m. en poesía. || **2.** De tres surcos, canales o hendeduras.

Tritíceo, a. (Del lat. *triticĕus*.) adj. De trigo, o que participa de sus cualidades.

Tritón. (De *Tritón*, dios marino, hijo de Neptuno y de Anfitrite.) m. *Mit.* Cada una de ciertas deidades marinas a que se atribuía figura de hombre desde la cabeza hasta la cintura, y de pez el resto. || **2.** *Zool.* **Salamandra acuática.**

Trítono (Del gr. τρίτονον; de τρεῖς, tres, y τόνος, tono.) m. *Mús.* Intervalo compuesto de tres tonos consecutivos, dos mayores y uno menor.

Tritóxido. (Del prefijo *trito*, tomado del gr. τρίτος, tercero, y de *óxido*.) m. *Quím.* **Trióxido.**

Triturable. adj. Que se puede triturar.

Trituración. (Del lat. *trituratĭo, -ōnis*.) f. Acción y efecto de triturar.

Triturador, ra. adj. Que tritura. Ú. t. c. s.

Triturar. (Del lat. *triturāre*, trillar las mieses.) tr. Moler, desmenuzar una materia sólida, sin reducirla enteramente a polvo. || **2. Mascar,** 1.ª acep. || **3.** fig. Moler, maltratar, molestar gravemente. || **4.** fig. Desmenuzar, rebatir y censurar aquello que se examina o considera.

Triunfador, ra. (Del lat. *triumphātor, -ōris*.) adj. Que triunfa. Ú. t. c. s.

Triunfal. (Del lat. *triumphālis*.) adj. Perteneciente al triunfo. || **2.** V. **Arco, carro, corona triunfal.**

Triunfalmente. adv. m. De modo triunfal.

Triunfante. (Del lat. *triumphans, -antis*.) p. a. de **Triunfar.** Que triunfa o sale victorioso. || **2.** Que incluye triunfo. || **3.** V. **Iglesia triunfante.**

Triunfantemente. adv. m. **Triunfalmente.**

Triunfar. (Del lat. *triumphāre*.) intr. Entrar en la Roma antigua con grande pompa y acompañamiento el vencedor de los enemigos de la república. || **2.** Quedar victorioso. || **3.** Jugar del palo del triunfo en ciertos juegos de naipes. || **4.** fig. Gastar mucho y aparatosamente.

Triunfo. (Del lat. *triumphus*.) m. Acto solemne de triunfar el vencedor romano. || **2. Victoria.** || **3.** Carta del palo preferido por suerte o elección en ciertos juegos de naipes, la cual vence a las de los otros palos. || **4. Burro,** 4.ª acep. || **5.** fig. Acción de triunfar, 4.ª acep. || **6.** fig. Lo que sirve de despojo o trofeo que acredita el **triunfo.** *La hermosura viene a ser* TRIUNFO *del tiempo.* || **7.** fig. Éxito feliz en un empeño dificultoso. || **8.** *Argent.* y *Perú.* Cierta danza popular especial. || **Costar un triunfo** una cosa. fr. fam. con que se pondera el esfuerzo o sacrificio necesario para alcanzarla. || **En triunfo.** m. adv. Entre aclamaciones, con demostraciones públicas de agasajo entusiástico. Ú. con los verbos *llevar, sacar, recibir,* etc.

Triunvirado. m. ant. **Triunvirato.**

Triunviral. (Del lat. *triumvirālis*.) adj. Perteneciente o relativo a los triunviros.

Triunvirato. (Del lat. *triumvirātus*.) m. Magistratura de la Roma antigua, en que intervenían tres personas. || **2.** Junta de tres personas para cualquier empresa o asunto.

Triunviro. (Del lat. *triumvir, -iri*.) m. Cada uno de los tres magistrados romanos que tuvieron a su cuidado en ciertas ocasiones el gobierno y administración de la república.

Trivial. (Del lat. *triviālis*.) adj. Perteneciente o relativo al trivio, 1.ª acep. || **2.** V. **Camino trivial.** || **3.** fig. Vulgarizado, común y sabido de todos. || **4.** fig. Que no sobresale de lo ordinario y común; que carece de toda importancia y novedad. *Expresión, concepto, poesía* TRIVIAL.

Trivialidad. f. Calidad de trivial, 3.ª y 4.ª aceps. || **2.** Dicho o especie trivial.

Trivialmente. adv. m. De manera trivial.

Trivio. (Del lat. *trivĭum;* de *tres*, tres, y *via*, camino.) m. División de un camino en tres ramales, y punto en que éstos concurren. || **2.** En lo antiguo, conjunto de las tres artes liberales relativas a la elocuencia: la gramática, la retórica y la dialéctica.

Triza. (De *trizar.*) f. Pedazo pequeño o partícula dividida de un cuerpo. || **Hacer trizas.** fr. Destruir completamente, hacer menudos pedazos una cosa. Ú. t. el verbo c. r. || **2.** fig. Herir o lastimar gravemente a una persona o a un animal.

Triza. f. *Mar.* Driza.

Trizar. (Del lat. **trītiāre*, de *trītus.*) tr. Destrizar, hacer trizas.

Trocable. adj. Que se puede permutar o trocar por otra cosa.

Trocada (A la). (De *trocado*, p. p. de *trocar.*) m. adv. En contrario sentido del que suena o se entiende. || **2. A trueque.**

Trocadamente. adv. m. Trocando las cosas, o diciendo lo contrario de lo que es.

Trocadilla (A la). m. adv. **A la trocada.**

Trocado, da. p. p. de **Trocar.** || **2.** adj. V. **Dinero trocado.**

Trocador, ra. adj. Que trueca una cosa por otra. Ú. t. c. s.

Trocaico, ca. (Del lat. *trochaĭcus*, y éste del gr. τροχαϊκός.) adj. Perteneciente o relativo al troqueo. || **2.** V. **Verso trocaico.** Ú. t. c. s.

Trocamiento. (De *trocar*, 2.º art.) m. **Trueque.**

Trocante. p. a. de **Trocar.** Que trueca.

Trocánter. (Del gr. τροχαντήρ.) m. *Anat.* Prominencia que algunos huesos largos tienen en su extremidad. Dícese más especialmente de la protuberancia de la parte superior del fémur. || **2.** *Zool.* La segunda de las cinco piezas de que constan las patas de los insectos, que está articulada con la cadera y el fémur.

Trocar. (Del fr. *trocart*, de *trois-quarts;* de *trois*, tres, y *carre*, esquina.) m. Instrumento de cirugía, que consiste en un punzón con punta de tres aristas cortantes, revestido de una cánula que deja al descubierto dicha punta. Punzando cavidades que contienen líquidos, pueden ser extraídos éstos por medio de la cánula, de la cual se saca previamente el punzón.

Trocar. (En port. *trocar;* en fr. *troquer*, y en b. lat. *trocare.*) tr. **Cambiar,** 1.ª y 2.ª aceps. || **2.** Vomitar, arrojar por la boca lo que se ha comido. || **3.** Equivocar, tomar o decir una cosa por otra. *Al criado no se le puede encargar nada, porque todo lo* TRUECA. || **4.** desus. **Cambiar,** 3.ª acep. || **5.** *Equit.* **Cambiar,** 4.ª acep. || **6.** r. **Mudar,** 8.ª acep. || **7.** Permutar el asiento con otra persona. || **8.** Mudarse, cambiarse, enteramente una cosa. TROCARSE *la suerte, el color.*

Trocatinta. (De *trocatinte.*) f. fam. Trueque o cambio equivocado o confuso.

Trocatinte. (De *trocar*, cambiar, y *tinte.*) m. Color de mezcla o tornasolado.

Trocear. (De *trozo.*) tr. Dividir en trozos.

Troceo. (De *troza*, 2.º art.) m. *Mar.* Cabo grueso, forrado por lo común de cuero, que sirve para sujetar a sus respectivos palos las vergas mayores.

Trocir. (Del lat. *traducĕre.*) intr. ant. Pasar, aplicado al espacio o al tiempo. || **2.** ant. **Morir,** 1.ª acep.

Trociscar. tr. Reducir una cosa a trociscos.

Trocisco. (Del lat. *trochiscus*, y éste del gr. τροχίσκος.) m. *Farm.* Cada uno de los trozos que se hacen de la masa formada de varios ingredientes medicinales, y los cuales se disponen en varias figuras, para formar después las píldoras. || **2.** *Farm.* Cada una de las masas pequeñas de forma variable compuestas de substancias medicinales finamente pulverizadas y levigadas por medio del agua.

Trocla. (Del lat. *trochlĕa*, y éste del gr. τροχιλία.) f. Polea.

Troco. (Del lat. *trochus*, y éste del gr. τροχός, rueda, círculo.) m. **Rueda,** 4.ª acep.

Trocoide. (Del gr. τροχοειδής; de τροχός, rueda, y εἶδος, forma.) f. *Geom.* **Cicloide.**

Trócola. f. **Trocla.**

Trocha. (Del lat. *traducta*, atravesada.) f. Vereda o camino angosto y excusado, o que sirve de atajo para ir a una parte. || **2.** Camino abierto en la maleza.

Trochemoche (A), o **A troche y moche.** (De *trocear* y *mochar.*) m. adv. fam. Disparatada e inconsideradamente.

Trochuela. f. d. de **Trocha.**

Trofeo. (Del lat. *trophaeum*, y éste del gr. τρόπαιον.) m. Monumento, insignia o señal de una victoria. || **2.** Despojo obtenido en la guerra. || **3.** Conjunto de armas e insignias militares agrupadas con cierta simetría y visualidad. || **4.** fig. Victoria o triunfo conseguido.

Trófico, ca. (Del gr. τροφός, alimenticio.) adj. *Fisiol.* Perteneciente o relativo a la nutrición.

Troglodita. (Del lat. *troglodўtae*, y éste del gr. τρωγλοδύτης.) adj. Que habita en cavernas. Ú. t. c. s. || **2.** fig. Dícese del hombre bárbaro y cruel. Ú. t. c. s. || **3.** fig. Muy comedor. Ú. t. c. s. || **4.** m. Género de pájaros dentirrostros.

Troglodítico, ca. (Del lat. *troglodytĭcus.*) adj. Perteneciente o relativo a los trogloditas.

Troj. (De *troje.*) f. Espacio limitado por tabiques, para guardar frutos y especialmente cereales. || **2.** Por ext., **algorín,** 1.ª acep.

Troja. (Del m. or. que el port. *trouxa* y el fr. *trousse;* quizá del lat. *torquēre.*) f. ant. **Troj.** Ú. en *Amér.* || **2.** ant. Alforja, talega o mochila.

Trojado, da. adj. ant. Metido o guardado en la troja o talega.

Troje. (De *troja.*) f. **Troj.**

Trojel. (De *troja.*) m. ant. **Fardo.**

Trojero. m. El que cuida de las trojes o las tiene a su cargo.

Trojezada. adj. V. **Conserva trojezada.**

Trola. f. fam. Engaño, falsedad, mentira.

Trole. (Del ingl. *trolley*, carretilla.) m. Pértiga de hierro que sirve para transmitir a los carruajes de los tranvías eléctricos la corriente del cable conductor, tomándola por medio de una polea o un arco que lleva en su extremidad.

Trolero, ra. adj. fam. **Mentiroso.** Ú. t. c. s.

Trolla. (Del lat. *trulla*, llana de albañil.) f. *And. Albañ.* **Esparavel,** 2.ª acep.

Tromba. (Del lat. *tromba*, trompa.) f. **Manga,** 1.er art., 11.ª acep.

Trombón. (Del ital. *trombone.*) m. Instrumento músico de metal, especie de trompeta grande, de hermoso timbre, y cuyos sonidos responden, según su clase, a las voces de tenor, contralto o bajo respectivamente. || **2.** Músico que toca uno de esos instrumentos. || **de pistones.** Aquel en que la variación de notas se obtiene por el juego combinado de llaves o pistones. || **de varas. Sacabuche,** 1.ª acep.

Trompa. (En fr. *trompe;* en port. *trompa.*) f. Instrumento músico de viento, que consiste en un tubo de latón enroscado circularmente y que va ensanchándose desde la boquilla al pabellón, donde se introduce más o menos la mano derecha para producir la diversidad de sonidos. También hay **trompas** en que la diversidad de sonidos se obtiene por medio de pistones. || **2.** Trompo grande que tiene dentro otros pequeños, los cuales, saliendo de él impetuosamente al tiempo de ser arrojado para que baile, andan todos a un tiempo. || **3.** Trompo grande, hueco, con una abertura lateral para que zumbe: tiene una punta larga de madera, en la cual se enrosca el hilo. Se le hace bailar con ayuda de una manecilla agujereada en un extremo. || **4.** Prolongación muscular, hueca y elástica de la nariz de algunos animales, capaz de absorber fluidos. || **5.** Aparato chupador, dilatable y contráctil que tienen algunos órdenes de insectos. || **6. Tromba.** || **7.** Aparato para soplar en una forja a la catalana, que consiste en un tubo vertical por donde se deja caer un chorro de agua que impele el aire necesario. || **8.** Bohordo de la cebolla cortado, en que soplan los muchachos para hacerlo sonar. || **9.** fig. Instrumento que por ficción poética se supone que hace sonar el poeta épico al entonar sus cantos. || **10.** *Arq.* Bóveda voladiza fuera del paramento de un muro. || **11.** *Zool.* Prolongación, generalmente retráctil, del extremo anterior del cuerpo de muchos gusanos. || **12.** m. El que toca la **trompa** en las orquestas o en las músicas militares. || **de Eustaquio.** *Zool.* Conducto, propio de muchos vertebrados, que pone en comunicación el oído medio con la faringe; en el hombre tiene unos cuarenta o cincuenta milímetros de longitud. || **de Falopio.** *Zool.* Oviducto de los mamíferos. || **de París,** o **gallega. Birimbao.** || **marina.** Instrumento músico de una sola cuerda muy gruesa, que se toca con arco, apoyando sobre ella el dedo pulgar de la mano izquierda. || **A trompa tañida.** m. adv. que explica el modo de juntarse uniformemente y a un mismo tiempo todos los que son convocados para un fin por el toque de la **trompa.** Usábase en la milicia para sus ejercicios, marchas, avances, acometidas, retiradas y lances semejantes. || **A trompa y talega.** m. adv. fig. y fam. Sin reflexión, orden ni concierto.

Trompada. f. fam. **Trompazo,** 2.ª acep. || **2.** fig. y fam. Encontrón de dos personas cara a cara, dándose en las narices. || **3.** fig. y fam. Puñetazo, golpazo. || **4.** *Mar.* Embestida que da un buque contra otro o contra la tierra.

Trompar. (De *trompa.*) tr. ant. Engañar, burlar. || **2.** intr. Jugar al trompo. || **3.** ant. Tocar la trompa.

Trompazo. m. Golpe dado con el trompo. || **2.** Golpe dado con la trompa. || **3.** fig. Cualquier golpe recio.

Trompear. intr. **Trompar,** 2.ª acep. || **2.** tr. *Amér.* Dar trompadas.

Trompero. m. El que hace o tornea trompos.

Trompero, ra. (De *trompar*, 1.ª acep.) adj. desus. Que engaña. *Amor* TROMPERO.

Trompeta. (d. de *trompa*, 1.ª acep.) f. Instrumento músico de viento, que consiste en un tubo largo de metal que va ensanchándose desde la boquilla al pabellón y produce diversidad de sonidos según la fuerza con que la boca impele el aire. || **2. Clarín,** 1.ª acep. || **3.** m. El que toca la **trompeta** en las bandas militares. || **4.** fig. y fam. Hombre despreciable y para poco. || **bastarda.** La de sonido muy fuerte usada principalmente en la guerra. || **de amor. Girasol,** 1.ª acep.

Trompetada. (De *trompeta.*) f. fam. **Clarinada,** 2.ª acep.

Trompetazo. m. Sonido destemplado o excesivamente fuerte de la trompeta. || **2.** Por ext., el de cualquiera otro instrumento análogo. || **3.** Golpe dado con una trompeta. || **4.** fig. y fam. **Trompetada.**

Trompetear. intr. fam. Tocar la trompeta.

Trompeteo. m. Acción y efecto de trompetear.

Trompetería. f. Conjunto de varias trompetas. || **2.** Conjunto de todos los registros del órgano formados con trompetas de metal.

Trompetero. m. El que hace trompetas. || **2.** El que se dedica a tocar la trompeta. || **3.** *Zool.* Pez teleósteo, acantopterigio, con dos aletas dorsales y el primer radio de la anterior grueso y fuerte. Su nombre procede de que tiene el hocico largo en forma de tubo.

Trompetilla. f. d. de **Trompeta.** || **2.** Instrumento a modo de trompeta, de plata u otro metal, que sirve para que los sordos perciban los sonidos, aplicándoselo al oído. || **3.** Cigarro puro filipino, de forma cónica. || **De trompetilla.** Dícese de ciertos mosquitos que al volar producen un zumbido.

Trompezar. intr. ant. **Tropezar.**

Trompezón. m. ant. **Tropezón.**

Trompicadero. m. Lugar donde se trompica.

Trompicar. (En port. *trompicar;* véase *trompillar.*) tr. Hacer a uno tropezar violenta y repetidamente. || **2.** fig. y fam. Promover a uno, sin el orden debido, al oficio que a otro pertenecía. || **3.** intr. Tropezar violenta y repetidamente. || **4.** Dar una trepa o media voltereta.

Trompicón. m. Cada uno de los tropezones que da el que trompica.

Trompilladura. (De *trompillar.*) f. **Trompicón.**

Trompillar. (Del m. or. que *tropellar.*) tr. e intr. **Trompicar.**

Trompillo. m. *Bot.* Arbusto de la América tropical, de la familia de las bixáceas, con ramos tomentosos, hojas alternas, oblongas y denticuladas, pedúnculos dicótomos y de muchas flores hermafroditas dispuestas en racimos axilares o terminales, y fruto coriáceo. Su madera es rosada y se emplea en tornería. || **2.** *Córd.* Tocón de jara.

Trompillón. (Del fr. *trompillon,* de *trompe,* trompa, 10.ª acep.) m. *Arq.* Dovela que sirve de clave en una trompa o en una bóveda de planta circular.

Trompis. m. fam. **Trompada,** 3.ª acep.

Trompo. (De *trompa.*) m. **Peón,** 1.er art., 4.ª acep. || **2. Peonza.** || **3.** Molusco gasterópodo marino, abundante en las costas de España, con tentáculos cónicos en la cabeza, pie corto y franjeado en el contorno, y concha cónica, gruesa, angulosa en la base, y de abertura entera, deprimida transversalmente. || **4.** fig. **Bolo,** 1.er art., 4.ª acep. || **5.** *Albac.* Planta semejante a la neguilla, que se cría entre el trigo. || **6.** *Chile.* Instrumento de madera o de metal, de forma cónica, que se usa para abocardar cañerías. || **Báilame, o cógeme, ese trompo en la uña.** fr. fig. y fam. *Amér.* **Ajústame esas medidas.** || **Ponerse uno como un trompo, o hecho un trompo.** fr. fig. y fam. Comer o beber hasta hincharse.

Trompón. m. aum. de **Trompo.** || **2.** aum. de **Trompada,** 3.ª acep. || **3. Narciso,** 1.er art. || **A, o de, trompón.** m. adv. fam. Sin orden, concierto ni regla.

Trona. (Quizá del m. or. que *natrón.*) f. Carbonato de sosa cristalizado que suele hallarse formando incrustaciones en las orillas de los lagos y grandes ríos de África, Asia y América del Sur. Es translúcido, vítreo, blanco o amarillento, poco más duro que el yeso y de sabor acre.

Tronada. (De *tronar.*) f. Tempestad de truenos.

Tronado, da. p. p. de **Tronar.** || **2.** adj. Deteriorado por efecto del uso.

Tronador, ra. adj. Que truena. || **2.** V. **Cohete tronador.** || **3.** m. *Ar.* **Tronera,** 3.ª acep.

Tronante. p. a. de **Tronar.** Que truena.

Tronar. (Del lat. *tonare,* con la *r* de *tronido.*) impers. Haber o sonar truenos. || **2.** intr. Despedir o causar ruido o estampido; como las armas de fuego cuando se disparan. || **3.** fig. y fam. Perder uno su caudal hasta el punto de arruinarse. || **4.** fig. y fam. Hablar, escribir, pronunciar discursos violentos contra alguna cosa. || **Tronar con** uno. fr. fig. y fam. Reñir con él, apartarse de su trato y amistad.

Tronca. (De *troncar.*) f. **Truncamiento.** || **2.** V. **Señal de tronca.**

Troncal. adj. Perteneciente al tronco o procedente de él. || **2.** *For.* V. **Bienes troncales.**

Troncalidad. f. *For.* Principio jurídico, de tradición española, según el cual los bienes deben pasar, en la herencia por ley de una persona, a favor de la línea de parientes de que aquéllos procedían.

Troncar. (Del lat. *trŭncāre.*) tr. **Truncar.**

Tronco, ca. (Del lat. *trŭncus.*) adj. ant. Trunco, truncado, tronchado. || **2.** m. Cuerpo truncado. TRONCO *de pirámide;* TRONCO *de columna.* || **3.** Tallo fuerte y macizo de los árboles y arbustos. || **4.** Cuerpo humano o de cualquier animal, prescindiendo de la cabeza y las extremidades. || **5.** Par de mulas o caballos que tiran de un carruaje enganchados al juego delantero. || **6.** Conducto o canal principal del que salen o al que concurren otros menores. TRONCO *arterial;* TRONCO *de chimenea.* || **7.** fig. Ascendiente común de dos o más ramas, líneas o familias. || **8.** fig. Persona insensible, inútil o despreciable. || **braquiocefálico.** *Anat.* Arteria gruesa que nace del cayado aórtico y se divide en dos, la carótida y la subclavia del lado derecho. || **Estar uno hecho un tronco.** fr. fig. y fam. Estar privado del uso de los sentidos o de los miembros, por algún accidente. || **2.** fig. y fam. Estar profundamente dormido.

Troncón. m. aum. de **Tronco,** 3.ª acep. || **2. Tronco,** 4.ª acep. || **3. Tocón,** 1.ª acep.

Tronchado. (De *tronchar.*) adj. *Blas.* V. **Escudo tronchado.**

Tronchar. (De *troncho.*) tr. Partir o romper con violencia un vegetal por su tronco, tallo o ramas principales. *El viento* TRONCHÓ *el árbol.* Ú. t. c. r. || **2.** fig. Partir o romper con violencia cualquier cosa de figura parecida a la de un tronco o tallo. TRONCHAR *un palo, un bastón, una barra.* Ú. t. c. r.

Tronchazo. m. Golpe dado con un troncho.

Troncho. (Del lat. *trŭncŭlus.*) m. Tallo de las hortalizas.

Tronchudo, da. adj. Aplícase a las hortalizas que tienen grueso o largo el troncho. *Berza* TRONCHUDA; *repollo* TRONCHUDO.

Tronera. (De *trueno.*) f. Abertura en el costado de un buque, en el parapeto de una muralla o en el espaldón de una batería, para disparar con seguridad y acierto los cañones. || **2.** Ventana pequeña y angosta por donde entra escasamente la luz. || **3.** Papel plegado de modo que, al sacudirlo con fuerza, la parte recogida salga detonando. Es juguete de muchachos. || **4.** Cada uno de los agujeros o aberturas que hay en las mesas de trucos y de billar, para que por ellos entren las bolas. || **5.** com. fig. y fam. Persona desbaratada en sus acciones y palabras, y que no guarda método ni orden en ellas.

Tronerar. (De *tronera.*) tr. **Atronerar.**

Tronero. m. *Rioja.* **Cúmulo,** 3.ª acep.

Tronga. (En port. *tronga.*) f. Manceba, dama, 2.ª acep.

Trónica. (Deformación de *retórica.*) f. Hablilla, patraña, chisme.

Tronido. (Del lat. *tonitrus.*) m. Estampido del trueno. || **2.** *And.* Rumbo, arrogancia, ostentación.

Tronío. m. vulg. **Tronido,** 2.ª acep.

Tronitoso, sa. (Del lat. *tonitrus,* trueno.) adj. fam. Dícese de lo que hace ruido de truenos u otro semejante.

Trono. (Del lat. *thronus,* y éste del gr. θρόνος.) m. Asiento con gradas y dosel, de que usan los monarcas y otras personas de alta dignidad, especialmente en los actos de ceremonia. || **2.** Tabernáculo colocado encima de la mesa del altar y en que se expone a la veneración pública el Santísimo Sacramento. || **3.** Lugar o sitio en que se coloca la efigie de un santo cuando se le quiere honrar con culto más solemne. || **4.** fig. Dignidad de rey o soberano. || **5.** pl. Espíritus bienaventurados que pueden conocer inmediatamente en Dios las razones de las obras divinas o del sistema de las cosas. Forman el tercer coro.

Tronquear. (De *tronco.*) tr. *Rioja.* Excavar las vides.

Tronquista. m. Cochero que gobierna los caballos o mulas de tronco.

Tronzador. (De *tronzar.*) m. Sierra con un mango en cada uno de sus extremos, que sirve generalmente para partir al través las piezas enterizas.

Tronzar. (Del lat. **trŭncĕāre,* cortar.) tr. Dividir, quebrar o hacer trozos. || **2.** Hacer por vía de adorno, en las faldas de los vestidos de las mujeres, cierto género de pliegues iguales y muy menudos. || **3.** fig. Cansar excesivamente, rendir de fatiga corporal. Ú. t. c. r.

Tronzo, za. (Del lat. **trŭncĕus,* de *trŭncus.*) adj. Dícese del caballo o yegua que tiene cortadas una o entrambas orejas, como señal de haber sido desechado por inútil.

Tropa. (Del b. lat. *troppus,* rebaño, y éste quizá del germ. *trop,* multitud, pueblos.) f. Turba, muchedumbre de gentes reunidas con fin determinado. || **2.** despect. **Gentecilla.** || **3.** Gente militar, a distinción del paisanaje. || **4.** *Amér. Merid.* Recua de ganado. || **5.** *Argent.* y *Urug.* Manada de ganado que se conduce de un punto a otro. || **6.** *Argent.* Cáfila de carretas dedicadas al tráfico. || **7.** *Mil.* Conjunto de las tres clases de sargentos, cabos y soldados. || **8.** *Mil.* Toque militar que sirve normalmente, después de llamada, para que las **tropas** tomen las armas y formen. Aplícase, cuando conviene, a prescribir otras maniobras militares. || **9.** pl. *Mil.* Conjunto de cuerpos que componen un ejército, división, guarnición, etc. || **Tropa de línea.** *Mil.* La organizada para maniobrar y combatir en orden cerrado y por cuerpos. || **2.** *Mil.* La que por su institución es permanente, a diferencia de la que no lo es. || **ligera.** *Mil.* La organizada para maniobrar y combatir en orden abierto y más individualmente que la de línea. || **2.** fig. Gente de poca importancia, de poco más o menos. || **En tropa.** m. adv. En grupos, sin orden ni formación.

Tropel. (De *tropa.*) m. Movimiento acelerado y ruidoso de varias personas o cosas que se mueven con desorden. || **2.** Prisa, aceleramiento confuso o desordenado. || **3.** En la antigua milicia, uno de los trozos o partes en que se dividía el ejército. || **4.** Conjunto de cosas mal ordenadas y colocadas o amontonadas sin concierto. || **5.** desus. Trote del caballo. || **6.** *Germ.* Prisión o cárcel. || **7.** ant. *Mil.* Partida o pequeño cuerpo separado de un ejército. || **De, o en, tropel.** m. adv. Con movimiento acelerado y violento. || **2.** Yendo muchos juntos, sin orden y confusamente.

Tropelero. (De *tropelía,* 3.ª acep.) m. *Germ.* **Salteador.**

Tropelía. (De *tropel.*) f. Aceleración confusa y desordenada. || **2.** Atropellamiento o violencia en las acciones. || **3.** Hecho violento y contrario a las leyes. || **4.** Vejación, atropello. || **5.** Arte mágica que muda las apariencias de las cosas. || **6. Prestigio,** 2.ª acep.

Tropelista. m. El que ejerce la tropelía, 5.ª y 6.ª aceps.

Tropellar. (De *tropel.*) tr. ant. **Atropellar.**

Tropeoláceo, a. (De *tropaeolum,* nombre de un género de plantas.) adj. *Bot.* Dícese de plantas angiospermas dicotiledóneas, muy afines a las geraniáceas; son herbáceas, rastreras o trepadoras, y tienen hojas opuestas, pecioladas, enteras o lobuladas; flores cigomorfas, con ocho estambres y un largo espolón en el cáliz; fruto carnoso o seco, con semillas sin albumen; raíz tuberculosa, como la capuchina. Ú. t. c. s. f. || **2.** f. pl. *Bot.* Familia de estas plantas.

Tropeoleo, a. (Del lat. *tropaeolum,* nombre de un género de plantas; d. de *trophaeum,* trofeo, porque sus hojas parecen broqueles y sus flores cascos.) adj. *Bot.* **Tropeoláceo.**

Tropero. m. *Argent.* Conductor de ganado, especialmente vacuno.

Tropezadero. m. Lugar donde hay peligro de tropezar.

Tropezador, ra. adj. Que tropieza con frecuencia. Ú. t. c. s.

Tropezadura. f. Acción de tropezar.

Tropezar. (En port. *tropeçar;* en cat. *tropessar.*) intr. Dar con los pies en un estorbo que pone en peligro de caer. || **2.** Detenerse o ser impedida una cosa por encontrar un estorbo que le impide avanzar o colocarse en algún sitio. || **3.** fig. Deslizarse en alguna culpa o faltar poco para cometerla. || **4.** fig. Reñir con uno u oponerse a su dictamen. || **5.** fig. Reparar, advertir el defecto o falta de una cosa o la dificultad de su ejecución. || **6.** fig. y fam. Hallar casualmente una persona a otra en un paraje donde no la buscaba. || **7.** r. Rozarse las bestias una mano con la otra.

Tropezón, na. adj. fam. **Tropezador.** Dícese comúnmente de las caballerías. || **2.** m. **Tropezadura.** || **3. Tropiezo.** || **4.** fig. y fam. Pedazo pequeño de jamón u otra vianda que se mezcla con las sopas o las legumbres. Ú. m. en pl. || **A tropezones.** m. adv. fig. y fam. Con varios impedimentos y tardanzas. *Juan lee* A TROPEZONES.

Tropezoso, sa. adj. fam. Que tropieza o se detiene y embaraza en la ejecución de una cosa.

Tropical. adj. Perteneciente o relativo a los trópicos.

Trópico, ca. (Del lat. *tropĭcus,* y éste del gr. τροπικός, de τρόπος, vuelta.) adj. Perteneciente o relativo al tropo; figurado. || **2.** V. **Año trópico.** || **3.** m. *Astron.* Cada uno de los dos círculos menores que se consideran en la esfera celeste, paralelos al Ecuador y que tocan a la Eclíptica en los puntos de intersección de la misma con el coluro de los solsticios. El del hemisferio boreal se llama **trópico** de Cáncer, y el del austral, **trópico** de Capricornio. || **4.** *Geogr.* Cada uno de los dos círculos menores que se consideran en el globo terrestre en correspondencia con los dos de la esfera celeste.

Tropiezo. m. Aquello en que se tropieza. || **2.** Lo que sirve de estorbo o impedimento. || **3.** fig. Falta, culpa o yerro, comúnmente en materia de honestidad. || **4.** fig. Causa de la culpa cometida. || **5.** fig. Persona con quien se comete. || **6.** fig. Dificultad, embarazo o impedimento en un trabajo, negocio o pretensión. || **7.** fig. Riña o quimera; oposición en los dictámenes.

Tropilla. (d. de *tropa.*) f. *Argent.* Manada de caballos guiados por una madrina.

Tropismo. (Del gr. τρόπος, vuelta.) m. *Biol.* Movimiento total o parcial de los organismos, determinado por el estímulo de agentes físicos o químicos.

Tropo. (Del lat. *tropus,* y éste del gr. τρόπος, de τρέπω, girar.) m. *Ret.* Empleo de las palabras en sentido distinto al que propiamente les corresponde, pero que tiene con éste alguna conexión, correspondencia o semejanza. El **tropo** comprende la sinécdoque, la metonimia y la metáfora.

Tropología. (Del lat. *tropologia,* y éste del gr. τροπολογία; de τρόπος, tropo, y λόγος, tratado.) f. Lenguaje figurado, sentido alegórico. || **2.** Mezcla de moralidad y doctrina en el discurso u oración, aunque sea en materia profana o indiferente.

Tropológico, ca. (Del lat. *tropologĭcus,* y éste del gr. τροπολογικός.) adj. Figurado, expresado por tropos. || **2.** Doctrinal, moral, que se dirige a la reforma o enmienda de las costumbres.

Troposfera. (Del gr. τρόπος, de τρέπω, girar, y del lat. *sphaera.*) f. *Meteor.* Zona inferior de la atmósfera, hasta la altura de 12 kilómetros, donde se desarrollan los meteoros aéreos, acuosos y algunos eléctricos.

Troque. (Del lat. *trochus,* rodaja o redondel, y éste del gr. τροχός, rueda.) m. Especie de botón que se forma en los paños cuando se van a teñir, liando fuertemente con bramante una partecita de ellos, para que, no pudiendo penetrar el tinte lo que cubre el bramante, se conozca después de salir del tinte qué color tuvo primero todo el paño.

Troque. (De *trocar.*) m. ant. **Trueque.**

Troquel. (En port. *troquel;* quizá del al. *drucken,* estampar.) m. Molde empleado en la acuñación de monedas, medallas, etc.; es un tocho de acero dulce, en una de cuyas caras se imprime en hueco, mediante la presión de un volante, el relieve de figuras e inscripciones que se han grabado en un punzón o matriz.

Troquelar. (De *troquel.*) tr. **Acuñar,** 1.er art.

Troqueo. (Del lat. *trochaeus,* y éste del gr. τροχαῖος.) m. Pie de la poesía griega y latina, compuesto de dos sílabas, la primera larga y la otra breve. || **2.** En la poesía española, por imitación de la latina, se llama así al pie compuesto de una sílaba acentuada y otra átona, como *prado.*

Troquilo. (Del lat. *trochĭlus,* y éste del gr. τροχίλος.) m. *Arq.* **Mediacaña,** 1.ª acep.

Trosas. f. pl. *León.* Especie de angarillas formadas por dos palos largos, en medio de los cuales pende una cesta semiesférica de mimbres, y sirve para transportar entre dos personas tierra, estiércol y otros materiales.

Trotacalles. com. fam. **Azotacalles.**

Trotaconventos. (De *trotar,* 3.ª acep., y *convento.*) f. fam. **Alcahueta.**

Trotador, ra. adj. Que trota bien o mucho.

Trotamundos. com. Persona aficionada a viajar y recorrer países.

Trotar. (Del medio alto al. *trotten,* correr.) intr. Ir el caballo al trote. || **2.** Cabalgar una persona en caballo que va al trote. || **3.** fig. y fam. Andar mucho o con celeridad una persona.

Trote. (De *trotar.*) m. Modo de caminar acelerado, natural a todas las caballerías, que consiste en mover a un tiempo pie y mano contrapuestos, arrojando sobre ellos el cuerpo con ímpetu. || **2.** fig. Trabajo o faena apresurada y fatigosa. *Mi edad no es para andar en esos* TROTES. || **cochinero.** fam. **Trote** corto y apresurado. || **Al trote.** m. adv. fig. Aceleradamente, sin asiento ni sosiego. || **Amansar** uno **el trote.** fr. fig. y fam. Moderarse. || **A trote.** m. adv. fig. **Al trote.** || **Hacer entrar en trotes,** o **meter en trotes,** a uno. fr. fig. y fam. Imponerle en determinados usos y costumbres, o adiestrarle, encaminarle, dirigirle. || **Para todo trote.** loc. fig. y fam. Para uso diario y continuo. Dícese principalmente de las prendas de vestir. || **Poner en los trotes** a uno. fr. fig. y fam. **Hacerle entrar en trotes.** || **Tomar** uno **el trote.** fr. fig. y fam. Irse intempestivamente y con aceleración.

Trotero. (De *trotar.*) m. ant. **Correo,** 1.er art., 1.ª acep.

Trotón, na. adj. Aplícase a la caballería cuyo paso ordinario es el trote. || **2.** m. **Caballo,** 1.ª acep.

Trotona. (De *trotar,* 3.ª acep.) f. **Señora de compañía.**

Trotonería. (De *trotón.*) f. Acción continuada de trotar.

Trova. (De *trovar.*) f. **Verso,** 1.er art., 1.ª acep. || **2.** Composición métrica formada a imitación de otra, siguiendo su método, estilo o consonancia, o parificando una historia o fábula. || **3.** Composición métrica escrita generalmente para canto. || **4.** Canción amorosa compuesta o cantada por los trovadores.

Trovador, ra. adj. Que trova. Ú. t. c. s. || **2.** m. Poeta provenzal de la Edad Media, que escribía y trovaba en lengua de oc. || **3.** m. y f. **Poeta, poetisa.** || **4.** ant. Persona que se encuentra o halla una cosa.

Trovadoresco, ca. adj. Perteneciente o relativo a los trovadores.

Trovar. (Del lat. **trŏpāre,* de *trŏpus,* melodía.) intr. Hacer versos. || **2.** Componer trovas. || **3.** tr. Imitar una composición métrica, aplicándola a otro asunto. || **4.** fig. Dar a una cosa diverso sentido del que lleva la intención con que se ha dicho o hecho.

Trovar. (Del lat. *tŭrbāre,* turbar.) tr. ant. **Hallar.** Usáb. t. c. r.

Trovero. (De *trovar,* 1.er art.) m. Poeta de la lengua de oíl, en la literatura francesa de la Edad Media.

Trovista. (De *trova.*) com. **Trovador.**

Trovo. (De *trova.*) m. Composición métrica popular, generalmente de asunto amoroso.

Trox. f. **Troj.**

Troya. n. p. f. **Ahí, allí,** o **aquí fue Troya.** expr. fig. y fam. con que se da a entender que sólo han quedado las ruinas y señales de una población o edificio, o se indica un acontecimiento desgraciado o ruidoso. Ú. t. en otros tiempos del verbo *ser.* || **2.** Se emplea para indicar el momento en que estalla el conflicto o la dificultad en el asunto o el hecho de que se trata. || **Arda Troya.** expr. fig. y fam. con que se denota el propósito o determinación de hacer alguna cosa sin reparar en las consecuencias o resultados.

Troyano, na. (Del lat. *troiānus.*) adj. Natural de Troya. Ú. t. c. s. || **2.** Perteneciente a esta ciudad del Asia antigua.

Troza. (De *trozar.*) f. Tronco aserrado por los extremos para sacar tablas. || **2.** *Madrid, Seg.* y *Vallad.* Pieza de madera de hilo, de 7 a 10 pies de longitud, con una escuadría por lo general de 16 dedos de tabla por 12 de canto.

Troza. (Del ital. *trozza.*) f. *Mar.* Combinación de dos pedazos de cabo grueso y forrado de cuero, mediante el cual se une y asegura la cruz de la verga mayor al cuello de su palo, halando, al efecto, desde cubierta de los sendos aparejos que cada trozo tiene enganchado en su chicote libre, es decir, en el que no está firme en la verga.

Trozar. (De *trozo.*) tr. Romper, hacer pedazos. || **2.** Entre madereros, dividir en tronzas el tronco de un árbol.

Trozo. (En port. *troço;* en cat. *tros.*) m. Pedazo de una cosa que se considera aparte del resto. *Este* TROZO *del parque es el más frondoso.* ‖ **2.** *Mar.* Cada uno de los grupos de hombres de mar, adscritos a los distritos marítimos. ‖ **3.** *Mil.* Cada una de las dos partes en que se dividía una columna. A la mitad que iba delante llamaban **trozo** de vanguardia, o sea de San Felipe, y a la otra, **trozo** de retaguardia, o de Santiago; y entre una y otra se colocaban las banderas. ‖ **de abordaje.** *Mar.* Cada uno de los tres grupos especialmente destinados a dar y rechazar los abordajes, en que se divide parte de la dotación de un buque de guerra.

Trucar. (En port. *trucar.*) intr. Hacer el primer envite en el juego del truque. ‖ **2.** Hacer trucos en el juego de este nombre y en el de billar.

Trucidar. (Del lat. *trucidāre.*) tr. ant. Despedazar, matar con crueldad e inhumanidad.

Truco. (De *trucar.*) m. Suerte del juego llamado de los **trucos,** que consiste en echar con la bola propia la del contrario por alguna de las troneras o por encima de la barandilla. En el primer caso se llama **truco bajo,** y en el segundo, **alto.** ‖ **2.** Apariencia engañosa hecha con arte. ‖ **3.** *Ar.* Cencerro grande. ‖ **4.** *Argent.* **Truque,** 1.ª acep. ‖ **5.** pl. Juego de destreza y habilidad, que se ejecuta en una mesa dispuesta a este fin con tablillas, troneras, barras y bolillo. De ordinario juegan dos personas, cada una con su taco de madera y bola de marfil de proporcionado tamaño. ‖ **Como si dijera truco.** fr. fam. que se emplea para indicar el poco caso que se hace de las palabras dichas por alguno.

Truculencia. f. Calidad de truculento.

Truculento, ta. (Del lat. *truculentus.*) adj. Cruel, atroz y tremendo.

Trucha. (Del lat. *trŭcta.*) f. *Zool.* Pez teleósteo de agua dulce, del suborden de los fisóstomos, que mide hasta ocho decímetros de longitud, con cuerpo fusiforme, de color pardo y lleno de pintas rojizas o negras, según los casos; cabeza pequeña, cola con una pequeña escotadura y carne blanca o encarnada. Abunda en España y su carne es sabrosa y delicada. ‖ **2.** fig. V. **Salto de trucha.** ‖ **3.** *Mec.* **Cabria.** ‖ **4.** com. fig. y fam. **Truchimán,** 2.ª acep. ‖ **de mar. Raño,** 1.ª acep. ‖ **2. Reo,** 1.er art. ‖ **Ayunar, o comer trucha.** fr. fig. con que se expresa la resolución de quedarse sin nada o lograr lo mejor. ‖ **No se cogen,** o **pescan,** o **toman, truchas a bragas enjutas.** ref. que enseña cómo para conseguir lo que se desea es necesario poner diligencia y pasar trabajos.

Trucha. f. *Amér. Central.* Puesto o tenducha de mercería.

Truchano. m. *Sor.* **Buche,** 2.° art.

Truchero. m. El que pesca truchas, o el que las vende.

Truchimán, na. (Del ár. *turŷumān,* intérprete.) m. y f. fam. **Trujamán.** ‖ **2.** fig. y fam. Persona sagaz y astuta, poco escrupulosa en su proceder. Ú. t. c. adj.

Truchuela. (Del lat. *tractāre,* infl. por *trucha,* 1.er art.) f. d. de **Trucha.** ‖ **2.** Bacalao curado más delgado que el común.

Trué. (De *Troyes,* ciudad de Francia.) m. Especie de lienzo delgado y blanco.

Trueco. m. **Trueque.** ‖ **A trueco de.** m. adv. **Con tal que.** ‖ **A,** o **en, trueco.** m. adv. **A,** o **en, trueque.**

Trueno. (De *tronar.*) m. Estampido o estruendo producido en las nubes por una descarga eléctrica. ‖ **2.** Ruido o estampido que causa el tiro de cualquier arma o artificio de fuego. ‖ **3.** ant. Pieza de artillería. ‖ **4.** fig. y fam. Joven atolondrado, alborotador y de mala conducta. ‖ **5.** fig. y fam. V. **Casa de trueno.** ‖ **gordo.** Estampido con que terminan los fuegos artificiales, y es siempre el más estrepitoso. ‖ **Dar uno el trueno gordo,** o **un trueno.** fr. fig. y fam. Decir o hacer algo que cause escándalo o tenga consecuencias desagradables. ‖ **Escapar del trueno y dar en el relámpago.** fr. fig. que indica el hecho de escapar de un gran peligro para caer en otro.

Trueque. m. Acción y efecto de trocar o trocarse. ‖ **A,** o **en, trueque.** m. adv. **En cambio.**

Trufa. (Del lat. *tufer, tuber.*) f. Variedad muy aromática de criadilla de tierra.

Trufa. (Del célt. *trug,* vagabundo.) f. fig. Mentira, fábula, cuento, patraña.

Trufador, ra. adj. Que trufa o miente. Ú. t. c. s.

Trufaldín, na. (Del ital. *truffaldino.*) m. y f. ant. **Farsante,** 1.ª acep.

Trufán, na. (De *trufar.*) adj. ant. **Truhán.** Usáb. t. c. s.

Trufar. (De *trufa,* 1.er art.) tr. Rellenar de trufas las aves, embutidos y otros manjares, o injerirlas en ellos.

Trufar. (Del célt. *trug,* vagabundo.) intr. Inventar trufas o mentiras. ‖ **2.** Mentir, engañar.

Truhán, na. (Del fr. *truand,* y éste del célt. *trug,* vagabundo.) adj. Dícese de la persona sin vergüenza, que vive de engaños y estafas. Ú. t. c. s. ‖ **2.** Dícese de quien con bufonadas, gestos, cuentos o patrañas procura divertir y hacer reír. Ú. t. c. s.

Truhanada. (De *truhán.*) f. **Truhanería.**

Truhanamente. adv. m. A manera de truhán.

Truhanear. intr. Petardear, engañar. ‖ **2.** Decir chanzas, burlas y chocarrerías propias de un truhán.

Truhanería. (De *truhán.*) f. Acción truhanesca. ‖ **2.** Conjunto de truhanes.

Truhanesco, ca. adj. Propio de truhán.

Truhanía. (De *truhán.*) f. ant. **Truhanería.**

Truja. (Del lat. **trŏcŭlum,* por *tŏrcŭlum.*) f. **Algorín,** 1.ª acep.

Trujal. (Del lat. *torculāre.*) m. Prensa donde se estrujan las uvas o se exprime la aceituna. ‖ **2.** Molino de aceite. ‖ **3.** Tinaja en que se conserva y prepara la barrilla para fabricar el jabón. ‖ **4.** *Ar.* Estanque, generalmente de piedra, donde se elabora el vino, fermentando el mosto juntamente con el escobajo de la uva. ‖ **5.** *Ar.* **Lagar,** 1.ª acep.

Trujaleta. f. *Ar.* y *Rioja.* Vasija donde cae el mosto desde el trujal.

Trujamán, na. (Del m. or. que *truchimán.*) m. y f. p. us. **Intérprete,** 2.ª acep. ‖ **2.** m. El que por experiencia que tiene de una cosa, advierte el modo de ejecutarla, especialmente en las compras, ventas o cambios.

Trujamanear. intr. Hacer oficio de trujamán. ‖ **2.** Trocar unos géneros por otros.

Trujamanía. f. Oficio de trujamán.

Trujar. (De *truja.*) tr. *Ar.* Dividir por medio de tabiques una o varias habitaciones en otras más pequeñas o distribuidas de otro modo.

Trujillano, na. adj. Natural de Trujillo. U. t. c. s. ‖ **2.** Perteneciente a esta ciudad.

Trujimán, na. (De *truchimán.*) m. y f. p. us. **Trujamán.**

Trulla. (Del lat. *turbŭla,* alboroto.) f. Bulla, jarana, parranda. ‖ **2.** Turba, tropa o multitud de gente.

Trulla. (Del lat. *trulla.*) f. **Llana,** 1.er art.

Trullar. (De *trulla,* 2.° art.) tr. *Pal.* Enlucir con barro una pared. ‖ **2.** fig. *Pal.* **Embadurnar.**

Trullo. (Del lat. *truo.*) m. Ave del orden de las palmípedas, del tamaño de un pato, de cabeza negra y con moño, cuello bronceado, lomo pardo rojizo, pecho y abdomen blancos, alas y cola pardas con rayas blancas, y pies y pico encarnados. Nada y se sumerge para coger los peces con que se alimenta, y es ave de invierno en España.

Trullo. (Del b. lat. *trullum,* y éste del lat. *torcŭlum,* prensa.) m. Lagar con depósito inferior donde cae directamente el mosto cuando se pisa la uva.

Trumao. m. *Chile.* Tierra arenisca muy fina que procede de la disgregación de rocas volcánicas.

Trun. m. *Chile.* Fruto espinoso de algunas plantas que se adhiere al pelo o a la lana como los cadillos o amores.

Truncadamente. adv. m. Truncando las palabras o las frases.

Truncado, da. p. p. de **Truncar.** ‖ **2.** adj. *Geom.* V. **Cilindro, cono truncado.**

Truncamiento. m. Acción y efecto de truncar.

Truncar. (Del lat. *truncāre.*) tr. Cortar una parte a alguna cosa. ‖ **2.** Cortar la cabeza al cuerpo del hombre o de un animal. ‖ **3.** fig. Callar, omitir alguna o algunas palabras en frases o pasajes de un escrito, especialmente cuando se hace de intento y con malicia. ‖ **4.** fig. Interrumpir, dejar imperfecto el sentido de lo que se escribe o lee, por omisión de alguna o algunas palabras necesarias para completarlo, o por torpeza en la manera de leer. ‖ **5.** fig. Interrumpir una acción u obra, dejándola incompleta.

Trunco, ca. (Del lat. *truncus.*) adj. Truncado, mutilado, incompleto.

Trupial. m. Pájaro americano muy parecido a la oropéndola. Se domestica fácilmente y aprende a hablar, como la urraca.

Truque. (En port. *truque.*) m. Juego de envite entre dos, cuatro o más personas, a cada una de las cuales se reparten tres cartas para jugarlas una a una y hacer las bazas, que gana quien echa la carta de mayor valor, empezando por el tres y siguiendo el dos, el as, el rey, el caballo, etc., hasta el seis, pues se descartan los cincos y los cuatros. ‖ **2.** Una de las variedades del juego del infernáculo.

Truquero. m. El que tiene a su cargo y cuidado una mesa de trucos.

Truquiflor. m. Juego de naipes en que, además de los lances del truque, hay el de flor cuando se reúnen tres cartas seguidas del mismo palo.

Trusas. (Del fr. *trouses.*) f. pl. Gregüescos con cuchilladas, por lo común a lo largo, que llegaban o se sujetaban a mitad del muslo.

Tú. (Del lat. *tū.*) Nominativo y vocativo del pronombre personal de segunda persona en género masculino o femenino y número singular. ‖ **A tú por tú.** m. adv. fig. y fam. Descompuestamente, sin modo ni respeto. Dícese de los que riñen soltando palabras injuriosas y perdiendo la cortesía. ‖ **De tú por tú.** m. adv. Tuteándose. ‖ **Hablar,** o **tratar, de tú** a uno. fr. Tutearle. ‖ **Más eres tú.** expr. fam. con que se rechaza una calificación injuriosa. ‖ **2.** Disputa o altercado de insultos. *Hubo aquello de* MÁS ERES TÚ; *andar a* MÁS ERES TÚ.

Tu, tus. pron. poses. Apócope de **tuyo, tuya, tuyos, tuyas.** No se emplea sino antepuesto al nombre.

Tuatúa. f. Árbol americano de la familia de las euforbiáceas, de unos tres metros de altura, con hojas moradas, parecidas a las de la vid, y fruto del tamaño de la aceituna. Las hojas y las semillas se usan en medicina como purgantes.

Tuáutem. (De las palabras *Tu autem, Domine, miserere nobis,* con que terminan las lecciones del Breviario.) m. fam. Sujeto que se tiene por principal y necesario para una cosa. || **2.** fam. Cosa que se considera precisa e importante para algún fin.

Tuba. (Voz tagala.) f. Licor filipino suave y algo viscoso que por destilación se obtiene de la nipa, el coco o el burí y también de otras palmeras, cortando el extremo superior de la espata antes de que se abran las flores. Reciente, es grato refresco; pero después de la fermentación sólo sirve para hacer vinagre o fabricar aguardiente.

Tuba. (Del lat. *tuba*, trompeta.) f. Especie de bugle, cuya tesitura corresponde a la del contrabajo.

Túbano. m. *Ant.* **Cigarro.**

Tuberculina. f. Preparación hecha con gérmenes tuberculosos, y utilizada en el tratamiento y en el diagnóstico de las enfermedades tuberculosas.

Tuberculización. f. *Med.* Infección de un organismo por la tuberculosis.

Tubérculo. (Del lat. *tubercŭlum*, d. de *tuber*, tumor.) m. *Bot.* Parte de un tallo subterráneo o de una raíz, que engruesa considerablemente; en sus células se acumula una gran cantidad de substancias de reserva, como en la patata y el boniato. || **2.** *Med.* Producto morboso, de color ordinariamente blanco amarillento, redondeado, duro al principio en la época de evolución llamada de crudeza, y que adquiere en la de reblandecimiento el aspecto y la consistencia del pus. || **3.** *Zool.* Protuberancia que presenta el dermatoesqueleto o la superficie de varios animales.

Tuberculosis. (De *tubérculo*, 2.ª acep.) f. *Med.* Enfermedad del hombre y de muchas especies animales producida por el bacilo de Koch. Adopta formas muy diferentes según el órgano atacado, la intensidad de la afección, etc. Su lesión habitual es un pequeño nódulo, de estructura especial, llamado tubérculo. || **miliar.** Forma de la tuberculosis caracterizada por la aparición de gran número de tubérculos miliares en uno o varios órganos.

Tuberculoso, sa. adj. Perteneciente o relativo al tubérculo. || **2.** De figura de tubérculo. || **3.** Que tiene tubérculos. Ú. t. c. s. || **4.** Que padece tuberculosis. Ú. t. c. s.

Tubería. f. Conducto formado de tubos por donde se lleva el agua, los gases, combustibles, etc. || **2.** Conjunto de tubos. || **3.** Fábrica, taller o comercio de tubos.

Tuberosa. (Del lat. *tuberōsa.*) f. **Nardo,** 2.ª acep.

Tuberosidad. (Del lat. *tuberōsus*, lleno de tumores.) f. Tumor, hinchazón, tubérculo.

Tuberoso, sa. adj. Que tiene tuberosidades.

Tubiano, na. adj. *Urug.* **Tobiano.**

Tubo. (Del lat. *tubus.*) m. Pieza hueca, de forma por lo común cilíndrica y generalmente abierta por ambos extremos, que se hace de distintas materias y se destina a varios usos. || **2.** Recipiente metálico de forma cilíndrica destinado a contener substancias blandas, como pinturas, pomadas, etc. Suele ser de paredes flexibles, cerrado por un extremo y abierto por el otro con tapón de rosca. || **3. Tubo** rígido, generalmente de cristal, cerrado por un extremo y abierto por el otro y destinado a contener pastillas u otras cosas menudas. || **de ensayo.** El de cristal, cerrado por uno de sus extremos, usado para los análisis químicos. || **intestinal.** Conjunto de los intestinos de un animal. || **lanzallamas.** Arma de combate para lanzar gases o líquidos inflamados. || **lanzatorpedos.** *Mar.* El instalado en las proximidades de la línea de flotación para disparar por él los torpedos automóviles.

Tubular. (Del lat. *tubŭlus*, tubillo.) adj. Perteneciente al tubo; que tiene su figura o está formado de tubos. || **2.** V. **Caldera tubular.**

Tubuloso, sa. adj. *Bot.* Tubular, en forma de tubo.

Tucán. (Voz de los indígenas del Brasil.) m. Ave americana del orden de las trepadoras, de unos tres decímetros de largo, sin contar el pico, que es arqueado, muy grueso y casi tan largo como el cuerpo; con cabeza pequeña, alas cortas, cola larga, y plumaje negro en general y de colores vivos, comúnmente anaranjado y escarlata en el cuello y el pecho. Se domestica fácilmente. || **2.** *Astron.* Constelación cercana al polo antártico.

Tucía. f. **Atutía.**

Tucinte. m. *Bot. Hond.* **Teocinte.**

Tuciorismo. (Del lat. *tutĭor, -ōris*, más seguro.) m. Doctrina de teología moral que en puntos discutibles sigue la opinión más favorable a la ley.

Tuciorista. (Del lat. *tutĭor, -ōris*, más seguro.) adj. Aplícase a la persona que en puntos discutibles de moral sigue la opinión más segura. Ú. t. c. s.

Tuco, ca. adj. *Bol., Ecuad.* y *P. Rico.* **Manco,** 1.ª acep. || **2.** m. *Amér. Central, Ecuad.* y *P. Rico.* Tocón, muñón. || **3.** *Ast.* Zuro o raspa de la mazorca de maíz.

Tuco. (Del quichua *tucu*, brillante.) m. *Argent.* Insecto luminoso como el cocuyo, pero con la fuente de luz en el abdomen. || **2.** *Perú.* Especie de búho.

Tucumano, na. adj. Natural de Tucumán. Ú. t. c. s. || **2.** Perteneciente a esta ciudad argentina o a su provincia.

Tucúquere. m. *Chile.* Búho de gran tamaño.

Tucurpilla. f. *Ecuad.* Especie de tórtola pequeña.

Tucuso. m. *Venez.* **Chupaflor.**

Tucutuco. m. *Argent.* y *Bol.* Mamífero semejante al topo; habita en galerías subterráneas que construye en terrenos arenosos.

Tuda. f. *Zam.* Cueva hecha en la falda de un monte, que sirve para guarecerse las personas y el ganado.

Tudel. (Del ant. nórdico *tuda*, cucurucho, tubo.) m. Tubo de latón encorvado, fijo en lo alto del bajón u otro instrumento semejante y a cuyo extremo libre se ajusta el estrangul.

Tudelano, na. adj. Natural de Tudela. Ú. t. c. s. || **2.** Perteneciente a cualquiera de las poblaciones de este nombre.

Tudense. (Del lat. *tudensis.*) adj. Natural de Túy. Ú. t. c. s. || **2.** Perteneciente a esta ciudad.

Tudesco, ca. (Del al. *teutsch*, alemán.) adj. Natural de cierto país de Alemania en la Sajonia inferior. Ú. t. c. s. || **2.** Perteneciente a él. || **3.** Por ext., **alemán.** Apl. a pers., ú. t. c. s. || **4.** m. Capote alemán. || **Comer, beber, engordar** uno **como un tudesco.** fr. fig. y fam. Comer, beber, engordar mucho.

Tueca. f. **Tueco,** 1.ª acep.

Tueco. m. **Tocón.** || **2.** Oquedad producida por la carcoma en las maderas.

Tuera. (Del ár. *ṭuwāra*, acónito, y éste del gr. φθορά, muerte, destrucción.) f. **Coloquíntida,** 2.ª acep.

Tuerca. (Del lat. *tŏrques.*) f. Pieza con un hueco labrado en espiral que ajusta exactamente en el filete de un tornillo. || **2.** V. **Llave de tuerca.**

Tuerce. (De *torcer.*) m. **Torcedura,** 1.ª acep.

Tuérdano. m. *Sant.* Tejido de varas que, en las cocinas donde no hay chimenea, se pone sobre el llar para recoger el hollín.

Tuero. (Del lat. *tŏrus.*) m. **Trashoguero,** 3.ª acep. || **2. Leño,** 1.ª acep.

Tuertamente. (De *tuerto.*) adv. m. ant. **Torcidamente.**

Tuerto, ta. (Del lat. *tŏrtus.*) p. p. irreg. de **Torcer.** || **2.** adj. Falto de la vista en un ojo. Ú. t. c. s. || **3.** ant. **Bizco.** || **4.** m. Agravio, sinrazón o injuria que se hace a uno. || **5.** pl. **Entuerto,** 3.ª acep. || **A tuertas.** m. adv. fam. Al revés de como se debe hacer, u oblicuamente. || **A tuertas o a derechas.** m. adv. **A tuerto o a derecho.** || **A tuerto.** m. adv. Contra razón, injustamente. || **A tuerto o a derecho** m. adv. Sin consideración ni reflexión; justa o injustamente. || **Con un poco de tuerto, llega el hombre a su derecho.** ref. que denota que para conseguir lo que se nos debe de justicia, conviene a veces sufrir alguna vejación y ceder algo de nuestro derecho. || **Deshacer tuertos.** fr. **Deshacer agravios.** || **Quitáronlo a la tuerta y diéronlo a la ciega.** ref. con que se denota el hecho de quitar una dignidad, empleo u otra cosa al que era en alguna manera benemérito, y dársela al que es enteramente indigno.

Tueste. (De *tostar.*) m. **Tostadura.**

Tuétano. (De *tútano.*) m. **Medula,** 1.ª y 2.ª aceps. || **Hasta los tuétanos.** loc. adv. fig. y fam. Hasta lo más íntimo o profundo de la parte física o moral del hombre. *Enamorado* HASTA LOS TUÉTANOS. || **Sacar** uno **los tuétanos** a otro. fr. fig. y fam. **Sacarle el alma,** 1.ª acep.

Tufarada. (De *tufo.*) f. Olor vivo o fuerte que se percibe de pronto.

Tufillas. com. fam. Persona que se atufa o enoja fácilmente.

Tufo. (Del lat. *tȳphus*, y éste del gr. τῦφος, vapor, miasma dañino.) m. Emanación gaseosa que se desprende de las fermentaciones y de las combustiones imperfectas. || **2.** fam. Olor activo y molesto que despide de sí una cosa. || **3.** fig. y fam. Soberbia, vanidad o entonamiento. Ú. m. en pl. || **4.** fig. **Olor,** 5.ª acep.

Tufo. (Como el fr. *touffe*, del germ. *tuife*, copete.) m. Cada una de las dos porciones de pelo, por lo común peinado o rizado, que caen por delante de las orejas.

Tufo. (Del lat. *tofus.*) m. **Toba,** 1.er art., 1.ª acep.

Tugiense. (Del lat. *tugiensis.*) adj. Natural de la antigua Tugia, hoy Toya. Ú. t. c. s. || **2.** Perteneciente a esta ciudad de la Bética.

Tugurio. (Del lat. *tugurĭum.*) m. Choza o casilla de pastores. || **2.** fig. Habitación pequeña y mezquina.

Túho. m. ant. **Tufo,** 1.er art.

Tui. m. *Argent.* Loro pequeño, verde claro, con plumas anaranjadas y azules en la cabeza.

Tuición. (Del lat. *tuitĭo, -ōnis.*) f. *For.* Acción y efecto de guardar o defender.

Tuina. f. Especie de chaquetón largo y holgado.

Tuitivo, va. (Del lat. *tuĭtus*, p. p. de *tuēri*, defender.) adj. *For.* Que guarda, ampara y defiende. || **2.** *For.* V. **Potestad tuitiva.**

Tul. (Del fr. *tulle*, por haberse establecido en la ciudad de *Tulle* las primeras fábricas de esta tela.) m. Tejido de seda, algodón o hilo, que forma malla, generalmente en octágonos. Lo usan las mujeres para bordar sobre él, o para mantillas, velos y otras cosas.

Tule. m. *Méj.* Junco o espadaña.

Tulipa. f. Tulipán pequeño. || **2.** Pantalla de vidrio a modo de fanal, con forma algo parecida a la de un tulipán.

Tulipán. (Del turco *dulband*, turbante, por su forma.) m. Planta herbácea de la familia de las liliáceas, vivaz, con raíz bulbosa y tallo liso de cuatro a seis decímetros de altura; hojas grandes, radicales, enteras y lanceoladas; flor única en lo alto del escapo, grande, globosa, de seis pétalos de hermosos colores e inodora, y fruto capsular con muchas semillas. || **2.** Flor de esta planta.

Tullecer. tr. **Tullir,** 2.ª acep. || **2.** intr. Quedarse tullido.

Tullidez. (De *tullido.*) f. **Tullimiento.**

Tullido, da. p. p. de Tullir, o tullirse. || **2.** adj. Que ha perdido el movimiento del cuerpo o de alguno de sus miembros. Ú. t. c. s.

Tullidura. (De *tullir*, 1.ª acep.) f. *Cetr.* Excremento de las aves de rapiña. Ú. m. en pl.

Tullimiento. m. Acción y efecto de tullir.

Tullir. (De *tollir.*) intr. *Cetr.* Arrojar el excremento las aves de rapiña. || **2.** tr. Hacer que uno quede tullido. || **3.** r. Perder uno el uso y movimiento de su cuerpo o de un miembro de él.

Tumba. (Del lat. *tumba*, y éste del gr. τύμβος, túmulo.) f. **Sepulcro,** 1.ª acep. || **2.** Armazón en forma de ataúd, que se coloca sobre el túmulo o en el suelo, para la celebración de las honras de un difunto. || **3.** V. **Paño de tumba.** || **4.** Cubierta arqueada de ciertos coches. || **5.** Armazón con cubierta de lujo y a modo de túmulo, que se pone en el pescante de los coches de gala.

Tumba. (De *tumbar.*) f. **Tumbo,** 1.er art. || **2. Voltereta,** 1.ª acep. || **3.** Baile que se usaba en Andalucía, principalmente en las fiestas de Navidad. || **4.** *Ant. Colomb.* y *Méj.* Desmonte, tala.

Tumbacuartillos. com. fam. Sujeto vinoso y que frecuenta mucho las tabernas.

Tumbadillo. (d. de *tumbado.*) m. *Mar.* Cajón de medio punto, que suele cubrir la escotadura de popa de la cubierta del alcázar en las embarcaciones menores.

Tumbado, da. p. p. de **Tumbar.** || **2.** adj. De figura de tumba; como los baúles, los coches, etc.

Tumbaga. (Del ár. *tunbāk*, similor, que viene del indio, a través del malayo.) f. Liga metálica muy quebradiza, compuesta de oro y de igual o menor cantidad de cobre, que se emplea en joyería. || **2.** Sortija hecha de esta liga. || **3. Anillo,** 2.ª acep.

Tumbagón. m. aum. de **Tumbaga.** || **2.** Brazalete de tumbaga.

Tumbal. adj. Perteneciente o relativo a la tumba.

Tumbaollas. com. fam. Persona comedora y glotona.

Tumbar. (De la onomat. *tumb.*) tr. Hacer caer o derribar a una persona o cosa. || **2.** fig. y fam. Turbar o quitar a uno el sentido una cosa fuerte, como el vino o un olor. || **3.** intr. Caer, rodar por tierra. || **4.** *Mar.* **Dar de quilla,** o **la quilla.** || **5.** r. fam. Echarse, especialmente a dormir. || **6.** fig. Aflojar en un trabajo o desistir de él.

Tumbilla. (d. de *tumba.*) f. Armazón compuesta de tres arcos de madera flexible unidos en su base por un bastidor rectangular, por dos listones en la parte media y por uno en la superior, y con un braserillo para calentar la cama.

Tumbo. (De *tumbar.*) m. Vaivén violento con riesgo de caer, o cayendo. || **2.** Ondulación de la ola del mar, y especialmente la ola grande. || **3.** Ondulación del terreno. || **4.** Retumbo, estruendo. || **de dado.** fig. Peligro inminente. || **de olla.** fam. Cada uno de los tres vuelcos de la olla: caldo, legumbres y carne. || **Más vale tumbo de olla que abrazo de moza.** ref. que denota que las cosas que dan provecho son preferibles a las de mero gusto.

Tumbo. (Del gr. τύμβος, túmulo.) m. Libro grande de pergamino, donde las iglesias, monasterios, concejos y comunidades tenían copiados a la letra los privilegios y demás escrituras de sus pertenencias.

Tumbón. m. aum. de **Tumba,** 1.er art. || **2.** Coche con cubierta de tumba. || **3.** Cofre con tapa de esta hechura.

Tumbón, na. (De *tumbar*, 5.ª acep.) adj. fam. **Socarrón.** Ú. t. c. s. || **2.** fam. Perezoso, holgazán. Ú. t. c. s.

Tumefacción. (Del lat. *tumefactum*, supino de *tumefacĕre*, hinchar.) f. *Med.* **Hinchazón,** 1.ª acep.

Tumefacto, ta. adj. Túmido, hinchado.

Túmido, da. (Del lat. *tumĭdus.*) adj. fig. **Hinchado.** || **2.** *Arq.* Dícese del arco o bóveda que es más ancho hacia la mitad de la altura que en los arranques.

Tumo. (Del lat. *thȳmum, tūmum.*) m. *Ál.* **Tomillo.**

Tumor. (Del lat. *tumor, -ōris.*) m. Hinchazón y bulto que se forma anormalmente en alguna parte del cuerpo del animal.

Tumoroso, sa. adj. Que tiene varios tumores.

Tumulario, ria. adj. Perteneciente o relativo al túmulo. *Inscripción* TUMULARIA.

Túmulo. (Del lat. *tumŭlus.*) m. Sepulcro levantado de la tierra. || **2.** Montecillo artificial con que en algunos pueblos antiguos era costumbre cubrir una sepultura. || **3.** Armazón de madera, vestida de paños fúnebres y adornada de otras insignias de luto y tristeza, que se erige para la celebración de las honras de un difunto, suponiéndole presente en la tumba que se coloca en el lugar más eminente de esta armazón.

Tumulto. (Del lat. *tumultus.*) m. Motín, confusión, alboroto producido por una multitud. || **2.** Confusión agitada o desorden ruidoso.

Tumultuación. (Del lat. *tumultuatĭo, -ōnis.*) f. ant. **Tumulto.**

Tumultuante. p. a. de **Tumultuar.** Que tumultúa.

Tumultuar. (Del lat. *tumultuāre.*) tr. Levantar un tumulto, motín o desorden. Ú. t. c. r.

Tumultuariamente. adv. m. De manera tumultuaria.

Tumultuario, ria. (Del lat. *tumultuarĭus.*) adj. Que causa o levanta tumultos. || **2.** Que está o se efectúa sin orden ni concierto. || **3.** V. **Riña tumultuaria.**

Tumultuosamente. adv. m. De manera tumultuosa.

Tumultuoso, sa. (Del lat. *tumultuōsus.*) adj. **Tumultuario.**

Tuna. (Voz caribe.) f. **Higuera de tuna.** || **2. Higo de tuna.** || **3.** Fruto del candelabro, 2.ª acep. || **brava, colorada** o **roja.** Especie semejante a la higuera de **tuna,** silvestre, con más espinas y fruto de pulpa muy encarnada.

Tuna. (En port. *tuna.*) f. Vida holgazana, libre y vagabunda. || **2. Estudiantina.** || **3.** V. **Estudiante de la tuna.** || **Correr** uno **la tuna.** fr. fam. **Tunar.**

Tunal. m. **Tuna,** 1.er art., 1.ª acep. || **2.** Sitio donde abunda esta planta.

Tunanta. (De *tunante*, 2.ª acep.) adj. fam. Pícara, bribona, taimada. Ú. t. c. s.

Tunantada. f. Acción propia de tunante 2.ª acep.

Tunante. p. a. de **Tunar.** Que tuna. Ú. t. c. s. || **2.** adj. Pícaro, bribón, taimado. Ú. t. c. s.

Tunantear. (De *tunante.*) intr. **Tunear.**

Tunantería. f. Calidad de tunante. || **2. Tunantada.**

Tunantuela. adj. fam. d. de **Tunanta.** Ú. t. c. s.

Tunantuelo. adj. fam. d. de **Tunante,** 2.ª acep. Ú. t. c. s.

Tunar. (De *tuna.*) intr. Andar vagando en vida holgazana y libre, y de lugar en lugar.

Tunco. m. *Hond.* y *Méj.* **Puerco,** 1.ª acep.

Tunda. f. Acción y efecto de tundir los paños.

Tunda. (De *tundir*, 2.° art.) f. fam. Castigo riguroso de palos, azotes, etc. || **2.** *For.* V. **Auto de tunda.**

Tundear. tr. Dar una tunda, azotar, vapulear.

Tundente. p. a. de Tundir, 2.° art. Que tunde. || **2.** adj. **Contundente,** 1.ª acep.

Tundición. (De *tundir*, 1.er art.) f. **Tunda,** 1.er art.

Tundidor. m. El que tunde los paños.

Tundidora. adj. Dícese de la máquina que sirve para tundir los paños. Ú. t. c. s. || **2.** f. Mujer que tunde los paños.

Tundidura. f. Tunda, 1.er art.

Tundir. (Del lat. *tondēre*, trasquilar, rapar, cortar.) tr. Cortar o igualar con tijera el pelo de los paños.

Tundir. (Del lat. *tundĕre.*) tr. fig. y fam. Castigar con golpes, palos o azotes.

Tundizno. (De *tundir*, 1.er art.) m. Borra que queda de la tundidura.

Tundra. (Voz finlandesa.) f. Terreno abierto y llano, de clima subglacial y subsuelo helado, falto de vegetación arbórea; suelo cubierto de musgos y líquenes, y pantanoso en muchos sitios. Se extiende por Siberia y Alaska.

Tunduque. m. *Chile.* Especie de ratón grande y de color pardo.

Tunear. intr. Hacer vida de tuno o pícaro. || **2.** Proceder como tal.

Tunecí. (Del ár. *tūnisī*, de Túnez.) adj. **Tunecino.** Apl. a pers., ú. t. c. s.

Tunecino, na. (Del m. or. que *tuneci.*) adj. Natural de Túnez. Ú. t. c. s. || **2.** Perteneciente a esta ciudad y región de África. || **3.** Dícese de cierta clase de punto que se hace con la aguja de gancho.

Túnel. (Del ingl. *tunnel.*) m. Paso subterráneo abierto artificialmente para establecer una comunicación a través de un monte, por debajo de un río u otro obstáculo.

Tunera. f. **Tuna,** 1.er art., 1.ª acep.

Tunería. f. Calidad de tunante o pícaro.

Túnez. n. p. V. **Azufaifo, hierba de Túnez.**

Tungro, gra. (Del lat. *Tungri, -ōrum.*) adj. Dícese del individuo de un pueblo de la antigua Germania, que vino a establecerse entre el Rin y el Escalda poco antes de la era cristiana. Ú. t. c. s. || **2.** Perteneciente o relativo a los **tungros.**

Tungsteno. (Del sueco *tungsten*, piedra pesada; de *tung*, pesado, y *sten*, piedra.) m. **Volframio.**

Túnica. (Del lat. *tunĭca.*) f. Vestidura sin mangas, que usaban los antiguos y les servía como de camisa. || **2.** Vestidura de lana que usan los religiosos debajo de los hábitos. || **3.** Vestidura exterior amplia y larga. || **4.** Telilla o película que en algunas frutas o bulbos está pegada a la cáscara y cubre más inmediatamente la carne. || **5.** *Zool.* Membrana sutil que cubre algunas partes del cuerpo. *Las* TÚNICAS *de los ojos, de las venas.* || **6.** *Zool.* Membrana, constituida fundamentalmente por una substancia del tipo de la celulosa, que envuelve por completo el cuerpo de los tunicados. || **de Cristo.** Planta anual, parecida al estramonio, de seis a ocho decímetros de altura, hojas aovadas y sinuosas, cáliz tubular, corola violada por fuera y blanca por dentro, y cápsula de cuatro ventallas. Procede de la India y se cultiva mucho en los jardines de Europa. || **palmada.** La muy rica y adornada que llevaban los romanos debajo de la toga picta. || **úvea.** *Zool.* La tercera del ojo, parecida en su forma al hollejo de la uva.

Tunicado, da. adj. *Bot.* y *Zool.* Envuelto por una túnica. || **2.** *Zool.* Dícese de animales procordados con cuerpo blando, de aspecto gelatinoso y rodeado de una membrana o túnica constituida principalmente por una substancia del tipo de la celulosa. Al nacer tienen la forma de un renacuajo, cuya cola, que está provista de notocordio, desaparece cuando el animal llega al estado adulto; como la salpa, 2.ª acep. Ú. t. c. s. m. || **3.** m. pl. *Zool.* Clase de estos animales.

Tunicela. (Del lat. *tunicella.*) f. **Túnica,** 1.ª acep. || **2.** Vestidura episcopal, a modo de dalmática, con mangas cortas que se aseguran a los brazos por medio de cordones. Úsase en los pontificales debajo de la casulla y es de su mismo color.

Túnico. (De *túnica,* 3.ª acep.) m. Vestidura amplia y larga que como traje de la Edad Media suele usarse en el teatro. || **2.** *Colomb., C. Rica, Hond.* y *Venez.* Túnica que usan las mujeres.

Tuno, na. (De *tunar.*) adj. **Tunante.** Ú. t. c. s. || **2.** m. *And., Colomb.* y *Cuba.* **Higo de tuna.**

Tuntún (Al, o **al buen).** m. adv. fam. Sin reflexión ni previsión. || **2.** fam. Sin certidumbre, sin conocimiento del asunto.

Tupa. f. Acción y efecto de tupir o tupirse. || **2.** fig. y fam. **Hartazgo.**

Tupa. (Voz mapuche.) f. *Chile.* Planta de la familia de las lobeliáceas, con flores grandes de color de grana, en largos racimos terminales; segrega un jugo lechoso tóxico.

Tupaya. f. *Filip.* Mamífero insectívoro trepador, con el hocico prolongado y la cola larga, muy parecido a una ardilla.

Tupé. (Del fr. *toupet,* y éste del m. or. que *tope.*) m. **Copete,** 2.ª acep. || **2.** fig. y fam. Atrevimiento, desfachatez.

Tupí. adj. Dícese de cada uno de los indios que, formando una nación numerosa, dominaban en las costas de la Guayana francesa y brasileña al llegar allí los portugueses. Ú. m. c. s. y en pl. || **2.** m. Lengua de estos indios.

Tupido, da. p. p. de **Tupir.** || **2.** adj. **Espeso,** 2.ª acep. || **3.** Dicho del entendimiento y los sentidos, obtuso, cerrado, torpe.

Tupín. (Del vasco.) m. *Ál.* y *Nav.* Marmita con tres pies.

Tupinambo. (De *tupinambá,* nombre de una raza indígena del Brasil.) m. **Aguaturma.**

Tupir. tr. Apretar mucho una cosa cerrando sus poros o intersticios. Ú. t. c. r. || **2.** r. fig. Hartarse de un manjar o bebida; comer o beber con gran exceso.

Tupitaina. f. *Extr.* y *Sal.* **Tupa,** 1.er art., 2.ª acep.

Tura. (De *turar.*) f. ant. **Dura.**

Turable. adj. ant. **Durable.**

Turación. (De *turar.*) f. ant. **Duración.**

Turanio, nia. adj. Natural del Turán. Ú. t. c. s. || **2.** Perteneciente o relativo a esta región de la antigua Asia Central. || **3.** Aplícase a las lenguas que, como el turco y el húngaro, se creen originarias del Asia Central y no corresponden a los grupos ario y semítico.

Turar. (De *aturar,* del lat. *obdūrāre.*) intr. ant. **Durar.**

Turba. (Del al. *torf.*) f. Combustible fósil formado de residuos vegetales acumulados en sitios pantanosos, de color pardo obscuro, aspecto terroso y poco peso, y que al arder produce humo denso. || **2.** Estiércol mezclado con carbón mineral y moldeado en forma de adobes, que se emplea como combustible en los hornos de ladrillos.

Turba. (Del lat. *turba.*) f. Muchedumbre de gente confusa y desordenada.

Turbación. (Del lat. *turbatĭo, -ōnis.*) f. Acción y efecto de turbar o turbarse. || **2.** Confusión, desorden, desconcierto.

Turbadamente. adv. m. Con turbación o sobresalto.

Turbador, ra. (Del lat. *turbātor, -ōris.*) adj. Que causa turbación. Ú. t. c. s.

Turbal. (De *turba,* 1.er art.) m. **Turbera.**

Turbamiento. (De *turbar.*) m. **Turbación.**

Turbamulta. (Del lat. *turba,* turba, y *multa,* mucha, numerosa.) f. fam. Multitud confusa y desordenada.

Turbante. p. a. de **Turbar.** Que turba.

Turbante. (Del turco *dulbānd.*) m. Tocado propio de las naciones orientales, que consiste en una faja larga de tela rodeada a la cabeza.

Turbar. (Del lat. *turbāre.*) tr. Alterar o conmover el estado o curso natural de una cosa; descomponer o inmutar su orden o disposición. Ú. t. c. r. || **2. Enturbiar.** Ú. t. c. r. || **3.** fig. Sorprender o aturdir a uno, de modo que no acierte a hablar o a proseguir lo que estaba haciendo. Ú. t. c. r. || **4.** fig. Interrumpir, violenta o molestamente, la quietud. TURBAR *el sosiego, el silencio.* Ú. t. c. r.

Turbativo, va. adj. Que turba o inquieta. || **2.** *For.* V. **Posesión turbativa.**

Turbera. f. Sitio donde yace la turba.

Turbia. (De *turbiar.*) f. Estado del agua corriente enturbiada por arrastres de tierras.

Turbiamente. adv. m. De manera turbia o confusa.

Turbiante. p. a. ant. de **Turbiar. Turbante,** 1.er art.

Turbiar. (Del lat. *turbidāre.*) tr. ant. **Turbar.** Usáb. t. c. r.

Túrbido, da. (Del lat. *turbĭdus.*) adj. **Turbio.**

Turbiedad. f. Calidad de turbio.

Turbieza. (De *turbio.*) f. **Turbulencia.** || **2.** Acción y efecto de enturbiar o de ofuscar.

Turbina. (Del lat. *turbo, -ĭnis,* remolino.) f. Rueda hidráulica, con paletas curvas colocadas en su periferia, que recibe el agua por el centro y la despide en dirección tangente a la circunferencia, con lo cual aprovecha la mayor parte posible de la fuerza motriz. || **2.** Máquina destinada a transformar en movimiento giratorio de una rueda de paletas la fuerza viva o la presión de un fluido. TURBINA *de vapor.*

Turbino. m. Raíz del turbit pulverizada.

Turbinto. (De *terebinto.*) m. *Bot.* Árbol de América Meridional, de la familia de las anacardiáceas, con tronco recto, corteza resquebrajada y ramas colgantes; hojas compuestas de hojuelas lanceoladas siempre verdes; flores pequeñas, blanquecinas, en panojas axilares, y fruto en bayas redondas de corteza rojiza y olor de pimienta. Da buena trementina y con sus bayas se hace en América una bebida muy grata.

Turbio, bia. (De *tŭrbĭdus.*) adj. Mezclado o alterado por una cosa que obscurece o quita la claridad natural o transparencia. || **2.** fig. Revuelto, dudoso, turbulento, azaroso. Aplícase a tiempos y circunstancias. || **3.** fig. Tratando de la visión, confusa, poco clara. || **4.** fig. Aplicado a lenguaje, locución, explicación, etc., obscuro o confuso. || **5.** m. pl. **Hez,** 1.ª acep., principalmente la del aceite.

Turbión. (De *turbón.*) m. Aguacero con viento fuerte, que viene repentinamente y dura poco. || **2.** fig. Multitud de cosas que caen de golpe, llevando tras sí lo que encuentran. || **3.** fig. Multitud de cosas que vienen juntas y violentamente, y ofenden y lastiman.

Turbioso, sa. adj. ant. **Turbio.**

Turbit. (Del ár. *turbid.*) m. Planta trepadora asiática, de la familia de las convolvuláceas, con tallos sarmentosos muy largos, hojas parecidas a las de la malva, flores acampanadas rojas y blancas, fruto capsular con semillas negras casi esféricas, y raíces largas, gruesas como el dedo, de corteza obscura, blancas por dentro y resinosas, que se han empleado en medicina como purgante drástico. || **2.** Raíz de esta planta. || **mineral.** Sulfato mercurial de propiedades purgantes parecidas a las del **turbit** vegetal.

Turbón. (Del lat. *turbo*, -ōnis,* por *-ĭnis.*) m. ant. **Turbión.**

Turbonada. (De *turbón.*) f. Fuerte chubasco de viento y agua, acompañado de truenos, relámpagos y rayos.

Turbulencia. (Del lat. *turbulentĭa.*) f. Alteración de las cosas claras y transparentes que se obscurecen con alguna mezcla que reciben. || **2.** fig. Confusión, alboroto o perturbación.

Turbulentamente. adv. m. De manera turbulenta.

Turbulento, ta. (Del lat. *turbulentus.*) adj. **Turbio.** || **2.** fig. Confuso, alborotado y desordenado.

Turca. (De *turco,* 7.ª acep.) f. fam. **Borrachera,** 1.ª acep.

Turca. (Del arauc. *thurcu.*) f. *Chile.* Pájaro conirrostro, de plumaje pardo rojizo, alas cortas, y las patas con tarsos muy fuertes y uñas muy largas.

Turco, ca. (Del ár. *turk.*) adj. Aplícase al individuo de un numeroso pueblo que, procedente del Turquestán, se estableció en el Asia Menor y en la parte oriental de Europa, a las que dió nombre. Ú. t. c. s. || **2.** Natural de Turquía. Ú. t. c. s. || **3.** Perteneciente a esta nación de Europa y Asia. || **4.** V. **Bolsa, silla turca.** || **5.** V. **Tabaco turco.** || **6.** m. Lengua **turca.** || **7.** *Germ.* **Vino,** 1.ª acep. || **El gran turco.** El sultán de Turquía.

Turcomano, na. (De *turkmān,* nombre persa de unas tribus turcas del Asia Central.) adj. Aplícase al individuo de cierta rama de la raza turca, muy numerosa en Persia y otras regiones de Asia. Ú. t. c. s. || **2.** Perteneciente a los **turcomanos.**

Turcople. (Del gr. mod. τουρκόπουλον, hijo de turco.) adj. Aplícase a la persona nacida de padre turco y madre griega. Ú. t. c. s.

Turdetano, na. (Del lat. *turdetānus.*) adj. Natural de Turdetania. Ú. t. c. s. || **2.** Perteneciente a esta antigua región meridional de España.

Túrdiga. f. Tira o lista de pellejo.

Turdión. (Del fr. *tordion,* de *tordre,* torcer.) m. Especie de baile del género de la gallarda.

Túrdulo, la. (Del lat. *turdŭlus.*) adj. Dícese del habitante de una antigua región meridional de España. Ú. t. c. s. || **2.** Perteneciente a los **túrdulos.**

Turgencia. (Del lat. *turgens, -entis,* turgente.) f. Cualidad de turgente.

Turgente. (Del lat. *turgens, -entis.*) adj. Abultado, elevado. || **2.** *Med.* Aplícase al humor que hincha alguna parte del cuerpo.

Túrgido, da. (Del lat. *turgĭdus.*) adj. poét. **Turgente,** 1.ª acep.

Turibular. tr. Mecer o agitar el turíbulo.

Turibulario. m. **Turiferario.**

Turíbulo. (Del lat. *turibŭlum;* de *tus, turis,* incienso.) m. **Incensario.**

Turiferario. (Del lat. *turiferarĭus.*) m. El que lleva el incensario.

Turífero, ra. (Del lat. *turĭfer, -ĕri;* de *tus, turis,* incienso, y *ferre,* llevar.) adj. Que produce o lleva incienso.

Turificación. f. Acción y efecto de turificar.

Turificar. tr. **Incensar.**

Turión. (Del lat. *turĭo, -ōnis,* yema, 1.ª acep.) m. *Bot.* Yema que nace de un tallo subterráneo; como en los espárragos.

Turismo. m. Afición a viajar por gusto de recorrer un país. || **2.** Organización de los medios conducentes a facilitar estos viajes.

Turista. (Del ingl. *tourist.*) com. Persona que recorre un país por distracción y recreo.

Turístico, ca. adj. Perteneciente o relativo al turismo.

Turlerín. m. *Germ.* **Ladrón,** 1.ª acep.

Turma. (Del lat. *turma.*) f. Testículo o criadilla. || **de tierra. Criadilla de tierra.**

Turmalina. (Del malayo *turnamal.*) f. Mineral formado por un silicato de alúmina con ácido bórico, magnesia, cal, óxido de hierro y otras substancias en proporciones pequeñas; de color generalmente negro o pardo, transparente o translúcido, tan duro como el cuarzo y cuyos cristales se electrizan calentados desigualmente por ambos extremos. Se encuentra en los granitos, y sus variedades verdes y encarnadas suelen emplearse como piedras finas.

Turnar. (Del fr. *tourner,* y éste del lat. *tornāre.*) intr. Alternar con una o más personas en el repartimiento de una cosa o en el servicio de algún cargo, guardando orden sucesivo y vez entre todas.

Turnio, nia. adj. V. **Ojos turnios.** || **2.** Que tiene ojos **turnios.** Ú. t. c. s. || **3.** fig. Que mira con ceño o demasiada severidad. Ú. t. c. s.

Turno. (De *turnar.*) m. Orden o alternativa que se observa entre varias personas, para la ejecución de una cosa, o en la sucesión de éstas. || **2.** Cada una de las intervenciones que, en pro o en contra de una propuesta, permiten los reglamentos de las Cámaras legislativas o corporaciones. || **De turno.** loc. Dícese de la persona o cosa a la que corresponde actuar en cierto momento, según la alternativa previamente acordada. *Médico* DE TURNO.

Turolense. adj. Natural de Teruel. Ú. t. c. s. || **2.** Perteneciente a esta ciudad o a su provincia.

Turón. m. Mamífero carnicero de unos 35 centímetros de largo desde lo alto de la cabeza hasta el arranque de la cola, que mide poco más de un decímetro; con cuerpo flexible y prolongado, cabeza pequeña, hocico agudo, orejas chicas y casi redondas, patas cortas, pelaje blanco alrededor de la boca y orejas, negro en las patas y cola y pardo obscuro en el resto del cuerpo. Despide olor fétido y habita en sitios montuosos donde abunda la caza, de la cual se alimenta.

Turonense. (Del lat. *turonensis.*) adj. Natural de Tours. Ú. t. c. s. || **2.** Perteneciente a esta ciudad de Francia.

Turpe. (Del lat. *turpis.*) adj. ant. **Torpe.**

Turpial. (De *trupial.*) m. **Trupial.**

Turpitud. (Del lat. *turpitūdo.*) f. ant. **Torpeza.**

Turqués, sa. adj. ant. **Turco.** Apl. a pers., usáb. t. c. s.

Turquesa. (Quizá del lat. *torquēre,* apretar con fuerza.) f. Molde, a modo de tenaza, para hacer bodoques de ballesta o balas de plomo. || **2. Molde,** 1.ª acep.

Turquesa. (De *turqués.*) f. Mineral amorfo, formado por un fosfato de alúmina con algo de cobre y hierro, de color azul verdoso, capaz de hermoso pulimento y casi tan puro como el vidrio, que se halla en granos menudos en distintos puntos de Asia, principalmente en Persia, y se emplea en joyería. || **occidental.** Hueso o diente fósil, teñido naturalmente de azul por el óxido de cobre, que se usa en joyería. || **oriental. Turquesa,** 2.° art.

Turquesado, da. (De *turquesa,* 2.° art.) adj. **Turquí.**

Turquesco, ca. adj. **Turco,** 3.ª acep. || **A la turquesca.** m. adv. Al uso de Turquía.

Turquí. (Del ár. *turkī,* de Turquía.) adj. desus. **Turco,** 3.ª acep. || **2.** V. **Azul turquí.** Ú. t. c. s.

Turquía. f. *Germ.* Dobla de oro.

Turquino, na. adj. **Turquí.**

Turra. f. *Áv.* y *Seg.* Especie de tomillo muy nocivo para el ganado. || **2.** *Colomb.* **Chito,** 1.er art.

Turrar. (De *torrar.*) tr. Tostar o asar en las brasas.

Turrón. (De *turrar.*) m. Masa hecha de almendras, piñones, avellanas o nueces, tostado todo y mezclado con miel puesta en punto, y a veces con algunos terrones de azúcar. Hácense también **turrones** de pastas más finas y delicadas, de varias clases. || **2.** fig. y fam. Destino público o beneficio que se obtiene del Estado. || **3.** *Germ.* **Piedra,** 1.ª acep.

Turronada. (De *turrón,* 3.ª acep.) f. *Germ.* **Pedrada.**

Turronería. f. Tienda en que se vende el turrón.

Turronero, ra. m. y f. Persona que hace o vende turrón. || **2.** adj. fam. *And.* Peguntoso, pegajoso, sobado.

Turubí. m. *Argent.* Planta aromática, con hojas aserradas, vellosas; raíz tuberculosa que tiene propiedades de emenagogo.

Turulato, ta. (Del lat. *turbulentātus,* turbado.) adj. fam. Alelado, sobrecogido, estupefacto.

Turuleque. n. p. V. **Mal se aviene el don con el Turuleque.**

Turulés. adj. V. **Uva turulés.**

Turullo. m. Cuerno que usan los pastores para llamar y reunir el ganado.

Turumbón. (De *torondón.*) m. **Tolondrón,** 2.ª acep.

Turupial. (De *turpial.*) m. *Venez.* **Trupial.**

Tururú. m. En algunos juegos, reunir un jugador tres cartas del mismo valor.

¡Tus! Voz para llamar a los perros. Ú. m. repetida. || **Sin decir tus ni mus.** loc. adv. fig. y fam. **Sin decir palabra.**

Tusa. (De *tuso.*) f. fam. **Perra,** 1.ª acep. Ú. como interjección para llamarla o espantarla.

Tusa. f. *Bol., Colomb.* y *Venez.* Zuro, carozo, corazón de la panoja. || **2.** *Amér. Central* y *Cuba.* Espata o farfolla de la mazorca del maíz. || **3.** *Cuba* y *And.* **Pajilla.** || **4.** *Chile.* Barbas de la mazorca del maíz. || **5.** *Chile.* Crines del caballo. || **6.** *Colomb.* Hoyo de viruela. || **7.** fig. *Amér. Central* y *Cuba.* Mujer despreciable.

Tusar. (Del lat. **tōnsāre,* de *tōnsus.*) tr. ant. **Atusar.** Ú. en *Amér.* || **2.** *Amér.* **Trasquilar.**

Tuscánico, ca. (Del lat. *tuscanĭcus.*) adj. ant. **Toscano,** 2.ª acep.

Tusco, ca. (Del lat. *tuscus.*) adj. Etrusco o toscano. Apl. a pers., ú. t. c. s.

Tusculano, na. (Del lat. *tusculānus.*) adj. Natural de Túsculo. Ú. t. c. s. || **2.** Perteneciente a esta ciudad del Lacio.

Tusilago. (Del lat. *tussilāgo.*) m. **Fárfara,** 1.er art.

Tuso. (De *¡tus!*) m. fam. **Perro,** 1.ª acep. Ú. como interjección para llamarlo o espantarlo.

Tuso, sa. adj. *Colomb.* Picoso, cacarañado. || **2.** *P. Rico.* Rabón, sin rabo o con el rabo corto.

Tusón. (Del lat. *tonsĭo, -ōnis.*) m. **Vellón,** 1.er art., 1.ª y 2.ª aceps. || **2.** ant. **Toisón.** || **3.** *And.* Potro que no ha llegado a dos años.

Tusona. (De *tusón.*) f. fam. **Ramera.** || **2.** *And.* Potranca que no ha llegado a dos años.

Tuta. f. *Ál., Sant.* y *Vizc.* **Chito,** 1.er art.

Tútano. (En port. *tutano.*) m. desus. **Tuétano.**

Tute. (Del ital. *tutti,* todos, porque gana el juego quien reúne todos los reyes o caballos.) m. Juego de naipes carteado parecido a la brisca y en que hay los lances de acusar 20 tantos el que tiene rey y caballo del mismo palo, ó 40 si son del triunfo, y de ganar la partida el que reúne los cuatro reyes o los cuatro caballos. || **2.** Reunión, en este juego, de los cuatro reyes o los cuatro caballos. || **arrastrado.** El que se juega entre tres, repartiendo todas las cartas y arrastrando.

Tutear. tr. Hablar a uno empleando el pronombre de segunda persona. Ú. t. c. rec.

Tutela. (Del lat. *tutēla.*) f. Autoridad que, en defecto de la paterna o materna, se confiere para curar de la persona y los bienes de aquel que por menoría de edad, o por otra causa, no tiene completa capacidad civil. || **2.** Cargo de tutor. || **3.** fig. Dirección, amparo, protección o defensa. || **dativa.** *For.* La que se confiere por nombramiento del consejo de familia o del juez y no por disposición testamentaria ni por designación de la ley. || **ejemplar.** *For.* La que se contituye para curar de la persona y bienes de los incapacitados mentalmente. || **legítima.** *For.* La que se confiere por virtud de llamamiento que hace la ley. || **testamentaria.** La que se defiere por virtud de llamamiento hecho en el testamento de una persona facultada para ello.

Tutelar. (Del lat. *tutelāris.*) adj. Que guía, ampara protege o defiende. || **2.** *For.* Perteneciente a la tutela de los incapaces. || **3.** *For.* V. **Juez tutelar.** || **4.** *For. Ar.* V. **Firma tutelar.**

Tuteo. m. Acción de tutear.

Tutía. (Del ár. *tūtiyā',* y éste del gr. τουτία, óxido de cinc.) f. **Atutía.**

Tutilimundi. (Del ital. *tutti li mondi,* todos los mundos.) m. **Mundonuevo.**

Tutiplén (A). (Forma viciosa del lat. *totus,* todo, y *plenus,* lleno.) m. adv. fam. En abundancia, a porrillo.

Tutor, ra. (Del lat. *tutor, -ōris.*) m. y f. Persona que ejerce la tutela. || **2.** Persona que ejerce las funciones señaladas por la legislación antigua al curador. || **3. Rodrigón,** 1.ª acep. || **4.** fig. Defensor, protector o director en cualquier línea. || **dativo.** *For.* El nombrado por autoridad competente, a falta del testamentario y del legítimo. || **legítimo.** *For.* El designado por la ley civil, a falta de **tutor** testamentario. || **testamentario.** *For.* El designado en testamento por quien tiene facultad para ello. || **Haber menester tutor** uno. fr. fig. Ser incapaz para gobernar sus cosas, o demasiado gastador o manirroto. Ú. m. con neg.

Tutoría. (De *tutor.*) f. **Tutela,** 1.ª acep.

Tutriz. (Del lat. *tutrix, -īcis.*) f. **Tutora.**

Tutú. m. *Argent.* Ave de rapiña, con plumaje verde en el lomo, azul en el pecho y con manchas negras por la cabeza, las alas y la cola.

Tuturuto, ta. adj. *Colomb., Ecuad.* y *Venez.* Turulato, lelo.

Tuturutú. (Voz onomatopéyica.) m. Sonido de la corneta.

Tuya. (Del gr. θυία.) f. *Bot.* Árbol americano de la familia de las cupresáceas, con hojas siempre verdes y de forma de escamas, madera muy resistente y fruto en piñas pequeñas y lisas. || **articulada. Alerce africano.**

Tuyo, tuya, tuyos, tuyas. (Del lat. *tuus.*) Pronombre posesivo de segunda persona en género masculino y femenino y ambos números singular y plural. Con la terminación del masculino, en singular, ú. t. c. neutro.

U

U. f. Vigésima cuarta letra del abecedario español, última de sus vocales y una de las dos de sonido más débil. Pronúnciase emitiendo la voz con los labios algo más alargados y fruncidos que para pronunciar la *o*. Es letra muda en las sílabas *que, qui;* v. gr.: *queja, quicio;* y también, por regla general, en las sílabas *gue, gui;* v. gr.: *guerra, guión*. Cuando en una de estas dos últimas tiene sonido, debe llevar diéresis; como en *vergüenza, argüir*. || **consonante. V.** || **valona. V doble.**

U. conj. disyunt. que para evitar el hiato se emplea en vez de *o* ante palabras que empiezan por esta última letra o por *ho;* v. gr.: *diez* U *once; belga* U *holandés*.

Ubada. (De *yugada.*) f. *And.* Medida de tierra que contiene 36 fanegas.

Ubajay. m. *Argent.* Árbol de la familia de las mirtáceas, de ramaje abundante, hojas estrechas, aovadas, puntiagudas, y fruto comestible algo ácido, de piel vellosa y de pulpa amarilla. || **2.** *Argent.* Fruto de este árbol.

Ube. m. *Bot. Filip.* Planta de la familia de las dioscoráceas, que produce rizomas comestibles.

Ubérrimo, ma. (Del lat. *uberrĭmus.*) adj. sup. Muy abundante y fértil.

Ubetense. adj. Natural de Úbeda. Ú. t. c. s. || **2.** Perteneciente a esta ciudad de la provincia de Jaén.

Ubí. m. *Bot. Cuba.* Planta de la familia de las vitáceas; especie de bejuco que se utiliza para hacer canastas.

Ubicación. f. Acción y efecto de ubicar o ubicarse.

Ubicar. (Del lat. *ubi*, en donde.) intr. Estar en determinado espacio o lugar. Ú. m. c. r. || **2.** tr. *Amér.* Situar o instalar en determinado espacio o lugar.

Ubicuidad. f. Calidad de ubicuo.

Ubicuo, cua. (Del lat. *ubīque*, en todas partes.) adj. Que está presente a un mismo tiempo en todas partes. Dícese solamente de Dios. || **2.** fig. Aplícase a la persona que por celo en el cumplimiento de su cargo, por curiosidad o por natural inquietud, todo lo quiere presenciar y vive en continuo movimiento.

Ubio. m. *And., Mancha, Pal.* y *Seg.* **Yugo,** 1.ª acep.

Ubiquidad. f. **Ubicuidad.**

Ubiquitario, ria. (Del lat. *ubīque*, en todas partes.) adj. Dícese del individuo de una secta del protestantismo, que niega la transubstanciación y afirma que el cuerpo de Jesucristo, en virtud de su divinidad, está presente en la Eucaristía como en todas partes. Ú. t. c. s.

Ubre. (Del lat. *ūber, -ĕris.*) f. Cada una de las tetas de la hembra, en los mamíferos. || **2.** Conjunto de ellas.

Ubrera. (De *ubre.*) f. Excoriación que suelen padecer los niños en la boca por mamar mucho o a consecuencia de la descomposición de la leche que se derrama por sus labios.

Ucase. (Del ruso *ukasati*, indicar.) m. Decreto del zar. || **2.** fig. Orden gubernativa injusta y tiránica.

Ucé. com. ant. Vuestra merced.

Uced. com. ant. **Ucé.**

Ucencia. com. ant. **Vuecencia.**

Ucranio, nia. adj. Natural de Ucrania. Ú. t. c. s. || **2.** Perteneciente o relativo a esta región del sur de la antigua Rusia, poblada por una raza eslava.

Ucubitano, na. adj. Natural de la antigua Úcubi, hoy Espejo, en la provincia de Córdoba. Ú. t. c. s. || **2.** Perteneciente a esta ciudad de la Bética.

Uchú. (Del quichua.) m. *Perú.* **Guindilla,** 1.ª acep.

Udómetro. (Del lat. *udor*, lluvia, y el gr. μέτρον, medida.) m. **Pluviómetro.**

Uesnorueste. m. **Oesnorueste.**

Uessudueste. m. **Oessudueste.**

Ueste. m. **Oeste.**

¡Uf! (Del ár. *uff*, interjección.) interj. con que se denota cansancio, fastidio o sofocación. || **2.** Indica también repugnancia.

Ufanamente. (De *ufano.*) adv. m. Con ufanía.

Ufanarse. (De *ufano.*) r. Engreírse, jactarse, gloriarse.

Ufanero, ra. adj. ant. Que acostumbra ufanarse.

Ufaneza. (De *ufano.*) f. ant. **Ufanía.**

Ufanía. f. Calidad de ufano.

Ufanidad. (De *ufano.*) f. desus. **Ufanía.**

Ufano, na. (Del gót. *uffo*, superfluo.) adj. Arrogante, presuntuoso, engreído. || **2.** fig. Satisfecho, alegre, contento. || **3.** fig. Que procede con resolución y desembarazo en la ejecución de alguna cosa.

Ufo (A). (Del ital. *a ufo.*) m. adv. De gorra, de mogollón, sin ser convidado ni llamado.

Ugre. m. *C. Rica.* Árbol bixíneo, de tronco blanquecino y frutos esféricos con aguijones.

Ugrofinés, sa. adj. Perteneciente o relativo a los fineses y a otros pueblos de lengua semejante. || **2.** Dícese de un grupo de lenguas uralaltaicas, que comprende principalmente el húngaro, el finlandés y el estoniano.

Ujier. (De *usier.*) m. Portero de estrados de un palacio o tribunal. || **2.** Empleado subalterno que en algunos tribunales y cuerpos del Estado tiene a su cargo la práctica de ciertas diligencias en la tramitación de los asuntos, y algunas veces cuida de la policía en los estrados. || **de armas.** Criado o ministro que en lo antiguo tenía el encargo de la custodia y guarda de las armas del rey. || **de cámara.** Criado del rey, que asistía en la antecámara para cuidar de la puerta y de que sólo entrasen las personas que debían entrar, por sus oficios u otros motivos. || **de sala. Ujier de vianda.** || **de saleta.** Criado del rey, que asistía en la saleta para impedir la entrada a los que no tenían derecho a ella. Le había también en el cuarto de la reina, con el mismo encargo. || **de vianda.** Criado de palacio, que tenía a su cargo acompañar el cubierto y copa desde la panetería y cava, y después la vianda desde la cocina.

Ulaguiño. (De *ulaga.*) m. *Logr.* **Abrótano.**

Ulala. f. *Bol.* Especie de cacto.

Ulano. (Del turco *oglan*, joven, servidor, soldado de caballería ligera, a través del al. *uhlan.*) m. Soldado de caballería ligera armado de lanza, en los ejércitos austriaco, alemán y ruso.

Úlcera. (Del lat. *ulcĕra*, pl. de *ulcus*, llaga.) f. *Med.* Solución de continuidad con pérdida de substancia en los tejidos orgánicos, acompañada ordinariamente de secreción de pus y sostenida por un vicio local o por una causa interna. || **2.** Daño en la parte leñosa de la plantas, que se manifiesta por exudación de savia corrompida.

Ulceración. (Del lat. *ulceratĭo, -ōnis.*) f. Acción y efecto de ulcerar o ulcerarse.

Ulcerante. p. a. de **Ulcerar.** Que ulcera.

Ulcerar. (Del lat. *ulcerāre.*) tr. Causar úlcera. Ú. t. c. r.

Ulcerativo, va. adj. Que causa o puede causar úlceras.

Ulceroso, sa. (Del lat. *ulcerōsus.*) adj. Que tiene úlceras.

Ulema. (Del ár. *'ulamā'*, pl. de *'ālim*, sabio en materias teológico-jurídicas.) m. Doctor de la ley mahometana.

Ulfilano, na. adj. Dícese de un carácter de letra gótica, cuya invención se atribuye al obispo Ulfilas.

Uliginoso, sa. (Del lat. *uligo*, humedad de la tierra.) adj. Aplícase a los terrenos húmedos y a las plantas que crecen en ellos.

Ulmáceo, a. (Del lat. *ulmus*, olmo.) adj. *Bot.* Dícese de árboles o arbustos angiospermos dicotiledóneos, con ramas alternas, lisas o corchosas; hojas aserradas; flores hermafroditas o unisexuales, solitarias o en cimas, y fruto seco con una sola semilla, aplastada y sin albumen, o drupas carnosas con una semilla; como el olmo y el almez. Ú. t. c. s. f. ‖ **2.** f. pl. *Bot.* Familia de estas plantas.

Ulmaria. f. **Reina de los prados.**

Ulmén. m. *Chile.* Entre los indios araucanos, hombre rico, que por serlo es respetado e influyente.

Ulmo. m. *Chile.* Árbol corpulento, de hoja perenne y flores blancas; la corteza sirve para curtir.

Ulpo. m. *Chile* y *Perú.* Especie de mazamorra o poleada hecha con harina tostada desleída en agua, que sirve de alimento a los indios.

Ulterior. (Del lat. *ulterior, -ōris.*) adj. Que está de la parte de allá de un sitio o territorio. ‖ **2.** Que se dice, sucede o se ejecuta después de otra cosa. *Se han tomado providencias* ULTERIORES.

Ulteriormente. (De *ulterior.*) adv. m. Después de un momento dado.

Ultílogo. m. Discurso puesto en un libro después de terminada la obra.

Ultimación. f. Acción y efecto de ultimar.

Ultimadamente. (De *ultimado.*) adv. m. ant. **Últimamente.**

Ultimado, da. p. p. de **Ultimar.** ‖ **2.** adj. ant. **Último.**

Ultimador, ra. adj. El que ultima. Ú. t. c. s.

Últimamente. adv. m. **Por último.**

Ultimar. (Del lat. *ultimāre*, de *ultĭmus*, último.) tr. Acabar, conducir, finalizar una cosa.

Ultimato. m. desus. **Ultimátum.**

Ultimátum. (Del lat. *ultimātum*, t. n. de *-tus.*) m. En el lenguaje diplomático, resolución terminante y definitiva, comunicada por escrito. ‖ **2.** fam. Resolución definitiva.

Ultimidad. f. Calidad de último.

Último, ma. (Del lat. *ultĭmus.*) adj. Aplícase a lo que en su línea no tiene otra cosa después de sí. ‖ **2.** Dícese de lo que en una serie o sucesión de cosas está o se considera en el lugar postrero. *Don Rodrigo fue el* ÚLTIMO *rey de los godos.* ‖ **3.** Dícese de lo más remoto, retirado o escondido. *Se fue a la* ÚLTIMA *pieza de la casa.* ‖ **4.** Aplícase al recurso, medio o acuerdo eficaz y definitivo que se toma en algún asunto, después de experimentada la inutilidad o insuficiencia de lo ejecutado anteriormente. *No se declaró nada hasta que por* ÚLTIMO *recurso le desterraron.* ‖ **5.** Dícese de lo mayor, más excelente, singular o superior en su línea. ‖ **6.** Aplícase al blanco, fin o término a que deben dirigirse todas nuestras acciones y designios. ‖ **7.** Dícese del precio que se pide como mínimo o del que se ofrece como máximo. Ú. t. c. s. n. ‖ **8.** V. **Última disposición, última voluntad.** ‖ **9.** V. **Fin último.** ‖ **10.** V. **Último suspiro.** ‖ **11.** V. **Diez de últimas.** ‖ **12.** adv. m. desus. Últimamente, por **último.** ‖ **A la última.** m. adv. fam. A la **última** moda. ‖ **Estar** uno **a lo último de** una cosa. fr. fam. **Estar al cabo de ella.** ‖ **Estar** uno **a lo último, a los últimos,** en **las últimas,** o **en los últimos.** fr. fam. **Estar al cabo.** ‖ **Por último.** m. adv. Después o detrás de todo, finalmente.

Ultra. (Del lat. *ultra.*) adv. Además de. ‖ **2.** En composición con algunas voces, más allá de, al otro lado de. ULTRA*mar.* ULTRA*puertos.* ‖ **3.** Antepuesta como partícula inseparable a algunos adjetivos, expresa idea de exceso. ULTRA*famoso.* ULTRA*ideal.*

Ultraísmo. m. Movimiento poético promulgado en 1918 y que durante algunos años agrupó a los poetas españoles e hispanoamericanos que, manteniendo cada uno sus particulares ideales estéticos, coincidían en sentir la urgencia de una renovación radical del espíritu y la técnica.

Ultrajador, ra. adj. Que ultraja. Ú. t. c. s.

Ultrajante. p. a. de **Ultrajar.** Que ultraja.

Ultrajar. (De *ultraje.*) tr. Ajar o injuriar de obra o de palabra. ‖ **2.** Despreciar o tratar con desvío a una persona.

Ultraje. (Del b. lat. *ultragium*, y éste del lat. *ultra*, más allá.) m. Ajamiento, injuria o desprecio, de obra o de palabra.

Ultrajoso, sa. adj. Que causa o incluye ultraje.

Ultramar. (De *ultra* y *mar.*) m. País o sitio que está de la parte de la otra parte del mar, considerado desde el punto en que se habla. ‖ **2. Azul de ultramar.** ‖ **3. Ministerio de Ultramar.**

Ultramarino, na. (De *ultramar.*) adj. Que está o se considera del otro lado o a la otra parte del mar. ‖ **2.** Aplícase a los géneros o comestibles traídos de la otra parte del mar, y más particularmente de América y Asia, y en general a los comestibles que se pueden conservar sin que se alteren fácilmente. Ú. m. c. s. y en pl. *Lonja de* ULTRAMARINOS. ‖ **3.** V. **Azul ultramarino.** ‖ **4.** *For.* V. **Término ultramarino.**

Ultramaro. (De *ultramar.*) adj. V. **Azul ultramaro.**

Ultramicroscópico, ca. (De *ultra* y *microscópico.*) adj. Dícese de lo que por su pequeñez no puede ser visto sino por medio del ultramicroscopio.

Ultramicroscopio. (De *ultra* y *microscopio.*) m. Sistema óptico que sirve para ver objetos de dimensiones aún más pequeñas que las que se perciben con el microscopio.

Ultramontanismo. m. Conjunto de las doctrinas y opiniones de los ultramontanos. ‖ **2.** Conjunto de éstos.

Ultramontano, na. (Del lat. *ultra*, más allá, y *montānus*, del monte.) adj. Que está más allá o de la otra parte de los montes. ‖ **2.** Dícese del que opina en contra de lo que en España se llaman regalías de la corona, relativamente a la potestad de la Santa Sede, y del partidario y defensor del más lato poder y amplias facultades del Papa. Ú. t. c. s. ‖ **3.** Perteneciente o relativo a la doctrina de los **ultramontanos.**

Ultramundano, na. adj. Que excede a lo mundano o está más allá.

Ultranza (A). (Del lat. *ultra*, más allá.) m. adv. **A muerte.** ‖ **2.** A todo trance, resueltamente.

Ultrapuertos. (De *ultra* y *puerto.*) m. Lo que está más allá o a la otra parte de los puertos.

Ultrarrojo. adj. *Fís.* Perteneciente o relativo a la parte invisible del espectro luminoso, que se extiende a continuación del color rojo y cuya existencia se revela principalmente por acciones térmicas.

Ultratumba. (De *ultra* y *tumba.*) adv. Más allá de la tumba.

Ultraviolado, da. (De *ultra* y *violado.*) adj. *Fís.* **Ultravioleta.**

Ultravioleta. adj. *Fís.* Perteneciente o relativo a la parte invisible del espectro luminoso, que se extiende a continuación del color violado y cuya existencia se revela principalmente por acciones químicas.

Ultravirus. m. Virus que, como el de la rabia y otros, contiene gérmenes patógenos invisibles, los cuales pasan a través de los filtros.

Ultriz. (Del lat. *ultrix, -īcis.*) adj. ant. **Vengadora.**

Úlula. (Del lat. *ulŭla.*) f. **Autillo,** 2.° art.

Ulular. (Del lat. *ululāre.*) intr. Dar gritos o alaridos.

Ululato. (Del lat. *ululātus.*) m. Clamor, lamento, alarido.

Ulluco. m. *Bot. Bol., Ecuad.* y *Perú.* **Olluco.**

Umbela. (Del lat. *umbella*, quitasol.) f. *Bot.* Grupo de flores o frutos que nacen en un mismo punto del tallo y se elevan a igual o casi igual altura. ‖ **2. Guardapolvo,** 3.ª acep.

Umbelífero, ra. (De *umbela* y el lat. *ferre*, llevar.) adj. *Bot.* Dícese de plantas angiospermas dicotiledóneas, que tienen hojas, por lo común alternas, simples, más o menos divididas y con pecíolos envainadores; flores en umbela, blancas o amarillas, y fruto compuesto de dos aquenios, en cada uno de los cuales hay una sola semilla de albumen carnoso o córneo; como el cardo corredor, el apio, el perejil, el hinojo, el comino y la zanahoria. Ú. t. c. s. f. ‖ **2.** f. pl. *Bot.* Familia de estas plantas.

Umbilicado, da. (Del lat. *umbilicātus.*) adj. De figura de ombligo.

Umbilical. (Del lat. *umbilicāris.*) adj. *Zool.* Perteneciente al ombligo. *Vasos* UMBILICALES. ‖ **2.** *Zool.* V. **Cordón umbilical.**

Umbra. (Del lat. *umbra.*) f. ant. **Sombra.**

Umbráculo. (Del lat. *umbracŭlum.*) m. Sitio cubierto de ramaje o de otra cosa que da paso al aire, para resguardar las plantas de la fuerza del sol.

Umbral. (De *lumbral.*) m. Parte inferior o escalón, por lo común de piedra y contrapuesto al dintel, en la puerta o entrada de una casa. ‖ **2.** fig. Paso primero y principal o entrada de cualquier cosa. ‖ **3.** *Arq.* Madero que se atraviesa en lo alto de un vano, para sostener el muro que hay encima. ‖ **Atravesar,** o **pisar, los umbrales de** un edificio. fr. Entrar en él. Ú. m. con neg.

Umbralado, da. p. p. de **Umbralar.** ‖ **2.** m. *Arq.* Vano asegurado por un umbral. ‖ **3.** *Amér. Merid.* **Umbral.**

Umbralar. tr. *Arq.* Poner umbral al vano de un muro.

Umbrático, ca. (Del lat. *umbratĭcus.*) adj. Perteneciente a la sombra. ‖ **2.** Que la causa.

Umbrátil. (Del lat. *umbratĭlis.*) adj. **Umbroso.** ‖ **2.** Que tiene sombra o apariencia de una cosa.

Umbría. (De *umbrío.*) f. Parte de terreno en que casi siempre hace sombra, por estar expuesta al Norte.

Umbrío, a. (De *umbra.*) adj. **Sombrío,** 1.ª acep.

Umbroso, sa. (Del lat. *umbrōsus.*) adj. Que tiene sombra o la causa.

Umero. m. **Homero.**

Un (Apócope de *uno.*), **una.** Artículo indeterminado en género masculino y femenino y número singular. Puede usarse con énfasis para indicar que la persona o cosa a que se antepone se considera en todas sus cualidades más característicás. ¡UN *Avellaneda competir con* UN *Cervantes!* ‖ **2.** adj. **Uno.**

Unalbo, ba. (De *uno* y *albo.*) adj. Se dice de la caballería que tiene calzado un pie o una mano.

Unánime. (Del lat. *unanĭmis*; de *unus*, uno, y *animus*, ánimo.) adj. Dícese del conjunto de las personas que convienen en un mismo parecer, dictamen, voluntad o sentimiento. ‖ **2.** Aplícase a este parecer, dictamen, voluntad o sentimiento.

Unánimemente. adv. m. De manera unánime.

Unanimidad. (Del lat. *unanimĭtas, -ātis.*) f. Calidad de unánime. ‖ **Por unanimidad.** m. adv. **Unánimemente.**

Uncia. (Del lat. *uncĭa*, duodécima parte de un todo.) f. Moneda romana de cobre, que pesaba y valía la duodécima parte del as. ‖ **2.** *For.* Entre romanistas, duodécima parte de la masa hereditaria.

Uncial. (Del lat. *unciālis*, de una pulgada.) adj. Dícese de ciertas letras, todas mayúsculas y del tamaño de una pulgada, que se usaron hasta el siglo VII. Ú. t. c. s. ‖ **2.** Aplícase también a este sistema de escritura.

Uncidor, ra. adj. Que unce o sirve para uncir. Ú. t. c. s.

Unciforme. (Del lat. *uncus*, garfio, y *forma*, figura.) adj. *Zool.* Dícese de uno de los huesos del carpo que en el hombre forma parte de la segunda fila. Ú. m. c. s. m.

Unción. (Del lat. *unctĭo, -ōnis.*) f. Acción de ungir. ‖ **2. Extremaunción.** ‖ **3.** Gracia y comunicación especial del Espíritu Santo, que excita y mueve al alma a la virtud y perfección. ‖ **4.** Devoción, recogimiento y fervor con que el ánimo se entrega a la exposición de una idea, a la realización de una obra, etc. ‖ **5.** *Mar.* Vela muy pequeña que llevan las lanchas pesqueras y que se iza en el castillete de proa cuando, por haber peligro de zozobrar, se arrían las otras. ‖ **6.** pl. Unturas de ungüento mercurial para la curación de la sífilis.

Uncionario, ria. adj. Que está tomando las unciones o convaleciente de ellas. Ú. t. c. s. ‖ **2.** m. Pieza o aposento en que se toman.

Uncir. (Del lat. *iungĕre.*) tr. Atar o sujetar al yugo bueyes, mulas u otras bestias.

Undante. (Del lat. *undans, -antis.*) adj. poét. **Undoso.**

Undecágono, na. adj. *Geom.* **Endecágono.** Ú. m. c. s. m.

Undécimo, ma. (Del lat. *undecĭmus.*) adj. Que sigue inmediatamente en orden al o a lo décimo. ‖ **2.** Dícese de cada una de las once partes iguales en que se divide un todo. Ú. t. c. s.

Undécuplo, pla. (Del lat. *undecŭplus.*) adj. Que contiene un número once veces exactamente. Ú. t. c. s.

Undísono, na. (Del lat. *undisŏnus.*) adj. poét. Aplícase a las aguas que causan ruido con el movimiento de las ondas.

Undívago, ga. (Del lat. *undivăgus.*) adj. poét. Que ondea o se mueve como las olas.

Undoso, sa. (Del lat. *undōsus.*) adj. Que se mueve haciendo ondas.

Undulación. f. **Ondulación.**

Undulante. p. a. de **Undular. Ondulante.**

Undular. (Del lat. *undŭla*, ola pequeña.) intr. **Ondular**, 1.ª acep.

Undulatorio, ria. adj. **Ondulatorio.**

Ungido, da. p. p. de **Ungir.** ‖ **2.** m. Rey o sacerdote signado con el óleo santo.

Ungimiento. m. Acción y efecto de ungir.

Ungir. (Del lat. *ungĕre.*) tr. Aplicar a una cosa aceite u otra materia pingüe, extendiéndola superficialmente. ‖ **2.** Signar con óleo sagrado a una persona, para denotar el carácter de su dignidad, o para la recepción de un sacramento.

Ungüentario, ria. (Del lat. *unguentarius.*) adj. Perteneciente a los ungüentos o que los contiene. *Nuez* UNGÜENTARIA. ‖ **2.** m. El que hace los ungüentos. ‖ **3.** Paraje o sitio en que se tienen colocados con separación los ungüentos.

Ungüento. (Del lat. *unguentum.*) m. Todo aquello que sirve para ungir o untar. ‖ **2.** Medicamento que se aplica al exterior, compuesto de diversas substancias, entre las cuales figuran la cera amarilla, el aceite de olivas y el sebo de carnero. ‖ **3.** Compuesto de simples olorosos que usaban mucho los antiguos para embalsamar cadáveres. ‖ **4.** fig. Cualquier cosa que suaviza y ablanda el ánimo o la voluntad, trayéndola a lo que se desea conseguir. ‖ **amaracino.** Medicamento cuyo principal ingrediente es la mejorana. ‖ **amarillo.** El madurativo y supurativo cuyo principio medicinal es la colofonia. ‖ **basilicón.** El madurativo y supurativo cuyo principio medicinal es la pez negra. ‖ **de soldado.** Aquel en cuya composición entra el mercurio. ‖ **mejicano. Unto de Méjico.** ‖ **nicerobino. Ungüento** muy precioso y oloroso de que usaban mucho los antiguos para ungirse.

Unguiculado, da. (Del lat. *unguicŭla*, uña pequeña.) adj. *Zool.* Que tiene los dedos terminados por uñas. Ú. t. c. s.

Unguis. (Del lat. *unguis.*) m. *Zool.* Hueso muy pequeño y delgado de la parte anterior e interna de cada una de las órbitas, el cual contribuye a formar los conductos lagrimal y nasal.

Ungulado, da. (Del lat. *ungulātus*, de *ungŭla*, uña, casco.) adj. *Zool.* Dícese del mamífero que tiene casco o pesuña. Ú. t. c. s. ‖ **2.** m. pl. *Zool.* Grupo de estos animales, que comprende los perisodáctilos y los artiodáctilos.

Ungular. adj. Que pertenece o se refiere a la uña.

Unible. adj. Que puede unirse.

Únicamente. (De *único.*) adv. m. Sola o precisamente.

Unicaule. (Del lat. *unus*, uno, y *caulis*, tallo.) adj. *Bot.* Dícese de la planta que tiene un solo tallo.

Unicelular. adj. Que consta de una sola célula.

Unicidad. (Del lat. *unicĭtas, -ātis.*) f. Calidad de único.

Único, ca. (Del lat. *unĭcus.*) adj. Solo y sin otro de su especie. ‖ **2.** fig. **Singular**, 2.ª acep.

Unicolor. (Del lat. *unicŏlor, -ōris.*) adj. De un solo color.

Unicornio. (Del lat. *unicornis*; de *unus*, uno, y *cornu*, cuerno.) m. Animal fabuloso que fingieron los antiguos poetas, de figura de caballo y con un cuerno recto en mitad de la frente. ‖ **2. Rinoceronte.** ‖ **3.** Marfil fósil de mastodonte, que creyeron los antiguos proceder del **unicornio.** ‖ **4.** *Astron.* Constelación boreal comprendida entre Pegaso y el Águila. ‖ **de mar, o marino. Narval.**

Unidad. (Del lat. *unĭtas, -ātis.*) f. Propiedad de todo ser, en virtud de la cual no puede dividirse sin que su esencia se destruya o altere. ‖ **2.** Singularidad en número o calidad. ‖ **3.** Unión o conformidad. ‖ **4.** Cualidad de la obra literaria o artística en que sólo hay un asunto o pensamiento principal, generador y lazo de unión de todo lo que en ella ocurre, se dice o representa. ‖ **5.** *Mat.* Cantidad que se toma por medida o término de comparación de las demás de su especie. ‖ **6.** *Mil.* Fracción del ejército que puede obrar independientemente bajo las órdenes de un solo jefe. ‖ **astronómica.** El radio medio de la órbita terrestre, o sea la distancia de la Tierra al Sol, equivalente a 149 millones y medio de kilómetros. ‖ **de acción.** Cualidad, en la obra dramática, de desarrollarse su acción en un solo lugar. ‖ **de tiempo.** Cualidad, en la obra dramática o en cualquiera otra, de tener una sola acción principal. ‖ **de lugar.** Cualidad, en la obra dramática, de desarrollarse su acción en un solo lugar. ‖ **de tiempo.** Cualidad, en la obra dramática, de durar la acción el tiempo, sobre poco más o menos, que dure la representación, o veinticuatro horas aproximadamente. ‖ **monetaria.** Moneda real o imaginaria que sirve legalmente de patrón en cada país y de la cual se derivan las demás.

Unidamente. adv. m. Juntamente, con unión o concordia.

Unidor, ra. adj. Que une.

Unificación. f. Acción y efecto de unificar o unificarse.

Unificar. (Del lat. *unus*, uno, y *facĕre*, hacer.) tr. Hacer de muchas cosas una o un todo, uniéndolas, mezclándolas o reduciéndolas a una misma especie. Ú. t. c. r.

Unifoliado, da. (Del lat. *unus*, uno, y *folĭum*, hoja.) adj. *Bot.* Que tiene una sola hoja.

Uniformador, ra. adj. Que uniforma.

Uniformar. tr. Hacer uniformes dos o más cosas. Ú. t. c. r. ‖ **2.** Dar traje igual a los individuos de un cuerpo o comunidad.

Uniforme. (Del lat. *uniformis.*) adj. Dícese de dos o más cosas que tienen la misma forma. ‖ **2.** Igual, conforme, semejante. ‖ **3.** *Mec.* V. **Movimiento uniforme.** ‖ **4.** m. Vestido peculiar y distintivo que por establecimiento o concesión usan los militares y otros empleados o los individuos que pertenecen a un mismo cuerpo o colegio.

Uniformemente. adv. m. De manera uniforme. ‖ **2.** *Mec.* V. **Movimiento uniformemente acelerado, uniformemente retardado.**

Uniformidad. (Del lat. *uniformĭtas, -ātis.*) f. Calidad de uniforme.

Unigénito, ta. (Del lat. *unigenĭtus*; de *unus*, uno sólo, y *genĭtus*, engendrado.) adj. Aplícase al hijo único. ‖ **2.** m. Por antonom., el Verbo eterno, Hijo de Dios, que es **unigénito** del Padre.

Unilateral. (De *uno* y *lateral.*) adj. Se dice de lo que se refiere o se circunscribe solamente a una parte o a un aspecto de alguna cosa. ‖ **2.** *Bot.* Que está colocado solamente a un lado. *Panojas* UNILATERALES. ‖ **3.** *For.* V. **Contrato unilateral.**

Unimismar. tr. p. us. Identificar, unificar.

Unión. (Del lat. *unĭo, -ōnis.*) f. Acción y efecto de unir o unirse. ‖ **2.** Correspondencia y conformidad de una cosa con otra, en el sitio o composición. ‖ **3.** Conformidad y concordia de los ánimos, voluntades o dictámenes. ‖ **4. Casamiento**, 1.ª acep. ‖ **5.** Semejanza de dos perlas en el tamaño, color y demás cualidades. ‖ **6.** Composición que resulta de la mezcla de algunas cosas que se incorporan entre sí. ‖ **7.** Grado de perfección espiritual en que el alma, desasida de toda criatura, se une con su Creador por la caridad, de suerte que sólo aspira a cumplir en todo la voluntad divina. ‖ **8.** Alianza, confederación, compañía. ‖ **9.** Agregación o incorporación de un beneficio o prebenda eclesiástica a otra. ‖ **10.** Inmediación de una cosa a otra. ‖ **11.** Anillo o sortija compuesta de dos, enlazadas o eslabonadas entre sí. ‖ **12.** desus. **Perla**, 1.ª acep. ‖ **13.** *Chile.* Entredós de bordado o encaje. ‖ **14.** *Cir.* Consolidación de los labios de la herida.

Unionista. adj. Dícese de la persona, partido, doctrina, etc., que mantiene cualquier idea de unión. Ú. t. c. s.

Unípede. (Del lat. *unĭpes, -ĕdis.*) adj. De un solo pie.

Unipersonal. (Del lat. *unus*, uno solo, y *persōna*, persona.) adj. Que consta de una sola persona. ‖ **2.** Que corresponde o pertenece a una sola persona. ‖ **3.** V. **Verbo unipersonal.**

Unir. (Del lat. *unīre.*) tr. Juntar dos o más cosas entre sí, haciendo de ellas un todo. ‖ **2.** Mezclar o trabar algunas cosas entre sí, incorporándolas. ‖ **3.** Atar o juntar una cosa con otra, física o moralmente. ‖ **4.** Acercar una cosa a otra, para que formen un conjunto o concurran al mismo objeto o fin. ‖ **5.** Agregar un beneficio o prebenda eclesiástica a otra. ‖ **6. Casar**, 3.er art., 2.ª y 3.ª aceps. Ú. t. c. r. || **7.** fig. Concordar o conformar las voluntades, ánimos o pareceres. || **8.** *Cir.* Consolidar o cerrar la herida. || **9.** r. Confederarse o convenirse varios para el logro de algún intento, ayudándose mutuamente. || **10.** Juntarse en un sujeto dos o más cosas antes separadas y distintas o cesar la oposición positiva o aparente entre ellas. || **11.** Estar muy cercana, contigua o inmediata una cosa a otra. || **12.** Agregarse o juntarse uno a la compañía de otro.

Unisexual. (Del lat. *unus*, uno solo, y *sexus*, sexo.) adj. *Biol.* Dícese de la planta o del animal que tiene un solo sexo. || **2.** *Bot.* V. **Flor unisexual.**

Unisón. adj. **Unísono.**

Unisonancia. (Del lat. *unus*, uno, igual, y *sonāre*, sonar.) f. Concurrencia de dos o más voces o instrumentos en un mismo tono de música. || **2.** Efecto de persistir viciosamente el orador en un mismo tono de voz.

Unisonar. intr. Sonar al unísono o en el mismo tono dos voces o instrumentos.

Unísono, na. (Del lat. *unisŏnus*.) adj. Dícese de lo que tiene el mismo tono o sonido que otra cosa. || **2.** m. *Mús.* Trozo de música en que las varias voces o instrumentos suenan en idénticos tonos. || **Al unísono.** m. adv. fig. Sin discrepancia, con unanimidad.

Unitario, ria. (Del lat. *unĭtas*, unidad.) adj. Sectario que, admitiendo en parte la revelación, no reconoce en Dios más que una sola persona. Ú. t. c. s. || **2.** Partidario de la unidad en materias políticas. Ú. t. c. s. || **3.** Que propende a la unidad o la conserva.

Unitarismo. m. Doctrina u opinión de los unitarios. || **2.** Secta o partido que profesa esta doctrina u opinión.

Unitivo, va. (Del lat. *unitīvus*.) adj. Que tiene virtud de unir. || **2.** *Hist. Nat.* V. **Tejido unitivo.**

Univalvo, va. (De *uno* y *valva*.) adj. Dícese de la concha de una sola pieza. || **2.** Aplícase al molusco que tiene concha de esta clase. Ú. t. c. s. m. || **3.** Dícese del fruto cuya cáscara o envoltura no tiene más que una sutura.

Universal. (Del lat. *universālis*.) adj. Que comprende o es común a todos en su especie, sin excepción de ninguno. || **2.** Aplícase a la persona versada en muchas ciencias, y adornada de multitud y variedad de noticias. || **3.** Que lo comprende todo en la especie de que se habla. || **4.** Que pertenece o se extiende a todo el mundo, a todos los países, a todos los tiempos. || **5.** V. **Despacho, historia universal.** || **6.** V. **El pastor universal.** || **7.** *Dial.* Lo que por su naturaleza es apto para ser predicado de muchos. || **8.** *Dial.* V. **Proposición universal.** || **9.** *Fís.* V. **Atracción universal.** || **10.** *For.* y *Teol.* V. **Juicio universal.** || **11.** m. pl. *Lóg.* **Ideas universales.**

Universalidad. (Del lat. *universalĭtas, -ātis*.) f. Calidad de universal. || **2.** *For.* Comprensión en la herencia de todos los bienes, derechos, acciones, obligaciones o responsabilidades del difunto.

Universalísimo, ma. (sup. de *universal*.) adj. *Lóg.* Aplícase al género supremo que comprende otros géneros inferiores que también son universales.

Universalizar. tr. Hacer universal una cosa, generalizarla mucho.

Universalmente. adv. m. De manera universal.

Universidad. (Del lat. *universĭtas, -ātis*.) f. Instituto público donde se cursan todas o varias de las facultades de derecho, medicina, farmacia, filosofía y letras y ciencias exactas, físicas y naturales, y se confieren los grados correspondientes. || **2.** Instituto público de enseñanza donde se hacían los estudios mayores de ciencias y letras, y con autoridad para la colación de grados en las facultades correspondientes. || **3.** Edificio destinado a las cátedras y oficinas de una **universidad.** || **4.** Conjunto de personas que forman una corporación. || **5.** Conjunto de poblaciones o de barrios que estaban unidos por intereses comunes, bajo una misma representación jurídica. || **6. Mundo,** 1.ª acep. || **7. Universalidad,** 1.ª acep. || **de villa y tierra. Universidad,** 5.ª acep.

Universitario, ria. adj. Perteneciente o relativo a la universidad, 1.ª, 2.ª y 3.ª aceps. *Grados* UNIVERSITARIOS; *disciplina* UNIVERSITARIA. || **2.** m. Catedrático de universidad.

Universo, sa. (Del lat. *universus*.) adj. **Universal.** || **2.** m. **Mundo,** 1.ª acep.

Univocación. (Del lat. *univocatĭo, -ōnis*.) f. Acción y efecto de univocarse.

Unívocamente. adv. m. De manera unívoca.

Univocarse. (De *unívoco*.) r. Convenir en una razón misma dos o más cosas.

Unívoco, ca. (Del lat. *univŏcus*; de *unus*, uno, y *vox, vocis*, voz.) adj. Dícese de lo que tiene igual naturaleza o valor que otra cosa. Ú. t. c. s. || **2.** *Lóg.* Dícese del término que se predica de varios individuos con la misma significación. *Animal es término* UNÍVOCO *que conviene a todos los vivientes dotados de sensibilidad.* Ú. t. c. s.

Uno, na. (Del lat. *ūnus*.) adj. Que no está dividido en sí mismo. || **2.** Dícese de la persona o cosa identificada o unida, física o moralmente, con otra. || **3.** Idéntico, lo mismo. *Esa razón y la que yo digo es* UNA. || **4. Único,** 1.ª acep. || **5.** Con sentido distributivo se usa contrapuesto a *otro. El* UNO *leía, el* OTRO *estudiaba.* || **6.** pl. **Algunos.** UNOS *años después.* || **7.** Antepuesto a un número cardinal, poco más o menos. *Eso valdrá* UNAS *cien pesetas; dista de la ciudad* UNOS *tres kilómetros.* || **8.** Pronombre indeterminado que en singular significa **una** y en plural dos o más personas cuyo nombre se ignora o no quiere decirse. UNO *lo dijo;* UNOS *lo contaron anoche.* Ú. también en número singular concertando con verbo en tercera persona, y aplicado a una indeterminada o a la misma que habla. *Cuando* UNO *confiesa y llora su culpa, merece compasión; no siempre está* UNO *de humor para hacer tal cosa.* || **9.** m. **Unidad,** 5.ª acep. || **10.** Signo o guarismo con que se expresa la unidad sola. || **11.** Individuo de cualquier especie. || **A una.** m. adv. A un tiempo, unidamente o juntamente. || **Cada uno.** Cualquier persona considerada individualmente y con separación del conjunto de que forma parte. || **De so uno.** m. adv. ant. Juntamente, de mancomún. || **De una.** m. adv. **De una vez.** || **De uno en uno.** m. adv. **Uno a uno.** || **En uno.** m. adv. Con unión o de conformidad. || **2. Juntamente.** || **Para en uno.** loc. adv. Para estar o vivir unidos o conformes. || **Para en uno son los dos.** fr. que se acostumbraba decir a los novios cuando se desposaban, y que indica la igualdad o conformidad en la condición y vida de dos personas. || **Ser todo uno,** o **ser uno.** fr. fig. Venir a ser o parecer varias cosas **una** misma, o verificarse una inmediatamente, a continuación o al mismo tiempo que la otra, a modo de su consecuencia forzosa. || **Una de dos.** loc. que se emplea para contraponer en disyuntiva dos cosas o ideas. UNA DE DOS: *o te enmiendas, o rompemos las amistades.* || **Una no es ninguna.** expr. con que se da a entender que **una** acción o cosa sola no basta, o carece de importancia. || **Una por una.** loc. adv. En todo caso, en realidad, efectivamente. || **Una y no más.** expr. con que se denota la resolución o propósito firme de no volver a caer en algo que nos ha dejado escarmentados. || **Uno a otro.** m. adv. Mutua o recíprocamente. || **Uno a uno.** m. adv. con que se explica la separación o distinción por orden de personas y cosas. || **Uno con otro.** m. adv. Tomadas en conjunto varias cosas, compensando lo que excede **una** con lo que falta a otra. UNO CON OTRO *se venden a peseta.* || **Uno de tantos.** loc. fam. que se usa para indicar que algo no se distingue por ninguna cualidad especial. || **Uno por uno.** m. adv. **Uno a uno.** Ú. para expresar mayor separación o distinción. || **Uno que otro.** loc. Algunos pocos de entre muchos. || **Unos cuantos.** loc. Pocos, en número reducido de personas o cosas. || **Uno tras otro.** m. adv. Sucesivamente o por orden sucesivo. || **Uno y ninguno, todo es uno.** ref. **No hay hombre sin hombre.** || **Uno y otro.** loc. **Ambos.**

Untada. f. *Ál., Ar., Logr.* y *Nav.* Rebanada de pan untada con tocino, manteca, miel, etc.

Untador, ra. adj. Que unta. Ú. t. c. s.

Untadura. f. Acción y efecto de untar o untarse. || **2. Untura,** 2.ª acep.

Untamiento. (De *untar*.) m. **Untadura,** 1.ª acep.

Untar. (De *unto*.) tr. **Ungir,** 1.ª acep. || **2.** fig. y fam. Corromper o sobornar a uno con dones o dinero. || **3.** r. Mancharse casualmente con una materia untuosa o sucia. || **4.** fig. y fam. Interesarse o quedarse con algo de las cosas que se manejan, especialmente dinero.

Untaza. (De *untar*.) f. **Unto,** 2.ª acep.

Unto. (Del lat. *unctum*, de *ungĕre*, untar.) m. Materia pingüe a propósito para untar. || **2.** Crasitud o gordura interior del cuerpo del animal. || **3. Ungüento.** Ú. m. en sent. fig. || **4.** *Chile.* **Betún,** 2.ª acep. || **de Méjico,** o **de rana.** fig. y fam. **Dinero,** 1.ª y 3.ª aceps., especialmente el que se emplea en el soborno.

Untosidad. f. ant. **Untuosidad.**

Untoso, sa. adj. **Untuoso.**

Untuosidad. f. Calidad de untuoso.

Untuoso, sa. (Del lat. *unctum*, unto.) adj. Craso, pingüe y pegajoso.

Untura. (Del lat. *unctūra*.) f. **Untadura,** 1.ª acep. || **2.** Materia con que se unta.

Uña. (Del lat. *ungŭla*.) f. Parte del cuerpo animal, dura, de naturaleza córnea, que nace y crece en las extremidades de los dedos. || **2.** Casco o pesuña de los animales que no tienen dedos separados. || **3.** Punta corva en que remata la cola del alacrán, y con la cual pica. || **4.** Espina corva de algunas plantas. || **5. Tetón,** 1.ª acep. || **6.** Especie de costra dura que se forma a las bestias sobre las mataduras. || **7.** Excrecencia de la carúncula lagrimal, semejante a la raíz de la **uña.** || **8.** Garfio o punta corva de algunos instrumentos de metal. || **9.** Escopleadura que se hace en el espesor de algunas piezas de madera, metal u otra materia parecida, para poder moverlas impulsándolas con el dedo. || **10. Dátil,** 2.ª acep. || **11.** Especie de dedal abierto y puntiagudo que usan las cigarreras para cerrar y doblar los extremos de los pitillos. || **12.** fig. y fam. Destreza o suma inclinación a defraudar o hurtar. Ú. m. en pl. || **13.** *Bot.* Angostura que tienen algunos pétalos en su parte inferior y que corresponde al pecíolo de la hoja transformada en pétalo; como el clavel. || **14.** *Mar.* Punta triangular en que rematan los brazos del ancla. || **de caballo. Fárfara,** 1.er art. || **de la gran bestia.** La del pie derecho del alce o anta, la cual, por mucho tiempo, se creyó ser remedio eficaz para el mal de corazón. || **de vaca.** Mano o pie de esta res después que se corta para la carnicería. || **gata. Gatuña.** || **olorosa.** Opérculo de una especie de cañadilla índica, que despide grato olor al quemarse y se ha usado en farmacia. || **Afilar,** o **afilarse,** uno **las uñas.** fr. fig. y fam. Hacer un esfuerzo extraordinario de ingenio, habilidad o destreza. || **A uña de caballo.** m. adv. fam. A todo el correr del caballo. Ú. con los verbos *huir, escapar, salir,* etc. || **2.** fig. y fam. Con los mismos verbos, libertarse uno de un riesgo por su cuidado y diligencia. || **Caer en las uñas de** uno. fr. fig. y fam. **Caer en** sus **garras.** || **Coger en las uñas,** o **entre las uñas,** a uno. fr. fig. fam. con que se explica el deseo de castigarle haciéndole algún daño para vengarse de él. || **Comerse** uno **las uñas.** fr. fig. y fam. Morderse las de las manos; por lo común en señal de disgusto o enfado o de estar muy distraído o pensativo. || **Cortarse** uno **las uñas con** otro. fr. fig. y fam. Irse disponiendo para reñir con él. || **Descubrir** uno **la uña.** fr. fig. y fam. **Descubrir la oreja.** || **De uñas.** loc. adv. fig. y fam. con que se denota la enemiga de dos o más personas. Ú. con los verbos *estar* y *ponerse.* || **De uñas a uñas.** expr. fam. con que se indica la distancia que media en el cuerpo humano desde las puntas de los dedos de una mano hasta las de los dedos de la otra, estando los brazos abiertos en cruz. || **Enseñar** uno **las uñas** a otro. fr. fig. y fam. **Enseñarle los dientes.** || **Enseñar** uno **la uña.** fr. fig. y fam. **Descubrir la uña.** || **Hincar** uno **la uña.** fr. fig. y fam. **Meter la uña.** || **Largo de uñas.** fig. y fam. Inclinado al robo; ladrón, ratero. || **Libertar** a uno **de las uñas de** otro. fr. fig. y fam. **Sacarle de** sus **uñas.** || **Meter** uno **la uña.** fr. fig. y fam. Exceder en los precios o derechos debidos, o defraudar algunas cantidades o porciones. || **Mirarse** uno **las uñas.** fr. fig. y fam. Jugar a los naipes. || **2.** fig. y fam. Estar enteramente ocioso. || **Mostrar** uno **las uñas** a otro. fr. fig. y fam. **Enseñarle las uñas.** || **Mostrar** uno **la uña.** fr. fig. y fam. **Descubrir la uña.** || **Ponerse de uñas** uno. fr. fig. y fam. Oír con mucho desagrado y enfado lo que se pide o pretende, negándose o resistiéndose a ello. || **Ponerse** uno **en veinte uñas.** fr. fig. y fam. Ponerse boca abajo, afirmándose en el suelo con pies y manos. || **2.** fig. y fam. Negarse del todo, con aspereza y total resistencia, a lo que se pide o se pretende. || **Quedarse** uno **soplando las uñas.** fr. fig. y fam. Quedar burlado o engañado impensadamente o de quien no lo esperaba. || **Sacar** a uno **de las uñas de** otro. fr. fig. y fam. **Sacarle de** sus **garras.** || **Sacar** uno **las uñas.** fr. fig. y fam. Valerse de toda su habilidad, ingenio o valor en algún lance estrecho que ocurre. || **Sacar** uno **la uña.** fr. fig. y fam. **Descubrir la uña.** || **Sacar por la uña al león.** fr. fig. Llegar al conocimiento de una cosa por una leve señal o indicio de ella. || **Ser uña y carne** dos o más personas. fr. fig. y fam. Haber estrecha amistad entre ellas. || **Tener** uno **en la uña** una cosa. fr. fig. y fam. Saberla muy bien y tener muy pronto su recuerdo. || **Tener** uno **las uñas afiladas.** fr. fig. y fam. Estar ejercitado en el robo o dispuesto para robar. || **Tener uña en la palma.** fr. fig. Ser ladrón, aficionado a hurtar. || **Tener uñas** una cosa. fr. fig. y fam. Tener un negocio o asunto graves dificultades, o para resolverlo, o para desembarazarse de él. || **Uñas abajo.** loc. adv. *Equit.* Explica la posición en que queda la mano cuando se afloja un poco la rienda; esto es, vuelta de modo que las **uñas** miren hacia abajo. || **2.** *Esgr.* Denota la estocada que se da volviendo hacia el suelo la mano y los gavilanes de la espada. || **Uñas adentro.** loc. adv. *Equit.* Explica la posición ordinaria de la mano izquierda, con que se llevan las riendas, la cual ha de ir cerrada y las **uñas** mirando hacia el cuerpo. || **Uñas arriba.** loc adv. fig. y fam. Dícese del que se dispone a defenderse o a no convenirse en una especie que le proponen. || **2.** *Equit.* Explica la posición en que ha de quedar la mano cuando se acorta un poco la rienda; esto es, vuelta de modo que las **uñas** miren hacia arriba. || **3.** *Esgr.* Denota la estocada que se tira volviendo los gavilanes y la mano hacia arriba. || **Uñas de gato, y cara,** o **hábito, de beato.** ref. que reprende a los hipócritas. || **Verse en las uñas del lobo.** fr. fig. y fam. Estar en grave peligro.

Uñada. f. Impresión que se hace en una cosa apretando sobre ella con el filo de la uña. || **2.** Impulso que se da a una cosa con la uña. || **3. Uñarada.**

Uñarada. f. Rasguño o araño que se hace con las uñas.

Uñate. m. Uñeta, 3.ª acep. || **2.** fam Acción y efecto de apretar con la uña una cosa. || **3.** Juego de niños que se ejecuta impulsando con la uña un alfiler hasta cruzarlo con el contrario.

Uñero. m. Inflamación en la raíz de la uña. || **2.** Herida que produce la uña cuando, al crecer viciosamente, se introduce en la carne.

Uñeta. f. d. de **Uña.** || **2.** Cincel de boca ancha, recta o encorvada, que usan los canteros. || **3.** Juego de muchachos, que ejecutan tirando cada uno una moneda al hoyuelo, y el mano (que es el que más se ha acercado al hoyuelo) le da tres impulsos con la uña del dedo pulgar para meterla en el hoyo, ganando todas las monedas que puede meter; y lo mismo hacen por su turno los demás compañeros. || **4.** *Chile.* Especie de plectro o dedal de carey de que usan los tocadores de instrumentos de cuerda.

Uñetazo. m. Uñada, uñarada.

Uñi. m. *Chile.* Arbusto de la familia de las mirtáceas, con flores rojizas y por fruto una baya comestible.

Uñidura. f. Acción y efecto de uñir.

Uñir. (Del lat. *iungĕre.*) tr. ant. Unir, juntar. || **2.** *Extr., León, Sal., Vallad.* y *Zam.* Uncir.

Uñoperquén. m. *Chile.* Planta herbácea de la familia de las campanuláceas, de unos 30 centímetros de alta, con hojas lineares y flores blancas algo azuladas. Crece en terrenos pedregosos.

Uñoso, sa. adj. Que tiene largas las uñas.

Uñuela. f. d. de **Uña.**

¡Upa! (Como el port. *upa,* del vasc. *upa.*) Voz para esforzar a levantar algún peso o a levantarse. Dícese especialmente a los niños. || **A upa.** m. adv. En brazos. Es voz infantil.

Upar. tr. **Aupar.**

Upupa. (Del lat. *upŭpa.*) f. **Abubilla.**

Ura. f. *Argent.* Gusano que se cría en las heridas.

Uracho. m. ant. **Uretra.**

Urajear. intr. **Grajear.**

Uralaltaico, ca. adj. Perteneciente o relativo a los Urales y al Altai. || **2.** Dícese de una gran familia de lenguas aglutinantes, cuyos principales grupos son el mogol, el turco y el ugrofinés, y de los pueblos que hablan estas lenguas.

Uranio. (De *Urano.*) m. *Quím.* Metal muy denso, de color blanco parecido al del níquel y fusible a elevadísima temperatura. En contacto del aire arde con mucho brillo.

Uranio, nia. (Del gr. οὐράνιος, celeste.) adj. Perteneciente o relativo a los astros y al espacio celeste.

Urano. (Del lat. *Urănus,* y éste del gr. Οὐρανός.) m. Planeta mucho mayor que la Tierra, distante del Sol diecinueve veces más que ella y acompañado de cuatro satélites. No es perceptible a simple vista y fué descubierto en el siglo XVIII.

Uranografía. (Del gr. οὐρανογραφία, de οὐρανός, cielo, y γράφω, describir.) f. **Cosmografía.**

Uranógrafo. m. El que profesa la uranografía o tiene en ella especiales conocimientos.

Uranolito. (Del gr. οὐρανός, cielo, y λίθος, piedra.) m. **Aerolito.**

Uranometría. (Del gr. οὐρανός, cielo, y μέτρον, medida.) f. Parte de la astronomía, que trata de la medición de las distancias celestes.

Urao. (Voz caribe.) m. **Trona.**

Urape. m. *Venez.* Arbusto leguminoso, con tallo espinoso, flores blancas de cinco pétalos. Se usa para formar setos vivos.

Urato. (De *urea.*) m. *Quím.* Compuesto salino correspondiente al ácido úrico.

Urbanamente. (De *urbano,* 4.ª acep.) adv. m. Con urbanidad.

Urbanía. (De *urbano,* 4.ª acep.) f. ant. **Urbanidad.**

Urbanidad. (Del lat. *urbanĭtas, -ātis.*) f. Cortesanía, comedimiento, atención y buen modo.

Urbanismo. m. Conjunto de conocimientos que se refieren al estudio de la creación, desarrollo, reforma y progreso de los poblados en orden a las necesidades materiales de la vida humana.

Urbanista. adj. Referente al urbanismo. || **2.** m. Persona que profesa el urbanismo.

Urbanización. f. Acción y efecto de urbanizar.

Urbanizar. tr. Hacer urbano y sociable a uno. Ú. t. c. r. || **2.** Convertir en poblado una porción de terreno o prepararlo para ello, abriendo calles y dotándolas de luz, empedrado y demás servicios municipales.

Urbano, na. (Del lat. *urbānus,* de *urbs, urbis,* ciudad.) adj. Perteneciente a la ciudad. || **2.** V. **Milicia, policía urbana.** || **3.** V. **Predio urbano.** || **4.** fig. Cortesano, atento y de buen modo. || **5.** m. Individuo de la milicia **urbana.**

Urbe. (Del lat. *urbs, -bis.*) f. Ciudad, especialmente la muy populosa.

Urbi et orbi. expr. lat. fig. A los cuatro vientos, a todas partes.

Urca. (Del neerl. *hulk.*) f. Embarcación grande, muy ancha por el centro, y que sirve para el transporte de granos y otros géneros.

Urca. f. **Orca.**

Urce. (Del lat. *ulex, -ĭcis.*) m. **Brezo,** 1.er art.

Urcitano, na. adj. Natural de Urci, hoy Chuche, barrio de Almería. Ú. t. c. s. || **2.** Perteneciente a esta antigua ciudad de la España Tarraconense. || **3. Almeriense.** Apl. a pers., ú. t. c. s.

Urchilla. (Como el port. *urchilla,* quizá del ital. *orciglia,* y éste tal vez del lat. *urceolaria herba.*) f. Cierto liquen que vive en las rocas bañadas por el agua del mar. || **2.** Color de violeta que se saca de esta planta.

Urdidera. f. **Urdidora.** || **2.** Instrumento a modo de devanadera, donde se preparan los hilos para las urdimbres.

Urdidor, ra. adj. Que urde. Ú. t. c. s. || **2.** m. **Urdidera,** 2.ª acep.

Urdidura. f. Acción y efecto de urdir.

Urdiembre. f. **Urdimbre.**

Urdimbre. f. Estambre o pie después de urdido. || **2.** Conjunto de hilos que se colocan en el telar paralelamente unos a otros para formar una tela. || **3.** fig. Acción de urdir, 2.ª acep.

Urdir. (Del lat. *ordīri.*) tr. Preparar los hilos en la urdidera para pasarlos al telar. || **2.** fig. Maquinar y disponer cautelosamente una cosa contra alguno, o para la consecución de algún designio.

Urea. (Del gr. οὖρον, orina.) f. *Quím.* Principio que contiene gran cantidad de nitrógeno y constituye la mayor parte de la materia orgánica contenida en la orina en su estado normal. Es muy soluble en el agua, cristalizable, inodoro, incoloro y de sabor fresco semejante al del nitro.

Uremia. (Del gr. οὖρον, orina, y αἷμα, sangre.) f. *Med.* Conjunto de síntomas cerebrales, respiratorios, circulatorios, digestivos, etc., producidos por la acumulación en la sangre y en los tejidos de venenos derivados del metabolismo orgánico que elimina el riñón cuando el estado es normal.

Urémico, ca. adj. *Med.* Perteneciente o relativo a la uremia.

Urente. (Del lat. *urens, -entis,* p. a. de *urĕre,* quemar, abrasar.) adj. Que escuece, ardiente, abrasador.

Uréter. (Del gr. οὐρητήρ.) m. *Zool.* Cada uno de los conductos por donde desciende la orina a la vejiga desde los riñones.

Urétera. f. *Zool.* **Uretra.**

Urético, ca. (Del gr. οὐρητικός.) adj. *Zool.* Perteneciente o relativo a la uretra.

Uretra. (Del lat. *urēthra,* y éste del gr. οὐρήθρα, de οὐρέω, orinar.) f. *Zool.* Conducto por donde se expele la orina.

Uretral. (De *uretra.*) adj. *Zool.* **Urético.**

Uretritis. (De *uretra* y el sufijo *itis,* inflamación.) f. *Med.* Inflamación de la membrana mucosa, que tapiza el conducto de la uretra. || **2.** *Med.* **Blenorragia.**

Urgabonense. (Del nombre antiguo Alba Urgabona, hoy Arjona.) adj. Natural de Arjona. Ú. t. c. s. || **2.** Perteneciente a esta ciudad de la provincia de Jaén.

Urgencia. (Del lat. *urgentia.*) f. Calidad de urgente. || **2.** Necesidad o falta apremiante de lo que es menester para algún negocio. || **3.** Hablando de las leyes o preceptos, actual obligación de cumplirlos.

Urgente. (Del lat. *urgens, -entis.*) p. a. de **Urgir.** Que urge.

Urgentemente. adv. m. De manera urgente.

Urgir. (Del lat. *urgēre.*) intr. Instar o precisar una cosa a su pronta ejecución o remedio. || **2.** Obligar actualmente la ley o el precepto.

Urías. n. p. fig. V. **Carta de Urías.**

Úrico, ca. (Del gr. οὖρον, orina.) adj. Perteneciente o relativo al ácido úrico. || **2. Urinario,** 1.ª acep. || **3.** *Quím.* V. **Ácido úrico.**

Urinal. (Del lat. *urinālis.*) adj. **Urinario,** 1.ª acep.

Urinario, ria. (Del lat. *urīna,* orina.) adj. Perteneciente o relativo a la orina. || **2.** m. Lugar destinado para orinar y en especial el dispuesto para el público en calles, teatros, etc.

Urna. (Del lat. *urna.*) f. Vaso o caja de metal, piedra u otra materia, que entre los antiguos servía para varios usos, como guardar dinero, los restos o las cenizas de los cadáveres humanos, etc. || **2.** Arquita de hechura varia, que sirve para depositar las cédulas, números o papeletas en los sorteos y en las votaciones secretas. || **3.** Caja de cristales planos a propósito para tener dentro visibles y resguardados del polvo efigies u otros objetos preciosos. || **4.** Medida antigua para líquidos, equivalente a cuatro congios.

Urnición. f. *Mar.* En los astilleros de Vizcaya, **barraganete.**

Uro. (Del lat. *urus.*) m. Bóvido salvaje muy parecido al toro, pero de mayor tamaño; fué abundantísimo en la Europa central en la época diluvial y se extinguió la especie en 1627.

Urodelo. adj. *Zool.* Dícese de batracios que durante toda su vida conservan una larga cola que utilizan para nadar y tienen cuatro extremidades, aunque a veces faltan las dos posteriores; en algunos persisten las branquias en el estado adulto; como la salamandra. Ú. t. c. s. || **2.** m. pl. *Zool.* Orden de estos animales.

Urogallo. (De *uro* y *gallo.*) m. Ave del orden de las gallináceas, de unos 8 decímetros de largo y 15 de envergadura, con plumaje pardo negruzco jaspeado de gris, patas y pico negros, tarsos emplumados y cola redonda. Vive en los bosques, y en la época del celo da gritos roncos algo semejantes al mugido del uro.

Uromancia [∼ **mancía**]. (Del gr. οὖρον, orina, y μαντεία, adivinación.) f. Adivinación vana y supersticiosa por el examen de la orina.

Uroscopia. (Del gr. οὖρον, orina, y σκοπέω, examinar.) f. *Med.* Inspección metódica de la orina para esclarecer el diagnóstico de las enfermedades.

Urpila. f. *Argent.* Paloma pequeña.

Urraca. (De *hurraca.*) f. Pájaro que tiene cerca de medio metro de largo y unos seis decímetros de envergadura, con pico y pies negruzcos, y plumaje blanco en el vientre y arranque de las alas, y negro con reflejos metálicos en el resto del cuerpo. Abunda en España, se domestica con facilidad, es vocinglera, remeda palabras y trozos cortos de música, y suele llevarse al nido objetos pequeños, sobre todo si son brillantes. || **2.** *Amér.* Ave semejante al arrendajo. || **3.** *Fort.* V. **Nido de urraca.** || **Hablar más que una urraca.** fr. fig. y fam. Hablar mucho una persona. Dícese especialmente de las mujeres y los niños.

Ursa. (Del lat. *ursa,* osa.) f. *Astron.* **Osa.**

Ursaonense. (Del lat. *ursaonenses, -um,* de *Ursao,* Osuna.) adj. Natural de la antigua Ursao o de la moderna Osuna. Ú. t. c. s. || **2.** Perteneciente a esta villa.

Ursina. adj. V. **Branca ursina.**

Ursulina. (De Santa *Úrsula,* virgen y mártir del siglo IV, bajo cuya advocación se fundó esta orden.) adj. Dícese de la religiosa que pertenece a la Congregación agustiniana fundada por Santa Ángela de Brescia, en el siglo XVI, para educación de niñas y cuidado de enfermos. Ú. t. c. s.

Urticáceo, a. (Del lat. *urtīca,* ortiga.) adj. *Bot.* Aplícase a plantas angiospermas dicotiledóneas, arbustos o hierbas, de hojas sencillas, opuestas o alternas, con estípulas y casi siempre provistas de pelos que segregan un jugo urente; flores pequeñas en espigas, panojas o cabezuelas; fruto desnudo o incluso en el perigonio, y semilla de albumen carnoso; como la ortiga y la parietaria. Ú. t. c. s. f. || **2.** f. pl. *Bot.* Familia de estas plantas.

Urticante. adj. Que produce comezón semejante a las picaduras de ortiga.

Urticaria. (Del lat. *urtīca,* ortiga.) f. *Med.* Enfermedad eruptiva de la piel, cuyo síntoma más notable es una comezón parecida a la que producen las picaduras de la ortiga.

Urú. m. *Argent.* Ave de unos 20 centímetros de largo, de plumaje pardo, y que se asemeja a la perdiz.

Urubú. m. Especie de buitre americano de 60 centímetros de largo y más de un metro de envergadura.

Urucú. m. *Argent.* **Bija.**

Uruga. f. *Logr.* **Gayuba.**

Uruguayo, ya. adj. Natural del Uruguay. Ú. t. c. s. || **2.** Perteneciente a esta nación de la América del Sur.

Urunday. m. *Bot. Argent.* Árbol de la familia de las anacardiáceas, que alcanza 20 metros de altura. Su excelente madera, de color rojo obscuro, se emplea en la construcción de casas y buques, y para muebles.

Urundey. m. *Argent.* **Urunday.**

Urutaú. m. *Argent.* Ave nocturna, especie de lechuza, de plumaje pardo obscuro y el pico muy hendido; lanza durante la noche una especie de alarido prolongado.

Usación. (De *usar.*) f. ant. **Uso,** 1.ª acep.

Usadamente. (De *usado,* p. p. de *usar.*) adv. m. Según el uso o conforme a él.

Usado, da. p. p. de **Usar.** || **2.** adj. Gastado y deslucido por el uso. || **3.** Habituado, ejercitado, práctico en alguna cosa. || **Al usado.** m. adv. con que explican los cambistas que las letras se han de pagar en el tiempo o modo que es costumbre.

Usador, ra. adj. ant. Que usa.

Usagre. (Del gr. ψώρα ἀγρία, tiña.) m. *Med.* Erupción pustulosa, seguida de costras, que se presenta ordinariamente en la cara y alrededor de las orejas durante la primera dentición, y que suele tener por causa la diátesis escrofulosa. || **2.** *Veter.* Sarna en el cuello del perro, el caballo y otros animales domésticos.

Usaje. (Del dialect. *usatge,* y éste del lat. **usaticum.*) m. ant. **Uso,** 2.ª y 3.ª aceps.

Usante. p. a. de **Usar.** Que usa.

Usanza. (De *usar.*) f. **Uso,** 2.ª y 3.ª aceps.

Usar. (De *uso.*) tr. Hacer servir una cosa para algo. || **2.** Disfrutar uno alguna cosa, sea o no dueño de ella. || **3.** Ejecutar o practicar alguna cosa habitualmente o por costumbre. || **4.** Ejercer o servir un empleo u oficio. || **5.** ant. Tratar y comunicar. || **6.** intr. **Acostumbrar,** 2.ª acep. || **El usar saca oficial.** ref. **El uso hace maestro.** || **Lo que se usa no se excusa.** ref. que advierte que nos debemos conformar con la costumbre común del tiempo, o que es difícil substraerse a la fuerza del uso común.

Usarcé. com. Apócope de **Usarced.**

Usarced. com. Metapl. de **Vuesarced,** vuestra merced.

Uscoque. adj. Dícese del individuo de una tribu de origen esclavón que habita en la Iliria, la Croacia y la Dalmacia. Ú. t. c. s. || **2.** Perteneciente a esta tribu.

Usencia. com. Metapl. de **Vuesa reverencia.** Ú. entre los religiosos.

Useñoría. com. Metapl. de **Vueseñoría,** vuestra señoría.

Usgo. m. **Asco.**

Usía. com. Síncopa de **Usiría,** vuestra señoría.

Usier. (Del fr. *huissier,* y éste del lat. *ostiarius,* de *ostium,* puerta.) m. **Ujier.**

Usillo. m. *Ar.* Achicoria silvestre.

Usiría. com. ant. Metapl. de **Useñoría,** vuestra señoría.

Usitado, da. (Del lat. *usitātus.*) adj. ant. Que se usa muy frecuentemente.

Uslero. m. *Chile, Sal.* y *Vallad.* Fruslero, palo cilíndrico de madera que se usa en la cocina para extender la masa de harina, haciéndolo rodar sobre una tabla lisa.

Uso. (Del lat. *ūsus.*) m. Acción y efecto de usar. || **2.** Ejercicio o práctica general de una cosa. || **3. Moda.** || **4.** Modo determinado de obrar que tiene una persona o una cosa. || **5.** Empleo continuado y habitual de una persona o cosa. || **6.** Derecho a percibir los frutos de cosa ajena en lo que baste a las necesidades del usuario y de su familia, salvo título especial que fije otro límite. || **7.** V. **Amor al uso.** || **8.** *For.* Forma del derecho consuetudinario inicial de la costumbre, menos solemne que ésta y que suele convivir como supletorio con algunas leyes escritas. || **de razón.** Posesión del natural discernimiento, que se adquiere pasada la primera niñez. || **2.** Tiempo en que se descubre o se empieza a reconocer en los actos del niño o del individuo. || **Al uso.** m. adv. Conforme o según él. || **Andar uno al uso.** fr. Acomodarse al tiempo; contemporizar con las cosas según piden las ocasiones. || **A uso.** m. adv. **Al uso.** || **A uso de iglesia catedral, cuales fueron los padres, los hijos serán.** ref. que enseña el influjo que tiene el ejemplo, y en especial el de los padres para con los hijos. || **El uso hace maestro.** fr. proverb. que persuade a ejercitar las artes, ciencias y virtudes, pues la repetición de sus actos facilita su mayor perfección y destreza. || **Entrar** uno **en los usos.** fr. Seguir lo que se estila y practica por otros, y conformarse con los **usos** y costumbres del país o pueblo donde reside. || **Estar en buen uso.** fr. fam. No estar estropeado lo que ya se ha usado.

Usofruto. m. ant. **Usufructo.**

Ustaga. (Como *ostaga* y el ital. *ostaga, taga,* del neerl. *tackel.*) f. *Mar.* **Ostaga.**

¡Uste! interj. **¡Oxte!** || **Sin decir uste ni muste.** expr. adv. fam. **Sin decir oxte ni moxte.**

Usted. (De *vusted.*) com. Voz del tratamiento cortesano y familiar. || **Envaine usted,** o **envaine usted, seor Carranza.** expr. fig. y fam. con que se dice a uno que se sosiegue y deponga la cólera o el enfado, especialmente cuando carece de fundamento.

Ustible. (Del lat. *ustus,* p. p. de *urĕre,* quemar.) adj. Que se puede quemar fácilmente.

Ustión. (Del lat. *ustĭo, -ōnis.*) f. Acción de quemar o quemarse.

Ustorio. (Del lat. *ustor, -ōris,* el que quema.) adj. V. **Espejo ustorio.**

Usual. (Del lat. *usuālis.*) adj. Que común o frecuentemente se usa o se practica. || **2.** Aplícase al sujeto tratable, sociable y de buen genio. || **3.** Dícese de las cosas que se pueden usar con facilidad. || **4.** *For.* V. **Interpretación usual.**

Usualmente. adv. m. De manera usual.

Usuario, ria. (Del lat. *usuarĭus.*) adj. Que usa ordinariamente una cosa. Ú. t. c. s. || **2.** *For.* Aplícase al que tiene derecho de usar de la cosa ajena con cierta limitación. Ú. m. c. s. || **2.** *For.* Dícese del que por concesión gubernativa, o por otro título legítimo, goza un aprovechamiento de aguas derivadas de corriente pública. Ú. t. c. s.

Usucapión. (Del lat. *usucapĭo, -ōnis.*) f. *For.* Modo de adquirir el dominio de una cosa, por haber pasado el tiempo que las leyes señalan para que pueda reclamarlo su anterior legítimo dueño.

Usucapir. (Del lat. *usucapĕre;* de *usus,* uso, y *capĕre,* tomar.) tr. *For.* Adquirir una cosa por usucapión.

Usufructo. (Del lat. *usufructus.*) m. Derecho de usar de la cosa ajena y aprovecharse de todos sus frutos sin deteriorarla. || **2.** Utilidades, frutos o provechos que se sacan de cualquier cosa.

Usufructuar. tr. Tener o gozar el usufructo de una cosa. || **2.** intr. **Fructificar,** 2.ª acep.

Usufructuario, ria. (Del lat. *usufructuarĭus.*) adj. Dícese de la persona que posee y disfruta una cosa. Ú. t. c. s. || **2.** *For.* Aplícase al que posee derecho real de usufructo sobre alguna cosa en que otro tiene nuda propiedad. Ú. t. c. s.

Usufruto. m. ant. **Usufructo.**

Usufrutuar. tr. ant. **Usufructuar.**

Usufrutuario, ria. adj. ant. **Usufructuario.** Usáb. t. c. s.

Usupuca. (Voz quichua.) f. *Argent.* **Pito,** 1.er art., 4.ª acep.

Usura. (Del lat. *usūra.*) f. Interés que se lleva por el dinero o el género en el contrato de mutuo o préstamo. || **2.** Este mismo contrato. || **3.** Interés excesivo en un préstamo. || **4.** fig. Ganancia, fruto, utilidad o aumento que se saca de una cosa, especialmente cuando son excesivos. || **Pagar** uno **con usura** una cosa. fr. fig. Corresponder a un beneficio o buena obra con otra mayor o con sumo agradecimiento.

Usurar. (De *usura.*) intr. **Usurear.**

Usurariamente. (De *usurario.*) adv. m. Con usura.

Usurario, ria. (Del lat. *usurarĭus.*) adj. Aplícase a los tratos y contratos en que hay usura. || **2.** m. y f. ant. **Usurero, ra.**

Usurear. intr. Dar o tomar a usura. || **2.** fig. Ganar o adquirir con utilidad, provecho y aumento, señaladamente si es con exceso.

Usurero, ra. adj. ant. **Usurario,** 1.ª acep. || **2.** m. y f. Persona que presta con usura o interés excesivo. || **3.** Por ext., se dice de la persona que en otros contratos o granjerías obtiene lucro desmedido.

Usurpación. (Del lat. *usurpatĭo, -ōnis.*) f. Acción y efecto de usurpar. || **2.** Cosa usurpada; aplícase especialmente al terreno usurpado. || **3.** *For.* Delito que se comete apoderándose con violencia o intimidación de inmueble o derecho real ajeno.

Usurpador, ra. (Del lat. *usurpātor, -ōris.*) adj. Que usurpa. Ú. t. c. s.

Usurpar. (Del lat. *usurpāre.*) tr. Quitar a uno lo que es suyo, o quedarse con ello, generalmente con violencia. Extiéndese también a las cosas no materiales. || **2.** Arrogarse la dignidad, empleo u oficio de otro, y usar de ellos como si fueran propios.

Usuta. (Voz quichua.) f. *Argent.* y *Bol.* Ojota, especie de sandalia.

Ut. (V. *Fa.*) m. ant. *Mús.* **Do.**

Uta. (Voz quichua.) f. *Perú.* Enfermedad de úlceras faciales muy común en las quebradas hondas del Perú.

Utensilio. (Del lat. *utensilia,* pl. de *utensĭlis,* útil, necesario.) m. Lo que sirve para el uso manual y frecuente. UTENSILIO *de cocina, de la mesa.* Ú. m. en pl. || **2.** Herramienta o instrumento de un oficio o arte. Ú. m. en pl. || **3.** *Mil.* Auxilio que debe dar el patrón al soldado alojado en su casa, o sea cama, agua, sal, vinagre, luz y asiento a la lumbre. Ú. m. en pl. || **4.** *Mil.* Leña, aceite para luces, camas, etc., que la administración militar suministra a los soldados en los cuarteles. Ú. m. en pl.

Uterino, na. (Del lat. *uterīnus.*) adj. Perteneciente al útero. || **2.** V. **Hermano uterino.** || **3.** *Med.* V. **Furor uterino.**

Útero. (Del lat. *utĕrus.*) m. **Matriz,** 1.ª acep.

Uticense. (Del lat. *uticensis.*) adj. Natural de Útica. Ú. t. c. s. || **2.** Perteneciente a esta ciudad del África antigua.

Útil. (Del lat. *utĭlis.*) adj. Que trae o produce provecho, comodidad, fruto o interés. || **2.** Que puede servir y aprovechar en alguna línea. || **3.** V. **Dominio útil.** || **4.** *For.* Aplícase al tiempo o días hábiles de un término señalado por la ley o la costumbre, no contándose aquellos en que no se puede actuar. Fuera de lo forense se extiende a otras materias y especies. || **5.** m. **Utilidad.** || **6. Utensilio,** 1.ª y 2.ª aceps. Ú. m. en pl.

Utilidad. (Del lat. *utilĭtas, -ātis.*) f. Calidad de útil. || **2.** Provecho, conveniencia, interés o fruto que se saca de una cosa.

Utilitario, ria. adj. Que sólo propende a conseguir lo útil; que antepone a todo la utilidad.

Utilitarismo. m. Doctrina filosófica moderna que considera la utilidad como principio de la moral.

Utilizable. adj. Que puede o debe utilizarse.

Utilización. f. Acción y efecto de utilizar.

Utilizar. (De *útil.*) tr. Aprovecharse de una cosa. Ú. t. c. r.

Útilmente. adv. m. De manera útil.

Utopía [Utopia]. (Del gr. οὐ, no, y τόπος, lugar: lugar que no existe. Tomado del libro que publicó el inglés Tomás Moro, con el título de *Utopia,* describiendo una república imaginaria.) f. Plan, proyecto, doctrina o sistema halagüeño, pero irrealizable.

Utópico, ca. adj. Perteneciente o relativo a la utopía.

Utopista. adj. Que traza utopías o es dado a ellas. Ú. m. c. s.

Utrerano, na. adj. Natural de Utrera. Ú. t. c. s. || **2.** Perteneciente a esta ciudad.

Utrero, ra. m. y f. Novillo o novilla desde los dos años hasta cumplir los tres.

Ut retro. (Lit., *como detrás, como a la vuelta.*) m. adv. lat. V. **Fecha ut retro.**

Ut supra. (Lit., *como arriba.*) m. adv. lat. Se emplea en ciertos documentos para referirse a una fecha, cláusula o frase escrita más arriba, y evitar su repetición.

Uva. (Del lat. *uva.*) f. Fruto de la vid, que es una baya o grano más o menos redondo y jugoso, el cual nace apiñado con otros, adheridos todos a un vástago común por un pezón, y formando racimos. Cada grano incluye en un hollejo una materia delicada y jugosa, de que se exprime el mosto, y entre ella tiene dos o tres granillos duros, que son la simiente de esta fruta. || **2.** Cada uno de los granos que produce el berberís o arlo, los cuales son semejantes a los de la granada, y se vuelven muy encarnados cuando maduros. || **3.** Enfermedad de la campanilla, que consiste en un tumorcillo de la figura de una **uva.** || **4.** Especie de verruga o verrugas pequeñas que suelen formarse en el párpado, juntas y como pegadas unas con otras, de modo que parecen un racimo de **uvas** cuando van cuajando. || **5.** V. **Azúcar de uva.** || **6.** *Ar., Mancha, Nav.* y *Rioja.* Racimo de **uvas.** || **abejar.** Variedad de **uva,** de grano más grueso, menos jugoso y con hollejo más duro que la albilla, que apetecen con preferencia las abejas y avispas. || **alarije.** Variedad de **uva,** de color rojo, que producen ciertas cepas altas y de sarmientos duros. || **albarazada.** Variedad de **uva,** que tiene el hollejo jaspeado. Es común en Andalucía. || **albilla.** Variedad de **uva,** de hollejo tierno y delgado y muy gustosa. || **arije. Uva alarije.** || **bodocal.** Variedad de **uva** negra, que tiene los granos gordos y los racimos largos y ralos. || **cana,** o **canilla. Uva de gato.** || **cigüete.** Variedad de **uva** blanca, parecida a la albilla. || **crespa. Uva espina.** || **de gato.** Hierba anual de la familia de las crasuláceas, que se cría comúnmente en los tejados, con tallos de dos a tres centímetros hojas pequeñas, carnosas, casi elipsoidales, obtusas, lampiñas, que parecen racimos de grosellas no maduras, y flores blancas en corimbos. || **de pájaro.** *Rioja.* **Uva de gato.** || **de perro.** *León.* **Uva de gato.** || **de playa.** Fruto del uvero, del tamaño de una cereza grande, morado, tierno, muy jugoso y dulce. Encierra una sola semilla negra, de volumen igual a las dos terceras partes del fruto. || **de raposa.** Hierba perenne de la familia de las liliáceas, con tallos sencillos terminados por cuatro hojas ovales, en cruz, de en medio de las cuales sale una flor verdosa que produce una baya negra, del tamaño del guisante y narcótica. || **espina.** Variedad de grosellero, que crece espontáneamente en Europa y América y tiene las hojas vellosas y los frutos menos dulces. || **hebén.** Variedad de **uva,** blanca, gorda y vellosa, parecida a la moscatel en el sabor, la cual forma el racimo largo y ralo, y cuando se come exhala algo de olor. || **hebén prieta. Uva palomina.** || **herrial.** Variedad de **uva,** gruesa y tinta, cuyos racimos son muy gruesos. || **jabí. Jabí,** 1.er art., 2.ª acep. || **jaén.** Variedad de **uva,** blanca, algo crecida y de hollejo grueso y duro. || **lairén.** Variedad de **uva,** de grano crecido y de hollejo duro, buena para guardarla. || **larije. Uva alarije.** || **ligeruela. Uva** temprana. ||

lupina. Acónito. || **marina. Belcho.** || **2.** Racimo de huevas de jibia. || **moscatel.** Variedad de **uva,** blanca o morada, de grano redondo y muy liso y gusto sumamente dulce. || **palomina.** Variedad de **uva** negra en racimos largos y ralos. || **rojal.** *Albac.* Variedad de **uva** muy fina, de color de grosella. || **tamínea,** o **taminia. Hierba piojera.** || **tempranilla. Uva** temprana. || **teta de vaca.** Variedad de **uva,** que tiene gruesos y largos los granos. || **tinta.** Variedad de **uva,** que tiene negro el zumo y sirve para dar color a ciertos mostos. || **torrontés.** Variedad de **uva,** blanca, muy transparente y que tiene el grano pequeño y el hollejo muy tierno y delgado, por lo cual se pudre pronto. Hácese de ella vino muy oloroso, suave y claro, que se conserva mucho tiempo. || **tortozón.** Variedad de **uva,** de grano grueso y racimos grandes, de la cual se hace un vino que se conserva poco. || **turulés.** Variedad de **uva** fuerte. || **verdeja.** La que tiene color muy verde aunque esté madura. || **verga. Acónito.** || **Uvas de mar. Uva marina,** 1.ª acep. || **Conocer uno las uvas de su majuelo.** fr. fig. y fam. Tener conocimiento del negocio que maneja. || **Entrar uno por uvas.** fr. fig. y fam. Arriesgarse a tomar parte o intervenir en un asunto. Ú. m. con neg. || **Hecho una uva.** expr. fig. y fam. Muy borracho. || **La uva torrontés ni la comas ni la des, para vino buena es; la calagraña, cómela o dala, que para vino no vale nada.** ref. que explica las cualidades de estas **uvas.** || **Meter uvas con agraces.** fr. fig. y fam. Confundir unas cosas con otras, traer a cuento cosas inconexas. || **Poda tardío y siembra temprano: cogerás uva y grano.** ref. **Poda tardío y siembra temprano: si errares un año, acertarás cuatro.**

Uvada. f. Copia o abundancia de uva.

Uvaduz. (De *uva* y el vulg. *duz,* del lat. *dulcis.*) f. **Gayuba.**

Uvaguemaestre. m. **Vaguemaestre.**

Uval. adj. Parecido a la uva.

Uvate. m. Conserva hecha de uvas, regularmente cocidas con el mosto, hasta que toma el punto de arrope.

Uvayema. (De *uva* y *yema.*) f. Especie de vid silvestre, que, subiendo por los troncos de los árboles, se enreda entre sus ramas, como la hiedra.

Uve. f. Nombre de la letra *v.*

Úvea. (De *uva.*) adj. *Zool.* V. **Túnica úvea.** Ú. t. c. s.

Uveral. m. *Amér.* Lugar en que abundan los árboles llamados uveros.

Uvero, ra. adj. Perteneciente o relativo a las uvas. *Exportación* UVERA. || **2.** m. y f. Persona que vende uvas. || **3.** m. Árbol silvestre de la familia de las poligonáceas, que vive en las costas de las Antillas y de la América Central, muy frondoso, de poca altura y con hojas consistentes, casi redondas, como de dos decímetros de diámetro y color verde rojizo. Su fruto es la uva de playa.

Uviar. (Del lat. *obviāre,* salir al encuentro.) intr. ant. Acudir, venir, llegar.

Uvilla. f. d. de **Uva.** || **2.** *Chile.* Especie de grosella.

Uvillo. m. *Chile.* Arbusto trepador de la familia de las fitolacáceas, con hojas aovadas, flores blancas o rosadas en racimos, y frutos anaranjados.

Úvula. (Del lat. *uvŭla,* d. de *uva,* uva.) f. *Zool.* Parte media del velo palatino, de forma cónica y textura membranosa y muscular, la cual divide el borde libre del velo en dos mitades a modo de arcos.

Uvular. adj. Perteneciente o relativo a la úvula. || **2.** *Fon.* Dícese del sonido en cuya articulación interviene la úvula.

Uxoricida. (Del lat. *uxor, -oris,* mujer, esposa, y *caedere,* matar.) adj. Dícese del que mata a su mujer. U. t. c. m.

Uxoricidio. m. Muerte causada a la mujer por su marido.

Uzo. (Del lat. *ūstium, ostium,* puerta.) m. ant. Puerta o postigo.

V

V. f. Vigésima quinta letra del abecedario español, y vigésima de sus consonantes. Su nombre es **ve** o **uve.** || **2.** Letra numeral que tiene el valor de cinco en la numeración romana. || **doble.** Letra de esta figura (W), no comprendida en nuestro abecedario por no ser usual en español. Suele emplearse únicamente en algunos nombres de personajes godos de nuestra historia y en voces de origen extranjero.

Vaca. (Del lat. *vacca.*) f. Hembra del toro. || **2.** Carne de **vaca** o de buey, que se emplea como alimento. || **3.** Dinero que juegan en común dos o más personas. || **4.** Cuero de la **vaca** después de curtido. || **5.** V. **Caña, doblón, teta de vaca.** || **6.** V. **Casa, corral de vacas.** || **7.** V. **Mesa, tabla de la vaca.** || **abierta. Vaca** fecunda. || **del aguardiente.** La que en las fiestas populares de algunas localidades se lidia a primera hora de la mañana. || **de San Antón. Mariquita,** 1.ª acep. || **marina. Manatí,** 1.ª acep. || **tembladera. Torpedo,** 1.ª acep. || **La vaca de la boda.** fig. y fam. Persona que, como la **vaca** que solían correr para festejar las bodas rústicas, sirve de diversión a los concurrentes a una fiesta, o paga los gastos que en ella se hacen. || **2.** fig. y fam. Persona a quien todos acuden en sus urgencias. || **A la vaca harta, la cola le es abrigada.** ref. que indica que al que ha comido con abundancia, nada le suele embarazar para dormir bien. || **Echar las vacas** a uno. fr. fig. y fam. **Echarle las cabras.** || **La vaca harta, de la cola hace cama.** ref. **A la vaca harta, la cola le es abrigada.** || **Más vale vaca en paz, que pollos con agraz.** ref. que encarece el sosiego y tranquilidad, aunque sólo se disfrute de medianas comodidades. || **Matad vacas y carneros; dadme un cornado de bofes.** ref. que se dice de quien, por pequeña ocasión o por exiguo provecho, pretende que otro se incomode o trabaje demasiado. || **Por eso se vende la vaca; porque uno come, o quiere, la pierna y otro la falda.** ref. que enseña que por la diversidad de gustos todo resulta aprovechable. || **Quien come la vaca del rey, a cien años paga los huesos.** ref. que advierte que quien ha sido poco fiel en el manejo de los caudales de los poderosos, no se dé por seguro, por mucho tiempo que pase, de que no le residencien y se lo hagan pagar doblado. || **Si quieres ser rico, calza de vaca y viste de fino.** ref. que aconseja preferir los géneros de mejor calidad, por ser de más duración. || **Vaca y carnero, olla de caballero.** ref. con que en lo antiguo se expresaba que la mesa donde había una olla con **vaca** y carnero, era de lo mejor en aquellos tiempos.

Vacabuey. m. *Bot. Cuba.* Árbol silvestre, de la familia de las dileniáceas, con frutos comestibles y madera que se utiliza para la construcción.

Vacación. (Del lat. *vacatio, -ōnis.*) f. Suspensión de los negocios o estudios por algún tiempo. Ú. m. en pl. || **2.** Tiempo que dura la cesación del trabajo. Ú. m. en pl. || **3.** V. **Sala de vacaciones.** || **4.** Acción de vacar un empleo o cargo. || **5. Vacante,** 2.ª acep.

Vacada. (De *vaca.*) f. Manada de ganado vacuno. || **2.** Conjunto de ganado vacuno con que negocia un ganadero.

Vacado, da. p. p. de **Vacar.** || **2.** adj. ant. **Vaco.**

Vacancia. (Del lat. *vacantia.*) f. **Vacante,** 2.ª acep.

Vacante. (Del lat. *vacans, -antis.*) p. a. de **Vacar.** Que vaca. || **2.** adj. Aplícase al cargo, empleo o dignidad que está sin proveer. Ú. t. c. s. f. || **3.** V. **Bienes vacantes.** || **4.** V. **Sede vacante.** || **5.** f. Renta caída o devengada en el tiempo que permanece sin proveerse un beneficio o dignidad eclesiástica. || **6. Vacación,** 2.ª acep.

Vacanza. f. ant. **Vacancia.**

Vacar. (Del lat. *vacāre.*) intr. Cesar uno por algún tiempo en sus habituales negocios, estudios o trabajo. || **2.** Quedar un empleo, cargo o dignidad sin persona que lo desempeñe o posea. || **3.** Dedicarse o entregarse enteramente a un ejercicio determinado. || **4. Carecer.** *No* VACÓ *de misterio.*

Vacarí. (Del ár. *baqarí*, perteneciente o relativo al ganado vacuno.) adj. De cuero de vaca, o cubierto de este cuero. Dícese del escudo, de la adarga, etc.

Vacatura. (Del lat. *vacātum*, supino de *vacāre*, vacar.) f. Tiempo que está vacante un empleo, cargo o dignidad.

Vacceo, a. (Del lat. *vaccaei.*) adj. Natural de una región de la antigua España Tarraconense, que, situada a una y otra orilla del Duero, se extendía por los modernos términos de Medina del Campo, Valladolid, Palencia, Sahagún, Villalpando y Zamora. Ú. t. c. s. || **2.** Perteneciente a esta región.

Vaccinieo, a. (De lat. *vaccinĭum*, cierta planta tintórea.) adj. *Bot.* Dícese de matas o arbustillos pertenecientes a la familia de las iricáceas, con hojas simples, casi sentadas y perennes, flores solitarias o en racimo, y fruto en bayas jugosas con semillas de albumen carnoso; como el arándano. Ú. t. c. s. f.

Vaciadero. m. Sitio en que se vacía una cosa. || **2.** Conjunto por donde se vacía.

Vaciadizo, za. adj. Aplícase a la obra vaciada. Ú. entre los vaciadores de metales.

Vaciado, da. p. p. de **Vaciar.** || **2.** m. Acción de vaciar en un molde un objeto de metal, yeso, etc. || **3.** *Arq.* **Excavación.** || **4.** *Arq.* Fondo que queda en el neto del pedestal después de la faja o moldura que lo guarnece. || **5.** *Esc.* Figura o adorno de yeso, estuco, etc., que se ha formado en el molde.

Vaciador. m. El que vacía. || **2.** Instrumento por donde o con que se vacía.

Vaciamiento. m. Acción y efecto de vaciar o vaciarse.

Vaciante. p. a. de **Vaciar.** Que vacía. || **2.** f. **Menguante,** 5.ª y 6.ª aceps.

Vaciar. (De *vacío.*) tr. Dejar vacía alguna vasija u otra cosa. VACIAR *una botella;* VACIAR *el bolsillo.* Ú. t. c. r. || **2.** Sacar, verter o arrojar el contenido de una vasija u otra cosa. VACIAR *agua en la calle.* Ú. t. c. r. || **3.** Formar un objeto echando en un molde hueco metal derretido u otra materia blanda. || **4.** Formar un hueco en alguna cosa. Ú. mucho en arquitectura. || **5.** Sacar filo muy agudo en la piedra a los instrumentos cortantes delicados. || **6.** fig. Exponer o explicar latamente una doctrina. || **7.** fig. Trasladarla de un escrito a otro. || **8.** intr. Hablando de los ríos o corrientes, **desaguar,** 3.ª acep. || **9.** Menguar el agua en los ríos, en el mar, etc. || **10.** r. fig. y fam. Decir uno sin reparo lo que debía callar o mantener secreto.

Vaciedad. (Del lat. *vacivitas, -ātis.*) f. ant. **Vacuidad.** || **2.** fig. Necedad, sandez, simpleza.

Vaciero. m. Pastor del ganado vacío.

Vacilación. (Del lat. *vacillatĭo, -ōnis.*) f. Acción y efecto de vacilar. || **2.** fig. Perplejidad, irresolución.

Vacilante. (Del lat. *vacillans, -antis.*) p. a. de **Vacilar.** Que vacila.

Vacilar. (Del lat. *vacillāre.*) intr. Moverse indeterminadamente una cosa.

|| **2.** Estar poco firme una cosa en su estado, o tener riesgo de caer o arruinarse. || **3.** fig. Titubear, estar uno perplejo e irresoluto.

Vacío, a. (Del lat. *vacīvus.*) adj. Falto de contenido. || **2.** Aplícase, en los ganados, a la hembra que no tiene cría. || **3.** Vano, sin fruto, malogrado. || **4.** Ocioso, o sin la ocupación o ejercicio que pudiera o debiera tener. || **5.** Aplícase a las casas o pueblos sin habitantes, o a los sitios que están sin la gente que suele concurrir a ellos. || **6.** Falto de la perfección debida en su línea, o del efecto que se pretende. || **7.** Hueco, o falto de la solidez correspondiente. || **8.** fig. Vano, presuntuoso y falto de madurez. || **9.** m. Concavidad o hueco de algunas cosas. || **10. Ijada,** 1.ª acep. || **11.** Vacante o hueco de algún empleo, dignidad, ejercicio o cargo que alguno ocupaba y deja desembarazado. || **12.** Movimiento de la danza española, que se hace levantando un pie con violencia y bajándolo después naturalmente. || **13.** fig. Falta, carencia o ausencia de alguna cosa o persona que se echa de menos. || **14.** *Fís.* Espacio que no contiene aire ni otra materia perceptible por medios físicos ni químicos. || **15.** *Fís.* Enrarecimiento, hasta el mayor grado posible, del aire u otro gas contenidos en un recipiente cerrado. || **Caer en el vacío** una cosa. loc. fam. No tener acogida lo que se dice o se propone. || **De vacío.** m. adv. Sin carga, tratándose de trajineros o de sus bestias o carruajes. *Ir, volver* DE VACÍO. || **2.** Sin ocupación o ejercicio. || **3.** Sin haber conseguido uno lo que pretendía; ú. con los verbos *volver, irse,* y sus análogos. || **En vacío.** m. adv. En vago. || **2.** *Mús.* Pulsando la cuerda sin pisarla. || **Hacer el vacío** a uno. fr. fig. Negarle o dificultarle el trato con los demás, aislarle.

Vaco. (De *vaca.*) m. fam. **Buey.**

Vaco, ca. (Del lat. *vacŭus.*) adj. **Vacante,** 2.ª acep.

Vacuidad. (Del lat. *vacuĭtas, -ātis.*) f. Calidad de vacuo.

Vacuna. (De *vacuno.*) f. Cierto grano o viruela que sale a las vacas en las tetas, y que se transmite al hombre por inoculación para preservarlo de las viruelas naturales. || **2.** Pus de estos granos o de los granos de los vacunados. || **3.** Cualquier virus o principio orgánico que convenientemente preparado se inocula a persona o animal para preservarlos de una enfermedad determinada.

Vacunación. f. Acción y efecto de vacunar o vacunarse.

Vacunador, ra. adj. Que vacuna. Ú. t. c. s.

Vacunar. (De *vacuna.*) tr. Comunicar, aplicar el virus vacuno a una persona, para preservarla de las viruelas naturales. Ú. t. c. r. || **2.** Inocular a la vaca o a la ternera el virus vacuno, con objeto de conservarlo. || **3.** Inocular a una persona o animal un virus o principio orgánico convenientemente preparado, para preservarlos de una enfermedad determinada.

Vacuno, na. adj. Perteneciente al ganado bovino. || **2.** De cuero de vaca.

Vacunoterapia. f. Tratamiento o profilaxia de las enfermedades infecciosas por medio de las vacunas.

Vacuo, cua. (Del lat. *vacŭus.*) adj. **Vacío.** || **2. Vacante,** 2.ª acep. || **3.** m. **Vacío,** 9.ª acep.

Vade. (Del lat. *vade,* imper. de *vadĕre,* ir, marchar, caminar.) m. **Vademécum,** 2.ª acep.

Vadeable. adj. Dícese del río, o de cualquier corriente de agua, que se puede vadear. || **2.** fig. Vencible o superable con el ingenio, arte o eficacia, cuando se ofrece alguna dificultad o reparo.

Vadeador. m. Individuo que conoce bien los vados y sirve en ellos de guía.

Vadear. tr. Pasar un río u otra corriente de agua profunda por el vado o por cualquier otro sitio donde se pueda hacer pie. || **2.** fig. Vencer una grave dificultad. || **3.** fig. Tantear o inquirir el ánimo de uno. || **4.** fig. Comprender y percibir una sentencia u otra cosa dificultosa u obscura. || **5.** r. Manejarse, portarse, conducirse.

Vademécum. (Del lat. *vade,* anda, ven, y *mecum,* conmigo.) m. Libro de poco volumen que puede uno llevar consigo para consultarlo con frecuencia, y que en pocas palabras contiene las nociones más necesarias de una ciencia o de un arte. || **2.** Cartapacio o bolsa en que llevan los estudiantes y niños de escuela los libros y los papeles.

Vadera. f. Vado, especialmente el ancho por donde pueden pasar ganados y carruajes.

Vade retro. (Lit., *ve* o *marcha atrás.*) expr. lat. que se emplea para rechazar a una persona o cosa.

Vadiano, na. (Del lat. *vadiānus,* por *audiānus.*) adj. Dícese de ciertos herejes del siglo IV, que seguían las doctrinas de Audio. Ú. t. c. s. || **2.** Perteneciente a esta secta.

Vado. (Del lat. *vadus.*) m. Paraje de un río con fondo firme, llano y poco profundo, por donde se puede pasar andando, cabalgando o en carruaje. || **2.** fig. Expediente, curso, remedio o alivio en las cosas que ocurren. *Dar* VADO *a un negocio; no hallar* VADO. || **3.** desus. Tregua, espacio. || **Al vado, o a la puente.** expr. fig. y fam. con que se aconseja o se insta a que se opte por una u otra resolución en caso de perplejidad. || **Tentar uno el vado.** fr. Sondearlo. || **2.** fig. Intentar un negocio con precaución y advertencia, para examinar su facilidad o dificultad en la consecución.

Vadoso, sa. (Del lat. *vadōsus.*) adj. Aplícase al paraje del mar, río, lago que tiene vados o parajes de suelo somero, y por eso es peligroso para la navegación.

Vafe. m. *And.* Golpe atrevido.

Vafo. (De la onomat. *baf.*) m. ant. **Vaho.** || **2.** ant. Soplo o aliento fuerte.

Vafoso, sa. (De *vafo.*) adj. ant. **Vaporoso.**

Vaga. (Del fr. *vague,* y éste del ant. nórd. *vaag,* ola.) f. ant. **Ola,** 1.ª acep.

Vagabundear. intr. Andar vagabundo.

Vagabundeo. m. Acción y efecto de vagabundear.

Vagabundería. f. **Vagabundeo.** || **2.** Calidad de vagabundo.

Vagabundo, da. (Del lat. *vagabundus.*) adj. Que anda errante de una parte a otra. || **2.** Holgazán u ocioso que anda de un lugar a otro, sin tener domicilio determinado, o sin oficio ni beneficio. Ú. t. c. s.

Vagamente. adv. m. De una manera vaga.

Vagamundear. intr. **Vagabundear.**

Vagamundo, da. adj. **Vagabundo.** Ú. t. c. s.

Vagancia. (Del lat. *vacantĭa.*) f. Acción de vagar o estar sin oficio u ocupación.

Vagante. (Del lat. *vagans, -antis.*) p. a. de **Vagar,** 3.er art. Que vaga o anda suelto y libre.

Vagante. (Del lat. *vacans, -antis.*) p. a. de **Vagar,** 2.° art. || **2.** ant. **Vacante.**

Vagar. (Forma substantiva de *vagar,* 1.er art.) m. Tiempo desembarazado y libre para hacer una cosa. *No tengo tanto* VAGAR, *o ese* VAGAR. || **2.** Espacio, lentitud, pausa o sosiego. || **Andar de vagar** uno. fr. No tener qué hacer; estar ocioso. || **De vagar.** m. adv. ant. Despacio, lentamente. || **Estar de vagar.** uno. fr. **Andar de vagar.**

Vagar. (Del lat. *vacāre.*) intr. Tener tiempo y lugar suficiente o necesario para hacer una cosa. || **2.** Estar ocioso, sin oficio ni beneficio.

Vagar. (Del lat. *vagāri.*) intr. Andar por varias partes sin determinación a sitio o lugar, o sin especial detención en ninguno. || **2.** Andar por un sitio sin hallar camino o lo que se busca. || **3.** Andar libre y suelta una cosa, o sin el orden y disposición que regularmente debe tener.

Vagarosamente. adv. m. De modo vagaroso.

Vagarosidad. f. Calidad de vagaroso.

Vagaroso, sa. adj. Que vaga, o que fácilmente y de continuo se mueve de una a otra parte. Ú. m. en poesía. || **2.** ant. Tardo, perezoso o pausado.

Vagido. (Del lat. *vagītus,* de *vagīre,* llorar los niños.) m. Gemido o llanto del recién nacido.

Vagina. (Del lat. *vagīna,* vaina.) f. *Zool.* Conducto membranoso y fibroso que en las hembras de los mamíferos se extiende desde la vulva hasta la matriz.

Vaginal. adj. *Zool.* Perteneciente o relativo a la vagina.

Vaginitis. (De *vagina* y la terminación *itis,* inflamación.) f. *Med.* Inflamación de la vagina.

Vagneriano, na. adj. Perteneciente o relativo a Wagner o a su música.

Vago, ga. (Del lat. *vacŭus.*) adj. Vacío, desocupado. Dícese del hombre sin oficio y mal entretenido. Ú. t. c. s. || **2.** ant. **Vaco,** 2.° art. || **3.** m. *Ar.* y *Nav.* Erial o solar vacío. || **En vago.** m. adv. Sin firmeza ni consistencia, o con riesgo de caerse, o sin apoyo en que estribar y mantenerse. || **2.** Sin el sujeto u objeto a que se dirige la acción. *Golpe* EN VAGO. || **3.** fig. En vano, o sin el logro de un fin o intento que se deseaba, o engañándose en lo que se juzgaba.

Vago, ga. (Del lat. *vagus.*) adj. Que anda de una parte a otra, sin detenerse en ningún lugar. || **2.** Aplícase a las cosas que no tienen objeto o fin determinado, sino general y libre en la elección o aplicación. || **3.** Indeciso, indeterminado. || **4.** V. **Voz vaga.** || **5.** *Pint.* Vaporoso, ligero, indefinido. || **6.** *Zool.* V. **Nervio vago.** Ú. m. c. s.

Vagón. (Del ingl. *wagon.*) m. Carruaje de viajeros o de mercancías y equipajes, en los ferrocarriles. || **2.** Carro grande de mudanzas, destinado a ser transportado sobre una plataforma de ferrocarril.

Vagoneta. f. Vagón pequeño y descubierto, para transporte.

Vagotonía. f. *Med.* Excitabilidad anormal del nervio vago, que se manifiesta en alteraciones de la función de los órganos en que se ramifica dicho nervio, especialmente el corazón, los bronquios, el estómago y los intestinos.

Vaguada. f. Línea que marca la parte más honda de un valle, y es el camino por donde van las aguas de las corrientes naturales.

Vagueación. (De *vaguear.*) f. Inquietud o inconstancia de la imaginación. || **2.** Acción de vagar.

Vagueante. p. a. de **Vaguear.** Que vaguea.

Vaguear. (De *vago,* 2.° art.) intr. **Vagar,** 3.er art.

Vaguedad. f. Calidad de vago, 1.er art., 1.ª acep.

Vaguedad. f. Calidad de vago, 2.° art. || **2.** Expresión o frase vaga.

Vaguemaestre. (Del al. *wagenmeister.*) m. Oficial militar que en el ejército cuidaba de dar providencia para la seguridad y forma de conducir el bagaje.

Váguido m. ant. **Vaguido.** Úsase en *Amér.*

Vaguido, da. (De *vaguear.*) adj. Turbado, o que padece vahídos. || **2.** m. **Vahído.**

Vahaje. (De *vaho.*) m. Viento suave.

Vahanero, ra. (De *vago*, 1.er art.) adj. *Murc.* desus. Ocioso, trujamán o pícaro. Usáb. t. c. s.

Vahar. (De *vaho*.) intr. **Vahear.**

Vaharada. f. Acción y efecto de arrojar o echar el vaho, aliento o respiración.

Vaharera. (De *vahar*.) f. Cierta erupción pustulosa que sale a veces a los niños en las comisuras de los labios o ángulos de la boca. || **2.** *Extr.* Melón que por no estar sazonado suele causar daño a la boca.

Vaharina. (De *vahar*.) f. fam. Vaho, vapor o niebla.

Vahear. intr. Echar de sí vaho o vapor.

Vahído. (De *vaguido*.) m. Desvanecimiento, turbación breve del sentido por alguna indisposición.

Vaho. (De la onomat. *baf*.) m. Vapor que despiden los cuerpos en determinadas condiciones.

Vaída. adj. *Arg.* V. **Bóveda vaída.**

Vaina. (Del lat. *vagīna*.) f. Funda de cuero u otra materia, en que se encierran y guardan algunas armas, como espadas, puñales, etc.; o instrumentos de hierro u otro metal, como tijeras, punzones, etc. || **2.** Túnica o cáscara tierna y larga en que están encerradas algunas simientes; como las de la col y la mostaza, las judías, las habas, etc. || **3.** *Colomb.*, *C. Rica* y *Venez.* Contrariedad, molestia. || **4.** *Bot.* Ensanchamiento del pecíolo o de la hoja que envuelve el tallo. || **5.** *Mar.* Dobladillo que se hace en la orilla de una vela para reforzarla. || **6.** *Mar.* Jareta de lona fina o lienzo duro que se cose al canto vertical de una bandera, y sirve para que por dentro de ella pase la driza o cordel con que se iza. || **7.** pl. *Vizc.* Judías que se comen en verde. || **8.** m. fig. y fam. Persona despreciable. || **Vaina abierta.** La que tenían las espadas largas; pues para que se pudiesen desenvainar fácilmente, sólo estaba cerrada en el último tercio hacia la contera. || **Dar con vaina y todo.** fr. Pegar con la espada envainada, como castigo afrentoso. || **2.** fig. Reprender, castigar o maltratar a uno afrentosamente de obra o de palabra. || **So vaina de oro, cuchillo de plomo.** ref. que enseña que no se puede fiar en apariencias y adornos, porque muchas veces suelen encubrir cosas muy despreciables.

Vainazas. (De *vaina*, 8.ª acep.) m. fam. Persona floja, descuidada o desvaída.

Vainero. m. Oficial que hace vainas para todo género de armas.

Vainica. (d. de *vaina*.) f. Deshilado menudo que por adorno se hace especialmente en el borde interior de los dobladillos.

Vainilla. (d. de *vaina*, 2.ª acep.) f. *Bot.* Planta americana, de la familia de las orquidáceas, con tallos muy largos, verdes, sarmentosos y trepadores; hojas enteras, ovales u oblongas; flores grandes, verdosas, y fruto capsular en forma de judía, de unos 20 centímetros de largo por uno de ancho, que contiene muchas simientes menudas. || **2.** Fruto de esta planta, muy oloroso, que se emplea para aromatizar los licores, el chocolate, etc. || **3.** Heliotropo que se cría en América. || **4.** **Vainica.** || **5.** *Ast.* Judía verde.

Vainiquera. f. Obrera que se dedica a hacer vainicas.

Vaivén. (De *ir* y *venir*.) m. Movimiento alternativo de un cuerpo que después de recorrer una línea vuelve a describirla, caminando en sentido contrario. || **2.** ant. **Ariete,** 1.ª acep. || **3.** fig. Variedad instable o inconstancia de las cosas en su duración o logro. || **4.** fig. Encuentro o riesgo que expone a perder lo que se intenta, o malograr lo que se desea. || **5.** *Mar.* Cabo delgado, blanco o alquitranado y de dos o tres cordones, que sirve para entrañar y forrar otros más gruesos, dar ligadas y hacer ciertos tejidos.

Vaivenear. tr. desus. Causar o producir vaivén.

Vaivoda. (Del eslavo *vaivod*, príncipe.) m. Título que se daba a los soberanos de Moldavia, Valaquia y Transilvania.

Vajilla. (Del lat. *vascĕlla*, pl. n. de *vascĕllum*.) f. Conjunto de platos, fuentes, vasos, tazas, jarros, etc., que se destinan al servicio y ministerio de la mesa. || **2.** Cierto derecho que se cobraba de las alhajas de oro y plata en Nueva España.

Val. m. Apócope de **Valle.** Ú. mucho en composición || **2.** *Murc.* Acequia o cauce en que se recogen y por donde corren las aguas sucias de la población y otras bascosidades.

Val. Apócope anticuada de **Vale,** tercera persona del singular del presente de indicativo del verbo *valer.*

Valaco, ca. adj. Natural de Valaquia. Ú. t. c. s. || **2.** Perteneciente a este antiguo principado del reino de Rumania. || **3.** Dícese igualmente de la lengua romance que se habla en Valaquia, Moldavia y otros territorios rumanos. || **4.** m. Lengua **valaca.**

Valais. m. Pieza de madera de sierra del marco de Ávila, que tiene 12 pies de largo, cuatro pulgadas de tabla y dos y cuatro de canto, y se emplea en carpintería de taller y para hacer rediles o teleras.

Valar. (Del lat. *vallāris*, de *vallum*, estacada.) adj. Perteneciente al vallado, muro o cerca. || **2.** V. **Corona valar.**

Valdense. adj. Sectario de Pedro de Valdo, heresiarca francés del siglo XII, según el cual todo lego que practicase voluntariamente la pobreza podría ejercer las funciones del sacerdocio. Ú. t. c. s. || **2.** Perteneciente a esta secta.

Valdepeñas. m. Vino tinto procedente de Valdepeñas, villa de la provincia de Ciudad Real.

Valdepeñero, ra. adj. Natural de Valdepeñas. || **2.** Perteneciente a este pueblo de la provincia de Ciudad Real. || **3.** *Albac.* Dícese de una uva blanca muy fina y preferida para conservarla colgada.

Valdestillas. n. p. fig. y fam. V. **Ajo de Valdestillas.**

Valdivia. f. *Zool. Ecuad.* Ave del orden de las trepadoras, de canto triste que el vulgo considera de mal agüero.

Valdiviano. m. *Chile.* Guiso compuesto de cecina y cebolla frita, al cual se añade agua hirviendo y zumo de limón.

Vale. (Lit., *consérvate sano*.) Voz latina usada alguna vez en español para despedirse en estilo cortesano y familiar. || **2.** m. desus. Con los adjetivos *último*, *postrero* u otro equivalente, adiós o despedida que se da a un muerto, o el que se dice al remate o acabamiento de una cosa.

Vale. (pres. de indic. de *valer*.) m. Papel o seguro que se hace a favor de uno, obligándose a pagarle una cantidad de dinero. || **2.** Nota o apuntación firmada y a veces sellada, que se da al que ha de entregar una cosa, para que después acredite la entrega y cobre el importe. || **3.** Papel que un maestro de escuela da como premio a un discípulo para que en caso necesario pueda aspirar a una recompensa mayor, o para redimir y hacerse perdonar una falta. || **4.** Envite que con las primeras cartas se hace en algunos juegos de naipes. || **5.** **Vale real.** || **real.** Título de una antigua deuda pública. || **Recoger un vale.** fr. Pagar o satisfacer lo que se cobra por él.

Valedero, ra. adj. Que debe valer, ser firme y subsistente. || **2.** ant. Valedor, protector. Usáb. t. c. s.

Valedor, ra. m. y f. Persona que vale o ampara a otra.

Valedura. f. desus. *Cuba.* **Barato,** 2.ª acep

Valencia. (De *valer*.) f. ant. Valor, valía. || **2.** *Biol.* Poder de un anticuerpo para combinarse con uno o más antígenos. || **3.** *Quím.* Capacidad de saturación de los radicales, que se determina por el número de átomos de hidrógeno con que aquéllos pueden combinarse directa o indirectamente.

Valencianismo. m. Vocablo o giro propio del habla valenciana.

Valenciano, na. adj. Natural de Valencia Ú. t. c. s. || **2.** Perteneciente a esta ciudad y antiguo reino. || **3.** V. **Libra valenciana.** || **4.** m. Dialecto de los **valencianos.**

Valentía. (De *valiente*.) f. Esfuerzo, aliento, vigor. || **2.** Hecho o hazaña heroica ejecutada con valor. || **3.** Expresión arrogante o jactancia de las acciones de valor y esfuerzo. || **4.** Gallardía, arrojo feliz en la manera de concebir o ejecutar una obra literaria o artística, o alguna de sus partes. || **5.** Acción material o inmaterial esforzada y vigorosa que parece exceder a las fuerzas naturales. || **6.** Sitio público de Madrid y de otros pueblos de Castilla, donde antiguamente se vendían zapatos viejos, aderezados y compuestos que se llamaban *de la* VALENTÍA. || **Pisar de valentía.** fr. fig. Andar con arrogancia y con afectación de fortaleza.

Valentiniano, na. adj. Sectario de Valentín, heresiarca del siglo II, fundador de una secta del gnosticismo, que admitía hasta treinta eones. Ú. t. c. s.

Valentino, na. (Del lat. *valentīnus*.) adj. **Valenciano,** 2.ª acep. *Concilio* VALENTINO.

Valentísimo, ma. adj. sup. de **Valiente.** || **2.** Muy perfecto o consumado en un arte o ciencia.

Valentón, na. adj. Arrogante o que se jacta de guapo o valiente. Ú. t. c. s.

Valentona. f. fam. **Valentonada.**

Valentonada. (De *valentón*.) f. Jactancia o exageración del propio valor.

Valenza. (Del lat. *valentia*.) f. ant. Valimiento, favor, protección.

Valer. (Del lat. *valēre*.) tr. Amparar, proteger, patrocinar. || **2.** Redituar, fructificar o producir. Ú. t. en sentido figurado. *La tardanza me* VALIÓ *un gran disgusto.* || **3.** Montar, sumar o importar, hablando de los números y de las cuentas. || **4.** Tener las cosas un precio determinado para la compra o la venta. || **5.** Hablando de las monedas, equivaler unas a otras en número de determinada estimación; y hablando de otras cosas, equivaler, tener una significación o aprecio comparable al de otra cosa determinada. *Una nota blanca* VALE *dos negras.* || **6.** intr. **Equivaler,** 1.ª acep. || **7.** Ser de naturaleza, o tener alguna calidad, que merezca aprecio y estimación. || **8.** Tener una persona poder, autoridad o fuerza. || **9.** Correr o pasar, tratándose de monedas. || **10.** Ser una cosa de importancia o utilidad para la consecución o el logro de otra. || **11.** Prevalecer una cosa en oposición de otra. Ú. mucho con el verbo *hacer. Hizo* VALER *sus derechos.* || **12.** Ser o servir de defensa o amparo una cosa. *No le* VALDRÁ *conmigo el parentesco.* || **13.** Tener la fuerza o valor que se requiere para la subsistencia o firmeza de algún efecto. *Este sorteo que vamos a hacer no* VALE; *es como ensayo.* || **14.** Con la preposición *por*, incluir en sí equivalentemente las calidades de otra cosa. *Esta razón* VALE POR *muchas.* || **15.** fig. Tener cabida, aceptación o autoridad con uno. || **16.** r. Usar de una cosa con tiempo y ocasión, o servirse útilmente de ella. || **17.** Recurrir al favor o interposición de otro para un intento. || **18.** m. Valor, valía. || **Lo que mucho vale, mucho cuesta.** fr. proverb. con que se avisa que no debe repararse en el trabajo o en el coste de las cosas cuando son muy estimables. || **Más vale tarde que nunca.** fr. proverb. que significa que aunque se haga o llegue con retraso una cosa, resulta útil y estimable. || **Más valiera.** loc. irón. para expresar la extrañeza o disonancia que hace lo que se propone, como opuesto a lo que se intentaba. || **Menos valer. Caso de menos valer.** || **Tanto vales cuanto tienes.** ref. con que se significa que el poder y la estimación entre los hombres suelen ser a proporción de la riqueza que tienen. || **Valer** uno, o una cosa, **lo que pesa.** fr. fam. que encarece las excelentes cualidades de una persona o cosa. || **Valga lo que valiere.** loc. que se usa para expresar que se hace una diligencia con desconfianza de que se logre fruto de ella. || **Válgate.** Con algunos nombres o verbos, se usa como interjección de admiración, extrañeza, enfado, pesar, etc.; y también se dice: **Válgate que te valga.**

Valeriana. (Del lat. *valēre*, ser saludable, por alusión a las propiedades medicinales de la planta.) f. Planta herbácea, vivaz, de la familia de las valerianáceas, con tallo recto, erguido, hueco, algo velloso y como de un metro de altura; hojas partidas en hojuelas puntiagudas y dentadas; flores en corimbos terminales, blancas o rojizas; fruto seco con tres divisiones y una sola semilla, y rizoma fragante, con muchas raicillas en círculos nudosos, que se usa en medicina como antiespasmódico.

Valerianáceo, a. (De *valeriana.*) adj. *Bot.* Dícese de plantas angiospermas dicotiledóneas, herbáceas, anuales o vivaces, con hojas opuestas y sin estípulas; flores en corimbos terminales, blancas, rojas, amarillas o azules, de corola tubular, gibosa o con espolón, cáliz persistente, y fruto membranoso o coriáceo, indehiscente, con una sola semilla sin albumen; como la valeriana y la milamores. Ú. t. c. s. || **2.** f. pl. *Bot.* Familia de estas plantas.

Valerianato. m. *Quím.* Sal formada por el ácido valeriánico y una base.

Valeriánico. adj. *Quím.* Aplícase a un ácido que se halla en la raíz de la valeriana y es líquido, inoloro, oleaginoso, de sabor acre y picante, poco soluble en el agua y mucho en el alcohol y en el éter. Se emplea en farmacia.

Valeriense. (Del lat. *valeriensis.*) adj. Natural de Valeria, hoy Valera de Arriba. Ú. t. c. s. || **2.** Perteneciente a esta ciudad de la España Tarraconense.

Valerosamente. (De *valeroso*, 1.ª y 2.ª aceps.) adv. m. Con valor, esfuerzo y ánimo. || **2.** Con fuerza y eficacia.

Valerosidad. f. Calidad de valeroso.

Valeroso, sa. (De *valer.*) adj. Eficaz, que puede mucho. || **2. Valiente,** 3.ª acep. || **3. Valioso,** 1.ª acep.

Valetudinario, ria. (Del lat. *valetudinarius.*) adj. Enfermizo, delicado, de salud quebrada. Ú. t. c. s.

Valí. (Del ár. *wālī*, gobernador.) m. Gobernador de una provincia en un Estado musulmán.

Valía. (De *valer.*) f. Estimación, valor o aprecio de una cosa. || **2.** Valimiento, privanza. || **3.** Facción, parcialidad. || **Mayor valía.** Acrecentamiento de valor que, por circunstancias externas, recibe una cosa, independientemente de cualquier mejora hecha en ella. || **A las valías.** m. adv. Al mayor precio de los frutos, especialmente de los granos.

Valiato. m. Gobierno de un valí. || **2.** Territorio gobernado por un valí.

Validación. f. Acción y efecto de validar. || **2.** Firmeza, fuerza, seguridad o subsistencia de algún acto.

Validad. (Del lat. *validĭtas, -ātis.*) f. ant. **Validación.**

Válidamente. adv. m. De manera válida.

Validar. (Del lat. *validāre.*) tr. Dar fuerza o firmeza a una cosa; hacerla válida.

Validez. f. Calidad de válido.

Válido, da. (Del lat. *validus.*) adj. Firme, subsistente y que vale o debe valer legalmente. || **2.** Robusto, fuerte o esforzado.

Valido, da. p. p. de **Valer.** || **2.** adj. Recibido, creído, apreciado o estimado generalmente. || **3.** m. El que tiene el primer lugar en la gracia de un príncipe o alto personaje. || **4. Primer ministro,** 1.ª acep.

Valiente. (Del lat. *valens, -entis.*) p. a. ant. de **Valer.** Que vale. || **2.** adj. Fuerte y robusto en su línea. || **3.** Esforzado, animoso y de valor. Ú. t. c. s. || **4.** Eficaz y activo en su línea, física o moralmente. || **5.** Excelente, primoroso o especial en su línea. || **6.** Grande y excesivo. Ú. m. en sentido irón. ¡VALIENTE *amigo tienes!* || **7.** Valentón, baladrón. Ú. t. c. s. || **Los valientes y el buen vino duran poco,** o **se acaban presto.** fr. proverb. con que se advierte a los que se jactan de **valientes** que están muy expuestos a recibir daño y perderse, por las frecuentes ocasiones en que suelen arrostrar el peligro. También indica que las bravatas y palabras arrogantes, en cuanto llega la ocasión de obrar, suelen resultar vanas.

Valientemente. (De *valiente.*) adv. m. Con fuerza o eficacia. || **2.** Esforzada y animosamente. || **3.** Con demasía o exceso. || **4.** Con propiedad, primor o singularidad, o con arrojo y brío en el discurso o en el arte.

Valija. (Del ár. *walīḥa*, saco grande.) f. **Maleta,** 1.ª acep. || **2.** Saco de cuero, cerrado con llave, donde llevan la correspondencia los correos. || **3.** El mismo correo.

Valijero. (De *valija.*) m. El que tiene a su cargo conducir las cartas desde una caja o administración de correos a los pueblos que de ella dependen. Modernamente se reserva este nombre a los funcionarios encargados de conducir la correspondencia que se cursa entre un Estado y sus representantes diplomáticos.

Valijón. m. aum. de **Valija.**

Valimiento. m. Acción de valer una cosa o de valerse de ella. || **2.** Servicio transitorio que el rey mandaba le hiciesen sus súbditos de una parte de sus bienes o rentas, para alguna urgencia. || **3.** Privanza o aceptación particular que una persona tiene con otra, especialmente si es príncipe o superior. || **4.** Amparo, favor, protección o defensa.

Valioso, sa. adj. Que vale mucho o tiene mucha estimación o poder. || **2.** Adinerado, rico, o que tiene buen caudal.

Valisoletano, na. (Del b. lat. *vallisoletanus*, de *Vallisolētum*, Valladolid.) adj. **Vallisoletano.** Apl. a pers., ú. t. c. s.

Valón, na. (Del b. lat. *wallus*, y éste del lat. *gallus*, galo.) adj. Natural del territorio comprendido entre el Escalda y el Lys. Ú. t. c. s. || **2.** Perteneciente a él. || **3.** V. **U valona.** || **4.** m. Idioma hablado por los **valones,** que es un dialecto del antiguo francés. || **5.** pl. Zaragüelles o gregüescos al uso de los **valones,** que los introdujeron en España. || **A la valona.** m. adv. Según el uso y estilo de los **valones.**

Valona. (De *valón.*) f. Cuello grande y vuelto sobre la espalda, hombros y pecho, que se usó en otro tiempo. || **2.** *Colomb., Ecuad.* y *Venez.* Crines convenientemente recortadas que cubren el cuello de las bestias mulares y asnales.

Valor. (Del lat. *valor, -ōris.*) m. Grado de utilidad o aptitud de las cosas, para satisfacer las necesidades o proporcionar bienestar o deleite. || **2.** Cualidad de las cosas, en cuya virtud se da por poseerlas cierta suma de dinero o algo equivalente. || **3.** Alcance de la significación o importancia de una cosa, acción, palabra o frase. || **4.** Cualidad del ánimo, que mueve a acometer resueltamente grandes empresas y a arrostrar sin miedo los peligros. || **5.** Úsase también en mala parte, denotando osadía, y hasta desvergüenza. *¿Cómo tienes* VALOR *para eso?; tuvo* VALOR *de negarlo.* || **6.** Subsistencia y firmeza de algún acto. || **7.** Fuerza, actividad, eficacia o virtud de las cosas para producir sus efectos. || **8.** Rédito, fruto o producto de una hacienda, estado o empleo. || **9.** Equivalencia de una cosa a otra, especialmente hablando de las monedas. || **10.** *Mús.* Duración del sonido que corresponde a cada nota, según la figura con que ésta se representa. || **11.** pl. Títulos representativos de participación en haberes de sociedades, de cantidades prestadas, de mercaderías, de fondos pecuniarios o de servicios que son materias de operaciones mercantiles. *Los* VALORES *están en alza, en baja, en calma.* || **Valor cívico.** Entereza de ánimo para cumplir los deberes de la ciudadanía, sin arredrarse por amenazas, peligros ni vejámenes. || **en cuenta.** *Com.* El que el librador de una letra de cambio, o de otro título a la orden, cubre con asiento de igual cuantía a cargo del tomador en la cuenta abierta entre ambos. || **en sí mismo.** *Com.* Fórmula empleada en las letras o pagarés para significar que el librador gira a su propia orden, y que tiene en su poder el importe del libramiento. || **entendido.** *Com.* El de las letras o pagarés, cuyo librador se reserva asentárselo en cuenta al tomador, cuando median razones que impiden a uno y otro explicar con claridad la verdadera causa de deber. || **2.** fr. que indica connivencia o acuerdo consabido entre dos o más personas. || **recibido,** o **recibido en efectivo, géneros, mercancías, cuenta,** etc. *Com.* Fórmula que significa que el librador se da por satisfecho, de cualquiera de estos modos, del importe de la letra o pagaré. || **reservado en sí mismo.** *Com.* **Valor en sí mismo.** || **Valores declarados.** Monedas o billetes que se envían por correo, bajo sobre cerrado, cuyo valor se declara en la administración de salida y de cuya entrega responde el servicio de correos. || **fiduciarios.** Los emitidos en representación de numerario, bajo promesa de cambiarlos por éste. || **¿Cómo va ese valor?** o **¿Qué tal ese valor?** Fórmulas de saludo que preguntan por el estado de salud o de ánimo de la persona a quien se dirige la palabra.

Valoración. f. Acción y efecto de valorar.

Valorar. tr. Señalar a una cosa el valor correspondiente a su estimación; ponerle precio. || **2.** Aumentar el valor de una cosa.

Valorear. (De *valor.*) tr. **Valorar.**

Valoría. (De *valor.*) f. Valía, estimación.

Valorización. f. Acción y efecto de valorizar.

Valorizar. tr. Valorar, evaluar. || **2.** Aumentar el valor de una cosa.

Valquiria. (Del ant. al. *walkyrien;* de *wal*, matanza, y *küren*, elegir.) f. Cada una de ciertas divinidades de la mitología escandinava que en los combates designaban los héroes que habían de morir, y en el cielo les servían de escanciadoras.

Vals. (Del al. *walzer*, de *walzen*, dar vueltas.) m. Baile, de origen alemán, que ejecutan las parejas con movimiento giratorio y de traslación; se acompaña con una música de ritmo ternario, cuyas frases constan generalmente de 16 compases, en aire vivo. || **2.** Música de este baile.

Valsar. intr. Bailar el vals.

Valúa. f. *Murc.* Valía.
Valuación. f. Valoración.
Valuar. tr. Valorar, 1.ª acep.
Valva. (Del lat. *valva*, puerta.) f. *Bot.* Ventalla, 2.ª acep. ‖ **2.** *Zool.* Cada una de las piezas duras y movibles que constituyen la concha de los moluscos lamelibranquios y de otros invertebrados.
Valvasor. (Del b. lat. *vasvassor;* éste de *vassus vassorum*, vasallo de vasallos, y *vassus*, del cimbro *gwas*, mozo, servidor.) m. Hidalgo infanzón.
Válvula. (Del lat. *valvŭla*, d. de *valva*, puerta.) f. Pieza de una u otra forma que, colocada en una abertura de máquinas o instrumentos, sirve para interrumpir alternativa o permanentemente la comunicación entre dos de sus órganos, o entre éstos y el medio exterior, moviéndose a impulso de fuerzas contrarias. ‖ **2.** *Electr.* Lámpara de radio. ‖ **3.** *Zool.* Pliegue membranoso que impide el retroceso de lo que circula por los vasos o conductos del cuerpo de los animales. ‖ **de seguridad.** La que se coloca en las calderas de las máquinas de vapor para que éste se escape automáticamente cuando su presión sea excesiva. ‖ **mitral.** *Zool.* La que existe entre la aurícula y el ventrículo izquierdos del corazón de los mamíferos, llamada así porque su forma se asemeja a la de una mitra. ‖ **tricúspide.** *Zool.* La que se halla entre la aurícula derecha del corazón de los mamíferos y el ventrículo correspondiente, llamada así por terminar en tres puntas.
Valvular. adj. Perteneciente o relativo a las válvulas.
Valla. (Del lat. *valla*, pl. de *vallum*, estacada, trinchera.) f. Vallado o estacada para defensa. ‖ **2.** Línea o término formado de estacas hincadas en el suelo o de tablas unidas, para cerrar algún sitio o señalarlo. ‖ **3.** fig. Obstáculo o impedimento material o moral. ‖ **Romper,** o **saltar,** uno **la valla.** fr. fig. Emprender el primero la ejecución de una cosa difícil. ‖ **2.** fig. Prescindir de las consideraciones y respetos debidos.
Valladar. m. Vallado. ‖ **2.** fig. Obstáculo de cualquier clase para impedir que sea invadida o allanada una cosa.
Valladear. (De *vallado*.) tr. Vallar, 2.° art.
Vallado. (Del lat. *vallātus*.) m. Cerco que se levanta y forma de tierra apisonada, o de bardas, estacas, etc., para defensa de un sitio e impedir la entrada en él.
Vallar. (Del lat. *vallāris*.) adj. **Valar.** ‖ **2.** V. **Corona vallar.** ‖ **3.** m. **Valladar.**
Vallar. (Del lat. *vallāre*.) tr. Cercar o cerrar un sitio con vallado.
Valle. (Del lat. *vallis*.) m. Llanura de tierra entre montes o alturas. Se ha usado también como femenino. ‖ **2.** Cuenca de un río. ‖ **3.** Conjunto de lugares, caseríos o aldeas situados en un **valle.** ‖ **de lágrimas.** fig. Este mundo, por las miserias y trabajos que obligan a llorar. ‖ **¡Hasta el valle de Josafat!** expr. Hasta el día del Juicio. Úsase frecuentemente para dar a entender que dos personas no esperan volver a verse o tratarse en esta vida.
Vallejo. m. d. de **Valle.** ‖ **Quien no aprieta en vallejo, no aprieta en concejo.** ref. que enseña que el que no tiene riquezas, no suele tener autoridad. Dícese por alusión a los labradores pobres, de cuyo voto suele hacerse poco caso.
Vallejuelo. m. d. de **Vallejo.**
Vallico. m. **Ballico.**
Vallisoletano, na. (Del m. or. que *valisoletano*.) adj. Natural de Valladolid. Ú. t. c. s. ‖ **2.** Perteneciente a esta ciudad.
Vampiro. (Del servio *vampir*.) m. Espectro o cadáver que, según cree el vulgo de ciertos países, va por las noches a chupar poco a poco la sangre de los vivos hasta matarlos. ‖ **2.** Murciélago que es del tamaño de un ratón y tiene encima de la cabeza un apéndice membranoso en forma de lanza. Anda con facilidad, se alimenta de insectos y chupa la sangre de las personas y animales dormidos. ‖ **3.** fig. Persona codiciosa que se enriquece por malos medios, y como chupando la sangre del pueblo.
Vanadio. (De *Vanadis*, diosa de la mitología escandinava.) m. Metal parecido a la plata por el color y el brillo, pero de menor peso específico. Calentado en atmósfera de oxígeno, arde con luz muy intensa. Forma parte de varias aleaciones de aplicación industrial y también de algunos aceros, a los cuales da gran resistencia, dureza y facilidad para el temple.
Vanagloria. (De *vana*, presuntuosa, arrogante, y *gloria*.) f. Jactancia del propio valer u obrar; desvanecimiento y elación.
Vanagloriarse. (De *vanagloria*.) r. Jactarse de su propio valer u obrar.
Vanagloriosamente. adv. m. Con vanagloria.
Vanaglorioso, sa. (De *vanagloria*.) adj. Jactancioso, ufano y desvanecido. Ú. t. c. s.
Vanamente. adv. m. **En vano.** ‖ **2.** Con superstición o vana observancia. ‖ **3.** Sin fundamento o realidad. ‖ **4.** Arrogantemente, con presunción o vanidad.
Vandálico, ca. (Del lat. *vandalĭcus*.) adj. Perteneciente o relativo a los vándalos o al vandalismo.
Vandalismo. m. Devastación propia de los antiguos vándalos. ‖ **2.** fig. Espíritu de destrucción que no respeta cosa alguna, sagrada ni profana.
Vándalo, la. (Del lat. *Vandăli, -ōrum*.) adj. Dícese del individuo perteneciente a un pueblo de la Germania antigua establecido en remotos tiempos a orillas del Báltico, y que después de varias peregrinaciones invadió la España romana junto con los suevos, los alanos y los silingos, pasó luego a África y se señaló en todas partes por el furor con que destruía los monumentos. Ú. t. c. s. ‖ **2.** Perteneciente o relativo a los **vándalos.** ‖ **3.** m. fig. El que comete acciones o profesa doctrinas propias de gente inculta, forajida y desalmada.
Vandeano, na. adj. Natural del territorio francés llamado *la Vendée.* Ú. t. c. s. ‖ **2.** Perteneciente al mismo territorio. ‖ **3.** Dícese también de cualquiera de los que, durante la Revolución, se levantaron en el oeste de Francia contra la república y en defensa de la religión y la monarquía. Ú. t. c. s. ‖ **4.** Perteneciente a este partido político.
Vanear. (De *vano*.) intr. Hablar vanamente.
Vanecerse. (Del lat. *vanescĕre*.) r. ant. **Desvanecerse.**
Vanguarda. f. desus. **Vanguardia.**
Vanguardia. (De *avanguardia*.) f. Parte de una fuerza armada, que va delante del cuerpo principal. ‖ **2.** pl. Lugares, en los ribazos y orillas de los ríos, donde arrancan las obras de construcción de un puente o de una presa. ‖ **A vanguardia.** m. adv. Con los verbos *ir*, *estar* y otros, ir el primero, estar en el punto más avanzado, adelantarse a los demás, etc.
Vanguardismo. m. Nombre genérico con que designan ciertas escuelas o tendencias artísticas, nacidas en el siglo XX, tales como el cubismo, el ultraísmo, etc., con intención renovadora, de avance y exploración.
Vanidad. (Del lat. *vanĭtas, -ātis*.) f. Calidad de vano. ‖ **2.** Fausto, pompa vana u ostentación. ‖ **3.** Palabra inútil o vana e insubstancial. ‖ **4.** Vana representación, ilusión o ficción de la fantasía. ‖ **Ajar la vanidad de** uno. fr. fig. y fam. Abatir su engreimiento y soberbia. ‖ **Hacer** uno **vanidad de** una cosa. fr. Preciarse o jactarse de ella. ‖ **Vanidad y pobreza, en una pieza.** fr. con que se moteja al que tiene orgullo siendo pobre.
Vanidoso, sa. adj. Que tiene vanidad y la da a conocer. Ú. t. c. s.
Vanilocuencia. (Del lat. *vaniloquentĭa*.) f. Verbosidad inútil e insubstancial.
Vanilocuente. adj. **Vanílocuo.**
Vanílocuo, cua. (Del lat. *vaniloquus;* de *vanus*, vano, y *loqui*, hablar.) adj. Hablador u orador insubstancial. Ú. t. c. s.
Vaniloquio. (Del lat. *vaniloquĭum*.) m. Discurso inútil e insubstancial.
Vanistorio. m. fam. Vanidad ridícula y afectada. ‖ **2.** fam. Persona vanidosa.
Vano, na. (Del lat. *vanus*.) adj. Falto de realidad, substancia o entidad. ‖ **2.** Hueco, vacío y falto de solidez. ‖ **3.** Dícese de algunos frutos de cáscara cuando su semilla o substancia interior está seca o podrida. ‖ **4.** Inútil, infructuoso o sin efecto. ‖ **5.** Arrogante, presuntuoso, desvanecido. ‖ **6.** Insubsistente, poco durable o estable. ‖ **7.** Que no tiene fundamento, razón o prueba. ‖ **8.** fig. y fam. V. **Cabeza vana.** ‖ **9.** *Arq.* Parte del muro o fábrica en que no hay sustentáculo o apoyo para el techo o bóveda; como son los huecos de ventanas o puertas y los intercolumnios. ‖ **En vano.** m. adv. Inútilmente, sin logro ni efecto. ‖ **2.** Sin necesidad, razón o justicia. ‖ **Una vana y dos vacías.** loc. fig. y fam. con que se nota al que habla mucho y sin substancia.
Vano. (Del lat. *vannus*, criba, zaranda.) m. *Ast.* y *León.* Cuero sin agujeros, fijo en un aro de madera, que se usa para zarandar granos.
Vánova. (Del b. lat. *vanoa;* en prov. *vano*.) f. *Ar.* Colcha o cubierta de cama.
Vapor. (Del lat. *vapor, -ōris*.) m. Fluido aeriforme en que, por la acción del calor, se convierten ciertos cuerpos, generalmente los líquidos; y por antonom., el de agua. ‖ **2.** V. **Baño, buque, caballo, caldera, calorífero, máquina de vapor.** ‖ **3.** Gas de los eructos. Ú. m. en pl. ‖ **4.** Especie de vértigo o desmayo. ‖ **5.** **Buque de vapor.** *Se espera la llegada del* VAPOR. ‖ **6.** pl. Accesos histéricos o hipocondríacos, atribuidos por los antiguos a ciertos **vapores** que suponían nacidos de la matriz o de los hipocondrios y que subían hasta la cabeza. ‖ **Al vapor.** m. adv. fig. y fam. Con gran celeridad.
Vaporable. (De *vaporar*.) adj. Capaz de arrojar vapores o evaporarse.
Vaporación. (Del lat. *vaporatĭo, -ōnis*.) f. **Evaporación.**
Vaporar. (Del lat. *vaporāre*.) tr. **Evaporar.** Ú. t. c. r.
Vaporario. m. Aparato para producir vapor, usado en los baños rusos.
Vaporear. (De *vapor*.) tr. **Vaporar.** Ú. t. c. r. ‖ **2.** intr. Exhalar vapores.
Vaporización. f. Acción y efecto de vaporizar o vaporizarse. ‖ **2.** Uso medicinal de vapores, especialmente de aguas termales.
Vaporizador. m. Aparato que sirve para vaporizar.
Vaporizar. (Del lat. *vapor, -ōris*, vapor.) tr. Convertir un líquido en vapor, por la acción del calor. Ú. t. c. r.
Vaporoso, sa. (Del lat. *vaporōsus*.) adj. Que arroja de sí vapores o los ocasiona. ‖ **2.** fig. Tenue, ligero, parecido en alguna manera al vapor.
Vapulación. f. Acción y efecto de vapular o vapularse.
Vapulamiento. (De *vapular*.) m. **Vapulación.**
Vapular. (Del lat. *vapulāre*.) tr. **Azotar,** 1.ª acep. Ú. t. c. r.
Vapuleador, ra. adj. Que vapulea.
Vapuleamiento. (De *vapulear*.) m. **Vapulamiento.**
Vapulear. tr. **Vapular.** Ú. t. c. r.

Vapuleo. (De *vapulear.*) m. Vapulación.

Vápulo. m. Vapulación.

Vaquear. tr. Cubrir frecuentemente los toros a las vacas.

Vaqueiro. m. *Ast.* **Vaquero,** 4.ª acep. || **de alzada.** *Ast.* Individuo de una casta de pastores habitante en las brañas, que se mantiene apartado de los labriegos vecinos, en cuanto al dialecto, traje y costumbres. Durante los veranos, se trasladan a los pastos de las mesetas cercanas.

Vaquería. f. **Vacada.** || **2.** Lugar donde hay vacas o se vende su leche.

Vaqueriza. (De *vaquerizo.*) f. Cubierto, corral o estancia donde se recoge el ganado vacuno en el invierno.

Vaquerizo, za. (De *vaquero.*) adj. Perteneciente o relativo al ganado bovino. *Corral, pastor* VAQUERIZO. || **2.** m. y f. **Vaquero.**

Vaquero, ra. adj. Propio de los pastores de ganado bovino. || **2.** V. **Aulaga vaquera.** || **3.** V. **Estribo vaquero.** || **4.** m. y f. Pastor o pastora de reses vacunas. || **Ayer vaquero y hoy caballero.** ref. con que se denota la instabilidad de las cosas humanas.

Vaqueta. f. Cuero de ternera, curtido y adobado. || **2.** fig. y fam. V. **Cara de vaqueta.**

Vaquigüela. f. *León.* **Salamandra,** 1.ª acep.

Vaquilla. f. d. de **Vaca.** || **2.** *Chile.* Ternera de año y medio a dos años. || **Cuando te dieren la vaquilla, acude, o corre, con la soguilla.** ref. que así nos aconseja no despreciar lo que nos den, aun cuando nos parezca desmedrado y mezquino, como también aprovechar la ocasión, por el riesgo de que no vuelva.

Vaquillona. f. *Argent.* y *Chile.* Vaca nueva de dos a tres años.

Vara. (Del lat. *vara,* travesaño.) f. Ramo delgado, largo, limpio de hojas y liso. || **2.** Palo largo y delgado. || **3.** Bastón que por insignia de autoridad usaban los ministros de justicia, y el cual tenía en la parte superior una cruz para tomar sobre ella los juramentos. || **4.** La que llevan los alcaldes y sus tenientes. || **5.** fig. Jurisdicción de que es insignia la **vara.** || **6.** Medida de longitud, dividida en tres pies o cuatro palmos y equivalente a 835 milímetros y 9 décimas. || **7.** Barra de madera o metal, que tiene esa longitud y sirve para medir. || **8. Vara alcándara.** || **9. Vara larga.** || **10.** Garrochazo dado al toro por el picador. || **11.** Trozo de tela u otra cosa que tiene la medida o longitud de la **vara.** || **12.** Conjunto de 40 a 50 puercos de montanera, que puede cuidar un hombre vareándoles la bellota. || **13.** V. **Compás, fiscal, portero de vara.** || **14.** Bohordo con flores de algunas plantas. VARA *de nardo, de azucena.* || **alcándara.** Cada una de las dos piezas de madera que se afirman en los largueros de la escalera del carro y entre las cuales se engancha la caballería. || **Media vara.** La que como insignia de autoridad usaban los alguaciles y cuadrilleros, y era algo más corta que la usual. || **alta.** fig. Autoridad, influencia, ascendiente. Ú. principalmente con el verbo *tener.* || **cuadrada.** Cuadrado que tiene de lado una **vara.** || **de Aragón.** Medida de longitud dividida en cuatro palmos de 12 pulgadas; equivale a 772 milímetros. || **de Burgos. Vara de Castilla.** || **de Castilla. Vara,** 6.ª acep. || **de detener. Vara larga.** || **de guardia. Balancín grande.** || **de Inquisición.** Ministro que este tribunal diputaba para algún encargo, con facultad de juntar la gente necesaria para cumplirlo. || **de Jesé. Nardo,** 2.ª acep. || **de luz.** Especie de meteoro consistente en aparecer a la vista una pequeña porción del arco iris, o en pasar los rayos del Sol por las aberturas de las nubes, formando unas líneas que con la contraposición de lo obscuro se manifiestan resplandecientes. || **larga.** Especie de pica que se usa para guiar y sujetar los toros, o para picarlos en la plaza. || **Con la vara que midas, serás medido.** fr. proverb. tomada del Evangelio y que denota que según tratemos a los demás, así seremos tratados. || **Doblar la vara de la justicia.** fr. Inclinarse injustamente el que juzga en favor de uno. || **Entrar en vara.** fr. Reunirse en montanera de 40 a 50 cerdos bajo un solo vareador de la bellota. || **Ir a, o en, varas.** fr. Dícese de la caballería que va entre las dos **varas** de un carruaje. || **Jurar uno en vara de justicia.** fr. Prestar juramento ante un ministro de justicia. || **Nadie le dio la vara; él se hizo alcalde, y manda.** ref. que reprende a los entremetidos que se toman el cargo que no les corresponde ni les dan. || **Picar de vara larga** uno. fr. fig. Intentar el logro de las cosas sin exponerse al riesgo que puedan tener. || **Poner varas.** fr. Dar garrochazos al toro los vaqueros y picadores. || **Tomar varas.** fr. Recibir el toro garrochazos del picador.

Varada. f. Acción y efecto de varar un barco.

Varada. (De *vara.*) f. Conjunto de jornaleros que en Andalucía van a las casas de campo, bajo la dirección de un capataz, para la cava, la bina u otras faenas agrícolas. || **2.** Tiempo que duran estas faenas. || **3.** *Zam.* **Vara,** 12.ª acep. || **4.** *Min.* Medición de los trabajos hechos en una mina al cabo de un período de labor. || **5.** *Min.* Este mismo período, por lo común de tres meses, al cabo de los cuales se ajustan cuentas y se reparten las ganancias, si las hubiere. || **6.** *Min.* Suma de estas mismas ganancias, y aun el dividendo que de ellas corresponde a cada accionista. *Cuando nos repartan la* VARADA; *ya cobré la* VARADA.

Varadera. (De *varar,* 1.ª acep.) f. *Mar.* Cualquiera de los palos o listones que se ponen en el costado de un buque para que sirvan de resguardo a la tablazón cuando se suben o bajan los botes u otros objetos pesados.

Varadero. m. Lugar donde varan las embarcaciones para resguardarlas o para limpiar sus fondos o componerlas. || **del ancla.** *Mar.* Plancha de hierro con que se defiende el costado del buque en el sitio en que descansa el ancla.

Varado, da. (Del lat. *varātus,* atravesado.) adj. ant. **Listado.**

Varadura. f. **Varada,** 1.er art.

Varal. m. Vara muy larga y gruesa. || **2.** Cada uno de los dos palos redondos donde encajan las estacas que forman los costados de la caja en los carros y galeras. || **3.** Cada una de las varas del carro. Ú. m. en pl. || **4.** Madero colocado verticalmente entre los bastidores de los teatros, en el cual se ponen luces para alumbrar la escena. || **5.** fig. y fam. Persona muy alta. || **6.** *Argent.* Armazón de **varales** que en los saladeros sirve para tender al sol y al aire la carne de que se hace el tasajo.

Varapalo. m. Palo largo a modo de vara. || **2.** Golpe dado con palo o vara. || **3.** fig. y fam. Daño o quebranto que uno recibe en sus intereses materiales o morales. || **4.** fig. y fam. Pesadumbre o desazón grande.

Varaplata. (De *vara* de *plata.*) m. En la catedral de Toledo, ministro eclesiástico que hace oficio de pertiguero.

Varar. (De *vara;* en b. lat. *varare.*) tr. desus. Echar un barco al agua. || **2.** intr. Encallar la embarcación en la costa o en las peñas, o en un banco de arena. || **3.** fig. Quedar parado o detenido un negocio. || **4.** tr. *Mar.* Sacar a la playa y poner en seco una embarcación, para resguardarla de la resaca o de los golpes de mar, o también para carenarla.

Varaseto. (De *vara* y *seto.*) m. Cerramiento o enrejado de varas o cañas, como los que se suelen poner en los jardines.

Varazo. m. Golpe dado con una vara.

Varbasco. m. **Verbasco.**

Vardasca. f. **Verdasca.**

Vardascazo. m. **Verdascazo.**

Várdulo, la. (Del lat. *Vardūli.*) adj. Natural de una región de la antigua España Citerior, que comprendía el territorio de la actual provincia de Guipúzcoa, extendiéndose hasta Estella, Laguardia y las cumbres próximas al Ebro. Ú. t. c. s. || **2.** Perteneciente a esta región.

Varea. f. Acción de varear, 1.ª acep.

Vareador. m. El que varea.

Vareaje. m. Acción y efecto de varear, 1.ª, 4.ª y 5.ª aceps.

Varear. tr. Derribar con los golpes y movimientos de la vara los frutos de algunos árboles. || **2.** Dar golpes con vara o palo. || **3.** Herir a los toros o fieras con varas o cosa semejante. || **4.** Medir con la vara. || **5.** Vender por varas. || **6.** r. fig. **Enflaquecer,** 3.ª acep.

Varejón. m. Vara larga y gruesa. || **2.** *Amér. Merid.* y *And.* Verdasca, vergueta.

Varejonazo. m. Golpe dado con un varejón.

Varenga. (Del sueco *wränger,* costados de un buque.) f. *Mar.* **Brazal,** 8.ª acep. || **2.** *Mar.* Pieza curva que se coloca atravesada sobre la quilla para formar la cuaderna.

Vareo. (De *varear.*) m. **Vareaje.**

Vareta. f. d. de **Vara.** || **2.** Palito delgado, junco o esparto que, untado con liga, sirve para cazar pájaros. || **3.** Lista de color diferente del fondo de un tejido. || **4.** fig. Expresión picante dicha con ánimo de herir a alguno. || **5.** fig. y fam. **Indirecta.** *Echar una* VARETA. || **Irse, o estar, de vareta** uno. fr. fig. y fam. Tener diarrea.

Varetazo. (De *vareta,* 1.ª acep.) m. Golpe de lado que da el toro con el asta.

Varetear. (De *vareta.*) tr. Formar varetas en los tejidos.

Varetón. m. Ciervo joven, cuya cornamenta tiene una sola punta.

Varga. (Del célt. *berg,* altura.) f. Parte más pendiente de una cuesta.

Varga. (De **varrīca,* del célt. *barr,* palo, tabla.) f. ant. Casilla con cubierta de paja o ramaje

Varga. (De *pargo,* del lat. *pagrus.*) f. Especie de congrio común en las costas baleáricas.

Varganal. m. Seto formado de várganos.

Várgano. (Del lat. *virga,* vara.) m. Cada uno de los palos o estacas dispuestos para construir una empalizada.

Vargas. n. p. **Averígüelo Vargas.** fr. proverb. de que se usa cuando alguna cosa es difícil de averiguar. Tuvo origen de don Francisco de Vargas, alcalde de corte, por ser esta frase la fórmula de que Isabel la Católica se valía en sus decretos cuando le mandaba informar sobre algún hecho, queja o pretensión.

Vargueño. m. **Bargueño.**

Varí. m. *Chile* y *Perú.* Cierta ave de rapiña diurna, de plumaje gris por encima, con rayas rojizas por debajo.

Variabilidad. f. Calidad de variable.

Variable. (Del lat. *variabilis.*) adj. Que varía o puede variar. || **2.** Instable, inconstante y mudable. || **3.** *Mat.* V. **Cantidad variable.** Ú. t. c. s. f.

Variablemente. adv. m. De manera variable.

Variación. (Del lat. *variatio, -ōnis.*) f. Acción y efecto de variar. || **2.** *Mús.* Cada una de las imitaciones melódicas de un mismo tema. || **de la aguja, o magnética.** *Mar.* Declinación de la aguja. || **Variaciones sobre el mismo tema.** fr. fam. que se aplica por ironía a la insistencia en un mismo asunto.

Variado, da. (Del lat. *variātus.*) p. p. de **Variar.** || **2.** adj. Que tiene variedad. || **3.** De varios colores. || **4.** *Mec.* V. **Movimiento variado.**

Variamente. adv. m. De un modo vario.

Variamiento. (De *variar.*) m. ant. **Variación.**

Variante. p. a. de **Variar.** Que varía. Usáb. m. en lo forense: *Testigo* VARIANTE. || **2.** f. Variedad o diferencia de lección que hay en los ejemplares o copias de un códice, manuscrito o libro, cuando se cotejan los de una época o edición con los de otra.

Variar. (Del lat. *variāre.*) tr. Hacer que una cosa sea diferente en algo de lo que antes era. || **2.** Dar variedad. || **3.** intr. Cambiar una cosa de forma, propiedad o estado. || **4.** Ser una cosa diferente de otra. || **5.** *Mar.* Hacer ángulo la aguja magnética con la línea meridiana.

Varice [Várice]. (Del lat. *varix, -icis.*) f. *Med.* Dilatación permanente de una vena, causada por la acumulación de sangre en su cavidad. Se ha usado también como masculino.

Varicela. (Del b. lat. *variola,* viruela.) f. *Med.* Enfermedad contagiosa, aguda y febril, caracterizada por una erupción parecida a la de la viruela benigna, pero cuyas vesículas supuran moderadamente.

Varicocele. (De *varice* y del gr. κήλη, tumor.) m. *Med.* Tumor formado por la dilatación de las venas del escroto y del cordón espermático.

Varicoso, sa. (Del lat. *varicōsus.*) adj. *Med.* Perteneciente o relativo a las varices. || **2.** *Med.* Que tiene varices. Ú. t. c. s.

Variedad. (Del lat. *varietas, -ātis.*) f. Calidad de vario. || **2.** Diferencia dentro de la unidad; conjunto de cosas diversas. || **3.** Inconstancia, inestabilidad o mutabilidad de las cosas. || **4.** Mudanza o alteración en la substancia de las cosas o en su uso. || **5. Variación.** || **6.** *Bot.* y *Zool.* Cada uno de los grupos en que se dividen algunas especies de plantas y animales y que se distinguen entre sí por ciertos caracteres que se perpetúan por la herencia.

Varilarguero. (De *vara larga.*) m. Picador de toros.

Varilla. f. d. de **Vara.** || **2.** Barra larga y delgada. || **3.** Cada una de las tiras de madera, marfil, etc., que forman la armazón del abanico. || **4.** Cada una de las costillas de metal, ballena o junco que forman la armazón de los paraguas y quitasoles. || **5.** V. **Hierro varilla.** || **6.** fam. Cada uno de los dos huesos largos que forman la quijada y se unen por debajo de la barba. || **7.** *Chile.* Arbusto, variedad del palhuén. || **8.** pl. Bastidor rectangular en que se mueven los cedazos para cerner. || **Varilla de virtudes.** La que usan los titiriteros y jugadores de manos, atribuyéndole las operaciones con que sorprenden y entretienen a los espectadores.

Varillaje. m. Conjunto de varillas de un utensilio. Ú., por lo común, hablando de abanicos, paraguas y quitasoles.

Varillar. m. *Chile.* Paraje donde abundan las varillas, 7.ª acep.

Vario, ria. (Del lat. *varius.*) adj. Diverso o diferente. || **2.** Inconstante o mudable. || **3.** Indiferente o indeterminado. || **4.** Que tiene variedad o está compuesto de diversos adornos o colores. || **5.** pl. Algunos, unos cuantos. || **6.** m. Conjunto de libros, folletos, hojas sueltas o documentos, de diferentes autores, materias o tamaños, reunidos en tomos, legajos o cajas.

Varioloide. (Del b. lat. *variola,* viruela, y del gr. εἶδος, forma.) f. *Med.* Viruela atenuada y benigna.

Varioloso, sa. (Del b. lat. *variola,* viruela.) adj. *Med.* Perteneciente o relativo a la viruela. || **2.** *Med.* **Virolento,** 1.ª acep. Ú. t. c. s.

Varita. f. d. de **Vara.** || **de San José.** *Hond.* **Malva real.** || **de virtudes. Varilla de virtudes.**

Varitero. (De *varita.*) m. Porquero que varea las bellotas de que se alimentan los cerdos.

Variz. f. *Med.* **Varice.**

Varizo. (De *vara.*) m. *Sal.* Madero o palo delgado y largo.

Varón. (Del lat. *varo, -ōnis,* fuerte, esforzado.) m. Criatura racional del sexo masculino. || **2.** Hombre que ha llegado a la edad viril. || **3.** Hombre de respeto, autoridad u otras prendas. || **4.** *Mar.* Cada uno de los dos cabos o cadenas que por un extremo se hacen firmes en la pala del timón y por el otro se sujetan a entrambos costados del buque, para gobernar en casos de avería en la caña o en la cabeza del timón. || **de Dios.** Hombre santo o de particular espíritu o virtud. || **Buen varón.** Hombre juicioso, docto y experimentado. *A juicio de* BUEN VARÓN. || **Santo varón.** fig. Hombre sencillo, poco avisado, de pocos alcances. || **Al buen varón, tierras ajenas su patria le son.** ref. con que se significa que el hombre honrado y de buenas prendas, aunque esté en país extranjero y lejos de su patria, encuentra amigos, conveniencias y bienestar.

Varona. (De *varón.*) f. **Mujer,** 1.ª acep. || **2.** Mujer varonil.

Varonesa. f. **Varona,** 1.ª acep.

Varonía. f. Calidad de descendiente de varón en varón.

Varonil. adj. Perteneciente o relativo al varón. || **2.** Esforzado, valeroso y firme.

Varonilmente. adv. m. De manera varonil, esforzadamente.

Varraco. m. **Verraco.**

Varraquear. intr. fam. **Verraquear.**

Varraquera. f. fam. **Verraquera.**

Varsoviana. (De *varsoviano.*) f. Danza polaca, variante de la mazurca. || **2.** Música de esta danza.

Varsoviano, na. adj. Natural de Varsovia. Ú. t. c. s. || **2.** Perteneciente a esta ciudad de Polonia.

Vasa. (Del lat. *vasa,* pl. n. de *vas.*) f. *Burg.* y *Pal.* **Vajilla,** 1.ª acep.

Vasallaje. m. Vínculo de dependencia y fidelidad que una persona tenía respecto de otra, contraído mediante ceremonias especiales, como besar la mano el vasallo al que iba a ser su señor. || **2.** Rendimiento o reconocimiento con dependencia a cualquiera otro, o de una cosa a otra. || **3.** Tributo pagado por el vasallo a su señor.

Vasallo, lla. (Del b. lat. *vassallus,* de *vassus,* y éste del cimbro *gwas,* mozo, servidor.) adj. Sujeto a algún señor con vínculo de vasallaje. *Pueblos* VASALLOS; *gente* VASALLA. || **2.** En lo antiguo, **feudatario.** || **3.** m. y f. Súbdito de un soberano o de cualquier otro gobierno supremo e independiente. || **4.** El que tenía acostamiento del rey para servirle con cierto número de lanzas. || **5.** fig. Cualquiera que reconoce a otro por superior o tiene dependencia de él. || **de signo servicio.** El que debía servicio personal a su señor.

Vasar. (Del lat. *vasarium.*) m. Poyo o anaquelería de ladrillo y yeso u otra materia que, sobresaliendo en la pared, especialmente en las cocinas, despensas y otros lugares semejantes, sirve para poner vasos, platos, etc.

Vasco, ca. (De *vascón.*) adj. **Vascongado.** Apl. a pers., ú. t. c. s. || **2.** Natural de una parte del territorio francés comprendido en el departamento de los Bajos Pirineos. Ú. t. c. s. || **3.** Perteneciente a esta parte. || **4.** m. **Vascuence,** 1.ª acep.

Vascófilo. (De *vasco* y el gr. φίλος, amante.) m. El aficionado a la lengua y cultura vascongadas y el entendido en ellas.

Vascón, na. (Del lat. *Vascŏnes.*) adj. Natural de la Vasconia, región de la España Tarraconense. De los **vascones** eran Calahorra, Cascante, Pamplona y casi toda Navarra. Ú. t. c. s. || **2.** Perteneciente a esta región.

Vascongado, da. (Del lat. **vasconicātus,* hecho vascón.) adj. Natural de alguna de las provincias de Álava, Guipúzcoa y Vizcaya. Ú. t. c. s. || **2.** Perteneciente a ellas. || **3.** m. **Vascuence,** 1.ª acep.

Vascónico, ca. (Del lat. *vasconĭcus.*) adj. Perteneciente o relativo a los vascones.

Vascuence. (Del lat. *vascōnice.*) adj. Dícese de la lengua hablada por parte de los naturales de las provincias vascongadas, de Navarra y del territorio vasco francés. Ú. m. c. s. || **2.** m. fig. y fam. Lo que está tan confuso y obscuro que no se puede entender. || **3.** pl. *Germ.* **Grillos,** 1.ª acep.

Vascular. (Del lat. *vasculārius.*) adj. *Bot.* y *Zool.* Perteneciente o relativo a los vasos, 12.ª y 13.ª aceps.

Vasculoso, sa. (Del lat. *vascŭlum,* vaso pequeño.) adj. *Bot.* y *Zool.* **Vascular.**

Vaselina. (Del ingl. *wax,* cera.) f. Substancia crasa, con aspecto de cera, que se saca de la parafina y aceites densos del petróleo y que por no enranciarse se prefiere en farmacia y perfumería a los aceites y mantecas.

Vasera. (Del lat. *vasaria,* pl. de *-rium,* vasar.) f. **Vasar.** || **2.** Caja o funda en que se guarda el vaso. || **3.** Salvilla grande y con asa, en que llevan los vasos los aguadores y vendedores de refrescos.

Vasija. (d. del lat. *vas,* vaso.) f. Toda pieza cóncava y pequeña, de barro u otra materia y de forma común u ordinaria, que sirve para contener especialmente líquidos o cosas destinadas a la alimentación. || **2.** Por ext., a veces, la de medianas o grandes dimensiones. || **3.** Conjunto de cubas y tinajas en las bodegas. || **4.** *Ál., Nav.* y *Sant.* **Vajilla,** 1.ª acep. || **A la vasija nueva dura el resabio de lo que se echó en ella.** ref. con que se significa que los vicios y malas costumbres contraídos en la primera edad, no se suelen perder en toda la vida.

Vasilla. (Del lat. *vascella,* pl. de *-llum,* d. de *vas,* vaso.) f. ant. **Vajilla.**

Vasillo. (Del lat. *vascellum,* d. de *vas,* vaso.) m. **Celdilla,** 1.ª acep.

Vaso. (Del lat. *vasum.*) m. Pieza cóncava de mayor o menor tamaño, capaz de contener alguna cosa. || **2.** Recipiente de metal, vidrio u otra materia, por lo común de forma cilíndrica, que sirve para beber. || **3.** Cantidad de líquido que cabe en ella. VASO *de agua, de vino.* || **4. Embarcación,** 1.ª acep., y señaladamente su casco. || **5. Bacín,** 1.ª acep. || **6.** Casco o uña de las bestias caballares. || **7.** Obra de escultura, en forma de jarrón, florero o pebetero, que, colocada sobre un zócalo, pedestal o peana, sirve para decorar edificios, jardines, etc. || **8.** Por ext., receptáculo o depósito natural de mayor o menor capacidad, que contiene algún líquido. || **9.** desus. Hueco de algunas otras cosas, como el de la campana, el del horno, la caja de la escalera, etc. || **10.** fig. y fam. V. **Culo de vaso.** || **11.** *Astron.* **Copa,** 9.ª acep. || **12.** *Bot.* Conducto por el que circula en el vegetal la savia o el látex. || **13.** *Zool.* Conducto por el que circula en el cuerpo del animal la sangre o la linfa. || **criboso.** *Bot.* Cualquiera de los que conducen la savia descendente de los vegetales. || **de elección.** fig. Sujeto especialmente escogido por Dios para un ministerio singular. || **2.** Por antonom., el apóstol San Pablo. || **de reencuentro.** *Quím.* **Vaso** para la circulación de los disolventes, compuesto de dos matraces encontrados, enchufados el uno en el otro; y también se forma de dos cucúrbitas de la misma manera. || **excretorio.** **Vaso,** 5.ª acep. || **lacrimatorio.** Vasija pequeña, a manera de pomo, que se encuentra en los sepulcros antiguos y que se ha creído erróneamente que estaba destinada a guardar las lágrimas vertidas en el duelo por los deudos y amigos del difunto. || **leñoso.** *Bot.* Cualquiera de los que conducen la savia ascendente de los vegetales. || **Vasos comunicantes.** Recipientes unidos por conductos que permiten el paso de un líquido de unos a otros. Si el líquido es homogéneo, la superficie libre de éste queda en todos los recipientes a igual altura, cualesquiera que sean la forma y volumen de ellos; pero si es un conjunto de líquidos no miscibles, las alturas de las columnas líquidas respectivas, consideradas a partir de su superficie de separación, están en razón inversa de los pesos específicos de dichos líquidos. || **Vaso malo nunca cae de mano,** o **Vaso malo no se quiebra.** fr. que se aplica cuando parece que siempre se desgracia lo mejor y más estimado.

Vastación. (Del lat. *vastatio, -ōnis.*) f. ant. Destrucción o desolación.

Vástago. m. Renuevo o ramo tierno que brota del árbol o planta. || **2.** fig. Persona descendiente de otra. || **3.** Barra que, sujeta al centro de una de las dos caras del émbolo, sirve para darle movimiento o transmitir el suyo a algún mecanismo. || **4.** *C. Rica* y *Venez.* Tallo del plátano.

Vastar. (Del lat. *vastāre.*) tr. ant. Talar o destruir.

Vastedad. (Del lat. *vastĭtas, -ātis.*) f. Dilatación, anchura o grandeza de una cosa.

Vástiga. f. **Vástago,** 1.ª acep.

Vasto, ta. (Del lat. *vastus.*) adj. Dilatado, muy extendido o muy grande.

Vate. (Del lat. *vates.*) m. **Adivino.** || **2.** **Poeta.**

Vaticanista. adj. Perteneciente o relativo a la política del Vaticano. || **2.** Partidario de esta política.

Vaticano, na. (Del lat. *vaticānus.*) adj. Perteneciente al monte **Vaticano.** || **2.** Perteneciente o relativo al **Vaticano,** palacio en que ordinariamente habita el Papa. || **3.** Perteneciente al Papa o a la corte pontificia. || **4.** m. fig. Corte pontificia.

Vaticinador, ra. (Del lat. *vaticinātor, -ōris.*) adj. Que vaticina. Ú. t. c. s.

Vaticinante. (Del lat. *vaticĭnans, -antis.*) p. a. de **Vaticinar.** Que vaticina.

Vaticinar. (Del lat. *vaticināri.*) tr. Pronosticar, adivinar, profetizar.

Vaticinio. (Del lat. *vaticinĭum.*) m. Predicción, adivinación, pronóstico.

Vatídico, ca. (Del lat. *vates, vatis,* profeta, y *dicĕre,* decir.) adj. **Vaticinador.** Ú. t. c. s. || **2.** Perteneciente o relativo al vaticinio.

Vatímetro. (De *vatio,* y el gr. μέτρον, medida.) m. Aparato para medir los vatios de una corriente eléctrica.

Vatio. (De *Watt,* mecánico escocés, muerto en 1819.) m. Cantidad de trabajo eléctrico, equivalente a un julio por segundo.

Vaya. f. Burla o mofa que se hace de uno o chasco que se le da. Ú. m. con el verbo *dar.*

Ve. f. Nombre de la letra *v.*

Vecera. (De *vez.*) f. Manada de ganado, por lo común porcuno, perteneciente a un vecindario.

Vecería. f. **Vecera.**

Vecero, ra. (De *vez.*)adj. Aplícase al que tiene que ejercer por vez o turno un cometido o cargo concejil. Ú. t. c. s. || **2.** Aplícase a las plantas que en un año dan mucho fruto y poco o ninguno en otro. || **3.** m. y f. **Parroquiano,** 2.ª acep. || **4.** Persona que guarda turno o vez para una cosa.

Vecinal. (Del lat. *vicinālis.*) adj. Perteneciente al vecindario o a los vecinos de un pueblo. || **2.** V. **Camino, carga vecinal.**

Vecinamente. (De *vecino,* 5.ª acep.) adv. m. Inmediatamente, o con vecindad y cercanía.

Vecindad. (Del lat. *vicinĭtas, -ātis.*) f. Calidad de vecino. || **2.** Conjunto de las personas que viven en los distintos cuartos de una misma casa, o en varias inmediatas las unas de las otras. || **3.** **Vecindario,** 1.ª acep. || **4.** Contorno o cercanías de un sitio o paraje. || **5.** V. **Carta, casa, cédula, corral, chisme de vecindad.** || **Media vecindad.** Derecho que en algunas partes, mediante pago de la mitad de las contribuciones, adquiere el forastero para aprovechar con sus ganados los pastos del pueblo. || **Hacer mala vecindad.** fr. Ser molesto o perjudicial a los vecinos. || **2.** fig. Ser dañosa una cosa a otra por la inmediación a ella.

Vecindado, da. p. p. de **Vecindar.** || **2.** m. ant. **Vecindario,** 1.ª acep. Ú. en *Murc.*

Vecindar. (De *vecindad.*) tr. ant. **Avecindar.** Usáb. t. c. r.

Vecindario. (De *vecindad.*) m. Conjunto de los vecinos de un municipio, o sólo de una población o de parte de ella. || **2.** Lista o padrón de los vecinos de un pueblo. || **3.** **Vecindad,** 1.ª acep.

Vecindona. (De *vecindad.*) f. *And.* Mujer del pueblo aficionada a comadrear.

Vecino, na. (Del lat. *vicīnus,* de *vicus,* barrio, lugar.) adj. Que habita con otros en un mismo pueblo, barrio o casa, en habitación independiente. Ú. t. c. s. || **2.** Que tiene casa y hogar en un pueblo, y contribuye a las cargas o repartimientos, aunque actualmente no viva en él. Ú. t. c. s. || **3.** Que ha ganado los derechos propios de la vecindad en un pueblo por haber habitado en él durante el tiempo determinado por la ley. Ú. t. c. s. || **4.** V. **Ayuda, hijo de vecino.** || **5.** fig. Cercano, próximo o inmediato en cualquiera línea. || **6.** fig. Semejante, parecido o coincidente. || **mañero.** El que en el siglo XVIII, conservando su vecindad, buscaba otras nuevas con el objeto de no sufrir las cargas vecinales en ninguna y disfrutar de las ventajas en todas. || **Medio vecino.** El que tiene el derecho de media vecindad. || **Ara por enjuto o por mojado; no besarás a tu vecino el rabo.** ref. que da a entender que el que trabaje, en cualquiera sazón que lo haga, no necesitará mendigar el socorro del **vecino.** || **El buen vecino hace tener al hombre mal aliño.** ref. que reprende la demasiada confianza de los que, atenidos a lo que los otros pueden hacer a su favor, descuidan las diligencias que deben hacer por sí mismos.

Vectación. (Del lat. *vectatĭo, -ōnis.*) f. Acción de caminar en un vehículo.

Vector. (Del lat. *vector, -ōris,* que conduce.) adj. *Geom.* V. **Radio vector.**

Veda. f. Acción y efecto de vedar. || **2.** Espacio de tiempo en que está vedado cazar o pescar.

Veda. (Del sánscr. *vēda,* ciencia.) m. Cada uno de los libros sagrados primitivos de la India.

Vedado, da. p. p. de **Vedar.** || **2.** m. Campo o sitio acotado o cerrado por ley u ordenanza.

Vedamiento. (De *vedar.*) m. **Veda,** 1.er art., 1.ª acep.

Vedar. (Del lat. *vetāre.*) tr. Prohibir por ley, estatuto o mandato. || **2.** Impedir, estorbar o embarazar. || **3.** ant. Privar o suspender de oficio o del ejercicio de él. || **4.** *Sal.* Destetar la cría de un animal.

Vedegambre. (De lat. *medicamen,* droga, veneno.) m. *Bot.* Planta de la familia de las liliáceas, con tallo erguido, de seis a ocho decímetros de altura; hojas alternas, blanquecinas por el envés, grandes y elípticas las inferiores y lanceoladas las superiores; flores blancas en espiga, y fruto capsular con multitud de semillas comprimidas y aladas. El polvo del rizoma se emplea en medicina como estornutatorio.

Vedeja. (Del m. or. que *vedija.*) f. **Guedeja.**

Vedija. (Del lat. *vitĭcŭla,* zarcillo 1.er art.) f. Mechón de lana. || **2.** Pelo enredado en cualquier parte del cuerpo del animal. || **3.** Mata de pelo enredada y ensortijada, que con dificultad se puede peinar y desenredar.

Vedija. (Del lat. *virīlia,* partes viriles.) f. **Verija.**

Vedijero, ra. (De *vedija.*) m. y f. Persona que recoge la lana de caídas cuando se esquila el ganado.

Vedijoso, sa. (De *vedija.*) adj. **Vedijudo.**

Vedijudo, da. adj. Que tiene la lana o el pelo enredado o en vedijas.

Vedijuela. f. d. de **Vedija.**

Vedilla. (Del lat. *vitĭcŭla:* véase *vedija.*) f. *Germ.* **Frazada.**

Vedismo. (Del sánscr. *vēda,* ciencia.) m. Religión más antigua de los indios, contenida en los libros llamados Vedas.

Veduño. m. **Viduño.**

Veedor, ra. (De *veer.*) adj. Que ve, mira o registra con curiosidad las acciones de los otros. Ú. t. c. s. || **2.** m. El que está señalado por oficio en las ciudades o villas, para reconocer si son conformes a la ley u ordenanza las obras de cualquier gremio u oficinas de bastimentos. || **3.** Criado de confianza que en las casas de los grandes vigilaba al despensero en la compra de bastimentos. || **4.** Jefe segundo de las caballerizas de los reyes de España, que tenía a su cargo el ajuste de las provisiones y la conservación de los coches y el ganado. || **5.** Jefe militar cuyas funciones eran semejantes a las de los modernos inspectores y directores generales. || **6.** ant. Visitador, 2.ª acep., inspector. || **de vianda.** Empleado de palacio a cuyo cargo corría que se sirviese sin desfalco a la mesa lo que se había ordenado, y que no se sirviese cosa ninguna sin avisar al mayordomo mayor o al de semana.

Veeduría. f. Cargo u oficio de veedor. || **2.** Oficina del veedor.

Veer. (Del lat. *vidēre.*) tr. ant. **Ver,** 2.° art. Usáb. t. c. r.

Vega. (Del ibérico *vaica.*) f. Parte de tierra baja, llana y fértil. || **2.** *Cuba.* Terreno sembrado de tabaco. || **3.** *Chile.* Terreno muy húmedo.

Vega. (Del ár. [*an-nasr*] *al-wāqi',* [el buitre cayente.) f. *Astron.* Estrella de primera magnitud en la constelación de la Lira.

Vegada. (Del lat. **vicāta,* de *vices.*) f. ant. **Vez.** Ú. en *Sal.* y *Zam.* || **A las vegadas.** m. adv. ant. **A las veces.**

Vegetabilidad. f. Calidad de vegetable.

Vegetable. (Del lat. *vegetabĭlis.*) adj. p. us. **Vegetal.** Ú. t. c. s. m.

Vegetación. (Del lat. *vegetatĭo, -ōnis.*) f. Acción y efecto de vegetar. || **2.** Conjunto de los vegetales propios de un paraje o región, o existentes en un terreno determinado. || **adenoidea.** *Med.* Hipertrofia de las amígdalas faríngea y nasal y, sobre todo, de los folículos linfáticos de la parte posterior de las fosas nasales.

Vegetal. adj. Que vegeta. || **2.** Perteneciente o relativo a las plantas. || **3.** V. **Azufre, carbón, marfil, mosaico, tierra vegetal.** || **4.** m. Ser orgánico que crece y vive, pero no muda de lugar por impulso voluntario.

Vegetalista. (De *vegetal.*) adj. **Vegetariano.**

Vegetante. p. a. de **Vegetar.** Que vegeta.

Vegetar. (Del lat. *vegetāre.*) intr. Germinar, nutrirse, crecer y aumentarse las plantas. Ú. t. c. r. || **2.** fig. Vivir maquinalmente una persona con vida meramente orgánica, comparable a la de las plantas. || **3.** fig. Disfrutar voluntariamente vida tranquila, exenta de trabajo y de cuidados.

Vegetarianismo. m. Régimen alimenticio en el que entran exclusivamente vegetales u otras substancias de origen vegetal.

Vegetariano, na. (Del fr. *végétarien.*) adj. Dícese de la persona que se alimenta exclusivamente de vegetales o de substancias de origen vegetal. Ú. t. c. s. || **2.** Perteneciente a este régimen alimenticio.

Vegetativo, va. adj. Que vegeta o tiene vigor para vegetar. || **2.** *Fisiol.* Que concurre a las funciones de nutrición o reproducción. *Tejidos, órganos, aparatos* VEGETATIVOS.

Vegoso, sa. (De *vega.*) adj. *Chile.* Aplícase al terreno que se conserva siempre húmedo.

Veguer. (Del lat. *vicarius*, lugarteniente.) m. Magistrado que en Aragón, Cataluña y Mallorca ejercía, con poca diferencia, la misma jurisdicción que el corregidor en Castilla. || **2.** En Andorra, cada uno de los dos delegados de las soberanías protectoras.

Veguería. f. Territorio o distrito a que se extendía la jurisdicción del veguer.

Veguerío. (De *veguer.*) m. **Veguería.**

Veguero, ra. adj. Perteneciente o relativo a la vega. || **2.** m. Labrador que trabaja en el cultivo de una vega, en especial para la explotación del tabaco. || **3.** Cigarro puro hecho rústicamente de una sola hoja de tabaco enrollada, que le sirve de capa y de tripa.

Vehemencia. (Del lat. *vehementia.*) f. Calidad de vehemente.

Vehemente. (Del lat. *vehĕmens, -entis.*) adj. Que mueve o se mueve con ímpetu y violencia, u obra con mucha fuerza y eficacia. || **2.** Dícese de lo que en la vida real o en la esfera del arte se siente o se expresa con viveza e ímpetu. || **3.** Aplícase también a las personas que sienten o se expresan de este modo. *Hombre, mujer, escritor, orador* VEHEMENTE. || **4.** V. **Indicios, sospechas vehementes.**

Vehementemente. adv. m. De manera vehemente.

Vehículo. (Del lat. *vehicŭlum*, de *vehĕre*, conducir, transportar.) m. Artefacto, como carruaje, embarcación, narria o litera, que sirve para transportar personas o cosas de una parte a otra. || **2.** fig. Lo que sirve para conducir o transmitir fácilmente una cosa, como el sonido, la electricidad, los contagios, etc.

Veimarés, sa. adj. Natural de Sajonia Véimar o de su capital Véimar. Ú. t. c. s. || **2.** Perteneciente a aquel Estado o a esta ciudad de Alemania.

Veintavo, va. (De *veinte* y *avo.*) adj. **Vigésimo,** 2.ª acep. Ú. t. c. s. m.

Veinte. (Del lat. *viginti.*) adj. Dos veces diez. || **2. Vigésimo,** 1.ª acep. *Número* VEINTE; *año* VEINTE. Apl. a los días del mes, ú. t. c. s. *El* VEINTE *de julio.* || **3.** m. Conjunto de signos o cifras con que se representa el número **veinte.** || **de bolos. Diez de bolos.** || **A las veinte.** m. adv. fig. y fam. A deshora, a horas intempestivas, o mucho más tarde de lo regular. || **2.** loc. V. **Correo a las veinte.**

Veintecuatría. f. ant. **Veinticuatría.**

Veintedoseno, na. adj. ant. **Veintidoseno.**

Veintén. m. Escudito de oro de valor de 20 reales.

Veintena. f. Conjunto de veinte unidades.

Veintenar. m. **Veintena.**

Veintenario, ria. adj. Dícese de lo que tiene veinte años.

Veintenero. (De *veintena.*) m. Sochantre, en ciertas iglesias.

Veinteno, na. (De *veinte.*) adj. **Vigésimo,** 1.ª acep. || **2. Veintavo.** Ú. t. c. s. f. || **3.** V. **Paño veinteno.**

Veinteñal. adj. Que dura veinte años.

Veinteocheno, na. adj. **Veintiocheno.**

Veinteseiseno, na. adj. **Veintiseiseno.**

Veintésimo, ma. (De *veinte.*) adj. **Vigésimo.** Ú. t. c. s.

Veinticinco. adj. Veinte y cinco. || **2.** Vigésimo quinto. *Número* VEINTICINCO; *año* VEINTICINCO. Apl. a los días del mes, ú. t. c. s. *El* VEINTICINCO *de agosto.* || **3.** m. Conjunto de signos o cifras con que se representa el número **veinticinco.**

Veinticuatrén. adj. Aplícase al madero de varios marcos de Cataluña y Aragón, de 24 palmos de longitud y con escuadría de 3 palmos de tabla y 2 de canto o algo menos. Ú. m. c. s.

Veinticuatreno, na. adj. Perteneciente al número veinticuatro. || **2.** Vigésimo cuarto. || **3.** V. **Paño veinticuatreno.** Ú. t. c. s. || **de capas.** Velarte de primera clase.

Veinticuatría. f. Cargo u oficio de veinticuatro.

Veinticuatro. adj. Veinte y cuatro. || **2.** Vigésimo cuarto. *Número* VEINTICUATRO; *año* VEINTICUATRO. Apl. a los días del mes, ú. t. c. s. *El* VEINTICUATRO *de diciembre.* || **3.** m. Conjunto de signos o cifras con que se representa el número **veinticuatro.** || **4.** Regidor de ayuntamiento en algunas ciudades de Andalucía, según el antiguo régimen municipal.

Veintidós. adj. Veinte y dos. || **2.** Vigésimo segundo. *Número* VEINTIDÓS; *año* VEINTIDÓS. Apl. a los días del mes, ú. t. c. s. *El* VEINTIDÓS *de mayo.* || **3.** m. Conjunto de signos o cifras con que se representa el número **veintidós.**

Veintidoseno, na. adj. Vigésimo segundo. || **2.** V. **Paño veintidoseno.** Ú. t. c. s. || **de capas.** Velarte de segunda clase.

Veintinueve. adj. Veinte y nueve. || **2.** Vigésimo nono. *Número* VEINTINUEVE; *año* VEINTINUEVE. Apl. a los días del mes, ú. t. c. s. *El* VEINTINUEVE *de febrero.* || **3.** m. Conjunto de signos o cifras con que se representa el número **veintinueve.**

Veintiocheno, na. adj. Vigésimo octavo. || **2.** V. **Paño veintiocheno.** Ú. t. c. s.

Veintiocho. adj. Veinte y ocho. || **2.** Vigésimo octavo. *Número* VEINTIOCHO; *año* VEINTIOCHO. Apl. a los días del mes, ú. t. c. s. *El* VEINTIOCHO *de agosto.* || **3.** m. Conjunto de signos o cifras con que se representa el número **veintiocho.**

Veintiséis. adj. Veinte y seis. || **2.** Vigésimo sexto. *Número* VEINTISÉIS; *año* VEINTISÉIS. Apl. a los días del mes, ú. t. c. s. *El* VEINTISÉIS *de septiembre.* || **3.** m. Conjunto de signos o cifras con que se representa el número **veintiséis.**

Veintiseiseno, na. adj. Perteneciente al número veintiséis. || **2.** Vigésimo sexto. || **3.** V. **Paño veintiseiseno.** Ú. t. c. s.

Veintisiete. adj. Veinte y siete. || **2.** Vigésimo séptimo. *Número* VEINTISIETE; *año* VEINTISIETE. Apl. a los días del mes, ú. t. c. s. *El* VEINTISIETE *de noviembre.* || **3.** m. Conjunto de signos o cifras con que se representa el número **veintisiete.**

Veintitrés. adj. Veinte y tres. || **2.** Vigésimo tercio. *Número* VEINTITRÉS, *año* VEINTITRÉS. Apl. a los días del mes, ú. t. c. s. *El* VEINTITRÉS *de octubre.* || **3.** m. Conjunto de signos o cifras con que se representa el número **veintitrés.**

Veintiún. adj. Apócope de **Veintiuno.** Se antepone siempre al substantivo. VEINTIÚN *libros.*

Veintiuna. f. Juego de naipes, o de dados, en que gana el que hace 21 puntos o se acerca más a ellos sin pasar.

Veintiuno, na. adj. Veinte y uno. || **2.** Vigésimo primero. *Número* VEINTIUNO; *año* VEINTIUNO. Apl. a los días del mes, ú. t. c. s. *El* VEINTIUNO *de marzo.* || **3.** m. Conjunto de signos o cifras con que se representa el número **veintiuno.**

Vejación. (Del lat. *vexatĭo, -ōnis.*) f. Acción y efecto de vejar. || **Redimir uno la vejación.** fr. Hacer algún sacrificio, con daño de sus intereses o de su persona, para evitar otro daño o gravamen mayor.

Vejador, ra. adj. Que veja. Ú. t. c. s.

Vejamen. (Del lat. *vexāmen.*) m. **Vejación.** || **2.** Vaya o reprensión satírica y festiva con que se ponen de manifiesto y se ponderan los defectos físicos o morales de una persona. || **3.** Discurso o composición poética de índole burlesca, que con motivo de ciertos grados o certámenes se pronunciaba o leía en las universidades y academias contra los que en ellos tomaban parte.

Vejaminista. m. Sujeto a quien se encargaba el vejamen en los certámenes o funciones literarias.

Vejancón, na. adj. fam. aum. de **Viejo.** Ú. t. c. s.

Vejar. (Del lat. *vexāre.*) tr. Maltratar, molestar, perseguir a uno, perjudicarle o hacerle padecer. || **2.** Dar vejamen, 2.ª acep.

Vejarrón, na. adj. fam. aum. de **Viejo.** Ú. t. c. s.

Vejatorio, ria. adj. Dícese de lo que veja o puede vejar. *Condiciones* VEJATORIAS.

Vejazo, za. adj. aum. de **Viejo.** Ú. t. c. s.

Vejecer. intr. ant. **Envejecer.**

Vejecito, ta. adj. d. ant. de **Viejo.** Usáb. t. c. s.

Vejedad. f. ant. **Vejez.** Ú. en *Sal.*

Vejestorio. m. despect. Persona muy vieja.

Vejeta. adj. d. de **Vieja.** || **2.** f. **Cogujada.**

Vejete. adj. d. de **Viejo.** Dícese especialmente en el teatro de la figura del viejo ridículo. Ú. m. c. s.

Vejez. f. Calidad de viejo. || **2. Senectud.** || **3.** fig. Impertinencia propia de la edad de los viejos. || **4.** fig. Dicho o narración de una cosa muy sabida y vulgar. || **Ahorrar para la vejez, ganar un maravedí y beber tres.** ref. que reprende a los que gastan más de lo que tienen. || **A la vejez, aladares de pez.** ref. con que se moteja a los viejos que se tiñen las canas para parecer mozos. || **A la vejez, viruelas.** expr. con que se nota a los viejos alegres y enamorados, o que hacen cosa que no corresponde a su edad. || **2.** Se dice también notando de tardía y fuera de sazón una cosa. || **El que tuvo y retuvo, guardó para la vejez.** ref. que se emplea refiriéndose a los que con los años no perdieron el vigor, la intrepidez, la belleza o alguna otra cualidad propia de su edad viril.

Vejezuelo, la. adj. d. de **Viejo.** Ú. t. c. s.

Vejible. adj. ant. **Viejo.**

Vejiga. (Del lat. *vesīca.*) f. *Zool.* Órgano muscular y membranoso, a manera de bolsa, que tienen muchos vertebrados y en el cual va depositándose la orina segregada por los riñones. La vejiga de cerdo, vaca y otros animales se seca para guardar en ella manteca, o para llenarla de aire y golpear con ella en bromas como las de carnaval. || **2. Ampolla,** 1.ª acep. || **3.** Bolsita formada en cualquier superficie y llena de aire u otro gas o de un líquido. || **4.** Bolsita de tripa de carnero en que se conservaba un color para la pintura al óleo. || **5. Viruela,** 2.ª acep. || **de la bilis,** o **de la hiel.** *Zool.* Bolsita membranosa en la que se deposita la bilis que llega a ella por el conducto cístico. Existe en la inmensa mayoría de los vertebrados, pero falta en algunos, exclusivamente herbívoros, cuyos alimentos son muy pobres en materias grasas. || **de la orina. Vejiga,** 1.ª acep. || **de perro. Alquequenje.** || **natatoria.** *Zool.* Receptáculo membranoso lleno de aire, que tienen muchos peces al lado del tubo digestivo, y que puede aumentar o disminuir de volumen, con lo que el cuerpo del animal iguala su peso específico al del agua ambiente y se mantiene en equilibrio sin esfuerzo alguno, a un nivel determinado.

Vejigatorio, ria. (De *vejiga.*) adj. *Med.* Aplícase al emplasto o parche de cantáridas u otra substancia irritante, que se pone para levantar vejigas. Ú. m. c. s. m.

Vejigazo. m. Golpe dado, por burla o regocijo, con una vejiga de cerdo, vaca u otro animal, llena de aire u otra cosa.

Vejigón. m. aum. de **Vejiga.**

Vejigoso, sa. adj. Lleno de vejigas.

Vejigüela. f. d. de **Vejiga.**

Vejiguilla. f. d. de **Vejiga.** || **2. Vejiga de perro.** || **3.** *Med.* **Vesícula,** 1.ª acep.

Vejón, na. adj. aum. ant. de **Viejo.** Usáb. t. c. s.

Vejote, ta. adj. aum. de **Viejo.** Ú. t. c. s.

Vela. (De *velar,* 1.er art.) f. **Velación,** 1.er art. || **2.** Tiempo que se vela. || **3.** Asistencia por horas o turno delante del Santísimo Sacramento. || **4.** Tiempo que se destina por la noche a trabajar en algún arte u oficio o en cualquiera otra cosa. || **5. Romería,** 1.ª acep. || **6.** Centinela o guardia que se ponía por la noche en los ejércitos o plazas. || **7.** Cilindro o prisma de cera, sebo, estearina, esperma de ballena u otra materia crasa, con pabilo en el eje para que pueda encenderse y dar luz. || **8.** pl. fig. y fam. Mocos que cuelgan de la nariz, especialmente tratándose de los niños. || **Vela María.** La **vela** blanca que se coloca en el tenebrario en medio de las demás amarillas. || **A vela y pregón.** m. adv. En pública subasta, anunciando las pujas por pregón y admitiéndolas hasta que se consume una **vela** encendida desde el principio del acto. || **Encender una vela a San Miguel,** etc. **Poner una vela,** etc. || **En vela.** m. adv. Sin dormir, o con falta de sueño. || **Estar a dos velas.** fr. fig. y fam. Sufrir carencia o escasez de dinero. || **No darle** a uno **vela en,** o **para,** un **entierro.** fr. fig. y fam. No darle autoridad, motivo o pretexto para que intervenga en aquello de que se esté tratando. Ú. t. sin negación en sentido interrogativo. *¿Quién le* HA DADO *a usted* VELA EN *este* ENTIERRO*?* || **Poner una vela a San Miguel,** o **a Dios,** y **otra al diablo.** fr. que se aplica cuando uno quiere contemporizar para sacar provecho de unos y otros.

Vela. (Del lat. *vela,* pl. de *velum.*) f. Conjunto o unión de paños o piezas de lona o lienzo fuerte, que, cortados de diversos modos y cosidos, se amarran a las vergas para recibir el viento que impele la nave. || **2. Toldo,** 1.ª acep. || **3.** fig. Barco de **vela.** || **4.** fig. Oreja del caballo, mula y otros animales cuando la ponen erguida por recelo u otro motivo. || **al tercio.** *Mar.* **Vela** trapezoidal que sólo se diferencia de la tarquina en ser menos alta por la parte de la baluma y menos baja por el lado de la caída. || **bastarda.** *Mar.* La mayor de los buques latinos. || **cangreja.** *Mar.* **Vela** de cuchillo, de forma trapezoidal, que va envergada por dos relingas en el pico y palo correspondientes. || **cuadra.** *Mar.* Especie de **vela** de figura cuadrangular. || **de abanico.** *Mar.* La que se compone de paños cortados al sesgo y reunidos en un puño por la parte más estrecha. || **de cruz.** *Mar.* Cualquiera de las cuadradas o trapezoidales que se envergan en las vergas que se cruzan sobre los mástiles. || **de cuchillo.** *Mar.* Cualquiera de las que están envergadas en nervios o perchas colocados en el plano longitudinal del buque. || **encapillada.** *Mar.* Aquella que el viento echa sobre la verga o el estay. || **latina.** *Mar.* La triangular, envergada en entena, que suelen usar las embarcaciones de poco porte. || **mayor.** *Mar.* **Vela** principal que va en el palo mayor. || **redonda.** *Mar.* **Redonda,** 4.ª acep. || **tarquina.** *Mar.* **Vela** trapezoidal muy alta de baluma y baja de caída. || **Velas mayores.** *Mar.* Las tres **velas** principales del navío y otras embarcaciones, que son la mayor, el trinquete y la mesana. || **A la vela.** m. adv. fig. Con la prevención o disposición necesaria para algún fin. *Poner* A LA VELA; *estar* A LA VELA. || **Alzar velas.** fr. *Mar.* Disponerse para navegar. || **2.** fig. y fam. Salirse o marcharse uno de repente del sitio en que se halla. || **Apocar las velas.** fr. ant. *Mar.* Disminuir o minorar el número de **velas,** o recogerlas para presentar menos superficie al viento. || || **A toda vela,** o **a todas velas,** o **a velas desplegadas,** o **llenas,** o **tendidas.** ms. advs. *Mar.* Navegando la embarcación con gran viento. || **2.** fig. Entregado uno enteramente o con ansia y toda diligencia a la ejecución de una cosa. || **A vela y remo.** loc. adv. fig. **A remo y vela.** || **Cambiar la vela.** fr. *Mar.* Volverla hacia la parte de donde sopla el viento. || **Dar la vela. Dar vela. Hacer a la vela. Hacerse a la vela. Largar las velas.** frs. *Mar.* Salir del puerto un barco de **vela** para navegar. || **Levantar velas** uno. fr. fig. y fam. **Alzar velas,** 2.ª acep. || **Recoger velas** uno. fr. fig. Contenerse, moderarse, ir desistiendo de un propósito. || **Tender las velas,** o **velas.** fr. *Mar.* Aprovecharse del tiempo favorable en la navegación. || **2.** fig. Usar uno del tiempo u ocasión que se le ofrece favorable para algún intento.

Vela. f. *And.* Voltereta, volatín. Ú. especialmente con el verbo *dar.*

Velación. f. Acción de velar, 1.er art.

Velación. (Del lat. *velatĭo, -ōnis,* acción de tomar el velo.) f. Ceremonia instituida por la Iglesia católica para dar solemnidad al matrimonio, y que consiste en cubrir con un velo a los cónyuges en la misa nupcial que se celebra, por lo común, inmediatamente después del casamiento. Ú. m. en pl. || **2.** pl. *Sal.* **Rogativas.** || **Abrirse las velaciones.** fr. Principiar el tiempo en que la Iglesia permite que se velen los desposados. || **Cerrarse las velaciones.** fr. Suspender la Iglesia en ciertos tiempos del año las velaciones solemnes en los matrimonios.

Velacho. (De *vela.*) m. *Mar.* Gavia del trinquete. || **2.** *Mar.* V. **Mastelero de velacho.**

Velada. (De *velar,* 1.er art.) f. **Velación,** 1.er art. || **2.** Concurrencia nocturna a una plaza o paseo público, iluminado con motivo de alguna festividad. || **3.** Reunión nocturna de varias personas para solazarse de algún modo. || **4.** Fiesta musical o literaria que se hace por la noche.

Velado, da. p. p. de **Velar.** || **2.** m. y f. Marido o mujer legítima.

Velador, ra. adj. Que vela, 1.er art. Ú. t. c. s. || **2.** Dícese del que, con vigilancia y solicitud, cuida de alguna cosa. Ú. t. c. s. || **3.** m. Candelero, regularmente de madera. || **4.** Mesita de un solo pie, redonda por lo común. || **5.** ant. **Centinela.**

Veladura. (De *velar,* 2.° art.) f. *Pint.* Tinta transparente que se da para suavizar el tono de lo pintado.

Velaje. (De *vela,* 2.° art.) m. **Velamen.**

Velambre. (Del lat. *velāmen, -ĭnis.*) f. ant. **Velación,** 2.° art.

Velamen. m. Conjunto de velas de una embarcación.

Velante. p. a. de **Velar,** 1.er art. Que vela.

Velar. (De lat. *vigilāre.*) intr. Estar sin dormir el tiempo destinado de ordinario para el sueño. || **2.** Continuar trabajando después de haber trabajado durante la jornada ordinaria. || **3.** Asistir por horas o turnos delante del Santísimo Sacramento cuando está manifiesto o en el monumento. Ú. t. c. **tr.** || **4.** fig. Cuidar solícitamente de una cosa. || **5.** *Mar.* Sobresalir o manifestarse sobre la superficie del agua algún escollo, peñasco u otro objeto peligroso para los navegantes. || **6.** *Mar.* Persistir el viento durante la noche. || **7.** tr. Hacer centinela o guardia por la noche. || **8.** Asistir de noche a un enfermo o pasarla al cuidado de un difunto. || **9.** fig. Observar atentamente una cosa.

Velar. (Del lat. *velāre,* de *velum,* velo.) tr. Cubrir con velo. Ú. t. c. r. || **2.** Celebrar la ceremonia nupcial de las velaciones. Ú. t. c. r. || **3.** fig. Cubrir, ocultar a medias una cosa, atenuarla, disimularla. || **4.** En fotografía, borrarse total o parcialmente la imagen en la placa o en el papel por la acción indebida de la luz. Ú. m. c. r. || **5.** *Pint.* Dar veladuras.

Velar. adj. Que vela u obscurece. || **2.** Perteneciente o relativo al velo del paladar. || **3.** *Fon.* Dícese del sonido cuya articulación se caracteriza por la aproximación o contacto del dorso de la lengua y el velo del paladar. || **2.** *Fon.* Dícese de la letra que representa este sonido, como la *u* y la *k.* Ú. t. c. s. f.

Velarizar. tr. *Fon.* Dar a una letra sonido velar.

Velarte. m. Paño enfurtido y lustroso, de color negro, que servía para capas, sayos y otras prendas exteriores de abrigo.

Velatorio. m. Acto de velar a un difunto.

Velazqueño, ña. adj. Propio o característico de Velázquez o que tiene semejanza con el estilo de este pintor.

Vel cuasi. loc. lat. *For.* V. **Posesión vel cuasi.**

Veleidad. (Del fr. *velléité,* del lat. *velle.*) f. Voluntad antojadiza o deseo vano. || **2.** Inconstancia, ligereza, mutabilidad reprensible en los dictámenes o determinaciones.

Veleidoso, sa. (De *veleidad.*) adj. Inconstante, mudable.

Velejar. intr. Usar o valerse de las velas en la navegación.

Velería. (De *velero,* 1.er art.) f. Despacho o tienda donde se venden velas de alumbrar.

Velero, ra. (De *vela,* 1.er art.) adj. Dícese de la persona que asiste a velas y romerías. Ú. t. c. s. || **2.** m. y f. Persona que hace velas, o las vende.

Velero, ra. (De *vela,* 2.° art.) adj. Aplícase a la embarcación muy ligera o que navega mucho. || **2.** m. El que hace velas para buques. || **3. Buque de vela.**

Veleta. (De *vela*, 2.° art.) f. Pieza de metal, ordinariamente en forma de saeta, que se coloca en lo alto de un edificio, de modo de pueda girar alrededor de un eje vertical impulsada por el viento, y que sirve para señalar la dirección del mismo. || **2.** Plumilla u otra cosa de poco peso que los pescadores de caña ponen sobre el corcho para conocer por su movimiento de sumersión cuándo pica el pez. || **3. Banderola,** 3.ª acep. || **4.** com. fig. Persona inconstante y mudable.

Velete. (d. de *velo*.) m. Velo delgado, y especialmente el que usan en el tocado las mujeres de algunos países.

Velicación. (Del lat. *vellicatĭo, -ōnis*.) f. *Med.* Acción y efecto de velicar.

Velicar. (Del lat. *vellicāre*.) tr. *Med.* Punzar en alguna parte del cuerpo para dar salida a los humores.

Velicomen. (Del ant. al. *willekommen*, bienvenida.) m. Copa grande para brindar.

Velilla. (De *vela*, 1.er art.) f. *Albac.*, *And.* y *León.* Cerilla, fósforo.

Velillo. m. d. de **Velo.** || **2.** Tela muy sutil, delgada y rala, tejida con algunas flores de hilo de plata.

Velis nolis. Voces verbales latinas que se emplean en estilo familiar, con la significación de *quieras o no quieras; de grado o por fuerza.*

Vélite. (Del lat. *velĭtes*.) m. Soldado de infantería ligera, entre los romanos.

Velívolo, la. (Del lat. *velivŏlus*.) adj. poét. Velero, que navega a toda vela.

Velmez. (Del ár. *malbas*, vestido.) m. Vestidura que antiguamente se ponía debajo de la armadura.

Velo. (Del lat. *vēlum*.) m. Cortina o tela que cubre una cosa. Sirve para ocultar lo que, por respeto o veneración, no se quiere que esté comúnmente a la vista. || **2.** Prenda del traje femenino de calle, hecha de tul, gasa u otra tela delgada de seda o algodón, y con la cual suelen cubrirse las mujeres la cabeza, el cuello y a veces el rostro. || **3.** Trozo de tul, gasa, etc., con que se guarnecen y adornan algunas mantillas por la parte superior. || **4.** El de uno u otro color que, sujeto por delante al sombrero, cubriendo el rostro, suelen llevar las señoras. || **5.** Manto bendito con que cubren la cabeza y la parte superior del cuerpo las religiosas, por lo común blanco para las legas y novicias y negro para las demás. || **6.** Banda de tela blanca, que en la misa de velaciones se pone al marido por los hombros y a la mujer sobre la cabeza, en señal de la unión que han contraído. || **7. Humeral,** 3.ª acep. || **8.** Fiesta que se hace para dar la profesión a una monja. || **9.** fig. Cualquier cosa delgada, ligera o flotante, que encubre más o menos la vista de otra. || **10.** fig. Pretexto, disimulación o excusa con que se intenta ocultar, atenuar u obscurecer la verdad. || **11.** fig. Confusión u obscuridad del entendimiento en lo que discurre, que le estorba percibirlo enteramente u ocasiona duda. || **12.** fig. Cualquier cosa que encubre o disimula el conocimiento expreso de otra. || **13.** Aparejo compuesto de un varal y una red que, sujeta por medio de una cuerda en uno de los extremos de aquél, se sumerge en el agua, para pescar. || **del paladar.** *Zool.* Especie de cortina muscular y membranosa que separa la cavidad de la boca de la de las fauces. || **humeral, u ofertorio. Humeral,** 3.ª acep. || **Correr el velo.** fr. fig. Manifestar, descubrir una cosa que estaba obscura u oculta. || **Correr,** o **echar, un velo sobre** una cosa. fr. fig. Callarla, omitirla, darla al olvido, porque no se deba o no convenga hacer mención de ella o recordarla. || **Tomar** una **el velo.** fr. fig. Profesar una monja.

Veloce. (Del lat. *velox, -ōcis*.) adj. ant. **Veloz.**

Velocidad. (Del lat. *velocĭtas, -ātis*.) f. Ligereza o prontitud en el movimiento. || **2.** *Mec.* Relación entre el espacio andado y el tiempo empleado en recorrerlo. || **virtual.** *Mec.* Camino que puede recorrer el punto de aplicación de una fuerza en un tiempo infinitamente pequeño. || **En doble pequeña velocidad.** Dícese cuando la mercancía facturada debe transportarse en un tren mixto. || **En gran velocidad.** En la facturación de mercancías, dícese cuando éstas han de ser conducidas en el primer tren de viajeros hábil para su transporte. || **En pequeña velocidad.** Dícese cuando el transporte del objeto facturado queda diferido hasta que le llegue el turno en un tren de mercancías.

Velocipédico, ca. adj. Perteneciente o relativo al velocípedo.

Velocipedismo. m. Deporte de los aficionados al velocípedo.

Velocipedista. com. Persona que anda o sabe andar en velocípedo.

Velocípedo. (Del lat. *velox, -ōcis*, veloz, y *pes, pedis*, pie.) m. Vehículo de hierro, formado por una especie de caballete, con dos o con tres ruedas, y que mueve con los pies el que va montado en él.

Velódromo. (Del lat. *velox*, veloz, y el gr. δρόμος, carrera.) m. Lugar destinado para carreras en bicicleta.

Velón. (De *vela*, 1.er art.) m. Lámpara de metal, para aceite común, compuesta de un vaso con uno o varios picos o mecheros, y de un eje en que puede girar, subir y bajar, terminado por arriba en una asa y por abajo en un pie, por lo general de forma de platillo. || **2.** *Chile.* y *Perú.* aum. de **Vela.**

Velonera. f. Repisa de madera u otra materia en que se colocaba el velón o cualquiera otra luz.

Velonero. m. El que hace o vende velones.

Velorio. (De *velar*, 1.er art.) m. Reunión con bailes, cantos y cuentos que durante la noche se celebra en las casas de los pueblos, por lo común con ocasión de alguna faena doméstica, como hilar, matar el puerco, etc. || **2.** Velatorio, especialmente para velar a un niño difunto.

Velorio. (De *velar*, 2.° art.) m. Ceremonia de tomar el velo una religiosa.

Velorta. f. **Vilorta.**

Velorto. m. **Vilorto,** 1.ª y 2.ª aceps. || **2.** *Ál.* **Viburno.**

Veloz. (Del lat. *velox, -ōcis*.) adj. Acelerado, ligero y pronto en el movimiento. || **2.** Ágil y pronto en lo que se ejecuta o discurre.

Velozmente. adv. m. De manera veloz.

Veludillo. m. **Velludillo.**

Veludo. (Del gall. *veludo*, y éste del lat. **villūtus*, de *villus*.) m. **Velludo,** 2.ª acep.

Vellera. f. Mujer que afeita o quita el vello a otras.

Vellida. (De *vellido*.) f. *Germ.* **Frazada.**

Vellido, da. (De *vello*.) adj. **Velloso,** 1.ª acep. || **2.** m. *Germ.* **Terciopelo.**

Vello. (Del lat. *villus*.) m. Pelo que sale más corto y suave que el de la cabeza y de la barba, en algunas partes del cuerpo humano. || **2.** Pelusilla de que están cubiertas algunas frutas o plantas.

Vellocino. m. **Vellón,** 1.er art., 1.ª acep. || **2. Vellón,** 1.er art., 2.ª acep., y especialmente el **vellocino** de oro de la fábula, y el de Gedeón en la Sagrada Escritura.

Vellón. (Del lat. *vellus*.) m. Toda la lana junta de un carnero u oveja que se esquila || **2. Zalea.** || **3.** Vedija o guedeja de lana.

Vellón. (Del fr. *billon*, de *bille*, billa y lingote.) m. Liga de plata y cobre con que se labró moneda antiguamente. || **2.** Moneda de cobre que se usó en lugar de la fabricada con liga de plata. || **3.** V. **Moneda, real de vellón.**

Vellonero. m. El que en los esquileos tiene el cuidado de recoger los vellones y llevarlos a la pila.

Vellora. (Del lat. *vellĕra*, pl. n. de *vellus, -ĕris*.) f. Mota o granillo que ciertos paños suelen tener en el revés.

Vellorí. (Del lat. *vellus, -ĕris*.) m. Paño entrefino, de color pardo ceniciento o de lana sin teñir.

Vellorín. (Del lat. *vellus, -ĕris*.) m. **Vellorí.**

Vellorio, ria. adj. **Pardusco.** Aplícase a la caballería de piel parecida a la de la rata, con algunos pelos blancos.

Vellorita. (Del lat. *bellis*.) f. **Maya,** 1.er art., 1.ª acep. || **2. Primavera,** 3.ª acep.

Vellosidad. (De *velloso*.) f. Abundancia de vello.

Vellosilla. (d. de *vellosa*.) f. Planta herbácea, vivaz, de la familia de las compuestas, con hojas radicales, elípticas, enteras, lanuginosas y blanquecinas por el envés y con pelos largos en las dos caras; flores amarillas con pedúnculos radicales de uno a dos decímetros de largo, erguidos y velludos; fruto seco con semillas pequeñas, negras, en forma de cuña y vestidas de pelusa, y raíz rastrera con renuevos que arraigan pronto. Es común en los montes de España, y su cocimiento, amargo y astringente, se ha usado en medicina.

Velloso, sa. (Del lat. *villōsus*.) adj. Que tiene vello. || **2.** m. *Germ.* **Bernia,** 2.ª acep. || **3.** *Germ.* **Carnero,** 1.er art., 1.ª acep.

Vellotado. (De *vello*.) m. ant. **Rizo,** 2.ª acep.

Velludillo. (d. de *velludo*.) m. Felpa o terciopelo de algodón, de pelo muy corto.

Velludo, da. adj. Que tiene mucho vello. || **2.** m. Felpa o terciopelo.

Vellutero. (Del cat. *vellut*, velludo.) m. En algunas partes, el que trabaja en seda, especialmente en felpa.

Vena. (Del lat. *vena*.) f. Cualquiera de los vasos o conductos por donde vuelve al corazón la sangre que ha corrido por las arterias. || **2.** Filón metálico. || **3.** Cada uno de los hacecillos de fibras que sobresalen en el envés de las hojas de las plantas. || **4.** Faja de tierra o piedra, que por su calidad o su color se distingue de la masa en que se halla interpuesta. || **5.** Conducto natural por donde circula el agua en las entrañas de la tierra. || **6.** Cada una de las listas onduladas o ramificadas y de diversos colores que tienen ciertas piedras y maderas. || **7.** V. **Tabaco de vena.** || **8.** V. **Ganado en vena.** || **9.** fig. Inspiración poética, facilidad para componer versos. || **10.** *Fís.* V. **Contracción de la vena fluida.** || **ácigos.** *Zool.* La que está en la parte derecha y anterior de la porción torácica del raquis y pone en comunicación la **vena** cava superior con la inferior. || **basílica.** *Zool.* Una de las del brazo. || **cardiaca.** *Zool.* Cada una de las que coronan la aurícula derecha del corazón, donde penetran juntas por un mismo orificio. || **cava.** *Zool.* Cada una de las dos **venas** mayores del cuerpo, una superior o descendente, que recibe la sangre de la mitad superior del cuerpo, y otra inferior o ascendente, que recoge la sangre de los órganos situados debajo del diafragma; ambas desembocan en la aurícula derecha del corazón. || **cefálica.** *Zool.* La del brazo, que se aproxima al pliegue del codo, y creyeron los antiguos que estaba en relación directa con la cabeza. || **coronaria.** *Zool.* **Vena cardiaca.** || **de agua. Vena,** 5.ª acep. || **de loco.** fig. Genio inconstante o voltario. || **emulgente.** *Zool.* Cada una de las **venas** por donde sale la sangre de los riñones. || **láctea.** *Zool.* Vaso quilífero. || **leónica.** *Zool.* **Vena ranina.** || **porta.** *Zool.* La gruesa cuyo tronco está entre las eminencias de la superficie interior del hígado. || **ranina.** *Zool.* La que se halla situada en la cara inferior de la lengua. || **safena.** Cada una de dos principales que van a lo largo de la pierna, una por la parte interior y otra por la exterior. || **subclavia.** *Zool.* Cada una de las dos que se extienden desde la clavícula hasta la **vena** cava superior. En la izquierda desemboca al canal torácico. || **yugular.** *Zool.* Cada una de las dos que hay a uno y otro lado del cuello, distinguidas con los nombres de **interna** o **cefálica** y **externa** o **subcutánea.** || **Acostarse la vena.** fr. *Min.* Cambiarse el buzamiento del filón. || **Coger** a uno **de vena.** fr. fig. y fam. Hallarle en disposición favorable para conseguir de él lo que se pretende. || **Darle** a uno **la vena.** fr. fig. y fam. Excitársele alguna especie que le inquieta o que le mueve a ejecutar una resolución impensada o poco cuerda. || **Dar** uno **en la vena.** fr. fig. Encontrar un medio, que antes ignoraba, para conseguir fácilmente su deseo. || **Descabezarse una vena.** fr. *Cir.* Romperse, o por sí misma, o por haber recibido un golpe, de lo cual resulta perderse mucha sangre. || **Estar** uno **en vena.** fr. fig. y fam. Estar inspirado para componer versos, o para llevar a cabo alguna empresa. || **2.** fig. y fam. Ocurrirle con afluencia y fecundidad las especies. || **Hallar** a uno **de vena.** fr. fig. y fam. **Cogerle de vena.** || **Hallar** uno **la vena.** fr. fig. **Dar en la vena.** || **Picar** uno **la vena** a otro. fr. Sangrarle. || **Picarle** a uno **la vena.** fr. fig. y fam. **Estar en vena.**

Venable. adj. Venal, 2.° art., 1.ª acep.

Venablo. (Del lat. *venabŭlum,* de *venāri,* cazar.) m. Dardo o lanza corta y arrojadiza. || **Echar** uno **venablos.** fr. fig. Prorrumpir en expresiones de cólera y enojo.

Venación. (Del lat. *venatĭo, -ōnis.*) f. ant. Caza, 1.ª acep.

Venadero. m. Sitio o paraje en que los venados tienen su querencia o acogida. || **2.** adj. *Colomb.* y *Ecuad.* Aplícase al perro que se utiliza en la caza de venados.

Venado. (Del lat. *venātus,* caza.) m. **Ciervo.** || **2.** ant. Res de caza mayor, particularmente oso, jabalí o ciervo.

Venador. (Del lat. *venātor, -ōris.*) m. ant. Cazador, 1.ª acep.

Venadriz. (Del lat. *venātrix, -īcis.*) f. ant. Cazadora.

Venaje. (De *vena.*) m. Conjunto de venas de agua y manantiales que dan origen a un río.

Venal. adj. Perteneciente o relativo a las venas.

Venal. (Del lat. *venālis,* de *venum,* venta.) adj. Vendible o expuesto a la venta. || **2.** fig. Que se deja sobornar con dádivas.

Venalidad. (Del lat. *venalĭtas, -ātis.*) f. Calidad de venal, 2.° art.

Venático, ca. adj. fam. Que tiene vena de loco, o ideas y especies extravagantes. Ú. t. c. s.

Venatorio, ria. (Del lat. *venatorĭus.*) adj. Perteneciente o relativo a la montería.

Vencedero, ra. adj. Que está sujeto a vencimiento en época determinada.

Vencedor, ra. adj. Que vence. Ú. t. c. s.

Vencejera. f. *Seg.* y *Zam.* Haz de paja de centeno.

Vencejo. (Del lat. **vincicŭlum,* de *vincire,* atar.) m. Lazo o ligadura con que se ata una cosa, especialmente los haces de las mieses. || **2.** Pájaro como de dos decímetros de longitud desde la punta del pico hasta la extremidad de la cola, que es muy larga y ahorquillada; con alas también largas y puntiagudas; plumaje blanco en la garganta y negro en el resto del cuerpo; pies cortos, con cuatro dedos dirigidos todos adelante, y pico pequeño algo encorvado en la punta. Es ave de temporada en España, se alimenta de insectos, anida en los aleros de los tejados y se parece en su forma y costumbres a la golondrina. || **3.** *Germ.* **Pretina,** 1.ª acep.

Vencer. (Del lat. *vincĕre.*) tr. Rendir o sujetar al enemigo. || **2.** Rendir a uno aquellas cosas físicas o morales a cuya fuerza resiste difícilmente la naturaleza. VENCER *a uno el sueño;* VENCERLE *el dolor, la pasión.* Ú. t. c. r. || **3.** Aventajarse o salir preferido, o exceder en algún concepto, en competencia o comparación con otros. || **4.** Sujetar o rendir las pasiones y afectos, reduciéndolos a la razón. || **5.** Superar las dificultades o estorbos, obrando contra ellos. || **6.** Prevalecer una cosa sobre otra, aun las inmateriales. || **7.** Atraer o reducir una persona a otra con razones o por otros medios, de modo que siga su dictamen o deseo. || **8.** Sufrir, llevar con paciencia y constancia un dolor, trabajo o calamidad. || **9.** Subir, montar o superar la altura o aspereza de un sitio o camino. || **10.** Ladear, torcer o inclinar una cosa. Ú. m. c. r. || **11.** intr. Cumplirse un término o plazo. || **12.** Terminar o perder su fuerza obligatoria un contrato por cumplirse la condición o el plazo en él fijado. || **13.** Hacerse exigible una deuda u otra obligación por haberse cumplido la condición o el plazo necesarios para ello. || **14.** Salir uno con el intento deseado, en contienda física o moral, disputa o pleito. || **15.** Refrenar o reprimir los ímpetus del genio o de la pasión. Ú. t. c. r.

Vencetósigo. (De *vencer* y *tósigo.*) m. *Bot.* Planta perenne de la familia de las asclepiadáceas, de tres a cuatro decímetros de altura, con hojas aovadas llenas de pelusa en su base, flores pequeñas y blancas y raíz medicinal, de olor parecido al del alcanfor.

Vencible. (Del lat. *vincibĭlis.*) adj. Que puede vencerse.

Vencida. f. Vencimiento, 1.ª acep. Úsase sólo en los casos siguientes: **A las tres, a la tercera,** o **a tres, va la vencida.** ref. con que se da a entender que repitiendo los esfuerzos cada vez con mayor ahínco, a la tercera se suele conseguir el fin deseado. || **2.** También significa que después de tres tentativas infructuosas, debe el prudente dejarse vencer, esto es, desistir de su intento. || **3.** Otras veces se dice, como en son de amenaza, a quien, habiendo cometido ya dos faltas, no se le quiere perdonar una más. || **De vencida.** expr. adv. con que se denota estar a punto de ser vencida una persona o dominada o concluida una cosa. Ú. con los verbos *ir* y *llevar.*

Vencido, da. p. p. de **Vencer.** Ú. t. c. s. || **El vencido, vencido, y el vencedor, perdido.** ref. que aconseja evitar cuanto se pueda las disputas, pleitos y disensiones, por las costas y gastos que traen consigo aun al que logra su intento.

Vencimiento. m. Acción de vencer, o su efecto, que es ser vencido. Ú. m. en este sentido. || **2.** fig. Inclinación o torcimiento de una cosa material. || **3.** fig. Cumplimiento del plazo de una deuda, obligación, etc.

Venda. (Del lat. *vittŭla.*) f. Tira, por lo común de lienzo, que sirve para ligar un miembro o para sujetar los apósitos aplicados sobre una llaga, contusión, tumor, etc. || **2.** Faja que, rodeada a las sienes, servía a los reyes de adorno distintivo y como corona. || **Caérsele** a uno **la venda de los ojos.** fr. Desengañarse, salir del estado de ofuscación en que uno se hallaba. || **Poner** a uno **una venda en los ojos.** fr. fig. Influir en su ánimo para que viva engañado. || **Tener** uno **una venda en los ojos.** fr. fig. Desconocer la verdad por ofuscación del entendimiento.

Venda. (Del lat. *vendĭta.*) f. ant. **Véndida.**

Vendaje. m. *Cir.* Ligadura que se hace con vendas o con otras piezas de lienzo dispuestas de modo que se acomoden a la forma de la región del cuerpo donde se aplican, y sujeten el apósito. || **enyesado.** *Cir.* Apósito preparado con yeso, que se emplea principalmente en la curación de las fracturas de los huesos, para inmovilizar los fragmentos, previamente restablecidos en su disposición anatómica.

Vendaje. (De *venda,* 2.° art.) m. p. us. Paga dada a uno por el trabajo de vender los géneros que se le encomiendan. || **2.** *Colomb., C. Rica, Ecuad.* y *Perú.* Yapa o adehala.

Vendal. m. *And.* Claro en la espesura de un monte, con suelo generalmente pizarroso.

Vendar. tr. Atar, ligar o cubrir con la venda. || **2.** fig. Poner un impedimento o estorbo al conocimiento o a la razón, para que no vea las cosas como son en sí, o los inconvenientes que se siguen de ellas. Dícese frecuentemente de las pasiones del ánimo.

Vendaval. (Del fr. *vent d'aval,* viento de abajo.) m. Viento fuerte que sopla del Sur, con tendencia al Oeste. || **2.** Por ext., cualquier viento duro que no llega a ser temporal declarado.

Vendedera. f. Mujer que tiene por oficio vender.

Vendedor, ra. adj. Que vende. Ú. t. c. s.

Vendehúmos. (De *vender* y *humo.*) com. fam. Persona que ostenta o simula valimiento o privanza con un poderoso, para vender con esto su favor a los pretendientes.

Vendeja. (d. de *venda,* 2.° art.) f. Venta pública y común como en feria. || **2.** desus. Conjunto de mercancías destinadas a la venta. || **3.** *And.* Venta de pasas, higos, limones, etc., en el tiempo de la cosecha. || **4.** *Vizc.* Fruta y verdura que llevan a vender al mercado las aldeanas.

Vender. (Del lat. *vendĕre.*) tr. Traspasar a otro por el precio convenido la propiedad de lo que uno posee. || **2.** Exponer u ofrecer al público los géneros o mercaderías, propias o ajenas, para el que las quisiere comprar. || **3.** Sacrificar al interés cosas que no tienen valor material. VENDER *la honra, la justicia.* || **4.** fig. Faltar uno a la fe, confianza o amistad que debe a otro. || **5.** r. Dejarse sobornar. || **6.** fig. Ofrecerse a todo riesgo y costa en favor de uno, aun exponiendo su libertad. || **7.** fig. Decir o hacer uno inadvertidamente algo que descubre lo que quiere tener oculto. || **8.** fig. Seguido de la preposición *por,* atribuirse uno condición o calidad que no tiene. || **¿A mí, que las vendo?** expr. fig. y fam. con que uno advierte que está prevenido contra el engaño, por el conocimiento o práctica que tiene de la materia de que se trata. || **Estar** uno **como vendido.** fr. Estar mortificado o desazonado en la compañía o conversación de los que son de contrario sentir o extraños desconocidos. || **Estar vendido** uno. fr. fig. Estar en conocido peligro entre algunos que son capaces de ocasionarlo, o más sagaces en la materia de que se trata. || **Vender cara** una cosa a uno. fr. fig. Hacer que le cueste mucho trabajo, diligencia o fatiga el conseguirla. || **2.** fig. Proponerle y persuadirle con razones aparentes la bondad o utilidad de una cosa que en realidad no la tiene.

Venderse uno **caro.** fr. fig. Prestarse con gran dificultad al trato, comunicación o vista del que lo apetece o busca.

Venderache. m. ant. Vendedor o mercader.

Vendí. (1.ª pers. de sing. del pret. indefinido del verbo *vender*, palabra con que suelen dar principio estos documentos.) m. Certificado que da el vendedor, corredor o agente que ha intervenido en una venta de mercancías o efectos públicos, para acreditar la procedencia y precio de lo comprado.

Vendible. (Del lat. *vendibĭlis.*) adj. Que se puede vender o está de manifiesto para venderse.

Vendición. (Del lat. *venditĭo, -ōnis.*) f. ant. **Venta,** 1.ª acep.

Véndida. (Del lat. *vendĭta*, vendida.) f. ant. **Venta,** 1.ª acep.

Vendiente. p. a. de **Vender.** Que vende.

Vendimia. (Del lat. *vindemĭa.*) f. Recolección y cosecha de la uva. ‖ **2.** Tiempo en que se hace. ‖ **3.** fig. Provecho o fruto abundante que se saca de cualquier cosa. ‖ **Después de vendimias, cuévanos.** ref. con que se nota que una cosa se ha hecho después de pasada la ocasión oportuna.

Vendimiador, ra. (Del lat. *vindemiātor.*) m. y f. Persona que vendimia.

Vendimiar. (Del lat. *vendemiāre.*) tr. Recoger el fruto de las viñas. ‖ **2.** fig. Disfrutar una cosa o aprovecharse de ella, especialmente cuando es con violencia o injusticia. ‖ **3.** fig. y fam. Matar o quitar la vida.

Vendimiario. (Traducción del fr. *vendémiaire.*) m. Primer mes del calendario republicano francés, cuyos días primero y último coincidían, respectivamente, con el 22 de septiembre y el 21 de octubre.

Vendo. (De *venda*, 1.er art.) m. Orillo del paño. ‖ **2.** pl. *And.* y *Cuen.* Zorros, 5.ª acep. de **Zorro,** 1.er art.

Venecia. n. p. V. **Tierra de Venecia.** ‖ **2.** *Pint.* V. **Sombra de Venecia.**

Veneciano, na. (Del lat. *venetiānus.*) adj. Natural de Venecia. Ú. t. c. s. ‖ **2.** Perteneciente a esta ciudad de Italia. ‖ **3.** V. **Noble veneciano.** ‖ **A la veneciana.** m. adv. Al uso de Venecia. ‖ **2.** Tratándose de iluminaciones en festejos, las hechas con gran profusión de faroles de colores vistosos.

Venedizo, za. (De *venir.*) adj. ant. **Advenedizo.**

Veneficiar. (De *veneficio.*) tr. ant. Maleficiar o hechizar.

Veneficio. (Del lat. *venefictum.*) m. ant. Maleficio o hechicería. ‖ **2.** ant. **Afeite.**

Venéfico, ca. (Del lat. *venefĭcus*; de *venēnum*, veneno, y *facĕre*, hacer.) adj. ant. **Venenoso.** ‖ **2.** m. y f. ant. **Hechicero,** 1.ª acep.

Venenador, ra. (De *venenar.*) adj. ant. **Envenenador.** Usáb. t. c. s.

Venenar. (Del lat. *venenāre.*) tr. ant. **Envenenar.**

Venencia. f. Utensilio compuesto de un recipiente cilíndrico de plata, hojalata u otra materia, de reducida capacidad, y de una varilla, ordinariamente de ballena, de unos 80 centímetros de longitud, terminada en gancho. Úsanlo en Jerez de la Frontera para sacar pequeñas cantidades del vino o mosto que contiene una bota.

Venenífero, ra. (Del lat. *venenĭfer, -ĕri*; de *venēnum*, veneno, y *ferre*, llevar.) adj. poét. **Venenoso.**

Veneno. (Del lat. *venēnum.*) m. Cualquiera substancia que, introducida en el cuerpo o aplicada a él en poca cantidad, le ocasiona la muerte o graves trastornos. ‖ **2.** fig. Cualquier cosa nociva a la salud. ‖ **3.** fig. Cualquier cosa que puede causar un daño moral. ‖ **4.** fig. Afecto de ira, rencor u otro mal sentimiento. ‖ **Poco veneno no mata.** fr. proverb. con que se significa que ciertas cosas dañosas, tomadas o usadas en corta cantidad, suelen no dañar. ‖ **2.** También aconseja no usar de exageradas precauciones, así en lo material como en lo moral.

Venenosidad. f. Calidad de venenoso.

Venenoso, sa. (Del lat. *venenōsus.*) adj. Que incluye veneno.

Venera. (Del lat. *veneriae*, ciertas conchas.) f. Concha semicircular de dos valvas, una plana y otra muy convexa, de 10 a 12 centímetros de diámetro, rojizas por fuera y blancas por dentro, con dos orejuelas laterales y 14 estrías radiales que forman a modo de costillas gruesas. Son de un molusco muy común en los mares de Galicia, y los peregrinos que volvían de Santiago solían traerlas cosidas en las esclavinas. ‖ **2.** Insignia distintiva que traen pendiente al pecho los caballeros de cada una de las órdenes. ‖ **Empeñar** uno **la venera.** fr. fig. y fam. No perdonar gasto ni sacrificio para lograr un objeto o salir de un grave apuro. ‖ **No se** le, o te, **caerá la venera.** expr. fig. y fam. con que se reprende al que por vanidad u orgullo rehusa hacer una cosa.

Venera. (De *vena.*) f. **Venero,** 1.ª acep.

Venerabilísimo, ma. adj. sup. de **Venerable.**

Venerable. (Del lat. *venerabĭlis.*) adj. Digno de veneración, de respeto. ‖ **2.** Aplícase como epíteto o renombre a las personas de conocida virtud. ‖ **3.** Aplícase como título a las personas eclesiásticas constituidas en prelacía y dignidad; como cuando el rey escribía a los superiores y prelados diciéndoles: VENERABLE *y devoto*, etc. ‖ **4.** Primer título que se concede en Roma, por un decreto de la Congregación de Ritos, a los que mueren con fama de santidad, y al cual sigue comúnmente el de beato, y por último el de santo. Ú. t. c. s.

Venerablemente. adv. m. Con veneración.

Veneración. (Del lat. *veneratĭo, -ōnis.*) f. Acción y efecto de venerar.

Venerador, ra. (Del lat. *venerātor, -ōris.*) adj. Que venera. Ú. t. c. s.

Venerando, da. (Del lat. *venerandus.*) adj. **Venerable,** 1.ª acep.

Venerante. p. a. de **Venerar.** Que venera.

Venerar. (Del lat. *venerāri.*) tr. Respetar en sumo grado a una persona por su santidad, dignidad o grandes virtudes, o a una cosa por lo que representa o recuerda. ‖ **2.** Dar culto a Dios, a los santos o a las cosas sagradas.

Venéreo, a. (Del lat. *venerĕus.*) adj. Perteneciente o relativo a la venus, 3.ª acep. ‖ **2.** Dícese del mal contagioso que ordinariamente se contrae por el trato carnal. Ú. t. c. s. m.

Venero. (De *vena.*) m. Manantial de agua. ‖ **2.** Raya o línea horaria en los relojes de sol. ‖ **3.** fig. Origen y principio de donde procede una cosa. ‖ **4.** *Min.* **Criadero,** 4.ª acep.

Veneruela. f. d. de **Venera.**

Véneto, ta. (Del lat. *venĕtus.*) adj. **Veneciano.** Apl. a pers., ú. t. c. s.

Venezolanismo. m. Vocablo, giro o modo de hablar propio de los venezolanos.

Venezolano, na. adj. Natural de Venezuela. Ú. t. c. s. ‖ **2.** Perteneciente a esta nación de América.

Venezuela. n. p. V. **Tártago de Venezuela.**

Vengable. adj. Que puede o debe ser vengado.

Vengador, ra. (Del lat. *vindicātor, -ōris.*) adj. Que venga o se venga. Ú. t. c. s.

Vengainjurias. (De *vengar* e *injuria.*) m. *Germ.* **Fiscal,** 5.ª acep.

Venganza. (De *vengar.*) f. Satisfacción que se toma del agravio o daño recibidos. ‖ **2.** desus. Castigo, pena.

Vengar. (Del lat. *vindĭcāre.*) tr. Tomar satisfacción de un agravio o daño. Ú. t. c. r.

Vengativo, va. (De *vengar.*) adj. Inclinado o determinado a tomar venganza de cualquier agravio.

Venia. (Del lat. *venĭa.*) f. Perdón o remisión de la ofensa o culpa. ‖ **2.** Licencia o permiso pedido para ejecutar una cosa. ‖ **3.** Inclinación que se hace con la cabeza, saludando cortésmente a uno. ‖ **4.** *For.* Licencia que se concedía a un menor, a consulta de tribunal competente, para administrar por sí su hacienda. Es una de las gracias al sacar.

Venial. (Del lat. *veniālis.*) adj. Dícese de lo que se opone levemente a la ley o precepto, y por eso es de fácil remisión. ‖ **2.** V. **Pecado venial.**

Venialidad. f. Calidad de venial.

Venialmente. adv. m. De modo venial.

Venida. (De *venir.*) f. Acción de venir. ‖ **2. Regreso.** ‖ **3. Avenida,** 1.ª acep. ‖ **4.** *Esgr.* Acometimiento mutuo que se hacen los combatientes, después de presentar la espada, por todo el tiempo que dura el lance hasta entrar el montante. ‖ **5.** fig. Ímpetu, prontitud o acción inconsiderada.

Venidero, ra. adj. Que está por venir o suceder. ‖ **2.** m. pl. **Sucesores.** ‖ **3.** Los que han de nacer después.

Veniente. p. a. ant. de **Venir.** Que viene.

Venimécum. (Del lat. *veni*, ven, y *mecum*, conmigo.) m. **Vademécum,** 1.ª acep.

Venino, na. (De *veneno.*) adj. ant. **Venenoso.** ‖ **2.** m. ant. **Veneno.** ‖ **3.** ant. Grano maligno o divieso.

Venir. (Del lat. *venīre.*) intr. Caminar una persona o moverse una cosa de allá hacia acá. ‖ **2.** Llegar una persona o cosa a donde está el que habla. ‖ **3.** Comparecer una persona ante otra. ‖ **4.** Ajustarse, acomodarse o conformarse una cosa a otra o con otra. *A Juan le* VIENE *bien ese vestido, o no le* VIENE; *tal cosa* VINO *de perillas.* ‖ **5.** Llegar uno a conformarse, transigir o avenirse. Ú. t. c. r. ‖ **6.** Avenirse o conformarse finalmente en lo que antes se dificultaba o resistía. *Después de muchas guerras, los hombres* VIENEN *a paz y concordia.* ‖ **7.** Volver a tratar del asunto, después de alguna digresión. *Pero* VENGAMOS *al caso.* ‖ **8.** Seguido de la preposición *en*, resolver, acordar, decidir una autoridad, y especialmente la suprema. VENGO EN *decretar lo siguiente;* VENGO EN *nombrar, conferir, admitir, separar*, etc. ‖ **9.** Inferirse, deducirse o ser una cosa consecuencia de otra. ‖ **10.** Pasar el dominio o uso de una cosa de unos a otros. ‖ **11.** Darse o producirse una cosa en un terreno. ‖ **12.** Acercarse o llegar el tiempo en que una cosa ha de acaecer. *El mes que* VIENE; VINO *la noche; tras el verano* VIENE *el otoño.* ‖ **13.** Traer origen, proceder o tener dependencia una cosa de otra en lo físico o en lo moral. *Persona que* VIENE *de linaje de traidores.* ‖ **14.** Excitarse o empezarse a mover un afecto, pasión o apetito. VENIR *gana, deseo.* ‖ **15.** Ofrecerse u ocurrir una cosa a la imaginación o a la memoria. ‖ **16.** Manifestarse o iniciarse una cosa. VENIR *la razón o el uso de ella a los niños.* ‖ **17.** Suceder finalmente una cosa que se esperaba o se temía. Se usa siempre con la preposición *a* y el infinitivo de otro verbo. *Después de una larga enfermedad,* VINO A *morir; después de largas pretensiones,* VINO A *conseguir la plaza.* ‖ **18.** Con la prep. *a* y ciertos nombres, estar pronto a la ejecución, o ejecutar actualmente lo que los nombres significan. VENIR A *cuentas,* A *partido.* ‖ **19.** Con la misma prep. *a* y algunos verbos como *ser, tener, decir*, y otros, denota equivalencia aproximada. *Esto* VIENE A *ser una retractación;* VIENE

A *tener cuatro mil duros de renta.* || **20.** Seguido de la prep. *en* y un substantivo, toma la significación del verbo correspondiente a dicho substantivo. VENIR EN *conocimiento;* VENIR EN *deseo.* || **21.** Seguido de la prep. *sobre,* **caer,** 1.ª acep. || **22.** Suceder, acontecer o sobrevenir. || **23.** r. Perfeccionarse algunas cosas o constituirse en el estado que deben tener por medio de la fermentación. VENIRSE *el pan;* VENIRSE *el vino.* || **El que venga detrás, que arree.** fr. con que uno, que ha salvado ya circunstancias difíciles, se desentiende de los peligros o daños que las mismas circunstancias pueden tener para los demás. || **En lo por venir.** loc. adv. En lo sucesivo o venidero. || **Hoy venida, cras garrida.** ref. contra los que al primer paso de su buena fortuna se engríen y ensoberbecen. || **Ven acá.** expr. fam. de que se usa para llamar la atención de uno, reconvenirle o disuadirle de una cosa. || **Venga lo que viniere.** expr. con que se da a entender la resolución o determinación en que se está de emprender o ejecutar una cosa, sin curarse de que el éxito sea favorable o adverso. || **Venir a menos.** fr. Deteriorarse, empeorarse o caer del estado que se gozaba. || **Venir** uno **bien en** una cosa. fr. Acceder a ella. || **Venir clavada** una cosa a otra. fr. fig. y fam. Serle adecuada o proporcionada. || **Venirle** a uno **ancha** una cosa. fr. fig. y fam. **Venirle muy ancha.** || **Venirle** a uno **angosta** una cosa fr. fig. y fam. No ser bastante a satisfacer su ánimo, ambición o mérito. || **Venirle** a uno **muy ancha** una cosa. fr. fig. y fam. Ser excesiva para su capacidad o su mérito. || **Venir rodada** una cosa. fr. fig. Suceder casualmente en favor de lo que se intentaba o deseaba. || **Venirse abajo** una cosa. fr. **Venir,** o **venirse, a tierra.** || **Venirse** uno **a buenas.** fr. **Darse a buenas.**

Venora. f. *Ar.* Hilada de piedra o de ladrillo que se pone de trecho en trecho en las acequias para que sirva de señal a los que las limpian.

Venoso, sa. (Del lat. *venōsus.*) adj. Que tiene venas. || **2.** Perteneciente o relativo a la vena. || **3.** *Bot.* V. **Hoja venosa.**

Venta. (Del lat. *vendĭta,* pl. de *vendĭtum;* de *vendĕre,* vender.) f. Acción y efecto de vender. || **2.** Contrato en virtud del cual se transfiere a dominio ajeno una cosa propia por el precio pactado. || **3.** Casa establecida en los caminos o despoblados para hospedaje de los pasajeros. || **4.** fig. y fam. Sitio desamparado y expuesto a las injurias del tiempo, como lo suelen estar las **ventas.** || **pública. Almoneda.** || **En venta y bodegón, paga a discreción.** ref. que denota la necesidad de pagar en estos parajes lo que quiere el ventero o el bodegonero. || **Estar de,** o **en, venta.** fr. fig. y fam. con que se da a entender que una mujer tiene costumbre de asomarse mucho a la ventana para ver y ser vista. || **Hacer buena la venta.** fr. ant. Asegurarla, darla por buena y valedera. || **Hacer venta.** fr. fig. y fam. con que uno convida cortesanamente a comer en su casa a otro que pasa por ella. || **Ser una venta.** fr. fig. y fam. con que se explica lo caro que cobran en un lugar o tienda.

Ventada. f. Golpe de viento.

Ventador. (De *ventar.*) m. ant. **Aventador,** 3.ª acep.

Ventaja. (De *aventaja.*) f. Superioridad o mejoría de una persona o cosa respecto de otra. || **2.** Excelencia o condición favorable que una persona o cosa tiene. || **3.** Sueldo sobreañadido al común que gozan otros. || **4.** Ganancia anticipada que un jugador concede a otro para compensar la superioridad que el primero tiene o se atribuye en habilidad o destreza. || **5.** V. **Jugador de ventaja.**

Ventaje. m. ant. **Ventaja.**

Ventajero, ra. adj. *Chile.* Ganguero, que sabe sacar ventaja en los tratos. Ú. t. c. s.

Ventajista. adj. Dícese de la persona que sin miramientos procura obtener ventaja en los tratos, en el juego, etc. Ú. t. c. s.

Ventajosamente. adv. m. De manera ventajosa.

Ventajoso, sa. adj. Dícese de lo que tiene ventaja o la reporta.

Ventalla. (Del lat. *vĕntus.*) f. **Válvula,** 1.ª acep. || **2.** *Bot.* Cada una de las dos o más partes de la cáscara de un fruto, que, juntas por una o más suturas, encierran las semillas, como en el haba y el estramonio.

Ventalle. (Del lat. *vĕntus.*) m. **Abanico,** 1.ª acep. || **2.** Pieza movible del casco, que en unión con la visera cerraba la parte delantera del mismo.

Ventana. (Del lat. *vĕntus.*) f. Abertura más o menos elevada sobre el suelo, que se deja en una pared para dar luz y ventilación. || **2.** Hoja u hojas de madera y de cristales con que se cierra esa abertura. || **3. Nariz,** 3.ª acep. || **Arrojar,** o **echar,** una cosa **por la ventana.** fr. fig. Desperdiciarla o malgastarla. || **Estar** uno **asomado a buena ventana,** o **a buenas ventanas.** fr. fig. y fam. Estar cerca de obtener una herencia o de entrar en una dignidad o empleo. || **Hablar** uno **desde la ventana.** fr. **Hablar desde la talanquera.** || **Hacer ventana** una mujer. fr. Ponerse a ella para ser vista. || **Salir** uno **por la ventana.** fr. fig. Salir desgraciadamente de un lugar o negocio. || **Tener** uno **ventana al cierzo.** fr. fig. y fam. Tener mucha vanidad u orgullo; ser propenso a resoluciones enérgicas o airadas. || **Tirar** uno **a ventana conocida,** o **señalada.** fr. fig. y fam. Hablar de alguna persona embozadamente, pero de modo que se conozca de quién se trata.

Ventanaje. m. Conjunto de ventanas de un edificio.

Ventanal. m. Ventana grande, como las de las catedrales.

Ventanazo. m. Golpe recio que se da al cerrarse una ventana. || **2.** Acción de cerrar violentamente las ventanas en señal de enojo o desaire a persona que se halla en la parte de afuera.

Ventanear. intr. fam. Asomarse o ponerse a la ventana con frecuencia.

Ventaneo. m. fam. Acción de ventanear.

Ventanero, ra. adj. Dícese del hombre que mira con poco recato a las ventanas en que hay mujeres. Ú. t. c. s. || **2.** Dícese de la mujer ociosa muy aficionada a asomarse a la ventana para ver y ser vista. Ú. t. c. s. || **3.** m. El que hace ventanas.

Ventanico. (d. de *ventano.*) m. **Ventanillo.**

Ventanilla. f. d. de **Ventana.** || **2.** Abertura pequeña que hay en la pared o tabique de los despachos de billetes, bancos y otras oficinas para que los empleados de éstas comuniquen desde dentro con el público que está en la parte de fuera. || **3. Nariz,** 3.ª acep.

Ventanillo. m. d. de **Ventano.** || **2.** Postigo pequeño de puerta o ventana. || **3.** Ventana pequeña o abertura redonda o de otra forma, hecha en la puerta exterior de las casas y resguardada por lo común con rejilla, para ver a la persona que llama, o hablar con ella sin franquearle la entrada. || **4. Trampilla,** 1.ª acep.

Ventano. m. Ventana pequeña.

Ventar. impers. Soplar el viento. || **2. Ventear,** 2.ª acep. || **3.** tr. ant. **Aventar,** 1.ª acep. Ú. en Burgos.

Ventar. (Del lat. *ventāre,* frec. de *venīre,* venir.) tr. ant. Hallar, descubrir.

Ventarrón. m. Viento que sopla con mucha fuerza.

Venteadura. f. Efecto de ventearse.

Ventear. impers. Soplar el viento o hacer aire fuerte. || **2.** tr. Tomar algunos animales el viento con el olfato. || **3.** Poner, sacar o arrojar una cosa al viento para enjugarla o limpiarla. || **4.** fig. Andar indagando o inquiriendo una cosa. || **5.** r. Rajarse o henderse una cosa por la diferente dilatación de sus moléculas. || **6.** Levantarse ampollas en medio de la masa del barro en las tejas y ladrillos al cocerse. || **7.** Adulterarse o desvirtuarse algunas cosas por la acción del aire; como el tabaco. || **8. Ventosear.**

Ventecico, llo, to. m. ant. d. de **Viento.**

Venteril. adj. Propio de venta, o de ventero o ventera.

Venternero, ra. (De *vientre.*) adj. ant. Glotón, tragón.

Venternía. f. ant. **Glotonería.**

Ventero, ra. adj. Que ventea, 2.ª acep. *Perro* VENTERO.

Ventero, ra. m. y f. Persona que tiene a su cuidado y cargo una venta para hospedaje de los pasajeros.

Ventifarel. m. *Sal.* Cínife, mosquito.

Ventilación. (Del lat. *ventilatĭo, -ōnis.*) f. Acción y efecto de ventilar o ventilarse. || **2.** Abertura que sirve para ventilar un aposento. || **3.** Corriente de aire que se establece al ventilarlo.

Ventilador. (Del lat. *ventilātor, -ōris.*) m. Instrumento o aparato que impulsa o remueve el aire en una habitación. || **2.** Abertura que se deja hacia el exterior en una habitación, para que se renueve el aire de ésta sin necesidad de abrir las puertas o ventanas.

Ventilar. (Del lat. *ventilāre.*) tr. Hacer correr o penetrar el aire en algún sitio. Ú. m. c. r. || **2.** Agitar una cosa en el aire. || **3.** Exponer una cosa al viento. || **4.** Renovar el aire de un aposento o pieza cerrada. || **5.** fig. Controvertir, dilucidar o examinar una cuestión o duda, buscando la verdad.

Ventisca. (De *ventiscar.*) f. Borrasca de viento y nieve, que suele ser frecuente en los puertos y gargantas de los montes.

Ventiscar. (De *viento.*) impers. Nevar con viento fuerte. || **2.** Levantarse la nieve por la violencia del viento.

Ventisco. m. **Ventisca.**

Ventiscoso, sa. adj. Aplícase al tiempo y lugar en que son frecuentes las ventiscas.

Ventisquear. (De *ventisca.*) impers. Ventiscar.

Ventisquero. m. **Ventisca.** || **2.** Altura de los montes más expuesta a las ventiscas. || **3.** Sitio, en las alturas de los montes, donde se conserva la nieve y el hielo. || **4.** Masa de nieve o hielo reunida en este sitio.

Ventola. f. *Mar.* Esfuerzo que hace el viento contra un obstáculo cualquiera.

Ventolera. (De *ventola.*) f. Golpe de viento recio y poco durable. || **2. Rehilandera.** || **3.** fig. y fam. Vanidad, jactancia y soberbia. || **4.** fig. y fam. Pensamiento o determinación inesperada y extravagante. *Le dio la* VENTOLERA *de sentar plaza.*

Ventolina. f. *Mar.* Viento leve y variable.

Ventor, ra. (De *ventar,* 1.er art.) adj. Dícese del animal que, guiado por su olfato y el viento, busca un rastro o huye del cazador. || **2.** m. **Perro ventor.**

Ventorrero. m. Sitio alto y despejado, muy combatido de los vientos.

Ventorrillo. (d. de *ventorro.*) m. **Ventorro.** || **2.** Bodegón o casa de comidas en las afueras de una población.

Ventorro. m. despect. Venta de hospedaje pequeña o mala.

Ventosa. (Del lat. *ventōsa.*) f. Abertura que se hace en algunas cosas para dar paso al aire, y especialmente la que se deja en los puntos más elevados de una cañería, en los que se coloca un tubo vertical con llave, para dar salida de cuando en cuando al aire que allí suele acumularse y llega a impedir el curso del agua. También se llama así el tubo que sirve para ventilación de las atarjeas. || **2.** Órgano que tienen ciertos animales en los pies, la boca u otras partes del cuerpo, para adherirse o agarrarse, mediante el vacío, al andar o hacer presa. || **3.** *Germ.* **Ventana,** 1.ª acep. || **4.** *Cir.* Vaso o campana, comúnmente de vidrio, que se aplica sobre una parte cualquiera de los tegumentos, después de haber enrarecido el aire en su interior quemando una cerillita o estopa, etc. La porción de tegumento substraído a la presión atmosférica, se pone colorada y se entumece por el natural aflujo de humores. También se enrarece el aire por medio de una bomba aspirante adaptada al cuello de la **ventosa.** || **escarificada,** o **sajada.** *Cir.* La que se aplica sobre una superficie escarificada o sajada. || **seca.** *Cir.* La que se aplica sobre una parte íntegra o no sajada. || **Pegar** a uno **una ventosa.** fr. fig. y fam. Sacarle con artificio o engaño dinero u otra cosa.

Ventosear. (De *ventoso.*) intr. Expeler del cuerpo los gases intestinales. Ú. alguna vez c. r.

Ventosedad. f. ant. **Ventosidad.**

Ventosidad. (Del lat. *ventosĭtas, -ātis.*) f. Calidad de ventoso o flatulento. || **2.** Gases intestinales encerrados o comprimidos en el cuerpo, especialmente cuando se expelen.

Ventoso, sa. (Del lat. *ventōsus.*) adj. Que contiene viento o aire. || **2.** Aplícase al día o tiempo en que hace aire fuerte, y al sitio combatido por los vientos. || **3. Flatulento,** 1.ª acep. || **4. Ventor,** 1.ª acep. || **5.** ant. fig. Vano, presuntuoso, desvanecido. || **6.** m. Sexto mes del calendario republicano francés, cuyos días primero y último coincidían, respectivamente, con el 19 de febrero y el 20 de marzo. || **7.** *Germ.* El que hurta por la ventana.

Ventrada. (De *vientre.*) f. ant. **Ventregada.**

Ventral. (Del lat. *ventrālis.*) adj. Perteneciente al vientre. || **2.** V. **Aorta ventral.**

Ventrecillo. m. d. de **Vientre.**

Ventrecha. (Del lat. *ventricŭlus.*) f. Vientre de los pescados.

Ventregada. (De *vientre.*) f. Conjunto de animalillos que han nacido de un parto. || **2.** fig. Copia o abundancia de muchas cosas que vienen juntas de una vez.

Ventrera. f. Faja que se pone en el vientre ceñida y apretada. || **2.** Armadura que cubría el vientre.

Ventrezuelo. m. d. de **Vientre.**

Ventricular. adj. *Zool.* Perteneciente o relativo al ventrículo.

Ventrículo. (Del lat. *ventricŭlus.*) m. *Zool.* **Estómago,** 1.ª acep. || **2.** *Zool.* Cada una de las dos cavidades que hay entre las cuerdas vocales de los mamíferos, a uno y otro lado de la glotis. || **3.** *Zool.* Cavidad del corazón de los moluscos, peces, batracios y de la mayoría de los reptiles, que recibe la sangre procedente de las aurículas. || **4.** *Zool.* Cada una de las dos cavidades del corazón de los emidosaurios, aves y mamíferos, que reciben la sangre procedente de las aurículas. || **5.** *Zool.* Cada una de las cuatro cavidades del encéfalo de los vertebrados, llamadas **ventrículo medio, ventrículos laterales** y **cuarto ventrículo.** || **succenturiado.** *Zool.* Cavidad situada en el extremo posterior del esófago de las aves, en cuyas paredes hay glándulas secretoras de jugos que digieren los alimentos previamente reblandecidos en el buche.

Ventril. (De *vientre.*) m. Pieza de madera que sirve para equilibrar la viga en los molinos de aceite. || **2.** *León.* Vara del carro de bueyes a la cual se unce el ganado. || **3.** *Pal.* Correa que pasa por debajo del vientre de las mulas y se une al yugo.

Ventrílocuo, cua. (Del lat. *ventrilŏquus;* de *venter, -tris,* vientre, y *loqui,* hablar, porque antiguamente se creyó que su voz salía del vientre o del estómago.) adj. Dícese de la persona que tiene el arte de modificar su voz de manera que parezca venir de lejos, y que imita las de otras personas o diversos sonidos. Ú. t. c. s.

Ventriloquia. f. Arte del ventrílocuo.

Ventrisca. f. En algunas partes, **ventrecha.**

Ventrón. m. aum. de **Vientre.** || **2.** Túnica muscular que cubre el estómago de algunos rumiantes y de la cual se hace el guiso de callos.

Ventroso, sa. (Del lat. *ventrōsus.*) adj. **Ventrudo.**

Ventrudo, da. adj. Que tiene abultado el vientre.

Ventura. (Del lat. *ventūra,* pl. de *ventūrum,* lo por venir.) f. **Felicidad.** || **2.** Contingencia o casualidad. || **3.** Riesgo, peligro. || **4.** ant. **Aventura,** 1.ª acep. || **Buena ventura. Buenaventura.** || **A la buena ventura.** m. adv. Sin determinado objeto ni designio; a lo que depare la suerte. || **A la ventura.** m. adv. **A la buena ventura.** || **2. A ventura.** || **A ventura.** m. adv. con que se denota que una cosa se expone a la contingencia de que suceda mal o bien. || **Cuando corre la ventura, las aguas son truchas.** ref. que advierte que cuando es favorable la fortuna, todo sale bien o se convierte en provecho. || **La ventura de García.** expr. irón. con que se da a entender que a uno le sucedió una cosa al contrario de lo que deseaba. || **La ventura de la barca: la mocedad, trabajada, y la vejez, quemada.** ref. que se aplica a los que toda su vida son desgraciados. || **Por ventura.** m. adv. **Quizá.** || **Probar ventura.** fr. **Probar fortuna.** || **Ventura te dé Dios, hijo, que el saber poco te basta.** ref. que denota que el que tiene buena suerte, aunque no tenga mérito, suele conseguir fácilmente lo que desea.

Venturado, da. (De *ventura.*) adj. **Venturoso.**

Venturanza. f. **Ventura,** 1.ª acep.

Venturero, ra. (De *ventura.*) adj. ant. Casual o contingente. || **2.** Aplícase al sujeto que anda vagando, ocioso y sin ocupación u oficio, pero dispuesto a trabajar en lo que le saliere. || **3. Venturoso.** || **4. Aventurero.** Ú. t. c. s. || **5.** m. *Burg.* Pieza de madera de hilo de 18 pies de longitud, con una escuadría de seis pulgadas y media de tabla por cuatro y media de canto.

Venturina. (Del ital. *venturina,* de *ventura,* ventura, por el modo como se inventó la venturina artificial.) f. Cuarzo pardo amarillento con laminitas de mica dorada en su masa. || **artificial.** Vidrio de color rojizo fundido con limaduras de cobre, que se emplea en joyería.

Venturo, ra. (Del lat. *ventūrus,* p. f. de *venīre,* venir.) adj. Que ha de venir o de suceder.

Venturón. m. aum. de **Ventura.**

Venturosamente. adv. m. De manera venturosa.

Venturoso, sa. (De *ventura.*) adj. **Afortunado,** 2.ª, 3.ª y 4.ª aceps.

Venus. (De *Venus,* diosa mitológica de la hermosura.) m. Planeta poco menor que la Tierra, distante del Sol una cuarta parte menos que ésta; brilla con resplandor intenso como lucero de la mañana y de la tarde y presenta fases como la Luna. || **2.** f. fig. Mujer muy hermosa. || **3.** Deleite sensual o acto carnal. || **4.** V. **Agu-ja, monte, ombligo de Venus.** || **5.** *Alq.* **Cobre,** 1.er art., 1.ª acep.

Venusino, na. (Del lat. *venusinus.*) adj. Natural de Venusa. || **2.** Perteneciente a esta ciudad de Italia. || **3.** m. Por antonom., el poeta Horacio.

Venustez. f. **Venustidad.**

Venustidad. (De *venusto.*) f. Hermosura perfecta o muy agraciada.

Venusto, ta. (Del lat. *venustus,* de *Venus.*) adj. Hermoso y agraciado.

Ver. (Forma substantiva de *ver,* 2.º art.) m. Sentido de la vista. || **2.** Parecer o apariencia de las cosas materiales o inmateriales. *Tener buen* VER; *tener otro* VER. || **A mi, tu, su, ver.** m. adv. Según el parecer o dictamen de uno.

Ver. (De *veer.*) tr. Percibir por los ojos la forma y color de los objetos mediante la acción de la luz. || **2.** Observar, considerar alguna cosa. || **3.** Reconocer con cuidado y atención una cosa, leyéndola o examinándola. || **4.** Visitar a una persona o estar con ella para tratar de algún asunto. || **5.** Atender o ir con cuidado y tiento en las cosas que se ejecutan. || **6.** Experimentar o reconocer por el hecho. || **7.** Considerar, advertir o reflexionar. || **8.** Prevenir o cautelar las cosas del futuro; anteverlas o inferirlas de lo que sucede al presente. Ú. mucho con el verbo *estar.* ESTOY VIENDO *que mi hermano llega mañana sin avisar.* || **9.** Conocer, juzgar. || **10.** Usado en futuro o en pretérito, sirve para remitir, el que habla o escribe, a otra ocasión, alguna especie que entonces se toca de paso, o bien para aludir a algo de que ya se trató. *Como en su lugar* VEREMOS. || **11.** Examinar o reconocer si una cosa está en el lugar que se cita. Se usa casi siempre mandando. || **12.** Seguido de la preposición *de* y de un infinitivo, intentar, tratar de realizar lo que el infinitivo expresa. || **13.** *For.* Asistir los jueces a la discusión oral de un pleito o causa que han de sentenciar. || **14.** r. Estar en sitio o postura a propósito para ser visto. || **15.** Hallarse constituido en algún estado o situación. VERSE *pobre, abatido, agasajado.* || **16.** Avistarse una persona con otra para algún asunto. || **17.** Representarse material o inmaterialmente la imagen o semejanza de una cosa. VERSE *al espejo.* || **18.** Darse una cosa a conocer, o conocerse tan clara o patentemente como si se estuviera **viendo.** || **19.** Estar o hallarse en un sitio o lance. *Cuando* SE VIERON *en el puerto, no cabían de gozo.* || **Al ver.** m. adv. con que en algunos juegos de naipes se explica que a un partido sólo le falta el último tanto, y por eso lleva hecho el envite el contrario, y le queda el reconocer o **ver** las cartas para admitirlo. || **Allá veremos.** fr. **Veremos,** 2.ª acep. || **A más ver.** expr. fam. que se emplea como saludo de despedida. || **Aquí donde me,** o **le ves, veis, ve usted,** o **ven ustedes.** expr. fam. con que uno denota que va a decir de sí mismo o de otro algo que no es de presumir. AQUÍ DONDE USTED ME VE, *soy noble por los cuatro costados.* || **A ver.** expr. que se usa para pedir una cosa que se quiere reconocer o ver. || **2.** Úsase como interjección para significar extrañeza. || **3.** fam. **A ver, veamos.** || **A ver, veamos.** expr. fam. con que se explica la determinación de esperar que el suceso patentice la certidumbre de alguna cosa o la eventualidad de un suceso. || **Hasta más ver.** expr. fam. **A más ver.** || **Ni quien tal vio.** fr. fam. Se usa para reforzar la negación de algo. || **No haberlas visto** uno **más gordas.** fr. fig. y fam. No tener noticia o conocimiento de aquello de que se trata. Ú. t. con el adverbio *nunca* y con frases que expresan negación. NO LAS HE VISTO, *o* NUNCA LAS HE VISTO, *o* EN MI VIDA LAS HABÍA

VISTO MÁS GORDAS. || **No ser visto ni oído,** o **Ni visto, ni oído.** frs. que se emplean para dar a entender la extraordinaria velocidad o presteza con que se hizo, gastó, consumió o desapareció una cosa. || **Si te vi, no me acuerdo,** o **ya no me acuerdo.** fr. que manifiesta el despego con que los ingratos suelen pagar los favores que recibieron. || **Te veo,** o **te veo venir.** expr. fam. con que advertimos a uno que adivinamos su intención. || **Veremos.** expr. que se emplea para diferir la resolución de una cosa, sin concederla ni negarla. || **2.** Ú. t. para manifestar la duda de que se realice o resulte alguna cosa. *Te aseguro que vendrá.* —VEREMOS. || **Verlas venir.** fr. fam. Jugar al monte. || **2.** fig. y fam. **Ver venir** una cosa. *El muy ladino está entre los dos partidos a* VERLAS VENIR. || **Ver uno para lo que ha nacido.** fr. fig. y fam. **Mirar** uno **para lo que ha nacido.** || **Verse** uno **con** otro. fig. y fam. **Verse las caras.** || **Verse** uno **en ello.** fr. fig. Considerar o reflexionar una cosa para su resolución, ejecución o concesión. || **Verse negro** uno. fr. fig. y fam. Hallarse en grande afán, fatiga o apuro para ejecutar una cosa, || **Verse y desearse** uno. fr. fam. Costarle mucho cuidado, fatiga o afán ejecutar o conseguir una cosa. || **Ver venir.** fr. Esperar para la resolución de una cosa la determinación o intención de otro, o el suceso futuro. || **Ver y creer.** expr. que se usa para manifestar que no se quiere creer una cosa sólo por oídas, por ser tal que sólo **viéndola** se puede creer. || **Ya se ve.** expr. que se usa para manifestar asentimiento.

Vera. (Del lat. *ora*, de donde se dijo *uera*; como de *ossum*, hueso.) f. **Orilla.** || **2.** *Sal.* y *Zam.* Friso, 2.ª acep. || **A la vera.** m. adv. **A la orilla.** || **2.** Al lado, próximo.

Vera. f. *Bot.* Árbol americano, de la familia de las cigofiláceas, semejante al guayaco, con madera muy dura y pesada y de color rojizo obscuro.

Veracidad. (Del lat. *veracĭtas, -ātis.*) f. Calidad de veraz.

Vera efigies. expr. lat. Imagen verdadera de una persona o cosa.

Veralca. f. *Chile.* Piel de guanaco que se usa como alfombra o sobrecama.

Veramente. (De *vero*, 2.° art.) adj. m. ant. **Verdaderamente.**

Veranada. f. Temporada de verano, respecto de los ganados.

Veranadero. (De *veranada.*) m. Sitio donde en verano pastan los ganados.

Veranar. (De *verano.*) intr. **Veranear.**

Veraneante. p. a. de **Veranear.** Que veranea. Ú. t. c. s.

Veranear. intr. Tener o pasar el verano en alguna parte. || **2.** Pasar el verano en lugar distinto del en que habitualmente se reside.

Veraneo. m. Acción y efecto de veranear. || **2. Veranero.**

Veranero. m. Sitio o paraje adonde algunos animales pasan a veranear.

Veraniego, ga. adj. Perteneciente o relativo al verano. || **2.** fig. Dícese del que en tiempo de verano suele ponerse loco o enfermo. || **3.** fig. Ligero, de poco fuste.

Veranillo. m. d. de **Verano.** || **2.** Tiempo breve en que suele hacer calor durante el otoño. *El* VERANILLO *de San Miguel, el de San Martín.*

Verano. (De lat. *ver*, primavera.) m. **Estío.** || **2.** En el Ecuador, donde las estaciones no son sensibles, temporada de sequía, que dura próximamente unos seis meses, con algunas intermitencias y alteraciones. || **3.** Época la más calurosa del año, que en el hemisferio septentrional comprende los meses de junio, julio y agosto. En el hemisferio austral corresponde a los meses de diciembre, enero y febrero. || **4.** V. **Nube de verano.** || **5.** ant. **Primavera.** || **6.** *Pal.* y *Vallad.* **Recolección,** 2.ª acep. || **Cuando el,** o **en, verano es invierno, y el,** o **en, invierno verano, nunca buen año.** ref. con que se denota lo dañoso que es a los frutos y a la salud la irregularidad de las estaciones. || **De verano.** fr. fam. que se dice para desentenderse de algo.

Veras. (Del lat. *veras*, acus. pl. f. de *verus*, verdadero.) f. pl. Realidad, verdad en las cosas que se dicen o hacen. || **2.** Eficacia, fervor y actividad con que se ejecutan o desean las cosas. || **3.** V. **Hombre de veras.** || **De veras.** m. adv. Con verdad. || **2.** Con formalidad, eficacia o empeño. || **Hablar** uno **de veras.** fr. fig. y fam Comenzar a enfadarse.

Verascopio. (Nombre comercial.) m. Aparato fotográfico para tomar vistas estereoscópicas.

Verato, ta. adj. Natural de la Vera de Plasencia, en la provincia de Cáceres. Ú. t. c. s.

Veratrina. f. *Med.* Alcaloide contenido en la cebadilla, 2.ª acep.; forma un polvo blanco, cristalino, de sabor acre y cáustico.

Veraz. (Del lat. *verax, -ācis.*) adj. Que dice, usa o profesa siempre la verdad.

Verba. (Del lat. *verba*, pl. de *verbum*, palabra.) f. Labia, locuacidad.

Verbal. (Del lat. *verbālis.*) adj. Dícese de lo que se refiere a la palabra, o se sirve de ella. *Memoria* VERBAL; *expresión* VERBAL. || **2.** Que se hace o estipula sólo de palabra, y no por escrito. *Injuria, contrato* VERBAL. || **3.** V. **Nota verbal.** || **4.** *For.* V. **Degradación, juicio verbal.** || **5.** *Gram.* Perteneciente al verbo. || **6.** *Gram.* Aplícase a las palabras que nacen o se derivan de un verbo; como de *andar, andador* y *andadura.* Ú. t. c. s. m.

Verbalismo. m. Propensión a fundar el razonamiento más en las palabras que en los conceptos. || **2.** Procedimiento de enseñanza en que se cultiva con preferencia la memoria verbal.

Verbalista. adj. Perteneciente o relativo al verbalismo. Ú. t. c. s.

Verbalmente. (De *verbal*, 1.ª acep.) adv. m. De palabra; con solas palabras o por medio de ellas.

Verbasco. (Del lat. *verbascum.*) m. **Gordolobo.**

Verbena. (Del lat. *verbēna.*) f. Planta herbácea anual, de la familia de las verbenáceas, con tallo de seis a ocho decímetros de altura, erguido y ramoso por arriba; hojas ásperas y hendidas; flores de varios colores, terminales y en espigas largas y delgadas, y fruto seco con dos o cuatro divisiones y otras tantas semillas. Es común en España; fue célebre en la antigüedad como planta sagrada de los celtas, y su cocimiento, amargo y algo astringente, se ha usado en medicina. || **2.** Velada y feria que en Madrid y otras poblaciones se celebra en las noches de la víspera de San Antonio, San Juan, San Pedro y otras festividades, para regocijo popular. || **Coger** uno **la verbena.** fr. fig. y fam. Madrugar mucho para irse a pasear, principalmente en las mañanas de San Juan y de San Pedro.

Verbenáceo, a. (Del lat. *verbēna*, verbena.) adj. *Bot.* Aplícase a plantas angiospermas dicotiledóneas, hierbas, arbustos y árboles, de tallos y ramas casi siempre cuadrangulares, hojas opuestas y verticiladas y sin estípulas, flores en racimo, espiga, cabezuela o cima, y fruto capsular o drupáceo con semillas sin albumen; como la verbena, la hierba luisa y el sauzgatillo. Ú. t. c. s. f. || **2.** f. pl. *Bot.* Familia de estas plantas.

Verbenear. (Del ant. *vierben*, gusano, y éste del lat. **vermen, -ĭnis*, por *vĕrmis.*) intr. fig. Gusanear, hormiguear, bullir, 2.ª acep. || **2.** Abundar, multiplicarse en un paraje personas o cosas.

Verbenero, ra. adj. Relativo o perteneciente a las verbenas, 2.ª acep.

Verberación. (Del lat. *verberatĭo, -ōnis.*) f. Acción y efecto de verberar.

Verberar. (Del lat. *verberāre.*) tr. Azotar, fustigar, castigar con azotes. Ú. t. c. r. || **2.** fig. Azotar el viento o el agua en alguna parte.

Verbigracia. Voz con que suele representarse en español la expresión elíptica latina **Verbi gratia.** || **2.** m. **Ejemplo,** 1.ª acep.

Verbi gratia. expr. elípt. lat. **Por ejemplo.**

Verbo. (Del lat. *verbum.*) m. Segunda persona de la Santísima Trinidad. || **2. Palabra,** 1.ª acep. || **3. Terno,** 6.ª acep. *Echar* VERBOS. || **4.** *Gram.* Parte de la oración, que expresa la existencia, acción o estado del sujeto; es la parte más variable de todas y casi siempre indica tiempo, número y persona gramaticales. || **activo.** *Gram.* **Verbo transitivo.** || **adjetivo.** *Gram.* Cualquiera de los **verbos**, exceptuado *ser*, que es el único substantivo. || **auxiliar.** *Gram.* El que se emplea en la formación de la voz pasiva y de los tiempos compuestos de la activa; como *haber* y *ser.* || **defectivo.** *Gram.* Aquel que no se usa en todos los modos, tiempos o personas de que consta esta parte de la oración; como *abolir, soler.* || **deponente.** *Gram.* **Verbo** latino que, con significación de activo, se conjuga por la voz pasiva. || **determinante.** *Gram.* El que rige a otro formando oración con él. *Quiero venir;* quiero es el verbo DETERMINANTE y venir el DETERMINADO. || **frecuentativo.** *Gram.* Aquel que denota acción frecuentemente reiterada o repetida; como *golpear, hojear.* || **impersonal.** *Gram.* El que solamente se emplea en el modo infinitivo y en la tercera persona de singular de cada uno de los tiempos de los demás modos; como *alborear, llover.* || **incoativo.** El que indica el comienzo de una acción; como *florecer.* || **intransitivo.** *Gram.* Aquel cuya significación no pasa ni se transmite del sujeto a otra persona o cosa; como *nacer, morir, correr.* || **irregular.** *Gram.* El que se conjuga alterando ya las letras radicales, ya las terminaciones propias de la conjugación regular, ya unas y otras; como *acertar, caber, ir.* || **neutro.** *Gram.* **Verbo intransitivo.** || **pasivo.** *Gram.* **Verbo** latino que, conjugándose como activo, denota pasión en sentido gramatical. || **pronominado.** *Gram.* Cualquiera de los que se conjugan teniendo por régimen o complemento un pronombre; como *ausentarse, tutearse, enfurecerse, morirse.* || **recíproco.** *Gram.* Aquel que denota reciprocidad o cambio mutuo de acción entre dos o más personas, animales o cosas, llevando siempre por complemento un pronombre. *Pedro* y *Juan* SE TUTEAN; *el agua y el fuego* SE REPELEN; *vosotros* OS ODIÁIS. || **reflejo,** o **reflexivo.** *Gram.* Aquel cuya acción recae en la misma persona que la produce, representada o suplida siempre por medio de un pronombre personal como complemento del **verbo.** *Yo* ME AUSENTO; *tú* TE AVERGÜENZAS; *Pedro* SE ARREPIENTE; *el éter* SE VOLATILIZA. || **regular.** *Gram.* Aquel que se conjuga sin alterar las letras radicales ni las terminaciones propias de la conjugación a que pertenece; como *amar, temer, partir.* || **substantivo.** *Gram.* **Verbo** *ser*, único que expresa la idea de esencia o substancia sin denotar, como los demás **verbos,** otros atributos o modos de ser. || **transitivo.** *Gram.* Aquel cuya acción recae, con preposición *a* o sin ella, en la persona o cosa que es término directo de la oración: *amar a Dios, decir verdad.* || **uniperso-**

nal. *Gram.* **Verbo impersonal.** ‖ **En un verbo.** loc. adv. fig. y fam. Sin dilación, sin demora, en un instante.

Verborragia. f. **Verborrea.**

Verborrea. f. fam. Verbosidad excesiva.

Verbosidad. (Del lat. *verbosĭtas, -ātis.*) f. Abundancia o copia de palabras en la elocución.

Verboso, sa. (Del lat. *verbōsus,* de *verbum,* palabra.) adj. Abundante y copioso de palabras.

Verdacho. m. Arcilla teñida naturalmente de color verde claro por el silicato de hierro, y que se usa para la pintura al temple.

Verdad. (Del lat. *verĭtas, -ātis.*) f. Conformidad de las cosas con el concepto que de ellas forma la mente. ‖ **2.** Conformidad de lo que se dice con lo que se siente o se piensa. ‖ **3.** Propiedad que tiene una cosa de mantenerse siempre la misma sin mutación alguna. ‖ **4.** Juicio o proposición que no se puede negar racionalmente. ‖ **5. Veracidad.** *Hombre de* VERDAD. ‖ **6.** Expresión clara, sin rebozo ni lisonja, con que a uno se le corrige o reprende. Ú. principalmente en pl. *Cayetano le dijo dos* VERDADES. ‖ **7. Realidad,** 1.ª acep. ‖ **de Perogrullo.** fam. **Perogrullada.** ‖ **moral. Verdad,** 2.ª acep. ‖ **La pura verdad.** La **verdad** indubitable, clara y sin tergiversación. ‖ **Verdades como puños.** fig. y fam. **Verdades** evidentes. ‖ **A decir verdad.** expr. **A la verdad.** ‖ **Ajeno de verdad.** expr. Contrario a ella. ‖ **A la verdad.** m. adv. con que se asegura la certeza y realidad de una cosa. ‖ **A mala verdad.** m. adv. Con engaño, con artificio. ‖ **Bien es verdad.** expr. **Verdad es que.** ‖ **Decir** a uno **las cuatro verdades,** o **las verdades, del barquero.** fr. fig. y fam. Decirle sin rebozo ni miramiento alguno cosas que le amarguen. ‖ **De verdad.** m. adv. **A la verdad.** ‖ **2. De veras.** ‖ **En verdad.** m. adv. **Verdaderamente.** Suele usarse repetido. ‖ **Es verdad que.** expr. **Verdad es que.** ‖ **Faltar** uno **a la verdad.** fr. **Mentir,** 1.ª acep. ‖ **Las verdades de Perogrullo, que a la mano cerrada llamaba puño.** fr. proverb. con que se zahiere la mentecatez que consiste en decir perogrulladas. ‖ **La verdad adelgaza, pero no quiebra.** ref. que exhorta a profesar **verdad** siempre; porque, aun cuando se quiera sutilizar y ofuscarla con astucia y mentira, siempre queda resplandeciente y victoriosa. ‖ **La verdad amarga.** expr. fig. con que se significa el disgusto que causa a uno el que le pongan de manifiesto sus desaciertos o defectos. ‖ **Para verdades, el tiempo, y para justicias, Dios.** fr. proverb. con que se da a entender que a la larga se averigua o descubre lo cierto, y que la justicia divina es ineludible. ‖ **Por cierto y por verdad.** expr. con que se asegura y confirma la realidad de lo que se dice. ‖ **Quien dice la verdad, ni peca ni miente.** fr. proverb. con que se da a entender que siempre debe decirse la **verdad,** por amarga que sea. ‖ **Si va a decir verdad.** expr. con que el que habla significa que va a explicar con toda lisura y sinceridad lo que sabe o siente. ‖ **Tratar** uno **verdad.** fr. Profesarla, decirla. ‖ **Verdad es que.** expr. que se usa contraponiendo una cosa a otra, como que no impide o estorba el asunto, o para exceptuarlo de una regla general. ‖ **Verdad sabida y buena fe guardada.** *For.* Expresión que se usa como norma tradicional en la interpretación y ejecución de los contratos, y señaladamente en los mercantiles.

Verdaderamente. adv. m. Con toda verdad o con verdad. ‖ **2. A la verdad.**

Verdadero, ra. adj. Que contiene verdad. ‖ **2.** Real y efectivo. ‖ **3.** Ingenuo, sincero. ‖ **4. Veraz.** ‖ **5.** V. **Costilla verdadera.** ‖ **6.** V. **Mediodía verdadero.** ‖ **7.** *Astron.* V. **Movimiento, tiempo verdadero.** ‖ **8.** *For.* V. **Agnación verdadera.**

Verdal. (De *verde.*) adj. Dícese de ciertas frutas que tienen color verde aun después de maduras. *Ciruela* VERDAL. ‖ **2.** Dícese también de los árboles que las producen.

Verdasca. f. Vara o ramo delgado, ordinariamente verde.

Verdascazo. m. Golpe dado con una verdasca.

Verde. (Del lat. *virĭdis.*) adj. De color semejante al de la hierba fresca, la esmeralda, el cardenillo, etc. Ú. t. c. s. Es el cuarto color del espectro solar. ‖ **2.** En contraposición de seco, dícese de los árboles y las plantas que aún conservan alguna savia. ‖ **3.** Dícese de la leña recién cortada del árbol vivo. ‖ **4.** Tratándose de legumbres, las que se consumen frescas, para diferenciarlas de las que se guisan secas. *Judías, habas* VERDES. ‖ **5.** Dícese de lo que aún no está maduro. ‖ **6.** V. **Cuero en verde.** ‖ **7.** V. **Caparrosa, carnero, ceniza, cobre, malaquita, mole, oro, pico, seda, té, tierra verde.** ‖ **8.** V. **Cenizas verdes.** ‖ **9.** Junto con algunos substantivos, dícese del color parecido al de las cosas que éstos designan. VERDE *mar;* VERDE *botella;* VERDE *oliva;* VERDE *esmeralda.* ‖ **10.** fig. Aplícase a los primeros años de la vida y a la juventud. ‖ **11.** fig. Dícese de las cosas que están a los principios y a las cuales falta mucho para perfeccionarse. ‖ **12.** fig. Libre, indecente, obsceno. Aplícase a cuentos, comedias, poesías, etc. ‖ **13.** fig. Dícese del que conserva inclinaciones galantes impropias de su edad o de su estado. *Viejo* VERDE; *viuda* VERDE. ‖ **14.** fig. V. **Habas verdes.** ‖ **15.** fig. y fam. V. **Libro, tapete verde.** ‖ **16.** *Quím.* V. **Vitriolo verde.** ‖ **17.** m. Alcacer y demás hierbas que se siegan en **verde** y las consume el ganado sin dejarlas secar. ‖ **18. Follaje,** 1.ª acep. ‖ **19.** Sabor áspero del vino, por donde se conoce que al hacerlo se mezcló uva agraz con la madura. ‖ **20.** pl. **Hierba,** 8.ª acep. ‖ **Verde de montaña,** o **de tierra.** Carbonato de cobre terroso y de color **verde** claro. ‖ **Darse** uno **un verde.** fr. fig. y fam. Hacer alguna cosa hasta la saciedad. ‖ **Meter en verde.** fr. que se aplica a las caballerías cuando se les da el alcacer o forraje. ‖ **Poner verde** a una persona. fr. fig. y fam. Colmarla de improperios o censurarla acremente.

Verdea. f. Vino de color verdoso.

Verdeante. p. a. de **Verdear.** Que verdea.

Verdear. intr. Mostrar una cosa el color verde que en sí tiene. ‖ **2.** Dicho del color, tirar a verde. ‖ **3.** Empezar a brotar plantas en los campos, o cubrirse los árboles de hojas y tallos. ‖ **4.** tr. En algunas partes, coger la uva o la aceituna para venderla.

Verdeceledón. (Del fr. *vert-céladon.*) m. Color verde claro que se da a ciertas telas en los países de Levante, tiñéndolas primero de azul bajo y después de amarillo.

Verdecer. (Del lat. *viridescĕre.*) intr. Reverdecer, vestirse de verde la tierra o los árboles.

Verdecillo. (d. de *verde.*) m. **Verderón,** 1.er art.

Verdegal. m. Sitio donde verdea el campo.

Verdegay. (De *verde* y *gayo.*) adj. De color verde claro. Ú. t. c. s.

Verdeguear. intr. **Verdear.**

Verdejo, ja. adj. d. de **Verde.** ‖ **2. Verdal.** *Uva* VERDEJA, *higos* VERDEJOS.

Verdel. (De *verde.*) m. *Ál.* y *Nav.* **Verderón,** 1.er art.

Verdemar. m. Color semejante al verdoso que suele tomar el mar. Ú. t. c. adj.

Verdemontaña. m. **Verde de montaña.** ‖ **2.** Color verde claro que se hace de este mineral.

Verderol. m. **Verderón,** 1.er art.

Verderol. m. **Verderón,** 2.° art.

Verderón. (Del lat. *virĕo, -ōnis,* por influencia de *verde.*) m. Ave canora del orden de los pájaros, del tamaño y forma del gorrión, con plumaje verde y manchas amarillentas en las remeras principales y en la base de la cola. Es común en España; se acomoda fácilmente a la cautividad y se reproduce en ella.

Verderón. m. **Berberecho.**

Verderón, na. adj. **Verdino.** ‖ **2.** m. *Sal.* Bolsillo tejido de torzal verde, de forma alargada, que se cierra con dos anillas.

Verdescuro, ra. adj. ant. **Verdinegro.**

Verdete. (d. de *verde.*) m. **Cardenillo,** 1.ª acep. ‖ **2.** Color verde claro hecho con el acetato o el carbonato de cobre y que se emplea en pintura y en tintorería.

Verdevejiga. m. Compuesto de hiel de vaca y sulfato de hierro, de color verde obscuro, que, conservado en vejigas, se usa en la pintura.

Verdezuela. (De *verde.*) f. *Ál.* **Colleja.**

Verdezuelo. adj. d. de **Verde.** ‖ **2.** m. **Verderón,** 1.er art.

Verdial. adj. *And.* Dícese de una variedad de aceituna alargada que se conserva verde aun madura.

Verdigón. m. *And.* Molusco parecido a la almeja, de concha de color verdoso.

Verdín. m. Primer color verde que tienen las hierbas o plantas que no han llegado a su sazón. ‖ **2.** Estas mismas hierbas o plantas que no han llegado a sazón. ‖ **3.** Capa verde de plantas criptógamas, que se cría en las aguas dulces, principalmente en las estancadas, en las paredes y lugares húmedos y en la corteza de algunos frutos, como el limón y la naranja, cuando se pudren. ‖ **4. Cardenillo,** 1.ª acep. ‖ **5. Tabaco verdín.**

Verdina. f. **Verdín,** 1.ª acep.

Verdinal. m. **Fresquedal.** Parte que en una pradera agostada se conserva verde por la humedad natural del terreno.

Verdinegro, gra. (De *verde* y *negro.*) adj. De color verde obscuro.

Verdino, na. adj. Muy verde o de color verdoso.

Verdinoso, sa. adj. *And.* **Verdino.**

Verdiñal. (De *verde.*) adj. V. **Pera verdiñal.**

Verdiseco, ca. (De *verde* y *seco.*) adj. Medio seco.

Verdolaga. (Del lat. *portulāca,* a través de la transcripción ár. *burdulāqa.*) f. *Bot.* Planta herbácea anual, de la familia de las portulacáceas, con tallos tendidos, gruesos, jugosos, de tres a cuatro decímetros de largo; hojas sentadas, carnosas, casi redondas, verdes por la haz y blanquecinas por el envés; flores amarillas, y fruto capsular con semillas menudas y negras. Es planta hortense y se usa como verdura. ‖ **Como verdolaga en huerto.** expr. adv. que se dice de la persona que está o se pone a sus anchas.

Verdón. (De *verde.*) m. **Verderón,** 1.er art. ‖ **2.** *Germ.* **Campo,** 1.ª acep. ‖ **3.** *Cuba.* **Mariposa,** 2.ª acep.

Verdor. m. Color verde vivo de las plantas. ‖ **2.** Color verde. ‖ **3.** fig. Vigor, lozanía, fortaleza. ‖ **4.** fig. Edad de la mocedad o juventud. Ú. t. en pl.

Verdoso, sa. adj. Que tira a verde. ‖ **2.** m. *Germ.* **Higo,** 1.ª acep.

Verdoyo. m. **Verdín,** 1.ª acep.

Verdugada. f. *Arq.* **Verdugo,** 12. acep.

Verdugado. (Por el *verdugo*, renuevo o vástago, con que en un principio se formaron estas armazones.) m. Vestidura que las mujeres usaban debajo de las basquiñas, para ahuecarlas. || **2.** V. **Aguja de verdugado.**

Verdugal. m. Monte bajo que, después de quemado o cortado, se cubre de verdugos o renuevos.

Verdugazo. m. Golpe dado con el verdugo.

Verdugo. (De un der. del lat. *virĭdis*, verde.) m. Renuevo o vástago del árbol. || **2.** Estoque muy delgado. || **3.** Azote hecho de cuero, mimbre u otra materia flexible. || **4.** Roncha larga o señal que levanta el golpe del azote. || **5.** Ministro de justicia que ejecuta las penas de muerte y en lo antiguo ejecutaba otras corporales, como la de azotes, tormento, etc. || **6.** Aro de sortija. || **7. Alcaudón.** || **8. Verdugado.** || **9.** fig. Persona muy cruel o que castiga demasiado y sin piedad. || **10.** fig. Cualquier cosa que atormenta o molesta mucho. || **11.** *León* y *Sant.* Pieza de madera que en la carreta va colocada entre el eje y el larguero del tablero. || **12.** *Arq.* Hilada de ladrillo que se pone horizontalmente en una fábrica de otro material.

Verdugón. (aum. de *verdugo.*) m. **Verdugo,** 1.ª y 4.ª aceps.

Verduguillo. m. d. de **Verdugo.** || **2.** Especie de roncha que suele levantarse en las hojas de algunas plantas. || **3.** Navaja para afeitar, más angosta y algo más pequeña que las regulares. || **4. Verdugo,** 2.ª acep. || **5. Arete,** 2.ª acep. || **6.** *Mar.* **Galón,** 1.er art., 2.ª acep., y en general cualquier listón estrecho de madera, labrado en forma de mediacaña.

Verdulera. f. La que vende verduras. || **2.** fig. y fam. Mujer desvergonzada y raída.

Verdulería. (De *verdulero.*) f. Tienda o puesto de verduras.

Verdulero. (De *verdura.*) m. El que vende verduras.

Verdura. f. **Verdor,** 1.ª y 2.ª aceps. || **2.** Hortaliza, y especialmente la que se come cocida. Ú. m. en pl. || **3.** Follaje que se pinta en los países y tapicerías. || **4.** Obscenidad, calidad de verde, 12.ª acep.

Verdusco, ca. adj. Que tira a verde obscuro.

Verecundia. f. **Vergüenza.**

Verecundo, da. (Del lat. *verecundus.*) adj. **Vergonzoso,** 2.ª acep.

Vereda. (Del berb. *tabrida, abred*, senda.) f. Camino angosto, formado comúnmente por el tránsito de peatones y ganados. || **2.** Vía pastoril para los ganados trashumantes, que, según la legislación de la Mesta, es de 25 varas de ancho. || **3.** Orden o aviso que se despacha para hacer saber una cosa a un número determinado de lugares que están en un mismo camino o a poca distancia. || **4.** Camino que hacen los regulares por determinados pueblos, de orden de los prelados, para predicar en ellos. || **5.** *Amér. Merid.* **Acera,** 1.ª acep. || **6.** *Ál.* **Prestación personal.** || **Hacer** a uno **entrar por vereda.** fr. fig. y fam. Obligarle al cumplimiento de sus deberes.

Veredario, ria. (Del lat. *veredarĭus.*) adj. ant. Aplicábase a las postas o postillones y a los caballos de alquiler.

Veredero. (De *vereda.*) m. El que va enviado con despachos u otros documentos para notificarlos, publicarlos o distribuirlos en uno o varios lugares.

Veredicto. (Del lat. *vere*, con verdad, y *dictus*, dicho.) m. Definición sobre un hecho dictada por el jurado. || **2.** Por ext., parecer, dictamen o juicio emitido reflexiva y autorizadamente. || **de inculpabilidad.** El que pronuncia el jurado descargando al reo de todos los capítulos de la acusación.

Veredón. m. *And.* Ciertas rugosidades que quedan en los enormes tajos de la Sierra Nevada por las cuales se puede pasar aunque con dificultad.

Verenjusto. m. V. **En justos y en verenjustos.**

Verga. (Del lat. *virga.*) f. Miembro genital de los mamíferos. || **2.** Arco de acero de la ballesta. || **3.** ant. **Vara,** 1.ª y 2.ª aceps. || **4.** Tira de plomo con ranuras en los cantos, que sirve para asegurar los vidrios de las ventanas. || **5.** *Mar.* Percha labrada convenientemente, a la cual se asegura el grátil de una vela. || **seca.** *Mar.* La mayor del palo mesana, que no lleva vela. || **toledana.** Medida antigua equivalente a dos codos. || **Vergas en alto.** loc. *Mar.* Denota que la embarcación está pronta y expedita para navegar.

Verga. adj. V. **Uva verga.**

Vergajazo. m. Golpe dado con un vergajo.

Vergajo. m. Verga del toro, que después de cortada, seca y retorcida, se usa como látigo.

Vergé. (Del fr. *vergé*, de *verge*, y éste del lat. *virga.*) adj. V. **Papel vergé.**

Vergel. (Del fr. *verger*, y éste del lat. *virĭdiărium.*) m. Huerto con variedad de flores y árboles frutales.

Vergelero. m. p. us. El que tiene a su cargo un vergel.

Vergeta. (Del fr. *vergette*, de *verge*, y éste del lat. *virga.*) f. **Vergueta,** 1.ª acep. || **2.** *Blas.* Palo más estrecho que el ordinario.

Vergeteado, da. (De *vergeta.*) adj. *Blas.* V. **Escudo vergeteado.**

Vergonzante. adj. Que tiene vergüenza. Aplícase regularmente al que pide limosna con cierto disimulo o encubriéndose.

Vergonzosamente. adv. m. De modo vergonzoso.

Vergonzoso, sa. adj. Que causa vergüenza. || **2.** Que se avergüenza con facilidad. Ú. t. c. s. || **3.** V. **Mimosa vergonzosa.** || **4.** V. **Partes vergonzosas.** || **5.** m. Especie de armadillo, con el cuerpo y la cola cubiertos de escamas y las orejas desnudas y redondas. Cuando es perseguido se encoge, metiendo la cabeza y la cola debajo del vientre y formando como una bola escamosa.

Vergoña. (Del lat. *verecundia.*) f. ant. **Vergüenza.**

Vergoñoso, sa. (De *vergoña.*) adj. ant. **Vergonzoso.**

Verguear. tr. Varear o sacudir con verga o vara.

Vergüenza. (Del lat. *verecundĭa.*) f. Turbación del ánimo, que suele encender el color del rostro, ocasionada por alguna falta cometida, o por alguna acción deshonrosa y humillante, propia o ajena. || **2.** Pundonor, estimación de la propia honra. *Hombre de* VERGÜENZA. || **3.** Encogimiento o cortedad para ejecutar una cosa. || **4.** Acción que, por indecorosa, cuesta repugnancia ejecutar, o deja en mala opinión al que la ejecuta. || **5.** Pena o castigo que consistía en exponer al reo a la afrenta y confusión pública con alguna señal que denotaba su delito. *Sacar a la* VERGÜENZA. || **6.** ant. Listón o larguero delantero de las puertas. || **7.** *Germ.* Toca de la mujer. || **8.** pl. **Partes pudendas.** || **Catarse vergüenza.** fr. ant. Tenerse respeto o miramiento una persona a otra estando presentes. || **Más vale vergüenza en cara que mancilla en corazón.** ref. que advierte que es preferible vencer el empacho de hacer o decir una cosa, a quedar con remordimiento de no haberla hecho o dicho. || **Perder** uno **la vergüenza.** fr. Abandonarse, desestimando el honor que según su estado le corresponde. || **2.** Desechar el encogimiento o la cortedad. || **Quien no tiene vergüenza, toda la calle es suya,** o **todo el campo,** o **todo el mundo es suyo.** ref. con que se reprende a los que no reparan en hacer su gusto sin respeto alguno. || **Quien tiene vergüenza, ni come ni almuerza.** ref. con que se da a entender que el vergonzoso no suele medrar. || **Sacar a la vergüenza** a uno. fr. Imponerle este castigo. || **2.** fig. y fam. Obligarle a que haga públicamente una habilidad, cuando tiene cortedad o desconfianza de desempeñarla bien. || **Ser una mala vergüenza.** fr. fam. con que se pondera la ruindad o inconveniencia de una cosa.

Vergüeña. (Del lat. *verecundĭa.*) f. ant. **Vergüenza.**

Verguer. (De *verga*, vara.) m. *Ar.* Alguacil de vara.

Verguero. (De *verga*, vara.) m. *Ar.* **Verguer.**

Vergueta. (d. de *verga*, 1.er art.) f. Varita delgada. || **2.** m. desus. fig. **Corchete,** 6.ª acep. Díjose por la varilla que solían usar.

Vergueteado. adj. V. **Papel vergueteado.**

Verguío, a. (De *verga*, 1.er art.) adj. Dícese de las maderas flexibles y correosas.

Vericueto. m. Lugar o sitio áspero, alto y quebrado, por donde no se puede andar sino con dificultad.

Verídico, ca. (Del lat. *verĭdĭcus;* de *verus*, verdadero, y *dicĕre*, decir.) adj. Que dice verdad. || **2.** Aplícase también a lo que la incluye.

Verificación. f. Acción de verificar o verificarse, 1.ª, 2.ª y 4.ª aceps.

Verificador, ra. adj. Que verifica. Ú. t. c. s.

Verificar. (Del lat. *verus*, verdadero, y *facĕre*, hacer.) tr. Probar que una cosa que se dudaba es verdadera. || **2.** Comprobar o examinar la verdad de una cosa. || **3.** Realizar, efectuar. Ú. t. c. r. || **4.** r. Salir cierto y verdadero lo que se dijo o pronosticó.

Verificativo, va. adj. Dícese de lo que sirve para verificar una cosa.

Verigüeto. m. Molusco lamelibranquio bivalvo, comestible.

Verija. (Del lat. *virīlia*, pl. n. de *virīlis.*) f. Región de las partes pudendas.

Veril. (De *vera*, 1.er art.) m. *Mar.* Orilla o borde de un bajo, sonda, placer, etc. || **2.** *Zam.* Faja estrecha de terreno colindante con un camino o una carretera.

Verilear. intr. *Mar.* Navegar por un veril o por sus inmediaciones.

Verisímil. (Del lat. *verisimĭlis;* de *verus*, verdadero, y *simĭlis*, semejante.) adj. **Verosímil.**

Verisimilitud. (Del lat. *verisimilitūdo.*) f. **Verosimilitud.**

Verisímilmente. adv. m. **Verosímilmente.**

Verismo. (Del lat. *verus.*) m. Realismo llevado al extremo en las obras de arte.

Verja. (Del fr. *verge*, y éste del lat. *virga*, vara.) f. Enrejado que sirve de puerta, ventana o cerca.

Verjurado. adj. V. **Papel verjurado.**

Verme. (Del lat. *vermis*, gusano.) m. *Zool.* **Gusano,** 5.ª acep.

Vermicida. (Del lat. *vermis*, gusano, y *caedĕre*, matar.) adj. *Med.* **Vermífugo.** Ú. t. c. s. m.

Vermicular. (Del lat. *vermicŭlus*, gusanillo.) adj. Que tiene gusanos o vermes, o los cría. || **2.** Que se parece a los gusanos o participa de sus cualidades. || **3.** *Zool.* V. **Apéndice vermicular.**

Vermiforme. (Del lat. *vermis*, gusano, y *forma*, figura.) adj. De figura de gusano. || **2.** *Zool.* V. **Apéndice vermiforme.**

Vermífugo, ga. (Del lat. *vermis*, gusano, y *fugāre*, ahuyentar.) adj. *Med.* Que tiene virtud para matar las lombrices intestinales. Ú. t. c. s. m.

Verminoso, sa. (Del lat. *verminōsus*, de *vermis*, gusano.) adj. Aplícase a las úlceras que crían gusanos, y a las enfermedades acompañadas de producción de lombrices.

Vermut. (Del al. *wermuth*, ajenjo.) m. Licor aperitivo compuesto de vino blanco, ajenjo y otras substancias amargas y tónicas.

Vernáculo, la. (Del lat. *vernacŭlus*.) adj. Doméstico, nativo, de nuestra casa o país. Dícese especialmente del idioma o lengua.

Vernal. (Del lat. *vernālis*.) adj. Perteneciente a la primavera. *Equinoccio* VERNAL. || **2.** V. **Solsticio vernal.** || **3.** *Astrol.* V. **Cuadrante vernal.**

Vernier. (Del geómetra francés Pedro *Vernier*.) m. *Geom.* **Nonio.**

Vero. (Del lat. *varius*, manchado de varios colores.) m. **Marta cebellina,** 2.ª acep. || **2.** pl. *Blas.* Esmaltes que cubren el escudo, en figura de campanillas alternadas, unas de plata y otras de azur, y con las bocas opuestas.

Vero, ra. (Del lat. *verus*.) adj. desus. **Verdadero.** || **De vero.** m. adv. ant. **De veras.**

Veronense. (Del lat. *veronensis*.) adj. **Veronés.** Apl. a pers., ú. t. c. s.

Veronés, sa. adj. Natural de Verona. Ú. t. c. s. || **2.** Perteneciente a esta ciudad de Italia.

Verónica. (De *Verónica*, nombre propio.) f. Planta herbácea, vivaz, de la familia de las escrofulariáceas, con tallos delgados y rastreros de dos a tres decímetros de longitud; hojas opuestas, vellosas, elípticas y pecioladas; flores azules en espigas axilares, y fruto seco, capsular, con semillas menudas. Es común en España en los sitios húmedos y elevados, y se ha usado en medicina como tónica y sudorífica. || **2.** *Taurom.* Lance que consiste en esperar el lidiador la acometida del toro teniendo la capa extendida o abierta con ambas manos enfrente de la res.

Verosímil. adj. Que tiene apariencia de verdadero. || **2.** Creíble por no ofrecer carácter alguno de falsedad.

Verosimilitud. f. Calidad de verosímil.

Verosímilmente. adv. m. De modo verosímil.

Verraco. (Del lat. *verres*.) m. Cerdo padre que se echa a las puercas para cubrirlas.

Verraquear. (De *verraco*.) intr. fig. y fam. Gruñir o dar señales de enfado y enojo. || **2.** fig. y fam. Llorar con rabia y continuadamente los niños.

Verraquera. (De *verraquear*, 2.ª acep.) f. fam. Lloro con rabia y continuado de los niños.

Verriondez. f. Calidad de verriondo.

Verriondo, da. (Del lat. *verres*, verraco.) adj. Aplícase al puerco y otros animales cuando están en celo. || **2.** Dícese de las hierbas o cosas semejantes cuando están marchitas, o mal cocidas y duras.

Verroja. (Del lat. *verūcŭla*, pl. n. de *verūcŭlum*.) f. *And.* Navaja, colmillo del jabalí.

Verrojazo. m. *And.* Golpe que da el jabalí con las verrojas.

Verrojo. (Del lat. *verūcŭlum*, d. de *veru*.) m. ant. **Cerrojo.** Ú. en Burgos, Logroño y Vizcaya.

Verrón. (Del lat. *verres*.) m. **Verraco.**

Verrucaria. (Del lat. *verrucaria*; de *verrūca*, verruga, porque se empleaba su jugo para quitarlas.) f. ant. **Girasol,** 1.ª acep.

Verruga. (Del lat. *verrūca*.) f. Excrecencia cutánea por lo general redonda. || **2.** Abultamiento que la acumulación de savia produce en algún punto de la superficie de una planta. || **3.** fig. y fam. Persona o cosa que molesta y de que no se puede uno librar.

Verrugo. m. fam. Hombre tacaño y avaro.

Verrugoso, sa. (Del lat. *verrucōsus*.) adj. Que tiene muchas verrugas.

Verrugueta. f. *Germ.* Fullería, trampa, en el juego de naipes, que consiste en marcar las cartas con verruguillas.

Verruguetar. tr. *Germ.* Usar de verruguetas en el juego.

Versado, da. p. p. de **Versar.** || **2.** adj. Ejercitado, práctico, instruido. VERSADO *en las lenguas sabias; en las matemáticas.*

Versal. (De *verso*, por emplearse esta clase de letra como inicial de cada uno de ellos.) adj. *Impr.* V. **Letra versal.** Ú. t. c. s.

Versalilla, ta. adj. *Impr.* V. **Letra versalita.** Ú. t. c. s.

Versallesco, ca. adj. Perteneciente o relativo a Versalles, palacio y sitio real cercano a París. Dícese especialmente de las costumbres de la corte francesa establecida en dicho lugar y que tuvo su apogeo en el siglo XVIII. || **2.** fam. Dícese del lenguaje y de los modales afectadamente corteses.

Versar. (Del lat. *versāre*.) intr. Dar vueltas alrededor. || **2.** Con la preposición *sobre* y algunas otras, o el modo adverbial *acerca de*, tratar de tal o cual materia un libro, discurso o conversación. || **3.** r. Hacerse uno práctico o perito, por el ejercicio de una cosa, en su manejo o inteligencia.

Versátil. (Del lat. *versatĭlis*.) adj. Que se vuelve o se puede volver fácilmente. || **2.** fig. De genio o carácter voluble e inconstante.

Versatilidad. f. Calidad de versátil.

Versear. intr. fam. Hacer versos, versificar.

Versecillo. m. d. de **Verso,** 1.er art.

Versería. f. Conjunto de versos, 2.° art.

Versete. m. d. de **Verso,** 2.° art.

Versícula. (De *versículo*.) f. Lugar donde se ponen los libros de coro.

Versiculario. m. El que canta los versículos. || **2.** El que cuida de los libros de coro.

Versículo. (Del lat. *versicŭlus*, d. de *versus*, verso.) m. Cada una de las breves divisiones de los capítulos de ciertos libros, y singularmente de las Sagradas Escrituras. || **2.** Parte del responsorio que se dice en las horas canónicas, regularmente antes de la oración.

Versificación. (Del lat. *versificatĭo, -ōnis*.) f. Acción y efecto de versificar.

Versificador, ra. (Del lat. *versificātor, -ōris*.) adj. Que hace o compone versos. Ú. t. c. s.

Versificante. p. a. de **Versificar.** Que versifica.

Versificar. (Del lat. *versificāre*; de *versus*, verso, y *facĕre*, hacer.) intr. Hacer o componer versos. || **2.** tr. Poner en verso.

Versión. (Del lat. *versum*, supino de *vertĕre*, tornar, volver.) f. **Traducción,** 1.ª acep. || **2.** Modo que tiene cada uno de referir un mismo suceso. || **3.** Cada una de las formas que adopta la relación de un suceso, el texto de una obra o la interpretación de un tema. || **4.** *Obst.* Operación para cambiar la postura del feto que se presenta mal para el parto.

Versista. com. **Versificador.** || **2.** Persona que tiene prurito de hacer versos.

Verso. (Del lat. *versus*.) m. Palabra o conjunto de palabras sujetas a medida y cadencia, según reglas fijas y determinadas. || **2.** Empléase también en sentido colectivo, por contraposición a prosa. *Comedia en* VERSO. || **3.** V. **Compañía de verso.** || **4.** **Versículo.** || **acataléctico.** Verso griego o latino que tiene cabales todos sus pies. || **adónico.** Verso de la poesía griega y latina, que consta de un dáctilo y un espondeo, y se usa generalmente en combinación con los sáficos, de tres de los cuales va precedido en cada una de las estrofas de que forma parte. || **2.** Verso de la poesía española, que consta de cinco sílabas, la primera y la cuarta largas, y breves las demás, y tiene el mismo empleo que el adónico antiguo. || **agudo.** El que termina en palabra aguda. || **alcaico.** Verso de la poesía griega y latina, que se compone de un espondeo (o a veces de un yambo), de otro yambo, de una cesura y de dos dáctilos. Otro **verso** del mismo nombre consta de dos dáctilos y dos troqueos. || **alejandrino.** El de catorce sílabas, dividido en dos hemistiquios. || **amebeo.** Cada uno de los de igual clase, con que hablan o cantan a competencia y alternativamente los pastores que se introducen en algunas églogas, como en la tercera de Virgilio. || **amétrico.** El que no se sujeta a una medida fija de sílabas. || **anapéstico.** En la poesía griega y latina, **verso** compuesto de anapestos o análogos. || **asclepiadeo.** Verso de la poesía griega y latina, que se compone de un espondeo, dos coriambos y un pirriquio. Mídesele también contando un espondeo, un dáctilo, una cesura y otros dos dáctilos. Dásele a veces el calificativo de **menor** para diferenciarlo de otro asclepiadeo llamado **mayor.** Éste acaba con dos dáctilos y consta además de un espondeo y dos coriambos, o sea de un espondeo, un dáctilo, otro espondeo y un anapesto. || **blanco. Verso suelto.** || **cataléctico.** Verso de la poesía griega y latina, al que le falta una sílaba al fin, o en el cual es imperfecto alguno de los pies. || **coriámbico.** El que consta de coriambos. || **dactílico.** El que consta de dáctilos. || **de arte mayor.** El de doce sílabas, que consta de dos de redondilla menor. || **2.** Cualquiera de los que tienen diez sílabas o más. || **de arte menor.** El de redondilla mayor o menor. || **2.** Cualquiera de los que no pasan de ocho sílabas. || **de cabo roto.** El que tiene suprimida o cortada la sílaba o sílabas que siguen a la última acentuada. || **de redondilla mayor.** El de ocho sílabas u octosílabo. || **de redondilla menor.** El de seis sílabas o hexasílabo. || **ecoico.** El latino cuyas dos últimas sílabas son iguales. || **2.** El que se emplea en la composición poética castellana llamada eco. || **esdrújulo.** El que finaliza en voz esdrújula. || **espondaico.** Verso hexámetro que tiene espondeos en determinados lugares. || **faleuco.** En la poesía griega y latina, **verso** endecasílabo que se compone de cinco pies: el primero espondeo, el segundo dáctilo, y troqueos los demás. || **ferecracio.** En la poesía griega y latina, **verso** compuesto de tres pies: espondeos el primero y tercero, y dáctilo el segundo. || **gliconio.** Verso de la poesía griega y latina, que se compone de tres pies: un espondeo y dos dáctilos. El primero es también a veces yambo o coreo. || **heroico.** El que en cada idioma se tiene por más a propósito para ser empleado en la poesía de esta clase; como en la lengua latina el hexámetro y en la española el endecasílabo. || **hexámetro.** Verso de la poesía griega y latina, que consta de seis pies: cada uno de los cuatro primeros espondeo, o dáctilo, dáctilo el quinto, y el sexto espondeo. || **hiante.** Aquel en que hay hiatos. || **leonino.** Verso latino usado en la Edad Media, cuyas sílabas finales forman consonancia con las últimas de su primer hemistiquio. || **libre. Verso suelto.** || **llano.** El que termina en palabra llana o grave. || **pentámetro.** Verso de la poesía griega y latina, que se compone de un dáctilo o un espondeo, de otro dáctilo u otro espondeo, de una cesura, de dos dáctilos y de otra cesura. Mídesele también contando después de los dos primeros pies un espondeo y dos anapestos. || **quebrado.** El de cuatro sílabas cuando alterna con otros más largos. || **ropálico.** Verso de la poesía griega, en que cada palabra tiene una sílaba más que la precedente. || **sáfico.** Verso de la poesía griega y latina, que se compone de once sílabas distribuidas en cinco pies, de los cuales son, por regla general, troqueos el primero y los dos últimos, espondeo el segundo, y dáctilo el tercero. || **2.** Verso de la poesía española, que consta de once sílabas, como el griego y latino, y cuyos acentos métricos estriban en la cuarta y la octava. Es más cadencioso y tiene mayor semejanza con el sáfico antiguo cuando su primera sílaba es larga. || **senario.** El que consta de seis pies, y especialmente el yámbico de esta medida. || **suelto.** El que no forma con otro rima perfecta ni imperfecta. || **trímetro.** En la poesía latina, verso compuesto de tres pies, y también el compuesto de tres dipodias, o sea de seis pies, como el trímetro yámbico o senario. || **trocaico.** Verso de la poesía latina, que consta de siete pies, de los cuales los unos son troqueos y los demás espondeos o yambos, al arbitrio. || **yámbico.** Verso de la poesía griega y latina, en que entran yambos, o que se compone exclusivamente de ellos. || **Versos fesceninos.** Versos satíricos y obscenos inventados en la ciudad de Fescenio y que solían cantarse en la antigua Roma. || **pareados.** Los dos versos que van unidos y aconsonantados, como los dos últimos de la octava. || **Correr el verso.** fr. Tener fluidez, sonar bien al oído.

Verso. m. Pieza ligera de la artillería antigua, que en tamaño y calibre era la mitad de la culebrina.

Verso. (Del lat. *versus*, de *vertĕre*, volver.) adj. *Trig.* V. **Coseno, folio, seno verso.**

Versta. f. Medida itineraria rusa, equivalente a 1.067 metros.

Versucia. (Del lat. *versutia.*) f. ant. Astucia, sagacidad.

Versuto, ta. (Del lat. *versūtus.*) adj. ant. Astuto, taimado y malicioso.

Vértebra. (Del lat. *vertĕbra.*) f. *Zool.* Cada uno de los huesos cortos, articulados entre sí, que forman el espinazo de los animales vertebrados.

Vertebrado. (Del lat. *vertebrātus.*) adj. *Zool.* Que tiene vértebras. || **2.** *Zool.* Dícese de los animales cordados que tienen esqueleto con columna vertebral y cráneo, y sistema nervioso central constituído por medula espinal y encéfalo. Ú. t. c. s. m. || **3.** m. pl. *Zool.* Subtipo de estos animales.

Vertebral. adj. Perteneciente a las vértebras. || **2.** V. **Columna vertebral.**

Vertedera. (De *verter.*) f. Especie de orejera que sirve para voltear y extender la tierra levantada por el arado.

Vertedero. m. Sitio o paraje adonde o por donde se vierte algo.

Vertedor, ra. adj. Que vierte. Ú. t. c. s. || **2.** m. Canal o conducto que en los puentes y otras fábricas sirve para dar salida al agua y a las inmundicias. || **3. Librador,** 4.ª acep. || **4.** *Mar.* **Achicador,** 2.ª acep.

Vertello. (Del lat. *vertĕre*, girar.) m. *Mar.* Bola de madera que, ensartada con otras iguales en un cabo, forma el racamento.

Verter. (Del lat. *vertĕre.*) tr. Derramar o vaciar líquidos, y también cosas menudas; como sal, harina, etc. Ú. t. c. r. || **2.** Inclinar una vasija o volverla boca abajo para vaciar su contenido. Ú. t. c. r. || **3. Traducir,** 1.ª acep. || **4.** fig. Tratándose de máximas, especies, conceptos, etc., decirlos con determinado objeto, y por lo común con fin siniestro. || **5.** intr. Correr un líquido por una pendiente.

Vertibilidad. (Del lat. *vertibilĭtas, -ātis.*) f. Calidad de vertible.

Vertible. (Del lat. *vertibĭlis.*) adj. Que puede volverse o mudarse.

Vertical. (Del lat. *verticālis.*) adj. *Geom.* Aplícase a la recta o plano perpendicular al del horizonte. Ú. t. c. s. f. || **2.** *Persp.* V. **Plano vertical.** || **3.** m. Cualquiera de los semicírculos máximos que se consideran en la esfera celeste perpendiculares al horizonte. || **primario,** o **primer vertical.** El que es perpendicular al meridiano y pasa por los puntos cardinales de oriente y occidente.

Verticalidad. f. Calidad de vertical.

Verticalmente. adv. m. De un modo vertical.

Vértice. (Del lat. *vertex, -ĭcis.*) m. *Geom.* Punto en que concurren los dos lados de un ángulo. || **2.** *Geom.* Punto donde concurren tres o más planos. || **3.** *Geom.* **Cúspide,** 3.ª acep. || **4.** *Geom.* Punto de una curva, en que la encuentra un eje suyo normal a ella. || **5.** fig. Parte más elevada de la cabeza humana.

Verticidad. (Del lat. *vertex, -ĭcis*, lo que da vueltas.) f. Capacidad o potencia de moverse a varias partes o alrededor.

Verticilado, da. adj. *Bot.* Que forma verticilo.

Verticilo. (Del lat. *verticillus.*) m. *Bot.* Conjunto de tres o más ramos, hojas, flores, pétalos u otros órganos, que están en un mismo plano alrededor de un tallo.

Vertiente. p. a. de **Verter.** Que vierte. || **2.** V. **Aguas vertientes.** || **3.** amb. Declive o sitio por donde corre o puede correr el agua.

Vertiginosidad. f. Calidad de vertiginoso.

Vertiginoso, sa. (Del lat. *vertiginōsus.*) adj. Perteneciente o relativo al vértigo. || **2.** Que causa vértigo. || **3.** Que padece vértigos.

Vértigo. (Del lat. *vertīgo*, de *vertĕre*, girar, dar vueltas.) m. Transtorno nervioso que produce la sensación al enfermo de que él o los objetos que le rodean están animados de un movimiento giratorio u oscilatorio. || **2.** Turbación del juicio, repentina y pasajera; ramo de locura. || **3.** fig. Apresuramiento anormal de la actividad de una persona o colectividad.

Vertimiento. m. Acción y efecto de verter o verterse.

Vesania. (Del lat. *vesania.*) f. Demencia, locura, furia.

Vesánico, ca. adj. Perteneciente o relativo a la vesania. || **2.** Que padece de vesania. Ú. t. c. s.

Vesical. (Del lat. *vesicālis.*) adj. *Zool.* Perteneciente o relativo a la vejiga.

Vesicante. (Del lat. *vesicans, -antis*, p. a. de *vesicāre*, levantar ampollas.) adj. Dícese de la substancia que produce ampollas en la piel. Ú. t. c. s. m.

Vesícula. (Del lat. *vesicŭla*, d. de *vesīca*, vejiga.) f. *Med.* Vejiga pequeña en la epidermis, llena generalmente de líquido seroso. || **2.** *Bot.* Ampolla llena de aire que suelen tener ciertas plantas acuáticas en las hojas o en el tallo. || **aérea.** *Zool.* **Alveolo,** 3.ª acep. || **biliar.** *Zool.* **Vejiga de la bilis.** || **ovárica.** *Zool.* La que contiene el óvulo. || **seminal.** *Zool.* Cada una de las dos, situadas a uno y otro lado del conducto deferente de los mamíferos, cuyas paredes contienen glándulas secretoras de un líquido que forma parte del esperma.

Vesicular. adj. De forma de vesícula.

Vesiculoso, sa. (Del lat. *vesiculōsus.*) adj. Lleno de vesículas.

Vesivilo. m. *Cuen.* y *Murc.* Vestiglo, fantasma, visión.

Vesperal. m. Libro de canto llano, que contiene el de vísperas.

Véspero. (Del lat. *vespĕrus*, y éste del gr. ἕσπερος.) m. El planeta Venus como lucero de la tarde.

Vespertilio. (Del lat. *vespertilio.*) m. p. us. **Murciélago.**

Vespertina. (Del lat. *vespertina.*) f. Acto literario que se celebraba por la tarde en las universidades. || **2.** Sermón que se predica por la tarde.

Vespertino, na. (Del lat. *vespertīnus.*) adj. Perteneciente o relativo a la tarde. || **2.** *Astron.* Dícese de los astros que transponen el horizonte después del ocaso del Sol. || **3.** m. **Vespertina,** 2.ª acep.

Vesque. (Del lat. *viscus.*) m. *Ar.* **Liga,** 4.ª acep.

Vesta. m. *Astron.* El cuarto asteroide que fue conocido y descubierto por Olbers en 1807.

Vestal. (Del lat. *vestālis.*) adj. Perteneciente o relativo a la diosa Vesta. || **2.** Dícese de las doncellas romanas consagradas a la diosa Vesta. Ú. m. c. s.

Veste. (Del lat. *vestis.*) f. poét. **Vestido.**

Vestecha. (Del lat. *bis*, dos, y *tecta*, techada.) f. *León.* Soportal o cobertizo, sostenido por postes de madera, que tienen las casas ante la puerta.

Vestfaliano, na. adj. Natural de Vestfalia. Ú. t. c. s. || **2.** Perteneciente a este país de Alemania.

Vestiario. (Del lat. *vestiarĭum.*) m. ant. **Vestuario.**

Vestíbulo. (Del lat. *vestibŭlum.*) m. Atrio o portal que está a la entrada de un edificio. || **2.** *Zool.* Una de las cavidades comprendidas en el laberinto del oído de los vertebrados.

Vestido. (Del lat. *vestītus.*) m. Cubierta que se pone en el cuerpo por honestidad y decencia o para abrigo o adorno. || **2.** Conjunto de las principales piezas que sirven para este uso, a distinción de los cabos. || **3.** Conjunto de dichas piezas y cabos. || **de ceremonia. Traje de ceremonia,** 2.ª acep. || **de corte.** El que usaban en palacio las señoras los días de función. || **de etiqueta,** o **de serio. Traje de etiqueta,** 2.ª acep. || **El vestido del criado dice quién es su señor.** ref. con que se denota que el porte de los criados suele manifestar las cualidades del amo.

Vestidura. (Del lat. *vestitūra.*) f. **Vestido.** || **2.** Vestido que, sobrepuesto al ordinario, usan los sacerdotes para el culto divino. Ú. m. en pl.

Vestigio. (Del lat. *vestigĭum.*) m. **Huella,** 1.ª acep. || **2.** Memoria o noticia de las acciones de los antiguos que se observa para la imitación y el ejemplo. || **3.** Señal que queda de un edificio u otra fábrica antigua. || **4.** fig. Señal que queda de otras cosas, materiales o inmateriales. || **5.** fig. Indicio o seña por donde se infiere la verdad de una cosa o se sigue la averiguación de ella.

Vestiglo. (Del lat. *besticŭlum*, d. de *bestia*, bestia.) m. Monstruo fantástico horrible.

Vestimenta. (Del lat. *vestimenta*, pl. de *-tum*, vestimento.) f. **Vestido.** || **2. Vestidura,** 2.ª acep. Ú. m. en pl.

Vestimento. (Del lat. *vestimentum.*) m. ant. **Vestido.** || **2.** desus. **Vestimenta,** 2.ª acep. Usáb. m. en pl.

Vestir. (Del lat. *vestīre.*) tr. **Cubrir** o adornar el cuerpo con el **vestido.** || **2.** Guarnecer o cubrir una cosa con otra para defensa o adorno. || **3.** Dar a uno la cantidad necesaria para que se haga vestidos. || **4.** Ser una prenda o la materia o el color de ella señaladamente a propósito para el lucimiento y elegancia del vestido. *El terciopelo, el color negro* VISTEN *siempre mucho.* || **5.** fig. Exornar una especie con galas retóricas o conceptos secundarios o complementarios. || **6.** fig. Disfrazar o disimular artificiosamente la realidad de una cosa añadiéndole un adorno. || **7.** fig. Cubrir la hierba los campos; la hoja, los árboles; la piel, el pelo o la pluma, los animales, etc. Ú. t. c. r. || **8.** fig. Hacer los vestidos para otro. *Tal sastre me* VISTE. || **9.** fig. Afectar una pasión del ánimo, demostrándolo exteriormente, con especialidad en el rostro. *Antonio* VISTIÓ *el rostro de severidad, de agrado.* Ú. t. c. r. || **10.** intr. **Vestirse,** o **ir vestido,** en frases como la siguiente: *Luis* VISTE *bien.* Dicho de cosas, ser elegantes, estar de moda. || **11.** Llevar un traje de color, forma o distintivo especial. VESTIR *de blanco, de etiqueta, de uniforme, de paisano, de máscara, de corto.* || **12.** r. fig. Salir de una enfermedad y dejar la cama el que ha estado algún tiempo enfermo. || **13.** fig. Engreírse vanamente de la autoridad o empleo, o afectar exteriormente dominio o superioridad. || **14.** fig. Sobreponerse una cosa a otra, encubriéndola. *El cielo* SE VISTIÓ *de nubes.* || **Vestido y calzado.** expr. fig. y fam. Satisfecho de estas primeras necesidades por cuenta ajena. || **Vísteme despacio, que estoy de prisa.** fr. con que se encarece la necesidad de no proceder atropelladamente para ganar tiempo, porque con la prisa se suele perder.

Vestuario. (De *vestiario.*) m. Vestido, 3.ª acep. || **2.** Conjunto de trajes necesarios para una representación escénica. || **3.** Renta que se da en las iglesias catedrales a los que tienen obligación de vestirse en las funciones de iglesia o coro. || **4.** Lo que en algunas comunidades o cuerpos eclesiásticos se da a sus individuos, en especie o en dinero, para vestirse. || **5.** Sitio, en algunas iglesias, donde se revisten los eclesiásticos. || **6.** Parte del teatro, en que están los cuartos o aposentos donde se visten las personas que han de tomar parte en la representación dramática o en otro espectáculo teatral. || **7.** Por ext., toda la parte interior del teatro. || **8.** *Mil.* Uniforme de los soldados y demás individuos de tropa.

Vestugo. m. Renuevo o vástago del olivo.

Veta. (Del lat. *vitta.*) f. Faja o lista de una materia que por su calidad, color, etc., se distingue de la masa en que se halla interpuesta. VETA *de tocino magro, de tierra caliza.* || **2. Vena,** 2.ª y 6.ª aceps. || **Dar** uno **en la veta.** fr. fig. **Dar en la vena.** || **Descubrir la veta de** uno. fr. fig. y fam. Enterarse de sus inclinaciones, intenciones o designios.

Vetado, da. (De *veta.*) adj. **Veteado.**

Vetar. tr. Poner el veto a una proposición, acuerdo o medida.

Veteado, da. p. p. de **Vetear.** || **2.** adj. Que tiene vetas.

Vetear. tr. Señalar o pintar vetas, imitando las de la madera, el mármol, etc.

Veterano, na. (Del lat. *veterānus,* de *vetus, -ĕris,* viejo.) adj. Aplícase a los militares que por haber servido mucho tiempo están expertos en las cosas de su profesión. Ú. t. c. s. || **2.** fig. Antiguo y experimentado en cualquier profesión o ejercicio.

Veterinaria. (Del lat. *veterinaria,* t. f. de *-rius,* veterinario.) f. Ciencia y arte de precaver y curar las enfermedades de los animales.

Veterinario. (Del lat. *veterinarius,* de *veterinae,* bestias de carga.) m. Profesor de veterinaria.

Vetisesgado, da. adj. Que tiene las vetas al sesgo.

Veto. (Del lat. *veto,* yo vedo o prohíbo.) m. Derecho que tiene una persona o corporación para vedar o impedir una cosa. Ú. principalmente para significar el atribuido según las constituciones al jefe del Estado o a la segunda Cámara, respecto de las leyes votadas por la de elección popular. Si impide la promulgación y vigencia de la ley, se llama **veto absoluto,** y **suspensivo** si sólo retarda aquélla. || **2.** Por ext., acción y efecto de vedar.

Vetustez. f. Calidad de vetusto.

Vetusto, ta. (Del lat. *vetustus,* de *vetus,* viejo, antiguo.) adj. Muy antiguo o de mucha edad.

Veyente. p. a. ant. de **Veer. Vidente.** Usáb. t. c. s.

Vez. (Del lat. *vicis.*) f. Alternación de la cosas por turno u orden sucesivo. || **2.** Tiempo u ocasión determinada en que se ejecuta una acción, aunque no incluya orden sucesivo. VEZ *hubo que no comió en un día.* || **3.** Tiempo u ocasión de hacer una cosa por turno u orden. *Le llegó la* VEZ *de entrar.* || **4. Vecera.** || **5.** ant. Cantidad que se da o se recibe de un golpe. || **6.** pl. Ministerio, autoridad o jurisdicción que una persona ejerce supliendo a otra o representándola. Ú. m. con el verbo *hacer. Hacer uno las* VECES *de otro; hacer uno con otro* VECES *de padre.* || **A la de veces,** o **a las de veces,** o **a las veces.** ms. advs. En alguna ocasión o tiempo, como excepción de lo que comúnmente sucede, o contraponiéndolo a otro tiempo u ocasión. || **A las veces, do cazar pensamos, cazados quedamos.** ref. que advierte que no siempre consiguen sus fines la astucia y el engaño, pues en muchas ocasiones el engañoso y el astuto caen en los mismos lazos que preparan a otro. || **A la vez.** m. adv. A un tiempo, simultáneamente. || **Alguna vez.** m. adv. En una que otra ocasión. || **Al que yerra, perdónale una vez, mas no después.** ref. que advierte que es razón disimular y perdonar el primer yerro; pero si son repetidos no merecen disculpa, y se deben castigar. || **A mala vez.** m. adv. ant. **Malavez.** || **A su vez.** m. adv. Por orden sucesivo y alternado. || **2.** Por su parte, por separado de lo demás. || **A veces.** m. adv. Por orden alternativo. || **2. A las veces.** || **Cada vez que.** loc. **Siempre que.** || **Decir** uno **unas veces cesta y otras ballesta.** fr. fig. y fam. Hablar contradictoria o incoherentemente. || **De una vez.** m. adv. Con una sola acción; con una palabra o de un golpe. || **2.** Poniendo todo el esfuerzo y medios de acción para lograr algo resueltamente. || **3.** fig. y fam. Que reúne todas las excelencias deseables. || **De vez en cuando.** m. adv. **De cuando en cuando.** || **2. De tiempo en tiempo.** || **En vez de.** m. adv. En substitución de una persona o cosa. || **2.** Al contrario, lejos de. || **Mala vez.** m. adv. ant. **Malavez.** || **Muchas veces, el que escarba, lo que no quería halla.** ref. que denota que los hombres demasiadamente curiosos en apurar las cosas, suelen encontrar lo que les es nocivo y causa de pesar. || **Otra vez.** m. adv. **Reiteradamente.** || **Por vez.** m. adv. **A su vez.** || **Quien come y condesa, dos veces pone mesa.** ref. que recomienda la prudente economía. || **Quien da luego, o primero, da dos veces.** fr. proverb. que alaba la prontitud del que da lo que se le pide. || **2.** Indica también la ventaja del que se anticipa en obrar. || **Tal cual vez.** m. adv. En rara ocasión o tiempo. || **Tal vez.** m. adv. **Quizá.** || **2. Tal cual vez.** || **Tal y tal vez.** m. adv. **Tal cual vez.** || **Tantas veces va el cántaro a la fuente, que deja el asa o la frente.** ref. **Cantarillo que muchas veces va a la fuente, o deja el asa o la frente.** || **Toda,** o **una, vez que.** loc. Supuesto que, siendo así que. || **Tomarle** a uno **la vez.** fr. fam. Adelantársele. || **Una que otra vez.** m. adv. Rara **vez,** alguna **vez.** || **Una vez.** loc. que se usa para suponer que se ha de ejecutar o se ha ejecutado una cosa, o para sentar su certidumbre o existencia. || **Una vez que.** loc. fam. con que se supone o da por cierta una cosa para pasar adelante en el discurso. || **Una vez que otra.** m. adv. **Una que otra vez.**

Veza. (Del lat. *vicia.*) f. **Arveja,** 1.ª acep.

Vezar. (Del lat. *vitiāre.*) tr. **Avezar.** Ú. t. c. r.

Vezo. (Del lat. *vitium.*) m. ant. **Costumbre.**

Vía. (Del lat. *via.*) f. **Camino,** 1.ª y 8.ª aceps. || **2.** Espacio que hay entre los carriles que señalan las ruedas de los carruajes. || **3.** El mismo carril. || **4. Carril,** 5.ª acep. || **5.** Parte del suelo explanado de un camino de hierro, en la cual se asientan los carriles. || **6.** Cualquiera de los conductos por donde pasan en el cuerpo del animal los humores, el aire, los alimentos y los residuos de la digestión. || **7.** Entre los ascéticos, modo y orden de vida espiritual encaminada a la perfección de la virtud, y que se divide en tres estados: **vía** purgativa, iluminativa y unitiva. || **8.** Calidad del ejercicio, estado o facultad que se elige o toma para vivir. || **9.** Camino o dirección que han de seguir los correos, pasando por lugares determinados. *Por la* VÍA *de Francia.* || **10.** fig. **Conducto,** 3.ª acep. || **11.** *For.* Ordenamiento procesal. VÍA *ejecutiva, sumarísima.* || **12.** pl. En lenguaje de la Escritura Santa, mandatos o leyes de Dios. *Mostradnos, Señor, vuestras* VÍAS. || **13.** Medios de que se sirve Dios para conducir las cosas humanas. *Las* VÍAS *del Señor, o de la Providencia, son incomprensibles, impenetrables* || **Vía contenciosa.** Procedimiento judicial ante la jurisdicción para el caso, en oposición al administrativo. || **de agua.** *Mar.* **Agua,** 12.ª acep. || **de comunicación.** Camino terrestre o ruta marítima utilizada para el comercio de los pueblos entre sí. || **ejecutiva.** *For.* Procedimiento para hacer un pago judicialmente, procurando antes convertir en dinero los bienes de otra índole pertenecientes al obligado, con el embargo de los cuales suele comenzarse o prevenirse esta tramitación. || **férrea. Ferrocarril.** || **gubernativa.** *For.* Procedimiento seguido ante la Administración activa; sirve de antecedente a la **vía** contenciosa. || **húmeda.** *Quím.* Procedimiento analítico que consiste en disolver el cuerpo objeto del análisis. || **láctea.** *Astron.* Ancha zona o faja de luz blanca y difusa que atraviesa oblicuamente casi toda la esfera celeste, y que mirada con el telescopio se ve compuesta de multitud de estrellas. || **muerta.** En los ferrocarriles, la que no tiene salida, y sirve para apartar de la circulación vagones y máquinas. || **ordinaria.** *For.* Forma procesal de contención, la más amplia, usada en los juicios declarativos. || **2.** fig. Modo regular y común de hacer una cosa. || **pública.** Calle, plaza, camino u otro sitio por donde transita o circula el público. || **reservada.** Curso extraordinario que se daba a ciertos negocios, despachándolos el rey por sí mismo o por sus secretarios, sin consulta de tribunales ni de otra autoridad. || **sacra. Vía crucis.** || **seca.** *Quím.* Procedimiento analítico que consiste en someter a la acción del calor el cuerpo objeto del análisis. || **sumaria.** *For.* Forma abreviada de enjuiciar en asuntos de urgencia o de carácter meramente posesorio. || **A,** o **de, luengas vías, luengas mentiras.** ref. con que se nota la facilidad con que se miente cuando se habla de tiempos y países muy remotos. || **Cuaderna vía.** Estrofa usada principalmente en los siglos XIII y XIV; se componía de cuatro versos alejandrinos monorrimos. || **De una vía dos mandados.** loc. fam. **De un camino dos mandados.** || **En vías de.** m. adv. En curso, en trámite o en camino de. Ú. con el verbo *estar.* || **Por vía.** m. adv. De forma, a manera y modo. || **Por vía de buen gobierno.** loc. adv. Gubernativamente, o en uso de la autoridad gubernativa. || **Vía recta.** m. adv. **En derechura.**

Viabilidad. f. Calidad de viable.

Viable. (Del fr. *viable,* de *vie,* vida.) adj. Que puede vivir. Dícese principalmente de las criaturas que, nacidas o no a tiempo, salen a luz con robustez o fuerza bastante para seguir viviendo. || **2.** fig.

Dícese del asunto que, por sus circunstancias, tiene probabilidades de poderse llevar a cabo.

Vía crucis. (Lit., *camino de la cruz.*) Expresión latina con que se denomina el camino señalado con diversas estaciones de cruces o altares, y que se recorre rezando en cada una de ellas, en memoria de los pasos que dio Jesucristo caminando al Calvario. Ú. c. s. m. ‖ **2.** m. Conjunto de 14 cruces o de 14 cuadros que representan los pasos del Calvario, y se colocan en las paredes de las iglesias. ‖ **3.** Ejercicio piadoso en que se rezan y conmemoran los pasos del Calvario. ‖ **4.** Libro en que se contiene este rezo. ‖ **5.** fig. Trabajo, aflicción continuada que sufre una persona.

Viada. f. *Mar.* **Arrancada,** 4.ª y 5.ª aceps.

Viadera. (Del lat. *viāre.*) f. Pieza de madera que en los telares antiguos servía para colgar los lizos y gobernar el tejido, subiendo o bajando, a impulso de la cárcola.

Viador. (Del lat. *viātor, -ōris,* caminante.) m. *Teol.* Criatura racional que está en esta vida y aspira y camina a la eternidad.

Viaducto. (Del lat. *via,* camino, y *ductus,* conducido.) m. Obra a manera de puente, para el paso de un camino sobre una hondonada.

Viajador, ra. m. y f. **Viajero,** 2.ª acep.

Viajante. p. a. de **Viajar.** Que viaja. Ú. t. c. s. ‖ **2.** m. Dependiente comercial que hace viajes para negociar ventas o compras.

Viajar. intr. Hacer viaje.

Viajata. (De *viaje.*) f. fam. **Caminata,** 2.ª acep.

Viaje. (Del dialect. y cat. *viatge,* y éste del lat. *viaticum.*) m. Jornada que se hace de una parte a otra por mar o por tierra. ‖ **2.** Camino por donde se hace. ‖ **3.** Ida a cualquier parte, aunque no sea jornada. Dícese con especialidad cuando se lleva una carga. ‖ **4.** Carga o peso que se lleva de un lugar a otro de una vez. ‖ **5.** Relación, libro o memoria donde se relata lo que ha visto u observado un viajero. ‖ **6.** Agua que por acueductos o cañerías se conduce desde un manantial o depósito, para el consumo de una población. ‖ **circular.** El que se hace con billete circular. ‖ **redondo.** El efectuado yendo directamente de un punto a otro y volviendo al primero. ‖ **2.** fig. Completo y fácil resultado de un negocio emprendido. ‖ **¡Buen viaje!** expr. con que se manifiesta el deseo de que se haga felizmente la jornada. ‖ **2.** expr. despect. con que se denota lo poco que importa que una cosa se pierda o uno se vaya. ‖ **3.** expr. que se usa en los buques al arrojar un cadáver al mar, para dar a entender que se desea al alma felicidad eterna. ‖ **Para ese viaje no se necesitan alforjas.** expr. fig. y fam. con que se contesta al que, creyendo ayudar a otro en una pretensión, le da arbitrios que están al alcance de cualquiera. ‖ **2.** fig. y fam. También suele emplearse para contestar al que ofrece ayuda o protección en asunto fácil de ejecutar o conseguir. ‖ **3.** fig. y fam. Se emplea para indicar que el resultado obtenido no corresponde al esfuerzo empleado.

Viaje. (De *esviaje,* sesgo, oblicuidad.) m. Corte sesgado que se da a alguna cosa; como las piezas de madera, los paños de las velas, etc. ‖ **2.** fam. Acometida inesperada, y por lo común a traición, con arma blanca corta. Ú. m. con el verbo *tirar.* ‖ **3.** *Taurom.* **Derrote.**

Viajero, ra. adj. Que viaja. ‖ **2.** m. y f. Persona que hace un viaje, especialmente largo, o por varias partes, y particularmente la que escribe las cosas que ha observado en el mismo viaje. ‖ **3.** *Chile.* Criado de una chacra encargado de ir a caballo a hacer los mandados.

Vial. (Del lat. *viālis.*) adj. Perteneciente o relativo a la vía. ‖ **2.** m. Calle formada por dos filas paralelas de árboles u otras plantas.

Vialidad. f. Calidad de vial. ‖ **2.** Conjunto de servicios pertenecientes a las vías públicas.

Vianda. (Del fr. *viande,* y éste del lat. *vivenda.*) f. Sustento y comida de los racionales. ‖ **2.** Comida que se sirve a la mesa. ‖ **3.** V. **Ujier, veedor de vianda.**

Viandante. (De *vía* y *andante.*) com. Persona que hace viaje o anda camino. ‖ **2.** Persona que pasa lo más del tiempo por los caminos, vagabunda.

Viandera. f. *Sal.* Mujer encargada de dar o de llevar la comida a los obreros del campo.

Viaraza. f. Flujo de vientre. ‖ **2.** ant. fig. Acción inconsiderada y repentina. Ú. en la Argentina.

Viaticar. tr. Administrar el Viático a un enfermo. Ú. t. c. r.

Viático. (Del lat. *viaticum,* de *via,* camino.) m. Prevención, en especie o en dinero, de lo necesario para el sustento del que hace un viaje. ‖ **2.** Subvención que en dinero se abona a los diplomáticos para trasladarse al punto de su destino. ‖ **3.** Sacramento de la Eucaristía, que se administra a los enfermos que están en peligro de muerte.

Víbora. (Del lat. *vipĕra.*) f. Culebra venenosa de unos 50 centímetros de largo y menos de 3 de grueso; ovovivípara, con la cabeza cubierta en gran parte de escamas pequeñas semejantes a las del resto del cuerpo; con dos dientes huecos en la mandíbula superior, por donde se vierte, cuando muerde, el veneno. Generalmente están adornadas de una faja parda ondulada a lo largo del cuerpo. Es común en los países montuosos de Europa y en el N. de África. ‖ **2.** fig. **Lengua de escorpión,** o **de víbora.** ‖ **3.** V. **Lengua de víbora,** 1.ª acep. ‖ **volante.** *And.* Especie de coleóptero de una pulgada de longitud, de color pardo rojizo, de antenas muy largas.

Viborán. m. *Bot. Amér. Central.* Planta de la familia de las asclepiadáceas, de flores encarnadas con estambres amarillos; segrega un jugo lechoso que se utiliza como vomitivo y vermífugo.

Viborezno, na. adj. Perteneciente o relativo a la víbora. ‖ **2.** m. Cría de la víbora.

Vibración. (Del lat. *vibratio, -ōnis.*) f. Acción y efecto de vibrar. ‖ **2.** Cada movimiento vibratorio, o doble oscilación de las moléculas o del cuerpo vibrante.

Vibrador, ra. adj. Que vibra. ‖ **2.** m Aparato que transmite las vibraciones eléctricas.

Vibrante. (Del lat. *vibrans, -antis.*) p. a. de **Vibrar.** Que vibra. ‖ **2.** adj. *Gram.* Dícese del sonido o letra cuya pronunciación se caracteriza por un rápido contacto oclusivo, simple o múltiple, entre los órganos de la articulación. La *r* de *hora* es **vibrante** simple y la de *honra* **vibrante** múltiple. Ú. t. c. s. f.

Vibrar. (Del lat. *vibrāre.*) tr. Dar un movimiento trémulo a la espada, o a otra cosa larga, delgada y elástica. ‖ **2.** Por ext., dícese del sonido trémulo de la voz y de otras cosas no materiales. ‖ **3.** Arrojar con ímpetu y violencia una cosa, especialmente haciéndola vibrar. *Júpiter* VIBRA *los rayos.* ‖ **4.** intr. *Mec.* Moverse rápidamente las moléculas de un cuerpo elástico alrededor de sus posiciones naturales de equilibrio, y, por efecto de estos movimientos, también la masa o totalidad del cuerpo.

Vibrátil. adj. Capaz de vibrar.

Vibratorio, ria. (Del lat. *vibrātum,* supino de *vibrāre,* vibrar.) adj. Que vibra o es capaz de vibrar.

Vibrión. (Del fr. *vibrion,* der. de *vibrer,* y éste del lat. *vibrāre.*) m. *Bot.* Cualquiera de las bacterias de forma encorvada; como la productora del cólera morbo.

Viburno. (Del lat. *viburnum.*) m. Arbusto de la familia de las caprifoliáceas, de unos dos metros de altura, ramoso, con hojas ovales, obtusas, dentadas y lanuginosas por el envés; flores blanquecinas, olorosas, en grupos terminales muy apretados; frutos en bayas negras, ácidas y amargas, y raíz rastrera que se extiende mucho.

Vicaria. (De *vicario.*) f. Segunda superiora en algunos conventos de monjas.

Vicaria. f. *Cuba.* Planta de la familia de las apocináceas, que se cultiva en los jardines; sus flores son blancas o rosadas y el centro carmín.

Vicaría. (Del lat. *vicaria.*) f. Oficio o dignidad de vicario. ‖ **2.** Oficina o tribunal en que despacha el vicario. ‖ **3.** Territorio de la jurisdicción del vicario. **perpetua. Curato.**

Vicariato. m. **Vicaría,** 1.ª y 3.ª aceps. ‖ **2.** Tiempo que dura el oficio de vicario.

Vicario, ria. (Del lat. *vicarius,* de *vicis,* vez, alternativa.) adj. Que tiene las veces, poder y facultades de otro o le substituye. Ú. t. c. s. ‖ **2.** m. y f. Persona que en las órdenes regulares tiene las veces y autoridad de alguno de los superiores mayores, en caso de ausencia, falta o indisposición. ‖ **3.** m. Juez eclesiástico nombrado y elegido por los prelados para que ejerza sobre sus súbditos la jurisdicción ordinaria. Los que la ejercen en todo el territorio se llaman **vicarios generales,** a distinción de los que la ejercen en un solo partido y fuera de la capital de la diócesis, que se llaman **foráneos.** ‖ **4.** pl. **Sueldacostilla.** ‖ **Vicario apostólico.** Dignidad eclesiástica designada por la Santa Sede, para regir con jurisdicción ordinaria las cristiandades en territorios donde aún no está introducida la jerarquía eclesiástica. Suelen ser obispos titulares. ‖ **capitular.** Dignidad eclesiástica investida de toda la jurisdicción ordinaria del obispo, para el gobierno de una diócesis vacante. Su designación la hace el Cabildo Catedralicio. ‖ **Vicario** o **vicaria de coro.** Persona que en las órdenes regulares rige y gobierna en orden al canto y al rezo en el coro. ‖ **de Jesucristo.** Uno de los títulos del Sumo Pontífice, como quien tiene las veces de Cristo en la tierra. ‖ **del imperio.** Dignidad que hubo en el imperio romano, y que ha habido después en el de Alemania. ‖ **de monjas.** Sujeto que pone el ordinario o el superior de una orden regular de cada uno de los conventos de su jurisdicción para que asista y dirija a las religiosas. ‖ **general castrense,** o **de los ejércitos.** El que como delegado apostólico ejerce la omnímoda jurisdicción eclesiástica sobre todos los dependientes del ejército y armada. ‖ **perpetuo. Cura,** 1.ª acep. ‖ **Sacar por el vicario** a una mujer. fr. fam. **Sacar la novia por el vicario.**

Vice. (Del lat. *vice,* abl. de *vicis,* vez.) Voz que sólo tiene uso en composición, y significa que la persona de quien se habla tiene las veces o autoridad de la expresada por la segunda parte del compuesto. VICE*presidente.* También se usa para designar los cargos correspondientes. VICE*presidencia.*

Vicealmiranta. (De *vicealmirante.*) f. Segunda galera de una escuadra, o sea la que montaba el segundo jefe.

Vicealmirantazgo. m. Dignidad de vicealmirante.

Vicealmirante. (De *vice,* en vez de, y *almirante.*) m. Oficial general de la armada, inmediatamente inferior al almirante. Equivale a teniente general en el ejército de tierra.

Vicecanciller. (De *vice* y *canciller*.) m. Cardenal presidente de la curia romana para el despacho de las bulas y breves apostólicos. || **2.** Sujeto que hace el oficio de canciller, a falta de éste, en orden al sello de los despachos.

Vicecancillería. f. Cargo de vicecanciller. || **2.** Oficina del vicecanciller.

Viceconsiliario. m. El que hace las veces de consiliario.

Vicecónsul. m. Funcionario de la carrera consular, inmediatamente inferior al cónsul.

Viceconsulado. m. Empleo o cargo de vicecónsul. || **2.** Oficina de este funcionario.

Vicecristo. m. Vicediós.

Vicediós. (De *vice*, en vez de, y *Dios*.) m. Título honorífico y respetuoso que dan los católicos al Sumo Pontífice como a representante de Dios en la tierra. Se ha dado también alguna vez a los reyes, y por extensión a algunas personalidades excepcionales.

Vicegerencia. f. Cargo de vicegerente.

Vicegerente. m. El que hace las veces de gerente.

Vicegobernador. m. El que hace las veces de gobernador.

Vicenal. (Del lat. *vicennālis*, de *vicennĭum*, espacio de veinte años.) adj. Que sucede o se repite cada veinte años. || **2.** Que dura veinte años.

Vicense. (Del lat. *vicensis*.) adj. **Vigitano.** Apl. a pers., ú. t. c. s.

Vicente. n. p. **¿Dónde va Vicente? Donde va la gente, o al ruido de la gente.** fr. fam. que se emplea para tachar a alguno de falta de iniciativa o de personalidad, y que se limita a seguir el dictamen de la mayoría.

Vicepresidencia. f. Cargo de vicepresidente o vicepresidenta.

Vicepresidente, ta. m. y f. Persona que hace o está facultada para hacer las veces del presidente o de la presidenta.

Viceprovincia. f. Agregado de casas o conventos de ciertas religiones, que aún no se ha erigido en provincia, pero tiene veces de tal.

Viceprovincial. adj. Relativo o perteneciente a una viceprovincia. || **2.** m. Persona que gobierna una viceprovincia.

Vicerrector, ra. m. y f. Persona que hace o está facultada para hacer las veces del rector o de la rectora.

Vicesecretaría. f. Cargo de vicesecretario o vicesecretaria.

Vicesecretario, ria. m. y f. Persona que hace o está facultada para hacer las veces del secretario o de la secretaria.

Vicésima. (Del lat. *vicesĭma*.) f. Impuesto de la vigésima parte o de cinco por ciento sobre ciertos bienes en la Roma antigua.

Vicesimario, ria. (Del lat. *vicesimarĭus*.) adj. Perteneciente o relativo a la vicésima. *Oro* VICESIMARIO.

Vicésimo, ma. (Del lat. *vicesĭmus*.) adj. **Vigésimo.** Ú. t. c. s.

Vicetesorero, ra. m. y f. Persona que hace las veces del tesorero.

Viceversa. (Del lat. *vice* y *versa*, vuelta.) adv. m. Al contrario, por lo contrario; cambiadas dos cosas recíprocamente. || **2.** m. Cosa, dicho o acción al revés de lo que lógicamente debe ser o suceder.

Vicia. (Del lat. *vicia*, y éste del gr. βικίχ.) f. **Arveja,** 1.ª acep.

Viciar. (Del lat. *vitiāre*.) tr. Dañar o corromper física o moralmente. Ú. t. c. r. || **2.** Falsear o adulterar los géneros, o no suministrarlos conforme a su debida ley, o mezclarlos con otros de inferior calidad. || **3.** Falsificar un escrito, introduciendo, quitando o enmendando alguna palabra, frase o cláusula. || **4.** Anular o quitar el valor o validación de un acto. *El dolo con que se otorgó* VICIA *este contrato.* || **5.** Pervertir o corromper las buenas costumbres o modo de vida. Ú. t. c. r. || **6.** fig. Torcer el sentido de una proposición, explicándola o entendiéndola siniestramente. || **7.** *Sal.* Abonar las tierras de labranza. || **8.** r. Entregarse uno a los vicios, dejando la buena conducta que antes tenía. || **9.** Enviciarse, 3.ª acep. de **Enviciar.** || **10.** Alabearse o pandearse una superficie.

Vicio. (Del lat. *vitĭum*.) m. Mala calidad, defecto o daño físico en las cosas. || **2.** Falta de rectitud o defecto moral en las acciones. || **3.** Falsedad, yerro o engaño en lo que se escribe o se propone. VICIOS *de obrepción y subrepción.* || **4.** Hábito de obrar mal. || **5.** Defecto o exceso que como propiedad o costumbre tienen algunas personas, o que es común a una colectividad. || **6.** Gusto especial o demasiado apetito de una cosa, que incita a usar de ella frecuentemente y con exceso. || **7.** Desviación, pandeo, alabeo que presenta una superficie apartándose de la forma que debe tener. || **8.** Lozanía y frondosidad excesivas, perjudiciales para el rendimiento de la planta. *Los sembrados llevan mucho* VICIO. || **9.** Licencia o libertad excesiva en la crianza. || **10.** Mala costumbre que adquiere a veces un animal. || **11.** Mimo, 4.ª acep. || **12.** *Sal.* Estiércol, abono. || **Contra el vicio de pedir, hay la virtud de no dar.** fr. proverb. usada para negar una petición. || **De vicio.** m. adv. Sin necesidad, motivo o causa, o como por costumbre. || **Echar de vicio** uno. fr. fam. Hablar con descaro y desenfado, diciendo lo que se le viene a la boca, sin reparo alguno. || **Hablar de vicio** uno. fr. fam. Ser hablador. || **Quejarse de vicio** uno. fr. fam. Sentirse o dolerse con pequeño motivo. || **Tras el vicio viene el fornicio.** ref. que enseña que la vida regalona y holgazana suele conducir a la lujuria.

Viciosamente. adv. m. De manera viciosa.

Vicioso, sa. (Del lat. *vitiōsus*.) adj. Que tiene, padece o causa vicio, error o defecto. || **2.** Entregado a los vicios. Ú. t. c. s. || **3.** Vigoroso y fuerte, especialmente para producir. || **4.** Abundante, provisto, deleitoso. || **5.** V. **Círculo vicioso.** || **6.** V. **Carne, paga viciosa.** || **7.** fam. Dícese del niño mimado, resabiado o malcriado.

Vicisitud. (Del lat. *vicissitūdo*.) f. Orden sucesivo o alternativo de alguna cosa. || **2.** Inconstancia o alternativa de sucesos prósperos y adversos.

Vicisitudinario, ria. (Del lat. *vicissitūdo, -inis*, vicisitud.) adj. Que acontece por orden sucesivo o alternativo.

Vico. m. *Ál.* **Boche,** 1.er art.

Víctima. (Del lat. *victima*.) f. Persona o animal sacrificado o destinado al sacrificio. || **2.** fig. Persona que se expone u ofrece a un grave riesgo en obsequio de otra. || **3.** fig. Persona que padece daño por culpa ajena o por causa fortuita.

Victimario. (Del lat. *victimarĭus*.) m. Sirviente de los antiguos sacerdotes gentiles, que encendía el fuego, ataba las víctimas al ara y las sujetaba en el acto del sacrificio.

Victo. (Del lat. *victus*, sustento.) m. Sustento diario. || **2.** V. **Día y victo.**

¡Víctor! (Del lat. *victor*, vencedor.) interj. **¡Vítor!** Ú. t. c. s.

Victorear. (De *víctor*.) tr. **Vitorear.**

Victoria. (Del lat. *victoria*, de *victor*, vencedor.) f. Superioridad o ventaja que se consigue del contrario, en disputa o lid. || **2.** fig. Vencimiento o sujeción que se consigue de los vicios o pasiones. || **Cantar la victoria.** fr. fig. Aclamarla después de obtenida. || **Cantar** uno **victoria.** fr. fig. Blasonar o jactarse del triunfo. || **¡Victoria!** interj. que sirve para aclamar la que se ha conseguido del enemigo.

Victoria. (Del nombre de la reina *Victoria* de Inglaterra, que la usó por primera vez.) f. Coche de dos asientos, abierto y con capota.

Victoriato. (Del lat. *victoriātus* y éste de *victoria*.) m. *Numism.* Moneda de plata de la república romana, que se caracteriza por llevar la figura de la Victoria.

Victoriosamente. adv. m. De un modo victorioso.

Victorioso, sa. (Del lat. *victoriōsus*.) adj. Que ha conseguido una victoria en cualquier línea. Ú. t. c. s. || **2.** Aplícase también a las acciones con que se consigue.

Vicuña. (Del quichua *vicunna*.) f. Mamífero rumiante que viene a tener el tamaño del macho cabrío, al cual se asemeja en la configuración general, pero con cuello más largo y erguido, cabeza más redonda y sin cuernos, orejas puntiagudas y derechas y piernas muy largas. Cubre su cuerpo un pelo largo y finísimo de color amarillento rojizo, capaz de admitir todo género de tintes. Vive salvaje en manadas en los Andes del Perú y de Bolivia, y se caza para aprovechar su vellón, que es muy apreciado. || **2.** Lana de este animal. || **3.** Tejido que se hace de esta lana.

Vichoco, ca. adj. *Argent.* y *Chile.* **Bichoco.**

Vid. (Del lat. *vitis*.) f. *Bot.* Planta vivaz y trepadora de la familia de las vitáceas, con tronco retorcido, vástagos muy largos, flexibles y nudosos; hojas alternas, pecioladas, grandes y partidas en cinco lóbulos puntiagudos; flores verdosas en racimos, y cuyo fruto es la uva. Originaria del Asia, se cultiva en todas las regiones templadas. || **2.** ant. *Zool.* Ligamento o tripa con que está asido el feto a las parias, y que se rompe al tiempo del parto. || **3.** *Agr.* V. **Cercillo de vid.** || **salvaje,** o **silvestre.** La no cultivada, que produce las hojas más ásperas y las uvas pequeñas y de sabor agrio. || **De buena vid planta la viña, y de buena madre, la hija.** ref. que aconseja elegir para esposa a una joven que haya recibido buenos ejemplos de su madre.

Vida. (Del lat. *vita*.) f. Fuerza o actividad interna substancial, mediante la que obra el ser que la posee. || **2.** Estado de actividad de los seres orgánicos. || **3.** Unión del alma y del cuerpo. || **4.** Espacio de tiempo que transcurre desde el nacimiento de un animal o un vegetal hasta su muerte. || **5.** Duración de las cosas. || **6.** Modo de vivir en lo tocante a la fortuna o desgracia de una persona, o a las comodidades o incomodidades con que vive. || **7.** Modo de vivir en orden a la profesión, empleo, oficio u ocupación. || **8.** Alimento necesario para vivir o mantener la existencia. || **9.** Conducta o método de vivir con relación a las acciones de los seres racionales. || **10.** Persona o ser humano. || **11.** Relación o historia de las acciones notables ejecutadas por una persona durante su **vida.** || **12.** Estado del alma después de la muerte. || **13.** V. **Albor, árbol, estambre, flor, hilo, libro, pena de la vida.** || **14.** V. **Cerdo, fe de vida.** || **15.** V. **Censo de por vida.** || **16.** V. **Seguro sobre la vida.** || **17.** Mala **vida, vida** airada, prostitución, dicho de las mujeres. *Echarse a la* VIDA; *ser de la* VIDA. || **18.** fig. Cualquiera cosa que origina suma complacencia. || **19.** fig. Cualquiera cosa que contribuye o sirve al ser o conservación de otra. || **20.** fig. Estado de la gracia y proporción para el mérito de las buenas obras. || **21.** fig. **Bienaventuranza,** 1.ª acep. *Mejor* VIDA; VIDA *eterna.* || **22.** fig. Expresión, viveza. Dícese especialmente hablando de los ojos. || **23.** fig. **Aleluya,** 6.ª acep. || **24.** *For.* ant. Espacio de diez años. || **airada. Vida** desordenada y viciosa. || **2.** V. **Gente, hombre, mujer de la vida airada.** || **animal.** Aquella cuyas tres funciones principales son la nutrición, la relación y la reproducción. || **canonical,** o **de canónigo.** fig. y fam. La que se disfruta con sosiego y comodidad. || **capulina.** *Méj.* **Vida** regalada y sin cuidados. || **de perros.** fig. y fam. La que se pasa con trabajos, molestias y desazones. || **espiritual.** Modo de vivir arreglado a los ejercicios de perfección y aprovechamiento en el espíritu. || **papal.** fig. y fam. **Vida canonical.** || **y milagros.** fam. Modo de vivir, mañas y travesuras de uno, y en general sus hechos. Tómase casi siempre en mala parte. || **La otra vida,** o **la vida futura.** Existencia del alma después de la muerte. || **La vida pasada.** Las acciones ejecutadas en el tiempo pasado, especialmente las culpables. || **Media vida.** Estado medio de conservación de una cosa. || **2.** fig. Cosa de gran gusto o de grande alivio para uno. || **A vida.** m. adv. Respetando la **vida.** Ú. con algunos verbos. *No dejar hombre* A VIDA; *resinar* A VIDA *los pinos.* || **Buena vida. Vida** regalada. || **Buena vida arrugas tira.** ref. con que se da a entender que la **vida** regalada y de conveniencias retarda la vejez o hace que se disimule. || **Buena vida, padre y madre olvida.** ref. con que se significa que el que llega a lograr **vida** abundante de conveniencias, no echa de menos los afectos de la familia. || **Buscar,** o **buscarse,** uno **la vida.** fr. Usar de los medios conducentes para adquirir el mantenimiento y lo demás necesario. || **2.** Inquirir con solicitud o curiosidad el modo de vivir de otro, especialmente para descubrirle algún defecto. || **Buscar** uno **vida.** fr. ant. **Buscar,** o **buscarse, la vida.** || **Consumir la vida** a uno. fr. fig. con que se pondera la molestia o enfado que otro le ocasiona, o lo mucho que le fatigan los trabajos y necesidades. || **Costar la vida.** fr. con que se pondera lo grave de un sentimiento o suceso, o la determinación a ejecutar una cosa, aunque sea con riesgo de la **vida.** || **Dar** una cosa **la vida** a uno. fr. fig. Sanarle, aliviarle, repararle, fortalecerle, refrigerarle. || **Dar** uno **la vida por** una persona o cosa. fr. Sacrificarse voluntariamente por ella. || **Dar** uno **mala vida** a otra persona. fr. Tratarla mal o causarle pesadumbres. || **Darse** uno **buena vida.** fr. Entregarse a los gustos, delicias y pasatiempos. || **2.** Buscar y disfrutar sus comodidades. || **Date buena vida, temerás más la caída.** ref. que advierte que al que se cuida mucho de su regalo, le son más sensibles las desgracias. || **De mala vida.** loc. Dícese de la persona de conducta relajada y viciosa. || **De por vida.** m. adv. Perpetuamente, por todo el tiempo que uno vive. || **En esta vida caduca, el que no trabaja no manduca.** ref. que recuerda la necesidad de trabajar en que está el hombre. || **En la vida,** o **en** mi, tu, su **vida.** m. adv. Nunca o en ningún tiempo. Ú. t. para explicar la incapacidad o suma dificultad de conseguir una cosa. || **Enterrarse** uno **en vida.** fr. fig. Retirarse de todo comercio del mundo, y especialmente entrar en religión. || **Entre la vida y la muerte.** fr. En peligro inminente de muerte. Ú. con los verbos *estar, hallarse, quedar,* etc. || **En vida.** m. adv. Durante ella, en contraposición de lo que se ejecuta al tiempo de la muerte o después. || **Escapar** uno **con vida,** o **la vida.** fr. Librarse de un grave peligro de muerte. || **Ganar,** o **ganarse,** uno **la vida.** fr. Trabajar o buscar medios de mantenerse. || **Gran vida. Buena vida.** || **Hacer** uno **por la vida.** fr. fam. **Comer,** 1.ª acep. || **Hacer vida.** fr. Vivir juntos el marido y la mujer, y tratarse como tales y como es de su obligación. || **La vida de la aldea, désela Dios a quien la desea.** ref. que denota que la soledad e incomodidades que se padecen en la aldea, la hacen poco apetecible. || **Lo que en tu vida no hicieres, de tus herederos no lo esperes.** ref. contra los que esperan hacer el bien dejando mandas en su testamento. || **Llevar** uno **la vida jugada.** fr. fig. y fam. Estar en conocido riesgo de perderla. || **Media vida es la candela; pan y vino, la otra media.** ref. que explica que con buen alimento y buena lumbre se soporta mejor la crudeza del invierno. || **Meterse** uno **en vidas ajenas.** fr. Murmurar, averiguando lo que a uno no le importa. || **Mientras dura, vida y dulzura.** fr. proverb. que se dice del que disfruta del bien presente, sin cuidarse de lo que sucederá después. || **¡Mi vida!** expr. **¡Vida mía!** || **Mudar** uno **de vida,** o **la vida.** fr. Dejar las malas costumbres o vicios, reduciéndose a vivir arregladamente. || **Partir,** o **partirse,** uno **de esta vida.** fr. fig. **Morir,** 1.ª acep. || **Pasar** uno **a mejor vida.** fr. Morir en gracia de Dios. || **Pasar** uno **la vida.** fr. Vivir con lo estrictamente necesario. || **Pasar la vida a tragos.** fr. fig. y fam. Ir viviendo con trabajos y penalidades. || **Perder** uno **la vida.** fr. **Morir,** 1.ª acep. Dícese especialmente cuando se muere de manera violenta a causa de un accidente. Ú. t. para ponderar la resolución de exponerla o arriesgarla. || **Poner la vida al tablero.** fr. fig. Aventurarla, como hace el jugador con su dinero. || **¡Por vida!** Modo de hablar que se usa para persuadir u obligar a la concesión de lo que se pretende. || **2.** Ú. t. por aseveración y juramento. || **¡Por vida mía!** Especie de juramento o atestación con que se asegura la verdad de una cosa, o se da a entender la determinación en que se está de ejecutarla. || **Recogerse,** o **retirarse,** uno **a buena vida.** fr. **Recogerse,** o **retirarse, a buen vivir.** || **Saber** uno **las vidas ajenas.** fr. Informarse con curiosidad y malicia del porte y conducta de alguno. || **Salir** uno **de esta vida.** fr. **Salir de este mundo.** || **Ser** uno **de vida.** fr. con que se explica, hablando de los enfermos y de los niños recién nacidos, la esperanza que se tiene de su salud. || **Ser la vida perdurable.** fr. fig. y fam. Tardar mucho en suceder, en ejecutar o en conseguirse una cosa. || **2.** fig. y fam. Ser pesada y molesta una persona. || **Tener** uno **la vida en un hilo.** fr. fig. y fam. Estar en mucho peligro. || **Tener** uno **siete vidas como los gatos.** fr. fig. y fam. Salir incólume de graves riesgos y peligros de muerte. || **Traer** uno **la vida jugada.** fr. fig. y fam. **Llevar la vida jugada.** || **Vender** uno **cara la vida.** fr. fig. Perderla a mucha costa del enemigo, y se suele añadir el adverbio *bien* para mayor expresión. || **¡Vida mía!** expr. cariñosa dedicada a persona a quien se quiere mucho. || **Vida sin amigo, muerte sin testigo.** expr. que advierte al que no se cuida de granjearse amigos, que se verá desamparado en las adversidades.

Vidal. (Del lat. *vitālis.*) adj. ant. **Vital.**

Vidalita. f. *Argent.* Canción popular, por lo general amorosa y de carácter triste, que se acompaña con la guitarra.

Vidarra. (Del lat. *vītis alba.*) f. Planta ranunculácea trepadora, especie de clemátide.

Vide. (Del lat. *vide,* imperat. de *video.*) Voz verbal latina que se emplea en impresos y manuscritos españoles precediendo a la indicación del lugar o página que ha de ver el lector para encontrar alguna cosa.

Vidente. (Del lat. *videns, -entis.*) p. a. de **Ver.** Que ve. || **2.** m. **Profeta.**

Vidorra. f. fam. Vida holgada y placentera.

Vidorria. f. fam. despect. *Argent., Colomb.* y *Venez.* Vida arrastrada y triste.

Vidriado, da. p. p. de **Vidriar.** || **2.** adj. **Vidrioso,** 1.ª acep. || **3.** *Cetr.* V. **Agua vidriada.** || **4.** m. Barro o loza con barniz vítreo. || **5.** Este barniz. || **6. Vajilla,** 1.ª acep.

Vidriar. tr. Dar a las piezas de barro o loza un barniz que fundido al horno toma la transparencia y lustre del vidrio. || **2.** r. fig. Ponerse vidriosa alguna cosa.

Vidriera. f. Bastidor con vidrios con que se cierran puertas y ventanas. || **2.** V. **Puerta vidriera.** || **3.** desus. **Escaparate,** 2.ª acep. Úsase en *Amér.* y *Sant.* || **4.** fig. V. **Licenciado Vidriera.** || **de colores.** La formada por vidrios con dibujos coloreados y que cubre los ventanales de iglesias, palacios y casas.

Vidriería. (De *vidriero.*) f. Taller donde se labra y corta el vidrio. || **2.** Tienda donde se venden vidrios.

Vidriero. (Del lat. *vitriarĭus.*) m. El que trabaja en vidrio o el que lo vende.

Vidrio. (Del lat. *vitrĕum,* de *vitrum.*) m. Substancia dura, frágil, transparente por lo común, de brillo especial, insoluble en casi todos los cuerpos conocidos y fusible a elevada temperatura. Está formada por la combinación de la sílice con potasa o sosa y pequeñas cantidades de otras bases, y se fabrica generalmente en hornos y crisoles. || **2.** Cualquier pieza o vaso de **vidrio.** || **3.** En el coche, asiento en que se va de espaldas al tiro. || **4.** V. **Camón de vidrios.** || **5.** ant. Vasos de cristal. || **6.** fig. Cosa muy delicada y quebradiza. || **7.** fig. Persona de genio muy delicado y que fácilmente se desazona y enoja. || **bufado.** Hojuelas que resultan de soplar con un canuto de hierro una masa de **vidrio** fundido, formando con ella una especie de ampolla tan delgada, que revienta y se esparce por el aire. || **Ir** uno **al vidrio.** fr. Ocupar en un coche los asientos de delantera, con la espalda vuelta a la caballería, tronco o tiro. || **Pagar** uno **los vidrios rotos.** fr. fig. y fam. **Pagar el pato.**

Vidriola. f. *Murc.* **Alcancía,** 1.ª acep.

Vidriosidad. f. fig. Calidad de vidrioso, 4.ª acep.

Vidrioso, sa. adj. Que fácilmente se quiebra o salta, como el vidrio. || **2.** fig. Aplícase al piso cuando está muy resbaladizo por haber helado. || **3.** fig. Dícese de las materias que deben tratarse o manejarse con gran cuidado y tiento. || **4.** fig. Aplícase a la persona que fácilmente se resiente, enoja o desazona, o al genio de esa condición. || **5.** fig. Dícese de los ojos que se vidrian.

Vidro. (Del lat. *vitrum.*) m. ant. **Vidrio.**

Vidual. (Del lat. *viduālis.*) adj. Perteneciente o relativo a la viudez.

Vidueño. m. **Viduño.**

Viduño. (Del lat. *vitinĕus,* de vid.) m. Casta o variedad de vid.

Vieira. (Del gall. *vieira,* y éste del lat. *veneria,* concha de Venus.) f. Molusco comestible, muy común en los mares de Galicia, cuya concha es la **venera,** 1.ª acep. || **2.** *Gal.* Esta concha.

Vieja. f. Pez de unos 10 centímetros de largo, de color negruzco, figura prolongada y comprimida, cabeza grande, y con tentáculos cortos sobre las cejas. Se encuentra en el mar Pacífico, en las costas de América Meridional. || **2.** fam. *Ál.* y *Nav.* **Cuaresma,** 1.ª acep.

Viejarrón, na. adj. fam. **Vejarrón.** Ú. t. c. s.

Viejez. f. ant. **Vejez.**

Viejezuelo, la. adj. d. de **Viejo, ja.** Ú. t. c. s.

Viejo, ja. (Del lat. vulgar *veclus*, por *vetŭlus*.) adj. Dícese de la persona de mucha edad. Ú. t. c. s. ‖ **2.** Dícese, por extensión, de los animales en igual caso, especialmente de los que son del servicio y uso domésticos. ‖ **3.** Antiguo o del tiempo pasado. ‖ **4.** Que no es reciente ni nuevo. *Ser* VIEJO *en un país.* ‖ **5.** Deslucido, estropeado por el uso. ‖ **6.** V. **Cristiano, maravedí, soldado viejo.** ‖ **7.** V. **Avería, cera, ley, lotería, real de plata, ropa vieja.** ‖ **8.** V. **Viejo Testamento.** ‖ **9.** V. **Ropería, zapatería de viejo.** ‖ **10.** fig. y fam. V. **Perro viejo.** ‖ **11.** fig. y fam. V. **La cuenta de la vieja.** ‖ **12.** fig. y fam. V. **Leche de los viejos.** ‖ **13.** fig. V. **Cuento de viejas.** ‖ **14.** *Pint.* V. **Sombra de viejo.** ‖ **15.** m. pl. ant. fam. Pelos de los aladares. ‖ **16.** *And.* Tolanos, pelos del cogote. ‖ **Al viejo, múdale el aire y darte ha el pellejo.** ref. que advierte que es peligroso en la vejez mudar de clima. ‖ **Arregostóse la vieja a los berros,** o **bledos; no dejó verdes ni secos.** ref. con que se da a entender la fuerza de la afición a una cosa. ‖ **Del viejo, el consejo; y del rico, el remedio,** ref. **Del rico es dar remedio, y del viejo, consejo.** ‖ **El viejo desvergonzado hace al niño mal hablado,** u **osado.** ref. que advierte lo poco que aprovechan los años y canas para que el anciano inspire respeto, si su conducta no lo merece. ‖ **El viejo que se cura, cien años dura.** ref. que advierte cuánto conduce el buen régimen para alargar la duración de la vida y de todas las cosas. ‖ **Empicóse la vieja a los berros,** o **bledos; no dejó verdes ni secos.** ref. **Arregostóse la vieja a los berros,** etc. ‖ **No le quiere mal quien le hurta al viejo lo que ha de cenar.** ref. que enseña la moderación y regla que deben observar los ancianos, especialmente en la cena. ‖ **Poco a poco hila,** o **hilaba, la vieja el copo.** ref. que enseña lo mucho que se adelanta con la perseverancia en el trabajo. ‖ **¿Por qué va la vieja a la casa de la moneda? Por lo que se le pega.** ref. para denotar que la frecuencia con que uno concurre a una casa, más que de amistad o cariño, nace, por lo regular, de la utilidad que espera. ‖ **Vieja escarmentada, arregazada pasa el agua.** ref. que enseña a escarmentar en el propio daño.

Vienense. (Del lat. *viennensis*.) adj. Natural de Viena de Francia. Ú. t. c. s. ‖ **2.** Perteneciente a esta ciudad. ‖ **3. Vienés.** Apl. a pers., ú. t. c. s.

Vienés, sa. adj. Natural de Viena de Austria. Ú. t. c. s. ‖ **2.** Perteneciente a esta ciudad.

Viento. (Del lat. *vĕntus*.) m. Corriente de aire producida en la atmósfera por causas naturales. ‖ **2. Aire,** 2.ª acep. ‖ **3.** V. **Agua viento.** ‖ **4.** Olor que como rastro dejan las piezas de caza. ‖ **5.** Olfato de ciertos animales. ‖ **6.** Cierto hueso que tienen los perros entre las orejas. ‖ **7.** V. **Bocanada, colchón, escopeta, hacha, manga, molino, pelota, torre de viento.** ‖ **8.** V. **Rosa de los vientos.** ‖ **9.** V. **Ramo del viento.** ‖ **10.** fig. Cualquier cosa que mueve o agita el ánimo con violencia o variedad. ‖ **11.** fig. Vanidad y jactancia. ‖ **12.** fig. Cuerda larga o alambre que se ata a una cosa para mantenerla derecha en alto o moverla con seguridad hacia un lado. ‖ **13.** fam. **Ventosidad,** 2.ª acep. ‖ **14.** *Germ.* Descubridor de algo; malsín o soplón. ‖ **15.** *Art.* Huelgo que queda entre la bala y el ánima del cañón. ‖ **16.** *Mar.* **Rumbo,** 1.ª acep. ‖ **17.** *Mar.* V. **Papo, plancha de viento.** ‖ **18.** *Mar.* V. **Filo, flor, línea del viento.** ‖ **19.** *Mús.* V. **Instrumento de viento.** ‖ **abierto.** *Mar.* El que forma con la derrota un ángulo mayor de seis cuartas. ‖ **a la cuadra.** *Mar.* El que sopla perpendicularmente al rumbo a que se navega, y por tanto es a las ocho cuartas de la aguja. ‖ **a un largo.** *Mar.* **Viento largo.** ‖ **calmoso.** *Mar.* El muy flojo y que sopla con intermisión. ‖ **cardinal.** El que sopla de alguno de los cuatro puntos cardinales del horizonte. ‖ **de bolina.** *Mar.* El que viene de proa y obliga a ceñir cuanto puede la embarcación. ‖ **de proa.** *Mar.* El que sopla en dirección contraria a la que lleva el buque. ‖ **en popa.** *Mar.* El que sopla hacia el mismo punto a que se dirige el buque. ‖ **entero.** Cada uno de los cardinales y de los cuatro intermedios. ‖ **escaso.** *Mar.* El que sopla por la proa o de la parte adonde debe dirigirse el buque por alguno de los rumbos próximos, de modo que no pueda caminarse directamente al rumbo o en la derrota que conviene. ‖ **etesio.** *Mar.* El que se muda en tiempo determinado del año; como los que causan los embates del mar de la parte de Levante en las costas españolas del Mediterráneo, empezando a moverse en abril y durando hasta septiembre. ‖ **frescachón.** *Mar.* El muy recio, que impide llevar orientadas las velas menudas. ‖ **fresco.** *Mar.* El que llena bien el aparejo y permite llevar largas las velas altas. ‖ **largo.** *Mar.* El que sopla desde la dirección perpendicular al rumbo que lleva la nave, hasta la popa, y es más o menos largo según se aproxima o aleja más a ser en popa. ‖ **maestral.** *Mar.* El que viene de la parte intermedia entre el poniente y tramontana, según la división de la rosa náutica que se usa en el Mediterráneo. ‖ **marero.** *Mar.* El que viene de la parte del mar. ‖ **puntero.** ant. *Mar.* **Viento escaso.** Llamóse así, al parecer, porque para navegar con él es preciso ir punteando el aparejo de las velas. ‖ **terral.** *Mar.* El que viene de la tierra. ‖ **Vientos alisios. Vientos** fijos que soplan de la zona tórrida, con inclinación al Nordeste o al Sudeste, según el hemisferio en que reinan. ‖ **generales.** Los que reinan constantemente en varios climas o partes del globo durante ciertas estaciones o número de días. ‖ **Medio viento.** Cada uno de los ocho que equidistan de los enteros en la rosa náutica. ‖ **A buen viento,** o **a mal viento, va la parva.** expr. fig. y fam. con que se da a entender que un negocio, pretensión o granjería va o no por buen camino. ‖ **Afirmarse el viento.** *Mar.* Fijar éste su dirección. ‖ **Alargar el viento.** fr. *Mar.* Soplar más largo, o más para popa, de lo que soplaba respecto a la embarcación que navega en derrota. ‖ **A los cuatro vientos.** fr. adv. En todas direcciones, por todas partes. ‖ **Beber** uno **los vientos por** algo. expr. fig. y fam. Desearlo con ansia y hacer cuanto es posible para conseguirlo. ‖ **Cargar el viento.** fr. Aumentar mucho su fuerza o soplar con demasía. ‖ **Como el viento.** loc. adv. Rápida, velozmente. ‖ **Contra viento y marea.** loc. adv. fig. Arrostrando inconvenientes y dificultades. ‖ **Con viento fresco.** loc. Con los verbos *irse, marcharse, despedir,* etc., indica con mal modo, con enfado o desprecio. ‖ **Con viento limpian el trigo, y los vicios con castigo.** ref. que enseña lo conveniente que es el castigo para la enmienda del vicioso. ‖ **Correr malos vientos.** fr. fig. Ser las circunstancias adversas para algún asunto. ‖ **Correr viento.** fr. Soplar con fuerza el aire. ‖ **Dar** a uno **el viento de** una cosa. fr. fig. Presumirla o conjeturarla con acierto. ‖ **Declararse el viento.** fr. *Mar.* Fijar éste su dirección o fuerza después de haber estado variable. ‖ **Dejar atrás los vientos.** fr. fig. Correr con suma velocidad. ‖ **Echarse el viento.** fr. fig. Calmarse o sosegarse. ‖ **Escasearse el viento.** fr. *Mar.* Cambiarse éste en su dirección hacia proa. ‖ **Ganar el viento.** fr. *Mar.* Lograr la nave el paraje por donde el **viento** sopla más favorable. ‖ **Hurtar el viento.** fr. ant. *Mar.* Ir contra él. ‖ **Irse** uno **con el viento que corre.** fr. fig. y fam. Seguir siempre, atento solamente a su interés y conveniencia, el partido que prevalece. ‖ **Llevarse el viento** una cosa. fr. fig. No ser estable, ser deleznable. ‖ **Moverse** uno **a todos vientos.** fr. fig. Ser inconstante. ‖ **2.** fig. y fam. Ser fácil de traer a cualquier dictamen. ‖ **Papar viento.** fr. fig. y fam. **Papar moscas.** ‖ **Picar el viento.** fr. *Mar.* Correr favorable y suficiente para el rumbo o navegación que se lleva. ‖ **2.** fig. Ir en bonanza los negocios o pretensiones. ‖ **Quien siembra vientos, recoge tempestades.** fr. proverb. con que se predicen a uno las funestas consecuencias que puede atraerle predicar malas doctrinas o suscitar enconos. ‖ **Refrescar el viento.** fr. *Mar.* Aumentar su fuerza o violencia, cualquiera que sea su temperatura. ‖ **Saltar el viento.** fr. *Mar.* Mudarse repentinamente de una parte a otra. ‖ **Tomar el viento.** fr. *Mar.* Acomodar y disponer las velas de modo que el **viento** las hiera. ‖ **2.** *Cetr.* y *Mont.* Indagar o rastrear por él la caza. Dícese frecuentemente de los perros y de los halcones. ‖ **3.** *Mont.* Ponerse donde a una res o animal de caza no le vaya aire de la parte del cazador. ‖ **Venir al viento.** fr. *Mar.* Volver algo más el buque su curso contra él. ‖ **Viento en popa.** m. adv. fig. Con buena suerte, dicha o prosperidad. *Ir, caminar* VIENTO EN POPA.

Viento. (Del lat. *vendĭtus*, de *vendĕre*, vender.) m. V. **Alcabala del viento.**

Vientre. (Del lat. *vĕnter, -tris*.) m. *Zool.* Cavidad del cuerpo de los animales vertebrados, en la que se contienen los órganos principales del aparato digestivo y del genitourinario. ‖ **2.** Conjunto de las vísceras contenidas en esta cavidad, especialmente después de extraídas. ‖ **3.** *Zool.* Región exterior del cuerpo, correspondiente al abdomen, que es anterior en el hombre e inferior en los demás vertebrados. ‖ **4.** Feto o preñado. ‖ **5. Panza,** 2.ª acep. ‖ **6.** V. **Desbarate, desenfreno, flujo, res de vientre.** ‖ **7.** fig. Cavidad grande e interior de una cosa. ‖ **8.** *Fís.* Parte más ensanchada de las ondulaciones correspondiente al movimiento vibratorio. ‖ **9.** *For.* **Madre,** 1.ª acep.; y así se dice que el parto sigue al **vientre,** para significar que el hijo sigue la condición de la madre. ‖ **10.** *For.* Criatura humana que no ha salido del claustro materno, a la cual una ficción legal atribuye personalidad para adquirir derechos, o sea en lo favorable. ‖ **11.** *Med.* V. **Constipación, dureza de vientre.** ‖ **libre.** expr. con que se determina en algunas legislaciones que el hijo concebido por la esclava nace libre. ‖ **Bajo vientre. Hipogastrio.** ‖ **Constiparse el vientre.** fr. **Estreñirse.** ‖ **Descargar** uno **el vientre.** fr. **Exonerar el vientre.** ‖ **Desde el vientre de su madre.** m. adv. Desde que fue uno concebido. ‖ **De vientre.** loc. Dícese del animal hembra destinado a la reproducción. ‖ **Evacuar,** o **exonerar,** o **mover,** uno **el vientre,** o **hacer de,** o **del, vientre.** fr. Descargarlo del excremento. ‖ **Regir el vientre.** fr. Hacer con regularidad las funciones de defecación. ‖ **Sacar** uno **el vientre de mal año.** fr. fig. y fam. Saciar el hambre; comer más o mejor de lo que acostumbra, y especialmente cuando o hace en casa ajena. ‖ **Servir** uno **al vientre.** fr. fig. Darse a la gula o a comer y beber con exceso.

Viernes. (Del lat. *Vĕnĕris* [*dies*].) m. Sexto día de la semana. ‖ **2.** fig. y fam. V

Cara de viernes. || **de Indulgencias,** o **de la Cruz.** ant. **Viernes** Santo. || **Comer de viernes.** fr. **Comer de vigilia.** || **Haber aprendido,** u **oído,** uno **en viernes** una cosa. fr. fig. y fam. Repetir mucho lo que aprendió u oyó una vez, venga o no venga a cuento.

Vierteaguas. m. Resguardo hecho de piedra, azulejos, cinc, madera, etc., que formando una superficie inclinada convenientemente para escurrir las aguas llovedizas, se pone cubriendo los alféizares, los salientes de los paramentos, la parte baja de las puertas exteriores, etc.

Viéspera. (Del lat. *vespĕra.*) f. ant. **Víspera.**

Viga. f. Madero largo y grueso que sirve, por lo regular, para formar los techos en los edificios y sostener y asegurar las fábricas. || **2.** Hierro de doble T destinado en la construcción moderna a los mismos usos que la **viga** de madera. || **3.** Pieza arqueada de madera o hierro, que en algunos coches antiguos enlaza el juego delantero con el trasero. || **4.** Prensa compuesta de un gran madero horizontal articulado en uno de sus extremos y que se carga con pesos en el otro para que, bajando guiado entre dos vírgenes, comprima lo que se pone debajo. Úsase en las fábricas de paños, en los lagares y principalmente para exprimir la aceituna molida en las almazaras. || **5.** Porción de aceituna molida que en los molinos de aceite se pone cada vez debajo de la **viga,** para apretarla y comprimirla. || **de aire.** *Arq.* La que sólo está sostenida en sus extremos. || **lagar.** ant. **Viga** de lagar. || **maestra.** *Arq.* La que, tendida sobre pilares o columnas, sirve para sostener las cabezas de otros maderos también horizontales, así como para sustentar cuerpos superiores del edificio. || **Contar, estar contando,** o **ponerse a contar,** uno **las vigas.** fr. fig. y fam. Estar mirando al techo, suspenso o embelesado.

Vigencia. f. Calidad de vigente.

Vigente. (Del lat. *vigens, -entis,* p. a. de *vigēre,* tener vigor.) adj. Aplícase a las leyes, ordenanzas, estilos y costumbres que están en vigor y observancia.

Vigesimal. (De *vigésimo.*) adj. Aplícase al modo de contar o al sistema de subdividir de veinte en veinte.

Vigésimo, ma. (Del lat. *vigesĭmus.*) adj. Que sigue inmediatamente en orden al o a lo decimonono. || **2.** Dícese de cada una de las veinte partes iguales en que se divide un todo. Ú. t. c. s.

Vigía. (Del port. *vigia,* de *vigiar,* vigiar.) f. **Atalaya,** 1.ª acep. || **2.** Persona destinada a vigiar o atalayar el mar o la campiña. Ú. m. c. s. m. || **3.** Acción de vigiar, o cuidado de descubrir a larga distancia un objeto. || **4.** *Mar.* Escollo que sobresale algo sobre la superficie del mar.

Vigiar. (Del port. *vigiar,* y éste del lat. *vigilāre.*) tr. Velar o cuidar de hacer descubiertas desde el paraje en que se está al efecto.

Vigilancia. (Del lat. *vigilantia.*) f. Cuidado y atención exacta en las cosas que están a cargo de cada uno. || **2.** Servicio ordenado y dispuesto para vigilar.

Vigilante. (Del lat. *vigĭlans, -antis.*) p. a. de **Vigilar.** Que vigila. || **2.** adj. Que vela o está despierto. || **3.** *Mil.* V. **Cuarto vigilante.** || **4.** m. Persona encargada de velar por algo. || **5. Agente de policía.**

Vigilantemente. adv. m. Con vigilancia.

Vigilar. (Del lat. *vigilāre.*) intr. Velar sobre una persona o cosa, o atender exacta y cuidadosamente a ella. Ú. t. c. tr.

Vigilativo, va. (Del lat. *vigilātum,* supino de *vigilāre,* vigilar.) adj. Dícese de lo que causa vigilias o no deja dormir.

Vigilia. (Del lat. *vigilia.*) f. Acción de estar despierto o en vela. || **2.** Trabajo intelectual, especialmente el que se ejecuta de noche. || **3.** Obra producida de este modo. || **4. Víspera,** 2.ª acep. || **5.** Víspera de una festividad de la Iglesia. || **6.** Oficio que se reza en la víspera de ciertas festividades. || **7.** Oficio de difuntos que se reza o canta en la iglesia. || **8.** Falta de sueño o dificultad de dormirse, ocasionada por una enfermedad o un cuidado. || **9.** Cada una de las partes en que se divide la noche para el servicio militar. || **10.** Comida con abstinencia de carne. || **11. Día de vigilia.** || **Comer de vigilia.** fr. Comer pescado, legumbres, etc., con exclusión de carnes.

Vigitano, na. adj. Natural de Vich. Ú. t. c. s. || **2.** Perteneciente a esta ciudad.

Vigolero. m. *Germ.* Ayudante del verdugo en el tormento.

Vigor. (Del lat. *vigor, -ōris.*) m. Fuerza o actividad notable de las cosas animadas o inanimadas. || **2.** Viveza o eficacia de las acciones en la ejecución de las cosas. || **3.** Fuerza de obligar en las leyes u ordenanzas, o duración de las costumbres o estilos. || **4.** fig. Entonación o expresión enérgica en las obras artísticas o literarias.

Vigorar. (Del lat. *vigorāre.*) tr. **Vigorizar.** Ú. t. c. r.

Vigorizador, ra. adj. Que da vigor.

Vigorizar. tr. Dar vigor. Ú. t. c. r. || **2.** fig. Animar, esforzar. Ú. t. c. r.

Vigorosamente. adv. m. De manera vigorosa.

Vigorosidad. f. Calidad de vigoroso.

Vigoroso, sa. (Del lat. *vigorōsus.*) adj. Que tiene vigor.

Vigota. (Del ital. *bigotta.*) f. *Mar.* Especie de motón chato y redondo, sin roldana y con dos o tres agujeros, por donde pasan los acolladores.

Vigota. (aum. de *viga.*) f. *Can.* Pieza de madera de hilo, de 19 pies de longitud y escuadría de 12 pulgadas de tabla por 9 de canto.

Viguería. f. Conjunto de vigas de una fábrica o edificio.

Vigués, sa. adj. Natural de Vigo. Ú. t. c. s. || **2.** Perteneciente a esta ciudad.

Vigueta. f. d. de **Viga.** || **2.** Madero que en el marco de Madrid tiene 9 pulgadas de ancho, 6 de grueso y 22 pies de largo. || **3.** Barra de hierro laminado, destinada a la edificación.

Vihuela. (Del m. or. que *viola,* 1.er art.) f. **Guitarra,** 1.ª acep.

Vihuelista. com. Persona que ejerce o profesa el arte de tocar la vihuela.

Vil. (Del lat. *vilis.*) adj. Abatido, bajo o despreciable. || **2.** Indigno, torpe, infame. || **3.** Aplícase a la persona que falta o corresponde mal a la confianza que en ella se pone. Ú. t. c. s.

Vilagómez. m. *Germ.* El que saca barato en la casa de juego.

Vilano. (De *milano.*) m. ant. **Milano,** 1.ª acep. || **2.** Apéndice de pelos o filamentos que corona el fruto de muchas plantas compuestas y le sirve para ser transportado por el aire. || **3.** Flor del cardo.

Vildad. (Del lat. *vilĭtas, -ātis.*) f. ant. **Vileza.**

Vilecer. (Del lat. *vilescĕre.*) tr. ant. **Envilecer.** Usáb. t. c. r.

Vilera. f. *Sal.* Gaza o presilla que se forma en un cordel al doblarlo o retorcerlo.

Vileza. f. Calidad de vil. || **2.** Acción o expresión indigna, torpe o infame.

Vilhorro. (De *vil* y *horro.*) m. *Germ.* El que se libra de un peligro, huyendo.

Vílico. (Del lat. *villĭcus.*) m. Capataz o mayordomo de una granja, entre los romanos.

Vilipendiador, ra. adj. Que vilipendia. Ú. t. c. s.

Vilipendiar. (Del lat. *vilipendĕre;* de *vilis,* vil, y *pendĕre,* estimar.) tr. Despreciar alguna cosa o tratar a uno con vilipendio.

Vilipendio. (De *vilipendiar.*) m. Desprecio, falta de estima, denigración de una persona o cosa.

Vilipendioso, sa. adj. Que causa vilipendio o lo implica.

Vilmente. adv. m. De manera vil.

Vilo (En). m. adv. Suspendido; sin el fundamento o apoyo necesario; sin estabilidad. || **2.** fig. Con indecisión, inquietud y zozobra.

Vilordo, da. (Del lat. *bis,* dos veces, y *lurĭdus,* pálido, lívido.) adj. Perezoso, tardo.

Vilorta. (Del lat. *bis,* dos veces, y *rotŭla,* rueda.) f. Aro hecho con una vara de madera flexible y que, según los casos, sirve para anilla o para vencejo. || **2.** Cada una de las abrazaderas de hierro, dos por lo común, que sujetan al timón la cama del arado. || **3. Arandela,** 1.er art., 2.ª acep. || **4.** Juego que consiste en lanzar por el aire, con ayuda del vilorto, una bola de madera que ha de pasar a través de la fila de pinas o estacas colocada entre los dos bandos de jugadores. || **5. Vilorto,** 1.ª acep.

Vilorto. (Del lat. *bis,* dos veces, y *rotŭlus,* cilindro.) m. Especie de clemátide que difiere de la común en tener las hojas más anchas y las flores inodoras. || **2. Vilorta,** 1.ª acep. || **3.** Palo grueso que termina por una de sus puntas en forma de aro, y encordelado a modo de raqueta, se usa para jugar a la vilorta.

Vilos. m. Embarcación filipina de dos palos, que se diferencia poco del panco.

Vilote. adj. *Argent.* y *Chile.* **Cobarde,** 1.ª acep.

Viltanza. (Del lat. *vilitāre,* envilecer.) f. ant. **Envilecimiento.**

Viltoso, sa. (Del lat. *vilĭtas,* vileza.) adj. ant. **Vil.**

Viltrotear. (De *villa* y *trote.*) intr. fam. Corretear, callejear. Dícese para censurar esta acción, y más comúnmente de las mujeres.

Viltrotera. adj. Dícese de la mujer que viltrotea. Ú. t. c. s.

Villa. (Del lat. *villa.*) f. Casa de recreo situada aisladamente en el campo. || **2.** Población que tiene algunos privilegios con que se distingue de las aldeas y lugares. || **3. Consistorio,** 3.ª y 4.ª aceps. || **4.** V. **Obrero de villa.** || **No es villano el de la villa, sino el que hace la villanía.** ref. que indica que en todos estados hay personas de buen y mal proceder. || **Quien necio es en su villa, necio es en Castilla.** ref. con que se da a entender que el necio lo es dondequiera que se halle. || **Quien ruin es en su villa, ruin será en Sevilla.** ref. que enseña que el que es de mal natural o malas costumbres, obra de un mismo modo y se da a conocer por malo en cualquiera ocasión.

Villabarquín. (Del fr. *vilebrequin,* y éste del neerl. *wimmelkijn.*) m. *Ar.* **Berbiquí.**

Villadiego. n. p. **Coger,** o **tomar, las de Villadiego.** fr. fig. Ausentarse impensadamente, de ordinario por huir de un riesgo o compromiso.

Villaje. (Del b. lat. *villaticum,* y éste del lat. *villa,* casa de campo.) m. Pueblo pequeño.

Villanada. f. Acción propia de villano.

Villanaje. (De *villano.*) m. Gente del estado llano en los lugares. || **2.** Calidad del estado de los villanos, como contrapuesta a la nobleza.

Villanamente. adv. m. De manera villana.

Villancejo. (De *villano.*) m. **Villancico.**

Villancete. (De *villano.*) m. **Villancico.**

Villancico. (De *villano.*) m. Composición poética popular con estribillo, y especialmente la de asunto religioso, que se canta en Navidad y otras festividades.

Villanciquero. m. El que compone o canta villancicos.

Villanchón, na. adj. fam. Villano, tosco, rudo y grosero. Ú. t. c. s.

Villanería. (De *villano.*) f. **Villanía.** || **2. Villanaje.**

Villanesca. (De *villanesco.*) f. Cancioncilla rústica antigua. || **2.** Danza que se acompañaba con este canto.

Villanesco, ca. adj. Perteneciente a los villanos. *Traje, estilo* VILLANESCO.

Villanía. (De *villano.*) f. Bajeza de nacimiento, condición o estado. || **2.** fig. Acción ruin. || **3.** fig. Expresión indecorosa.

Villano, na. (Del b. lat. *villanus*, y éste del lat. *villa*, casa de campo.) adj. Vecino o habitador del estado llano en una villa o aldea, a distinción de noble o hidalgo. Ú. t. c. s. || **2.** V. **Roble villano.** || **3.** fig. Rústico o descortés. || **4.** fig. Ruin, indigno o indecoroso. || **5.** m. Tañido y baile españoles, comunes en los siglos XVI y XVII. Se llamaron así porque tendían a imitar los cantares y bailes rústicos. || **harto de ajos.** fig. y fam. Persona rústica y mal criada. || **Al villano, con la vara de avellano.** ref. que advierte que con la gente ruin no suelen bastar las palabras y razones para que cumpla con su obligación, siendo necesario valerse del castigo. || **Al villano, dale el pie y se tomará la mano.** ref. que aconseja que no se tengan familiaridades con gente ruin, para que no se tomen más confianza de la que corresponde. || **Con villano de behetría, no te tomes a porfía.** ref. que aconsejaba evitar encuentros con **villanos** de behetría; porque como en tales lugares no había distinción de estados, no respetaban a la nobleza. || **Cuando el villano está en el mulo, ni conoce a Dios ni al mundo.** ref. con que se da a entender que la mejor fortuna suele envanecer y hacer olvidar el estado humilde, especialmente a los de bajo nacimiento. || **Cuando el villano está rico, ni tiene parientes ni amigos.** ref. con que se da a entender que quien ha llegado a grande altura se suele olvidar de sus principios. || **El villano en su rincón.** fig. y fam. Hombre muy retirado y poco tratable. || **Villanos te maten, Alonso.** expr. tomada de un romance del Cid, usada por los antiguos para maldecir a uno, deseándole muerte cruel y desastrada. || **Viose el villano en bragas de cerro, y él, fierro que fierro.** ref. que reprende la altanería de los que, elevados a empleos superiores, desprecian a los que antes fueron sus iguales y compañeros.

Villanote. adj. aum. de **Villano.** Ú. t. c. s.

Villar. (De *villa*, 1.ª acep.) m. **Villaje.**

Villazgo. m. Calidad o privilegio de villa. || **2.** Tributo que se imponía a las villas como tales.

Villería. f. *Sant.* **Comadreja,** 1.ª acep

Villero. (De *villa.*) m. *Ar.* Pueblo de escaso vecindario.

Villeta. f. d. de **Villa.**

Villoría. (Del lat. *villa*, granja.) f. Casería o casa de campo.

Villorín. m. **Vellorín.**

Villorrio. (De *villa.*) m. despect. Población pequeña y poco urbanizada.

Vimbre. (Del lat. *vimen, -inis.*) m. **Mimbre.**

Vimbrera. (De *vimbre.*) f. **Mimbrera.**

Vinagrada. f. Refresco compuesto de agua, vinagre y azúcar.

Vinagre. (Del lat. *vinum acre.*) m. Líquido agrio y astringente, producido por la fermentación ácida del vino, y compuesto principalmente de ácido acético y agua. || **2.** fig. y fam. Persona de genio áspero y desapacible. || **3.** fig. y fam. V. **Cara de vinagre.** || **de yema.** El de en medio de la cuba o tinaja, considerado como de mejor calidad.

Vinagrera. f. Vasija destinada a contener vinagre para el uso diario. || **2. Acedera.** || **3.** *Amér. Merid.* **Acedía,** 1.er art., 2.ª acep. || **4.** pl. **Angarillas,** 4.ª acep.

Vinagrero, ra. m. y f. Persona que hace o vende vinagre.

Vinagreta. f. Salsa compuesta de aceite, cebolla y vinagre, que se usa fría con los pescados y con la carne.

Vinagrillo. m. d. de **Vinagre.** || **2.** Vinagre de poca fuerza. || **3.** Cosmético compuesto con vinagre, alcohol y esencias aromáticas. || **4.** Vinagre aromático para aderezar el tabaco en polvo. || **5. Tabaco vinagrillo.** || **6.** *Bot. Argent.* y *Chile.* Planta de la familia de las oxalidáceas, cuyo tallo contiene un jugo blanquecino bastante ácido.

Vinagrón. m. Vino repuntado y de inferior calidad.

Vinagroso, sa. adj. De gusto agrio, semejante al del vinagre. || **2.** fig. y fam. De genio áspero y desapacible.

Vinajera. f. Cada uno de los dos jarrillos con que se sirven en la misa el vino y el agua. || **2.** pl. Aderezo de ambos jarrillos y de la bandeja donde se colocan.

Vinal. m. *Argent.* Especie de algarrobo arborescente.

Vinar. adj. Vinario o vinatero.

Vinariego. (Del lat. *vinarĭus*, de *vinum*, vino.) m. El que tiene hacienda de viñas y es práctico en su cultivo.

Vinario, ria. (Del lat. *vinarĭus.*) adj. Perteneciente al vino.

Vinatera. f. *Mar.* Cordel con una gaza en un extremo y un cazonete o muletilla en el otro y que sirve para mantener amadrinados dos cabos, un cabo y una percha o dos perchas.

Vinatería. (De *vinatero.*) f. Tráfico y comercio del vino. || **2.** Tienda en que se vende vino.

Vinatero, ra. (Del arag. *vinatero*, de *vinat*, y éste del lat. *vīnum.*) adj. Perteneciente al vino. *Industria* VINATERA. || **2.** V. **Calabaza vinatera.** || **3.** m. El que trafica con el vino o lo conduce de una parte a otra para su venta.

Vinático, ca. adj. desus. Perteneciente al vino.

Vinaza. (Del lat. *vinacĕa*, de *vīnum*, vino.) f. Especie de vino que se saca a lo último, de los posos y las heces.

Vinazo. (aum. de *vino.*) m. Vino muy fuerte y espeso.

Vincapervinca. (Del lat. *pervinca.*) f. Planta herbácea de la familia de las apocináceas, con flores azules, la cual se cultiva en los jardines.

Vincle. (Del cat. *vincle*, y éste del lat. *vincŭlum.*) m. ant. **Vínculo.**

Vinco. (Del lat. **vincum*, der. regres. de *vincŭlum.*) m. *León.* Anillo de alambre que se pone en el hocico a los cerdos para evitar que hocen. || **2.** *León.* pl. Pendientes que usan las mujeres formados por un aro de plata.

Vinculable. adj. Que se puede vincular.

Vinculación. (Del lat. *vinculatĭo, -ōnis.*) f. Acción y efecto de vincular o vincularse.

Vincular. (Del lat. *vinculāre.*) tr. Sujetar o gravar los bienes a vínculo para perpetuarlos en empleo o familia determinados por el fundador. || **2.** ant. Asegurar, atar con prisiones. || **3.** fig. Atar o fundar una cosa en otra. *Andrés* VINCULA *sus esperanzas en el favor del ministro.* || **4.** fig. Perpetuar o continuar una cosa o el ejercicio de ella. Ú. m. c. r.

Vincular. adj. Perteneciente o relativo al vínculo.

Vínculo. (Del lat. *vincŭlum*, de *vincīre*, atar.) m. Unión o atadura de una persona o cosa con otra. Ú. m. en sent. fig. || **2.** *For.* Sujeción de los bienes, con prohibición de enajenarlos, a que sucedan en ellos los parientes por el orden que señala el fundador, o al sustento de institutos benéficos u obras pías. Dícese también del conjunto de bienes adscritos a una vinculación.

Vincha. (Del quichua *huincha.*) f. *Argent., Bol., Chile* y *Perú.* Apretador, cinta o pañuelo con que se ciñe la cabeza para sujetar el cabello.

Vinchuca. f. *Argent., Chile* y *Perú.* Insecto alado de cerca de dos centímetros de largo; especie de chinche. Se refugia de día en los techos de los ranchos y por la noche chupa la sangre de las personas dormidas. || **2.** *Chile.* Especie de flechilla, rehilete.

Vindicación. (Del lat. *vindicatĭo, -ōnis.*) f. Acción y efecto de vindicar o vindicarse.

Vindicador, ra. adj. Que vindica. Ú. t. c. s.

Vindicar. (Del lat. *vindicāre.*) tr. **Vengar.** Ú. t. c. r. || **2.** Defender, especialmente por escrito, al que se halla injuriado, calumniado o injustamente notado. Ú. t. c. r. || **3.** *For.* **Reivindicar.**

Vindicativo, va. (Del lat. *vindicātum*, supino de *vindicāre*, vengar.) adj. **Vengativo.** || **2.** Aplícase al escrito o discurso en que se defiende la fama y opinión de uno, injuriado, calumniado o injustamente notado.

Vindicatorio, ria. adj. Que sirve para vindicar o vindicarse.

Vindicta. (Del lat. *vindicta.*) f. **Venganza.** || **pública.** Satisfacción de los delitos, que se debe dar por la sola razón de justicia, para ejemplo del público.

Vínico, ca. adj. Perteneciente o relativo al vino.

Vinícola. (Del lat. *vīnum*, vino, y *colĕre*, cultivar.) adj. Relativo a la fabricación del vino. || **2.** m. **Vinariego.**

Vinicultor, ra. (Del lat. *vīnum*, vino, y *cultor, -ōris*, cultivador.) m. y f. Persona que se dedica a la vinicultura.

Vinicultura. (Del lat. *vīnum*, vino, y *cultūra*, cultivo.) f. Elaboración de vinos.

Viniebla. f. **Cinoglosa.**

Viniente. p. a. ant. de **Venir.** Que viene. Ú. en la locución **yentes y vinientes.**

Vinífero, ra. adj. Que produce vino.

Vinificación. (Del lat. *vīnum*, vino, y *facĕre*, hacer.) f. Fermentación del mosto de la uva, o transformación del zumo de ésta en vino.

Vinillo. m. d. de **Vino.** || **2.** Vino muy flojo.

Vino. (Del lat. *vīnum.*) m. Licor alcohólico que se hace del zumo de las uvas exprimido, y cocido naturalmente por la fermentación. || **2.** Zumo de otras cosas que se cuece y fermenta al modo del de las uvas. || **3.** V. **Espíritu, espolada, limonada, sopa de vino.** || **albillo.** El que se hace con la uva albilla. || **atabernado.** El vendido por menor, según se acostumbra en las tabernas. || **clarete.** Especie de **vino** tinto, algo claro. || **cubierto.** El de color obscuro. || **de agujas.** **Vino** raspante o picante. || **de Burdeos.** El cosechado en los viñedos de la Gironda (Francia), que recibe nombre de la capital del departamento. || **de cabezas. Aguapié,** 1.ª acep. || **de coco.** Aguardiente flojo que se fabrica en Filipinas con la tuba del coco después de fermentada. || **de dos, tres,** etc., **hojas.** El que tiene dos, tres o más años. || **de dos orejas. Vino** fuerte y bueno. || **de garnacha. Garnacha,** 2.º art., 2.ª acep. || **de garrote.** El que se saca a fuerza de viga, torno o prensa. || **de Jerez, de Málaga,** etc. El cosechado en los pueblos o viñedos del respectivo distrito geográfico. || **de lágrima.** El que destila la uva sin exprimir ni apretar el racimo. || **de mesa. Vino de pasto.** ||

de nipa. Aguardiente flojo que se fabrica en Filipinas con la tuba de la nipa después de fermentada. || **de pasto.** El más común y ligero, que se bebe durante la comida, a diferencia del de postre. || **de postre. Vino generoso.** || **de quema.** El que se destina a la destilación por carecer de condiciones para el consumo. || **de solera.** El más añejo y generoso, que se destina para dar vigor al nuevo. || **de una oreja.** El delicado y generoso. || **de yema.** El de en medio de la cuba o tinaja; que no es el del principio, ni el del final. || **dulce.** El que tiene este sabor porque se lo da la uva o porque está aderezado con arrope. || **garnacha. Garnacha,** 2.° art., 2.ª acep. || **generoso.** El más fuerte y añejo que el **vino** común. || **medicamentoso,** o **medicinal.** El que contiene en disolución una substancia medicamentosa. VINO *aromático, de quina, emético.* || **moscatel.** El que se fabrica con la uva moscatel. || **pardillo.** Cierto **vino** entre blanco y tinto, más bien dulce que seco, y de baja calidad. || **peleón.** fam. El muy ordinario. || **seco.** El que no tiene sabor dulce. || **tintillo. Vino** poco subido de color. || **tinto.** El de color muy obscuro. || **verde.** *Cuen.* Mosto ordinario, áspero y seco. || **Bautizar,** o **cristianar, el vino.** fr. fig. y fam. Echarle agua. || **Dormir uno el vino.** fr. Dormir mientras dura la borrachera. || **El buen vino no ha menester pregonero.** ref. **El buen paño en el arca se vende.** || **El vino, como rey, y el agua, como buey.** ref. que aconseja y enseña que el agua se puede beber con abundancia sin nota alguna, y el **vino** se debe beber con sobriedad, por no caer en la flaqueza de embriagarse. || **En el mejor vino hay heces.** ref. que expresa que no hay bien cumplido. || **Ninguno se embriaga del vino de casa.** ref. que advierte que las cosas propias no satisfacen, antes suelen causar fastidio. || **Pregonar vino y vender vinagre.** expr. que se aplica a los que tienen buenas palabras y ruines obras. || **Tener uno mal vino.** fr. Ser provocativo y pendenciero en la embriaguez. || **Tomarse uno del vino.** fr. fig. Embriagarse. || **Vendimia enjuto, cogerás vino puro.** ref. que aconseja vendimiar antes de las lluvias de otoño. || **Vino acedo y tocino añejo y pan de centeno, sostienen la casa en peso.** ref. con que se denota que estas tres cosas contribuyen a la economía de las casas. || **Vino puro y ajo crudo hacen andar al mozo agudo.** ref. que indica la necesidad de que los criados estén alimentados convenientemente para que sirvan bien a sus amos.

Vinolencia. (Del lat. *vinolentia.*) f. Exceso o destemplanza en el beber vino.

Vinolento, ta. (Del lat. *vinolentus.*) adj. Dado al vino o que acostumbra beberlo con exceso.

Vinosidad. (Del lat. *vinosĭtas, -ātis.*) f. Calidad de vinoso, 1.ª acep.

Vinoso, sa. (Del lat. *vinōsus.*) adj. Que tiene la calidad, fuerza, propiedad o apariencia del vino. || **2. Vinolento.**

Vinote. (aum. de *vino.*) m. Líquido que queda en la caldera del alambique después de destilado el vino y hecho el aguardiente.

Vinotera. f. *Ál.* y *Nav.* **Carraleja,** 1.ª acep.

Vinta. f. En el sur del archipiélago filipino, **baroto.**

Viña. (Del lat. *vinĕa.*) f. Terreno plantado de muchas vides. || **Arropar las viñas.** fr. *Agr.* Abrigar las raíces de las cepas, con basura, trapos u otras cosas, para lo cual se cavan antes y se vuelven luego a cubrir con la misma tierra: suélense arropar solamente las cepas viejas. || **Como hay viñas.** expr. fam. que se usa para asegurar la verdad de una cosa evitando el juramento. || **Como por viña vendimiada.** m. adv. fig. Fácilmente, sin reparo ni estorbo. || **De mis viñas vengo.** expr. fig. y fam. que se suele usar para dar a entender uno que no ha tenido intervención en un hecho. || **De todo hay en la viña del Señor,** o **de todo tiene la viña: uvas, pámpanos y agraz.** exprs. figs. y fams. con que damos a entender que, bien mirado, hay defectos en lo que mejor parece; especialmente se dice cuando se oye alabar algo. || **Hallarse uno una viña.** fr. fig. y fam. **Tener una viña.** || **La viña del ruin se poda en abril.** ref. con que se explica que la hacienda del miserable se cuida tarde y mal. || **La viña del Señor.** fr. fig. El conjunto de fieles guiados o doctrinados por un ministro del Señor. || **La viña y el potro, críelos otro.** ref. que denota que todos los principios suelen ser costosos y difíciles. || **Ser una viña** una cosa. fr. fig. y fam. Producir muchas utilidades. || **Tener uno una viña.** fr. fig. y fam. Lograr una cosa u ocupación lucrativa y de poco trabajo. || **Tomar viñas,** o **las viñas.** fr. fig. *Germ.* **Coger,** o **tomar, las de Villadiego.** || **Viñas y Juan Danzante.** expr. *Germ.* Ú. para dar a entender que uno sale huyendo.

Viñadera. (De *viña.*) f. *And.* Pájaro conirrostro, insectívoro.

Viñadero. (De *viña.*) m. **Viñador,** 2.ª acep.

Viñador. m. El que cultiva las viñas. || **2.** Guarda de una viña.

Viñedo. (Del lat. *vinetum,* infl. por *viña.*) m. Terreno plantado de vides.

Viñero, ra. m. y f. Persona que tiene heredades de viñas.

Viñeta. (Del fr. *vignette,* de *vigne,* viña, porque en su origen representaban estos adornos racimos y hojas de vid.) f. Dibujo o estampita que se pone para adorno en el principio o el fin de los libros y capítulos, y algunas veces en los contornos de las planas.

Viñetero. m. *Impr.* Armario destinado a guardar los moldes de las viñetas y adornos.

Viñuela. f. d. de **Viña.**

Viola. (Del prov. *viula,* y éste del lat. **vivula,* de *vivus.*) f. Instrumento de la misma figura que el violín, aunque algo mayor y de cuerdas más fuertes, que entre los de su clase equivale al contralto. || **2.** com. Persona que ejerce o profesa el arte de tocar este instrumento.

Viola. (Del lat. *viŏla.*) f. **Violeta.** || **2.** *Ar.* **Alhelí.**

Violáceo, a. (Del lat. *violacĕus.*) adj. **Violado.** Ú. t. c. s. || **2.** *Bot.* Dícese de plantas angiospermas dicotiledóneas, hierbas, matas o arbustos, de hojas comúnmente alternas, simples, festoneadas y con estípulas; flores de cinco pétalos, axilares y con pedúnculos simples o ramosos, y fruto capsular con tres divisiones y muchas semillas de albumen carnoso; como la violeta y la trinitaria. Ú. t. c. s. f. || **3.** f. pl. *Bot.* Familia de estas plantas.

Violación. (Del lat. *violatio, -ōnis.*) f. Acción y efecto de violar.

Violado, da. (Del lat. *violātus.*) adj. De color de violeta, morado claro. Ú. t. c. s. Es el séptimo color del espectro solar.

Violador, ra. (Del lat. *violātor, -ōris.*) adj. Que viola. Ú. t. c. s.

Violar. (De *viola,* 2.° art.) m. Sitio plantado de violetas.

Violar. (Del lat. *violāre.*) tr. Infringir o quebrantar una ley o precepto. || **2.** Tener acceso carnal con una mujer por fuerza, o hallándose privada de sentido, o cuando es menor de doce años. || **3.** Profanar un lugar sagrado, ejecutando en él ciertos actos determinados por el derecho canónico. || **4.** fig. Ajar o deslucir una cosa.

Violario. (Del arag. *viu,* vivo, y éste del lat. *vivus.*) m. *Ar.* Pensión anual que el poseedor de los bienes paternos acostumbra dar a la persona que entra en religión. || **2.** *Nav.* Renta vitalicia.

Violencia. (Del lat. *violentia.*) f. Calidad de violento. || **2.** Acción y efecto de violentar o violentarse. || **3.** fig. Acción violenta o contra el natural modo de proceder. || **4.** fig. Acción de violar, 2.ª acep.

Violentamente. adv. m. De manera violenta.

Violentar. tr. Aplicar medios violentos a cosas o personas para vencer su resistencia. || **2.** fig. Dar interpretación o sentido violento a lo dicho o escrito. || **3.** fig. Entrar en una casa u otra parte contra la voluntad de su dueño. || **4.** r. fig. Vencer uno su repugnancia a hacer alguna cosa.

Violento, ta. (Del lat. *violentus.*) adj. Que está fuera de su natural estado, situación o modo. || **2.** Que obra con ímpetu y fuerza. Dícese también de las mismas acciones. || **3.** Dícese de lo que hace uno contra su gusto, por ciertos respetos y consideraciones. || **4.** V. **Muerte violenta.** || **5.** fig. Aplícase al genio arrebatado e impetuoso y que se deja llevar fácilmente de la ira. || **6.** fig. Falso, torcido, fuera de lo natural. Dícese del sentido o interpretación que se da a lo dicho o escrito. || **7.** fig. Que se ejecuta contra el modo regular o fuera de razón y justicia. || **8.** *Esgr.* V. **Movimiento violento.** || **9.** *For.* V. **Posesión violenta.**

Violero. m. ant. **Vihuelista.** || **2.** Constructor de instrumentos de cuerda. || **3. Mosquito,** 1.ª acep.

Violeta. (d. de *viola,* 2.° art.) f. Planta herbácea, vivaz, de la familia de las violáceas, con tallos rastreros que arraigan fácilmente; hojas radicales con pecíolo muy largo, ásperas, acorazonadas y de borde festoneado; flores casi siempre de color morado claro y a veces blancas, aisladas, de cabillo largo y fino y de suavísimo olor, y fruto capsular con muchas semillas blancas y menudas. Es común en los montes de España, se cultiva en los jardines, y la infusión de la flor se usa en medicina como pectoral y sudorífico. || **2.** Flor de esta planta.

Violetera. f. Mujer que vende en parajes públicos ramitos de violetas.

Violetero. m. Florero pequeño para poner violetas.

Violeto. (De *violeta,* por el color morado de fruto.) m. **Peladillo.**

Violín. (d. de *viola,* 1.er art.) m. Instrumento músico de arco, que se compone de una caja de madera, a modo de óvalo estrechado cerca del medio, con dos aberturas en forma de S en la tapa, y un mástil al que va superpuesto el diapasón. Cuatro clavijas, colocadas en el extremo de este mástil, sirven para templar otras tantas cuerdas anudadas a un cordal sujeto al botón y que pasan por encima del diapasón, apoyándose en el puente y la cejilla. Es el más pequeño de los instrumentos de su clase, y equivale al tiple. || **2. Violinista.** || **3.** En el juego del billar, soporte de madera o metal con un mango, y que sirve para apoyar la mediana. || **4.** Parte del atelaje en los carros de la Mancha, que consta de una vara y varias correas, sirviendo como de yugo sobre las colleras de las dos caballerías de lanza. || **Embolsar el violín.** fr. fig. y fam. *Argent.* y *Venez.* Quedar corrido, salir con el rabo entre piernas.

Violinista. com. Persona que ejerce o profesa el arte de tocar el violín.

Violón. (aum. de *viola,* 1.er art.) m. **Contrabajo,** 1.ª y 2.ª aceps. || **Tocar el violón.** fr. fig. y fam. Hablar u obrar fuera de propósito, o confundir las especies por distracción o embobamiento.

Violoncelista. com. Violonchelista.

Violoncelo. (Del ital. *violoncello.*) m. Violonchelo.

Violonchelista. com. Persona que ejerce o profesa el arte de tocar el violonchelo.

Violonchelo. m. Instrumento músico de cuerda y arco, más pequeño que el violón y de la misma forma. Equivale al barítono entre los de su clase, y se afina a la octava grave de la viola.

Vipéreo, a. (Del lat. *viperĕus.*) adj. **Viperino.**

Viperino, na. (Del lat. *viperinus.*) adj. Perteneciente a la víbora. || **2.** fig. Que tiene su propiedades. || **3.** fig. V. **Lengua viperina.**

Vira. (En port. *vira.*) f. Especie de saeta delgada y de punta muy aguda. || **2.** Tira de tela, badana o vaqueta que, para dar fuerza al calzado, se cose entre la suela y la pala. || **3.** *Murc.* Franja con que las mujeres adornan los vestidos.

Viracocha. (Voz quichua con que designaban a un dios.) m. Nombre que los antiguos peruanos y los indios chilenos daban a los españoles conquistadores.

Virada. f. *Mar.* Acción y efecto de virar, 2.ª y 3.ª aceps.

Virador. m. Líquido empleado en fotografía para virar. || **2.** *Mar.* Calabrote u otro cabo grueso que se guarnece al cabrestante para meter el cable, al cual se une con varias reatas levadizas para la faena. || **3.** *Mar.* Cabo que sirve para guindar y echar abajo los masteleros.

Virago. (Voz latina.) f. Mujer varonil.

Viraje. m. Acción y efecto de virar, 1.ª y 4.ª aceps.

Virar. (Del lat. **virāre*, de *gyrāre*, infl. por *volvĕre* y *venire.*) tr. En fotografía, substituir la sal de plata del papel impresionado por otra sal más estable o que produzca un color determinado. || **2.** *Mar.* Cambiar de rumbo o de bordada, pasando de una amura a otra, de modo que el viento que daba al buque por un costado le dé por el opuesto. Ú. t. c. intr. || **3.** *Mar.* Dar vueltas el cabrestante para levar las anclas o suspender otras cosas de mucho peso que hay que meter en la embarcación o sacar de ella. || **4.** intr. Mudar de dirección en la marcha de un automóvil u otro vehículo semejante.

Viratón. m. Virote o vira grande.

Viravira. (Voz quichua.) f. *Argent., Chile, Perú* y *Venez.* Planta herbácea de la familia de las compuestas, con hojas lanceoladas, flores en cabezuela; involucro de escamas blancas. Está cubierta de una pelusa blanca; se emplea en infusión como pectoral.

Virazón. (De *virar.*) f. Viento que en las costas sopla de la parte del mar durante el día, alternando con el terral, que sopla de noche, y sucediéndose ambos con bastante regularidad en todo el curso del año, mientras no hay temporal. || **2.** *Sant.* Cambio repentino de viento, y especialmente cuando al del Sur huracanado sucede el Noroeste.

Víreo. (Del lat. *virĕo.*) m. **Virio.**

Virgaza. f. **Vidarra.**

Virgen. (Del lat. *virgo, -ĭnis.*) com. Persona que no ha tenido comercio carnal. Ú. t. c. adj. || **2.** adj. Dícese de la tierra que no ha sido arada o cultivada. || **3.** Aplícase a aquellas cosas que están en su primera entereza y no han servido aún para aquello a que se destinan. || **4.** Dícese de lo que no ha tenido artificio en su formación. || **5.** V. **Aceite, cera, miel virgen.** || **6.** fig. y fam. V. **Voluntad virgen.** || **7.** f. Por antonom., María Santísima, Madre de Dios, **virgen** antes del parto, en el parto y después del parto. || **8.** V. **Letanía de la Virgen.** || **9.** Imagen de María Santísima. || **10.** Uno de los títulos y grados que da la Iglesia, con el cual se distinguen los coros de las santas mujeres que conservaron su integridad y pureza. || **11.** Cada uno de los dos pies derechos que en los lagares y molinos de aceite guían el movimiento de la viga. || **12.** *Astron.* **Virgo**, 3.ª acep. || **Fíate de la Virgen, y no corras.** fr. fam. que se aplica al que por estar demasiado confiado, no pone nada de su parte para conseguir algo. || **Viva la Virgen.** fr. fam. que se aplica a persona informal, que no se preocupa para nada.

Virgiliano, na. (Del lat. *virgiliānus.*) adj. Propio y característico del poeta Virgilio, o que tiene semejanza con cualquiera de las dotes o calidades por que se distinguen sus producciones.

Virginal. (Del lat. *virginālis.*) adj. Perteneciente a la virgen. || **2.** fig. Puro, incólume, inmaculado. || **3.** V. **Entereza, leche virginal.**

Virginalero, ra. (De *virginal.*) adj. ant. **Mujeril.**

Virgíneo, a. (Del lat. *virginĕus.*) adj. **Virginal.**

Virginia. (De *Virginia*, país de América.) m. Tabaco virginiano.

Virginiano, na. adj. Natural de Virginia. Ú. t. c. s. || **2.** Perteneciente a este país de América. || **3.** V. **Serpentaria virginiana.**

Virginidad. (Del lat. *virginĭtas, -ātis.*) f. Entereza corporal de la persona que no ha tenido comercio carnal.

Virgo. (Del lat. *virgo*, virgen.) m. **Virginidad.** || **2.** **Himen.** || **3.** *Astron.* Sexto signo o parte del Zodiaco, de 30 grados de amplitud, que el Sol recorre aparentemente en el último tercio del verano. || **4.** *Astron.* Constelación zodiacal que en otro tiempo debió de coincidir con el signo de este nombre; pero que actualmente, por resultado del movimiento retrógrado de los puntos equinocciales, se halla delante del mismo signo y un poco hacia el oriente.

Vírgula. (Del lat. *virgŭla*, d. de *virga*, vara.) f. Vara pequeña. || **2.** Rayita o línea muy delgada. || **3.** *Med.* Vibrión causante del cólera, 1.er art., 1.ª acep.

Virgulilla. (d. de *vírgula.*) f. Cualquier signo ortográfico de figura de coma, rasguillo o trazo; como el apóstrofo, la cedilla, la tilde de la *ñ* y la raya que se pone sobre las abreviaturas y se ponía antiguamente sobre las voces en que se omitía la *m* o la *n*; v. gr.: *hōbre, talēto.* || **2.** Cualquiera rayita o línea corta y muy delgada.

Virigaza. f. *Ál.* **Clemátide.**

Viril. (De *vidrio.*) m. Vidrio muy claro y transparente que se pone delante de algunas cosas para preservarlas o defenderlas, dejándolas patentes a la vista. || **2.** Custodia pequeña que se pone dentro de la grande.

Viril. (Del lat. *virīlis.*) adj. **Varonil.** || **2.** V. **Edad, miembro viril.** || **3.** *Astrol.* V. **Cuadrante viril.**

Virilidad. (Del lat. *virilĭtas, -ātis.*) f. Calidad de viril. || **2.** **Edad viril.**

Virilmente. (De *viril*, 2.° art.) adv. m. **Varonilmente.**

Virina. f. *Filip.* **Guardabrisa,** 1.ª acep.

Virio. (De *víreo.*) m. **Oropéndola.**

Viripotente. (Del lat. *virĭpŏtens, -entis*; de *vir*, varón, y *potens*, que puede.) adj. Aplícase a la mujer casadera.

Viripotente. (Del lat. *virĭpotens*; de *vires*, fuerzas, y *potens*, que puede.) adj. Vigoroso, potente.

Virol. (Del fr. *virole*, y éste del lat. *viriola*, brazalete.) m. *Blas.* Perfil circular de la boca de la bocina y de otros instrumentos semejantes.

Virola. (Del fr. *virole*, y éste del lat. *viriola*, brazalete.) f. Abrazadera de metal que se pone por remate o por adorno en algunos instrumentos, como navajas, espadas, etc. || **2.** Anillo ancho de hierro que se pone en la extremidad de la garrocha de los vaqueros para que la púa no pueda penetrar en la piel del toro más que lo necesario para avivarle sin maltratarle.

Virolento, ta. adj. Que tiene viruelas. Ú. t. c. s. || **2.** Señalado de ellas. Ú. t. c. s.

Virón. m. aum. de **Vira,** 1.ª acep. || **2.** *Bad.* Madero en rollo, de castaño, de seis varas y media de longitud y con un diámetro de seis a siete pulgadas.

Virosis. (De *virus.*) f. Nombre genérico de las enfermedades cuyo origen se atribuye a virus patógenos.

Virotazo. m. Golpe dado con el virote.

Virote. (aum. de *vira*, 1.ª acep.) m. Especie de saeta guarnecida con un casquillo. || **2.** Hierro largo que a modo de maza se colgaba de la argolla sujeta al cuello de los esclavos que solían fugarse. || **3.** Punta que por broma solía hacerse en el vestido de alguno introduciendo al descuido una parte de él en un anillo de esparto o cuerda. || **4.** Vara cuadrangular de la ballestilla. || **5.** ant. Esquela de aviso o súplica. || **6.** fig. y fam. Mozo soltero, ocioso, paseante y preciado de guapo. || **7.** fig. y fam. Hombre erguido y y demasiadamente serio y quijote. || **8.** *And.* Cepa de tres años. || **9.** *Pal.* Cada uno de los pies derechos del telar. || **palomero.** El de ballesta, más largo que el común y con una virola de hierro en la cabeza. || **Mirar uno por el virote.** fr. fig. y fam. Atender con cuidado y vigilancia a lo que importa.

Virotillo. (d. de *virote.*) m. *Arq.* Madero corto vertical y sin zapata, que se apoya en uno horizontal y sostiene otro horizontal o inclinado.

Virotismo. (De *virote*, 7.ª acep.) m. Entono, presunción.

Virreina. f. Mujer del virrey. || **2.** La que gobierna como virrey.

Virreinal. adj. Relativo al virrey o al virreino.

Virreinato. m. Dignidad o cargo de virrey. || **2.** Tiempo que dura el empleo o cargo de virrey. || **3.** Distrito gobernado por un virrey.

Virreino. m. **Virreinato.**

Virrey. (De *vi*, por *vice*, en lugar de, y *rey.*) m. El que con este título gobierna en nombre y con autoridad del rey.

Virtual. (Del lat. *virtus*, fuerza, virtud.) adj. Que tiene virtud para producir un efecto, aunque no lo produce de presente. || **2.** Implícito, tácito. || **3.** *Fís.* Que tiene existencia aparente y no real. || **4.** V. **Foco, imagen virtual.** || **5.** *Mec.* V. **Momento, velocidad virtual.**

Virtualidad. f. Calidad de virtual.

Virtualmente. adv. m. De un modo virtual. || **2.** Tácitamente, implícitamente.

Virtud. (Del lat. *virtus, -ūtis.*) f. Actividad o fuerza de las cosas para producir o causar sus efectos. || **2.** Eficacia de una cosa para conservar o restablecer la salud corporal. || **3.** Fuerza, vigor o valor. || **4.** Poder o potestad de obrar. || **5.** Integridad de ánimo y bondad de vida. || **6.** Hábito y disposición del alma para las acciones conformes a la ley moral y que se ordenan a la bienaventuranza. || **7.** Acción virtuosa o recto modo de proceder. || **8.** pl. Espíritus bienaventurados, cuyo nombre indica fuerza viril e indomable para cumplir las operaciones divinas. Forman el quinto coro. || **9.** V. **Varilla de virtudes.** || **Virtud cardinal.** Cada una de las cuatro (prudencia, justicia, fortaleza y templanza) que son principio de otras en ellas contenidas. || **moral.** Hábito de obrar bien, independientemente de los preceptos de la ley, por sola la bondad de la operación y conformidad con la razón natural. || **teologal.** Cada una de las tres (fe, esperanza y caridad) cuyo objeto directo es Dios. || **En virtud.** m. adv. En fuerza, a consecuencia o por resultado de. || **Virtudes vencen señales.** fr. proverb. con que se da a entender que uno obra o puede obrar bien, no obstante los indicios o signos que argüían lo contrario.

Virtuosamente. adv. m. De manera virtuosa.

Virtuoso, sa. (Del lat. *virtuōsus.*) adj. Que se ejercita en la virtud u obra según ella. Ú. t. c. s. || **2.** Aplícase igualmente a las mismas acciones. || **3.** Dícese también de las cosas que tienen la actividad y virtud natural que les corresponde. || **4.** Dícese del artista que domina de modo extraordinario la técnica de su instrumento. Ú. t. c. s.

Viruela. (Del b. lat. *variola,* y éste del lat. *varus,* barro, 2.° art., postilla.) f. Enfermedad aguda, febril, esporádica o epidémica, contagiosa, caracterizada por la erupción de gran número de pústulas. Ú. m. en pl. || **2.** Cada una de las pústulas producidas por esta enfermedad. || **3.** fig. Granillo que sobresale en la superficie de ciertas cosas; como plantas, papel, etc. || **Viruelas confluentes.** *Med.* Las que aparecen juntas en gran cantidad. || **locas.** *Med.* Las que no tienen malignidad y son pocas y ralas. || **Picado de viruelas.** Picoso.

Virulé (A la). (Del galicismo ant. *barulé,* y éste del fr. *bas roulé.*) m. adv. que expresa la forma de llevar la media arrollada en su parte superior.

Virulencia. (Del lat. *virulentĭa.*) f. Calidad de virulento.

Virulento, ta. (Del lat. *virulentus.*) adj. Ponzoñoso, maligno, ocasionado por un virus, o que participa de la naturaleza de éste. || **2.** Que tiene materia o podre. || **3.** fig. Dícese del estilo, o del escrito o discurso, ardiente, sañudo, ponzoñoso o mordaz en sumo grado.

Virus. (Del lat. *virus.*) m. *Med.* Podre, humor maligno. || **2.** *Med.* Cualquiera de los agentes infecciosos apenas visibles con el microscopio ordinario y que pasan a través de los filtros de porcelana. Son causa de muchas enfermedades; como la rabia, las viruelas, la glosopeda, etc.

Viruta. f. Hoja delgada que se saca con el cepillo u otras herramientas al labrar la madera o los metales, y que sale, por lo común, arrollada en espiral.

Vis. (Del lat. *vis.*) f. Fuerza, vigor. Ú. sólo en la locución **vis cómica.**

Visado, da. p. p. de **Visar.** || **2.** m. Acción y efecto de visar, 2.ª acep.

Visaje. (Del lat. *visar,* mirada, apariencia, aspecto.) m. **Gesto,** 1.ª y 2.ª aceps.

Visajero, ra. (De *visaje.*) adj. Gestero.

Visal. m. ant. **Visera,** 1.ª acep.

Visante. (De *visar,* por *ver.*) m. *Germ.* **Ojo,** 1.ª acep.

Visar. (Del lat. *visus.*) tr. Reconocer o examinar un instrumento, certificación, etc., poniéndole el visto bueno. || **2.** Dar validez, la autoridad competente, a un pasaporte u otro documento para determinado uso. || **3.** Entre artilleros y topógrafos, dirigir la puntería o la visual.

Víscera. (Del lat. *viscĕra.*) f. **Entraña,** 1.ª acep.

Visceral. adj. Perteneciente o relativo a las vísceras.

Visco. (Del lat. *viscus.*) m. **Liga,** 4.ª acep. || **2.** *Bot. Argent.* Árbol leguminoso, que llega a 10 metros de altura y cuya corteza se usa como curtiente.

Viscosa. f. Producto que se obtiene mediante el tratamiento de la celulosa con una solución de álcali cáustico y bisulfuro de carbono. Se usa principalmente para la fabricación de fibras textiles.

Viscosidad. f. Calidad de viscoso. || **2.** Materia viscosa. || **3.** *Fís.* Propiedad de los fluidos debida al frotamiento de sus moléculas, que se gradúa por la velocidad de salida de aquéllos al través de tubos capilares.

Viscoso, sa. (Del lat. *viscōsus.*) adj. Pegajoso, glutinoso.

Visear. tr. p. us. Vislumbrar, adquirir una visión imperfecta.

Visera. (De *visar.*) f. Parte del yelmo, movible, por lo común, sobre dos botones laterales para alzarla y bajarla, y con agujeros o hendeduras para ver, que cubría y defendía el rostro. || **2.** Ala pequeña que tienen en la parte delantera las gorras, chacós y otras prendas semejantes, para resguardar la vista. || **3.** Garita desde donde el palomero observa el movimiento de las palomas. || **Calar,** o **calarse,** uno **la visera.** fr. Bajarse la del yelmo.

Visibilidad. (Del lat. *visibilĭtas, -ātis.*) f. Calidad de visible.

Visible. (Del lat. *visibĭlis.*) adj. Que se puede ver. || **2.** Tan cierto y evidente, que no admite duda. || **3.** Dícese de la persona notable que llama la atención por alguna singularidad.

Visiblemente. adv. m. De manera visible.

Visigodo, da. (Del b. lat. *visigothus,* y éste del germ. *west,* oeste, y *gothus,* godo.) adj. Dícese del individuo de una parte del pueblo godo, que, establecida durante algún tiempo al oeste del Dniéper, fundó después un reino en España. Ú. t. c. s. || **2.** Visigótico.

Visigótico, ca. adj. Perteneciente o relativo a los visigodos.

Visillo. (d. de *viso.*) m. **Cortinilla.**

Visión. (Del lat. *visĭo, -ōnis.*) f. Acción y efecto de ver. || **2.** Objeto de la vista, especialmente cuando es ridículo o espantoso. || **3.** Especie de la fantasía o imaginación, que no tiene realidad y se toma como verdadera. || **4.** fig. y fam. Persona fea y ridícula. || **beatífica.** *Teol.* Acto de ver a Dios, en el cual consiste la bienaventuranza. || **Quedarse** uno **como quien ve visiones.** fr. fig. y fam. Quedarse atónito, pasmado. || **Ver** uno **visiones.** fr. fig. y fam. Dejarse llevar mucho de su imaginación, creyendo lo que no hay.

Visionario, ria. (De *visión.*) adj. Dícese del que, en fuerza de su fantasía exaltada, se figura y cree con facilidad cosas quiméricas. Ú. t. c. s.

Visir. (Del ár. *wazir,* ministro.) m. Ministro de un soberano musulmán. || **Gran visir.** Primer ministro del sultán de Turquía.

Visirato. m. Cargo o dignidad de visir. || **2.** Tiempo que dura ese cargo.

Visita. f. Acción de visitar. || **2.** Persona que visita. || **3.** Casa en que está el tribunal de los visitadores eclesiásticos. || **4.** Conjunto de ministros que asisten en forma de tribunal para la **visita** de cárceles. || **5.** Especie de esclavina adornada y de diversas formas usada por las señoras. || **de altares.** Oración vocal que con asistencia personal se hace en cada uno de ellos para algún fin piadoso. || **de aspectos.** La que los médicos de sanidad hacen en los puertos a la llegada de las embarcaciones, para juzgar por el semblante de los pasajeros del estado de su salud. || **de cárcel,** o **de cárceles.** La que un juez o tribunal hace a las cárceles en días determinados, para enterarse del estado de los presos y recibir sus reclamaciones. || **de cumplido,** o **de cumplimiento.** La que se hace como muestra de cortesanía y respeto. || **de médico.** fig. y fam. La de corta duración. || **de sanidad.** La que se hace oficialmente en los puertos para enterarse del estado de salubridad de los buques que arriban, y de la salud de sus tripulantes y pasajeros. || **domiciliaria.** La que se hace por el juez u otra autoridad en casas sospechosas. || **2.** La que hacen por caridad, en casas pobres, las personas constituidas en asociación piadosa para ese fin. || **general.** La que se giraba antiguamente sobre los edificios, manzanas y calles de las poblaciones, reconociendo sus alineaciones y el estado y numeración de las casas. Es famosa la **visita** general hecha en Madrid los años 1750 y 51. || **pastoral.** La que hace el obispo para inspeccionar las iglesias de su diócesis. || **Pagar** uno **la visita** a otro. fr. Corresponder al que le ha visitado, haciéndole igual obsequio. || **Quedarse** una **arrebolada y sin visita.** fr. fig. y fam. **Quedarse aderezada,** o **compuesta, y sin novio.**

Visitación. (Del lat. *visitatĭo, -ōnis.*) f. **Visita,** 1.ª acep. || **2.** Por antonom., visita que hizo María Santísima a su prima Santa Isabel, de que hace fiesta particular la Iglesia.

Visitador, ra. (Del lat. *visitātor, -ōris.*) adj. Que visita frecuentemente. Ú. t. c. s. || **2.** m. Juez, ministro o empleado que tiene a su cargo hacer visitas o reconocimientos.

Visitadora. f. *Hond.* y *Venez.* Ayuda, lavativa.

Visitante. p. a. de **Visitar.** Que visita. Ú. t. c. s.

Visitar. (Del lat. *visitāre.*) tr. Ir a ver a uno en su casa por cortesanía, atención, amistad o cualquiera otro motivo. || **2.** Ir a un templo o santuario por devoción, o para ganar indulgencias. || **3.** Informarse el juez superior, u otra autoridad, personalmente o por medio de alguno que envía en su nombre, del proceder de los ministros inferiores o empleados, y del estado de las causas y asuntos del servicio en los distritos de su jurisdicción. || **4.** Ir el médico a casa del enfermo para asistirle. || **5.** Registrar en las aduanas o puertas, o en otra parte destinada a este efecto, los géneros o mercaderías, para el pago de los derechos o para ver si son de lícito comercio. || **6.** Examinar los oficios públicos, y en ellos los instrumentos o géneros que respectivamente tocan a cada uno, para ver si están fieles o según ley u ordenanza. || **7.** Reconocer en las cárceles los presos y las prisiones en orden a su seguridad. || **8.** Examinar el juez eclesiástico las personas en orden al cumplimiento de sus obligaciones cristianas y eclesiásticas, y reconocer las iglesias, obras pías y bienes eclesiásticos, para ver si están y se mantienen en el orden y disposición que deben tener. || **9.** Informarse personalmente de una cosa. || **10.** Acudir con frecuencia a un paraje con objeto determinado. || **11.** *For.* Ir un juez o tribunal a la cárcel para enterarse del estado de los presos y recibir sus reclamaciones. || **12.** *Teol.* Enviar Dios a los hombres algún especial consuelo o trabajo para su mayor merecimiento, o para que se reconozcan. || **13.** r. *For.* Acudir a la visita el preso para hacer alguna petición.

Visiteo. m. Acción de hacer o recibir muchas visitas, o de hacerlas o recibirlas frecuentemente.

Visitero, ra. (De *visita.*) adj. fam. **Visitador,** 1.ª acep. Ú. t. c. s.

Visitón. m. aum. de **Visita.** || **2.** fam. Visita muy larga y enfadosa.

Visivo, va. (Del lat. *visum,* supino de *vidēre,* ver.) adj. Que sirve para ver. *Potencia* VISIVA.

Vislumbrar. (Del lat. *vix,* apenas, y *lumināre,* alumbrar.) tr. Ver un objeto tenue o confusamente por la distancia o falta de luz. || **2.** fig. Conocer imperfectamente o conjeturar por leves indicios una cosa inmaterial.

Vislumbre. (De *vislumbrar.*) f. Reflejo de la luz, o tenue resplandor, por la distancia de ella. || **2.** fig. Conjetura, sospecha o indicio. Ú. m. en pl. || **3.** fig. Corta o dudosa noticia. || **4.** fig. Apariencia o leve semejanza de una cosa con otra.

Viso. (Del lat. *visus.*) m. Altura o eminencia, sitio o lugar alto, desde donde se ve y descubre mucho terreno. || **2.** Superficie de las cosas lisas o tersas que hieren la vista con un especial color o reflexión de la luz. || **3.** Onda de resplandor que hacen algunas cosas heridas de la luz. || **4.** V. **Pintura a dos visos.** || **5.** Forro de color o prenda de vestido que se coloca debajo de una tela clara para que por ella se transparente. || **6.** ant. **Vista.** || **7.** ant. **Cara,** 1.ª acep. || **8.** fig. Apariencia de las cosas. || **de altar.** Cuadro pequeño de tela con su bastidor, con el cual, en algunas partes, cubren las puertas del sagrario donde está el Santísimo Sacramento. Es de los mismos colores que usa la Iglesia en sus festividades, y suele ser bordado de seda, o de hilo de oro o plata, con algunos símbolos del Sacramento. || **A dos visos.** m. adv. fig. Con dos intentos distintos, o a dos miras. || **Al viso.** m. adv. Modo de mirar al soslayo ciertos objetos a fin de cerciorarse de su color y tersura. || **De viso.** loc. Dícese de las personas conspicuas. || **Hacer mal viso** uno. fr. fig. Deslucirle un defecto o nota, y disminuir la estimación que se debía tener de él por sus prendas o empleo. || **Hacer viso** uno. fr. fig. Llevarse la atención y aprecio, gozando de especial estimación entre las gentes. || **Hacer visos.** fr. Dícese de ciertos tejidos que según los hiere la luz, forman cambiantes o tornasoles.

Visogodo, da. adj. p. us. **Visigodo.** Apl. a pers., ú. t. c. s.

Visón. (En fr. *vison,* y éste del al. *wiesel.*) m. Mamífero carnicero semejante a la nutria, con los dedos reunidos hasta más de la mitad por una membrana; se alimenta de toda clase de animales. Habita en el Norte de América y es apreciado por su piel.

Visontino, na. (De *Visontium,* nombre latino de Vinuesa.) adj. Natural de Vinuesa. Ú. t. c. s. || **2.** Perteneciente o relativo a esta villa de la provincia de Soria.

Visor. (Del lat. *visor, -ōris.*) m. Prisma o sistema óptico que llevan ciertos aparatos fotográficos de mano y sirve para enfocarlos rápidamente.

Visorio, ria. (Del lat. *visus.*) adj. Perteneciente a la vista o que sirve como instrumento para ver. || **2.** m. Visita o examen pericial.

Visorreina. (De *vice* y *reina.*) f. ant. **Virreina.**

Visorreinado. (De *vice* y *reinado.*) m. ant. **Virreinato.**

Visorreino. (De *vice* y *reino.*) m. ant. **Virreino.**

Visorrey. (De *vice* y *rey.*) m. ant. **Virrey.**

Víspera. (Del lat. *vespĕra,* la tarde.) f. Día que antecede inmediatamente a otro determinado, especialmente si es fiesta. || **2.** fig. Cualquier cosa que antecede a otra, y en cierto modo la ocasiona. || **3.** fig. Inmediación a una cosa que ha de suceder. || **4.** pl. Una de las divisiones del día entre los antiguos romanos, que correspondía al crepúsculo de la tarde. || **5.** Una de las horas del oficio divino que se dice después de nona, y que antiguamente solía cantarse hacia el anochecer. || **En vísperas.** m. adv. fig. Cerca o con inmediación de tiempo. || **Por las vísperas se conocen los disantos,** o **se sacan los santos.** ref. que se usa para indicar que por los indicios deducimos lo que será el resultado.

Vista. (De *visto.*) f. Sentido corporal con que se ven los colores y formas de las cosas. || **2. Visión,** 1.ª acep. || **3.** Apariencia o disposición de las cosas en orden al sentido del ver. Ú. m. con los adjetivos *buena* o *mala.* || **4.** Campo que se descubre desde un punto, y en especial cuando presenta extensión, variedad y agrado. Ú. t. en pl. || **5. Ojo,** 1.ª acep. || **6.** Conjunto de ambos ojos. || **7.** Encuentro o concurrencia en que uno se ve con otro. *Hasta la* VISTA. || **8.** Visión o aparición. || **9.** Cuadro, estampa que representa un lugar o monumento, etc., tomado del natural. *Una* VISTA *de Venecia.* || **10.** Conocimiento claro de las cosas. || **11.** Apariencia o relación de unas cosas respecto de otras. *A* VISTA *de la nieve, el cisne es negro.* || **12.** Intento o propósito. || **13.** Parte de una cosa que no se oculta a la **vista;** como la parte de la teja, pizarra u hoja de plomo que queda fuera de los solapos; los puños, cuello y pechera de una camisola; las vueltas que guarnecen por delante una americana, un abrigo, etc. || **14. Vistazo.** || **15.** V. **Almadraba, centinela, guarda, testigo de vista.** || **16.** V. **Claridad de la vista.** || **17.** V. **Anteojo de larga vista.** || **18.** ant. **Visera,** 1.ª acep. || **19.** *For.* Actuación en que se relaciona ante el tribunal, con citación de las partes, un juicio o incidente, para dictar el fallo, oyendo a los defensores o interesados que a ella concurran. || **20.** *Persp.* V. **Altura, punto de la vista.** || **21.** pl. Concurrencia de dos o más sujetos que se ven para fin determinado. || **22.** Regalos que recíprocamente se hacen los novios. || **23.** Ventana, puerta u otra abertura en los edificios, por donde entra la luz para ver. || **24.** Galerías, ventanas u otros huecos de pared, por donde desde un edificio se ve lo exterior. || **25.** m. Empleado de aduanas a cuyo cargo está el registro de los géneros. || **Vista actuario.** El que interviene en un despacho u otra operación de aduanas. || **cansada.** La del présbita. || **corta.** La del miope. || **de águila.** fig. La que alcanza y abarca mucho. || **de lince.** fig. La muy aguda y penetrante. || **de ojos.** Diligencia judicial o extrajudicial de ver personalmente una cosa para informarse con seguridad de ella. || **Doble vista.** Facultad extraordinaria de ver por medio de la imaginación cosas que realmente existen o suceden, pero que no están al alcance de la **vista.** || **Aguzar** uno **la vista.** fr. fig. Recogerla y aplicarla con atención. || **A la vista.** m. adv. Luego, al punto, prontamente y sin dilación. En el comercio se libran letras **a la vista,** que vale tanto como pagaderas a su presentación. || **2. A vista.** || **A media vista.** m. adv. Ligeramente y de paso en el reconocimiento de una cosa. || **2.** Ú. t. para significar la facilidad de aprender o de reconocer las cosas. || **Apartar** uno **la vista.** fr. fig. Desviar la consideración o el pensamiento de un objeto, aun cuando sea imaginario y no real. || **A primera vista,** o **a simple vista.** m. adv. **A media vista.** || **A vista de.** m. adv. En presencia de o delante de. || **2.** En consideración o comparación. || **3.** Enfrente, cerca o en paraje donde se pueda ver. || **4.** Con observación o cuidado de ver o seguir a uno. || **A vista de ojos.** m. adv. Denota que uno ve por sí mismo una cosa. || **A vista de pájaro.** m. adv. con que se denota que se ven o describen los objetos desde un punto muy elevado sobre ellos. || **A vistas.** m. adv. A ser visto. || **Bajar** uno **la vista.** fr. fig. **Bajar** uno **los ojos.** || **Clavar** uno **la vista.** fr. fig. **Fijar la vista.** || **Comerse** uno **con la vista** a una persona o cosa. fr. fig. y fam. Mirarla airadamente o con grande ansia. || **Como la vista.** fr. fig. Muy rápido. || **Conocer de vista** a uno. fr. Conocerle por haberle visto alguna vez, sin haber tenido trato con él. || **Corto de vista. Miope.** Ú. t. c. s. || **2.** fig. Poco perspicaz. || **Dar una vista.** fr. Mirar, visitar de paso y sin detenerse mucho. || **Dar vista** a una cosa. fr. Avistarla, alcanzar a verla. || **De la vista baja.** fr. fam. con que se designa al cerdo. || **Derramar la vista.** fr. fig. Mirar los caballos sin volver la cabeza, inclinando sólo y torciendo los ojos, lo cual se tiene por muy mala señal. || **Echar** uno **la vista** a una cosa. fr. fig. Elegir mentalmente una cosa entre otras. || **Echar** uno **la vista,** o **la vista encima,** a otro. fr. fig. Llegarle a ver o conocer cuando le anda buscando. || **Echar una vista.** fr. fig. Cuidar de una cosa mirándola de cuando en cuando. Ú. frecuentemente para encargar este cuidado. || **En vista de.** m. adv. En consideración o atención de alguna cosa. || **Estar a la vista.** fr. **Estar a la mira.** || **2.** Ser evidente una cosa. || **Extender** uno **la vista.** fr. Explayarse, esparcirla en algún paraje abierto y espacioso, como el campo o el mar. || **Fijar** uno **la vista.** fr. Ponerla en un objeto con atención y cuidado. || **Hacer** uno **la vista gorda.** fr. fam. Fingir con disimulo que no ha visto una cosa. || **Hasta la vista.** expr. **A más ver.** || **Irse de vista.** fr. Alejarse o apartarse de aquella distancia a que alcanza la **vista.** || **Írsele** a uno **la vista.** fr. fig. Desvanecerse, turbársele el sentido. || **No perder** uno **de vista** a una persona o cosa. fr. Estarla observando sin apartarse de ella. || **2.** fig. Seguir sin intermisión un intento. || **3.** fig. Cuidar con suma vigilancia de una cosa, o pensar continuamente en ella. || **Pasar** uno **la vista por** un escrito. fr. **Pasar los ojos por** él. || **Perder** uno **de vista** a una persona o cosa. fr. Dejar de verla por haberse alejado o no alcanzar a distinguirla. || **Perderse de vista** una persona o cosa. fr. fig. y fam. Tener gran superioridad en su línea. || **Poner** uno **la vista.** fr. **Fijar la vista.** || **Por vista de ojos.** m. adv. **A vista de ojos.** || **Saltar a la vista** una cosa. fr. fig. **Saltar a los ojos.** || **Tener** uno **a la vista** una cosa. fr. fig. Tenerla presente en la memoria para el cuidado de ella. || **Tener vista** una cosa. fr. Tener buena apariencia. || **Torcer,** o **trabar,** uno **la vista.** fr. fig. Bizcar o mirar de rabillo. || **Tragarse** uno **con la vista** a una persona o cosa. fr. fig. y fam. **Comérsela con la vista.** || **Volver** uno **la vista atrás.** fr. fig. Recordar sucesos pasados, meditar sobre ellos.

Vistazo. (De *vista.*) m. Mirada superficial o ligera. || **Dar** uno **un vistazo** a una cosa. fr. Visitarla, reconocerla superficialmente y a bulto.

Vistillas. (d. de *vistas,* pl. de *vista,* 4.ª acep.) f. pl. Lugar alto desde el cual se ve y descubre mucho terreno. || **Irse a las vistillas.** fr. fam. En el juego de cartas, procurar con disimulo ver las del contrario.

Visto, ta. (Del lat. *visītus.*) p. p. irreg. de **Ver.** || **2.** V. **Carta vista.** || **3.** Fórmula con que se significa que no procede dictar resolución respecto de un asunto. || **4.** *For.* Fórmula con que se da por terminada la vista pública de un negocio, o se anuncia el pronunciamiento del fallo. || **5.** m. *For.* Parte de la sentencia, resolución o informe que precede generalmente a los considerandos y en que se citan los preceptos y normas aplicables para la decisión. || **Bien,** o **mal, visto.** loc. que con los verbos *estar* o *ser* significa que se juzga bien, o mal, de una persona o cosa; que merece, o no, la aprobación de las gentes. || **Es,** o **está, visto.** expr. con que se da una cosa por cierta y segura. || **Ni visto ni**

oído. fr. con que se pondera la rapidez con que sucede una cosa. || **No visto,** o **nunca visto.** loc. Raro o extraordinario en su línea. || **Visto bueno.** Fórmula que se pone al pie de algunas certificaciones y otros instrumentos y con que el que firma debajo da a entender hallarse ajustados a los preceptos legales y estar expedidos por persona autorizada al efecto. Se escribe casi siempre con esta abreviatura: V.° B.° || **Visto que.** m. conj. Pues que, una vez que.

Vistosamente. adv. m. De manera vistosa.

Vistosidad. f. Calidad de vistoso.

Vistoso, sa. (De *vista*.) adj. Que atrae mucho la atención por su brillantez, viveza de colores o apariencia ostentosa. || **2.** m. desus. Ciego fingido, generalmente para mendigar. || **3.** *Germ.* **Ojo,** 1.ª acep. Ú. m. en pl. || **4.** *Germ.* **Sayo.**

Visu (De). expr. lat. **A vista de ojos.**

Visual. (Del lat. *visuālis*.) adj. Perteneciente a la vista como instrumento o medio para ver. || **2.** *Ópt.* V. **Campo, rayo visual.** || **3.** f. Línea recta que se considera tirada desde el ojo del espectador hasta el objeto.

Visualidad. (Del lat. *visualĭtas, -ātis*.) f. Efecto agradable que produce el conjunto de objetos vistosos.

Visura. (Del lat. *visum*, supino de *vidēre*, ver.) f. Examen y reconocimiento que se hace de una cosa por vista de ojos. || **2. Visorio,** 2.ª acep.

Vitáceo, a. (De *vitis*, nombre de un género de plantas.) adj. *Bot.* Dícese de plantas angiospermas dicotiledóneas, por lo común trepadoras, con tallos nudosos, hojas alternas, pecioladas y sencillas, flores regulares, casi siempre pentámeras, dispuestas en racimos, y fruto en baya; como la vid. Ú. t. c. s. f. || **2.** f. pl. *Bot.* Familia de estas plantas.

Vital. (Del lat. *vitālis*.) adj. Perteneciente o relativo a la vida. || **2.** V. **Espíritu vital.** || **3.** fig. De suma importancia o trascendencia. *Cuestión* VITAL.

Vitalicio, cia. (De *vital*.) adj. Que dura desde que se obtiene hasta el fin de la vida. Dícese de cargos, mercedes, rentas, etc. || **2.** V. **Fondo vitalicio.** || **3.** Aplícase a la persona que disfruta de ciertos cargos **vitalicios.** *Senador* VITALICIO. || **4.** m. Póliza de seguro sobre la vida. || **5.** Pensión duradera hasta el fin de la vida del perceptor.

Vitalicista. com. Persona que disfruta de una renta vitalicia o de un vitalicio proporcionado al capital que ha cedido a una compañía de seguros sobre la vida o a un particular.

Vitalidad. (Del lat. *vitalĭtas, -ātis*.) f. Calidad de tener vida. || **2.** Actividad o eficacia de las facultades vitales.

Vitalismo. m. *Fisiol.* Doctrina que explica los fenómenos que se verifican en el organismo, así en el estado de salud como en el de enfermedad, por la acción de las fuerzas vitales, propias de los seres vivos, y no exclusivamente por la acción de las fuerzas generales de la materia.

Vitalista. adj. Que sigue la doctrina del vitalismo. Apl. a pers., ú. t. c. s. || **2.** Perteneciente o relativo al vitalismo o a los **vitalistas.**

Vitamina. (Término inventado por Funk, del lat. *vita*, y del término químico *amina*.) f. Cada una de ciertas substancias orgánicas que existen en los alimentos y que, en cantidades pequeñísimas, son necesarias para el perfecto equilibrio de las diferentes funciones vitales.

Vitamínico, ca. adj. Perteneciente o relativo a las vitaminas.

Vitando, da. (Del lat. *vitandus*, p. f. de *vitāre*, evitar, precaver.) adj. Que se debe evitar. || **2.** V. **Excomulgado vitando.** || **3.** Odioso, execrable.

Vitar. (Del lat. *vitāre*.) tr. **Evitar.**

Vitela. (Del lat. *vitella*, d. de *vitŭla*.) f. Piel de vaca o ternera, adobada y muy pulida, en particular la que sirve para pintar o escribir en ella. || **2.** ant. **Ternera.**

Vitelina. (Del lat. *vitellum*, yema de huevo.) adj. V. **Bilis vitelina.** || **2.** *Zool.* Dícese de la membrana que envuelve el óvulo de los animales. Ú. t. c. s. f.

Vitícola. (Del lat. *viticŏla;* de *vitis*, vid, y *colĕre*, cultivar.) adj. Perteneciente o relativo a la viticultura. || **2.** com. **Viticultor.**

Viticultor, ra. (Del lat. *vitis*, vid, y *cultor, -ōris*, cultivador.) m. y f. Persona perita en la viticultura.

Viticultura. (Del lat. *vitis*, vid, y *cultūra*, cultivo.) f. Cultivo de la vid. || **2.** Arte de cultivar las vides.

Vitivinícola. (Del lat. *vitis*, vid; *vinum*, vino, y *colĕre*, cultivar.) adj. Perteneciente o relativo a la vitivinicultura. || **2.** com. **Vitivinicultor.**

Vitivinicultor, ra. m. y f. Persona que se dedica a la vitivinicultura.

Vitivinicultura. (Del lat. *vitis*, vid; *vinum*, vino, y *cultūra*, cultivo.) f. Arte de cultivar las vides y elaborar el vino.

Vito. (Por alusión a la enfermedad convulsiva llamada baile de San *Vito*.) m. Baile andaluz muy animado y vivo. || **2.** Música en compás de tres por ocho, con que se acompaña este baile. || **3.** Letra que se canta con esta música.

Vito. m. ant. **Victo.**

Vitola. (Del anglosajón *wittol*, conocedor.) f. Plantilla para calibrar balas de cañón o de fusil. || **2.** Marca o medida con que por su tamaño se diferencian los cigarros puros. || **3.** fig. Traza o facha de una persona. || **4.** *Mar.* Escantillón en que se señalan las medidas de los herrajes necesarios para construir un barco.

¡Vítor! (Del lat. *victor*, vencedor.) interj. de alegría con que se aplaude a una persona o una acción. || **2.** m. Función pública en que a uno se le aclama o aplaude una hazaña o acción gloriosa. || **3.** Cartel o tabla en que se escribe un breve elogio en aplauso de una persona por alguna hazaña, acción o promoción gloriosa, y el cual se fija y expone al público.

Vitorear. tr. Aplaudir o aclamar con vítores a una persona o acción.

Vitoria. f. ant. **Victoria.**

Vitoriano, na. adj. Natural de Vitoria. Ú. t. c. s. || **2.** Perteneciente a esta ciudad. || **3.** *Mál.* Dícese de una clase selecta de boquerones. Ú. t. c. s.

Vitorioso, sa. adj. ant. **Victorioso.**

Vitre. (De *Vitré*, ciudad de Bretaña.) m. *Mar.* Lona muy delgada.

Vítreo, a. (Del lat. *vitrĕus*.) adj. Hecho de vidrio o que tiene sus propiedades. || **2.** Parecido al vidrio. || **3.** V. **Pintura vítrea.** || **4.** *Fís.* V. **Electricidad vítrea.** || **5.** *Zool* V. **Humor vítreo.**

Vitrificable. adj. Fácil o capaz de vitrificarse.

Vitrificación. f. Acción y efecto de vitrificar o vitrificarse.

Vitrificar. (Del lat. *vitrum*, vidrio, y *facĕre*, hacer.) tr. Convertir en vidrio una substancia. Ú. t. c. r. || **2.** Hacer que una cosa adquiera las apariencias del vidrio. Ú. t. c. r.

Vitrina. (Del fr. *vitrine*, y éste del lat. *vitrum*, vidrio.) f. Escaparate, armario o caja con puertas o tapas de cristales, para tener expuestos a la vista, con seguridad y sin deterioro, objetos de arte, productos naturales o artículos de comercio.

Vitriólico, ca. adj. *Quím.* Perteneciente al vitriolo o que tiene sus propiedades.

Vitriolo. (Del lat. *vitreŏlus*, d. de *vitrum*, vidrio.) m. *Quím.* **Sulfato.** || **2.** *Quím.* V. **Aceite de vitriolo.** || **amoniacal.** *Quím.* Sulfato de amoníaco. || **azul.** *Quím.* Sulfato de cobre. || **blanco.** *Quím.* Sulfato de cinc. || **de plomo. Anglesita.** || **verde.** *Quím.* **Caparrosa verde.**

Vitualla. (Del lat. *victualĭa*, víveres, pl. de *victuālis*, relativo al sustento.) f. Conjunto de cosas necesarias para la comida, especialmente en los ejércitos. Ú. m. en pl. || **2.** fam. Abundancia de comida, y sobre todo de menestras o verdura.

Vituallar. (De *vitualla*.) tr. **Avituallar.**

Vítulo marino. (Del lat. *vitŭlus*, ternero, becerro, y de *marino*.) m. **Becerro marino.**

Vituperable. (Del lat. *vituperabĭlis*.) adj. Que merece vituperio.

Vituperación. (Del lat. *vituperatio, -ōnis*.) f. Acción y efecto de vituperar.

Vituperador, ra. (Del lat. *vituperātor, -ōris*.) adj. Que vitupera. Ú. t. c. s.

Vituperante. p. a. de **Vituperar.** Que vitupera.

Vituperar. (Del lat. *vituperāre*.) tr. Decir mal de una persona o cosa, notándola de viciosa o indigna.

Vituperio. (Del lat. *vituperĭum*.) m. Baldón u oprobio que se dice a uno. || **2.** Acción o circunstancia que causa afrenta o deshonra.

Vituperiosamente. adv. m. De manera vituperiosa.

Vituperioso, sa. adj. Que incluye vituperio.

Vituperosamente. adv. m. **Vituperiosamente.**

Vituperoso, sa. adj. **Vituperioso.**

Viuda. (De *viudo*.) f. *Bot.* Planta herbácea, bienal, de la familia de las dipsacáceas, con tallos rollizos y ramosos de cuatro a seis decímetros de altura; hojas radicales, sencillas, elípticas y festoneadas, y las del tallo compuestas de nueve a trece hojuelas oblongas; flores en ramos axilares, de color morado que tira a negro, con las anteras blancas, y fruto seco capsular. Créese que es originaria de la India, y se cultiva en los jardines. || **2.** Flor de esta planta. || **3.** *Germ.* **Horca,** 1.ª acep.

Viudal. (Del lat. *viduālis*.) adj. Perteneciente al viudo o a la viuda.

Viudedad. f. Pensión o haber pasivo que recibe la viuda de un empleado y que le dura el tiempo que permanece en tal estado. || **2.** *Ar.* y *Nav.* Usufructo de aquellos bienes del caudal conyugal, que durante su viudez goza el consorte sobreviviente.

Viudez. f. Estado de viudo o viuda.

Viudita. f. d. de **Viuda.** || **2.** *Argent.* y *Chile.* Ave de plumaje blanco con borde negro en las alas y en la punta de la cola.

Viudo, da. (Del lat. *vidŭus*.) adj. Dícese de la persona a quien se le ha muerto su cónyuge y no ha vuelto a casarse. Ú. t. c. s. || **2.** fig. Aplícase a algunas aves que, estando apareadas para criar, se quedan sin la compañera; como la tórtola. || **3.** fig. y fam. V. **Dolor de viuda,** o **de viudo.** || **La viuda honrada, su puerta cerrada.** ref. que aconseja el recogimiento, retiro y recato que deben observar las **viudas.** || **La viuda llora y otros cantan en la boda.** ref. que muestra la inconstancia de las cosas del mundo, pues cuando unos se alegran se afligen otros. || **La viuda rica, con un ojo llora y con otro repica.** ref. que zahiere el interés que se antepone al afecto, como en quien con la herencia se consuela de la pérdida del difunto.

Vivac. (Del al. *beiwache;* de *bei*, cerca, y *wachen*, vigilar.) m. **Vivaque.**

Vivacidad. (Del lat. *vivacĭtas, -ātis*.) f. Calidad de vivaz. || **2. Viveza,** 6.ª acep.

Vivamente. adv. m. Con viveza o eficacia. || **2.** Con propiedad o semejanza.

Vivandero, ra. (Como el fr. *vivandier*, del b. lat. *vivanda*, víveres, y éste del lat. *vivĕre*, vivir.) m. y f. Persona que vende víveres a los militares en marcha o en campaña, ya llevándolos a la mano, ya en tiendas o cantinas. || **2.** *And.* Individuo que lleva el hato a un poblado.

Vivaque. (De *vivac.*) m. *Mil.* Guardia principal en las plazas de armas, a la cual acuden todas las demás a tomar el santo. || **2.** *Mil.* Campamento de un cuerpo militar. || **Estar al vivaque.** fr. *Mil.* **Vivaquear.**

Vivaquear. (De *vivaque.*) intr. *Mil.* Pasar las tropas la noche al raso.

Vivar. (Del lat. *vivarium.*) m. Paraje donde crían los conejos. || **2.** Vivero de peces.

Vivaracho, cha. adj. fam. Muy vivo de genio; travieso y alegre.

Vivariense. adj. Natural de Vivero. Ú. t. c. s. || **2.** Perteneciente a esta ciudad gallega.

Vivaz. (Del lat. *vivax, -ācis.*) adj. Que vive mucho tiempo. || **2.** Eficaz, vigoroso. || **3.** Agudo, de pronta comprensión e ingenio. || **4.** *Bot.* Dícese de la planta que vive más de dos años.

Vivencia. f. Hecho de experiencia que, con participación consciente o inconsciente del sujeto, se incorpora a su personalidad.

Vivera. (De *vivero.*) f. **Vivar.**

Viveral. m. **Vivero,** 1.er art., 1.a acep.

Víveres. (De *vivir.*) m. pl. Provisiones de boca de un ejército, plaza o buque. || **2.** Comestibles necesarios para el alimento de las personas. || **3.** V. **Maestre de víveres.**

Vivero. (Del lat. *vivarium.*) m. Terreno adonde se trasplantan desde la almáciga los arbolillos, para transponerlos, después de recriados, a su lugar definitivo. || **2.** Lugar donde se mantienen o se crían dentro del agua peces, moluscos u otros animales. || **3.** fig. **Semillero,** 3.a acep. || **4.** *And.* Pantano pequeño.

Vivero. m. Lienzo que se fabrica en Vivero, ciudad de Galicia.

Vivez. f. ant. **Viveza.**

Viveza. (De *vivo,* pronto, ágil.) f. Prontitud o celeridad en las acciones, o agilidad en la ejecución. || **2.** Ardimiento o energía en las palabras. || **3.** Agudeza o perspicacia de ingenio. || **4.** Dicho agudo, pronto e ingenioso. || **5.** Propiedad y semejanza en la representación de algo. || **6.** Esplendor y lustre de algunas cosas, especialmente de los colores. || **7.** Gracia particular y actividad especial que suelen tener los ojos en el modo de mirar o de moverse. || **8.** Acción poco considerada. || **9.** Palabra que se suelta sin reflexión.

Vividero, ra. (De *vivir.*) adj. Aplícase al sitio o cuarto que puede habitarse.

Vívido, da. (Del lat. *vividus.*) adj. poét. **Vivaz,** 2.a y 3.a aceps.

Vivido, da. p. p. de **Vivir.** || **2.** adj. Dícese de lo que en obras literarias parece producto de la inmediata experiencia del autor.

Vividor, ra. adj. Que vive. Ú. t. c. s. || **2. Vivaz,** 1.a acep. || **3.** Aplícase a la persona laboriosa y económica y que busca modos de vivir. Ú. t. c. s. || **4.** m. El que vive a expensas de los demás, buscando por malos medios lo que necesita o le conviene.

Vivienda. (Del lat. *vivenda,* t. f. de *-dus,* p. f. de *vivĕre,* vivir.) f. Morada, habitación. || **2.** Género de vida o modo de vivir.

Viviente. (Del lat. *vivens, -entis.*) p. a. de **Vivir.** Que vive. Ú. t. c. s. || **2.** adj. V. **Alma, bicho viviente.**

Vivificación. (Del lat. *vivificatio, -ōnis.*) f. Acción y efecto de vivificar.

Vivificador, ra. (Del lat. *vivificātor, -ōris.*) adj. Que vivifica.

Vivificante. p. a. de **Vivificar.** Que vivifica.

Vivificar. (Del lat. *vivificāre;* de *vivus,* vivo, y *facĕre,* hacer.) tr. Dar vida. || **2.** Confortar o refrigerar.

Vivificativo, va. adj. Capaz de vivificar.

Vivífico, ca. (Del lat. *vivificus.*) adj. Que incluye vida o nace de ella.

Vivijagua. f. *Ant.* Hormiga grande muy voraz que constituye una verdadera plaga.

Vivíparo, ra. (Del lat. *vivipărus.*) adj. *Zool.* Dícese de los animales cuyas hembras paren hijos en la fase de fetos bien desarrollados; como los mamíferos. Ú. t. c. s.

Vivir. (Forma substantiva de *vivir,* 2.° art.) m. Conjunto de los recursos o medios de vida y substancia. *Tengo un modesto* VIVIR. || **De mal vivir.** loc. **De mala vida.** || **2.** V. **Mujer de mal vivir.** || **Recogerse,** o **retirarse,** uno **a buen vivir.** fr. Poner enmienda a su conducta liviana o desarreglada.

Vivir. (Del lat. *vivĕre.*) intr. Tener vida. || **2.** Durar con vida. || **3.** Durar las cosas. || **4.** Pasar y mantener la vida. *Francisco tiene con que* VIVIR; VIVO *de mi trabajo.* || **5.** Habitar o morar en un lugar o país. Ú. t. c. tr. || **6.** fig. Obrar siguiendo algún tenor o modo en las acciones, en cuanto miran a la razón o a la ley. Júntase con los adverbios *bien* o *mal.* || **7.** fig. Mantenerse o durar en la fama o en la memoria después de muerto. || **8.** fig. Acomodarse uno a las circunstancias o aprovecharlas para lograr sus propias conveniencias. *Enseñar a* VIVIR; *saber* VIVIR. || **9.** fig. Estar presente una cosa en la memoria, en la voluntad o en la consideración; y en materias espirituales se dice de la presencia y asistencia particular de Dios por sus inspiraciones. || **10. Estar,** 1.a acep. VIVIR *descuidado;* VIVIR *ignorante de algo.* || **Bueno es vivir para ver.** expr. **Vivir para ver.** || **Como él viva, no faltará quien le alabe.** fr. con que se hace burla del jactancioso. || **Como se vive, se muere.** fr. proverb. con que se explica la fuerza del hábito adquirido. || **Mientras él viva, no faltará quien le alabe.** fr. **Como él viva,** etc. || **¿Quién vive?** expr. con que el soldado que está de centinela pregunta quién es el que llega o pasa. Ú. t. c. s. || **¡Viva!** interj. de alegría y aplauso. Ú. t. c. s. m. || **¡Viva quien vence!** expr. con que se explica la disposición pronta del ánimo a seguir al que está en prosperidad y a huir del que está caído. || **Vive.** Tercera persona del singular del presente de indicativo del verbo **vivir,** usada como interjección de juramento con algún nombre que lo expresa, o con alguna voz inventada para evitarlo. ¡VIVE *Dios!;* ¡VIVE *Cribas!* || **Vivir** uno **aprisa.** fr. fig. **Vivir de prisa.** || **Vivir para ver.** expr. que se usa para manifestar la extrañeza que causa una cosa que no se esperaba del sujeto de quien se habla, especialmente cuando es de mala correspondencia.

Vivisección. (Del lat. *vivus,* vivo, y *sectio, -ōnis,* corte.) f. Disección de los animales vivos, con el fin de hacer estudios fisiológicos o investigaciones patológicas.

Vivismo. m. Sistema filosófico del español Luis Vives, caracterizado por su tendencia a armonizar los dogmas cristianos con las doctrinas aristotélicas y platónicas, pero independientemente del escolasticismo.

Vivista. adj. Perteneciente o relativo a Luis Vives. || **2.** Partidario del sistema filosófico del mismo.

Vivo, va. (Del lat. *vīvus.*) adj. Que tiene vida. Apl. a pers., ú. t. c. s. *Los* VIVOS *y los muertos.* || **2.** Intenso, fuerte. || **3.** Que está en actual ejercicio de un empleo. Ú. especialmente en la milicia. || **4.** Sutil, ingenioso. || **5.** Demasiadamente pronto, o poco considerado, en las expresiones o acciones. || **6.** V. **Argento, azufre, modelo, seto vivo.** || **7.** V. **Cal, carne, lengua, leña, peña, piedra, pluma viva.** || **8.** V. **Ojos vivos.** || **9.** V. **Viva voz.** || **10.** fig. V. **Carta viva.** || **11.** fig. Que dura y subsiste en toda su fuerza y vigor. *La escritura, la ley está* VIVA. || **12.** fig. Perseverante, durable en la memoria. || **13.** fig. Diligente, pronto y ágil. || **14.** fig. Muy expresivo o persuasivo. || **15.** V. **En carne viva.** || **16.** V. **En cueros vivos,** o **en vivas carnes.** || **17.** *Arq.* Dícese de la arista o el ángulo agudo y bien determinado. || **18.** *For.* V. **Donación entre vivos.** || **19.** *Hidrom.* V. **Altura viva del agua.** || **20.** *Mar.* V. **Agua, marea, obra viva.** || **21.** *Mar.* V. **Aguas vivas.** || **22.** *Mec.* V. **Fuerza viva.** || **23.** *Mil.* V. **Plaza viva.** || **24.** m. Borde, canto u orilla de alguna cosa. || **25.** Filete, cordoncillo o trencilla que se pone por adorno en los bordes o en las costuras de las prendas de vestir. || **26.** *Veter.* Enfermedad, especie de usagre, que padecen algunos animales, particularmente los perros. || **27.** *Veter.* **Ardínculo.** || **Lo vivo.** Lo más sensible y doloroso de un afecto o asunto. *Dar, llegar, herir, tocar en* LO VIVO *o a* LO VIVO. || **A lo vivo,** o **al vivo.** m. adv. Con la mayor viveza, con suma expresión y eficacia. || **Al vivo, la hogaza, y al muerto, la mortaja.** ref. **El muerto, al hoyo, y el vivo, al bollo.** || **Como de lo vivo a lo pintado.** loc. con que se manifiesta la gran diferencia que hay de una cosa a otra. || **En vivo.** m. adv. que se usa en la venta de los cerdos y otras reses, cuando se pesan sin haberlos muerto. || **Ni vivo ni muerto.** fr. **Ni muerto ni vivo.** || **¡Vivo!** interj. con que se incita a uno a que se apresure.

Vizcacha. (Voz quichua.) f. Roedor parecido a la liebre, de su tamaño y pelaje y con cola tan larga como la del gato, que vive en el Perú, Bolivia, Chile y Argentina.

Vizcachera. f. Madriguera de la vizcacha.

Vizcainada. f. Acción o dicho propios de vizcaíno. || **2.** fig. Palabras o expresiones mal concertadas.

Vizcaíno, na. adj. Natural de Vizcaya. Ú. t. c. s. || **2.** Perteneciente a esta provincia. || **3.** Uno de los ocho principales dialectos del vascuence, hablado en gran parte de Vizcaya. || **A la vizcaína.** m. adv. fig. Al modo que hablan o escriben el español los **vizcaínos,** cuando faltan a las reglas gramaticales. || **2.** Al estilo o según costumbre de los **vizcaínos.**

Vizcaitarra. adj. Partidario de la independencia o autonomía de Vizcaya. Ú. t. c. s.

Vizcaya. n. p. V. **Juez mayor de Vizcaya.**

Vizcondado. m. Título o dignidad de vizconde. || **2.** Territorio o lugar sobre que radicaba este título.

Vizconde. (De *vice,* en lugar de, y *conde.*) m. Sujeto que el conde dejaba o ponía antiguamente por teniente o substituto con sus veces y autoridad, como vicario suyo, especialmente el que era gobernador de una provincia. || **2.** Título de honor y de dignidad con que los príncipes soberanos distinguen a una persona.

Vizcondesa. f. Mujer del vizconde. || **2.** La que por sí goza este título.

Voacé. (De *vosa merced.*) com. ant. **Usted.**

Vocablo. (Del lat. *vocabŭlum.*) m. **Palabra,** 1.a y 2.a aceps. || **Jugar** uno **del vocablo.** fr. fig. Hacer juego de palabras.

Vocabulario. (Del lat. *vocabŭlum,* vocablo.) m. **Diccionario,** 1.a acep. || **2.** Conjunto o diversidad de vocablos de que se usa en alguna facultad o materia determinada. || **3.** Conjunto de las palabras de un idioma o dialecto. || **4.** En sentido menos genérico, catálogo o lista de palabras por orden alfabético y con definiciones o explicaciones sucintas. || **5.** fig. y fam. Persona que dice o interpreta la mente o dicho de otro. *Hablar por* VOCABULARIO; *no necesitar de* VOCABULARIO.

Vocabulista. (Del lat. *vocabbulm*, vocablo.) m. Autor de un vocabulario. || **2.** Persona dedicada al estudio de los vocablos. || **3.** ant. **Vocabulario,** 1.ª acep.

Vocación. (Del lat. *vocatio, -ōnis,* acción de llamar.) f. Inspiración con que Dios llama a algún estado, especialmente al de religión. || **2. Advocación.** || **3.** ant. Convocación, llamamiento. || **4.** fam. Inclinación a cualquier estado, profesión o carrera. || **Errar uno la vocación.** fr. Dedicarse a cosa para la cual no tiene disposición, o mostrar tenerla para otra en que no se ejercita.

Vocal. (Del lat. *vocālis.*) adj. Perteneciente a la voz. || **2.** Dícese de lo que se expresa materialmente con la voz, a distinción de lo mental o que se piensa sin expresarlo. || **3.** V. **Letra vocal.** Ú. t. c. s. f. || **4.** V. **Música, oración vocal.** || **5.** V. **Cuerdas vocales.** || **6.** com. Persona que tiene voz en un consejo, una congregación o junta, llamada por derecho, por elección o por nombramiento. || **abierta.** *Gram.* Aquella en cuya pronunciación queda la lengua a mayor distancia del paladar que en las demás variantes del mismo sonido cardinal. || **breve.** *Gram.* La que tiene menor duración en las lenguas que se sirven de dos medidas de cantidad vocálica. || **cerrada.** *Gram.* La que se pronuncia dejando entre la lengua y el paladar menor distancia que en las demás variantes del mismo sonido cardinal. || **larga.** *Gram.* La que tiene mayor duración en las lenguas que se sirven de dos medidas de cantidad vocálica. || **mixta.** *Gram.* La que se pronuncia elevando el dorso de la lengua hacia la parte media del paladar mientras los labios se mantienen en posición neutral y relajada. || **nasal.** *Gram.* La pronunciada dejando escapar por la nariz parte del aire espirado.

Vocálico, ca. adj. Perteneciente o relativo a la vocal.

Vocalismo. m. Sistema vocálico, conjunto de vocales.

Vocalización. f. *Mús.* Acción y efecto de vocalizar. || **2.** *Mús.* En el arte del canto, todo ejercicio preparatorio que consiste en ejecutar, valiéndose de cualquiera de las vocales (comúnmente la *a* o la *e*), una serie de escalas, arpegios, trinos, etc., sin repetir ni alterar el timbre de la que se emplea. || **3.** *Mús.* Pieza de música compuesta expresamente para enseñar a vocalizar.

Vocalizador, ra. adj. Que vocaliza.

Vocalizar. (De *vocal.*) intr. *Mús.* Solfear sin nombrar las notas, empleando solamente una de las vocales, que es casi siempre la *a.* || **2.** *Mús.* Ejecutar los ejercicios de vocalización para acostumbrarse a vencer las dificultades del canto. En éste se aplica a la emisión de varios sonidos musicales que caen sobre cualquiera vocal, los cuales deben producirse sin repetirla ni alterarla.

Vocalmente. (De *vocal,* 2.ª acep.) adv. m. Con la voz.

Vocativo. (Del lat. *vocatīvus.*) m. *Gram.* Caso de la declinación, que sirve únicamente para invocar, llamar o nombrar, con más o menos énfasis, a una persona o cosa personificada, y a veces va precedido de las interjecciones *¡ah!* u *¡oh!*

Voceador, ra. adj. Que vocea o da muchas voces. Ú. t. c. s. || **2.** m. **Pregonero.**

Vocear. intr. Dar voces o gritos. || **2.** tr. Publicar o manifestar con voces una cosa. || **3.** Llamar a uno en voz alta o dándole voces. || **4.** Aplaudir o aclamar con voces. || **5.** fig. Manifestar o dar a entender algo con claridad las cosas inanimadas. *La sangre de Abel* VOCEA *el delito de Caín.* || **6.** fig. y fam. Jactarse o alabarse uno públicamente, en especial de un beneficio, echándolo en rostro al que lo ha recibido.

Vocejón. m. Voz muy áspera y bronca.

Vocería. (De *voz,* 4.ª acep.) f. **Gritería.**

Vocería. f. Cargo de vocero.

Vocerío. m. **Gritería.**

Vocero. (De *voz,* 9.ª acep.) m. El que habla a nombre de otro, llevando su voz y representación. || **2.** desus. **Abogado,** 1.ª acep.

Vociferación. (Del lat. *vociferatio, -ōnis.*) f. Acción y efecto de vociferar.

Vociferador, ra. (Del lat. *vociferātor, -ōris.*) adj. Que vocifera. Ú. t. c. s.

Vociferante. p. a. de **Vociferar.** Que vocifera.

Vociferar. (Del lat. *vociferāre;* de *vox, vocis,* voz, y *ferre,* llevar.) tr. Publicar ligera y jactanciosamente una cosa. || **2.** intr. Vocear o dar grandes voces.

Vocinglería. f. Calidad de vocinglero. || **2.** Ruido de muchas voces.

Vocinglero, ra. adj. Que da muchas voces o habla muy recio. Ú. t. c. s. || **2.** Que habla mucho y vanamente. Ú. t. c. s.

Vodka. f. Especie de aguardiente que se consume mucho en Rusia.

Voila. m. Voz que usan en el juego de la taba para detenerla o para significar que no valga aquella tirada.

Volada. (De *volar.*) f. Vuelo a corta distancia. || **2.** Cada una de las veces que se ejecuta. || **3.** ant. **Vuelo,** 1.ª acep. || **4.** *Ar.* y *Seg.* Ráfaga de viento. || **A las voladas.** m. adv. **Al vuelo.**

Voladera. (De *volar,* 4.ª acep.) f. **Paleta,** 7.ª acep.

Voladero, ra. adj. Que puede volar. || **2.** fig. Que pasa o se desvanece ligeramente. || **3.** m. **Precipicio,** 1.ª acep.

Voladizo, za. adj. Que vuela o sale de lo macizo en las paredes o edificios. Ú. t. c. s. m.

Volado, da. p. p. de **Volar.** || **2.** adj. *Impr.* Dícese del tipo de menor tamaño que se coloca en la parte superior del renglón. Se usa generalmente en las abreviaturas. || **3.** m. **Bolado.** || **Estar uno volado.** fr. fig. y fam. **Estar en ascuas.**

Volador, ra. (Del lat. *volātor, -ōris.*) adj. Que vuela. || **2.** Dícese de lo que está pendiente, de manera que el aire lo pueda mover. || **3.** Que corre o va con ligereza. || **4.** V. **Piedra voladora.** || **5.** m. **Cohete,** 1.ª acep. || **6.** Pez teleósteo marino del suborden de los acantopterigios, común en los mares de Europa, de unos tres decímetros de largo, cabeza gruesa con hocico saliente, cuerpo en forma de cuña, vistosamente manchado de rojo, blanco y pardo; aletas negruzcas con lunares azules, y tan largas las pectorales, que plegadas llegan a la cola, y extendidas sirven al animal para elevarse sobre el agua y volar a alguna distancia || **7.** Árbol tropical americano, de la familia de las lauráceas, corpulento, de copa ancha, con hojas alternas y enteras, flores precoces en panojas terminales, y fruto seco, redondo y con dos alas membranosas. Su madera se emplea en construcciones navales.

Voladura. (Del lat. *volatūra.*) f. Acción y efecto de volar, 7.ª y 10.ª aceps.

Volandas (En). m. adv. Por el aire o levantado del suelo y como que va volando. || **2.** fig. y fam. Rápidamente, en un instante.

Volandera. (De *volandero.*) f. **Arandela,** 2.° art. || **2.** Rodaja de hierro que se coloca como suplemento en los extremos del eje del carro para sujetar las ruedas. || **3. Piedra voladora.** || **4. Muela,** 1.ª acep. || **5.** fig. y fam. **Mentira,** 1.ª acep. || **6.** *Impr.* Tableta delgada que entra en el rebajo y por entre los listones de la galera.

Volandero, ra. (Del lat. *volandus,* p. f. de *volāre,* volar.) adj. **Volantón.** || **2.** Suspenso en el aire y que se mueve fácilmente a su impulso. || **3.** fig. Accidental, casual, imprevisto. || **4.** fig. Que no hace asiento ni se fija ni detiene en ningún lugar. Dícese también de las cosas inmateriales. *Especie* VOLANDERA.

Volandillas (En). m. adv. **En volandas.**

Volanta. f. **Volante,** 17.ª acep.

Volante. (Del lat. *volans, -antis.*) p. a. de **Volar.** Que vuela. || **2.** adj. Que va o se lleva de una parte a otra sin sitio o asiento fijo. || **3.** V. **Ambulancia, artillería, ciervo, hoja, papel, peto, sello, silla volante.** || **4.** *Astron.* V. **Pez volante.** || **5.** *Med.* V. **Moscas volantes.** || **6.** *Mil.* V. **Cuerpo, escuadrón volante.** || **7.** m. Género de adorno pendiente, que usaban las mujeres para la cabeza, hecho de tela delicada. || **8.** Guarnición rizada, plegada o fruncida con que se adornan prendas de vestir o de tapicería. || **9.** Pantalla movible y ligera. || **10.** Rueda grande y pesada de una máquina motora, que sirve para regularizar su movimiento y, por lo común, para transmitirlo al resto del mecanismo. || **11.** Anillo provisto de dos topes que, movido por la espiral, detiene y deja libres alternativamente los dientes de la rueda de escape de un reloj para regularizar su movimiento. || **12.** Máquina donde se colocan los troqueles para acuñar, y consiste en un husillo vertical de hélice muy tendida, atravesado en su extremidad superior por una barra horizontal con dos grandes masas de metal en las puntas. || **13.** Hoja de papel (ordinariamente la mitad de una cuartilla cortada a lo largo) en la que se manda, recomienda, pide, pregunta o hace constar alguna cosa en términos precisos. || **14.** Criado de librea que iba a pie delante del coche o caballo de su amo, aunque las más veces iba a la trasera. || **15.** Zoquetillo de madera o corcho, forrado de piel y coronado de plumas, que se usa para jugar, lanzándolo por el aire con raquetas. Pierde el jugador que lo deja caer en tierra. || **16.** Este juego. || **17.** *Mec.* Pieza en figura de aro con varios radios, que forma parte de la dirección en los vehículos automóviles. Queda a la altura del pecho del conductor y suele llevar en su centro mandos para los faros y la bocina. || **18.** f. Coche que se usa en las Antillas, semejante al quitrín, con varas muy largas y ruedas de gran diámetro, y cuya cubierta no puede plegarse.

Volantín, na. (De *volante.*) adj. **Volante,** 2.ª acep. || **2.** m. Especie de cordel con uno o más anzuelos, que sirve para pescar. || **3.** *Pal.* **Balancín,** 3.ª acep. || **4.** *Argent., Cuba, Chile* y *P. Rico.* **Cometa,** 2.ª acep.

Volantón, na. (De *volante,* 1.ª acep.) adj. Dícese del pájaro que está para salir a volar. Ú. t. c. s.

Volapié. (De *volar* y *pie.*) m. *Taurom.* Suerte que consiste en herir de corrida el espada al toro cuando éste se halla parado. || **A volapié.** m. adv. *Taurom.* Ejecutando esta suerte. || **2.** Modo de correr algunas aves ayudándose con las alas. || **3.** Tratándose del paso de un río, laguna, etc., modo de andar trabajosamente haciendo unas veces pie en el fondo y otras nadando.

Volapuk. (Compuesto deformado del ingl. *world,* mundo, y *speak,* hablar.) m. Idioma inventado en 1879 por el sacerdote alemán Schleyer con el propósito de que sirviese como lengua universal.

Volar. (Del lat. *vŏlāre.*) intr. Ir o moverse por el aire, sosteniéndose con las alas. Es propio de las aves y de muchos insectos. || **2.** fig. Elevarse en el aire y moverse de un punto a otro en un aparato de aviación. || **3.** fig. Elevarse una cosa en el aire y moverse algún tiempo por él. Ú. t. c. r. || **4.** fig. Caminar o ir con gran prisa y aceleración. || **5.** fig. Desaparecer rápida e inesperadamente una cosa. || **6.** fig. Sobresalir fuera del paramento de un edificio. || **7.** fig. Ir por el aire una cosa arrojada con violencia. || **8.** fig. Hacer las cosas con gran prontitud y ligereza. || **9.** fig. Extenderse o propagarse con celeridad una especie entre muchos. || **10.** tr. fig. Hacer saltar con violencia o elevar en el aire alguna cosa, especialmente por medio de una substancia explosiva. || **11.** fig. Irritar, enfadar, picar a uno. *Aquella pregunta me* VOLÓ. || **12.** *Cetr.* Hacer que el ave se levante y **vuele** para tirar a ella. *El perro* VOLÓ *la perdiz.* || **13.** *Cetr.* Soltar el halcón para que persiga al ave de presa. || **14.** *Impr.* Levantar una letra o signo de modo que resulte volado. || **Como volar.** expr. con que se pondera la dificultad de una cosa. Ú. especialmente para rechazar la proposición de uno.

Volata. (De *volar.*) m. *Germ.* Ladrón que hurta por ventana o tejado.

Volateo (Al). m. adv. Persiguiendo y tirando el cazador a las aves cuando van volando.

Volatería. (Del lat. *volātus,* de *volāre,* volar.) f. Caza de aves que se hace con otras enseñadas a este efecto. || **2.** Conjunto de diversas aves. || **3.** fig. Modo de adquirir o hallar una cosa contingentemente y como al vuelo. || **4.** fig. Multitud de especies que andan vagantes en la imaginación, lo cual hace no determinarse o no fijarse en ninguna. || **De volatería.** m. adv. Contingentemente y como al vuelo. || **Hablar** uno **de volatería.** fr. fig. y fam. Hablar al aire, sin razón ni fundamento.

Volatero. (De *volar.*) m. Cazador de volatería. || **2.** *Germ.* Ladrón que, corriendo, acomete a hurtar una cosa.

Volátil. (Del lat. *volatĭlis.*) adj. Que vuela o puede volar. Ú. t. c. s. || **2.** Aplícase a las cosas que se mueven ligeramente y andan por el aire. *Átomos* VOLÁTILES. || **3.** V. **Aceite volátil.** || **4.** fig. Mudable, inconstante. || **5.** *Quím.* Aplícase a la substancia o cuerpo que tiene la propiedad de volatilizarse.

Volatilidad. f. *Quím.* Calidad de volátil, 5.ª acep.

Volatilizable. adj. Que se volatiliza.

Volatilización. f. Acción y efecto de volatilizar o volatilizarse.

Volatilizar. (De *volátil.*) tr. Transformar un cuerpo sólido o líquido en vapor o gas. || **2.** r. Exhalarse o disiparse una substancia o cuerpo.

Volatilla. (Del lat. *volatilĭa,* pl. de *volatĭle.*) f. ant. Animal volátil.

Volatín. m. **Volatinero.** || **2.** Cada uno de los ejercicios del volatinero.

Volatín. (De *vela,* 2.º art.) adj. *Mar.* V. **Hilo volatín.**

Volatinero, ra. (De *volatín,* 1.er art.) m. y f. Persona que con habilidad y arte anda y voltea por el aire sobre una cuerda o alambre, y hace otros ejercicios semejantes.

Volatizar. tr. **Volatilizar.**

Volavérunt. (3.ª pers. de pl. del pret. de indic. de *volāre,* volar: volaron.) Voz latina que se usa festivamente para significar que una cosa faltó del todo, se perdió o desapareció.

Volcán. (Del ital. *bolcan,* y éste del lat. *Vūlcanus.*) m. Abertura en la tierra, y más comúnmente en una montaña, por donde salen de tiempo en tiempo humo, llamas y materias encendidas o derretidas. || **2.** V. **Crisólito de los volcanes.** || **3.** fig. El mucho fuego, o la violencia del ardor. || **4.** fig. Cualquiera pasión ardiente; como el amor o la ira. || **apagado,** o **extinto.** El que, aun cuando tenga su cráter abierto, no tiene ya erupciones. || **Estar** uno **sobre un volcán.** fr. fig. Estar amenazado de un gran peligro, ordinariamente sin saberlo.

Volcanejo. m. d. de **Volcán.**

Volcánico, ca. adj. Perteneciente o relativo al volcán. || **2.** fig. Muy ardiente o fogoso.

Volcar. (Del lat. **vŏlvicāre,* de *vŏlvĕre.*) tr. Torcer o trastornar una cosa hacia un lado o totalmente, de modo que caiga o se vierta lo contenido en ella. Ú. t. c. intr., tratándose de carruajes. *A la bajada del puerto* VOLCÓ *la diligencia.* || **2.** Turbar a uno la cabeza una cosa de olor o fuerza eficaz, de modo que le ponga en riesgo de caer. || **3.** fig. Hacer mudar de parecer a uno a fuerza de persuasiones o razones. || **4.** fig. Molestar o estrechar a uno con zumba o chasco hasta irritarle.

Volea. (De *volear.*) f. Palo labrado que a modo de balancín cuelga de una argolla en la punta de la lanza de los carruajes, para sujetar en él los tirantes de las caballerías delanteras. || **2. Voleo,** 1.ª acep.

Voleador. (De *volear.*) m. *Germ.* Ladrón que hurta en las ferias.

Volear. (De *vuelo.*) tr. Herir una cosa en el aire para impulsarla. || **2.** Sembrar a voleo.

Voleo. (De *volear.*) m. Golpe dado en el aire a una cosa antes que caiga al suelo. En especial, golpe que se da a la pelota con el brazo levantado y antes que haga bote. || **2.** Movimiento rápido de la danza española, que consiste en levantar un pie de frente y lo más alto que se puede. || **3.** Bofetón dado como para hacer rodar por el suelo a quien lo recibe. || **A,** o **al, voleo.** m. adv. dicho de la siembra, cuando se arroja la semilla a puñados esparciéndola al aire. || **Del primer,** o **de un, voleo.** m. adv. fig. y fam. Con presteza o ligereza, o de un golpe.

Volframio. (Del n. p. germ. *Wolfram.*) m. Cuerpo simple, metálico, de color gris de acero, muy duro, muy denso y difícilmente fusible.

Volición. (Del lat. *volo,* quiero.) f. *Fil.* Acto de la voluntad.

Volitar. (Del lat. *volitāre.*) intr. **Revolotear.**

Volitivo, va. (Del m. or. que *volición.*) adj. *Fil.* Aplícase a los actos y fenómenos de la voluntad.

Volquearse. r. Revolcarse o dar vuelcos.

Volquete. (De *volcar.*) m. Carro muy usado en las obras de explanación, derribos, etc., formado por un cajón que se puede vaciar girando sobre el eje cuando se quita un pasador que lo sujeta a las varas.

Volquetero. m. Conductor de un volquete.

Volsco, ca. (Del lat. *Volsci, -ōrum.*) adj. Dícese del individuo de un antiguo pueblo del Lacio. Ú. t. c. s. || **2.** Perteneciente a este pueblo.

Volt. m. *Fís.* Nombre del voltio en la nomenclatura internacional.

Voltaico, ca (De *Volta:* véase *voltio.*) adj. V. **Arco voltaico.**

Voltaje. m. Cantidad de voltios que actúan en un aparato o sistema eléctrico.

Voltámetro. (De *Volta* [véase *voltio*] y el gr. μέτρον, medida.) m. *Fís.* Aparato destinado a demostrar la descomposición del agua por la corriente eléctrica.

Voltariedad. f. Calidad de voltario.

Voltario, ria. (De *vuelta.*) adj. **Versátil,** 2.ª acep.

Volteada. f. *Argent.* Operación que consiste en apartar una porción de ganado arrollándolo al correr del caballo.

Volteador, ra. adj. Que voltea. || **2.** m. y f. Persona que voltea con habilidad.

Voltear. tr. Dar vueltas a una persona o cosa. || **2.** Volver una cosa de una parte a otra hasta ponerla al revés de como estaba colocada. || **3.** Trastrocar o mudar una cosa a otro estado o sitio. || **4.** *Arq.* Dicho de un arco o bóveda, **construir,** 1.ª acep. || **5.** intr. Dar vueltas una persona o cosa, o cayendo y rodando por ajeno impulso, o voluntariamente y con arte, como lo hacen los volteadores.

Voltejar. tr. ant. **Voltear.**

Voltejear. tr. Voltear, volver. || **2.** *Mar.* Navegar de bolina, virando de cuando en cuando para ganar el barlovento.

Volteleta. f. **Voltereta.**

Volteo. m. Acción y efecto de voltear.

Voltereta. f. Vuelta ligera dada en el aire. || **2.** Lance de varios juegos de naipes, y principalmente del tresillo, que consiste en descubrir una carta para saber qué palo ha de ser triunfo.

Volterianismo. (De *volteriano.*) m. Espíritu de incredulidad o impiedad, manifestado con burla o cinismo.

Volteriano, na. adj. Dícese del que, a la manera de Voltaire, afecta o manifiesta incredulidad o impiedad cínica y burlona. Ú. t. c. s. || **2.** Que denota o implica este género de incredulidad o impiedad.

Volteta. (De *vuelta.*) f. **Voltereta.**

Voltímetro. (De *voltio,* y el gr. μέτρον, medida.) m. Aparato que se emplea para medir potenciales eléctricas.

Voltio. (De *Volta,* célebre físico italiano, muerto en 1827.) m. Cantidad de fuerza electromotriz que, aplicada a un conductor cuya resistencia sea de un ohmio, produce una corriente de un amperio.

Voltizo, za. (De *vuelta.*) adj. Retorcido, ensortijado. || **2.** Dícese del calzado de piel curtida o cruda, cuando el envés queda hacia fuera. || **3.** fig. **Versátil,** 2.ª acep.

Voltura. f. ant. **Vuelta,** 1.ª acep. || **2.** ant. **Mezcla,** 1.ª y 2.ª aceps.

Volubilidad. (Del lat. *volubilĭtas, -ātis.*) f. Calidad de voluble.

Voluble. (Del lat. *volubĭlis.*) adj. Que fácilmente se puede volver alrededor. || **2.** fig. **Versátil,** 2.ª acep. || **3.** *Bot.* Dícese del tallo que crece formando espiras alrededor de los objetos.

Volumen. (Del lat. *volūmen.*) m. Corpulencia o bulto de una cosa. || **2.** Cuerpo material de un libro encuadernado, ya contenga la obra completa, o uno o más tomos de ella, o ya lo constituyan dos o más escritos diferentes. || **3.** *Geom.* Espacio ocupado por un cuerpo. || **4.** *Numism.* Grosor de la moneda o medalla.

Volumétrico, ca. (De *volumen* y *métrico.*) adj. Aplícase a la medida de volúmenes.

Volúmine. (Del lat. *volūmen, -ĭnis.*) m. ant. **Volumen,** 2.ª acep. Ú. m. en pl.

Voluminoso, sa. (Del lat. *voluminōsus.*) adj. Que tiene mucho volumen o bulto.

Voluntad. (Del lat. *voluntas, -ātis.*) f. Potencia del alma, que mueve a hacer o no hacer una cosa. || **2.** Acto con que la potencia volitiva admite o rehuye una cosa, queriéndola, o aborreciéndola y repugnándola. || **3.** Decreto, determinación o disposición de Dios. || **4.** Libre albedrío o libre determinación. || **5.** Elección de una cosa sin precepto o impulso externo que a ello obligue. || **6.** Intención ánimo o resolución de hacer una cosa. || **7.** Amor, cariño, afición, benevolencia o afecto. || **8.** Gana o deseo de hacer una cosa. || **9.** Disposición, precepto o mandato de una persona. || **10.** Elección hecha por el propio dictamen o gusto, sin atención a otro respeto o reparo. *Propia* VOLUNTAD. || **11.** Consentimiento, asentimiento, aquiescencia. || **de hierro.** fig. La muy enérgica e inflexible. || **virgen.** fig. y fam. La indómita e ineducada. || **Mala voluntad.** Enemiga, malquerencia. || **Última voluntad.** La expresada en el testamento. || **2.** Testamento, 1.ª acep. || **A voluntad.** m. adv. Según el libre albedrío de una persona. || **2.** Según aconseja la conveniencia del momento. *Una válvula que se abre* A VOLUNTAD. || **De buena voluntad,** o **de voluntad.** m. adv. Con gusto y benevolencia. || **Ganar** uno **la voluntad** de otro. fr. Lograr su benevolencia con servicios u obsequios. || **Negar** uno su **propia voluntad.** fr. fig. Privarse de la propia **voluntad** y arbitrio, sujetándose a la dirección de otro. Ú. frecuentemente hablando de los que entran en religión. || **No tener** uno **voluntad propia.** fr. fig. Ser muy dócil e inclinado a obedecer a las inclinaciones de los demás. || **Quitar la voluntad** a uno. fr. Inducirle o persuadirle a que no ejecute lo que quiere o desea, especialmente cuando lo que iba a hacer era en provecho de otra persona. || **Voluntad es vida.** expr. con que se significa que el gusto propio en hacer las cosas contribuye mucho al descanso de la vida, aunque parezca perjudicial o molesto. || **Zurcir voluntades.** fr. fig. **Alcahuetear.**

Voluntariado. m. Alistamiento voluntario para el servicio militar.

Voluntariamente. adv. m. De manera voluntaria.

Voluntariedad. f. Calidad de voluntario. || **2.** Determinación de la propia voluntad por mero antojo y sin otra razón para lo que se resuelve.

Voluntario, ria. (Del lat. *voluntarius.*) adj. Dícese del acto que nace de la voluntad, y no por fuerza o necesidad extrañas a aquélla. || **2.** Que se hace por espontánea voluntad y no por obligación o deber. || **3. Voluntarioso.** || **4.** V. **Pobre, soldado voluntario.** Ú. t. c. s. || **5.** *For.* V. **Jurisdicción voluntaria.** || **6.** m. y f. Persona que, entre varias obligadas por turno o designación a ejecutar algún trabajo o servicio, se presta a hacerlo por propia voluntad, sin esperar a que le toque su vez.

Voluntariosamente. adv. m. De manera voluntariosa.

Voluntarioso, sa. (De *voluntario.*) adj. Que por capricho quiere hacer siempre su voluntad. || **2.** Deseoso, que hace con voluntad y gusto una cosa.

Voluptuosamente. adv. m. De manera voluptuosa.

Voluptuosidad. (De *voluptuoso.*) f. Complacencia en los deleites sensuales.

Voluptuoso, sa. (Del lat. *voluptuōsus.*) adj. Que inclina a la voluptuosidad, la inspira o la hace sentir. || **2.** Dado a los placeres o deleites sensuales. Ú. t. c. s.

Voluta. (Del lat. *voluta.*) f. *Arq.* Adorno en figura de espiral o caracol, que se coloca en los capiteles de los órdenes jónico y compuesto, como para sostener el ábaco.

Volvedera. f. *Seg.* Instrumento de madera para dar vueltas a la mies.

Volvedor, ra. adj. *Argent.* y *Colom.* Aplícase a la caballería que se vuelve a la querencia.

Volver. (Del lat. *vŏlvĕre.*) tr. Dar vuelta o vueltas a una cosa. || **2.** Corresponder, pagar, retribuir. || **3.** Dirigir, encaminar una cosa a otra, material o inmaterialmente. || **4. Traducir,** 1.ª acep. || **5. Devolver,** 2.ª acep. || **6.** Poner o constituir nuevamente a una persona o cosa en el estado que antes tenía. || **7.** Hacer que se mude o trueque una cosa o persona de un estado o aspecto en otro. Ú. m. c. r. VOLVERSE *blanco, tonto.* || **8. Mudar,** 1.ª acep. || **9.** Mudar la haz de las cosas, poniéndolas a la vista por el envés, o al contrario. || **10. Vomitar,** 1.ª acep. || **11.** Hacer a uno mudar de dictamen con persuasiones o razones. Ú. m. c. r. || **12.** Dar el vendedor al comprador la vuelta, 18.ª acep. || **13.** Tratándose de una puerta, ventana, etc., hacerla girar para cerrarla o entornarla. || **14.** Restar la pelota. || **15.** Dar la segunda reja a la tierra. Dícese comúnmente cuando ésta se ara después de sembrada, para cubrir el grano. || **16.** Despedir o rechazar, o enviar por repercusión o reflexión. || **17.** Despedir un regalo o don, haciéndolo restituir al que lo envió, especialmente cuando se da a entender con algún desabrimiento. || **18.** ant. Resolver, mezclar. || **19.** intr. **Regresar,** 1.ª acep. Ú. t. c. r. || **20.** Anudar el hilo de la historia o discurso que se había interrumpido con alguna digresión, haciendo llamada a la atención. || **21.** Torcer o dejar el camino o línea recta. *Este camino* VUELVE *hacia la izquierda.* || **22.** Repetir o reiterar lo que antes se ha hecho, y se usa siempre determinando otro verbo con la preposición *a.* || **23.** Construido con la preposición *por,* defender o patrocinar a la persona o cosa de que se trata. || **24.** Restituirse a su sentido o acuerdo el que lo ha perdido por un accidente o letargo. VOLVER *en sí.* || **25.** r. Acedarse, avinagrarse o dañarse ciertos líquidos, especialmente el vino. || **26.** Inclinar el cuerpo o el rostro en señal de dirigir la plática o conversación a determinados sujetos. || **A un volver de cabeza.** m. adv. fig. **A vuelta de cabeza.** || **Todo se vuelve** o **se le vuelve.** loc. fam. que seguida por lo común de un infinitivo indica que en la acción de éste se resuelve o concentra toda la actividad del sujeto. TODO SE LE VUELVE *mirar hacia atrás.* || **Volver a nacer** uno **en** tal día. fr. fig. y fam. **Haber nacido en** tal día. || **Volver loco** a uno. fr. fig. Confundirle con diversidad de especies aglomeradas e inconexas. || **2.** fig. y fam. Envanecerle de modo que parezca que está sin juicio. || **Volver lo de abajo arriba,** o **lo de arriba abajo.** fr. fig. Trastornar, perturbar el orden de las cosas. || **Volver** uno **por** sí. fr. Defenderse. || **2.** fig. Restaurar con las buenas acciones y procederes el crédito u opinión que había perdido o menoscabado. || **Volverse** uno **atrás.** fr. No cumplir la promesa o la palabra; desdecirse. || **Volverse** uno **contra** otro. fr. Perseguirle, hacerle daño o serle contrario. || **Volverse** uno **loco.** fr. Perder el juicio, privarse de la razón. || **2.** fig. y fam. Manifestar excesiva alegría, o estar dominado por un afecto vehemente. || **Volver** uno **sobre sí.** fr. Hacer reflexión sobre las operaciones propias, para el reconocimiento y enmienda. || **2.** Recuperarse de una pérdida. || **3.** Recobrar la serenidad y el ánimo.

Volvible. adj. Que se puede volver.

Volvimiento. m. ant. Acción de volverse o revolverse.

Volvo. (Como el fr. *volve,* del lat. *volva, vulva.*) m. **Vólvulo.**

Vólvulo. (De *volvo.*) m. *Med.* **Íleo.**

Vómer. (Del lat. *vomer,* reja de arado, por la forma de este hueso.) m. *Zool.* Huesecillo impar que forma la parte posterior de la pared o tabique de las fosas nasales.

Vómica. (Del lat. *vomĭca.*) f. *Med.* Absceso formado en lo interior del pecho y en que el pus llega a los bronquios y se evacua como por vómito.

Vómico, ca. (Del lat. *vomĭcus,* de *vomĕre,* vomitar.) adj. Que motiva o causa vómito. || **2.** V. **Nuez vómica.**

Vomipurgante. (De *vomi,* apócope de *vomitivo,* y *purgante.*) adj. *Med.* Dícese del medicamento que promueve el vómito y as evacuaciones del vientre. Ú. t. c. s. m.

Vomipurgativo, va. (De *vomi,* apócope de *vomitivo,* y *purgativo.*) adj. *Med.* **Vomipurgante.** Ú. t. c. s. m.

Vomitado, da. p. p. de **Vomitar.** || **2.** adj. fig. y fam. Dícese de la persona desmedrada o descolorida y de mala figura.

Vomitador, ra. adj. Que vomita. Ú. t. c. s.

Vomitar. (Del lat. *vomitāre,* intens. de *vomĕre.*) tr. Arrojar violentamente por la boca lo contenido en el estómago. || **2.** fig. Arrojar de sí violentamente una cosa algo que tiene dentro. || **3.** fig. Tratándose de injurias, dicterios, maldiciones, etc., proferirlos. || **4.** fig. y fam. Declarar o revelar uno lo que tiene secreto y se resiste a descubrir. || **5.** fig. y fam. Restituir uno lo que retiene indebidamente en su poder.

Vomitel. m. *Bot. Cuba.* Árbol de la familia de las borragináceas que produce buena madera.

Vomitivo, va. adj. *Med.* Aplícase a la medicina que mueve o excita el vómito. Ú. t. c. s. m.

Vómito. (Del lat. *vomĭtus.*) m. Acción de vomitar. || **2.** Lo que se vomita. || **de sangre. Hemoptisis.** || **negro,** o **prieto. Fiebre amarilla.** || **Provocar a vómito** una persona o cosa. fr. fig. y fam. Producir fastidio o repugnancia. || **Volver** uno **al vómito.** fr. fig. y fam. Recaer en las culpas o delitos de que se había apartado.

Vomitón, na. adj. fam. Aplícase al niño de teta que vomita mucho.

Vomitona. f. fam. Vómito grande producido por haber comido o bebido con exceso.

Vomitorio, ria. (Del lat. *vomitorius.*) adj. **Vomitivo.** Ú. t. c. s. || **2.** m. Puerta o abertura de los circos o teatros antiguos, por donde entraban las gentes a las gradas y salían de ellas.

Voquible. m. fam. **Vocablo.**

Vorace. adj. **Voraz.**

Voracidad. (Del lat. *voracĭtas, -ātis.*) f. Calidad de voraz.

Vorágine. (Del lat. *vorāgo, -ĭnis.*) f. Remolino impetuoso que hacen en algunos parajes las aguas del mar, de los ríos o de los lagos.

Voraginoso, sa. (Del lat. *voraginōsus.*) adj. Aplícase al sitio en que hay vorágines.

Vorahúnda. f. **Baraúnda.**

Voraz. (Del lat. *vorax, -ācis.*) adj. Aplícase al animal muy comedor y al hombre que come desmesuradamente y con mucha ansia. || **2.** fig. Que destruye o consume rápidamente. *El* VORAZ *incendio; la* VORAZ *incontinencia.*

Vorazmente. adv. m. Con voracidad.

Vormela. (Del al. *würmlein.*) f. Mamífero carnicero parecido al hurón, que vive en el norte de Europa y tiene el vientre obscuro, el lomo con pintas de diversos colores y la cola cenicienta con la punta negra.

Vórtice. (Del lat. *vortex, -ĭcis.*) m. Torbellino, remolino. || **2.** Centro de un ciclón.

Vortiginoso, sa. (Del lat. *vortigo, -gĭnis,* remolino.) adj. Dícese del movimiento que hacen el agua o el aire en forma circular o espiral.

Vos. (Del lat. *vos.*) Cualquiera de los casos del pronombre personal de segunda persona en género masculino o femenino y número singular y plural, cuando esta voz se emplea como tratamiento. Lleva preposición en los casos oblicuos y pide verbo en plural, pero concierta en singular con el adjetivo aplicado a la persona a quien se dirige: vos, *don Pedro, sois docto;* vos, *Juana, sois caritativa.* Este modo de hablar, que tuvo uso general en lo antiguo, empléase hoy todavía para dirigir la palabra a Dios y a los santos o a personas de mucha autoridad, y también en ciertos documentos oficiales, como asimismo en la poesía y la prosa elevada.

Vosco. (Del lat. *voscum, vobiscum.*) pron. pers. ant. Con vos, o con vosotros.

Vosear. tr. Dar a uno el tratamiento de vos.

Voseo. m. Acción y efecto de vosear.

Voso, sa. adj. ant. **Vuestro.**

Vosotros, tras. (De *vos* y *otros.*) Nominativos masculino y femenino del pronombre personal de segunda persona en número plural. Con preposición empléase también en los casos oblicuos.

Votación. f. Acción y efecto de votar. || **2.** Conjunto de votos emitidos. || **nominal.** En los parlamentos o corporaciones, la que se hace dando cada votante su nombre. || **ordinaria.** La que se hace poniéndose unos votantes de pie y permaneciendo otros sentados, o alzando o dejando de alzar la mano. || **secreta.** La que tiene lugar mediante papeletas sin firmar o bolas de distinto color.

Votada. (De *votar.*) f. **Votación.**

Votador, ra. adj. Que vota. Ú. t. c. s. || **2.** m. y f. Persona que tiene el vicio de votar, 2.ª acep.

Votante. p. a. de **Votar,** 3.ª acep. Que vota. Ú. t. c. s.

Votar. (Del lat. *votāre.*) intr. Hacer voto a Dios o a los santos. Ú. t. c. tr. || **2.** Echar votos o juramentos. || **3.** Dar uno su voto o decir su dictamen en una reunión o cuerpo deliberante, o en una elección de personas. Ú. t. c. tr. || **¡Voto a tal!** expr. fam. **¡Voto va!**

Votivo, va. (Del lat. *votīvus.*) adj. Ofrecido por voto o relativo a él. || **2.** V. **Misa votiva.**

Voto. (Del lat. *votum.*) m. Promesa hecha a Dios, a la Virgen o a un santo. || **2.** Cualquiera de los prometimientos que constituyen el estado religioso y tiene admitidos la Iglesia, como son: pobreza, castidad y obediencia. || **3.** Parecer o dictamen explicado en una congregación o junta en orden a la decisión de un punto o elección de un sujeto; y el que se da sin fundarlo, diciendo simplemente *sí* o *no,* o por medio de bolas, etc. || **4.** Dictamen o parecer dado sobre una materia. || **5.** Persona que da o puede dar su **voto.** || **6.** Ruego o deprecación con que se pide a Dios una gracia. || **7.** Juramento o execración en demostración de ira. || **8. Deseo.** || **9. Exvoto.** || **activo. Voz activa,** 1.ª acep. || **acumulado.** Aquel en que, para amparo de las minorías, puede el elector reunir todos sus sufragios en favor de sólo algunos y aun de uno de los candidatos. || **consultivo.** Dictamen que dan algunas corporaciones o personas autorizadas a los que han de decidir un negocio. || **cuadragesimal.** El que hacen en algunas órdenes los religiosos, de observar todo el año la misma abstinencia que en cuaresma. || **de amén.** fig. y fam. El de la persona que se conforma siempre y ciegamente con el dictamen ajeno. || **2.** fig. y fam. Esta misma persona. || **de calidad.** El que, por ser de persona de mayor autoridad, decide la cuestión en caso de empate. || **de censura.** El que emiten las cámaras o corporaciones negando su confianza al gobierno o junta directiva. || **decisivo.** El que los ministros de algunos tribunales tenían para resolver por sí y sin consultar al superior. || **de confianza.** Aprobación que las cámaras dan a la actuación de un gobierno en determinado asunto, o autorización para que actúe libremente en tal caso. || **2.** Aprobación y autorización que se da a alguno para que efectúe libremente una gestión. || **de reata.** fig. y fam. El que se da sin conocimiento ni reflexión, y sólo por seguir el dictamen de otro. || **2.** fig. y fam. Persona que procede así. || **de Santiago.** Tributo en trigo o pan que por las yuntas que tenían daban los labradores de algunas provincias a la iglesia de Santiago de Compostela. || **informativo.** El que no tiene efecto ejecutivo. || **particular.** Dictamen que uno o varios individuos de una comisión presentan diverso del de la mayoría. || **pasivo. Voz pasiva,** 1.ª acep. || **plural.** El que se concede por privilegio a ciertos ciudadanos, a más del sufragio igualatorio de otros, en atención a la cultura, la riqueza, el cargo ejercido o la madurez de edad. || **restringido.** Aquel en que, para facilitar la representación de minorías, el elector ha de votar menos representantes de los que hayan de elegirse. || **secreto.** El que se emite por papeletas dobladas, por bolas blancas y negras, o de otro modo en que no aparezca el nombre del votante. || **simple.** Promesa hecha a Dios sin solemnidad exterior de derecho. || **solemne.** El que se hace públicamente con las formalidades de derecho, como sucede en la profesión religiosa. || **Regular los votos.** fr. Contarlos, y confrontar unos con otros. || **Ser, o tener, voto** uno. fr. Tener acción para votar en alguna junta. || **2.** fig. Tener el conocimiento que requiere la materia de que se trata, para poder juzgar de ella, o estar libre de pasión u otro motivo que pueda torcer o viciar el dictamen. Ú. frecuentemente con negación, y con especialidad en este sentido, para rechazar el dictamen del que se cree que está apasionado. || **¡Voto va!,** expr. fam. con que se amenaza o se denota enfado, sorpresa, admiración, etc.

Votri. m. Planta trepadora que crece en Chile, de hojas ovaladas, muy carnosas, flores que tienen la corola formando un tubo muy abultado, que estrecha antes del limbo, y fruto capsular.

Voz. (Del lat. *vox, vocis.*) f. Sonido que el aire expelido de los pulmones produce al salir de la laringe, haciendo que vibren las cuerdas vocales. || **2.** Calidad, timbre o intensidad de este sonido. || **3.** Sonido que forman algunas cosas inanimadas, heridas del viento o hiriendo en él. || **4. Grito,** 1.ª acep. Ú. m. en plural. || **5. Vocablo.** || **6.** V. **Juego de voces.** || **7.** fig. Músico que canta. || **8.** fig. Autoridad o fuerza que reciben las cosas por el dicho u opinión común. || **9.** fig. Poder, facultad, derecho para hacer uno, en su nombre, o en el de otro, lo conveniente. || **10.** fig. **Voto,** 3.ª acep. || **11.** fig. Facultad de hablar, aunque no de votar, en una asamblea. || **12.** fig. Opinión, fama, rumor. || **13.** fig. Motivo o pretexto público. || **14.** fig. Precepto o mandato del superior. || **15.** fig. V. **Chorro, torrente de voz.** || **16.** fig. y fam. V. **Secreto a voces.** || **17.** *Germ.* **Consuelo.** || **18.** *Gram.* Accidente gramatical que expresa si el sujeto del verbo es agente o paciente. || **19.** *Mar.* V. **Saludo a la voz.** || **20.** *Mús.* Sonido particular o tono correspondiente a las notas y claves, en la **voz** del que canta o en los instrumentos. || **21.** *Mús.* Cada una de las líneas melódicas que forman una composición polifónica. *Fuga a cuatro* VOCES. || **activa.** Facultad de votar que tiene el individuo de una corporación. || **2.** *Gram.* Forma de conjugación que sirve para significar que el sujeto del verbo es agente; v. gr.: *Juan escribe.* || **aguda.** *Mús.* Alto y tiple. || **argentada,** o **argentina.** fig. La clara y sonora. || **cantante.** *Mús.* Parte principal de una composición que, por lo común, contiene y expresa la melodía. || **común.** Opinión o rumor general. || **de cabeza. Falsete,** 3.ª acep. || **de la conciencia.** fig. **Remordimiento.** || **del cielo.** fig. Inspiración o inclinación que nos lleva hacia el bien. || **de mando.** *Mil.* La que da a sus subordinados el que los manda. || **de trueno.** fig. La muy fuerte o retumbante. || **empañada.** fig. La que no es bastante sonora y clara, especialmente en el canto. || **opaca,** o **parda.** fig. **Voz empañada.** || **pasiva.** Poder o aptitud de ser votado o elegido por una corporación para un encargo o empleo. || **2.** *Gram.* Forma de conjugación que sirve para significar que el sujeto del verbo es paciente; v. gr.: *Antonio es amado.* || **sumisa.** fig. La baja y suave, como la del que implora o suplica. || **tomada.** fig. **Voz empañada.** || **vaga.** Rumor, noticia o hablilla esparcida entre muchos, y cuyo autor se ignora. || **Mala voz.** Tacha, renuncia o reclamación contra el crédito de una persona o contra la legítima posesión o la libertad de una cosa. || **Pública voz y fama.** expr. con que se da a entender que una cosa se tiene corrientemente por cierta y verdadera en virtud de asegurarla casi todos. || **Segunda voz.** La que acompaña a una melodía entonándola generalmente una tercera más baja. || **Viva voz.** Explicación de la voluntad en orden a lo que se debe ejecutar, sin rescripto, bula o decreto. || **2.** Expresión oral, por contraposición a la escrita. || **Aclarar la voz.** fr. Quitar el impedimento que había para pronunciar con claridad. || **Ahuecar** uno **la voz.** fr. Abultarla para que parezca más grave e imponente. || **Alzar** uno **la voz** a otro. fr. fam. **Levantarle la voz.** || **A media voz.** m. adv. Con **voz** baja, o más baja que el tono regular. || **2.** fig. Con ligera insinuación, expresión o eficacia. || **Anudársele** a uno **la voz.** fr. fig. No poder hablar por alguna vehemente pasión de ánimo. || **Apagar la voz** a un instrumento. fr. fig. Hacer que suene menos, poniéndole sordina. || **A una voz.** m. adv. fig. De común consentimiento o por unánime parecer. || **A voces.** m. adv. A gritos o en **voz** alta. || **A voz de apellido.** m. adv. ant. Por convocación o llamamiento. || **A voz en cuello, o en grito.** m. adv. En muy alta **voz** o gritando. || **Correr la voz.** fr. Divulgarse una cosa que se ignoraba. || **2.** Divulgar o difundir alguna especie. || **Dar una voz** a uno. fr. Llamarle en alta **voz** desde lejos. || **Dar** uno **voces al viento, o en desierto.** fr. fig. Cansarse en balde, trabajar inútilmente. || **Desanudar la voz.** fr. fig. Quedar expedita la **voz** y el habla, impedidas antes por un accidente. || **Echar** uno **a voces** una cosa. fr. fig. **Meterla a voces.** || **Echar** uno **voz, o la voz.** fr. Divulgar, extender alguna especie o noticia. || **En voz.** m. adv. De palabra o verbalmente. || **2.** *Mús.* Con la **voz** clara para poder cantar. *No está hoy* EN VOZ; *ya se ha puesto* EN VOZ. || **Entrar** uno **en voz.** fr. ant. Contestar o responder en juicio a una demanda. || **Estar pidiendo a voces** algo. Necesitar algo con urgencia. *Este sembrado* ESTÁ PIDIENDO A VOCES *que lo escarden.* || **Jugar** uno **la voz.** fr. Cantar haciendo quiebros o inflexiones. || **Levantar la voz.** fr. Señalar el cabezalero que continúe el foro o enfiteusis. Ú. m. en Galicia. || **Levantar** uno **la voz** a otro. fr. fam. Hablarle descompuestamente o contestarle sin el respeto que merece. || **Llevar la voz cantante.** fr. fig. Ser la persona que se impone a los demás en una reunión, o el que dirige un negocio. || **Meter** uno **a voces** una cosa. fr. fig. Confundir y ofuscar la razón metiendo bulla. || **Poner mala voz.** fr. Desacreditar a una persona o cosa; hablar mal de ella. || **Respirar** uno **por la voz de otro.** fr. fig. **Respirar por** su **boca.** || **Romper** uno **la voz.** fr. Levantarla más de lo regular, o ejercitarla dando **voces** con el fin de educarla para el canto. || **Soltar** uno **la voz.** fr. fig. Divulgar, publicar. || **Tomar** uno la **voz.** fr. Hablar continuando una especie o materia que otros han empezado. || **Tomar la voz** de uno. Declararse por un determinado sujeto, obrando a favor suyo y como en su nombre o con su autoridad. || **2.** Salir a la defensa de una persona o cosa. || **Tomar voz.** fr. Adquirir uno noticias o tomar razón o informes acerca de una cosa. || **2.** fig. Publicarse, asegurarse o autorizarse una cosa con el dicho de muchos. || **Voz del pueblo, voz del cie-**

lo. fr. proverb. que enseña que el convenir comúnmente todos en una especie es prueba de su certidumbre.

Vozarrón. m. Voz muy fuerte y gruesa.

Vozarrona. f. **Vozarrón.**

Voznar. (Del lat. *būcināre.*) intr. **Graznar.**

Vuecelencia. com. Metapl. de **Vuestra excelencia.**

Vuecencia. com. Síncopa de **Vuecelencia.**

Vuelapié (A). m. adv. **A volapié,** 3.ª acep.

Vuelapluma (A). m. adv. **A vuela pluma.**

Vuelco. m. Acción y efecto de volcar o volcarse. ‖ **2.** Movimiento con que una cosa se vuelve o trastorna enteramente. ‖ **A vuelco de dado.** m. adv. fig. con que se nota la suma contingencia a que está expuesta una cosa. ‖ **Darle** a uno **un vuelco el corazón.** fr. fig. y fam. Representársele una especie futura con algún movimiento o alteración interior. ‖ **2.** Sentir de pronto sobresalto, alegría u otro movimiento del ánimo. ‖ **Dar** uno **un vuelco en el infierno.** fr. fig. con que se explica el deseo de conseguir una cosa contra lo que dicta la propia conciencia.

Vuelillo. (De *vuelo.*) m. Adorno de encaje u otro tejido ligero, que se pone en la bocamanga de algunos trajes, y forma parte del de los magistrados, catedráticos y ciertos eclesiásticos.

Vuelo. m. Acción de volar. ‖ **2.** Espacio que se recorre volando sin posarse. ‖ **3.** Conjunto de plumas que en el ala del ave sirven principalmente para volar. Ú. m. en pl. ‖ **4.** Por ext., toda el ala. ‖ **5.** Amplitud o extensión de una vestidura en la parte que no se ajusta al cuerpo. ‖ **6. Vuelillo.** ‖ **7.** Tramoya de teatro en que va por el aire una persona o cosa. ‖ **8.** Arbolado de un monte. ‖ **9.** *Arq.* Parte de una fábrica, que sale fuera del paramento de la pared que la sostiene. ‖ **10.** *Arq.* Extensión de esta misma parte, contada en dirección perpendicular al paramento. ‖ **11.** *Cetr.* Ave de caza enseñada y amaestrada a volar, y perseguir a otras aves. ‖ **12.** *For.* En algunas divisiones tradicionales de la propiedad, derecho al arbolado con separación del que otro tenga sobre el suelo. ‖ **Al vuelo,** o **a vuelo.** m. adv. Pronta y ligeramente. ‖ **Alzar el vuelo.** fr. Echar a volar. ‖ **2.** fig. y fam. **Alzar velas,** 2.ª acep. ‖ **Cazarlas** uno **al vuelo.** fr. fig. **Cogerlas** uno **al vuelo.** ‖ **Coger al vuelo** una cosa. fr. fig. Lograrla de paso o casualmente. ‖ **Cogerlas** uno **al vuelo.** fr. fig. y fam. Entender o notar con prontitud las cosas que no se dicen claramente o que se hacen a hurtadillas. ‖ **Coger vuelo** una cosa. fr. fig. **Tomar vuelo.** ‖ **Cortar los vuelos** a uno. fr. fig. **Cortarle las alas.** ‖ **De un vuelo, de vuelo,** o **en un vuelo.** m. adv. fig. Pronta y ligeramente, sin detención. ‖ **Echar a vuelo las campanas.** fr. **Tocarlas a vuelo.** ‖ **Levantar el vuelo.** fr. **Alzar el vuelo,** 1.ª acep. ‖ **2.** fig. Elevar uno el espíritu o la imaginación. ‖ **3.** fig. Engreírse, ensoberbecerse. ‖ **4.** fig. y fam. **Alzar el vuelo,** 2.ª acep. ‖ **Levantar** uno **los vuelos.** fr. fig. **Levantar el vuelo,** 2.ª y 3.ª aceps. ‖ **Tirar al vuelo.** fr. Tirar al ave que va volando, a distinción de cuando se le tira parada. ‖ **Tocar a vuelo las campanas.** fr. Tocarlas todas a un mismo tiempo, volteándolas y dejando sueltos los badajos o lenguas. ‖ **Tomar vuelo** una cosa. fr. fig. Ir adelantando o aumentando mucho.

Vuelta. (Del lat. **volŭta,* por *volūta.*) f. Movimiento de una cosa alrededor de un punto, o girando sobre sí misma, hasta invertir su posición primera, o hasta recobrarla de nuevo. ‖ **2.** Curvatura en una línea, o apartamiento del camino recto. ‖ **3.** Cada una de las circunvoluciones de una cosa alrededor de otra a la cual se aplica; como las de la faja a la cintura. ‖ **4. Regreso.** ‖ **5.** Devolución de una cosa a quien la tenía o poseía. ‖ **6.** Retorno o recompensa. ‖ **7.** Repetición de una cosa. ‖ **8.** Paso o repaso que se da a una materia leyéndola. *De primera, de segunda* VUELTA. ‖ **9. Vez,** 1.ª y 3.ª aceps. *Lo ha hecho otra* VUELTA. ‖ **10.** Parte de una cosa, opuesta a la que se tiene a la vista. ‖ **11.** Zurra o tunda de azotes o golpes. ‖ **12.** Adorno que se sobrepone al puño de las camisas, camisolas, etc. ‖ **13.** Tela sobrepuesta en la extremidad de las mangas u otras partes de ciertas prendas de vestir. ‖ **14. Embozo,** 2.ª acep. ‖ **15.** Cada una de las series circulares de puntos con que se van labrando las medias, calcetas, etc. VUELTA *de llanos, de nudillo.* ‖ **16.** Mudanza de las cosas de un estado a otro, o de un parecer a otro. ‖ **17.** Acción o expresión áspera y sensible, especialmente cuando no se espera. ‖ **18.** Dinero sobrante que se devuelve a la persona que, al hacer un pago, entrega cantidad superior a la debida. ‖ **19.** Labor que se da a la tierra o heredad. *Esta tierra está de una* VUELTA; *está de dos* VUELTAS. ‖ **20. Voltereta,** 2.ª acep. ‖ **21.** ant. Riña, alboroto. ‖ **22.** ant. Cada uno de los dos tercetos del soneto. ‖ **23.** En las composiciones que glosan un villancico, verso o versos de la segunda parte de cada estrofa en que reaparece la rima del villancico para introducir la repetición de éste en todo o en parte. ‖ **24.** *Ar.* Bóveda, y por ext., techo. ‖ **25.** *Arq.* Curva de intradós de un arco o bóveda. ‖ **26.** *Min.* Destello de luz que despide la plata en el momento en que termina la copelación. ‖ **27.** *Mús.* **Retornelo.** ‖ **de carnero.** fig. **Trepa,** 1.er art., 2.ª acep. ‖ **2.** Caída, batacazo. ‖ **de la campana,** o **de campana.** fig. La que se da con el cuerpo en el aire volviendo a caer de pies. ‖ **de podenco.** fig. y fam. Zurra o castigo grande, por lo común a palos. ‖ **en redondo. Media vuelta,** 1.ª acep. ‖ **Media vuelta.** Acción de volverse de modo que el cuerpo quede de frente hacia la parte que estaba antes a la espalda. ‖ **2.** fig. Breve o cortísima diligencia en una cosa. ‖ **A la vuelta.** m. adv. Al volver. ‖ **A la vuelta de.** loc. Dentro o al cabo de. A LA VUELTA DE *pocos años.* ‖ **A la vuelta de la esquina.** fr. fig. que se emplea para indicar que un lugar está muy próximo, o que una cosa se encuentra muy a mano. ‖ **A la vuelta lo venden tinto.** fr. fig. y fam. usada para desentendernos de lo que nos piden. ‖ **Andar** a uno **a las vueltas.** fr. Seguirle, observándole los pasos o acciones. ‖ **Andar a vueltas.** fr. Reñir o luchar. ‖ **Andar** uno **a vueltas con, para,** o **sobre,** una cosa. fr. fig. Estar dudoso, perplejo o poniendo todos los medios para saberla o ejecutarla. ‖ **Andar** uno **en vueltas.** fr. fig. Andar en rodeos; poner dificultades para no hacer una cosa. ‖ **A pocas vueltas.** m. adv. fig. **A pocos lances.** ‖ **A vuelta de.** m. adv. **A vueltas de.** A VUELTA DE *Navidad.* ‖ **2. De vuelta.** ‖ **3.** A fuerza de. A VUELTA DE *palabras y más palabras, le convenció.* ‖ **A vuelta de cabeza.** m. adv. fig. Al menor descuido. ‖ **A vuelta de correo.** m. adv. Por el correo inmediato, sin perder día. ‖ **A vuelta de dado.** m. adv. fig. **A vuelco de dado.** ‖ **A vuelta de ojo,** o **de ojos.** m. adv. fig. Con presteza y celeridad, en un instante. ‖ **A vueltas con** una cosa. m. adv. Usarla con insistencia. *Siempre* A VUELTAS CON *el abogado y el procurador.* ‖ **A vueltas de.** m. adv. desus. Cerca, aproximadamente, casi. A VUELTAS DE *cien reales.* ‖ **2.** Juntamente, a la vez, además de. *Se perdió el libro* A VUELTAS DE *otras cosas.* ‖ **Buscarle** a uno **las vueltas.** fr. fig. y fam. Acechar la ocasión para cogerle descuidado, o la oportunidad para engañarle o hacerle cualquier daño. ‖ **Coger** uno **las vueltas,** o **la vuelta.** fr. fig. Buscar rodeos o artificios para librarse de una incomodidad o conseguir un fin. ‖ **Cogerle** a uno **las vueltas.** fr. fig. y fam. Adivinar sus planes y propósitos, o conocerle el carácter, el humor y las mañas, aprovechando este conocimiento a fin de salirse con la suya. ‖ **Dar cien vueltas** a uno. fr. fig. y fam. Aventajarle mucho en algún conocimiento o habilidad. ‖ **Darse** uno **una vuelta a la redonda.** fr. fig. y fam. Examinarse a sí mismo antes de reprender a otro. ‖ **Dar** uno **una vuelta.** fr. Pasear un rato. ‖ **2.** Ir por poco tiempo a una población o país. ‖ **3.** fig. Limpiar o asear una cosa reconociéndola. ‖ **4.** fig. Hacer una breve y personal diligencia para el resguardo o reconocimiento de una cosa. ‖ **5.** fig. Mudarse, trocarse. ‖ **Dar vueltas.** fr. Andar alrededor. ‖ **2.** Andar uno buscando una cosa sin encontrarla. ‖ **3.** fig. Discurrir repetidamente sobre una especie. ‖ **De vuelta.** m. adv. En volviendo. DE VUELTA *de viaje.* ‖ **Estar de vuelta.** fr. fig. y fam. Estar de antemano enterado de algo de que se le cree o puede creer ignorante. ‖ **Guardar** uno **las vueltas.** fr. fig. y fam. Estar con cuidado y vigilancia para no ser cogido en una acción mala. ‖ **2.** fig. y fam. Ejecutar una cosa sin que otro lo entienda. ‖ **La vuelta de.** loc. Hacia o camino de. ‖ **Llevar de vuelta** a uno. fr. Hacerle retroceder del camino que llevaba. ‖ **No hay que darle vueltas.** expr. fig. y fam. que se emplea para afirmar que, por más que se examine o considere una cosa en diversos conceptos, siempre resultará ser la misma, o no tener sino un remedio o solución. ‖ **No tener vuelta de hoja** una cosa. fr. fig. y fam. Ser incontestable. ‖ **Poner** a uno **de vuelta y media.** fr. fig. y fam. Tratarle mal de palabra; llenarle de improperios. ‖ **Tener vuelta** una cosa. fr. fig. y fam. con que se previene al que la recibe prestada la obligación de restituirla. ‖ **Tener vueltas** uno. fr. fig. Ser inconstante en sus afectos y favores, y mudarse en contrario con facilidad. ‖ **Tomar la vuelta de tierra.** fr. *Mar.* Virar con dirección a la costa. ‖ **¡Vuelta!** interj. **¡Dale!** ‖ **2.** Úsase también para mandar a uno que vuelva una cosa hacia alguna parte. ‖ **3.** Úsase con las preposiciones *a* o *con* en frases admirativas para indicar que uno da en repetir con impertinencia algún acto.

Vuelto, ta. (Del lat. **volūtus,* por *volūtus.*) p. p. irreg. de **Volver.** ‖ **2.** adj. V. **Folio vuelto.** ‖ **3.** V. **Rejas vueltas.**

Vueludo, da. adj. Dícese de la vestidura que tiene mucho vuelo.

Vuesarced. com. ant. Metapl. de **Vuestra merced.**

Vueseñoría. com. ant. Metapl. de **Vuestra señoría.**

Vueso, sa. pron. poses. ant. **Vuestro.**

Vuestro, tra, tros, tras. (Del lat. *voster, vostra.*) Pronombre posesivo de segunda persona, cuya índole gramatical es idéntica a la del de primera persona **nuestro.** También suele referirse en sus cuatro formas a un solo poseedor cuando, por ficción que el uso autoriza, se da el número plural a una sola persona; v. gr.: VUESTRO *consejo,* hablando a un monarca. Aplícase también a un solo individuo en ciertos tratamientos; como VUESTRA *Beatitud;* VUESTRA *Majestad.* En el tratamiento de **vos,** refiérese indistintamente a uno solo o a dos o más poseedores;

v. gr.: VUESTRA *casa*, dirigiéndose a una persona sola o a dos o más.

Vulcanio, nia. (Del lat. *vulcanĭus.*) adj. Perteneciente a Vulcano, o al fuego.

Vulcanismo. (De *Vulcano*, dios del fuego.) m. *Geol.* **Plutonismo.**

Vulcanista. adj. *Geol.* Partidario del vulcanismo. Ú. t. c. s.

Vulcanita. f. **Ebonita.**

Vulcanización. f. Acción y efecto de vulcanizar.

Vulcanizar. (Del lat. *vulcānus*, fuego.) tr. Combinar azufre con la goma elástica para que ésta conserve su elasticidad en frío y en caliente.

Vulgacho. m. despect. Ínfimo pueblo o vulgo.

Vulgado, da. (Del lat. *vulgātus.*) adj. ant. **Vulgar.**

Vulgar. (Del lat. *vulgāris.*) adj. Perteneciente al vulgo. Apl. a pers., se ha usado alguna vez c. s. || **2.** Común o general, por contraposición a especial o técnico. || **3.** Aplícase a las lenguas que se hablan actualmente, en contraposición de las lenguas sabias. || **4.** Que no tiene especialidad particular en su línea. || **5.** V. **Lenguaje, ruipóntico vulgar.** || **6.** *Cronol.* V. **Era vulgar.** || **7.** *For.* V. **Compurgación, purgación, substitución vulgar.**

Vulgar. (Del lat. *vulgāre.*) tr. ant. **Divulgar.**

Vulgaridad. (Del lat. *vulgaritas, -ātis.*) f. Calidad de vulgar, 1.ª acep. || **2.** Especie, dicho o hecho vulgar que carece de novedad e importancia, o de verdad y fundamento.

Vulgarismo. m. Dicho o frase especialmente usada por el vulgo.

Vulgarización. f. Acción y efecto de vulgarizar.

Vulgarizador, ra. adj. Que vulgariza. Ú. t. c. s.

Vulgarizar. (Del lat. *vulgāris*, vulgar.) tr. Hacer vulgar o común una cosa. Ú. t. c. r. || **2.** Exponer una ciencia, o una materia técnica cualquiera, en forma fácilmente asequible al vulgo. || **3.** Traducir un escrito de otra lengua a la común y vulgar. || **4.** r. Darse uno al trato y comercio de la gente del vulgo, o portarse como ella.

Vulgarmente. adv. m. De manera vulgar. || **2.** **Comúnmente.**

Vulgata. (Del lat. *vulgāta*, divulgada, dada al público.) f. Versión latina de la Sagrada Escritura, auténticamente recibida en la Iglesia.

Vulgo. (Del lat. *vulgus.*) m. El común de la gente popular. || **2.** Conjunto de las personas que en cada materia no conocen más que la parte superficial. || **3.** *Germ.* **Mancebía,** 1.ª acep. || **4.** adv. m. **Vulgarmente,** 2.ª acep.

Vulnerabilidad. f. Calidad de vulnerable.

Vulnerable. (Del lat. *vulnerabĭlis.*) adj. Que puede ser herido o recibir lesión, física o moralmente.

Vulneración. (Del lat. *vulneratĭo, -ōnis.*) f. Acción y efecto de vulnerar.

Vulnerar. (Del lat. *vulnerāre*, de *vulnus*, herida.) tr. ant. **Herir.** || **2.** fig. Dañar, perjudicar. *Con sus reticencias* VULNERÓ *la honra de aquella dama.*

Vulnerario, ria. (Del lat. *vulnerarĭus.*) adj. *For.* Aplícase al clérigo que ha herido o matado a otra persona. Ú. t. c. s. || **2.** *Med.* Aplícase al remedio o medicina que cura las llagas y heridas. Ú. t. c. s. m.

Vulpécula. (Del lat. *vulpecŭla*, d. de *vulpes*, raposa.) f. **Vulpeja.**

Vulpeja. (Del lat. *vulpecŭla.*) f. **Zorra,** 1.er art., 1.ª acep.

Vulpino, na. (Del lat. *vulpīnus.*) adj. Perteneciente o relativo a la zorra. || **2.** fig. Que tiene sus propiedades.

Vulto. (Del lat. *vultus.*) m. ant. Rostro o cara.

Vultuoso, sa. (Del lat. *vultuōsus.*) adj. *Med.* Dícese del rostro abultado por congestión.

Vulturín. (Del lat. *vulturīnus.*) m. *Ar.* **Buitrón,** 1.ª acep.

Vulturno. (Del lat. *vulturnus.*) m. **Bochorno,** 1.ª acep.

Vulva. (De lat. *vulva.*) f. Partes que rodean y constituyen la abertura externa de la vagina.

Vusco. (De *vosco*, infl. por *tú.*) pron. pers. ant. **Convusco.**

Vusted. (De *vuestra merced.*) com. ant. **Usted.**

W. f. Letra llamada **v doble** (véase) y que no pertenece propiamente a la escritura española, pues en ella es substituida por la **v** sencilla.

Wat. m. *Fís.* Nombre del **vatio** en la nomenclatura internacional.

X

X. f. Vigésima sexta letra del abecedario español, y vigésima primera de sus consonantes. Llámase **equis.** Antiguamente representó dos sonidos: uno doble, compuesto de *k*, o de *g* suave, y *s*, y otro simple, semejante al de la *ch* francesa, el cual hoy conserva en algunos dialectos, como el bable. Después tuvo valor de *j*. Actualmente sólo se emplea con el valor de *ks* o *gs;* como en *axioma, excelso.* || **2.** **N,** 2.ª acep. || **3.** *Álg.* y *Arit.* Signo con que suele representarse en los cálculos la incógnita, o la primera de las incógnitas, si son dos o más. || **4.** V. **Rayos X.** || **5.** Letra numeral que tiene el valor de diez en la numeración romana.

Xenofobia. (Del gr. ξένος, extranjero, y φοβέω, espantarse.) f. Odio, repugnancia u hostilidad hacia los extranjeros.

Xenófobo, ba. adj. Que siente xenofobia.

Xeroftalmía. (Del gr. ξηρός, seco, y ὀφθαλμία, de οφθαλμός, ojo.) f. *Med.* Enfermedad de los ojos caracterizada por la sequedad de la conjuntiva y opacidad de la córnea. Se produce por la falta de determinadas vitaminas en la alimentación.

Xi. (Del gr. ξῖ.) f. Decimocuarta letra del alfabeto griego, que corresponde a la que en el nuestro se llama *equis.*

Xifoideo, a. adj. Perteneciente o relativo al apéndice xifoides.

Xifoides. (Del gr. ξιφοειδής, de figura de espada; de ξίφος, espada, y εἶδος, forma.) adj. *Zool.* Dícese del cartílago o apéndice cartilaginoso y de figura algo parecida a la punta de una espada, en que termina el esternón del hombre. Ú. t. c. s. m.

Xilófago, ga. (Del gr. ξύλον, madera, y φαγεῖν, comer.) adj. *Zool.* Dícese de los insectos que roen la madera. Ú. t. c. s.

Xilografía. (Del gr. ξύλον, madera, y γράφω, escribir.) f. Arte de grabar en madera. || **2.** Impresión tipográfica hecha con planchas de madera grabadas.

Xilográfico, ca. adj. Perteneciente o relativo a la xilografía.

Xilórgano. (Del gr. ξύλον, madera, y ὄργανον, instrumento.) m. Instrumento músico antiguo, compuesto de unos cilindros o varillas de madera compacta y sonora.

Xilotila. f. *Ecuad.* Hidrosilicato de magnesia y hierro, que, con su estructura fibrosa y su color pardo, imita la madera fósil.

Y

Y. f. Vigésima séptima letra del abecedario español, y vigésima segunda de sus consonantes. Llamábase **i griega,** y hoy se le da el nombre de **ye.** Usada como conjunción y fin de sílaba, tiene el mismo sonido que la *i* vocal.

Y. (Del lat. *ĕt.*) conj. copulat. cuyo oficio es unir palabras o cláusulas en concepto afirmativo. Cuando son varios los vocablos o miembros del período que han de ir enlazados, sólo se expresa, por regla general, antes del último. *Ciudades, villas, lugares* Y *aldeas; el mucho dormir quita el vigor al cuerpo, embota los sentidos* Y *debilita las facultades intelectuales.* ‖ **2.** Fórmanse con esta conjunción grupos de dos o más palabras entre los cuales no se expresa. *Hombres* Y *mujeres, niños, mozos* Y *ancianos, ricos* Y *pobres, todos viven sujetos a las miserias humanas.* ‖ **3.** Omítese a veces por la figura asíndeton. *Acude, corre, vuela; ufano, alegre, altivo, enamorado.* ‖ **4.** Repítese otras veces por la figura polisíndeton. *Es muy ladino,* Y *sabe de todo,* Y *tiene una labia...,* Y *escribe que da gusto.* ‖ **5.** Empléase a principio de período o cláusula sin enlace con vocablo o frase anterior, para dar énfasis o fuerza de expresión a lo que se dice. ¡Y *si no llega a tiempo!;* ¿Y *si fuera otra la causa?* ¡Y *dejas, Pastor santo...!* ‖ **6.** Precedida y seguida por una misma palabra, denota idea de repetición indefinida. *Días* Y *días; cartas* Y *cartas.*

Y. (Del lat. *ibi.*) adv. l. ant. **Allí.**

Ya. (Del lat. *iam.*) adv. t. con que se denota el tiempo pasado. YA *hemos hablado de esto más de una vez.* ‖ **2.** En el tiempo presente, haciendo relación al pasado. *Era muy rico, pero* YA *es pobre.* ‖ **3.** En tiempo u ocasión futura. YA *nos veremos;* YA *se hará eso.* ‖ **4.** Finalmente o últimamente. YA *es preciso tomar una resolución.* ‖ **5.** Luego, inmediatamente, y así, cuando se responde a quien llama, se dice: YA *voy;* YA *van.* ‖ **6.** Ú. como conjunción distributiva. YA *en la milicia,* YA *en las letras;* YA *con gozo,* YA *con dolor.* ‖ **7.** Sirve para conceder o apoyar lo que nos dicen, y suele usarse con las frases **ya entiendo, ya se ve,** que equivalen a es claro o es así. ‖ **Pues ya.** loc. fam. Por supuesto, ciertamente. Ú. por lo común en sentido irónico. ‖ **Si ya.** m. conjunt. condic. que equivale a la sola voz **si** como conjunción de la misma clase, o a **siempre que.** *Haré cuanto quieras,* SI YA *no me pides cosas impropias de un hombre de bien.* ‖ **¡Ya!** interj. fam. con que denotamos recordar algo o caer en ello, o no hacer caso de lo que se nos dice. Ú. repetida, y de esta manera expresa también idea de encarecimiento en bien o en mal. ‖ **Ya que.** m. conjunt. condic. Una vez que, aunque, o dado que. YA QUE *tu desgracia no tiene remedio, llévala con paciencia.*

Yaacabó. m. Pájaro insectívoro de la América del Sur, con pico y uñas fuertes, pardo por el lomo, rojizo el pecho y los bordes de las alas, y blanquizco, con rayas transversales obscuras, por el vientre. Su canto es parecido a las sílabas de su nombre, y los indios lo tienen por de mal agüero.

Yaba. f. *Bot. Cuba.* Árbol silvestre de la familia de las papilionáceas, con hojas ovales, flores menudas violáceas, y fruto amarillo. La corteza se usa como vermífuga, y la madera se emplea en la construcción.

Yabuna. f. *Cuba.* Hierba de la familia de las gramíneas que abunda en las sabanas; sus tallos, rastreros, se entrecruzan de tal modo que cubren el terreno de una especie de alfombra. Las raíces son hondas y enmarañadas. Es muy perjudicial para el cultivo.

Yac. m. Bóvido que habita en las altas montañas del Tíbet, notable por las largas lanas que cubren las patas y la parte inferior del cuerpo. En estado salvaje es de color obscuro; pero entre los domésticos abundan los blancos.

Yaca. f. Anona de la India.

Yacal. (Voz tagala.) m. *Bot. Filip.* Árbol de la familia de las dipterocarpáceas, que alcanza hasta 20 metros de altura y cuya madera es muy apreciada para construcciones y muebles.

Yacaré. (Voz guaraní.) m. *Argent.* **Caimán,** 1.ª acep.

Yacedor. m. Mozo de labor encargado de llevar las caballerías a yacer.

Yacente. (Del lat. *iacens, -entis.*) p. a. de **Yacer.** Que yace. ‖ **2.** adj. *For.* V. **Herencia yacente.** ‖ **3.** m. *Min.* Cara inferior de un criadero.

Yacer. (Del lat. *iacēre.*) intr. Estar echada o tendida una persona. ‖ **2.** Estar un cadáver en la fosa o en el sepulcro. ‖ **3.** Existir o estar real o figuradamente una persona o cosa en algún lugar. ‖ **4.** Tener trato carnal con una persona. ‖ **5.** Pacer de noche las caballerías.

Yaciente. p. a. de **Yacer. Yacente.** ‖ **2.** adj. V. **Colmena yaciente.**

Yacija. (Del lat. *iacilia,* pl. n. de *iacile.*) f. Lecho o cama, o cosa en que se está acostado. ‖ **2. Sepultura,** 2.ª y 3.ª aceps. ‖ **Ser** uno **de mala yacija.** fr. fig. Ser de mal dormir. ‖ **2.** fig. Ser de condición inquieta. ‖ **3.** fig. Ser hombre bajo, vagabundo y de malas mañas.

Yacimiento. (De *yacer.*) m. *Geol.* Sitio donde se halla naturalmente una roca, un mineral o un fósil.

Yacio. m. Árbol exótico de la familia de las euforbiáceas, de 20 a 30 metros de altura, con tronco grueso y ramas abiertas, sólo pobladas en su extremidad de hojas abiertas, pecioladas y compuestas de tres hojuelas elípticas; flores en panojas axilares, y fruto capsular con tres divisiones. Abunda en los bosques de la América tropical, y por incisiones hechas en el tronco, da goma elástica.

Yactura. (Del lat. *iactūra.*) f. Quiebra, pérdida o daño recibido.

Yagruma. f. *Cuba.* Nombre común a dos árboles de distinta familia, que se definen a continuación. ‖ **hembra.** *Bot. Cuba.* Árbol de la familia de las moráceas, con hojas grandes, palmeadas, verdes por la haz y plateadas por el envés; flores en racimo, rosadas con visos amarillos. Tiene cualidades medicinales. ‖ **macho.** *Cuba.* Árbol de la familia de las araliáceas; pecíolos largos, hojas grandes, digitadas, tomentosas por el envés, flores blancas en umbela; madera floja; las hojas son medicinales.

Yagrumo. m. *P. Rico* y *Venez.* **Yagruma hembra.**

Yagua. (Voz caribe.) f. *Venez.* Palma que sirve de hortaliza, y con la cual se techan las chozas de los indios y se hacen cestos, sombreros y cabuyas. En la estación de invierno da aceite, que sirve para el alumbrado. ‖ **2.** *Cuba* y *P. Rico.* Tejido fibroso que rodea la parte superior y más tierna del tronco de la palma real, del cual se desprende naturalmente todas las lunaciones, y sirve para varios usos y especialmente para envolver tabaco en rama.

Yagual. m. *C. Rica, Hond.* y *Méj.* **Rodete,** 2.ª acep.

Yaguané. adj. *Argent.* Dícese del animal vacuno que tiene el pescuezo y los costillares de color diferente al del lomo, barriga y parte de las ancas. Ú. t. c. s.

Yaguar. m. **Jaguar.**

Yaguasa. f. *Cuba* y *Hond.* Ave palmípeda, especie de pato salvaje, pequeño, de color pardo claro y manchas obscuras; habita a orillas de lagunas y ciénagas.

Yaguré. m. *Amér.* **Mofeta,** 2.ª acep.

Yaicuaje. (Voz caribe.) m. *Cuba.* Árbol de la familia de las sapindáceas, con hojas compuestas, brillantes; flores blancas en panoja; madera compacta de color rojizo claro.

Yaichihue. m. *Chile.* Planta de la familia de las bromeliáceas.

Yaití. (Voz caribe.) m. *Cuba.* Árbol de la familia de las euforbiáceas, con hojas lanceoladas; flores pequeñas amarillas. Su madera, que es muy dura, se usa para vigas y horcones.

Yak. m. **Yac.**

Yal. m. *Zool. Chile.* Pájaro pequeño del suborden de los conirrostros, con plumaje gris y pico amarillo.

Yamao. m. *Cuba.* Árbol de la familia de las meliáceas; tiene hojas con folíolos oblongos que sirven de pasto al ganado; flores blanquecinas pequeñas en panoja, y madera blanca que se emplea en la construcción.

Yámbico, ca. (Del lat. *iambĭcus*, y éste del gr. ἰαμϐικός.) adj. Perteneciente o relativo al yambo. || **2.** V. **Verso yámbico.** Ú. t. c. s.

Yambo. (Del lat. *iambus*, y éste del gr. ἴαμϐος.) m. Pie de la poesía griega y latina, compuesto de dos sílabas: la primera, breve, y la otra, larga. || **2.** Por extensión, pie de la poesía española que tiene una sílaba átona seguida de otra tónica, como *pastor.*

Yambo. (Del sánscr. *jambu.*) m. Árbol grande, de la familia de las mirtáceas, procedente de la India Oriental y muy cultivado en las Antillas, que tiene las hojas opuestas y lanceoladas, la inflorescencia en cima y por fruto la pomarrosa.

Yana. f. *Cuba.* Árbol de la familia de las combretáceas, con hojas alternas, flores en racimo, tronco tortuoso, y madera muy dura usada para hacer carbón.

Yanacón. m. *Perú.* **Yanacona,** 2.ª acep.

Yanacona. (Voz quichua.) adj. Dícese del indio que estaba al servicio personal de los españoles en algunos países de la América Meridional. Ú. t. c. s. || **2.** *Bol.* y *Perú.* Indio que es aparcero en el cultivo de una tierra.

Yangüés, sa. adj. Natural de Yanguas. Ú. t. c. s. || **2.** Perteneciente a alguno de los pueblos de este nombre.

Yanilla. f. *Bot. Cuba.* Árbol silvestre, de la familia de las simarubáceas, de madera negra y durísima, que crece en las desembocaduras de los ríos y en las costas bajas y pantanosas.

Yanqui. (Del ingl. *yankee.*) adj. Natural de Nueva Inglaterra, en los Estados Unidos de la América del Norte, y por extensión, natural de esa nación. Apl. a pers., ú. t. c. s.

Yanta. (De *yantar.*) f. ant. Comida del mediodía. Ú. en algunas partes.

Yantar. (Forma substantiva de *yantar,* 2.° art.) m. Cierto tributo que pagaban, generalmente en especie, los habitantes de los pueblos y de los distritos rurales para el mantenimiento del soberano y del señor cuando transitaban por ellos. A veces se conmutaba en dinero. || **2.** Prestación enfitéutica que antiguamente se pagaba en especie, y hoy en dinero, al poseedor del dominio directo de una finca; y consistía, por lo común, en medio pan y una escudilla de habas o lentejas. || **3.** ant. Manjar o vianda. Ú. aún en algunas partes.

Yantar. (Del lat. *ientāre*, almorzar.) tr. ant. **Comer,** 1.ª y 2.ª aceps. || **2.** ant. Comer al mediodía. || **Yantar a chirla come.** fr. ant. Decíase de los que se juntaban a comer y hablar con desahogo y libertad.

Yapa. (Voz quichua.) f. *Amér. Merid.* Añadidura, adehala, refacción. || **2.** *Min.* Azogue que en las minas argentíferas de América se añade al mineral para facilitar el término de su trabajo en el buitrón.

Yapar. tr. *Amér. Merid.* Añadir la yapa.

Yapú. m. *Argent.* Especie de tordo.

Yáquil. m. *Bot. Chile.* Arbusto espinoso de la familia de las ramnáceas, cuyas raíces, que producen en el agua una espuma jabonosa, se usan para lavar tejidos de lana.

Yarará. f. *Argent., Bol.* y *Par.* Víbora que alcanza hasta un metro de largo, muy venenosa, de color pardo con manchas blanquecinas.

Yaraví. (Voz quichua.) m. Especie de cantar dulce y melancólico que entonan los indios de algunos países de América Meridional.

Yarda. (Del ingl. *yard.*) f. Medida inglesa de longitud, equivalente a 91 centímetros.

Yare. (Voz caribe.) m. Jugo venenoso que se extrae de la yuca amarga. || **2.** *Venez.* Masa de yuca dulce con la que se hace el cazabe.

Yarey. m. *Cuba.* Planta de la familia de las palmas; con el tronco delgado y corto; hojas plegadas, sin espinas, cuyas fibras se emplean para tejer sombreros.

Yaro. m. **Aro,** 2.° art.

Yatagán. (Del turco *yātāgān*, cuchillo.) m. Especie de sable o alfanje que usan los orientales.

Yatay. m. *Argent.* y *Par.* Planta de la familia de las palmas; alcanza 10 metros de altura. El palmito es comestible; el fruto se usa para la fabricación de aguardiente, y la fibra de las hojas para tejer sombreros.

Yate. (Del ingl. *yacht.*) m. Embarcación de gala o de recreo.

Yaya. f. *Albac.* y *Ar.* **Abuela.**

Yaya. f. *Cuba.* Árbol de la familia de las anonáceas, con tronco recto y delgado; hojas lanceoladas, lampiñas; flores blancuzcas; madera flexible y fuerte. || **2.** *Zool. Perú.* Cierta especie de ácaro. || **cimarrona.** Cierto árbol que tiene tronco muy ramoso, hojas oblongas y brillantes, flores amarillas, pequeñas, solitarias en la axila de las hojas, y cuyo fruto sirve de alimento al ganado de cerda. || **2.** *Perú.* Insecto, especie de ácaro.

Yayo. m. *Albac.* y *Ar.* **Abuelo.**

Ye. f. Nombre de la letra *y.*

Yebo. (Del lat. **ēbum*, der. regres. de *ēbŭlum.*) m. *Ál.* **Yezgo.**

Yeco. m. *Chile.* Especie de cuervo marino.

Yedgo. (Del lat. *edĕcus*, cruce del lat. *ēbŭlum* y del célt. *odĕcus.*) m. ant. **Yezgo.**

Yedra. (Del lat. *hedĕra.*) f. **Hiedra.**

Yegua. (Del lat. *ĕqua.*) f. Hembra del caballo. || **2.** La que, por contraposición a potra, tiene ya cinco o más yerbas. || **3.** V. **Collera de yeguas.** || **4.** *Amér. Central.* Colilla de cigarro. || **caponera.** La que guía como cabestro la mulada o caballada cerril, y también las recuas. || **Andar con uno a mátame la yegua, matarte he el potro.** fr. fig. y fam. Altercar con porfía y sin necesidad. || **Donde hay yeguas, potros nacen.** ref. que enseña que no se deben extrañar los acontecimientos o defectos por ser naturales, cuando están inmediatas o son conocidas las causas de que provienen. || **El que desecha la yegua, ése la lleva.** ref. **Quien dice mal de la pera, ése la lleva.** || **Yegua parada, prado halla.** ref. que advierte que en medio de las mayores dificultades la necesidad sugiere medios para lograr lo que se ha menester.

Yeguada. f. Piara de ganado caballar.

Yeguar. adj. Perteneciente a las yeguas.

Yeguarizo. m. ant. **Yegüerizo.**

Yegüería. (De *yegüero.*) f. **Yeguada.**

Yegüerizo, za adj. **Yeguar.** || **2.** m. **Yegüero.**

Yegüero. m. El que guarda o cuida las yeguas.

Yegüezuela. f. d. de **Yegua.**

Yeísmo. f. Defecto que consiste en pronunciar la elle como ye, diciendo, por ejemplo, *gayina*, por *gallina; poyo*, por *pollo.*

Yelmo. (Del germ. *helm.*) m. Parte de la armadura antigua, que resguardaba la cabeza y el rostro, y se componía de morrión, visera y babera.

Yema. (Del lat. *gĕmma.*) f. Renuevo que en forma de botón escamoso nace en el tallo de los vegetales, y produce ramos, hojas o flores. || **2.** Porción central del huevo en los vertebrados ovíparos. En las aves es de color amarillo, en ella se halla el embrión, y está rodeada de la clara y la cáscara. || **3.** Dulce seco compuesto de azúcar y **yema** de huevo de gallina. || **4. Yema mejida.** || **5.** V. **Ciruela, vinagre, vino de yema.** || **6.** fig. p. us. Medio de una cosa, por ser participa de las cualidades de cada una de las partes extremas. *En la* YEMA *del invierno;* YEMA *del vino.* || **7.** fig. La parte mejor de una cosa. || **8.** *Zool.* Pequeña porción del cuerpo de ciertos animales, como espongiarios, celentéreos, gusanos y tunicados, que se desarrolla hasta constituir un nuevo individuo. || **9.** *Biol.* El más pequeño de los dos corpúsculos que resultan de dividirse una célula por gemación. || **del dedo.** Lado de la punta de él, opuesto a la uña. || **mejida.** La del huevo batida con azúcar y disuelta en leche o agua caliente, que se usa como medicamento para los catarros. || **Dar uno en la yema.** fr. fig. y fam. Dar en la dificultad.

Yen. m. Unidad monetaria del Japón cuyo valor se aproxima al de un peso de plata.

Yente. (Del lat. *iens, euntis.*) p. a. de **Ir.** Que va. Sólo tiene uso en la locución **yentes y vinientes.**

Yeral. m. Terreno sembrado de yeros.

Yerba. (Del lat. *hĕrba.*) f. **Hierba.**

Yerbajo. m. despect. de **Yerba.**

Yerbera. f. *Argent.* Vasija en que se echa el mate.

Yerboso, sa. adj. ant. **Herboso.**

Yermar. tr. Despoblar o dejar yermo un lugar, campo, etc.

Yermo, ma. (Del lat. *erēmus*, por *erēmus*, según el gr. ἔρημος.) adj. **Inhabitado.** || **2. Inculto,** 1.ª acep. Ú. t. c. s. || **3.** m. Terreno inhabitado. || **4.** V. **Padre del yermo.**

Yerno. (Del lat. *gener, genĕri.*) m. Respecto de una persona, marido de su hija. || **Nuestro yerno, si es bueno, harto es luengo.** ref. que enseña que las calidades que se han de buscar y apreciar en el **yerno** son la bondad y la virtud, más que otras prendas naturales.

Yero. (Del lat. *ĕrum*, por *ĕrvum.*) m. *Bot.* Planta herbácea anual, de la familia de las papilionáceas, con tallo erguido de tres a cinco decímetros; hojas compuestas de hojuelas oblongas y terminadas en punta; flores rosáceas, y fruto en vainas infladas, nudosas, con tres o cuatro semillas pardas, prismáticas y de aristas redondeadas. Es espontánea en España y se cultiva para alimento del ganado vacuno y de otros animales. Ú. m. en pl. || **2.** Semilla de esta planta. Ú. m. en pl.

Yerro. (De *errar.*) m. Falta o delito cometido, por ignorancia o malicia, contra los preceptos y reglas de un arte, y absolutamente, contra las leyes divinas y humanas. || **2.** Equivocación por descuido o inadvertencia, aunque sea inculpable. || **de cuenta.** Falta que se comete por equivocación o descuido, y especialmente cuando de ella se sigue algún daño o provecho para otro, como en las cuentas y cálculos. || **de imprenta. Errata.** || **El yerro del entendido.** Descuido o error cometido por persona discreta o perita y que por consiguiente suele ser de más trascendencia. || **Al que hace un yerro y pudiendo no hace más, por bueno le tendrás.** ref. que enseña que al que en lo regular se contiene y pudiendo obrar mal no lo hace, se le debe disimular o pasar algún **yerro** o defecto, sin que por él pierda su buen crédito. || **Deshacer** uno **un yerro.** fr. Enmendarlo.

Yerto, ta. (Del lat. **erctus,* de **ergo,* por *erigo.*) adj. Tieso, rígido o áspero. || **2.** Aplícase al viviente que se ha quedado rígido por el frío; y también al cadáver u otra cosa en que se produce el mismo efecto.

Yervo. (Del lat. *ĕrvum.*) m. **Yero.**

Yesal. m. **Yesar.**

Yesar. m. Terreno abundante en mineral de yeso que se puede beneficiar. || **2.** Cantera de yeso o aljez.

Yesca. (Del lat. *esca,* comida, alimento, por serlo del fuego.) f. Materia muy seca y preparada de suerte que cualquiera chispa prenda en ella. Comúnmente se hace de trapo quemado, cardo u hongos secos. || **2.** fig. Lo que está sumamente seco, y por consiguiente dispuesto a encenderse o abrasarse. || **3.** fig. Incentivo de cualquier pasión o afecto. || **4.** fig. y fam. Cualquier cosa que excita la gana de beber, y con singularidad, de beber vino. || **5.** pl. **Lumbre,** 12.ª acep.

Yesera. f. La que fabrica o vende yeso. || **2. Yesar.**

Yesería. (De *yesero.*) f. Fábrica de yeso. || **2.** Tienda o sitio en que se vende yeso. || **3.** Obra hecha de yeso.

Yesero, ra. adj. Perteneciente al yeso. || **2.** m. El que fabrica o vende yeso.

Yeso. (Del lat. *gypsum,* y éste del gr. γύψος.) m. Sulfato de cal hidratado, compacto o terroso, blanco por lo común, tenaz y tan blando que se raya con la uña. Deshidratado por la acción del fuego y molido, tiene la propiedad de endurecerse rápidamente cuando se amasa con agua, y se emplea en la construcción y en la escultura. || **2.** Obra de escultura vaciada en **yeso.** || **blanco.** Entre albañiles se llama así el más fino y blanco, que principalmente se usa para el enlucido exterior de los tabiques y muros de las habitaciones. || **espejuelo. Espejuelo,** 1.ª acep. || **mate. Yeso** blanco muy duro, que matado, molido y amasado con agua de cola, sirve como aparejo para pintar y dorar y para otros usos. || **negro.** Entre albañiles, el más basto y de color gris, que se usa principalmente para un primer enlucido de tabiques y muros, sobre el cual se da una capa de **yeso** blanco. || **Lavar de yeso.** fr. *Ar.* Cubrir de **yeso** una pared, bruñéndola con la paleta.

Yesón. m. Cascote de yeso. Suele utilizarse en la construcción de tabicones.

Yesoso, sa. adj. De yeso o parecido a él. || **2.** Dícese del terreno que abunda en yeso. || **3.** V. **Alabastro yesoso.**

Yesquero. adj. V. **Cardo, hongo yesquero.** || **2.** m. El que fabrica yesca o el que la vende. || **3. Esquero.**

Yeyuno. (Del lat. *ieiūnum.*) m. *Zool.* Segunda porción del intestino delgado de los mamíferos, situada entre el duodeno y el íleon.

Yezgo. (De *yedgo.*) m. Planta herbácea, vivaz, de la familia de las caprifoliáceas, con tallos de uno a dos metros de altura y semejante al saúco, del cual se distingue por ser las hojuelas más estrechas y largas, tener estípulas y despedir olor fétido.

Yo. (Del lat. *eo,* de *ego.*) Nominativo del pronombre personal de primera persona en género masculino o femenino y número singular. || **2.** m. *Fil.* Con el artículo *el,* o el posesivo, afirmación de conciencia de la personalidad humana como ser racional y libre.

Yodado, da. adj. Que contiene yodo.

Yodo. (Del gr. ἰώδης, violado; de ἴον, violeta.) m. Metaloide de textura laminosa, de color gris negruzco y brillo metálico, que se volatiliza a una temperatura poco elevada, desprendiendo vapores de color azul violeta y de olor parecido al del cloro.

Yodoformo. (De *yodo,* y *formo,* abreviación de *fórmico.*) m. *Quím.* Cuerpo cuyas moléculas están constituidas por un átomo de carbono, uno de hidrógeno y tres de yodo. Es un polvo amarillento, de olor muy fuerte parecido al del azafrán, y se usa en medicina como antiséptico.

Yodurar. tr. Convertir en yoduro. || **2.** Preparar con yoduro.

Yoduro. m. *Quím.* Cuerpo resultante de la combinación del yodo con un radical simple o compuesto.

Yogar. (De *yogo,* pret. indef. de yacer, derivado del lat. *iacŭi,* pret. de *iacēre,* yacer.) intr. ant. Holgarse, y particularmente tener acto carnal. || **2.** ant. Estar detenido o hacer mansión en un paraje.

Yoglar. (Del lat. *iocularis,* risible, chancero.) m. ant. **Juglar.**

Yoglaresa. (De *yoglar.*) f. ant. **Juglaresa.**

Yoglaría. (De *yoglar.*) f. ant. **Juglería.**

Yol. m. *Chile.* Especie de árguenas de cuero que se usan para el acarreo en la recolección de la uva y del maíz.

Yola. (Del ingl. *yawl.*) f. Embarcación muy ligera movida a remo y con vela.

Yolillo. m. *C. Rica.* Palmera pequeña que da un fruto parecido al del corojo.

Yos. m. *C. Rica.* Cierta planta de la familia de las euforbiáceas que segrega un jugo lechoso cáustico, el cual se utiliza como liga para cazar pájaros.

Yubarta. (En fr. *jubarte.*) f. *Zool.* **Rorcual.**

Yubero. m. ant. **Yuguero.**

Yubo. (Del arag. *yubo,* y éste del lat. *iugum.*) m. ant. **Yugo.**

Yuca. (Voz haitiana). f. Planta de la América tropical, de la familia de las liliáceas, con tallo arborescente, cilíndrico, lleno de cicatrices, de 15 a 20 centímetros de altura, coronado por un penacho de hojas largas, gruesas, rígidas y ensiformes; flores blancas, casi globosas, colgantes de un escapo largo y central, y raíz gruesa, de que se saca harina alimenticia. Cultívase en Europa como planta de adorno. || **2.** Nombre vulgar de algunas especies de mandioca.

Yucal. m. Terreno plantado de yuca.

Yucateco, ca. adj. Natural de Yucatán. Ú. t. c. s. || **2.** Perteneciente a este país de América. || **3.** m. Lengua de los **yucatecos.**

Yugada. (De *yugo,* tomado figuradamente por la pareja de bueyes unidos con él.) f. Espacio de tierra de labor que puede arar una yunta en un día. || **2.** En algunas partes, espacio de tierra de labor equivalente a 50 fanegas de marco real o algo más de 32 hectáreas. || **3.** Yunta, especialmente la de bueyes.

Yuglandáceo, a. (De *yuglans,* nombre de un género de plantas.) adj. *Bot.* Dícese de árboles angiospermos dicotiledóneos, con hojas compuestas y ricas en substancias aromáticas; flores monoicas y fruto en drupa con semillas sin albumen; como el nogal y la pacana. Ú. t. c. s. f. || **2.** f. pl. *Bot.* Familia de estas plantas.

Yugo. (Del lat. *iugum.*) m. Instrumento de madera al cual, formando yunta, se uncen por el cuello las mulas, o por la cabeza o el cuello, los bueyes, y en el que va sujeta la lanza o pértigo del carro, el timón del arado, etc. || **2.** Especie de horca, por debajo de la cual, en tiempos de la antigua Roma, hacían pasar sin armas a los enemigos vencidos. || **3.** Armazón de madera unida a la campana que sirve para voltearla. || **4.** fig. **Velo,** 6.ª acep. || **5.** fig. Ley o dominio superior que sujeta y obliga a obedecer. || **6.** fig. Cualquier carga pesada, prisión o atadura. || **7.** *Mar.* Cada uno de los talones curvos horizontales que se endientan en el codaste y forman la popa del barco. || **Sacudir** uno **el yugo.** fr. fig. Librarse de opresión o dominio molesto o afrentoso. || **Sujetarse** uno **al yugo de otro.** fr. fig. Someterse a su dominio o ceder a su ascendiente, influencia y sugestión.

Yugoslavo, va. adj. Natural de Yugoslavia. Ú. t. c. s. || **2.** Perteneciente o relativo a esta nación europea.

Yuguero. (Del lat. *iugārius.*) m. Mozo que labra la tierra con un par de bueyes, mulas u otros animales.

Yugueta. f. *Pal.* y *Seg.* Yugo pequeño, para una sola bestia.

Yugular. (Del lat. *iugulāris,* de *iugŭlus,* garganta.) adj. *Zool.* V. **Vena yugular.** Ú. t. c. s.

Yumbo, ba. adj. Indio salvaje del oriente de Quito. Ú. t. c. s.

Yungir. (Del lat. *iungĕre.*) tr. ant. **Uncir.**

Yunque. (Del lat. *incus, -ŭdis.*) m. Usáb. c. f. Prisma de hierro acerado, de sección cuadrada, a veces con punta en uno de los lados, encajado en un tajo de madera fuerte, y a propósito para trabajar en él a martillo los metales. || **2.** fig. Persona firme y paciente en las adversidades. || **3.** fig. Persona muy asidua y perseverante en el trabajo. || **4.** *Zool.* Uno de los tres huesecillos que hay en la parte media del oído de los mamíferos, situado entre el martillo y el estribo. || **Cuando yunque, sufre; cuando mazo, tunde.** ref. que enseña que debemos acomodarnos al tiempo y a la fortuna. || **Estar** uno **al yunque.** fr. fig. Estar tolerando o sufriendo la molestia impertinente de otro, los golpes y acaecimientos de la fortuna, u otro cualquier trabajo.

Yunta. (Del lat. *iuncta,* junta.) f. Par de bueyes, mulas u otros animales que sirven en la labor del campo o en los acarreos. || **2.** En algunas partes, **yugada,** 1.ª acep.

Yuntar. (De *yunto.*) tr. ant. **Juntar.**

Yuntería. f. Conjunto de yuntas. || **2.** Paraje donde se recogen.

Yuntero. (De *yunta.*) m. **Yuguero.**

Yunto, ta. (Del lat. *iunctus.*) p. p. irreg. de **Yuntar. Junto.** *Ir* YUNTOS *los surcos.* || **2.** adv. m. De modo que los surcos estén juntos. *Arar* YUNTO.

Yuquerí. m. *Bot. Argent.* Arbusto espinoso de la familia de las mimosáceas, con fruto semejante a la zarzamora.

Yuquilla. f. *Cuba.* **Sagú,** 2.ª acep. || **2.** *Venez.* Planta acantácea.

Yuraguano. m. *Cuba.* **Miraguano.**
Yuras (A). (Del lat. *a iure,* fuera de derecho.) m. adv. ant. V. **Matrimonio a yuras.**
Yuré. m. *C. Rica.* Especie de paloma pequeña, muy abundante en todo el país.
Yuruma. f. *Venez.* Medula de una palma con la que fabrican los indios una especie de pan.
Yusano, na. (De *yuso.*) adj. ant. **Yusero.**
Yusente. (De *yuso.*) f. ant. *Mar.* Marea que baja.
Yusera. (De *yusero.*) f. Piedra circular o conjunto de dovelas que sirve de suelo en el alfarje de los molinos de aceite y sobre la cual se mueve la volandera.
Yusero, ra. (De *yuso.*) adj. ant. Que está en lugar inferior o más abajo.
Yusión. (Del lat. *iussio, -ōnis.*) f. desus. *For.* Acción de mandar. || **2.** *For.* Mandato, precepto.
Yuso. (Del lat. *deorsum,* hacia abajo.) adv. l. **Ayuso.**
Yute. (Del ingl. *jute.*) m. Materia textil que se saca de la corteza interior de una planta de la familia de las tiliáceas. De la India viene en rama a Europa, donde se hila y teje. || **2.** Tejido o hilado de esta materia.
Yuxtalineal. adj. Dícese de la traducción que acompaña a su original, o del cotejo de textos cuando se disponen a dos columnas de modo que se correspondan línea por línea para su comparación más cómoda.
Yuxtaponer. (Del lat. *iuxta,* cerca de, y *ponĕre,* poner.) tr. Poner una cosa junto a otra o inmediata a ella. Ú. t. c. r.
Yuxtaposición (Del lat. *iuxta,* junto a, y *positio, -ōnis,* posición.) f. Acción y efecto de yuxtaponer o yuxtaponerse. || **2.** *Hist. Nat.* Modo de aumentar o crecer los minerales, a diferencia de los animales y vegetales, que crecen por intususcepción.
¡Yuy! interj. ant. **¡Huy!**
Yuyo. (Del lat. **iŏlium,* por *lŏlium,* cizaña.) m. *Argent.* y *Chile.* Yerbajo, hierba inútil. || **2.** *Chile.* **Jaramago.** || **3.** pl. *Perú.* Hierbas tiernas y comestibles. || **4.** *Colomb.* y *Ecuad.* Hierbas que sirven de condimento. || **Yuyo colorado.** *Argent.* **Carurú.**
Yuyuba. (Del lat. *zizy̆phum,* y éste del gr. ζίζυφον.) f. **Azufaifa.**

Z

Z. f. Vigésima octava y última letra del abecedario español, y vigésima tercera de sus consonantes. Llámase **zeda** o **zeta.**

¡Za! interj. de que usan en algunas partes para ahuyentar a los perros y otros animales.

Zabacequia. (Del ár. *ṣhāib as-sāqiya*, regidor de la acequia.) m. *Ar.* **Acequiero.**

Zabalmedina. m. **Zalmedina.**

Zabarcera. f. Mujer que revende por menudo frutos y otros comestibles.

Zabazala. (Del ár. *ṣāḥib aṣ-ṣalā*, director de la oración.) m. Encargado de dirigir la oración pública en la mezquita.

Zabazoque. (Del ár. *ṣaḥīb as-sūq*, regidor del mercado.) m. **Almotacén.**

Zabida. f. **Zabila.**

Zabila. (Del ár. *ṣabbāra*, con imela *ṣabbira*, o de *ṣabaira*, áloe; de esta raíz viene también *acíbar.*) f. **Áloe.**

Zaborda. f. *Mar.* Acción y efecto de zabordar.

Zabordamiento. m. *Mar.* **Zaborda.**

Zabordar. (De *za*, por *sub*, bajo, y *abordar.*) intr. *Mar.* Tropezar, varar y encallar el barco en tierra.

Zabordo. m. *Mar.* **Zaborda.**

Zaborra. (Del lat. *sabŭrra.*) f. *Nav.* Residuo, desecho. || **2.** *Ar.* y *Murc.* Piedra pequeña. || **3.** *And.* **Recebo,** 1.ª acep.

Zaborrero, ra. (De *zaborra.*) adj. *Ál.* y *Nav.* Dícese del obrero que trabaja mal y es chapucero.

Zaborro. (De *zaborra.*) m. Hombre o niño gordiflón. || **2.** *Ar.* **Yesón.**

Zaboyar. tr. *Ar.* Unir con yeso las juntas de los ladrillos. || **2.** fig. *Ar.* Tapar, cubrir, ocultar.

Zabra. (Del ár. *zawraq*, barco pequeño.) f. Buque de dos palos, de cruz, que se usaba en los mares de Vizcaya.

Zabucar. tr. **Bazucar.**

Zabullida. (De *zabullir.*) f. **Zambullida.**

Zabullidor, ra. (De *zabullir.*) adj. **Zambullidor.**

Zabullidura. (De *zabullir.*) f. **Zambullidura.**

Zabullimiento. (De *zabullir.*) m. **Zambullimiento.**

Zabullir. (Del lat. *subbullīre*; de *sub*, debajo, y *bullīre*, hervir.) tr. **Zambullir.** Ú. t. c. r.

Zabuqueo. (De *zabucar.*) m. **Bazuqueo.**

Zaca. f. *Min.* Zaque grande que se emplea en el desagüe de los pozos de las minas.

Zacapela. f. Riña o contienda con ruido y bulla.

Zacapella. f. **Zacapela.**

Zacatal. (De *zacate.*) m. *Amér. Central, Filip.* y *Méj.* **Pastizal.**

Zacate. (Del mejic. *çacatl.*) m. *Amér. Central, Filip.* y *Méj.* Hierba, pasto, forraje.

Zacateca. m. *Cuba.* Agente de pompas fúnebres vestido de librea que asistía a los entierros.

Zacateco, ca. adj. Natural de Zacatecas. Ú. t. c. s. || **2.** Perteneciente a esta ciudad y Estado de Méjico.

Zacatín. (Del ár. *saqqāṭīn*, ropavejeros.) m. Plaza o calle donde en algunos pueblos se venden ropas.

Zacatón. (aum. de *zacate.*) m. *Méj.* Hierba alta de pasto.

Zacear. tr. Espantar y hacer huir a los perros u otros animales con la voz ¡za! || **2.** intr. **Cecear,** 1.ª acep.

Zaceo. m. Acción y efecto de zacear, 2.ª acep.

Zaceoso, sa. adj. Que zacea, 2.ª acep.

Zacuto. (Del vasc. *zakuto*, de *zaku*, y éste del lat. *saccus.*) m. *Ar.* y *Nav.* Bolso, saco pequeño.

Zade. m. *Sal.* Especie de mimbre, de tallos delgados, que crece junto a los arroyos.

Zadorija. (Del cat. *sadorija*, y éste del lat. *satureia.*) f. **Pamplina,** 2.ª acep.

Zafa. (Del ár. *ṣaḥfa*, escudilla.) f. *Albac., Gran.* y *Murc.* **Jofaina.**

Zafacoca. f. *Amér.* y *And.* Riña, pendencia, trifulca.

Zafada. f. *Mar.* Acción de zafar o zafarse, 2.° art., 1.ª acep.

Zafado, da. p. p. de **Zafar.** || **2.** adj. *Amér., And., Can.* y *Gal.* Descarado, atrevido. Ú. t. c. s.

Zafar. tr. Adornar, guarnecer, hermosear o cubrir.

Zafar. (Del verbo ár. *zāḥa*, irse, alejarse.) tr. *Mar.* Desembarazar, libertar, quitar los estorbos de una cosa. Ú. t. c. r. || **2.** r. Escaparse o esconderse para evitar un encuentro o riesgo. || **3.** Salirse del canto de la rueda la correa de una máquina. || **4.** fig. Excusarse de hacer una cosa. || **5.** fig. Librarse de una molestia.

Zafareche. (De *zafariche.*) m. *Ar.* **Estanque.**

Zafarí. (Del ár. *safarī*, relativo a *Safar*, personaje del siglo IX, que introdujo la planta en España.) adj. V. **Granada, higo zafarí.**

Zafariche. (Del ár. *ṣahrīŷ*, o de su pl. *ṣahārīŷ*, estanques; véase también *jaraíz.*) m. *Ar.* Cantarera o sitio donde se ponen los cántaros.

Zafarrancho. (De *zafar*, desembarazar, y de *rancho.*) m. *Mar.* Acción y efecto de desembarazar una parte de la embarcación, para dejarla dispuesta a determinada faena. ZAFARRANCHO *de combate, de limpieza.* || **2.** fig. y fam. Riza, destrozo. || **3.** fig. y fam. Riña, chamusquina.

Zafiamente. adv. m. Con zafiedad.

Zafiedad. f. Calidad de zafio.

Zafio, fia. (Del ár. *ŷāfī*, grosero, incivil.) adj. Tosco, inculto, grosero.

Zafio. (Del ár. *safi'*, ennegrecido, moreno.) m. *And.* **Negrilla,** 1.ª acep.

Zafir. m. **Zafiro.**

Zafira. f. **Zafiro.**

Zafíreo, a. (De *zafiro.*) adj. **Zafirino.**

Zafirina. (Del lat. *sapphirina*, t. f. de *-nus*, zafirino.) f. Calcedonia azul.

Zafirino, na. (Del lat. *sapphirinus.*) adj. De color de zafiro.

Zafiro. (Del lat. *sapphirus*; éste del gr. σάπφειρος, y éste del hebr. *šappīr*, pulcro.) m. Corindón cristalizado de color azul. || **blanco.** Corindón cristalizado, incoloro y transparente. || **oriental.** Zafiro muy apreciado por su brillo u oriente.

Zafo, fa. (De *zafar.*) adj. *Mar.* Libre y desembarazado. || **2.** fig. Libre y sin daño. *Salió* ZAFO *en el juego.*

Zafón. (Un documento ár. da con este sentido *siqān*, pero quizá sea errata por *sifān*, pl. de *safan*, piel basta.) m. **Zahón.** Ú. m. en pl.

Zafra. (Del ár. *ṣufar* o *ṣafr*, latón [vasija de]; compárese *azófar.*) f. Vasija de metal ancha y poco profunda, con agujeritos en el fondo, en que los vendedores de aceite colocan las medidas para que escurran. || **2.** Vasija grande de metal en que se guarda aceite.

Zafra. f. En algunas partes, **sufra.**

Zafra. (Del ár. *ṣafar*, período en que amarillean y maduran las cosechas.) f. Cosecha de la caña dulce. || **2.** Fabricación del azúcar de caña, y por extensión, del de remolacha. || **3.** Tiempo que dura esta fabricación.

Zafra. (Del ár. *ṣajra*, piedra.) f. *Min.* **Escombro,** 1.er art., 2.ª acep.

Zafre. (Del m. or. que *zafiro.*) m. Óxido de cobalto mezclado con cuarzo y hecho polvo, que se emplea principalmente para dar color azul a la loza y al vidrio.

Zafrero. m. *Min.* Operario ocupado en el trecheo de zafras.

Zaga. (Del ár. *sāqa*, retaguardia.) f. Parte posterior, trasera de una cosa. || **2.** Carga que se acomoda en la trasera de un carruaje. || **3.** ant. *Mil.* **Retaguardia.** || **4.** m. El postrero en el juego. || **5.** adv. l. ant. **Detrás.** || **A la zaga, a zaga,** o **en zaga.** m. adv. Atrás o detrás. || **No ir,** o **no irle,** uno **en zaga** a otro, o **no quedarse en zaga.** fr. fig. y fam. No ser inferior a otro en aquello de que se trata.

Zagadero. m. ant. **Cegatero.**

Zagal. (Del ár. *zagall*, joven animoso.) m. Muchacho que ha llegado a la adolescencia. || **2.** Mozo fuerte, animoso y gallardo. Ú. mucho en las aldeas. || **3.** Pastor mozo, subordinado al rabadán en el hato. || **4.** Mozo que en los carruajes de transporte tiene a veces el tiro a su cargo y ayuda al mayoral en varias faenas y principalmente en el trabajo de arrear las caballerías.

Zagal. (Del lat. *sagum*, sayo.) m. **Zagalejo,** 1.er art.

Zagala. (De *zagal*, 1.er art.) f. Muchacha soltera. || **2.** Pastora joven. || **3.** *León* y *Sant.* **Niñera.**

Zagaleja. f. d. de **Zagala.**

Zagalejo. (d. de *zagal*, 2.° art.) m. Refajo que usan las lugareñas.

Zagalejo. m. d. de **Zagal,** 1.er art.

Zagalón, na. (aum. de *zagal*, 1.er art.) m. y f. Adolescente muy crecido.

Zagaya. f. ant. **Azagaya.**

Zagua. f. *Bot.* Arbusto de la familia de las quenopodiáceas, de unos dos metros de altura, con muchas ramas, hojas opuestas, alesnadas, carnosas, sin espina terminal y siempre verdes, y flores axilares de dos en dos. Es planta barrillera y se cría en el mediodía de Europa y en el norte de África.

Zagual. (Del ingl. *shovel*, pala.) m. Remo corto de una sola pieza, cuyo palo, que es redondo, tiene en el guión una muletilla y en el otro extremo una pala de forma acorazonada. No se apoya en ningún punto de la nave, y sólo sirve para embarcaciones pequeñas.

Zaguán. (De ár. *ustuwān*, y éste del gr. στοάν, pórtico.) m. Pieza cubierta que sirve de vestíbulo en la entrada de una casa.

Zaguanete. m. d. de **Zaguán.** || **2.** Aposento donde estaba la guardia del príncipe en su palacio. || **3.** Escolta de guardias que acompañaba a pie a las personas reales.

Zaguera. (De *zaguero*.) f. ant. **Retaguardia.** || **2.** *Ar.*, *Cuen.* y *Sal.* **Zaga,** 1.a acep.

Zaguero, ra. (De *zaga*.) adj. Que va, se queda o está atrás. || **2.** Dícese del carro que lleva exceso de carga en la parte de atrás. || **3.** m. Jugador que se coloca detrás en el juego de pelota.

Zagüía. (Del ár. *zāwiya*, rincón, ermita.) f. En Marruecos, especie de ermita en que se halla la tumba de un santón.

Zahareño, ña. (Del ár. *saḥrā'*, desierto, con sufijo castellano.) adj. *Cetr.* Aplícase al pájaro bravo que no se amansa, o que con mucha dificultad se domestica. || **2.** fig. Desdeñoso, esquivo, intratable o irreductible.

Zaharí. adj. **Zafarí.**

Zaharrón. (Del ár. *sujara*, burlón, bromista, con terminación de aumentativo castellano.) m. Moharracho o botarga.

Zahén. (Del ár. *Zayyān*, nombre de una familia real de Tremecén.) adj. Dícese de una dobla de oro finísimo que usaron los moros españoles y valió dos ducados primeramente, y 445 maravedises en tiempo de los Reyes Católicos.

Zahena. f. Dobla zahén.

Zaheridor, ra. adj. Que zahiere. Ú. t. c. s.

Zaherimiento. m. Acción de zaherir.

Zaherío. m. ant. **Zaherimiento.**

Zaherir. (De *hacerir*.) tr. Reprender a uno dándole en rostro con alguna acción o beneficio. || **2.** Mortificar a uno con reprensión maligna y acerba.

Zahína. (Del lat. *sagīna*.) f. Planta anual, originaria de la India, de la familia de las gramíneas, con cañas de dos a tres metros de altura, llenas de un tejido blanco y algo dulce y vellosas en los nudos; hojas lampiñas, ásperas en los bordes; flores en panoja floja, grande y derecha, o espesa, arracimada y colgante, y granos mayores que los cañamones, algo rojizos, blanquecinos o amarillos. Sirven éstos para hacer pan y de alimento a las aves, y toda la planta de pasto a las vacas y otros animales. || **2.** Semilla de esta planta. || **3.** pl. *And.* Gachas o puches de harina que no se dejan espesar.

Zahinar. m. Tierra sembrada de zahína.

Zahón. (De *zafón*.) m. Especie de calzón de cuero o paño, con perniles abiertos que llegan a media pierna y se atan a los muslos, el cual llevan los cazadores y gente del campo para resguardar el traje. Ú. m. en pl.

Zahonado, da. adj. Aplícase a los pies y manos que en algunas reses tienen distinto color por delante, como si llevaran zahones.

Zahondar. (Del lat. **sŭbfŭndāre*.) tr. Ahondar la tierra. || **2.** intr. Hundirse los pies en ella.

Zahora. (Del ár. *saḥūra*, comida del alba, durante el ayuno de ramadán.) f. En la Mancha y otras partes, comilona o merienda de amigos en que hay bulla y zambra.

Zahorar. (De *zahora*.) intr. desus. Sobrecenar, cenar por segunda vez, a deshora. || **2.** En la Mancha y otras partes, tener o celebrar zahoras.

Zahorí. (Del ár. *zuharī*, servidor del planeta Venus, geomántico.) m. Persona a quien el vulgo atribuye la facultad de ver lo que está oculto, aunque sea debajo de la tierra. || **2.** fig. Persona perspicaz y escudriñadora.

Zahoriar. (De *zahorí*.) tr. p. us. Escudriñar, penetrar con la vista.

Zahorra. (Del lat. *saburra*.) f. *Mar.* **Lastre,** 2.° art., 1.a acep.

Zahúrda. (Del al. *sau*, cerdo, y *hürde*, cercado.) f. **Pocilga.**

Zaida. (Del ár. *ṣā'ida*, pescadora.) f. Ave del orden de las zancudas, parecida a la grulla, de la cual se distingue por un moño eréctil de plumas obscuras y filiformes que le caen sobre el cuello. Se domestica fácilmente, habita en el norte y oeste de África, y antiguamente abundaba en las Baleares.

Zaina. (Del ant. alto al. *zaina*.) f. *Germ.* **Bolsa,** 2.a acep.

Zaino, na. (Del ár. *ja'in*, traidor.) adj. Traidor, falso, poco seguro en el trato. || **2.** Aplícase a cualquiera caballería que da indicios de ser falsa. || **A lo zaino,** o **de zaino.** m. adv. Al soslayo, recatadamente o con alguna intención. Ú. m. con el verbo *mirar*.

Zaino. (Del ár. *aṣamm*.) adj. Aplícase al caballo o yegua castaño obscuro que no tiene otro color. || **2.** En el ganado vacuno, el de color negro que no tiene ningún pelo blanco.

Zajarí. adj. **Zafarí.** || **2.** V. **Naranja zajarí.**

Zajarrar. tr. *And.* **Jaharrar.**

Zalá. (Del ár. *ṣalā*, oración litúrgica.) f. **Azalá.** || **Hacer** uno **la zalá** a otro. fr. fig. y fam. Cortejarle con gran rendimiento y sumisión para conseguir alguna cosa.

Zalagarda. f. Emboscada dispuesta para coger descuidado al enemigo y dar sobre él sin recelo. || **2. Escaramuza,** 1.a acep. || **3.** fig. Lazo que se arma para que caigan en él los animales. || **4.** fig. y fam. Astucia maliciosa con que uno procura engañar a otro afectando obsequio y cortesía.

Zalagarda. (Del m. or. que *zaragata*.) f. fig. y fam. Alboroto repentino de gente ruin para espantar a los que están descuidados. || **2.** fig. y fam. Pendencia, regularmente fingida, de palos y cuchilladas, en que hay mucha bulla, voces y estruendo.

Zalama. (Del ár. *salām*, salutación.) f. **Zalamería.**

Zalamelé. (Del ár. *as-salām 'alaik*, la paz sea sobre ti, formula habitual del saludo entre musulmanes.) m. **Zalama.**

Zalamería. (De *zalamero*.) f. Demostración de cariño afectada y empalagosa.

Zalamero, ra. (De *zalama*.) adj. Que hace zalamerías. Ú. t. c. s.

Zalea. (Del ár. *salīja*, pelleja.) f. Cuero de oveja o carnero, curtido de modo que conserve la lana; sirve para preservar de la humedad y del frío.

Zalear. (De *zalea*.) tr. Arrastrar o menear con facilidad una cosa a un lado y a otro, como sacudiendo una zalea. || **2.** *Ar.*, *Áv.* y *Sal.* Destrozar, estropear.

Zalear. (De *¡za!*) tr. **Zacear,** 1.a acep.

Zalema. (Del m. or. que *zalama*.) f. fam. Reverencia o cortesía humilde en muestra de sumisión. || **2. Zalamería.**

Zaleo. m. Acción de zalear, 1.er art. || **2.** Zalea de la res que ha medio comido el lobo, y lleva el pastor al amo para justificar su falta en el rebaño. || **3. Zalea.**

Zalmedina. (Del ár. *ṣāḥib al-madīna*, regidor o prefecto de la ciudad.) m. Magistrado que había en lo antiguo en Aragón con jurisdicción civil y criminal.

Zaloma. f. **Saloma.**

Zalona. (Del ár. *zanūna*, jarro con dos asas.) f. *And.* Vasija grande, de barro sin vidriar, de boca ancha y con una o dos asas.

Zallar. (Del verbo ár. *zalla*, deslizarse.) tr. *Mar.* Hacer rodar o resbalar una cosa en el sentido de su longitud y hacia la parte exterior de la nave.

Zamacuco. (Del ár. *ṣamkūk*, hombre fuerte y brutal.) m. fam. Hombre tonto, torpe y abrutado. || **2.** Hombre solapado, que calla y hace su voluntad. || **3.** fig. y fam. Embriaguez o borrachera.

Zamacueca. f. Baile popular originario del Perú, y que se usa también en Chile y otras partes de América Meridional. || **2.** Música y canto de este baile.

Zamanca. f. fam. **Somanta.**

Zamarra. f. Prenda de vestir, rústica, hecha de piel con su lana o pelo. || **2.** Piel de carnero. || **La zamarra y la vileza, al que se la aveza.** ref. con que se da a entender que es tanto el poder y fuerza de la costumbre, que llega a familiarizar al que la tiene hasta con las cosas más repugnantes.

Zamarrada. f. Acción propia de un zamarro, 3.a y 5.a aceps. || **2.** *Logr.* y *Nav.* Enfermedad larga y de cuidado.

Zamarrear. (De *zamarra*, 2.a acep.) tr. Sacudir a un lado y a otro la res o presa que el perro, o bien el lobo u otra fiera semejante, tiene asida con los dientes, para destrozarla o acabarla de matar. || **2.** fig. y fam. Tratar mal a uno trayéndolo con violencia o golpes de una parte a otra. || **3.** fig. y fam. Apretar a uno en la disputa o en la pendencia, trayéndole a mal traer.

Zamarreo. m. Acción de zamarrear.

Zamarrico. (d. de *zamarro*.) m. Alforja o zurrón hecho de zalea.

Zamarrilla. (d. de *zamarra*.) f. Planta anual de la familia de las labiadas, con tallos leñosos y velludos de dos a tres decímetros de altura; hojas lanuginosas, muy estrechas, de bordes revueltos, cenicientas por la haz y blanquecinas por el envés, y flores blancas o encarnadas en cabezuelas cubiertas de tomento abundante. Es aromática y se usaba en la preparación de la triaca.

Zamarro. (De *zamarra.*) m. **Zamarra,** 1.ª acep. || **2.** Piel de cordero. || **3.** fig. y fam. Hombre tosco, lerdo, rústico, pesado. || **4.** fig. y fam. V. **Barbas de zamarro.** || **5.** fig. y fam. Hombre astuto, pillo. || **6.** pl. *Colomb.* y *Venez.* Especie de zahones que se usan para montar a caballo. || **Malo es el zamarro de espulgar, y el viejo de castigar.** ref. que enseña ser muy difícil el arrancar los vicios de la persona que se ha endurecido en ellos y ha contraído la costumbre de no resistirlos.

Zamarrón. m. aum. de **Zamarra.** || **2.** *And.* Mandil de lona o de cuero, con peto, que usan los segadores.

Zambaigo, ga. adj. **Zambo,** 2.ª acep. Ú. t. c. s. || **2.** *Méj.* Dícese del descendiente de chino e india o de indio y china. Ú. t. c. s.

Zambapalo. m. Danza grotesca traída de las Indias Occidentales, que se usó en España durante los siglos XVI y XVII. || **2.** Música de esta danza.

Zambarco. (En port. *sambarca.*) m. Correa ancha que ciñe el pecho de las caballerías de tiro, para sujetar a ella los tirantes. || **2. Francalete.**

Zámbigo, ga. adj. **Zambo,** 1.ª acep. Ú. t. c. s.

Zambo, ba. (Del lat. *scambus,* y éste del gr. σκαμβός.) adj. Dícese de la persona que por mala configuración tiene juntas las rodillas y separadas las piernas hacia afuera. Ú. t. c. s. || **2.** Dícese, en América, del hijo de negro e india, o al contrario. Ú. t. c. s. || **3.** m. Mono americano que tiene unos seis decímetros de longitud, sin contar la cola, que es prensil y casi tan larga como el cuerpo; pelaje de color pardo amarillento, como el cabello de los mestizos **zambos;** hocico negro y una mancha blanca en la frente; rudimentales los pulgares de las manos; muy aplastadas y abiertas las narices, y fuertes y acanaladas las uñas. Es feroz y lascivo.

Zamboa. (Del ar. *zambu'a* cidra.) f. **Azamboa.**

Zambomba. (Voz onomatopéyica.) f. Instrumento rústico musical, de barro cocido o de madera, hueco, abierto por un extremo y cerrado por el otro con una piel muy tirante que tiene en el centro, bien sujeto, un carrizo a manera de mástil, el cual, frotado de arriba abajo y de abajo arriba con la mano humedecida, produce un sonido fuerte, ronco y monótono. || **2.** *Sal., Seg., Vallad.* y *Zam.* Vejiga de cerdo inflada. || **¡Zambomba!** interj. fam. con que se manifiesta sorpresa.

Zambombazo. m. Porrazo, golpazo.

Zambombo. (De *zambomba.*) m. fig. y fam. Hombre tosco, grosero y rudo de ingenio.

Zamborondón, na. adj. **Zamborotudo.** Ú. t. c. s.

Zamborotudo, da. adj. fam. Tosco, grueso y mal formado. || **2.** fig. y fam. Dícese de la persona que hace las cosas toscamente. Ú. t. c. s.

Zamborrotudo, da. adj. **Zamborotudo.** Ú. t. c. s.

Zambra. (Del ár. *samra,* fiesta nocturna, velada, sarao.) f. Fiesta que usaban los moriscos, con bulla, regocijo y baile. || **2.** Fiesta semejante de los gitanos de Andalucía. || **3.** fig. y fam. Algazara, bulla y ruido de muchos.

Zambra. (Del ár. *sammāriyya,* por *sallāriyya,* especie de barco, y éste del gr. σελλάριον.) f. Especie de barco que usan los moros.

Zambucar. tr. fam. Meter de pronto una cosa entre otras para que no sea vista o reconocida.

Zambuco. m. fam. Acción de zambucar. Ú. especialmente en el juego.

Zambullida. (De *zambullir.*) f. **Zambullidura.** || **2.** Especie de treta de la esgrima.

Zambullidor, ra. adj. Que zambulle o se zambulle.

Zambullidura. f. Acción y efecto de zambullir o zambullirse.

Zambullimiento. m. **Zambullidura.**

Zambullir. (De *zabullir.*) tr. Meter debajo del agua con ímpetu o de golpe. Ú. t. c. r. || **2.** r. fig. Esconderse o meterse en alguna parte, o cubrirse con algo.

Zambullo. m. Bacín grande. || **2.** *Sal.* **Acebuche.**

Zamora. n. p. **No se ganó Zamora en una hora.** ref. con que se significa que las cosas importantes y arduas necesitan tiempo para ejecutarse o lograrse.

Zamorano, na. adj. Natural de Zamora. Ú. t. c. s. || **2.** Perteneciente a esta ciudad.

Zampa. f. Cada una de las estacas que se clavan en un terreno para hacer el firme sobre el cual se va a edificar.

Zampabodigos. (De *zampar* y *bodigo.*) com. fam. **Zampatortas.**

Zampabollos. (De *zampar* y *bollo.*) com. fam. **Zampatortas.**

Zampalimosnas. (De *zampar* y *limosna.*) com. fam. Persona pobretona o estrafalaria que anda de puerta en puerta, comiendo y pidiendo en todas partes, sin vergüenza ni recato y con ansia e importunidad.

Zampalopresto. m. *And.* Salsa que se aplica para recalentar sobras de carne o de pescado. Se hace friendo en aceite cebolla, perejil y harina, agregando luego agua y especias.

Zampapalo. (De *zampar* y *palo.*) com. fam. **Zampatortas.**

Zampar. tr. Meter una cosa en otra de prisa y de suerte que no se vea. || **2.** Comer apresurada, descompuesta y excesivamente. || **3.** r. Meterse de golpe en una parte.

Zampatortas. (De *zampar,* 2.ª acep., y *torta.*) com. fam. Persona que come con exceso y brutalidad. || **2.** fig. y fam. Persona que en su fisonomía, traza, palabras y acciones da muestra de incapacidad, torpeza y falta de crianza.

Zampeado. (De *zampear.*) m. *Arq.* Obra que se hace de cadenas de madera y macizos de mampostería, para fabricar sobre terrenos falsos o invadidos por el agua.

Zampear. (Del lat. *sub,* debajo, y *pes, pedis,* pie.) tr. *Arq.* Afirmar el terreno con zampeados.

Zampón, na. adj. fam. Comilón, tragón. Ú. t. c. s.

Zampoña. (Del lat. *symphonia,* instrumento músico, y éste del gr. συμφωνία.) f. Instrumento rústico, a modo de flauta, o compuesto de muchas flautas. || **2. Pipitaña.** || **3.** fig. y fam. Dicho trivial o sin substancia.

Zampuzar. (De *zapuzar.*) tr. **Zambullir,** 1.ª acep. || **2.** fig. y fam. **Zampar,** 1.ª acep.

Zampuzo. m. Acción y efecto de zampuzar.

Zamuro. m. *Colomb.* y *Venez.* **Aura,** 2.° art.

Zanahoria. (Del ár. *isfannāriya,* pastinaca.) f. Planta herbácea anual, de la familia de las umbelíferas, con tallos estriados y pelosos de cuatro a seis decímetros; hojas menudamente recortadas; flores de color blanco, y purpúrea la central de la umbela; fruto seco, comprimido y con nueve costillas salientes, y raíz fusiforme, de unos dos decímetros de largo, amarilla o rojiza, jugosa y comestible. La hay silvestre y cultivada y se ha usado en medicina. || **2.** Raíz de esta planta.

Zanahoriate. m. **Azanahoriate.**

Zanate. m. *C. Rica., Hond.* y *Méj.* Cierto pájaro del orden de los dentirrostros, de plumaje negro, y que se alimenta de semillas.

Zanca. (Quizá del ár. *sāq,* pierna.) f. Pierna larga de las aves, desde el tarso hasta la juntura del muslo. || **2.** fig. y fam. Pierna del hombre o de cualquier animal, sobre todo cuando es larga y delgada. || **3.** *And.* Alfiler grande. || **4.** *Arq.* Madero inclinado que sirve de apoyo a los peldaños de una escalera. || **de asnado.** *Arq.* Cada uno de los maderos que componen el asnado. || **Andar uno en zancas de araña.** fr. fig. y fam. Usar de rodeos o tergiversaciones para huir de una dificultad o del cargo que se le hace. || **Por zancas o por barrancas.** loc. fig. y fam. Por varios y extraordinarios medios.

Zancada. (De *zanca.*) f. Paso largo que se da con movimiento acelerado o por tener las piernas largas. || **En dos zancadas.** m. adv. fig. y fam. con que se explica y pondera la brevedad en llegar a un sitio.

Zancadilla. (d. de *zancada.*) f. Acción de cruzar uno su pierna por detrás de la de otro, y apretar al mismo tiempo con ella para derribarle. || **2.** fig. y fam. Engaño, trampa o ardid con que se procura dañar o perjudicar a uno. || **Armar zancadilla.** fr. fig. y fam. **Armar lazo.**

Zancado. adj. V. **Salmón zancado.**

Zancajear. (De *zancajo.*) intr. Andar mucho de una parte a otra, por lo común aceleradamente.

Zancajera. f. Parte del estribo donde se pone el pie para entrar en el coche.

Zancajiento, ta. (De *zancajo.*) adj. **Zancajoso.**

Zancajo. (despect. de *zanca.*) m. Hueso del pie, que forma el talón. || **2.** Parte del pie, donde sobresale el talón. || **3.** fig. y fam. **Zancarrón,** 2.ª acep. || **4.** fig. Parte del zapato o media, que cubre el talón, especialmente si está rota. || **5.** fig. y fam. Persona de mala figura o demasiado pequeña. || **No llegarle uno a los zancajos, o al zancajo,** a otro. fr. fig. y fam. con que se da a entender la suma distancia o diferencia que hay de una persona a otra en el concepto de que se habla. || **Roer los zancajos** a uno. fr. fig. y fam. Murmurar o decir mal de él en su ausencia.

Zancajoso, sa. (De *zancajo.*) adj. Que tiene los pies torcidos y vueltos hacia afuera. || **2.** Que tiene grandes zancajos o descubre rotos y sucios los de sus medias.

Zancarrón. (De *zanca.*) m. fam. Cualquiera de los huesos de la pierna, despojado de carne. || **2.** fig. y fam. Hueso grande y descarnado, especialmente de las extremidades. || **3.** fig. y fam. Hombre flaco, viejo, feo y desaseado. || **4.** fig. y fam. El que enseña ciencias o artes de que entiende poco.

Zanco. (De *zanca.*) m. Cada uno de dos palos altos y dispuestos con sendas horquillas, en que se afirman y atan los pies. Sirven para andar sin mojarse por donde hay agua, y también para juegos de agilidad y equilibrio. || **2.** ant. **Zanca,** 1.ª acep. || **3.** *Mar.* Cada uno de los palos o astas que, con sus grímpolas, se ponen en las cabezas de los masteleros cuando se quitan los mastelerillos de juanete. || **En zancos.** loc. fig. y fam. En posición muy elevada o ventajosa, comparada con la que antes se tenía. Úsase con los verbos *andar, estar, poner* o *ponerse, subirse,* etc.

Zancón, na. (De *zanca.*) adj. fam. **Zancudo,** 1.ª acep. || **2.** *Colomb., Guat.*

y *Venez.* Aplícase al traje demasiado corto.

Zancudo, da. adj. Que tiene las zancas largas. || **2.** *Zool.* Dícese de las aves que tienen los tarsos muy largos y la parte inferior de la pierna desprovista de plumas; como la cigüeña y la grulla. Ú. t. c. s. || **3.** f. pl. *Zool.* Orden de estas aves. || **4.** m. *Amér.* **Mosquito,** 1.ª acep.

Zandía. f. **Sandía.**

Zanfonía. (Del at. *symphonía,* instrumento músico.) f. Instrumento músico de cuerda, que se toca haciendo dar vueltas con un manubrio a un cilindro armado de púas.

Zanga. f. Juego de naipes entre cuatro, parecido al del cuatrillo, y en el cual el postre toma las ocho cartas sobrantes. || **2.** Estas ocho cartas. || **3.** *And.* Palo largo, que lleva otro más corto articulado con una correa y sirve para varear las encinas.

Zangaburra. f. *Sal.* **Cigoñal,** 1.ª acep.

Zangala. f. Tela de hilo muy engomada.

Zangamanga. f. fam. Treta, ardid.

Zángana. f. Mujer floja, desmañada y torpe.

Zanganada. (De *zángano,* 2.ª acep.) f. fam. Hecho o dicho impertinente y torpe.

Zangandongo, ga. m. y f. fam. **Zangandungo.**

Zangandullo, lla. m. y f. fam. **Zangandungo.**

Zangandungo, ga. (De *zángano,* 2.ª acep.) m. y f. fam. Persona inhábil, desmañada, holgazana.

Zanganear. (De *zángano,* 2.ª acep.) intr. fam. Andar vagando de una parte a otra sin trabajar.

Zanganería. f. Calidad de zángano, 2.ª acep.

Zángano. (En port. *zangano* y *zangam.*) m. Macho de la abeja maestra o reina. De las tres clases de individuos que forman la colmena, es la mayor y más recia, tiene las antenas más largas, los ojos unidos en lo alto de la cabeza, carece de aguijón y no labra miel. || **2.** fig. y fam. Hombre holgazán que se sustenta de lo ajeno. || **3.** Hombre flojo, desmañado y torpe.

Zangarilla. f. *Extr.* Edificio pequeño y provisional, hecho de madera y céspedes en medio de los ríos, y en el cual se colocan algunos rodeznos para poder moler en el verano.

Zangarilleja. (De *zangarullón.*) f. fam. Muchacha desaseada y vagabunda.

Zangarrear. (En port. *zangarrear;* quizá de *zángano.*) intr. fam. Tocar o rasguear sin arte en la guitarra.

Zangarriana. (En port. *zangorriana,* embriaguez.) f. *Veter.* **Comalia.** || **2.** fig. y fam. Enfermedad leve y pasajera, que repite con frecuencia; como la jaqueca periódica, etc. || **3.** fig. y fam. Tristeza, melancolía, disgusto. || **4.** *Cuen.* y *Nav.* Galbana, dejadez.

Zangarrón. m. *Sal.* Moharracho que interviene en la danza.

Zangarullón. m. fam. **Zangón.**

Zangolotear. tr. fam. Mover continua y violentamente una cosa. Ú. t. c. r. || **2.** intr. fig. y fam. Moverse una persona de una parte a otra sin concierto ni propósito. || **3.** r. fam. Moverse ciertas cosas por estar flojas o mal encajadas; como una ventana, una chocolatera, etc.

Zangoloteo. m. fam. Acción de zangolotear o zangolotearse.

Zangolotino, na. (De *zangolotear.*) adj. fam. V. **Niño zangolotino.** Ú. t. c. s.

Zangón. (De *zancón.*) m. fam. Muchacho alto, desvaído y que anda ocioso, teniendo ya edad para poder trabajar.

Zangotear. tr. fam. **Zangolotear.**

Zangoteo. m. fam. **Zangoloteo.**

Zanguanga. (De *zanguango.*) f. fam. Ficción de una enfermedad o impedimento, para no trabajar. *Hacer la* ZANGUANGA. || **2.** fam. **Lagotería.**

Zanguangada. f. Hecho o dicho propio de zanguango.

Zanguango, ga. (De *zangón.*) adj. fam. Indolente, embrutecido por la pereza. Ú. m. c. s.

Zanguayo. (De *zangón.*) m. fam. Hombre alto, desvaído, ocioso y que se hace el simple.

Zanja. (Del ár. *zanqa,* callejón.) f. Excavación larga y angosta que se hace en la tierra para echar los cimientos, conducir las aguas, defender los sembrados o cosas semejantes. || **2.** *Amér.* **Arroyada,** 2.ª acep. || **Abrir las zanjas.** fr. Empezar el edificio. || **2.** fig. Dar principio a una cosa.

Zanjar. tr. Echar zanjas o abrirlas para fabricar un edificio o para otro fin. || **2.** fig. Remover todas las dificultades e inconvenientes que puedan impedir el arreglo y terminación de un asunto o negocio.

Zanjón. m. Cauce o zanja grande y profunda por donde corre el agua. || **2.** *Chile.* **Despeñadero,** 2.ª acep.

Zanqueador, ra. adj. Que anda zanqueando. Ú. t. c. s. || **2.** Que anda mucho. Ú. t. c. s.

Zanqueamiento. m. Acción de zanquear.

Zanquear. (De *zanca.*) intr. Torcer las piernas al andar. || **2.** Andar mucho a pie y con prisa de una parte a otra.

Zanquilargo, ga. adj. fam. Que tiene largas las zancas o piernas. Ú. t. c. s.

Zanquilla, ta. f. d. de **Zanca.** || **2.** com. fig. y fam. Persona que tiene las piernas delgadas y cortas, o es muy pequeña a proporción de la estatura que debiera tener según su edad. Ú. m. en pl.

Zanquituerto, ta. adj. fam. Que tiene tuertas las zancas. Ú. t. c. s.

Zanquivano, na. (De *zanca* y *vana.*) adj. fam. Que tiene largas y muy flacas las piernas. Ú. t. c. s.

Zapa. (Del lat. *sappa,* escardillo.) f. Especie de pala herrada de la mitad abajo, con un corte acerado, que usan los zapadores o gastadores. || **2.** fig. V. **Trabajo de zapa.** || **3.** *Fort.* Excavación de galería subterránea o de zanja al descubierto. || **Caminar a la zapa.** fr. *Mil.* Avanzar los sitiadores resguardados por las galerías o trincheras que abren ellos mismos, o al amparo de las fortificaciones que sitian.

Zapa. (Del lat. *sepia,* lija.) f. **Lija,** 2.ª acep. || **2.** Piel labrada de modo que la flor forme grano como el de la lija. || **3.** Labor que en obras de metal imita los granitos de la lija.

Zapador. (De *zapar.*) m. Soldado destinado a trabajar con la zapa, 1.er art., 1.ª acep.

Zapalota. f. *Ál.* **Nenúfar.**

Zapallo. m. *Amér. Merid.* **Calabacero,** 2.º art. || **2.** *Amér. Merid.* Cierta calabaza comestible. || **3.** *Argent.* y *Chile.* fig. y fam. Chiripa, fortuna inesperada.

Zapapico. (De *zapa,* 1.er art., y *pico,* 1.er art., 4.ª acep.) m. Herramienta con mango de madera y dos bocas opuestas, terminada la una en punta y la otra en corte angosto, que se usa para excavar en tierra dura y para demoler obras de fábrica.

Zapar. (De *zapa,* 1.er art., 1.ª acep.) intr. Trabajar con la zapa.

Zaparda. f. *Ál.* Carpa o tenca de color pardo sucio.

Zaparrada. f. **Zarpazo.**

Zaparrastrar. intr. fam. Llevar arrastrando los vestidos de modo que se ensucien. Ú. m. en el gerundio. *Ir* ZAPARRASTRANDO.

Zaparrastroso, sa. adj. fam. **Zarrapastroso.** Ú. t. c. s.

Zaparrazo. m. fam. **Zarpazo.**

Zapata. (De *zapato.*) f. Calzado que llega a media pierna, como el coturno antiguo. || **2.** Pedazo de cuero o suela que a veces se pone debajo del quicio de la puerta para que no rechine y se gaste menos la madera. || **3.** Pieza del freno de los coches que actúa por fricción contra el eje o contra las ruedas para moderar o impedir su movimiento. || **4.** *Cuba.* Zócalo de fábrica en que se apoya una pared o tabique. || **5.** *Chile.* Telera del arado. || **6.** *Arq.* Pieza puesta horizontalmente sobre la cabeza de un pie derecho para sostener la carrera que va encima y aminorar su vano. || **7.** *Mar.* Tablón que se clava en la cara inferior de la quilla para defenderla de las varadas. || **8.** *Mar.* Pedazo de madera que se pone en la uña del ancla para resguardo del costado de la embarcación y también para llevar el ancla por tierra. || **9.** pl. *Ál.* **Fárfara,** 1.er art.

Zapatazo. m. Golpe dado con un zapato. || **2.** fig. Caída y ruido que resulta de ella. || **3.** fig. Golpe recio que se da contra cualquier cosa que suena, como el dado con el zapato. || **4.** fig. Golpe que las caballerías dan con el casco, cuando, al sentarlo con fuerza, resbala violentamente. || **5.** *Mar.* Sacudida y golpe fuerte que da una vela que flamea o se está cargando o cazando con viento frescachón. || **Mandar a uno a zapatazos.** fr. fig. y fam. **Mandarle a puntapiés.** || **Tratar a uno a zapatazos.** fr. fig. y fam. Tratarle duramente, sin consideración ni miramientos.

Zapateado. m. Baile español que, a semejanza del antiguo canario, se ejecuta en compás ternario y con gracioso zapateo. || **2.** Música de este baile.

Zapateador, ra. adj. Que zapatea. Ú. t. c. s.

Zapatear. tr. Golpear con el zapato. || **2.** Dar golpes en el suelo con los pies calzados. || **3.** Acompañar al tañido dando palmadas y alternativamente con las manos en los pies, siguiendo el mismo compás. Úsanse más frecuentemente estas acciones en el baile del villano. || **4.** Golpear el conejo rápidamente la tierra con las manos, cuando siente al cazador o al perro. || **5.** Toparse y alcanzarse la mula o caballo cuando anda o corre. || **6.** fig. y fam. Traer a uno a maltraer, de obra o palabra. || **7.** *Esgr.* Dar o señalar uno muchos golpes a su contrario con el botón o zapatilla, sin recibir ninguno. || **8.** intr. *Equit.* Moverse el caballo aceleradamente sin mudar de sitio. || **9.** *Mar.* Dar zapatazos las velas. || **10.** r. fig. Tenerse firme con alguno, o resistirle animosamente riñendo o disputando.

Zapateo. m. Acción y efecto de zapatear.

Zapatera. f. Mujer del zapatero. || **2.** La que hace zapatos o los vende.

Zapatería. (De *zapatero.*) f. Taller donde se hacen zapatos. || **2.** Tienda donde se venden. || **3.** Sitio o calle donde hay muchas tiendas de zapatos. || **4.** Oficio de hacer zapatos. || **de viejo.** Sitio o paraje donde se remiendan o se venden zapatos viejos.

Zapatero, ra. (De *zapato.*) adj. Aplícase a los garbanzos, judías y otras legumbres que se encrudecen de resultas de echar agua fría en la olla cuando se están cociendo. || **2.** V. **Aceituna zapatera.** || **3.** Aplícase a los manjares que se ponen correosos por estar guisados con demasiada anticipación. *Patatas* ZAPATERAS. || **4.** m. El que por oficio hace zapatos o los vende. || **5.** Pez teleósteo, del suborden de los acantopterigios, de unos 25 centímetros de largo, plateado, con cabeza puntiaguda, cola ahorquillada y muy abierta, y ojos pequeños, negros y con cerco dorado. Vive en los mares de la América tropical. || **6. Tejedor,** 5.ª acep. || **7.** fam. El que se queda sin hacer bazas o tantos en el juego. Ú. m. en la frase **quedarse zapatero.** || **8.** *Al.* **Renacuajo,** 1.ª acep. || **9.** *Rioja* y *Nav.* **Escarabajo.** || **de viejo.** El que tiene por oficio remendar los zapatos rotos o gastados. || **Zapatero, a tus zapatos.** fr. proverb. con que se aconseja que cada cual no juzgue sino de aquello que entienda.

Zapateta. f. Golpe o palmada que se da con el pie o zapato, brincando al mismo tiempo en señal de regocijo. || **2. Cabriola,** 1.ª acep. || **3.** pl. Golpes que se dan con el zapato en el suelo en ciertos bailes. || **¡Zapateta!** interj. admirativa.

Zapatilla. (d. de *zapata.*) f. Zapato ligero y de suela muy delgada. || **2.** Zapato de comodidad o abrigo para estar en casa. || **3.** Pedacito de ante que se ponía detrás del muelle de la llave de una arma de fuego para que no lastimase la mano. || **4.** Pedazo de ante que en los instrumentos músicos de viento se pone debajo de la pala de las llaves para que se adapte bien a su agujero. || **5. Suela,** 3.ª acep. || **6.** Uña o casco de los animales de pata hendida. || **7.** Rasgo horizontal que suelen llevar por adorno los trazos rectos de las letras. || **8.** *Esgr.* Forro de cuero con que se cubre el botón de hierro que tienen en la punta los floretes y espadas negras para que no puedan herir. || **de la reina. Pamplina,** 2.ª acep. || **de orillo.** La que se hace de un tejido formado con recortes de orillos o con otro tejido análogo.

Zapatillazo. m. Golpe dado con una zapatilla.

Zapatillero, ra. m. y f. Persona que hace zapatillas o que las vende.

Zapato. (Del turco *zabata.*) m. Calzado que no pasa del tobillo, con la parte inferior de suela y lo demás de piel, fieltro, paño u otro tejido, más o menos escotado por el empeine. || **argentado.** Zapato picado que descubría por las picaduras la piel o tela de distinto color que se ponía debajo. Fué de mucho uso en Andalucía. || **botín.** Media bota, que por lo regular no pasa de la media pierna, y está asida o unida con el **zapato** ordinario. || **Zapatos papales.** Los que se calzan sobre los que se traen de ordinario, y sirven para mayor abrigo, o para andar por las calles en tiempos de lodos y quitárselos al entrar en alguna parte. Llámanse así por la semejanza de los que usa el papa en las funciones eclesiásticas. || **Andar** uno **con zapatos de fieltro.** fr. fig. Proceder con mucho secreto y recato. || **Cada uno sabe dónde le aprieta el zapato.** fr. proverb. **Saber** uno **dónde le aprieta el zapato.** || **Como tres en un zapato.** loc. adv. fig. y fam. Dícese de las personas que tienen que acomodarse en espacio reducido, o que se ven en estrechez o penuria. || **Meter en un zapato** a uno. fr. fig. y fam. **Meterle en un puño.** || **No llegarle** a uno **a su zapato.** fr. fam. **No llegarle a la suela del zapato.** || **Saber** uno **dónde le aprieta el zapato.** fr. fig. y fam. Saber bien lo que le conviene. || **Ser uno más necio,** o **más ruin, que su zapato.** fr. fig. y fam. Ser muy necio, bajo o ruin.

Zapatudo, da. adj. Que tiene los zapatos demasiado grandes o de cuero fuerte. || **2.** Dícese del animal muy calzado de uña.

Zapatudo, da. adj. Asegurado o reforzado con una zapata.

¡Zape! (En port. *sape.*) interj. fam. que se emplea para ahuyentar a los gatos, o para manifestar extrañeza o miedo al enterarse de un daño ocurrido, o para denotar el propósito de no exponerse a un riesgo que amenace. || **2.** fam. Se emplea en algunos juegos de naipes para negar la carta que pide el compañero.

Zapear. tr. Espantar al gato con la interjección ¡zape! || **2.** Dar zape en ciertos juegos de naipes. || **3.** fig. y fam. Ahuyentar a uno.

Zapita. f. *Extr.* y *Sant.* **Colodra,** 1.ª acep.

Zapito. m. *Sant.* **Colodra,** 1.ª acep.

Zapo. m. *Murc.* Gusano de seda que no hila el capullo.

Zapotal. m. Terreno en que abundan los zapotes.

Zapote. (Del mejic. *tzapotl.*) m. Árbol americano de la familia de las sapotáceas, de unos 10 metros de altura, con tronco recto, liso, de corteza obscura y madera blanca poco resistente; copa redonda y espesa; hojas alternas, persistentes, parecidas a las del laurel; flores rojizas en racimos axilares, y fruto comestible, de forma de manzana, con carne amarillenta obscura, dulce y aguanosa, y una semilla gruesa, negra y lustrosa. Está aclimatado en las provincias meridionales de España. || **2.** Fruto de este árbol. || **Chico zapote.** Árbol americano de la familia de las sapotáceas, de unos 20 metros de altura, con tronco grueso y recto, de corteza gris verdosa y madera blanquecina; copa piramidal, hojas lanceoladas, persistentes, algo lanuginosas por el envés; flores blancas en umbelas, fruto drupáceo, aovado, de unos siete centímetros de diámetro, con la corteza parda, dura y desigual, y la pulpa rojiza, muy suave y azucarada, y semillas negras, lustrosas, con almendra blanca y amarga. Destila este árbol un jugo lechoso que se coagula fácilmente. || **2.** Fruto de este árbol.

Zapotero. m. **Zapote,** 1.ª acep.

Zapotillo. m. **Chico zapote.**

Zapoyol. m. *C. Rica* y *Hond.* Hueso o cuesco del zapote.

Zapoyolito. m. *Amér. Central.* Ave trepadora, especie de perico pequeño.

Zapuzar. (Del lat. **subpŭtĕāre,* de *pŭtĕus,* pozo.) tr. **Chapuzar.**

Zaque. (Del ár. *zaqq,* odre.) m. Odre pequeño. || **2.** fig. y fam. Persona borracha.

Zaquear. (De *zaque.*) tr. Mover o trasegar líquidos de unos zaques a otros. || **2.** Transportar líquidos en zaques.

Zaquizamí. (Del ár. *saqf samā',* con imela *saqf samī',* techo de cielo.) m. Desván, sobrado o último cuarto de la casa, comúnmente a teja vana. || **2.** fig. Casilla o cuarto pequeño, desacomodado y poco limpio. || **3.** Enmaderamiento de un techo.

Zar. (Del ruso *tsar.*) m. Título del emperador de Rusia y del soberano de Bulgaria.

Zara. (Voz quichua.) f. **Maíz.**

Zarabanda. (Del persa *sarband,* variedad de danza.) f. Danza picaresca y de movimientos lascivos que se usó en España durante los siglos XVI y XVII. || **2.** Música alegre y ruidosa de esta danza, que solía acompañarse con las castañuelas. || **3.** Copla que se cantaba con esta música. || **4.** fig. Cualquier cosa que causa ruido estrepitoso, bulla o molestia repetida.

Zarabandista. adj. Que baila, tañe o canta la zarabanda. Ú. t. c. s. || **2.** Que compone coplas para esta música. Ú. m. c. s. || **3.** fig. Aplícase a la persona alegre y bulliciosa. Ú. m. c. s.

Zarabando, da. adj. **Zarabandista.**

Zarabutear. tr. fam. **Zaragutear.**

Zarabutero, ra. (De *zarabutear.*) adj. fam. **Zaragutero.** Ú. t. c. s.

Zaracear. (Del lat. *circius,* cierzo.) intr. Neviscar y lloviznar con viento.

Zaragalla. f. Carbón vegetal menudo. || **2.** *Ar.* Pandilla de chicos.

Zaragata. (Del ár. *zalgaṭa,* penetrantes gritos de alegría que dan las mujeres golpeándose en los labios con la mano y pronunciando en el tono más agudo la sílaba *li,* hasta perder el aliento.) f. fam. Pendencia, alboroto, tumulto.

Zaragate. m. *Amér. Central, Méj., Perú* y *Venez.* Persona despreciable.

Zaragatero, ra. adj. fam. Bullicioso, aficionado a zaragatas. Ú. t. c. s.

Zaragatona. (De *zargatona.*) f. Planta herbácea anual, de la familia de las plantagináceas, con tallo velludo, ramoso, de dos a tres decímetros de altura; hojas opuestas, lanceoladas y estrechas; flores pequeñas, verdosas, en espigas ovales, y fruto capsular con muchas semillas menudas y brillantes que, cocidas, dan una substancia mucilaginosa, empleada para medicina y para aprestar telas. || **2.** Semilla de esta planta.

Zaragocí. (De *Zaragoza.*) adj. V. **Ciruela zaragocí.**

Zaragozano, na. adj. Natural de Zaragoza. Ú. t. c. s. || **2.** Perteneciente a esta ciudad.

Zaragüelles. (Del ár. *sarāwīl,* calzones, bragas.) m. pl. Especie de calzones anchos y follados en pliegues, que se usaban antiguamente, y ahora llevan las gentes del campo en Valencia y Murcia. || **2.** Planta de la familia de las gramíneas, con las cañas débiles, derechas, de más de tres decímetros de altura, desnudas en la parte superior, y en la inferior con tres nudos negruzcos e igual número de hojas que envuelven el tallo en la mitad de la parte comprendida entre nudo y nudo, y las flores en panoja compuesta de espiguillas colgantes con aristas rectas. || **3.** fig. y fam. Calzones muy anchos, largos y mal hechos. || **4.** *Ar.* Calzoncillos blancos que se dejan asomar en la pierna por debajo del calzón.

Zaragutear. (De *zarabutear.*) tr. fam. Embrollar, enredar, hacer cosas con impericia y atropellamiento.

Zaragutero, ra. adj. fam. Que zaragutea. Ú. t. c. s.

Zarajo. m. *Cuen.* Trenzado de tripas de cordero, asado al horno y que se conserva colgado al humo como los chorizos.

Zaramagullón. m. **Somorgujo.**

Zarambeque. (De *zambra,* 1.er art.) m. Tañido y danza de negros, alegre y bulliciosa.

Zaramullo. m. *Perú* y *Venez.* **Zascandil.**

Zaranda. (Del ár.-persa *sarand,* criba.) f. **Criba.** || **2.** Cedazo rectangular con fondo de red de tomiza, que se emplea en los lagares para separar los escobajos de la casca. || **3.** Pasador de metal que se usa para colar la jalea y otros dulces. || **4.** *Venez.* **Trompa,** 3.ª acep. || **Harto soy ciego si por zaranda no veo.** ref. con que se nota a los que quieren engañarse o disimular en cosas evidentes o claras.

Zarandador, ra. (De *zarandar.*) m. y f. Persona que mueve la zaranda o echa el trigo u otro grano en ella.

Zarandaja. (Del lat. **serotinālia,* de *serotĭnus,* tardío.) f. fam. Cosa menuda, sin valor, o de importancia muy secundaria. Ú. m. en pl. || **2.** *Ar.* Desperdicio de las reses.

Zarandalí. adj. *And.* V. **Palomo zarandalí.**

Zarandar. (De *zaranda.*) tr. Limpiar el grano o la uva, pasándolos por la zaranda. || **2.** Colar el dulce con la zaranda. || **3.** fig. y fam. Mover una cosa con prisa, ligereza y facilidad. Ú. t. c. r. || **4.** fig. y fam. Separar de lo común lo especial y más precioso.

Zarandear. tr. **Zarandar.** Ú. t. c. r. || **2.** fig. Ajetrear, azacanar. || **3.** r. *And., Perú, P. Rico* y *Venez.* **Contonearse.**

Zarandeo. m. Acción y efecto de zarandear o zarandearse.

Zarandero, ra. (De *zaranda.*) m. y f. Zarandador.

Zarandilla. (Del vasc. *sugandilla, sugangüila,* lagartija.) f. *Rioja.* **Lagartija.**

Zarandillo. (d. de *zaranda.*) m. Zaranda pequeña. ‖ **2.** fig. y fam. El que con viveza y soltura anda de una parte a otra. Aplícase comúnmente a los muchachos traviesos y a los que ostentan eficacia y energía en la ejecución de las cosas. ‖ **Traerle** a uno **como un zarandillo.** fr. fig. y fam. Hacerle ir frecuentemente de una parte a otra.

Zaranga. f. *Ar.* Fritada parecida al pisto.

Zarangollo. m. *And.* Juego de cartas parecido al truque.

Zarapatel. m. Especie de alboronía.

Zarapito. m. Ave del orden de las zancudas, del tamaño del gallo, de cuerpo esbelto, cuello y tarsos largos, cabeza pequeña, pico delgado, córneo y encorvado por la punta; alas muy agudas, cola corta y redonda, y plumaje pardo por encima y blanco por debajo. Vive en las playas y sitios pantanosos, anida entre juncos y se alimenta de insectos, moluscos y gusanos.

Zarapón. m. *Ál.* **Lampazo,** 1.ª acep.

Zaratán. (Del ár. *saraṭān,* cangrejo.) m. Cáncer de los pechos en la mujer.

Zaraza. (De *zarzahán.*) f. Tela de algodón muy ancha, tan fina como la holanda y con listas de colores o con flores estampadas sobre fondo blanco, que se traía de Asia y era muy estimada en España.

Zarazas. f. pl. Masa que se hace mezclando vidrio molido, agujas, substancias venenosas, etc., y se empleaba para matar perros, gatos, ratones u otros animales.

Zarazo, za. adj. *Amér. Merid.* y *And.* Aplícase al fruto a medio madurar.

Zarbo. (Del lat. *sargus.*) m. *Ál.* Cierto pez de río, semejante al gobio.

Zarcear. (De *zarza.*) tr. Limpiar los conductos y las cañerías, introduciendo en ellas unas zarzas largas y moviéndolas para que se despeguen la toba y otras inmundicias. ‖ **2.** intr. Entrar el perro en los zarzales para buscar o echar fuera la caza. ‖ **3.** fig. Andar de una parte a otra, cruzando con diligencia un sitio.

Zarceño, ña. adj. Perteneciente o relativo a la zarza.

Zarcera. f. *Rioja* y *Vallad.* Respiradero abierto en las bodegas para su ventilación.

Zarcero, ra. (De *zarza.*) adj. V. **Perro zarcero.** Ú. t. c. s.

Zarceta. f. **Cerceta,** 1.ª acep.

Zarcillitos. (d. de *zarcillos,* 1.er art., 1.ª acep. de *zarcillo.*) m. pl. **Tembladera,** 4.ª acep.

Zarcillo. (Del lat. *circĕllus,* circulito.) m. **Pendiente,** 3.ª acep. ‖ **2.** *Ar.* Arco de cuba. ‖ **3.** *Bot.* Cada uno de los órganos largos, delgados y volubles que tienen ciertas plantas y que sirven a éstas para asirse a tallos u otros objetos próximos. Pueden ser de naturaleza caulinar, como en la vid, o foliácea, como en la calabacera y en el guisante.

Zarcillo. (Del lat. *sarcĕllum,* por *sarcŭlum,* azada.) m. Almocafre o azadilla de escardar.

Zarco, ca. (Del ár. *zarqā',* mujer de ojos azules.) adj. De color azul claro. Ú. hablando de las aguas y, con más frecuencia, de los ojos.

Zarevitz. (Del ruso *tsarewitz.*) m. Hijo del zar. ‖ **2.** En particular, príncipe primogénito del zar reinante.

Zargatona. (Del ár. *bazraqaṭūnā,* hierba de pulgas, por la forma de sus semillas.) f. **Zaragatona.**

Zariano, na. adj. Perteneciente o relativo al zar. *Majestad, potestad* ZARIANA.

Zarigüeya. (Del brasileño *çarigueia.*) f. Mamífero didelfo, propio de América, de unos 40 centímetros de longitud desde el hocico hasta el arranque de la cola, la cual tiene unos 35, con cabeza parecida a la de la zorra, hocico y orejas negros y pelaje pardo rojizo; en cada extremidad cinco dedos bien separados y con uñas fuertes, menos los dedos gordos de los pies, que carecen de ellas y pueden formar pinza con los otros, y cola prensil, redonda, lisa y desnuda. Es mamífero nocturno, de movimientos tardos, pero muy trepador, y vive buscando en los árboles animales pequeños, huevos y algunos frutos, con que se alimenta.

Zarina. f. Esposa del zar. ‖ **2.** Emperatriz de Rusia.

Zarismo. m. Forma de gobierno absoluto, propio de los zares.

Zarista. com. Persona partidaria del zarismo.

Zarja. f. **Azarja.**

Zarpa. f. Acción de zarpar. ‖ **2.** Mano con dedos y uñas, en ciertos animales; como el león, el tigre, etc. ‖ **3. Cazcarria.** ‖ **Echar** uno **la zarpa.** fr. fig. y fam. Agarrar o asir con las manos o las uñas. ‖ **2.** fig. y fam. Apoderarse de algo por violencia, engaño o sorpresa. ‖ **Hacerse** uno **una zarpa.** fr. fig. y fam. Mojarse o enlodarse mucho.

Zarpa. (De *escarpa.*) f. *Arq.* Parte que en la anchura de un cimiento excede a la del muro que se levanta sobre él.

Zarpada. f. Golpe dado con la zarpa.

Zarpanel. (Antes, *esarpanel;* del fr. *anse de panier.*) adj. *Arq.* V. **Arco zarpanel.**

Zarpar. (Del cat. *xarpar,* y éste del lat. **exharpāre,* de *harpe,* gr. ἅρπη, gancho.) tr. *Mar.* **Levar anclas.** Ú. t. c. intr. *La escuadra zarpó del puerto.*

Zarpazo. (De *zarpa.*) m. **Zarpada.** ‖ **2. Batacazo.**

Zarpear. tr. *C. Rica* y *Hond.* Salpicar de barro, llenar de zarpas o cazcarrias.

Zarposo, sa. adj. Que tiene zarpas o cazcarrias.

Zarracatería. f. Halago fingido y engañoso.

Zarracatín. (Quizá del ár. *sarraqī,* revendedor, chamarilero.) m. fam. Regatón que procura comprar barato para vender caro.

Zarrampín. m. *Ál.* **Acedera.**

Zarramplín. (De *ramplón.*) m. fam. Hombre chapucero y de poca habilidad en una profesión u oficio. ‖ **2.** Pelagatos, pobre diablo.

Zarramplinada. f. fam. Desacierto propio del zarramplín.

Zarrapastra. f. fam. **Cazcarria.**

Zarrapastrón, na. (De *zarrapastra.*) adj. fam. Que anda muy zarrapastroso. Ú. t. c. s.

Zarrapastrosamente. (De *zarrapastroso.*) adv. m. fam. Con desaliño y desaseo.

Zarrapastroso, sa. (De *zarrapastra.*) adj. fam. Desaseado, andrajoso, desaliñado y roto. Ú. t. c. s.

Zarria. f. **Cazcarria.** ‖ **2.** Pingajo, harapo.

Zarria. f. Tira de cuero que se mete entre los ojales de la abarca, para asegurarla bien con la calzadera.

Zarriento, ta. adj. Que tiene zarrias o cazcarrias.

Zarrio, rria. adj. *And.* **Charro,** 2.° art., 2.ª acep.

Zarrioso, sa. adj. Lleno de zarrias. ‖ **2.** *Ál.* y *Nav.* Desmadejado, falto de energía.

Zarza. (Del ár. *šars,* planta espinosa.) f. Arbusto de la familia de las rosáceas, con tallos sarmentosos, arqueados en las puntas, prismáticos, de cuatro a cinco metros de largo, con cinco aristas y con aguijones fuertes y ganchosos; hojas divididas en cinco hojuelas elípticas, aserradas, lampiñas por la haz y lanuginosas por el envés; flores blancas o róseas en racimos terminales, y cuyo fruto es la zarzamora. Es muy común en los campos, y el cocimiento de las hojas y el jarabe del fruto se emplean en medicina contra las inflamaciones de la garganta. ‖ **lobera.** *Ál.* **Escaramujo,** 1.ª acep. ‖ **La zarza da el fruto espinando, y el ruin, llorando.** ref. que reprende al mezquino que hace el beneficio de mala gana.

Zarzagán. m. Cierzo muy frío, aunque no muy fuerte.

Zarzaganete. m. d. de **Zarzagán.**

Zarzaganillo. m. d. de **Zarzagán.** ‖ **2.** Viento cierzo que causa tempestades.

Zarzahán. (Del ár. *zardajāna,* seda fina.) m. Especie de tela de seda, delgada como el tafetán y con listas de colores.

Zarzal. m. Sitio poblado de zarzas. ‖ **2.** V. **Rana de zarzal.**

Zarzaleño, ña. adj. Perteneciente o relativo al zarzal.

Zarzamora. f. Fruto de la zarza, que cuando maduro es una baya compuesta de granillos negros y lustrosos, semejante a la mora, pero más pequeña y redonda. ‖ **2. Zarza.**

Zarzaparrilla. (De *zarza* y *parrilla,* d. de *parra,* por semejanza con ambos arbustos.) f. *Bot.* Arbusto de la familia de las liliáceas, con tallos delgados, volubles, de uno a dos metros de largo y espinosos; hojas pecioladas, alternas, ásperas, con muchos nervios, acorazonadas y persistentes; flores verdosas en racimos axilares; fruto en bayas globosas como el guisante y raíces fibrosas y casi cilíndricas. Es común en España. ‖ **2.** Cocimiento de la raíz de esta planta, que se usa mucho en medicina como sudorífico y depurativo. ‖ **3.** Bebida refrescante preparada con esta planta. ‖ **de Indias.** Arbusto americano del mismo género que el de España, del cual se distingue en echar las hojas sólo tres nervios cada una. Es medicinal. ‖ **de la tierra. Zarzaparrilla,** 1.ª acep.

Zarzaparrillar. m. Campo en que se cría mucha zarzaparrilla.

Zarzaperruna. (De *zarza* y *perruna.*) f. **Escaramujo,** 1.ª y 2.ª aceps.

Zarzarrosa. (De *zarza* y *rosa.*) f. Flor del escaramujo, muy parecida en la figura a la rosa castellana.

Zarzo. m. Tejido de varas, cañas, mimbres o juncos, que forma una superficie plana. ‖ **Menear** a uno **el zarzo.** fr. fig. y fam. **Menearle el bálago.**

Zarzoso, sa. adj. Que tiene zarzas.

Zarzuela. f. d. de **Zarza.**

Zarzuela. (Del real sitio de la *Zarzuela,* donde por primera vez se representaron.) f. Obra dramática y musical en que alternativamente se declama y se canta. ‖ **2.** Letra de la obra de esta clase. ‖ **3.** Música de la misma obra.

Zarzuelero, ra. adj. Perteneciente o relativo a la zarzuela, 2.° art.

Zarzuelista. com. Poeta que escribe zarzuelas. ‖ **2.** Maestro que compone música de zarzuela.

¡Zas! Voz expresiva del sonido que hace un golpe, o del golpe mismo. ‖ **¡Zas, zas!** Voces con que se significa la repetición del golpe o del sonido de él.

Zascandil. m. fam. Hombre despreciable, ligero y enredador. ‖ **2.** desus. Hombre astuto, engañador, por lo común estafador. ‖ **3.** desus. Golpe repentino o acción pronta e impensada que sobreviene, comparable a un candilazo.

Zascandilear. intr. Andar como un zascandil.

Zascandileo. m. Acción y efecto de zascandilear.

Zata. f. **Zatara.**

Zatara. (Del ár. *šajtūra*, barca.) f. Armazón de madera, a modo de balsa, para transportes fluviales.

Zatico, llo. (d. de *zato*.) m. El que antiguamente tenía en palacio el cargo de cuidar del pan y alzar las mesas. || **2. Zato.**

Zato. (Del vasc. *zati*, pedazo.) m. Mendrugo o pedazo de pan.

Zaya. f. *León.* Caz del molino

Zazo, za. adj. **Zazoso.**

Zazoso, sa. adj. **Tartajoso.**

Zebra. f. **Cebra.**

Zeda. (De *zeta*.) f. Nombre de la letra *z*.

Zedilla. (d. de *zeda*.) f. **Cedilla.**

Zéjel. (Del ár. *zaŷal*.) m. Composición estrófica de la métrica popular de los moros españoles. Se compone de una estrofilla inicial temática, o estribillo, y de un número variable de estrofas compuestas de tres versos monorrimos seguidos de otro verso de rima constante igual a la del estribillo.

Zelandés, sa. adj. Natural de Zelandia. Ú. t. c. s. || **2.** Perteneciente a esta provincia de Holanda.

Zendavesta. (Del zendo *zanti*, conocimiento, y *avesta*, doctrina de Zoroastro.) m. Colección de los libros sagrados de los persas, escrita en zendo, y que contiene la exposición de las doctrinas de Zoroastro.

Zendo, da. (De pelvi *zand*, interpretación, comentario del Avesta.) adj. Dícese de un idioma de la familia indoeuropea usado antiguamente en las provincias septentrionales de Persia. Ú. t. c. s. m.

Zenit. m. **Cenit.**

Zeta. (Del gr. ζῆτα.) f. **Zeda.** || **2.** Sexta letra del alfabeto griego.

Zeugma. (Del lat. *zeugma*, y éste del gr. ζεῦγμα, yugo, lazo.) f. *Gram.* Figura de construcción, que consiste en que cuando una palabra que tiene conexión con dos o más miembros del período, está expresa en uno de ellos, ha de sobrentenderse en los demás; v. gr.: *Era de complexión recia, seco de carnes, enjuto de rostro, gran madrugador y amigo de la caza.*

Zeuma. f. *Gram.* **Zeugma.**

Zigofiláceo, a. adj. *Bot.* **Cigofiláceo.**

Zigoto. m. *Biol.* **Cigoto.**

Zigzag. (Voz onomatopéyica.) m. Serie de líneas que forman alternativamente ángulos entrantes y salientes.

Zigzaguear. intr. Serpentear, andar en zigzag.

Zinc. (Del al. *zink*.) m. **Cinc.**

Zingiberáceo, a. adj. *Bot.* **Cingiberáceo.**

Zipizape. (Voz onomatopéyica.) m. fam. Riña ruidosa o con golpes.

¡Zis, zas! fam. **¡Zas, zas!**

Zoantropía. (Del gr. ζῷον, animal, y ἄνθρωπος, hombre.) f. Especie de monomanía en la cual el enfermo se cree convertido en un animal.

Zoca. (Del m. or. que *zoco*, 2.° art.) f. **Plaza,** 1.ª acep. || **Andar uno de zoca en colodra.** fr. fig. y fam. **Andar de zocos en colodros.**

Zoca. (Del lat. *soccus*, zueco.) f. *Ar.* y *Nav.* Cepa o tocón.

Zócalo. (Del lat. *soccŭlus*, d. de *soccus*, zueco.) m. *Arq.* Cuerpo inferior de un edificio u obra, que sirve para elevar los basamentos a un mismo nivel. || **2.** *Arq.* **Friso,** 2.ª acep. || **3.** *Arq.* Miembro inferior del pedestal, debajo del neto. || **4.** *Arq.* Especie de pedestal.

Zocaño. m. *And.* Zoquete de pan.

Zocatearse. r. Ponerse zocato un fruto.

Zocato, ta. adj. fam. **Zurdo.** Ú. t. c. s. || **2.** Aplícase al fruto que se pone amarillo y acorchado sin madurar. || **3.** V. **Berenjena zocata.**

Zoclo. (Del lat. *soccŭlus*.) m. Zueco, chanclo.

Zoco. (Del lat. *soccus*.) m. **Zueco.** || **2.** *Arq.* **Zócalo,** 3.ª acep. || **Andar uno de zocos en colodros.** fr. fig. y fam. Ir de mal en peor; salir de un negocio peligroso y entrar en otro de mayor peligro.

Zoco. (Del ár. *sūq*, mercado.) m. ant. **Plaza,** 1.ª acep. || **2.** En Marruecos, mercado, lugar en que se celebra.

Zoco, ca. adj. fam. **Zocato,** 1.ª acep. Ú. t. c. s. || **2.** fam. V. **Mano zoca.** Ú. t. c. s. || **A zocas.** m. adv. **A zurdas.**

Zodiacal. adj. Perteneciente o relativo al Zodiaco. *Estrellas* ZODIACALES. || **2.** V. **Luz zodiacal.**

Zodiaco [Zodíaco]. (Del lat. *zodiăcus*, y éste del gr. ζῳδιακός.) m. *Astron.* Zona o faja celeste por el centro de la cual pasa la Eclíptica: tiene de 16 a 18 grados de ancho total; indica el espacio en que se contienen los planetas que sólo se apartan de la Eclíptica unos ocho grados y comprende los 12 signos, casas o constelaciones que recorre el Sol en su curso anual aparente, a saber: Aries, Tauro, Géminis, Cáncer, Leo, Virgo, Libra, Escorpión, Sagitario, Capricornio, Acuario y Piscis. || **2.** Representación material del **Zodiaco.** *El* ZODIACO *de Dendera.*

Zofra. (Del ár. *sufra*, mantel de comedor.) f. Especie de tapete o alfombra morisca.

Zofra. f. *Murc.* **Sufra,** 1.ª acep.

Zoilo. (Por alusión a *Zoilo*, sofista y famoso crítico detractor de Homero, Platón e Isócrates.) m. fig. Crítico presumido, y maligno censurador o murmurador de las obras ajenas.

Zoizo. m. **Suizo,** 3.ª y 4.ª aceps.

Zolocho, cha. adj. fam. Simple, mentecato, aturdido o poco expedito, Ú. t. c. s.

Zoltaní. m **Soltaní.**

Zollipar. intr. fam. Dar zollipos o sollozar.

Zollipo. m. fam. Sollozo con hipo, y regularmente con llanto y aflicción.

Zoma. f. **Soma.**

Zompo, pa. adj. **Zopo.** Ú. t. c. s.

Zompopo. m. *Amér. Central.* Hormiga de cabeza grande, que se alimenta de las hojas de las plantas.

Zona. (Del lat. *zona*, y éste del gr. ζώνη, ceñidor, faja.) f. Lista o faja. || **2.** Extensión considerable de terreno que tiene forma de banda o franja. || **3.** Extensión considerable de terreno cuyos límites están determinados por razones administrativas, políticas, etc. ZONA *fiscal; de influencia.* || **4.** *Geogr.* Cada una de las cinco partes en que se considera dividida la superficie de la Tierra por los trópicos y los círculos polares. || **4.** *Geom.* Parte de la superficie de la esfera, comprendida entre dos planos paralelos. || **5.** *Med.* Enfermedad eruptiva infecciosa, caracterizada por la inflamación de ciertos ganglios nerviosos, y que se manifiesta por una serie de vesículas a lo largo del nervio afectado, con fiebre y dolor intenso. || **de ensanche.** La que en la cercanía de las poblaciones y con régimen legal diferente, está destinada para que se extiendan la edificación y los servicios urbanos. || **de influencia.** Parte de un país débil, aunque no sometido a protectorado oficial, respecto de la que varias potencias aceptan la preponderante expansión económica o cultural de alguna de aquéllas. || **fiscal.** Demarcación más o menos próxima a las fronteras, aduanas o fielatos, sometida a prohibiciones de fabricación o vigilancia especial como garantías contra la defraudación. || **glacial.** *Geogr.* Cada uno de los dos casquetes esféricos formados en la superficie de la Tierra por los círculos polares. || **polémica.** *Fort.* Espacio en que para la defensa de una plaza o fortificación se establecen excepciones legales y gubernativas. || **templada.** *Geogr.* Cada una de las dos comprendidas entre los trópicos y los círculos polares inmediatos. || **tórrida.** *Geogr.* La comprendida entre ambos trópicos y dividida por el Ecuador en dos partes iguales.

Zoncera. f. *Amér.* **Sosera.**

Zoncería. (De *zonzo*.) f. **Sosería.**

Zonchiche. m. *C. Rica* y *Hond.* Cierto buitre con la cabeza roja e implume.

Zoncho. m. *Sant.* **Capacho,** 1.ª acep.

Zonote. m. **Cenote.**

Zonzamente. adv. m. Con zoncería.

Zonzo, za. (Del lat. *insulsus*.) adj. **Soso,** 3.ª acep. Apl. a pers., ú. t. c. s. || **2.** V. **Ave zonza.**

Zonzorrión, na. adj. fam. Muy zonzo. Ú. t. c. s.

Zonzorro. m. *Ál.* Agalla grande de roble.

Zoófago, ga. (De gr. ζῳοφάγος; de ζῷον, animal, y φαγεῖν, comer.) adj. *Zool.* Que se alimenta de materias animales. *Insecto* ZOÓFAGO. Ú. t. c. s.

Zoófito. (Del gr. ζῷον, animal, y φυτόν, planta.) adj. *Zool.* Dícese de ciertos animales en los que se creía reconocer algunos caracteres propios de seres vegetales. Usáb. t. c. s. || **2.** m. pl. *Zool.* Grupo de la antigua clasificación zoológica, que comprendía los animales que tienen aspecto de plantas.

Zooftirio. (Del gr. ζῷον, animal, y φθείρ, piojo.) m. *Zool.* **Anopluro.**

Zoografía. (Del gr. ζῷον, animal, y γράφω, describir.) f. Parte de la zoología, que tiene por objeto la descripción de los animales.

Zoográfico, ca. adj. Perteneciente o relativo a la zoografía.

Zoólatra. adj. Que adora los animales.

Zoolatría. (Del gr. ζῷον, animal, y λατρεία, adoración.) f. Adoración, culto de los animales.

Zoología. (Del gr. ζῷον, animal, y λόγος, tratado.) f. Ciencia que trata de los animales.

Zoológico, ca. adj. Perteneciente o relativo a la zoología. || **2.** V. **Parque zoológico.**

Zoólogo. m. El que profesa la zoología o en ella tiene especiales conocimientos.

Zoonosis. (Del gr. ζῷον, animal, y νόσος, enfermedad.) f. *Med.* Enfermedad propia de los animales, que a veces se comunica a las personas.

Zoospermo. (Del gr. ζῷον, animal, y σπέρμα, semilla.) m. **Espermatozoide.**

Zoospora. (Del gr. ζῷον, animal, y σπορά, semilla.) f. *Bot.* Espora que no está cerrada en un quiste, y en cuya superficie lleva órganos filiformes, en número variable, a modo de cilios o flagelos que le sirven para nadar en el agua; como en muchas algas.

Zootecnia. (Del gr. ζῷον, animal, y τέχνη, arte.) f. Arte de la cría, multiplicación y mejora de los animales domésticos.

Zootécnico, ca. adj. Perteneciente o relativo a la zootecnia.

Zootomía. (Del gr. ζῷον, animal, y τομή, sección.) f. Parte de la zoología, que estudia la anatomía de los animales.

Zoótropo. m. desus. Aparato que al girar produce la ilusión de que se mueven unas figuras dibujadas, debido a la persistencia de las imágenes en la retina.

Zopas. com. fam. Persona que cecea mucho.

Zopenco, ca. (De *zopo*.) adj. fam. Tonto y abrutado. Ú. t. c. s.

Zopetero. m. **Ribazo.**

Zopilote. m. *C. Rica, Hond.* y *Méj.* **Aura,** 2.° art.

Zopisa. (De lat. *sopissa*, y éste del gr. ζώπισσα.) f. **Brea.** || **2.** Resina de pino.

Zopitas. com. fam. **Zopas.**

*

Zopo, pa. (En ital. *zoppo,* en port. *zopo.*) adj. Dícese del pie o mano torcidos o contrahechos. || **2.** Dícese de la persona que tiene torcidos o contrahechos los pies o las manos.

Zoqueta. f. Especie de guante de madera con que el segador resguarda de los cortes de la hoz los dedos meñique, anular y del corazón de la mano izquierda.

Zoquete. (Del ár. *suqāṭa,* desecho.) m. Pedazo de madera corto y grueso, que queda sobrante al labrar o utilizar un madero. || **2.** fig. Pedazo de pan grueso e irregular. || **3.** fig. y fam. Hombre feo y de mala traza, especialmente si es pequeño y gordo. || **4.** fig. y fam. Persona ruda y tarda en aprender o percibir las cosas que se le enseñan o se le dicen. Ú. t. c. adj.

Zoquetero, ra. adj. Que anda recogiendo zoquetes o mendrugos de pan y se mantiene de ellos, sin otro oficio ni ocupación. Ú. t. c. s.

Zoquetudo, da. (De *zoquete,* 1.ª acep.) adj. Basto y mal hecho.

Zorcico. (Del vasc. *zortzico,* octava.) m. Composición musical en compás de cinco por ocho, popular en las provincias vascongadas. || **2.** Letra de esta composición musical. || **3.** Baile que se ejecuta con esta música.

Zorito, ta. adj. Zurito.

• **Zoroástrico, ca.** adj. Perteneciente o relativo al zoroastrismo.

Zoroastrismo. (Del lat. *zōrŏastres.*) m. Mazdeísmo.

Zorollo. (Del lat. *cereŏlus,* amarillo, de color de cera.) adj. V. **Trigo zorollo.**

Zorongo. m. Pañuelo doblado en forma de venda, que los aragoneses y algunos navarros del pueblo llevan alrededor de la cabeza. || **2.** Moño ancho y aplastado que usan algunas mujeres del pueblo. || **3.** Baile popular andaluz. || **4.** Música y canto de este baile.

Zorra. (En port. *zorra.*) f. Mamífero carnicero de unos seis decímetros de longitud desde el hocico hasta el arranque de la cola, que mide otros tres; con cabeza ancha, hocico agudo, frente plana, orejas empinadas, cuerpo prolongado cubierto de pelo largo y abundante, pies cortos y cola recta y gruesa; pelaje pardo rojizo en general, blancos los labios, gola y punta de la cola, negros los pies de delante y extremidad de las orejas, y cenicientos el pecho y vientre. Es de olor fétido, abunda en los montes de España, vive en madrigueras, persigue con astucia toda clase de caza, ataca a las aves de corral y campea de noche, dando ladridos semejantes a los del perro. || **2.** Hembra de esta especie. || **3.** V. **Cola, rabo de zorra.** || **4.** fig. y fam. Persona astuta y solapada. || **5.** fig. y fam. **Borrachera,** 1.ª acep. || **de mar.** Especie de tiburón común en las costas de la península ibérica. || **A la zorra, candilazo.** expr. fig. que denota ganar uno en astucia a otro que de ella presume. || **Cuando la zorra anda a caza de grillos, mal para ella y peor para sus hijos.** ref. que enseña la grave necesidad y pobreza que suele tener el hombre cuando se ejercita en cosas no correspondientes a su estado. || **Desollar,** o **dormir, uno la zorra.** fr. fam. **Desollar el lobo.** || **El que toma la zorra y la desuella, ha de saber,** o **ha de ser, más que ella.** ref. que enseña que para vencer en cualquiera línea al hombre sagaz, astuto e ingenioso es necesario excederle en estas mismas dotes. || **La zorra mudará los dientes, mas no las mientes.** ref. **Muda el lobo los dientes y no las mientes.** || **Mucho sabe la zorra, pero más quien la toma.** ref. que amonesta que ninguno, por muy advertido que sea, debe fiarse de su sagacidad, pues puede haber otro más astuto que le engañe. || **No hace tanto la zorra en un año, como paga en una hora.** ref. que significa el castigo que se da de una vez a lque ha cometido muchas culpas o ha hecho muchas travesuras. || **No hay zorra con dos rabos.** expr. fig. y fam. con que se explica la imposibilidad de adquirir o hallar una cosa que, siendo única en su especie, ha dejado de existir física o moralmente. || **No ser la primera zorra que uno ha desollado.** fr. fig. y fam. con que se nota estar uno adiestrado por la costumbre para hacer alguna cosa. || **Pillar uno una zorra.** fr. fam. Embriagarse.

Zorra. (Del lat. *saburra,* lastre.) f. Carro bajo y fuerte para transportar pesos grandes.

Zorra. (Del ár. *surriyya,* concubina.) f. fig. y fam. **Ramera.**

Zorrastrón, na. (aum. despect. de *zorro.*) adj. fam. Pícaro, astuto, disimulado y demasiadamente cauteloso. Ú. t. c. s.

Zorrera. f. Cueva de zorros. || **2.** fam. **Azorramiento.** || **3.** fig. Habitación en que hay mucho humo, producido dentro de ella.

Zorrería. f. Astucia y cautela de la zorra, para buscar su alimento y esquivar cualquier peligro. || **2.** fig. y fam. Astucia o ardid del que busca su utilidad en lo que hace y va a lograr mañosamente su intento.

Zorrero, ra. (De *zorra,* 1.er art.) adj. V. **Perdigón zorrero.** || **2.** V. **Perro zorrero.** Ú. t. c. s. || **3.** fig. Astuto, capcioso. || **4.** m. Persona asalariada que en los bosques reales tenía el cargo de matar las zorras, lobos, aves de rapiña, víboras y otros animales nocivos.

Zorrero, ra. (Del lat. *saburrarius,* de *saburra,* lastre.) adj. Aplícase a la embarcación pesada en navegar. || **2.** fig. Que va detrás de otros o queda rezagado.

Zorrillo. m. *Guat.* y *Hond.* **Mofeta,** 2.ª acep.

Zorro. m. Macho de la zorra. || **2.** Piel de la zorra, curtida de modo que conserve el pelo. || **3.** fig. y fam. El que afecta simpleza e insulsez, especialmente por no trabajar, y hace tarda y pesadamente las cosas. || **4.** fig. y fam. Hombre muy taimado y astuto. || **5.** pl. Tiras de orillo o piel, colas de cordero, etc., que, unidas y puestas en un mango, sirven para sacudir el polvo de muebles y paredes. || **Zorro azul. Raposo ferrero.** || **Estar uno hecho un zorro.** fr. fig. y fam. Estar demasiadamente cargado de sueño y sin poder despertarse o despejarse. || **2.** fig. y fam. Estar callado y pesado. || **Hacerse uno el zorro.** fr. fig. y fam. Aparentar ignorancia o distracción.

Zorro, rra. adj. Zorrero, 1.ª acep.

Zorrocloco. m. fam. Hombre tardo en sus acciones y que parece bobo, pero que no se descuida en su utilidad y provecho. || **2.** fam. **Arrumaco.** || **3.** pl. *Albac.* y *Murc.* Especie de nuégados en forma de canutillos.

Zorromoco. m. *Sant.* **Zangarrón.**

Zorrón. m. aum. de **Zorra,** 1.er art., 5.ª acep. || **2.** aum. de **Zorro,** 1.er art., 4.ª acep.

Zorronglón, na. adj. fam. Aplícase al que ejecuta pesadamente, de mala gana y murmurando o refunfuñando las cosas que le mandan. Ú. t. c. s.

Zorruela. f. d. de **Zorra.**

Zorruelo. m. d. de **Zorro.**

Zorrullo. m. **Zurullo.**

Zorruno, na. adj. Perteneciente o relativo a la zorra, 1.er art.

Zorzal. (Del ár. *zurzāl,* por *zulzūl* o *zurzūr,* tordo, estornino.) m. Pájaro del mismo género que el tordo, de unos 30 centímetros de largo, cuerpo grueso, cabeza pequeña, pico delgado, amarillo y de punta negra; alas agudas, cola ancha y redonda, tarsos largos y delgados, y plumaje pardo por encima, rojizo con manchas grises en el pecho y blanco en el vientre. Vive en España durante el invierno. || **2.** fig. Hombre astuto y sagaz. || **3.** *Chile.* Papanatas, hombre simple a quien se engaña fácilmente. || **marino.** *Zool.* Pez teleósteo, acantopterigio, de unos 20 centímetros de largo, cabeza grande y lisa, hocico puntiagudo y labios abultados; los radios anteriores de la aleta dorsal, terminados en filamentos cortos; la aleta caudal, cuadrada, y la anal, redondeada en su extremo. Es de color más o menos obscuro, según las diversas estaciones del año, y se cría en abundancia en todos los mares de España.

Zorzaleño, ña. (De *zorzal.*) adj. V. **Aceituna zorzaleña.** || **2.** V. **Halcón zorzaleño.**

Zorzalero. m. Cazador de zorzales.

Zoster. (Del lat. *zoster,* y éste del gr. ζωστήρ.) f. *Med.* **Zona,** 5.ª acep.

Zote. (Del b. lat. *sottus,* y éste del lat. *stultus.*) adj. Ignorante, torpe y muy tardo en aprender. Ú. t. c. s.

Zozobra. f. Acción y efecto de zozobrar. || **2.** Oposición y contraste de los vientos, que impiden la navegación y ponen al barco en riesgo próximo de ser sumergido. || **3.** fig. Inquietud, aflicción y congoja del ánimo, que no deja sosegar, o por el riesgo que amenaza, o por el mal que ya se padece. || **4.** fig. Cierto lance del juego de dados.

Zozobrante. p. a. de **Zozobrar.** Que zozobra.

Zozobrar. (Del lat. *sub,* debajo, y *supra,* encima.) intr. Peligrar la embarcación por la fuerza y contraste de los vientos. || **2.** Perderse o irse a pique. Ú. t. c. r. || **3.** fig. Estar en gran riesgo y muy cerca de perderse el logro de una cosa que se pretende o que ya se posee. || **4.** fig. Acongojarse y afligirse en la duda de lo que se debe ejecutar para huir del riesgo que amenaza o para el logro de lo que se desea. || **5.** tr. Hacer **zozobrar.**

Zozobroso, sa. adj. Intranquilo, acongojado, lleno de zozobra.

Zúa. f. **Zuda.**

Zuavo. (Del berb. *Zawāwa,* nombre de una confederación de tribus argelinas.) m. Soldado argelino de infantería, al servicio de Francia. || **2.** Soldado francés que lleva el mismo uniforme que el **zuavo** argelino.

Zubia. (Del ár. *šu'biyyā,* corriente de agua en un arenal.) f. Lugar o sitio por donde corre, o donde afluye, mucha agua.

Zucarino, na. adj. **Sacarino.** || **2.** V. **Alumbre zucarino.**

Zucrería. f. *Ar.* **Confitería.**

Zucurco. m. *Chile.* Planta de la familia de las umbelíferas, con hojas casi siempre espinosas y flores amarillas, y fruto con cuatro alas.

Zuda. f. **Azud.**

Zueco. (Del lat. *soccus.*) m. Zapato de madera de una pieza, que usan en varios países los campesinos y gente pobre. || **2.** Zapato de cuero con suela de corcho o de madera. || **3.** En oposición al coturno, significa el estilo llano de la comedia.

Zueco, ca. adj. *Albac.* y *Cuen.* Zurdo, zocato. Ú. t. c. s.

Zuela. f. **Azuela.**

Zuindá. m. *Argent.* **Suindá.**

Zuiza. f. **Suiza.**

Zuizón. m. **Suizón.**

Zulacar. tr. Untar o cubrir con zulaque.

Zulaque. (Del ár. *sulāqa,* betún.) m. Betún en pasta hecho con estopa, cal, aceite y escorias o vidrios molidos, a propósito para tapar las juntas de los arcaduces en las cañerías de aguas y para otras obras hidráulicas.

Zulaquear. tr. **Zulacar.**

Zulú. adj. Dícese del individuo de cierto pueblo de raza negra que habita en el África austral. Ú. t. c. s. || **2.** Perteneciente o relativo a este pueblo.

Zulla. (Del ár. *sullāy*, hierba de pasto para los camellos.) f. *Bot.* Planta herbácea, vivaz, de la familia de las papilionáceas, con tallo ramoso de dos a cuatro decímetros de altura; hojas compuestas de hojuelas puntiagudas muy menudas; flores purpurinas, olorosas, en grupos axilares, y fruto en vainillas ásperas con tres semillas. Es común en los campos del mediodía de España y excelente pasto para el ganado.

Zulla. (Del lat. *suilla*, t. f. de *-llus;* de *sus*, puerco.) f. fam. Excremento humano.

Zullarse. (De *zulla*.) r. fam. Hacer uno sus necesidades. || **2.** fam. **Ventosear.**

Zullenco, ca. (De *zulla*, 2.° art.) adj. fam. Que ventosea con frecuencia e involuntariamente o no puede contener la cámara.

Zullón, na. (De *zulla*, 2.° art.) adj. fam. **Zullenco.** Ú. t. c. s. || **2.** m. fam. **Follón,** 5.ª acep.

Zuma. f. *Ál.* Mimbrera arborescente.

Zumacal. m. Tierra plantada de zumaque, 1.ª acep.

Zumacar. m. **Zumacal.**

Zumacar. tr. Adobar las pieles con zumaque, 1.ª acep.

Zumacaya. (Quizá de un der. del lat. *cicūma*, murciélago.) f. **Zumaya,** 3.ª acep.

Zumaque. (Del ár. *sumāq* planta de cuyo fruto se extrae un jugo rojo, rico en tanino.) m. *Bot.* Arbusto de la familia de las anacardiáceas, de unos tres metros de altura, con tallos leñosos, hojas compuestas de hojuelas ovales, dentadas y vellosas; flores en panoja, primero blanquecinas y después encarnadas, y fruto drupáceo, redondo y rojizo. Tiene mucho tanino y lo emplean los zurradores como curtiente. || **2.** fam. **Vino,** 1.ª acep. || **del Japón. Barniz del Japón.** || **falso. Ailanto.**

Zumaya. (De *zumacaya*.) f. **Autillo,** 2.° art. || **2. Chotacabras.** || **3.** Ave de paso, del orden de las zancudas, de unos cuatro decímetros de largo, pico grueso, negro y encorvado en la punta; alas obtusas, cola corta, cuello desnudo, patas amarillentas, uñas negras y plumaje de color verde negruzco en el lomo y la cabeza, ceniciento en las alas y cola, blanco en las partes inferiores, y tres o cinco plumas también blancas, filiformes, de un decímetro de largo y que caen hacia detrás del occipucio. Vive en los bosques, donde se mantiene oculta durante el día, y se alimenta de peces y moluscos, que caza de noche.

Zumba. (De *zumbar*.) f. Cencerro grande que lleva comúnmente la caballería delantera de una recua, o el buey que hace de cabestro. || **2. Bramadera,** 1.ª acep. || **3.** fig. Vaya, chanza o chasco ligero, que en conversación festiva suelen darse unos a otros. || **4.** *Colomb., Chile* y *P. Rico.* Tunda, zurra.

Zumbador, ra. adj. Que zumba.

Zumbar. (Voz onomatopéyica.) intr. Hacer una cosa ruido o sonido continuado, seguido y bronco; como el que se produce a veces dentro de los mismos oídos. || **2.** fig. y fam. Estar una cosa tan inmediata, que falte poco para llegar a ella. Se usa hablando de las cosas inmateriales. *No tiene aún sesenta años, pero le* ZUMBAN. || **3.** tr. fam. Tratándose de golpes, dar, atizar. *Le* ZUMBÓ *una bofetada.* || **4.** fig. Dar vaya o chasco a uno. Ú. t. c. r. || **5.** *Sal.* **Azuzar.**

Zumbel. (De *cimbel*.) m. Cuerda que se arrolla al peón o trompo para hacerle bailar.

Zumbel. m. fam. Expresión exterior de semblante ceñudo.

Zumbido. m. Acción y efecto de zumbar. || **2.** fam. Golpe o porrazo que se da a uno.

Zumbilín. m. Venablo arrojadizo que se usa en Filipinas, hecho de palma brava.

Zumbo. (De *zumbar*.) m. **Zumbido.**

Zumbón, na. (De *zumbar*.) adj. V. **Cencerro zumbón.** Ú. t. c. s. || **2.** fig. y fam. Dícese del que frecuentemente anda burlándose, o tiene el genio festivo y poco serio. Ú. t. c. s. || **3.** *And.* V. **Palomo zumbón.** Ú. t. c. s.

Zumel. (Voz *araucana*.) m. *Chile.* Calzado que usan los araucanos semejante a las botas de potro. Ú. m. en pl.

Zumiento, ta. adj. Que arroja zumo.

Zumillo. m. d. de **Zumo.** || **2. Dragontea.** || **3. Tapsia.**

Zumo. (Del gr. ζωμός.) m. Líquido de las hierbas, flores, frutas u otras cosas semejantes, que se saca exprimiéndolas o majándolas. || **2.** fig. Utilidad y provecho que saca de una cosa el que la posee, disfruta o maneja. || **de cepas,** o **de parras.** fig. y fam. **Vino,** 1.ª acep.

Zumoso, sa. adj. Que tiene zumo.

Zuna. (Del ár. *sunna*, costumbre, tradición, ley tradicional.) f. Ley tradicional de los mahometanos, sacada de los dichos y sentencias de Mahoma. || **2.** *Ast.* y *Sant.* Resabio, mala maña o falsía de una caballería. || **3.** *Ast.* y *Sant.* Perfidia o mala intención de una persona.

Zuncuya. f. *Hond.* Cierta fruta de sabor agridulce.

Zunchar. tr. Colocar zunchos para reforzar alguna cosa.

Zuncho. (De *cincho*.) m. Abrazadera de hierro, o de cualquiera otra materia resistente, que sirve, bien para fortalecer las cosas que requieren gran resistencia, como ciertos cañones, bien para el paso y sostenimiento de algún palo, mastelero, botalón, etc.

Zunteco. m. *Hond.* Especie de avispa negra.

Zunzún. m. *Cuba.* Pajarillo, especie de colibrí.

Zuño. (Del gr. σκύνιον.) m. **Ceño,** 2.° art., 1.ª acep.

Zupia. f. Poso del vino. || **2.** Vino turbio por estar revuelto con el poso. || **3.** Líquido de mal aspecto y sabor. || **4.** fig. Lo más inútil y despreciable de cualquier cosa.

Zurano, na. adj. **Zuro,** 2.° art. || **2.** V. **Paloma zurana.**

Zurba. (Del lat. *sŏrbum*.) f. *Ál.* **Serba.**

Zurcidera. f. **Zurcidora.**

Zurcido, da. p. p. de **Zurcir.** || **2.** m. Unión o costura de las cosas zurcidas.

Zurcidor, ra. adj. Que zurce. Ú. t. c. s. || **de voluntades.** fig. y fam. **Alcahuete, ta.**

Zurcidura. f. Acción y efecto de zurcir. || **2. Zurcido,** 2.ª acep.

Zurcir. (Del lat. *sarcīre*.) tr. Coser la rotura de una tela, juntando los pedazos con puntadas o pasos ordenados, de modo que la unión resulte disimulada. || **2.** Suplir con puntadas muy juntas y entrecruzadas los hilos que faltan en el agujero de un tejido. || **3.** fig. Unir y juntar sutilmente una cosa con otra. || **4.** fig. y fam. Combinar varias mentiras para dar apariencia de verdad a lo que se relata.

Zurdal. m. *Pal.* **Azor,** 1.er art., 1.ª acep.

Zurdera. f. Calidad de zurdo.

Zurdería. f. **Zurdera.**

Zurdo, da. adj. Que usa de la mano izquierda del modo y para lo que las demás personas usan de la derecha. Ú. t. c. s. || **2.** V. **Mano zurda.** Ú. t. c. s. || **3.** Perteneciente o relativo a ésta. || **Ahí la juega un zurdo.** expr. fig. y fam. con que, positiva o irónicamente, se pondera la habilidad, destreza o inteligencia de alguna persona. || **A zurdas.** m. adv. Con la mano **zurda.** || **2.** fig. y fam. Al contrario de como se debía hacer. || **No ser uno zurdo.** fr. fig. y fam. Ser hábil, inteligente y experimentado.

Zurear. (De *zuro*, 2.° art.) intr. Hacer arrullos la paloma.

Zureo. m. Acción y efecto de zurear.

Zurita. f. *Ál.* **Tórtola.**

Zurito, ta. (Quizá del ár. *ṭūrī*, montaraz, salvaje.) adj. **Zuro,** 2.° art.

Zuriza. f. **Suiza,** 3.ª acep.

Zuro. m. Corazón o raspa de la mazorca del maíz después de desgranada. || **2.** *Albac., And., Ar.* y *Murc.* **Corcho,** 1.ª acep.

Zuro, ra. (Del m. or. que *zurito*.) adj. Dícese de las palomas y palomos silvestres. || **2.** V. **Paloma zura.**

Zurra. f. Acción de zurrar las pieles. || **2.** fig. y fam. Castigo que se da a uno, especialmente de azotes o golpes. || **3.** fig. y fam. Continuación del trabajo en cualquier materia, especialmente leyendo o estudiando. || **4.** fig. y fam. Contienda, disputa o pendencia pesada, en que algunos suelen quedar maltratados. || **5.** *C. Real* y *Tol.* **Sangría,** 7.ª acep.

Zurrado, da. p. p. de **Zurrar.** || **2.** m. fam. **Guante.** || **Salvo el zurrado.** expr. fam. **Salvo el guante.**

Zurrador, ra. adj. Que zurra. Ú. t. c. s. || **2.** m. El que tiene por oficio zurrar las pieles.

Zurrapa. (Del ár. *surāb*, barro que se saca al limpiar un estanque.) f. Brizna, pelillo o sedimento que se halla en los líquidos que poco a poco se va sentando. Ú. m. en pl. || **2.** fig. y fam. Cosa vil y despreciable. || **3.** fig. y fam. Muchacho desmedrado y feo. || **Con zurrapas.** m. adv. fig. y fam. Con poca limpieza, física o moral.

Zurrapelo. (De *zurrar* y *pelo*.) m. fam. **Rapapolvo.**

Zurrapiento, ta. (De *zurrapa*.) adj. **Zurraposo.**

Zurraposo, sa. adj. Que tiene zurrapas.

Zurrar. (En port. *surrar*.) tr. Curtir y adobar las pieles quitándoles el pelo. || **2.** fig. y fam. Castigar a uno, especialmente con azotes o golpes. || **3.** fig. y fam. Traer a uno a mal traer en la disputa o en la pendencia o riña. || **4.** fig. y fam. Censurar a uno con dureza y especialmente en público. || **Zurra, que es tarde.** expr. fig. y fam. con que se zahiere la impertinente insistencia de uno en alguna cosa.

Zurrarse. (De *chorrar*.) r. Irse de vientre uno involuntariamente. || **2.** fig. y fam. Estar poseído de un gran temor o miedo.

Zurriaga. (Del ár. *surriyāqa*, correa para azotar.) f. **Zurriago.** || **2.** *And.* **Alondra.**

Zurriagar. tr. Dar o castigar con el zurriago.

Zurriagazo. m. Golpe dado con el zurriago. || **2.** fig. Golpe dado con una cosa flexible como el zurriago. || **3.** fig. Desgracia o mal suceso inesperado, que sobreviene en el negocio emprendido. || **4.** fig. Mal trato o desdén de quien no se creyera que pudiese hacer algún daño o perjuicio.

Zurriago. (De *zurriaga*.) m. Látigo con que se castiga o zurra, el cual por lo común suele ser de cuero, cordel o cosa semejante. || **2.** Correa larga y flexible con que los muchachos hacen bailar el trompo.

Zurriar. (En port. *zurrar*, de *zurro*, rebuzno y especie de chicharra, 2.ª acep.) intr. **Zurrir.**

Zurribanda. (De *zurra* y *banda*.) f. fam. Zurra o castigo repetido o con muchos golpes. || **2.** fam. Pendencia o riña ruidosa en que hay golpes.

Zurriburri. m. fam. Sujeto vil, despreciable y de muy baja esfera. || **2.** fam. Conjunto de personas de la ínfima plebe o de malos procederes. || **3.** Barullo, confusión.

Zurrido. (De *zurrir*.) m. Sonido bronco, desapacible y confuso.

Zurrido. (De *zurrar*.) m. fam. Golpe, especialmente con palo.

Zurrir. (Voz onomatopéyica.) intr. Sonar bronca, desapacible y confusamente alguna cosa.

Zurrón. (aum. español del ár. *ṣurra*, bolsa.) m. Bolsa grande de pellejo, de que regularmente usan los pastores para guardar y llevar su comida u otras cosas. || **2.** Cualquier bolsa de cuero. || **3.** Cáscara primera y más tierna en que están encerrados y como defendidos y guardados algunos frutos, para que lleguen a su perfecta sazón. || **4.** Bolsa formada por las membranas que envuelven el feto y contienen a la vez el líquido que le rodea. || **5. Quiste,** 2.ª acep. || **6.** *Zam.* Capullo en que se encierra la larva de la lagarta.

Zurrona. (De *zorra,* 6.ª acep.) f. fam. Mujer perdida y estafadora.

Zurronada. f. Lo que cabe en un zurrón.

Zurrumbera. f. *Ál.* **Bramadera,** 1.ª acep.

Zurruscarse. r. fam. **Zurrarse.**

Zurrusco. m. fam. **Churrusco.** || **2.** *Murc.* Viento muy penetrante.

Zurubí. m. *Argent.* **Surubí.**

Zurugía. f. ant. **Cirugía.**

Zurujano. m. ant. **Cirujano.**

Zurullo. m. fam. Pedazo rollizo de materia blanda. || **2.** fam. **Mojón,** 1.er art., 5.ª acep.

Zurumbático, ca. adj. Lelo, pasmado, aturdido.

Zurupeto. m. fam. Corredor de bolsa no matriculado. || **2.** Intruso en la profesión notarial.

Zutano, na. (De *citano.*) m. y f. fam. Vocablos usados como complemento, y a veces en contraposición, de *fulano* y *mengano,* y con la misma significación cuando se alude a tercera persona. A veces se altera el orden de estos nombres indeterminados, diciendo *fulano,* **zutano** y *mengano,* aunque precediendo siempre el primero cuando se juntan los tres. Ni *mengano* ni **zutano** se suelen usar solos.

Zuzar. (De *¡Zuzo!*) tr. ant. **Azuzar.**

¡Zuzo! interj. **¡Chucho!**

Zuzón. m. **Hierba cana.**

REGLAS PARA LA FORMACIÓN

DE LOS DIMINUTIVOS EN **ico, illo, ito;** DE LOS AUMENTATIVOS EN **on** Y **azo,** Y DE LOS SUPERLATIVOS EN **ísimo**

DIMINUTIVOS

Los substantivos y adjetivos y algunos gerundios, participios y adverbios menguan su propia significación variando la desinencia del vocablo; y si acaba éste en vocal, la pierde; pero si en consonante, la conserva. Por ello, de *casa* decimos *cas-ita;* de *coche, coch-ecito;* de *zurrón, zurron-cito;* de *pequeño, pequeñ-ito;* de *dócil, docil-ito;* de *callando, calland-ito;* de *muerta, muert-ecica;* de *lejos, lej-itos.*

Diminutivos terminados en **ececito, ececillo, ececico.** Reciben este largo incremento los monosílabos acabados en vocal; como de *pie, pi-ececito.*

Terminados en **ecito, ecillo, ecico.** Exigen este menos largo incremento:

1.° Los monosílabos acabados en consonante, inclusa la *y; red-ecilla, troj-ecica, sol-ecito, pan-ecillo, son-ecico, flor-ecita, dios-ecillo, pez-ecito, voz-ecita.* Exceptúanse *ruin-cillo* y los nombres propios de personas, como *Blas-illo, Gil-ito, Juan-ito, Luis-ico.*

2.° Los bisílabos cuya primera sílaba es diptongo de *ei, ie, ue: rein-ecita, hierb-ecilla* o *yerb-ecilla, huev-ecico.*

3.° Los bisílabos cuya segunda sílaba es diptongo de *ia, io, ua: besti-ecita, geni-ecillo, legü-ecita.* Exceptúanse *rub-ita, agü-ita, pascu-ita.*

4.° Muchas voces de dos sílabas que terminan en *io: bri-ecico, fri-ecillo.*

5.° Todos los vocablos de dos sílabas terminados en *e: bail-ecito, cofr-ecillo, nav-ecilla, parch-ecito, pobr-ecito, trot-ecico.*

6.° *Prado, llano* y *mano* hacen *prad-ecito* y *prad-illo, llan-ecillo* y *llan-ito, man-ecilla* y *man-ita.*

Terminados en **cito, cillo, cico.** Toman este otro incremento:

1.° Las voces agudas de dos o más sílabas, terminadas en *n* o *r: gaban-cillo, corazon-cito, mujer-cita, amor-cillo, resplandor-cico, Pilar-cita, Fermin-cico, Ramon-cillo.* Exceptúanse *vasar-illo, alfiler-ito, almacen-illo* y algunos nombres propios de personas, como *Agustin-ito, Joaquin-illo, Gaspar-ico.* Úsanse indistintamente *altar-cillo* y *altar-illo, pilar-cillo* y *pilar-illo, jardin-cillo* y *jardin-illo, jazmin-cillo* y *jazmin-illo, sarten-cilla* y *sarten-illa.*

2.° Las dicciones graves acabadas en *n: Carmen-cita, dictamen-cillo, imagen-cica.*

Terminados en **ito, illo, ico.** Admiten este menor incremento las palabras que, sin las condiciones especificadas hasta aquí, pueden tomar forma diminutiva: *vain-ica, jaul-illa, estatu-ita, vinagr-illo, candil-illo, pajar-ito, camar-illa, titul-illo.*

AUMENTATIVOS

No todas las palabras reciben los incrementos aumentativos *on* y *azo.* Aquellas que los admiten, si acaban en vocal, la pierden; pero si en consonante, la conservan: de *hombre, hombr-ón;* de *papel, papel-ón;* de *gigante, gigant-azo;* de *bribón, bribon-azo.*

Hay algunos aumentativos de aumentativos; como de *picarón,* aumentativo de *pícaro, picar-on-azo.*

SUPERLATIVOS

Se forman añadiendo a los positivos la terminación *ísimo,* cuando acaban en consonante, o substituyéndola a la última letra del positivo, si es vocal; como de *formal, formal-ísimo;* de *prudente, prudent-ísimo.*

REGLAS DE ACENTUACIÓN

Las voces agudas de más de una sílaba terminadas en vocal, se acentúan: *bajá, café, alhelí, dominó, alajú; amará, tendré, partí, huyó; Alá, José, Ceutí, Mataró, Perú.*

Si acaban en consonante no se acentúan: *querub, vivac, merced, reloj, laurel, azahar, cenit, carcax, verdegay, arroz; amad, temed, partid, cesar, romper, venir; Horeb, Habacuc, Abenabeb, Rostof, Tirig, Natruh, Lübeck, Estambul, Edom, Estañ, Polop, Candahar, Calicut, Guadix, Godoy, Ormuz.*

La *y* final, aunque suena como vocal, se considera como consonante para los efectos de la acentuación.

Exceptúanse las que acaban en las consonantes *n o s* no agrupadas con otra consonante: *alacrán, andén, espadín, cascarón, atún; amarán, temerán, partirán; también, ningún, según; Amán, Durán, Bailén, Albaicín, Cicerón, Sahagún; compás, revés, anís, semidiós, patatús; verás, prevés, compartís; ademds, atrás, jamás; Barrabás, Moisés, París, Ojós, Jesús;* pero *Isern, Canals.*

Las voces llanas terminadas en vocal no se acentúan: *ala, bufete, casi, obscuro; maquina, teme, domino, regulo; España, Oñate, Amalfi, Jacobo, Aramburu.*

Si acaban en consonante se acentúan: *cárcel, dátil, mármol; Setúbal; alcázar, carácter, mártir, crémor; alférez; Alcácer, Válor, César, Otíbar, Ísbor, Dúdar, Fernández, Enríquez, Ordóñez, Túnez.*

Exceptúanse las que acaban en las consonantes *n o s* no agrupadas con otra consonante: *margen, virgen, volumen; aman, bailan, duran, pensaran, vieren, cascaron; Tasman, Carmen, Yemen, Franklin, Bacon, Oyarzun; martes, jueves, sintaxis, crisis, dosis, virus, campanas; veras, diamantes, ojos; adoras, vences, huyes, amaras, temieras, partieres, amaremos; Lucas, Cervantes, Paris, Carlos, Nicodemus;* pero *fórceps, bíceps.*

Todos los esdrújulos se acentúan: *máquina, apéndice, diócesi, pámpano, régulo, jícara, tórtola, música, fulmíneo, héroe, celebérrimo, eminentísimo, resérvalo, trabajábamos, quisiéramos, viéramos; Málaga, Cáceres, Ástigi, Peñíscola, Píramo, Sócrates, Dánae, Ondárroa.*

En las voces agudas donde haya encuentro de vocal fuerte con una débil acentuada, ésta llevará acento ortográfico: *país, raíz, ataúd, baúl; Baíls, Saúl.* Exceptúase la *i* de los infinitivos en *-air, -eir, -oir,* si éstos no van seguidos de un enclítico: *oir, sonreir;* pero *oirte, sonreirse.*

Las voces llanas terminadas en dos vocales se acentuarán si la primera de estas vocales es débil y sobre ella carga la pronunciación, vayan o no seguidas de *n o s* final: *poesía, desvarío, falúa, dúo; tenía, sería, día, mía, pía, pío, píe, acentúo; García, Darío, Benalúa, Ríu; poesías, desvaríos, tenían, considerarías, insinúas; Isaías, Jeremías.*

Las palabras que terminan en una vocal débil con acento prosódico seguida de un diptongo y *s* final, lo cual ocurre en ciertas personas de verbos, llevarán acento ortográfico en dicha vocal débil: *comprendíais, decíais.*

Pero siguen la regla general de no acentuarse los vocablos llanos que finalizan en diptongo o en dos vocales fuertes, vayan o no seguidos de *n o s* final: *patria, seria, tenia, delirio, sitio, agua, fatuo; acaricia, atestigua; bacalao, deseo, canoa, corroe; Galisteo, Bidasoa; albricias, parias, fatuos; lidian, amortiguan, trataseis, leyereis; Clinias, Esquivias, Titaguas; deseos, canoas, corroen.*

Si hay diptongo en la sílaba de dicciones agudas, llanas o esdrújulas que, según lo prescrito, se debe acentuar, el signo ortográfico irá sobre la vocal fuerte, o sobre la segunda, si las dos son débiles: *buscapié, acaricié, averiguó, parabién, veréis, después; Fluviá, Sebastián, Navascués, benjuí; casuística, Guájar, Huércal, Liétor; piélago, Cáucaso.*

El triptongo se acentúa en la vocal fuerte: *amortiguáis, despreciéis.*

Los tiempos de verbo que llevan acento ortográfico le conservan aun cuando acrecienten su terminación tomando un afijo: *pidióme, conmovíla, rogóles, convenciólos, andaráse.*

Los adverbios en *-mente* se escribirán marcando en el adjetivo la acentuación que como simple le corresponda: *lícitamente, cortésmente, ágilmente.*

Los términos latinos se acentuarán con sujeción a las leyes prescritas para las dicciones castellanas: *tránseat, ítem, accésit, memorándum, exequátur.* Los nombres propios extranjeros se escribirán sin ponerles ningún acento que no tengan en el idioma original: *Newton, Valéry, Müller, Schubert.*

ABREVIATURAS

QUE MÁS COMÚNMENTE SE USAN EN ESPAÑOL (1)

A. .... Alteza || Aprobado (en examen).
a. .... área.
(*a*) .... *alias*.
@ .... arroba.
@ @ .... arrobas.
AA. .... Autores || Altezas.
ab. .... abad.
ab.^{l} .... abril.
abs. gen. .... absolución general.
A. C. *o* A. de C. .... Año de Cristo.
* admón. .... administración.
adm.^{or} .... administrador.
af.^{mo} .... afectísimo.
af.^{to} .... afecto.
Ag.^{n} .... Agustín.
ag.^{to} .... agosto.
alc.^{de} .... alcalde.
Alej.^{o} .... Alejandro.
Alf.^{o} .... Alfonso.
Al.^{o} .... Alonso.
A. L. R. P. de V. M. .... A los reales pies de Vuestra Majestad.
Álv.^{o} .... Álvaro.
am.^{o} .... amigo.
* ana .... antífona.
anac. .... anacoreta.
Ant.^{o} .... Antonio.
ap. .... aparte || apóstol.
ap.^{ca}, ap.^{co}, *o* * aplica, aplico .... apostólica, apostólico.
apóst. .... apóstol.
art. *o* art.^{o} .... artículo.
* arz. *o* arzbpo. .... arzobispo.
Aud.^{a} .... Audiencia.
B. .... Beato || Bueno (en examen).
Bar.^{mé} .... Bartolomé.
Bern.^{o} .... Bernardo.
B. L. M. *o* b. l. m. .... besa la mano.
B. L. P. *o* b. l. p. .... besa los pies.
B.^{mo} P.^{e} .... Beatísimo Padre.
B. p. .... Bendición papal.
Br. *o* br. .... bachiller.
c.^{a} .... compañía.
c. *o* cap. .... capítulo.
cap.^{n} .... capitán.
cap.^{o} .... capítulo.
capp.^{n} .... capellán.
Card.^{l} .... Cardenal.
C. de J. .... Compañía de Jesús.
cénts. .... céntimos.
cf. .... confesor || confirma (en documentos antiguos).
cg. .... centigramo, centigramos.
c.^{ia} *o* cía. .... compañía.
cl. .... centilitro, centilitros.
Clem.^{te} .... Clemente.
* cllo. .... cuartillo.
cm. .... centímetro, centímetros.
C. M. B. *o* c. m. b. .... cuyas manos beso.
col. *o* col.^{a} .... columna || colonia.
comis.^{o} .... comisario.
comp.^{a} .... compañía.
comps. .... compañeros.
conf. *o* confr. .... confesor || confirma (en documentos antiguos).
cons.^{o} .... consejo.
Const. .... Constitución.
const.^{l} .... constitucional.
conv.^{te} .... conveniente.
corr.^{te} .... corriente.
C. P. B. *o* c. p. b. .... cuyos pies beso.
cps. .... compañeros.
crec.^{te} .... creciente.
cs. .... cuartos || céntimos.
c.^{ta} .... cuenta.
c.^{to} .... cuarto.
cts. .... cuartos || céntimos.
D. .... Don.
D.^{a} .... Doña.
DD. .... doctores.
Dg. .... decagramo, decagramos.
dg. .... decigramo, decigramos.
* dha., dho., dhas., dhos. .... dicha, dicho, dichas, dichos.
dic.^{e}, 10.e *o* 10bre .... diciembre.
Dl. .... decalitro, decalitros.
dl. .... decilitro, decilitros.
Dm. .... decámetro, decámetros.
dm. .... decímetro, decímetros.
D.^{n} .... Don.
Doct. .... Doctor.
docum.^{to} .... documento.
D. O. M. .... *Deo Óptimo Máximo.*
Dom.^{o} .... Domingo.
dom.^{o} .... domingo.
Dr. *o* dr. .... doctor.
* dra., dro., dras., dros. .... derecha, derecho, derechas, derechos.
dup.^{do} .... duplicado.
E. .... este (oriente).
ec.^{ca}, ec.^{co} .... eclesiástica, eclesiástico.
E. M. .... Estado Mayor.
Em.^{a} .... Eminencia.
E. M. G. .... Estado Mayor General.
Em.^{mo} *o* Emmo. .... Eminentísimo.
ENE. .... estenordeste.
en.^{o} .... enero.
E. P. D. .... En paz descanse.
E. P. M. .... En propia mano.
ermit. .... ermitaño.
esc.^{o} .... escudo.
escrit.^{a} .... escritura.
* escrnía. .... escribanía.
* escrno. .... escribano.
escs. .... escudos.
ESE. .... estesudeste.
etc. *o* & .... etcétera.
Eug.^{o} .... Eugenio.
Evang.^{o} .... Evangelio.
Evang.^{ta} .... Evangelista.

(1) Las palabras precedidas de asterisco han de llevar una raya, tilde o rasgo encima, y a veces debajo, puesto a la larga, cruzando los trazos altos o bajos de las letras.
Las dicciones terminadas en *enta, ente* o *ento* se pueden abreviar como los vocablos *cuenta, conveniente* y *documento,* incluidos en este catálogo.
En los nombres propios de persona sólo se pone como ejemplo el de varón, por ser fácil conocer que la abreviatura del femenino se obtiene convirtiendo en *a* la *o* del masculino.
Es imposible sujetar a número y a reglas fijas y constantes las abreviaturas, habiendo, como debe haber, justa libertad para convenir en cuantas sean necesarias y oportunas en libros de cierta índole, como diccionarios, catálogos, bibliografías, colecciones epigráficas, etc., donde resultaría molesto, perjudicial y enfadoso repetir con todas sus letras y hasta la saciedad algunas palabras de clasificación o especificación común a muchos artículos del libro. Al frente de él se pone siempre la tabla de las abreviaturas.

Exc.ª	Excelencia.
Exc.^{ma} *o* * Excma., Exc.^{mo} *o* * Excmo.	Excelentísima, Excelentísimo.
F.	Fulano.
F.^{co}	Francisco.
F. de T.	Fulano de Tal.
feb.º	febrero.
Fern.^{do}	Fernando.
* fha., fho.	fecha, fecho.
f.º *o* fol.	folio.
Fr.	Fray || Frey.
Fran.^{co}	Francisco.
* Frnz	Fernández.
fund.	fundador.
* Fz.	Fernández.
G.	gracia.
g. *o* gr.	gramo, gramos.
g.^{de} *o* * gue.	guarde.
Genl	general (dignidad).
G.º	Gonzalo.
Gob.^{no}	gobierno.
Gob.^{r}	gobernador.
* Gonz.	González.
* gral.	general.
Greg.º	Gregorio.
Guill.º	Guillermo.
hect.	hectárea, hectáreas.
Hg.	hectogramo, hectogramos.
Hl.	hectolitro, hectolitros.
Hm.	hectómetro, hectómetros.
hol.	holandesa.
ib.	*ibidem.*
íd.	*idem.*
i. e.	*id est* (esto es). Úsase en impresos y manuscritos.
* igl.ª	iglesia.
Ign.º	Ignacio.
Ildef.º	Ildefonso.
Il.^{e}	Ilustre.
Il.^{ma}, Il.^{mo}, *o* * Illma., Illmo.	Ilustrísima, Ilustrísimo.
Indulg. plen.	Indulgencia plenaria.
in p. inf.	*in pártibus infidélium.*
inq.^{or}	inquisidor.
intend.^{te}	intendente.
I. P.	Indulgencia plenaria.
it.	*ítem.*
* izq.ª, izq.º, *o* izq.^{da}, izq.^{do}	izquierda, izquierdo.
Jac.^{to}	Jacinto.
J. C.	Jesucristo.
Jerón.º	Jerónimo.
* Jhs.	Jesús.
J.º (ant.)	Juan.
* Jph.	José.
juev.	jueves.
Jul.^{n}	Julián.
Ju.º (ant.)	Juan.
Kg.	kilogramo, kilogramos.
Kl.	kilolitro, kilolitros.
Km.	kilómetro, kilómetros.
L.	Licenciado.
l.	ley || libro || litro, litros.
* lbs.	libras.
* L.^{do} *o* l.^{do}	licenciado.
lib.	libro || libra.
Lic. *o* lic.	licenciado.
lín.	línea.
Lor.^{zo}	Lorenzo.
L. S.	*Locus sigilli* (lugar del sello).
lun.	lunes.
M.	Madre (religiosa) || Majestad || Merced || Maestro || Mediano (en examen).
m.	minuto, minutos || metro, metros || mañana.
Man.^{l}	Manuel.
M.ª	María.
Marg.^{ta}	Margarita.
mart.	martes.
márts.	mártires.
may.^{mo}	mayordomo.
M.^{e}	Madre.
meng.	menguante.
mg.	miligramo, miligramos.
miérc.	miércoles.
Mig.^{l}	Miguel.
milés.^{s}	milésimas.
min.º	ministro.
Mm.	miriámetro, miriámetros.
mm.	milímetro, milímetros.
monast.º	monasterio.
Mons.	Monseñor.
M. P. S.	Muy Poderoso Señor.
Mr.	Monsieur || Míster.
mr.	mártir.
mrd.	merced.
* Mrn.	Martín.
* Mrnz.	Martínez.
* Mro.	Maestro.
mrs.	maravedises || mártires.
M. S.	manuscrito.
m.^{s} a.^{s}	muchos años.
M. SS.	manuscritos.
N.	norte || Notablemente aprovechado (en examen).
n.	noche.
N.ª S.ª	Nuestra Señora.
N. B.	*Nota bene.*
NE.	nordeste.
NNE.	nornordeste.
NNO.	nornoroeste.
NO.	noroeste.
N.º	número (1.º, primero; 2.º, segundo; 3.º, tercero, etc.).
nov.^{e}, 9.^{e} *o* 9.bre	noviembre.
Nov. Recop.	Novísima Recopilación.
N. Recop.	Nueva Recopilación.
* nra., nro., nras., nros.	nuestra, nuestro, nuestras, nuestros.
núm. *o* núm.º, núms. *o* núm.^{s}	número, números.
N. S.	Nuestro Señor.
N. S. J. C.	Nuestro Señor Jesucristo.
* ntra., ntro., ntras., ntros.	nuestra, nuestro, nuestras, nuestros.
O.	oeste.
ob. *u* * obpo.	obispo.
oct.^{e}, 8.^{e} *u* 8.bre	octubre.
ONO.	oesnoroeste.
onz.	onza.
* orn.	orden.
OSO.	oessudoeste.
P.	Papa || Padre || Pregunta.
P. A.	Por ausencia || Por autorización.
p.ª	para.
pág., págs.	página, páginas.
Part.	Partida.
Patr.	Patriarca.
* pbro.	presbítero.
P. D.	posdata.
P.^{e}	Padre.
p. ej.	por ejemplo.
penit.	penitente.
perg.	pergamino.
Pf., Pfs.	peso fuerte, pesos fuertes.
P. M.	Padre Maestro.
pno.	pergamino.
P. O.	Por orden.
P.º	Pedro.
p.º	pero.
p º/o	por ciento.
P. P.	Porte pagado || Por poder.
* p. p.^{do}	próximo pasado.
p.^{r}	por.
* pral.	principal.
presb.	presbítero.
priv.	privilegio.
proc.	procesión.
prof.	profeta.
pról.	prólogo.
* pror.	procurador.
prov.ª	provincia.
prov.^{or}	provisor.
P. S.	*Post scriptum* (posdata).
P. S. M.	Por su mandato.
ps.	pesos.
pta.	pasta.
ptas.	pesetas.

p.^{te}	parte.
Q B. S. M. *o* q. b. s. m.	que besa su mano.
Q. B. S. P. *o* q. b. s. p.	que besa sus pies.
Q. D. G. *o* q. D. g.	que Dios guarde.
q.^{e}	que.
q. e. g. e	que en gloria esté.
q. e p. d	que en paz descanse.
q.^{n}	quien.
q. s. g. h	que santa gloria haya.
R	Reverendo || Reverencia || Respuesta || Reprobado (en examen).
℟	responde o respuesta (en libro de rezo).
Raf.^{l}	Rafael.
R.^{bí}	Recibí.
R. D	Real Decreto.
Rda. M	Reverenda Madre.
Rdo. P	Reverendo Padre.
R.^{e}	Récipe.
R. I. P	*Requiéscat in pace* (en paz descanse).
r.^{l}	real (moneda).
R.^{l}	Real (del rey).
R. M	Reverenda Madre.
* Rmrz	Ramírez.
R. O	Real Orden.
R. P	Reverendo Padre.
R. S	Real Servicio.
rs. *o* r.^{s}	reales (moneda).
R.^{s}	Reales (del rey).
rúst	rústica.
S	San *o* Santo || sur || Sobresaliente (en examen).
S.^{a}	Señora.
S. A	Su Alteza.
sáb	sábado.
S. A. I	Su Alteza Imperial.
S. A. R	Su Alteza Real.
S. A. S	Su Alteza Serenísima.
Sb.^{n}	Sebastián.
S. C. *o* s. c	su casa.
S. C. M	Sacra, Católica Majestad.
S. C. C. R. M	Sacra, Cesárea, Católica, Real Majestad.
S. D	Se despide.
S. D. M	Su Divina Majestad.
SE	sudeste.
secret.^{a}	secretaría.
s. e. u o	salvo error u omisión.
sept.^{e}, 7.^{e} *o* 7.bre	septiembre.
Ser.^{ma}, Ser.^{mo}, *o* *Serma., Sermo	Serenísima, Serenísimo.
serv.^{o}	servicio.
serv.^{or}	servidor.
set.^{e}	setiembre.
sig.^{te}	siguiente.
S. l. n. a	Sin lugar ni año
S. M	Su Majestad.
S. M. B	Su Majestad Británica.
S. M. C	Su Majestad Católica.
S. M. F	Su Majestad Fidelísima.
S. M. I	Su Majestad Imperial.
S.^{n}	San.
S. N	Servicio Nacional.
SO	sudoeste.
* Sor	Señor.
* Sores	Señores.
* spre	siempre.
S.^{r} *o* Sr	Señor.
* Sra. Sras	Señora, Señoras.
Sres. *o* S.^{res}	Señores.
* Sría	Secretaría.
s.^{ra}, s.^{rio}, *o* * sria., srio.	Secretaria, secretario.
S. R. M	Su Real Majestad.
Sr.^{ta} *o* * Srta	Señorita.
S. S	Su Santidad.
S. S.^{a}	Su Señoría.
SS. AA	Sus Altezas.
SSE	sudsudeste.
SS. MM	Sus Majestades.
SS.^{mo}	Santísimo.
SS.^{mo} P	Santísimo Padre.
SS.^{no}	escribano.
SSO	sudsudoeste.
S. S. S	su seguro servidor.
Sta	Santa.
Sto	Santo.
sup	suplica.
supert.^{te}	superintendente.
supl.^{te}	suplente.
supl.^{te}	suplicante.
t	tarde.
ten.^{te}	teniente.
test.^{mto}	testamento.
test.^{o}	testigo.
tít. *o* tít.^{o}	título.
t.^{o} *o* tom	tomo.
* tpo	tiempo.
trib.^{l}	tribunal.
U. *o* Ud	usted.
Uds	ustedes.
V	usted || Venerable || Véase.
℣	versículo.
V.^{a}	Vigilia.
V. A	Vuestra Alteza.
V. A. R	Vuestra Alteza Real.
V. B.^{d}	Vuestra Beatitud.
V. E	Vuestra Excelencia *o* Vuecencia.
vers.^{o}	versículo.
vg	verbigracia || virgen.
v. g. *o* v. gr	verbigracia.
vgs	vírgenes.
Vict.^{a}	Victoria.
Vic.^{te}	Vicente.
vier	viernes.
virg., vírgs	virgen, vírgenes.
V. M	Vuestra Majestad.
Vmd *o* V	vuestra merced *o* usted.
vn	vellón.
V.^{o} B.^{o}	Visto bueno.
vol	volumen || voluntad.
vols	volúmenes.
V. O. T	Venerable Orden Tercera.
V. P	Vuestra Paternidad.
V. R	Vuestra Reverencia.
* vra., vro., vras., vros.	vuestra, vuestro, vuestras, vuestros.
V. S	Vueseñoría *o* Usía.
V. S. I	Vueseñoría *o* Usía, Ilustrísima.
v.^{ta}, v.^{to}	vuelta, vuelto.
VV	ustedes.
x.^{mo}	diezmo.
* xpiano (1)	cristiano.
* Xpo	Cristo.
* xptiano	cristiano.
* Xpto	Cristo.
* Xptóbal	Cristóbal.

(1) Los dos primeros caracteres de esta abreviatura y de las cuatro siguientes son las letras griegas Χ, χ *(ji)* y Ρ, ρ *(rho)*.

ACABÓSE DE IMPRIMIR ESTE LIBRO
EN MADRID, EN LOS TALLERES
TIPOGRÁFICOS DE LA EDITO-
RIAL ESPASA-CALPE, S. A.,
EL DÍA 1.º DE JUNIO
DE MCMLVI